# LA BIBLE

# DE JÉRUSALEM

ISBN 2-204-01491-5

# LA BIBLE DE JĒRUSALEM

## LA SAINTE BIBLE

**traduite en français sous la direction de l'École biblique de Jérusalem**

*Nouvelle édition entièrement revue et augmentée*

LES ÉDITIONS DU CERF
29, boulevard Latour-Maubourg Paris VIIe

LES ÉDITIONS FIDES
235 est, boulevard Dorchester, Montréal

1980

# LA BIBLE DE JÉRUSALEM

## Comité de direction

R. de Vaux, O. P. (†).
P. Benoit, O. P.
Mgr L. Cerfaux (†).
Chanoine E. Osty, P. S. S.
A. Robert, P. S. S. (†).
J. Huby, S. J. (†).
P. Auvray, de l'Oratoire (†)
E. Gilson, de l'Académie française (†).
H.-I. Marrou, membre de l'Institut (†).
Gabriel Marcel, membre de l'Institut (†).
Albert Béguin (†).
Michel Carrouges.

## Principaux collaborateurs

*Les livres bibliques indiqués entre parenthèses sont ceux dont ces auteurs ont assuré, seuls ou en collaboration, la traduction pour la première édition.*

F.-M. Abel, O. P. (†) *(Josué, Maccabées).*
P. Auvray, de l'Oratoire (†) *(Proverbes, Ecclésiastique, Isaïe, Ézéchiel).*
A. Barucq, S. D. B. *(Judith, Esther).*
P. Benoit, O. P. *(Matthieu, Philippiens, Philémon, Colossiens, Éphésiens).*
M.-E. Boismard, O. P. *(Apocalypse).*
F.-M. Braun, O. P. *(Épîtres de saint Jean).*
H. Cazelles, P. S. S. *(Lévitique, Nombres, Deutéronome, Chroniques).*
B. Couroyer, O. P. *(Exode).*
L.-M. Dewailly, O. P. *(Thessaloniciens).*
P. Dornier, P. S. S. *(Épîtres Pastorales).*
H. Duesberg, O. S. B. (†) *(Proverbes, Ecclésiastique).*
J. Dupont, O. S. B. *(Actes des Apôtres).*
A. Feuillet, P. S. S. *(Jonas).*
A. Gelin, P. S. S. (†) *(Esdras-Néhémie, Jérémie, Lamentations, Baruch, Aggée, Zacharie, Malachie).*
J. Gelineau, S. J. *(Psaumes).*
A. George, S. M. (†) *(Michée, Sophonie, Nahum).*
J. Huby, S. J. (†) *(Marc).*
C. Larcher, O. P. (†) *(Job).*
R. Leconte (†) *(Epîtres de saint Jacques, saint Jude et saint Pierre).*
S. Lyonnet, S. J. *(Romains, Galates).*
P. de Menasce, O. P. (†) *(Daniel).*
D. Mollat, S. J. (†) *(Jean).*
É. Osty, P. S. S. *(Amos, Osée, Sagesse, Luc, Corinthiens).*
R. Pautrel, S. J. (†) *(Tobie, Ecclésiaste).*
B. Rigaux, O. F. M. *(Thessaloniciens).*
A. Robert, P. S. S. (†) *(Cantique des Cantiques).*
R. Schwab (†) *(Psaumes).*
C. Spicq, O. P. *(Hébreux).*
J. Steinmann (†) *(Isaïe).*
R. Tournay, O. P. *(Psaumes).*
J. Trinquet, P. S. S. *(Habaquq, Abdias, Joël).*
R. de Vaux, O. P. (†) *(Genèse, Samuel, Rois).*
A. Vincent (†) *(Juges, Ruth).*

*L'initiative de ce travail et sa mise en œuvre sont dues à* Th.-G. Chifflot, O. P. (†).

*La présente édition a été élaborée à partir de la précédente édition de la Bible de Jérusalem en un volume et des dernières éditions en fascicules. Les traductions ont été revues et les notes complétées et révisées. Ce travail a été effectué, avec la collaboration des divers traducteurs, par un comité de révision comprenant :*

R. DE VAUX, O. P.
P. BENOIT, O. P.
D. BARRIOS-AUSCHER.
L.-M. DEWAILLY, O. P.
R. TOURNAY, O. P.
M.-E. BOISMARD, O. P.

*Ont en outre collaboré à la révision de la présente édition :*

P.-E. BONNARD.
P. DREYFUS, O. P.
R. FEUILLET, P. S. S.
J. STARCKY.

*Le livre d'Isaïe a été entièrement retraduit par* P. AUVRAY, de l'Oratoire.

*La révision des Psaumes a été assurée par* R. TOURNAY, O. P.

*Les introductions ont été rédigées par* R. DE VAUX, O. P., *pour l'Ancien Testament et par* P. BENOIT, O. P., *pour le Nouveau Testament, sauf les écrits johanniques, dont les introductions ont été rédigées par* M.-E. BOISMARD, O. P.

*Les cartes ont été préparées par l'École Biblique de Jérusalem.*

*Les réviseurs ont utilisé le travail fait par l'équipe de la Concordance de la Bible.*



IMPRIMATUR : *Paris, le 23 juillet 1973,* E. BERRAR, v.e.

# TABLE GÉNÉRALE



# LA SAINTE BIBLE

## L'ANCIEN TESTAMENT

### LE PENTATEUQUE



### LES LIVRES HISTORIQUES



### LES LIVRES POÉTIQUES ET SAPIENTIAUX



### LES LIVRES PROPHÉTIQUES

# LE NOUVEAU TESTAMENT

# TABLE DE LA BIBLE HÉBRAÏQUE

*Le canon de la Bible hébraïque, fixé par les Juifs de Palestine vers l'ère chrétienne, est conservé par les Juifs modernes et, pour l'Ancien Testament, par les Protestants. Il ne contient que les livres hébreux, à l'exclusion des livres écrits en grec et des suppléments grecs d'*Esther *et de* Daniel.

*La Bible hébraïque est divisée en trois parties, dans l'ordre suivant :*

I. LA LOI (le Pentateuque).

1. La Genèse *(désignée par les premiers mots du texte* : « Au commencement »).
2. L'Exode (« Tels sont les noms »).
3. Le Lévitique (« Et [Yahvé] appela Moïse »).
4. Les Nombres (« Dans le désert »).
5. Le Deutéronome (« Telles sont les paroles »).

II. LES PROPHÈTES.

A. *Les « Prophètes antérieurs » :*

6. Josué.
7. Les Juges.
8. Samuel (1 et 2 réunis).
9. Les Rois (1 et 2 réunis).

B. *Les « Prophètes postérieurs » :*

10. Isaïe.
11. Jérémie.
12. Ézéchiel.
13. « Les Douze » prophètes, *dans l'ordre qu'a repris la Vulgate* : Osée, Joël, Amos, Abdias, Jonas, Michée, Nahum, Habaquq, Sophonie, Aggée, Zacharie, Malachie.

III. LES ÉCRITS (*ou* Hagiographes).

14. Les Psaumes (*ou* « Louanges »).
15. Job.
16. Les Proverbes.
17. Ruth.
18. Le Cantique des Cantiques.
19. L'Ecclésiaste (« Qohélet »).
20. Les Lamentations.
21. Esther.

*(Les cinq derniers livres sont désignés sous le nom des « cinq Rouleaux »; ils étaient lus lors des fêtes juives.)*

22. Daniel.
23. Esdras-Néhémie.
24. Les Chroniques.

*La Bible juive compte ainsi « vingt-quatre livres ».*

# TABLE DE LA BIBLE GRECQUE

*La Bible grecque des Septante, destinée aux Juifs de la Dispersion, comprend, dans un ordre qui varie selon les manuscrits et les éditions :*

*1. les livres de la Bible hébraïque, traduits en grec avec des variantes, des omissions et des additions (importantes dans les livres d'Esther et de Daniel);*

*2. des livres qui n'appartiennent pas à la Bible hébraïque (mais dont plusieurs reflètent un original hébreu ou araméen) et qui sont entrés dans le Canon chrétien (« deutérocanoniques »); l'Église les regarde comme inspirés au même titre que les livres de la Bible hébraïque. Ils sont mentionnés en italique dans la liste qui suit;*

*3. des livres qui, bien que parfois utilisés par les Pères ou les anciens écrivains ecclésiastiques, n'ont pas été reçus par l'Église chrétienne (ouvrages « apocryphes »). Ils sont mentionnés entre crochets dans la liste qui suit.*

*A l'exception de ces livres apocryphes, la liste de la Bible grecque est aussi (dans un ordre différent) celle de l'Ancien Testament reçu par l'Église, dont la table des pp. 8-9 a donné le contenu selon l'ordre habituel.*

*Nous donnons ci-dessous la liste des livres de la Bible grecque des Septante, telle qu'on la trouve dans l'édition de Rahlfs.*

## 1. LÉGISLATION ET HISTOIRE.

La Genèse.
L'Exode.
Le Lévitique.
Les Nombres.
Le Deutéronome.

Josué.
Les Juges.
Ruth.
Les quatre « livres des Règnes » : I et II = Samuel; III et IV = Rois.

Les Paralipomènes, I et II (= Chroniques).
[Esdras I] (apocryphe).
Esdras II (= Esdras-Néhémie).

Esther, *avec fragments propres au grec.*
*Judith.*
*Tobie.*

*Maccabées* I et II [plus III et IV apocryphes].

## II. POÈTES ET PROPHÈTES.

Les Psaumes.
[Odes].
Les Proverbes de Salomon.
L'Ecclésiaste.
Le Cantique des Cantiques.
Job.
*Le livre de la Sagesse* (« Sagesse de Salomon »).
*L'Ecclésiastique* (« Sagesse de Sirach »).
[Psaumes de Salomon].
Les Douze petits Prophètes (« Dodéka-prophéton »), dans l'ordre suivant : Osée, Amos, Michée, Joël, Abdias, Jonas, Nahum, Habaquq, Sophonie, Aggée, Zacharie, Malachie.
Isaïe.
Jérémie.
*Baruch* (= Baruch **1-5**).
Les Lamentations.
*Lettre de Jérémie* (= Baruch **6**).
Ézéchiel.
*Suzanne* (= Daniel **13**).
Daniel **1-12** (3 24-90 *est propre au grec*)
*Bel et le Dragon* (= Daniel **14**).

# AVERTISSEMENT

## Traduction

*Les traductions ont été faites à partir des textes originaux hébreux, araméens et grecs. Pour l'Ancien Testament, on suit le texte massorétique, c'est-à-dire le texte hébreu établi aux VIII-IX$^{e}$ s. ap. J.-C. par des savants juifs, qui en ont fixé la graphie et la vocalisation. C'est le texte que reproduisent la plupart des manuscrits. Lorsque celui-ci présente des difficultés insurmontables, on s'est aidé d'autres manuscrits hébreux ou des versions anciennes, grecque, syriaque et latine principalement. En ce cas, les corrections sont toujours signalées en note. Pour les livres grecs de l'Ancien Testament (« deutérocanoniques ») et pour le Nouveau Testament, on a utilisé le texte établi à l'époque moderne par un travail critique sur les principaux témoins manuscrits de la tradition, également avec l'aide des versions anciennes. Quand la tradition offre plusieurs formes du texte, la leçon la plus sûre a été choisie, non sans indiquer en note la ou les variantes qui ont de l'importance ou gardent quelque chance.*

*Les passages considérés comme des gloses sont entre parenthèses dans le texte.*

*Dans cette édition, on s'est efforcé de réduire la diversité des traductions que des termes ou des expressions identiques de l'original recevaient parfois dans les éditions précédentes. On a toutefois tenu compte de l'ampleur de sens de certains termes hébreux ou grecs, dont il n'est pas toujours possible de trouver un unique équivalent français. On a tenu compte aussi des exigences du contexte, sans oublier qu'une traduction mot pour mot et par trop littérale peut quelquefois ne rendre qu'imparfaitement compte du sens réel d'une phrase ou d'une expression. Cependant, les termes techniques dont le sens est bien univoque sont toujours rendus par le même équivalent français. Lorsqu'il le fallait, on a préféré la fidélité au texte à une qualité littéraire qui ne serait pas celle de l'original.*

*La transcription des noms propres a été unifiée de manière à reproduire aussi exactement que possible la forme que ces noms possèdent en hébreu ou en grec, tout en évitant les lettres pointées ou les signes spéciaux réservés aux ouvrages techniques.*

*Pour l'hébreu on a suivi les règles suivantes :*

hé *et* hèt *sont rendus par* h;

samek *et* sin *sont rendus par* s *(*shin *est rendu par* sh*);*

têt *et* tav *sont rendus par* t;

çadé *est rendu par* ç;

yod *est rendu par* y *ou* ï *suivant sa position;*

aleph *et* aïn *ne sont pas transcrits (sauf dans les notes de critique textuelle, où ils sont rendus respectivement par* ' *et* ‘).

*A ces règles correspondent des principes de prononciation, que nous signalons au lecteur, en particulier pour l'usage de cette Bible en vue de la lecture publique. Dans les noms propres :*

u *se lit toujours* ou *(comme dans le mot français « cou »);*

*l'accent circonflexe sur une finale* ân *ou* ôn *indique qu'il faut prononcer l'*n *séparé (ainsi Okrân comme « crâne »);*

s *et* ç *ont toujours la prononciation du* s *dur (« sou »);*

sh *se prononce comme le* ch *français (« chou »);*

g *est toujours dur (comme dans « goût »);*

h *est toujours aspiré.*

*Pour le grec, on a suivi les règles généralement reçues.*

*Toutefois, pour l'hébreu comme pour le grec, on a conservé sous leur forme francisée traditionnelle les noms propres qui sont passés dans l'usage courant : ainsi Salomon, Nabuchodonosor, Jean.*

*On a donné aux noms de mesures (poids, capacité, etc.) des équivalents français (empruntés à d'anciennes mesures françaises de même ordre de grandeur) dont on trouvera la liste à la table des mesures à la fin du volume.*

*Dans l'Ancien Testament, la numérotation des chapitres (chiffres gras) et des versets (chiffres maigres en exposant) suit toujours l'hébreu. On trouvera toutefois en marge la numérotation de la Vulgate, lorsqu'elle est différente. (Cette numérotation marginale est parfois interrompue, quand la marge se trouve déjà occupée par une référence.) Pour les cas particuliers des suppléments grecs d'Esther ou de Daniel, voir les notes de ces livres.*

# Notes

*Les notes de la précédente édition de la Bible de Jérusalem ont été complétées et mises à jour en tenant compte des travaux récents. D'autre part, on a précisé les indications de critique textuelle en signalant toutes les corrections apportées au « texte reçu », à l'exception toutefois des corrections purement grammaticales ne touchant que la vocalisation du texte massorétique, pour lesquelles on se reportera à l'édition en volumes séparés. Lorsqu'une correction est apportée, non pas d'après une ou plusieurs versions anciennes, mais par simple conjecture, on donne la transcription de l'hébreu ou du grec tel qu'il se présente dans le texte et tel qu'on le suppose dans la traduction. Cette transcription est faite de façon simplifiée, les différences vocaliques de l'hébreu* (çéré/segol, patah/qameç) *n'étant pas indiquées; toutefois, les voyelles avec* mater lectionis *sont marquées par un accent circonflexe. Lorsque la traduction donnée est celle du « texte reçu », les variantes que l'on peut trouver dans les versions ou dans d'autres manuscrits ne sont signalées que lorsqu'elles revêtent une importance particulière.*

*Les notes se complètent souvent mutuellement; le signe + (dans la note elle-même ou en marge) renvoie à d'autres passages où le lecteur trouvera les explications nécessaires au passage qu'il a sous les yeux, ou à une série de références marginales.*

*Ce signe renvoie notamment aux notes synthétiques (ou « notes clefs ») qui donnent, soit l'explication d'un terme technique qui revient souvent dans la Bible, soit un aperçu du contenu et du développement d'une notion ou d'un thème important dans l'histoire de la Révélation. Par exemple « Reste » (voir la note en Is* **4** 3*). « Fils de l'homme » (voir la note en Mt* **8** 20*, qui renvoie, par la référence suivie du signe +, à celle de Dn* **7** 13*). Une table alphabétique de ces notes importantes est donnée en fin de volume.*

*Les explications générales qui concernent un livre ou un groupe de livres sont données dans les introductions, dont la lecture est présupposée à celle des notes.*

*Un tableau chronologique, à la fin du volume, donne les dates et les séquences historiques, ainsi que les correspondances avec l'histoire générale, importantes pour l'intelligence de certains textes. Des cartes sommaires situent les lieux les plus importants et présentent le cadre géographique général de l'Histoire Sainte.*

*Enfin, les notes sont complétées par les références marginales.*

# Références marginales

*Les références marginales éclairent le texte de manières diverses, que précisent quelques signes :*

*1° Lorsqu'un passage d'un livre biblique* cite *un autre texte biblique, les mots cités sont en italique et la référence qui se trouve en marge indique l'endroit d'où ces mots sont tirés.*

*2° Lorsque deux passages bibliques ont entre eux une* relation littéraire, *soit que l'un soit la « source » de l'autre, soit que tous deux aient une source commune, on renvoie de l'un à l'autre par une référence marginale, précédée du signe = lorsque ces deux passages (« doublets ») appartiennent au même livre, ou du signe || lorsque ces deux passages (« parallèles ») appartiennent à deux livres différents.*

*3° Lorsqu'un passage biblique sera cité ou utilisé dans un livre plus récent (notamment lorsqu'un texte de l'Ancien Testament sera cité par le Nouveau Testament), on donne en marge la référence à ce dernier, précédée du signe↗.*

*4° La simple référence, en marge d'un passage en caractères romains et sans aucun signe qui la précède, indique un texte dont le rapprochement avec le passage en question est utile. Si le signe + suit cette référence, il indique qu'on trouvera là, soit d'autres références concernant le même thème, soit une note utile pour le passage qu'on lit. C'est ainsi qu'on renvoie en particulier aux « notes clefs » : par exemple, en marge d'un passage prophétique où est évoqué le « reste d'Israël », on trouvera la référence Is* **4** 3+*, qui renvoie à la note sur Is* **4** 3 *où cette notion est expliquée.*

*Une référence suivie de la lettre* s *renvoie, en même temps qu'au verset indiqué, aux versets qui le suivent.*

*Une référence suivie de la lettre* p *renvoie, en même temps qu'au texte indiqué, aux passages parallèles (dont on trouvera les références, précédées du signe || ou =, en marge de ce texte).*

*Dans les écrits parallèles, notamment dans les Évangiles Synoptiques, on s'est souvent contenté de donner les références utiles en marge du premier de ces écrits selon l'ordre canonique, auquel le lecteur devra donc se reporter : ainsi beaucoup de remarques intéressant Mc ou Lc sont fournies une fois pour toutes dans la marge de Mt.*

*Les références marginales sont parfois décalées par rapport à la ligne qu'elles intéressent, quand figurent au-dessus d'elles des références trop abondantes à une autre ligne. Un blanc sépare les références concernant des lignes différentes.*

# ABRÉVIATIONS ET SIGLES DIVERS

## Livres bibliques

*Dans le texte comme dans les notes et les références, les chiffres* gras *désignent toujours les numéros de chapitre, les chiffres* maigres *les numéros de verset.*

*Les titres des livres bibliques sont abrégés comme suit :*

| | |
|---|---|
| Genèse | Gn |
| Exode | Ex |
| Lévitique | Lv |
| Nombres | Nb |
| Deutéronome | Dt |
| Josué | Jos |
| Juges | Jg |
| Ruth | Rt |
| Samuel | 1 S, 2 S |
| Rois | 1 R, 2 R |
| Chroniques | 1 Ch, 2 Ch |
| Esdras | Esd |
| Néhémie | Ne |
| Tobie | Tb |
| Judith | Jdt |
| Esther | Est |
| Maccabées | 1 M, 2 M |
| Job | Jb |
| Psaumes | Ps |
| Proverbes | Pr |
| Ecclésiaste (Qohélet) | Qo |
| Cantique | Ct |
| Sagesse | Sg |
| Ecclésiastique (Siracide) | Si |
| Isaïe | Is |
| Jérémie | Jr |
| Lamentations | Lm |
| Baruch | Ba |
| Ézéchiel | Ez |
| Daniel | Dn |
| Osée | Os |
| Joël | Jl |
| Amos | Am |
| Abdias | Ab |
| Jonas | Jon |
| Michée | Mi |
| Nahum | Na |
| Habaquq | Ha |
| Sophonie | So |
| Aggée | Ag |
| Zacharie | Za |
| Malachie | Ml |
| Matthieu | Mt |
| Marc | Mc |
| Luc | Lc |
| Jean | Jn |
| Actes des Apôtres | Ac |
| Romains | Rm |
| Corinthiens | 1 Co, 2 Co |
| Galates | Ga |
| Éphésiens | Ep |
| Philippiens | Ph |
| Colossiens | Col |
| Thessaloniciens | 1 Th, 2 Th |
| Timothée | 1 Tm, 2 Tm |
| Tite | Tt |
| Philémon | Phm |
| Hébreux | He |
| Épître de Jacques | Jc |
| Épîtres de Pierre | 1 P, 2 P |
| Épîtres de Jean | 1 Jn, 2 Jn, 3 Jn |
| Épître de Jude | Jude |
| Apocalypse | Ap |

## ABRÉVIATIONS

*soit, par orare alphabétique :*

| | |
|---|---|
| Ab | Abdias |
| Ac | Actes des Apôtres |
| Ag | Aggée |
| Am | Amos |
| Ap | Apocalypse |
| Ba | Baruch |
| 1 Ch | 1$^{er}$ livre des Chroniques |
| 2 Ch | 2$^{e}$ livre des Chroniques |
| 1 Co | 1$^{re}$ épître aux Corinthiens |
| 2 Co | 2$^{e}$ épître aux Corinthiens |
| Col | Épître aux Colossiens |
| Ct | Cantique des Cantiques |
| Dn | Daniel |
| Dt | Deutéronome |
| Ep | Épître aux Éphésiens |
| Esd | Esdras |
| Est | Esther |
| Ex | Exode |
| Ez | Ézéchiel |
| Ga | Épître aux Galates |
| Gn | Genèse |
| Ha | Habaquq |
| He | Épître aux Hébreux |
| Is | Isaïe |
| Jb | Job |
| Jc | Épître de Jacques |
| Jdt | Judith |
| Jg | Livre des Juges |
| Jl | Joël |
| Jn | Évangile selon saint Jean |
| 1 Jn | 1$^{re}$ épître de saint Jean |
| 2 Jn | 2$^{e}$ épître de saint Jean |
| 3 Jn | 3$^{e}$ épître de saint Jean |
| Jon | Jonas |
| Jos | Livre de Josué |
| Jr | Jérémie |
| Jude | Épître de Jude |
| Lc | Évangile selon saint Luc |
| Lm | Lamentations |
| Lv | Lévitique |
| 1 M | 1$^{er}$ livre des Maccabées |
| 2 M | 2$^{e}$ livre des Maccabées |
| Mc | Évangile selon saint Marc |
| Mi | Michée |
| Ml | Malachic |
| Mt | Évangile selon saint Matthieu |
| Na | Nahum |
| Nb | Nombres |
| Ne | Néhémie |
| Os | Osée |
| 1 P | 1$^{re}$ épître de saint Pierre |
| 2 P | 2$^{e}$ épître de saint Pierre |
| Ph | Épître aux Philippiens |
| Phm | Épître à Philémon |
| Pr | Proverbes |
| Ps | Psaumes |
| Qo | Ecclésiaste (Qohélet) |
| 1 R | 1$^{er}$ livre des Rois |
| 2 R | 2$^{e}$ livrc des Rois |
| Rm | Épître aux Romains |
| Rt | Ruth |
| 1 S | 1$^{er}$ livrc de Samuel |
| 2 S | 2$^{e}$ livrc de Samucl |
| Sg | Sagesse |
| Si | Ecclésiastique (Siracide) |
| So | Sophonie |
| Tb | Tobie |
| 1 Th | 1$^{re}$ épître aux Thessaloniciens |
| 2 Th | 2$^{e}$ épître aux Thessaloniciens |
| 1 Tm | 1$^{re}$ épître à Timothée |
| 2 Tm | 2$^{e}$ épître à Timothée |
| Tt | Épître à Tite |
| Za | Zacharie |

Ainsi la référence Is 7 14 renvoie au livre d'Isaïe, chapitre **7**, verset 14. La référence Is **7** 14, 16 renverrait aux versets 14 et 16. La référence Is **7** 14-21 renverrait à tout le passage compris entre les versets 14 et 21.

# Autres abréviations

| | | | |
|---|---|---|---|
| AT | Ancien Testament | Aq. | Aquila |
| NT | Nouveau Testament | Sym. | Symmaque |
| TM | texte massorétique | Théod. | Théodotion |
| LXX | Septante | texte occ. | texte occidental |
| hébr. | hébreu | ms, mss | manuscrit, manuscrits |
| syr. | syriaque | trad. | traduction |
| sam. | samaritain | corr. | correction |
| Vet. Lat. | ancienne version latine | conj. | conjecture |
| grec luc. | grec selon la recension de Lucien | | |
| s | suivants | var. | variante |
| p | parallèles | add. | addition |
| syr. hex. | syro-hexaplaire | om. | omission |

Ces trois signes (var., add., om.) précèdent l'indication de mots substitués, ajoutés ou omis par des leçons qui n'ont pas été adoptées dans la traduction.

Le ketib est le texte écrit, fixé par les consonnes.
Le qeré est le texte lu, selon la vocalisation des Massorètes.

# L'ANCIEN TESTAMENT

# LE PENTATEUQUE

# LE PENTATEUQUE

## Introduction

**Noms, divisions et contenu.**

*Les cinq premiers livres de la Bible composent un ensemble que les Juifs appellent la « Loi », la* Tora. *Le premier témoignage certain s'en trouve dans la préface de l'Ecclésiastique et l'appellation était courante au début de notre ère, ainsi dans le Nouveau Testament, Mt* **5** 17; *Lc* **10** 26; *cf. Lc* **24** 44.

*Le souci d'avoir des copies maniables de ce grand ensemble fit qu'on divisa son texte en cinq rouleaux de longueur à peu près égale. De là vient le nom qui lui fut donné dans les milieux de langue grecque :* hè pentateuchos *(sous-entendu* biblos*), « Le livre en cinq volumes », qui fut transcrit en latin* Pentateuchus *(sous-entendu* liber*), d'où vient le français* Pentateuque. *De leur côté, les Juifs parlant l'hébreu l'appelèrent aussi « les cinq cinquièmes de la Loi ».*

*Cette division en cinq livres est attestée antérieurement à notre ère par la version grecque des Septante. Celle-ci – et son usage s'est imposé à l'Église – nommait les volumes d'après leur contenu :* Genèse *(qui débute par les origines du monde),* Exode *(qui commence par la sortie d'Égypte),* Lévitique *(qui contient la loi des prêtres de la tribu de Lévi),* Nombres *(à cause des dénombrements des ch.* **1-4***),* Deutéronome *(la « seconde loi », d'après une interprétation grecque de Dt* **17** 18*). Mais en hébreu, les Juifs désignaient, et désignent encore, chaque livre par le premier mot, ou par le premier mot important, de son texte.*

*La Genèse se divise en deux parties inégales : l'histoire primitive,* **1-11**, *est comme un portique précédant l'histoire du salut que racontera toute la Bible; elle remonte aux origines du monde et étend sa perspective à l'humanité tout entière. Elle relate la création de l'univers et de l'homme, la chute originelle et ses conséquences, la perversité croissante qui est châtiée par le Déluge. A partir de Noé, la terre se repeuple, mais des tables généalogiques de plus en plus restreintes concentrent finalement l'intérêt sur Abraham, père du peuple élu. L'histoire patriarcale,* **12-50**, *évoque la figure des grands ancêtres : Abraham est l'homme de la foi, dont l'obéissance est récompensée par Dieu, qui lui promet une postérité pour lui-même et la Terre Sainte pour ses descendants,* **12** 1 - **25** 18. *Jacob est l'homme de la ruse, qui supplante son frère Ésaü, surprend la bénédiction de son père Isaac, dépasse en rouerie son oncle Laban. Mais toutes ces habiletés ne serviraient de rien si Dieu ne l'avait pas préféré à Ésaü dès avant sa naissance et ne lui avait pas renouvelé les promesses de l'alliance concédées à Abraham,* **25** 19 - **36**. *Entre Abraham et Jacob, Isaac est une figure assez pâle, dont la vie est surtout racontée à propos de celles de son père ou de son fils. Les douze fils de Jacob sont les ancêtres des Douze Tribus d'Israël. A l'un d'eux est consacrée toute la fin de la Genèse : les ch.* **37-50** *(moins* **38** *et* **49***) sont une biographie de Joseph, l'homme de la sagesse. Ce récit, qui diffère des narrations précédentes, se déroule sans intervention visible de Dieu et sans révélation nouvelle, mais il est tout entier un enseignement : la vertu du sage est récompensée et la Providence divine fait tourner au bien les fautes des hommes.*

*La Genèse est un tout achevé : c'est l'histoire des ancêtres. Les trois livres suivants forment un autre bloc où, dans le cadre de la vie de Moïse, sont relatés la formation du peuple élu et l'établissement de sa loi sociale et religieuse. L'Exode développe deux thèmes principaux : la délivrance d'Égypte,* **1** 1 - **15** 21, *et l'Alliance au Sinaï,* **19** 1 - **40** 38; *ils sont reliés par un thème secondaire, la marche au désert,* **15** 22 - **18** 27. *Moïse, qui a reçu la révélation du nom de Yahvé sur la montagne de Dieu, y ramène les Israélites libérés de la servitude. Dans une théophanie impressionnante, Dieu fait alliance avec le peuple et lui dicte ses lois. A peine conclu, le pacte est rompu par l'adoration du veau d'or, mais Dieu pardonne et renouvelle l'Alliance. Une série d'ordonnances règle le culte au désert.*

*Le Lévitique, de caractère presque uniquement législatif, interrompt le récit des événements. Il contient : un rituel des sacrifices,* **1-7**; *le cérémonial d'installation des prêtres, appliqué à Aaron et à ses fils,* **8-10**; *les règles relatives au pur et à l'impur,* **11-15**, *s'achevant par le rituel du grand jour des Expiations,* **16**; *la « loi de sainteté »,* **17-26**, *qui inclut un calendrier liturgique,* **23**, *et se termine par des bénédictions et des malédictions,* **26**. *En manière d'appendice, le ch.* **27** *précise les conditions de rachat des personnes, des animaux et des biens consacrés à Yahvé.*

*Les Nombres reprennent le thème de la marche au désert. Le départ du Sinaï se prépare par le recensement du peuple,* **1-4**, *et les grandes offrandes faites pour la dédicace du Tabernacle,* **7**. *Après la célébration de la seconde Pâque, on quitte la montagne sainte,* **9-10**, *et on arrive par étapes à Cadès, d'où est faite une tentative malheureuse pour pénétrer en Canaan par le sud,* **11-14**. *Après le séjour à Cadès, on se remet en route et l'on parvient aux Steppes de Moab, en face de Jéricho,* **20-25**. *Les Madianites sont vaincus et les tribus de Gad et de Ruben se fixent en Transjordanie,* **31-32**. *Une liste résume les étapes de l'Exode,* **33**. *Autour de ces narrations sont groupées des ordonnances qui complètent la législation du Sinaï ou qui préparent l'installation en Canaan* **5-6**; **8**; **15-19**; **26-30**; **34-36**.

*Le Deutéronome a une structure particulière : c'est un code de lois civiles et religieuses,* **12-26** 15, *qui est enchâssé dans un grand discours de Moïse,* **5-11** *et* **26** 16 - **28**. *Cet ensemble est lui-même précédé d'un premier discours de Moïse,* **1-4**, *et suivi par un troisième discours,* **29-30**, *puis par des pièces concernant la fin de Moïse : mission de Josué, cantique et bénédictions de Moïse, sa mort,* **31-34**. *Le code deutéronomique reprend en partie les lois édictées au désert. Les discours rappellent les grands événements de l'Exode, du Sinaï et de la conquête commençante; ils dégagent leur sens religieux, soulignent la portée de la loi et exhortent à la fidélité.*

**Composition littéraire.**

*La composition de ce vaste recueil était attribuée à Moïse au moins dès le début de nore ère, et le Christ et les Apôtres se conformèrent à cette opinion, Jn* **1** 45; **5** 45-47; *Rm* **10** 5. *Mais les traditions les plus anciennes n'avaient jamais affirmé explicitement que Moïse fût le rédacteur de tout le Pentateuque. Quand le Pentateuque lui-même dit, très rarement, que « Moïse a écrit », il applique cette formule à un passage particulier. De fait, l'étude moderne de ces livres a fait ressortir des différences de style, des répétitions et des désordres dans les récits, qui empêchent d'y voir une œuvre sortie tout entière de la main d'un seul auteur. Après de longs tâtonnements, une théorie s'était imposée aux critiques à la fin du XIX^e^ siècle, surtout sous l'influence des travaux de Graf et de Wellhausen : le Pentateuque serait la compilation de quatre documents, différents par l'âge et le milieu d'origine mais tous très postérieurs à Moïse. Il y aurait eu d'abord deux ouvrages narratifs : le* Yahviste *(J), qui emploie dès le récit de la Création le nom de Yahvé sous lequel Dieu s'est révélé à Moïse, et l'*Élohiste *(E), qui désigne Dieu par le nom commun d'Élohim; le Yahviste aurait été mis par écrit au IX^e^ siècle en Juda, l'Élohiste un peu plus tard en Israël; après la ruine du Royaume du Nord, les deux documents auraient été fusionnés en un seul (JE); après Josias, le* Deutéronome *(D) y aurait été ajouté (JED); après l'Exil, le* Code Sacerdotal *(P), qui contenait surtout des lois avec quelques narrations, aurait été uni à cette compilation, à laquelle il servit d'armature et de cadre (JEDP).*

*Cette théorie documentaire classique, qui était d'ailleurs liée à une conception évolutionniste des idées religieuses en Israël, a été souvent remise en question; elle est encore rejetée en bloc par certains, d'autres ne l'acceptent qu'avec des modifications parfois importantes, et il n'y a pas deux auteurs qui s'accordent entièrement sur la répartition exacte des textes entre les différents « documents ». Surtout, on s'accorde aujourd'hui à reconnaître que la simple critique verbale ne suffit pas pour rendre compte de la composition du Pentateuque. Il faut ajouter une étude des formes littéraires et des traditions, orales ou écrites, qui ont précédé la rédaction des sources. Chacune d'elles, même la plus récente (P), contient des éléments très anciens. La découverte des littératures mortes du Proche-Orient et les progrès faits par l'archéologie et par l'histoire dans la connaissance des civilisations voisines d'Israël ont montré que beaucoup des lois ou des institutions du Pentateuque avaient des parallèles extra-bibliques très antérieurs aux dates qu'on attribue aux « documents » et que nombre des récits supposent un milieu autre – et plus ancien – que celui où ces documents auraient été rédigés. Divers éléments traditionnels se conservaient dans les sanctuaires ou étaient transmis par les conteurs populaires. Ils furent constitués en cycles, puis mis par écrit sous la pression d'un milieu ou par la main d'une personnalité dominante. Mais ces rédactions ne furent pas un terme : elles furent révisées, elles reçurent des compléments, elles furent enfin combinées entre elles pour former le Pentateuque que nous possédons. Les « sources » écrites du Pentateuque sont des moments privilégiés d'un long développement, des points de cristallisation dans des courants de tradition, qui s'originent plus haut et qui ont continué ensuite de couler.*

*La pluralité de ces courants de tradition est un fait que rendent évident les doublets, les répétitions, les discordances qui frappent le lecteur dès les premières pages de la Genèse : deux récits de la Création,* **1** - **2** 4[a] *et* **2** 4[b] - **3** 24*; deux généalogies de Caïn-Qenân,* **4** 17*s et* **5** 12-17*; deux récits combinés du Déluge,* **6-8**. *Dans l'histoire patriarcale, il y a deux présentations de l'alliance avec Abraham, Gn* **15** *et* **17***; deux renvois d'Agar,* **16** *et* **21***; trois récits de la mésaventure de la femme d'un Patriarche en pays étranger,* **12** 10-20*;* **20**; **26** 1-11*; deux histoires combinées de Joseph et de ses frères dans les derniers chapitres de la Genèse. Il y a ensuite deux récits de la vocation de Moïse, Ex* **3** 1 - **4** 17 *et* **6** 2 - **7** 7*, deux miracles de l'eau à Mériba, Ex* **17** 1-7 *et Nb* **20** 1-13*; deux textes du Décalogue, Ex* **20** 1-17 *et Dt* **5** 6-21*; quatre calendriers liturgiques, Ex* **23** 14-19*;* **34** 18-23*; Lv* **23***; Dt* **16** 1-16. *On pourrait citer bien d'autres exemples. Les textes se groupent par des affinités de langue, de manière, de concepts, qui déterminent des lignes de force parallèles que l'on suit à travers le Pentateuque. Elles correspondent à quatre courants de tradition.*

*La tradition « yahviste » (ainsi appelée parce qu'elle utilise le nom divin* Yahvé *dès le récit de la création) a un style vivant et coloré; sous une forme imagée et avec un réel talent de la narration, elle donne une réponse profonde aux graves questions qui se posent à tout homme, et les expressions humaines dont elle se sert pour parler de Dieu recouvrent un sens très élevé du divin. Comme prologue à l'histoire des ancêtres d'Israël, elle a mis un sommaire de l'histoire de l'humanité depuis la création du premier couple. Cette tradition est d'origine judéenne et a peut-être été mise par écrit, pour l'essentiel, sous le règne de Salomon. Dans l'ensemble des textes qui lui sont attribués, on isole parfois un courant parallèle, qui a la même origine mais qui reflète des conceptions parfois plus archaïques et parfois différentes; on l'a désigné par les sigles J* [1] *(Yahviste primitif), ou L (source « Laïque »), ou N (source « Nomade »). La distinction apparaît justifiée, mais il est difficile de décider s'il s'agit d'un courant indépendant ou d'éléments que le Yahviste a intégrés en respectant leur individualité.*

*La tradition « élohiste » (qui a pour caractéristique la plus extérieure l'emploi du nom commun* Élohim *pour désigner Dieu) se distingue de la tradition yahviste par un style plus sobre et aussi plus plat, une morale plus exigeante, un souci de respecter la distance qui sépare l'homme de Dieu. Les récits des origines manquent dans cette tradition qui ne commence qu'avec Abraham. Elle est probablement plus jeune que la tradition yahviste et on la rattache en général aux tribus du Nord. Certains auteurs n'acceptent pas l'existence d'une tradition élohiste indépendante et jugent suffisante l'hypothèse de compléments apportés à l'œuvre yahviste ou d'une révision de cette œuvre. Cependant, en plus des particularités de style et de doctrine, la différence des milieux d'origine et la continuité des parallèles, et aussi des divergences, avec la tradition yahviste depuis l'histoire d'Abraham jusqu'aux récits de la mort de Moïse favorisent la théorie d'une tradition et d'une rédaction d'abord indépendantes.*

*Il faut alors tenir compte d'un fait important. Malgré les traits qui les distinguent, les récits yahviste et élohiste racontent substantiellement la même histoire : ces deux traditions ont donc une origine commune. Les groupes du Sud et ceux du Nord partageaient une même tradition, qui mettait en ordre les souvenirs du peuple sur son histoire : la succession des trois Patriarches, Abraham, Isaac et Jacob, la sortie d'Égypte liée à la théophanie du Sinaï, la conclusion de l'Alliance au Sinaï liée à l'installation en Transjordanie, dernière étape avant la conquête de la Terre Promise. Cette tradition commune s'est constituée, sous une forme orale et peut-être déjà sous une forme écrite, dès l'époque des Juges, c'est-à-dire lorsqu'Israël a commencé d'exister comme un peuple.*

*Les traditions yahviste et élohiste ne contiennent que très peu de textes législatifs; le plus considérable est le code de l'Alliance, sur lequel nous reviendrons. Les lois constituent au contraire la part principale de la tradition « sacerdotale », qui porte un intérêt spécial à l'organisation du sanctuaire, aux sacrifices et aux fêtes, à la personne et aux fonctions d'Aaron et de ses descendants. En plus des textes législatifs ou institutionnels, elle contient aussi des parties narratives, qui sont spé-*

*cialement développées lorsqu'elles servent à exprimer l'esprit légaliste ou liturgique qui l'anime. Elle aime les computs et les généalogies; son vocabulaire particulier et son style généralement abstrait et redondant la font aisément reconnaître. Cette tradition est celle des prêtres du temple de Jérusalem; elle a préservé des éléments anciens mais elle ne s'est constituée que pendant l'Exil et elle ne s'est imposée qu'après le retour; on y distingue plusieurs couches rédactionnelles. Il est d'ailleurs difficile de décider si cette tradition sacerdotale a jamais eu une existence indépendante comme œuvre littéraire ou si, et plus vraisemblablement, un ou plusieurs rédacteurs représentants de cette tradition n'ont pas accroché ses éléments aux traditions déjà existantes et, par un travail d'édition, n'ont pas donné au Pentateuque sa forme définitive.*

*On suit assez facilement dans la Genèse le fil des trois traditions yahviste, élohiste et sacerdotale. Après la Genèse, le courant sacerdotal s'isole sans peine, spécialement dans la fin de l'Exode, tout le Lévitique et de grandes sections des Nombres, mais il est plus difficile de répartir le reste entre courants yahviste et élohiste. Après les Nombres et jusqu'aux tout derniers chapitres du Deutéronome,* **31** *et* **34**, *ces trois courants disparaissent et sont remplacés par une tradition unique, celle du Deutéronome. Elle se caractérise par un style très particulier, ample et oratoire, où reviennent souvent les mêmes formules bien frappées, et par une doctrine constamment affirmée : entre tous les peuples, Dieu, par pure complaisance, a choisi Israël comme son peuple, mais cette élection et le pacte qui la sanctionne ont pour condition la fidélité d'Israël à la loi de son Dieu et au culte légitime qu'il doit lui rendre dans un sanctuaire unique. Le Deutéronome est le point d'aboutissement d'une tradition qui est apparentée au courant élohiste et au mouvement prophétique, et dont on perçoit déjà la voix dans des textes relativement anciens. Le noyau du Deutéronome peut représenter des coutumes du Nord, apportées en Juda par des Lévites après la ruine de Samarie. Cette loi, peut-être déjà encadrée dans un discours de Moïse, fut déposée dans le temple de Jérusalem. Elle y fut retrouvée sous Josias et sa promulgation servit la cause de la réforme religieuse. Une nouvelle édition en fut donnée au début de l'Exil.*

*A partir de ces différents corps de tradition, la croissance du Pentateuque s'est faite en plusieurs étapes, mais il est difficile d'en déterminer précisément les dates. Les traditions yahviste et élohiste furent combinées en Juda vers la fin de l'époque monarchique, peut-être sous le règne d'Ézéchias, où nous savons par Pr* **25** 1 *que l'on compila d'anciennes œuvres littéraires. Avant la fin de l'Exil, le Deutéronome, considéré comme une loi donnée par Moïse en Moab, fut inséré entre la fin des Nombres et les récits sur l'assignation de Josué et la mort de Moïse, Dt* **31** *et* **34**. *Il est possible que l'addition de la tradition sacerdotale ou, si l'on préfère, l'intervention des premiers rédacteurs sacerdotaux se soit faite peu après. En tout cas, la « Loi de Moïse » apportée de Babylonie par Esdras semble représenter tout le Pentateuque déjà proche de sa formule finale.*

*Les rapports entre le Pentateuque et les livres bibliques qui suivent ont donné occasion à des hypothèses contraires. Depuis longtemps, certains auteurs parlent d'un « Hexateuque », d'un ouvrage en six livres, qui aurait compris aussi Josué et le début des Juges. Ils y retrouvent en effet la continuation des trois sources J, E, P du Pentateuque et ils font remarquer que le thème de la promesse qui revient si souvent dans les récits du Pentateuque exige que ces récits aient raconté aussi la réalisation, qui est la conquête de la Terre Promise. Le livre de Josué aurait été ensuite détaché de cet ensemble et serait devenu le premier des livres historiques. Des auteurs plus récents parlent au contraire d'un « Tétrateuque », d'un ouvrage en quatre livres, qui n'aurait pas contenu le Deutéronome. Celui-ci aurait d'abord servi d'introduction à une grande « histoire deutéronomiste » allant jusqu'à la fin des Rois. Le Deutéronome en aurait ensuite été séparé lorsqu'on voulut réunir dans un même ensemble, notre Pentateuque, tout ce qui concernait la personne et l'œuvre de Moïse. C'est cette seconde opinion qui sera retenue, avec des réserves, dans l'introduction aux livres historiques et qui est supposée par certaines des notes. Mais on reconnaît qu'elle est seulement une hypothèse, comme l'est d'ailleurs l'opinion concurrente d'un Hexateuque.*

*On a vu que la même incertitude affectait beaucoup des questions que soulève la composition du Pentateuque. Elle s'est étendue sur six siècles au moins et elle reflète les changements de la vie nationale et religieuse d'Israël. Cependant, en dépit de ces vicissitudes, le développement apparaît finalement homogène. Nous avons dit que les traditions narratives avaient pris origine à l'époque où se formait le peuple d'Israël. Les mêmes remarques peuvent être faites, avec des nuances, pour les parties législatives : elles contiennent un droit civil et religieux qui a évolué en même temps que la communauté qu'il régissait, mais son origine se confond avec celle du peuple. Cette continuité a un fondement religieux : c'est la foi en Yahvé qui avait cimenté l'unité du peuple, c'est la même foi qui a unifié le développement de la tradition. Or les débuts du Yahvisme sont dominés par la personnalité de Moïse. Il a été l'initiateur religieux du peuple et son premier législateur. Les traditions antérieures qui aboutissent à lui et le souvenir des événements qu'il a dirigés sont devenus l'épopée nationale; la religion de Moïse a marqué pour toujours la foi et les pratiques du peuple; la loi de Moïse est restée sa norme. Les adaptations que commanda le changement des temps se firent selon son esprit et se couvrirent de son autorité. Il importe peu que nous ne puissions lui attribuer avec assurance la rédaction d'aucun des textes du Pentateuque, il en est le personnage central et la tradition juive avait raison d'appeler le Pentateuque le livre de la Loi de Moïse.*

**Les récits et l'histoire.**

*A ces traditions qui étaient le patrimoine vivant d'un peuple, qui lui donnaient le sentiment de son unité et qui soutenaient sa foi, il serait absurde de demander la rigueur que mettrait un historien moderne, mais il serait également illégitime de leur dénier toute vérité parce que cette rigueur leur fait défaut.*

*Les onze premiers chapitres de la Genèse sont à considérer à part. Ils décrivent, de façon populaire, l'origine du genre humain; ils énoncent en un style simple et imagé, qui convenait bien à la mentalité d'un peuple peu cultivé, les vérités fondamentales présupposées à l'économie du salut : la création par Dieu au commencement des temps, l'intervention spéciale de Dieu produisant l'homme et la femme, l'unité du genre humain, la faute des premiers parents, la déchéance et les peines héréditaires qui en furent la sanction. Mais ces vérités, qui touchent au dogme et qu'assure l'autorité de l'Écriture, sont en même temps des faits, et si les vérités sont certaines, elles impliquent des faits qui sont réels, bien que nous ne puissions pas en préciser les contours sous le vêtement mythique qui leur a été donné, conformément à la mentalité du temps et du milieu.*

*L'histoire patriarcale est une histoire de famille : elle rassemble les souvenirs qu'on gardait des ancêtres, Abraham, Isaac, Jacob, Joseph. C'est une histoire populaire : elle s'attarde aux anecdotes personnelles et aux traits pittoresques, sans aucun souci de rattacher ces narrations à l'histoire générale. C'est enfin une histoire religieuse : tous les tournants décisifs sont marqués par une intervention divine et tout y apparaît comme providentiel, conception théologique supérieurement vraie mais qui néglige l'action des causes secondes; de plus, les faits sont introduits, expliqués et groupés pour la démonstration d'une thèse religieuse : il y a* un *Dieu qui a formé* un *peuple et lui a donné* un *pays; ce Dieu est Yahvé, ce peuple est Israël, ce pays est la Terre Sainte. Mais ces récits sont historiques en ce sens qu'ils racontent, à leur manière, des événements réels, qu'ils donnent une image fidèle de l'origine et des migrations des ancêtres d'Israël, de leurs attaches géographiques et ethniques, de leur comportement moral et religieux. Les suspicions qui ont frappé ces récits devraient céder devant le témoignage favorable que leur apportent les découvertes récentes de l'histoire et de l'archéologie orientales.*

*Après une très longue lacune, l'Exode et les Nombres, qui ont leur écho dans les premiers chapitres du Deutéronome, racontent les événements qui vont de la naissance à la mort de Moïse : la sortie d'Égypte, l'arrêt au Sinaï, la montée vers Cadès, la marche à travers la Transjordanie et l'installation dans les Steppes de Moab. Si l'on nie la réalité historique de ces faits et de la personne de Moïse, on rend inexplicables la suite de l'histoire d'Israël, sa fidélité au Yahvisme, son attachement à la Loi. On doit cependant reconnaître que l'importance de ces souvenirs pour la vie du peuple et l'écho qu'ils trouvaient dans les rites ont donné aux récits la couleur d'une geste héroïque (ainsi le passage de la Mer) et parfois d'une liturgie (ainsi la Pâque). Israël, devenu un peuple, fait alors son entrée dans l'histoire générale et, bien qu'aucun document ancien ne le mentionne encore, sauf une allusion obscure de la stèle du Pharaon Merneptah, ce que la Bible en dit s'accorde, dans les grandes lignes, avec ce que les textes et l'archéologie nous apprennent sur la descente des groupes sémitiques en Égypte, sur l'administration égyptienne du Delta, sur l'état politique de la Transjordanie.*

*La tâche de l'historien moderne est de confronter ces données de la Bible avec les faits de l'histoire générale. Avec les réserves qu'imposent l'insuffisance des indications de la Bible et l'incertitude de la chronologie extra-biblique, on pourra dire qu'Abraham vivait en Canaan aux environs de 1850 av. J.-C., que Joseph faisait sa carrière en Égypte et que d'autres « fils de Jacob » l'y rejoignirent un peu après 1700. Pour la date de l'Exode, nous ne pouvons pas nous fier aux indications chronologiques de 1 R* **6** 1 *et Jg* **11** 26, *qui sont secondaires et proviennent de computs artificiels. Mais la Bible contient une indication décisive : d'après le texte ancien d'Ex* **1** 11, *les Hébreux ont travaillé à la construction des villes-entrepôts de Pitom et de Ramsès. L'Exode est donc postérieur à l'avènement de Ramsès II, qui fonda la ville de Ramsès. Les grands travaux y commencèrent dès* *le début de son règne et il est vraisemblable que la sortie du groupe de Moïse eut lieu dans la première moitié ou vers le milieu de ce long règne (1290-1224), disons vers 1250 av. J.-C. ou un peu avant. Si l'on tient compte de la tradition biblique sur un séjour au désert pendant une génération, l'installation en Transjordanie se placerait aux environs de 1225 av. J.-C. Ces dates sont conformes aux renseignements de l'histoire générale sur la résidence des Pharaons de la XIX*ᵉ *Dynastie dans le Delta du Nil, sur l'affaiblissement du contrôle égyptien en Syrie-Palestine à la fin du règne de Ramsès II, sur les troubles qui secouèrent tout le Proche-Orient à la fin du XIII*ᵉ *siècle. Elles s'accordent aux indications de l'archéologie sur le début de l'Age du Fer, qui coïncide avec l'établissement des Israélites en Canaan.*

**La législation.**

*Dans la Bible juive, le Pentateuque est appelé la Loi, la* Tora*; de fait, il groupe l'ensemble des prescriptions qui réglaient la vie morale, sociale et religieuse du peuple. A nos yeux modernes, le trait le plus frappant de cette législation est son caractère religieux. Cet aspect se rencontre aussi dans certains Codes de l'Orient ancien, mais nulle part ne se retrouve une telle compénétration du sacré et du profane; en Israël, la loi est dictée par Dieu, elle règle les devoirs envers Dieu, ses prescriptions sont motivées par des considérations religieuses. Cela semble aller de soi pour les règles morales du Décalogue ou pour les lois cultuelles du Lévitique, mais il est beaucoup plus significatif que, dans un même recueil, soient mêlés des lois civiles et criminelles et des préceptes religieux, et que le tout soit présenté comme la charte de l'alliance avec Yahvé. Par une naturelle conséquence, l'énoncé de ces lois est attaché aux narrations des événements du désert, où cette alliance fut conclue.*

*Parce que les lois sont faites pour être appliquées, il était nécessaire de les adapter aux conditions changeantes des milieux et des temps. Cela explique qu'on rencontre, dans les ensembles qui vont être examinés, à la fois des éléments antiques et des formules ou des dispositions qui témoignent de préoccupations nouvelles. D'autre part, en cette matière, Israël fut nécessairement tributaire de ses voisins. Certaines dispositions du Code de l'Alliance ou du Deutéronome se retrouvent étrangement semblables dans les Codes Mésopotamiens, le Recueil des Lois Assyriennes ou le Code Hittite. Il n'y eut aucun emprunt direct mais ces contacts s'expliquent par le rayonnement des législations étrangères ou par un droit coutumier devenu en partie le bien commun du Proche-Orient ancien. De plus, au lendemain de l'Exode, l'influence cananéenne se fit fortement sentir sur l'expression des lois et sur les formes du culte.*

*Le* Décalogue, *les « Dix Paroles » inscrites sur les Tables au Sinaï, édicte la loi fondamentale, morale et religieuse, de l'Alliance. Il est donné deux fois, Ex* **20** 2-17 *et Dt* **5** 6-18, *avec des variantes assez notables : ces deux textes remontent à une forme primitive, plus courte, dont l'origine mosaïque n'est contredite par aucun argument valable.*

*Le* Code *(élohiste)* de l'Alliance, *Ex* **20** 22 - **23** 33 *(plus strictement : Ex* **20** 24 - **23** 9*) a été inséré entre le Décalogue et la conclusion de l'alliance du Sinaï, mais il répond à une situation postérieure à l'époque de Moïse. C'est le droit d'une société de pasteurs et de paysans, et l'intérêt qu'il porte aux bêtes de labour, aux travaux des champs et de la vigne, aux maisons, suppose que la sédentarisation est déjà un fait accompli. C'est seulement alors qu'Israël a pu connaître et pratiquer le droit coutumier auquel ce Code emprunte et qui explique ses parallèles précis avec les Codes mésopotamiens, mais le Code de l'Alliance est pénétré par l'esprit du Yahvisme, souvent en réaction contre la civilisation de Canaan. Il groupe, sans plan systématique, des collections de préceptes, qui se distinguent par leur objet et par leur formulation, tantôt « casuistique » ou conditionnelle et tantôt « apodictique » ou impérative. Le recueil a d'abord eu une existence indépendante. Il est certainement antérieur au Deutéronome qui l'utilise, il ne contient aucune référence aux institutions de la monarchie et il peut donc remonter à la période des Juges. Son insertion dans les récits du Sinaï est antérieure à la composition du Deutéronome.*

*Le* Code deutéronomique, *Dt* **12** 1 - **26** 15, *forme la partie centrale du livre du Deutéronome, dont nous avons décrit plus haut les caractéristiques et l'histoire littéraire. Il reprend une partie des lois du Code de l'Alliance, mais il les adapte aux changements de la vie économique et sociale; ainsi pour la rémission des dettes et le statut des esclaves, comparer Dt* **15** 1-11 *et Ex* **23** 10-11*; Dt* **15** 12-18 *et Ex* **21** 2-11. *Mais, dès son premier précepte, il s'oppose au Code de l'Alliance sur un point important : celui-ci avait légitimé la multiplicité des sanctuaires, Ex* **20** 24, *le Deutéronome impose la loi de l'unité du lieu de culte, Dt* **12** 2-12, *et cette centralisation entraîne des modifications dans les règles anciennes concernant les sacrifices, les dîmes et les fêtes. Le Code deutéronomique contient aussi des prescriptions étrangères au Code de l'Alliance et parfois archaïques, qui proviennent de sources inconnues. Ce qui lui reste propre et qui marque* *le changement des temps est le souci de la protection des faibles, le rappel constant des droits de Dieu sur sa terre et sur son peuple, et le ton exhortatif qui pénètre ces prescriptions légales.*

*Bien que le* Lévitique *n'ait reçu sa forme définitive qu'après l'Exil, il contient des éléments fort anciens, ainsi les prohibitions alimentaires,* **11**, *ou les règles de pureté,* **13-15**; *le cérémonial tardif du grand jour de l'Expiation,* **16**, *superpose une conception très élaborée du péché à un vieux rite de purification. Les ch.* **17-26** *forment un ensemble que l'on appelle la* Loi de Sainteté *et qui a d'abord existé séparément du Pentateuque. Cette Loi groupe des éléments divers, dont certains peuvent remonter jusqu'à l'époque nomade, ainsi* **18**, *dont d'autres sont encore pré-exiliques et d'autres plus récents. Une première collection a été constituée à Jérusalem peu avant l'Exil et a pu être connue par Ézéchiel, qui a beaucoup de contacts de langage et de contenu avec la Loi de Sainteté. Mais celle-ci n'a été éditée qu'au cours de l'Exil, avant d'être rattachée au Pentateuque par les rédacteurs sacerdotaux qui l'adaptèrent au reste du matériel qu'ils rassemblaient.*

**Sens religieux.**

*La religion de l'Ancien Testament, comme celle du Nouveau, est une religion historique : elle se fonde sur la révélation faite par Dieu, à tels hommes, en tels lieux, en telles circonstances, sur les interventions de Dieu à tels moments de l'évolution humaine. Le Pentateuque, qui retrace l'histoire de ces relations de Dieu avec le monde, est le fondement de la religion juive, il est devenu son livre canonique par excellence, sa loi.*

*L'Israélite y trouvait l'explication de sa destinée. Il n'avait pas seulement, au début de la Genèse, la réponse aux questions que se pose tout homme sur le monde et la vie, sur la souffrance et la mort, mais il avait la réponse à son problème particulier : pourquoi Yahvé l'Unique est-il le Dieu d'Israël, pourquoi Israël est-il son peuple entre toutes les nations de la terre? C'est parce qu'Israël a reçu la promesse. Le Pentateuque est le livre des promesses : à Adam et à Ève après leur chute, l'annonce du salut lointain, le Protévangile; à Noé après le déluge, l'assurance d'un nouvel ordre du monde; à Abraham surtout. La promesse qui lui est faite est renouvelée à Isaac et à Jacob et elle atteint tout le peuple qui est issu d'eux. Cette promesse vise immédiatement la possession du pays où vécurent les Patriarches, la Terre Promise, mais elle implique plus de choses : elle signifie que des relations spéciales, uniques, existent entre Israël et le Dieu des Pères.*

*Car Yahvé a appelé Abraham et, dans cette vocation, se préfigurait l'élection d'Israël. C'est Yahvé qui a fait de lui* un *peuple et qui en fait* son *peuple, par un choix gratuit, par un dessein amoureux, conçu dès la création et poursuivi à travers toutes les infidélités des hommes.*

*Cette promesse et ce choix sont garantis par une alliance. Le Pentateuque est aussi le livre des alliances. Il y en a une déjà, mais tacite, avec Adam; elle est explicite avec Noé, avec Abraham, avec tout le peuple enfin, par le ministère de Moïse. Ce n'est point un pacte entre égaux, car Dieu n'en a pas besoin et il en prend l'initiative. Cependant il s'y engage, il s'y lie d'une certaine manière par les promesses qu'il fait. Mais il exige en contrepartie la fidélité de son peuple : le refus d'Israël, son péché, peut rompre le lien qu'a formé l'amour de Dieu.*

*Les conditions de cette fidélité sont réglées par Dieu lui-même. Au peuple qu'il s'est choisi, Dieu donne sa loi. Celle-ci l'instruit de ses devoirs, règle sa conduite conformément au vouloir divin et, en maintenant l'alliance, prépare l'accomplissement des promesses.*

*Ces thèmes de la Promesse, de l'Élection, de l'Alliance et de la Loi sont les fils d'or qui se croisent sur la trame du Pentateuque, et ils continuent de courir dans tout l'Ancien Testament. Car le Pentateuque n'est pas complet en lui-même : il dit la promesse mais non la réalisation, puisqu'il s'achève avant l'entrée en Terre Sainte. Il devait rester ouvert comme une espérance et une contrainte : espérance dans les promesses, que la conquête de Canaan paraîtra accomplir, Jos* **23**, *mais que les péchés du peuple compromettront et que les exilés se rappelleront à Babylone; contrainte d'une loi toujours pressante, qui restait dans Israël comme un témoin contre lui, Dt* **31** 26.

*Cela dura jusqu'au Christ, qui est le terme où tendait obscurément cette histoire du salut et qui lui donne tout son sens. Saint Paul en dégage la signification, surtout Ga* **3** 15-29. *Le Christ conclut la Nouvelle Alliance, que préfiguraient les pactes anciens, et il y fait entrer les chrétiens, héritiers d'Abraham par la foi. Quant à la Loi, elle a été donnée pour garder les promesses, comme un pédagogue conduisant au Christ, en qui ces promesses se réalisent.*

*Le chrétien n'est plus sous le pédagogue, il est affranchi des observances de la Loi, mais point de son enseignement moral et religieux. Car le Christ n'est pas venu abroger mais parfaire, Mt* **5** 17, *le Nouveau Testament ne s'oppose pas à l'Ancien, il le prolonge. Non seulement l'Église a reconnu dans les grands événements de l'époque patriarcale et* *mosaïque, dans les fêtes et les rites du désert (sacrifice d'Isaac, passage de la Mer Rouge, la Pâque, etc.), les réalités de la Loi Nouvelle (sacrifice du Christ, baptême, la Pâque chrétienne), mais la foi chrétienne exige la même attitude fondamentale que les récits et les préceptes du Pentateuque commandaient aux Israélites. Plus que cela : dans son itinéraire vers Dieu, toute âme traverse les mêmes étapes de détachement, d'épreuve, de purification par où passa le peuple élu, et elle trouve son instruction dans les leçons qui furent données à celui-ci.*

*Une lecture chrétienne du Pentateuque doit prendre d'abord la suite des récits : la Genèse, après avoir opposé aux bontés de Dieu Créateur les infidélités de l'homme pécheur, montre, dans les Patriarches, la récompense accordée à la foi; l'Exode est l'esquisse de notre rédemption; les Nombres représentent le temps d'épreuve où Dieu instruit et châtie ses fils, préparant la congrégation des élus. Le Lévitique sera lu avec plus de fruit en liaison avec les derniers chapitres d'Ézéchiel ou après les livres d'Esdras et de Néhémie; l'unique sacrifice du Christ a rendu caduc le cérémonial de l'ancien Temple, mais ses exigences de pureté et de sainteté dans le service de Dieu restent une leçon toujours valable. La lecture du Deutéronome accompagnera bien celle de Jérémie, le prophète dont il est le plus proche par le temps et par l'esprit.*

# LA GENÈSE

## I. Les origines du monde et de l'humanité

### 1. LA CRÉATION ET LA CHUTE

2 4-25 **Premier récit de la création** [a].

Jb **38-39** 1 1 Au commencement, Dieu créa le ciel et la
Ps **8**; **104** terre [b]. 2 Or la terre était vide et vague [c], les
Pr **8** 22-31 ↗ Jn **1** 1-3 ténèbres couvraient l'abîme, un vent de Dieu
Col **1** 15-17 He **1** 2-3 tournoyait [d] sur les eaux.
↗ 2 Co **4** 6 3 Dieu dit : « Que la lumière soit » et la lumière
Jn **8** 12+ fut. 4 Dieu vit que la lumière était bonne, et Dieu
sépara la lumière et les ténèbres [e]. 5 Dieu appela la
lumière « jour » et les ténèbres « nuit ». Il y eut un
soir et il y eut un matin : premier jour.
6 Dieu dit : « Qu'il y ait un firmament [f] au milieu
des eaux et qu'il sépare les eaux d'avec les eaux »
et il en fut ainsi. 7 Dieu fit [g] le firmament, qui
**7** 11+ sépara les eaux qui sont sous le firmament d'avec
Pr **8** 28 les eaux qui sont au-dessus du firmament, 8 et Dieu
appela le firmament « ciel ». Il y eut un soir et il
y eut un matin : deuxième jour.
9 Dieu dit : « Que les eaux qui sont sous le ciel
s'amassent en une seule masse [h] et qu'apparaisse le
continent » et il en fut ainsi. 10 Dieu appela le
continent « terre » et la masse des eaux « mers », et
Dieu vit que cela était bon.
11 Dieu dit : « Que la terre verdisse de verdure :
des herbes portant semence et des arbres fruitiers
donnant sur la terre selon leur espèce des fruits
contenant leur semence » et il en fut ainsi. 12 La
terre produisit de la verdure : des herbes portant
semence selon leur espèce, des arbres donnant
selon leur espèce des fruits contenant leur semence,
et Dieu vit que cela était bon. 13 Il y eut un soir
et il y eut un matin : troisième jour.
14 Dieu dit : « Qu'il y ait des luminaires au Ba **3** 33-35
firmament du ciel pour séparer le jour et la nuit; Jr **31** 35
qu'ils servent de signes, tant pour les fêtes que pour Is **40** 26
les jours et les années; 15 qu'ils soient des luminai- Si **43** 6,7
res au firmament du ciel pour éclairer la terre » et
il en fut ainsi. 16 Dieu fit les deux luminaires
majeurs [i] : le grand luminaire comme puissance du
jour et le petit luminaire comme puissance de la Ps **136** 7s
nuit, et les étoiles. 17 Dieu les plaça au firmament
du ciel pour éclairer la terre, 18 pour commander au

*a)* Ce récit, attribué à la source sacerdotale, plus abstrait et plus théologique que le suivant, **2** 4b-25, veut donner un classement logique et exhaustif des êtres créés suivant un plan réfléchi dans le cadre d'une semaine qui s'achève par le repos sabbatique. Les êtres viennent à l'existence à l'appel de Dieu, selon un ordre croissant de dignité, jusqu'à l'homme, image de Dieu et roi de la création. Le texte utilise une science encore dans l'enfance. Il ne faut pas s'ingénier à établir des concordances entre ce tableau et notre science moderne; mais il faut y lire, sous une forme qui porte la marque de son époque, un enseignement révélé, de valeur permanente, sur Dieu, unique, transcendant, antérieur au monde, créateur.

*b)* On traduit aussi : « Au commencement que Dieu créa le ciel et la terre, la terre était... » Les deux traductions sont grammaticalement possibles : celle qu'on retient, avec toutes les anciennes versions, respecte mieux la cohérence du texte. Le récit ne commence qu'au v. 2; le v. 1 est un titre auquel correspond la conclusion de **2** 4a. « Le ciel et la terre » sont l'univers ordonné, le résultat de la création. Celle-ci est exprimée par le verbe *bara'* qui est réservé à l'action créatrice de Dieu, différente de l'action productrice de l'homme. Il ne faut pas y introduire la notion métaphysique de création *ex nihilo,* qui ne sera pas formulée avant 2 M **7** 28, mais le texte affirme qu'il y eut un commencement au monde : la création n'est pas un mythe atemporel, elle est intégrée à l'histoire dont elle est le début absolu.

*c)* En hébreu : *tohû* et *bohû*, « le désert et le vide »; comme les « ténèbres sur l'abîme », le « vent » et les « eaux », ce sont là des images qui, par leur caractère négatif, préparent la notion de création à partir du néant.

*d)* Il ne s'agit pas ici de l'Esprit de Dieu et de son rôle dans la création. Celle-ci sera l'œuvre de la « parole » de Dieu, vv. 3s, ou de son « action », vv. 7, 16, 25, 26.

*e)* La lumière est une création de Dieu, les ténèbres ne le sont pas : elles sont négation. La création de la lumière est rapportée la première parce que la succession des jours et des nuits va être le cadre où se déroulera l'œuvre créatrice.

*f)* La « voûte » apparente du ciel était pour les anciens Sémites une coupole solide, retenant les eaux supérieures; par ses ouvertures ruissellera le déluge, **7** 11.

*g)* A la création par la parole, « Dieu dit », s'ajoute la création par l'acte, « Dieu fait » le firmament, les astres, v. 16, les animaux terrestres, v. 25, l'homme, v. 26. L'auteur sacerdotal intègre ainsi à sa conception plus spirituelle de la création une tradition ancienne, parallèle à celle du second récit, **2** 4b-25, où Dieu « fait » le ciel et la terre, l'homme et les animaux.

*h)* « masse » grec; « lieu » hébr.

*i)* Leurs noms sont omis à dessein : le Soleil et la Lune, divinisés par tous les peuples voisins, sont ici de simples luminaires qui éclairent la terre et fixent le calendrier.

jour et à la nuit, pour séparer la lumière et les téné-
bres, et Dieu vit que cela était bon. [19] Il y eut un
soir et il y eut un matin : quatrième jour.
Jb **12** 7-12 [20] Dieu dit : « Que les eaux grouillent d'un
grouillement d'êtres vivants et que des oiseaux
volent au-dessus de la terre contre le firmament du
ciel » et il en fut ainsi. [21] Dieu créa les grands serpents de mer et tous les êtres vivants qui glissent
et qui grouillent dans les eaux selon leur espèce, et
toute la gent ailée selon son espèce, et Dieu vit que
cela était bon. [22] Dieu les bénit et dit : « Soyez
féconds, multipliez, emplissez l'eau des mers, et
que les oiseaux multiplient sur la terre. » [23] Il y eut
un soir et il y eut un matin : cinquième jour.
[24] Dieu dit : « Que la terre produise des êtres
vivants selon leur espèce : bestiaux, bestioles [a],
bêtes sauvages selon leur espèce » et il en fut ainsi.
[25] Dieu fit les bêtes sauvages selon leur espèce, les
bestiaux selon leur espèce et toutes les bestioles du
sol selon leur espèce, et Dieu vit que cela était bon.
**5** 1, 3; **9** 6 [26] Dieu dit : « Faisons [b] l'homme [c] à notre image,
Ps **8** 5, 6 comme notre ressemblance [d], et qu'ils dominent sur
Si **17** 3-4 les poissons de la mer, les oiseaux du ciel, les bes-
Sg **2** 23 tiaux, toutes les bêtes sauvages [e] et toutes les bestioles qui rampent sur la terre. »

↗ 1 Co **11** 7 [27] Dieu créa l'homme à son image,
Col **3** 10 à l'image de Dieu il le créa,
Ep **4** 24 homme et femme il les créa.
↗ Mt **19** 4p

Gn **8** 17; **9** 1 [28] Dieu les bénit et leur dit : « Soyez féconds,
Ps **8** 6-9 multipliez, emplissez la terre et soumettez-la;
Si **17** 2-4 dominez sur les poissons de la mer, les oiseaux du
Sg **9** 2; **10** 2 ciel et tous les animaux qui rampent sur la terre. »
Jc **3** 7

[29] Dieu dit : « Je vous donne toutes les herbes portant semence, qui sont sur toute la surface de la
terre, et tous les arbres qui ont des fruits portant
semence : ce sera votre nourriture. [30] A toutes les Ps **104** 14s
bêtes sauvages, à tous les oiseaux du ciel, à tout
ce qui rampe sur la terre et qui est animé de vie,
je donne pour nourriture toute la verdure des plan-
tes [f] » et il en fut ainsi. [31] Dieu vit tout ce qu'il Ps **104** 24
avait fait : cela était très bon. Il y eut un soir et Qo **3** 11; **7** 29
il y eut un matin : sixième jour. Si **39** 21,33
1 Tm **4** 4

2 [1] Ainsi furent achevés le ciel et la terre, avec
toute leur armée. [2] Dieu conclut au septième Ex **20** 8+
jour l'ouvrage qu'il avait fait et, au septième jour, ↗ Ex **20** 11; **31** 12s
il chôma, après tout l'ouvrage qu'il avait fait. ↗ He **4** 4
[3] Dieu bénit le septième jour et le sanctifia [g], car il
avait chômé après tout son ouvrage de création.
[4a] Telle fut l'histoire [h] du ciel et de la terre, quand Jr **10** 11s
ils furent créés.

### L'épreuve de la liberté. Le paradis [i]. 1 1 – 2 4

[4b] Au temps où Yahvé Dieu fit la terre et le ciel,
[5] il n'y avait encore aucun arbuste des champs sur
la terre et aucune herbe des champs n'avait encore
poussé, car Yahvé Dieu n'avait pas fait pleuvoir
sur la terre et il n'y avait pas d'homme pour cultiver le sol. [6] Toutefois, un flot montait de terre et
arrosait toute la surface du sol. [7] Alors Yahvé Dieu Qo **3** 20s; **12** 7
modela l'homme avec la glaise du sol [j], il insuffla ↗ Sg **15** 8, 1
dans ses narines une haleine de vie et l'homme Ps **104** 29s
devint un être vivant [k]. Jb **34** 14s; 3 ↗ 1 Co **15** 4
[8] Yahvé Dieu planta un jardin en Éden [l], à
l'orient, et il y mit l'homme qu'il avait modelé.
[9] Yahvé Dieu fit pousser du sol toute espèce d'ar-

*a)* Litt. « ce qui rampe » (ou « glisse », v. 21) : serpents, lézards, mais aussi insectes et petits animaux.

*b)* Ce pluriel peut indiquer une délibération de Dieu avec sa cour céleste (les anges, cf. **3** 5, 22) : la traduction grecque (suivie par Vulg.) du Ps **8** 6, repris dans He **2** 7, a compris ainsi notre texte. Ou bien ce pluriel exprime la majesté et la richesse intérieure de Dieu, dont le nom commun en hébreu est de forme plurielle, *Élohim*. Ainsi se trouve amorcée l'interprétation des Pères, qui ont vu insinuée ici la Trinité.

*c)* Nom collectif, d'où le pluriel « qu'ils dominent ».

*d)* « Ressemblance » paraît atténuer le sens d'« image » en excluant la parité. Le terme concret « image » implique une similitude physique, comme entre Adam et son fils, **5** 3. Ce rapport à Dieu sépare l'homme des animaux. Il suppose de plus une similitude générale de nature : intelligence, volonté, puissance; l'homme est une personne. Il prépare une révélation plus haute : participation de nature par la grâce.

*e)* « toutes les bêtes sauvages » syr.; « toute la terre » hébr.

*f)* Image d'un âge d'or, ou hommes et animaux vivent en paix, se nourrissant des plantes. **9** 3 marque le début d'un nouvel âge.

*g)* Le sabbat (*shabbat*) est une institution divine : Dieu luimême s'est reposé (*shabat*) ce jour-là. Cependant le mot *shabbat* est évité ici, car, selon l'auteur sacerdotal, le sabbat ne sera imposé qu'au Sinaï, où il deviendra le signe de l'alliance, Ex **31** 12-17. Mais, dès la création, Dieu a donné un exemple que l'homme devra imiter, Ex **20** 11; **31** 17.

*h)* En hébreu *tôledôt*, proprement « descendance », puis histoire d'un ancêtre et de sa lignée, cf. **6** 9; **25** 19; **37** 2. Par l'emploi de ce mot ici, la création est démythisée, elle est le commencement de l'histoire, elle n'est plus, comme en Sumer et en Égypte, une suite d'engendrements divins.

*i)* La section **2** 4[b] - **3** 24 appartient à la source yahviste. Ce n'est pas, comme on le dit souvent, un « second récit de la création », suivi d'un « récit de la chute », ce sont deux récits combinés qui utilisent des traditions diverses : un récit de la création de l'homme, distincte de la création du monde et qui n'est complète que par la création de la femme et l'apparition du premier couple humain, **2** 4[b]-8, 18-24; un récit sur le Paradis perdu, la chute et le châtiment, qui commence en **2** 9-17 et se continue par **3** 1-24.

*j)* L'homme, *'adam*, vient du sol, *'adamah*, cf. **3** 19. Ce nom collectif deviendra le nom propre du premier humain, Adam, cf. **4** 25; **5** 1, 3.

*k)* C'est le mot *nephesh*, qui désigne l'être animé par un souffle vital (manifesté aussi par l'« esprit », *ruah*, **6** 17+; Is **11** 2+), cf. Ps **6** 5+.

*l)* « Jardin » est traduit « paradis » dans la version grecque, puis dans toute la tradition. « Éden » est un nom géographique qui se dérobe à toute localisation, et a pu d'abord signifier « steppe ». Mais les Israélites ont interprété le mot d'après l'hébreu « délices », racine *'dn*. La distinction entre Éden et le jardin, exprimée ici et au v. 10, s'estompe ensuite : on parle du « jardin d'Éden », v. 15; **3** 23, 24. Dans Ez **28** 13 et **31** 9, Éden est le « jardin de Dieu », et dans Is **51** 3, Éden, le « jardin de Yahvé », est opposé au désert et à la steppe.

Pr 3 18 bres séduisants à voir et bons à manger, et l'arbre
2 7; 22 14 de vie [a] au milieu du jardin, et l'arbre de la
Ez 47 1+ connaissance du bien et du mal. 10 Un fleuve sortait
Ap 22 1-2 d'Éden pour arroser le jardin et de là il se divisait
Jn 4 1+ pour former quatre bras [b]. 11 Le premier s'appelle
le Pishôn : il contourne tout le pays de Havila, où
il y a l'or; 12 l'or de ce pays est pur et là se trouvent
le bdellium [c] et la pierre de cornaline. 13 Le
deuxième fleuve s'appelle le Gihôn : il contourne
tout le pays de Kush. 14 Le troisième fleuve
s'appelle le Tigre : il coule à l'orient d'Assur. Le
quatrième fleuve est l'Euphrate. 15 Yahvé Dieu prit
l'homme et l'établit dans le jardin d'Éden pour le
cultiver et le garder. 16 Et Yahvé Dieu fit à l'homme
ce commandement : « Tu peux manger de tous les
arbres du jardin. 17 Mais de l'arbre de la connaissance du bien et du mal [d] tu ne mangeras pas, car,
Rm 6 23 le jour où tu en mangeras, tu deviendras passible
de mort [e]. »

18 Yahvé Dieu dit : « Il n'est pas bon que
l'homme soit seul. Il faut que je lui fasse une aide
qui lui soit assortie [f]. » 19 Yahvé Dieu modela
Qo 3 20 encore du sol toutes les bêtes sauvages et tous les
oiseaux du ciel, et il les amena à l'homme pour voir
comment celui-ci les appellerait : chacun devait porter le nom que l'homme lui aurait donné. 20 L'homme donna des noms à tous les bestiaux, aux oiseaux
du ciel et à toutes les bêtes sauvages, mais, pour
un homme, il ne trouva pas l'aide qui lui fût assortie. 21 Alors Yahvé Dieu fit tomber une torpeur sur
l'homme, qui s'endormit. Il prit une de ses côtes et
referma la chair à sa place [g]. 22 Puis, de la côte qu'il ↗ 1 Co 11 8-9
avait tirée de l'homme, Yahvé Dieu façonna une ↗ 1 Tm 2 13
femme [h] et l'amena à l'homme.
23 Alors celui-ci s'écria :
« Pour le coup, c'est l'os de mes os
et la chair de ma chair!
Celle-ci sera appelée " femme [i] ",
car elle fut tirée de l'homme, celle-ci! »
24 C'est pourquoi l'homme quitte son père et sa ↗ Mt 19 5p
mère et s'attache à sa femme, et ils deviennent une ↗ Ep 5 31
seule chair. ↗ 1 Co 6 16
25 Or tous deux étaient nus, l'homme et sa
femme, et ils n'avaient pas honte l'un devant
l'autre.

## La chute.

3 1 Le serpent [j] était le plus rusé de tous les ani- Sg 2 24
maux des champs que Yahvé Dieu avait faits. ↗ Jn 8 44
Il dit à la femme : « Alors, Dieu a dit : Vous ne ↗ Ap 12 9; 20 2
mangerez pas de tous les arbres du jardin? » 2 La ↗ Rm 5 12-21
femme répondit au serpent : « Nous pouvons man-
ger du fruit des arbres du jardin. 3 Mais du fruit de
l'arbre qui est au milieu du jardin, Dieu a dit :
Vous n'en mangerez pas, vous n'y toucherez pas,
sous peine de mort. » 4 Le serpent répliqua à la
femme : « Pas du tout! Vous ne mourrez pas!
5 Mais Dieu sait que, le jour où vous en mangerez,
vos yeux s'ouvriront et vous serez comme des 2 17; 3 22
dieux, qui connaissent le bien et le mal. » 6 La s 14 14+
femme vit que l'arbre était bon à manger et sédui-
sant à voir, et qu'il était, cet arbre, désirable pour

*a)* Symbole de l'immortalité, cf. **3** 22+. Sur l'arbre de la connaissance du bien et du mal, cf. v. 17+.

*b)* Les vv. 10-14 sont une parenthèse, mais elle a probablement été insérée par le yahviste lui-même, qui utilisait de vieilles notions sur la configuration de la terre. Son propos n'est pas de localiser le jardin d'Éden, mais de montrer que les grands fleuves qui sont les « artères vitales » des quatres régions du monde ont leur source au paradis. Il n'est pas étonnant que cette géographie soit incertaine. Le Tigre et l'Euphrate sont bien connus et ont leur source dans les monts d'Arménie, mais le Pishôn et le Gihôn sont inconnus. Havila est, d'après Gn **10** 29, une région d'Arabie, et Kush désigne ailleurs l'Éthiopie, mais il n'est pas sûr que ces deux noms soient à prendre ici dans leur sens habituel.

*c)* Gomme aromatique

*d)* Cette connaissance est un privilège que Dieu se réserve et que l'homme usurpera par le péché, **3** 5, 22. Ce n'est donc ni l'omniscience, que l'homme déchu ne possède pas, ni le discernement moral, qu'avait déjà l'homme innocent et que Dieu ne peut pas refuser à sa créature raisonnable. C'est la faculté de décider soi-même ce qui est bien et mal et d'agir en conséquence, une revendication d'autonomie morale par laquelle l'homme renie son état de créature, cf. Is **5** 20. Le premier péché a été un attentat à la souveraineté de Dieu, une faute d'orgueil. Cette révolte s'est exprimée concrètement par la transgression d'un précepte posé par Dieu et représenté sous l'image du fruit défendu.

*e)* La même expression est employée dans les lois et les sentences qui prévoient une peine de mort. La manducation du fruit ne doit pas provoquer une mort instantanée : Adam et Ève y survivront et la condamnation de **3** 16-19 ne parle de la mort que comme le terme d'une vie misérable. Le péché, symbolisé par la manducation du fruit, mérite la mort : le texte ne dit pas plus, cf. **3** 3.

*f)* Le récit de la création de la femme, vv. 18-24, semble provenir d'une tradition indépendante : dans le v. 16, « homme » désigne l'homme et la femme comme en **3** 24, et **3** 1-3, qui continue **2** 17, suppose que le précepte a été donné à l'homme et à la femme.

*g)* La chair (*basar*), c'est d'abord, chez l'animal ou l'homme, la « viande », les muscles, **41** 2-4; Ex **4** 7; Jb **2** 5. C'est aussi le corps entier, Nb **8** 7; 1 R **21** 27; 2 R **6** 30, et donc le lien familial, **2** 23; **29** 14; **37** 27, voire l'humanité ou l'ensemble des êtres vivants (« toute chair », **6** 17, 19; Ps **136** 25; Is **40** 5-6). L'âme, **2** 7+; Ps **6** 5+, ou l'esprit, **6** 17+, animent la chair sans s'additionner à elle, en la rendant vivante. Souvent néanmoins la « chair » souligne ce qu'il y a de fragile et de périssable en l'homme, **6** 3; Ps **56** 5; Is **40** 6; Jr **17** 5; et peu à peu l'on percevra une certaine opposition entre les deux aspects de l'homme vivant, Ps **78** 39; Qo **12** 7; Is **31** 3; cf. aussi Sg **8** 19; **9** 15+. L'hébreu n'a pas de mot pour dire « corps » : le NT suppléera à cette lacune en développant *sôma* à côté de *sarx*, cf. Rm **7** 5+; **7** 24+.

*h)* Expression imagée du rapport qui relie l'homme et la femme, v. 23, et qui les unit dans le mariage, v. 24.

*i)* L'hébreu joue sur les mots *'îshsha* « femme » et *'îsh* « homme ».

*j)* Le serpent sert ici de masque à un être hostile à Dieu et ennemi de l'homme, dans lequel la Sagesse, puis le NT et toute la tradition chrétienne ont reconnu l'Adversaire, le Diable, cf. Jb **1** 6+.

acquérir le discernement. Elle prit de son fruit et
mangea. Elle en donna aussi à son mari, qui était
avec elle, et il mangea. 7 Alors leurs yeux à tous
deux s'ouvrirent et ils connurent qu'ils étaient
nus [a]; ils cousirent des feuilles de figuier et se firent
des pagnes.
8 Ils entendirent le pas de Yahvé Dieu qui se
1 R 19 12 promenait dans le jardin à la brise du jour, et
l'homme et sa femme se cachèrent devant Yahvé
Dieu parmi les arbres du jardin. 9 Yahvé Dieu
appela l'homme : « Où es-tu? » dit-il. 10 « J'ai
entendu ton pas dans le jardin, répondit l'homme;
j'ai eu peur parce que je suis nu et je me suis
caché. » 11 Il reprit : « Et qui t'a appris que tu étais
nu? Tu as donc mangé de l'arbre dont je t'avais
défendu de manger! » 12 L'homme répondit : « C'est
la femme que tu as mise auprès de moi qui m'a
donné de l'arbre, et j'ai mangé! » 13 Yahvé Dieu dit
à la femme : « Qu'as-tu fait là? » et la femme
↗ 2 Co 11 3 répondit : « C'est le serpent qui m'a séduite, et j'ai
mangé. »
14 Alors Yahvé Dieu dit au serpent : « Parce que
tu as fait cela,

maudit sois-tu entre tous les bestiaux
et toutes les bêtes sauvages.
Is 65 25 Tu marcheras sur ton ventre et tu mangeras de
la terre
tous les jours de ta vie.
↗ Ap 12 17 15 Je mettrai une hostilité entre toi et la femme,
entre ton lignage et le sien.
Il t'écrasera la tête
et tu l'atteindras au talon [b]. »

16 A la femme, il dit [c] :

« Je multiplierai les peines de tes grossesses,
↗ Ap 12 2 dans la peine tu enfanteras des fils.
Ta convoitise te poussera vers ton mari
et lui dominera sur toi. » 2 22+

17 A l'homme, il dit : « Parce que tu as écouté la
voix de ta femme et que tu as mangé de l'arbre dont
je t'avais interdit de manger,

maudit soit le sol à cause de toi! ↗ Rm 8 20
A force de peines tu en tireras subsistance Os 4 3+
tous les jours de ta vie. Is 11 6+
18 Il produira pour toi épines et chardons et tu
mangeras l'herbe des champs.
19 A la sueur de ton visage
tu mangeras ton pain,
jusqu'à ce que tu retournes au sol, 2 7
puisque tu en fus tiré. Jb 34 15
Car tu es glaise Ps 90 3; 10
et tu retourneras à la glaise. » Qo 3 20; 1

20 L'homme appela sa femme « Ève », parce
qu'elle fut la mère de tous les vivants [d]. 21 Yahvé ↗ Rm 5 1
Dieu fit à l'homme et à sa femme des tuniques de
peau et les en vêtit. 22 Puis Yahvé Dieu dit : « Voilà
que l'homme est devenu comme l'un de nous, pour 2 17+
connaître le bien et le mal [e]! Qu'il n'étende pas
maintenant la main, ne cueille aussi de l'arbre de
vie, n'en mange et ne vive pour toujours [f]! » 23 Et
Yahvé Dieu le renvoya du jardin d'Éden pour cultiver le sol d'où il avait été tiré. 24 Il bannit l'homme
et il posta devant le jardin d'Éden les chérubins [g]
et la flamme du glaive fulgurant pour garder le
chemin de l'arbre de vie. ↗ Ap 22

### Caïn et Abel [h].

**4** 1 L'homme connut Ève, sa femme; elle conçut
et enfanta Caïn et elle dit : « J'ai acquis un
homme de par Yahvé [i]. » 2 Elle donna aussi le jour

*a)* L'éveil de la concupiscence, première manifestation du désordre que le péché introduit dans l'harmonie de la création.
*b)* Le texte hébreu, annonçant une hostilité entre la race du serpent et celle de la femme, oppose donc l'homme au Diable et à son « engeance », et laisse entrevoir la victoire finale de l'homme : c'est une première lueur de salut, le « Protévangile ». La traduction grecque, en commençant la dernière phrase par un pronom masculin, attribue cette victoire non au lignage de la femme en général, mais à l'un des fils de la femme; ainsi est amorcée l'interprétation messianique qu'expliciteront beaucoup de Pères. Avec le Messie, sa Mère est impliquée, et l'interprétation mariologique de la traduction latine *ipsa conteret* est devenue traditionnelle dans l'Église.
*c)* La condamnation frappe les coupables dans leurs activités essentielles. La femme comme mère et épouse, l'homme comme travailleur. Le texte ne peut pas signifier que, sans le péché, la femme aurait enfanté sans douleur et que l'homme aurait travaillé sans avoir la sueur au front. Autant vaudrait conclure du v. 14 qu'avant le péché les serpents avaient des pattes. Le péché bouleverse l'ordre voulu par Dieu : au lieu d'être l'associée de l'homme et son égale, **2** 18-24, la femme deviendra la séductrice de l'homme qui l'asservira pour en avoir des fils; au lieu d'être le jardinier de Dieu en Éden, l'homme luttera contre un sol devenu hostile. Mais le grand châtiment sera la perte de la familiarité avec Dieu, v. 23. Ce sont là des *peines* héréditaires. Pour que soit dégagé l'enseignement d'une *faute* héréditaire, il faudra attendre que saint Paul mette en parallèle la solidarité de tous dans le Christ sauveur et la solidarité de tous en Adam pécheur, Rm **5**.
*d)* Le nom d'Ève, *Havvah*, est expliqué par la racine *hayah* « vivre ».
*e)* L'homme pécheur s'est érigé en juge du bien et du mal, **2** 17+, ce qui est le privilège de Dieu.
*f)* L'arbre de vie vient d'une tradition parallèle à celle de l'arbre de la connaissance. L'homme est mortel par nature, cf. v. 19, mais il aspire à l'immortalité qui lui sera finalement accordée. Le Paradis perdu par la faute de l'homme est à l'image du Paradis retrouvé par la grâce de Dieu.
*g)* Emprunt à l'imagerie babylonienne, cf. Ex **25** 18+.
*h)* Le récit qui suppose une civilisation déjà évoluée, un culte, d'autres hommes qui pourraient tuer Caïn, tout un clan qui le protégera, a pu se rapporter d'abord, non aux enfants du premier homme, mais à l'ancêtre éponyme des Qénites (Caïnites : cf. Nb **24** 21+). Reporté par la tradition yahviste aux origines de l'humanité, il reçoit une portée générale : après la révolte de l'Homme contre Dieu, c'est la lutte de l'Homme contre l'Homme; à quoi s'opposera le double commandement qui résume la Loi, l'amour de Dieu et du prochain, Mt **22** 40.
*i)* Jubilation de la première femme qui, de servante d'un époux, devient mère d'un homme. Un jeu de mots rapproche le nom de Caïn (*Qayn*) du verbe *qanah* « acquérir ».

à Abel, frère de Caïn. Or Abel devint pasteur de
petit bétail et Caïn cultivait le sol. 3 Le temps passa
et il advint que Caïn présenta des produits du sol
en offrande à Yahvé, 4 et qu'Abel, de son côté,
Ex 34 19 offrit des premiers-nés de son troupeau, et même de
Lv 3 16 He 11 4 leur graisse. Or Yahvé agréa Abel et son offrande.
5 Mais il n'agréa pas Caïn et son offrande[a], et Caïn
en fut très irrité et eut le visage abattu. 6 Yahvé dit
à Caïn : « Pourquoi es-tu irrité et pourquoi ton
visage est-il abattu? 7 Si tu es bien disposé, ne relè-
veras-tu pas la tête? Mais si tu n'es pas bien disposé, le péché n'est-il pas à la porte, une bête tapie
3 16 qui te convoite, pourras-tu la dominer[b]? » 8 Cependant Caïn dit à son frère Abel : « Allons
dehors[c] », et, comme ils étaient en pleine campa-
Sg 10 3 1 Jn 3 12 gne, Caïn se jeta sur son frère Abel et le tua.
9 Yahvé dit à Caïn : « Où est ton frère Abel? »
Il répondit : « Je ne sais pas. Suis-je le gardien de
mon frère? » 10 Yahvé reprit : « Qu'as-tu fait!
Mt 23 35 He 12 24 Écoute le sang de ton frère crier vers moi du sol!
Jb 16 18 11 Maintenant, sois maudit et chassé du sol fertile
qui a ouvert la bouche pour recevoir de ta main le
sang de ton frère. 12 Si tu cultives le sol, il ne
te donnera plus son produit : tu seras un errant
parcourant la terre. » 13 Alors Caïn dit à Yahvé :
« Ma peine est trop lourde à porter. 14 Vois! Tu me
bannis aujourd'hui du sol fertile, je devrai me
cacher loin de ta face et je serai un errant parcourant la terre : mais, le premier venu me tuera! »
15 Yahvé lui répondit : « Aussi bien, si quelqu'un
tue Caïn, on le vengera sept fois » et Yahvé mit un
signe sur Caïn[d], afin que le premier venu ne le
frappât point. 16 Caïn se retira de la présence de
Yahvé et séjourna au pays de Nod[e], à l'orient
d'Éden.

**La descendance de Caïn[f].**

17 Caïn connut sa femme, qui conçut et enfanta
Hénok. Il devint un constructeur de ville et il donna
à la ville le nom de son fils, Hénok. 18 A Hénok
naquit Irad, et Irad engendra Mehuyaël, et
Mehuyaël engendra Metushaël, et Metushaël
engendra Lamek. 19 Lamek prit deux femmes : le
nom de la première était Ada et le nom de la
seconde Çilla. 20 Ada enfanta Yabal : il fut
l'ancêtre de ceux qui vivent sous la tente et ont des
troupeaux. 21 Le nom de son frère était Yubal :
il fut l'ancêtre de tous ceux qui jouent de la lyre
et du chalumeau. 22 De son côté, Çilla enfanta
Tubal-Caïn : il fut l'ancêtre de tous les forgerons
en cuivre et en fer; la sœur de Tubal-Caïn était
Naama[g].

23 Lamek dit à ses femmes :
« Ada et Çilla, entendez ma voix,
femmes de Lamek, écoutez ma parole :
J'ai tué un homme pour une blessure,
un enfant pour une meurtrissure.
24 C'est que Caïn est vengé sept fois, Mt 18 22p
mais Lamek, septante-sept fois[h]! »

**Seth et ses descendants[i].**

25 Adam connut sa femme; elle enfanta un fils et
lui donna le nom de Seth, car, dit-elle, « Dieu m'a
accordé[j] une autre descendance à la place d'Abel,
puisque Caïn l'a tué ». 26 Un fils naquit à Seth
aussi, et il lui donna le nom d'Énosh. Celui-ci fut
le premier à invoquer le nom de Yahvé[k]. Ex 3 14+

*a)* Première apparition du thème du cadet préféré à l'aîné, par lequel se manifeste le libre choix de Dieu, son mépris pour les grandeurs terrestres et sa prédilection pour les humbles; ce thème revient souvent à travers la Genèse (Isaac préféré à Ismaël, **21**, Jacob à Ésaü, **25** 23; **27**; Rachel à Léa, **29** 15-30; de même les enfants de celles-ci...) et dans toute la Bible, 1 S **16** 12; 1 R **2** 15, etc.

*b)* Traduction approximative d'un texte corrompu. Litt. : « N'est-ce pas que, si tu agis bien, élévation, et si tu n'agis pas bien, à ta porte le péché (fém.) couchant (masc.) et vers toi sa (masc.) convoitise et tu le domineras. » Le texte paraît décrire la tentation qui menace une âme mal disposée.

*c)* « Allons dehors » versions; omis par hébr.

*d)* Le « signe de Caïn » n'est pas un stigmate infamant, mais une marque qui le protège en le désignant comme membre d'un clan où s'exerce durement la vengeance du sang.

*e)* Le pays est inconnu et son nom rappelle l'épithète donnée à Caïn, « errant » *nad*, au pays de *Nôd*.

*f)* Débris d'une généalogie yahviste. Les mêmes noms paraîtront, avec des variantes, dans la généalogie sacerdotale de Seth, entre Qénân et Lamek, **5** 12-28. Cette liste n'est rattachée qu'artificiellement à Caïn, fils d'Adam, condamné à la vie errante; ici Caïn est le constructeur de la première ville, l'ancêtre des éleveurs, des musiciens, des forgerons et peut-être des filles de joie, cf. v. 22, qui subviennent aux commodités et aux plaisirs de la vie urbaine. Ces progrès sont attribués par l'auteur yahviste à la lignée de Caïn le maudit; la même condamnation de la vie urbaine se retrouvera dans le récit yahviste de la tour de Babel, **11** 1-9.

*g)* « L'ancêtre de tous les forgerons » Targ., cf. vv. 20 et 21; « le forgeron de tous les ouvriers » hébr. – Les trois castes des éleveurs de bétail, des musiciens et des forgerons ambulants sont rattachées à trois ancêtres dont les noms font assonance et rappellent les métiers de leurs descendants : Yabal (*ybl* « conduire »); Yubal (*yôbel* « trompette »); Tubal (nom d'un peuple du Nord. Gn **10** 2, au pays des métaux); Caïn signifie « forgeron » en d'autres langues sémitiques. Naama, « la jolie », « l'aimée », pourrait être l'éponyme d'une autre « profession », cf. note f, sur laquelle le texte se tait.

*h)* Ce chant sauvage composé à la gloire de Lamek, un héros du désert, est recueilli ici comme un témoignage de la violence croissante des descendants de Caïn.

*i)* Débris d'une autre généalogie primitive.

*j)* Le nom de Seth (hébr. *Shet*) est expliqué par *shat* « il a accordé ».

*k)* « Celui-ci fut le premier » grec et Vulg.; « On commença alors » hébr. – Les traditions élohiste et sacerdotale retardent jusqu'à Moïse, Ex **3** 14 (cf. **3** 13+); **6** 2s, la révélation du nom divin.

Ch 1 1-4 **Les Patriarches d'avant le déluge [a].**

1 26+ 5 1 Voici le livret de la descendance d'Adam :
Le jour où Dieu créa Adam, il le fit à la ressemblance de Dieu. 2 Homme et femme il les créa,
il les bénit et leur donna le nom d'« Homme », le
jour où ils furent créés.
3 Quand Adam eut cent trente ans, il engendra
un fils à sa ressemblance, comme son image [b], et
il lui donna le nom de Seth. 4 Le temps que vécut
Adam après la naissance de Seth fut de huit cents
ans et il engendra des fils et des filles. 5 Toute la
durée de la vie d'Adam fut de neuf cent trente ans,
puis il mourut.
6 Quand Seth eut cent cinq ans, il engendra
Énosh. 7 Après la naissance d'Énosh, Seth vécut
huit cent sept ans et il engendra des fils et des filles.
8 Toute la durée de la vie de Seth fut de neuf cent
douze ans, puis il mourut.
9 Quand Énosh eut quatre-vingt-dix ans, il
engendra Qénân. 10 Après la naissance de Qénân,
Énosh vécut huit cent quinze ans et il engendra des
fils et des filles. 11 Toute la durée de la vie d'Énosh
fut de neuf cent cinq ans, puis il mourut.
4 17+ 12 Quand Qénân eut soixante-dix ans, il engendra
Mahalaléel. 13 Après la naissance de Mahalaléel,
Qénân vécut huit cent quarante ans et il engendra
des fils et des filles. 14 Toute la durée de la vie de
Qénân fut de neuf cent dix ans, puis il mourut.
15 Quand Mahalaléel eut soixante-cinq ans, il
engendra Yéred. 16 Après la naissance de Yéred,
Mahalaléel vécut huit cent trente ans et il engendra
des fils et des filles. 17 Toute la durée de la vie de
Mahalaléel fut de huit cent quatre-vingt-quinze ans,
puis il mourut.
18 Quand Yéred eut cent soixante-deux ans, il
engendra Hénok. 19 Après la naissance d'Hénok,
Yéred vécut huit cents ans et il engendra des fils
et des filles. 20 Toute la durée de la vie de Yéred fut
de neuf cent soixante-deux ans, puis il mourut.
21 Quand Hénok eut soixante-cinq ans, il engen- Si 44 16;
dra Mathusalem. 22 Hénok marcha avec Dieu. 49 14
Après la naissance de Mathusalem, Hénok vécut [c]
trois cents ans et il engendra des fils et des filles.
23 Toute la durée de la vie d'Hénok fut de trois cent
soixante-cinq ans. 24 Hénok marcha avec Dieu, 2 R 2 11
puis il disparut, car Dieu l'enleva [d]. ↗ He 11 5
Sg 4 10-11
25 Quand Mathusalem eut cent quatre-vingt-sept
ans, il engendra Lamek. 26 Après la naissance de
Lamek, Mathusalem vécut sept cent quatre-vingt-
deux ans et il engendra des fils et des filles.
27 Toute la durée de la vie de Mathusalem fut de
neuf cent soixante-neuf ans, puis il mourut.
28 Quand Lamek eut cent quatre-vingt-deux ans,
il engendra un fils. 29 Il lui donna le nom de Noé,
car, dit-il, « celui-ci nous apportera, dans notre travail et le labeur de nos mains, une consolation tirée
du sol que Yahvé a maudit [e] ». 30 Après la naissance
de Noé, Lamek vécut cinq cent quatre-vingt-quinze
ans et il engendra des fils et des filles. 31 Toute la
durée de la vie de Lamek fut de sept cent soixante-
dix-sept ans, puis il mourut.
32 Quand Noé eut atteint cinq cents ans, il engendra Sem, Cham et Japhet.

**Fils de Dieu et filles des hommes [f].**

6 1 Lorsque les hommes commencèrent d'être
nombreux sur la face de la terre et que des
filles leur furent nées, 2 les fils de Dieu trouvèrent
que les filles des hommes leur convenaient et ils
prirent pour femmes toutes celles qu'il leur plut.
3 Yahvé dit : « Que mon esprit ne soit pas indéfini- 2 7
ment responsable de l'homme, puisqu'il est chair; Jn 3 5-6
sa vie ne sera que de cent vingt ans [g]. » 4 Les Si 17 2

*a)* Cette généalogie de tradition sacerdotale se rattache au ch. **2** 4ᵃ. Elle veut combler l'intervalle entre la création et le déluge, comme la généalogie de Sem, **11** 10-32, couvrira le temps qui sépare le déluge et Abraham. Il ne faut y chercher ni une histoire ni une chronologie. Les noms sont les restes sclérosés d'antiques traditions; beaucoup se retrouvent dans la liste yahviste des descendants de Caïn, **4** 17s. Les chiffres sont assez différents dans le Pentateuque samaritain et dans la version grecque. Une longévité extraordinaire est attribuée aux premiers Patriarches, car on estimait que la durée de la vie humaine avait diminué suivant les grands âges du monde : elle ne sera plus que de 200 à 600 ans entre Noé et Abraham, que de 100 à 200 ans pour les Patriarches hébreux; et cette diminution était mise en rapport avec les progrès du mal (cf. **6** 3 dans la tradition yahviste), car une longue vie est une bénédiction de Dieu, Pr **10** 27, et sera l'un des privilèges de l'ère messianique, Is **65** 20.

*b)* La similitude divine est donc un caractère de nature, que le premier homme transmet à ses descendants.

*c)* « Hénok vécut » grec luc., Vulg.; omis par hébr.

*d)* Hénok se distingue des autres Patriarches par plusieurs traits : sa vie est plus courte, mais elle atteint un chiffre parfait, le nombre des jours d'une année solaire; il « marche avec Dieu » comme Noé, **6** 9; il disparaît mystérieusement, emporté par Dieu comme Élie, 2 R **2** 11s. Il devint une grande figure de la tradition juive, qui donna en exemple sa piété, Si **44** 16; **49** 14, et lui attribua des livres apocryphes (cf. Jude 14-15).

*e)* Ce v. est un débris d'une tradition yahviste inséré dans ce contexte sacerdotal. Le nom de Noé, *Noah*, s'explique mal par la racine *nhm* « consoler »; le passage a pu concerner d'abord un autre nom, comme Menahem.

*f)* Épisode difficile (de tradition yahviste). L'auteur sacré se réfère à une légende populaire sur les Géants, en hébr. *Nephilîm*, qui seraient des Titans orientaux, nés de l'union entre des mortelles et des êtres célestes. Sans se prononcer sur la valeur de cette croyance et en voilant son aspect mythologique, il rappelle seulement ce souvenir d'une race insolente de surhommes, comme un exemple de la perversité croissante qui va motiver le déluge. Le Judaïsme postérieur et presque tous les premiers écrivains ecclésiastiques ont vu des anges coupables dans ces « fils de Dieu ». Mais, à partir du IVᵉ siècle, en fonction d'une notion plus spirituelle des anges, les Pères ont communément interprété les « fils de Dieu » comme la lignée de Seth et les « filles des hommes » comme la descendance de Caïn.

*g)* Durée maxima à laquelle Dieu réduisit alors la vie humaine

Si 16 7 Nephilim étaient sur la terre en ces jours-là (et aussi
dans la suite) quand les fils de Dieu s'unissaient aux
filles des hommes et qu'elles leur donnaient des
enfants; ce sont les héros du temps jadis, ces hom- Dt 1 28+
mes fameux.

↗ Si 16 7
↗ Ba 3 26s
↗ Sg 14 6-7
Mt 24 37sp
1 P 3 20s

## II. LE DÉLUGE [a]

### La corruption de l'humanité.

Ps 14 2-3 5 Yahvé vit que la méchanceté de l'homme était
grande sur la terre et que son cœur ne formait que
de mauvais desseins à longueur de journée. 6 Yahvé
1 S 15 11,35 se repentit d'avoir fait l'homme sur la terre et il
Jr 18 10; 26 3 s'affligea dans son cœur [b]. 7 Et Yahvé dit : « Je vais
effacer de la surface du sol les hommes que j'ai
créés – et avec les hommes, les bestiaux, les bestioles et les oiseaux du ciel –, car je me repens de les
He 11 7 avoir faits. » 8 Mais Noé avait trouvé grâce aux
yeux de Yahvé.

9 Voici l'histoire de Noé :

Si 44 17 Noé était un homme juste, intègre parmi ses
5 22 contemporains, et il marchait avec Dieu. 10 Noé
engendra trois fils, Sem, Cham et Japhet. 11 La terre
se pervertit au regard de Dieu et elle se remplit de
violence. 12 Dieu vit la terre : elle était pervertie, car
toute chair avait une conduite perverse sur la terre.

### Préparatifs du déluge.

13 Dieu dit à Noé : « La fin de toute chair est
arrivée, je l'ai décidé, car la terre est pleine de violence à cause des hommes et je vais les faire disparaître de la terre. 14 Fais-toi une arche [c] en bois
résineux, tu la feras en roseaux et tu l'enduiras de
bitume en dedans et en dehors. 15 Voici comment
tu la feras : trois cents coudées pour la longueur de
l'arche, cinquante coudées pour sa largeur, trente
coudées pour sa hauteur. 16 Tu feras à l'arche un
toit et tu l'achèveras une coudée plus haut [d], tu placeras l'entrée de l'arche sur le côté et tu feras un
premier, un second et un troisième étages.

17 « Pour moi, je vais amener le déluge, les eaux, ↗ 2 P 2 5
sur la terre, pour exterminer de dessous le ciel toute
chair ayant souffle de vie [e] : tout ce qui est sur la
terre doit périr. 18 Mais j'établirai mon alliance [f] 9 9s
avec toi et tu entreras dans l'arche, toi et tes fils,
ta femme et les femmes de tes fils avec toi. 19 De
tout ce qui vit, de tout ce qui est chair, tu feras
entrer dans l'arche deux de chaque espèce pour les
garder en vie avec toi; qu'il y ait un mâle et une
femelle. 20 De chaque espèce d'oiseaux, de chaque
espèce de bestiaux, de chaque espèce de toutes les
bestioles du sol, un couple viendra avec toi pour
que tu les gardes en vie [g]. 21 De ton côté, procure-toi
de tout ce qui se mange et fais-en provision : cela
servira de nourriture pour toi et pour eux. » 22 Noé
agit ainsi; tout ce que Dieu lui avait commandé, il
le fit.

**7** 1 Yahvé dit à Noé : « Entre dans l'arche, toi et ↗ Sg 10 4
toute ta famille, car je t'ai vu seul juste à mes ↗ 2 P 2 5
yeux parmi cette génération. 2 De tous les animaux Lv 11+
purs, tu prendras sept paires, le mâle et sa femelle;
des animaux qui ne sont pas purs, tu prendras
un couple, le mâle et sa femelle 3 (et aussi des

---

d'après cette source yahviste; pour la tradition sacerdotale voir la note sur **5** 1.

*a)* Cette section combine deux récits parallèles : l'un yahviste, plein de couleur et de vie, **6** 5-8; **7** 1-5, 7-10 (remanié), 12, 16^b, 17, 22-23; **8** 2^b-3^a, 6-12, 13^b, 20-22; l'autre sacerdotal, plus précis et plus réfléchi mais plus sec, **6** 9-22; **7** 6-11, 13-16^a, 18-21, 24; **8** 1-2^a, 3^b-5, 13^a, 14-19; **9** 1-17. Le rédacteur final a respecté ces deux témoignages qu'il recevait de la tradition, sans chercher à supprimer leurs divergences de détail. Nous possédons plusieurs narrations babyloniennes sur le déluge, qui présentent des ressemblances remarquables avec le récit biblique. Celui-ci n'en dépend pas, mais puise au même héritage qu'elles : le souvenir d'une ou de plusieurs inondations désastreuses de la vallée du Tigre et de l'Euphrate, que la tradition avait grossies aux dimensions d'un cataclysme universel. Seulement, et c'est l'essentiel, l'auteur sacré a chargé ce souvenir d'un enseignement éternel sur la justice et la miséricorde de Dieu, sur la malice de l'homme et le salut accordé au juste (cf. He **11** 7). C'est un jugement de Dieu, qui préfigure celui des derniers temps, Lc **17** 26s; Mt **24** 37s, comme le salut accordé à Noé figure le salut par les eaux du baptême, 1 P **3** 20-21.

*b)* Ce repentir de Dieu exprime sous un mode humain l'exigence de sa sainteté, qui ne peut pas supporter le péché. 1 S **15** 29 écartera une interprétation trop littérale. Beaucoup plus fréquemment, le « repentir » de Dieu signifie l'apaisement de sa colère et le retrait de sa menace, voir Jr **26** 3+.

*c)* La traduction latine porte *arca* (« coffre »), d'où le français « arche ». – « bois résineux » trad. approximative. – « roseaux » (comme la nacelle de Ex **2** 3) conj.; « nids » (cabines?) hébr.

*d)* Sens incertain. D'après la traduction adoptée, le toit aurait une pente d'une coudée pour l'écoulement des eaux du ciel, **7** 11.

*e)* Le mot *ruah* désigne l'air en mouvement, soit le souffle du vent, Ex **10** 13; Jb **21** 18; soit celui qui sort des narines, **7** 15, 22, etc. Il désigne donc la force vitale et les pensées, sentiments ou passions où elle s'exprime, **41** 8; **45** 27; 1 S **1** 15; 1 R **21** 5, etc. Chez l'homme il est un don de Dieu, **6** 3; Nb **16** 22; Jb **27** 3; Ps **104** 29; Qo **12** 7. Il est aussi la puissance par laquelle Dieu agit, aussi bien dans la création, **1** 2; Jb **33** 4; Ps **104** 29-30, que dans l'histoire des hommes, Ex **31** 3, en particulier par l'organe des prophètes, Jg **3** 10+; Ez **36** 28+, et du Messie, Is **11** 2+. Cf. Rm **1** 9+.

*f)* Non pas un pacte bilatéral, mais un engagement gracieux que Dieu prend vis-à-vis de ceux qu'il a discernés. D'autres alliances suivront celle-ci, avec Abraham, Gn **15**; **17**, avec tout le peuple, Ex **19** 1+ : en attendant la « nouvelle alliance » conclue à la plénitude des temps, Mt **26** 28+; He **9** 15+.

*g)* Les êtres non raisonnables sont associés, pour le châtiment et pour le salut, à la destinée de l'homme dont la méchanceté a corrompu toute la création, **6** 13; nous sommes déjà proches de saint Paul, Rm **8** 19-22.

oiseaux du ciel, sept paires, le mâle et sa femelle), pour perpétuer la race sur toute la terre. 4 Car encore sept jours et je ferai pleuvoir sur la terre pendant quarante jours et quarante nuits et j'effacerai de la surface du sol tous les êtres que j'ai faits. » 5 Noé fit tout ce que Yahvé lui avait commandé.

6 Noé avait six cents ans quand arriva le déluge, les eaux sur la terre.

7 Noé – avec ses fils, sa femme et les femmes de ses fils – entra dans l'arche pour échapper aux eaux du déluge. 8 (Des animaux purs et des animaux qui ne sont pas purs, des oiseaux et de tout ce qui rampe sur le sol, 9 un couple entra dans l'arche de Noé, un mâle et une femelle, comme Dieu avait ordonné à Noé [a].) 10 Au bout de sept jours, les eaux du déluge vinrent sur la terre.

11 En l'an six cent de la vie de Noé, le second
mois, le dix-septième jour du mois, ce jour-là jailli-
Is **44** 27 rent toutes les sources du grand abîme et les écluses
Ps **78** 15 Ps **104** du ciel s'ouvrirent [b]. 12 La pluie tomba sur la terre
Is **24** 18 pendant quarante jours et quarante nuits.

13 Ce jour même, Noé et ses fils, Sem, Cham et Japhet, avec la femme de Noé et les trois femmes de ses fils, entrèrent dans l'arche, 14 et avec eux les bêtes sauvages de toute espèce, les bestiaux de toute espèce, les bestioles de toute espèce qui rampent sur la terre, les volatiles de toute espèce, tous les oiseaux, tout ce qui a des ailes. 15 Auprès de Noé, entra dans l'arche un couple de tout ce qui est chair, ayant souffle de vie, 16 et ceux qui entrèrent étaient un mâle et une femelle de tout ce qui est chair, comme Dieu le lui avait commandé.

Et Yahvé ferma la porte sur Noé.

**L'inondation.**

17 Il y eut le déluge pendant quarante jours sur la terre; les eaux grossirent et soulevèrent l'arche, qui fut élevée au-dessus de la terre. 18 Les eaux montèrent et grossirent beaucoup sur la terre et l'arche s'en alla à la surface des eaux. 19 Les eaux montèrent de plus en plus sur la terre et toutes les plus hautes montagnes qui sont sous tout le ciel furent couvertes. 20 Les eaux montèrent quinze coudées plus haut, recouvrant les montagnes. 21 Alors périt toute chair qui se meut sur la terre : oiseaux, bestiaux, bêtes sauvages, tout ce qui grouille sur la terre, et tous les hommes. 22 Tout ce qui avait une haleine de vie dans les narines, c'est-à-dire tout ce qui était sur la terre ferme, mourut. 23 Ainsi disparurent tous les êtres qui étaient à la surface du sol, depuis l'homme jusqu aux bêtes, aux bestioles et aux oiseaux du ciel : ils furent effacés de la terre et il ne resta que Noé et ce qui était avec lui dans l'arche. 24 La crue des eaux sur la terre dura cent cinquante jours.

**La décrue.**

**8** 1 Alors Dieu se souvint de Noé et de toutes les bêtes sauvages et de tous les bestiaux qui étaient avec lui dans l'arche; Dieu fit passer un vent sur la terre et les eaux désenflèrent. 2 Les sources de l'abîme et les écluses du ciel furent fermées; – la pluie fut retenue de tomber du ciel 3 et les eaux se retirèrent petit à petit de la terre; – les eaux baissèrent au bout de cent cinquante jours 4 et, au septième mois, au dix-septième jour du mois, l'arche s'arrêta sur les monts d'Ararat. 5 Les eaux continuèrent de baisser jusqu'au dixième mois et, au premier du dixième mois, apparurent les sommets des montagnes.

6 Au bout de quarante jours, Noé ouvrit la fenêtre qu'il avait faite à l'arche 7 et il lâcha le corbeau, qui alla et vint en attendant que les eaux aient séché sur la terre. 8 Alors il lâcha d'auprès de lui la colombe pour voir si les eaux avaient diminué à la surface du sol. 9 La colombe, ne trouvant pas un endroit où poser ses pattes, revint vers lui dans l'arche, car il y avait de l'eau sur toute la surface de la terre; il étendit la main, la prit et la fit rentrer auprès de lui dans l'arche. 10 Il attendit encore sept autres jours et lâcha de nouveau la colombe hors de l'arche. 11 La colombe revint vers lui sur le soir et voici qu'elle avait dans le bec un rameau tout frais d'olivier! Ainsi Noé connut que les eaux avaient diminué à la surface de la terre. 12 Il attendit encore sept autres jours et lâcha la colombe, qui ne revint plus vers lui.

13 C'est en l'an six cent un de la vie de Noé [c], au premier mois, le premier du mois, que les eaux séchèrent sur la terre.

Noé enleva la couverture de l'arche; il regarda, et voici que la surface du sol était sèche!

14 Au second mois, le vingt-septième jour du mois, la terre fut sèche.

**La sortie de l'arche.**

15 Alors Dieu parla ainsi à Noé : 16 « Sors de l'arche, toi et ta femme, tes fils et les femmes de tes fils avec toi. 17 Tous les animaux qui sont avec toi, tout ce qui est chair, oiseaux, bestiaux et tout ce qui rampe sur la terre, fais-les sortir avec toi : qu'ils

*a)* Addition qui combine les deux récits, distinguant animaux purs et impurs avec le yahviste, comptant une paire de chacun avec le sacerdotal.

*b)* Les eaux d'en bas et les eaux d'en haut rompent les digues que Dieu leur avait posées, **1** 7 : c'est le retour au chaos. D'après le récit yahviste, le déluge est causé par une pluie torrentielle, **7** 4.12.

*c)* « de la vie de Noé » grec, cf. **7** 11; omis par hébr.

1 22 pullulent sur la terre, qu'ils soient féconds et multiplient sur la terre. » 18 Noé sortit avec ses fils, sa
femme et les femmes de ses fils; 19 et toutes les bêtes
sauvages, tous les bestiaux, tous les oiseaux, toutes
les bestioles qui rampent sur la terre sortirent de
l'arche, une espèce après l'autre.
20 Noé construisit un autel à Yahvé, il prit de
tous les animaux purs et de tous les oiseaux purs
et offrit des holocaustes sur l'autel. 21 Yahvé respira
l'agréable odeur [a] et il se dit en lui-même : « Je ne
maudirai plus jamais la terre à cause de l'homme,
parce que les desseins du cœur de l'homme sont
mauvais dès son enfance [b]; plus jamais je ne frapperai tous les vivants comme j'ai fait.

22 Tant que durera la terre,
semailles et moisson,
froidure et chaleur,
été et hiver,
jour et nuit
ne cesseront plus [c]. »

**Le nouvel ordre du monde.**

**9** 1 Dieu bénit Noé et ses fils et il leur dit :
1 28 « Soyez féconds, multipliez, emplissez la terre.
2 Soyez la crainte et l'effroi de tous les animaux de
la terre et de tous les oiseaux du ciel, comme de
tout ce dont la terre fourmille et de tous les poissons de la mer : ils sont livrés entre vos mains [d].
1 29 3 Tout ce qui se meut et possède la vie vous servira
Dt 12 15s de nourriture, je vous donne tout cela au même titre
1 Tm 4 3 que la verdure des plantes. 4 Seulement, vous ne
mangerez pas la chair avec son âme, c'est-à-dire le
Lv 1 5+ sang. 5 Mais je demanderai compte du sang de chacun de vous. J'en demanderai compte à tous les
animaux et à l'homme, aux hommes entre eux, je
demanderai compte de l'âme de l'homme. Ex 20 13+

6 Qui verse le sang de l'homme,
par l'homme aura son sang versé.
Car à l'image de Dieu
l'homme a été fait [e]. 1 26+

7 Pour vous, soyez féconds, multipliez, pullulez
sur la terre et la dominez [f]. »
8 Dieu parla ainsi à Noé et à ses fils : 9 « Voici
que j'établis mon alliance [g] avec vous et avec vos 6 18+
descendants après vous, 10 et avec tous les êtres
animés qui sont avec vous : oiseaux, bestiaux, toutes bêtes sauvages avec vous, bref tout ce qui est
sorti de l'arche, tous les animaux de la terre.
11 J'établis mon alliance avec vous : tout ce qui est
ne sera plus détruit par les eaux du déluge, il n'y ↗ Si 44 18
aura plus de déluge pour ravager la terre. » ↗ Is 54 9-10
12 Et Dieu dit : « Voici le signe de l'alliance que
j'institue entre moi et vous et tous les êtres vivants
qui sont avec vous, pour les générations à venir :
13 je mets mon arc dans la nuée et il deviendra un Ez 1 28
signe d'alliance entre moi et la terre. 14 Lorsque Ap 4 3
j'assemblerai les nuées sur la terre et que l'arc
apparaîtra dans la nuée, 15 je me souviendrai de
l'alliance qu'il y a entre moi et vous et tous les êtres
vivants, en somme toute chair, et les eaux ne
deviendront plus un déluge pour détruire toute
chair. 16 Quand l'arc sera dans la nuée, je le verrai
et me souviendrai de l'alliance éternelle qu'il y a
entre Dieu et tous les êtres vivants, en somme toute
chair qui est sur la terre. »
17 Dieu dit à Noé : « Tel est le signe de l'alliance
que j'établis entre moi et toute chair qui est sur la
terre. »

*a)* Litt. « l'odeur apaisante ». Cet anthropomorphisme passera dans le langage technique du rituel, cf. Ex **29** 18, 25; Lv **1** 9, 13; Nb **28** 1, etc.

*b)* Le cœur est l'intérieur de l'homme distingué de ce qui se voit et surtout de la « chair », **2** 21+. Il est le siège des facultés et de la personnalité, d'où naissent pensées et sentiments, paroles, décisions, action. Dieu le connaît à fond, quelles que soient les apparences, 1 S **16** 7; Ps **17** 3; **44** 22; Jr **11** 20+. Le cœur est le centre de la conscience religieuse et de la vie morale, Ps **51** 12, 19; Jr **4** 4+; **31** 31-33+; Ez **36** 26. C'est dans son cœur que l'homme cherche Dieu, Dt **4** 29; Ps **105** 3; **119** 2, 10; qu'il l'écoute, 1 R **3** 9; Si **3** 29; Os **2** 16; cf. Dt **30** 14; qu'il le sert, 1 S **12** 20, 24, le loue, Ps **111** 1, l'aime, Dt **6** 5. Le cœur simple, droit, pur, est celui que ne divisent aucune réserve ou arrière-pensée, aucun faux-semblant, à l'égard de Dieu ou des hommes. Cf. Ep **1** 18+.

*c)* Les lois du monde sont rétablies pour toujours. Dieu sait que le cœur de l'homme reste mauvais mais il sauve sa création et, malgré l'homme, la conduira où il veut.

*d)* L'homme est de nouveau béni et consacré roi de la création, comme aux origines, mais ce n'est plus un règne pacifique. Le nouvel âge verra la lutte des animaux avec l'homme et des hommes entre eux. La paix paradisiaque ne refleurira qu'aux derniers temps, Is **11** 6+.

*e)* Tout sang appartient à Dieu, cf. Lv **1** 5+, mais éminemment le sang de l'homme fait à son image. Dieu le vengera, voir déjà **4** 10, et il délègue à cet effet l'homme lui-même : la justice d'État, et aussi les « vengeurs du sang », Nb **35** 19+.

*f)* « dominez » *redû* conj., cf. **1** 28; « multipliez » *rebû* hébr.

*g)* L'alliance « noachique », dont le signe est l'arc-en-ciel, s'étend à toute la création; l'alliance avec Abraham dont le signe sera la circoncision, n'intéresse plus que les descendants du Patriarche, Gn **17**: sous Moïse, elle se limitera au seul Israël, avec, en contre-partie, l'obéissance à la loi, Ex **19** 5, **24** 7-8, et notamment l'observance du sabbat, Ex **31** 16-17.

## III. DU DÉLUGE A ABRAHAM

### Noé et ses fils [a].

18 Les fils de Noé qui sortirent de l'arche étaient
10 6 Sem, Cham et Japhet; Cham est le père de Canaan.
19 Ces trois-là étaient les fils de Noé et à partir
d'eux se fit le peuplement de toute la terre.
20 Noé, le cultivateur, commença de planter la
vigne. 21 Ayant bu du vin, il fut enivré et se dénuda
à l'intérieur de sa tente. 22 Cham, père de Canaan [b],
vit la nudité de son père et avertit ses deux frères
au-dehors. 23 Mais Sem et Japhet prirent le manteau, le mirent tous deux sur leur épaule et, marchant à reculons, couvrirent la nudité de leur père;
leurs visages étaient tournés en arrière et ils ne
virent pas la nudité de leur père. 24 Lorsque Noé se
réveilla de son ivresse, il apprit ce que lui avait fait
son fils le plus jeune. 25 Et il dit [c] :

« Maudit soit Canaan!
Qu'il soit pour ses frères
le dernier des esclaves! »

26 Il dit aussi :

« Béni soit Yahvé, le Dieu de Sem,
et que Canaan soit son esclave!
27 Que Dieu mette Japhet au large [d],
qu'il habite dans les tentes de Sem,
et que Canaan soit son esclave! »

28 Après le déluge [e], Noé vécut trois cent cinquante ans. 29 Toute la durée de la vie de Noé fut
de neuf cent cinquante ans, puis il mourut.

### Le peuplement de la terre [f].

10 1 Voici la descendance des fils de Noé, Sem, 1 Ch 1 5-23
Cham et Japhet, auxquels des fils naquirent
après le déluge :
2 Fils de Japhet : Gomer, Magog, les Mèdes,
Yavân, Tubal, Moshek, Tiras. 3 Fils de Gomer :
Ashkenaz, Riphat, Togarma. 4 Fils de Yavân :
Elisha, Tarsis, les Kittim, les Dananéens. 5 A partir d'eux se fit la dispersion dans les îles des
nations [g].
Tels furent les fils de Japhet [h], d'après leurs pays
et chacun selon sa langue, selon leurs clans et
d'après leurs nations.
6 Fils de Cham : Kush, Miçrayim, Put, Canaan.
7 Fils de Kush : Séba, Havila, Sabta, Rama, Sabteka. Fils de Rama : Sheba, Dedân. 1 R 10 1+
8 Kush engendra Nemrod [i], qui fut le premier
potentat sur la terre. 9 C'était un vaillant chasseur
devant Yahvé, et c'est pourquoi l'on dit : « Comme
Nemrod, vaillant chasseur devant Yahvé. » 10 Les
soutiens de son empire furent Babel, Érek et
Akkad [j], villes qui sont toutes au pays de Shinéar [k].
11 De ce pays sortit Ashshur, et il bâtit Ninive,
Rehobot-Ir, Kalah, 12 et Rèsèn entre Ninive et
Kalah (c'est la grande ville) [l].
13 Miçrayim engendra les gens de Lud, de Anam,
de Lehab, de Naphtuh, 14 de Patros, de Kasluh et
de Kaphtor, d'où sont sortis les Philistins [m].

*a)* Les deux premiers vv. sont l'introduction yahviste à la table des peuples du ch. **10** selon la même source. Les noms et l'ordre des fils de Noé, Sem, Cham et Japhet, sont fixés dans la tradition, cf. **5** 32; **6** 10; **7** 13; **10** 1. L'incise « Cham, père de Canaan » au v. 18 prépare le récit des vv. 20-27.

*b)* Cham ne sera plus nommé et Canaan sera le sujet de la malédiction des vv. 25-27; il doit donc être le coupable. Son nom figurait seul dans le récit primitif recueilli par le Yahviste et il était le plus jeune des trois fils de Noé, v. 24, dont l'ordre était donc, selon cette tradition : Sem, Japhet et Canaan.

*c)* Les bénédictions et les malédictions des Patriarches. cf. **27** et **49**, sont des paroles efficaces qui atteignent un chef de lignée et se réalisent en ses descendants : la race de Canaan sera soumise à Sem, ancêtre d'Abraham et des Israélites, placés sous la protection spéciale de Yahvé, et à Japhet dont les descendants s'étendront aux dépens de Sem. La situation historique serait celle du règne de Saül et du début du règne de David, où Israélites et Philistins dominaient sur Canaan, et où les Philistins avaient envahi une partie du territoire d'Israël. Beaucoup de Pères ont vu ici l'annonce de l'entrée des Gentils (Japhet) dans la communauté chrétienne issue des Hébreux (Sem).

*d)* L'hébreu joue sur les mots *Yaphet* et *yapht* « qu'il mette au large ».

*e)* On reprend la source sacerdotale.

*f)* Sous la forme d'un tableau généalogique, ce ch. donne une table des peuples, groupés moins selon leurs affinités ethniques que d'après leurs rapports historiques et géographiques : les fils de Japhet peuplent l'Asie Mineure et les îles de la Méditerranée; les fils de Cham les pays du Sud : Égypte, Éthiopie, Arabie, et Canaan leur est rattaché en souvenir de la domination égyptienne sur cette contrée; entre ces deux groupes sont les fils de Sem : Élamites, Assyriens, Araméens, et les ancêtres des Hébreux. Le tableau est sacerdotal, sauf des éléments yahvistes (vv. 8-19, 21, 24-30) qui y apportent quelques modifications. Résumant les connaissances sur le monde habité qu'on pouvait avoir en Israël, au VIIIe-VIIe siècle av. J.-C., il affirme l'unité de l'espèce humaine, divisée en groupes à partir d'une souche commune. Cette dispersion apparaît, **10** 32, comme accomplissant la bénédiction de **9** 1. Le récit yahviste de la Tour de Babel, **11** 1-9, rendra un son moins favorable; mais tels sont les aspects complémentaires d'une histoire du monde à laquelle concourent la puissance de Dieu et la malice des hommes.

*g)* Les îles et les côtes de la Méditerranée.

*h)* Ces mots, omis par hébr., sont restitués d'après les vv. 20 et 31.

*i)* Figure populaire (le v. 9 énonce un proverbe) derrière laquelle se cache un héros de Mésopotamie, dont l'identification est incertaine.

*j)* Akkad, ville située près du site de Babylone : son nom sert à désigner la partie nord de la Basse-Mésopotamie par opposition au pays de Sumer, plus au sud, et plus généralement, toujours par opposition aux Sumériens, la langue et les peuples sémitiques de cette région.

*k)* « villes qui sont toutes » *wekullanah* conj.; « et Kalneh » hébr., ville inconnue.

*l)* Si cette glose se rapporte à Kalah, elle peut dater du IXe s. av. J.-C., où Kalah, l'actuelle Nimrud, est devenue capitale de l'Assyrie. Si elle se rapporte à Ninive, elle est postérieure à Sennachérib qui établit là sa capitale.

*m)* Le texte rejette « et de Kaphtor » après « Philistins », mais

[15] Canaan engendra Sidon, son premier-né, puis
Hèt, [16] et le Jébuséen, l'Amorite, le Girgashite, [17] le
Hivvite, l'Arqite, le Sinite, [18] l'Arvadite, le Çema-
rite, le Hamatite; ensuite se dispersèrent les clans
cananéens. [19] La frontière des Cananéens allait de
Sidon en direction de Gérar, jusqu'à Gaza, puis en
direction de Sodome, Gomorrhe, Adma et
Çeboyim, et jusqu'à Lésha.
[20] Tels furent les fils de Cham, selon leurs clans
et leurs langues, d'après leurs pays et leurs nations.
[21] Une descendance naquit également à Sem,
l'ancêtre de tous les fils de Éber et le frère aîné de
Japhet.
[22] Fils de Sem : Élam, Ashshur, Arpakshad,
Lud, Aram. [23] Fils d'Aram : Uç, Hul, Géter et
Mash.
[24] Arpakshad engendra Shélah et Shélah engendra Éber. [25] A Éber naquirent deux fils : le premier
s'appelait Péleg, car ce fut en son temps que la
terre fut divisée, et son frère s'appelait Yoqtân.
[26] Yoqtân engendra Almodad, Shéleph, Haççar-
mavet, Yérah, [27] Hadoram, Uzal, Diqla, [28] Obal,
Abimaël, Sheba, [29] Ophir, Havila, Yobab; tous
ceux-là sont fils de Yoqtân. [30] Ils habitaient à partir
de Mésha en direction de Sephar, la montagne de
l'Orient.
[31] Tels furent les fils de Sem, selon leurs clans et
leurs langues, d'après leurs pays et leurs nations.
[32] Tels furent les clans des descendants de Noé,
9 1 selon leurs lignées et d'après leurs nations. Ce fut
à partir d'eux que les peuples se dispersèrent sur la
terre après le déluge.

↗ Sg 10 5 **La tour de Babel** [a].
Ac 2 5-12
Ap 7 9-10 **11** [1] Tout le monde se servait d'une même langue
et des mêmes mots. [2] Comme les hommes se
déplaçaient à l'orient, ils trouvèrent une vallée au
pays de Shinéar [b] et ils s'y établirent. [3] Ils se dirent
l'un à l'autre : « Allons! Faisons des briques et cui-
sons-les au feu! » La brique leur servit de pierre et
le bitume leur servit de mortier. [4] Ils dirent :
« Allons! Bâtissons-nous une ville et une tour dont
Si 40 19 le sommet pénètre les cieux [c]! Faisons-nous un nom
et ne soyons pas dispersés sur toute la terre! »
[5] Or Yahvé descendit pour voir la ville et la tour
que les hommes avaient bâties. [6] Et Yahvé dit :
« Voici que tous font un seul peuple et parlent une 3 22
seule langue, et tel est le début de leurs entreprises!
Maintenant, aucun dessein ne sera irréalisable pour
eux. [7] Allons! Descendons! Et là, confondons leur
langage pour qu'ils ne s'entendent plus les uns les
autres. » [8] Yahvé les dispersa de là sur toute la face
de la terre et ils cessèrent de bâtir la ville. [9] Aussi
la nomma-t-on Babel, car c'est là que Yahvé Jr 51 53
confondit [d] le langage de tous les habitants de la Is 14 12s
terre et c'est de là qu'il les dispersa sur toute la face Jn 11 52;
de la terre. 10 16

**Les Patriarches d'après le déluge** [e].

[10] Voici la descendance de Sem : 1 Ch 1 17-27
Quand Sem eut cent ans, il engendra Arpakshad,
deux ans après le déluge. [11] Après la naissance
d'Arpakshad, Sem vécut cinq cents ans et il engendra des fils et des filles.
[12] Quand Arpakshad eut trente-cinq ans, il
engendra Shélah. [13] Après la naissance de Shélah,
Arpakshad vécut quatre cent trois ans et il engendra des fils et des filles.
[14] Quand Shélah eut trente ans, il engendra Éber.
[15] Après la naissance de Éber, Shélah vécut quatre
cent trois ans et il engendra des fils et des filles.
[16] Quand Éber eut trente-quatre ans, il engendra
Péleg. [17] Après la naissance de Péleg, Éber vécut
quatre cent trente ans et il engendra des fils et des
filles.
[18] Quand Péleg eut trente ans, il engendra Réu.
[19] Après la naissance de Réu, Péleg vécut deux cent
neuf ans et il engendra des fils et des filles.
[20] Quand Réu eut trente-deux ans, il engendra
Serug. [21] Après la naissance de Serug, Réu vécut
deux cent sept ans et il engendra des fils et des
filles.
[22] Quand Serug eut trente ans, il engendra
Nahor. [23] Après la naissance de Nahor, Serug
vécut deux cents ans et il engendra des fils et des
filles.
[24] Quand Nahor eut vingt-neuf ans, il engendra
Térah. [25] Après la naissance de Térah, Nahor
vécut cent dix-neuf ans et il engendra des fils et
des filles.

c'est de Kaphtor que les Philistins étaient originaires, cf. Jos **13** 2+.

*a)* Ce récit yahviste donne de la diversité des peuples et des langues une autre explication. C'est le châtiment d'une faute collective qui, comme celle des premiers parents, **3**, est encore une faute de démesure, cf. v. 4. L'union ne sera restaurée que dans le Christ sauveur : miracle des langues à la Pentecôte, Ac **2** 5-12, assemblée des nations au ciel, Ap **7** 9-10.

*b)* La Babylonie, cf. **10** 10; Is **11** 11; Dn **1** 2.

*c)* La tradition s'est attachée aux ruines de l'une de ces hautes tours à étages que l'on construisait en Mésopotamie comme un symbole de la montagne sacrée et un reposoir de la divinité. Les constructeurs y auraient cherché un moyen de rencontrer leur dieu. Mais le Yahviste y voit l'entreprise d'un orgueil insensé. Ce thème de la tour se combine avec celui de la ville : c'est une condamnation de la civilisation urbaine, cf. **4** 17+.

*d)* « Babel » est expliqué par la racine *bll* « confondre ». Le nom de Babylone signifie en réalité « porte du dieu ».

*e)* Les vv. 10-27, 31-32 reprennent la tradition sacerdotale, abandonnée depuis **10** 32. C'est la suite de la généalogie du ch. **5**. L'horizon se restreint aux ascendants directs d'Abraham.

26 Quand Térah eut soixante-dix ans, il engendra
Abram, Nahor et Harân.

### La descendance de Térah [a].

27 Voici la descendance de Térah :
Térah engendra Abram, Nahor et Harân. Harân
engendra Lot. 28 Harân mourut en présence de son
père Térah dans son pays natal, Ur des Chaldéens.
29 Abram et Nahor se marièrent : la femme
d'Abram s'appelait Saraï; la femme de Nahor
s'appelait Milka, fille de Harân, qui était le père de 22 20-23
Milka et de Yiska. 30 Or Saraï était stérile : elle 16 1;
n'avait pas d'enfant. 17 19-21

31 Térah prit son fils Abram, son petit-fils Lot, fils
de Harân, et sa bru Saraï, femme d'Abram. Il les
fit sortir [b] d'Ur des Chaldéens pour aller au pays
de Canaan, mais, arrivés à Harân, ils s'y établirent [c].

32 La durée de la vie de Térah fut de deux cent
cinq ans [d], puis il mourut à Harân.

# II. Histoire d'Abraham

↗ Sg 10 5 ↗ Ac 7 2-3 ↗ He 11 8s
### Vocation d'Abraham [e].

12 1 Yahvé dit à Abram : « Quitte ton pays, ta
parenté et la maison de ton père, pour le pays
que je t'indiquerai. 2 Je ferai de toi un grand peuple,
je te bénirai, je magnifierai ton nom; sois une bénédiction!

3 Je bénirai ceux qui te béniront,
je réprouverai ceux qui te maudiront.
↗ Jr 4 2 ↗ Si 44 21 Par toi se béniront
↗ Ac 3 25 ↗ Ga 3 8 tous les clans de la terre [f]. »

4 Abram partit, comme lui avait dit Yahvé, et
Lot partit avec lui. Abram avait soixante-quinze
ans lorsqu'il quitta Harân. 5 Abram prit sa femme
Saraï, son neveu Lot, tout l'avoir qu'ils avaient
amassé et le personnel qu'ils avaient acquis à
Harân; ils se mirent en route pour le pays de
Canaan et ils y arrivèrent.
33 18-20 6 Abram traversa le pays jusqu'au lieu saint de
Sichem, au Chêne de Moré. Les Cananéens étaient
alors dans le pays. 7 Yahvé apparut à Abram et 13 15; 15
dit : « C'est à ta postérité que je donnerai ce 18; 17 8;
pays [g]. » Et là, Abram bâtit un autel à Yahvé qui 26 3s Ac 7 5
lui était apparu. 8 Il passa de là dans la montagne, Ga 3 16 Gn 23+
à l'orient de Béthel, et il dressa sa tente, ayant
Béthel à l'ouest et Aï à l'est. Là, il bâtit un autel
à Yahvé et il invoqua son nom. 9 Puis, de campement en campement, Abram alla au Négeb.

### Abraham en Égypte [h] = 20 = 26 1-11

10 Il y eut une famine dans le pays et Abram descendit en Égypte pour y séjourner, car la famine
pesait lourdement sur le pays. 11 Lorsqu'il fut près
d'entrer en Égypte, il dit à sa femme Saraï :
« Vois-tu, je sais que tu es une femme de belle
apparence. 12 Quand les Égyptiens te verront, ils
diront : " C'est sa femme ", et ils me tueront et te
laisseront en vie. 13 Dis, je te prie, que tu es ma
sœur [i], pour qu'on me traite bien à cause de toi et
qu'on me laisse en vie par égard pour toi. » 14 De

*a)* L'histoire de la race élue va commencer et le tableau généalogique se détaille pour présenter les parents de toute la race, Abram et Saraï dont les noms seront changés en Abraham et Sara, **17** 5, 15, et aussi Nahor, le grand-père de Rébecca, **24** 24, et Lot, l'ancêtre des Moabites et des Ammonites, **19** 30-38. Les vv. 28-30 sont de tradition yahviste.

*b)* « Il les fit sortir » versions; « Ils sortirent avec eux » hébr.

*c)* Première migration sur la route de la Terre Promise. Ur est en Basse-Mésopotamie, Harân au nord-ouest de la Mésopotamie. L'historicité de cette première migration est contestée. Elle est cependant attestée par les traditions anciennes, en **11** 28 et **15** 7, rédigées à une époque où Ur était tombée dans l'oubli. Elle était au contraire un centre important au début du IIe millénaire et avait déjà des liens religieux et commerciaux avec Harân. Il faut au moins reconnaître la possibilité de cette première migration; seule la mention des Chaldéens serait une précision ajoutée à l'époque néo-babylonienne.

*d)* Seulement 145 d'après le Pentateuque samaritain, ce qui ne fait quitter Harân par Abraham qu'à la mort de son père (d'après **11** 26 et **12** 4); cf. Ac **7** 4.

*e)* Les ch. **12-13** sont un récit yahviste avec quelques additions sacerdotales ou rédactionnelles. – Rompant toutes ses attaches terrestres, Abraham part pour un pays inconnu, avec sa femme stérile, **11** 30, parce que Dieu l'a appelé et lui a promis une postérité. Premier acte de la foi d'Abraham que l'on retrouvera lors du renouvellement de la promesse, **15** 5-6+, et que Dieu mettra à l'épreuve en redemandant Isaac, fruit de cette promesse, **22**+. L'existence et l'avenir du peuple élu dépendent de cet acte absolu de foi, He **11** 8-9. Il ne s'agit pas seulement de sa descendance charnelle, mais de tous ceux que la même foi rendra fils d'Abraham, comme le montre saint Paul, Rm **4**; Ga **3** 7.

*f)* La formule revient (avec le mot « clan » ou « nation ») en **18** 18; **22** 18; **26** 4; **28** 14. Au sens strict, elle signifie (cf. v. 2 et **48** 20; Jr **29** 22) : « les clans se diront l'un à l'autre : Béni sois-tu comme Abraham ». Mais Si **44** 21, la trad. des LXX et le NT ont compris : « en toi seront bénies toutes les nations ».

*g)* Don de la Terre Sainte.

*h)* Cette histoire, yahviste, dont le thème se retrouve en **20**, élohiste (encore Sara) et **26** 1-11, yahviste (Rébecca), veut célébrer la beauté de l'aïeule de la race, l'habileté du Patriarche, la protection que Dieu accorde à tous deux. Elle porte la marque d'un âge moral où la conscience ne réprouvait pas toujours le mensonge et où la vie du mari valait plus que l'honneur de la femme. L'humanité, guidée par Dieu, n'a pris de la loi morale qu'une conscience progressive.

• *i)* On a rapproché une coutume de Haute-Mésopotamie : dans l'aristocratie hurrite, un mari pouvait adopter fictivement son épouse comme « sœur » et celle-ci jouissait alors d'une considération accrue et de privilèges spéciaux. Telle aurait été la condition de Saraï, et Abram s'en serait vanté devant les Égyptiens qui s'y seraient mépris, v. 19, tout comme l'auteur biblique qui ne connaissait plus la coutume. L'explication est incertaine.

fait, quand Abram arriva en Égypte, les Égyptiens
virent que la femme était très belle. 15 Les officiers
de Pharaon la virent et la vantèrent à Pharaon; et
la femme fut emmenée au palais de Pharaon.
16 Celui-ci traita bien Abram à cause d'elle : il eut
du petit et du gros bétail, des ânes, des esclaves, des
servantes, des ânesses, des chameaux. 17 Mais
Yahvé frappa Pharaon de grandes plaies, et aussi
sa maison, à propos de Saraï, la femme d'Abram.
18 Pharaon appela Abram et dit : « Qu'est-ce que tu
m'as fait? Pourquoi ne m'as-tu pas déclaré qu'elle
était ta femme? 19 Pourquoi as-tu dit : " Elle est ma
sœur! " en sorte que je l'ai prise pour femme.
Maintenant, voilà ta femme : prends-la et va-t'en! »
20 Pharaon le confia à des hommes qui le reconduisirent à la frontière, lui, sa femme et tout ce qu'il
possédait.

**Séparation d'Abraham et de Lot.**

**13** 1 D'Égypte, Abram avec sa femme et tout ce
qu'il possédait, et Lot avec lui, remonta au
Négeb. 2 Abram était très riche en troupeaux, en
argent et en or. 3 Ses campements le conduisirent
du Négeb jusqu'à Béthel, à l'endroit où sa tente
s'était dressée d'abord entre Béthel et Aï, 4 à l'en-
12 8 droit de l'autel qu'il avait érigé précédemment, et
là, Abram invoqua le nom de Yahvé.

5 Lot, qui accompagnait Abram, avait également
du petit et du gros bétail, ainsi que des tentes. 6 Le
pays ne suffisait pas à leur installation commune :
36 7 ils avaient de trop grands biens pour pouvoir habiter ensemble. 7 Il y eut une dispute entre les pâtres
des troupeaux d'Abram et ceux des troupeaux de
Lot (les Cananéens et les Perizzites habitaient alors
le pays). 8 Aussi Abram dit-il à Lot : « Qu'il n'y ait
pas discorde entre moi et toi, entre mes pâtres et
les tiens, car nous sommes des frères! 9 Tout le
pays n'est-il pas devant toi? Sépare-toi de moi. Si
tu prends la gauche, j'irai à droite, si tu prends la
droite, j'irai à gauche. »

10 Lot leva les yeux et vit toute la Plaine du Jourdain [a] qui était partout irriguée – c'était avant que
Yahvé ne détruisît Sodome et Gomorrhe – comme
le jardin de Yahvé, comme le pays d'Égypte, jusque
vers Çoar [b]. 11 Lot choisit pour lui toute la Plaine
du Jourdain et il émigra à l'orient; ainsi ils se séparèrent l'un de l'autre : 12 Abram s'établit au pays de
Canaan et Lot s'établit dans les villes de la Plaine;
il dressa ses tentes jusqu'à Sodome. 13 Les gens de
Sodome étaient de grands scélérats et pécheurs
contre Yahvé [c].

14 Yahvé dit à Abram, après que Lot se fut séparé
de lui : « Lève les yeux et regarde, de l'endroit où
tu es, vers le nord et le midi, vers l'orient et l'occident. 15 Tout le pays que tu vois, je le donnerai à 12 7+
toi et à ta postérité pour toujours. 16 Je rendrai ta
postérité comme la poussière de la terre : quand on
pourra compter les grains de poussière de la terre,
alors on comptera tes descendants! 17 Debout! Parcours le pays en long et en large, car je te le donnerai. » 18 Avec ses tentes, Abram alla s'établir au
Chêne [d] de Mambré, qui est à Hébron, et là, il
érigea un autel à Yahvé.

**La campagne des quatre grands rois [e].**

**14** 1 Au temps d'Amraphel roi de Shinéar,
d'Aryok roi d'Ellasar, de Kedor-Laomer roi
d'Élam et de Tidéal roi des Goyim, 2 ceux-ci firent
la guerre contre Béra roi de Sodome, Birsha roi de
Gomorrhe, Shinéab roi d'Adma, Shéméeber roi de
Çeboyim et le roi de Béla (c'est Çoar) [f].

3 Ces derniers se liguèrent dans la vallée de Siddim (c'est la mer du Sel) [g]. 4 Douze ans ils avaient
été soumis à Kedor-Laomer mais, la treizième
année [h], ils se révoltèrent. 5 En la quatorzième
année, arrivèrent Kedor-Laomer et les rois qui
étaient avec lui. Ils battirent les Rephaïm à Ashte- Dt 1 28+
rot-Qarnayim, les Zuzim à Ham, les Émim dans
la plaine de Qiryatayim, 6 les Horites dans les
montagnes de Séïr jusqu'à El-Parân, qui est à la
limite du désert [i]. 7 Ils firent un mouvement tournant et vinrent à la Source du Jugement (c'est

*a)* Litt. le « cercle », employé ici comme nom géographique désignant la basse vallée du Jourdain jusqu'au sud de la mer Morte, laquelle est censée ne pas exister encore, cf. **14** 3; **19** 24s.

*b)* Au sud de la mer Morte, cf. **19** 22.

*c)* Préparation de **18** 20-21; **19** 4-11. C'est l'introduction à une tradition sur Lot, qui était originaire de Transjordanie et centrée sur l'histoire de Sodome et Gomorrhe, **18-19**. Elle était d'abord indépendante du cycle d'Abraham. – Lot a préféré la vie facile et un climat de péché; il en sera cruellement puni, **19**. Mais la générosité d'Abraham qui a laissé le choix à son neveu va être récompensée par le renouvellement de la Promesse, **12** 7.

*d)* «au Chêne» grec, syr., cf. **18** 4; plur. hébr., de même en **14** 13.

*e)* Ce ch. n'appartient à aucune des trois grandes sources de la Genèse. Sa valeur est très diversement appréciée. Il semble qu'il soit une composition tardive pastichant l'antique : les noms des quatre rois de l'Orient ont des formes anciennes, mais ils ne sont identifiables à aucun personnage connu, et il est historiquement impossible que l'Élam ait jamais dominé sur les villes du sud de la mer Morte, et ait pris la tête d'une coalition qui aurait réuni un roi amorite (Amraphel), un roi hurrite (Aryok) et un roi hittite (Tidéal). Le récit a voulu rattacher Abraham à la grande histoire et ajouter à sa figure une auréole de gloire militaire.

*f)* Sur Sodome et Gomorrhe, voir ch. **19**; sur Adma et Çeboyim, Dt **29** 22; Os **11** 8.

*g)* L'auteur se représente la mer Morte comme n'existant pas encore, cf. **13** 10; ou bien la vallée de Siddim (le nom ne se rencontre qu'ici) n'occupait que la partie méridionale de la mer Morte qui est un affaissement récent.

*h)* « la treizième année » versions; « treize ans » hébr.

*i)* Rephaïm, Zuzim (ou Zamzumim), Émim et Horites : anciennes populations légendaires de Transjordanie, cf. Dt **2** 10+ et **2** 12+; leurs villes jalonnent la grande route qui descend vers la mer Rouge.

Ex 17 8+ Cadès); ils battirent tout le territoire des Amalé-
Dt 7 1+ cites et aussi les Amorites qui habitaient
Haçaçôn-Tamar. 8 Alors le roi de Sodome, le roi
de Gomorrhe, le roi d'Adma, le roi de Çeboyim et
le roi de Béla (c'est Çoar) s'ébranlèrent et se rangèrent en bataille contre eux dans la vallée de
Siddim, 9 contre Kedor-Laomer roi d'Élam, Tidéal
roi des Goyim, Amraphel roi de Shinéar et Aryok
roi d'Ellasar : quatre rois contre cinq! 10 Or la
vallée de Siddim était pleine de puits de bitume;
dans leur fuite, le roi de Sodome et le roi de
Gomorrhe y tombèrent, et le reste se réfugia dans
la montagne. 11 Les vainqueurs prirent tous les
biens de Sodome et de Gomorrhe et tous leurs
vivres, et s'en allèrent.

12 Ils prirent aussi Lot et ses biens (le neveu
d'Abram), et s'en allèrent; il habitait Sodome. 13 Un
rescapé vint informer Abram l'Hébreu, qui demeu-
13 18 rait au Chêne de l'Amorite Mambré, frère d'Eshkol
et d'Aner; ils étaient les alliés d'Abram. 14 Quand
Abram apprit que son parent était emmené captif,
il leva ses partisans, ses familiers, au nombre de
trois cent dix-huit, et mena la poursuite jusqu'à
Dan. 15 Il les attaqua de nuit en ordre dispersé, lui
et ses gens, il les battit et les poursuivit jusqu'à
Hoba, au nord de Damas. 16 Il reprit tous les biens,
et aussi son parent Lot et ses biens, ainsi que les
femmes et les gens.

**Melchisédech.**

17 Quand Abram revint après avoir battu Kedor-
Laomer et les rois qui étaient avec lui, le roi de
Sodome alla à sa rencontre dans la vallée de Shavé
Ps 110 4 (c'est la vallée du Roi)[a]. 18 Melchisédech, roi
↗ He 5-7 de Shalem[b], apporta du pain et du vin; il était
prêtre du Dieu Très Haut. 19 Il prononça cette
bénédiction[c] :

« Béni soit Abram par le Dieu Très Haut
qui créa ciel et terre,
20 et béni soit le Dieu Très Haut
qui a livré tes ennemis entre tes mains. »

Et Abram lui donna la dîme de tout.
21 Le roi de Sodome dit à Abram : « Donne-moi
les personnes et prends les biens pour toi. » 22 Mais
Abram répondit au roi de Sodome : « Je lève
la main devant le Dieu Très Haut[d] qui créa ciel
et terre : 23 ni un fil ni une courroie de sandale,
je ne prendrai rien de ce qui est à toi, et tu ne
pourras pas dire : " J'ai enrichi Abram. " 24 Rien
pour moi. Seulement ce que mes serviteurs ont
mangé et la part des hommes qui sont venus
avec moi, Aner, Eshkol et Mambré; eux prendront
leur part. »

**Les promesses et l'alliance divines[e].** = 17

**15** 1 Après ces événements, la parole de Yahvé fut 12 2,7;
adressée à Abram, dans une vision : 13 14-17
« Ne crains pas, Abram! Je suis ton bouclier, ta
récompense sera très grande. »
2 Abram répondit : « Mon Seigneur Yahvé, que
me donnerais-tu? Je m'en vais sans enfant[f]... » Ac 7 5
3 Abram dit : « Voici que tu ne m'as pas donné de
descendance et qu'un des gens de ma maison héritera de moi. » 4 Alors cette parole de Yahvé lui fut
adressée : « Celui-là ne sera pas ton héritier, mais
bien quelqu'un issu de ton sang. » 5 Il le conduisit
dehors et dit : « Lève les yeux au ciel et dénombre Dt 1 10
les étoiles si tu peux les dénombrer » et il lui dit : ↗ He 11 12
« Telle sera ta postérité. » 6 Abram crut en Yahvé, 1 M 2 52
qui le lui compta comme justice[g]. ↗ Rm 4
↗ Ga 3 6s
7 Il lui dit : « Je suis Yahvé qui t'ai fait sortir d'Ur ↗ Jc 2 23
11 31

*a)* Mentionnée en 2 S **18** 18, elle se trouvait, d'après Josèphe, à moins de 400 m de Jérusalem.

*b)* Après le Ps **76** 3, toute la tradition juive et beaucoup de Pères ont identifié Shalem avec Jérusalem. Son roi-prêtre, Melchisédech (nom cananéen, cf. Adonisédech, roi de Jérusalem, Jos **10** 1), adore le Dieu Très Haut, *El ' Elyôn*, nom composé dont chaque élément est attesté comme deux divinités distinctes du panthéon phénicien. '*Elyôn* est employé dans la Bible (surtout Ps) comme un titre divin. Ici, v. 22, *El 'Elyôn* est identifié au vrai Dieu d'Abraham. Ce Melchisédech, qui fait dans le récit sacré une brève et mystérieuse apparition, comme roi de Jérusalem où Yahvé choisira d'habiter, comme prêtre du Très Haut dès avant l'institution lévitique, est présenté par le Ps **110** 4 comme une figure de David, qui est lui-même une figure du Messie, roi et prêtre. L'application au sacerdoce du Christ est développée en He **7**. La tradition patristique a exploité et enrichi cette exégèse allégorique, voyant dans le pain et le vin apportés à Abraham une figure de l'Eucharistie, et même un véritable sacrifice, figure du sacrifice eucharistique, interprétation reçue dans le Canon de la Messe. Plusieurs Pères avaient même admis qu'en Melchisédech était apparu le Fils de Dieu en personne. Ici les vv. 18-20 sont une addition et sont postérieurs au reste du chapitre. Melchisédech y est l'image du grand prêtre d'après l'Exil, héritier des prérogatives royales et chef du sacerdoce, à qui les descendants d'Abraham payent la dîme.

*c)* La bénédiction est une parole efficace, **9** 25+, et irrévocable, **27** 33+; **48** 18+, qui, même prononcée par un homme, transmet l'effet qui s'y exprime, puisque c'est Dieu qui bénit, **1** 27, 28; **12** 1; **28** 3-4; Ps **67** 2; **85** 2, etc. Mais l'homme aussi, en retour, bénit Dieu, loue sa grandeur et sa bonté en même temps qu'il souhaite les voir s'affirmer et s'étendre, **24** 48; Ex **18** 10; Dt **8** 10; 1 S **25** 32, 39, etc. Ici les deux bénédictions sont associées. Le culte israélite comportait les unes et les autres, Nb **6** 22; Dt **27** 14-26; Ps **103** 1-2; **144** 1; Dn **2** 19-23, etc. Cf. Lc **1** 68; 2 Co **1** 3; Ep **1** 3; 1 P **1** 3.

*d)* Avant « Dieu » on omet « Yahvé », avec grec et syr.

*e)* Récit yahviste où sont peut-être incorporées les premières traces de la tradition élohiste. La foi d'Abraham est mise à l'épreuve, les promesses tardent à se réaliser. Elles sont alors renouvelées et scellées par une alliance. La promesse de la terre est en première place. – C'est à ces promesses faites aux Pères, dans lesquelles Dieu a engagé sa miséricorde et sa fidélité, que le NT rattachera la personne et l'œuvre de Jésus Christ, cf. Ac **2** 39+; Rm **4** 13+.

*f)* Le texte est irrémédiablement corrompu : « et le fils de... (un mot incompréhensible) de ma maison, c'est Damas Éliézer ». Le v. 3 est une addition qui donne le sens général. Pour la première fois, Abraham répond à Dieu pour exprimer une inquiétude.

*g)* La foi d'Abraham est la confiance en une promesse humainement irréalisable. Dieu lui reconnaît le mérite de cet acte (cf.

des Chaldéens, pour te donner ce pays en possession. » 8 Abram répondit : « Mon Seigneur Yahvé,
à quoi saurai-je que je le posséderai? » 9 Il lui dit :
« Va me chercher une génisse de trois ans, une chèvre de trois ans, un bélier de trois ans, une tourterelle et un pigeonneau. » 10 Il lui amena tous ces
animaux, les partagea par le milieu et plaça chaque
moitié vis-à-vis de l'autre; cependant il ne partagea
pas les oiseaux. 11 Les rapaces s'abattirent sur les
cadavres, mais Abram les chassa.
12 Comme le soleil allait se coucher, une torpeur
tomba sur Abram et voici qu'un grand effroi [a] le
saisit. 13 Yahvé dit à Abram : « Sache bien que tes
↗ Ac 7 6-7 descendants seront des étrangers dans un pays qui
ne sera pas le leur. Ils y seront esclaves, on les
opprimera pendant quatre cents ans. 14 Mais je
Ex 12 40 jugerai aussi la nation à laquelle ils auront été
Jdt 5 9s ↗ Ga 3 17 asservis et ils sortiront ensuite avec de grands
↗ Ac 13 20 biens. 15 Pour toi, tu t'en iras en paix avec tes pères,
tu seras enseveli dans une vieillesse heureuse.
16 C'est à la quatrième génération qu'ils reviendront
ici, car jusque-là l'iniquité des Amorites n'aura pas
atteint son comble [b]. »
17 Quand le soleil fut couché et que les ténèbres
s'étendirent, voici qu'un four fumant et un brandon
de feu passèrent entre les animaux partagés [c]. 18 Ce
jour-là Yahvé conclut une alliance avec Abram en
ces termes :
12 7+ « A ta postérité je donne ce pays,
du Fleuve d'Égypte jusqu'au Grand Fleuve,
Nb 24 21+ le fleuve d'Euphrate, 19 les Qénites, les Qenizzites,
Dt 7 1+ les Qadmonites, 20 les Hittites, les Perizzites, les
Rephaïm, 21 les Amorites, les Cananéens, les
Girgashites et les Jébuséens. »

### Naissance d'Ismaël [d].

**16** 1 La femme d'Abram, Saraï, ne lui avait pas
donné d'enfant. Mais elle avait une servante
égyptienne, nommée Agar, 2 et Saraï dit à Abram :
« Vois, je te prie : Yahvé n'a pas permis que
j'enfante. Va donc vers ma servante. Peut-être ob-
tiendrai-je par elle des enfants [e]. » Et Abram écouta
la voix de Saraï.
3 Ainsi, au bout de dix ans qu'Abram résidait au
pays de Canaan, sa femme Saraï prit Agar l'Égyptienne, sa servante, et la donna pour femme à son
mari, Abram. 4 Celui-ci alla vers Agar, qui devint
enceinte. Lorsqu'elle se vit enceinte, sa maîtresse
ne compta plus à ses yeux. 5 Alors Saraï dit à
Abram : « Tu es responsable de l'injure qui m'est = 21 10-19
faite! J'ai mis ma servante entre tes bras et, depuis
qu'elle s'est vue enceinte, je ne compte plus à ses
yeux. Que Yahvé juge entre moi et toi! » 6 Abram
dit à Saraï : « Eh bien, ta servante est entre tes
mains, fais-lui comme il te semblera bon. » Saraï
la maltraita tellement que l'autre s'enfuit de
devant elle
7 L'Ange de Yahvé [f] la rencontra près d'une certaine source au désert, la source qui est sur le che- Ex 15 22
min de Shur. 8 Il dit : « Agar, servante de Saraï,
d'où viens-tu et où vas-tu? » Elle répondit : « Je fuis
devant ma maîtresse Saraï. » 9 L'Ange de Yahvé lui
dit : « Retourne chez ta maîtresse et sois-lui soumise. » 10 L'Ange de Yahvé lui dit : « Je multiplierai
beaucoup ta descendance, tellement qu'on ne
pourra pas la compter. » 11 L'Ange de Yahvé lui
dit :
« Tu es enceinte et tu enfanteras un fils,
et tu lui donneras le nom d'Ismaël,
car Yahvé a entendu [g] ta détresse.
12 Celui-là sera un onagre d'homme,
sa main contre tous, la main de tous contre lui,
il s'établira à la face de tous ses frères [h]. » 25 12-18
13 A Yahvé qui lui avait parlé, Agar donna ce
nom : « Tu es El Roï », car, dit-elle, « Ai-je encore
vu ici après celui qui me voit [i]? » 14 C'est pourquoi
on a appelé ce puits le puits de Lahaï Roï; il se
trouve entre Cadès et Bérèd.

Dt **24** 13; Ps **106** 31), il le met au compte de sa justice, le « juste » étant l'homme que sa rectitude et sa soumission rendent agréable à Dieu. Saint Paul utilise le texte pour prouver que la justification dépend de la foi et non des œuvres de la Loi; mais la foi d'Abraham commande sa conduite, elle est principe d'action et saint Jacques peut invoquer le même texte pour condamner la foi « morte », sans les œuvres de la foi.

*a)* Le texte ajoute ici : « une obscurité », glose peut-être destinée au mot rare « ténèbres », v. 17.

*b)* Les vv. 13-16 sont une addition ancienne au récit yahviste.

*c)* Vieux rite d'alliance (Jr **34** 18) : les contractants passaient entre les chairs sanglantes et appelaient sur eux le sort fait à ces victimes, s'ils transgressaient leur engagement. Sous le symbole du feu (cf. le buisson ardent, Ex **3** 2; la colonne de feu, Ex **13** 21; le Sinaï fumant, Ex **19** 18), c'est Yahvé qui passe, et il passe seul car son alliance est un pacte unilatéral, voir **9** 9+. C'est un engagement solennel, scellé par un serment imprécatoire (le passage entre les animaux partagés).

*d)* Récit yahviste avec des éléments de source sacerdotale (vv. 1[a], 3, 15-16).

*e)* D'après le droit mésopotamien, une épouse stérile pouvait donner à son mari une servante pour femme et reconnaître comme siens les enfants nés de cette union. Le cas se reproduira pour Rachel, **30** 1-6, et pour Léa, **30** 9-13.

*f)* Dans les textes anciens, l'Ange de Yahvé, **22** 11; Ex **3** 2; Jg **2** 1, etc., ou l'Ange de Dieu, **21** 17; **31** 11; Ex **14** 19, etc., n'est pas un ange créé distinct de Dieu, Ex **23** 20; c'est Dieu lui-même sous la forme visible où il apparaît aux hommes. L'identification est faite au v. 13. Dans d'autres textes, l'Ange de Yahvé est l'exécuteur de ses vengeances, Ex **12** 23+. Cf. également Tb **5** 4+; Mt **1** 20+; Ac **7** 38+.

*g)* Le nom d'*Ishma'el* signifie : « Que Dieu entende » ou : « Dieu entend ».

*h)* Les descendants d'Ismaël sont les Arabes du désert, indépendants et vagabonds comme l'onagre (Jb **39** 5-8).

*i)* *El Roï* signifie « Dieu de vision »; le texte des paroles d'Agar doit être corrompu. *Lahaï Roï* peut s'interpréter : le puits « du Vivant qui me voit »; Isaac y séjournera, **24** 62; **25** 11.

↗ Ga 4 22 15 Agar enfanta un fils à Abram, et Abram donna
au fils qu'enfanta Agar le nom d'Ismaël. 16 Abram
avait quatre-vingt-six ans quand Agar le fit père
d'Ismaël.

= 15 **L'alliance et la circoncision** [a].

9 9+ **17** 1 Lorsqu'Abram eut atteint quatre-vingt-dix-
neuf ans, Yahvé lui apparut et lui dit :
5 22,24; 6 9 « Je suis El Shaddaï [b], marche en ma présence et
sois parfait. 2 J'institue mon alliance entre moi et
toi, et je t'accroîtrai extrêmement. » 3 Et Abram
tomba la face contre terre.
Dieu lui parla ainsi :
4 « Moi, voici mon alliance avec toi : tu deviendras père d'une multitude de nations. 5 Et l'on ne
Ne 9 7 t'appellera plus Abram, mais ton nom sera Abra-
↗ Rm 4 17 ham [c], car je te fais père d'une multitude de nations.
6 Je te rendrai extrêmement fécond, de toi je ferai
des nations, et des rois sortiront de toi. 7 J'établirai
mon alliance entre moi et toi, et ta race après toi,
de génération en génération, une alliance perpétuelle, pour être ton Dieu et celui de ta race après
12 7+ toi. 8 A toi et à ta race après toi, je donnerai le pays
où tu séjournes, tout le pays de Canaan, en possession à perpétuité, et je serai votre Dieu. »
9 Dieu dit à Abraham : « Et toi, tu observeras
mon alliance, toi et ta race après toi, de génération
↗ Rm 4 11-12 en génération. 10 Et voici mon alliance qui sera ob-
↗ Ac 7 8 servée entre moi et vous, c'est-à-dire ta race après
toi : que tous vos mâles soient circoncis [d]. 11 Vous
ferez circoncire la chair de votre prépuce, et ce
sera le signe de l'alliance entre moi et vous.
Lv 12 3+ 12 Quand ils auront huit jours, tous vos mâles
seront circoncis, de génération en génération. Qu'il
soit né dans la maison ou acheté à prix d'argent
à quelque étranger qui n'est pas de ta race, 13 on
devra circoncire celui qui est né dans la maison et
celui qui est acheté à prix d'argent. Mon alliance
sera marquée dans votre chair comme une
alliance perpétuelle. 14 L'incirconcis, le mâle dont
on n'aura pas coupé la chair du prépuce, cette
vie-là sera retranchée de sa parenté : il a violé mon
alliance. »
15 Dieu dit à Abraham : « Ta femme Saraï, tu ne = 18 9-15
l'appelleras plus Saraï, mais son nom est Sara [e].
16 Je la bénirai et même je te donnerai d'elle un fils;
je la bénirai, elle deviendra des nations, et des rois
de peuples viendront d'elle. » 17 Abraham tomba la
face contre terre, et il se mit à rire [f] car il se disait 18 12;
en lui-même : « Un fils naîtra-t-il à un homme de 21 6,9
cent ans, et Sara qui a quatre-vingt-dix ans va-t-elle Jn 8 56+
enfanter? » 18 Abraham dit à Dieu : « Oh!
qu'Ismaël vive devant ta face! » 19 Mais Dieu
reprit : « Non, mais ta femme Sara te donnera un
fils, tu l'appelleras Isaac, j'établirai mon alliance
avec lui, comme une alliance perpétuelle, pour être
son Dieu et celui de sa race après lui [g]. 20 En faveur
d'Ismaël aussi, je t'ai entendu : je le bénis, je le rendrai fécond, je le ferai croître extrêmement, il
engendrera douze princes et je ferai de lui une 25 13-16
grande nation. 21 Mais mon alliance, je l'établirai
avec Isaac, que va t'enfanter Sara, l'an prochain à 18 14
cette saison. » 22 Lorsqu'il eut fini de lui parler,
Dieu remonta d'auprès d'Abraham.
23 Alors Abraham prit son fils Ismaël, tous ceux
qui étaient nés dans sa maison, tous ceux qu'il avait
acquis de son argent, bref tous les mâles parmi les
gens de la maison d'Abraham, et il circoncit la
chair de leur prépuce, ce jour même, comme Dieu
le lui avait dit. 24 Abraham était âgé de quatre-
vingt-dix-neuf ans lorsqu'on circoncit la chair de
son prépuce 25 et Ismaël, son fils, était âgé de treize
ans lorsqu'on circoncit la chair de son prépuce.
26 Ce jour même furent circoncis Abraham et son

*a)* Nouveau récit de l'alliance, de tradition sacerdotale. L'alliance scelle les mêmes promesses que dans la tradition yahviste du ch. **15**, mais impose cette fois à l'homme des obligations de perfection morale, v. 1, un lien religieux avec Dieu, vv. 7, 19, et une prescription positive, la circoncision. Comparer, dans la même source, l'alliance avec Noé, **9** 9+.

*b)* Ancien nom divin de l'époque patriarcale, **28** 3; **35** 11; **43** 14; **48** 3; **49** 25, spécialement retenu par la tradition sacerdotale, cf. Ex **6** 3, rare en dehors du Pentateuque, sauf dans Job. La traduction commune, « Dieu Tout-Puissant », est inexacte. Le sens est incertain; on a proposé « Dieu de la Montagne », d'après l'akkadien *shadû*; il serait préférable de comprendre « Dieu de la Steppe », d'après l'hébreu *sadeh* et un autre sens du mot akkadien. Ce serait une appellation divine apportée de Haute Mésopotamie par les ancêtres.

*c)* D'après la conception antique, le nom d'un être ne le désigne pas seulement, il détermine sa nature. Un changement de nom marque donc un changement de destinée, cf. v. 15 et **35** 10. En fait, *Abram* et *Abraham* semblent être deux formes dialectales du même nom et signifier également : « Il est grand quant à son père, il est de noble lignée. » Mais *Abraham* est expliqué ici par l'assonance avec *'ab hamôn* « père de multitude ».

*d)* La circoncision était primitivement un rite d'initiation au mariage et à la vie du clan, Gn **34** 14s; Ex **4** 24-26; Lv **19** 23. Elle devient ici un « signe », qui rappellera à Dieu (comme l'arc-en-ciel, **9** 16-17) son alliance, et à l'homme son appartenance au peuple choisi et les obligations qui en découlent. Cependant, les lois ne font que deux allusions à cette prescription, Ex **12** 44; Lv **12** 3; cf. Jos **5** 2-8. Elle ne prit toute son importance qu'à partir de l'Exil, cf. 1 M **1** 60s; 2 M **6** 10. Saint Paul l'interprète comme le « sceau de la justice de la foi », Rm **4** 11. Sur la « circoncision du cœur », voir Jr **4** 4+.

*e)* *Sara* et *Saraï* sont deux formes du même nom, qui signifie « princesse »; et Sara sera mère de rois, v. 16.

*f)* Au rire d'Abraham feront écho le rire de Sara, **18** 12, et celui d'Ismaël. **21** 9 (voir encore **21** 6), autant d'allusions au nom d'Isaac, forme abrégée de *Yçhq-El*, qui signifie : « Que Dieu sourie, soit favorable » ou « a souri, s'est montré favorable. » Le rire d'Abraham exprime moins l'incrédulité que son étonnement devant l'énormité de la promesse. Au moins veut-il une confirmation, qu'il sollicite en rappelant l'existence d'Ismaël, qui pourrait être l'héritier promis.

*g)* « pour être son Dieu et celui de » avec une partie du grec; omis par hébr.

fils Ismaël, 27 et tous les hommes de sa maison,
enfants de la maison ou acquis d'un étranger à prix
d'argent, furent circoncis avec lui.

### L'apparition de Mambré [a].

**18** 1 Yahvé lui apparut au Chêne de Mambré,
tandis qu'il était assis à l'entrée de la tente, au
plus chaud du jour. 2 Ayant levé les yeux, voilà
↗ He 13 2 qu'il vit trois hommes qui se tenaient debout près
de lui; dès qu'il les vit, il courut de l'entrée de la
Tente à leur rencontre et se prosterna à terre [b]. 3 Il
dit : « Monseigneur, je t'en prie, si j'ai trouvé grâce
à tes yeux, veuille ne pas passer près de ton serviteur sans t'arrêter. 4 Qu'on apporte un peu d'eau,
vous vous laverez les pieds et vous vous étendrez
sous l'arbre. 5 Que j'aille chercher un morceau de
pain et vous vous réconforterez le cœur avant
d'aller plus loin; c'est bien pour cela que vous êtes
passés près de votre serviteur! » Ils répondirent :
« Fais donc comme tu as dit. »

6 Abraham se hâta vers la tente auprès de Sara
et dit : « Prends vite trois boisseaux de farine, de
fleur de farine, pétris et fais des galettes. » 7 Puis
Abraham courut au troupeau et prit un veau tendre
et bon; il le donna au serviteur qui se hâta de le
préparer. 8 Il prit du caillé, du lait, le veau qu'il
avait apprêté et plaça le tout devant eux; il se
tenait debout près d'eux, sous l'arbre, et ils mangèrent.

= 15 2-4 9 Ils lui demandèrent : « Où est Sara, ta femme? »
– 17 15-21 Il répondit : « Elle est dans la tente. » 10 L'hôte
dit : « Je reviendrai vers toi l'an prochain;
↗ Rm 9 9 alors, ta femme Sara aura un fils. » Sara écoutait,
à l'entrée de la tente, qui se trouvait derrière lui.
11 Or Abraham et Sara étaient vieux, avancés en
âge, et Sara avait cessé d'avoir ce qu'ont les femmes. 12 Donc, Sara rit en elle-même [c], se disant :
« Maintenant que je suis usée, je connaîtrais le
plaisir! Et mon mari qui est un vieillard! » 13 Mais
Yahvé dit à Abraham : « Pourquoi Sara a-t-elle ri,
se disant : " Vraiment, vais-je encore enfanter,
alors que je suis devenue vieille? " 14 Y a-t-il rien
de trop merveilleux pour Yahvé? A la même sai- Lc 1 37
son l'an prochain, je reviendrai chez toi et Sara
aura un fils. » 15 Sara démentit : « Je n'ai pas ri »,
dit-elle, car elle avait peur, mais il répliqua : « Si,
tu as ri. »

### L'intercession d'Abraham. Jc 5 16 Ex 32 11+

16 S'étant levés, les hommes partirent de là et
arrivèrent en vue de Sodome. Abraham marchait
avec eux pour les reconduire. 17 Yahvé s'était dit :
« Vais-je cacher à Abraham ce que je vais faire, Jn 15 15
18 alors qu'Abraham deviendra une nation grande Am 3 7
et puissante et que par lui se béniront toutes les 12 3+
nations de la terre? 19 Car je l'ai distingué, pour
qu'il prescrive à ses fils et à sa maison après lui de
garder la voie de Yahvé en accomplissant la justice
et le droit; de la sorte, Yahvé réalisera pour Abraham ce qu'il lui a promis. » 20 Donc, Yahvé dit :
« Le cri contre Sodome et Gomorrhe est bien
grand! Leur péché est bien grave! 21 Je veux descendre et voir s'ils ont fait ou non tout [d] ce
qu'indique le cri qui, contre eux, est monté vers 4 10
moi; alors je saurai. »

22 Les hommes [e] partirent de là et allèrent à
Sodome. Yahvé se tenait encore devant Abraham.
23 Celui-ci s'approcha et dit : « Vas-tu vraiment
supprimer le juste avec le pécheur? 24 Peut-être y
a-t-il cinquante justes dans la ville. Vas-tu vraiment
les supprimer et ne pardonneras-tu pas à la cité
pour les cinquante justes qui sont dans son sein [f]?
25 Loin de toi de faire cette chose-là! de faire mourir le juste avec le pécheur, en sorte que le juste soit
traité comme le pécheur. Loin de toi! Est-ce que le

*a)* Dans sa rédaction finale, ce récit yahviste narre une apparition de Yahvé (vv. 1, 10s, 13, 22) accompagné de deux « hommes » qui, d'après **19** 1, sont deux Anges. Le texte hésite en plusieurs endroits entre le pluriel et le singulier (comme le montrent les variantes du grec et du sam.). Dans ces trois hommes auxquels Abraham s'adresse au singulier, beaucoup de Pères ont vu l'annonce du mystère de la Trinité, dont la révélation est réservée au NT. Le récit prépare celui du ch. **19**. Le Yahviste a recueilli et transformé une vieille légende sur la destruction de Sodome, dans laquelle interviennent trois personnages divins. Cette histoire formait le noyau d'un cycle de Lot qui fut rattaché au cycle d'Abraham.

*b)* Ce n'est pas une « adoration », un acte de culte, mais une simple marque d'hommage. Abraham ne reconnaît d'abord dans les visiteurs que des hôtes humains, et leur témoigne une magnifique hospitalité. Leur caractère divin ne se manifestera que progressivement, vv. 2, 9, 13, 14.

*c)* Allusion au nom d'Isaac, voir **17** 17+. Ce rire n'est pas un manque de foi : Sara ne connaît pas encore l'identité de l'hôte, qu'elle devinera au v. 15, d'où alors sa crainte.

*d)* « tout » *kullah* conj.; « anéantissement » *kalah* hébr.

*e)* Les deux « hommes », distingués de Yahvé qui reste avec Abraham. On dira plus loin, **19** 1, qu'ils sont des Anges. Dans le texte massorétique, les scribes ont interverti les noms de Yahvé et d'Abraham : c'est à l'homme de se tenir devant Dieu.

*f)* Problème de tous les temps : les bons doivent-ils souffrir avec les méchants, et à cause d'eux? Si fort était, dans l'ancien Israël, le sentiment de la responsabilité collective, qu'on ne se demande pas ici si les justes pourraient être individuellement épargnés. En fait, Dieu sauvera Lot et sa famille, **19** 15-16; mais le principe de la responsabilité individuelle ne sera dégagé que dans Dt **7** 10; **24** 16; Jr **31** 29-30; Ez **14** 12s et **18**, voir les notes. Abraham demande seulement, tous devant subir le même sort, si quelques justes n'obtiendront pas le pardon de beaucoup de coupables. Les réponses de Yahvé sanctionnent le rôle sauveur des saints dans le monde. Mais, dans son marchandage de miséricorde, Abraham n'ose pas descendre au-dessous de dix justes. D'après Jr **5** 1 et Ez **22** 30, Dieu pardonnerait à Jérusalem s'il n'y trouvait qu'un juste. Enfin, en Is **53**, c'est la souffrance du seul Serviteur qui doit sauver tout le peuple, mais cette annonce ne sera comprise que lorsqu'elle sera réalisée par le Christ.

juge de toute la terre ne rendra pas justice[a]? »
26 Yahvé répondit : « Si je trouve à Sodome cinquante justes dans la ville, je pardonnerai à toute
la cité à cause d'eux. »
27 Abraham reprit : « Je suis bien hardi de parler
à mon Seigneur, moi qui suis poussière et cendre.
28 Mais peut-être, des cinquante justes en manque-
ra-t-il cinq : feras-tu, pour cinq, périr toute la
ville? » Il répondit : « Non, si j'y trouve quarante-
cinq justes. » 29 Abraham reprit encore la parole et
dit : « Peut-être n'y en aura-t-il que quarante », et
il répondit : « Je ne le ferai pas, à cause des quarante. »
30 Abraham dit : « Que mon Seigneur ne s'irrite
pas et que je puisse parler : peut-être s'en trouvera-
t-il trente », et il répondit : « Je ne le ferai pas, si
j'en trouve trente. » 31 Il dit : « Je suis bien hardi de
parler à mon Seigneur : peut-être s'en trouvera-t-il
vingt », et il répondit : « Je ne détruirai pas, à cause
des vingt. » 32 Il dit : « Que mon Seigneur ne s'irrite
pas et je parlerai une dernière fois : peut-être s'en
Jr 5 1 trouvera-t-il dix », et il répondit : « Je ne détruirai
Ez 22 30 pas, à cause des dix. »
33 Yahvé, ayant achevé de parler à Abraham,
s'en alla, et Abraham retourna chez lui [b].

**La destruction de Sodome [c].**

**19** 1 Quand les deux Anges arrivèrent à Sodome
sur le soir, Lot était assis à la porte de la ville.
Dès que Lot les vit, il se leva à leur rencontre et
se prosterna, face contre terre. 2 Il dit : « Je vous en
prie, Messeigneurs! Veuillez descendre chez votre
serviteur pour y passer la nuit et vous laver les
pieds, puis au matin vous reprendrez votre route »,
mais ils répondirent : « Non, nous passerons la
nuit sur la place. » 3 Il les pressa tant qu'ils allèrent
chez lui et entrèrent dans sa maison. Il leur prépara un repas, fit cuire des pains sans levain, et
ils mangèrent.
Jg 19 22-24 4 Ils n'étaient pas encore couchés que la maison
fut cernée par les hommes de la ville, les gens de
Sodome, depuis les jeunes jusqu'aux vieux, tout le
peuple sans exception. 5 Ils appelèrent Lot et lui
dirent : « Où sont les hommes qui sont venus chez
toi cette nuit? Amène-les-nous pour que nous en
abusions [d]. » Lv 20 13
6 Lot sortit vers eux à l'entrée et, ayant fermé la
porte derrière lui, 7 il dit : « Je vous en supplie, mes
frères, ne commettez pas le mal! 8 Écoutez : j'ai
deux filles qui sont encore vierges, je vais vous les
amener : faites-leur ce qui vous semble bon [e], mais,
pour ces hommes, ne leur faites rien, puisqu'ils sont
entrés sous l'ombre de mon toit. » 9 Mais ils répondirent : « Ote-toi de là! En voilà un qui est venu en
étranger, et il fait le juge! Eh bien, nous te ferons
plus de mal qu'à eux! » Ils le pressèrent fort, lui
Lot, et s'approchèrent pour briser la porte. 10 Mais
les hommes sortirent le bras, firent rentrer Lot
auprès d'eux dans la maison et refermèrent la porte.
11 Quant aux hommes qui étaient à l'entrée de la
maison, ils les frappèrent de berlue, du plus petit 2 R 6 18
jusqu'au plus grand, et ils n'arrivaient pas à trouver
l'ouverture.
12 Les hommes dirent à Lot : « As-tu encore
quelqu'un ici? Tes fils [f], tes filles, tous les tiens qui
sont dans la ville, fais-les sortir de ce lieu. 13 Nous
allons en effet détruire ce lieu, car grand est le cri
qui s'est élevé contre eux à la face de Yahvé, et
Yahvé nous a envoyés pour les exterminer. » 14 Lot
alla parler à ses futurs gendres, qui devaient épouser ses filles : « Debout, dit-il, quittez ce lieu, car
Yahvé va détruire la ville. » Mais ses futurs gendres
crurent qu'il plaisantait.
15 Lorsque pointa l'aurore, les Anges insistèrent
auprès de Lot, en disant : « Debout! prends ta
femme et tes deux filles qui se trouvent là, de peur
d'être emporté par le châtiment de la ville. » 16 Et
comme il hésitait, les hommes le prirent par la
main, ainsi que sa femme et ses deux filles, pour la
pitié que Yahvé avait de lui. Ils le firent sortir et
le laissèrent en dehors de la ville.
17 Comme ils le menaient dehors, il dit : « Sauve-
toi, sur ta vie! Ne regarde pas derrière toi et ne Mt 24 15s
t'arrête nulle part dans la Plaine, sauve-toi à la
montagne, pour n'être pas emporté! » 18 Lot leur
répondit : « Non, je t'en prie, Monseigneur! 19 Ton
serviteur a trouvé grâce à tes yeux et tu as montré
une grande miséricorde à mon égard en m'assurant
la vie. Mais moi, je ne puis pas me sauver à la

*a)* Cf. Rm **3** 6. Il y a plus d'injustice à condamner quelques innocents qu'à épargner une multitude de coupables.
*b)* Il reviendra le lendemain, pour voir, **19** 27.
*c)* Ce récit se relie au ch. **18**, où il est préparé, **18** 16-32. Le même mystère enveloppe les protagonistes : les « deux Anges » de **19** 1 sont les « hommes » qui se sont séparés de Yahvé, **18** 22, après la visite des « trois hommes » à Abraham, **18** 2, mais ils continuent d'être appelés des « hommes » dans le reste du ch. (sauf au v. 15). Ils parlent, ou on leur parle, tantôt au pluriel et tantôt au singulier comme représentants de Yahvé, qui n'intervient pas en personne. Dès ce vieux texte s'affirment le caractère moral de la religion d'Israël et le pouvoir universel de Yahvé. La terrible leçon sera souvent évoquée, voir en particulier Dt **29** 22; Is **1** 9; **13** 19; Jr **49** 18; **50** 40; Am **4** 11; Sg **10** 6-7; Mt **10** 15; **11** 23-24; Lc **17** 28s; 2 P **2** 6; Jude 7.
*d)* Le vice contre nature, qui tire son nom de ce récit, était abominable aux Israélites, Lv **18** 22, et puni de mort, Lv **20** 13 mais il était répandu autour d'eux, Lv **20** 23. Cf. Jg **19** 22s.
*e)* L'honneur d'une femme avait alors moins de prix, **12** 13, cf. **12** 10+, que le devoir sacré de l'hospitalité.
*f)* Avant « tes fils », le texte insère « gendre », addition d'après v. 14.

montagne sans que m'atteigne le malheur et que je
meure. 20 Voilà cette ville, assez proche pour y fuir,
et elle est peu de chose. Permets que je m'y sauve
– est-ce qu'elle n'est pas peu de chose? – et que je
vive! » 21 Il lui répondit : « Je te fais encore cette
grâce de ne pas renverser la ville dont tu parles.
22 Vite, sauve-toi là-bas, car je ne puis rien faire
avant que tu n'y sois arrivé. » C'est pourquoi on a
donné à la ville le nom de Çoar [a].

23 Au moment où le soleil se levait sur la terre
et où Lot entrait à Çoar, 24 Yahvé fit pleuvoir sur
Sodome et sur Gomorrhe du soufre et du feu
venant de Yahvé [b], 25 et il renversa ces villes et
toute la Plaine, avec tous les habitants des villes
Sg **10** 7 et la végétation du sol [c]. 26 Or la femme de Lot
↗Lc **17** 32 regarda en arrière, et elle devint une colonne de
sel [d].

27 Levé de bon matin, Abraham vint à l'endroit
**18** 16-33 où il s'était tenu devant Yahvé 28 et il jeta son
regard sur Sodome, sur Gomorrhe et sur toute la
Is **34** 9-10 Plaine, et voici qu'il vit la fumée monter du pays
↗ Ap **14** 10-11 comme la fumée d'une fournaise!

29 Ainsi, lorsque Dieu détruisit les villes de la
Plaine, il s'est souvenu d'Abraham et il a retiré Lot
du milieu de la catastrophe, dans le renversement
des villes où habitait Lot [e].

### Origine des Moabites et des Ammonites [f].

30 Lot monta de Çoar et s'établit dans la montagne avec ses deux filles, car il n'osa pas rester à
Çoar. Il s'installa dans une grotte, lui et ses deux
filles.

31 L'aînée dit à la cadette : « Notre père est âgé
et il n'y a pas d'homme dans le pays pour s'unir
à nous à la manière de tout le monde. 32 Viens, faisons boire du vin à notre père et couchons avec lui;
ainsi, de notre père, nous susciterons une descendance. » 33 Elles firent boire, cette nuit-là, du vin à
leur père, et l'aînée vint s'étendre près de son père,
qui n'eut conscience ni de son coucher ni de son
lever. 34 Le lendemain, l'aînée dit à la cadette : « La
nuit dernière, j'ai couché avec mon père; faisons-
lui boire du vin encore cette nuit et va coucher
avec lui; ainsi, de notre père nous susciterons une
descendance. » 35 Elles firent boire du vin à leur
père encore cette nuit-là, et la cadette s'étendit
auprès de lui, qui n'eut conscience ni de son coucher ni de son lever. 36 Les deux filles de Lot devinrent enceintes de leur père. 37 L'aînée donna naissance à un fils et elle l'appela Moab; c'est l'ancêtre
des Moabites d'aujourd'hui. 38 La cadette aussi
donna naissance à un fils et elle l'appela Ben-
Ammi; c'est l'ancêtre des Bené-Ammon d'aujourd'hui [g].

### Abraham à Gérar [h]. = **12** 10-20 = **26** 1-11

**20** 1 Abraham partit de là pour le pays du Négeb
et demeura entre Cadès et Shur. Il vint séjourner à Gérar.

2 Abraham dit de sa femme Sara : « C'est ma
sœur » et Abimélek, le roi de Gérar, fit enlever Sara.
3 Mais Dieu visita Abimélek en songe, pendant la
nuit, et lui dit : « Tu vas mourir à cause de la femme
que tu as prise, car elle est une femme mariée. »
4 Abimélek, qui ne s'était pas approché d'elle, dit :
«Mon Seigneur, vas-tu aussi tuer quelqu'un d'innocent [i]? 5 N'est-ce pas lui qui m'a dit : " C'est ma
sœur ", et elle, oui elle-même, a dit : " C'est mon
frère. " C'est avec une bonne conscience et des
mains pures que j'ai fait cela! » 6 Dieu lui répondit
dans le songe : « Moi aussi je sais que tu as fait cela
en bonne conscience, et c'est encore moi qui t'ai
retenu de pécher contre moi; aussi n'ai-je pas permis que tu la touches. 7 Maintenant, rends la femme
de cet homme : il est prophète [j] et il intercédera
pour toi afin que tu vives. Mais si tu ne la rends
pas, sache que tu mourras sûrement, avec tous les
tiens. »

8 Abimélek se leva tôt et appela tous ses serviteurs. Il leur raconta toute cette affaire et les hom-

*a)* On rattache ici Çoar à *miçe'ar* « peu de chose, un rien ». La ville existait au sud-est de la mer Morte, **13** 10; Dt **34** 3; Is **15** 5; Jr **48** 34. A l'époque romaine, un nouveau séisme livra aux eaux la ville, qui fut reconstruite plus haut et habitée jusqu'au moyen âge.

*b)* Une glose ajoute ici : « venant du ciel ».

*c)* Le texte permet de situer le cataclysme (une secousse sismique accompagnée d'éruption de gaz?) dans la région méridionale de la mer Morte. De fait, l'affaissement de la partie sud de la mer Morte est géologiquement récent, et la région est restée instable jusqu'à l'époque moderne. Outre Sodome et Gomorrhe (Am **4** 11; Is **1** 9, 10), les villes maudites sont Adma et Çeboyim (Gn **14**; Dt **29** 22; Os **11** 8).

*d)* Explication populaire d'un roc de forme capricieuse ou d'un bloc salin.

*e)* Ce dernier v. est rédactionnel.

*f)* Cet appendice reproduit une tradition des Moabites et des Ammonites, cf. Nb **20** 23+, qui pouvaient tirer gloire d'une telle origine. Comme Tamar, Gn **38**, les filles de Lot ne sont pas présentées comme impudiques; elles veulent avant tout perpétuer la race. Le v. 31 suppose que Lot et ses filles sont les seuls survivants de la catastrophe. L'histoire de Sodome, détruite pour le péché de ses habitants, peut avoir été primitivement un parallèle transjordanien au récit du déluge.

*g)* Étymologies populaires : *Moab* est expliqué *me'ab* « issu du père »; *ben 'ammi* « fils de mon parent » est rapproché de *Benê 'Ammôn* « les fils d'Ammon ».

*h)* Doublet élohiste de **12** 10-20, adouci par plusieurs traits d'une morale plus évoluée.

*i)* Texte corrigé : avant « quelqu'un d'innocent », on supprime « nation » introduit par dittographie.

*j)* Au sens large d'homme ayant des relations privilégiées avec Dieu, qui font de lui une personne inviolable, Ps **105** 15, et un intercesseur puissant, cf. Dt **34** 10; Nb **11** 2; **21** 7.

mes eurent grand-peur. 9 Puis Abimélek appela
Abraham et lui dit : « Que nous as-tu fait? Quelle
offense ai-je commise contre toi pour que tu attires
une si grande faute sur moi et sur mon royaume?
Tu as agi à mon égard comme on ne doit pas agir. »
10 Et Abimélek dit à Abraham : « Qu'est-ce qui t'a
pris d'agir ainsi? » 11 Abraham répondit : « Je me
suis dit : Pour sûr, il n'y a aucune crainte de Dieu
dans cet endroit, et on va me tuer à cause de ma
femme. 12 Et puis, elle est vraiment ma sœur, la fille
de mon père mais non la fille de ma mère, et elle
est devenue ma femme. 13 Alors, quand Dieu m'a
fait errer loin de ma famille, je lui ai dit : Voici la
faveur que tu me feras : partout où nous arriverons,
dis de moi que je suis ton frère. »

14 Abimélek prit du petit et du gros bétail, des
serviteurs et des servantes et les donna à Abraham,
et il lui rendit sa femme Sara. 15 Abimélek dit
aussi : « Vois mon pays qui est ouvert devant toi.
Établis-toi où bon te semble. » 16 A Sara il dit :
« Voici mille pièces d'argent que je donne à ton
frère. Ce sera pour toi comme un voile jeté sur les
yeux de tous ceux qui sont avec toi, et de tout cela
tu es justifiée[a]. » 17 Abraham intercéda auprès de
Dieu et Dieu guérit Abimélek, sa femme et ses servantes, pour qu'ils puissent avoir des enfants[b].
18 Car Yahvé avait rendu stérile le sein de toutes les
femmes dans la maison d'Abimélek, à cause de
Sara, la femme d'Abraham.

### Naissance d'Isaac[c].

21 1 Yahvé visita Sara comme il avait dit et il fit
pour elle comme il avait promis. 2 Sara
conçut et enfanta un fils à Abraham déjà vieux, au
temps que Dieu avait marqué. 3 Au fils qui lui
naquit, enfanté par Sara, Abraham donna le nom
↗ Ac 7 8 d'Isaac. 4 Abraham circoncit son fils Isaac, quand
17 12 il eut huit jours, comme Dieu lui avait ordonné.
5 Abraham avait cent ans lorsque lui naquit son fils
17 17+ Isaac. 6 Et Sara dit : « Dieu m'a donné de quoi rire,
tous ceux qui l'apprendront me souriront[d]. » 7 Elle
dit aussi :

« Qui aurait dit à Abraham
que Sara allaiterait des enfants!
car j'ai donné un fils à sa vieillesse. »

### Renvoi d'Agar et d'Ismaël[e]. = 16

↗ Ga 4 22-31
↗ Jn 8 31-37
8 L'enfant grandit et fut sevré, et Abraham fit un
grand festin le jour où l'on sevra Isaac. 9 Or Sara
aperçut le fils né à Abraham de l'Égyptienne Agar,
qui jouait[f] avec son fils Isaac, 10 et elle dit à Abraham : « Chasse cette servante et son fils, il ne faut
pas que le fils de cette servante hérite avec mon fils
Isaac. » 11 Cette parole déplut beaucoup à Abraham, à propos de son fils, 12 mais Dieu lui dit : « Ne
te chagrine pas à cause du petit et de ta servante,
tout ce que Sara te demande, accorde-le, car c'est
par Isaac qu'une descendance perpétuera ton nom, ↗ Rm 9 7
13 mais du fils de la servante je ferai aussi une ↗ He 11 18
grande nation car il est de ta race. » 14 Abraham se
leva tôt, il prit du pain et une outre d'eau qu'il
donna à Agar, et il mit l'enfant sur son épaule, puis
il la renvoya.

Elle s'en fut errer au désert de Bersabée. 1 R 19 3-4
15 Quand l'eau de l'outre fut épuisée, elle jeta
l'enfant sous un buisson 16 et elle alla s'asseoir vis-
à-vis, loin comme une portée d'arc. Elle se disait
en effet : « Je ne veux pas voir mourir l'enfant! »
Elle s'assit vis-à-vis et se mit à crier et à pleurer.

17 Dieu entendit les cris du petit et l'Ange de
Dieu appela du ciel Agar et lui dit : « Qu'as- 16 7+
tu, Agar? Ne crains pas, car Dieu a entendu[g] les
cris du petit, là où il était. 18 Debout! soulève le
petit et tiens-le ferme, car j'en ferai une grande
nation. » 19 Dieu dessilla les yeux d'Agar et elle
aperçut un puits. Elle alla remplir l'outre et fit
boire le petit.

20 Dieu fut avec lui, il grandit et demeura au
désert, et il devint un tireur d'arc. 21 Il demeura au
désert de Parân et sa mère lui choisit une femme
du pays d'Égypte.

### Abraham et Abimélek à Bersabée[h]. = 26 15-33

22 En ce temps-là, Abimélek vint avec Pikol, le
chef de son armée, dire à Abraham : « Dieu est avec
toi en tout ce que tu fais. 23 Maintenant, jure-moi

*a)* « de tout cela, tu es justifiée », traduction conjecturale; hébr. corrompu. – La somme d'argent est une réparation.

*b)* Abimélek et son harem avaient été frappés d'impuissance et de stérilité. – Le v. 18 est une glose.

*c)* Les trois traditions fusionnent ici : les vv. 1a, 2a, 7 font suite à **18** 15 et sont yahvistes; les vv. 2b, 5 font suite à **17** 21 et sont sacerdotaux; les vv. 1b, 6 sont élohistes.

*d)* Toujours le jeu de mots sur le nom d'Isaac, cf. **17** 17+; c'est maintenant un rire de joie.

*e)* Si ce récit continuait celui de **16**, on devrait conclure de **16** 16 et **21** 5 qu'Ismaël avait plus de quinze ans, alors qu'il paraît ici comme un petit enfant à peine plus âgé qu'Isaac. Ce récit est un parallèle élohiste au récit yahviste de **16**. Les deux se rattachent à un puits du désert de Bersabée et expliquent les rapports de parenté entre les Ismaélites et les Israélites descendants d'Isaac. Mais les circonstances du renvoi d'Agar et l'attitude de tous les personnages sont différents.

*f)* Encore une allusion au nom d'Isaac, cf. **17** 17+, le même verbe signifiant « rire » et « jouer » – « avec son fils Isaac » grec, Vulg.; omis par hébr.

*g)* Allusion au nom d'Ismaël, voir **16** 11+.

*h)* Récit élohiste (sauf v. 33), combinant deux explications du nom de Bersabée : *Be'er Sheba'*, « le Puits du Serment » ou « le Puits des Sept (brebis) »; cf. encore **26** 33. La mention des Philistins aux vv. 32, 34 est anachronique, cf. Jos **13** 2+.

ici par Dieu que tu ne me tromperas pas, ni mon
lignage et parentage, et que tu auras pour moi et
pour ce pays où tu es venu en hôte la même amitié
que j'ai eue pour toi. » 24 Abraham répondit : « Oui,
je le jure! »

25 Abraham fit reproche à Abimélek à propos du
puits que les serviteurs d'Abimélek avaient usurpé.
26 Et Abimélek répondit : « Je ne sais pas qui a pu
faire cela : toi-même ne m'en as jamais informé et
moi-même je n'en ai rien appris qu'aujourd'hui. »
27 Abraham prit du petit et du gros bétail et le
donna à Abimélek, et tous les deux conclurent une
alliance. 28 Abraham mit à part sept brebis du troupeau, 29 et Abimélek lui demanda : « Que font là ces
sept brebis que tu as mises à part? » 30 Il répondit :
« C'est pour que tu acceptes de ma main ces sept
brebis, afin qu'elles soient un témoignage que j'ai
bien creusé ce puits. » 31 C'est ainsi qu'on appela ce
lieu Bersabée, parce qu'ils y avaient tous deux prêté
serment.

32 Après qu'ils eurent conclu alliance à Bersabée,
Abimélek se leva, avec Pikol, le chef de son armée,
et ils retournèrent au pays des Philistins.
33 Abraham planta un tamaris à Bersabée et il y in-
4 26+ voqua le nom de Yahvé, Dieu d'Éternité.
Is 40 28 34 Abraham séjourna longtemps au pays des Philistins.

↗ Sg 10 5 **Le sacrifice d'Abraham** [a].

↗ Si 44 20
↗ He 11 17s
↗ Jc 2 21-22 22 1 Après ces événements, il arriva que Dieu
éprouva Abraham et lui dit : « Abraham!
31 11; 46 2 Abraham! » Il répondit : « Me voici! » 2 Dieu dit :
Ex 3 4 « Prends ton fils, ton unique, que tu chéris, Isaac,
1 S 3 4s et va-t'en au pays de Moriyya [b], et là tu l'offriras
en holocauste sur une montagne que je t'indique-
rai. »

3 Abraham se leva tôt, sella son âne et prit avec
lui deux de ses serviteurs et son fils Isaac. Il fendit
le bois de l'holocauste et se mit en route pour l'endroit que Dieu lui avait dit. 4 Le troisième jour,
Abraham, levant les yeux, vit l'endroit de loin.
5 Abraham dit à ses serviteurs : « Demeurez ici
avec l'âne. Moi et l'enfant nous irons jusque là-bas,
nous adorerons et nous reviendrons vers vous. »

6 Abraham prit le bois de l'holocauste et le chargea sur son fils Isaac, lui-même prit en mains le feu Jn 19 17
et le couteau et ils s'en allèrent tous deux ensemble.
7 Isaac s'adressa à son père Abraham et dit :
« Mon père! » Il répondit : « Oui, mon fils! » – « Eh
bien, reprit-il, voilà le feu et le bois, mais où est
l'agneau pour l'holocauste? » 8 Abraham répondit :
« C'est Dieu qui pourvoira à l'agneau pour l'holocauste, mon fils », et ils s'en allèrent tous deux
ensemble.

9 Quand ils furent arrivés à l'endroit que Dieu lui
avait indiqué, Abraham y éleva l'autel et disposa
le bois, puis il lia son fils Isaac et le mit sur l'autel, ↗ Jc 2 21
par-dessus le bois. 10 Abraham étendit la main et
saisit le couteau pour immoler son fils.

11 Mais l'Ange de Yahvé l'appela du ciel et dit :
« Abraham! Abraham! » Il répondit : « Me voici! »
12 L'Ange dit : « N'étends pas la main contre
l'enfant! Ne lui fais aucun mal! Je sais maintenant
que tu crains Dieu : tu ne m'as pas refusé ton fils, Ex 20 20
ton unique. » 13 Abraham leva les yeux et vit un Dt 6 2+
bélier, qui s'était pris par les cornes dans un buis- Jn 3 16
son, et Abraham alla prendre le bélier et l'offrit en 1 Jn 4 9
holocauste à la place de son fils. 14 A ce lieu, Abra- Rm 8 32
ham donna le nom de « Yahvé pourvoit », en sorte ↗ He 11 17
qu'on dit aujourd'hui : « Sur la montagne, Yahvé
pourvoit [c]. »

15 L'Ange de Yahvé appela une seconde fois
Abraham du ciel 16 et dit : « Je jure par moi-même,
parole de Yahvé : parce que tu as fait cela, que tu
ne m'as pas refusé ton fils, ton unique, 17 je te
comblerai de bénédictions, je rendrai ta postérité 12 2; 15 5;
aussi nombreuse que les étoiles du ciel et que le 16 10; 32 13
sable qui est sur le bord de la mer, et ta postérité 24 60
conquerra la porte [d] de ses ennemis. 18 Par ta pos- Is 14 12
térité se béniront toutes les nations de la terre, 12 3+
parce que tu m'as obéi. »

19 Abraham revint vers ses serviteurs et ils se
mirent en route ensemble pour Bersabée. Abraham
résida à Bersabée.

**La descendance de Nahor** [e].

20 Après ces événements, on annonça à Abraham
que Milka elle aussi avait enfanté des fils à son frère

*a)* Le récit est communément attribué au courant élohiste, mais recueille des éléments yahvistes : vv. 11, 14, 15-18 et le nom *Moriyya* au v. 2. A l'origine peut se trouver un récit de fondation de sanctuaire israélite où, à la différence des sanctuaires cananéens, on n'offrait pas de victimes humaines. Le récit actuel justifie la prescription rituelle du rachat des premiers-nés d'Israël : ceux-ci, comme toutes les prémices, appartiennent à Dieu, toutefois ils ne doivent pas être sacrifiés mais rachetés, Ex **13** 11. Le récit implique donc la condamnation, maintes fois prononcée par les Prophètes, des sacrifices d'enfants, voir Lv **18** 21+. Il y ajoute une leçon spirituelle plus haute : l'exemple de la foi d'Abraham qui trouve ici son point culminant. Les Pères ont vu dans le sacrifice d'Isaac la figure de la Passion de Jésus, le Fils unique.

*b)* 2 Ch **3** 1 identifie Moriyya avec la colline où s'élèvera le Temple de Jérusalem. La tradition postérieure a adopté cette localisation, mais le texte parle d'un pays de Moriyya dont le nom n'apparaît pas ailleurs; le lieu du sacrifice reste inconnu.

*c)* Le texte de la fin du v. est incertain. Traduit d'après le grec. L'hébr. porte : « Sur la montagne de Yahvé il apparaît. »

*d)* C'est-à-dire leurs villes, comme interprète le grec; cf. **24** 60.

*e)* Liste yahviste des tribus araméennes, rattachées aux douze

Nahor : 21 son premier-né Uç, Buz, le frère de
celui-ci, Qemuel, père d'Aram, 22 Késed, Hazo, Pil-
**24** 15; **25** dash, Yidlaph, Bétuel 23 (et Bétuel engendra
20; **28** 2 Rébecca). Ce sont les huit enfants que Milka donna
à Nahor, le frère d'Abraham. 24 Il avait une concubine, nommée Réuma, qui eut aussi des enfants :
Tébah, Gaham, Tahash, et Maaka.

**La tombe des Patriarches** [a].

**23** 1 La durée de la vie de Sara fut de cent vingt-
sept ans, 2 et elle mourut à Qiryat-Arba –
c'est Hébron – au pays de Canaan. Abraham entra
faire le deuil de Sara et la pleurer.
**33** 19 3 Puis Abraham se leva de devant son mort et
2 S **24** 18s parla ainsi aux fils de Hèt : 4 « Je suis chez vous un
↗ He **11** 13 étranger et un résident. Accordez-moi chez vous
↗ 1 P **2** 11 une possession funéraire pour que j'enlève mon
mort et l'enterre. » 5 Les fils de Hèt firent cette
réponse à Abraham : 6 « Monseigneur, écoute-nous
plutôt! Tu es un prince de Dieu parmi nous :
enterre ton mort dans la meilleure de nos tombes;
personne ne te refusera sa tombe pour que tu puisses enterrer ton mort. »
7 Abraham se leva et s'inclina devant les gens du
pays, les fils de Hèt, 8 et il leur parla ainsi : « Si
vous consentez que j'enlève mon mort et que je
l'enterre, écoutez-moi et intercédez pour moi auprès
d'Éphrôn, fils de Çohar, 9 pour qu'il me cède la
grotte de Makpéla, qui lui appartient et qui est à
l'extrémité de son champ. Qu'il me la cède pour sa
pleine valeur, en votre présence, comme possession
funéraire. » 10 Or Éphrôn était assis parmi les fils de
Hèt, et Éphrôn le Hittite répondit à Abraham au
su des fils de Hèt, de tous ceux qui franchissaient
la porte de sa ville : 11 « Non, Monseigneur, écoute-
moi! Je te donne le champ et je te donne aussi la
grotte qui y est, je te fais ce don au vu des fils de
mon peuple. Enterre ton mort. »
12 Abraham s'inclina devant les gens du pays
13 et il parla ainsi à Éphrôn, au su des gens du
pays : « Si seulement tu voulais m'écouter! Je
donne le prix du champ, accepte-le de moi, et
j'enterrerai là mon mort. » 14 Éphrôn répondit à
Abraham : 15 « Monseigneur, écoute-moi plutôt :
une terre de quatre cents sicles d'argent, entre moi
et toi, qu'est-ce que cela? Enterre ton mort. »
16 Abraham donna son consentement à Éphrôn et
Abraham pesa à Éphrôn l'argent dont il avait parlé
au su des fils de Hèt, soit quatre cents sicles
d'argent ayant cours chez le marchand.
17 Ainsi le champ d'Éphrôn, qui est à Makpéla,
vis-à-vis de Mambré, le champ et la grotte qui y est
sise, et tous les arbres qui sont dans le champ, dans
sa limite, 18 passèrent en propriété à Abraham au
vu des fils de Hèt, de tous ceux qui franchissaient
la porte de sa ville. 19 Puis Abraham enterra Sara,
sa femme, dans la grotte du champ de Makpéla, vis-
à-vis de Mambré (c'est Hébron), au pays de
Canaan. 20 C'est ainsi que le champ et la grotte qui
y est sise furent acquis à Abraham des fils de Hèt
comme possession funéraire.

**Mariage d'Isaac** [b].

**24** 1 Abraham était alors un vieillard avancé en
âge, et Yahvé avait béni Abraham en tout. **12** 2-3
2 Abraham dit au plus vieux serviteur de sa maison,
le régisseur de tous ses biens : « Mets ta main sous **47** 29
ma cuisse [c]. 3 Je te fais jurer par Yahvé, le Dieu du
ciel et le Dieu de la terre, que tu ne prendras pas
pour mon fils une femme parmi les filles des Cananéens au milieu desquels j'habite. 4 Mais tu iras **28** 1s
dans mon pays, dans ma parenté, et tu choisiras
une femme pour mon fils Isaac. » 5 Le serviteur lui
demanda : « Peut-être la femme ne voudra-t-elle
pas me suivre dans ce pays-ci : faudra-t-il que je
ramène ton fils dans le pays d'où tu es sorti? »
6 Abraham lui répondit : « Garde-toi bien de ramener mon fils là-bas. 7 Yahvé, le Dieu du ciel et le
Dieu de la terre [d], qui m'a pris de ma maison paternelle et du pays de ma parenté, qui m'a dit et qui
m'a juré qu'il donnerait ce pays-ci à ma descen- **12** 7+
dance, Yahvé enverra son Ange devant toi, pour
que tu prennes une femme de là-bas pour mon fils.
8 Et si la femme ne veut pas te suivre, tu seras
quitte du serment que je t'impose. En tout cas, ne
ramène pas mon fils là-bas. » 9 Le serviteur mit sa

« fils » de Nahor, **11** 29; cf. les douze fils d'Ismaël, **25** 13, et de Jacob, **29** 32-**30** 24; **35** 22s. Une tradition différente est donnée en **10** 23.

*a)* Le récit est attribué à la source sacerdotale, mais utilise un document plus ancien. Abraham obtenant ainsi un titre de propriété et un droit de cité en Canaan, la promesse de la Terre, **12** 7; **13** 15; **15** 7, commence à se réaliser. – Les « fils de Hèt » sont les Hittites, mais voir Dt **7** 1+.

*b)* Récit yahviste qui terminait dans cette tradition l'histoire d'Abraham. Les vv. 1-9 supposent que le Patriarche est sur son lit de mort, cf. **47** 29-31. La mention de sa mort, que devait contenir le récit primitif, a été écartée pour permettre l'addition de **25** 1-6. Autre retouche : Rébecca est, d'après le v. 48, fille de Nahor, le frère d'Abraham, ce qui est conforme à **29** 5; mais selon une autre tradition, elle est fille de Bétuel, **25** 20; **28** 2, 5, qui est le fils de Nahor, **22** 22-23. En conséquence, Bétuel a été introduit ici aux vv. 15, 24, 47, 50, mais c'est Laban qui agit comme chef de la famille; il est le frère de Rébecca, v. 29, et le fils de Nahor, **29** 5.

*c)* Même geste **47** 29, pour rendre le serment infrangible par un contact avec les parties vitales. Le serviteur anonyme est identifié par la tradition avec Éliézer, **15** 2, mais ce texte est corrompu.

*d)* « et le Dieu de la terre » grec, cf. v. 3; manque dans hébr.

main sous la cuisse de son maître Abraham et il
lui prêta serment pour cette affaire.
10 Le serviteur prit dix des chameaux de son maître et, emportant de tout ce que son maître avait de
bon, il se mit en route pour l'Aram Naharayim [a],
pour la ville de Nahor. 11 Il fit agenouiller les cha-
29 2s meaux en dehors de la ville, près du puits, à l'heure
Ex 2 16s du soir, à l'heure où les femmes sortent pour puiser.
12 Et il dit : « Yahvé, Dieu de mon maître Abraham,
sois-moi propice aujourd'hui et montre ta bienveillance pour mon maître Abraham! 13 Je me tiens
1 S 14 10+ près de la source et les filles des gens de la ville sortent pour puiser de l'eau.
14 « La jeune fille à qui je dirai : " Incline donc
ta cruche, que je boive " et qui répondra : " Bois
et j'abreuverai aussi tes chameaux ", ce sera celle
que tu as destinée à ton serviteur Isaac, et je
connaîtrai à cela que tu as montré ta bienveillance
pour mon maître. »
15 Il n'avait pas fini de parler que sortait
Rébecca, qui était fille de Bétuel, fils de Milka, la
femme de Nahor, frère d'Abraham, et elle avait sa
cruche sur l'épaule. 16 La jeune fille était très belle,
elle était vierge, aucun homme ne l'avait approchée.
Elle descendit à la source, emplit sa cruche et
remonta. 17 Le serviteur courut au-devant d'elle et
dit : « S'il te plaît, laisse-moi boire un peu d'eau de
ta cruche. » 18 Elle répondit : « Bois, Monseigneur »
et vite elle abaissa sa cruche sur son bras et le fit
boire. 19 Quand elle eut fini de lui donner à boire,
elle dit : « Je vais puiser aussi pour tes chameaux,
jusqu'à ce qu'ils soient désaltérés. » 20 Vite elle vida
sa cruche dans l'auge, courut encore au puits pour
puiser et puisa pour tous les chameaux. 21 L'homme
la considérait en silence, se demandant si Yahvé
l'avait ou non mené au but.
22 Lorsque les chameaux eurent fini de boire,
l'homme prit un anneau d'or pesant un demi-sicle,
qu'il mit à ses narines [b], et, à ses bras, deux bracelets pesant dix sicles d'or, 23 et il dit : « De qui es-tu
la fille? Apprends-le moi, je te prie. Y a-t-il de la
place chez ton père pour que nous passions la
nuit? » 24 Elle répondit : « Je suis la fille de Bétuel,
le fils que Milka a enfanté à Nahor » 25 et elle continua : « Il y a, chez nous, de la paille et du fourrage
en quantité, et de la place pour gîter. » 26 Alors
l'homme se prosterna et adora Yahvé, 27 et il dit :
« Béni soit Yahvé, Dieu de mon maître Abraham,
qui n'a pas ménagé sa bienveillance et sa bonté [c]
à mon maître. Yahvé a guidé mes pas chez le frère
de mon maître! »
28 La jeune fille courut annoncer chez sa mère ce
qui était arrivé. 29 Or Rébecca avait un frère qui
s'appelait Laban, et Laban courut au-dehors vers
l'homme, à la source. 30 Dès qu'il eut vu l'anneau
et les bracelets que portait sa sœur et qu'il eut
entendu sa sœur Rébecca dire : « Voilà comment
cet homme m'a parlé », il alla vers l'homme et le
trouva encore debout près des chameaux, à la
source. 31 Il lui dit : « Viens, béni de Yahvé! Pourquoi restes-tu dehors, quand j'ai débarrassé la maison et fait de la place pour les chameaux? »
32 L'homme vint à la maison et Laban débâta les
chameaux, il donna de la paille et du fourrage aux
chameaux et, pour lui et les hommes qui
l'accompagnaient, de l'eau pour se laver les pieds.
33 On lui présenta à manger, mais il dit : « Je ne
mangerai pas avant d'avoir dit ce que j'ai à dire »,
et Laban répondit : « Parle. » 34 Il dit : « Je suis le
serviteur d'Abraham. 35 Yahvé a comblé mon maître de bénédictions et celui-ci est devenu très riche :
il lui a donné du petit et du gros bétail, de l'argent
et de l'or, des serviteurs et des servantes, des chameaux et des ânes. 36 Sara, la femme de mon maître, lui a, quand il était déjà vieux [d], enfanté un fils,
auquel il a transmis tous ses biens. 37 Mon maître
m'a fait prêter ce serment : " Tu ne prendras pas
pour mon fils une femme parmi les filles des Cananéens dont j'habite le pays. 38 Malheur à toi si tu
ne vas pas dans ma maison paternelle, dans ma
famille, choisir une femme pour mon fils! " 39 J'ai
dit à mon maître : " Peut-être cette femme n'acceptera pas de me suivre ", 40 et il m'a répondu :
" Yahvé, en présence de qui j'ai marché, enverra
son Ange avec toi, il te mènera au but et tu prendras pour mon fils une femme de ma famille, de
ma maison paternelle. 41 Tu seras alors quitte de
ma malédiction : tu seras allé dans ma famille et,
s'ils te refusent, tu seras quitte de ma malédiction. "
42 Je suis arrivé aujourd'hui à la source et j'ai dit :
" Yahvé, Dieu de mon maître Abraham, montre, je
te prie, si tu es disposé à mener au but le chemin
par où je vais : 43 je me tiens près de la source; la
jeune fille qui sortira pour puiser, à qui je dirai : S'il
te plaît, donne-moi à boire un peu d'eau de ta cruche, 44 et qui répondra : Bois toi-même et je puiserai

*a)* C'est-à-dire « l'Aram des Fleuves » : la Haute-Mesopotamie, où se trouvait Harân, résidence des parents d'Abraham, **11** 31.

*b)* « qu'il mit à ses narines » ajouté avec sam., cf. v. 47.

*c)* C'est l'expression *hesed we'emet*, cf. v. 49; **32** 11; **47** 29; Ex **34** 6; Jos **2** 14; 2 S **2** 6; **15** 20, etc., litt. « grâce (ou miséricorde) et fidélité (ou loyauté) », qui exprime l'amour fidèle, la bienveillance sans retour de Dieu pour les hommes, la piété persévérante de l'homme envers Dieu, ou la loyauté dans l'amour de l'homme pour son prochain. cf. Os **2** 21+.

*d)* « quand il était déjà vieux » sam., grec; « quand elle était déjà vieille » hébr.

aussi pour tes chameaux, ce sera la femme que
Yahvé a destinée au fils de mon maître. " [45] Je
n'avais pas fini de parler en moi-même que Rébecca
sortait, sa cruche sur l'épaule. Elle descendit à la
source et puisa. Je lui dis : " Donne-moi à boire, s'il
te plaît! " [46] Vite, elle se déchargea de sa cruche et
dit : " Bois, et j'abreuverai aussi tes chameaux. "
J'ai bu et elle a abreuvé aussi mes chameaux. [47] Je
lui ai demandé : " De qui es-tu la fille? " et elle a
répondu : " Je suis la fille de Bétuel, le fils que
Milka a donné à Nahor. " Alors j'ai mis cet anneau
à ses narines et ces bracelets à ses bras, [48] et je me
suis prosterné et j'ai adoré Yahvé, et j'ai béni
Yahvé, Dieu de mon maître Abraham, qui m'avait
conduit par un chemin de bonté prendre pour son
fils la fille du frère de mon maître. [49] Maintenant,
si vous êtes disposés à montrer à mon maître bienveillance et bonté, déclarez-le-moi, si non, déclarez-le-moi, pour que je me tourne à droite ou à gauche. »
[50] Laban et Bétuel prirent la parole et dirent :
« La chose vient de Yahvé, nous ne pouvons te dire
ni oui ni non. [51] Rébecca est là devant toi : prends-
la et pars, et qu'elle devienne la femme du fils de
ton maître, comme a dit Yahvé. » [52] Lorsque le serviteur d'Abraham entendit ces paroles, il se prosterna à terre devant Yahvé. [53] Il sortit des bijoux
d'argent et d'or et des vêtements, qu'il donna à
Rébecca; il fit aussi de riches cadeaux à son frère
et à sa mère.
[54] Ils mangèrent et ils burent, lui et les hommes
qui l'accompagnaient, et ils passèrent la nuit. Le
matin, quand ils furent levés, il dit : « Laissez-moi
aller chez mon maître. » [55] Alors le frère et la mère
de Rébecca dirent : « Que la jeune fille reste avec
nous une dizaine de jours, ensuite elle partira. »
[56] Mais il leur répondit : « Ne me retardez pas,
puisque c'est Yahvé qui m'a mené au but : laissez-
moi partir, que j'aille chez mon maître. » [57] Ils
dirent : « Appelons la jeune fille et demandons-lui
son avis. »
[58] Ils appelèrent Rébecca et lui dirent : « Veux-tu
partir avec cet homme? » et elle répondit : « Je veux
bien. » [59] Alors ils laissèrent partir leur sœur
Rébecca, avec sa nourrice, le serviteur d'Abraham
et ses hommes. [60] Ils bénirent Rébecca et lui
dirent :

« Notre sœur, ô toi, deviens
des milliers de myriades!
Que ta postérité conquière 22 17+
la porte de ses ennemis! »

[61] Rébecca et ses servantes se levèrent, montèrent
sur les chameaux et suivirent l'homme. Le serviteur
prit Rébecca et partit.
[62] Isaac était revenu du puits de Lahaï Roï, et il 16 13-14
habitait au pays du Négeb. [63] Or Isaac sortit pour
se promener [a] dans la campagne, à la tombée du
soir, et, levant les yeux, il vit que des chameaux
arrivaient. [64] Et Rébecca, levant les yeux, vit Isaac.
Elle sauta à bas du chameau [65] et dit au serviteur :
« Quel est cet homme-là, qui vient dans la campagne à notre rencontre? » Le serviteur répondit :
« C'est mon maître »; alors elle prit son voile et se
couvrit.
[66] Le serviteur raconta à Isaac toute l'affaire qu'il
avait faite. [67] Et Isaac introduisit Rébecca dans sa
tente [b] : il la prit et elle devint sa femme et il l'aima.
Et Isaac se consola de la perte de sa mère.

### La descendance de Qetura [c]. || 1 Ch 1 32-33

**25** [1] Abraham prit encore une femme, qui s'appelait Qetura. [2] Elle lui enfanta Zimrân, Yoqshân, Medân, Madiân, Yishbaq et Shuah. –
[3] Yoqshân engendra Sheba et Dedân, et les fils de
Dedân furent les Ashshurites, les Letushim et les
Léummim. – [4] Fils de Madiân : Épha, Épher,
Hanok, Abida, Eldaa. Tous ceux-là sont fils de Qetura.
[5] Abraham donna tous ses biens à Isaac. [6] Quant
aux fils de ses concubines, Abraham leur fit des
présents et les envoya, de son vivant, loin de son
fils Isaac à l'est, au pays d'Orient.

### Mort d'Abraham.

[7] Voici la durée de la vie d'Abraham : cent
soixante-quinze ans. [8] Puis Abraham expira, il
mourut dans une vieillesse heureuse, âgé et rassasié
de jours, et il fut réuni à sa parenté. [9] Isaac et
Ismaël, ses fils, l'enterrèrent dans la grotte de Makpéla, dans le champ d'Éphrôn fils de Çohar, le Hit- 23
tite, qui est vis-à-vis de Mambré. [10] C'est le champ
qu'Abraham avait acheté aux fils de Het; là furent
enterrés Abraham et sa femme Sara. [11] Après la
mort d'Abraham, Dieu bénit son fils Isaac, et Isaac
habita près du puits de Lahaï Roï. 24 62

*a)* Mot unique de sens incertain.
*b)* Le texte ajoute ici « sa mère Sara », glose destinée à la fin du v.
*c)* Ce paragraphe et les deux suivants sont des additions à l'histoire d'Abraham; les vv. 1-6, 11[b], 18 sont yahvistes, le reste est sacerdotal. De Qetura descendent des peuples d'Arabie : parmi eux les Madianites (Madiân), cf. Ex **2** 15, les Sabéens (Sheba), cf. 1 R **10** 1-10, les Dédanites (Dedân), cf. Is **21** 13.

**La descendance d'Ismaël [a].**

12 Voici la descendance d'Ismaël, le fils
|| 1 Ch 1 d'Abraham, que lui enfanta Agar, la servante
29-31 égyptienne de Sara. 13 Voici les noms des fils
d'Ismaël, selon leurs noms et leur lignée : le premier-né d'Ismaël Nebayot, puis Qédar, Adbéel,
Mibsam, 14 Mishma, Duma, Massa, 15 Hadad,
Téma, Yetur, Naphish et Qédma. 16 Ce sont là les
fils d'Ismaël et tels sont leurs noms, d'après leurs
douars et leurs camps, douze chefs d'autant de
clans.

17 Voici la durée de la vie d'Ismaël : cent trente-
sept ans. Puis il expira; il mourut et il fut réuni
à sa parenté. 18 Il habita depuis Havila jusqu'à
Shur, qui est à l'est de l'Égypte, en allant vers
l'Assyrie. Il s'était établi à la face de tous ses 16 12
frères.

# III. *Histoire d'Isaac et de Jacob*

**Naissance d'Ésaü et de Jacob [b].**

19 Voici l'histoire d'Isaac fils d'Abraham.
Abraham engendra Isaac. 20 Isaac avait quarante
24 1+ ans lorsqu'il épousa Rébecca, fille de Bétuel, l'Araméen de Paddân-Aram, et sœur de Laban l'Ara-
méen. 21 Isaac implora Yahvé pour sa femme, car
elle était stérile : Yahvé l'exauça et sa femme
Rébecca devint enceinte. 22 Or les enfants se heur-
taient en elle et elle dit : « S'il en est ainsi, à quoi
bon vivre [c]? » Elle alla donc consulter Yahvé [d], 23 et
Yahvé lui dit :

« Il y a deux nations en ton sein,
deux peuples, issus de toi, se sépareront,
un peuple dominera un peuple,
4 5+ l'aîné servira le cadet [e]. »

Ml 1 2-5 24 Quand vint le temps de ses couches, voici
↗ Rm 9 12 qu'elle portait des jumeaux. 25 Le premier sortit : il
était roux et tout entier comme un manteau de
Os 12 4 poils; on l'appela Ésaü. 26 Ensuite sortit son frère
et sa main tenait le talon d'Ésaü; on l'appela
Jacob [f]. Isaac avait soixante ans à leur naissance.

27 Les garçons grandirent : Ésaü devint un habile
chasseur, courant la steppe, Jacob était un homme
tranquille, demeurant sous les tentes. 28 Isaac préférait Ésaü car le gibier était à son goût, mais
Rébecca préférait Jacob.

**Ésaü cède son droit d'aînesse.**

29 Une fois, Jacob prépara un potage et Ésaü
revint de la campagne, épuisé. 30 Ésaü dit à Jacob :
« Laisse-moi avaler ce roux, ce roux-là; je suis
épuisé. » – C'est pourquoi on l'a appelé Édom [g]. –
31 Jacob dit : « Vends-moi d'abord ton droit d'aî- Dt 21 17
nesse. » 32 Ésaü répondit : « Voici que je vais mourir, à quoi me servira le droit d'aînesse? » 33 Jacob
reprit : « Prête-moi d'abord serment »; il lui prêta
serment et vendit son droit d'aînesse à Jacob.
34 Alors Jacob lui donna du pain et du potage de
lentilles, il mangea et but, se leva et partit. C'est He 12 16
tout le cas qu'Ésaü fit du droit d'aînesse.

**Isaac à Gérar [h].** = 12 10-20 · = 20

**26** 1 Il y eut une famine dans le pays – en plus
de la première famine qui eut lieu du temps
d'Abraham – et Isaac se rendit à Gérar chez Abimélek, roi des Philistins. 2 Yahvé lui apparut et dit :
« Ne descends pas en Égypte; demeure au pays que 12 1
je te dirai. 3 Séjourne dans ce pays ci, je serai avec
toi et te bénirai. Car c'est à toi et à ta race que je
donnerai tous ces pays-ci et je tiendrai le serment
que j'ai fait à ton père Abraham. 4 Je rendrai ta 22 17-18
postérité nombreuse comme les étoiles du ciel, je 12 7+
lui donnerai tous ces pays et par ta postérité se 12 3+

*a)* Les descendants d'Ismaël, **17** 20, constituent les tribus de l'Arabie du nord.
*b)* Récit yahviste, sauf le cadre chronologique d'origine sacerdotale, vv. 19-20, 26[b].
*c)* « vivre » syr., omis par hébr.
*d)* Sur les façons de *consulter Yahvé*, voir Ex **33** 7+ et 1 S **14** 41+. Ici il ne peut s'agir que d'une visite à un lieu sacré où Yahvé se manifeste.
*e)* Cf. note sur **4** 5. La lutte des enfants dans le sein maternel présage l'hostilité des deux peuples frères : les Édomites descendants d'Ésaü et les Israélites descendants de Jacob. Les Édomites, Nb **20** 23+, furent asservis par David, 2 S **8** 13-14, et ne s'affranchirent définitivement que sous Joram de Juda, au milieu du IXe siècle, 2 R **8** 20-22.
*f)* Étymologies populaires : Ésaü est roux, *'admônî*, et il sera aussi appelé Édom, v. 30; **36** 1, 8; il est comme un manteau de poil, *se'ar*, et il habitera le pays de *Se'ir*, Nb **24** 18. Jacob, *Ya'aqob*, est ainsi appelé ici parce qu'il tenait le talon, *'aqeb*, de son jumeau, mais d'après **27** 36 et Os **12** 4 parce qu'il a supplanté, *'aqab*, son frère. En réalité, le nom, abrégé de *Ya'aqob-El*, signifie probablement : « Que Dieu protège! »
*g)* Parce qu'il a mangé un plat de couleur rousse, *'adom*, nouveau jeu de mots.
*h)* Isaac n'intervient guère que dans l'histoire de son père, **21**; **22**; **24**, et de ses fils, **25** 19-28; **27**; **28** 1-9; **35** 27-29. Seul ce ch. **26**, fondamentalement yahviste, sauf la notice sacerdotale des vv. 34-35, le concerne directement, mais les trois épisodes ont leurs parallèles dans l'histoire d'Abraham. Ils sont reliés par la figure d'Abimélek, roi de Gérar, cf. **20** 2, et des « Philistins », cf. note sur **21** 22. Le premier épisode est parallèle à **12** 10-20 et **20** (voir les notes). Cette troisième présentation est la plus discrète.

béniront toutes les nations de la terre, [5] en retour de l'obéissance d'Abraham, qui a gardé mes observances, mes commandements, mes règles et mes lois. » [6]Ainsi Isaac demeura à Gérar.

[7] Les gens du lieu l'interrogèrent sur sa femme et il répondit : « C'est ma sœur. » Il eut peur de dire : « Ma femme », pensant : « Les gens du lieu me feront mourir à cause de Rébecca, car elle est belle. » [8] Il était là depuis longtemps quand Abimélek, le roi des Philistins, regardant une fois par la fenêtre, vit Isaac qui caressait [a] Rébecca, sa femme. [9] Abimélek appela Isaac et dit : « Pour sûr, c'est ta femme! Comment as-tu pu dire : " C'est ma sœur "? » Isaac lui répondit : « Je me disais : je risque de mourir à cause d'elle. » [10] Abimélek reprit : « Qu'est-ce que tu nous as fait là? Un peu plus, quelqu'un du peuple couchait avec ta femme et tu nous chargeais d'une faute! » [11] Alors Abimélek donna cet ordre à tout le peuple : « Quiconque touchera à cet homme et à sa femme sera mis à mort. »

[12] Isaac fit des semailles dans ce pays et, cette année-là, il moissonna le centuple. Yahvé le bénit [13] et l'homme s'enrichit, il s'enrichit de plus en plus, jusqu'à devenir extrêmement riche. [14] Il avait des troupeaux de gros et de petit bétail et de nombreux serviteurs. Les Philistins en devinrent jaloux.

= **21** 25-31

### Les puits entre Gérar et Bersabée.

[15] Tous les puits que les serviteurs de son père avaient creusés, – du temps de son père Abraham, – les Philistins les avaient bouchés et comblés de terre. [16] Abimélek dit à Isaac : « Pars de chez nous, car tu es devenu beaucoup plus puissant que nous. » [17] Isaac partit donc de là et campa dans la vallée de Gérar, où il s'établit. [18] Isaac creusa de nouveau les puits qu'avaient creusés les serviteurs [b] de son père Abraham et que les Philistins avaient bouchés après la mort d'Abraham, et il leur donna les mêmes noms que son père leur avait donnés.

[19] Les serviteurs d'Isaac creusèrent dans la vallée et ils trouvèrent là un puits d'eaux vives [c]. [20] Mais les bergers de Gérar entrèrent en dispute avec les bergers d'Isaac, disant : « L'eau est à nous! » Isaac nomma ce puits Éseq, parce qu'ils s'étaient querellés avec lui. [21] Ils creusèrent un autre puits et il y eut encore une dispute à son propos; il le nomma Sitna. [22] Alors il partit de là et creusa un autre puits, et il n'y eut pas de dispute à son propos; il le nomma Rehobot et dit : « Maintenant Yahvé nous a donné le champ libre pour que nous prospérions dans le pays [d]. »

[23] De là il monta à Bersabée. [24] Yahvé lui apparut cette nuit-là et dit :

« Je suis le Dieu de ton père Abraham [e].
Ne crains rien, car je suis avec toi.
Je te bénirai, je multiplierai ta postérité,
en considération de mon serviteur Abraham. »

[25] Il bâtit là un autel et invoqua le nom de Yahvé. **4** 26+
Il dressa là sa tente. Les serviteurs d'Isaac forèrent un puits.

### Alliance avec Abimélek.

= **21** 22-33

[26] Abimélek vint le voir de Gérar, avec Ahuzzat son familier et Pikol le chef de son armée. [27] Isaac leur dit : « Pourquoi venez-vous à moi, puisque vous me haïssez et que vous m'avez renvoyé de chez vous? » [28] Ils répondirent : « Nous avons eu l'évidence que Yahvé était avec toi et nous avons dit : Qu'il y ait un serment entre nous et toi et concluons une alliance avec toi : [29] jure de ne nous faire aucun mal, puisque nous ne t'avons pas molesté, que nous ne t'avons fait que du bien et t'avons laissé partir en paix. Maintenant, tu es un béni de Yahvé. » [30] Il leur prépara un festin, et ils mangèrent et burent.

[31] Levés de bon matin, ils se firent un serment mutuel. Puis Isaac les congédia et ils le quittèrent en paix. [32] Or ce fut ce jour-là que les serviteurs d'Isaac lui apportèrent des nouvelles du puits qu'ils creusaient et ils lui dirent : « Nous avons trouvé l'eau! » [33] Il appela le puits Sabée [f], d'où le nom de la ville, Bersabée, jusqu'à maintenant.

### Les femmes hittites d'Ésaü.

**36** 1-5

[34] Quand Ésaü eut quarante ans, il prit pour femmes Yehudit, fille de Béeri le Hittite, et Basmat, fille
d'Élôn le Hittite. [35] Elles furent un sujet d'amer- **24** 3s; **28** 1s
tume pour Isaac et pour Rébecca.

*a)* Isaac (*Yçhaq*) caresse (*meçaheq*) Rébecca : encore un jeu de mots comme en **21** 9, cf. **17** 17; **18** 12s; **21** 6.
*b)* « qu'avaient creusé les serviteurs » versions; « qu'on avait creusé aux jours de » hébr.
*c)* La Genèse attribue aux Patriarches, pasteurs de troupeaux, le forage de nombreux puits. C'est auprès du « puits de Jacob », à Sichem (non mentionné par Gn), que le Christ révélera à la Samaritaine la véritable eau vive, Jn **4** 1+.
*d)* *Éseq* signifie « querelle », *Sitna* « accusation », *Rehobôt* « espaces libres ».
*e)* La religion patriarcale est essentiellement celle du « Dieu du père », **28** 13; **31** 5; **32** 10, etc., jusqu'à la révélation du nom de Yahvé, Ex **3** 13-15. C'est une religion de nomades : ce Dieu n'est pas le maître d'un territoire; il se révèle à l'ancêtre d'un groupe qu'il protège et qu'il guide, cf. déjà **12** 1 et jusqu'à **46** 3-4, et auquel il accorde les promesses d'une descendance et d'une terre. ch. **15**.
*f)* « Sabée » : lire *sheba*ʽ (ou *shebu*ʽ*a*) « serment » d'après grec et le contexte, au lieu de l'hébr. *shibe*ʽ*a* « sept », cf. **21** 28-30+.

**Jacob surprend la bénédiction d'Isaac**[a].

27 1 Isaac était devenu vieux et ses yeux avaient
faibli jusqu'à ne plus voir. Il appela son fils
aîné Ésaü : « Mon fils! » lui dit-il, et celui-ci répondit : « Oui! » 2 Il reprit : « Tu vois, je suis vieux et
je ne connais pas le jour de ma mort. 3 Maintenant,
prends tes armes, ton carquois et ton arc, sors dans
la campagne et tue-moi du gibier. 4 Apprête-moi un
régal comme j'aime et apporte-le-moi, que je
mange, afin que mon âme te bénisse avant que je
meure. » – 5 Or Rébecca écoutait pendant qu'Isaac
parlait à son fils Ésaü. – Ésaü alla donc dans la
campagne chasser du gibier pour son père.
**25** 28 6 Rébecca dit à son fils Jacob : « Je viens d'entendre ton père dire à ton frère Ésaü : 7 “ Apporte-moi
du gibier et apprête-moi un régal, je mangerai et je
te bénirai devant Yahvé avant de mourir. ” 8 Maintenant, mon fils, écoute-moi et fais comme je
t'ordonne. 9 Va au troupeau et apporte-moi de là
deux beaux chevreaux, et j'en préparerai un régal
pour ton père, comme il aime. 10 Tu le présenteras
à ton père et il mangera, afin qu'il te bénisse avant
de mourir. »
**25** 25 11 Jacob dit à sa mère Rébecca : « Vois : mon
frère Ésaü est velu, et moi j'ai la peau bien lisse.
12 Peut-être mon père va-t-il me tâter, il verra que
je me suis moqué de lui et j'attirerai sur moi la
malédiction au lieu de la bénédiction. » 13 Mais sa
mère lui répondit : « Je prends sur moi ta malédiction, mon fils! Écoute-moi seulement et va me
chercher les chevreaux. » 14 Il alla les chercher et
les apporta à sa mère qui apprêta un régal comme
son père aimait. 15 Rébecca prit les plus beaux
habits d'Ésaü, son fils aîné, qu'elle avait à la maison, et en revêtit Jacob, son fils cadet. 16 Avec la
peau des chevreaux elle lui couvrit les bras et la
partie lisse du cou. 17 Puis elle mit le régal et le
pain qu'elle avait apprêtés entre les mains de son
fils Jacob.
18 Il alla auprès de son père et dit : « Mon père! »
Celui-ci répondit : « Oui! Qui es-tu, mon fils? »
19 Jacob dit à son père : « Je suis Ésaü, ton premier-
né, j'ai fait ce que tu m'as commandé. Lève-toi, je
te prie, assieds-toi et mange de ma chasse, afin que
ton âme me bénisse. » 20 Isaac dit à son fils Jacob :
« Comme tu as trouvé vite, mon fils! » – « C'est,
répondit-il, que Yahvé ton Dieu m'a été propice [b]. »
21 Isaac dit à Jacob : « Approche-toi donc, que je
te tâte, mon fils, pour savoir si, oui ou non, tu es
mon fils Ésaü. »
22 Jacob s'approcha de son père Isaac, qui le tâta
et dit : « La voix est celle de Jacob, mais les bras
sont ceux d'Ésaü! » 23 Il ne le reconnut pas car ses
bras étaient velus comme ceux d'Ésaü son frère, et
il le bénit. 24 Il dit : « Tu es bien mon fils Ésaü? »
et l'autre répondit : « Oui. » 25 Isaac reprit :
« Sers-moi et que je mange de la chasse de mon fils,
afin que mon âme te bénisse. » Il le servit et il mangea, il lui présenta du vin et il but. 26 Son père
Isaac lui dit : « Approche-toi et embrasse-moi,
mon fils! » 27 Il s'approcha et embrassa son père,
qui respira l'odeur de ses vêtements. Il le bénit
ainsi [c] :

« Oui, l'odeur de mon fils
est comme l'odeur d'un champ fertile **22** 17-18
que Yahvé a béni. ↗ He **11** 20
28 Que Dieu te donne
la rosée du ciel
et les gras terroirs,
froment et vin en abondance!
29 Que les peuples te servent, **25** 23+
que des nations se prosternent devant toi!
Sois un maître pour tes frères,
que se prosternent devant toi les fils de ta mère!
Maudit soit qui te maudira,
Béni soit qui te bénira! »

30 Isaac avait achevé de bénir Jacob et Jacob
sortait tout juste de chez son père Isaac lorsque
son frère Ésaü rentra de la chasse. 31 Lui aussi
apprêta un régal et l'apporta à son père. Il lui dit :
« Que mon père se lève et mange de la chasse de
son fils, afin que ton âme me bénisse! » 32 Son père
Isaac lui demanda : « Qui es-tu? » – « Je suis,
répondit-il, ton fils premier-né, Ésaü. » 33 Alors
Isaac fut secoué d'un très grand frisson et dit :
« Quel est donc celui-là qui a chassé du gibier et
me l'a apporté? De confiance [d] j'ai mangé avant
que tu ne viennes et je l'ai béni, et il restera béni [e]! »
34 Lorsque Ésaü entendit les paroles de son père,
il cria avec beaucoup de force et d'amertume et dit
à son père : « Bénis-moi aussi, mon père! » 35 Mais
celui-ci répondit : « Ton frère est venu par ruse et **25** 26, 29-34
a pris ta bénédiction. » 36 Ésaü reprit : « Est-ce Jr **9** 3 Os **12** 4 Is **43** 27

*a)* Récit yahviste vantant l'astuce de Jacob, mais nuancé, dans sa rédaction définitive, de discrète réprobation pour la ruse de Rébecca et de pitié pour Ésaü. Le mensonge ici rapporté, dans le cadre d'une morale encore imparfaite, sert mystérieusement à l'action de Dieu dont le libre choix a préféré Jacob à Ésaü, **25** 23; cf. Ml **1** 2s; Rm **9** 13.

*b)* Cet appel à Dieu dans le mensonge nous paraît blasphématoire, mais la mentalité orientale n'y voyait pas de mal, rapportant tout à Dieu en négligeant les « causes secondes ».

*c)* Cette bénédiction qui promet à Jacob, le pasteur, une félicité paysanne, ainsi que celle d'Ésaü, vv. 39-40, s'appliquent non pas à ces patriarches mais aux peuples issus d'eux.

*d)* « de confiance, j'ai mangé » conj.; « j'ai mangé de tout » hébr.

*e)* Les bénédictions (comme les malédictions) sont efficaces et irrévocables une fois prononcées.

parce qu'il s'appelle Jacob qu'il m'a supplanté ces
deux fois? Il avait pris mon droit d'aînesse et voilà
maintenant qu'il a pris ma bénédiction [a]! Mais,
ajouta-t-il, ne m'as-tu pas réservé une bénédiction? » [37] Isaac, prenant la parole, répondit à
Ésaü : « Je l'ai établi ton maître, je lui ai donné
tous ses frères comme serviteurs, je l'ai pourvu de
froment et de vin. Que pourrais-je faire pour toi,
mon fils? » [38] Ésaü dit à son père : « Est-ce donc
ta seule bénédiction, mon père? Bénis-moi aussi,
mon père! » Isaac resta silencieux [b] et Ésaü se
mit à pleurer. [39] Alors son père Isaac prit la parole
et dit :

« Loin des gras terroirs
sera ta demeure,
loin de la rosée qui tombe du ciel.
[40] Tu vivras de ton épée,
tu serviras ton frère [c].
Mais, quand tu t'affranchiras, tu secoueras son
joug de dessus ton cou [d]. »

= **27** 46- [41] Ésaü prit Jacob en haine à cause de la bénédic-
**28** 5 tion que son père avait donnée à celui-ci et il se dit
en lui-même : « Proche est le temps où l'on fera le
deuil de mon père. Alors je tuerai mon frère
Jacob. » [42] Lorsqu'on rapporta à Rébecca les paroles d'Ésaü, son fils aîné, elle fit appeler Jacob, son
↗ Sg **10** 10 fils cadet, et lui dit : « Ton frère Ésaü veut se venger
de toi en te tuant. [43] Maintenant, mon fils, écoute-
**24** 29 moi : pars, enfuis-toi chez mon frère Laban à
Harân [44] Tu habiteras avec lui quelque temps,
jusqu'à ce que se détourne la fureur de ton frère,
[45] jusqu'à ce que la colère de ton frère se détourne
de toi et qu'il oublie ce que tu lui as fait; alors je
t'enverrai chercher là-bas. Pourquoi vous perdrais-
je tous les deux en un seul jour [e]? »

### = **27** 41-45 Isaac envoie Jacob chez Laban [f].

[46] Rébecca dit à Isaac : « Je suis dégoûtée de la
vie à cause des filles de Hèt. Si Jacob épouse une
des filles de Hèt comme celles-là, une des filles du
pays, que m'importe la vie? »

**28** [1] Isaac appela Jacob, il le bénit et lui fit ce
commandement : « Ne prends pas une femme
parmi les filles de Canaan. [2] Lève-toi! Va en Paddân-Aram chez Bétuel, le père de ta mère, et choisis-toi une femme de là-bas, parmi les filles de
Laban, le frère de ta mère. [3] Qu'El Shaddaï te **17** 1+
bénisse, qu'il te fasse fructifier et multiplier pour **17** 4-5
que tu deviennes une assemblée de peuples. [4] Qu'il
t'accorde, ainsi qu'à ta descendance, la bénédiction
d'Abraham, pour que tu possèdes le pays dans
lequel tu séjournes et que Dieu a donné à Abraham. » [5] Isaac congédia Jacob et celui-ci partit
en Paddân-Aram chez Laban, fils de Bétuel l'Araméen et frère de Rébecca, la mère de Jacob et
d'Ésaü.

### Autre mariage d'Ésaü [g].

[6] Ésaü vit qu'Isaac avait béni Jacob et l'avait
envoyé en Paddân-Aram pour y prendre femme, et
qu'en le bénissant il lui avait fait ce commandement : « Ne prends pas une femme parmi les filles
de Canaan. » [7] Et Jacob avait obéi à son père et à
sa mère et était parti en Paddân-Aram. [8] Ésaü
comprit que les filles de Canaan étaient mal vues
de son père Isaac [9] et il alla chez Ismaël et prit pour
femme – en plus de celles qu'il avait – Mahalat,
fille d'Ismaël, le fils d'Abraham, et sœur de **25** 12-13
Nebayot.

### Le songe de Jacob [h]. ↗ Sg **10** 10

[10] Jacob quitta Bersabée et partit pour Harân.
[11] Il arriva d'aventure en un certain lieu et il y
passa la nuit, car le soleil s'était couché. Il prit une
des pierres du lieu, la mit sous sa tête et dormit en
ce lieu. [12] Il eut un songe : Voilà qu'une échelle
était dressée sur la terre et que son sommet atteignait le ciel, et des anges de Dieu y montaient et ↗ Jn **1** 51
descendaient! [13] Voilà que Yahvé se tenait devant
lui et dit : « Je suis Yahvé, le Dieu d'Abraham ton
ancêtre et le Dieu d'Isaac. La terre sur laquelle tu
es couché, je la donne à toi et à ta descendance.

*a)* Jeu de mots entre « droit d'aînesse » *bekorch* et « bénédiction » *berakah*.

*b)* « Isaac resta silencieux » grec; omis par hébr.

*c)* Ésaü (c'est-à-dire sa descendance) habitera hors de la Palestine fertile (la Vulg. fait ici un contresens) et sera soumis à Jacob (à sa descendance, 2 S **8** 13-14). Tout a été donné à son frère, v. 37, et la seule bénédiction qui lui reste est de « vivre de son épée », de rapine et de brigandage.

*d)* Cette dernière phrase, non rythmée, a pu être ajoutée après la libération des Édomites, 2 R **8** 20-22. La traduction « tu t'affranchiras » est incertaine.

*e)* Ésaü tomberait, comme meurtrier, sous la vengeance du sang, Nb **35** 19+.

*f)* Équivalent de **27** 41-45, d'après la tradition sacerdotale. Celle-ci, qui écartait l'histoire choquante du ch. **27**, donnait une autre raison au départ de Jacob en Mésopotamie. Noter l'équivalence établie entre les « filles de Hèt », v. 46, et les filles de Canaan, **28** 1.

*g)* La source sacerdotale continue ici.

*h)* Dans ce récit se joignent une tradition élohiste : le songe de l'échelle (plutôt un escalier) qui conduit au ciel, une idée mésopotamienne que symbolisaient les tours à étages, les ziggurât, vv. 12 et 17, le vœu de Jacob et la fondation du sanctuaire de Béthel, vv. 18, 20, 21[a], 22; et une tradition yahviste : une apparition de Yahvé qui renouvelle les promesses faites à Abraham et à Isaac, et que Jacob reconnaît pour son Dieu, vv. 13-16, 19, 21[b]. Toutes deux rehaussaient le prestige du sanctuaire de Béthel, 1 R **12** 29-30+. Plusieurs Pères, à la suite de Philon, ont vu dans l'échelle de Jacob l'image de la Providence que Dieu exerce sur la terre par le ministère des anges. Pour d'autres, elle préfigurait l'Incarnation du Verbe, pont jeté entre ciel et terre. Le v. 17 est utilisé par la liturgie dans l'office et la messe de la Dédicace des églises.

12 2s; 13 14s; 14 Ta descendance deviendra nombreuse comme la
15 5s; 18 18; poussière du sol, tu déborderas à l'occident et à
22 17s; 26 4 l'orient, au septentrion et au midi, et tous les clans
12 3+ de la terre se béniront par toi et par ta descendance.
15 Je suis avec toi, je te garderai partout où tu iras
et te ramènerai en ce pays, car je ne t'abandonnerai
pas que je n'aie accompli ce que je t'ai promis. »
16 Jacob s'éveilla de son sommeil et dit : « En
vérité, Yahvé est en ce lieu et je ne le savais pas! »
Ex 19 12+ 17 Il eut peur et dit : « Que ce lieu est redoutable!
Ce n'est rien de moins qu'une maison de Dieu et
la porte du ciel! » 18 Levé de bon matin, il prit la
pierre qui lui avait servi de chevet, il la dressa
Ex 23 24+ comme une stèle et répandit de l'huile sur son som-
35 6; 48 3 met [a]. 19 A ce lieu, il donna le nom de Béthel, mais
Jg 1 23 auparavant la ville s'appelait Luz.
20 Jacob fit ce vœu : « Si Dieu est avec moi et me
garde en la route où je vais, s'il me donne du pain
à manger et des habits pour me vêtir, 21 si je reviens
sain et sauf chez mon père, alors Yahvé sera mon
Dieu 22 et cette pierre que j'ai dressée comme une
stèle sera une maison de Dieu, et de tout ce que tu
Am 4 4 me donneras je te payerai fidèlement la dîme. »

**Jacob arrive chez Laban [b].**

29 1 Jacob se mit en marche et alla au pays des
24 11s fils de l'Orient. 2 Et voici qu'il vit un puits
Ex 2 16s dans la campagne, près duquel étaient couchés
trois troupeaux de petit bétail : c'était à ce puits
qu'on abreuvait les troupeaux, mais la pierre qui en
fermait l'ouverture était grande. 3 Quand tous les
troupeaux étaient rassemblés là, on roulait la pierre
de sur la bouche du puits, on abreuvait le bétail,
puis on remettait la pierre en place sur la bouche
du puits. 4 Jacob demanda aux bergers : « Mes frères, d'où êtes-vous? » et ils répondirent : « Nous
sommes de Harân. » 5 Il leur dit : « Connaissez-
vous Laban, fils de Nahor? » – « Nous le connaissons », répondirent-ils. 6 Il leur demanda : « Va-t-il
bien? » Ils répondirent : « Il va bien, et voici justement sa fille Rachel qui vient avec le troupeau. »
7 Jacob dit : « Il fait encore grand jour, ce n'est pas
le moment de rentrer le bétail. Abreuvez les bêtes
et retournez au pâturage. » 8 Mais ils répondirent :
« Nous ne pouvons le faire avant que soient rassemblés tous les troupeaux et qu'on roule la pierre
de sur la bouche du puits; alors nous abreuverons
les bêtes. »
9 Il conversait encore avec eux lorsque Rachel
arriva avec le troupeau de son père, car elle était
bergère. 10 Dès que Jacob eut vu Rachel, la fille de
son oncle Laban, et le troupeau de son oncle
Laban, il s'approcha, roula la pierre de sur la bouche du puits et abreuva le bétail de son oncle
Laban. 11 Jacob donna un baiser à Rachel puis
éclata en sanglots. 12 Il apprit à Rachel qu'il était
le parent de son père et le fils de Rébecca, et elle
courut en informer son père. 13 Dès qu'il entendit
qu'il s'agissait de Jacob, le fils de sa sœur, Laban
courut à sa rencontre, il le serra dans ses bras, le
couvrit de baisers et le conduisit dans sa maison.
Et Jacob lui raconta toute cette histoire [c]. 14 Alors
Laban lui dit : « Oui, tu es de mes os et de ma
chair! » et Jacob demeura chez lui un mois entier.

**Les deux mariages de Jacob [d].**

15 Alors Laban dit à Jacob : « Parce que tu es
mon parent, vas-tu me servir pour rien? Indique-
moi quel doit être ton salaire. » 16 Or Laban avait
deux filles : l'aînée s'appelait Léa, et la cadette,
Rachel. 17 Les yeux de Léa étaient doux, mais
Rachel avait belle tournure et beau visage 18 et
Jacob aimait Rachel. Il répondit : « Je te servirai
sept années pour Rachel, ta fille cadette. » 19 Laban
dit : « Mieux vaut la donner à toi qu'à un étranger;
reste chez moi. »
20 Donc Jacob servit pour Rachel, pendant sept
années qui lui parurent comme quelques jours, tellement il l'aimait. 21 Puis Jacob dit à Laban :
« Accorde-moi ma femme car mon temps est
accompli, et que j'aille vers elle! » 22 Laban réunit
tous les gens du lieu et donna un banquet. 23 Mais
voici qu'au soir il prit sa fille Léa et la conduisit
à Jacob; et celui-ci s'unit à elle! – 24 Laban donna
sa servante Zilpa comme servante à sa fille Léa. –
25 Le matin arriva, et voilà que c'était Léa [e]! Jacob
dit à Laban : « Que m'as-tu fait là? N'est-ce pas
pour Rachel que j'ai servi chez toi? Pourquoi
m'as-tu trompé? » 26 Laban répondit : « Ce n'est
pas l'usage dans notre contrée de marier la plus
jeune avant l'aînée. 27 Mais achève cette semaine de
noces [f] et je te donnerai aussi l'autre comme prix

*a)* La pierre localise la présence divine. Elle devient une *bêt El*, une « maison de Dieu », ce qui explique le nom de Béthel, et elle reçoit une onction d'huile, en acte de culte. Mais de telles pratiques, se trouvant dans la religion cananéenne et dans tout le milieu sémitique, furent plus tard condamnées par la Loi et les Prophètes, voir Ex **23** 24. Ici même, à l'idée d'une demeure divine sur la terre se juxtapose une notion plus spirituelle : Béthel est la « porte du ciel » où Dieu réside, cf. 1 R **8** 27.

*b)* Récit yahviste qui continue **28** et se rattache à **27** 41-45.

*c)* Ses démêlés avec Ésaü, ch. **27**.

*d)* Récit yahviste, comme le précédent qu'il continue.

*e)* La ruse de Laban et l'erreur de Jacob s'expliquent par l'usage – encore vivant – de garder la fiancée voilée jusqu'à la nuit de noces, cf. **24** 65.

*f)* La fête des noces durait sept jours, Jg **14** 12, 17; cf. Tb **8** 20; **10** 7.

du service que tu feras chez moi pendant encore
sept autres années[a]. » 28 Jacob fit ainsi : il acheva
cette semaine de noces et Laban lui donna sa fille
Rachel pour femme. – 29 Laban donna sa servante
Bilha comme servante à sa fille Rachel. – 30 Jacob
s'unit aussi à Rachel et il aima Rachel plus que
Léa; il servit chez son oncle encore sept autres
années.

**Les enfants de Jacob**[b].

31 Yahvé vit que Léa n'était pas aimée[c] et il la
rendit féconde, tandis que Rachel demeurait stérile.
32 Léa conçut et elle enfanta un fils qu'elle appela
Ruben, car, dit-elle, « Yahvé a vu ma détresse[d];
maintenant mon mari m'aimera ». 33 Elle conçut
encore et elle enfanta un fils; elle dit : « Yahvé a
entendu que je n'étais pas aimée et il m'a aussi
donné celui-ci »; et elle l'appela Siméon. 34 Elle
conçut encore et elle enfanta un fils; elle dit :
« Cette fois, mon mari s'attachera à moi, car je lui
ai donné trois fils », et elle l'appela Lévi. 35 Elle
conçut encore et elle enfanta un fils; elle dit :
« Cette fois, je rendrai gloire à Yahvé »; c'est pourquoi elle l'appela Juda Puis elle cessa d'avoir des
enfants.

**30** Rachel, voyant qu'elle-même ne donnait pas
d'enfants à Jacob, devint jalouse de sa sœur
et elle dit à Jacob : « Fais-moi avoir aussi des
enfants, ou je meurs! » 2 Jacob s'emporta contre
Rachel et dit : « Est-ce que je tiens la place de Dieu,
qui t'a refusé la maternité? » 3 Elle reprit : « Voici
16 2+ ma servante Bilha. Va vers elle et qu'elle enfante
sur mes genoux : par elle j'aurai moi aussi des
enfants! » 4 Elle lui donna donc pour femme sa servante Bilha et Jacob s'unit à celle-ci. 5 Bilha conçut
et enfanta à Jacob un fils. 6 Rachel dit : « Dieu m'a
rendu justice, même il m'a exaucée et m'a donné
un fils »; c'est pourquoi elle l'appela Dan. 7 Bilha,
la servante de Rachel, conçut encore et elle enfanta
à Jacob un second fils. 8 Rachel dit : « J'ai lutté
contre ma sœur les luttes de Dieu et je l'ai
emporté »; et elle l'appela Nephtali.
9 Léa, voyant qu'elle avait cessé d'avoir des
enfants, prit sa servante Zilpa et la donna pour
femme à Jacob. 10 Zilpa, la servante de Léa,
enfanta à Jacob un fils. 11 Léa dit : « Par bonne fortune! » et elle l'appela Gad. 12 Zilpa, la servante de
Léa, enfanta à Jacob un second fils. 13 Léa dit :
« Pour ma félicité! car les femmes me féliciteront »;
et elle l'appela Asher.

14 Étant sorti au temps de la moisson des blés,
Ruben trouva dans les champs des pommes
d'amour[e], qu'il apporta à sa mère, Léa. Rachel dit
à Léa : « Donne-moi, s'il te plaît, des pommes
d'amour de ton fils », 15 mais Léa lui répondit :
« N'est-ce donc pas assez que tu m'aies pris mon
mari, pour que tu prennes aussi les pommes
d'amour de mon fils? » Rachel reprit : « Eh bien,
qu'il couche avec toi cette nuit, en échange des
pommes d'amour de ton fils. » 16 Lorsque Jacob
revint des champs le soir, Léa sortit à sa rencontre
et lui dit : « Il faut que tu viennes vers moi, car je
t'ai pris à gages pour les pommes d'amour de mon
fils », et il coucha avec elle cette nuit-là. 17 Dieu
exauça Léa, elle conçut et elle enfanta à Jacob un
cinquième fils; 18 Léa dit : « Dieu m'a donné mon
salaire, pour avoir donné ma servante à mon
mari »; et elle l'appela Issachar. 19 Léa conçut
encore et elle enfanta à Jacob un sixième fils. 20 Léa
dit : « Dieu m'a fait un beau présent, cette fois mon
mari m'honorera, car je lui ai donné six fils »; et
elle l'appela Zabulon. 21 Ensuite elle mit au monde
une fille et elle l'appela Dina.

22 Alors Dieu se souvint de Rachel, il l'exauça et
la rendit féconde. 23 Elle conçut et elle enfanta un
fils; elle dit : « Dieu a enlevé ma honte »; 24 et elle
l'appela Joseph, disant : « Que Yahvé m'ajoute un
autre fils! »

**Comment Jacob s'enrichit.**

25 Lorsque Rachel eut enfanté Joseph, Jacob dit
à Laban : « Laisse-moi partir, que j'aille chez moi,
dans mon pays. 26 Donne-moi mes femmes, pour
lesquelles je t'ai servi, et mes enfants, et que je m'en

*a)* Le mariage avec deux sœurs ne fut interdit que par la loi de Lv **18** 18.

*b)* Cette section, de tradition yahviste avec des insertions élohistes, rattache les tribus d'Israël à la lignée patriarcale par les douze enfants de Jacob. C'est la forme la plus ancienne du « système des douze tribus » qui passera par plusieurs états : le chiffre douze est atteint ici par l'inclusion de Dina; elle sera plus tard remplacée par Benjamin, né en Canaan, **35** 16s. Lévi, devenu tribu sacerdotale, sera remplacé grâce au dédoublement de Joseph (Éphraïm et Manassé). Ce système, même sous sa forme la plus ancienne, n'a pu être établi qu'après l'installation en Canaan. Les « douze fils de Jacob » qui, pour la plupart, n'auront aucun rôle dans les récits de la Genèse et dont certains ne seront même plus nommés sont seulement les ancêtres éponymes des tribus constituées, cf. Gn **49**.

*c)* Le texte dit « haïe », mais le terme ne désigne ici que la situation moins favorable de l'épouse non préférée dans un ménage polygame.

*d)* La rivalité de Léa et de Rachel sert à expliquer les noms propres par des étymologies populaires parfois obscures : *ra'a be'onyî* « il a vu ma détresse », Ruben; *shama'* « il a entendu », Siméon; *yillavé* « il s'attachera », Lévi; *'ôdé* « je rendrai gloire », Juda; *dananî* « m'a rendu justice », Dan; *niphtalî* « j'ai lutté », Nephtali; *gad* « bonne fortune », Gad; *'osherî* « ma félicité » et *'ishsherunî* « me féliciteront », Asher; *sakar* « pris à gages » et *sakâr* « salaire », Issachar; *yizbelénî* « il m'honorera », Zabulon; *'asaph* « enlevé » et *yoseph* « ajoute », Joseph.

*e)* Litt. des fruits de « mandragores », plante dont le nom hébreu est formé de la même racine que « amour », et à laquelle les anciens attribuaient une vertu aphrodisiaque. La tradition devait mettre ce fruit en relation avec la naissance de Joseph.

aille. Tu sais bien quel service j'ai accompli pour
toi. » 27 Laban lui dit : « Si j'ai trouvé grâce à tes
yeux [a]... J'ai appris par les présages que Yahvé
m'avait béni à cause de toi. 28 Aussi, ajouta-t-il,
fixe-moi ton salaire et je te payerai. » 29 Il lui répondit : « Tu sais bien de quelle façon je t'ai servi et
ce que ton bien est devenu avec moi. 30 Le peu que
tu avais avant moi s'est accru énormément, et
Yahvé t'a béni sur mes pas. Maintenant, quand tra-
vaillerai-je aussi pour ma maison? » 31 Laban
reprit : « Que faut-il te payer? » Jacob répondit :
« Tu n'auras rien à me payer : si tu fais pour moi
ce que je vais dire, je reprendrai la conduite de ton
troupeau.

32 « Je passerai aujourd'hui dans tout ton troupeau [b]. Sépares-en tout animal [c] noir parmi les
moutons et ce qui est tacheté ou moucheté parmi
les chèvres. Tel sera mon salaire, 33 et mon honnêteté portera témoignage pour moi dans la suite :
quand tu viendras vérifier mon salaire, tout ce qui
ne sera pas moucheté ou tacheté parmi les chèvres,
ou noir parmi les moutons, sera chez moi un vol. »
34 Laban dit : « C'est bien; qu'il en soit comme
tu as dit. » 35 Ce jour-là, il mit à part les boucs
rayés et tachetés, toutes les chèvres mouchetées et
tachetées, tout ce qui avait du blanc, et tout ce
qui était noir parmi les moutons. Il les confia à
ses fils 36 et il mit trois jours de chemin entre lui
et Jacob. Et Jacob faisait paître le reste du bétail
de Laban.

37 Jacob prit des baguettes fraîches de peuplier,
d'amandier et de platane et il les écorça de bandes
blanches, mettant à nu l'aubier qui était sur les
baguettes. 38 Il mit les baguettes qu'il avait écorcées
en face des bêtes dans les auges, dans les abreuvoirs où les bêtes venaient boire, et les bêtes
s'accouplaient en venant boire. 39 Elles s'accouplè-
rent donc devant les baguettes et elles mirent bas
des petits rayés, mouchetés et tachetés. 40 Quant
aux moutons, Jacob les mit à part et il tourna les
bêtes vers ce qui était rayé et tout ce qui était noir
dans le troupeau de Laban. Ainsi il se constitua des
troupeaux à lui, qu'il ne mit pas avec les troupeaux
de Laban. 41 De plus, chaque fois que s'accouplaient les bêtes robustes, Jacob mettait les baguettes devant les yeux des bêtes dans les auges, pour
qu'elles s'accouplent devant les baguettes. 42 Quand
les bêtes étaient chétives, il ne les mettait pas, et
ainsi ce qui était chétif fut pour Laban, ce qui était
robuste fut pour Jacob. 43 L'homme s'enrichit énormément et il eut du bétail en quantité, des servantes
et des serviteurs, des chameaux et des ânes.

**Fuite de Jacob [d].**

31 1 Jacob apprit que les fils de Laban disaient :
« Jacob a pris tout ce qui était à notre père et
c'est aux dépens de notre père qu'il a constitué
toute cette richesse. » 2 Jacob vit à la mine de
Laban qu'il n'était plus avec lui comme auparavant. 3 Yahvé dit à Jacob : « Retourne au pays de
tes pères, dans ta patrie, et je serai avec toi. » **26** 3; **28** 15
4 Jacob fit appeler Rachel et Léa aux champs où
étaient ses troupeaux, 5 et il leur dit : « Je vois à la
mine de votre père qu'il n'est plus à mon égard
comme auparavant, mais le Dieu de mon père a
été avec moi. 6 Vous savez vous-mêmes que j'ai
servi votre père de toutes mes forces. 7 Votre père
s'est joué de moi, il a changé dix fois mon salaire,
mais Dieu ne lui a pas permis de me faire du tort.
8 Chaque fois qu'il disait : " Ce qui est moucheté
sera ton salaire ", toutes les bêtes mettaient bas des
petits mouchetés; chaque fois qu'il disait : " Ce qui
est rayé sera ton salaire", toutes les bêtes mettaient
bas des petits rayés, 9 et Dieu a enlevé son bétail
à votre père et me l'a donné. 10 Il arriva, au temps
où les bêtes entrent en chaleur, que je levai les yeux
et je vis en songe que les boucs en passe de saillir
les bêtes étaient rayés, tachetés ou tavelés.
11 L'Ange de Dieu me dit en songe : " Jacob ", et **16** 7+
je répondis : " Oui ". 12 Il dit : " Lève les yeux et
vois : tous les boucs qui saillissent les bêtes sont
rayés, tachetés ou tavelés, car j'ai vu tout ce que
Laban te fait. 13 Je suis le Dieu qui t'est apparu à
Béthel [e], où tu as oint une stèle et où tu m'as fait **28** 18-22
un vœu. Maintenant debout, sors de ce pays et
retourne dans ta patrie. " »

14 Rachel et Léa lui répondirent ainsi : « Avons-
nous encore une part et un héritage dans la maison
de notre père? 15 Ne sommes-nous pas considérées
par lui comme des étrangères, puisqu'il nous a ven-

*a)* La phrase est interrompue et l'on sous-entend : « écoute-moi ».

*b)* Le texte des vv. 32-43 est difficile à interpréter. L'histoire, qui n'a pu se former que chez des semi-nomades, doit être ancienne. Dans les troupeaux orientaux, les moutons sont généralement blancs et les chèvres noires. Ce sont les bêtes d'exception (moutons noirs et chèvres tachetées de blanc) que Jacob revendique pour son seul salaire, et Laban croit conclure une bonne affaire. L'artifice de Jacob revient à ceci : 1° pour les chèvres, vv. 37-39, il les fait accoupler devant des baguettes rayées de blanc, dont la vue influence la formation de l'embryon; 2° pour les moutons, v. 40, il leur fait regarder, quand ils s'accouplent, les chèvres noires du troupeau; 3° pour ces opérations, il choisit les reproducteurs robustes, laissant à Laban les bêtes débiles et leur descendance. Ainsi Jacob prend « honnêtement » sa revanche sur Laban.

*c)* L'hébr. ajoute ici « moucheté et tacheté et tout animal »; omis par le grec.

*d)* Récit élohiste, avec quelques débris yahvistes (vv. 1, 3, 21). Il met en relief le bon droit de Jacob et la protection divine, qui ne ressortaient pas du récit profane de **30**.

*e)* « qui t'est apparu » : suppléé d'après le grec.

dues et qu'il a ensuite mangé notre argent [a]? 16 Oui, toute la richesse que Dieu a retirée à notre père est à nous et à nos enfants. Fais donc maintenant tout ce que Dieu t'a dit. »

17 Jacob se leva, fit monter ses enfants et ses femmes sur des chameaux, 18 et poussa devant lui tout son bétail, – avec tous les biens qu'il avait acquis, le bétail qui lui appartenait et qu'il avait acquis en Paddân-Aram [b], – pour aller chez son père Isaac, au pays de Canaan. 19 Laban était allé tondre son
Jg **17** 5 troupeau et Rachel déroba les idoles domestiques [c]
1 S **19** 13 2 R **23** 24 qui étaient à son père. 20 Jacob abusa l'esprit de
Os **3** **4** Laban l'Araméen en ne lui laissant pas soupçonner
qu'il fuyait. 21 Il s'enfuit avec tout ce qu'il avait, il partit, passa le Fleuve [d] et se dirigea vers le mont Galaad.

**Laban poursuit Jacob [e].**

22 Le troisième jour, on apprit à Laban que Jacob s'était enfui. 23 Il prit ses frères avec lui, le poursuivit sept jours de chemin et l'atteignit au mont Galaad. 24 Dieu visita Laban l'Araméen dans une vision nocturne et lui dit : « Garde-toi de dire à Jacob quoi que ce soit [f]. » 25 Laban rejoignit Jacob qui avait planté sa tente dans la montagne, et Laban planta sa tente [g] au mont Galaad.

26 Laban dit à Jacob : « Qu'as-tu fait d'abuser mon esprit et d'emmener mes filles comme des captives de guerre? 27 Pourquoi as-tu fui en secret et m'as-tu abusé au lieu de m'avertir, pour que je te reconduise dans l'allégresse et les chants, avec tambourins et lyres? 28 Tu ne m'as pas laissé embrasser mes fils et mes filles. Vraiment, tu as agi en insensé! 29 Il serait en mon pouvoir de te faire du mal, mais le Dieu de ton père [h], la nuit passée, m'a dit ceci : “ Garde-toi de dire à Jacob quoi que ce soit. ” 30 Maintenant, tu es donc parti, parce que tu languissais tellement après la maison de ton père! Mais pourquoi as-tu volé mes dieux? »

31 Jacob répondit ainsi à Laban : « J'ai eu peur, je me suis dit que tu allais m'enlever tes filles. 32 Mais celui chez qui tu trouveras tes dieux ne restera pas vivant : devant nos frères, reconnais ce qui est à toi chez moi, et prends-le. » Jacob ignorait en effet que Rachel les avait dérobés. 33 Laban alla chercher dans la tente de Jacob, puis dans la tente de Léa, puis dans la tente des deux servantes, et il ne trouva rien. Il sortit de la tente de Léa et entra
dans celle de Rachel. 34 Or Rachel avait pris les **31** 19
idoles domestiques, les avait mises dans le palan- Lv **15** 19-20
quin du chameau et s'était assise dessus; Laban fouilla toute la tente et ne trouva rien. 35 Rachel dit à son père : « Que Monseigneur ne voie pas avec colère que je ne puisse me lever en ta présence, car j'ai ce qui est coutumier aux femmes. » Laban chercha et ne trouva pas les idoles.

36 Jacob se mit en colère et prit à partie Laban. Et Jacob adressa ainsi la parole à Laban : « Quel est mon crime, quelle est ma faute, que tu te sois acharné après moi? 37 Tu as fouillé toutes mes affaires : as-tu rien trouvé de toutes les affaires de ta maison? Produis-le ici, devant mes frères et tes frères, et qu'ils jugent entre nous deux! 38 Voici vingt ans que je suis chez toi, tes brebis et tes chèvres n'ont pas avorté et je n'ai pas mangé les béliers de ton troupeau. 39 Les animaux déchirés par les fauves, je ne te les rapportais pas, c'était moi qui
compensais leur perte; tu me les réclamais, que Ex **22** 12
j'aie été volé de jour ou que j'aie été volé de nuit [i]. 40 J'ai été dévoré par la chaleur pendant le jour, par le froid pendant la nuit, et le sommeil a fui mes yeux. 41 Voilà vingt ans que je suis dans ta maison : je t'ai servi quatorze ans pour tes deux filles et six ans pour ton troupeau, et tu as changé dix fois mon salaire. 42 Si le Dieu de mon père, le Dieu d'Abraham, le Parent d'Isaac [j], n'avait pas été avec moi, tu m'aurais renvoyé les mains vides. Mais Dieu a vu mes fatigues et le labeur de mes bras et,
la nuit passée, il a rendu son jugement. » **31** 24.29

**Traité entre Jacob et Laban [k].**

43 Laban répondit ainsi à Jacob : « Ces filles sont mes filles, ces enfants sont mes enfants, ce bétail est mon bétail, tout ce que tu vois est à moi. Mais

*a)* En Haute-Mésopotamie, la coutume était que la somme versée au beau père par le fiancé lors du mariage fût en partie remise à l'épouse, mais Laban a profité seul des services de Jacob.
*b)* Cette incise est une addition sacerdotale.
*c)* En hébreu *teraphim*, petites idoles domestiques. On a dit que leur possession constituait un titre à l'héritage, mais cela n'est pas sûr.
*d)* L'Euphrate.
*e)* Récit élohiste comme le précédent (sauf peut-être quelques restes yahvistes, vv. 27, 31, 38-40?).
*f)* Litt. « ni bien ni mal », rien du tout.
*g)* « sa tente » *'ohalô* conj.; « avec ses frères » *'ehavw* hébr.
*h)* « te faire... ton père », sam., grec; pluriel hébr.
*i)* D'après Ex **22** 12, le pâtre est exonéré s'il produit les restes de la bête déchirée, cf. Am **3** 12.
*j)* Titre divin qui ne revient qu'au v. 53 et dont le sens est justifié par l'arabe et le palmyrénien. On traduit aussi « la Terreur d'Isaac ».
*k)* Deux traditions (yahviste et élohiste) paraissent ici amalgamées : 1° un pacte politique fixe la frontière entre Laban et Jacob, v. 52, c'est-à-dire entre Aram et Israël, avec explication du nom de Galaad = Galeéd, « monceau du témoignage »; 2° un accord privé concerne les filles de Laban données à Jacob, v. 50, avec explication du nom de Miçpa = « la guette », cf. v. 49, où est dressée une stèle, *maççebah.* Mais il est possible qu'au lieu de deux sources, on ait deux explications et apparemment deux noms parce que la tradition s'attache à un nom composé, *Miçpé Galaad*, « la guette de Galaad », localité connue par Jg **11** 29, en Transjordanie, au sud du Yabboq. Le texte a encore été embrouillé par des gloses.

que pourrais-je faire aujourd'hui à mes filles que
voici et aux enfants qu'elles ont mis au monde?
44 Allons, concluons un traité, moi et toi [a]..., et que
cela serve de témoin entre moi et toi. »
45 Alors Jacob prit une pierre et la dressa comme
une stèle. 46 Et Jacob dit à ses frères : « Ramassez
des pierres. » Ils ramassèrent des pierres et en firent
un monceau et ils mangèrent là, sur le monceau.
47 Laban le nomma Yegar Sahadûta et Jacob le
nomma Galéed [b]. 48 Laban dit : « Que ce monceau
soit aujourd'hui un témoin entre moi et toi. » C'est
pourquoi il le nomma Galéed, 49 et Miçpa, parce
qu'il dit : « Que Yahvé soit un guetteur entre moi
et toi, quand nous ne serons plus en vue l'un de
l'autre. 50 Si tu maltraites mes filles ou si tu prends
d'autres femmes en sus de mes filles, et que personne ne soit avec nous, vois : Dieu est témoin
entre moi et toi. » 51 Et Laban dit à Jacob : « Voici
ce monceau que j'ai entassé entre moi et toi, et
voici la stèle. 52 Ce monceau est témoin, la stèle est
témoin, que moi je ne dois pas dépasser ce monceau vers toi et que toi tu ne dois pas dépasser ce
monceau et cette stèle, vers moi, avec de mauvaises
intentions. 53 Que le Dieu d'Abraham et le Dieu de
Nahor jugent entre nous [c]. » Et Jacob prêta serment
par le Parent d'Isaac, son père. 54 Jacob fit un
sacrifice sur la montagne et invita ses frères au
repas. Ils prirent le repas et passèrent la nuit sur
la montagne.
55 **32** 1 Levé de bon matin, Laban embrassa ses
petits-enfants et ses filles et les bénit. Puis
32 1 Laban partit et retourna chez lui. 2 Comme Jacob
poursuivait son chemin, des anges de Dieu l'affron-
2 tèrent. 3 En les voyant, Jacob dit : « C'est le camp
de Dieu! » et il donna à ce lieu le nom de Mahanayim [d].

**Jacob prépare sa rencontre avec Ésaü [e].**

3 4 Jacob envoya au-devant de lui des messagers à
son frère Ésaü, au pays de Séïr, la steppe d'Édom.
4 5 Il leur donna cet ordre : « Ainsi parlerez-vous à
Monseigneur Ésaü : Voici le message de ton serviteur Jacob : J'ai séjourné chez Laban et je m'y suis
5 attardé jusqu'à maintenant. 6 J'ai acquis bœufs et
ânes, petit bétail, serviteurs et servantes. Je veux en
faire porter la nouvelle à Monseigneur, pour trouver grâce à ses yeux. »
7 Les messagers revinrent auprès de Jacob en 6
disant : « Nous sommes allés vers ton frère Ésaü.
Lui-même vient maintenant à ta rencontre et il a
quatre cents hommes avec lui. »
8 Jacob eut grand peur et se sentit angoissé. 7
Alors il divisa en deux camps les gens qui étaient
avec lui, le petit et le gros bétail [f]. 9 Il se dit : « Si 8
Ésaü se dirige vers l'un des camps et l'attaque, le
camp qui reste pourra se sauver. » 10 Jacob dit : 9
« Dieu de mon père Abraham et Dieu de mon père
Isaac, Yahvé, qui m'as commandé : " Retourne 31 3
dans ton pays et dans ta patrie et je te ferai du
bien ", 11 je suis indigne de toutes les faveurs et de 10
toute la bonté que tu as eues pour ton serviteur. Je
n'avais que mon bâton pour passer le Jourdain que
voici, et maintenant je puis former deux camps.
12 Veuille me sauver de la main de mon frère Ésaü, 11
car j'ai peur de lui, qu'il ne vienne et ne nous
frappe, la mère avec les enfants. 13 Pourtant, c'est 12
toi qui as dit : " Je te comblerai de bienfaits et je 22 16-17+
rendrai ta descendance comme le sable de la mer, 28 14
qu'on ne peut pas compter, tant il y en a. " » 14 Et 13
Jacob passa la nuit en cet endroit
De ce qu'il avait en main, il prit de quoi faire
un présent à son frère Ésaü : 15 deux cents chèvres 14
et vingt boucs, deux cents brebis et vingt béliers,
16 trente chamelles qui allaitaient, avec leurs petits, 15
quarante vaches et dix taureaux, vingt ânesses et
dix ânons. 17 Il les confia à ses serviteurs, chaque 16
troupeau à part, et il dit à ses serviteurs : « Passez
devant moi et laissez du champ entre les troupeaux. » 18 Au premier il donna cet ordre : « Lors- 17
que mon frère Ésaü te rencontrera et te demandera : " A qui es tu? Où vas tu? A qui appartient
ce qui est devant toi? " 19 tu répondras : " C'est à 18
ton serviteur Jacob, c'est un présent envoyé à Monseigneur Ésaü, et lui-même arrive derrière nous. " »
20 Il donna le même ordre au second et au troisième 19
et à tous ceux qui marchaient derrière les troupeaux : « Voilà, leur dit-il, comment vous parlerez
à Ésaü quand vous le trouverez, 21 et vous direz : 20
" Et même, ton serviteur Jacob arrive derrière
nous. " » Il s'était dit en effet : « Je me le concilierai

*a)* Quelques mots sont probablement tombés du texte.
*b) Yegar Sahadûta* est en araméen la traduction exacte de *Gal'ed*, « monceau du témoignage ».
*c)* Le texte ajoute ici « le Dieu de leurs pères », glose absente du grec et de quelques mss hébr. – Les dieux de l'une et de l'autre partie contractante sont pris à témoin, selon l'usage des traités anciens.
*d) Mahaneh* « camp » explique le nom de Mahanayim. Ce nom signifie proprement « les deux camps », à quoi font allusion les vv. 8 et 11. – Les vv. 1-3 sont élohistes.
*e)* Jacob, arrivant près du pays où s'est établi Ésaü, prend ses précautions, comme toute caravane approchant d'un territoire hostile. Cette sauvegarde est présentée de deux façons, d'après la tradition yahviste, vv. 4-14[a], et d'après la tradition élohiste, vv. 14[b]-22. Les deux traditions s'accordent sur l'attitude humble de Jacob envers Ésaü : nous rejoignons ainsi **27** 41-45 et ce que **25** 27 et **27** 40 ont dit du caractère des deux frères.
*f)* Après « le gros bétail », hébr. ajoute « et les chameaux »; omis par grec.

par un présent qui me précédera, ensuite je me pré-
21 senterai à lui, peut-être me fera-t-il grâce. » 22 Le
présent passa en avant et lui-même demeura cette
nuit-là au camp.

Ex 4 24-26 **La lutte avec Dieu [a].**
Os 12 4-6

Sg 10 12 23 Cette même nuit, il se leva, prit ses deux femmes, ses deux servantes, ses onze enfants et passa
23 le gué du Yabboq. 24 Il les prit et leur fit passer le
torrent, et il fit passer aussi tout ce qu'il possédait.
24 25 Et Jacob resta seul.
Et quelqu'un [b] lutta avec lui jusqu'au lever de
25 l'aurore. 26 Voyant qu'il ne le maîtrisait pas, il le
frappa à l'emboîture de la hanche, et la hanche de
26 Jacob se démit pendant qu'il luttait avec lui. 27 Il
dit : « Lâche-moi, car l'aurore est levée », mais
Jacob répondit : « Je ne te lâcherai pas, que tu ne
27 m'aies béni. » 28 Il lui demanda : « Quel est ton
28 nom? » – « Jacob », répondit-il. 29 Il reprit : « On
ne t'appellera plus Jacob, mais Israël, car tu as été
fort [c] contre Dieu et contre les hommes et tu l'as
29 emporté. » 30 Jacob fit cette demande : « Révèle-moi
ton nom, je te prie », mais il répondit : « Et pour-
Jg 13 17s quoi me demandes-tu mon nom? » et, là même, il
le bénit.
30 31 Jacob donna à cet endroit le nom de Penuel,
Ex 33 20+ « car, dit-il, j'ai vu Dieu face à face et j'ai eu la vie
31 sauve [d] ». 32 Au lever du soleil, il avait passé Penuel
32 et il boitait de la hanche. 33 C'est pourquoi les
Israélites ne mangent pas, jusqu'à ce jour, le nerf
sciatique qui est à l'emboîture de la hanche [e], parce
qu'il avait frappé Jacob à l'emboîture de la hanche,
au nerf sciatique

**La rencontre avec Ésaü [f].**

33 1 Jacob levant les yeux, vit qu'Ésaü arrivait accompagné de quatre cents hommes. Alors, il répartit les enfants entre Léa, Rachel et les deux servantes, 2 il mit en tête les servantes et leurs enfants, plus loin Léa et ses enfants, plus loin Rachel et Joseph. 3 Cependant, lui-même passa devant eux et se prosterna sept fois à terre avant d'aborder son frère. 4 Mais Ésaü, courant à sa rencontre, le prit dans ses bras, se jeta à son cou et l'embrassa en pleurant. 5 Lorsqu'il leva les yeux et qu'il vit les femmes et les enfants, il demanda : « Qui sont ceux que tu as là? » Jacob répondit : « Ce sont les enfants dont Dieu a gratifié ton serviteur. » 6 Les servantes s'approchèrent, elles et leurs enfants, et se prosternèrent. 7 Léa s'approcha elle aussi avec ses enfants et ils se prosternèrent; enfin Rachel et Joseph s'approchèrent et se prosternèrent.

8 Ésaü demanda : « Que veux-tu faire de tout ce camp que j'ai rencontré [g]? » – « C'est, répondit-il, pour trouver grâce aux yeux de Monseigneur. » 9 Ésaü reprit : « J'ai suffisamment, mon frère, garde ce qui est à toi. » 10 Mais Jacob dit : « Non, je t'en prie! Si j'ai trouvé grâce à tes yeux, reçois de ma main mon présent. En effet, j'ai affronté ta présence comme on affronte celle de Dieu [h], et tu m'as bien reçu. 11 Accepte donc le présent qui t'est apporté, car Dieu m'a favorisé et j'ai tout ce qu'il me faut » et, sur ses instances, Ésaü accepta.

**Jacob se sépare d'Ésaü [i].**

12 Celui-ci dit : « Levons le camp et partons, je marcherai en tête. » 13 Mais Jacob lui répondit : « Monseigneur sait que les enfants sont délicats et que je dois penser aux brebis et aux vaches qui allaitent : si on les surmène un seul jour, tout le bétail va mourir. 14 Que Monseigneur parte donc en avant de son serviteur; pour moi, je cheminerai doucement au pas du troupeau que j'ai devant moi et au pas des enfants, jusqu'à ce que j'arrive chez Monseigneur, en Séïr. » 15 Alors Ésaü dit : « Je vais au moins laisser avec toi une partie des gens qui m'accompagnent! » Mais Jacob répondit : « Pourquoi cela? Que je trouve seulement grâce aux yeux de Monseigneur! » 16 Ésaü reprit ce jour-là sa route vers Séïr, 17 mais Jacob partit pour Sukkot, il se bâtit une maison et fit des huttes pour

*a)* Dans ce récit mystérieux, sans doute yahviste, il s'agit d'une lutte physique, d'un corps à corps avec Dieu, où Jacob paraît d'abord triompher. Lorsqu'il a reconnu le caractère surnaturel de son adversaire, il force sa bénédiction. Mais le texte évite le nom de Yahvé, et l'agresseur inconnu refuse de se nommer. L'auteur utilise une vieille histoire pour expliquer le nom de Penuel par *peni 'el*, « face de Dieu », et donner une origine au nom d'Israël. Du même coup, il la charge d'un sens religieux : le Patriarche s'accroche à Dieu, lui force la main pour obtenir une bénédiction qui obligera Dieu vis-à-vis de ceux qui, après lui, porteront le nom d'Israël. Ainsi la scène a pu devenir l'image du combat spirituel et de l'efficacité d'une prière instante (S. Jérôme, Origène).

*b)* Litt. « un homme ».

*c)* Sens que les versions donnent au verbe *sara'*, employé seulement ici et en Os **12** 5. « Israël », qui signifiait probablement « que Dieu se montre fort », est expliqué par « Il a été fort contre Dieu », étymologie populaire. Ce changement de nom sera indiqué aussi à **35** 10 où il paraît être plus primitif. Il est possible qu'il exprime la fusion de deux groupes différents, celui de « Jacob » et celui d'« Israël », cf. **33** 20 : « El, Dieu d'Israël ».

*d)* La vision directe de Dieu comporte pour l'homme un danger mortel. C'est le signe d'une faveur spéciale que d'en sortir vivant, cf. Ex **33** 20+.

*e)* Vieille prescription alimentaire qui n'est pas autrement attestée dans la Bible.

*f)* Récit, pour l'ensemble yahviste, qui continue **32** 4-14[a].

*g)* Non pas les groupes de **32** 14[b]-22 (tradition élohiste) mais le premier camp de **32** 8. Jacob, qui l'avait sacrifié, **32** 9, est trop heureux de l'offrir en présent.

*h)* Nouvelle allusion au nom de Penuel, « face de Dieu », **32** 31.

*i)* Jacob, se méfiant d'Ésaü, lui laisse prendre les devants et, loin de le suivre, lui tourne le dos. Tradition yahviste.

son bétail; c'est pourquoi on a donné à l'endroit le
nom de Sukkot[a].

**Arrivée à Sichem[b].**

12 6 18 Puis Jacob arriva sain et sauf à la ville de
Jn 4 6 Sichem, au pays de Canaan, lorsqu'il revint de
Paddân-Aram, et il campa en face de la ville. 19 Il
23 acheta aux fils de Hamor, le père de Sichem, pour
Jos 24 32 cent pièces d'argent, la parcelle de champ où il
avait dressé sa tente 20 et il y érigea un autel, qu'il
nomma « El, Dieu d'Israël ».

**Violence faite à Dina[c].**

**34** 1 Dina, la fille que Léa avait donnée à Jacob,
sortit pour aller voir les filles du pays.
2 Sichem, le fils de Hamor le Hivvite[d], prince du
pays, la vit et, l'ayant enlevée, il coucha avec elle
et lui fit violence. 3 Mais son cœur s'attacha à Dina,
fille de Jacob, il eut de l'amour pour la jeune fille
et il parla à son cœur. 4 Sichem parla ainsi à son
père Hamor : « Prends-moi cette petite pour
femme. » 5 Jacob avait appris qu'il avait déshonoré
sa fille Dina, mais comme ses fils étaient aux
champs avec son troupeau, Jacob garda le silence
jusqu'à leur retour.

**Pacte matrimonial avec les Sichémites.**

6 Hamor, le père de Sichem, se rendit chez Jacob
pour lui parler. 7 Lorsque les fils de Jacob revinrent
des champs et apprirent cela, ces hommes furent
indignés et entrèrent en grand courroux de ce qu'il
avait commis une infamie en Israël en couchant
avec la fille de Jacob : cela ne doit pas se faire!
8 Hamor leur parla ainsi : « Mon fils Sichem s'est
épris de votre fille, veuillez la lui donner pour
femme. 9 Alliez-vous à nous : vous nous donnerez
vos filles et vous prendrez les nôtres pour vous.
10 Vous demeurerez avec nous et le pays vous sera
ouvert : vous pourrez y habiter, y circuler, vous y
établir. » 11 Sichem dit au père et aux frères de la
jeune fille : « Que je trouve grâce à vos yeux et je
donnerai ce que vous me demanderez! 12 Imposez-
moi une grosse somme, comme prix et comme présent, je payerai autant que vous me demanderez,
mais donnez-moi la jeune fille pour femme! »
13 Les fils de Jacob répondirent à Sichem et à son
père Hamor et ils parlèrent avec ruse, parce qu'il
avait déshonoré leur sœur Dina. 14 Ils leur dirent :
« Nous ne pouvons pas faire une chose pareille :
donner notre sœur à un homme incirconcis, car
c'est un déshonneur chez nous. 15 Nous ne vous
donnerons notre consentement qu'à cette condition : c'est que vous deveniez comme nous et fassiez circoncire tous vos mâles. 16 Alors nous vous 17 10+
donnerons nos filles et nous prendrons les vôtres
pour nous, nous demeurerons avec vous et forme-
rons un seul peuple. 17 Mais si vous ne nous écoutez pas, touchant la circoncision, nous prendrons
notre fille et nous partirons. » 18 Leurs paroles plurent à Hamor et à Sichem, fils de Hamor. 19 Le
jeune homme n'hésita pas à faire la chose, car il
était épris de la fille de Jacob; or il était le plus
considéré de toute sa famille.
20 Hamor et son fils Sichem allèrent à la porte
de leur ville et parlèrent ainsi aux hommes
de leur ville : 21 « Ces gens-là sont bien inten-
tionnés : qu'ils demeurent avec nous dans le pays,
ils y circuleront, le pays sera ouvert pour eux dans
toute son étendue, nous prendrons leurs filles
pour femmes et nous leur donnerons nos filles.
22 Mais ces gens ne consentiront à demeurer avec
nous pour former un seul peuple qu'à cette condition : c'est que tous nos mâles soient circoncis
comme ils le sont eux-mêmes. 23 Leurs troupeaux,
leurs biens, tout leur bétail ne seront-ils pas à
nous? Donnons-leur seulement notre consentement, pour qu'ils demeurent avec nous. » 24 Hamor
et son fils Sichem furent écoutés par tous ceux qui
franchissaient la porte de leur ville, et tous les
mâles se firent circoncire[e].

**Vengeance traîtresse de Siméon et de Lévi.**

25 Or, le troisième jour, tandis qu'ils étaient
souffrants, les deux fils de Jacob, Siméon et Lévi,
les frères de Dina, prirent chacun son épée et mar-
cherent sans opposition contre la ville : ils tuèrent
tous les mâles. 26 Ils passèrent au fil de l'épée
Hamor et son fils Sichem, enlevèrent Dina de la
maison de Sichem et partirent. 27 Les fils de Jacob
assaillirent les blessés et pillèrent la ville, parce
qu'on avait déshonoré leur sœur. 28 Ils prirent leur
petit et leur gros bétail et leurs ânes, ce qui était

*a)* Localisé probablement à Tell Akhsas, dans la vallée du Jourdain. Le nom signifie « hutte de branchages ».

*b)* Le v. 18 est sacerdotal, les vv. 19-20 sont élohistes.

*c)* Ce ch. combine une histoire de famille (Sichem ayant violé Dina la demande en mariage, accepte pour cela la circoncision, mais est tué traîtreusement par Siméon et Lévi) et une histoire de clans (alliance matrimoniale générale proposée par Hamor, père de Sichem, aux fils de Jacob, acceptée sous la condition de la circoncision et rompue par les fils de Jacob qui pillent la ville et massacrent les habitants). L'attribution aux deux sources élohiste et yahviste est arbitraire. C'est le souvenir historique d'une tentative malheureuse de certains groupes hébreux pour prendre pied dans la région de Sichem à l'époque patriarcale; cf. **49** 5-7.

*d)* L'un des anciens peuples de Canaan, **10** 17.

*e)* A la fin du v. hébr. répète « tous ceux qui franchissent la porte de leur ville »; omis par grec.

dans la ville et ce qui était aux champs. 29 Ils ravi-
rent tous leurs biens, tous leurs enfants et leurs
femmes, et ils pillèrent tout ce qu'il y avait dans
les maisons.
30 Jacob dit à Siméon et Lévi : « Vous m'avez
mis en mauvaise posture en me rendant odieux aux
13 7 habitants du pays, les Cananéens et les Perizzites :
j'ai peu d'hommes, ils se rassembleront contre moi,
me vaincront et je serai anéanti avec ma maison. »
31 Mais ils répliquèrent : « Devait-on traiter notre
sœur comme une prostituée? »

**Jacob à Béthel [a].**

35 1 Dieu dit à Jacob : « Debout! Monte à Béthel
et fixe-toi là-bas. Tu y feras un autel au Dieu
28 10-22 qui t'est apparu lorsque tu fuyais la présence de ton
frère Ésaü. »
2 Jacob dit à sa famille et à tous ceux qui étaient
avec lui : « Otez les dieux étrangers qui sont au
milieu de vous [b], purifiez-vous et changez vos vêtements [c]. 3 Partons et montons à Béthel! J'y ferai un
autel au Dieu qui m'a exaucé lorsque j'étais dans
l'angoisse et m'a assisté dans le voyage que j'ai
fait. » 4 Ils donnèrent à Jacob tous les dieux étrangers qu'ils possédaient et les anneaux qu'ils portaient aux oreilles, et Jacob les enfouit sous le
12 6 chêne qui est près de Sichem. 5 Ils levèrent le camp
et une terreur divine tomba sur les villes d'alen-
34 30 tour : on ne poursuivit pas les fils de Jacob.
28 19 6 Jacob arriva à Luz, au pays de Canaan, – c'est
Béthel, – lui et tous les gens qu'il avait. 7 Là, il
construisit un autel et appela le lieu El Béthel [d], car
Dieu s'y était révélé [e] à lui lorsqu'il fuyait la présence de son frère. 8 Alors mourut Débora, la nourrice de Rébecca, et elle fut ensevelie au-dessous de
Béthel, sous le chêne; aussi l'appela-t-on le Chêne-
des-Pleurs.
9 Dieu apparut encore à Jacob, à son retour de
Paddân-Aram, et il le bénit. 10 Dieu lui dit : « Ton
32 29 nom est Jacob, mais on ne t'appellera plus Jacob,
ton nom sera Israël. » Aussi l'appela-t-on Israël.
17 1+ 11 Dieu lui dit : « Je suis El Shaddaï. Sois fécond
et multiplie. Une nation, une assemblée de nations
naîtra de toi et des rois sortiront de tes reins. 12 Le
12 7+ pays que j'ai donné à Abraham et à Isaac, je te le
donne, et à ta postérité après toi je donnerai ce
pays. » 13 Et Dieu remonta d'auprès de lui [f].
14 Jacob dressa une stèle à l'endroit où il lui avait
parlé, une stèle de pierre, sur laquelle il fit une libation et versa de l'huile. 15 Et Jacob donna le nom
de Béthel au lieu où Dieu lui avait parlé.

**Naissance de Benjamin et mort de Rachel.**

16 Ils partirent de Béthel. Il restait un bout de
chemin pour arriver à Éphrata quand Rachel
accoucha. Ses couches furent pénibles 17 et, comme
elle accouchait difficilement, la sage-femme lui dit :
« Rassure-toi, c'est encore un fils que tu as! » 18 Au
moment de rendre l'âme, car elle se mourait, elle
le nomma Ben-Oni, mais son père l'appela Benjamin [g]. 19 Rachel mourut et fut enterrée sur le chemin d'Éphrata – c'est Bethléem. 20 Jacob dressa Mi 5 1+
une stèle sur son tombeau; c'est la stèle du tombeau
de Rachel, qui existe encore aujourd'hui.

**Inceste de Ruben.** 49 3-4

21 Israël partit et planta sa tente au-delà de Mig-
dal-Édèr. 22 Pendant qu'Israël habitait dans cette
région, Ruben alla coucher avec Bilha, la concubine de son père, et Israël l'apprit.

**Les douze fils de Jacob [h].** 29 31 - 30 2

Les fils de Jacob furent au nombre de douze.
23 Les fils de Léa : le premier-né de Jacob, Ruben,
puis Siméon, Lévi, Juda, Issachar et Zabulon.
24 Les fils de Rachel : Joseph et Benjamin. 25 Les
fils de Bilha, la servante de Rachel : Dan et Nephtali. 26 Les fils de Zilpa, la servante de Léa : Gad
et Asher. Tels sont les fils qui furent enfantés à
Jacob en Paddân-Aram.

**Mort d'Isaac [i].**

27 Jacob arriva chez son père Isaac, à Mambré,
à Qiryat-Arba, – c'est Hébron, – où séjournèrent
Abraham et Isaac. 28 La durée de la vie d'Isaac fut
de cent quatre-vingts ans, 29 et Isaac expira. Il mourut et il fut réuni à sa parenté, âgé et rassasié de
jours; ses fils Ésaü et Jacob l'ensevelirent.

*a)* Ce ch. groupe, sur la route de Jacob entre Sichem et Hébron, des traditions d'origines variées.

*b)* Cela signifie plus que le rejet des idoles domestiques emportées par Rachel, **31** 19, 34; c'est, comme dans Jos **24** (encore à Sichem), un acte de foi au Dieu unique d'Israël.

*c)* Purification préparatoire au pèlerinage de Béthel; cf. Ex **19** 10.

*d)* « El Béthel » : Dieu Béthel ou Dieu de Béthel, cf. **28** 18+. Les versions ont : « Béthel ».

*e)* En hébreu ce verbe est au pluriel, se référant peut-être aux êtres célestes de **28** 12

*f)* Le texte ajoute : « à l'endroit où il lui avait parlé », dittographie du v. suivant.

*g)* Ben-Oni : « fils de ma douleur ». Le père change ce nom de mauvais présage en Benjamin : « fils de la droite » = « fils de bon augure ».

*h)* La liste provient de l'auteur sacerdotal.

*i)* Conclusion de l'histoire d'Isaac d'après la tradition sacerdotale qui fait vivre jusqu'alors le Patriarche (cf. **27** 1-2), identifie Mambré avec Hébron, et tait le différend avec Ésaü, cf. **36** 6s et déjà **27** 46 - **28** 2.

### Femmes et enfants d'Ésaü en Canaan [a].

**36** 1 Voici la descendance d'Ésaü, qui est Édom.
**26** 34; **28** 9 2 Ésaü prit ses femmes parmi les filles de
Canaan : Ada, la fille d'Élôn le Hittite, Oholibama,
la fille d'Ana, fils de Çibéôn le Horite [b], 3 Basmat,
la fille d'Ismaël et la sœur de Nebayot. 4 Ada
enfanta à Ésaü Éliphaz, Basmat enfanta Réuel,
5 Oholibama enfanta Yéush, Yalam et Qorah. Tels
sont les fils d'Ésaü qui lui naquirent au pays de
Canaan.

### Migration d'Ésaü [c].

6 Esaü prit ses femmes, ses fils et ses filles, toutes
les personnes de sa maison, son bétail et toutes ses
bêtes de somme, bref tout le bien qu'il avait acquis
au pays de Canaan, et il partit pour le pays de
**32** 4 Séïr [d], loin de son frère Jacob. 7 En effet, ils avaient
**13** 5-9 de trop grands biens pour habiter ensemble et le
pays où ils séjournaient ne pouvait pas leur suffire,
en raison de leur avoir. 8 Ainsi Ésaü s'établit dans
la montagne de Séïr. Ésaü c'est Édom.

= **36** 15-19 1 Ch **1** 35s

### Descendance d'Ésaü en Séïr.

9 Voici la descendance d'Ésaü, père d'Édom,
dans la montagne de Séïr.
10 Voici les noms des fils d'Ésaü : Éliphaz, le fils
d'Ada, femme d'Ésaü, et Réuel, le fils de Basmat,
femme d'Ésaü.
11 Les fils d'Éliphaz furent : Témân, Omar,
Çepho, Gatam, Qenaz. 12 Éliphaz, fils d'Ésaü, eut
pour concubine Timna et elle lui enfanta Amaleq.
Tels sont les fils d'Ada, la femme d'Ésaü.
13 Voici les fils de Réuel : Nahat, Zérah,
Shamma, Mizza. Tels furent les fils de Basmat, la
femme d'Ésaü.
14 Voici les fils d'Oholibama, fille d'Ana, fils de
Çibéôn, la femme d'Ésaü : elle lui enfanta Yéush,
Yalam et Qorah.

= **36** 9-14

### Les chefs d'Édom.

15 Voici les chefs des fils d'Ésaü.
Fils d'Éliphaz, premier-né d'Ésaü : le chef
Témân, le chef Omar, le chef Çepho, le chef Qenaz [e], 16 le chef Gatam, le chef Amaleq. Tels sont
les chefs d'Éliphaz au pays d'Édom, tels sont les
fils d'Ada.
17 Et voici les fils de Réuel, le fils d'Ésaü : le chef
Nahat, le chef Zérah, le chef Shamma, le chef
Mizza. Tels sont les chefs de Réuel au pays
d'Édom, tels sont les fils de Basmat, femme d'Ésaü.
18 Et voici les fils d'Oholibama, la femme
d'Ésaü : le chef Yéush, le chef Yalam, le chef
Qorah. Tels sont les chefs d'Oholibama, fille
d'Ana, femme d'Ésaü.
19 Tels sont les fils d'Ésaü et tels sont leurs chefs.
C'est Édom.

### Descendance de Séïr le Horite [f].

20 Voici les fils de Séïr le Horite, les indigènes du
pays : Lotân, Shobal, Çibéôn, Ana, 21 Dishôn,
Éçer, Dishân, tels sont les chefs des Horites, les fils
de Séïr au pays d'Édom. 22 Les fils de Lotân furent
Hori et Hémam, et la sœur de Lotân était Timna.
23 Voici les fils de Shobal : Alvân, Manahat, Ébal,
Shepho, Onam. 24 Voici les fils de Çibéôn : Ayya,
Ana – c'est cet Ana qui trouva les eaux chaudes
au désert en faisant paître les ânes de son père
Çibéôn. 25 Voici les enfants d'Ana : Dishôn, Oholibama, fille d'Ana. 26 Voici les fils de Dishôn : Hem-
dân, Eshbân, Yitrân, Kerân. 27 Voici les fils
d'Éçer : Bilhân, Zaavân, Aqân. 28 Voici les fils de
Dishân : Uç et Arân.
29 Voici les chefs des Horites : le chef Lotân, le
chef Shobal, le chef Çibéôn, le chef Ana, 30 le chef
Dishôn, le chef Éçer, le chef Dishân. Tels sont les
chefs des Horites, d'après leurs clans [g], au pays de
Séïr.

### Les rois d'Édom. || 1 Ch **1** 43-50

31 Voici les rois qui régnèrent au pays d'Édom
avant que ne régnât un roi des Israélites [h]. 32 En
Édom régna Béla, fils de Béor, et sa ville s'appelait Nb **20** 14
Dinhaba. 33 Béla mourut et à sa place régna Yobab,
fils de Zérah, de Boçra. 34 Yobab mourut et à sa
place régna Husham du pays des Témanites.
35 Husham mourut et à sa place régna Hadad, fils
de Bedad, qui battit les Madianites dans les champs
de Moab, et sa ville s'appelait Avvit. 36 Hadad
mourut et à sa place régna Samla, de Masréqa.

*a)* Il ne sera plus question d'Ésaü. Ce ch. **36** rassemble des traditions (ou des documents), d'origine israélite ou édomite, qui concernent sa descendance, sans se préoccuper de les accorder entre elles ou avec ce qui a été dit (voir réf. marginales).

*b)* « fils de Çibéôn le Horite », d'après versions et v. 20; « fille de Çibéôn le Hivvite » hébr. – On corrige également « fille » en « fils » au v. 14.

*c)* La tradition sacerdotale qui passe sous silence la discorde entre Jacob et Ésaü, **35** 27-28+, explique ici leur séparation comme elle avait fait pour Abraham et Lot, et presque dans les mêmes termes.

*d)* « le pays de Séïr » syr.; « le pays » hébr.

*e)* L'hébr. ajoute ici « le chef Qorah » qui doit venir du v. 18 omis par sam.

*f)* Les Horites, cf. Dt **2** 12+, sont les anciens habitants du pays de Séïr, dont le nom devient celui de leur ancêtre. Ils furent dépossédés par les Édomites, Dt **2** 12, 22.

*g)* « leurs clans » grec; « leurs chefs » hébr.

*h)* C'est-à-dire : « avant qu'un roi israélite régnât sur Édom » plutôt que : « avant que ne régnât un roi en Israël » (comme a compris le grec).

[37] Samla mourut et à sa place régna Shaûl, de Rehobot-ha-Nahar. [38] Shaûl mourut et à sa place régna Baal-Hanân, fils d'Akbor. [39] Baal-Hanân, fils d'Akbor, mourut et à sa place régna Hadad [a]; sa ville s'appelait Paü; sa femme s'appelait Mehétabéel, fille de Matred, de Mé-Zahab.

|| 1 Ch 1 51-54 **Encore les chefs d'Édom.**

[40] Voici les noms des chefs d'Ésaü, selon leurs clans et leurs lieux, d'après leurs noms : le chef Timna, le chef Alva, le chef Yetèt, [41] le chef Oholibama, le chef Éla, le chef Pinôn, [42] le chef Qenaz, le chef Témân, le chef Mibçar, [43] le chef Magdiel, le chef Iram. Tels sont les chefs d'Édom, selon leurs résidences au pays qu'ils possédaient. C'est Ésaü, père d'Édom.

**37** [1] Mais Jacob demeura dans le pays où son père avait séjourné, dans le pays de Canaan.

# IV. Histoire de Joseph [b]

**Joseph et ses frères.**

[2] Voici l'histoire de Jacob [c].

Joseph avait dix-sept ans. Il gardait le petit bétail avec ses frères, – il était jeune, – avec les fils de Bilha et les fils de Zilpa, femmes de son père, et Joseph rapporta à leur père le mal qu'on disait d'eux.

[3] Israël aimait Joseph plus que tous ses autres
enfants, car il était le fils de sa vieillesse, et il lui
37 23, 31-33 fit faire une tunique ornée. [4] Ses frères virent que
son père l'aimait plus que tous ses autres fils [d] et ils le prirent en haine, devenus incapables de lui parler amicalement.

[5] Or Joseph eut un songe [e] et il en fit part à ses frères qui le haïrent encore plus. [6] Il leur dit : « Écoutez le rêve que j'ai fait : [7] il me paraissait que nous étions à lier des gerbes dans les champs, et voici que ma gerbe se dressa et qu'elle se tint debout, et vos gerbes l'entourèrent et elles se prosternèrent devant ma gerbe. » [8] Ses frères lui répondirent : « Voudrais-tu donc régner sur nous en roi ou bien dominer en maître? » et ils le haïrent encore plus, à cause de ses rêves et de ses propos. [9] Il eut encore un autre songe, qu'il raconta à ses frères. Il dit : « J'ai encore fait un rêve : il me paraissait que le soleil, la lune et onze étoiles se prosternaient devant moi. » [10] Il raconta cela à son père et à ses frères, mais son père le gronda et lui dit : « En voilà un rêve que tu as fait! Allons-nous donc, moi, ta mère [f] et tes frères, venir nous prosterner à terre devant toi? » [11] Ses frères furent
jaloux de lui, mais son père gardait la chose dans Dn 7 28
sa mémoire. Lc 2 19.51

**Joseph vendu par ses frères [g].** ↗ Sg 10 13
↗ Ac 7 9

[12] Ses frères allèrent paître le petit bétail de leur père à Sichem. [13] Israël dit à Joseph : « Tes frères ne sont-ils pas au pâturage à Sichem? Viens, je vais t'envoyer vers eux » et il répondit : « Je suis prêt. » [14] Il lui dit : « Va donc voir comment se portent tes frères et le bétail, et rapporte-moi des nouvelles. » Il l'envoya de la vallée d'Hébron et Joseph arriva à Sichem.

[15] Un homme le rencontra errant dans la campagne et cet homme lui demanda : « Que cherches-tu? » [16] Il répondit : « Je cherche mes frères. Indique-moi, je te prie, où ils paissent leurs troupeaux. » [17] L'homme dit : « Ils ont décampé d'ici, je les ai entendus qui disaient : Allons à Dotân »; Joseph partit en quête de ses frères et il les trouva à Dotân.

*a)* « Hadad » 1 Ch **1** 50 et versions; « Hadar » hébr.

*b)* Toute la dernière partie de Gn, sauf **38** et **49**, est une biographie de Joseph. Au contraire des précédentes, cette histoire se déroule sans intervention visible de Dieu, sans révélation nouvelle, mais elle est tout entière un enseignement, exprimé en clair à la fin, **50** 20 et déjà **45** 5-8 : la Providence se joue des calculs des hommes et sait faire tourner au bien leur mauvais vouloir. Non seulement Joseph est sauvé, mais le crime de ses frères devient l'instrument du dessein de Dieu : la venue des fils de Jacob en Égypte prépare la naissance du peuple élu. Toujours la même perspective de salut (« sauver la vie à un peuple nombreux », **50** 20) qui traverse tout l'AT pour déboucher en s'élargissant dans le NT. C'est une esquisse de la Rédemption, comme plus tard l'Exode. – De nombreux traits du récit témoignent d'une certaine connaissance des choses et des usages de l'ancienne Égypte, tels que les documents égyptiens nous les révèlent; mais les parallèles que l'on peut dater se rapportent à l'époque où ces traditions furent rédigées, et non à celle de la descente de la famille de Jacob en Égypte, qu'on peut approximativement situer vers le XVII^e^ s. av. J.-C., à l'époque, des Hyksos.

*c)* Le v. 2 provient d'une tradition sacerdotale parallèle à la tradition yahviste des vv. 3-11.

*d)* « ses autres fils » grec, sam.; « ses frères » hébr.

*e)* Les songes, qui occupent une grande place dans l'histoire de Joseph, cf. **40-41**, sont des prémonitions, non plus des apparitions divines comme en **20** 3; **28** 12s; **31** 11, 24; 1 R **3** 5; cf. Nb **12** 6; Si **34**+.

*f)* Rachel est déjà morte d'après **35** 19. Le récit doit suivre une autre tradition qui plaçait plus tard la mort de Rachel et la naissance de Benjamin, v. 3 et **43** 29.

*g)* On discerne ici deux sources combinées, élohiste et yahviste. D'après la première, les fils de « Jacob » veulent tuer Joseph et Ruben obtient qu'on le jette seulement dans une citerne, d'où il espère le retirer; mais des marchands madianites, passant à l'insu des frères, enlèvent Joseph et l'emmènent en Égypte. D'après la seconde, les fils d'« Israël » veulent tuer Joseph, mais Juda leur propose de le vendre plutôt à une caravane d'Ismaélites en route pour l'Égypte. Sur « Jacob-Israël » cf. **32** 29.

18 Ils l'aperçurent de loin et, avant qu'il n'arrivât
près d'eux, ils complotèrent de le faire mourir. 19 Ils
se dirent entre eux : « Voilà l'homme aux songes
qui arrive! 20 Maintenant, venez, tuons-le et jetons-
le dans n'importe quelle citerne; nous dirons
qu'une bête féroce l'a dévoré. Nous allons voir ce
qu'il adviendra de ses songes! »
21 Mais Ruben entendit et il le sauva de leurs
mains. Il dit : « N'attentons pas à sa vie! » 22 Ruben
leur dit : « Ne répandez pas le sang! Jetez-le dans
cette citerne du désert, mais ne portez pas la main
sur lui! » C'était pour le sauver de leurs mains et
le ramener à son père. 23 Donc, lorsque Joseph
arriva près de ses frères, ils le dépouillèrent de sa
tunique, la tunique ornée qu'il portait. 24 Ils se saisirent de lui et le jetèrent dans la citerne; c'était une
citerne vide, où il n'y avait pas d'eau. 25 Puis ils
s'assirent pour manger.
Comme ils levaient les yeux, voici qu'ils aperçurent une caravane d'Ismaélites qui venait de
Galaad. Leurs chameaux étaient chargés de
gomme adragante, de baume et de ladanum, qu'ils
allaient livrer en Égypte. 26 Alors Juda dit à ses frères : « Quel profit y aurait-il à tuer notre frère et
4 10 couvrir son sang [a]? 27 Venez, vendons-le aux
Jb **16** 18 Is **26** 21 Ismaélites, mais ne portons pas la main sur lui : il
Ez **24** 7 est notre frère, de la même chair que nous. » Et ses
frères l'écoutèrent.
28 Or des gens passèrent, des marchands madianites, et ils retirèrent Joseph de la citerne. Ils vendirent Joseph aux Ismaélites pour vingt sicles
d'argent et ceux-ci le conduisirent en Égypte.
29 Lorsque Ruben retourna à la citerne, voilà que
Joseph n'y était plus! Il déchira ses vêtements 30 et,
revenant vers ses frères, il dit : « L'enfant n'est plus
là! Et moi, où vais-je aller? »
31 Ils prirent la tunique de Joseph et, ayant
égorgé un bouc, ils trempèrent la tunique dans le
sang. 32 Ils envoyèrent la tunique ornée, ils la firent
porter à leur père avec ces mots : « Voilà ce que
nous avons trouvé! Regarde si ce ne serait pas la
tunique de ton fils. » 33 Celui-ci regarda et dit :
« C'est la tunique de mon fils! Une bête féroce l'a
dévoré. Joseph a été mis en pièces! » 34 Jacob
déchira son vêtement, il mit un sac sur ses reins et
fit le deuil de son fils pendant longtemps. 35 Tous
ses fils et ses filles vinrent pour le consoler, mais
il refusa toute consolation et dit : « Non, c'est en Jr **31** 15
deuil que je veux descendre au shéol auprès de mon
fils. » Et son père le pleura.
36 Cependant, les Madianites l'avaient vendu en
Égypte à Potiphar, eunuque de Pharaon et
commandant des gardes.

### Histoire de Juda et de Tamar [b].

**38** 1 Il arriva, vers ce temps-là, que Juda se
sépara de ses frères et se rendit chez un
homme d'Adullam qui se nommait Hira. 2 Là, Juda
vit la fille d'un Cananéen qui se nommait Shua, il
la prit pour femme et s'unit à elle. 3 Celle-ci conçut
et enfanta un fils, qu'elle appela Er. 4 De nouveau,
elle conçut et enfanta un fils, qu'elle appela Onân.
5 Encore une fois, elle enfanta un fils, qu'elle appela
Shéla; elle se trouvait à Kezib quand elle lui donna
naissance.
6 Juda prit une femme pour son premier-né Er;
elle se nommait Tamar. 7 Mais Er, premier-né de
Juda, déplut à Yahvé, qui le fit mourir. 8 Alors Juda
dit à Onân : « Va vers la femme de ton frère, remplis avec elle ton devoir de beau-frère [c] et assure Dt **25** 5
une postérité à ton frère. » 9 Cependant Onân savait Rt **1** 11,13 Mt **22** 24
que la postérité ne serait pas sienne et, chaque fois
qu'il s'unissait à la femme de son frère, il laissait
perdre à terre pour ne pas donner une postérité à
son frère. 10 Ce qu'il faisait déplut à Yahvé [d], qui
le fit mourir lui aussi. 11 Alors Juda dit à sa belle-
fille Tamar : « Retourne [e] comme veuve chez ton
père, en attendant que grandisse mon fils Shéla. »
Il se disait : « Il ne faut pas que celui-là meure
comme ses frères. » Tamar s'en retourna donc chez
son père.
12 Bien des jours passèrent et la fille de Shua, la
femme de Juda, mourut. Lorsque Juda fut
consolé [f], il monta à Timna pour la tonte de ses
brebis, lui et Hira, son ami d'Adullam. 13 On avertit Tamar : « Voici, lui dit-on, que ton beau-père
monte à Timna pour tondre ses brebis. » 14 Alors,
elle quitta ses vêtements de veuve, elle se couvrit
d'un voile, s'enveloppa et s'assit à l'entrée
d'Énayim, qui est sur le chemin de Timna. Elle
voyait bien que Shéla était devenu grand et qu'elle
ne lui avait pas été donnée pour femme [g].

*a)* Pour éviter que le sang de la victime ne crie vers le ciel, **4** 10, le meurtrier le couvrait de terre, Ez **24** 7; Jb **16** 18+.

*b)* Tradition yahviste relative aux origines de la tribu de Juda. Vivant à l'écart de ses frères, Juda s'est allié aux Cananéens. De son union avec sa belle-fille Tamar sont issus les clans de Pérèç et de Zérah, Nb **26** 21; 1 Ch **2** 3s; Pérèç est l'ancêtre de David, Rt **4** 18s, et par lui du Messie, Mt **1** 3; Lc **3** 33. Ainsi s'affirme le mélange des sangs dans Juda et sa destinée différente de celle des autres tribus (Jg **1** 3; Dt **33** 7; et toute la suite de l'histoire).

*c)* Selon la loi du « lévirat », cf. Dt **25** 5+.

*d)* Dieu condamne à la fois l'égoïsme d'Onân et sa faute contre la loi naturelle et donc divine du mariage.

*e)* « Retourne », « s'en retourna », conj. L'hébr. « reste », « resta » a les mêmes consonnes.

*f)* C'est-à-dire simplement : lorsqu'il eut accompli tous les rites du deuil, cf. Jr **16** 7.

*g)* Tamar, mise comme une prostituée, attend Juda sur le che-

15 Juda l'aperçut et la prit pour une prostituée, car elle s'était voilé le visage. 16 Il se dirigea vers elle sur le chemin et dit : « Laisse, que j'aille avec toi! » Il ne savait pas que c'était sa belle-fille. Mais elle demanda : « Que me donneras-tu pour aller avec moi? » 17 Il répondit : « Je t'enverrai un chevreau du troupeau. » Mais elle reprit : « Oui, si tu me donnes un gage en attendant que tu l'envoies! » 18 Il demanda : « Quel gage te donnerai-je? » et elle répondit : « Ton sceau et ton cordon et la canne que tu as à la main [a]. » Il les lui donna et alla avec elle, qui devint enceinte de lui. 19 Elle se leva, partit, enleva son voile et reprit ses vêtements de veuve.

20 Juda envoya le chevreau par l'intermédiaire de son ami d'Adullam, pour reprendre les gages des mains de la femme, mais celui-ci ne la retrouva pas. 21 Il demanda aux gens du lieu : « Où est cette prostituée [b] qui était à Énayim, sur le chemin? » Mais ils répondirent : « Il n'y a jamais eu là de prostituée! » 22 Il revint donc auprès de Juda et dit : « Je ne l'ai pas retrouvée. Et même, les gens du lieu m'ont dit qu'il n'y avait jamais eu là de prostituée. » 23 Juda reprit : « Qu'elle garde tout : il ne faut pas qu'on se moque de nous, mais j'ai bien envoyé le chevreau que voici, et toi, tu ne l'as pas retrouvée. »

24 Environ trois mois après, on avertit Juda : « Ta belle-fille Tamar, lui dit-on, s'est prostituée, elle est même enceinte par suite de son inconduite. » Alors Juda ordonna : « Qu'elle soit amenée dehors et brûlée vive [c]! » 25 Mais, comme on l'amenait, elle envoya dire à son beau-père : « C'est de l'homme à qui appartient cela que je suis enceinte. Reconnais donc, dit-elle, à qui appartient ce sceau, ce cordon et cette canne. » 26 Juda les reconnut et dit : « Elle est plus juste que moi. C'est qu'en effet je ne lui avais pas donné mon fils Shéla. » Et il n'eut plus de rapports avec elle.

27 Lorsque vint le temps de ses couches, il apparut qu'elle avait dans son sein des jumeaux. 28 Pendant l'accouchement, l'un d'eux tendit la main et la sage-femme la saisit et y attacha un fil écarlate, en disant : « C'est celui-là qui est sorti le premier. » 29 Mais il advint qu'il retira sa main et ce fut son frère qui sortit. Alors elle dit : « Comme tu
Rt 4 12 t'es ouvert une brèche! » Et on l'appela Péreç.
Mt 1 3
Lc 3 33
30 Ensuite sortit son frère, qui avait le fil écarlate à la main, et on l'appela Zérah [d].

**Les débuts de Joseph en Égypte [e].**

**39** 1 Joseph avait donc été emmené en Égypte. Potiphar, eunuque de Pharaon et commandant des gardes, un Égyptien, l'acheta aux Ismaélites qui l'avaient emmené là-bas. 2 Or Yahvé assista ↗ Ac 7 9
Joseph, à qui tout réussit, et il resta dans la maison de son maître, l'Égyptien. 3 Comme son maître voyait que Yahvé l'assistait et faisait réussir entre ses mains tout ce qu'il entreprenait, 4 Joseph trouva grâce à ses yeux : il fut attaché au service du maître, qui l'institua son majordome et lui confia tout ce qui lui appartenait. 5 Et, à partir du moment où il l'eut préposé à sa maison et à ce qui lui appartenait, Yahvé bénit la maison de l'Égyptien, en considération de Joseph : la bénédiction de Yahvé atteignit tout ce qu'il possédait à la maison et aux champs. 6 Alors, il abandonna entre les mains de Joseph tout ce qu'il avait et, avec lui, il ne se préoccupa plus de rien, sauf de la nourriture qu'il prenait. Joseph avait une belle prestance et un beau visage.

**Joseph et la séductrice.**

7 Il arriva, après ces événements, que la femme de son maître jeta les yeux sur Joseph et dit : « Couche avec moi! » 8 Mais il refusa et dit à la femme de son maître : « Avec moi, mon maître ne se préoccupe pas de ce qui se passe à la maison et il m'a confié tout ce qui lui appartient. 9 Lui-même n'est pas plus puissant que moi dans cette maison : il ne m'a rien interdit que toi, parce que tu es sa femme. Comment pourrais-je accomplir un aussi grand mal et pécher contre Dieu? » 10 Bien qu'elle parlât à Joseph chaque jour, il ne consentit pas à coucher à son côté, à se donner à elle.

11 Or, un certain jour, Joseph vint à la maison pour faire son service et il n'y avait là, dans la maison, aucun des domestiques. 12 La femme le saisit par son vêtement en disant : « Couche avec moi! » mais il abandonna le vêtement entre ses mains, prit la fuite et sortit. 13 Voyant qu'il avait laissé le vêtement entre ses mains et qu'il s'était

min. Elle est poussée, non par l'impudicité, mais par le désir d'avoir un enfant du sang de son mari défunt. Son action sera reconnue « juste » par Juda, v. 26, et louée par ses descendants, Rt **4** 12.

*a)* Le sceau enfilé sur un cordon et la canne sont des objets personnels, de vraies pièces d'identité.

*b)* Proprement « prostituée sacrée », hiérodule d'un culte païen. Nous sommes en milieu cananéen.

*c)* Tamar est femme d'Er et, par la loi du Lévirat (cf. Dt **25** 5+), promise à Shéla. Bien qu'habitant chez son père, elle reste donc sous l'autorité de Juda, qui la condamne comme adultère, Lv **20** 10; Dt **22** 22; cf. Jn **8** 5. La peine du feu fut ensuite réservée aux filles de prêtres, Lv **21** 9.

*d) Péreç* signifie « brèche ». Le nom de *Zérah* doit faire allusion au fil rouge qui liait sa main.

*e)* Ce récit continue **37** dans la ligne de la tradition yahviste. Le ch. **40**, élohiste, racontera l'histoire d'une manière différente. Ces deux traditions ont été unifiées par des retouches rédactionnelles, ici la mention de Potiphar, commandant des gardes, au v. 1, cf. **37** 36; **40** 3.

enfui dehors, 14 elle appela ses domestiques et leur
dit : « Voyez cela! Il nous a amené un Hébreu pour
badiner avec nous! Il m'a approchée pour coucher
avec moi, mais j'ai poussé un grand cri, 15 et en
entendant que j'élevais la voix et que j'appelais il
a laissé son vêtement près de moi, il a pris la fuite
et il est sorti. »

16 Elle déposa le vêtement à côté d'elle en attendant que le maître vint à la maison. 17 Alors, elle
lui dit les mêmes paroles : « L'esclave hébreu que
tu nous as amené m'a approchée pour badiner avec
moi 18 et, quand j'ai élevé la voix et appelé, il a
laissé son vêtement près de moi et il s'est enfui
dehors. » 19 Lorsque le mari entendit ce que lui
disait sa femme : « Voilà de quelle manière ton
esclave a agi envers moi », sa colère s'enflamma.
Ps 105 18s 20 Le maître de Joseph le fit saisir et mettre en
geôle, là où étaient détenus les prisonniers du roi.

**Joseph en prison.**

Ainsi, il demeura en geôle. 21 Mais Yahvé assista
Joseph, il étendit sur lui sa bonté et lui fit trouver
grâce aux yeux du geôlier chef. 22 Le geôlier chef
confia à Joseph tous les détenus qui étaient en
geôle; tout ce qui s'y faisait se faisait par lui. 23 Le
geôlier chef ne s'occupait en rien de ce qui lui était
confié, parce que Yahvé l'assistait et faisait réussir
ce qu'il entreprenait.

**Joseph interprète les songes des officiers de Pharaon [a].**

40 1 Il arriva, après ces événements, que
l'échanson du roi d'Égypte et son panetier se
rendirent coupables envers leur maître, le roi
d'Égypte. 2 Pharaon s'irrita contre ses deux eunuques, le grand échanson et le grand panetier, 3 et
il les mit aux arrêts chez le commandant des gardes, dans la geôle où Joseph était détenu. 4 Le
commandant des gardes leur adjoignit Joseph pour
qu'il les servît et ils restèrent un certain temps aux
arrêts.

5 Or, une même nuit, tous deux eurent un songe
ayant pour chacun sa signification, l'échanson et le
panetier du roi d'Égypte, qui étaient détenus dans
la geôle. 6 Venant les trouver le matin, Joseph
s'aperçut qu'ils étaient maussades 7 et il demanda
aux eunuques de Pharaon qui étaient avec lui aux
arrêts chez son maître : « Pourquoi faites-vous
mauvais visage aujourd'hui? » 8 Ils lui répondirent : « Nous avons eu un songe et il n'y a personne
pour l'interpréter [b] »; Joseph leur dit : « C'est Dieu 41 16
qui donne l'interprétation; mais racontez-moi
donc! »

9 Le grand échanson raconta à Joseph le songe
qu'il avait eu : « J'ai rêvé, dit-il, qu'il y avait devant
moi un cep de vigne, 10 et sur le cep trois sarments :
dès qu'il bourgeonna, il monta en fleur, ses grappes
firent mûrir les raisins. 11 J'avais en main la coupe
de Pharaon, je pris les raisins, je les pressai sur la
coupe de Pharaon et je mis la coupe dans la main
de Pharaon. » 12 Joseph lui dit : « Voici ce que cela
signifie : les trois sarments représentent trois jours.
13 Encore trois jours et Pharaon t'élèvera la tête, et
il te rendra ton emploi : tu mettras la coupe de Pharaon en sa main, comme tu avais coutume de faire
autrefois où tu étais son échanson. 14 Souviens-toi
de moi, lorsqu'il te sera arrivé du bien, et sois assez
bon pour parler de moi à Pharaon, qu'il me fasse
sortir de cette maison. 15 En effet, j'ai été enlevé du
pays des Hébreux et ici même je n'ai rien fait pour
qu'on me mette en prison. »

16 Le grand panetier vit que c'était une interprétation favorable et il dit à Joseph : « Moi aussi, j'ai
rêvé : il y avait trois corbeilles de gâteaux sur ma
tête. 17 Dans la corbeille du dessus, il y avait toutes
sortes de pâtisseries que mange Pharaon, mais les
oiseaux les mangeaient dans la corbeille, sur ma
tête. » 18 Joseph lui répondit ainsi : « Voici ce que
cela signifie : les trois corbeilles représentent trois
jours. 19 Encore trois jours et Pharaon t'élèvera la
tête [c], il te pendra au gibet et les oiseaux mangeront
la chair de dessus toi. »

20 Effectivement, le troisième jour, qui était
l'anniversaire de Pharaon, celui-ci donna un banquet à tous ses officiers et il relâcha le grand
échanson et le grand panetier au milieu de ses
officiers. 21 Il rétablit le grand échanson dans son
échansonnerie et celui-ci mit la coupe dans la
main de Pharaon; 22 quant au grand panetier,
il le pendit, comme Joseph lui avait expliqué.
23 Mais le grand échanson ne se souvint pas de
Joseph, il l'oublia.

**Les songes de Pharaon [d].**

41 1 Deux ans après, il advint que Pharaon eut un
songe : il se tenait près du Nil 2 et il vit monter

*a)* Récit élohiste, sauf quelques retouches.
*b)* Les Égyptiens attachaient aux songes une valeur de présages.
*c)* L'expression a généralement un sens favorable, cf. v. 13 et 2 R **25** 27; Jr **52** 31. Mais il y a ici un jeu de mots tragique : la tête de l'échanson sera « élevée », il sera gracié, v. 13; la tête du panetier sera « élevée » aussi : il sera pendu. Une glose ajoute « de dessus toi ».
*d)* Ce récit continue le précédent et vient de la même source élohiste, mais il y mêle, surtout à partir du v. 33, les restes d'une tradition parallèle, attribuée au courant yahviste.

du Nil sept vaches de belle apparence et grasses de
chair, qui pâturèrent dans les joncs. 3 Mais voici
que sept autres vaches montèrent du Nil derrière
elles, laides d'apparence et maigres de chair, et
elles se rangèrent à côté des premières, sur la rive
du Nil. 4 Et les vaches laides d'apparence et maigres de chair dévorèrent les sept vaches grasses et
belles d'apparence. Alors Pharaon s'éveilla.

5 Il se rendormit et eut un second songe : sept
épis montaient d'une même tige, gros et beaux.
6 Mais voici que sept épis grêles et brûlés par le
vent d'est poussèrent après eux. 7 Et les épis grêles
engloutirent les sept épis gros et pleins. Alors Pharaon s'éveilla : voilà que c'était un songe!

8 Au matin, l'esprit troublé, Pharaon fit appeler
Ex 7 11,22: tous les magiciens et tous les sages d'Égypte et il
**8** 1-3 leur raconta le songe qu'il avait eu, mais personne
ne put l'expliquer à Pharaon [a]. 9 Alors, le grand
échanson adressa la parole à Pharaon et dit : « Je
dois confesser aujourd'hui mes fautes! 10 Pharaon
s'était irrité contre ses serviteurs et les avait mis
aux arrêts chez le commandant des gardes, moi et
le grand panetier. 11 Nous eûmes un songe, la
même nuit, lui et moi, mais la signification du
songe était différente pour chacun. 12 Il y avait là
avec nous un jeune Hébreu, un esclave du
commandant des gardes. Nous lui avons raconté
nos songes et il nous les a interprétés : il a interprété le songe de chacun. 13 Et juste comme il nous
l'avait expliqué, ainsi arriva-t-il : je fus rétabli dans
mon emploi et l'autre fut pendu. »

14 Alors Pharaon fit appeler Joseph, et on
l'amena en hâte de la prison. Il se rasa, changea
de vêtements et se présenta devant Pharaon.
15 Pharaon dit à Joseph : « J'ai eu un songe et personne ne peut l'interpréter. Mais j'ai entendu dire
de toi qu'il te suffit d'entendre un songe pour savoir
l'interpréter. » 16 Joseph répondit à Pharaon : « Je
**40** 8 ne compte pas! C'est Dieu qui donnera à Pharaon
une réponse favorable. »

17 Alors Pharaon parla ainsi à Joseph : « Dans
mon songe, il me semblait que je me tenais sur la
rive du Nil. 18 Voici que montèrent du Nil sept
vaches grasses de chair et belles d'aspect, qui pâturèrent dans les joncs. 19 Mais voici que sept autres
vaches montèrent après elles, efflanquées, très laides d'aspect et maigres de chair, je n'en ai jamais
vu d'aussi laides dans tout le pays d'Égypte. 20 Les
vaches maigres et laides dévorèrent les sept premières, les vaches grasses. 21 Et lorsqu'elles les eurent
avalées, on ne s'aperçut pas qu'elles les avaient
avalées, car leur apparence était aussi laide qu'au
début. Là-dessus, je m'éveillai. 22 Puis j'ai vu en
songe sept épis monter d'une même tige, pleins et
beaux. 23 Mais voici que sept épis desséchés, grêles
et brûlés par le vent d'est poussèrent après eux.
24 Et les épis grêles engloutirent les sept beaux épis.
J'ai dit cela aux magiciens, mais il n'y a personne
qui me donne la réponse. »

25 Joseph dit à Pharaon : « Le Pharaon n'a fait
qu'un seul songe : Dieu a annoncé à Pharaon ce
qu'il va accomplir. 26 Les sept belles vaches représentent sept années, et les sept beaux épis représentent sept années, c'est un seul et même songe. 27 Les
sept vaches maigres et laides qui montent ensuite
représentent sept années et aussi les sept épis grêles [b] et brûlés par le vent d'est : c'est qu'il y aura
sept années de famine. 28 C'est ce que j'ai dit à Pharaon; Dieu a montré à Pharaon ce qu'il va
accomplir : 29 voici que viennent sept années où il
y aura grande abondance dans tout le pays
d'Égypte, 30 puis leur succéderont sept années de
famine et on oubliera toute l'abondance dans le
pays d'Égypte; la famine épuisera le pays 31 et l'on
ne saura plus ce qu'était l'abondance dans le pays,
en face de cette famine qui suivra, car elle sera très
dure. 32 Et si le songe de Pharaon s'est renouvelé
deux fois, c'est que la chose est bien décidée de la
part de Dieu et que Dieu a hâte de l'accomplir.

33 « Maintenant, que Pharaon discerne un
homme intelligent et sage et qu'il l'établisse sur le
pays d'Égypte. 34 Que Pharaon agisse et qu'il institue des fonctionnaires sur le pays; il imposera au
cinquième le pays d'Égypte pendant les sept années
d'abondance, 35 ils ramasseront tous les vivres de
ces bonnes années qui viennent, ils emmagasine-
ront le blé sous l'autorité de Pharaon, ils mettront
les vivres dans les villes et les y garderont. 36 Ces
vivres serviront de réserve au pays pour les sept
années de famine qui s'abattront sur le pays
d'Égypte, et le pays ne sera pas exterminé par la
famine. »

**Élévation de Joseph.**

37 Le discours plut à Pharaon et à tous ses
officiers 38 et Pharaon dit à ses officiers : « Trouverons-nous un homme comme celui-ci, en qui soit Dn **13** 45
l'esprit de Dieu? » 39 Alors Pharaon dit à Joseph :
« Après que Dieu t'a fait connaître tout cela, il n'y
a personne d'intelligent et de sage comme toi. Ac **7** 10
40 C'est toi qui seras mon maître du palais et tout Ps **105** 21

*a)* L'Egypte était la terre des magiciens et des sages, Ex **7** 11, 22; **8** 1; 1 R **5** 10; Is **19** 11-13, mais leur science est éclipsée par celle que Dieu dispense aux siens. Le thème se retrouve dans l'histoire de Moïse, Ex **7-8**. Cf. dans un autre cadre Dn **2**.

*b)* « grêles » versions; « vides » hébr.

mon peuple se conformera à tes ordres, je ne te
dépasserai que par le trône. » 41 Pharaon dit à
Joseph : « Vois : je t'établis sur tout le pays
d'Égypte » 42 et Pharaon ôta son anneau de sa main
et le mit à la main de Joseph, il le revêtit d'habits
de lin fin et lui passa au cou le collier d'or. 43 Il le
fit monter sur le meilleur char qu'il avait après le
sien et on criait devant lui « Abrek »[a]. Ainsi fut-il
établi sur tout le pays d'Égypte.

44 Pharaon dit à Joseph : « Je suis Pharaon, mais
sans ta permission personne ne lèvera la main ni
le pied dans tout le pays d'Égypte. » 45 Et Pharaon
imposa à Joseph le nom de Çophnat-Panéah et il
lui donna pour femme Asnat, fille de Poti-Phéra,
prêtre d'On[b]. Et Joseph partit pour le pays
d'Égypte.

46 Joseph avait trente ans lorsqu'il se présenta
devant Pharaon, roi d'Égypte, et Joseph quitta la
présence de Pharaon et parcourut tout le pays
d'Égypte. 47 Pendant les sept années d'abondance,
la terre produisit à profusion 48 et il ramassa tous
les vivres des sept années où il y eut abondance[c]
au pays d'Égypte et déposa les vivres dans les villes, mettant dans chaque ville les vivres de la campagne environnante. 49 Joseph emmagasina le blé
comme le sable de la mer, en telle quantité qu'on
renonça à en faire le compte, car cela dépassait
toute mesure.

**Les fils de Joseph.**

50 Avant que vînt l'année de la famine, il naquit
à Joseph deux fils que lui donna Asnat, fille de
Poti-Phéra, prêtre d'On. 51 Joseph donna à l'aîné le
nom de Manassé, « car, dit-il, Dieu m'a fait oublier
toute ma peine et toute la famille de mon père ».
52 Quant au second, il l'appela Éphraïm, « car, dit-
il, Dieu m'a rendu fécond au pays de mon malheur[d] ».

53 Alors prirent fin les sept années d'abondance
↗ Ac 7 11 qu'il y eut au pays d'Égypte 54 et commencèrent à
Ps 105 16 venir les sept années de famine, comme l'avait dit
Joseph. Il y avait famine dans tous les pays, mais
il y avait du pain dans tout le pays d'Égypte.
55 Puis tout le pays d'Égypte souffrit de la faim et
le peuple demanda à grands cris du pain à Pharaon, mais Pharaon dit à tous les Égyptiens :
« Allez à Joseph et faites ce qu'il vous dira. » – ↗ Jn 2 5
56 La famine sévissait par toute la terre. – Alors
Joseph ouvrit tous les magasins à blé et vendit[e] du
grain aux Égyptiens. La famine s'aggrava encore
au pays d'Égypte. 57 De toute la terre on vint en
Égypte pour acheter du grain à Joseph, car la
famine s'aggravait par toute la terre.

**Première rencontre de Joseph et de ses frères[f].**

42 1 Jacob, voyant qu'il y avait du grain à ven- ↗ Ac 7 12
dre en Égypte, dit à ses fils : « Pourquoi restez-vous à vous regarder? 2 J'ai appris, leur dit-il,
qu'il y avait du grain à vendre en Égypte. Descen-
dez-y et achetez-nous du grain là-bas, pour que
nous restions en vie et ne mourions pas. » 3 Dix des
frères de Joseph descendirent donc pour acheter du
blé en Égypte. 4 Quant à Benjamin, le frère de
Joseph, Jacob ne l'envoya pas avec les autres : « Il
ne faut pas, se disait-il, qu'il lui arrive malheur. »

5 Les fils d'Israël allèrent donc pour acheter du
grain, mêlés aux autres arrivants, car la famine
sévissait au pays de Canaan. 6 Joseph – il avait
autorité sur le pays – était celui qui vendait le grain
à tout le peuple du pays. Les frères de Joseph arrivèrent et se prosternèrent devant lui, la face contre
terre. 7 Dès que Joseph vit ses frères il les reconnut,
mais il feignit de leur être étranger et leur parla
durement. Il leur demanda : « D'où venez-vous? »
et ils répondirent : « Du pays de Canaan pour acheter des vivres. »

8 Ainsi Joseph reconnut ses frères, mais eux ne
le reconnurent pas. 9 Joseph se souvint des songes 37 5-11
qu'il avait eus à leur sujet et il leur dit : « Vous êtes
des espions! C'est pour reconnaître les points faibles du pays que vous êtes venus. » 10 Ils protestè-
rent : « Non, Monseigneur! Tes serviteurs sont
venus pour acheter des vivres. 11 Nous sommes
tous les fils d'un même homme, nous sommes sincères, tes serviteurs ne sont pas des espions. »
12 Mais il leur dit : « Non! Ce sont les points faibles

*a)* L'auteur se représente cette investiture d'après ce qu'il a entendu dire de la cour d'Égypte : Joseph devient le vizir d'Égypte; sans autre supérieur que le Pharaon, il régit sa maison qui est le siège de l'administration, il détient le sceau royal. Les coureurs qui précèdent son char d'honneur crient « Abrek », qui peut s'expliquer par l'égyptien *ib-r-k* « ton cœur à toi », « attention ».

*b)* Noms égyptiens : *Çophnat Panéah* = « Dieu dit : il est vivant », *Asnat* = « Appartenant à la déesse Neith », *Potiphéra*, même nom que Potiphar de **37** 36 = « Don de Râ » (le dieu solaire). Le beau-père de Joseph est prêtre d'On = Héliopolis, centre du culte solaire, dont le sacerdoce avait un rôle politique important. Joseph est allié à la plus haute noblesse d'Égypte. Mais ces types de noms ne sont pas attestés avant les XX$^{e}$-XXI$^{e}$ dynasties. Ils sont le produit de l'érudition de l'auteur.

*c)* « où il y eut abondance » sam., grec; « qu'il y eut » hébr.

*d)* Le nom de Manassé, en hébr. *Menashsheh*, est expliqué par *nashshanî* « il m'a fait oublier », celui d'Éphraïm par *hiphranî* « il m'a rendu fécond ».

*e)* « tous les magasins à blé » grec, syr.; « tout ce qui était en eux » hébr. – « et vendit » conj.; « et acheta » hébr.

*f)* Récit presque entièrement élohiste. Mais la tradition yahviste du ch. **43** connaissait aussi une première rencontre de Joseph et de ses frères, dont on trouve ici des bribes (en particulier vv. 27-28 et 38).

du pays que vous êtes venus voir. » 13 Ils répondirent : « Tes serviteurs étaient douze frères, nous
sommes fils d'un même homme, au pays de
Canaan : le plus jeune est maintenant avec notre
père et il y en a un qui n'est plus. » 14 Joseph
reprit : « C'est comme je vous ai dit : vous êtes des
espions! 15 Voici l'épreuve que vous subirez : aussi
vrai que Pharaon est vivant, vous ne partirez pas
d'ici à moins que votre plus jeune frère n'y vienne!
16 Envoyez l'un de vous chercher votre frère; pour
vous, restez prisonniers. On éprouvera vos paroles
et l'on verra si la vérité est avec vous ou non. Sinon,
aussi vrai que Pharaon est vivant, vous êtes des
espions! » 17 Et il les mit tous en prison pour trois
jours.

18 Le troisième jour, Joseph leur dit : « Voici ce
que vous ferez pour avoir la vie sauve, car je crains
Dieu : 19 si vous êtes sincères, que l'un de vos frères
reste détenu dans votre prison; pour vous, partez
en emportant le grain dont vos familles ont besoin.
20 Vous me ramènerez votre plus jeune frère : ainsi
vos paroles seront vérifiées et vous ne mourrez
pas. » – Ainsi firent-ils. – 21 Ils se dirent l'un à
37 18-27 l'autre : « En vérité, nous expions ce que nous
avons fait à notre frère : nous avons vu la détresse
de son âme, quand il nous demandait grâce, et
nous n'avons pas écouté. C'est pourquoi cette
détresse nous est venue. » 22 Ruben leur répondit :
37 22 « Ne vous avais-je pas dit de ne pas commettre de
faute contre l'enfant? Mais vous ne m'avez pas
écouté et voici qu'il nous est demandé compte de
son sang. » 23 Ils ne savaient pas que Joseph les
comprenait car, entre lui et eux, il y avait l'inter-
43 30 prète. 24 Alors il s'écarta d'eux et pleura [a]. Puis il
revint vers eux et leur parla; il prit d'entre eux
Siméon et le fit lier sous leurs yeux.

**Retour des fils de Jacob en Canaan.**

25 Joseph donna l'ordre de remplir de blé leurs
bagages, de remettre l'argent de chacun dans son
sac et de leur donner des provisions de route. Et
c'est ce qu'on leur fit. 26 Ils chargèrent le grain sur
leurs ânes et s'en allèrent. 27 Mais lorsque l'un
d'eux, au campement pour la nuit, ouvrit son sac
à blé pour donner du fourrage à son âne, il vit son
argent qui était à l'entrée de son sac à blé. 28 Il dit
à ses frères : « On a rendu mon argent, voici qu'il
est dans mon sac à blé! » Alors le cœur leur manqua et ils se regardèrent en tremblant, se disant :
« Qu'est-ce que Dieu nous a fait [b]? »

29 Revenus chez leur père Jacob, au pays de
Canaan, ils lui racontèrent tout ce qui leur était
arrivé. 30 « L'homme qui est seigneur du pays,
dirent-ils, nous a parlé durement et nous a pris
pour des espions du pays. 31 Nous lui avons dit :
“ Nous sommes sincères, nous ne sommes pas des
espions, 32 nous étions douze frères, les fils d'un
même père, l'un de nous n'est plus et le plus jeune
est maintenant avec notre père au pays de
Canaan. ” 33 Mais cet homme qui est seigneur du
pays nous a répondu : “ Voici comment je saurai
si vous êtes sincères : laissez près de moi un de vos
frères, prenez le grain dont vos familles ont besoin
et partez, 34 mais ramenez-moi votre plus jeune
frère et je saurai que vous n'êtes pas des espions
mais que vous êtes sincères. Alors je vous rendrai
votre frère et vous pourrez circuler dans le pays. ” »

35 Comme ils vidaient leurs sacs, voici que chacun avait dans son sac sa bourse d'argent, et lorsqu'ils virent leurs bourses d'argent ils eurent peur,
eux et leur père. 36 Alors leur père Jacob leur dit :
« Vous me privez de mes enfants : Joseph n'est plus,
Siméon n'est plus, et vous voulez prendre Benjamin, c'est sur moi que tout cela retombe! »

37 Mais Ruben dit à son père : « Tu mettras mes
deux fils à mort si je ne te le ramène pas. Confie-le-
moi et je te le rendrai [c]! » 38 Mais il reprit : « Mon
fils ne descendra pas avec vous : son frère est mort
et il reste seul [d]. S'il lui arrivait malheur dans le 42 4
voyage que vous allez entreprendre, vous feriez
descendre dans l'affliction mes cheveux blancs au 37 35
shéol. » Nb 16 33+

**Les fils de Jacob repartent avec Benjamin [e].**

43 1 Mais la famine pesait sur le pays 2 et
lorsqu'ils eurent achevé de manger le grain
qu'ils avaient apporté d'Égypte, leur père leur dit :
« Retournez et achetez-nous un peu de vivres. »
3 Juda lui répondit : « Cet homme nous a expressément avertis : “ Vous ne serez pas admis en ma
présence à moins que votre frère ne soit avec
vous. ” 4 Si tu es prêt à laisser partir notre frère

*a)* L'accent mis sur les sentiments humains des personnages est un des traits des derniers récits de Gn.
*b)* Les vv. 27-28 proviennent de la tradition yahviste, d'après laquelle les frères avaient retrouvé leur argent au sommet de leurs sacs dès la première halte, cf. **43** 21. D'après la tradition élohiste, ci-dessous, ils le trouvèrent au fond de leurs sacs, en arrivant chez Jacob. Dans les deux cas, la découverte provoque une crainte religieuse, comme devant un fait mystérieux où se devine la main de Dieu.
*c)* Dans la tradition yahviste, voir **43** 8-9, Juda, et non pas Ruben, se portait garant du retour de Benjamin. De même Juda, selon la tradition yahviste, et Ruben, selon l'élohiste, étaient intervenus en faveur de Joseph, **37** 22, 26.
*d)* Seul des deux fils de Rachel, la bien-aimée.
*e)* A part quelques gloses brèves, les ch. **43** et **44** sont tout entiers yahvistes.

avec nous, nous descendrons et t'achèterons des
vivres, 5 mais si tu ne le laisses pas partir, nous ne
descendrons pas, car cet homme nous a dit : “ Vous
ne serez pas admis en ma présence à moins que
votre frère ne soit avec vous. ” » 6 Israël dit :
« Pourquoi m'avez-vous fait ce mal de dire à cet
homme que vous aviez encore un frère? » –
7 « C'est, répondirent-ils, que l'homme s'est enquis
de nous et de notre famille en demandant : “ Votre
père est-il encore vivant, avez-vous un frère? ” et
nous l'avons informé en conséquence. Pouvions-
nous savoir qu'il dirait : “ Amenez votre frère ”? »
8 Alors Juda dit à son père Israël : « Laisse aller
42 37 l'enfant avec moi. Allons, mettons-nous en route
pour que nous conservions la vie et ne mourions
pas, nous-mêmes avec toi et les personnes à notre
charge. 9 Je me porte garant pour lui et tu m'en
demanderas compte : s'il m'arrive de ne pas te le
ramener et de ne pas le remettre devant tes yeux.
j'en porterai la faute pendant toute ma vie. 10 Si
nous n'avions pas tant tardé, nous serions déjà
revenus pour la seconde fois! »

11 Alors leur père Israël leur dit : « Puisqu'il le
faut, faites donc ceci : dans vos bagages prenez des
meilleurs produits du pays pour les apporter en
présent à cet homme, un peu de baume et un peu
37 25 de miel, de la gomme adragante et du ladanum, des
pistaches et des amandes. 12 Prenez avec vous une
seconde somme d'argent et rapportez l'argent qui
a été remis à l'entrée de vos sacs à blé : c'était
peut-être une méprise. 13 Prenez votre frère et partez, retournez auprès de cet homme. 14 Qu'El
17 1+ Shaddaï vous fasse trouver miséricorde auprès de
cet homme et qu'il vous laisse ramener votre autre
42 24 frère et Benjamin. Pour moi, que je perde mes
enfants si je dois les perdre! »

### La rencontre chez Joseph

15 Nos gens prirent donc ce présent, le double
d'argent avec eux, et Benjamin; ils partirent et descendirent en Égypte et ils se présentèrent devant
Joseph. 16 Quand Joseph les vit avec Benjamin, il
dit à son intendant : « Conduis ces gens à la maison, abats une bête et apprête-là, car ces gens
mangeront avec moi à midi. » 17 L'homme fit
comme Joseph avait commandé et conduisit nos
gens à la maison de Joseph.

18 Nos gens eurent peur parce qu'on les conduisait à la maison de Joseph et ils dirent : « C'est à
cause de l'argent qui s'est retrouvé la première fois
dans nos sacs à blé qu'on nous emmène : on va
nous assaillir, tomber sur nous et nous prendre
pour esclaves, avec nos ânes. » 19 Ils s'approchèrent de l'intendant de Joseph et lui parlèrent a l'entrée de la maison : 20 « Pardon, Monseigneur!
dirent-ils, nous sommes descendus une première
fois pour acheter des vivres 21 et, lorsque nous 42 27-28
sommes arrivés au campement pour la nuit et que
nous avons ouvert nos sacs à blé, voici que l'argent
de chacun se trouvait à l'entrée de son sac, notre
argent bien compté, et nous le rapportons avec
nous. 22 Nous avons apporté une autre somme pour
acheter des vivres. Nous ne savons pas qui a mis
notre argent dans nos sacs à blé. » 23 Mais il répondit : « Soyez en paix et n'ayez pas peur! C'est votre
Dieu et le Dieu de votre père qui vous a mis un
trésor dans vos sacs à blé; votre argent m'est bien
parvenu [a] » et il leur amena Siméon.

24 L'homme introduisit nos gens dans la maison
de Joseph, il leur apporta de l'eau pour qu'ils se
lavent les pieds et il donna du fourrage à leurs ânes.
25 Ils disposèrent le présent en attendant que Joseph
vienne pour midi, car ils avaient appris qu'ils prendraient là leur repas.

26 Quand Joseph rentra à la maison, ils lui offrirent le présent qu'ils avaient avec eux [b] et se prosternèrent à terre. 27 Mais il les salua amicalement
et demanda : « Comment se porte votre vieux père
dont vous m'avez parlé, est-il encore en vie? » 28 Ils
répondirent : « Ton serviteur, notre père, se porte
bien, il est encore en vie » et ils s'agenouillèrent et
se prosternèrent. 29 Levant les yeux, Joseph vit son
frère Benjamin, le fils de sa mère, et demanda :
« Est-ce là votre plus jeune frère, dont vous m'avez
parlé? » et s'adressant à lui : « Que Dieu te fasse
grâce, mon fils [c]. » 30 Et Joseph se hâta de sortir, car
ses entrailles s'étaient émues pour son frère et les 42 24
larmes lui venaient aux yeux : il entra dans sa
chambre et là, il pleura. 31 S'étant lavé le visage, il
revint et, se contenant, il ordonna : « Servez le
repas. » 32 On le servit à part, eux à part et à part
aussi les Égyptiens qui mangeaient chez lui, car les
Égyptiens ne peuvent pas prendre leurs repas avec
les Hébreux : ils ont cela en horreur. 33 Ils étaient
placés en face de lui, chacun à son rang, de l'ainé
au plus jeune, et nos gens se regardaient avec étonnement. 34 Mais lui leur fit porter, de son plat, des
portions d'honneur, et la portion de Benjamin surpassait cinq fois celle de tous les autres. Avec lui
ils burent et s'enivrèrent.

*a)* L'intendant a reçu l'ordre de Joseph, **42** 25, et il connaît ses intentions.

*b)* Après « avec eux » hébr. répète « à la maison ». dittographie.

*c)* Il y a une grande différence d'âge entre Joseph et Benjamin, voir **30** 22s et **35** 16. Peut-être même une tradition faisait-elle naître Benjamin après l'enlèvement de Joseph, voir **37** 10+.

**La coupe de Joseph dans le sac de Benjamin.**

**44** 1 Puis Joseph dit à son intendant : « Remplis
les sacs de ces gens avec autant de vivres
qu'ils peuvent porter et mets l'argent de chacun à
l'entrée de son sac. 2 Ma coupe, celle d'argent, tu
la mettras à l'entrée du sac du plus jeune, avec le
prix de son grain. » Et il fit comme Joseph avait
dit.

3 Lorsque le matin parut, on renvoya nos gens
avec leurs ânes. 4 Ils étaient à peine sortis de la
ville et n'étaient pas bien loin que Joseph dit à son
intendant : « Debout! Cours après ces hommes,
rattrape-les et dis-leur : Pourquoi avez-vous rendu
le mal pour le bien? 5 N'est-ce pas ce qui sert à
mon maître pour boire et aussi pour lire les présages [a]? C'est mal ce que vous avez fait! »

6 Il les rattrapa donc et leur redit ces paroles.
7 Mais ils répondirent : « Pourquoi Monseigneur
parle-t-il ainsi? Loin de tes serviteurs de faire une
chose pareille! 8 Vois donc : l'argent que nous
avions trouvé à l'entrée de nos sacs à blé, nous te
l'avons rapporté du pays de Canaan, comment
aurions-nous volé, de la maison de ton maître,
argent ou or? 9 Celui de tes serviteurs avec qui on
trouvera l'objet sera mis à mort et nous-mêmes
deviendrons esclaves de Monseigneur. » 10 Il reprit :
« Eh bien! Qu'il en soit comme vous avez dit : celui
avec qui on trouvera l'objet sera mon esclave, mais
vous autres vous serez quittes. » 11 Vite, chacun
descendit à terre son sac à blé et chacun l'ouvrit.
12 Il les fouilla en commençant par l'aîné et en finis-
sant par le plus jeune, et la coupe fut trouvée dans
le sac de Benjamin! 13 Alors, ils déchirèrent leurs
vêtements, rechargèrent chacun son âne et revinrent à la ville.

14 Lorsque Juda et ses frères entrèrent dans la
maison de Joseph, celui-ci s'y trouvait encore, et
ils tombèrent à terre devant lui. 15 Joseph leur
demanda : « Quelle est cette action que vous avez
commise? Ne saviez-vous pas qu'un homme
comme moi sait deviner? » 16 et Juda répondit :
« Que dirons-nous à Monseigneur, comment parler
et comment nous justifier? C'est Dieu qui a mis en
évidence la faute de tes serviteurs [b]. Nous voici
donc les esclaves de Monseigneur, aussi bien nous
autres que celui aux mains duquel on a trouvé la
coupe. » 17 Mais il reprit : « Loin de moi d'agir
ainsi! L'homme aux mains duquel la coupe a été
trouvée sera mon esclave, mais vous, retournez en
paix chez votre père. »

**L'intervention de Juda.**

18 Alors Juda s'approcha de lui et dit : « S'il te
plaît, Monseigneur, permets que ton serviteur fasse
entendre un mot aux oreilles de Monseigneur, sans
que ta colère s'enflamme contre ton serviteur, car
tu es vraiment comme Pharaon! 19 Monseigneur
avait posé cette question à ses serviteurs : " Avez-
vous encore un père ou un frère? " 20 Et nous
avons répondu à Monseigneur : " Nous avons un
vieux père et un cadet, qui lui est né dans sa vieillesse; le frère de celui-ci est mort, il reste le seul
enfant de sa mère et notre père l'aime! " 21 Alors
tu as dit à tes serviteurs : " Amenez-le-moi, que
mon regard se pose sur lui [c]. " 22 Nous avons
répondu à Monseigneur : " L'enfant ne peut pas
quitter son père; s'il quitte son père, celui-ci en
mourra. " 23 Mais tu as insisté auprès de tes serviteurs : " Si votre plus jeune frère ne descend pas
avec vous, vous ne serez plus admis en ma
présence. " 24 Donc, lorsque nous sommes remontés chez ton serviteur, mon père, nous lui avons
rapporté les paroles de Monseigneur. 25 Et lorsque
notre père a dit : " Retournez pour nous acheter un
peu de vivres ", 26 nous avons répondu : " Nous ne
pouvons pas descendre. Nous ne descendrons que
si notre plus jeune frère est avec nous, car il n'est
pas possible que nous soyons admis en présence de
cet homme sans que notre plus jeune frère soit avec
nous. " 27 Alors ton serviteur, mon père, nous a
dit : " Vous savez bien que ma femme ne m'a
donné que deux enfants : 28 l'un m'a quitté et j'ai
dit : il a été mis en pièces! et je ne l'ai plus revu 37 33
jusqu'à présent. 29 Que vous preniez encore celui-ci
d'auprès de moi et qu'il lui arrive malheur et vous
feriez descendre dans la peine mes cheveux blancs
au shéol. " 30 Maintenant, si j'arrive chez ton serviteur, mon père, sans que soit avec nous l'enfant à
l'âme duquel son âme est liée, 31 dès qu'il verra que
l'enfant n'est pas avec nous [d], il mourra, et tes serviteurs auront fait descendre dans l'affliction les
cheveux blancs de ton serviteur, notre père, au
shéol. 32 Et ton serviteur c'est porté garant de 43 9
l'enfant auprès de mon père, en ces termes : " Si je
ne te le ramène pas, j'en serai coupable envers mon
père toute ma vie. " 33 Maintenant, que ton serviteur reste comme esclave de Monseigneur à la

*a)* Le mouvement ou le son de l'eau tombant dans la coupe, ou la figure qu'y prenaient quelques gouttes d'huile, étaient interprétés comme des signes. Ce mode de divination était connu dans l'Ancien Orient.

*b)* Cela ne veut pas dire qu'ils avouent le vol qu'ils n'ont pas commis, ni même qu'ils songent à leur ancien crime contre Joseph; mais le coup qui les frappe leur paraît venir de la colère de Dieu et manifeste qu'ils sont en état de péché.

*c)* De la part d'un grand, ou de Dieu, c'est un signe de bienveillance, Jr **39** 12; **40** 4; Ps **33** 18; **34** 17.

*d)* « n'est pas avec nous » grec; « n'est pas » hébr.

place de l'enfant et que celui-ci remonte avec ses
frères. 34 Comment, en effet, pourrais-je remonter
chez mon père sans que l'enfant soit avec moi?
Je ne veux pas voir le malheur qui frapperait mon
père. »

**Joseph se fait connaître [a].**

**45** 1 Alors Joseph ne put se contenir devant tous
les gens de sa suite et il s'écria : « Faites sortir
tout le monde d'auprès de moi »; et personne ne
↗ Ac **7** 13 resta auprès de lui pendant que Joseph se faisait
connaître à ses frères, 2 mais il pleura tout haut et
tous les Égyptiens entendirent, et la nouvelle parvint au palais de Pharaon [b].

3 Joseph dit à ses frères : « Je suis Joseph! Mon
père vit-il encore? » et ses frères ne purent lui
**50** 15 répondre, car ils étaient bouleversés de le voir [c].
4 Alors Joseph dit à ses frères : « Approchez-vous
de moi! » et ils s'approchèrent. Il dit : « Je suis
Joseph, votre frère, que vous avez vendu en
Égypte. 5 Mais maintenant ne soyez pas chagrins
et ne vous fâchez pas de m'avoir vendu ici, car
**50** 20 c'est pour préserver vos vies que Dieu m'a envoyé
Ps **105** 17 en avant de vous [d]. 6 Voici, en effet, deux ans que
la famine est installée dans le pays et il y aura
encore cinq années sans labour ni moisson. 7 Dieu
m'a envoyé en avant de vous pour assurer la permanence de votre race dans le pays et sauver vos
vies pour une grande délivrance. 8 Ainsi, ce n'est
pas vous qui m'avez envoyé ici, c'est Dieu, et il
m'a établi comme père [e] pour Pharaon, comme
maître sur toute sa maison, comme gouverneur
dans tout le pays d'Égypte.

9 « Remontez vite chez mon père et dites-lui :
" Ainsi parle ton fils Joseph : Dieu m'a établi maître sur toute l'Égypte. Descends auprès de moi sans
**46** 28s; tarder. 10 Tu habiteras dans le pays de Goshèn [f] et
**47** 1-6 tu seras près de moi, toi-même, tes enfants, tes
Ex **8** 18; petits-enfants, ton petit et ton gros bétail, et tout ce
**9** 26 qui t'appartient. 11 Là, je pourvoirai à ton entretien,
car la famine durera encore cinq années, pour que
tu ne sois pas dans l'indigence, toi, ta famille et tout
ce qui est à toi. " 12 Vous voyez de vos propres yeux
et mon frère Benjamin voit que c'est ma bouche qui
vous parle. 13 Racontez à mon père toute la gloire
que j'ai en Égypte et tout ce que vous avez vu, et
hâtez-vous de faire descendre ici mon père. »

14 Alors il se jeta au cou de son frère Benjamin
et pleura. Benjamin aussi pleura à son cou. 15 Puis
il couvrit tous ses frères de baisers et pleura en les
embrassant. Après quoi, ses frères s'entretinrent
avec lui.

**L'invitation de Pharaon.**

16 La nouvelle parvint au palais de Pharaon que
les frères de Joseph étaient venus, et Pharaon
comme ses officiers virent cela d'un bon œil.
17 Pharaon parla ainsi à Joseph : « Dis à tes frères :
" Faites ceci : chargez vos bêtes et allez-vous-en au
pays de Canaan. 18 Prenez votre père et vos familles et revenez vers moi; je vous donnerai le meilleur
de la terre d'Égypte et vous vous nourrirez de la
graisse du pays. " 19 Pour toi, donne-leur [g] cet
ordre : " Agissez ainsi : emmenez du pays d'Égypte
des chariots pour vos petits enfants et vos femmes,
prenez votre père et venez. 20 N'ayez pas un regard
de regret pour ce que vous laisserez, car ce qu'il
y a de meilleur dans toute l'Égypte sera pour
vous. " »

**Le retour en Canaan.**

21 Ainsi firent les fils d'Israël. Joseph leur procura des chariots selon l'ordre de Pharaon, et les
munit de provisions de route. 22 A chacun d'eux il
donna un habit de fête, mais à Benjamin il donna
trois cents sicles d'argent et cinq habits de fête.
23 De la même manière, il envoya à son père dix **43** 11
ânes chargés des meilleurs produits d'Égypte et dix
ânesses portant du blé, du pain et des vivres pour
le voyage de son père. 24 Puis il congédia ses frères
qui partirent, non sans qu'il leur eût dit : « Ne vous
excitez pas [h] en chemin! »

25 Ils remontèrent donc d'Égypte et arrivèrent au
pays de Canaan, chez leur père Jacob. 26 Ils lui
annoncèrent : « Joseph est encore vivant, c'est
même lui qui gouverne tout le pays d'Égypte! »
Mais son cœur resta inerte, car il ne les crut pas.
27 Cependant, quand ils lui eurent répété toutes les
paroles que Joseph leur avait dites, quand il vit les
chariots que Joseph avait envoyés pour le prendre,
alors l'esprit de Jacob, leur père, se ranima. 28 Et
Israël dit : « Cela suffit! Joseph, mon fils, est
encore vivant! Que j'aille le voir avant que je ne
meure! »

*a)* Les deux traditions élohiste et yahviste sont combinées dans ce dénouement.

*b)* D'après grec; hébr. corrompu.

*c)* Effroi des frères, qui craignent une vengeance, cf. **50** 15s.

*d)* Ces vv. 5-8 donnent, avec **50** 20, la clé de l'histoire de Joseph, cf. **37** 2+.

*e)* « Père » est un titre du vizir, cf. Is **9** 5; **22** 21; Est **3** 13[f] (= Vulg. **13** 6); **8** 12[1] (= **16** 11).

*f)* Région orientale du Delta.

*g)* « donne-leur cet ordre » grec., Vulg.; « tu as reçu cet ordre » hébr.

*h)* Le texte ne dit pas plus et le sens reste incertain : inquiétudes? disputes? précipitation?

### Départ de Jacob pour l'Égypte [a].

**46** 1 Israël partit avec tout ce qu'il possédait.
Arrivé à Bersabée, il offrit des sacrifices au
Dieu de son père Isaac 2 et Dieu dit à Israël dans
31 24 une vision nocturne [b] : « Jacob! Jacob! » et il
26 23 24 répondit : « Me voici. » 3 Dieu reprit : « Je suis El,
le Dieu de ton père. N'aie pas peur de descendre
en Égypte, car là-bas je ferai de toi une grande
nation. 4 C'est moi qui descendrai avec toi en
Égypte, c'est moi aussi qui t'en ferai remonter, et
Joseph te fermera les yeux. » 5 Jacob partit de Bersabée, et les fils d'Israël firent monter leur père
Jacob, leurs petits enfants et leurs femmes sur les
chariots que Pharaon avait envoyés pour le prendre.

6 Ils emmenèrent leurs troupeaux et tout ce qu'ils
avaient acquis au pays de Canaan et ils vinrent en
Égypte, Jacob et tous ses descendants avec lui :
7 ses fils et les fils de ses fils, ses filles et les filles
de ses fils, bref tous ses descendants, il les emmena
avec lui en Égypte.

|| Nb 26 5s
### La famille de Jacob [c].

8 Voici les noms des fils d'Israël qui vinrent en
Égypte, Jacob et ses fils. Ruben, l'aîné de Jacob,
9 et les fils de Ruben : Hénok, Pallu, Heçrôn,
Karmi. 10 Les fils de Siméon : Yemuel, Yamîn,
Ohad, Yakîn. Cohar et Shaûl, le fils de la Cananéenne. 11 Les fils de Lévi : Gershôn, Qehat,
Merari. 12 Les fils de Juda : Er, Onân, Shéla, Péreç
38 3-10 et Zérah (mais Er et Onân étaient morts au pays
de Canaan), et les fils de Péreç, Heçrôn et Hamul.
13 Les fils d'Issachar : Tola, Puvva, Yashub et
Shimrôn. 14 Les fils de Zabulon : Séred, Élôn, Yahléel. 15 Tels sont les fils que Léa avait enfantés à
Jacob en Paddân-Aram, en plus sa fille Dina, en
tout, fils et filles, trente-trois personnes.

16 Les fils de Gad : Çephôn, Haggi, Shuni,
Eçbôn, Éri, Arodi et Aréli. 17 Les fils d'Asher :
Yimna, Yishva, Yishvi, Beria et leur sœur Sérah;
les fils de Beria : Héber et Malkiel. 18 Tels sont les
fils de Zilpa, donnée par Laban à sa fille Léa; elle
enfanta ceux-là à Jacob, seize personnes.

19 Les fils de Rachel, femme de Jacob : Joseph
et Benjamin. 20 Joseph eut pour enfants en Égypte
Manassé et Éphraïm, nés d'Asnat, fille de Poti- 41 45
Phéra, prêtre d'On. 21 Les fils de Benjamin : Béla,
Béker, Ashbel, Géra, Naamân, Éhi, Rosh, Muppim, Huppim et Ard. 22 Tels sont les fils que
Rachel enfanta à Jacob, en tout quatorze personnes.

23 Les fils de Dan : Hushim. 24 Les fils de Nephtali : Yahçéel, Guni, Yéçer et Shillem. 25 Tels sont
les fils de Bilha, donnée par Laban à sa fille
Rachel; elle enfanta ceux-là à Jacob, en tout sept
personnes.

26 Toutes les personnes de la famille de Jacob,
issues de lui, qui vinrent en Égypte, sans compter
les femmes des fils de Jacob, étaient en tout
soixante-six. 27 Les fils de Joseph qui lui naquirent
en Égypte étaient au nombre de deux. Total des Ex 1 5
personnes de la famille de Jacob qui vinrent en Dt 10 22
Égypte : soixante-dix [d]. ↗ Ac 7 14

### L'accueil de Joseph.

28 Israël envoya Juda en avant vers Joseph pour
que celui-ci parût [e] devant lui en Goshèn, et ils
arrivèrent à la terre de Goshèn. 29 Joseph fit atteler
son char et monta à la rencontre de son père Israël
en Goshèn. Dès qu'il parut devant lui, il se jeta à
son cou et pleura longtemps en le tenant embrassé. 45 15
30 Israël dit à Joseph : « Pour lors, je puis mourir,
après que j'ai vu ton visage et que tu es encore
vivant! »

31 Alors Joseph dit à ses frères et à la famille de 45 16s
son père : « Je vais monter avertir Pharaon et lui
dire : " Mes frères et la famille de mon père, qui
étaient au pays de Canaan, sont arrivés auprès de
moi. 32 Ces gens sont des bergers – ils se sont
occupés de troupeaux – et ils ont amené leur petit
et leur gros bétail et tout ce qui leur appartient. "
33 Aussi, lorsque Pharaon vous appellera et vous
demandera : " Quel est votre métier? " 34 vous
répondrez : " Tes serviteurs se sont occupés de
troupeaux depuis leur plus jeune âge jusqu'à maintenant, nous-mêmes comme déjà nos pères. " Ainsi
vous pourrez demeurer dans la terre de Goshèn. »
En effet, les Égyptiens ont tous les bergers en horreur [f].

*a)* Deux traditions sont harmonisées dans ce morceau : la tradition yahviste fait partir Israël d'Hébron où l'avait laissé **37** 14; l'élohiste fait partir Jacob de Bersabée.
*b)* C'est la dernière théophanie de l'époque patriarcale. Dieu ordonne à Jacob de descendre en Égypte (déjà dans la perspective de l'Exode, v. 4), comme il avait ordonné à Abraham de partir pour Canaan, **12** 1.
*c)* Le rédacteur sacerdotal insère ici un tableau de la famille de Jacob, qui ne concernait pas originairement la descente en Égypte.
*d)* La version grecque ajoute cinq descendants d'Éphraïm et de Manassé, d'où le total de soixante-quinze retenu par Ac **7** 14.
*e)* « parût » sam., syr. Texte incertain.
*f)* Cette phrase, qui rend étrange le conseil précédent, peut être une addition. On a voulu l'expliquer par la haine des Égyptiens pour les Hyksos, les rois « Pasteurs ». Mais cette explication du mot « hyksos » n'est pas antérieure à l'époque grecque.

**L'audience de Pharaon.**

**47** [1] Donc Joseph alla avertir Pharaon : « Mon père et mes frères, dit-il, sont arrivés du pays de Canaan avec leur petit et leur gros bétail et tout ce qui leur appartient; les voici dans la terre de Goshèn. » [2] Il avait pris cinq de ses frères, qu'il présenta à Pharaon. [3] Celui-ci demanda à ses frères : « Quel est votre métier? », et ils répondirent : « Tes serviteurs sont des bergers, nous-mêmes comme déjà nos pères. » [4] Ils dirent aussi à Pharaon : « Nous sommes venus séjourner dans le pays, car il n'y a plus de pâture pour les troupeaux de tes serviteurs : la famine, en effet, accable le pays de Canaan. Permets maintenant que tes serviteurs demeurent dans la terre de Goshèn. » [5a] Alors Pharaon dit à Joseph : [6b] « Qu'ils habitent la terre de Goshèn et, si tu sais qu'il y a parmi eux des hommes capables, place-les comme régisseurs de mes propres troupeaux. »

**Autre récit** [a].

[5b] Jacob et ses fils vinrent en Égypte auprès de Joseph. Pharaon, roi d'Égypte, l'apprit et il dit à Joseph : « Ton père et tes frères sont arrivés près de toi. [6a] Le pays d'Égypte est à ta disposition : établis ton père et tes frères dans la meilleure région [b]. » [7] Alors Joseph introduisit son père Jacob et le présenta à Pharaon, et Jacob salua Pharaon.
[8] Pharaon demanda à Jacob : « Combien comptes-
tu d'années de vie? » [9] et Jacob répondit à Pha-
25 7; raon : « Les années de mon séjour sur terre ont été
35 28; de cent trente ans, mes années ont été brèves et
47 28 malheureuses et n'ont pas atteint l'âge de mes
pères, les années de leur séjour. » [10] Jacob salua
Pharaon et prit congé de lui. [11] Joseph établit son
père et ses frères et il leur donna une propriété au
pays d'Égypte, dans la meilleure région, la terre de
Ex 1 11; Ramsès [c], comme l'avait ordonné Pharaon.
12 37 [12] Joseph procura du pain à son père, à ses frères
et à toute la famille de son père, selon le nombre
des personnes à leur charge.

**Politique agraire de Joseph** [d].

[13] Il n'y avait pas de pain sur toute la terre, car la famine était devenue très dure et le pays d'Égypte et le pays de Canaan languissaient de faim. [14] Joseph ramassa tout l'argent qui se trouvait au pays d'Égypte et au pays de Canaan en échange du grain qu'on achetait et il livra cet argent au palais de Pharaon.

[15] Lorsque fut épuisé l'argent du pays d'Égypte et du pays de Canaan, tous les Égyptiens vinrent à Joseph en disant : « Donne-nous du pain! Pourquoi devrions-nous mourir sous tes yeux? car il n'y a plus d'argent. » [16] Alors Joseph leur dit : « Livrez vos troupeaux et je vous donnerai du pain [e] en échange de vos troupeaux, s'il n'y a plus d'argent. » [17] Ils amenèrent leurs troupeaux à Joseph et celui-ci leur donna du pain pour prix des chevaux, du petit et du gros bétail et des ânes; il les nourrit de pain, cette année-là, en échange de leurs troupeaux.

[18] Lorsque fut écoulée cette année-là, ils revinrent vers lui l'année suivante et lui dirent : « Nous ne pouvons le cacher à Monseigneur : vraiment l'argent est épuisé et les bestiaux sont déjà à Monseigneur, il ne reste à la disposition de Monseigneur que notre corps et notre terroir. [19] Pourquoi devrions-nous mourir sous tes yeux, nous et notre terroir? Acquiers donc nos personnes et notre terroir pour du pain, et nous serons, avec notre terroir, les serfs de Pharaon. Mais donne-nous de quoi semer pour que nous restions en vie et ne mourions pas et que notre terroir ne soit pas désolé. »

[20] Ainsi Joseph acquit pour Pharaon tout le terroir d'Égypte, car les Égyptiens vendirent chacun son champ, tant les pressait la famine, et le pays passa aux mains de Pharaon. [21] Quant aux gens, il les réduisit en servage [f], d'un bout à l'autre du territoire égyptien. [22] Il n'y eut que le terroir des prêtres qu'il n'acquit pas, car les prêtres recevaient une rente de Pharaon et vivaient de la rente qu'ils recevaient de Pharaon. Aussi n'eurent-ils pas à vendre leur terroir.

[23] Puis Joseph dit au peuple : « Donc, je vous ai maintenant acquis pour Pharaon, avec votre terroir. Voici pour vous de la semence, pour ensemencer votre terroir. [24] Mais, sur la récolte, vous devrez donner un cinquième à Pharaon, et les quatre autres parts seront à vous, pour la semence du champ, pour votre nourriture et celle de votre

*a)* Tradition sacerdotale de l'établissement en Égypte.
*b)* On suit l'ordre du grec ($5^a$-$6^b$-$5^b$-$6^a$), qui ajoute : « Jacob et ses fils... dit à Joseph », tombé de l'hébr.
*c)* Le nom est ici anachronique. « Ramsès » (identifié avec Tanis ou Qantir) n'a pu recevoir ce nom que plus tard, de Ramsès II.
*d)* Ce paragraphe yahviste se rattache à **41**. Les Israélites, chez qui la propriété individuelle était la règle, s'étonnaient du système foncier de l'Égypte, où presque toutes les terres étaient des biens de la couronne. Il est possible qu'à l'époque de Salomon, où les domaines de la couronne s'élargissaient, où des impôts en nature étaient établis, où la corvée était instituée, des sages de la cour aient considéré le régime égyptien comme un idéal et aient donné à Joseph la gloire de l'avoir inauguré.
*e)* « du pain » versions; omis par hébr.
*f)* « il les réduisit en servage » sam., grec; « il les déporta dans les villes » hébr.

famille, pour la nourriture des personnes à votre
charge. » [25] Ils répondirent : « Tu nous as sauvé la
vie! Puissions-nous seulement trouver grâce aux
yeux de Monseigneur, et nous serons les serfs de
Pharaon. » [26] De cela, Joseph fit une règle, qui vaut
encore aujourd'hui pour le terroir d'Égypte : on
41 34 verse le cinquième à Pharaon. Seul le terroir des
prêtres ne fut pas à Pharaon.

## Dernières volontés de Jacob[a].

[27] Ainsi Israël s'établit au pays d'Égypte dans la
terre de Goshèn. Ils y acquirent des propriétés,
furent féconds et devinrent très nombreux. [28] Jacob
vécut dix-sept ans au pays d'Égypte et la durée de
la vie de Jacob fut de cent quarante-sept ans.
= 49 29-32; [29] Lorsque approcha pour Israël le temps de sa
50 6 mort, il appela son fils Joseph et lui dit : « Si j'ai
24 2+ ton affection, mets ta main sous ma cuisse, montre-moi bienveillance et bonté : ne m'enterre pas en
Égypte! [30] Quand je serai couché avec mes pères,
tu m'emporteras d'Égypte et tu m'enterreras dans
leur tombeau. » Il répondit : « Je ferai comme tu as
dit. » [31] Mais son père insista : « Prête-moi serment », et il lui prêta serment, pendant qu'Israël se
1 R 1 47 prosternait sur le chevet de son lit[b].
↗ He 11 21

## Jacob adopte et bénit les deux fils de Joseph[c].

**48** [1] Il arriva, après ces événements, qu'on dit à
Joseph : « Voici que ton père est malade! » et
il emmena avec lui ses deux fils, Manassé et
Éphraïm. [2] Lorsqu'on eut annoncé à Jacob :
« Voici ton fils Joseph qui est venu auprès de toi »,
Israël rassembla ses forces et se mit assis sur le lit.
17 1+ [3] Puis Jacob dit à Joseph : « El Shaddaï m'est
35 6, 11-12 apparu à Luz, au pays de Canaan, il m'a béni [4] et
m'a dit : " Je te rendrai fécond et je te multiplierai,
je te ferai devenir une assemblée de peuples et je
donnerai ce pays en possession perpétuelle à tes
descendants après toi. " [5] Maintenant, les deux fils
qui te sont nés au pays d'Égypte avant que je ne
vienne auprès de toi en Égypte, ils seront miens!
Éphraïm et Manassé seront à moi au même titre
que Ruben et Siméon. [6] Quant aux enfants que tu
as engendrés après eux, ils seront tiens; ils porteront le nom de leurs frères pour l'héritage.

[7] « Lorsque je revenais de Paddân, ta mère[d] 35 16-20
Rachel est morte, pour mon malheur, au pays de
Canaan, en route, encore un bout de chemin avant
d'arriver à Éphrata, et je l'ai enterrée là, sur le chemin d'Éphrata – c'est Bethléem. »
[8] Israël vit les deux fils de Joseph et demanda :
« Qui sont ceux-là? » – [9] « Ce sont les fils que Dieu
m'a donnés ici », répondit Joseph à son père, et
celui-ci reprit : « Amène-les-moi, que je les
bénisse. » [10] Or les yeux d'Israël étaient usés par
la vieillesse, il n'y voyait plus, et Joseph les fit
approcher de lui, qui les embrassa et les serra
dans ses bras. [11] Et Israël dit à Joseph : « Je ne
pensais pas revoir ton visage et voici que Dieu
m'a fait voir même tes descendants! » [12] Alors
Joseph les retira de son giron et se prosterna, la
face contre terre[e].
[13] Joseph les prit tous deux, Éphraïm de sa main
droite pour qu'il soit à la gauche d'Israël, Manassé
de sa main gauche pour qu'il soit à la droite
d'Israël, et il les fit approcher de celui-ci. [14] Mais
Israël étendit sa main droite et la posa sur la tête
d'Éphraïm, qui était le cadet, et sa main gauche sur
la tête de Manassé, en croisant ses mains – en effet
Manassé était l'aîné. [15] Il bénit ainsi Joseph :
« Que le Dieu devant qui ont marché mes pères
Abraham et Isaac,
que le Dieu qui fut mon pasteur depuis que je vis 49 24s
jusqu'à maintenant, Ps 23 1
80 2-3
[16] que l'Ange qui m'a sauvé de tout mal bénisse ces Gn 16 7+
enfants,
que survivent en eux mon nom et le nom de mes
ancêtres, Abraham et Isaac,
qu'ils croissent et multiplient sur la terre! »
[17] Cependant Joseph vit que son père mettait sa
main droite sur la tête d'Éphraïm et cela lui déplut.
Il saisit la main de son père pour la détourner de
la tête d'Éphraïm sur la tête de Manassé, [18] et
Joseph dit à son père : « Pas comme cela, père, car
c'est celui-ci l'aîné : mets ta main droite sur sa
tête[f]. » [19] Mais son père refusa et dit : « Je sais,
mon fils, je sais : lui aussi deviendra un peuple, lui
aussi sera grand. Pourtant, son cadet sera plus Dt 33 17
grand que lui, sa descendance deviendra une multitude de nations[g]. »

*a)* Tradition yahviste avec une note sacerdotale, vv. 27^b-28.
*b)* Par suite d'une confusion entre *mittah* « lit » et *matteh* « bâton », la version grecque se représente Jacob se prosternant sur sa canne.
*c)* Ce ch. combine plusieurs traditions : yahviste – élohiste, vv. 1-2, 8-22; sacerdotale, vv. 3-7. Elles veulent expliquer, par les dernières dispositions de Jacob, pourquoi Manassé et Éphraïm, fils de Joseph, sont devenus pères de tribus au même titre que les fils de Jacob, pourquoi ces deux tribus ont prospéré, pourquoi la tribu d'Éphraïm a surpassé la tribu de Manassé.

*d)* « ta mère » sam., grec; omis par hébr.
*e)* Les enfants ont été mis sur le giron (litt. « entre les genoux ») de Jacob, ce qui doit faire partie du rite d'adoption, cf. **16** 2 et **30** 3. Joseph les en retire et se prosterne pour recevoir avec eux la bénédiction de son père.
*f)* Les gestes de bénédiction sont efficaces en eux-mêmes et la main droite apporte plus que la gauche.
*g)* Éphraïm deviendra en effet la tribu la plus importante du groupe du Nord, le noyau du futur royaume d'Israël.

20 En ce jour-là. il les bénit ainsi :
12 3+ « Soyez [a] en bénédiction dans Israël et qu'on
dise :
Que Dieu te rende semblable à Éphraïm et à
Manassé! »
mettant ainsi Éphraïm avant Manassé.
21 Puis Israël dit à Joseph : « Voici que je vais
mourir, mais Dieu sera avec vous et vous ramènera
au pays de vos pères. 22 Pour moi, je te donne un
Sichem [b] de plus qu'à tes frères, ce que j'ai conquis
sur les Amorites par mon épée et par mon arc. »

Jg 5 Dt 33 **Bénédictions de Jacob [c].**

**49** 1 Jacob appela ses fils et dit : « Réunissez-
vous, que je vous annonce ce qui vous arrivera dans la suite des temps.
2 « Rassemblez-vous, écoutez, fils de Jacob,
écoutez Israël, votre père
29 32 3 Ruben, tu es mon premier-né,
ma vigueur, les prémices de ma virilité,
comble de fierté et comble de force,
4 un débordement comme les eaux : tu ne seras pas
comblé,
35 22 car tu es monté sur le lit de ton père,
alors tu as profané ma couche, contre moi [d]!
5 Siméon et Lévi [e] sont frères,
ils ont mené à bout la violence de leurs intrigues [f].
6 Que mon âme n'entre pas en leur conseil,
que mon cœur ne s'unisse pas à leur groupe,
34 25-31 car dans leur colère ils ont tué des hommes,
dans leur dérèglement, mutilé des taureaux.
7 Maudite leur colère pour sa rigueur,
maudite leur fureur pour sa dureté.
Je les diviserai dans Jacob,
je les disperserai dans Israël.

8 Juda [g], toi, tes frères te loueront [h], 27 29
ta main est sur la nuque de tes ennemis
et les fils de ton père s'inclineront devant toi. 37 7,9
9 Juda est un jeune lion; ↗ Ap 5 5
de la proie, mon fils, tu es remonté;
il s'est accroupi, s'est couché comme un lion,
comme une lionne : qui le ferait lever?
10 Le sceptre ne s'éloignera pas de Juda, Nb 24 17
ni le bâton de chef d'entre ses pieds, Mi 5 1-3
jusqu'à ce que le tribut lui soit apporté [i] Is 9 5s; 11 1s
et que les peuples lui obéissent [j]. Za 9 9
11 Il lie à la vigne son ânon, 2 S 7 1+ ↗ Ez 21 32
au cep le petit de son ânesse,
il lave son vêtement dans le vin, Ap 7 14;
son habit dans le sang des raisins, 19 13
12 ses yeux sont troubles de vin,
ses dents sont blanches de lait.

13 Zabulon réside au bord de la mer,
il est matelot [k] sur les navires,
il a Sidon à son côté.

14 Issachar [l] est un âne robuste,
couché au milieu des enclos.
15 Il a vu que le repos était bon,
que le pays était agréable,
il a tendu son échine au fardeau,
il est devenu esclave à la corvée.

*a)* « Soyez » Targ., grec; singulier hébr.
*b)* L'hébreu joue sur le mot *shekem* qui signifie « épaule » et désigne aussi la ville et le district de Sichem, qui seront dévolus aux fils de Joseph et où Joseph lui-même sera enterré, Jos **24** 32. Jacob partage la Terre sainte comme le père de famille ou l'officiant distribue les parts du repas sacrificiel, 1 S **1** 4s, l'épaule étant un morceau de choix, 1 S **9** 23-24. C'est une tradition isolée sur le partage de Canaan par Jacob et sur une conquête par les armes du pays de Sichem, où, d'après **33** 19, Jacob avait seulement acheté un champ.
*c)* Titre traditionnel, mais ce sont plutôt des oracles, cf. v. 1 : le Patriarche dévoile – et détermine par ses paroles – le destin de ses fils, c'est-à-dire des tribus qui portent leurs noms. Les oracles font sans doute allusion à des événements de l'époque patriarcale (Ruben, Siméon, Lévi), mais ils décrivent une situation postérieure. La prééminence donnée à Juda et l'honneur fait à la maison de Joseph (Éphraïm et Manassé) indiquent une époque où ces tribus jouaient ensemble un rôle prépondérant dans la vie nationale : le poème, sous sa forme dernière, ne peut pas être plus tardif que le règne de David, mais beaucoup de ses éléments sont antérieurs à la monarchie. On ne peut l'attribuer sûrement à aucune des trois grandes « sources » de la Genèse, où il a été inséré assez tard. – Cf. le tableau des tribus dans le cantique de Débora, Jg **5**, plus ancien, et dans les Bénédictions de Moïse, Dt **33**, plus récentes comme ensemble. – Le texte est souvent dans un état désespéré.
*d)* « contre moi » *ali* conj.; « il est monté » *'âlâh* hébr. – Ruben, le premier-né, perd sa prééminence en châtiment de son inceste. La tribu est encore importante d'après le cantique de Débora; mais dans les Bénédictions de Moïse, elle n'a qu'un petit nombre de guerriers, Dt **33** 6.
*e)* Maudits ensemble pour leur attaque traîtresse contre Sichem. Ces tribus seront dispersées en Israël : celle de Siméon s'éteignit très tôt, absorbée surtout par Juda; celle de Lévi disparut comme tribu profane, mais son office religieux, passé ici sous silence, est exalté, Dt **33** 8-11.
*f)* « ils ont ... intrigues » Vet. Lat et grec; hébr. corrompu.
*g)* A l'annonce de la primauté et de la force de Juda, vv. 8-9, s'ajoute un oracle messianique, vv. 10-12. – En Dt **33** 7, Juda vit séparé de son peuple : le schisme est alors accompli.
*h)* En hébreu *yôdû*, qui joue avec le nom de Juda, cf. **29** 35.
*i)* Texte et sens très discutés. La conjecture « le tribut lui soit apporté » garde les consonnes de l'hébreu, « vienne Shiloh », mais modifie la vocalisation. C'est une référence à David, fondateur d'un empire, mais à David comme type du Messie.
*j)* Litt. « à lui l'obéissance » avec hébr.; les versions ont lu « l'espérance », qui explicite le sens messianique du passage.
*k)* « matelot » conj.; hébr. répète « au bord ». – Zabulon sera fixé sur la côte, près de la Phénicie (Sidon).
*l)* Issachar, installé dans la riche plaine d'Esdrelon, s'est amolli et a accepté le joug des Cananéens.

2 S 20 18 16 Dan[a] juge son peuple,
comme chaque tribu d'Israël.
17 Que Dan soit un serpent sur le chemin,
un céraste[b] sur le sentier,
qui mord le cheval au jarret
et son cavalier tombe à la renverse!

Is 25 9 18 En ton salut j'espère, ô Yahvé[c]!

19 Gad, des détrousseurs le détroussent
et lui, détrousse et les talonne[d].

Dt 33 24 20 Asher, son pain est gras,
il fournit des mets de roi.

21 Nephtali est une biche rapide,
qui donne de beaux faons[e].

|| Dt 33 13-17 22 Joseph est un plant fécond près de la source,
dont les tiges franchissent le mur[f].
23 Les archers l'ont exaspéré,
ils ont tiré et l'ont pris à partie.
24 Mais leur arc a été brisé par un puissant,
les nerfs de leurs bras ont été rompus
par les mains du Puissant de Jacob,
par le Nom de la Pierre d'Israël[g],
25 par le Dieu de ton père, qui te secourt,
17 1+ par El Shaddaï[h] qui te bénit :
Bénédictions des cieux en haut,
bénédictions de l'abîme couché en bas[i],
bénédictions des mamelles et du sein,
26 bénédictions des épis et des fleurs,
bénédictions des montagnes antiques[j],
attirance des collines éternelles,
qu'elles viennent sur la tête de Joseph,
sur le front du consacré[k] d'entre ses frères!

27 Benjamin[l] est un loup rapace,
le matin il dévore une proie,
jusqu'au soir il partage le butin. »

28 Tous ceux-là forment les tribus d'Israël, au
nombre de douze, et voilà ce que leur a dit leur
père. Il les a bénis : à chacun[m] il a donné une bénédiction qui lui convenait.

**Derniers moments et mort de Jacob[n].**

29 Puis il leur donna cet ordre : « Je vais être
réuni aux miens. Enterrez-moi près de mes pères,
dans la grotte qui est dans le champ d'Éphrôn le
Hittite, 30 dans la grotte du champ de Makpéla, en 23
face de Mambré, au pays de Canaan, qu'Abraham
a achetée[o] à Éphrôn le Hittite comme possession
funéraire. 31 Là furent ensevelis Abraham et sa
femme Sara, là furent ensevelis Isaac et sa femme
Rébecca, là j'ai enseveli Léa. 32 C'est le champ et
la grotte y comprise, qui furent acquis des fils de
Hèt[p]. »
33 Lorsque Jacob eut achevé de donner ses instructions à ses fils, il ramena ses pieds sur le lit, 48 2
il expira et fut réuni aux siens.

**Funérailles de Jacob[q].**

**50** 1 Alors Joseph se jeta sur le visage de son
père, le couvrit de larmes et de baisers. 2 Puis 46 4
Joseph donna aux médecins qui étaient à son service l'ordre d'embaumer son père, et les médecins
embaumèrent Israël. 3 Cela dura quarante jours,
car telle est la durée de l'embaumement.
Les Égyptiens le pleurèrent soixante-dix jours.
4 Quand fut écoulé le temps des pleurs, Joseph
parla ainsi au palais de Pharaon : « Si vous avez
de l'amitié pour moi, veuillez rapporter ceci aux
oreilles de Pharaon : 5 mon père m'a fait prêter ce
serment : " Je vais mourir, m'a-t-il dit, j'ai un tombeau que je me suis creusé au pays de Canaan,
c'est là que tu m'enterreras. " Qu'on me laisse donc
monter pour enterrer mon père, et je reviendrai. »
6 Pharaon répondit : « Monte et enterre ton père,
comme il te l'a fait jurer. »
7 Joseph monta enterrer son pere, et montèrent
avec lui tous les officiers de Pharaon, les dignitaires de son palais et tous les dignitaires du pays
d'Égypte, 8 ainsi que toute la famille de Joseph, ses

a) « Dan juge » *dan yadîn.* ieu de mots comme à **30** 6.
b) La dangereuse vipère cornue.
c) Exclamation psalmique, qui marque à peu près le milieu du poème.
d) Le v. 19 est une suite d'allitérations : *gad gedûd yegûdennû... yagud.* Installé en Transjordanie, Gad devait se défendre contre les razzias des nomades.
e) « taons » *'immerê* conj.; « paroles » *'imrê* hébr. Le texte est incertain.
f) Traduction conjecturale; hébr. corrompu.
g) Pour 24a-b on suit à peu près le grec, hébr. inintelligible. La « Pierre d'Israël » : équivalent du « Rocher » qui désigne fréquemment Yahvé dans les Ps.
h) « El Shaddaï » versions; « avec Shaddaï » hébr.
i) La masse des eaux inférieures, source de fertilité, Dt **8** 7.
j) « bénédiction des épis et des fleurs » conj.; « les bénédictions de ton père surpassèrent » hébr. – « montagnes antiques » d'après grec et Dt **33** 15; hébr. inintelligible.
k) « consacré », hébr. *nazîr*, voir Nb **6**.
l) Cet aspect guerrier et féroce de Benjamin correspond à l'histoire ultérieure de la tribu, cf. Jg **3** 15s; **5** 14; **19-20**; et la carrière de Saül, 1 S
m) « à chacun » plusieurs mss et grec; « l'homme qui » hébr.
n) Conclusion de la vie de Jacob d'après la tradition sacerdotale.
o) Après « achetée » hébr. répète « le champ », de même à **50** 13.
p) Le v. 32 manque dans Vulg.
q) Le ch. mêle les traditions yahviste, vv. 1-11 et 14, et élohiste, vv. 15-26, avec une touche sacerdotale aux vv. 12-13.

frères et la famille de son père. Ils ne laissèrent en
terre de Goshèn que les invalides [a], le petit et le
gros bétail 9 Avec lui montèrent aussi des chars et
des charriers : c'était un cortège très imposant.
10 Étant parvenus jusqu'à Gorèn-ha-Atad, – c'est
au-delà du Jourdain, – ils y firent une grande et
solennelle lamentation, et Joseph célébra pour son
père un deuil de sept jours. 11 Les habitants du
pays, les Cananéens, virent le deuil à Gorèn-ha-
Atad et ils dirent : « Voilà un grand deuil pour
les Égyptiens »; et c'est pourquoi on a appelé ce
lieu Abel-Miçrayim [b] – c'est au-delà du Jourdain.
12 Ses fils agirent à son égard comme il leur avait
↗ Ac 7 16 ordonné 13 et ils le transportèrent au pays de
Canaan et l'ensevelirent dans la grotte du champ
de Makpéla, qu'Abraham avait acquise d'Éphrôn
le Hittite comme possession funéraire, en face de
Mambré.
14 Joseph revint alors en Égypte, ainsi que ses
frères et tous ceux qui étaient montés avec lui pour
enterrer son père [c].

**De la mort de Jacob à la mort de Joseph.**

15 Voyant que leur père était mort, les frères de
Joseph se dirent : « Si Joseph allait nous traiter en
ennemis et nous rendre tout le mal que nous lui
avons fait? » 16 Aussi envoyèrent-ils dire à Joseph :
« Avant de mourir. ton père a exprimé cette
volonté : 17 " Vous parlerez ainsi à Joseph : Ah!
pardonne à tes frères leur crime et leur péché, tout 37
le mal qu'ils t'ont fait! " Et maintenant, veuille pardonner le crime des serviteurs du Dieu de ton
père! » Et Joseph pleura aux paroles qu'ils lui
adressaient.
18 Ses frères eux-mêmes vinrent et, se jetant à ses
pieds, dirent : « Nous voici pour toi comme des
esclaves! » 19 Mais Joseph leur répondit : « Ne
craignez point! Vais-je me substituer à Dieu? 20 Le 45 5
mal que vous aviez dessein de me faire, le dessein Rm 12 19
de Dieu l'a tourné en bien, afin d'accomplir ce qui Rm 8 28
se réalise aujourd'hui : sauver la vie à un peuple Ph 1 12
nombreux. 21 Maintenant, ne craignez point : c'est
moi qui vous entretiendrai, ainsi que les personnes
à votre charge. » Il les consola et leur parla affec-
tueusement.
22 Ainsi Joseph et la famille de son père demeurèrent en Égypte, et Joseph vécut cent dix ans.
23 Joseph vit les arrière-petits-enfants qu'il eut
d'Éphraïm, de même les fils de Makir, fils de Manassé, naquirent sur les genoux de Joseph. 48 12
24 Enfin Joseph dit à ses frères : « Je vais mourir, Ex 12 41
mais Dieu vous visitera et vous fera remonter de
ce pays dans le pays qu'il a promis par serment à
Abraham, Isaac et Jacob. » 25 Et Joseph fit prêter
ce serment aux fils d'Israël : « Quand Dieu vous
visitera, vous emporterez d'ici mes ossements. » Ex 13 19
26 Joseph mourut à l'âge de cent dix ans, on Jos 24 32
l'embauma et on le mit dans un cercueil en Égypte. He 11 22

*a)* On traduit « les petits enfants » mais le terme hébreu a certainement, ici et dans quelques autres passages (**43** 8; **47** 12; **50** 8, 21), un sens plus large : les personnes à charge, petits enfants et vieillards.

*b) Gorèn-ha-Atad* signifie « aire de l'Épine », et *Abel-Miçrayim* « prairie des Égyptiens » avec un jeu de mots sur *'abel* « prairie » et *'ebel* « deuil ». Sites inconnus. On a ici les vestiges d'une tradition différente de celle de Makpéla : Jacob aurait été enterré en Transjordanie.

*c)* A la fin du v., hébr. ajoute « après qu'il eut enterré son père »; glose omise par grec.

# L'EXODE

## I. La délivrance d'Égypte

### 1. ISRAËL EN ÉGYPTE [a]

**Prospérité des Hébreux en Égypte.**

↗ Ac **7** 14-17 **1** [1] Voici les noms des Israélites qui entrèrent en
Gn **46** 1-27 Égypte avec Jacob; ils y vinrent chacun avec
sa famille : [2] Ruben, Siméon, Lévi et Juda, [3] Issa-
char, Zabulon et Benjamin, [4] Dan et Nephtali, Gad
et Asher. [5] Les descendants de Jacob étaient, en
||Gn **46** 27 tout, soixante-dix personnes. Joseph, lui, était déjà
Dt **10** 22 en Égypte [b]. [6] Puis Joseph mourut, ainsi que tous
Gn **50** 26 ses frères et toute cette génération. [7] Les Israélites
Ps **105** 24 furent féconds et se multiplièrent, ils devinrent de
↗ Ac **13** 17 plus en plus nombreux et puissants, au point que
le pays en fut rempli.

**Oppression des Hébreux.**

↗ Ac **7** 18-19 [8] Un nouveau roi vint au pouvoir en Égypte, qui
n'avait pas connu Joseph. [9] Il dit à son peuple :
« Voici que le peuple des Israélites est devenu plus
nombreux et plus puissant que nous. [10] Allons, pre-
Ps **105** 25 nons de sages mesures pour l'empêcher de s'accroî
tre, sinon, en cas de guerre, il grossirait le nombre
de nos adversaires. Il combattrait contre nous
pour, ensuite, sortir du pays. » [11] On imposa donc
à Israël des chefs de corvée pour lui rendre la vie
dure par les travaux qu'ils exigeraient [c]. C'est ainsi
qu'il bâtit pour Pharaon [d] les villes-entrepôts de
Pitom et de Ramsès [e]. [12] Mais plus on lui rendait Gn **47** 11
la vie dure, plus il croissait en nombre et surabon-
dait, ce qui fit redouter les Israélites. [13] Les Égyptiens contraignirent les Israélites au travail [14] et
leur rendirent la vie amère par de durs travaux :
préparation de l'argile, moulage des briques, divers
travaux des champs, toutes sortes de travaux aux Dt **11** 10
quels ils les contraignirent [f].
[15] Le roi d'Égypte dit aux accoucheuses des femmes des Hébreux, dont l'une s'appelait Shiphra et
l'autre Pua : [16] « Quand vous accoucherez les femmes des Hébreux, regardez les deux pierres [g]. Si
c'est un fils, faites-le mourir, si c'est une fille, laissez-la vivre. » [17] Mais les accoucheuses craignirent
Dieu, elles ne firent pas ce que leur avait dit le roi
d'Égypte et laissèrent vivre les garçons. [18] Le roi
d'Égypte les appela et leur dit : « Pourquoi avez-
vous agi de la sorte et laissé vivre les garçons? »
[19] Elles répondirent à Pharaon : « Les femmes des
Hébreux ne sont pas comme les Égyptiennes, elles
sont vigoureuses. Avant que l'accoucheuse n'arrive
auprès d'elles, elles se sont délivrées. » [20] Dieu favo-
risa les accoucheuses; quant au peuple, il devint
très nombreux et très puissant. [21] Comme les

*a)* Après les vv. 1-5 qui appartiennent au cadre sacerdotal du Pentateuque, le ch. **1** est attribué aux traditions yahviste (vv. 6-14) et élohiste (vv. 15s). De la vie des groupes israélites pendant leur séjour en Égypte, l'auteur sacré ne conserve que ce qui intéresse l'histoire religieuse qu'il veut écrire : le développement numérique des familles issues de Jacob et l'oppression égyptienne, dont le récit prépare celui de l'Exode et de l'Alliance au Sinaï. Sur la place de ces faits dans l'histoire générale, voir l'introduction, p. 27.

*b)* Le grec donne « soixante-quinze personnes »; cf. Gn **46** 27+, et place « Joseph était en Égypte » en tête du v.

*c)* L'Égypte ne semble pas avoir connu une organisation régulière de la corvée, mais la main-d'œuvre des grands travaux publics était recrutée en partie parmi les prisonniers de guerre et les serfs attachés aux domaines royaux, cf. pour Israël 2 S **12** 31. Les Israélites ont ressenti comme une oppression insupportable leur assimilation à ces catégories inférieures : on comprend qu'ils aient voulu reprendre la vie libre du désert, on comprend aussi que les Égyptiens aient considéré leur proposition comme une révolte d'esclaves.

*d)* Transcription de l'égyptien *Per-âa,* « la grande Maison », formule protocolaire qui désigne le Palais, la Cour, et, depuis la XVIIIe dynastie, la personne même du roi. « Pharaon » est utilisé ici comme un nom propre.

*e)* Nom de la résidence du Pharaon Ramsès II dans le Delta, identifiée soit avec Tanis, soit avec Qantir. Cette mention désigne Ramsès II (1290-1224) comme le Pharaon oppresseur et donne approximativement la date de l'Exode.

*f)* L'histoire de l'oppression se continuera à **5** 6-23. Dans les vv. suivants (élohistes), les mesures prises pour l'anéantissement des enfants mâles ne s'accordent pas avec les besoins de la corvée, mais préparent l'histoire de la naissance de Moïse.

*g)* Le siège sur lequel se plaçait la femme en travail (ou bien le sexe du nouveau-né?); syr. : « les deux genoux »; le grec interprète largement : « alors qu'elles sont sur le point d'enfanter ».

accoucheuses avaient craint Dieu, il leur accorda une postérité.
22 Pharaon donna alors cet ordre à tout son peuple : « Tout fils qui naîtra, jetez-le au Fleuve [a], mais laissez vivre toute fille. »

## 2. JEUNESSE ET VOCATION DE MOÏSE

### Naissance de Moïse [b].

Ex 6 20 **2** 1 Un homme de la maison de Lévi s'en alla
prendre pour femme une fille de Lévi. 2 Celle-ci conçut et enfanta un fils. Voyant combien il
↗ Ac 7 20s était beau, elle le dissimula pendant trois mois.
↗ He 11 23 3 Ne pouvant le dissimuler plus longtemps, elle prit
pour lui une corbeille de papyrus qu'elle enduisit
de bitume et de poix, y plaça l'enfant et la déposa
dans les roseaux sur la rive du Fleuve. 4 La sœur
de l'enfant se posta à distance pour voir ce qui lui
adviendrait.
5 Or la fille de Pharaon descendit au Fleuve pour
s'y baigner, tandis que ses servantes se prome-
naient sur la rive du Fleuve. Elle aperçut la corbeille parmi les roseaux et envoya sa servante la
prendre. 6 Elle l'ouvrit et vit l'enfant : c'était un
garçon qui pleurait. Touchée de compassion pour
lui, elle dit : « C'est un des petits Hébreux. » 7 La
sœur de l'enfant dit alors à la fille de Pharaon :
« Veux-tu que j'aille te chercher, parmi les femmes
des Hébreux, une nourrice qui te nourrira cet
enfant? – 8 Va », lui répondit la fille de Pharaon.
La jeune fille alla donc chercher la mère de l'enfant.
9 La fille de Pharaon lui dit : « Emmène cet enfant
et nourris-le moi, je te donnerai moi-même ton
salaire. » Alors la femme emporta l'enfant et le
nourrit. 10 Quand l'enfant eut grandi, elle le ramena
↗ Ac 7 21 à la fille de Pharaon qui le traita comme un fils et
lui donna le nom de Moïse, car, disait-elle, « je l'ai
tiré des eaux [c] ».

### Fuite de Moïse en Madiân [d]. ↗ He 11 24-27

11 Il advint, en ces jours-là, que Moïse, qui avait
grandi [e], alla voir ses frères. Il vit les corvées auxquelles ils étaient astreints; il vit aussi un Égyptien
qui frappait un Hébreu, un de ses frères. 12 Il se
tourna de-ci de-là, et voyant qu'il n'y avait personne, il tua l'Égyptien et le cacha dans le sable.
13 Le jour suivant, il revint alors que deux Hébreux
se battaient. « Pourquoi frappes-tu ton compagnon? » dit-il à l'agresseur. 14 Celui-ci répondit :
« Qui t'a constitué notre chef et notre juge? Veux-tu ↗ Ac 7 35
me tuer comme tu as tué l'Égyptien? » Moïse
effrayé se dit : « Certainement l'affaire se sait. »
15 Pharaon entendit parler de cette affaire et chercha à tuer Moïse. Moïse s'enfuit loin de Pharaon;
il se rendit [f] au pays de Madiân et s'assit auprès ↗ Ac 7 29
d'un puits.
16 Or un prêtre de Madiân [g] avait sept filles. Elles
vinrent puiser et remplir les auges pour abreuver le Gn 24 11s; 2
petit bétail de leur père. 17 Des bergers survinrent
et les chassèrent. Moïse se leva, vint à leur secours
et abreuva le petit bétail. 18 Elles revinrent auprès
de Réuel [h], leur père, qui leur dit : « Pourquoi
revenez-vous si tôt aujourd'hui? » 19 Elles lui
dirent : « Un Égyptien nous a tirées des mains des
bergers; il a même puisé pour nous et abreuvé le

*a)* Le mot désigne le fleuve par excellence de l'Égypte, le Nil, mais s'applique aussi à l'une ou l'autre de ses branches principales.

*b)* Attribué aux traditions yahviste-élohiste, ou à la seule tradition élohiste.

*c)* Étymologie populaire du nom de Moïse (hébreu *moshé*) à partir du verbe *masha* « tirer ». Mais la fille du Pharaon ne parlait pas l'hébreu. En réalité, ce nom est égyptien, connu sous sa forme abrégée, *mosès*, ou sous une forme complète, par ex. Thutmosès, « le dieu Thot est né ». – L'histoire de Moïse tiré des eaux a été comparée aux légendes sur l'enfance de certains personnages célèbres, en particulier Sargon d'Agadè, roi de Mésopotamie au IIIe millénaire, que sa mère avait confié au fleuve dans une corbeille de jonc.

*d)* Vv. 11-22 (ou, selon certains, seulement 15-22) de tradition yahviste. – Madiân est généralement situé en Arabie, au sud d'Édom, à l'est du golfe d'Aqaba, et le folklore arabe a gardé le souvenir d'un séjour de Moïse dans cette région. Cependant cette localisation est tardive, et un certain nombre de textes nous montrent les Madianites comme de grands nomades pratiquant les pistes de Palestine, Gn **37** 28, 36, ou de la péninsule sinaïtique, Nb **10** 29-32, et faisant des incursions en Moab, Gn **36** 35, cf. aussi Nb **22** 4, 7; **25** 6, 18; **31** 1-9; Jos **13** 21. C'est en Palestine centrale qu'ils seront battus par Gédéon, Jg **6-8**, cf. Is **9** 3; **10** 26. Une indication plus précise sur leur territoire nous est donnée par 1 R **11** 18 : un prince d'Édom, fuyant en Égypte, traverse Madiân puis Pâran (le sud du Négeb, entre Cadès et l'Égypte). C'est donc dans la péninsule du Sinaï, à l'est du désert de Pâran, et non en Arabie, qu'il faudrait situer Madiân, où Dieu se révéla à Moïse.

*e)* Le texte ne dit rien de l'éducation reçue par Moïse; **11** 3 dira simplement qu'il était devenu un « grand personnage », et Ac **7** 22 qu'il fut « instruit dans toute la sagesse des Égyptiens ». Josèphe et Philon ajoutent des détails légendaires.

*f)* « il se rendit » grec, syr.; « il s'installa » hébr.

*g)* Cf. **18** 1+.

*h)* Les textes ne s'entendent pas sur le nom et la personne du beau-père de Moïse. Nous avons ici Réuel, prêtre de Madiân; à **3** 1; **4** 18; **18** 1, il se nomme Jéthro; Nb **10** 29 parle de Hobab, fils de Réuel, le Madianite, et Jg **1** 16; **4** 11, de Hobab le Qénite. On peut écarter la mention de Réuel ici comme secondaire, et voir en Nb **10** 29 une tentative pour harmoniser les deux traditions : mariage qénite et mariage madianite. Ces deux traditions sont en fait concurrentes et il ne faut pas chercher à les concilier. La première, yahviste et originaire de la Palestine du sud, reflète l'existence de liens amicaux entre Juda et les Qénites, tout en conservant le souvenir du mariage de Moïse avec une étrangère. La seconde, élohiste et étroitement liée à la sortie d'Égypte, doit être retenue comme historique.

petit bétail. – 20 Et où est-il? demanda-t-il à ses
filles. Pourquoi donc avez-vous abandonné cet
homme? Invitez-le à manger. » 21 Moïse consentit
à s'établir auprès de cet homme qui lui donna sa
fille, Çippora. 22 Elle mit au monde un fils qu'il
nomma Gershom [a] car, dit-il, « je suis un immigré
en terre étrangère [b] ». 18 3

## *VOCATION DE MOÏSE*

**Dieu se souvient d'Israël [c].**

23 Au cours de cette longue période, le roi
d'Égypte mourut. Les Israélites, gémissant de leur
servitude, crièrent, et leur appel à l'aide monta vers
Dieu, du fond de leur servitude. 24 Dieu entendit
leur gémissement; Dieu se souvint de son alliance
avec Abraham, Isaac et Jacob. 25 Dieu vit les Israélites et Dieu connut [d]...

2-13; 6 28-7 7 **Le buisson ardent [e].**
Ac 7 30-35
↗ Ac 13 17 3 1 Moïse faisait paître le petit bétail de Jéthro,
son beau-père, prêtre de Madiân; il l'emmena
par-delà le désert et parvint à la montagne de Dieu,
19 1+ l'Horeb [f]. 2 L'Ange de Yahvé [g] lui apparut, dans
Gn 16 7+ une flamme de feu, du milieu d'un buisson. Moïse
Dt 33 16 regarda : le buisson était embrasé mais le buisson
ne se consumait pas. 3 Moïse dit : « Je vais faire un
détour pour voir cet étrange spectacle, et pourquoi
le buisson ne se consume pas. » 4 Yahvé vit qu'il
faisait un détour pour voir, et Dieu l'appela du
Jos 5 15 milieu du buisson. « Moïse, Moïse », dit-il, et il
Gn 28 16-17 répondit : « Me voici. » 5 Il dit : « N'approche pas
Lv 17 1+
Ex 19 12+ d'ici, retire tes sandales de tes pieds car le lieu où
tu te tiens est une terre sainte. » 6 Et il dit : « Je suis
↗ Mt 22 32p le Dieu de tes pères, le Dieu d'Abraham, le Dieu
d'Isaac et le Dieu de Jacob. » Alors Moïse se voila
la face, car il craignait de fixer son regard sur Ex 33 20+
Dieu [h].

**Mission de Moïse.**

7 Yahvé dit : « J'ai vu, j'ai vu la misère de mon
peuple qui est en Égypte. J'ai entendu son cri
devant ses oppresseurs; oui, je connais ses angoisses. 8 Je suis descendu pour le délivrer de la main
des Égyptiens et le faire monter de cette terre vers
une terre plantureuse et vaste, vers une terre qui
ruisselle de lait et de miel [i], vers la demeure des
Cananéens, des Hittites, des Amorites, des Perizzi- Dt 7 1+
tes, des Hivvites et des Jébuséens. 9 Maintenant, le
cri des Israélites est venu jusqu'à moi, et j'ai vu
l'oppression que font peser sur eux les Égyptiens.
10 Maintenant va, je t'envoie auprès de Pharaon,
fais sortir d'Égypte mon peuple, les Israélites. »
11 Moïse dit à Dieu : « Qui suis-je pour aller trouver Pharaon et faire sortir d'Égypte les Israélites? »
12 Dieu dit : « Je serai avec toi, et voici le signe qui 1 S 14 10+
te montrera que c'est moi qui t'ai envoyé [j]. Quand
tu feras sortir le peuple d'Égypte, vous servirez
Dieu sur cette montagne. » ↗ Ac 7 7

**Révélation du Nom divin [k].**

13 Moïse dit à Dieu : « Voici, je vais trouver
les Israélites et je leur dis : " Le Dieu de vos pères

a) Etymologie populaire qui ne tient compte que de la première syllabe : *gēr*, étranger résidant.
b) La Vulg. ajoute (d'après **18** 4) : « Elle en enfanta un autre qu'il appela Éliézer, car, dit-il, " le Dieu de mon père est mon secours, il m'a délivré de la main de Pharaon " ».
c) Tradition sacerdotale.
d) La fin du v. est tronquée.
e) Ce premier récit (ch. **3-4**) de la vocation de Moïse combine des éléments yahvistes, vv. 1-5, 16-20 (théophanie et mission de Moïse) et élohistes, vv. 6, 9-15 (révélation du nom divin). Un second récit, sacerdotal, de la révélation du nom divin et de la vocation de Moïse, en Égypte cette fois, sera donné en **6** 2-13 et **6** 28 - **7** 7.
f) Horeb est le nom de la montagne du Sinaï dans le cadre historique du Deutéronome et dans la rédaction deutéronomiste du livre des Rois. C'est ici une glose, comme en **17** 6.
g) Dieu lui-même sous la forme où il apparaît aux hommes. Cf. Gn **16** 7+.
h) Dieu est à ce point transcendant qu'une créature ne peut le voir et vivre.
i) Désignation, fréquente dans le Pentateuque, de la Terre Promise.
j) Le « signe » peut être ce qui est dit dans la seconde partie du v., ou bien un signe dans le genre de **4** 1-9 qui aurait été omis.
k) La tradition yahviste fait remonter le culte de Yahvé aux origines de l'humanité, Gn **4** 26, et utilise ce nom divin dans toute l'histoire patriarcale. D'après la tradition élohiste, à laquelle ce texte appartient, le nom de Yahvé n'a été révélé qu'à Moïse comme le nom du Dieu des Pères. La tradition sacerdotale, Ex **6** 2-3, s'accorde avec elle, précisant seulement que le nom du Dieu des Pères était El Shaddaï; cf. Gn **17** 1+. Ce récit, l'un des sommets de l'AT, pose deux problèmes : le premier, philologique, concerne l'étymologie du nom « Yahvé »; le second, exégétique et théologique, le sens général du récit et la portée de la révélation qu'il transmet. 1° On a cherché à expliquer le nom *Yahweh* par d'autres langues que l'hébreu ou par diverses racines hébraïques. Il faut certainement y voir le verbe « être » sous une forme archaïque. Certains reconnaissent ici une forme factitive de ce verbe : « il fait être », « il amène à l'existence ». C'est beaucoup plus probablement une forme du thème simple, et le mot signifie « il est ». 2° Quant à l'interprétation, le mot est expliqué au v. 14, qui est une addition ancienne de la même tradition. On discute sur le sens de cette explication : *'ehyeh 'asher 'ehyeh*. Dieu, parlant de lui-même ne peut employer que la première personne : « Je suis ». L'hébreu peut se traduire littéralement : « Je suis ce que je suis », ce qui signifierait que Dieu ne veut pas révéler son nom; mais précisément, Dieu donne ici son nom qui, selon la conception sémitique, doit le définir d'une certaine manière. Mais l'hébreu peut aussi se traduire littéralement « Je suis celui qui suis », et d'après les règles de la syntaxe hébraïque, cela correspond à « Je suis celui qui est », « Je suis l'existant »; c'est bien ainsi que l'ont compris les traducteurs de la Septante : *Ego eimi ho ôn*. Dieu est le seul vraiment existant. Cela signifie qu'il est transcendant et reste un mystère pour

m'a envoyé vers vous. " Mais s'ils me disent :
Jn 17 6, 26 " Quel est son nom? ", que leur dirai-je? » [14] Dieu
↗ Jn 8 24+ dit à Moïse : « Je suis celui qui est. » Et il dit :
Is 42 8+ « Voici ce que tu diras aux Israélites : " Je suis "
↗ Ap 1 4+ m'a envoyé vers vous. » [15] Dieu dit encore à
Moïse : « Tu parleras ainsi aux Israélites : " Yahvé,
le Dieu de vos pères, le Dieu d'Abraham, le Dieu
d'Isaac et le Dieu de Jacob m'a envoyé vers vous.
C'est mon nom pour toujours, c'est ainsi que l'on
m'invoquera de génération en génération. "

**Instructions relatives à la mission de Moïse.**

[16] « Va, réunis les anciens d'Israël et dis-leur :
" Yahvé, le Dieu de vos pères, m'est apparu – le
Dieu d'Abraham, d'Isaac et de Jacob – et il m'a
dit : Je vous ai visités [a] et j'ai vu ce qu'on vous fait
en Égypte, [17] alors j'ai dit : Je vous ferai monter de
Dt 7 1+ l'affliction d'Égypte vers. la terre des Cananéens,
des Hittites, des Amorites, des Perizzites, des Hivvites et des Jébuséens, vers une terre qui ruisselle
de lait et de miel. " [18] Ils écouteront ta voix et vous
irez, toi et les anciens d'Israël, trouver le roi
d'Égypte et vous lui direz : " Yahvé, le Dieu des
Hébreux, est venu à notre rencontre. Toi, permets-
nous d'aller à trois jours de marche dans le désert
pour sacrifier à Yahvé notre Dieu. " [19] Je sais bien
que le roi d'Égypte ne vous laissera aller que s'il
y est contraint par une main forte. [20] Aussi j'étendrai la main et je frapperai l'Égypte par les merveilles de toute sorte que j'accomplirai au milieu d'elle;
après quoi, il vous laissera partir.

11 2-3; **Spoliation des Égyptiens.**
12 35-36
↗ Sg 10 17 [21] « Je ferai gagner à ce peuple la faveur des
Égyptiens, et quand vous partirez, vous ne partirez
pas les mains vides. [22] La femme demandera à sa
voisine et à celle qui séjourne dans sa maison des
objets d'argent, des objets d'or et des vêtements.
Vous les ferez porter à vos fils et à vos filles et vous
en dépouillerez les Égyptiens. »

**Pouvoir des signes accordé à Moïse.**

**4** [1] Moïse reprit la parole et dit : « Et s'ils ne me
Mt 13 57 croient pas et n'écoutent pas ma voix, mais
me disent : Yahvé ne t'est pas apparu »? [2] Yahvé lui
7 8-12 dit : « Qu'as-tu en main? – Un bâton, dit-il. – [3] Jette-le à terre », lui dit Yahvé. Moïse le jeta à terre,
le bâton se changea en serpent et Moïse fuit devant
lui. [4] Yahvé dit à Moïse : « Avance la main et
prends-le par la queue. » Il avança la main, le prit,
et dans sa main il redevint un bâton [b]. [5] « Afin
qu'ils croient que Yahvé t'est apparu, le Dieu de
leurs pères, le Dieu d'Abraham, le Dieu d'Isaac et
le Dieu de Jacob. »

[6] Yahvé lui dit encore : « Mets ta main dans ton
sein. » Il mit la main dans son sein, puis la retira,
et voici que sa main était lépreuse, blanche comme Lv 13 1+
neige. [7] Yahvé lui dit : « Remets ta main dans ton
sein. » Il remit la main dans son sein et la retira de
son sein, et voici qu'elle était redevenue comme le
reste de son corps. [8] « Ainsi, s'ils ne te croient pas
et ne sont pas convaincus par le premier signe, ils
croiront à cause du second signe. [9] Et s'ils ne
croient pas, même avec ces deux signes, et qu'ils
n'écoutent pas ta voix, tu prendras de l'eau du
Fleuve et tu la répandras par terre, et l'eau que tu
auras puisée au Fleuve se changera en sang sur la
terre sèche. »

**Aaron interprète de Moïse.**

[10] Moïse dit à Yahvé : « Excuse-moi, mon Seigneur, je ne suis pas doué pour la parole, ni d'hier Jr 1 6-10
ni d'avant-hier, ni même depuis que tu adresses la
parole à ton serviteur, car ma bouche et ma langue
sont pesantes. » [11] Yahvé lui dit : « Qui a doté
l'homme d'une bouche? Qui rend muet ou sourd,
clairvoyant ou aveugle? N'est-ce pas moi, Yahvé?
[12] Va maintenant, je serai avec ta bouche et je Dt 18 18
t'indiquerai ce que tu devras dire. » Mt 10 19-20

[13] Moïse dit encore : « Excuse-moi, mon Seigneur, envoie, je t'en prie, qui tu voudras. » [14] La Is 6 8
colère de Yahvé s'enflamma contre Moïse et il dit :
« N'y a-t-il pas Aaron, ton frère, le lévite? Je sais
qu'il parle bien, lui; le voici qui vient à ta rencontre
et à ta vue il se réjouira en son cœur. [15] Tu lui parleras et tu mettras les paroles dans sa bouche. Moi, 7 1-2
je serai avec ta bouche et avec sa bouche, et je vous
indiquerai ce que vous devrez faire. [16] C'est lui qui
parlera pour toi au peuple; il te tiendra lieu de bouche et tu seras pour lui un dieu. [17] Quant à ce
bâton, prends-le dans ta main [c], c'est par lui que
tu accompliras les signes. »

**Retour de Moïse en Égypte. Départ de Madiân.**

[18] Moïse s'en alla et retourna vers Jéthro, son 2 18+
beau-père. Il lui dit : « Permets que je m'en aille et

l'homme, et aussi qu'il agit dans l'histoire de son peuple et dans l'histoire humaine qu'il dirige vers une fin. Ce passage contient en puissance les développements que lui donnera la suite de la Révélation, cf. Ap 1 8 : « Il était, il est et il vient, le maître de tout. »

*a)* Quand il s'agit de Dieu, la « visite » implique un droit absolu de regard, de jugement et de sanction. Ses interventions dans la destinée des individus ou des peuples peuvent apporter le bienfait, **4** 31; Gn **21** 1; **50** 24-25; Ps **65** 10; **80** 15; Sg **3** 7-13; Jr **29** 10; cf. Lc **1** 68+; ou le châtiment, 1 S **15** 2; Sg **14** 11; **19** 15; Jr **6** 15; **23** 34; Am **3** 2.

*b)* Le v. 5, qui interrompt le récit, est une addition.

*c)* Dieu remet à Moïse un bâton (d'où son nom de « bâton de Dieu », cf. v. 20), qui sera l'instrument des prodiges, **7** 20[b]; **9** 22s; **10** 13s, etc. Cf. le bâton d'Élisée, 2 R **4** 29.

que je retourne vers mes frères qui sont en Égypte
pour voir s'ils sont encore en vie. » Jéthro lui répondit : « Va en paix. »
↗ Mt 2 20 19 Yahvé dit à Moïse en Madiân : « Va, retourne
en Égypte, car ils sont morts, tous ceux qui cherchaient à te faire périr. » 20 Moïse prit sa femme et
son fils [a], les fit monter sur un âne et s'en retourna
4 17 au pays d'Égypte. Moïse prit en main le bâton de
Dieu. 21 Yahvé dit à Moïse : « Tandis que tu retourneras en Égypte, vois les prodiges que j'ai mis en
ton pouvoir : tu les accompliras devant Pharaon,
mais moi, j'endurcirai son cœur et il ne laissera pas
partir le peuple. 22 Alors tu diras à Pharaon : Ainsi
Dt 1 31 parle Yahvé : mon fils premier-né, c'est Israël. 23 Je
Dt 7 6+ t'avais dit : " Laisse aller mon fils, qu'il me serve. "
Puisque tu refuses de le laisser aller, eh bien, moi,
je vais faire périr ton fils premier-né [b]. »

Gn 32 25-33 **Circoncision du fils de Moïse [c].**

24 Et ce fut en route, à la halte de la nuit, que
Yahvé vint à sa rencontre et chercha à le faire mou-
Jos 5 2-3+ rir. 25 Çippora prit un silex, coupa le prépuce de
son fils et elle en toucha ses pieds. Et elle dit : « Tu
es pour moi un époux de sang. » 26 Et il se retira
de lui. Elle avait dit alors « Époux de sang », ce qui
Gn 17 10+ s'applique aux circoncisions.

**Rencontre avec Aaron.**

27 Yahvé dit à Aaron : « Va à la rencontre de
Moïse en direction du désert. » Il partit, le
3 1 rencontra à la montagne de Dieu et l'embrassa.
28 Moïse informa Aaron de toutes les paroles de
Yahvé, qui l'avait envoyé, et de tous les signes qu'il
3 16 lui avait ordonné d'accomplir. 29 Moïse partit avec
Aaron et ils réunirent tous les anciens des Israélites. 30 Aaron répéta toutes les paroles que Yahvé
4 2 9 avait dites à Moïse; il accomplit les signes aux
Jn 2 11 yeux du peuple. 31 Le peuple crut et se réjouit [d] de
Ex 14 31 ce que Yahvé avait visité les Israélites et avait vu
leur misère. Ils s'agenouillèrent et se prosternèrent.

**Première entrevue avec Pharaon [e].**

5 1 Après cela, Moïse et Aaron vinrent trouver
Pharaon et lui dirent : « Ainsi parle Yahvé, le
Dieu d'Israël : Laisse partir mon peuple, qu'il célèbre une fête [f] pour moi dans le désert. » 2 Pharaon répondit : « Qui est Yahvé, pour que j'écoute sa voix et que je laisse partir Israël? Je ne connais pas Yahvé, et quant à Israël, je ne le laisserai pas partir. » 3 Ils dirent : « Le Dieu des Hébreux est venu à notre rencontre. Accorde-nous d'aller à trois jours de marche dans le désert pour sacrifier à Yahvé notre Dieu, sinon il nous frapperait de la peste ou de l'épée. » 4 Le roi d'Égypte leur dit : « Pourquoi, Moïse et Aaron, voulez-vous débaucher le peuple de ses travaux? Retournez à vos corvées. » 5 Pharaon dit : « Maintenant que le peuple est nombreux dans le pays, vous voudriez lui faire interrompre ses corvées? »

**Instructions aux chefs de corvées.**

6 Le jour même, Pharaon donna cet ordre aux surveillants du peuple et aux scribes : 7 « Ne continuez plus à donner de la paille hachée [g] au peuple pour mouler les briques, comme hier et avant-hier; qu'ils aillent eux-mêmes ramasser la paille qu'il leur faut. 8 Mais vous leur imposerez la même quantité de briques qu'ils fabriquaient hier et avant-hier, sans rien en retrancher car ce sont des paresseux. C'est pour cela qu'ils crient : " Allons sacrifier à notre Dieu. " 9 Qu'on alourdisse le travail de ces gens, qu'ils le fassent et ne prêtent plus attention à ces paroles trompeuses. »

10 Les surveillants du peuple et les scribes allèrent dire au peuple : « Ainsi parle Pharaon : Je ne vous donne plus de paille hachée. 11 Allez vous-mêmes vous chercher de la paille hachée où vous pourrez en trouver, mais rien ne sera retranché de votre travail. » 12 Alors le peuple se dispersa dans tout le pays d'Égypte pour ramasser du chaume pour en faire de la paille hachée. 13 Les surveillants les harcelaient : « Terminez votre travail quotidien comme lorsqu'il y avait de la paille hachée. » 14 On frappa les scribes des Israélites, ceux que les surveillants de Pharaon leur avaient imposés en disant : « Pourquoi n'avez-vous pas terminé la quantité de briques prescrite, aujourd'hui comme hier et avant-hier? »

*a)* « son fils » conj., cf. **2** 22; **4** 25; « ses fils » hébr.
*b)* Les vv. 21-23 sont secondaires; ils annoncent les plaies d'Égypte : v. 21, les neuf premières plaies et l'endurcissement du cœur de Pharaon, cf.**7** 3+; vv. 22-23, la dixième plaie, cf. **11** 1+.
*c)* Récit énigmatique à cause de sa brièveté et de l'absence d'un contexte; Moïse n'est pas nommé, et l'on ne sait pas à qui se rapportent les pronoms personnels. On peut conjecturer que l'incirconcision de Moïse lui attire la colère divine; celle-ci est apaisée lorsque Çippora a circoncis réellement son fils et simulé une circoncision de Moïse en touchant son sexe (« ses pieds », cf. Is **6** 2; **7** 20) avec le prépuce de l'enfant. Sur la circoncision, cf. Gn **17** 10+.
*d)* « se réjouit » grec; « entendit » hébr.
*e)* Dans son ensemble, ce ch. est yahviste.
*f)* La mention de ce culte au désert, cf. déjà **3** 18, reviendra comme un refrain dans le récit de chacune des neuf premières plaies, sauf la troisième et la sixième, cf. **7** 16, 26; **8** 4, 16, 23; **9** 1, 13; **10** 3, 24. Cette fête est vraisemblablement déjà la Pâque, cf. **12** 1+.
*g)* On mélangeait de la paille hachée à l'argile pour donner plus de consistance aux briques crues.

**Plainte des scribes hébreux.**

15 Les scribes des Israélites vinrent se plaindre
auprès de Pharaon en disant : « Pourquoi traiter
ainsi tes serviteurs? 16 On ne donne plus de paille
hachée à tes serviteurs et l'on nous dit : “ Faites
des briques ”, et voici que l'on frappe tes serviteurs [a]... » 17 Il répondit : « Vous êtes des paresseux,
des paresseux, voilà pourquoi vous dites : “ Nous
voulons aller sacrifier à Yahvé. ” 18 Maintenant
allez travailler. On ne vous donnera pas de paille
hachée mais vous livrerez la quantité de briques
fixée. »

**Récriminations du peuple. Prière de Moïse.**

19 Les scribes des Israélites se virent dans un
mauvais cas quand on leur dit : « Vous ne diminue-
rez rien de votre production quotidienne de briques. » 20 Ayant quitté Pharaon, ils se heurtèrent à
Moïse et à Aaron qui se tenaient devant eux. 21 Ils
leur dirent : « Que Yahvé vous observe et qu'il
juge! Vous nous avez rendus odieux aux yeux de
Pharaon et de ses serviteurs et vous leur avez mis
l'épée en main pour nous tuer. » 22 Moïse retourna
vers Yahvé et lui dit : « Seigneur, pourquoi maltrai-
tes-tu ce peuple? Pourquoi m'as-tu envoyé?
23 Depuis que je suis venu trouver Pharaon et que
je lui ai parlé en ton nom, il maltraite ce peuple,
et tu ne fais rien pour délivrer ton peuple. »

**6** 1 Yahvé dit alors à Moïse : « Maintenant, tu
vas voir ce que je vais faire à Pharaon. Une
main forte l'obligera à les laisser partir, une main
forte l'obligera à les expulser de son pays. »

= **3** 1-**4** 23 **Nouveau récit de la vocation de Moïse** [b].

2 Dieu parla à Moïse et lui dit : « Je suis Yahvé.
3 Je suis apparu à Abraham, à Isaac et à Jacob
Gn **17** 1+ comme El Shaddaï, mais mon nom de Yahvé, je ne
le leur ai pas fait connaître. 4 J'ai aussi établi mon
Gn **17** 7-8 alliance avec eux pour leur donner le pays de
Canaan, la terre où ils résidaient en étrangers. 5 Et
moi, j'ai entendu le gémissement des Israélites
asservis par les Égyptiens et je me suis souvenu de
mon alliance. 6 C'est pourquoi tu diras aux Israélites : Je suis Yahvé et je vous soustrairai aux corvées des Égyptiens; je vous délivrerai de leur servitude et je vous rachèterai à bras étendu [c] et par de
grands jugements. 7 Je vous prendrai pour mon
peuple et je serai votre Dieu [d]. Et vous saurez que
je suis Yahvé, votre Dieu, qui vous aura soustraits
aux corvées des Égyptiens. 8 Puis je vous ferai
entrer dans la terre que j'ai juré de donner à Abra- Gn **15**; **24** 7
ham, à Isaac et à Jacob, et je vous la donnerai en
patrimoine, moi Yahvé. » 9 Moïse parla ainsi aux
Israélites mais ils n'écoutèrent pas Moïse car ils
étaient à bout de souffle à cause de leur dure servitude.

10 Yahvé parla à Moïse et lui dit : 11 « Va dire à
Pharaon, le roi d'Égypte, qu'il laisse partir les
Israélites de son pays. » 12 Mais Moïse prit la
parole en présence de Yahvé et dit : « Les Israélites
ne m'ont pas écouté, comment Pharaon m'écoute-
rait-il, moi qui n'ai pas la parole facile [e]? » 13 Yahvé **4** 10
parla à Moïse et à Aaron et les envoya auprès de
Pharaon, le roi d'Égypte [f], pour faire sortir les
Israélites du pays d'Égypte.

**Généalogie de Moïse et Aaron.**

14 Voici leurs chefs de familles : Nb **26** 5-14
Fils de Ruben, premier-né d'Israël : Hénok,
Pallu, Heçrôn et Karmi; tels sont les clans de
Ruben.

15 Fils de Siméon : Yemuel, Yamîn, Ohad,
Yakîn, Çohar et Shaûl, le fils de la Cananéenne;
tels sont les clans de Siméon.

16 Voici les noms des fils de Lévi avec leurs des- Gn **46** 11
cendances : Gershôn, Qehat et Merari. Lévi vécut Nb **3** 17s
cent trente-sept ans. 17 Fils de Gershôn : Libni et
Shimeï avec leurs clans.

18 Fils de Qehat : Amram, Yiçhar, Hébrôn et
Uzziel. Qehat vécut cent trente-trois ans.

19 Fils de Merari : Mahli et Mushi. Tels sont les
clans de Lévi avec leurs descendances.

20 Amram épousa Yokébed, sa tante, qui lui **2** 1-2
donna Aaron et Moïse. Amram vécut cent trente- Nb **26** 59
sept ans.

21 Les fils de Yiçhar furent : Coré, Népheg et
Zikri,

22 et les fils d'Uzziel : Mishaël, Elçaphân et Sitri.

23 Aaron épousa Élishéba, fille d'Amminadab,
sœur de Nahshôn, et elle lui donna Nadab, Abihu,
Éléazar et Itamar.

24 Fils de Coré : Assir, Elqana et Abiasaph; tels
sont les clans des Coréites.

25 Éléazar, fils d'Aaron, épousa l'une des filles de
Putiel, qui lui enfanta Pinhas. Nb **25** 6-13

*a)* Fin du v. : « le péché de ton peuple » ne donne aucun sens.

*b)* **6** 2 à **7** 7 est le récit sacerdotal, parallèle à **3-4**, de la vocation de Moïse. La révélation du nom divin est placée en Égypte, et le nom de Yahvé remplace celui de El Shaddaï, utilisé par les Patriarches, cf. **3** 13+. Le peuple refuse d'écouter Moïse, v. 9. cf. **4** 31; Aaron est l'interprète auprès de Pharaon. **7** 1, et non plus du peuple, **4** 10-16.

*c)* Expression équivalente à la « main forte » de **6** 1. Le Dt joindra les deux expressions, cf. Dt **4** 34; **5** 15; **7** 19; **26** 8, etc.

*d)* Ces deux termes corrélatifs qui expriment les relations nouvelles de Dieu avec son peuple sont l'expression consacrée de l'élection et de l'alliance divines, spécialement Lv **26** 12; Dt **26** 17-19; **29** 12, et fréquemment dans Jr et Ez.

*e)* Litt. « moi (qui suis) incirconcis des lèvres ».

*f)* Avant « auprès de Pharaon », l'hébr. ajoute : « auprès des Israélites », omis par le grec.

Tels sont les chefs des familles des Lévites, selon
leurs clans.
26 Ce sont eux, Aaron et Moïse, à qui Yahvé
avait dit : « Faites sortir les Israélites du pays
d'Égypte, selon leurs armées. » 27 Ce sont eux qui
parlèrent à Pharaon, le roi d'Égypte, pour faire sortir d'Égypte les Israélites, – Moïse et Aaron.

6 2-13 **Reprise du récit de la vocation de Moïse.**

28 Or le jour où Yahvé parla à Moïse en terre
d'Égypte, 29 Yahvé dit à Moïse : « Je suis Yahvé.
Dis à Pharaon, le roi d'Égypte, tout ce que moi je
vais te dire. » 30 Moïse dit en présence de Yahvé :
« Je n'ai pas la parole facile, comment Pharaon
m'écouterait-il? »
**7** 1 Yahvé dit à Moïse : « Vois, j'ai fait de toi un
4 16 dieu pour Pharaon, et Aaron, ton frère. sera
ton prophète. 2 Toi, tu lui diras tout ce que je
t'ordonnerai, et Aaron, ton frère, le répétera à Pharaon pour qu'il laisse les Israélites partir de son
pays. 3 Pour moi, j'endurcirai le cœur de Pharaon 4 21
et je multiplierai mes signes et mes prodiges dans Ps 135 9
le pays d'Égypte. 4 Pharaon ne vous écoutera pas,
alors je porterai la main sur l'Égypte et je ferai sortir mes armées, mon peuple, les Israélites, du pays
d'Égypte, avec de grands jugements. 5 Ils sauront,
les Égyptiens, que je suis Yahvé, quand j'étendrai
ma main contre les Égyptiens et que je ferai sortir
de chez eux les Israélites. »
6 Moïse et Aaron firent comme Yahvé leur avait
ordonné. 7 Moïse était âgé de quatre-vingts ans et
Aaron de quatre-vingt-trois ans lorsqu'ils parlèrent
à Pharaon.

Ps 78; 105
Sg 11 14-20;
16-18

## 3. LES PLAIES D'ÉGYPTE[a]. LA PÂQUE

**Le bâton changé en serpent.**

8 Yahvé dit à Moïse et à Aaron : 9 « Si Pharaon
vous dit d'accomplir un prodige, tu diras à Aaron :
4 2s Prends ton bâton, jette-le devant Pharaon, et qu'il
se change en serpent. » 10 Moïse et Aaron allèrent
trouver Pharaon et firent comme l'avait ordonné
Yahvé. Aaron jeta son bâton devant Pharaon et ses
serviteurs[b], et il se changea en serpent. 11 Pharaon
à son tour convoqua les sages et les enchanteurs,
2 Tm 3 8 et, avec leurs sortilèges, les magiciens d'Égypte en
firent autant. 12 Ils jetèrent chacun son bâton qui se
changea en serpent, mais le bâton d'Aaron engloutit leurs bâtons. 13 Cependant le cœur de Pharaon
s'endurcit et il ne les écouta pas, comme l'avait prédit Yahvé.

↗ Sg 11 6-8 **I. L'eau changée en sang.**

14 Yahvé dit à Moïse : « Le cœur de Pharaon
s'est appesanti et il a refusé de laisser partir le peuple. 15 Va, demain matin, trouver Pharaon, à
l'heure où il se rend au bord de l'eau, et tiens-toi
à l'attendre sur la rive du Fleuve. Tu prendras en
main le bâton qui s'est changé en serpent. 16 Tu lui
diras : Yahvé, le Dieu des Hébreux, m'a envoyé
vers toi pour te dire : " Laisse partir mon peuple,
qu'il me serve dans le désert. " Jusqu'à présent tu
n'as pas écouté. 17 Ainsi parle Yahvé : En ceci tu
sauras que je suis Yahvé. Du bâton que j'ai en
main[c], je vais frapper les eaux du Fleuve et elles
se changeront en sang. 18 Les poissons du Fleuve
crèveront, le Fleuve s'empuantira, et les Égyptiens
ne pourront plus boire l'eau du Fleuve. »
19 Yahvé dit à Moïse : « Dis à Aaron : Prends
ton bâton et étends la main sur les eaux d'Égypte
– sur ses fleuves et sur ses canaux, sur ses marais
et sur tous ses réservoirs d'eau – et elles se changeront en sang, et tout le pays d'Égypte sera plein de
sang, même les arbres et les pierres. » 20 Moïse et
Aaron firent comme l'avait ordonné Yahvé. Il leva
son bâton et il frappa les eaux qui sont dans le Ps 78 44;
Fleuve aux yeux de Pharaon et de ses serviteurs, 105 29
↗ Ap 16 4-7;
8 8, 11

*a)* Expression consacrée, mais que le texte n'applique vraiment qu'à la dixième plaie; les neuf premières plaies sont des « prodiges » ou des « signes », comme les « signes » et « prodiges » d'Ex **4** *passim*; 7 9. De même que ces prodiges étaient destinés à accréditer Moïse devant les Israélites et devant le Pharaon, les « plaies » sont destinées à accréditer Yahvé, c'est-à-dire à faire reconnaître son pouvoir par le Pharaon. Les neuf premières plaies se distinguent de la dixième par leur schéma aussi bien que par leur vocabulaire. Le récit s'achève par le refus définitif du Pharaon que Moïse ne reverra plus, **10** 28-29; il n'y a plus qu'à s'enfuir. L'histoire se continue par la poursuite des fuyards et le miracle de la mer, Ex **14**. Cette tradition de l'Exode-fuite était originairement indépendante de la tradition de la dixième plaie, où les Israélites sont chassés d'Égypte, Ex **12** 31-33, cf. **4** 21; **6** 1; **11** 1. Il y avait d'autres traditions sur ces « signes », cf. Ps **78** 43-51; **105** 27-36, en attendant les développements de Sg **11** 14-20; **16** **18**. Comme ces autres présentations, le récit d'Ex **7** 14 - **10** 29 est lui-même une composition littéraire. Les plaies III et VI sont propres à la tradition sacerdotale; la distribution des autres entre les traditions yahviste et élohiste est difficile. Il ne faut pas chercher à justifier ces prodiges par l'astronomie ou les sciences naturelles, mais le récit qui en est fait utilise des phénomènes naturels qui sont connus en Égypte et inconnus en Palestine (le Nil rouge, les grenouilles, le sirocco noir), ou qui sont connus en Égypte et en Palestine (les sauterelles), ou encore connus en Palestine mais exceptionnels en Égypte (la grêle). On ne doit retenir que l'intention du récit qui fait éclater aux yeux des Israélites et du Pharaon lui-même la toute-puissance de Yahvé.

*b)* C'est-à-dire son entourage, courtisans et dignitaires.

*c)* La main de Moïse, exécuteur des volontés divines.

et toutes les eaux qui sont dans le Fleuve se changèrent en sang. 21 Les poissons du Fleuve crevèrent
et le Fleuve s'empuantit; et les Égyptiens ne purent
plus boire l'eau du Fleuve; il y eut du sang dans
tout le pays d'Égypte. 22 Mais les magiciens
d'Égypte avec leurs sortilèges en firent autant; le
cœur de Pharaon s'endurcit et il ne les écouta pas,
comme l'avait prédit Yahvé. 23 Pharaon s'en
retourna et rentra dans sa maison sans même prêter attention à cela. 24 Tous les Égyptiens firent des
sondages aux abords du Fleuve en quête d'eau
potable, car ils ne pouvaient boire l'eau du Fleuve.
25 Sept jours s'écoulèrent après que Yahvé eut
frappé le Fleuve.

## II. Les grenouilles.

8 1 26 Yahvé dit à Moïse : « Va trouver Pharaon et
dis-lui : Ainsi parle Yahvé : " Laisse partir mon
2 peuple, qu'il me serve. " 27 Si tu refuses, toi, de le
laisser partir, moi je vais infester de grenouilles
3 tout ton territoire. 28 Le Fleuve grouillera de grenouilles, elles monteront et entreront dans ta maison, dans la chambre où tu couches, sur ton lit,
dans les maisons de tes serviteurs et de ton peuple,
4 dans tes fours et dans tes huches. 29 Les grenouilles
grimperont même sur toi, sur ton peuple et sur tous
tes serviteurs. »

5 **8** 1 Yahvé dit à Moïse : « Dis à Aaron : Étends
ta main avec ton bâton sur les fleuves, les
Ps 78 45; canaux et les marais, et fais monter les grenouilles
105 30 sur la terre d'Égypte. » 2 Aaron étendit la main sur
↗ Ap 16 13 les eaux d'Égypte, les grenouilles montèrent et
7 recouvrirent la terre d'Égypte. 3 Mais les magiciens
avec leurs sortilèges en firent autant, et firent monter les grenouilles sur la terre d'Égypte.
8 4 Pharaon appela Moïse et Aaron et dit : « Priez
Yahvé de détourner les grenouilles de moi et de
mon peuple, et je m'engage à laisser partir le peuple
9 pour qu'il sacrifie à Yahvé. » 5 Moïse dit à Pharaon : « A toi l'avantage [a]! Pour quand dois-je prier
pour toi, pour tes serviteurs et pour ton peuple, afin
que les grenouilles soient supprimées de chez toi et
de vos maisons pour ne rester que dans le Fleuve? »
10 6 Il dit : « Pour demain. » Moïse reprit : « Il en sera
selon ta parole afin que tu saches qu'il n'y a per-
11 sonne comme Yahvé notre Dieu. 7 Les grenouilles
s'éloigneront de toi, de tes maisons, de tes serviteurs, de ton peuple, et il n'en restera plus que dans
12 le Fleuve. » 8 Moïse et Aaron sortirent de chez Pharaon, et Moïse cria vers Yahvé au sujet des grenouilles qu'il avait infligées à Pharaon. 9 Yahvé fit 13
ce que demandait Moïse, et les grenouilles crevèrent dans les maisons, dans les cours et dans les
champs. 10 On les amassa en tas et le pays en fut 14
empuanti. 11 Pharaon vit qu'il y avait un répit; il 15
appesantit son cœur et il ne les écouta pas, comme
l'avait prédit Yahvé.

## III. Les moustiques.

12 Yahvé dit à Moïse : « Dis à Aaron : Étends ton 16
bâton et frappe la poussière du sol, et elle se changera en moustiques dans tout le pays d'Égypte. »
13 [b] Aaron étendit la main avec son bâton et frappa 17
la poussière du sol, et il y eut des moustiques sur Ps 105 31
les gens et les bêtes, toute la poussière du sol se
changea en moustiques dans tout le pays d'Égypte.
14 Les magiciens d'Égypte avec leurs sortilèges 18
firent la même chose pour faire sortir les moustiques mais ils ne purent, et il y eut des moustiques
sur les gens et les bêtes. 15 Les magiciens dirent à 19
Pharaon : « C'est le doigt de Dieu [c] », mais le cœur Lc 11 20
de Pharaon s'endurcit et il ne les écouta pas,
comme l'avait prédit Yahvé.

## IV. Les taons.

16 Yahvé dit à Moïse : « Lève-toi de bon matin et 20
tiens-toi devant Pharaon quand il se rendra au bord
de l'eau. Tu lui diras : Ainsi parle Yahvé : " Laisse
partir mon peuple, qu'il me serve. " 17 Si tu ne veux 21
pas laisser partir mon peuple, je vais envoyer des
taons sur toi, sur tes serviteurs, sur ton peuple et Ps 78 45
sur tes maisons. Les maisons des Égyptiens seront
pleines de taons, et même le sol sur lequel ils se
tiennent. 18 Et ce jour-là, je mettrai à part la terre 22
de Goshèn où réside mon peuple pour que là il n'y Gn 47 1s
ait pas de taons, afin que tu saches que je suis
Yahvé, au milieu du pays. 19 Je discernerai [d] mon 23
peuple de ton peuple; c'est demain que se produira
ce signe. » 20 Yahvé fit ainsi, et des taons en grand 24
nombre entrèrent dans la maison de Pharaon, dans
les maisons de ses serviteurs et dans tout le pays
d'Égypte; le pays fut ruiné à cause des taons.
21 Pharaon appela Moïse et Aaron et leur dit : 25
« Allez sacrifier à votre Dieu dans le pays. »
22 Moïse répondit : « Il ne convient pas d'agir ainsi, 26
car nos sacrifices à Yahvé notre Dieu sont une
abomination pour les Égyptiens. Si nous offrons
sous les yeux des Égyptiens des sacrifices qu'ils
abominent, ne nous lapideront-ils pas [e]? 23 C'est à 27
trois jours de marche dans le désert que nous irons

*a)* Litt. « Glorifie-toi à mon propos ». Autre traduction, d'après grec : « Fais-moi connaître clairement ».
*b)* Au début, on omet « Et ils firent ainsi », avec grec.
*c)* Ou : « le doigt d'un dieu », formule qui se rencontre dans les textes magico-religieux égyptiens.
*d)* « Je discernerai » (je mettrai une séparation) versions; « Je mettrai une rédemption » hébr.
*e)* Les Israélites pasteurs offraient des bêtes de leurs troupeaux;

sacrifier à Yahvé notre Dieu, comme il nous l'a
28 dit. » 24 Pharaon dit : « Moi je vais vous laisser
partir pour sacrifier à votre Dieu dans le désert,
seulement vous n'irez pas très loin. Priez pour
29 moi. » 25 Moïse dit : « Dès que je serai sorti de chez
toi, je prierai Yahvé. Demain les taons s'éloigneront de Pharaon, de ses serviteurs et de son peuple.
Que Pharaon, toutefois, cesse de se moquer de
nous en ne laissant pas le peuple partir pour sacri-
30 fier à Yahvé. » 26 Moïse sortit de chez Pharaon et
31 pria Yahvé. 27 Yahvé fit ce que demandait Moïse
et les taons s'éloignèrent de Pharaon, de ses serviteurs et de son peuple; il n'en resta plus un seul.
32 28 Mais Pharaon appesantit son cœur, cette fois
encore, et il ne laissa pas partir le peuple.

### V. Mortalité du bétail.

**9** 1 Yahvé dit à Moïse : « Va trouver Pharaon et
dis-lui : Ainsi parle Yahvé, le Dieu des
Hébreux : " Laisse partir mon peuple, qu'il me
serve. " 2 Si tu refuses de le laisser partir et le
retiens plus longtemps, 3 voici que la main de
Ps **78** 48 Yahvé frappera tes troupeaux qui sont dans les
champs, les chevaux, les ânes, les chameaux, les
bœufs et le petit bétail, d'une peste très grave.
4 Yahvé discernera les troupeaux d'Israël des troupeaux des Égyptiens, et rien ne mourra de ce qui
appartient aux Israélites. 5 Yahvé a fixé le temps en
disant : Demain Yahvé fera cela dans le pays. »
6 Le lendemain, Yahvé fit cela, et tous les troupeaux des Égyptiens moururent, mais des troupeaux des Israélites, pas une bête ne mourut.
7 Pharaon fit une enquête, et voici que des troupeaux d'Israël pas une seule bête n'était morte.
Mais le cœur de Pharaon s'appesantit et il ne laissa
pas partir le peuple.

### VI. Les ulcères.

8 Yahvé dit à Moïse et à Aaron : « Prenez plein
vos mains de suie de fourneau et que Moïse la
lance en l'air, sous les yeux de Pharaon. 9 Elle se
changera en fine poussière sur tout le pays
d'Égypte et provoquera, sur les gens et sur les
bêtes, des ulcères bourgeonnant en pustules, dans
toute l'Égypte. » 10 Ils prirent de la suie de fourneau
et se tinrent devant Pharaon; Moïse la lança en
↗ Ap **16** 2 l'air et gens et bêtes furent couverts d'ulcères bourgeonnant en pustules. 11 Les magiciens ne purent se
tenir devant Moïse à cause des ulcères, car les
magiciens étaient couverts d'ulcères comme tous
les Égyptiens. 12 Yahvé endurcit le cœur de Pharaon et il ne les écouta pas, comme l'avait prédit
Yahvé à Moïse.

### VII. La grêle.

13 Yahvé dit à Moïse : « Lève-toi de bon matin et
tiens-toi devant Pharaon. Tu lui diras : Ainsi parle
Yahvé, le Dieu des Hébreux : " Laisse partir mon
peuple, qu'il me serve. " 14 Car cette fois-ci, je vais
envoyer tous mes fléaux contre toi-même [a], contre
tes serviteurs et contre ton peuple, afin que tu
apprennes qu'il n'y en a pas comme moi sur toute
la terre. 15 Si j'avais étendu la main et vous avais
frappés de la peste, toi et ton peuple, tu aurais été
effacé de la terre. 16 Mais je t'ai laissé subsister afin ↗ Rm **9** 17
que tu voies ma force et qu'on publie mon nom par
toute la terre. 17 Tu le prends de haut avec mon
peuple en ne le laissant pas partir. 18 Eh bien
demain, à pareille heure, je ferai tomber une grêle
très forte, comme il n'y en a jamais eu en Égypte
depuis le jour de sa fondation jusqu'à maintenant.
19 Et maintenant, envoie mettre tes troupeaux à
l'abri, et tout ce qui, dans les champs, t'appartient.
Tout ce qui, homme ou bête, se trouvera dans les
champs et n'aura pas été ramené à la maison, la
grêle tombera sur lui et il mourra. » 20 Celui des
serviteurs de Pharaon qui craignit la parole de
Yahvé fit rentrer en hâte ses esclaves et ses troupeaux dans les maisons. 21 Mais celui qui ne prit
pas à cœur la parole de Yahvé laissa aux champs
ses esclaves et ses troupeaux.

22 Yahvé dit à Moïse : « Étends ta main vers le
ciel et qu'il grêle dans tout le pays d'Égypte, sur
les hommes et sur les bêtes, sur toute l'herbe des
champs au pays d'Égypte. » 23 Moïse étendit son
bâton vers le ciel, et Yahvé tonna [b] et fit tomber la
grêle. La foudre frappa le sol, et Yahvé fit tomber Ps **78** 47s;
la grêle sur le pays d'Égypte. 24 Il y eut de la grêle **105** 32
et le feu jaillissait [c] au milieu de la grêle, une grêle ↗ Ap **16** 21; **8** 7
très forte, comme il n'y en avait jamais eu au pays
des Égyptiens depuis qu'ils formaient une nation.
25 La grêle frappa, dans tout le pays d'Égypte, tout
ce qui était dans les champs, hommes et bêtes. La
grêle frappa toutes les herbes des champs et brisa
tous les arbres des champs. 26 Ce n'est qu'au pays
de Goshèn, où se trouvaient les Israélites, qu'il n'y Gn **47** 1s
eut pas de grêle.

27 Pharaon fit appeler Moïse et Aaron et leur dit :
« Cette fois, j'ai péché; c'est Yahvé qui est juste,
moi et mon peuple, nous sommes coupables.
28 Priez Yahvé. Il y a eu assez de tonnerre et de

le rituel égyptien était très différent : offrandes végétales, volailles, pièces de boucherie. De plus, le bélier et le bouc étaient pour eux des animaux sacrés.

*a)* Litt. « contre ton cœur ».

*b)* Litt. « donna des voix ». La « voix de Yahvé », c'est le tonnerre, cf. v. 29; **19** 19; Ps **18** 14; **29** 3-9; Jb **37** 2.

*c)* Traduction incertaine; litt. : « de la grêle et du feu au milieu de la grêle ». Cf. Ez **1** 4.

grêle. Je m'engage à vous laisser partir et vous ne
resterez pas plus longtemps. » [29] Moïse lui dit :
« Quand je sortirai de la ville, j'étendrai les mains
vers Yahvé, le tonnerre cessera et il n'y aura plus
Dt 10 14 de grêle, afin que tu saches que la terre est à Yahvé.
Ps 24 1 [30] Mais ni toi ni tes serviteurs, je le sais bien, vous
ne craindrez encore Yahvé Dieu. » [31] Le lin et l'orge
furent abattus, car l'orge était en épis et le lin en
fleur. [32] Le froment et l'épeautre ne furent pas
abattus car ils sont tardifs.

[33] Moïse sortit de chez Pharaon et de la ville; il
étendit les mains vers Yahvé; le tonnerre et la grêle
cessèrent, et la pluie ne se déversa plus sur la terre.
[34] Quand Pharaon vit que la pluie, la grêle et le tonnerre avaient cessé, il recommença à pécher, et lui
et ses serviteurs appesantirent leur cœur. [35] Le
cœur de Pharaon s'endurcit et il ne laissa pas partir
les Israélites, comme Yahvé l'avait prédit par
Moïse.

## VIII. Les sauterelles.

**10** [1] Yahvé dit à Moïse : « Va trouver Pharaon
car c'est moi qui ai appesanti son cœur et le
cœur de ses serviteurs afin d'opérer mes signes au
12 26; 13 8 Dt 4 9; 6 7, 20-25 milieu d'eux, [2] pour que tu puisses raconter à ton
Jos 4 6s, 21s fils et au fils de ton fils comment je me suis joué
des Égyptiens et quels signes j'ai opérés parmi eux,
8 6 et que vous sachiez que je suis Yahvé. » [3] Moïse et
Aaron allèrent trouver Pharaon et lui dirent :
« Ainsi parle Yahvé le Dieu des Hébreux : Jusqu'à
quand refuseras-tu de t'humilier devant moi?
Laisse partir mon peuple, qu'il me serve. [4] Si tu
refuses de laisser partir mon peuple, dès demain je
ferai venir des sauterelles sur ton territoire. [5] Elles
couvriront la surface du sol et l'on ne pourra plus
voir le sol. Elles dévoreront le reste de ce qui a
échappé, ce que vous a laissé la grêle; elles dévoreront tous vos arbres qui croissent dans les champs.
[6] Elles rempliront tes maisons, les maisons de tous
tes serviteurs et les maisons de tous les Égyptiens,
ce que tes pères et les pères de tes pères n'ont
jamais vu, depuis le jour où ils sont venus sur terre,
jusqu'à ce jour. » Puis il se retourna et sortit de
chez Pharaon. [7] Les serviteurs de Pharaon lui
dirent : « Jusqu'à quand celui-ci nous sera-t-il un
piège? Laisse partir ces gens, qu'ils servent Yahvé
leur Dieu. Ne sais-tu pas encore que l'Égypte va
à sa ruine? »

[8] On fit revenir Moïse et Aaron auprès de Pharaon qui leur dit : « Allez servir Yahvé votre Dieu,
mais qui sont ceux qui vont s'en aller? » [9] Moïse
répondit : « Nous emmènerons nos jeunes gens et
nos vieillards, nous emmènerons nos fils et nos
filles, notre petit et notre gros bétail, car c'est pour
nous une fête de Yahvé. » [10] Pharaon dit : « Que
Yahvé soit avec vous comme je vais vous laisser
partir, vous, vos femmes et vos enfants! Voyez
comme vous avez de mauvais desseins! [11] Non!
Allez, vous, les hommes [a], servir Yahvé, puisque
c'est là ce que vous demandez. » Et on les expulsa [b]
de la présence de Pharaon.

[12] Yahvé dit à Moïse : « Étends ta main sur le
pays d'Égypte pour que viennent les sauterelles; Ps 78 46;
qu'elles montent sur le pays d'Égypte et qu'elles 105 34
dévorent toute l'herbe du pays, tout ce qu'a épargné la grêle. » [13] Moïse étendit son bâton sur le
pays d'Égypte, et Yahvé fit lever sur le pays un
vent d'est qui souffla tout ce jour-là et toute la nuit.
Le matin venu, le vent d'est avait apporté les sauterelles.

[14] Les sauterelles montèrent sur tout le pays ↗ Ap 9 3s
d'Égypte, elles se posèrent sur tout le territoire de
l'Égypte en très grand nombre. Auparavant il n'y
avait jamais eu autant de sauterelles, et par la suite
il ne devait jamais plus y en avoir autant. [15] Elles
couvrirent toute la surface du pays et le pays fut
dévasté [c]. Elles dévorèrent toute l'herbe du pays et
tous les fruits des arbres qu'avait laissés la grêle;
rien de vert ne resta sur les arbres ou sur l'herbe
des champs, dans tout le pays d'Égypte.

[16] Pharaon se hâta d'appeler Moïse et Aaron et
dit : « J'ai péché contre Yahvé votre Dieu et contre
vous. [17] Et maintenant pardonne-moi ma faute, je
t'en prie, cette fois seulement, et priez Yahvé votre
Dieu qu'il détourne de moi ce fléau meurtrier. »
[18] Moïse sortit de chez Pharaon et pria Yahvé.
[19] Yahvé changea le vent en un vent d'ouest [d] très
fort qui emporta les sauterelles et les entraîna vers
la mer des Roseaux. Il ne resta plus une seule sauterelle dans tout le territoire d'Égypte. [20] Mais
Yahvé endurcit le cœur de Pharaon et il ne laissa
pas partir les Israélites.

## IX. Les ténèbres. ↗ Sg 17 1-

[21] Yahvé dit à Moïse : « Étends ta main vers le
ciel et que des ténèbres palpables recouvrent le
pays d'Égypte. » [22] Moïse étendit la main vers le
ciel et il y eut d'épaisses ténèbres sur tout le pays Ps 105 28
d'Égypte pendant trois jours. [23] Les gens ne se ↗ Ap 16 1
voyaient plus l'un l'autre et personne ne se leva de
sa place pendant trois jours, mais tous les Israélites
avaient de la lumière là où ils habitaient.

*a)* Au lieu d'un départ général (v. 9), Pharaon méfiant voudrait que les femmes et les enfants restent comme otages.

*b)* « on les expulsa », litt. « ils les expulsèrent » grec, sam.; « il les expulsa » hébr.

*c)* « fut dévaste » grec; « fut obscurci » hébr; « dévastant tout » Vulg.

*d)* Litt. « vent de la mer », point de vue d'un habitant de la Palestine où la mer se trouve à l'ouest.

24 Pharaon appela Moïse et lui dit : « Allez servir
Yahvé, mais votre petit et votre gros bétail devra
rester ici. Même vos femmes et vos enfants pourront aller avec vous. » 25 Moïse dit : « Tu dois toi-
même mettre à notre disposition des sacrifices et
des holocaustes pour que nous les offrions à Yahvé
notre Dieu. 26 Même nos troupeaux viendront avec
nous, pas une tête ne restera, car c'est d'eux que
nous prendrons de quoi servir Yahvé notre Dieu;
et nous-mêmes, jusqu'à notre arrivée là-bas, nous
ne saurons comment servir Yahvé. »
27 Mais Yahvé endurcit le cœur de Pharaon et il
ne voulut pas les laisser partir. 28 Pharaon dit à
Moïse : « Hors d'ici! Prends garde à toi! ne te présente plus devant moi, car le jour où tu te présenteras devant moi, tu mourras. » 29 Et Moïse dit : « Tu
l'as dit, je ne reviendrai plus me présenter devant
toi. »

13 11+ **Annonce de la mort des premiers-nés.**

**11** 1 Yahvé dit à Moïse : « Je vais encore envoyer
une plaie à Pharaon et à l'Égypte, après quoi
il vous renverra d'ici. Quand il vous renverra, ce
sera fini, et même, il vous expulsera d'ici [a]. 2 Parle
donc au peuple pour que chaque homme demande
à son voisin, chaque femme à sa voisine, des objets
d'argent et des objets d'or [b]. » 3 Yahvé fit que le
3 21 peuple trouvât grâce aux yeux des Égyptiens.
Ac 7 22 Moïse lui-même était un très grand personnage au
pays d'Égypte, aux yeux des serviteurs de Pharaon
et aux yeux du peuple.

4 Alors Moïse dit : « Ainsi parle Yahvé : Vers le
milieu de la nuit je parcourrai l'Égypte, 5 et tous les
premiers-nés mourront dans le pays d'Égypte, aussi
bien le premier-né de Pharaon qui doit s'asseoir sur
son trône, que le premier-né de la servante qui est
derrière la meule, ainsi que tous les premiers-nés du
bétail [c]. 6 Ce sera alors, dans tout le pays d'Égypte,
une grande clameur, telle qu'il n'y en eut jamais et
qu'il n'y en aura jamais plus. 7 Mais chez tous les
Israélites, pas un chien ne jappera contre qui que
ce soit, homme ou bête, afin que tu saches que
Yahvé discerne Israël de l'Égypte. 8 Alors tous tes
serviteurs que voici viendront me trouver et se prosterneront devant moi en disant : " Va-t'en, toi et
tout le peuple qui marche à ta suite! " Après quoi
je partirai. » Et, enflammé de colère, il sortit de
chez Pharaon.
9 Yahvé dit à Moïse : « Pharaon ne vous écoutera
pas, afin que se multiplient mes prodiges au pays
d'Égypte. » 10 Moïse et Aaron accomplirent tous
ces prodiges [d] devant Pharaon; mais Yahvé endurcit le cœur de Pharaon et il ne laissa pas les Israélites partir de son pays.

**La Pâque** [e]. **34** 18

**12** 1 Yahvé dit à Moïse et à Aaron au pays Lv **23** 5-8
d'Égypte : 2 « Ce mois [f] sera pour vous en tête Nb **28** 16-25
des autres mois, il sera pour vous le premier mois Dt **16** 1-8
de l'année. 3 Parlez à toute la communauté d'Israël Ez **45** 21-24
et dites-lui : Le dix de ce mois, que chacun prenne ↗ Mt **26** 17s p ↗ Lc **22** 15-16
une tête de petit bétail par famille, une tête de petit ↗ 1 Co **5** 7

*a)* Les derniers vv. du ch. **10** concluent l'histoire des neuf plaies qui appartient à la tradition de l'Exode-fuite, cf. **7** 8+. L'histoire de la dixième plaie qui commence ici présente l'Exode comme une expulsion, cf. **12** 31-33, et déjà **4** 21; **6** 1. Les deux conceptions sont inconciliables s'il s'agit du même groupe, mais l'une et l'autre peuvent se justifier s'il s'agit de deux groupes différents. La tradition de l'Exode-fuite concerne le groupe de Moïse, qui sera poursuivi par les Égyptiens et bénéficiera du miracle de la mer. L'Exode-expulsion se rapporterait à un groupe apparenté, qui aurait été chassé d'Égypte auparavant. On peut suivre ces deux histoires dans la dualité des itinéraires de la sortie d'Égypte. cf. **13** 17+. La tradition qui concerne le groupe de Moïse est la plus importante et a drainé les souvenirs de l'Exode-expulsion.

*b)* Le dépouillement des Égyptiens est un motif secondaire, qui apparaît déjà à **3** 21 et reparaîtra à **12** 35-36. Son rappel ici exclut que les Égyptiens aient eu l'expérience des neuf premières plaies.

*c)* Les premiers-nés du bétail ont été ajoutés d'après **12** 12 parce qu'ils appartiennent, comme les premiers-nés de l'homme, aux prémices réservées à la divinité.

*d)* C'est-à-dire les neuf premières plaies. – Les vv. 9-10 sont rédactionnels.

*e)* Le long passage sur la Pâque, **12** 1 - **13** 16, comprend une source ancienne de tradition yahviste, **12** 21-23, 27[b], 29-39; des additions dans le style du Deutéronome, **12** 24-27[a]; **13** 3-16; peut-être **13** 1-2; et des additions de la rédaction sacerdotale : les lois rituelles et la signification de la Pâque, **12** 1-20, 28, 40-51. A ces additions, on comparera les rituels de Lv **23** 5-8; Nb **28** 16-25; Dt **16** 1-8. En réalité, la Pâque et les Azymes sont deux fêtes originairement distinctes, les Azymes étant une fête agricole qui n'a commencé à être célébrée qu'en Canaan, et qui n'a été unie à la fête de Pâque qu'après la réforme de Josias. La Pâque, d'origine préisraélite, est une fête annuelle de pasteurs nomades, pour le bien des troupeaux. Le début du récit ancien, v. 21, qui la mentionne sans explication, suppose qu'elle était déjà connue, et c'est vraisemblablement la « fête de Yahvé » que Moïse demandait au Pharaon la permission de célébrer, cf. **5** 1+. Ainsi la liaison entre la Pâque, la dixième plaie et la sortie d'Égypte est seulement occasionnelle : cette sortie a eu lieu au moment de la fête. Mais cette coïncidence temporelle justifie que les additions deutéronomisantes d'Ex **12** 24-27; **13** 3-10 expliquent la fête de Pâque (et des Azymes) comme le mémorial de la sortie d'Égypte, cf. le Dt luimême, **16** 1-3. La tradition sacerdotale rapporte tout le rituel de la Pâque à la dixième plaie et à la sortie d'Égypte, **12** 11[b]-14, 42. La liaison est d'ailleurs plus ancienne, car le récit yahviste, **12** 34+, 39, met le vieux rite pascal des pains sans levain en rapport avec la sortie d'Égypte. Mis en relation historique avec cet événement décisif de la vocation d'Israël, ces rites acquirent une signification religieuse entièrement nouvelle : ils exprimèrent le salut apporté au peuple par Dieu, comme l'expliquait l'instruction qui accompagnait la fête, **12** 26-27; **13** 8. La Pâque juive préparait ainsi la Pâque chrétienne : le Christ, agneau de Dieu, est immolé (la Croix) et mangé (la Cène), dans le cadre de la Pâque juive (la Semaine Sainte). Il apporte ainsi le salut au monde, et le renouvellement mystique de cet acte de rédemption devient le centre de la liturgie chrétienne qui s'organise autour de la Messe, sacrifice et repas.

*f)* Le premier mois du printemps, correspondant à notre mars-avril, qui s'appelait Abib dans l'ancien calendrier, Dt **16** 1, et s'appellera Nisân dans le calendrier post-exilique d'origine babylonienne.

bétail par maison. 4 Si la maison est trop peu nombreuse pour une tête de petit bétail, on s'associera
avec son voisin le plus proche de la maison, selon
le nombre des personnes. Vous choisirez la tête de
petit bétail selon ce que chacun peut manger. 5 La
Lv **22** 19s tête de petit bétail sera un mâle sans tare, âgé d'un
↗ 1 P **1** 19 an. Vous la choisirez parmi les moutons ou les
chèvres. 6 Vous la garderez jusqu'au quatorzième
jour de ce mois, et toute l'assemblée de la communauté d'Israël l'égorgera au crépuscule [a]. 7 On
prendra de son sang et on en mettra sur les deux
montants et le linteau des maisons où on le
mangera. 8 Cette nuit-là, on mangera la chair
rôtie au feu; on la mangera avec des azymes [b]
et des herbes amères. 9 N'en mangez rien cru
ni bouilli dans l'eau, mais rôti au feu, avec la tête,
les pattes et les tripes. 10 Vous n'en réserverez rien
jusqu'au lendemain. Ce qui en resterait le lendemain, vous le brûlerez au feu [c]. 11 C'est ainsi
que vous la mangerez : vos reins ceints, vos
sandales aux pieds et votre bâton en main [d]. Vous
la mangerez en toute hâte, c'est une pâque [e] pour
Yahvé. 12 Cette nuit-là je parcourrai l'Égypte et je
frapperai tous les premiers-nés dans le pays
d'Égypte, tant hommes que bêtes, et de tous les
Nb **33** 4 dieux d'Égypte, je ferai justice, moi Yahvé. 13 Le
Lv **1** 5+ sang sera pour vous un signe sur les maisons où
vous vous tenez. En voyant ce signe, je passerai
outre et vous échapperez au fléau destructeur [f] lorsque je frapperai le pays d'Égypte. 14 Ce jour-là,
vous en ferez mémoire et vous le fêterez comme
une fête pour Yahvé, dans vos générations
vous la fêterez, c'est un décret perpétuel.

**13** 3-10; **23** 15 **La Fête des Azymes.**

15 « Pendant sept jours, vous mangerez des azy-
↗ 1 Co **5** 7 mes. Dès le premier jour vous ferez disparaître le
levain de vos maisons car quiconque, du premier
au septième jour, mangera du pain levé, celui-là
sera retranché d'Israël. 16 Le premier jour vous
aurez une sainte assemblée, et le septième jour, une
sainte assemblée. On n'y fera aucun ouvrage, vous
préparerez seulement ce que chacun doit manger.
17 Vous observerez la fête des Azymes, car c'est en
ce jour-là que j'ai fait sortir vos armées du pays
d'Égypte. Vous observerez ce jour-là dans vos
générations, c'est un décret perpétuel. 18 Le premier
mois, le soir du quatorzième jour, vous mangerez
des azymes jusqu'au soir du vingt et unième jour.
19 Pendant sept jours il ne se trouvera pas de levain
dans vos maisons, car quiconque mangera du pain
levé sera retranché de la communauté d'Israël, qu'il
soit étranger ou né dans le pays. 20 Vous ne mangerez pas de pain levé, en tout lieu où vous habiterez
vous mangerez des azymes. »

**Prescriptions concernant la Pâque.**

21 Moïse convoqua tous les anciens d'Israël et
leur dit : « Allez [g] vous procurer du petit bétail
pour vos familles et immolez la pâque. 22 Puis vous
prendrez un bouquet d'hysope [h], vous le tremperez
dans le sang qui est dans le bassin et vous toucherez le linteau et les deux montants avec le sang qui
est dans le bassin. Quant à vous, que personne ne
franchisse la porte de sa maison jusqu'au matin.
23 Lorsque Yahvé traversera l'Égypte pour la frapper, il verra le sang sur le linteau et sur les deux Ez **9** 4-7
montants, il passera au-delà de cette porte et ne
laissera pas l'Exterminateur [i] pénétrer dans vos ↗ He **11** 28
maisons pour frapper. 24 Vous observerez cette disposition comme un décret pour toi et tes fils, à perpétuité. 25 Quand vous serez entrés dans la terre
que Yahvé vous donnera comme il l'a dit, vous ob-
servarez ce rite. 26 Et quand vos fils vous diront : Dt **6** 20-25
" Que signifie pour vous ce rite? " 27 vous leur Ex **10** 2+
direz : " C'est le sacrifice de la Pâque pour Yahvé
qui a passé au-delà des maisons des Israélites en
Égypte, lorsqu'il frappait l'Égypte, mais épargnait
nos maisons. " » Le peuple alors s'agenouilla et se
prosterna. 28 Les Israélites s'en allèrent et firent ce
que Yahvé avait ordonné à Moïse et à Aaron.

**Dixième plaie : Mort des premiers-nés.** **11** 4-8 **13** 11+

29 Au milieu de la nuit, Yahvé frappa tous les ↗ Sg **18** 6-
premiers-nés dans le pays d'Égypte, aussi bien le Ps **78** 51;
premier-né de Pharaon qui devait s'asseoir sur son **105** 36;
trône, que le premier-né du captif dans la prison et **135** 8; **136** 10
tous les premiers-nés du bétail. 30 Pharaon se leva
pendant la nuit, ainsi que tous ses serviteurs et tous
les Égyptiens, et ce fut en Égypte une grande clameur car il n'y avait pas de maison où il n'y eût
un mort. 31 Pharaon appela Moïse et Aaron pen-

*a)* Litt. « entre les deux soirs », c'est-à-dire soit entre le coucher du soleil et la nuit complète (Samaritains), soit entre le déclin et le coucher du soleil (Pharisiens et Talmud).
*b)* C'est-à-dire les pains sans levain, cf. v. 1+.
*c)* Pour éviter la profanation. Le grec ajoute : « On n'en brisera pas un os », cf. v. 46.
*d)* La tenue est celle du voyage.
*e)* L'étymologie du mot *pesah* est inconnue. La Vulg. l'explique : « c'est-à-dire le passage », mais cela n'a pas d'appui dans l'hébreu. Ex **12** 13, 23, 27 explique que Yahvé a « sauté » ou « omis » ou « protégé » les maisons des Israélites, mais c'est une explication secondaire.
*f)* Ou, en corrigeant : « il n'y aura pas contre vous de coup de l'Exterminateur » (cf. v. 23).
*g)* « Allez » grec; « tirez » hébr.
*h)* Plante aromatique utilisée dans divers rites de purification, Nb **19** 6; Ps **51** 9; He **9** 19.
*i)* Dans le rituel préisraélite de la Pâque, l'Exterminateur était le démon qui personnifiait les dangers menaçant le troupeau et la famille; c'est pour se protéger de ses coups que l'on mettait du sang sur les portes des maisons, primitivement des tentes.

dant la nuit et leur dit : « Levez-vous et sortez du
milieu de mon peuple, vous et les Israélites, et allez
servir Yahvé comme vous l'avez demandé.
[32] Prenez aussi votre petit et votre gros bétail
comme vous l'avez demandé, partez et bénissez-
moi, moi aussi. » [33] Les Égyptiens pressèrent le
peuple en se hâtant de le faire partir du pays car,
disaient-ils : « Nous allons tous mourir. » [34] Le peuple emporta sa pâte avant qu'elle n'eût levé, ses
huches serrées dans les manteaux, sur les épaules.

**3** 21-22; **11** 2 **Spoliation des Égyptiens.**

[35] Les Israélites firent ce qu'avait dit Moïse et
Sg **10** 17 demandèrent aux Égyptiens des objets d'argent, des
objets d'or et des vêtements. [36] Yahvé fit que le peuple trouvât grâce aux yeux des Égyptiens qui les
leur prêtèrent. Ils dépouillèrent ainsi les Égyptiens.

**Départ d'Israël.**

**33** 1-6 [37] Les Israélites partirent de Ramsès en direction
Nb **33** 3-5 de Sukkot au nombre de près de six cent mille [a]
Nb **1** 46+ hommes de pied – rien que les hommes, sans
Nb **11** 4 compter leur famille. [38] Une foule mêlée monta
Lv **24** 10-14 avec eux, ainsi que du petit et du gros bétail, for-
mant d'immenses troupeaux. [39] Ils firent cuire la
pâte qu'ils avaient emportée d'Égypte en galettes
non levées, car la pâte n'était pas levée : chassés
d'Égypte, ils n'avaient pu s'attarder ni se préparer
Gn **15** 13 des provisions de route [b]. [40] Le séjour des Israélites
↗ Ga **3** 17 en Égypte avait duré quatre cent trente ans [c]. [41] Le
↗ Ac **7** 6 jour même où prenaient fin les quatre cent trente
ans, toutes les armées de Yahvé sortirent du pays
d'Égypte. [42] Cette nuit durant laquelle Yahvé a
veillé pour les faire sortir d'Égypte doit être pour
tous les Israélites une veille pour Yahvé, pour leurs
générations.

**Prescriptions concernant la Pâque.**

[43] Yahvé dit à Moïse et à Aaron : « Voici le rituel
de la pâque [d] : aucun étranger n'en mangera.
[44] Mais tout esclave acquis à prix d'argent, quand
tu l'auras circoncis, pourra en manger. [45] Le rési- Gn **17** 10+
dent et le serviteur à gages n'en mangeront pas.
[46] On la mangera dans une seule maison et vous ne
ferez sortir de cette maison aucun morceau de
viande. Vous n'en briserez aucun os. [47] Toute la Nb **9** 12
communauté d'Israël la fera. [48] Si un étranger en ↗ Jn **19** 36
résidence chez toi [e] veut faire la Pâque pour Yahvé,
tous les mâles de sa maison devront être circoncis;
il sera alors admis à la faire, il sera comme un
citoyen du pays; mais aucun incirconcis ne pourra
en manger. [49] La loi sera la même pour le citoyen
et pour l'étranger en résidence parmi vous. »
[50] Tous les Israélites firent comme Yahvé l'avait
ordonné à Moïse et à Aaron. [51] Ce jour-là même,
Yahvé fit sortir les Israélites du pays d'Égypte,
selon leurs armées.

**Les premiers-nés** [f]. **13** 11+

**13** [1] Yahvé parla à Moïse et lui dit : [2] « Consacre-
moi tout premier-né, prémices du sein mater-
nel, parmi les Israélites. Homme ou animal, il est
à moi. »

**Les Azymes.** **12** 1+

[3] Moïse dit au peuple : « Souvenez-vous de ce
jour, celui où vous êtes sortis d'Égypte, de la maison de servitude, car c'est par la force de sa main
que Yahvé vous en a fait sortir, et l'on ne mangera
pas de pain levé. [4] Aujourd'hui vous sortez dans le
mois d'Abib. [5] Quand Yahvé t'aura fait entrer dans
la terre des Cananéens, des Hittites, des Amorites, Dt **7** 1+
des Hivvites et des Jébuséens, qu'il a juré à tes
pères de te donner, terre qui ruisselle de lait et de
miel, tu pratiqueras ce rite en ce même mois.
[6] Pendant sept jours tu mangeras des azymes et le **34** 18
septième jour il y aura une fête pour Yahvé. [7] Ce
sont des azymes que l'on mangera pendant les sept
jours et l'on ne verra pas chez toi de pain levé, ni
on ne verra chez toi de levain, dans tout ton terri-

*a)* Ce chiffre, très exagéré, peut représenter un recensement de tout le peuple d'Israël à l'époque du document yahviste.

*b)* Ces pains non levés ne sont pas les azymes du rituel postérieur, mais un élément du rituel ancien de la Pâque, fête de nomades qui mangent habituellement du pain non levé, cf. encore Jos **5** 11. La tradition yahviste y a vu un signe de la hâte avec laquelle on était sorti d'Égypte.

*c)* Sam. et grec incluent dans ce chiffre tout le séjour des Patriarches en Canaan.

*d)* La victime, non la fête. Les vv. 43-50 précisent dans quelles conditions ceux qui n'appartiennent pas à Israël pourront prendre part à la manducation de la pâque et comment celle-ci doit être apprêtée. Ces dispositions complètent le rituel sacerdotal des vv. 3-11. L'Israélite y est considéré comme le « citoyen du pays », v. 48, le véritable autochtone en Canaan.

*e)* L'étranger fixé en Israël, le *ger*, a un statut spécial, comme le métèque à Athènes, l'*incola* à Rome. Les Patriarches ont été ainsi des étrangers en résidence en Canaan, Gn **23** 4; les Israélites le furent en Égypte, Gn **15** 13; Ex **2** 22. Après la conquête de la Terre Sainte, les rôles sont renversés : les Israélites sont les citoyens du pays et accueillent les étrangers en résidence, Dt **10** 19. Ces étrangers domiciliés sont soumis aux lois, Lv **17** 15; **24** 16-22, astreints au sabbat, Ex **20** 10; Dt **5** 14. Ils sont admis à faire des offrandes à Yahvé, Nb **15** 15-16, et à célébrer la Pâque, Nb **9** 14, mais ils doivent alors être circoncis, ici **12** 48. Ainsi se prépare le statut des prosélytes de l'époque grecque, cf. déjà Is **14** 1. Ce sont des « économiquement faibles » que la loi protège, Lv **23** 22; **25** 35; Dt **24** *passim*; **26** 12. Ce dernier texte et Dt **12** 12 les assimilent aux lévites qui, eux non plus, n'ont pas de part en Israël; déjà Jg **17** 7 appelle le lévite de Bethléem un « résident étranger » en Juda; comp. Jg **19** 1. Dans la version grecque, le *ger* deviendra le « prosélyte », Mt **23** 15.

*f)* La loi des premiers-nés dans Ex **13** 1-2, 11-16 est une addition de style deutéronomiste au récit ancien; elle n'est pas rattachée à la Pâque mais à la mort des premiers-nés des Égyptiens et, dans le Code de l'Alliance, Ex **22** 28-29, elle est indépendante de la Pâque.

12 26 toire. 8 Ce jour-là, tu parleras ainsi à ton fils :
10 2+ " C'est à cause de ce que Yahvé a fait pour moi
lors de ma sortie d'Égypte. " 9 Ce sera pour toi un
signe sur ta main, un mémorial sur ton front, afin
que la loi de Yahvé soit toujours dans ta bouche,
car c'est à main forte que Yahvé t'a fait sortir
d'Égypte. 10 Tu observeras cette loi au temps prescrit, d'année en année.

Lc **2** 22-24 **Les premiers-nés [a].**
Gn **22** 1+

11 « Quand Yahvé t'aura fait entrer dans le pays
des Cananéens, comme il te l'a juré ainsi qu'à tes
pères, et qu'il te l'aura donné, 12 tu céderas à Yahvé
**34** 19 tout être sorti le premier du sein maternel et toute
la première portée des bêtes qui t'appartiennent :
les mâles sont à Yahvé. 13 Les premiers ânons mis
bas, tu les rachèteras par une tête de petit bétail. Nb **18** 15
Si tu ne les rachètes pas, tu leur briseras la nuque [b],
mais tous les premiers-nés de l'homme, parmi tes
fils, tu les rachèteras. 14 Lorsque ton fils te demandera demain : " Que signifie ceci? " tu lui diras :
" C'est par la force de sa main que Yahvé nous a
fait sortir d'Égypte, de la maison de servitude.
15 Comme Pharaon s'entêtait à ne pas nous laisser
partir, Yahvé fit périr tous les premiers-nés au pays
d'Égypte, aussi bien les premiers-nés des hommes
que les premiers-nés du bétail. C'est pourquoi je
sacrifie à Yahvé tout mâle sorti le premier du sein
maternel et je rachète tout premier-né de mes fils. "
16 Ce sera pour toi un signe sur ta main, un ban- Dt **6** 8; **11** 18
deau sur ton front, car c'est par la force de sa main
que Yahvé nous a fait sortir d'Égypte. »

## *4. LA SORTIE D'ÉGYPTE [c]*

**Départ des Israélites [d].**

17 Lorsque Pharaon eut laissé partir le peuple,
Dieu ne lui fit pas prendre la route du pays des Philistins, bien qu'elle fût plus proche [e], car Dieu
**14** 10-12 s'était dit qu'à la vue des combats le peuple pour-
Nb **14** 1s rait se repentir et retourner en Égypte. 18 Dieu fit
donc faire au peuple un détour par la route du
désert de la mer des Roseaux [f]. C'est bien armés
que les Israélites montèrent du pays d'Égypte.
Gn **50** 25 19 Moïse emporta les ossements de Joseph avec lui,
Jos **24** 32 car celui-ci avait adjuré les Israélites en disant :
« Oui, Dieu vous visitera, et alors vous emporterez
d'ici mes ossements avec vous. »
20 Ils partirent de Sukkot et campèrent à Étam, Nb **33** 5-6
en bordure du désert.
21 Yahvé marchait avec eux, le jour dans une **40** 36+
colonne de nuée pour leur indiquer la route, et la Dt **1** 33
nuit dans une colonne de feu pour les éclairer, afin Ps **78** 14;
qu'ils puissent marcher de jour et de nuit. 22 La **105** 39
colonne de nuée ne se retirait pas le jour devant le Ne **9** 19
peuple, ni la colonne de feu la nuit [g]. Sg **10** 17-18
Is **4** 5
Jn **8** 12; **10**

**D'Étam à la mer des Roseaux.**

**14** 1 Yahvé parla à Moïse et lui dit : 2 « Dis aux
Israélites de rebrousser chemin et de camper
devant Pi-Hahirot, entre Migdol et la mer, devant
Baal-Çephôn; vous camperez face à ce lieu, au

*a)* Cf. v. 1+. D'après les plus anciens codes d'Israël, Ex **22** 28-29; **34** 19-20, les premiers-nés de l'homme et des animaux appartiennent à Dieu. Les premiers-nés des animaux sont offerts en sacrifice, Dt **15** 19-20, et une part en revient aux prêtres, Nb **18** 15-18, sauf l'ânon qui est racheté ou a la nuque brisée, ici v. 13; **34** 20; Nb **18** 15, comme généralement les animaux impurs, Lv **27** 26-27. Les premiers-nés de l'homme sont toujours rachetés, ici v. 13; **34** 19-20; Nb **3** 46-47; cf. Gn **22**. Les textes d'Ex **13** 14s; Nb **3** 13; **8** 17 rattachent cette consécration à la sortie d'Égypte et à la dixième plaie. Les Lévites sont consacrés à Dieu en substitution des premiers-nés d'Israël, alors épargnés, Nb **3** 12, 40-51; **8** 16-18.

*b)* L'âne, animal impur, ne pouvait être offert en sacrifice.

*c)* Ici commence proprement l'*Exode*, la marche du peuple de Dieu au désert vers la Terre Promise, période de la vie d'Israël à laquelle les Prophètes se reporteront comme au temps des fiançailles du peuple avec son Dieu, Jr **2** 2; Os **2** 16+; **11** 1s; Ez **16** 8. Yahvé reste, dans toute la Bible, « Celui qui a fait monter le peuple d'Égypte », Jos **24** 17; Am **2** 10; **3** 1; Mi **6** 4; Ps **81** 11. La seconde partie d'Isaïe annonce le retour de Babylone comme une répétition de l'Exode, Is **40** 3+. La tradition chrétienne à son tour verra dans la marche au désert la figure du progrès de l'Église (ou de l'âme fidèle) vers l'Éternité.

*d)* La détermination de l'itinéraire de l'Exode et la localisation précise des étapes est extrêmement difficile. Malgré le v. 17, un certain nombre de noms tendent à indiquer un itinéraire par le Nord, c'est-à-dire par le « Pays des Philistins » (terme qui est d'ailleurs un anachronisme). Il y aurait là la trace de deux traditions littéraires représentant deux souvenirs historiques : le double itinéraire correspondant à l'exode de deux groupes distincts, cf. **7** 8+ et **16** 1+.

*e)* C'était la voie normale, parallèle à la côte, passant par Silé (El-Kantara actuel), jalonnée de puits et gardée. Le groupe qui s'est enfui ne l'a certainement pas prise. Le groupe expulsé d'Égypte pouvait la prendre. En fait, c'est sur cette route que l'on peut le plus vraisemblablement situer les trois noms géographiques mentionnés à **14** 2: mais l'Exode-fuite, le plus important, a attiré à lui les souvenirs de l'autre tradition.

*f)* Les mots « la mer des Roseaux », en hébreu *yam sûph*, sont une addition. Le texte primitif ne donnait qu'une indication générale : les Israélites ont pris la route du désert, vers l'Est ou le Sud-Est. – Le sens de ce terme et la localisation de la « mer de Suph » sont incertains; elle n'est pas mentionnée dans le récit d'Ex **14** qui parle seulement de « la mer ». Le seul texte ancien qui mentionne la « mer de Suph » ou « mer des Roseaux » (d'après l'égyptien) comme théâtre du miracle est Ex **15** 4 qui est poétique.

*g)* On rencontre, dans le Pentateuque, diverses manifestations de la présence divine : la colonne de nuée et la colonne de feu (tradition yahviste); le « nuage obscur » et la nuée (tradition élohiste); enfin, associée à la nuée, la « gloire » de Yahvé, **24** 16+, feu dévorant qui se meut comme Yahvé lui-même (tradition sacerdotale), comp. **19** 16s+. Notions, ou images, dont a fait grand usage la théologie mystique.

bord de la mer. 3 Pharaon dira des Israélites : “ Les
voilà qui errent dans le pays, le désert s'est refermé
sur eux. ” 4 J'endurcirai le cœur de Pharaon et il se
lancera à leur poursuite. Je me glorifierai aux
dépens de Pharaon et de toute son armée, et les
Égyptiens sauront que je suis Yahvé. » C'est ce
qu'ils firent.

**Les Égyptiens à la poursuite d'Israël.**

5 Lorsqu'on annonça au roi d'Égypte que le peuple avait fui, le cœur de Pharaon et de ses serviteurs changea à l'égard du peuple. Ils dirent :
« Qu'avons-nous fait là, de laisser Israël quitter
notre service! » 6 Pharaon fit atteler son char et
emmena son armée. 7 Il prit six cents des meilleurs
chars et tous les chars d'Égypte, chacun d'eux
monté par des officiers. 8 Yahvé endurcit le cœur
de Pharaon, le roi d'Égypte, qui se lança à la poursuite des Israélites sortant la main haute. 9 Les
Égyptiens se lancèrent à leur poursuite et les rejoignirent alors qu'ils campaient au bord de la mer –
tous les chevaux de Pharaon, ses chars, ses cavaliers et son armée – près de Pi-Hahirot, devant
Baal-Çephôn. 10 Comme Pharaon approchait, les
Israélites levèrent les yeux, et voici que les Égyptiens les poursuivaient. Les Israélites eurent grand-
**16** 2s; **17** 3; peur et crièrent vers Yahvé. 11 Ils dirent à Moïse :
**15** 24 « Manquait-il de tombeaux en Égypte, que tu nous
Nb **11** 1, 4; aies menés mourir dans le désert? Que nous as-tu
**14** 2; **20** 2; **21** 4-5 fait en nous faisant sortir d'Égypte? 12 Ne te
Ps **78** 40 Ex **5** 21; **6** 9 disions-nous pas en Égypte : Laisse-nous servir les
Égyptiens, car mieux vaut pour nous servir les
Égyptiens que de mourir dans le désert? » 13 Moïse
dit au peuple : « Ne craignez pas! Tenez ferme et
vous verrez ce que Yahvé va faire pour vous sauver
aujourd'hui, car les Égyptiens que vous voyez
aujourd'hui, vous ne les reverrez plus jamais.
Is **30** 15 14 Yahvé combattra pour vous; vous, vous n'aurez
qu'à rester tranquilles. »

; **105**; **106**; **114** **Miracle de la mer** [a].

Sg **10** 18s Co **10** 1-2 15 Yahvé dit à Moïse : « Pourquoi cries-tu vers
moi? Dis aux Israélites de repartir. 16 Toi, lève ton
bâton, étends ta main sur la mer et fends-la, que
les Israélites puissent pénétrer à pied sec au milieu
de la mer. 17 Moi, j'endurcirai le cœur des Égyptiens, ils pénétreront à leur suite et je me glorifierai
aux dépens de Pharaon, de toute son armée, de ses
chars et de ses cavaliers. 18 Les Égyptiens sauront
que je suis Yahvé quand je me serai glorifié aux
dépens de Pharaon, de ses chars et de ses cavaliers. »
19 L'Ange de Dieu qui marchait en avant du Gn **16** 7+
camp d'Israël se déplaça et marcha derrière eux, et
la colonne de nuée se déplaça de devant eux et se
tint derrière eux. 20 Elle vint entre le camp des
Égyptiens et le camp d'Israël. La nuée était ténébreuse et la nuit s'écoula [b] sans que l'un puisse
s'approcher de l'autre de toute la nuit. 21 Moïse
étendit la main sur la mer, et Yahvé refoula la mer
toute la nuit par un fort vent d'est; il la mit à sec
et toutes les eaux se fendirent. 22 Les Israélites
pénétrèrent à pied sec au milieu de la mer, et les
eaux leur formaient une muraille à droite et à gauche. 23 Les Égyptiens les poursuivirent, et tous les
chevaux de Pharaon, ses chars et ses cavaliers
pénétrèrent à leur suite au milieu de la mer. 24 A
la veille du matin [c], Yahvé regarda de la colonne Ps **77** 17-19
de feu et de nuée vers le camp des Égyptiens, et jeta
la confusion dans le camp des Égyptiens. 25 Il
enraya [d] les roues de leurs chars qui n'avançaient
plus qu'à grand-peine. Les Égyptiens dirent :
« Fuyons devant Israël car Yahvé combat avec eux
contre les Égyptiens! » 26 Yahvé dit à Moïse :
« Étends ta main sur la mer, que les eaux refluent
sur les Égyptiens, sur leurs chars et sur leurs cavaliers. » 27 Moïse étendit la main sur la mer et, au
point du jour, la mer rentra dans son lit. Les Égyptiens en fuyant la rencontrèrent, et Yahvé culbuta Dt **11** 4
les Égyptiens au milieu de la mer. 28 Les eaux
refluèrent et recouvrirent les chars et les cavaliers
de toute l'armée de Pharaon, qui avaient pénétré
derrière eux dans la mer. Il n'en resta pas un seul.
29 Les Israélites, eux, marchèrent à pied sec au

*a)* Ce récit nous présente le miracle de deux manières : 1° Moïse brandit son bâton au-dessus de la mer qui se fend, formant deux murailles d'eau entre lesquelles les Israélites passent à pied sec. Puis, quand les Égyptiens se sont engagés derrière eux, les eaux refluent et les engloutissent. Ce récit est attribué à la tradition sacerdotale ou élohiste. 2° Moïse rassure les Israélites poursuivis en leur assurant qu'ils n'auront rien à faire. Alors Yahvé fait souffler un vent qui dessèche la « mer », les Égyptiens y pénètrent et sont engloutis par son reflux. Dans ce récit, attribué au Yahviste, seul Yahvé intervient; il n'y est pas question d'un passage de la mer par les Israélites mais seulement de la destruction miraculeuse des Égyptiens. Ce récit représente la tradition primitive. C'est seulement la destruction des Égyptiens que retient le très vieux chant d'Ex **15** 21, développé dans le poème de **15** 1-18. Il n'est pas possible de déterminer le lieu et le mode de cet événement; mais il est apparu aux yeux des temoins comme une intervention éclatante de « Yahvé guerrier », Ex **15** 3, et est devenu un article fondamental de la foi yahviste, Dt **11** 4; Jos **24** 7 et cf. Dt **1** 30; **6** 21-22; **26** 7-8. Ce miracle de la mer a été mis en parallèle avec un autre miracle de l'eau, le passage du Jourdain, Jos **3-4**; la sortie d'Égypte a été conçue secondairement à l'image de cette entrée en Canaan, et les deux présentations se mêlent dans le ch. **14.** La tradition chrétienne a considéré ce miracle comme une figure du salut, et plus spécialement du baptême (1 Co **10** 1).

*b)* « la nuit s'écoula » grec. L'hébreu porte : « il y eut la nuée et l'obscurité; et elle éclaira la nuit ». Symmaque : « la nuée était obscure d'un côté et lumineuse de l'autre ». Dans Jos **24** 7 nous lisons que Yahvé étendit un brouillard épais entre les Israélites et les Égyptiens. La traduction donnée ici est conjecturale.

*c)* Dernière veille de la nuit, de 2 h à 6 h du matin.

*d)* « Il enraya » versions; « il enleva » hébr.

milieu de la mer, et les eaux leur formèrent une
muraille à droite et à gauche. 30 Ce jour-là, Yahvé
sauva Israël des mains des Égyptiens, et Israël vit
les Égyptiens morts au bord de la mer. 31 Israël vit
la prouesse accomplie par Yahvé contre les Égyp-
4 31 tiens. Le peuple craignit Yahvé, il crut en Yahvé
et en Moïse son serviteur.

### Chant de victoire [a].

**15** 1 Alors Moïse et les Israélites chantèrent pour
Yahvé le chant que voici : « Je chante pour
Yahvé car il s'est couvert de gloire, il a jeté à la
mer cheval et cavalier.
|| Is **12** 2 2 Yah [b] est ma force et mon chant [c], à lui je dois
mon salut.
Il est mon Dieu, je le célèbre, le Dieu de mon
père et je l'exalte.
3 14+ 3 Yahvé est un guerrier, son nom est Yahvé.
4 Les chars de Pharaon et son armée, il les a jetés
à la mer,
l'élite de ses officiers,
la mer des Roseaux l'a engloutie.
5 Les abîmes les recouvrent,
Jr **51** 63s ils ont coulé au fond du gouffre comme une
Ap **18** 21 pierre.
6 Ta droite, Yahvé, s'illustre par sa force,
ta droite, Yahvé, taille en pièces l'ennemi.
7 Par l'excès de ta majesté, tu renverses tes adversaires,
Is **5** 24 tu déchaînes ta colère, elle les dévore comme du
Ab 18 Na **1** 10 chaume.
8 Au souffle de tes narines, les eaux s'amoncelè-
rent,
les flots se dressèrent comme une digue,
les abîmes se figèrent au cœur de la mer.
9 L'ennemi s'était dit : " Je poursuivrai, j'attein-
drai,
je partagerai le butin, mon âme s'en gorgera,
je dégainerai mon épée, ma main les
supprimera. "
10 Tu soufflas de ton haleine, la mer les recouvrit,
ils s'enfoncèrent comme du plomb dans les eaux
formidables.
11 Qui est comme toi parmi les dieux, Yahvé? Dt **3** 24
Qui est comme toi illustre en sainteté, Ps **86** 8
redoutable en exploits, artisan de merveilles? Lv **19** 1+
12 Tu étendis ta droite, la terre les engloutit.
13 Ta grâce a conduit ce peuple que tu as racheté,
ta force l'a guidé vers ta sainte demeure.
14 Les peuples ont entendu, ils frémissent,
des douleurs [d] poignent les habitants de Philistie.
15 Alors sont bouleversés les chefs d'Édom, Nb **20** 21;
les princes de Moab, la terreur s'en empare, **21** 4-13
ils titubent, tous ceux qui habitent Canaan. Dt **2** 1-9, 18
16 Sur eux s'abattent terreur et crainte,
la puissance de ton bras les laisse pétrifiés,
tant que passe ton peuple, Yahvé, Ps **74** 2
tant que passe ce peuple que tu t'es acheté. Is **11** 11 Ep **1** 14
17 Tu les amèneras et tu les planteras sur la monta-
gne [e] de ton héritage, Ps **74** 2
lieu dont tu fis, Yahvé, ta résidence, 1 R **8** 13
sanctuaire, Seigneur, qu'ont préparé tes mains.
18 Yahvé régnera pour toujours et à jamais. »

19 [f] Car lorsque la cavalerie de Pharaon avec ses
chars et ses cavaliers était entrée dans la mer,
Yahvé avait fait refluer sur eux les eaux de la mer,
alors que les Israélites avaient marché à pied sec
au milieu de la mer.
20 Miryam, la prophétesse, sœur d'Aaron, prit en Nb **26** 59
main un tambourin et toutes les femmes la suivirent avec des tambourins, formant des chœurs de Jg **11** 34
danse. 21 Et Miryam leur entonna : 1 S **18** 6

« Chantez pour Yahvé, car il s'est couvert de
gloire,
il a jeté à la mer cheval et cavalier. »

↗ 1 Co **10** 3-5

# *II. La marche au désert*

### Mara [g].

22 Moïse fit partir Israël de la mer des Roseaux.
Gn **16** 7 Ils se dirigèrent vers le désert de Shur et marchèrent trois jours dans le désert sans trouver d'eau.
23 Mais quand ils arrivèrent à Mara ils ne purent Nb **33** 8
boire l'eau de Mara, car elle était amère, c'est pourquoi on l'a appelé Mara [h]. 24 Le peuple murmura Rt **1** 20

*a)* A l'occasion de la destruction de l'armée de Pharaon, ce psaume d'action de grâces (le premier et le plus célèbre des « cantiques » que la liturgie chrétienne emprunte à l'AT) traite dans toute son ampleur le thème du salut miraculeux que la puissance et la sollicitude de Yahvé assurent à son peuple; le chant de victoire du v. 21 y est amplifié jusqu'à englober l'ensemble des merveilles de l'Exode et de la conquête de Canaan, et même l'édification du Temple de Jérusalem.

*b)* Autre forme du nom de Yahvé.

*c)* « mon chant » mss; « le chant » hébr.; « me protège » (ma protection) grec.

*d)* Comme celles de la femme en travail. Image fréquente dans la Bible.

*e)* La montagne de Jérusalem où s'élèvera le Temple.

*f)* Addition rédactionnelle.

*g)* Tradition yahviste, ou traditions yahviste et élohiste mêlées. Le v. 26 est de style deutéronomique.

*h)* *Mara :* amère, amertume; en hébreu *mar.*

**14** 11+ contre Moïse en disant : « Qu'allons-nous boire [a]? »
25 Moïse cria vers Yahvé, et Yahvé lui montra un
Si **38** 5 morceau de bois. Moïse le jeta dans l'eau, et l'eau
2 R **2** 21 Ez **47** 8 devint douce.
1 Co **1** 18 C'est là qu'il [b] leur fixa un statut et un droit;
Jos **24** 25 c'est là qu'il les mit à l'épreuve [c].
26 Puis il dit : « Si tu écoutes bien la voix de
Yahvé ton Dieu et fais ce qui est droit à ses yeux,
si tu prêtes l'oreille à ses commandements et obser-
Dt **7** 15 ves toutes ses lois, tous les maux que j'ai infligés
Ps **103** 3 à l'Égypte, je ne te les infligerai pas, car je suis
Yahvé, celui qui te guérit. »
27 Ils arrivèrent ensuite à Élim où se trouvent
douze sources et soixante-dix palmiers, et ils y
campèrent au bord de l'eau.

|| Nb **11** Dt **8** 3, 16

### La manne et les cailles [d].

Ps **78** 18s; **105** 40; **106** 13-15; Sg **16** 20-29; Jn **6** 26-58

**16** 1 Ils partirent d'Élim, et toute la communauté
des Israélites arriva au désert de Sîn, situé
entre Élim et le Sinaï, le quinzième jour du second
mois qui suivit leur sortie d'Égypte. 2 Toute la
communauté des Israélites se mit à murmurer
contre Moïse et Aaron dans le désert. 3 Les Israéli-
**14** 11+ tes leur dirent : « Que ne sommes-nous morts de la
main de Yahvé au pays d'Égypte, quand nous
étions assis auprès de la marmite de viande et mangions du pain à satiété! A coup sûr, vous nous avez
amenés dans ce désert pour faire mourir de faim
toute cette multitude. »
4 Yahvé dit à Moïse : « Je vais faire pleuvoir pour
vous du pain du haut du ciel. Les gens sortiront et
recueilleront chaque jour leur ration du jour; je
Dt **8** 2 veux ainsi les mettre à l'épreuve pour voir s'ils marcheront selon ma loi ou non. 5 Et le sixième jour,
quand ils prépareront ce qu'ils auront rapporté, il
y en aura le double de ce qu'ils recueillent chaque
jour. »
6 Moïse et Aaron dirent à toute la communauté [e]
des Israélites : « Ce soir vous saurez que c'est
Ps **81** 11 Yahvé qui vous a fait sortir du pays d'Égypte 7 et
au matin vous verrez la gloire de Yahvé. Car il a
entendu vos murmures contre Yahvé. Et nous, que
sommes-nous pour que vous murmuriez contre
nous? » 8 Moïse dit : « Yahvé vous donnera ce soir
de la viande à manger et, au matin, du pain à
satiété, car Yahvé a entendu vos murmures contre
lui. Nous, que sommes-nous? Ce n'est pas contre
nous que vont vos murmures, mais contre Yahvé. » Lc **10** 16
9 Moïse dit à Aaron : « Dis à toute la communauté des Israélites : Approchez-vous devant
Yahvé, car il a entendu vos murmures. » 10 Comme
Aaron parlait à toute la communauté des Israélites,
ils se tournèrent vers le désert, et voici que la gloire
de Yahvé apparut dans la nuée. 11 Yahvé parla à
Moïse et lui dit : 12 « J'ai entendu les murmures des
Israélites. Parle-leur et dis-leur : Au crépuscule
vous mangerez de la viande et au matin vous serez
rassasiés de pain. Vous saurez alors que je suis
Yahvé votre Dieu. » 13 Le soir, des cailles montè- Nb **11** 31
rent et couvrirent le camp, et au matin, il y avait
une couche de rosée tout autour du camp. 14 Cette
couche de rosée évaporée, apparut sur la surface du
désert quelque chose de menu, de granuleux [f], de fin Nb **11** 7-9
comme du givre sur le sol. 15 Lorsque les Israélites
virent cela, ils se dirent l'un à l'autre : « Qu'est-ce
cela [g]? » car ils ne savaient pas ce que c'était.
Moïse leur dit : « Cela, c'est le pain que Yahvé vous 1 Co **10** 3
a donné à manger. 16 Voici ce qu'a ordonné Yahvé :
Recueillez-en chacun selon ce qu'il peut manger,
un gomor par personne. Vous en prendrez chacun
selon le nombre des personnes qu'il a dans sa
tente. »
17 Les Israélites firent ainsi et en recueillirent les
uns beaucoup, les autres peu. 18 Quand ils mesurèrent au gomor, celui qui avait beaucoup recueilli ↗ 2 Co **8** 15
n'en avait pas trop, et celui qui avait peu recueilli
en avait assez : chacun avait recueilli ce qu'il pouvait manger.
19 Moïse leur dit : « Que personne n'en mette en
réserve jusqu'au lendemain. » 20 Certains n'écoutèrent pas Moïse et en mirent en réserve jusqu'au
lendemain, mais les vers s'y mirent et cela devint Jn **6** 27

*a)* La marche dans le désert est ponctuée par les murmures d'Israël : contre la soif, ici et **17** 3; Nb **20** 2s; contre la faim, Ex **16** 2; Nb **11** 4s; contre les dangers de guerre, Nb **14** 2s. Israël est déjà le peuple rétif qui rejette jusqu'aux bienfaits de son Dieu, comp. Ps **78**; **106**, image de l'âme qui résiste aux avances de la grâce.

*b)* Yahvé.

*c)* Mêmes termes en Jos **24** 25. Ce fragment rythmé, qui ne s'harmonise pas avec le contexte, semble se rapporter à la source de *Massa* (« épreuve »), dont il explique le nom autrement que **17** 7.

*d)* Cet épisode conserve quelques éléments de tradition yahviste dans un ensemble de tradition sacerdotale, cf. la stricte réglementation du ramassage de la manne, soumis aux exigences du sabbat. – La manne et les cailles, réunies dans le même récit, posent un problème. La manne est due à la sécrétion d'insectes vivant sur certains tamaris, mais seulement dans la région centrale du Sinaï; on la récolte en mai-juin. Les cailles, épuisées par leur traversée de la Méditerranée au retour de leur migration en Europe, vers septembre, s'abattent en grande quantité sur la côte, au nord de la péninsule, poussées par le vent d'ouest, cf. Nb **11** 31. Ce récit peut combiner les souvenirs de deux groupes ayant quitté l'Égypte séparément, cf. **7** 8+; **11** 1+, et dont les itinéraires furent différents, cf. **13** 17+. Ces curiosités naturelles servent à illustrer la providence spéciale de Dieu pour son peuple. Célébrée par les Psaumes et la Sagesse, la nourriture de la manne deviendra pour la tradition chrétienne (cf. Jn **6** 26-58) la figure de l'Eucharistie, nourriture spirituelle de l'Église, le véritable Israël, pendant son exode terrestre.

*e)* « communauté » grec; omis par hébr.

*f)* Ou bien « arrondi » ou « coagulé ». – Le givre était considéré comme de la rosée congelée qui tombait du ciel, cf. Ps **147** 16; Si **43** 19.

*g)* En hébreu, *man hû'* : étymologie populaire du mot « manne » dont la signification exacte est inconnue.

infect. Moïse s'irrita contre eux. 21 Ils en recueillirent chaque matin, chacun selon ce qu'il pouvait
manger, et quand le soleil devenait chaud, cela
fondait.
22 Or le sixième jour, ils recueillirent le double de
pain, deux gomor par personne, et tous les chefs de
la communauté vinrent l'annoncer à Moïse. 23 Il
leur dit : « Voici ce qu'a dit Yahvé : Demain est un
jour de repos complet, un saint sabbat pour Yahvé.
Cuisez ce que vous voulez cuire, faites bouillir ce
que vous voulez faire bouillir, et tout le surplus,
mettez-le en réserve jusqu'à demain. » 24 Ils le
mirent en réserve jusqu'au lendemain, comme
Moïse l'avait ordonné; ce ne fut pas infect et il n'y
eut pas de vers dedans. 25 Moïse dit : « Mangez-le
aujourd'hui, car ce jour est un sabbat pour Yahvé;
aujourd'hui vous n'en trouveriez pas dans les
champs. 26 Pendant six jours vous en recueillerez
mais le septième jour, le sabbat, il n'y en aura
pas. » 27 Le septième jour cependant, des gens sortirent pour en recueillir mais ils n'en trouvèrent pas.
28 Yahvé dit à Moïse : « Jusqu'à quand refuserez-
vous d'écouter mes commandements et mes lois?
29 Voyez, Yahvé vous a donné le sabbat, c'est pourquoi le sixième jour il vous donne du pain pour
deux jours. Restez chacun là où vous êtes, que personne ne sorte de chez soi le septième jour. » 30 Le
peuple chôma donc le septième jour [a].
31 La maison d'Israël donna à cela le nom de
Nb **11** 7 manne. On eût dit de la graine de coriandre, c'était
blanc et cela avait un goût de galette au miel.
32 Moïse dit : « Voici ce qu'a ordonné Yahvé :
Remplissez-en [b] un gomor et préservez-le pour vos
descendants, afin qu'ils voient le pain dont je vous
ai nourris dans le désert, quand je vous ai fait sortir
du pays d'Égypte. » 33 Moïse dit à Aaron : « Prends
un vase, mets-y un plein gomor de manne et place-
le devant Yahvé afin de le préserver pour vos générations. » 34 Comme Yahvé l'avait ordonné à
↗ He **9** 4 Moïse, Aaron le plaça devant le Témoignage [c],
pour qu'il y soit préservé.
Nb **21** 5 35 Les Israélites mangèrent de la manne pendant
Jos **5** 10-12 quarante ans, jusqu'à ce qu'ils arrivent en pays
habité; ils mangèrent la manne jusqu'à ce qu'ils
arrivent aux confins du pays de Canaan. 36 Le
gomor, c'est un dixième de mesure.

**L'eau jaillie du rocher** [d]. || Nb **20** 1-13

**17** 1 Toute la communauté des Israélites partit du
désert de Sîn pour les étapes suivantes, sur Nb **33** 12-14
l'ordre de Yahvé, et ils campèrent à Rephidim où
il n'y avait pas d'eau à boire pour le peuple. 2 Celui-ci s'en prit à Moïse; ils dirent : « Donne-nous de **15** 24
l'eau, que nous buvions! » Moïse leur dit : **14** 11+
« Pourquoi vous en prenez-vous à moi? Pourquoi
mettez-vous Yahvé à l'épreuve? » 3 Le peuple y Dt **6** 16
souffrit de la soif, le peuple murmura contre Moïse
et dit : « Pourquoi nous as-tu fait monter d'Égypte?
Est-ce pour me faire mourir de soif, moi, mes
enfants et mes bêtes? » 4 Moïse cria vers Yahvé en
disant : « Que ferai-je pour ce peuple? Encore un
peu et ils me lapideront. » 5 Yahvé dit à Moïse : Nb **14** 10
« Passe en tête du peuple et prends avec toi quelques anciens d'Israël; prends en main ton bâton,
celui dont tu as frappé le Fleuve, et va. 6 Voici que
je vais me tenir devant toi, là sur le rocher (en
Horeb [e]), tu frapperas le rocher, l'eau en sortira et Nb **20** 10+
le peuple boira. » C'est ce que fit Moïse, aux yeux
des anciens d'Israël. 7 Il donna à ce lieu le nom de
Massa et Meriba [f], parce que les Israélites cherchè- Nb **20** 24
rent querelle et parce qu'ils mirent Yahvé à Dt **6** 16; **9**
l'épreuve en disant : « Yahvé est-il au milieu de **32** 51; **33** 8
nous, ou non? » Ps **95** 8; **10**

**Combat avec Amaleq** [g].

8 Les Amalécites survinrent et combattirent
contre Israël à Rephidim. 9 Moïse dit alors à
Josué [h] : « Choisis-toi des hommes et demain, sors Jos **1** 1+
combattre Amaleq; moi, je me tiendrai au sommet
de la colline, le bâton de Dieu à la main. » 10 Josué
fit ce que lui avait dit Moïse, il sortit [i] pour combattre Amaleq, et Moïse, Aaron et Hur montèrent au **24** 14
sommet de la colline. 11 Lorsque Moïse tenait ses
mains levées, Israël l'emportait, et quand il les lais- Ps **44** 5-8
sait retomber, Amaleq l'emportait. 12 Comme les
mains de Moïse s'alourdissaient, ils prirent une

*a)* Ou « garda le sabbat ».
*b)* « Remplissez (un gomor) » grec, sam.; « le contenu (des gomor) » hébr.
*c)* Ce sont les tables de la Loi, cf. **31** 18, etc., contenues dans l'arche appelée souvent « arche du Témoignage », cf. **25** 22+. C'est ici une anticipation du rédacteur sacerdotal.
*d)* Le même miracle est rapporté par Nb **20** 1-13 (cf. 1+) qui le situe dans la région de Cadès. Il est localisé ici à Rephidim, la dernière station avant le Sinaï. C'est encore le thème des murmures au désert, cf. **15** 24+.
*e)* « en Horeb » doit être une glose de lecteur. Des rabbins supposèrent que le rocher avait suivi les Israélites dans leurs pérégrinations. Cf. 1 Co **10** 4. Sur la désignation de Dieu lui-même comme « Rocher », voir Ps **18** 3+.
*f)* *Massa* : épreuve. *Meriba* : contestation.
*g)* Ce récit ancien, probablement yahviste, représente une tradition des tribus du Sud. Il est rattaché rédactionnellement à Rephidim, où se situait l'épisode précédent. En fait, les Amalécites avaient leur habitat plus au nord, au Négeb et dans la montagne de Séïr, Gn **14** 7; Nb **13** 29; 1 Ch **4** 42s, et c'est dans cette région qu'il faut chercher Horma. Nb **14** 39-45, cf. Dt **25** 17-19; 1 S **15**. Présenté par Gn **36** 12, 16 comme petit-fils d'Ésaü, Amaleq est en fait un peuple très ancien, Nb **24** 20. Au temps des Juges, il s'associe aux pillards de Madiân. David le combat encore. Il n'est plus mentionné ensuite qu'en 1 Ch **4** 43 et Ps **83** 8.
*h)* Première mention de Josué dans le Pentateuque.
*i)* « il sortit » grec; omis par hébr.

pierre et la mirent sous lui. Il s'assit dessus tandis
qu'Aaron et Hur lui soutenaient les mains, l'un
d'un côté, l'autre de l'autre.
Ainsi ses mains restèrent-elles fermes jusqu'au
coucher du soleil. [13] Josué défit Amaleq et son peuple au fil de l'épée. [14] Yahvé dit alors à Moïse :
Dt **25** 17-19 « Écris cela dans un livre pour en garder le souve-
Nb **24** 20 nir, et déclare à Josué que j'effacerai la mémoire
1 S **15** 3s d'Amaleq de dessous les cieux. » [15] Puis Moïse
bâtit un autel qu'il nomma Yahvé-Nissi [a] [16] car, dit-
il : « La bannière de Yahvé en main! Yahvé est en
guerre contre Amaleq de génération en génération. »

**Rencontre de Jéthro et de Moïse** [b].

2 18+ **18** [1] Jéthro, prêtre de Madiân, beau-père de
Moïse, entendit raconter tout ce que Dieu
avait fait pour Moïse et pour Israël son peuple :
comment Yahvé avait fait sortir Israël d'Égypte.
[2] Jéthro, le beau-père de Moïse, prit Çippora, la
femme de Moïse, après qu'il l'eut renvoyée [c], [3] ainsi
2 22+ que ses deux fils. L'un s'appelait Gershom car,
avait-il dit, « Je suis un immigré en terre étrangère », [4] l'autre s'appelait Éliézer [d] car, « le Dieu de
mon père est mon secours et m'a délivré de l'épée
de Pharaon ». [5] Jéthro, le beau-père de Moïse, vint
trouver Moïse avec ses fils et sa femme au désert
19 1+ où il campait, à la montagne de Dieu. [6] L'on dit à
Moïse : « Voici [e] ton beau-père Jéthro qui vient vers
toi, accompagné de ta femme avec ses deux fils. »
[7] Moïse sortit à la rencontre de son beau-père, se
prosterna devant lui, l'embrassa et, s'étant mutuellement interrogés sur leur santé, ils se rendirent à
la tente. [8] Moïse raconta à son beau-père tout ce
que Yahvé avait fait à Pharaon et aux Égyptiens
à cause d'Israël, ainsi que toutes les tribulations
qu'ils avaient rencontrées en chemin, et dont Yahvé
les avait délivrés. [9] Jéthro se réjouit de tout le bien
que Yahvé avait fait à Israël, de ce qu'il l'avait délivré de la main des Égyptiens. [10] Jéthro dit alors :
« Béni soit Yahve qui vous a délivrés de la main
des Égyptiens et de la main de Pharaon, qui a délivré le peuple de la sujétion égyptienne. [11] Maintenant je sais que Yahvé est plus grand que tous les
dieux [f]... »
[12] Jéthro, le beau-père de Moïse, offrit à Dieu un
holocauste et des sacrifices. Aaron et tous les
anciens d'Israël vinrent manger avec le beau-père
de Moïse en présence de Dieu [g]

**Institution des Juges** [h]. || Dt **1** 9-18

[13] Le lendemain, Moïse s'assit pour rendre la justice au peuple, tandis que le peuple demeurait
debout auprès de lui du matin au soir. [14] Le beau-
père de Moïse, voyant tout ce qu'il faisait pour le
peuple, lui dit : « Comment t'y prends-tu pour traiter seul les affaires du peuple? Pourquoi sièges-tu
seul alors que tout le peuple se tient auprès de toi
du matin au soir? » [15] Moïse dit à son beau-père :
« C'est que le peuple vient à moi pour consulter **33** 7+
Dieu. [16] Lorsqu'ils ont une affaire, ils viennent à
moi. Je juge entre l'un et l'autre et je leur fais
connaître les décrets de Dieu et ses lois. » [17] Le
beau-père de Moïse lui dit : « Tu t'y prends mal!
[18] A coup sûr tu t'épuiseras, toi et le peuple qui est
avec toi, car la tâche est trop lourde pour toi; tu Nb **11** 14
ne pourras pas l'accomplir seul. [19] Maintenant
écoute le conseil que je vais te donner pour que
Dieu soit avec toi. Tiens-toi à la place du peuple
devant Dieu, et introduis toi-même leurs causes
auprès de Dieu. [20] Instruis-les des décrets et des
lois, fais-leur connaître la voie à suivre et la
conduite à tenir. [21] Mais choisis-toi parmi tout le
peuple des hommes capables, craignant Dieu, sûrs, Nb **11** 16-17
incorruptibles, et établis-les sur eux comme chefs
de milliers, chefs de centaines, chefs de cinquantaines et chefs de dizaines. [22] Ils jugeront le peuple en
tout temps. Toute affaire importante, ils te la défé-
reront et toute affaire mineure, ils la jugeront eux-
mêmes. Allège ainsi ta charge et qu'ils la portent

*a)* Le nom signifie « Yahvé est ma bannière »; il faut restituer ce mot au v. suivant au lieu de l'hébr. « trône ».

*b)* Récit élohiste qui se rattache à celui du séjour de Moïse en Madiân, **2** 11 - **4** 31. – On a voulu donner au yahvisme une origine madianite : c'est en Madiân que Moïse a reçu la révélation du nom divin, **3** 1; Jéthro est « prêtre de Madiân », **18** 1, il invoque le nom de Yahvé, v. 10, lui offre des sacrifices et préside le repas qui suit, v. 12. En fait, Jéthro reconnaît la grandeur et la puissance de Yahvé, ce qui ne signifie pas que Yahvé était son Dieu, ni même qu'il se convertit à Yahvé (cf., par exemple, les professions de foi du Pharaon, **9** 27, et de Rahab, Jos **2** 9-10), bien que la tradition ait pu l'interpréter ainsi, v. 12. La « montagne de Dieu », v. 5, n'est pas un sanctuaire madianite desservi par Jéthro : il y vient pour rencontrer Moïse et en repart dans son pays, v. 27. L'origine madianite du nom de Yahvé demeure, elle aussi, une pure hypothèse, cf. **3** 13+. De toute manière, emprunté ou non, le nom de Yahvé exprimera une réalité religieuse toute nouvelle.

*c)* Seule mention d'un renvoi de la femme de Moïse. Tradition indépendante de celle d'Ex **4** 19-20 et 24-26.

*d)* Gershom : cf. **2** 22. Eliézer : *'Éli* – mon Dieu (est) *'ezer* – secours.

*e)* « On dit... Voici » grec, syr.; « Il (Jéthro) dit... c'est moi » hébr.

*f)* La fin du v. : « car dans l'affaire où ils agissaient orgueilleusement contre eux » est probablement incomplète ou corrompue.

*g)* « offrit » versions; « prit » hébr. – Ce v., qui semble interpréter la déclaration de Jéthro comme une conversion (il offre des sacrifices) et ne parle plus de Moïse, est probablement une addition.

*h)* Mesure qui suppose un peuple déjà nombreux et sédentarisé, cf. v. 23, et attribue à Moïse une décentralisation du pouvoir judiciaire qui est sûrement très postérieure. Cependant le fait qu'une telle mesure soit attribuée à l'intervention de Jéthro peut témoigner d'une influence madianite sur la première organisation du peuple.

avec toi. 23 Si tu fais cela et que Dieu te l'ordonne
tu pourras tenir et tout ce peuple, de son côté,
pourra rentrer en paix chez lui. »
24 Moïse suivit le conseil de son beau-père et fit
tout ce qu'il lui avait dit. 25 Moïse choisit dans tout
Israël des hommes capables, et il les mit chefs du
peuple : chefs de milliers, chefs de centaines, chefs
de cinquantaines et chefs de dizaines. 26 Et ils
jugeaient le peuple en tout temps. Toute affaire
importante, ils la déféraient à Moïse, et toute
affaire mineure, ils la jugeaient eux-mêmes. 27 Puis
Moïse laissa repartir son beau-père qui reprit le Nb **10** 30
chemin de son pays.

# *III. L'alliance au Sinaï* [a]

## *1. L'ALLIANCE ET LE DÉCALOGUE*

**Arrivée au Sinaï.**

19 1 Le troisième mois après leur sortie du pays
d'Égypte, ce jour-là, les Israélites atteignirent
Nb **33** 15 le désert du Sinaï. 2 Ils partirent de Rephidim et
atteignirent le désert du Sinaï, et ils campèrent
dans le désert; Israël campa là, en face de la montagne [b].

**Promesse de l'Alliance** [c].

3 Moïse alors monta vers Dieu. Yahvé l'appela
de la montagne et lui dit : « Tu parleras ainsi à la
maison de Jacob, tu déclareras aux Israélites :
Dt **4** 34; **29** 2 4 " Vous avez vu vous-mêmes ce que j'ai fait aux
Dt **32** 11 Égyptiens, et comment je vous ai emportés sur des
Is **46** 4; **63** 9 ailes d'aigles et amenés vers moi. 5 Maintenant, si
vous écoutez ma voix et gardez mon alliance, je
Dt **10** 14-15 vous tiendrai pour mon bien propre parmi tous les
peuples, car toute la terre est à moi. 6 Je vous tiendrai pour un royaume de prêtres, une nation 1 P **2** 9
sainte. " Voilà les paroles que tu diras aux Israéli- Ap **5** 10
tes. » 7 Moïse alla et convoqua les anciens du peuple et leur exposa tout ce que Yahvé lui avait
ordonné, 8 et le peuple entier, d'un commun accord,
répondit : « Tout ce que Yahvé a dit, nous le Jos **24** 16-2
ferons. » Moïse rapporta à Yahvé les paroles du Dt **5** 27
peuple.

**Préparation de l'Alliance.**

9 Yahvé dit à Moïse : « Je vais venir à toi dans
l'épaisseur de la nuée, afin que le peuple entende **13** 22+
quand je parlerai avec toi et croie en toi pour tou- Si **45** 5
jours. » Et Moïse rapporta à Yahvé les paroles du **14** 31
peuple [d].
10 Yahvé dit à Moïse : « Va trouver le peuple et
fais-le se sanctifier aujourd'hui et demain; qu'ils
lavent leurs vêtements 11 et se tiennent prêts pour Gn **35** 2
après-demain, car après-demain Yahvé descendra Lv **11** 25,

*a)* Cette grande section est surtout de rédaction sacerdotale : Ex **19** 1-2ª; **24** 15ᵇ - **31** 18ª; **34** 29 jusqu'à la fin du livre. Il faut ensuite mettre à part **20** 22 - **23** 33, le Code de l'Alliance, qui a été rattaché secondairement au Sinaï. Le reste provient des sources anciennes où la distinction entre yahviste et élohiste est parfois difficile. Dans sa composition finale, l'alliance mosaïque scelle l'élection du peuple et les promesses qui lui furent faites, **6** 6-8, de même que l'alliance avec Abraham, rappelée à **6** 5, avait confirmé les premières promesses, Gn **17**. Mais l'alliance avec Abraham était conclue avec un seul individu (bien qu'elle atteignît sa descendance) et ne comportait qu'une seule prescription, celle de la circoncision. L'alliance du Sinaï engage tout le peuple, qui reçoit une Loi : le Décalogue et le Code de l'Alliance. Avec ses développements postérieurs, cette Loi deviendra la charte du judaïsme et Si **24** 9-27 l'identifiera à la Sagesse. Mais elle est en même temps « un témoin contre le peuple », Dt **31** 26, car sa transgression rend vaines les promesses et entraîne la malédiction de Dieu. Elle demeurera comme une instruction et une contrainte, préparant les âmes à la venue du Christ, qui scellera la Nouvelle Alliance. Saint Paul expliquera. contre les judaïsants, ce rôle temporaire de la Loi, Ga **3**; Rm **7**.

*b)* La localisation du Sinaï est difficile. Depuis le IVᵉ siècle de notre ère, la tradition chrétienne le place au sud de la péninsule qui en tire son nom, au djebel Mousa (2245 m). Mais une opinion actuellement répandue invoque les traits de caractère volcanique dans la description de la théophanie, **19** 16+, et l'itinéraire de Nb **33** (cf. **33** 1+) pour situer le Sinaï en Arabie où des volcans étaient encore en activité à l'époque historique. Ces arguments ne sont pas décisifs (cf. les notes mentionnées) et d'autres textes supposent une localisation plus proche de l'Égypte et du sud de la Palestine. En conséquence, une autre théorie situe le Sinaï près de Cadès, en s'appuyant sur les textes qui mettent Séïr, Édom et le mont Parân en rapport avec la manifestation divine, Jg **5** 4; Dt **33** 2; Ha **3** 3. Mais Cadès n'est jamais associé au désert du Sinaï, et certains textes mettent clairement celui-ci loin de Cadès, Nb **11-13**; **33**; Dt **1** 2, 19. La localisation dans le sud de la péninsule reste la plus vraisemblable. Malgré l'importance durable des événements et de la législation rattachés au Sinaï, Ex **3** 1 - **4** 17; **18**; **19-40**; Nb **1-10**, les Israélites semblent avoir vite oublié sa situation précise. L'épisode d'Élie, 1 R **19**, cf. Si **48** 7, est une exception. Pour saint Paul, Ga **4** 24s, le Sinaï représente l'Ancienne Alliance désormais abolie.

*c)* L'Alliance fera d'Israël le bien personnel et sacré de Yahvé, Jr **2** 3, un peuple consacré, Dt **7** 6; **26** 19, ou saint (le mot hébreu signifie les deux choses) comme son Dieu est saint, Lv **19** 2, cf. **11** 44s; **20** 7, 26, un peuple de prêtres aussi, cf. Is **61** 6, car le sacré a un rapport immédiat avec le culte. La promesse trouvera sa pleine réalisation dans l'Israël spirituel, l'Église, où les fidèles seront appelés « saints », Ac **9** 13+, et unis au Christ-Prêtre, offriront à Dieu un sacrifice de louange, 1 P **2** 5, 9; Ap **1** 6; **5** 10; **20** 6.

*d)* Ces derniers mots répètent la fin du v. 8 et sont une addition qui assure la transition avec le passage suivant.

aux yeux de tout le peuple sur la montagne du
Sinaï. 12 Puis délimite le pourtour de la montagne [a]
et dis : " Gardez-vous de gravir la montagne et
↗ He 12 20 même d'en toucher le bord. Quiconque touchera la
montagne sera mis à mort. 13 Personne ne portera
la main sur lui; il sera lapidé ou percé de flèches,
homme ou bête, il ne vivra pas. " Quand la corne
de bélier mugira, eux graviront la montagne. »
14 Moïse descendit de la montagne et vint trouver
le peuple qu'il fit se sanctifier, et ils lavèrent leurs
vêtements. 15 Puis il dit au peuple : « Tenez-vous
prêts pour après-demain, ne vous approchez pas de
la femme [b].

|| Dt 5 2-5, 25-31 Dt 4 10-12

## La théophanie [c].

16 Or le surlendemain, dès le matin, il y eut des
coups de tonnerre, des éclairs et une épaisse nuée
sur la montagne, ainsi qu'un très puissant son de
trompe et, dans le camp, tout le peuple trembla.
17 Moïse fit sortir le peuple du camp, à la rencontre
de Dieu, et ils se tinrent au bas de la montagne.
18 Or la montagne du Sinaï était toute fumante,
parce que Yahvé y était descendu dans le feu; la
fumée s'en élevait comme d'une fournaise et toute
la montagne tremblait violemment. 19 Le son de
trompe allait en s'amplifiant; Moïse parlait et Dieu
lui répondait dans le tonnerre [d]. 20 Yahvé descendit
sur la montagne du Sinaï, au sommet de la montagne. Yahvé appela Moïse au sommet de la montagne et Moïse monta. 21 Yahvé dit à Moïse [e] : « Descends et avertis le peuple de ne pas franchir les 19 12
limites pour venir voir Yahvé, car beaucoup d'entre 33 20+
eux périraient. 22 Même les prêtres qui approchent
Yahvé doivent se sanctifier de peur que Yahvé ne
se déchaîne contre eux. » 23 Moïse dit à Yahvé :
« Le peuple ne peut pas gravir la montagne du
Sinaï puisque toi-même tu nous as avertis : délimite
la montagne et déclare-la sacrée. » 24 Yahvé reprit :
« Allons, descends et remontez, toi et Aaron. Mais
que les prêtres et le peuple ne franchissent pas les
limites pour monter vers Yahvé, de peur qu'il ne se
déchaîne contre eux. » 25 Moïse descendit alors vers
le peuple et lui dit [f]...

## Le Décalogue [g].

|| Dt 5 6-22 Ex 34 10-27 ↗ Mt 19 16-22+ ↗ Mt 5

20 1 Dieu prononça toutes ces paroles, et dit :
2 « Je suis Yahvé, ton Dieu, qui t'ai fait sortir
du pays d'Égypte, de la maison de servitude.
3 Tu n'auras pas d'autres dieux devant moi [h]. Dt 6 4
4 Tu ne te feras aucune image sculptée, rien qui Os 13 4
ressemble à ce qui est dans les cieux, là-haut, ou Lv 19 4 Dt 4 15-20
sur la terre, ici-bas, ou dans les eaux, au-dessous
de la terre [i].
5 Tu ne te prosterneras pas devant ces dieux [j] et
tu ne les serviras pas, car moi Yahvé, ton Dieu, je
suis un Dieu jaloux qui punis la faute des pères sur Dt 4 24+
les enfants, les petits-enfants et les arrière petits- Ex 34 7+
enfants pour ceux qui me haïssent, 6 mais qui fais

*a)* « Délimite le pourtour de la montagne » sam.; « délimite le peuple » hébr. – Transcendance et sainteté sont inséparables et la sainteté implique une séparation du profane. Les lieux où Dieu se rend présent sont interdits. Gn **28** 16-17; Ex **3** 5; **40** 35; Lv **16** 2; Nb **1** 51; **18** 22. De même l'arche sera intouchable, 2 S **6** 7. Cette conception primitive du sacré comporte un enseignement permanent sur la grandeur inaccessible et la majesté redoutable de Dieu.

*b)* Les relations sexuelles rendent impropre à tout acte sacré. Cf. 1 S **21** 5.

*c)* Les traditions yahviste, **19** 18, sacerdotale, **24** 15b-17, et deutéronomiste, Dt **4** 11b-12a; **5** 23-24; **9** 15, décrivent la théophanie du Sinaï dans le cadre d'une éruption volcanique. La tradition élohiste la décrit comme un orage, Ex **19** 16, cf. v. 19. Ce sont deux présentations inspirées des plus impressionnants spectacles de la nature : une éruption volcanique comme les Israélites en avaient entendu parler par les visiteurs d'Arabie du Nord, ou comme ils avaient pu en observer de loin, dès le temps de Salomon (expédition d'Ophir); un orage de montagne comme ils pouvaient en voir en Galilée ou sur l'Hermon. On comprend que la première tradition soit celle du Yahviste, originaire du Sud, et que la seconde soit celle de l'Élohiste, originaire du Nord. Ces images expriment la majesté et la gloire de Yahvé, cf. **24** 16+, sa transcendance et la crainte religieuse qu'il inspire, cf. Jg **5** 4s; Ps **29**; **68** 8; **77** 18-19; **97** 3-5; Ha **3** 3-15.

*d)* Litt. « dans (ou par) une voix ». Ce mot désigne toujours le tonnerre quand il est employé au pluriel, cf. v. 16. Au singulier, il peut aussi signifier le « tonnerre », mais il peut exprimer ici la voix intelligible de Dieu qui « répond » à Moïse.

*e)* Les vv. 21-24 sont une addition qui se réfère aux vv. 12-13, et fait mention des prêtres qui ne sont pas encore institués.

*f)* La phrase est inachevée; le récit a été interrompu par l'insertion du Décalogue.

*g)* Dans l'état actuel du livre, le Décalogue ne s'enchaîne pas au récit qui l'encadre, **19** 24-25 et **20** 18-21. Le Décalogue (ou « Dix Paroles », cf. Ex **34** 28; Dt **4** 13; **10** 4) nous est conservé sous deux formes : ici dans une recension élohiste, et à Dt 5 6-21 dans une recension deutéronomiste un peu différente. Sa forme primitive, qu'on peut faire remonter à l'époque mosaïque, devait être une suite de dix formules brèves (cf. les 5e, 6e, 7e et 8e commandements), rythmées, faciles à retenir par cœur. Le Décalogue s'est ensuite transmis oralement dans les groupes qui avaient eu l'expérience du Sinaï, et qui savaient qu'il contenait les « paroles » que Dieu y avait prononcées. Il fut donc inséré, avec des développements, dans le récit de la théophanie. La tradition élohiste se poursuit ensuite en Ex **24** 3, par-dessus le Code de l'Alliance. Le Décalogue couvre tout le champ de la vie religieuse et morale. Deux divisions des commandements ont été proposées : *a)* vv. 2-3; 4-6; 7; 8-11; 12; 13; 14; 15; 16; 17; *b)* 3-6; 7; 8-11; 12; 13; 14; 15; 16; 17a; 17b. La première, qui est celle des Pères grecs, a été conservée dans les Églises orthodoxes et réformées. Les Églises catholique et luthérienne ont adopté la seconde, établie par saint Augustin d'après le Deutéronome. Le Décalogue est le cœur de la Loi mosaïque et il garde sa valeur dans la nouvelle Loi : le Christ en rappelle les commandements auxquels s'ajoutent, comme le sceau de la perfection, les conseils évangéliques, Mc **10** 7-21. La polémique de saint Paul contre la Loi, Rm et Ga, ne touche pas ces devoirs essentiels envers Dieu et envers le prochain.

*h)* Yahvé exige d'Israël un culte exclusif, c'est la condition de l'Alliance. La négation de l'existence d'autres dieux ne viendra que plus tard, cf. Dt **4** 35+.

*i)* Interdiction de faire des images cultuelles de Yahvé (cf. la justification donnée en Dt **4** 15). Cette interdiction met Israël à part de tous les peuples qui l'environnent.

*j)* Litt. « devant eux » : les dieux du v. 3 auquel se rattache le v. 5.

grâce à des milliers pour ceux qui m'aiment et gardent mes commandements.
Lv 19 12 7 Tu ne prononceras pas le nom de Yahvé ton
Dieu à faux [a], car Yahvé ne laisse pas impuni celui
qui prononce son nom à faux.
23 12; 31 12-17; 34 21; 35 1-3 8 Tu te souviendras du jour du sabbat [b] pour le
sanctifier. 9 Pendant six jours tu travailleras et tu
Lv 19 3; 23 3 feras tout ton ouvrage; 10 mais le septième jour est
Nb 15 32-36 Dt 5 12-15 un sabbat pour Yahvé ton Dieu. Tu ne feras aucun
2 Ch 36 21 ouvrage, toi, ni ton fils, ni ta fille, ni ton serviteur,
↗ Lc 13 14 ni ta servante, ni tes bêtes, ni l'étranger qui est dans
Gn 2 2-3 tes portes. 11 Car en six jours Yahvé a fait le ciel,
la terre, la mer et tout ce qu'ils contiennent, mais
il s'est reposé le septième jour, c'est pourquoi
Yahvé a béni le jour du sabbat et l'a consacré.
Lv 19 3 12 Honore ton père et ta mère, afin que se prolon-
↗ Ep 6 2-3 gent tes jours sur la terre que te donne Yahvé ton
Dieu.
↗ Rm 13 9 ↗ Jc 2 11 13 Tu ne tueras pas.

14 Tu ne commettras pas d'adultère.
15 Tu ne voleras pas. Lv 19 11
16 Tu ne porteras pas de témoignage mensonger Dt 5 20
contre ton prochain.
17 Tu ne convoiteras pas la maison de ton pro- Mi 2 2
chain. Tu ne convoiteras pas la femme de ton prochain, ni son serviteur, ni sa servante, ni son bœuf,
ni son âne, rien de ce qui est à ton prochain. »
18 [c] Tout le peuple, voyant ces coups de tonnerre, Dt 5 23-31
ces lueurs, ce son de trompe et la montagne
fumante, eut peur [d] et se tint à distance. 19 Ils dirent
à Moïse : « Parle-nous, toi, et nous t'écouterons;
mais que Dieu ne nous parle pas, car alors c'est la Ex 33 20+
mort. » 20 Moïse dit au peuple : « Ne craignez pas.
C'est pour vous mettre à l'épreuve que Dieu est Dt 8 2
venu, pour que sa crainte vous demeure présente et
que vous ne péchiez pas [e]. » 21 Le peuple se tint à
distance et Moïse s'approcha de la nuée obscure où
était Dieu.

## 2. LE CODE DE L'ALLIANCE [f]

**Loi de l'autel.**

22 Yahvé dit à Moïse : « Tu parleras ainsi aux
Israélites : Vous avez vu vous-mêmes comment je
vous ai parlé du haut du ciel. 23 Vous ne ferez pas
à côté de moi des dieux d'argent, et des dieux d'or
vous ne vous en ferez pas.
24 Tu me feras un autel de terre sur quoi immoler
Lv 1 1+; tes holocaustes et tes sacrifices de communion, ton
3 1+ petit et ton gros bétail. En tout lieu où je rappellerai
mon nom [g], je viendrai à toi et je te bénirai. 25 Si
Dt 27 5-6 tu me fais un autel de pierres, ne le bâtis pas de
pierres taillées, car, en le travaillant au ciseau, tu
le profanerais. 26 Et tu ne monteras pas à mon autel
par des marches pour n'y pas laisser voir ta
nudité [h]. »

**Lois relatives aux esclaves.** Lv 25 35-4 Dt 15 12-1

21 1 « Voici les lois que tu leur donneras.
2 Lorsque tu acquerras un esclave hébreu, son
service durera six ans, la septième année il s'en ira,
libre, sans rien payer. 3 S'il est venu seul, il s'en ira Jr 34 8-16
seul, et s'il était marié, sa femme s'en ira avec lui.
4 Si son maître le marie et que sa femme lui donne

*a)* Ce qui pourrait inclure, outre le parjure, Mt 5 33, et le faux témoignage, v. 16 et Dt 5 20, l'usage magique du nom divin; le grec et la Vulg. ont traduit « en vain ».
*b)* Le nom du sabbat est explicitement rattaché par la Bible, Ex 16 29-30; 23 12; 34 21, à une racine qui signifie « cesser, chômer ». C'est un jour de repos hebdomadaire, consacré à Yahvé, qui s'est reposé le septième jour de la Création, v. 11, cf. Gn 2 2-3. A ce motif religieux se joint un souci d'humanité, Ex 23 12; Dt 5 14. L'institution du sabbat est très ancienne, mais son observance prit une spéciale importance à partir de l'Exil et devint un trait du judaïsme, Ne 13 15-22; 1 M 2 32-41. L'esprit légaliste transforma la joie de ce jour en une contrainte, dont Jésus libéra ses disciples, Mt 12 1s p; Lc 13 10s; 14 1s.
*c)* Les vv. 18-21 se rattachent à la description élohiste de la théophanie comme un orage, 19 19, cf. 19 16+.
*d)* « eut peur » sam., grec; « aperçut » hébr. (simple changement de vocalisation).
*e)* La terreur devant les manifestations sensibles de la grandeur divine, en particulier les phénomènes de la nature accompagnant les théophanies, se distingue ici de la crainte qui est soumission sans réserve à la volonté de Dieu, cf. Gn 22 12; Dt 6 2+.
*f)* Le « Code de l'Alliance », 20 22 - 23 33, est ainsi nommé par les modernes d'après 24 7, mais ce texte se rapporte au Décalogue. Ce recueil de lois et coutumes n'a pas été promulgué au Sinaï : ses prescriptions supposent une collectivité déjà sédentarisée et agricole. Il date des premiers temps de l'installation en Canaan, avant la monarchie. Appliquant l'esprit des commandements du Décalogue, il a été considéré comme la charte de l'Alliance du Sinaï et, pour cette raison, inséré ici, à la suite du Décalogue. Ses contacts avec le Code de Hammurabi, le Code hittite et le Décret d'Horemheb ne témoignent pas d'un emprunt direct mais d'une source commune : un vieux droit coutumier qui s'est différencié selon les milieux et les peuples. – On peut ranger les prescriptions du Code, selon le contenu, sous trois chefs : droit civil et pénal, 21 1 - 22 20; règles pour le culte, 20 22-26; 22 28-31; 23 10-19; morale sociale, 22 21-27; 23 1-9. Selon leur forme littéraire, ces prescriptions se divisent en deux catégories : « casuistique » ou conditionnelle, dans le genre des codes mésopotamiens; « apodictique » ou impérative, dans le style du Décalogue et des textes de la sagesse égyptienne.
*g)* Contrairement à Dt 12 5, etc., le Code de l'Alliance admet la pluralité des lieux de culte. Le culte est légitime en tout lieu où Yahvé a manifesté sa présence, où il s'est révélé et dont il a pris ainsi possession.
*h)* Le sacrificateur devait porter un simple pagne à la mode égyptienne, d'où le danger d'indécence lorsqu'il montait les degrés de l'autel

des fils ou des filles, la femme et ses enfants reste
ront la propriété du maître et lui s'en ira seul.
5 Mais si l'esclave dit : " J'aime mon maître, ma
femme et mes enfants, je ne veux pas être libéré ",
6 son maître le fera s'approcher de Dieu, il le fera
s'approcher du vantail ou du montant de la porte;
il lui percera l'oreille avec un poinçon et l'esclave
sera pour toujours à son service. 7 Si quelqu'un
vend sa fille comme servante [a], elle ne s'en ira pas
comme s'en vont les esclaves. 8 Si elle déplaît à son
maître qui se l'était destinée [b], il la fera racheter;
il ne pourra la vendre à un peuple étranger, usant
ainsi de fraude envers elle. 9 S'il la destine à son
fils, il la traitera selon la coutume en vigueur pour
les filles [c]. 10 S'il prend pour lui-même une autre
femme, il ne diminuera pas la nourriture, le vête
ment ni les droits conjugaux de la première. 11 S'il
la frustre de ces trois choses, elle s'en ira sans rien
payer, sans verser d'argent.

Lv **24** 17 **Homicide.**

Nb **35** 16-34 12 « Quiconque frappe quelqu'un et cause sa mort
sera mis à mort. 13 S'il ne l'a pas traqué mais que
Dieu l'a mis à portée de sa main [d], je te fixerai un
1 R **1** 50; lieu où il pourra se réfugier [e]. 14 Mais si un homme
**2** 28-34 va jusqu'à en tuer un autre par ruse, tu l'arracheras
même de mon autel pour qu'il soit mis à mort.
15 Qui frappe son père ou sa mère sera mis à
Dt **24** 7 mort. 16 Qui enlève un homme – qu'il l'ait vendu
ou qu'on le trouve en sa possession – sera mis à
Lv **20** 9 mort. 17 Qui maudit son père ou sa mère sera mis
Dt **27** 16 à mort.
Si **3** 16
↗ Mt **15** 4

**Coups et blessures.**

18 « Si des hommes se querellent et que l'un
frappe l'autre avec une pierre ou avec le poing de
telle sorte qu'il n'en meure pas mais doive garder
le lit, s'il se relève et peut circuler dehors, fût-ce
appuyé sur un bâton, 19 celui qui a frappé sera
quitte, mais il devra le dédommager pour son
immobilisation et le soigner jusqu'à sa guérison.
20 Si quelqu'un frappe son esclave ou sa servante
avec un bâton et que celui-ci meure sous sa main,
il subira la vengeance. 21 Mais s'il survit un jour ou
deux il ne sera pas vengé, car il a été acquis à prix
d'argent.
22 Si des hommes, en se battant, bousculent une
femme enceinte et que celle-ci avorte mais sans
autre accident, le coupable paiera l'indemnité
imposée par le maître de la femme, il paiera selon
la décision des arbitres. 23 Mais s'il y a accident,
tu donneras vie pour vie, 24 œil pour œil, dent pour Gn **4** 23
dent, pied pour pied, 25 brûlure pour brûlure, meur- Lv **24** 19-20
trissure pour meurtrissure, plaie pour plaie [f]. Dt **19** 21 ↗ Mt **5** 38-4
26 Si un homme frappe l'œil de son esclave ou
l'œil de sa servante et l'éborgne, il lui rendra la
liberté en compensation de son œil. 27 Et s'il fait
tomber une dent de son esclave ou une dent de sa
servante, il lui rendra la liberté en compensation de
sa dent.
28 Si un bœuf encorne un homme ou une femme
et cause sa mort, le bœuf sera lapidé et l'on n'en
mangera pas la viande, mais le propriétaire du
bœuf sera quitte. 29 Mais si le bœuf donnait déjà de
la corne auparavant, et que le propriétaire, averti
de cela, ne l'a pas surveillé, s'il cause la mort d'un
homme ou d'une femme, ce bœuf sera lapidé et son
propriétaire sera mis à mort. 30 Si on lui impose
une rançon, il devra donner pour le rachat de sa
vie tout ce qui lui est imposé. 31 Si c'est un garçon
ou une fille qu'il encorne, on le traitera selon cette
coutume. 32 Si c'est un esclave ou une servante que
le bœuf encorne, son propriétaire versera le prix –
trente sicles – à leur maître, et le bœuf sera lapidé.
33 Si quelqu'un laisse une citerne ouverte, ou si
quelqu'un creuse une citerne sans la couvrir et
qu'un bœuf ou un âne y tombe, 34 le propriétaire de
la citerne indemnisera, il dédommagera en argent
son propriétaire, et la bête morte sera pour lui. 35 Si
le bœuf de quelqu'un frappe le bœuf d'autrui et
cause sa mort, les propriétaires vendront le bœuf
vivant et s'en partageront le prix, ils se partageront
aussi la bête morte. 36 Mais s'il est notoire que le
bœuf donnait de la corne auparavant, et que son
propriétaire ne l'a pas surveillé, il donnera un bœuf
vivant en compensation du bœuf mort, et la bête
morte sera pour lui.

*a)* Servante qui sera aussi concubine, vv. suivants.
*b)* « qui se l'était destinée » grec; « qui ne l'avait pas destinée » hébr.
*c)* Les filles du maître de maison.
*d)* On attribue à Dieu les rencontres fortuites.
*e)* Dans cette société où la justice d'État n'a pas encore remplacé la vengeance privée, le meurtrier involontaire doit être protégé contre le vengeur du sang, cf. Nb **35** 19+; le lieu d'asile est primitivement le sanctuaire, 1 R **1** 50; **2** 28-34 (mais le droit d'asile ne s'exerce pas pour l'homicide avec préméditation, v. 14). Cette disposition est à l'origine de l'institution des villes de refuge, cf. Jos **20** 1+.
*f)* Cette loi du talion, cf. Lv **24** 17-20; Dt **19** 21, qu'on retrouve dans le code de Hammurabi et dans les lois assyriennes, est de nature sociale, non individuelle. En imposant un châtiment égal au dommage causé, elle vise à limiter les excès de la vengeance, cf. Gn **4** 23-24. Le cas le plus clair est l'exécution d'un meurtrier, vv. 31-34; cf. **21** 12-17+; Lv **24** 17. En fait l'application de cette règle semble avoir perdu très tôt de sa brutalité primitive. Les obligations du « vengeur du sang », *go'el*, Nb **35** 19+, sont allées en s'épurant jusqu'à comporter essentiellement rachat, Rt **2** 20+, et protection, Ps **19** 15+; Is **41** 14+, l'énoncé du principe demeurant en usage, mais sous des formes adoucies, Si **27** 25-29; Sg **11** 16+; cf. **12** 22. Le pardon était prescrit à l'intérieur du peuple israélite, Lv **19** 17-18; Si **10** 6; **27** 30 - **28** 7, et le Christ accentuera encore le commandement de pardonner, Mt **5** 38-39+; **18** 21-22+.

**Vols d'animaux.**

22 1 37 « Si quelqu'un vole un bœuf ou un agneau puis
2 S 12 6 l'abat et le vend, il rendra cinq têtes de gros bétail
Lc 19 8 pour le bœuf et quatre têtes de petit bétail pour
l'agneau.

2 **22** 1 Si le voleur surpris à percer un mur reçoit
un coup mortel, son sang ne sera pas vengé.
3 2 Mais si le soleil était déjà levé, son sang sera
vengé. Il devra restituer, et s'il n'a pas de quoi, on
4 le vendra pour rembourser ce qu'il a volé. 3 Si
l'animal volé, bœuf, âne ou tête de petit bétail, est
retrouvé vivant en sa possession, il restituera au
double.

**Délits donnant lieu à dédommagement.**

5 4 « Si quelqu'un fait brouter un champ ou une
vigne et laisse brouter le champ d'autrui, il restituera la partie broutée de ce champ d'après ce qu'il
rapporte. S'il a laissé brouter le champ entier [a], il
restituera sur la base de la meilleure récolte du
champ ou de la vigne.
6 5 Si un feu prend et rencontre des buissons épi-
neux et qu'il consume meules, moissons ou
champs, l'auteur de l'incendie restituera ce qui a
brûlé.
Lv 5 21-26 6 Si quelqu'un donne en garde à un autre de
l'argent ou des objets, et qu'on les vole chez celui-
ci, le voleur, si on le découvre, devra restituer au
8 double. 7 Si on ne découvre pas le voleur, le maître
de la maison s'approchera de Dieu pour attester
qu'il n'a pas porté la main sur le bien de l'autre.
9 8 Dans toute cause litigieuse relative à un bœuf,
à un âne, à une tête de petit bétail, à un vêtement
ou à n'importe quel objet perdu dont on dit :
" C'est bien lui ", le différend sera porté devant
Dieu. Celui que Dieu aura déclaré coupable [b] restituera le double à l'autre.
10 9 Si quelqu'un confie à la garde d'un autre un
âne, un taureau, une tête de petit bétail ou tout
autre animal, et que la bête crève, se brise un mem-
11 bre ou est enlevée sans témoins, 10 un serment par
Yahvé décidera entre les deux parties si le gardien
a porté la main sur le bien de l'autre ou non. Le
propriétaire prendra ce qui reste [c] et le gardien
12 n'aura pas à restituer. 11 Mais si l'animal volé se
trouvait auprès de lui, il le restituera à son proprié-
13 taire. 12 Si l'animal est déchiqueté par une bête de
Gn 31 39 proie, il apportera en témoignage l'animal déchiqueté et n'aura pas à restituer.

13 Si quelqu'un emprunte une bête à un autre et 14
qu'elle se brise un membre ou crève en l'absence
de son propriétaire, il devra restituer. 14 Mais si le 15
propriétaire est auprès de l'animal, il n'aura pas à
restituer. Si le propriétaire est un loueur, il touchera son prix de louage.

**Viol d'une vierge.** Dt 22 28-29

15 « Si quelqu'un séduit une vierge non encore 16
fiancée et couche avec elle, il versera le prix [d] et la
prendra pour femme. 16 Si son père refuse de la lui 17
donner, il versera une somme équivalente au prix
fixé pour les vierges.

**Lois morales et religieuses.**

17 « Tu ne laisseras pas en vie la magicienne. Lv 20 6, 27
18 Quiconque s'accouple avec une bête sera mis Dt 18 9-12
à mort. Lv 18 23
Dt 27 21
19 Qui sacrifie à d'autres dieux sera voué à l'ana- Nb 25 1-5
thème [e].

20 Tu ne molesteras pas l'étranger ni ne l'oppri- 12 48+
meras, car vous-mêmes avez été étrangers dans le Lv 19 33s
Dt 10 18s;
pays d'Égypte. 21 Vous ne maltraiterez pas une 24 17s; 27 1
veuve ni un orphelin. 22 Si tu le maltraites et qu'il Ps 146 9
Is 1 17
crie vers moi, j'écouterai son cri; 23 ma colère s'en- 24
flammera et je vous ferai périr par l'épée : vos femmes seront veuves et vos fils orphelins.

24 Si tu prêtes de l'argent à un compatriote, à Lv 25 35-37
l'indigent qui est chez toi, tu ne te comporteras pas Dt 23 20-21
envers lui comme un prêteur à gages, vous ne lui
imposerez pas d'intérêts.

25 Si tu prends en gage le manteau de quelqu'un, 26
tu le lui rendras au coucher du soleil. 26 C'est sa 27
seule couverture, c'est le manteau dont il enveloppe Dt 24 10-13
son corps, dans quoi se couchera-t-il? S'il crie vers
moi je l'écouterai, car je suis compatissant, moi!

27 Tu ne blasphémeras pas Dieu ni ne maudiras Qo 10 20
un chef de ton peuple. ↗ Ac 23 5

**Prémices et premiers-nés.**

28 « Ne diffère pas d'offrir de ton abondance et Ex 13 11+
de ton surplus [f]. Le premier-né de tes fils, tu me le Dt 26 1+
donneras. 29 Tu feras de même pour ton gros et ton Dt 15 19
petit bétail : pendant sept jours il restera avec sa
mère, le huitième jour tu me le donneras.

30 Vous serez pour moi des hommes saints. Vous Lv 11 44
ne mangerez pas la viande d'une bête déchiquetée Dt 14 21
par un fauve dans la campagne, vous la jetterez aux Lv 17 15-16
chiens.

*a)* « il restituera...entier » grec; omis par hébr.
*b)* Par décision judiciaire, ordalie, oracle ou serment.
*c)* Autre traduction : « le propriétaire acceptera (le serment) ».
*d)* En hébreu *mohar*, somme versée par le fiancé à la famille de sa future épouse.
*e)* « à d'autres dieux » grec, sam.; « aux dieux, sauf au seul Yahvé » hébr.
*f)* Il s'agit des redevances cultuelles sur les produits de la terre. Le grec a précisé : « les prémices de ton aire et de ton pressoir ».

### La justice. Les devoirs envers les ennemis.

Lv **5** 22; **23** 1 « Tu ne colporteras pas de fausses rumeurs
**19** 16 Tu ne prêteras pas la main au méchant en
témoignant injustement. 2 Tu ne prendras pas le
Dt **16** 18-20 parti du plus grand nombre pour commettre le mal,
ni ne témoigneras dans un procès en suivant le plus
grand nombre pour faire dévier le droit, 3 ni ne
Lv **19** 15 favoriseras le miséreux dans son procès.
|| Dt **22** 1-4 4 Si tu rencontres le bœuf ou l'âne de ton ennemi
qui vague, tu dois le lui ramener. 5 Si tu vois l'âne
de celui qui te déteste tomber sous sa charge, cesse
de te tenir à l'écart; avec lui tu lui viendras en aide.
Dt **1** 17; 6 Tu ne feras pas dévier le droit de ton pauvre [a]
**16** 19 dans son procès. 7 Tu te tiendras loin d'une cause
mensongère. Ne fais pas périr l'innocent ni le juste
Dt **16** 19; et ne justifie pas [b] le coupable. 8 Tu n'accepteras
**27** 25 pas de présents, car le présent aveugle les gens
clairvoyants [c] et ruine les causes des justes.
**22** 20+ 9 Tu n'opprimeras pas l'étranger. Vous savez ce
qu'éprouve l'étranger, car vous-mêmes avez été
étrangers au pays d'Égypte.

### Lv **25** 1+ Année sabbatique et sabbat.

Lv **25** 2-7 10 « Pendant six ans tu ensemenceras la terre et
Dt **24** 19; tu en engrangeras le produit. 11 Mais la septième
**26** 12-13 année, tu la laisseras en jachère et tu en abandonneras le produit; les pauvres de ton peuple le mangeront et les bêtes des champs mangeront ce qu'ils
auront laissé. Tu feras de même pour ta vigne et
pour ton olivier.
**20** 8+ 12 Pendant six jours tu feras tes travaux, et le septième jour tu chômeras, afin que se repose ton bœuf
et ton âne et que reprennent souffle le fils de ta servante ainsi que l'étranger.
13 Vous prendrez garde à tout ce que je vous ai
dit et vous ne ferez pas mention du nom d'autres Jos **23** 7
dieux : qu'on ne l'entende pas sortir de ta bouche

### Fêtes d'Israël [d]. Ex **34** 18-23 Dt **16** 1-16

14 « Tu me fêteras trois fois l'an. 15 Tu observeras Lv **23**
la fête des Azymes. Pendant sept jours tu mangeras
des azymes, comme je te l'ai ordonné, au temps fixé
du mois d'Abib, car c'est en ce mois que tu es sorti
d'Égypte [e]. On ne se présentera pas devant moi les
mains vides. 16 Tu observeras la fête de la Moisson,
des prémices de tes travaux de semailles dans les
champs, et la fête de la Récolte, en fin d'année,
quand tu rentreras des champs le fruit de tes travaux. 17 Trois fois l'an, toute ta population mâle se
présentera devant le Seigneur Yahvé.
18 Tu ne sacrifieras pas avec du pain levé le sang **34** 25
de ma victime, et la graisse de ma fête [f] ne sera pas
gardée jusqu'au lendemain.
19 Tu apporteras à la maison de Yahvé ton Dieu
le meilleur des prémices de ton terroir. Dt **26** 1+
Tu ne feras pas cuire un chevreau dans le lait de Ex **34** 26
sa mère [g]. Dt **14** 21

### Promesses et instructions en vue de l'entrée en Canaan [h]. Dt **7** 1-26

20 « Voici que je vais envoyer un ange [i] devant **14** 19; **33** 2
toi, pour qu'il veille sur toi en chemin et te mène Ml **3** 1
au lieu que je t'ai fixé. 21 Révère-le et écoute sa Is **63** 9
voix, ne lui sois pas rebelle, il ne pardonnerait pas
vos transgressions car mon Nom [j] est en lui.
22 Mais si tu écoutes bien sa voix et fais ce que je
dis, je serai l'ennemi de tes ennemis et l'adversaire
de tes adversaires. 23 Mon ange ira devant toi et te
mènera chez les Amorites, les Hittites, les Perizzites, les Cananéens, les Hivvites, les Jébuséens, et Dt **7** 1+
je les exterminerai. 24 Tu ne te prosterneras pas **20** 5

*a)* C'est-à-dire le pauvre qui s'adresse à toi.
*b)* « et ne justifie pas » grec; « car je ne justifierai pas » hébr.
c) Ou : « les témoins oculaires ».
*d)* Les quatre traditions du Pentateuque contiennent un calendrier des grandes fêtes religieuses : Ex **23** 14-17 élohiste; Ex **34** 18-23 yahviste; Dt **16** 1-16 deutéronomiste; Lv **23** sacerdotal, à quoi correspondent les règles liturgiques de Nb **28-29**. De l'un à l'autre texte le rituel se précise, mais les trois fêtes principales restent celles que prescrit Ex **23** : 1° Au printemps, la fête des Azymes. 2° La fête de la Moisson, appelée fête des Semaines dans Ex **34** 22, qui se célébrait sept semaines, Dt **16** 9, ou cinquante jours, Lv **23** 16, après la Pâque (d'où son nom grec de Pentecôte, Tb **2** 1), et marquait la fin de la moisson du froment; on y rattacha tardivement le souvenir de la promulgation de la Loi au Sinaï. 3° La fête de la Récolte en automne, à la fin de la saison des fruits, appelée fête des Tentes, Dt **16** 13; Lv **23** 34, parce qu'on y utilisait des huttes de feuillage comme celles qu'on dressait dans les vergers au moment de la récolte; elles évoquaient le souvenir des campements d'Israël au désert, Lv **23** 43. De ces trois fêtes, la plus populaire paraît avoir été celle de la Récolte ou des Tentes, qui est appelée simplement « la fête » dans 1 R **8** 2 et 65; Ez **45** 25. Ces trois fêtes agricoles n'ont été célébrées qu'après l'entrée en Canaan. Aucune date précise n'est donnée dans le calendrier d'Ex **23** ni d'Ex **34**, parce qu'ils sont antérieurs à la centralisation du culte et que les fêtes pouvaient être célébrées dans les sanctuaires locaux, à des dates qui tenaient compte de l'état des travaux agricoles dans la région. D'autres fêtes s'y ajoutèrent ensuite : le Nouvel An religieux, Lv **23** 24; le Jour des Expiations, Lv **16** et **23** 27-32 et, après l'Exil, les Purim, Est **9** 24; la Dédicace, 1 M **4** 59; le jour de Nikanor, 1 M **7** 49.
*e)* Cette relation établie anciennement entre les Azymes et la sortie d'Égypte, au printemps, a facilité la liaison de cette fête avec celle de Pâque, cf. **12** 1+.
*f)* Ex **34** 25 dit explicitement qu'il s'agit de la Pâque, mais dans les deux cas la prescription est donnée à part du calendrier religieux, vv. 14-17 et **34** 18-23, qui ne comporte pas la Pâque. Celle-ci fut célébrée en famille jusqu'à la réforme deutéronomiste, cf. Dt **16** 5-6.
*g)* Coutume cananéenne, signalée à Ugarit.
*h)* Ce paragraphe composite porte les marques nettes d'une rédaction deutéronomiste. Il sert de conclusion au Code de l'Alliance, présenté ainsi comme une loi donnée au Sinaï en préparation de l'installation en Canaan.
*i)* Cet ange paraît distinct de Dieu, cf. Gn **16** 7+, bien que son action soit celle de Yahvé. C'est un ange gardien, Gn **24** 7; Nb **20** 16, annonçant celui du livre de Tobie, voir Tb **5** 4+.
*j)* « ne lui sois pas rebelle » grec; « ne l'aigris pas » hébr. – Le nom exprime et représente la personne.

Lv 18 3 devant leurs dieux ni ne les serviras; tu ne feras pas
34 13 ce qu'ils font, mais tu détruiras leurs dieux et tu bri-
Dt 7 5; 12 3 Nb 33 52 seras leurs stèles [a]. 25 Vous servirez Yahvé votre
Dieu, alors je bénirai ton pain et ton eau et je
détournerai de toi la maladie. 26 Nulle femme dans
Dt 7 14; 28; ton pays n'avortera ou ne sera stérile et je laisserai
30 9 Lv 26 9 s'achever le nombre de tes jours.
27 Je sèmerai devant toi ma terreur, je jetterai la
confusion chez tous les peuples où tu pénétreras,
et je ferai détaler tous tes ennemis. 28 J'enverrai
Dt 7 20 devant toi des frelons qui chasseront les Hivvites,
Jos 24 12 Sg 12 8 les Cananéens et les Hittites devant toi. 29 Je ne les
chasserai pas devant toi en une seule année, de peur
que le pays ne devienne un désert où se multiplie-
raient à tes dépens les bêtes des champs. 30 Je les
chasserai devant toi peu à peu, jusqu'à ce que tu Dt 7 22+
aies assez fructifié pour hériter du pays [b]. 31 Je Jg 2 6+
fixerai tes frontières de la mer des Roseaux à la mer Jg 20 1+
des Philistins, et du désert au Fleuve [c], car je livre- Dt 11 24
rai entre vos mains les habitants du pays, et tu les
chasseras devant toi. 32 Tu ne feras pas alliance
avec eux ni avec leurs dieux. 33 Ils n'habiteront pas
ton pays, de peur qu'ils ne te fassent pécher contre
moi, car tu servirais leurs dieux et ce serait pour
toi un piège. »

## 3. *CONCLUSION DE L'ALLIANCE* [d]

19 20; 28 1 **24** 1 Il dit à Moïse : « Montez vers Yahvé, toi,
Nb 11 16 Aaron, Nadab, Abihu et soixante-dix des
anciens d'Israël, et vous vous prosternerez à distance. 2 Moïse s'approchera seul de Yahvé. Eux
n'approcheront pas et le peuple ne montera pas
avec lui. »
3 Moïse vint rapporter au peuple toutes les paroles de Yahvé et toutes les lois [e], et tout le peuple
Jos 24 16-24 répondit d'une seule voix; ils dirent : « Toutes les
paroles que Yahvé a prononcées, nous les mettrons
34 27-28 en pratique. » 4 Moïse mit par écrit toutes les paroles de Yahvé puis, se levant de bon matin, il bâtit
Jos 4 3-9, un autel au bas de la montagne, et douze stèles
20-24; 24 26-27 pour les douze tribus d'Israël. 5 Puis il envoya de
1 R 18 31 jeunes Israélites offrir des holocaustes et immoler
à Yahvé de jeunes taureaux en sacrifice de communion. 6 Moïse prit la moitié du sang et la mit dans
des bassins, et l'autre moitié du sang, il la répandit
sur l'autel. 7 Il prit le livre de l'Alliance et il en fit
la lecture au peuple qui déclara : « Tout ce que
Yahvé a dit, nous le ferons et nous y obéirons. »
Ps 50 5 8 Moïse, ayant pris le sang [f], le répandit sur le peu-
↗ He 9 18s ↗ Mt 26 28p 1 P 1 2 ple et dit : « Ceci est le sang de l'Alliance que
Yahvé a conclue avec vous moyennant toutes ces
clauses. »
9 Moïse monta, ainsi qu'Aaron, Nadab, Abihu et
soixante-dix des anciens d'Israël. 10 Ils virent le 33 20+
Dieu d'Israël. Sous ses pieds il y avait comme un
pavement de saphir, aussi pur que le ciel même. Ez 1 26
11 Il ne porta pas la main sur les notables des Israé- Ap 4 2-3
lites. Ils contemplèrent Dieu puis ils mangèrent et
burent.

**Moïse sur la montagne** [g].

12 Yahvé dit à Moïse : « Monte vers moi sur la
montagne et demeure là, que je te donne les tables 31 18; 32 1
de pierre – la loi et le commandement – que j'ai 34 1, 4, 28s Dt 4 13; 5
écrites pour leur instruction. » 13 Moïse se leva, 22; 9 9, 15;
ainsi que Josué son serviteur, et ils montèrent [h] à 10 1-5
la montagne de Dieu. 14 Il dit aux anciens : « Atten- Jos 1 1+
dez-nous ici jusqu'à notre retour; vous avez avec
vous Aaron et Hur, que celui qui a une affaire à
régler s'adresse à eux. » 15 Puis Moïse monta sur la 19 3
montagne.
La nuée couvrit la montagne. 16 La gloire de
Yahvé [i] s'établit sur le mont Sinaï, et la nuée le 19 9

*a)* Des stèles ou pierres dressées, en hébreu *maççebôt*, étaient, dans la religion cananéenne, les symboles de la divinité masculine. Leur culte est condamné par la loi, ici et **34** 13; Dt **7** 5; **12** 3; **16** 22; Lv **26** 1, et par les prophètes, Os **3** 4; **10** 1; Mi **5** 12. La religion patriarcale les acceptait, cf. Gn **28** 18 et 22.

*b)* Les lenteurs de la conquête sont expliquées ici comme dans Dt **7** 22; d'autres explications étaient données, cf. Jg **2** 6+.

*c)* C'est-à-dire : le golfe d'Aqaba – la Méditerranée – le Sinaï – l'Euphrate. Ce sont les limites idéales de l'empire de David et de Salomon, 1 R **5** 1. Sur les autres descriptions de la Terre Promise, cf. Nb **34** 1+; Jg **20** 1+.

*d)* Ce récit combine deux présentations de l'Alliance : 1° vv. 1-2, 9-11, tradition yahviste (?), l'Alliance est scellée par un repas; 2° vv. 3-8, tradition élohiste dont l'essentiel est le rite du sang répandu sur l'autel et sur le peuple. Une troisième présentation, yahviste, sera donnée en Ex **34**.

*e)* Les « paroles », seules mentionnées dans la suite, se réfèrent au Décalogue, cf. **20** 1, appelé « livre de l'Alliance » au v. 7. Les « lois » sont une addition postérieure à l'insertion du Code de l'Alliance, cf. **21** 1.

*f)* Moïse, intermédiaire entre Yahvé et le peuple, les unit symboliquement en répandant sur l'autel, qui représente Yahvé, puis sur le peuple, le sang d'une même victime. Le pacte est ainsi ratifié par le sang, cf. Lv **1** 5+, comme la Nouvelle Alliance le sera par le sang du Christ, Mt **26** 28+; He **9** 12-26+.

*g)* Les vv. 12-15 et 18[b] seraient d'origine élohiste; les vv. 15[b]-18[a] sont un récit parallèle, de tradition sacerdotale.

*h)* « ils montèrent » grec; « et Moïse monta » hébr.

*i)* La « gloire de Yahvé » est, dans la tradition sacerdotale, **13** 22+, la manifestation de la présence divine. C'est un feu, bien distingué, ici et **40** 34-35, de la nuée qui l'accompagne et l'enveloppe. Ces traits sont empruntés aux grandes théophanies qui se déroulent dans le cadre d'un orage, **19** 16+, mais ils se chargent d'un sens supérieur : cette lumière éclatante, dont le reflet irradiera la face de Moïse, **34** 29, exprime la majesté inaccessible et redoutable de Dieu, et elle peut paraître en dehors d'un

couvrit pendant six jours. Le septième jour, Yahvé
appela Moïse du milieu de la nuée. [17] L'aspect de
Dt **4** 36 la gloire de Yahvé était aux yeux des Israélites
celui d'une flamme dévorante au sommet de la
montagne. [18] Moïse entra dans la nuée et monta sur Dt **9** 9
la montagne. Et Moïse demeura sur la montagne Ex **34** 28
quarante jours et quarante nuits [a].

## 4. PRESCRIPTIONS RELATIVES A LA CONSTRUCTION DU SANCTUAIRE ET A SES MINISTRES [b]

35 4-29 **La contribution pour le sanctuaire.**

**25** [1] Yahvé parla à Moïse et lui dit : [2] « Dis aux
Israélites de prélever pour moi une contribution. Vous prendrez la contribution de tous ceux
que leur cœur incite. [3] Et voici la contribution que
vous accepterez d'eux : de l'or, de l'argent et du
bronze; [4] de la pourpre violette et écarlate, du cramoisi, du lin fin et du poil de chèvre; [5] des peaux
de béliers teintes en rouge, du cuir fin [c] et du bois
d'acacia; [6] de l'huile pour le luminaire, des aromates pour l'huile d'onction et l'encens aromatique;
[7] des pierres de cornaline et des pierres à enchâsser
dans l'éphod et le pectoral. [8] Fais-moi [d] un sanctuaire, que je puisse résider parmi eux [e]. [9] Tu feras
**25** 40+; tout selon le modèle de la Demeure et le modèle
**26** 30; **27** 8 Nb **8** 4 de son mobilier que je vais te montrer.

**37** 1-9 **La Tente et son mobilier. L'Arche [f].**

[10] « Tu feras en bois d'acacia une arche longue
de deux coudées et demie, large d'une coudée et
demie et haute d'une coudée et demie [g]. [11] Tu la
plaqueras d'or pur, au-dedans et au-dehors, et tu
feras sur elle une moulure d'or, tout autour. [12] Tu
fondras pour elle quatre anneaux d'or, et tu les mettras à ses quatre pieds : deux anneaux d'un côté et
deux anneaux de l'autre. [13] Tu feras aussi des barres en bois d'acacia; tu les plaqueras d'or, [14] et tu
engageras dans les anneaux fixés sur les côtés de
l'arche les barres qui serviront à la porter. [15] Les 2 S **6** 7+
barres resteront dans les anneaux de l'arche et n'en
seront pas ôtées. [16] Tu mettras dans l'arche le **24** 12+
Témoignage [h] que je te donnerai. Dt **10** 1-2

[17] Tu feras aussi un propitiatoire [i] d'or pur, de Lv **16** 12-15
deux coudées et demie de long et d'une coudée et Rm **3** 25+
demie de large. [18] Tu feras deux chérubins [j] d'or
repoussé, tu les feras aux deux extrémités du propitiatoire. [19] Fais l'un des chérubins à une extrémité
et l'autre chérubin à l'autre extrémité : tu feras les
chérubins faisant corps avec le propitiatoire, à ses
deux extrémités. [20] Les chérubins auront les ailes
déployées vers le haut et protégeront le propitia-

orage, **33** 22. Elle emplit la Tente nouvellement dressée, **40** 34-35, comme elle prendra possession du Temple de Salomon, 1 R **8** 10-11. Ézéchiel la voit quitter Jérusalem à la veille de sa destruction, Ez **9** 3; **10** 4, 18-19, **11** 22-23, et revenir dans le nouveau sanctuaire, Ez **43** 1s, mais cette « gloire » est pour lui une lumineuse apparence humaine, Ez **1** 26 28. Dans d'autres textes, spécialement dans les Psaumes, la gloire de Yahvé exprime seulement la majesté de Dieu ou l'honneur qu'on lui doit, souvent avec une nuance eschatologique; ou encore, Ex **15** 7, sa puissance miraculeuse, cf. la « gloire » de Jésus, Jn **2** 11; **11** 40.

*a)* Comparer les quarante jours du voyage d'Élie vers le Sinaï, 1 R **19** 8, et les quarante jours du Christ au désert, Mt **4** 2p.

*b)* Les ch. **25-31**, de tradition sacerdotale, amalgament à des éléments anciens comme l'arche et sa tente, qui remontent sûrement à Moïse, d'autres éléments provenant des développements du culte au cours de l'histoire d'Israël. En rapportant le tout à des ordres formels de Yahvé à Moïse, le texte affirme le caractère divin des institutions religieuses d'Israël.

*c)* Litt. « peau de tahash » : sens incertain.

*d)* « fais-moi » grec, syr.; « ils me feront » hébr. On corrige de même aux vv. 9,10 et 19 les singuliers de l'hébr. en pluriels, avec les versions.

*e)* Dieu est honoré aux lieux où il s'est rendu particulièrement présent par une théophanie, Gn **12** 7; **28** 12-19, etc. Le Sinaï, où il s'est manifesté avec le plus d'éclat, est la « Montagne de Dieu », **3** 1; 1 R **19** 8, sa résidence, Dt **33** 1; Jg **5** 4-5; Ha **3** 3; Ps **68** 9. L'Arche est le signe de cette présence, **25** 22; cf. 1 S **4** 4; 2 S **6** 2, et la Tente qui contient l'arche est la Demeure de Yahvé, v. 9 et **40** 34, qui suit les pérégrinations de son peuple, 2 S **7** 6, jusqu'à ce que le Temple de Jérusalem devienne sa Maison, 1 R **8** 10.

*f)* L'arche était un coffre rectangulaire porté à l'aide de barres de bois. Sur son histoire, voir surtout Jos **3** 3; **6** 4s; 1 S **4-6**; 2 S **6**; 1 R **8** 3-9. Elle a disparu lors de la ruine de Jérusalem (ou peut-être dès le règne impie de Manassé) et ne fut pas refaite, cf. Jr **3** 16.

*g)* Une coudée mesure approximativement 44 cm.

*h)* « Témoignage » : traduction reçue du mot *'edût* qui désigne proprement, d'après les parallèles orientaux, les clauses d'un traité imposé par un suzerain à son vassal. Le « Témoignage » est ici le Décalogue, écrit sur les tables de pierre appelées quelquefois « tables du Témoignage », **31** 18; **32** 15; **34** 29. En conséquence, l'arche est appelée « arche du Témoignage », **25** 22; **26** 33; **40** 21.

*i)* Traduction reçue du mot *kappôret*, de la racine *kapar* : « couvrir », mais aussi « faire l'expiation », « effacer ». Le *kappôret* est présenté ici et à **35** 12 comme distinct de l'arche. Il intervient, sans l'arche, dans le rituel post-exilique du jour de l'Expiation, Lv **16** 15, et 1 Ch **28** 11 appelle le Saint des Saints la « salle du propitiatoire ». Il semble que le propitiatoire et les chérubins qui y sont attachés étaient, dans le Temple post-exilique, le substitut de l'arche et des chérubins du Temple de Salomon. La description sacerdotale les a réunis, cf. v. 21. Yahvé apparaît sur le propitiatoire et c'est là qu'il parle à Moïse, v. 22; Lv **16** 2; Nb **7** 89.

*j)* Le nom correspond à celui des *karibu* babyloniens : génies à forme mi-humaine, mi-animale, qui veillaient à la porte des temples et des palais. D'après les descriptions bibliques et l'iconographie orientale, les chérubins sont des sphinx ailés. Dans le Temple de Jérusalem, ils encadrent l'arche, 1 R **6** 23-28. Ils n'apparaissent sûrement dans le culte de Yahvé qu'à partir du séjour de l'arche à Silo, où l'on dira que Yahvé « siège sur les chérubins », 1 S **4** 4; 2 S **6** 2; cf. 2 R **19** 15; Ps **80** 2; **99** 1, ou

toire de leurs ailes en se faisant face. Les faces des
chérubins seront tournées vers le propitiatoire.
**26** 34 21 Tu mettras le propitiatoire sur le dessus de
l'arche, et tu mettras dans l'arche le Témoignage
que je te donnerai. 22 C'est là que je te rencontrerai.
C'est de sur le propitiatoire, d'entre les deux chérubins qui sont sur l'arche du Témoignage, que je te
donnerai mes ordres pour les Israélites.

**37** 10-16

### La table des pains d'oblation [a].

23 « Tu feras une table en bois d'acacia, longue
de deux coudées, large d'une coudée et haute d'une
coudée et demie. 24 Tu la plaqueras d'or pur, et tu
lui feras tout autour une moulure d'or. 25 Tout
autour, tu lui feras des entretoises larges d'un
palme, et tu feras autour des entretoises une moulure d'or. 26 Tu lui feras quatre anneaux d'or, et tu
mettras les anneaux aux quatre angles formés par
les quatre pieds. 27 Les anneaux seront placés près
des entretoises pour loger les barres qui serviront
à porter la table. 28 Tu feras les barres en bois
d'acacia et tu les plaqueras d'or; elles serviront à
Nb **4** 7 porter la table. 29 Tu feras ses plats, ses coupes, ses
aiguières ainsi que ses bols pour les libations; c'est
d'or pur que tu les feras, 30 et tu placeras toujours
Lv **24** 5-9 sur la table, devant moi, les pains d'oblation.
1 S **21** 4-7

**37** 17-24
Lv **24** 2-4

### Le candélabre.

31 « Tu feras un candélabre d'or pur; le candélabre, sa base et son fût seront repoussés; ses calices,
boutons et fleurs feront corps avec lui. 32 Six branches s'en détacheront sur les côtés : trois branches
du candélabre d'un côté, trois branches du candélabre de l'autre côté. 33 La première branche portera
trois calices en forme de fleur d'amandier, avec
bouton et fleur; la deuxième branche portera aussi
trois calices en forme de fleur d'amandier, avec
bouton et fleur; il en sera ainsi pour les six branches partant du candélabre. 34 Le candélabre lui-
même portera quatre calices en forme de fleur
d'amandier, avec bouton et fleur : 35 un bouton
sous les deux premières branches partant du candélabre, un bouton sous les deux branches suivantes
et un bouton sous les deux dernières branches –
donc aux six branches se détachant du candélabre.
36 Les boutons et les branches feront corps avec le
candélabre et le tout sera fait d'un bloc d'or pur
repoussé. 37 Puis tu feras ses sept lampes. On montera les lampes de telle sorte qu'elles éclairent en
avant de lui. 38 Ses mouchettes et ses cendriers
seront d'or pur. 39 Tu le feras, avec tous ses accessoires, d'un talent d'or pur. 40 Regarde et exécute **25** 9+
selon le modèle qui t'est montré sur la montagne. ↗ He **8** 5

### La Demeure [b]. Les étoffes et les couvertures.

**33** 7-11;
**36** 8-19
He **9** 11,24

**26** 1 « Quant à la Demeure, tu la feras de dix
bandes d'étoffe de fin lin retors, de pourpre
violette et écarlate et de cramoisi. Tu les feras brodées de chérubins. 2 La longueur d'une bande sera
de vingt-huit coudées, sa largeur de quatre coudées, et toutes les bandes auront la même dimension. 3 Cinq des bandes seront assemblées l'une à
l'autre, et les cinq autres bandes seront assemblées
l'une à l'autre. 4 Tu feras des brides de pourpre
violette à la lisière de la première bande, à l'extrémité de l'assemblage, et tu feras de même à la
lisière de la bande qui termine le second assemblage. 5 Tu feras cinquante brides à la première
bande, et cinquante brides à l'extrémité de la bande
du second assemblage, les brides se correspondant
l'une à l'autre. 6 Tu feras aussi cinquante agrafes
d'or, et tu assembleras les bandes l'une à l'autre
avec les agrafes [c]. Ainsi la Demeure sera d'un seul
tenant.
7 Tu feras des bandes d'étoffe en poil de chèvre
pour former une tente au-dessus de la Demeure. Tu
en feras onze. 8 La longueur d'une bande sera de
trente coudées et sa largeur de quatre coudées; les
onze bandes auront mêmes dimensions. 9 Tu
assembleras cinq bandes d'une part et six bandes
d'autre part, et tu rabattras la sixième sur le devant
de la tente. 10 Tu feras cinquante brides à la lisière
de la première bande, à l'extrémité du premier
assemblage, et cinquante brides à la lisière de la
bande du second assemblage. 11 Tu feras cinquante
agrafes de bronze, et tu introduiras les agrafes dans
les brides pour assembler la tente qui sera ainsi
d'un seul tenant.

« chevauche les chérubins », 2 S **22** 11; cf. Ps **18** 11. En Ez **1** et **10**, ils tirent le char de Dieu. Les chérubins n'existaient pas dans le culte du désert. Ceux du Temple de Salomon ont disparu avec l'arche. Dans le Temple post-exilique, deux petites figures de chérubins ont été attachées au propitiatoire, cf. n. précédente.

*a)* Litt. « pains de la face », c'est-à-dire les pains personnels de Yahvé, sur lesquels voir Lv **24** 5-9; 1 S **21** 5.

*b)* « Demeure », *mishkan*, est le terme propre à la tradition sacerdotale pour le sanctuaire du désert; ce terme est généralement employé sans précision, mais on a quelquefois « Demeure du Témoignage », cf. **25** 16+, ou « Demeure de la Tente du Rendez-vous ». La tradition sacerdotale rejoint ainsi le nom donné à ce sanctuaire dans les traditions anciennes, la « Tente du Rendez-vous », *'ohel mô'ed*, qu'elle emploie elle-même le plus fréquemment. – La description, difficilement intelligible dans ses détails, est celle d'un sanctuaire démontable, adapté aux déplacements de la période nomade. Elle projette au désert le plan du Temple de Salomon; mais les tentures qui couvrent la Demeure conservent le souvenir du sanctuaire mosaïque. C'était une tente, que les traditions anciennes ne décrivent pas mais dont elles parlent, cf. Ex **37** 7-11; **38** 8; Nb **11** 16s; **12** 4-10; Dt **31** 14-15.

*c)* On a ainsi deux grandes tentures formant un toit pour la Demeure, toit que recouvrira le tissu plus grossier des vv. 7-13 et les couvertures du v. 14.

12 De ce qui retombera en surplus des bandes de la tente, la moitié de la bande en surplus retombera sur l'arrière de la Demeure. 13 La coudée en surplus de part et d'autre, sur la longueur des bandes de la tente, retombera sur les côtés de la Demeure, de part et d'autre, pour la couvrir.

14 Tu feras pour la tente une couverture en peaux de béliers teintes en rouge, et une couverture en cuir fin, par-dessus.

**36** 20-34 **La charpente.**

15 « Tu feras pour la Demeure des cadres en bois d'acacia qui seront dressés debout. 16 Chaque cadre sera long de dix coudées et large d'une coudée et demie. 17 Chaque cadre aura deux tenons [a] jumelés; tu feras de même pour tous les cadres de la Demeure. 18 Tu feras les cadres pour constituer la Demeure : vingt cadres pour le côté sud, vers le midi. 19 Tu feras quarante socles d'argent sous les vingt cadres : deux socles sous un cadre pour ses deux tenons, deux socles sous un autre cadre pour ses deux tenons. 20 Du second côté de la Demeure, le côté nord, il y aura vingt cadres 21 et quarante socles d'argent : deux socles sous un cadre, deux socles sous un autre cadre. 22 Pour le fond de la Demeure, vers la mer, tu feras six cadres, 23 et tu feras deux cadres pour les angles du fond de la Demeure. 24 Les cadres seront jumelés à leur base et le resteront [b] jusqu'à leur sommet, à la hauteur du premier anneau. Ainsi en sera-t-il pour les deux cadres destinés aux deux angles. 25 Il y aura donc huit cadres avec leurs socles d'argent, soit seize socles : deux socles sous un premier cadre, deux socles sous un autre cadre.

26 Tu feras des traverses en bois d'acacia : cinq pour les cadres du premier côté de la Demeure, 27 cinq traverses pour les cadres du second côté de la Demeure, et cinq traverses pour les cadres qui forment le fond de la Demeure, vers l'ouest. 28 La traverse médiane, placée à mi-hauteur, assemblera les cadres d'une extrémité à l'autre. 29 Tu plaqueras d'or les cadres, tu leur feras des anneaux d'or où se logeront les traverses, et tu plaqueras les traverses d'or. 30 Ainsi tu dresseras
**25** 40+ la Demeure, selon le modèle qui t'a été montré sur la montagne.

**Le rideau.** **36** 35-38 Lv **16** ↗ He **6** 19; **9** 1-10,24; **10** 19s

31 « Tu feras un rideau de pourpre violette et écarlate, de cramoisi et de fin lin retors, brodé de chérubins. 32 Tu le mettras sur quatre colonnes d'acacia plaquées d'or, munies de crochets d'or, posées sur quatre socles d'argent. 33 Tu mettras le rideau sous les agrafes, tu introduiras là, derrière le rideau, l'arche du Témoignage, et le rideau marquera pour vous la séparation entre le Saint et le
Saint des Saints [c]. 34 Tu mettras le propitiatoire sur **25** 21
l'arche du Témoignage, dans le Saint des Saints. 35 Tu placeras la table à l'extérieur du rideau, et le candélabre en face d'elle, du côté sud de la Demeure, et tu mettras la table du côté nord. 36 Tu feras pour l'entrée de la tente un voile broché de pourpre violette et écarlate, de cramoisi et de fin lin retors. 37 Tu feras pour ce voile cinq colonnes d'acacia et tu les plaqueras d'or, leurs crochets seront en or, et tu couleras pour elles cinq socles de bronze.

**L'autel des holocaustes.** **38** 1-7 1 R **8** 64+ Ez **43** 13-17

**27** 1 « Tu feras l'autel [d] en bois d'acacia; de cinq coudées de long et de cinq coudées de large, l'autel sera carré; il aura trois coudées de haut. 2 Tu feras à ses quatre angles des cornes [e] faisant corps avec lui, et tu le plaqueras de bronze. 3 Tu feras ses vases pour en ôter les cendres grasses, ses pelles, ses bols à aspersion, ses fourchettes et ses encensoirs. Tous les accessoires de l'autel, tu les feras de bronze. 4 Tu lui feras un treillis de bronze en forme de filet, et tu feras aux quatre extrémités de ce filet quatre anneaux de bronze. 5 Tu le mettras sous la corniche de l'autel, en bas, de telle sorte qu'il soit à mi-hauteur de l'autel. 6 Tu feras des barres pour l'autel, des barres en bois d'acacia, et tu les plaqueras de bronze. 7 On engagera les barres dans les anneaux, de telle sorte que les barres soient des deux côtés de l'autel lorsqu'on le transporte. 8 Tu le feras creux, en planches; tu le feras comme on t'a montré sur la montagne.

**Le parvis** [f]. **38** 9-20 Ez **40** 17-49

9 « Tu feras le parvis de la Demeure. Pour le côté sud, vers le midi, les courtines du parvis, de fin lin

*a)* Chaque socle devait être pourvu de deux mortaises dans lesquelles venaient s'engager les tenons placés à la partie inférieure de chaque cadre.
*b)* « le resteront » grec, syr.; « complets » hébr.
*c)* Le rideau ferme au fidèle le Saint des Saints, demeure de Yahvé. Le grand prêtre seul y pénètre, au grand jour de l'Expiation, Lv **16** (et cf. He **9** 6-14). La même séparation entre Saint et Saint des Saints existe dans le Temple de Salomon, 1 R **6** 16, et le rideau se retrouve dans le Temple d'Hérode, Mt **27** 51 p.
*d)* L'autel par excellence, celui des holocaustes, 1 R **8** 64+.
*e)* Les « cornes » sont des protubérances aux quatre coins de l'autel. Ces cornes avaient une sainteté particulière. Le sang du sacrifice y était appliqué, **29** 12, ainsi que sur les cornes de l'autel des parfums, **30** 10. Le criminel pouvait les saisir pour se mettre à l'abri du châtiment, 1 R **1** 50; **2** 28.
*f)* Espace consacré autour du sanctuaire. Il est ici clos par une barrière de bois et d'étoffes. C'est l'équivalent des cours du Temple de Jérusalem, 1 R **6** 36; Ez **40**; Mt **21** 12p; Ac **21** 27-30.

retors, auront une longueur de cent coudées (pour
le premier côté). 10 Ses vingt colonnes et ses vingt
socles seront en bronze; les crochets des colonnes
et leurs tringles en argent. 11 De même pour le côté
nord, tu feras des rideaux d'une longueur de cent
coudées, ses vingt colonnes et leurs vingt socles
seront en bronze; les crochets des colonnes et leurs
tringles en argent. 12 La largeur du parvis, du côté
de la mer, comportera cinquante coudées de courtines, avec leurs dix colonnes et leurs dix socles.
13 La largeur du parvis sur le côté est, à l'orient,
sera de cinquante coudées. 14 Quinze coudées de
courtines pour un côté de l'entrée, avec leurs trois
colonnes et leurs trois socles; 15 pour le second
côté de l'entrée, quinze coudées de courtines, avec
leurs trois colonnes et leurs trois socles. 16 A la
porte du parvis il y aura vingt coudées de voile
damassé, de pourpre violette et écarlate, de cramoisi et de fin lin retors, avec leurs quatre colonnes
et leurs quatre socles. 17 Toutes les colonnes autour
du parvis seront réunies par des tringles d'argent;
leurs crochets seront d'argent et leurs socles de
bronze. 18 La longueur du parvis sera de cent coudées, sa largeur de cinquante coudées[a] et sa
hauteur de cinq coudées. Tous les rideaux seront
de fin lin retors et leurs socles de bronze. 19 Tous
les accessoires pour le service général de la
Demeure, tous ses piquets et ceux du parvis seront
de bronze.

**L'huile pour le luminaire.**

20 « Quant à toi, tu ordonneras aux Israélites de
te procurer de l'huile d'olives broyées pour le lumi-
Lv **24** 2-4 naire, afin qu'une lampe brûle en permanence.
21 Aaron et ses fils disposeront cette lampe dans la
Tente du Rendez-vous, à l'extérieur du rideau qui
**30** 7-8 pend devant le Témoignage, pour qu'elle brûle du
1 S **3** 3 soir au matin devant Yahvé. C'est un décret perpétuel pour les générations des Israélites.

Lv **8-10** **Les vêtements des prêtres.**

**28** 1 « Quant à toi, fais approcher de toi Aaron
ton frère et ses fils, d'entre les Israélites, pour
qu'il exerce mon sacerdoce : Aaron, Nadab et
Abihu, Éléazar et Itamar, fils d'Aaron. 2 Tu feras
pour Aaron ton frère des vêtements sacrés qui lui
feront une glorieuse parure. 3 Tu t'adresseras à tous
les hommes habiles que j'ai comblés d'habileté et
ils feront les vêtements d'Aaron, pour qu'il soit
consacré à l'exercice de mon sacerdoce. 4 Voici les
vêtements qu'ils feront : un pectoral, un éphod, un
manteau et une tunique brodée, un turban et une
ceinture. Ils feront des vêtements sacrés pour ton
frère Aaron et pour ses fils, afin qu'ils exercent mon
sacerdoce. 5 Ils prendront l'or, la pourpre violette
et écarlate, le cramoisi et le fin lin.

**L'éphod**[b]**.** **39** 2-7

6 « Ils feront l'éphod brodé en or, en pourpre violette et écarlate, en cramoisi et en fin lin retors.
7 Deux épaulettes y seront fixées : il y sera fixé par
ses deux bords. 8 L'écharpe qui est dessus pour
l'attacher sera de même travail et fera corps avec
lui, elle sera d'or, de pourpre violette et écarlate, de
cramoisi et de fin lin retors. 9 Tu prendras ensuite
deux pierres de cornaline sur lesquelles tu graveras
les noms des Israélites, 10 six de leurs noms sur la
première pierre, et les six noms restants sur la
deuxième pierre, selon l'ordre de leur naissance.
11 C'est selon l'art du lapidaire – en gravure de
sceau – que tu graveras les deux pierres aux noms
des Israélites, et tu les sertiras dans des chatons
d'or. 12 Tu placeras les deux pierres aux épaulettes
de l'éphod, comme mémorial des Israélites. Ainsi **30** 16
Aaron portera leurs noms sur ses deux épaules en Nb **31** 54
présence de Yahvé, pour en faire mémoire. 13 Tu
feras des rosettes d'or, 14 et deux chaînettes d'or pur
que tu feras comme des cordelettes, en forme de
torsades, et tu mettras les chaînettes en torsades
aux rosettes.

**Le pectoral.** **39** 8-21

15 « Tu feras le pectoral du jugement brodé
comme l'éphod – tu le feras d'or, de pourpre violette et écarlate, de cramoisi et de fin lin retors. 16 Il
sera carré et double, d'un empan[c] de long et d'un
empan de large. 17 Tu le garniras de pierres serties **39** 10-13
disposées sur quatre rangs[d] : une sardoine, une Ez **28** 13
topaze, une émeraude pour la première rangée; Ap **21** 19s

*a)* « cinquante coudées » sam.; « cinquante sur cinquante » hébr. – On ajoute « Tous les rideaux » d'après **38** 16.
*b)* L'hébreu biblique applique le nom d'éphod (étymologie incertaine) à trois réalités différentes : 1° l'éphod instrument divinatoire, qui servait à consulter Yahvé, cf. 1 S **2** 28+; 2° l'éphod bad, « pagne de lin », que portaient les ministres du culte, cf. 1 S **2** 18+; 3° l'éphod du grand prêtre, sorte de corselet maintenu par une ceinture et des bretelles. A ce corselet est attaché le « pectoral du jugement », vv. 15s, et le pectoral porte les sorts sacrés, l'Urim et le Tummim, v. 30; Lv **8** 7-8, cf. 1 S **14** 41+. L'éphod du grand prêtre est ainsi mis en rapport avec l'éphod divinatoire, de même que son nom rappelle l'antique vêtement des prêtres. Mais ces rapprochements sont artificiels : cette description du vêtement du grand prêtre ne vaut que pour l'époque postexilique et l'usage de l'éphod divinatoire, avec les sorts sacrés, n'est plus attesté après David. – Cf. encore Jg **8** 27+.
*c)* Environ 22 cm.
*d)* L'hébr. ajoute ici deux mots qui ne donnent aucun sens, litt. « de pierre, un rang ».

18 pour la deuxième rangée, une escarboucle, un
saphir et un diamant; 19 pour la troisième rangée,
une agate, une hyacinthe et une améthyste; 20 pour
la quatrième rangée, une chrysolithe, une cornaline
et un jaspe; elles seront serties dans des chatons
d'or. 21 Les pierres seront aux noms des Israélites,
elles seront douze selon leurs noms, gravées
comme des sceaux, chacune sera au nom de l'une
des douze tribus. 22 Tu feras pour le pectoral des
chaînettes d'or pur en forme de torsades. 23[a] Tu
feras pour le pectoral deux anneaux d'or, tu les
mettras à ses deux extrémités, 24 et tu mettras les
deux torsades d'or aux deux anneaux fixés aux
deux extrémités du pectoral. 25 Les deux autres
bords des deux torsades, tu les mettras aux deux
rosettes, et tu les mettras sur les épaulettes de
l'éphod, par-devant. 26 Tu feras deux anneaux d'or
et tu les placeras sur les deux extrémités du pectoral, sur la lisière intérieure de l'éphod. 27 Tu feras
deux anneaux d'or et tu les mettras sur les deux
épaulettes de l'éphod, vers le bas, en avant, près de
leur point d'attache au-dessus de l'écharpe de
l'éphod. 28 On liera le pectoral par ses anneaux aux
anneaux de l'éphod avec un cordon de pourpre violette, afin qu'il soit sur l'écharpe, et que le pectoral
ne puisse se séparer de l'éphod. 29 Ainsi Aaron portera les noms des Israélites sur le pectoral du jugement, sur son cœur, quand il entrera dans le sanctuaire, comme mémorial devant Yahvé, toujours.
1 S **14** 41+ 30 Tu joindras au pectoral du jugement le Urim et
le Tummim, ils seront sur le cœur d'Aaron quand
il pénétrera devant Yahvé, et Aaron portera sur son
cœur le jugement [b] des Israélites devant Yahvé,
toujours.

39 22-26 **Le manteau.**

31 « Tu feras le manteau de l'éphod tout entier de
pourpre violette; 32 il aura en son milieu une ouverture pour la tête; son ouverture aura tout autour
une lisière tissée comme l'ouverture d'un corselet
de mailles, indéchirable. 33 Sur son ourlet tu feras
des grenades de pourpre violette et écarlate, de cramoisi et de fin lin retors [c], tout autour de l'ourlet,
avec, tout autour, des clochettes d'or intercalées :
Si **45** 9 34 une clochette d'or et une grenade, une clochette
d'or et une grenade tout autour de l'ourlet de son
manteau. 35 Aaron le portera pour officier, on en
entendra le bruit quand il entrera dans le sanctuaire devant Yahvé, ou qu'il en sortira, et il ne
mourra pas [d].

**Le signe de consécration.** 39 27-31

36 « Tu feras une fleur d'or pur et tu y graveras
en intaille, comme un sceau : " Consacré à Za **14** 20
Yahvé. " 37 Tu la placeras sur un cordon de pour- Jn **17** 19
pre violette, et elle sera sur le turban : c'est sur le
devant du turban qu'elle sera. 38 Elle sera sur le
front d'Aaron, et Aaron se chargera ainsi des fautes concernant les choses saintes que consacreront
les Israélites, pour toutes leurs saintes offrandes [e].
Elle sera sur son front toujours pour leur attirer la
faveur de Yahvé. 39 Tu tisseras la tunique de lin fin,
tu feras un turban de lin fin et une ceinture brochée.

**Vêtements des prêtres.**

40 « Pour les fils d'Aaron, tu feras des tuniques et
des ceintures. Tu leur feras aussi des calottes qui
leur feront une glorieuse parure. 41 [f] Tu en revêtiras
Aaron, ton frère, et ses fils, puis tu les oindras, tu
les investiras [g] et tu les consacreras à mon sacerdoce. 42 Fais-leur, pour couvrir leur nudité, des **20** 26+
caleçons [h] de lin qui iront des reins jusqu'aux cuisses. 43 Aaron et ses fils les porteront quand ils
entreront dans la Tente du Rendez-vous, ou qu'ils
s'approcheront de l'autel pour faire le service dans
le sanctuaire, afin de ne pas se charger d'une faute
qui entraînerait leur mort. C'est là un décret perpétuel pour Aaron et sa postérité après lui

**Consécration d'Aaron et de ses fils. Préparation.** Lv **8**

**29** 1 « Voici ce que tu leur feras pour les consa- He **7** 26-28
crer à mon sacerdoce. Prends un jeune tau-
reau et deux béliers sans défaut, 2 puis des pains
sans levain, des gâteaux sans levain pétris à l'huile, Lv **2** 4
des galettes sans levain frottées d'huile que tu auras
faites de fleur de farine de froment. 3 Tu les mettras
dans une même corbeille et tu les offriras, dans la
corbeille, en même temps que le taureau et les deux
béliers.

*a)* Les vv. 23-28 de l'hébr. ont été abrégés dans le grec et placés après le v. 29.

*b)* C'est-à-dire le moyen de juger, par l'oracle, les Israélites, cf. **28** 6+.

*c)* « et de fin lin retors » grec, sam.; omis par hébr.

*d)* Vestige d'une conception primitive largement répandue, d'après laquelle le tintement des clochettes écartait les démons.

*e)* Le grand prêtre, étant consacré à Yahvé, réparait en sa personne les fautes rituelles involontaires.

*f)* Ce v., qui anticipe sur **29** 1 et étend aux simples prêtres l'onction que **29** 7 et Lv **8** 12 réservent au grand prêtre, est une addition postérieure.

*g)* Litt. « tu rempliras leurs mains ». C'est le geste symbolique de mettre pour la première fois entre les mains du prêtre les portions de la victime qu'il doit offrir en sacrifice, **29** 9; **32** 29; Lv **8** 27-28; Jg **17** 5, 12; 1 R **13** 33. C'est l'équivalent du rite de la « porrection des instruments » dans l'ordination romaine.

*h)* Pour éviter toute indécence. Le Code de l'Alliance, **20** 26, interdisait, pour cela, les autels à degrés; mais le Temple en possédа un.

**Purification, vêture et onction.**

|| 40 12-15 4 « Tu feras approcher Aaron et ses fils de l'en-
Lv 8 2-13 trée de la Tente du Rendez-vous, et tu les laveras[a]
avec de l'eau. 5 Tu prendras les vêtements et tu
revêtiras Aaron de la tunique, du manteau de
l'éphod, de l'éphod, du pectoral, et tu lui fixeras
28 36s; 39 30 l'écharpe de l'éphod. 6 Tu placeras le turban sur sa
tête, et tu y mettras le signe de la sainte consécra-
30 22-23+ tion. 7 Tu prendras l'huile d'onction, tu en répandras sur sa tête et tu l'oindras.
8 Tu feras alors approcher ses fils et tu les revêtiras de tuniques. 9 Tu les ceindras d'une ceinture[b]
et tu assujettiras leur calotte. Le sacerdoce leur
appartiendra alors par un décret perpétuel. Tu investiras Aaron et ses fils.

**Offrandes.**

10 « Tu amèneras le jeune taureau devant la Tente
du Rendez-vous. Aaron et ses fils poseront leurs
mains sur la tête[c] du taureau 11 puis tu abattras le
taureau devant Yahvé, à l'entrée de la Tente du
Lv 1 5+ Rendez-vous. 12 Tu prendras du sang du taureau et
tu le mettras avec ton doigt sur les cornes de
Lv 4 7 l'autel; tout le sang, tu le répandras à la base de
l'autel. 13 Tu prendras toute la graisse qui recouvre
les entrailles, la masse graisseuse partant du foie,
les deux rognons avec la graisse qui y adhère, et
tu les feras fumer à l'autel. 14 Mais la chair du jeune
taureau, sa peau et sa fiente, tu les brûleras au feu
Lv 4 1+ hors du camp, car c'est un sacrifice pour le péché.
15 Tu prendras ensuite l'un des béliers; Aaron et
ses fils poseront leurs mains sur la tête du bélier,
16 puis tu abattras le bélier et tu prendras son sang
24 6 que tu répandras contre l'autel, tout autour. 17 Tu
couperas le bélier en quartiers, tu en laveras les
entrailles et les pattes, et tu les mettras sur ses
quartiers et sur sa tête. 18 Puis tu feras fumer le
Lv 1 1+ bélier tout entier à l'autel. C'est là un holocauste
pour Yahvé. C'est un parfum d'apaisement[d], un
Lv 1 9+ mets consumé pour Yahvé.
19 Tu prendras ensuite le second bélier; Aaron et
ses fils poseront leurs mains sur la tête du bélier;
20 tu abattras le bélier. Tu prendras de son sang et
tu le mettras sur le lobe de l'oreille droite[e]
d'Aaron, sur le lobe de l'oreille droite de ses fils,
sur le pouce de leur main droite et sur le gros orteil
de leur pied droit. Puis tu répandras le sang contre
l'autel, tout autour. 21[f] Tu prendras du sang qui est
sur l'autel et de l'huile d'onction, et tu en asperge-
ras Aaron et ses vêtements, ainsi que ses fils et les
vêtements de ses fils; ils seront ainsi consacrés, lui
et ses vêtements, ainsi que ses fils et les vêtements
de ses fils.

**Investiture des prêtres.**

22 « Du bélier, tu prendras la graisse, la queue, la
graisse qui recouvre les entrailles et la masse graisseuse partant du foie, les rognons et la graisse qui
y adhère, ainsi que la patte droite, car c'est un
bélier d'investiture. 23 Tu prendras aussi un pain
rond, un gâteau à l'huile et une galette dans la cor- 29 2-3
beille d'azymes qui est devant Yahvé. 24 Tu placeras le tout sur les paumes d'Aaron et les paumes
de ses fils, et tu feras le geste de présentation[g]
devant Yahvé. 25 Tu les prendras ensuite de leurs
mains et tu les feras fumer à l'autel, par-dessus
l'holocauste, en parfum d'apaisement devant
Yahvé; c'est là un mets consumé pour Yahvé.
26 Tu prendras la poitrine du bélier d'investiture
d'Aaron, et tu feras avec elle le geste de présenta- Lv 7 30s
tion devant Yahvé; ce sera ta part. 27 Tu consacreras la poitrine qui a été présentée, ainsi que la patte
qui a été prélevée, qui ont été présentées et prélevées sur le bélier d'investiture d'Aaron et de ses fils.
28 Ce sera, selon un décret perpétuel, ce qu'Aaron
et ses fils recevront des Israélites, car c'est un prélèvement, le prélèvement de Yahvé, fait par les Israélites sur leurs sacrifices de communion; un prélèvement pour Yahvé.
29 Les vêtements sacrés d'Aaron passeront après
lui à ses fils qui les revêtiront lors de leur onction
et de leur investiture. 30 Pendant sept jours il les
revêtira, celui des fils d'Aaron qui sera prêtre après
lui et qui entrera dans la Tente du Rendez-vous
pour servir dans le sanctuaire.

**Repas sacré.**

31 « Tu prendras le bélier d'investiture et tu en
feras cuire la viande dans un lieu saint. 32 Aaron Lv 8 31
et ses fils mangeront la viande du bélier et le pain
qui est dans la corbeille, à l'entrée de la Tente du
Rendez-vous. 33 Ils mangeront ce qui aura servi à
faire l'expiation pour eux, lors de leur investiture
et de leur consécration. Nul profane n'en mangera,

*a)* Bain complet différent des ablutions de **30** 19-21, et destiné à conférer la pureté rituelle requise.
*b)* L'hébr. répète ici « Aaron et ses fils »; omis par le grec.
*c)* Pour en faire leur sacrifice propre.
*d)* Cet anthropomorphisme exprime la satisfaction que Dieu trouve dans l'offrande qui lui est faite, cf. ci-dessous *passim*; Gn **8** 21; Lv **1** 9; Nb **28** 2.
*e)* « l'oreille droite » versions; « l'oreille » hébr.
*f)* Addition postérieure dont la place diffère. Grec : avant 20^b; sam. : après 28. Dans Lv, après **8** 29 qui correspond à **29** 26 d'Ex.
*g)* Ce rite de présentation consistait à balancer d'avant en arrière l'objet qui se trouvait ainsi offert à la divinité avant de revenir au prêtre.

car ce sont choses saintes. 34 Si, au matin, il reste
de la viande du sacrifice d'investiture et du pain,
tu brûleras le reste au feu, on ne le mangera pas :
c'est chose sainte. 35 Tu feras ainsi pour Aaron et
ses fils, conformément à tout ce que je t'ai
Lv **8** 33s ordonné : tu emploieras sept jours pour leur investiture.

### Consécration de l'autel des holocaustes.

36 « Chaque jour tu offriras aussi un jeune taureau en sacrifice pour le péché – en expiation. Tu
Ez **43** 18-27 offriras pour l'autel un sacrifice pour le péché,
quand tu feras pour lui l'expiation, et tu l'oindras
pour le consacrer. 37 Pendant sept jours tu feras
Lv **16** 18-20 l'expiation pour l'autel et tu le consacreras; il sera
Nb **4** 15,20 alors éminemment saint et tout ce qui touchera
2 S **6** 6-7 l'autel sera saint.

|| Lv **6** 2-6
|| Nb **28** 3-8+

### Holocauste quotidien.

38 « Voici ce que tu offriras sur l'autel : deux
agneaux mâles d'un an, chaque jour, à perpétuité.
39 Tu offriras l'un de ces agneaux le matin et l'autre
Ez **46** 13-15 au crépuscule; 40 avec le premier agneau, un
dixième de mesure [a] de fleur de farine pétrie
avec un quart de setier [b] d'huile d'olives broyées et
une libation d'un quart de setier de vin. 41 Le
second agneau, tu l'offriras au crépuscule; tu l'offriras avec une oblation et une libation semblables
à celles du matin : en parfum d'apaisement, en
offrande consumée pour Yahvé. 42 Ce sera un holocauste perpétuel pour toutes vos générations, à l'entrée de la Tente du Rendez-vous, en présence de
**25** 22 Yahvé, où je te donnerai rendez-vous [c] pour te parler.
43 Je donnerai rendez-vous aux Israélites en ce
**24** 16+; lieu, et il sera consacré par ma gloire. 44 Je consa-
**40** 34 crerai la Tente du Rendez-vous et l'autel. Je consa-
crerai aussi Aaron et ses fils pour qu'ils exercent
**25** 8 mon sacerdoce. 45 Je demeurerai au milieu des
Israélites et je serai leur Dieu, 46 et ils sauront que
je suis Yahvé, leur Dieu, qui les a fait sortir du
pays d'Égypte pour demeurer parmi eux, moi
Yahvé, leur Dieu.

**37** 25-28

### Autel des parfums.

Nb **4** 11
1 R **6** 20 **30** 1 « Tu feras un autel où faire fumer l'encens [d],
↗ Ap **8** 3-5 tu le feras en bois d'acacia. 2 D'une coudée de
long et d'une coudée de large, il sera carré, et il
aura deux coudées et demie de haut; ses cornes
feront corps avec lui. 3 Tu plaqueras d'or pur sa
partie supérieure, ses parois tout autour et ses cornes, et tu lui feras tout autour une moulure d'or.
4 Tu lui feras deux anneaux d'or au-dessous de la
moulure, sur ses deux côtés; tu les feras sur les
deux faces pour y loger les barres servant à son
transport. 5 Tu feras ces barres en bois d'acacia, et
tu les plaqueras d'or. 6 Tu le mettras devant le **40** 5
rideau qui pend devant l'arche du Témoignage –
devant le propitiatoire qui est sur le Témoignage –
où je te donnerai rendez-vous. 7 Aaron y fera fumer
l'encens aromatique chaque matin, quand il mettra
les lampes en ordre il le fera fumer. 8 Et quand
Aaron replacera les lampes, au crépuscule, il le fera
encore fumer. C'est un encens perpétuel devant
Yahvé, pour vos générations. 9 Vous n'offrirez dessus ni encens profane ni holocauste ni oblation, et
vous n'y verserez aucune libation. 10 Une fois l'an,
Aaron fera l'expiation sur les cornes de l'autel;
avec le sang du sacrifice pour le péché, au jour de
l'Expiation, une fois l'an, il fera l'expiation pour **29** 36-37
lui, pour vos générations; il est éminemment saint,
pour Yahvé. »

### Impôt de la capitation.

**38** 25-28

11 Yahvé parla à Moïse et lui dit : 12 « Quand tu
dénombreras les Israélites par le recensement, cha- Nb **1**
cun d'eux donnera à Yahvé la rançon de sa vie [e]
pour qu'aucun fléau n'éclate parmi eux à l'occasion 2 S **24**
du recensement. 13 Quiconque est soumis au recensement donnera un demi-sicle sur la base du sicle
du sanctuaire : vingt géras par sicle. Ce demi-sicle ↗ Mt **17** 24
sera un prélèvement pour Yahvé. 14 Quiconque est
soumis au recensement, c'est-à-dire âgé de vingt
ans et au-delà, donnera le prélèvement de Yahvé.
15 Le riche ne donnera pas plus et le pauvre ne donnera pas moins d'un demi-sicle lorsqu'il donnera le
prélèvement pour Yahvé, en rançon de vos vies [f]. 1 P **1** 18-19
16 Tu prendras l'argent de la rançon des Israélites,
et tu le donneras au service de la Tente du Rendez-
vous; il sera pour les Israélites un mémorial
devant Yahvé, pour la rançon de vos vies. »

### Le bassin.

**38** 8
1 R **7** 23-38

17 Yahvé parla à Moïse et lui dit : 18 « Tu feras
pour les ablutions un bassin de bronze à socle de
bronze; tu le mettras entre la Tente du Rendez-

*a)* Soit environ 4, 50 litres.
*b)* Soit environ 1,87 litres.
*c)* « te donnerai » sam., grec; « vous donnerai » hébr.
*d)* Dans le Temple de Salomon, il est placé devant le Saint des Saints, 1 R **6** 20-21. De tels autels étaient en usage dans tout l'Orient ancien.
*e)* L'hébr. ajoute ici « lors de leur recensement »; omis par le grec.
*f)* Riches et pauvres sont égaux devant Dieu. – Le « sicle du sanctuaire » n'apparaît que dans des textes tardifs, ici, **38** 24-26; Lv **5** 15; **27** 25; Nb **3** 47; **18** 16. Il est peut-être le sicle ancien, valant 1/50e de mine et pesant environ 11 g 4, tandis que le sicle courant était tombé à 1/60e de mine, cf. Ez **45** 12.

vous et l'autel, et tu y mettras de l'eau, [19] avec quoi
Aaron et ses fils laveront leurs mains et leurs pieds.
[20] Quand ils entreront dans la Tente du Rendez-
vous, ils se laveront avec de l'eau afin de ne pas
mourir; de même, quand ils s'approcheront de
l'autel pour le service, pour faire fumer une
offrande consumée pour Yahvé, [21] ils laveront leurs
mains et leurs pieds, afin de ne pas mourir : c'est
là un décret perpétuel pour lui et sa descendance,
pour leurs générations. »

Lv **8** 10s **L'huile d'onction** [a].

[22] Yahvé parla à Moïse et lui dit : [23] « Pour toi,
prends des parfums de choix : cinq cents sicles de
myrrhe vierge, la moitié de cinnamome odoriférant : deux cent cinquante sicles, et de roseau odoriférant deux cent cinquante sicles. [24] Cinq cents
sicles de casse – selon le sicle du sanctuaire – et
un setier d'huile d'olive. [25] Tu en feras une huile
**37** 29 d'onction sainte, un mélange odoriférant comme en
compose le parfumeur : ce sera une huile d'onction
sainte. [26] Tu en oindras la Tente du Rendez-vous
et l'arche du Témoignage, [27] la table et tous ses
accessoires, le candélabre et ses accessoires,
l'autel des parfums, [28] l'autel des holocaustes et
tous ses accessoires, le bassin et son socle. [29] Tu les
**29** 37 consacreras, ils seront alors éminemment saints, et
**28** 41; **40** 15 tout ce qui les touchera sera saint. [30] Tu oindras
Aaron et ses fils, et tu les consacreras pour qu'ils
exercent mon sacerdoce. [31] Puis tu parleras aux
Israélites et tu leur diras : ceci sera pour vous [b],
pour vos générations, une huile d'onction sainte.
[32] On n'en versera pas sur le corps d'un homme
quelconque et vous n'en ferez pas de semblable de
même composition. C'est une chose sainte, elle sera
sainte pour vous. [33] Quiconque fera le même parfum et en mettra sur un profane sera retranché de
son peuple. »

**37** 29 **Le parfum.**

[34] Yahvé dit à Moïse : « Prends des aromates :
storax, onyx, galbanum, aromates et pur encens,
chacun en quantité égale [35] et tu en feras un parfum
à brûler comme en opère le parfumeur, salé, pur,
saint. [36] Tu en broieras finement une partie et tu en
mettras devant le Témoignage, dans la Tente du **25** 22
Rendez-vous, là où je te donnerai rendez-vous. Il
sera pour vous éminemment saint. [37] Le parfum
que tu fais là, vous n'en ferez pas pour vous-mêmes
de même composition. Il sera saint pour toi,
réservé à Yahvé. Quiconque fera le même pour en
humer l'odeur, sera retranché de son peuple. »

**Les ouvriers du sanctuaire.** **35** 30-35

# 31

[1] Yahvé parla à Moïse et lui dit : [2] « Vois, j'ai
désigné nommément Beçaléel, fils de Uri, fils
de Hur, de la tribu de Juda. [3] Je l'ai comblé de l'esprit de Dieu [c] en habileté, intelligence et savoir
pour toutes sortes d'ouvrages; [4] pour concevoir des
projets et les exécuter en or, en argent et en bronze;
[5] pour tailler les pierres à enchâsser, pour tailler le
bois et pour exécuter toute sorte d'ouvrage. [6] Voici
que je lui adjoins Oholiab, fils d'Ahisamak, de la
tribu de Dan, et j'ai mis la sagesse dans le cœur
de tous les hommes au cœur sage pour qu'ils fassent tout ce que je t'ai ordonné : [7] la Tente du Rendez-vous, l'arche du Témoignage, le propitiatoire
qui est sur elle et tout le mobilier de la Tente; [8] la
table et tous ses accessoires, le candélabre pur et
tous ses accessoires, l'autel des parfums, [9] l'autel
des holocaustes et tous ses accessoires, le bassin et
son socle; [10] les vêtements d'apparat, les vêtements
sacrés pour Aaron le prêtre, et les vêtements de ses
fils, pour exercer le sacerdoce; [11] l'huile d'onction
et l'encens aromatique pour le sanctuaire. En tout,
ils feront comme je te l'ai ordonné. »

**Repos sabbatique** [d]. **20** 8-11+

[12] Yahvé dit à Moïse : [13] « Toi, parle aux Israélites et dis-leur : vous garderez bien mes sabbats, car
c'est un signe entre moi et vous pour vos généra- Ez **20** 12
tions, afin qu'on sache que je suis Yahvé, celui qui
vous sanctifie. [14] Vous garderez le sabbat car il est
saint pour vous. Qui le profanera sera mis à mort; Nb **15** 32-36
quiconque fera ce jour-là quelque ouvrage sera
retranché du milieu de son peuple. [15] Pendant six
jours on fera l'ouvrage à faire, mais le septième
jour sera jour de repos complet, consacré à Yahvé.
Quiconque travaillera le jour du sabbat sera mis à
mort. [16] Les Israélites garderont le sabbat, en ob-

*a)* Ces prescriptions concernant l'usage de l'huile (comme celles qui suivent, sur le parfum) sont tardives : tous les prêtres sont oints, aucun laïc ne doit l'être. Dans les textes historiques anciens, l'onction est réservée au roi : 1 S **10** 1s; **16** 1s; 1 R **1** 39; 2 R **9** 6; **11** 12. Cette onction donne au roi un caractère sacré : il est l'Oint de Yahvé, 1 S **24** 7; **26** 9, 11, 23; 2 S **1** 14, 16; **19** 22, en hébreu « le Messie », en grec « le Christ ». Appliqué souvent par les Psaumes à David et à sa dynastie, ce titre est devenu par excellence celui du Roi de l'avenir, le Messie, dont David était le type, et le Nouveau Testament le donne au Christ Jésus. Quant aux membres du sacerdoce, il ne semble pas que l'onction leur ait été conférée avant l'époque perse. Les textes sacerdotaux anciens la réservaient au grand prêtre, Ex **29** 7, 29; Lv **4** 3, 5, 16; **8** 12. On l'étendit ensuite à tous les prêtres, ici v. 30 et **28** 41; **40** 15; Lv **7** 36; **10** 7; Nb **3** 3.

*b)* « sera pour vous » grec; « sera pour moi » hébr.

*c)* L'esprit de Dieu est tenu pour le dispensateur des qualités extraordinaires : ici l'habileté technique, conçue comme participant en quelque manière à la Sagesse divine.

*d)* La loi du repos sabbatique, sans lien avec ce qui précède, a pu être insérée ici pour mettre en relief sa signification cultuelle.

servant le sabbat dans leurs générations, c'est une
Gn 9 9+ alliance éternelle. 17 Entre moi et les Israélites c'est
un signe à perpétuité, car en six jours Yahvé a fait
= 20 11 les cieux et la terre, mais le septième jour il a
Gn 2 2-3 chômé et repris haleine. »

**Remise à Moïse des tables de la Loi [a].**

18 Quand Il eut fini de parler avec Moïse sur le
mont Sinaï, Il lui remit les deux tables du Témoi- 24 12+
gnage, tables de pierre écrites du doigt de Dieu. 25 16+

|| Dt 9 7
10 5

## 5. *LE VEAU D'OR ET LE RENOUVELLEMENT DE L'ALLIANCE* [b]

**Le veau d'or [c].**

Jr 31 32 32 1 Quand le peuple vit que Moïse tardait à des-
Ex 24 18 cendre de la montagne, le peuple s'assembla
↗ Ac 7 40-41 auprès d'Aaron et lui dit : « Allons, fais-nous un
dieu qui aille devant nous, car ce Moïse, l'homme
qui nous a fait monter du pays d'Égypte, nous ne
savons pas ce qui lui est arrivé. » 2 Aaron leur
répondit : « Otez les anneaux d'or qui sont aux
oreilles de vos femmes, de vos fils et de vos filles
et apportez-les-moi. » 3 Tout le peuple ôta les
anneaux d'or qui étaient à leurs oreilles et ils les
apportèrent à Aaron. 4 Il reçut l'or de leurs mains,
Ne 9 18 le fit fondre dans un moule et en fit une statue de
Ps 106 19s veau; alors ils dirent : « Voici ton Dieu, Israël,
1 R 12 28 celui qui t'a fait monter du pays d'Égypte [d]. »
5 Voyant cela, Aaron bâtit un autel devant la statue et fit cette proclamation : « Demain, fête pour
Yahvé. »

6 Le lendemain, ils se levèrent de bon matin, ils
offrirent des holocaustes et apportèrent des
↗ 1 Co 10 7 sacrifices de communion. Le peuple s'assit pour
manger et pour boire, puis ils se levèrent pour se
divertir.

**Yahvé avertit Moïse.**

7 Yahvé dit alors à Moïse : « Allons! descends,
car ton peuple que tu as fait monter du pays
d'Égypte s'est perverti. 8 Ils n'ont pas tardé à Jr 31 32
s'écarter de la voie que je leur avais prescrite. Ils
se sont fabriqué un veau en métal fondu, et se sont
prosternés devant lui. Ils lui ont offert des sacrifices
et ils ont dit : Voici ton Dieu, Israël, qui t'a fait
monter du pays d'Égypte. » 9 [e] Yahvé dit à Moïse :
« J'ai vu ce peuple : c'est un peuple à la nuque 33 3; 34 9
raide. 10 Maintenant laisse-moi, ma colère va s'en- Dt 9 13+
flammer contre eux et je les exterminerai; mais de
toi je ferai une grande nation. » Gn 12 2 Nb 14 12

**Prière de Moïse [f].** Ps 106 23

11 Moïse s'efforça d'apaiser Yahvé son Dieu et Dt 9 26-29
dit : « Pourquoi, Yahvé, ta colère s'enflammerait-
elle contre ton peuple que tu as fait sortir d'Égypte
par ta grande force et ta main puissante?
12 Pourquoi les Égyptiens diraient-ils : “ C'est par Nb 14 13-16
méchanceté qu'il les a fait sortir, pour les faire périr Dt 9 28; 32 27
dans les montagnes et les exterminer de la face de Ez 20 9,44
la terre ”? Reviens de ta colère ardente et renonce
au mal que tu voulais faire à ton peuple. 13 Souviens-toi de tes serviteurs Abraham, Isaac et Israël,
à qui tu as juré par toi-même et à qui tu as dit :
Je multiplierai votre postérité comme les étoiles du Gn 15 5;
ciel, et tout ce pays dont je vous ai parlé, je le don- 22 16-17+;
nerai à vos descendants et il sera leur héritage à 35 11-12
jamais. » 14 Et Yahvé renonça à faire le mal dont
il avait menacé son peuple.

*a)* Ce v. se rattache à **24** 12-15 et reprend les récits anciens par-dessus la grande insertion sacerdotale. – Les tables portent le Décalogue, appelé le Témoignage, cf. **25** 16+, qui contient les clauses de l'Alliance. De même, les traités orientaux étaient inscrits sur des tablettes ou sur des stèles, et gardés dans un sanctuaire.

*b)* Du point de vue de la critique littéraire, les ch. **32**-**34** combinent des traditions yahviste et élohiste qu'il est à peu près impossible de distinguer dans le détail. Ils présentent l'alliance yahviste d'Ex **34** comme un renouvellement de l'alliance élohiste d'Ex **24**, qui a été rompue par une rébellion d'Israël : l'adoration du veau d'or. On peut penser que cet arrangement est artificiel et que l'épisode du veau d'or a été mis à cette place pour séparer les deux récits d'alliance et permettre de les conserver.

*c)* Le « Veau » d'or, ainsi appelé par dérision, est en fait une image de jeune taureau, l'un des symboles divins de l'ancien Orient. Un groupe concurrent du groupe de Moïse, ou une fraction dissidente de ce groupe, a eu ou a voulu avoir comme symbole de la présence de son Dieu une figure de taureau au lieu de l'arche d'Alliance. Mais il s'agit toujours de Yahvé, v. 5, qui a fait sortir Israël d'Égypte, vv. 4 et 8. On a dit que ce récit reportait au désert les veaux d'or de Jéroboam, il semble plutôt que ce dernier ait voulu reprendre une tradition ancienne, cf. 1 R **12** 28+.

*d)* Ce taureau n'est pas une image de Yahvé; d'après les parallèles orientaux il est le piédestal de la divinité invisible, comme est l'arche dont il doit assumer le rôle de guide, cf. v. 1.

*e)* Ce v. manque dans le grec.

*f)* Moïse apparaît comme le grand intercesseur : déjà lors des plaies d'Égypte, Ex **5** 22-23; **8** 4; **9** 28; **10** 17; en faveur de sa sœur Miryam, Nb **12** 13; mais surtout pour tout le peuple au désert, Ex **5** 22-23; **32** 11-14, 30-32; Nb **11** 2; **14** 13-19; **16** 22; **21** 7; Dt **9** 25-29. Ce rôle est rappelé par Jr **15** 1; Ps **99** 6; **106** 23; Si **45** 3. Cf. 2 M **15** 14+. Cette intercession de Moïse préfigure celle du Christ.

**Moïse brise les tables de la Loi.**

15 Moïse se retourna et descendit de la montagne
24 12+ avec, en main, les deux tables du Témoignage,
tables écrites des deux côtés, écrites sur l'une et
l'autre face. 16 Les tables étaient l'œuvre de Dieu
31 18 et l'écriture était celle de Dieu, gravée sur les
tables.
17 Josué entendit le bruit du peuple qui poussait
des cris et il dit à Moïse : « Il y a un bruit de
bataille dans le camp! » 18 Mais il dit :
« Ce n'est pas le bruit de chants de victoire,
ce n'est pas le bruit de chants de défaite,
c'est le bruit de chants alternés que j'entends. »
19 Et voici qu'en approchant du camp il aperçut
le veau et des chœurs de danse. Moïse s'enflamma
de colère; il jeta de sa main les tables et les brisa
au pied de la montagne. 20 Il prit le veau qu'ils
Dt 9 21 avaient fabriqué, le brûla au feu, le moulut en poudre fine, et en saupoudra la surface de l'eau qu'il
fit boire aux Israélites [a]. 21 Moïse dit à Aaron :
« Que t'a fait ce peuple pour l'avoir chargé d'un si
grand péché? » 22 Aaron répondit : « Que la colère
de Monseigneur ne s'enflamme pas, tu sais toi-
même que ce peuple est mauvais. 23 Ils m'ont dit :
" Fais-nous un dieu qui aille devant nous, car ce
Moïse, l'homme qui nous a fait monter du pays
d'Égypte, nous ne savons pas ce qui lui est arrivé. "
24 Je leur ai dit : " Quiconque a de l'or s'en
dessaisisse. " Ils me l'ont donné. Je l'ai jeté dans
le feu et il en est sorti le veau que voici. »

**Zèle des Lévites.**

25 Moïse vit que le peuple s'était déchaîné – car
Aaron les avait abandonnés à la honte [b] parmi
leurs adversaires – 26 et Moïse se tint à la porte du
camp et dit : « Qui est pour Yahvé, à moi! » Tous
Dt 33 9 les fils de Lévi se groupèrent autour de lui. 27 Il leur
dit : « Ainsi parle Yahvé, le Dieu d'Israël : ceignez
chacun votre épée sur votre hanche, allez et venez
dans le camp, de porte en porte, et tuez qui son
Mt 10 37 frère, qui son ami, qui son proche. » 28 Les fils de
Lc 14 26 Lévi firent ce que Moïse avait dit, et du peuple, il
tomba ce jour-là environ trois mille [c] hommes.
29 Moïse dit : « Vous vous êtes aujourd'hui conféré
l'investiture [d] pour Yahvé, qui au prix de son fils, Dt 33 8-11
qui au prix de son frère, de sorte qu'il vous donne Nb 25 7-13
aujourd'hui la bénédiction. »

**Nouvelle prière de Moïse.**

30 Le lendemain, Moïse dit au peuple : « Vous
avez commis, vous, un grand péché. Je m'en vais
maintenant monter vers Yahvé. Peut-être pourrai-je
expier votre péché! » 31 Moïse retourna donc vers
Yahvé et dit : « Hélas! ce peuple a commis un
grand péché. Ils se sont fabriqué un dieu en or.
32 Pourtant, s'il te plaisait de pardonner leur
péché... Sinon, efface-moi, de grâce, du livre que tu Rm 9 3
as écrit [e]! » 33 Yahvé dit à Moïse : « Celui qui a Ap 20 12
péché contre moi, c'est lui que j'effacerai de mon Dn 12 1+
livre. 34 Va maintenant, conduis le peuple où je t'ai
dit. Voici que mon ange ira devant toi, mais au jour 23 20+
de ma visite, je les punirai de leur péché. » 35 Et 3 16+
Yahvé frappa le peuple parce qu'ils avaient fabriqué le veau, celui qu'avait fabriqué Aaron.

**L'ordre de départ [f].** Nb 10 11-13

33 1 Yahvé dit à Moïse : « Va, monte d'ici, toi et
le peuple que tu as fait monter du pays
d'Égypte, vers la terre dont j'ai dit par serment à
Abraham, Isaac et Jacob que je la donnerais à leur
descendance. 2 J'enverrai un ange devant toi et 23 20+
j'expulserai les Cananéens, les Amorites, les Hitti- Dt 7 1+
tes, les Perizzites, les Hivvites et les Jébuséens.
3 Monte vers une terre qui ruisselle de lait et de
miel, mais je ne monterai pas au milieu de toi, de
peur que je ne t'extermine en chemin car tu es un
peuple à la nuque raide. » 4 Lorsqu'il eut entendu
cette parole sévère, le peuple prit le deuil et personne ne porta plus ses parures. 5 Alors Yahvé dit
à Moïse : « Dis aux Israélites : Vous êtes un peuple
à la nuque raide, si je montais au milieu de toi, ne 32 9+
fût-ce qu'un moment, je t'exterminerais. Et maintenant, dépouille-toi de tes parures, que je sache
comment te traiter. » 6 Alors les Israélites se
débarrassèrent de leurs parures, à partir du mont
Horeb [g].

**La Tente [h].** 26 1+

7 Moïse prenait la Tente et la plantait pour lui [i]

*a)* L'eau est ainsi devenue une « eau de malédiction », cf Nb **5** 11-31. Mais ce n'est pas ici une ordalie comme dans ce dernier texte, puisque tout le peuple est considéré comme coupable. La tradition primitive laissait probablement à Dieu le châtiment qui est ici attribué aux Lévites, cf. vv. 25s. Dt **9** 21 rapporte le fait d'une autre manière.

*b)* Le mot hébreu est de sens incertain.

*c)* La Vulg. porte « 23.000 », peut-être d'après 1 Co **10** 8, qui peut s'être inspiré de Nb **25** 1-9.

*d)* « Vous vous êtes conféré l'investiture » (Litt. « vous vous êtes rempli les mains », cf. **28** 41+) grec; « conférez-vous l'investiture » hébr.

*e)* Le livre qui contient les actions des hommes et décrit leur destinée, cf. Ps **69** 29; **139** 16, etc.

*f)* Le ch. **33** rassemble des éléments qui n'ont entre eux d'autre lien que la préoccupation de la présence de Dieu à son peuple.

*g)* Les vv. 1-6, de style deutéronomisant, ne sont pas unifiés : Yahvé commande ce que le peuple a déjà fait de lui-même.

*h)* C'est ici l'un des rares textes anciens qui parlent de la Tente : elle est le lieu du « Rendez-vous » de Yahvé avec Moïse et le peuple, Nb **11** 16s; **12** 4-10; cf. Ex **29** 42-43; Lv **1** 1.

*i)* Ce pronom peut représenter Moïse, ou Yahvé, ou l'arche

hors du camp, loin du camp. Il la nomma Tente
du Rendez-vous, et quiconque avait à consulter
Yahvé [a] sortait vers la Tente du Rendez-vous qui
se trouvait hors du camp. [8] Chaque fois que Moïse
sortait vers la Tente, tout le peuple se levait, chacun se postait à l'entrée de sa tente, et suivait Moïse
du regard jusqu'à ce qu'il entrât dans la Tente.
[9] Chaque fois que Moïse entrait dans la Tente, la
colonne de nuée descendait, se tenait à l'entrée de
**34** 34 la Tente et Il parlait avec Moïse. [10] Tout le peuple
voyait la colonne de nuée qui se tenait à l'entrée
de la Tente, et tout le peuple se levait et se proster-
**33** 20+ nait, chacun à l'entrée de sa tente. [11] Yahvé parlait
Nb **12** 8 Dt **34** 10 à Moïse face à face, comme un homme parle à son
Jn **15** 15 ami, puis il rentrait au camp, mais son serviteur
Jos **1** 1+ Josué, fils de Nûn, un jeune homme, ne quittait pas
l'intérieur de la Tente.

**Prière de Moïse.**

[12] Moïse dit à Yahvé : « Vois, tu me dis : " Fais
monter ce peuple ", et tu ne me fais pas connaître
qui tu enverras avec moi. Tu avais pourtant dit :
**33** 11+ " Je te connais par ton nom et tu as trouvé grâce
à mes yeux. " [13] Si donc j'ai trouvé grâce à tes
yeux, daigne me faire connaître tes voies pour que
je te connaisse et que je trouve grâce à tes yeux.
Considère aussi que cette nation est ton peuple. »
[14] Yahvé dit : « J'irai moi-même, et je te donnerai
↗ He **4** 1 le repos [b]. » [15] Et il dit : « Si tu ne viens pas toi-
même, ne nous fais pas monter d'ici; [16] comment
saura-t-on alors que j'ai trouvé grâce à tes yeux,
Dt **2** 7 moi et ton peuple? N'est-ce pas à ce que tu iras
avec nous? En sorte que nous soyons distincts, moi
et ton peuple, de tous les peuples qui sont sur la
face de la terre. » [17] Yahvé dit à Moïse : « Cette
chose que tu as dite, je la ferai encore parce que
tu as trouvé grâce à mes yeux et que je te connais
par ton nom. »

**Moïse sur la montagne.** **33** 11+ 1 R **19** 9-18

[18] Il lui dit : « Fais-moi de grâce voir ta gloire [c]. » ↗ Jn **1** 14-18+
[19] Et il dit : « Je ferai passer devant toi toute ma
beauté et je prononcerai devant toi le nom de **34** 6-7
Yahvé [d]. Je fais grâce à qui je fais grâce et j'ai pitié **3** 14+
de qui j'ai pitié. » [20] « Mais, dit-il, tu ne peux pas
voir ma face, car l'homme ne peut me voir et Gn **32** 31
vivre [e]. » [21] Yahvé dit encore : « Voici une place Ex **19** 21 Lv **16** 2
près de moi; tu te tiendras sur le rocher. [22] Quand Nb **4** 20
passera ma gloire, je te mettrai dans la fente du Dt **5** 24 Jg **6** 22-23
rocher et je te couvrirai de ma main jusqu'à ce que Is **6** 5
je sois passé. [23] Puis j'écarterai ma main et tu verras mon dos; mais ma face, on ne peut la voir. »

**Renouvellement de l'Alliance [f].** **19**; **32** 1+
**Les tables de la Loi.**

**34** [1] Yahvé dit à Moïse : « Taille deux tables de
pierre semblables aux premières, monte vers
moi sur la montagne [g], et j'écrirai sur les tables les
paroles qui étaient sur les premières tables que tu
as brisées. [2] Sois prêt au matin, monte dès le matin
sur le mont Sinaï et attends-moi là, au sommet de
la montagne. [3] Que personne ne monte avec toi; **19** 12s
que personne même ne paraisse sur toute la montagne. Que même le bétail, petit et gros, ne paisse pas
devant cette montagne. » [4] Il tailla donc deux tables
de pierre, semblables aux premières, et, s'étant levé
de bon matin, Moïse monta sur le mont Sinaï,
comme Yahvé le lui avait ordonné, et il prit dans
sa main les deux tables de pierre. [5] Yahvé descendit
dans une nuée et il se tint là avec lui.

**Apparition divine.** **33** 18-23

Il invoqua le nom de Yahvé. [6] Yahvé passa
devant lui et il cria [h] : « Yahvé, Yahvé, Dieu de ten- **3** 14+
dresse et de pitié, lent à la colère, riche en grâce **20** 5-6 Nb **14** 18
et en fidélité; [7] qui garde sa grâce à des milliers, Dt **5** 9-10

(nom masculin en hébreu) qui aurait été mentionnée auparavant dans le récit dont provient ce passage. Il est vraisemblable en effet que la Tente du désert était le sanctuaire de l'arche, et Josué y était attaché d'après le v. 11.

*a)* C'est-à-dire demander un oracle, par l'intermédiaire de Moïse qui, dans la Tente, s'entretient seul avec Dieu; sur ce rôle de Moïse, cf. déjà **18** 15. Plus tard, on « consultera » Yahvé auprès d'un homme de Dieu ou d'un prophète, 1 R **14** 5; **22** 5, 8; 2 R **3** 11; **8** 8, etc., ou bien par le moyen des sorts sacrés, cf. 1 S **2** 28+; **14** 41+.

*b)* Thème deutéronomiste, cf. Dt **3** 10; **12** 10; **25** 19; Jos **1** 13; **22** 4; **23** 1; cf. encore Ps **95** 11. C'est l'accomplissement des promesses.

*c)* Voir note sur **24** 16.

*d)* En prononçant son nom, Dieu se révèle de quelque manière à Moïse, voir **3** 13-15+.

*e)* Il y a un tel abîme entre la sainteté de Dieu et l'indignité de l'homme, voir Lv **17** 1+, que l'homme devrait mourir de voir Dieu, Ex **19** 21; Lv **16** 2; Nb **4** 20, cf. **6** 25+, ou seulement de l'entendre, Ex **20** 19; Dt **5** 24-26; cf. **18** 16. C'est pour cela que Moïse, Ex **3** 6, Élie, 1 R **19** 13, et même les Séraphins, Is **6** 2, se voilent la face devant Yahvé. De rester en vie après avoir vu Dieu, on éprouve un étonnement reconnaissant, Gn **32** 31; Dt **5** 24, ou une crainte religieuse, Jg **6** 22-23; **13** 22; Is **6** 5. C'est une rare faveur que Dieu fait, Ex **24** 11, particulièrement à Moïse, comme à son « ami », Ex **33** 11; Nb **12** 7 8; Dt **34** 10, et à Élie, 1 R **19** 11s, qui seront témoins de la Transfiguration du Christ, cette théophanie du Nouveau Testament, Mt **17** 3p, et resteront, dans la tradition chrétienne, comme les représentants éminents de la grande mystique (avec saint Paul, 2 Co **12** 1s). Dans le Nouveau Testament, la « gloire » de Dieu, cf. ici v. 18 et Ex **24** 16+, se manifeste en Jésus, Jn **1** 14+; **11** 40; cf. 2 Co **4** 4, 6, mais Jésus seul a contemplé Dieu son Père, Jn **1** 18; **6** 46; 1 Jn **4** 12. Pour les hommes, la vision face à face est réservée à la béatitude du ciel, Mt **5** 8; 1 Jn **3** 2; 1 Co **13** 12.

*f)* Le ch. **34** contient le récit yahviste de l'Alliance sinaïtique. Sur son aspect de « renouvellement de l'Alliance », cf. **32**, note sur le titre.

*g)* « monte vers moi sur la montagne » grec; omis par hébr.

*h)* Yahvé réalise ce qu'il avait promis, **33** 19-23, et révèle ses attributs divins et singulièrement sa miséricorde.

Ps **86** 15 tolère faute, transgression et péché mais ne laisse
Jr **32** 18 Na **1** 3 rien impuni et châtie les fautes des pères sur les
Jl **2** 13 enfants et les petits-enfants, jusqu'à la troisième et
↗ Jn **1** 14 la quatrième génération. » 8 Aussitôt Moïse tomba
à genoux sur le sol et se prosterna, 9 puis il dit : « Si
**32** 11-14 vraiment, Seigneur, j'ai trouvé grâce à tes yeux, que
mon Seigneur veuille bien aller au milieu de nous,
bien que ce soit un peuple à la nuque raide, pardonne nos fautes et nos péchés et fais de nous ton
héritage. »

Ex **20** 1+ **L'Alliance** [a].

10 Il dit : « Voici que je vais conclure une
↗ Jn **1** 17 alliance : devant tout ton peuple je ferai des merveilles telles qu'il n'en a été accompli dans aucun
Dt **2** 7 pays ni aucune nation. Le peuple au milieu duquel
tu te trouves verra l'œuvre de Yahvé, car c'est
chose redoutable, ce que je vais faire avec toi.
11 Observe donc ce que je te commande
**23** 20+ aujourd'hui. Je vais chasser devant toi les Amori-
Dt **7** 1+ tes, les Cananéens, les Hittites, les Perizzites, les
Hivvites et les Jébuséens. 12 Garde-toi de faire
**23** 32-33 alliance avec les habitants du pays où tu vas entrer,
de peur qu'ils ne constituent un piège au milieu de
toi. 13 Vous démolirez leurs autels, vous mettrez
Nb **33** 52 leurs stèles en pièces et vous couperez leurs pieux
sacrés [b]. 14 Tu ne te prosterneras pas devant un
autre dieu, car Yahvé a pour nom Jaloux : c'est un
Dt **4** 24+ Dieu jaloux. 15 Ne fais pas alliance avec les habitants du pays, car lorsqu'ils se prostituent [c] à leurs
dieux et leur offrent des sacrifices, ils t'inviteraient
et tu mangerais de leur sacrifice, 16 tu prendrais de
leurs filles pour tes fils, leurs filles se prostitueraient
à leurs dieux et feraient se prostituer tes fils à leurs
dieux.

**20** 4+ 17 Tu ne te feras pas de dieu de métal fondu.

**23** 14+ 18 Tu observeras la fête des Azymes. Pendant
**12** 1+ sept jours tu mangeras des azymes, comme je te l'ai
ordonné, au temps fixé du mois d'Abib, car c'est
au mois d'Abib que tu es sorti d'Égypte.

**13** 11+ 19 Tout être sorti le premier du sein maternel est
à moi [d] : tout mâle, tout premier-né de ton petit ou
de ton gros bétail. 20 Les premiers ânons mis bas
tu les rachèteras par une tête de petit bétail et si
tu ne les rachètes pas, tu leur briseras la nuque.
Tous les premiers-nés de tes fils, tu les rachèteras,
et l'on ne se présentera pas devant moi les mains
vides.

21 Pendant six jours tu travailleras, mais le sep- **20** 8+
tième jour, tu chômeras, que ce soient les labours
ou la moisson, tu chômeras.

22 Tu célébreras la fête des Semaines, prémices
de la moisson des blés, et la fête de la récolte au
retour de l'année.

23 Trois fois l'an, toute ta population mâle se présentera devant le Seigneur Yahvé, Dieu d'Israël.

24 Je déposséderai les nations devant toi et j'élar-
girai tes frontières, et nul ne convoitera ta terre
quand tu monteras te présenter devant Yahvé ton
Dieu, trois fois l'an.

25 Tu n'offriras pas avec du pain levé le sang de **12** 15-20
ma victime, et la victime de la fête de Pâque ne sera
pas gardée jusqu'au lendemain. **12** 10

26 Le meilleur des prémices de ton terroir, tu Dt **26** 1+
l'apporteras à la maison de Yahvé ton Dieu et tu
ne feras pas cuire un chevreau dans le lait de sa **23** 19
mère. »

27 Yahvé dit à Moïse : « Mets par écrit ces paroles car selon ces clauses, j'ai conclu mon alliance **34** 10
avec toi et avec Israël. »

28 Moïse demeura là, avec Yahvé, quarante jours **24** 18+
et quarante nuits. Il ne mangea ni ne but, et il [e] écri- Mt **4** 2
vit sur les tables les paroles de l'alliance, les dix **20** 1+
paroles.

**Moïse redescend de la montagne** [f]. ↗ 2 Co **3** 7-4

29 Lorsque Moïse redescendit de la montagne du
Sinaï, les deux tables du Témoignage étaient dans
la main de Moïse quand il descendit de la montagne, et Moïse ne savait pas que la peau de son
visage rayonnait parce qu'il avait parlé avec lui.
30 Aaron et tous les Israélites virent Moïse, et voici
que la peau de son visage rayonnait, et ils avaient
peur de l'approcher. 31 Moïse les appela; Aaron et
tous les chefs de la communauté revinrent alors
vers lui, et Moïse leur parla. 32 Ensuite tous les
Israélites s'approchèrent, et il leur ordonna tout ce
dont Yahvé avait parlé sur le mont Sinaï. 33 Quand Jn **1** 17

*a)* L'Alliance comporte à la fois des promesses et des commandements : il n'y a pas d'opposition entre « grâce » et « loi ». On appelle parfois les vv. 14-26 le « Décalogue cultuel » (bien qu'on ne s'entende guère pour y distinguer dix commandements), ou le Code yahviste de l'Alliance, dont il fixe les conditions : outre l'interdiction de l'idolâtrie et le sabbat qui se retrouvent dans le Décalogue d'Ex **20**, ce sont des prescriptions cultuelles; fêtes, prémices, sacrifices.

*b)* Pour les stèles, voir **23** 24+. Le pieu sacré, *ashera*, était l'emblème de la déesse de l'amour et de la fécondité, Ashéra (grec : Astarté), d'où il tire son nom.

*c)* Par opposition au culte de Yahvé, comparé à un mariage légal, le culte des faux dieux est assimilé à une prostitution. Cf. Ez **16** et **23**; Os **1-3**; Ap **17**.

*d)* On omet ici avec le grec « tous tes troupeaux » de l'hébr. – « tout mâle » grec; « qui naîtra mâle » hébr.

*e)* Moïse, cf. v. 27, ou Yahvé, cf. **34** 1; Dt **10** 4. – « les dix paroles » est probablement une glose.

*f)* Les vv. 29-35 sont d'origine incertaine. Ils rapportent une tradition sur le rayonnement du visage de Moïse, exprimé par le verbe *qaran*, dérivé de *qeren*, « corne », d'où la traduction littérale de la Vulg. : « son visage avait des cornes ». Les vv. 29-33 utilisent cette tradition pour décrire Moïse à sa descente de la montagne; les vv. 34-35 la rattachent à la Tente du Rendez-vous, dans la tradition de **33** 7-11.

Moïse eut fini de leur parler, il mit un voile sur son
visage 34 Lorsque Moïse entrait devant Yahvé pour
parler avec lui, il ôtait le voile jusqu'à sa sortie. En
sortant, il disait aux Israélites ce qui lui avait été
ordonné, 35 et les Israélites voyaient le visage de
Moïse rayonner [a]. Puis Moïse remettait le voile sur
son visage, jusqu'à ce qu'il entrât pour parler avec
lui.

25-31 ## 6. *CONSTRUCTION ET ÉRECTION DU SANCTUAIRE* [b]

20 8+ **Loi du repos sabbatique.**

**35** 1 Moïse assembla toute la communauté des
Israélites et leur dit : « Voici ce que Yahvé a
ordonné de faire : 2 Pendant six jours on fera le
travail, mais le septième jour sera pour vous un
jour saint, un jour de repos complet consacré à
Nb 15 32s Yahvé. Quiconque fera ce jour-là un travail
quelconque sera mis à mort. 3 Vous n'allumerez de
feu, le jour du sabbat, dans aucune de vos demeures. »

25 1-7 **Collecte des matériaux .**

4 Moïse dit à toute la communauté des Israélites : « Voici ce qu'a ordonné Yahvé : 5 Prélevez sur
vos biens une contribution pour Yahvé. Que tous
ceux que leur cœur y incite apportent la contribution de Yahvé : de l'or, de l'argent et du bronze;
6 de la pourpre violette et écarlate, du cramoisi, du
lin fin et du poil de chèvre; 7 des peaux de béliers
teintes en rouge, du cuir fin et du bois d'acacia; 8 de
l'huile pour le luminaire, des aromates pour l'huile
d'onction et l'encens aromatique; 9 des pierres de
cornaline et des pierreries à enchâsser pour l'éphod
et le pectoral. 10 Que ceux parmi vous qui sont
habiles viennent faire tout ce qu'a ordonné Yahvé :
11 la Demeure, sa tente et sa couverture, ses agrafes, ses cadres, ses traverses, ses colonnes et ses
socles; 12 l'arche et ses barres, le propitiatoire et le
rideau du voile; 13 la table, ses barres et tous ses
accessoires ainsi que les pains d'oblation; 14 le candélabre pour la lumière, ses accessoires, ses lampes
ainsi que l'huile pour le luminaire; 15 l'autel des
parfums et ses barres, l'huile d'onction, l'encens
aromatique et le voile de l'entrée, pour l'entrée de
la Demeure; 16 l'autel des holocaustes et son treillis
de bronze, ses barres et tous ses accessoires, le bassin et son socle; 17 les courtines du parvis, ses
colonnes, ses socles et le rideau de l'entrée du parvis; 18 les piquets de la Demeure et les piquets du
parvis avec leurs cordes; 19 les vêtements d'apparat
pour officier dans le sanctuaire – les vêtements
sacrés pour le prêtre Aaron et les vêtements de ses
fils pour l'exercice du sacerdoce. »

20 Alors toute la communauté des Israélites se
retira de la présence de Moïse. 21 Puis tous ceux
que leur cœur y portait et tous ceux que leur âme
y incitait apportèrent la contribution de Yahvé,
pour le travail de la Tente du Rendez-vous, pour
son service général et pour les vêtements sacrés.
22 Les hommes et les femmes vinrent, tous ceux que
leur cœur y incitait apportèrent des broches, des
anneaux, des bagues, des colliers, toutes sortes
d'objets d'or – tous ceux qui avaient voué de l'or
à Yahvé. 23 Tous ceux qui se trouvaient avoir de la
pourpre violette et écarlate, du cramoisi, du lin fin,
du poil de chèvre, des peaux de béliers teintes en
rouge et du cuir fin, l'apportèrent. 24 Tous ceux qui
offraient une contribution d'argent et de bronze
apportèrent la contribution de Yahvé, et tous ceux
qui se trouvaient avoir du bois d'acacia pour tous
les travaux à exécuter l'apportèrent. 25 Toutes les
femmes habiles filèrent de leurs mains et apportèrent ce qu'elles avaient filé : pourpre violette et
écarlate, cramoisi et lin fin. 26 Toutes les femmes
que leur cœur y portait en raison de leur habileté,
filèrent le poil de chèvre. 27 Les chefs apportèrent
les pierres de cornaline et les pierres à enchâsser
dans l'éphod et le pectoral, 28 les aromates et l'huile
pour le luminaire, pour l'huile d'onction et pour
l'encens aromatique. 29 Tous les Israélites, hommes
et femmes, que leur cœur incitait à contribuer à
l'ensemble de l'ouvrage que Yahvé, par l'intermédiaire de Moïse, avait ordonné d'exécuter, apportèrent une offrande à Yahvé.

**Les ouvriers du sanctuaire.** 31 2-6

30 Moïse dit aux Israélites : « Voyez, Yahvé a
désigné nommément Beçaléel, fils de Uri, fils de
Hur, de la tribu de Juda. 31 Il l'a comblé de l'esprit
de Dieu, d'habileté, d'intelligence et de savoir, pour
toute sorte d'ouvrages; 32 pour concevoir les projets
et les exécuter en or, en argent et en bronze, 33 pour
tailler les pierres à enchâsser, pour tailler le bois

*a)* L'hébr. ajoute ici « la peau du visage de Moïse »; omis par le grec.

*b)* Cette section, **35-39**, mentionne l'exécution des ordres donnés dans les ch. **25-31**, dont elle est une répétition presque littérale.

et pour exécuter toutes sortes d'œuvres d'art. 34 Il a mis en son cœur, à lui ainsi qu'à Oholiab, fils d'Ahisamak, de la tribu de Dan, le don d'enseigner. 35 Il les a comblés d'habileté pour exécuter toute sorte d'ouvrages, tous les ouvrages du ciseleur, du brodeur, du brocheur de pourpre violette et écarlate, de cramoisi et de lin fin, et du tisserand, de tous ceux qui font toute sorte d'ouvrages et de ceux qui conçoivent des projets.

**36** 1 Beçaléel, Oholiab et tous les hommes à qui Yahvé a donné l'habileté et l'intelligence pour qu'ils sachent faire tout le travail à accomplir au sanctuaire, feront tout comme Yahvé l'a ordonné. »

**Arrêt de la collecte.**

2 Moïse appela donc Beçaléel, Oholiab et tous les hommes habiles à qui Yahvé avait donné l'habileté, tous ceux que leur cœur portait à s'appliquer à l'ouvrage pour le faire. 3 Ils reçurent de Moïse tout ce que les Israélites avaient apporté en contribution pour exécuter le travail d'édification du sanctuaire. Comme ils continuaient d'apporter, chaque matin, leurs offrandes, 4 tous les hommes habiles faisant tout le travail du sanctuaire vinrent, chacun quittant le travail qu'il était en train de faire, 5 et dirent à Moïse : « Le peuple apporte plus qu'il n'en faut pour le travail que Yahvé a ordonné de faire. » 6 Moïse donna un ordre et l'on fit passer dans le camp une proclamation : « Que personne, homme ou femme, ne fasse plus quoi que ce soit pour la contribution du sanctuaire », et l'on empêcha le peuple de rien apporter. 7 Les matériaux suffisaient pour faire tout le travail et il y en avait même en surplus.

**26** 1-11,14 **La Demeure** [a].

8 Tous les hommes habiles, parmi ceux qui faisaient le travail, firent la Demeure. Il [b] la fit de dix bandes d'étoffe de fin lin retors, de pourpre violette et écarlate et de cramoisi, brodées de chérubins. 9 La longueur d'une bande était de vingt-huit coudées et sa largeur de quatre coudées. Toutes les bandes avaient les mêmes dimensions. 10 Il assembla les bandes cinq d'un côté, cinq de l'autre. 11 Il fit des brides de pourpre violette à la lisière de la première bande, à l'extrémité du premier assemblage, et fit de même à la lisière de la dernière bande du second assemblage. 12 Il fit cinquante brides à la première bande et cinquante brides à l'extrémité de la bande du second assemblage, les brides se correspondant l'une à l'autre. 13 Il fit cinquante agrafes d'or et assembla les bandes l'une à l'autre avec les agrafes : la Demeure fut ainsi d'un seul tenant. 14 Puis il fit des bandes d'étoffe de poil de chèvre pour la tente qui est sur la Demeure. Il en fit onze. 15 La longueur d'une bande était de trente coudées et sa largeur de quatre coudées : les onze bandes avaient mêmes dimensions. 16 Il assembla cinq bandes d'une part et six bandes d'autre part. 17 Il fit cinquante brides à la lisière de la dernière bande du premier assemblage, et il fit cinquante brides à la lisière de la bande du second assemblage. 18 Il fit cinquante agrafes de bronze pour assembler la tente afin qu'elle soit d'un seul tenant. 19 Il fit pour la tente une couverture en peaux de béliers teintes en rouge, et une en cuir fin par-dessus.

**La charpente.** **26** 15-29

20 Il fit pour la Demeure des cadres en bois d'acacia dressés debout. 21 Chaque cadre était long de dix coudées et large d'une coudée et demie; 22 chaque cadre avait deux tenons jumelés. Il fit de même pour les cadres de la Demeure. 23 Il fit les cadres pour la Demeure : vingt cadres pour le côté sud, vers le midi. 24 Il fit quarante socles d'argent pour les vingt cadres : deux socles sous un cadre pour ses deux tenons, deux socles sous un autre cadre pour ses deux tenons. 25 Il fit pour le second côté de la Demeure, vers le nord, vingt cadres 26 et quarante socles d'argent : deux socles sous un cadre, deux socles sous un autre cadre. 27 Pour le fond de la Demeure, vers l'ouest, il fit six cadres. 28 Il fit aussi deux cadres pour les angles du fond de la Demeure. 29 Ils étaient jumelés à leur partie inférieure et le demeuraient jusqu'au sommet, à la hauteur du premier anneau. Ainsi fit-il pour les deux cadres des deux angles. 30 Il y avait huit cadres avec leurs seize socles d'argent, deux socles sous chaque cadre. 31 Il fit des traverses en bois d'acacia, 32 cinq pour les cadres du premier côté de la Demeure, cinq pour les cadres du second côté de la Demeure et cinq pour les cadres du fond de la Demeure, du côté de la mer. 33 Il fit la traverse médiane pour assembler les cadres à mi-hauteur, d'une extrémité à l'autre. 34 Il plaqua d'or les cadres et leur fit des anneaux d'or où s'engageraient les traverses, et il plaqua d'or leurs traverses.

*a)* Dans **36** 8b-**39** 43, le grec, qui a traduit un texte hébreu assez différent du nôtre, le distribue dans un ordre différent, à savoir : **36** 8; **39** 1-3; **36** 8-9, 35-38; **38** 9-20, 21-23; **37** 1-23; **36** 34, 36, 38; **38** 20; **38** 1-7; **37** 5; **38** 8 et **40** 30-32; **38** 24-31; **39** 32; **39** 1; **39** 33-43 (avec des interversions dans le texte); **40** 1-38.

*b)* Le pluriel fait place au singulier : l'auteur a repris textuellement, avec les changements grammaticaux requis, les ordres donnés à Moïse en personne.

26 31-32, 36-37 **Le rideau.**

35 Il fit le rideau de pourpre violette et écarlate, de cramoisi et de fin lin retors, brodé de chérubins. 36 Il lui fit quatre colonnes en acacia qu'il plaqua d'or, avec leurs crochets d'or, et il fondit pour elles quatre socles d'argent. 37 Il fit pour l'entrée de la tente un voile broché de pourpre violette et écarlate, de cramoisi et de fin lin retors, 38 ainsi que ses cinq colonnes avec leurs crochets; il plaqua d'or leurs chapiteaux et leurs tringles; leurs cinq socles étaient en bronze.

25 10-20 **L'arche.**

**37** 1 Beçaléel fit l'arche en bois d'acacia. Elle était longue de deux coudées et demie, large d'une coudée et demie et haute d'une coudée et demie. 2 Il la plaqua d'or pur au-dedans et au-dehors et fit une moulure d'or tout autour. 3 Il fondit, pour l'arche, quatre anneaux d'or, à ses quatre pieds : deux anneaux sur un côté, et deux anneaux sur l'autre. 4 Il fit des barres en bois d'acacia et les plaqua d'or. 5 Puis il introduisit les barres dans les anneaux fixés sur les côtés de l'arche pour porter l'arche. 6 Il fit un propitiatoire d'or pur, de deux coudées et demie de long et d'une coudée et demie de large. 7 Il fit deux chérubins d'or repoussé, il les fit aux deux extrémités du propitiatoire : 8 un chérubin à cette extrémité-ci, un chérubin à cette extrémité-là, il fit faire corps aux chérubins avec le propitiatoire à ses deux extrémités. 9 Les chérubins avaient les ailes déployées vers le haut et protégeaient de leurs ailes le propitiatoire, en se faisant face; les faces des chérubins étaient tournées vers le propitiatoire.

25 23-29 **La table des pains d'oblation.**

10 Il fit la table en bois d'acacia; elle avait deux coudées de long, une coudée de large et une coudée et demie de haut. 11 Il la plaqua d'or pur et fit une moulure d'or tout autour. 12 Il fit, tout autour, des entretoises larges d'un palme et fit une moulure d'or autour des entretoises. 13 Il fondit pour elle quatre anneaux d'or et il mit les anneaux aux quatre angles formés par les quatre pieds. 14 Les anneaux étaient placés près des entretoises et servaient de logement aux barres qui servaient pour porter la table. 15 Il fit les barres en bois d'acacia et les plaqua d'or, pour porter la table. 16 Il fit les accessoires qui devaient être sur la table : ses plats, ses coupes, ses bols et ses aiguières pour les libations, tous d'or pur.

25 31-40 **Le candélabre.**

17 Il fit le candélabre d'or pur. D'or repoussé, il fit le candélabre, sa base et son fût. Ses calices, boutons et fleurs, faisaient corps avec lui. 18 Six branches s'en détachaient sur les côtés : trois branches du candélabre d'un côté, trois branches du candélabre de l'autre côté. 19 La première branche portait trois calices en forme de fleur d'amandier, avec bouton et fleur. La deuxième branche portait trois calices en forme de fleur d'amandier, avec bouton et fleur. Il en était ainsi pour les six branches partant du candélabre 20 Le candélabre lui-même portait quatre calices en forme de fleur d'amandier, avec bouton et fleur : 21 un bouton sous les deux premières branches partant du candélabre, un bouton sous les deux branches suivantes, un bouton sous les deux dernières branches : donc aux six branches s'en détachant. 22 Les boutons et les branches faisaient corps avec le candélabre, et le tout était fait d'un bloc d'or pur repoussé. 23 Puis il fit ses sept lampes, avec leurs mouchettes et leurs cendriers d'or pur. 24 D'un talent d'or pur, il fit le candélabre et tous ses accessoires.

**L'autel des parfums.** 30 1-5
**L'huile d'onction et le parfum.**

25 Il fit l'autel des parfums en bois d'acacia, de cinq coudées de long, de cinq coudées de large – donc carré – et de trois coudées de haut; ses cornes faisaient corps avec lui. 26 Il le plaqua d'or pur, sa partie supérieure, ses parois tout autour et ses cornes, et fit une moulure d'or tout autour. 27 Il lui fit deux anneaux d'or au-dessous de la moulure, sur les deux côtés, sur les deux faces pour loger les barres servant à son transport. 28 Il fit les barres en bois d'acacia et les plaqua d'or. 29 Il fit aussi l'huile
d'onction sainte et l'encens aromatique – comme 30 22-25, 34-35
un parfumeur.

**L'autel des holocaustes.** 27 1-8

**38** 1 Il fit l'autel des holocaustes en bois d'acacia; de cinq coudées de long, de cinq coudées de large – donc carré – et de trois coudées de haut. 2 Il fit à ses quatre angles des cornes qui faisaient corps avec lui, et il le plaqua de bronze. 3 Il fit tous les accessoires de l'autel : les vases à cendres et les pelles, les bols à aspersion, les fourchettes et les encensoirs. Tous les accessoires de l'autel, il les fit de bronze. 4 Il fit pour l'autel un treillis de bronze en forme de filet, sous la corniche, depuis le bas jusqu'à mi-hauteur. 5 Il fondit quatre anneaux aux quatre angles du treillis de bronze pour recevoir les barres. 6 Il fit les barres en bois d'acacia et les plaqua de bronze. 7 Il engagea les barres dans les anneaux fixés sur les deux côtés de l'autel, pour le transporter grâce à elles; il le fit creux, en planches.

30 18 **Le bassin.**

8 Il fit le bassin en bronze et son socle en bronze
1 S 2 22+ avec les miroirs des femmes qui faisaient le service
à l'entrée de la Tente du Rendez-vous [a].

27 9-19 **Construction du parvis.**

9 Il fit le parvis; du côté du sud, au midi, les
rideaux du parvis, en fin lin retors, avaient cent
coudées. 10 Leurs vingt colonnes et leurs vingt
socles étaient de bronze; les crochets des colonnes
et leurs tringles étaient d'argent. 11 Cent coudées
aussi du côté du nord; leurs vingt colonnes et leurs
vingt socles étaient de bronze; les crochets des
colonnes et leurs tringles étaient d'argent. 12 Du
côté de l'ouest les rideaux avaient cinquante coudées, avec leurs dix colonnes et leurs dix socles.
Les crochets des colonnes et leurs tringles étaient
d'argent. 13 Et du côté de l'est, à l'orient, cinquante
coudées. 14 A l'un des côtés il y avait quinze coudées de rideaux avec leurs trois colonnes et leurs
trois socles. 15 Au second côté – de part et d'autre
de la porte du parvis – il y avait quinze coudées
de rideaux avec leurs trois colonnes et leurs trois
socles. 16 Tous les rideaux entourant l'enceinte du
parvis étaient de fin lin retors. 17 Les socles des
colonnes étaient de bronze; les crochets des colonnes et leurs tringles étaient d'argent; le revêtement
de leurs chapiteaux était d'argent, et toutes les
colonnes du parvis étaient munies de tringles
d'argent. 18 Le voile de la porte du parvis était broché, fait de pourpre violette et écarlate, de cramoisi
et de fin lin retors. Il avait vingt coudées de long
et cinq coudées de haut (dans la largeur), comme
les rideaux du parvis. 19 Leurs quatre colonnes et
leurs quatre socles étaient de bronze, leurs crochets
étaient d'argent, le revêtement de leurs chapiteaux
et leurs tringles étaient d'argent. 20 Tous les piquets
autour de la Demeure et du parvis étaient de
bronze.

**Compte des métaux [b].**

21 Voici les comptes de la Demeure – la Demeure
du Témoignage – établis sur l'ordre de Moïse, travail des Lévites, par l'intermédiaire d'Itamar, fils
d'Aaron, le prêtre.
35 30-35 22 Beçaléel, fils de Uri, fils de Hur, de la tribu de
Juda, fit tout ce que Yahvé avait ordonné à Moïse,
23 et avec lui Oholiab, fils de Ahisamak, de la tribu
de Dan, ciseleur, brodeur, brocheur en pourpre violette et écarlate, en cramoisi et en lin fin.
24 Total de l'or employé pour les travaux, pour
l'ensemble des travaux du sanctuaire (c'était l'or
consacré) : vingt-neuf talents et sept cent trente
sicles, selon le sicle du sanctuaire. 25 L'argent du
recensement de la communauté : cent talents et Nb 1
mille sept cent soixante-quinze sicles, selon le sicle
du sanctuaire : 26 un beqa par tête, un demi-sicle,
selon le sicle du sanctuaire, pour tous ceux qui
furent recensés, âgés de vingt ans et plus, pour six Nb 1 45-46
cent trois mille cinq cent cinquante. 27 Cent talents
d'argent pour fondre les socles du sanctuaire et les
socles du rideau : cent socles pour cent talents, un
talent par socle. 28 Avec les mille sept cent soixante-quinze sicles, il fit les crochets pour les colonnes,
il plaqua leurs chapiteaux et fit leurs tringles. 29 Le
bronze consacré se montait à soixante-dix talents
et deux mille quatre cents sicles; 30 il en fit les
socles pour l'entrée de la Tente du Rendez-vous,
l'autel de bronze, son treillis de bronze et tous les
accessoires de l'autel; 31 les socles du pourtour du
parvis, les socles de la porte du parvis, tous les
piquets de la Demeure et tous les piquets du pourtour du parvis.

**Le costume du grand prêtre.**

39 1 Avec la pourpre violette et écarlate et le cramoisi, ils firent les vêtements liturgiques pour
officier dans le sanctuaire. Ils firent les vêtements
sacrés destinés à Aaron, comme Yahvé l'avait
ordonné à Moïse.

**L'éphod.**

2 Ils firent [c] l'éphod d'or, de pourpre violette et 28 6-8
écarlate, de cramoisi et de fin lin retors. 3 Ils battirent les plaques d'or et les découpèrent en fils pour
les entremêler à la pourpre violette et écarlate, au
cramoisi et au lin fin, à la manière du brocheur.
4 Ils lui firent deux épaulettes qui y furent fixées, il
y fut fixé par ses deux bords. 5 L'écharpe qui était
dessus pour l'attacher faisait corps avec lui et était
de même travail. Elle était d'or, de pourpre violette
et écarlate, de cramoisi et de fin lin retors, comme
Yahvé l'avait ordonné à Moïse. 6 Ils travaillèrent
les pierres de cornaline, serties dans des chatons 28 9-12
d'or, où furent gravés en gravure de sceau les noms
des Israélites. 7 Ils placèrent sur les épaulettes de
l'éphod les pierres comme mémorial des Israélites,
comme Yahvé l'avait ordonné à Moïse.

**Le pectoral.** 28 15-30

8 Ils firent le pectoral, brodé comme l'éphod,

*a)* Les miroirs antiques étaient de bronze poli. – On ne sait quel était le rôle de ces femmes. C'est peut-être là un écho purifié de 2 R **23** 7. Ce texte a servi à gloser 1 S **2** 22.
*b)* Ce morceau est une addition rédactionnelle : il suppose l'institution des Lévites, Nb **3**, et le recensement du peuple, Nb **1**.
*c)* Ici et aux vv. 3, 7, 8, 22, certains verbes au sing. dans hébr. sont mis au plur. avec sam. et syr.

d'or, de pourpre violette et écarlate, de cramoisi et de fin lin retors. 9 Il était carré et double, d'un empan de long et d'un empan de large. 10 Ils le garnirent de quatre rangées de pierres. Une sardoine, une topaze, une émeraude pour la première rangée; 11 pour la deuxième rangée, une escarboucle, un saphir et un diamant; 12 pour la troisième rangée, une agate, une hyacinthe et une améthyste; 13 pour la quatrième rangée, une chrysolithe, une cornaline et un jaspe. Elles étaient serties dans des chatons d'or. 14 Les pierres étaient aux noms des Israélites, elles étaient douze, selon leurs noms, gravées comme des sceaux, chacune au nom de l'une des douze tribus. 15 Ils firent pour le pectoral des chaînettes d'or pur en forme de torsades. 16 Ils firent deux rosettes d'or et deux anneaux d'or, et ils mirent les deux anneaux aux deux bords du pectoral. 17 [a] Ils mirent les deux torsades d'or aux deux anneaux, aux bords du pectoral, 18 et les deux bords des torsades, ils les mirent aux deux rosettes : ils les mirent ainsi sur les épaulettes de l'éphod, par-devant. 19 Ils firent aussi deux anneaux d'or et les mirent aux deux bords du pectoral, sur le bord intérieur, du côté de l'éphod. 20 Ils firent encore deux anneaux d'or, et ils les mirent sur les épaulettes de l'éphod, vers le bas en avant, près de leur point d'attache, au-dessus de l'écharpe de l'éphod. 21 Ils lièrent le pectoral par ses anneaux aux anneaux de l'éphod avec un cordon de pourpre violette, afin que le pectoral soit au-dessus de l'écharpe de l'éphod et ne puisse se séparer de l'éphod, comme Yahvé l'avait ordonné à Moïse.

**28** 31-35 **Le manteau.**

22 Puis ils firent le manteau de l'éphod, tissé tout entier de pourpre violette. 23 L'ouverture au milieu du manteau était comme l'ouverture d'un corselet de mailles; l'ouverture avait tout autour une lisière indéchirable. 24 Ils firent sur l'ourlet du manteau des grenades de pourpre violette et écarlate, de cramoisi et de fin lin retors [b]. 25 Ils firent aussi des clochettes d'or pur et placèrent les clochettes au milieu des grenades [c]; 26 une clochette une grenade, une clochette une grenade, tout autour de l'ourlet du manteau à porter pour officier, comme Yahvé l'avait ordonné à Moïse.

**28** 39-42 **Vêtements sacerdotaux.**

27 Puis ils firent les tuniques de fin lin tissé, pour Aaron et pour ses fils; 28 le turban de lin fin, les calottes de lin fin, les caleçon de fin lin retors, 29 les ceintures brochées de fin lin retors, de pourpre violette et écarlate et de cramoisi, comme Yahvé l'avait ordonné à Moïse.

**Le signe de consécration.** **28** 36-37

30 Puis ils firent la fleur – le signe de la sainte consécration, en or pur – et ils y gravèrent en intaille, comme un sceau : « Consacré à Yahvé. » 31 Ils mirent dessus un cordon de pourpre violette, pour le mettre sur le turban, en haut, comme Yahvé l'avait ordonné à Moïse.

32 Ainsi furent achevés tous les travaux de la Demeure, de la Tente du Rendez-vous; en tout les Israélites avaient fait comme Yahvé l'avait ordonné à Moïse.

**Livraison à Moïse des ouvrages exécutés.**

33 Ils apportèrent à Moïse la Demeure, la Tente et tous ses accessoires, ses agrafes, ses cadres, ses traverses, ses colonnes et ses socles; 34 la couverture en peaux de béliers teintes en rouge, la couverture en cuir fin et le rideau du voile; 35 l'arche du Témoignage avec ses barres et le propitiatoire; 36 la table, tous ses accessoires et les pains d'oblation; 37 le candélabre d'or pur, ses lampes – une rangée de lampes – et tous ses accessoires, ainsi que l'huile pour le luminaire; 38 l'autel d'or, l'huile d'onction, l'encens aromatique et le voile pour l'entrée de la Tente; 39 l'autel de bronze et son treillis de bronze, ses barres et tous ses accessoires; le bassin et son socle; 40 les courtines du parvis, ses colonnes, ses socles et le voile pour la porte du parvis, ses cordes, ses piquets ainsi que tous les accessoires du service de la Demeure, pour la Tente du Rendez vous; 41 les vêtements liturgiques pour officier dans le sanctuaire – les vêtements sacrés pour Aaron, le prêtre, et les vêtements de ses fils pour exercer le sacerdoce. 42 Les Israélites avaient fait tous les travaux comme Yahvé l'avait ordonné à Moïse.

43 Moïse vit tout l'ouvrage : ils l'avaient fait comme Yahvé l'avait ordonné. Et Moïse les bénit.

**Érection et consécration du sanctuaire.**

**40** 1 Yahvé parla à Moïse et lui dit : 2 « Le premier jour du premier mois, tu dresseras la Demeure, la Tente du Rendez-vous, 3 tu y placeras l'arche du Témoignage et tu voileras l'arche avec le rideau. 4 Tu apporteras la table et tu disposeras sa garniture. Tu apporteras le candélabre et tu monteras ses lampes. 5 Tu mettras l'autel d'or des parfums devant l'arche du Témoignage, et tu place-

*a)* La Vulg. omet en **39** 17-21 certains détails et compte deux vv. de moins que l'hébr. La concordance des deux numérotations ne se rétablit qu'à la fin du chapitre.

*b)* « et de fin lin retors » sam.; « retors » hébr.

*c)* L'hébr. répète « au milieu des grenades ».

ras le voile à l'entrée de la Demeure. [6] Tu mettras
l'autel des holocaustes devant l'entrée de la
Demeure, de la Tente du Rendez-vous. [7] Tu mettras le bassin entre la Tente du Rendez-vous et
l'autel, et tu y mettras de l'eau. [8] Tu placeras le parvis tout autour et tu mettras le voile à la porte du
Lv **8** 10 parvis. [9] Tu prendras l'huile d'onction et tu oindras
la Demeure et tout ce qui est dedans; tu la consacreras, elle et tous ses accessoires, et elle sera éminemment sainte. [10] Tu oindras l'autel des holocaustes et tous ses accessoires, tu consacreras l'autel,
et l'autel sera éminemment saint. [11] Tu oindras le
bassin et son socle et tu le consacreras. [12] Puis tu
**29** 4-8 feras approcher Aaron et ses fils de l'entrée de la
Tente du Rendez-vous, tu les laveras avec de l'eau,
[13] [a] et tu revêtiras Aaron de ses vêtements sacrés,
tu l'oindras et tu le consacreras pour qu'il exerce
mon sacerdoce. [14] Ses fils, tu les feras approcher,
tu les revêtiras de tuniques, [15] et tu les oindras
comme tu auras oint leur père, pour qu'ils exercent
mon sacerdoce. Cela se fera pour que leur onction
leur confère un sacerdoce éternel, dans leurs générations. »

### Exécution des ordres divins.

[16] Moïse le fit. Il fit tout comme Yahvé l'avait
ordonné. [17] Le premier jour du premier mois de la
seconde année, on dressa la Demeure. [18] Moïse
dressa la Demeure; il mit ses socles, plaça ses
cadres, mit ses traverses et dressa ses colonnes. [19] Il
étendit la tente pour la Demeure et plaça dessus la
couverture de la tente, comme Yahvé l'avait
ordonné à Moïse. [20] Il prit le Témoignage, le mit
dans l'arche, plaça les barres sur l'arche et mit le
propitiatoire sur l'arche. [21] Il introduisit l'arche
dans la Demeure et plaça le rideau du voile; il voila
ainsi l'arche du Témoignage, comme Yahvé l'avait
ordonné à Moïse. [22] Il mit la table dans la Tente
du Rendez-vous, sur le côté de la Demeure, au
nord, à l'extrémité du voile, [23] et il disposa avec
ordre le pain devant Yahvé, comme Yahvé l'avait
ordonné à Moïse. [24] Il plaça le candélabre dans la
Tente du Rendez-vous, en face de la table, sur le
côté de la Demeure, au sud, [25] et monta les lampes
devant Yahvé, comme Yahvé l'avait ordonné à
Moïse. [26] Il plaça l'autel d'or dans la Tente du Rendez-vous, devant le voile, [27] et fit fumer dessus
l'encens aromatique, comme Yahvé l'avait ordonné
à Moïse. [28] Puis ils plaça le voile à l'entrée de la
Demeure. [29] L'autel des holocaustes, il le plaça à
l'entrée de la Demeure, de la Tente du Rendez-
vous, et offrit dessus l'holocauste et l'oblation,
comme Yahvé l'avait ordonné à Moïse. [30] Il plaça
le bassin entre la Tente du Rendez-vous et l'autel
et il y mit, pour les ablutions, de l'eau [31] avec
laquelle Moïse, Aaron et ses fils se lavaient les
mains et les pieds. [32] Quand ils entraient dans la
Tente du Rendez-vous ou qu'ils s'approchaient de
l'autel, ils se lavaient, comme Yahvé l'avait
ordonné à Moïse. [33] Il dressa le parvis autour de la
Demeure et de l'autel, et il mit le voile à la porte
du parvis. Ainsi Moïse termina les travaux.

### Yahvé prend possession du sanctuaire. **25** 8+

[34] La nuée couvrit la Tente du Rendez-vous, et 1 R **8** 10-11
la gloire de Yahvé emplit la Demeure. [35] Moïse ne Ez **43** 1-5
put entrer dans la Tente du Rendez-vous, car la
nuée demeurait sur elle, et la gloire de Yahvé **24** 16+
emplissait la Demeure. ↗ Ap **15** 8

### La nuée guide les Israélites. || Nb **9** 15-2

[36] A toutes leurs étapes, lorsque la nuée s'élevait Ex **13** 21s+
au-dessus de la Demeure, les Israélites se mettaient Ps **78** 14;
en marche. [37] Si la nuée ne s'élevait pas, ils ne se **105** 39
mettaient pas en marche jusqu'au jour où elle s'élevait. [38] Car, le jour, la nuée de Yahvé était sur la
Demeure et, la nuit, il y avait dedans un feu, aux
yeux de toute la maison d'Israël, à toutes leurs étapes.

*a)* Ici encore la Vulg. abrège un peu et se trouve bientôt en retard de deux versets dans la numérotation de la suite du chapitre.

# LE LÉVITIQUE

## I. Rituel des sacrifices [a]

### Les holocaustes [b].

Ex 25 22 **1** 1 Yahvé appela Moïse et, de la Tente du Rendez-vous, lui parla et lui dit :
2 Parle aux Israélites; tu leur diras :
Quand l'un de vous présentera une offrande à
Yahvé, vous pourrez faire cette offrande en bétail,
gros ou petit.
3 Si son offrande consiste en un holocauste de
22 18-20 gros bétail, il offrira un mâle sans défaut; il l'offrira
Ex 12 5 à l'entrée de la Tente du Rendez-vous, pour qu'il
soit agréé devant Yahvé. 4 Il posera la main sur la
tête de la victime et celle-ci sera agréée pour que
l'on fasse pour lui le rite d'expiation [c]. 5 Puis il
immolera [d] le taureau devant Yahvé, et les fils
19 26 d'Aaron, les prêtres, offriront le sang [e]. Ils le feront
Ac 15 20 couler sur le pourtour de l'autel qui se trouve à
l'entrée de la Tente du Rendez-vous. 6 Il écorchera
ensuite la victime, la dépècera par quartiers, 7 les
fils d'Aaron, les prêtres [f], apporteront du feu sur
l'autel et disposeront du bois sur ce feu. 8 Puis les
fils d'Aaron, les prêtres, disposeront quartiers, tête
et graisse au-dessus du bois placé sur le feu de
l'autel. 9 L'homme lavera dans l'eau les entrailles et
les pattes et le prêtre fera fumer le tout à l'autel.
Cet holocauste sera un mets consumé [g] en parfum Ex 29 18+
d'apaisement pour Yahvé.
10 Si son offrande consiste en petit bétail, agneau
ou chevreau offert en holocauste, c'est un mâle
sans défaut qu'il offrira. 11 Il l'immolera sur le côté
nord de l'autel, devant Yahvé, et les fils d'Aaron,
les prêtres, feront couler le sang sur le pourtour de
l'autel. 12 Puis il le dépècera par quartiers et le prêtre disposera ceux-ci, ainsi que la tête et la graisse,

*a)* L'ensemble du rituel des sacrifices, Lv **1-7**, est rattaché au séjour au désert et placé sous l'autorité de Moïse. En fait, à côté de réglementations anciennes, il comporte un certain nombre de dispositions tardives, et n'a reçu sa forme définitive qu'après le retour de l'Exil. Dans sa forme actuelle, Lv **1-7** représente le code sacrificiel du second Temple. On ne sait d'ailleurs que peu de chose du rituel israélite de l'époque nomade, les textes anciens ne fournissant d'indications que sur le sacrifice pascal, cf. notes sur Ex **12** 1, 23, 39. – Dans le rituel minutieux de l'ancienne Loi, la tradition chrétienne a aimé voir un ensemble de préparations et de préfigurations du Sacrifice unique et rédempteur du Christ (cf. déjà He **8**s) et des sacrements de l'Église.

*b)* Sacrifices dans lesquels la victime est entièrement consumée. L'imposition des mains par l'offrant, v. 4, est une attestation solennelle que cette victime, présentée ensuite par le prêtre, est bien son propre sacrifice. Les récits comme les textes rituels du Pentateuque font remonter ce type de sacrifice à l'époque du désert, Ex **18** 12, Nb **7** 12, et même aux Patriarches, Gn **8** 20; **22** 9-10. En fait, les attestations historiques les plus anciennes datent de l'époque des Juges, cf. Jg **6** 26; **11** 31; **13** 15-20. Il semble que cette forme de sacrifice soit influencée par le rituel cananéen (cf. 1 R **18**, l'holocauste des prophètes de Baal est semblable à celui d'Élie), et qu'il ne soit pas antérieur à l'installation des tribus. Dans Lv **1**, une valeur expiatoire est donnée à l'holocauste; à l'époque ancienne, il est plutôt un sacrifice d'action de grâce, cf. 1 S **6** 14; **10** 8; 2 S **6** 17, ou un sacrifice pour obtenir une faveur de Yahvé, 1 S **7** 9; **13** 9; 1 R **3** 4.

*c)* L'Expiation est le sacrifice par lequel l'homme qui a offensé Dieu en transgressant l'Alliance peut rentrer en grâce. L'animal offert en sacrifice *(kipper)* a été interprété comme une rançon (*koper*), cf. Ex **30** 12. Dans les sacrifices d'expiation, les rites du sang jouent un rôle primordial, **17** 11, cf. **4** 1+; **4** 12+. Connue des Assyro-Babyloniens et des Cananéens, l'expiation a été rattachée aux fondements de la Loi israélite. Dans le NT, elle apparaîtra non comme un paiement ou une substitution, mais comme le don de la vie de Dieu pour vivifier les hommes, Rm **3** 25-26.

*d)* Ez **44** 11 confie cette immolation aux lévites. Le rôle du prêtre commence lorsque le sang de la victime est mis en contact avec l'autel. C'est une loi générale de toute forme de sacrifice : seul le prêtre monte à l'autel, cf. Ex **18** 7+.

*e)* Le sang était considéré comme le siège du principe vital, Gn **9** 4; cf. Dt **12** 16, 23; Ps **30** 10, d'où sa valeur expiatoire, cf. Lv **17** 11, et son rôle de premier plan dans le rituel des sacrifices et dans les alliances, Ex **24** 8. C'est là un trait original du culte israélite par rapport au culte cananéen. Selon la coutume ancienne, tout abattage est donc un acte cultuel qui doit s'accomplir sur un autel, 1 S **14** 32-35, et, d'après Lv **17** 3s, dans le sanctuaire, cf. **17** 4+.

*f)* Avec les versions et cf. v. 8; « Les fils du prêtre Aaron » hébr.

*g)* L'expression désigne non seulement, comme ici, l'holocauste, mais la part de tout sacrifice qu'on brûlait pour Yahvé. L'offrande n'est pas considérée comme une nourriture matérielle que l'homme offrirait à Dieu et partagerait avec lui, cf. Dt **18** 1+, mais elle est assimilée à la fumée de l'holocauste ou de l'encens, qui monte en « odeur apaisante », cf. Ex **29** 18+.

au-dessus du bois placé sur le feu de l'autel.
13 L'homme lavera dans l'eau les entrailles et les
pattes et le prêtre offrira le tout qu'il fera fumer à
l'autel. Cet holocauste sera un mets consumé en
Ex **29** 18+ parfum d'apaisement pour Yahvé.
14 Si son offrande à Yahvé consiste en un holo-
Gn **15** 10 causte d'oiseau, il offrira une tourterelle ou un
pigeon. 15 Le prêtre l'offrira à l'autel, et, en pinçant
le cou, il arrachera la tête qu'il fera fumer à l'autel;
puis le sang en sera exprimé sur la paroi de l'autel.
16 Il en détachera alors le jabot et le plumage; il les
jettera du côté est de l'autel, à l'endroit où l'on
**4** 12 dépose les cendres grasses. 17 Il fendra l'animal en
1 R **13** 5 deux moitiés, une aile de part et d'autre, mais sans
les séparer. Le prêtre fera alors fumer l'animal à
l'autel, sur le bois placé sur le feu. Cet holocauste
sera un mets consumé en parfum d'apaisement
pour Yahvé.

**6** 7-11; **7** 9-10; Nb **15** 1-16

## L'oblation [a].

2 1 Si quelqu'un offre à Yahvé une oblation, son
offrande consistera en fleur de farine sur
laquelle il versera de l'huile et déposera de l'encens.
2 Il l'apportera aux fils d'Aaron, les prêtres; il en
prendra une pleine poignée de fleur de farine et
d'huile, plus tout l'encens, ce que le prêtre fera
fumer à l'autel à titre de mémorial, mets consumé
en parfum d'apaisement pour Yahvé. 3 Le reste de
l'oblation reviendra à Aaron et à ses fils, part très
sainte [b] des mets de Yahvé.
4 Lorsque tu offriras une oblation de pâte cuite
au four, la fleur de farine sera préparée en gâteaux
sans levain pétris à l'huile, ou en galettes sans
levain frottées d'huile.
5 Si ton offrande est une oblation cuite à la plaque, la fleur de farine pétrie à l'huile sera sans
levain. 6 Tu la rompras en morceaux et verseras de
l'huile par-dessus. C'est une oblation.
7 Si ton offrande est une oblation cuite au moule,
la fleur de farine sera préparée dans l'huile.
8 Tu apporteras à Yahvé l'oblation qui aura été
ainsi préparée. On la présentera au prêtre, qui
l'approchera de l'autel. 9 De l'oblation le prêtre
prélèvera le mémorial, qu'il fera fumer à l'autel à
titre de mets consumé en parfum d'apaisement
pour Yahvé. 10 Le reste de l'oblation reviendra à
Aaron et à ses fils, part très sainte des mets de
Yahvé.
11 Aucune des oblations que vous offrirez à
Yahvé ne sera préparée avec un ferment [c], car vous **6** 9+
ne ferez jamais fumer ni levain ni miel à titre de
mets consumé pour Yahvé. 12 Vous en offrirez à
Yahvé comme offrande de prémices, mais à l'autel
ils ne monteront point en parfum d'apaisement.
13 Tu saleras toute oblation que tu offriras et tu ne
manqueras pas de mettre sur ton oblation le sel de Nb **18** 19
l'alliance de ton Dieu [d]; à toute offrande tu joindras Mc **9** 49
une offrande de sel à ton Dieu. 14 Si tu offres à
Yahvé une oblation de prémices [e], c'est sous forme Dt **26** 1+
d'épis grillés au feu ou de pain cuit avec du blé
moulu que tu feras cette oblation de prémices.
15 Tu y ajouteras de l'huile et y déposeras de
l'encens, c'est une oblation; 16 et le prêtre en fera
fumer le mémorial avec une partie du pain et de
l'huile (plus tout l'encens) à titre de mets consumé
pour Yahvé.

## Le sacrifice de communion [f]. **19** 5-8; **22** 21-25; 1 Co **10** 16; Lv **7** 11-16

3 1 Si son sacrifice est un sacrifice de communion et s'il offre du gros bétail, mâle ou
femelle, c'est une pièce sans défaut qu'il offrira
devant Yahvé. 2 Il posera la main sur la tête de la
victime et l'immolera à l'entrée de la Tente du Rendez-vous. Puis les fils d'Aaron, les prêtres, feront
couler le sang sur le pourtour de l'autel. 3 Il offrira **9** 18-21
une part de ce sacrifice de communion à titre de
mets consumé pour Yahvé : la graisse qui couvre
les entrailles, toute la graisse qui est au-dessus des
entrailles, 4 les deux rognons, la graisse qui y
adhère ainsi qu'aux lombes, la masse graisseuse

*a)* L'oblation, avec les prémices qui lui sont ici assimilées, vv. 14-15, est une offrande des produits du sol; c'est donc, dès l'origine, un rite de sédentaires qui doit remonter aux débuts de l'installation en Canaan. L'offrande d'encens qui l'accompagne, connue chez les peuples voisins, notamment en Égypte, peut avoir une origine plus ancienne. On assimile l'oblation à un holocauste en brûlant une poignée de farine arrosée d'huile, comme « odeur apaisante » pour Yahvé, cf. Ex **29** 18; Lv **1** 9+. Ce sacrifice est le plus souvent offert en complément d'un sacrifice sanglant, il est alors accompagné d'une libation de vin, cf. **23** 13; Ex **29** 40; Nb **15** 5, 7.

*b)* On distinguait, parmi les offrandes, les choses saintes et les choses très saintes, qui consacrent tout ce qui les touche, Ex **29** 37.

*c)* L'addition d'un ferment change le caractère naturel du don offert à Dieu, et le profane d'une certaine manière. Il peut aussi y avoir là une réaction contre les usages cultuels cananéens, cf. Am **4** 5.

*d)* On attribuait au sel une valeur purificatrice, Ez **16** 4; 2 R **2** 20; cf. Mt **5** 13. Chez les Assyriens, on l'utilisait dans le culte, et chez les nomades, dans les repas d'amitié ou d'alliance, d'où l'expression « alliance de sel », Nb **18** 19, pour exprimer la stabilité de l'alliance entre Dieu et son peuple.

*e)* L'antique offrande des prémices, cf. Dt **26** 1+, est rangée ici dans la catégorie des oblations.

*f)* Le sacrifice dit « de communion », où la victime est partagée entre Dieu et l'offrant, est attesté en Canaan, mais le sacrifice israélite s'en distingue par l'antique rituel du sang, cf. **1** 5+. C'est un banquet sacré; les parties les plus vitales de la victime sont offertes à Dieu; une part de choix est attribuée aux prêtres, cf. **7** 28s, et le reste est consommé par les fidèles. A l'époque ancienne, ce type de sacrifice était le plus fréquent, et formait le rite central des fêtes, exprimant par excellence la communauté de vie, la relation d'alliance et d'amitié entre le fidèle et son Dieu.

qu'il détachera du foie et des rognons. [5] Les fils
d'Aaron feront fumer cette part à l'autel en plus de
l'holocauste, sur le bois placé sur le feu. Ce sera
un mets consumé en parfum d'apaisement pour
Yahvé.
[6] Si c'est du petit bétail qu'il offre à titre de
sacrifice de communion pour Yahvé, c'est un mâle
ou une femelle sans défaut qu'il offrira.
[7] S'il offre un mouton. il l'offrira devant Yahvé,
[8] il posera la main sur la tête de la victime et
l'immolera devant la Tente du Rendez-vous, puis
les fils d'Aaron en répandront le sang sur le pourtour de l'autel. [9] De ce sacrifice de communion il
offrira la graisse en mets consumé pour Yahvé : la
queue entière qu'il détachera près du sacrum, la
graisse qui couvre les entrailles, toute la graisse
qui est au-dessus des entrailles, [10] les deux
rognons, la graisse qui y adhère ainsi qu'aux lombes, la masse graisseuse qu'il détachera du foie et
des rognons. [11] Le prêtre fera fumer cette part à
l'autel à titre de nourriture [a], de mets consumé pour
Yahvé.
[12] Si son offrande consiste en une chèvre, il l'offrira devant Yahvé, [13] il lui posera la main sur la
tête et l'immolera devant la Tente du Rendez-vous,
et les fils d'Aaron en répandront le sang sur le
pourtour de l'autel. [14] Voici ce qu'il en offrira
ensuite à titre de mets consumé pour Yahvé : la
graisse qui couvre les entrailles, toute la graisse qui
est au-dessus des entrailles. [15] les deux rognons, la
graisse qui y adhère ainsi qu'aux lombes, la masse
graisseuse qu'il détachera du foie et des rognons.
[16] Le prêtre fera fumer ces morceaux à l'autel à
titre de nourriture, de mets consumé en parfum
d'apaisement.
Toute la graisse appartient à Yahvé. [17] C'est
pour tous vos descendants une loi perpétuelle, en
quelque lieu que vous demeuriez : vous ne mangerez ni graisse ni sang.

6 17-23 **Le sacrifice pour le péché [b] :**
**a) du grand prêtre.**

**4** [1] Yahvé parla à Moïse et dit :
[2] Parle aux Israélites, dis-leur :
Si quelqu'un pèche par inadvertance contre l'un
quelconque des commandements de Yahvé et
commet une de ces actions défendues, [3] si c'est le
prêtre consacré par l'onction qui pèche et rend Ex **30** 22+
ainsi le peuple coupable [c], il offrira à Yahvé pour
le péché qu'il a commis un taureau, pièce de gros
bétail sans défaut, à titre de sacrifice pour le péché.
[4] Il amènera ce taureau devant Yahvé à l'entrée de
la Tente du Rendez-vous, lui posera la main sur la
tête et l'immolera devant Yahvé. [5] Puis le prêtre
consacré par l'onction prendra un peu du sang de
ce taureau et le portera dans la Tente du Rendez-
vous. [6] Il trempera son doigt dans le sang et en
fera sept aspersions devant le rideau du sanctuaire, Ex **26** 33+
devant Yahvé. [7] Le prêtre déposera alors un peu de
ce sang sur les cornes de l'autel des parfums qui Ex **27** 2+;
fument devant Yahvé dans la Tente du Rendez- **30** 1-10+
vous, et il versera tout le sang du taureau à la base
de l'autel des holocaustes qui se trouve à l'entrée
de la Tente du Rendez-vous.
[8] De toute la graisse de ce taureau offert en
sacrifice pour le péché voici ce qu'il prélèvera : la
graisse qui couvre les entrailles, toute la graisse qui
est au-dessus des entrailles, [9] les deux rognons, la
graisse qui y adhère ainsi qu'aux lombes, la masse
graisseuse qu'il détachera du foie et des rognons,
– [10] tout comme la part prélevée sur le sacrifice de
communion, – et le prêtre fera fumer ces morceaux
sur l'autel des holocaustes.
[11] La peau du taureau et toute sa chair, sa tête,
ses pattes, ses entrailles et sa fiente, [12] le taureau
tout entier, il le fera porter hors du camp, dans un
lieu pur, lieu de rebut des cendres grasses. Il le brûlera sur un feu de bois; c'est au lieu de rebut des
cendres grasses que le taureau sera brûlé [d].

**b) de l'Assemblée d'Israël.**

[13] Si c'est toute la communauté d'Israël qui a
péché par inadvertance et commis l'une des choses
défendues par les commandements de Yahvé sans
que la communauté s'en soit aperçue, [14] la communauté offrira en sacrifice pour le péché un taureau,
pièce de gros bétail sans défaut, lorsque le péché
dont elle est responsable sera reconnu. On l'amènera devant la Tente du Rendez-vous; [15] devant
Yahvé les anciens de la communauté poseront

*a)* Le mot « nourriture » a été supprimé par le traducteur grec et remplacé par « odeur apaisante », cf. **1** 9+, ici comme au v. 16, sans doute pour éviter toute atteinte à la spiritualité et à la transcendance de Dieu (cf. Ps **50** 13; Dn **14**, etc.).

*b)* La plus grande partie du rituel sacrificiel est consacrée aux sacrifices d'expiation. Deux types sont distingués; sacrifice pour le péché et sacrifice de réparation, mais il est difficile de dire en quoi ils diffèrent. Le sacrifice pour le péché paraît avoir une portée plus large que le sacrifice de réparation qui vise surtout des fautes par lesquelles on a frustré Dieu, ou ses prêtres, ou le prochain. En fait, les deux sacrifices sont prévus ici pour des cas d'espèce très semblables, ch. **5**, et la confusion augmente si l'on y compare des lois particulières, Lv **14** 10-32; Nb **6** 9-12; **15** 22-31. Ce rituel minutieux sera remplacé par l'unique sacrifice expiatoire du Christ, cf. He **9**.

*c)* Le grand prêtre représentant la divinité vis-à-vis du peuple, mais également le peuple vis-à-vis de Dieu; sa faute entraînait donc une culpabilité collective de la nation.

*d)* Le sacrifice étant offert pour restaurer l'alliance, celui pour qui il est offert (ici le grand prêtre, au v. 21, toute l'assemblée) ne peut pas avoir part à la viande de la victime, puisqu'il n'est pas en paix avec Dieu. Ce qui n'est pas offert sur l'autel est donc entièrement brûlé hors du sanctuaire. La mention du « camp » vient de la projection au désert de ce rituel tardif.

leurs mains sur la tête de ce taureau, et devant Yahvé on l'immolera [a].

16 Puis le prêtre consacré par l'onction portera dans la Tente du Rendez-vous un peu du sang de ce taureau. 17 Il trempera son doigt dans le sang et fera sept aspersions devant le rideau, devant Yahvé. 18 Il déposera alors un peu de ce sang sur les cornes de l'autel qui se trouve devant Yahvé dans la Tente du Rendez-vous, puis versera tout le sang à la base de l'autel des holocaustes qui est à l'entrée de la Tente du Rendez-vous.

19 Il prélèvera alors de l'animal toute la graisse et la fera fumer à l'autel. 20 Il traitera ce taureau comme il aurait traité le taureau du sacrifice pour le péché. Ainsi le traitera-t-on, et le prêtre ayant fait sur les membres de la communauté le rite d'expiation, il leur sera pardonné.

21 Il fera porter le taureau hors du camp et il le brûlera comme il aurait brûlé le précédent taureau. C'est là le sacrifice pour le péché de la communauté.

**c) d'un chef.**

22 A supposer qu'un chef pèche et fasse par inadvertance quelqu'une des choses interdites par les commandements de Yahvé son Dieu et se rende ainsi coupable 23 (ou si on l'avertit du péché commis sur ce point), il apportera comme offrande
un bouc, un mâle sans défaut. 24 Il posera la main
1 11 sur la tête du bouc et l'immolera au lieu où l'on
immole les holocaustes devant Yahvé. C'est un sacrifice pour le péché : 25 le prêtre prendra à son doigt un peu du sang de la victime et le déposera sur les cornes de l'autel des holocaustes [b]. Puis il en versera le sang à la base de l'autel des holocaustes 26 et en fera fumer toute la graisse à l'autel, comme la graisse du sacrifice de communion. Le prêtre fera ainsi sur ce chef le rite d'expiation pour le délivrer de son péché, et il lui sera pardonné.

**d) d'un homme du peuple.**

27 Si c'est un homme du peuple du pays qui pèche par inadvertance et se rend coupable en faisant quelqu'une des choses interdites par les commandements de Yahvé 28 (ou si on l'avertit du péché commis), il amènera comme offrande pour le péché qu'il a commis une chèvre, une femelle sans défaut. 29 Il posera la main sur la tête de la victime et l'immolera au lieu où l'on immole les holocaustes.

30 Le prêtre prendra à son doigt un peu de son sang et le déposera sur les cornes de l'autel des holocaustes. Puis il versera tout le sang à la base de l'autel. 31 Il détachera ensuite toute la graisse comme on détache la graisse d'un sacrifice de communion et le prêtre la fera fumer à l'autel en parfum d'apaisement pour Yahvé. Le prêtre fera ainsi sur cet homme le rite d'expiation, et il lui sera pardonné.

32 Si c'est un agneau qu'il veut amener comme offrande pour un tel sacrifice, c'est une femelle sans défaut qu'il amènera. 33 Il posera la main sur la tête de la victime et l'immolera en sacrifice pour le péché au lieu où l'on immole les holocaustes. 34 Le prêtre prendra à son doigt un peu du sang de ce sacrifice et le déposera sur les cornes de l'autel des holocaustes. Puis il en versera tout le sang à la base de l'autel. 35 Il en détachera toute la graisse comme on détache celle du mouton d'un sacrifice de communion, et le prêtre fera fumer ces morceaux à l'autel en plus des mets consumés pour Yahvé. Le prêtre fera ainsi sur l'homme le rite d'expiation pour le péché qu'il a commis, et il lui sera pardonné.

**Quelques cas de sacrifices pour le péché.**

5 1 Si quelqu'un pèche en l'un de ces cas [c] :
Après avoir entendu la formule d'adjuration [d] Pr 29 24
il aurait dû porter témoignage, car il avait vu ou Dt 19 15-2
il savait, mais il n'a rien déclaré et porte le poids de sa faute;

2 ou bien quelqu'un touche à une chose impure, 11-16
quelle qu'elle soit, cadavre de bête impure, d'animal domestique impur, de bestiole impure, et à son insu il devient impur et responsable [e];

3 ou bien il touche à une souillure humaine, quelle qu'elle soit, dont le contact rend impur; il ne s'en aperçoit pas, puis, venant à l'apprendre, il en devient responsable;

4 ou bien un individu laisse échapper un serment défavorable ou favorable, en toute matière où un homme peut jurer inconsidérément; il ne s'en aperçoit pas, puis, venant à l'apprendre, il en devient responsable;

5 s'il est responsable en l'un de ces cas, il aura à confesser [f] le péché commis, 6 il amènera à Yahvé à titre de sacrifice de réparation pour le péché commis une femelle de petit bétail (brebis ou chèvre) en sacrifice pour le péché; et le prêtre fera

*a)* Même rituel pour le grand prêtre et pour l'assemblée, puisque l'un représente l'autre.
*b)* A la différence du grand prêtre et de la communauté, le chef (et l'homme du peuple) reste dans l'ordre profane, Ez **44** 3; **45** 7-12, et le sang de la victime qui tient sa place n'entre pas dans la Tente sainte.
*c)* Les mots « en l'un de ces cas », insérés ici pour la clarté, sont dans le texte à la fin du v. 4.
*d)* Après convocation du témoin le juge prononçait sur lui une malédiction conditionnelle pour le cas où il mentirait ou se déroberait.
*e)* Beaucoup corrigent le texte en fonction des paragraphes suivants : « après l'avoir ignoré il l'a su et s'est rendu coupable ».
*f)* C'est une confession solennelle et publique.

sur lui le rite d'expiation qui le délivrera de son
péché.

**Le sacrifice pour le péché
de l'homme du peuple (suite).**

[7] S'il n'a pas les moyens de se procurer une tête
de petit bétail, il amènera à Yahvé en sacrifice de
réparation pour le péché qu'il a commis deux tourterelles ou deux pigeons, l'un en sacrifice pour le
péché et l'autre en holocauste. [8] Il les amènera au
prêtre, qui offrira d'abord celui qui est destiné au
sacrifice pour le péché. En pinçant le cou, le prêtre
lui rompra la nuque sans détacher la tête. [9] Avec
le sang de la victime il aspergera la paroi de l'autel,
puis le reste du sang sera exprimé à la base de
l'autel. C'est un sacrifice pour le péché. [10] Quant à
l'autre oiseau, il en fera un holocauste suivant la
règle. Le prêtre fera ainsi sur l'homme le rite
d'expiation pour le péché qu'il a commis, et il lui
sera pardonné.

[11] S'il n'a pas les moyens de se procurer deux
tourterelles ou deux pigeons, il amènera à titre d'offrande pour le péché commis un dixième de mesure
de fleur de farine; il n'y mettra pas d'huile et n'y
déposera pas d'encens, car c'est un sacrifice pour
le péché. [12] Il l'apportera au prêtre et celui-ci en
prendra une pleine poignée en mémorial qu'il fera
fumer à l'autel en plus des mets consumés pour
Yahvé. C'est un sacrifice pour le péché. [13] Le prêtre
fera ainsi sur l'homme le rite d'expiation pour le
péché qu'il a commis en l'un de ces cas [a], et il sera
pardonné. Le prêtre a dans ce cas les mêmes droits
que pour l'oblation.

7 1-6 **Le sacrifice de réparation** [b].

[14] Yahvé parla à Moïse et dit :

[15] Si quelqu'un commet une fraude et pèche par
Nb 5 5-8 inadvertance en retranchant sur les droits sacrés [c]
de Yahvé, il amènera à Yahvé en sacrifice de réparation un bélier sans défaut de son troupeau, à estimer en sicles d'argent au taux du sicle du sanctuaire [d]. [16] Il acquittera ce que son péché aura
retranché au droit sacré, en en majorant la valeur
2 R 12 17 d'un cinquième, et le remettra au prêtre. Celui-ci
fera sur lui le rite d'expiation avec le bélier du
sacrifice de réparation, et il lui sera pardonné.

[17] Si quelqu'un pèche et fait sans s'en apercevoir
l'une des choses interdites par les commandements
de Yahvé, il sera responsable et portera le poids de
sa faute. [18] Il amènera au prêtre à titre de sacrifice
de réparation un bélier sans défaut de son troupeau, sujet à estimation. Le prêtre fera sur lui le
rite d'expiation pour l'inadvertance commise sans
le savoir, et il lui sera pardonné. [19] C'est un
sacrifice de réparation, cet homme était certainement responsable envers Yahvé [e].

[20] Yahvé parla à Moïse et dit : 6 1

[21] Si quelqu'un pèche et commet une fraude 2 Ex 22 6-14
envers Yahvé en trompant son compatriote au sujet
d'un dépôt, d'une garde ou d'un retrait d'objet, ou
s'il exploite ce compatriote,

[22] ou s'il trouve un objet perdu et le nie, ou s'il 3
prête un faux serment à propos de n'importe quel Ex 23 1-2
péché que peut commettre un homme,

[23] s'il pèche et devient ainsi responsable, il devra 4
restituer ce qu'il a retiré ou exigé en trop : le dépôt
qui lui fut confié, l'objet perdu qu'il a trouvé, [24] ou 5
tout objet au sujet duquel il a prêté un faux serment. En le majorant d'un cinquième, il versera ce 5 16
capital au détenteur de l'objet au jour où lui-même
est devenu responsable. [25] Puis il amènera à Yahvé 6
comme sacrifice de réparation un bélier sans défaut
de son troupeau; on l'estimera à la valeur versée
au prêtre pour un sacrifice de réparation. 2 R 12 17
[26] Celui-ci fera sur lui le rite d'expiation devant 7
Yahvé, et il lui sera pardonné, quel que soit l'acte
qui a entraîné sa culpabilité.

**Le sacerdoce et les sacrifices** [f].
**A. L'holocauste.**

**6** [1] Yahvé parla à Moïse et dit : 8
[2] Donne ces ordres à Aaron et à ses fils : 9
Voici le rituel de l'holocauste. (C'est l'holocauste
qui se trouve sur le brasier de l'autel toute la nuit
jusqu'au matin et que le feu de l'autel consume [g].)

[3] Le prêtre revêtira sa tunique de lin et d'un cale- 10
çon de lin couvrira son corps. Puis il enlèvera la
cendre grasse de l'holocauste consumé par le feu
sur l'autel et la déposera à côté de l'autel. [4] Il reti- 11
rera alors ses vêtements; il en revêtira d'autres et
transportera cette cendre grasse en un lieu pur hors 4 12+
du camp.

*a)* Tous les cas prévus en **4** 22, 27.
*b)* Lorsque les droits de Dieu ou du prochain, cf. **4** 1+, ont été lésés par un dommage que l'on peut estimer pécuniairement, au sacrifice s'ajoute une amende, cf. vv. 16, 24. « L'argent de la réparation » et « l'argent du péché », mentionnés en 2 R **12** 17, doivent se référer à des taxes qui accompagnaient les sacrifices, ce qui suppose qu'ils existaient déjà avant l'Exil, cf. peut-être aussi Os **4** 8.
*c)* Litt. « choses sacrées », c'est-à-dire les offrandes régulières ou volontaires.
*d)* Sicle plus lourd que le sicle courant, cf. Ex **30** 15+.
*e)* Autre traduction possible : « sacrifice de réparation qu'il doit offrir comme tel à Yahvé ».
*f)* Les ch. **1-5** traitaient des sacrifices au point de vue de la matière du sacrifice. Les ch. **6-7** le font au point de vue des fonctions et des droits du sacerdoce.
*g)* D'après Ez **46** 13-15, l'holocauste perpétuel ne comporte qu'un sacrifice quotidien, le matin, ce qui est conforme à l'usage de l'époque monarchique, cf. 2 R **16** 15, qui distingue l'holocauste du matin de la simple oblation du soir (cf. 1 R **18** 29). D'après Ex **29** 38-42 et Nb **28** 3-8, il doit y avoir un holocauste le matin et un autre le soir. Ici l'holocauste du matin est prescrit

2 M 1 18-36 [5] Le feu qui sur l'autel consume l'holocauste ne
s'éteindra pas. Chaque matin le prêtre l'alimentera
de bois. Il y disposera l'holocauste et y fera fumer
13 les graisses des sacrifices de communion. [6] Un feu
perpétuel brûlera sur l'autel sans s'éteindre.

**B. L'oblation.**

14 [7] Voici le rituel de l'oblation :
Après que l'un des fils d'Aaron l'aura apportée
15 devant l'autel en présence de Yahvé, [8] après qu'il
en aura prélevé une poignée de fleur de farine (avec
l'huile et tout l'encens qu'on y a joint), après qu'il
en aura fait fumer à l'autel le mémorial en parfum
16 d'apaisement pour Yahvé, [9] Aaron et ses fils man-
2 11 geront le reste sous forme de pains sans levain. Ils
le mangeront dans un lieu pur sur le parvis de la
17 Tente du Rendez-vous. [10] On ne cuira pas avec du
levain la part de mes mets que je leur donne. C'est
une part très sainte comme le sacrifice pour le
18 péché et le sacrifice de réparation. [11] Tout mâle
d'entre les fils d'Aaron pourra manger cette part
des mets de Yahvé (c'est pour tous vos descendants
une loi perpétuelle) et tout ce qui y touche se trouvera consacré.
19 [12] Yahvé parla à Moïse et lui dit [a] :
20 [13] Voici l'offrande que feront à Yahvé Aaron et
8-9 ses fils le jour de leur onction : un dixième de
mesure de fleur de farine à titre d'oblation perpé-
21 tuelle, moitié le matin et moitié le soir. [14] Elle sera
préparée sur la plaque, à l'huile, comme un
mélange; tu apporteras la pâte sous forme d'oblation en plusieurs morceaux que tu offriras en par-
22 fum d'apaisement pour Yahvé. [15] Le prêtre qui
parmi ses fils recevra l'onction fera de même. C'est
une loi perpétuelle.
Pour Yahvé cette oblation passera tout entière en
23 fumée. [16] Toute oblation faite par un prêtre doit
être un sacrifice total, on n'en mangera pas [b].

**C. Le sacrifice pour le péché.**

24 25 [17] Yahvé parla à Moïse et dit : [18] Parle à Aaron
et à ses fils, dis-leur :
Voici le rituel du sacrifice pour le péché.
La victime en sera immolée devant Yahvé, là où
l'on immole l'holocauste. C'est une chose très
26 sainte. [19] Le prêtre qui aura offert ce sacrifice la
mangera. Elle sera mangée dans un lieu sacré sur
le parvis de la Tente du Rendez-vous. [20] Tout ce 27
qui en touchera la chair se trouvera consacré et, si
du sang gicle sur les vêtements, la tache sera net-
toyée dans un lieu sacré. [21] Le vase d'argile où la 28
viande aura cuit sera brisé et, si elle a cuit dans un
vase de bronze, il sera frotté et rincé à grande eau.
[22] Tout mâle parmi les prêtres en pourra manger, 29
c'est une chose très sainte [c]; [23] mais on ne mangera 30
aucune des victimes offertes pour le péché, dont le
sang aura été porté dans la Tente du Rendez-vous 4 5,16
pour faire l'expiation dans le sanctuaire : elles
seront livrées au feu.

**D. Le sacrifice de réparation.**

**7** [1] Voici le rituel du sacrifice de réparation : 31
C'est une chose très sainte. [2] On immolera la 32
victime là où l'on immole les holocaustes et le prêtre en fera couler le sang sur le pourtour de l'autel.
[3] Puis il en offrira toute la graisse : la queue, la 33
graisse qui couvre les entrailles, [4] les deux rognons, 34
la graisse qui y adhère ainsi qu'aux lombes, la
masse graisseuse qu'il détachera du foie et des
rognons. [5] Le prêtre fera fumer ces morceaux à 35
l'autel comme mets consumés pour Yahvé. C'est un
sacrifice de réparation : [6] tout mâle parmi les prê- 36
tres en pourra manger. On en mangera dans un lieu
sacré, c'est une chose très sainte.

**Droits des prêtres.**

[7] Tel le sacrifice pour le péché, tel le sacrifice de 37
réparation : il y a pour eux même rituel. Au prêtre
reviendra l'offrande avec laquelle il a fait le rite
d'expiation. [8] La peau de la victime qu'un homme 38
aura présentée à un prêtre pour être offerte en
holocauste reviendra à ce prêtre. [9] Toute oblation 1
cuite au four, toute oblation préparée dans un 2 4-7
moule ou sur la plaque reviendra au prêtre qui
l'aura offerte. [10] Toute oblation pétrie à l'huile ou 5 11-13 Nb 5 15
sèche reviendra à tous les fils d'Aaron sans dis- Ez 44 29
tinction.

**E. Le sacrifice de communion :**
**a) sacrifice avec louange [d].** 22 29-30

[11] Voici le rituel du sacrifice de communion 7 1
qu'on offrira à Yahvé :
[12] Si on le joint à un sacrifice avec louange, on 2
ajoutera à celui-ci une offrande de gâteaux sans

au v. 5; celui du soir est impliqué par le v. 2[b], mais cette phrase maladroite paraît être une addition. Le feu perpétuel de l'autel signifie la continuité du culte; comp. le luminaire perpétuel, Lv **24** 2-4.

*a)* Les vv. 12-16, absents du ms grec A, se rapportent aux rites d'investiture, cf. **8** 26; **9** 4, et interrompent le rituel commun.

*b)* Le prêtre ne peut faire une offrande et la recevoir : l'idée est plus celle d'une dette envers Dieu que celle d'une participation à la vie divine comme pour le sacrifice de communion, **3** 1s; **7** 10s; cf. **7** 28-34.

*c)* Le sacrifice pour le péché d'un homme du peuple ne peut être consommé par celui qui l'offre, dont la culpabilité n'est pas encore expiée, cf. **4** 12+, mais les prêtres peuvent en manger. La règle est la même pour le sacrifice de réparation, **7** 6, 8-10.

*d)* Le sacrifice de communion peut être offert « en louange », vv. 12-15, ou en accomplissement d'un vœu, ou comme offrande spontanée, vv. 16-17. Les rapports exacts entre ces trois formes sont d'ailleurs assez difficiles à préciser. Voir Dt **12** 6, 17; Am **4** 5; Jr **17** 26; **33** 11.

# ORDRE « BIBLIQUE » DES LIVRES

## L'ANCIEN TESTAMENT

### Le Pentateuque



### Les Livres historiques



### Les Livres poétiques et sapientiaux



### Les Livres prophétiques



## LE NOUVEAU TESTAMENT



Les 27 livres qui composent le Nouveau Testament nous sont parvenus en grec.

L'Ancien Testament, tel que le reçoit l'Eglise catholique, compte 46 livres.

Pour 39 d'entre eux, la langue originale est l'hébreu, avec des passages araméens dans Esdras (**4** 8 - **6** 18; **7** 12-26) et Daniel (**2** 4b - **7** 28).

Les 7 autres, ainsi que des passages d'Esther et de Daniel - ces livres sont affectés d'un astérisque - nous sont parvenus en grec dans la traduction dite des **Septante** (LXX), destinée aux Juifs de la Dispersion. Les éditions protestantes, qui s'en tiennent pour l'A.T. à la Bible hébraïque - celle des Juifs de Palestine - ne comportent donc habituellement pas les livres et fragments qui suivent (qu'on appelle **deutérocanoniques) :**
Tobie, Judith, 1 et 2 Maccabées, Baruch, Sagesse, Ecclésiastique,
Esther (Vulg. **10** 4 - **16** 24),
Daniel **3** 24-90 ; **13** et **14.**

I S P - BAR-LE-DUC

# ORDRE ALPHABÉTIQUE DES LIVRES



## RÉFÉRENCES BIBLIQUES

### Remarques générales

Dans les marges comme dans les notes, les titres des livres bibliques sont abrégés, comme il est indiqué dans la double table de cet encart. Les chiffres gras désignent toujours les numéros de chapitres, les chiffres maigres les numéros de versets. Un chiffre gras seul renvoie à tout le chapitre du livre. Un chiffre maigre seul renvoie aux versets des livres qui n'ont qu'un seul chapitre : Abdias, Philémon, 2e de Jean, 3e de Jean, Jude.

L'absence d'abréviation, devant un chiffre de chapitre ou de verset, signifie qu'il s'agit d'un renvoi intérieur au livre qu'on est en train de lire : en Genèse 1, devant le titre « Premier récit de la création », la référence **2** 4-25 renvoie à Genèse, chapitre 2, versets 4-25.

Nb **35** 33 renvoie au livre des Nombres, chapitre 35, verset 33.

Ps **68** 22, 24 renvoie au livre des Psaumes, Psaume 68, versets 22 et 24.

2 S **7** 8-16 renvoie au deuxième livre de Samuel, chapitre 7, versets 8 à 16.

### Sigles précédant une référence

|| indique un passage parallèle.

= indique un doublet dans le même livre.

↗ indique que le texte est cité ou réutilisé dans un livre biblique plus récent, en particulier dans le N.T.

### Sigles suivant une référence

\+ indique qu'on trouvera à cette référence soit une note clef (voir, p. 1837, la table des notes les plus importantes), soit un groupement de références marginales utiles pour l'intelligence du texte.

s renvoie, en même temps qu'au texte indiqué, aux versets qui suivent.

p renvoie, en même temps qu'au texte indiqué, aux passages parallèles à celui-ci.

---

N. B. - La numérotation marginale des versets est celle de la Vulgate latine. Elle n'est indiquée que lorsqu'elle diffère de l'hébreu.

## ABRÉVIATIONS DIVERSES

| | |
|---|---|
| AT | Ancien Testament |
| NT | Nouveau Testament |
| aram. | araméen |
| hébr. | hébreu |
| T.M. | texte massorétique |
| sam. | texte samaritain du Pentateuque |
| ketib | texte écrit (fixé par les consonnes) |
| qeré | texte lu par les Massorètes (par modification des voyelles) |
| LXX | version grecque des Septante |
| grec. luc. | grec selon la recension de Lucien |
| Sym. | grec selon la recension de Symmaque |
| Theod. | grec selon la recension de Théodotion |
| texte occ. | texte occidental |
| syr. | version syriaque |
| syr. hex. | syro-hexaplaire |
| Vulg. | Vulgate |
| vet. lat. | ancienne version latine |
| versions | traductions anciennes (grecques, latines, syriaques) du texte original |
| ms, mss | manuscrit, manuscrits |
| corr. | correction |
| conj. | conjecture |
| litt. | traduction littérale |
| var. | variante |
| add. | addition |
| om. | omission |
| 1 QIsa | l'un des manuscrits d'Isaïe découverts à Qumrân en 1947 |
| 1 QpHab | commentaire d'Habaquq découvert à Qumrân en 1947 |
| 4 QpNahum | commentaire de Nahum découvert à Qumrân en 1947 |

(var., add., om.) Ces trois signes **précèdent** l'indication des mots substitués, ajoutés ou omis par des leçons qui n'ont pas été adoptées dans la traduction

levain pétris à l'huile, de galettes sans levain frottées d'huile et de fleur de farine en mélange sous
3 forme de gâteaux pétris à l'huile. [13] On ajoutera
donc cette offrande aux gâteaux de pain fermenté
4 et au sacrifice de communion avec louange. [14] On
présentera l'un des gâteaux de cette offrande à titre
de prélèvement pour Yahvé; il reviendra au prêtre
qui aura fait couler le sang du sacrifice de commu-
5 nion. [15] La chair de la victime sera mangée le jour
même où sera faite l'offrande, sans en rien laisser
jusqu'au lendemain matin.

22 18-23 **b) sacrifices votifs ou volontaires.**

6 [16] Si la victime est offerte à titre de sacrifice votif
ou volontaire, elle sera mangée le jour où on l'offrira ainsi que le lendemain, [17] mais on jettera au
feu le troisième jour ce qui resterait de la chair de
la victime.

**Règles générales.**

**19** 7 8 [18] S'il arrive qu'au troisième jour on mange de la
chair offerte en sacrifice de communion, celui qui
l'aura offerte ne sera pas agréé. Il ne lui en sera pas
tenu compte, c'est de la viande avariée et la personne qui en mangera portera le poids de sa faute.
9 [19] La chair qui aura touché quoi que ce soit
d'impur ne pourra être mangée, on la jettera au feu.
Quiconque est pur pourra manger de la chair,
**11-16** 10 [20] mais si quelqu'un se trouve en état d'impureté et
mange de la chair d'un sacrifice de communion
offert à Yahvé, celui-là sera retranché de sa race [a].
11 [21] Si quelqu'un touche à une impureté quelconque,
d'homme, d'animal ou d'une chose immonde quelle
qu'elle soit, et mange ensuite la chair d'un sacrifice
de communion offert à Yahvé, celui-là sera retran
ché de sa race.
12 13 [22] Yahvé parla à Moïse et dit : [23] Parle aux Israélites, dis-leur :
Vous ne mangerez pas de graisse de taureau, de
14 mouton ou de chèvre. [24] La graisse d'une bête
morte ou déchirée pourra servir à tout usage, mais
15 vous n'en mangerez point. [25] Quiconque en effet
mange la graisse d'un animal dont on offre un mets
à Yahvé, celui-là sera retranché de sa race.
[26] Où que vous habitiez, vous ne mangerez pas **1** 5+
de sang, qu'il s'agisse d'oiseau ou d'animal.
[27] Quiconque mange du sang, quel qu'il soit, celui- 17
là sera retranché de sa race.

**Part des prêtres.** Dt **18** 3

[28] Yahvé parla à Moïse et dit : [29] Parle aux Israé- 18 19
lites, dis-leur :
Celui qui offrira un sacrifice de communion à
Yahvé lui apportera pour offrande une part de son
sacrifice. [30] Il apportera de ses propres mains le 20
mets de Yahvé, c'est-à-dire la graisse qui adhère à
la poitrine. Il l'apportera ainsi que la poitrine avec
laquelle il doit faire le geste de présentation devant Ex **29** 24+
Yahvé. [31] Le prêtre fera fumer la graisse à l'autel 21
et la poitrine reviendra à Aaron et à ses fils. [32] A 22
titre de prélèvement sur vos sacrifices de communion, vous donnerez au prêtre la cuisse droite.
[33] Cette cuisse droite sera la part de celui des fils 23
d'Aaron qui aura offert le sang et la graisse du
sacrifice de communion. [34] Je retiens en effet aux 24
Israélites sur leurs sacrifices de communion la
poitrine à offrir et la cuisse à prélever; je les donne
à Aaron le prêtre, et à ses fils : c'est une loi perpétuelle pour les Israélites.

**Conclusion.**

[35] Telle fut la part [b] d'Aaron sur les mets consu- 25
més de Yahvé et celle de ses fils, le jour où il les
présenta à Yahvé pour qu'ils soient ses prêtres.
[36] C'est ce que Yahvé ordonne aux Israélites de leur 26
donner le jour de leur onction : loi perpétuelle pour Ex **30** 22+
tous leurs descendants.
[37] Tel est le rituel concernant l'holocauste, l'obla- 27
tion, le sacrifice pour le péché, les sacrifices de
réparation, d'investiture et de communion. [38] C'est 28
ce que Yahvé a ordonné à Moïse sur le mont Sinaï
le jour où il ordonna aux Israélites de présenter
leurs offrandes à Yahvé dans le désert du Sinaï.

## *II. L'investiture des prêtres*

1 – **29** 35
x **39** 1-32
**40** 12-15

**Rites de consécration [c].**

**8** [1] Yahvé parla à Moïse et dit :
[2] Prends Aaron, ses fils avec lui, les vêtements, l'huile d'onction, le taureau du sacrifice
pour le péché, les deux béliers, la corbeille des azymes. [3] Puis convoque toute la communauté à l'entrée de la Tente du Rendez-vous.

*a)* Être retranché des siens, pour un nomade, au désert, équivaut à une condamnation à mort. Cette condamnation prend de plus ici un sens religieux : c'est être privé des promesses divines assurées à la race d'Abraham.

*b)* L'allusion au premier sacrifice d'investiture amorce sa description, qui suit aux ch. **8-10**.

*c)* Ce ch., sous la forme d'un récit, celui de l'investiture d'Aaron et de ses fils, donne le rituel de l'investiture du grand prêtre. Ce

4 Moïse suivit les ordres de Yahvé, la communauté se réunit à l'entrée de la Tente du Rendez-
vous, 5 et Moïse lui dit : « Voici ce que Yahvé a
ordonné de faire. »
6 Il fit approcher Aaron et ses fils et les lava dans
l'eau.
7 Il lui mit la tunique, lui passa la ceinture, le
Ex 28 6+ Dt 33 8 revêtit du manteau et plaça sur lui l'éphod. Puis il
1 S 14 41+ le ceignit de l'écharpe de l'éphod et la fixa sur lui.
8 Il lui imposa le pectoral, où il mit l'Urim et le
Ez 21 31 Tummim. 9 Sur la tête il lui mit le turban, et sur
le devant du turban la fleur d'or; c'est le signe de
sainte consécration tel que Yahvé le prescrivit à
Moïse.
Ex 30 22+ 10 Moïse prit alors l'huile d'onction, il oignit
pour les consacrer la Demeure et tout ce qui s'y
trouvait. 11 Il fit sept aspersions sur l'autel et oignit
pour les consacrer l'autel et ses accessoires, le bassin et son socle. 12 Il versa de l'huile d'onction sur
la tête d'Aaron, et l'oignit pour le consacrer.
13 Moïse fit alors approcher les fils d'Aaron, qu'il
revêtit de tuniques, auxquels il passa des ceintures
et fixa des calottes, comme Yahvé l'avait ordonné
à Moïse.
14 Puis il fit approcher le taureau du sacrifice
pour le péché. Aaron et ses fils posèrent leur main
sur la tête de cette victime, 15 et Moïse l'immola.
Il prit alors le sang, avec son doigt il en déposa sur
les cornes du pourtour de l'autel pour ôter le péché
de celui-ci. Puis il versa le sang à la base de l'autel,
qu'il consacra en faisant sur lui le rite d'expiation.
16 Il prit ensuite toute la graisse qui enveloppe les
entrailles, la masse de graisse qui part du foie, les
deux rognons et leur graisse, et il les fit fumer à
l'autel. 17 Quant à la peau du taureau, sa chair et
sa fiente, il les brûla hors du camp comme Yahvé
l'avait ordonné à Moïse.
18 Il fit alors approcher le bélier de l'holocauste.
Aaron et ses fils posèrent leur main sur la tête de
ce bélier, 19 et Moïse l'immola. Il en fit couler le
sang sur le pourtour de l'autel. 20 Puis il dépeça le
bélier en quartiers et fit fumer la tête, les quartiers
et la graisse. 21 Il lava dans l'eau les entrailles et
les pattes et fit fumer à l'autel le bélier tout entier.
C'était un holocauste en parfum d'apaisement, un
mets consumé pour Yahvé, comme Yahvé l'avait
ordonné à Moïse.
22 Il fit alors approcher le second bélier, bélier du
sacrifice d'investiture. Aaron et ses fils posèrent
leur main sur la tête de ce bélier, 23 et Moïse
l'immola. Il en prit du sang qu'il déposa sur le lobe
de l'oreille droite d'Aaron, sur le pouce de sa main
droite et sur le gros orteil de son pied droit. 24 Puis
il fit approcher les fils d'Aaron et déposa de ce sang
sur le lobe de leur oreille droite, sur le pouce de
leur main droite et sur le gros orteil de leur pied
droit. Moïse fit ensuite couler le sang sur le pourtour de l'autel; 25 il prit aussi la graisse : la queue,
toute la graisse qui adhère aux entrailles, la masse
de graisse qui part du foie, les deux rognons et leur
graisse, la cuisse droite. 26 De la corbeille des azymes placée devant Yahvé il prit un gâteau d'azyme,
un gâteau de pain à l'huile, et une galette qu'il joignit aux graisses et à la cuisse droite. 27 Il mit le
tout dans les mains d'Aaron et dans celles de ses Ex 28 41+
fils et fit le geste de présentation devant Yahvé.
28 Moïse les reprit alors de leurs mains et les fit
fumer à l'autel en plus de l'holocauste. C'était le
sacrifice d'investiture [a] en parfum d'apaisement, un
mets consumé pour Yahvé. 29 Moïse prit aussi la
poitrine et fit le geste de présentation devant Yahvé.
Ce fut la part du bélier d'investiture qui revint à
Moïse, comme Yahvé l'avait ordonné à Moïse.
30 Moïse prit ensuite de l'huile d'onction et du
sang qui était sur l'autel; il en aspergea Aaron et
ses vêtements ainsi que ses fils et leurs vêtements.
Il consacra par là Aaron et ses vêtements ainsi que
ses fils et leurs vêtements.
31 Moïse dit alors à Aaron et à ses fils : « Faites
cuire la viande à l'entrée de la Tente du Rendez-
vous; vous la mangerez là, ainsi que le pain
déposé dans la corbeille du sacrifice d'investiture,
comme je l'ai ordonné en disant : " Aaron et ses
fils le mangeront. " 32 Ce qui reste de la viande et
du pain, vous le brûlerez. 33 Sept jours durant vous
ne quitterez pas l'entrée de la Tente du Rendez-
vous jusqu'à ce que s'achève le temps de votre investiture, car il faudra sept jours pour votre investiture. 34 Yahvé a commandé de procéder comme on
a procédé aujourd'hui pour accomplir sur vous le
rite d'expiation, 35 et, pendant sept jours, jour et
nuit, vous demeurerez à l'entrée de la Tente du
Rendez-vous en observant le rituel de Yahvé; ainsi
vous ne mourrez pas [b]. C'est en effet l'ordre que j'ai
reçu. » 36 Aaron et ses fils firent tout ce que Yahvé
avait ordonné par l'intermédiaire de Moïse.

rituel comprend la vêture et l'onction, vv. 7-13, puis un sacrifice pour le péché, nécessaire pour consacrer l'autel, vv. 14-17, puis l'holocauste, vv. 18-21, et enfin le sacrifice d'investiture, vv. 22-35. L'entrée en fonction du prêtre suit au ch. **9**. Le rite de l'onction, transfert au prêtre d'une prérogative royale, n'apparaît qu'à l'époque du second Temple, cf. Ex **30** 22+. A l'époque ancienne, il n'y avait pas d'ordination proprement dite. C'est sa fonction même qui faisait entrer le prêtre dans le domaine du sacré.

*a)* « investiture » : litt. « remplissement (des mains) », cf. v. 33 : voir Ex **28** 41+.

*b)* Toute atteinte aux rites prescrits est très grave, cf. **10** 1s.

**Entrée en fonction des prêtres** [a].

**9** 1 Au huitième jour Moïse convoqua Aaron,
ses fils et les anciens d'Israël; 2 il dit à Aaron :
« Prends un veau pour faire un sacrifice pour le
péché et un bélier pour un holocauste, l'un et
l'autre sans défaut, et amène-les devant Yahvé. »
3 Tu diras ensuite aux Israélites : « Prenez un bouc
pour offrir un sacrifice pour le péché, un veau et
un agneau d'un an (tous deux sans défaut) pour
un holocauste, 4 un taureau et un bélier pour des
sacrifices de communion à immoler devant Yahvé,
enfin une oblation pétrie à l'huile. Aujourd'hui en
effet Yahvé vous apparaîtra. »

5 Ils amenèrent devant la Tente du Rendez-vous
ce qu'avait commandé Moïse, puis toute la
communauté s'approcha et se tint devant Yahvé.
6 Moïse dit : « Voici ce que Yahvé vous a ordonné
Ex 24 16+ de faire pour que sa gloire vous apparaisse. »
7 Moïse alors s'adressa à Aaron : « Approche-toi
He 5 1-4; 7 27 de l'autel, offre ton sacrifice pour le péché et ton
holocauste, et fais ainsi le rite d'expiation pour toi
et pour ta maison [b]. Présente alors l'offrande du
peuple et fais pour lui le rite d'expiation comme l'a
ordonné Yahvé. »

8 Aaron s'approcha de l'autel, immola le veau du
sacrifice pour son propre péché. 9 Puis les fils
d'Aaron lui présentèrent le sang; il y trempa le
doigt et en déposa sur les cornes de l'autel, puis il
versa le sang à la base de l'autel. 10 La graisse du
sacrifice pour le péché, les rognons et la masse de
graisse qui part du foie, il les fit fumer à l'autel
comme Yahvé l'avait ordonné à Moïse; 11 la chair
et la peau, il les brûla hors du camp.

12 Il [c] immola ensuite l'holocauste, dont les fils
d'Aaron lui remirent le sang; il le fit couler sur le
pourtour de l'autel. 13 Ils lui remirent aussi la victime dépecée en quartiers, ainsi que la tête, et il les
fit fumer à l'autel. 14 Il lava entrailles et pattes et
les fit fumer à l'autel en plus de l'holocauste.

15 Il présenta alors l'offrande du peuple : il prit
le bouc du sacrifice pour le péché du peuple, il
l'immola et en fit un sacrifice pour le péché de la
même manière que pour le premier. 16 Il fit alors
approcher l'holocauste et procéda selon la règle.

17 Puis, ayant fait approcher l'oblation, il en prit
une pleine poignée qu'il fit fumer à l'autel en plus
de l'holocauste du matin.

18 Enfin il immola le taureau et le bélier en
sacrifice de communion pour le peuple. Les fils
d'Aaron lui en remirent le sang et il le fit couler
sur le pourtour de l'autel. 19 Les graisses de ce taureau et de ce bélier, la queue, la graisse envelop-
pante, les rognons, la masse de graisse qui part du
foie, 20 il les posa [d] sur les poitrines et les fit fumer
à l'autel. 21 Avec les poitrines et la cuisse droite
Aaron fit le geste de présentation devant Yahvé,
comme Yahvé l'avait ordonné à Moïse.

22 Aaron éleva les mains vers le peuple et le
bénit. Ayant ainsi accompli le sacrifice pour le
péché, l'holocauste et le sacrifice de communion, il
descendit; 23 avec Moïse il entra dans la Tente du
Rendez-vous. Puis ils en sortirent tous deux pour
bénir le peuple. La gloire de Yahvé apparut à tout
le peuple, 24 une flamme jaillit de devant Yahvé, qui
dévora sur l'autel l'holocauste et les graisses. A 1 R 18 20s
cette vue le peuple entier poussa des cris de jubila- 2 M 2 10
tion et tous tombèrent la face contre terre.

**Réglementation complémentaire** [e].
**A. Gravité des irrégularités. Nadab et Abihu.** Nb 16 1 - 17 5

**10** 1 Les fils d'Aaron, Nadab et Abihu, prirent
chacun leur encensoir. Ils y mirent du feu sur
lequel ils posèrent de l'encens, et ils présentèrent
devant Yahvé un feu irrégulier qu'il ne leur avait
pas prescrit [f]. 2 De devant Yahvé jaillit alors une Nb 16 35
flamme qui les dévora, et ils périrent en présence 2 R 1 10s
de Yahvé. 3 Moïse dit alors à Aaron : « C'est là ce
que Yahvé avait déclaré par ces mots :

En mes proches je montre ma sainteté,
et devant tout le peuple je montre ma gloire [g]. »

Aaron resta muet.

**B. Enlèvement des corps.**

4 Moïse appela Mishaël et Élçaphân, fils d'Uzziel
oncle d'Aaron, et leur dit : « Approchez et emportez vos frères loin du sanctuaire, hors du camp. »
5 Ils s'approchèrent et les emportèrent dans leurs
propres tuniques, hors du camp, comme Moïse
l'avait dit.

*a)* Les prêtres inaugurent leur sacerdoce en offrant des sacrifices sur l'autel, ce qui est leur fonction essentielle, cf. **1** 5+, avec la participation de toute la communauté. Bien que l'objet de ce ch. soit en partie le même que celui des ch. **1-7** (rituel des sacrifices), le vocabulaire est différent et moins évolué, et les victimes ne sont pas exactement celles prescrites au ch. **4**. Ce ch. semble appartenir à la couche la plus ancienne de l'écrit sacerdotal et pourrait être la suite d'Ex **40**. De même que la gloire de Yahvé prend possession du sanctuaire, Ex **40** 34, de même son apparition, **9** 23, marque l'acceptation des premiers sacrifices.

*b)* « pour ta maison » grec; « pour le peuple » hébr.

*c)* Aaron.

*d)* « il les posa » conj.; « ils les posèrent » hébr.

*e)* Les anecdotes qui suivent ont pour but d'introduire certaines règles rituelles.

*f)* Peut-être parce que Nadab et Abihu ne sont pas prêtres, ou peut-être parce que le feu est présenté hors du temps prescrit.

*g)* Ce distique ne se trouve pas ailleurs dans la Bible. Les « proches » de Yahvé (les prêtres) participent à sa « sainteté », cf. Lv **19** 2; sa « gloire », cf. Ex **24** 16+, se manifeste (par le feu du châtiment) à tout le peuple.

**C. Règles de deuil
speciales aux prêtres.**

6 Moïse dit à Aaron et à ses fils, Éléazar et Itamar : « Ne déliez point vos cheveux et ne déchirez
point vos vêtements [a], vous ne mourrez pas. C'est
contre la communauté tout entière qu'Il s'est irrité,
c'est toute la maison d'Israël qui pleurera vos frères, ces victimes du feu de Yahvé. 7 Ne quittez pas
l'entrée de la Tente du Rendez-vous de peur que
vous ne mouriez, vous avez en effet sur vous l'huile
de l'onction de Yahvé. » Ils se conformèrent aux
paroles de Moïse.

**D. Interdiction de l'usage du vin.**

8 Yahvé parla à Aaron et dit :
9 « Quand vous venez à la Tente du Rendez-
Ez **44** 21 vous, toi et tes fils avec toi, ne buvez ni vin ni autre
boisson fermentée; alors vous ne mourrez pas.
C'est pour tous vos descendants une loi perpétuelle. 10 Qu'il en soit de même quand vous séparez
le sacré et le profane, l'impur et le pur, 11 et quand
vous faites connaître aux Israélites n'importe lequel
des décrets que Yahvé a édictés pour vous par
l'intermédiaire de Moïse. »

**E. La part des prêtres sur les offrandes.**

12 Moïse dit à Aaron et à ses fils survivants,
Éléazar et Itamar : « Prenez l'oblation qui reste des
mets de Yahvé. Mangez-en les azymes à côté de
l'autel, car c'est chose très sainte. 13 Puis mangez-la
**6** 9-10 dans un lieu sacré : c'est la part prescrite pour toi
et tes fils sur les mets de Yahvé; ainsi en ai-je reçu
l'ordre.
14 « La poitrine de présentation et la cuisse de **7** 34
prélèvement, vous les mangerez dans un lieu pur,
toi, tes fils et tes filles avec toi; c'est la part prescrite, pour toi et tes fils, celle que l'on te donne
sur les sacrifices de communion des Israélites. 15 La
cuisse de prélèvement et la poitrine de présentation
qui accompagnent les graisses consumées te reviennent, à toi et à tes fils avec toi, après qu'on les aura
offertes en geste de présentation devant Yahvé; ceci
en vertu d'une loi perpétuelle, comme Yahvé l'a
ordonné. »

**F. Règle spéciale concernant
le sacrifice pour le péché [b].**

16 Moïse s'enquit alors du bouc offert en sacrifice **9** 15
pour le péché : voilà qu'on l'avait brûlé! Il s'irrita
contre Éléazar et Itamar, les fils survivants
d'Aaron : 17 « Pourquoi, dit-il, n'avez-vous pas
mangé cette victime dans le lieu sacré? Car c'est **6** 19
une chose très sainte qui vous a été donnée pour
ôter la faute de la communauté en faisant sur elle
le rite d'expiation devant Yahvé. 18 Puisque le sang
n'en a pas été porté à l'intérieur du sanctuaire, vous
y deviez manger la chair comme je l'avais
ordonné. » 19 Aaron dit à Moïse : « Voici qu'ils ont
offert aujourd'hui leur sacrifice pour le péché et
leur holocauste devant Yahvé! Qu'il se fût agi de
moi, si j'avais mangé aujourd'hui de la victime
pour le péché, cela eût-il paru bon à Yahvé? »
20 Moïse entendit, et cela lui parut bon.

## *III. Règles relatives au pur et à l'impur* [c]

**20** 25-26 || Dt **14** 3-21 Gn **7** 2 ↗ Mt **15** 10-20p ↗ Ac **10** 9-16; **11** 1-18 **Animaux purs et impurs [d] : A. Animaux terrestres.**

**11** 1 Yahvé parla à Moïse et à Aaron, et leur dit :
2 Parlez aux Israélites, dites-leur :
Voici, entre tous les animaux terrestres, les bêtes
que vous pourrez manger.
3 Tout animal qui a le sabot fourchu, fendu en
deux ongles, et qui rumine, vous pourrez le manger.

*a)* Rites de deuil. – Le prêtre doit rester séparé du monde profane, il est donc soumis à des règles particulières, cf. encore ch. **21**.

*b)* Cette anecdote ne tient pas compte des règles édictées en **4** 13s et **6** 17-23; l'excuse présentée par Aaron et l'assentiment donné par Moïse sont peu compréhensibles. Ce paragraphe et les autres du même ch. sont des éléments détachés, artificiellement réunis.

*c)* La « loi de pureté », ch. **11-16**, est jointe à la « loi de sainteté », ch. **17-26**, comme les deux aspects, négatif et positif, d'une même exigence divine. Les règles données ici reposent sur de très anciens interdits religieux : est pur ce qui peut approcher de Dieu, est impur ce qui rend inapte à son culte ou en est exclu. Les animaux purs sont ceux qui peuvent être offerts à Dieu, Gn **7** 2, les animaux impurs sont ceux que les païens considèrent comme sacrés ou qui, paraissant répugnants ou mauvais à l'homme, sont censés déplaire à Dieu, **11**. D'autres règles touchent la naissance, **12**, la vie sexuelle, **15**, la mort, **21** 1, 11, cf. Nb **19** 11-16, mystérieux domaines où agit Dieu, le maître de la vie. Un signe de corruption comme la « lèpre », **13** 1+, rend également impur. Mais au-delà de cette pureté rituelle, les prophètes insisteront sur la purification du cœur, Is **1** 16; Jr **33** 8, cf. Ps **51** 12, préparant l'enseignement de Jésus, Mt **15** 10-20p, qui libère ses disciples de prescriptions dont on ne retenait plus que l'aspect matériel, Mt **23** 24-26p. De cette vieille législation on gardera la leçon d'un idéal de pureté morale, protégé par des règles positives.

*d)* Les classifications données ici sont faites à posteriori d'après le prototype de l'animal pur qui est le mouton ou les bovidés; elles sont empiriques : ainsi le lièvre dit « ruminant » en raison du mouvement de sa bouche. L'identification de certains animaux est incertaine.

4 Voici seulement, parmi ceux qui ruminent ou qui ont le sabot fourchu, les espèces que vous ne pourrez manger. Vous tiendrez pour impur le chameau parce que, bien que ruminant, il n'a pas le sabot fourchu; 5 vous tiendrez pour impur le daman parce que, bien que ruminant, il n'a pas le sabot fourchu; 6 vous tiendrez pour impur le lièvre parce que. bien que ruminant, il n'a pas le sabot fourchu; 7 vous tiendrez pour impur le porc parce que, tout en ayant le sabot fourchu, fendu en deux ongles, il ne rumine pas. 8 Vous ne mangerez pas de leur chair ni ne toucherez à leur cadavre, vous les tiendrez pour impurs.

**B. Animaux aquatiques.**

9 Parmi tout ce qui vit dans l'eau, vous pourrez manger ceci.

Tout ce qui a nageoires et écailles et vit dans l'eau, mers ou fleuves, vous en pourrez manger. 10 Mais tout ce qui n'a point nageoires et écailles, dans les mers ou dans les fleuves, entre toutes les bestioles des eaux et tous les êtres vivants qui s'y trouvent, vous les tiendrez pour immondes. 11 Vous les tiendrez pour immondes, vous n'en mangerez point la chair et vous aurez en dégoût leur cadavre. 12 Tout ce qui vit dans l'eau sans avoir nageoires et écailles, vous le tiendrez pour immonde.

**C. Oiseaux.**

13 Voici, parmi les oiseaux, ceux que vous tiendrez pour immondes; on n'en mangera pas, c'est chose immonde :

le vautour-griffon, le gypaète, l'orfraie, 14 le milan noir, les différentes espèces de milan rouge, 15 toutes les espèces de corbeau, 16 l'autruche, le chat-huant, la mouette et les différentes espèces d'épervier, 17 le hibou, le cormoran, la chouette, 18 l'ibis, le pélican, le vautour blanc, 19 la cigogne et les différentes espèces de héron, la huppe, la chauve-souris.

**D. Bestioles ailées.**

20 Toutes les bestioles ailées qui marchent sur quatre pattes [a], vous les tiendrez pour immondes. 21 De toutes ces bestioles ailées qui marchent sur quatre pattes vous ne pourrez manger que celles-ci : celles qui ont des pattes [b] au-dessus de leurs pieds, pour sauter sur le sol. 22 Voici celles dont vous pourrez manger : les différentes espèces de sauterelles migratrices, de sauterelles solham, de sauterelles hargol, de sauterelles hagab. 23 Mais toutes les bestioles ailées à quatre pattes, vous les tiendrez pour immondes.

**Le contact des bêtes impures.**

24 Vous contracterez d'elles une impureté : quiconque touchera leur cadavre sera impur jusqu'au soir. 25 Quiconque transportera leur cadavre devra nettoyer ses vêtements et sera impur jusqu'au soir. 26 Quant aux animaux qui ont un sabot, mais non fendu, et qui ne ruminent pas, vous les tiendrez pour impurs, quiconque les touchera sera impur. 27 Ceux des animaux à quatre pattes qui marchent sur la plante des pieds [c], vous les tiendrez pour impurs; quiconque touchera leur cadavre sera impur jusqu'au soir, 28 et quiconque transportera leur cadavre devra nettoyer ses vêtements et sera impur jusqu'au soir. Vous les tiendrez pour impurs.

**E. Bestioles vivant à terre.**

29 Voici, parmi les bestioles qui rampent sur terre, celles que vous tiendrez pour impures : la taupe, le rat et les différentes espèces de lézards : 30 gecko, koah, letaah, caméléon et tinchamète.

**Autres règles sur les contacts impurs.**

31 Parmi toutes les bestioles ce sont ces animaux que vous tiendrez pour impurs. Quiconque les touchera quand ils sont morts sera impur jusqu'au soir.

32 Tout objet sur lequel tombe l'un d'entre eux, une fois mort, en devient impur : tout ustensile de bois, vêtement, peau, sac, quelque ustensile que ce soit. On le passera dans l'eau et il restera impur jusqu'au soir; puis il sera pur. 33 Tout vase d'argile dans lequel tombera l'un d'entre eux, vous le briserez; son contenu en est impur. 34 Toute nourriture dont on mange sera impure, même humectée d'eau; tout breuvage dont on boit sera impur, quel qu'en soit le récipient. 35 Tout ce sur quoi tombe l'un de leurs cadavres sera impur; four et fourneau seront détruits car impurs ils sont et impurs ils seront pour vous 36 (toutefois sources, citernes et étendues d'eau resteront pures [d]); quiconque touche à l'un de leurs cadavres sera impur. 37 Si l'un de leurs cadavres tombe sur une semence quelconque, elle restera pure, 38 mais si la graine a été humectée d'eau et si un de leurs cadavres tombe dessus, vous la tiendrez pour impure.

39 Si vient à périr un des animaux qui vous servent de nourriture, celui qui en touchera le cadavre

*a)* Les insectes ailés sont désignés comme « quadrupèdes » pour les distinguer des oiseaux. Le v. 21 excepte la sauterelle.
*b)* « celles qui ont des pattes » versions; « celles qui n'ont pas de pattes » hébr.
*c)* Il s'agit, non des seuls « plantigrades », mais de tous les animaux dépourvus de sabot.
*d)* Les eaux sont par elles-mêmes vivifiantes et purifiantes.

sera impur jusqu'au soir, 40 celui qui mangera de sa
chair morte devra nettoyer ses vêtements et sera
impur jusqu'au soir, celui qui transportera son
cadavre devra nettoyer ses vêtements et sera impur
jusqu'au soir.

**Considérations doctrinales.**

41 Toute bestiole qui grouille sur terre est
immonde, on n'en mangera pas. 42 Tout ce qui se
traîne sur le ventre, tout ce qui marche sur quatre
pattes ou plus, bref toutes les bestioles qui grouillent sur terre, vous n'en mangerez pas car elles sont
immondes. 43 Ne vous rendez pas vous-mêmes
immondes avec toutes ces bestioles grouillantes, ne
vous contaminez pas avec elles et ne soyez pas
contaminés par elles. 44 Car c'est moi, Yahvé, qui
17 1+ suis votre Dieu. Vous vous êtes sanctifiés et vous
êtes devenus saints car je suis saint; ne vous rendez
donc pas impurs avec toutes ces bestioles qui ram-
22 33+ pent sur terre. 45 Oui, c'est moi Yahvé qui vous ai
19 2; 17 1+ ↗ Mt 5 48 fait monter du pays d'Égypte pour être votre Dieu :
↗ 1 P 1 15-16 vous serez donc saints parce que je suis saint.
↗ 1 Jn 3 3

**Conclusion.**

46 Telle est la loi concernant les animaux, les
oiseaux, tout être vivant qui se meut dans l'eau et
tout être qui rampe sur terre. 47 Elle a pour but de
séparer le pur et l'impur, les bêtes que l'on peut
manger et celles que l'on ne doit pas manger.

**Purification de la femme accouchée** [a].

12 1 Yahvé parla à Moïse et dit : 2 Parle aux
Israélites, dis-leur :

Si une femme est enceinte et enfante un garçon,
elle sera impure pendant sept jours comme au
15 19 temps de la souillure de ses règles. 3 Au huitième
Gn 17 10+ jour on circoncira le prépuce de l'enfant 4 et pen-
↗ Lc 1 59; dant trente-trois jours encore elle restera à purifier
2 21 son sang. Elle ne touchera à rien de consacré et
n'ira pas au sanctuaire jusqu'à ce que soit achevé
le temps de sa purification.

5 Si elle enfante une fille, elle sera impure pendant deux semaines, comme pendant ses règles, et
restera de plus soixante-six jours à purifier son
sang.
↗ Lc 2 22-38 6 Quand sera achevée la période de sa purification, que ce soit pour un garçon ou pour une fille,
elle apportera au prêtre, à l'entrée de la Tente du
Rendez-vous, un agneau d'un an pour un holocauste et un pigeon ou une tourterelle en sacrifice
pour le péché. 7 Le prêtre l'offrira devant Yahvé,
accomplira sur elle le rite d'expiation et elle sera
purifiée de son flux de sang.

Telle est la loi concernant la femme qui enfante
un garçon ou une fille. 8 Si elle est incapable de
trouver la somme nécessaire pour une tête de petit
bétail, elle prendra deux tourterelles ou deux 5 7-13
pigeons, l'un pour l'holocauste et l'autre en
sacrifice pour le péché. Le prêtre fera sur elle le rite
d'expiation et elle sera purifiée.

**La lèpre** [b] **humaine :** Dt 24 8-9
**A. Tumeur, dartre et tache.** Nb 12 10-15

13 1 Yahvé parla à Moïse et à Aaron, et dit :
2 S'il se forme sur la peau d'un homme une
tumeur, une dartre ou une tache, un cas de lèpre
de la peau est à prévoir. On le conduira à Aaron,
le prêtre, ou à l'un des prêtres ses fils. 3 Le prêtre
examinera le mal sur la peau. Si à l'endroit malade
le poil a viré au blanc, si ce mal fait un creux dans
l'épiderme, c'est bien un cas de lèpre; après observation le prêtre déclarera l'homme impur. 4 Mais si
sur la peau il y a une tache blanche, sans dépression visible de la peau et sans blanchissement du
poil, le prêtre séquestrera le malade pendant sept
jours. 5 Il l'examinera le septième jour. S'il constate
de ses propres yeux que le mal subsiste sans se
développer sur la peau, il le séquestrera encore
durant sept jours 6 et l'examinera à nouveau le septième jour. S'il constate que le mal est devenu mat
et ne s'est pas développé sur la peau, le prêtre
déclarera pur cet homme : il s'agit d'une dartre.
Après avoir nettoyé ses vêtements il sera pur.

7 Mais si la dartre s'est développée sur la peau
après que le malade a été examiné par le prêtre et
déclaré pur, il se présentera à lui de nouveau.
8 Après l'avoir examiné et après avoir constaté le
développement de la dartre sur la peau, le prêtre le
déclarera impur : il s'agit de lèpre.

**B. Lèpre invétérée** [c].

9 Lorsque apparaîtra sur un homme un mal du

*a)* L'accouchement, de même que les règles ou l'épanchement séminal masculin, **15**, est considéré comme une perte de vitalité pour l'individu, qui doit par certains rites rétablir son intégrité et ainsi son union avec le Dieu source de la vie.

*b)* La notion que les anciens Hébreux se faisaient de la « lèpre » réunit diverses affections cutanées ou superficielles, **13** 1-44, et l'on y rattache même les moisissures qui peuvent apparaître sur les vêtements, **13** 47-59, ou sur les murailles, **14** 33-53. Le diagnostic et les précautions collectives contre la contagion sont codifiés et confiés à la décision du prêtre. Ces mesures pratiques, où l'on retrouve l'héritage de conceptions et d'usages primitifs, prennent valeur religieuse dans le yahvisme, comme un discernement de l'« impur ». La réintégration à la communauté donne lieu à des rites assimilés au sacrifice pour le péché, **14** 1-31, 49-53, le « péché » désignant ici une atteinte à la vertu vivifiante du Dieu d'Israël.

*c)* Il ne s'agit plus ici de distinguer une vraie d'une fausse lèpre, mais une lèpre contagieuse d'une lèpre qui ne l'est pas. Le Lv semble ne considérer comme contagieux que l'ulcère.

genre lèpre, on le conduira au prêtre. 10 Le prêtre l'examinera, et s'il constate sur la peau une tumeur blanchâtre avec blanchissement du poil et production d'un ulcère, 11 c'est une lèpre invétérée sur la peau. Le prêtre le déclarera impur. Il ne le séquestrera pas, sans aucun doute il est impur[a].

12 Mais si la lèpre prolifère sur la peau, si la maladie la recouvre tout entière et s'étend de la tête aux pieds, où que regarde le prêtre, 13 celui-ci examinera le malade et, constatant que la lèpre recouvre tout son corps, il déclarera pur le malade[b]. Puisque tout a viré au blanc, il est pur. 14 Toutefois, le jour où apparaîtra sur lui un ulcère, il sera impur. 15 Après examen de l'ulcère, le prêtre le déclarera impur : l'ulcère est chose impure, c'est de la lèpre. 16 Mais si l'ulcère redevient blanc, l'homme ira trouver le prêtre, 17 celui-ci l'examinera et, s'il constate que le mal a viré au blanc, il déclarera pur le malade : il est pur.

**C. Ulcère.**

18 Lorsqu'il s'est produit sur la peau de quelqu'un un ulcère[c] qui a guéri, 19 s'il se forme à la place de l'ulcère une tumeur blanchâtre ou une tache d'un blanc rougeâtre, cet homme se montrera au prêtre. 20 Celui-ci l'examinera; s'il constate un affaissement visible de la peau et un blanchissement du poil, le prêtre le déclarera impur : c'est un cas de lèpre qui prolifère dans un ulcère. 21 Si, à l'examen, le prêtre ne constate ni poils blancs, ni affaissement de la peau, mais un ternissement du mal, il séquestrera sept jours le malade. 22 Il le déclarera impur si le mal s'est développé sur la peau : c'est un cas de lèpre. 23 Mais si la tache est restée stationnaire sans s'étendre, c'est la cicatrice de l'ulcère : le prêtre déclarera cet homme pur.

**D. Brûlure.**

24 Lorsqu'il s'est produit sur la peau de quelqu'un une brûlure, s'il se forme sur la brûlure un abcès, une tache blanc-rougeâtre ou blanchâtre, 25 le prêtre l'examinera. S'il constate un blanchissement du poil ou un affaissement visible de la tache dans la peau, c'est la lèpre qui prolifère dans la brûlure. Le prêtre déclarera l'homme impur : c'est un cas de lèpre. 26 Si au contraire le prêtre, à l'examen, ne constate point de poils blancs dans la tache ni d'affaissement de la peau mais un ternissement de cette tache, le prêtre le séquestrera sept jours. 27 Il l'examinera le septième jour et, si le mal s'est étendu sur la peau, il le déclarera impur : c'est un cas de lèpre. 28 Si la tache est restée stationnaire sans s'étendre sur la peau, si elle s'est au contraire ternie, ce n'est qu'une tumeur due à la brûlure. Le prêtre déclarera l'homme pur, ce n'est que la cicatrice de la brûlure.

**E. Affections du cuir chevelu.**

29 Si un homme ou une femme porte une plaie à la tête ou au menton, 30 le prêtre examinera cette plaie et, s'il y constate une dépression visible de la peau avec poil jaunâtre et grêle, il déclarera le malade impur. C'est la teigne[d], c'est-à-dire la lèpre de la tête ou du menton. 31 Si à l'examen de ce cas de teigne le prêtre constate qu'il n'y a point dépression visible de la peau ni poil jaunâtre[e], il séquestrera sept jours le teigneux. 32 Il examinera le mal le septième jour et, s'il constate que la teigne ne s'est pas développée, que le poil n'y est point jaunâtre, qu'il n'y a point de dépression visible de la peau, 33 le malade se rasera, en omettant toutefois la partie teigneuse, et le prêtre le séquestrera une seconde fois pendant sept jours. 34 Il examinera le mal le septième jour, et, s'il constate qu'il ne s'est pas développé sur la peau, qu'il n'y a pas dépression visible de la peau, le prêtre déclarera pur ce malade. Après avoir nettoyé ses vêtements il sera pur. 35 Si toutefois après cette purification la teigne s'est développée sur la peau, 36 le prêtre l'examinera : s'il constate un développement de la teigne sur la peau, c'est que le malade est impur et l'on ne vérifiera pas si le poil est jaunâtre. 37 Tandis que si la teigne apparaît stationnaire et s'il y pousse du poil noir, c'est que le malade est guéri. Il est pur et le prêtre le déclarera pur.

**F. Exanthème.**

38 S'il se produit des taches sur la peau d'un homme ou d'une femme et si ces taches sont blanches, 39 le prêtre les examinera. S'il constate que ces taches sur la peau sont d'un blanc terne, il s'agit d'un exanthème qui a proliféré sur la peau : le malade est pur.

**G. Calvities.**

40 Si un homme perd les cheveux de son crâne, c'est la calvitie du crâne, il est pur. 41 Si c'est sur le devant de la tête qu'il perd ses cheveux, c'est une calvitie du front, il est pur. 42 Mais s'il y a au crâne ou au front un mal blanc-rougeâtre, c'est qu'une

*a)* Une seconde observation n'est pas nécessaire. Le grec a au contraire : « il le séquestrera ».
*b)* Litt. « le mal ». Cette généralisation du mal est signe de guérison : toutes ces croûtes blanches vont tomber.
*c)* Autres traductions possibles : « furoncle » ou « abcès ».
*d)* Ou peut-être la dartre.
*e)* Hébr. « poil noir », mais voir v. 32.

lèpre prolifère sur le crâne ou le front de cet
homme. 43 Le prêtre l'examinera et, s'il constate au
crâne ou au front une tumeur blanc-rougeâtre, de
même aspect que la lèpre de la peau, 44 c'est que
l'homme est lépreux; il est impur. Le prêtre devra
le déclarer impur, il est atteint de lèpre à la tête.

**Statut du lépreux.**

45 Le lépreux atteint de ce mal portera ses vêtements déchirés et ses cheveux dénoués; il se couvrira la moustache et il criera : « Impur! Impur! »
46 Tant que durera son mal, il sera impur et, étant
impur, il demeurera à part : sa demeure sera hors
du camp.

**La lèpre des vêtements.**

47 Lorsqu'un vêtement est atteint de lèpre, que ce
soit un vêtement de laine ou de lin, 48 un tissu ou
une couverture en laine ou en lin, du cuir ou un travail quelconque en cuir, 49 si la tache de ce vêtement, de ce cuir, de ce tissu, de cette couverture ou
de cet objet de cuir apparaît verdâtre ou rougeâtre
c'est un cas de lèpre à montrer au prêtre. 50 Le prêtre examinera le mal et séquestrera l'objet pendant
sept jours. 51 S'il observe au septième jour que le
mal s'est étendu sur ce vêtement, ce tissu, cette couverture, ce cuir ou cet objet fait en cuir, quel qu'il
soit, c'est un cas de lèpre contagieuse : l'objet
atteint est impur. 52 Il brûlera ce vêtement, ce tissu,
cette couverture de laine ou de lin, cet objet de cuir
quel qu'il soit, sur lequel s'est déclaré le mal, car
c'est une lèpre contagieuse qui doit être consumée
par le feu.

53 Mais si, à l'examen, le prêtre constate que le
mal ne s'est pas étendu sur ce vêtement, ce tissu,
cette couverture, ou sur cet objet de cuir quel qu'il
soit, 54 il ordonnera de nettoyer l'objet attaqué et le
séquestrera une seconde fois pendant sept jours.
55 Après nettoiement il examinera le mal et, s'il
constate qu'il n'a pas changé d'aspect, tout en ne
s'étendant pas, l'objet est impur. Tu le consumeras
par le feu : il y a corrosion à l'endroit et à l'envers.

56 Mais si, à l'examen, le prêtre constate qu'après
nettoiement le mal a terni, il l'arrachera du vêtement, du cuir, du tissu ou de la couverture. 57 Toutefois, si le mal reparaît sur ce vêtement, ce tissu,
cette couverture ou cet objet de cuir quel qu'il soit,
c'est que le mal est actif et tu consumeras par le
feu ce qui en est atteint. 58 Quant au vêtement, au
tissu, à la couverture et à l'objet quelconque en cuir
dont le mal aura disparu après nettoiement, il sera
pur après avoir été nettoyé une seconde fois.

59 Telle est la loi pour le cas de lèpre d'un vêtement en laine ou en lin, d'un tissu, d'une couverture
ou d'un objet en cuir quel qu'il soit, lorsqu'il s'agit
de les déclarer purs ou impurs.

**Purification du lépreux [a].**

**14** 1 Yahvé parla à Moïse et dit :
2 Voici la loi à appliquer au lépreux le jour de ↗ Mt 8 4p
sa purification. On le conduira au prêtre, 3 et le prê- ↗ Lc 17 14
tre sortira du camp. S'il constate, après examen,
que le lépreux est guéri de sa lèpre, 4 il ordonnera
de prendre pour l'homme à purifier deux oiseaux
vivants et purs, du bois de cèdre, du rouge de
cochenille et de l'hysope. 5 Il ordonnera ensuite
d'immoler un oiseau sur un pot d'argile au-dessus
d'une eau vive. 6 Quant à l'oiseau encore vivant, il
le prendra ainsi que le bois de cèdre, le rouge de
cochenille, l'hysope, et il plongera le tout (y Nb 19 6,18
compris l'oiseau vivant) dans le sang de l'oiseau Ps 51 9
immolé au-dessus de l'eau courante. 7 Il fera alors
sept aspersions sur l'homme à purifier de la lèpre
et, l'ayant déclaré pur, il lâchera l'oiseau vivant
dans la campagne. 8 Celui qui se purifie nettoiera
ses vêtements, il se rasera tous les poils, il se lavera
à l'eau et sera pur. Après quoi il rentrera au camp,
mais il restera sept jours hors de sa tente. 9 Le septième jour il se rasera tous les poils : cheveux, Nb 6 9
barbe, sourcils; il devra se raser tous les poils.
Après avoir nettoyé ses vêtements et s'être lavé à
l'eau, il sera pur.

10 Le huitième jour il prendra deux agneaux sans
défaut, une agnelle d'un an sans défaut, trois dixièmes [b] de fleur de farine pétrie à l'huile, pour l'oblation, et une pinte d'huile. 11 Le prêtre qui accomplit
la purification placera l'homme à purifier, ainsi que
ses offrandes, à l'entrée de la Tente du Rendez-
vous, devant Yahvé. 12 Puis il prendra l'un des
agneaux. Il l'offrira en sacrifice de réparation ainsi
que la pinte d'huile. Il fera avec eux le geste de présentation devant Yahvé. 13 Il immolera l'agneau à
l'endroit du lieu saint où l'on immole les victimes
du sacrifice pour le péché et de l'holocauste. Cette
victime de réparation reviendra au prêtre comme
un sacrifice pour le péché, c'est une chose très
sainte. 14 Le prêtre prendra du sang de ce sacrifice.
Il le mettra sur le lobe de l'oreille droite de celui 8 23
qui se purifie, sur le pouce de sa main droite et sur
le gros orteil de son pied droit. 15 Il prendra ensuite

*a)* Le ch. **14** réunit deux rituels de purification : vv. 2-9, un rituel archaïque que l'on peut rapprocher de celui de la vache rousse, cf. Nb **19** 1+ : il suppose que le mal est causé par un démon que l'on peut ainsi chasser (comparer le bouc pour Azazel, Lv **16** 10); vv. 10-32, un rituel plus en rapport avec l'ensemble du Lv, sauf les onctions d'huile, vv. 15-18, qui n'ont pas d'équivalent.

*b)* Trois dixièmes de mesure *(épha)*, soit environ 13,5 litres.

la pinte d'huile et en versera un peu dans le creux de sa main gauche. 16 Il trempera un doigt de sa main droite dans l'huile qui est au creux de sa main gauche et de cette huile il fera avec son doigt sept aspersions devant Yahvé. 17 Puis il mettra un peu de l'huile qui lui reste dans le creux de la main sur le lobe de l'oreille droite de celui qui se purifie, sur le pouce de sa main droite et sur le gros orteil de son pied droit, en plus du sang du sacrifice de réparation. 18 Le reste d'huile qu'il a dans le creux de la main, il le mettra sur la tête de celui qui se purifie. Il aura fait ainsi sur lui le rite d'expiation devant Yahvé.

19 Le prêtre fera alors le sacrifice pour le péché et accomplira sur celui qui se purifie le rite d'expiation de son impureté. Après quoi il immolera l'holocauste, 20 il fera monter à l'autel holocauste et oblation. Quand le prêtre aura ainsi accompli sur cet homme le rite d'expiation, il sera pur.

5 7-13; 21 S'il est pauvre et dépourvu des ressources
12 8 suffisantes, il prendra un seul agneau, celui du sacrifice de réparation, et on l'offrira selon le geste de présentation pour accomplir sur cet homme le rite d'expiation. Il ne prendra aussi qu'un dixième de fleur de farine pétrie à l'huile, pour l'oblation, et la pinte d'huile, 22 enfin deux tourterelles ou deux pigeons – s'il est en mesure de se les procurer – dont l'un sera destiné au sacrifice pour le péché et l'autre à l'holocauste. 23 C'est le huitième jour qu'en vue de sa purification il les apportera au prêtre, à l'entrée de la Tente du Rendez-vous, devant Yahvé. 24 Le prêtre prendra l'agneau du sacrifice de réparation et la pinte d'huile. Il les offrira en geste de présentation devant Yahvé. 25 Puis, ayant immolé cet agneau du sacrifice de réparation, il en prendra du sang et le mettra sur le lobe de l'oreille droite de celui qui se purifie, sur le pouce de sa main droite et sur le gros orteil de son pied droit. 26 Il versera de l'huile dans le creux de sa main gauche 27 et, de cette huile qui est dans le creux de sa main gauche, il fera avec son doigt sept aspersions devant Yahvé. 28 Il en mettra sur le lobe de l'oreille droite de celui qui se purifie, sur le pouce de sa main droite, sur le gros orteil de son pied droit, à l'endroit où a été posé le sang du sacrifice de réparation. 29 Ce qui lui reste d'huile dans le creux de la main, il le mettra sur la tête de celui qui se purifie en faisant sur lui le rite d'expiation devant Yahvé. 30 De l'une des deux tourterelles ou de l'un des deux pigeons – de ce qu'il est en mesure de se procurer il fera 31 un sacrifice pour le péché et, de l'autre, un holocauste accompagné d'oblation – avec ce qu'il aura été en mesure de se procurer. Le prêtre aura fait ainsi le rite d'expiation devant Yahvé sur celui qui se purifie.

32 Telle est la loi concernant celui qui est atteint de lèpre sans être à même de pourvoir à sa purification.

**La lèpre des maisons.**

33 Yahvé parla à Moïse et à Aaron et dit :

34 Lorsque vous serez arrivés au pays de Canaan que je vous donne pour domaine, si je frappe de la lèpre une maison du pays que vous posséderez, 35 son propriétaire viendra avertir le prêtre et dira : « J'ai vu comme de la lèpre dans la maison. » 36 Le prêtre ordonnera de vider la maison avant qu'il ne vienne examiner le mal; ainsi rien ne deviendra impur de ce qui s'y trouve. Après quoi le prêtre viendra observer la maison, 37 et si, après examen, il constate sur les murs de la maison des cavités verdâtres ou rougeâtres [a] qui font creux dans le mur, 38 le prêtre sortira de la maison, à la porte, et il la fera fermer sept jours. 39 Il reviendra le septième jour et si, après examen, il constate que le mal s'est développé sur les murs de la maison, 40 il ordonnera que l'on retire les pierres attaquées par le mal et qu'on les jette hors de la ville en un lieu impur. 41 Puis il fera gratter toutes les parois intérieures de la maison et l'on répandra le crépi ainsi détaché dans un lieu impur à l'extérieur de la ville. 42 On prendra d'autres pierres pour remplacer les premières et un autre enduit pour recrépir la maison.

43 Si le mal prolifère à nouveau après l'enlèvement des pierres, le décapage et le crépissage de la maison, 44 le prêtre viendra l'examiner; s'il constate que le mal s'est développé, c'est une lèpre contagieuse dans la maison; celle-ci est impure. 45 On la démolira, on portera dans un lieu impur, hors de la ville, ses pierres, ses charpentes et tout son crépi.

46 Quiconque entrera dans la maison, pendant tout le temps qu'on la tient fermée, sera impur jusqu'au soir. 47 Quiconque y couchera devra nettoyer ses vêtements. Quiconque y mangera devra nettoyer ses vêtements. 48 Mais si le prêtre, lorsqu'il vient examiner le mal, constate qu'il ne s'est pas développé dans la maison après le crépissage, il déclarera pure la maison, car le mal est guéri.

49 En vue d'un sacrifice pour le péché [b] de la mai-

*a)* Laissées par la moisissure qui désagrège et colore les murs.
*b)* « péché » n'a ici aucun contenu moral : l'impureté de la maison est assimilée à celle de l'homme qui s'en libère par un sacrifice pour le péché. Le rituel est le même que le rituel archaïque pour le lépreux, vv. 4-7.

son, il prendra deux oiseaux, du bois de cèdre, du
rouge de cochenille et de l'hysope. [50] Il immolera
un des oiseaux sur un pot d'argile au-dessus d'une
eau courante. [51] Puis il prendra le bois de cèdre,
l'hysope, le rouge de cochenille et l'oiseau encore
vivant, pour les plonger dans le sang de l'oiseau
immolé et dans l'eau courante. Il fera sept aspersions sur la maison [52] et, après avoir fait le sacrifice
pour le péché de la maison par le sang de l'oiseau,
l'eau courante, l'oiseau vivant, le bois de cèdre,
l'hysope et le rouge de cochenille, [53] il lâchera l'oiseau vivant hors de la ville, dans la campagne. Le
rite d'expiation ainsi fait sur la maison, elle sera
pure.
[54] Telle est la loi concernant tous cas de lèpre et
de teigne, [55] la lèpre des vêtements et des maisons,
[56] les tumeurs, dartres et taches. [57] Elle fixe les
temps d'impureté et de pureté.
Telle est la loi sur la lèpre.

**Les impuretés sexuelles** [a] **:**
**A. de l'homme.**

**15** [1] Yahvé parla à Moïse et à Aaron, et dit :
[2] Parlez aux Israélites, vous leur direz :
Lorsqu'un homme a un écoulement sortant de
son corps, cet écoulement est impur. [3] Voici en
quoi consistera son impureté tant qu'il a cet écoulement :
Que sa chair laisse échapper l'écoulement ou
qu'elle le retienne, il est impur.
[4] Tout lit où couchera cet homme sera impur et
tout meuble où il s'assiéra sera impur.
[5] Celui qui touchera son lit devra nettoyer ses
vêtements, se laver à l'eau, et il sera impur jusqu'au
soir.
[6] Celui qui s'assiéra sur un meuble où cet homme
se sera assis devra nettoyer ses vêtements, se laver
à l'eau, et il sera impur jusqu'au soir.
[7] Celui qui touchera le corps de cet homme devra
nettoyer ses vêtements, se laver à l'eau, et il sera
impur jusqu'au soir.
[8] Si cet homme crache sur une personne pure,
celle-ci devra nettoyer ses vêtements, se laver à
l'eau, et elle sera impure jusqu'au soir.
[9] Tout siège sur lequel aura voyagé cet homme
sera impur.
[10] Tous ceux qui toucheront à un objet
quelconque qui se sera trouvé sous lui seront
impurs jusqu'au soir.
Celui qui transportera un tel objet devra nettoyer
ses vêtements, se laver à l'eau, et il sera impur
jusqu'au soir.
[11] Tous ceux que touchera cet homme sans s'être
rincé les mains devront nettoyer leurs vêtements, se
laver à l'eau, et ils seront impurs jusqu'au soir.
[12] Le vase d'argile que touchera cet homme sera
brisé et tout ustensile en bois devra être rincé.
[13] Quand cet homme sera guéri, il comptera sept
jours pour sa purification. Il devra nettoyer ses
vêtements, laver son corps à l'eau courante, et il
sera pur. [14] Le huitième jour il prendra deux tourterelles ou deux pigeons et viendra devant Yahvé à
l'entrée de la Tente du Rendez-vous pour les remettre au prêtre. [15] De l'un celui-ci fera un sacrifice
pour le péché et de l'autre un holocauste. Le prêtre
fera ainsi sur lui devant Yahvé le rite d'expiation
de son écoulement.
[16] Lorsqu'un homme aura un épanchement séminal, il devra se laver à l'eau tout le corps et il sera
impur jusqu'au soir. [17] Tout vêtement et tout cuir
qu'aura atteint l'épanchement séminal devra être
nettoyé à l'eau et sera impur jusqu'au soir.
[18] Quand une femme aura couché maritalement
avec un homme, ils devront tous deux se laver à
l'eau, et ils seront impurs jusqu'au soir.

**B. de la femme.**

[19] Lorsqu'une femme a un écoulement de sang et
que du sang s'écoule de son corps, elle restera pendant sept jours dans la souillure de ses règles.
Qui la touchera sera impur jusqu'au soir.
[20] Toute couche sur laquelle elle s'étendra ainsi
souillée, sera impure; tout meuble sur lequel elle
s'assiéra sera impur.
[21] Quiconque touchera son lit devra nettoyer ses
vêtements, se laver à l'eau, et il sera impur jusqu'au
soir.
[22] Quiconque touchera un meuble, quel qu'il
soit, où elle se sera assise, devra nettoyer ses vêtements, se laver à l'eau, et il sera impur jusqu'au
soir.
[23] Si quelque objet se trouve sur le lit ou sur le
meuble sur lequel elle s'est assise, celui qui le touchera sera impur jusqu'au soir.
[24] Si un homme couche avec elle, la souillure de
ses règles l'atteindra. Il sera impur pendant sept
jours. Tout lit sur lequel il couchera sera impur.
[25] Lorsqu'une femme aura un écoulement de
sang de plusieurs jours hors du temps de ses règles
ou si ses règles se prolongent, elle sera pendant
toute la durée de cet écoulement dans le même état

*a)* Les cas d'impureté traités ici sont non seulement la maladie contagieuse qu'est la blennorragie, mais le simple épanchement séminal de l'homme et les règles de la femme. Car tout ce qui touche à la fécondité et à la reproduction a un caractère mystérieux et sacré, cf. **12** 1+.

d'impureté que pendant le temps de ses règles. [26] Il
en sera de tout lit sur lequel elle couchera pendant
toute la durée de son écoulement comme du lit où
elle couche lors de ses règles. Tout meuble sur
lequel elle s'assiéra sera impur comme lors de ses
règles. [27] Quiconque les touchera sera impur, devra
nettoyer ses vêtements, se laver à l'eau, et il sera
impur jusqu'au soir.

[28] Lorsqu'elle sera guérie de son écoulement, elle
comptera sept jours puis elle sera pure. [29] Le huitième jour elle prendra deux tourterelles ou deux
pigeons qu'elle apportera au prêtre à l'entrée de la
Tente du Rendez-vous. [30] De l'un le prêtre fera un
sacrifice pour le péché et de l'autre un holocauste.
Le prêtre fera ainsi sur elle, devant Yahvé, le rite
d'expiation de son écoulement qui la rendait
impure.

**Conclusion.**

[31] Vous avertirez [a] les Israélites de leurs impuretés, afin qu'à cause d'elles ils ne meurent pas en
souillant ma Demeure qui se trouve au milieu
d'eux.

[32] Telle est la loi concernant l'homme qui a un
écoulement, celui que rend impur un épanchement
séminal, [33] la femme lors de la souillure de ses
règles, l'homme ou la femme qui a un écoulement,
l'homme qui couche avec une femme impure.

**23** 26-32 **Le grand Jour des Expiations** [b].

Nb **29** 7-11 **16** [1] Yahvé parla à Moïse après la mort des deux
↗ He **9** 6-14 fils d'Aaron qui périrent en présentant devant
**10** 1s Yahvé un feu irrégulier. [2] Yahvé dit à Moïse :

Parle à Aaron ton frère : qu'il n'entre pas à
Ex **19** 12+ n'importe quel moment dans le sanctuaire derrière
Ex **25** 17+ le rideau, en face du propitiatoire qui se trouve
sur l'arche. Il pourrait mourir, car j'apparais
au-dessus du propitiatoire dans une nuée.

[3] Voici comment il pénétrera dans le sanctuaire :
avec un taureau destiné à un sacrifice pour le péché
et un bélier pour un holocauste. [4] Il revêtira une
tunique de lin consacrée, il portera à même le corps
un caleçon de lin, il se ceindra d'une ceinture de
lin, il s'enroulera sur la tête un turban de lin. Ce
sont des vêtements sacrés qu'il revêtira après s'être
lavé à l'eau.

[5] Il recevra de la communauté des Israélites deux boucs destinés à un sacrifice pour le
péché et un bélier pour un holocauste. [6] Après
avoir offert le taureau du sacrifice pour son propre
péché et fait le rite d'expiation pour lui et pour sa
maison, [7] Aaron prendra ces deux boucs et les placera devant Yahvé à l'entrée de la Tente du Rendez-vous. [8] Il tirera les sorts pour les deux boucs,
attribuant un sort à Yahvé et l'autre à Azazel [c].
[9] Aaron offrira le bouc sur lequel est tombé le sort
« A Yahvé » et en fera un sacrifice pour le péché.
[10] Quant au bouc sur lequel est tombé le sort « A
Azazel », on le placera vivant devant Yahvé pour
faire sur lui le rite d'expiation, pour l'envoyer à **16** 22
Azazel dans le désert.

[11] Aaron offrira le taureau du sacrifice pour son
propre péché, puis il fera le rite d'expiation pour
lui et pour sa maison et immolera ce taureau. [12] Il
remplira alors un encensoir avec des charbons
ardents pris sur l'autel, de devant Yahvé, et il
prendra deux pleines poignées d'encens fin aromatique. Il portera le tout derrière le rideau. [13] et
déposera l'encens sur le feu devant Yahvé; il
recouvrira d'un nuage d'encens le propitiatoire Ex **25** 17+
qui est sur le Témoignage, et ne mourra pas. Ex **33** 20+
[14] Puis il prendra du sang du taureau et en aspergera avec le doigt le côté oriental du propitiatoire;
devant le propitiatoire il fera de ce sang sept
aspersions avec le doigt.

[15] Il immolera alors le bouc destiné au sacrifice
pour le péché du peuple et il en portera le sang derrière le rideau. Il procédera avec ce sang comme
avec celui du taureau, en faisant des aspersions sur
le propitiatoire et devant celui-ci. [16] Il fera ainsi le Ez **45** 18-20
rite d'expiation sur le sanctuaire pour les impuretés Rm **3** 25+
des Israélites, pour leurs transgressions et pour
tous leurs péchés.

Ainsi procédera-t-il pour la Tente du Rendez-
vous qui demeure avec eux au milieu de leurs
impuretés. [17] Que personne ne se trouve dans la
Tente du Rendez-vous depuis l'instant où il entrera Dt **4** 7+
pour faire l'expiation dans le sanctuaire jusqu'à ce Is **6** 5
qu'il en sorte!

Quand il aura fait l'expiation pour lui, pour sa
maison et pour toute l'assemblée d'Israël, [18] il
sortira, ira à l'autel qui est devant Yahvé et fera sur
l'autel le rite d'expiation. Il prendra du sang du taureau et du sang du bouc et il en mettra sur les cor-

*a)* « vous avertirez » *hizhartem* conj.; « vous éloignerez » *hizzartem* hébr.

*b)* Ce ch. clôt l'énumération des impuretés par le rite annuel qui les expie toutes. La rédaction combine deux rituels d'esprit et d'âge différents : un sacrifice d'expiation, vv. 6, 11-19, cf. ch. **4**, et le rite de l'envoi du bouc à Azazel, vv. 8-10, 20-22, 26 (cf. notes suivantes). Ce rite est de caractère archaïque, mais comme pour le double rituel du ch. **14**, il a été intégré à des prescriptions proprement lévitiques. Loin d'être une marque d'ancienneté, cette intégration date d'une époque où un souci grandissant de la pureté rituelle a fait multiplier les cas d'impureté et légitimer toutes sortes de rites de purification. De fait, la grande fête du Jour des Expiations ne paraît pas antérieure à l'Exil car aucun texte ancien n'y fait allusion.

*c)* Azazel, comme semble bien l'avoir compris la version syriaque, est le nom d'un démon que les anciens Hébreux et Cananéens croyaient habiter le désert, terre infertile où Dieu n'exerce pas son action fécondante. Cf. v. 22 et réf., et **17** 7+.

nes au pourtour de l'autel. [19] De ce sang il fera sept aspersions sur l'autel avec son doigt. Ainsi le purifiera-t-il et le séparera-t-il [a] des impuretés des Israélites.

[20] Une fois achevé l'expiation du sanctuaire, de la Tente du Rendez-vous et de l'autel, il fera approcher le bouc encore vivant. [21] Aaron lui posera les deux mains sur la tête et confessera à sa charge toutes les fautes des Israélites, toutes les transgressions et tous leurs péchés. Après en avoir ainsi
Is **13** 21 chargé la tête du bouc, l'enverra au désert sous la
**34** 11 conduite d'un homme qui se tiendra prêt, [22] et le
Tb **8** 3
Lc **11** 24 bouc emportera sur lui toutes leurs fautes en un
lieu aride [b].

Quand il aura envoyé le bouc au désert, [23] Aaron rentrera dans la Tente du Rendez-vous, retirera les vêtements de lin qu'il avait mis pour entrer au sanctuaire. Il les déposera là, [24] et se lavera le corps avec de l'eau dans un lieu consacré. Puis il reprendra ses vêtements et sortira pour offrir son holocauste et celui du peuple. Il fera le rite d'expiation pour lui et pour le peuple; [25] la graisse du sacrifice pour le péché, il la fera fumer à l'autel.

[26] Celui qui aura conduit le bouc à Azazel devra nettoyer ses vêtements et se laver le corps avec de l'eau, après quoi il pourra rentrer au camp. [27] Quant au taureau et au bouc offerts en sacrifice pour le péché et dont le sang a été porté dans le sanctuaire pour faire le rite d'expiation, on les emportera hors du camp et l'on brûlera dans un feu leur peau, leur chair et leur fiente. [28] Celui qui les aura brûlés devra nettoyer ses vêtements, se laver le corps avec de l'eau, après quoi il pourra rentrer au camp.

[29] Cela sera pour vous une loi perpétuelle.

Au septième mois, le dixième jour du mois, vous **23** 26-32
jeûnerez, et ne ferez aucun travail, pas plus le citoyen que l'étranger qui réside parmi vous. [30] C'est en effet en ce jour que l'on fera sur vous le rite d'expiation pour vous purifier. Vous serez purs devant Yahvé de tous vos péchés. [31] Ce sera pour vous un repos sabbatique et vous jeûnerez. C'est une loi perpétuelle.

[32] Le prêtre qui aura reçu l'onction et l'investiture pour officier à la place de son père fera le rite d'expiation. Il revêtira les vêtements de lin, vêtements sacrés; [33] il fera l'expiation du sanctuaire consacré, de la Tente du Rendez-vous et de l'autel. Il fera ensuite le rite d'expiation sur les prêtres et sur tout le peuple de la communauté. [34] Cela sera pour vous une loi perpétuelle; une fois par an se fera sur les Israélites le rite d'expiation pour tous leurs péchés.

Et l'on fit comme Yahvé l'avait ordonné à Moïse.

# *IV. Loi de sainteté* [c]

Ex **20** 24
Dt **12** 4-28 **Immolations et sacrifices**

**17** [1] Yahvé parla à Moïse et dit : [2] Parle à Aaron, à ses fils et à tous les Israélites. Tu leur diras :

Voici l'ordre qu'a donné Yahvé :

[3] Tout homme de la maison d'Israël qui, dans le camp ou hors du camp, immolera taureau, agneau ou chèvre, [4] sans l'amener à l'entrée de la Tente du Rendez-vous pour en faire offrande à Yahvé devant
sa demeure, cet homme répondra du sang **1** 5+
répandu [d], il sera retranché du milieu de son peuple. [5] Ainsi les Israélites apporteront au prêtre pour Yahvé, à l'entrée de la Tente du Rendez-vous, les sacrifices qu'ils voudraient faire dans la campagne, et ils en feront pour Yahvé des sacrifices de communion. [6] Le prêtre versera le sang sur l'autel de Yahvé qui se trouve à l'entrée de la Tente du Rendez-vous et il fera fumer la graisse en parfum d'apaisement pour Yahvé. [7] Ils n'offriront plus

*a)* Litt. « le sanctifiera-t-il », cf. **17** 1+.

*b)* On notera que l'animal n'est pas sacrifié à Azazel, mais le « bouc émissaire » emporte au désert, séjour de ce démon, les fautes du peuple. Le transfert et l'expiation se font « devant Yahvé », v. 10, par l'intermédiaire du prêtre, v. 21 : ainsi le culte yahviste assume, en l'exorcisant, cette vieille coutume populaire.

*c)* Dans une rédaction sacerdotale, le fond de la « loi de sainteté », **17-26**, semble remonter à la fin de l'époque monarchique, et représenter les usages du Temple de Jérusalem. On y trouve des contacts évidents avec la pensée d'Ézéchiel qui apparaît ainsi comme le développement d'un mouvement préexilique. La sainteté est l'un des attributs essentiels du Dieu d'Israël, cf. Lv **11** 44-45; **19** 2; **20** 7, 26; **21** 8; **22** 32s. L'idée première est celle de séparation, d'inaccessibilité, d'une transcendance qui inspire une crainte religieuse, Ex **33** 20+. Cette sainteté se communique à ce qui approche de Dieu ou lui est consacré : les lieux, Ex **19** 12+; les temps, Ex **16** 23; Lv **23** 4; l'arche, 2 S **6** 7+; les personnes, Ex **19** 6+, spécialement les prêtres, Lv **21** 6; les objets, Ex **30** 29; Nb **18** 9, etc. A cause de son rapport avec le culte, la notion de sainteté s'allie à celle de pureté rituelle : la « loi de sainteté » est autant une « loi de pureté ». Mais le caractère moral du Dieu d'Israël a spiritualisé cette conception primitive : la séparation du profane devient abstention du péché, et à la pureté rituelle s'unit la pureté de conscience, cf. la vision inaugurale d'Isaïe, Is **6** 3+. Voir les notes sur **1** 1 et **11** 1.

*d)* Cf. **1** 5+. Ce texte projette au désert la loi d'unicité du sanctuaire promulguée par Dt **12** 1-12 : on ne peut immoler qu'à la Tente du Rendez-vous. Mais il n'envisage pas d'abattage profane, comme fait Dt **12** 15-16. C'est le souvenir de la vieille coutume, cf. 1 S **14** 32s; **17** 12; **19** 26; Ac **15** 29.

**16** 8 leurs sacrifices à ces satyres [a] à la suite desquels ils
Is **13** 21 9, se prostituaient [b]. C'est une loi perpétuelle que cel-
**34** 12-14 le-ci, pour eux et leurs descendants.
8 Tu leur diras encore : Tout homme de la maison d'Israël ou tout étranger résidant parmi vous
qui offre un holocauste ou un sacrifice 9 sans
l'apporter à l'entrée de la Tente du Rendez-vous
pour l'offrir à Yahvé, cet homme sera retranché de
sa race.
10 Tout homme de la maison d'Israël ou tout
1 5+ étranger résidant parmi vous qui mangera du sang,
n'importe quel sang, je me tournerai contre celui-là
qui aura mangé ce sang, et je le retrancherai du
milieu de son peuple. 11 Oui, la vie de la chair est
↗ He **9** 7. dans le sang. Ce sang, je vous l'ai donné, moi, pour
21s faire sur l'autel le rite d'expiation pour vos vies [c];
car c'est le sang qui expie pour une vie. 12 Voilà
pourquoi j'ai dit aux Israélites : « Nul d'entre vous
ne mangera de sang et l'étranger qui réside parmi
vous ne mangera pas de sang. »
13 Quiconque, Israélite ou étranger résidant
parmi vous, prendra à la chasse un gibier, bête
ou oiseau qu'il est permis de manger, en devra
Dt **12** 16 répandre le sang et le recouvrir de terre. 14 Car la
vie de toute chair, c'est son sang, et j'ai dit aux
Israélites : « Vous ne mangerez du sang d'aucune
chair car la vie de toute chair, c'est son sang, et
quiconque en mangera sera supprimé. »
Ex **22** 30 15 Quiconque, citoyen ou étranger, mangera une
Dt **14** 21
Ez **4** 14 bête morte ou déchirée, devra nettoyer ses vêtements et se laver avec de l'eau; il sera impur
jusqu'au soir, puis il sera pur. 16 Mais s'il ne les nettoie pas et ne se lave pas le corps, il portera le poids
de sa faute.

**20** 8-21 **Interdictions sexuelles** [a].

**18** 1 Yahvé parla à Moïse et dit :
2 Parle aux Israélites; tu leur diras :
Je suis Yahvé votre Dieu [e]. 3 Vous n'agirez point
Ez **20** 7-8 comme on fait au pays d'Égypte où vous avez
habité; vous n'agirez point comme on fait au pays
Ex **23** 23-24 de Canaan où moi je vous mène. Vous ne suivrez
point leurs lois, 4 ce sont mes coutumes que vous
appliquerez et mes lois que vous garderez, c'est
d'après elles que vous vous conduirez.
Je suis Yahvé votre Dieu. 5 Vous garderez mes Dt **4** 1; **5** 29;
lois et mes coutumes : qui les accomplira y trou- **6** 24; **8** 1
vera la vie. Ez **20** 11
Ne **9** 29
Je suis Yahvé. ↗ Rm **10** 5
↗ Ga **3** 12
6 Aucun de vous ne s'approchera de sa proche
parente [f] pour en découvrir la nudité [g]. Je suis
Yahvé.
7 Tu ne découvriras pas la nudité de ton père ni
la nudité de ta mère. C'est ta mère, tu ne découvriras pas sa nudité.
8 Tu ne découvriras pas la nudité de la femme de Dt **23** 1;
ton père, c'est la nudité même de ton père. **27** 20
9 Tu ne découvriras pas la nudité de ta sœur, Dt **27** 22
qu'elle soit fille de ton père ou fille de ta mère.
Qu'elle soit née à la maison, qu'elle soit née au-dehors, tu n'en découvriras pas la nudité.
10 Tu ne découvriras pas la nudité de la fille de
ton fils; ni celle de la fille de ta fille. Car leur nudité,
c'est ta propre nudité.
11 Tu ne découvriras pas [h] la nudité de la fille de
la femme de ton père, née de ton père. C'est ta
sœur, tu ne dois pas en découvrir la nudité.
12 Tu ne découvriras pas la nudité de la sœur de
ton père, car c'est la chair de ton père.
13 Tu ne découvriras pas la nudité de la sœur de
ta mère, car c'est la chair même de ta mère.
14 Tu ne découvriras pas la nudité du frère de ton
père; tu ne t'approcheras donc pas de son épouse,
car c'est la femme de ton oncle.
15 Tu ne découvriras pas la nudité de ta belle-
fille. C'est la femme de ton fils, tu n'en découvriras
pas la nudité.
16 Tu ne découvriras pas la nudité de la femme
de ton frère, car c'est la nudité même de ton frère.
17 Tu ne découvriras pas la nudité d'une femme **20** 14
et celle de sa fille; tu ne prendras pas la fille de son
fils ni la fille de sa fille pour en découvrir la nudité.
Elles sont ta propre chair [i], ce serait un inceste.
18 Tu ne prendras pas pour ton harem une femme Ex **29** 27+
en même temps que sa sœur en découvrant la
nudité de celle-ci du vivant de sa sœur.

*a)* Le mot hébreu signifie « bouc » et désigne des génies à forme animale, qui étaient censés hanter les lieux déserts et ruinés, Is **13** 21; **34** 14. Azazel leur était assimilé, Lv **16** 8+. Ici et à 2 Ch **11** 15, le mot désigne avec mépris les faux dieux.
*b)* Image classique de l'infidélité religieuse, voir Os **1-3**+.
*c)* Autre explication : « par la vie qui est en lui ». Mais cf. Dt **19** 21.
*d)* Après une introduction, vv. 1-5, le noyau de ce ch., vv. 6-18, interdit les unions entre consanguins, et définit ainsi les limites de la famille. Les vv. 19-23 ajoutent des interdictions variées; les vv. 24-30 forment une exhortation finale. Le ch. présente donc une certaine unité. Il est plus proche du Dt que le reste de la loi de sainteté.
*e)* Cette affirmation, sous sa forme complète ou sous sa forme abrégée, « je suis Yahvé, » revient comme un refrain dans ce ch. et les suivants. Elle donne son sens à toute la loi de sainteté : Yahvé est le Dieu d'Israël qu'il a fait sortir d'Égypte, **19** 36; **22** 33, il est le Dieu saint, **19** 1; **20** 26; **21** 8, qui sanctifie son peuple, **20** 8; **21** 8, 15; **22** 9, 32; cf. **20** 7.
*f)* Litt. « de la chair de son propre corps ». La parenté s'exprime en hébreu par l'image d'une identité de sang, de chair, voire d'os (Jg **9** 2), identité qui se trouve réalisée éminemment dans l'union de l'homme et de la femme. Ainsi les interdits qui suivent, qu'ils résultent de la parenté naturelle ou de la parenté par alliance (vv. 8, 14, 16), se ramènent tous à la prohibition de l'inceste : une chair ne se féconde pas elle-même.
*g)* Désignation des rapports sexuels.
*h)* « Tu ne découvriras pas » grec; omis par hébr.
*i)* « ta chair » grec; « son reste » (?) hébr.

19 Tu ne t'approcheras pas, pour découvrir sa
nudité, d'une femme souillée par ses règles.
Ex **20** 14 20 A la femme de ton compatriote tu ne donneras
pas ton lit conjugal, tu en deviendrais impur [a].
**20** 2-5 21 Tu ne livreras pas de tes enfants à faire passer
Gn **22** 1+ à Molek [b], et tu ne profaneras pas ainsi le nom de
Lv **19** 12; **22** 32 ton Dieu. Je suis Yahvé.
Gn **19** 5+ 22 Tu ne coucheras pas avec un homme comme
on couche avec une femme. C'est une abomination.
23 Tu ne donneras ta couche à aucune bête; tu
en deviendrais impur. Une femme ne s'offrira pas
à un animal pour s'accoupler à lui. Ce serait une
souillure.
24 Ne vous rendez impurs par aucune de ces
pratiques : c'est par elles que se sont rendues
impures les nations que je chasse devant vous.
25 Le pays est devenu impur, j'ai sanctionné sa
faute et le pays a dû vomir ses habitants. 26 Mais
vous, vous garderez mes lois et mes coutumes,
vous ne commettrez aucune de ces abominations,
pas plus le citoyen que l'étranger qui réside parmi
vous. 27 Car toutes ces abominations-là, les hommes qui ont habité ce pays avant vous les ont
commises et le pays en a été rendu impur. 28 Si
vous le rendez impur, ne vous vomira-t-il pas
comme il a vomi la nation qui vous a précédés?
29 Oui, quiconque commet l'une de ces abominations, quelle qu'elle soit, tous les êtres qui les
commettent, ceux-là seront retranchés de leur peuple. 30 Gardez mes observances sans mettre en
pratique ces lois abominables que l'on appliquait
avant vous; ainsi ne vous rendront-elles pas
impurs. Je suis Yahvé, votre Dieu.

**Prescriptions morales et cultuelles** [c].

**19** 1 Yahvé parla à Moïse et dit :
2 Parle à toute la communauté des Israélites.
Tu leur diras :
**11** 44-45+ **17** 1+ Soyez saints, car moi, Yahvé votre Dieu, je suis
saint.

3 Chacun de vous craindra sa mère et son père. Ex **20** 12+
Et vous garderez mes sabbats. Je suis Yahvé **19** 30; **26** 2
votre Dieu. Ex **20** 8+
4 Ne vous tournez pas vers les idoles [d] et ne vous Ex **20** 4s+
faites pas fondre des dieux de métal. Je suis Yahvé
votre Dieu.
5 Si vous faites pour Yahvé un sacrifice de 3
communion, offrez-le de manière à être agréés.
6 On en mangera le jour du sacrifice ou le lendemain; ce qui en restera le surlendemain sera brûlé
au feu. 7 Si on en mangeait le surlendemain, ce 7 18
serait un mets avarié qui ne serait point agréé.
8 Celui qui en mangera portera le poids de sa faute,
car il aura profané la sainteté de Yahvé : cet être
sera retranché des siens.
9 Lorsque vous récolterez la moisson de votre Dt **24** 19-22
pays, vous ne moissonnerez pas jusqu'à l'extrême
bout du champ. Tu ne glaneras pas ta moisson,
10 tu ne grappilleras pas ta vigne et tu ne ramasse-
ras pas les fruits tombés dans ton verger. Tu les
abandonneras au pauvre et à l'étranger. Je suis
Yahvé votre Dieu.
11 [e] Nul d'entre vous ne commettra vol, dissimu- Ex **20** 15+
lation ou fraude envers son compatriote. 12 Vous ne Dt **24** 7; **25** 13
commettrez point de fraude en jurant par mon Dt **19** 16-21
nom; tu profanerais le nom de ton Dieu. Je suis
Yahvé. 13 Tu n'exploiteras pas ton prochain et ne
le spolieras pas : le salaire de l'ouvrier ne demeu- Dt **24** 14-15
rera pas avec toi jusqu'au lendemain matin. 14 Tu
ne maudiras pas un muet [f] et tu ne mettras pas
d'obstacle devant un aveugle, mais tu craindras ton
Dieu. Je suis Yahvé.
15 Vous ne commettrez point d'injustice en
jugeant. Tu ne feras pas acception de personnes
avec le pauvre ni ne te laisseras éblouir par le
grand : c'est selon la justice que tu jugeras ton
compatriote [g]. 16 Tu n'iras pas diffamer les tiens et
tu ne mettras pas en cause le sang de ton prochain [h]. Je suis Yahvé. 17 Tu n'auras pas dans ton
cœur de haine pour ton frère. Tu dois réprimander Ez **33** 1-9+
ton compatriote et ainsi tu n'auras pas la charge Mt **18** 15p Si **10** 6 Rm **12** 19

*a)* L'adultère est ici condamné sous l'aspect de l'impureté rituelle.

*b)* Ces sacrifices d'enfants que l'on « faisait passer » par le feu, c'est-à-dire qu'on brûlait, sont un rite cananéen condamné par la Loi, Lv **20** 2-5; Dt **12** 31; **18** 10. Ce rite s'était introduit en Israël, spécialement à Jérusalem, au brûloir de la vallée de Ben-Hinnom (la « Géhenne »), 2 R **16** 3; **21** 6; **23** 10; Is **30** 33; Jr **7** 31; **19** 5s; **32** 35; Ez **16** 21. – L'origine du mot Molek est phénicienne : il désigne un type de sacrifice; il fut d'ailleurs divinisé à Ugarit, où le nom paraît dans la liste des dieux. En Israël il a été compris comme un vocable divin, et un certain nombre de textes parlent de sacrifices offerts au dieu Molek (c'est-à-dire *Melek*, « le roi », vocalisé comme *boshet*, « la honte »).

*c)* Ce ch. rassemble, sans ordre apparent, des prescriptions concernant la vie quotidienne, qui ne sont unifiées que par la référence répétée à Yahvé et à sa sainteté. Les liens avec le Décalogue sont apparents.

*d)* Litt. « des riens », cf. **26** 1; Is **2** 8, etc.

*e)* Les vv. 11-18 règlent le comportement social, dominé par le commandement de l'amour du prochain, v. 18. Ces dispositions se retrouvent dans toutes les législations du Pentateuque.

*f)* Il ne peut répondre en maudissant à son tour. Le mot hébr. signifie aussi « sourd ».

*g)* Comme la justice de Dieu, Ps **7** 10+, dont elle dérive, la justice de l'homme déborde largement les exigences de notre justice civique ou sociale. Elle implique une entière conformité au vouloir de Dieu, Gn **6** 9; **7** 1; 2 S **4** 11; Jb **12** 4; Is **1** 26; **3** 10; **56** 1; Dn **4** 24; Os **14** 10. Après l'exil elle se définira comme la fidélité à la Loi, Ps **1** 6; **119** 7; Pr **11** 5; **15** 9; Sg **1** 1, etc. Ses exigences de perfection dans la vie quotidienne, dans les relations avec Dieu et les hommes, seront de plus en plus précises et intérieures, et Jésus les approfondira encore, Mt **3** 15; **5** 17+, 20; cf. Rm **1** 17+.

*h)* Par une accusation capitale injustifiée.

d'un péché. 18 Tu ne te vengeras pas et tu ne garderas pas de rancune envers les enfants de ton peuple.
↗ Mt 5 43; 22 39p Tu aimeras ton prochain comme toi-même. Je suis
↗ Rm 13 9 Yahvé.
↗ Ga 5 14 ↗ Jc 2 8 19 Vous garderez mes lois.
Dt 22 9-11 Tu n'accoupleras pas dans ton bétail deux bêtes
d'espèce différente, tu ne sèmeras pas dans ton
champ deux espèces différentes de graine, tu ne
porteras pas sur toi un vêtement en deux espèces
de tissu [a].
20 Si un homme couche maritalement avec une
femme, si celle-ci est la servante concubine d'un
homme auquel elle n'a pas été rachetée et qui ne
lui a pas donné sa liberté, le premier sera passible
d'un droit mais ils ne mourront pas, car elle n'était
pas libre. 21 Il apportera pour Yahvé un sacrifice
de réparation à l'entrée de la Tente du Rendez-
vous. Ce sera un bélier de réparation. 22 Avec ce
bélier de réparation le prêtre fera sur l'homme le
rite d'expiation devant Yahvé pour le péché
commis; et le péché qu'il a commis lui sera pardonné.
23 Lorsque vous serez entrés en ce pays et que
vous aurez planté quelque arbre fruitier, vous
Gn 17 10+ considérerez ses fruits comme si c'était son prépuce [b]. Pendant trois ans ils seront pour vous une
chose incirconcise, on n'en mangera pas. 24 La quatrième année tous les fruits en seront consacrés
dans une fête de louange à Yahvé. 25 C'est la cinquième année que vous en pourrez manger les
fruits et récolter pour vous-mêmes les produits. Je
suis Yahvé votre Dieu.
1 5+ 26 Vous ne mangerez rien avec du sang; vous ne
17 10-14; 19 31 pratiquerez ni divination ni incantation.
Dt 18 10-12 27 [c] Vous n'arrondirez pas le bord de votre chevelure et tu ne couperas pas le bord de ta barbe.
28 Vous ne vous ferez pas d'incisions dans le corps
pour un mort et vous ne vous ferez pas de tatouage.
Je suis Yahvé.
29 Ne profane pas ta fille en la prostituant; ainsi
le pays ne sera pas prostitué et rendu tout entier
incestueux.
Ex 20 8+ 30 Vous garderez mes sabbats et révérerez mon
sanctuaire. Je suis Yahvé.
19 26+ 31 Ne vous tournez pas vers les spectres et ne
20 6,27 Dt 18 11 recherchez pas les devins, ils vous souilleraient. Je
1 S 28 7 suis Yahvé votre Dieu.
32 Tu te lèveras devant une tête chenue, tu hono-
reras la personne du vieillard et tu craindras ton
Dieu. Je suis Yahvé.
33 Si un étranger réside avec vous dans votre Ex 22 20+
pays, vous ne le molesterez pas. 34 L'étranger qui
réside avec vous sera pour vous comme un compatriote et tu l'aimeras comme toi-même, car vous
avez été étrangers au pays d'Égypte. Je suis Yahvé
votre Dieu.
35 Vous ne commettrez point d'injustice en Dt 25 13-16
jugeant, qu'il s'agisse de mesures de longueur, de Am 8 5 Is 10 1s
poids ou de capacité. 36 Vous aurez des balances
justes, des poids justes, une mesure juste, un setier
juste. Je suis Yahvé votre Dieu qui vous ai fait sortir du pays d'Égypte.
37 Gardez toutes mes lois et toutes mes coutumes, mettez-les en pratique. Je suis Yahvé.

**Châtiments [d] :**

**A. Fautes cultuelles.**

**20** 1 Yahvé parla à Moïse et dit :
2 Tu diras aux Israélites :
Quiconque, Israélite ou étranger résidant en
Israël, livre de ses fils à Molek devra mourir. Les 18 21+
gens du pays le lapideront, 3 je me tournerai contre
cet homme et le retrancherai du milieu de son peuple, car en ayant livré l'un de ses fils à Molek il
aura souillé mon sanctuaire et profané mon saint
nom. 4 Si les gens du pays veulent fermer les yeux
sur cet homme quand il livre l'un de ses fils à
Molek et ne le mettent pas à mort, 5 c'est moi qui
m'opposerai à cet homme et à son clan. Je les
retrancherai du milieu de leur peuple, lui et tous
ceux qui après lui iront se prostituer à la suite de 1 R 11 7
Molek.
6 Celui qui s'adressera aux spectres et aux devins 19 26,31
pour se prostituer à leur suite, je me tournerai
contre cet homme-là et je le retrancherai du milieu
de son peuple.
7 Vous vous sanctifierez pour être saints, car je 11 44s+
suis Yahvé votre Dieu. 17 1+

**B. Fautes contre la famille.** 18

8 Vous garderez mes lois et vous les mettrez en
pratique, car c'est moi Yahvé qui vous rends saints.
9 Donc :
Quiconque maudira son père ou sa mère devra
mourir. Puisqu'il a maudit son père ou sa mère, son
sang retombera sur lui-même.

*a)* Cette prohibition est dirigée contre la magie qui se plaît aux mélanges bizarres.

*b)* La circoncision marquait à l'origine l'entrée dans la maturité, Gn **17** 10+, et l'homme incirconcis était impur. Par comparaison, les fruits d'un arbre trop jeune sont « incirconcis », impurs, avant leur consécration à Dieu.

*c)* Les vv. 27-28 interdisent des rites de deuil que l'on considère comme entachés de paganisme, cf. encore **21** 5; Dt **14** 1. Cependant leur pratique est largement attestée, Is **3** 24; Jr **16** 6; **41** 5; **47** 5; **48** 37; Am **8** 10; Jb **1** 20, et la mention de ces mêmes rites en Ez **7** 18 montre que, malgré cette condamnation, ils continuèrent à être pratiqués, peut-être parce qu'on leur attribuait une signification religieuse de caractère pénitentiel, cf. Is **22** 12.

*d)* Cette nouvelle section traite des sanctions et reprend de ce point de vue des prescriptions déjà faites.

10 L'homme qui commet l'adultère avec la
femme [a] de son prochain devra mourir, lui et sa
complice.
11 L'homme qui couche avec la femme de son
père a découvert la nudité de son père. Tous deux
devront mourir, leur sang retombera sur eux.
12 L'homme qui couche avec sa belle-fille : tous
deux devront mourir. Ils se sont souillés, leur sang
retombera sur eux.
13 L'homme qui couche avec un homme comme
on couche avec une femme : c'est une abomination
qu'ils ont tous deux commise, ils devront mourir,
leur sang retombera sur eux.
**18** 17 14 L'homme qui prend pour épouses une femme
et sa mère : c'est un inceste. On les brûlera, lui et
elles, pour qu'il n'y ait point chez vous d'inceste.
15 L'homme qui donne sa couche à une bête : il
devra mourir et vous tuerez la bête.
16 La femme qui s'approche d'un animal
quelconque pour s'accoupler à lui : tu tueras la
femme et l'animal. Ils devront mourir, leur sang
retombera sur eux.
17 L'homme qui prend pour épouse sa sœur, la
fille de son père ou la fille de sa mère : s'il voit sa
nudité et qu'elle voie la sienne, c'est une ignominie.
Ils seront exterminés sous les yeux des membres de
leur peuple [b], car il a découvert la nudité de sa sœur
et il portera [c] le poids de sa faute.
18 L'homme qui couche avec une femme pendant
ses règles et découvre sa nudité : il a mis à nu la
source de son sang, elle-même a découvert la
source de son sang, aussi tous deux seront retranchés du milieu de leur peuple.
19 Tu ne découvriras pas la nudité de la sœur de
ta mère ni celle de la sœur de ton père. Il a mis
à nu sa propre chair, ils porteront le poids de leur
faute.
20 L'homme qui couche avec la femme de son
oncle paternel : il a découvert la nudité de celui-ci,
ils porteront le poids de leur péché et mourront
sans enfant.
↗ Mt **14** 4p 21 L'homme qui prend pour épouse la femme de
son frère : c'est une souillure, il a découvert la
nudité de son frère, ils mourront sans enfant.

**Exhortation finale [d].**

22 Vous garderez toutes mes lois, toutes mes
coutumes, et vous les mettrez en pratique; ainsi ne
vous vomira pas le pays où je vous conduis pour
y demeurer. 23 Vous ne suivrez pas les lois des
nations que je chasse devant vous, car elles ont
pratiqué toutes ces choses et je les ai prises en
dégoût. 24 Aussi vous ai-je-dit : Vous prendrez possession de leur sol, je vous en donnerai moi-même
la possession, une terre qui ruisselle de lait et de
miel.
C'est moi Yahvé votre Dieu qui vous ai mis à
part de ces peuples. 25 Mettez donc la bête pure à **11**
part de l'impure, l'oiseau pur à part de l'impur. Ne
vous rendez pas vous-mêmes immondes avec ces
bêtes, ces oiseaux, avec tout ce qui rampe sur le
sol : je vous les ai fait mettre à part comme impurs.
26 Soyez-moi consacrés puisque moi, Yahvé, je **11** 44s+
suis saint, et je vous mettrai à part de tous ces peu- **17** 1+
ples pour que vous soyez à moi.
27 L'homme ou la femme qui parmi vous serait
nécromant ou devin : ils seront mis à mort, on les **19** 26,31;
lapidera, leur sang retombera sur eux. **20** 6

**Sainteté du sacerdoce.**
**A. Les prêtres.**

**21** 1 Yahvé dit à Moïse : Parle aux prêtres,
fils d'Aaron; tu leur diras :
Aucun d'eux ne se rendra impur près du cada- Ez **44** 25-27
vre [e] de l'un des siens, 2 sinon pour sa parenté la
plus proche : mère, père, fils, fille, frère. 3 Pour sa
sœur vierge qui reste sa proche parente [f] puisqu'elle n'a pas appartenu à un homme, il pourra
se rendre impur; 4 pour une femme mariée parmi
les siens, il ne se rendra pas impur : il se profanerait [g].
5 Ils ne se feront pas de tonsure sur la tête, ils **19** 27-28
ne se raseront pas le bord de la barbe et ne se feront
pas d'incisions sur le corps. 6 Ils seront consacrés
à leur Dieu et ne profaneront point le nom de leur
Dieu : ce sont eux en effet qui apportent les mets **1** 9+
de Yahvé, nourriture de leur Dieu, et ils doivent
être en état de sainteté.
7 Ils ne prendront pas pour épouse une femme Ez **44** 22
prostituée et profanée, ni une femme que son mari
a chassée, car le prêtre est consacré à son Dieu [h].
8 Tu le traiteras comme un être saint car il offre
la nourriture de ton Dieu. Il sera pour toi un être
saint car je suis saint, moi Yahvé qui vous sanc- **11** 44s+
tifie. **17** 1+
9 Si la fille d'un homme qui est prêtre se profane

*a)* Ces mots sont répétés dans l'hébr. par dittographie.
*b)* C'est le seul cas où la sanction prévue est un châtiment public.
*c)* Grec et sam. ont le pluriel.
*d)* On retrouve ici le vocabulaire de **18** 24-30. Le v. 27 est une addition.
*e)* Le contact des morts est un contact impur, Nb **6** 9; **19** 11-13; **31** 19, cf. Ag **2** 13. La même règle est donnée pour les prêtres en Ez **44** 25-27; elle est plus sévère pour le grand prêtre, ici v. 11.
*f)* Le mariage, qui fait de la femme la « chair » du mari, Gn **2** 23, desserre son lien avec ses parents par le sang.
*g)* Sens discuté. Le texte est probablement corrompu. Au début au lieu de *baal*, « mari », on lit *libe'ulat ba'al*, « pour une femme mariée ». C'est la contrepartie du v. précédent.
*h)* Une femme veuve n'est pas exclue comme elle l'est par

en se prostituant, elle profane son père et doit être brûlée au feu.

**B. Le grand prêtre.**

10 Quant au prêtre qui a la prééminence sur ses
8 7-12 frères, lui sur la tête duquel est versée l'huile
d'onction et qui reçoit l'investiture en revêtant les
habits sacrés, il ne déliera pas ses cheveux, il ne
déchirera pas ses vêtements, 11 il ne viendra près du cadavre d'aucun mort et ne se rendra impur ni pour son père ni pour sa mère. 12 Il ne sortira pas du lieu saint, de manière à ne pas profaner le sanctuaire de son Dieu, car il porte sur lui-même la consécration de l'huile d'onction de son Dieu. Je suis Yahvé.

13 Il prendra pour épouse une femme encore vierge. 14 La veuve, la femme répudiée ou profanée par la prostitution, il ne les prendra pas pour épouses; c'est seulement une vierge d'entre les siens qu'il prendra pour épouse : 15 il ne profanera point sa descendance, car c'est moi, Yahvé, qui l'ai sanctifiée [a].

**C. Empêchements au sacerdoce.**

16 Yahvé parla à Moïse et dit :

17 Parle à Aaron et dis-lui :

Nul de tes descendants, à quelque génération que ce soit, ne s'approchera pour offrir l'aliment de son Dieu s'il a une infirmité [b]. 18 Car aucun homme ne doit s'approcher s'il a une infirmité, que ce soit un aveugle ou un boiteux, un homme défiguré ou déformé, 19 un homme dont le pied ou le bras soit fracturé, 20 un bossu, un rachitique, un homme atteint d'ophtalmie, de dartre ou de plaies purulentes, ou un eunuque. 21 Nul des descendants d'Aaron, le prêtre, ne pourra s'approcher pour offrir les mets de Yahvé s'il a une infirmité; il a une infirmité, il ne s'approchera pas pour offrir la nourriture de son Dieu.

22 Il pourra manger des aliments de son Dieu, choses très saintes et choses saintes, 23 mais il ne viendra pas auprès du rideau et ne s'approchera pas de l'autel; il a une infirmité et ne doit pas profaner mes objets sacrés, car c'est moi, Yahvé, qui les ai sanctifiés.

24 Et Moïse le dit à Aaron, à ses fils et à tous les Israélites.

**Sainteté dans la participation aux mets sacrés.**
**A. Les prêtres.**

22 1 Yahvé parla à Moïse et dit :
Parle à Aaron et à ses fils : qu'ils se consacrent [c] par les saintes offrandes des Israélites sans profaner mon saint nom; à cause de moi ils doivent le sanctifier. Je suis Yahvé. 3 Dis-leur :

Tout homme de votre descendance, à quelque génération que ce soit, qui s'approchera en état d'impureté des saintes offrandes consacrées à Yahvé par les Israélites, cet homme-là sera retranché de ma présence. Je suis Yahvé.

4 Tout homme de la descendance d'Aaron qui
sera atteint de lèpre ou d'écoulement ne mangera 13; 15
pas des choses saintes avant d'être purifié. Celui
qui aura touché tout ce qu'un cadavre aura rendu impur, celui qui aura émis du liquide séminal, 5 celui qui aura touché n'importe quelle bestiole et se sera ainsi rendu impur, ou un homme qui l'aura contaminé de sa propre impureté, quelle qu'elle soit, 6 bref quiconque aura eu de tels contacts sera impur jusqu'au soir et ne pourra manger des choses saintes qu'après s'être lavé le corps avec de l'eau. 7 Au coucher du soleil il sera purifié et pourra manger ensuite des choses saintes, car c'est là sa nourriture.

8 Il ne mangera pas de bête morte ou déchirée, 17 15
il en contracterait l'impureté. Je suis Yahvé. Ez 4 14

9 Qu'ils gardent mes observances et ne se chargent pas d'un péché : ils mourraient en les profanant, c'est moi Yahvé qui les ai sanctifiées.

**B. Les laïcs [d].**

10 Aucun laïc ne mangera d'une chose sainte : ni l'hôte d'un prêtre ni le serviteur à gages ne mangeront d'une chose sainte. 11 Mais si un prêtre acquiert une personne à prix d'argent, celle-ci en pourra manger comme celui qui est né dans sa maison; ils mangent en effet sa propre nourriture. 12 Si la fille d'un prêtre est devenue l'épouse d'un laïc, elle ne peut manger des prélèvements sacrés; 13 mais si elle est devenue veuve ou a été répudiée et que, n'ayant pas d'enfant, elle ait dû retourner à la maison de son père comme au temps de sa jeunesse, elle mangera de la nourriture de son père. Nul laïc n'en mangera : 14 si un homme mange par inadvertance une chose sainte, il la restituera au prêtre avec majoration d'un cinquième.

Ez **44** 22, qui ne fait d'exception que pour la veuve d'un prêtre, et comme elle l'est ici pour le grand prêtre, *v.* 14.

*a)* En devenant « une seule chair » avec une femme qui n'est pas de la tribu choisie, le grand prêtre profanerait le sanctuaire et ferait couler un sang profane dans sa descendance.

*b)* Dieu est le créateur du monde physique dans son intégrité. L'infirmité du prêtre, appelé à s'approcher de Dieu et à participer plus étroitement à sa sainteté, y contredirait.

*c)* Les offrandes du peuple, agréées par Dieu, sont devenues saintes et consacrent ceux qui les consomment. Ils doivent être en état de pureté.

*d)* Les « laïcs » sont définis ici par opposition à la famille du prêtre, qui, selon la conception ancienne, comprend aussi les esclaves.

15 Ils ne profaneront point les saintes offrandes
**5** 14-16 qu'ont prélevées les Israélites pour Yahvé. 16 En les
mangeant ils chargeraient ceux-ci d'une faute qui
obligerait à réparation, car c'est moi Yahvé qui ai
sanctifié ces offrandes.

**C. Les animaux sacrifiés.**

17 Yahvé parla à Moïse et dit :
18 Parle à Aaron, à ses fils, à tous les Israélites,
tu leur diras :
Tout homme de la maison d'Israël, ou tout étran-
**1** 1+ ger résidant en Israël, qui apporte son offrande à
titre de vœu ou de don volontaire et en fait un holocauste pour Yahvé [a], 19 devra pour être agréé offrir
un mâle sans défaut, taureau, mouton ou chevreau.
20 Vous n'en offrirez point qui ait une tare, car il
ne vous ferait pas agréer.
**3** 1+ 21 Si quelqu'un offre à Yahvé un sacrifice de
**7** 11+ communion pour s'acquitter d'un vœu ou pour
faire un don volontaire, de gros ou de petit bétail,
**1** 3; **3** 1 l'animal devra, pour être agréé, être sans défaut; il
ne s'y trouvera aucune tare. 22 Vous n'offrirez pas
**21** 18-21 à Yahvé d'animal aveugle, estropié, mutilé, ulcé-
Ml **1** 8 reux, dartreux ou purulent. Aucune partie de tels
animaux ne sera déposée sur l'autel à titre de mets
pour Yahvé. 23 Tu pourras faire le don volontaire
d'une pièce naine ou difforme en gros ou en petit
bétail, mais pour l'acquittement d'un vœu elle ne
sera point agréée. 24 Vous n'offrirez pas à Yahvé
un animal dont les testicules soient rentrés, écrasés,
arrachés ou coupés. Vous ne ferez pas cela dans
votre pays 25 et vous n'accepterez rien de tel de la
main d'un étranger pour l'offrir comme nourriture
de votre Dieu. Leur difformité est en effet une tare
et ces victimes ne vous feraient pas agréer.
26 Yahvé parla à Moïse et dit :
27 Une fois né, un veau, un agneau ou un chevreau restera sept jours auprès de sa mère. Dès le
huitième il pourra être agréé comme mets offert à
Yahvé. 28 Veau ou agneau, vous n'immolerez pas le
Ex **23** 19 même jour un animal et son petit.
**7** 11+ 29 Si vous faites à Yahvé un sacrifice avec
louange, faites-le de manière à être agréés : 30 on le
mangera le jour même sans en rien laisser jusqu'au
lendemain matin. Je suis Yahvé.

**18** 3-5 **D. Exhortation finale.**

31 Vous garderez mes commandements et les
mettrez en pratique. Je suis Yahvé. 32 Vous ne profanerez pas mon saint nom, afin que je sois sanc- **11** 44s+
tifié au milieu des Israélites, moi Yahvé qui vous **17** 1+
sanctifie. 33 Moi qui vous ai fait sortir du pays **11** 45;
d'Égypte afin d'être votre Dieu, je suis Yahvé. **25** 38,55; **26** 13,45

**Le rituel des fêtes de l'année** [b] **:** Ex **23** 14+

**23** 1 Yahvé parla à Moïse et dit :
2 Parle aux Israélites; tu leur diras :
(Les solennités de Yahvé auxquelles vous les
convoquerez, ce sont là mes saintes assemblées.)
Voici mes solennités :

**A. Le sabbat.** Ex **20** 8+

3 Pendant six jours on travaillera, mais le septième jour sera jour de repos complet, jour de
sainte assemblée, où vous ne ferez aucun travail.
Où que vous habitiez, c'est un sabbat pour Yahvé.
4 Voici les solennités de Yahvé, les saintes
assemblées où vous appellerez les Israélites à la
date fixée :

**B. La Pâque et les Azymes** [c]. Ex **12** 1+; **23** 14+

5 Le premier mois, le quatorzième jour du mois,
au crépuscule, c'est Pâque pour Yahvé, 6 et le quinzième jour de ce mois c'est la fête des Azymes pour
Yahvé. Pendant sept jours vous mangerez des pains
sans levain. 7 Le premier jour il y aura pour vous
une sainte assemblée; vous ne ferez aucune œuvre
servile. 8 Pendant sept jours vous offrirez un mets
à Yahvé. Le septième jour, jour de sainte assemblée, vous ne ferez aucune œuvre servile.

**C. La première gerbe** [d]. Dt **26** 1+

9 Yahvé parla à Moïse et dit :
10 Parle aux Israélites; tu leur diras :
Quand vous serez entrés dans le pays que je vous
donne et quand vous y ferez la moisson, vous
apporterez au prêtre la première gerbe de votre
moisson. 11 Il l'offrira devant Yahvé en geste de Ex **29** 24+
présentation pour que vous soyez agréés. C'est le
lendemain du sabbat que le prêtre fera cette présentation 12 et, le jour où vous ferez cette présentation,
vous offrirez à Yahvé l'holocauste d'un agneau
d'un an, sans défaut. 13 L'oblation en sera ce jour-là
de deux dixièmes de fleur de farine pétrie à l'huile, Nb **15** 4
mets consumé pour Yahvé en parfum d'apaise-
ment; la libation de vin en sera d'un quart de setier.

*a)* D'après la Loi de sainteté, les holocaustes, aussi bien que les sacrifices de communion, peuvent être l'accomplissement d'un vœu ou une offrande spontanée, cf. **7** 11+.
*b)* Après les conditions morales (**18-20**) et rituelles (**21-22**) des sacrifices, le ch. **23** définit le cycle liturgique. Sur les diverses fêtes, voir Ex **12** 1+ et Ex **23** 14+.
*c)* Les deux fêtes sont rapprochées et se suivent à des dates qui sont précisées, comme dans Nb **28** 16-25. Elles semblent, à première vue, être plus étroitement réunies en Dt **16** 1-8, mais le texte est composite.
*d)* Entre les Azymes et la fête des Semaines, la Loi de sainteté introduit, à sa place dans la suite de l'année agricole, une offrande de la première gerbe (de la moisson des orges); c'est une nouvelle formulation de l'antique offrande des prémices, Ex **23** 19; **34** 26.

2 14 14 Vous ne mangerez pas de pain, épis grillés ou pain cuit, avant ce jour, avant d'avoir apporté l'offrande de votre Dieu. C'est une loi perpétuelle pour vos descendants, où que vous habitiez.

Ex **23** 14+ **D. La fête des Semaines.**

15 A partir du lendemain du sabbat, du jour où vous aurez apporté la gerbe de présentation, vous compterez sept semaines complètes. 16 Vous compterez cinquante jours jusqu'au lendemain du septième sabbat et vous offrirez alors à Yahvé une nouvelle oblation. 17 Vous apporterez de vos demeures du pain à offrir en geste de présentation, en deux parts de deux dixièmes de fleur de farine cuite avec du ferment, à titre de prémices pour Yahvé. 18 Vous offrirez en plus du pain sept agneaux d'un an, sans défaut, un taureau et deux béliers à titre d'holocauste pour Yahvé, accompagnés d'une oblation et d'une libation, mets consumés en parfum d'apaisement pour Yahvé. 19 Vous ferez aussi avec un bouc un sacrifice pour le péché et avec deux agneaux nés dans l'année un sacrifice de communion. 20 Le prêtre les offrira en geste de présentation devant Yahvé, en plus du pain des prémices. En plus des deux agneaux, ce sont choses saintes pour Yahvé, qui reviendront au prêtre.

21 Ce même jour vous ferez une convocation; ce sera pour vous une sainte assemblée, vous ne ferez aucune œuvre servile. C'est une loi perpétuelle pour vos descendants, où que vous habitiez.

**19** 9-10 22 Lorsque vous ferez la moisson dans votre pays, tu ne moissonneras pas jusqu'à l'extrême bord de ton champ et tu ne glaneras pas ta moisson. Tu abandonneras cela au pauvre et à
Ex **12** 48+ l'étranger. Je suis Yahvé votre Dieu.

Nb **29** 1-6 **E. Le premier jour du septième mois.**

23 Yahvé parla à Moïse et dit :

24 Parle aux Israélites, dis-leur :

Le septième mois, le premier jour du mois [a], il
Nb **10** 10 y aura pour vous jour de repos, appel en clameur, sainte assemblée. 25 Vous ne ferez aucune œuvre servile et vous offrirez un mets à Yahvé.

16+
Nb **29** 7-11 **F. Le jour des Expiations.**

26 Yahvé parla à Moïse et dit :

27 D'autre part, le dixième jour de ce septième mois, c'est le jour des Expiations. Il y aura pour vous une sainte assemblée. Vous jeûnerez et vous offrirez un mets à Yahvé. 28 Ce jour-là vous ne ferez aucun travail, car c'est le jour des Expiations où l'on accomplit sur vous le rite d'expiation devant Yahvé votre Dieu. 29 Oui, quiconque ne jeûnera pas ce jour-là sera retranché des siens; 30 quiconque fera un travail ce jour-là, je le supprimerai du milieu de son peuple. 31 Vous ne ferez aucun travail, c'est une loi perpétuelle pour vos descendants, où que vous habitiez. 32 Ce sera pour vous un jour de repos complet. Vous jeûnerez; le soir du neuvième jour du mois, depuis ce soir jusqu'au soir suivant, vous cesserez le travail.

**G. La fête des Tentes.** Ex **23** 14+

33 Yahvé parla à Moïse et dit :

34 Parle aux Israélites, dis-leur :

Le quinzième jour de ce septième mois il y aura pendant sept jours la fête des Tentes pour Yahvé. 35 Le premier jour, jour de sainte assemblée, vous ne ferez aucune œuvre servile. 36 Pendant sept jours vous offrirez un mets à Yahvé. Le huitième jour il y aura pour vous une sainte assemblée, vous offrirez un mets à Yahvé. C'est jour de réunion, vous ne ferez aucune œuvre servile.

**Conclusion.**

37 Telles sont les solennités de Yahvé où vous convoquerez les Israélites, saintes assemblées destinées à offrir des mets à Yahvé, holocaustes, oblations, sacrifices, libations, selon le rituel propre à chaque jour, 38 outre les sabbats de Yahvé, les présents, dons votifs et volontaires que vous ferez à Yahvé.

**Reprise sur la fête des Tentes** [b].

39 D'autre part, le quinzième jour du septième mois, lorsque vous aurez récolté les produits du pays, vous célébrerez la fête de Yahvé pendant sept jours. Le premier et le huitième jour il y aura jour de repos. 40 Le premier jour vous prendrez de beaux fruits, des rameaux de palmier, des branches d'arbres touffus et de gattiliers, et vous vous réjouirez pendant sept jours en présence de Yahvé votre Dieu. 41 Vous célébrerez ainsi une fête pour Yahvé sept jours par an. C'est une loi perpétuelle pour vos descendants.

C'est au septième mois que vous ferez cette fête. 42 Vous habiterez sept jours sous des huttes. Tous les citoyens d'Israël habiteront sous des huttes,

*a)* Le premier jour du mois (lunaire), la « nouvelle lune » ou « néoménie » était une fête célébrée chez les Israélites comme chez les Cananéens, 1 S **20** 5, 24; Is **1** 13; Am **8** 5, et qui le fut jusqu'à l'époque du NT, cf. Nb **28** 11-15; Ez **46** 6-7; Ne **10** 34; Col **2** 16. Les rituels de Lv **23** et Nb **29** 1-6 ne retiennent que la néoménie du septième mois (de l'année commençant au printemps), qui fut longtemps le premier mois (d'une année commençant à l'automne).

*b)* Ce texte est une addition postexilique qui insiste sur le caractère joyeux de la fête, dans l'esprit de Dt **16** 13-16, et la rattache aux souvenirs du désert, v. 43.

43 afin que vos descendants sachent que j'ai fait
habiter sous des huttes les Israélites quand je les
ai fait sortir du pays d'Égypte. Je suis Yahvé votre
Dieu.
44 Et Moïse décrivit aux Israélites les solennités
de Yahvé.

**Prescriptions rituelles complémentaires** [a].
**A. La flamme permanente.**

**24** 1 Yahvé parla à Moïse et dit :
2 Ordonne aux Israélites de t'apporter de
Ex **25** 31-40 l'huile d'olives broyées pour le candélabre, et d'y
Lv **6** 5-6 faire monter une flamme permanente. 3 C'est
Ex **27** 20s devant le rideau du Témoignage, dans la Tente du
Rendez-vous, qu'Aaron disposera cette flamme.
Elle sera là devant Yahvé du soir au matin, en per-
manence. Ceci est un décret perpétuel pour vos
descendants : 4 Aaron disposera les lampes sur le
candélabre pur [b], devant Yahvé, en permanence.

Ex **25** 23+ **B. Les gâteaux sur la table d'or.**

5 Tu prendras de la fleur de farine et tu en feras
cuire douze gâteaux, chacun de deux dixièmes.
6 Puis tu les placeras en deux rangées de six sur la
table pure qui est devant Yahvé. 7 Sur chaque rangée tu déposeras de l'encens pur. Ce sera l'aliment
offert en mémorial, un mets pour Yahvé. 8 C'est
chaque jour de sabbat qu'en permanence on les disposera devant Yahvé. Les Israélites les fourniront
à titre d'alliance perpétuelle; 9 ils appartiendront à
Aaron et à ses fils, qui les mangeront en un lieu
sacré, car c'est pour lui une part très sainte des
mets de Yahvé. C'est une loi perpétuelle.

**Blasphème et loi du talion.**

10 Le fils d'une Israélite, mais dont le père était
égyptien, sortit de sa maison et, se trouvant au
milieu des Israélites, il se prit de querelle dans le
camp avec un homme qui était israélite. 11 Or le fils
Ex **22** 27 de l'Israélite blasphéma le Nom et le maudit. On
le conduisit alors à Moïse (le nom de la mère était
Shelomit, fille de Dibri, de la tribu de Dan). 12 On
le mit sous bonne garde pour n'en décider que sur
l'ordre de Yahvé.
13 Yahvé parla à Moïse et dit :
14 Fais sortir du camp celui qui a prononcé la
malédiction. Tous ceux qui l'ont entendu poseront
leurs mains sur sa tête et toute la communauté le
lapidera [c]. 15 Puis tu parleras ainsi aux Israélites :
Tout homme qui maudit son Dieu portera le
poids de son péché. 16 Qui blasphème le nom de
Yahvé devra mourir, toute la communauté le lapidera. Qu'il soit étranger ou citoyen, il mourra s'il
blasphème le Nom [d].
17 Si un homme frappe [e] un être humain, quel Ex **21** 12-20
qu'il soit, il devra mourir.
18 Qui frappe un animal en doit donner la
compensation : vie pour vie.
19 Si un homme blesse un compatriote, comme il
a fait on lui fera : 20 fracture pour fracture, œil pour Ex **21** 24s+
œil, dent pour dent. Tel le dommage que l'on inflige
à un homme, tel celui que l'on subit : 21 qui frappe
un animal en doit donner compensation et qui
frappe un homme doit mourir. 22 La sentence sera
chez vous la même, qu'il s'agisse d'un citoyen ou
d'un étranger, car je suis Yahvé votre Dieu.
23 Moïse ayant ainsi parlé aux Israélites, ils firent
sortir du camp celui qui avait prononcé la malédiction et ils le lapidèrent. Ils accomplirent ainsi ce
que Yahvé avait ordonné à Moïse.

**Les années saintes** [f].
**A. L'année sabbatique.** Ex **23** 10-11
Dt **15** 1-11

**25** 1 Yahvé parla à Moïse sur le mont Sinaï; il
dit :
2 Parle aux Israélites, tu leur diras :
Lorsque vous entrerez au pays que je vous
donne, la terre chômera un sabbat pour Yahvé.
3 Pendant six ans tu ensemenceras ton champ,
pendant six ans tu tailleras ta vigne et tu en récol-

*a)* Sauf les vv. 15-22 qui appartiennent à la Loi de sainteté, le ch. **24** provient d'une rédaction sacerdotale postérieure, qui fixe des usages quotidiens (vv. 2-4) ou hebdomadaires (vv. 5-9) du Temple de Jérusalem, en se référant aux textes de la même rédaction en Ex **25**. Une histoire, vv. 10-14 et 23, dans le genre de **10** 1-5; **16** 20; Nb **15** 22-36, encadre ce que la Loi de sainteté disait du blasphème et du talion.

*b)* « Pur », rituellement; ou bien « d'or pur »; de même pour la « table » au v. 6.

*c)* La communauté souillée par la malédiction va se purifier par la lapidation du coupable, à qui l'on impose la main comme à l'animal substitué à la communauté dans un sacrifice, **16** 21.

*d)* « le Nom » sam.; « un nom » hébr.; « le nom de Yahvé » grec.

*e)* Il s'agit de coups mortels, cf. Ex **21** 12. Ces vv. reprennent les anciennes prescriptions du Code de l'Alliance en assimilant le simple résidant à l'Israélite (vv. 16b, 20b-22).

*f)* Ces lois affirment le domaine absolu de Dieu sur la Terre Sainte : le sol lui-même observera le sabbat, voir Ex **20** 8+. L'année sabbatique apparaît dès le Code de l'Alliance, Ex **23** 10-11; la législation est précisée Lv **25** 1-7. Après l'Exil, son observance est attestée en Ne **10** 32 et 1 M **6** 49-53. Dt **15** 1-11 y ajoute la remise des dettes. Les esclaves hébreux doivent également être libérés la septième année de leur servage, mais sans lien nécessaire avec une année sabbatique, Ex **21** 2; Dt **15** 12-18. Cette prescription n'était guère observée, cf. Jr **34** 8-16. Pour la rendre moins onéreuse, on l'attacha à un cycle de 50 ans : l'année jubilaire, Lv **25** 8-17, ainsi appelée parce qu'on l'annonçait à son de trompe, *yôbel* (allusion dans Is **61** 1-2). Elle comportait, outre la jachère des champs, un affranchissement général des personnes et des biens, chacun retournant à son clan et chacun retrouvant son patrimoine, v. 10. Ces mesures avaient pour fin d'assurer la stabilité d'une société fondée sur la famille et le bien familial. Mais en fait, ce n'est là qu'un effort tardif pour rendre la loi sabbatique plus efficace, et il ne semble pas que cette loi ait jamais été observée. Transposée sur le plan spirituel, l'année sainte ou jubilaire de

teras les produits. [4] Mais en la septième année la
terre aura son repos sabbatique, un sabbat pour
Yahvé : tu n'ensemenceras pas ton champ et tu ne
tailleras pas ta vigne, [5] tu ne moissonneras pas tes
épis, qui ne seront pas mis en gerbe, et tu ne vendangeras pas tes raisins, qui ne seront pas émondés. Ce sera pour la terre une année de repos. [6] Le
sabbat même de la terre vous nourrira, toi, ton serviteur, ta servante, ton journalier, ton hôte, bref
ceux qui résident chez toi. [7] A ton bétail aussi et
aux bêtes de ton pays tous ses produits serviront
de nourriture.

**B. L'année du jubilé.**

[8] Tu compteras sept semaines d'années, sept fois
sept ans, c'est-à-dire le temps de sept semaines
d'années, quarante-neuf ans. [9] Le septième mois, le
dixième jour du mois tu feras retentir l'appel de la
trompe; le jour des Expiations vous sonnerez de la
trompe dans tout le pays. [10] Vous déclarerez sainte
Ex **21** 2-11 cette cinquantième année et proclamerez l'affran-
Dt **15** 12-18 chissement de tous les habitants du pays. Ce sera
Jr **34** 8-22 Is **61** 1-3 pour vous un jubilé : chacun de vous rentrera dans
son patrimoine, chacun de vous retournera dans
son clan. [11] Cette cinquantième année sera pour
vous une année jubilaire : vous ne sèmerez pas,
vous ne moissonnerez pas les épis qui n'auront pas
été mis en gerbe, vous ne vendangerez pas les ceps
qui auront poussé librement. [12] Le jubilé sera pour
vous chose sainte, vous mangerez des produits des
champs.

[13] En cette année jubilaire vous rentrerez chacun
dans votre patrimoine. [14] Si tu vends ou si tu achè-
tes à ton compatriote, que nul ne lèse son frère [a]!
[15] C'est en fonction du nombre d'années écoulées
depuis le jubilé que tu achèteras à ton compatriote;
c'est en fonction du nombre d'années productives
qu'il te fixera le prix de vente. [16] Plus sera grand
le nombre d'années, plus tu augmenteras le prix,
moins il y aura d'années, plus tu le réduiras, car
c'est un certain nombre de récoltes qu'il te vend.
[17] Que nul d'entre vous ne lèse son compatriote,
mais aie la crainte de ton Dieu, car c'est moi Yahvé
votre Dieu.

**Garantie divine pour l'année sabbatique.**

[18] Vous mettrez en pratique mes lois et mes coutumes, vous les garderez pour les mettre en pratique, et ainsi vous habiterez dans le pays en sécurité. [19] La terre donnera son fruit, vous mangerez
à satiété et vous habiterez en sécurité.

[20] Pour le cas où vous diriez : « Que mangerons-
nous en cette septième année si nous n'ensemen-
çons pas et ne récoltons pas nos produits? » – [21] j'ai
prescrit à ma bénédiction de vous être acquise la
sixième année en sorte qu'elle assure des produits
pour trois ans [b]. [22] Quand vous sèmerez la huitième
année vous pourrez encore manger des produits
anciens jusqu'à la neuvième année; jusqu'à ce que
viennent les produits de cette année-là vous mangerez des anciens.

**Rachat des propriétés [c].**

[23] La terre ne sera pas vendue avec perte de tout
droit, car la terre m'appartient et vous n'êtes pour Ps **39** 13;
moi que des étrangers et des hôtes. [24] Pour toute **119** 19; **24** 1 1 Ch **29** 15
propriété foncière vous laisserez un droit de rachat Jr **35** 7
sur le fonds. [25] Si ton frère tombe dans la gêne et
doit vendre de son patrimoine, son plus proche Rt **4** 1-12
parent viendra chez lui exercer ses droits familiaux Jr **32** 6-9
sur ce que vend son frère. [26] Celui qui n'a personne
pour exercer ce droit pourra, lorsqu'il aura trouvé
de quoi faire le rachat, [27] calculer les années que
devrait durer l'aliénation, restituer à l'acheteur le
montant pour le temps encore à courir, et rentrer
dans son patrimoine. [28] S'il ne trouve pas de quoi
opérer cette restitution, le fonds vendu restera à
l'acquéreur jusqu'à l'année jubilaire. C'est au jubilé
que celui-ci en sortira pour rentrer dans son propre
patrimoine.

[29] Si quelqu'un vend une maison d'habitation
dans une ville enclose d'une muraille, il aura droit
de rachat jusqu'à l'expiration de l'année qui suit la
vente; son droit de rachat est limité à l'année [30] et,
si le rachat n'a pas été fait à l'expiration de l'année,
cette maison en ville close sera la propriété de
l'acquéreur et de ses descendants à l'exclusion de
tout autre droit : il n'aura pas à en sortir au jubilé [d].
[31] Mais les maisons des villages non enclos de
murailles seront considérées comme sises à la campagne, elles comporteront droit de rachat et
l'acquéreur en devra sortir au jubilé.

[32] Quant aux villes des lévites, aux maisons des Nb **35** 1-8
villes que ceux-ci possèdent, elles comportent à leur Jos **21**
profit un droit de rachat perpétuel [e]. [33] Et si c'est Ez **48** 13-14
un lévite qui subit l'effet du droit de rachat, il quit-

l'Église donne périodiquement aux chrétiens l'occasion d'une remise de leurs dettes envers Dieu.

*a)* Cette loi assure l'équité des transactions en même temps qu'elle lutte contre l'accaparement des terres dénoncé par Is **5** 8 et Mi **2** 2.

*b)* Trois ans incomplets : l'année de la récolte, l'année sabbatique et celle qui la suit, alors qu'on ne dispose pas encore de la récolte semée en automne.

*c)* Ce texte veut combiner avec la loi du jubilé l'ancienne institution du *go 'el*, le « proche parent » du v. 25, cf. Nb **35** 19+.

*d)* La loi du jubilé ne s'applique aux biens urbains que de manière limitée.

*e)* Le caractère sacré des villes lévitiques est ainsi assuré, seuls les lévites pourront y acquérir des droits stables.

tera au jubilé le bien vendu pour retourner à sa
maison, à la ville où il a un titre de propriété [a]. Les
maisons des villes des lévites sont en effet leur propriété au milieu des Israélites, [34] et les champs de
culture dépendant de ces villes ne pourront pas être
vendus, car c'est leur propriété pour toujours.

**Rachat des personnes.**

[35] Si ton frère qui vit avec toi tombe dans la gêne
et s'avère défaillant dans ses rapports avec toi, tu
Ex **12** 48+ le soutiendras à titre d'étranger ou d'hôte et il vivra
avec toi. [36] Ne lui prends ni travail ni intérêts, mais
aie la crainte de ton Dieu et que ton frère vive avec
toi. [37] Tu ne lui donneras pas d'argent pour en tirer
du profit ni de la nourriture pour en percevoir des
**22** 33+ intérêts : [38] je suis Yahvé votre Dieu qui vous ai fait
sortir du pays d'Égypte pour vous donner le pays
de Canaan, pour être votre Dieu.
[39] Si ton frère tombe dans la gêne alors qu'il est
Ex **21** 2-11 en rapports avec toi et s'il se vend à toi, tu ne lui
Dt **15** 12-18 imposeras pas un travail d'esclave; [40] il sera pour
Jr **34** 8-22 toi comme un salarié ou un hôte et travaillera avec
toi jusqu'à l'année jubilaire. [41] Alors il te quittera,
lui et ses enfants, et il retournera dans son clan, il
rentrera dans la propriété de ses pères [b]. [42] Ils sont
en effet mes serviteurs, eux que j'ai fait sortir du
pays d'Égypte, et ils ne doivent pas se vendre
comme un esclave se vend. [43] Tu n'exerceras pas
sur lui un pouvoir de contrainte mais tu auras la
crainte de ton Dieu.
[44] Les serviteurs et servantes que tu auras viendront des nations qui vous entourent; c'est d'elles
que vous pourrez acquérir serviteurs et servantes.
[45] De plus vous en pourrez acquérir parmi les
enfants des hôtes qui résident chez vous ainsi que
de leurs familles qui vivent avec vous et qu'ils ont
engendrées sur votre sol : ils seront votre propriété
[46] et vous les laisserez en héritage à vos fils après
vous pour qu'ils les possèdent à titre de propriété
perpétuelle. Vous les aurez pour esclaves, mais sur
vos frères, les enfants d'Israël, nul n'exercera un
pouvoir de contrainte [c].
[47] Si l'étranger ou celui qui est ton hôte atteint
une certaine aisance alors que ton frère, dans ses
rapports avec lui, tombe dans la gêne et se vend à
cet étranger, à cet hôte, ou au descendant de la
famille d'un résident, [48] il jouira d'un droit de
rachat, vente faite, et l'un de ses frères pourra le Ne 5 8
racheter. [49] Pourront le racheter son oncle paternel,
le fils de son oncle ou l'un des membres de sa
famille; ou, s'il en a les moyens, il pourra se racheter lui-même. [50] En accord avec celui qui l'a acquis,
il fera le compte des années comprises entre l'année
de la vente et l'année jubilaire; le montant du prix
de vente sera évalué en fonction des années, en
comptant ses journées comme celles d'un salarié.
[51] S'il reste encore beaucoup d'années à courir,
c'est en fonction de leur nombre qu'il remboursera
comme valeur de son rachat une partie de son prix
de vente. [52] S'il ne reste que peu d'années à courir
jusqu'au jubilé, c'est en fonction de leur nombre
qu'il calculera ce qu'il remboursera pour son
rachat, [53] comme s'il était salarié à l'année. On ne
le traitera pas arbitrairement sous tes yeux.
[54] S'il n'a été racheté d'aucune de ces manières,
c'est en l'année jubilaire qu'il s'en ira, lui et ses
enfants avec lui. [55] Car c'est de moi que les Israélites sont les serviteurs; ce sont mes serviteurs que
j'ai fait sortir du pays d'Égypte. Je suis Yahvé votre **22** 33+
Dieu.

**Résumé. Conclusion.**

**26** [1] Vous ne vous ferez pas d'idoles, vous ne
vous dresserez ni statue ni stèle, vous ne mettrez pas dans votre pays des pierres peintes pour Ez **8** 12
vous prosterner devant elles, car je suis Yahvé
votre Dieu. [2] Vous garderez mes sabbats et révére- **17** 1+
rez mon sanctuaire. Je suis Yahvé. = **19** 30 Jr **17** 19-27 Ez **20** 12-13

**Bénédictions [d].** Dt **28** 1-14

[3] Si vous vous conduisez selon mes lois, si vous
gardez mes commandements et les mettez en prati- Dt **11** 13-14
que, [4] je vous donnerai en leur saison les pluies
qu'il vous faut, la terre donnera ses produits et Ez **34** 26-27
l'arbre de la campagne ses fruits, [5] vous battrez Is **1** 19
jusqu'aux vendanges et vous vendangerez Am **9** 13
jusqu'aux semailles. Vous mangerez votre pain à
satiété et vous habiterez dans votre pays en sécurité.
[6] Je mettrai la paix dans le pays et vous dormirez
sans que nul vous effraie. Je ferai disparaître du
pays les bêtes néfastes. L'épée ne traversera pas

*a)* Texte corrigé, hébr. inintelligible. Le cas prévu semble être celui d'un lévite achetant à un autre lévite. Dans ce cas, la vente est considérée comme valide. D'autres comprennent qu'il s'agit du cas où le lévite n'exerce pas le droit de rachat.

*b)* On veut ici harmoniser avec la loi du jubilé l'ancienne loi du Code de l'Alliance sur l'affranchissement des esclaves au bout de six ans, Ex **21** 2-6. Cette nouvelle loi est utopique : un esclave acheté au début d'une période jubilaire risquait fort de mourir avant son affranchissement, en tout cas était trop vieux pour travailler comme homme libre. Mais on lui accorde une situation plus douce que celle d'un esclave, cf. vv. 45-46.

*c)* Dans les rapports entre Israélites et non-Israélites, cette législation admet le statut ordinaire de l'esclave dans l'Antiquité. Mais à l'intérieur d'Israël, au nom de l'alliance divine, un autre statut s'impose. Le NT fait entrer les autres peuples dans cette alliance.

*d)* Comme le Code deutéronomique, Dt **28**, la Loi de sainteté s'achève par des bénédictions et des malédictions. Mais les différences de vocabulaire et de contenu indiquent que les deux textes n'ont pas de contacts littéraires. Les traités d'alliance de l'Ancien Orient s'achevaient aussi par des bénédictions et des malédictions.

Dt **28** 7 votre pays. 7 Vous poursuivrez vos ennemis qui
succomberont devant votre épée. 8 Cinq d'entre
vous en poursuivront cent, cent en poursuivront dix
mille, et vos ennemis succomberont devant votre
épée.
9 Je me tournerai vers vous, je vous ferai croître
et multiplier, et je maintiendrai avec vous mon
alliance.
**25** 21-22 10 Après vous être nourris de la précédente
récolte, vous aurez encore à mettre dehors du vieux
grain pour faire place au nouveau.
Dt **4** 7+ 11 J'établirai ma demeure au milieu de vous et je
Ez **48** 35 Jn **1** 14+ ne vous rejetterai pas. 12 Je vivrai au milieu de
Ez **36** 28; vous, je serai votre Dieu et vous serez mon peuple.
**37** 27 ↗ 2 Co **6** 16 13 C'est moi Yahvé votre Dieu qui vous ai fait sor-
↗ Ap **21** 3 tir du pays d'Égypte pour que vous n'en fussiez
Ez **6** 7 plus les serviteurs; j'ai brisé les barres de votre joug
Lv **22** 33+ et je vous ai fait marcher la tête haute.

Dt **28** 15-68 Am **4** 6-12 **Malédictions.**

14 Mais si vous ne m'écoutez pas et ne mettez pas
en pratique tous ces commandements, 15 si vous
rejetez mes lois, prenez mes coutumes en dégoût et
rompez mon alliance en ne mettant pas en pratique
tous mes commandements, 16 j'agirai de même, moi
aussi, envers vous.
Je vous assujettirai au tremblement, ainsi qu'à la
consomption et à la fièvre qui usent les yeux et
épuisent le souffle. Vous ferez de vaines semailles
dont se nourriront vos ennemis. 17 Je me tournerai
contre vous et vous serez battus par vos ennemis.
Vos adversaires domineront sur vous et vous fuirez
alors même que personne ne vous poursuivra.
18 Et si malgré cela vous ne m'écoutez point, je
continuerai à vous châtier au septuple pour vos
péchés. 19 Je briserai votre orgueilleuse puissance,
Jr **14** 1-9; je vous ferai un ciel de fer et une terre d'airain;
**23**; **5** 24s 20 votre force se consumera vainement, votre terre
Dt **11** 17 ne donnera plus ses produits et l'arbre de la campagne ne donnera plus ses fruits.
21 Si vous vous opposez à moi et ne consentez
pas à m'écouter, j'accumulerai sur vous ces plaies
au septuple pour vos péchés. 22 Je lâcherai contre
Ez **14** 15 vous les bêtes sauvages qui vous raviront vos
enfants, anéantiront votre bétail et vous décimeront
Lm **1** 4 au point que vos chemins deviendront déserts.
23 Et si cela ne vous corrige point, et si vous vous
opposez toujours à moi, 24 je m'opposerai, moi
aussi, à vous, et de plus je vous frapperai, moi, au
septuple pour vos péchés. 25 Je ferai venir contre
Ez **21** vous l'épée qui vengera l'Alliance. Vous vous grou-
perez alors dans vos villes, mais j'enverrai la peste
au milieu de vous et vous serez livrés au pouvoir
de l'ennemi. 26 Quand je vous retirerai la baguette
de pain [a], dix femmes pourront vous cuire ce pain Ps **105** 16
dans un seul four, c'est à poids compté qu'elles Ez **4** 16
vous rapporteront ce pain, et vous mangerez sans
vous rassasier.
27 Et si malgré cela vous ne m'écoutez point et
que vous vous opposiez à moi, 28 je m'opposerai à
vous avec fureur, je vous châtierai, moi, au septuple pour vos péchés. 29 Vous mangerez la chair de Ez **5** 10
vos fils et vous mangerez la chair de vos filles. 30 Je Lm **2** 20; **4** 10
détruirai vos hauts lieux, j'anéantirai vos autels à Ez **6** 1-7
encens, j'entasserai vos cadavres sur les cadavres
de vos idoles et je vous rejetterai. 31 Je ferai de vos
villes une ruine, je dévasterai vos sanctuaires [b] et Jr **22** 5
ne respirerai plus vos parfums d'apaisement. Lm **2** 5
32 C'est moi qui dévasterai le pays et ils en seront
stupéfaits, vos ennemis venus l'habiter! 33 Vous, je
vous disperserai parmi les nations. Je dégainerai
contre vous l'épée pour faire de votre pays un
désert et de vos villes une ruine. 34 C'est alors que
le pays acquittera ses sabbats, pendant tous ces 2 Ch **36** 21
jours de désolation, alors que vous serez dans le
pays de vos ennemis. C'est alors que le pays chômera et pourra acquitter ses sabbats. 35 Il chômera
durant tous les jours de la désolation, ce qu'il
n'avait pas fait à vos jours de sabbat quand vous
y habitiez. 36 Chez ceux d'entre vous qui survivront, je ferai venir la peur dans leur cœur; quand Ez **21** 12
ils se trouveront dans le pays de leurs ennemis,
poursuivis par le bruit d'une feuille morte, ils fuiront comme on fuit devant l'épée et ils tomberont
alors que nul ne les poursuivait. 37 Ils trébucheront
l'un sur l'autre comme devant une épée, et nul ne
les poursuit! Vous ne pourrez tenir devant vos
ennemis, 38 vous périrez parmi les nations et le
pays de vos ennemis vous dévorera. 39 Ceux qui
parmi vous survivront dépériront dans les pays de Ez **4** 17
leurs ennemis à cause de leurs fautes; c'est aussi à
cause des fautes de leurs pères, jointes aux leurs,
qu'ils dépériront. 40 Ils confesseront alors leurs fautes et celles de leurs pères, fautes commises par infidélité envers moi, mieux, par opposition contre
moi.
41 Moi aussi je m'opposerai à eux et je les mène- Ez **16** 60s;
rai au pays de leurs ennemis. Alors leur cœur in- **20** 9,13,16,24
circoncis s'humiliera, alors ils expieront leurs fau- Jr **4** 4+
tes. 42 Je me rappellerai mon alliance avec Jacob Ez **20** 23
ainsi que mon alliance avec Isaac et mon alliance
avec Abraham, je me souviendrai du pays.
43 Abandonné d'eux, le pays acquittera ses sabbats lorsqu'il restera désolé, eux partis [c]. Mais ils

*a)* Litt. « je vous romprai la baguette de pain ». Sur cette image de famine, cf. Ps **105** 16.

*b)* De nombreux mss ont « sanctuaire » au singulier.

*c)* Ou : « à cause d'eux ».

devront, eux, expier leur faute, puisqu'ils ont rejeté
mes coutumes et pris mes lois en dégoût.
[44] Cependant ce ne sera pas tout : quand ils
Dt 4 29-31 seront dans le pays de leurs ennemis, je ne les rejetterai pas et ne les prendrai pas en dégoût au point
Lm 3 21s, d'en finir avec eux et de rompre mon alliance avec
31s; 5 21s eux, car je suis Yahvé leur Dieu. [45] Je me souviendrai en leur faveur de l'alliance conclue avec les
premières générations que j'ai fait sortir du pays
d'Égypte, sous les yeux des nations, afin d'être leur 22 33+
Dieu, moi, Yahvé.
[46] Tels sont les décrets, les coutumes et les lois
qu'établit Yahvé, entre lui et les Israélites, sur le
mont Sinaï, par l'intermédiaire de Moïse.

# *Appendice*

## *TARIFS ET ÉVALUATIONS* [a]

### A. Personnes.

**27** [1] Yahvé parla à Moïse et dit :
[2] Parle aux Israélites, tu leur diras :
Si quelqu'un veut s'acquitter envers Yahvé du
vœu qu'il a fait de la valeur d'une personne [b],
[3] un homme entre vingt et soixante ans sera
estimé à 50 sicles d'argent – sicle du sanctuaire –
[4] pour une femme l'estimation sera de 30 sicles;
[5] entre cinq et vingt ans, le garçon sera estimé à
20 sicles et la fille à 10 sicles;
[6] entre un mois et cinq ans, le garçon sera estimé
à 5 sicles d'argent et la fille à 3 sicles d'argent;
[7] à soixante ans et au-dessus, l'homme sera
estimé à 15 sicles et la femme à 10 sicles.
5 7, 11 [8] Si celui qui a voué est incapable de faire face
à cette estimation, il présentera la personne au prêtre. Celui-ci fera l'estimation, mais il la fera selon
les ressources de celui qui a voué.

### B. Animaux.

[9] S'il s'agit d'animaux dont on peut faire
offrande à Yahvé, tout animal que l'on donne à
Yahvé sera chose consacrée. [10] On ne pourra ni le
changer ni le remplacer, mettre un bon pour un
mauvais ou un mauvais pour un bon. Si l'on substitue un animal à un autre, l'un et l'autre seront
choses consacrées. [11] S'il s'agit d'un animal impur
dont on ne peut faire offrande à Yahvé, quel qu'il
soit, on le présentera au prêtre [12] et celui-ci en fera
l'estimation, le jugeant bon ou mauvais; on s'en
tiendra à son estimation, [13] mais si l'on veut le
racheter, on majorera cette estimation d'un cinquième.

### C. Maisons.

[14] Si un homme consacre sa maison à Yahvé, le
prêtre en fera l'estimation, la jugeant de grande ou
de faible valeur. On s'en tiendra à l'estimation du
prêtre, [15] mais si cet homme qui a voué la maison
la veut racheter, il majorera cette estimation d'un
cinquième et elle lui reviendra.

### D. Champs.

[16] Si un homme consacre à Yahvé l'un des
champs de son patrimoine, l'estimation en sera
faite en fonction de son produit [c] à raison de 50
sicles d'argent pour un muid d'orge.
[17] S'il consacre le champ pendant l'année jubilaire, on s'en tiendra à cette estimation; [18] mais s'il
le consacre après le jubilé, le prêtre en calculera le
prix en fonction des années restant à courir jusqu'à
celle du jubilé et une déduction sera faite sur l'estimation.
[19] S'il veut racheter le champ, il majorera l'estimation d'un cinquième et le champ lui reviendra.
[20] S'il ne le rachète pas mais le vend à un autre, le
droit de rachat s'éteint; [21] quand, à l'année jubilaire [d], l'acquéreur devra l'abandonner, ce sera
chose consacrée à Yahvé, tel un champ dévoué par 27 28+
anathème : la propriété de cet homme passe au prêtre.
[22] S'il consacre à Yahvé un champ qu'il a acquis
mais qui ne fait pas partie de son patrimoine, [23] le
prêtre en calculera le prix d'estimation en fonction
du temps à courir jusqu'à l'année jubilaire, et
l'homme en versera le montant ce jour même à titre
de chose consacrée à Yahvé. [24] Lors de l'année

*a)* Ce ch. est une addition. Il énumère les règles pour l'acquittement des vœux, **7** 16; **22** 21; Nb **30** 3-16; Dt **12** 6-12; **23** 19, 22-24. C'est un règlement du Temple postexilique qui a pu exister à part et qui a été rattaché à la législation donnée au Sinaï, vv. 1-2[a] et 34. Le vœu imposait originairement une obligation grave, mais elle s'est relâchée et l'on a finalement admis qu'il soit commué en un paiement en argent, sauf pour l'anathème, vv. 28-29.

*b)* On pouvait vouer une personne, cf. Jg **11** 30-40; **13** 3s; 1 S **1** 11.

*c)* On peut comprendre aussi : « en fonction de la semence qu'il peut recevoir ».

*d)* Cette référence et celle du v. 23 dépendent du ch. **25**.

jubilaire le champ reviendra au vendeur, à celui
dont c'est la propriété dans le pays. 25 Toute estimation sera faite en sicles du sanctuaire, 20 géras
Ex 30 15+ valant un sicle.

**Règles particulières pour le rachat :**
**a) des premiers-nés.**

26 Nul, toutefois, ne pourra de son bétail consa-
Ex 13 11+ crer un premier-né qui de droit appartient à Yahvé;
gros ou petit bétail, il appartient à Yahvé. 27 Mais
si c'est un animal impur on pourra le racheter au
prix d'une estimation majorée d'un cinquième; s'il
n'est pas racheté l'animal sera vendu au prix de
l'estimation.

**b) de l'anathème** [a].

28 Cependant rien de ce qu'un homme dévoue par
anathème à Yahvé ne peut être vendu ou racheté,
rien de ce qu'il peut posséder en hommes, bêtes ou
champs patrimoniaux. Tout anathème est chose
très sainte qui appartient à Yahvé. 29 Aucun être
humain dévoué par anathème ne pourra être
racheté, il sera mis à mort.

**c) des dîmes.** Dt 14 22+

30 Toute dîme du pays prélevée sur les produits
de la terre ou sur les fruits des arbres appartient
à Yahvé; c'est une chose consacrée à Yahvé. 31 Si
un homme veut racheter une partie de sa dîme, il
en majorera la valeur d'un cinquième.

32 En toute dîme de gros et de petit bétail, sera
chose consacrée à Yahvé le dixième de tout ce qui
passe sous la houlette. 33 On ne triera pas le bon Ml 1 8
et le mauvais, on ne fera pas de substitution : si l'on
en fait une, l'animal et son remplaçant seront choses consacrées sans possibilité de rachat.

34 Tels sont les ordres que Yahvé donna à Moïse 26 46
sur le mont Sinaï à l'intention des Israélites.

*a)* Par extension d'un terme de la guerre sainte, Jos **6** 17+, on déclare « anathème » ce qu'on voue absolument à Dieu; l'usage en revient aux prêtres d'après Lv **27** 21; Nb **18** 14; Ez **44** 29. De même est « anathème » ce que Dieu interdit, Dt **7** 26.

# LES NOMBRES

26
2 S 24 ## I. Le recensement [a]

1 1 Yahvé parla à Moïse, au désert du Sinaï,
dans la Tente du Rendez-vous, le premier jour
du second mois [b], la deuxième année après la sortie
du pays d'Égypte. Il dit :
2 « Faites le recensement de toute la communauté
des Israélites, par clans et par familles, en
comptant les noms de tous les mâles, tête par tête.
3 Tous ceux d'Israël qui ont vingt ans et au-dessus,
aptes à faire campagne, vous les enregistrerez, toi
et Aaron, selon leurs formations au combat. 4 Il
vous sera adjoint un homme par tribu, un chef de
famille.

10 13-28 **Les préposés au recensement.**

5 « Voici les noms de ceux qui vous assisteront :
2 10; 7 30; Pour Ruben, Éliçur, fils de Shedéur.
10 18 6 Pour Siméon, Shelumiel, fils de Çurishaddaï.
2 3 7 Pour Juda, Nahshôn, fils d'Amminadab.
Rt 4 20 8 Pour Issachar, Netanéel, fils de Çuar.
Mt 1 4
Lc 3 32-33 9 Pour Zabulon, Éliab, fils de Hélôn.
10 Pour les fils de Joseph : pour Éphraïm, Élishama, fils d'Ammihud; pour Manassé, Gamliel,
fils de Pedahçur.
11 Pour Benjamin, Abidân, fils de Gidéoni.
12 Pour Dan, Ahiézer, fils d'Ammishaddaï.
13 Pour Asher, Pagiel, fils d'Okrân.
2 14; 7 42 14 Pour Gad, Élyasaph, fils de Réuel.
15 Pour Nephtali, Ahira, fils d'Énân. »
16 C'étaient des hommes considérés dans la
communauté; ils étaient princes de la tribu de leur
Ex 18 21,25 ancêtre; ils étaient à la tête des milliers [c] d'Israël.
17 Moïse et Aaron prirent ces hommes qui
avaient été désignés par leur nom 18 et rassemblèrent toute la communauté, le premier jour du
second mois. Les Israélites déterminèrent leurs
parentés [d], par clans et par familles, et l'on relevait
les noms des hommes de vingt ans et au-dessus,
tête par tête. 19 Comme Yahvé le lui avait ordonné,
Moïse les enregistra dans le désert du Sinaï.

**Le recensement.** Ap 7 4-8

20 Quand on eut déterminé les parentés des fils
de Ruben, premier-né d'Israël, par clans et par
familles, on releva, tête par tête, les noms de tous
les mâles de vingt ans et au-dessus, aptes à faire
campagne. 21 On en recensa quarante-six mille cinq
cents pour la tribu de Ruben.
22 Quand on eut déterminé les parentés des fils
de Siméon, par clans et par familles, on releva, tête
par tête, les noms de tous les mâles de vingt ans
et au-dessus, aptes à faire campagne. 23 On en
recensa cinquante-neuf mille trois cents pour la
tribu de Siméon.
24 Quand on eut déterminé les parentés des fils
de Gad, par clans et par familles, on releva, tête
par tête, les noms de tous les mâles de vingt ans
et au-dessus, aptes à faire campagne. 25 On en
recensa quarante-cinq mille six cent cinquante
pour la tribu de Gad.
26 Quand on eut déterminé les parentés des fils
de Juda, par clans et par familles, on releva, tête
par tête, les noms de tous les mâles de vingt ans
et au-dessus, aptes à faire campagne. 27 On en
recensa soixante-quatorze mille six cents pour la
tribu de Juda.
28 Quand on eut déterminé les parentés des fils

*a)* La section **1-4**, de rédaction sacerdotale, montre Israël comme une communauté sainte, définie et ordonnée. Par leur place dans le camp, par leurs fonctions, par leur nombre même (interprété en fonction du rachat des premiers-nés), les Lévites en sont l'âme. Le recensement est lui-même un acte religieux, cf. 2 S **24**. – Les chiffres diffèrent parfois suivant les mss et les versions.

*b)* Donc un mois après l'érection de la Demeure, Ex **40** 17.

*c)* « millier » est une désignation ancienne qui équivaut au « clan », 1 S **10** 19, 21, mais en souligne le caractère militaire.

*d)* Point essentiel dans l'ancienne Alliance, où l'élection avait pour condition l'appartenance à la race d'Abraham. D'où les généalogies de 1 Ch **1-9**. Cf. aussi Ne **7** 4, 5, 61.

d'Issachar, par clans et par familles, on releva, tête par tête, les noms de tous les mâles de vingt ans et au-dessus, aptes à faire campagne. 29 On en recensa cinquante-quatre mille quatre cents pour la tribu d'Issachar.

30 Quand on eut déterminé les parentés des fils de Zabulon, par clans et par familles, on releva, tête par tête, les noms de tous les mâles de vingt ans et au-dessus, aptes à faire campagne. 31 On en recensa cinquante-sept mille quatre cents pour la tribu de Zabulon.

32 Fils de Joseph : Quand on eut déterminé les parentés des fils d'Éphraïm, par clans et par familles, on releva, tête par tête, les noms de tous les mâles de vingt ans et au-dessus, aptes à faire campagne. 33 On en recensa quarante mille cinq cents pour la tribu d'Éphraïm.

34 Quand on eut déterminé les parentés des fils de Manassé, par clans et par familles, on releva, tête par tête, les noms de tous les mâles de vingt ans et au-dessus, aptes à faire campagne. 35 On en recensa trente-deux mille deux cents pour la tribu de Manassé.

36 Quand on eut déterminé les parentés des fils de Benjamin, par clans et par familles, on releva, tête par tête, les noms de tous les mâles de vingt ans et au-dessus, aptes à faire campagne. 37 On en recensa trente-cinq mille quatre cents pour la tribu de Benjamin.

38 Quand on eut déterminé les parentés des fils de Dan, par clans et par familles, on releva, tête par tête, les noms de tous les mâles de vingt ans et au-dessus, aptes à faire campagne. 39 On en recensa soixante-deux mille sept cents pour la tribu de Dan.

40 Quand on eut déterminé les parentés des fils d'Asher, par clans et par familles, on releva, tête par tête, les noms de tous les mâles de vingt ans et au-dessus, aptes à faire campagne. 41 On en recensa quarante et un mille cinq cents pour la tribu d'Asher.

42 Quand on eut déterminé les parentés des fils de Nephtali, par clans et par familles, on releva, tête par tête, les noms de tous les mâles de vingt ans et au-dessus, aptes à faire campagne. 43 On en recensa cinquante-trois mille quatre cents pour la tribu de Nephtali.

44 Tels furent ceux que recensèrent Moïse, Aaron et les princes d'Israël, au nombre de douze, un pour chacune de leurs familles. 45 Tous les Israélites de vingt ans et au-dessus, tous ceux d'Israël qui
étaient aptes à faire campagne, furent recensés par
familles. 46 Le total des recensés fut de six cent 2 32; **11** 21;
trois mille cinq cent cinquante [a]. **26** 51 Ex **12** 37;
47 Mais on ne recensa pas avec eux les Lévites, **38** 26
ni leur tribu patriarcale.

**Statut des Lévites.**

48 Yahvé parla à Moïse et dit : 49 « N'enregistre 2 33
pas cependant la tribu de Lévi, et ne la recense pas
au milieu des Israélites. 50 Mais inscris toi-même
les Lévites pour le service de la Demeure du Ex **25** 28
Témoignage, de tout son mobilier et de tout ce qui
lui appartient. Ce sont eux qui porteront la **3** 6-8
Demeure et tout son mobilier, ils en auront le Ez **48** 8-14
ministère et camperont alentour. 51 Lorsque la
Demeure se déplacera, les Lévites la démonteront; Ex **40** 36-38
lorsque la Demeure fera halte, les Lévites la dresse- Nb **9** 15-23
ront. Tout profane qui s'en approchera sera mis à Ex **19** 12+
mort. 52 Les Israélites camperont chacun dans son Nb **3** 10,38
camp, chacun près de son étendard, selon leurs unités. 53 Mais les Lévites camperont autour de la Demeure du Témoignage. Ainsi la Colère [b] n'éclatera pas contre la communauté des Israélites. Et les Lévites assureront le service de la Demeure du Témoignage. »

54 Les Israélites se conformèrent en tout point à ce que Yahvé avait ordonné à Moïse. C'est ainsi qu'ils firent.

**Ordre des tribus.** **10** 11-28

**2** 1 Yahvé parla à Moïse et à Aaron et dit : 2 « Les Israélites camperont chacun près de son étendard, sous les emblèmes de leurs familles. Ils camperont autour de la Tente du Rendez-vous, à une certaine distance.

3 Ceux qui camperont à l'est :

A l'orient, l'étendard du camp de Juda, selon leurs unités. Prince des fils de Juda : Nahshôn, fils d'Amminadab. 4 Son contingent : soixante-quatorze mille six cents recensés.

5 Campent près de lui :

La tribu d'Issachar. Prince des fils d'Issachar : Netanéel, fils de Çuar. 6 Son contingent : cinquante-quatre mille quatre cents recensés.

7 La tribu de Zabulon. Prince des fils de Zabulon : Éliab, fils de Hélôn. 8 Son contingent : cinquante-sept mille quatre cents recensés.

9 Les recensés du camp de Juda, selon leurs unités, sont en tout cent quatre-vingt-six mille quatre cents. Ils lèveront le camp les premiers.

10 Au sud, l'étendard du camp de Ruben, selon

*a)* Ils étaient sortis six cent mille d'Égypte. Les deux chiffres sont à interpréter de la même façon, cf. Ex **12** 37+.

*b)* Il s'agit des châtiments divins, cf. Lv **10** 1-3: Dt **29** 23-27. rattachés ici immédiatement à la présence de Dieu qui habite la Demeure et qu'offenserait l'irrespect du peuple.

leurs unités. Prince des fils de Ruben : Éliçur, fils
de Shedéur. 11 Son contingent : quarante-six mille
cinq cents recensés.
12 Campent près de lui :
La tribu de Siméon. Prince des fils de Siméon :
Shelumiel, fils de Çurishaddaï. 13 Son contingent :
cinquante-neuf mille trois cents recensés.
14 La tribu de Gad. Prince des fils de Gad :
Élyasaph, fils de Réuel. 15 Son contingent : quarante-cinq mille six cent cinquante recensés.
16 Les recensés du camp de Ruben, selon leurs
unités, sont en tout cent cinquante et un mille quatre cent cinquante. Ils lèveront le camp les seconds.
17 C'est alors que la Tente du Rendez-vous partira, le camp des Lévites se trouvant au milieu des
autres camps. On part dans l'ordre où l'on campe,
chacun sous son étendard.
18 A l'ouest, l'étendard du camp d'Éphraïm,
selon leurs unités. Prince des fils d'Éphraïm : Élishama, fils d'Ammihud. 19 Son contingent : quarante mille cinq cents recensés.
20 Près de lui :
La tribu de Manassé. Prince des fils de
Manassé : Gamliel, fils de Pedahçur. 21 Son contingent : trente-deux mille deux cents recensés.
22 La tribu de Benjamin. Prince des fils de Benjamin : Abidân, fils de Gidéoni. 23 Son contingent :
trente-cinq mille quatre cents recensés.
24 Les recensés du camp d'Éphraïm, selon leurs
unités, sont en tout cent huit mille cent. Ils lèveront
le camp les troisièmes.
25 Au nord, l'étendard du camp de Dan, selon
leurs unités. Prince des fils de Dan : Ahiézer, fils
d'Ammishaddaï. 26 Son contingent : soixante-deux
mille sept cents recensés.
27 Campent près de lui :
La tribu d'Asher. Prince des fils d'Asher : Pagiel,
fils d'Okrân. 28 Son contingent : quarante et un
mille cinq cents recensés.
29 La tribu de Nephtali. Prince des fils de Nephtali : Ahira, fils d'Énân. 30 Son contingent : cinquante-trois mille quatre cents recensés.
31 Les recensés du camp de Dan sont en tout cent
cinquante-sept mille six cents; ils lèveront le camp
les derniers.
Tous selon leurs étendards. »
32 Tels furent les Israélites dont on fit le recensement par familles. Les recensés de ces camps, selon
leurs unités, sont en tout six cent trois mille cinq 1 46+
cent cinquante. 33 Mais, comme Yahvé l'avait
commandé à Moïse, les Lévites ne furent pas recensés avec les Israélites.
34 Les Israélites se conformèrent en tout point à
ce que Yahvé avait ordonné à Moïse. C'est ainsi
qu'ils campèrent, répartis par étendards. C'est ainsi
qu'ils levèrent le camp, chacun dans son clan, chacun avec sa famille.

**La tribu de Lévi : A. Les prêtres.**

**3** 1 Voici la postérité d'Aaron et de Moïse, à 26 59-61
l'époque où Yahvé parla à Moïse au mont
Sinaï.
2 Voici les noms des fils d'Aaron : Nadab, l'aîné, Ex 6 23
puis Abihu, Éléazar, Itamar [a].
3 Tels sont les noms des fils d'Aaron, prêtres qui
reçurent l'onction et que l'on investit pour exercer Ex 29
le sacerdoce. 4 Nadab et Abihu moururent devant Lv 8-9
Yahvé, dans le désert du Sinaï, lorsqu'ils présentè- Ex 30 22+
rent devant lui un feu irrégulier. Ils n'avaient pas Lv 10 1-7
eu d'enfants, et c'est Éléazar et Itamar qui exercèrent le sacerdoce en présence d'Aaron leur père.

**B. Les Lévites. Leurs fonctions.**

5 Yahvé parla à Moïse et dit :
6 « Fais avancer la tribu de Lévi et mets-la à la
disposition d'Aaron le prêtre : ils seront à son service. 7 Ils assumeront la charge qui lui incombe,
ainsi qu'à toute la communauté, devant la Tente du
Rendez-vous, en faisant le service de la Demeure.
8 Ils auront soin de tout le mobilier de la Tente du
Rendez-vous, et ils assumeront la charge qui incombe aux Israélites en faisant le service de la
Demeure. 9 Tu donneras à Aaron et à ses fils les
Lévites, à titre de " donnés [b] "; ils lui seront don- 8 14-19
nés [c] par les Israélites. Esd 2 43+
10 Tu enregistreras Aaron et ses fils, qui rempliront leur charge sacerdotale. Mais tout profane qui
s'approchera sera mis à mort. » 1 51

**C. Leur élection [d].**

11 Yahvé parla à Moïse et dit :
12 « Vois. Moi, j'ai choisi les Lévites au milieu
des Israélites, à la place de tous les premiers-nés, Ex 13 11+
de ceux qui chez les Israélites ouvrent le sein
maternel; ces Lévites sont donc à moi. 13 Car tout
premier-né m'appartient. Le jour où j'ai frappé tous

a) A Éléazar se rattachent Sadoq et les prêtres du Temple de Jérusalem, **1** Ch **5** 30s; **18** 16; cf. 2 S **8** 17. D'Itamar descendait, par Ahimélek, Ébyatar, l'autre prêtre du temps de David, 1 Ch **24** 3s; cf. 2 S **20** 25.

b) Les « donnés » seront des serviteurs inférieurs du Temple postexilique, Esd **2** 43+.

c) Grec, sam. et 12 mss hébr. ont : « ils me seront donnés ».

d) Les Lévites appartiennent à Yahvé, comme les premiers-nés qu'ils remplacent, Ex **13** 11+. Leur statut exprime sous une première forme l'idéal de consécration qui s'épanouira dans le christianisme par le sacerdoce et l'institution monastique. Comme en Ex **13** 14, cette institution est rattachée à la dixième plaie d'Égypte (Ex **11** 4s; **12** 29s), et le choix des Lévites est compris comme une substitution aux premiers-nés israélites épargnés, cf. **8** 12.

les premiers-nés en terre d'Égypte, je me suis
consacré tous les premiers-nés en Israël, aussi bien
ceux des hommes que ceux du bétail. Ils sont à
moi; je suis Yahvé. »

26 57-62 **D. Leur recensement.**

[14] Yahvé parla à Moïse dans le désert du Sinaï,
et dit :

[15] « Tu recenseras les fils de Lévi par familles et
par clans; ce sont tous les mâles, depuis l'âge d'un
mois et au-dessus, que tu recenseras. »

[16] Sur l'ordre de Yahvé, Moïse les recensa,
comme Yahvé le lui avait ordonné. [17] Voici les
Gn 46 11 noms des fils de Lévi : Gershôn, Qehat et Merari.
Ex 6 16-19 [18] Voici les noms des fils de Gershôn, par clans :
Libni et Shiméï; [19] les fils de Qehat, par clans :
Amram, Yiçhar, Hébrôn et Uzziel; [20] les fils de
Merari, par clans : Mahli et Mushi. Tels sont les
clans de Lévi, groupés en familles.

[21] De Gershôn relevaient le clan Libnite et le
clan Shiméite. Ce sont les clans Gershonites; [22] le
nombre total des mâles recensés, depuis l'âge d'un
mois et au-dessus, fut pour eux de sept mille cinq
cents. [23] Les clans Gershonites campaient derrière
la Demeure, à l'occident. [24] Le prince de la maison
de Gershôn était Élyasaph, fils de Laël. [25] Les fils
de Gershôn avaient, dans la Tente du Rendez-
Ex 26 - 27 vous, la charge de la Demeure, de la Tente et de
sa couverture, du voile d'entrée de la Tente du
Rendez-vous, [26] des rideaux du parvis, du voile
d'entrée du parvis qui entoure la Demeure et
l'autel, enfin des cordages nécessaires à tout ce
service.

[27] De Qehat relevaient les clans Amramite,
Yiçharite, Hébronite et Uzziélite. Ce sont les clans
Qehatites; [28] le nombre total des mâles recensés,
depuis l'âge d'un mois et au-dessus, fut pour eux
de huit mille trois cents. Ils étaient chargés du
sanctuaire. [29] Les clans Qehatites campaient sur le
côté méridional de la Demeure. [30] Le prince de la
maison des clans Qehatites était Éliçaphân, fils
Ex 25 10-40; d'Uzziel. [31] Ils avaient la charge de l'arche, de la
27 1-8; table, du candélabre, des autels, des objets sacrés
30 1-10 pour officier, du voile avec tout son appareil.

[32] Le prince des princes de Lévi était Éléazar, fils
d'Aaron le prêtre. Il exerçait la surveillance sur
ceux qui avaient la charge du sanctuaire.

[33] De Merari relevaient le clan Mahlite et le clan
Mushite. Ce sont les clans Merarites; [34] le nombre
total des mâles recensés, depuis l'âge d'un mois et
au-dessus, fut pour eux de six mille deux cents.
[35] Le prince de la maison des clans Merarites était
Çuriel, fils d'Abihayil. Ils campaient sur le côté
septentrional de la Demeure. [36] Les fils de Merari
avaient la charge des cadres de la Demeure, de ses Ex 26 15-30;
traverses, de ses colonnes et de ses socles, de tous 27 9-19
ses accessoires et de tout son appareil, [37] ainsi que
des colonnes qui entourent le parvis, de leurs
socles, de leurs piquets et de leurs cordages.

[38] Enfin campaient à l'est devant la Demeure,
devant la Tente du Rendez-vous à l'orient, Moïse,
Aaron et ses fils, qui avaient la charge du sanctuaire au nom des Israélites. Tout profane qui s'ap- 1 51
procherait devait être mis à mort.

[39] Le total des Lévites recensés, que Moïse
dénombra par clans sur l'ordre de Yahvé, le nombre des mâles depuis l'âge d'un mois et au-dessus,
fut de vingt-deux mille.

**E. Les Lévites et le rachat des premiers-nés.**

[40] Yahvé dit à Moïse :

« Fais le recensement de tous les premiers-nés
mâles des Israélites, depuis l'âge d'un mois et
au-dessus; fais le compte de leurs noms. [41] Puis, à
la place des premiers-nés d'Israël, tu m'attribueras, 3 12-13
à moi Yahvé, les Lévites, et de même leur bétail à Ex 13 11+
la place des premiers-nés du bétail des Israélites. »

[42] Comme Yahvé le lui avait ordonné, Moïse
recensa tous les premiers-nés des Israélites. [43] Le
recensement des noms des premiers-nés, depuis
l'âge d'un mois et au-dessus, donna le nombre total
de vingt-deux mille deux cent soixante-treize [a].

[44] Alors Yahvé parla à Moïse et dit :

[45] « Prends les Lévites à la place de tous les premiers-nés des Israélites, et le bétail des Lévites à Ex 13 11+
la place de leur bétail; les Lévites seront à moi, à
moi Yahvé. [46] Pour le rachat des deux cent soixante-treize premiers-nés des Israélites qui excèdent le
nombre des Lévites, [47] tu prendras cinq sicles par
tête; tu les prendras selon le sicle du sanctuaire, à
vingt géras le sicle. [48] Puis, tu donneras cet argent Lv 5 15+
à Aaron et à ses fils pour le rachat de ceux qui sont
en excédent. »

[49] Moïse reçut cet argent pour le rachat de ceux
que le nombre insuffisant des Lévites ne rachetait
point. [50] Il reçut l'argent des premiers-nés des
Israélites, mille trois cent soixante-cinq sicles,
selon le sicle du sanctuaire. [51] Moïse versa l'argent
de cette rançon à Aaron et à ses fils, sur l'ordre
de Yahvé, comme Yahvé l'avait commandé à
Moïse.

*a)* Ce chiffre représente le nombre des Lévites, v. 39, plus un reste qui va être racheté à prix d'argent, cf. Lv **27** 3-7, ce qui deviendra la règle commune.

**Les clans des Lévites : A. Les Qehatites.**

**4** 1 Yahvé parla à Moïse et à Aaron et dit :
2 « Faites le recensement de ceux des Lévites
qui sont fils de Qehat, par clans et par familles :
3 tous les hommes de trente à cinquante ans, qui
devraient faire campagne, et qui accompliront leur
fonction dans la Tente du Rendez-vous.
4 Voici quel sera le service des fils de Qehat dans
la Tente du Rendez-vous : la charge des choses très
saintes.
5 Quand on lèvera le camp, Aaron et ses fils vien-
Ex **26** 31-37; dront déposer le rideau du voile. Ils en couvriront
**35** 12; **39** 34 l'arche du Témoignage. 6 Ils mettront par-dessus
2 S **6** 7+ une housse en cuir fin, sur laquelle ils étendront une
étoffe toute de pourpre violette. Puis ils ajusteront
les barres de l'arche.
Ex **25** 23+ 7 Sur la table d'oblation, ils étendront une étoffe
de pourpre, sur laquelle ils déposeront les plats, les
coupes, les patères et les aiguières à libation; le
pain de l'oblation perpétuelle y sera aussi. 8 Ils
étendront par-dessus une étoffe de cramoisi, qu'ils
recouvriront d'une housse en cuir fin. Puis ils ajusteront les barres de la table.
9 Ils prendront alors une étoffe de pourpre, dont
ils couvriront le candélabre de lumière, ses lampes,
ses mouchettes et ses cendriers, et tous les vases à
huile employés pour son service. 10 Ils le déposeront avec tous ses accessoires sur une housse en
cuir fin et le placeront sur le brancard.
Ex **30** 1-6 11 Sur l'autel d'or [a], ils étendront une étoffe de
pourpre, et le recouvriront d'une housse en cuir fin.
Puis ils y ajusteront les barres.
12 Ils prendront ensuite tous les objets employés
pour le service du sanctuaire. Ils les déposeront sur
une étoffe de pourpre, ils les recouvriront d'une
housse en cuir fin, et mettront le tout sur le brancard.
13 Après avoir retiré de l'autel [b] ses cendres grasses, ils étendront dessus une étoffe d'écarlate, 14 sur
laquelle ils déposeront tous les objets que l'on
emploie pour officier, les encensoirs, les fourchettes, les pelles, les coupes d'aspersion, tous les
accessoires de l'autel. Ils étendront par-dessus une
housse en cuir fin; puis ils ajusteront les barres.
15 Lorsque Aaron et ses fils auront fini d'envelopper les choses sacrées et tous leurs accessoires, au
moment de lever le camp, les fils de Qehat vien-
2 S **6** 7+ dront les porter, mais sans toucher à ce qui est
Lv **17** 1+ consacré : ils mourraient. Telle est la charge des fils
de Qehat dans la Tente du Rendez-vous. 16 Mais à
Éléazar, fils d'Aaron le prêtre, il incombera de veil-
Ex **27** 20; ler à l'huile du luminaire, aux parfums d'herbes
**30** 34-38 odorantes, à l'oblation perpétuelle, à l'huile d'onc- Ex **30** 22 23
tion; il devra veiller sur toute la Demeure, sur tout
ce qui s'y trouve : les choses sacrées et leurs accessoires. »
17 Yahvé parla à Moïse et à Aaron. Il dit :
18 « Ne retranchez pas du nombre des Lévites la
tribu des clans Qehatites. 19 Agissez donc ainsi
pour eux, afin qu'ils vivent et n'encourent pas la
mort en s'approchant des choses très saintes :
Aaron et ses fils viendront placer chacun d'eux au
lieu de son service et près de son fardeau. 20 Ils évi-
teront ainsi d'entrer et de porter le regard, ne fût-ce
qu'un instant, sur les choses sacrées : ils mourraient! »

**B. Les Gershonites.**

21 Yahvé parla à Moïse et dit :
22 « Fais aussi le recensement des fils de Gershôn, par familles et par clans : 23 Tu recenseras
tous les hommes de trente à cinquante ans, aptes
à faire campagne, et qui feront le service dans la
Tente du Rendez-vous.
24 Voici quel sera le service des clans Gershonites, leurs fonctions et leurs fardeaux.
25 Ils porteront les tentures de la Demeure, la
Tente du Rendez-vous avec sa bâche et la bâche
en cuir fin qui la recouvre, la portière d'entrée de
la Tente du Rendez-vous, 26 les rideaux du parvis,
le voile d'entrée de la porte du parvis qui entoure
la Demeure et l'autel, les cordages et tous les accessoires du culte, tout le matériel nécessaire.
Ils feront leur service. 27 Tout ce service des fils
de Gershôn – fonctions et fardeaux – se fera sous
les ordres d'Aaron et de ses fils : vous aurez à les
surveiller dans l'observance de leur charge. 28 Tel
sera le service des clans Gershonites dans la Tente
du Rendez-vous. Leur ministère dépendra
d'Itamar, fils d'Aaron le prêtre. »

**C. Les Merarites.**

29 « Tu feras le recensement des fils de Merari,
par clans et par familles. 30 Tu feras le recensement
de tous les hommes de trente à cinquante ans aptes
à faire campagne, et qui feront le service dans la
Tente du Rendez-vous.
31 Voici le fardeau qu'ils assumeront, et tout le
service qui leur incombera dans la Tente du Rendez-vous : les cadres de la Demeure, ses traverses,
ses colonnes et ses socles. 32 Les colonnes qui
entourent le parvis, leurs socles, leurs piquets, leurs
cordages et tout leur appareil. Vous ferez le relevé
de leurs noms avec les objets dont ils assumeront
le fardeau.

*a)* L'autel des parfums.

*b)* L'autel des holocaustes.

33 Tel sera le service des clans Merarites. Pour tout leur service dans la Tente du Rendez-vous, ils dépendront d'Itamar, fils d'Aaron le prêtre. »

**Recensement des Lévites.**

34 Moïse, Aaron et les princes de la communauté firent le recensement des fils de Qehat, par clans et par familles; 35 tous les hommes de trente à cinquante ans, aptes à faire campagne et chargés du service dans la Tente du Rendez-vous. 36 On compta pour leurs clans deux mille sept cent cinquante recensés. 37 Tel fut le nombre des recensés des clans Qehatites, tous ceux qui devaient servir dans la Tente du Rendez-vous, et que recensèrent Moïse et Aaron, sur l'ordre de Yahvé transmis par Moïse.

38 On fit le recensement des fils de Gershôn, par clans et par familles : 39 tous les hommes de trente à cinquante ans, aptes à faire campagne et chargés du service dans la Tente du Rendez-vous. 40 On compta deux mille six cent trente recensés, par clans et par familles. 41 Tel fut le nombre des recensés des clans Gershonites, tous ceux qui devaient servir dans la Tente du Rendez-vous, et que recensèrent Moïse et Aaron, sur l'ordre de Yahvé.

42 On fit le recensement des clans des fils de Merari par clans et par familles : 43 tous les hommes de trente à cinquante ans, aptes à faire campagne et chargés du service dans la Tente du Rendez-vous. 44 On compta pour leurs clans trois mille deux cents recensés. 45 Tel fut le nombre des recensés des clans Merarites, que recensèrent Moïse et Aaron, sur l'ordre de Yahvé transmis par Moïse.

46 Le nombre total des Lévites que Moïse, Aaron et les princes d'Israël recensèrent par clans et par familles – 47 tous les hommes de trente à cinquante ans, aptes à servir dans le culte et à servir dans le service du transport de la Tente du Rendez-vous – 48 se monta à huit mille cinq cent quatre-vingts recensés. 49 Sur l'ordre de Yahvé transmis par Moïse, on fit leur recensement en attribuant à chacun son service et son fardeau; ils furent recensés comme Yahvé l'avait ordonné à Moïse.

# II. *Lois diverses*[a]

Dt **23** 10-15 **Expulsion des impurs.**

**5** 1 Yahvé parla à Moïse et dit :
2 « Ordonne aux Israélites de renvoyer du
Lv **13** 45-46 camp tout lépreux, toute personne atteinte d'écou-
Lv **15** lement, ou qu'un cadavre aurait rendue impure.
Nb **19** 11-16 3 Homme ou femme, vous les renverrez, vous les
1 Co **5** 7-13 expulserez du camp. Ainsi, les Israélites ne souille-
2 Co **6** 16-18 ront pas leur camp, où je demeure au milieu
Ap **21** 27; **22** 15 d'eux[b]. »
4 Ainsi firent les Israélites : ils les renvoyèrent du
camp. Les Israélites agirent comme Yahvé l'avait
dit à Moïse.

**La restitution.**

5 Yahvé parla à Moïse et dit : 6 « Parle aux Israélites.

Si un homme ou une femme commet quelqu'un
Lv **5** 15-26 de ces péchés par lesquels on frustre Yahvé, cette
personne est en faute.

7 Elle confessera le péché commis, et restituera la somme dont elle est redevable, majorée d'un cinquième. Elle la restituera à celui envers qui elle est en faute.

8 Et si ce dernier n'a point de parent auquel on puisse restituer, la restitution due à Yahvé revient au prêtre, sans compter le bélier d'expiation au moyen duquel le prêtre fera sur le coupable le rite d'expiation. 9 Car sur toute chose que les Israélites ont consacrée et apportée au prêtre, celui-ci a droit au prélèvement. 10 A chacun reviennent les choses qu'il a consacrées; ce que chacun remet au prêtre revient à celui-ci. »

**L'oblation de jalousie**[c]**.**

11 Yahvé parla à Moïse et dit : 12 « Parle aux Israélites; tu leur diras :

S'il est quelqu'un que sa femme a trompé, s'étant dévoyée, 13 si un homme, à l'insu du mari, a couché maritalement avec cette femme et qu'elle s'est rendue impure dans le secret, sans qu'il y ait de témoins contre elle et sans qu'on l'ait prise sur le fait; 14 si maintenant un esprit de jalousie, venant

*a)* Ces lois, de rédaction sacerdotale, sont des additions rédigées dans l'esprit de la loi de pureté (Lv **11-16**). Elles rappellent les lois complémentaires insérées dans la loi de sainteté, ainsi Lv **20** 22-25.

*b)* La rédaction sacerdotale imagine au milieu du camp la Tente que les traditions anciennes mettent à l'extérieur, cf. Ex **33** 7.

*c)* Le jugement de Dieu, ou ordalie, a été pratiqué dans toute l'Antiquité et jusqu'au Moyen Age, pour obtenir une décision de justice lorsque les preuves faisaient défaut. On connaissait dans tout l'Orient ancien l'ordalie judiciaire par les eaux du fleuve où l'on jetait l'accusé, mais cette épreuve des eaux amères n'a pas d'analogie. C'est sûrement une vieille pratique à laquelle se superpose un rituel israélite : intervention du prêtre, offrande, serment, etc.

sur le mari, le rend jaloux de sa femme qui s'est
déshonorée, ou encore si cet esprit de jalousie,
venant sur lui, le rend jaloux de sa femme innocente : 15 cet homme conduira sa femme devant le
prêtre, et fera pour elle une offrande d'un dixième
Lv 5 11 de mesure de farine d'orge. Il n'y versera pas
d'huile et n'y mettra pas d'encens, car c'est une
" oblation de jalousie ", une oblation commémora-
Lv 2 2 tive, qui doit rappeler une faute.
16 Le prêtre fera approcher la femme et la placera
devant Yahvé. 17 Puis il prendra de l'eau vive dans
un vase d'argile et, ayant pris de la poussière sur
le sol de la Demeure, il la répandra sur cette eau.
18 Ayant placé la femme devant Yahvé, il lui
dénouera la chevelure et lui mettra dans les mains
l'oblation commémorative (c'est-à-dire l'oblation
de jalousie). Mais dans la main du prêtre seront les
eaux d'amertume et de malédiction.
19 Ensuite, le prêtre déférera le serment à la
femme. Il lui dira : " S'il n'est pas vrai qu'un
homme ait couché avec toi, que tu te sois dévoyée
et rendue impure, alors que ton mari a pouvoir sur
toi, que ces eaux d'amertume et de malédiction te
soient inoffensives! 20 Mais s'il est vrai que tu te
sois dévoyée alors que ton mari a pouvoir sur toi,
que tu te sois rendue impure et qu'un homme autre
que ton mari t'ait fait partager sa couche... " 21 Le
Rt 1 17+ prêtre déférera ici à la femme un serment imprécatoire. Il lui dira : " ... Que Yahvé te fasse servir,
dans ton peuple, aux imprécations et aux serments,
en faisant flétrir ton sexe et enfler ton ventre!
22 Que ces eaux de malédiction pénètrent en tes
entrailles pour que s'enfle ton ventre et que se flé-
trisse ton sexe! " La femme répondra : " Amen!
Amen! "
23 Puis le prêtre mettra par écrit ces imprécations
et les effacera dans les eaux d'amertume. 24 Il fera
Ex 32 20+ boire à la femme ces eaux d'amertume et de malédiction, et ces eaux de malédiction pénétreront en
elle pour lui être amères.
25 Prenant alors des mains de la femme l'oblation
de jalousie, le prêtre tendra celle-ci en geste de présentation devant Yahvé et la portera sur l'autel.
Lv 5 12 26 Il en prendra une poignée, en mémorial, qu'il fera
fumer sur l'autel.
Il fera boire ces eaux à la femme. 27 Et lorsqu'il
les lui aura fait boire, s'il est vrai qu'elle s'est rendue impure en trompant son mari, alors les eaux
de malédiction, pénétrant en elle, lui seront amères : son ventre enflera, son sexe se flétrira, et pour
son peuple elle servira d'exemple dans les malédictions. 28 Si au contraire elle ne s'est pas rendue
impure et si elle est pure, elle restera indemne et
elle aura des enfants.
29 Tel est le rituel pour le cas de jalousie, quand
une femme s'est dévoyée et rendue impure, alors
que son mari a pouvoir sur elle, 30 ou quand un
esprit de jalousie est venu sur un homme et l'a
rendu jaloux de sa femme. Lorsque le mari aura
conduit cette femme devant Yahvé, le prêtre lui
appliquera intégralement ce rituel. 31 Le mari sera
exempt de faute; la femme, elle, portera la sienne. »

**Le naziréat** [a]

**6** 1 Yahvé parla à Moïse et dit : 2 « Parle aux
Israélites; tu leur diras :
Si un homme ou une femme entend s'acquitter
d'un vœu, le vœu de naziréat, par lequel il s'est ↗ Lc 1 15
voué à Yahvé, 3 il s'abstiendra de vin et de boissons
fermentées, il ne boira pas le vinaigre qu'on tire de
l'un ou de l'autre, il ne boira d'aucun jus de raisin, Jg 13 5;
il ne mangera ni raisins frais ni raisins secs. 16 17
4 Durant tout le temps de sa consécration, il ne
prendra d'aucun produit du cep de vigne, depuis le Jr 35 2-6
verjus jusqu'au marc. 5 Aussi longtemps qu'il sera Am 2 12
consacré par son vœu, le rasoir ne passera pas sur
sa tête; jusqu'à ce que soit écoulé le temps pour
lequel il s'est voué à Yahvé, il sera consacré et laissera croître librement sa chevelure. 6 Durant tout le
temps de sa consécration à Yahvé, il ne s'approchera pas d'un mort; 7 ni pour son père, ni pour sa
mère, ni pour son frère, ni pour sa sœur il ne se
rendra impur s'ils viennent à mourir, car il porte
sur sa tête la consécration de son Dieu. 8 Durant Lv 21 12
tout le temps de son naziréat il est un consacré à Ac 21 23-26
Yahvé.
9 Si, près de lui, quelqu'un meurt de mort subite,
rendant impure sa chevelure consacrée, il se rasera
la tête au jour de sa purification, il se rasera la tête
le septième jour. 10 Le huitième jour, il apportera
deux tourterelles ou deux pigeons au prêtre, à l'entrée de la Tente du Rendez-vous. 11 Le prêtre offrira
l'un en sacrifice pour le péché, et l'autre en holocauste; il accomplira ensuite sur cet homme le rite
d'expiation pour la souillure contractée près de ce
mort. L'homme consacrera sa tête ce jour-là; 12 il

*a)* Le *nazîr*, le « voué » à Dieu, s'engage, pour le temps de son vœu, à ne pas couper sa chevelure, ne pas boire de boissons fermentées, ne pas approcher un cadavre. La première règle exprime sa consécration à Dieu, dont il laisse la force agir en lui (cf. Gn **49** 26; Dt **33** 16, où le même titre est donné à Joseph); la seconde signifie son rejet de la vie facile (comp. les Rékabites, Jr **35** 5-8); la troisième marque son appartenance spéciale à Dieu (comp., pour les prêtres, Lv **21** 1-2 et 10-11). Cf. Am **2** 11-12 et des exemples de ce vœu temporaire dans Ac **18** 18; **21** 23-26. Un enfant pouvait être voué par sa mère (sans limite de temps?) : Samson, Jg **13** 5-7, 14; **16** 17; Samuel, 1 S **1** 11 (manque l'abstention du vin); Jean-Baptiste, Lc **1** 15 (manque la chevelure longue).

se consacrera à Yahvé pour le temps de son nazi-
Lv 14 21-31 réat, et il amènera un agneau d'un an, à titre de
sacrifice de réparation. Le temps déjà écoulé ne
comptera pas, puisque sa chevelure a été rendue
impure.
13 Voici le rituel du nazir, pour le jour où le
temps de sa consécration est révolu. Conduit à l'entrée de la Tente du Rendez-vous, 14 il apportera à
Yahvé son offrande : pour un holocauste, un
agneau d'un an, sans défaut; pour un sacrifice pour
le péché, une agnelle d'un an, sans défaut; pour un
sacrifice de communion, un bélier sans défaut;
15 une corbeille de gâteaux de fleur de farine sans
levain, pétris à l'huile, des galettes sans levain frottées d'huile, avec les oblations et libations conjointes. 16 Ayant apporté tout cela devant Yahvé, le
prêtre fera le sacrifice pour le péché et l'holocauste
du nazir. 17 Celui-ci fera un sacrifice de communion avec le bélier et avec les azymes de la corbeille, et le prêtre offrira l'oblation et la libation
conjointes. 18 Puis le nazir rasera sa chevelure
consacrée à l'entrée de la Tente du Rendez-vous et,
prenant les cheveux de sa tête consacrée, il les mettra dans le feu du sacrifice de communion. 19 Le
prêtre prendra l'épaule du bélier, une fois cuite, un
gâteau sans levain de la corbeille et une galette
sans levain. Il les mettra dans la main du nazir
quand celui-ci aura rasé sa chevelure. 20 Il les tendra en geste de présentation devant Yahvé; c'est
chose sainte qui revient au prêtre, outre la poitrine Lv 7 34;
de présentation et la cuisse de prélèvement. Le 10 14
nazir pourra dès lors boire du vin.
21 Tel est le rituel concernant le nazir. Si, en plus
de sa chevelure, il a fait vœu d'une offrande personnelle à Yahvé, il acquittera (sans compter ce que
ses moyens lui permettront) ce vœu qu'il a fait, en
plus de ce que prévoit le rituel pour sa chevelure. »

**La formule de bénédiction.**

22 Yahvé parla à Moïse et dit : 23 « Parle à Aaron
et à ses fils et dis-leur :
Voici comment vous bénirez les Israélites. Vous
leur direz :
24 " Que Yahvé te bénisse et te garde! Ps 121 7-8
25 Que Yahvé fasse pour toi rayonner son visage Ex 23 20 Jn 17 11-12
et te fasse grâce! Ps 4 7; 31 17
26 Que Yahvé te découvre sa face et t'apporte la Ps 122 6s
paix! " Jn 14 27
27 Qu'ils mettent ainsi mon nom sur les Israélites, Dt 28 10
et je les bénirai *a*. » Si 50 20-21

## *III. Offrandes des chefs et consécration des Lévites* [b]

**Offrande des chariots.**

Ex 40 17-33 **7** 1 Le jour où Moïse eut achevé d'ériger la
Demeure, il l'oignit et la consacra avec tout
son mobilier, ainsi que l'autel avec tous ses acces-
Ex 40 9-15 soires. Quand il eut oint et consacré tout cela, 2 les
princes d'Israël firent une offrande; c'étaient les
1 4 chefs des familles, ceux qui étaient les princes des
tribus et présidaient au recensement. 3 Ils conduisirent leur offrande devant Yahvé : six chariots couverts et douze bœufs, un chariot pour deux princes,
et un bœuf chacun. Ils les firent venir devant la
Demeure. 4 Yahvé parla à Moïse et dit : 5 « Reçois-
les d'eux, et qu'ils soient affectés au service de la
Tente du Rendez-vous. Tu les donneras aux Lévites, à chacun en raison de sa fonction. » 6 Moïse
prit les chariots et les bœufs, il les donna aux Lévi-
4 24-28 tes. 7 Aux fils de Gershôn, il donna deux chariots
et quatre bœufs, en raison de leur fonction. 8 Aux
4 29-33 fils de Merari, il donna quatre chariots et huit
bœufs, en raison de la fonction qu'ils avaient à
remplir sous la direction d'Itamar, fils d'Aaron le
prêtre. 9 Mais aux fils de Qehat, il n'en donna point, 4 2-15
car eux devaient porter sur les épaules la charge
sacrée qui leur incombait.

**Offrande de la Dédicace.**

10 Les princes firent alors une offrande pour la
dédicace de l'autel, le jour de son onction. Ils Ez 43 18-2
apportèrent leur offrande devant l'autel, 11 et
Yahvé dit à Moïse : « Que chaque jour l'un des
princes apporte son offrande pour la dédicace de
l'autel. »
12 Celui qui apporta son offrande le premier jour
fut Nahshôn, fils d'Amminadab, de la tribu de 2 3
Juda. 13 Son offrande comprenait : une coupe
d'argent pesant cent trente sicles, une coupe
d'aspersion en argent de soixante-dix sicles (en
sicles du sanctuaire), toutes deux remplies, pour
l'oblation, de fleur de farine pétrie à l'huile, 14 une
coupe d'or de dix sicles, pleine d'encens, 15 un taureau, un bélier et un agneau d'un an pour l'holo-

*a)* Expression sémitique de la faveur divine. Le nom divin, trois fois invoqué, assure à Israël la présence du Dieu qui protège.

*b)* Après les lois additionnelles des ch. **5-6**, le récit sacerdotal reprend jusqu'à **10** 28.

causte, [16] un bouc pour le sacrifice pour le péché,
[17] et pour le sacrifice de communion, deux bœufs,
cinq béliers, cinq boucs, cinq agneaux d'un an.
Telle fut l'offrande de Nahshôn, fils d'Amminadab.
[18] Celui qui apporta son offrande le second jour
2 5 fut Netanéel, fils de Çuar, prince d'Issachar. [19] Son
offrande comprenait : une coupe d'argent pesant
cent trente sicles, une coupe d'aspersion en argent
de soixante-dix sicles (en sicles du sanctuaire), toutes deux remplies, pour l'oblation, de fleur de farine
pétrie à l'huile, [20] une coupe d'or de dix sicles,
pleine d'encens, [21] un taureau, un bélier et un
agneau d'un an pour l'holocauste, [22] un bouc pour
le sacrifice pour le péché, [23] et pour le sacrifice de
communion, deux bœufs, cinq béliers, cinq boucs,
cinq agneaux d'un an. Telle fut l'offrande de Netanéel, fils de Çuar.
[24] Celui qui apporta son offrande le troisième
2 7 jour fut Éliab, fils de Hélôn, prince des fils de
Zabulon. [25] Son offrande comprenait : une coupe
d'argent pesant cent trente sicles, une coupe
d'aspersion en argent de soixante-dix sicles (en
sicles du sanctuaire), toutes deux remplies, pour
l'oblation, de fleur de farine pétrie à l'huile, [26] une
coupe d'or de dix sicles, pleine d'encens, [27] un taureau, un bélier et un agneau d'un an pour l'holocauste, [28] un bouc pour le sacrifice pour le péché,
[29] et pour le sacrifice de communion, deux bœufs,
cinq béliers, cinq boucs, cinq agneaux d'un an.
Telle fut l'offrande d'Éliab, fils de Hélôn.
[30] Celui qui apporta son offrande le quatrième
2 10 jour fut Éliçur, fils de Shedéur, prince des fils de
Ruben. [31] Son offrande comprenait : une coupe
d'argent pesant cent trente sicles, une coupe
d'aspersion en argent de soixante-dix sicles (en
sicles du sanctuaire), toutes deux remplies, pour
l'oblation, de fleur de farine pétrie à l'huile, [32] une
coupe d'or de dix sicles, pleine d'encens, [33] un taureau, un bélier et un agneau d'un an pour l'holocauste, [34] un bouc pour le sacrifice pour le péché,
[35] et pour le sacrifice de communion, deux bœufs,
cinq béliers, cinq boucs, cinq agneaux d'un an.
Telle fut l'offrande d'Éliçur, fils de Shedéur.
[36] Celui qui apporta son offrande le cinquième
2 12 jour fut Shelumiel, fils de Çurishaddaï, prince des
fils de Siméon. [37] Son offrande comprenait : une
coupe d'argent pesant cent trente sicles, une coupe
d'aspersion en argent de soixante-dix sicles (en
sicles du sanctuaire), toutes deux remplies, pour
l'oblation, de fleur de farine pétrie à l'huile, [38] une
coupe d'or de dix sicles, pleine d'encens, [39] un taureau, un bélier et un agneau d'un an pour l'holocauste, [40] un bouc pour le sacrifice pour le péché,
[41] et pour le sacrifice de communion, deux bœufs,
cinq béliers, cinq boucs, cinq agneaux d'un an.
Telle fut l'offrande de Shelumiel, fils de Çurishaddaï.
[42] Celui qui apporta son offrande le sixième jour
fut Élyasaph, fils de Réuel, prince des fils de Gad. 2 14
[43] Son offrande comprenait : une coupe d'argent
pesant cent trente sicles, une coupe d'aspersion en
argent de soixante-dix sicles (en sicles du sanctuaire), toutes deux remplies, pour l'oblation, de
fleur de farine pétrie à l'huile, [44] une coupe d'or de
dix sicles, pleine d'encens, [45] un taureau, un bélier
et un agneau d'un an pour l'holocauste, [46] un bouc
pour le sacrifice pour le péché, [47] et pour le sacrifice
de communion, deux bœufs, cinq béliers, cinq
boucs, cinq agneaux d'un an. Telle fut l'offrande
d'Élyasaph, fils de Réuel.
[48] Celui qui apporta son offrande le septième
jour fut Élishama, fils d'Ammihud, prince des fils 2 18
d'Éphraïm. [49] Son offrande comprenait : une coupe
d'argent pesant cent trente sicles, une coupe
d'aspersion en argent de soixante-dix sicles (en
sicles du sanctuaire), toutes deux remplies, pour
l'oblation, de fleur de farine pétrie à l'huile, [50] une
coupe d'or de dix sicles, pleine d'encens, [51] un taureau, un bélier et un agneau d'un an pour l'holocauste, [52] un bouc pour le sacrifice pour le péché,
[53] et, pour le sacrifice de communion, deux bœufs,
cinq béliers, cinq boucs, cinq agneaux d'un an.
Telle fut l'offrande d'Élishama, fils d'Ammihud.
[54] Celui qui apporta son offrande le huitième
jour fut Gamliel, fils de Pedahçur, prince des fils 2 20
de Manassé. [55] Son offrande comprenait : une
coupe d'argent pesant cent trente sicles, une coupe
d'aspersion en argent de soixante-dix sicles (en
sicles du sanctuaire), toutes deux remplies, pour
l'oblation, de fleur de farine pétrie à l'huile, [56] une
coupe d'or de dix sicles, pleine d'encens, [57] un taureau, un bélier et un agneau d'un an pour l'holocauste, [58] un bouc pour le sacrifice pour le péché,
[59] et pour le sacrifice de communion, deux bœufs,
cinq béliers, cinq boucs, cinq agneaux d'un an.
Telle fut l'offrande de Gamliel, fils de Pedahçur.
[60] Celui qui apporta son offrande le neuvième
jour fut Abidân, fils de Gidéoni, prince des fils de 2 22
Benjamin. [61] Son offrande comprenait : une coupe
d'argent pesant cent trente sicles, une coupe
d'aspersion en argent de soixante-dix sicles (en
sicles du sanctuaire), toutes deux remplies, pour
l'oblation, de fleur de farine pétrie à l'huile, [62] une
coupe d'or de dix sicles, pleine d'encens, [63] un taureau, un bélier et un agneau d'un an pour l'holocauste, [64] un bouc pour le sacrifice pour le péché,
[65] et pour le sacrifice de communion, deux bœufs,
cinq béliers, cinq boucs, cinq agneaux d'un an.
Telle fut l'offrande d'Abidân, fils de Gidéoni.
[66] Celui qui apporta son offrande le dixième jour

2 25 fut Ahiézer, fils d'Ammishaddaï, prince des fils de
Dan. 67 Son offrande comprenait : une coupe
d'argent pesant cent trente sicles, une coupe
d'aspersion en argent de soixante-dix sicles (en
sicles du sanctuaire), toutes deux remplies, pour
l'oblation, de fleur de farine pétrie à l'huile, 68 une
coupe d'or de dix sicles, pleine d'encens, 69 un taureau, un bélier et un agneau d'un an pour l'holocauste, 70 un bouc pour le sacrifice pour le péché,
71 et pour le sacrifice de communion, deux bœufs,
cinq béliers, cinq boucs, cinq agneaux d'un an.
Telle fut l'offrande d'Ahiézer, fils d'Ammishaddaï.
72 Celui qui apporta son offrande le onzième jour
2 27 fut Pagiel, fils d'Okrân, prince des fils d'Asher.
73 Son offrande comprenait : une coupe d'argent
pesant cent trente sicles, une coupe d'aspersion en
argent de soixante-dix sicles (en sicles du sanctuaire), toutes deux remplies, pour l'oblation, de
fleur de farine pétrie à l'huile, 74 une coupe d'or de
dix sicles, pleine d'encens, 75 un taureau, un bélier
et un agneau d'un an pour l'holocauste, 76 un bouc
pour le sacrifice pour le péché, 77 et pour le sacrifice
de communion, deux bœufs, cinq béliers, cinq
boucs, cinq agneaux d'un an. Telle fut l'offrande de
Pagiel, fils d'Okrân.
78 Celui qui apporta son offrande le douzième
2 29 jour fut Ahira, fils d'Énân, prince des fils de Nephtali. 79 Son offrande comprenait : une coupe
d'argent pesant cent trente sicles, une coupe
d'aspersion en argent de soixante-dix sicles (en
sicles du sanctuaire), toutes deux remplies, pour
l'oblation, de fleur de farine pétrie à l'huile, 80 une
coupe d'or de dix sicles, pleine d'encens, 81 un taureau, un bélier et un agneau d'un an pour l'holocauste, 82 un bouc pour le sacrifice pour le péché,
83 et pour le sacrifice de communion, deux bœufs,
cinq béliers, cinq boucs, cinq agneaux d'un an.
Telle fut l'offrande d'Ahira, fils d'Énân.
84 Telles furent les offrandes des princes d'Israël
pour la dédicace de l'autel, le jour de son onction :
douze coupes d'argent, douze coupes d'aspersion
en argent, douze coupes d'or. 85 Chaque coupe
d'argent pesant cent trente sicles, et chaque coupe
d'aspersion soixante-dix, l'argent de ces objets
pesait en tout deux mille quatre cents sicles du
sanctuaire. 86 Les douze coupes d'or remplies
d'encens pesant chacune dix sicles, en sicles du
sanctuaire, l'or de ces coupes pesait en tout cent
vingt sicles.
87 Total du bétail pour l'holocauste : douze taureaux, douze béliers, douze agneaux d'un an, avec
les oblations conjointes. Pour le sacrifice pour le
péché, douze boucs. 88 Total du bétail pour le
sacrifice de communion : vingt-quatre taureaux,
soixante béliers, soixante boucs, soixante agneaux
d'un an.
Telles furent les offrandes pour la dédicace de
l'autel, après son onction.
89 Quand Moïse pénétrait dans la Tente du Ren- Ex 33 9-11
dez-vous pour s'adresser à Lui, il entendait la voix
qui lui parlait [a] du haut du propitiatoire que portait Ex 25 17+
l'arche du Témoignage, entre les deux chérubins.
Alors il s'adressait à Lui [b].

**Les lampes du candélabre.**

**8** 1 Yahvé parla à Moïse et dit :
2 « Parle à Aaron; tu lui diras : " Lorsque tu
disposeras les lampes, c'est sur le devant du candé- Ex 25 31-40
labre que les sept lampes donneront leur Lv 24 2-4
lumière [c]. " »
3 Ainsi fit Aaron. Il disposa les lampes sur le
devant du candélabre, comme Yahvé l'avait
ordonné à Moïse. 4 Ce candélabre était un ouvrage
d'or repoussé, y compris la tige et la corolle qui
étaient aussi en or repoussé. Ce candélabre avait
été fait conformément à la vision que Yahvé en
avait donnée à Moïse.

**Les Lévites sont offerts à Yahvé.** Lv 8

5 Yahvé parla à Moïse et dit : 6 « Prends les Lévites du milieu des Israélites et purifie-les. 7 Ainsi
feras-tu pour les purifier : tu feras sur eux une 19 1-10
aspersion d'eau lustrale [d], ils se raseront tout le Lv 14 8-9
corps et laveront leurs vêtements, alors ils seront Ez 36 25
purs. 8 Puis ils prendront un taureau, avec l'oblation conjointe de fleur de farine pétrie dans l'huile,
et tu prendras un second taureau pour un sacrifice
pour le péché.
9 Tu feras alors avancer les Lévites devant la
Tente du Rendez-vous, et tu rassembleras toute la
communauté des Israélites. 10 Lorsque tu auras fait
avancer les Lévites devant Yahvé, les Israélites leur
imposeront les mains. 11 Puis Aaron offrira les
Lévites, en faisant le geste de présentation devant
Yahvé, de la part des Israélites. Ils seront alors
affectés au service de Yahvé. 3 6-8
12 Les Lévites poseront ensuite la main sur la tête
des taureaux, et tu feras de l'une des bêtes un
sacrifice pour le péché, de l'autre un holocauste à
Yahvé, afin d'accomplir sur les Lévites le rite Lv 1 4

*a)* « qui lui parlait » *medabber* conj.; hébr. *middabber* corrompu.
*b)* Ce v. ne se rattache ni à ce qui précède ni à ce qui suit et son sens est incertain; on peut comprendre la fin : « et elle (la voix) lui parlait », ou encore : « et elle lui dit : » en supposant que la suite a été perdue.
*c)* La Vulg. a ici : « Ordonne donc que les lampes regardent vers le nord, vis-à-vis de la table des pains d'oblation; c'est vers cette partie que regarde le candélabre qu'elles devront luire ».
*d)* Litt. « eau de péché », cf. **19** 1+.

d'expiation[a]. 13 Ayant placé les Lévites devant
Aaron et ses fils, tu les offriras à Yahvé avec le
Ex **29** 24+ geste de présentation. 14 C'est ainsi que tu mettras
à part les Lévites, du milieu des Israélites, pour
qu'ils m'appartiennent. 15 Les Lévites commence-
ront alors à faire le service de la Tente du Rendez-
vous.

Tu les purifieras et tu les offriras avec le geste
de présentation 16 parce qu'ils me sont cédés, à titre
**3** 12-13 de " donnés ", parmi les Israélites. Ils sont substi-
Ex **13** 11+ tués à ceux qui ouvrent le sein maternel, aux premiers-nés de tous; parmi les Israélites, je me les
suis attribués. 17 Oui, c'est à moi que revient tout
premier-né chez les Israélites, homme ou animal :
le jour où j'ai frappé tous les premiers-nés en terre
d'Égypte, je me les suis consacrés, 18 et, à la place
de tous les premiers-nés des Israélites, j'ai pris les
Lévites. 19 Du milieu des Israélites je donne les
Lévites à Aaron et à ses fils, à titre de " donnés ";
ils feront pour les Israélites le service cultuel dans
la Tente du Rendez-vous et feront sur eux le rite
d'expiation, en sorte qu'aucun des Israélites ne soit
frappé pour s'être approché du sanctuaire. »

20 Moïse, Aaron et toute la communauté des
Israélites agirent à l'égard des Lévites selon tout ce
que Yahvé avait ordonné à Moïse à leur sujet; ainsi
agirent les Israélites à leur égard. 21 Les Lévites se
purifièrent, lavèrent leurs vêtements, et Aaron les
offrit avec le geste de présentation devant Yahvé.
Puis il accomplit sur eux le rite d'expiation pour
les purifier. 22 Les Lévites furent admis à faire leur
service dans la Tente du Rendez-vous en présence
d'Aaron et de ses fils. Selon ce que Yahvé avait
prescrit à Moïse au sujet des Lévites, ainsi agit-on
à leur égard.

**Leur temps de service.**

23 Yahvé parla à Moïse et dit :
24 « Voici pour les Lévites. A partir de l'âge de
vingt-cinq ans, le Lévite devra servir, en s'acquit-
tant d'une fonction dans la Tente du Rendez-vous. Nb **4** 3
25 A partir de cinquante ans, il ne sera plus
astreint au service; il n'aura plus de fonction; 26 il
aidera pourtant ses frères à assurer l'observance
dans la Tente du Rendez-vous, mais il n'aura plus
de service. Ainsi feras-tu en ce qui concerne les
observances des Lévites. »

# *IV. La Pâque et le départ*

Ex **12** 1+ **Date de la Pâque[b].**

**9** 1 Yahvé parla à Moïse, dans le désert du Sinaï,
la seconde année après la sortie d'Égypte, au
premier mois, et il dit :
2 « Que les Israélites célèbrent la Pâque au temps
Ex **12** 6 fixé. 3 C'est le quatorzième jour de ce mois, au crépuscule, que vous la célébrerez au temps fixé. Vous
la célébrerez selon toutes les lois et coutumes qui
la concernent. »
4 Moïse dit aux Israélites de célébrer la Pâque.
5 Ils la célébrèrent, dans le désert du Sinaï, au premier mois, le quatorzième jour du mois, au crépuscule. Les Israélites firent tout ce que Yahvé avait
ordonné à Moïse.

**Cas particulier.**

6 Or, il se trouva des hommes qui avaient
**5** 2; **19** 11 contracté une impureté du fait d'un mort; ils ne
purent célébrer la Pâque ce jour-là. Ils vinrent le
même jour trouver Moïse et Aaron 7 et leur
dirent : « Nous avons contracté une impureté du
fait d'un mort. Pourquoi serions-nous exclus, et privés d'apporter l'offrande de Yahvé au temps fixé,
au milieu des Israélites? » 8 Moïse leur répondit :
« Tenez-vous là, que j'entende ce que Yahvé
ordonne pour vous. »
9 Yahvé parla à Moïse et dit : 10 « Parle aux
Israélites et dis-leur :
Si quelqu'un, parmi vous ou vos descendants, se
trouve impur, du fait d'un mort, ou est en voyage
au loin, il célébrera une Pâque pour Yahvé. 11 C'est 2 Ch **30** 2-3
au second mois, le quatorzième jour, au crépus-
cule, qu'ils la célébreront. Ils la mangeront avec
des azymes et des herbes amères; 12 rien n'en devra
rester au matin, ils n'en briseront aucun os. C'est
selon tout le rituel de la Pâque qu'ils la célébreront.
13 Mais celui qui se trouve pur ou qui n'a pas eu
à voyager, celui-là sera retranché de sa race s'il
omet de célébrer la Pâque. Il n'a pas apporté l'offrande de Yahvé au temps fixé, il portera le poids
de son péché.

*a)* Les Lévites, assimilés à une offrande, v. 10, cf. Lv **1** 4, doivent être purifiés de toute souillure du monde profane. On notera ici, après la substitution des Lévites aux premiers-nés d'Israël, cf. **3** 12-13, une seconde substitution, celle des animaux sacrifiés aux Lévites.

*b)* **9** 1-14, toujours de tradition sacerdotale, n'appartient pas au même schéma chronologique que **1** (dont le récit part du second mois, **1** 1). Cette section ajoute à la grande réglementation sacerdotale de la Pâque, Ex **12**, une disposition complémentaire d'un grand intérêt pratique pour les Juifs de la Diaspora qui devaient venir célébrer la Pâque à Jérusalem, Dt **16** 2, et que les nécessités du voyage mettaient en état d'impureté: ils risquaient de manquer la Pâque à cause du temps prescrit pour les purifications.

Ex 12 48+ [14] Si quelque étranger réside parmi vous et célèbre une Pâque pour Yahvé, c'est selon le rituel et
les coutumes de la Pâque qu'il la célébrera. Il n'y
aura chez vous qu'une loi, pour l'étranger comme
pour le citoyen. »

Ex 13 22+; 40 34-38

### La nuée.

[15] Le jour où l'on avait dressé la Demeure, la
Nuée avait couvert la Demeure, la Tente du Rendez-vous. Du soir au matin, elle reposait sur la
Demeure sous l'aspect d'un feu. [16] Ainsi la nuée la
couvrait en permanence, prenant l'aspect d'un feu
jusqu'au matin.
[17] Lorsque la Nuée s'élevait au-dessus de la
Tente, alors les Israélites levaient le camp; au lieu
où la Nuée s'arrêtait, là campaient les Israélites.
[18] Les Israélites partaient sur l'ordre de Yahvé et
sur son ordre ils campaient. Ils campaient aussi
longtemps que la Nuée reposait sur la Demeure.
[19] Si la Nuée restait de longs jours sur la Demeure,
les Israélites rendaient leur culte à Yahvé [a] et ne
partaient pas. [20] Mais s'il arrivait que la Nuée restât peu de jours sur la Demeure, alors ils campaient
sur l'ordre de Yahvé et partaient sur l'ordre de
Yahvé. [21] S'il arrivait que la Nuée, après avoir
reposé du soir au matin, s'élevât au matin, ils partaient alors. Ou bien, elle s'élevait après avoir
séjourné un jour et une nuit, et ils partaient alors.
[22] Ou bien encore elle séjournait deux jours, un
mois ou une année; aussi longtemps que la Nuée
reposait sur la Demeure, les Israélites campaient
sur place, mais lorsqu'elle s'élevait ils partaient.
[23] Sur l'ordre de Yahvé ils campaient, et sur l'ordre
de Yahvé ils partaient. Ils rendaient leur culte à
Yahvé, suivant les ordres de Yahvé transmis par
Moïse.

Jl 2 1, 15s; 1 Th 4 16s; 1 Co 15 52

### Les trompettes.

10 [1] Yahvé parla à Moïse et dit : [2] « Fais-toi deux
trompettes; tu les feras d'argent repoussé.
2 1-34 Elles te serviront à convoquer la communauté et à
donner aux camps le signal du départ. [3] Lorsqu'on
en sonnera, toute la communauté se rassemblera
auprès de toi, à l'entrée de la Tente du Rendez-
1 16 vous. [4] Mais si l'on ne sonne que d'une trompette,
ce sont les princes, chefs des milliers d'Israël, qui
se réuniront auprès de toi.
[5] Lorsque vous accompagnerez d'acclamations [b]
la sonnerie, les camps établis à l'orient partiront.
[6] A la seconde sonnerie accompagnée d'acclamations, les camps établis au midi partiront [c]. Pour
partir, on accompagnera la sonnerie d'acclamations, [7] mais pour rassembler la communauté, on
sonnera sans acclamations. [8] Ce sont les fils
d'Aaron, les prêtres, qui sonneront des trompettes;
c'est pour vous et pour vos descendants un décret
perpétuel.
[9] Lorsque, dans votre pays, vous devrez partir en
guerre contre un ennemi qui vous opprime, vous
sonnerez des trompettes en poussant des acclamations : votre souvenir sera évoqué devant Yahvé
votre Dieu et vous serez délivrés de vos ennemis.
[10] En vos jours de fêtes, solennités ou néoménies,
vous sonnerez des trompettes lors de vos holocaustes et sacrifices de communion, et elles vous rappelleront au souvenir de votre Dieu. Je suis Yahvé Lv 17 1+
votre Dieu. »

### L'ordre de marche.

[11] [d] La seconde année, au second mois, le vingtième jour du mois, la Nuée s'éleva au-dessus de
la Demeure du Rendez-vous. [12] Les Israélites partirent, en ordre de marche, du désert du Sinaï. C'est
au désert de Parân que la Nuée s'arrêta. 2 1-34
[13] Voici ceux qui partirent en tête, sur l'ordre de
Yahvé transmis par Moïse : [14] partit en tête l'étendard du camp des fils de Juda selon leurs unités.
A la tête du contingent de Juda était Nahshôn, fils
d'Amminadab; [15] à la tête du contingent de la tribu
des fils d'Issachar selon leurs unités, était Netanéel,
fils de Çuar; [16] à la tête du contingent de la tribu
des fils de Zabulon selon leurs unités, était Éliab,
fils de Hélôn.
[17] Puis la Demeure fut démontée, alors partirent
les fils de Gershôn et les fils de Merari, qui portaient la Demeure.
[18] Partit ensuite l'étendard du camp des fils de
Ruben selon leurs unités. A la tête de son contingent était Éliçur, fils de Shedéur; [19] à la tête du
contingent de la tribu des fils de Siméon selon leurs
unités, était Shelumiel, fils de Çurishaddaï; [20] à la
tête du contingent de la tribu des fils de Gad selon
leurs unités, était Élyasaph, fils de Réuel.

*a)* Autre traduction : « dociles aux instructions de Yahvé ».
*b)* Le mot hébreu *teru'ah* désigne d'abord un cri religieux et guerrier, v. 9; **31** 6, et cf. Jos **6** 5, 20; Am **1** 14; **2** 2; So **1** 16, etc., appartenant au rituel de l'arche, 1 S **4** 5, cf. 2 S **6** 15. Les étapes du désert sont assimilées à une marche guerrière. L'usage de ces acclamations s'étendit aux fêtes royales, Nb **23** 21; cf. 1 R **1** 34, 40, et religieuses, Lv **25** 9; Nb **29** 1; Ps **33** 3+.
*c)* Le grec et la Vet. Lat. ajoutent ici : « A la troisième sonnerie accompagnée d'acclamations, les camps établis à l'occident partiront. A la quatrième sonnerie accompagnée d'acclamations, les camps établis au nord partiront. »
*d)* Le v. est précédé dans la syr. hex. et le sam. par : « Yahvé dit à Moïse : Vous avez assez séjourné dans cette montagne. Allez-vous en, partez et allez à la montagne des Amorites, et vers tous ses habitants dans la Plaine, la Montagne, le Bas-Pays, le Négeb et le littoral, le pays de Canaan et le Liban jusqu'au grand fleuve, le fleuve de l'Euphrate. Voyez, j'ai mis devant vous ce pays; allez prendre possession de ce pays que j'ai juré à vos pères, Abraham, Isaac et Jacob, de donner à leur descendance après eux. »

21 Partirent alors les fils de Qehat, qui portaient
le sanctuaire (on dressait la Demeure avant leur
arrivée).
22 Partit ensuite l'étendard du camp des fils d'É-
phraïm selon leurs unités. A la tête de son contingent était Élishama, fils d'Ammihud; 23 à la tête du
contingent de la tribu des fils de Manassé selon
leurs unités, était Gamliel, fils de Pedahçur; 24 à la
tête du contingent de la tribu des fils de Benjamin
selon leurs unités, était Abidân, fils de Gidéoni.
25 Partit enfin, à l'arrière-garde de tous les
camps, l'étendard du camp des fils de Dan selon
leurs unités. A la tête de son contingent était Ahiézer, fils d'Ammishaddaï; 26 à la tête du contingent
de la tribu des fils d'Asher selon leurs unités, était
Pagiel, fils d'Okrân; 27 à la tête du contingent des
fils de Nephtali selon leurs unités, était Ahira, fils
d'Énân.
28 Tel fut l'ordre de marche des Israélites, selon
leurs unités. Et ils partirent.

**Proposition de Moïse à Hobab [a].**

Ex **2** 15-22 29 Moïse dit à Hobab, fils de Réuel le Madianite,
son beau-père : « Nous partons pour le pays dont
Yahvé a dit : Je vous le donnerai. Viens avec nous,
et nous te ferons du bien, car Yahvé a promis du Gn **12** 2
bonheur à Israël. » – 30 « Je ne viendrai pas, lui
répondit-il, mais j'irai dans mon pays et dans ma
parenté. » – 31 « Ne nous abandonne pas, reprit
Moïse. Car tu connais les lieux où nous devons
camper dans le désert, et ainsi tu seras nos yeux [b].
32 Si tu viens avec nous, ce bonheur que Yahvé
nous donnera, nous te le donnerons. »

**Le départ.**

33 Ils partirent de la montagne de Yahvé pour
faire trois journées de marche. L'arche de l'alliance
de Yahvé devait les précéder durant ces trois journées de marche, leur cherchant un lieu d'étape. Dt **1** 33
34 [c] Pendant le jour, la Nuée de Yahvé fut au-des- **9** 15-23
sus d'eux, lorsqu'ils furent partis du camp. Ex **40** 34-38
35 Quand l'arche partait, Moïse disait :
« Lève-toi, Yahvé, que tes ennemis se disper- || Ps **68** 2
sent, Is **33** 3
que ceux qui te haïssent fuient devant toi! »
36 Et à l'étape, il disait :
« Reviens, Yahvé,
vers les multitudes des milliers d'Israël [d]. »

# *V. Étapes au désert*

**Tabeéra.**

Dt **9** 22 **11** 1 Or le peuple élevait une lamentation mau-
Ex **14** 11+ vaise aux oreilles de Yahvé, et Yahvé
l'entendit. Sa colère s'enflamma et le feu de Yahvé
s'alluma chez eux [e] : il dévorait une extrémité du
Ex **32** 11+ camp. 2 Le peuple fit appel à Moïse, qui intercéda
auprès de Yahvé, et le feu tomba. 3 On appela donc
ce lieu Tabeéra, parce que le feu de Yahvé s'était
allumé chez eux [f].

|| Ex **16** **Qibrot-ha-Taava [g]. Plaintes du peuple.**

4 Le ramassis de gens qui s'était mêlé au peuple
fut saisi de fringale. Les Israélites eux-mêmes
recommencèrent à pleurer, en disant : « Qui nous
donnera de la viande à manger? 5 Ah! quel souvenir! le poisson que nous mangions pour rien en
Égypte, les concombres, les melons, les laitues, les
oignons et l'ail! 6 Maintenant nous dépérissons, privés de tout; nos yeux ne voient plus que de la
manne! »
7 La manne ressemblait à de la graine de corian- Ex **16** 14
dre et avait l'aspect du bdellium. 8 Le peuple
s'égaillait pour la récolter; puis on la broyait à la
meule ou on l'écrasait au pilon; enfin on la faisait
cuire dans un pot pour en faire des galettes. Elle
avait le goût d'un gâteau à l'huile. 9 Quand la rosée
tombait la nuit sur le camp, la manne y tombait
aussi.

*a)* Ici commencent des récits empruntés non plus au cycle sacerdotal mais au cycle yahviste (avec des insertions élohistes). – Hobab, cf. Ex **2** 17+, est l'un de ces Qénites, Nb **24** 21+, qu'on retrouvera liés aux Judéens et qui dominèrent dans la région d'Hébron, Jg **1** 16; Jos **14** 14.

*b)* Un guide est encore appelé par les Bédouins « l'œil de la caravane ».

*c)* Dans le grec ce v. est placé après le v. 36.

*d)* Ces acclamations à caractère guerrier font partie du rituel de l'arche, cf. aussi **10** 5+, qui avait son rôle dans les combats, 1 S **4** 3s; 2 S **11** 11. D'autre part la sortie d'Égypte et les déplacements du désert ont été représentés comme des campagnes militaires, et l'ont été en partie.

*e)* La colère de Dieu, qui prend le plus souvent la forme d'un châtiment, est un aspect de sa sainteté absolue, Lv **17** 1+, de sa « jalousie », Dt **4** 24+, qui ne tolère aucune résistance à son dessein, en particulier aucune infidélité à l'alliance, **11** 33; **12** 9; Dt **1** 34; **6** 15; **9** 8; 2 Ch **19** 2; Is **5** 25; Na **1** 2; etc. Elle suppose donc la miséricorde, Ex **34** 6+. Sa manifestation totale et définitive est réservée au « Jour », Am **5** 18+; So **1** 15; cf. Dn **8** 19; Mt **3** 7; Ap **19** 15+.

*f)* Ce nom semble signifier « lieu de pâturage », mais l'auteur l'a rattaché à une racine analogue qui signifie « brûler ».

*g)* Le récit **11** 4-34 combine deux traditions, l'une sur la manne et les cailles, vv. 4-13; 18-24[a]; 31-34, et l'autre sur le don de l'Esprit aux anciens, vv. 14-17; 24[b]-30. L'épisode de la manne et des cailles est situé par l'Exode entre le départ d'Égypte et l'arrivée au Sinaï, cf. Ex **16** 1+. Il est placé ici sur le chemin de Cadès, cf. **13** 26. Dans les deux cas, des éléments de traditions diverses ont été groupés dans un cadre géographique artificiel.

Ex 32 11+ **Intercession de Moïse.**

10 Moïse entendit pleurer le peuple, chaque
famille à l'entrée de sa tente. La colère de Yahvé
s'enflamma d'une grande ardeur. Moïse en fut très
affecté, 11 et il dit à Yahvé :
Ex 3 11; 4 1; « Pourquoi fais-tu du mal à ton serviteur? Pour-
5 22 quoi n'ai-je pas trouvé grâce à tes yeux, que tu
m'aies imposé la charge de tout ce peuple?
12 Est-ce moi qui ai conçu tout ce peuple, est-ce
moi qui l'ai enfanté, que tu me dises : " Porte-le sur
ton sein, comme la nourrice porte l'enfant à la
mamelle, au pays que j'ai promis par serment à ses
pères "? 13 Où trouverais-je de la viande à donner
à tout ce peuple, quand ils m'obsèdent de leurs larmes en disant : " Donne-nous de la viande à
Ex 18 18 manger "? 14 Je ne puis, à moi seul, porter tout ce
Dt 19 11 1 R 3 9 peuple : c'est trop lourd pour moi. 15 Si tu veux me
1 R 19 4 traiter ainsi, tue-moi plutôt! Ah! si j'avais trouvé
grâce à tes yeux, que je ne voie plus mon malheur! »

**La réponse de Yahvé.**

Ex 18 21-26 16 Yahvé dit à Moïse : « Rassemble-moi soixante-dix des anciens d'Israël, que tu sais être des
Jos 1 10 anciens et des scribes du peuple. Tu les amèneras
à la Tente du Rendez-vous, où ils se tiendront avec
toi. 17 Je descendrai parler avec toi; mais je pren-
2 R 2 9 drai de l'Esprit qui est sur toi pour le mettre sur
eux. Ainsi ils porteront avec toi la charge de ce
peuple et tu ne seras plus seul à le porter.
Ex 19 10 18 A ce peuple tu diras : Sanctifiez-vous pour
demain, et vous mangerez de la viande, puisque
vous avez pleuré aux oreilles de Yahvé, en disant :
" Qui nous donnera de la viande à manger? Nous
étions heureux en Égypte! " Eh bien! Yahvé vous
donnera de la viande à manger. 19 Vous n'en mangerez pas un jour seulement, ou deux ou cinq ou
dix ou vingt, 20 mais bien tout un mois, jusqu'à ce
qu'elle vous sorte par les narines et vous soit en
dégoût, puisque vous avez rejeté Yahvé qui est au
milieu de vous et que vous avez pleuré devant lui
en disant : Pourquoi donc être sortis d'Égypte? »
1 46 21 Moïse dit : « Le peuple où je suis compte six
cent mille hommes de pied, et tu dis : Je leur donnerai de la viande à manger pendant tout un mois!
Jn 6 7,9 22 Si l'on égorgeait pour eux petit et gros bétail, en
auraient-ils assez? Si l'on ramassait pour eux tous
les poissons de la mer, en auraient-ils assez? »
23 Yahvé répondit à Moïse : « Le bras de Yahvé Is 50 2;
serait-il si court? Tu vas voir si la parole que je t'ai 59 1 Jr 32 17
dite s'accomplit ou non. » Ez 12 25; 24 14

**Effusion de l'Esprit.**

24 Moïse sortit pour dire au peuple les paroles de
Yahvé. Puis il réunit soixante-dix anciens du peuple et les plaça autour de la Tente. 25 Yahvé descendit dans la nuée. Il lui parla, et prit de l'Esprit qui 12 7+
reposait sur lui pour le mettre sur les soixante-dix 1 S 10 9-13; 19 20-24
anciens. Quand l'Esprit reposa sur eux ils prophéti- 2 R 2 9
sèrent, mais ils ne recommencèrent pas [a].
26 Deux hommes étaient restés au camp; l'un
s'appelait Eldad et l'autre Médad. L'Esprit reposa
sur eux; bien que n'étant pas venus à la Tente, ils
comptaient parmi les inscrits. Ils se mirent à prophétiser dans le camp. 27 Un jeune homme courut
l'annoncer à Moïse : « Voici Eldad et Médad, dit-il,
qui prophétisent dans le camp. » 28 Josué, fils de Jos 1 1+
Nûn, qui depuis sa jeunesse servait Moïse, prit la
parole et dit : « Moïse, Monseigneur, empêche- Mc 9 38s
les! » 29 Moïse lui répondit : « Serais-tu jaloux
pour moi? Ah! puisse tout le peuple de Yahvé être Jl 3 1-2
prophète, Yahvé leur donnant son Esprit! » 30 Puis Ac 2
Moïse regagna le camp, et avec lui les anciens
d'Israël.

**Les cailles.**

31 Envoyé par Yahvé, un vent se leva qui, venant
de la mer, entraîna des cailles et les précipita sur Ex 16 12-13
le camp. Il y en avait aussi loin qu'un jour de marche, de part et d'autre du camp, et sur une épaisseur de deux coudées au-dessus du sol. 32 Le peuple
fut debout tout le jour, toute la nuit et le lendemain
pour ramasser des cailles : celui qui en ramassa le
moins en eut dix muids; puis ils les étalèrent autour
du camp. 33 La viande était encore entre leurs
dents, elle n'était pas encore mâchée, que la colère
de Yahvé s'enflamma contre le peuple. Yahvé le
frappa d'une très grande plaie.
34 On donna à ce lieu le nom de Qibrot-ha- Dt 9 22
Taava [b], car c'est là qu'on enterra les gens qui
s'étaient abandonnés à leur fringale.
35 De Qibrot-ha-Taava, le peuple partit pour
Haçérot, et on campa à Haçérot.

**Miryam et Aaron contre Moïse [c].**

12 1 Miryam, ainsi qu'Aaron, parla contre Moïse Ex 15 20
à cause de la femme kushite qu'il avait prise. Nb 20 1

*a)* Ils ne reçoivent le don prophétique que d'une façon temporaire. Mais on peut aussi traduire (Vulg.) « sans pouvoir s'arrêter ».
*b)* Ce pourrait être un nom géographique authentique signifiant « les sépulcres des Taava » (nom de tribu?), qu'il est d'ailleurs impossible de localiser. Ce qui est certain, c'est que la tradition l'a compris comme « les sépulcres de la convoitise », d'après le contenu du récit.
*c)* Le récit semble de tradition élohiste; il est plus ou moins retouché dans un sens sacerdotal.

Car il avait épousé une femme kushite[a]. 2 Et ils
Ex 4 15-16 dirent : « Yahvé ne parlerait-il donc qu'à Moïse?
N'a-t-il pas parlé à nous aussi? » Yahvé entendit.
Ex 3 11; 4 10 3 Or Moïse était un homme très humble, l'homme
Si 45 4 le plus humble que la terre ait porté.

**Réponse divine.**

4 Soudain, Yahvé dit à Moïse, à Aaron et à
Miryam : « Venez-vous-en tous les trois à la Tente
du Rendez-vous. » Ils allèrent tous trois, 5 et Yahvé
Ex 13 22+ descendit dans une colonne de nuée et se tint à l'entrée de la Tente. Il appela Aaron et Miryam; tous
deux s'avancèrent. 6 Yahvé dit : « Écoutez donc
mes paroles :

S'il y a parmi vous un prophète[b],
c'est en vision que je me révèle à lui,
c'est dans un songe que je lui parle.
7 Il n'en est pas ainsi de mon serviteur Moïse[c],
↗ He 3 2-5 toute ma maison lui est confiée.
Ex 33 11+ 8 Je lui parle face à face
1 Co 13 12 dans l'évidence, non en énigmes,
Ex 33 20+ et il voit la forme de Yahvé[d].

Pourquoi avez-vous osé parler contre mon serviteur Moïse? »

9 La colère de Yahvé s'enflamma contre eux. Il
partit 10 et la nuée quitta la tente. Voilà que
Dt 24 9 Miryam était devenue lépreuse, blanche comme
2 Ch 26 20 neige. Aaron se tourna vers elle : elle était devenue
lépreuse[e].

Ex 32 11+ **Intercession d'Aaron et de Moïse.**

11 Aaron dit à Moïse :

« A moi, Monseigneur! Veuille ne pas nous infliger la peine du péché que nous avons eu la folie
de commettre et dont nous sommes coupables. 12 Je
t'en prie, qu'elle ne soit pas comme l'avorton dont
la chair est à demi rongée lorsqu'il sort du sein de
sa mère! »

13 Moïse implora Yahvé : « O Dieu, dit-il, daigne
la guérir, je t'en prie! »

14 Yahvé dit alors à Moïse : « Et si son père lui
crachait au visage, ne serait-elle pas sept jours dans Lv 13 4-6
la honte? Qu'elle soit pendant sept jours séquestrée
hors du camp, et qu'elle y soit admise ensuite à
nouveau[f]. »

15 Miryam fut séquestrée pendant sept jours hors
du camp. Le peuple ne partit pas avant sa rentrée.
16 Puis le peuple partit de Haçérot, et alla camper
dans le désert de Parân.

**Reconnaissance en Canaan[g].** || Dt 1 20-29

13 1 Yahvé parla à Moïse et dit : 2 « Envoie des
hommes, un par tribu, pour reconnaître le
pays de Canaan, que je donne aux Israélites. Vous
enverrez tous leurs princes. »

3 Sur l'ordre de Yahvé, Moïse les envoya du
désert de Parân. Ces hommes étaient tous chefs des
Israélites. 4 En voici les noms[h] :

Pour la tribu de Ruben, Shammua, fils de
Zakkur;
5 pour la tribu de Siméon, Shaphat, fils de Hori;
6 pour la tribu de Juda, Caleb, fils de
Yephunné;
7 pour la tribu d'Issachar, Yigéal, fils de
Yoseph;
8 pour la tribu d'Éphraïm, Hoshéa, fils de Nûn;
9 pour la tribu de Benjamin, Palti, fils de
Raphu;
10 pour la tribu de Zabulon, Gaddiel, fils de
Sodi;
11 pour la tribu de Joseph, pour la tribu de
Manassé, Gaddi, fils de Susi;
12 pour la tribu de Dan, Ammiel, fils de Gemalli;
13 pour la tribu d'Asher, Setur, fils de Mikaël;
14 pour la tribu de Nephtali, Nahbi, fils de
Vaphsi;
15 pour la tribu de Gad, Géuel, fils de Maki.

16 Tels sont les noms des hommes que Moïse
envoya reconnaître le pays. Puis Moïse donna à
Hoshéa, fils de Nûn, le nom de Josué[i]. Jos 1 1+

*a)* D'apres le sens ordinaire de Kush, elle serait une Éthiopienne; mais en Ha 3 7, Kushân est nommé avec Madiân. Le mariage kushite de Moïse doit être une variante de la tradition du mariage madianite, cf. Ex 2 18+, et cette femme serait Çippora.

*b)* « Yahvé dit... s'il y a parmi vous un prophète » conj., cf. Vulg.; « Il dit... si (il y a) votre prophète, Yahvé » hébr.

*c)* Cela répond à la plainte d'Aaron et de Miryam, v. 2 : au mode ordinaire du prophétisme, v. 6 (Miryam est elle-même une prophétesse, Ex 15 20), Dieu oppose l'intimité qu'il a avec Moïse, cf. Ex 33 11+ et 33 20+. D'autres ont reçu par exception une part de son esprit, 11 25. Sans doute, après la mort de Moïse, Dieu suscitera une lignée de prophètes, Dt 18 15, 18+, mais Moïse restera le plus grand, Dt 34 10, jusqu'à Jean-Baptiste, le Précurseur de la Nouvelle Alliance, Mt 11 9-11p.

*d)* Au lieu de « forme », grec et syr. ont « gloire ».

*e)* Miryam seule est punie, bien qu'Aaron se reconnaisse lui-même aussi coupable qu'elle, v.11. Peut-être Aaron était-il puni lui aussi dans la forme primitive du récit, que la tradition sacerdotale aurait modifié.

*f)* Au lieu de « admise à nouveau », le grec a « purifiée ».

*g)* Les ch. 13-14 sont composites. La tradition sacerdotale est facile à délimiter : elle comporte la liste des émissaires, vv. 1-6; le v. 21 (reconnaissance de tout le pays, en contradiction avec les vv. 18 et 22); les vv. 25-26; 32-33; 14 1-3; 5-10 (addition de Josué à Caleb, cf. v. 30) et 26-38. Le reste appartient à la tradition ancienne, yahviste et élohiste. – Les autres textes concernant cette reconnaissance de Canaan par Caleb, 32 6-15; Dt 1 19-46; Jos 14 6-14 (cf. 6 1+) dépendent de celui-ci qui garde le souvenir historique de la pénétration du groupe calébite en Palestine sans le détour par la Transjordanie. Sur les vv. 39-45, cf. 39+.

*h)* Cette liste, commençant par Ruben, doit être rapprochée de celle du ch. 1; mais les noms sont différents; plusieurs ont été portés par des contemporains de David.

*i)* C'est-à-dire « Yahvé sauve ».

17 Moïse les envoya reconnaître le pays de
Canaan [a] : « Montez au Négeb, montez ensuite
dans la montagne. 18 Voyez ce qu'est le pays; ce
qu'est le peuple qui l'habite, fort ou faible, clair-
semé ou nombreux; 19 ce qu'est le pays où il habite,
bon ou mauvais; ce que sont les villes où il habite,
camps ou villes fortifiées; 20 ce qu'est le pays, fertile
ou pauvre, boisé ou non. Ayez bon courage. Prenez
des produits du pays. »
C'était l'époque des premiers raisins. 21 Ils montèrent reconnaître le pays, depuis le désert de Çin
jusqu'à Rehob, l'Entrée de Hamat [b]. 22 Ils montèrent par le Négeb et parvinrent à Hébron, où se
trouvaient Ahimân, Sheshaï et Talmaï, les Anaqim.
(Hébron avait été fondée sept ans avant Tanis
d'Égypte.) 23 Ils parvinrent au val d'Eshkol; ils y
Dt **1** 25 coupèrent un sarment et une grappe de raisin qu'ils
emportèrent à deux, sur une perche, ainsi que des
grenades et des figues. 24 On appela ce lieu val
d'Eshkol, à cause de la grappe qu'y avaient coupée
les Israélites [c].

Dt **1** 25s **Le rapport des envoyés.**

25 Au bout de quarante jours, ils revinrent de
cette reconnaissance du pays. 26 Ils allèrent trouver
Moïse, Aaron, et toute la communauté d'Israël,
dans le désert de Parân, à Cadès [d]. Ils leur firent
leur rapport, ainsi qu'à toute la communauté, et
leur montrèrent les produits du pays.
27 Ils leur firent ce récit : « Nous sommes allés
dans le pays où tu nous as envoyés. En vérité, il
Ex 3 8 ruisselle de lait et de miel; en voici les produits.
28 Toutefois, le peuple qui l'habite est puissant; les
villes sont fortifiées, très grandes; nous y avons
même vu des descendants d'Anaq. 29 Les Amalécites occupent la région du Négeb; les Hittites, les
Jébuséens et les Amorites, la montagne; les Cananéens, le bord de la mer et les rives du Jourdain. »
30 Caleb harangua le peuple assemblé près de
Moïse : « Il faut marcher, disait-il, et conquérir ce
pays : nous en sommes capables. » 31 Mais les hommes qui l'avaient accompagné répondirent : « Nous
ne pouvons pas marcher contre ce peuple, car il est
plus fort que nous. » 32 Et ils se mirent à décrier
devant les Israélites le pays qu'ils avaient été
reconnaître : « Le pays que nous sommes allés
reconnaître est un pays qui dévore ses habitants.
Tous ceux que nous y avons vus sont des hommes
de haute taille. 33 Nous y avons aussi vu des géants
(les fils d'Anaq, descendance des Géants). Nous Dt **1** 28+
nous faisions l'effet de sauterelles, et c'est bien
aussi l'effet que nous leur faisions. »

**Révolte d'Israël.** || Dt **1** 26-32

**14** 1 Alors toute la communauté éleva la voix; ils
poussèrent des cris; et cette nuit-là le peuple
pleura. 2 Tous les Israélites murmurèrent contre Ex **14** 11+
Moïse et Aaron, et la communauté tout entière leur
dit : « Que ne sommes-nous morts au pays
d'Égypte! Que ne sommes-nous morts du moins en
ce désert! 3 Pourquoi Yahvé nous mène-t-il en ce
pays pour nous faire tomber sous l'épée, pour livrer
en butin nos femmes et nos enfants? Ne vaudrait-il
pas mieux retourner en Égypte? » 4 Et ils se
disaient l'un à l'autre : « Donnons-nous un chef et
retournons en Égypte. »
5 Devant toute la communauté assemblée des
Israélites, Moïse et Aaron tombèrent la face contre
terre. 6 De ceux qui avaient exploré le pays, Josué,
fils de Nûn, et Caleb, fils de Yephunné, déchirèrent
leurs vêtements. 7 Ils dirent à toute la communauté
des Israélites : « Le pays que nous sommes allés
reconnaître est un bon, un très bon pays. 8 Si Yahvé
nous est favorable, il nous fera entrer en ce pays
et nous le donnera. C'est une terre qui ruisselle de
lait et de miel. 9 Mais ne regimbez pas contre
Yahvé. Et n'ayez pas peur, vous, du peuple de ce
pays, car nous n'en ferons qu'une bouchée. Leur
ombre protectrice [e] les a quittés, tandis que Yahvé
est avec nous. N'en ayez donc pas peur. »

**Colère de Yahvé et intercession de Moïse.** Ex **32** 7-14

10 La communauté tout entière parlait de les lapider quand la gloire de Yahvé apparut, dans la
Tente du Rendez-vous, à tous les Israélites. 11 Et
Yahvé dit à Moïse :
« Jusques à quand ce peuple va-t-il me mépriser?
Jusques à quand refusera-t-il de croire en moi, malgré les signes que j'ai produits chez lui? 12 Je vais Ex **32** 10
le frapper de la peste, je le déposséderai. Mais de
toi, je ferai une nation, plus grande et plus puis- Gn **12** 2
sante que lui. »
13 Moïse répondit à Yahvé :
« Mais les Égyptiens ont appris que, par ta propre force, tu as fait sortir de chez eux ce peuple.
14 Ils l'ont dit aux habitants de ce pays. Ils ont

*a)* Comparer les explorateurs envoyés par Josué, Jos **2** 1, et ceux envoyés par les Danites, Jg **18**. Cf. aussi Nb **21** 32; Jos **7** 2; Jg **1** 23.

*b)* L'extrême nord de la Terre Promise, voir note sur le ch. **34** et Jg **20** 1. Au v. 22, l'expédition s'arrête aux environs d'Hébron.

*c) Eshkol* signifie « grappe ». Ce val est proche d'Hébron.

*d)* Non pas une ville ou un point précis, mais une région; il s'agit de la principale oasis du nord du Sinaï, à 75 km au sud-ouest de Bersabée. Le nom est conservé par la source d'Ayn Qedeis. De tout temps, cette oasis fut une étape pour les caravanes.

*e)* Désignation des divinités, qui les oppose à l'ardeur redoutable du soleil. – Au lieu de « ombre protectrice », le grec a « époque (favorable) ».

Ex 33 14s; appris que toi, Yahvé, tu es au milieu de ce peuple,
34 9-10 à qui tu te fais voir face à face; que c'est toi, Yahvé,
dont la nuée se tient au-dessus d'eux; que tu mar-
9 15-23 ches devant eux le jour dans une colonne de nuée,
Ex 13 21-22 la nuit dans une colonne de feu. 15 Si tu fais périr
ce peuple comme un seul homme, les nations qui
ont entendu parler de toi s'en vont dire : 16 “ Yahvé
n'a pas pu faire entrer ce peuple dans le pays qu'il
lui avait promis par serment, aussi l'a-t-il massacré
au désert. ” 17 Non, que maintenant ta force, mon
|| Ex 34 6-7+ Seigneur, se déploie! Selon ta parole : 18 “ Yahvé
est lent à la colère et riche en bonté, il tolère faute
et transgression, mais il ne laisse rien impuni, lui
qui châtie la faute des pères sur les enfants jusqu'à
la troisième et la quatrième génération. ”
19 Pardonne donc la faute de ce peuple selon la
grandeur de ta bonté, tout comme tu l'as traité
depuis l'Égypte jusqu'ici. »

|| Dt 1 34-40 **Pardon et châtiment.**

20 Yahvé dit : « Je lui pardonne, comme tu l'as
Is 6 3; 11 9 dit. 21 Mais – je suis vivant! et la gloire de Yahvé
Ha 3 3 Ps 57 6; remplit toute la terre! – 22 tous ces hommes qui ont
72 19 vu ma gloire et les signes que j'ai produits en
Ex 24 16+ Égypte et au désert, ces hommes qui m'ont déjà dix
↗ He 3 16-19 fois mis à l'épreuve sans obéir à ma voix, 23 ne verront pas le pays que j'ai promis par serment à leurs
pères. Aucun de ceux qui me méprisent ne le verra.
24 Mais mon serviteur Caleb, puisqu'un autre esprit
l'a animé et qu'il m'a parfaitement obéi, je le ferai
entrer dans le pays où il est allé, et sa descendance
le possédera. 25 (Les Amalécites et les Cananéens
habitent dans la plaine.) Demain, faites demi-tour
et retournez au désert, dans la direction de la mer
de Suph. »

26 Yahvé parla à Moïse et à Aaron [a]. Il dit :

27 « Jusques à quand cette communauté perverse
qui murmure contre moi? J'ai entendu les plaintes
que murmurent contre moi les Israélites.
28 Dis-leur : Par ma vie – oracle de Yahvé – je
vous traiterai selon les paroles mêmes que vous
avez prononcées à mes oreilles. 29 Vos cadavres
1 18s tomberont dans ce désert, vous tous les recensés,
vous tous qu'on a dénombrés depuis l'âge de vingt
ans et au-dessus, vous qui avez murmuré contre
moi. 30 Je jure que vous n'entrerez pas dans ce pays
où, levant la main, j'avais fait serment de vous établir. Mais c'est Caleb, fils de Yephunné, c'est
Josué, fils de Nûn, 31 ce sont vos petits enfants dont
vous avez dit qu'ils seraient livrés en butin, ce sont
eux que j'y ferai entrer et qui connaîtront le pays
que vous avez dédaigné. 32 Pour vous, vos cadavres
tomberont dans ce désert, 33 et vos fils seront
nomades dans le désert pendant quarante ans, portant le poids de votre infidélité, jusqu'à ce que vos
cadavres soient au complet dans le désert. 34 Vous
avez reconnu le pays pendant quarante jours.
Chaque jour vaut une année : quarante ans vous
porterez le poids de vos fautes, et vous saurez ce
que c'est que m'abandonner [b]. 35 J'ai parlé, moi,
Yahvé; c'est ainsi que je traiterai toute cette
communauté perverse réunie contre moi. Dans ce
désert même il n'en manquera pas un, c'est là qu'ils
mourront. »

36 Ces hommes que Moïse avait envoyés
reconnaître le pays et qui, à leur retour, avaient
excité toute la communauté d'Israël à murmurer
contre lui en décriant le pays, 37 ces hommes qui
décriaient malignement le pays furent frappés de
mort devant Yahvé. 38 Des hommes qui étaient
allés reconnaître le pays, seuls Josué, fils de Nûn,
et Caleb, fils de Yephunné, restèrent en vie.

**Vaine tentative des Israélites [c].** 20 12+ Dt 1 41-45

39 Moïse rapporta ces paroles à tous les Israélites
et le peuple fit de grandes lamentations. 40 Puis,
s'étant levés de bon matin, ils montèrent vers le
sommet de la montagne, en disant : « Nous voici
qui montons vers ce lieu, à propos duquel Yahvé
a dit que nous avions péché. » 41 Moïse répondit :
« Pourquoi transgressez-vous l'ordre de Yahvé?
Cela ne réussira pas. 42 Ne montez point, car
Yahvé n'est pas au milieu de vous; ne vous faites
pas battre par vos ennemis. 43 Oui, les Amalécites
et les Cananéens sont là en face de vous, et vous
tomberez sous l'épée, parce que vous vous êtes
détournés de Yahvé et que Yahvé n'est pas avec
vous. » 44 Ils montèrent pourtant, dans leur présomption, au sommet de la montagne. Ni l'arche
de l'alliance de Yahvé ni Moïse ne quittèrent le 10 35
camp. 45 Les Amalécites et les Cananéens qui habi- Ex 17 8+
taient cette montagne descendirent, les battirent et
les taillèrent en pièces jusqu'à Horma [d]. Jg 1 17

*a)* Les vv. 26-38 sont parallèles aux vv. 11-25, mais rédigés dans l'esprit du récit sacerdotal pour lequel le peuple élu est une communauté dénombrée.

*b)* Ou bien : « ce que c'est que ma disgrâce ».

*c)* Conclusion théologique de ce long récit : Israël presque arrivé à la Terre Promise manque de foi et veut retourner en Égypte; puis, contre la volonté divine, il attaque sans que l'arche de Yahvé soit au milieu de lui. C'est l'inversion des thèmes de l'exode et de la guerre sainte : Israël est battu et rejeté au désert; cela explique qu'il lui faille faire ce long détour par la Transjordanie. Ce récit veut intégrer une tradition particulière à Caleb (pénétration en Canaan par le sud) dans la tradition devenue commune à tout Israël (pénétration par l'est). Il utilise un épisode différent relatif à Horma, cf. v. 45.

*d)* Probablement Tell el-Meshash, à l'est de Bersabée, 85 km au nord de Cadès et à la limite du pays montagneux. Comme les Israélites étaient arrivés « au sommet de la montagne », v. 44, ils avaient dépassé Horma jusqu'où ils sont rejetés. Ils avaient donc déjà conquis cette ville, cf. 21 1+.

# *VI. Ordonnances sur les sacrifices. Pouvoirs des prêtres et des lévites*[a]

Ex 29 40s Lv 23 18 Lv 2 1-10 **L'oblation conjointe aux sacrifices.**

15 [1] Yahvé parla à Moïse et dit : [2] « Parle aux
Israélites, tu leur diras :

Quand vous serez entrés dans le pays où vous
demeurerez et que je vous donne, [3] si vous consu-
mez des viandes pour Yahvé en holocauste ou en
sacrifice, soit pour accomplir un vœu, soit à titre
d'offrande spontanée, soit à l'occasion de vos
solennités, – faisant ainsi de votre gros ou petit
bétail un parfum d'apaisement pour Yahvé, – [4] l'offrant apportera, pour son offrande personnelle à
Yahvé, une oblation d'un dixième de fleur de
farine, pétrie avec un quart de setier d'huile. [5] Tu
feras une libation de vin d'un quart de setier par
agneau, en plus de l'holocauste ou du sacrifice.
[6] Pour un bélier, tu feras une oblation de deux
dixièmes de fleur de farine, pétrie avec un tiers de
setier d'huile, [7] et une libation de vin d'un tiers de
setier, que tu offriras en parfum d'apaisement pour
Yahvé. [8] Si c'est un taureau que tu offres en holocauste ou en sacrifice, pour accomplir un vœu ou
comme sacrifice de communion pour Yahvé, [9] on
offrira en plus de la bête une oblation de trois dixièmes de fleur de farine, pétrie avec un demi-setier
d'huile, [10] et tu offriras une libation de vin d'un
demi-setier, comme mets consumé en parfum
d'apaisement pour Yahvé. [11] Ainsi fera-t-on pour
chaque taureau, chaque bélier ou chaque tête de
petit bétail, mouton ou chèvre. [12] Selon le nombre
des victimes que vous aurez à immoler, vous ferez
de même pour chacune d'elles, autant qu'il y en
aura.

[13] Ainsi fera tout homme de votre peuple, quand
il offrira un mets consumé en parfum d'apaisement
pour Yahvé. [14] Et si quelque étranger réside avec
vous, ou avec vos descendants, il offrira un mets
consumé, en parfum d'apaisement pour Yahvé :
comme vous faites, ainsi fera [15] l'assemblée. Il n'y
Ex 12 48+ aura qu'une seule loi pour vous et pour l'étranger.
C'est une loi perpétuelle pour vos descendants :
Lv 17 13; devant Yahvé il en sera de vous comme de
24 22 Nb 9 14; l'étranger. [16] Il n'y aura qu'une loi et qu'un droit
15 29s pour vous et pour l'étranger qui réside chez vous. »

**Les prémices du pain.**

[17] Yahvé parla à Moïse et dit : [18] « Parle aux
Israélites, tu leur diras :

Quand vous serez entrés dans le pays où je vous
conduis, [19] vous devrez faire un prélèvement pour
Yahvé lorsque vous mangerez du pain de ce pays.
[20] Comme prémices de vos huches vous prélèverez
un gâteau; vous ferez ce prélèvement comme celui
que l'on fait sur l'aire. [21] Vous donnerez à Yahvé
un prélèvement sur le meilleur de vos huches. Ceci
concerne vos descendants.

**Expiation des fautes d'inadvertance.** Lv 4

[22] « Si vous manquez par inadvertance à quelqu'un de ces commandements que Yahvé a énoncés
à Moïse [23] (tout ce que Yahvé vous a ordonné par
l'intermédiaire de Moïse, depuis le jour où il a
ordonné tout cela, et pour vos générations), [24] il en
sera ainsi :

Si c'est à la communauté que l'inadvertance a
échappé, la communauté tout entière fera l'holocauste d'un jeune taureau en parfum d'apaisement
pour Yahvé, avec l'oblation et la libation conjointes selon la règle, et elle offrira un bouc en sacrifice
pour le péché. [25] Le prêtre fera le rite d'expiation
sur toute la communauté des Israélites, et il leur
sera pardonné, puisque c'est une inadvertance.
Quand ils auront apporté leur offrande, en mets
consumé pour Yahvé, et présenté devant Yahvé
leur sacrifice pour le péché, pour réparer leur inadvertance, [26] il sera pardonné à toute la communauté des Israélites, et aussi à l'étranger qui réside
parmi eux, puisque le peuple entier a agi par inadvertance.

[27] Si c'est une seule personne qui a péché par
inadvertance, elle offrira, en sacrifice pour le péché,
un chevreau d'un an. [28] Le prêtre fera devant Yahvé
le rite d'expiation sur la personne qui s'est four-
voyée par ce péché d'inadvertance; en accomplissant sur elle le rite d'expiation, il lui sera pardonné,
[29] qu'il s'agisse d'un citoyen d'entre les Israélites ou
d'un étranger en résidence parmi eux. Il n'y aura

*a)* Retour à la tradition sacerdotale. La partie essentielle de cette section consiste dans le récit des révoltes de Coré, Datân et Abiram, qui souligne l'origine divine de l'autorité dans la communauté et la prééminence d'Aaron. D'autres lois et épisodes connexes y ont été ajoutés.

chez vous qu'une loi pour celui qui agit par inadvertance.
30 Mais celui qui agit délibérément, qu'il soit
citoyen ou étranger, c'est Yahvé qu'il outrage. Un
tel individu sera retranché du milieu de son peuple : 31 il a méprisé la parole de Yahvé et enfreint
son commandement. Cet individu devra être supprimé, sa faute est en lui [a]. »

Ex **20** 8+; **Violation du sabbat.**

**31** 12-17; **35** 1-3 32 Alors que les Israélites étaient dans le désert,
on surprit un homme qui ramassait du bois le jour
du sabbat. 33 Ceux qui l'avaient surpris à ramasser
du bois l'amenèrent à Moïse, à Aaron et à toute la
Lv **24** 12 communauté. 34 On le mit sous bonne garde, car le
traitement qu'il devait subir n'avait pas encore été
fixé. 35 Yahvé dit à Moïse : « Cet homme doit être
mis à mort. Que toute la communauté le lapide
hors du camp. » 36 Toute la communauté le fit sortir du camp et le lapida jusqu'à ce que mort
s'ensuivît, comme Yahvé l'avait ordonné à Moïse.

Dt **22** 12 **Les houppes des vêtements.**

37 Yahvé parla à Moïse et dit : 38 « Parle aux
Israélites; tu leur diras, pour leurs générations, de
Mt **9** 20; se faire des houppes aux pans de leurs vêtements
**23** 5 et de mettre un fil de pourpre violette à la houppe
du pan [b]. 39 Vous aurez donc une houppe, et sa vue
vous rappellera tous les commandements de
Yahvé. Vous les mettrez alors en pratique, sans
plus suivre les désirs de vos cœurs et de vos yeux,
qui vous ont conduits à vous prostituer.
40 Ainsi vous vous rappellerez tous mes
commandements, vous les mettrez en pratique, et
vous serez des consacrés pour votre Dieu. 41 C'est
moi Yahvé, votre Dieu, qui vous ai fait sortir du
pays d'Égypte, afin d'être Dieu pour vous, moi
Yahvé votre Dieu. »

Lv **10** 1-3 **Révolte de Coré, Datân et Abiram [c].**

**106** 16-18; Si **45** 18-20; Jude 11 **16** 1 Coré, fils de Yiçhar, fils de Qehat, fils de
Lévi, Datân et Abiram, fils d'Éliab, et On, fils
de Pélèt (Éliab et Pélèt étaient fils de Ruben) furent
orgueilleux [d]; 2 ils se dressèrent contre Moïse, ainsi
que deux cent cinquante des Israélites, princes de
la communauté, considérés dans les solennités,
hommes de renom. 3 Ils s'attroupèrent alors contre
Moïse et Aaron en leur disant : « Vous passez la
mesure! C'est toute la communauté, ce sont tous
ses membres qui sont consacrés, et Yahvé est au Ex **19** 6 +
milieu d'eux. Pourquoi vous élevez-vous au-dessus Is **61** 6
de la communauté de Yahvé? »
4 Moïse, l'ayant entendu, tomba face contre
terre. 5 Puis il dit à Coré et à tout son groupe :
« Demain matin, Yahvé fera connaître qui est à lui,
qui est l'homme consacré qu'il laissera approcher
de lui. Celui qu'il fera approcher de lui, c'est celui-
là qu'il choisit. 6 Voici ce que vous ferez : prenez
les encensoirs de Coré et de tout son groupe,
7 mettez-y du feu et, demain, déposez dessus de
l'encens devant Yahvé. Celui que choisira Yahvé,
c'est lui l'homme consacré. Vous passez la mesure,
fils de Lévi! »
8 Moïse dit à Coré : « Écoutez donc, fils de Lévi!
9 Est-ce trop peu pour vous que le Dieu d'Israël
vous ait distingués de la communauté d'Israël, vous **3** 45;
appelant auprès de lui pour faire le service de la **8** 14-19
Demeure de Yahvé, vous plaçant en face de cette
communauté quand vous officiez pour elle? 10 Il t'a
appelé auprès de lui, toi et avec toi tous tes frères
les Lévites, et vous voulez en plus être prêtres!
11 C'est donc contre Yahvé que vous vous êtes
ligués, toi et ton groupe : qu'est donc Aaron, pour
que vous murmuriez contre lui? »
12 Moïse envoya appeler Datân et Abiram, fils
d'Éliab. Ils répondirent : « Nous ne viendrons pas.
13 N'est-ce pas assez de nous avoir fait quitter une
terre qui ruisselle de lait et de miel [e] pour nous faire Ex **3** 8+
mourir en ce désert, que tu veuilles encore t'ériger
en prince sur nous? 14 Ah! ce n'est pas une terre
qui ruisselle de lait et de miel où tu nous as
conduits, et tu ne nous as pas donné en héritage
champs et vergers! Penses-tu rendre ces gens aveugles? Nous ne viendrons pas. » 15 Moïse entra dans
une violente colère, et il dit à Yahvé : « Ne prends
pas garde à leur oblation. Je ne leur ai pas pris un 1 S **12** 3-5
âne, et je n'ai fait de tort à aucun d'eux. »

**Le châtiment.**

16 Moïse dit à Coré : « Toi et tout ton groupe,
venez demain vous mettre en présence de Yahvé,
toi et eux, ainsi qu'Aaron. 17 Que chacun prenne

*a)* Loi fort importante qui semble exclure toute rémission en cas de faute délibérée (litt. « à main haute »). Mais l'analyse de l'acte volontaire n'est pas encore très poussée.

*b)* La houppe avec un fil de pourpre (laquelle joue un rôle important dans les étoffes cultuelles) doit rappeler le caractère sacré de la communauté. Dans les reproductions antiques du costume palestinien, et d'après Dt **22** 12, ces houppes garnissent le pan tout entier. A l'époque juive on n'en mettra plus guère qu'aux coins. Le Christ se conformera à l'usage, Mt **9** 20, mais reprochera de le pratiquer avec affectation, Mt **23** 5. – Les vv. 37-41 forment la dernière partie de la prière du *Shema*, Dt **6** 4+.

*c)* La plupart des critiques admettent qu'il y a dans ces ch. deux récits parallèles imbriqués l'un dans l'autre. L'un (yahviste ou élohiste, vv. 1b-2, 12-15, 25-34) se réfère à la révolte politique des Rubénites Datân et Abiram, l'autre (sacerdotal, vv. 1a, 2b-11, 16-24,27a,35) aux prétentions religieuses des Qehatites en face des Aaronides.

*d)* Corrigé d'après les Hexaples (et d'après le sens de la racine *yaqah* en arabe); hébr. « prirent ».

*e)* Cette expression qui désigne ailleurs la Terre Promise est ici exceptionnellement appliquée à l'Égypte.

son encensoir, y mette de l'encens, et que chacun
apporte son encensoir devant Yahvé – deux cent
cinquante encensoirs. Toi et Aaron aussi, apportez
chacun votre encensoir. » 18 Chacun prit son encensoir, y mit du feu et déposa de l'encens par-dessus.
Puis ils se tinrent à l'entrée de la Tente du Rendez-
vous, ainsi que Moïse et Aaron. 19 Coré rassembla
en face de ces derniers toute la communauté à l'entrée de la Tente du Rendez-vous, et la gloire de
Yahvé apparut à toute la communauté.
20 Yahvé parla à Moïse et à Aaron. Il dit :
21 « Séparez-vous de cette communauté, je vais la
détruire en un instant. » 22 Ils tombèrent la face
**27** 16 contre terre et s'écrièrent : « O Dieu, Dieu des
Jb **12** 10 Ap **22** 6 esprits qui animent toute chair, vas-tu t'irriter
Gn **18** 16-33 contre toute la communauté quand un seul
pèche? » 23 Yahvé parla à Moïse et dit : 24 Parle à
cette communauté et dis : « Éloignez-vous de la
demeure de Coré [a]. »
25 Moïse se leva et s'en vint auprès de Datân et
Abiram; les anciens d'Israël le suivirent. 26 Il parla
à la communauté et dit : « De grâce, écartez-vous
des tentes de ces hommes pervers, et ne touchez à
rien de ce qui leur appartient, de peur que tous
leurs péchés ne vous emportent. » 27 Ils s'écartèrent
des alentours de la maison de Coré.
Datân et Abiram étaient sortis et se trouvaient
à l'entrée de leurs tentes, avec leurs femmes, leurs
Ex **3** 12; **4** 30-31 Jn **2** 11+ fils et leurs jeunes enfants. 28 Moïse dit : « A ceci
vous saurez que c'est Yahvé qui m'a envoyé pour
accomplir toutes ces œuvres, et que je ne les fais
pas de mon propre chef : 29 si ces gens meurent de
mort naturelle, atteints par la sentence commune à
tous les hommes, c'est que Yahvé ne m'a pas
envoyé. 30 Mais si Yahvé fait quelque chose
d'inouï, si la terre ouvre sa bouche et les engloutit,
eux et tout ce qui leur appartient, et qu'ils descendent vivants au shéol, vous saurez que ces gens ont
rejeté Yahvé. »
31 Comme il achevait de prononcer toutes ces
paroles, le sol se fendit sous leurs pieds, 32 la terre
ouvrit sa bouche et les engloutit, eux et leurs familles, ainsi que tous les hommes de Coré et tous ses
biens [b].
33 Ils descendirent vivants au shéol [c], eux et tout
ce qui leur appartenait. La terre les recouvrit et ils
disparurent du milieu de l'assemblée. 34 A leurs
cris, tous les Israélites qui se trouvaient autour
d'eux s'enfuirent. Car ils se disaient : « Que la terre
ne nous engloutisse pas! »
35 Un feu jaillit de Yahvé, qui consuma les deux Lv **10** 1-3
cent cinquante hommes porteurs d'encens.

**Les encensoirs.**

**17** 1 Yahvé parla à Moïse et dit : 2 « Dis à Éléa- **16** 36 37
zar, fils d'Aaron, le prêtre, qu'il enlève les
encensoirs du milieu des braises et disperse au loin Lv **10** 1-3
ce feu, 3 car ces encensoirs de péché sont sanctifiés, 38
au prix de la vie de ces hommes [d]. Puisqu'on les
a apportés devant Yahvé et qu'ils sont consacrés,
qu'on en batte le métal en plaques pour recouvrir
l'autel. Ils serviront de signe aux Israélites. »
4 Éléazar, le prêtre, prit les encensoirs de bronze 39
qu'avaient apportés les hommes que le feu avait
détruits. On les battit en plaques pour recouvrir
l'autel. 5 Elles rappellent aux Israélites qu'aucun 40
profane, étranger à la descendance d'Aaron, ne doit **1** 51+
s'approcher pour faire fumer l'encens devant
Yahvé, sous peine de subir le sort de Coré et de son
groupe, selon ce qu'avait dit Yahvé par l'intermédiaire de Moïse.

**L'intercession d'Aaron [e].**

6 Le lendemain, toute la communauté des Israéli- 41
tes murmura contre Moïse et Aaron, en disant :
« Vous avez fait périr le peuple de Yahvé. » 7 Or, 42
comme la communauté s'attroupait contre Moïse
et Aaron, ceux-ci se tournèrent vers la Tente du
Rendez-vous. Voici que la Nuée la recouvrit et que
la gloire de Yahvé apparut. 8 Moïse et Aaron se 43
rendirent alors devant la Tente du Rendez-vous.
9 Yahvé parla à Moïse et dit : 10 « Sortez du 44 45
milieu de cette communauté; je vais la détruire en **16** 21
un instant. » Ils tombèrent face contre terre. 11 Puis Sg **18** 20-25
Moïse dit à Aaron : « Prends l'encensoir, mets-y du
feu pris sur l'autel, dépose dessus l'encens et hâte-
toi d'aller près de la communauté pour faire sur
elle le rite d'expiation. Car la Colère est sortie de
devant Yahvé : la Plaie a commencé. » 12 Aaron le 47
prit, comme avait dit Moïse, et courut au milieu de

*a)* L'hébr. ajoute « Datân et Abiram », omis par grec.
*b)* Le récit de la révolte de Datân et Abiram, plus ancien que l'autre (cf. **16** 1+), ignore encore la responsabilité individuelle. La fin de ce v. a été ajoutée lors de la fusion des deux récits.
*c)* Mot d'origine inconnue, qui désigne les profondeurs de la terre, Dt **32** 22; Is **14** 9, etc., où les morts « descendent », Gn **37** 35; 1 S **2** 6, etc., et où bons et méchants mêlés, 1 S **28** 19; Ps **89** 49; Ez **32** 17-32, ont une morne survie, Qo **9** 10, où Dieu n'est pas loué, Ps **6** 6; **88** 6, 12-13; **115** 19; Is **38** 18. Cependant la puissance du Dieu vivant, cf. Dt **5** 26+, s'exerce même en ce séjour désolé, 1 S **2** 6; Sg **16** 13; Am **9** 2. La doctrine des récompenses et des peines d'outre-tombe et celle de la résurrection, préparées par l'espérance des Psalmistes, Ps **16** 10-11; **49** 16, n'apparaissent clairement qu'à la fin de l'AT, Sg **3-5** (en liaison avec la croyance à l'immortalité, voir Sg **3** 4+); 2 M **12** 38+
*d)* Vv. 2-3 corrigés avec une partie des versions; l'hébr. coupe autrement. – Le feu divin est dispersé pour ne pas servir à un usage profane, et les encensoirs qu'il a touchés sont par là même consacrés.
*e)* Ce paragraphe additionnel souligne les pouvoirs d'Aaron dans les rites expiatoires, cf. Lv **16**. Au v. 9, grec et syr. ont : « à Moïse et à Aaron ».

l'assemblée; mais la Plaie avait déjà commencé
parmi le peuple. Il mit l'encens et fit le rite d'expia-
48 tion sur le peuple. 13 Puis il se tint entre les morts
49 et les vivants; la Plaie s'arrêta. 14 Il y eut quatorze
mille sept cents victimes de cette plaie, sans
compter ceux qui étaient morts à cause de Coré.
50 15 Puis Aaron revint auprès de Moïse à l'entrée de
la Tente du Rendez-vous : la Plaie s'était arrêtée.

**Le rameau d'Aaron.**

17 1 2 16 Yahvé parla à Moïse et dit : 17 « Parle aux
Israélites. Qu'ils te remettent, pour chaque famille,
un rameau; que tous leurs chefs, pour leurs familles, te remettent douze rameaux. Tu écriras le nom
3 de chacun sur son rameau [a]; 18 et sur le rameau de
Lévi tu écriras le nom d'Aaron, car il y aura un
4 rameau pour le chef des familles de Lévi. 19 Tu les
déposeras ensuite dans la Tente du Rendez-vous,
Ex **25** 21-22 devant le Témoignage où je me rencontre avec toi.
5 20 L'homme dont le rameau bourgeonnera sera
celui que je choisis; ainsi je ne laisserai pas monter
jusqu'à moi les murmures que les Israélites profèrent contre vous. »
6 21 Moïse parla aux Israélites, et tous leurs
princes lui remirent chacun un rameau, douze
rameaux pour l'ensemble de leurs familles patriar-
7 cales; parmi eux était le rameau d'Aaron. 22 Moïse
les déposa devant Yahvé dans la Tente du Témoi-
8 gnage. 23 Le lendemain, quand Moïse vint à la
Tente du Témoignage, le rameau d'Aaron, pour la
maison de Lévi, avait bourgeonné : des bourgeons
avaient éclos, des fleurs s'étaient épanouies et des
9 amandes avaient mûri. 24 Moïse reprit tous les
rameaux de devant Yahvé et les apporta à tous les
Israélites; ils constatèrent, et chacun reprit son
rameau.
10 25 Yahvé dit alors à Moïse : « Remets le rameau
d'Aaron devant le Témoignage où il aura sa place
rituelle, comme un signe pour ces rebelles. Il
réduira à néant leurs murmures qui ne monteront
plus jusqu'à moi, et eux ne mourront pas. »
11 26 Moïse fit comme Yahvé le lui avait ordonné. Il
fit ainsi.

**Le rôle expiatoire du sacerdoce.**

12 27 Les Israélites dirent à Moïse : « Nous voici
perdus! Nous périssons! Nous périssons tous!
28 Quiconque s'approche de la Demeure de Yahvé 13
pour une offrande meurt. Allons-nous à notre perte
jusqu'au dernier [b]? »

18 1 Alors Yahvé dit à Aaron :
« Toi, tes fils et la maison de ton père [c] avec ↗ He **7** 25-28
toi, vous porterez le poids des fautes commises
envers le sanctuaire. Toi et tes fils avec toi vous
porterez le poids des fautes de votre sacerdoce.
2 Fais aussi, avec toi, approcher tes frères du
rameau de Lévi, la tribu de ton père. Qu'ils te
soient adjoints et qu'ils te servent, toi et tes fils,
devant la Tente du Témoignage. 3 Ils assureront
ton service et celui de toute la Tente. A condition
qu'ils ne s'approchent pas des objets sacrés ni de
l'autel, ils ne mourront pas plus que vous. 4 Ils te
seront adjoints, ils assumeront la charge de la
Tente du Rendez-vous, pour tout le service de la
Tente, et aucun profane n'approchera de vous. **3** 10
5 Vous assumerez la charge du sanctuaire et la
charge de l'autel, et la Colère ne sévira plus contre
les Israélites. 6 C'est moi qui ai pris vos frères les
Lévites d'entre les Israélites pour vous en faire don.
A titre de " donnés ", ils appartiennent à Yahvé, Esd **2** 43+
pour faire le service de la Tente du Rendez-vous.
7 Toi et tes fils, vous assumerez les fonctions sacerdotales pour tout ce qui concerne l'autel et pour
tout ce qui est derrière le rideau [d]. Vous accompli- Ex **26** 33
rez le service cultuel dont j'accorde l'office à votre
sacerdoce. Mais le profane qui s'approchera **1** 51+
mourra. »

**La part des prêtres.** Lv **6-7** Ez **44** 29-30

8 Yahvé dit à Aaron : « Moi, je t'ai donné la
charge de ce qu'on prélève pour moi. Tout ce
que consacrent les Israélites, je te le donne
comme la part qui t'est assignée, ainsi qu'à tes fils,
en vertu d'un décret perpétuel. 9 Voici ce qui te
reviendra sur les choses très saintes, sur les mets
offerts : toutes les offrandes que me restituent [e] les
Israélites, à titre d'oblation, de sacrifice pour le
péché, de sacrifice de réparation; c'est chose très
sainte, qui te reviendra ainsi qu'à tes fils. 10 Vous
vous nourrirez des choses très saintes. Tout mâle
en pourra manger. Tu les tiendras pour sacrées.
11 Ceci encore te reviendra : ce qui est prélevé
sur les offrandes des Israélites, sur tout ce qui est
tendu en geste de présentation, je te le donne, ainsi Ex **29** 24+
qu'à tes fils et à tes filles, en vertu d'un décret per-

*a)* Le mot hébr. *matteh* signifie à la fois « bâton » et « tribu ». Le terme français « rameau » exprime le même symbolisme : le rameau représente une souche, une famille; cf. le « rejeton » d'Is **11** 1.
*b)* Suite de **16** 34 qui sert de lien avec le passage suivant. Il s'agit de la distinction non entre Aaronides et Lévites, mais entre Lévites et laïcs.
*c)* C'est-à-dire Lévi. Ce paragraphe associe les Lévites (cf. **3** 5-10), mais uniquement à titre de serviteurs, au ministère expiatoire des Aaronides vis-à-vis du peuple (cf. Lv **16** 16).
*d)* L'autel, où sont offerts les sacrifices, et le Saint des Saints où le grand prêtre pénètre seul. – Les prêtres de l'Ancien Testament sont d'abord des ministres de l'autel, comme ceux de la Nouvelle Alliance.
*e)* Les offrandes sont prises sur les dons de Dieu, cf. 1 Ch **29** 14, ou réparent un tort qu'on lui a fait, Lv **5** 15s.

pétuel. Quiconque est pur dans ta maison en
pourra manger. 12 Tout le meilleur de l'huile, tout
Dt **26** 1+ le meilleur du vin nouveau et du blé, ces prémices
qu'ils offrent à Yahvé, je te les donne. 13 Tous les
premiers produits de leur pays, qu'ils apportent à
Yahvé, te reviendront; quiconque est pur dans ta
maison en pourra manger. 14 Tout ce qui est frappé
Ex **13** 11+ d'anathème en Israël te reviendra. 15 Tout premier-
né qu'on apporte à Yahvé te reviendra, issu de tout
être de chair, homme ou animal; mais tu devras
faire racheter le premier-né de l'homme, et tu feras
racheter le premier-né d'un animal impur. 16 Tu le
feras racheter dans le mois de la naissance, en
l'évaluant à cinq sicles d'argent, selon le sicle du
sanctuaire qui est de vingt géras. 17 Seuls les premiers-nés de la vache, de la brebis et de la chèvre
ne seront pas rachetés. Ils sont chose sainte : tu en
verseras le sang sur l'autel, tu en feras fumer la
graisse, comme mets consumé en parfum d'apaisement pour Yahvé, 18 et la viande t'en reviendra,
ainsi que la poitrine de présentation et la cuisse
droite. 19 Tous les prélèvements que les Israélites
font pour Yahvé sur les choses saintes, je te les
donne, ainsi qu'à tes fils et à tes filles, en vertu d'un
décret perpétuel. C'est là une alliance éternelle par
Lv **2** 13+ le sel devant Yahvé, pour toi et pour ta descendance avec toi. »

**La part des Lévites [a].**

20 Yahvé dit à Aaron : « Tu n'auras point d'héritage dans leur pays, il n'y aura pas de part pour
toi au milieu d'eux. C'est moi qui serai ta part et
ton héritage au milieu des Israélites.
21 Voici : aux fils de Lévi je donne pour hé-
Dt **14** 22+ ritage toute dîme perçue en Israël, en échange de
leurs services, du service qu'ils font dans la Tente
Ex **19** 12+ du Rendez-vous. 22 Les Israélites n'approcheront
plus de la Tente du Rendez-vous : ils se chargeraient d'un péché et mourraient. 23 C'est Lévi qui
fera le service de la Tente du Rendez-vous, et les
Lévites porteront le poids de leurs fautes. C'est un
décret perpétuel pour vos générations : les Lévites
ne posséderont point d'héritage au milieu des
Israélites, 24 car c'est la dîme que les Israélites
prélèvent pour Yahvé que je donne pour héritage
aux Lévites. Voilà pourquoi je leur ai dit qu'ils ne
posséderaient point d'héritage au milieu des
Israélites. »

**Les dîmes [b].** Dt **14** 22+

25 Yahvé parla à Moïse et dit : 26 « Tu parleras
aux Lévites et tu leur diras :
Quand vous percevrez sur les Israélites la dîme
que je vous donne en héritage de leur part, vous en
retiendrez le prélèvement de Yahvé, la dîme de la
dîme. 27 Elle tiendra lieu du prélèvement à prendre
sur vous, au même titre que le blé pris sur l'aire
et le vin nouveau pris sur la cuve. 28 Ainsi, vous
aussi, vous retiendrez le prélèvement de Yahvé, sur
toutes les dîmes que vous percevrez sur les Israélites. Vous donnerez ce que vous aurez prélevé pour
Yahvé au prêtre Aaron. 29 Sur tous les dons que
vous recevrez vous retiendrez le prélèvement de
Yahvé; c'est sur le meilleur de toutes choses que
vous retiendrez la part sacrée.
30 Tu leur [c] diras : Lorsque vous en aurez prélevé
le meilleur, tous ces dons tiendront lieu aux Lévites
du produit de l'aire et du produit de la cuve.
31 Vous pourrez les consommer, en tout lieu, vous
et vos gens : c'est votre salaire pour votre service
dans la Tente du Rendez-vous. 32 Vous ne serez
pour cela chargés d'aucun péché, du moment que
vous en aurez prélevé le meilleur; vous ne profanerez pas les choses consacrées par les Israélites et
vous ne mourrez pas. »

**Les cendres de la vache rousse [d].** **31** 23

19 1 Yahvé parla à Moïse et à Aaron. Il dit : ↗ He **9** 13
2 « Voici un décret de la Loi que Yahvé a prescrite. Parle aux Israélites.
Qu'ils t'amènent une vache rousse sans défaut ni
tare, et qui n'ait pas porté le joug. 3 Vous la donne- Dt **21** 3
rez à Éléazar, le prêtre. On la mènera hors du camp Lv **4** 12+
et on l'immolera devant lui. 4 Puis Éléazar, le prê- ↗ He **13** 11s
tre, prendra sur son doigt un peu du sang de la victime, et de ce sang il fera sept aspersions dans la Lv **4** 5-6
direction de l'entrée de la Tente du Rendez-vous.
5 On brûlera alors la vache sous ses yeux; on en
brûlera la peau, la chair, le sang, ainsi que la fiente.
6 Le prêtre prendra ensuite du bois de cèdre, de Lv **14** 4-6
l'hysope et du rouge de cochenille, et les jettera Ex **12** 22+
dans le feu où se consume la vache. 7 Puis il nettoiera ses vêtements, il se lavera le corps avec de
l'eau; après quoi, il rentrera au camp, mais il sera Lv **11** 25,40
impur jusqu'au soir. 8 Celui qui aura brûlé la vache
nettoiera ses vêtements, se lavera le corps avec de
l'eau, et sera impur jusqu'au soir. 9 C'est un homme

*a)* Cette législation sacerdotale est une étape intermédiaire entre Dt **14** 28-29; **26** 12, où les Lévites ne font que participer à la dîme triennale, et Nb **35** 1-8, où on leur attribue une dotation en bien-fonds.

*b)* Comme les laïcs vivent des produits du sol, les Lévites vivent de la dîme, une fois retiré le « prélèvement de Yahvé » qui est donné aux prêtres.

*c)* C'est-à-dire aux Lévites, à qui s'adresse directement le v. 31.

*d)* Le ch. **19** forme une unité : l'eau lustrale, vv. 17-22, préparée avec les cendres d'une vache rousse immolée et brûlée hors du camp, vv. 1-10, sert à effacer l'impureté contractée au contact d'un mort, vv. 11-16. Ce rituel, auquel un seul autre texte fait allusion, Nb **31** 23 (puis He **9** 13), légitime une vieille pratique teintée de magie en l'assimilant à un sacrifice d'expiation pour

Lv **4** 11-12 en état de pureté qui recueillera les cendres de la
vache et les déposera, hors du camp, en un lieu pur.
Elles resteront à l'usage rituel de la communauté
↗ He **9** 13 des Israélites pour faire l'eau lustrale; c'est un
sacrifice pour le péché. 10 Celui qui aura recueilli
les cendres de la vache nettoiera ses vêtements et
sera impur jusqu'au soir. Pour les Israélites comme
pour l'étranger qui réside parmi eux, ce sera un
décret perpétuel.

Lv **21** 1 Ag **2** 13 **Cas d'impureté [a].**

11 « Celui qui touche un cadavre, quel que soit le
mort, sera impur sept jours. 12 Il se purifiera avec
ces eaux, le troisième et le septième jour, et il sera
pur; mais s'il ne se purifie pas le troisième et le septième jour, il ne sera pas pur. 13 Quiconque a touché un mort, le corps d'un homme qui meurt, et ne
s'est pas purifié, souille la Demeure de Yahvé; cet
homme sera retranché d'Israël, car les eaux lustrales n'ont pas coulé sur lui, il est impur, son impureté est en lui.

14 Voici la loi pour le cas d'un homme qui meurt
dans une tente. Quiconque entre dans la tente, et
quiconque s'y trouve, sera impur sept jours. 15 Est
également impur tout récipient ouvert, qui n'a pas
été fermé par un couvercle ou par un lien.

16 Quiconque touche, dans la campagne, un
homme assassiné, un mort, des ossements humains,
ou un tombeau, sera impur sept jours.

**Le rituel des eaux lustrales.**

17 « On prendra, pour cet homme impur, de la
cendre de la victime consumée en sacrifice pour le
péché. On versera de l'eau vive par-dessus, dans un
vase. 18 Puis un homme en état de pureté prendra
de l'hysope qu'il plongera dans l'eau. Il fera alors Lv **14** 4-5
l'aspersion sur la tente, sur tous les vases et sur toutes les personnes qui s'y trouvent, et de même sur
celui qui a touché des ossements, un homme assas- Dt **21** 1-9
siné, un mort ou un tombeau. 19 L'homme pur fera
l'aspersion sur l'impur, le troisième et le septième
jour, et le septième jour il l'aura délivré de son
péché. L'homme impur nettoiera alors ses vêtements, il se lavera avec de l'eau et le soir il sera
pur. 20 Mais un homme impur qui omettrait de se
purifier ainsi sera retranché de la communauté, car
il souillerait le sanctuaire de Yahvé. Les eaux lustrales n'ont pas coulé sur lui, c'est un impur.

21 Ce sera pour eux un décret perpétuel. Celui
qui fait l'aspersion d'eaux lustrales nettoiera ses
vêtements et celui qui a touché à ces eaux sera
impur jusqu'au soir. 22 Tout ce que l'impur a touché sera impur, et la personne qui l'a touché sera
impure jusqu'au soir.

# *VII. De Cadès à Moab*

|| Ex **17** 1-7 **Les eaux de Meriba [c].**

**20** 1 Les Israélites, toute la communauté, arrivèrent le premier mois au désert de Çîn. Le peuple s'établit à Cadès. C'est là que Miryam mourut
et qu'elle fut enterrée.

2 Il n'y avait pas d'eau pour la communauté;
Ex **14** 11+ alors ils s'ameutèrent contre Moïse et Aaron. 3 Le
peuple s'en prit à Moïse : « Que n'avons-nous péri,
**16** 34; **17** 28 disaient-ils, comme nos frères ont péri devant
Yahvé! 4 Pourquoi avez-vous conduit l'assemblée
de Yahvé en ce désert, pour que nous y mourions,
nous et nos bêtes? 5 Pourquoi nous avoir fait monter d'Égypte pour nous conduire en ce sinistre
lieu? C'est un lieu impropre aux semailles, sans
figuiers, ni vignes, ni grenadiers, sans même d'eau
à boire! »

6 Quittant l'assemblée, Moïse et Aaron vinrent à
l'entrée de la Tente du Rendez-vous. Ils tombèrent
face contre terre, et la gloire de Yahvé leur apparut.
7 Yahvé parla à Moïse et dit : 8 « Prends le rameau **17** 25
et rassemble la communauté, toi et ton frère Aaron.
Puis, sous leurs yeux, dites à ce rocher qu'il donne
ses eaux. Tu feras jaillir pour eux de l'eau de ce
rocher et tu feras boire la communauté et son
bétail. »

9 Moïse prit le rameau de devant Yahvé, comme
il le lui avait commandé. 10 Moïse et Aaron convo-

le péché, v. 17 et comp. vv. 4-5 avec Lv **16** 27; v. 8 avec Lv **16** 28. D'autres coutumes analogues furent ainsi assumées par la Loi mosaïque, Lv **14** 2-7; **16** 5-10; Nb **5** 17-28; Dt **21** 1-9. – La vache devait être rousse car, dans l'ancien Orient, tout ce qui s'approche du rouge avait valeur prophylactique : cette couleur évoque le sang, principe de vie, et protège contre la mort.

*a)* Les règles de pureté de Lv **11-16** ne mentionnaient pas le contact d'un mort.

*b)* Cette section, où prédominent les récits, se rattache, pour le fond, aux grands ensembles yahviste et élohiste du Pentateuque; ils juxtaposent ou combinent souvent plusieurs traditions d'esprit différent, dont la distinction est difficile dans le détail. Le thème général est celui de la marche en avant de la communauté sainte malgré les oppositions et les embûches.

*c)* Cet épisode, de rédaction sacerdotale, est un doublet de celui d'Ex **17** 1-17 (cf. la note), avec un motif supplémentaire, celui du châtiment de Moïse et d'Aaron, vv. 12-13. Sa localisation à Cadès est secondaire : ce site, cf. **13** 26, ne peut pas être celui que décrit le v. 5; cependant l'épisode raconté ici a fait donner à Cadès le nom de Meriba-Cadès, cf. **27** 14, etc.

Dt 8 15 Ne 9 15 quèrent l'assemblée devant le rocher, puis il leur
Ps 78 15,16,20; dit : « Écoutez donc, rebelles. Ferons-nous jaillir
105 41; 114 8 Sg 11 4 pour vous de l'eau de ce rocher? » 11 Moïse leva la
Is 43 20; 48 21 main et, avec le rameau, frappa le rocher par deux
1 Co 10 4 fois : l'eau jaillit en abondance, la communauté et
Jn 7 38; 19 34 son bétail purent boire.

Dt 1 37: 3 26s; 32 51;

### Châtiment de Moïse et d'Aaron [a].

33 8 12 Yahvé dit alors à Moïse et à Aaron :
Ps 106 32s « Puisque vous ne m'avez pas cru capable de me
Nb 27 14 sanctifier aux yeux des Israélites, vous ne ferez pas
entrer cette assemblée dans le pays que je lui
donne. »

Ex 17 7 13 Ce sont là les eaux de Meriba, où les Israélites
s'en prirent à Yahvé, et où il manifesta par elles sa
sainteté.

Dt 2 4-7

### Édom refuse le passage [b].

Jg 11 17 Am 1 11 14 [c] Moïse envoya de Cadès des messagers :
Is 34; 63 1-6 « Au roi d'Édom. Ainsi parle ton frère Israël. Tu
sais, toi, quelles tribulations nous avons rencontrées. 15 Nos pères sont descendus en Égypte,
où nous sommes restés bien des jours. Mais les
Égyptiens nous ont maltraités, ainsi que nos pères.
16 Nous en avons appelé à Yahvé. Il a entendu
Ex 23 20+ notre voix et il a envoyé l'ange qui nous a fait sortir
d'Égypte. Nous voici maintenant à Cadès, ville qui
est aux confins de ton territoire. 17 Nous voulons,
21 22 s'il t'agrée, traverser ton pays. Nous n'irons pas à
travers les champs ni les vignes; nous ne boirons
pas l'eau des puits; nous suivrons la route royale
sans nous écarter à droite ou à gauche, jusqu'à ce
que nous ayons traversé ton territoire. » 18 Édom lui
répondit : « Tu ne passeras pas chez moi, sinon je
marcherai en armes à ta rencontre. » 19 Les Israélites lui dirent : « Nous suivrons la grand-route; si
nous buvons de ton eau, moi et mes troupeaux, j'en
paierai le prix. Ce n'est pas une affaire que de me
laisser passer à pied. » 20 Édom répondit : « Tu ne
passeras pas », et Édom marcha à sa rencontre en
grand nombre et en grande force. 21 Édom ayant
ainsi refusé à Israël le passage sur son territoire,
Israël s'en écarta.

### Mort d'Aaron [d]. 33 38-39

22 Ils partirent de Cadès, et les Israélites, toute Dt 10 6
la communauté, arrivèrent à Hor-la-Montagne.
23 Yahvé parla à Moïse et à Aaron, à Hor-la-Montagne, sur la frontière du pays d'Édom. Il dit :
24 « Qu'Aaron soit réuni aux siens : car il ne doit
pas entrer dans le pays que je donne aux Israélites,
puisque vous avez été rebelles à ma voix, aux eaux
de Meriba. 25 Prends Aaron et Éléazar, son fils, et
fais-les monter sur la montagne de Hor. 26 Tu ôteras alors à Aaron ses vêtements, pour en revêtir
Éléazar, son fils, et Aaron sera réuni aux siens :
c'est là qu'il doit mourir. »

27 Moïse fit ce que Yahvé avait ordonné. Sous les
yeux de toute la communauté, ils montèrent sur la
montagne de Hor. 28 Moïse ôta à Aaron ses vêtements pour en revêtir Éléazar, son fils; et Aaron
mourut là, au sommet de la montagne. Puis Moïse
et Éléazar redescendirent de la montagne. 29 Toute
la communauté vit qu'Aaron avait expiré, et toute
la maison d'Israël pleura Aaron pendant trente Dt 34 8
jours.

### Prise de Horma [e].

21 1 Le roi d'Arad [f], le Cananéen habitant au Jg 1 16
Négeb, apprit qu'Israël venait par la route
d'Atarim. Il attaqua Israël et lui fit des prisonniers.
2 Israël fit alors ce vœu à Yahvé : « Si tu livres ce
peuple en mon pouvoir, je vouerai ses villes à l'ana- Jos 6 17+
thème. » 3 Yahvé écouta la voix d'Israël et livra les
Cananéens en son pouvoir. Ils les vouèrent à l'anathème, eux et leurs villes. On donna à ce lieu le
nom de Horma [g].

### Le serpent d'airain [h].

4 Ils partirent de Hor-la-Montagne par la route

a) Cette faute de Moïse et d'Aaron reste mystérieuse. Moïse aurait-il manqué de foi en frappant le rocher par deux fois, ce qui ne se trouve pas dans le parallèle d'Ex **17**? Peut-être le rédacteur sacerdotal a-t-il cherché à expliquer pourquoi Moïse et Aaron n'étaient pas entrés en Terre Promise : ce serait cette raison qui lui a fait placer ce récit, modifié (v. 11), avant la mort d'Aaron, vv. 22s, et il le rappellera avant la mort de Moïse, Dt **32** 51. D'après Dt **1** 37; **3** 26; **4** 21, Moïse est puni à cause du peuple qui a refusé de monter de Cadès en Canaan, cf. Nb **14**.

b) Les sources anciennes reprennent ici et se rattachent au départ de Cadès, **14** 25 et **14** 39+. Mais Cadès, à cette époque, est loin de la frontière d'Édom (malgré le v. 16). La requête a du être présentée en chemin, mais la tradition la plus ancienne ne donne aucun détail sur l'itinéraire suivi.

c) Le sam. et la syr. hex. ajoutent en tête de ce v. quelques phrases tirées de Dt **3** 24-28 et **2** 2-6.

d) Récit sacerdotal. Hor-la-Montagne n'est pas localisée. La précision « à la frontière d'Édom » se rapporte à l'époque exilique où les Édomites, originairement établis à l'est de la Araba, s'étaient étendus à l'ouest, aux dépens de Juda, cf. Dt **2** 1+.

e) Récit de tradition ancienne, mais qui se trouve ici hors de son contexte. Horma, cf. **14** 45+, a été prise par les Siméonites montant directement du sud, Jg **1** 16-17+. La défaite de Horma, Nb **14** 39+, est postérieure.

f) Glose légitimée par la proximité entre Arad et Horma.

g) Le mot est rattaché à une racine signifiant « vouer par anathème ». L'auteur insinue déjà le caractère religieux de la conquête.

h) Cette histoire est à mettre en relation avec les mines de cuivre de la Araba, où le métal était déjà exploité au XIIIe s. av. J.-C. On a retrouvé à Meneiyeh (aujourd'hui Timna) plusieurs petits serpents de cuivre qui étaient sans doute utilisés, comme celui de Moïse, pour se protéger contre les serpents venimeux. Cette région minière de la Araba se trouve sur la route de Cadès à Aqaba, cf. v. 4+.

de la mer de Suph [a], pour contourner le pays
d'Édom. En chemin, le peuple perdit patience. 5 Il
Ex **22** 27 parla contre Dieu et contre Moïse : « Pourquoi
Ex **14** 11+ nous avez-vous fait monter d'Égypte pour mourir
en ce désert? Car il n'y a ni pain ni eau; nous sommes excédés de cette nourriture de famine. »
Dt **8** 15 6 Dieu envoya alors contre le peuple les serpents
↗ 1 Co **10** 9 brûlants [b], dont la morsure fit périr beaucoup de
monde en Israël. 7 Le peuple vint dire à Moïse :
« Nous avons péché en parlant contre Yahvé et
contre toi. Intercède auprès de Yahvé pour qu'il
Ex **32** 11+ éloigne de nous ces serpents. » Moïse intercéda
pour le peuple 8 et Yahvé lui répondit : « Façonne-toi un Brûlant que tu placeras sur un étendard.
Quiconque aura été mordu et le regardera restera
2 R **18** 4+ en vie. » 9 Moïse façonna donc un serpent d'airain
Sg **16** 5s qu'il plaça sur l'étendard, et si un homme était
↗ Jn **3** 14s; **19** 37 mordu par quelque serpent, il regardait le serpent
d'airain et restait en vie.

### Étapes vers la Transjordanie [c].

10 Les Israélites partirent et campèrent à Obot.
11 Puis ils partirent d'Obot et campèrent à Iyyé-ha-Abarim, dans le désert qui confine à Moab, du
côté du soleil levant. 12 Ils partirent de là et campèrent dans le torrent de Zéred. 13 Ils partirent de là
et campèrent au-delà de l'Arnon.

Ce torrent sortait, dans le désert, du pays des
**21** 21+ Amorites. Car l'Arnon était à la frontière de Moab,
entre les Moabites et les Amorites. 14 Aussi est-il
dit dans le livre des Guerres de Yahvé [d] :

...Vaheb près de Supha et le torrent d'Arnon
15 et la pente du ravin qui s'incline vers le site
d'Ar et s'appuie à la frontière de Moab.

16 Et de là ils allèrent à Béer [e] –

C'est au sujet de ce puits que Yahvé avait dit
à Moïse : « Rassemble le peuple et je leur donnerai
Jn **4** 1+ de l'eau. »

17 Alors Israël chanta ce cantique :
Sur le Puits.
Chantez-le,
18 le Puits qu'ont creusé des princes,
qu'ont foré les chefs du peuple,
avec le sceptre, avec leurs bâtons.

– et du désert à Mattana [f], 19 de Mattana à Nahaliel, de Nahaliel à Bamot, 20 et de Bamot à la vallée
qui s'ouvre dans la campagne de Moab, vers les
hauteurs du Pisga, qui fait face au désert et le
domine [g].

### Conquête de la Transjordanie [h]. || Dt **2** 26-36

21 Israël envoya des messagers dire à Sihôn, roi Jg **11** 19-20
des Amorites [i] :
22 « Je voudrais traverser ton pays. Nous ne nous **20** 14-21
écarterons pas à travers les champs ni les vignes;
nous ne boirons pas l'eau des puits; nous suivrons
la route royale, jusqu'à ce que nous ayons traversé
ton territoire. »
23 Mais Sihôn ne laissa pas Israël traverser son
pays. Il rassembla tout son peuple, marcha dans le
désert à la rencontre d'Israël et atteignit Yahaç, où
il livra bataille à Israël. 24 Israël le frappa du tranchant de l'épée et conquit son pays, depuis l'Arnon
jusqu'au Yabboq, jusqu'aux fils d'Ammon, car **2** 19+
Yazèr [j] se trouvait à la frontière ammonite.
25 Israël s'empara de toutes ces villes. Il occupa
toutes les villes des Amorites, Heshbôn et toutes
ses dépendances. 26 Heshbôn était en effet la capitale de Sihôn, roi des Amorites. C'est Sihôn qui
avait fait la guerre au premier roi [k] de Moab et lui
avait enlevé tout son pays jusqu'à l'Arnon. 27 C'est
pourquoi les poètes disent [l] :

Venez à Heshbôn,
qu'elle soit rebâtie, qu'elle soit bien fondée,
la ville de Sihôn!
28 Un feu est sorti de Heshbôn, || Jr **48** 45-46
une flamme de la cité de Sihôn,

*a)* En direction du golfe d'Aqaba, cf. Dt **2** 1; 1 R **9** 26, à ne pas confondre avec le Suph de l'Exode. L'occupation sédentaire d'Édom n'avait pas encore atteint le golfe d'Aqaba et les Israélites ont pris la route normale qui leur permettait de contourner le territoire édomite. Cette notation est la seule indication ancienne sur la route qu'ils ont prise.

*b)* « Brûlant » traduit *saraph*, qu'Is **30** 6 représente comme un serpent ailé ou dragon. Le nom des Séraphins d'Is **6** 2-6 vient de la même racine.

*c)* Ce morceau tardif a voulu combler les lacunes de la source ancienne en utilisant des indications de Nb **33** (cf. note) et Dt **2** pour décrire l'itinéraire. Dans celui-ci, il a inséré deux fragments de l'ancienne poésie hébraïque, vv. 14-15 et 17-18.

*d)* Ancien recueil de chants épiques, aujourd'hui disparu et cité seulement ici.

*e)* Béer, mentionné seulement ici comme nom géographique, est suspect d'être tiré du cantique du v. 17 : *Be'er* signifie « puits ».

*f)* Le rédacteur n'a pas compris les derniers mots du poème : « et du désert, c'est un don (*mattanah*) », et de ce nom commun a fait un nom géographique.

*g)* Le v. 20 est surchargé et confus. Dans l'hébr., « les hauteurs du Pisga » se trouve en apposition à « la campagne de Moab ».

*h)* Suite de la source ancienne, interrompue depuis **20** 22[a].

*i)* Petit royaume cananéen établi au nord de l'Arnon, avec Heshbôn pour capitale. Envahi par les Moabites, Sihôn avait remporté sur eux une victoire (qui sera rappelée aux vv. 28-29, cf. 27+) mais il sera battu par les Israélites.

*j)* « Yazèr » grec; « Az » hébr.

*k)* Autre traduction : « au précédent roi ».

*l)* Ce poème, dont le v. 30 qui est crucial est irrémédiablement corrompu, est susceptible de deux interprétations. 1° C'est un chant de victoire amorite célébrant la défaite de Moab par Sihôn, et inséré comme un commentaire du v. 26[b]; mais cela suppose une correction plus radicale du v. 30, qui signifierait que Heshbôn a détruit Moab. 2° C'est un chant israélite,

elle a dévoré Ar Moab,
englouti [a] les hauteurs de l'Arnon.
29 Malheur à toi, Moab!
Tu es perdu, peuple de Kemosh!
Il [b] fait de ses fils des fuyards
et de ses filles des captives
du roi des Amorites, de Sihôn.
30 Mais leur postérité a été détruite
depuis Heshbôn jusqu'à Dibôn,
et nous avons mis le feu
depuis Nophah et jusqu'à Médba [c].

31 Israël s'établit dans le pays des Amorites.

32 Moïse envoya espionner Yazèr, et Israël la prit ainsi que ses dépendances; il déposséda les Amorites qui y habitaient.

|| Dt 3 1-7 33 Puis ils prirent la direction du Bashân et ils y montèrent. Le roi du Bashân, Og, marcha à leur rencontre avec tout son peuple pour livrer bataille à Édreï [d]. 34 Yahvé dit à Moïse : « Ne crains pas, car je l'ai livrée en ton pouvoir, lui, tout son peuple et son pays. Tu le traiteras comme tu as traité Sihôn, roi des Amorites, qui habitait à Heshbôn. » 35 Ils le battirent, lui, ses fils et son peuple, sans que personne en réchappât. Ils prirent possession de son pays.

**22** 1 Puis les Israélites partirent, et s'en allèrent camper dans les Steppes de Moab, au-delà du Jourdain, vers Jéricho [e].

31 8,16 **Le roi de Moab fait appel à Balaam** [f].
Dt 23 5-6
Jos 24 9-10 2 Balaq, fils de Çippor, vit tout ce qu'Israël avait
Ne 13 2 fait aux Amorites; 3 Moab fut pris de panique
Mi 6 5 devant ce peuple, car il était fort nombreux.
2 P 2 15s
Jude 11 Moab eut peur des Israélites; 4 il dit aux anciens
Ap 2 14
Ex 2 15+ de Madiân : « Voilà cette multitude en train de tout brouter autour de nous comme un bœuf broute l'herbe des champs. »

Balaq, fils de Çippor, était roi de Moab en ce temps-là. 5 Il envoya des messagers mander Balaam, fils de Béor, à Pétor, sur le Fleuve, au pays des fils d'Ammav [g]. Il lui disait : « Voici que le peuple qui est sorti d'Égypte a couvert tout le pays; il s'est établi en face de moi. 6 Viens donc, je te prie, et maudis-moi ce peuple, car il est plus puissant que moi. Ainsi pourrons-nous le battre et le chasser du pays. Car je le sais : celui que tu bénis est béni, celui que tu maudis est maudit. »

7 Les anciens de Moab et les anciens de Madiân
partirent, le salaire de l'augure en main. Ils vinrent 1 S 9 7+
trouver Balaam et lui transmirent les paroles de Balaq. 8 Il leur dit : « Passez ici la nuit, et je vous répondrai selon ce que m'aura dit Yahvé. » Les princes de Moab restèrent chez Balaam. 9 Dieu vint à Balaam et lui dit : « Quels sont ces hommes qui sont chez toi? » 10 Balaam répondit à Dieu : « Balaq, fils de Çippor, roi de Moab, m'a fait dire ceci : 11 Voici que le peuple qui est sorti d'Égypte a couvert tout le pays. Viens donc, maudis-le-moi; ainsi pourrai-je le combattre et le chasser. » 12 Dieu dit à Balaam : « Tu n'iras pas avec eux. Tu ne maudiras pas ce peuple, car il est béni. » 13 Au matin, Balaam se leva et dit aux princes envoyés par Balaq : « Partez pour votre pays, car Yahvé refuse de me laisser aller avec vous. » 14 Les princes de Moab se levèrent, se rendirent auprès de Balaq et lui dirent : « Balaam a refusé de venir avec nous. »

15 Balaq envoya de nouveau des princes, mais plus nombreux et plus considérés que les premiers. 16 Ils se rendirent auprès de Balaam et lui dirent : « Ainsi a parlé Balaq, fils de Çippor : Ne refuse pas, je te prie, de venir jusqu'à moi. 17 Car je t'accorderai les plus grands honneurs, et tout ce que tu me diras, je le ferai. Viens donc, et maudis-moi ce peuple. » 18 Balaam fit aux envoyés de Balaq cette réponse : « Quand Balaq me donnerait plein sa maison d'argent et d'or, je ne pourrais transgresser l'ordre de Yahvé mon Dieu en aucune chose, petite ou grande. 19 Maintenant, passez ici la nuit vous aussi, et j'apprendrai ce que Yahvé pourra me dire encore. » 20 Dieu vint à Balaam pendant la nuit et lui dit : « Ces gens ne sont-ils pas venus t'appeler? Lève-toi, pars avec eux. Mais tu ne feras que ce que je te dirai. » 21 Au matin,

annoncé par les vv. 25-26, qui célèbre la victoire d'Israël sur Sihôn, vv. 27[b] et 30 (corrigé), mais qui rappelle à ce propos la victoire de Sihôn sur Moab, vv. 28-29 : Heshbôn a dévoré les villes de Moab, mais nous, les Israélites, nous avons détruit Heshbôn. Quant au v. 27, il est une invitation ironique à venir la reconstruire.

*a)* « englouti » *bâle'ah*, grec; « les maîtres de » *ba'alê*, hébr.

*b)* Kemosh.

*c)* « leur postérité » grec; « leur lampe » hébr.; « et nous avons mis le feu jusqu'à Nophah et jusqu'à Médba » conj., hébr. inintelligible.

*d)* Le récit de la guerre contre Og sert à compléter la conquête de la Transjordanie et à justifier les prétentions de la demi-tribu de Manassé sur le Bashân que les Israélites n'ont jamais possédé en fait. Le personnage de Og est légendaire, cf. Dt 3 11.

*e)* Litt. « au-delà du Jourdain de Jéricho », c'est-à-dire à la hauteur de Jéricho mais de l'autre côté du Jourdain, du point de vue d'un habitant de la Palestine.

*f)* Les récits qui encadrent les oracles de Balaam combinent les deux traditions yahviste et élohiste, avec prédominance de l'élohiste; les oracles eux-mêmes doivent être plus anciens. – Ce long épisode présente un cas singulier de prophétisme. Balaam est un devin des bords de l'Euphrate, qui reconnaît Yahvé pour son Dieu, **22** 18, etc., et bénit Israël, **23** 11-12, 25-26; **24** 10, cf. Mi **6** 5. Mais les traditions plus récentes considèrent Balaam comme un ennemi, contraint par la toute-puissance de Dieu de bénir Israël contre sa volonté. Dt **23** 5-6; Jos **24** 9-10, cf. Ne **13** 2, et qui l'entraîna dans l'idolâtrie de Péor, Nb **31** 8, 16. Cette tradition sera reprise par le Nouveau Testament.

*g)* Pétor (sur « le Fleuve », c'est-à-dire l'Euphrate) et le pays d'Ammav (avec l'hébr., contre « Ammon » de sam., syr., Vulg.) sont connus par les textes cunéiformes.

Balaam se leva, sella son ânesse [a] et partit avec les princes de Moab.

**L'ânesse de Balaam.**

22 Son départ excita la colère de Yahvé, et l'Ange de Yahvé se posta sur la route pour lui barrer le passage [b]. Lui montait son ânesse, ses deux garçons l'accompagnaient. 23 Or l'ânesse vit l'Ange de Yahvé posté sur la route, son épée nue à la main; elle s'écarta de la route à travers champs. Mais Balaam battit l'ânesse pour la ramener sur la route.

24 L'Ange de Yahvé se tint alors dans un chemin creux, au milieu des vignes, avec un mur à droite et un mur à gauche. 25 L'ânesse vit l'Ange de Yahvé et rasa le mur, y frottant le pied de Balaam. Il la battit encore une fois.

26 L'Ange de Yahvé changea de place et se tint en un passage resserré, où il n'y avait pas d'espace pour passer ni à droite ni à gauche. 27 Quand l'ânesse vit l'Ange de Yahvé, elle se coucha sous Balaam. Balaam se mit en colère et battit l'ânesse à coups de bâton.

28 Alors Yahvé ouvrit la bouche de l'ânesse et
↗ 2 P 2 16 elle dit à Balaam : « Que t'ai-je fait, pour que tu m'aies battue ainsi par trois fois? » 29 Balaam répondit à l'ânesse : « C'est que tu t'es moquée de moi! Si j'avais eu à la main une épée, je t'aurais déjà tuée. » 30 L'ânesse dit à Balaam : « Ne suis-je pas ton ânesse, qui te sers de monture depuis toujours et jusqu'aujourd'hui? Ai-je l'habitude d'agir ainsi envers toi? » Il répondit : « Non ».

31 Alors Yahvé ouvrit les yeux de Balaam. Il vit l'Ange de Yahvé posté sur la route, son épée nue à la main. Il s'inclina et se prosterna face contre terre. 32 Et l'Ange de Yahvé lui dit : « Pourquoi as-tu battu ainsi ton ânesse par trois fois? C'est moi qui étais venu te barrer le passage; car moi présent, la route n'aboutit pas [c]. 33 L'ânesse m'a vu et devant moi elle s'est détournée par trois fois. Bien t'en a pris qu'elle se soit détournée, car je t'aurais déjà tué. Elle, je l'aurais laissée en vie. » 34 Balaam répondit à l'Ange de Yahvé : « J'ai péché [d]. C'est que j'ignorais que tu étais posté devant moi sur la route. Et maintenant, si cela te déplaît, je m'en retourne. » 35 L'Ange de Yahvé répondit à Balaam : « Va avec ces hommes. Seulement, ne dis rien de plus que ce que je te ferai dire. » Balaam s'en alla avec les princes envoyés par Balaq.

**Balaam et Balaq.**

36 Balaq apprit que Balaam arrivait et il partit à sa rencontre, dans la direction d'Ar Moab [e], sur la frontière de l'Arnon, à l'extrémité du territoire. 37 Balaq dit à Balaam : « Ne t'avais-je pas envoyé des messagers pour t'appeler? Pourquoi n'es-tu pas venu vers moi? Vraiment, n'étais-je pas en mesure de t'honorer? » 38 Balaam répondit à Balaq : « Me voici arrivé près de toi. Pourrai-je maintenant dire quelque chose? La parole que
Dieu me mettra dans la bouche, je la dirai. » Jr 1 9

39 Balaam partit avec Balaq. Ils parvinrent à Qiryat-Huçot. 40 Balaq immola du gros et du petit bétail, et il en présenta les morceaux à Balaam et aux princes qui l'accompagnaient [f]. 41 Puis, au matin, Balaq prit Balaam et le fit monter à Bamot-Baal d'où il put voir l'extrémité du camp [g].

**23** 1 Balaam dit à Balaq : « Bâtis-moi ici sept autels, et fournis-moi ici sept taureaux et sept béliers. » 2 Balaq fit comme avait dit Balaam et offrit en holocauste [h] un taureau et un bélier sur chaque autel. 3 Balaam dit alors à Balaq : « Tiens-toi debout près de tes holocaustes tandis que j'irai. Peut-être Yahvé fera-t-il que je le rencontre? Ce qu'il me fera voir, je te le révélerai. » Et il s'en alla sur une colline dénudée.

**Oracles de Balaam.**

4 Or Dieu vint à la rencontre de Balaam, qui lui dit : « J'ai disposé les sept autels et j'ai offert en holocauste un taureau et un bélier sur chaque autel. » 5 Yahvé lui mit alors une parole dans la bouche, et lui dit : « Retourne auprès de Balaq et c'est ainsi que tu parleras. » 6 Balaam retourna donc auprès de lui; il le trouva toujours debout près de son holocauste, avec tous les princes de Moab. 7 Il prononça son poème [i] :

*a)* Monture d'honneur au deuxième millénaire av. J.-C. Cf. Jg **5** 10; **10** 4; **12** 14.

*b)* « Yahvé » avec sam. et quelques mss grecs; « Dieu » hébr. – La contradiction avec le v. 20 semble indiquer un changement de tradition, cf. **22** 2+; ce récit, plus coloré et plus populaire que le précédent, est attribué au Yahviste. Il fait parler les animaux comme Gn **3** 1s.

*c)* Litt. « la route renverse ». Autre traduction : « car ce voyage me déplaisait ».

*d)* Tout acte de l'homme, conscient ou non, qui se trouve en opposition avec la volonté divine est ici considéré comme un péché.

*e)* Le texte porte *'îr mo 'ab*, « une ville de Moab », mais il s'agit de Ar, ville forte qui domine la Gorge de l'Arnon, cf. **21** 15. Mais Balaam va prononcer ses oracles en se déplaçant vers le Nord jusqu'au mont Nébo, en longeant le bord du plateau qui domine la steppe occupée par les Israélites. On est loin au nord de l'Arnon, frontière de Moab, et dans l'ancien territoire de Sihôn conquis par les Israélites. Ces récits reflètent une situation postérieure à la conquête, mais antérieure à l'époque de David, où Moab s'était étendu vers le Nord. Il ira un moment jusqu'à Jéricho, cf. Jg **3** 13.

*f)* C'est un sacrifice de communion, Lv **3** 1+, qui sera suivi, **23** 2, de l'holocauste, lequel prépare la manifestation divine, cf. Jg **6** 25s.

*g)* Litt. « l'extrémité du peuple ».

*h)* « offrit » au sing. avec grec.

*i)* Les poèmes qui suivent devaient primitivement appartenir à

« Balaq me fait venir d'Aram,
le roi de Moab, des monts de Qèdem :
“ Viens, maudis-moi Jacob,
viens, fulmine contre Israël. ”
8 Comment maudirais-je quand Dieu ne maudit pas?
Comment fulminerais-je quand Yahvé ne fulmine pas?
9 Oui, de la crête du rocher je le vois,
du haut des collines je le regarde.
Dt 33 28 Voici un peuple qui habite à part,
il n'est pas rangé parmi les nations [a].
Gn 15 5+ 10 Qui pourrait compter la poussière de Jacob?
Gn 13 16 Qui pourrait dénombrer la nuée d'Israël?
Puissé-je mourir de la mort des justes!
Puisse ma fin être comme la leur [b]! »

11 Balaq dit à Balaam : « Que m'as-tu fait! Je t'avais pris pour maudire mes ennemis et tu prononces sur eux des bénédictions! » 12 Balaam reprit : « Ne dois-je pas prendre soin de dire ce que Yahvé me met dans la bouche? » 13 Balaq lui dit : « Viens donc ailleurs avec moi. Ce peuple que tu vois d'ici, tu n'en vois qu'une extrémité, tu ne le vois pas tout entier. Maudis-le-moi de là-bas. » 14 Il l'emmena au Champ des Guetteurs, vers le sommet du Pisga. Il y bâtit sept autels et offrit en holocauste un taureau et un bélier sur chaque autel. 15 Balaam dit à Balaq : « Tiens-toi debout près de tes holocaustes, tandis que moi j'irai attendre [c]. » 16 Yahvé vint à la rencontre de Balaam, il lui mit une parole dans la bouche et lui dit : « Retourne auprès de Balaq, et c'est ainsi que tu parleras. » 17 Il retourna donc auprès de Balaq; il le trouva toujours debout près de ses holocaustes, avec tous les princes de Moab. « Qu'a dit Yahvé? » lui demanda Balaq. 18 Et Balaam prononça son poème :

« Lève-toi, Balaq, et écoute,
prête-moi l'oreille, fils de Çippor.
1 S 15 29 19 Dieu n'est pas homme, pour qu'il mente,
Ml 3 6 ni fils d'Adam, pour qu'il se rétracte.
Jb 9 32
Rm 11 29 Est-ce lui qui dit et ne fait pas,
Tt 1 2
He 6 18 qui parle et n'accomplit pas?
Jc 1 17 20 J'ai reçu la charge d'une bénédiction [d],
je bénirai et je ne me reprendrai pas.
21 Je [e] n'ai pas aperçu de mal en Jacob
ni vu de souffrance en Israël.
Yahvé son Dieu est avec lui;
chez lui retentit l'acclamation royale.
22 Dieu [f] le fait sortir d'Égypte, = 24 8-9
Il est pour lui comme des cornes de buffle [g]. ↗ Mt 2 15
23 Car il n'y a pas de présage contre Jacob
ni d'augure contre Israël [h].
Alors même que l'on dit à Jacob
et à Israël : “ Que fait donc Dieu? ” 14 14-18
24 voici qu'un peuple se dresse comme une lionne,
qu'il surgit comme un lion : Gn 49 9
il ne se couche pas, qu'il n'ait dévoré sa proie
et bu le sang de ceux qu'il a tués. »

25 Balaq dit à Balaam : « Ne le maudis pas, soit! Du moins, ne le bénis pas! » 26 Balaam répondit à Balaq : « Ne t'avais-je pas dit : Tout ce que Yahvé dira, je le ferai? »

27 Balaq dit à Balaam : « Viens donc, que je t'emmène ailleurs. Et là, peut-être Dieu trouvera bon de le maudire. » 28 Balaq emmena Balaam au sommet du Péor, qui domine le Désert. 29 Balaam dit alors à Balaq : « Bâtis-moi ici sept autels et fournis-moi ici sept taureaux et sept béliers. » 30 Balaq fit comme avait dit Balaam et offrit en holocauste un taureau et un bélier sur chaque autel.

**24** 1 Balaam vit alors que Yahvé trouvait bon de bénir Israël. Il n'alla pas comme les autres fois à la recherche de présages, mais il se tourna face au désert. 2 Levant les yeux, Balaam vit Israël, établi par tribus; l'esprit de Dieu vint sur lui 3 et il prononça son poème. Il dit [i] :

« Oracle de Balaam, fils de Béor,
oracle de l'homme au regard pénétrant [j],
4 oracle de celui qui écoute les paroles de Dieu.
Il voit ce que Shaddaï fait voir, Gn 17 1+
il obtient la réponse divine et ses yeux s'ouvrent [k].
5 Que tes tentes sont belles, Jacob! Ps 84 2
et tes demeures, Israël! Is 54 2-3

un même recueil dirigé contre Moab. Les deux premiers sont transmis par la tradition élohiste.

*a)* C'est l'élection d'Israël, Dt 7 6+, sanctionnée par la bénédiction d'une postérité nombreuse.

*b)* « la leur » grec. L'hébr. a le singulier.

*c)* Litt. « je serai rencontré ».

*d)* Litt. « Voici qu'il a béni, j'ai saisi », mais les versions ont le passif : « j'ai été saisi ».

*e)* « Je » sam. et syr.; « Il » hébr. et grec.

*f)* Au lieu d'Élohim, l'hébr. a « El », qui signifie « Dieu », mais qui est aussi le nom propre du grand dieu cananéen El. Celui-ci avait déjà été identifié avec le Dieu des pères, et le fut avec Yahvé. De même à **24** 4, 8 et 16.

*g)* Texte difficile. Autres traductions : « Il (Jacob) a comme la vigueur du buffle », ou « Il (El) a comme des cornes de buffle ».

*h)* Autre traduction : « en Jacob » et « en Israël ».

*i)* Ici commence une nouvelle série d'oracles appartenant au cycle yahviste.

*j)* Litt. « dont l'œil est parfait », *shettam*, en suivant le grec; « dont l'œil est fermé », *shetûm* hébr.

*k)* Sens discuté. Autre traduction : « il tombe et ses yeux s'ouvrent ».

[6] Comme des vallées qui s'étendent,
comme des jardins au bord d'un fleuve,
comme des aloès que Yahvé a plantés,
comme des cèdres auprès des eaux!
24 17 [7] Un héros grandit dans sa descendance,
Gn **49** 10 Is **9** 5p; il domine sur des peuples nombreux [a].
**11** 1s Son roi est plus grand qu'Agag,
sa royauté s'élève.
**23** 22-24 [8] Dieu le fait sortir d'Égypte,
Dt **33** 17 il est pour lui comme des cornes de buffle.
Il [b] dévore le cadavre de ses adversaires,
il leur brise les os.
Gn **49** 9 [9] Il s'est accroupi, il s'est couché,
comme un lion, comme une lionne :
qui le fera lever?
Gn **12** 3; Béni soit qui te bénit,
**27** 29 et maudit qui te maudit! »

[10] Balaq se mit en colère contre Balaam. Il
frappa des mains et dit à Balaam : « Je t'avais
mandé pour maudire mes ennemis, et voilà que tu
les bénis, et par trois fois! [11] Et maintenant déguer-
pis et va-t'en chez toi. J'avais dit que je te comble-
rais d'honneurs. C'est Yahvé qui t'en a privé. »
[12] Balaam répondit à Balaq : « N'avais-je pas dit
déjà à tes messagers : [13] " Quand Balaq me donnerait plein sa maison d'argent et d'or, je ne pourrais
transgresser l'ordre de Yahvé et faire de moi-même
ni bien ni mal; ce que Yahvé dira, c'est ce que je
dirai "? [14] Maintenant que je pars chez les miens,
viens, je vais t'aviser de ce que ce peuple fera à ton
peuple, dans l'avenir. » [15] Alors il prononça son
poème. Il dit :

« Oracle de Balaam, fils de Béor,
oracle de l'homme au regard pénétrant,
[16] oracle de celui qui écoute les paroles de Dieu,
de celui qui sait la science du Très-Haut.
Il voit ce que Shaddaï fait voir,
il obtient la réponse divine et ses yeux s'ouvrent.
[17] Je le vois – mais non pour maintenant,
je l'aperçois – mais non de près :
Un astre [c] issu de Jacob devient chef, Ap **2** 28; **22** 16
un sceptre [d] se lève, issu d'Israël. Gn **49** 10+
Il frappe les tempes de Moab
et le crâne de tous les fils de Seth [e].
[18] Édom devient un pays conquis; Dt **2** 1+
pays conquis, Séïr. Gn **25** 23;
Israël déploie sa puissance, **27** 39+
[19] Jacob domine sur ses ennemis
et fait périr les rescapés d'Ar [f]. »

[20] Balaam vit Amaleq, il prononça son poème. Il
dit :
« Amaleq : prémices des nations! Ex **17** 8+
Mais sa postérité périra pour toujours [g]. » Ex **17** 14 1 S **15** 3

[21] Puis il vit les Qénites, il prononça son poème.
Il dit :
« Ta demeure fut stable, Qayîn, 1 S **15** 6
et ton nid [h] juché sur le rocher.
[22] Mais le nid appartient à Béor;
jusques à quand seras-tu captif d'Assur [i]? »

[23] Puis il prononça son poème. Il dit :
« Des peuples de la Mer [j] se rassemblent au nord,
[24] des vaisseaux du côté de Kittim. Dn **11** 30
Ils oppriment Assur, ils oppriment Éber [k],
lui aussi périra pour toujours. »

[25] Puis Balaam se leva, partit et retourna chez **31** 8
lui. Balaq lui aussi passa son chemin.

*a)* On suit le grec : cet oracle semble se référer au « messianisme royal », et viser directement, soit Saül, vainqueur d'Agag, roi amalécite, 1 S **15** 8, soit David qui lui aussi combattit les Amalécites, 1 S **30**. L'hébr. est tout différent et peut se traduire : « l'eau déborde de son seau, et sa semence est dans une eau abondante ».

*b)* Israël. La suite du v. est incertaine et le texte corrompu. Au lieu de « cadavre » les massorètes ont compris « nations ».

*c)* L'étoile est dans l'ancien Orient signe d'un dieu, et par suite d'un roi divinisé. Voir également Is **14** 12. Ce terme paraît évoquer ici la monarchie davidique, et pour l'avenir le Messie.

*d)* Au lieu de « sceptre » le grec a « un homme », et au lieu de « tempes » il a « princes ». – Le même mot hébreu signifie les « tempes » et les « confins ».

*e)* Ici, tribus bédouines. Le poète va passer en revue les adversaires d'Israël en marge de Canaan.

*f)* « ennemis » est transposé du v. 18, où l'hébr. le met après « Séïr ». – « Ar », cf. **22** 36, au lieu d'hébr. « ville » (*'îr*).

*g)* « périra pour toujours » sam.; « sera jusqu'à la ruine (?) » hébr. De même au v. 24.

*h)* Jeu de mots entre *qen*, nid, et *qyn*, Qayîn, restitué pour le rythme. – Les Qénites sont des nomades (cf. 1 Ch **2** 55 où ils sont frères des Rékabites), en relations étroites avec Madiân (cf. Nb **10** 29 et Jg **1** 16). Refoulés par les Édomites (le Béor du v. 22 semble être celui de Gn **36** 32), ils gagnent le pays des Amalécites, Jg **1** 16; 1 S **15** 4-6, cf. **27** 10 et **30** 29, et on en rencontrera jusque dans la plaine d'Esdrelon, Jg **4** 11, 17; **5** 24. Qayîn doit être rapproché de Qenaz, le nom du père d'Otniel, lui-même frère (ou neveu?) de « Caleb le Qenizzite » (ailleurs assimilé à la tribu de Juda), Nb **32** 12; Jos **14** 6, 14; **15** 17; Jg **1** 13; **3** 9-11; 1 Ch **4** 13. En Gn **15** 19 les Qenizzites sont nommés entre les Qénites et les Qadmonites (les « fils de l'Orient » de Gn **29** 1; Jg **6** 3, etc.), et en Gn **36** 11, 42, Qenaz est le petit-fils d'Ésaü et le demi-frère d'Amaleq, ce qui exprime une relation géographique plutôt qu'ethnographique.

*i)* Le texte, très incertain, est corrigé d'après le grec. La mention d'Assur, ici et v. 24, est étonnante : il ne peut s'agir de l'Assyrie, car cela mettrait l'oracle très tard (VIII^e s. av. J.-C.), il s'agit peut-être de la tribu d'Assur mentionnée en Gn **25** 3 et 2 S **2** 9.

*j)* Litt. « des îles », moyennant corr. Ces « Peuples de la Mer », dont les Philistins faisaient partie, ont déferlé sur l'Égypte et la Palestine à la fin du XIII^e s. av. J.-C.

*k)* Kittim : Chypre, mais aussi les côtes de la Méditerranée orientale. – Éber : cf. Gn **10** 21; **11** 14, population à laquelle se rattache Abraham, Gn **11** 26; il faut en rapprocher le nom des

31 16 **Israël à Péor** [a].
Dt 3 29; 4 3
Ps 106 28-31
↗ Ap 2 14

**25** 1 Israël s'établit à Shittim [b]. Le peuple se livra
à la prostitution avec les filles de Moab.
2 Elles l'invitèrent aux sacrifices de leurs dieux; le
peuple mangea [c] et se prosterna devant leurs dieux;
3 Israël s'étant ainsi commis avec le Baal de Péor,
la colère de Yahvé s'enflamma contre lui.
4 Yahvé dit à Moïse : « Prends tous les chefs du
2 S 21 6s peuple. Empale-les à la face du soleil, pour Yahvé :
alors l'ardente colère de Yahvé se détournera
Ex 18 25p d'Israël. » 5 Moïse dit aux juges d'Israël : « Que
chacun mette à mort ceux de ses hommes qui se
sont commis avec le Baal de Péor. »
6 Survint un homme des Israélites, amenant
Ex 2 15+ auprès de ses frères cette Madianite [d], sous les yeux
mêmes de Moïse et de toute la communauté des
Israélites pleurant à l'entrée de la Tente du Rendez-
Ex 6 25 vous. 7 A cette vue, Pinhas, fils d'Éléazar, fils
d'Aaron, le prêtre, se leva du milieu de la communauté, saisit une lance, 8 suivit l'Israélite dans
l'alcôve [e] et là il les transperça tous les deux,
↗ 1 Co 10 8 l'Israélite et la femme, en plein ventre. Le fléau qui
frappait les Israélites fut arrêté. 9 Vingt-quatre
mille d'entre eux en étaient morts.

10 Yahvé parla à Moïse et dit : 11 « Pinhas, fils
d'Éléazar, fils d'Aaron, le prêtre, a détourné mon
courroux des Israélites, parce qu'il a été, parmi eux,
possédé de la même jalousie que moi; c'est pour- Dt 4 24
quoi je n'ai pas, dans ma jalousie, achevé les Israélites. 12 C'est pourquoi je dis : Je lui accorde mon
alliance de paix. 13 Il y aura pour lui et pour sa des- Ex 32 2
cendance après lui une alliance, qui lui assurera le Lv 1 7
sacerdoce à perpétuité. En récompense de sa jalou- Dt 33 8
sie pour son Dieu, il pourra accomplir le rite Ez 44 1
d'expiation sur les Israélites [f]. » Ps 106 Si 45 23
14 L'Israélite frappé (il avait été frappé avec la
Madianite) se nommait Zimri, fils de Salu, prince
d'une famille de Siméon. 15 La femme, la Madianite
qui avait été frappée, se nommait Kozbi, fille de
Çur, qui était chef d'un clan, d'une famille, en
Madiân.
16 Yahvé parla à Moïse et dit : 17 « Pressez les
Madianites et frappez-les. 18 Car ce sont eux qui 31 3-12
vous ont pressés, par leurs artifices contre vous
dans l'affaire de Péor, et dans l'affaire de Kozbi
leur sœur, la fille d'un prince de Madiân, celle qui
fut frappée le jour du fléau survenu à cause de
l'affaire de Péor. »

# VIII. Nouvelles dispositions [g]

**Le recensement.**

**26** 19 Après ce fléau, 1 Yahvé parla à Moïse et à
Éléazar, fils d'Aaron, le prêtre. Il dit :
1 2 « Faites le recensement de toute la communauté
des Israélites, par familles : tous ceux qui ont vingt
ans et au-dessus, aptes à faire campagne en
Israël. »
3 Moïse et Éléazar le prêtre les recensèrent donc,
dans les Steppes de Moab, près du Jourdain vers
Jéricho [h].
4 (Comme Yahvé l'a ordonné à Moïse et aux
Israélites à leur sortie du pays d'Égypte.) Hommes
de vingt ans et au-dessus :
5 Ruben, premier-né d'Israël. Les fils de Ruben : Gn 46 8
pour Hénok, le clan Hénokite; pour Pallu, le clan
Palluite; 6 pour Hèçrôn, le clan Hèçronite; pour
Karmi, le clan Karmite. 7 Tels étaient les clans
Rubénites. Ils comprenaient quarante-trois mille
sept cent trente recensés.
8 Les fils de Pallu : Éliab. 9 Les fils d'Éliab :
Nemuel, Datân et Abiram. Ce sont Datân et Abi- 16 1 - 1
ram, hommes considérés dans la communauté, qui
se soulevèrent contre Moïse et Aaron; ils étaient de

« Hébreux » (cf. « Abram l'Hébreu », Gn **14** 13), quelle que soit l'origine réelle de ce nom.

*a)* Le récit ancien, vv. 1-5, suppose la même situation historique que les récits sur Balaam, cf. **22** 36+. Le sanctuaire de Baal Péor, cf. **23** 28, à la limite entre Israël et Moab, est fréquenté par les deux peuples, et les femmes moabites entraînent les Israélites au culte de leurs dieux (ou de leur dieu), cf. **31** 16. Les vv. 6-18, rattachés au même sanctuaire par le v. 18, sont de rédaction sacerdotale mais utilisent une tradition ancienne qui met en scène une femme madianite. Il est possible que des Madianites qui nomadisaient dans toute cette région, cf. **22** 4, 7, loin de leur territoire, cf. Ex **2** 11+, aient fréquenté ce sanctuaire. Ce récit a donné occasion à l'histoire de la guerre contre Madiân, Nb **31** 1+. Les Madianites que les traditions sur Moïse considéraient avec faveur, cf. Ex **2** 18+, sont devenus les ennemis d'Israël, cf. Jg **7-9**.

*b)* Sur Shittim ou Abel ha-Shittim, cf. Jos **2** 1+.

*c)* C'est le repas sacré qui accompagne les sacrifices.

*d)* Celle dont il va être question.

*e)* Litt. « la niche voûtée », peut-être destinée à la prostitution sacrée.

*f)* Autre traduction : « C'est sa récompense de son zèle jaloux pour son Dieu et de ce qu'il a fait l'expiation. »

*g)* Ces nouvelles dispositions, assez disparates, sont toutes de tradition sacerdotale.

*h)* « les recensèrent » Targ., syr.; « leur parlèrent... et dirent » hébr. – Ce recensement dans les Steppes de Moab correspond à celui qui fut fait au départ du Sinaï, Nb **1**; il est plus détaillé et a servi à dresser le tableau de la famille de Jacob dans Gn **46** (sacerdotal). L'ordre des tribus est différent dans le grec, et conforme à celui de Gn **46**.

la bande de Coré quand elle se souleva contre
Yahvé. 10 La terre ouvrit sa bouche et les engloutit
(ainsi que Coré, lorsque périt cette bande), lorsque
le feu consuma les deux cent cinquante hommes.
Ils furent un signe. 11 Les fils de Coré ne périrent
pas.
Gn **46** 10 12 Les fils de Siméon, par clans : pour Nemuel,
le clan Nemuélite; pour Yamîn, le clan Yaminite;
pour Yakîn, le clan Yakinite; 13 pour Zérah, le clan
Zarhite; pour Shaûl, le clan Shaûlite. 14 Tels étaient
les clans Siméonites. Ils comprenaient vingt-deux
mille deux cents recensés.
Gn **46** 16 15*a* Les fils de Gad, par clans : pour Çephôn, le
clan Çephonite; pour Haggi, le clan Haggite; pour
Shuni, le clan Shunite; 16 pour Ozni, le clan Oznite;
pour Éri, le clan Érite; 17 pour Arod, le clan Aro-
dite; pour Aréli, le clan Arélite. 18 Tels étaient les
clans des fils de Gad. Ils comprenaient quarante
mille cinq cents recensés.
Gn **46** 12 19 Les fils de Juda : Er et Onân. Er et Onân moururent au pays de Canaan. 20 Les fils de Juda devinrent des clans : pour Shéla, le clan Shélanite; pour
Péreç, le clan Parçite; pour Zérah, le clan Zarhite.
21 Les fils de Péreç furent : pour Hèçrôn, le clan
Hèçronite; pour Hamul, le clan Hamulite. 22 Tels
étaient les clans de Juda. Ils comprenaient soixante-seize mille cinq cents recensés.
Gn **46** 13 23 Les fils d'Issachar, par clans : pour Tola, le
Jg **10** 1-2 clan Tolaïte; pour Puvva, le clan Puvvite; 24 pour
Yashub, le clan Yashubite; pour Shimrôn, le clan
Shimronite. 25 Tels étaient les clans d'Issachar. Ils
comprenaient soixante-quatre mille trois cents
recensés.
Gn **46** 14 26 Les fils de Zabulon, par clans : pour Séred, le
g **12** 11-12 clan Sardite; pour Élôn, le clan Élonite; pour Yah-
léel, le clan Yahléélite. 27 Tels étaient les clans de
Zabulon. Ils comprenaient soixante mille cinq
cents recensés.
Gn **46** 20 28 Les fils de Joseph, par clans : Manassé et
Éphraïm.
Jos **17** 1 29 Les fils de Manassé : pour Makir, le clan
Jg **5** 14 Makirite; et Makir engendra Galaad : pour
Ch **7** 14-19 Galaad, le clan Galaadite. 30 Voici les fils de
Galaad; pour Iézer, le clan Iézrite; pour Héleq, le
clan Helqite; 31 Asriel, le clan Asriélite; Shékem, le
clan Shékémite; 32 Shemida, le clan Shemidaïte;
Hépher, le clan Héphrite. 33 Çelophehad, fils de
Hépher, n'eut pas de fils, mais des filles; voici les
noms des filles de Çelophehad : Mahla, Noa,
Hogla, Milka et Tirça. 34 Tels étaient les clans de
Manassé. Ils comprenaient cinquante-deux mille
sept cents recensés.
35 Et voici les fils d'Éphraïm, par clans : pour
Shutélah, le clan Shutalhite; pour Béker, le clan
Bakrite; pour Tahân, le clan Tahanite. 36 Voici les
fils de Shutélah : pour Érân, le clan Éranite. 37 Tels
étaient les clans des fils d'Éphraïm. Ils comprenaient trente-deux mille cinq cents recensés.
Tels étaient les fils de Joseph, par clans.
38 Les fils de Benjamin, par clans : pour Béla, le Gn **46** 21
clan Baléite; pour Ashbel, le clan Ashbélite; pour
Ahiram, le clan Ahiramite; 39 pour Shephupham, le
clan Shephuphamite; pour Hupham, le clan
Huphamite. 40 Béla eut pour fils Ard et Naamân :
pour Ard, le clan Ardite; pour Naamân, le clan
Naamite. 41 Tels étaient les fils de Benjamin, par
clans. Ils comprenaient quarante-cinq mille six
cents recensés.
42 Voici les fils de Dan, par clans : pour Shu- Gn **46** 23
ham, le clan Shuhamite. Tels étaient les clans de
Dan, par clans. 43 Tous les clans Shuhamites
comprenaient soixante-quatre mille quatre cents
recensés.
44 Les fils d'Asher, par clans : pour Yimna, le Gn **46** 17
clan Yimnite; pour Yishvi, le clan Yishvite; pour
Béria, le clan Bériite. 45 Pour les fils de Béria : pour
Héber, le clan Hébrite; pour Malkiel, le clan Mal-
kiélite. 46 La fille d'Asher se nommait Sarah.
47 Tels étaient les clans des fils d'Asher. Ils
comprenaient cinquante-trois mille quatre cents
recensés.
48 Les fils de Nephtali, par clans : pour Yahçéel, Gn **46** 24
le clan Yahçéélite; pour Guni, le clan Gunite;
49 pour Yéçer, le clan Yiçrite; pour Shillem, le clan
Shillémite. 50 Tels étaient les clans de Nephtali,
répartis par clans. Les fils de Nephtali comprenaient quarante-cinq mille quatre cents recensés.
51 Les Israélites étaient donc six cent un mille 2 32; **11** 21
sept cent trente recensés. **1** 46+
52 Yahvé parla à Moïse et dit : 53 « C'est à ceux-ci
que le pays sera distribué en héritage, suivant le Jos **13**s
nombre des inscrits. 54 A celui qui a un grand nom- = **33** 54
bre, tu donneras un grand domaine, à celui qui a
un petit nombre, un petit domaine; à chacun son
héritage, en proportion du nombre de ses recensés.
55 Toutefois, c'est le sort qui fera le partage du
pays. Selon le nombre des noms dans les tribus
patriarcales, on recevra son héritage; 56 l'héritage
de chaque tribu sera réparti par le sort en tenant
compte du grand ou du petit nombre. »

**Recensement des Lévites.**

57 Voici, par clans, les Lévites recensés : pour
Gershôn, le clan Gershonite; pour Qehat, le clan Gn **46** 11
Qehatite; pour Merari, le clan Merarite. Ex **6** 16-23
58 Voici les clans de Lévi : le clan Libnite, le clan 1 Ch **6** 1-15

*a)* Le grec intervertit ici l'ordre des tribus, d'où un décalage dans la numérotation.

Hébronite, le clan Mahlite, le clan Mushite, le clan
Coréite[a].
Ex **6** 20 Qehat engendra Amram. 59 La femme d'Amram
se nommait Yokébed, fille de Lévi, qui lui était née
en Égypte. Elle donna à Amram Aaron, Moïse et
Lv **10** 1-3 Miryam leur sœur. 60 Aaron engendra Nadab et
Nb **3** 4 Abihu, Éléazar et Itamar. 61 Nadab et Abihu moururent lorsqu'ils portèrent devant Yahvé un feu
irrégulier.
**3** 15, 39 62 Il y eut en tout vingt-trois mille mâles recensés, d'un mois et au-dessus. Car ils n'avaient pas
été recensés avec les Israélites, n'ayant pas reçu
**18** 20-24 d'héritage au milieu d'eux.
63 Tels furent les hommes que recensèrent Moïse
et Éléazar le prêtre, qui firent ce recensement des
Israélites dans les Steppes de Moab, près du Jourdain vers Jéricho. 64 Aucun d'eux n'était de ceux
que Moïse et Aaron le prêtre avaient recensés, en
dénombrant les Israélites dans le désert du Sinaï;
**14** 20-38 65 car Yahvé le leur avait dit : ceux-ci mourraient
dans le désert et il n'en resterait aucun, à l'exception de Caleb, fils de Yephunné, et de Josué, fils de
Nûn.

**L'héritage des filles.**

**26** 33 **27** 1 Alors s'approchèrent les filles de Çelophe-
Jos **17** 3-4 had. Celui-ci était fils de Hépher, fils de
Galaad, fils de Makir, fils de Manassé; il était des
clans de Manassé, fils de Joseph. Voici les noms
de ses filles : Mahla, Noa, Hogla, Milka et Tirça.
2 Elles se présentèrent devant Moïse, devant Éléazar le prêtre, devant les princes et toute la communauté, à l'entrée de la Tente du Rendez-vous et elles
dirent : 3 « Notre père est mort dans le désert. Il
n'était pas du parti qui se forma contre Yahvé, du
parti de Coré; c'est pour son propre péché qu'il est
mort sans avoir eu de fils[b]. 4 Pourquoi le nom de
notre père disparaîtrait-il de son clan? Puisqu'il n'a
pas eu de fils, donne-nous un domaine au milieu
des frères de notre père. »
5 Moïse porta leur cas devant Yahvé 6 et Yahvé
parla à Moïse. Il dit : 7 « Les filles de Çelophehad
ont parlé juste. Tu leur donneras donc un domaine
qui sera leur héritage au milieu des frères de leur
père; tu leur transmettras l'héritage de leur père.
8 Puis tu parleras ainsi aux Israélites : Si un
homme meurt sans avoir eu de fils, vous transmet-
trez son héritage à sa fille. 9 S'il n'a pas de fille,
vous donnerez son héritage à ses frères. 10 S'il n'a
pas de frères, vous donnerez son héritage aux frères
de son père. 11 Si son père n'a pas de frères, vous
donnerez son héritage à celui de son clan qui est
son plus proche parent : il en prendra possession.
Ce sera là pour les Israélites une règle de droit,
comme Yahvé l'a ordonné à Moïse. »

**Josué chef de la communauté.** || Dt **31** 1-8,23
Dt **34** 9

12 Yahvé dit à Moïse : « Monte sur cette montagne de la chaîne des Abarim, et regarde le pays que
j'ai donné aux Israélites. 13 Lorsque tu l'auras
regardé, tu seras réuni aux tiens, comme Aaron,
ton frère. 14 Car vous avez été rebelles dans le **20** 12+
désert de Çin, lorsque la communauté me chercha
querelle, quand je vous commandai de manifester
devant elle ma sainteté, par l'eau. » (Ce sont les
eaux de Meriba de Cadès, dans le désert de Çin.)
15 Moïse parla à Yahvé et dit : 16 « Que Yahvé,
Dieu des esprits qui animent toute chair, établisse **16** 22
sur cette communauté un homme 17 qui sorte et
rentre à leur tête, qui les fasse sortir et rentrer[c],
pour que la communauté de Yahvé ne soit pas
comme un troupeau sans pasteur. » 18 Yahvé répon- 1 R **22** 17
dit à Moïse : « Prends Josué, fils de Nûn, homme Ez **34** 5 Mt **9** 36
en qui demeure l'esprit. Tu lui imposeras la main. Jos **1** 1+
19 Puis tu le feras venir devant Éléazar, le prêtre,
et toute la communauté, pour lui donner devant
eux tes ordres 20 et lui transmettre une part de ta 2 R **2** 9.15
dignité, afin que toute la communauté des Israélites
lui obéisse. 21 Il se tiendra devant Éléazar le prêtre, Jos **1** 16-17
qui consultera pour lui selon le rite de l'Urim, 1 S **14** 41+
devant Yahvé. C'est sur son ordre que sortiront et Dt **33** 8
rentreront avec lui tous les Israélites, toute la
communauté. »
22 Moïse fit comme Yahvé l'avait ordonné. Il prit
Josué, le fit venir devant Éléazar, le prêtre, et toute
la communauté, 23 il lui imposa la main et lui Dt **34** 9
donna ses ordres, comme Yahvé l'avait dit par
l'intermédiaire de Moïse.

**Précisions sur les sacrifices[d].** Lv **23**
Ex **23** 14+

**28** 1 Yahvé parla à Moïse et dit : 2 « Ordonne ceci
aux Israélites :
Vous aurez soin de m'apporter au temps fixé
mon offrande, ma nourriture, sous forme de mets
consumés en parfum d'apaisement. Ex **29** 18+
3 Tu leur diras : Voici le mets que vous offrirez
à Yahvé :

*a)* Ces deux répartitions des Lévites en clans ne coïncident pas; la seconde est sans doute la plus ancienne et garde le souvenir de la concentration primitive des Lévites dans le Sud (Hébron, Libna). 1 Ch **6** 1-15 cherche à les concilier.

*b)* Le châtiment du péché d'incrédulité, **14**, n'a pas aboli les droits de la génération suivante; celui du péché de Coré, **16-17**, atteint la descendance des rebelles.

*c)* Ces expressions désignent toute l'activité du chef, Dt **28** 6; 1 S **29** 6; 2 R **19** 27, lequel se règlera sur les réponses de l'oracle divin, transmis par le prêtre, v. 21, cf. 1 S **14** 18, 37; **23** 2s.

*d)* Les ch. **28** et **29** reprennent le cycle liturgique de Lv **23**, mais d'un point de vue très particulier. C'est, en vue du règlement du Temple, une systématisation des dispositions de Lv **23** 13, 17-18; cf. Ez **45** 21-25; **46** 11, 13-15.

Ex **29** 38-46 Lv **6** 21 Ez **46** 13-15 **A. Sacrifices quotidiens.**

« Chaque jour, deux agneaux d'un an, sans défaut, comme holocauste perpétuel. 4 Tu feras du premier agneau l'holocauste du matin et du second l'holocauste du crépuscule, 5 avec l'oblation d'un dixième de mesure de fleur de farine pétrie dans un quart de setier d'huile vierge. 6 C'est l'holocauste perpétuel accompli jadis au mont Sinaï en parfum d'apaisement, un mets consumé pour Yahvé. 7 La libation conjointe sera d'un quart de setier pour chaque agneau; c'est dans le sanctuaire que sera répandue la libation de boisson fermentée pour Yahvé. 8 Pour le second agneau, tu en feras l'holocauste du crépuscule; tu le feras avec la même oblation et la même libation que le matin, comme mets consumé en parfum d'apaisement pour Yahvé.

Ex **23** 12 Ez **46** 4-5 **B. Le sabbat.**

9 « Le jour du sabbat, vous offrirez deux agneaux d'un an, sans défaut, et deux dixièmes de fleur de farine, en oblation pétrie dans l'huile, ainsi que la libation conjointe. 10 L'holocauste du sabbat s'ajoutera chaque sabbat à l'holocauste perpétuel et de même la libation conjointe.

Am **8** 5 Is **1** 13 Ez **46** 6-7 **C. La néoménie.**

11 « Au commencement de vos mois, vous ferez un holocauste pour Yahvé : deux taureaux, un bélier, et sept agneaux d'un an, sans défaut; 12 pour chaque taureau, trois dixièmes de fleur de farine, en oblation pétrie dans l'huile; pour chaque bélier, deux dixièmes de fleur de farine, en oblation pétrie dans l'huile; 13 pour chaque agneau, un dixième de fleur de farine, en oblation pétrie dans l'huile. C'est un holocauste offert en parfum d'apaisement, un mets consumé pour Yahvé. 14 Les libations conjointes seront d'un demi-setier de vin par taureau, d'un tiers de setier par bélier et d'un quart de setier par agneau. Tel sera mois après mois l'holocauste du mois, pour tous les mois de l'année. 15 En plus de l'holocauste perpétuel, il sera offert à Yahvé un bouc, en sacrifice pour le péché, avec la libation conjointe.

Ex **12**+ Lv **23** 5-8 Dt **16** 1-8 **45** 21-24 **D. Les Azymes.**

16 « Le premier mois, le quatorzième jour du mois, c'est la Pâque de Yahvé, 17 et le quinzième jour de ce mois est un jour de fête. Pendant sept jours on mangera des azymes. 18 Le premier jour, il y aura une sainte assemblée. Vous ne ferez aucune œuvre servile. 19 Vous offrirez à Yahvé des mets consumés en holocauste : deux taureaux, un bélier, sept agneaux d'un an, sans défaut. 20 L'oblation conjointe, en fleur de farine pétrie dans l'huile, sera de trois dixièmes par taureau, de deux dixièmes par bélier, 21 et d'un dixième pour chacun des sept agneaux. 22 Et il y aura un bouc en sacrifice pour le péché, pour faire sur vous le rite d'expiation. 23 Vous ferez cela en plus de l'holocauste du matin offert à titre d'holocauste perpétuel. 24 Vous ferez ainsi chaque jour pendant sept jours. C'est une nourriture, un mets consumé en parfum d'apaisement pour Yahvé; il est offert en plus de l'holocauste perpétuel et de sa libation conjointe. 25 Le septième jour vous aurez une sainte assemblée; vous ne ferez aucune œuvre servile.

**E. La fête des Semaines.** Ex **23** 14+ Lv **23** 15-21 Dt **16** 9-12

26 « Le jour des prémices, quand vous offrirez à Yahvé une oblation de fruits nouveaux, à votre fête des Semaines, vous aurez une sainte assemblée; vous ne ferez aucune œuvre servile. 27 Vous ferez un holocauste, en parfum d'apaisement pour Yahvé : deux taureaux, un bélier, sept agneaux d'un an. 28 L'oblation conjointe, en fleur de farine pétrie dans l'huile, sera de trois dixièmes pour chaque taureau, de deux dixièmes pour chaque bélier, 29 d'un dixième pour chacun des sept agneaux. 30 Et il y aura un bouc en sacrifice pour le péché [a], pour faire sur vous le rite d'expiation. 31 Vous ferez cela en plus de l'holocauste perpétuel, de son oblation [b] et des libations conjointes.

**F. La fête des Acclamations [c].** Lv **23** 24 Nb **10** 5+

**29** 1 « Le septième mois, le premier du mois, vous aurez une sainte assemblée; vous ne ferez aucune œuvre servile. Ce sera pour vous le jour des Acclamations. 2 Vous ferez un holocauste, en parfum d'apaisement pour Yahvé : un taureau, un bélier, sept agneaux d'un an, sans défaut. 3 L'oblation conjointe, en fleur de farine pétrie dans l'huile, sera de trois dixièmes pour le taureau, de deux dixièmes pour le bélier, 4 d'un dixième pour chacun des sept agneaux. 5 Et il y aura un bouc en sacrifice pour le péché, pour faire sur vous le rite d'expiation. 6 Cela en plus de l'holocauste mensuel et de son oblation, de l'holocauste perpétuel et de son oblation, de leurs libations conjointes selon la règle, – en parfum d'apaisement, comme mets consumés pour Yahvé.

*a)* « en sacrifice pour le péché » grec; manque dans hébr.
*b)* Le texte ajoute ici : « ils seront pour vous sans défaut » qui provient peut-être du v. 27.
*c)* C'est peut-être le vestige d'une ancienne fête guerrière de Yahvé des Armées, située au début de l'année.

Lv **16**+ Ez **45** 18-20

**G. Le jour des Expiations.**

7 « Le dixième jour de ce septième mois, vous aurez une sainte assemblée. Vous jeûnerez et vous ne ferez aucun travail. 8 Vous ferez un holocauste à Yahvé, en parfum d'apaisement : un taureau, un bélier, sept agneaux d'un an, que vous choisirez sans défaut. 9 L'oblation conjointe, en fleur de farine pétrie dans l'huile, sera de trois dixièmes pour le taureau, de deux dixièmes pour le bélier, 10 d'un dixième pour chacun des sept agneaux. 11 Un bouc sera offert en sacrifice pour le péché. Cela en plus de la victime pour le péché de la fête des Expiations, de l'holocauste perpétuel et de son oblation, et de leurs libations conjointes.

Ex **23** 14+ Lv **23** 33-43 Dt **16** 13-15 Ez **45** 25 Jn **7** 2

**H. La fête des Tentes.**

12 « Le quinzième jour du septième mois, vous aurez une sainte assemblée, vous ne ferez aucune œuvre servile et pendant sept jours vous célébrerez une fête pour Yahvé. 13 Vous ferez un holocauste, mets consumé en parfum d'apaisement pour Yahvé : treize taureaux, deux béliers, quatorze agneaux d'un an, sans défaut. 14 Les oblations conjointes, en fleur de farine pétrie dans l'huile, seront de trois dixièmes pour chacun des treize taureaux, de deux dixièmes pour chacun des deux béliers, 15 d'un dixième pour chacun des quatorze agneaux. 16 On ajoutera un bouc en sacrifice pour le péché. Cela en plus de l'holocauste perpétuel, de son oblation et de sa libation.

17 Le second jour : douze taureaux, deux béliers, quatorze agneaux d'un an sans défaut; 18 l'oblation et les libations conjointes, faites suivant la règle selon le nombre des taureaux, des béliers et des agneaux; 19 un bouc pour le sacrifice pour le péché; en plus de l'holocauste perpétuel, de son oblation et de ses libations.

20 Le troisième jour : onze taureaux, deux béliers, quatorze agneaux d'un an, sans défaut; 21 l'oblation et les libations conjointes, faites suivant la règle, selon le nombre des taureaux, des béliers et des agneaux; 22 un bouc pour le sacrifice pour le péché; en plus de l'holocauste perpétuel, de son oblation et de sa libation.

23 Le quatrième jour : dix taureaux, deux béliers, quatorze agneaux d'un an, sans défaut; 24 l'oblation et les libations conjointes, faites suivant la règle, selon le nombre des taureaux, des béliers et des agneaux; 25 un bouc pour le sacrifice pour le péché; en plus de l'holocauste perpétuel, de son oblation et de sa libation.

26 Le cinquième jour : neuf taureaux, deux béliers, quatorze agneaux d'un an, sans défaut; 27 les oblations et libations conjointes, faites suivant la règle, selon le nombre des taureaux, des béliers et des agneaux; 28 un bouc pour le sacrifice pour le péché; en plus de l'holocauste perpétuel, de son oblation et de sa libation.

29 Le sixième jour : huit taureaux, deux béliers, quatorze agneaux d'un an, sans défaut; 30 l'oblation et les libations conjointes, faites suivant la règle, selon le nombre des taureaux, des béliers et des agneaux; 31 un bouc pour le sacrifice pour le péché; en plus de l'holocauste perpétuel, de son oblation et de ses libations.

32 Le septième jour : sept taureaux, deux béliers, quatorze agneaux d'un an, sans défaut; 33 les oblations et libations conjointes, faites suivant la règle, selon le nombre des taureaux, des béliers et des agneaux; 34 un bouc pour le sacrifice pour le péché; en plus de l'holocauste perpétuel, de son oblation et de sa libation.

35 Le huitième jour, vous aurez une réunion. Jn **7** 37
Vous ne ferez aucune œuvre servile. 36 Vous offrirez un holocauste, mets consumé en parfum d'apaisement pour Yahvé : un taureau, un bélier, sept agneaux d'un an, sans défaut; 37 l'oblation et les libations conjointes, faites suivant la règle, selon le nombre des taureaux, des béliers et des agneaux; 38 un bouc pour le sacrifice pour le péché; en plus de l'holocauste perpétuel, de son oblation et de sa libation.

39 C'est là ce que vous ferez pour Yahvé, lors de vos solennités, en plus de vos offrandes votives et de vos offrandes volontaires, de vos holocaustes, oblations et libations, et de vos sacrifices de communion. »

**30** 1 Moïse parla aux Israélites conformément à tout ce que Yahvé lui avait ordonné.

**Lois sur les vœux.** Lv **27** 1+ Dt **23** 22-2 Qo **5** 3-4 Ps **50** 14; **56** 13; **76** Jg **11** 30-4

2 Moïse parla aux chefs de tribu des Israélites. Il dit : « Voici ce que Yahvé a ordonné.

3 Si un homme fait un vœu à Yahvé ou prend par serment un engagement formel, il ne violera pas sa parole : tout ce qui est sorti de sa bouche, il l'exécutera.

4 Si une femme fait un vœu à Yahvé ou prend un engagement formel, alors que, jeune encore, elle habite la maison de son père, 5 et si celui-ci, apprenant son vœu ou l'engagement qu'elle a pris, ne lui dit rien, son vœu, quel qu'il soit, sera valide, et l'engagement qu'elle a pris, quel qu'il soit, sera valide. 6 Mais si son père, le jour où il l'apprend, y fait opposition, aucun de ses vœux et aucun des engagements qu'elle a pris ne seront valides. Yahvé ne lui en tiendra pas rigueur, puisque c'est son père qui y a fait opposition.

7 Si, étant tenue par des vœux ou par un engage-

Lv 5 4 ment sorti inconsidérément de sa bouche, elle se
marie, [8] et si son mari, l'apprenant, ne lui dit rien
le jour où il en est informé, ses vœux seront valides
et les engagements qu'elle a pris seront valides.
[9] Mais si, le jour où il l'apprend, son mari lui fait
opposition, il annulera le vœu qui la tient ou l'engagement qui l'oblige, sorti inconsidérément de sa
bouche. Yahvé ne lui en tiendra pas rigueur.
[10] Le vœu d'une femme veuve ou répudiée, et
tous les engagements qu'elle a pris, seront valides
pour elle.
[11] Si c'est dans la maison de son mari qu'elle a
fait un vœu, ou pris un engagement par serment,
[12] et si, l'apprenant, son mari ne lui dit rien et ne
lui fait pas opposition, son vœu, quel qu'il soit, sera
valide et l'engagement qu'elle a pris, quel qu'il soit,
sera valide. [13] Mais si son mari, l'apprenant, les
annule le jour où il en est informé, rien ne sera
valide de ce qui est sorti de sa bouche, vœux ou
engagements. Son mari les ayant annulés, Yahvé ne
lui en tiendra pas rigueur.
[14] Tout vœu et tout serment qui engage la
femme [a], son mari peut les valider ou les annuler.
[15] Si au lendemain son mari ne lui a rien dit, c'est
qu'il valide son vœu, quel qu'il soit, ou son engagement, quel qu'il soit. Il les a validés s'il ne lui dit
rien le jour où il en est informé. [16] Mais si, informé,
il les annule plus tard, c'est lui qui portera le poids
de la faute qui incomberait à sa femme. »
[17] Telles sont les lois que Yahvé prescrivit à
Moïse, en ce qui concerne la relation entre un
homme et sa femme, et entre un père et sa fille
lorsque, jeune encore, elle habite la maison de
son père.

# IX. Butin et partages

Dt 20 1-20;
21 10-14
Jos 6 17+

## Guerre sainte contre Madiân [b].

1 S 15 1-33 31 [1] Yahvé parla à Moïse et dit : [2] « Accomplis la
Ex 2 15+ vengeance des Israélites sur les Madianites.
Ensuite tu seras réuni aux tiens. »
[3] Moïse parla ainsi au peuple : « Que certains
d'entre vous s'arment pour la campagne de Yahvé
25 17-18 contre Madiân, pour payer à Madiân le salaire de
la vengeance de Yahvé. [4] Vous mettrez en campagne mille hommes pour chacune des tribus
d'Israël. »
1 16+ [5] Les milliers d'Israël fournirent, à raison d'un
millier par tribu, douze mille hommes armés pour
la campagne. [6] Moïse les mit en campagne, un mil-
25 6-13 lier par tribu, et leur joignit Pinhas, fils d'Éléazar
le prêtre, porteur des objets sacrés et des trompettes
10 9 pour les acclamations.
[7] Ils firent campagne contre Madiân, comme
Yahvé l'avait ordonné à Moïse, et tuèrent tous les
13 21-22 mâles. [8] En outre, ils tuèrent les rois de Madiân,
Évi, Réqem, Çur, Hur et Réba, cinq rois madianites; ils passèrent aussi au fil de l'épée Balaam, fils
de Béor. [9] Les Israélites emmenèrent captives les
femmes des Madianites avec leurs petits enfants, ils
razzièrent tout leur bétail, tous leurs troupeaux et
tous leurs biens. [10] Ils mirent le feu aux villes qu'ils
habitaient ainsi qu'à tous leurs campements.
[11] Puis, prenant tout leur butin, tout ce qu'ils
avaient capturé, bêtes et gens, [12] ils amenèrent captifs, prises et butin à Moïse, à Éléazar le prêtre et
à toute la communauté des Israélites, jusqu'au
camp, aux Steppes de Moab qui se trouvent près
du Jourdain vers Jéricho.

## Massacre des femmes et purification du butin.

[13] Moïse, Éléazar le prêtre et tous les princes de
la communauté sortirent du camp à leur rencontre.
[14] Moïse s'emporta contre les commandants des
forces, chefs de milliers et chefs de centaines, qui
revenaient de cette expédition guerrière. [15] Il leur
dit : « Pourquoi avez-vous laissé la vie à toutes les
femmes? [16] Ce sont elles qui, sur les conseils de
Balaam, ont été pour les Israélites une cause
d'infidélité à Yahvé dans l'affaire de Péor : d'où le 25
fléau qui a sévi sur la communauté de Yahvé.
[17] Tuez donc tous les enfants mâles. Tuez aussi toutes les femmes qui ont connu un homme en partageant sa couche. [18] Ne laissez la vie qu'aux petites
filles qui n'ont pas partagé la couche d'un homme,
et qu'elles soient à vous. [19] Quant à vous, campez
durant sept jours hors du camp, vous tous qui avez
tué quelqu'un ou touché un cadavre. Purifiez-vous, 19 11-22
vous et vos prisonniers, le troisième et le septième
jour; [20] purifiez aussi tous les vêtements, tous les
objets en peau, tous les tissus en poil de chèvre,
tous les objets en bois. »
[21] Éléazar le prêtre dit aux combattants qui revenaient de cette campagne : « Voici un article de la

*a)* Litt. « l'engage à opprimer son âme », ce qui signifie d'ordinaire jeûner. Mais l'ensemble des commentateurs admet qu'il faut ici élargir le sens.

*b)* Texte de composition tardive (sacerdotal), qui est une suite logique de l'affaire de Péor et permet d'introduire les règles concernant la guerre sainte, la répartition du butin et le partage de la Terre Sainte.

Loi que Yahvé a prescrite à Moïse. 22 Toutefois
l'or, l'argent, le bronze, le fer, l'étain, le plomb,
23 tout ce qui peut aller au feu, vous le ferez passer
par le feu et cela sera pur; mais c'est par les eaux
**19** 1-10 lustrales que cela sera purifié. Et tout ce qui ne peut
aller au feu, vous le ferez passer par l'eau[a]. »
24 Vous laverez vos vêtements le septième jour et
vous serez purs. Vous pourrez ensuite rentrer au
camp.

**Partage du butin.**

25 Yahvé parla à Moïse et dit :
26 « Avec Éléazar le prêtre et les chefs de famille
1 S **30** 24 de la communauté, fais le compte des prises et des
captifs, gens et bêtes. 27 Puis tu partageras les prises, par moitié, entre les combattants qui ont fait
la campagne et l'ensemble de la communauté.
28 Comme redevance pour Yahvé, tu prélèveras, sur
la part des combattants qui ont fait la campagne,
un sur cinq cents des gens, du gros bétail, des ânes
et du petit bétail. 29 Tu prendras cela sur la moitié
qui leur revient, et tu le donneras à Éléazar le prêtre, comme prélèvement pour Yahvé. 30 Sur la moitié qui revient aux Israélites tu prendras un sur cinquante des gens, du gros bétail, des ânes et du petit
bétail, de toutes les bêtes, et tu le donneras aux
Lévites qui assument la charge de la Demeure de
Yahvé. »
31 Moïse et Éléazar le prêtre firent comme Yahvé
l'avait commandé à Moïse. 32 Or les prises, le reste
du butin que la troupe partie en campagne avait
razzié, se montaient à six cent soixante-quinze
mille têtes de petit bétail, 33 soixante-douze mille
têtes de gros bétail, 34 soixante et un mille ânes,
35 et, en fait de gens, de femmes n'ayant pas partagé
la couche d'un homme, trente-deux mille personnes
en tout. 36 La moitié en fut assignée à ceux qui
avaient fait campagne, soit trois cent trente-sept
mille cinq cents têtes de petit bétail, 37 dont six cent
soixante-quinze en redevance pour Yahvé, 38 trente-
six mille têtes de gros bétail, dont soixante-douze
en redevance pour Yahvé, 39 trente mille cinq cents
ânes, dont soixante et un en redevance pour Yahvé,
40 et seize mille personnes, dont trente-deux en
redevance pour Yahvé. 41 Moïse donna à Éléazar le
prêtre la redevance prélevée pour Yahvé, comme
Yahvé l'avait ordonné à Moïse.
42 Quant à la moitié qui revenait aux Israélites,
et que Moïse avait séparée de celle des combattants, 43 cette moitié, part de la communauté, se
montait à trois cent trente-sept mille cinq cents
têtes de petit bétail, 44 trente-six mille têtes de gros
bétail, 45 trente mille cinq cents ânes 46 et seize
mille personnes. 47 Sur cette moitié, part des Israélites, Moïse prit un sur cinquante des gens et des
bêtes et il les donna aux Lévites qui assumaient la
charge de la Demeure de Yahvé, comme Yahvé **18** 26-32
l'avait ordonné à Moïse.

**Les offrandes [b].** Jg **8** 24-27

48 Les commandants des milliers qui avaient fait
la campagne, chefs de milliers et chefs de centaines,
vinrent trouver Moïse 49 et lui dirent : « Tes serviteurs ont fait le compte des combattants dont ils
disposaient : il n'en manque aucun. 50 Aussi appor-
tons-nous chacun en offrande à Yahvé ce que nous
avons trouvé en fait d'objets d'or, bracelets de bras
et de poignet, bagues, boucles d'oreille, pectoraux,
qui serviront pour nous d'expiation devant
Yahvé. » 51 Moïse et Éléazar le prêtre reçurent
d'eux cet or, tous ces bijoux. 52 Ce prélèvement d'or Ex **30** 11-1
qu'ils firent pour Yahvé donna un total de seize
mille sept cent cinquante sicles, fourni par les chefs
de milliers et chefs de centaines.
53 Les combattants firent chacun leur butin.
54 Mais Moïse et Éléazar le prêtre reçurent l'or des
chefs de milliers et de centaines, et l'apportèrent à
la Tente du Rendez-vous pour faire mémoire des
Israélites devant Yahvé.

**Partage de la Transjordanie [c].** || Dt **3** 12-2

**32** 1 Les fils de Ruben et les fils de Gad avaient Dt **33** 6, 2
de grands troupeaux, très importants. Or ils Jos **1** 12-1
virent que le pays de Yazèr et le pays de Galaad **13** 8-32
étaient une région propice à l'élevage. 2 Les fils de Nb **21** 24s
Gad et les fils de Ruben vinrent donc trouver 31s
Moïse, Éléazar le prêtre et les princes de la communauté, et leur dirent : 3 « Atarot, Dibôn, Yazèr,
Nimra, Heshbôn, Éléalé, Sebam, Nebo et Méôn,
4 ce pays que Yahvé a conquis devant la commu-

*a)* Le passage par le feu est un rite ancien, plus ou moins teinté de paganisme, auquel le texte superpose ici le rite de la purification par les eaux lustrales, cf. **19** 1+.

*b)* Ce passage, comme **31** 21-25, semble être une addition, témoignant d'une théologie plus poussée : la guerre sainte elle-même comporte des contacts impurs qui exigent de la part des combattants une expiation. L'offrande est ainsi comprise, v. 50. Les vv. 53-54 peuvent être d'une autre rédaction.

*c)* Ce ch. de style deutéronomisant, avec des marques de rédaction sacerdotale, utilise une source ancienne, vv. 1-4; 16-19. – Le pays de Yazèr, v. 1, est au nord du royaume de Sihôn. Le Galaad primitif, dont il s'agit ici, se trouve entre le pays de Yazèr et le Yabboq; mais avec la pénétration des Israélites vers le nord, le nom de Galaad s'est étendu jusqu'au Yarmuk, Jos **13** 10-12, et l'on parle des deux moitiés de Galaad, Dt **3** 12-13; Jos **12** 2, 5; **13** 31. La moitié nord sera le territoire de la demi-tribu de Manassé, vv. 39-40. Ces vv. qui parlent d'une conquête sont une addition qui se rapporte à des événements postérieurs à la première installation : des groupes manassites émigrèrent de l'ouest et se taillèrent un territoire dans le nord de la Transjordanie, Jos **13** 8s; ils formèrent la demi-tribu de Manassé mentionnée dans l'addition du v. 33. En revanche, l'installation de Ruben et de Gad se fit de manière pacifique.

nauté d'Israël, ce pays est propice à l'élevage, et tes
serviteurs élèvent du bétail. » 5 Ils dirent : « Si nous
avons trouvé grâce à tes yeux, que ce pays soit
donné en propriété à tes serviteurs; ne nous fais pas
passer le Jourdain. »

6 Moïse répondit aux fils de Gad et aux fils de
Ruben : «Vos frères iraient au combat et vous res-
teriez ici? 7 Pourquoi découragez-vous les Israélites
de passer dans le pays que Yahvé leur a donné?
8 Ainsi firent vos pères quand je les envoyai de
Cadès Barné voir le pays. 9 Ils montèrent jusqu'au
val d'Eshkol, ils virent le pays, puis ils découragèrent les Israélites, de sorte qu'ils n'allèrent pas au
pays que Yahvé leur avait donné. 10 Aussi la colère
de Yahvé s'enflamma-t-elle ce jour-là, et il fit ce
serment : 11 " Si jamais ces hommes, qui sont sortis
d'Égypte et qui ont l'âge de vingt ans au moins,
voient le pays que j'ai promis par serment à Abraham, à Isaac et à Jacob..., car ils ne m'ont pas suivi
sans défaillance, 12 sauf Caleb, fils de Yephunné le
Qenizzite, et Josué, fils de Nûn : eux certes ont
suivi Yahvé sans défaillance! " 13 La colère de
Yahvé s'enflamma contre Israël et il les fit errer
quarante ans dans le désert, jusqu'à ce que disparût
tout entière cette génération qui avait fait ce qui
déplaît à Yahvé. 14 Et voici que vous vous levez à
la place de vos pères comme le surgeon d'une souche de pécheurs, pour attiser encore l'ardeur de la
colère de Yahvé contre Israël! 15 Si vous vous
détournez de lui, il fera durer encore le séjour au
désert, et vous aurez causé la perte de tout ce peuple. »

16 Ils s'approchèrent de Moïse et lui dirent :
« Nous voudrions construire ici des parcs à moutons pour nos troupeaux et des villes pour nos
petits enfants. 17 Mais nous mêmes, nous prendrons
les armes [a] à la tête des Israélites, jusqu'à ce que
nous ayons pu les conduire au lieu qui leur est destiné; ce sont nos petits enfants qui resteront dans
les villes fortes, à l'abri des habitants du pays.
18 Nous ne rentrerons pas chez nous avant que chacun des Israélites n'ait pris possession de son héritage. 19 Car nous ne posséderons pas d'héritage
avec eux sur l'autre rive du Jourdain ni plus loin,
puisque notre héritage nous sera échu au-delà du
Jourdain, à l'orient. »

20 Moïse leur dit : « Si vous mettez ces paroles en
pratique, si vous êtes prêts au combat devant
Yahvé 21 et si tous ceux d'entre vous qui portent les
armes passent le Jourdain devant Yahvé, jusqu'à ce
qu'il ait chassé devant lui tous ses ennemis, 22 alors,
quand le pays aura été soumis à Yahvé, vous pourrez vous en retourner; vous serez quittes envers
Yahvé et envers Israël, et ce pays-ci sera votre propriété devant Yahvé. 23 Mais si vous n'agissez pas Dt 28 45
ainsi, vous pécherez contre Yahvé, et sachez que
votre péché vous trouvera. 24 Construisez donc des
villes pour vos enfants et des parcs pour votre petit
bétail; mais ce que vous avez promis, faites-le. »

25 Les fils de Gad et les fils de Ruben dirent à
Moïse : « Tes serviteurs feront ce que Monseigneur
a prescrit. 26 Nos enfants, nos femmes, nos troupeaux, et tout notre bétail sont là, dans les villes
de Galaad, 27 mais tes serviteurs, tous ceux qui
sont armés pour la campagne, passeront, devant
Yahvé, pour combattre comme l'a dit Monseigneur. »

28 Alors Moïse donna des ordres à leur sujet à
Éléazar le prêtre, à Josué, fils de Nûn, et aux chefs
de familles des tribus d'Israël. 29 Moïse leur dit :
« Si les fils de Gad et les fils de Ruben, tous ceux
qui portent les armes, passent avec vous le Jourdain pour combattre devant Yahvé, quand le pays
vous aura été soumis, vous leur donnerez en propriété le pays de Galaad. 30 Mais s'ils ne passent
pas en armes avec vous, c'est au pays de Canaan
qu'ils recevront au milieu de vous leur propriété. »

31 Les fils de Gad et les fils de Ruben répondirent : « Ce que Yahvé a dit à tes serviteurs, nous
le ferons. 32 Nous, nous passerons en armes devant
Yahvé en terre de Canaan; toi, mets-nous en possession de notre héritage au-delà du Jourdain. »
33 Moïse leur donna – aux fils de Gad, aux fils de
Ruben et à la demi-tribu de Manassé, fils de Joseph
– le royaume de Sihôn, roi des Amorites, le
royaume d'Og, roi du Bashân, le pays avec les villes comprises dans son territoire, les villes-frontiè-
res du pays.

34 Les fils de Gad construisirent Dibôn, Atarot et
Aroër, 35 Atrot-Shophân, Yazèr, Yogboha, 36 Bet-
Nimra, Bet-Harân, villes fortes, et des parcs pour
le petit bétail.

37 Les fils de Ruben construisirent Heshbôn,
Éléalé, Qiryatayim, 38 Nebo, Baal-Meôn (dont les
noms furent changés), Sibma. Ils donnèrent des
noms aux villes qu'ils avaient construites [b].

39 Les fils de Makir, fils de Manassé, partirent en
Galaad. Ils le conquirent et chassèrent les Amori-
tes qui s'y trouvaient. 40 Moïse donna Galaad à Dt 3 14-15
Makir, fils de Manassé, qui s'y établit. 41 Yaïr, fils Jg 10 4

a) « prendrons les armes » grec et Vulg.; « nous équiperons en hâte » hébr.

b) Ces villes, attribuées à Gad et à Ruben, s'étendent au-delà du territoire de Yazèr et du Galaad primitif, cf. v. 1, jusqu'à l'Arnon, frontière de Moab; c'est-à-dire qu'elles couvrent l'ancien royaume de Sihôn. Leur répartition géographique ne délimite pas deux territoires et ces listes témoignent d'une époque où Gad et Ruben étaient considérés comme une unité, cf. Jos 13 8.

de Manassé, alla s'emparer de leurs douars et les
appela Douars de Yaïr. 42 Nobah alla s'emparer de
Qenat et des villes de son ressort, et l'appela de son
propre nom, Nobah.

**Les étapes de l'Exode** [a].

33 1 Voici les étapes que parcoururent les Israélites lorsqu'ils furent sortis du pays d'Égypte
selon leurs unités, sous la conduite de Moïse et
d'Aaron. 2 Moïse consignait par écrit leurs points
de départ quand ils partaient sur l'ordre de Yahvé.
Voici leurs étapes par points de départ.
3 Ils partirent de Ramsès le premier mois. C'est
le quinzième jour du premier mois, lendemain de
Ex 14 8 la Pâque, que les Israélites partirent la main haute,
aux yeux de toute l'Égypte. 4 Les Égyptiens enseve-
lissaient ceux des leurs que Yahvé avait frappés,
tous les premiers-nés; Yahvé avait fait justice de
leurs dieux.
Ex 12 37 5 Les Israélites partirent de Ramsès et campèrent
à Sukkot. 6 Puis ils partirent de Sukkot et campè-
Ex 13 20 rent à Étam, qui est aux confins du désert. 7 Ils par-
Ex 14 1-4 tirent d'Étam, ils revinrent sur Pi-Hahirot, qui est
en face de Baal-Çephôn, et campèrent devant Migdol. 8 Ils partirent de Pi-Hahirot, ils gagnèrent le
désert en passant à travers la mer, et après trois
jours de marche dans le désert d'Étam ils campè-
Ex 15 23 rent à Mara. 9 Ils partirent de Mara et arrivèrent
Ex 15 27 à Élim. A Élim il y a douze sources d'eau et
soixante-dix palmiers; ils campèrent là. 10 Ils partirent d'Élim et campèrent près de la mer des
Roseaux. 11 Ils partirent de la mer des Roseaux et
Ex 16 1 campèrent dans le désert de Sîn. 12 Ils partirent du
désert de Sîn et campèrent à Dophka. 13 Ils partirent de Dophka et campèrent à Alush. 14 Ils parti-
Ex 17 1-7 rent d'Alush et campèrent à Rephidim; le peuple
n'y trouva point d'eau à boire. 15 Ils partirent de
Ex 19 1 Rephidim et campèrent dans le désert du Sinaï.
16 Ils partirent du désert du Sinaï et campèrent à
11 34-35 Qibrot-ha-Taava. 17 Ils partirent de Qibrot-ha-
12 16 Taava et campèrent à Haçérot. 18 Ils partirent de
Haçérot et campèrent à Ritma. 19 Ils partirent de
Ritma et campèrent à Rimmôn-Péréç. 20 Ils partirent de Rimmôn-Péréç et campèrent à Libna. 21 Ils
partirent de Libna et campèrent à Rissa. 22 Ils partirent de Rissa et campèrent à Qehélata. 23 Ils partirent de Qehélata et campèrent au mont Shéphèr.
24 Ils partirent du mont Shéphèr et campèrent à
Harada. 25 Ils partirent de Harada et campèrent à
Maqhélot. 26 Ils partirent de Maqhélot et campèrent à Tahat. 27 Ils partirent de Tahat et campèrent
à Térah. 28 Ils partirent de Térah et campèrent à
Mitqa. 29 Ils partirent de Mitqa et campèrent à
Hashmona. 30 Ils partirent de Hashmona et campèrent à Mosérot. 31 Ils partirent de Mosérot et campèrent à Bené-Yaaqân. 32 Ils partirent de Bené-Yaa- Dt 10 6-7
qân et campèrent à Hor-Gidgad. 33 Ils partirent de
Hor-Gidgad et campèrent à Yotbata. 34 Ils partirent de Yotbata et campèrent à Abrona. 35 Ils partirent de Abrona et campèrent à Éçyôn-Gébèr. 36 Ils Dt 2 1-8
partirent de Éçyôn-Gébèr et campèrent dans le 1 R 9 26
désert de Çin; c'est Cadès. 37 Ils partirent de Cadès
et campèrent à Hor-la-Montagne, aux confins du 20 22-29
pays d'Édom. 38 Aaron, le prêtre, monta à Hor-la- Dt 10 6
Montagne sur l'ordre de Yahvé et c'est là qu'il 32 50
mourut, dans la quarantième année de l'exode des
Israélites hors du pays d'Égypte, au cinquième
mois, le premier du mois. 39 Aaron avait cent vingt-
trois ans lorsqu'il mourut à Hor-la-Montagne.
40 Le roi d'Arad, un Cananéen qui habitait le 21 1
Négeb au pays de Canaan, fut informé lors de
l'arrivée des Israélites. 41 Ils partirent de Hor-la- 21 10-20
Montagne et campèrent à Çalmona. 42 Ils partirent 21 4
de Çalmona et campèrent à Punôn. 43 Ils partirent
de Punôn et campèrent à Obot. 44 Ils partirent de 21 10-11
Obot et campèrent sur le territoire de Moab à Iyyé-
ha-Abarim. 45 Ils partirent de Iyyim et campèrent
à Dibôn-Gad. 46 Ils partirent de Dibôn-Gad et
campèrent à Almôn-Diblatayim. 47 Ils partirent de
Almôn-Diblatayim et campèrent aux monts
Abarim en face de Nebo. 48 Ils partirent des monts
Abarim et campèrent aux Steppes de Moab, près 22 1
du Jourdain vers Jéricho. 49 Ils campèrent près du
Jourdain entre Bet-ha-Yeshimot et Abel-ha-Shit- 25 1
tim, dans les Steppes de Moab. Jos 2 1

**Partage de Canaan. L'ordre de Dieu.** Lv 26+

Dt 7 1-6,16
50 Yahvé parla à Moïse, dans les Steppes de 12 2-3
Moab, près du Jourdain vers Jéricho. Il dit :
51 « Parle aux Israélites; tu leur diras :
Quand vous aurez passé le Jourdain vers le pays
de Canaan, 52 vous chasserez devant vous tous les
habitants du pays. Vous détruirez leurs images Lv 26 1
peintes, vous détruirez toutes leurs statues de métal
fondu et vous saccagerez tous leurs hauts lieux. 1 S 9 12+
53 Vous posséderez ce pays et vous y demeurerez,

*a)* Ce ch. appartient à une couche secondaire de la rédaction sacerdotale. Il utilise des indications géographiques contenues dans Ex, Nb, Dt, mais plus de la moitié des noms sont nouveaux et proviennent d'autres documents. Le trajet du Sinaï à Éçyôn-Gébèr, vv. 16-35, utilise une liste d'étapes du nord-ouest de l'Arabie, qui a donné occasion à une localisation du Sinaï dans cette région, cf. Ex **19** 2+. Les vv. 41-49 utilisent un autre « routier » qui décrit le chemin le plus direct entre Cadès et le nord de l'Arnon. Mais ce trajet est inconciliable avec les indications des sources anciennes (détour par Éçyôn-Gébèr, en dehors de Moab et d'Édom, etc.), cf. Nb **14** 25; **20** 14-22; Dt **2** 1-25.

= 26 54-56 car je vous ai donné ce pays pour domaine. 54 Vous
le partagerez au sort entre vos clans. A celui
qui est nombreux vous ferez une plus grande part
d'héritage, à celui qui est moins nombreux vous
ferez une plus petite part d'héritage. Là où le
sort tombera pour chacun, là sera son domaine.
Vous ferez le partage dans vos tribus. 55 Mais si
vous ne chassez pas devant vous les habitants du
pays, ceux d'entre eux que vous aurez laissés
deviendront des épines dans vos yeux et des chardons dans vos flancs, ils vous presseront dans le
pays que vous habiterez 56 et je vous traiterai
comme j'avais pensé les traiter. »

Jg 20 1+
Jos 14-19
Ez 47 13-21

### Frontières de Canaan[a].

**34** 1 Yahvé parla à Moïse et dit :
2 « Ordonne ceci aux Israélites, tu leur diras :
Quand vous entrerez dans le pays (de Canaan),
voici le pays qui deviendra votre héritage. C'est le
pays de Canaan selon ses frontières.
Ez 47 15-20 3 La région méridionale de votre domaine
s'étendra à partir du désert de Çîn, qui confine à
Édom. Votre frontière méridionale commencera du
côté de l'orient à l'extrémité de la mer Salée.
4 Puis elle obliquera au sud, vers la montée des
Scorpions, passera par Çîn et aboutira au midi à
Cadès-Barné. Puis elle ira vers Haçar-Addar et
passera par Açmôn. 5 D'Açmôn, la frontière obliquera ensuite vers le Torrent d'Égypte et aboutira
à la Mer.
6 Vous aurez pour frontière maritime la Grande
Mer; cette limite vous servira de frontière à l'occident.
7 Et voici votre frontière septentrionale. Vous
tracerez une ligne depuis la Grande Mer jusqu'à
Hor la-Montagne[b], 8 puis de Hor-la-Montagne
vous tracerez une ligne jusqu'à l'Entrée de Hamat,
et la frontière aboutira à Çedad. 9 Elle ira vers
Ziphrôn et aboutira à Haçar-Énân. Telle sera votre
frontière septentrionale.
10 Puis vous tracerez votre frontière orientale de
Haçar-Énân à Shepham. 11 La frontière descendra
de Shepham vers Harbel, à l'orient de Ayîn. Descendant encore elle touchera la rive orientale de la
mer de Kinnérèt[c]. 12 La frontière suivra alors le
Jourdain pour aboutir à la mer Salée.
Tel sera votre pays avec les frontières qui en font
le tour. »
13 Moïse ordonna alors ceci aux Israélites :
« Voici le pays que vous vous partagerez par le
sort, et que Yahvé a prescrit de donner aux neuf
tribus et à la demi-tribu. 14 Car la tribu des fils de
Ruben avec ses familles et la tribu des fils de Gad
avec ses familles ont déjà reçu leur héritage; la
demi-tribu de Manassé a aussi reçu son héritage.
15 Ces deux tribus et la demi-tribu ont reçu leur
héritage au-delà du Jourdain de Jéricho, à l'orient,
au levant. »

### Les princes préposés au partage.

16 Yahvé parla à Moïse et dit :
17 « Voici les noms des hommes qui vous partageront le pays : Éléazar le prêtre et Josué fils de
Nûn, 18 et pour chaque tribu vous prendrez un
prince pour le partage du pays. 19 Voici les noms
de ces hommes[d] :
Pour la tribu de Juda, Caleb, fils de Yephunné;
20 pour la tribu des fils de Siméon, Shemuel, fils
d'Ammihud;
21 pour la tribu de Benjamin, Élidad, fils de Kis-
lôn;
22 pour la tribu des fils de Dan, le prince Buqqi,
fils de Yogli;
23 pour les fils de Joseph, pour la tribu des fils
de Manassé, le prince Hanniel, fils d'Éphod;
24 et pour la tribu des fils d'Éphraïm, le prince
Qemuel, fils de Shiphtân;
25 pour la tribu des fils de Zabulon, le prince Éliçaphân, fils de Parnak;
26 pour la tribu des fils d'Issachar, le prince Paltiel, fils d'Azzân;
27 pour la tribu des fils d'Asher, le prince Ahiud,
fils de Shelomi;
28 pour la tribu des fils de Nephtali, le prince
Pedahel, fils d'Ammihud. »
29 Tels sont ceux à qui Yahvé ordonna d'assigner
aux Israélites leur part d'héritage en terre de
Canaan.

*a)* Ce texte est, avec Ez **47** 13-21, la description la plus détaillée des frontières de Canaan. Elles coïncident avec celles de la province égyptienne de Canaan à la fin du XIIIe s. av. J.-C., et c'est de cet usage administratif que les Israélites ont pris le nom et le concept. Canaan ne s'étend pas à l'est du Jourdain, vv. 13-15. Le territoire ici décrit est la Terre Promise, cf. v. 1, qui est définie ailleurs en d'autres termes, cf. Ex **23** 31+; Dt **1** 7; Jg **20** 1+, etc. Après l'établissement des royaumes araméens, Canaan ne s'étendait plus à l'est de la Phénicie (Sidon), mais encore au sud de celle-ci jusqu'à Gaza, Gn **10** 19, puis le nom fut restreint à la seule Phénicie : Tyr et Sidon sont les « forteresses de Canaan », Is **23** 1-14, « Sidonien » est synonyme de « Cananéen », Dt **3** 9; Jg **18** 7, etc., et cf. Mt **15** 22 comparé à Mc **7** 26.

*b)* Site non identifié. Hor-la-Montagne doit être ici le massif septentrional du Liban; c'est un lieu différent du site de la mort d'Aaron, **33** 38.

*c)* Le lac de Gennésareth. La « mer Salée » est la mer Morte.

*d)* Tous les personnages de cette liste sont nouveaux, sauf Josué et Caleb, toute la génération des précédentes listes ayant dû mourir hors de Canaan, cf. **14** 23; **26** 64-65. Le rédacteur a rattaché à l'autorité de Moïse la répartition qui n'aura lieu qu'après la conquête, Jos **14-19**.

18 20-24 Jos 20-21 Ez 48 13 **La part des Lévites [a].**

**35** 1 Yahvé parla à Moïse, dans les Steppes de
Moab, près du Jourdain vers Jéricho. Il dit :
2 « Ordonne aux Israélites de donner aux Lévites,
sur l'héritage qu'ils possèdent, des villes pour qu'ils
y demeurent et des pâturages autour des villes.
Vous les donnerez aux Lévites. 3 Les villes seront
leur demeure et les pâturages attenants seront pour
leur bétail, leurs biens et toutes leurs bêtes. 4 Les
pâturages attenant aux villes que vous donnerez
aux Lévites s'étendront, à partir de la muraille de
la ville, sur mille coudées alentour.
5 Vous mesurerez, hors de la ville, deux mille
coudées pour le côté oriental, deux mille coudées
pour le côté méridional, deux mille coudées pour
le côté occidental, deux mille coudées pour le côté
septentrional, la ville étant au centre, ce seront les
pâturages de ces villes. 6 Les villes que vous donne-
Dt 4 41-43 rez aux Lévites seront les six villes de refuge,
cédées par vous pour que le meurtrier puisse s'y
enfuir; mais vous donnerez en plus quarante-deux
villes. 7 Vous donnerez en tout aux Lévites quarante-huit villes, les villes avec leurs pâturages. 8 Ces
villes que vous donnerez sur la possession des
26 54 Israélites, vous les prendrez en plus grand nombre
à celui qui a beaucoup, en plus petit nombre à celui
qui a peu. Chacun donnera de ses villes aux Lévites
en proportion de l'héritage qu'il aura reçu. »

Ex 21 13+ Dt 19 1-13 Jos 20 1+ **Les villes de refuge.**

9 Yahvé parla à Moïse et dit : 10 « Parle ainsi aux
Israélites.
Quand vous aurez passé le Jourdain pour gagner
la terre de Canaan, 11 vous trouverez [b] des villes
dont vous ferez des villes de refuge, où puisse
s'enfuir le meurtrier qui a frappé quelqu'un par
inadvertance. 12 Ces villes vous serviront de refuge
contre le vengeur du sang, et le meurtrier ne devra
pas mourir avant d'avoir comparu en jugement
devant la communauté. 13 Les villes que vous don-
Dt 4 41-43 nerez seront pour vous six villes de refuge : 14 les
trois que vous donnerez au-delà du Jourdain et les
trois que vous donnerez dans le pays de Canaan
seront des villes de refuge. 15 Pour les Israélites
comme pour l'étranger et pour l'hôte qui vivent
chez vous, ces six villes serviront de refuge, où
puisse s'enfuir quiconque a frappé quelqu'un involontairement.
16 Mais s'il l'a frappé avec un objet de fer et qu'il
ait ainsi causé sa mort, c'est un meurtrier. Le meurtrier sera mis à mort. 17 S'il l'a frappé avec une
pierre propre à tuer et s'il l'a tué, c'est un meurtrier.
Le meurtrier sera mis à mort. 18 Ou bien s'il l'a
frappé avec un outil de bois propre à tuer et s'il l'a
tué, c'est un meurtrier. Le meurtrier sera mis à
mort. 19 C'est le vengeur du sang [c] qui mettra à
mort le meurtrier. Quand il le rencontrera, il le mettra à mort.
20 Si le meurtrier a bousculé la victime par haine,
ou si pour l'atteindre il lui a lancé un projectile
mortel, 21 ou si par inimitié il lui a porté des coups
de poing mortels, celui qui a frappé doit mourir;
c'est un meurtrier que le vengeur du sang mettra
à mort quand il le rencontrera. 22 Mais s'il a bousculé la victime fortuitement, sans inimitié, ou s'il
a lancé sur elle quelque projectile, sans chercher à
l'atteindre, 23 ou si sans la voir il a fait tomber sur
elle une pierre propre à tuer et a ainsi causé sa
mort, alors qu'il n'avait contre elle aucune haine et
ne lui voulait aucun mal, 24 la communauté
jugera, selon ces règles, entre celui qui a frappé et
le vengeur du sang, 25 et sauvera le meurtrier de la
main du vengeur du sang. Elle le fera retourner
dans la ville de refuge où il s'était enfui, et il y
demeurera jusqu'à la mort du grand prêtre qui a
été oint de l'huile sainte. 26 Si le meurtrier vient à
sortir du territoire de la ville de refuge où il s'est
enfui, 27 et que le vengeur du sang le rencontre hors
du territoire de sa ville de refuge, le vengeur du
sang pourra le tuer sans crainte de représailles :
28 car le meurtrier doit rester dans sa ville de refuge
jusqu'à la mort du grand prêtre; c'est après la mort
du grand prêtre qu'il pourra retourner au pays où
il a son domaine. 29 Ce sera règle de droit pour
vous et pour vos générations, partout où vous
habiterez.
30 En toute affaire d'homicide, c'est sur la déposition de témoins que le meurtrier sera mis à mort;
mais un témoin unique ne pourra porter une accusation capitale. 31 Vous n'accepterez pas de rançon
pour la vie d'un meurtrier passible de mort; car il
doit mourir. 32 Vous n'accepterez pas de rançon de
quelqu'un qui, s'étant enfui dans sa ville de refuge,
veut revenir habiter son pays avant la mort du
grand prêtre. 33 Vous ne profanerez pas le pays où
vous êtes. C'est le sang qui profane le pays et il n'y Gn 9 5-6
a pour le pays d'autre expiation du sang versé que

*a)* Malgré la prescription contraire de Nb **18** 20s, les Lévites obtiennent des villes, parmi lesquelles les six villes de refuge, cf. Jos **21** 1+.

*b)* Il semble que les Israélites n'ont fait que consacrer au yahvisme d'anciennes villes cananéennes. – Le droit d'asile dans les sanctuaires est une coutume très répandue.

*c)* C'est le régime de la « vengeance privée », qui a subsisté jusque chez les Arabes modernes : le « vengeur du sang », le *go 'el*, est le plus proche parent de la victime, Gn **4** 15; **9** 6; Dt **19** 12; cf. 2 S **14** 11. Le *go 'el* est aussi le protecteur attitré de ses proches : il a en particulier le devoir d'empêcher l'aliénation de leurs terres, Lv **25** 23-25; Rt **4** 3s. Par extension, Dieu sera

par le sang de celui qui l'a versé. 34 Tu ne rendras
pas impur le pays où vous habitez et au milieu
Ex 25 8+ duquel j'habite. Car moi, Yahvé, j'habite au milieu
des Israélites. »

**L'héritage de la femme mariée** [a].

**36** 1 Les chefs de famille du clan des fils de
Galaad, fils de Makir, fils de Manassé, l'un
des clans des fils de Joseph, se présentèrent. Ils prirent la parole en présence de Moïse et des princes,
chefs de famille des Israélites, 2 et dirent :

« Yahvé a ordonné à Monseigneur de donner le
pays aux Israélites en le répartissant par le sort; et
Monseigneur a reçu de Yahvé l'ordre de donner la
27 1-11 part d'héritage de Çelophehad, notre frère, à ses
filles. 3 Or, si elles épousent un membre d'une autre
tribu israélite, leur part sera retranchée de la part
de nos pères. La part de la tribu à laquelle elles
vont appartenir sera augmentée, et la part que le
sort nous a donnée sera réduite. 4 Et quand viendra
Lv 25 1+ le jubilé pour les Israélites, la part de ces femmes
sera ajoutée à la part de la tribu à laquelle elles
vont appartenir, et elle sera retranchée de la part
de notre tribu. »

5 Moïse, sur l'ordre de Yahvé, donna cet ordre
aux Israélites. Il dit :

« La tribu des fils de Joseph a parlé juste. 6 Voici
ce que Yahvé ordonne pour les filles de Çelophehad : Elles épouseront qui bon leur semblera,
pourvu qu'ells se marient dans un clan de la tribu
de leur père. 7 La part des Israélites ne passera pas
de tribu à tribu; les Israélites resteront attachés
chacun à la part de sa tribu. 8 Toute fille qui possède une part dans l'une des tribus des Israélites
devra se marier dans un clan de sa tribu paternelle,
de sorte que les Israélites conservent chacun la part
de son père. 9 Une part ne pourra être transférée
d'une tribu à l'autre : chacune des tribus des Israélites restera attachée à sa part. »

10 Les filles de Çelophehad firent comme Yahvé
l'avait ordonné à Moïse. 11 Mahla, Tirça, Hogla,
Milka et Noa, filles de Çelophehad, épousèrent les
fils de leurs oncles paternels. 12 Comme elles
s'étaient mariées dans des clans des fils de
Manassé, fils de Joseph, c'est à la tribu du clan de
leur père que revint leur part.

**Conclusion.**

13 Tels sont les commandements et les lois que
Yahvé prescrivit aux Israélites, par l'intermédiaire
de Moïse, dans les Steppes de Moab, près du Jourdain, vers Jéricho.

appelé le *go 'el* d'Israël, Is **41** 14; Jr **50** 34; Ps **19** 15. L'idée fondamentale est celle de protection.

*a)* Addition à la loi de **27** 1-11, à partir du même cas concret. Mais le droit d'héritage des filles est limité par l'obligation de se marier à l'intérieur de la tribu, pour que le territoire tribal ne soit pas diminué. Le v. 4 est une addition : il se réfère à la loi du Jubilé, où il n'est pas question de terres héritées mais de terres vendues.

# LE DEUTÉRONOME

## I. Discours d'introduction

### PREMIER DISCOURS DE MOÏSE

**Temps et lieu** [a].

1 1 Voici les paroles que Moïse adressa à tout
Israël au-delà du Jourdain, dans le désert,
dans la Araba, en face de Suph, entre Parân et
Tophel, Labân, Haçérot et Di-Zahab. – 2 Il y a
onze jours de marche depuis l'Horeb, par le chemin
de la montagne de Séïr, jusqu'à Cadès Barné. –
3 Ce fut la quarantième année, le premier jour du
onzième mois, que Moïse parla aux Israélites selon
tout ce que Yahvé lui avait ordonné à leur sujet.
Nb **21** 21-35 4 Il avait battu Sihôn, roi des Amorites qui résidait
à Heshbôn, et Og, roi du Bashân, qui résidait à
Ashtarot et à Édréï. 5 C'est au-delà du Jourdain, au
pays de Moab, que Moïse se décida à graver cette
Loi. Il dit [b] :

**Dernières instructions à l'Horeb.**

Ex **3** 1+ 6 Yahvé notre Dieu nous a parlé à l'Horeb :
« Vous avez assez séjourné dans cette montagne.
7 Allez-vous-en, partez, et allez à la montagne des
Nb **34** 1+ Amorites, chez tous ceux qui habitent la Araba, la
Montagne, le Bas-Pays, le Négeb et le bord de la
mer, allez en terre de Canaan et au Liban jusqu'au
grand fleuve, le fleuve Euphrate. 8 Voici le pays
n **12** 7+; **15**; que je vous ai donné; allez donc prendre possession
; **28** 13-15+
du pays que Yahvé a promis par serment à vos
pères, Abraham, Issac et Jacob, et à leur postérité
après eux. »
9 Je vous ai dit alors : « Je ne puis à moi seul me || Ex **18** 13-26
charger de vous. 10 Yahvé votre Dieu vous a multi- Nb **11** 14
pliés et vous voici nombreux comme les étoiles du Gn **15** 5;
ciel. 11 Yahvé le Dieu de vos pères vous multipliera **22** 17
mille fois autant et vous bénira comme il vous l'a
dit [c]! 12 Comment donc porterais-je seul vos
aigreurs, accusations et contestations? 13 Prenez
donc des hommes sages, perspicaces et d'expé- Nb **11** 16-17
rience dans chacune de vos tribus, que j'en fasse
vos chefs. » 14 Vous m'avez répondu : « Ce que tu
proposes est bon. » 15 Je pris donc vos chefs de tribus, hommes sages et d'expérience, et je vous les
donnai pour chefs : chefs de milliers, de centaines,
de cinquantaines et de dizaines, et scribes pour vos
tribus. 16 En ce même temps je prescrivis à vos
juges : « Vous entendrez vos frères et vous rendrez **17** 8-13
la justice entre un homme et son frère ou un étranger en résidence près de lui. 17 Vous ne ferez pas
acception de personne en jugeant, mais vous écou- Lv **19** 15
terez le petit comme le grand [d]. Vous ne craindrez
pas l'homme, car la sentence est à Dieu. Si un cas
est trop difficile pour vous, vous me l'enverrez pour
que je l'entende. » 18 Je vous prescrivis alors tout ce
que vous aviez à faire.

*a)* Après le titre, v. 1[a], ce paragraphe additionne des indications de lieu et de temps, qui proviennent de différentes mains et sont destinées à rattacher le Deutéronome au livre des Nombres.
*b)* Le premier discours de Moïse, **1** 6 – **4** 40, est un résumé de l'histoire d'Israël entre son séjour au Sinaï et son arrivée au Pisga, en face du Jourdain, suivi d'un rappel de l'Alliance et de ses exigences; il annonce l'Exil comme châtiment de l'infidélité, mais ouvre en même temps la perspective de la conversion et du retour. Cet ensemble appartient à la seconde édition du Deutéronome, pendant l'Exil. Le discours reprend en partie les récits yahvistes et surtout élohistes d'Ex et de Nb, mais en opérant un choix et en les rédigeant avec un point de vue différent : il insiste particulièrement sur la providence divine et l'élection d'Israël en prenant pour thème central le don de la Terre Promise par Yahvé. Les ch. **1-3**, qui forment une sorte de prologue à caractère plus nettement historique (surtout **1** 19ss), et où ce thème est particulièrement mis en valeur, peuvent être considérés comme une introduction à l'ensemble de l'histoire deutéronomiste qui se poursuit jusqu'aux livres des Rois, et se termine par le récit de la perte de la terre donnée à Israël.
*c)* Correction théologique à Nb **11** 11-15 où Moïse se plaint de ce que les Israélites sont trop nombreux. C'est ici la marque d'une bénédiction divine.
*d)* Faire acception de personne, litt. « relever la face », c'est montrer de la bienveillance, et, plus généralement, faire preuve de partialité en matière de justice, **16** 19; Lv **19** 15; etc. Les juges ont à imiter la souveraine impartialité de Dieu, **10** 17+; Pr **24** 23. Souvent les prophètes reviendront, en termes différents, sur cette obligation, Is **10** 2; Jr **5** 28; Ez **22** 12; Am **2** 6; **5** 7, 10; Mi **3** 9, 11.

|| Nb 13 1-14 9 **Incrédulité à Cadès.**

19 Nous partîmes de l'Horeb et entrâmes en ce
désert grand et redoutable que vous avez vu sur le
chemin de la montagne des Amorites, comme
Yahvé notre Dieu nous l'avait ordonné, et nous
arrivâmes à Cadès Barné. 20 Je vous dis alors :
« Vous voici arrivés à cette montagne des Amorites
que Yahvé notre Dieu nous a donnée. 21 Vois :
Yahvé ton Dieu t'a donné ce pays. Monte en prendre possession comme te l'a dit Yahvé le Dieu de
Jos 1 6,9 tes pères; ne crains pas et ne sois pas effrayé [a]. »
22 Vous vîntes tous me trouver pour me dire :
« Envoyons devant nous des gens pour explorer le
pays; ils nous feront rapport sur la route à suivre
et sur les villes où nous pourrons aller [b]. » 23 L'avis
me parut bon et je pris parmi vous douze hommes,
un par tribu. 24 Ils prirent la direction de la montagne, y montèrent et atteignirent le val d'Eshkol
qu'ils espionnèrent. 25 Ils prirent avec eux des produits du pays, nous les apportèrent et nous dirent :
« C'est un heureux pays que Yahvé notre Dieu
nous a donné. » 26 Mais vous avez refusé d'y monter et vous avez été rebelles à la voix de Yahvé
votre Dieu, 27 et vous avez déblatéré dans vos tentes en disant : « C'est en haine de nous que Yahvé
nous a fait sortir du pays d'Égypte, pour nous
livrer au pouvoir des Amorites et pour nous
détruire. 28 Où nous fait-on monter? Nos frères
nous ont découragés en disant : C'est un peuple
plus grand et de plus haute stature que nous, les
villes sont grandes et leurs remparts montent
jusqu'au ciel. Et même nous y avons vu des
Anaqim [c]. »
29 Je vous dis : « Ne tremblez pas, n'ayez pas
peur d'eux. 30 Yahvé votre Dieu qui marche à votre
tête combattra pour vous, tout comme vous l'avez
↗ Ac 13 18 vu faire en Égypte. 31 Tu l'as vu aussi au désert :
7 6+ Yahvé ton Dieu te soutenait comme un homme
14 1; 32 6 soutient son fils, tout au long de la route que vous
Ex 4 22 avez suivie jusqu'ici. » 32 Mais en cette circonstance
Os 11 1 Is 63 16 aucun d'entre vous ne crut en Yahvé votre Dieu,
Jr 31 9 Ml 2 10-11 Sg 18 13 33 lui qui vous précédait sur la route pour vous
chercher un lieu de campement, dans le feu pendant Nb 10 33
la nuit pour éclairer votre route, et dans la nuée Ex 13 21s
pendant le jour.

**Instructions de Yahvé à Cadès.** || Nb 14 21-35

34 Yahvé entendit le son de vos paroles et dans
sa colère il fit ce serment : 35 « Pas un seul de ces
hommes, de cette génération perverse, ne verra cet
heureux pays que j'ai juré de donner à vos pères,
36 excepté Caleb, fils de Yephunné : lui le verra et Nb 13 30;
à lui comme à ses fils je donnerai la terre qu'il a 14 6-9
foulée, car il a parfaitement obéi à Yahvé. » 37 A
cause de vous Yahvé s'irrita même contre moi et Nb 20 12+
me dit : « Toi non plus, tu n'y entreras pas. 38 C'est Dt 3 26; 4 21; 34 4
ton serviteur Josué, fils de Nûn, qui y entrera.
Affermis-le, car c'est lui qui devra mettre Israël en
possession du pays. 39 Mais vos petits enfants dont
vous avez prétendu qu'ils allaient être livrés en
butin, vos fils qui ne savent pas encore discerner
le bien et le mal, ce sont eux qui y entreront, c'est
à eux que je le donnerai et ce sont eux qui le posséderont. 40 Quant à vous, faites demi-tour et repartez Nb 14 25
au désert, dans la direction de la mer de Suph. »
41 Vous m'avez alors répondu : « Nous avons || Nb 14 39-4
péché contre Yahvé notre Dieu. Nous allons monter et combattre, comme Yahvé notre Dieu nous l'a
ordonné. » Vous avez ceint chacun vos armes et
vous vous êtes équipés pour gravir la montagne.
42 Mais Yahvé me dit : « Dis-leur : Ne montez pas
et ne combattez pas, car je ne suis pas au milieu
de vous; ne vous faites pas battre par vos ennemis. » 43 J'eus beau vous parler, vous ne m'avez pas
écouté et vous vous êtes rebellés contre la voix de
Yahvé, vous êtes montés présomptueusement à la
montagne. 44 Les Amorites habitant cette montagne sont sortis à votre rencontre, vous ont poursuivis comme l'auraient fait des abeilles et vous ont Ps 118 12
battus en Séïr jusqu'à Horma. 45 A votre retour
vous avez pleuré devant Yahvé; il n'écouta pas
votre voix et ne fit pas attention à vous. 46 C'est
pourquoi vous avez dû demeurer à Cadès aussi
longtemps que vous y êtes demeurés.

*a)* Cette assurance de la victoire est un trait de la guerre sainte, qui est souvent souligné dans le Dt, cf. v. 29; **7** 21; **20** 1; **30** 8, etc.

*b)* C'est le peuple, et non Yahvé comme en Nb **13** 2, qui propose d'envoyer des explorateurs. Ce geste apparaît déjà comme un manque de foi, et prépare la suite du récit : le refus d'entrer en Canaan et le châtiment du peuple. C'est à cette faute que le Dt rattache l'exclusion de Moïse alors que Nb **20** 12 la rattache à l'épisode de Meriba : c'est encore le thème de la Terre Promise qui est ici mis en relief.

*c)* Les Anaqim, tout comme les Émim, les Rephaïm et les Zamzummim (ou Zuzim), **2** 10-11, 20-21, cf. Gn **14** 5, sont les noms légendaires des premiers habitants de la Palestine et de la Transjordanie. On les rattachait aux fabuleux Nephilim, Nb **13** 33; Gn **6** 4, et on leur attribuait les monuments mégalithiques, cf. Dt **3** 11. Les Anaqim constituaient encore, du temps de Josué, une aristocratie dans la montagne d'Hébron et la région maritime, Jos **11** 21s; **14** 12-15; **15** 13-15; **21** 11. Les Rephaïm s'étaient maintenus au pays de Bashân, Dt **3** 13; Jos **12** 4s; **13** 12, mais en Judée même leur souvenir est gardé par le Val des Rephaïm au S.-O. de Jérusalem, Jos **15** 8; **18** 16; 2 S **5** 18, et les gens de David viennent à bout des derniers rejetons de Rapha, l'ancêtre éponyme, 2 S **21** 16-22, cf. 1 Ch **20** 4-8. Le mot *repha'îm* désignait aussi les ombres dans le shéol, cf. Jb **25** 5s; Ps **88** 11; Is **14** 9; **26** 14, 19.

**De Cadès à l'Arnon** [a].

**2** 1 Puis nous avons fait demi-tour et nous sommes partis au désert, en direction de la mer
de Suph, comme Yahvé me l'avait ordonné. Pendant de longs jours nous avons tourné autour de
la montagne de Séïr [b]. 2 Yahvé me dit alors :
3 « Vous avez assez tourné autour de la montagne :
prenez la direction du nord. 4 Et donne cet ordre
Nb 20 14-21 au peuple : Vous allez passer par le territoire de
vos frères, les fils d'Ésaü, qui habitent Séïr. Ils
vous craignent et vous serez bien gardés. 5 N'allez
pas les provoquer, car je ne vous donnerai rien de
leur pays, pas même la longueur d'un pied : c'est
Gn 36 8 à Ésaü que j'ai donné la montagne de Séïr pour
domaine [c]. 6 La nourriture que vous mangerez,
achetez-la-leur à prix d'argent; achetez-leur à prix
Ex 33 14,16; d'argent l'eau que vous boirez. 7 Car Yahvé ton
34 9-10 Dieu t'a béni en toutes tes actions; il a veillé sur
Dt 8 2s; 29 5 ta marche à travers ce grand désert. Voici quarante
Ne 9 20-21 ans que Yahvé ton Dieu est avec toi sans que tu
manques de rien. »

Nb 20 21 8 Nous avons donc passé au-delà de nos frères,
les fils d'Ésaü qui habitent en Séïr, par la route de
la Araba, d'Élat et d'Éçyôn-Gébèr; puis, changeant
Nb 21 10-20 de direction, nous prîmes la route du désert de
Moab. 9 Yahvé me dit alors : « N'attaque pas
Moab, ne le provoque pas au combat; car je ne te
donnerai rien de son territoire : c'est aux fils de Lot
que j'ai donné Ar pour domaine. 10 (Auparavant y
1 28+ demeuraient les Émim, nation grande, nombreuse
et de haute stature comme les Anaqim. 11 On les
considérait comme des Rephaïm, tout comme les
Anaqim, mais les Moabites les appellent Émim.
12 De même en Séïr demeuraient auparavant les
Horites [d], que les fils d'Ésaü dépossédèrent et exterminèrent pour s'établir à leur place, ainsi que l'a
fait Israël pour sa terre, l'héritage reçu de Yahvé.)
13 Debout maintenant! et passez le torrent de
Zéred. »

Nous passâmes donc le torrent de Zéred. 14 De
Cadès Barné au passage du torrent de Zéred notre
errance avait duré trente-huit ans; ainsi avait été
éliminée toute la génération des hommes en âge de 1 35
porter les armes, comme Yahvé le leur avait juré. Nb 14 34
15 La main de Yahvé avait été contre eux pour les
éliminer entièrement du camp.

16 Lorsque la mort eut fait disparaître du milieu
du peuple, jusqu'au dernier, les hommes en âge de
porter les armes, 17 Yahvé m'adressa ces paroles :
18 « Tu es en train de traverser Ar, le pays de
Moab, 19 et tu vas te trouver devant les fils Gn 19 30-38
d'Ammon [e]. Ne les attaque pas, ne les provoque
pas; car je ne te donnerai rien du pays des fils
d'Ammon : c'est aux fils de Lot que je l'ai donné
pour domaine. 20 (On le considérait aussi comme
un pays de Rephaïm : des Rephaïm y habitaient
auparavant, les Ammonites les appellent Zamzummim, 21 peuple grand, nombreux et de haute
stature comme les Anaqim. Yahvé les extermina
devant les Ammonites, qui les dépossédèrent et
s'établirent à leur place, 22 comme il avait fait
pour les fils d'Ésaü, habitant en Séïr, en exterminant devant eux les Horites, qu'ils dépossédèrent
pour s'établir à leur place jusqu'à ce jour. 23 Ainsi
encore des Avvites, qui habitaient des camps
jusqu'à Gaza : les Kaphtorim, venus de Kaphtor [f], Jos 13 2+
les exterminèrent et s'établirent à leur place.)
24 Debout! levez le camp, et passez le torrent de
l'Arnon. Vois, je livre en ton pouvoir Sihôn, roi de
Heshbôn, l'Amorite, ainsi que son pays.
Commence la conquête; provoque-le au combat.

*a)* Comme dans la source ancienne, Nb **14** 25, la mer de Suph est donnée comme première direction, puis le Dt continue en indiquant une route par le désert, vers Moab et Ammon. A son époque, Édom était installé à l'ouest de la Araba et sur le golfe d'Aqaba (mer de Suph); il n'est donc plus question d'un refus de passage de la part d'Édom, cf. Nb **20** 14-21 : Israël traversera son territoire mais n'en devra rien prendre. De même, il ne recevra rien des territoires de Moab et d'Ammon dont ne parlait pas la source ancienne. Les Israélites ont bien contourné Moab par le désert, mais ils n'ont pas atteint le territoire des Ammonites, cf. **2** 19+. Le thème théologique du don de la Terre Promise, **1** 6-8, cf. **1** 5+, se combine ici avec un thème plus large : c'est Dieu qui distribue leurs territoires aux peuples. Édom, Moab et Ammon, parents d'Israël, garderont le leur, cf. **2** 5+, mais Sihôn est un Amorite et Dieu donnera sa terre à Israël, v. 24.

*b)* Le nom de Séïr, très souvent mis en parallèle avec celui d'Édom, cf. Gn **32** 4; Nb **24** 18; Jg **5** 4, désigne le territoire d'Ésaü/Édom, Gn **33** 14; **36** 8, qui se trouvait primitivement à l'est de la Araba. Mais ici, comme en Jos **11** 17; **12** 7, la « montagne de Séïr » est localisée dans la région de Cadès, pas très loin de Horma, cf. **1** 44. Cela représente la situation de l'époque où ce texte fut écrit : les Édomites avaient alors franchi la Araba, cf. Nb **20** 23+. A la ruine de Juda, ils s'avanceront jusqu'à Hébron et toute cette région prendra le nom d'Idumée, cf. 1 M **5** 3+; Mc **3** 8.

*c)* Les Édomites, descendants d'Abraham, Gn **36**, les Moabites et les Ammonites (vv. 9 et 19), descendants de Lot, Gn **19** 30s, ont été, comme Israël, établis par Yahvé sur un territoire qui appartenait primitivement à d'autres nations, dont on rappelle les noms dans l'addition des vv. 10-12, 20s.

*d)* Il n'y a pas de raison d'identifier ces Horites avec les Hurrites des documents cunéiformes. Ces derniers ne sont arrivés en Palestine, vers 1500 av. J.-C., qu'en petit nombre et ils se sont vite assimilés. Les noms propres attestent leur présence dans certaines villes à l'ouest du Jourdain, mais jamais en Transjordanie. Le terme de Horite semble n'être qu'une désignation pseudo-ethnique, appliquant à la région d'Édom-Séïr (cf. Gn **36** 20) le terme de *Huru*, un des noms égyptiens de la Palestine à l'époque de l'installation des Israélites.

*e)* Le territoire des Ammonites était situé au nord de celui de Sihôn, sur le cours supérieur du Yabboq, cf. **3** 16; Nb **21** 24. Malgré les liens entre Israël et Ammon sur lesquels ce texte insiste, cf. v. 37, ces deux peuples se feront la guerre dès l'époque des Juges, Jg **10** 7s, et surtout sous David, 2 S **10** 6s; **11**. Plus tard, les Ammonites s'étendront aux dépens de Gad, cf. Jr **49** 1, et la tradition primitive du Dt leur est hostile, cf. **23** 4.

*f)* Les Philistins, venus de Crète ou d'Asie Mineure, cf. Jos **13** 2+.

[25] A partir d'aujourd'hui, je répands la terreur et la
crainte de toi parmi les peuples qui sont sous tous
les cieux : quiconque entendra le bruit de ton
approche sera saisi de trouble et frémira
d'angoisse. »

|| Nb 21 21-25 **Conquête du royaume de Sihôn** [a].

Jg 11 19-22 [26] Du désert de Qedémot [b], j'envoyai des messagers porter à Sihôn, roi de Heshbôn, ces paroles de
paix : [27] « J'ai l'intention de traverser ton pays;
j'irai mon chemin sans m'écarter ni à droite ni à
2 6 gauche. [28] Je mangerai la nourriture que tu m'auras
vendue à prix d'argent, et je boirai l'eau que tu
m'auras laissée à prix d'argent. Je veux seulement
Nb 20 18,21 passer à pied, [29] comme me l'ont accordé les fils
d'Ésaü qui habitent en Séïr et les Moabites qui
habitent en Ar, jusqu'à ce que je passe le Jourdain
pour aller au pays que Yahvé notre Dieu nous
donne. »

[30] Mais Sihôn, roi de Heshbôn, ne consentit pas
a nous laisser passer chez lui; car Yahvé ton Dieu
Ex 4 21 avait figé son esprit et endurci son cœur, afin de le
livrer en ton pouvoir, comme il l'est encore
aujourd'hui. [31] Yahvé me dit : « Vois! j'ai
commencé à te livrer Sihôn et son pays; commence
la conquête en t'emparant de son pays. » [32] Sihôn
marcha à notre rencontre avec tout son peuple, à
Yahaç, pour nous combattre. [33] Yahvé notre Dieu
nous le livra et nous le battîmes, lui, ses fils et tout
son peuple. [34] Nous avons alors pris toutes ses
Jos 6 17+ villes, et nous avons dévoué par anathème toutes
ces villes d'hommes mariés, les femmes et les enfants, sans rien laisser échapper, [35] sauf le bétail,
qui fut notre butin, avec les dépouilles des villes
prises. [36] Depuis Aroër qui est sur le bord de la
vallée de l'Arnon, et la ville qui est dans la vallée,
jusqu'à Galaad, il n'y eut pas pour nous de ville
inaccessible; Yahvé notre Dieu nous les livra toutes. [37] Toutefois du pays des Ammonites tu n'appro-
chas point, ni de la région du torrent du Yabboq
ni des villes de la montagne, ni de tout ce qu'avait
interdit Yahvé notre Dieu.

|| Nb 21 33-35 **Conquête du royaume d'Og.**

3 [1] Nous prîmes alors le chemin du Bashân et
nous y montâmes. Og, roi du Bashân, marcha
à notre rencontre, lui et tout son peuple, pour nous
combattre à Édréï. [2] Yahvé me dit : « Ne le crains
pas, car je l'ai livré en ton pouvoir, lui, tout son
peuple et son pays. Tu le traiteras comme tu as
traité Sihôn, le roi amorite, qui habite à Heshbôn. »
[3] Yahvé notre Dieu livra aussi en notre pouvoir Og,
roi du Bashân, et tout son peuple. Nous le battîmes
si bien que pas un n'en réchappa. [4] Puis en ce
temps nous nous emparâmes de toutes ses villes; il
n'y eut cité que nous ne leur ayons prise : soixante
villes, toute la confédération d'Argob, royaume
d'Og en Bashân, [5] toutes places fortes fermées de
hautes murailles, munies de portes et de barres;
sans compter les villes des Perizzites [c], fort nombreuses. [6] Nous les dévouâmes par anathème,
comme nous avions fait pour Sihôn, roi de Heshbôn, dévouant à l'anathème toutes ces villes
d'hommes mariés, les femmes et les enfants; [7] mais
tout le bétail et les dépouilles des villes furent notre
butin.

[8] Ainsi, en ce temps-là, avons-nous pris le pays
aux deux rois amorites d'au-delà du Jourdain,
depuis le torrent de l'Arnon jusqu'au mont Hermon
[9] (les Sidoniens appellent l'Hermon Siryôn, les
Amorites le nomment Senir) : [10] toutes les villes du
Haut-Plateau, tout le Galaad et tout le Bashân
jusqu'à Salka et Édréï, capitales d'Og en Bashân.
[11] (Or Og, roi du Bashân, était le dernier survivant
des Rephaïm : son lit est le lit de fer qu'on voit à 1 28+
Rabba-des-Ammonites, long de neuf coudées et
large de quatre, en coudées d'hommes [d].)

**Partage de la Transjordanie.** || Nb 32

[12] Nous avons alors pris possession de ce pays,
à partir d'Aroër sur le torrent de l'Arnon. Je donnai
aux Rubénites et aux Gadites la moitié de la montagne de Galaad, avec ses villes. [13] A la demi-tribu
de Manassé, je donnai le reste de Galaad et tout
le Bashân, royaume d'Og. (Toute la confédération
d'Argob, tout le Bashân, c'est ce qu'on appelle le
pays des Rephaïm. [14] Yaïr, fils de Manassé, s'était Nb 32 41
emparé de toute la confédération d'Argob Jg 10 3-5
jusqu'aux frontières des Geshurites et des Maakatites, qu'il appela – ce Bashân – de son nom
« Douars de Yaïr » jusqu'à ce jour.) [15] A Makir, je
donnai le Galaad. [16] Aux Rubénites et aux Gadites
je donnai depuis le Galaad jusqu'au torrent de
l'Arnon, le milieu du torrent marquant la frontière,
et jusqu'au Yabboq, le torrent marquant la frontière des Ammonites. [17] La Araba et le Jourdain Nb 34 11
servaient de frontière, depuis Kinnérèt jusqu'à la
mer de la Araba (la mer Salée), au pied des pentes
du Pisga à l'orient.

*a)* Le Dt rejoint ici la source ancienne, aussi bien pour la conquête historique du royaume de Sihôn que pour le récit légendaire sur Og.
*b)* Ou : « Du désert de l'Orient ».
*c)* Les Perizzites sont les gens de la campagne, dont les villages ne sont pas fortifiés.
*d)* Ce « lit de fer » (ou de basalte ferrugineux) était peut-être un des dolmens qu'on voit dans la région d'Amman. – Neuf coudées représentent environ 4 m.

### Dernières dispositions de Moïse.

18 Je vous donnai alors cet ordre : « Yahvé votre
Dieu vous a donné ce pays pour domaine. Armés,
vous passerez devant vos frères, les Israélites, tous
hommes de guerre; 19 seuls vos femmes, vos
enfants et vos troupeaux (car je sais vos troupeaux
nombreux) resteront dans les villes que je vous ai
Ex **33** 14+ données, 20 jusqu'à ce que Yahvé ait donné le repos
à vos frères comme à vous-mêmes, et qu'ils possèdent eux aussi les pays que Yahvé votre Dieu leur
donne au-delà du Jourdain; alors vous retournerez
chacun dans les domaines que je vous ai donnés. »
Jos **1** 1+ 21 Je donnai alors cet ordre à Josué : « Tu vois de
tes yeux tout ce que Yahvé notre Dieu a fait à ces
deux rois; Yahvé traitera de même tous les royaumes où tu vas passer. 22 Vous ne les craindrez
point : c'est Yahvé votre Dieu qui combat pour
vous. »
23 Je demandai alors une grâce à Yahvé :
24 « Mon Seigneur Yahvé, toi qui as commencé à
**5** 24; **11** 2-3 faire voir à ton serviteur ta grandeur et ta puissante
Ex **15** 6-7 main, qui... Quel dieu dans les cieux et sur la terre
Ps **86** 8 agit comme tu agis et avec même puissance? 25 Ne
pourrais-je passer là-bas, et voir cet heureux pays
au-delà du Jourdain, cette heureuse montagne, et le
Nb **20** 12+ Liban? » 26 Mais, à cause de vous, Yahvé s'irrita
contre moi et ne m'exauça point. Il me dit :
« Assez! Ne continue plus à me parler de cette
**32** 48-52 affaire! 27 Monte au sommet du Pisga, porte tes
regards à l'occident, au nord, au midi et à l'orient;
regarde de tes yeux, car tu ne passeras pas le Jourdain que voici. 28 Donne tes ordres à Josué, for-
tifie-le, confirme-le, car c'est lui qui passera, à la
tête de ce peuple; à lui de les mettre en possession
du pays que tu vas voir. »
29 Puis nous sommes restés dans la vallée, en
Nb **25** 1-18 face de Bet-Péor.

### L'infidélité de Péor et la vraie sagesse.

1; **6** 1; **8** 1; **4** 1 Et maintenant, Israël, écoute les lois et les
**11** 8-9 coutumes que je vous enseigne aujourd'hui
pour que vous les mettiez en pratique : afin que
Lv **18** 5 vous viviez, et que vous entriez, pour en prendre
possession, dans le pays que vous donne Yahvé le
Dieu de vos pères. 2 Vous n'ajouterez rien à ce que Ap **22** 18-19
je vous ordonne et vous n'en retrancherez rien,
mais vous garderez les commandements de Yahvé
votre Dieu tels que je vous les prescris. 3 Vous
voyez de vos yeux ce qu'a fait Yahvé à Baal-
Péor : quiconque a suivi le Baal de Péor, Yahvé Nb **25** 1-18
ton Dieu l'a exterminé du milieu de toi; 4 mais vous
qui êtes restés attachés à Yahvé votre Dieu, vous
êtes aujourd'hui tous vivants. 5 Vois! comme
Yahvé mon Dieu me l'a ordonné, je vous ai enseigné des lois et des coutumes, pour que vous les
mettiez en pratique dans le pays dont vous allez
prendre possession [a]. 6 Gardez-les et mettez-les en
pratique, ainsi serez-vous sages et avisés aux yeux Jb **28** 28
des peuples. Quand ceux-ci auront connaissance de Ps **19** 8
toutes ces lois, ils s'écrieront : « Il n'y a qu'un peu- Si **1** 14-16
ple sage et avisé, c'est cette grande nation! » Pr **1** 7; **9** 10
7 Quelle est en effet la grande nation dont les dieux **4** 32-34
se fassent aussi proches que Yahvé notre Dieu l'est Jr **29** 13-14
pour nous chaque fois que nous l'invoquons [b]? 8 Et Ps **145** 18;
quelle est la grande nation dont les lois et coutumes **147** 19s;
soient aussi justes que toute cette Loi que je vous **148** 14
prescris aujourd'hui?

### La révélation de l'Horeb et ses exigences.

9 Mais prends garde! Garde bien ta vie, ne va pas **32** 7
oublier ces choses que tes yeux ont vues, ni les lais- Ps **44** 2; **78** 3-4
ser, en aucun jour de ta vie, sortir de ton cœur; Jl **1** 3
enseigne-les au contraire à tes fils et aux fils de tes
fils. 10 Au jour où tu te tenais à l'Horeb en pré- Ex **19** 16-20
sence de Yahvé ton Dieu, Yahvé me dit : « Assem-
ble-moi le peuple, que je leur fasse entendre mes
paroles, afin qu'ils apprennent à me craindre tant
qu'ils vivront sur la terre, et qu'ils l'enseignent à
leurs fils. » 11 Et vous vous êtes alors approchés,
pour vous tenir auprès de la montagne; la monta-
gne était embrasée jusqu'en plein ciel – ciel obs- Ex **19** 18
curci de nuages ténébreux et retentissants [c]!
12 Yahvé vous parla alors du milieu du feu; vous
entendiez le son des paroles, mais vous n'aperce-
viez aucune forme, rien qu'une voix. 13 Il vous
révéla son alliance, qu'il vous ordonna de mettre en
pratique, les dix Paroles qu'il inscrivit sur deux Ex **20** 1+
tables de pierre. 14 Quant à moi, Yahvé m'ordonna
en ce même temps de vous enseigner les lois et les

*a)* La lente élaboration des « lois et coutumes », v. 5, aboutit à une vue globale de la Loi qui va dominer toute la religion d'Israël. Le sens premier du mot *tôrah* est « instruction », « direction donnée » : il y faut inclure tout le culte et toute la conduite humaine, inspirée par une conscience croissante de l'Alliance et du Dieu qui l'a proposée et scellée, Gn **15** 1+. De plus en plus, la révélation de Dieu et l'enseignement transmis par les textes anciens et par les prophètes animeront la « vie » entière du peuple, v. 1; **8** 3+; **30** 14+; Ps **19** 8-15; **77** 1; **94** 12; **119** 1+; Si **1** 26; **24** 23, etc.; cf. Ac **7** 38+. Jésus déclarera être venu pour « accomplir » la Loi et les prophètes, Mt **5** 17+, cf. Mt **22** 34-40 p.; et Paul expliquera comment « la Loi » est remplacée par la foi au Christ, Rm **3** 27+; **10** 4.

*b)* Alors que les autres traditions du Pentateuque soulignent la distance qui sépare Dieu de l'homme, cf. Ex **33** 20+, le Dt insiste sur la condescendance qui rapproche Dieu de son peuple : il habite au milieu de celui-ci, **12** 5. Le même esprit deutéronomiste s'exprime dans le récit de la dédicace du Temple, 1 R **8** 10-29. On retrouve cette pensée dans Ez **48** 35. Le dernier mot sera donné par le NT, Jn **1** 14+.

*c)* « retentissants » grec; omis par hébr.

coutumes que vous auriez à mettre en pratique
dans le pays où vous pénétrez pour en prendre possession [a].
[15] Prenez bien garde à vous-mêmes : puisque
vous n'avez vu aucune forme, le jour où Yahvé, à
l'Horeb, vous a parlé du milieu du feu [b], [16] n'allez
5 8 pas vous pervertir et vous faire une image sculptée
Ex **20** 4-5 représentant quoi que ce soit : figure d'homme ou
de femme, [17] figure de quelqu'une des bêtes de la
terre, figure de quelqu'un des oiseaux qui volent
Rm **1** 23 dans le ciel, [18] figure de quelqu'un des reptiles qui
rampent sur le sol, figure de quelqu'un des poissons
qui vivent dans les eaux au-dessous de la terre.
[19] Quand tu lèveras les yeux vers le ciel, quand tu
**17** 3 verras le soleil, la lune, les étoiles et toute l'armée
Sg **13** 2 des cieux, ne va pas te laisser entraîner à te prosterner devant eux et à les servir. Yahvé ton Dieu
les a donnés en partage à tous les peuples qui sont
sous le ciel, [20] mais vous, Yahvé vous a pris et vous
Jr **11** 4 a fait sortir de cette fournaise pour le fer, l'Égypte,
1 R **8** 51 pour que vous deveniez le peuple de son héritage,
7 6+ comme vous l'êtes encore aujourd'hui.

**Perspectives de châtiment et de conversion.**

Nb **20** 12+ [21] A cause de vous, Yahvé s'est irrité contre moi;
il a juré que je ne passerais pas le Jourdain et que
je n'entrerais pas dans l'heureux pays qu'il te
donne en héritage. [22] Oui, je vais mourir en ce
pays-ci et je ne passerai pas ce Jourdain. Mais
vous, vous allez le passer et prendre possession de
cet heureux pays. [23] Gardez-vous d'oublier
l'alliance que Yahvé votre Dieu a conclue avec
vous et de vous fabriquer une image sculptée de
quoi que ce soit, malgré la défense de Yahvé ton
Ex **20** 5+ Dieu; [24] car Yahvé ton Dieu est un feu dévorant,
Ex **13** 22+ Is **33** 14 un Dieu jaloux [c].
So **1** 18 ↗ He **12** 29 [25] Lorsque tu auras engendré des enfants et des
petits-enfants et que vous aurez vieilli dans le pays,
quand vous vous serez pervertis, que vous aurez
fabriqué quelque image sculptée, fait ce qui est mal
aux yeux de Yahvé ton Dieu de manière à l'irriter,
Is **1** 2 [26] je prends aujourd'hui à témoin contre vous les
Jos **23** 16 cieux et la terre : vous devrez promptement dispa-
Lv **26** 14-19 raître de ce pays dont vous allez prendre possession en passant le Jourdain. Vous n'y prolongerez
pas vos jours, car vous serez bel et bien anéantis.

[27] Yahvé vous dispersera parmi les peuples, et il ne 2 R **17** 6;
restera de vous qu'un petit nombre [d], au milieu des **25** 8s
nations où Yahvé vous aura conduits. [28] Vous y Is **4** 3+ Ps **105** 12-13
servirez des dieux faits de main d'homme, du bois
et de la pierre, incapables de voir et d'entendre, de
manger et de sentir.
[29] De là-bas, tu rechercheras Yahvé ton Dieu, et **30** 1-5
tu le trouveras si tu le cherches de tout ton cœur Os **5** 15
et de toute ton âme. [30] Dans ta détresse, toutes ces Is **55** 6 Jr **29** 13
paroles t'atteindront, mais à la fin des temps [e] tu 2 Ch **15** 2,4, 7s,15
reviendras à Yahvé ton Dieu et tu écouteras sa Ps **27** 8;
voix; [31] car Yahvé ton Dieu est un Dieu miséricor- **105** 3s Mt **7** 7-8
dieux qui ne t'abandonnera ni ne te détruira, et qui Ex **34** 6-7
n'oubliera pas l'alliance qu'il a conclue par serment
avec tes pères.

**Grandeur de l'élection divine.**

[32] Interroge donc les anciens âges, qui t'ont précédé depuis le jour où Dieu créa l'homme sur la
terre : d'un bout du ciel à l'autre y eut-il jamais si
auguste parole? En entendit-on de semblable?
[33] Est-il un peuple qui ait entendu la voix du Dieu
vivant [f] parlant du milieu du feu, comme tu l'as **4** 7+
entendue, et soit demeuré en vie? [34] Est-il un dieu Ex **33** 20+
qui soit venu se chercher une nation au milieu **7** 6+
d'une autre, par des épreuves, des signes, des prodi- Jr **32** 21
ges et des combats, à main forte et à bras étendu, Ps **40** 6
et par de grandes terreurs – toutes choses que pour
vous, sous tes yeux, Yahvé votre Dieu a faites en
Égypte?
[35] C'est à toi qu'il a donné de voir tout cela, pour
que tu saches que Yahvé est le vrai Dieu et qu'il Ex **20** 3
n'y en a pas d'autre [g]. [36] Du ciel il t'a fait entendre Dt **32** 39
sa voix pour t'instruire, et sur la terre il t'a fait voir Is **43** 10-13 ↗ Mc **12** 32
son grand feu, et du milieu du feu tu as entendu
ses paroles. [37] Parce qu'il a aimé tes pères et
qu'après eux il a élu leur postérité, il t'a fait sortir
d'Égypte en manifestant sa présence et sa grande
force, [38] il a dépossédé devant toi des nations plus **7** 1; **9** 1;
grandes et plus puissantes que toi, il t'a fait entrer **11** 23
dans leur pays et te l'a donné en héritage, comme Jos **2** 11
il le reste encore aujourd'hui.
[39] Sache-le donc aujourd'hui et médite-le dans
ton cœur : c'est Yahvé qui est Dieu, là-haut dans **6** 4
le ciel comme ici-bas sur la terre, lui et nul autre. 1 R **8** 23 2 Ch **20** 6
[40] Garde ses lois et ses commandements que je te Ps **83** 19

*a)* L'auteur distingue les « dix Paroles » cf. **5** 4s, écrites par Dieu lui-même sur les tables de pierre, Ex **34** 28; Dt **5** 22, et les « lois et coutumes », c'est-à-dire le Code deutéronomique, cf. **12** 1; **26** 16.
*b)* Ce développement homilétique justifie l'interdiction des images par la théophanie de l'Horeb où Yahvé s'est fait entendre mais ne s'est pas montré. Cependant Yahvé se montre à des privilégiés, Moïse, Ex **34** 18-23, et les anciens, Ex **24** 10-11.
*c)* Cette « jalousie » de Dieu est l'excès même de l'amour. Cf. **5** 9; **6** 15; **32** 16, 21, etc.; Ex **20** 5; **34** 14; Nb **25** 11; Ez **8** 3-5; **39** 25; Za **1** 14; 2 Co **11** 2. Sur le « feu », cf. Ex **13** 22+; **24** 17, etc.
*d)* Le « reste » d'Isaïe et des Prophètes, qui seul traverse l'épreuve.
*e)* Chez les Prophètes cette expression vise l'établissement définitif du règne de Dieu, l'époque de la Nouvelle Alliance.
*f)* « vivant » grec, cf. **5** 26; omis par hébr.
*g)* Affirmation explicite de l'inexistence d'autres dieux, cf. Is **43** 10-11; **44** 6; **45** 5, etc. Le Décalogue interdisait simplement le culte des dieux étrangers. On les a longtemps considérés comme inférieurs à Yahvé, inefficaces, méprisables. Une nouvelle étape est désormais franchie : ces dieux n'existent pas.

prescris aujourd'hui, afin d'avoir, toi et tes fils
Is 65 20 après toi, bonheur et longue vie sur la terre que
Za 8 4 Yahvé ton Dieu te donne pour toujours.

Ex 21 13+ **Les villes de refuge** [a].

Jos 20 1+ 41 Moïse choisit alors trois villes au-delà du Jourdain, à l'orient, 42 où pourrait s'enfuir le meurtrier
qui aurait tué son prochain involontairement, sans
avoir eu contre lui de haine invétérée : il pourrait,
s'enfuyant dans une de ces villes, sauver sa vie.
43 C'étaient, pour les Rubénites, Béçer, dans le Jos 20 8
désert, sur le Haut-Plateau; pour les Gadites,
Ramot en Galaad; pour les Manassites, Golân en
Bashân.

## *SECOND DISCOURS DE MOÏSE* [b]

44 Voici la Loi que Moïse présenta aux Israélites.
45 Voici les stipulations, les lois et les coutumes que
Moïse donna aux Israélites à leur sortie d'Égypte,
46 au-delà du Jourdain, dans la vallée proche de
Bet-Péor, au pays de Sihôn, roi amorite résidant à
Heshbôn. Moïse et les Israélites l'avaient battu à
2 26-3 17 leur sortie d'Égypte 47 et s'étaient emparés de son
pays, ainsi que du pays d'Og, roi du Bashân, – tous
deux rois amorites au-delà du Jourdain à l'orient,
48 depuis Aroër qui est sur le bord de la vallée de
l'Arnon jusqu'au mont Siôn (c'est l'Hermon), –
49 et de toute la Araba au-delà du Jourdain à
l'orient, jusqu'à la mer de la Araba, au pied des
pentes du Pisga.

**Le Décalogue.**

**5** 1 Moïse convoqua tout Israël et leur dit :
4 1,5,8: Écoute, Israël, les lois et les coutumes [c] que je
12 1 prononce aujourd'hui à vos oreilles. Apprenez-les
et gardez-les pour les mettre en pratique.
2 Yahvé notre Dieu a conclu avec nous une
4 10-13+ alliance à l'Horeb. 3 Ce n'est pas avec nos pères
que Yahvé a conclu cette alliance mais avec nous,
nous-mêmes qui sommes ici aujourd'hui tous
vivants. 4 Sur la montagne, au milieu du feu, Yahvé
vous a parlé face à face, 5 et moi je me tenais alors
entre Yahvé et vous pour vous faire connaître la
parole de Yahvé; car, craignant le feu, vous n'étiez
pas montés sur la montagne. Il dit :
Ex 20 2-17+ 6 « Je suis Yahvé ton Dieu, qui t'ai fait sortir du
pays d'Égypte, de la maison de servitude.
7 « Tu n'auras pas d'autres dieux devant moi.
4 15-20 8 « Tu ne te feras aucune image sculptée de rien
qui ressemble à ce qui est dans les cieux là-haut,
ou sur la terre ici-bas, ou dans les eaux au-dessous
de la terre. 9 Tu ne te prosterneras pas devant ces
dieux [d] ni ne les serviras. Car moi, Yahvé, ton
Dieu, je suis un Dieu jaloux, qui punis la faute des 4 24+
pères sur les enfants, les petits-enfants et les arrière- 7 9-10
petits-enfants, pour ceux qui me haïssent, 10 mais
qui fais grâce à des milliers, pour ceux qui m'aiment et gardent mes commandements.
11 « Tu ne prononceras pas le nom de Yahvé ton
Dieu à faux, car Yahvé ne laisse pas impuni celui
qui prononce son nom à faux.
12 « Observe le jour du sabbat pour le sanctifier,
comme te l'a commandé Yahvé, ton Dieu.
13 Pendant six jours tu travailleras et tu feras tout
ton ouvrage, 14 mais le septième jour est un sabbat
pour Yahvé ton Dieu. Tu n'y feras aucun ouvrage,
toi, ni ton fils, ni ta fille, ni ton serviteur, ni ta servante, ni ton bœuf, ni ton âne ni aucune de tes
bêtes, ni l'étranger qui est dans tes portes. Ainsi, Ex 12 48+
comme toi-même, ton serviteur et ta servante pourront se reposer. 15 Tu te souviendras que tu as été
en servitude au pays d'Égypte et que Yahvé ton
Dieu t'en a fait sortir d'une main forte et d'un bras
étendu; c'est pourquoi Yahvé ton Dieu t'a
commandé de garder le jour du sabbat [e].
16 « Honore ton père et ta mère, comme te l'a Si 3 1-16
commandé Yahvé ton Dieu, afin que se prolongent
tes jours et que tu sois heureux sur la terre que
Yahvé ton Dieu te donne.
17 « Tu ne tueras pas.
18 « Tu ne commettras pas l'adultère.
19 « Tu ne voleras pas.
20 « Tu ne porteras pas de faux témoignage
contre ton prochain.

*a)* Cette petite notice sur les villes de refuge, cf. Jos **20** 1+, est une addition qui a été insérée entre les deux discours de Moïse.

*b)* Après une brève indication de temps et de lieu, **4** 44-49, cf. **1** 4-5, commence le second discours de Moïse, **5** 1 – **11** 32, qui introduit le grand Code deutéronomique, **12** 1 – **26** 15, et se poursuivra en **26** 16 – **28** 68. Comme le premier discours, il reprend d'abord l'histoire passée d'Israël, remontant cette fois jusqu'à la théophanie de l'Horeb et au Décalogue. Il semble avoir existé à part, sous plusieurs formes, combinées ici, et avoir été utilisé pour des usages catéchétiques et cultuels avant de servir d'introduction au Code deutéronomique.

*c)* C'est l'annonce générale de la loi deutéronomique et pas seulement de la « Parole », v. 5, du Décalogue. Cf. encore **6** 1.

*d)* Cf. Ex **20** 5+.

*e)* La justification du sabbat n'est pas la même que dans Ex **20** 11. Il est ici rattaché à la libération de l'esclavage en Égypte, ce qui lui donne un double caractère : c'est un jour de joie (cf. de même pour la fête des Semaines, **16** 11-12) et c'est un jour où les serviteurs et les esclaves étrangers sont libérés de leur travail pénible (cf. encore la même justification dans la législation en faveur des pauvres, **24** 18, 22). Ces développements ont été ajoutés à une époque où le précepte sabbatique avait pris plus d'importance.

18 21 « Tu ne convoiteras pas la femme de ton prochain, tu ne désireras ni sa maison, ni son champ,
ni son serviteur ou sa servante, ni son bœuf ou son
âne : rien de ce qui est à ton prochain. »
19 22 Telles sont les paroles que vous adressa Yahvé
quand vous étiez tous assemblés sur la montagne.
Ex **24** 16+ Il vous parla du milieu du feu, dans la nuée et les
Dt **4** 12 13 ténèbres, d'une voix forte. Il n'y ajouta rien et les
écrivit sur deux tables de pierre qu'il me donna.

Ex **20** 18-21 **Médiation de Moïse.**

20 23 Or, lorsque vous eûtes entendu cette voix sortir des ténèbres, tandis que la montagne était en
feu, vous tous, chefs de tribus et anciens, vous vîn-
21 tes à moi 24 et vous me dîtes : « Voici que Yahvé
notre Dieu nous a montré sa gloire et sa grandeur,
Ex **19** 16+ et que nous avons entendu sa voix du milieu du feu.
Nous avons vu aujourd'hui que Dieu peut parler à
22 l'homme, et l'homme rester en vie. 25 Et mainte-
Ex **33** 20+ nant, pourquoi devrions-nous mourir? Car ce
grand feu pourrait nous dévorer si nous continuons
à écouter la voix de Yahvé notre Dieu, et nous
23 pourrions mourir. 26 Est-il en effet un être de chair
qui puisse rester en vie, après avoir entendu comme
nous la voix du Dieu vivant [a] parlant du milieu du
24 feu? 27 Toi, approche pour entendre tout ce que
dira Yahvé notre Dieu, puis tu nous répéteras ce
que Yahvé notre Dieu t'aura dit; nous l'écouterons
Ex **19** 8; et le mettrons en pratique. »
**24** 3 28 Yahvé entendit ce que vous disiez et il me dit :
« J'ai entendu les paroles de ce peuple. Tout ce
26 qu'ils t'ont dit est bien. 29 Ah! si leur cœur pouvait
toujours être ainsi, pour me craindre et garder mes
commandements en sorte qu'ils soient heureux à
27 jamais, eux et leurs fils. 30 Va leur dire : " Retour-
28 nez à vos tentes." 31 Mais toi, tu te tiendras ici
auprès de moi, je te dirai tous les commandements,
les lois et les coutumes que tu leur enseigneras et
qu'ils mettront en pratique dans le pays que je leur
donne en possession. »

**L'amour de Yahvé, essence de la Loi** [b].

32 Gardez et mettez en pratique! Ainsi vous l'a 29
ordonné Yahvé votre Dieu. Ne vous écartez ni à **17** 11,20
droite ni à gauche. 33 Vous suivrez tout le chemin Jos **1** 7
que Yahvé votre Dieu vous a tracé, alors vous
vivrez, vous aurez bonheur et longue vie dans le
pays dont vous allez prendre possession.

**6** 1 Tels sont les commandements, les lois et les
coutumes que Yahvé votre Dieu a ordonné de
vous enseigner, afin que vous les mettiez en pratique dans le pays dont vous allez prendre possession. 2 Ainsi, si tu crains Yahvé ton Dieu tous les
jours de ta vie [c], si tu observes toutes ses lois et ses Ex **15** 26
commandements que je t'ordonne aujourd'hui, tu
auras longue vie, toi, ton fils et le fils de ton fils.
3 Puisses-tu écouter, Israël, garder et pratiquer ce
qui te rendra heureux et te multipliera, ainsi que te ↗ Lc **11** 28
l'a dit Yahvé, le Dieu de tes pères, en te donnant
une terre qui ruisselle de lait et de miel!
4 Écoute, Israël : Yahvé notre Dieu est le seul **4** 25+; **10** 12
Yahvé [d]. 5 Tu aimeras Yahvé ton Dieu de tout ton ↗ Mt **22** 37p
cœur, de toute ton âme et de tout ton pouvoir [e].
6 Que ces paroles que je te dicte aujourd'hui restent
dans ton cœur! 7 Tu les répéteras à tes fils, tu les Jr **31** 33
leur diras aussi bien assis dans ta maison que mar- **11** 18-21
chant sur la route, couché aussi bien que debout;
8 tu les attacheras à ta main comme un signe, sur Ex **13** 9,16
ton front comme un bandeau; 9 tu les écriras sur
les poteaux de ta maison et sur tes portes.
10 Lorsque Yahvé ton Dieu t'aura conduit au
pays qu'il a juré à tes pères, Abraham, Isaac et
Jacob, de te donner, aux villes grandes et prospères Jos **24** 13
que tu n'as pas bâties, 11 aux maisons pleines de
toutes sortes de biens, maisons que tu n'as pas remplies, aux puits que tu n'as pas creusés, aux vignes
et aux oliviers que tu n'as pas plantés, lors donc
que tu auras mangé et que tu te seras rassasié, **8** 10-18;
12 garde-toi d'oublier Yahvé qui t'a fait sortir du **32** 13-18
pays d'Égypte, de la maison de servitude. 13 C'est Os **2** 7-11

*a)* Affirmer que Dieu est vivant est l'une des formes premières de la foi au vrai Dieu, **6** 4+, impliquant le rejet de tous les faux dieux, qui sont sans vie, comme leurs images, Jos **3** 10; 1 S **17** 26, 36; Is **37** 4; Jr **10** 8-10; Os **2** 1; Ps **84** 3, etc.; cf. Mt **16** 16; **26** 23; Rm **9** 26; 1 Th **1** 9;1 Tm **3** 15, etc.

*b)* Après la rétrospective historique, vient la partie catéchétique : c'est une suite de petits développements homilétiques qui résument l'esprit de la religion deutéronomique.

*c)* « Craindre Yahvé » devient une expression typique de la fidélité à l'alliance. Désormais la crainte, Ex **20** 20+, comporte à la fois un amour qui répond à celui de Dieu, **4** 37, et une obéissance absolue à tout ce que Dieu commande, **6** 2-5; **10** 12-15; cf. Gn **22** 12. Le contenu religieux et moral de cette crainte ira sans cesse en s'affinant, Jos **24** 14; 1 R **18** 3, 12; 2 R **4** 1; Pr **1** 7+; Is **11** 2; Jr **32** 39, etc.

*d)* Autre traduction parfois proposée : « Écoute Israël, c'est Yahvé notre Dieu, Yahvé seul. » Mais l'expression semble bien être une affirmation de monothéisme. Elle deviendra le début de la prière dite *Shema* (« Écoute »), qui reste l'une des plus chères à la piété juive. – Au long de l'histoire d'Israël cette foi en un Dieu unique n'a cessé de se dégager, avec une précision croissante, de la foi en l'élection et l'alliance, Gn **6** 18; **12** 1+; **15** 1+, etc. L'existence d'autres dieux n'a jamais été expressément affirmée aux temps anciens, mais de plus en plus l'affirmation du Dieu vivant, **5** 26+, seul maître du monde comme de son peuple, Ex **3** 14+; 1 R **8** 56-60; **18** 21; 2 R **19** 15-19; Si **1** 8-9; Am **4** 13; **5** 8; Is **42** 8+; Za **14** 9; Mi **1** 11, s'est doublée d'une négation systématique des faux dieux, Sg **13** 10+; **14** 13; Is **40** 20+; **41** 21+.

*e)* L'amour de Dieu n'est pas proposé au choix, c'est un commandement. Cet amour qui répond à l'amour de Dieu pour son peuple, **4** 37; **7** 8; **10** 15, inclut la crainte de Dieu, l'obligation de son service et l'observance de ses préceptes, ici v. 13, **10** 12-13; **11** 1; cf. **30** 2. Ce commandement d'amour ne se trouve pas explicitement en dehors du Dt, mais l'équivalent est donné par 2 R **23** 25 et par Os **6** 6. A défaut de précepte, le sentiment de l'amour envers Dieu traverse les livres prophétiques, surtout Osée et Jérémie, et les Psaumes. Jésus, citant Dt

↗ Mt **4** 10p Yahvé ton Dieu que tu craindras, lui que tu serviras, c'est par son nom que tu jureras.

### Appel à la fidélité.

Ex **23** 32-33 [14] Ne suivez pas d'autres dieux, d'entre les dieux
des nations qui vous entourent, [15] car c'est un Dieu
Dt **4** 24+ jaloux que Yahvé ton Dieu qui est au milieu de toi.
La colère de Yahvé ton Dieu s'enflammerait contre
toi et il te ferait disparaître de la face de la terre.
↗ Mt **4** 7p [16] Vous ne mettrez pas Yahvé votre Dieu à
Ex **17** 1-7 l'épreuve, comme vous l'avez mis à l'épreuve à
Nb **20** 2-13 Massa. [17] Vous garderez les commandements de
Yahvé votre Dieu, ses instructions et ses lois qu'il
t'a prescrites, [18] et tu feras ce qui est juste et bon
aux yeux de Yahvé afin d'être heureux, et de prendre possession de l'heureux pays dont Yahvé a juré
à tes pères [19] qu'il en chasserait tous tes ennemis
devant toi; ainsi l'a dit Yahvé.
Ex **12** 26s; [20] Lorsque demain ton fils te demandera :
**13** 8 « Qu'est-ce donc que ces instructions, ces lois et ces
coutumes que Yahvé notre Dieu vous a prescri-
tes? » [21] tu diras à ton fils : « Nous étions esclaves
de Pharaon, en Égypte, et Yahvé nous a fait sortir
d'Égypte par sa main puissante. [22] Yahvé a
accompli sous nos yeux des signes et des prodiges
grands et terribles contre l'Égypte, Pharaon et
toute sa maison. [23] Mais nous, il nous a fait sortir
de là pour nous conduire dans le pays qu'il avait
promis par serment à nos pères, et pour nous le
donner. [24] Et Yahvé nous a ordonné de mettre en
pratique toutes ces lois, afin de craindre Yahvé
notre Dieu, d'être toujours heureux et de vivre,
comme il nous l'a accordé jusqu'à présent. [25] Telle
sera notre justice : garder et mettre en pratique tous
ces commandements devant Yahvé notre Dieu,
comme il nous l'a ordonné. »

Ex **34** 11-17
Ps **106** 34-39

### Israël peuple séparé.

**7** [1] Lorsque Yahvé ton Dieu t'aura fait entrer
dans le pays dont tu vas prendre possession,
des nations nombreuses tomberont devant toi : les Ac **13** 19
Hittites, les Girgashites, les Amorites, les Cananéens, les Perizzites, les Hivvites et les Jébuséens [a],
sept nations plus nombreuses et plus puissantes que 4 38+
toi. [2] Yahvé ton Dieu te les livrera et tu les battras.
Tu les dévoueras par anathème. Tu ne concluras Ex **23** 32-33;
pas d'alliance avec elles, tu ne leur feras pas grâce. **34** 12-16
[3] Tu ne contracteras pas de mariage avec elles, tu Jg **3** 5-6
ne donneras pas ta fille à leur fils, ni ne prendras 1 R **11** 1-2
leur fille pour ton fils. [4] Car ton fils serait détourné Ex **9** 1-2
de me suivre; il servirait d'autres dieux; et la colère
de Yahvé s'enflammerait contre vous et il t'extermi-
nerait promptement. [5] Mais voici comment vous
devrez agir à leur égard : vous démolirez leurs **12** 3
autels, vous briserez leurs stèles, vous couperez
leurs pieux sacrés et vous brûlerez leurs idoles.
[6] Car tu es un peuple consacré à Yahvé ton Dieu; Ex **19** 6+
c'est toi que Yahvé ton Dieu a choisi pour son peu- Dt **14** 2
ple à lui, parmi toutes les nations qui sont sur la Is **62** 12 Jr **2** 3
terre [b]. Am **3** 2

### L'élection et la faveur divine.

[7] Si Yahvé s'est attaché à vous et vous a choisis, Jn **15** 16
ce n'est pas que vous soyez le plus nombreux de 1 Co **1** 26-29
tous les peuples : car vous êtes le moins nombreux
d'entre tous les peuples. [8] Mais c'est par amour 1 Jn **4** 10,19
pour vous et pour garder le serment juré à vos
pères, que Yahvé vous a fait sortir à main forte et
t'a délivré de la maison de servitude, du pouvoir de Mi **6** 4
Pharaon, roi d'Égypte. [9] Tu sauras donc que Yahvé
ton Dieu est le vrai Dieu, le Dieu fidèle qui garde **4** 35+; **5** 9s
son alliance et son amour pour mille générations Ex **34** 6-7
à ceux qui l'aiment et gardent ses commandements,
[10] mais qui punit en leur propre personne ceux qui ↗ 2 R **14** 6
le haïssent. Il fait périr sans délai [c] celui qui le hait, **24** 16+
et c'est en sa propre personne qu'il le punit. [11] Tu Jr **31** 29-30
garderas donc les commandements, lois et coutu- Ez **14** 12+
mes que je te prescris aujourd'hui de mettre en pratique.
[12] Pour avoir écouté ces coutumes, les avoir gar- Ex **23** 22-23

**6** 5, donnera comme plus grand commandement l'amour de Dieu, Mt **22** 37p, un amour qui s'allie à la crainte filiale mais exclut la crainte servile, 1 Jn **4** 18.

*a)* Cette liste stéréotypée de six ou sept peuplades pré-israélites de Palestine se retrouve avec quelques variantes en **20** 17 et en Gn **15** 20; Ex **3** 8, 17; **13** 5; **23** 23; **33** 2; **34** 11; Jos **3** 10; **9** 1; **11** 3; **12** 8; **24** 11; Jg **3** 5; 1 R **9** 20; Esd **9** 1; Ne **9** 8; 2 Ch **8** 7. Les Cananéens représentent le fond de la population sémitique de Palestine. Les Amorites sont une vague sémitique postérieure, arrivée à la fin du IIIe millénaire. La tradition « yahviste » préfère le premier nom, la tradition « élohiste » emploie surtout le second; Jos **11** 3 les distingue géographiquement, cf. Jos **9** 10. Les Hittites sont un peuple d'Asie mineure, dont le nom est appliqué improprement à un groupe non sémitique de Palestine, Gn **23**. Les Girgashites, Perizzites, Hivvites tiennent peu de place. Les Jébuséens sont les anciens habitants de Jérusalem, 2 S **5** 6+.

*b)* Comme à **14** 2, c'est l'affirmation de l'élection d'Israël. Dieu est allé « se chercher un peuple » avec des moyens miraculeux, **4** 34, cf. **4** 20; **26** 7-8. Les motifs de ce choix sont donnés ici, vv. 7-8 : l'amour et la fidélité aux promesses faites gratuitement aux pères, cf. **4** 37; **8** 18; **9** 5; **10** 15. Ce choix est scellé par l'Alliance, ici v. 9; **5** 2-3, et fait d'Israël un peuple consacré, ici v. 6 et **26** 19. Cette théologie de l'élection, qui est si fortement exprimée dans le Dt, sous-tend tout l'Ancien Testament où Israël est un peuple à part, Nb **23** 9, le peuple de Dieu, Jg **5** 13, à lui consacré, Ex **19** 6+, qui est entré dans son Alliance, Ex **19** 1+, son fils, Dt **1** 31+, la nation de l'Emmanuel, « Dieu avec nous », Is **8** 8, 10. Cette élection fait d'Israël un peuple séparé, mais les Prophètes annoncent la reconnaissance de Yahvé par toutes les nations et l'universalisme du salut, Is **49** 6; **45** 14+; Za **14** 16. C'est l'ère messianique, ouverte par la venue de Jésus.

*c)* Autre traduction possible : « sans en chercher un autre ». Ce v. insiste sur la responsabilité individuelle, cf. Dt **24** 16, progrès sur Ex **34** 7, en attendant Ézéchiel, cf. Ez **14** 12+; **18**.

dées et mises en pratique, Yahvé ton Dieu te gar-
Jn 14 21,23 dera l'alliance et l'amour qu'il a jurés à tes pères.
Lc 1 72 13 Il t'aimera, te bénira, te multipliera; il bénira le
fruit de ton sein et le fruit de ton sol, ton blé, ton
vin nouveau, ton huile, la portée de tes vaches et
le croît de tes brebis, sur la terre qu'il a juré à tes
pères de te donner. 14 Tu recevras plus de bénédictions que tous les peuples. Nul chez toi, homme ou
femme, ne sera stérile, nul mâle ou femelle de ton
bétail. 15 Yahvé détournera de toi toute maladie; il
28 60 ne t'infligera pas ces méchants maux d'Égypte que
Ex 15 26 tu as connus, mais il les enverra à tous ceux qui
te haïssent.
Ex 23 24-33 16 Tu dévoreras donc tous ces peuples que Yahvé
ton Dieu te livre, ton œil sera sans pitié et tu ne
serviras pas leurs dieux : car tu y serais pris au
piège.

9 1-6 **La force divine.**

17 Peut-être vas-tu dire en ton cœur : « Ces
nations sont plus nombreuses que moi, comment
pourrais-je les déposséder? » 18 Ne les crains pas :
rappelle-toi donc ce que Yahvé ton Dieu a fait à
Pharaon et à toute l'Égypte, 19 les grandes épreuves
que tes yeux ont vues, les signes et les prodiges, la
main forte et le bras étendu par lesquels Yahvé ton
Dieu t'a fait sortir. Ainsi fera Yahvé ton Dieu
contre tous les peuples devant qui tu as peur. 20 De
Ex 23 28 plus, Yahvé ton Dieu enverra des frelons pour
Jos 24 12 anéantir ceux qui seraient restés et se seraient
Sg 12 8 cachés devant toi.
21 Ne tremble donc pas devant eux, car au milieu
de toi est Yahvé ton Dieu, Dieu grand et redouta-
Ex 23 29 ble. 22 C'est peu à peu que Yahvé ton Dieu détruira
Jg 2 6+ ces nations devant toi; tu ne pourras les exterminer
sur-le-champ, de peur que les bêtes sauvages ne
se multiplient à ton détriment [a], 23 mais Yahvé
ton Dieu te les livrera, et elles resteront en proie
à de grands troubles jusqu'à ce qu'elles soient
détruites. 24 Il livrera leurs rois en ton pouvoir et
tu effaceras leur nom de dessous les cieux : nul
ne tiendra devant toi, jusqu'à ce que tu les aies
exterminés.
25 Vous brûlerez les images sculptées de leurs
dieux, et tu n'iras pas convoiter l'or et l'argent qui
les recouvrent. Si tu t'en emparais, tu serais pris au
piège; car c'est là chose abominable à Yahvé ton
Dieu. 26 Tu n'introduiras pas dans ta maison une
Lv 27 28+ chose abominable, de peur de devenir anathème
comme elle. Tu les tiendras pour immondes et abominables, car elles sont anathèmes.

**L'épreuve du désert [b].**

**8** 1 Vous garderez tous les commandements que
je vous ordonne aujourd'hui de mettre en pratique, afin que vous viviez, que vous multipliiez et
que vous entriez dans le pays que Yahvé a promis
par serment à vos pères et le possédiez. 2 Souviens-
toi de tout le chemin que Yahvé ton Dieu t'a fait
faire pendant quarante ans dans le désert, afin de
t'humilier, de t'éprouver et de connaître le fond de 29 4-5
ton cœur : allais-tu ou non garder ses commandements? 3 Il t'a humilié, il t'a fait sentir la faim, il
t'a donné à manger la manne que ni toi ni tes pères Ex 16
n'aviez connue, pour te montrer que l'homme ne vit
pas seulement de pain, mais que l'homme vit de ↗ Mt 4 4p
tout ce qui sort de la bouche de Yahvé [c]. 4 Le vête- Jn 4 34
ment que tu portais ne s'est pas usé et ton pied n'a
pas enflé, au cours de ces quarante ans!
5 Comprends donc que Yahvé ton Dieu te corri- Sg 11 9-10
geait comme un père corrige son enfant, 6 et garde 2 S 7 14
les commandements de Yahvé ton Dieu pour mar- Pr 3 11-12
cher dans ses voies et pour le craindre. 1 Co 11 31-32

**Les tentations de la Terre Promise.**

7 Mais Yahvé ton Dieu te conduit vers un heureux pays, pays de cours d'eau, de sources qui 11 10-12
sourdent de l'abîme dans les vallées comme dans Jr 2 7
les montagnes, 8 pays de froment et d'orge, de 2 R 18 32
vigne, de figuiers et de grenadiers, pays d'oliviers,
d'huile et de miel, 9 pays où le pain ne te sera pas
mesuré et où tu ne manqueras de rien, pays où il
y a des pierres de fer et d'où tu extrairas, dans la
montagne, le bronze. 10 Tu mangeras, tu te rassasieras et tu béniras Yahvé ton Dieu en cet heureux
pays qu'il t'a donné.
11 Garde-toi d'oublier Yahvé ton Dieu en négligeant ses commandements, ses coutumes et ses lois
que je te prescris aujourd'hui. 12 Quand tu auras
mangé et te seras rassasié, quand tu auras bâti de
belles maisons et les habiteras, 13 quand tu auras vu
multiplier ton gros et ton petit bétail, abonder ton
argent et ton or, s'accroître tous tes biens, 14 que
tout cela n'élève pas ton cœur! N'oublie pas alors Si 10 12
Yahvé ton Dieu qui t'a fait sortir du pays d'Égypte, Jr 2 6
de la maison de servitude : 15 lui qui t'a fait passer
à travers ce désert grand et redoutable, pays des
serpents brûlants, des scorpions et de la soif; lui qui Nb 21 6+

*a)* Ce v. est parallèle à Ex 23 29 comme le v. 20 était parallèle à Ex 23 28. C'est l'interprétation deutéronomiste des lenteurs de la conquête, cf. Ex 23 30+ et Jg 2 6+. Dt 9 3 insistera au contraire sur l'intervention terrifiante de Yahvé guerrier.

*b)* En contraste avec les prophètes qui considéraient le séjour au désert comme une époque idéale, cf. Os 2 16+, le Dt présente ici les 40 ans comme une épreuve, cf. déjà 4 35. Le rédacteur sacerdotal de Nb 14 26-35 en fera un châtiment.

*c)* Yahvé, qui peut tout créer par sa parole, fait vivre les Israélites par les commandements *(miçwah)* qui sortent *(moça')* de sa bouche. – Sur ce texte, repris par Mt 4 4p, voir Am 8 11; Ne 9 29; Pr 9 1-5; Sg 16 26; Si 24 19-21; Jn 6 30-36, 68+.

Ex **17** 1-7 dans un lieu sans eau a fait pour toi jaillir l'eau de
Nb **20** 1-13+ la roche la plus dure; [16] lui qui dans le désert t'a
Ex **16** donné à manger la manne, inconnue de tes pères,
Nb **11** 7-9 afin de t'humilier et de t'éprouver pour que ton avenir soit heureux!
**9** 4; **32** 27 [17] Garde-toi de dire en ton cœur : « C'est ma
Jg **7** 2 Is **10** 13-15 force, c'est la vigueur de ma main qui m'ont fait
Am **6** 13 agir avec cette puissance. » [18] Souviens-toi de
1 Co **1** 26-31 Ep **2** 8-9 Yahvé ton Dieu : c'est lui qui t'a donné cette force,
Jn **15** 5 pour agir avec puissance, gardant ainsi, comme
aujourd'hui, l'alliance jurée à tes pères. [19] Certes,
si tu oublies Yahvé ton Dieu, si tu suis d'autres
dieux, si tu les sers et te prosternes devant eux,
j'en témoigne aujourd'hui contre vous, vous
périrez. [20] Comme les nations que Yahvé aura
**4** 26+ fait périr devant vous, ainsi vous-mêmes périrez,
pour n'avoir pas écouté la voix de Yahvé votre
Dieu.

**La victoire revient à Yahvé,**
**non aux vertus d'Israël.**

9 [1] Écoute, Israël. Te voilà aujourd'hui sur le
**4** 38+ point de passer le Jourdain, pour aller déposséder des nations plus grandes et plus puissantes
que toi et prendre de grandes villes dont les fortifications montent jusqu'au ciel. [2] C'est un peuple
**1** 28+ grand et de haute stature que les Anaqim. Tu le
Nb **13** 33 connais, tu as entendu dire : « Qui peut tenir tête
aux fils d'Anaq? » [3] Sache aujourd'hui que c'est
Jos **3** 3-4; **6** 8 Yahvé ton Dieu qui va passer devant toi, comme
un feu dévorant qui les détruira, et c'est lui qui va
**7** 22+ te les soumettre; alors tu les déposséderas et tu les
feras périr promptement, comme te l'a dit Yahvé.
[4] Ne dis pas en ton cœur, lorsque Yahvé ton Dieu
**8** 17+ les chassera devant toi : « C'est à cause de ma juste
Jg **7** 2 conduite que Yahvé m'a fait entrer en possession
**18** 12 de ce pays », alors que c'est en raison de leur perversité que Yahvé dépossède ces nations à ton
profit. [5] Ce n'est pas en raison de ta juste conduite
ni de la droiture de ton cœur que tu entres en possession de leur pays, mais c'est en raison de leur
perversité que Yahvé ton Dieu dépossède ces
nations à ton profit; et c'est aussi pour tenir la
parole qu'il a jurée à tes pères, Abraham, Isaac et
**8** 17+ Jacob. [6] Sache aujourd'hui que ce n'est pas ta juste
Ep **2** 7-9 conduite qui te vaut de recevoir de Yahvé ton Dieu
Tt **3** 5 cet heureux pays pour domaine : car tu es un
peuple à la nuque raide.

**La faute d'Israël à l'Horeb** || Ex **32**
**et l'intercession de Moïse** [a].

[7] Souviens-toi. N'oublie pas que tu as irrité
Yahvé ton Dieu dans le désert. Depuis le jour de
ta sortie du pays d'Égypte jusqu'à votre arrivée en
ce lieu, vous avez été rebelles à Yahvé. [8] A l'Horeb
vous avez irrité Yahvé, et Yahvé se mit en colère
contre vous au point de vous détruire. [9] J'étais
monté sur la montagne pour prendre les tables de
pierre, les tables de l'alliance que Yahvé concluait
avec vous. J'étais demeuré sur la montagne quarante jours et quarante nuits sans manger de pain
ni boire d'eau. [10] Yahvé m'avait donné les deux
tables de pierre écrites du doigt de Dieu, conformes
en tout point aux paroles qu'il vous avait dites du
milieu du feu, sur la montagne, au jour de l'Assem- **5** 2-22
blée [b]. [11] Au bout de quarante jours et quarante
nuits, m'ayant donné les deux tables de pierre,
tables de l'alliance, [12] Yahvé me dit : « Lève-toi
d'ici, descends en toute hâte, car ton peuple s'est
perverti, lui que tu as fait sortir d'Égypte. Ils n'ont
pas tardé à s'écarter de la voie que je leur avais
prescrite : ils se sont fait une idole de métal
fondu. » [13] Puis Yahvé me dit : « J'ai vu ce peuple :
c'est un peuple à la nuque raide. [14] Laisse-moi, que **9** 6; **31** 27
je les détruise et que j'efface leur nom de dessous Ex **32** 9+ 2 R **17** 14
les cieux; et que je fasse de toi une nation plus puis- Jr **7** 26; **17** 23; **19** 15
sante et plus nombreuse que lui! » Ba **2** 30
[15] Je redescendis de la montagne, qui était tout
embrasée; j'avais les deux tables de l'alliance dans
mes deux mains. [16] Et je vis que vous veniez de
pécher contre Yahvé votre Dieu. Vous vous étiez
fait un veau de métal fondu : vous n'aviez pas tardé
à vous écarter de la voie que Yahvé vous avait
prescrite. [17] Je saisis les deux tables, des deux
mains je les jetai et je les brisai sous vos yeux.
[18] Puis je me jetai à terre devant Yahvé; comme la
première fois je fus quarante jours et quarante nuits
sans manger de pain ni boire d'eau, à cause de tous
les péchés que vous aviez commis, en faisant ce qui
est mal aux yeux de Yahvé au point de l'irriter.
[19] Car j'avais peur de cette colère, de cette fureur ↗ He **12** 21
qui transportait Yahvé contre vous au point de
vous détruire. Et cette fois encore, Yahvé
m'exauça. [20] Contre Aaron aussi, Yahvé était violemment en colère, au point de le faire périr. J'intercédai aussi en faveur d'Aaron. [21] Cette œuvre de

*a)* Ici commence un nouvel ensemble qui va jusqu'à **10** 11. Moïse rappelle, à la première personne, l'histoire du veau d'or, des tables de l'Alliance brisées et refaites et de son intercession. Le genre littéraire de cette section rappelle celui des ch. **1-3**. Le récit est parallèle à celui d'Ex **32**, avec certaines différences. Il n'est pas d'une seule venue, mais est surchargé par une suite d'additions, ainsi **9** 20, 22-24; **10** 6-7, 8-9; les reprises y sont fréquentes.

*b)* Plusieurs fois dans Dt le mot *qahal* désigne l'assemblée religieuse du peuple de Dieu, spécialement le jour de la promulgation de la Loi, **18** 16; cf. **4** 10; **23** 2-9. Conception qui fera son chemin, 2 Ch **31** 18+, et qui aboutira à l'« église » du NT, Mt **16** 18+; Ac **7** 38.

Ex 32 20 péché que vous aviez fabriquée, ce veau, je le pris,
je le brûlai au feu, je le broyai, je le réduisis en fine
poussière, et j'en jetai la poussière au torrent qui
descend de la montagne.

### Nb 11 1-3 Autres fautes. Prière de Moïse.

Ex 17 1-7 Nb 20 1-13; 22 Et à Tabeéra, et à Massa, et à Qibrot-ha-
11 4-34; 13 25-14 38 Taava, vous avez irrité Yahvé. 23 Et lorsque Yahvé
Dt 1 25-40 voulut vous faire quitter Cadès Barné en disant :
« Montez prendre possession du pays que je vous
ai donné », vous vous êtes rebellés contre l'ordre de
Yahvé votre Dieu, vous n'avez pas cru en lui ni
écouté sa voix. 24 Vous avez été rebelles à Yahvé
depuis le jour où il vous a connus [a].
|| Ex 32 11-14+ 25 Je me jetai donc à terre devant Yahvé et je res-
tai prosterné ces quarante jours et ces quarante
nuits, car Yahvé avait parlé de vous détruire.
26 J'intercédai près de Yahvé et je lui dis : « Mon
Seigneur Yahvé, ne détruis pas ton peuple et
ton héritage, lui que tu as délivré par ta grandeur
et que tu as fait sortir d'Égypte à main forte.
27 Souviens-toi de tes serviteurs, Abraham, Isaac et
Jacob, et ne fais pas attention à l'indocilité de ce
peuple, à sa perversité et à son péché, 28 de crainte
que l'on ne dise au pays d'où tu nous as fait sortir :
" Yahvé n'a pas pu les conduire au pays dont il leur
avait parlé, et c'est en haine d'eux qu'il les a fait
sortir, pour les faire mourir dans le désert. "
29 Mais ils sont ton peuple, ton héritage, ceux que
tu as fait sortir par ta grande force et ton bras
étendu. »

### || Ex 34 1s, 27 L'arche d'alliance et le choix de Lévi.

**10** 1 Yahvé me dit alors : « Taille deux tables de
pierre comme les premières, monte vers moi
31 26 sur la montagne et fais-toi une arche de bois.
2 J'écrirai sur les tables les paroles qui étaient sur
les premières tables que tu as brisées, puis tu les
Ex 25 10+ déposeras dans l'arche. » 3 Je fis une arche en bois
d'acacia, je taillai les deux tables de pierre semblables aux premières, et je montai sur la montagne,
les deux tables à la main. 4 Il écrivit sur les tables,
comme la première fois, les dix Paroles que Yahvé
vous avait dites sur la montagne, du milieu du feu,
au jour de l'Assemblée. Puis Yahvé me les donna.
5 Je redescendis de la montagne, je mis les tables
dans l'arche que j'avais faite et elles y restèrent,
comme Yahvé me l'avait ordonné.
6 Les Israélites quittèrent les puits des Bené Nb 33 31-38
Yaaqân pour Moséra [b], c'est là que mourut Aaron;
il fut enterré là, et c'est Éléazar son fils qui lui succéda comme prêtre. 7 Ils partirent de là pour Gudgoda, et de Gudgoda pour Yotbata, terre riche en
cours d'eau. 8 Yahvé mit alors à part la tribu de
Lévi [c], pour porter l'arche de l'alliance de Yahvé,
se tenir en présence de Yahvé, le servir et bénir en
son nom jusqu'à ce jour. 9 Aussi n'y eut-il pas pour
Lévi de part ni d'héritage avec ses frères : c'est Nb 18 20+
Yahvé qui est son héritage, comme Yahvé ton Dieu
le lui a dit.
10 Pour moi, je me tins sur la montagne, comme
la première fois, quarante jours et quarante nuits.
Cette fois encore Yahvé m'exauça, et Yahvé
renonça à te détruire. 11 Mais Yahvé me dit :
« Debout! Pars et va-t-en à la tête de ce peuple, afin
qu'ils aillent prendre possession du pays que j'ai
juré à leurs pères de leur donner. »

### La circoncision du cœur [d].

12 Et maintenant, Israël, que te demande Yahvé
ton Dieu, sinon de craindre Yahvé ton Dieu, de suivre toutes ses voies, de l'aimer, de servir Yahvé ton 6 5+
Dieu de tout ton cœur et de toute ton âme, 13 de
garder les commandements de Yahvé et ses lois que
je te prescris aujourd'hui pour ton bonheur?
14 C'est bien à Yahvé ton Dieu qu'appartiennent Ps 24 1-2
les cieux et les cieux des cieux [e], la terre et tout ce Is 66 1-2
qui s'y trouve. 15 Yahvé pourtant ne s'est attaché Ex 19 5
qu'à tes pères, par amour pour eux, et après eux
il a élu entre toutes les nations leur descendance, 7 6+
vous-mêmes, jusqu'aujourd'hui. 16 Circoncisez 30 6
votre cœur [f] et ne raidissez plus votre nuque, 17 car Jr 4 4+ Dt 9 13+
Yahvé votre Dieu est le Dieu des dieux et le Sei- 1 Tm 6 15
gneur des seigneurs, le Dieu grand, vaillant et Ap 17 14;
redoutable, qui ne fait pas acception de personnes ↗ Rm 2 11
et ne reçoit pas de présents [g]. 18 C'est lui qui fait ↗ Ac 10 3 2 Ch 19 7
droit à l'orphelin et à la veuve, et il aime l'étranger, Jb 34 19
auquel il donne pain et vêtement. (19 Aimez Sg 6 7 Si 35 11-1

*a)* « il vous a connus » grec, sam.; « je vous ai connus » hébr.

*b)* Nb **33** 31 donne Hor-la-Montagne comme lieu de la mort d'Aaron; le nom de Moséra peut désigner le même site, d'ailleurs non identifié.

*c)* L'addition des vv. 8-9 est indépendante de celle des vv. 6-7 et le choix de la tribu de Lévi est sans rapport avec la mort d'Aaron. D'après Ex **32** 25-29, ils ont été établis en récompense du massacre de leurs frères après le sacrifice au veau d'or, et cette liaison justifierait l'insertion dans ce récit. Mais d'après Nb **1** 50; **3** 6-8, ils ont été mis à part par Dieu lui-même, étant donnés en substitution des premiers-nés d'Israël, Nb **3** 12; **8** 16.

*d)* Cette dernière section du discours reprend le style direct et énonce les exigences de l'alliance avec Dieu, en faisant des emprunts aux formulaires des traités d'alliance, ainsi la déclaration d'entrée, **10** 12s, le rappel historique, **11** 2-7, la description du pays, **11** 10-12, 24, et les bénédictions et malédictions, **11** 16-17, 22-23, 26-29.

*e)* Cette tournure exprime en hébreu le superlatif. Les « cieux des cieux » sont les cieux les plus élevés.

*f)* La circoncision était le signe de l'appartenance au peuple de Yahvé, Gn **17** 10+. Mais cette appartenance doit atteindre les facultés spirituelles, le « cœur », Gn **8** 21+; Jr **4** 4+.

*g)* Dieu octroie sa grâce en toute liberté et impartialité, **1** 17; cf. 2 Ch **19** 7; Jb **34** 19; Sg **6** 7-8. Le NT reprendra la formule, Ac **10** 34; Rm **2** 11; Ga **2** 6; Ep **6** 9; Col **3** 25; Jc **2** 1; 1 P **1** 17.

l'étranger car au pays d'Égypte vous fûtes des
étrangers.) 20 C'est Yahvé ton Dieu que tu craindras et serviras, t'attachant à lui et jurant par son
nom. 21 C'est lui que tu dois louer et c'est lui ton
Dieu : il a accompli pour toi ces choses grandes
et redoutables que tes yeux ont vues; 22 et, alors
Gn 46 27+ que tes pères n'étaient que soixante-dix quand ils
sont descendus en Égypte, Yahvé ton Dieu t'a
rendu aussi nombreux à présent que les étoiles des
cieux.

**L'expérience d'Israël** [a].

**11** 1 Tu aimeras Yahvé ton Dieu et tu garderas
toujours ses observances, ses lois, coutumes et
commandements. 2 C'est vous qui avez fait l'expérience et non vos fils. Eux n'ont pas eu l'expérience
et n'ont pas perçu les leçons de Yahvé votre Dieu,
sa grandeur, sa main forte et son bras étendu, 3 les
signes et les œuvres qu'il a accomplis au cœur de
Ex 7 15 l'Égypte, contre Pharaon, roi d'Égypte, et tout son
pays, 4 ce qu'il a fait aux armées de l'Égypte, à ses
chevaux et à ses chars, en ramenant sur eux les
eaux de la mer des Roseaux lorsqu'ils vous poursuivaient et comme il les a anéantis jusqu'aujourd'hui; 5 ce qu'il a fait pour vous dans le désert
jusqu'à ce que vous arriviez ici; 6 ce qu'il a fait à
Nb 16 Datân et à Abiram, les fils d'Éliab le Rubénite,
quand la terre ouvrit sa bouche et les engloutit au
milieu de tout Israël, avec leurs familles, leurs tentes et tous les gens qui les suivaient. 7 Ce sont vos
yeux à vous qui ont vu cette grande œuvre de
Yahvé.

**Promesses et avertissements.**

8 Vous garderez tous les commandements que je
vous prescris aujourd'hui, afin d'être forts pour
conquérir le pays où vous allez passer pour en
prendre possession, 9 afin de demeurer de longs
jours sur la terre que Yahvé a promise par serment
à vos pères et à leur descendance, terre qui ruisselle
de lait et de miel.

28 3-5 10 Car le pays où tu entres pour en prendre possession n'est pas comme le pays d'Égypte d'où
vous êtes sortis, où, après avoir semé, il fallait arroser avec le pied [b], comme on arrose un jardin pota-
8 7-10 ger. 11 Mais le pays où vous allez passer pour en
Ne 9 25 prendre possession est un pays de montagnes et
de vallées arrosées de la pluie du ciel. 12 De ce
pays Yahvé ton Dieu prend soin, sur lui les yeux
de Yahvé ton Dieu restent toujours fixés, depuis le
début de l'année jusqu'à sa fin. 13 Assurément, si
vous obéissez vraiment à mes commandements que Lv 26 3-13
je vous prescris aujourd'hui, aimant Yahvé votre
Dieu et le servant de tout votre cœur et de toute
votre âme, 14 je donnerai [c] à votre pays la pluie en Jr 5 24
son temps, pluie d'automne et pluie de printemps,
et tu pourras récolter ton froment, ton vin nouveau Jl 2 19,23s
et ton huile, 15 je donnerai à ton bétail de l'herbe
dans la campagne, et tu mangeras et te rassasieras.
16 Gardez-vous de laisser séduire votre cœur : vous
vous fourvoieriez, vous serviriez d'autres dieux et
vous prosterneriez devant eux; 17 et la colère de
Yahvé s'enflammerait contre vous, il fermerait les
cieux, il n'y aurait plus de pluie, la terre ne donnerait plus son fruit et vous péririez bientôt en cet
heureux pays que Yahvé vous donne.

**Conclusion.** 6 6-9

18 Ces paroles que je vous dis, mettez-les dans
votre cœur et dans votre âme, attachez-les à votre
main comme un signe, à votre front comme un ban- ↗ Mt 23 5p
deau. 19 Enseignez-les à vos fils, et répétez-les-leur,
aussi bien assis dans ta maison que marchant sur
la route, couché aussi bien que debout. 20 Tu les
écriras sur les poteaux de ta maison et sur tes portes, 21 afin d'avoir de nombreux jours, vous et vos Pr 3 2
fils, sur la terre que Yahvé a juré à vos pères de Ne 9 29
leur donner, aussi longtemps que les cieux demeu- Jr 33 25
reront au-dessus de la terre.

22 Car, si vraiment vous gardez et pratiquez tous
ces commandements que je vous prescris, aimant
Yahvé votre Dieu, marchant dans toutes ses voies
et vous attachant à lui, 23 Yahvé dépossédera à
votre profit toutes ces nations, et vous déposséderez 4 38+
des nations plus grandes et plus puissantes que Nb 31 1+
vous. 24 Tout lieu que foulera la plante de vos pieds Jos 1 3-5
sera vôtre; depuis le désert, depuis le Liban, depuis
le Fleuve, le fleuve Euphrate, jusqu'à la mer Occidentale s'étendra votre territoire. 25 Personne ne
tiendra devant vous, Yahvé votre Dieu vous fera
craindre et redouter sur toute l'étendue du pays que
vous foulerez, ainsi qu'il vous l'a dit.

26 Vois! Je vous offre aujourd'hui bénédiction et 27-28;
malédiction. 27 Bénédiction si vous obéissez aux 30 15-20
commandements de Yahvé votre Dieu que je vous
prescris aujourd'hui, 28 malédiction si vous déso-
béissez aux commandements de Yahvé votre Dieu,
si vous vous écartez de la voie que je vous prescris
aujourd'hui en suivant d'autres dieux que vous
n'avez pas connus. 29 Lorsque Yahvé ton Dieu

*a)* Il semble que le discours de Moïse s'achevait d'abord par **11** 1-17, à quoi fut ajoutée une nouvelle conclusion, vv. 18-25. Les vv. 26-32 relient ce discours au Code deutéronomique, cf. **4** 44+.

*b)* Allusion probable à une roue hydraulique mue avec le pied.

*c)* Aux vv. 14-15, le texte passe brusquement à un discours direct de Dieu, cf. **7** 4; **17** 3; **28** 20.

t'aura conduit dans le pays où tu vas entrer pour
en prendre possession, tu placeras la bénédiction
Jos **8** 33+ sur le mont Garizim et la malédiction sur le mont
Ébal. (30 Ces monts, on le sait, se trouvent au-delà
du Jourdain, sur la route du couchant, dans le pays
des Cananéens qui habitent la Araba, vis-à-vis de
Gilgal, auprès du Chêne de Moré [a].) 31 Car vous Jos **4** 19+
allez passer le Jourdain, pour venir prendre possession du pays que Yahvé votre Dieu vous donne.
Vous le posséderez, vous y demeurerez, 32 et vous
garderez et pratiquerez toutes les lois et coutumes
que j'énonce aujourd'hui devant vous.

# *II. Le Code deutéronomique* [b]

12 1 Et voici les lois et coutumes que vous garderez et pratiquerez, dans le pays que Yahvé le
Dieu de tes pères t'a donné pour domaine, tous les
jours que vous vivrez sur ce sol.

1 R **14** 23 **Le lieu de culte** [c].

2 R **16** 4; **17** 10 2 Vous abolirez tous les lieux où les peuples que
Is **57** 5 vous dépossédez auront servi leurs dieux, sur les
Jr **2** 20; **3** 6, 13; **17** 2 hautes montagnes, sur les collines, sous tout arbre
Ez **6** 13 verdoyant. 3 Vous démolirez leurs autels, briserez
Ex **23** 24+ Ex **34** 13+ leurs stèles; leurs pieux sacrés, vous les brûlerez,
les images sculptées de leurs dieux, vous les abat-
trez, et vous abolirez leur nom en ce lieu.
4 A l'égard de Yahvé votre Dieu vous agirez
Ex **20** 24+ autrement. 5 C'est seulement au lieu choisi par
1 R **8** 29 Yahvé votre Dieu, entre toutes vos tribus, pour y
placer son nom et l'y faire habiter, que vous viendrez pour le chercher 6 Vous apporterez là vos
Lv **1** 3+ holocaustes et vos sacrifices, vos dîmes et les pré-
Dt **14** 22+ sents de vos mains, vos offrandes votives et vos
offrandes volontaires, les premiers-nés de votre
gros et de votre petit bétail, 7 vous y mangerez en
présence de Yahvé votre Dieu et vous vous réjouirez de tous vos travaux, vous et vos maisons, parce
que Yahvé ton Dieu t'a béni [d].
8 Vous n'agirez pas comme nous agissons ici
Jg **17** 6; **21** 25 aujourd'hui : chacun fait ce qui lui paraît bon,
9 puisque vous n'êtes pas encore entrés dans l'établissement et l'héritage que Yahvé ton Dieu te
donne. 10 Vous allez passer le Jourdain et demeurer
dans le pays que Yahvé votre Dieu vous donne en
héritage; il vous établira à l'abri de tous vos ennemis alentour, et vous aurez une sûre demeure.
11 C'est au lieu choisi par Yahvé votre Dieu pour
y faire habiter son nom que vous apporterez tout
ce que je vous prescris, vos holocaustes et vos
sacrifices, vos dîmes, les présents de vos mains et
toutes les choses excellentes que vous aurez promises par vœu à Yahvé; 12 vous vous réjouirez alors
en présence de Yahvé votre Dieu, vous, vos fils et
vos filles, vos serviteurs et vos servantes, et le lévite Nb **18** 20-24
qui demeure chez vous, puisqu'il n'a ni part ni héri-
tage avec vous.

**Précisions sur les sacrifices** [e].

13 Garde-toi d'offrir tes holocaustes en tous les
lieux sacrés que tu verras, 14 c'est seulement au lieu
choisi par Yahvé dans l'une de tes tribus que tu
pourras offrir tes holocaustes et mettre en pratique
tout ce que je t'ai ordonné.
15 Tu pourras pourtant, chaque fois que tu le
désireras, immoler et manger, en chacune de tes
villes, de la chair pour autant que t'en aura donné
la bénédiction de Yahvé ton Dieu. Que l'on soit pur
ou impur, on en pourra manger, tout comme si
c'était de la gazelle ou du cerf [f]. 16 Cependant vous
ne mangerez pas le sang, mais tu le répandras à **12** 23
terre comme de l'eau. Lv **1** 5+
17 Tu ne pourras pas manger dans tes villes la
dîme de ton froment, de ton vin nouveau ou de ton **14** 22+
huile, ni les premiers-nés de ton gros ou de ton petit
bétail, ni aucune de tes offrandes votives ou de tes

*a)* Le v. 30 est une glose où les mots « dans le pays des Cananéens qui habitent la Araba, vis-à-vis de Gilgal » transfèrent au Gilgal près de Jéricho, Jos **4** 19+, un texte qui concerne la région de Sichem, où se trouve le chêne de Moré, Gn **12** 6.

*b)* Ce Code, ch. **12-26**, rassemble sans ordre apparent plusieurs collections de lois d'origine diverse, dont certaines doivent provenir du royaume du Nord, d'où elles auraient été introduites en Juda après la ruine de Samarie. Cet ensemble qui tient compte de l'évolution sociale et religieuse du peuple devait remplacer l'ancien Code de l'Alliance. Il représente, au moins dans son fond, la Loi retrouvée au Temple sous Josias, 2 R **22** 8s.

*c)* Cette loi, qui deviendra fondamentale pour la religion d'Israël, veut, dans le même esprit que les Prophètes, défendre le culte yahviste de toute contamination des cultes cananéens, par la destruction des hauts lieux de ces cultes et par le choix d'un seul lieu pour le culte de Yahvé. La formule « lieu choisi par Dieu pour y placer son nom », vv. 5, 21, ou « pour y faire habiter son nom », v. 11, cf. **14** 23; **16** 11, etc., ou « pour y rappeler son nom », Ex **20** 24, pouvait, de soi, désigner tout lieu où Dieu s'était manifesté et où le culte était ainsi légitimé par Dieu lui-même, cf. Jr **7** 12 pour Silo; c'est bien ainsi qu'elle a longtemps été comprise, et le culte de Yahvé se pratiquait en de nombreux sanctuaires, cf. Jg **6** 24, 28; **13** 16; 1 R **3** 4, etc. Dans le Dt, cette formule désigne exclusivement Jérusalem. Cette loi d'unicité du sanctuaire sera l'un des points principaux de la réforme de Josias, 2 R **23**.

*d)* Le Code deutéronomique insiste maintes fois sur ce caractère joyeux des repas cultuels et des fêtes, cf. v. 12, 18; **16** 11, 14, etc.

*e)* La loi de l'unité du lieu de culte entraîne la distinction entre l'abattage profane du bétail, qui peut être pratiqué partout, et le sacrifice religieux, qui ne peut avoir lieu qu'au sanctuaire choisi. Lv **17** 3s ne distinguait pas, cf. Lv **17** 4+; cf. aussi 1 S **14** 32s.

*f)* Gibier que ne frappait aucun interdit.

offrandes volontaires, ni ce que tu auras présenté
de tes mains à Yahvé. 18 Mais tu les mangeras en
présence de Yahvé ton Dieu, au lieu choisi par
Yahvé ton Dieu et là seulement, toi, ton fils et ta
fille, ton serviteur et ta servante, et le lévite qui est
chez toi. Tu te réjouiras en présence de Yahvé ton
Dieu de tous tes travaux. 19 Sur ton sol, garde-toi
de négliger le lévite au long de tes jours.
20 Lorsque Yahvé ton Dieu aura agrandi ton territoire, comme il te l'a dit, et que tu t'écrieras : « Je
voudrais manger de la viande », si tu désires manger de la viande, tu pourras le faire autant que tu
voudras. 21 Si le lieu choisi par Yahvé ton Dieu
pour y placer son nom est trop loin de toi, tu pourras immoler du gros et du petit bétail que t'aura
donné Yahvé, comme je te l'ai ordonné; tu en mangeras dans tes villes autant que tu le désireras,
22 mais tu en mangeras comme on mange de la
gazelle ou du cerf : le pur et l'impur en mangeront
ensemble. 23 Garde-toi seulement de manger le
Lv **1** 5+ sang, car le sang, c'est l'âme, et tu ne dois pas manger l'âme avec la chair. 24 Tu ne le mangeras pas,
tu le répandras à terre comme de l'eau. 25 Tu ne le
mangeras pas, afin d'être heureux, toi et ton fils
après toi, en pratiquant ce qui est juste aux yeux
de Yahvé. 26 Mais les choses saintes qui seraient à
toi, et celles que tu aurais vouées, tu iras les porter
à ce lieu choisi par Yahvé. 27 Tu feras l'holocauste
de la chair et du sang sur l'autel de Yahvé ton
Dieu; quant à tes sacrifices, le sang en sera répandu
sur l'autel de Yahvé ton Dieu, et tu mangeras la
chair. 28 Garde docilement et mets en pratique tous
ces ordres que je te donne, en sorte d'être heureux
pour toujours, toi et ton fils après toi, en
accomplissant ce qui est bon et juste aux yeux de
Yahvé ton Dieu.

**Contre les cultes cananéens.**

29 Lorsque Yahvé ton Dieu aura fait table rase
**7** 1-6 des nations chez qui tu te rends pour les déposséder
devant toi, lorsque tu les auras dépossédées et que
tu habiteras dans leur pays, 30 garde-toi de te laisser prendre au piège à leur suite, après qu'elles
auront été anéanties devant toi, et ne recherche pas
leurs dieux en disant : « Comment ces nations ser-
vaient-elles leurs dieux? Ainsi ferai-je, moi aussi. »
31 Tu ne feras pas ainsi envers Yahvé ton Dieu. Car
Yahvé a tout cela en abomination, et il déteste ce
qu'elles ont fait pour leurs dieux : elles vont même
Lv **18** 21+ jusqu'à brûler au feu leurs fils et leurs filles pour
leurs dieux!

# 13

1 Tout ce que je vous ordonne, vous le garde- 32
rez et le pratiquerez, sans y ajouter ni en
retrancher.

**Contre les séductions de l'idolâtrie.** **17** 2-7; **18** 21+

2 Si quelque prophète ou faiseur de songes surgit Jr **23** 11-14
au milieu de toi, s'il te propose un signe ou un prodige 3 et qu'ensuite ce signe ou ce prodige annoncé 2
arrive, s'il te dit alors : « Allons à la suite d'autres
dieux (que tu n'as pas connus) et servons-les », 4 tu 3
n'écouteras pas les paroles de ce prophète ni les
songes de ce songeur. C'est Yahvé votre Dieu qui
vous éprouve pour savoir si vraiment vous aimez **6** 5
Yahvé votre Dieu de tout votre cœur et de toute
votre âme. 5 C'est Yahvé votre Dieu que vous sui- 4
vrez et c'est lui que vous craindrez, ce sont ses **6** 13
commandements que vous garderez, c'est à sa voix
que vous obéirez, c'est lui que vous servirez, c'est
à lui que vous vous attacherez. 6 Ce prophète ou **18** 21+
ce faiseur de songes devra mourir, car il a prêché
l'apostasie envers Yahvé ton Dieu, qui vous a fait
sortir du pays d'Égypte et t'a racheté de la maison
de servitude, et il t'aurait égaré loin de la voie où
Yahvé ton Dieu t'a ordonné de marcher. Tu feras
disparaître le mal du milieu de toi. ↗ 1 Co **5** 13
7 Si ton frère, fils de ton père [a] ou fils de ta mère, 6
ton fils, ta fille, l'épouse qui repose sur ton sein ou
le compagnon qui est un autre toi-même, cherche
dans le secret à te séduire en disant : « Allons servir
d'autres dieux », que tes pères ni toi n'avez connus,
8 parmi les dieux des peuples proches ou lointains 7
qui vous entourent, d'une extrémité de la terre à
l'autre, 9 tu ne l'approuveras pas, tu ne l'écouteras 8
pas, ton œil sera sans pitié, tu ne l'épargneras pas
et tu ne cacheras pas sa faute. 10 Oui, tu devras le 9
tuer, ta main sera la première contre lui pour le
mettre à mort, et la main de tout le peuple continuera l'exécution. 11 Tu le lapideras jusqu'à ce que 10
mort s'ensuive, car il a cherché à t'égarer loin de
Yahvé ton Dieu, qui t'a fait sortir du pays
d'Égypte, de la maison de servitude. 12 Tout Israël 11
en l'apprenant sera saisi de crainte et cessera de
pratiquer ce mal au milieu de toi.
13 Si tu entends dire que dans l'une des villes que 12
Yahvé ton Dieu t'a données pour y habiter, 14 des 13
hommes, des vauriens [b], issus de ta race, ont égaré
leurs concitoyens en disant : « Allons servir d'autres dieux », que vous n'avez pas connus, 15 tu exa- 14
mineras l'affaire, tu feras une enquête, tu interroge-
ras avec soin. S'il est bien avéré et s'il est bien
établi qu'une telle abomination a été commise au

*a)* « fils de ton père », grec, sam.; omis par hébr.
*b)* Litt. « fils de Bélial ». Sens probable : « sans utilité », d'où « vauriens », « mauvais ». Peu à peu, « Bélial » fut senti comme un nom propre, en relation avec la puissance du mal, cf. Ps **18** 5 (« Béliar » dans le NT, 2 Co **6** 15, et les Apocryphes).

15 milieu de toi, [16] tu devras passer au fil de l'épée les
Jos **6** 17+ habitants de cette ville, tu la voueras à l'anathème,
elle et tout ce qu'elle contient [a]; [17] tu en rassembleras toutes les dépouilles au milieu de la place publique et tu brûleras la ville avec toutes ses dépouilles,
l'offrant tout entière à Yahvé ton Dieu. Elle deviendra pour toujours une ruine, qui ne sera plus rebâ-
17 tie. [18] De cet anathème tu ne garderas rien, afin que
Yahvé revienne de l'ardeur de sa colère, qu'il te
fasse miséricorde, qu'il ait pitié de toi et qu'il te
18 multiplie comme il l'a juré à tes pères, [19] à condition que tu écoutes la voix de Yahvé ton Dieu en
gardant tous ses commandements que je te prescris
aujourd'hui et en pratiquant ce qui est juste aux
yeux de Yahvé ton Dieu.

**Contre une pratique idolâtrique.**

**14** [1] Vous êtes des fils pour Yahvé votre Dieu.
|| Lv **19** 27-28 Vous ne vous ferez pas d'incision ni de ton-
Ex **19** 6+ sure sur le front pour un mort [b]. [2] Car tu es un peu-
Dt **7** 6+ ple consacré à Yahvé ton Dieu et Yahvé t'a choisi
pour être son peuple à lui parmi tous les peuples
qui sont sur la terre.

Lv **11**+ **Animaux purs et impurs.**

[3] Tu ne mangeras rien de ce qui est abominable.
[4] Voici les animaux que vous pourrez manger : le
bœuf, le mouton, la chèvre, [5] le cerf, la gazelle, le
daim, le bouquetin, l'antilope, l'oryx, le mouflon.
[6] Vous pourrez manger de tout animal qui a le
sabot fourchu, fendu en deux ongles, et qui rumine.
[7] Toutefois, parmi les ruminants et parmi les animaux à sabot fourchu et fendu, vous ne pourrez
manger ceux-ci : le chameau, le lièvre et le daman,
qui ruminent mais n'ont pas le sabot fourchu; vous
les tiendrez pour impurs. [8] Ni le porc, qui a bien
le sabot fourchu et fendu mais qui ne rumine pas:
vous le tiendrez pour impur. Vous ne mangerez pas
de leur chair et ne toucherez pas à leurs cadavres.

[9] Parmi tout ce qui vit dans l'eau, vous pourrez
manger ceci : tout ce qui a nageoires et écailles,
vous en pourrez manger. [10] Mais vous ne mangerez
point de ce qui n'a pas nageoires et écailles : vous
le tiendrez pour impur.

[11] Vous pourrez manger de tout oiseau pur,
[12] mais voici ceux des oiseaux dont vous ne pourrez
manger : le vautour-griffon, le gypaète, l'orfraie,
[13] le milan noir, les différentes espèces de milan
rouge [c], [14] toutes les espèces de corbeau, [15] l'autruche, le chat-huant, la mouette et les différentes
espèces d'épervier, [16] le hibou, la chouette, l'ibis,
[17] le pélican, le vautour blanc, le cormoran, [18] la
cigogne et les différentes espèces de héron, la
huppe, la chauve-souris. [19] Vous tiendrez toutes les
bestioles ailées pour impures, vous n'en mangerez
pas. [20] Vous pourrez manger de tout volatile pur.
[21] Vous ne pourrez manger aucune bête crevée. Ex **22** 30
Tu la donneras à l'étranger qui réside chez toi pour Lv **17** 15
qu'il la mange, ou bien vends-la à un étranger du
dehors. Tu es en effet un peuple consacré à Yahvé
ton Dieu [d].

Tu ne feras pas cuire un chevreau dans le lait de || Ex **23** 19+
sa mère.

**La dîme annuelle** [e].

[22] Chaque année, tu devras prendre la dîme de
tout ce que tes semailles auront rapporté dans tes
champs [23] et, en présence de Yahvé ton Dieu, au
lieu qu'il aura choisi pour y faire habiter son nom,
tu mangeras la dîme de ton froment, de ton vin
nouveau et de ton huile, les premiers-nés de ton
gros et de ton petit bétail; ainsi tu apprendras à
toujours craindre Yahvé ton Dieu.

[24] Si le chemin est trop long pour toi, si tu ne
peux pas apporter la dîme parce que le lieu choisi
par Yahvé pour y faire habiter son nom est trop
loin de chez toi, quand Yahvé ton Dieu t'aura béni
[25] tu la convertiras en argent, tu serreras l'argent
dans ta main et tu iras au lieu choisi par Yahvé ton
Dieu; [26] là tu échangeras cet argent contre tout ce
que tu désireras, gros ou petit bétail, vin ou boisson
fermentée, tout ce dont tu auras envie. Tu mangeras là en présence de Yahvé ton Dieu et tu te réjouiras, toi et ta maison. [27] Tu ne négligeras pas le
lévite qui est dans tes portes, puisqu'il n'a ni part
ni héritage avec toi.

**La dîme triennale.** **26** 12

[28] Au bout de trois ans, tu prélèveras toutes les
dîmes de tes récoltes de cette année-là et tu les

*a)* On suit le texte court du grec; hébr. ajoute : « ainsi que son bétail, au fil de l'épée ».

*b)* On voit d'habitude ici la prohibition du culte des morts, cf. Lv **19** 27+. Mais on peut aussi se demander si le « mort » dont il s'agit n'est pas le dieu Baal, dont on célébrait la mort au début de l'été, cf. **26** 14; 1 R **18** 28, lors de la disparition de la végétation; cf. encore Ez **8** 14.

*c)* L'hébr. est corrompu et les identifications restent incertaines.

*d)* Les prescriptions morales, juridiques ou cultuelles de Lv **17** 15; **18** 26; **19** 33-34; **24** 22, ou encore **5** 14; Ex **12** 49; **20** 10 (sur le sabbat) insistent toutes sur le fait que l'étranger doit être traité comme le « citoyen ». Le Dt fait une distinction fondée sur l'élection et la sainteté d'Israël, cf. aussi **15** 3; **23** 21. Les textes de Dt **24** 14, 17s qui ne font pas cette distinction reproduisent des lois antérieures. Mais cela n'empêche pas le Deutéronome d'affirmer l'amour de Dieu pour l'étranger, **10** 18.

*e)* La dîme est une redevance perçue par le maître du sol : elle est due à Yahvé, qui est maître de la terre d'Israël. D'après Dt, elle est prise sur les produits des champs et est apportée au Temple, ici vv. 22-27 et **12** 6-7, 17-19. Tous les trois ans, vv. 28-29, elle est abandonnée aux pauvres. D'après Nb **18** 21-32, elle apparaît comme un impôt dû aux lévites, qui en reversent le dixième aux prêtres, comme prélèvement pour Yahvé. Lv **27** 30-32 l'étend au bétail. Dt **14** 25 et Lv **27** 31 prévoient un

déposeras à tes portes. 29 Viendront alors manger
Nb **18** 20+ le lévite (puisqu'il n'a ni part ni héritage avec toi),
l'étranger, l'orphelin et la veuve de ta ville, et ils
s'en rassasieront. Ainsi Yahvé ton Dieu te bénira
dans tous les travaux que tes mains pourront entreprendre.

Lv **25** 1-7+ **L'année sabbatique.**

**15** 1 Au bout de sept ans tu feras remise. 2 Voici
en quoi consiste la remise. Tout détenteur
d'un gage personnel qu'il aura obtenu de son prochain, lui en fera remise; il n'exploitera pas son
prochain ni son frère [a], quand celui-ci en aura
appelé à Yahvé pour remise. 3 Tu pourras exploiter
l'étranger, mais tu libéreras ton frère de ton droit
sur lui. 4 Qu'il n'y ait donc pas de pauvre chez toi
Car Yahvé ne t'accordera sa bénédiction dans le
pays que Yahvé ton Dieu te donne en héritage pour
le posséder, 5 que si tu écoutes vraiment la voix de
Yahvé ton Dieu, en gardant et pratiquant tous ces
commandements que je te prescris aujourd'hui. 6 Si
**23** 20-21 Yahvé ton Dieu te bénit comme il l'a dit, tu prêteras à des nations nombreuses, sans avoir besoin de
leur emprunter, et tu domineras des nations nombreuses, sans qu'elles te dominent.

7 Se trouve-t-il chez toi un pauvre, d'entre tes frères, dans l'une des villes de ton pays que Yahvé ton
Dieu t'a donné? Tu n'endurciras pas ton cœur ni
1 Jn **3** 17 ne fermeras ta main à ton frère pauvre, 8 mais tu
lui ouvriras ta main et tu lui prêteras ce qui lui
manque. 9 Ne va pas tenir en ton cœur ces mauvais
propos : « Voici bientôt la septième année, l'année
de remise », en regardant méchamment ton frère
pauvre sans rien lui donner; il en appellerait à
Yahvé contre toi et tu serais chargé d'un péché!
10 Quand tu lui donnes, tu dois lui donner de bon
cœur, car pour cela Yahvé ton Dieu te bénira dans
toutes tes actions et dans tous tes travaux.
Mt **26** 11p 11 Certes, les pauvres ne disparaîtront point de ce
pays; aussi je te donne ce commandement : Tu dois
ouvrir ta main à ton frère, à celui qui est humilié
et pauvre dans ton pays.

**L'esclave.**

12 Si ton frère hébreu, homme ou femme, se vend
Ex **21** 2-4 Lv **25** 8s+ Jr **34** 14 à toi, il te servira six ans. La septième année tu le
renverras libre 13 et, le renvoyant libre, tu ne le
renverras pas les mains vides. 14 Tu chargeras sur
ses épaules, à titre de cadeau, quelque produit de
ton petit bétail, de ton aire et de ton pressoir; selon
ce dont t'aura béni Yahvé ton Dieu, tu lui donneras. 15 Tu te souviendras que tu as été en servitude **24** 18
au pays d'Égypte et que Yahvé ton Dieu t'a
racheté : voilà pourquoi je te donne aujourd'hui cet
ordre.

16 Mais s'il te dit : « Je ne veux pas te quitter », Ex **21** 5-6
s'il t'aime, toi et ta maison, s'il est heureux avec toi,
17 tu prendras un poinçon, tu lui en perceras
l'oreille contre la porte et il sera ton serviteur pour
toujours. Envers ta servante tu feras de même.

18 Qu'il ne te semble pas trop pénible de le renvoyer en liberté : il vaut deux fois le salaire d'un
mercenaire, celui qui t'aura servi six ans. Et Yahvé
ton Dieu te bénira en tout ce que tu feras.

**Les premiers-nés.** Ex **13** 2 Ex **13** 11+

19 Tout premier-né mâle de ta vache ou de ta brebis, tu le consacreras à Yahvé ton Dieu. Tu ne feras
pas travailler le premier-né de ta vache, ni ne ton-
dras le premier-né de ta brebis. 20 Tu le mangeras,
toi et ta maison, chaque année, en présence de
Yahvé ton Dieu au lieu choisi par Yahvé. 21 S'il a
quelque tare, s'il est boiteux ou aveugle, n'importe
quelle tare grave, tu ne l'immoleras pas à Yahvé
ton Dieu; 22 tu le mangeras chez toi, purs et impurs **12** 15
réunis [b], comme tu mangerais de la gazelle ou du
cerf; 23 seulement, tu n'en mangeras pas le sang, tu
le répandras à terre comme de l'eau.

**Les fêtes : Pâque et Azymes** [c]**.** Ex **12** 1+

**16** 1 Observe le mois d'Abib et célèbre une Pâque Ex **23** 14+ Lv **23** 5 8
pour Yahvé ton Dieu, car c'est au mois Nb **28** 16-25
d'Abib que Yahvé ton Dieu, la nuit, t'a fait sortir
d'Égypte. 2 Tu immoleras pour Yahvé ton Dieu une
pâque de gros et de petit bétail, au lieu choisi par
Yahvé ton Dieu pour y faire habiter son nom. 3 Tu
ne mangeras pas, avec la victime, de pain fermenté;
pendant sept jours tu mangeras avec elle des azymes – un pain de misère – car c'est en toute hâte
que tu es sorti du pays d'Égypte : ainsi tu te souviendras, tous les jours de ta vie, du jour où tu sortis du pays d'Égypte. 4 Pendant sept jours on ne
verra pas chez toi de levain, sur tout ton territoire,
et de la chair que tu auras sacrifiée le soir du pre-

acquittement en argent.

a) Le débiteur s'engageait parfois par contrat à livrer un de ses enfants comme esclave ou à travailler personnellement pour son créancier, en cas de non-remboursement.

b) Pour bien marquer que ce repas n'a pas de caractère cultuel.

c) Texte composite. Les vv. 1, 2, 4b-7 concernent la Pâque (contrairement au rituel ancien, la victime peut être prise dans le gros bétail, v. 2, et elle peut être « cuite » – c'est-à-dire bouillie – au lieu de rôtie, v. 7); les vv. 3, 4a et 8 concernent les Azymes (la qualification des azymes comme « pains de misère » est unique). Le rapprochement des deux fêtes est ici un artifice littéraire. C'est seulement après Josias que les deux fêtes, qui se célébraient à la même époque, furent finalement réunies. L'innovation du Dt est d'avoir fait de la Pâque, jusque-là fête familiale, un pèlerinage à Jérusalem. C'est selon ce rituel que fut célébrée la Pâque de Josias, 2 R **23** 21-23, cf. 2 Ch **35** 7s qui mentionne des bœufs parmi les victimes.

mier jour rien ne devra être gardé jusqu'au lendemain. 5 Tu ne pourras pas immoler la pâque dans
l'une des villes que Yahvé ton Dieu t'aura données,
12 11 6 mais c'est au lieu choisi par Yahvé ton Dieu pour
y faire habiter son nom que tu immoleras la pâque,
le soir au coucher du soleil, à l'heure de ta sortie
d'Égypte. 7 Tu la feras cuire et tu la mangeras au
lieu choisi par Yahvé ton Dieu, puis, au matin, tu
t'en retourneras et tu iras à tes tentes. 8 Pendant six
jours tu mangeras des azymes; au septième jour
une réunion aura lieu pour Yahvé ton Dieu; et tu
ne feras aucun travail.

Ex **23** 14+ **Autres fêtes.**

Lv **23** 15-21
Nb **28** 26-31 9 Tu compteras sept semaines. Quand la faucille
aura commencé à couper les épis, alors tu
commenceras à compter ces sept semaines. 10 Puis
tu célébreras pour Yahvé ton Dieu la fête des
Semaines, avec l'offrande volontaire que fera ta
main, selon ce dont Yahvé ton Dieu te bénit. 11 En
présence de Yahvé ton Dieu tu te réjouiras, au lieu
choisi par Yahvé ton Dieu pour y faire habiter son
nom : toi, ton fils et ta fille, ton serviteur et ta servante, le lévite qui est dans tes portes, l'étranger,
l'orphelin et la veuve qui vivent au milieu de toi.
12 Tu te souviendras que tu as été en servitude au
pays d'Égypte, et tu garderas ces lois pour les mettre en pratique.
Lv **23** 33-43 13 Tu célébreras la fête des Tentes pendant sept
Nb **29** 12-39 jours, au moment où tu rentreras le produit de ton
aire et de ton pressoir. 14 Tu te réjouiras à ta fête,
toi, ton fils et ta fille, ton serviteur et ta servante,
le lévite et l'étranger, l'orphelin et la veuve qui sont
dans tes portes. 15 Pendant sept jours tu feras fête
à Yahvé ton Dieu au lieu choisi par Yahvé; car
Yahvé ton Dieu te bénira dans toutes tes récoltes
et dans tous tes travaux, pour que tu sois pleinement joyeux.
16 Trois fois par an, on verra tous les mâles de
chez toi, devant Yahvé ton Dieu, au lieu qu'il aura
choisi : à la fête des Azymes, à la fête des Semaines, à la fête des Tentes. Aucun ne se présentera
les mains vides devant Yahvé; 17 mais chacun donnera, à la mesure de la bénédiction que Yahvé ton
Dieu t'aura donnée.

Ex **23** 1-3, 6-8 **Les juges** [a].

2 Ch **19** 5 18 Tu établiras des juges et des scribes, en chacune des villes que Yahvé ton Dieu te donne, pour
toutes tes tribus; ils jugeront le peuple en des jugements justes. 19 Tu ne feras pas dévier le droit, tu
n'auras pas égard aux personnes et tu n'accepteras **1** 16-17
pas de présent, car le présent aveugle les yeux des
sages et ruine les causes des justes. 20 C'est la
stricte justice que tu rechercheras, afin de vivre et
de posséder le pays que Yahvé ton Dieu te donne.

**Déviations du culte.**

21 Tu ne planteras pas de pieu sacré, de quelque Ex **34** 13+
bois que ce soit, à côté de l'autel de Yahvé ton Dieu
que tu te seras bâti, 22 et tu ne dresseras pas de
stèle, qui serait odieuse à Yahvé ton Dieu. Ex **23** 24+
**17** 1 Tu n'immoleras pas à Yahvé ton Dieu une
pièce de gros ou de petit bétail qui ait une tare Lv **22** 20-25
ou un défaut quelconque, car Yahvé ton Dieu a
cela en abomination.
2 S'il se trouve au milieu de toi, dans l'une des **13**
villes que Yahvé ton Dieu t'aura données, un **19** 15-21
homme ou une femme qui fasse ce qui est mal aux
yeux de Yahvé ton Dieu, en transgressant son
alliance, 3 qui aille servir d'autres dieux et se prosterner devant eux, et devant le soleil, la lune ou **4** 19
quelque autre de l'armée des cieux, ce que je n'ai
pas commandé, 4 et qu'on te le dénonce; si, après
l'avoir entendu et fait une bonne enquête, le fait est
avéré et s'il est bien établi que cette chose abominable a été commise en Israël, 5 tu feras sortir aux
portes de ta ville cet homme ou cette femme coupable de cette mauvaise action, et tu lapideras cet
homme ou cette femme jusqu'à ce que mort
s'ensuive. 6 On ne pourra être condamné à mort
qu'au dire de deux ou trois témoins, on ne sera pas **19** 15+
mis à mort au dire d'un seul témoin. 7 Les témoins
mettront les premiers la main à l'exécution du
condamné, puis tout le peuple y mettra la main. Tu
feras disparaître le mal du milieu de toi. ↗ 1 Co **5** 13

**Les juges lévites.** **21** 5

8 Si tu as à juger un cas qui te dépasse, affaire
de meurtre, contestation ou voie de fait, un litige
quelconque dans ta ville, tu partiras et tu monteras
au lieu choisi par Yahvé ton Dieu, 9 tu iras trouver
les prêtres lévites et le juge alors en fonction. Ils
feront une enquête [b], et ils te feront connaître la
sentence. 10 Tu te conformeras à la parole qu'ils
t'auront fait connaître en ce lieu choisi par Yahvé,
et tu prendras garde d'agir selon toutes leurs instructions. 11 Tu te conformeras à la décision qu'ils
t'auront fait connaître et à la sentence qu'ils auront
prononcée, sans t'écarter ni à droite ni à gauche de
la parole qu'ils t'auront fait connaître. 12 Si quelqu'un agit présomptueusement, n'obéissant ni au

*a)* Des tribunaux doivent être institués dans toutes les villes, vv. 18-20; ils défèrent les causes qui les dépassent à un tribunal suprême, celui de Jérusalem, dont les sentences sont sans appel,

**17** 8-13. Ceci reflète la réforme judiciaire de Josaphat, 2 Ch **19** 5-11.

*b)* « Ils feront une enquête » grec, sam.; « tu feras... » hébr.

prêtre qui se tient là pour le service de Yahvé ton
Dieu, ni au juge, cet homme mourra. Tu feras disparaître d'Israël le mal. 13 Le peuple l'apprendra,
craindra, et cessera d'agir avec présomption.

1 S 8 11-18 **Les rois** [a].

14 Lorsque tu seras arrivé en ce pays que Yahvé
ton Dieu te donne, que tu en auras pris possession
et que tu y habiteras, si tu te dis : « Je veux établir
sur moi un roi, comme toutes les nations d'alentour », 15 c'est un roi choisi par Yahvé ton Dieu que
tu devras établir sur toi, c'est quelqu'un d'entre tes
frères que tu établiras sur toi comme roi, tu ne
pourras pas te donner un roi étranger qui ne soit
pas ton frère.

16 Mais qu'il n'aille pas multiplier ses chevaux,
et qu'il ne ramène pas le peuple en Égypte pour
accroître sa cavalerie, car Yahvé vous a dit :
« Vous ne retournerez jamais par ce chemin [b]. »
17 Qu'il ne multiplie pas le nombre de ses femmes,
ce qui pourrait égarer son cœur. Qu'il ne multiplie
pas à l'excès son argent et son or [c]. 18 Lorsqu'il
montera sur le trône royal, il devra écrire sur un
rouleau, pour son usage, une copie de cette Loi,
sous la dictée des prêtres lévites [d]. 19 Elle ne le quittera pas; il la lira tous les jours de sa vie, pour
apprendre à craindre Yahvé son Dieu en gardant
toutes les paroles de cette Loi, ainsi que ces règles
pour les mettre en pratique. 20 Il évitera ainsi de
s'enorgueillir au-dessus de ses frères, et il ne s'écartera de ces commandements ni à droite ni à gauche.
A cette condition, il aura, lui et ses fils, de longs
jours sur le trône en Israël.

Nb 18 **Le sacerdoce lévitique** [e].

**18** 1 Les prêtres lévites, toute la tribu de Lévi,
n'auront point de part ni d'héritage avec
Israël : ils vivront des mets offerts [f] à Yahvé et de
Ez 44 28-29 son patrimoine. 2 Cette tribu n'aura pas d'héritage
au milieu de ses frères; c'est Yahvé qui sera son
héritage, ainsi qu'il le lui a dit.

3 Voici les droits des prêtres sur le peuple, sur Lv 6-7
ceux qui offrent un sacrifice de gros ou de petit Nb 18 8-24
bétail : on donnera au prêtre l'épaule, les mâchoires
et l'estomac [g]. 4 Tu lui donneras les prémices de ton
froment, de ton vin nouveau et de ton huile, ainsi
que les prémices de la tonte de ton petit bétail.
5 Car c'est lui que Yahvé ton Dieu a choisi entre
toutes tes tribus pour se tenir devant Yahvé ton
Dieu, pour faire le service divin et donner la bénédiction au nom de Yahvé, lui et ses fils pour toujours.
6 Si le lévite séjournant en l'une de tes villes, où 2 R 23 9+
que ce soit en Israël, vient, selon son désir, au lieu
choisi par Yahvé, 7 il y officiera au nom de Yahvé
son Dieu comme tous ses frères lévites qui se tiennent là en présence de Yahvé, 8 mangeant une part
égale à la leur – sans compter ce qui lui vient par
la vente de son patrimoine [h].

**Les prophètes.**

9 Lorsque tu seras entré dans le pays que Yahvé
ton Dieu te donne, tu n'apprendras pas à commettre les mêmes abominations que ces nations-là.
10 On ne trouvera chez toi personne qui fasse pas- Lv 18 21+
ser au feu son fils ou sa fille, qui pratique divination, incantation, mantique ou magie, 11 personne Lv 19 31+
qui use de charmes, qui interroge les spectres et
devins, qui invoque les morts. 12 Car quiconque fait
ces choses est en abomination à Yahvé ton Dieu,
et c'est à cause de ces abominations que Yahvé ton
Dieu chasse ces nations devant toi.

13 Tu seras sans tache vis-a-vis de Yahvé ton
Dieu. 14 Car ces nations que tu dépossèdes écoutaient enchanteurs et devins, mais tel n'a pas été
pour toi le don de Yahvé ton Dieu. 15 Yahvé ton
Dieu suscitera pour toi, du milieu de toi, parmi tes Nb 12 6+
frères, un prophète comme moi, que vous écoute- Mt 17 5
rez. 16 C'est cela même que tu as demandé à Yahvé
ton Dieu, à l'Horeb, au jour de l'Assemblée :
« Pour ne pas mourir, je n'écouterai plus la voix de
Yahvé mon Dieu et je ne regarderai plus ce grand

*a)* Le roi n'est mentionné nulle part ailleurs dans le Code deutéronomique. Cette « loi du roi » est parallèle à celle de 1 S **8** 11-18, et n'est guère plus favorable à la royauté. Les deux textes appartiennent au même courant hostile à la monarchie, qu'on retrouve également dans Os **7** 3-7; **13** 9-11, etc., et dans Ez **34** 1-10.

*b)* Ceci n'est qu'en substance dans la Bible : Nb **14** 3s; cf. Ex **13** 17 et **14** 11s.

*c)* Ces vv. semblent faire allusion à Salomon, cf. 1 R **10** 26s et **11**.

*d)* Autre traduction : « il fera écrire par les prêtres... ».

*e)* D'après le Dt, tous les membres de la tribu de Lévi sont habilités au sacerdoce – d'où l'expression « prêtres lévites », v. **21** 5; **24** 8; **31** 9; cf. déjà **17** 9 et 18 – mais ils ne peuvent exercer les fonctions sacerdotales qu'à Jérusalem, vv. 6-7, où ils vivent de l'autel, vv. 1-5. Étant en fait trop nombreux pour être tous employés au sanctuaire, beaucoup vivent en province, où ils sont recommandés, comme l'étranger, la veuve et l'orphelin, à la charité des Israélites, Dt **12** 18-19, etc. La distinction entre les prêtres et les lévites, leurs serviteurs, n'existe donc pas encore, mais elle est préparée par la distinction de fait entre les desservants du sanctuaire central et les membres de la tribu dispersés dans le pays.

*f)* « mets offerts », en hébr. *'ishshé*; ici et en 1 S **2** 28, ce mot désigne simplement les mets offerts à la divinité (et dont les prêtres reçoivent une part). Dans le Lv et la tradition sacerdotale, on lui donne un sens moins matériel en le rattachant au mot *'esh*, « feu », d'où « sacrifice par le feu » : on traduira alors « mets consumé », cf. Lv **1** 9+.

*g)* Précisions qui permettront d'éviter des abus, comme ceux des fils d'Éli à Silo, 1 S **2** 13.

*h)* Cette fin de v. est obscure. Peut-être fallait-il empêcher que l'on évalue les biens personnels des lévites pour diminuer leur part au sanctuaire. – En fait, la disposition accordant les mêmes droits à tous les lévites n'a jamais été appliquée, cf. 2 R **23** 9+.

↗ Ac **3** 22-23; **7** 37 feu », 17 et Yahvé me dit : « Ils ont bien parlé. 18 Je
↗ Jn **1** 21+ leur susciterai, du milieu de leurs frères, un pro-
Ex **4** 12 phète semblable à toi [a], je mettrai mes paroles dans
Jn **12** 49-50 sa bouche et il leur dira tout ce que je lui ordonne-
Ez **3** 19; **33** 9 rai. 19 Si un homme n'écoute pas mes paroles, que
ce prophète aura prononcées en mon nom, alors
c'est moi-même qui en demanderai compte à cet
**13** 1-6 homme. 20 Mais si un prophète a l'audace de dire
Jr **14** 14-16 en mon nom une parole que je n'ai pas ordonné de
dire, et s'il parle au nom d'autres dieux, ce prophète
mourra. »
21 Peut-être vas-tu dire en ton cœur : « Comment
saurons-nous que cette parole, Yahvé ne l'a pas
dite [b]? » 22 Si ce prophète a parlé au nom de Yahvé,
1 R **22** 28 et que sa parole reste sans effet et ne s'accomplit
Jr **28** 9 pas, alors Yahvé n'a pas dit cette parole-là. Le pro-
Ez **2** 5; **33** 33 phète a parlé avec présomption. Tu n'as pas à le
craindre.

Ex **21** 13-14+ Nb **35** 9-34+ **L'homicide et les villes de refuge.**

**19** 1 Lorsque Yahvé ton Dieu aura fait table rase
des nations dont Yahvé ton Dieu te donne le
pays, que tu les auras dépossédées et que tu habiteras leurs villes et leurs maisons, 2 tu mettras à part
trois villes au milieu du pays que Yahvé ton Dieu
te donne pour domaine. 3 Tu tiendras leurs accès
en bon état, et tu diviseras en trois le territoire du
pays que Yahvé ton Dieu te donne en héritage :
cela afin que tout meurtrier puisse fuir en ces villes.
4 Voici le cas de celui qui peut sauver sa vie en y
fuyant.
Quelqu'un a-t-il frappé son prochain involontairement, sans avoir contre lui de haine invétérée
5 (ainsi il va à la forêt avec son prochain pour couper du bois, sa main brandit la hache pour abattre
un arbre, le fer s'échappe du manche et s'en va
frapper mortellement son compagnon) : celui-là
peut fuir en l'une de ces villes et conserver la vie.
Nb **35** 19+ 6 Il ne faudrait pas que le vengeur du sang, dans
l'ardeur de sa colère, poursuivît le meurtrier, que
la longueur du chemin lui permît de le rejoindre et
de le frapper mortellement – cet homme qui n'est
pas passible de mort, puisqu'il n'avait pas de haine
invétérée contre sa victime.
**4** 41-43 7 Je te donne donc cet ordre : « Tu mettras à part
trois villes », 8 et si Yahvé ton Dieu agrandit ton
territoire comme il l'a juré à tes pères et te donne
tout le pays qu'il a promis de donner à tes pères,
– 9 à la condition que tu gardes et pratiques tous
les commandements que je te prescris aujourd'hui,
aimant Yahvé ton Dieu et suivant toujours ses
voies, – à ces trois-là tu ajouteras encore trois villes. 10 Ainsi le sang innocent ne sera pas répandu
au milieu du pays que Yahvé ton Dieu te donne en
héritage : autrement il y aurait du sang sur toi.
11 Mais s'il arrive qu'un homme haïssant son
prochain lui dresse une embûche, se jette sur lui et
le frappe mortellement, et qu'il s'enfuie ensuite
dans l'une de ces villes, 12 les anciens de sa cité l'y
enverront prendre et le feront livrer au vengeur du
sang, pour qu'il meure [c]. 13 Ton œil sera sans pitié. **19** 21
Tu feras disparaître d'Israël toute effusion de sang
innocent, et tu seras heureux.

**Les bornes.** **27** 17

14 Tu ne déplaceras pas les bornes de ton prochain, posées par les ancêtres, dans l'héritage reçu
au pays que Yahvé ton Dieu te donne pour
domaine.

**Les témoins.** **17** 2-7

15 Un seul témoin ne peut suffire pour convaincre
un homme de quelque faute ou délit que ce soit;
quel que soit le délit, c'est au dire de deux ou trois ↗ Mt **18** 16
témoins que la cause sera établie. ↗ 2 Co **13** 1 ↗ 1 Tm **5** 19
16 Si un témoin injuste se lève contre un homme ↗ He **10** 28
pour l'accuser de rébellion, 17 les deux hommes qui ↗ Jn **8** 16-17
ont ainsi procès devant Yahvé comparaîtront
devant les prêtres et les juges alors en fonctions.
18 Les juges feront une bonne enquête, et, s'il appert
que c'est un témoin mensonger, qui a accusé son
frère en mentant, 19 vous le traiterez comme il
méditait de traiter son frère. Tu feras disparaître le
mal du milieu de toi. 20 Les autres, en l'apprenant,
seront saisis de crainte, et cesseront de commettre
un tel mal au milieu de toi. 21 Ton œil sera sans **19** 13
pitié.

**Le talion.** Ex **21** 25+

Vie pour vie, œil pour œil, dent pour dent, main
pour main, pied pour pied [d].

**La guerre et les combattants.**

**20** 1 Lorsque tu partiras en guerre contre tes
ennemis et que tu verras des chevaux, des
chars et un peuple plus nombreux que toi, tu n'en **1** 28-29

*a)* C'est, parallèlement à l'institution de la royauté, **17** 14-20, l'institution du prophétisme, que Moïse attribue à Yahvé lors de la théophanie de l'Horeb, cf. Ex **20** 19-21 et Dt **5** 23-28, institution à laquelle font allusion, dans le NT, saint Pierre, Ac **3** 22-26, et saint Étienne, Ac **7** 37. Sur la base de ce texte du Dt, les Juifs ont attendu le Messie comme un nouveau Moïse, cf. Jn **1** 21+. L'évangile de saint Jean soulignera le parallélisme entre Jésus et Moïse, cf. Jn **1** 17+.

*b)* Comment distinguer vrais et faux prophètes? Pour trancher cette question troublante (cf. 1 R **22**; Jr **28**), deux critères : fidélité à la doctrine yahviste, cf. Dt **13**, réalisation des faits annoncés, ici v. 22.

*c)* La doctrine yahviste introduit ainsi la considération de l'intention dans la législation pénale, cf. aussi Nb **35** 20-23.

*d)* Le rappel de la loi du talion est motivé par le v. 19.

auras pas peur; car Yahvé ton Dieu est avec toi,
lui qui t'a fait monter du pays d'Égypte. [2] Quand
vous serez sur le point d'engager le combat, le prêtre s'avancera et parlera au peuple. [3] Il leur dira :
« Écoute, Israël, vous qui êtes aujourd'hui sur le
point d'engager le combat contre vos ennemis, que
1 21 votre cœur ne faiblisse pas! N'ayez ni crainte ni
angoisse, et ne tremblez pas devant eux. [4] Car
Ex 33 14; Yahvé votre Dieu marche avec vous, pour
34 9-10 combattre pour vous, contre vos ennemis, et vous
sauver. »

[5] Puis les scribes parleront au peuple et diront :
↗ 1 M 3 56 « Qui a bâti une maison neuve et ne l'a pas
encore dédiée? Qu'il s'en aille et retourne chez lui,
de peur qu'il ne périsse au combat et qu'un autre
ne la dédie!

[6] « Qui a planté une vigne et n'en a pas encore
cueilli les premiers fruits? Qu'il s'en aille et
retourne chez lui, de peur qu'il ne périsse au
combat et qu'un autre n'en cueille les premiers
fruits!

24 5 [7] « Qui s'est fiancé à une femme et ne l'a pas
encore épousée? Qu'il s'en aille et retourne chez
lui, de peur qu'il ne périsse au combat et qu'un
autre ne l'épouse! »

[8] Les scribes diront encore ceci au peuple : « Qui
Jg 7 3 a peur et sent mollir son courage? Qu'il s'en aille
et retourne chez lui, afin de ne pas faire fondre
comme le sien le cœur de ses frères! »

[9] Puis, les scribes ayant achevé de parler au peuple, on placera à sa tête des chefs de troupe.

7 1-5 **La conquête des villes [a].**

[10] Lorsque tu t'approcheras d'une ville pour la
combattre, tu lui proposeras la paix. [11] Si elle
l'accepte et t'ouvre ses portes, tout le peuple qui s'y
trouve te devra la corvée et le travail. [12] Mais si elle
refuse la paix et te livre combat, tu l'assiégeras.
[13] Yahvé ton Dieu la livrera en ton pouvoir, et tu
en passeras tous les mâles au fil de l'épée. [14] Toutefois les femmes, les enfants, le bétail, tout ce qui
se trouve dans la ville, toutes ses dépouilles, tu les
prendras comme butin. Tu mangeras les dépouilles
de tes ennemis que Yahvé ton Dieu t'aura livrés.

[15] C'est ainsi que tu traiteras les villes très éloignées de toi, qui n'appartiennent pas à ces nations-
ci. [16] Quant aux villes de ces peuples que Yahvé
ton Dieu te donne en héritage, tu n'en laisseras rien
subsister de vivant. [17] Oui, tu les dévoueras à l'anathème, ces Hittites, ces Amorites, ces Cananéens,
ces Perizzites, ces Hivvites, ces Jébuséens, ainsi
que te l'a commandé Yahvé ton Dieu, [18] afin qu'ils
ne vous apprennent pas à pratiquer toutes ces abominations qu'ils pratiquent envers leurs dieux :
vous pécheriez contre Yahvé votre Dieu!

[19] Si, en attaquant une ville, tu dois l'assiéger
longtemps pour la prendre, tu ne mutileras pas ses
arbres en y portant la hache; tu t'en nourriras sans
les abattre. Est-il homme, l'arbre des champs, pour
que tu le traites en assiégé? [20] Cependant, les arbres
que tu sais n'être pas des arbres fruitiers, tu pourras
les mutiler, les abattre, et en faire des ouvrages de
siège contre cette ville en guerre contre toi, jusqu'à
ce qu'elle succombe.

**Cas du meurtrier inconnu.**

21 [1] Si l'on découvre, sur la terre que Yahvé ton
Dieu te donne pour domaine, un homme
assassiné gisant dans la campagne, sans qu'on
sache qui l'a frappé, [2] tes anciens et tes scribes [b]
iront mesurer la distance entre la victime et les villes d'alentour, [3] et détermineront quelle est la ville
la plus proche de la victime. Puis les anciens de
cette ville prendront une génisse qu'on n'ait pas
encore fait travailler ni tirer sous le joug. [4] Les Nb 19 2
anciens de cette ville feront descendre la génisse à
un cours d'eau qui ne tarit pas, en un lieu qui n'a
été ni travaillé ni ensemencé, et là, sur le cours
d'eau, ils briseront la nuque de la génisse. [5] Les prêtres fils de Lévi s'approcheront; car ce sont eux que
Yahvé ton Dieu a choisis pour son service et pour
donner la bénédiction au nom de Yahvé, et il leur
revient de prononcer sur toute querelle et sur toute
voie de fait. [6] Alors, tous les anciens de la ville la 17 8 12
plus proche de l'homme tué se laveront les mains Ps 26 6; 73 13
dans le cours d'eau, sur la génisse abattue [c]. [7] Ils Mt 27 24
prononceront ces paroles : « Nos mains n'ont pas
versé ce sang et nos yeux n'ont rien vu.
[8] Pardonne [d] à Israël ton peuple, toi Yahvé qui l'as
racheté, et ne laisse pas verser un sang innocent au
milieu d'Israël ton peuple. Et ce sang leur sera pardonné. » [9] Mais toi, tu feras disparaître du milieu 19 13
de toi toute effusion de sang innocent, si tu veux
faire ce qui est juste aux yeux de Yahvé.

*a)* Ces règles n'avaient plus l'occasion d'être appliquées lorsque le Deutéronome fut promulgué sous Josias : il n'y avait plus de Cananéens à vouer à l'anathème, cf. Jos **6** 17+, et les Israélites ne mettaient plus le siège devant les villes étrangères. Ce regain d'intérêt pour la guerre sainte est peut-être à mettre en relation avec le renouveau national et militaire de l'époque de Josias.

*b)* « scribes » sam.; « juges » hébr.

*c)* La bête est assommée, dans un lieu désert, il n'y a pas de mention du sang : ce n'est pas un sacrifice mais un vieux rite magique comme ceux de Lv **14** 2-9; **16** 5-10, 21-22, Nb **19** 2-10. qui a été assimilé par le yahvisme, cf. v. 8.

*d)* Litt. « couvre ». Originairement, « couvrir la face » est « se rendre propice », cf. Gn **32** 21. Le mot a pris un sens technique pour désigner l'expiation et son rite, Ex **25** 17+; Lv **1** 4+; **16**, etc.

### Les captives.

10 Lorsque tu partiras en guerre contre tes ennemis, que Yahvé ton Dieu les aura livrés en ton pouvoir et que tu leur auras fait des prisonniers, 11 si
tu vois parmi eux une femme bien faite et que tu
t'en éprennes, tu pourras la prendre pour femme
12 et l'amener en ta maison. Elle se rasera la tête,
se coupera les ongles 13 et quittera son vêtement de
captive; elle demeurera dans ta maison et pleurera
tout un mois son père et sa mère. Ensuite tu pourras t'approcher d'elle, agir en mari, et elle sera ta
femme. 14 S'il arrive qu'elle cesse de te plaire, tu la
laisseras partir à son gré, sans la vendre à prix
d'argent : tu ne dois pas en tirer profit, puisque tu
as usé d'elle.

### Droit d'aînesse.

Gn 29 30-31 15 Si un homme a deux femmes, l'une qu'il aime
1 S 1 2,8 et l'autre qu'il n'aime pas, et que la femme aimée
et l'autre lui donnent des fils, s'il arrive que l'aîné
soit de la femme qu'il n'aime pas, 16 cet homme ne
pourra pas, le jour où il attribuera ses biens à ses
fils, traiter en aîné le fils de la femme qu'il aime,
au détriment du fils de la femme qu'il n'aime pas,
l'aîné véritable. 17 Mais il reconnaîtra l'aîné dans le
fils de celle-ci, en lui donnant double part [a] de tout
ce qu'il possède : car ce fils, prémices de sa vigueur,
détient le droit d'aînesse.

Pr 23 22; 30 17

### Le fils indocile.

18 Si un homme a un fils dévoyé et indocile, qui
ne veut écouter ni la voix de son père ni la voix
de sa mère, et qui, châtié par eux, ne les écoute pas
davantage, 19 son père et sa mère se saisiront de lui
et l'amèneront dehors aux anciens de la ville, à la
porte du lieu. 20 Ils diront aux anciens de sa ville :
« Notre fils que voici se dévoie, il est indocile et ne
nous écoute pas, il est débauché et buveur. »
21 Alors tous ses concitoyens le lapideront jusqu'à
ce que mort s'ensuive. Tu feras disparaître le mal du
milieu de toi, tout Israël l'entendra dire et craindra.

### Prescriptions diverses.

22 Si un homme, coupable d'un crime capital, a
Jos 8 29; été mis à mort et que tu l'aies pendu à un arbre,
10 26-27 23 son cadavre ne pourra être laissé la nuit sur
Jn 19 31 l'arbre; tu l'enterreras le jour même, car un pendu
↗ Ga 3 13 est une malédiction de Dieu, et tu ne rendras pas
impur le sol que Yahvé ton Dieu te donne en héritage.

22 1 Si tu vois vagabonder le bœuf de ton frère || Ex 23 4-5
ou quelque pièce de son petit bétail, tu ne te
déroberas pas, mais tu les ramèneras à ton frère. Mt 7 12
2 Si ton frère n'est pas de ton voisinage ou si tu ne
le connais pas, tu les recueilleras chez toi et tu les
garderas avec toi jusqu'à ce que ton frère vienne les
chercher; alors tu les lui rendras.

3 Ainsi feras-tu pour son âne, ainsi feras-tu pour
son manteau, ainsi feras-tu pour tout objet perdu
par ton frère et que tu trouveras; tu n'as pas le droit
de te dérober.

4 Si tu vois tomber en chemin l'âne ou le bœuf
de ton frère, tu ne te déroberas pas mais tu aideras
ton frère à le relever [b].

5 Une femme ne portera pas un costume masculin, et un homme ne mettra pas un vêtement de
femme [c]; quiconque agit ainsi est en abomination
à Yahvé ton Dieu.

6 Si tu rencontres en chemin un nid d'oiseau avec
des oisillons ou des œufs, sur un arbre ou à terre,
et que la mère soit posée sur les oisillons ou les
œufs, tu ne prendras pas la mère sur les petits.
7 Laisse partir la mère; ce sont les petits que tu
prendras pour toi. Ainsi auras-tu prospérité et longue vie.

8 Quand tu bâtiras une maison neuve, tu feras au
toit un parapet; ainsi ta maison n'encourra pas la
vengeance du sang au cas où quelqu'un viendrait
à tomber.

9 Tu ne sèmeras pas autre chose dans ta vigne, Lv 19 19
de peur que le tout ne soit consacré : et le produit
de ta semence, et le fruit de ta vigne.

10 Tu ne laboureras pas avec un bœuf et un âne
ensemble.

11 Tu ne porteras pas de vêtement tissé mi-laine
mi-lin [d].

12 Tu feras des glands aux quatre bords de l'habit Nb 15 37+
dont tu te couvriras.

### Atteintes à la réputation d'une jeune femme.

13 Si un homme épouse une femme, s'unit à elle
et ensuite la prend en aversion, 14 et qu'il lui impute
alors des fautes et la diffame publiquement en
disant : « Cette femme que j'ai épousée et dont je
me suis approché, je ne lui ai pas trouvé les signes
de la virginité », 15 le père de la jeune femme et sa
mère prendront les signes de sa virginité et les produiront devant les anciens de la ville, à la porte.

*a)* Cette disposition en faveur de l'aîné se retrouve dans d'autres législations orientales. Cf. 2 R 2 9 (où l'expression est prise métaphoriquement).

*b)* Le Dt étend à tous les Israélites (les « frères ») les prescriptions qu'Ex 23 4-5 édictait pour les « ennemis » (d'après le contexte, les adversaires dans un procès).

*c)* Allusion probable à certains usages des cultes impurs de Canaan.

*d)* Ces trois dernières prohibitions sont les vestiges d'interdits primitifs.

[16] Le père de la jeune femme dira alors aux
anciens : « Ma fille que j'ai donnée pour femme à
cet homme, il l'a prise en aversion, [17] et voici qu'il
lui impute des fautes en disant : " Je n'ai pas trouvé
à ta fille les signes de la virginité." Or, voici les
signes de la virginité de ma fille. » Et ils déploieront
le linge devant les anciens de la cité. [18] Les anciens
de cette cité se saisiront de l'homme, le châtieront
[19] et lui infligeront une amende de cent pièces
d'argent, qu'ils donneront au père de la jeune
femme, pour avoir diffamé publiquement une
vierge d'Israël. Il l'aura pour femme et ne pourra
jamais la répudier.
[20] Mais si la chose est avérée, et qu'on n'ait pas
trouvé à la jeune femme les signes de la virginité,
[21] on la fera sortir à la porte de la maison de son
père et ses concitoyens la lapideront jusqu'à ce que
mort s'ensuive, pour avoir commis une infamie en
Israël en déshonorant la maison de son père. Tu
feras disparaître le mal du milieu de toi.

**Adultère et fornication.**

Lv **20** 10 [22] Si l'on prend sur le fait un homme couchant
avec une femme mariée, tous deux mourront :
l'homme qui a couché avec la femme et la femme
elle-même. Tu feras disparaître d'Israël le mal.
[23] Si une jeune fille vierge est fiancée à un
homme, qu'un autre homme la rencontre dans la
ville et couche avec elle, [24] vous les conduirez tous
deux à la porte de cette ville et vous les lapiderez
jusqu'à ce que mort s'ensuive : la jeune fille parce
qu'elle n'a pas appelé au secours dans la ville, et
l'homme parce qu'il a usé de la femme de son prochain. Tu feras disparaître le mal du milieu de toi.
[25] Mais si c'est dans la campagne que l'homme a
rencontré la jeune fille fiancée, qu'il l'a violentée et
a couché avec elle, l'homme qui a couché avec elle
mourra seul; [26] tu ne feras rien à la jeune fille, il
n'y a pas en elle de péché qui mérite la mort. Le
cas est semblable à celui d'un homme qui se jette
sur son prochain pour le tuer : [27] car c'est à la
campagne qu'il l'a rencontrée, et la jeune fille
fiancée a pu crier sans que personne vienne à son
secours.
x **22** 15-16 [28] Si un homme rencontre une jeune fille vierge
qui n'est pas fiancée, la saisit et couche avec elle,
pris sur le fait, [29] l'homme qui a couché avec elle
donnera au père de la jeune fille cinquante pièces
d'argent; elle sera sa femme, puisqu'il a usé d'elle,
et il ne pourra jamais la répudier.

**23** [1] Un homme ne prendra pas l'épouse de son **27** 20
père, et il ne retirera pas d'elle le pan du man- Lv **18** 18
teau de son père [a].

**Participation aux assemblées cultuelles [b].**

[2] L'homme aux testicules écrasés, ou à la verge **23** 1
coupée, ne sera pas admis à l'assemblée de Yahvé. Lv **21** 17-23
[3] Le Bâtard [c] ne sera pas admis à l'assemblée de Is **56** 3-5
Yahvé; même ses descendants à la dixième généra-
tion ne seront pas admis à l'assemblée de Yahvé.
[4] L'Ammonite et le Moabite [d] ne seront pas admis 3 ↗ Ne **13** 1-3
à l'assemblée de Yahvé; même leurs descendants à
la dixième génération ne seront pas admis à
l'assemblée de Yahvé, et cela pour toujours; [5] parce 4
qu'ils ne sont pas venus à votre rencontre avec le
pain et l'eau quand vous étiez en route à la sortie
d'Égypte, et parce qu'il a soudoyé Balaam fils de Nb **22** 2+
Béor pour te maudire, de Pétor en Aram Naha-
rayim. [6] Mais Yahvé ton Dieu ne consentit pas à 5
écouter Balaam, et Yahvé ton Dieu changea pour
toi la malédiction en bénédiction, car Yahvé ton
Dieu t'aimait. [7] Jamais, tant que tu vivras, tu ne 6
rechercheras leur prospérité et leur bonheur.
[8] Tu ne tiendras pas l'Édomite pour abominable, **2** 5
car c'est ton frère. Tu ne tiendras pas l'Égyptien
pour abominable, car tu as été un étranger dans Ex **2** 22; **12** 48+
son pays. [9] A la troisième génération, leurs descen- 8
dants seront admis à l'assemblée de Yahvé [e].

**Pureté du camp.** Nb **5** 1-4

[10] Quand tu iras camper contre tes ennemis, tu 9
te garderas de tout mal. [11] S'il se trouve parmi les 10
tiens un homme qui ne soit pas en état de pureté, Lv **15** 16-17
par suite d'une pollution nocturne, il sortira du
camp et n'y rentrera pas. [12] Vers le soir, il se 11
lavera, et au coucher du soleil il pourra rentrer au
camp.
[13] Tu auras un endroit hors du camp et c'est là 12
que tu iras, au-dehors. [14] Tu auras une pioche dans 13
ton équipement, et quand tu iras t'accroupir au-dehors, tu donneras un coup de pioche et tu recouvri-
ras tes ordures. [15] Car Yahvé ton Dieu parcourt 14

*a)* « Étendre le pan (du manteau) » sur une femme signifiait l'épouser, Rt **3** 9; Ez **16** 8. « Retirer le pan » exprime l'acte contraire, une atteinte aux droits du mari sur sa femme.

*b)* Le Dt a conservé, en les commentant, de vieilles règles qui tranchaient des cas incertains de participation aux assemblées de la communauté d'Israël.

*c)* Le mot *mamzer* ne revient que dans Za **9** 6 et son sens exact est inconnu. A la suite de l'exégèse juive, on y voit généralement les descendants de mariages entre Israélites et étrangers, et l'on renvoie à Ne **13** 23 (où le mot cependant ne se trouve pas).

*d)* Contrairement à **2** 9, 19 qui est une exception, l'hostilité traditionnelle envers Moab et Ammon reparaît ici. Les justifications du v. 5 se rapportent toutes deux à Moab, cf. **2** 1+; Nb **22** 2+, et sont plus tardives.

*e)* Ce traitement favorable des Édomites et des Égyptiens est étonnant; il s'explique peut-être par les relations politiques du royaume du Nord au VIII^e s. av. J.-C. La mention des Édomites comme « frères » rejoint d'autres textes où Édom et Israël sont ainsi appelés, Nb **20** 14; Am **1** 11; Ab 10, 12, même si l'on reproche à Édom d'avoir mal agi.

l'intérieur du camp pour te protéger et te livrer tes
ennemis. Aussi ton camp doit-il être une chose
sainte, Yahvé ne doit rien voir chez toi de dégoûtant; il se détournerait de toi!

**Lois sociales et cultuelles.**

15 [16] Tu ne laisseras pas enfermer par son maître un
esclave qui se sera enfui de chez son maître auprès
16 de toi. [17] Il demeurera avec toi, parmi les tiens, au
lieu qu'il aura choisi dans l'une de tes villes où il
se trouvera bien; tu ne le molesteras pas.
17 [18] Il n'y aura pas de prostituée sacrée parmi les
filles d'Israël, ni de prostitué sacré parmi les fils
18 d'Israël. [19] Tu n'apporteras pas à la maison de
Yahvé ton Dieu le salaire d'une prostituée ni le
paiement d'un chien [a], quel que soit le vœu que tu
aies fait : car tous deux sont en abomination à
Yahvé ton Dieu.
15 6 [20] Tu ne prêteras pas à intérêt à ton frère, qu'il
Ex 22 24 s'agisse d'un prêt d'argent, ou de vivres, ou de quoi
Lv 25 35-38 20 que ce soit dont on exige intérêt. [21] A l'étranger tu
pourras prêter à intérêt, mais tu prêteras sans inté-
rêt à ton frère, afin que Yahvé ton Dieu te bénisse
en tous tes travaux, au pays où tu vas entrer pour
en prendre possession.
Nb 30 3+ 21 [22] Si tu fais un vœu à Yahvé ton Dieu, tu ne tar-
Qo 5 3-5 deras pas à l'acquitter : nul doute que Yahvé ton
Dieu te le réclame, et tu te chargerais d'un péché.
22 [23] Mais si tu t'abstiens de vœu, tu ne te chargeras
23 pas d'un péché. [24] Ce qui sort de ta bouche, tiens-le,
et exécute le vœu que tu as fait volontairement à
Yahvé ton Dieu, de ta propre bouche.
24 [25] Si tu passes dans la vigne de ton prochain, tu
pourras manger du raisin à ton gré, jusqu'à satiété,
25 mais tu n'en mettras pas dans ton panier. [26] Si tu
traverses les moissons de ton prochain, tu pourras
↗ Mt 12 1p arracher des épis avec la main, mais tu ne porteras
pas la faucille sur la moisson de ton prochain.

**Divorce.**

**24** [1] Soit un homme qui a pris une femme et
consommé son mariage; mais cette femme n'a
pas trouvé grâce à ses yeux, et il a découvert une
tare à lui imputer; il a donc rédigé pour elle un acte
↗ Mt 19 7+ de répudiation et le lui a remis, puis il l'a renvoyée
de chez lui; [2] elle a quitté sa maison, s'en est allée
et a appartenu à un autre homme. [3] Si alors cet
autre homme la prend en aversion, rédige pour elle
un acte de répudiation, le lui remet et la renvoie de
chez lui (ou si vient à mourir cet autre homme qui
l'a prise pour femme), [4] son premier mari qui l'a
répudiée ne pourra la reprendre pour femme, après
qu'elle s'est ainsi rendue impure. Car il y a là une
abomination aux yeux de Yahvé, et tu ne dois pas
faire pécher le pays que Yahvé ton Dieu te donne
en héritage.

**Mesures de protection.**

[5] Si un homme vient de prendre femme, il n'ira 20 7
pas à l'armée et on ne viendra pas chez lui l'impor-
tuner, il restera un an chez lui, quitte de toute
affaire, pour la joie de la femme qu'il a prise.
[6] On ne prendra pas en gage le moulin ni la
meule : ce serait prendre la vie même en gage.
[7] Si on trouve un homme qui enlève l'un de ses Ex 21 16
frères, parmi les Israélites, – qu'il l'exploite lui-
même ou qu'il le vende, – ce voleur mourra. Tu
feras disparaître le mal du milieu de toi.
[8] En cas de lèpre, prends garde d'observer soi- Lv 13-14
gneusement et de suivre intégralement tout ce que
vous enseigneront les prêtres lévites. Vous observerez et mettrez en pratique ce que je leur aurai
ordonné. [9] Rappelle-toi ce que Yahvé ton Dieu a Nb 12 10-15
fait à Miryam, quand vous étiez en chemin au sortir d'Égypte.
[10] Si tu prêtes sur gages à ton prochain, tu n'entreras pas dans sa maison pour saisir le gage, quel
qu'il soit. [11] Tu te tiendras dehors et l'homme
auquel tu prêtes t'apportera le gage dehors. [12] Et si
c'est un homme d'humble condition, tu n'iras pas
te coucher en gardant son gage [b]; [13] tu le lui ren- || Ex 22 25-2
dras au coucher du soleil, il se couchera dans son Jb 22 6
manteau, il te bénira et ce sera une bonne action Am 2 8
aux yeux de Yahvé ton Dieu.
[14] Tu n'exploiteras pas le salarié humble et pau- Lv 19 13
vre, qu'il soit d'entre tes frères ou étranger en rési- Jr 22 13 Ml 3 5
dence chez toi. [15] Chaque jour tu lui donneras son ↗ Jc 5 4
salaire, sans laisser le soleil se coucher sur cette
dette; car il est pauvre et il attend impatiemment
ce salaire. Ainsi n'en appellera-t-il pas à Yahvé
contre toi. Autrement tu serais en faute.
[16] Les pères ne seront pas mis à mort pour les Gn 18 24+ Dt 7 10
fils, ni les fils pour les pères. Chacun sera mis à ↗ 2 R 14 6
mort pour son propre crime [c]. Jr 31 29s
[17] Tu ne porteras pas atteinte au droit de Ez 14 12+
l'étranger et de l'orphelin [d], et tu ne prendras pas Ex 22 20s
en gage le vêtement de la veuve. [18] Souviens-toi que Dt 27 19 Dt 15 15
tu as été en servitude au pays d'Égypte et que

*a)* La prostitution sacrée était une tare des cultes cananéens, cf. le Baal de Péor, Nb **25**. Elle avait contaminé Israël, 1 R **14** 24; **22** 47; 2 R **23** 7; Os **4** 14. « Chien » désigne par mépris le prostitué.

*b)* Litt. « tu n'iras pas te coucher *dans* son gage », car à l'origine il ne s'agissait que du manteau, Ex **22** 25s.

*c)* Texte très important sur la responsabilité individuelle. Ce principe de la responsabilité individuelle est une nouveauté, cf. **5** 9; Ex **34** 7; Jos **7** 24, etc. Il est appliqué dans 2 R **14** 6, affirmé dans Jr **31** 29-30 et développé dans Ez **14** 12-20; **18** 10-20.

*d)* « de l'étranger et de l'orphelin » versions, Targ.; « de l'étranger orphelin » hébr.

Yahvé ton Dieu t'en a racheté; aussi je t'ordonne de mettre cette parole en pratique.

Lv **19** 9s; **23** 22 Rt **2** 2 Ex **23** 11 Dt **26** 12-13

19 Lorsque tu feras la moisson dans ton champ, si tu oublies une gerbe au champ, ne reviens pas la chercher. Elle sera pour l'étranger, l'orphelin et la veuve, afin que Yahvé ton Dieu te bénisse dans toutes tes œuvres.

20 Lorsque tu gauleras ton olivier, tu n'iras rien y rechercher ensuite. Ce qui restera sera pour l'étranger, l'orphelin et la veuve.

21 Lorsque tu vendangeras ta vigne, tu n'iras rien y grappiller ensuite. Ce qui restera sera pour l'étranger, l'orphelin et la veuve.

22 Et tu te souviendras que tu as été en servitude au pays d'Égypte; aussi je t'ordonne de mettre cette parole en pratique.

**25** 1 Lorsque des hommes auront une contestation, ils iront en justice pour qu'on prononce entre eux : on donnera raison à qui a raison et tort à qui a tort. 2 Si celui qui a tort mérite des coups, le juge le fera étendre à terre en sa présence, et frapper d'un nombre de coups proportionnel à ses torts.

↗ 2 Co **11** 24

3 Il pourra lui infliger quarante coups, mais pas davantage, de peur qu'en frappant davantage la meurtrissure ne soit grave et que ton frère ne soit avili à tes yeux.

↗ 1 Co **9** 9 ↗ 1 Tm **5** 18

4 Tu ne muselleras pas le bœuf quand il foule le grain.

Gn **38** Rt **4** ↗ Mt **22** 24p

### La loi du lévirat [a].

5 Si des frères demeurent ensemble et que l'un d'eux vienne à mourir sans enfant, la femme du défunt ne se mariera pas au-dehors avec un homme d'une famille étrangère. Son « lévir » viendra à elle, il exercera son lévirat en la prenant pour épouse 6 et le premier-né qu'elle enfantera relèvera le nom de son frère défunt; ainsi son nom ne sera pas effacé d'Israël. 7 Mais si cet homme refuse de prendre celle dont il doit être lévir, elle ira trouver les anciens à la porte et dira : « Je n'ai pas de lévir qui veuille relever le nom de son frère en Israël, il ne consent pas à exercer en ma faveur son lévirat. » 8 Les anciens de sa cité convoqueront cet homme et lui parleront. Ayant comparu, il dira : « Je refuse de la prendre. » 9 Celle à qui il doit le lévirat s'approchera de lui en présence des anciens, lui ôtera sa sandale du pied, lui crachera au visage et prononcera ces paroles : « Ainsi fait-on à l'homme qui ne relève pas la maison de son frère », 10 et sa maison sera ainsi appelée en Israël : « Maison du déchaussé [b]. »

### La pudeur dans les rixes.

11 Lorsque des hommes se battent ensemble, un homme et son frère, si la femme de l'un d'eux s'approche et, pour dégager son mari des coups de l'autre, avance la main et saisit celui-ci par les parties honteuses, 12 tu lui couperas la main sans un regard de pitié.

### Appendices.

Lv **19** 35-36 Am **8** 5 Os **12** 8 Mi **6** 10-11 Pr **11** 1+

13 Tu n'auras pas dans ton sac poids et poids, l'un lourd et l'autre léger. 14 Il n'y aura pas dans ta maison mesure et mesure, l'une grande et l'autre petite. 15 Tu auras un poids intact et exact, et tu auras une mesure entière et exacte, afin d'avoir longue vie sur la terre que Yahvé ton Dieu te donne. 16 Car Yahvé ton Dieu a en abomination quiconque pratique ces choses, quiconque exerce la fraude.

Ex **17** 8-16+

17 Rappelle-toi ce que t'a fait Amaleq quand vous étiez en chemin à votre sortie d'Égypte. 18 Il vint à ta rencontre sur le chemin et, par derrière, après ton passage, il attaqua les éclopés; quand tu étais las et exténué, il n'eut pas crainte de Dieu. 19 Lorsque Yahvé ton Dieu t'aura établi à l'abri de tous tes ennemis alentour, au pays que Yahvé ton Dieu te donne en héritage pour le posséder, tu effaceras le souvenir d'Amaleq de dessous les cieux. N'oublie pas!

### Les prémices [c].

**26** 1 Lorsque tu parviendras au pays que Yahvé ton Dieu te donne en héritage, lorsque tu le posséderas et l'habiteras, 2 tu prélèveras les prémices de tous les produits du sol que tu auras fait

*a)* Du latin *levir*, « beau-frère », qui traduit l'hébreu *yabam* : la veuve sans enfant mâle est épousée par son beau-frère; le premier fils est imputé au défunt et reçoit sa part d'héritage. L'institution, qui existait aussi chez les Assyriens et les Hittites, avait pour fin de perpétuer la descendance et d'assurer la stabilité du bien de famille. Le premier aspect est souligné dans l'histoire de Tamar, Gn **38**; le second aspect est au premier plan dans l'histoire de Ruth, Rt **4**, où les droits et devoirs du lévir sont étendus au « vengeur », voir Nb **35** 19+. La loi de Dt limite cette obligation au cas où les frères vivent ensemble et tolère qu'on s'y dérobe. L'institution s'est maintenue dans le Judaïsme postérieur, malgré l'opposition de certains groupes. Les Sadducéens tirèrent argument de cette loi contre la doctrine de la résurrection, cf. Mt **22** 23s.

*b)* Le rite de dépossession, la sandale ôtée, est accompagné d'un geste de mépris et d'une désignation infamante. On ne voit pas clairement quelles étaient les conséquences juridiques; il est cependant probable qu'en ce cas, la femme restait en possession des biens de son mari. Le rite n'a pas exactement le même sens dans Rt **4** 8.

*c)* De même que les premiers-nés de l'homme et des animaux appartiennent à Dieu, Ex **13** 11+, les prémices des produits du sol lui sont consacrées, Ex **22** 28; **23** 19; **34** 26; Lv **2** 12, 14; **23** 10-17; Dt **18** 4. D'après Nb **18** 12, elles reviennent aux prêtres, cf. Ez **44** 30. Cette offrande des produits de la terre, qui, dans l'ancien calendrier religieux, cf. Ex **23** 16 et 19, est liée aux fêtes, d'origine cananéenne, de la moisson et de la récolte, est ici rattachée à un événement de l'histoire du salut : l'entrée en Terre Promise, vv. 1, 3, 9-10. C'est encore le thème du don de la Terre, qui est central dans le Dt, cf. **1** 5+.

pousser au pays que te donne Yahvé ton Dieu. Tu les mettras dans une hotte, et tu te rendras au lieu choisi par Yahvé ton Dieu pour y faire habiter son nom. 3 Tu iras trouver le prêtre alors en charge, et tu lui diras :

« Je déclare aujourd'hui à Yahvé mon Dieu que je suis arrivé au pays que Yahvé avait juré à nos pères de nous donner. »

4 Le prêtre prendra de ta main la hotte et la déposera devant l'autel de Yahvé ton Dieu. 5 Tu prononceras ces paroles devant Yahvé ton Dieu [a] :

« Mon père était un Araméen errant qui descen-
**10** 22 dit en Égypte, et c'est en petit nombre qu'il y
Ps **105** 12 séjourna, avant d'y devenir une nation grande.
puissante et nombreuse. 6 Les Égyptiens nous maltraitèrent, nous brimèrent et nous imposèrent une
dure servitude. 7 Nous avons fait appel à Yahvé le
Dieu de nos pères. Yahvé entendit notre voix, il vit
notre misère, notre peine et notre oppression, 8 et
**4** 34 Yahvé nous fit sortir d'Égypte à main forte et à
bras étendu, par une grande terreur, des signes et
des prodiges. 9 Il nous a conduits ici et nous a
donné cette terre, terre qui ruisselle de lait et de
miel. 10 Voici que j'apporte maintenant les prémices des produits du sol que tu m'as donné,
Yahvé. »

Tu les déposeras devant Yahvé ton Dieu et tu te prosterneras devant Yahvé ton Dieu. 11 Puis tu te réjouiras de toutes les bonnes choses dont Yahvé ton Dieu t'a gratifié, toi et ta maison, – toi ainsi que le lévite et l'étranger qui est chez toi.

**La dîme triennale.** **14** 22+

12 La troisième année, année de la dîme, lorsque
tu auras achevé de prendre la dîme de tous tes reve- Ex **12** 48+
nus et que tu l'auras donnée au lévite, à l'étranger,
à la veuve et à l'orphelin, et que, l'ayant consommée dans tes villes, ils s'en seront rassasiés, 13 tu
diras en présence de Yahvé ton Dieu :

« J'ai retiré de ma maison ce qui était consacré. **24** 19
Oui, je l'ai donné au lévite, à l'étranger, à l'orphelin
et à la veuve, selon tous les commandements que
tu m'as faits, sans outrepasser tes commandements
ni les oublier. 14 Je n'en ai rien mangé quand j'étais
en deuil, je n'en ai rien retiré quand j'étais impur,
je n'ai rien donné pour un mort [b]. J'ai obéi à la voix
de Yahvé mon Dieu et j'ai agi selon tout ce que tu 1 R **8** 43
m'avais ordonné. 15 De la demeure de ta sainteté, Ps **11** 4
des cieux, regarde et bénis Israël ton peuple, ainsi Ba **2** 16
que la terre que tu nous as donnée comme tu l'avais
juré à nos pères, terre qui ruisselle de lait et de
miel. »

# *III. Discours de conclusion*

## *FIN DU SECOND DISCOURS* [c]

**Israël, peuple de Yahvé** [d].

16 Yahvé ton Dieu t'ordonne aujourd'hui de pratiquer ces lois et coutumes; tu les garderas et tu les pratiqueras de tout ton cœur et de toute ton âme. 17 Tu as obtenu de Yahvé aujourd'hui cette déclaration, qu'il serait ton Dieu – mais à la condition que tu marches dans ses voies, que tu gardes ses lois, ses commandements et ses coutumes et que tu écoutes sa voix. 18 Et Yahvé a obtenu de toi aujourd'hui cette déclaration, que tu serais son peuple à lui, comme il te l'a dit – mais à la condition de garder tous ses commandements; 19 il t'élèverait alors au-dessus de toutes les nations qu'il a faites, en honneur, en renom et en gloire, et tu serais un peuple consacré à Yahvé ton Dieu, ainsi qu'il te l'a dit.

**Inscription de la Loi et cérémonies cultuelles** [e].

27 1 Moïse et les anciens d'Israël donnèrent cet ordre au peuple : « Gardez tous les commandements que je vous prescris aujourd'hui. 2 Lorsque vous passerez le Jourdain pour vous rendre au pays que Yahvé ton Dieu te donne, tu dresseras de gran-

*a)* La confession de foi des vv. 5-9 résume l'histoire du salut, centrée sur la délivrance d'Égypte. Les mêmes éléments se retrouvent dans les « confessions » de Dt **6** 20-23 et, avec des développements, de Jos **24** 1-13 et Ne **9** 7-25. L'insistance sur le don de la terre où coulent le lait et le miel, v. 9, convient à cette déclaration qui est liée à l'offrande des prémices. Le silence sur les événements du Sinaï ne signifie pas que cette confession remonte à une tradition qui les ignorait. Le texte n'est pas très ancien et le rappel de la promulgation de la Loi n'entrait pas dans sa perspective.

*b)* Le produit de la dîme, consacré à Yahvé, doit être soustrait à toute profanation : rite de deuil, cf. Os **9** 4, ou impureté, cf. Ag **2** 13. L'offrande au mort peut se référer encore à des rites de deuil, ou au culte idolâtrique d'un dieu mort et renaissant (Baal-Adonis), cf. **14** 1+.

*c)* Le second discours de Moïse, cf. **4** 44+, reprend ici jusqu'à **28** 68. Il est interrompu par le ch. **27** qui est une insertion. Le ch. **28** est composite.

*d)* Le Code deutéronomique, qui précède, est le document de l'Alliance présentée comme un contrat; Yahvé sera le Dieu d'Israël et Israël sera son peuple, à condition qu'il garde les commandements. Bénédictions et malédictions, ch. **28**, seront la sanction de l'observance de ce contrat.

*e)* Ce ch. comprend trois éléments hétérogènes : vv. 1-8; 9-10; 11-26. Les vv. 9-10 pourraient avoir été la suite de **26** 19. Les deux autres sections sont des insertions. Elles ne donnent pas

Jos 8 32 les pierres, tu les enduiras de chaux [3] et tu y écriras
toutes les paroles de cette Loi, au moment où tu
passeras pour entrer dans la terre que Yahvé ton
Dieu te donne, terre qui ruisselle de lait et de miel,
comme te l'a dit Yahvé le Dieu de tes pères.
[4] Et lorsque vous aurez passé le Jourdain, vous
Jos 8 30-31 dresserez ces pierres sur le mont Ébal [a], comme je
vous l'ordonne aujourd'hui, et vous les enduirez de
chaux. [5] Tu y édifieras pour Yahvé ton Dieu un
autel, avec des pierres que le fer n'aura pas travail-
Ex 20 25 lées. [6] C'est de pierres brutes que tu édifieras l'autel
de Yahvé ton Dieu, et c'est sur cet autel que tu
12 11 offriras des holocaustes pour Yahvé ton Dieu,
[7] que tu immoleras des sacrifices de communion,
que tu mangeras sur place, et tu te réjouiras en
présence de Yahvé ton Dieu. [8] Tu écriras sur ces
pierres toutes les paroles de cette Loi : grave-les
bien. »
[9] Puis Moïse et les prêtres lévites dirent à tout
Israël :
« Fais silence et écoute, Israël. Aujourd'hui tu es
devenu un peuple pour Yahvé ton Dieu. [10] Tu écouteras la voix de Yahvé ton Dieu, et tu mettras en
pratique les commandements et les lois que je te
prescris aujourd'hui. »
[11] Et Moïse, en ce jour, donna alors cet ordre au
peuple [b] : [12] « Lorsque vous aurez passé le Jour-
Jos 8 33-35 dain, voici ceux qui se tiendront sur le mont Gari-
Lc 6 20-26 zim pour bénir le peuple : Siméon et Lévi, Juda et
Issachar, Joseph et Benjamin. [13] Et voici ceux qui
se tiendront sur le mont Ébal pour la malédiction :
Ruben, Gad et Asher, Zabulon, Dan et Nephtali.
[14] Les lévites prendront la parole et diront à voix
haute à tous les Israélites :
Ex 20 4+ [15] Maudit soit l'homme qui fait une idole sculptée ou fondue, abomination pour Yahvé, œuvre de
mains d'artisan, et la place en un lieu caché. – Et
tout le peuple répondra et dira : Amen.
Ex 21 17+ [16] Maudit soit celui qui traite indignement son
père et sa mère. – Et tout le peuple dira : Amen.
19 14 [17] Maudit soit celui qui déplace la borne de son
prochain. – Et tout le peuple dira : Amen.
Lv 19 14 [18] Maudit soit celui qui égare un aveugle en chemin. – Et tout le peuple dira : Amen.

[19] Maudit soit celui qui fait dévier le droit de Ex 22 20s+
l'étranger, de l'orphelin et de la veuve. – Et tout le
peuple dira : Amen.
[20] Maudit soit celui qui couche avec la femme de 23 1
son père, car il retire d'elle le pan du manteau de
son père. – Et tout le peuple dira : Amen.
[21] Maudit soit celui qui couche avec quelque bête Ex 22 18+
que ce soit. – Et tout le peuple dira : Amen. Lv 18 23
[22] Maudit soit celui qui couche avec sa sœur, fille Lv 18 9
de son père ou fille de sa mère. – Et tout le peuple
dira : Amen.
[23] Maudit soit celui qui couche avec sa belle- Lv 18 8
mère. – Et tout le peuple dira : Amen.
[24] Maudit soit celui qui frappe en secret son pro- Ex 20 13+
chain. – Et tout le peuple dira : Amen.
[25] Maudit soit celui qui accepte un présent pour Ex 23 8+
frapper mortellement une vie innocente. – Et tout
le peuple dira : Amen.
[26] Maudit soit celui qui ne maintient pas en ↗ Ga 3 10
vigueur les paroles de cette Loi pour les mettre en
pratique. – Et tout le peuple dira : Amen ».

### Les bénédictions promises [c].

**28** [1] Or donc, si tu obéis vraiment à la voix de
Yahvé ton Dieu, en gardant et pratiquant tous
ces commandements que je te prescris aujourd'hui,
Yahvé ton Dieu t'élèvera au-dessus de toutes les
nations de la terre. [2] Toutes les bénédictions que 4 30
voici t'adviendront et t'atteindront; car tu auras Gn 49 25-26
obéi à la voix de Yahvé ton Dieu. 11 10-15
[3] Béni seras-tu à la ville et béni seras-tu à la campagne. [4] Bénis seront le fruit de tes entrailles, le
produit de ton sol, le fruit de ton bétail, la portée
de tes vaches et le croît de tes brebis. [5] Bénies
seront ta hotte et ta huche. [6] Bénies seront tes
entrées et bénies seront tes sorties. [7] Des ennemis
qui se dresseraient contre toi, Yahvé fera tes vaincus : sortis par un chemin à ta rencontre, par sept
chemins ils fuiront devant toi. [8] Yahvé comman-
dera à la bénédiction d'être avec toi, en tes greniers
comme en tes travaux, et il te bénira dans le pays
que te donne Yahvé ton Dieu.
[9] Yahvé fera de toi le peuple qui lui est consacré,
ainsi qu'il te l'a juré, si tu gardes les commande-

des lois générales, mais prescrivent des actes cultuels qui se rattachent au sanctuaire de Sichem : on a utilisé ici, en les retouchant, de vieilles traditions sichémites; ce n'est pas le Dt qui pouvait prescrire la construction d'un autel et l'offrande de sacrifices sur l'Ebal (ou le Garizim), v. 4s, et la Loi écrite sur les pierres, v. 8, doit être un texte plus court que le Dt qui sera écrit sur un livre, cf. **32** 24-26. Les cérémonies des vv. 11-26 ont le même cadre extérieur au sanctuaire unique, cf. note sur v. 11.

*a)* Le sam. a « sur le mont Garizim »; c'est peut-être le texte primitif, modifié par la polémique contre les Samaritains dont le lieu de culte était sur le Garizim et conservait peut-être la vieille tradition. D'ailleurs, aux vv. 12-13 comme à **11** 29, les bénédictions sont prononcées sur le Garizim.

*b)* La section 11-26 combine deux cérémonies. 1° vv. 12-13 : les tribus, réparties en deux groupes, se renvoient bénédictions et malédictions. Le texte primitif a été ici amputé au profit d'une cérémonie différente. 2° vv. 14-26 : les lévites proclament douze malédictions auxquelles tout le peuple répond amen. La première et la dernière sont évidemment deutéronomistes; les dix autres expriment de vieux interdits qui ont leurs parallèles dans le Code de l'Alliance et dans la couche ancienne de Lv **18**.

*c)* Ce ch. fait suite à **26** 16-19; **27** 9-10, où le Code deutéronomique avait été présenté comme le document du traité entre Yahvé et Israël. Celui-ci s'achève par des bénédictions et des malédictions, à la manière des traités orientaux. On trouve des parallèles frappants dans les traités assyriens de vassalité du VIIe s. av. J.-C.; mais le style est ici deutéronomique et reprend plusieurs thèmes de la prédication prophétique.

ments de Yahvé ton Dieu et si tu marches dans ses
Jr **14** 9 voies. [10] Tous les peuples de la terre verront que tu
Jn **13** 34-35 portes le nom de Yahvé [a] et ils te craindront.
[11] Yahvé te fera surabonder de biens : fruit de tes
entrailles, fruit de ton bétail et fruit de ton sol, sur
cette terre qu'il a juré à tes pères de te donner.
[12] Yahvé ouvrira pour toi les cieux, son trésor
**11** 14 excellent, pour donner en son temps la pluie à ton
pays, et pour bénir toutes tes œuvres. Tu annexeras
des nations nombreuses et toi, tu ne seras pas
annexé. [13] Yahvé te mettra à la tête et non à la
queue, tu ne seras jamais qu'au-dessus et non point
au-dessous, si tu écoutes les commandements de
Yahvé ton Dieu, que je te prescris aujourd'hui,
pour les garder et les mettre en pratique, [14] sans
dévier à droite ni à gauche d'aucune de ces paroles
que je vous prescris aujourd'hui, en allant suivre
d'autres dieux et les servir.

**Les malédictions.**

Lv **26** 14-39 [15] Mais si tu n'obéis pas à la voix de Yahvé ton
Jr **26** 4-6 Dieu, ne gardant pas ses commandements et ses
lois que je te prescris aujourd'hui, toutes les malédictions que voici t'adviendront et t'atteindront.

[16] Maudit seras-tu à la ville et maudit seras-tu à
la campagne. [17] Maudites seront ta hotte et ta
huche. [18] Maudits seront le fruit de tes entrailles et
le fruit de ton sol, la portée de tes vaches et le croît
de tes brebis. [19] Maudites seront tes entrées et maudites tes sorties.

[20] Yahvé enverra contre toi la malédiction, le
maléfice et l'imprécation dans tous tes travaux, de
sorte que tu sois détruit et que tu périsses rapidement, pour la perversité de tes actions, pour
m'avoir abandonné. [21] Yahvé attachera à toi la
peste, jusqu'à ce qu'elle t'ait consumé sur cette
terre où tu vas entrer pour en prendre possession.
[22] Yahvé te frappera de consomption, de fièvre,
d'inflammation, de fièvre chaude, de sécheresse, de
rouille et de nielle, qui te poursuivront jusqu'à ta
perte. [23] Les cieux au-dessus de toi seront d'airain
et la terre sous toi sera de fer. [24] La pluie de ton
pays, Yahvé en fera de la poussière et du sable; il
en tombera du ciel sur toi jusqu'à ta destruction.
[25] Yahvé fera de toi un vaincu en face de tes ennemis : sorti à leur rencontre par un chemin, par sept
chemins tu fuiras devant eux, et tu deviendras un
Jr **24** 9 objet d'épouvante pour tous les royaumes de la
terre. [26] Ton cadavre sera la pâture de tous les
oiseaux du ciel et de toutes les bêtes de la terre,
sans que personne leur fasse peur.

[27] Yahvé te frappera d'ulcères d'Égypte, de
bubons, de croûtes, de plaques rouges dont tu ne 7 15; **28** 60
pourras guérir. [28] Yahvé te frappera de délire,
d'aveuglement et d'égarement des sens, [29] au point Is **59** 10
que tu iras à tâtons en plein midi comme l'aveugle
va à tâtons dans les ténèbres, et tes démarches
n'aboutiront pas.

Tu ne seras jamais qu'exploité et spolié, sans
personne pour te sauver. [30] Tu prendras une femme Is **62** 8-9
comme fiancée, mais un autre homme la possédera; Am **5** 11 Mi **6** 15
tu bâtiras une maison, mais tu ne pourras l'habiter; **20** 5-7
tu planteras une vigne, mais tu n'en pourras cueillir
les premiers fruits. [31] Ton bœuf sera égorgé sous tes
yeux, et tu n'en pourras manger; ton âne te sera
enlevé en ta présence, et il ne te reviendra pas; tes
brebis seront livrées à tes ennemis, et personne ne
prendra ta défense. [32] Tes fils et tes filles seront
livrés à un autre peuple; chaque jour tes yeux se
consumeront à regarder vers eux, et tes mains n'y
pourront rien. [33] Le fruit de ton sol et le fruit de ta
peine, un peuple que tu ne connais pas les mangera.
Tu ne seras jamais qu'exploité et écrasé. [34] Ce que
verront tes yeux te rendra fou. [35] Yahvé te frappera
de mauvais ulcères aux genoux et aux jambes et tu
n'en pourras guérir, de la plante des pieds au sommet de la tête.

[36] Toi et le roi que tu auras mis à ta tête, Yahvé
vous mènera en une nation que tes pères ni toi 2 R **17** 4-6;
n'avez connue, et tu y serviras d'autres dieux, de **25** 7,11
bois et de pierre. [37] Tu seras la stupéfaction, la Os **9** 3; **11** 5
fable et la risée de tous les peuples où Yahvé te Jr **24** 9+
conduira.

[38] Tu jetteras aux champs beaucoup de semence
pour récolter peu, car la sauterelle la pillera. [39] Tu
planteras et travailleras ta vigne pour ne pas boire
de vin ni rien recueillir, car le ver la dévorera. [40] Tu
auras des oliviers sur tout ton territoire, pour ne
pas t'oindre d'huile, car tes oliviers seront abattus.
[41] Tu engendreras des fils et des filles, mais ils ne
t'appartiendront pas, car ils iront en captivité.
[42] De tous tes arbres et de tous les fruits de ton sol
l'insecte fera sa proie.

[43] L'étranger qui est chez toi s'élèvera à tes
dépens de plus en plus haut, et toi tu descendras
de plus en plus bas. [44] C'est lui qui t'annexera, et
tu ne pourras l'annexer; c'est lui qui sera à la tête,
et toi à la queue.

[45] Toutes ces malédictions t'adviendront, te
poursuivront et t'atteindront jusqu'à te détruire,
quand tu n'auras pas obéi à la voix de Yahvé ton
Dieu en gardant ses commandements et ses lois
qu'il t'a prescrits. [46] Elles seront un signe et un prodige sur toi et sur ta postérité à jamais.

*a)* Litt. « que le nom de Yahvé est prononcé sur toi » : expression du langage juridique, signifiant l'appartenance, cf. 2 S **12** 28; Is **4** 1, etc.

**Perspectives de guerres et d'exil.**

Jr 5 19 47 Puisque tu n'auras pas servi Yahvé ton Dieu
dans la joie et le bonheur que donne l'abondance
de toutes choses, 48 tu serviras l'ennemi que Yahvé
enverra contre toi, dans la faim, la soif, la nudité,
la privation totale. Il imposera à ta nuque un joug
de fer, jusqu'à ce qu'il t'ait détruit.
Is 5 26; 49 Yahvé suscitera contre toi une nation loin-
33 19 Jr 5 15 taine, des extrémités de la terre; comme l'aigle qui
Ba 4 15 prend son essor. Ce sera une nation dont la langue
te sera inconnue, 50 une nation au visage dur, sans
égard pour la vieillesse et sans pitié pour la jeunesse. 51 Elle mangera le fruit de ton bétail et le
fruit de ton sol, jusqu'à te détruire, sans te laisser
ni froment, ni vin, ni huile, ni portée de vache ou
croît de brebis, jusqu'à ce qu'elle t'ait fait périr.
Mt 24 52 Elle t'assiégera dans toutes tes villes, jusqu'à ce
que soient tombées tes murailles les plus hautes et
les mieux fortifiées, toutes celles où tu chercheras
la sécurité dans ton pays. Elle t'assiégera dans toutes les villes, dans tout le pays que t'aura donné
Jr 19 9 Yahvé ton Dieu. 53 Tu mangeras le fruit de tes
Lv 26 29 entrailles, la chair de tes fils et de tes filles que
Ez 5 10 Lm 2 20; t'aura donnés Yahvé ton Dieu, pendant ce siège et
4 10 dans cette détresse où ton ennemi te réduira. 54 Le
plus délicat et le plus amolli d'entre les tiens jettera
des regards malveillants sur son frère, et même sur
la femme qu'il étreint et ceux de ses enfants qui lui
resteront, 55 ne voulant partager avec aucun d'eux
la chair de ses fils qu'il mange : car il ne lui restera
rien, à cause du siège et de la détresse où ton
ennemi te réduira dans toutes tes villes. 56 La plus
délicate et la plus amollie des femmes de ton peuple, si délicate et amollie qu'elle n'aurait pas essayé
de poser à terre la plante de son pied, celle-là jettera des regards malveillants sur l'homme qu'elle
étreint, et même sur son fils ou sa fille, 57 sur l'arriè-
re-faix sorti de ses flancs et sur l'enfant qu'elle met
au monde, et elle se cachera pour les manger, dans
la privation de tout, à cause du siège et de la
détresse où ton ennemi te réduira dans toutes tes
villes.
58 Si tu ne gardes pas pour les mettre en pratique
toutes les paroles de cette Loi écrites en ce livre,
dans la crainte de ce nom glorieux et redoutable :
Yahvé ton Dieu, 59 Yahvé te frappera de ces fléaux
étonnants, toi et ta descendance : fléaux grands et
persistants, maladies pernicieuses et tenaces. 60 Il 28 27
fera revenir chez toi ces maux d'Égypte qui furent
ta terreur, et ils s'attacheront à toi. 61 Bien plus,
tous les fléaux et maladies que ne mentionne pas
le livre de cette Loi, Yahvé les suscitera contre toi,
jusqu'à te détruire. 62 Vous ne resterez que peu
d'hommes, vous qui étiez aussi nombreux que les
étoiles du ciel.

Parce que tu n'auras pas obéi à la voix de Yahvé
ton Dieu, 63 autant Yahvé avait pris plaisir à vous
rendre heureux et à vous multiplier, autant il prendra plaisir à vous perdre et à vous détruire. Vous
serez arrachés à la terre où tu vas entrer pour en
prendre possession. 64 Yahvé te dispersera parmi
tous les peuples, d'un bout du monde à l'autre; là
tu serviras d'autres dieux, que tes pères ni toi
n'avez connus, du bois et de la pierre. 65 Parmi ces
nations, tu n'auras pas de tranquillité et il n'y aura
pas de repos pour la plante de tes pieds, mais là
Yahvé te donnera un cœur tremblant, des yeux
éteints, un souffle court. 66 D'avance la vie te sera
une fatigue, tu seras dans l'effroi jour et nuit, sans
pouvoir croire en ta vie. 67 Le matin tu diras : « Qui Jb 7 4
me donnerait d'être au soir? » et le soir tu diras :
« Qui me donnerait d'être au matin? » à cause de
l'effroi qui étreindra ton cœur et du spectacle que
verront tes yeux! 68 Yahvé te renverra en Égypte Os 8 13
dans des vaisseaux ou par un chemin dont je t'avais
dit : « Tu ne le verras plus! » Et là vous irez vous
vendre à tes ennemis comme serviteurs et servantes, sans trouver d'acheteur [a].

## TROISIÈME DISCOURS

29 1 69 Voici les paroles de l'alliance que Yahvé
ordonna à Moïse de conclure avec les Israélites au
pays de Moab, outre l'alliance qu'il avait conclue
avec eux à l'Horeb [b].

**Rappel historique** [c].

29 1 Moïse convoqua tout Israël et leur dit : 2
Vous avez vu tout ce que Yahvé a fait sous

*a)* En évoquant les revers et le retour en servitude, l'auteur rend ces menaces pour l'avenir symétriques des grâces passées que rappelait le discours d'introduction. Yahvé perdra comme il avait sauvé, par la même puissance surnaturelle.

*b)* Ce v. sert de titre à un troisième discours de Moïse, qui se termine à la fin du ch. **30**, plutôt qu'à **32** 47 jusqu'où certains voudraient l'étendre. Le Dt est seul à parler de cette alliance en Moab, complétant celle de l'Horeb où le Décalogue fut donné, **5** 2-22. Cette fiction historique donne au nouveau Code de **12** 1 – **26** 15 la valeur d'un document d'alliance avec Dieu, promulgué par Moïse.

*c)* On retrouve dans Dt **29-30** les éléments d'un formulaire de l'alliance, cf. **10** 12+; **28** 1+. Le discours débute par un rappel historique des événements de l'Exode, vv. 1-7, cf. **1** 4; **4** 46-47; **8** 2-4. Vient ensuite le protocole de l'alliance présenté sous forme parénétique, vv. 9-14, et suivi d'une prédication, vv.

vos yeux au pays d'Égypte, tant à Pharaon et à
3 tous ses serviteurs qu'à tout son pays : [2] ces grandes épreuves que tu as vues toi-même, ces signes
4 et ces prodiges grandioses. [3] Mais, jusqu'au-
4 29; 30 14 jourd'hui, Yahvé ne vous avait pas donné un cœur
Is 29 10 pour connaître, des yeux pour voir, des oreilles
↗ Rm 11 8 Jn 12 37s pour entendre.
5 [4] Je vous ai fait aller quarante ans dans le désert,
Dt 8 4 sans que soient usés vos vêtements sur vous, ni tes
6 sandales à tes pieds. [5] Vous n'avez pas eu de pain
à manger, ni de vin ou de boisson fermentée à
boire, afin que vous sachiez d'expérience que moi,
7 Yahvé, je suis votre Dieu. [6] Puis vous êtes venus
2 30-35 en ce lieu. Sihôn, roi de Heshbôn, et Og, roi du
3 1-13 Bashân, sont sortis à notre rencontre pour nous
8 combattre, mais nous les avons battus. [7] Nous
avons conquis leur pays, et nous l'avons donné en
héritage à Ruben, à Gad et à la demi-tribu de
Manassé.
9 [8] Gardez les paroles de cette alliance et mettez-
les en pratique afin de réussir dans toutes vos
entreprises.

**L'alliance en Moab.**

10 [9] Vous voici aujourd'hui debout devant Yahvé
votre Dieu : vos chefs de tribus, vos anciens, vos
11 scribes, tous les hommes d'Israël, [10] avec vos
enfants et vos femmes (et aussi l'étranger qui est
Jos 9 27 dans ton camp, aussi bien celui qui coupe ton bois
12 que celui qui puise ton eau [a]), [11] et tu vas passer
dans l'alliance de Yahvé ton Dieu, jurée avec
imprécation, alliance qu'il a conclue aujourd'hui
13 avec toi [12] pour faire aujourd'hui de toi un peuple
tandis que lui-même sera pour toi un Dieu, comme
il te l'a dit et comme il l'a juré à tes pères Abraham,
14 Isaac et Jacob. [13] Ce n'est pas avec vous seulement
que je conclus aujourd'hui cette alliance et que je
15 profère cette imprécation, [14] mais aussi bien avec
celui qui se tient ici avec nous en présence de
Yahvé notre Dieu, qu'avec celui qui n'est pas ici
avec nous aujourd'hui [b].
16 [15] Oui, vous savez avec qui nous demeurions en
Égypte, au milieu de qui nous avons passé, ces
17 nations que vous avez traversées. [16] Vous avez vu
leurs horreurs et leurs idoles, le bois, la pierre, l'or
et l'argent qui sont chez elles.
18 [17] Qu'il n'y ait pas parmi vous homme ni femme,
clan ni tribu dont le cœur se détourne aujourd'hui
de Yahvé notre Dieu en allant servir les dieux de
ces nations! Qu'il n'y ait pas parmi vous de racine
d'où lèvent le pavot et l'absinthe! [18] Si, après avoir 19
entendu cette imprécation, quelqu'un se bénit lui-
même en son cœur en disant : « A marcher selon
l'assurance de mon propre cœur, je ne manquerai
de rien, si bien que l'abondance d'eau fera disparaître la soif [c] », [19] Yahvé ne consentira pas à lui par- 20
donner. Car la colère et la jalousie de Yahvé s'en-
flammeront contre cet homme, toute l'imprécation
inscrite dans ce livre fondra sur lui, et Yahvé effacera son nom de dessous les cieux. [20] Yahvé le met- 21
tra à part de toutes les tribus d'Israël, pour son
malheur, selon toutes les imprécations de l'alliance
inscrite au livre de cette Loi.

**Perspectives d'exil.**

[21] La génération future, celle de vos fils qui se 22
lèveront après vous, et aussi l'étranger venu d'un
pays lointain, verront les fléaux qui frapperont ce
pays et les maladies que Yahvé y fera sévir, et
s'écrieront : [22] « Soufre, sel, toute sa terre est brû- 23
lée; on n'y sèmera plus, rien n'y germera plus,
aucune herbe n'y croîtra plus. Ainsi ont été changées Sodome et Gomorrhe, Adma et Çeboyim que Gn 19 25+
Yahvé dévasta dans sa colère et sa fureur! » [23] Et Os 11 8
toutes les nations s'écrieront : « Pourquoi Yahvé Jr 22 8s
a-t-il ainsi traité ce pays? Pourquoi l'ardeur de 1 R 9 7s
cette grande colère? » [24] Et l'on dira : « Parce qu'ils 25
ont abandonné l'alliance de Yahvé, Dieu de leurs
pères, qu'il avait conclue avec eux en les faisant
sortir du pays d'Égypte; [25] parce qu'ils sont allés 26
servir d'autres dieux et les ont adorés, dieux qu'ils
n'avaient pas connus ni reçus de lui en partage,
[26] la colère de Yahvé s'est enflammée contre ce 27
pays, faisant venir sur lui toute la malédiction inscrite dans ce livre. [27] Yahvé les a arrachés de leur 28
terre avec colère, fureur et grande indignation, et
les a jetés en un autre pays, comme aujourd'hui. »
[28] Les choses cachées sont à Yahvé notre Dieu, 29
mais les choses révélées sont à nous et à nos fils
pour toujours, afin que nous mettions en pratique
toutes les paroles de cette Loi.

**Retour d'exil et conversion.** Lv 26 40-45

30 [1] Lorsque toutes ces paroles se seront réalisées
pour toi, cette bénédiction et cette malédiction
que je t'ai proposées, si tu les médites en ton cœur, 4 29-31; 29 3

15-20, qui paraît se continuer à **30** 11-14. Les bénédictions et les malédictions associées normalement à ces traités se trouvent à **30** 15-20. La section **29** 21 - **30** 10, qui groupe des éléments divers, paraît être une insertion de l'école deutéronomiste.

*a)* Catégories sociales inférieures, souvent d'origine non israélite, Jos **9** 27.

*b)* Moïse apparaît ici, plus que partout ailleurs, comme le médiateur de l'alliance, dont la formule centrale est donnée au v. 12, cf. **26** 16+. Les vv. 13-14 étendent les engagements aux absents, ce qui donne à l'alliance une valeur permanente.

*c)* Autre traduction : « en sorte qu'on enlève le terrain irrigué avec le terrain sec » : ce serait un proverbe signifiant une totale destruction. Le grec a traduit : « en sorte que le pécheur ne soit pas détruit avec celui qui est sans péché ».

parmi toutes les nations où Yahvé ton Dieu t'aura
fait errer, 2 si tu reviens à Yahvé ton Dieu, si tu
écoutes sa voix en tout ce que je t'ordonne
aujourd'hui, de tout ton cœur et de toute ton âme,
Is **27** 13 toi et tes fils, 3 Yahvé ton Dieu ramènera tes cap-
**43** 5-7 Jr **29** 14; tifs, il aura pitié de toi, il te rassemblera à nouveau
**31** 10 Ez **34** 13; du milieu de tous les peuples où Yahvé ton Dieu
**36** 24 t'a dispersé. 4 Serais-tu banni à l'extrémité des
Mi **2** 12 Za **8** 7-8 cieux, de là même Yahvé ton Dieu te rassemblerait
Jn **11** 52 et il viendrait t'y prendre, 5 pour te ramener au
↗ Ne **1** 9 pays que tes pères ont possédé, afin que tu le possèdes à ton tour, que tu y sois heureux et que tu y
multiplies plus que tes pères.
**10** 16 6 Yahvé ton Dieu circoncira ton cœur et le cœur
Jr **4** 4+ de ta postérité pour que tu aimes Yahvé ton Dieu
de tout ton cœur et de toute ton âme, afin que tu
vives. 7 Yahvé ton Dieu fera retomber toutes ces
imprécations sur tes ennemis et sur tes adversaires
qui t'ont persécuté. 8 Toi, tu obéiras de nouveau à
la voix de Yahvé ton Dieu et tu mettras en pratique
tous ses commandements que je te prescris
aujourd'hui. 9 Yahvé ton Dieu te rendra prospère
en toutes tes entreprises, dans le fruit de tes entrailles, dans le fruit de ton bétail et dans le fruit de ton
sol. Car de nouveau Yahvé prendra plaisir à ton
bonheur, comme il avait pris plaisir au bonheur de
tes pères, 10 si tu obéis à la voix de Yahvé ton Dieu
en gardant ses commandements et ses décrets, inscrits dans le livre de cette Loi, si tu reviens à Yahvé
ton Dieu de tout ton cœur et de toute ton âme.
11 Car cette Loi que je te prescris aujourd'hui
n'est pas au-delà de tes moyens ni hors de ton
atteinte[a]. 12 Elle n'est pas dans les cieux, qu'il te
faille dire : « Qui montera pour nous aux cieux ↗ Rm **10** 6-8
nous la chercher, que nous l'entendions pour la
mettre en pratique? » 13 Elle n'est pas au-delà des
mers, qu'il te faille dire : « Qui ira pour nous
au-delà des mers nous la chercher, que nous l'entendions pour la mettre en pratique? » 14 Car la parole **6** 6
est tout près de toi, elle est dans ta bouche et dans Si **51** 26 Mt **13** 18-23p
ton cœur pour que tu la mettes en pratique. Lc **8** 21; **11** 28 Jn **1** 14+

**Les deux voies.** 1 P **1** 22-23

15 Vois, je te propose aujourd'hui vie et bonheur, **11** 26-28 Ps **1**
mort et malheur. 16 Si tu écoutes les commande- Jr **21** 8 Si **15** 16-17
ments de Yahvé ton Dieu[b] que je te prescris Rm **6** 21-23
aujourd'hui, et que tu aimes Yahvé ton Dieu, que Ga **6** 8
tu marches dans ses voies, que tu gardes ses
commandements, ses lois et ses coutumes, tu vivras Ne **9** 29
et tu multiplieras, Yahvé ton Dieu te bénira dans Pr **8** 34-35; **9** 11
le pays où tu entres pour en prendre possession.
17 Mais si ton cœur se détourne, si tu n'écoutes
point et si tu te laisses entraîner à te prosterner
devant d'autres dieux et à les servir, 18 je vous
déclare aujourd'hui que vous périrez certainement
et que vous ne vivrez pas de longs jours sur la terre
où vous pénétrez pour en prendre possession en
passant le Jourdain. 19 Je prends aujourd'hui à
témoin contre vous le ciel et la terre : je te propose **4** 26;
la vie ou la mort, la bénédiction ou la malédiction. **31** 28
Choisis donc la vie, pour que toi et ta postérité
vous viviez, 20 aimant Yahvé ton Dieu, écoutant sa
voix, t'attachant à lui; car là est ta vie, ainsi que
la longue durée de ton séjour sur la terre que Yahvé
a juré à tes pères, Abraham, Isaac et Jacob, de leur
donner.

# *IV. Derniers actes et mort de Moïse*[c]

**La mission de Josué.**

**31**[d] 1 Moïse vint adresser ces paroles à tout
Israël : 2 « J'ai aujourd'hui cent vingt ans. Je
ne puis plus agir en chef[e], et Yahvé m'a dit : Tu
ne passeras pas ce Jourdain. 3 C'est Yahvé ton
Dieu qui passera devant toi, c'est lui qui détruira
ces nations devant toi pour les déposséder. C'est **3** 21-28
Josué qui passera devant toi, ainsi que l'a dit
Yahvé. 4 Yahvé les traitera comme il a traité Sihôn Nb **21** 24-35
et Og, rois amorites, et leur pays : il les a détruits.
5 Yahvé vous les livrera et vous les traiterez en tout

*a)* C'est un thème fréquent dans la littérature sapientielle. Jb **28**; Qo **7** 24; Si **1** 6; Ba **3** 15 (en sens inverse, Pr **8** 1s) que l'inaccessibilité de la sagesse, source de bonheur. Mais Dieu la révèle dans la Loi. Si **24** 23-24; Ps **119**.

*b)* « Si tu écoutes les commandements de Yahvé ton Dieu » grec; omis par hébr.

*c)* Les ch. **31-34** forment une sorte de conclusion générale à l'ensemble du Pentateuque; ils regroupent des éléments d'origine et d'âge divers, qui ont été rattachés au corps du Dt lors de la dernière rédaction.

*d)* Ce ch. est composite. Les vv. 1-8, de style très typiquement deutéronomiste, renvoient à **3** 23-29. Les vv. 9-13; 24-27 (doublet?) appartiennent à la première édition du Dt. C'est ici la Loi (le Code deutéronomique) qui servira de témoin contre Israël, v. 26, s'il se révolte contre Yahvé. Ce paragraphe se poursuit en **32** 45-47. Les vv. 14-15, 23, investiture de Josué par Yahvé (comparer v. 7), sont d'origine différente, sans doute élohiste. Les vv. 16-22, deutéronomiques, repris par 28-30, introduisent le cantique du ch. **32** et en font le témoin contre Israël, vv. 19, 21. Cette insistance sur les « témoins » de l'alliance, la Loi, le cantique et le ciel et la terre, v. 28, rappelle les témoins invoqués par les anciens traités d'alliance.

*e)* Litt. « sortir et rentrer », cf. Nb **27** 17+.

point selon les commandements que je vous ai
1 29-30 prescrits. 6 Soyez forts et tenez bon, ne craignez
Jos 1 6, 9 pas et ne tremblez pas devant eux, car c'est Yahvé
ton Dieu qui marche avec toi : il ne te délaissera
pas et ne t'abandonnera pas. »

7 Puis Moïse appela Josué et il lui dit aux yeux
de tout Israël : « Sois fort et tiens bon : tu entreras
avec ce peuple au pays que Yahvé a juré à leurs
pères de leur donner, et c'est toi qui les en mettras
en possession. 8 C'est Yahvé qui marche devant toi,
c'est lui qui sera avec toi; il ne te délaissera pas
et ne t'abandonnera pas. Ne crains pas, ne sois pas
effrayé. »

2 R 23 1s **Lecture rituelle de la Loi** [a].

Jos 8 34-35
Ne 8 9 Moïse mit cette Loi par écrit et la donna aux
prêtres, fils de Lévi, qui portaient l'arche de
l'alliance de Yahvé, ainsi qu'à tous les anciens
d'Israël. 10 Moïse leur donna cet ordre : « Tous les
sept ans, temps fixé pour l'année de Remise, lors
de la fête des Tentes, 11 au moment où tout Israël
se rend, pour voir la face de Yahvé ton Dieu, au
lieu qu'il aura choisi, tu prononceras cette Loi aux
oreilles de tout Israël. 12 Assemble le peuple, hommes, femmes, enfants, l'étranger qui est dans tes
portes, pour qu'ils entendent, qu'ils apprennent à
craindre Yahvé votre Dieu et qu'ils gardent, pour
les mettre en pratique, toutes les paroles de cette
Loi. 13 Leurs fils, qui ne le savent pas encore,
entendront, et apprendront à craindre Yahvé votre
Dieu, tous les jours que vous vivrez sur la terre
dont vous allez prendre possession en passant le
Jourdain. »

**Instructions de Yahvé.**

14 Yahvé dit à Moïse : « Voici venir les jours de
ta mort, appelle Josué. Tenez-vous à la Tente du
Rendez-vous [b], pour que je lui donne mes ordres. »
Ex 25 22 Moïse et Josué vinrent se tenir à la Tente du Rendez-vous. 15 Yahvé se fit voir, dans la Tente, dans
une colonne de nuée; la colonne de nuée se tenait
à l'entrée de la Tente.

16 Yahvé dit à Moïse : « Voici que tu vas te cou-
4 25-28 cher avec tes pères, et ce peuple est sur le point de
se prostituer en suivant des dieux du pays étranger
où il va pénétrer. Il m'abandonnera et rompra
l'alliance que j'ai conclue avec lui. 17 Ce jour-là
même ma colère s'enflammera contre lui, je les
abandonnerai et je leur cacherai ma face. Pour les
dévorer, une foule de maux et d'adversités l'atteindront, de sorte qu'il dira en ce jour-là : " Si ces
maux m'ont atteint, n'est-ce pas parce que mon
Dieu n'est pas au milieu de moi? " 18 Et moi, oui,
je cacherai ma face en ce jour, à cause de tout le
mal qu'il aura fait, en se tournant vers d'autres
dieux.

**Le cantique témoin.**

19 « Écrivez maintenant pour votre usage le cantique que voici; enseigne-le aux Israélites, mets-le
dans leur bouche, afin qu'il me serve de témoin
contre les Israélites. 20 Lui que je conduis en cette
terre que j'ai promise par serment à ses pères, et
qui ruisselle de lait et de miel, il mangera, il se rassasiera, il s'engraissera, puis il se tournera vers 32 15
d'autres dieux, ils les serviront, ils me mépriseront,
et il rompra mon alliance. 21 Mais lorsque des
maux et adversités sans nombre l'auront atteint, ce
cantique portera témoignage contre lui; car sa
postérité ne l'aura pas oublié. Oui, je sais les desseins qu'il forme aujourd'hui, avant même que je
l'aie conduit au pays que j'ai juré. » 22 Et Moïse écrivit en ce jour ce cantique et il l'enseigna aux Israélites.

23 Il donna cet ordre à Josué fils de Nûn : « Sois
fort et tiens bon, car c'est toi qui conduiras les
Israélites au pays que je leur ai promis par serment,
et moi, je serai avec toi. »

**La Loi placée près de l'Arche** [c].

24 Lorsqu'il eut achevé d'écrire sur un livre les 27 1+
paroles de cette Loi jusqu'à la fin, 25 Moïse donna
cet ordre aux lévites qui portaient l'arche de
l'alliance de Yahvé : 26 « Prenez le livre de cette
Loi. Placez-le à côté de l'arche de l'alliance de
Yahvé votre Dieu. Qu'il y serve de témoin contre Jn 12 47-48
toi. 27 Car je connais ton esprit rebelle et la raideur
de ta nuque. Si aujourd'hui, alors que je suis encore
vivant avec vous, vous êtes rebelles à Yahvé,
combien plus le serez-vous après ma mort.

**Israël réuni pour écouter le cantique.**

28 « Faites assembler auprès de moi tous les
anciens de vos tribus et vos scribes, que je leur
fasse entendre ces paroles, en prenant à témoin 4 26
contre eux le ciel et la terre. 29 Car je sais qu'après
ma mort vous ne manquerez pas de vous corrompre, vous vous écarterez de la voie que je vous ai

*a)* Les traités d'alliance de l'ancien Orient prévoient leur lecture publique. Le Dt fixe cette lecture à chaque année sabbatique, pour la fête des Tentes. Mais la tradition postérieure, supposée déjà par 2 Ch **15** 10 et explicite dans le Livre des Jubilés et dans la secte de Qumrân, rattache les souvenirs de l'alliance à la fête des Semaines.

*b)* Ces deux vv., avec la mention de la Tente et la théophanie, l'une et l'autre uniques dans le Deutéronome, sont, avec le v. 23, un débris de tradition ancienne.

*c)* La Loi, transmise par l'intermédiaire de Moïse, **4** 14+, est placée à côté de l'arche qui contenait le Décalogue, édicté par Dieu lui-même.

prescrite; le malheur vous adviendra dans l'avenir, pour avoir fait ce qui est mal aux yeux de Yahvé en l'irritant par les œuvres de vos mains. »

30 Puis, aux oreilles de toute l'assemblée d'Israël, Moïse prononça jusqu'à la dernière les paroles de ce cantique :

## CANTIQUE DE MOISE[a]

4 26; 30 19 Is 1 2; 34 1; 51 4 **32** 1 Cieux, prêtez l'oreille, et je parlerai;
terre, écoute ce que je vais dire!
Is 55 10 2 Que ma doctrine ruisselle comme la pluie.
Jb 29 22-23 que ma parole tombe comme la rosée,
Ps 72 6 comme les ondées sur l'herbe verdoyante,
Os 6 3 comme les averses sur le gazon!
3 Car je vais invoquer le nom de Yahvé;
vous, magnifiez notre Dieu[b].
Is 17 10; 4 Il est le Rocher, son œuvre est parfaite,
44 8 car toutes ses voies sont le Droit.
C'est un Dieu fidèle et sans iniquité,
il est Justice et Rectitude.
Is 1 2 5 Ils se sont corrompus, eux qu'il avait engen-
Os 11 1-4 drés sans tare[c],
génération fourbe et tortueuse.
6 Est-ce là ce que vous rendez à Yahvé?
Peuple insensé, dénué de sagesse!
1 31+ N'est-ce pas lui ton père, qui t'a procréé[d],
Is 63 16; 64 7 lui qui t'a fait et par qui tu subsistes?
7 Rappelle-toi les jours d'autrefois,
considère les années, d'âge en âge.
4 32 Interroge ton père, qu'il te l'apprenne;
tes anciens, qu'ils te le disent.
Gn 10 8 Quand le Très Haut donna aux nations leur
Ac 17 26+ héritage,
quand il répartit les fils d'homme,
il fixa les limites des peuples suivant le
nombre des fils de Dieu[e];
7 6+ 9 mais le lot de Yahvé, ce fut son peuple,
Jacob fut sa part d'héritage.

Jr 2 6 10 Au pays du désert, il le trouve,
Os 9 10; 13 5 dans la solitude lugubre de la steppe.
Sg 11 2 Il l'entoure, il l'élève, il le garde
comme la prunelle de son œil.
11 Tel un aigle qui veille sur son nid,
plane au dessus de ses petits,
il déploie ses ailes et le prend, Ps 17 8
il le soutient sur son pennage. Ex 19 4+

12 Yahvé est seul pour le conduire; Is 43 11
point de dieu étranger avec lui. Os 13 4
13 Il lui fait chevaucher les hauteurs de la
terre,
il le nourrit des produits des montagnes, Is 58 14
il lui fait goûter le miel du rocher Dt 8 7-10; 11 10-17
et l'huile de la pierre dure, Ps 81 17
14 le lait caillé des vaches et le lait des brebis
avec la graisse des pâturages,
les béliers, race du Bashân, et les boucs
avec la graisse des grains du froment,
et pour boisson le sang de la grappe qui fer-
mente.

15 Jacob a mangé, il s'est rassasié[f], 31 20
Yeshurûn s'est engraissé et il a regimbé[g]. Os 13 6 Is 63 10
(Tu as engraissé, épaissi, élargi.) Is 44 2+
Il a repoussé le Dieu qui l'avait fait Jr 5 7
et déshonoré le Rocher son salut.
16 Ils l'ont rendu jaloux avec des étrangers, Dt 4 24+
ils l'ont irrité par des abominations.
17 Ils sacrifiaient à des démons qui ne sont pas
Dieu,
à des dieux qu'ils ne connaissaient pas, 13 3,7s,14
à des nouveaux venus d'hier
que leurs pères n'avaient pas redoutés.
18 (Tu oublies le Rocher qui t'a mis au monde, Is 17 10;
tu ne te souviens plus du Dieu qui t'a 1 2
engendré!) Jr 2 27,32
19 Yahvé l'a vu, et dans sa colère

*a)* Ce cantique est un morceau de haute poésie qui exalte la puissance du Dieu d'Israël, seul vrai Dieu. Après une introduction de style sapientiel, vv. 1-2, il proclame la perfection des œuvres de Dieu, vv. 3-7, sa providence pour Israël, vv. 8-14, à quoi il oppose la rébellion du peuple, vv. 15-19, suivie du jugement, vv. 19-25; mais Dieu n'abandonne pas Israël à ses ennemis, vv. 26-35, et il interviendra en faveur de son peuple, vv. 36-42; le v. 43 est une doxologie. Ce cantique a existé indépendamment, avant d'être intégré dans le Dt. Il est très difficile à dater : quelques traits de style archaïque ont parfois poussé à lui attribuer une date haute; les oppresseurs d'Israël auxquels il est fait allusion seraient alors les Philistins (XIe s.). Mais les rapports avec les Psaumes et les Prophètes, spécialement le Deutéro-Isaïe et Jérémie, suggèrent plutôt une date basse : les oppresseurs seraient en ce cas les Babyloniens (VIe s. av. J.-C.).

*b)* L'invitation s'adresse à la nature entière.

*c)* Litt. « non fils de tare ». Né de Yahvé, Israël était de bonne race, c'est par sa faute qu'il a dégénéré. – On suit ici grec et sam.; l'hébr. est corrompu.

*d)* Ici commence un raccourci d'histoire sainte. Comparer, outre les discours d'introduction, les Ps **78**; **105**, etc.

*e)* Les « fils de Dieu » (ou « de dieux ») sont les anges, Jb **1** 6+, membres de la cour céleste, v. 43 et Ps **29** 1; **82** 1; **89** 7, cf. Tb **5** 4+; ici, les anges gardiens des nations, cf. Dn **10** 13+. Mais Yahvé s'est réservé personnellement Israël, son peuple élu, cf. Dt **7** 6+. – On suit ici le grec: l'hébr. a « les fils d'Israël ».

*f)* Grec, sam.; stique omis par hébr.

*g)* Comme un taureau, *shôr*, auquel fait allusion le nom de *Yeshurûn*, d'étymologie incertaine, donné à Israël ici et en **33** 5 et 26.

il a rejeté ses fils et ses filles.
31 17 20 Il a dit : Je vais leur cacher ma face
et je verrai ce qu'il adviendra d'eux.
Car c'est une génération pervertie,
des fils sans fidélité.
Is 45 6 21 Ils m'ont rendu jaloux avec un néant de
Jr 2 11 dieu,
ils m'ont irrité par leurs êtres de rien;
↗ Rm 10 19 eh bien! moi, je les rendrai jaloux avec un
néant de peuple,
je les irriterai au moyen d'une nation
stupide [a]!
28 15-68 22 Oui, un feu a jailli de ma colère,
Jr 15 14; il brûlera jusqu'aux profondeurs du
17 4 shéol;
il dévorera la terre et ce qu'elle produit,
il embrasera la base des montagnes.
Ez 5 16-17 23 Je lancerai sur eux les calamités,
Lv 26 21-26 j'épuiserai contre eux mes flèches.
24 Ils seront affaiblis par la faim,
dévorés par la peste et par un amer fléau.
J'enverrai contre eux la dent des bêtes
Jr 8 17 avec le venin des reptiles.
Ez 7 15 25 Au-dehors l'épée emportera les fils,
Lm 1 20 au-dedans régnera l'épouvante.
Lm 2 21 Périront ensemble jeune homme et jeune
fille,
enfant à la mamelle et vieillard chenu.
Ex 32 10-12 26 J'ai dit : Je les réduirais bien en poussière,
Nb 14 13-16 j'abolirais leur souvenir parmi les hommes,
9 28 27 si je ne craignais l'arrogance de l'ennemi.
Is 10 12-15; Que leurs adversaires ne s'y trompent
42 8; 48 11 pas!
8 17+ Qu'ils ne disent pas : « Notre main
l'emporte,
et Yahvé n'y est pour rien. »
4 6; 29 8 28 Car c'est une nation aux vues courtes,
Jr 4 22 privée de discernement.
29 S'ils étaient sages, certes ils aboutiraient,
ils sauraient discerner leur avenir [b].
Is 30 17 30 Comment donc un seul homme en met-il
mille en fuite,
et comment deux en poursuivent-ils dix
mille,
sinon parce que leur Rocher les a vendus
Jg 2 14 et que Yahvé les a livrés?

31 Mais leur rocher n'est pas comme notre
Rocher;
ce n'est pas à nos ennemis d'intercéder
pour nous.
32 Car leur vigne vient de la vigne de Sodome
et des plantations de Gomorrhe :
leurs raisins sont raisins vénéneux,
leurs grappes sont amères;
33 leur vin est un venin de serpent,
un violent poison de vipère.
34 Mais lui [c], n'est-il pas à l'abri près de moi, Is 49 2
scellé dans mes trésors? Os 13 12
35 A moi la vengeance et la rétribution [d], ↗ Rm 12 19
pour le temps où leur pied trébuchera. ↗ He 10 30
Car il est proche, le jour de leur ruine;
leur destin [e] se précipite!
36 (Car Yahvé va faire droit à son peuple,
il va prendre en pitié ses serviteurs.) || Ps 135 14
Car il va voir que leur vigueur s'épuise,
qu'il ne reste plus ni libre, ni serf.
37 Alors il dira : Où sont leurs dieux, Jr 2 28
rocher où ils cherchaient refuge,
38 ceux qui mangeaient la graisse de leurs
sacrifices,
buvaient le vin de leurs libations?
Qu'ils se lèvent et vous secourent,
qu'ils soient au-dessus de vous votre abri!
39 Voyez maintenant que moi, moi je Le suis Is 41 4;
et que nul autre avec moi n'est Dieu! 34 10,13; 44 6-8
C'est moi qui fais mourir et qui fais vivre; Is 42 8+
quand j'ai frappé, c'est moi qui guéris 1 S 2 6+
(et personne ne délivre de ma main). Is 19 22

40 Oui, je lève ma main vers le ciel
et je dis : Aussi vrai que je vis pour toujours,
41 quand j'aurai aiguisé mon épée fulgurante Ez 21 14-22
ma main saisira le Droit. Is 49 2
Je rendrai la pareille à mes adversaires,
je paierai de retour ceux qui me haïssent.
42 J'enivrerai de sang mes flèches
et mon épée se repaîtra de chair : Ps 68 22,24
sang des blessés et des captifs, Jr 46 10
têtes échevelées de l'ennemi.

43 [f] Cieux, exultez avec lui,
et que les fils de Dieu l'adorent! ↗ He 1 6

*a)* Yahvé ne choisit pas un autre peuple, mais il utilise pour châtier Israël une nation qui n'a pas reçu sa sagesse. On voit ici une allusion, soit aux Philistins, soit aux Babyloniens.
*b)* Le grec a : « ils recevront cela dans l'avenir ».
*c)* « lui », Israël que Dieu se garde en réserve. Le poème chante maintenant la délivrance et la punition des adversaires; cf. Is **14**; **47**; **51** et les prophéties de Jr et Ez contre les nations.
*d)* On retrouve dans ces vv. des apostrophes que les prophètes adressaient à Israël, et qui sont retournées ici contre ses ennemis, cf. Jr **18** 17; Is **10** 3, etc.
*e)* Litt. « ce qui est prépare pour eux ».
*f)* On suit le grec; hébr. : « Nations, acclamez son peuple, car il venge le sang de ses serviteurs; il fait retomber la vengeance sur ses ennemis, et son peuple purifiera sa terre. » Sur les « fils de Dieu », cf. v. 8+.

↗ Rm 15 10 Nations, exultez avec son peuple,
et que tous les envoyés de Dieu affirment
sa force!
Car il vengera le sang de ses serviteurs,
il rendra la pareille à ses adversaires,
il paiera de retour ceux qui le haïssent
et purifiera [a] la terre de son peuple.

44 [b] Moïse vint avec Josué fils de Nûn, et prononça aux oreilles du peuple toutes les paroles de
ce cantique.

**La Loi, source de vie [c].**

45 Quand Moïse eut achevé de prononcer ces
paroles à l'adresse de tout Israël, 46 il leur dit :
« Soyez bien attentifs à toutes ces paroles; je les
prends à témoin aujourd'hui contre vous, et vous
prescrirez à vos fils de les garder, en mettant en
pratique toutes les paroles de cette Loi. 47 Ce n'est
pas pour vous une vaine parole car elle est votre
8 3 vie, et c'est par elle que vous vivrez de longs jours
Ne 9 29 sur la terre dont vous allez prendre possession en
passant le Jourdain. »

3 23-28 **Annonce de la mort de Moïse [d].**

48 Yahvé parla à Moïse, ce même jour, et lui dit :
Nb 27 12 49 « Monte sur cette montagne des Abarim, sur le
mont Nebo, au pays de Moab, face à Jéricho, et
regarde le pays de Canaan que je donne en propriété aux Israélites. 50 Meurs sur la montagne où
tu seras monté, et tu seras réuni aux tiens, comme
Aaron ton frère, mort sur la montagne de Hor, fut
Nb 20 12+ réuni aux siens. 51 Parce que vous m'avez été infidèles au milieu des Israélites aux eaux de Meriba-
Cadès, dans le désert de Çin, parce que vous
Ez 20 41 n'avez pas manifesté ma sainteté au milieu des
Israélites, 52 c'est du dehors seulement que tu verras
le pays, mais tu n'y pourras entrer, en ce pays que
je donne aux Israélites. »

**Bénédictions de Moïse [e].** Gn 49

33 1 Voici la bénédiction que Moïse, homme de
Dieu, prononça sur les Israélites avant de
mourir. 2 Il dit :

Yahvé est venu du Sinaï [f]. Ex 19 1+
Pour eux, depuis Séïr, il s'est levé à l'horizon, Jg 5 4
il a resplendi depuis le mont Parân. Ha 3 3
Pour eux, il est venu depuis les rassemblements [g]
de Cadès,
depuis son midi jusqu'aux Pentes.

3 Toi qui aimes les ancêtres, 4 37
tous les saints sont dans ta main [h]. Jn 10 29
Ils étaient prostrés à tes pieds,
et ils ont couru sous ta conduite.

4 (Moïse nous a prescrit une loi [i].) Jn 1 17
L'assemblée de Jacob entre dans son héritage;
5 il y eut un roi en Yeshurûn, 32 15+
quand se rassemblèrent les chefs du peuple,
quand se réunirent les tribus d'Israël.

6 Que vive Ruben et qu'il ne meure pas,
et que vive le petit nombre de ses hommes [j]!

7 Voici ce qu'il dit sur Juda :
Écoute, Yahvé, la voix de Juda
et ramène-le vers son peuple.
Que ses mains défendent son droit,
viens-lui en aide contre ses ennemis.

8 Il dit sur Lévi :
Donne à Lévi [k] tes Urim 1 S 14 41+
et tes Tummim à l'homme à qui tu fis grâce,

*a)* Litt. « fera le rite d'expiation sur », expression fréquente dans les textes rituels, Ex **25** 17+.
*b)* Le grec insère ici **31** 22, et au lieu de « cantique » a « Loi ».
*c)* Suite de **31** 27. Il s'agit ici des paroles de la Loi, v. 46 *in fine*, et non du cantique. Le v. 48 fait suite au v. 44.
*d)* Ce paragraphe qui, par-dessus l'insertion des bénédictions de Moïse, se continue à **34** 1, est l'œuvre du rédacteur sacerdotal qui a donné au Pentateuque sa forme finale, en y rattachant le Dt. Il répète ici ce que la même source sacerdotale avait dit à Nb **27** 12-14.
*e)* Ce poème, attribué à Moïse, a été ajouté à la fin du Dt, entre l'annonce de la mort de Moïse et le récit de sa mort. C'est son testament, comme sont les « bénédictions » de Jacob, Gn **49**. Encadré par un hymne, vv. 2-5; 26-29, il donne sur les tribus une collection de dictons qui ont dû avoir une existence individuelle. Il reflète des conditions historiques qu'il est difficile d'apprécier, et qui peuvent ne pas se rapporter toutes à la même époque. Ces dictons supposent que les tribus sont installées dans leur territoire définitif, et que certaines ont déjà eu une assez longue histoire (Ruben, Dan; Siméon est omis, peut-être parce qu'il a déjà été absorbé par Juda). La collection comme telle donne l'impression d'être plus récente que celle de Gn **49**. D'un autre côté, le v. 7 indiquerait une date antérieure au règne de David, à moins qu'il ne fasse allusion au schisme. En tout cas, le contraste entre le court dicton sur Juda et la longue bénédiction de Joseph assure que l'auteur appartient aux tribus du Centre (au royaume d'Israël en cas de rédaction tardive). L'aspect de « bénédiction » est beaucoup plus accentué qu'en Gn **49** et Moïse fait ici figure de prophète, cf. **34** 10.
*f)* Verset difficile et de vocabulaire archaïque. Le Dieu du Sinaï s'est levé comme un astre et a accompagné son peuple.
*g)* Litt. « les myriades », c'est-à-dire les clans réunis.
*h)* Les « ancêtres » sont les Patriarches (même terme archaïque que dans l'expression « être réuni à sa parenté », Gn **25** 8, etc.). Les « saints » représentent Israël. La fin du v. est incertaine.
*i)* Sans doute glose.
*j)* Le titre de la bénédiction de Ruben a disparu. Cette tribu tomba vite en décadence. – « et que vive » est une correction. L'hébr. porte : « et que soit petit le nombre de ses hommes », qu'il faut peut-être comprendre : « malgré le petit nombre... »; grec : « que soit grand le nombre... ».
*k)* « Donne à Lévi » grec; omis par hébr. En contraste avec les « bénédictions » de Jacob, Gn **49** 5-7, qui concernent le sort de la tribu profane de Lévi, dispersée en même temps que celle de Siméon, les bénédictions de Moïse concernent la tribu sacerdotale de Lévi, son origine comme groupe séparé et sa triple fonc-

après l'avoir mis à l'épreuve à Massa,
Nb **20** 1-13+ t'en être pris à lui aux eaux de Meriba.
Ex **32** 25-29 9 Il dit de son père et de sa mère :
Nb **25** 7s, 10s « Je ne l'ai pas vu. »
Mt **12** 46-50 Ses frères, il ne les connaît plus,
ses fils, il les ignore.
Oui, ils ont gardé ta parole
et ils retiennent ton alliance.
10 Ils enseignent tes coutumes à Jacob
et ta Loi à Israël.
Ils font monter l'encens à tes narines
et mettent l'holocauste sur ton autel.
11 Bénis, Yahvé, sa valeur
et agrée l'œuvre de ses mains.
Brise les reins de ses adversaires
et de ceux qui le haïssent, pour qu'ils ne tiennent pas!

12 Il dit sur Benjamin :
Bien-aimé de Yahvé, il repose en sécurité près de lui.
Le Très Haut le protège tous les jours
et demeure entre ses coteaux [a].

13 Il dit sur Joseph :
Gn **49** 25 Son pays est béni de Yahvé.
A lui le meilleur de la rosée des cieux
et de l'abîme souterrain,
14 le meilleur de ce que fait croître le soleil,
de ce qui pousse à chaque lunaison,
Gn **49** 26 15 les prémices des montagnes antiques,
Ha **3** 6 le meilleur des collines d'autrefois,
16 le meilleur de la terre et de ce qu'elle produit,
Ex **3** 1-3 la faveur de celui qui habite le Buisson.
Que la chevelure abonde sur la tête de Joseph,
sur le crâne du consacré parmi ses frères [b]!
1 Ch **5** 2 17 Premier-né [c] du taureau, à lui la gloire.
Ses cornes sont cornes de buffle
dont il frappe les peuples
jusqu'aux extrémités de la terre.
Telles sont les myriades d'Éphraïm,
tels sont les milliers de Manassé.

18 Il dit sur Zabulon [d] :
Sois heureux, Zabulon, en tes expéditions,
et toi, Issachar, dans tes tentes!
19 Sur la montagne où les peuples viennent invoquer
ils offrent des sacrifices de succès,
car ils aspirent à eux l'abondance des mers
et les trésors cachés dans les sables.

20 Il dit sur Gad [e] :
Béni soit celui qui met Gad au large!
Il repose comme une lionne;
il a déchiré bras, visage et tête.
21 Puis il s'est attribué les prémices,
là, il a vu qu'une part de chef lui était réservée.
Il est venu comme chef du peuple,
ayant accompli la justice de Yahvé
et ses sentences sur Israël.

22 Il dit sur Dan :
Dan est un jeune lion
qui s'élance du Bashân [f].

23 Il dit sur Nephtali :
Nephtali, rassasié de faveurs,
comblé des bénédictions de Yahvé :
il prend possession de l'ouest et du midi [g].

24 Il dit sur Asher :
Béni soit Asher entre tous les fils!
Qu'il soit privilégié parmi ses frères
et qu'il baigne son pied dans l'huile!
25 Que tes verrous soient de fer et d'airain
et que ta sécurité dure autant que tes jours [h]!

26 Nul n'est pareil au Dieu de Yeshurûn : Ex **15** 11
il chevauche les cieux pour te secourir, Dt **32** 15+
et les nuées, dans sa majesté! Ps **18** 11; **68** 5+ Ha **3** 8
27 Le Dieu d'autrefois, c'est ton refuge. Ps **90** 1-2
Ici-bas, c'est lui le bras antique
qui chasse devant toi l'ennemi;
c'est lui qui dit : Détruis!

tion relative à l'oracle divin, à l'enseignement et au service de l'autel.

*a)* « le Très Haut » conj.; hébr. répète « près de lui ». – « coteaux », litt. « épaules » (comme on dit l'« épaulement » d'une montagne); la description du territoire de Benjamin en Jos **18** en signale cinq.

*b)* Cf. Gn **49** 26. « Consacré » traduit *nazîr*, cf. Nb **6** 1+.

*c)* D'autres textes semblent aussi donner a Joseph la position d'un premier-né, 1 Ch **5** 1-2, comparer Gn **46** 4; **47** 29-31. La priorité que cette bénédiction donne à Joseph était attribuée à Juda par Gn **49**. La mention d'Éphraïm et de Manassé est peut-être une addition.

*d)* Un même dicton est consacré aux deux tribus d'Issachar et de Zabulon, qui étaient voisines et avaient une origine commune. Elles fréquentaient le même sanctuaire (le Thabor) et elles étaient toutes deux engagées dans les entreprises commerciales, v. 19.

*e)* Gad, installé en premier, avec Ruben, en Transjordanie, cf. Nb **32**, s'est étendu aux dépens de celui-ci; cf. le dicton sur Ruben.

*f)* Dan, après avoir émigré de son territoire situé à l'ouest de Benjamin, cf. Jos **18** 40+ s'était installé au nord d'Israël, à Laïsh (qui signifie « lion »), au pied de l'Hermon et aux confins de Bashân, cf. **34** 1.

*g)* Ce v. semble faire allusion à une extension du territoire de Nephtali, qu'on ne peut pas préciser historiquement.

*h)* Asher habitait près de la mer dans une région favorable à l'olivier. La traduction est incertaine.

Jr **23** 6 28 Israël demeure en sécurité.
Nb **23** 9 La source de Jacob est mise à part
pour un pays de froment et de vin;
le ciel même y distille la rosée.
Ps **33** 12; **144** 15 29 Heureux es-tu, ô Israël!
Qui est comme toi, peuple vainqueur?
Ps **115** 9-11 En Yahvé est le bouclier qui te secourt,
l'épée qui te mène au triomphe [a].
Tes ennemis voudront te corrompre,
mais toi, tu fouleras leurs dos.

### Mort de Moïse [b].

Nb **22** 1; **27** 12 **34** 1 Alors, partant des Steppes de Moab [c], Moïse
Dt **3** 27; gravit le mont Nebo, sommet du Pisga en face
**32** 48s de Jéricho, et Yahvé lui fit voir tout le pays : le
Galaad jusqu'à Dan, 2 tout Nephtali, le pays d'É-
phraïm et de Manassé, tout le pays de Juda jusqu'à
la mer Occidentale [d], 3 le Négeb, le district de la
vallée de Jéricho, ville de palmiers, jusqu'à Çoar [e].
4 Yahvé lui dit : « Voici le pays que j'ai promis par
serment à Abraham, Isaac et Jacob, en ces termes :
Je le donnerai à ta postérité. Je te l'ai fait voir de
tes yeux, mais tu n'y passeras pas. » **32** 49s
5 C'est là que mourut Moïse, serviteur de Yahvé, Nb **27** 12-14
en terre de Moab, selon l'ordre de Yahvé; 6 il [f]
l'enterra dans la vallée, au pays de Moab, vis-à-vis
de Bet-Péor. Jusqu'à ce jour nul n'a connu son tom- Jude **9**
beau. 7 Moïse avait cent vingt ans quand il mourut;
son œil n'était pas éteint, ni sa vigueur épuisée.
8 Les Israélites pleurèrent Moïse trente jours dans
les Steppes de Moab. Les jours de pleurs pour le
deuil de Moïse s'achevèrent. 9 Josué, fils de Nûn,
était rempli de l'esprit de sagesse, car Moïse lui
avait imposé les mains. C'est à lui qu'obéirent les Nb **27** 18-23
Israélites agissant selon l'ordre que Yahvé avait
donné à Moïse.
10 Il ne s'est plus levé en Israël de prophète pareil Jr **15** 1
à Moïse, lui que Yahvé connaissait face à face. Si **45** 1-5 Jn **1** 17
11 Que de signes et de prodiges Yahvé lui fit Ex **33** 11+; 20+
accomplir au pays d'Égypte, contre Pharaon, tous Nb **12** 6-8
ses serviteurs et tout son pays! 12 Quelle main puissante et quelle grande terreur Moïse avait mises en
œuvre aux yeux de tout Israël!

*a)* Litt. « l'épée de ta grandeur » grec; « dont l'épée (?) est ta grandeur » hébr.
*b)* Ce récit fait suite à **32** 48-52. Il combine des éléments sacerdotaux, notamment les vv. 7-9, avec un texte deutéronomiste. La vision de Moïse englobe toute la Terre Promise, dans laquelle il n'entrera pas, cf. **4** 21, mais dont il prend ainsi possession pour le peuple, comparer Gn **13** 14-15.
*c)* L'expression, propre à l'écrit sacerdotal, désigne la plaine, entre le pied des monts de Moab et le Jourdain.
*d)* La Méditerranée.
*e)* Au sud de la mer Morte, cf. Gn **19** 20s, comme Jéricho en est au nord.
*f)* C'est-à-dire « Yahvé », mais sam. et une partie de grec ont : « ils l'enterrèrent ».

# LES LIVRES DE JOSUÉ, DES JUGES, DE RUTH, DE SAMUEL ET DES ROIS

# LES LIVRES DE JOSUÉ, DES JUGES, DE RUTH, DE SAMUEL ET DES ROIS

## *Introduction*

*Dans la Bible hébraïque, les livres de* Josué, *des* Juges, *de* Samuel *et des* Rois *sont appelés les « Prophètes antérieurs », par opposition aux « Prophètes postérieurs », Isaïe, Jérémie, Ézéchiel et les Douze Petits Prophètes. Cette désignation s'explique par une tradition qui attribuait la composition de ces livres à des « prophètes », Josué pour le livre qui porte son nom, Samuel pour les* Juges *et* Samuel, *Jérémie pour les* Rois. *Elle se justifie par le caractère religieux qui leur est commun : ces livres, que nous appelons « historiques », ont pour sujet principal les rapports d'Israël avec Yahvé, sa fidélité ou son infidélité, surtout son infidélité, à la parole de Dieu, dont les prophètes sont les organes. De fait, les prophètes interviennent souvent : Samuel, Gad, Natân, Élie, Élisée, Isaïe, Jérémie, sans compter les figures de moindre grandeur. Les livres des* Rois *donnent le cadre où s'exerça le ministère des prophètes écrivains d'avant l'Exil.*

*Ainsi reliés à ce qui les suit dans la Bible, ces livres le sont aussi à ce qui les précède. Par leur contenu, ils font immédiatement suite au Pentateuque : à la fin du Deutéronome, Josué est désigné comme le successeur de Moïse, et le livre de Josué commence au lendemain de la mort de Moïse. On a supposé qu'il y avait même une unité littéraire entre les deux ensembles et on a recherché la suite des « documents » ou des « sources » du Pentateuque, dans le livre de Josué, déterminant ainsi un Hexateuque, ou même plus avant, jusqu'à la fin des Rois. Mais les efforts tentés pour retrouver les documents du Pentateuque dans Juges, Samuel et Rois n'ont donné aucun résultat satisfaisant. La situation est plus favorable pour Josué, où l'on discerne des courants qui sont plus ou moins apparentés au Yahviste et à l'Élohiste, s'ils n'en sont pas la continuation. Cependant, l'influence du Deutéronome et de sa doctrine est encore plus claire et les partisans d'un Hexateuque doivent admettre eux-mêmes une rédaction deutéronomiste de Josué. Ces rapports avec le Deutéronome se poursuivent dans les livres suivants, bien que d'une manière variable : ils sont étendus dans les Juges, très limités dans Samuel, dominants dans les Rois, mais ils sont toujours reconnaissables. On a donc fait l'hypothèse que le Deutéronome était le début d'une grande histoire religieuse qui se prolongeait jusqu'à la fin des Rois.*

*Le Deutéronome ayant justifié historiquement la doctrine de l'élection d'Israël et ayant défini la constitution théocratique qui en résulte, le livre de Josué montre l'installation du peuple élu dans la terre à lui promise, celui des Juges retrace la succession de ses apostasies et de ses retours en grâce, ceux de Samuel, après la crise qui conduisit à l'institution de la royauté et mit en péril l'idéal théocratique, disent comment cet idéal fut réalisé sous David, ceux des Rois décrivent la déchéance qui commença dès le règne de Salomon et qui, par une suite d'infidélités et malgré quelques rois pieux, conduisit à la condamnation du peuple par son Dieu. De cet ensemble, le Deutéronome aurait été détaché lorsqu'on voulut réunir tout ce qui concernait la personne et l'œuvre de Moïse (cf. l'Introduction au Pentateuque, p. 26).*

*Cette hypothèse semble justifiée, mais elle doit être complétée, ou corrigée, par deux corollaires. D'une part, la rédaction deutéronomiste s'est exercée sur des traditions orales ou des documents écrits, qui diffèrent par l'âge et par le caractère et qui, généralement, étaient déjà groupés en des ensembles, et elle a inégalement retouché les matériaux qu'elle utilisait. Cela explique que les livres, ou de grandes sections à l'intérieur des livres, gardent leur individualité. D'autre part, cette rédaction deutéronomiste elle-même ne fut pas d'une seule venue et chaque livre porte les indices de plusieurs éditions. A juger d'après le livre des Rois, dont le témoignage est le plus clair, il y eut au moins deux rédactions, l'une au lendemain de la réforme de Josias, l'autre pendant l'Exil. Sur ces divers points, des précisions seront données à propos de chaque livre.*

*Dans leur forme dernière, ces livres sont donc l'œuvre d'une école d'hommes pieux, pénétrés des idées du Deutéronome, qui méditent sur le passé de leur peuple et en tirent une leçon religieuse. Mais ils nous ont conservé aussi des traditions ou des textes qui remontent jusqu'à l'époque héroïque de la conquête, avec le récit des faits saillants de l'histoire d'Israël. Que celle-ci soit présentée comme une « histoire sainte » ne diminue pas son intérêt pour l'historien et lui donne valeur pour le croyant : ce dernier n'y apprendra pas seulement à retrouver la main de Dieu dans tous les événements du monde, il reconnaîtra dans la sollicitude exigeante de Yahvé à l'égard de son peuple élu, la lente préparation de l'Israël nouveau, la communauté des fidèles.*

Le livre de Josué *se divise en trois parties :* a) *la conquête de la Terre Promise,* **1-12**; b) *la répartition du territoire entre les tribus,* **13-21**; c) *la fin de la carrière de Josué, et spécialement son dernier discours et l'assemblée de Sichem,* **22-24**. *Il est certain que ce livre n'a pas été écrit par Josué lui-même, comme l'a admis la tradition juive, et qu'il met en œuvre des sources variées. Dans la première partie, on reconnaît, dans les ch.* **2-9**, *un groupe de traditions, parfois parallèles, qui se rattachent au sanctuaire benjaminite de Gilgal, et dans les ch.* **10-11** *deux histoires de batailles, celles de Gabaôn et celle de Mérom, auxquelles est rattachée la conquête de tout le Sud puis de tout le Nord du pays. L'histoire des Gabaonites, ch.* **9**, *en enjambant sur* **10** 1-6, *fait le lien entre ces éléments qui étaient vraisemblablement réunis dès le début de l'époque monarchique.*

*Le fait que les récits des ch.* **2-9** *sont originaires de Gilgal, un sanctuaire de Benjamin, ne signifie pas que la figure de Josué, qui est un Éphraïmite, y soit secondaire, car les éléments d'Éphraïm et de Benjamin sont entrés ensemble en Canaan avant de s'établir dans leurs territoires respectifs. L'aspect étiologique de ces récits, c'est-à-dire leur souci d'expliquer des faits ou des situations qui restent observables, est indéniable, mais il ne touche que les circonstances ou les conséquences d'événements dont il ne faut pas rejeter l'historicité, sauf, semble-t-il, le récit de la prise de Aï.*

*La seconde partie est un exposé géographique d'un genre tout différent. Le ch.* **13** *localise les tribus de Ruben et de Gad et la demi-tribu de Manassé, déjà installées par Moïse en Transjordanie, d'après Nb* **32**, *cf. Dt* **3** 12-17. *Les ch.* **14-19** *concernent les tribus à l'ouest du Jourdain et combinent deux sortes de documents : une description des limites des tribus, qui est d'une précision très inégale et qui remonte pour le fond à l'époque prémonarchique, et des listes de villes qui ont été ajoutées. La plus détaillée est celle des villes de Juda,* **15**, *qui, complétée par une partie des villes de Benjamin,* **18** 25-28, *répartit les villes en douze districts; elle reflète une division administrative du royaume de Juda, probablement sous Josaphat. En manière de compléments, le ch.* **20** *énumère les villes de refuge dont la liste n'est pas antérieure au règne de Salomon; le ch.* **21**, *sur les villes lévitiques, est une addition postérieure à l'Exil, qui utilise cependant les souvenirs de l'époque monarchique.*

*Dans la troisième partie, le ch.* **22**, *sur le retour des tribus d'outre-Jourdain et l'érection d'un autel au bord du fleuve, porte les marques de rédactions deutéronomiste et sacerdotale; il a pour origine une tradition particulière dont l'âge et le sens sont incertains. Le ch.* **24** *préserve le vieux et authentique souvenir d'une assemblée à Sichem et du pacte religieux qui y fut conclu.*

*A la rédaction deutéronomiste, on peut attribuer, outre des retouches de détail, les passages suivants :* **1** *(en grande partie);* **8** 30-35*;* **10** 16-43*;* **11** 10-20*;* **12***;* **22** 1-8*;* **23***; la révision de* **24**. *La manière dont le ch.* **24**, *retouché dans l'esprit du Deutéronome, a été maintenu à côté du ch.* **23**, *qui s'en inspire mais est d'une autre main, fournit l'indice de deux éditions successives du livre.*

*Celui-ci présente la conquête de toute la Terre Promise comme le résultat d'une action d'ensemble des tribus sous la conduite de Josué. Le récit de Jg* **1** *offre un tableau différent : on y voit chaque tribu luttant pour son territoire et souvent mise en échec; c'est une tradition d'origine judéenne, dont les éléments ont pénétré dans la partie géographique de Josué,* **13** 1-6*;* **14** 6-15*;* **15** 13-19*;* **17** 12-18. *Cette image d'une conquête dispersée et incomplète est plus proche de la réalité historique, que l'on ne peut restituer que d'une manière conjecturale. L'installation dans le Sud de la Palestine se fit à partir de Cadès et du Négeb et sutout par des groupes qui ne furent que progressivement intégrés à Juda : les Calébites, Qenizzites, etc., et les Siméonites. L'installation en Palestine centrale fut l'œuvre des groupes qui traversèrent le Jourdain sous la conduite de Josué et qui comprenaient les éléments des tribus d'Éphraïm-Manassé et de Benjamin. L'installation dans le Nord eut une histoire* *particulière : les tribus de Zabulon, Issachar, Asher et Nephtali étaient établies depuis un temps indéterminé et ne sont pas descendues en Égypte. A Sichem, elles se rallièrent à la foi yahviste que le groupe de Josué avait apportée et elles acquirent leurs territoires définitifs en luttant contre les Cananéens qui les avaient asservies ou qui les menaçaient. Dans ces différentes régions, l'installation se fit en partie par des actions guerrières, en partie par une infiltration pacifique et par des alliances avec les précédents occupants du pays. Il faut retenir comme historique le rôle de Josué dans l'installation en Palestine centrale, depuis le passage du Jourdain jusqu'à l'assemblée de Sichem. Considérant la date qui a été indiquée pour l'Exode (Introduction au Pentateuque, p. 27), on peut proposer la chronologie suivante : entrée des groupes du Sud vers 1250, occupation de la Palestine centrale par les groupes venant d'outre-Jourdain à partir de 1225, expansion des groupes du Nord vers 1200 av. J.-C.*

*De cette histoire complexe, que nous ne restituons que par hypothèse, le livre de* Josué *donne un tableau idéalisé et simplifié. Il est idéalisé : l'épopée de la sortie d'Égypte se continue dans cette conquête où Dieu intervient miraculeusement en faveur de son peuple. Il est simplifié : tous les épisodes se sont polarisés autour de la grande figure de Josué, qui mène les combats de la Maison de Joseph,* **1-12**, *et à qui est attribuée une répartition du territoire qui ne s'effectua pas par lui ni d'un coup,* **13-21**. *Le livre s'achève par les adieux et la mort de Josué,* **23**, **24** 29-31*; ainsi, du début à la fin, il en est le personnage principal. En lui, les Pères ont reconnu une préfiguration de Jésus : non seulement il porte le même nom sauveur, mais le passage du Jourdain, introduisant avec lui dans la Terre Promise, est le type du baptême en Jésus qui introduit à Dieu, et la conquête et la répartition du territoire sont devenues l'image des victoires et de l'expansion de l'Église.*

*Cette terre de Canaan est bien, dans l'horizon de l'Ancien Testament, le vrai sujet du livre : le peuple, qui avait trouvé son Dieu au désert, reçoit maintenant sa terre, et il la reçoit de son Dieu. Car c'est Yahvé qui a combattu pour les Israélites,* **23** 3-10*;* **24** 11-12, *et leur a donné en héritage le pays qu'il avait promis aux Pères,* **23** 5,14.

*Le* livre des Juges *comprend trois parties inégales :* a) *une introduction,* **1** 1 - **2** 5*;* b) *le corps du livre,* **2** 6 - **16** 31*;* c) *deux additions qui rapportent la migration des Danites, avec la fondation du sanctuaire de Dan,* **17-18**, *et la guerre contre Benjamin en punition du crime de Gibéa,* **19-21**

*L'introduction actuelle au livre,* **1** 1 - **2** 5 *ne lui appartient pas vraiment : on a dit, à propos du livre de Josué, que c'était un autre tableau de la conquête et de ses résultats, considéré d'un point de vue judéen. Son insertion a occasionné la répétition à* **2** 6-10 *des renseignements sur la mort et la sépulture de Josué qui avaient déjà été donnés dans Jos* **24** 29-31.

*L'histoire des Juges est racontée dans la partie centrale,* **2** 6 - **16** 31. *Les modernes distinguent six « grands » juges, Otniel, Ehud, Baraq (et Débora), Gédéon, Jephté, Samson, dont les actions sont racontées d'une manière plus ou moins détaillée, et six « petits » juges, Shamgar,* **3** 31, *Tola et Yaïr,* **10** 1-5, *Ibçân, Élôn et Abdôn,* **12** 8-15, *qui font seulement l'objet de brèves mentions. Mais cette distinction n'est pas faite dans le texte, il y a une différence beaucoup plus profonde entre les deux groupes et le titre commun de « juges » qui leur est donné est le résultat de la composition du livre, qui a joint des éléments d'abord étrangers entre eux. Les « grands juges » sont des héros libérateurs; leur origine, leur caractère, leurs actions varient beaucoup, mais ils ont un trait commun : ils ont reçu une grâce spéciale, un charisme, ils ont été spécialement choisis par Dieu pour une mission de salut. Leurs histoires ont d'abord été racontées oralement, sous différentes formes, et elles se sont accrues d'éléments divers. Elles ont finalement été réunies dans un « livre des libérateurs », composé dans le royaume du Nord dans la première partie de l'époque monarchique. Il comprenait l'histoire d'Éhud, celle de Baraq et de Débora, peut-être déjà contaminée par le récit de Jos* **11**, *concernant Yabîn de Haçor, l'histoire de Gédéon/Yerubbaal, à quoi l'on attacha l'épisode de la royauté d'Abimélek, l'histoire de Jephté augmentée de celle de sa fille. On recueillit deux vieilles pièces poétiques, le Cantique de Débora,* **5**, *qui double le récit en prose,* **4**, *et l'apologue de Yotam,* **9** 7-15, *dirigé contre la royauté d'Abimélek. Dans ce livre, les héros de certaines tribus devenaient des figures nationales qui avaient mené les guerres de Yahvé pour tout Israël. Les « petits juges », Tola, Yaïr, Ibçân, Élôn, Abdôn, viennent d'une tradition différente. On ne leur attribue aucun acte sauveur, on donne seulement des informations sur leur origine, leur famille et le lieu de leur sépulture, et l'on dit qu'ils ont « jugé » Israël pendant un nombre précis et variable d'années. D'après les emplois du verbe* shâphât, *« juger », dans les langues sémitiques de l'Ouest apparentées à l'hébreu, à Mari au XVIII*[e] *siècle av. J.-C., et à Ugarit au XIII*[e] *siècle, jusque dans les textes phéniciens et puniques de l'époque gréco-romaine (les « suffètes » de Carthage), ces « juges »* *ne rendaient pas seulement la justice, ils gouvernaient. Leur autorité ne s'étendait pas au-delà de leur ville ou de leur district. Ce fut une institution politique intermédiaire entre le régime tribal et le régime monarchique. Les premiers rédacteurs deutéronomistes possédaient des renseignements authentiques sur ces juges, mais ils ont étendu leur pouvoir à tout Israël et les ont mis en succession chronologique. Ils ont transféré leur titre aux héros du « livre des libérateurs », qui sont ainsi devenus des « juges d'Israël ». Jephté servit de trait d'union entre les deux groupes : il avait été un libérateur mais il avait aussi été un juge: on connaissait et on donne à son propos les mêmes informations,* **11** 1-2*;* **12** 7*, que pour les « petits juges » au milieu desquels son histoire est insérée. On assimila aussi une figure qui n'avait primitivement rien à faire avec aucun des deux groupes : le singulier héros danite Samson, qui n'avait été ni un libérateur ni un juge mais dont on racontait en Juda les prouesses contre les Philistins,* **13-16**. *On ajouta à la liste Otniel,* **3** 7-11, *qui appartient à l'époque de la conquête, cf. Jos* **14** 16-19*; Jg* **1** 12-15, *et, plus tard, Shamgar,* **3** 31, *qui n'est même pas un Israélite, cf. Jg* **5** 6*; on obtenait ainsi le chiffre de douze, symbolique de tout Israël. C'est également la rédaction deutéronomiste qui a donné au livre son cadre chronologique : retenant les informations authentiques sur les « petits juges », elle a ponctué les récits par des indications conventionnelles, où reviennent les chiffres de 40, durée d'une génération, ou de son multiple 80, ou de sa moitié 20, dans un effort pour obtenir un total qui, combiné avec d'autres données de la Bible, corresponde aux 480 ans que l'histoire deutéronomiste met entre la sortie d'Égypte et la construction du Temple,* 1 *R* **6** 1. *Dans ce cadre, les histoires des Juges remplissent sans laisser de lacunes la période qui s'est écoulée entre la mort de Josué et le début du ministère de Samuel. Mais les rédacteurs deutéronomistes ont surtout donné au livre son sens religieux. Celui-ci s'exprime dans l'introduction générale de* **2** 6 - **3** 6 *et dans l'introduction particulière à l'histoire de Jephté,* **10** 6-16, *ainsi que dans les formules rédactionnelles qui remplissent presque toute l'histoire d'Otniel, qui est une composition deutéronomiste, et qui encadrent les grandes histoires suivantes : les Israélites ont été infidèles à Yahvé et il les a livrés à des oppresseurs, les Israélites ont invoqué Yahvé et celui-ci leur a envoyé un sauveur, le juge. Mais les infidélités reprennent, et la série recommence. Ce livre deutéronomiste des Juges eut au moins deux éditions. Les indices les plus clairs sont: les deux éléments qui s'additionnent dans l'introduction,* **2** 11-19 *et* **2** 6-10 + **2** 20 - **3** 6, *et les deux conclusions à l'histoire de Samson,* **15** 20 *et* **16** 30, *qui signifient que le ch.* **16** *est une addition.*

*Ce livre ne contenait pas encore les appendices,* **17-21**. *Ceux-ci ne racontent pas l'histoire d'un juge, mais ils rapportent des événements qui se sont passés avant l'institution de la monarchie, et c'est pourquoi ils ont été ajoutés à la fin du livre après le retour de l'Exil. Ils reproduisent d'anciennes traditions et ils ont eu une longue histoire littéraire ou prélittéraire avant d'être insérés ici. Les ch.* **17-18** *ont pour origine une tradition danite sur la migration de la tribu et la fondation du sanctuaire de Dan, qui a été transformée dans un sens péjoratif. Les ch.* **19-21** *combinent deux traditions des sanctuaires de Miçpa et de Béthel, qui furent étendues à tout Israël; peut-être d'origine benjaminite, ces traditions furent révisées en Juda dans un sens hostile à la royauté de Saül à Gibéa.*

*Le livre est à peu près notre seule source pour la connaissance de l'époque des Juges. Il ne permet pas d'en écrire une histoire suivie. La chronologie qu'il donne est artificielle, nous l'avons dit. Elle additionne des périodes qui ont pu chevaucher dans le temps, les oppressions comme les libérations n'affectant jamais qu'une partie du territoire, et l'époque des Juges ne s'est pas étendue sur plus d'un siècle et demi.*

*Les principaux événements dont le souvenir nous est conservé ne peuvent être datés qu'approximativement à l'intérieur de cette période. La victoire de Tanak sous Débora et Baraq,* **4-5**, *peut avoir été remportée vers le milieu du XII*[e] *siècle, elle est antérieure à l'invasion madianite (Gédéon) et à l'expansion des Philistins hors de leur territoire propre (Samson). Il ressort surtout que, pendant cette période troublée, les Israélites n'eurent pas seulement à lutter contre les Cananéens premiers possesseurs du pays, ainsi ceux de la plaine de Yizréel battus par Débora et Baraq, mais contre les peuples voisins, Moabites (Éhud), Ammonites (Jephté), Madianites (Gédéon), et contre les Philistins nouvellement arrivés (Samson). Dans ces dangers, chaque groupe défend son territoire. Il arrive qu'on s'unisse aux groupes voisins,* **7** 23, *ou inversement qu'une tribu puissante proteste parce qu'elle n'a pas été invitée à partager le butin,* **8** 1-3*;* **12** 1-6. *Le Cantique de Débora,* **5**, *stigmatise les tribus qui n'ont pas répondu à l'appel et, chose remarquable, Juda et Siméon ne sont même pas nommés.*

*Ces deux tribus vivaient au Sud, séparées par la barrière non israélite de Gézer, des villes gabaonites et de Jérusalem, et leur isolement développait les germes du schisme futur. En revanche, la victoire de Tanak, en donnant aux Israélites la plaine de Yizréel, permet l'union de la Maison de Joseph et des tribus du Nord. Cependant l'unité entre les différentes fractions était assurée par la participation à la même foi religieuse : tous les Juges furent des Yahvistes convaincus et le sanctuaire de l'arche à Silo devint un centre où tous les groupes se retrouvaient. De plus, ces luttes ont forgé l'âme nationale et préparé le moment où, devant un danger général, tous s'uniront contre l'ennemi commun, sous Samuel.*

*Le livre enseignait aux Israélites que l'oppression est un châtiment de l'impiété et que la victoire est une conséquence du retour à Dieu. L'Ecclésiastique loue les Juges pour leur fidélité, Si* **46** 11-12, *l'épître aux Hébreux présente leurs succès comme la récompense de leur foi; ils font partie de cette « nuée de témoins » qui encourage le chrétien à rejeter le péché et à courir avec endurance l'épreuve qui lui est proposée, He* **11** 32-34; **12** 1.

*Le livret de* Ruth *est placé à la suite des Juges dans la Septante, la Vulgate et les traductions modernes. Dans la Bible hébraïque, il est rangé avec les Hagiographes comme l'un des cinq rouleaux, les « megillôt », qu'on lisait aux principales fêtes, Ruth servant pour la fête de la Pentecôte. Bien que son sujet rattache le livre à la période des Juges, cf.* **1** 1, *il ne faisait pas partie de la rédaction deutéronomiste qui s'est étendue de Josué à la fin des Rois.*

*C'est l'histoire de Ruth la Moabite qui, après la mort de son mari, un homme de Bethléem émigré en Moab, revient en Juda avec sa belle-mère Noémi et épouse Booz, un parent de son mari, en application de la loi du lévirat; de ce mariage naît Obed qui sera le grand-père de David.*

*Une addition,* **4** 18-22, *donne une généalogie de David, parallèle à celle de 1 Ch* **2** 5-15.

*La date de composition est très discutée et l'on a proposé toutes les périodes depuis David et Salomon jusqu'à Néhémie. Les arguments avancés pour une date tardive, place dans le canon hébreu, langue, coutumes familiales, doctrine, ne sont pas décisifs et le livret, moins les derniers versets, pourrait avoir été composé à l'époque monarchique. C'est une histoire édifiante, dont l'intention principale est de montrer comment est récompensée la confiance qu'on met en Dieu, dont la miséricorde s'étend jusque sur une étrangère,* **2** 12. *Cette foi en la Providence et cet esprit universaliste sont l'enseignement durable du récit. Le fait que Ruth a été reconnue comme la bisaïeule de David a donné un prix particulier au livret, et saint Matthieu a inclus le nom de Ruth dans la généalogie du Christ, Mt* **1** 5.

*Les* livres de Samuel *ne formaient qu'un seul ouvrage dans la Bible hébraïque. La division en deux livres remonte à la traduction grecque, qui a également joint Samuel et Rois sous un même titre : les quatre livres des* Règnes*; la Vulgate les appelle les quatre livres des* Rois. *Le Samuel hébreu correspond aux deux premiers. Ce titre provient de la tradition qui attribuait au prophète Samuel la composition de cet écrit.*

*Le texte est l'un des plus mal conservés de l'Ancien Testament. La traduction grecque des Septante donne un texte assez souvent différent, qui remonte à un prototype dont les grottes de Qumrân ont livré d'importants fragments. Il existait donc plusieurs recensions hébraïques des livres de Samuel.*

*On y distingue cinq parties :* a*) Samuel,* 1 *S* **1-7***;* b*) Samuel et Saül,* 1 *S* **8-15***;* c*) Saül et David,* 1 *S* **16** *à* 2 *S* **1***;* d*) David,* 2 *S* **2-20***;* e*) suppléments,* 2 *S* **21-24.**

*L'ouvrage combine ou juxtapose des sources et des traditions diverses sur les débuts de la période monarchique. Il y a une histoire de l'arche et de sa captivité chez les Philistins,* 1 *S* **4-6**, *où Samuel ne paraît pas et qui se continuera dans* 2 *S* **6**. *Elle est encadrée par un récit de l'enfance de Samuel,* 1 *S* **1-3**, *et par un récit qui présente Samuel comme le dernier des Juges et anticipe la libération du joug philistin,* **7**. *Samuel joue un rôle essentiel dans l'histoire de l'institution de la royauté,* 1 *S* **8-12**, *où l'on a distingué depuis longtemps deux groupes de traditions :* **9**; **10** 1-16; **11** *d'une part et* **8**; **10** 17-24; **12** *d'autre part. On a appelé le premier groupe une version « monarchiste » de l'événement et le second, une version « anti-monarchiste »; cette dernière serait postérieure. En fait, les deux traditions sont anciennes et représentent seulement des tendances différentes; de plus, le second courant n'est pas si « anti-monarchiste » qu'on le dit, il est seulement opposé à une royauté qui ne respecterait pas les droits de Dieu. Les guerres de Saül contre les Philistins sont racontées dans* **13-14**, *avec une première version du rejet de Saül,* **13** 7[b]-15[a]; *une seconde version de ce rejet est donnée dans* **15**, *en liaison avec une guerre contre les Amalécites. Ce rejet prépare l'onction de David par Samuel,* **16** 1-13. *Sur les débuts de David et ses démêlés avec Saül, des traditions parallèles et, semble-t-il, également anciennes ont été recueillies dans* 1 *S* **16** 14 - 2 *S* **1**, *où les doublets sont fréquents. La fin de cette histoire se trouve dans* 2 *S* **2-5** *: la royauté de David à Hébron, la guerre philistine et la prise de Jérusalem assurent la confirmation de David comme roi sur tout Israël,* 2 *S* **5** 12. *Le ch.* **6** *reprend l'histoire de l'arche; la prophétie de Natân,* **7**, *est ancienne mais a été remaniée; le ch.*

**8** *est un sommaire rédactionnel. A partir de* 2 *S* **9** *commence un long récit qui ne s'achèvera qu'au début des Rois,* 1 *R* **1-2**. *C'est l'histoire de la famille de David et des luttes autour de la succession au trône, écrite par un témoin oculaire, dans la première moitié du règne de Salomon. Elle est interrompue par* 2 *S* **21-24**, *qui rassemble des pièces d'origine diverse sur le règne de David.*

*En dehors de la grande histoire de* 2 *S* **9-20**, *il est possible que d'autres ensembles aient été constitués dès les premiers siècles de la monarchie : un premier cycle de Samuel, deux histoires de Saül et de David. Il se peut aussi que ces ensembles aient déjà été combinés aux environs de l'an 700, mais les livres ne reçurent leur forme définitive que dans la grande histoire deutéronomiste. Cependant l'influence du Deutéronome est ici beaucoup moins apparente que dans Juges et Rois. On la décèle en particulier dans les premiers chapitres de l'ouvrage, notamment* 1 *S* **2** 22-36; **7** *et* **12**, *peut-être dans un remaniement de la prophétie de Natân,* 2 *S* **7**, *mais le récit de* 2 *S* **9-20** *a été conservé à peu près sans retouche.*

*Les livres de Samuel couvrent la période qui va des origines de la monarchie israélite à la fin du règne de David. L'expansion des Philistins – la bataille d'Apheq,* 1 *S* **4**, *se situe vers 1050 – mettait en danger l'existence même d'Israël et imposa la monarchie. Saül, vers 1030, débute comme un continuateur des Juges, mais sa reconnaissance par toutes les tribus lui confère une autorité générale et permanente : la royauté est née. La guerre de libération commence et les Philistins sont rejetés chez eux,* 1 *S* **14**; *les rencontres ultérieures se font en bordure du territoire israélite,* 1 *S* **17** *(Vallée du Térébinthe),* **28** *et* **31** *(Gelboé). Ce dernier combat tourne au désastre et Saül y meurt, vers 1010. L'unité nationale est à nouveau compromise, David est sacré roi à Hébron par les Judéens, et les tribus du Nord lui opposent Ishbaal, descendant de Saül, réfugié en Transjordanie. Cependant, le meurtre d'Ishbaal rend l'union possible et David est reconnu comme roi par Israël.*

*Le second livre de Samuel ne donne qu'en bref les résultats politiques du règne de David; ils furent cependant considérables. Les Philistins furent définitivement repoussés, l'unification du territoire s'acheva par l'absorption des îlots cananéens, et d'abord Jérusalem, qui devint la capitale politique et religieuse du royaume. Toute la Transjordanie fut soumise et David étendit son contrôle sur les Araméens de la Syrie méridionale. Cependant, lorsque David mourut, vers 970, l'unité nationale n'était pas vraiment réalisée; David était roi d'Israël et de Juda, et ces deux fractions s'opposaient souvent : la révolte d'Absalom a été soutenue par les gens du Nord, le Benjaminite Shéba a voulu soulever le peuple au cri de « A tes tentes, Israël ». On pressent déjà le schisme.*

*Ces livres portent un message religieux; ils énoncent les conditions et les difficultés d'un royaume de Dieu sur la terre. L'idéal n'a été atteint que sous David; cette réussite a été précédée par l'échec de Saül et elle sera suivie par toutes les infidélités de la monarchie, qui appelleront la condamnation de Dieu et feront la ruine de la nation. A partir de la prophétie de Natân, l'espérance messianique s'est alimentée aux promesses faites à la maison de David. Le Nouveau Testament s'y réfère trois fois, Ac* **2** 30; 2 *Co* **6** 18; *He* **1** 5. *Jésus est descendant de David et le nom de « fils de David » que le peuple lui donne est une reconnaissance de ses titres messianiques. Les Pères ont établi un parallèle entre la vie de David et celle de Jésus, le Christ, élu pour le salut de tous, roi du peuple spirituel de Dieu et cependant persécuté par les siens.*

*Comme ceux de Samuel, les* livres des Rois *ne formaient d'abord qu'un ouvrage de la Bible hébraïque. Ils correspondent aux deux derniers livres des* Règnes *dans la traduction grecque et des* Rois *dans la Vulgate.*

*Ils font immédiatement suite aux livres de Samuel et* 1 *R* **1-2** *contient la fin du grand document de* 2 *S* **9-20**. *Le long récit du règne de Salomon,* 1 *R* **3-11**, *détaille l'excellence de sa sagesse, la splendeur de ses constructions, surtout du Temple de Jérusalem, l'étendue de ses richesses. C'est une époque glorieuse, certes, mais l'esprit conquérant du règne de David a disparu : on conserve, on organise, surtout on exploite. L'opposition entre les deux fractions du peuple se maintient et, à la mort de Salomon, en 931, le royaume se divise : les dix tribus du Nord font une sécession aggravée d'un schisme religieux,* 1 *R* **12-13**. *L'histoire parallèle des deux royaumes d'Israël et de Juda se développe de* 1 *R* **14** *à* 2 *R* **17** *: c'est souvent l'histoire des luttes entre ces royaumes frères, c'est aussi celle des assauts extérieurs de l'Égypte contre Juda et des Araméens dans le Nord. Le danger devient plus pressant quand les armées assyriennes interviennent dans la région, d'abord au IX*e *siècle, plus fortement au VIII*e *siècle, où Samarie tombe sous leurs coups en 721, cependant que Juda s'est déjà déclaré vassal. L'histoire de Juda seul se continue jusqu'à la ruine de Jérusalem en 587 dans* 2 *R* **18-25** 21. *Le récit s'étend surtout sur deux règnes, celui d'Ézéchias,* 2 *R* **18-20**, *et celui de Josias,* 2 *R* **22-23**, *marqués par un réveil national et une réforme religieuse. Les grands événements politi-*

*ques sont alors l'invasion de Sennachérib sous Ézéchias en 701, en réponse au refus du tribut assyrien, et, sous Josias, la ruine de l'Assyrie et la formation de l'empire chaldéen. Juda dut se soumettre aux nouveaux maîtres de l'Orient, mais se révolta bientôt. Le châtiment ne tarda pas : en 597, les armées de Nabuchodonosor prirent Jérusalem et déportèrent une partie de ses habitants; dix ans après, un sursaut d'indépendance amena une nouvelle intervention de Nabuchodonosor, qui s'acheva en 587 par la ruine de Jérusalem et une seconde déportation. Les Rois s'achèvent par deux courts appendices,* 2 *R* **25** 22-30.

*L'ouvrage cite nommément trois de ses sources, une Histoire de Salomon, les Annales des rois d'Israël et les Annales des rois de Juda, mais il en eut d'autres : outre la fin du grand document davidique,* 1 *R* **1-2**, *une description du Temple, d'origine sacerdotale,* 1 *R* **6-7**, *surtout une histoire d'Élie composée vers la fin du IX*[e] *siècle et une histoire d'Élisée un peu postérieure; ces deux histoires sont à la base des cycles d'Élie,* 1 *R* **17** - 2 *R* **1**, *et d'Élisée,* 2 *R* **2-13**. *Les récits du règne d'Ézéchias qui mettent en scène Isaïe,* 2 *R* **18** 17 – **20** 19, *proviennent des disciples de ce prophète.*

*Lorsque l'utilisation des sources n'y contrevient pas, les événements sont enfermés dans un cadre uniforme : chaque règne est traité pour lui-même et entièrement, le début et la fin des règnes sont marqués par des formules à peu près constantes, où ne manque jamais un jugement sur la conduite religieuse du roi. Tous les rois d'Israël sont condamnés à cause du « péché originel » de ce royaume, la fondation du sanctuaire de Béthel; parmi les rois de Juda, huit seulement sont loués pour leur fidélité générale aux prescriptions de Yahvé. Mais cette louange est six fois restreinte par la remarque que « les hauts lieux ne disparurent pas »; seuls Ézéchias et Josias reçoivent une approbation sans réserve.*

*Ces jugements s'inspirent évidemment de la loi du Deutéronome sur l'unité du sanctuaire. Il y a davantage : la découverte du Deutéronome sous Josias et la réforme religieuse qu'elle inspira marquent le point culminant de toute cette histoire, et l'ouvrage entier est une démonstration de la thèse fondamentale du Deutéronome, qui est reprise dans* 1 *R* **8** *et* 2 *R* **17** *: si le peuple observe l'alliance conclue avec Dieu, il sera béni, s'il la transgresse, il sera châtié. Cette influence deutéronomiste se retrouve dans le style, chaque fois que le rédacteur développe ou commente ses sources.*

*Il est vraisemblable qu'une première rédaction deutéronomiste fut faite avant l'Exil, avant la mort de Josias à Megiddo en 609, et la louange décernée à ce roi,* 2 *R* **23** 25 *(moins les derniers mots), serait la conclusion de l'ouvrage primitif. Une seconde édition, également deutéronomiste, fut donnée pendant l'Exil, après 562 si on lui attribue la fin actuelle du livre,* 2 *R* **25** 22-30, *un peu plus tôt si on l'arrête après le récit de la seconde déportation,* 2 *R* **25** 21, *qui a l'allure d'une conclusion. Il y eut enfin quelques additions, pendant et après l'Exil.*

*Les livres des Rois doivent être lus dans l'esprit où ils ont été écrits, comme une histoire du salut. L'ingratitude du peuple élu, la ruine successive des deux fractions de la nation paraissent tenir en échec le plan de Dieu, mais il y a toujours pour sauvegarder l'avenir un groupe de fidèles qui n'ont pas plié le genou devant Baal, un reste de Sion qui garde l'Alliance. La stabilité des résolutions divines se manifeste dans la permanence étonnante de la lignée davidique, dépositaire des promesses messianiques, et le livre, sous sa forme dernière, se clôt sur la grâce faite à Joiakîn, comme sur l'aurore d'une rédemption.*

# LE LIVRE DE JOSUÉ

## *I. Conquête de la Terre Promise*

### *1. PRÉPARATIFS*

**Invitation à passer en Terre Promise.**

Dt 34 **1** [1] Après la mort de Moïse [a], serviteur de
Yahvé, Yahvé parla à Josué, fils de Nûn,
l'auxiliaire de Moïse [b], et lui dit : [2] « Moïse, mon
serviteur, est mort; maintenant, debout! Passe le
Jourdain que voici, toi et tout ce peuple, vers le
11 24-25 pays que je leur donne (aux Israélites). [3] Tout lieu
que foulera la plante de vos pieds, je vous le donne,
n 15 18 comme je l'ai dit à Moïse. [4] Depuis le désert et le
Dt 1 7 Liban jusqu'au grand Fleuve, le fleuve Euphrate
(tout le pays des Hittites), et jusqu'à la Grande mer,
vers le soleil couchant, tel sera votre territoire [c].
Dt 7 24 [5] Personne, tout le temps de ta vie, ne pourra tenir
Ex 3 12 devant toi : je serai avec toi comme j'ai été avec
1 9, 17; Moïse, je ne t'abandonnerai point ni ne te délaisse-
7; 6 27 rai.

**La fidélité à la Loi, condition du secours divin.**

t 3 28; [6] « Sois fort et tiens bon, car c'est toi qui vas met-
7-8, 23 tre ce peuple en possession du pays que j'ai juré à
ses pères de lui donner. [7] Seulement, sois fort et
tiens très bon pour veiller à agir selon toute la Loi
t 5 32; que mon serviteur Moïse t'a prescrite. Ne t'en
29 8 écarte ni à droite ni à gauche, afin de réussir dans
t 6 6s; toutes tes démarches. [8] Que le livre de cette Loi soit
17 18s toujours sur tes lèvres : médite-le jour et nuit afin
de veiller à agir selon tout ce qui y est écrit. C'est
alors que tu seras heureux dans tes entreprises et
réussiras. [9] Ne t'ai-je pas donné cet ordre : Sois fort Dt 31 7, 23
et tiens bon! Sois sans crainte ni frayeur, car Yahvé Dt 1 21+, 29s;
ton Dieu est avec toi dans toutes tes démarches. » 7 21; 20 15; 31 6

**Concours des tribus d'outre-Jourdain.**

[10] Josué donna ensuite cet ordre aux scribes [d] du Dt 16 18
peuple : [11] « Parcourez le camp, donnez cet ordre
au peuple : Faites des provisions, car dans trois
jours, vous passerez ce Jourdain pour aller prendre
possession du pays dont Yahvé votre Dieu vous
donne la possession. »
[12] Puis aux Rubénites, aux Gadites et à la demi- Nb 32
tribu de Manassé, Josué parla ainsi : [13] « Rappe- Dt 3 18-20
lez-vous ce que vous a ordonné Moïse, serviteur de
Yahvé : Yahvé votre Dieu, en vous accordant le
repos, vous a donné ce pays-ci. [14] Vos femmes, vos
petits enfants et vos troupeaux peuvent rester dans
le pays que vous a donné Moïse au-delà du Jourdain. Quant à vous, tous les hommes de guerre,
vous passerez en formation de combat en tête de
vos frères, et vous leur viendrez en aide [e], [15] jusqu'à
ce que Yahvé accorde le repos à vos frères comme
à vous, et qu'ils prennent possession, eux aussi, du
pays que Yahvé votre Dieu leur donne. Vous pourrez alors retourner au pays qui vous appartient, et 22
vous en prendrez possession, celui que vous a
donné Moïse, serviteur de Yahvé, au-delà du Jour-

*a)* Le livre se présente ainsi comme étant la suite du Dt. De fait, c'est avec le style et selon les idées du Dt qu'il racontera l'entrée et l'installation en Terre Promise, en utilisant des traditions anciennes, surtout celles qui concernent les tribus de la Palestine centrale.

*b)* « auxiliaire », *mesharet*, est le titre habituellement donné à Josué, cf. Ex **24** 13; **33** 11; Nb **11** 28; plus honorable que *'ebed*, serviteur (sauf dans l'expression « serviteur de Yahvé »), ce terme est aussi employé pour les fonctionnaires royaux, 1 Ch **27** 1, ou pour désigner des fonctions liturgiques. – Sur le nom de Josué, son rôle dans l'exploration de la Terre Promise, sa fidélité et sa désignation comme successeur de Moïse, cf. Ex **17** 9; **24** 13; **33** 11; Nb **11** 28; **13** 8, 16; **14** 5s, 30, 38; **27** 15-23; Dt **3** 21, 28; **31** 7-8, 14, 23; **34** 9. – Dans le grec et la Vulg., il est appelé « fils de Navé », par suite d'une faute des premiers mss de la Septante, qui ont NAYH au lieu de NAYN.

*c)* Les limites assignées au territoire à conquérir (cf. Gn **15** 18; Dt **1** 7; **11** 24; voir Jg **20** 1+) sont les limites idéales de la Terre Promise; elles dépassent de beaucoup celles du territoire qui sera partagé aux ch. **13-19**. – « Tout le pays des Hittites », omis par le grec, est une glose d'origine probablement sacerdotale.

*d)* Ce sont les sergents recruteurs ou les officiers d'administration, cf. Dt **20** 5, 8. Ce mot désigne également des agents de justice, greffier d'un tribunal ou commissaire adjoint au juge, cf. Dt **16** 18; 1 Ch **23** 4.

*e)* D'après le livre de Josué, à la différence du livre des Juges, la conquête doit être l'œuvre de tout le peuple, et non le résultat d'efforts isolés des tribus, tentés sur différents points.

dain, vers le soleil levant. » [16] Ils répondirent alors
à Josué : « Tout ce que tu nous as ordonné, nous
le ferons, et partout où tu nous enverras, nous
Dt 34 9 irons. [17] De même que nous avons obéi en toute
chose à Moïse, de même nous t'obéirons. Puisse
1 5 seulement Yahvé ton Dieu être avec toi comme il
Dt 17 12 fut avec Moïse! [18] Quiconque sera rebelle à tes
ordres et n'écoutera pas tes paroles, quoi que tu lui
ordonnes, qu'il soit mis à mort! Pour toi, sois fort
et tiens bon. »

**Les espions de Josué à Jéricho [a].**

7 2 **2** [1] Josué, fils de Nûn, envoya secrètement de
Nb 13 Shittim [b] deux hommes pour espionner, en
Jg 18 2 disant : « Allez, examinez le pays et Jéricho. » Ils
y allèrent, se rendirent à la maison d'une prostituée
Mt 1 5 nommée Rahab et ils y couchèrent. [2] On dit au roi
de Jéricho : « Voici que des hommes sont venus ici
cette nuit, des Israélites, pour explorer le pays. »
[3] Alors le roi de Jéricho envoya dire à Rahab :
« Fais sortir les hommes venus chez toi – qui sont
Nb 13 descendus dans ta maison – car c'est pour explorer
tout le pays qu'ils sont venus. » [4] Mais la femme
prit les deux hommes et les cacha. « C'est vrai, dit-
elle, ces hommes sont venus chez moi, mais je ne
savais pas d'où ils étaient. [5] Lorsqu'à la nuit tombante on allait fermer la porte de la ville, ces hommes sont sortis et je ne sais pas où ils sont allés.
Mettez-vous vite à leur poursuite et vous les rejoin-
drez. »
[6] Or elle les avait fait monter sur la terrasse et
les avait cachés sous des tiges de lin qu'elle y avait
déposées. [7] Les gens les poursuivirent dans la direction du Jourdain, vers les gués, et l'on ferma la
porte dès que furent sortis ceux qui étaient à leur
poursuite.

↗ He 11 31 **Le pacte entre Rahab et les espions.**
↗ Jc 2 25

[8] Quant à eux, ils n'étaient pas encore couchés
que Rahab monta vers eux sur la terrasse. [9] Elle
leur dit : « Je sais que Yahvé vous a donné ce pays,
que vous faites notre terreur, et que tous les habitants du pays ont été pris de panique à votre appro-
9 9-10 che. [10] Car nous avons appris que Yahvé avait mis
Ex 14 à sec devant vous les eaux de la mer des Roseaux,
à votre sortie d'Égypte, et ce que vous avez fait aux
deux rois amorites, de l'autre côté du Jourdain, à
Sihôn et à Og que vous avez voués à l'anathème. Dt 2 26s
[11] En l'apprenant, le cœur nous a manqué et per- Nb 21 23s,
sonne n'a gardé courage devant vous, parce que 5 1
Yahvé, votre Dieu, est Dieu, aussi bien là-haut Dt 4 39+
dans les cieux qu'ici-bas sur la terre [c]. [12] Jurez-moi
donc maintenant par Yahvé, puisque je vous ai
traités avec bonté, qu'à votre tour vous traiterez
avec bonté la maison de mon père et m'en donnerez
un signe loyal; [13] que vous laisserez la vie sauve à
mon père et à ma mère, à mes frères, à mes sœurs
et à tous ceux qui leur appartiennent, et que vous
nous préserverez de la mort. »
[14] Alors les hommes lui dirent : « Nous mourrons
plutôt nous-mêmes, à moins que vous ne révéliez
notre affaire. Quand Yahvé nous aura livré le pays,
nous agirons envers toi avec bonté et loyauté. » 6 22-25
[15] Alors elle les fit descendre par la fenêtre au 1 S 19 12
moyen d'une corde, car sa maison était contre le Ac 9 25
rempart, elle-même logeait dans le rempart. 2 Co 11 33
[16] « Allez vers la montagne, leur dit-elle, de peur
que ceux qui vous poursuivent ne vous retrouvent.
Cachez-vous là pendant trois jours, jusqu'au retour
de ceux qui vous poursuivent, et puis, allez votre
chemin. » [17] Les hommes lui dirent : « Voici
comment nous nous acquitterons de ce serment que
tu nous as fait prêter : [18] à notre arrivée dans le
pays, tu attacheras ce cordon de fil écarlate à la
fenêtre par laquelle tu nous as fait descendre, et tu
rassembleras auprès de toi dans la maison ton père,
ta mère, tes frères et toute ta famille. [19] Quiconque
franchira les portes de ta maison pour sortir, son
sang retombera sur sa tête et nous en serons quit- 2 S 1 16
tes; mais le sang de quiconque restera avec toi dans
la maison retombera sur nos têtes si l'on porte la
main sur lui. [20] Mais s'il t'arrive de révéler notre
affaire, nous serons quittes de ce serment que tu
nous as fait prêter. » [21] Elle répondit : « Qu'il en
soit ainsi! » Elle les fit partir et ils s'en allèrent.
Alors elle attacha le cordon écarlate à la fenêtre [d].

**Retour des espions.**

[22] Ils partirent et allèrent vers la montagne. Ils y
restèrent trois jours, jusqu'à ce que fussent rentrés
ceux qui les poursuivaient. Ceux-ci avaient battu
tout le chemin sans les trouver. [23] Alors les deux

*a)* Les ch. **2-9** rassemblent des traditions originaires du sanctuaire benjaminite de Gilgal, **4** 19+. – Dans l'histoire de la conquête de Jéricho se mêlent deux traditions : 1° l'envoi des espions et l'histoire de Rahab, ch. **2**, avec sa conclusion, **6** 22-25; 2° l'histoire, elle-même composite, du passage du Jourdain et de la prise de Jéricho, ch. **3-4** et **6**. Cette histoire miraculeuse semble avoir pris la place d'une action militaire qui faisait suite à l'histoire de Rahab, et qui est rappelée en Jos **24** 11.

*b)* Shittim (« les Acacias ») désignait la partie de la steppe qui avoisine la mer Morte au nord-est, Nb **25** 1; **33** 49.

*c)* Le livre prête à Rahab une profession de foi dans le style du Dt, cf. Dt **4** 39. Rahab a été sauvée par sa foi, He **11** 31, justifiée par ses œuvres, Jc **2** 25. Cette étrangère, qui procure par sa foi et sa charité le salut de toute sa maison, est devenue chez les Pères une image de l'Église. – En hébreu, le nom s'écrit différemment de celui de Rahab, monstre mythique, Jb **9** 13; **7** 12+, et désignation symbolique de l'Égypte, Ps **87** 4.

*d)* Logiquement les vv. 17-21 se placeraient mieux avant le v. 15. Il ne sera plus question du fil écarlate. Dans celui-ci certains Pères ont vu le symbole du sang du Christ, dans la ligne de leur exégèse allégorique sur Rahab, cf. note sur le v. 11.

hommes redescendirent de la montagne, traversèrent et se rendirent auprès de Josué, fils de Nûn,
à qui ils racontèrent tout ce qui leur était arrivé.
24 Ils dirent à Josué : « Yahvé a livré tout ce pays 6 2; **8** 7;
entre nos mains et déjà tous ses habitants sont pris **10** 8
de panique devant nous. » 5 1

## *2. LE PASSAGE DU JOURDAIN*[a]

**Préliminaires du passage.**

**3** 1 Josué se leva de bon matin et partit de Shittim avec tous les Israélites. Ils allèrent
jusqu'au Jourdain et là, ils passèrent la nuit, avant
1 10+ de traverser. 2 Au bout de trois jours, les scribes
parcoururent le camp 3 et donnèrent au peuple cet
ordre : « Quand vous verrez l'arche de l'alliance de
8 33 Yahvé votre Dieu et les prêtres lévites qui la portent, vous quitterez le lieu où vous vous trouvez et
vous la suivrez, 4b afin de savoir quel chemin
prendre, car vous n'êtes jamais passés par ce chemin. 4a Toutefois, qu'il y ait entre vous et l'arche
un espace d'environ deux mille coudées[b] : n'en
Ex **19** 10, 15 approchez pas. » 5 Josué dit au peuple : « Sanctifiez-vous, car demain Yahvé accomplira des merveilles au milieu de vous »; 6 puis Josué dit aux prêtres : « Prenez l'arche d'alliance et passez en tête du
peuple. » Ceux-ci prirent l'arche d'alliance et
s'avancèrent à la tête du peuple.

**Dernières instructions.**

7 Yahvé dit à Josué : « Aujourd'hui même, je vais
commencer à te grandir aux yeux de tout Israël,
afin qu'il sache que, comme j'ai été avec Moïse, je
1 5, 17 serai avec toi. 8 Pour toi, tu donneras cet ordre aux
prêtres portant l'arche d'alliance : “ Lorsque vous
aurez atteint le bord des eaux du Jourdain, c'est
dans le Jourdain que vous vous tiendrez. ” » 9 Josué
dit ensuite aux Israélites : « Approchez et écoutez
les paroles de Yahvé votre Dieu. » 10 Et Josué dit :
« A ceci vous reconnaîtrez que le Dieu vivant est
Ex **34** 9-10 au milieu de vous et qu'il chassera certainement de
Dt **7** 1+ votre présence les Cananéens, les Hittites, les Hivvites, les Perizzites, les Girgashites, les Amorites et
les Jébuséens. 11 Voici : l'arche de l'alliance du Seigneur de toute la terre va passer devant vous dans
le Jourdain. 12 Dès maintenant, choisissez douze 4 2
hommes parmi les tribus d'Israël, un homme par
tribu. 13 Aussitôt que les prêtres portant l'arche de
Yahvé, Seigneur de toute la terre, auront posé la
plante de leurs pieds dans les eaux du Jourdain, les
eaux du Jourdain seront coupées, celles qui descendent d'amont, et elles s'arrêteront comme en une
seule masse. »

**Le passage du fleuve.**

14 Or quand le peuple quitta ses tentes pour traverser le Jourdain, les prêtres portaient l'arche de
l'alliance en tête du peuple. 15 Dès que les porteurs
de l'arche furent arrivés au Jourdain, et que les
pieds des prêtres porteurs de l'arche touchèrent les
eaux – or le Jourdain coule à pleins bords pendant
toute la durée de la moisson[c] –, 16 les eaux d'amont
s'arrêtèrent et formèrent une seule masse à une très Ex **14** 21
grande distance, à Adâm, la ville qui est à côté de
Çartân, tandis que les eaux descendant vers la mer
de la Araba, la mer Salée, étaient complètement
séparées[d]. Le peuple traversa vis-à-vis de Jéricho.
17 Les prêtres qui portaient l'arche de l'alliance de
Yahvé se tinrent au sec, immobiles au milieu du
Jourdain, tandis que tout Israël traversait à sec, Ex **14** 22
jusqu'à ce que toute la nation eût achevé de tra- 2 R **2** 8
verser le Jourdain.

**Les douze pierres commémoratives.**

**4** 1 Lorsque toute la nation eut achevé de traverser le Jourdain, Yahvé parla à Josué et lui dit :
2 « Choisissez-vous douze hommes parmi le peuple,
un homme par tribu, 3 et donnez-leur cet ordre :
“ Enlevez d'ici, du milieu du Jourdain, là où se sont
posés les pieds des prêtres, douze pierres que vous

*a)* Le récit du passage du Jourdain et de l'entrée en Canaan, **3** 1 - **5** 12, présente avec le récit de la sortie d'Égypte un parallélisme que le rédacteur souligne, **3** 7; **4** 14, 23 : Yahvé arrête le cours du Jourdain, **3** 7 - **4** 18, comme il avait asséché la mer des Roseaux, Ex **14** 5-31; l'arche de Yahvé guide le passage, Jos **3** 6-17; **4** 10-11, comme la colonne de nuée ou de feu, Ex **13** 21-22; **14** 19-20; Josué, Jos **3** 7; **4** 14, joue le même rôle que Moïse dans l'Exode; la circoncision, que le rédacteur de Jos attribue au peuple de l'Exode, est renouvelée pour ses descendants nés au désert, Jos **5** 2-9; la manne, qui avait été la nourriture du désert, Ex **16**, cesse de tomber dès l'entrée en Canaan, Jos **5** 12, et la Pâque est célébrée à Gilgal, après le second « passage », Jos **5** 10, comme elle l'avait été en Égypte, avant le premier, Ex **12** 1-28; **13** 3-10. Ce parallélisme entre les événements du début et de la fin de l'Exode a fait reporter à la sortie d'Égypte un miracle de l'eau analogue à la traversée du Jourdain, cf. Ex **14**+. – Comme la Passion et la Résurrection du Christ renouvelleront spirituellement les événements de l'Exode, cf. 1 Co **10** 1, Josué, qui donne à ceux-ci leur premier accomplissement, a été considéré par les Pères comme une figure de Jésus, dont il est l'homonyme.

*b)* La distance d'un chemin sabbatique. Cette parenthèse qui contredit les vv. 3-4[b] exprime un scrupule qu'inspire la transcendance redoutable de Yahvé présent sur l'arche, 2 S **6** 7+.

*c)* Cette crue se produit à la débâcle des neiges de l'Hermon, en mars-avril, au temps de la moisson dans la basse vallée du Jourdain.

*d)* On en rapproche ce qui se produisit en 1267 d'après un chroniqueur arabe : le Jourdain cessa de couler pendant dix heures parce que des éboulements de terrain avaient barré la vallée, précisément dans la région d'Adama-Damieh.

emporterez avec vous et déposerez au bivouac où
vous passerez la nuit. ” » 4 Josué appela les douze
hommes qu'il avait désignés parmi les Israélites, un
homme par tribu, 5 et Josué leur dit : « Passez
devant l'arche de Yahvé votre Dieu, jusqu'au
milieu du Jourdain, et que chacun de vous prenne
sur son épaule une pierre, selon le nombre des tribus israélites, 6 pour en faire un signe au milieu de
= **4** 21-24 vous; et quand, demain, vos fils vous demande-
Ex **12** 26 ront : “ Ces pierres, que sont-elles pour vous? ”
Dt **6** 20 7 alors vous leur direz : “ C'est que les eaux du
Jourdain se sont séparées devant l'arche de
l'alliance de Yahvé : lorsqu'elle traversa le Jourdain, les eaux du Jourdain se sont séparées. Ces
pierres sont un mémorial pour les Israélites, pour
toujours! ” » 8 Les Israélites exécutèrent les ordres
de Josué : ayant enlevé douze pierres du milieu du
Jourdain, selon le nombre des tribus israélites,
comme l'avait dit Yahvé à Josué, ils les transportèrent au bivouac et les y déposèrent. 9 Puis Josué
érigea douze pierres au milieu du Jourdain, à l'endroit où s'étaient posés les pieds des prêtres porteurs de l'arche d'alliance, et elles y sont encore
aujourd'hui [a].

**Fin du passage.**

10 Les prêtres porteurs de l'arche d'alliance se
tenaient debout au milieu du Jourdain jusqu'à
l'accomplissement de tout ce que Yahvé avait
ordonné à Josué de dire au peuple (selon tout ce
que Moïse avait ordonné à Josué); et le peuple se
hâta de traverser. 11 Lorsque le peuple eut achevé
de traverser, l'arche de Yahvé passa, avec les prêtres, à la tête du peuple. 12 Les fils de Ruben, les
fils de Gad et la demi-tribu de Manassé passèrent
en formation de combat à la tête des Israélites,
comme Moïse le leur avait dit. 13 Au nombre
d'environ quarante mille guerriers en armes, ils
passèrent prêts au combat, devant Yahvé, vers la
plaine de Jéricho. 14 En ce jour-là, Yahvé grandit
Josué aux yeux de tout Israël qui le craignit comme
il avait craint Moïse sa vie durant.

15 Yahvé dit à Josué : 16 « Donne aux prêtres qui
portent l'arche du Témoignage l'ordre de remonter
du Jourdain. » 17 Et Josué ordonna aux prêtres :
« Remontez du Jourdain! » 18 Or, lorsque les prêtres portant l'arche de l'alliance de Yahvé remontèrent du milieu du Jourdain, et que la plante de leurs
pieds eut touché la terre ferme, les eaux du Jourdain revinrent dans leur lit et se mirent comme
avant à couler à pleins bords.

**Arrivée à Gilgal [b].**

19 Ce fut le dix du premier mois que le peuple
remonta du Jourdain et campa à Gilgal, à la limite
est de Jéricho. 20 Quant à ces douze pierres qu'on
avait prises dans le Jourdain, Josué les érigea à Gilgal. 21 Il dit ensuite aux Israélites : « Quand vos fils = **4** 6-7
demanderont, demain, à leurs pères : “ Que sont
ces pierres? ” 22 vous expliquerez alors à vos fils :
“ C'est à pied sec qu'Israël a traversé le Jourdain
que voilà, 23 parce que Yahvé votre Dieu assécha
devant vous les eaux du Jourdain jusqu'à ce que
vous eussiez traversé, comme Yahvé votre Dieu
l'avait fait pour la mer des Roseaux qu'il assécha Ex **14** 21
devant nous jusqu'à ce que nous l'eussions traversée, 24 afin que tous les peuples de la terre
sachent comme est puissante la main de Yahvé, Ex **14** 31
et afin qu'ils craignent Yahvé votre Dieu, toujours. ” »

**Terreur des populations à l'ouest du Jourdain.**

**5** 1 Lorsque tous les rois des Amorites qui habitaient au-delà du Jourdain, vers l'ouest, et tous
les rois des Cananéens qui habitaient face à la mer
apprirent que Yahvé avait asséché les eaux du
Jourdain devant les Israélites, jusqu'à ce qu'ils
soient passés [c], le cœur leur manqua et ils perdirent **2** 11
courage devant les Israélites.

**La circoncision des Hébreux à Gilgal.**

2 En ce temps-là, Yahvé dit à Josué : « Fais-toi
des couteaux de silex, et circoncis de nouveau les Gn **17** 10+
Israélites (une seconde fois [d]). » 3 Josué se fit des
couteaux de silex et circoncit les Israélites sur le
Tertre des Prépuces.

4 Voici la raison pour laquelle Josué fit cette
circoncision : toute la population mâle, sortie
d'Égypte en âge de porter les armes, était morte
dans le désert, en chemin, après leur sortie
d'Égypte. 5 Or, tout ce peuple émigré avait été
circoncis; mais tout le peuple né dans le désert, en
chemin, après leur sortie d'Égypte, on ne l'avait pas
circoncis; 6 car pendant quarante ans les Israélites

*a)* Le récit combine deux éléments différents : 1° une explication du cercle de pierres qu'on voyait à Gilgal, **4** 19+, mis en relation avec le passage des douze tribus; 2° une explication de pierres que l'on voyait dans le lit du Jourdain, mises en relation avec la traversée de l'arche, **4** 9.

*b)* Le mot *gilgal* signifie « cercle de pierres » et est devenu le nom propre de plusieurs localités, cf. Dt **11** 30; 2 R **2** 1. Le Gilgal de Josué se trouve entre le Jourdain et Jéricho, « à la limite est (du territoire) de Jéricho », mais sa localisation précise est inconnue. Cet antique lieu de culte devint le sanctuaire principal de Benjamin; on y rattachait le souvenir de la circoncision et de la première Pâque en Canaan, **5** 9-10, du serment fait aux Gabaonites, **9** 6. Ce premier campement après le Jourdain resta la base de départ pour la conquête, **10** 6; **14** 6. Gilgal demeura un grand centre politique et religieux sous Saül, cf. 1 S **11** 15+. Son culte est réprouvé par les prophètes, Os **4** 15; **9** 15; **12** 12; Am **4** 4; **5** 5.

*c)* « ils soient » qeré, mss, versions; « nous soyons » ketib.

*d)* « une seconde fois », glose expliquant « de nouveau ».

Nb **14** 20-38 marchèrent dans le désert, jusqu'à ce que toute la
nation eût péri, à savoir les hommes sortis
d'Égypte en âge de porter les armes; ils n'avaient
pas obéi à la voix de Yahvé, et Yahvé leur avait
juré de ne pas leur laisser voir la terre qu'il avait
Ex **3** 8 juré à leurs pères de nous donner, terre qui ruisselle
de lait et de miel. 7 Quant à leurs fils, il les établit
à leur place, et ce sont eux que Josué circoncit : ils
étaient incirconcis, car on ne les avait pas circoncis
en chemin. 8 Lorsqu'on eut achevé de circoncire
toute la nation, ils restèrent sur place dans le camp
jusqu'à leur guérison. 9 Alors Yahvé dit à Josué :
« Aujourd'hui j'ai ôté de dessus vous le déshonneur
de l'Égypte. » Aussi a-t-on appelé ce lieu du nom
de Gilgal jusqu'aujourd'hui [a].

**La célébration de la Pâque.**

10 Les Israélites campèrent à Gilgal et y firent la
Pâque, le quatorzième jour du mois, le soir, dans
la plaine de Jéricho. 11 Le lendemain de la Pâque,
ils mangèrent du produit du pays : pains sans
levain et épis grillés, en ce même jour. 12 Il n'y eut
plus de manne le lendemain, où ils mangeaient du Ex **16** 1+
produit du pays. Les Israélites n'ayant plus de
manne se nourrirent dès cette année des produits
de la terre de Canaan [b].

## *3. LA CONQUÊTE DE JÉRICHO*

**Prélude : Théophanie [c].**

13 Or Josué, se trouvant près de Jéricho, leva les
Nb **22** 22 yeux et vit un homme qui se tenait debout devant
1 Ch **21** 16 lui, une épée nue à la main. Josué s'avança vers lui
et lui dit : « Es-tu des nôtres ou de nos ennemis? »
Ex **23** 20 14 Il répondit : « Non! Mais je suis le chef de
Dn **12** 1 l'armée de Yahvé, et maintenant je suis venu. »
Ap **19** 11-16 Josué, tombant la face contre terre, l'adora et dit :
« Que dit mon Seigneur à son serviteur? » 15 Le chef
de l'armée de Yahvé répondit à Josué : « Ote tes
Ex **3** 5 sandales de tes pieds, car le lieu sur lequel tu te
Ex **19** 12+ trouves est saint. » Et Josué fit ainsi.

**Prise de Jéricho [d].**

**6** 1 Or Jéricho s'était enfermée et barricadée
(contre les Israélites) : personne n'en sortait et
personne n'y entrait. 2 Yahvé dit alors à Josué :
« Vois! Je livre entre tes mains Jéricho et son roi,
gens d'élite. 3 Vous tous les combattants, vous
contournerez la ville (pour en faire une fois le tour,
et pendant six jours tu feras de même. 4 Sept prêtres
porteront en avant de l'arche sept trompes en corne
de bélier. Le septième jour, vous ferez sept fois le
tour de la ville et les prêtres sonneront de la
trompe). 5 Lorsque la corne de bélier retentira
(quand vous entendrez le son de la trompe), tout
le peuple poussera un grand cri de guerre [e] et le
rempart de la ville s'écroulera sur place; alors le
peuple montera à l'assaut, chacun droit devant
soi. »
6 Josué, fils de Nûn, appela les prêtres et leur dit :
« Prenez l'arche d'alliance, et que sept prêtres portent sept trompes en corne de bélier en avant de
l'arche de Yahvé. » 7 Puis il dit au peuple : « Passez
et faites le tour de la ville, et que l'avant-garde
passe devant l'arche de Yahvé. » 8 (Il fut fait
comme Josué l'avait dit au peuple.) Sept prêtres
portant les sept trompes en corne de bélier devant
Yahvé passèrent et sonnèrent de la trompe; l'arche
de l'alliance de Yahvé venait après eux, 9 l'avant-
garde précédait les prêtres qui sonnaient de la
trompe et l'arrière-garde venait après l'arche : on
allait et l'on sonnait de la trompe.
10 Au peuple, Josué avait donné l'ordre suivant :
« Ne criez pas et ne faites pas entendre votre voix
(qu'il ne sorte pas un mot de votre bouche),
jusqu'au jour où je vous dirai : "Poussez le cri de
guerre!" Alors vous pousserez le cri de guerre. »
11 Il fit faire à l'arche de Yahvé le tour de la ville
(en la contournant une fois), puis on rentra au
camp où l'on passa la nuit. 12 Josué se leva de bon

*a)* Jeu de mots entre *Gilgal* et *gallôti*, « j'ai ôté ». – Ce « déshonneur » consiste à être incirconcis, comme l'auteur le pensait des Égyptiens.

*b)* La manducation d'azymes et de grain grillé, marquant l'entrée d'Israël en pays de culture, prenait un caractère religieux à cause de la Pâque et exigeait la circoncision. La cessation de la manne signifiait la fin de la période du désert.

*c)* Les vv. 13-15 sont le débris d'une tradition perdue : cette théophanie comportait une révélation et des ordres donnés à Josué, v. 14, qui concernaient sans doute la conquête conçue comme une entreprise personnelle de Yahvé. En rapprocher peut-être l'épisode, également isolé, de Jg **2** 1-5. Il y a en tout cas ici un nouveau parallélisme avec l'Exode : la scène rappelle la vision du Buisson ardent et la mission de Moïse.

*d)* A l'origine de ce récit, il y a une tradition du sanctuaire de Gilgal, qui expliquait les murs ruinés de Jéricho comme le résultat du premier acte de la guerre de Yahvé en Canaan, vv. 2-10, 15-16, 20-21 : l'arche est le signe de la présence de Yahvé qui est seul à agir. Ce récit, qui était un récit type de la guerre sainte de conquête, a été transformé en récit cultuel par une suite d'additions soulignant le rôle des prêtres. Le texte hébreu est notablement plus long que celui des LXX qui omet les répétitions (entre parenthèses dans le texte). Même sous sa forme primitive, le récit n'est pas historique en notre sens, mais cela n'exclut pas qu'il y ait eu réellement une prise de Jéricho (cf. **24** 11 et note sur **2** 1). L'archéologie n'apporte, il est vrai, aucun indice d'une ruine de Jéricho vers la fin du XIIIe s. av J.-C., mais son témoignage n'est pas concluant car les couches de cette époque ont pu être enlevées par l'érosion.

*e)* Sur ce cri religieux et guerrier. cf. Nb **10** 5+.

matin et les prêtres prirent l'arche de Yahvé.
13 Munis des sept trompes en corne de bélier, les
sept prêtres marchant devant l'arche de Yahvé sonnaient de leur trompe pendant la marche, tandis
que l'avant-garde allait devant eux, l'arrière-garde
à la suite de l'arche de Yahvé, et que l'on défilait
au son de la trompe.
14 On fit le tour de la ville (le second jour) une
fois, et l'on rentra au camp; c'est ainsi que l'on fit
pendant six jours. 15 Le septième jour, s'étant levés
dès l'aurore, ils firent le tour de la ville (selon le
même rite) sept fois. (C'est seulement ce jour-là
qu'on fit sept fois le tour de la ville.) 16 La septième
fois, les prêtres sonnèrent de la trompe et Josué dit
au peuple : « Poussez le cri de guerre, car Yahvé
vous a livré la ville! »

**Jéricho vouée à l'anathème [a].**

Lv **27** 28-29 17 « La ville sera dévouée par anathème à Yahvé,
avec tout ce qui s'y trouve. Seule Rahab, la prostituée, aura la vie sauve ainsi que tous ceux qui sont
2 1-21 avec elle dans sa maison, parce qu'elle a caché les
émissaires que nous avions envoyés. 18 Mais vous,
prenez bien garde à l'anathème, de peur que, poussés par la convoitise, vous ne preniez quelque chose
de ce qui est anathème, car ce serait rendre ana-
7 1-26 thème le camp d'Israël et lui porter malheur [b].
19 Tout l'argent et tout l'or, tous les objets de
bronze et de fer seront consacrés à Yahvé, ils entreront dans son trésor. »
20 Le peuple poussa le cri de guerre et l'on sonna
de la trompe. Quand il entendit le son de la trompe,
↗ He **11** 30 le peuple poussa un grand cri de guerre, et le rempart s'écroula sur place. Aussitôt le peuple monta
vers la ville, chacun devant soi, et ils s'emparèrent
de la ville. 21 Ils dévouèrent à l'anathème tout ce
qui se trouvait dans la ville, hommes et femmes,
jeunes et vieux, jusqu'aux taureaux, aux moutons
et aux ânes, les passant au fil de l'épée.

2 1-21 **La maison de Rahab préservée [c].**

22 Josué dit aux deux hommes qui avaient
espionné le pays : « Entrez dans la maison de la
prostituée et faites-en sortir cette femme avec tous
ceux qui lui appartiennent, ainsi que vous le lui
avez juré. » 23 Ces jeunes gens, les espions, s'y rendirent et en firent sortir Rahab, son père, sa mère,
ses frères et tous ceux qui lui appartenaient. Ils en
firent sortir aussi tout son clan et les mirent en lieu
sûr, en dehors du camp d'Israël.
24 On brûla la ville et tout ce qu'elle contenait,
sauf l'argent, l'or et les objets de bronze et de fer Nb **31** 22
qu'on livra au trésor de la maison de Yahvé.
25 Mais Rahab, la prostituée, ainsi que la maison
de son père et tous ceux qui lui appartenaient,
Josué leur laissa la vie sauve. Elle est demeurée au
milieu d'Israël jusqu'aujourd'hui, pour avoir caché
les émissaires que Josué avait envoyés espionner
Jéricho.

**Malédiction à qui relèvera Jéricho.**

26 En ce temps-là, Josué fit prononcer ce serment :
« Maudit soit, devant Yahvé, l'homme qui se
lèvera
pour rebâtir cette ville (Jéricho)!
Il la fondera sur son aîné, ↗ 1 R **16** 34
et en posera les portes sur son cadet! »
27 Et Yahvé fut avec Josué, dont la renommée se 1 5+
répandit dans tout le pays.

**Violation de l'anathème [d].**

**7** 1 Mais les Israélites se rendirent coupables
d'une violation de l'anathème : Akân, fils de
Karmi, fils de Zabdi, fils de Zérah, de la tribu de
Juda, prit de ce qui tombait sous l'anathème, et la
colère de Yahvé s'enflamma contre les Israélites.

**Échec devant Aï, sanction du sacrilège.**

2 Or Josué envoya des hommes de Jéricho vers 2 1
Aï [e] (qui est près de Bet-Avèn), à l'orient de Béthel,
et il leur dit : « Montez espionner le pays. » Ils
montèrent espionner Aï. 3 De retour auprès de
Josué, il lui dirent : « Que tout le peuple n'y monte

*a)* L'anathème, en hébreu *herem*, comporte le renoncement à tout le butin et son attribution à Dieu : les hommes et les animaux sont mis à mort, les objets précieux sont donnés au sanctuaire. C'est un acte religieux, une règle de la guerre sainte, qui suit un ordre divin, Dt **7** 1-2; **20** 13s; 1 S **15** 3, ou un vœu pour s'assurer la victoire, Nb **21** 2. Tout manquement devient un sacrilège qui est sévèrement puni, Jos **7**, cf. 1 S **15** 16-23. La règle absolue souffre cependant des adoucissements, Nb **31** 15-23; Dt **2** 34-35; **3** 6-7; **20** 13-14; Jos **8** 26-27. Cette notion primitive de la maîtrise absolue de Dieu sera corrigée par celle de sa paternité miséricordieuse, cf. Sg **1** 13 et surtout le NT, Mt **5** 44-45.

*b)* « poussés par la convoitise » grec, cf. **7** 21 et Dt **7** 25; « vous ne soyez anathèmes » hébr.

*c)* Fin de l'histoire de Rahab et des espions, ch. **2**, dont la survivance d'un clan de Rahab, v. 25, conservait le souvenir.

*d)* L'épisode d'Akân était originairement indépendant de la prise de Jéricho et de la prise de Aï : Akân est un Judéen, et la plaine d'Akor est en Juda, loin de Aï et de Jéricho. C'est une tradition particulière, probablement d'origine benjaminite car elle est hostile à Juda.

*e)* Aï (nom qui signifie « la ruine ») est aujourd'hui et-Tell (qui en arabe a le même sens). Le site était depuis longtemps ruiné à l'époque de Josué et il est difficile d'attribuer à ce récit une valeur historique. Il est parallèle au récit de la prise de Gibéa, Jg **20**, et il peut avoir été raconté à Béthel, pour contrebalancer le souvenir de la défaite de Benjamin à Gibéa par le récit d'un fait glorieux qu'on attribuait à l'époque de la conquête. – « Qui est près de Bet-Avèn », glose introduisant le sobriquet « maison de vanité » appliqué plus tard à Béthel, Os **4** 15, etc.; cf. Am **5** 5.

pas, mais que deux ou trois mille hommes environ
montent attaquer Aï. N'y fatigue pas tout le peuple
car ces gens-là ne sont pas nombreux. »
4 Il n'y monta du peuple qu'environ trois mille
Jg 20 20-21 hommes, mais ils lâchèrent pied devant les habitants de Aï. 5 Les habitants de Aï leur tuèrent à peu
près trente-six hommes, puis les poursuivirent en
avant de la porte, jusqu'à Shebarim, et à la des-
Jg 20 26 cente, ils les écrasèrent. Alors le peuple perdit cœur
et son courage fondit.

**Prière de Josué [a].**

6 Alors Josué déchira ses vêtements, se prosterna
face contre terre devant l'arche de Yahvé jusqu'au
soir, ainsi que les anciens d'Israël, et tous répandirent de la poussière sur leur tête. 7 Josué dit :
Ex 32 11-14 « Hélas, Seigneur Yahvé, pourquoi as-tu tenu à
faire passer le Jourdain à ce peuple si c'est pour
nous livrer à la main de l'Amorite et nous faire
périr? Ah! si nous avions pu nous établir au-delà
du Jourdain! 8 Excuse-moi, Seigneur! Que dirai-je
maintenant qu'Israël a tourné le dos devant ses
ennemis? 9 Les Cananéens vont l'apprendre, ainsi
que tous les habitants du pays, ils se coaliseront
contre nous pour retrancher notre nom de la terre.
Que feras-tu alors pour ton grand nom? »

**Réponse de Yahvé.**

10 Yahvé dit à Josué : « Relève-toi! Pourquoi rester ainsi prosterné? 11 Israël a péché, il a violé
l'alliance que je lui avais imposée : Oui! on a pris
de ce qui était anathème, et même on l'a dérobé,
et même on l'a dissimulé, et même on l'a mis dans
ses bagages. 12 Eh bien, les Israélites ne pourront
pas tenir devant leurs ennemis, ils tourneront le dos
devant leurs ennemis parce qu'ils sont devenus anathèmes. Si vous ne faites pas disparaître du milieu
de vous l'objet de l'anathème, je ne serai plus avec
vous [b]. 13 Lève-toi, sanctifie le peuple et tu diras :
Sanctifiez-vous pour demain, car ainsi parle Yahvé,
le Dieu d'Israël : L'anathème est au milieu de toi,
Israël; tu ne pourras pas tenir devant tes ennemis
jusqu'à ce que vous ayez écarté l'anathème du
milieu de vous. 14 Vous vous présenterez donc
demain matin, par tribus, et la tribu que Yahvé
aura désignée par le sort se présentera par clans, 1 S 14 40-42
et le clan que Yahvé aura désigné par le sort se présentera par familles, et la famille que Yahvé aura
désignée par le sort se présentera homme par
homme [c]. 15 Enfin celui qui sera désigné par le sort
en ce qui concerne l'anathème sera livré au feu, lui
et tout ce qui lui appartient, pour avoir transgressé
l'alliance avec Yahvé et avoir commis une infamie
en Israël. »

**Découverte et châtiment du coupable.**

16 Josué se leva de bon matin; il fit avancer Israël
par tribus, et c'est la tribu de Juda qui fut désignée
par le sort. 17 Il fit approcher les clans de Juda, et
le clan de Zérah fut désigné par le sort. Il fit approcher le clan de Zérah par familles, et Zabdi fut
désigné par le sort [d]. 18 Josué fit avancer la famille
de Zabdi homme par homme, et ce fut Akân, fils
de Karmi, fils de Zabdi, fils de Zérah, de la tribu
de Juda, qui fut désigné par le sort.
19 Josué dit alors à Akân : « Mon fils, rends
gloire à Yahvé, Dieu d'Israël, et fais-lui hommage;
déclare-moi ce que tu as fait et ne me cache rien. »
20 Akân répondit à Josué : « En vérité, c'est moi qui
ai péché contre Yahvé, Dieu d'Israël, et voici ce
que j'ai fait. 21 J'ai vu dans le butin un beau manteau de Shinéar [e] et deux cents sicles d'argent ainsi
qu'un lingot d'or pesant cinquante sicles, je les ai
convoités et je les ai pris. Ils sont cachés dans la
terre au milieu de ma tente, l'argent par-dessous. »
22 Josué envoya des messagers qui coururent vers
la tente, et en effet le manteau était caché dans la
tente et l'argent par-dessous. 23 Ils prirent le tout du
milieu de la tente, l'apportèrent à Josué et à tous
les Israélites et le déposèrent devant Yahvé.
24 Alors Josué prit Akân, fils de Zérah, et le fit
monter à la vallée d'Akor avec l'argent, le manteau
et le lingot d'or, avec ses fils, ses filles, son taureau,
son âne, son petit bétail, sa tente et tout ce qui lui
appartenait. Tout Israël l'accompagnait.
25 Josué dit : « Pourquoi nous as-tu porté malheur? Que Yahvé, en ce jour, t'apporte le malheur! » et tout Israël le lapida (et on les livra au feu
et on leur jeta des pierres [f]).
26 Ils élevèrent sur lui un grand monceau de

*a)* Cette prière rappelle celle de Moïse dans des circonstances semblables, Ex **32** 11; Nb **14** 13-16; Dt **9** 6, avec cependant d'importantes différences; notamment le fait que Yahvé offrait à Moïse de lui donner un autre peuple et que celui-ci refusait et intercédait, tandis qu'ici c'est Josué qui cède au découragement et Yahvé qui le réconforte; cf. 1 R **19** 4; Jr **15** 10, 18; **20** 7, 4-16.

*b)* La violation de l'anathème est un sacrilège, **6** 17+, et toute la communauté est souillée, devenue « anathème », par la présence des objets volés. Pour qu'elle soit libérée, il faut que l'anathème soit exécuté sur le coupable lui-même.

*c)* Comparer Saül désigné comme roi par le sort, 1 S **10** 20-21, Jonathan désigné comme coupable, 1 S **14** 40-42. Explicitement dans ce dernier cas et probablement dans les autres, cette désignation se fait par les sorts sacrés avec lesquels on consulte Dieu, cf. 1 S **2** 28+. Cf. encore Jon **1** 7.

*d)* « les clans » grec; « le clan » hébr. – « par familles » mss hébr., syr., Vulg.; « homme par homme » hébr.

*e)* Région de Haute Mésopotamie (aujourd'hui Djebel Sindjar); mais dans la Bible, ce terme désigne ordinairement la Babylonie, Gn **10** 10; **11** 2; Dn **1** 2. C'est également le sens ici, Babylone étant réputée pour son luxe.

*f)* Glose qui se rapporte à la famille et aux biens d'Akân.

pierres [a] qui existe encore aujourd'hui. Yahvé revint alors de son ardente colère. C'est pour cela qu'on a donné à ce lieu le nom de vallée d'Akor [b], jusqu'aujourd'hui.

## 4. LA PRISE DE AÏ

**Ordre donné à Josué.**

**8** 1 Yahvé dit alors à Josué : « Sois sans crainte
ni frayeur! Prends avec toi tous les gens de
Jg 20 28 guerre. Debout! monte contre Aï. Vois : je livre
entre tes mains le roi de Aï, son peuple, sa ville et
sa terre. 2 Tu traiteras Aï et son roi comme tu as
traité Jéricho et son roi. Vous ne prendrez comme
butin que les dépouilles et le bétail. Aie soin d'établir une embuscade contre la ville, par-derrière. »

Jg 20 29-48 **Manœuvre de Josué.**

3 Josué se leva, avec tous les gens de guerre, pour monter contre Aï. Josué choisit trente mille hommes d'élite et les fit partir de nuit 4 en leur donnant cet ordre : « Attention! vous dresserez une embuscade contre la ville, par-derrière, sans vous éloigner beaucoup de la ville, et soyez tous sur le qui-vive. 5 Moi et tous les gens qui m'accompagnent, nous nous approcherons de la ville, et lorsque les gens de Aï [c] sortiront à notre rencontre comme la première fois, nous prendrons la fuite devant eux. 6 Ils nous suivront alors et nous les attirerons loin de la ville, car ils se diront : "Ils fuient devant nous comme la première fois [d]." 7 Alors vous surgirez de l'embuscade pour prendre possession de la ville : Yahvé votre Dieu la livrera entre vos mains. 8 Une fois la ville prise, vous la livrerez au feu, agissant selon la parole de Yahvé. Voyez, je vous ai donné un ordre. »

9 Josué les ayant renvoyés, ils allèrent au lieu de l'embuscade et se postèrent entre Béthel et Aï, à l'ouest de Aï. Josué passa la nuit au milieu du peuple, 10 puis le lendemain, s'étant levé de bon matin, il passa le peuple en revue et, avec les anciens d'Israël, monta vers Aï en tête du peuple. 11 Tous les gens de guerre qui étaient avec lui montèrent, s'approchèrent jusqu'en face de la ville et campèrent au nord de Aï, la vallée se trouvant entre eux et la ville. 12 Josué prit environ cinq mille hommes [e] et les mit en embuscade entre Béthel et Aï, à l'ouest de la ville. 13 Le peuple dressa l'ensemble du camp qui était au nord de la ville, et son embuscade à l'ouest de la ville. Josué alla cette nuit-là au milieu de la plaine.

**Prise de Aï.**

14 Dès que le roi de Aï eut vu cela, les gens de la ville se hâtèrent de se lever et de sortir pour que lui et tout son peuple aillent à la rencontre d'Israël pour le combattre, sur la descente [f] qui est face à la Araba; mais il ne savait pas qu'il y avait une embuscade dressée contre lui derrière la ville. 15 Josué et tout Israël se firent battre par eux et prirent la fuite sur le chemin du désert. 16 Tout le peuple qui se trouvait dans la ville se mit à leur poursuite à grands cris. En poursuivant Josué, ils s'écartèrent de la ville. 17 Il ne resta pas un homme dans Aï (ni dans Béthel [g]) qui ne poursuivît Israël : ils laissèrent la ville ouverte et poursuivirent Israël.

18 Yahvé dit alors à Josué : « Tends vers Aï le 8 26
sabre que tu as en main [h], car c'est en ta main que Ex 17 8-15
je vais la livrer. » Alors Josué tendit vers la ville 2 R 13 14-1
le sabre qu'il avait en main. 19 Et dès qu'il eut étendu la main, ceux de l'embuscade, surgissant en hâte de leur poste, prirent leur course, pénétrèrent dans la ville, s'en emparèrent et se hâtèrent de la livrer au feu.

20 Les gens de Aï se retournèrent et virent : voici que la fumée de la ville montait vers le ciel. Aucun d'entre eux ne se sentit le courage de fuir ici ou là, tandis que le peuple en fuite vers le désert se retournait contre ceux qui le poursuivaient. 21 Voyant que ceux de l'embuscade avaient pris la ville et que la fumée montait de la ville, Josué et tout Israël firent volte-face et attaquèrent les gens de Aï. 22 Les autres sortirent de la ville à leur rencontre, de sorte que les gens de Aï se trouvèrent au milieu des Israélites, ayant les uns d'un côté et les autres de l'autre. Ceux-ci les battirent jusqu'à ce qu'il ne leur restât plus un survivant ni un rescapé. 23 Mais on prit vivant le roi de Aï et on l'amena à Josué.

*a)* Sépulture d'un criminel, cf. le roi de Aï, **8** 29, Absalom, 2 S **18** 17; traitement analogue pour les cinq rois cananéens, Jos **10** 27.
*b)* Cf. Is **56** 10; Os **2** 17; le nom est expliqué ici par *'akar*, « apporter le malheur », v. 25. La vallée d'Akor est la plaine qui s'étend au-dessus de la falaise de Qumran; elle appartenait à Juda mais était à la limite de Benjamin, cf. v. 1+. Ce nom géographique a influencé la lecture du nom d'Akân : Akar dans le grec de ce ch. et dans l'hébr. de 1 Ch **2** 7.
*c)* « les gens de Aï » grec; « ils » hébr.
*d)* A la fin du v., hébr. ajoute : « et nous prendrons la fuite devant eux », dittographie du v. 5.
*e)* Chiffre plus vraisemblable que celui de 30.000 au v. 3.
*f)* « descente » *môrad* conj., cf. **7** 5; « lieu de rendez-vous » *mo'ed*.
*g)* « ni dans Béthel » glose omise par le grec.
*h)* Non pas un simple signal mais un geste lui-même efficace, comme celui de Moïse, Ex **17** 9, 11.

24 Quand Israël eut fini de tuer tous les habitants
de Aï, dans la campagne et dans le désert où ils
les avaient poursuivis, et que tous jusqu'au dernier
furent tombés au fil de l'épée, tout Israël revint à
Aï et en passa la population au fil de l'épée. 25 Le
total de tous ceux qui tombèrent ce jour-là, tant
hommes que femmes, fut de douze mille, tous gens
de Aï.

**L'anathème et la ruine.**

26 Josué ne ramena pas la main qu'il avait étendue avec le sabre, jusqu'à ce qu'il eût dévoué à
l'anathème tous les habitants de Aï. 27 Israël ne prit
pour butin que le bétail et les dépouilles de cette
ville, selon l'ordre que Yahvé avait donné à Josué.
28 Josué incendia Aï et il en fit pour toujours une
ruine, un lieu désolé jusqu'aujourd'hui. 29 Quant au
roi de Aï, il le pendit à un arbre [a] jusqu'au soir;
mais au coucher du soleil, Josué ordonna qu'on
descendît de l'arbre son cadavre. On le jeta ensuite Dt 21 22-23
à l'entrée de la porte de la ville, et on amoncela sur Jos 10 27
lui un grand tas de pierres, qui existe jusqu'au- 7 26+
jourd'hui.

## 5. SACRIFICE ET LECTURE DE LA LOI SUR LE MONT ÉBAL [b]

**L'autel de pierres brutes.**

30 Alors Josué édifia un autel à Yahvé, Dieu
d'Israël, sur le mont Ébal, 31 comme Moïse, serviteur de Yahvé, l'avait ordonné aux Israélites, selon
Ex 20 25 qu'il est écrit dans la Loi de Moïse : un autel de
Dt 27 5-7 pierres brutes que le fer n'aura pas travaillées. Ils
y offrirent des holocaustes à Yahvé et immolèrent
des sacrifices de communion.

**Lecture de la Loi.**

Dt 27 2-4, 8 32 Là, Josué écrivit sur les pierres une copie de
la Loi de Moïse, que celui-ci avait écrite devant les
Dt 27 9-26 Israélites. 33 Tout Israël, avec ses anciens, ses scribes et ses juges, se tenait de part et d'autre de
l'arche, en face des prêtres lévites qui portaient 3 3
l'arche d'alliance de Yahvé, les étrangers comme
les citoyens, moitié sur le front du mont Garizim Dt 11 29
et moitié sur le front du mont Ébal [c], comme
Moïse, serviteur de Yahvé, l'avait ordonné pour
donner en premier lieu la bénédiction au peuple
d'Israël. 34 Puis Josué lut toutes les paroles de la Dt 31 10-12
Loi – la bénédiction et la malédiction – suivant
tout ce qui est écrit dans le livre de la Loi. 35 Il n'y
eut pas un mot de tout ce que Moïse avait ordonné
qui ne fût lu par Josué en présence de toute l'assemblée d'Israël, y compris les femmes, les enfants et
les étrangers qui marchaient au milieu d'eux.

## 6. LE TRAITÉ ENTRE ISRAËL ET LES GABAONITES

**Coalition contre Israël.**

9 1 Quand ils apprirent cela, tous les rois qui
Jg 1 9 étaient de ce côté du Jourdain, dans la monta-
gne, dans le Bas-Pays et sur toute la côte de la
Dt 7 1+ Grande mer vers le Liban, Hittites, Amorites,
Cananéens, Perizzites, Hivvites et Jébuséens, 2 se
coalisèrent pour combattre d'un commun accord
Josué et Israël.

**Ruse des Gabaonites [d].**

3 Les habitants de Gabaôn apprirent la manière
dont Josué avait traité Jéricho et Aï, 4 et eurent, eux

*a)* Ce traitement ignominieux qui faisait parfois suite à la mise à mort d'un ennemi, cf. **10** 26-27, était une marque d'infamie que pratiquaient également d'autres peuples, cf. 1 S **31** 10. Mais, selon la loi de Dt **21** 22-23, les suppliciés devaient être détachés avant la nuit, d'où Jn **19** 31.

*b)* Les vv. 30-35, qui interrompent les récits de la conquête (à **9** 6, Josué sera encore au camp de Gilgal), sont d'un rédacteur qui s'inspire des ch. **11**, **27** et **31** du Dt. Ils ont peut-être remplacé une mention du sanctuaire de Béthel qu'on attendrait ici, puisqu'il est proche de Aï; mais on a effacé ce qui est apparu comme la légitimation d'un sanctuaire plus tard condamné.

*c)* Cette scène se déroule à l'ouest de Sichem, dominée au nord par l'Ébal et au sud par le Garizim. C'est sur le Garizim que se dressera le temple schismatique des Samaritains, peut-être dès l'époque de Néhémie. Il sera profané par Antiochus Épiphane, 2 M **6** 2; cf. **5** 23. Jésus fait allusion à ce culte en Jn **4** 21.

*d)* L'ensemble du récit porte nettement la marque d'une rédaction deutéronomiste, mais qui utilise d'anciennes traditions. Il est impossible de les délimiter nettement, toutefois leur origine est sûrement benjaminite. – Les « Gabaonites » habitent non seulement Gabaôn (el-Djib, au nord-ouest de Jérusalem) mais trois autres villes voisines, mentionnées au v. 17. Ils constituaient une enclave non cananéenne dans le pays, cf. v. 7; **11** 19,

aussi, recours à la ruse. Ils allèrent se munir de provisions[a], et chargèrent leurs ânes de vieux sacs et
de vieilles outres à vin crevées et recousues. 5 Ils
avaient à leurs pieds de vieilles sandales rapiécées,
et sur eux de vieux habits. Tout le pain qu'ils
emportaient pour leur nourriture était durci et
réduit en miettes.

6 Ils arrivèrent au camp de Gilgal, auprès de
Josué, et lui dirent ainsi qu'aux hommes d'Israël :
« Nous venons d'un pays lointain, faites donc
alliance avec nous. » 7 Les hommes d'Israël répondirent à ces Hivvites : « Qui sait si vous n'habitez
pas au milieu de nous? Alors comment pourrions-
nous faire alliance avec vous? » 8 Ils répondirent
à Josué : « Nous sommes tes serviteurs. » – « Mais
qui êtes-vous, leur demanda Josué, et d'où venez-
vous? » 9 Ils répondirent : « C'est d'un pays très
éloigné que viennent tes serviteurs, à cause du
2 10 renom de Yahvé ton Dieu, car nous avons entendu
parler de lui, de tout ce qu'il a fait en Égypte 10 et
de tout ce qu'il a fait aux deux rois des Amorites
qui vivaient au-delà du Jourdain, Sihôn, roi de
Heshbôn, et Og, roi du Bashân, qui vivait à Ashtarot. 11 Alors nos anciens et tous les habitants de
notre pays nous ont dit : " Prenez avec vous des
provisions pour le voyage, allez au-devant d'eux et
dites-leur : Nous sommes vos serviteurs, faites
donc alliance avec nous! " 12 Voici notre pain : il
était tout chaud quand nous en avons fait provision
dans nos maisons, le jour où nous sommes partis
pour aller chez vous, et maintenant le voilà durci
et réduit en miettes. 13 Ces outres à vin que nous
avions remplies toutes neuves, les voilà crevées.
Nos sandales et nos vêtements, les voilà usés par
une très longue marche. » 14 Les notables[b] acceptèrent de leurs provisions et ne consultèrent pas
l'oracle de Yahvé. 15 Josué leur accorda la paix et
fit alliance avec eux pour qu'ils aient la vie sauve,
et les notables de la communauté[c] leur en firent
serment.

16 Or il arriva que, trois jours après qu'ils aient
fait alliance, on apprit qu'ils étaient un peuple voisin, vivant au milieu d'Israël. 17 Les Israélites partirent du camp et arrivèrent dans leurs villes, le troisième jour. Leurs villes étaient Gabaôn, Kephira,
Béérot et Qiryat-Yéarim. 18 Les Israélites ne les
attaquèrent pas, puisque les notables de la communauté leur avaient fait serment par Yahvé, Dieu
d'Israël, mais toute la communauté murmura
contre les notables.

**Statut des Gabaonites.**

19 Alors tous les notables dirent à toute l'assemblée : « Nous leur avons fait serment par Yahvé,
Dieu d'Israël, nous ne pouvons donc plus les toucher. 20 Voici ce que nous leur ferons : Laisse-leur[d]
la vie sauve, pour ne pas attirer sur nous la Colère
à cause du serment que nous leur avons fait. » 21 Et
les notables leur dirent : « Qu'ils vivent, mais qu'ils
soient fendeurs de bois et porteurs d'eau au service Dt **29** 10
de toute la communauté. » Ainsi leur parlèrent les
notables. 22 Josué convoqua les Gabaonites et leur
dit : « Pourquoi nous avez-vous trompés en disant :
" Nous sommes très éloignés de vous ", quand
vous habitez au milieu de nous? 23 Désormais vous
êtes maudits et vous ne cesserez jamais d'être en
servitude, comme fendeurs de bois et porteurs
d'eau dans la maison de mon Dieu[e]. » 24 Ils répondirent à Josué : « C'est que l'on avait bien dit à tes
serviteurs l'ordre donné par Yahvé ton Dieu à
Moïse, son serviteur, de vous livrer tout ce pays et
d'exterminer devant vous tous ses habitants. Aussi
avons-nous été saisis à votre approche d'une
grande crainte pour nos vies. Voilà pourquoi nous
avons agi ainsi. 25 Et maintenant, nous voici entre
tes mains, ce qu'il te semble bon et juste de nous
faire, fais-le. » 26 Il fit ainsi à leur égard; il les délivra de la main des Israélites qui ne les tuèrent pas[f].
27 En ce jour-là, Josué les mit comme fendeurs de
bois et porteurs d'eau au service de la communauté
et de l'autel de Yahvé, jusqu'aujourd'hui, au lieu
qu'il choisirait.

ce qui explique qu'ils fassent bande à part et recherchent l'alliance des Israélites. L'existence d'une ancienne alliance entre Gabaôn et Israël est garantie par la réparation accordée par David à ses habitants, 2 S **21**. Mais la présentation du fait révèle ici une préoccupation théologique : un tel traité est apparu comme contraire aux règles de la guerre sainte, cf. **6** 17+. Cependant ces règles ne s'appliquaient pas aux populations extérieures à Canaan, d'où l'histoire amusante de la ruse des Gabaonites; le serment qui leur a été juré ne pouvait plus être rompu.

*a)* « se munir de provisions » *wayyiçtayadû* conj., cf. vv. 11-12; hébr. *wayyiçtayarû* inintelligible.

*b)* « notables » grec; « hommes » hébr. – En acceptant de goûter aux provisions des Gabaonites, les notables d'Israël contractaient une alliance avec eux, Gn **31** 46s.

*c)* La « communauté » est un terme technique désignant l'assemblée d'Israël réunie pour le culte ou pour traiter des affaires communes, cf. 1 R **12** 20; Jg **20** 1; Jos **22**.

*d)* Ce singulier fait difficulté. On peut supposer que le discours à « toute l'assemblée » est interrompu par une phrase adressée à Josué en personne.

*e)* Les Gabaonites attachés à un sanctuaire, peut-être le haut lieu de Gabaôn, 1 R **3** 4, sont différents des esclaves du Temple, Esd **2** 43 et 55, dont Esdras fait remonter l'institution à David. Ils sont réduits à un statut inférieur, cf. Dt **29** 10, qu'ils ont eux-mêmes demandé, v. 11, et qui n'est pas originairement une punition.

*f)* Ce pacte fut rompu par Saül, ce qui entraîna une expiation sous le règne de David, 2 S **21** 1-14.

Jg **1** 1-8
## 7. COALITION DES CINQ ROIS AMORITES CONQUÊTE DU SUD PALESTINIEN[a]

**Cinq rois font la guerre à Gabaôn.**

**10** 1 Or, il advint qu'Adoni-Çédeq, roi de Jérusalem, apprit que Josué s'était emparé de Aï et
l'avait vouée à l'anathème, traitant Aï et son roi
comme il avait traité Jéricho et son roi, et que les
habitants de Gabaôn avaient fait la paix avec Israël
et demeuraient au milieu de lui. 2 On en fut terrifié,
car Gabaôn était une ville aussi grande que l'une
des villes royales (elle était plus grande que Aï), et
Jg **1** 5 tous ses citoyens étaient des guerriers. 3 Alors Adoni-Çédeq, roi de Jérusalem, envoya dire à Hoham,
roi d'Hébron, à Piréam, roi de Yarmut, à Yaphia,
roi de Lakish, et à Debir, roi d'Églôn : 4 « Montez
donc vers moi pour m'aider à battre Gabaôn, parce
qu'elle a fait la paix avec Josué et les Israélites. »
5 Ayant opéré leur jonction, les cinq rois amorites
montèrent, à savoir le roi de Jérusalem, le roi d'Hébron, le roi de Yarmut, le roi de Lakish et le roi
d'Églôn, eux et toutes leurs troupes; ils assiégèrent
Gabaôn et l'attaquèrent.

9 3-14 **Josué au secours de Gabaôn.**

6 Les gens de Gabaôn envoyèrent dire à Josué,
au camp de Gilgal : « Ne délaisse pas tes serviteurs,
hâte-toi de monter jusqu'à nous pour nous sauver
et nous secourir, car tous les rois amorites qui
habitent la montagne se sont coalisés contre nous. »
7 Josué monta de Gilgal, lui, tous les gens de guerre
et toute l'élite de l'armée. 8 Yahvé dit à Josué : « Ne
les crains pas, je les ai livrés entre tes mains, nul
d'entre eux ne te résistera. » 9 Josué arriva sur eux
à l'improviste, après avoir marché toute la nuit
depuis Gilgal.

Si **46** 4-6 **Le secours d'en haut.**

10 Yahvé les mit en déroute, en présence d'Israël,
Is **28** 21 et leur infligea à Gabaôn une rude défaite; il les
poursuivit même sur le chemin de la montée de
Bet-Horôn et les battit jusqu'à Azéqa (et jusqu'à 1 M **3** 24
Maqqéda). 11 Or, tandis qu'ils fuyaient devant Si **46** 6
Israël à la descente de Bet-Horôn[b], Yahvé lança Jb **38** 22-23
du ciel sur eux, jusqu'à Azéqa, d'énormes grêlons, Ex **9** 18-26
et ils moururent. Il en mourut plus sous les grêlons Is **28** 17;
que sous le tranchant de l'épée des Israélites. **30** 30
12 C'est alors que Josué s'adressa à Yahvé, en ce
jour où Yahvé livra les Amorites aux Israélites.
Josué dit en présence d'Israël :

« Soleil, arrête-toi sur Gabaôn,
et toi, lune, sur la vallée d'Ayyalôn! »

13 Et le soleil s'arrêta, et la lune se tint immobile Ha **3** 11-12
jusqu'à ce que le peuple se fût vengé de ses enne-
mis.

Cela n'est-il pas écrit dans le livre du Juste[c]? Le
soleil se tint immobile au milieu du ciel et près d'un
jour entier retarda son coucher. 14 Il n'y a pas eu 2 R **20** 10-11
de journée pareille, ni avant ni depuis, où Yahvé
ait obéi à la voix d'un homme. C'est que Yahvé Ex **14** 14
combattait pour Israël. 15 Josué, et avec lui tout Dt **1** 30; **3** 22
Israël, revint au camp de Gilgal.

**Les cinq rois dans la caverne de Maqqéda[d].**

16 Quant à ces cinq rois, ils s'étaient enfuis et
s'étaient cachés dans la caverne de Maqqéda. 17 On
vint en informer Josué : « Les cinq rois, lui dit-on,
viennent d'être découverts cachés dans la caverne
de Maqqéda. » 18 Josué dit : « Roulez de grosses
pierres à l'entrée de la caverne et postez contre elle
des hommes pour y veiller. 19 Et vous, ne restez pas
immobiles, poursuivez vos ennemis, coupez-leur la
retraite et ne les laissez pas entrer dans leurs villes,
car Yahvé votre Dieu les a livrés entre vos mains. »
20 Quand Josué et les Israélites eurent achevé de
leur infliger une très grande défaite jusqu'à les
exterminer, tous ceux qui avaient réchappé vivants
entrèrent dans les places fortes. 21 Tout le peuple
revint au camp sain et sauf, auprès de Josué à Maq-

*a)* Les ch. **10** et **11**, par leur genre littéraire, diffèrent des précédents : à deux expéditions contre les rois cananéens coalisés, ils rattachent la conquête de tout le Sud, puis de tout le Nord de la Terre Promise, faite sous la conduite de Josué par l'ensemble des tribus. Cela ne s'accorde ni à d'autres passages du même livre, ainsi **13** 1-6; **14** 6-13; **15** 13-19; **17** 12, 16, ni au tableau qui ouvre le livre des Juges, Jg **1**, d'où il apparaît que la conquête fut lente et incomplète, et que chaque tribu eut une action indépendante. Cette vue est plus conforme à l'histoire, mais le livre de Josué a rattaché à Josué des faits auxquels il était étranger ou qui lui étaient postérieurs, pour donner un tableau d'ensemble de la conquête.

*b)* Sur la route ordinaire des invasions, comparer la poursuite des Philistins par Saül, 1 S **14** 23 (grec), 31. Cf. aussi l'invasion syrienne, 1 M **3** 16, 24.

*c)* Ancien recueil poétique, aujourd'hui perdu, encore cité en 2 S **1** 18. – Ce couplet rythmé, dont il est vain de rechercher la justification dans l'astronomie ou dans les cultes astraux, est une expression poétique, comparable à Ex **14** (cantique de Moïse) et Jg **5** (cantique de Débora, cf. surtout v. 20), de l'aide surnaturelle apportée par Yahvé à Israël, cf. v. 11. Il a été pris à la lettre par le rédacteur qui souligne ainsi la grandeur de Josué, cf. v. 14.

*d)* Cette histoire représente une tradition particulière, distincte de celle de la bataille de Gabaôn (la mention de Maqqéda au v. 10 est une addition rédactionnelle). Le site est inconnu. D'après Jos **15** 41, Maqqéda était dans la région d'Églôn et de Lakish, très loin de Gabaôn.

qéda, et personne n'osa rien faire [a] contre les Israélites.
22 Josué dit alors : « Dégagez l'entrée de la
caverne et faites-en sortir ces cinq rois pour me les
amener. » 23 On fit ainsi et l'on fit sortir les cinq rois
de la caverne pour les lui amener : le roi de Jérusalem, le roi d'Hébron, le roi de Yarmut, le roi de
Lakish et le roi d'Églôn. 24 Lorsqu'on eut fait sortir
ces rois, Josué appela tous les hommes d'Israël et
dit aux officiers des gens de guerre qui l'avaient
Ps **110** 1 accompagné : « Approchez et mettez le pied sur la
nuque de ces rois. » Ils s'avancèrent et leur mirent
le pied sur la nuque. 25 « Soyez sans crainte et sans
frayeur, leur dit Josué, mais soyez forts et tenez
bon, car c'est ainsi que Yahvé traitera tous les
ennemis que vous aurez à combattre. » 26 Après
quoi, Josué les frappa à mort et les fit pendre à cinq
arbres auxquels ils restèrent suspendus jusqu'au
soir.
27 A l'heure du coucher du soleil, sur un ordre de
**8** 29+ Josué, on les dépendit des arbres et on les jeta dans
la caverne où ils s'étaient cachés. De grandes pierres furent dressées contre l'entrée de la caverne,
elles y sont restées jusqu'à ce jour même.

**Conquête des villes méridionales de Canaan [b].**

28 Le même jour, Josué se rendit maître de Maqqéda et la fit passer, ainsi que son roi, au fil de
l'épée : il les voua à l'anathème avec tout ce qui se
trouvait là de vivant, sans laisser échapper personne, et traita le roi de Maqqéda comme il avait
traité le roi de Jéricho.
29 Josué, avec tout Israël, passa de Maqqéda à
Libna, qu'il attaqua. 30 Yahvé la livra aussi, avec
son roi, entre les mains d'Israël qui la fit passer au
fil de l'épée avec tout ce qui s'y trouvait de vivant;
il n'y laissa pas un survivant. Il traita son roi
comme il avait traité le roi de Jéricho.
31 Josué, avec tout Israël, passa de Libna à
Lakish, qu'il assiégea et attaqua. 32 Yahvé livra
Lakish entre les mains d'Israël qui s'en empara le
second jour et la fit passer au fil de l'épée avec tout
ce qui s'y trouvait de vivant, tout comme il avait
agi pour Libna. 33 C'est alors que le roi de Gézer, Jg **1** 29+
Horam, monta pour secourir Lakish, mais Josué le
battit, ainsi que son peuple, jusqu'à ce qu'il ne lui
laissât pas un survivant.
34 Josué, avec tout Israël, passa de Lakish à
Églôn. Ils l'assiégèrent et l'attaquèrent. 35 Ils s'en
emparèrent le jour même et la firent passer au fil
de l'épée. Il voua à l'anathème, en ce jour-là, tout
ce qui s'y trouvait de vivant, tout comme il avait
agi pour Lakish.
36 Josué, avec tout Israël, monta d'Églôn à Jg **1** 10-15
Hébron, et ils l'attaquèrent. 37 Ils s'en emparèrent Jos **14** 12s;
et la firent passer au fil de l'épée, ainsi que son roi, **15** 13-14
toutes les localités qui en dépendaient et tout ce qui
s'y trouvait de vivant. Il ne laissa pas un survivant,
tout comme il avait agi pour Églôn. Il la voua à
l'anathème, ainsi que tout ce qui s'y trouvait de
vivant.
38 Alors Josué, avec tout Israël, retourna vers
Debir et l'attaqua. 39 Il s'en empara avec son roi et **15** 15s
avec toutes les localités qui en dépendaient; ils les
firent passer au fil de l'épée et vouèrent à l'anathème tout ce qui s'y trouvait de vivant; il ne laissa
pas un survivant. Comme il avait traité Hébron,
Josué traita Debir et son roi, tout comme il avait
traité Libna et son roi.

**Récapitulation des conquêtes du Sud.**

40 Ainsi Josué soumit tout ce pays, à savoir : la
Montagne, le Négeb, le Bas-Pays et les pentes arro- Jg **1** 9
sées, avec tous leurs rois. Il ne laissa pas un survivant et voua tout être vivant à l'anathème, comme **6** 17+
Yahvé, le Dieu d'Israël, l'avait ordonné; 41 Josué Dt **7** 1-2
les battit depuis Cadès Barné jusqu'à Gaza, et
toute la région de Goshèn jusqu'à Gabaôn. 42 Tous
ces rois avec leur territoire, Josué s'en empara en
une seule fois, parce que Yahvé, le Dieu d'Israël,
combattait pour Israël. 43 Puis Josué, avec tout
Israël, revint au camp de Gilgal.

## *8. LA CONQUÊTE DU NORD* [c]

**Coalition des rois du Nord.**

**11** 1 Lorsque Yabîn, roi de Haçor [d], eut appris
cela, il fit informer Yobab, roi de Mérom [e], le
roi de Shimrôn, le roi d'Akshaph 2 et les rois habitant la Montagne au nord, la plaine au sud de Kinnerot, le Bas-Pays, et les coteaux de Dor à l'ouest.
3 Les Cananéens se trouvaient à l'orient et à l'occi-

*a)* Litt. « pas un homme (*'ish* au lieu de *le 'ish* hébr.) n'aiguisa sa langue ».
*b)* Noter le schématisme de ce tableau, cf. **10** 1+. La conquête d'Hébron et Debir ne peut être attribuée à Josué, cf. **15** 13-17; Jg **1** 10-15. Quant à Libna, Lakish et Églôn, elles ne sont devenues israélites que beaucoup plus tard.
*c)* Le ch. **11**, conquête du Nord, est construit selon un plan strictement parallèle à celui du ch. **10**, autour d'un noyau historique qui est ici la victoire des eaux de Mérom.
*d)* Au sud-ouest du lac Hulé, cf. 1 R **9** 15; 2 R **15** 29; Jr **49** 28s. Les fouilles du tell de Haçor, le plus vaste de toute la Palestine, cf. v. 10, confirment que cette très grande ville fut complètement détruite et incendiée à la fin du « Récent Bronze », époque où l'on s'accorde à placer l'invasion israélite. – Le Yabîn de Haçor est entré indûment dans le récit de Jg **4**.
*e)* « Mérom » grec; « Madôn » hébr.

Dt 7 1+ dent, les Amorites, les Hittites, les Perizzites et les
Jébuséens dans la montagne, les Hivvites au pied
de l'Hermon, au pays de Miçpa. 4 Ils partirent
ayant avec eux toutes leurs troupes, un peuple
nombreux comme le sable au bord de la mer, avec
une énorme quantité de chevaux et de chars.

**Victoire de Mérom.**

5 Tous ces rois, s'étant donné rendez-vous, arrivèrent et campèrent ensemble aux eaux de Mérom
pour combattre Israël. 6 Yahvé dit alors à Josué :
« Sois sans crainte devant eux car demain, à la
même heure, je les livrerai tous, percés de coups,
à Israël; tu couperas les jarrets de leurs chevaux et
17 16 tu brûleras leurs chars. » 7 Josué, avec tous ses gens
de guerre, les atteignit à l'improviste près des eaux
de Mérom [a] et tomba sur eux. 8 Yahvé les livra aux
mains d'Israël qui les battit et les poursuivit jusqu'à
Sidon-la-Grande et jusqu'à Misrephot à l'occident [b]
et jusqu'à la vallée de Miçpa au levant. Il les battit
jusqu'à ne pas leur laisser un survivant. 9 Josué les
traita comme Yahvé lui avait dit : il coupa les jarrets de leurs chevaux et livra leurs chars au feu.

**Prise de Haçor et des autres villes du Nord [c].**

10 En ce temps-là, Josué revint et s'empara de
Haçor dont il tua le roi d'un coup d'épée. Haçor
était jadis la capitale de tous ces royaumes. 11 On
passa aussi au fil de l'épée tout ce qui s'y trouvait
de vivant, en vertu de l'anathème. On n'y laissa pas
âme qui vive et Haçor fut livrée au feu.

12 Toutes les villes de ces rois, ainsi que tous
leurs rois, Josué s'en empara et les passa au fil de
l'épée en vertu de l'anathème, comme l'avait
ordonné Moïse, serviteur de Yahvé.

13 Pourtant toutes les villes qui se dressaient sur
leurs collines de ruines, Israël ne les incendia pas,
sauf Haçor que Josué incendia. 14 Et toutes les
dépouilles de ces villes, y compris le bétail, les
Israélites les prirent comme butin. Mais tous les
êtres humains, ils les passèrent au fil de l'épée,
jusqu'à les exterminer. Ils n'y laissèrent pas âme
qui vive.

**Le mandat de Moïse exécuté par Josué.**

15 Ce que Yahvé avait ordonné à son serviteur
Moïse, Moïse l'avait ordonné à Josué, et Josué
l'exécuta sans omettre un seul mot de ce que Yahvé
avait ordonné à Moïse. 16 C'est ainsi que Josué
s'empara de tout ce pays : la Montagne, tout le
Négeb et tout le pays de Goshèn, le Bas-Pays, la
Araba, la montagne d'Israël et son bas-pays.

17 Depuis le mont Pelé, qui s'élève vers Séir,
jusqu'à Baal-Gad, dans la vallée du Liban, au pied
du mont Hermon, il s'empara de tous leurs rois
qu'il fit frapper à mort. 18 Pendant de longs jours,
Josué avait fait la guerre à tous ces rois; 19 nulle
cité n'avait fait la paix avec les Israélites, sauf les
Hivvites qui habitaient Gabaôn : c'est en combat- 9 3+
tant qu'ils s'emparèrent de toutes les autres. 20 Car
Yahvé avait décidé d'endurcir le cœur de ces gens Ex 4 21
pour combattre Israël, afin qu'ils soient anathèmes
et qu'il n'y ait pas pour eux de rémission, mais
qu'ils soient extirpés, comme Yahvé l'avait
ordonné à Moïse [d].

**Extermination des Anaqim [e].** Dt 1 28+ Jos 15 13 14

21 En ce temps-là, Josué vint exterminer les Ana- Jg 1 10-15+
qim de la Montagne, d'Hébron, de Debir, de Anab,
de toute la montagne de Juda et de toute la montagne d'Israël : il les voua à l'anathème avec leurs villes. 22 Il ne resta plus d'Anaqim dans le pays des
Israélites, sauf à Gaza, à Gat et à Ashdod. 23 Josué
s'empara de tout le pays, exactement comme
Yahvé l'avait dit à Moïse, et il le donna en héritage
à Israël, selon sa répartition en tribus.

Et le pays se reposa de la guerre. Jg 3 11+

*a)* C'est-à-dire la source dont dépendait Mérom, qu'il faut peut-être localiser au Tell el-Khureibeh, à 15 km à l'ouest de Hacor, sur un plateau permettant l'évolution des chars. – L'explication de la victoire israélite, malgré la supériorité militaire des Cananéens (cf. **17** 16; l'armée n'aura pas de charrerie avant Salomon, 1 R **9** 19; **10** 26s), est peut-être donnée aux vv. 6-7, 9, où il faudrait voir la cause et non la conséquence de la victoire.
*b)* « à l'occident » *miyyam* conj.; « des eaux » *mayîm* hébr.
*c)* C'est là un épisode de l'installation des tribus du Nord qui ont eu une histoire différente de celle de la Maison de Joseph.
*d)* Cf. Dt **7** 2s et **20** 16-18, où sont données les raisons de cette extermination : la conquête est une guerre sainte, le pays de Yahvé doit être purifié de toute présence païenne, Israël est un peuple saint, donc séparé, Dt **7** 6+, qui doit être préservé de toute compromission qui le rendrait infidèle. Cela ne s'est pas réalisé, cf. notes sur Jos **10** et Jg **1**. Le motif de cet échec (fautes d'Israël) et la raison pour laquelle Dieu l'a permis (épreuve imposée au peuple) sont donnés dans Jg **2** 20 - **3** 4, voir Jg **2** 6+.
*e)* Sur les Anaqim, voir Dt **1** 28+. Cette notice rédactionnelle ne s'accorde pas avec la conquête d'Hébron par Caleb, Jos **15** 13-14: cf. **10** 28+.

## 9. *RÉCAPITULATION*

**Les rois vaincus à l'est du Jourdain.**

Dt 2 26 - 3 17 **12** 1 Voici les rois du pays que les Israélites battirent et dont ils prirent le territoire, au-delà du
Jourdain à l'orient, depuis le torrent de l'Arnon
jusqu'à la montagne de l'Hermon, avec toute la
Araba à l'orient : 2 Sihôn, roi des Amorites, qui
habitait Heshbôn, avait pour domaine depuis
Dt 2 36 Aroër qui est sur le bord de la vallée de l'Arnon
y compris le fond de la vallée, la moitié de Galaad
et jusqu'au Yabboq, le torrent qui est la frontière
des Ammonites; 3 la Araba jusqu'à la mer de Kinnerot à l'orient, et jusqu'à la mer de la Araba, ou
mer Salée, à l'orient, en direction de Bet-ha-Yeshimot, et, au sud, la base des pentes arrosées du
Pisga.
Dt 1 28+ 4 Og [b], roi du Bashân, un des derniers Rephaïm,
qui habitait à Ashtarot et à Édreï, 5 avait pour
domaine le mont Hermon et Salka, tout le Bashân
jusqu'à la frontière des Geshurites et des Maakatites, et la moitié de Galaad jusqu'aux frontières de
Nb 21 21-35 Sihôn, roi de Heshbôn. 6 Moïse, serviteur de Yahvé,
et les Israélites les avaient vaincus, et Moïse, servi-
Nb 32 teur de Yahvé, en avait donné la possession aux
Rubénites, aux Gadites et à la demi-tribu de
Manassé.

**Les rois vaincus à l'ouest du Jourdain [c].**

7 Voici les rois du pays que Josué et les Israélites
battirent en deçà du Jourdain à l'occident, depuis
Baal-Gad, dans la vallée du Liban, jusqu'au mont
Pelé qui s'élève vers Séïr, et dont Josué distribua
l'héritage aux tribus d'Israël suivant leur réparti
tion : 8 dans la montagne et le Bas-Pays, dans la
Araba et sur les pentes arrosées, au Désert et au
Négeb, chez les Hittites. les Amorites, les Cana- Dt 7 1+
néens, les Perizzites, les Hivvites et les Jébuséens :
9 Le roi de Jéricho, un;
le roi de Aï, près de Béthel, un;
10 le roi de Jérusalem, un;
le roi d'Hébron, un;
11 le roi de Yarmut, un;
le roi de Lakish, un;
12 le roi d'Églôn, un;
le roi de Gézer, un; Jg 1 29
13 le roi de Debir, un;
le roi de Gédèr, un;
14 le roi de Horma, un;
le roi d'Arad, un;
15 le roi de Libna, un;
le roi d'Adullam, un;
16 le roi de Maqqéda, un;
le roi de Béthel, un; Jg 1 22-26
17 le roi de Tappuah, un;
le roi de Hépher, un;
18 le roi d'Aphèq, un;
le roi en Sarôn, un;
19 le roi de Mérom [d], un;
le roi de Haçor, un;
20 le roi de Shimrôn Merôn, un;
le roi d'Akshaph, un;
21 le roi de Tanak, un; Jg 1 27-28
le roi de Megiddo, un;
22 le roi de Qédesh, un;
le roi de Yoqnéam au Carmel, un;
23 le roi de Dor, aux coteaux de Dor, un;
le roi des nations en Galilée [e], un;
24 le roi de Tirça, un;
nombre de tous ces rois : trente et un.

# II. *Répartition du pays entre les tribus*

**Pays qui restent à conquérir [f].**

**13** 1 Or Josué était devenu vieux et avancé en âge.
Yahvé lui dit : « Te voilà vieux, avancé en âge,
et pourtant il reste à prendre possession d'un très
grand pays. 2 Voici tout le pays qui reste :
« Tous les districts des Philistins [g] et tout le pays
des Geshurites; 3 depuis le Shihor qui fait face à

*a)* Tout le ch. **12** est du rédacteur deutéronomiste. Dans les vv. 1-6, il utilise les indications données en Dt **2-3**; dans les vv. 7-24, il compile une liste des rois vaincus, d'après les récits de conquête de Jos **1-10**, mais il ajoute quelques noms de villes provenant d'une liste administrative, peut-être de l'époque de Salomon.
*b)* « Og » grec; « Le territoire de Og » hébr.
*c)* Les différences que présente le grec aux vv. 18, 19, 20 et 23 paraissent n'être qu'une incompréhension du texte hébreu, que nous suivons ici avec un minimum de corrections.
*d)* « Mérom » conj., cf. **11** 1; « Madôn » hébr.; manque dans grec.
*e)* « Galilée » grec; « Gilgal » hébr.
*f)* Ce sont des territoires qui ne sont jamais devenus israélites, bien qu'ils soient dans le cadre de la Terre Sainte idéale de Jos **1** 4 et dans le tracé de Nb **34** 1-12 : au sud, le pays des Philistins, avec les Geshurites, cf. 1 S **27** 8, et les Avvites, cf. Dt **2** 23; au nord, le pays des Sidoniens, c'est-à-dire la Phénicie. Le passage **13** 1-7 est du rédacteur, introduisant le document géographique.
*g)* D'après Dt **2** 23; Am **9** 7; Jr **47** 4s, les Philistins sont originaires de Kapntor, qui est la Crête plus probablement que l'Asie

l'Égypte jusqu'à la frontière d'Éqrôn au nord, c'est
Jg 3 3 compté comme cananéen. Les cinq princes des Philistins sont celui de Gaza, celui d'Ashdod, celui
d'Ashqelon, celui de Gat et celui d'Éqrôn; les
Avvites sont [4] au midi. Tout le pays des Cananéens, et Mearah [a] qui est aux Sidoniens, jusqu'à
Aphéqa et jusqu'à la frontière des Amorites; [5] puis
le pays du Giblite avec tout le Liban à l'orient,
depuis Baal-Gad au pied du mont Hermon jusqu'à
l'Entrée de Hamat.

[6] « Tous les habitants de la montagne depuis le
Liban jusqu'à Misrephot à l'occident, tous les Sidoniens, c'est moi qui les déposséderai devant les 23 5
Israélites. Tu n'as qu'à distribuer le pays en héritage aux Israélites comme je te l'ai ordonné. [7] Le
moment est venu de partager ce pays en héritage
entre les neuf tribus et la demi-tribu de Manassé :
depuis le Jourdain jusqu'à la Grande mer à l'occident, tu le leur donneras; la Grande mer sera leur
limite [b]. »

Nb **32**
Dt **3** 12-17

## *1. DESCRIPTION DES TRIBUS TRANSJORDANIENNES* [c]

**Esquisse d'ensemble.**

[8] Quant à l'autre demi-tribu de Manassé [d], elle
avait, avec les Rubénites et les Gadites, déjà reçu
son héritage, celui que Moïse leur avait donné
au-delà du Jourdain, à l'orient, comme Moïse, serviteur de Yahvé, le leur avait alors donné : [9] à partir d'Aroër qui est sur le bord de la vallée de
l'Arnon, avec la ville qui est au fond de la vallée
et tout le plateau depuis Médba jusqu'à Dibôn;
[10] toutes les villes de Sihôn, roi des Amorites, qui
avait régné à Heshbôn, jusqu'à la frontière des
Ammonites. [11] Puis le Galaad et le territoire des
Geshurites et des Maakatites, avec tout le massif
de l'Hermon et le Bashân en entier, jusqu'à Salka;
[12] et dans le Bashân, tout le royaume de Og qui
12 4 avait régné à Ashtarot et à Édreï, et fut le dernier
survivant des Rephaïm. Moïse avait vaincu et
dépossédé ces deux rois. [13] Mais les Israélites ne
dépossédèrent pas les Geshurites ni les Maakatites,
aussi Geshur et Maaka sont-ils encore aujourd'hui
13 33 au milieu d'Israël. [14] La tribu de Lévi fut la seule
Nb 18 20 à laquelle on ne donna pas d'héritage : Yahvé, Dieu
Dt 18 2 d'Israël, fut son héritage [e], comme il le lui avait dit.

Gn 49 3-4 **La tribu de Ruben.**
Dt 33 6

[15] Moïse avait donné à la tribu des fils de Ruben
une part selon leurs clans. [16] Ils eurent donc pour
territoire depuis Aroër qui est sur le bord de la vallée de l'Arnon, avec la ville qui est au fond de la
vallée, tout le plateau jusqu'à Médba, [17] Heshbôn
avec toutes les villes qui sont sur le plateau :
Dibôn, Bamot-Baal, Bet-Baal-Meôn, [18] Yahaç, Qedémot, Méphaat, [19] Qiryatayim, Sibma et, dans la
montagne de la Araba, Çérèt-ha-Shahar;
[20] Bet-Péor, les pentes arrosées du Pisga, Bet-ha-
Yeshimot, [21] toutes les villes du plateau et tout le
royaume de Sihôn, roi des Amorites, qui régna à
Heshbôn; il avait été battu par Moïse ainsi que les
princes de Madiân, Évi, Réqem, Çur, Hur, Réba, Ex 2 15+
vassaux de Sihôn qui habitaient le pays. [22] Quant Nb 22 2+
à Balaam, fils de Béor, le devin, les Israélites Nb 31 8
l'avaient passé au fil de l'épée, avec ceux qu'ils
avaient tués. [23] Ainsi la frontière des Rubénites
était le Jourdain et son territoire. Tel fut l'héritage
des fils de Ruben selon leurs clans, avec les villes
et leurs villages.

**La tribu de Gad.** Gn 49 19
Dt 33 20-21

[24] Moïse avait donné à la tribu de Gad, aux fils
de Gad, une part selon leurs clans. [25] Ils eurent
pour territoire Yazèr, toutes les villes de Galaad,
la moitié du pays des Ammonites jusqu'à Aroër qui
est en face de Rabba, [26] et depuis Heshbôn jusqu'à
Ramat-ha-Miçpé et Betonim; à partir de Mahanayim jusqu'au territoire de Lo-Debar, [27] et dans la

Mineure. De toute manière, ce ne fut qu'une étape dans leur migration, et leur origine demeure obscure. Ils faisaient partie du grand mouvement des « Peuples de la Mer » qui déferla jusqu'aux portes de l'Égypte, où il fut arrêté par Ramsès III, au début du XII^e^ s. Après leur défaite, les Philistins furent installés dans la plaine côtière de la Palestine (qui leur doit son nom). Leur mention en Gn **21** 32-34; **26** 1-8 et Ex **13** 7 est une anticipation. Le v. 4 énumère leurs cinq districts, cf. Jg **3** 3; Jl **4** 4. Ce n'étaient pas des Sémites, et ils ne pratiquaient pas la circoncision. Ennemis acharnés des Israélites du temps des Juges et de Saül, ils furent refoulés par David mais se maintinrent sur la côte.

*a)* Texte corrompu. On attendait : « depuis (tel lieu) ». Toutes les corrections proposées sont incertaines.

*b)* « depuis le Jourdain... leur limite » grec; omis par hébr.

*c)* Cette section prend ses éléments dans Nb **32** et Dt **3** 12-17, en y ajoutant des noms de lieux, mais ne donne pas une description du territoire des tribus comme il sera fait pour le groupe de Cisjordanie. La géographie de ces tribus était incertaine pour les Israélites eux-mêmes, et Ruben et Gad sont généralement traités comme une unité, Nb **32** 1s; Dt **3** 12; Jos **1** 12, etc. Les deux tribus ont bientôt été diminuées par le développement des royaumes ammonite et moabite, cf. pour Ruben Gn **49** 4; Dt **33** 6, et pour Gad Gn **49** 19. Les origines de la demi-tribu de Manassé sont obscures; il semble que son installation en Galaad du nord ne date pas de cette première période, cf. Nb **32** 1+.

*d)* « Quant à l'autre demi-tribu de Manassé », restitué d'après le grec.

*e)* « Yahvé fut » grec; « les mets consumés pour Yahvé furent » hébr.

vallée : Bet-Haram, Bet-Nimra, Sukkot, Çaphôn –
le reste du royaume de Sihôn, roi de Heshbôn –, le
Jourdain et le territoire allant jusqu'à l'extrémité de
la mer de Kinnérèt, au-delà du Jourdain, à l'orient.
28 Tel fut l'héritage des fils de Gad, selon leurs
clans, avec leurs villes et leurs villages.

**La demi-tribu de Manassé.**

29 Moïse avait donné à la demi-tribu de
Manassé[a] une part selon leurs clans. 30 Ils eurent
pour territoire à partir de Mahanayim tout le Bashân, tout le royaume de Og, roi du Bashân, tous
les Douars de Yaïr en Bashân, soit soixante villes.
31 La moitié de Galaad ainsi qu'Ashtarot et Édréï,
villes royales de Og en Bashân, passèrent aux fils
de Makir, fils de Manassé, à la moitié des fils de
Makir selon leurs clans.
32 Voici ce que Moïse avait donné en héritage
dans les Steppes de Moab, au-delà du Jourdain, en
face de Jéricho à l'orient. 33 Mais à la tribu de Lévi,
Moïse n'avait pas donné d'héritage : c'est Yahvé, le 13 14
Dieu d'Israël, qui est son héritage, comme il le lui
a dit.

## 2. DESCRIPTION DES TROIS GRANDES TRIBUS À L'OUEST DU JOURDAIN[b]

**Introduction.**

**14** 1 Voici ce que reçurent en héritage les Israélites au pays de Canaan, ce que leur donnèrent
en héritage le prêtre Éléazar et Josué, fils de Nûn,
avec les chefs de famille des tribus d'Israël. 2 C'est
par le sort qu'ils reçurent leur héritage, comme
Yahvé l'avait ordonné par l'intermédiaire de Moïse
pour les neuf tribus et demie. 3 Car Moïse avait
donné leur héritage aux deux tribus et demie de
l'autre côté du Jourdain, mais aux Lévites, il
n'avait pas donné d'héritage parmi elles. 4 Car les
fils de Joseph formaient deux tribus, Manassé et
Nb 35 1-8 Éphraïm, et l'on ne donna dans le pays aucune part
Jos 21 aux Lévites, si ce n'est des villes pour y habiter,
avec les pâturages attenants pour leurs bestiaux et
leurs biens. 5 Les Israélites firent comme Yahvé
Nb 34 l'avait ordonné à Moïse, et ils partagèrent le pays.

**La part de Caleb[c].**

6 Des fils de Juda vinrent trouver Josué à Gilgal,
et Caleb, fils de Yephunné, le Qenizzite, lui dit :
« Tu sais bien ce que Yahvé a dit à Moïse, l'homme
Nb 13-14 de Dieu, à mon sujet et au tien à Cadès Barné.
7 J'avais quarante ans lorsque Moïse, serviteur de
Yahvé, m'envoya de Cadès Barné pour espionner
ce pays, et je lui fis un rapport sincère. 8 Mais les
frères qui étaient montés avec moi découragèrent
le peuple, tandis que moi, j'obéissais parfaitement
à Yahvé mon Dieu. 9 Ce jour-là, Moïse fit ce serment : " Sois-en sûr, le pays qu'a foulé ton pied
t'appartiendra en héritage, à toi et à tes descendants pour toujours, parce que tu as obéi parfaitement à Yahvé mon Dieu. " 10 Depuis lors, Yahvé
m'a gardé en vie selon sa promesse. Il y a quarante- Nb 14 38
cinq ans que Yahvé a fait cette déclaration à
Moïse, Israël allait alors par le désert, et voici qu'à
présent je compte quatre-vingt-cinq ans. 11 Je suis
aussi robuste aujourd'hui que le jour où Moïse me Si 46 9-1
confia cette mission, ma force d'aujourd'hui vaut
ma force d'alors pour combattre et pour aller et
venir. 12 Il est temps de me donner cette montagne Nb 14 24
dont Yahvé m'a parlé ce jour-là. Tu as appris en
ce jour-là qu'il y avait là des Anaqim et de grandes Dt 1 28+
villes fortifiées; mais si Yahvé est avec moi, je les
déposséderai comme Yahvé l'a dit. »
13 Josué bénit Caleb, fils de Yephunné, et lui 15 13-19
donna Hébron pour héritage. 14 Aussi Hébron est-il Jg 1 10-
resté jusqu'à ce jour l'héritage de Caleb, fils de
Yephunné le Qenizzite, parce qu'il avait suivi sans
défaillance Yahvé Dieu d'Israël.
15 Autrefois le nom d'Hébron était Qiryat-
Arba[d]. Arba était l'homme le plus grand des Ana- 15 14
qim.
Et le pays se reposa de la guerre. 11 24

*a)* Après « Manassé », une glose ajoute : « et ce fut pour la demi-tribu des fils de Manassé »; omis par grec.

*b)* La grande section **14** 1 - **19** 49 combine plusieurs documents; une description des limites des tribus, antérieure à l'époque monarchique, et des listes de villes, qui sont détaillées surtout pour Juda (Siméon) et Benjamin, et qui représentent une situation de l'époque royale. Ces documents, réunis et glosés (voir en particulier Jos **15** 13-19; **16** 10; **17** 11-13, textes parallèles à Jg **1**), ont servi à donner un tableau de l'occupation sous Josué. En fait, les différents groupes se sont installés, par infiltration pacifique ou par conquête, chacun dans leur territoire, dont ils ne se sont assuré la possession que peu à peu.

*c)* Caleb est un Qenizzite, vv. 6 et 14, donc un non-Israélite, cf. Nb **24** 21+. Son clan, originaire du sud de la Palestine, est apparenté aux Édomites, cf. Gn **36** 11: il fut mis en relation avec Israël, et spécialement avec Juda, dès le sejour à Cadès, Nb **13-14**. Il occupa la région d'Hébron, ici et **15** 13-19; Jg **1** 12-15, près de laquelle se trouve « le Négeb de Caleb », 1 S **30** 14. Les Calébites furent finalement assimilés à Juda, cf. les généalogies des Chroniques, 1 Ch **2** 18s, 42s; **4** 11s, et Jos **15** 13+.

*d)* Qiryat-Arba, cf. Gn **23** 2; **35** 27; Jg **1** 10, etc., signifie « ville des quatre » : soit les quatre quartiers de la ville, soit les quatre

Gn 49 8 12 Dt 33 7 **La tribu de Juda** [a].

15 1 Le lot de la tribu des fils de Juda selon leurs
Nb 34 3-5 clans se trouva vers la frontière d'Édom,
depuis le désert de Çîn vers le midi jusqu'à Cadès
au sud [b]. 2 Leur frontière méridionale partait de
l'extrémité de la mer Salée, depuis la baie qui
regarde vers le midi, 3 elle se dirigeait vers le sud
Jg 1 36+ de la montée des Scorpions, traversait Çîn et montait au sud de Cadès Barné; passant par Hèçrôn,
elle montait à Addar et tournait vers Qarqa; 4 puis
la frontière passait par Açmôn et débouchait au
Torrent d'Égypte pour aboutir à la mer. Telle sera
votre frontière méridionale. 5 A l'orient, la frontière
était la mer Salée jusqu'à l'embouchure du Jourdain. La frontière du côté nord partait de la baie,
à l'embouchure du Jourdain. 6 La frontière montait
à Bet-Hogla, passait au nord de Bet-ha-Araba et
montait à la Pierre de Bohân, fils de Ruben. 7 Puis
la frontière montait à Debir, depuis la vallée
d'Akor, et tournait au nord vers le cercle de pierres
qui est en face de la montée d'Adummim, laquelle
est au sud du Torrent. La frontière passait aux eaux
de En-Shémesh et aboutissait à En-Rogel. 8 Elle
remontait ensuite le ravin de Ben-Hinnom venant
du sud au flanc du Jébuséen [c] – c'est Jérusalem –
elle montait au sommet de la montagne qui barre
le ravin de Hinnom du côté de l'ouest, à l'extrémité
septentrionale de la plaine des Rephaïm. 9 Du sommet de la montagne, la frontière s'infléchissait vers
la source des eaux de Nephtoah et se dirigeait vers
les villes du mont Éphrôn pour tourner dans la
direction de Baala – c'est Qiryat-Yéarim. 10 De
Baala, la frontière inclinait à l'ouest vers la montagne de Séïr et, longeant le flanc du mont Yéarim
vers le nord – c'est Kesalôn – elle descendait à Bet-
Shémesh, traversait Timna, 11 aboutissait sur le
flanc d'Éqrôn vers le nord, tournait vers Shikkarôn
et passait par la montagne de Baala pour aboutir
à Yabnéel. La mer était l'aboutissement de la frontière.
12 La frontière occidentale était formée par la
Grande mer. Cette frontière était, dans son pourtour, celle des fils de Juda selon leurs clans.

**Les Calébites occupent le territoire d'Hébron** [d]. || Jg 1 10-15 Jos 14 6+

13 A Caleb, fils de Yephunné, on donna une part
au milieu des fils de Juda, selon l'ordre de Yahvé
à Josué : Qiryat-Arba, la ville du père d'Anaq –
c'est Hébron. 14 Caleb en déposséda les trois fils
d'Anaq : Shéshaï, Ahimân et Talmaï, descendants
d'Anaq. 15 De là, il marcha contre les habitants de
Debir; Debir s'appelait autrefois Qiryat-Séphèr.
16 Caleb dit alors : « Celui qui battra Qiryat-Séphèr
et s'en emparera, je lui donnerai pour femme ma
fille Aksa. » 17 Celui qui s'en empara fut Otniel, fils
de Qenaz, frère de Caleb, qui lui donna pour
femme sa fille Aksa. 18 Lorsqu'elle fut arrivée près
de son mari, celui-ci lui suggéra [e] de demander à
son père un champ. Alors elle sauta à bas de son
âne et Caleb lui demanda : « Que veux-tu? » 19 Elle
répondit : « Accorde-moi une faveur. Puisque tu
m'as reléguée au pays du Négeb, donne-moi donc
des sources d'eau. » Et il lui donna les sources d'en
haut et les sources d'en bas.
20 Tel fut l'héritage de la tribu des fils de Juda,
selon leurs clans.

**Nomenclature des localités de Juda** [f].

21 Villes à l'extrémité de la tribu des fils de Juda,
vers la frontière d'Édom au Négeb :
Qabçéel, Arad, Yagur, 22 Qina, Dimôn, Aroër,
23 Qédesh, Haçor-Yitnân, 24 Ziph, Télem, Bealot,
25 Haçor-Hadatta, Qeriyyot-Hèçrôn – c'est
Haçor – 26 Amam, Shema, Molada, 27 Haçar-
Gadda, Heshmôn, Bet-Pélèt, 28 Haçar-Shual,
Bersabée et ses dépendances [g], 29 Baala, Iyyim,
Éçem, 30 Eltolad, Kesil, Horma, 31 Çiqlag, Mad-
manna, Sânsanna, 32 Lebaot, Shilhim, Ayîn et
Rimmôn : en tout, vingt-neuf villes avec leurs villa-
ges.
33 Dans le Bas-Pays :
Eshtaol, Çoréa, Ashna, 34 Zanuah, En-Gannim,
Tappuah, Énam, 35 Yarmut, Adullam, Soko,
Azéqa, 36 Shaarayim, Aditayim, Ha-Gedéra et
Gedérotaïm [h] : quatorze villes avec leurs villages.
37 Çenân, Hadasha, Migdal-Gad, 38 Diléân,
Ha-Miçpé, Yoqtéel, 39 Lakish, Boçqat, Églôn,

clans qui l'habitaient, Anaq, ancêtre éponyme des « Anaqim », et ses trois fils, cf. **15** 14; Dt **2** 10+. Ici Arba est devenu un nom de personne.

*a)* Les limites sud, est et ouest de Juda sont en fait celles du pays de Canaan; la limite nord, qui est la plus détaillée, représente la frontière de Juda à l'époque de David. Elle tient compte de la situation particulière de Jérusalem et de la permanence des enclaves cananéennes. Son prolongement jusqu'à la mer est théorique.

*b)* « depuis le désert » grec; « le désert » hébr. – « jusqu'à Cadès au sud » grec; « depuis l'extrémité sud » hébr.

*c)* Le « flanc » ou l'« épaule » du Jébuséen, cf. **18** 16, est le versant de la colline qui portait l'ancienne Jérusalem, cf. 2 S **5** 9+.

*d)* Les vv. 13-19 se retrouvent presque littéralement en Jg **1** 10-15 où, cependant, la prise d'Hébron et de Debir est attribuée à Juda, Otniel, v. 17, reparaîtra comme l'un des « Juges » d'Israël, Jg **3** 7-11.

*e)* « celui-ci lui suggéra » conj., cf. Jg **1** 14; « elle lui suggéra » hébr.

*f)* Le texte n'est pas très bien conservé. Plusieurs noms de villes sont corrigés en s'aidant du grec ou d'autres textes bibliques, et avec l'appui des noms modernes.

*g)* « et ses dépendances » *benôtêha* conj.; *bizyotyah* hébr. inintelligible.

*h)* Le dernier nom fait difficulté et il y a un total de quinze villes. On a proposé de corriger d'après le grec pour lire : « Ha-Gedéra et ses enclos », mais l'ensemble de la liste, dans la version grecque, est assez différent. L'hébr. pourrait s'expliquer par

40 Kabbôn, Lahmas, Kitlish, 41 Gedérot, Bet-Dagôn, Naama et Maqqéda : seize villes avec leurs villages.

42 Libna, Étèr, Ashân, 43 Yiphtah, Ashna, Neçib, 44 Qeïla, Akzib et Maresha : neuf villes avec leurs villages.

45 Éqrôn [a] avec ses dépendances et ses villages. 46 D'Éqrôn jusqu'à la mer, tout ce qui se trouve du côté d'Ashdod avec ses villages. 47 Ashdod avec ses dépendances et ses villages, Gaza avec ses dépendances et ses villages jusqu'au Torrent d'Égypte, la Grande mer formant la frontière.

48 Dans la Montagne :

Shamir, Yattir, Soko, 49 Danna, Qiryat-Séphèr, aujourd'hui Debir, 50 Anab, Eshtemoa, Anim, 51 Goshèn, Holôn et Gilo : onze villes avec leurs villages.

52 Arab, Duma, Eshéân, 53 Yanum, Bet-Tappuah, Aphéqa, 54 Humta, Qiryat-Arba, aujourd'hui Hébron, et Çior : neuf villes avec leurs villages.

55 Maôn, Karmel, Ziph, Yutta, 56 Yizréel, Yorqéam, Zanuah, 57 Ha-Qayîn, Gibéa et Timna : dix villes avec leurs villages.

58 Halhul, Bet-Çur, Gedor, 59 Maarat, Bet-Anôt et Elteqôn : six villes avec leurs villages.

Teqoa, Éphrata, aujourd'hui Bethléem, Péor, Étam, Qulôn, Tatam, Sorès, Karem, Gallim, Bétèr et Manah : onze villes avec leurs villages [b].

60 Qiryat-Baal – c'est Qiryat-Yéarim – et Ha-Rabba : deux villes avec leurs villages.

61 Dans le Désert :

Bet-ha-Araba, Middîn, Sekaka, 62 Nibshân, la Ville du Sel et Engaddi : six villes avec leurs villages.

2 S 5 6-9+ 63 Mais les Jébuséens qui habitaient Jérusalem,
Jg 1 8, 21 les fils de Juda ne purent les déposséder, aussi les Jébuséens habitent-ils encore aujourd'hui Jérusalem, à côté des fils de Juda.

Gn 49 22-26 **La tribu d'Éphraïm.**
Dt 33 13-17

16 1 Le lot des fils de Joseph partait à l'est du Jourdain de Jéricho – les eaux de Jéricho –, c'est le désert qui monte de Jéricho dans la montagne de Béthel [c]; 2 puis il partait de Béthel vers Luz et passait vers la frontière des Arkites à Atarot; 3 il descendait ensuite à l'ouest vers la frontière des Yaphlétites jusqu'à la frontière de Bet-Horôn-le-Bas et jusqu'à Gézer, d'où il aboutissait à la mer. 4 Tel fut l'héritage des fils de Joseph, Manassé et Éphraïm.

5 Quant au territoire des fils d'Éphraïm selon leurs clans, la frontière de leur héritage était Atrot-Arak [d] jusqu'à Bet-Horôn-le-Haut, 6 puis la frontière aboutissait à la mer... le Mikmetat [e] au nord, et la frontière tournait à l'orient vers Taanat-Silo qu'elle traversait à l'est en direction de Yanoah; 7 elle descendait de Yanoah à Atarot et à Naara, et touchait Jéricho pour aboutir au Jourdain. 8 De Tappuah, la frontière allait vers l'occident, au torrent de Qana, et aboutissait à la mer. Tel fut l'héritage de la tribu des fils d'Éphraïm, selon leurs
clans, 9 outre les villes réservées aux fils d'Éphraïm 17 9
au milieu de l'héritage des fils de Manassé, toutes ces villes et leurs villages. 10 Les Cananéens habitant Gézer ne furent point dépossédés, et ils demeu- Jg 1 29+
rèrent au milieu d'Éphraïm jusqu'aujourd'hui, soumis à la corvée.

**La tribu de Manassé [f].** Gn 49 22-26
Dt 33 13-17

17 1 Le lot de la tribu de Manassé – il était en effet le premier-né de Joseph – fut d'abord pour Makir, premier-né de Manassé, père de Galaad, parce qu'il était un homme de guerre; il eut le Galaad et le Bashân. 2 Puis ce fut pour les autres fils de Manassé selon leurs clans : aux fils d'Abiézer, aux fils de Hélèq, aux fils d'Asriel, aux fils de Shékem, aux fils de Hépher et aux fils de Shemida : c'étaient les enfants mâles de Manassé,
fils de Joseph, selon leurs clans. 3 Çelophehad, fils Nb 27 1-11
de Hépher, fils de Galaad, fils de Makir, fils de Manassé, n'avait pas de fils mais seulement des filles, dont voici les noms : Mahla, Noa, Hogla, Milka et Tirça [g]. 4 Elles se présentèrent devant le prêtre Éléazar, devant Josué, fils de Nûn, et devant les notables en disant : « Yahvé a ordonné à Moïse de nous donner un héritage au milieu de nos frères. » On leur donna donc, selon l'ordre de Yahvé, un héritage parmi les frères de leur père. 5 Il échut

l'adjonction d'une ville (peut-être Tappuah), à moins que les deux derniers noms aient été considérés comme représentant une seule ville.

*a)* En fait, Éqrôn est restée ville philistine, probablement jusqu'à David, et depuis Achaz (736-716) jusqu'à l'époque perse, cf. Am **1** 8; Za **9** 5-7.

*b)* De « Teqoa » jusqu'à la fin du v. : rétabli d'après le grec; omis par hébr.

*c)* Traduction possible d'un texte sans doute corrompu.

*d)* « Atrot-Arak » (c'est-à-dire Atrot des Arkites) conj. d'après grec («Atarot») et v. 2; «Atrot-Addar» hébr.; de même à **18** 13.

*e)* Le « Mikmetat » doit être un accident de terrain, peut-être un défilé très resserré, ou bien la faille du wadi Beidân, non loin de Naplouse-Sichem, cf. **17** 7. – Avant « Mikmetat », quelques mots sont tombés du texte.

*f)* La demi-tribu de Manassé (sur l'autre demi-tribu, cf. **13** 29s) restée à l'ouest du Jourdain a souffert de l'expansion d'Éphraïm à ses dépens, cf. **16** 9; **17** 8-9. Ce changement se reflète dans l'histoire d'Éphraïm recevant la place de son aîné Manassé, Gn **48** 14s.

*g)* Les noms des « filles » de Çelophehad, arrière-petit-fils de Makir, fils de Manassé, sont ceux de localités situées au nord de Sichem. Cette situation géographique d'une partie du clan de Makir est justifiée par une histoire que Nb **27** et **36** reportent au temps de Moïse, et qui fit jurisprudence pour l'héritage des filles.

donc à Manassé dix parts outre le pays de Galaad
et de Bashân, situé au-delà du Jourdain, 6 puisque
les filles de Manassé obtinrent un héritage parmi
ses fils. Quant au pays de Galaad, il appartenait
aux autres fils de Manassé.
7 La frontière de Manassé fut, du côté d'Asher,
le Mikmetat qui est en face de Sichem, et de là, à
droite, vers Yashib qui est sur la source[a] de Tappuah. 8 Manassé possédait la région de Tappuah,
mais Tappuah, sur la frontière de Manassé, était
aux fils d'Éphraïm. 9 La frontière descendait au torrent de Qana; au sud du torrent étaient les villes
d'Éphraïm, outre celles qu'avait Éphraïm[b] au
milieu des villes de Manassé; la frontière de
Manassé était au nord du torrent et son aboutissement était la mer. 10 Le midi était à Éphraïm et le
nord à Manassé, avec la mer pour limite; ils touchaient Asher au nord, et Issachar à l'est.
Jg **1** 27-28 11 Manassé eut, avec Issachar et avec Asher, Bet-
Shéân et les villes qui en dépendent, Yibleam et les
villes qui en dépendent, les habitants de Dor et des
villes qui en dépendent[c], les habitants de Tanak et
de Megiddo et des villes qui en dépendent : les trois
du Coteau. 12 Mais comme les fils de Manassé ne
purent prendre possession de ces villes, les Cananéens réussirent à demeurer dans ce pays. 13 Cependant lorsque les Israélites furent devenus plus 1 R **9** 20-21
forts, ils assujettirent les Cananéens à la corvée, **9** 27
mais ne les dépossédèrent point.

**Réclamation des fils de Joseph[d].**

14 Les fils de Joseph s'adressèrent à Josué en ces
termes : « Pourquoi ne m'as-tu donné pour héritage
qu'un seul lot, une seule part, alors que je suis un
peuple nombreux, tant Yahvé m'a béni? » 15 Josué
leur dit : « Si tu formes un peuple nombreux, monte
à la région boisée et défriche pour ton compte la
forêt de la région des Perizzites et des Rephaïm,
puisque la montagne d'Éphraïm est trop étroite
pour toi. » 16 Les fils de Joseph dirent : « La monta- Jg **1** 19
gne ne nous suffit pas, et en plus, tous les Cananéens qui habitent la terre de la plaine ont des
chars de fer, aussi bien ceux de Bet-Shéân et des
villes qui en dépendent que ceux de la plaine de
Yizréel. » 17 Josué dit à la maison de Joseph, à
Éphraïm et à Manassé : « Tu es un peuple nombreux et ta force est grande, tu n'auras pas un lot
seulement, 18 mais tu auras une montagne; il est
vrai que c'est une forêt, mais tu la défricheras et
ses limites seront à toi. Et même, tu déposséderas
les Cananéens, bien qu'ils aient des chars de fer et
bien qu'ils soient forts. »

## *3. DESCRIPTION DES SEPT AUTRES TRIBUS*

**Opération cadastrale pour ces sept tribus.**

**18** 1 Toute la communauté des Israélites s'assem-
Ex **33** 7+ bla à Silo[e] où l'on dressa la Tente du Rendez-
vous; tout le pays était soumis devant eux. 2 Mais
il restait parmi les Israélites sept tribus qui
n'avaient pas reçu leur héritage. 3 Josué dit alors
aux Israélites : « Jusqu'à quand négligerez-vous
d'aller prendre possession du pays que vous a
donné Yahvé, le Dieu de vos pères? 4 Choisissez-
vous trois hommes par tribu pour que je les
envoie, ils iront parcourir le pays et en feront la
description en vue de l'héritage, après quoi, ils
reviendront vers moi. 5 Ils répartiront le pays en
sept parts. Juda restera sur son territoire au sud,
et ceux de la maison de Joseph resteront sur leur
territoire au nord. 6 Vous ferez donc une description du pays en sept parts, et vous me l'apporterez
ici, que je puisse tirer au sort pour vous, ici, devant
Yahvé notre Dieu. 7 Mais pour ce qui est des Lévites, ils n'auront point de part au milieu de vous :
le sacerdoce de Yahvé sera leur héritage. Quant à
Gad, à Ruben et à la demi-tribu de Manassé, ils
ont reçu leur héritage au-delà du Jourdain, à
l'orient, celui que leur a donné Moïse, serviteur de
Yahvé.
8 Ces hommes se levèrent et s'en allèrent. A ceux
qui allaient faire la description du pays, Josué
donna cet ordre : « Allez, parcourez le pays et
décrivez-le, puis venez me retrouver et je jetterai
pour vous le sort ici, devant Yahvé, à Silo. » 9 Ces
hommes partirent, traversèrent le pays et le décrivi-
rent par villes, en sept parts, sur un livre, puis ils
retournèrent trouver Josué au camp, à Silo. 10 Josué

*a)* « Yashib qui est sur la source » grec; « les habitants (*yo-shebê*) de la source » hébr.
*b)* « outre celles qu'avait Éphraïm » est ajouté d'après **16** 9 pour donner un sens acceptable.
*c)* L'hébr. ajoute ici : « les habitants d'En-Dor et des villes qui en dépendent »; dittographie probable, omise par le grec.
*d)* Ce passage juxtapose deux versions d'une même tradition; la plus ancienne est celle des vv. 16-18 qui rappellent le défrichement par la Maison de Joseph de la montagne boisée d'Éphraïm; la seconde, vv. 14-15, peut faire allusion à l'installation en Galaad d'une partie de la tribu de Manassé, cf. Nb **32** 1+.
*e)* La distribution des terres aux sept tribus restantes est insérée dans un cadre rédactionnel, **18** 1-10 et **19** 51, qui place ce partage à Silo où la Tente du Rendez-vous est supposée être dressée; Silo deviendra l'un des principaux sanctuaires d'Israël, cf. **21** 2; **29** 9, 12, et sera le sanctuaire de l'arche à l'époque des Juges, 1 S **1** 3+.

jeta pour eux le sort à Silo, devant Yahvé, et c'est
là que Josué partagea le pays entre les Israélites,
selon leurs parts.

Gn 49 27 Dt 33 12 **La tribu de Benjamin.**

11 Un lot revint d'abord à la tribu des fils de Benjamin, selon leurs clans : le territoire de leur lot
était compris entre les fils de Juda et les fils de
Joseph. 12 Leur frontière du côté nord partait du
Jourdain, montait au flanc de Jéricho, au nord, gravissait la montagne vers l'occident et aboutissait au
désert de Bet-Avèn. 13 De là, la frontière passait à
Luz, sur le flanc de Luz au midi, aujourd'hui
Béthel; elle descendait à Atrot-Arak sur la montagne qui est au sud de Bet-Horôn-le-Bas. 14 La frontière s'infléchissait et tournait, face à l'ouest, vers
le midi, depuis la montagne qui est en face de Bet-
Horôn au midi, pour aboutir vers Qiryat-Baal,
aujourd'hui Qiryat-Yéarim, ville des fils de Juda.
Tel était le côté ouest. 15 Voici le côté sud : depuis
l'extrémité de Qiryat-Yéarim, la frontière allait vers
Gasîn [a] et aboutissait près de la source des eaux de
Nephtoah, 16 puis elle descendait à l'extrémité de la
15 8+ montagne qui fait face à la vallée de Ben-Hinnom,
dans la plaine des Rephaïm au nord, et elle descendait dans la vallée de Hinnom vers le flanc du Jébuséen au sud, et descendait à En-Rogel. 17 Elle s'infléchissait ensuite vers le nord pour aboutir à
En-Shémesh, et aboutissait au cercle de pierres qui
est en face de la montée d'Adummim, puis descendait à la Pierre de Bohân, fils de Ruben. 18 Elle passait ensuite à Kéteph sur le flanc de Bet-ha-Araba [b]
vers le nord, et descendait vers la Araba; 19 puis la
frontière passait au flanc de Bet-Hogla au nord, et
le point d'arrivée de la frontière était la baie de la
mer du Sel, au nord, à l'extrémité méridionale du
Jourdain. Telle était la frontière sud. 20 Le Jourdain
formait la frontière du côté de l'orient. Tel fut l'héritage des fils de Benjamin selon le pourtour de leur
frontière, selon leurs clans.

**Villes de Benjamin.**

21 Les villes de la tribu des fils de Benjamin,
selon leurs clans, étaient : Jéricho, Bet-Hogla,
Émèq-Qeçiç, 22 Bet-ha-Araba, Çemarayim, Béthel,
23 Avvim, Para, Ophra, 24 Kephar-ha-Ammoni,
Ophni, Gaba : douze villes et leurs villages.
25 Gabaôn, Rama, Béérot, 26 Miçpé, Kephira,
Moça, 27 Réqem, Yirpéel, Taréala, 28 Çéla-ha-
Éleph, le Jébuséen – c'est Jérusalem –, Gibéa et
Qiryat : quatorze villes avec leurs villages. Tel fut
l'héritage des fils de Benjamin selon leurs clans.

**La tribu de Siméon [c].** Gn 49 5-7 1 Ch 4 28-33

**19** 1 Le deuxième lot sortit pour Siméon, pour la
tribu des fils de Siméon selon leurs clans : leur
héritage se trouva au milieu de l'héritage des fils de
Juda. 2 Ils reçurent en héritage Bersabée, Shèba,
Molada, 3 Haçar-Shual, Bala, Éçem, 4 Eltolad,
Betul, Horma, 5 Çiqlag, Bet-ha-Markabot, Haçar-
Susa, 6 Bet-Lebaôt et Sharuhén : treize villes et
leurs villages; 7 Ayîn, Rimmôn [d], Étèr, Ashân :
quatre villes et leurs villages, 8 avec tous les villages situés aux environs de ces villes jusqu'à Baalat-
Béèr et Rama du Négeb. Tel fut l'héritage de la
tribu des fils de Siméon selon leurs clans. 9 L'héritage des fils de Siméon fut pris sur le lot des fils
de Juda, parce que la part des fils de Juda était trop
grande pour eux; les fils de Siméon reçurent donc
leur héritage au milieu de l'héritage des fils de Juda.

**La tribu de Zabulon.** Jg 1 30 Gn 49 13

10 Le troisième lot revint aux fils de Zabulon Dt 33 18-19
selon leurs clans : le territoire de leur héritage
s'étendait juqu'à Sadud [e]; 11 leur frontière montait
à l'occident vers Maraala, elle touchait Dabbeshèt
ainsi que le torrent qui est en face de Yoqnéam.
12 La frontière tournait de Sadud vers l'est, là où
le soleil se lève, jusqu'à la frontière de Kislot-Ta-
bor, elle aboutissait vers Daberat et montait à
Yaphia. 13 De là elle passait vers l'est, au levant,
vers Gat-Héphèr et Itta-Qaçîn, aboutissait à Rimmôn et tournait vers Néa [f]. 14 La frontière nord se
tournait vers Hannatôn, et son point d'arrivée
était à la vallée de Yiphtah-El; 15 avec Qattat,
Nahalal, Shimrôn, Yiréala et Bethléem [g] : douze
villes avec leurs villages. 16 Tel fut l'héritage des
fils de Zabulon selon leurs clans : ces villes avec
leurs villages.

**La tribu d'Issachar.** Gn 49 14 Dt 33 18

17 Le quatrième lot sortit pour Issachar, pour les
fils d'Issachar selon leurs clans. 18 Leur territoire
s'étendait vers Yizréel et comprenait Kesullot,

*a)* « Gasîn » grec; « vers l'ouest » de l'hébr. n'a pas de sens, cf. **15** 9.

*b)* « Bet-ha-Araba » grec, cf. **15** 6; « en face de la Araba » hébr.

*c)* La tribu de Siméon, jadis puissante, Gn **34** 25s; **49** 5, n'est plus mentionnée dans les bénédictions de Dt **33**. Elle fut absorbée par la tribu de Juda, ce qui explique qu'on ne décrive pas son territoire. De plus, la liste des villes siméonites, ici et 1 Ch **4** 28-32, est parallèle à la seconde partie de la liste des villes de Juda dans le Négeb, Jos **15** 26b-32. D'après 1 Ch **4** 31, cette intégration se fit sous le règne de David.

*d)* On a proposé de lire En-Rimmôn, ici (d'après une partie du grec) et **15** 32; 1 Ch **4** 32, cf. Ne **11** 29. Mais ici et dans le texte de 1 Ch, cette correction contredit le total des villes.

*e)* « Sadud » mss grecs, syr.; « Sarîd » hébr.; de même v. 12.

*f)* « à Rimmôn et tournait » *rimmônah weta'ar* conj.; *rimmôn hammeto'ar* hébr. inintelligible.

*g)* Évidemment à distinguer de Bethléem de Juda, cette ville se trouvait en basse Galilée. – « Yiréala » mss, versions; « Yideala » hébr.

Shunem, 19 Hapharayim, Shiôn, Anaharat,
20 Daberat[a], Qishyôn, Ébeç, 21 Rémèt, En-Gannim, En-Hadda, et Bet-Paççèç. 22 La frontière touchait Tabor, Shahaçima et Bet-Shémesh, et le point
d'arrivée de la frontière était le Jourdain : seize villes avec leurs villages. 23 Tel fut l'héritage de la
tribu des fils d'Issachar selon leurs clans : les villes
et leurs villages.

Jg **1** 31-32 Gn **49** 20 Dt **33** 24-25

### La tribu d'Asher.

24 Le cinquième lot sortit pour la tribu des fils
d'Asher selon leurs clans. 25 Leur territoire
comprenait : Helqat, Hali, Bétèn, Akshaph,
26 Alammélek; Améad et Mishéal; il touchait le
Carmel à l'ouest et le cours du Libnat. 27 Du côté
où le soleil se lève, il allait jusqu'à Bet-Dagôn, touchait Zabulon, la vallée de Yiphtah-El au nord,
Bet-ha-Émeq et Néïel, aboutissant vers Kabul à
gauche, 28 avec Abdôn[b], Rehob, Hammôn, et
Qana jusqu'à Sidon-la-Grande. Puis la frontière
allait vers Rama et jusqu'à la ville de la place forte
de Tyr; 29 la frontière allait ensuite à Hosa et son
point d'arrivée était, à la mer, Mahaleb et Akzib[c],
30 avec Akko[d], Aphèq et Rehob : vingt-deux villes avec leurs villages. 31 Tel fut l'héritage de la
tribu des fils d'Asher selon leurs clans : ces villes
et leurs villages.

Jg **1** 33 Gn **49** 21 Dt **33** 23

### La tribu de Nephtali.

32 Pour les fils de Nephtali sortit le sixième lot,
pour les fils de Nephtali selon leurs clans. 33 Leur
frontière allait de Héleph et du Chêne de Çaanannim, avec Adami-ha-Néqèb et Yabnéel, jusqu'à
Laqqum, et son point d'arrivée était le Jourdain.
34 A l'ouest la frontière passait à Aznot-Tabor, elle
aboutissait de là à Huqqoq et touchait Zabulon au
sud, Asher à l'ouest et le Jourdain à l'est[e]. 35 Les
villes fortes étaient : Çiddim, Çer, Hammat, Raq-
qat, Kinnérèt, 36 Adama, Rama, Haçor, 37 Qédesh,
Édréï, En-Haçor, 38 Yiréôn, Migdal-El, Horem,
Bet-Anat, et Bet-Shémesh : dix-neuf villes et leurs
villages. 39 Tel fut l'héritage de la tribu des fils de
Nephtali selon leurs clans : les villes et leurs
villages.

### La tribu de Dan[f]. Gn **49** 16-17 Dt **33** 22

40 Pour la tribu des fils de Dan selon leurs clans
sortit le septième lot. 41 Le territoire de leur héritage comprenait : Çoréa, Eshtaol, Ir-Shémesh,
42 Shaalbim, Ayyalôn, Silata[g], 43 Élôn, Timna,
Éqrôn, 44 Elteqé, Gibbetôn, Baalat, 45 Azor[h], Bené-
Beraq et Gat-Rimmôn; 46 et vers la mer Yeraqôn[i]
avec le territoire qui est en face de Joppé. 47 Mais le Jg **1** 34-35
territoire des fils de Dan leur échappa, aussi les fils Jg **18**
de Dan montèrent-ils pour combattre Léshem dont
ils s'emparèrent et qu'ils passèrent au fil de l'épée.
En ayant pris possession, ils s'y établirent et appelèrent Léshem, Dan, du nom de leur ancêtre Dan.
48 Tel fut l'héritage de la tribu des fils de Dan
selon leurs clans : ces villes et leurs villages.
49 Ayant achevé la répartition du pays selon ses
frontières, les Israélites donnèrent à Josué, fils de
Nûn, un héritage au milieu d'eux; 50 sur l'ordre de
Yahvé, ils lui donnèrent la ville qu'il avait deman- **24** 30
dee, Timnat-Sérah, dans la montagne d'Éphraïm; Jg **2** 9
il rebâut la ville et s'y établit[j].
51 Telles sont les parts d'héritage que le prêtre
Éléazar, Josué fils de Nûn et les chefs de famille
répartirent par le sort entre les tribus d'Israël à
Silo, en présence de Yahvé, à l'entrée de la Tente
du Rendez-vous. Ainsi fut terminé le partage du
pays.

## 4. *VILLES PRIVILÉGIÉES*

Ex **21** 13+ Nb **35** 9-34 Dt **19** 1-13

### Les villes de refuge[k].

**20** 1 Yahvé dit à Josué : 2 « Parle aux Israélites et
dis-leur : Donnez-vous les villes de refuge
dont je vous ai parlé par l'intermédiaire de Moïse,
3 où pourra s'enfuir le meurtrier qui a frappé quelqu'un par inadvertance (involontairement), et qui
vous serviront de refuge contre le vengeur du sang. Nb **35** 19+

*a)* « Daberat » grec, cf. v. 12 et **21** 28; « Ha-Rabbît » hébr.
*b)* « Abdôn » mss, cf. **21** 30; 1 Ch **6** 59; « Ebrôn » hébr.
*c)* « Mahaleb » d'après un texte assyrien et le nom moderne; « Méhébel » hébr. – « et Akzib » grec; « vers Akzib » (ou « Akzibah ») hébr.
*d)* « Akko » d'après Jg **1** 31; « Ummah » hébr.
*e)* « et le Jourdain » grec; « et en Juda le Jourdain » hébr.
*f)* Les villes attribuées à la tribu de Dan se situent à l'ouest du territoire de Benjamin, entre Éphraïm et Juda, et en grande partie en territoire cananéen. En fait, les Danites ne purent s'installer dans ce territoire; ils en furent chassés par la pression des Amorites, d'après Jg **1** 34-35, puis des Philistins; cf. Jg **13-16**. Leur migration vers le Nord, rappelée ici, v. 47, est racontée en Jg **18**.
*g)* « Silata » avec une partie du grec et le nom moderne; « Yitlah » hébr.
*h)* « Azor » avec une partie du grec et le nom moderne; « Yehud » hébr.
*i)* « et vers la mer, Yeraqôn » grec; « et les eaux du Yarqôn et le Raqqôn » hébr.
*j)* La répartition du territoire entre les tribus s'achève par une note rédactionnelle sur la part personnelle de Josué, note qui s'inspire de la notice sur son tombeau, Jos **24** 30 = Jg **2** 9.
*k)* Les ch. **20-21** sont des compléments au partage. Le ch. **20** est présenté comme une application de la loi d'asile d'Ex **21** 13+. Le chiffre de six villes de refuge, sans leur nom,

[4] (C'est donc vers une de ces villes que le meurtrier
devra s'enfuir. Il se tiendra à l'entrée de la porte de
la ville et exposera son cas aux anciens de la ville.
Ceux-ci l'admettront dans leur ville et lui assigne-
ront un lieu où il habitera parmi eux. [5] Si le vengeur
du sang le poursuit, ils ne livreront pas le meurtrier
entre ses mains, car c'est involontairement qu'il a
frappé son prochain, sans avoir eu contre lui de
haine invétérée. [6] Il devra rester dans cette ville)
jusqu'à ce qu'il comparaisse en jugement devant la
communauté (jusqu'à la mort du grand prêtre en
fonction à cette époque. Alors seulement le meurtrier pourra retourner dans sa ville et sa maison,
dans la ville d'où il s'est enfui.) »

[7] On consacra donc Qédesh en Galilée, dans la
montagne de Nephtali, Sichem dans la montagne
d'Éphraïm, et Qiryat-Arba – c'est Hébron – dans
la montagne de Juda. [8] De l'autre côté du Jourdain
de Jéricho, à l'orient, on désigna dans le désert, sur
Dt **4** 43 le plateau, Béçer de la tribu de Ruben, Ramot en
Galaad, de la tribu de Gad et Golân en Bashân,
de la tribu de Manassé. [9] Telles furent les villes
désignées pour tous les Israélites et pour les étrangers qui résident parmi eux, pour qu'y pût fuir
quiconque aurait frappé quelqu'un par inadvertance, et qu'il échappât à la main du vengeur du
sang, jusqu'à sa comparution devant la communauté.

Nb **35** 1-8 || 1 Ch **6** 39-66

### Les villes lévitiques [a].

**21** [1] Alors les chefs de famille des Lévites s'en
vinrent trouver le prêtre Éléazar, Josué, fils de
Nûn, et les chefs de famille des tribus d'Israël,
[2] alors qu'on se trouvait à Silo, au pays de Canaan,
et leur dirent : « Yahvé, par l'intermédiaire de
Moïse, a ordonné qu'on nous donne des villes pour
y demeurer, et leurs pâturages pour notre bétail. »
[3] Les Israélites donnèrent donc aux Lévites, sur
leur héritage, selon l'ordre de Yahvé, les villes en
question avec leurs pâturages.

[4] On tira au sort pour les clans des Qehatites :
aux fils du prêtre Aaron, d'entre les Lévites, échurent treize villes des tribus de Juda, de Siméon et
de Benjamin; [5] aux autres fils de Qehat selon leurs
clans [b], échurent dix villes des tribus d'Éphraïm, de
Dan et de la demi-tribu de Manassé. [6] Aux fils de
Gershôn, selon leurs clans, échurent treize villes
des tribus d'Issachar, d'Asher, de Nephtali et de la
demi-tribu de Manassé en Bashân. [7] Aux fils de
Merari selon leurs clans, échurent douze villes des
tribus de Ruben, de Gad et de Zabulon.

[8] Les Israélites assignèrent par le sort ces villes
et leurs pâturages aux Lévites, comme l'avait
ordonné Yahvé par l'intermédiaire de Moïse.

### Part des Qehatites.

[9] Ils donnèrent de la tribu de Juda et de la tribu
de Siméon les villes que voici dont les noms furent
donnés [c]. [10] Ce fut d'abord la part des fils d'Aaron,
appartenant au clan des Qehatites, aux fils de Lévi,
car le premier lot était pour eux. [11] Ils leur donnèrent Qiryat-Arba la ville du père d'Anaq – c'est
Hébron – dans la montagne de Juda, avec les pâturages environnants. [12] Mais la campagne de cette
ville avec ses villages, ils les donnèrent en propriété
à Caleb, fils de Yephunné. [13] Aux fils du prêtre **14** 13-14
Aaron, ils donnèrent Hébron, ville de refuge pour
le meurtrier, avec ses pâturages, ainsi que Libna et
ses pâturages, [14] Yattir et ses pâturages, Eshtemoa
et ses pâturages, [15] Holôn et ses pâturages, Debir
et ses pâturages, [16] Ashân [d] et ses pâturages, Yutta
et ses pâturages, et Bet-Shémesh et ses pâturages :
neuf villes prises sur ces deux tribus. [17] De la tribu
de Benjamin, Gabaôn et ses pâturages, Géba et ses
pâturages, [18] Anatot et ses pâturages, et Almôn et
ses pâturages : quatre villes. [19] Total des villes des
prêtres fils d'Aaron : treize villes et leurs pâturages.

[20] Quant aux clans des fils de Qehat, aux Lévites
qui restaient parmi les fils de Qehat, les villes de
leur lot furent prises sur la tribu d'Éphraïm. [21] On
leur donna Sichem, ville de refuge pour le meurtrier, avec ses pâturages, dans la montagne
d'Éphraïm, ainsi que Gézer et ses pâturages,
[22] Qibçayim et ses pâturages, et Bet-Horôn et ses
pâturages : quatre villes. [23] De la tribu de Dan,
Elteqé et ses pâturages, Gibbetôn et ses pâturages,
[24] Ayyalôn et ses pâturages, et Gat-Rimmôn et ses
pâturages : quatre villes. [25] De la demi-tribu de
Manassé, Tanak et ses pâturages, et Yibleam [e] et
ses pâturages : deux villes. [26] Total : dix villes avec

avait été donné par Nb **35** ss. Dt **4** 41-43 désigne par leur nom les trois villes de refuge de Transjordanie. Dt **19** 1s prescrit de choisir trois autres villes après la conquête de Canaan. C'est ce qui est fait ici, où les six villes sont nommées. En fait, l'institution des villes de refuge ne doit pas être antérieure au règne de Salomon. – Les passages entre parenthèses, absents du grec, sont tirés parfois mot pour mot de Dt **19** et Nb **35**.

*a)* La tribu de Lévi, qui n'a pas d'autonomie politique, n'a pas reçu de territoire, **13** 14, 33; **14** 3-4; **18** 7, mais on accorde aux Lévites la résidence en certaines villes et des droits sur les pâturages voisins, cf. Nb **35** 1-8. Ce ch., l'un des plus récents du livre, est la systématisation utopique d'un état de fait qui peut remonter à l'époque de Salomon où toutes les villes mentionnées étaient effectivement au pouvoir d'Israël. La liste peut s'appuyer sur la répartition des Lévites après la fondation du Temple de Jérusalem; elle inclut les six villes de refuge, qui répondent à une intention différente.

*b)* « selon leurs clans » conj., cf. v. 7; « des clans de la tribu » hébr. De même au v. 6.

*c)* Fin du v. incertaine.

*d)* « Ashân » mss grecs, cf. 1 Ch **6** 44; « Ayin » (« la source ») hébr.

*e)* « Yibleam » conj., cf. **17** 11; hébr. répète « Gat-Rimmôn ».

leurs pâturages pour les clans qui restaient parmi les fils de Qehat.

**Part des fils de Gershôn.**

27 Aux fils de Gershôn, de clans lévitiques, on donna, de la demi-tribu de Manassé, Golân en Bashân, ville de refuge pour le meurtrier, et Ashtarot [a], avec leurs pâturages : deux villes. 28 De la tribu d'Issachar, Qishyôn et ses pâturages, Daberat et ses pâturages, 29 Yarmut et ses pâturages, et En-Gannim et ses pâturages : quatre villes. 30 De la tribu d'Asher, Mishéal et ses pâturages, Abdôn et ses pâturages, 31 Helqat et ses pâturages, et Rehob et ses pâturages : quatre villes. 32 De la tribu de Nephtali, Qédesh en Galilée, ville de refuge pour le meurtrier, avec ses pâturages, Hammot-Dor et ses pâturages, et Qartân et ses pâturages : trois villes. 33 Total des villes des Gershonites, selon leurs clans : treize villes et leurs pâturages.

**Part des fils de Merari.**

34 Au clan des fils de Merari, au reste des Lévites, échurent de la tribu de Zabulon Yoqnéam et ses pâturages, Qarta et ses pâturages, 35 Rimmôn [b] et ses pâturages, et Nahalal et ses pâturages : quatre villes. 36 De l'autre côté du Jourdain de Jéricho, de la tribu de Ruben, Béçèr dans le désert, sur le plateau, ville de refuge pour le meurtrier, avec ses pâturages, Yahaç et ses pâturages, 37 Qedémot et ses pâturages, et Méphaat et ses pâturages : quatre villes [c]. 38 De la tribu de Gad, Ramot en Galaad, ville de refuge pour le meurtrier, avec ses pâturages, Mahanayim et ses pâturages, 39 Heshbôn et ses pâturages, et Yazèr et ses pâturages : quatre villes [d]. 40 Total des villes qui furent le lot des fils de Merari selon leurs clans, du reste des clans lévitiques : douze villes.

41 Le nombre total des villes des Lévites au milieu du domaine des Israélites était de quarante-huit villes avec leurs pâturages. 42 Ces villes comprenaient chacune la ville et ses pâturages alentour. Il en allait ainsi pour toutes les villes.

**Conclusion du partage.**

43 C'est ainsi que Yahvé donna aux Israélites
tout le pays qu'il avait juré de donner à leurs pères.
Ils en prirent possession et s'y établirent. 44 Yahvé
leur procura la tranquillité sur toutes leurs frontières, tout comme il l'avait juré à leurs pères et, de
tous leurs ennemis, aucun ne réussit à tenir devant
eux. Tous leurs ennemis, Yahvé les livra entre leurs
mains. 45 De toutes les promesses que Yahvé avait 23 14
faites à la maison d'Israël, aucune ne manqua son Is 55 11
effet : tout se réalisa.

# *III. Fin de la carrière de Josué*

## *1. RETOUR DES TRIBUS ORIENTALES LA QUESTION DE LEUR AUTEL* [e]

**Renvoi du contingent transjordanien.**

1 12-18; 22 1 Josué convoqua les Rubénites, les Gadites et
13 8-32 la demi-tribu de Manassé 2 et leur dit : « Vous
Nb 32 avez observé tout ce que Moïse, serviteur de Yahvé,
vous a ordonné, et vous avez écouté ma voix chaque fois que je vous ai donné un ordre. 3 Vous n'avez pas abandonné vos frères, depuis longtemps jusqu'aujourd'hui, gardant l'observance du commandement de Yahvé votre Dieu. 4 Maintenant Yahvé votre Dieu a procuré à vos frères le repos qu'il leur avait promis. Retournez donc à vos tentes, au pays où vous vous êtes fixés et que Moïse, serviteur de Yahvé, vous a donné au-delà du Jourdain. 5 Seulement, prenez bien soin de mettre en
pratique le commandement et la Loi que Moïse,
serviteur de Yahvé, vous a prescrits : d'aimer Dt 6 5+
Yahvé votre Dieu, de suivre toujours ses voies, d'observer ses commandements, de vous attacher à lui et de le servir de tout votre cœur et de toute votre âme. » 6 Josué les bénit et les renvoya; et ils s'en allèrent à leurs tentes.

7 Moïse avait donné à une moitié de la tribu de Manassé un territoire en Bashân; à la seconde moitié, Josué en donna un autre au milieu de ses frères, sur la rive occidentale du Jourdain. Comme il les

*a)* « Ashtarot » syr., cf. 1 Ch **6** 56; *be'esterah* hébr.
*b)* « Rimmôn » conj. d'après **19** 13; 1 Ch **6** 26; « Dimnah » hébr.
*c)* Les vv. 36-37, omis par le TM, se trouvent dans de nombreux mss hébr. et sont donnés ici, corrigés d'après le grec et 1 Ch **6** 62-63.
*d)* « quatre villes » syr., Vulg.; « total des villes, quatre » hébr.
*e)* Le ch. **22** est composite : les vv. 1-6 sont deutéronomistes et répondent à Jos **1** 12-18; les vv. 7-9 ajoutent la demi-tribu de Manassé qui ne figurait pas d'abord dans le récit; les vv. 10-34 portent des marques de rédaction sacerdotale. Cependant ce récit utilise une tradition ancienne. Il peut garder le souvenir

renvoyait à leurs tentes, Josué les bénit 8 et leur
dit : « Vous retournerez à vos tentes avec de grandes richesses, du bétail à foison, de l'argent, de l'or,
du bronze, du fer et des vêtements en très grande
quantité; partagez avec vos frères les dépouilles de
vos ennemis. »

**Érection d'un autel sur les bords du Jourdain.**

9 Les fils de Ruben et les fils de Gad s'en retournèrent avec la demi-tribu de Manassé et quittèrent
les Israélites à Silo, dans le pays de Canaan, pour
s'en aller au pays de Galaad où ils s'étaient fixés,
suivant l'ordre de Yahvé transmis par Moïse.
10 Lorsqu'ils furent arrivés aux cercles de pierres du
Jourdain, qui sont au pays de Canaan, les fils de
Ruben, les fils de Gad et la demi-tribu de Manassé
bâtirent là un autel sur le bord du Jourdain, un
autel de grande apparence.
11 Le fait parvint aux oreilles des Israélites.
Voici, disait-on, que les fils de Ruben, les fils de
Gad et la demi-tribu de Manassé ont construit cet
autel, du côté du pays de Canaan, vers les cercles
de pierres du Jourdain, sur la rive des Israélites.
12 A cette nouvelle toute la communauté des Israélites se réunit à Silo pour marcher contre eux et
leur faire la guerre.

**Reproches adressés aux tribus orientales.**

13 Les Israélites envoyèrent auprès des fils de
Ruben, des fils de Gad et de la demi-tribu de
Ex 6 25 Manassé, au pays de Galaad, le prêtre Pinhas, fils
Nb 25 7, 11s d'Éléazar, 14 et avec lui dix notables, un notable par
famille pour chaque tribu d'Israël, chacun d'eux
étant chef de sa famille parmi les clans d'Israël.
15 Parvenus chez les fils de Ruben, chez les fils de
Gad et dans la demi-tribu de Manassé au pays de
Galaad, ils leur dirent :
16 « Ainsi parle toute la communauté de Yahvé :
Que signifie cette infidélité [a] que vous avez
commise envers le Dieu d'Israël, vous détournant
aujourd'hui de Yahvé et vous bâtissant un autel, ce
qui est aujourd'hui une rébellion contre Yahvé?
17 « N'était-ce donc pas assez pour nous du crime
Nb 25 3-5 de Péor, dont nous n'avons pas encore réussi à
Dt 4 3 nous purifier jusqu'à présent, en dépit du fléau qui
a sévi contre toute la communauté de Yahvé? 18 Or
vous vous détournez aujourd'hui de Yahvé, et
puisqu'aujourd'hui vous vous révoltez contre
Yahvé, demain sa colère va s'enflammer contre
toute la communauté d'Israël.
19 « Le pays où vous vous êtes fixés est-il impur?
Passez dans le pays où s'est fixé Yahvé, là où s'est
installée sa demeure, et fixez-vous parmi nous.
Mais ne vous révoltez pas contre Yahvé et ne nous
entraînez pas dans votre rébellion en vous bâtissant
un autel rival de l'autel de Yahvé notre Dieu.
20 Lorsque Akân, fils de Zérah, fut infidèle dans 7
l'affaire de l'anathème, la Colère n'atteignit-elle pas
la communauté d'Israël entière, quoiqu'il ne fût
qu'un seul individu? Ne dut-il pas mourir pour son
crime? »

**Justification des tribus d'outre-Jourdain.**

21 Les fils de Ruben, les fils de Gad et la demi-
tribu de Manassé, prenant la parole, répondirent
aux chefs des clans d'Israël :
22 « Le Dieu des dieux, Yahvé, le Dieu des Dt 10 17
dieux [b], Yahvé le sait bien, et Israël doit le savoir :
s'il y a eu de notre part rébellion ou infidélité à
l'égard de Yahvé, qu'il refuse de nous sauver
aujourd'hui, 23 et si nous avons bâti un autel pour
nous détourner de Yahvé et pour y offrir l'holo- Lv 1-3
causte et l'oblation, ou pour y faire des sacrifices
de communion, que Yahvé en demande compte!
24 En vérité, c'est par un souci motivé que nous
avons agi ainsi : Demain, vos fils pourraient dire
aux nôtres : " Qu'y a-t-il de commun entre vous
et Yahvé, le Dieu d'Israël? 25 Yahvé n'a-t-il pas
mis entre nous et vous, fils de Ruben et fils de Gad,
une frontière qui est le Jourdain? Vous n'avez
aucune part sur Yahvé. " Ainsi vos fils seraient
cause que les nôtres cesseraient de craindre
Yahvé.
26 « Aussi nous sommes-nous dit : Bâtissons-
nous cet autel destiné non à des holocaustes ni à
d'autres sacrifices, 27 mais à servir de témoin entre
nous et vous et entre nos descendants après nous,
attestant qu'on célèbre le culte de Yahvé avec nos
holocaustes, nos victimes et nos sacrifices de
communion en sa présence. Vos fils ne pourront
donc pas dire demain aux nôtres : " Vous n'avez
aucune part sur Yahvé! " 28 Et nous nous sommes
dit : S'il leur arrivait toutefois de dire cela soit à
nous-mêmes, soit demain à nos descendants, nous
répondrions : " Regardez la bâtisse de l'autel de
Yahvé que nos pères ont fait, non en vue d'holocaustes ou d'autres sacrifices, mais comme un
témoin entre nous et vous. " 29 Loin de nous de
nous révolter contre Yahvé et de nous détourner
aujourd'hui de derrière Yahvé en bâtissant, pour y

d'une opposition cultuelle entre le sanctuaire de Silo, cf. vv. 9 et 12, avec son sacerdoce, cf. vv. 13s, 30s, et les tribus de Transjordanie que l'on considérait comme vivant en dehors de la Terre Promise qui s'arrêtait au Jourdain.

*a)* L'initiative de Ruben et de Gad est condamnée, ici et v. 19, du point de vue de la loi d'unicité du sanctuaire, Dt **12** 5, postérieure à cet épisode.

*b)* Cette formule qui ne suppose aucun polythéisme est un archaïsme littéraire venant de Gn **33** 20; **46** 3; Nb **16** 22; cf. aussi Dt **10** 17; Ps **50** 1; Dn **11** 36.

offrir holocaustes, oblations ou sacrifices, un autel
rival de l'autel de Yahvé notre Dieu, érigé devant
sa demeure. »

**Rétablissement de l'accord.**

30 Quand le prêtre Pinhas, les notables de la
communauté et les chefs des clans d'Israël qui
l'accompagnaient eurent entendu les paroles prononcées par les fils de Gad, les fils de Ruben et les
fils de Manassé, ils les approuvèrent. 31 Alors le
prêtre Pinhas, fils d'Éléazar, dit aux fils de Ruben,
aux fils de Gad et aux fils de Manassé : « Nous
savons aujourd'hui que Yahvé est au milieu de
nous, puisque vous n'avez pas commis une telle infidélité à son égard; dès lors, vous avez préservé les
Israélites du châtiment de Yahvé. »

32 Le prêtre Pinhas, fils d'Éléazar, et les notables,
ayant quitté les fils de Ruben et les fils de Gad,
revinrent du pays de Galaad dans le pays de
Canaan, auprès des Israélites auxquels ils rapportèrent la réponse. 33 La chose plut aux Israélites; les
Israélites rendirent grâces à Dieu et ne parlèrent
plus de monter contre eux pour leur faire la guerre
et ravager le pays habité par les fils de Ruben et
les fils de Gad. 34 Les fils de Ruben et les fils de
Gad appelèrent l'autel...[a], « car, disaient-ils, il sera
un témoin entre nous que c'est Yahvé qui est Gn **31** 48, 52
Dieu ».

## 2. DERNIER DISCOURS DE JOSUÉ[b]

**Josué résume son œuvre.**

**23** 1 Or, longtemps après que Yahvé eut procuré
le repos à Israël, au milieu de tous les ennemis
**13** 1; **14** 10; qui l'entouraient – Josué était devenu vieux, il était
**24** 29 avancé en âge –, 2 Josué convoqua tout Israël, ses
anciens, ses chefs, ses juges et ses scribes, et leur
dit : « Pour moi, je suis vieux et avancé en âge;
3 pour vous, vous avez vu tout ce que Yahvé votre
Dieu a fait à cause de vous à toutes ces populations; c'est Yahvé votre Dieu qui a combattu pour
vous. 4 Voyez, j'ai tiré au sort pour vous, comme
héritage pour vos tribus, ces populations qui restent, et toutes les populations que j'ai exterminées
depuis le Jourdain jusqu'à la Grande mer à l'occi-
**13** 6 dent[c]. 5 Yahvé votre Dieu les chassera lui-même
devant vous, il les dépossédera devant vous et vous
prendrez possession de leur pays, comme vous l'a
dit Yahvé votre Dieu.

**Conduite à tenir au milieu des populations étrangères.**

6 « Montrez-vous donc très forts pour garder et
accomplir tout ce qui est écrit dans le livre de la
Loi de Moïse sans vous en écarter ni à droite ni
Dt **7** 1 à gauche, 7 sans vous mêler à ces populations qui
Ex **23** 13 subsistent encore à côté de vous. Vous ne prononcerez pas le nom de leurs dieux, vous ne les invoquerez pas dans vos serments, vous ne les servirez
pas et vous ne vous prosternerez pas devant eux.
8 Au contraire, vous vous attacherez à Yahvé votre
Dieu, comme vous l'avez fait jusqu'à ce jour.
9 Yahvé a dépossédé devant vous des populations
grandes et fortes, et personne n'a pu, jusqu'à présent, vous tenir tête. 10 Un seul d'entre vous pouvait Lv **26** 8
en poursuivre mille, car Yahvé votre Dieu combat- Dt **32** 30
tait lui-même pour vous, comme il vous l'avait dit.
11 Vous prendrez bien soin, car il y va de votre vie,
d'aimer Yahvé votre Dieu. Dt **6** 5+

12 « Mais s'il vous arrive de vous détourner et de
vous lier au restant de ces populations qui subsis- Ex **34** 16
tent encore à côté de vous, de contracter mariage Dt **7** 1-6
avec elles, de vous mêler à elles et elles à vous, Jg **2** 2-3
13 alors sachez bien que Yahvé votre Dieu cessera
de déposséder devant vous ces populations : elles
seront pour vous un filet, un piège, des épines[d]
dans vos flancs et des chardons dans vos yeux,
jusqu'à ce que vous ayez disparu de ce bon sol que
vous a donné Yahvé votre Dieu.

14 « Voici que je m'en vais aujourd'hui par le
chemin de tout le monde. Reconnaissez de tout
votre cœur et de toute votre âme que, de toutes les
promesses que Yahvé votre Dieu avait faites en **21** 45
votre faveur, pas une n'a manqué son effet : tout
s'est réalisé pour vous, pas une n'a manqué son
effet.

15 « Eh bien! de même que toute promesse faite Dt **28**
par Yahvé votre Dieu en votre faveur s'est réalisée
pour vous, de même Yahvé réalisera contre vous
toutes ses menaces, jusqu'à vous chasser de ce bon
sol que Yahvé votre Dieu vous a donné.

16 « Si en effet vous transgressez l'alliance que

*a)* Le nom a disparu du texte; il devait contenir le mot « témoin ». Comparer l'explication du nom de Galaad, Gn **31** 47-48.

*b)* Discours d'adieu dont la suite normale se trouve en Jg **2** 6-9. Comparer le dernier discours de Moïse, Dt **31**, mais aussi les adieux de Samuel, 1 S **12**, le testament de David, 1 R **2** 1-9, ou les dernières paroles de Mattathias, 1 M **2** 49-68. Ce ch. devait, dans la première rédaction deutéronomiste, servir de conclusion au livre, avant l'addition du ch. **24**.

*c)* « toutes les populations que j'ai exterminées » est accidentellement déplacé dans l'hébr. après « le Jourdain ». – « jusqu'à la Grande mer » grec; « et la Grande mer » hébr.

*d)* « épines » grec, cf. Nb **33** 55; hébr. inintelligible.

Yahvé votre Dieu vous a imposée, si vous allez servir d'autres dieux, si vous vous prosternez devant
eux, alors la colère de Yahvé s'enflammera contre
vous et vous disparaîtrez rapidement du bon pays Dt **4** 26
qu'il vous a donné. »

## *3. LA GRANDE ASSEMBLÉE DE SICHEM* [a]

**24** 1 Josué réunit toutes les tribus d'Israël à
Sichem [b]; puis il convoqua tous les anciens
d'Israël, ses chefs, ses juges, ses scribes qui se rangèrent en présence de Dieu. 2 Josué dit alors à tout
le peuple : « Ainsi parle Yahvé, le Dieu d'Israël :
Au-delà du Fleuve habitaient jadis vos pères,
Gn **11** 27-32 Térah, père d'Abraham et de Nahor, et ils servaient
Gn **12-24**; d'autres dieux. 3 Alors je pris votre père Abraham
**35** 2-4 d'au-delà du Fleuve et je lui fis parcourir toute la
terre de Canaan, je multipliai sa descendance et je
Gn **25** 19-26; lui donnai Isaac. 4 A Isaac, je donnai Jacob et
**27**; **36** 1-8 Ésaü. A Ésaü, je donnai en possession la montagne
Gn **46** 1-7 de Séïr. Jacob et ses fils descendirent en Égypte.
Ex **3-15** 5 J'envoyai ensuite Moïse et Aaron et frappai
l'Égypte par les prodiges que j'opérai [c] au milieu
d'elle; ensuite je vous en fis sortir. 6 Je fis donc sortir vos pères de l'Égypte et vous arrivâtes à la mer;
les Égyptiens poursuivirent vos pères avec des
chars et des cavaliers, à la mer des Roseaux. 7 Ils
crièrent alors vers Yahvé qui étendit un brouillard
épais entre vous et les Égyptiens, et fit revenir sur
eux la mer qui les recouvrit. Vous avez vu de vos
propres yeux ce que j'ai fait en Égypte, puis vous
avez séjourné de longs jours dans le désert. 8 Je
Nb **21** 21-35 vous fis entrer ensuite dans le pays des Amorites
Dt **2** 26 - **3** 11 qui habitaient au-delà du Jourdain. Ils vous firent
la guerre et je les livrai entre vos mains, aussi avez-
vous pris possession de leur pays, car je les anéan-
Nb **22-24** tis devant vous. 9 Puis se leva Balaq, fils de Çippor,
roi de Moab, pour faire la guerre à Israël, et il
envoya chercher Balaam, fils de Béor, pour vous
maudire. 10 Mais je ne voulus pas écouter Balaam :
il dut même vous bénir et je vous ai sauvés de sa
main.

11 Vous avez ensuite passé le Jourdain pour
atteindre Jéricho, mais les habitants de Jéricho
Dt **7** 1+ vous firent la guerre, les Amorites, les Perizzites,
les Cananéens, les Hittites, les Girgashites, les Hivvites et les Jébuséens, et je les livrai entre vos
Dt **7** 20 mains. 12 J'envoyai devant vous les frelons qui
chassèrent devant vous les deux rois amorites, ce
que tu ne dois ni à ton épée ni à ton arc. 13 Je vous Dt **6** 10-13
ai donné une terre qui ne vous a demandé aucune
fatigue, des villes que vous n'avez pas bâties et
dans lesquelles vous vous êtes installés, des vignes
et des olivettes que vous n'avez pas plantées et qui
sont votre nourriture.

**Israël choisit Yahvé.**

14 « Et maintenant, craignez Yahvé et servez-le
dans la perfection en toute sincérité; éloignez les Gn **35** 2
dieux que servirent vos pères au-delà du Fleuve et Ez **20** 7
en Égypte, et servez Yahvé. 15 S'il ne vous paraît
pas bon de servir Yahvé, choisissez aujourd'hui qui
vous voulez servir, soit les dieux que servaient vos
pères au-delà du Fleuve, soit les dieux des Amorites dont vous habitez maintenant le pays. Quant à
moi et ma famille, nous servirons Yahvé. »

16 Le peuple répondit : « Loin de nous d'abandonner Yahvé pour servir d'autres dieux! 17 Yahvé
notre Dieu est celui qui nous a fait monter, nous Ex **13** 3
et nos pères, du pays d'Égypte, de la maison de ser- Dt **5** 6
vitude, qui devant nos yeux a opéré ces grands
signes et nous a gardés tout le long du chemin que
nous avons parcouru et parmi toutes les populations à travers lesquelles nous avons passé. 18 Et
Yahvé a chassé devant nous toutes les populations
ainsi que les Amorites qui habitaient le pays. Nous
aussi, nous servirons Yahvé, car c'est lui notre
Dieu. »

19 Alors Josué dit au peuple : « Vous ne pouvez
pas servir Yahvé car il est un Dieu saint, il est un Lv **17** 1+
Dieu jaloux, qui ne tolérera pas vos transgressions Dt **4** 24; **6** 1
ni vos péchés. 20 Si vous abandonnez Yahvé pour
servir les dieux de l'étranger, il vous maltraitera à
nouveau et vous anéantira après vous avoir fait du
bien. »

21 Le peuple répondit à Josué : « Non! C'est
Yahvé que nous servirons. » 22 Alors Josué dit au
peuple : « Vous êtes témoins contre vous-mêmes

*a)* Trois parties : 1° Josué propose à la foi des assistants les interventions de Yahvé en faveur d'Israël, vv. 2-13; cf. les confessions de foi de Dt **6** 21-24 et **26** 5-9; 2° l'assemblée se prononce pour Yahvé contre les dieux étrangers, vv. 14-24; 3° l'alliance est conclue et sa loi mise par écrit, vv. 25-28. – Ce ch. a été ajouté pendant ou après l'Exil, mais la tradition qu'il représente est ancienne. La foi en Yahvé, apportée par le groupe que conduit Josué, est proposée par lui à d'autres groupes qui n'en ont pas encore entendu parler. Ils n'ont pas été en Égypte et n'ont pas bénéficié des merveilles de l'Exode et de la révélation du Sinaï; cependant ce ne sont pas des Cananéens et ils ont une origine commune avec le groupe de Josué : il s'agit des tribus du Nord qui, par ce pacte, acceptent la foi en Yahvé et deviennent ainsi partie du peuple de Dieu.

*b)* Cf. **8** 30-35. Sichem était, par sa position centrale, un lieu favorable au rassemblement des tribus, cf. encore 1 R **12**, et, par son passé, un cadre prédestiné pour la conclusion de ce pacte religieux : Abraham y avait élevé un autel, Gn **12** 6-7, Jacob y avait acquis des droits, Gn **33** 18-20, et enfoui les idoles rapportées de Mésopotamie, Gn **35** 2-4.

*c)* « les prodiges que j'opérai » mss grecs, syr., Vulg.; « ce que j'opérai » hébr.

que vous avez fait choix de Yahvé pour le servir. »
Ils répondirent : « Nous sommes témoins. » –
23 « Alors, écartez les dieux de l'étranger qui sont
au milieu de vous et inclinez votre cœur vers
Yahvé, Dieu d'Israël. » 24 Le peuple dit à Josué :
« C'est Yahvé notre Dieu que nous servirons, c'est
à sa voix que nous obéirons. »

**Le pacte de Sichem.**

25 Ce jour-là, Josué conclut une alliance pour le
Ex **15** 25 peuple; il lui fixa un statut et un droit à Sichem.
26 Josué écrivit ces paroles dans le livre de la Loi
de Dieu. Il prit ensuite une grosse pierre et la
dressa là, sous le chêne qui est dans le sanctuaire Gn **12** 6; **35** 4
de Yahvé. 27 Josué dit alors à tout le peuple : Dt **11** 30
« Voici, cette pierre sera un témoin contre nous Jg **9** 6
parce qu'elle a entendu toutes les paroles que
Yahvé nous a adressées; elle sera un témoin [a]
contre vous pour vous empêcher de renier votre
Dieu. » 28 Puis Josué renvoya le peuple, chacun Jg **2** 6
dans son héritage.

## 4. *APPENDICES*

|| Jg **2** 6-10 **Mort de Josué [b].**

29 Après ces événements, Josué, fils de Nûn, serviteur de Yahvé [c], mourut, âgé de cent dix ans.
30 On l'ensevelit dans le domaine qu'il avait reçu en
héritage, à Timnat-Sérah, qui est situé dans la montagne d'Éphraïm au nord du mont Gaash [d].
31 Israël servit Yahvé pendant toute la vie de Josué
et toute la vie des anciens qui survécurent à Josué
et qui avaient connu toute l'œuvre que Yahvé avait
accomplie en faveur d'Israël.

**Les os de Joseph. Mort d'Éléazar [e].**

32 Quant aux ossements de Joseph que les Israéli- Gn **50** 24-25
tes avaient apportés d'Égypte, on les ensevelit à Ex **13** 19
Sichem, dans la parcelle de champ que Jacob avait Gn **33** 18-20
achetée aux fils de Hamor, père de Sichem, pour
cent pièces d'argent, et qui était devenue [f] héritage
des fils de Joseph. 33 Puis Éléazar, le fils d'Aaron,
mourut et on l'ensevelit à Gibéa, ville de son fils
Pinhas, qui lui avait été donnée dans la montagne
d'Éphraïm [g].

*a)* Comparer le tas de pierres témoin, Gn **31** 48, 52; l'autel témoin, Jos **22** 26s; la stèle témoin, Is **19** 19-20.

*b)* Les vv. 28-31 sont presque textuellement repris au début de la seconde introduction au livre des Juges, **2** 6-10. Cela souligne l'unité rédactionnelle des deux livres.

*c)* Le même titre était donné à Moïse, Ex **14** 31; Jos **1** 1; cf. Dt **34** 5, et le sera à David, Ps **18** 1; **89** 4, 21, préfiguration du « Serviteur de Yahvé », Is **42** 1+.

*d)* Les Septante ajoutent : « Là (à Timnat-Sérah) ils déposèrent avec lui, dans le tombeau où ils l'avaient enseveli, les couteaux de silex avec lesquels il avait circoncis les Israélites à Galgala lorsqu'il les eut fait sortir d'Égypte comme le Seigneur lui avait ordonné; et ils sont encore là jusqu'à ce jour. » De fait, on trouve encore aujourd'hui un grand nombre de silex taillés préhistoriques aux environs du village qui s'élève à l'emplacement de Timnat-Sérah.

*e)* Josué et Éléazar sont morts en Terre Promise, en lieu et place de Moïse et Aaron morts avant de franchir le Jourdain. Les ossements de Joseph sont eux aussi rendus à la Terre déjà donnée aux Patriarches. C'est ainsi qu'avec le livre de Josué s'achève le Retour d'Égypte.

*f)* « qui était devenue » versions; « ils (les ossements) étaient devenus » hébr.

*g)* Les Septante ajoutent : « Alors les Israélites s'en allèrent chacun à son logis et chacun en sa ville. Les Israélites rendirent un culte à Astarté, à Astarot et aux dieux des nations qui les entouraient. Aussi le Seigneur les livra au pouvoir d'Églôn, roi de Moab, qui les opprima pendant dix-huit ans. » Cf. Jg **3** 14.

# LE LIVRE DES JUGES

## Première introduction[a]

### RÉCIT SOMMAIRE DE L'INSTALLATION EN CANAAN

**Installation de Juda, de Siméon,**
**de Caleb et des Qénites.**

**1** 1 Or, après la mort de Josué, les Israélites
Ex 33 7+ consultèrent Yahvé en disant : « Qui de nous
montera d'abord contre les Cananéens pour les
20 18 combattre? » 2 Et Yahvé répondit : « C'est Juda qui
montera le premier; voici que je livre le pays entre
ses mains. » 3 Alors Juda dit à Siméon son frère [b] :
« Monte avec moi dans le territoire que le sort m'a
assigné, nous attaquerons les Cananéens et, à mon
tour, je monterai avec toi dans ton territoire. » Et
Siméon marcha avec lui. 4 Juda monta donc et
Yahvé livra en leurs mains les Cananéens et les
Perizzites, et, à Bézeq, ils défirent dix mille hom-
Jos 10 3 mes. 5 Ayant rencontré à Bézeq Adoni-Bézeq [c], ils
Jos 10 1-27 lui livrèrent bataille et défirent les Cananéens et les
Perizzites. 6 Adoni-Bézeq s'enfuit, mais ils le poursuivirent, le saisirent et lui coupèrent les pouces des
mains et des pieds. 7 Adoni-Bézeq dit alors :
« Soixante-dix rois, avec les pouces des mains et
des pieds coupés, ramassaient les miettes sous ma
table. Comme j'ai fait, Dieu me rend. » On
l'emmena à Jérusalem et c'est là qu'il mourut.
Jos 15 63 8 (Les fils de Juda attaquèrent Jérusalem, ils la pri-
Jg 1 21
2 S 5 6+
rent, la passèrent au fil de l'épée et mirent le feu
à la ville.)
9 Après quoi, les fils de Juda descendirent pour
combattre les Cananéens, qui habitaient la Monta- Jos 9 1;
gne, le Négeb et le Bas-Pays [d]. 10 Puis Juda marcha 10 40
contre les Cananéens qui habitaient Hébron – le || Jos 15 13-19
nom d'Hébron était autrefois Qiryat-Arba – et il
battit Shéshaï, Ahimân et Talmaï. 11 De là, il marcha contre les habitants de Debir – le nom de Jos 10 36-39
Debir était autrefois Qiryat-Séphèr. 12 Et Caleb Jos 11 21-22
dit : « Celui qui vaincra Qiryat-Séphèr et la pren- Jos 14 6+
dra, je lui donnerai ma fille Aksa pour femme. »
13 Celui qui la prit fut Otniel, fils de Qenaz, le frère 3 9-10
cadet de Caleb, et celui-ci lui donna sa fille Aksa
pour femme. 14 Lorsqu'elle arriva, il lui suggéra [e]
de demander à son père un champ. Alors elle sauta
à bas de son âne, et Caleb lui demanda : « Que
veux-tu? » 15 Elle lui répondit : « Accorde-moi une
faveur. Puisque tu m'as reléguée au pays du Négeb,
donne moi donc des sources d'eau. » Et Caleb lui
donna les sources d'en haut et les sources d'en bas.
16 Les fils de Hobab, le Qénite, beau-père de Nb 24 21+
Moïse [f], montèrent de la ville des Palmiers avec les Nb 10 29-32
fils de Juda jusqu'au désert de Juda qui est dans le Ex 2 16+
Négeb d'Arad, et ils vinrent habiter avec le peuple.

*a)* Jg **1** rassemble des notices qui donnent de la conquête un tableau très différent de celui de Jos **1-12** : la conquête est le fait d'actions individuelles des tribus et demeure très incomplète. Ce récit donne pour l'installation dans le Sud des informations plus proches de l'histoire que l'exposé schématique de Jos **10**. Ce sont des traditions yahvistes qui mettent en relief le rôle de Juda, cf. vv. 9 et 17. Ces traditions avaient été écartées par la première rédaction du livre de Josué parce qu'elles ne correspondaient pas à son plan ni à ses intentions théologiques. Certaines furent introduites ensuite dans une nouvelle rédaction du livre de Josué, ainsi Jos **14** 6-15; **15** 13-19. Le rédacteur deutéronomiste des Juges a récupéré ces traditions, mais, pour éviter le conflit avec le livre de Josué, il a placé les événements après la mort de celui-ci, v. 1.
*b)* Ce sont les deux tribus du Sud, cf. v. 17s, qui sont probablement entrées en Canaan sans faire le détour par la Transjordanie, et dont l'histoire a longtemps été indépendante de celle des autres tribus, cf. ch. **5**; Nb **14** 39; **21** 1.
*c)* Il semble qu'il y ait eu une confusion entre cet Adoni-Bézeq, roi de Bézeq, et Adoni-Çédeq, roi de Jérusalem, cf. Jos **10** 1-3, d'où la mention de cette ville, v. 7 et la glose ultérieure du v. 8 qui est en contradiction avec le v. 21 (et cf. 2 S **5** 6s). La victoire de Bézeq pose d'ailleurs un problème : la seule ville de ce nom que l'on connaisse est située entre Sichem et Bet Sheân, dans la région où se trouvaient en effet les Perizzites, mais loin du territoire de Juda et de Siméon. On a peut-être là un souvenir de l'époque patriarcale, où Siméon séjourna en Palestine centrale.
*d)* Introduction rédactionnelle à la suite du récit qui attribue à Juda des conquêtes réalisées en fait par des groupes qui ne lui furent assimilés que plus tard : Caleb (conquête d'Hébron, v. 20, cf. Jos **14** 16s), Otniel (prise de Debir, v. 13, cf. Jos **15** 15-17), les Qénites (occupation du Négeb d'Arad, v. 16) et Siméon (prise de Horma, v. 17).
*e)* « il (Otniel) lui suggéra » grec, Vulg.; « elle lui suggéra » hébr.
*f)* « les fils de Hobab le Qénite » versions, cf. **4** 11; « les fils d'un Qenite » hébr.

17 Puis Juda s'en alla avec Siméon son frère. Ils
Nb 21 1-3 battirent les Cananéens qui habitaient Çephat et la
vouèrent à l'anathème. C'est pourquoi on donna à
la ville le nom de Horma. 18 Puis Juda s'empara de
Gaza et de son territoire, d'Ashqelôn et de son territoire, d'Eqrôn et de son territoire [a]. 19 Et Yahvé fut
Jos 17 16,18 avec Juda qui se rendit maître de la Montagne,
mais il ne put déposséder les habitants de la plaine,
parce qu'ils avaient des chars de fer.

1 10+ 20 Comme Moïse l'avait recommandé, on donna
Hébron à Caleb, lequel en chassa les trois fils
Dt 1 28+ d'Anaq. 21 Quant aux Jébuséens qui habitaient
Jérusalem, les fils de Benjamin ne les dépossédèrent
pas, et jusqu'aujourd'hui les Jébuséens ont habité
Jérusalem avec les fils de Benjamin [b].

**Prise de Béthel [c].**

22 La maison de Joseph, elle aussi, monta à
Béthel et Yahvé fut avec elle. 23 La maison de
Jos 7 2+ Gn 28 18 Joseph fit faire une reconnaissance contre Béthel.
Jos 18 13 (Le nom de la ville était autrefois Luz.) 24 Ceux qui
étaient en observation virent un homme qui sortait
de la ville. Ils lui dirent : « Indique-nous par où l'on
peut y entrer et nous te ferons grâce. » 25 Il leur in-
diqua par où entrer dans la ville. Ils passèrent la
Jos 6 23 ville au fil de l'épée, mais laissèrent aller l'homme
avec tout son clan. 26 Cet homme s'en alla au pays
des Hittites et il bâtit une ville à laquelle il donna
le nom de Luz. C'est le nom qu'elle porte encore
aujourd'hui.

**Les tribus septentrionales [d].**

Jos 17 11-13 27 Manassé ne déposséda pas Bet-Sheân et ses
dépendances, ni Tanak et ses dépendances, ni les
habitants de Dor et de ses dépendances, ni les habitants de Yibleam et de ses dépendances, ni les habitants de Megiddo et de ses dépendances; les Cananéens persistèrent dans ce pays. 28 Cependant,
quand Israël fut devenu plus fort, il soumit les
Jos 16 10 Cananéens à la corvée, mais il ne les déposséda
pas [e]. 29 Éphraïm non plus ne déposséda pas les
Cananéens qui habitaient Gézer [f], de telle sorte que
les Cananéens continuèrent d'y habiter avec lui
30 Zabulon ne déposséda pas les habitants de Jos 19 10-16
Qitrôn, ni ceux de Nahalol. Les Cananéens demeurèrent au milieu de Zabulon, mais ils furent
astreints à la corvée. 31 Asher ne déposséda pas les Jos 19 24-31
habitants d'Akko, ni ceux de Sidon, de Mahaleb [g],
d'Akzib, d'Helbah, d'Aphiq ni de Rehob. 32 Les
Ashérites demeurèrent donc au milieu des Cananéens qui habitaient le pays, car ils ne les déposs-
dèrent pas. 33 Nephtali ne déposséda pas les habi- Jos 19 32-39
tants de Bet-Shémesh, ni ceux de Bet-Anat, et il
habita au milieu des Cananéens qui habitaient le
pays, mais les habitants de Bet-Shémesh et de Bet-
Anat furent astreints par lui à la corvée. 34 Les
Amorites refoulèrent dans la montagne les fils de
Dan et ils ne les laissèrent pas descendre dans la Jos 19 47
plaine. 35 Les Amorites se maintinrent à Har-Hé- 17 1+
rès, à Ayyalôn et à Shaalbim. mais lorsque la main
de la maison de Joseph se fit plus lourde, ils furent
soumis à la corvée. (36 Le territoire des Édomites [h] Jos 15 3
s'étend à partir de la montée des Scorpions, à la Nb 34 3-5
Roche, et va ensuite en montant.) 2 R 14 7

**L'Ange de Yahvé annonce des malheurs à Israël [i].** 6 7-10

2 1 L'Ange de Yahvé [j] monta de Gilgal à
Béthel [k] et il dit : « Je vous ai fait monter
d'Égypte et je vous ai amenés dans ce pays que
j'avais promis par serment à vos pères. J'avais dit :
" Je ne romprai jamais mon alliance avec vous.
2 De votre côté, vous ne conclurez point d'alliance Dt 7 1-5
avec les habitants de ce pays; mais vous renverse-
rez leurs autels. " Or vous n'avez pas écouté ma
voix. Qu'avez-vous fait là? 3 Eh bien, je le dis : je
ne chasserai point ces peuples devant vous. Ils
seront pour vous des oppresseurs [l] et leurs dieux
seront pour vous un piège. » 4 Lorsque l'Ange de
Yahvé eut adressé ces paroles à tous les Israélites,
le peuple se mit à crier et à pleurer. 5 Ils donnèrent
à ce lieu le nom de Bokim [m] et ils offrirent là des 20 26
sacrifices à Yahvé.

*a)* Juda n'a conquis ces villes de Philistie ni au moment de l'installation ni plus tard, et ce v. est en contradiction avec 19^b. La Septante a tourné la difficulté en ajoutant une négation : « Juda ne conquit pas... ». Il est possible que le texte hébreu reflète, en les amplifiant, les victoires de David sur les Philistins, 2 S **5** 17-25; **8** 1.

*b)* Jérusalem sera en effet comptée parmi les villes de Benjamin, Jos **18** 28, mais elle ne sera conquise que par David, 2 S **5** 6-9. Cette notice a été interpolée en Jos **15** 63, en substituant Juda à Benjamin.

*c)* Cette prise de Béthel grâce à la trahison d'un de ses habitants ne figure pas dans le récit de la conquête du livre de Josué.

*d)* En contraste avec les triomphes attribués à Juda dans la première partie du ch., la seconde partie ne retient que les échecs des tribus septentrionales.

*e)* Ces villes ne furent réellement conquises que sous les premiers rois, 1 R **9** 15-22.

*f)* La ville, sur la route de Jérusalem à Jaffa, dominait la plaine philistine. Ainsi les relations étaient pratiquement coupées entre les tribus du Nord et celles du Sud.

*g)* « Mahaleb », d'après Jos **19** 20; « Ahlab » hébr.; « Helbah » est sans doute un doublet.

*h)* « Édomites » grec; « Amorites » hébr. – Le v. est une glose.

*i)* Le rédacteur deutéronomiste qui a ajouté le ch. **1** au livre donne ici une raison théologique à l'échec partiel de la conquête, et rejoint Jos **23** 12-13. Il accroche cet enseignement à l'explication d'un nom de lieu de la région de Béthel, v. 4-5.

*j)* Ici un double même de Yahvé, cf. Gn **16** 7+. Comp. l'apparition à Josué près de Gilgal, Jos **5** 13-15. Sur Gilgal, cf. Jos **4** 19+.

*k)* « Béthel » grec; « Bokim » hébr., cf. v. 5.

*l)* « des oppresseurs » versions; « à vos côtés » hébr.

*m)* Bokim : « les pleurants », localisation inconnue; cf. peut-être le « Chêne-des-pleurs », près de Béthel, Gn **35** 8.

# Seconde introduction

## CONSIDÉRATIONS GÉNÉRALES SUR LA PÉRIODE DES JUGES[a]

### Fin de la vie de Josué.

|| Jos 24 28 6 Alors Josué congédia le peuple et les Israélites
se rendirent chacun dans son héritage pour occuper
|| Jos 24 31 le pays. 7 Le peuple servit Yahvé pendant toute la
vie de Josué et toute la vie des anciens qui survécurent à Josué et qui avaient connu toutes les grandes
œuvres que Yahvé avait opérées en faveur d'Israël.
|| Jos 24 29-30 8 Josué, fils de Nûn, serviteur de Yahvé, mourut à
l'âge de cent dix ans. 9 On l'ensevelit dans le
Jos 19 50 domaine qu'il avait reçu en héritage à Timnat-Hé-
rès, dans la montagne d'Éphraïm, au nord du mont
Gaash. 10 Et quand cette génération à son tour fut
réunie à ses pères, une autre génération lui succéda
qui ne connaissait point Yahvé ni ce qu'il avait fait
pour Israël[b].

### Interprétation religieuse de la période des Juges[c].

11 Alors les Israélites firent ce qui est mal
aux yeux de Yahvé et ils servirent les Baals. 12 Ils
délaissèrent Yahvé, le Dieu de leurs pères, qui les
avait fait sortir du pays d'Égypte, et ils suivirent
d'autres dieux parmi ceux des peuples d'alentour.
Ils se prosternèrent devant eux, ils irritèrent Yahvé,
13 ils délaissèrent Yahvé pour servir le Baal et les
Astartés[d]. 14 Alors la colère de Yahvé s'enflamma
contre Israël. Il les abandonna à des pillards qui
les dépouillèrent, il les livra aux ennemis qui les
entouraient et ils ne purent plus tenir devant leurs
ennemis. 15 Dans toutes leurs expéditions la main
Dt 28 15-46 de Yahvé intervenait contre eux pour leur faire du
mal, comme Yahvé le leur avait dit et comme
Yahvé le leur avait juré. Leur détresse était extrême.
16 Alors Yahvé leur suscita des Juges[e] qui les
sauvèrent de la main de ceux qui les pillaient.
17 Mais même leurs juges, ils ne les écoutaient pas,
ils se prostituèrent[f] à d'autres dieux, et ils se pros- 8 27
ternèrent devant eux. Bien vite ils se sont détournés
du chemin qu'avaient suivi leurs pères, dociles aux
commandements de Yahvé; ils ne les ont point imi-
tés. 18 Lorsque Yahvé leur suscitait des juges,
Yahvé était avec le juge et il les sauvait de la main
de leurs ennemis tant que vivait le juge, car Yahvé
se laissait émouvoir par leurs gémissements devant
leurs persécuteurs et leurs oppresseurs. 19 Mais le
juge mort, ils recommençaient à se pervertir encore
plus que leurs pères. Ils suivaient d'autres dieux, les
servaient et se prosternaient devant eux, ne renonçant en rien aux pratiques et à la conduite endurcie
de leurs pères.

### Raison de la permanence des nations étrangères[g].

20 La colère de Yahvé s'enflamma alors contre
Israël et il dit : « Puisque ce peuple a transgressé
l'alliance que j'avais prescrite à ses pères et qu'il
n'a pas écouté ma voix, 21 désormais je ne chasserai 2 3
plus devant lui aucune des nations que Josué a
laissé subsister quand il est mort », 22 afin de mettre
par elles Israël à l'épreuve, pour voir s'il suivra ou
non les chemins de Yahvé comme les ont suivis ses
pères. 23 C'est pourquoi Yahvé a laissé subsister ces
nations, il ne s'est point hâté de les chasser et ne
les a pas livrées aux mains de Josué. Jos 13 1

**3** 1 Voici les nations que Yahvé a laissé subsister afin de mettre par elles à l'épreuve tous les
Israélites qui n'avaient connu aucune des guerres

*a)* L'introduction aux récits sur les Juges, **2** 6 - **3** 6, est construite autour de **2** 11-19 qui, dans une première rédaction, précédait immédiatement **3** 7s. Les vv. 6-10 font la liaison avec le livre de Josué dont ils répètent les derniers vv. (comme Esd **1** 1-3 répète 2 Ch **36** 22-23). Les vv. **2** 20 - **3** 6 ont été ajoutés pour expliquer la permanence de nations étrangères au milieu d'Israël.

*b)* Ce v. n'existe pas dans le parallèle de Jos **24**. La mort de Josué et de la génération de la conquête a ouvert la porte aux infidélités d'Israël.

*c)* Le premier rédacteur deutéronomiste du livre expose ici le thème qu'il reprendra pour l'histoire de chaque grand Juge (cf. **3** 7+), **3** 7-9, 12-15; **4** 1s; **6** 10; **10** 6s, etc. : Israël abandonne Yahvé pour Baal, Yahvé le livre à des oppresseurs, Israël crie vers Yahvé, Yahvé lui envoie un sauveur; puis l'histoire recommence. Cette vue théologique de l'histoire, qui suppose que les juges se sont succédés selon l'ordre chronologique du livre et que chacun a agi pour tout Israël, ne correspond qu'imparfaitement à la réalité historique : il y a, à la base du livre, des récits d'abord indépendants sur des héros locaux dont la relation chronologique est établie arbitrairement.

*d)* Le couple « Baal et Astarté », ou au pluriel « les Baals et les Astartés », est dans la Bible une désignation courante des divinités cananéennes. Baal, « le Seigneur », est le principe divin masculin, souvent considéré comme le possesseur du sol. Astarté, correspondant à l'Ishtar assyrienne, est la déesse de l'amour et de la fécondité. Son nom est parfois remplacé, **3** 7; 2 R **23** 4, etc., par celui d'Ashéra, autre divinité féminine de même caractère, cf. Ex **34** 13+.

*e)* Cf. **3** 7, note sur le titre général.

*f)* Métaphore usuelle pour désigner le culte des idoles, cf. Lv **17** 7; Dt **31** 16; Os **1** 2; Is **1** 21; Ez **16** 16, etc.

*g)* D'après **2** 11-15, cf. aussi **2** 3, les nations étrangères ont ete laissées comme un châtiment de l'infidélité d'Israël. C'est devenu ici un moyen de mettre sa fidélité à l'épreuve, vv. 22-23; **3** 1 et 4. La glose de **3** 2 offre une autre explication : maintenir l'esprit guerrier. D'autres raisons sont données par Ex **23** 29 et Dt **7** 22 : ne pas faire du pays un désert livré aux bêtes sauvages, et par Sg **12** 3-22 : laisser aux anciens habitants le temps du repentir.

de Canaan [2] (ce fut uniquement pour l'enseignement des descendants des Israélites, pour leur
apprendre l'art de la guerre; à ceux du moins qui
1 27-35 ne l'avaient pas connu autrefois) : [3] les cinq princes
|| Jos 13 2-6 des Philistins et tous les Cananéens, les Sidoniens
et les Hittites [a] qui habitaient la chaîne du Liban,
depuis la montagne de Baal-Hermôn jusqu'à l'Entrée de Hamat. [4] Ils servirent à éprouver Israël,
pour savoir s'ils garderaient les commandements
que Yahvé avait donnés à leurs pères par l'intermédiaire de Moïse. [5] Et les Israélites habitèrent au
milieu des Cananéens, des Hittites, des Amorites, Dt 7 1+
des Perizzites, des Hivvites et des Jébuséens; [6] ils
épousèrent leurs filles, ils donnèrent leurs propres
fils à leurs filles et ils servirent leurs dieux.

# *Histoire des Juges* [b]

## *1. OTNIEL* [c]

[7] Les Israélites firent ce qui est mal aux yeux de
2 13+ Yahvé. Ils oublièrent Yahvé leur Dieu pour servir
les Baals et les Ashéras. [8] Alors la colère de Yahvé
s'enflamma contre Israël, il les livra aux mains de
Kushân-Risheatayim, roi d'Édom [d], et les Israélites
furent asservis à Kushân-Risheatayim pendant huit
ans.
[9] Alors les Israélites crièrent vers Yahvé et
Yahvé suscita aux Israélites un sauveur qui les
libéra, Otniel fils de Qenaz, frère cadet de Caleb. 1 13
[10] L'esprit de Yahvé fut sur lui; il devint juge Jos 15 17
d'Israël et se mit en campagne. Yahvé livra entre
ses mains Kushân-Risheatayim, roi d'Édom, et il
triompha de Kushân-Risheatayim. [11] Le pays fut 3 30; 5 31;
alors en repos pendant quarante ans. Puis Otniel, 8 28 Jos 11 23;
fils de Qenaz, mourut. 14 15

## *2. ÉHUD* [e]

[12] Les Israélites recommencerent à faire ce qui
est mal aux yeux de Yahvé et Yahvé fortifia Églôn,
roi de Moab, contre Israël, parce qu'ils faisaient ce
qui est mal aux yeux de Yahvé. [13] Églôn s'adjoignit
les fils d'Ammon et Amaleq, marcha contre Israël,
le battit et s'empara de la ville des Palmiers. [14] Les
Israélites furent asservis à Églôn, roi de Moab, pendant dix-huit ans.
[15] Alors les Israélites crierent vers Yahvé et
Yahvé leur suscita un sauveur, Éhud, fils de Géra,
Benjaminite, qui était gaucher. Les Israélites le
chargèrent de porter le tribut à Églôn, roi de Moab.
[16] Éhud se fit un poignard à double tranchant, long
d'un gomed, et il le ceignit sous son vêtement, sur
sa hanche droite. [17] Il offrit donc le tribut à Églôn,
roi de Moab. Cet Églôn était très gros. [18] Une fois

*a)* « Hittites », cf. Jos 11 3; 2 S 24 6; « Hivvites » hébr.

*b)* La coutume est d'appeler « grands » Juges ceux dont l'histoire est racontée avec plus ou moins de détails : Otniel, Éhud, Débora (et Baraq), Gédéon, Jephté, Samson, et « petits » Juges ceux qui ne reçoivent qu'une brève mention : Shamgar, Tola, Yaïr, Ibçân, Elôn, Abdôn. Cette distinction n'est pas faite par le texte, mais elle correspond à peu près à deux types différents de personnages qu'il présente. Les premiers sont suscités par Dieu pour délivrer le peuple de l'oppression, ils sont des chefs charismatiques et des sauveurs. Les seconds remplissent évidemment une charge, mais il est difficile de préciser leurs attributions. Ils « jugent », ce qui inclut l'administration de la justice mais la dépasse. Le même verbe, rarement en hébreu mais plus souvent dans d'autres langues sémitiques de l'ouest, signifie « gouverner », et « juge » devient synonyme de « roi ». Au « Juge » (*shophet*), on peut comparer les « Suffètes » de Tyr et de Carthage. Les chiffres précis donnés pour le temps où ils furent en charge indiquent une bonne source historique, mais l'extension de leur autorité à tout Israël et leur succession chronologique semble être une construction secondaire. L'auteur du livre des Juges étend le nom de cette fonction aux héros libérateurs dont il recueille les histoires. Il se les représente comme ayant, eux aussi, « jugé » Israël, et leur série, complétée par les « petits » Juges pour atteindre au chiffre des douze tribus, lui sert à meubler le temps qui s'est écoulé entre la mort de Josué et l'installation de Saül. De fait, le régime des Juges a été, au niveau de la cité et du district, une étape entre le gouvernement tribal et la monarchie.

*c)* Ce petit récit est énigmatique. Otniel est certainement le même que le conquérant de Debir au moment de l'installation. L'oppresseur est Kushân-Risheatayim, roi d'Aram-Naharayim d'après l'hébr., c'est-à-dire de la Haute Mésopotamie. Ainsi présenté, l'épisode est invraisemblable. La solution la plus probable est que le mot Aram est une corruption du mot Édom (dont la graphie est très semblable en hébr.), et que Naharayim a été ajouté d'après les souvenirs de la Genèse. Une tentative des Édomites pour s'installer dans le sud de la Palestine ne serait pas étonnante. Tout le passage est de la main du rédacteur deutéronomiste qui semble avoir utilisé une ancienne tradition du Sud pour donner à Juda (qui avait intégré les Calébites) une place dans sa galerie des juges.

*d)* On lit « Édom » et non « Aram » hébr. (de même au v. 10) et on supprime « Naharayim ». – Le nom du roi signifie « Kushân à la double méchanceté »; c'est peut-être un nom ancien modifié par dérision.

*e)* L'histoire suppose que les Moabites ont dépassé l'Arnon, occupé les « Steppes de Moab » et franchi le Jourdain : leur roi a une résidence à Jéricho (la « ville des Palmiers »). Ils sont ainsi dans le territoire de Benjamin. Cette expansion doit être mise en relation avec l'affaiblissement de la tribu de Ruben, au début de la période des Juges. L'intervention du rédacteur deutéronomiste est ici réduite au minimum : vv. 12, 15a et 30. Il utilise un récit qui se racontait peut-être à Gilgal, v. 19, et rapportait avec complaisance et sans souci de jugement moral la ruse du Benja-

le tribut offert, Éhud renvoya les gens qui l'avaient
apporté. 19 Mais lui-même, arrivé aux Idoles qui
Jos 4 19+ sont près de Gilgal [a], revint et dit : « J'ai un message secret pour toi, ô roi » Le roi répondit : « Silence! » et tous ceux qui se trouvaient auprès de lui
sortirent. 20 Éhud vint vers lui; il était assis dans la
chambre haute où l'on prend le frais, qui lui était
réservée. Éhud lui dit : « C'est une parole de Dieu
que j'ai pour toi, ô roi ! » Et celui-ci se leva aussitôt
de son siège. 21 Alors Éhud étendit la main gauche,
prit le poignard de dessus sa hanche droite et
l'enfonça dans le ventre du roi. 22 La poignée même
entra avec la lame et la graisse se referma sur la
lame, car Éhud n'avait pas retiré le poignard de son
ventre [b]. 23 Éhud sortit par les cabinets, il avait
fermé derrière lui les portes de la chambre haute
et poussé le verrou.
24 Quand il fut sorti, les serviteurs revinrent et ils
regardèrent : les portes de la chambre haute étaient
fermées au verrou. Ils se dirent : « Sans doute il se
couvre les pieds [c] dans le réduit de la chambre fraîche. » 25 Ils attendirent indéfiniment, car il n'ouvrait
toujours pas les portes de la chambre haute. Ils prirent enfin la clef et ouvrirent : leur maître gisait à
terre, mort.
26 Pendant qu'ils attendaient, Éhud s'était enfui.
Il dépassa les Idoles et se mit en sûreté à Ha-Séïra.
27 Sitôt arrivé, il sonna du cor dans la montagne
d'Éphraïm et les Israélites descendirent avec lui de
la montagne, lui à leur tête. 28 Et il leur dit : « Suivez-moi, car Yahvé a livré votre ennemi, Moab,
entre vos mains. » Ils le suivirent donc, coupèrent
à Moab le passage des gués du Jourdain et ne laissèrent passer personne. 29 Ils battirent les gens de
Moab en ce temps-là, au nombre d'environ dix
mille hommes, tous robustes et vaillants, et pas un
n'échappa. 30 En ce jour-là Moab fut abaissé sous
la main d'Israël et le pays fut en repos quatre- 3 11+
vingts ans.

## 3. SHAMGAR [d]

5 6 31 Après lui il y eut Shamgar, fils d'Anat. Il défit
2 S 23 11-12 les Philistins au nombre de six cents hommes avec
un aiguillon à bœufs, et lui aussi sauva Israël.

## 4. DÉBORA ET BARAQ [e]

**Israël opprimé par les Cananéens.**

4 1 Après la mort d'Éhud les Israélites recommencèrent à faire ce qui est mal aux yeux de
Jos 11 1+ Yahvé, 2 et Yahvé les livra à Yabîn, roi de Canaan,
qui régnait à Haçor. Le chef de son armée était
1 S 12 9 Sisera, qui habitait à Haroshèt-ha-Goyim.
3 Alors les Israélites poussèrent des gémissements vers Yahvé. Car Yabîn avait neuf cents
chars de fer et il avait opprimé durement les Israélites pendant vingt ans.

**Débora.**

4 En ce temps-là Débora, une prophétesse [f],
femme de Lappidot, jugeait Israël. 5 Elle siégeait
sous le palmier [g] de Débora entre Rama et Béthel,
dans la montagne d'Éphraïm, et les Israélites
allaient vers elle pour obtenir justice. 6 Elle envoya
chercher Baraq, fils d'Abinoam de Qédèsh en ↗ He 11 32
Nephtali et lui dit : « Yahvé, Dieu d'Israël, n'a-t-il
pas ordonné : “ Va, marche vers le mont Tabor et
prends avec toi dix mille hommes des fils de Neph-

minite Éhud. L'élargissement de l'action à tout Israël, vv. 27-29, est secondaire, mais peut-être antérieur à l'utilisation du récit par le deutéronomiste.

*a)* Ces idoles de pierre (*pesîlîm*) étaient bien connues de la tradition locale et servent de repère géographique, ici et v. 26. Nous ne savons pas ce qu'elles étaient, mais il ne peut pas s'agir des pierres érigées par Josué, Jos **4** 19-20, qu'on n'aurait pas appelées des « idoles ».

*b)* On suit le grec. Hébr. ajoute : « et sortit le *parshedonah* », ou : « et il sortit par le *parshedôn* », mot inconnu. C'est peut-être un doublet du début du v. suivant (« il sortit par les cabinets », où « cabinets » est la traduction vraisemblable, cf. v. 24, d'un mot unique).

*c)* Euphémisme pour : satisfaire un besoin naturel.

*d)* Ce v. est une addition, cf. **4** 1. Shamgar semble n'être pas israélite : son nom est étranger, et il est apparemment originaire de Bet-Anat, en Galilée. qui était restée cananéenne. Jg **1** 33. Son insertion dans la liste des Juges vient probablement de **5** 6 mal compris.

*e)* L'histoire de Débora, et de Baraq est présentée dans un récit en prose, ch. **4**, et dans un cantique, ch. **5**. D'après le récit original en prose, les tribus de Zabulon et Nephtali remportent une victoire décisive sur Sisera de Haroshèt-ha-Goyim, au nord-ouest de la plaine de Yizréel. On a secondairement associé celui-ci à Yabîn roi de Haçor, qui avait été vaincu sous Josué, Jos **11** 10-15; il est mentionné dans le récit en prose, mais ne l'est pas dans le cantique. Cette victoire, dont le caractère historique est assuré, a fait tomber la barrière qui séparait les tribus du nord de celles du centre de la Palestine. Elle se situe probablement au milieu du XIIe s. av. J.-C.

*f)* Prophétesse comme Miryam, Ex **15** 20, et Hulda, 2 R **22** 14, Débora rend la justice au nom de Yahvé.

*g)* « palmier » *tamar* conj.; *tomer* hébr.

tali et des fils de Zabulon. 7 J'attirerai vers toi au
↗ Ps **83** 10 torrent du Qishôn Sisera, le chef de l'armée de
Yabîn, avec ses chars et ses troupes, et je le livrerai
entre tes mains "? » 8 Baraq lui répondit : « Si tu
viens avec moi, j'irai, mais si tu ne viens pas avec
4 14 moi, je n'irai pas, car je ne sais pas en quel jour
Gn **16** 7+ l'Ange de Yahvé me donnera le succès[a]. » –
9 « J'irai donc avec toi, lui dit-elle; seulement, dans
la voie où tu marches, l'honneur ne sera pas pour
toi, car c'est entre les mains d'une femme que
Yahvé livrera Sisera. » Alors Débora se leva et,
avec Baraq, elle se rendit à Qédesh. 10 Baraq
convoqua Zabulon et Nephtali à Qédesh. Dix mille
hommes le suivirent et Débora monta avec lui.

**Héber le Qénite[b].**

Nb **24** 21+ 11 Héber, le Qénite, s'était séparé de la tribu de
Jg **1** 16+ Qayîn et du clan des fils de Hobab, beau-père de
Moïse; il avait planté sa tente près du chêne de
Çaanannim, non loin de Qédesh.

**Défaite de Sisera.**

12 On annonça à Sisera que Baraq, fils d'Abinoam, était monté sur le mont Tabor. 13 Sisera
convoqua tous ses chars, neuf cents chars de fer,
5 19 et toutes les troupes qu'il avait, de Haroshèt-ha-
Goyim au torrent du Qishôn. 14 Débora dit à
4 8 Baraq : « Lève-toi, car voici le jour où Yahvé a
livré Sisera entre tes mains. Oui! Yahvé ne marche-
t-il pas devant toi? » Et Baraq descendit du mont
Ex **14** 24 Tabor avec dix mille hommes derrière lui. 15 Yahvé
frappa de panique Sisera, tous ses chars et toute
son armée devant Baraq[c]. Sisera, descendant de
son char, s'enfuit à pied. 16 Baraq poursuivit les
chars et l'armée jusqu'à Haroshèt-ha-Goyim.
Toute l'armée de Sisera tomba sous le tranchant de
l'épée et pas un homme n'échappa.

**Mort de Sisera.**

17 Sisera cependant s'enfuyait à pied dans la
direction de la tente de Yaël, femme de Héber le
Qénite, car la paix régnait entre Yabîn, roi de
Haçor, et la maison de Héber le Qénite. 18 Yaël,
sortant au-devant de Sisera, lui dit : « Arrête-toi,
Monseigneur, arrête-toi chez moi. Ne crains rien! »
Il s'arrêta chez elle sous la tente et elle le recouvrit
d'un tapis. 19 Il lui dit : « Donne-moi à boire un peu
d'eau, je te prie, car j'ai soif. » Elle ouvrit l'outre
où était le lait[d], le fit boire et le recouvrit de nouveau. 20 Il lui dit : « Tiens-toi à l'entrée de la tente,
et si quelqu'un vient, t'interroge et dit : " Y a-t-il
un homme ici? " tu répondras : " Non ". » 21 Mais
Yaël, femme de Héber, prit un piquet de la tente,
saisit un marteau dans sa main et, s'approchant de
lui doucement, elle lui enfonça dans la tempe le
piquet, qui se planta en terre. Il dormait profondément, épuisé de fatigue, c'est ainsi qu'il mourut.
22 Et voici que Baraq survint, poursuivant Sisera.
Yaël sortit au-devant de lui : « Viens, lui dit-elle, et
je te ferai voir l'homme que tu cherches. » Il entra
chez elle : Sisera gisait mort, le piquet dans la
tempe.

**La délivrance d'Israël.**

23 Dieu humilia donc en ce jour Yabîn, roi de
Canaan, devant les Israélites. 24 La main des Israélites s'appesantit de plus en plus durement sur
Yabîn, roi de Canaan, jusqu'à ce qu'ils aient supprimé Yabîn, roi de Canaan.

## *LE CANTIQUE DE DÉBORA ET DE BARAQ[e]*

**5** 1 En ce jour-là, Débora et Baraq, fils d'Abinoam, chantèrent, disant :
2 Puisqu'en Israël des guerriers ont dénoué leur
chevelure[f],
puisque le peuple s'est offert librement,
bénissez Yahvé!
3 Écoutez, rois! Prêtez l'oreille, princes! Ps **2** 10
Moi, pour Yahvé, moi je chanterai.
Je célébrerai Yahvé, Dieu d'Israël. Dt **32** 3
4 Yahvé, quand tu sortis de Séïr, Dt **33** 2
quand tu t'avanças des campagnes d'Édom, Ps **68** 8-9

*a)* « car je ne sais... le succès » grec; omis par hébr. – Baraq veut pouvoir consulter Yahvé (cf. Ex **33** 7+) par Débora au cours de la campagne.
*b)* Ce v., qui interrompt le récit, prépare l'histoire de Yaël, v. 17, qui a peut-être eu une existence indépendante.
*c)* Après « son armée » hébr. ajoute « sous le tranchant de l'épée », cf. v. suivant.
*d)* C'est le *leben*, le lait aigre des nomades.
*e)* Le cantique de Débora est l'une des plus anciennes pièces poétiques de la Bible, et a été composé peu après les événements. C'est un chant de victoire, encadré dans une composition hymnique. Il célèbre une action de la guerre sainte, où Yahvé lutte contre les ennemis de son peuple, vv. 20-21, 23, qui sont aussi ses ennemis, v. 31. Le cantique exalte les tribus qui ont répondu à l'appel de Débora, et blâme celles qui ne sont pas venues combattre. L'énumération pose plusieurs problèmes : Makir est nommé à la place de Manassé, v. 14; au lieu de Galaad, on attendrait Gad, v. 17; Méroz, v. 23, n'apparaît dans aucune autre liste de tribus. Juda et Siméon ne sont pas nommés, soit en conséquence de leur isolement dans le Sud, soit parce qu'ils n'avaient pas encore joint la confédération israélite.
*f)* Rite de guerre, comparer Dt **32** 42. Les combattants de la guerre sainte sont consacrés à Dieu comme les nazirs, cf. Jg **13** 5; **16** 17.

Ex 19 16+ la terre trembla, les cieux se déversèrent,
les nuées fondirent en eau.
Ps 97 5 5 Les montagnes ruisselèrent devant Yahvé, celui
du Sinaï,
devant Yahvé, le Dieu d'Israël.

3 31+ 6 Aux jours de Shamgar fils d'Anat, aux jours de
4 17 Yaël,
il n'y avait plus de caravanes [a];
Is 33 8 ceux qui s'en allaient par les chemins
prenaient des sentiers détournés.

7 Les villages étaient morts en Israël,
ils étaient morts,
jusqu'à ton lever, ô Débora,
jusqu'à ton lever, mère en Israël!

8 On choisissait des dieux nouveaux,
alors la guerre était aux portes;
1 S 13 19-22 on ne voyait ni bouclier ni lance
pour quarante milliers en Israël!

9 Mon cœur va aux chefs d'Israël,
avec les libres engagés du peuple!
Bénissez Yahvé!

10 Vous qui montez des ânesses blanches,
assis sur des tapis,
et vous qui allez par les chemins, chantez [b],
11 aux acclamations des pâtres [c],
près des abreuvoirs.
Là on célèbre les bienfaits de Yahvé,
ses bienfaits pour ses villages d'Israël!
(Alors le peuple de Yahvé est descendu aux
portes [d].)

12 Éveille-toi, éveille-toi, Débora!
Éveille-toi, éveille-toi, clame un chant!
Courage! Debout, Baraq!
et prends ceux qui t'ont pris, fils d'Abinoam [e]!

13 Alors Israël est descendu aux portes,
le peuple de Yahvé est descendu pour sa cause,
en héros [f].

14 Les princes d'Éphraïm sont dans la vallée.
Derrière toi Benjamin est parmi les tiens.

De Makir sont descendus des chefs, Nb 32 39
de Zabulon, ceux qui portent le bâton de Jos 17 1
commandement [g].
15 Les princes d'Issachar sont avec Débora,
et Nephtali [h], avec Baraq, dans la vallée s'est
lancé sur ses traces.

Dans les clans de Ruben,
on s'est concerté longuement.
16 Pourquoi es-tu resté dans les enclos
à l'écoute des sifflements, près des troupeaux [i]?
(Dans les clans de Ruben,
on s'est concerté longuement.)

17 Galaad [j] est resté au-delà du Jourdain,
et Dan, pourquoi vit-il sur des vaisseaux [k]? 17 1+
Asher est demeuré au bord de la mer, Jos 19 40+
il habite tranquille dans ses ports.

18 Zabulon est un peuple qui a bravé la mort,
ainsi que Nephtali, sur les hauteurs du pays [l].

19 Les rois sont venus, ils ont combattu, Ps 48 5
alors ils ont combattu, les rois de Canaan, 4 14
à Tanak, aux eaux de Megiddo,
mais ils n'ont pas ramassé d'argent en butin.

20 Du haut des cieux les étoiles ont combattu, Jos 10 10-14
de leurs chemins, elles ont combattu Sisera. 2 S 5 24
Ps 18 14-15

21 Le torrent du Qishôn les a balayés,
le torrent des temps anciens [m], le torrent du
Qishôn!
Marche hardiment, ô mon âme!

22 Alors les sabots des chevaux ont martelé le sol :
ils galopent, ils galopent ses coursiers!

*a)* « caravanes » *'orehôt* conj.; « routes » *'arahôt* hébr.
*b)* « chantez » *shîrû* conj.; « méditez » *sîhû* hébr.
*c)* Litt. « ceux qui divisent » (l'eau, ou le fourrage, ou les troupeaux).
*d)* Ce stique représente le texte correct du début du v. 13 qui était corrompu, et a été introduit dans le texte à une mauvaise place.
*e)* « courage » grec; omis par hébr. – « prends ceux qui t'ont pris » syr., cf. Is **14** 2; « prends ceux que tu as pris » hébr.
*f)* Premier stique corrigé d'après le dernier stique du v. 11, cf. la note – « pour sa cause (litt. « pour lui-même ») en héros » conj.; « pour moi contre les héros » hébr.
*g)* « les princes (d'Éphraïm) sont dans la vallée » *sarîm ba'emeq* grec; leur racine est dans Amaleq » *shorsham ba'amaleq* hébr. – Après « bâton de commandement » hébr. ajoute « du scribe », probablement glose.
*h)* Conj. au lieu d'« Issachar », qui a probablement été répété par distraction.
*i)* Les Rubénites, pasteurs, sont restés pour protéger leurs troupeaux contre les raids des nomades : les sifflements sont le signal du danger et l'appel pour rassembler les bêtes; comparer Is **5** 26; **7** 18; Za **10** 8.
*j)* Plutôt qu'une tribu de ce nom, c'est la tribu de Gad qui doit être mentionnée ici, à côté de la tribu de Ruben, et appelée du nom du territoire qu'elle occupait, cf. Nb **32** 1s.
*k)* Dan devait avoir émigré vers le nord dès cette époque, cf. Jg **1** 34-35; **17-18**; Jos **19** 40+, et sans doute les Danites louaient-ils leurs services aux marins de la côte.
*l)* Ce v. où paraît pour la deuxième fois Zabulon et peut-être Nephtali, cf. v. 15, a un mètre différent de celui du reste du poème. C'est un dicton sur les deux tribus, dans le style de Gn **49**, qui doit faire allusion à la bataille des eaux de Mérom, Jos **11**.
*m)* Sens incertain.

23 Maudissez Méroz [a], dit l'Ange de Yahvé,
maudissez, maudissez ses habitants :
car ils ne sont pas venus à l'aide de Yahvé,
à l'aide de Yahvé parmi les héros.

Jdt 13 18 / Lc 1 42 24 Bénie entre les femmes soit Yaël
(la femme de Héber le Qénite [b]),
entre les femmes qui habitent les tentes, bénie soit-elle!

25 Il demandait de l'eau, elle a donné du lait,
dans la coupe des nobles elle a offert de la crème.
26 Elle a tendu [c] la main pour saisir le piquet,
la droite pour saisir le marteau des travailleurs.

Elle a frappé Sisera, elle lui a brisé la tête,
elle lui a percé et fracassé la tempe.
27 Entre ses pieds il s'est écroulé, il est tombé, il s'est couché,
à ses pieds il s'est écroulé, il est tombé.
Où il s'est écroulé, là il est tombé, anéanti.

28 Par la fenêtre elle se penche, elle guette [d],
la mère de Sisera, à travers le grillage :
« Pourquoi son char tarde-t-il à venir?
Pourquoi sont-ils si lents, ses attelages? »

29 La plus avisée de ses princesses lui répond,
et elle se répète à elle-même :
30 « Sans doute ils recueillent, ils partagent le butin :
une jeune fille, deux jeunes filles par guerrier!
un butin d'étoffes de couleur brodées pour Sisera,
une broderie, deux broderies pour mon cou [e]! »

31 Ainsi périssent tous tes ennemis, Yahvé!
et ceux qui t'aiment [f], qu'ils soient comme le soleil 2 S 23 3-7 / Dn 12 3 / Mt 13 43
quand il se lève dans sa force!

Et le pays fut en repos pendant quarante ans. 3 11+

## 5. *GÉDÉON ET ABIMÉLEK* [g]

### A. VOCATION DE GÉDÉON

**Israël opprimé par les Madianites.**

**6** 1 Les Israélites firent ce qui est mal aux yeux
de Yahvé; Yahvé les livra pendant sept ans
Ex 2 15+ aux mains de Madiân, 2 et la main de Madiân se
fit lourde sur Israël. C'est pour échapper à Madiân
1 S 13 6 que les Israélites utilisèrent les crevasses des montagnes,
les cavernes et les refuges. 3 Chaque fois
qu'Israël avait semé, alors Madiân montait, ainsi
qu'Amaleq et les fils de l'Orient [h], ils montaient
contre Israël 4 et, campés sur sa terre, ils dévastaient
Lv 26 16 taient les produits du sol jusqu'aux abords de
Gaza. Ils ne laissaient à Israël aucun moyen de
Dt 28 31s subsistance, ni une tête de petit bétail, ni un bœuf,
ni un âne, 5 car ils arrivaient, eux, leurs troupeaux
et leurs tentes, aussi nombreux que les sauterelles;
eux et leurs chameaux étaient innombrables et ils
envahissaient le pays pour le ravager. 6 Ainsi
Madiân réduisit Israël à une grande misère et les
Israélites crièrent vers Yahvé.

**Intervention d'un prophète** [i].

7 Lorsque les Israélites eurent crié vers Yahvé à
cause de Madiân, 8 Yahvé envoya aux Israélites un
prophète qui leur dit : « Ainsi parle Yahvé, Dieu
d'Israël. C'est moi qui vous ai fait monter
d'Égypte, et qui vous ai fait sortir d'une maison de
servitude. 9 Je vous ai délivrés de la main des Égyptiens
et de la main de tous ceux qui vous opprimaient.
Je les ai chassés devant vous, je vous ai
donné leur pays, 10 et je vous ai dit : " Je suis
Yahvé votre Dieu. Vous ne craindrez pas les dieux
des Amorites dont vous habitez le pays. " Mais
vous n'avez pas écouté ma voix. »

*a)* Localité ou groupe inconnus.
*b)* Probablement glose d'après **4** 11, 17, 21.
*c)* « elle a tendu » grec; pluriel hébr.
*d)* « elle guette » grec; « elle pousse des clameurs » hébr.
*e)* La fin du v. est probablement corrompue et surchargée. Au lieu de « une broderie, deux broderies pour mon cou », hébr. lit : « une étoffe de couleur, deux broderies pour le cou du butin ».
*f)* « qui t'aiment » grec et lat.; « qui l'aiment » hébr.
*g)* La longue histoire de Gédéon rassemble plusieurs traditions de la tribu de Manassé, que le rédacteur deutéronomiste du livre a déjà trouvées réunies et qu'il a retouchées. Certaines concernent les exploits militaires de Gédéon contre les Madianites, soit en territoire israélite, soit de l'autre côté du Jourdain. A cela s'ajoutent des récits cultuels : la légitimation d'un autel à Ophra, la destruction d'un autel de Baal, le signe de la toison. Ces récits sont importants pour comprendre la crise religieuse provoquée par la sédentarisation et l'influence du culte de Baal, et la crise politique qui se manifeste par l'offre de la royauté à Gédéon et l'expérience malheureuse d'Abimélek.
*h)* Les Madianites sont de grands nomades dont le foyer est le nord-est du Sinaï, cf. Ex **2** 11+. Les Amalécites sont localisés surtout en Palestine du sud, mais leur nom peut être une désignation vague des peuplades nomades. Les fils de l'Orient sont les tribus du désert à l'est du Jourdain. – Ce récit fournit le premier témoignage historique d'un élevage intensif du chameau et de son utilisation pour les razzias.
*i)* Première intervention d'un prophète dans l'histoire d'Israël. Le passage est de la main du rédacteur deutéronomiste.

**Apparition de l'Ange de Yahvé à Gédéon**[a].

Gn **16** 7+ 11 L'Ange de Yahvé vint et s'assit sous le térébin-
Jos **17** 2 the d'Ophra[b], qui appartenait à Yoash d'Abiézer.
Nb **26** 30 Gédéon, son fils, battait le blé dans le pressoir pour
le soustraire à Madiân, 12 et l'Ange de Yahvé lui
Lc **1** 28 apparut : « Yahvé avec toi, lui dit-il, vaillant guerrier! » 13 Gédéon lui répondit : « Je t'en prie mon
Seigneur! Si Yahvé est avec nous, d'où vient tout
ce qui nous arrive? Où sont tous ces prodiges que
nous racontent nos pères quand ils disent : " Yahvé
ne nous a-t-il pas fait monter d'Égypte? " Et maintenant Yahvé nous a abandonnés, il nous a livrés
au pouvoir de Madiân... »
Ex **3** 10-12 14 Alors Yahvé se tourna vers lui et lui dit : « Va
avec la force qui t'anime et tu sauveras Israël de
la main de Madiân. N'est-ce pas moi qui
t'envoie? » – 15 « Pardon, mon Seigneur! lui répondit Gédéon, comment sauverais-je Israël? Mon
clan est le plus pauvre en Manassé et moi, je suis
le dernier dans la maison de mon père. » 16 Yahvé
lui répondit : « Je serai avec toi et tu battras
Madiân comme si c'était un seul homme. »
17 Gédéon lui dit : « Si j'ai trouvé grâce à tes yeux,
Ex **4** 1-9 donne-moi un signe que c'est toi qui me parles.
1 S **14** 10+ 18 Ne t'éloigne pas d'ici, je te prie, jusqu'à ce que
je revienne vers toi. Je t'apporterai mon offrande et
je la déposerai devant toi. » Et il répondit : « Je resterai jusqu'à ton retour. »
19 Gédéon s'en alla, il prépara un chevreau, et
avec une mesure de farine il fit des pains sans
levain. Il mit la viande dans une corbeille et le jus
dans un pot, puis il lui apporta le tout sous le térébinthe. Comme il s'approchait, 20 l'Ange de Yahvé
lui dit : « Prends la viande et les pains sans levain,
pose-les sur ce rocher et répands le jus. » Et
Gédéon fit ainsi. 21 Alors l'Ange de Yahvé étendit
l'extrémité du bâton qu'il tenait à la main et il tou-
Lv **9** 24 cha la viande et les pains sans levain. Le feu jaillit
1 R **18** 38 du roc, il dévora la viande et les pains sans levain,
1 Ch **21** 26 et l'Ange de Yahvé disparut à ses yeux[c]. 22 Alors
2 Ch **7** 1 Gédéon vit que c'était l'Ange de Yahvé et il dit :
« Hélas! mon Seigneur Yahvé! C'est donc que j'ai
vu l'Ange de Yahvé face à face? » 23 Yahvé lui
répondit : « Que la paix soit avec toi! Ne crains
rien : tu ne mourras pas. » 24 Gédéon éleva en cet Gn **33** 20
endroit un autel à Yahvé et il le nomma Yahvé- Ex **17** 15
Paix. Cet autel est encore aujourd'hui à Ophra Jos **22** 34
d'Abiézer.

**Gédéon contre Baal**[d].

25 Il arriva que, pendant cette nuit-là, Yahvé dit
à Gédéon : « Prends le taureau de ton père, le taureau de sept ans[e], et tu démoliras l'autel de Baal Ex **34** 13+
qui appartient à ton père et tu couperas le pieu
sacré qui est à côté. 26 Puis tu construiras à Yahvé
ton Dieu, au sommet de ce lieu fort, un autel bien
disposé. Tu prendras alors le taureau et tu le brûleras en holocauste sur le bois du pieu sacré que tu
auras coupé. » 27 Gédéon prit alors dix hommes
parmi ses serviteurs et il fit comme Yahvé le lui
avait ordonné. Seulement, comme il craignait trop
sa famille et les gens de la ville pour le faire en
plein jour, il le fit de nuit. 28 Le lendemain matin
les gens de la ville se levèrent; l'autel de Baal avait
été détruit, le pieu sacré qui se dressait à côté avait
été coupé, et le taureau avait été offert en holocauste sur l'autel qu'on venait de bâtir. 29 Ils se
dirent alors les uns aux autres : « Qui a fait cela? »
Ils cherchèrent, s'informèrent et ils dirent : « C'est
Gédéon fils de Yoash qui a fait cela. » 30 Les gens
de la ville dirent alors à Yoash : « Fais sortir ton
fils et qu'il meure, car il a détruit l'autel de Baal
et coupé le pieu sacré qui se dressait à côté. »
31 Yoash répondit à tous ceux qui se tenaient près
de lui : « Est-ce à vous de défendre Baal? Est-ce à 1 R **18** 27
vous de lui venir en aide? (Quiconque défend Baal
doit être mis à mort avant qu'il ne fasse jour.) S'il Dt **17** 2-5
est dieu, qu'il se défende lui-même, puisque Gédéon
a détruit son autel. » 32 Ce jour-là on donna à
Gédéon le nom de Yerubbaal[f], car, disait-on :
« Que Baal s'en prenne à lui, puisqu'il a détruit son
autel! »

**L'appel aux armes.**

33 Tout Madiân, Amaleq et les fils de l'Orient se
réunirent et, ayant passé le Jourdain, ils vinrent
camper dans la plaine de Yizréel. 34 L'esprit de **3** 10+

*a)* Ce paragraphe additionne un récit de la vocation de Gédéon, qui se continue aux vv. 36-40, et un récit de fondation de sanctuaire, dans le type de ceux de la Genèse, avec une théophanie, un message de salut et l'inauguration du culte. L'Ange de Yahvé, v. 11, est désigné par le seul nom de Yahvé aux vv. 14, 16 et 23. Au v. 22, Gédéon identifie Yahvé et son Ange, cf. Gn **16** 7+.

*b)* Un arbre sacré, cf. **4** 11; **9** 37, etc.; Jos **24** 26. La localisation de cet Ophra est inconnue.

*c)* Le repas que Gédéon avait préparé pour l'Ange de Yahvé – qu'il ait eu un caractère sacrificiel ou non – est transformé en holocauste par le feu divin (comparer le sacrifice de Manoah, **13** 15-20). Le rocher est ainsi consacré et Gédéon y élève un autel, v. 24.

*d)* Ce second récit cultuel, qui semble se rapporter au même sanctuaire que le précédent, a un autre caractère : ici le culte de Baal est remplacé, violemment, par celui de Yahvé.

*e)* L'hébr. a : « le taureau de ton père et un second taureau de sept ans », et aux vv. 26, 28 : « le second taureau »; mais il n'y a qu'un sacrifice. Il est possible que les mots « et un taureau de sept ans » soient une précision qui a été comprise comme la mention d'une seconde victime, ce qui a provoqué le désordre du texte actuel.

*f)* Le second nom de Gédéon, cf. **7** 1, etc., est expliqué ici par une étymologie populaire. Originairement, le nom signifie au contraire : « Que Baal prenne parti pour, qu'il défende (le porteur du nom) ». – Un sanctuaire de Yahvé succède au sanctuaire cananéen.

Yahvé revêtit Gédéon, il sonna du cor et Abiézer
se groupa derrière lui. 35 Il envoya des messagers
3 27; 7 23s dans tout Manassé, qui se groupa aussi derrière lui,
et il envoya des messagers dans Asher, dans Zabulon et dans Nephtali; et ils montèrent à sa
rencontre.

**L'épreuve de la toison [a].**

6 17 36 Gédéon dit à Dieu : « Si vraiment tu veux délivrer Israël par ma main, comme tu l'as dit, 37 voici
que j'étends sur l'aire une toison de laine : s'il y a
de la rosée seulement sur la toison et que tout
le sol reste sec, alors je saurai que tu délivreras
Israël par ma main, comme tu l'as dit. » 38 Et il en
fut ainsi. Gédéon se leva le lendemain de bon
matin, il pressa la toison et, de la toison, il exprima
la rosée, une pleine coupe d'eau. 39 Gédéon dit
encore à Dieu : « Ne t'irrite pas contre moi si je
parle encore une fois. Permets que je fasse une dernière fois l'épreuve de la toison : qu'il n'y ait de sec
que la seule toison et qu'il y ait de la rosée sur tout
le sol! » 40 Et Dieu fit ainsi en cette nuit-là. La toison seule resta sèche et il y eut de la rosée sur tout
le sol.

## B. LA CAMPAGNE DE GÉDÉON A L'OUEST DU JOURDAIN

1 S 14 6 **Yahvé réduit l'armée de Gédéon [b].**
1 Co 1 25s

7 1 Yerubbaal (c'est-à-dire Gédéon) se leva de
grand matin ainsi que tout le peuple qui était
avec lui, et il vint camper à En-Harod [c]; le camp
de Madiân se trouvait au nord du sien, au pied de
la colline du Moré dans la vallée. 2 Alors Yahvé dit
à Gédéon : « Le peuple qui est avec toi est trop
nombreux pour que je livre Madiân entre ses
Dt 8 17+ mains; Israël pourrait en tirer gloire à mes dépens,
et dire : " C'est ma propre main qui m'a délivré! "
3 Et maintenant, proclame donc ceci aux oreilles du
Dt 20 8 peuple : " Que celui qui a peur et qui tremble, s'en
1 M 3 56 retourne et qu'il observe du mont Gelboé [d] ". »
Vingt-deux mille hommes parmi le peuple s'en
retournèrent et il en resta dix mille.

4 Yahvé dit à Gédéon : « Ce peuple est encore
trop nombreux. Fais-les descendre au bord de l'eau
et là, pour toi, je les éprouverai. Celui dont je te
dirai : " Qu'il aille avec toi ", celui-là ira avec toi.
Et tout homme dont je te dirai : " Qu'il n'aille pas
avec toi ", celui-là n'ira pas. » 5 Gédéon fit alors
descendre le peuple au bord de l'eau et Yahvé lui
dit : « Tous ceux qui laperont l'eau avec la langue
comme lape le chien, tu les mettras d'un côté. Et
tous ceux qui s'agenouilleront pour boire, tu les
mettras de l'autre [e]. » 6 Le nombre de ceux qui lapèrent l'eau avec leurs mains à leur bouche [f] fut de
trois cents. Tout le reste du peuple s'était agenouillé pour boire. 7 Alors Yahvé dit à Gédéon :
« C'est avec les trois cents hommes qui ont lapé
l'eau que je vous sauverai et que je livrerai Madiân
entre tes mains. Que tout le peuple s'en retourne
chacun chez soi. » 8 Ils prirent les provisions du
peuple et leurs cors, puis Gédéon renvoya tous les
Israélites chacun sous sa tente, ne gardant que les
trois cents. Le camp de Madiân se trouvait au-dessous du sien dans la vallée.

**Présage de victoire.**

9 Or il arriva que pendant cette nuit-là Yahvé lui
dit : « Lève-toi, descends au camp, car je le livre
entre tes mains. 10 Cependant, si tu as peur de descendre, descends au camp avec Pura ton serviteur;
11 écoute ce qu'ils disent; tu en seras réconforté, et
tu descendras contre le camp. » Il descendit donc
avec son serviteur Pura jusqu'à l'extrémité des
avant-postes du camp.

12 Madiân, Amaleq et tous les fils de l'Orient
étaient déployés dans la vallée, aussi nombreux que 6 5
des sauterelles; leurs chameaux étaient sans nom- Ex 10 14-1
bre, comme le sable sur le bord de la mer. Jr 46 23
13 Gédéon vint donc et voici qu'un homme Jl 1 6s
racontait un rêve à son camarade; il disait : « Voici
le rêve que j'ai fait : une galette de pain d'orge roulait dans le camp de Madiân, elle atteignit la tente,
elle la heurta [g] et la renversa sens dessus dessous. »
14 Son camarade lui répondit : « Ce ne peut être que
l'épée de Gédéon, fils de Yoash, l'Israélite. Dieu a
livré entre ses mains Madiân et tout le camp. »
15 Quand il eut entendu le récit du songe et son
explication, Gédéon se prosterna, puis il revint au
camp d'Israël et dit : « Debout! car Yahvé a livré
entre vos mains le camp de Madiân! »

*a)* C'est le signe demandé par Gédéon au v. 17. Comparer Ex **4** 1-7, où deux signes authentifient la mission de Moïse.
*b)* La victoire contre les Madianites ne doit pas pouvoir être attribuée à la force militaire d'Israël : c'est une guerre sainte, dans laquelle Dieu donne la victoire.
*c)* *Harod* signifie « tremblement », cf. v. 3.
*d)* « qu'il observe du mont Gelboé » conj.; « et qu'il s'échappe (?) du mont de Galaad » hébr.
*e)* « tu les mettras de l'autre » versions; omis par hébr.
*f)* Ces quelques mots, que l'on attendrait plutôt à la fin du v., ont peut-être été déplacés.
*g)* L'hébr. ajoute ici : « et elle tomba », omis par grec, et à la fin du v. : « et la tente était tombée ». – La tente symbolise les nomades; le pain d'orge, les Israélites cultivateurs. D'où la réponse du v. 14. Le songe est reconnu comme une révélation divine, cf. Gn **20** 3+.

**La surprise.**

16 Gédéon divisa alors ses trois cents hommes en
trois groupes. A tous il remit des cors et des cruches vides, avec des torches dans les cruches :
17 « Regardez-moi, leur dit-il, et faites comme moi!
Quand je serai arrivé à l'extrémité du camp, ce que
je ferai, vous le ferez aussi! 18 Je sonnerai du cor,
moi et tous ceux qui sont avec moi; alors, vous
aussi, vous sonnerez du cor tout autour du camp
et vous crierez : Pour Yahvé et pour Gédéon! »
19 Gédéon et les cent hommes qui l'accompagnaient arrivèrent à l'extrémité du camp au début
de la veille de la mi-nuit, comme on venait de placer les sentinelles; ils sonnèrent du cor et brisèrent
les cruches qu'ils avaient à la main. 20 Alors les
trois groupes sonnèrent du cor et brisèrent leurs
cruches; de la main gauche ils saisirent les torches,
de la droite les cors pour en sonner, et ils crièrent :
« Épée pour Yahvé et pour Gédéon! » 21 Et ils se
tinrent immobiles chacun à sa place autour du
camp. Tout le camp alors s'agita et, poussant des
cris, les Madianites prirent la fuite. 22 Pendant que
les trois cents sonnaient du cor, Yahvé fit que dans
1 S 14 20 tout le camp chacun tournait l'épée contre son
camarade [a]. Tous s'enfuirent jusqu'à Bet-ha-Shitta,
vers Çartân [b], jusqu'à la rive d'Abel-Mehola vis-
à-vis de Tabbat.

**La poursuite.**

23 Les gens d'Israël se rassemblèrent, de Nephtali, d'Asher et de tout Manassé, et ils poursuivirent Madiân. 24 Gédéon envoya dans toute la montagne d'Éphraïm des messagers dire : « Descendez
à la rencontre de Madiân et occupez avant eux les
points d'eau jusqu'à Bet-Bara et le Jourdain. » Tous Jn 1 28+
les gens d'Éphraïm se rassemblèrent et ils occupè-
rent les points d'eau jusqu'à Bet-Bara et le Jourdain. 25 Ils firent prisonniers les deux chefs de
Madiân, Oreb et Zéeb, ils tuèrent Oreb au Rocher Ps 83 12
d'Oreb et Zéeb au Pressoir de Zéeb. Ils poursuivi- Is 10 26
rent Madiân et ils apportèrent à Gédéon au-delà du
Jourdain les têtes d'Oreb et de Zéeb [c].

**Reproches des Éphraïmites [d].** 12 1-6

8 1 Or les gens d'Éphraïm dirent à Gédéon :
« Quelle est donc cette manière d'agir envers
nous : tu ne nous as pas convoqués lorsque tu es 6 35; 7 24
allé combattre Madiân? » et ils le prirent violemment à partie. 2 Il leur répondit : « Qu'ai-je donc
fait en comparaison de vous? Le grappillage
d'Éphraïm, n'est-ce pas plus que la vendange
d'Abiézer? 3 C'est entre vos mains que Dieu a livré
les chefs de Madiân, Oreb et Zéeb. Qu'ai-je pu faire
en comparaison de vous? » Sur ces paroles, leur
emportement contre lui se calma.

## C. LA CAMPAGNE DE GÉDÉON EN TRANSJORDANIE ET LA FIN DE GÉDÉON

**Gédéon poursuit l'ennemi au-delà du Jourdain [e].**

4 Gédéon arriva au Jourdain et le traversa, mais
lui et les trois cents hommes qu'il avait avec lui
étaient harassés par la poursuite. 5 Il dit donc aux
gens de Sukkot : « Donnez, je vous prie, des galettes de pain à la troupe qui me suit, car elle est
harassée, et je suis à la poursuite de Zébah et de
Çalmunna, rois de Madiân [f]. » 6 Mais les chefs de
Sukkot répondirent : « Les mains de Zébah et de
Çalmunna sont-elles déjà dans ton poing pour que
nous donnions du pain à ton armée? » – 7 « Eh
bien! répliqua Gédéon, lorsque Yahvé aura livré en
mes mains Zébah et Çalmunna, je vous déchirerai
les chairs sur les épines du désert et les chardons. »
8 De là, il monta à Penuel et il parla de la même
manière aux gens de Penuel, qui répondirent
comme l'avaient fait les gens de Sukkot. 9 Il répliqua également aux gens de Penuel : « Quand je
reviendrai vainqueur, je détruirai cette tour. »

**Défaite de Zébah et de Çalmunna**

10 Zébah et Çalmunna se trouvaient dans le Qar-
qor avec leur armée, environ quinze mille hommes,
tous ceux qui étaient restés de l'armée des fils de
l'Orient. Ceux qui étaient tombés étaient au nom-

*a)* Encore un trait de la guerre sainte : les Israélites n'ont pas à se battre, Dieu sème la panique parmi leurs ennemis, cf. Ex **14** 14; Jos **6** 20.
*b)* « Çartân », d'après 1 R **4** 12; « Çeréra » hébr. – Les Madianites s'enfuient vers un gué du Jourdain.
*c)* Oreb : « le corbeau »; Zéeb : « le loup ». Cet épisode, rappelé à **8** 3, utilise une tradition indépendante, probablement éphraïmite, se rattachant à deux lieux-dits.
*d)* Éphraïm apparaît ici comme subordonné à Manassé, cf. **7** 24, 25[b], mais les Éphraïmites supportent mal d'être ainsi au second rang. Éphraïm finira par établir sa supériorité sur Manassé, ce qu'exprime la préférence qui lui est donnée par Jacob dans Gn **48** 17.
*e)* Cette campagne est présentée comme la suite de celle racontée à **7** 1-22, cf. **8** 4, mais c'est originairement une tradition indépendante, concernant peut-être un autre raid des Madianites. Elle est en tout cas différente de l'épisode de **7** 25 où les « chefs » de Madiân ont d'autres noms que les « rois » de Madiân, v. 5. Les précisions géographiques concernant Sukkot, Penuel et la Transjordanie indiquent une tradition locale.
*f)* Zébah, « victime », et Çalmunna, « ombre errante », semblent être des noms inventés.

bre de cent vingt mille hommes tirant l'épée.
11 Gédéon monta par la route de ceux qui habitent
sous la tente, à l'est de Nobah et de Yogbéha, et
il défit l'armée, alors qu'elle se croyait en sûreté.
12 Zébah et Çalmunna s'enfuirent. Il les poursuivit
et il fit prisonniers les deux rois de Madiân, Zébah
et Çalmunna. Quant à l'armée, il la mit en déroute.

**Les vengeances de Gédéon.**

13 Après la bataille, Gédéon, fils de Yoash, s'en
revint par la montée de Harès [a]. 14 Ayant arrêté
un jeune homme des gens de Sukkot, il le questionna
et celui-ci lui donna par écrit les noms des chefs de
Sukkot et des anciens, soixante-dix-sept hommes,
15 Gédéon se rendit alors auprès des gens de Sukkot
et dit : « Voici Zébah et Çalmunna, au sujet
desquels vous m'avez raillé, disant : Les mains de
Zébah et de Çalmunna sont-elles déjà dans ton
poing pour que nous donnions du pain à tes gens
harassés? » 16 Il saisit alors les anciens de la ville
et, prenant des épines du désert et des chardons, il
déchira [b] les gens de Sukkot. 17 Il détruisit la tour
de Penuel et massacra les habitants de la ville.
18 Puis il dit à Zébah et Çalmunna : « Comment
donc étaient ces hommes que vous avez tués au
Tabor [c]? » – « Ils te ressemblaient, répondirent-ils.
Chacun d'eux avait l'air d'un fils de roi. » –
19 « C'étaient mes frères, fils de ma mère, reprit
Gédéon. Par la vie de Yahvé! si vous les aviez laissés vivre, je ne vous tuerais pas. » 20 Alors il
commanda à Yéter, son fils aîné : « Debout! Tue-
les. » Mais l'enfant ne tira pas son épée, il n'osait
pas, car il était encore jeune. 21 Zébah et Çalmunna
9 54 dirent alors : « Debout! toi, et frappe-nous, car tel
est l'homme, telle est sa force. » Alors Gédéon se
Ps 83 12 leva, il tua Zébah et Çalmunna et il prit les croissants qui étaient au cou de leurs chameaux.

**Gédéon. La fin de sa vie.**

22 Les gens d'Israël dirent à Gédéon : « Règne
sur nous, toi, ton fils et ton petit-fils, puisque tu
nous as sauvés de la main de Madiân. » 23 Mais
Gédéon leur répondit : « Ce n'est pas moi qui
régnerai sur vous, ni mon fils non plus, car c'est
Yahvé qui régnera sur vous [d]. » 24 « Laissez-moi,
ajouta Gédéon, vous faire une requête. Que chacun
de vous me donne un anneau de son butin. » Les Ex 32
vaincus avaient en effet des anneaux d'or, car
c'étaient des Ismaélites. 25 « Nous les donnerons Nb 31 28s, 50
volontiers », répondirent-ils. Il étendit donc son 2 S 8 11-12
manteau et ils y jetèrent chacun un anneau de son
butin [e]. 26 Le poids des anneaux d'or qu'il avait
demandés s'éleva à mille sept cents sicles d'or, sans
compter les croissants, les pendants d'oreilles et les
vêtements de pourpre que portaient les rois de
Madiân, sans compter non plus les colliers qui
étaient au cou de leurs chameaux. 27 Gédéon en fit
un éphod [f] qu'il plaça dans sa ville, à Ophra. Tout 17-18
Israël s'y prostitua après lui et ce fut un piège pour 1 R 12 26-32
Gédéon et sa maison.
28 Ainsi Madiân fut abaissé devant les Israélites.
Il ne releva plus la tête et le pays fut en repos pen- 3 11+
dant quarante ans, aussi longtemps que vécut
Gédéon. 29 Yerubbaal, fils de Yoash, s'en alla donc
et demeura dans sa maison. 30 Gédéon eut soixante-dix fils, issus de lui, car il avait beaucoup de
femmes. 31 Sa concubine qui résidait à Sichem lui
enfanta, elle aussi, un fils, auquel il donna le nom
d'Abimélek. 32 Gédéon, fils de Yoash, mourut 9
après une heureuse vieillesse et on l'ensevelit dans
le tombeau de Yoash, son père, à Ophra d'Abiézer [g].

**Rechute d'Israël.**

33 Après la mort de Gédéon, les Israélites
recommencèrent à se prostituer aux Baals et ils prirent pour dieu Baal-Berit [h]. 34 Les Israélites ne se
souvinrent plus de Yahvé, leur Dieu, qui les avait
délivrés de la main de tous les ennemis d'alentour.
35 Et à la maison de Yerubbaal-Gédéon, ils ne mon- 9 16
trèrent pas la gratitude méritée par tout le bien
qu'elle avait fait à Israël.

*a)* « par la montée » grec; « d'au-dessus » (?) hébr.
*b)* « déchira » versions et v. 7; « fit connaître » hébr.
*c)* « Comment étaient » Vulg.; « où étaient » hébr. – On ne connaît pas par ailleurs cette bataille du Tabor. Gédéon fait savoir aux rois qu'ils ont tué ses frères et justifie par là son rôle de vengeur du sang, cf. Nb **35** 19+.
*d)* Les vv. 22-23 interrompent le récit, mais il est très vraisemblable qu'après la victoire, les gens de la région de Sichem aient offert la royauté à Gédéon; toutefois, il ne s'agit sûrement pas de tout Israël. Le refus de Gédéon n'exprime peut-être que l'opinion deutéronomiste, dans la ligne antimonarchique de **9** 7-15 et 1 S **8** 12, car d'après **9** 2, les fils de Gédéon-Yerubbaal dominent sur Sichem.
*e)* « il étendit » grec; pluriel hébr.
*f)* Il s'agit non pas de l'éphod-pagne, 1 S **2** 18, mais d'un objet cultuel utilisé pour la divination, cf. 1 S **2** 28+. Gédéon le destinait sûrement au culte de Yahvé, mais le rédacteur deutéronomiste le condamne, tout comme il jugera suspect l'éphod de Mika, **17** 3s.
*g)* Les vv. 30-32 ressemblent aux notices sur les « petits » juges, cf. **10** 1-5; **12** 8-15. Le v. 29 qui reprend le nom de Yerubbaal viendrait mieux à la suite de **6** 25-32.
*h)* Baal-Berit ou El-Berit est le dieu de l'alliance vénéré par les Cananéens de Sichem, **9** 46. Sichem est aussi le lieu où avait été conclue une alliance avec Yahvé, Jos **24** : le syncrétisme était presque inévitable.

## D. LA ROYAUTÉ D'ABIMÉLEK [a]

9 1 Abimélek, fils de Yerubbaal, s'en vint à
Sichem auprès des frères de sa mère et il leur
adressa ces paroles, ainsi qu'à tout le clan de la
maison paternelle de sa mère : 2 « Faites donc
entendre ceci, je vous prie, aux notables de
Sichem : Que vaut-il mieux pour vous? Avoir pour
maîtres soixante-dix personnes, tous les fils de
Yerubbaal, ou n'en avoir qu'un seul? Souvenez-
vous d'ailleurs que je suis, moi, de vos os et de
votre chair! » 3 Les frères de sa mère parlèrent de
lui à tous les notables de Sichem dans les mêmes
termes, et leur cœur pencha pour Abimélek, car ils
se disaient : « C'est notre frère! » 4 Ils lui donnèrent
donc soixante-dix sicles d'argent du temple de
8 33+ Baal-Berit et Abimélek s'en servit pour soudoyer
des gens de rien, des aventuriers, qui s'attachèrent
à lui. 5 Il se rendit alors à la maison de son père
2 R 10 1-17; à Ophra et il massacra ses frères, les fils de Yerub-
11 1-3 baal, soixante-dix hommes, sur une même pierre.
Yotam cependant, le plus jeune fils de Yerubbaal,
échappa, car il s'était caché. 6 Puis tous les notables de Sichem et tout Bet-Millo se réunirent et ils
Jos 24 26+ proclamèrent roi Abimélek près du chêne de la
stèle qui est à Sichem [b].

**Apologue de Yotam [c].**

7 On l'annonça à Yotam. Il vint se poster sur le
Jos 8 33+ sommet du mont Garizim et il leur cria à haute
voix :

« Écoutez-moi, notables de Sichem,
pour que Dieu vous écoute!

2 R 14 9 8 Un jour les arbres se mirent en chemin
pour oindre un roi qui régnerait sur eux.
Ils dirent à l'olivier : " Sois notre roi! "

9 L'olivier leur répondit :
Lv 2 " Faudra-t-il que je renonce à mon huile,
Ps 104 15 qui rend honneur aux dieux et aux hommes,
1 S 10 1; 16 13 pour aller me balancer au-dessus des arbres? "

10 Alors les arbres dirent au figuier :
" Viens, toi, sois notre roi! "

11 Le figuier leur répondit :
" Faudra-t-il que je renonce à ma douceur
et à mon excellent fruit,
pour aller me balancer au-dessus des arbres? "

12 Les arbres dirent alors à la vigne :
" Viens, toi, sois notre roi! "

13 La vigne leur répondit :
" Faudra-t-il que je renonce à mon vin, Ps 104 15
qui réjouit les dieux et les hommes, Si 31 27-28
pour aller me balancer au-dessus des arbres? " Pr 31 6 Qo 9 7

14 Tous les arbres dirent alors au buisson
d'épines :
" Viens, toi, sois notre roi! "

15 Et le buisson d'épines répondit aux arbres :
" Si c'est de bonne foi que vous m'oignez pour
régner sur vous,
venez vous abriter sous mon ombre.
Sinon un feu sortira du buisson d'épines
et il dévorera les cèdres du Liban! "

16 [d] « Ainsi donc, si c'est de bonne foi et en toute
loyauté que vous avez agi et que vous avez fait roi
Abimélek, si vous vous êtes bien conduits envers
Yerubbaal et sa maison, si vous l'avez traité selon
le mérite de ses actions [e], 17 alors que mon père a
combattu pour vous, qu'il a exposé sa vie, qu'il
vous a délivrés de la main de Madiân, 18 vous,
aujourd'hui, vous vous êtes levés contre la maison
de mon père, vous avez massacré ses fils, soixante-
dix hommes sur une même pierre, et vous avez établi roi sur les notables de Sichem Abimélek, le fils
de son esclave, parce qu'il est votre frère! 19 – si
donc c'est de bonne foi et en toute loyauté qu'aujourd'hui vous avez agi envers Yerubbaal et envers

*a)* Cette histoire a été conservée ici parce qu'Abimélek était le fils de Gédéon-Yerubbaal; en réalité ce n'est pas l'histoire d'un juge, ce n'est même pas l'histoire d'Israël : Abimélek est fils d'une Sichémite, il est choisi comme roi par les Cananéens de Sichem, il s'entoure d'aventuriers et ses seuls exploits sont le massacre de ses frères, sa lutte contre les révoltés de Sichem et l'assaut donné à la ville israélite de Tébeç, où il est tué ignominieusement. Le récit est certainement historique et nous éclaire sur les conditions de l'époque : Israël et Canaan vivent en bon voisinage, et le régime politique que représente cette royauté continue la situation que les lettres d'Amarna nous font connaître pour cette région au XIVe s. av. J.-C. L'échec d'Abimélek servait le propos du rédacteur deutéronomiste : il ne peut y avoir en Israël qu'un roi choisi par Yahvé.

*b)* Bet-Millo est probablement identique au Migdal-Sichem des vv. 46 et 49. – « de la stèle » *hammaççebah* conj.; « dressé » *muççab* hébr.

*c)* Cet apologue est, dans la Bible, le premier exemple de fable qui mette en scène des plantes ou des animaux, cf. 2 R **9**; Ez **17** 3-10 et plusieurs fois dans les Proverbes. Mais ce genre littéraire est universel (Mésopotamie, Égypte, Grèce, etc.). Cette fable a pu avoir une existence indépendante avant d'être utilisée pour illustrer l'histoire de Yerubbaal et d'Abimélek.

*d)* Les vv. 16-20 font à la situation créée par la royauté d'Abimélek l'application de la fable qui s'achevait par un appel à la « bonne foi ».

*e)* La phrase, interrompue par une incise, se poursuit au v. 19.

sa maison, alors qu'Abimélek fasse votre joie et
9 49 vous la sienne! 20 Sinon, qu'un feu sorte d'Abimélek et qu'il dévore les notables de Sichem et de
Bet-Millo, et qu'un feu sorte des notables de
Sichem et Bet-Millo pour dévorer Abimélek! »
21 Puis Yotam prit la fuite, il se sauva et se rendit
à Béer, où il s'établit pour échapper à son frère
Abimélek.

**Révolte des Sichémites contre Abimélek.**

22 Abimélek exerça le pouvoir pendant trois ans
1 S 16 14+ sur Israël [a]. 23 Puis Dieu envoya un esprit de dis-
1 R 22 23 corde entre Abimélek et les notables de Sichem, et
les notables de Sichem trahirent Abimélek.
24 C'était afin que le crime commis contre les
soixante-dix fils de Yerubbaal fût vengé [b] et que
leur sang retombât sur Abimélek leur frère, qui les
avait massacrés, ainsi que sur les notables de
Sichem qui l'avaient aidé à massacrer ses frères.
25 Les notables de Sichem placèrent donc contre lui
des embuscades au sommet des montagnes et ils
dévalisaient quiconque passait près d'eux par le
chemin. On le fit savoir à Abimélek. 26 Gaal, fils
d'Obed [c], accompagné de ses frères, vint à passer
par Sichem et il gagna la confiance des notables de
Sichem. 27 Ceux-ci sortirent dans la campagne pour
vendanger leurs vignes, ils foulèrent le raisin, organisèrent des réjouissances et entrèrent dans le temple de leur dieu. Ils y mangèrent et burent [d] et mau-
dirent Abimélek. 28 Alors Gaal, fils d'Obed,
s'écria : « Qui est Abimélek, et qu'est-ce que
Sichem, pour que nous lui soyons asservis? Ne
serait-ce pas au fils de Yerubbaal et à Zebul, son
lieutenant, de servir [e] les gens de Hamor, père de
Gn 34 Sichem? Pourquoi lui serions-nous asservis, nous?
29 Qui me mettra ce peuple dans la main, afin que
je chasse Abimélek, et je lui dirais [f] : Renforce ton
armée et sors! » 30 Zebul, gouverneur de la ville,
apprit les propos de Gaal, fils d'Obed, et il en fut
irrité. 31 Il envoya en secret des messagers vers Abimélek, pour dire : « Voici que Gaal, fils d'Obed,
avec ses frères, est arrivé à Sichem, et ils excitent
la ville contre toi [g]. 32 En conséquence, lève-toi de
nuit, toi et les gens que tu as avec toi, et mets-toi
en embuscade dans la campagne, 33 puis, le matin,
au lever du soleil, tu surgiras et tu t'élanceras
contre la ville. Quand Gaal et les gens qui sont
avec lui sortiront à ta rencontre, tu les traiteras
comme tu pourras. » 34 Abimélek se mit donc en
route de nuit avec tous les gens qui étaient avec lui
et ils s'embusquèrent en face de Sichem, en quatre
groupes. 35 Comme Gaal, fils d'Obed, sortait et faisait halte à l'entrée de la porte de la ville, Abimélek
et les gens qui étaient avec lui surgirent de leur
embuscade. 36 Gaal vit cette troupe et il dit à
Zebul : « Voici des gens qui descendent du sommet
des montagnes. » – « C'est l'ombre des monts, lui
répondit Zebul, et tu la prends pour des hommes. »
37 Gaal reprit encore : « Voici des gens qui descendent du côté du Nombril de la Terre, tandis qu'un
autre groupe arrive par le chemin du Chêne des
Devins [h]. » 38 Zebul lui dit alors : « Qu'as-tu fait de
ta langue? Toi qui disais : " Qui est Abimélek pour
que nous lui soyons asservis? " Ne sont-ce pas là
les gens que tu méprisais? Sors donc maintenant et
livre-lui combat. » 39 Et Gaal sortit à la tête des
notables de Sichem et il livra combat à Abimélek.
40 Abimélek poursuivit Gaal, qui se sauva devant
lui, et beaucoup de gens de celui-ci tombèrent
morts avant d'atteindre la porte. 41 Abimélek
demeura alors à Aruma, et Zebul, chassant Gaal
et ses frères, les empêcha d'habiter à Sichem.

**Destruction de Sichem et prise de Migdal-Sichem [i].**

42 Le lendemain, le peuple sortit dans la campagne et Abimélek en fut informé. 43 Il prit ses gens,
les partagea en trois groupes et se mit en embuscade dans les champs. Lorsqu'il vit les gens sortir
de la ville, il surgit contre eux et les tailla en pièces.
44 Tandis qu'Abimélek et le groupe qui était avec
lui s'élançaient et prenaient position à l'entrée de
la porte de la ville, les deux autres groupes se jetèrent contre tous ceux qui étaient dans la campagne
et les massacrèrent. 45 Toute la journée Abimélek
donna l'assaut à la ville. L'ayant prise, il en massacra la population, détruisit la ville et y sema du
sel [j]. 46 A cette nouvelle, les notables de Migdal-Sichem se rendirent tous dans la crypte du temple

*a)* Note rédactionnelle. Abimélek n'a pas régné sur « Israël ».
*b)* « afin que (le crime...) fût vengé », litt. « pour faire revenir (le crime sur...) », grec.; « pour que vienne » hébr.
*c)* « fils d'Obed » Vulg.; « fils d'un esclave » (*'ebed*) hébr.; de même aux vv. suivants. C'est un Cananéen, allié aux Sichémites, ou peut-être sichémite lui-même, v. 28. Il soulève les gens de Sichem contre Abimélek qui ne réside pas dans la ville et y est représenté par Zebul.
*d)* Fête religieuse à la fin de la révolte.
*e)* « Ne serait-ce pas à... de servir » conj.; « servez » hébr.
*f)* « et je lui dirais » grec; « et il dit à Abimélek » hébr.
*g)* « ils excitent » *me'îrîm* conj.; « ils assiègent » *çarîm* hébr.
*h)* Le « Nombril de la Terre », peut-être la montagne sacrée du Garizim; la même appellation semble appliquée à Jérusalem par Ez 38 12. Le « Chêne des Devins » est à identifier avec le « Chêne de Moré » (c'est-à-dire « chêne de l'instructeur », ou du « devin »), Gn 12 6; Dt 11 30.
*i)* Il est possible que Migdal-Sichem (la « Tour de Sichem ») soit une localité différente de Sichem. Ou bien nous avons ici deux traditions juxtaposées, vv. 41-45, 46-49, concernant la destruction de la ville; ou bien encore le v. 45 est une anticipation, et les vv. 46-49 reprennent un détail du siège. Migdal-Sichem et le temple d'El-Berit seraient le temple fortifié retrouvé par les fouilles.
*j)* Geste symbolique qui doit rendre la terre stérile. – Les fouilles de Sichem témoignent d'une destruction de la ville au cours

8 33; 9 4 d'El-Berit [a]. 47 Dès qu'Abimélek eut appris que tous
les notables de Migdal-Sichem s'y étaient rassemblés, 48 il monta sur le mont Çalmôn, lui et toute
sa troupe. Prenant en mains une hache, il coupa
une branche d'arbre, qu'il souleva et chargea sur
son épaule, en disant aux gens qui l'accompagnaient : « Ce que vous m'avez vu faire, vite, faites-
le comme moi. » 49 Tous ses gens se mirent donc
à couper chacun une branche, puis ils suivirent
Abimélek et, entassant les branches sur la crypte,
9 20 ils la brûlèrent sur ceux qui s'y trouvaient. Tous les
habitants de Migdal-Sichem périrent aussi, environ
mille hommes et femmes.

**Siège de Tébèç et mort d'Abimélek.**

50 Puis Abimélek marcha sur Tébèç [b], il
l'assiégea et la prit. 51 Il y avait là, au milieu de la
ville, une tour fortifiée où se réfugièrent tous les
hommes et femmes et tous les notables de la ville.
Après avoir fermé la porte derrière eux, ils montèrent sur la terrasse de la tour. 52 Abimélek parvint
jusqu'à la tour et il l'attaqua. Comme il s'approchait de la porte de la tour pour y mettre le feu,
53 une femme lui lança une meule de moulin sur la
tête et lui brisa le crâne. 54 Il appela aussitôt le
jeune homme qui portait ses armes et lui dit : « Tire 1 S 31 4
ton épée et tue-moi, pour qu'on ne dise pas de moi :
C'est une femme qui l'a tué. » Son écuyer le transperça et il mourut. 55 Quand les gens d'Israël virent
qu'Abimélek était mort, ils s'en retournèrent chacun chez soi.

56 Ainsi Dieu fit retomber sur Abimélek le mal
qu'il avait fait à son père en égorgeant ses soixante-
dix frères. 57 Et Dieu fit aussi retomber sur la tête
des gens de Sichem toute leur méchanceté. Ainsi
s'accomplit sur eux la malédiction de Yotam, fils 9 20
de Yerubbaal.

## *JEPHTÉ ET LES « PETITS JUGES [c] »*

## *6. TOLA*

Gn 46 13 **10** 1 Après Abimélek, se leva pour sauver Israël
Nb 26 23 Tola, fils de Pua, fils de Dodo. Il était d'Issa-
1 Ch 7 1-5 char et il habitait Shamir dans la montagne
d'Éphraïm. 2 Il fut juge en Israël pendant vingt-
trois ans, puis il mourut et fut enseveli à Shamir.

## *7. YAÏR [d]*

Nb 32 41 3 Après lui se leva Yaïr de Galaad, qui jugea
Dt 3 14 Israël pendant vingt-deux ans. 4 Il avait trente fils
1 R 4 13 qui montaient trente ânons et ils possédaient trente
1 Ch 2 21-23
12 14
villes, qu'on appelle encore aujourd'hui les Douars
de Yaïr [e], au pays de Galaad.
5 Puis Yaïr mourut et il fut enseveli à Qamôn.

## *8. JEPHTÉ [f]*

**Oppression des Ammonites.**

6 Les Israélites recommencèrent à faire ce qui est
2 13+ mal aux yeux de Yahvé. Ils servirent les Baals et
les Astartés, ainsi que les dieux d'Aram et de
Sidon, les dieux de Moab, ceux des Ammonites et
des Philistins. Ils abandonnèrent Yahvé et ne le servirent plus. 7 Alors la colère de Yahvé s'alluma
contre Israël et il le livra aux mains des Philistins
et aux mains des Ammonites. 8 Ceux-ci écrasèrent
et opprimèrent les Israélites à partir de cette année-
là pendant dix-huit ans, tous les Israélites qui
habitaient au-delà du Jourdain, dans le pays amo- Nb 21 21-35
rite en Galaad. 9 Les Ammonites passèrent le Jour-

du XIIe s. av. J.-C.
*a)* « crypte » ou peut-être « tour ». Ce temple est à la fois un retranchement et un lieu d'asile.
*b)* Aujourd'hui Tubas, à une quinzaine de km au nord de Sichem.
*c)* Sur les « petits juges », cf. **3** 7+.
*d)* On a pensé que ce petit juge avait été inventé à partir du clan de Yaïr installé en Galaad du nord, Nb **32** 41, mais rien n'empêche qu'il y ait eu un individu de ce nom qui ait réellement rempli la fonction de « juge ». Seule la mention des « Douars de Yaïr » serait une addition provenant de Nb **32** 41.
*e)* « (trente) villes » versions; l'hébr répète « ânons ». – Allitération entre *'aïr*, « ânon », *'îr* « ville » et *Yaïr*.
*f)* Jephté est un « petit juge » comme ceux qui le précèdent et le suivent, et l'on donne à son propos le même genre d'indications : sur sa famille, **11** 1-2, sur le temps de sa judicature et sur son tombeau, **12** 7. Mais on avait à raconter sur Jephté une histoire de délivrance qui l'assimile aux « grands juges ». – L'introduction à cette histoire, **10** 6-18, a été très étendue par le rédacteur deutéronomiste, dans la même ligne que **2** 6-19. Le récit de la guerre de libération contre les Ammonites, **11** 1-11, 29, 32-33, a été surchargé par l'addition pseudo-historique du message de Jephté au roi des Ammonites, **11** 12-28, et par l'histoire du vœu de Jephté, **11** 19-31, 34-40. On y a ajouté le conflit entre Éphraïm et Galaad, **12** 1-6.

dain pour combattre aussi Juda, Benjamin et la
maison d'Éphraïm, et la détresse d'Israël devint
extrême. 10 Alors les Israélites crièrent vers Yahvé,
disant : « Nous avons péché contre toi, car nous
avons abandonné Yahvé notre Dieu pour servir les
Baals. » 11 Et Yahvé dit aux Israélites : « Quand des
Égyptiens et des Amorites, des Ammonites et des
Philistins, 12 quand les Sidoniens, Amaleq et
Madiân [a] vous opprimaient et que vous avez crié
vers moi, ne vous ai-je pas sauvés de leurs mains?
13 Mais vous, vous m'avez abandonné et vous avez
servi d'autres dieux. C'est pourquoi je ne vous sau-
Jr **11** 12 verai plus. 14 Allez! Criez vers les dieux que vous
avez choisis! Qu'ils vous sauvent, eux, au temps de
votre détresse! » 15 Les Israélites répondirent à
Yahvé : « Nous avons péché! Agis envers nous
comme il te semblera bon, seulement, aujourd'hui
délivre-nous! » 16 Ils firent disparaître de chez eux
les dieux étrangers qu'ils avaient et ils servirent
Yahvé. Alors Yahvé ne supporta pas plus longtemps la souffrance d'Israël.

17 Les Ammonites se réunirent et campèrent à
Galaad. Les Israélites se rassemblèrent et campè-
Gn **31** 49 rent à Miçpa. 18 Alors le peuple, les chefs de
Galaad, se dirent les uns aux autres : « Quel est
l'homme qui entreprendra d'attaquer les fils
d'Ammon? Celui-là sera le chef de tous les habitants de Galaad. »

**Jephté pose ses conditions.**

**11** 1 Jephté, le Galaadite, était un vaillant guerrier. Il était fils d'une prostituée. Et c'est
Galaad [b] qui avait engendré Jephté. 2 Mais la
femme de Galaad lui enfanta aussi des fils, et les
fils de cette femme, ayant grandi, chassèrent Jephté
Gn **21** 10 en lui disant : « Tu n'auras pas de part à l'héritage
de notre père, car tu es le fils d'une femme étrangère. » 3 Jephté s'enfuit loin de ses frères et s'établit
dans le pays de Tob. Il se forma autour de lui une
bande de gens de rien qui faisaient campagne avec
lui [c].

4 Or, à quelque temps de là, les Ammonites s'en
vinrent combattre Israël. 5 Et lorsque les Ammonites eurent attaqué Israël, les anciens de Galaad
allèrent chercher Jephté au pays de Tob. 6 « Viens,
lui dirent-ils, sois notre commandant, afin que nous
combattions les Ammonites. » 7 Mais Jephté répondit aux anciens de Galaad : « N'est-ce pas vous qui
m'avez pris en haine et chassé de la maison de mon
père? Pourquoi venez-vous à moi, maintenant que
vous êtes dans la détresse? » 8 Les anciens de
Galaad répliquèrent à Jephté : « C'est pour cela
que maintenant nous sommes revenus à toi. Viens
avec nous, tu combattras les Ammonites et tu seras
notre chef, celui de tous les habitants de Galaad. »
9 Jephté répondit aux anciens de Galaad : « Si vous
me faites revenir pour combattre les Ammonites et
que Yahvé les livre à ma merci, alors je serai votre
chef [d]. » – 10 « Que Yahvé soit témoin entre nous,
répondirent à Jephté les anciens de Galaad, si nous
ne faisons pas comme tu l'as dit! » 11 Jephté partit
donc avec les anciens de Galaad. Le peuple le mit
à sa tête comme chef et commandant; et Jephté
répéta toutes ses conditions à Miçpa, en présence
de Yahvé [e].

**Pourparlers de Jephté avec les Ammonites [f].**

12 Jephté envoya des messagers au roi des
Ammonites pour lui dire : « Qu'y a-t-il donc entre Dt **2** 19s, 27
toi et moi pour que tu sois venu faire la guerre à
mon pays? » 13 Le roi des Ammonites répondit aux
messagers de Jephté : « C'est parce qu'Israël, au
temps où il montait d'Égypte, s'est emparé de mon
pays, depuis l'Arnon jusqu'au Yabboq et au Jourdain. Rends-le maintenant de bon gré! » 14 Jephté
envoya de nouveau des messagers au roi des
Ammonites, 15 et il lui dit : « Ainsi parle Jephté.
Israël ne s'est emparé ni du pays de Moab, ni de
celui des Ammonites. 16 Quand il est monté
d'Égypte, Israël a marché dans le désert jusqu'à la
mer des Roseaux et il est parvenu à Cadès. 17 Alors
Israël a envoyé des messagers au roi d'Édom pour Nb **20** 14-
lui dire : " Laisse-moi, je te prie, traverser ton
pays! " mais le roi d'Édom ne voulut rien entendre.
Il en envoya aussi au roi de Moab, qui refusa, et
Israël demeura à Cadès, 18 puis, s'avançant dans le
désert, il contourna le pays d'Édom et celui de
Moab et parvint à l'orient du pays de Moab. Le
peuple campa au-delà de l'Arnon, et il n'entra pas
dans le territoire de Moab, car l'Arnon est la fron-

*a)* « Madiân » grec; « Maôn » hébr.
*b)* Galaad est clairement un nom géographique à **10** 18 et **11** 8; c'est le territoire occupé par les Gadites, cf. Nb **32** 1+. Ce nom est employé ici comme nom de personne d'après l'usage des généalogies, cf. Nb **26** 29.
*c)* Cf. Abimélek, **9** 4, et David, 1 S **22** 1-2; **25** 13, etc.
*d)* Il est possible que cet exemple concret nous donne l'une des manières dont était choisi un « juge » d'Israël : il avait sauvé le peuple; à cela s'ajoute un aspect charismatique, **11** 29. Les deux traits se retrouvent dans une des traditions sur l'élection de Saül comme roi, 1 S **11**. Le nom de roi n'apparaît pas ici, mais c'est bien le pouvoir d'un roi que Jephté réclame et obtient. On opposera le refus de Gédéon et l'acceptation malheureuse d'Abimélek. L'histoire de Jephté montre que l'opposition entre « grand » et « petit » juge est seulement relative, et que l'institution des juges prépare déjà celle de la royauté.
*e)* Il y avait donc à Miçpa un sanctuaire, où Yahvé est pris comme témoin.
*f)* Ce résumé d'histoire est une composition secondaire qui utilise Nb **20-21** et Dt **2**, et qui confond Ammonites et Moabites : le territoire pris par Israël, vv. 13 et 26, avait appartenu à Moab; Kemosh, v. 24, est le dieu principal des Moabites, celui des Ammonites était Milkom.

Nb 21 21-31 tière de Moab. 19 Israël envoya ensuite des messa-
Dt 2 26-37 gers à Sihôn, roi des Amorites, qui régnait à Heshbôn, et Israël lui fit dire : “ Laisse-moi, je te prie,
traverser ton pays jusqu'à ma destination.” 20 Mais
Sihôn refusa à Israël [a] le passage sur son territoire,
il rassembla toute son armée, qui campa à Yahaç,
et il engagea le combat contre Israël. 21 Yahvé,
Dieu d'Israël, livra Sihôn et toute son armée aux
mains d'Israël qui les défit, et Israël prit possession
de tout le pays des Amorites qui habitaient cette
contrée. 22 Il fut ainsi en possession de tout le pays
des Amorites, depuis l'Arnon jusqu'au Yabboq et
depuis le désert jusqu'au Jourdain. 23 Et maintenant
que Yahvé, Dieu d'Israël, a dépossédé les Amorites
devant son peuple Israël, toi, tu nous déposséde-
rais? 24 Est-ce que tu ne possèdes pas tout ce que
Kemosh, ton dieu, a mis en ta possession? De
même tout ce que Yahvé, notre Dieu, a enlevé à ses
possesseurs, nous le possédons! 25 Vaudrais-tu
Nb 22-24 donc mieux que Balaq, fils de Çippor, roi de
Jos 24 9-10 Moab? Est-il entré en contestation avec Israël? Lui
a-t-il fait la guerre? 26 Quand Israël s'est établi à
Heshbôn et dans ses dépendances, à Aroër et dans
ses dépendances, ainsi que dans toutes les villes qui
sont sur les rives de l'Arnon (trois cents ans), pourquoi ne les avez-vous pas reprises à ce moment-là?
27 Pour moi, je n'ai pas péché contre toi, mais toi,
tu agis mal envers moi en me faisant la guerre. Que
Gn 18 25 Yahvé, le Juge, juge aujourd'hui entre les Israélites
et le roi des Ammonites. » 28 Mais le roi des Ammonites n'écouta pas les paroles que Jephté lui
avait fait transmettre.

### Le vœu de Jephté et sa victoire [b].

3 10+ 29 L'esprit de Yahvé fut sur Jephté, qui parcourut
Galaad et Manassé, passa par Miçpé de Galaad et,
de Miçpé de Galaad, passa chez les Ammonites.
30 Et Jephté fit un vœu à Yahvé : « Si tu livres entre
mes mains les Ammonites, 31 celui qui sortira le
premier des portes de ma maison pour venir à ma
rencontre quand je reviendrai vainqueur du combat
contre les Ammonites, celui-là appartiendra à
2 R 3 27 Yahvé, et je l'offrirai en holocauste. » 32 Jephté
n 22 1-19 passa chez les Ammonites pour les attaquer et
Mi 6 7 Yahvé les livra entre ses mains. 33 Il les battit
depuis Aroër jusque vers Minnit (vingt villes), et
jusqu'à Abel-Keramim. Ce fut une très grande
défaite; et les Ammonites furent abaissés devant les
Israélites.
34 Lorsque Jephté revint à Miçpé, à sa maison,
voici que sa fille sortit à sa rencontre en dansant 1 S 18 6-7
au son des tambourins. C'était son unique enfant.
En dehors d'elle il n'avait ni fils, ni fille. 35 Dès qu'il
l'eut aperçue, il déchira ses vêtements et s'écria :
« Ah! ma fille, vraiment tu m'accables! Tu es de
ceux qui font mon malheur! Je me suis engagé,
moi, devant Yahvé, et ne puis revenir en arrière. »
36 Elle lui répondit : « Mon père, tu t'es engagé Nb 30 3
envers Yahvé, traite-moi selon l'engagement que tu
as pris, puisque Yahvé t'a accordé de te venger de
tes ennemis, les Ammonites. » 37 Puis elle dit à son
père : « Que ceci me soit accordé! Laisse-moi libre
pendant deux mois. Je m'en irai errer sur les montagnes et, avec mes compagnes, je pleurerai sur ma
virginité [c]. » – 38 « Va », lui dit-il, et il la laissa partir pour deux mois. Elle s'en alla donc, elle et ses
compagnes, et elle pleura sa virginité sur les montagnes. 39 Les deux mois écoulés, elle revint vers
son père et il accomplit sur elle le vœu qu'il avait
prononcé. Elle n'avait pas connu d'homme. Et de
là vient cette coutume en Israël : 40 d'année en
année les filles d'Israël s'en vont se lamenter [d] qua- 2 Ch 35 25
tre jours par an sur la fille de Jephté le Galaadite

### Guerre entre Éphraïm et Galaad [e]. Mort de Jephté.

12 1 Les gens d'Éphraïm se rassemblèrent, ils
passèrent le Jourdain dans la direction de
Çaphôn et ils dirent à Jephté : « Pourquoi es-tu allé 8 1-3
combattre les Ammonites sans nous avoir invités
à marcher avec toi? Nous brûlerons ta maison sur
toi! » 2 Jephté leur répondit : « Nous étions en grave
conflit, mon peuple et moi, avec les Ammonites. Je
vous ai appelés à l'aide et vous ne m'avez pas délivré de leurs mains. 3 Quand j'ai vu que personne
ne venait [f] à mon secours, j'ai risqué ma vie, j'ai
marché contre les Ammonites et Yahvé les a livrés
entre mes mains. Pourquoi donc aujourd'hui êtes-
vous montés contre moi pour me faire la guerre? »
4 Alors Jephté rassembla tous les hommes de
Galaad, il livra bataille à Éphraïm et les gens de
Galaad défirent Éphraïm, car ceux-ci disaient :
« Vous n'êtes que des fuyards d'Éphraïm, vous,

*a)* « refusa » versions, cf. Nb **20** 21; « n'eut pas confiance » hébr.
*b)* L'histoire du vœu de Jephté, vv. 30-31, 34-40, a pour fin d'expliquer une fête annuelle que l'on célébrait en Galaad, v. 40, et dont la vraie signification est inconnue. Il ne faut pas en atténuer le sens : Jephté immole sa fille, v. 39, pour ne pas manquer au vœu qu'il a fait, v. 31. Les sacrifices humains seront toujours réprouvés en Israël, cf. déjà Gn **22**, mais le narrateur rapporte l'histoire sans exprimer aucun blâme, et l'accent paraît même être mis sur la fidélité au vœu prononcé.
*c)* « Je m'en irai errer » versions; « je descendrai » hébr. – Rester sans postérité était regardé comme un malheur et un déshonneur pour une femme.
*d)* « se lamenter » grec; « chanter » hébr.
*e)* L'épisode est parallèle à celui de **8** 1-3 mais en est indépendant. Éphraïm qui lutte pour la suprématie s'inquiète du pouvoir étendu donné à Jephté.
*f)* « que personne ne venait » versions; « que tu ne venais pas » hébr.

Galaadites, au milieu d'Éphraïm, au milieu de
Manassé! » 5 Puis Galaad coupa à Éphraïm les
3 28; 7 24 gués du Jourdain, et quand les fuyards d'Éphraïm
disaient : « Laissez-moi passer », les gens de
Galaad demandaient : « Es-tu Éphraïmite? » S'il
répondait : « Non », 6 alors ils lui disaient : « Eh
bien, dis Shibbolet! » Il disait : « Sibbolet » car il
n'arrivait pas à prononcer ainsi [a]. Alors on le sai- Mt 26 73
sissait et on l'égorgeait près des gués du Jourdain.
Il tomba en ce temps-là quarante-deux mille hommes d'Éphraïm.
7 Jephté jugea Israël pendant six ans, puis Jephté
le Galaadite mourut et il fut enseveli dans sa ville,
en Galaad [b].

## 9. IBÇÂN

8 Après lui Ibçân de Bethléem [c] fut juge en Israël.
9 Il avait trente fils et trente filles. Il maria celles-ci
au dehors et il fit venir du dehors trente brus pour
ses fils. Il fut juge en Israël pendant sept ans.
10 Puis Ibçân mourut et il fut enseveli à Bethléem.

## 10. ÉLÔN

Gn 46 14 11 Après lui Elôn de Zabulon fut juge en Israël.
Nb 26 26 Il jugea Israël pendant dix ans. 12 Puis Élôn de
Zabulon mourut et fut enseveli à Ayyalôn au pays
de Zabulon.

## 11. ABDÔN

13 Après lui Abdôn, fils de Hillel de Piréatôn, fut
juge en Israël. 14 Il avait quarante fils et trente
10 4 petits-fils qui montaient soixante-dix ânons. Il
jugea Israël pendant huit ans. 15 Puis Abdôn, fils de
Hillel de Piréatôn, mourut et il fut enseveli à Piréatôn, au pays d'Éphraïm, dans la montagne des
Amalécites [d].

## 12. SAMSON [e]

### L'annonce de la naissance de Samson.

13 1 Les Israélites recommencèrent à faire ce qui
est mal aux yeux de Yahvé, et Yahvé les livra
Jos 13 2+ aux mains des Philistins pendant quarante ans.
Jos 15 33 2 Il y avait un homme de Çoréa, du clan de
Gn 11 30; 18 1-15 Dan [f], nommé Manoah. Sa femme était stérile et
1 S 1 n'avait pas eu d'enfant. 3 L'Ange de Yahvé [g] appa-
Lc 1 5-25 rut à cette femme et lui dit : « Tu es stérile et tu
n'as pas eu d'enfant 4 mais tu vas concevoir et tu
enfanteras un fils [h]. Désormais, prends bien garde!
Ne bois ni vin, ni boisson fermentée, et ne mange
rien d'impur. 5 Car tu vas concevoir et tu enfanteras un fils. Le rasoir ne passera pas sur sa tête, car
l'enfant sera nazir de Dieu dès le sein de sa mère. Nb 6 1+
C'est lui qui commencera à sauver Israël de la
main des Philistins [i]. » 6 La femme rentra et dit à
son mari : « Un homme de Dieu m'a abordée qui
avait l'apparence de l'Ange de Dieu, tant il était
majestueux. Je ne lui ai pas demandé d'où il venait
et il ne m'a pas fait connaître son nom. 7 Mais il
m'a dit : " Tu vas concevoir et tu enfanteras un fils.

a) Cette différence de prononciation manifeste les variétés dialectales de l'hébreu, que la rédaction finale de la Bible a effacées en grande partie. – Le mot *shibbolet* signifie « épi de blé ».

b) « dans sa ville, en Galaad » grec; « dans les villes de Galaad » hébr.

c) On ne sait pas s'il s'agit de Bethléem de Juda ou de Bethléem de Zabulon, Jos **19** 15, près de Nazareth.

d) Piréatôn se trouvait au sud-ouest de Sichem, dans la montagne d'Éphraïm, appelée ici, on ne sait pourquoi, « montagne des Amalécites ».

e) L'histoire de Samson est différente de tous les autres récits du livre. Elle raconte, de sa naissance à sa mort, la vie d'un héros local. Il est fort comme un géant et faible comme un enfant, il séduit les femmes et est trompé par elles, il joue de mauvais tours aux Philistins mais n'en délivre pas le pays. L'histoire a l'humour dru des contes populaires par lesquels on se venge d'un oppresseur, qu'on doit subir mais qu'on tourne en dérision. En contraste avec cet aspect populaire et profane, Samson est consacré à Dieu dès le sein de sa mère, et son « naziréat » est la source de sa force. C'est cet aspect charismatique qui lui a valu une place parmi les Juges. – Le récit est une collection d'anecdotes : naissance de Samson, **13** 2-25; mariage et énigme, **14** 1-20; Samson et les Philistins, **15** 1-8, 9-19, avec une première conclusion, v. 20; Samson à Gaza, **16** 1-3; Samson et Dalila, **16** 4-21; captivité et mort de Samson, **16** 22-30, avec une seconde conclusion, v. 31.

f) La tribu de Dan avait reçu un territoire où se trouvent les localités citées ici : Çoréa, Eshtaol, Timna, cf. Jos **19** 40+; elle émigra vers le nord, Jg **17-18**. Les histoires de Samson paraissent supposer une situation postérieure à cette migration dans laquelle les Philistins n'interviennent pas. Mais des clans restés sur place vivaient mêlés aux Cananéens et assujettis aux Philistins.

g) Cf. **2** 1; **6** 11 et Gn **16** 7+. Au v. 22, l'ange s'identifie à Yahvé, comme en **6** 22-23.

h) « tu vas concevoir... un fils », probablement doublet de 5a.

i) Cette notice justifie le rattachement de Samson aux Juges, mais reconnaît que la victoire sur les Philistins ne sera pas l'œuvre de Samson : il faudra attendre Saül et David.

Désormais ne bois ni vin, ni boisson fermentée, et
ne mange rien d'impur, car l'enfant sera nazir de
Dieu depuis le sein de sa mère jusqu'au jour de sa
mort! " »

**Seconde apparition de l'Ange.**

8 Alors Manoah implora Yahvé et dit : « Je t'en
prie, Seigneur! Que l'homme de Dieu que tu as
envoyé vienne encore une fois vers nous, et qu'il
nous apprenne ce que nous aurons à faire à l'enfant
lorsqu'il sera né! » 9 Dieu exauça Manoah et l'Ange
de Dieu vint de nouveau trouver la femme, alors
qu'elle était assise dans la campagne, et que
Manoah, son mari, n'était pas avec elle. 10 Vite, la
femme courut informer son mari et lui dit : « Voici
que m'est apparu l'homme qui est venu vers moi
l'autre jour. » 11 Manoah se leva, suivit sa femme,
vint vers l'homme et lui dit : « Es-tu l'homme qui
a parlé à cette femme? » Et il répondit : « C'est
moi. » – 12 « Quand ta parole s'accomplira, lui dit
Manoah, quelle sera la règle pour l'enfant et que
devra-t-il faire? » 13 L'Ange de Yahvé répondit à
Manoah : « Tout ce que j'ai interdit à cette femme,
qu'elle s'en abstienne. 14 Qu'elle n'absorbe rien de
ce qui provient de la vigne, qu'elle ne boive ni vin,
ni boisson fermentée, qu'elle ne mange rien
d'impur, et qu'elle observe tout ce que je lui ai prescrit [a]. » 15 Manoah dit alors à l'Ange de Yahvé :
« Permets que nous te retenions et que nous t'ap-
prêtions un chevreau. » 16b Car Manoah ne savait
pas que c'était l'Ange de Yahvé. 16a Et l'Ange de
Yahvé dit à Manoah : « Quand bien même tu me
retiendrais, je ne mangerais pas de ta nourriture,
mais si tu désires préparer un holocauste, offre-le
à Yahvé. » 17 Manoah dit alors à l'Ange de Yahvé :
Gn **32** 30 « Quel est ton nom, afin que, lorsque ta parole sera
Ex **3** 14+ accomplie, nous puissions t'honorer? » 18 L'Ange
Ap **19** 12 de Yahvé lui répondit : « Pourquoi t'informer de
mon nom? Il est merveilleux [b]. » 19 Alors Manoah
prit le chevreau ainsi que l'oblation et il l'offrit en
holocauste, sur le rocher, à Yahvé qui opère des
choses merveilleuses. Manoah et sa femme regardaient. 20 Or comme la flamme montait de l'autel
Lv **9** 24 vers le ciel, l'Ange de Yahvé monta dans cette
Ez **1** 28 flamme [c] sous les yeux de Manoah et de sa femme,
Ap **1** 17 et ils tombèrent la face contre terre. 21 L'Ange de
Yahvé ne se montra plus désormais à Manoah ni
à sa femme, et Manoah comprit alors que c'était
l'Ange de Yahvé [d]. 22 « Nous allons certainement
mourir, dit Manoah à sa femme, car nous avons vu Ex **33** 20+
Dieu. » – 23 « Si Yahvé avait eu l'intention de nous
faire mourir, lui répondit sa femme, il n'aurait
accepté de notre main ni holocauste ni oblation, il
ne nous aurait pas fait voir tout cela et, à l'instant
même, fait entendre pareille chose. » 24 La femme
mit au monde un fils et elle le nomma Samson. ↗ He **11** 32
L'enfant grandit, Yahvé le bénit, 25 et l'esprit de **3** 10+
Yahvé commença à l'agiter au Camp de Dan, entre **18** 12
Çoréa et Eshtaol. Jos **19** 41

**Le mariage de Samson.**

**14** 1 Samson descendit à Timna et remarqua, à Gn **38** 12
Timna, une femme parmi les filles des Philis- Jos **15** 10;
tins. 2 Il remonta et l'apprit à son père et à sa mère : **19** 43
« J'ai remarqué à Timna, dit-il, parmi les filles des
Philistins, une femme. Prends-la-moi donc pour Gn **34** 4
épouse. » 3 Son père lui dit, ainsi que sa mère :
« N'y a-t-il pas de femme parmi les filles de tes frères et dans tout mon peuple, pour que tu ailles
prendre femme parmi ces Philistins incirconcis? » Gn **24** 3-4
Mais Samson répondit à son père : « Prends-la- Gn **28** 1-2
moi, celle-là, car c'est celle-là qui me plaît. » 4 Son
père et sa mère ne savaient pas que cela venait de
Yahvé qui cherchait un sujet de querelle avec les
Philistins, car, en ce temps-là, les Philistins dominaient sur Israël [e].

5 Samson descendit à Timna [f] et, comme il arrivait aux vignes de Timna, il vit un jeune lion qui
venait à sa rencontre en rugissant. 6 L'esprit de **3** 10+
Yahvé fondit sur lui et, sans rien avoir en main,
Samson déchira le lion comme on déchire un che- 1 S **17** 34s
vreau; mais il ne raconta pas à son père ni à sa 2 S **23** 20
mère ce qu'il avait fait. 7 Il descendit, s'entretint
avec la femme et elle lui plut. 8 A quelque temps
de là, Samson revint pour l'épouser. Il fit un détour
pour voir le cadavre du lion, et voici qu'il y avait
dans la carcasse du lion un essaim d'abeilles et du
miel. 9 Il en recueillit dans sa main et, chemin faisant, il en mangea. Lorsqu'il fut revenu près de son
père et de sa mère, il leur en donna, ils en mangèrent, mais il ne leur dit pas qu'il l'avait recueilli
dans la carcasse du lion. 10 Son père descendit
ensuite chez la femme et Samson fit là un festin,
car c'est ainsi qu'agissent les jeunes gens. 11 Quand

*a)* Comme Jérémie, Jr **1** 5, et le Serviteur, Is **49** 1, Samson est consacré à Dieu dès le sein de sa mère. Celle-ci doit observer elle-même les prescriptions du naziréat qui s'imposeront au fils qu'elle porte.
*b)* L'ange refuse de donner son nom, tout comme l'être mystérieux du Yabboq, Gn **32** 30.
*c)* « dans cette flamme » mss grecs; « dans la flamme de l'autel » hébr.
*d)* Manoah a voulu, comme Abraham pour ses trois visiteurs, Gn **18**, remplir ses devoirs d'hospitalité. Sur l'ordre de l'ange, le repas est transformé en holocauste, dans lequel Yahvé se révèle. Comparer le sacrifice de Gédéon, **6** 19-22.
*e)* Le rédacteur deutéronomiste veut concilier le mariage de Samson avec son rôle d'adversaire des Philistins. – Les Philistins s'étaient étendus en dehors de leur territoire propre jusque dans la montagne; ils menaceront bientôt de dominer entièrement Israël.
*f)* L'hébr. ajoute : « avec son père et sa mère », addition probable, cf. v. 6.

on le vit, on choisit trente compagnons pour rester
auprès de lui [a].

**L'énigme de Samson.**

12 Alors Samson leur dit : « Laissez-moi vous
1 R 10 proposer une énigme. Si vous m'en donnez la solu-
Ez 17 tion au cours des sept jours de festin [b], je vous donnerai trente pièces de toile fine et trente vêtements
d'honneur. 13 Mais si vous ne pouvez pas me donner la solution, c'est vous qui me donnerez trente
pièces de toile fine et trente vêtements d'honneur. »
– « Propose ton énigme, lui répondirent-ils. nous
écoutons. » 14 Il leur dit donc :

« De celui qui mange est sorti ce qui se mange,
et du fort est sorti le doux. »

Mais de trois jours ils ne réussirent pas à résoudre
l'énigme.

15 Au quatrième jour [c] ils dirent à la femme de
**16** 5-21 Samson : « Enjôle ton mari pour qu'il nous explique l'énigme, autrement nous te brûlerons, toi et la
maison de ton père. Est-ce pour nous dépouiller
que vous nous avez invités ici? » 16 Alors la femme
de Samson pleura à son cou : « Tu n'as pour moi
que de la haine, disait-elle, tu ne m'aimes pas. Tu
as proposé une énigme aux fils de mon peuple, et
à moi, tu ne l'as pas expliquée. » Il lui répondit :
« Je ne l'ai même pas expliquée à mon père et à ma
mère, et à toi je l'expliquerais! » 17 Elle pleura à son
cou pendant les sept jours que dura leur festin. Le
Lc **11** 8 septième jour, il lui donna la solution, car elle
l'avait obsédé, mais elle, elle donna le mot de
l'énigme aux fils de son peuple.

18 Le septième jour, avant qu'il n'entrât dans la
chambre à coucher [d], les gens de la ville dirent
donc à Samson :

« Qu'y-a-t-il de plus doux que le miel,
et quoi de plus fort que le lion? »

Il leur réplique :

« Si vous n'aviez pas labouré avec ma génisse,
vous n'auriez pas deviné mon énigme. »

19 Alors l'esprit de Yahvé fondit sur lui, il descendit à Ashqelôn, y tua trente hommes, prit leurs
dépouilles et remit les vêtements d'honneur à ceux
qui avaient expliqué l'énigme, puis, enflammé de
colère, il remonta à la maison de son père. 20 La
femme de Samson fut alors donnée au compagnon
qui lui avait servi de garçon d'honneur.

**Samson brûle les moissons des Philistins.**

**15** 1 A quelque temps de là, à l'époque de la
moisson des blés, Samson s'en vint revoir sa
femme avec un chevreau, et il déclara : « Je veux
entrer auprès de ma femme, dans sa chambre. »
Mais le beau-père ne le lui permit pas. 2 « Je me
suis dit, lui objecta-t-il, que tu l'avais prise en aversion et je l'ai donnée à ton compagnon. Mais sa
sœur cadette ne vaut-elle pas mieux qu'elle? Qu'elle
soit tienne à la place de l'autre! » 3 Samson leur
répliqua : « Cette fois-ci, je ne serai quitte envers
les Philistins qu'en leur faisant du mal. » 4 Samson
s'en alla donc, il captura trois cents renards, prit
des torches et, tournant les bêtes queue contre
queue, il plaça une torche entre les deux queues, au
milieu. 5 Il mit le feu aux torches, puis, lâchant les
renards dans les moissons des Philistins, il incendia
aussi bien les gerbes que le blé sur pied et même
les vignes et les oliviers.

6 Les Philistins demandèrent : « Qui a fait cela? »
et l'on répondit : « C'est Samson, le gendre du Tim-
nite, car celui-ci lui a repris sa femme et l'a donnée
à son compagnon. » Alors les Philistins montèrent
et ils firent périr dans les flammes cette femme et
la maison de son père [e]. 7 « Puisque c'est ainsi que
vous agissez, leur dit Samson, eh bien! je ne cesserai qu'après m'être vengé de vous. » 8 Il les battit
à plate couture et ce fut une défaite considérable.
Après quoi il descendit à la grotte du rocher
d'Étam et y demeura.

**La mâchoire d'âne.**

9 Les Philistins montèrent camper en Juda et ils
firent une incursion à Lehi. 2 S **23** 11
10 « Pourquoi êtes-vous montés contre nous? »
leur dirent alors les gens de Juda. « C'est pour lier
Samson que nous sommes montés, répondirent-ils,
pour le traiter comme il nous a traités. » 11 Trois
mille hommes de Juda descendirent à la grotte du
rocher d'Étam et dirent à Samson : « Ne sais-tu pas
que les Philistins sont nos maîtres? Qu'est-ce que
tu nous as fait là? » Il leur répondit : « Comme ils
m'ont traité, c'est ainsi que je les ai traités. » 12 Ils
lui dirent alors : « Nous sommes descendus pour te

*a)* Samson contracte un mariage dans lequel le mari ne cohabite pas avec sa femme, mais vient lui rendre visite en apportant des cadeaux, cf. **15** 1. C'est un type de mariage connu dans d'anciens droits orientaux et chez les Arabes. Samson n'a pas amené les garçons d'honneur qui sont exigés pour la fête, ils sont fournis par le clan de la femme. Le chiffre de trente est énorme : peut-être veut-on l'honorer, peut-être se méfie-t-on de lui.

*b)* Comparer Gn **29** 27, mais le mariage était consommé dès la première nuit, Gn **29** 23. – L'hébr. ajoute ici « et si vous trouvez »; omis par une partie des versions.

*c)* « quatrième jour » versions; « septième jour » hébr., mais cf. v. 17.

*d)* « dans la chambre à coucher » *hahadrah* conj., cf. **15** 1; hébr. *haharsah* inintelligible.

*e)* « la maison de son père » mss, versions, cf. **14** 15; « son père » hébr.

lier, afin de te livrer aux mains des Philistins. » –
« Jurez-moi, leur dit-il, que vous ne me tuerez pas
vous-mêmes. » – 13 « Non! lui répondirent-ils, nous
voulons seulement te lier et te livrer entre leurs
mains, mais nous ne voulons certes pas te faire
mourir. » Alors ils le lièrent avec deux cordes neuves et ils le hissèrent du rocher.

14 Comme il arrivait à Lehi et que les Philistins
accouraient à sa rencontre avec des cris de triomphe, l'esprit de Yahvé fondit sur Samson, les cordes
qu'il avait sur les bras furent comme des fils de lin
brûlés au feu et les liens se dénouèrent de ses
mains. 15 Trouvant une mâchoire d'âne encore fraîche, il étendit la main, la ramassa et avec elle il
abattit mille hommes. 16 Samson dit alors :

« Avec une mâchoire d'âne, je les ai mis en tas[a].
Avec une mâchoire d'âne, j'ai battu mille
hommes. »

17 Quand il eut fini de parler, il jeta loin de lui
la mâchoire : c'est pourquoi on a donné à cet
endroit le nom de Ramat-Lehi[b]. 18 Comme il souffrait d'une soif ardente, il invoqua Yahvé en
disant : « C'est toi qui as opéré cette grande victoire par la main de ton serviteur, et maintenant,
faudra-t-il que je meure de soif et que je tombe aux
mains des incirconcis? » 19 Alors Dieu fendit le
bassin qui est à Lehi et il en sortit de l'eau. Samson
but, ses esprits lui revinrent et il se ranima. C'est
pourquoi on a donné le nom de En-ha-Qoré[c] à
16 31 cette source, qui existe encore à Lehi. 20 Samson fut
juge en Israël à l'époque des Philistins, pendant
vingt ans.

**L'épisode des portes de Gaza.**

**16** 1 Puis Samson se rendit à Gaza; il y vit une
prostituée et il entra chez elle. 2 On fit savoir
aux gens de Gaza : « Samson est venu ici. » Ils
firent des rondes et le guettèrent toute la nuit à la
porte de la ville. Toute la nuit ils se tinrent tranquilles. « Attendons, disaient-ils, jusqu'au point du
jour, et nous le tuerons. » 3 Mais Samson resta couché jusqu'au milieu de la nuit et, au milieu de la
nuit, se levant, il saisit les battants de la porte de
la ville, ainsi que les deux montants, il les arracha
avec la barre et, les chargeant sur ses épaules, il les
porta jusqu'au sommet de la montagne qui est en
face d'Hébron[d].

**Samson trahi par Dalila[e].**

4 Après cela il s'éprit d'une femme de la vallée
de Soreq qui se nommait Dalila. 5 Les princes des
Philistins allèrent la trouver et lui dirent : « Séduis- 14 15-18
le et sache d'où vient sa grande force, par quel
moyen nous pourrions nous rendre maîtres de lui
et le lier pour le maîtriser. Quant à nous, nous te
donnerons chacun onze cents sicles d'argent. »

6 Dalila dit à Samson : « Apprends-moi, je te
prie, d'où vient ta grande force et avec quoi il faudrait te lier pour te maîtriser. » 7 Samson lui répondit : « Si on me liait avec sept cordes d'arc fraîches
et qu'on n'aurait pas encore fait sécher, je perdrais
ma vigueur et je deviendrais comme un homme
ordinaire. » 8 Les princes des Philistins apportèrent
à Dalila sept cordes d'arc fraîches qu'on n'avait
pas encore fait sécher et elle s'en servit pour le lier.
9 Elle avait des gens embusqués dans sa chambre
et elle lui cria : « Les Philistins sur toi, Samson! »
Il rompit les cordes d'arc comme se rompt un cordon d'étoupe lorsqu'il sent le feu. Ainsi le secret de
sa force demeura inconnu.

10 Alors Dalila dit à Samson : « Tu t'es joué de
moi et tu m'as dit des mensonges. Mais maintenant
fais-moi connaître, je te prie, avec quoi il faudrait
te lier. » 11 Il lui répondit : « Si on me liait fortement
avec des cordes neuves qui n'ont jamais servi, je
perdrais ma vigueur et je deviendrais comme un
homme ordinaire. » 12 Alors Dalila prit des cordes
neuves, elle s'en servit pour le lier puis lui cria :
« Les Philistins sur toi, Samson! » et elle avait des
gens embusqués dans sa chambre. Mais il rompit
comme un fil les cordes qu'il avait aux bras.

13 Alors Dalila dit à Samson : « Jusqu'à présent
tu t'es joué de moi et tu m'as dit des mensonges.
Apprends-moi avec quoi il faudrait te lier. » Il lui
répondit : « Si tu tissais les sept tresses de ma chevelure avec la chaîne d'un tissu, et si tu les resser-
rais en frappant avec la batte, je perdrais ma force
et deviendrais comme un homme ordinaire. »
14 Elle l'endormit, puis elle tissa les sept tresses de
sa chevelure avec la chaîne, elle les resserra en
frappant avec la batte et lui cria : « Les Philistins
sur toi, Samson! » Il s'éveilla de son sommeil et
arracha la batte avec la chaîne[f].

15 Dalila lui dit : « Comment peux-tu dire que tu

*a)* « mis en tas » *hamôr hamartî* conj.; *hamôr hamoratayim* hébr. inintelligible. Il y a un jeu de mots entre *hamôr* « âne » et *hamar* « mettre en tas ».
*b)* Litt. « la hauteur de la mâchoire ».
*c)* C'est-à-dire « la source de la Perdrix ». Le nom hébreu de la « perdrix » signifie « l'appelant ». Ce nom géographique est expliqué par l'appel de Samson vers Dieu, v. 18. Le récit précédent voulait de même expliquer le nom de Ramat-Lehi.
*d)* Hébron est à 60 km de Gaza. Cet exploit de l'Hercule danite expliquait peut-être le nom d'un lieu-dit près d'Hébron, au départ de la piste descendant vers Gaza.
*e)* Des femmes ont entraîné Samson dans toutes ses aventures; il en est sorti grâce à la force que Dieu donne à l'homme qui lui est consacré. Une dernière femme le perdra parce qu'elle lui aura fait manquer à son vœu de nazir.
*f)* Les vv. 13-14 sont complétés d'après le grec; une phrase est tombée de l'hébreu. – Il s'agit d'un métier horizontal où la chaîne de la pièce qu'on tisse est tendue entre des piquets

m'aimes, alors que ton cœur n'est pas avec moi? Voilà trois fois que tu te joues de moi et tu ne m'as pas fait connaître d'où vient ta grande force. » 16 Comme tous les jours elle le poussait à bout par ses paroles et qu'elle le harcelait, il fut excédé à en mourir. 17 Il lui ouvrit tout son cœur : « Le rasoir n'a jamais passé sur ma tête, lui dit-il, car je suis nazir de Dieu depuis le sein de ma mère. Si on me rasait, alors ma force se retirerait de moi, je perdrais ma vigueur et je deviendrais comme tous les hommes. » 18 Dalila comprit alors qu'il lui avait ouvert tout son cœur, elle fit appeler les princes des Philistins et leur dit : « Venez cette fois, car il m'a ouvert tout son cœur. » Et les princes des Philistins vinrent chez elle, l'argent en main. 19 Elle endormit Samson sur ses genoux, appela un homme et lui fit raser les sept tresses des cheveux de sa tête. Ainsi elle commença à le dominer et sa force se retira de lui. 20 Elle cria : « Les Philistins sur toi, Samson! » S'éveillant de son sommeil il se dit : « J'en sortirai comme les autres fois et je me dégagerai. » Mais il ne savait pas que Yahvé s'était retiré de lui. 21 Les Philistins se saisirent de lui, ils lui crevèrent les yeux et le firent descendre à Gaza. Ils l'enchaînèrent avec une double chaîne d'airain et il tournait la meule dans la prison.

**Vengeance et mort de Samson.**

22 Cependant, après qu'elle eut été rasée, la chevelure se mit à repousser. 23 Les princes des Philistins se réunirent pour offrir un grand sacrifice à Dagôn, leur dieu [a], et se livrer à des réjouissances. Ils disaient :

« Notre dieu a livré entre nos mains
Samson, notre ennemi. »

24 Dès que le peuple vit son dieu, il poussa une acclamation en son honneur et dit :

« Notre dieu a livré entre nos mains
Samson [b] notre ennemi,
celui qui dévastait notre pays
et qui multipliait nos morts. »

25 Et comme leur cœur était en joie, ils s'écrièrent : « Faites venir Samson pour qu'il nous amuse! » On fit donc venir Samson de la prison et il fit des jeux devant eux, puis on le plaça debout entre les colonnes. 26 Samson dit alors au jeune garçon qui le menait par la main : « Conduis-moi et fais-moi toucher les colonnes sur lesquelles repose l'édifice, que je m'y appuie. » 27 Or l'édifice était rempli d'hommes et de femmes. Il y avait là tous les princes des Philistins et, sur la terrasse, environ trois mille hommes et femmes qui regardaient les jeux de Samson. 28 Samson invoqua Yahvé et il s'écria : « Seigneur Yahvé, je t'en prie, souviens-toi de moi, donne-moi des forces encore cette fois, ô Dieu, et que, d'un seul coup, je me venge des Philistins pour mes deux yeux. » 29 Et Samson tâta les deux colonnes du milieu sur lesquelles reposait l'édifice, il s'arc-bouta contre elles, contre l'une avec son bras droit, contre l'autre avec son bras gauche, 30 et il s'écria : « Que je meure avec les Philistins! » Il poussa de toutes ses forces et l'édifice s'écroula sur les princes et sur tout le peuple qui se trouvait là. Ceux qu'il fit mourir en mourant furent plus nombreux que ceux qu'il
avait fait mourir pendant sa vie [c]. 31 Ses frères et
toute la maison de son père descendirent et
l'emportèrent. Ils remontèrent et l'ensevelirent
entre Çoréa et Eshtaol dans le tombeau de Manoah 15 20
son père. Il avait jugé Israël pendant vingt ans [d].

enfoncés dans le sol. Après chaque passage de la navette, la trame est serrée avec une batte.

*a)* Dagôn était anciennement la grande divinité de la région du Moyen-Euphrate. Son culte s'était répandu en Syrie et en Palestine, cf. le nom de lieu Bet-Dagôn, Jos **15** 41; **19** 27. Il avait été adopté par les Philistins, qui semblent avoir très vite tout oublié de leur religion originelle. On retrouvera Dagôn dans l'histoire de l'arche, 1 S **5** 2s.

*b)* Ajouté pour le rythme et d'après le v. 23; omis par hébr.

*c)* La fin de Samson a une réelle grandeur : il donne sa vie en mettant en œuvre pour la dernière fois, contre les ennemis de son peuple, la force qu'il tient de Dieu.

*d)* Deuxième conclusion deutéronomiste, dans le style des notices sur les « petits » juges.

# *Appendices*[a]

## *1. LE SANCTUAIRE DE MIKA ET LE SANCTUAIRE DE DAN*[b]

**Le sanctuaire privé de Mika.**

**17** 1 Il y avait un homme de la montagne d'É-
phraïm appelé Mikayehu[c]. 2 Il dit à sa mère :
« Les onze cents sicles d'argent qu'on t'avait pris,
et au sujet desquels tu avais prononcé une malédiction – et même tu m'avais dit... [d] – eh bien, cet
argent, le voici, c'est moi qui l'avais pris. » Sa mère
dit : « Que mon fils soit béni de Yahvé! » 3 Il rendit
les onze cents sicles à sa mère, qui dit : « J'avais
bien voué cet argent à Yahvé, de ma propre main,
pour mon fils, pour faire une image taillée et une
idole de métal fondu, mais maintenant je veux te
le rendre. » Mais il rendit l'argent à sa mère.
4 Alors sa mère prit deux cents sicles d'argent et
les remit au fondeur. Celui-ci en fit une image taillée (et une idole de métal fondu[e]) qui fut placée
dans la maison de Mikayehu. 5 Cet homme, Mika,
1 S 2 28+ avait une maison de Dieu; il fit un éphod et des
Gn 31 19+ téraphim, et il donna l'investiture à l'un de ses fils
1 S 15 23+ qui devint son prêtre[f]. 6 En ce temps-là il n'y avait
1 S 7 1 pas de roi en Israël et chacun faisait ce qui lui plai-
g 18 1; 19 1: sait.
21 25
Dt 12 8 7 Il y avait un jeune homme de Bethléem en Juda,
du clan de Juda[g], qui était lévite et résidait là
Ex 12 48+ comme étranger. 8 Cet homme quitta la ville de
Bethléem en Juda, pour aller s'établir là où il pourrait. Au cours de son voyage, il arriva dans la montagne d'Éphraïm à la maison de Mika. 9 Mika lui
demanda : « D'où viens-tu? » – « Je suis lévite de
Bethléem en Juda, lui répondit l'autre. Je voyage
afin de m'établir là où je pourrai. » – 10 « Fixe-toi
chez moi, lui dit Mika, sois pour moi un père et
un prêtre et je te donnerai dix sicles d'argent par
an, l'habillement et la nourriture[h]. » 11 Le lévite
consentit à se fixer chez cet homme et le jeune
homme fut pour lui comme l'un de ses fils. 12 Mika
donna l'investiture au lévite; le jeune homme devint
son prêtre et il demeura dans la maison de Mika.
13 « Et maintenant, dit Mika, je sais que Yahvé me
fera du bien, puisque j'ai ce lévite pour prêtre. »

**Les Danites à la recherche d'un territoire**[i]**.** Jos 19 40+ Jg 1 34; 5 17

**18** 1 En ce temps-là, il n'y avait pas de roi en Jg 17 6+
Israël. Or, en ce temps-là, la tribu de Dan
cherchait un territoire pour y habiter, car, jusqu'à
ce jour, il ne lui était pas échu de territoire parmi Jos 19 47
les tribus d'Israël. 2 Les Danites envoyèrent de leur
clan cinq hommes[j] vaillants de Çoréa et d'Eshtaol 13 2+
pour reconnaître le pays et l'explorer. Ils leur
dirent : « Allez explorer le pays. » Les cinq hommes

*a)* Les deux récits de Jg **17-18** et **19-21**, qui ont des origines différentes, ont été ajoutés ici parce qu'ils se rapportaient à des événements antérieurs à la monarchie. Le rattachement de ces anciennes histoires au livre des Juges est peut-être postérieur à l'exil.

*b)* Le sujet principal des ch. **17-18** est l'histoire de la fondation du sanctuaire de Dan et de l'origine de son sacerdoce. Cette tradition est certainement d'origine danite, et cependant le jugement porté est négatif : l'idole du sanctuaire est le produit d'un double vol; le sacerdoce remonte à un lévite gyrovague qui abandonne son premier employeur pour aller gagner davantage. Il est possible que ce jugement ait été porté par des desservants du sanctuaire royal de Dan, établi par Jéroboam qui mit des prêtres d'une autre lignée, 1 R **12** 28-31. C'est à cette autorité du roi sur le culte que se rapporteraient les notices de **17** 6; **18** 1, qui expriment sur la royauté une opinion favorable étrangère à l'esprit deutéronomiste. – Cette histoire est liée à celle de la migration des Danites, cf. **18** 1+.

*c) Mikayehû* : « Qui est comme Yahvé? » abrégé partout ailleurs en *Mika*.

*d)* Les paroles d'une malédiction étant efficaces par elles-mêmes ne sont pas répétées, et leur action est contrecarrée par la bénédiction qui suit, et peut-être par la consécration d'une partie de l'argent. – Les vv. 2-3, traduits littéralement, restent assez obscurs.

*e)* On peut concevoir qu'il s'agit d'une seule idole, cf. **18** 20, 30, 31, en bois taillé revêtue d'argent, et la distinction en **18** 17 et 18 serait rédactionnelle; il est possible que l'une des deux ait été ajoutée d'après Dt **27** 15. – C'est le seul exemple clair d'une image cultuelle de Yahvé, contrairement à la loi du Décalogue plusieurs fois répétée, cf. Ex **20** 4. Cependant elle n'est pas condamnée, pas plus que l'éphod et les téraphim, v. 5, qui deviendront des objets suspects dans le Yahvisme officiel.

*f)* Selon l'ancien usage, qui autorisait les chefs de clan et de famille à remplir eux-mêmes l'office de prêtre et à choisir leurs prêtres. La suite du récit montre cependant que le privilège des lévites était reconnu.

*g)* A moins d'admettre que « lévite » est ici un nom de fonction et ne désigne pas un membre de la tribu sacerdotale, ce qui est contredit par **18** 30, le jeune homme ne peut pas être à la fois lévite et membre du clan de Juda. Mais il peut vivre à Bethléem comme « étranger résidant », cf. Ex **12** 48+.

*h)* L'hébr. ajoute : « le lévite alla », doublet des deux premiers mots du v. suivant.

*i)* Les Danites qui résidèrent un temps dans la région de Çoréa et d'Eshtaol, cf. **13** 2+, ne purent s'y maintenir, cf. Jos **19** 40+, et furent chassés par les Amorites, d'après Jg **1** 34-35. Leur migration vers le nord est précédée par une exploration qui rappelle celle de Caleb à partir de Cadès, Nb **13**. La date est incertaine. L'absence de mention des Philistins, ici et à **1** 34-35, indiquerait le tout début de la période des Juges; de plus, la place que Dan tient à côté d'Asher dans le cantique de Débora, **5** 17, semble indiquer qu'il est déjà installé dans le nord. Mais cet argument n'est pas sûr, et la facilité de la migration s'expliquerait mieux après la victoire de Débora et Baraq. – Nous avons ici un nouvel exemple d'action individuelle d'une tribu, cf. Jg **1**, et une preuve que les mouvements de tribus ont continué après la mort de Josué, comparer la demi-tribu de Manassé, Nb **32** 1+.

*j)* L'hébr. ajoute : « de leurs limites, des hommes », omis par le grec.

arrivèrent dans la montagne d'Éphraïm jusqu'à la
maison de Mika et ils y passèrent la nuit. 3 Comme
ils étaient près de la maison de Mika, ils reconnurent la voix du jeune lévite et, s'approchant de là,
ils lui dirent : « Qui t'a fait venir ici? Qu'y fais-tu?
Et qu'est-ce que tu as ici? » 4 Il leur répondit :
« Mika a fait pour moi telle et telle chose. Il m'a
Dt 33 8 pris à gages et je lui sers de prêtre. » – 5 « Consulte
donc Dieu, lui répliquèrent-ils, afin que nous
sachions si le chemin par lequel nous allons nous
mènera à la réussite. » – 6 « Allez en paix, leur
répondit le prêtre, votre chemin est sous le regard
de Yahvé. » 7 Les cinq hommes partirent donc et ils
arrivèrent à Laïsh. Ils virent que les gens qui l'habitaient [a] vivaient en sécurité, à la manière des Sidoniens, tranquilles et confiants, qu'il n'y avait ni
insuffisance ni restriction d'aucune sorte dans le
pays, qu'ils étaient éloignés des Sidoniens et sans
relations avec les Araméens [b]. 8 Ils s'en revinrent
alors vers leurs frères, à Çoréa et à Eshtaol, et
ceux-ci leur demandèrent : « Que nous rapportez-
vous? » 9 Ils dirent : « Debout! montons contre
eux, car nous avons vu le pays, il est excellent.
Mais vous demeurez sans rien dire! N'hésitez pas
à partir pour aller prendre possession du pays.
10 En arrivant, vous trouverez un peuple confiant.
Le pays est étendu, et Dieu l'a mis entre vos mains;
c'est un lieu où rien ne manque de ce qu'on peut
avoir sur la terre. »

**La migration des Danites.**

13 2; 18 2 11 Ils partirent donc de là, du clan des Danites,
de Çoréa et d'Eshtaol, six cents hommes équipés
pour la guerre. 12 Ils montèrent camper à Qiryat-
Yéarim en Juda. C'est pourquoi, encore
13 25 aujourd'hui, on nomme cet endroit le Camp de
Dan. Il se trouve à l'ouest de Qiryat-Yéarim. 13 De
là, ils s'engagèrent dans la montagne d'Éphraïm et
ils parvinrent à la maison de Mika.

14 Or les cinq hommes qui étaient allés reconnaître le pays [c] prirent la parole et dirent à leurs frères : « Savez-vous qu'il y a ici dans ces maisons un
éphod, des téraphim, une image taillée et une idole
de métal fondu? Et maintenant, voyez ce que vous
avez à faire. » 15 Faisant un détour par là, ils allèrent à la maison du jeune lévite, à la maison de
Mika, et ils le saluèrent. 16 Pendant que les six cents
hommes des Danites [d], équipés pour la guerre, se
tenaient sur le seuil de la porte, 17 les cinq hommes
qui étaient allés reconnaître le pays vinrent, et,
étant entrés, ils prirent l'image taillée, l'éphod, les
téraphim et l'idole de métal fondu, tandis que le
prêtre se tenait sur le seuil de la porte avec les six
cents hommes équipés pour la guerre. 18 Ceux-là
donc, étant entrés dans la maison de Mika, prirent
l'image taillée, l'éphod, les téraphim et l'idole de
métal fondu. Mais le prêtre leur dit : « Que faites-
vous là? » – 19 « Tais-toi! lui répondirent-ils. Mets
ta main sur ta bouche et viens avec nous. Tu seras
pour nous un père et un prêtre. Vaut-il mieux pour
toi être le prêtre de la maison d'un seul homme que
d'être le prêtre d'une tribu et d'un clan d'Israël? »
20 Le prêtre en fut réjoui, il prit l'éphod, les téraphim ainsi que l'image taillée et s'en alla au milieu
de la troupe.

21 Reprenant alors leur direction, ils partirent,
ayant placé en tête les femmes et les enfants, les
troupeaux et les bagages. 22 Ils étaient déjà loin de
la demeure de Mika quand les gens qui habitaient
les maisons voisines de celle de Mika donnèrent
l'alarme et se mirent à la poursuite des Danites. Gn 31 22s
23 Comme ils criaient après les Danites, ceux-ci, se
retournant, dirent à Mika : « Qu'as-tu à crier
ainsi? » – 24 « Vous m'avez pris mon dieu que je
m'étais fabriqué, leur répondit-il, ainsi que le prêtre. Vous partez, et que me reste-t-il? Comment
pouvez-vous me dire : Qu'as-tu? » 25 Les Danites
lui répliquèrent : « Ne nous fais plus entendre ta
voix! Sinon des hommes exaspérés pourraient bien
tomber sur vous. Tu risques de causer ta perte et
celle de ta maison! » 26 Les Danites poursuivirent
leur chemin, et Mika, voyant qu'ils étaient les plus
forts, s'en retourna et revint chez lui.

**Prise de Laïsh. Fondation de Dan et de son sanctuaire.**

27 Ainsi, après avoir pris le dieu qu'avait fabriqué Mika, et le prêtre qu'il avait à lui, les Danites
marchèrent contre Laïsh, contre un peuple tranquille et confiant. Ils le passèrent au fil de l'épée et
ils livrèrent la ville aux flammes. 28 Il n'y eut personne pour la secourir, car elle était loin de Sidon
et elle n'avait pas de relations avec les Araméens.
Elle se situait dans la vallée qui s'étend vers Bet-
Rehob. Ils rebâtirent la ville, s'y établirent, 29 et ils
l'appelèrent Dan, du nom de Dan leur père qui était Jos 19 47
né d'Israël. A l'origine pourtant la ville s'appelait
Laïsh. 30 Les Danites dressèrent pour eux l'image

a) « qui l'habitaient » grec; hébr. a le féminin.
b) « il n'y avait... dans le pays », correction minimale d'un texte corrompu. – « les Araméens » grec; « l'homme » hébr., de même v. 28.
c) Hébr. ajoute « Laïsh », glose absente du grec.
d) « des Danites », accidentellement déplacé à la fin du v. dans l'hébr. – Le passage qui suit, avec ses répétitions, semble indiquer deux sources : l'une raconte la visite des cinq émissaires au jeune lévite, tandis que les six cents Danites enlèvent l'image taillée, v. 18[a]; selon l'autre, ce sont les émissaires qui s'emparent de l'image, et le prêtre, resté sur le seuil avec le gros de la troupe, les interpelle, vv. 16-17, 18[b].

Ex 2 22; 18 3 taillée. Yehonatân, fils de Gershom, fils de Moïse,
et ensuite ses fils, ont été prêtres de la tribu de Dan
jusqu'au jour où la population du pays fut emme-
2 R 15 29 née en exil [a]. 31 Ils installèrent pour leur usage
l'image taillée que Mika avait faite, et elle demeura
là aussi longtemps que subsista la maison de Dieu
à Silo [b].

## *2. LE CRIME DE GIBÉA ET LA GUERRE CONTRE BENJAMIN* [c]

**Le lévite d'Éphraïm et sa concubine.**

17 6+ **19** 1 En ce temps-là – il n'y avait pas alors de roi
en Israël – il y avait un homme, un lévite, qui
résidait au fond de la montagne d'Éphraïm. Il prit
pour concubine une femme de Bethléem de Juda.
2 Dans un moment de colère [d] sa concubine le
quitta pour rentrer dans la maison de son père à
Bethléem de Juda, et elle y demeura un certain
temps, quatre mois. 3 Son mari partit et alla la trouver pour parler à son cœur et la ramener chez lui;
il avait avec lui son serviteur et deux ânes. Comme
il arrivait à la maison du père de la jeune femme,
celui-ci l'aperçut et s'en vint tout joyeux au-devant
de lui. 4 Son beau-père, le père de la jeune femme,
le retint et il demeura trois jours chez lui, ils y mangèrent et burent et ils y passèrent la nuit. 5 Le quatrième jour, ils s'éveillèrent de bon matin et le lévite
se disposait à partir, quand le père de la jeune
femme dit à son gendre : « Restaure-toi en mangeant un morceau de pain, vous partirez après. »
6 S'étant assis, ils se mirent à manger et à boire
tous les deux ensemble, puis le père de la jeune
femme dit à cet homme : « Consens, je te prie, à
passer la nuit, et que ton cœur se réjouisse. »
7 Comme l'homme se levait pour partir, le beau-
père insista auprès de lui, et il y passa encore la
nuit. 8 Le cinquième jour, le lévite se leva de bon
matin pour partir, mais le père de la jeune femme
lui dit : « Restaure-toi d'abord, je t'en prie! » Ils
s'attardèrent ainsi [e] jusqu'au déclin du jour et ils
mangèrent tous deux ensemble. 9 Le mari se levait
pour partir avec sa concubine et son serviteur,
quand son beau-père, le père de la jeune femme, lui
dit : « Voici que le jour baisse vers le soir, passez
donc la nuit. Voici le déclin du jour, passez la nuit
ici, et que ton cœur se réjouisse. Demain de bon
matin, vous partirez et tu regagneras ta tente. »
10 Mais l'homme, refusant de passer la nuit, se leva,
partit et il arriva en vue de Jébus [f] – c'est-à-dire de Jos 15 8; 18 16, 28
Jérusalem. Il avait avec lui deux ânes bâtés, ainsi 2 S 5 6+
que sa concubine et son serviteur [g]. 1 Ch 11 4-5

**Le crime des gens de Gibéa** [h]. Gn 19 1-11 Os 9 9; 10 9

11 Lorsqu'ils furent près de Jébus, le jour avait
beaucoup baissé. Le serviteur dit à son maître :
« Viens donc, je te prie, faisons un détour vers cette
ville des Jébuséens et nous y passerons la nuit. »
12 Son maître lui répondit : « Nous ne ferons pas de
détour vers une ville d'étrangers qui ne sont pas,
ceux-là, des Israélites, mais nous pousserons
jusqu'à Gibéa. » 13 Et il ajouta à son serviteur :
« Allons, et tâchons d'atteindre l'une de ces localités pour y passer la nuit, Gibéa ou Rama. » 14 Ils
poussèrent donc plus loin et continuèrent leur marche. A leur arrivée en face de Gibéa de Benjamin,
le soleil se couchait. 15 Ils se tournèrent alors de ce
côté pour passer la nuit à Gibéa. Le lévite, étant
entré, s'assit sur la place de la ville, mais personne
ne leur offrit dans sa maison l'hospitalité pour la
nuit.
16 Survint un vieillard qui, le soir venu, rentrait
de son travail des champs. C'était un homme de la
montagne d'Éphraïm, qui résidait à Gibéa, tandis

*a)* Ce v. est une addition : à un doublet de 31[a], il ajoute une note sur le sacerdoce de ce premier sanctuaire danite. La descendance lévitique de son premier desservant est très vraisemblable; elle a choqué les copistes qui ont ajouté un *n* au-dessus de la ligne pour transformer le nom de Moïse (*mosheh*) en celui de Manassé (*manasheh*). – L'exil mentionné ici est la déportation qui a suivi la campagne de Téglat-Phalasar, en 734.

*b)* La fin du v., en désaccord avec le v. 30, est une autre addition qui prend comme référence la fermeture du sanctuaire de Silo, après la prise de l'arche à l'époque de Samuel, 1 S **4**.

*c)* Un rédacteur post-exilique a combiné ici deux traditions, dont la dualité apparaît clairement aux ch. **20-21**; l'une se rattache au sanctuaire de Miçpa, l'autre à celui de Béthel. Ceci explique les deux récits de la défaite de Benjamin et de la chute de Gibéa (comparer, par exemple, **20** 30-32 et 36[b]-44), et les deux moyens d'assurer la survivance de la tribu de Benjamin, **21** 1-12, 15-23.

*d)* « Dans un moment de colère » versions; « elle lui fut infidèle » hébr., mais cf. v. 3.

*e)* « Ils s'attardèrent » conj.; « attardez-vous » hébr.

*f)* Ce nom de Jérusalem ne se trouve qu'ici, vv. 10-11, et à 1 Ch **11** 4s. Il a été tiré du nom de ses habitants à l'époque de la conquête, les Jébuséens, mais la ville s'est toujours appelée Jérusalem.

*g)* « et son serviteur » versions; l'hébr. répète « avec lui ».

*h)* A Gibéa de Benjamin, le lévite ne trouve asile que chez un homme d'Éphraïm, v. 16, qui est prêt à remplir ses devoirs d'hôte jusqu'à l'héroïsme, v. 24. Les Benjaminites de la ville manquent gravement à la loi de l'hospitalité, v. 15, et ont ensuite une conduite abominable. Il y a dans le rappel de cette histoire une polémique (judéenne?) contre Saül, dont Gibéa était la capitale. – Tout ce récit comporte, dans sa rédaction, des réminiscences de l'histoire de Lot, Gn **19** 1-11.

que les gens de l'endroit étaient des Benjaminites.
17 Levant les yeux, il remarqua le voyageur, sur la
place de la ville : « Où vas-tu, lui dit le vieillard,
et d'où viens-tu? » 18 Et l'autre lui répondit : « Nous
faisons route de Bethléem de Juda vers le fond de
la montagne d'Éphraïm. C'est de là que je suis.
J'étais allé à Bethléem de Juda et je retourne chez
moi[a], mais personne ne m'a offert l'hospitalité
dans sa maison. 19 Nous avons pourtant de la paille
et du fourrage pour nos ânes, j'ai aussi du pain et
du vin pour moi, pour ta servante et pour le jeune
homme qui accompagne ton serviteur. Nous ne
manquons de rien. » – 20 « Sois le bienvenu, repartit
le vieillard, laisse-moi pourvoir à tous tes besoins,
mais ne passe pas la nuit sur la place. » 21 Il le fit
donc entrer dans sa maison et il donna du fourrage
aux ânes. Les voyageurs se lavèrent les pieds, puis
mangèrent et burent.

22 Pendant qu'ils se réconfortaient, voici que des
Gn 19 4s gens de la ville, des vauriens, s'attroupèrent autour
de la maison et, frappant à la porte à coups redou-
blés, ils dirent au vieillard, maître de la maison :
« Fais sortir l'homme qui est venu chez toi, que
nous le connaissions. » 23 Alors le maître de la maison sortit vers eux et leur dit : « Non, mes frères,
je vous en prie, ne soyez pas des criminels. Après
que cet homme soit entré dans ma maison, ne
commettez pas cette infamie[b]. 24 Voici ma fille qui
est vierge[c]. Je vous la livrerai. Abusez d'elle et faites ce que bon vous semble, mais ne commettez pas
à l'égard de cet homme une pareille infamie. »
25 Ces gens ne voulurent pas l'écouter. Alors
l'homme prit sa concubine et la leur amena dehors.
Ils la connurent, ils abusèrent d'elle toute la nuit
jusqu'au matin et, au lever de l'aurore, ils la lâchèrent.

26 Vers le matin la femme s'en vint tomber à l'entrée de la maison de l'homme chez qui était son
mari et elle resta là jusqu'au jour. 27 Au matin son
mari se leva et, ayant ouvert la porte de la maison,
il sortait pour continuer sa route, quand il vit que
la femme, sa concubine, gisait à l'entrée de la maison, les mains sur le seuil. 28 « Lève-toi, lui dit-il,
et partons! » Pas de réponse. Alors il la chargea sur
son âne et il se mit en route pour rentrer chez lui.
29 Arrivé à la maison, il prit un couteau et, saisissant sa concubine, il la découpa, membre par mem- 1 S 11 7
bre, en douze morceaux, puis il l'envoya dans tout
le territoire d'Israël[d]. 30 Il donna des ordres à
ses émissaires : « Voici ce que vous direz à tous les
Israélites : A-t-on jamais vu pareille chose depuis
le jour où les Israélites sont montés du pays
d'Égypte jusqu'aujourd'hui? Réfléchissez-y,
consultez-vous et prononcez. » Et tous ceux qui
voyaient, disaient : « Jamais chose pareille n'est
arrivée et ne s'est vue depuis que les Israélites sont
montés du pays d'Égypte jusqu'aujourd'hui[e]. »

**Les Israélites s'engagent à venger le crime de Gibéa.**

**20** 1 Tous les Israélites sortirent donc, et, comme
un seul homme, toute la communauté se réunit, depuis Dan jusqu'à Bersabée[f] et le pays de
Galaad, auprès de Yahvé à Miçpa. 2 Les chefs de
tout le peuple, toutes les tribus d'Israël assistèrent
à l'assemblée du peuple de Dieu, quatre cent mille 20 17
hommes de pied, sachant tirer l'épée[g]. 3 Les Benjaminites apprirent que les Israélites étaient montés
à Miçpa... Les Israélites dirent alors : « Racontez-
nous comment ce crime a été commis! » 4 Le
lévite, le mari de la femme qui avait été tuée, prit
la parole et dit : « J'étais venu avec ma concubine
à Gibéa de Benjamin pour y passer la nuit. 5 Les
habitants de Gibéa se sont soulevés contre moi et,
pendant la nuit, ils ont entouré la maison où j'étais;
moi, ils voulaient me tuer et, quant à ma concubine, ils lui ont fait violence au point qu'elle en est
morte. 6 J'ai pris alors ma concubine, je l'ai coupée
en morceaux et je l'ai envoyée dans toute l'étendue
de l'héritage d'Israël, car ils ont commis une chose
honteuse et une infamie en Israël. 7 Vous voici tous
ici, Israélites. Consultez-vous et ici même prenez
une décision. » 8 Tout le peuple se leva comme un
seul homme en disant : « Personne d'entre nous ne
regagnera sa tente, personne d'entre nous ne retournera dans sa maison! 9 Maintenant, voici ce que

*a)* « je retourne chez moi » litt. « vers ma maison », v. 29; « je vais vers la maison de Yahvé » hébr.
*b)* Le terme hébreu désigne des fautes graves contre la loi divine, surtout des fautes contre les mœurs, particulièrement réprouvées par réaction contre la licence des cultes cananéens. La faute s'accompagne ici d'une atteinte au droit sacré de l'hospitalité.
*c)* L'hébr. ajoute « et sa concubine (du lévite) ».
*d)* Ce sinistre message de vengeance est adressé à tout Israël, cf. **20** 1, 2, 10, etc. Cela pourrait souligner la solidarité des tribus en face d'une infraction à la loi religieuse, mais une telle action commune serait unique, et il y a plus vraisemblablement un élargissement de la tradition primitive qui, en face de Benjamin, devait mettre principalement Éphraïm. Ce serait un nouvel épisode de la lutte d'Éphraïm pour la suprématie, cf. **8** 1+; **12** 1.
*e)* « Il donna des ordres... prononcez » restitué d'après une partie du grec; absent de l'hébr. qui n'a gardé que « Réfléchissez-y... et prononcez », corrompu et rejeté à la fin du v.
*f)* Locution stéréotypée, utilisée en dehors du Pentateuque pour désigner les limites nord et sud du pays effectivement occupé par Israël, cf. 1 S **3** 20; 2 S **3** 10; 1 R **5** 5, etc. Exceptionnellement, on ajoute ici le pays de Galaad, à cause de l'histoire racontée en **21** 8-12. D'autres expressions définissent le territoire du nord au sud : « de l'Entrée de Hamat au Torrent d'Égypte (ou de la Araba) », 1 R **8** 65; 2 R **14** 25; ou du sud au nord : « du Torrent d'Égypte au Grand Fleuve » (l'Euphrate), Gn **15** 18; 2 R **24** 7; cf. Nb **34** 1+.
*g)* Ce chiffre, comme ceux du récit des combats, cf. vv. 15, 21, etc., est évidemment exagéré.

nous allons faire contre Gibéa. Nous tirerons au
sort [a], 10 et nous prendrons dans toutes les tribus
d'Israël dix hommes sur cent, cent sur mille et mille
sur dix mille, ils chercheront des vivres pour le peuple, pour que dès leur arrivée, celui-ci traite Gibéa [b]
de Benjamin selon l'infamie qu'elle a commise en
Israël. » 11 Ainsi s'assemblèrent contre la ville tous
les gens d'Israël, unis comme un seul homme.

**Obstination des Benjaminites.**

12 Les tribus d'Israël envoyèrent des émissaires
dans toute la tribu [c] de Benjamin pour dire : « Quel
est ce crime qui a été commis parmi vous? 13 Maintenant, livrez ces hommes, ces vauriens, qui sont à
Gibéa, pour que nous les mettions à mort et que
Dt 17 12 nous fassions disparaître le mal du milieu
d'Israël. » Mais les Benjaminites ne voulurent pas
écouter leurs frères les Israélites.

**Premiers combats [d].**

14 Les Benjaminites, quittant leurs villes,
s'assemblèrent à Gibéa pour combattre les Israélites. 15 En ce jour-là, on dénombra les Benjaminites
venus des diverses villes, ils étaient vingt-six mille
hommes sachant tirer l'épée; c'est à part des habitants de Gibéa qu'ils furent dénombrés [e]. 16 Dans
toute cette armée, il y avait sept cents hommes
d'élite gauchers. Tous ceux-ci, avec la pierre de leur
fronde, étaient capables de viser un cheveu sans le
manquer. 17 Les gens d'Israël furent également
dénombrés, sans compter Benjamin; ils étaient
quatre cent mille, sachant tirer l'épée, tous gens de
guerre. 18 Ils se mirent en marche pour monter à
20 27 Béthel, pour consulter Dieu : « Qui de nous mon-
Ex 33 7+ tera le premier au combat contre les Benjaminites? » demandèrent les Israélites. Et Yahvé répon-
1 2 dit : « C'est Juda qui montera le premier. » 19 Au
matin les Israélites se mirent en marche et ils dressèrent leur camp en face de Gibéa. 20 Les gens
Jos 7 4, 5 d'Israël s'avancèrent au combat contre Benjamin,
ils se rangèrent en bataille en face de Gibéa.
21 Mais les Benjaminites sortirent de Gibéa et, ce
jour-là, ils massacrèrent vingt-deux mille hommes
d'Israël. 23 [f] Les Israélites vinrent pleurer devant
Yahvé jusqu'au soir, puis ils consultèrent Yahvé en
disant : « Dois-je encore engager le combat contre
les fils de Benjamin mon frère? » Et Yahvé répondit : « Marchez contre lui! » 22 Alors l'armée des
gens d'Israël reprit courage et de nouveau se rangea en bataille au même endroit que le premier
jour. 24 Le second jour les Israélites s'approchèrent
donc des Benjaminites, 25 mais, en cette seconde
journée, Benjamin sortit de Gibéa à leur rencontre
et il massacra encore dix-huit mille hommes des
Israélites; c'étaient tous des guerriers sachant tirer
l'épée. 26 Alors tous les Israélites et tout le peuple
s'en vinrent à Béthel, ils pleurèrent, ils s'assirent là Jos 7 6-9;
devant Yahvé, ils jeûnèrent toute la journée 8 1
jusqu'au soir et ils offrirent des holocaustes et des
sacrifices de communion devant Yahvé; 27 puis les
Israélites consultèrent Yahvé. – L'arche de
l'alliance de Dieu se trouvait alors en cet endroit
28 et Pinhas, fils d'Éléazar, fils d'Aaron, en ce Nb 25 7-13
temps-là, la desservait. – Ils dirent : « Dois-je sortir
encore pour combattre les fils de Benjamin mon
frère, ou bien dois-je cesser? » Et Yahvé répondit :
« Marchez, car demain, je le livrerai entre vos
mains [g]. »

**Défaite de Benjamin [h].**

29 Alors Israël plaça des troupes en embuscade Jos 8 4, 9
tout autour de Gibéa. 30 Le troisième jour, les
Israélites marchèrent contre les Benjaminites, et
comme les autres fois, ils se rangèrent en bataille
en face de Gibéa. 31 Les Benjaminites sortirent à la Jos 8 6, 16
rencontre du peuple et se laissèrent attirer loin de
la ville. Ils commencèrent comme les autres fois à
tuer du monde parmi le peuple, sur les chemins qui
montent, l'un à Béthel, et l'autre à Gibéa [i] par la
campagne : une trentaine d'hommes d'Israël. 32 Les
Benjaminites se dirent : « Les voilà battus devant
nous comme la première fois », mais les Israélites
s'étaient dit : « Nous allons fuir et nous les attirerons loin de la ville sur les chemins . » 33 Alors tous
les hommes d'Israël quittèrent leur position et se
rangèrent à Baal-Tamar, tandis que l'embuscade
d'Israël surgit de sa position, à l'ouest de Géba [j].
34 Dix mille hommes d'élite, choisis dans tout
Israël, parvinrent en face de Gibéa; le combat était
acharné et les autres ne se doutaient pas du mal-

*a)* « nous tirerons au sort » grec; « contre elle, au sort » hébr.
*b)* « Gibéa » versions; « Géba » hébr.
*c)* « dans toute la tribu » versions; « dans toutes les tribus » hébr.
*d)* Tout le récit de la bataille de Gibéa ressemble, dans son développement et dans son style, au récit de la prise de Aï, Jos **7-8**. Plutôt que de voir une influence rédactionnelle de Jos sur Jg, on peut admettre que le récit de la prise de Aï a été inventé à partir du récit historique de la victoire de Gibéa, cf. Jos **7** 2+.
*e)* Hébr. ajoute : « sept cents hommes d'élites », doublet de 16[a].
*f)* Comme l'exige le sens, on intervertit les vv. 22 et 23; en fait ces deux vv. n'appartiennent pas à la même tradition.
*g)* Les deux premières tentatives avaient également été faites sur l'ordre de Yahvé, vv. 18, 23, mais c'est seulement à la troisième consultation que Dieu promet la victoire. Dans le parallèle de Jos **7**, l'échec est expliqué par une violation de l'anathème. Aucune raison n'est donnée ici.
*h)* Dans toute la fin du ch., les deux traditions, de Miçpa et de Béthel, sont maladroitement combinées, comme l'indiquent les incohérences du texte.
*i)* L'accrochage a lieu entre Béthel, d'où viennent les Israélites, et Gibéa, d'où sont sortis les Benjaminites.
*j)* « à l'ouest de Géba » versions; « de la plaine (ou du plateau) de Géba » hébr.

heur qui les frappait. 35 Yahvé battit Benjamin
devant Israël et, en ce jour, les Israélites tuèrent à
Benjamin vingt-cinq mille cent hommes, tous
sachant tirer l'épée.
36 Les Benjaminites virent qu'ils étaient battus [a].
– Les gens d'Israël cédèrent du terrain à Benjamin
parce qu'ils comptaient sur l'embuscade qu'ils
Jos **8** 19 avaient placée contre Gibéa. 37 Ceux de l'embuscade se hâtèrent de s'élancer contre Gibéa; ils se
déployèrent et passèrent toute la ville au fil de
l'épée. 38 Or il y avait cette convention entre
les gens d'Israël et ceux de l'embuscade [b] : ceux-ci
devaient, en guise de signal, faire monter de la ville
une fumée; 39 alors les gens d'Israël engagés dans
le combat feraient volte-face [c]. Benjamin
commença par tuer du monde aux Israélites, une
trentaine d'hommes. « Certainement les voilà
encore battus devant nous, se disait-il, comme dans
Jos **8** 20 le premier combat. » 40 Mais le signal, une colonne
de fumée, commença à s'élever de la ville, et Benjamin, se retournant, aperçut que la ville tout entière
montait en feu vers le ciel. 41 Les gens d'Israël firent
alors volte-face et les Benjaminites furent dans
l'épouvante, car ils voyaient que le malheur les
avait frappés.
Jos **8** 21-22 42 Ils s'enfuirent devant les gens d'Israël en direction du désert, mais les combattants les serraient
de près et ceux qui venaient de la ville les massacrèrent en les prenant à revers [d]. 43 Ils cernèrent
Benjamin, le poursuivirent sans répit et l'écrasèrent
en face de Gibéa, du côté du soleil levant [e]. 44 De
Benjamin, dix-huit mille hommes tombèrent, tous
hommes vaillants. – 45 Alors ils tournèrent le dos
et s'enfuirent au désert, vers le Rocher de Rimmôn.
Sur les chemins, on ramassa cinq mille hommes,
puis on serra Benjamin de près jusqu'à Gideom [f],
et on lui tua deux mille hommes. 46 Le nombre total
des Benjaminites qui tombèrent ce jour-là fut de
vingt-cinq mille hommes sachant tirer l'épée, et
c'étaient tous des hommes vaillants. 47 Six cents
hommes tournèrent le dos et s'enfuirent au désert,
vers le rocher de Rimmôn. Ils y restèrent quatre
mois. 48 Les gens d'Israël revinrent vers les Benjaminites, ils passèrent au fil de l'épée la population
mâle de la ville [g], et même le bétail et tout ce qu'ils
trouvaient. Ils mirent aussi le feu à toutes les villes
qu'ils rencontrèrent.

**Remords des Israélites [h].**

**21** 1 Les gens d'Israël avaient prononcé ce serment à Miçpa : « Personne d'entre nous ne
donnera sa fille en mariage à Benjamin. » 2 Le peuple se rendit à Béthel, il resta là assis devant Dieu
jusqu'au soir, poussant des gémissements et pleurant à gros sanglots : 3 « Yahvé, Dieu d'Israël,
disaient-ils, pourquoi faut-il qu'en Israël manque
aujourd'hui une tribu d'Israël [i] ? » 4 Le lendemain,
le peuple se leva de bon matin et construisit là un
autel; il offrit des holocaustes et des sacrifices de
communion. 5 Puis les Israélites dirent : « Qui
d'entre toutes les tribus d'Israël n'est pas venu à
l'assemblée auprès de Yahvé? » car en un serment
solennel on avait déclaré que quiconque ne monte-
rait pas à Miçpa auprès de Yahvé mourrait certainement.
6 Or les Israélites furent pris de pitié pour Benjamin leur frère : « Aujourd'hui, disaient-ils, une
tribu a été retranchée d'Israël. 7 Que ferons-nous
pour procurer des femmes à ceux qui restent, puisque nous avons juré par Yahvé de ne pas leur donner de nos filles en mariage? »

**Les vierges de Yabesh données aux Benjaminites.**

8 Ils s'informèrent alors : « Quel est celui d'entre
les tribus d'Israël, qui n'est pas monté auprès de
Yahvé à Miçpa? » Et il se trouva que personne de
Yabesh en Galaad n'était venu au camp, à l'assemblée. 9 Le peuple s'était en effet compté et il n'y
avait là personne d'entre les habitants de Yabesh
en Galaad. 10 Alors la communauté y envoya
douze mille hommes d'entre les vaillants avec cet Nb **31** 5-6
ordre : « Allez, et vous passerez au fil de l'épée les
habitants de Yabesh en Galaad, ainsi que les femmes et les enfants. 11 Voici ce que vous ferez : vous

*a)* La phrase se continuera au v. 45; cependant 36ᵇ-44 n'est pas d'une seule venue.

*b)* Après « embuscade », hébr. ajoute « multiplie », incompréhensible. Omis par grec.

*c)* « feraient volte-face » conj.; « firent volte-face » hébr., mais cf. v. 41.

*d)* « de la ville » grec; « des villes » hébr. – « en les prenant à revers » *battawek* conj.; « au milieu de lui » *betôkô* hébr. – Les Benjaminites sont pris entre le gros de la troupe et les hommes de l'embuscade, cf. de même Jos **8** 21-22.

*e)* « les poursuivirent sans répit » conj.; « les firent poursuivre, repos (?) » hébr. – « Géba » conj.; « Gibéa » hébr.

*f)* Localité inconnue. Le texte primitif portait peut-être Géba ou Gabaôn.

*g)* « la population mâle » *metîm* conj.; « (de la ville) intacte » *metom* hébr.

*h)* Ce ch. juxtapose deux traditions, reliées par les derniers mots du v. 14. Il est vraisemblable que la première provient du sanctuaire de Miçpa, et la seconde de celui de Béthel, mais la part du rédacteur post-exilique est si grande qu'il est difficile d'avoir une certitude. L'affaire de Yabesh de Galaad sert à expliquer les liens qui existaient entre cette ville et Benjamin à l'époque de Saül, cf. 1 S **11** 1; **30** 11-13. L'histoire du rapt des filles de Silo utilise un souvenir cultuel : une vieille fête des vendanges, à laquelle participaient les filles en quête d'un mari.

*i)* Les conflits entre les tribus ne suppriment pas le sentiment de solidarité qui cimente le peuple d'Israël, et que le rédacteur post-exilique souligne en parlant plusieurs fois de la « communauté ».

Jos **6** 17+ vouerez à l'anathème tous les mâles et toutes les
Nb **31** 17-18 femmes qui ont connu la couche d'un homme, mais
vous laisserez la vie aux vierges. » Et c'est ce qu'ils
firent [a]. 12 Parmi les habitants de Yabesh de Galaad
ils trouvèrent quatre cents jeunes filles vierges, qui
n'avaient pas partagé la couche d'un homme, et ils
les emmenèrent au camp (à Silo qui est au pays de
Canaan).

13 Toute la communauté envoya alors des émissaires aux Benjaminites qui se trouvaient au
Rocher de Rimmôn pour leur proposer la paix.
14 Benjamin revint alors. On leur donna parmi les
femmes de Yabesh en Galaad celles qu'on avait
laissé vivre, mais il n'y en eut pas assez pour tous.

### Le rapt des filles de Silo.

15 Le peuple fut pris de pitié pour Benjamin,
parce que Yahvé avait fait une brèche parmi les tribus d'Israël. 16 « Que ferons-nous pour procurer des
femmes à ceux qui restent, disaient les anciens de
la communauté, puisque les femmes de Benjamin
ont été exterminées? » 17 Ils ajoutaient : « Comment
conserver un reste [b] à Benjamin pour qu'une tribu
ne soit pas effacée d'Israël? 18 Car, pour nous,
nous ne pouvons plus leur donner nos filles en
mariage. » Les Israélites avaient en effet prononcé
ce serment : « Maudit soit celui qui donnera une
femme à Benjamin! »

19 « Mais il y a, dirent-ils, la fête de Yahvé qui
se célèbre chaque année à Silo [c]. » (La ville se 1 S **1** 3+
trouve au nord de Béthel, à l'orient de la route qui
monte de Béthel à Sichem et au sud de Lebona.)
20 Ils recommandèrent donc aux Benjaminites :
« Allez vous mettre en embuscade dans les vignes.
21 Vous guetterez et, lorsque les filles de Silo sortiront pour danser en chœurs, vous sortirez des
vignes, vous enlèverez pour vous chacun une
femme parmi les filles de Silo et vous vous en irez
au pays de Benjamin. 22 Si leurs pères ou leurs frères viennent nous chercher querelle, nous leur
dirons : Accordez-les nous, car nous n'avons pas
pu prendre de femme pour chacun dans le combat;
et vous ne pouviez pas les leur donner, car alors
vous auriez été coupables [d]. »

23 Ainsi firent les Benjaminites, et, parmi les dan-
seuses qu'ils avaient enlevées, ils prirent un nombre
de femmes égal au leur, puis ils partirent, revinrent
dans leur héritage, rebâtirent les villes et s'y établirent.

24 Les Israélites se dispersèrent alors pour regagner chacun sa tribu et son clan, et s'en retournèrent de là chacun dans son héritage.

25 En ce temps-là il n'y avait pas de roi en Israël **17** 6+
et chacun faisait ce qui lui semblait bon [e].

*a)* « mais vous laisserez... ce qu'ils firent » versions; omis par hébr.
*b)* « Comment conserver un reste », litt. « faire rester des rescapés », avec une partie du grec; « l'héritage des rescapés » hébr.
*c)* Fête cananéenne, cf. **9** 27, qui fut identifiée à la fête de la Récolte, Ex **23** 16, ou à la fête des Tentes, Dt **16** 13.
*d)* Ce v. dont le texte est d'ailleurs obscur, paraît faire allusion à l'affaire de Yabesh et au serment de Miçpa, et doit être rédactionnel.
*e)* Le récit de **19** 1 - **21** 25 est encadré par la même remarque qu'à **17** 6 et **18** 1. Elle est peut-être ici de la main du rédacteur; elle est peut-être une réflexion des prêtres du sanctuaire officiel de Béthel, qui portent le même jugement que les prêtres du sanctuaire royal de Dan dans l'histoire précédente, cf. **17** 1+.

# LE LIVRE DE RUTH

## RUTH ET NOÉMI

1 1 Au temps où gouvernaient les Juges, une
famine survint dans le pays et un homme de
Bethléem de Juda s'en alla avec sa femme et ses
deux fils pour séjourner dans les Champs de Moab.
2 Cet homme s'appelait Élimélek, sa femme Noémi,
et ses deux fils Mahlôn et Kilyôn [a]; ils étaient
Mi **5** 1 Éphratéens, de Bethléem de Juda. Arrivés dans les
1 Ch **4** 4 Champs de Moab, ils s'y établirent. 3 Élimélek, le
mari de Noémi, mourut, et elle lui survécut avec
ses deux fils. 4 Ils prirent pour femmes des Moabites, l'une se nommait Orpa et l'autre Ruth. Ils
demeurèrent là une dizaine d'années. 5 Puis Mahlôn et Kilyôn moururent, tous deux aussi, et Noémi
resta seule, privée de ses deux fils et de son mari.
6 Alors, avec ses brus, elle se disposa à revenir des
Champs de Moab, car elle avait appris dans les
Champs de Moab que Dieu avait visité [b] son peuple pour lui donner du pain. 7 Elle quitta donc avec
ses brus le lieu où elle avait demeuré et elles se
mirent en chemin pour retourner au pays de Juda.
8 Noémi dit à ses deux brus : « Partez donc et
retournez chacune à la maison de votre mère. Que
Yahvé use de bienveillance envers vous comme
vous en avez usé envers ceux qui sont morts et
envers moi-même! 9 Que Yahvé accorde à chacune
de vous de trouver une vie paisible dans la maison
d'un mari! » Elle les embrassa, mais elles se mirent
à crier et à pleurer, 10 et elles dirent : « Non! Nous
reviendrons avec toi vers ton peuple. » – 11 « Retournez, mes filles, répondit Noémi, pourquoi vien-
driez-vous avec moi? Ai-je encore dans mon sein
des fils qui puissent devenir vos maris [c]? 12 Retour- Gn **38** 8-11
nez, mes filles, allez-vous-en, car je suis bien trop Dt **25** 5-10
vieille pour me marier! Et quand bien même je
dirais : " Il y a encore pour moi de l'espoir, cette
nuit même je vais appartenir à mon mari et j'aurai
des fils ", 13 attendriez-vous qu'ils soient devenus
grands? Renonceriez-vous à vous marier? Non
mes filles! Je suis pleine d'amertume à votre sujet,
car la main de Yahvé s'est levée contre moi. »
14 Elles recommencèrent à crier et à pleurer, puis
Orpa embrassa sa belle-mère et retourna vers son
peuple [d], mais Ruth lui resta attachée.
15 Noémi dit alors : « Vois, ta belle-sœur s'en est
retournée vers son peuple et vers son dieu; retourne
toi aussi, et suis-la. » 16 Ruth répondit : « Ne me
presse pas de t'abandonner et de m'éloigner de toi,
car

où tu iras, j'irai, 2 S **15** 21
où tu demeureras, je demeurerai; 2 R **2** 2-4
ton peuple sera mon peuple Dt **23** 2-9
et ton Dieu sera mon Dieu [e].
17 Là où tu mourras, je mourrai
et là je serai ensevelie.
Que Yahvé me fasse ce mal
et qu'il y ajoute encore cet autre [f],
si ce n'est pas la mort
qui nous sépare! »

18 Voyant que Ruth s'obstinait à l'accompagner
Noémi cessa d'insister auprès d'elle.

*a)* Les noms sont peut-être fictifs et choisis pour leur significa-tion : les deux fils qui meurent jeunes, *Mahlôn* : « langueur » et *Kilyôn* : « consomption »; *Orpa* : « celle qui tourne le dos » (1 14); *Ruth* : « l'amie »; *Noémi* : « ma douceur »; *Élimélek* : « mon Dieu est roi ».

*b* Voir Ex **3** 16+. La « visite » est ici favorable.

*c)* Selon la loi du lévirat, Dt **25** 5-10+.

*d)* « et retourna vers son peuple » grec; omis par hébr.

*e)* A l'encontre d'Orpa, qui retourne en Moab et à son dieu Kemosh, Ruth, entrant dans le domaine et dans le peuple de Yahvé, n'aura plus d'autre Dieu que lui. A l'inverse Dt **23** 4 exclut les Moabites du culte.

*f)* C'est la formule du serment imprécatoire, cf. Nb **5** 21s; 1 S **3** 17; **14** 44; **20** 13; **25** 22; 2 S **3** 9, 35; **19** 14; 1 R **2** 23; 2 R **6** 31. En le prononçant, on précisait les maux qu'on appelait sur la personne visée, mais, l'efficacité des malédictions étant redou-table, le narrateur use pour les rapporter de cette formule indé-terminée.

19 Elles s'en allèrent donc toutes deux et arrivèrent à Bethléem. Leur arrivée à Bethléem mit toute
la ville en émoi : « Est-ce bien là Noémi? »
s'écriaient les femmes. 20 « Ne m'appelez plus
Ex **15** 23 Noémi, leur répondit-elle, appelez-moi Mara[a], car
Gn **17** 17 Shaddaï m'a remplie d'amertume. 21 Comblée
Jb **1** 21 j'étais partie, vide Yahvé me ramène! Pourquoi
m'appelleriez-vous encore Noémi, alors que Yahve
a témoigne contre moi et que Shaddaï m'a rendue
malheureuse? »
22 C'est ainsi que Noémi revint, ayant avec elle
sa belle-fille Ruth, la Moabite, celle qui était revenue des Champs de Moab. Elles arrivèrent à Bethléem au début de la moisson des orges.

## *RUTH DANS LES CHAMPS DE BOOZ*

**2** 1 Noémi avait, du côté de son mari, un parent.
C'était un homme de condition qui appartenait au même clan qu'Élimélek, il s'appelait Booz.
2 Ruth la Moabite dit à Noémi : « Permets-moi
Lv **19** 9-10; d'aller dans les champs glaner des épis derrière
**23** 22 Dt **24** 19-22 celui aux yeux duquel je trouverai grâce[b]. » Elle lui
répondit : « Va, ma fille. » 3 Ruth partit donc et s'en
vint glaner dans les champs derrière les moissonneurs. Sa chance la conduisit dans une pièce de
terre appartenant à Booz, du clan d'Élimélek. 4 Or
voici que Booz arrivait de Bethléem : « Que Yahvé
Ps **129** 7-8 soit avec vous! » dit-il aux moissonneurs, et eux
répondirent : « Que Yahvé te bénisse! » 5 Booz
demanda alors à celui de ses serviteurs qui
commandait aux moissonneurs : « A qui est cette
jeune femme[c]? » 6 Et le serviteur qui commandait
aux moissonneurs répondit : « Cette jeune femme
est la Moabite, celle qui est revenue des Champs
de Moab avec Noémi. 7 Elle a dit : " Permets-moi
de glaner et de ramasser ce qui tombe des gerbes
derrière les moissonneurs ". Elle est donc venue et
elle est restée; depuis le matin jusqu'à présent elle
s'est à peine reposée[d]. »
8 Booz dit à Ruth : « Tu entends, n'est-ce pas ma
fille? Ne va pas glaner dans un autre champ, ne
t'éloigne pas d'ici mais attache-toi à mes servantes.
9 Regarde la pièce de terre qu'on moissonne et suis-
les. Sache que j'ai interdit aux serviteurs de te
frapper. Si tu as soif, va aux cruches et bois de ce
qu'ils auront puisé. » 10 Alors Ruth, tombant la face
contre terre, se prosterna et lui dit : « Comment
ai-je trouvé grâce à tes yeux pour que tu t'intéresses
à moi qui ne suis qu'une étrangère? » – 11 « C'est
qu'on m'a bien rapporté, lui dit Booz, tout ce que
tu as fait pour ta belle-mère après la mort de ton
mari; comment tu as quitté ton père, ta mère et ton
pays natal pour te rendre chez un peuple que tu
n'avais jamais connu, ni d'hier ni d'avant-hier.
12 Que Yahvé te rende ce que tu as fait et que tu
obtiennes pleine récompense de la part de Yahvé,
le Dieu d'Israël, sous les ailes de qui tu es venue Ps **17** 8;
t'abriter! » 13 Elle dit : « Puissé-je toujours trouver **91** 1, 4
grâce à tes yeux, Monseigneur! Tu m'as consolée
et tu as parlé au cœur de ta servante, alors que je
ne suis même pas l'égale d'une de tes servantes. »
14 Au moment du repas, Booz dit à Ruth : « Approche-toi, mange de ce pain et trempe ton morceau dans le vinaigre[e]. » Elle s'assit donc à côté
des moissonneurs et Booz lui fit aussi un tas[f] de
grains rôtis. Après qu'elle eut mangé à satiété, elle
en eut de reste. 15 Lorsqu'elle se fut levée pour glaner, Booz donna cet ordre à ses serviteurs : « Laissez-la glaner entre les gerbes[g], et vous, ne la molestez pas. 16 Et même, ayez soin de tirer vous-mêmes
quelques épis de vos javelles, vous les laisserez
tomber, elle pourra les ramasser et vous ne crierez
pas après elle[h]. » 17 Ruth glana dans le champ
jusqu'au soir, et lorsqu'elle eut battu ce qu'elle
avait ramassé, il y avait environ une mesure d'orge.
18 Elle l'emporta, rentra à la ville et sa belle-mère
vit ce qu'elle avait glané; elle tira ce qu'elle avait
mis en réserve après avoir mangé à sa faim et le
lui donna. 19 « Où as-tu glané aujourd'hui, lui dit sa
belle-mère, où as-tu travaillé? Béni soit celui qui
s'est intéressé à toi[i]! » Ruth fit connaître à sa belle-
mère chez qui elle avait travaillé; elle dit :
« L'homme chez qui j'ai travaillé aujourd'hui
s'appelle Booz. » 20 Noémi dit à sa bru : « Qu'il soit
béni de Yahvé qui ne cesse d'exercer sa bienveillance envers les vivants et les morts! » Et Noémi

*a)* *Mara*, « l'amère » ou, en corrigeant, *Mari*, « mon amertume », correspondant à *Noémi*, « ma douceur ».
*b)* C'est le droit des pauvres selon la Loi. Mais son exercice dépend des bonnes grâces du propriétaire.
*c)* En Orient, toute femme appartient à quelqu'un, père, mari, frère ou maître.
*d)* Fin du v. corrompue, corr. d'après grec.
*e)* Il s'agit en fait d'un mélange d'eau, de vinaigre de vin et d'une quelconque boisson fermentée, ce qui en fait un breuvage interdit aux nazirs, cf. Nb **6** 3.
*f)* « lui fit un tas » grec; « lui tendit » hébr.
*g)* La loi permettait de glaner ce qui tombait des gerbes derrière les moissonneurs, Lv **19** 19; **23** 22; Dt **24** 19, mais cette autorisation est une faveur contraire à la coutume.
*h)* Ces recommandations répétées, cf. vv. 9 et 15, montrent que, malgré la loi autorisant à glaner, les moissonneurs se montraient souvent durs envers ceux qui se livraient à ce travail.
*i)* Noémi est étonnée de la quantité d'orge rapportée par Ruth : une « mesure » (un *épha*) vaut environ 45 litres; cette quantité ne s'explique que par une faveur dont Ruth a été l'objet.

2 1 ajouta : « Cet homme est notre proche parent, il est
de ceux qui ont sur nous droit de rachat [a]. » 21 Ruth
la Moabite dit à sa belle-mère : « Il m'a dit aussi :
Reste avec mes serviteurs jusqu'à ce qu'ils aient
achevé toute la moisson. » 22 Noémi dit à Ruth, sa
bru : « Il est bon, ma fille, que tu ailles avec ses servantes, ainsi on ne te maltraitera pas dans un autre
champ. » 23 [b] Et elle resta parmi les servantes de
Booz pour glaner jusqu'à la fin de la moisson des
orges et de la moisson des blés, et elle habitait avec
sa belle-mère.

## *BOOZ ENDORMI*

3 1 Noémi, sa belle-mère, lui dit : « Ma fille, ne
dois-je pas chercher à t'établir pour que tu
sois heureuse? 2 Eh bien! Booz n'est-il pas notre
parent, lui dont tu as suivi les servantes? Cette
nuit, il doit vanner l'orge sur l'aire. 3 Lave-toi donc
et parfume-toi, mets ton manteau et descends à
l'aire, mais ne te laisse pas reconnaître par lui
avant qu'il ait fini de manger et de boire. 4 Quand
il sera couché, observe l'endroit où il repose, alors
tu iras, tu dégageras une place à ses pieds et tu te
coucheras. Il te fera savoir lui-même ce que tu
devras faire. » 5 Et Ruth lui répondit : « Tout ce que
tu me dis, je le ferai. »
6 Elle descendit donc à l'aire et fit tout ce que sa
belle-mère lui avait commandé. 7 Booz mangea et
but, puis, le cœur joyeux, s'en alla dormir auprès
du tas d'orge. Alors Ruth s'en alla tout doucement,
dégagea une place à ses pieds et se coucha. 8 Au
milieu de la nuit, l'homme eut un frisson; il se
retourna et vit une femme couchée à ses pieds.
9 « Qui es-tu? » dit-il. – « Je suis Ruth, ta servante,
lui dit-elle. Étends sur ta servante le pan de ton
manteau [c], car tu as droit de rachat. » – 10 « Bénie
sois-tu de Yahvé, ma fille, lui dit-il, ce second acte
2 11 de piété [d] que tu accomplis l'emporte sur le premier, car tu n'as pas recherché des jeunes gens,
pauvres ou riches. 11 Et maintenant, ma fille, sois
sans crainte, tout ce que tu me diras, je le ferai pour
toi, car tout le peuple à la porte de ma ville sait
que tu es une femme parfaite. 12 Toutefois, s'il est
vrai que j'ai droit de rachat, il y a un parent plus 2 20
proche que moi. 13 Passe la nuit ici et, au matin, s'il
veut exercer son droit à ton égard, c'est bien, qu'il
te rachète; mais s'il ne veut pas te racheter, alors,
par Yahvé vivant, c'est moi qui te rachèterai. Reste
couchée jusqu'au matin. » 14 Elle resta donc couchée à ses pieds jusqu'au matin, puis elle se leva
avant l'heure où un homme peut en reconnaître un
autre; il [e] se disait : « Il ne faut pas qu'on sache que
cette femme est venue à l'aire. » 15 Il dit alors :
« Présente le manteau que tu as sur toi et tiens-le. »
Elle le tint et il mesura six parts d'orge qu'il chargea sur elle, puis elle retourna à la ville.
16 Lorsque Ruth rentra chez sa belle-mère, celle
ci lui dit : « Qu'en est-il de toi, ma fille? » Ruth lui
raconta tout ce que cet homme avait fait pour elle.
17 Elle dit : « Ces six parts d'orge, il me les a données en disant : Tu ne reviendras pas les mains
vides chez ta belle-mère. » – 18 « Ma fille, reste en
repos, lui dit Noémi, jusqu'à ce que tu saches
comment finira cette affaire; assurément, cet
homme n'aura de cesse qu'il ne l'ait terminée
aujourd'hui même. »

## *BOOZ EPOUSE RUTH*

4 1 Or Booz était monté à la porte et s'y était
assis, et voici que le parent dont Booz avait
parlé vint à passer. « Toi, dit Booz, approche et
assieds-toi ici. » L'homme s'approcha et vint
s'asseoir. 2 Booz prit dix hommes parmi les anciens
de la ville : « Asseyez-vous ici », dit-il, et ils s'assirent. 3 Alors il dit à celui qui avait droit de rachat :
« La pièce de terre qui appartenait à notre frère Élimélek, Noémi, qui est revenue des Champs de
Moab, la met en vente. 4 Je me suis dit que j'allais
t'en informer en disant : " Acquiers-la en présence Lv 25 25
de ceux qui sont assis là et des anciens de mon
peuple. " Si tu veux exercer ton droit de rachat,
rachète. mais si tu ne le veux pas, déclare-le moi

*a)* Litt. « c'est un de nos *go 'el* », cf. Nb **35** 19+. Ici, le devoir du parent le plus proche, le *go 'el*, d'Élimélek ou de Mahlôn, combine deux coutumes différentes : 1° le devoir qui incombait au *go ' el*, Lv **25** 23-25, 47-49, était d'éviter l'aliénation du patrimoine; il doit donc racheter le champ de Ruth, **4** 4; 2° la coutume du lévirat, Dt **25** 5-10+, qui veut qu'une veuve soit épousée par le frère ou le proche parent de son mari, et lui suscite ainsi une postérité. Mais Booz n'est pas le plus proche parent, cf. **3** 12.

*b)* Dans les versions, cette phrase commence le ch. **3**.

*c)* Par ce geste, Ruth demande à Booz, son *go 'el*, de l'épouser, cf. Dt **23** 1; **27** 20; Ez **16** 8.

*d)* Ruth n'a pas seulement accompagné sa belle-mère (**2** 11), elle assure la perpétuité de la famille en acceptant d'épouser Booz.

*e)* « Il » conj.; « Elle » hébr.

pour que je le sache. Tu es le premier à avoir le
droit de rachat, moi je ne viens qu'après toi. »
Dt **25** 5-10 L'autre répondit : « Oui! je veux racheter. » 5 Mais
Booz dit : « Le jour où, de la main de Noémi, tu
acquerras ce champ, tu acquiers aussi Ruth la
Moabite, la femme de celui qui est mort, pour perpétuer le nom du mort sur son patrimoine. » 6 Celui
qui avait droit de rachat répondit alors : « Je ne
puis exercer mon droit, car je craindrais de nuire
à mon patrimoine. Exerce pour toi-même mon
droit de rachat, car moi je ne puis l'exercer[a]. »
7 Or c'était autrefois la coutume en Israël, en cas
de rachat ou d'héritage, pour valider toute affaire :
Dt **25** 9-10 l'un ôtait sa sandale et la donnait à l'autre. Telle
Ps **60** 10; était en Israël la manière de témoigner. 8 Celui qui
**108** 10 avait droit de rachat dit donc à Booz : « Fais
l'acquisition pour toi-même », et il retira sa sandale[b].
9 Booz dit aux anciens et à tout le peuple :
« Vous êtes témoins aujourd'hui que j'acquiers de
la main de Noémi tout ce qui appartenait à Élimélek et tout ce qui appartenait à Mahlôn et à Kilyôn,
10 et que j'acquiers en même temps pour femme
Ruth la Moabite, veuve de Mahlôn, pour perpétuer
le nom du mort sur son héritage et pour que le nom
du mort ne soit pas retranché d'entre ses frères ni
de la porte de sa ville. Vous en êtes aujourd'hui les
témoins. » 11 Tout le peuple qui se trouvait à la
porte répondit : « Nous en sommes témoins », et les
anciens répondirent : « Que Yahvé rende la femme
Gn **35** 23-26 qui va entrer dans ta maison semblable à Rachel
et à Léa qui, à elles deux, ont édifié la maison
d'Israël.

Deviens puissant en Ephrata
et fais-toi un nom dans Bethléem. Gn **35** 19-20

12 Que grâce à la postérité que Yahvé t'accordera
de cette jeune femme, ta maison soit semblable à
celle de Pérèç[c], que Tamar enfanta à Juda. » Gn **38**
13 Booz prit Ruth et elle devint sa femme. Il alla 1 Ch **2** 5, 9-12,
vers elle, Yahvé donna à Ruth de concevoir et elle 19, 50s
enfanta un fils. 14 Les femmes dirent alors à
Noémi : « Béni soit Yahvé qui ne t'a pas laissé Lc **1** 58
manquer aujourd'hui de quelqu'un pour te racheter.
Que son nom soit proclamé en Israël! 15 Il[d] sera
pour toi un consolateur et le soutien de ta vieillesse,
car il a pour mère ta bru qui t'aime, elle qui vaut
mieux pour toi que sept fils. » 16 Et Noémi, prenant 1 S **1** 8
l'enfant, le mit sur son sein[e], et ce fut elle qui prit Gn **30** 3
soin de lui.
17 Les voisines lui donnèrent un nom, elles
dirent : « Il est né un fils à Noémi » et elles le nommèrent Obed[f]. C'est le père de Jessé, père de
David.

**Généalogie de David**[g]. || 1 Ch **2** 5-15
18 Voici la postérité de Pérèç : ↗ Mt **1** 3-6
Pérèç engendra Heçrôn. 19 Heçrôn engendra ↗ Lc **3** 31-33
Ram et Ram engendra Amminadab. 20 Ammina-
dab engendra Nahshôn et Nashôn engendra Sal-
môn. 21 Salmôn engendra Booz et Booz engendra
Obed. 22 Et Obed engendra Jessé et Jessé engendra
David.

a) A l'achat de la terre, devoir du *go'el* auquel consentait l'homme, Booz lie le mariage avec Ruth selon la loi du lévirat. L'enfant qui naîtra sera héritier légal de Mahlôn et d'Élimélek, et c'est à lui que reviendra la terre. Le premier *go'el* craint d'y perdre, et renonce à ses prérogatives en faveur de Booz.

b) La coutume rapportée en Dt **25** 9-10 a un sens différent : c'est alors la femme elle-même qui marque son mépris à l'homme trop lâche pour l'épouser au nom de son beau-frère défunt. Ici, le geste sanctionne simplement un contrat d'échange. Mettre le pied sur un champ ou y jeter sa sandale, c'est en prendre possession, Ps **60** 10; **108** 10. La chaussure devient ainsi le symbole du droit de propriété. En la retirant et en la remettant à l'acquéreur, le possesseur lui transmet ce droit.

c) L'ancêtre de Booz et d'Éphrata.

d) Le « fils » du v. 13.

e) C'est le rituel d'adoption, cf. Gn **48** 5, chez d'autres peuples du Proche-Orient ancien.

f) *Obed* : « Le serviteur » (sous-entendu : de Yahvé). – Le dévouement de Ruth et de Booz fait ainsi de Noémi l'aïeule du roi David.

g) Cette seconde généalogie ne peut pas être de l'auteur de Ruth : contre l'intention de tout le récit, Booz est donné comme le père d'Obed, le nom d'Élimélek disparaît, et le dévouement de Ruth n'a plus le même sens; la loi du lévirat et la piété filiale qu'elle implique sont perdues de vue. Mais un autre enseignement, universaliste, se dégage; c'est Ruth l'étrangère, comme le soulignera l'Évangile, qui est l'aïeule de David, et par lui du Christ.

# LES LIVRES DE SAMUEL

## PREMIER LIVRE DE SAMUEL

Si 46 13-20 # *I. Samuel*

### *1. LES ENFANCES DE SAMUEL* [a]

**Le pèlerinage de Silo.**

**1** 1 Il y avait un homme de Ramatayim [b], un
Çuphite de la montagne d'Éphraïm, qui
1 Ch 6 19-23 s'appelait Elqana, fils de Yeroham, fils d'Élihu, fils
de Tohu, fils de Çuph, un Éphraïmite. 2 Il avait
deux femmes : l'une s'appelait Anne, l'autre
Peninna; mais alors que Peninna avait des enfants,
Ex 23 14+ Anne n'en avait point. 3 Chaque année, cet homme
Lv 23 39 montait de sa ville pour adorer et pour sacrifier à
Jg 21 19 Yahvé Sabaot [c] à Silo [d] (là se trouvaient les deux
fils d'Éli, Hophni et Pinhas, comme prêtres de
Yahvé).
4 Un jour Elqana offrit un sacrifice. – Il avait
Dt 12 18 coutume de donner des portions à sa femme
Peninna et à tous ses fils et filles, 5 et il n'en donnait
qu'une à Anne bien qu'il [e] préférât Anne, mais
Gn 16 4-5 Yahvé l'avait rendue stérile. 6 Sa rivale lui faisait
aussi des affronts pour la mettre en colère, parce
que Yahvé avait rendu son sein stérile. 7 C'est ce
qui arrivait annuellement, chaque fois qu'ils montaient au temple de Yahvé [f] : elle lui faisait des
affronts. – Or donc, Anne pleura et resta sans manger. 8 Alors son mari Elqana lui dit : « Anne, pourquoi pleures-tu et ne manges-tu pas? Pourquoi
es-tu malheureuse? Est-ce que je ne vaux pas pour Rt 4 15
toi mieux que dix fils? »

**La prière d'Anne.**

9 Anne se leva après qu'ils eurent mangé dans la
chambre et elle se tint devant Yahvé [g] – le prêtre
Éli était assis sur son siège, contre le montant de
la porte, au sanctuaire de Yahvé. 10 Dans l'amertume de son âme, elle pria Yahvé et elle pleura
beaucoup. 11 Elle fit ce vœu : « O Yahvé Sabaot! Si
tu voulais considérer la misère de ta servante, te ↗ Lc 1 48
souvenir de moi, ne pas oublier ta servante et lui
donner un petit d'homme, alors je le donnerai à Nb 6 1+
Yahvé pour toute sa vie et le rasoir ne passera pas Jg 13 5;
sur sa tête [h]. » 16 17
12 Comme elle prolongeait sa prière devant
Yahvé, Éli observait sa bouche. 13 Anne parlait
tout bas : ses lèvres remuaient mais on n'entendait
pas sa voix, et Éli pensa qu'elle était ivre [i]. 14 Alors
Éli lui dit : « Jusques à quand seras-tu dans
l'ivresse? Fais passer ton vin! » 15 Mais Anne
répondit ainsi : « Non, Monseigneur, je ne suis
qu'une femme affligée, je n'ai bu ni vin ni boisson

*a)* Les ch. **1-3** sont une composition littéraire unifiée (sauf l'addition du 2 27-36) avant son insertion dans les livres de Samuel; c'est une tradition silonite qui utilise trois éléments : 1° naissance de Samuel et son entrée au sanctuaire de Silo; 2° les fils d'Éli; 3° la révélation de Yahvé à Samuel. 1° et 3° sont reliés par la personne de Samuel; 2° et 3° sont reliés par la faute des fils d'Éli qui appelle le châtiment. Ce récit est ancien et conserve de bons souvenirs historiques.

*b)* Appelée aussi Rama.

*c)* L'interprétation « Yahvé des armées » (qu'il s'agisse des armées d'Israël ou des armées célestes, astres, anges, ou de toutes les forces cosmiques) n'est pas assurée. Le titre apparaît pour la première fois ici et il est lié au culte de Silo; l'expression « Yahvé Sabaot qui siège sur les chérubins » se rencontrera pour la première fois en **4** 4, à propos de l'arche amenée de Silo. Ce titre est resté attaché au rituel de l'arche et est entré avec celle-ci à Jérusalem, 2 S **6** 2, 18; **7** 8, 27. Il a été repris par les grands prophètes (sauf Ézéchiel), par les prophètes postexiliques (surtout Zacharie) et dans les Psaumes.

*d)* Aujourd'hui Seilûn, env. 20 km au sud de Naplouse. L'arche y fut installée au temps des Juges, peut-être déjà sous Josué, cf. Jos **18** 1+, dans un sanctuaire qui fut détruit, cf. Jr **7** 12; **26** 6, 9; Ps **78** 60, probablement par les Philistins après la défaite racontée à 1 S **4**. Le pèlerinage annuel est celui de la fête des Tentes.

*e)* « bien qu'il » grec; hébr. corrompu.

*f)* Le sanctuaire de l'arche à Silo n'est pas une tente, comme au désert, mais un bâtiment, cf. **1** 9; **3** 2, 3, 15.

*g)* La phrase est corrigée d'après le grec; « après qu'elle eut mangé à Silo et après qu'on eut bu » hébr.

*h)* Samuel sera le fils accordé par Dieu à une mère stérile, comme Isaac, Samson, Jean-Baptiste. L'enfant à naître est voué par sa mère à Yahvé, comme serviteur du sanctuaire. Les cheveux longs seront le signe de cette consécration, comme pour Samson. Mais il n'est pas dit expressément de Samuel qu'il sera *nazîr*, cf. Nb **6** 1+, comme il est dit de Samson, Jg **13** 5.

*i)* On priait normalement à haute voix; et les fêtes donnaient lieu parfois à des excès de boisson, Is **22** 13; Am **2** 8. D'où la méprise d'Éli.

fermentée, j'épanche mon âme devant Yahvé. 16 Ne
juge pas ta servante comme une vaurienne : c'est
par excès de peine et de dépit que j'ai parlé jusqu'à
maintenant. » 17 Alors Éli lui répondit : « Va en
paix et que le Dieu d'Israël t'accorde ce que tu lui
as demandé. » 18 Elle dit : « Puisse ta servante trouver grâce à tes yeux », et la femme alla son chemin;
elle mangea et son visage ne fut plus le même.

**Naissance et consécration de Samuel.**

19 Ils se levèrent de bon matin et, après s'être
prosternés devant Yahvé, ils s'en retournèrent et
arrivèrent chez eux, à Rama. Elqana s'unit à sa
femme Anne, et Yahvé se souvint d'elle. 20 Anne
conçut et, au temps révolu, elle mit au monde un
fils qu'elle nomma Samuel « car, dit-elle, je l'ai
demandé à Yahvé [a] ». 21 Le mari Elqana monta,
avec toute sa famille, pour offrir à Yahvé le
sacrifice annuel et accomplir son vœu. 22 Mais
Anne ne monta pas car elle dit à son mari : « Pas
avant que l'enfant ne soit sevré [b]! Alors je le
conduirai; il sera présenté devant Yahvé et il restera là pour toujours. » 23 Elqana, son mari, lui
répondit : « Fais comme il te plaît et attends de
l'avoir sevré. Que seulement Yahvé réalise sa
parole [c]! » La femme resta donc et allaita l'enfant
jusqu'à son sevrage.

24 Lorsqu'elle l'eut sevré, elle l'emmena avec elle,
en même temps qu'un taureau de trois ans [d], une
mesure de farine et une outre de vin, et elle le fit
entrer dans le temple de Yahvé à Silo; l'enfant était
tout jeune. 25 Ils immolèrent le taureau et ils
conduisirent l'enfant à Éli. 26 Elle dit : « S'il te plaît,
Monseigneur! Aussi vrai que tu vis, Monseigneur,
je suis la femme qui se tenait près de toi ici, priant
Yahvé. 27 C'est pour cet enfant que je priais et
Yahvé m'a accordé la demande que je lui ai faite.
28 A mon tour, je le cède à Yahvé tous les jours de
sa vie : il est cédé à Yahvé. » Et, là, ils se prosternèrent devant Yahvé.

Ps 2; 18 **Cantique d'Anne [e].**
↗ Lc 1 45-55

**2** 1 Alors Anne fit cette prière :
Lc 1 47 « Mon cœur exulte en Yahvé,
Is 61 10 ma corne s'élève en mon Dieu,
ma bouche est large ouverte contre mes ennemis,
car je me réjouis en ton secours.

2 Point de Saint comme Yahvé Lv 17 1+
(car il n'y a personne excepté toi),
point de Rocher comme notre Dieu. Ps 18 3+

3 Ne multipliez pas les paroles hautaines,
que l'arrogance ne sorte pas de votre bouche.
Un Dieu plein de savoir, voilà Yahvé,
à lui de peser les actions.

4 L'arc des puissants est brisé,
mais les défaillants sont ceinturés de force. Is 40 29
5 Les rassasiés s'embauchent pour du pain,
mais les affamés cessent de travailler [f].
La femme stérile enfante sept fois, Ps 113 9
mais la mère de nombreux enfants se flétrit. Is 54 1

6 C'est Yahvé qui fait mourir et vivre, Dt 32 39
qui fait descendre au shéol et en remonter. 2 R 5 7
7 C'est Yahvé qui appauvrit et qui enrichit, Sg 16 13 Ps 30 4
qui abaisse et aussi qui élève. Tb 13 2 Jc 4 12

8 Il retire de la poussière le faible, ↗ Lc 1 52-53 Ps 113 7-8
du fumier il relève le pauvre,
pour les faire asseoir avec les nobles
et leur assigner un siège d'honneur;
car à Yahvé sont les piliers de la terre, Ps 75 4; 104 5
sur eux il a posé le monde. Jb 9 6; 38 6

9 Il garde les pas de ses fidèles,
mais les méchants disparaissent dans les ténèbres
(car ce n'est pas par la force que l'homme triomphe).
10 Yahvé, ses ennemis sont brisés,
le Très Haut [g] tonne dans les cieux.

Yahvé juge les confins de la terre, Ps 98 9
il donne la force à son Roi,
il exalte la vigueur de son Oint. » Ps 89 25

11 Elqana partit pour Rama dans sa maison mais
l'enfant restait à servir Yahvé, en présence du prêtre Éli.

**Les fils d'Éli.**

12 Or les fils d'Éli étaient des vauriens, qui ne se
souciaient pas de Yahvé 13 ni du droit des prêtres Dt 18 3
vis-à-vis du peuple [h] : si quelqu'un offrait un

a) Cette explication par la racine *sha'al*, « demander », devrait conduire au nom de *sha'ul*, « Saül ». L'étymologie biblique se contente ici d'une vague assonance. « Samuel » s'explique plutôt par *Shem-El*, « le Nom de Dieu » ou « le Nom (de Dieu) est El ».

b) Les enfants étaient sevrés tard.

c) Les versions et 4 Q ont "ta parole », qui peut sembler meilleur.

d) « un taureau de trois ans » grec, syr.; « trois taureaux » hébr.; mais cf. v. 25.

e) Ce cantique a été appelé « le prototype du *Magnificat* », mais l'accent du *Magnificat* est beaucoup plus personnel. C'est un psaume de l'époque monarchique qui traduit l'espérance des « pauvres », cf. So **2** 3+, et se termine par l'évocation du Roi-Messie. Il a été mis dans la bouche d'Anne à cause de l'allusion du v. $5^b$ à la « femme stérile ». – Texte corrigé aux vv. 1, 3, 5, 10.

f) « De travailler » (*'abod*) conj.; « jusqu'à » (*'ad*) hébr.

g) « Le Très Haut » (*'elyôn*) conj.; « contre lui » (*'alaw*) hébr.

h) Les fils d'Éli ne tiennent pas compte des règles qui fixaient la part des prêtres, cf. Lv **7** 28s; Nb **18** 8s; Dt **18** 35.

Lv 7 29-36 sacrifice, le serviteur du prêtre venait pendant
qu'on cuisait la viande, tenant une fourchette à
trois dents, 14 il piquait dans le chaudron ou dans
la marmite ou dans la terrine ou dans le pot, et le
prêtre s'attribuait tout ce que ramenait la fourchette; on agissait ainsi avec tous les Israélites qui
venaient là, à Silo. 15 Et même, on n'avait pas
encore fait fumer la graisse que le serviteur du prêtre venait et disait à celui qui sacrifiait : « Donne
de la viande à rôtir pour le prêtre, il n'acceptera pas
de toi de la viande bouillie, seulement de la viande
Lv 3 3-5 crue. » 16 Et si cet homme lui disait : « Qu'on fasse
d'abord fumer la graisse, puis prends pour toi à ta
guise », il répondait : « Non, tu vas me donner tout
de suite, sinon je prends de force. » 17 Le péché des
jeunes gens était très grand devant Yahvé, car ils
traitaient avec mépris l'offrande faite à Yahvé.

**Samuel à Silo.**

18 Samuel était au service de Yahvé, un enfant
vêtu du pagne de lin [a]. 19 Sa mère lui faisait un petit
manteau qu'elle lui apportait chaque année, lorsqu'elle montait avec son mari pour offrir le
sacrifice annuel. 20 Éli bénissait Elqana et sa femme
et disait : « Que Yahvé te rende une progéniture de
cette femme, en échange du prêt qu'elle a cédé à
Yahvé », et ils s'en allaient chez eux [b]. 21 Yahvé
visita Anne, elle conçut et elle mit au monde trois
fils et deux filles; le jeune Samuel grandissait
auprès de Yahvé.

**Encore les fils d'Éli.**

22 Bien qu'Éli fût très âgé, il était informé de tout
ce que ses fils faisaient à tout Israël [c]. 23 Il leur dit :
« Pourquoi agissez-vous de la manière que
j'entends dire par tout le peuple [d]? 24 Non, mes fils,
elle n'est pas belle la rumeur que j'entends le peuple
de Yahvé colporter. 25 Si un homme pèche contre
un autre homme, Dieu sera l'arbitre, mais si c'est
contre Yahvé que pèche un homme, qui intercédera
pour lui? » Cependant ils n'écoutèrent pas la voix
de leur père. C'est qu'il avait plu à Yahvé de les
faire mourir [e].
26 Quant au jeune Samuel, il continuait de croître
en taille et en grâce tant auprès de Yahvé qu'auprès Si **46** 13
des hommes. ↗ Lc **2** 52

**Annonce du châtiment [f].** **3** 11-14

27 Un homme de Dieu vint chez Éli et lui dit :
« Ainsi parle Yahvé. Voilà donc que je me suis
révélé à la maison de ton père [g] quand ils étaient
en Égypte, esclaves de la maison de Pharaon. 28 Je
l'ai distinguée de toutes les tribus d'Israël pour
exercer mon sacerdoce, pour monter à mon autel,
pour faire fumer l'offrande, pour porter l'éphod [h] en
ma présence, et j'ai concédé à la maison de ton père
toutes les viandes offertes par les Israélites.
29 Pourquoi piétinez-vous l'offrande et le sacrifice
que j'ai ordonnés pour ma Demeure, et honores-tu
tes fils plus que moi, en vous engraissant du meilleur de toutes les offrandes d'Israël, mon peuple [i]?
30 C'est pourquoi – oracle de Yahvé, Dieu d'Israël
– j'avais bien dit que ta maison et la maison de ton
père marcheraient en ma présence pour toujours [j],
mais maintenant – oracle de Yahvé – je m'en garderai! Car j'honore ceux qui m'honorent et ceux 2 S **22** 26
qui me méprisent sont traités comme rien. 31 Voici Ps **18** 26
que des jours viennent où j'abattrai ton bras et le
bras de la maison de ton père, en sorte qu'il n'y ait
pas de vieillard dans ta maison. 32 Tu regarderas,
à côté de la Demeure, tout le bien que je ferai à
Israël, et il n'y aura pas de vieillard dans ta maison,
à jamais. 33 Je maintiendrai quelqu'un des tiens
près de mon autel, pour que ses yeux se consument
et que son âme s'étiole, mais tout l'ensemble de ta
maison périra par l'épée des hommes [k]. **22** 18-19;
34 Le présage sera pour toi ce qui va arriver à tes **14** 10+
deux fils, Hophni et Pinhas : le même jour, ils
mourront tous deux. 35 Je me susciterai un prêtre **4** 11
fidèle, qui agira selon mon cœur et mon désir, je
lui assurerai une maison qui dure et il marchera
toujours en présence de mon oint. 36 Quiconque **9** 26+

*a)* En hébreu *éphod,* vêtement sacerdotal, cf. **22** 18; 2 S **6** 14. Il est différent de l'*éphod*-instrument divinatoire, cf. v. 28 et la note. Sur l'*éphod* du grand prêtre, voir Ex **28** 6+.

*b)* V. corrigé d'après grec, sam. et 4 Q; hébr. corrompu.

*c)* L'hébr. ajoute « et qu'ils couchaient avec les femmes qui faisaient le service à l'entrée de la tente du Rendez-vous », glose inspirée d'Ex **38** 8 et qui manque dans le grec.

*d)* L'hébr. ajoute « ces vilaines choses », glose.

*e)* Comme ailleurs dans la Bible, Ex **4** 21; Jos **11** 20; Is **6** 9-10, etc., l'endurcissement du pécheur est rapporté à Yahvé comme à la cause première. Mais cette manière de parler ne prétend nullement nier la liberté humaine.

*f)* Cet épisode est une insertion postérieure; il fait double emploi avec **3** 11-14. La mort d'Hophni et de Pinhas, **4** 11, ne sera que le « présage », v. 34, des malheurs futurs annoncés au v. 33 : massacre des prêtres de Nob, descendants d'Éli, **22** 18-19, sauf Ébyatar, **22** 22-23, qui sera destitué par Salomon, 1 R **2** 27; au v. 35, substitution de la famille de Sadoq qui, à partir de Salomon, gardera la faveur du roi, « l'oint du Seigneur »; mais le v. 36 ne correspond pas à la situation décrite en 2 R **23** 9 et la composition n'est pas aussi tardive que l'époque de Josias.

*g)* Lévi.

*h)* Ce n'est pas un vêtement qu'on ceint, comme l'*éphod* du v. 18, c'est un objet qu'on « porte » ou qu'on « apporte », **14** 3; **23** 6; **30** 7, et qui contient les sorts sacrés par lesquels on consulte Yahvé, **14** 18s; **23** 9s; **30** 8, voir **14** 41+. Il apparaît à l'époque des Juges, Jg **17** 5; **18** 14s (l'*éphod* de Gédéon, Jg **8** 26s, sera condamné comme un symbole idolâtrique) et il n'est plus mentionné dans les récits postérieurs à David (une allusion en Os **3** 4).

*i)* Texte et sens incertains, de même au v. 32.

*j)* C'est-à-dire : serviraient fidèlement Yahvé et jouiraient de sa faveur.

*k)* « ses yeux », « son âme » grec; « tes yeux », « ton âme » hébr. – « l'épée » grec; omis par hébr.

subsistera de ta famille viendra se prosterner
devant lui pour avoir une piécette d'argent et une
galette de pain, et dira : " Je t'en prie, attache-moi
à n'importe quelle fonction sacerdotale, pour que
j'aie un morceau de pain à manger ". »

**L'appel de Dieu à Samuel** [a].

**3** [1] Le jeune Samuel servait donc Yahvé en pré-
sence d'Éli; en ce temps-là, il était rare que
Yahvé parlât, les visions n'étaient pas fréquentes.
[2] Or, un jour, Éli était couché dans sa chambre –
ses yeux commençaient de faiblir et il ne pouvait
Ex **27** 20s plus voir – [3] la lampe de Dieu n'était pas encore
Lv **24** 3 éteinte et Samuel était couché dans le sanctuaire de
Yahvé, là où se trouvait l'arche de Dieu [b]. [4] Yahvé
Ex **25** 22+ appela : « Samuel, Samuel! » Il répondit : « Me
voici! » [5] et il courut près d'Éli et dit : « Me voici,
puisque tu m'as appelé. » – « Je ne t'ai pas appelé,
dit Éli; retourne te coucher. » Il alla se coucher.
[6] Yahvé recommença d'appeler : « Samuel,
Samuel! » Il se leva et alla près d'Éli et dit : « Me
voici, puisque tu m'as appelé. » – « Je ne t'ai pas
appelé, mon fils, dit Éli; retourne te coucher. »
[7] Samuel ne connaissait pas encore Yahvé et la
parole de Yahvé ne lui avait pas encore été révélée.
[8] Yahvé recommença d'appeler Samuel pour la
troisième fois. Il se leva et alla près d'Éli et dit :
« Me voici, puisque tu m'as appelé. » Alors Éli
comprit que c'était Yahvé qui appelait l'enfant [9] et
il dit à Samuel : « Va te coucher et, si on t'appelle,
tu diras : Parle, Yahvé, car ton serviteur écoute »,
et Samuel alla se coucher à sa place.
[10] Yahvé vint et se tint présent. Il appela comme
les autres fois : « Samuel, Samuel! », et Samuel
répondit : « Parle, car ton serviteur écoute. »
[11] Yahvé dit à Samuel : « Je m'en vais faire en
Israël une chose telle que les deux oreilles en tinteront à quiconque l'apprendra. [12] En ce jour-là,
j'accomplirai contre Éli tout ce que j'ai dit sur sa 2 27-36
maison, du commencement à la fin [c]. [13] Tu lui
annonceras [d] que je condamne sa maison pour toujours; parce qu'il a su que ses fils maudissaient
Dieu et qu'il ne les a pas corrigés. [14] C'est pourquoi
– je le jure à la maison d'Éli – ni sacrifice ni
offrande n'effaceront jamais la faute de la maison
d'Éli. »
[15] Samuel reposa jusqu'au matin, puis il ouvrit
les portes du temple de Yahvé. Samuel craignait de
raconter la vision à Éli, [16] mais Éli l'appela en
disant : « Samuel, mon fils! », et il répondit : « Me
voici! » [17] Il demanda : « Quelle est la parole qu'il
t'a dite? Ne me cache rien! Que Dieu te fasse ce Rt **1** 17+
mal et qu'il ajoute encore cet autre si tu me caches
un mot de ce qu'il t'a dit. » [18] Alors Samuel lui rapporta tout, il ne lui cacha rien. Éli dit : « Il est
Yahvé; qu'il fasse ce qui lui semble bon! » Jb **1** 21
[19] Samuel grandit. Yahvé était avec lui et ne **2** 21
laissa rien tomber à terre de tout ce qu'il lui avait Gn **39** 2
dit. [20] Tout Israël sut, depuis Dan jusqu'à Bersabée, Jg **20** 1+
que Samuel était accrédité comme prophète de
Yahvé. [21] Yahvé continua de se manifester à Silo,
car il se révélait à Samuel, à Silo,

**4** [1] et la parole de Samuel fut pour tout Israël
comme la parole de Yahvé [e]. Éli était très âgé
et ses fils persévéraient dans leur mauvaise
conduite à l'égard de Yahvé [f].

## 2. *L'ARCHE CHEZ LES PHILISTINS* [g]

**Défaite des Israélites et capture de l'arche.**

Il advint en ce temps-là que les Philistins se rassemblèrent pour combattre Israël [h], et les Israélites
sortirent à leur rencontre pour le combat. Ils cam-
Jos **13** 2+ pèrent près d'Ében-ha-Ézèr, tandis que les Philis-
1 S **29** 1 tins étaient campés à Apheq [i]. [2] Les Philistins
s'étant mis en ligne contre Israël, il y eut un rude
combat et Israël fut battu devant les Philistins :
environ quatre mille hommes furent tués dans les
lignes, en rase campagne [j]. [3] L'armée revint au
camp et les anciens d'Israël dirent : « Pourquoi
Yahvé nous a-t-il fait battre aujourd'hui par les
Philistins? Allons chercher à Silo l'arche de notre

*a)* Première révélation qui consacre Samuel comme prophète, v. 20. Ce n'est pas un songe : la voix réveille Samuel. Ce n'est une « vision » qu'au sens large, car Samuel ne voit pas Yahvé, il l'entend seulement.
*b)* C'est au-dessus de l'arche que Yahvé se rend présent et communique ses ordres, cf. Ex **25** 22; Is **6**.
*c)* Probablement ajouté après l'insertion de **2** 27-36.
*d)* « Tu lui annonceras » conj.; « je lui ai annoncé » hébr. – « Dieu » (*'elohîm*) grec; « à eux » (*lahem*) hébr.
*e)* « comme la parole de Yahvé » conj.; hébr. a : « dans la parole de Yahvé », placé à la fin du v. précédent.
*f)* « Éli... Yahvé » grec; omis par hébr.
*g)* Cette histoire, **4** 1b-7, n'a avec la précédente que des liens accessoires, les mentions de Silo, d'Éli et de ses fils. Samuel n'y paraît plus. L'arche (cf. Ex **25** 10+ et 2 S **6** 7+) est maintenant le sujet principal. Par son contenu, son cadre géographique et son humour, le récit s'apparente à l'histoire de Samson, Jg **13-16**. D'abord indépendant, il a servi de préface à l'histoire monarchiste de l'institution de la royauté, **9-11**, qui se poursuit avec la reprise des guerres philistines, **13-14**. Pour avoir la suite de l'histoire de l'arche, il faut passer à 2 S **6**, puis à 1 R **8** 1-11.
*h)* « Il advint... Israël » grec; omis par hébr.
*i)* Au nord du territoire des Philistins.
*j)* « furent tués » versions; « (les Philistins) tuèrent » hébr.

Nb 10 35s Dieu [a], qu'elle vienne au milieu de nous et qu'elle
2 S 11 11 nous sauve de l'emprise de nos ennemis [b]. »
4 L'armée envoya à Silo et on enleva de là l'arche
de Yahvé Sabaot, qui siège sur les chérubins [c]; les
deux fils d'Éli, Hophni et Pinhas, accompagnaient
l'arche. 5 Quand l'arche de Yahvé arriva au camp,
tous les Israélites poussèrent une grande acclamation [d], qui fit résonner la terre. 6 Les Philistins
entendirent le bruit de l'acclamation et dirent :
« Que signifie cette grande acclamation au camp
des Hébreux? », et ils connurent que l'arche de
Yahvé était arrivée au camp. 7 Alors les Philistins
eurent peur, car ils se disaient : « Dieu est venu au
camp! » Ils dirent : « Malheur à nous! Car une
chose pareille n'est pas arrivée auparavant.
8 Malheur à nous! Qui nous délivrera de la main
de ce Dieu puissant? C'est lui qui a frappé l'Égypte
de toutes sortes de plaies au désert. 9 Prenez courage et soyez virils, Philistins, pour n'être pas
asservis aux Hébreux comme ils vous ont été asservis; soyez virils et combattez! » 10 Les Philistins
livrèrent bataille, les Israélites furent battus et chacun s'enfuit à ses tentes; ce fut un très grand massacre et trente mille hommes de pied tombèrent du
côté d'Israël. 11 L'arche de Dieu fut prise et les
deux fils d'Éli moururent, Hophni et Pinhas.

**Mort d'Éli.**

12 Un homme de Benjamin courut hors des lignes
et atteignit Silo le même jour, les vêtements déchirés et la tête couverte de poussière. 13 Lorsqu'il
arriva, Éli était assis sur son siège, à côté de la
porte, surveillant la route [e], car son cœur tremblait
pour l'arche de Dieu. Cet homme donc vint apporter la nouvelle à la ville, et ce furent des cris dans
toute la ville. 14 Éli entendit les cris et demanda :
« Quelle est cette grande rumeur? » L'homme se
hâta et vint avertir Éli. – 15 Celui-ci avait quatre-
vingt-dix-huit ans, il avait le regard fixe et ne pouvait plus voir. – 16 L'homme dit à Éli : « J'arrive du
camp [f], je me suis enfui des lignes aujourd'hui », et
celui-ci demanda : « Que s'est-il passé, mon fils? »
17 Le messager répondit : « Israël a fui devant les
Philistins, ce fut même une grande défaite pour
l'armée, et encore tes deux fils sont morts, et l'arche
de Dieu a été prise! » 18 A cette mention de l'arche
de Dieu, Éli tomba de son siège à la renverse, en
travers de la porte, sa nuque se brisa et il mourut,
car l'homme était âgé et pesant. Il avait jugé Israël
pendant quarante ans [g].

**Mort de la femme de Pinhas.**

19 Or sa bru, la femme de Pinhas, était enceinte
et sur le point d'accoucher. Dès qu'elle eut appris
la nouvelle relative à la prise de l'arche de Dieu et
à la mort de son beau-père et de son mari, elle s'accroupit et elle accoucha, car ses douleurs l'avaient
assaillie. 20 Comme elle était à la mort, celles qui Gn 35 16s
l'assistaient lui dirent : « Aie confiance, c'est un fils
que tu as enfanté! », mais elle ne répondit pas et n'y
fit pas attention. 21 Elle appela l'enfant Ikabod,
disant : « La gloire a été bannie d'Israël [h] », par
allusion à la prise de l'arche de Dieu, et à son beau-
père et son mari. 22 Elle dit : « La gloire a été bannie d'Israël, parce que l'arche de Dieu a été prise. »

**Déboires des Philistins avec l'arche [i].**

5 1 Lorsque les Philistins se furent emparés de
l'arche de Dieu, ils la conduisirent d'Ében-ha-
Ézèr à Ashdod [j]. 2 Les Philistins prirent l'arche de
Dieu, l'introduisirent dans le temple de Dagôn et Jg 16 23+
la déposèrent à côté de Dagôn [k]. 3 Quand les Ashdodites se levèrent le lendemain matin et vinrent au
temple de Dagôn [l], voilà que Dagôn était tombé sur
sa face, par terre, devant l'arche de Yahvé. Ils rele- Is 45 5s,
vèrent Dagôn et le remirent à sa place. 4 Mais, 20s
quand ils se levèrent le lendemain de bon matin,
voilà que Dagôn était tombé sur sa face, par terre,
devant l'arche de Yahvé, et la tête de Dagôn et ses
deux mains gisaient coupées sur le seuil : il ne restait à sa place que le tronc de Dagôn [m]. 5 C'est
pourquoi les prêtres de Dagôn et tous ceux qui
entrent dans le temple de Dagôn ne foulent pas du
pied le seuil de Dagôn à Ashdod, encore
aujourd'hui [n].

*a)* L'hébr. surchargé porte, ici et aux vv. 4-5 : « l'arche de l'alliance de Yahvé (ou : de Dieu) ».
*b)* L'arche est le signe de la présence de Yahvé, v. 7, mais ce même v. indique qu'elle n'accompagnait l'armée qu'exceptionnellement, cf. Jos **6** 6; 2 S **11** 11.
*c)* Première mention de ce titre qui est en relation avec le sanctuaire de Silo, cf. **1** 3+. Les chérubins sont les sphinx ailés qui flanquaient les trônes divins ou royaux de l'ancienne Syrie. A Silo comme dans le Temple de Jérusalem, 1 R **8** 6, les chérubins et l'arche sont le trône de Yahvé, le « siège » de la présence invisible.
*d)* Ce cri religieux et guerrier appartenait au rituel de l'arche, cf. Nb **10** 5+.
*e)* Traduit d'après grec; l'hébr. est corrompu.
*f)* « du camp » grec; « des lignes » hébr. influencé par la suite du v.
*g)* Éli est improprement assimilé aux Juges d'Israël, cf. Jg **3** 7+. « Quarante ans » est un chiffre rond exprimant la durée d'une génération.
*h)* *Ey-kabôd* : « où est la gloire? » Cette gloire est celle de Yahvé qui trône sur l'arche.
*i)* Les Philistins et leur dieu Dagôn, cf. Jg **16** 23+, qui vont subir les effets redoutables de la sainteté de l'arche, où Yahvé se rend présent, 1 S **6** 7+.
*j)* L'une des cinq villes philistines; de même Gat, v. 8, et Eqrôn, v. 10. Cf. **6** 17 et Jos **13** 2+, et voir la carte.
*k)* Comme le trophée du dieu vaincu.
*l)* « vinrent au temple de Dagôn » grec; omis par hébr.
*m)* « le tronc de Dagôn » versions; « Dagôn » hébr.
*n)* En réalité, c'était une coutume assez répandue dans l'anti-

6 La main de Yahvé s'appesantit sur les Ashdodi-
Ps 78 66 tes : il les ravagea et les affligea de tumeurs, Ashdod et son territoire [a]. 7 Quand les gens d'Ashdod
virent ce qui arrivait, ils dirent : « Que l'arche du
Dieu d'Israël ne reste pas chez nous, car sa main
s'est raidie contre nous et contre notre dieu
Dagôn. » 8 Ils firent donc convoquer tous les
Jos 13 2+ princes des Philistins auprès d'eux et dirent : « Que
devons-nous faire de l'arche du Dieu d'Israël? » Ils
décidèrent : « C'est à Gat que s'en ira l'arche du
Dieu d'Israël », et on emmena l'arche du Dieu
d'Israël. 9 Mais après qu'ils l'eurent amenée, la
main de Yahvé fut sur la ville et il y eut une très
grande panique : les gens de la ville furent frappés,
du plus petit au plus grand, et il leur sortit des
tumeurs. 10 Ils envoyèrent alors l'arche de Dieu à
Éqrôn, mais lorsque l'arche de Dieu arriva à
Éqrôn, les Éqronites s'écrièrent : « Ils m'ont amené
l'arche du Dieu d'Israël pour me faire périr moi et
mon peuple! » 11 Ils firent convoquer tous les
princes des Philistins et dirent : « Renvoyez l'arche
du Dieu d'Israël, et qu'elle retourne à son lieu et
ne me fasse pas mourir, moi et mon peuple. » Il y
avait en effet une panique mortelle dans toute la
ville, tant s'y était appesantie la main de Dieu.
12 Les gens qui ne mouraient pas étaient affligés de
tumeurs et le cri de détresse de la ville montait
jusqu'au ciel.

**Renvoi de l'arche.**

**6** 1 L'arche de Yahvé fut sept mois dans le territoire des Philistins. 2 Les Philistins en appelèrent aux prêtres et aux devins et demandèrent :
« Que devons-nous faire de l'arche de Yahvé? Indi-
quez-nous comment nous la renverrons en son
lieu. » 3 Ils répondirent : « Si vous voulez renvoyer
l'arche du Dieu d'Israël, ne la renvoyez pas sans
rien, mais payez-lui une réparation. Alors vous
guérirez et vous saurez pourquoi sa main ne s'était
pas détournée de vous. » 4 Ils demandèrent :
« Quelle doit être la réparation que nous lui paie-
rons? » Ils répondirent : « D'après le nombre des
princes des Philistins, cinq tumeurs d'or et cinq
rats d'or [b], car ce fut la même plaie pour vous et
pour vos princes. 5 Faites des images de vos
tumeurs et des images de vos rats, qui ravagent le
pays, et rendez gloire au Dieu d'Israël [c]. Peut-être Jos 7 19
sa main se fera-t-elle plus légère sur vous, vos dieux Jn 9 24
et votre pays. 6 Pourquoi endurciriez-vous votre
cœur comme l'ont endurci les Égyptiens et Pharaon? Lorsque Dieu les eut malmenés, ne les ont-ils
pas laissés partir? 7 Maintenant, prenez et préparez
un chariot neuf et deux vaches qui allaitent et n'ont Nb 19 2
pas porté le joug [d] : vous attellerez les vaches au Dt 21 3
chariot et vous ramènerez leurs petits en arrière à 2 R 2 20
l'étable [e]. 8 Vous prendrez l'arche de Yahvé et vous
la placerez sur le chariot. Quant aux objets d'or
que vous lui payez comme réparation, vous les
mettrez dans un coffre, à côté d'elle, et vous la laisserez partir. 9 Puis regardez : s'il prend le chemin
de son territoire, vers Bet-Shémesh, c'est lui qui
nous a causé ce grand mal, sinon nous saurons que
ce n'est pas sa main qui nous a frappés et que cela
nous est arrivé par accident [f]. »
10 Ainsi firent les gens : ils prirent deux vaches
qui allaitaient et ils les attelèrent au chariot, mais
ils retinrent les petits à l'étable. 11 Ils placèrent
l'arche de Yahvé sur le chariot, ainsi que le coffre
avec les rats d'or et les images de leurs tumeurs.
12 Les vaches prirent tout droit la route de Bet-
Shémesh et gardèrent le même chemin, elles meu-
glaient en marchant, sans dévier ni à droite ni à
gauche. Les princes des Philistins les suivirent
jusqu'aux confins de Bet-Shémesh.

**L'arche à Bet-Shémesh.**

13 Les gens de Bet-Shémesh faisaient la moisson
des blés dans la plaine. Levant les yeux, ils virent
l'arche et ils allèrent avec joie à sa rencontre [g].
14 Lorsque le chariot fut arrivé au champ de Josué
de Bet-Shémesh, il s'y arrêta. Il y avait là une
grande pierre [h]. On fendit le bois du chariot et on
offrit les vaches en holocauste à Yahvé. 15 Les lévites avaient descendu [i] l'arche de Yahvé et le coffre
qui était près d'elle et qui contenait les objets d'or,
et ils avaient déposé le tout sur la grande pierre.
Les gens de Bet-Shémesh offrirent ce jour-là des
holocaustes et firent des sacrifices à Yahvé.

quité de sauter le seuil, considéré comme l'habitation des esprits.

*a)* Les « tumeurs » sont vraisemblablement des hémorroïdes, ce qui conviendrait bien à l'humour un peu dru de tout ce récit.

*b)* Si les « tumeurs » étaient les bubons de la peste, ces rats, mentionnés ici pour la première fois, pourraient être les propagateurs du fléau (à supposer qu'on ait alors connu leur rôle comme porteurs de germes). Mais, d'après le v. 5, il s'agit d'une invasion de rats des champs. Le ch. **6** mentionne deux fléaux : les tumeurs qui font souffrir les hommes, les rats qui ravagent le pays. Ou bien il combine deux traditions.

*c)* C'est-à-dire : « reconnaissez votre faute envers lui », cf. Jos **7** 19.

*d)* Un chariot neuf, des bêtes qui n'ont pas travaillé, à cause de l'usage sacré qu'on va en faire, cf. 2 R **2** 20; Nb **19** 2; Dt **21** 3.

*e)* Les vaches, séparées de leurs veaux, partiront cependant, v. 12, témoignage éclatant qu'elles sont menées par Dieu, v. 9. Comparez 1 R **18**, où Élie accumule les obstacles au miracle.

*f)* Dans tout ce récit, les pronoms peuvent se rapporter soit à Dieu, soit à l'arche (masculin en hébreu). Mais cela s'équivaut, car on ne distingue pas entre Dieu et l'arche, signe de sa présence.

*g)* « à sa rencontre » grec; « pour voir » hébr.

*h)* Toute grande pierre peut servir d'autel, **14** 33.

*i)* Le v. 15[a], qui interrompt le récit, est dû au scrupule d'un rédacteur, scandalisé que des mains profanes aient touché à l'arche.

16 Quand les cinq princes des Philistins eurent vu
cela, ils revinrent à Éqrôn, le même jour. 17 Voici
les tumeurs d'or que les Philistins payèrent en réparation à Yahvé : pour Ashdod une, pour Gaza une,
pour Ashqelôn une, pour Gat une, pour Éqrôn une.
18 Et des rats d'or, autant que toutes les villes des
Philistins, celles des cinq princes, depuis les villes
fortes jusqu'aux villages ouverts. Témoin la grande
pierre sur laquelle on déposa l'arche de Yahvé, et
qui est encore aujourd'hui dans le champ de Josué
de Bet-Shémesh [a]. 19 Les fils de Yekonya, parmi les
gens de Bet-Shémesh, ne s'étaient pas réjouis lorsqu'ils avaient vu l'arche de Yahvé, et Yahvé frappa
soixante-dix hommes [b] d'entre eux. Et le peuple fut
en deuil, parce que Yahvé l'avait durement
frappé [c].

**L'arche à Qiryat-Yéarim.**

20 Alors les gens de Bet-Shémesh dirent : « Qui
Ps 76 8 pourrait tenir en face de Yahvé, le Dieu Saint?
Ml 3 2 Chez qui montera-t-il loin de nous? » 21 Ils envoyèrent des messagers aux habitants de Qiryat-Yéarim [d], avec ces mots : « Les Philistins ont rendu
l'arche de Yahvé. Descendez et faites-la monter
chez vous. »

**7** 1 Les gens de Qiryat-Yéarim vinrent et firent
monter l'arche de Yahvé. Ils la conduisirent
dans la maison d'Abinadab, sur la hauteur, et ils
consacrèrent [e] son fils Éléazar pour garder l'arche
de Yahvé.

**Samuel juge et libérateur [f].**

2 Depuis le jour où l'arche fut installée à Qiryat-
Yéarim un long temps s'écoula – vingt ans – et
Jg 6 6-10; toute la maison d'Israël soupira après Yahvé.
10 10-16 3 Alors Samuel parla ainsi à toute la maison
d'Israël : « Si c'est de tout votre cœur que vous
revenez à Yahvé, écartez les dieux étrangers du
milieu de vous, et les Astartés, fixez votre cœur en
Yahvé et ne servez que lui : alors il vous délivrera
de la main des Philistins. » 4 Les Israélites écarte-
rent donc les Baals et les Astartés et ne servirent Jg 2 13+
que Yahvé.

5 Samuel dit : « Rassemblez tout Israël à Miçpa [g]
et je supplierai Yahvé pour vous. » 6 Ils se rassem- Jg 20 1
blèrent donc à Miçpa, ils puisèrent de l'eau qu'ils 1 S 10 17
répandirent devant Yahvé, ils jeûnèrent ce jour-là
et ils dirent : « Nous avons péché contre Yahvé. »
Et Samuel jugea les Israélites à Miçpa.

7 Lorsque les Philistins surent que les Israélites
s'étaient rassemblés à Miçpa, les princes des Philistins montèrent à l'attaque d'Israël. Les Israélites
l'apprirent et ils eurent peur des Philistins. 8 Ils
dirent à Samuel : « Ne cesse pas d'invoquer Yahvé Ex 17 6-13
notre Dieu, pour qu'il nous délivre de la main des
Philistins. » 9 Samuel prit un agneau de lait et l'of- Si 46 16-18
frit en holocauste complet à Yahvé, il invoqua
Yahvé pour Israël et Yahvé l'exauça. 10 Pendant
que Samuel offrait l'holocauste, les Philistins engagèrent le combat contre Israël, mais Yahvé, ce jour-
là, tonna à grand fracas sur les Philistins, il les
frappa de panique et ils furent battus devant Israël.
11 Les gens d'Israël sortirent de Miçpa et poursuivirent les Philistins, et ils les battirent jusqu'en dessous de Bet-Kar [h]. 12 Alors Samuel prit une pierre
et la dressa entre Miçpa et La Dent, et il lui donna
le nom d'Ében-ha-Ézer, en disant : « C'est jusqu'ici
que Yahvé nous a secourus [i]. »

13 Les Philistins furent abaissés. Ils ne revinrent Jg 3 30;
plus sur le territoire d'Israël et la main de Yahvé 8 28; 11 33
pesa sur les Philistins pendant toute la vie de
Samuel. 14 Les villes que les Philistins avaient prises à Israël lui firent retour depuis Éqrôn jusqu'à
Gat, et Israël délivra leur territoire de la main des
Philistins. Il y eut paix entre Israël et les Amorites.

15 Samuel jugea Israël pendant toute sa vie. 16 Il Jg 12 7, 9, 11,
allait chaque année faire une tournée par Béthel, 14; 16 31
Gilgal, Miçpa, et il jugeait Israël en tous ces
endroits. 17 Puis il revenait à Rama, car c'est là
qu'il avait sa maison et qu'il jugeait Israël. Il y
construisit un autel à Yahvé.

*a)* « Témoin la grande pierre » corr. d'après Targ.; « jusqu'à la grande prairie » hébr.

*b)* Traduit d'après grec. – Le texte ajoute ici une glose : « cinquante mille hommes ».

*c)* Après les Philistins, les Israélites éprouvent combien l'arche est redoutable à qui ne la respecte pas, cf. 2 S **6** 7+.

*d)* C'était une ville gabaonite, Jos **9** 17. L'arche y sera comme en terrain neutre, entre Philistins et Israélites.

*e)* Bien qu'il ne soit pas lévite, cf. Jg **17** 5.

*f)* Ce ch. n'est pas la suite du précédent : Samuel n'y paraissait pas et il joue ici le premier rôle. Le récit est généralement considéré comme la préface à une version « antimonarchiste » de l'institution de la royauté, qu'on trouverait dans **8**; **10** 17-24; **12**. C'est plutôt une tradition particulière du sanctuaire de Miçpa. Elle expliquait le nom d'Ében-ha-Ézer par un secours apporté par Dieu en réponse à une liturgie de pénitence. Samuel fait figure d'intercesseur, comme Moïse, Ex **32** 11+; cf. Jr **15** 1, et de juge, comme Moïse encore, Ex **18** 13s. D'après les vv. 15-17, Samuel et ses fils après lui, **8** 1-3, furent les derniers des « petits » Juges, Jg **10** 1-5; **12** 8-15. Les vv. 13-14 le transforment en un « grand » Juge, un libérateur, mais cela ne s'accorde pas avec **9** 16; **10** 5; **13-14**. La libération du territoire fut tentée par Saül et réalisée par David.

*g)* Miçpa était un sanctuaire où se réunissait l'ancien Israël, v. 6; **10** 17-24, cf. Jg **20** 1, 3; **21** 1, 5, 8. Il faut distinguer cette Miçpa de celle de 1 R **15** 22 et Jr **40-41**, qui est localisée à Tell en-Nasbeh, où l'occupation israélite n'a été importante qu'après Salomon. Miçpa est un nom commun qui signifie « la Guette » et l'on est tenté d'identifier la Miçpa de l'époque des Juges et de Samuel avec la hauteur de Nebi-Samwil, poste d'observation exceptionnel, au nord de Jérusalem, qui serait le haut lieu de Gabaôn. « Le plus grand haut lieu » à l'époque de Salomon (1 R **3** 4).

*h)* Site inconnu. On a proposé de corriger en Bet-Horôn.

*i)* C'est-à-dire « pierre du secours ». Le site est différent de l'Ében-ha-Ézer de **4** 1.

# II. Samuel et Saül

## 1. INSTITUTION DE LA ROYAUTÉ [a]

**Le peuple demande un roi [b].**

8 1 Lorsque Samuel fut devenu vieux, il établit
ses fils comme juges en Israël [c]. 2 Son fils aîné
s'appelait Yoël et son cadet Abiyya; ils étaient
juges à Bersabée. 3 Mais ses fils ne suivirent pas
son exemple : ils furent attirés par le gain, acceptèrent des présents et firent fléchir le droit. 4 Tous les
anciens d'Israël se réunirent et vinrent trouver
Samuel à Rama. 5 Ils lui dirent : « Tu es devenu
vieux et tes fils ne suivent pas ton exemple. Eh
Dt 17 14 bien! établis-nous un roi pour qu'il nous juge,
↗ Ac 13 21 comme toutes les nations [d]. » 6 Cela déplut à
Samuel qu'ils aient dit : « Donne-nous un roi, pour
qu'il nous juge », et il invoqua Yahvé. 7 Mais Yahvé
dit à Samuel : « Satisfais à tout ce que te dit le peuple, car ce n'est pas toi qu'ils ont rejeté, c'est moi
12 12 qu'ils ont rejeté, ne voulant plus que je règne sur
Jg 8 22-23 eux. 8 Tout ce qu'ils m'ont fait depuis le jour où je
les ai fait monter d'Égypte jusqu'à maintenant – ils
Jg 10 13 m'ont abandonné et ont servi des dieux étrangers
1 R 9 9 – ils te le font aussi. 9 Eh bien, satisfais à leur
demande. Seulement, tu les avertiras solennellement et tu leur apprendras le droit du roi qui va
régner sur eux. »

**Les inconvénients de la royauté.**

10 Samuel répéta toutes les paroles de Yahvé au
peuple qui lui demandait un roi. 11 Il dit : « Voici
1 R 12 le droit du roi qui va régner sur vous [e]. Il prendra
Dt 17 14-20 vos fils et les affectera à sa charrerie et à ses chevaux et ils courront devant son char. 12 Il les 2 S 15 1
emploiera comme chefs de mille et comme chefs de 1 R 1 5
cinquante; il leur fera labourer son labour, moissonner sa moisson, fabriquer ses armes de guerre
et les harnais de ses chars. 13 Il prendra vos filles
comme parfumeuses, cuisinières et boulangères.
14 Il prendra vos champs, vos vignes et vos olive- 1 R 21 1-24
raies les meilleures et les donnera à ses officiers.
15 Sur vos cultures et vos vignes, il prélèvera la
dîme et la donnera à ses eunuques et à ses officiers.
16 Les meilleurs de vos serviteurs, de vos servantes
et de vos bœufs [f], et vos ânes, il les prendra et les
fera travailler pour lui. 17 Il prélèvera la dîme sur
vos troupeaux et vous-mêmes deviendrez ses esclaves. 18 Ce jour-là, vous pousserez des cris à cause 1 R 12 4
du roi que vous vous serez choisi, mais Yahvé ne Pr 1 25-33
vous répondra pas, ce jour-là! » Mi 3 4

19 Le peuple refusa d'écouter Samuel et dit :
« Non! Nous aurons un roi 20 et nous serons, nous
aussi, comme toutes les nations : notre roi nous
jugera, il sortira à notre tête et combattra nos
combats. » 21 Samuel entendit toutes les paroles du
peuple et les redit à l'oreille de Yahvé. 22 Mais
Yahvé lui dit : « Satisfais à leur demande et introni-
se-leur un roi. » Alors Samuel dit aux hommes
d'Israël : « Retournez chacun dans sa ville [g]. »

**Saül et les ânesses de son père [h].**

9 1 Il y avait, parmi les Benjaminites, un homme
qui s'appelait Qish, fils d'Abiel, fils de Çeror, 1 Ch 8 33
fils de Bekorat, fils d'Aphiah; c'était un Benjami-

*a)* C'est un tournant important dans l'histoire politique et religieuse d'Israël. Le sanctuaire de l'arche à Silo a été détruit et l'unité est menacée, en face du péril philistin qui grandit. Renouvelant l'offre faite à Gédéon, Jg **8** 22s, et la tentative d'Abimélek, Jg **9** 1s, une partie du peuple demande un roi, « comme les autres nations », mais un autre courant d'opinion s'y oppose, laissant à Yahvé, seul maître d'Israël, le soin de susciter les chefs que les circonstances exigent, comme il faisait au temps des Juges. Ces deux courants trouvent leur expression dans les récits juxtaposés de l'institution monarchique. Mais il est abusif de parler d'une « version antimonarchiste », **8**; **10** 17-24; **12**, et d'une « version monarchiste », **9** 1 - **10** 16; **11**. Ces traditions diverses, provenant de différents sanctuaires, s'accordent sur le rôle historique et religieux de Samuel. Son importance est d'avoir fait prévaloir une royauté qui respectait les droits de Dieu sur le peuple. Après l'échec du règne de Saül, cela se réalisera sous David. Sa grande personnalité conciliera l'aspect religieux et l'aspect profane de la monarchie en Israël et, en lui, le chef politique ne manquera pas aux devoirs de l'Oint de Yahvé. Mais cet idéal ne sera plus atteint par ses successeurs, et David restera la figure du Roi de l'avenir, par qui Dieu opérera le salut de son peuple, l'Oint du Seigneur, le Messie.

*b)* Ce récit est originaire du sanctuaire de Rama. Samuel s'oppose au mouvement du peuple qui veut un roi « comme les autres nations », cf. v. 5+, mais il n'est pas contre une monarchie qui reconnaîtrait les prérogatives de Yahvé.

*c)* Cf. note *f*, p. 319.

*d)* Israël oublie qu'il n'est pas un peuple comme les autres, il se profane en suivant leur exemple, et en rejetant son véritable roi, Yahvé, cf. v. 7 et **12** 12.

*e)* Ce « droit du roi » a longtemps été considéré comme reflétant les abus du pouvoir royal sous Salomon et ses successeurs. Mais les textes récemment découverts indiquent qu'il représente la pratique des royaumes cananéens antérieurs à Israël.

*f)* « vos bœufs » grec; « vos adolescents » hébr.

*g)* La fin du v., rédactionnelle, permet d'insérer **9** 1 - **10** 16, le récit de l'onction de Saül.

*h)* Le récit **9** 1 - **10** 16 est sans lien avec ce qui précède. Il provient de Rama, et suppose que Saül a été oint encore jeune et que cette onction est restée secrète, comme pour David, **16**. Mais l'onction est associée à la prise de pouvoir. Il est sûr que Saül a été oint, **24** 7, 11; **26** 9, 11, 16, 23; 2 S **1** 14-15, il est vraisemblable qu'il l'a été par Samuel, mais nous ne savons pas dans quelles circonstances. L'histoire est centrée sur Saül, et Samuel est présenté non comme un juge mais comme un prophète que Saül rencontre par hasard. La royauté est voulue par Yahvé, le premier roi est son élu.

nite, homme de condition. 2 Il avait un fils nommé
10 23; 16 12 Saül [a], qui était dans la fleur de l'âge et beau. Nul
parmi les Israélites n'était plus beau que lui : de
l'épaule et au-dessus, il dépassait tout le monde.
3 Les ânesses appartenant à Qish, père de Saül,
s'étant égarées, Qish dit à son fils Saül : « Prends
avec toi l'un des serviteurs et va, pars à la recherche des ânesses. » 4 Ils traversèrent la montagne
d'Éphraïm, ils traversèrent le pays de Shalisha sans
rien trouver; ils traversèrent le pays de Shaalim :
elles n'y étaient pas; ils traversèrent le pays de Ben
jamin sans rien trouver. 5 Lorsqu'ils furent arrivés
au pays de Çuph, Saül dit au serviteur qui
l'accompagnait : « Allons! Retournons, de peur que
mon père ne laisse les ânesses pour s'inquiéter de
nous. » 6 Mais celui-ci lui répondit : « Voici qu'un
Dt 33 1 homme de Dieu habite cette ville-là [b]. C'est un
1 R 13 1 homme réputé : tout ce qu'il dit arrive sûrement.
Jg 13 6 Allons-y donc, peut-être nous éclairera-t-il sur le
voyage que nous avons entrepris. » 7 Saül dit à son
serviteur : « A supposer que nous y allions, qu'of-
frirons-nous à l'homme? Le pain a disparu de nos
sacs et nous n'avons pas de rétribution à offrir à
Nb 22 7 l'homme de Dieu. Qu'avons-nous d'autre [c]? » 8 Le
2 R 5 15 serviteur reprit la parole et dit à Saül : « Il se trouve
que j'ai en main un quart de sicle d'argent, je le
donnerai à l'homme de Dieu [d] et il nous éclairera
sur notre voyage. » 10 Saül dit à son serviteur : « Tu
as bien parlé, allons donc! » Et ils allèrent à la ville
où se trouvait l'homme de Dieu.

**Saül rencontre Samuel.**

11 Comme ils gravissaient la montée de la ville,
Gn 24 11 ils rencontrèrent des jeunes filles qui sortaient pour
Ex 2 16 puiser l'eau et ils leur demandèrent : « Le voyant
Si 46 15 est il là? » – 9 Autrefois en Israël, voici ce qu'on
disait en allant consulter Dieu : « Allons donc chez
le voyant », car au lieu de « prophète » comme
aujourd'hui on disait autrefois « voyant ». – 12 Elles
leur répondirent en ces termes : « Il est là, il t'a
juste précédé. Hâte-toi maintenant : il est venu
aujourd'hui en ville, car il y a aujourd'hui un
sacrifice pour le peuple sur le haut lieu [e]. 13 Dès que
vous entrerez en ville, vous le trouverez avant qu'il
ne monte au haut lieu pour le repas. Le peuple ne
mangera pas avant son arrivée, car c'est lui qui doit
bénir le sacrifice; après quoi, les invités mange- Lv 3 1+
ront [f]. Maintenant, montez : vous le trouverez sur
l'heure. »
14 Ils montèrent donc à la ville. Comme ils
entraient dans la porte [g], Samuel sortait à leur
rencontre pour monter au haut lieu. 15 Or, un jour
avant que Saül ne vînt, Yahvé avait fait cette révé- Ac 9 10-16
lation à Samuel : 16 « Demain à pareille heure,
avait-il dit, je t'enverrai un homme du pays de Benjamin, tu lui donneras l'onction comme chef de
mon peuple Israël, et il délivrera mon peuple de la Ex 3 7, 10
main des Philistins, car j'ai vu la misère [h] de mon
peuple et son cri est venu jusqu'à moi. » 17 Et quand
Samuel aperçut Saül, Yahvé lui signifia : « Voilà
l'homme dont je t'ai dit : C'est lui qui jugera mon Jn 1 33
peuple. » 18 Saül aborda Samuel au milieu de la 1 S 16 12
porte et dit : « Indique-moi, je te prie, où est la maison du voyant. » 19 Samuel répondit à Saül : « Je
suis le voyant. Monte devant moi au haut lieu.
Vous mangerez aujourd'hui avec moi. Je te dirai
adieu demain matin et je t'expliquerai tout ce qui
occupe ton cœur. 20 Quant aux ânesses que tu as
perdues il y a trois jours, ne t'en inquiète pas : elles
sont retrouvées. D'ailleurs, à qui revient toute la
richesse d'Israël? N'est-ce pas à toi et à toute la
maison de ton père [i]? » 21 Saül répondit ainsi : « Ne
suis-je pas un Benjaminite, la plus petite des tribus
d'Israël, et ma famille n'est-elle pas la moindre de
toutes celles de la tribu de Benjamin [j]? Pourquoi
me dire de telles paroles? »
22 Samuel emmena Saül et son serviteur. Il les introduisit dans la salle et leur donna une place en
tête des invités, qui étaient une trentaine. 23 Puis
Samuel dit au cuisinier : « Sers la part que je t'ai
donnée en te disant de la mettre de côté. » 24 Le cuisinier préleva le gigot et la queue, qu'il mit devant
Saül, et il dit : « Voilà posé devant toi ce qu'on a
laissé. Mange!... » Ce jour-là, Saül mangea avec
Samuel [k].
25 Ils descendirent du haut lieu à la ville. On prépara un lit sur la terrasse pour Saül 26 et il se coucha [l].

*a)* C'est-à-dire « demandé » (à Dieu).
*b)* Rama, la ville de Samuel, **7** 17.
*c)* On ne consultait pas un prophète sans lui faire un présent, Nb **22** 7; 1 R **14** 3; 2 R **4** 42; **5** 15; **8** 8. Cf. Am **7** 12; Mi **3** 11; Ez **13** 19.
*d)* Terme rare pour désigner un prophète (dans les récits anciens en prose). D'où la glose du v. 9 qu'il faut lire après le v. 11.
*e)* Les hauts lieux étaient des sanctuaires établis sur une hauteur au voisinage des villes. Ils étaient dans la tradition cananéenne, Yahvé y remplaça Baal, Jg **6** 25s, et le culte légitime les toléra longtemps, 1 R **3** 4s, jusqu'à ce qu'ils soient interdits par la loi sur l'unité du sanctuaire, Dt **12** 2+.
*f)* Le repas sacré était essentiel au sacrifice de communion, cf. Lv **3** 1+.
*g)* « la porte » conj., cf. v. 18; « la ville » hébr.
*h)* « la misère » grec; omis par hébr.
*i)* Première annonce de l'élévation de Saül.
*j)* « la plus petite » versions; « une des plus petites » hébr. – « de la tribu (de Benjamin) » versions; « des tribus » hébr.
*k)* Texte corrompu. Hébr. : « car pour le temps fixé pour toi en disant j'ai invité le peuple ».
*l)* « On prépara... se coucha » grec et Vet. Lat.; « il parla avec Saül sur la terrasse. Ils se levèrent... » hébr.

**Le sacre de Saül [a].**

Dès que parut l'aurore, Samuel appela Saül sur
la terrasse : « Lève-toi, dit-il, je vais te dire adieu. »
Saül se leva, et Samuel et lui sortirent tous deux
au-dehors. 27 Ils étaient descendus à la limite de la
ville quand Samuel dit à Saül : « Ordonne au serviteur qu'il passe devant nous [b], mais toi, reste maintenant, que je te fasse entendre la parole de Dieu. »
**10** 1 Samuel prit la fiole d'huile et la répandit sur
la tête de Saül, puis il l'embrassa et dit :
**9** 16-17 « N'est-ce pas Yahvé qui t'a oint comme chef de
son peuple Israël? C'est toi qui jugeras le peuple
de Yahvé et le délivreras de la main de ses ennemis
**14** 10+ d'alentour. Et voici pour toi le signe que Yahvé t'a
Dt **32** 9 oint comme chef sur son héritage [c]. 2 Quand tu
Dt **7** 6+ m'auras quitté aujourd'hui, tu rencontreras deux
hommes près du tombeau de Rachel, sur la frontière de Benjamin... [d] et ils te diront :" Les ânesses
que tu étais parti chercher sont retrouvées. Voici
que ton père a oublié l'affaire des ânesses et
s'inquiète de vous, se disant : Que faut-il faire pour
mon fils? " 3 Passant outre, tu arriveras au Chêne
de Tabor et tu y rencontreras trois hommes montant vers Dieu à Béthel, l'un portant trois chevreaux, l'autre portant trois miches de pain, le dernier portant une outre de vin. 4 Ils te salueront et
te donneront deux pains, que tu accepteras de leur
main. 5 Ensuite, tu arriveras à Gibéa de Dieu [e] (où
**13** 3 se trouve le préfet [f] des Philistins) et, à l'entrée de
la ville, tu te heurteras à une troupe de prophètes
descendant du haut lieu, précédés de la harpe, du
tambourin, de la flûte et de la cithare, et ils seront
Jg **3** 10+ en délire [g]. 6 Alors l'esprit de Yahvé fondra sur toi,
tu entreras en délire avec eux et tu seras changé
en un autre homme. 7 Lorsque ces signes se seront
réalisés pour toi, agis comme l'occasion se présen-
Gn **39** 2 tera, car Dieu est avec toi. 8 Tu descendras avant
moi à Gilgal [h] et je t'y rejoindrai pour offrir des
Lv **1** 1+; holocaustes et immoler des sacrifices de commu-
**3** 1+
nion. Tu attendras sept jours que je vienne vers toi
et je t'apprendrai ce que tu dois faire. »

**Retour de Saül.**

9 Dès qu'il eut tourné le dos pour quitter Samuel,
Dieu lui changea le cœur et tous ces signes
s'accomplirent le jour même. 10 De là [i] ils arrivèrent à Gibéa et voici qu'une troupe de prophètes **19** 20-24
venait à sa rencontre; l'esprit de Dieu fondit sur lui
et il entra en délire au milieu d'eux. 11 Lorsque ceux
qui le connaissaient de longue date virent qu'il prophétisait avec les prophètes, les gens se dirent l'un
à l'autre : « Qu'est-il arrivé au fils de Qish? Saül
est-il aussi parmi les prophètes? » 12 Un homme du
groupe reprit : « Et qui est leur père [j] ? » C'est
pourquoi il est passé en proverbe de dire : « Saül
est-il aussi parmi les prophètes? »
13 Lorsqu'il fut sorti de transe, il rentra à
Gibéa [k]. 14 L'oncle de Saül lui demanda ainsi qu'à
son serviteur : « Où êtes-vous allés? » – « A la
recherche des ânesses, répondit-il. Nous n'avons
rien vu et nous sommes allés chez Samuel. »
15 L'oncle de Saül lui dit : « Raconte-moi donc ce
que Samuel vous a dit. » 16 Saül répondit à son
oncle : « Il nous a seulement annoncé que les ânesses étaient retrouvées », mais il ne lui raconta pas
l'affaire de la royauté, que Samuel avait dite.

**Saül est désigné comme roi par le sort [l].**

17 Samuel convoqua le peuple auprès de Yahvé **7** 5+
à Miçpa 18 et il dit aux Israélites : « Ainsi parle
Yahvé, le Dieu d'Israël : Moi, j'ai fait monter Israël Jg **6** 8-9
d'Égypte et vous ai délivrés de l'emprise de Ex **20** 2
l'Égypte et de tous les royaumes qui vous oppri- Lv **25** 38
maient. 19 Mais vous, aujourd'hui, vous avez rejeté
votre Dieu, celui qui vous sauvait de tous vos maux
et de toutes vos angoisses, et vous avez dit : " Non,
mais établis sur nous un roi! " Maintenant, comparaissez devant Yahvé par tribus et par clans. »
20 Samuel fit approcher toutes les tribus d'Israël Jos **7** 16-18

*a)* Les rois d'Israël étaient oints par un homme de Dieu (prêtre ou prophète), cf. **16** 13; 1 R **1** 39; 2 R **9** 6; **11** 12. Ce rite donnait au roi un caractère sacré et faisait de lui le vassal de Yahvé : il était « l'oint de Yahvé », cf. **2** 35; **24** 7, 11; **26** 9, 16, et voir Ex **30** 22+.

*b)* Après « devant nous » hébr. ajoute : « et il passa » omis par grec.

*c)* « Yahvé qui t'a oint... le signe » d'après grec et Vulg.; omis par hébr.

*d)* Ici un mot inexplicable en hébr. – La « frontière » est celle entre Benjamin et Éphraïm, d'où vient Saül. C'est, comme Jr **31** 15, la tradition ancienne sur le tombeau de Rachel, qui a été ensuite placé près de Bethléem où on le montre encore, cf. la glose de Gn **35** 19.

*e)* Autre nom de Gibéa, la patrie de Saül, vv. 10s; **11** 4; **15** 34.

*f)* « gouverneurs » versions; hébr. a le pluriel. D'autres traduisent « poste » ou « stèle ». – La parenthèse est une glose qui prépare **13** 3.

*g)* Ces « prophètes », vivant en groupes, demandaient à la musique et à la gesticulation une extase qui devenait contagieuse, **19** 20-24; 1 R **22** 10s. On leur a comparé les confréries de derviches modernes. Les voisins d'Israël connaissaient (ainsi les prophètes de Baal, 1 R **18** 25-29) cette forme inférieure de vie religieuse que le culte de Yahvé toléra longtemps, 1 R **18** 4. On les retrouve, assagis, dans l'entourage d'Élisée, 2 R **2** 3+. Les grands prophètes d'Israël seront d'une autre classe, voir l'Introduction aux Prophètes.

*h)* Près de Jéricho, cf. Jos **4** 19+. Le v. 8 est une insertion préparant **13** 8-15, qui vient d'une source différente.

*i)* Le récit originel devait raconter l'accomplissement des deux premiers signes.

*j)* Ils s'étonnent qu'un homme de la condition de Saül se mêle à ces illuminés, qui devaient être de basse extraction.

*k)* « à Gibéa » grec; « au haut lieu » hébr.

*l)* Tradition du sanctuaire de Miçpa, cf. **7** 5+, parallèle à celle de l'onction, **9** 26 - **10** 16. Pour ce tirage au sort, cf. Jos **7** 14-18.

et la tribu de Benjamin fut désignée par le sort. [21] Il
fit approcher la tribu de Benjamin par clans, et le
clan de Matri fut désigné [a]. Il fit approcher le clan
de Matri homme par homme; et Saül, fils de Qish,
fut désigné; on le chercha, mais on ne le trouva pas
[22] On consulta encore Yahvé : « L'homme est-il
venu ici [b]? » Et Yahvé répondit : « Le voilà caché
parmi les bagages. » [23] On courut l'y prendre et il
9 2 se présenta au milieu du peuple : de l'épaule et
au-dessus, il dépassait tout le monde. [24] Samuel dit
à tout le peuple : « Avez-vous vu celui qu'a choisi
Yahvé? Il n'a pas son pareil dans tout le peuple. »
1 R 1 39 Et tous poussèrent des acclamations et crièrent :
2 R 11 12 « Vive le roi! »
8 11-18 [25] Samuel exposa au peuple le droit du roi [c] et il
Dt 17 18-20 Jos 24 26-28 l'écrivit dans un livre qu'il déposa devant Yahvé.
Puis Samuel renvoya le peuple chacun chez soi.
[26] Saül aussi rentra chez lui à Gibéa, et partirent
avec lui les vaillants dont Dieu avait touché le
11 12-14 cœur [d]. [27] Mais des vauriens dirent : « Comment
celui-là nous sauverait-il? » Ils le méprisèrent et ne
lui offrirent pas de présent.

### Victoire contre les Ammonites [e].

**11** Environ un mois après [f], [1] Nahash l'Ammonite vint dresser son camp contre Yabesh de
Galaad. Tous les gens de Yabesh dirent à Nahash :
« Fais un traité avec nous et nous te servirons. »
[2] Mais Nahash l'Ammonite leur répondit : « Voici
à quel prix je traiterai avec vous : je vous crèverai
à tous l'œil droit, j'en ferai un défi à tout Israël. »
[3] Les anciens de Yabesh lui dirent : « Accorde-nous
une trêve de sept jours. Nous enverrons des messagers dans tout le territoire d'Israël et, si personne
ne vient à notre secours, nous nous rendrons à toi. »
[4] Les messagers arrivèrent à Gibéa de Saül et expo
sèrent les choses aux oreilles du peuple, et tout le
peuple se mit à crier et à pleurer.
[5] Or, voici que Saül revenait des champs derrière
ses bœufs et il demanda : « Qu'a donc le peuple à
pleurer ainsi? » On lui raconta les propos des hommes de Yabesh, [6] et quand Saül entendit ces choses
l'esprit de Yahvé fondit sur lui et il entra dans une 10 10
grande colère. [7] Il prit une paire de bœufs et la Jg 3 10+
dépeça en morceaux qu'il envoya par messagers Jg 19 29
dans tout le territoire d'Israël, avec ces mots :
« Quiconque ne marchera pas à la suite de Saül [g],
ainsi sera-t-il fait de ses bœufs. » Une terreur de 14 15
Yahvé s'abattit sur le peuple et ils marchèrent Gn 35 5
comme un seul homme. [8] Il les passa en revue à
Bézeq : il y avait trois cent mille Israélites et trente
mille hommes de Juda [h]. [9] Il dit aux messagers qui
étaient venus : « Dites aux hommes de Yabesh de
Galaad : Demain, quand le soleil sera ardent, le
secours vous arrivera. » Une fois rentrés, les messagers donnèrent la nouvelle aux hommes de Yabesh,
qui se réjouirent. [10] Ceux-ci dirent à Nahash [i] :
« Demain, nous sortirons vers vous [j] et vous nous
ferez tout ce qu'il vous plaira. »
[11] Le lendemain, Saül disposa l'armée en trois
corps, qui envahirent le camp à la veille du matin, Ex 14 24
et ils battirent les Ammonites jusqu'au plus chaud
du jour. Les survivants se dispersèrent, il n'en resta
pas deux ensemble.

### Saül est proclamé roi [k].

[12] Alors le peuple dit à Samuel : « Qui donc 10 27
disait : " Saül régnera-t-il sur nous? " Livrez ces
gens, que nous les mettions à mort. » [13] Mais Saül
dit : « On ne mettra personne à mort en ce jour, car 2 S 19 23
aujourd'hui Yahvé a opéré un salut en Israël. »
[14] Puis Samuel dit au peuple : « Venez et allons à
Gilgal et nous y renouvellerons la royauté. »
[15] Tout le peuple se rendit à Gilgal et Saül y fut Jos 4 19+
proclamé roi devant Yahvé, à Gilgal. Là, on
immola devant Yahvé des sacrifices de commu- Lv 3 1+
nion, et Saül et tous les hommes d'Israël se livrèrent à de grandes réjouissances.

### Samuel se retire devant Saül [l]. Jos 24 1-28

**12** [1] Samuel dit à tout Israël : « J'ai satisfait à
tout ce que vous m'avez demandé et j'ai fait
régner un roi sur vous. [2] Désormais, c'est le roi qui Nb 27 16-17
marchera devant vous. Pour moi, je suis devenu

*a)* « Il fit approcher le clan de Matri homme par homme » grec; omis par hébr.
*b)* « L'homme est-il venu ici » grec; « Est-il venu ici un homme » hébr.
*c)* Ce « droit du roi », cf. **8** 11-13, est ici un texte écrit, une « constitution », un traité qui lie le roi et le peuple, cf. 2 R **11** 17.
*d)* « les vaillants » grec; hébr. corrompu.
*e)* Tradition de Gilgal indépendante des précédentes : rien n'indique que Saül ait déjà été oint, ni acclamé roi par le peuple. Le récit rappelle ceux des « grands » Juges. Mais la différence est qu'après la victoire, Saül n'est pas reconnu comme juge, il est proclamé roi; et la différence est considérable.
*f)* « Environ un mois après » *(kemehodesh)* versions, à rattacher à **11** 1; « et il fut comme silencieux » *(kemaharish*, à la fin de **10** 27) hébr.
*g)* Le texte ajoute « et de Samuel », glose dans l'esprit du ch. **7**.
*h)* L'énormité des chiffres et la distinction entre Israël et Juda trahissent une main tardive.
*i)* « à Nahash » ajouté pour le sens.
*j)* Les gens de Yabesh jouent sur le mot qui peut signifier « attaquer » ou « se rendre » (comme au v. 3).
*k)* La suite originelle du v. 11 est au v. 15; au lendemain de la victoire, le peuple acclame Saül comme roi. Mais, d'après le récit parallèle, Saül a déjà été proclamé roi à Miçpa, **10** 24. Les vv. 12-14 accordent les deux récits : Saül n'a pas été reconnu par tous, cf. **10** 27, il faut « renouveler » son intronisation. Osée, hostile à la royauté, semble condamner cette proclamation comme un péché, Os **8** 4; **9** 15.
*l)* A ce « discours d'adieux » de Samuel, comparer ceux de Moïse, Dt **29** 30, et de Josué, Jos **23**. Au début de chaque nou-

vieux, j'ai blanchi et mes fils sont parmi vous. J'ai
marché devant vous depuis ma jeunesse jusqu'à ce
jour. 3 Me voici! Témoignez contre moi devant
Nb 16 15 Yahvé et devant son oint : de qui ai-je pris le bœuf
Si 46 19; 1 S 8 11-17 et de qui ai-je pris l'âne? Qui ai-je frustré et qui
ai-je opprimé? De qui ai-je reçu une compensation
pour que je ferme les yeux? Je vous restituerai. »
4 Ils répondirent : « Tu ne nous as ni frustrés ni
opprimés, tu n'as rien reçu de personne. » 5 Il leur
dit : « Yahvé est témoin contre vous, et son oint est
témoin aujourd'hui, que vous n'avez rien trouvé
entre mes mains. » Et ils répondirent : « Il est
témoin. »

6 Alors Samuel dit au peuple [a] : « Il est témoin [b],
Mi 6 4 Yahvé qui a suscité Moïse et Aaron et qui a fait
monter vos pères du pays d'Égypte. 7 Comparaissez maintenant; que je plaide avec vous devant
Yahvé et que je vous rappelle [c] tous les bienfaits
que Yahvé a accomplis à votre égard et à l'égard
de vos pères : 8 quand Jacob fut venu en Égypte,
les Égyptiens les opprimèrent [d] et vos pères crièrent
vers Yahvé. Celui-ci envoya Moïse et Aaron qui
firent sortir vos pères d'Égypte, et il les installa en
ce lieu. 9 Mais ils oublièrent Yahvé leur Dieu et
Jg 4-5 celui-ci les livra aux mains de Sisera, chef de
Jg 13-16 l'armée de Haçor, aux mains des Philistins et du
Jg 3 12-30 roi de Moab qui leur firent la guerre. 10 Ils crièrent
vers Yahvé : “ Nous avons péché, dirent-ils, car
nous avons abandonné Yahvé et servi les Baals et
les Astartés. Maintenant, délivre-nous de la main
de nos ennemis et nous te servirons! ” 11 Alors
Jg 6-8; 4-5; 11-12 Yahvé envoya Yerubbaal, Baraq [e], Jephté, Samuel,
il vous a délivrés de vos ennemis d'alentour et vous
êtes demeurés en sécurité.

11 1s 12 « Cependant, lorsque vous avez vu Nahash, le
roi des Ammonites, marcher contre vous, vous
8 7 m'avez dit : “ Non! Il faut qu'un roi règne sur
nous. ” Pourtant, Yahvé votre Dieu, c'est lui votre
roi! 13 Voici maintenant le roi que vous avez choisi,
Yahvé a établi sur vous un roi [f]. 14 Si vous craignez
Yahvé et le servez, si vous lui obéissez et ne vous
révoltez pas contre ses ordres, si vous-mêmes et le
roi qui règne sur vous, vous suivez Yahvé votre
Dieu, c'est bien! 15 Mais si vous n'obéissez pas à
Yahvé, si vous vous révoltez contre ses ordres,
alors la main de Yahvé pèsera sur vous et sur votre
roi [g].

16 « Encore une fois comparaissez et voyez le
grand prodige que Yahvé accomplit sous vos yeux.
17 N'est-ce pas maintenant la moisson des blés [h]?
Eh bien, je vais invoquer Yahvé et il fera tonner et 1 R 18
pleuvoir. Reconnaissez clairement combien grave
est le mal que vous avez commis au regard de
Yahvé en demandant pour vous un roi. » 18 Samuel
invoqua Yahvé et celui-ci fit tonner et pleuvoir le
jour même, et tout le peuple eut une grande crainte
de Yahvé et de Samuel. 19 Tous dirent à Samuel :
« Prie Yahvé ton Dieu en faveur de tes serviteurs,
afin que nous ne mourions pas; nous avons mis le
comble à tous nos péchés en demandant pour nous
un roi. »

20 Mais Samuel dit au peuple : « Ne craignez pas.
Oui, vous avez commis tout ce mal. Seulement, ne
vous écartez pas de Yahvé et servez-le de tout votre
cœur. 21 Ne vous écartez pas à la suite des idoles
de néant qui ne servent de rien, qui ne sont d'aucun Dt 32 37-39
secours, car elles ne sont que néant. 22 En effet,
Yahvé ne réprouvera pas son peuple, pour l'hon- Jr 14 21
neur de son grand nom, car Yahvé a daigné faire Ez 20 9; Dn 3 34
de vous son peuple. 23 Pour ma part, que je me Dt 7 6+
garde de pécher contre Yahvé en cessant de prier Ex 32 11+
pour vous et de vous enseigner le bon et droit chemin. 24 Craignez seulement Yahvé et servez-le sincèrement de tout votre cœur, car voyez le grand
prodige qu'il a accompli parmi vous. 25 Mais si
vous commettez le mal, vous périrez, vous et votre
roi. »

velle étape de l'histoire – la conquête, les juges, la monarchie, – le grand personnage de l'époque qui s'achève rappelle les grandes actions de Dieu dans le passé et promet son assistance pour l'avenir, à condition que le peuple reste fidèle. Pour Moïse et pour Josué, ces « adieux » sont liés à un renouvellement de l'alliance, Dt 31; Jos 24, qui est implicite ici, vv. 7-15. Le lieu est probablement Gilgal, comme en 11 15.

*a)* Ce petit discours est dans le style deutéronomique.

*b)* « Il est témoin » grec; omis par hébr.

*c)* « et que je vous rappelle » grec; omis par hébr.

*d)* « les Égyptiens les opprimèrent » grec; omis par hébr.

*e)* « Baraq » grec; « Bedân » hébr. – Samuel est ainsi compté parmi les Juges, cf. 7.

*f)* Le texte ajoute : « que vous avez demandé »; omis par grec.

*g)* « et sur votre roi » grec; « et sur vos pères » hébr.

*h)* Une époque où il ne pleut jamais en Palestine.

## 2. DÉBUTS DU RÈGNE DE SAÜL

**Soulèvement contre les Philistins [a].**

**13** 1 Saül était âgé de ... ans lorsqu'il devint roi,
et il régna ... [b] ans sur Israël. 2 Saül se choisit
trois mille hommes d'Israël : il y en eut deux mille
avec Saül à Mikmas et dans la montagne de Béthel,
il y en eut mille avec Jonathan à Géba [c] de Benjamin, et Saül renvoya le reste du peuple chacun à
sa tente [d].
14 1-15; 3 Jonathan tua le préfet des Philistins qui se trou-
10 5 vait à Gibéa [e] et les Philistins apprirent que les
Hébreux s'étaient révoltés. Saül fit sonner du cor
dans tout le pays 4 et tout Israël reçut la nouvelle :
« Saül a tué le préfet des Philistins, Israël s'est
même rendu odieux aux Philistins! » et le peuple se
groupa derrière Saül à Gilgal. 5 Les Philistins se
rassemblèrent pour combattre Israël, trois mille
chars [f], six mille chevaux et une troupe aussi nombreuse que le sable du bord de la mer, et ils vinrent
Jos 7 2+ camper à Mikmas, à l'orient de Bet-Avèn [g]. 6 Lorsque les Israélites se virent en détresse, car on les
serrait de près, les gens se cachèrent dans les grot-
14 11 tes, les trous [h], les failles de rocher, les souterrains
et les citernes. 7 Ils passèrent aussi par les gués du
Jourdain [i], au pays de Gad et de Galaad.

15 **Rupture entre Samuel et Saül [j].**

Saül était encore à Gilgal et le peuple tremblait
10 8 derrière lui. 8 Il attendit sept jours, selon le terme
que Samuel avait fixé, mais Samuel ne vint pas à
Gilgal et l'armée, quittant Saül, se débanda. 9 Alors
celui-ci dit : « Amenez-moi l'holocauste et les
sacrifices de communion », et il offrit l'holocauste.
10 Or il achevait d'offrir l'holocauste lorsque
Samuel arriva, et Saül sortit à sa rencontre pour le
saluer. 11 Samuel dit : « Qu'as-tu fait? », et Saül
répondit : « J'ai vu que l'armée me quittait et se
débandait, que d'autre part tu n'étais pas venu au
jour fixé et que les Philistins étaient rassemblés à
Mikmas. 12 Je me suis dit : Maintenant les Philistins vont descendre sur moi à Gilgal et je n'aurai
pas apaisé Yahvé! Alors je me suis contraint et j'ai
offert l'holocauste. » 13 Samuel dit à Saül : « Tu as
agi en insensé! Tu n'as pas observé l'ordre que
Yahvé ton Dieu t'a donné. Autrement Yahvé aurait
affermi pour toujours ta royauté sur Israël [k],
14 mais maintenant, ta royauté ne tiendra pas :
Yahvé s'est cherché un homme selon son cœur et ↗ Ac 13 22
il l'a désigné comme chef sur son peuple [l], parce
que tu n'as pas observé ce que Yahvé t'avait
commandé. » 15 Samuel se leva et partit de Gilgal
pour suivre son chemin. Ce qui restait du peuple
monta derrière Saül à la rencontre des hommes de
guerre et vint de Gilgal à Géba de Benjamin. Saül
passa en revue la troupe qui se trouvait avec lui :
il y avait environ six cents hommes [m].

**Préparatifs de combat [n].**

16 Saül et son fils Jonathan et la troupe qui était
avec eux résidaient à Géba de Benjamin et les Philistins campaient à Mikmas [o]. 17 Le corps de destruction sortit du camp philistin en trois bandes :
une bande prit la direction d'Ophra, au pays de
Shual, 18 une bande prit la direction de Bet-Horôn

*a)* Les ch. **13-14** se présentent comme un exposé du règne de Saül, avec introduction, **13** 1, et conclusion, **14** 47-52. Mais ils ne racontent que l'assassinat du gouverneur philistin, la réaction des Philistins et la bataille de Mikmas, qui ne dure qu'un jour. Le règne de Saül remplira encore les ch. **15-31**. Le ch. **13** est composite. Les vv. 16-18 et 23 appartiennent au récit ancien, qui se continue au ch. **14**. Les vv. 7ᵇ-15 sont une composition plus récente. Aucune allusion ne sera faite ensuite à ce premier rejet de Saül, qui paraît être une anticipation du ch. **15**.
*b)* L'hébr. se traduirait : « Saül avait un an lorsqu'il devint roi et il régna deux ans sur Israël », ce qui est absurde. L'âge de Saül à son avènement n'était pas connu, ou a disparu accidentellement du texte. La durée de son règne a peut-être été réduite à deux ans par une considération théologique, cf. Ishbaal, un autre mauvais roi, 2 S **2** 10.
*c)* « Géba » conj., cf. le v. 15; « Gibéa » hébr. L'alternance Géba – Gibéa entre l'hébr. et les versions est une difficulté de ces ch. **13-14**. Les choix faits ici s'inspirent des textes parallèles et de la situation géographique. – Jonathan est le fils de Saül, cf. v. 16 et la suite du récit.
*d)* Débris d'une tradition indépendante.
*e)* « Gibéa » grec, cf. **10** 5; Géba hébr. – « S'étaient révoltés » grec; « entendaient » hébr.
*f)* « trois mille » versions; « trente mille » hébr.
*g)* Interprété « maison de vanité » et devenu un sobriquet de Béthel, cf. Am **5** 5. Mais ici et dans d'autres passages, ce nom doit désigner une ville différente, non localisée.
*h)* « Les trous » *(hôrîm)* conj; « les buissons » *(hawahîm)* hébr.
*i)* « Ils passèrent... Jourdain » grec; « Des Hébreux passèrent le Jourdain » hébr.
*j)* C'est le drame du règne de Saül : choisi par Yahvé, il a sauvé son peuple, **11** et **14**; cependant il est rejeté par Yahvé, **13** et **15**. Depuis la préférence accordée à Jacob sur Ésaü, Gn **25** 23, cf. Rm **9** 13, et l'élection d'Israël, Dt **7** 6; Am **3** 2, jusqu'à la vocation des Apôtres, celle de saint Paul, celle de tout chrétien, toute l'Histoire Sainte proclame la gratuité des choix divins. Mais elle proclame aussi que le maintien de la grâce dépend de la fidélité de l'élu : Saül a été infidèle à sa vocation.
*k)* On voit mal quelle fut la faute de Saül : il a attendu sept jours, selon l'ordre donné. Il a lui-même offert un sacrifice, mais cela ne choquait pas la conception ancienne, cf. **14** 32-35. La raison du rejet sera plus clairement donnée au ch. **15**.
*l)* Il s'agit de David.
*m)* On suit le grec; hébr. a sauté du premier au deuxième « Gilgal »;
*n)* Au v. 16 commence le récit ancien de la bataille de Mikmas. Les vv. 19-22 sont une parenthèse.
*o)* Séparés par le profond Wadi Suweinit, que traversera Jonathan, **14** 4s.

et une bande prit la direction de la hauteur qui sur-
plombe la Vallée des Hyènes, vers le désert [a].
19 Il n'y avait pas de forgeron dans tout le pays
d'Israël, car les Philistins s'étaient dit : « Il faut éviter que les Hébreux ne fabriquent des épées ou des
lances. » 20 Aussi tous les Israélites descendaient
chez les Philistins pour reforger chacun son soc, sa
hache, son herminette ou sa faucille. 21 Le prix était
de deux tiers de sicle pour les socs et les haches,
d'un tiers de sicle pour aiguiser les herminettes et
redresser les aiguillons [b]. 22 Aussi arriva-t-il qu'au
jour de la bataille, dans l'armée qui était avec Saül
et Jonathan, personne n'avait en main ni épée ni
lance. Il y en avait cependant pour Saül et pour son
fils Jonathan.
23 Un poste de Philistins partit pour la passe de
Mikmas.

**Jonathan attaque le poste.**

**14** 1 Un jour le fils de Saül, Jonathan, dit à son
écuyer : « Viens, traversons jusqu'au poste des
Philistins qui sont de l'autre côté », mais il n'avertit
pas son père. 2 Saül était assis à la limite de Géba [c],
sous le grenadier qui est près de l'aire, et la troupe
qui était avec lui était d'environ six cents hommes.
**4** 21 3 Ahiyya, fils d'Ahitub, frère d'Ikabod, fils de Pinhas, fils d'Éli, le prêtre de Yahvé à Silo, portait
**2** 28+ l'éphod. La troupe ne remarqua pas que Jonathan
**14** 18 était parti.
4 Dans le défilé que Jonathan cherchait à franchir pour atteindre le poste philistin, il y a une dent
de rocher d'un côté et une dent de rocher de l'autre
côté. L'une est appelée Boçèç, et l'autre Senné; 5 la
première dent est au nord, face à Mikmas, la
seconde est au sud, face à Géba. 6 Jonathan dit à
son écuyer : « Viens, traversons jusqu'au poste de
ces incirconcis. Peut-être Yahvé fera-t-il quelque
**17** 47 chose pour nous, car rien n'empêche Yahvé de don-
Jg **7** 4-7 ner la victoire, qu'on soit beaucoup ou peu. » 7 Son
écuyer lui répondit : « Fais tout ce vers quoi penche
ton cœur. Je suis avec toi, mon cœur est comme
ton cœur [d]. » 8 Jonathan dit : « Voici que nous
allons passer vers ces gens et nous découvrir à eux.
9 S'ils nous disent : " Ne bougez pas jusqu'à ce que
nous vous rejoignions ", nous resterons sur place
et nous ne monterons pas vers eux. 10 Mais s'ils
nous disent : " Montez vers nous ", nous monterons, car Yahvé les aura livrés entre nos mains :
cela nous servira de signe [e]. »
11 Lorsqu'ils se découvrirent tous les deux au
poste des Philistins, ceux-ci dirent : « Voilà des
Hébreux qui sortent des trous où ils se cachaient », **13** 6
12 et les gens du poste, s'adressant à Jonathan et à
son écuyer, dirent : « Montez vers nous, que nous
vous apprenions quelque chose. » Alors Jonathan
dit à son écuyer : « Monte derrière moi, car Yahvé
les a livrés aux mains d'Israël. » 13 Jonathan monta
en s'aidant des mains et des pieds, et son écuyer
le suivit; ils tombaient devant Jonathan et son
écuyer les achevait derrière lui. 14 Ce premier massacre que firent Jonathan et son écuyer fut d'une
vingtaine d'hommes... [f].

**Bataille générale.**

15 La terreur se répandit dans le camp, dans la **13** 16
campagne et dans tout le peuple; le poste et le **13** 23
corps de destruction furent saisis d'effroi eux aussi, **13** 17
la terre trembla et ce fut une panique de Dieu. **11** 7
16 Les guetteurs de Saül, qui étaient à Géba [g] de
Benjamin, virent que le camp s'agitait en tous sens,
17 et Saül dit à la troupe qui était avec lui : « Faites
l'appel et voyez qui d'entre nous est parti. » On fit
l'appel et voilà que Jonathan et son écuyer étaient
absents!
18 Alors Saül dit à Ahiyya : « Apporte l'éphod », **2** 28+
car c'était lui qui portait l'éphod en présence
d'Israël [h]. 19 Mais pendant que Saül parlait au prêtre, le tumulte au camp philistin allait croissant et
Saül dit au prêtre : « Retire ta main [i]. » 20 Saül et
toute la troupe qui était avec lui se réunirent et arrivèrent au lieu du combat : voilà qu'ils tiraient
l'épée les uns contre les autres, une énorme panique! 21 Les Hébreux qui s'étaient mis auparavant
au service des Philistins et qui étaient montés avec
eux au camp firent défection eux aussi [j], pour se
joindre aux Israélites qui étaient avec Saül et Jonathan. 22 Tous les Israélites qui s'étaient cachés dans
la montagne d'Éphraïm, apprenant que les Philistins étaient en fuite, les talonnèrent aussi, en
combattant. 23 Ce jour-là Yahvé donna la victoire
à Israël.

*a)* « la hauteur » grec.; « la frontière » hébr. Des commandos vont ravager tout le pays.
*b)* Texte incertain.
*c)* « Géba » d'après le v. 5 et **13** 16; « Gibéa » hébr. – « pres de l'aire » (*bammigran*) conj.; « à Migrôn » hébr.
*d)* « mon cœur est » grec; « avec toi » hébr.
*e)* C'est l'événement, proche ou lointain, qui manifeste la volonté divine. Il est annoncé par Dieu, Ex **3** 12, ou par un homme de Dieu, 1 S **2** 34; **10** 7-9; 2 R **19** 29, ou enfin, comme ici et Gn **24** 12s; Jg **6** 17-18 et 36-40; 2 R **20** 8-10, il est proposé par le sujet même, pour solliciter la réponse de Dieu.
*f)* La fin du v. est corrompue, et se traduirait au mieux : « comme dans la moitié d'un sillon, arpent (?) de champ ».
*g)* « Géba » cf. **13** 16; « Gibéa » hébr. – « le camp » grec; « le tumulte » hébr. On suit le grec; hébr. a : « " Apporte l'arche de Dieu ". Car l'arche de Dieu était alors chez les Israélites. »
*h)* Sur l'éphod divinatoire, cf. **2** 28+. Saül veut consulter Dieu avant d'engager le combat, cf. **30** 7s et ici le v. 37. Mais un scribe tardif, pensant à Jg **8** 27, où l'éphod est un objet de scandale, a corrigé ici en « arche de Dieu ».
*i)* Le prêtre va tirer les sorts; Saül l'arrête et, sans plus consulter, marche au combat.
*j)* « firent défection eux aussi » grec; hébr. corrompu.

**Une interdiction de Saül violée par Jonathan [a].**

Le combat s'étendit au-delà de Bet-Horôn [b].
24 Comme les gens d'Israël étaient serrés de près
ce jour-là, Saül prononça sur le peuple cette imprécation : « Maudit soit l'homme qui mangera quelque chose avant le soir, avant que j'aie tiré vengeance de mes ennemis! » Et personne du peuple ne
goûta d'aucune nourriture [c].
25 Or il y avait un rayon de miel en plein
champ [d]. 26 Le peuple arriva au rayon de miel et le
miel coulait, mais personne ne porta la main à sa
bouche, car le peuple redoutait le serment juré.
27 Cependant Jonathan n'avait pas entendu son
père imposer le serment au peuple. Il avança le
bout du bâton qu'il avait à la main et le plongea
dans le rayon de miel, puis il ramena la main à sa
bouche; alors ses yeux s'éclaircirent. 28 Mais quelqu'un de la troupe prit la parole et dit : « Ton père
a imposé ce serment au peuple : " Maudit soit
l'homme, a-t-il dit, qui mangera quelque chose
aujourd'hui [e] ". » 29 Jonathan répondit : « Mon père
a fait le malheur du pays! Voyez donc comme j'ai
les yeux plus clairs pour avoir goûté ce peu de miel.
30 A plus forte raison, si le peuple avait mangé
aujourd'hui du butin qu'il a trouvé chez l'ennemi,
est-ce qu'alors la défaite des Philistins n'aurait pas
été plus grande? »

**Faute rituelle du peuple.**

31 Ce jour-là, on battit les Philistins depuis Mik-
Jos **10** 10-12 mas jusqu'à Ayyalôn [f] et le peuple était à bout de
force. 32 Alors le peuple se rua sur le butin, il prit
du petit bétail, des bœufs, des veaux, les immola à
Lv **1** 5+ même la terre et il se mit à manger avec le sang.
33 On avertit ainsi Saül : « Le peuple est en train de
pécher contre Yahvé en mangeant avec le sang! »
Alors il dit : « Vous avez été infidèles! Roulez-moi
ici une grande pierre [g]! » 34 Puis Saül dit : « Répan-
dez-vous dans le peuple et dites : " Que chacun
m'amène son bœuf ou son mouton "; vous les
immolerez ici et vous mangerez, sans pécher contre
Yahvé en mangeant avec le sang. » Les hommes
amenèrent chacun ce qu'il avait cette nuit-là [h] et ils
firent l'immolation en cet endroit. 35 Saül construisit un autel à Yahvé; ce fut le premier autel qu'il Jg **6** 24
lui construisit.

**Jonathan reconnu coupable est sauvé par le peuple.**

36 Saül dit : « Descendons de nuit à la poursuite
des Philistins et pillons-les jusqu'au lever du jour;
nous ne leur laisserons pas un homme. » On lui
répondit : « Fais tout ce qui te semble bon. » Mais
le prêtre dit : « Approchons-nous ici de Dieu [i]. »
37 Saül consulta Dieu : « Descendrai-je à la poursuite des Philistins? Les livreras-tu entre les mains
d'Israël? » Mais il ne lui répondit pas ce jour-là. **28** 6
38 Alors, Saül dit : « Approchez ici, vous tous, chefs
du peuple! Examinez bien en quoi a consisté la
faute d'aujourd'hui. 39 Aussi vrai que vit Yahvé qui
donne la victoire à Israël, même s'il s'agit de mon
fils Jonathan, il mourra sûrement! » Personne dans
tout le peuple n'osa lui répondre. 40 Il dit à tout
Israël : « Mettez-vous d'un côté et moi avec mon
fils Jonathan nous nous mettrons de l'autre », et le
peuple répondit à Saül : « Fais ce qui te semble
bon. »
41 Saül dit alors : « Yahvé, Dieu d'Israël, pourquoi n'as-tu pas répondu aujourd'hui à ton serviteur? Si la faute est sur moi ou sur mon fils Jonathan, Yahvé, Dieu d'Israël, donne *urim*; si la faute
est sur ton peuple Israël, donne *tummim* [j]. » Saül et
Jonathan furent désignés et le peuple échappa.
42 Saül dit : « Jetez le sort entre moi et mon fils
Jonathan », et Jonathan fut désigné.
43 Alors Saül dit à Jonathan : « Avoue-moi ce
que tu as fait. » Jonathan répondit : « J'ai seulement goûté un peu de miel avec le bout du bâton
que j'avais à la main. Je suis prêt à mourir. »
44 Saül reprit : « Que Dieu me fasse ce mal et qu'il Rt **1** 17+
ajoute cet autre si tu ne meurs pas, Jonathan! »
45 Mais le peuple dit à Saül : « Est-ce que Jonathan
va mourir, lui qui a opéré cette grande victoire en
Israël? Gardons-nous-en! Aussi vrai que Yahvé est

*a)* Deux traditions sont mêlées. 1° Saul a ordonné un jeûne jusqu'au soir, v. 24, le peuple l'observe puis se jette sur le butin sans observer les prescriptions rituelles, vv. 31-35. 2° Saül a ordonné un jeûne, v. 24; Jonathan, ignorant l'interdit, le transgresse, vv. 25-30, il est désigné comme coupable par le sort, vv. 36-46.

*b)* « Bet-Horôn » versions; « Bet-Avèn » hébr.

*c)* Ce jeûne de circonstance est un moyen d'obtenir la victoire, qui est donnée par Dieu.

*d)* Restitué par conjecture; on supprime les premiers mots du v. qui sont un doublet maladroit du v. suivant.

*e)* Le texte ajoute : « et le peuple était à bout de forces », glose tirée du v. 31.

*f)* Les Philistins sont refoulés par leur route ordinaire d'invasion. C'est vraiment une grande victoire : la montagne, cœur du royaume, est libérée.

*g)* Cette pierre va servir d'autel, cf. **6** 14; Jg **6** 20; **13** 19. pour faire de l'abattage une immolation rituelle, cf. Lv **17** 1+.

*h)* « ce qu'il avait », litt. : « ce qui était dans sa main », grec.; « son bœuf dans sa main » hébr.

*i)* Pour le consulter par l'éphod, cf. **30** 8 et ci-dessus, v. 18.

*j)* Ce v., restitué d'après les versions (l'hébr. est corrompu et saute du 1er « Israël » au 3e), montre comment on consultait par l'éphod : il contenait deux sorts (bâtonnets ou dés?) qu'on appelait *urim* et *tummim* (la valeur des mots est incertaine) et auxquels on donnait une signification conventionnelle. Celui qui était tiré apportait la réponse divine. C'était donc une réponse par *oui* ou par *non*, cf. **23** 10-12, et la consultation était parfois longue. Le maniement des sorts était réservé aux prêtres lévites, Nb **27** 21; Dt **33** 8. L'usage tomba en désuétude après le règne de David et ne fut pas rétabli, cf. Esd **2** 63 = Ne **7** 65. Mais le nom resta attaché à un détail du costume du grand prêtre, cf. Ex **28** 30; Lv **8** 8 et Ex **28** 6+.

vivant, il ne tombera pas à terre un cheveu de sa
tête, car c'est avec Dieu qu'il a agi aujourd'hui! »
Ainsi le peuple racheta [a] Jonathan et il ne mourut
pas.
46 Saül renonça à poursuivre les Philistins et les
Philistins gagnèrent leur pays.

### Résumé du règne de Saül [b].

47 Saül s'assura la royauté sur Israël et fit la
guerre de tous côtés contre tous ses ennemis, contre
2 S **8** 2s; Moab, les Ammonites, Édom, le roi de Çoba et les
**10** 6s Philistins; où qu'il se tournât, il était victorieux [c].
1 S **15** 48 Il fit des prouesses de vaillance, battit les Amalécites et délivra Israël des mains de ceux qui le
pillaient.
49 Saül eut pour fils Jonathan, Ishyo [d] et Malki-
**18** 17s Shua. Les noms de ses deux filles étaient Mérab
**18** 20s pour l'aînée et Mikal pour la cadette. 50 La femme
de Saül se nommait Ahinoam, fille d'Ahimaaç. Le
chef de son armée se nommait Abner, fils de Ner,
**9** 1 l'oncle de Saül : 51 Qish, le père de Saül, et Ner, le
père d'Abner, étaient les fils d'Abiel.
52 Il y eut une guerre acharnée contre les Philistins tant que vécut Saül. Tous les braves et tous les
vaillants que voyait Saül, il se les attachait [e].

### Guerre sainte contre les Amalécites [f].

**15** 1 Samuel dit à Saül : « C'est moi que Yahvé a
envoyé pour te sacrer roi sur son peuple
Israël. Écoute donc les paroles de Yahvé : 2 Ainsi
parle Yahvé Sabaot : J'ai résolu de punir ce
Ex **17** 8-16 qu'Amaleq a fait à Israël, en lui coupant la route
Dt **25** 17-19 quand il montait d'Égypte. 3 Maintenant, va, frappe
Jos **6** 17+ Amaleq, voue-le à l'anathème avec tout ce qu'il
possède, sois sans pitié pour lui, tue hommes et
femmes, enfants et nourrissons, bœufs et brebis,
chameaux et ânes. »
4 Saül convoqua le peuple et le passa en revue à
Télam : deux cent mille fantassins (et dix mille
hommes de Juda). 5 Saül s'avança jusqu'à la ville
d'Amaleq et se mit en embuscade dans le ravin.
Nb **10** 29+ 6 Saül dit aux Qénites : « Partez, séparez-vous des
Ex **17** 8+ Amalécites, de peur que je ne vous fasse disparaître
avec eux, car vous avez été bienveillants à tous les
Israélites quand ils montaient d'Égypte. » Et les
Qénites se séparèrent des Amalécites.
7 Saül battit les Amalécites à partir de Havila en
direction de Shur, qui est à l'orient de l'Égypte. 8 Il
prit vivant Agag, roi des Amalécites, et il passa
tout le peuple au fil de l'épée, en exécution de l'anathème. 9 Mais Saül et l'armée épargnèrent Agag et
le meilleur du petit et du gros bétail, les bêtes grasses et les agneaux, bref tout ce qu'il y avait de bon;
ils ne voulurent pas le vouer à l'anathème. Mais
tout le troupeau vil et sans valeur, ils le vouèrent
à l'anathème [g].

### Saül est rejeté par Yahvé.

10 La parole de Yahvé fut adressée à Samuel en
ces termes : 11 « Je me repens d'avoir donné la Gn **6** 7
royauté à Saül, car il s'est détourné de moi et n'a
pas exécuté mes ordres. » Samuel s'enflamma et
cria vers Yahvé pendant toute la nuit.
12 Le matin, Samuel partit à la rencontre de Saül.
On lui donna cette information : « Saül est allé à
Karmel [h] pour s'y dresser un trophée, puis il est
reparti plus loin et il est descendu à Gilgal. »
13 Samuel arriva auprès de Saül et Saül lui dit :
« Béni sois-tu de Yahvé! J'ai exécuté l'ordre de
Yahvé. » 14 Mais Samuel demanda : « Et qu'est-ce
que c'est que ces bêlements qui viennent à mes
oreilles et ces meuglements que j'entends? » –
15 « On les a amenés d'Amaleq, répondit Saül, car
le peuple a épargné le meilleur du petit et du gros
bétail en vue de l'offrir en sacrifice à Yahvé ton
Dieu. Quant au reste, nous l'avons voué à l'anathème. »
16 Mais Samuel dit à Saül : « Cesse donc, et laisse-moi t'annoncer ce que Yahvé m'a révélé cette
nuit. » Il lui dit : « Parle. » 17 Alors Samuel dit : « Si
petit que tu sois à tes propres yeux, n'es-tu pas le
chef des tribus d'Israël? Yahvé t'a sacré roi sur
Israël. 18 Il t'a envoyé en expédition et il t'a dit :
“ Pars, voue à l'anathème ces pécheurs, les Amalécites, fais-leur la guerre jusqu'à l'extermination. ”

*a)* Comme on rachetait une victime due à Yahvé, Ex **13** 13-15; **34** 20; Lv **27** 27.

*b)* Sommaire analogue à **7** 13-15 (Samuel) et 2 S **8** (David). Cf. aussi 2 S **3** 2-5; **5** 13-16; **20** 23-26.

*c)* « il était victorieux » versions.; « il faisait le mal » hébr.

*d)* C'est-à-dire « l'homme de Yahvé ». C'est le même personnage qui est appelé Ishbaal, « l'homme du Maître » en 1 Ch **8** 33, et Ishboshet, « l'homme de honte » dans l'hébr. de 2 S **2** 8, etc., où « honte » remplace « Baal », nom du Dieu cananéen.

*e)* Début d'une armée de métier différente du ban ou levée en masse du peuple.

*f)* Le ch. **15** ignore le premier rejet de Saül, **13** 8-15, et il condamne seulement Saül, non pas l'institution royale. Mais il souligne l'opposition, inhérente à la monarchie israélite, entre la politique profane et les exigences de Yahvé, opposition qui se traduit par la lutte entre le Roi et le Prophète, ici Saül et Samuel, plus tard Achab et Élie, Ézéchias et Isaïe, Sédécias et Jérémie.

*g)* « vil et sans valeur » versions; hébr. corrompu. – Saül et le peuple ont manqué à l'anathème, qui devait frapper *tous* les êtres vivants; non pas pourtant pour dérober à Yahvé le meilleur butin, mais pour le lui offrir en sacrifice, v. 15. Saül a agi en bonne conscience, et c'est là le drame : sa faute est d'avoir choisi, pour complaire au peuple, une autre manière d'honorer Dieu. Entre Yahvé qui l'a élu et le peuple qui l'a acclamé et reconnu, Saül a cherché un compromis, il ne s'est pas décidé exclusivement pour Yahvé.

*h)* Ville au sud d'Hébron, cf. **25** 2s. Le site se trouve sur la route de Saül, du Négeb vers Gilgal.

19 Pourquoi n'as-tu pas obéi à Yahvé? Pourquoi
t'es-tu rué sur le butin et as-tu fait ce qui déplaît
à Yahvé? » 20 Saül répondit à Samuel : « J'ai obéi
à Yahvé! J'ai fait l'expédition où il m'envoyait, j'ai
ramené Agag, roi d'Amaleq, et j'ai voué Amaleq
à l'anathème. 21 Dans le butin, le peuple a pris, en
petit et en gros bétail, le meilleur de ce que frappait
l'anathème pour le sacrifier à Yahvé ton Dieu à
Gilgal. » 22 Mais Samuel dit [a] :
Am 5 21-25+ « Yahvé se plaît-il aux holocaustes et aux
sacrifices
Os 6 6 comme dans l'obéissance à la parole de Yahvé?
Oui, l'obéissance vaut mieux que le sacrifice,
la docilité, plus que la graisse des béliers.
23 Un péché de sorcellerie, voilà la rébellion,
un crime de téraphim [b], voilà la présomption!
Parce que tu as rejeté la parole de Yahvé, il t'a
rejeté pour que tu ne sois plus roi! »

**Saül implore en vain son pardon.**

24 Saül dit à Samuel : « J'ai péché en transgressant l'ordre de Yahvé et tes commandements, parce
que j'ai eu peur du peuple et je lui ai obéi. 25 Maintenant, je t'en prie, pardonne ma faute, reviens avec
moi, que j'adore Yahvé. » 26 Mais Samuel répondit
à Saül : « Je ne reviendrai pas avec toi : puisque tu
1 R 11 11 as rejeté la parole de Yahvé, Yahvé t'a rejeté pour
que tu ne sois plus roi sur Israël. » 27 Comme
Samuel se détournait pour partir, Saül saisit le pan
de son manteau, qui fut arraché, 28 et Samuel lui 1 R 11 30s
dit : « Aujourd'hui, Yahvé t'a arraché la royauté Jr 18 1+
sur Israël et l'a donnée à ton voisin, qui est meilleur
que toi. » 29 (Pourtant, la Gloire d'Israël ne ment Nb 23 19
pas et ne se repent pas, car il n'est pas un homme 1 S 15 11
pour se repentir [c].) 30 Saül dit : « J'ai péché, cependant, je t'en prie, honore-moi devant les anciens de
mon peuple et devant Israël, et reviens avec moi
pour que j'adore Yahvé ton Dieu [d]. » 31 Samuel
revint en compagnie de Saül et celui-ci adora
Yahvé.

**Mort d'Agag et départ de Samuel.**

32 Puis Samuel dit : « Amenez-moi Agag, le roi
des Amalécites », et Agag vint vers lui en chancelant et dit : « Vraiment, la mort est amère [e]! »
33 Samuel dit :
« Comme ton épée a privé des femmes de leurs
enfants,
entre les femmes, ta mère sera privée de son
enfant! »
Et Samuel égorgea [f] Agag devant Yahvé à
Gilgal.
34 Samuel partit pour Rama et Saül remonta
chez lui à Gibéa de Saül. 35 Samuel ne revit plus
Saül jusqu'à sa mort [g]. En effet Samuel pleurait
Saül, mais Yahvé s'était repenti de l'avoir fait roi
sur Israël.

# *III. Saül et David*

## *1. DAVID A LA COUR*

**Onction de David [h].**

**16** 1 Yahvé dit à Samuel : « Jusques à quand resteras-tu à pleurer Saül, alors que moi je l'ai
rejeté pour qu'il ne règne plus sur Israël? Emplis
Rt 4 17-22 d'huile ta corne et va! Je t'envoie chez Jessé le
Is 11 1 Bethléemite, car je me suis choisi un roi parmi ses
fils. » 2 Samuel dit : « Comment pourrais-je y aller?
Saül l'apprendra et il me tuera! » Mais Yahvé
reprit : « Tu prendras avec toi une génisse et tu
diras : " C'est pour sacrifier à Yahvé que je suis
venu. " 3 Tu inviteras Jessé au sacrifice et je t'indiquerai moi-même ce que tu auras à faire : tu oindras pour moi celui que je te dirai. »
4 Samuel fit ce que Yahvé avait ordonné. Quand
il arriva à Bethléem, les anciens de la ville vinrent
en tremblant à sa rencontre et demandèrent : « Ta
venue est-elle de bon augure, voyant? » – 5 « Oui,

*a)* Samuel ne condamne pas le culte sacrificiel en général. Mais c'est l'obéissance intérieure qui plaît à Dieu, non le seul rite extérieur. Accomplir celui-ci contre le gré de Dieu, c'est apporter son hommage à un autre que Dieu, c'est tomber dans l'idolâtrie, ici évoquée par la sorcellerie et les *téraphim*, ces idoles auxquelles on confiait la garde des maisons et des biens, Gn **31** 19, 30s; 1 S **19** 13.

*b)* « un crime de téraphim » Symmaque; « vanité et téraphim » hébr.

*c)* Glose citant Nb **23** 19.

*d)* L'entretien n'a pas eu de témoins et le rejet de Saül ne sera pas immédiatement effectif (parce que le roi a confessé sa faute?). Samuel accepte de confirmer l'autorité de Saül en paraissant avec lui au sanctuaire.

*e)* « en chancelant » texte et sens incertains. – « la mort est amère » grec; « est écartée l'amertume de la mort » hébr. (Agag croirait alors avoir échappé à la mort).

*f)* « égorgea » ou « mit en pièces »; c'est l'exécution de l'anathème.

*g)* Cf. pourtant **19** 22-24, d'une autre tradition.

*h)* Cet épisode semble venir de la tradition prophétique, et reste sans lien avec la suite de l'histoire; David sera oint à Hébron par les gens de Juda, 2 S **2** **4**, puis par les anciens d'Israël, 2 S **5** 3, et l'onction ici rapportée ne sera plus mentionnée : d'après **17** 28 et malgré **16** 13, Éliab l'ignore. Comme le ch. **9** pour Saül, le récit sert de préface à l'histoire de la « montée » de David.

répondit Samuel, je suis venu offrir un sacrifice à
Yahvé. Purifiez-vous et venez avec moi au
sacrifice. » Il purifia Jessé et ses fils et les invita au
sacrifice.
6 Lorsqu'ils arrivèrent et que Samuel aperçut
Éliab, il se dit : « Sûrement, Yahvé a son oint
devant lui! » 7 Mais Yahvé dit à Samuel : « Ne
considère pas son apparence ni la hauteur de sa
9 2; **10** 23s taille, car je l'ai écarté. Les vues de Dieu [a] ne sont
Is **55** 8-9 pas comme les vues de l'homme, car l'homme
Jb **10** 4 Ps **147** 10s regarde à l'apparence, mais Yahvé regarde au
Jr 11 20+ cœur. » 8 Jessé appela Abinadab et le fit passer
Pr 15 11 devant Samuel, qui dit : « Ce n'est pas lui non plus
que Yahvé a choisi. » 9 Jessé fit passer Shamma,
mais Samuel dit : « Ce n'est pas lui non plus que
Yahvé a choisi. » 10 Jessé fit ainsi passer ses sept fils
devant Samuel, mais Samuel dit à Jessé : « Yahvé
n'a choisi aucun de ceux-là. » 11 Il demanda à
Jessé : « En est-ce fini avec tes garçons? », et celui-
ci répondit : « Il reste encore le plus jeune, il est
à garder le troupeau. » Alors Samuel dit à Jessé :
« Envoie-le chercher, car nous ne nous mettrons
pas à table avant qu'il ne soit venu ici. » 12 Jessé
Gn **39** 6 l'envoya chercher : il était roux, avec un beau
2 S **14** 25s regard et une belle tournure. Et Yahvé dit : « Va,
donne-lui l'onction : c'est lui! » 13 Samuel prit la
corne d'huile et l'oignit au milieu de ses frères.
**10** 6 L'esprit de Yahvé fondit sur David [b] à partir de ce
Jg **3** 10+ jour-là et dans la suite. Quant à Samuel, il se mit
en route et partit pour Rama.

**David entre au service de Saül [c].**

14 L'esprit de Yahvé s'était retiré de Saül et un
mauvais esprit, venant de Yahvé [d], lui causait des
terreurs. 15 Alors les serviteurs de Saül lui dirent :
« Voici qu'un mauvais esprit de Dieu te cause des
terreurs. 16 Que notre seigneur en donne l'ordre et
les serviteurs qui t'assistent chercheront un homme
qui sache jouer de la cithare : quand un mauvais
esprit de Dieu t'assaillira, il en jouera et tu iras
mieux [e]. » 17 Saül dit à ses serviteurs : « Trouvez-
moi donc un homme qui joue bien et amenez-le-
moi. » 18 L'un des serviteurs prit la parole et dit :
« J'ai vu un fils de Jessé, le Bethléemite : il sait
jouer, et c'est un vaillant, un homme de guerre, il
parle bien, il est beau et Yahvé est avec lui. »
19 Saül dépêcha donc des messagers à Jessé, avec
cet ordre : « Envoie-moi ton fils David (qui est avec
le troupeau). » 20 Jessé prit cinq [f] pains, une outre
de vin, un chevreau et fit tout porter à Saül par son
fils David. 21 David arriva auprès de Saül et se mit
à son service. Saül se prit d'une grande affection
pour lui et David devint son écuyer. 22 Saül envoya
dire à Jessé : « Que David reste donc à mon service, car il a gagné ma bienveillance. » 23 Ainsi,
chaque fois que l'esprit de Dieu assaillait Saül,
David prenait la cithare et il en jouait; alors Saül
se calmait, il allait mieux et le mauvais esprit
s'écartait de lui.

**Goliath défie l'armée israélite.**

**17** 1 Les Philistins rassemblèrent leurs troupes
pour la guerre, ils se concentrèrent à Soko de
Juda, et campèrent entre Soko et Azéqa, à Éphès-
Dammim. 2 Saül et les Israélites se concentrèrent
et campèrent dans la vallée du Térébinthe et ils se
rangèrent en bataille face aux Philistins. 3 Les Philistins occupaient la montagne d'un côté, les Israélites occupaient la montagne de l'autre côté et la
vallée était entre eux.
4 Un champion sortit des rangs philistins. Il
s'appelait Goliath [g], de Gat, et sa taille était de six 2 S **21** 19
coudées et un empan. 5 Il avait sur la tête un casque
de bronze et il était revêtu d'une cuirasse à écailles;
la cuirasse pesait cinq mille sicles de bronze. 6 Il
avait aux jambes des jambières de bronze, et un
cimeterre de bronze en bandoulière. 7 Le bois de sa
lance était comme un liais de tisserand et la pointe
de sa lance pesait six cents sicles de fer. Le porte-
bouclier marchait devant lui.
8 Il se campa devant les lignes israélites et leur
cria : « Pourquoi êtes-vous sortis pour vous ranger
en bataille? Ne suis-je pas, moi, le Philistin, et
vous, n'êtes-vous pas les serviteurs de Saül? Choi-

*a)* « les vues de Dieu » grec; omis par hébr.
*b)* Sans aucun signe extérieur et en liaison immédiate avec l'onction : l'« esprit de Dieu » est ici la grâce impartie à une personne consacrée.
*c)* Il y avait deux traditions sur les débuts de David auprès de Saül. Selon l'une, David est appelé comme ménestrel à la cour de Saül et devient son écuyer, **16** 14-23; à ce titre, il accompagne le roi dans sa guerre philistine, **17** 1-11, et se distingue dans un combat singulier, **17** 32-53 (mêlé à l'autre tradition). Selon l'autre, David est un jeune pâtre inconnu de Saül, il vient voir ses frères à l'armée, juste au moment où le champion philistin provoque les Israélites, **17** 12-30. (Le v. 31 est un v. de raccord; on rejoint ensuite le premier récit, **17** 32-53.) Alors Saül fait venir le jeune héros et l'attache à son service, **17** 55 - **18** 5.
*d)* L'esprit de Yahvé, cf. Jg **3** 10+, ayant abandonné Saül, **15** 23, celui-ci est « possédé » par un mauvais esprit. Il est dit venir de Yahvé et sera appelé le « mauvais esprit de Dieu », vv. 15 et 16, cf. **18** 10; **19** 9, parce que l'Israélite rapporte tout à Dieu comme à la cause première. (Comparer l'esprit de discorde », Jg **9** 23, l'esprit de mensonge, 1 R **22** 19-23, l'esprit de vertige, Is **19** 14, l'esprit de torpeur, Is **29** 10.) – La conscience de son rejet par Dieu et l'abandon de Samuel agissent sur le tempérament excessif du roi et provoquent des crises de folie, **18** 10s; **19** 9s.
*e)* La musique a été employée dans toute l'antiquité soit pour exciter l'esprit bon, cf. **10** 5, soit pour chasser l'esprit mauvais.
*f)* « cinq » (*hamishah*) conj.; « un âne » (*hamôr*) hébr.
*g)* 2 S **21** 19 attribue la victoire sur Goliath à l'un des preux de David et cette tradition paraît être la plus ancienne. La tradition primitive du ch. **17** ne parlait que d'une victoire de David sur un adversaire anonyme, « le Philistin ». Le nom de Goliath a été ajouté aux vv. 4 et 23. – « des rangs » grec; « des camps » hébr.

sissez-vous [a] un homme et qu'il descende vers moi.
9 S'il l'emporte en luttant avec moi et s'il m'abat,
alors nous serons vos serviteurs, si je l'emporte sur
lui et si je l'abats, alors vous deviendrez nos serviteurs, vous nous serez asservis. » 10 Le Philistin dit
aussi : « Moi, j'ai lancé aujourd'hui un défi aux
lignes d'Israël. Donnez-moi un homme, et que
nous nous mesurions en combat singulier! »
11 Quand Saül et tout Israël entendirent ces paroles
du Philistin, ils furent consternés et ils eurent très
peur.

**Arrivée de David au camp.**

Rt **1** 2+ 12 David était le fils d'un Éphratéen de Bethléem
1 S **16** 10s de Juda, qui s'appelait Jessé et qui avait huit fils.
Cet homme, au temps de Saül, était vieux et chargé
d'années [b]. 13 Les trois fils aînés de Jessé partirent
en guerre derrière Saül. Ses trois fils qui partirent
en guerre s'appelaient, l'aîné Éliab, le second Abinadab et le troisième Shamma. 14 David était le
plus jeune et les trois aînés partirent derrière Saül.
15 (David allait et venait du service de Saül au soin
du troupeau de son père à Bethléem [c]. 16 Le Philistin s'approchait matin et soir et il se présenta ainsi
pendant quarante jours.) 17 Jessé dit à son fils
David : « Emporte donc à tes frères cette mesure de
grain grillé et ces dix pains, va vite au camp vers
tes frères. 18 Quant à ces dix morceaux de fromage,
tu les offriras au chef de mille. Tu t'informeras de
la santé de tes frères et tu rapporteras d'eux un
gage. 19 Ils sont avec Saül et tous les hommes
d'Israël dans la vallée du Térébinthe, faisant la
guerre aux Philistins. »

20 David se leva de bon matin, il laissa le troupeau à un gardien, prit sa charge et partit comme
lui avait ordonné Jessé. Il arriva au campement au
moment où l'armée sortait pour prendre ses positions et poussait le cri de guerre. 21 Israël et les Philistins se rangèrent ligne contre ligne. 22 David
laissa son chargement aux mains du gardien des
bagages, il courut aux lignes et demanda à ses frères comment ils allaient.

23 Pendant qu'il leur parlait, le champion (il
**17** 8-10 s'appelait Goliath, le Philistin de Gat) montait des
lignes philistines. Il dit les mêmes paroles que
ci-dessus et David les entendit. 24 Dès qu'ils aperçurent l'homme, tous les Israélites s'enfuirent loin
de lui et eurent très peur. 25 Les gens d'Israël
dirent : « Avez-vous vu cet homme qui monte?
C'est pour lancer un défi à Israël qu'il monte. Celui
qui l'abattra, le roi le comblera de richesses, il lui
donnera sa fille et exemptera sa maison paternelle
en Israël. »

26 David demanda aux hommes qui se tenaient
près de lui : « Qu'est-ce qu'on fera à celui qui abattra ce Philistin et qui écartera la honte d'Israël?
Qu'est-ce que ce Philistin incirconcis pour qu'il ait Jos **5** 9+
lancé un défi aux troupes du Dieu vivant? » 27 Le Jg **14** 3; **15** 18
peuple lui répondit comme ci-dessus : « Voilà ce Is **37** 4, 17
qu'on fera à celui qui l'abattra. » 28 Son frère aîné 2 R **19** 4, 16
Éliab l'entendit qui parlait aux gens et Éliab se mit
en colère contre David et dit : « Pourquoi donc
es-tu descendu? A qui as-tu laissé ces quelques brebis dans le désert? Je connais ton insolence et la
malice de ton cœur : c'est pour voir la bataille que
tu es venu! » 29 David répondit : « Qu'est-ce que j'ai
fait? Est-ce qu'on ne peut plus parler? » 30 Il se
détourna de lui et s'adressa à un autre. Il posa la
même question et on lui répondit comme la première fois. 31 On entendit les paroles de David et
on les rapporta à Saül qui le fit venir.

**David s'offre pour relever le défi.**

32 David dit à Saül : « Que personne ne perde
courage à cause de lui [d]. Ton serviteur ira se battre
contre ce Philistin. » 33 Mais Saül répondit à
David : « Tu ne peux pas marcher contre ce Philistin pour lutter contre lui, car tu n'es qu'un enfant,
et lui, il est un homme de guerre depuis sa jeunesse. »
34 Mais David dit à Saül : « Quand ton serviteur
faisait paître les brebis de son père et que venait
un lion ou un ours qui enlevait une brebis du troupeau, 35 je le poursuivais, je le frappais et j'arrachais celle-ci de sa gueule. Et s'il se dressait contre
moi, je le saisissais par les poils du menton et je
le frappais à mort. 36 Ton serviteur a battu le lion
et l'ours, il en sera de ce Philistin incirconcis
comme de l'un d'eux, puisqu'il a défié les troupes
du Dieu vivant. » 37 David dit encore : « Yahvé qui
m'a sauvé de la griffe du lion et de l'ours me sau- Ps **18** 18
vera des mains de ce Philistin. » Alors Saül dit à Dt **30** 3-4
David : « Va et que Yahvé soit avec toi! » 38 Saül Lv **26** 8
revêtit David de sa tenue militaire, lui mit sur la Pr **28** 1
tête un casque de bronze et lui fit endosser une cuirasse. 39 Il ceignit David de son épée, par-dessus sa
tenue. David essaya de marcher, car il n'était pas
entraîné, et il dit à Saül : « Je ne puis pas marcher
avec cela, car je ne suis pas entraîné. » On l'en
débarrassa donc [e].

*a)* « Choisissez » grec; hébr. corrompu.
*b)* « d'années » (*bashshanîm*) versions; « parmi les hommes » (*ba'anashîm*) hébr. – L'ancienne version grecque omet les vv. 12-31, qui appartiennent à la tradition d'après laquelle David est encore inconnu de Saül, voir **16** 14+.
*c)* Glose rédactionnelle pour harmoniser les deux traditions.
*d)* C'est le premier récit qui reprend et le v. 32 se rattache au v. 11. Puis les deux traditions sont mêlées.
*e)* Traduit d'après grec; hébr. a : « David se ceignit » et « David les retira », mais cf. v. 38.

**Le combat singulier** [a].

40 David prit son bâton en main, il se choisit
dans le torrent cinq pierres bien lisses et les mit
dans son sac de berger, sa giberne, puis, la fronde
à la main, il marcha vers le Philistin. 41 Le Philistin
s'approcha de plus en plus près de David, précédé
du porte-bouclier. 42 Le Philistin tourna les yeux
vers David et, lorsqu'il le vit, il le méprisa car il
16 12 était jeune – il était roux, avec une belle apparence.
43 Le Philistin dit à David : « Suis-je un chien pour
que tu viennes contre moi avec des bâtons? » et le
Philistin maudit David par ses dieux. 44 Le Philistin
dit à David : « Viens vers moi, que je donne ta
chair aux oiseaux du ciel et aux bêtes des
champs! » 45 Mais David répondit au Philistin :
« Tu marches contre moi avec épée, lance et cimeterre, mais moi, je marche contre toi au nom de
Yahvé Sabaot, le Dieu des troupes d'Israël que tu
as défiées. 46 Aujourd'hui, Yahvé te livrera en ma
main, je t'abattrai, je te couperai la tête, je donnerai
aujourd'hui même ton cadavre et les cadavres [b] de
l'armée philistine aux oiseaux du ciel et aux bêtes
Jos 4 24 sauvages. Toute la terre saura qu'il y a un Dieu en
Israël, 47 et toute cette assemblée saura que ce n'est
Os 1 7 pas par l'épée ni par la lance que Yahvé donne la
1 S 14 6 2 R 19 34s victoire, car Yahvé est maître du combat et il vous
livre entre nos mains. »

48 Dès que le Philistin s'avança et marcha au-devant de David, celui-ci sortit des lignes [c] et courut
à la rencontre du Philistin. 49 Il mit la main dans
son sac et en prit une pierre qu'il tira avec la
fronde. Il atteignit le Philistin au front; la pierre
s'enfonça dans son front et il tomba la face contre
terre. 50 Ainsi David triompha du Philistin avec la
fronde et la pierre : il abattit le Philistin et le fit
mourir; il n'y avait pas d'épée entre les mains de
David. 51 David courut et se tint debout sur le Philistin; saisissant l'épée de celui-ci, il la tira du fourreau, il acheva le Philistin et, avec elle, il lui trancha la tête.

Les Philistins, voyant que leur champion était
mort, s'enfuirent. 52 Les hommes d'Israël et de Juda
se mirent en mouvement, poussèrent le cri de
guerre et poursuivirent les Philistins jusqu'aux
approches de Gat [d] et jusqu'aux portes d'Éqrôn.
Des morts philistins jonchèrent le chemin depuis
Shaarayim jusqu'à Gat et Éqrôn. 53 Les Israélites
revinrent de cette poursuite acharnée et pillèrent le
camp philistin. 54 David prit la tête du Philistin et 17 57;
l'apporta à Jérusalem; quant à ses armes, il les mit 21 10
dans sa propre tente [e].

**David vainqueur est présenté à Saül** [f].

55 En voyant David partir à la rencontre du Philistin, Saül avait demandé à Abner, le chef de
l'armée : « De qui ce jeune homme est-il le fils,
Abner? » Et Abner répondit : « Aussi vrai que tu
es vivant, ô roi, je n'en sais rien. » 56 Le roi dit :
«Informe-toi de qui ce garçon est le fils. »

57 Lorsque David revint d'avoir tué le Philistin,
Abner le prit et le conduisit devant Saül, tenant
dans sa main la tête du Philistin. 58 Saül lui
demanda : « De qui es-tu le fils, jeune homme? »
David répondit : « De ton serviteur Jessé le Bethléemite. »

**18** 1 Lorsqu'il eut fini de parler à Saül, l'âme de
Jonathan s'attacha à l'âme de David et Jona- 19 1-7; 20;
than se mit à l'aimer comme lui-même [g]. 2 Saül le 23 16-18 2 S 1 26
retint ce jour même et ne lui permit pas de retour-
ner chez son père. 3 Jonathan conclut un pacte avec
David, car il l'aimait comme lui-même : 4 Jonathan
se dépouilla du manteau qu'il avait sur lui et il le
donna à David, ainsi que sa tenue, jusqu'à son
épée, son arc et son ceinturon [h]. 5 Dans ses sorties,
partout où l'envoyait Saül, David remportait des
succès et Saül le mit à la tête des hommes de
guerre; il était bien vu de tout le peuple, et même
des officiers de Saül.

**Éveil de la jalousie de Saül** [i].

6 A leur retour, quand David revint d'avoir tué
le Philistin, les femmes sortirent de toutes les villes Ex 15 20s
d'Israël au-devant du roi Saül pour chanter en dan- Jg 5; 11 34
sant, au son des tambourins, des cris d'allégresse
et des sistres. 7 Les femmes qui dansaient chantaient ceci :

« Saül a tué ses milliers, 21 12; 29
et David ses myriades. »

8 Saül fut très irrité et cette affaire lui déplut. Il
dit : « On a donné les myriades à David et à moi

a) C'est un combat entre deux champions, qui doit mettre fin à la guerre et décider du sort des deux peuples, cf. vv. 8-10; cf. encore 2 S 2 12-17; 21 15-22; 23 20-21. On en a rapproché les combats singuliers de l'Iliade.
b) « ton cadavre et les cadavres » grec; « le cadavre » hébr.
c) « des lignes » conj.; « vers les lignes » hébr.
d) « Gat » grec; « vallée » hébr.
e) Ce v. est une addition : Jérusalem ne sera conquise que plus tard, 2 S 5 6-9, et David n'avait pas une tente particulière.
f) Même tradition que 17 12-30. David est encore un inconnu pour Saül. C'est inconciliable avec 16 14-23, aussi l'ancienne version grecque omettait-elle 17 55 - 18 5, comme 17 12-31.
g) Ainsi se déclare l'amitié entre David et Jonathan, qui mettra sa douceur dans les âpres récits qui suivent et durera jusqu'à la mort de Jonathan.
h) Les vêtements participent à la personnalité, cf. 24 5-6; 2 R 2 13s; Rt 3 9. Jonathan s'attache donc ainsi à David, v. 1.
i) Le texte de ce ch. est surchargé : redondance du v. 6, premier attentat à la vie de David, vv. 10-11, mariage manqué avec «Mérab vv. 17-19, succès de David, v. 30, reprenant les vv. 14-16. L'ancienne version grecque ne contenait pas ces doublets.

les milliers, il ne lui manque plus que la royauté! »
9 Et, à partir de ce jour, Saül regarda David d'un
œil jaloux.
= 19 9-10; 10 Le lendemain, un mauvais esprit de Dieu
16 14+ assaillit Saül qui entra en délire au milieu de la
maison. David jouait de la cithare comme les
autres jours et Saül avait sa lance à la main. 11 Saül
brandit sa lance et dit : « Je vais clouer David au
mur! », mais David l'évita par deux fois [a].
12 Saül eut peur de David car Yahvé était avec
celui-ci et s'était détourné de Saül. 13 Alors Saül
l'écarta d'auprès de lui et l'institua chef de mille :
il sortait et rentrait à la tête du peuple. 14 Dans tou-
Gn 39 2 tes ses expéditions, David réussissait et Yahvé était
avec lui. 15 Voyant qu'il réussissait très bien, Saül
le craignait, 16 mais tous en Israël et en Juda
2 S 5 2 aimaient David, car il sortait et rentrait à leur tête.

**Mariage de David [b].**

17 Saül dit à David : « Voici ma fille aînée Mérab,
17 25 je vais te la donner pour femme; sers-moi seulement en brave et combats les guerres de Yahvé. »
Saül s'était dit : « Qu'il ne tombe pas sous ma
main, mais sous celle des Philistins! » 18 David
répondit à Saül : « Qui suis-je et quel est mon
lignage [c], la famille de mon père, en Israël, pour
que je devienne le gendre du roi? » 19 Mais, lorsque
vint le moment de donner à David la fille de Saül,
2 S 21 8 Mérab, on la donna à Adriel de Mehola.
20 Or Mikal, la fille de Saül, s'éprit de David et
on l'annonça à Saül, qui trouva cela bien. 21 Il se
dit : « Je la lui donnerai, mais elle sera un piège
pour lui et la main des Philistins sera sur lui. »
(Saül dit deux fois [d] à David : « Tu seras
aujourd'hui mon gendre. ») 22 Alors Saül donna cet
ordre à ses serviteurs : « Parlez en secret à David
et dites : " Tu plais au roi et tous ses serviteurs t'aiment, deviens donc le gendre du roi. " » 23 Les serviteurs de Saül répétèrent ces paroles aux oreilles
de David, mais David répliqua : « Est-ce une petite
chose à vos yeux de devenir le gendre du roi? Moi,
je ne suis qu'un homme pauvre et de basse condition. » 24 Les serviteurs de Saül en référèrent à
celui-ci : « Voilà les paroles que David a dites. »
25 Saül répondit : « Vous direz ceci à David : " Le
roi ne désire pas un paiement [e], mais cent pré- 17 26+
puces [f] de Philistins, pour tirer vengeance des ennemis du roi. " » Saül comptait faire tomber David
aux mains des Philistins.
26 Les serviteurs de Saül rapportèrent ces paroles
à David et celui-ci trouva que l'affaire était bonne,
pour devenir le gendre du roi. Le temps n'était pas
écoulé 27 que David se mit en campagne et partit
avec ses hommes. Il tua aux Philistins deux cents
hommes, il rapporta leurs prépuces et les compta
au roi, pour devenir son gendre. Alors Saül lui
donna pour femme sa fille Mikal.
28 Saül dut reconnaître que Yahvé était avec
David et que toute la maison d'Israël [g] l'aimait.
29 Alors Saül eut encore plus peur de David et il
conçut contre lui une hostilité de tous les jours.
30 Les princes des Philistins firent campagne, mais
chaque fois qu'ils faisaient campagne, David remportait plus de succès que tous les officiers de Saül,
et il acquit un très grand renom.

**Jonathan intercède pour David [h].** 20

19 1 Saül communiqua à son fils Jonathan et à
tous ses officiers son dessein de faire mourir
David. Or Jonathan, fils de Saül, avait beaucoup
d'affection pour David 2 et il avertit ainsi David :
« Mon père Saül cherche à te faire mourir. Sois
donc sur tes gardes demain matin, reste à l'abri et
dissimule-toi. 3 Moi, je sortirai et je me tiendrai à
côté de mon père dans le champ où tu seras, je parlerai de toi à mon père, je verrai ce qu'il y a et je
t'en informerai. »
4 Jonathan dit du bien de David à son père Saül
et il lui parla ainsi : « Que le roi ne pèche pas
contre son serviteur David, car celui-ci n'a commis
aucune faute contre toi; bien plutôt, ce qu'il a fait
a été d'un grand profit pour toi. 5 Il a risqué sa vie,
il a abattu le Philistin et Yahvé a procuré une
grande victoire à tout Israël : tu as vu et tu t'es
réjoui. Pourquoi pécherais-tu par le sang d'un innocent en faisant mourir David sans raison? » 6 Saül
céda aux paroles de Jonathan et il fit ce serment :
« Aussi vrai que Yahvé est vivant, il ne mourra
pas! » 7 Alors Jonathan appela David et il lui rapporta toutes ces choses. Puis il le conduisit à Saül
et David reprit son service comme auparavant.

*a)* Les vv. 10-11, de même tradition que **16** 14-23, interrompent ici le fil du récit en anticipant l'épisode de **19** 8-10.
*b)* Les vv. 17-19 s'accordent mal avec la suite : aucune allusion, sauf la glose du v. 21, à ces fiançailles rompues dans les vv. 20-27, qui développent les mêmes thèmes à propos de Mikal.
*c)* « mon lignage » (*hayyî*) conj.; « ma vie » (*hayyay*) hébr.
*d)* A propos de Mérab, puis à propos de Mikal. Cette phrase est une glose, cf. note *b*.
*e)* Le *mohar*, la somme d'argent que le fiancé payait au père de la jeune fille.
*f)* Il arrivait qu'on dénombrât les ennemis tués en leur coupant un membre. Les prépuces certifieront que les victimes sont des Philistins incirconcis.
*g)* « toute la maison d'Israël » grec; « Mikal, fille de Saül » hébr.
*h)* Cet épisode ne s'accorde pas au récit du ch. **20** où Jonathan, v. 2, ne sait encore rien des intentions criminelles de son père. Ce sont deux traditions sur l'intervention de Jonathan en faveur de David.

## 2. FUITE DE DAVID

= 18 10-11 **Attentat de Saül contre David.**

[8] Comme la guerre avait repris, David se mit en
campagne et combattit les Philistins; il leur infligea
une grande défaite et ils s'enfuirent devant lui. [9] Or
16 14+ un mauvais esprit de Yahvé prit possession de
Saül : comme il était assis dans sa maison, sa lance
à la main, et que David jouait de la cithare, [10] Saül
essaya de clouer David au mur avec sa lance, mais
celui-ci esquiva le coup de Saül, qui planta sa lance
dans le mur. David prit la fuite et se sauva.

**David sauvé par Mikal.**

Cette même nuit [a], [11] Saül envoya des émissaires
surveiller la maison de David, voulant le mettre à
mort dès le matin. Mais la femme de David, Mikal,
lui donna cet avertissement : « Si tu ne t'échappes
pas cette nuit, demain tu es un homme mort! »
[12] Mikal fit descendre David par la fenêtre. Il partit,
prit la fuite et se sauva.
15 22+ [13] Mikal prit le téraphim, elle le plaça sur le lit,
mit à son chevet une tresse en poils de chèvre et
le couvrit d'un vêtement. [14] Lorsque Saül envoya
des messagers pour s'emparer de David, elle dit :
« Il est malade. » [15] Mais Saül renvoya les messagers voir David et leur dit : « Portez-le moi dans
son lit pour que je le mette à mort! » [16] Les messagers entrèrent, et voilà que c'était le téraphim dans
le lit, avec la tresse en poils de chèvre à son chevet!
[17] Saül dit à Mikal : « Pourquoi m'as-tu ainsi trahi
et as-tu laissé partir mon ennemi pour qu'il
s'échappe? » Mikal répondit à Saül : « C'est lui qui
m'a dit : Laisse-moi partir, ou je te tue! »

**Saül et David chez Samuel [b].**

[18] David avait donc pris la fuite et s'était échappé. Il se rendit chez Samuel à Rama et lui rapporta tout ce que Saül lui avait fait. Lui et
Samuel allèrent habiter aux cellules [c]. [19] On informa ainsi Saül : « Voici que David est aux cellu-
2 R 1 9-14 les à Rama. » [20] Saül envoya des messagers pour se
saisir de David et ceux-ci virent [d] la communauté
10 5+ des prophètes en train de prophétiser, Samuel se
tenant à leur tête. Alors l'esprit de Dieu s'empara
des messagers de Saül et ils furent pris de délire eux
aussi. [21] On avertit Saül, qui envoya d'autres messagers, et ils furent pris de délire eux aussi. Saül
envoya un troisième groupe de messagers, et ils
furent pris de délire eux aussi.
[22] Alors il partit lui-même pour Rama et arriva
à la grande citerne qui est à Sékû. Il demanda où
étaient Samuel et David et on répondit : « Ils sont
aux cellules à Rama. » [23] De là il se rendit donc aux
cellules à Rama. Mais l'esprit de Dieu s'empara
aussi de lui et il marcha en délirant jusqu'à son
arrivée aux cellules à Rama. [24] Lui aussi il se
dépouilla de ses vêtements, lui aussi il fut pris de
délire devant Samuel, puis il s'écroula nu et resta
ainsi tout ce jour et toute la nuit. D'où le dicton :
« Saül est-il aussi parmi les prophètes? » 10 10-12

**Jonathan favorise le départ de David [e].** 19 1-7, 11-17

20 [1] S'étant enfui des cellules qui sont à Rama [f],
David vint dire en face à Jonathan : « Qu'ai-je
donc fait, quelle a été ma faute, quel a été mon
crime envers ton père pour qu'il en veuille à ma
vie? » [2] Il lui répondit : « Loin de toi cette pensée!
Tu ne mourras pas. Mon père n'entreprend aucune
chose, importante ou non, sans m'en faire la
confidence. Pourquoi mon père m'aurait-il caché
cette affaire? C'est impossible! » [3] David fit ce serment : « Ton père sait très bien que j'ai ta faveur
et il s'est dit : " Que Jonathan ne sache rien, de
peur qu'il n'en soit peiné. " Mais, aussi vrai que vit
Yahvé et que tu vis toi-même, il n'y a qu'un pas
entre moi et la mort. »
[4] Jonathan dit à David : « Que veux-tu que je
fasse pour toi? » [5] David répondit à Jonathan :
« C'est demain la nouvelle lune [g] et je devrais
m'asseoir avec le roi pour manger, mais tu me laisseras partir et je me cacherai dans la campagne
jusqu'au soir [h]. [6] Si ton père remarque mon
absence, tu diras : " David m'a demandé avec instance la permission de faire une course à Bethléem, sa ville, car on y célèbre le sacrifice annuel
pour tout le clan. " [7] S'il dit : " C'est bien ", ton

*a)* Plutôt qu'à ce qui précède, le récit se rattache à **18** 27 : c'est la nuit même des noces de David.

*b)* Récit indépendant et probablement tardif. D'après **15** 35, Saül et Samuel ne devaient plus se revoir. C'est un doublet de **10** 10-12.

*c)* Habitation des prophètes, 2 R **6** 1s, à Rama ou aux environs. Ou peut-être un lieu-dit de Rama : « à Navit » ou « à Nayot ».

*d)* « et ceux-ci virent » versions; « et il vit » hébr.

*e)* Récit d'une autre tradition que **19** 1-7, et parallèle à **19** 11-17. Dans un cas la fille, dans l'autre le fils du roi sauvent David.

*f)* Suture rédactionnelle; d'après le récit qui suit, David n'est pas encore séparé de Saül.

*g)* Marquée par une fête religieuse, Is **1** 13-14; Os **2** 13; Am **8** 5; cf. 2 R **4** 23, comportant des sacrifices, Nb **10** 10; **28** 11s.

*h)* Après « au soir » on omet « le troisième » avec le grec.

serviteur est sauf, mais s'il se met en colère, sache
que le malheur est décidé de sa part. 8 Montre ta
bonté envers ton serviteur, puisque tu l'as uni à toi
dans un pacte au nom de Yahvé, et, si je suis en
faute, fais-moi mourir toi-même; pourquoi
m'amener jusqu'à ton père? » 9 Jonathan reprit :
« Loin de toi cette pensée! Si je savais vraiment que
mon père est décidé à faire venir sur toi un malheur, est-ce que je ne t'avertirais pas? » 10 David
demanda à Jonathan : « Qui m'avertira si ton père
te répond durement[a]? »
11 Jonathan dit à David : « Viens, sortons dans la
campagne », et ils sortirent tous deux dans la campagne. 12 Jonathan dit à David : « Par Yahvé, Dieu
d'Israël! je sonderai mon père demain à la même
heure : s'il en va bien pour David et si je n'envoie
Rt 1 17+ pas t'en faire confidence, 13 que Yahvé fasse à Jonathan ce mal et qu'il ajoute encore cet autre! S'il
paraît bon à mon père d'amener le malheur[b] sur
toi, je t'en ferai confidence et je te laisserai aller;
tu partiras sain et sauf, et que Yahvé soit avec toi
comme il fut avec mon père! 14 Si je suis encore
vivant, puisses-tu me témoigner une bonté de
Yahvé; si je meurs, 15 ne retire jamais ta bonté à
ma maison. Quand Yahvé supprimera de la face de
la terre les ennemis de David, 16 que le nom de
2 S 9; Jonathan ne soit pas supprimé avec la maison de
21 7 Saül, sinon Yahvé en demandera compte à
David[c]. » 17 Jonathan prêta de nouveau serment[d]
à David, parce qu'il l'aimait de toute son âme.
18 Jonathan lui dit : « C'est demain la nouvelle
lune et on remarquera ton absence, car ta place
sera vide. 19 Après-demain, on remarquera beaucoup ton absence, tu iras à l'endroit où tu t'étais
caché le jour de l'affaire[e], tu t'assiéras à côté de
ce tertre que tu sais. 20 Pour moi, après demain, je
lancerai des flèches de ce côté-là comme pour tirer
à la cible. 21 J'enverrai le servant : " Va! Trouve la
flèche. " Si je dis au servant : " La flèche est en
deçà de toi, prends-la ", viens, c'est que cela va
bien pour toi et qu'il n'y a rien, aussi vrai que
Yahvé est vivant. 22 Mais si je dis au garçon : " La
flèche est au-delà de toi ", pars, car c'est Yahvé qui
te renvoie. 23 Quant à la parole que nous avons
échangée, moi et toi, Yahvé est témoin[f] pour toujours entre nous deux. »
24 Donc David se cacha dans la campagne. La
nouvelle lune arriva et le roi se mit à table pour
manger. 25 Le roi s'assit à sa place habituelle, la
place contre le mur, Jonathan se mit en face[g],
Abner s'assit à côté de Saül et la place de David
resta inoccupée. 26 Cependant, Saül ne dit rien ce
jour-là; il pensa : « C'est un accident, il n'est pas
pur[h]. » 27 Le lendemain de la nouvelle lune, le
second jour, la place de David resta inoccupée et
Saül dit à son fils Jonathan : « Pourquoi le fils de
Jessé n'est-il venu au repas ni hier ni aujourd'hui? »
28 Jonathan répondit à Saül : « David m'a demandé
avec instance la permission d'aller à Bethléem. 29 Il
m'a dit : " Laisse-moi partir, je te prie, car nous
avons un sacrifice de clan à la ville et mes frères
m'ont réclamé; maintenant, si j'ai acquis ta faveur,
laisse-moi m'échapper, que j'aille voir mes frères. "
Voilà pourquoi il n'est pas venu à la table du roi. »
30 Saül s'enflamma de colère contre Jonathan et
il lui dit : « Fils d'une dévoyée! Ne sais-je pas que
tu prends parti pour le fils de Jessé, à ta honte et
à la honte de la nudité de ta mère? 31 Aussi longtemps que le fils de Jessé vivra sur la terre, tu ne
seras pas en sécurité ni ta royauté. Maintenant,
fais-le chercher et amène-le-moi, car il est passible
de mort. » 32 Jonathan répliqua à son père Saül et
lui dit : « Pourquoi mourrait-il? Qu'a-t-il fait? »
33 Alors Saül brandit sa lance contre lui pour le
frapper, et Jonathan comprit que la mort de David
était chose décidée de la part de son père. 34 Jonathan se leva de table, échauffé de colère, et il ne
mangea rien ce second jour du mois parce qu'il
était peiné au sujet de David[i], parce que son père
l'avait insulté.
35 Le lendemain matin, Jonathan sortit dans la
campagne pour le rendez vous avec David; il était
accompagné d'un jeune servant. 36 Il dit à son servant : « Cours et trouve les flèches que je vais
tirer. » Le servant courut et Jonathan tira la flèche
de manière à le dépasser. 37 Quand le servant arriva
vers l'endroit de la flèche qu'il avait tirée, Jonathan
lui cria : « Est-ce que la flèche n'est pas au-delà de **20** 22
toi? » 38 Jonathan cria encore au servant : « Vite!
Dépêche-toi, ne t'arrête pas. » Le servant de Jonathan ramassa la flèche et l'apporta[j] à son maître.
39 Le servant ne se doutait de rien, seuls Jonathan
et David savaient de quoi il s'agissait.
40 Jonathan remit les armes à son servant et lui

*a)* La question suppose qu'il est dangereux pour les deux amis de se rencontrer. La réponse viendra au v. 18. Les vv. 11-17 sont une addition, qui envisage déjà un transfert de pouvoir de Saül à David.
*b)* « à mon père d'amener (le malheur) » conj.; « à mon père (le malheur) » hébr.
*c)* Vv. 14-16 : texte très corrompu, restitué à l'aide du grec.
*d)* « prêta serment » grec; « fit prêter serment » hébr. – La fin du v. d'après le grec, l'hébr. est surchargé.
*e)* Rappel d'un épisode qui ne nous a pas été conservé, ou influence rédactionnelle de **19** 1-7. – Le texte des vv. 19-20 est incertain, on corrige d'après le grec et le v. 18.
*f)* « témoin » grec; omis par hébr., de même au v. 42.
*g)* « se mit en face » grec; « se leva » hébr.
*h)* Un « accident », une pollution involontaire rend impur jusqu'au soir, d'après Lv **15** 16; Dt **23** 11. – A la fin, le texte répète « car il n'est pas pur », dittographie.
*i)* Omis par grec, peut-être glose inspirée du v. 3. La fin du v. se réfère au v. 30.
*j)* « apporta » versions; « vint » hébr.

dit : « Va et porte cela à la ville. » 41 Tandis que le
servant rentrait, David se leva d'à côté du tertre,
il tomba la face contre terre et se prosterna trois
fois, puis ils s'embrassèrent l'un l'autre et ils pleurèrent ensemble abondamment [a]. 42 Jonathan dit à
David : « Va en paix. Quant au serment que nous
avons juré tous les deux par le nom de Yahvé, que
Yahvé soit témoin pour toujours entre moi et toi,
entre ma descendance et la tienne [b]. »
43 **21** 1 David se leva et partit, et Jonathan rentra en
ville.

### L'arrêt à Nob.

21¹ 2 David arriva à Nob [c] chez le prêtre Ahimélek [d].
Celui-ci vint en tremblant au-devant de David et lui
demanda : « Pourquoi es-tu seul et n'y a-t-il per-
2 sonne avec toi? » 3 David répondit au prêtre Ahimélek : « Le roi m'a donné un ordre et m'a dit :
“ Que personne ne sache la mission dont je te
charge et l'ordre que je te donne! ” Quant à mes
hommes, je leur ai donné rendez-vous [e] à tel
3 endroit. 4 Maintenant, si tu as sous la main cinq
4 pains, donne-les-moi, ou ce qui se trouvera. » 5 Le
prêtre répondit : « Je n'ai pas de pain ordinaire sous
Ex **25** 30 la main, il n'y a que du pain consacré [f] – pourvu
Lv **24** 5-9 que tes hommes se soient gardés de rapports avec
↗ Mt **12** 3-4p les femmes. »
5 6 David répondit au prêtre : « Bien sûr, les femmes nous ont été interdites, comme toujours quand
je pars en campagne, et les choses des hommes sont
en état de pureté. C'est un voyage profane, mais
vraiment aujourd'hui ils sont en état de pureté
6 quant à la chose [g]. » 7 Alors le prêtre lui donna ce
qui avait été consacré, car il n'y avait pas d'autre
pain que le pain d'oblation, celui qu'on retire de
devant Yahvé pour le remplacer par du pain chaud, Lv **24** 8
quand on le prend.
8 Or, ce jour même, se trouvait là un des servi- 7
teurs de Saül, retenu devant Yahvé; il se nommait
Doëg l'Édomite et était le plus robuste des bergers **22** 9s
de Saül [h].
9 David dit à Ahimélek : « Et n'y a-t-il pas ici 8
sous ta main une lance ou une épée? Je n'ai pris
avec moi ni mon épée ni mes armes, tant l'affaire
du roi était urgente. » 10 Le prêtre répondit : 9
« L'épée de Goliath le Philistin, que tu as abattu **17** 51, 54
dans la vallée du Térébinthe, est là, enveloppée
dans un manteau derrière l'éphod [i]. Si tu veux,
prends-la, il n'y en a pas d'autre ici. » David répondit : « Elle n'a pas sa pareille, donne-la-moi. »

### David chez les Philistins [j]. **27**

11 David se leva et s'enfuit ce jour-là loin de Saül 10
et il arriva chez Akish, roi de Gat. 12 Mais les servi- 11
teurs d'Akish dirent à celui-ci : « Est-ce que ce n'est
pas David, le roi du pays? N'est-ce pas pour celui-
là qu'on chantait dans les danses :

“ Saül a tué ses milliers, **18** 7; **29** 5
et David ses myriades ”? »

13 David réfléchit sur ces paroles et il eut très 12
peur d'Akish, roi de Gat. 14 Alors, il fit l'insensé 13
sous leurs yeux et il simula la démence entre leurs
mains : il tambourinait [k] sur les battants de la porte
et laissait sa salive couler sur sa barbe.
15 Akish dit à ses serviteurs : « Vous voyez bien 14
que c'est un fou! Pourquoi me l'amenez-vous?
16 Est-ce que je manque de fous, que vous m'ame- 15
niez celui-ci pour m'ennuyer avec ses folies? Va-t-il
entrer dans ma maison? »

*a)* « tertre » (*regeb*) conj.; « sud » (*negeb*) hébr. – « abondamment » grec; hébr. corrompu.
*b)* Les vv. 40-42 sont ajoutés : le stratagème des flèches n'a de raison d'être que si David et Jonathan ne doivent pas communiquer directement.
*c)* Sur la pente orientale du mont Scopus, à l'est de Jérusalem, qui était encore aux mains des Cananéens et que l'on contournait pour aller de Benjamin en Juda. L'épisode prépare **22** 9-23.
*d)* Descendant d'Éli, **22** 9, et le même personnage qu'Ahiyya, **14** 3. Le sacerdoce de Silo s'était réfugié à Nob après le désastre du ch. **4**.
*e)* « Je leur ai donné rendez-vous » d'après grec; « je leur ai fait savoir » hébr.
*f)* Les pains d'oblation. Ils étaient réservés aux prêtres, Lv **24** 5-9. Au temps de David, une dérogation à cette loi était possible. Mais il fallait être rituellement pur.
*g)* Verset difficile. Nous comprenons : bien que ce soit un voyage profane, les hommes se sont comportés comme pour une expédition militaire, où la continence était une règle religieuse, leurs « choses » (euphémisme) sont pures, cf. Dt **23** 11.
*h)* Ceci prépare **22** 9-10 et 18.
*i)* Cet éphod de Nob reparaîtra en **23** 6, 9 et est supposé par **23** 10, 13, 15. C'est encore l'éphod divinatoire, cf. **2** 28+, qui était donc un objet assez grand, cf. Jg **8** 26. L'épée de Goliath est gardée derrière l'éphod, comme un trophée, cf. **31** 10.
*j)* Tradition indépendante sur la fuite de David, qui anticipe le récit du ch. **27** et souligne d'un trait humoristique l'habileté de David.
*k)* « tambourinait » versions; « faisait des signes » hébr.

## *3. DAVID CHEF DE BANDE*

**David commence sa vie errante.**

22 1 David partit de là et se réfugia dans la grotte
d'Adullam [a]. Ses frères et toute sa famille l'apprirent et descendirent l'y rejoindre. 2 Tous les gens
en détresse, tous ceux qui avaient des créanciers,
tous les mécontents se rassemblèrent autour de lui
et il devint leur chef. Il y avait avec lui environ quatre cents hommes.
3 De là, David se rendit à Miçpé de Moab et dit
au roi de Moab : « Permets que mon père et ma
mère restent avec vous [b] jusqu'à ce que je sache ce
que Dieu fera pour moi. » 4 Il les laissa [c] chez le roi
de Moab et ils restèrent avec celui-ci tout le temps
que David fut dans le refuge.
5 Le prophète Gad [d] dit à David : « Ne reste pas
dans le refuge, va-t'en et enfonce-toi dans le pays
de Juda. » David partit et se rendit dans la forêt de
Hérèt.

**Massacre des prêtres de Nob.**

6 Saül apprit qu'on avait découvert David et les
hommes qui l'accompagnaient. Saül était à Gibéa,
assis sous le tamaris du haut lieu, sa lance à la
main, et tous ses officiers se tenaient debout près
de lui. 7 Et Saül dit aux officiers qui se tenaient près
de lui : « Écoutez donc, Benjaminites! Le fils de
8 14 Jessé aussi vous donnera-t-il à tous des champs et
des vignes et vous nommera-t-il tous chefs de mille
et chefs de cent, 8 que vous conspiriez tous contre
moi? Personne ne m'avertit quand mon fils pactise
avec le fils de Jessé, personne de vous n'a pitié [e] de
moi et ne me révèle que mon fils a dressé mon serviteur en ennemi contre moi, comme il apparaît
aujourd'hui. »
21 2-10 9 Doëg l'Édomite, qui se tenait près des officiers
de Saül, prit la parole et dit : « J'ai vu le fils de
Jessé qui venait à Nob chez Ahimélek, fils
d'Ahitub. 10 Celui-ci a consulté Yahvé pour lui, il
lui a donné des vivres, il lui a remis aussi l'épée de
Goliath le Philistin. » 11 Alors Saül fit appeler le
prêtre Ahimélek fils d'Ahitub et toute sa famille, les
prêtres de Nob, et ils vinrent tous chez le roi.
12 Saül dit : « Écoute donc, fils d'Ahitub! » et il
répondit : « Me voici, Monseigneur. » 13 Saül lui
dit : « Pourquoi avez-vous conspiré contre moi, le
fils de Jessé et toi? Tu lui as donné du pain et une
épée et tu as consulté Dieu pour lui, afin qu'il se
dresse en ennemi contre moi, comme il arrive
aujourd'hui. » 14 Ahimélek répondit au roi : « Et qui
donc, parmi tous tes serviteurs, est comparable à
David, le fidèle, le gendre du roi, le chef [f] de ta
garde personnelle, celui qu'on honore dans ta maison? 15 Est-ce aujourd'hui que j'ai commencé de
consulter Dieu pour lui? Loin de moi toute autre
pensée! Que le roi n'impute à son serviteur et à
toute sa famille aucune charge, car ton serviteur ne
savait rien de tout cela, ni peu ni prou. » 16 Le roi
reprit : « Tu mourras, Ahimélek, toi et toute ta
famille. »
17 Le roi ordonna aux coureurs qui se tenaient
près de lui : « Approchez et mettez à mort les prê- 2 31-33
tres de Yahvé, car ils ont eux aussi prêté la main
à David, ils ont su qu'il fuyait et ils ne m'ont pas
averti. » Mais les gardes du roi ne voulurent pas
porter la main sur les prêtres de Yahvé et les frapper. 18 Alors, le roi dit à Doëg : « Toi, approche et
frappe les prêtres. » Doëg l'Édomite s'approcha et
frappa lui-même les prêtres : il mit à mort ce jour-
là quatre-vingt-cinq hommes qui portaient le
pagne de lin. 19 Quant à Nob, la ville des prêtres, 2 18+
Saül la passa au fil de l'épée, hommes et femmes,
enfants et nourrissons, bœufs, ânes, brebis.
20 Il n'échappa qu'un fils d'Ahimélek, fils
d'Ahitub. Il se nommait Ébyatar et il s'enfuit
auprès de David. 21 Ébyatar annonça à David que
Saül avait massacré les prêtres de Yahvé, 22 et
David lui dit : « Je savais ce jour-là que Doëg
l'Édomite, étant présent, avertirait sûrement Saül!
C'est moi qui suis responsable [g] de la vie de tous
tes parents. 23 Demeure avec moi, sois sans
crainte : c'est le même qui en voudra à ma vie et
qui en voudra à la tienne, car tu es sous ma bonne
garde [h]. »

**David à Qeïla.**

23 1 On apporta cette nouvelle à David : « Les
Philistins assiègent Qeïla et pillent les aires. »
2 David consulta Yahvé : « Dois-je partir et battrai-
je les Philistins? » Yahvé répondit : « Va, tu bat-

*a)* Les grottes du désert de Juda ont de tout temps servi de refuge aux hors-la-loi. Adullam était une ville de la Shéphéla ou Bas-Pays.
*b)* « restent » conj.; « sortent » hébr. – David soustrait ses parents à la vengeance de Saül; il a des liens de famille avec Moab, d'après Rt **4** 17, cf. Mt **1** 5-6.
*c)* « laissa » versions; « conduisit » hébr.
*d)* Il restera le « voyant » de David, 2 S **24** 11s.
*e)* « n'a pitié » grec; « n'est malade » hébr. – « en ennemi » grec; « en espion » hébr., de même au v. 13.
*f)* « chef » (*sar*) grec; « éloigné » (*sâr*) hébr.
*g)* « suis responsable » grec; « me suis tourné » hébr.
*h)* Ébyatar restera le prêtre de David jusqu'à la mort de celui-ci. Il sera écarté par Salomon, 1 R **2** 26-27.

tras les Philistins et tu délivreras Qéïla. » [3] Cependant les hommes de David lui dirent : « Ici, en
Juda, nous avons déjà à craindre; combien plus si
nous allons à Qéïla contre les troupes philistines! »
[4] David consulta encore une fois Yahvé, et Yahvé
répondit : « Pars! Descends à Qéïla, car je livre les
Philistins entre tes mains. » [5] David alla donc à
Qéïla avec ses hommes, il attaqua les Philistins,
enleva leurs troupeaux et leur infligea une grande
défaite. Ainsi David délivra les habitants de Qéïla.
**22** 20-23 – [6] Lorsque Ébyatar, fils d'Ahimélek, se réfugia
auprès de David, il descendit à Qéïla, ayant en
2 28+ main l'éphod [a].

[7] Quand on rapporta à Saül que David était entré
à Qéïla, il dit : « Dieu l'a livré [b] en mon pouvoir,
car il s'est pris au piège en entrant dans une ville
à portes et à verrous! » [8] Saül appela tout le peuple
aux armes pour descendre à Qéïla et bloquer David
et ses hommes. [9] Quand David sut que c'était
contre lui que Saül forgeait de mauvais desseins,
2 28+ il dit au prêtre Ébyatar : « Apporte l'éphod. »
[10] David dit : « Yahvé, Dieu d'Israël, ton serviteur
a entendu dire que Saül se préparait à venir à Qéïla
pour détruire la ville à cause de moi. [11c] Saül des-
cendra-t-il, comme ton serviteur l'a appris? Yahvé,
Dieu d'Israël, veuille informer ton serviteur! »
Yahvé répondit : « Il descendra. » [12] David
demanda : « Les notables de Qéïla me livreront-ils,
moi et mes hommes, entre les mains de Saül? »
Yahvé répondit : « Ils vous livreront [d]. » [13] Alors
David partit avec ses hommes, au nombre
d'environ six cents, ils sortirent de Qéïla et errèrent
à l'aventure. On rapporta à Saül que David s'était
échappé de Qéïla et il abandonna l'expédition.

[14] David demeura au désert dans les refuges; il
demeura dans la montagne au désert de Ziph [e] et
Saül fut continuellement à sa recherche, mais Dieu
ne le livra pas entre ses mains.

**David à Horsha. Visite de Jonathan [f].**

[15] David se rendit compte que Saül était entré en
campagne pour attenter à sa vie. David était alors
dans le désert de Ziph, à Horsha. [16] S'étant mis en
route, Jonathan, fils de Saül, vint auprès de David
à Horsha et le réconforta au nom de Dieu. [17] Il lui
dit : « Sois sans crainte, car la main de mon père
Saül ne t'atteindra pas. C'est toi qui régneras sur
Israël et moi je serai ton second; mon père Saül lui-
même le sait bien. » [18] Ils conclurent tous les deux
un pacte devant Yahvé. David demeura à Horsha
et Jonathan s'en alla chez lui.

**David échappe de justesse à Saül.**

[19] Des gens de Ziph montèrent à Gibéa auprès
de Saül pour lui dire : « David ne se cache-t-il pas
parmi nous dans les refuges, à Horsha, sur la colline de Hakila, au sud de la steppe? [20] Maintenant,
quand tu désireras descendre, ô roi, descends : c'est
à nous de le livrer entre les mains du roi. » [21] Saül
répondit : « Soyez bénis de Yahvé pour avoir eu
pitié de moi. [22] Allez donc, informez-vous encore,
rendez-vous bien compte de l'endroit où se hâteront
ses pas [g]; on m'a dit qu'il était très rusé. [23] Rendez-vous compte de toutes les cachettes où il se
terre et revenez me voir quand vous serez sûrs.
Alors, j'irai avec vous et, s'il est dans le pays, je
le traquerai dans tous les clans de Juda. »

[24] Se mettant en route, ils partirent pour Ziph, en
avant de Saül. David et ses hommes étaient au
désert de Maôn, dans la plaine au sud de la steppe.
[25] Saül et ses hommes partirent à sa recherche. On
l'annonça à David et celui-ci descendit à la gorge [h]
qui se trouve dans le désert de Maôn. Saül l'apprit
et il poursuivit David dans le désert de Maôn.
[26] Saül et ses hommes suivaient un des versants de
la montagne, David et ses hommes suivaient l'autre
versant. David fuyait éperdument devant Saül et
Saül et ses hommes cherchaient à passer du côté de
David [i] et de ses hommes pour s'emparer d'eux,
[27] quand un messager vint dire à Saül : « Viens
vite, les Philistins ont envahi le pays! » [28] Saül
cessa donc de poursuivre David et marcha à la
rencontre des Philistins. C'est pourquoi on a appelé
cet endroit la Gorge des Séparations.

**David épargne Saül.** = **26**

**24** [1] David monta de là et s'établit dans les refuges d'Engaddi [j]. [2] Quand Saül revint de la
poursuite des Philistins, on lui rapporta ceci :

*a)* D'après le grec; l'ordre des mots est brouillé dans l'hébr.
*b)* « livré » grec; « rejeté » hébr.
*c)* L'hébreu porte ici : « Les notables de Qéïla me livreront-ils entre ses mains? » qui est omis par le grec et sera répété au v. 12.
*d)* David a sauvé les habitants de Qéïla, mais il leur a fait payer cette assistance en vivant à leurs dépens avec sa troupe, cf. **25** 4-8+; alors ils le trahissent et font appel au pouvoir régulier. Cf. **23** 19-20; **24** 2; **26** 1.
*e)* Au sud d'Hébron. Le v. relie l'épisode de Qéïla, vv. 1-13, à celui de Ziph, vv. 19-28.
*f)* Les vv. 15-18 appartiennent aux traditions sur l'amitié de David et de Jonathan, cf. particulièrement **20** 11-17. L'annonce de la royauté de David est ici explicite et Jonathan se réserve la seconde place, v. 17. Cela ne signifie pas qu'il y ait eu un complot des deux amis contre Saül (cf. **20** 30; **22** 8). Ces histoires sont racontées à la lumière des événements qui suivirent.
*g)* « informez-vous » avec quelques mss; « préparez-vous » hébr. – « se hâteront » d'après grec; hébr. inintelligible.
*h)* *Sela* [c] a ici son sens premier de « coupure dans le roc ». Saül et David suivent, non pas les deux versants d'une hauteur, mais les deux versants d'une gorge difficile à franchir, v. 26. Cf. des situations analogues en **26** 13, 22; 2 S **16** 13.
*i)* « passer du côté de » grec; « cerner » hébr. « Saül et les hommes » grec; omis par hébr.
*j)* La « source du Chevreau », près du rivage de la mer Morte, à la latitude de Ziph.

« David est au désert d'Engaddi. » 3 Alors Saül prit
trois mille hommes choisis dans tout Israël et partit
à la recherche de David et de ses gens, à l'est des
Rocs des Bouquetins. 4 Il arriva aux parcs à brebis [a] qui sont près du chemin; il y a là une grotte
où Saül entra pour se couvrir les pieds [b]. Or David
et ses gens étaient assis au fond de la grotte, 5 et
les gens de David lui dirent : « Voici le jour où
Yahvé te dit : C'est moi qui livre ton ennemi entre
tes mains, traite-le comme il te plaît. » David se
leva et coupa furtivement le pan du manteau de
Saül. 6 Après quoi, le cœur lui battit, d'avoir coupé
le pan du manteau de Saül [c]. 7 Il dit à ses hommes :
« Yahvé me garde d'agir ainsi à l'égard de mon sei-
**26** 9; **31** 4 gneur [d], de porter la main sur lui, car il est l'oint
2 S **1** 14 de Yahvé. » 8 Par ses paroles, David retint ses
hommes et ne leur permit pas de se jeter sur Saül.
Celui-ci quitta la grotte et alla son chemin.
9 David se leva ensuite, sortit de la grotte et lui
cria : « Monseigneur le roi! » Saül regarda derrière
lui et David s'inclina jusqu'à terre et se prosterna.
10 Puis David dit à Saül : « Pourquoi écoutes-tu les
gens qui disent : " Voici que David cherche ton
malheur"? 11 En ce jour même, tes yeux ont vu
comment Yahvé t'avait livré aujourd'hui entre mes
mains dans la grotte, mais j'ai refusé [e] de te tuer,
**24** 7+ je t'ai épargné et j'ai dit : Je ne porterai pas la main
sur mon seigneur, car il est l'oint de Yahvé. 12 O
mon père, vois, vois donc le pan de ton manteau
dans ma main : puisque j'ai pu couper le pan de
ton manteau et que je ne t'ai pas tué, reconnais
clairement qu'il n'y a chez moi ni méchanceté ni
crime. Je n'ai pas péché contre toi alors que, toi,
tu tends des embûches à ma vie pour me l'enlever.
13 Que Yahvé soit juge entre moi et toi, que Yahvé
me venge de toi, mais ma main ne te touchera pas!
14 (Comme dit l'ancien proverbe : Des méchants
sort la méchanceté et ma main ne te touchera
pas [f].) 15 Après qui le roi d'Israël s'est-il mis en
2 S **9** 8; campagne, après qui cours-tu? Après un chien
**16** 9 crevé, après une simple puce! 16 Que Yahvé soit
l'arbitre, qu'il juge entre moi et toi, qu'il examine
et défende ma cause et qu'il me rende justice en me
délivrant de ta main! »
17 Lorsque David eut achevé de parler ainsi à
Saül, celui-ci dit : « Est-ce bien ta voix, mon fils
David? » et Saül se mit à crier et à pleurer. 18 Puis
il dit à David : « Tu es plus juste que moi, car tu
m'as fait du bien et moi je t'ai fait du mal. 19 Aujourd'hui, tu as révélé ta bonté pour moi, puisque
Yahvé m'avait livré entre tes mains et que tu ne
m'as pas tué. 20 Quand un homme rencontre son
ennemi, le laisse-t-il aller bonnement son chemin?
Que Yahvé te récompense pour le bien que tu m'as
fait aujourd'hui. 21 Maintenant, je sais que tu régneras sûrement et que la royauté sur Israël sera ferme
en tes mains. 22 Jure-moi donc par Yahvé que tu ne
supprimeras pas ma postérité après moi et que tu
ne feras pas disparaître mon nom de ma famille. »
23 David prêta serment à Saül [g]. Celui-ci s'en alla
chez lui, tandis que David et ses gens remontaient
au refuge.

**Mort de Samuel.** = **28** 3
**Histoire de Nabal et d'Abigayil.**

25 1 Samuel mourut. Tout Israël s'assembla et fit
son deuil; on l'ensevelit chez lui à Rama.
David partit et descendit au désert de Maôn [h].
2 Il y avait à Maôn un homme, qui avait ses
affaires à Karmel; c'était un homme très riche, il **15** 12
avait trois mille moutons et mille chèvres, et il
était alors à Karmel pour la tonte de son troupeau.
3 L'homme se nommait Nabal et sa femme, Abigayil; mais alors que la femme était pleine de bon
sens et belle à voir, l'homme était brutal et malfaisant; il était Calébite.
4 David, ayant appris au désert que Nabal ton-
dait son troupeau, 5 envoya dix garçons auxquels
il dit [i] : « Montez à Karmel, rendez-vous chez
Nabal et saluez-le de ma part. 6 Vous parlerez ainsi
à mon frère [j] : " Salut à toi, salut à ta maison, salut
à tout ce qui t'appartient! 7 Maintenant, j'apprends
que tu as les tondeurs. Or tes bergers ont été avec
nous, nous ne les avons pas molestés et rien de ce
qui leur appartenait n'a disparu, tout le temps
qu'ils furent à Karmel. 8 Interroge tes serviteurs et
ils te renseigneront. Puissent les garçons trouver
bon accueil auprès de toi, car nous sommes venus
un jour de fête. Donne, je te prie, ce que tu as sous
la main à tes serviteurs et à ton fils David ". »
9 Les garçons de David, étant arrivés, redirent
toutes ces paroles à Nabal de la part de David et
attendirent. 10 Mais Nabal, s'adressant aux serviteurs de David, leur dit : « Qui est David, qui est

*a)* Enclos de pierres sèches où l'on parque les troupeaux pour la nuit.
*b)* Euphémisme pour : satisfaire un besoin naturel.
*c)* David éprouve du remords (pour l'expression, cf. 2 S **24** 10). En effet, le vêtement est un substitut de la personne, cf. **18** 4; toucher au vêtement, c'est toucher à la personne.
*d)* Le texte ajoute : « l'oint de Yahvé », glose probable.
*e)* « j'ai refusé » grec; « et il a dit » hébr.
*f)* C'est-à-dire : à toucher les méchants il vous arrive malheur. Proverbe inséré par un glossateur.
*g)* Les vv. 21-23[a], qui annoncent la royauté de David, sont une addition dans le genre de **20** 12-17, 41-42; **23** 15-18.
*h)* « Maôn » grec luc.; « Parân » hébr.
*i)* La tonte des brebis est l'occasion d'une fête, 2 S **13** 23s, où un riche propriétaire doit se montrer généreux. David en profite pour exiger la taxe que les nomades prélèvent sur les villages voisins pour la « protection » qu'ils leur accordent en ne les pillant pas, et en écartant les maraudeurs, v. 16. C'est le droit de « fraternité ».
*j)* « à mon frère » conj.; « à un vivant » hébr.

le fils de Jessé? Il y a aujourd'hui trop de serviteurs qui se sauvent de chez leurs maîtres. 11 Je vais peut-être prendre mon pain, mon vin [a], ma viande que j'ai abattue pour mes tondeurs et en faire cadeau à des gens qui viennent je ne sais d'où! » 12 Les garçons de David rebroussèrent chemin et s'en retournèrent. A leur arrivée, ils répétèrent toutes ces paroles à David. 13 Alors David dit à ses hommes : « Que chacun ceigne son épée! » Ils ceignirent chacun son épée, David aussi ceignit la sienne, et quatre cents hommes environ partirent à la suite de David, tandis que deux cents restaient près des bagages.

14 Or Abigayil, la femme de Nabal, avait été avertie par l'un des serviteurs, qui lui dit : « David a envoyé, du désert, des messagers pour saluer notre maître, mais celui-ci s'est jeté sur eux. 15 Pourtant ces gens ont été très bons pour nous, ils ne nous ont pas molestés et nous n'avons rien perdu, tout le temps que nous avons circulé près d'eux, quand nous étions dans la campagne. 16 Nuit et jour, ils ont été comme un rempart autour de nous, tout le temps que nous fûmes avec eux à paître le troupeau. 17 Reconnais maintenant et vois ce que tu dois faire, car la perte de notre maître et de toute sa maison est une affaire réglée, et c'est un vaurien à qui on ne peut rien dire. »

18 Vite Abigayil prit deux cents pains, deux outres de vin, cinq moutons apprêtés, cinq boisseaux de grain rôti, cent grappes de raisin sec, deux cents gâteaux de figues, qu'elle chargea sur des ânes. 19 Elle dit à ses serviteurs : « Passez devant, et moi je vous suis », mais elle ne prévint pas Nabal, son mari.

20 Tandis que, montée sur un âne, elle descendait derrière un repli de la montagne, David et ses hommes descendaient vis-à-vis d'elle et elle les rencontra. 21 Or David s'était dit : « C'est donc en vain que j'ai protégé dans le désert tout ce qui était à ce bonhomme et que rien de ce qui lui appartenait n'a disparu! Il me rend le mal pour le bien! 22 Que
Rt 1 17+ Dieu fasse à David [b] ce mal et qu'il ajoute cet autre
si, d'ici à demain matin, je laisse de tous les siens subsister un seul mâle [c]. » 23 Dès qu'Abigayil aperçut David, elle se hâta de descendre de l'âne et, tombant sur la face devant David, elle se prosterna jusqu'à terre. 24 Se jetant à ses pieds, elle dit : « Que la faute soit sur moi, Monseigneur! Puisse ta servante parler à tes oreilles et daigne écouter les paroles de ta servante! 25 Que Monseigneur ne fasse pas attention à ce vaurien, à ce Nabal, car il porte bien son nom : il s'appelle La Brute [d] et vraiment il est abruti. Mais moi, ta servante, je n'avais pas vu les garçons que Monseigneur avait envoyés. 26 Maintenant, Monseigneur, par la vie de Yahvé et ta propre vie, par Yahvé qui t'a empêché d'en venir au sang et de te faire justice de ta propre main, que deviennent comme Nabal [e] tes ennemis et ceux qui cherchent du mal à Monseigneur! 27 Quant à ce présent que ta servante apporte à Monseigneur, qu'il soit remis aux garçons qui marchent sur les pas de Monseigneur. 28 Pardonne, je t'en prie, l'offense de ta servante! Aussi bien, Yahvé assurera à Monseigneur une maison durable, car Monseigneur combat les guerres de Yahvé et, au long de ta vie, on ne trouve pas de mal en toi. 29 Et si un homme se lève pour te poursuivre et attenter à ta vie, l'âme de Monseigneur sera ensachée dans le
sachet de vie [f] auprès de Yahvé ton Dieu, tandis Ps 69 29
que l'âme de tes ennemis, il la lancera au creux de Is 4 3
la fronde. 30 Lors donc que Yahvé aura accompli Dn 12 1
pour Monseigneur tout le bien qu'il a dit à ton pro- Ap 3 5
pos et lorsqu'il t'aura établi chef sur Israël, 31 que ce ne soit pas pour toi un trouble et un remords pour Monseigneur d'avoir versé en vain le sang et de s'être fait justice de sa main. Quand Yahvé aura fait du bien à Monseigneur, souviens-toi de ta servante. »

32 David répondit à Abigayil : « Béni soit Yahvé, Dieu d'Israël, qui t'a envoyée aujourd'hui à ma rencontre. 33 Bénie soit ta sagesse et bénie sois-tu, pour m'avoir retenu aujourd'hui d'en venir au sang et de me faire justice de ma propre main! 34 Mais, par la vie de Yahvé, Dieu d'Israël, qui m'a empêché de te faire du mal, si tu n'étais pas venue aussi vite au-devant de moi, je jure que, d'ici au lever du matin, il ne serait pas resté à Nabal un seul mâle. » 35 David reçut ce qu'elle lui avait apporté et il lui dit : « Remonte en paix chez toi. Vois : je t'ai exaucée et je t'ai fait grâce. »

36 Quand Abigayil arriva chez Nabal, il festoyait dans sa maison. Un festin de roi : Nabal était en joie et complètement ivre; aussi, jusqu'au lever du jour, elle ne lui révéla rien. 37 Le matin, quand Nabal eut cuvé son vin, sa femme lui raconta cette affaire : alors son cœur mourut dans sa poitrine et il devint comme une pierre. 38 Une dizaine de jours plus tard, Yahvé frappa Nabal et il mourut.

39 Ayant appris que Nabal était mort, David dit : « Béni soit Yahvé qui m'a rendu justice pour

*a)* « mon vin » grec; « mon eau » hébr.
*b)* « à David » grec; « aux ennemis de David » hébr.
*c)* Litt : « celui qui urine contre le mur ».
*d)* En hébreu *nabal* désigne l'insensé, qui se conduit mal à l'égard de Dieu et des hommes, à la fois sot, impie et méchant, cf. Is **32** 5s.
*e)* En partageant son sort tragique, que prévoit Abigayil.
*f)* Dieu y garde comme un trésor la vie de ses amis. Image analogue à celle du « livre de vie », Ps **69** 29; Is **4** 3; Dn **12** 1; Ap **3** 5.

l'injure que j'avais reçue de Nabal et qui a retenu
son serviteur de commettre le mal. Yahvé a fait
retomber la méchanceté de Nabal sur sa propre
tête. »
David envoya demander Abigayil en mariage.
40 Les serviteurs de David vinrent donc trouver
Abigayil à Karmel et lui dirent : « David nous a
envoyés vers toi pour te prendre comme sa
femme. » 41 D'un mouvement, elle se prosterna la
face contre terre et dit : « Ta servante est comme
une esclave, pour laver les pieds des serviteurs de
Monseigneur. » 42 Vite, Abigayil se releva et monta
sur un âne; suivie par cinq de ses servantes, elle
partit derrière les messagers de David et elle devint
sa femme.
43 David avait aussi épousé Ahinoam de Yizréel,
et il les eut toutes deux pour femmes. 44 Saül avait
**18** 20s; donné sa fille Mikal, femme de David, à Palti, fils
**19** 10s de Layish, de Gallim.
2 S **3** 13s

= **24** **David épargne Saül** [a].

**23** 19s **26** 1 Les gens de Ziph vinrent à Gibéa et dirent
à Saül : « Est-ce que David ne se cache pas
sur la colline de Hakila, à l'orée de la steppe? »
2 S'étant mis en route, Saül descendit au désert de
Ziph, accompagné de trois mille hommes, l'élite
d'Israël, pour traquer David dans le désert de Ziph.
3 Saül campa à la colline de Hakila, qui est à l'orée
de la steppe, près de la route. David séjournait au
désert et il vit que Saül était venu derrière lui au
désert. 4 David envoya des espions et il sut que
Saül était effectivement arrivé. 5 Alors David se mit
en route et arriva au lieu où Saül campait. Il vit
l'endroit où étaient couchés Saül et Abner, fils de
Ner, le chef de son armée : Saül était couché dans
le campement et la troupe bivouaquait autour de
lui.
6 David, s'adressant à Ahimélek le Hittite et à
1 Ch **2** 16 Abishaï, fils de Çeruya et frère de Joab, leur dit :
« Qui veut descendre avec moi au camp, jusqu'à
Saül? » Abishaï répondit : « C'est moi qui descendrai avec toi. » 7 Donc David et Abishaï se dirigèrent de nuit vers la troupe : ils trouvèrent Saül
étendu et dormant dans le campement, sa lance
plantée en terre à son chevet, et Abner et l'armée
étaient couchés autour de lui.
8 Alors Abishaï dit à David : « Aujourd'hui Dieu
a livré ton ennemi en ta main. Eh bien, laisse-moi
le clouer à terre avec sa propre lance, d'un seul **18** 11; **19** 10
coup et je n'aurai pas à lui en donner un second! »
9 Mais David dit à Abishaï : « Ne le tue pas! Qui
pourrait porter la main sur l'oint de Yahvé et rester **24** 7; **9** 26+
impuni? » 10 David ajouta : « Aussi vrai que Yahvé
est vivant, c'est Yahvé qui le frappera, soit que son
jour arrive et qu'il meure, soit qu'il descende au
combat et qu'il y périsse. 11 Mais que Yahvé me
garde de porter la main sur l'oint de Yahvé! Maintenant, prends donc la lance qui est à son chevet
et la gourde d'eau, et allons-nous-en. » 12 David prit
du chevet de Saül la lance et la gourde d'eau et ils
s'en allèrent : personne n'en vit rien, personne ne
le sut, personne ne s'éveilla, ils dormaient tous, car
une torpeur venant de Yahvé s'était abattue sur Gn **2** 21;
eux. **15** 12
13 David passa de l'autre côté [b] et se tint sur le
sommet de la montagne au loin; il y avait un grand
espace entre eux. 14 Alors David appela l'armée et
Abner, fils de Ner : « Ne vas-tu pas répondre,
Abner? », dit-il. Et Abner répondit : « Qui es-tu, toi
qui appelles [c]? » 15 David dit à Abner : « N'es-tu
pas un homme? Et qui est ton pareil en Israël?
Pourquoi donc n'as-tu pas veillé sur le roi ton maître? Car quelqu'un du peuple est venu pour tuer le
roi ton maître. 16 Ce n'est pas bien, ce que tu as fait.
Aussi vrai que Yahvé est vivant, vous êtes dignes
de mort pour n'avoir pas veillé sur votre maître,
l'oint de Yahvé. Maintenant, regarde donc où est
la lance du roi et où est la gourde d'eau qui était
à son chevet! »
17 Or Saül reconnut la voix de David, et il
demanda : « Est-ce bien ta voix, mon fils David? »
– « Oui, Monseigneur le roi », répondit David. 18 Et
il continua : « Pourquoi donc Monseigneur pour-
suit-il son serviteur? Qu'ai-je fait et de quoi suis-je
coupable? 19 Maintenant, que Monseigneur le roi
veuille écouter les paroles de son serviteur : si c'est
Yahvé qui t'excite contre moi, qu'il soit apaisé par
une offrande, mais si ce sont des humains, qu'ils
soient maudits devant Yahvé, car ils m'ont banni
aujourd'hui, en sorte que je ne participe plus à l'hé- Dt **7** 6+
ritage de Yahvé, comme s'ils disaient : “ Va servir
des dieux étrangers [d]! ” 20 Maintenant, que mon
sang ne soit pas répandu à terre loin de la présence
de Yahvé [e]! En effet, le roi d'Israël est sorti à la

*a)* Le récit du ch. **26** est très semblable à celui du ch. **24**. Ou bien ce sont deux événements analogues, moulés dans la même forme par la tradition orale puis écrite; ou bien, plus probablement, c'est un doublet, deux manières parallèles de raconter la générosité de David et son respect religieux pour le caractère sacré du roi, « l'oint de Yahvé », cf. **9** 26+.

*b)* Sur l'autre versant de la vallée.

*c)* Après « qui appelles » on omet « le roi » avec grec.

*d)* Yahvé était tellement lié avec le pays d'Israël, son « héritage », qu'on ne pensait pas pouvoir l'honorer à l'étranger, où régnaient d'autres dieux. Ainsi Naamân emportera à Damas un peu de terre d'Israël, 2 R **5** 17. Forcer David à s'exiler, c'est le condamner à abandonner Yahvé.

*e)* Au désert, domaine des esprits malfaisants, Is **13** 21; **34** 13-14; Lv **16** 10, David se sent déjà hors de la présence de Yahvé.

quête de ma vie [a], comme on pourchasse la perdrix
dans les montagnes. »
21 Saül dit : « J'ai péché! Reviens, mon fils
David, je ne te ferai plus de mal, puisque ma vie
a eu aujourd'hui tant de prix à tes yeux. Oui, j'ai
agi en insensé et je me suis très lourdement
trompé. » 22 David répondit : « Voici la lance du
roi. Que l'un des garçons traverse et vienne la
Ps **7** 9; prendre. 23 Yahvé rendra à chacun selon sa justice
**18** 21 et sa fidélité : aujourd'hui Yahvé t'avait livré entre
mes mains et je n'ai pas voulu porter la main
contre l'oint de Yahvé. 24 De même que ta vie a
compté beaucoup à mes yeux en ce jour, ainsi ma
vie comptera beaucoup au regard de Yahvé et il me
délivrera de toute angoisse. »
25 Saül dit à David : « Béni sois-tu, mon fils
David. Certainement tu entreprendras et tu réussi- **24** 21
ras. » David alla son chemin et Saül retourna chez
lui.

## *4. DAVID CHEZ LES PHILISTINS*

**David se réfugie à Gat.**

**27** 1 David se dit en lui-même : « Un de ces jours,
je vais périr par la main de Saül, je n'ai rien
de mieux à faire que de me sauver [b] au pays des
Philistins [c]. Saül renoncera à me traquer encore
dans tout le territoire d'Israël et j'échapperai à sa
main. » 2 Donc David se mit en route et passa, avec
**21** 11-16 les six cents hommes qu'il avait, chez Akish, fils de
Maok, le roi de Gat. 3 David s'établit auprès
d'Akish à Gat, lui et ses hommes, chacun avec sa
famille, David avec ses deux femmes, Ahinoam de
Yizréel et Abigayil, la femme de Nabal de Karmel.
4 On informa Saül que David s'était enfui à Gat et
il cessa de le chercher.

**David vassal des Philistins.**

5 David dit à Akish : « Je t'en prie, si j'ai trouvé
faveur à tes yeux, qu'on me donne une place dans
l'une des villes de l'extérieur, où je puisse résider.
Pourquoi ton serviteur demeurerait-il à côté de toi
dans la ville royale? » 6 Ce même jour, Akish lui
donna Çiqlag [d]. C'est pourquoi Çiqlag a appartenu
jusqu'à maintenant aux rois de Juda [e]. 7 La durée
**29** 3 du séjour que David fit en territoire philistin fut
d'un an et quatre mois.
8 David et ses gens partirent en razzia contre les
Ex **17** 8+ Geshurites, les Girzites et les Amalécites, car telles
1 S **15** sont les tribus habitant la région qui va de Télam [f]
Jos **13** 2 en direction de Shur et jusqu'à la terre d'Égypte.
9 David dévastait le pays et ne laissait en vie ni
homme ni femme, il enlevait le petit et le gros
bétail, les ânes, les chameaux et les vêtements, puis
il revenait et rentrait chez Akish. 10 Quand Akish
demandait : « Où avez-vous fait la razzia
aujourd'hui? », David répondait que c'était contre
le Négeb de Juda ou le Négeb de Yerahméel ou le
Négeb des Qénites [g]. 11 David ne laissait en vie ni
homme ni femme à ramener à Gat, « de peur, se
disait-il, qu'ils ne fassent des rapports contre nous
en disant : " Voilà ce que David a fait ". » Telle fut
sa manière d'agir tout le temps qu'il séjourna en
territoire philistin. 12 Akish avait confiance en
David; il se disait : « Il s'est sûrement rendu odieux
à Israël son peuple et il sera pour toujours mon serviteur. »

**Les Philistins partent en guerre contre Israël.**

**28** 1 Or, en ce temps-là, les Philistins rassemblèrent leurs troupes en guerre pour combattre
Israël, et Akish dit à David : « Sache bien que tu
iras à l'armée avec moi, toi et tes hommes. »
2 David répondit à Akish : « Aussi bien, tu sauras
maintenant ce que va faire ton serviteur [h]. » Alors
Akish dit à David : « Eh bien! Je t'instituerai pour
toujours mon garde du corps. »

**Saül et la sorcière d'En-Dor [i].**

3 Samuel était mort, tout Israël avait fait son
deuil et on l'avait enseveli à Rama, dans sa ville. = **25** 1

*a)* « de ma vie » grec; « d'une simple puce » hébr., influencé par **24** 15.

*b)* « que de me sauver » grec; « car je me sauverai sûrement » hébr.

*c)* C'était un sûr moyen d'échapper à Saül, mais ce passage apparent à l'ennemi mettait David dans une situation fausse, dont il ne se tirera que par son habileté, vv. 8-12, et servi par les circonstances, ch. **29**.

*d)* A la frontière de Philistie, au nord-est de Bersabée. Akish donne la ville en fief à David, comptant sur sa troupe pour faire la police du désert voisin.

*e)* C'est-à-dire qu'elle était une terre du domaine privé du roi.

*f)* « Télam » quelques mss grec; « depuis toujours » (*me 'ôlam*) hébr.

*g)* Le Négeb est la région, peu habitée et surtout pastorale, qui s'étend dans le sud de la Palestine. Il appartient aux Judéens et à leurs alliés, comme les Qénites, cf. aussi **30** 14. David présente comme dirigées contre eux ses razzias contre les maraudeurs du désert, par lesquelles au contraire il se concilie les Judéens.

*h)* Réponse ambiguë qu'Akish prend pour l'annonce de prouesses guerrières. David compte sur les circonstances pour le dispenser de combattre Israël; elles le servirent en effet, ch. **29**.

*i)* La nécromancie était pratiquée en Israël, 2 R **21** 6; Is **8** 19, bien qu'elle fût défendue par la Loi, Lv **19** 31; **20** 6, 27; Dt **18** 11, et ici même, v. 9. Alors que le narrateur semble partager la croyance populaire aux revenants, tout en considérant leur évocation comme illicite, les Pères et les commentateurs se sont

Saül avait expulsé du pays les nécromants et les
devins.
4 Tandis que les Philistins, s'étant groupés,
venaient camper à Shunem [a], Saül rassembla tout
Israël et ils campèrent à Gelboé. 5 Lorsque Saül vit
le camp philistin, il eut peur et son cœur trembla
**14** 41+ fort. 6 Saül consulta Yahvé, mais Yahvé ne lui
Ex **33** 7+ répondit pas, ni par les songes, ni par les sorts, ni
par les prophètes. 7 Saül dit alors à ses serviteurs :
« Cherchez-moi une nécromancienne, que j'aille
chez elle et que je la consulte », et ses serviteurs lui
répondirent : « Il y a une nécromancienne à
En-Dor. »
1 R **14** 2 8 Saül se déguisa et endossa d'autres vêtements,
puis il partit avec deux hommes et ils arrivèrent de
nuit chez la femme. Il lui dit : « Je t'en prie, fais-
moi dire l'avenir par un revenant, et évoque pour
moi celui que je te dirai. » 9 Mais la femme lui
répondit : « Voyons, tu sais toi-même ce qu'a fait
Saül et comment il a supprimé du pays les nécromants et les devins. Pourquoi tends-tu un piège à
ma vie pour me faire mourir? » 10 Alors Saül lui fit
ce serment par Yahvé : « Aussi vrai que Yahvé est
vivant, dit-il, tu n'encourras aucun blâme pour
cette affaire. » 11 La femme demanda : « Qui faut-il
Si **46** 20 évoquer pour toi? », et il répondit : « Évoque-moi
Samuel. »
12 Alors la femme vit Samuel et, poussant un
grand cri, elle dit à Saül : « Pourquoi m'as-tu trom-
pée? Tu es Saül [b]! » 13 Le roi lui dit : « N'aie pas
peur! Mais que vois-tu? » et la femme répondit à
Saül : « Je vois un spectre [c] qui monte de la
terre [d]. » 14 Saül lui demanda : « Quelle apparence
a-t-il? », et la femme répondit : « C'est un vieillard
qui monte, il est drapé dans un manteau. » Alors
Saül sut que c'était Samuel et, s'inclinant la face
contre terre, il se prosterna.
15 Samuel dit à Saül : « Pourquoi as-tu troublé
mon repos en m'évoquant? » – « C'est, répondit
Saül, que je suis dans une grande angoisse : les Philistins me font la guerre et Dieu s'est détourné de
moi, il ne me répond plus, ni par les prophètes, ni
en songe. Alors je t'ai appelé pour que tu m'indi-
ques ce que je dois faire. » 16 Samuel dit :
« Pourquoi me consulter, quand Yahvé s'est **15** 27-28
détourné de toi et est devenu ton adversaire?
17 Yahvé t'a fait comme il t'avait dit par mon entremise : il a arraché de ta main la royauté et l'a donnée à ton prochain, David, 18 parce que tu n'as pas
obéi à Yahvé et que tu n'as pas satisfait l'ardeur
de sa colère contre Amaleq. C'est pour cela que
Yahvé t'a traité de la sorte aujourd'hui. 19 De plus,
Yahvé livrera, en même temps que toi, ton peuple
Israël aux mains des Philistins. Demain, toi et tes
fils, vous serez avec moi [e]; le camp d'Israël aussi, **31** 2-6
Yahvé le livrera aux mains des Philistins. »
20 Aussitôt Saül tomba à terre de tout son long.
Il était terrifié par les paroles de Samuel; de plus,
il était sans force, n'ayant rien mangé de tout le
jour et de toute la nuit. 21 La femme vint à Saül,
et, le voyant épouvanté, elle lui dit : « Vois, ta servante t'a obéi, j'ai risqué ma vie et j'ai obéi aux
ordres que tu m'avais donnés. 22 Maintenant, je t'en
prie, écoute à ton tour la voix de ta servante : laisse-moi te servir un morceau de pain, mange et
prends des forces pour te remettre en route. »
23 Saül refusa : « Je ne mangerai pas », dit-il. Mais
ses serviteurs le pressèrent, ainsi que la femme, et
il céda à leurs instances. Il se leva de terre et s'assit
sur le divan. 24 La femme avait chez elle un veau
à l'engrais. Vite, elle l'abattit et, prenant de la
farine, elle pétrit et fit cuire des pains sans levain.
25 Elle servit Saül et ses gens. Ils mangèrent, puis
se levèrent et partirent cette même nuit.

**David est congédié par les chefs philistins [f].**

**29** 1 Les Philistins concentrèrent toutes leurs
troupes à Apheq, tandis que les Israélites **4** 1
campaient à la source qui est en Yizréel. 2 Les
princes des Philistins défilaient par centuries et par
milliers, et David et ses hommes défilaient les derniers avec Akish. 3 Les princes des Philistins
demandèrent : « Qu'est-ce que ces Hébreux? », et
Akish répondit aux princes des Philistins : « Mais
c'est David, le serviteur de Saül, roi d'Israël! Voici
un an ou deux [g] qu'il est avec moi et je n'ai trouvé
aucun reproche à lui faire depuis le jour qu'il s'est

préoccupés de donner une explication du fait : intervention divine, intervention démoniaque, tromperie de la femme. On peut admettre que la scène se préparait comme les séances de ce genre, avec crédulité de la part de Saül et tromperie de la part de la femme, mais que Dieu permit à l'âme de Samuel de se manifester vraiment (d'où la frayeur de la femme) et d'annoncer l'avenir. Cf. 1 Ch **10** 13 (LXX) et Si **46** 20. On peut croire, plus simplement, que le narrateur a utilisé cette mise en scène pour exprimer encore une fois le rejet de Saül et son remplacement par David, un leitmotiv de toutes ces histoires, comparer le v. 17 avec **15** 28 et la référence à Amaleq au v. 18, mais aussi **13** 14; **16** 1; **23** 17; **24** 21; **25** 30.

*a)* Dans la plaine de Yizréel. Le mont Gelboé ferme cette plaine au sud de Shunem. En-Dor est au pied du Tabor et au nord de Shunem. Saül, pour s'y rendre, devra donc contourner le camp philistin.

*b)* La femme connaît les rapports que Samuel a eus avec Saül. Si, à son grand effroi, le prophète défunt se manifeste, c'est que le consultant est le roi d'Israël.

*c)* En hébreu un « élohim », un être surhumain, cf. Gn **3** 5; Ps **8** 6. Seulement ici appliqué aux morts.

*d)* Il monte du shéol, le séjour souterrain des morts, cf. Nb **16** 33+.

*e)* Au shéol, séjour commun de tous les morts, bons ou méchants, cf. Nb **16** 33+.

*f)* Suite immédiate de **28** 2.

*g)* « Voici un an ou deux » grec; « des jours ou des années » hébr.

rendu à moi jusqu'à maintenant. » 4 Les princes des
Philistins s'emportèrent contre lui et ils lui dirent :
« Renvoie cet homme et qu'il retourne au lieu que
14 21 tu lui as assigné. Qu'il ne vienne pas en guerre avec
nous et ne se retourne pas contre nous dans le
combat! Comment celui-là achèterait-il la faveur
de son maître, sinon avec la tête des hommes que
voici? 5 N'est-il pas ce David, duquel on chantait
dans les chœurs :
18 7; 21 12 " Saül a tué ses milliers
et David ses myriades "? »
6 Akish appela donc David et lui dit : « Aussi
vrai que Yahvé est vivant, tu es loyal et il me plai-
rait que tu sortes et rentres avec moi dans le camp,
car je n'ai rien trouvé de mauvais en toi depuis le
jour que tu es venu chez moi jusqu'à maintenant.
Mais tu n'es pas bien vu des princes. 7 Donc
retourne et va-t'en en paix, pour ne pas indisposer
les princes des Philistins. »
8 David dit à Akish [a] : « Qu'ai-je donc fait et
qu'as-tu à reprocher à ton serviteur depuis le jour
où je suis entré à ton service jusqu'à maintenant,
pour que je ne puisse pas venir et combattre les
ennemis de Monseigneur le roi? » 9 Akish répondit
2 S 14 17, à David : « C'est vrai que tu m'es aussi agréable
20; 19 28 qu'un ange de Dieu, seulement les princes des Philistins ont dit : " Il ne faut pas qu'il aille au combat
avec nous. " 10 Donc lève-toi de bon matin avec les
serviteurs de ton maître qui sont venus avec toi, et
allez à l'endroit que je vous ai assigné. Ne garde
en ton cœur aucun ressentiment, car tu m'es agréable [b]. Vous vous lèverez de grand matin et, dès qu'il
fera jour, vous partirez. »
11 David et ses hommes se levèrent de bonne
heure pour partir dès le matin et retourner au pays
philistin. Quant aux Philistins, ils montèrent en
Yizréel.

**Campagne contre les Amalécites.**

30 1 David et ses hommes arrivèrent à Çiqlag le
surlendemain. Or les Amalécites avaient fait
une razzia au Négeb et contre Çiqlag; ils avaient
dévasté Çiqlag et l'avaient livrée au feu. 2 Ils
avaient fait captifs les femmes et tous ceux qui y
étaient [c], petits et grands. Ils n'avaient tué personne, mais ils les avaient emmenés et avaient
continué leur chemin. 3 Lors donc que David et ses
hommes arrivèrent à la ville, ils virent qu'elle était
brûlée et que leurs femmes, leurs fils et leurs filles
avaient été enlevés. 4 Alors David et toute la troupe
qui l'accompagnait se mirent à crier et à pleurer
jusqu'à ce qu'ils n'en eussent plus la force. 5 Les
deux femmes de David avaient été emmenées capti- 27 3
ves, Ahinoam de Yizréel et Abigayil, la femme de
Nabal de Karmel.
6 David était en grande détresse, car les gens parlaient de le lapider; tous avaient en effet l'âme
pleine d'amertume, chacun à cause de ses fils et de
ses filles. Mais David retrouva courage en Yahvé
son Dieu. 7 David dit au prêtre Ébyatar, fils d'Ahimélek : « Je t'en prie, apporte-moi l'éphod », et 2 28+
Ébyatar apporta l'éphod à David. 8 Alors David
consulta Yahvé et demanda : « Poursuivrai-je
ce rezzou et l'atteindrai-je? » La réponse fut :
« Poursuis, car sûrement tu l'atteindras et tu libéreras les captifs. » 9 David partit avec les six cents
hommes qui l'accompagnaient et ils arrivèrent au
torrent de Besor [d]. 10 David continua la poursuite
avec quatre cents hommes, mais deux cents restèrent, qui étaient trop fatigués pour franchir le torrent de Besor.
11 On trouva un Égyptien dans la campagne et
on l'amena à David. On lui donna du pain, qu'il
mangea, et on lui fit boire de l'eau. 12 On lui donna
aussi une masse de figues et deux grappes de raisins
secs. Il mangea et ses esprits lui revinrent; en effet,
il n'avait rien mangé ni rien bu depuis trois jours
et trois nuits. 13 David lui demanda : « A qui appar-
tiens-tu et d'où es-tu? » Il répondit : « Je suis un
jeune Égyptien, esclave d'un Amalécite. Mon maître m'a abandonné parce que j'étais malade, voici
aujourd'hui trois jours. 14 Nous avons fait la razzia
contre le Négeb des Kerétiens [e] et celui de Juda et 27 10
contre le Négeb de Caleb, et nous avons incendié
Çiqlag. » 15 David lui demanda : « Veux-tu me guider vers ce rezzou? » Il répondit : « Jure-moi par
Dieu que tu ne me feras pas mourir et que tu ne
me livreras pas à mon maître, et je te guiderai vers
ce rezzou. »
16 Il l'y conduisit donc, et voici qu'ils étaient disséminés par toute la contrée, mangeant, buvant et
faisant la fête, à cause de tout le grand butin qu'ils
avaient rapporté du pays des Philistins et du pays
de Juda. 17 David les massacra, depuis l'aube
jusqu'au soir du lendemain. Personne n'en
réchappa, sauf quatre cents jeunes hommes, qui
montèrent sur les chameaux et s'enfuirent. 18 David
délivra tout ce que les Amalécites avaient pris –
David délivra aussi ses deux femmes. 19 Rien ne fut
perdu pour eux, depuis les petites choses jusqu'aux

*a)* David, tiré par la décision d'Akish d'une situation embarrassante, n'en joue pas moins la fidélité offensée.
*b)* « Et allez... agréable » grec et Vet. Lat.; omis par hébr.
*c)* « et tous ceux » grec; omis par hébr.
*d)* Le texte ajoute : « et le reste demeura », glose tirée du v. 10.
*e)* Les Kerétiens sont apparentés aux Philistins et David recruta chez eux une partie de sa garde, 2 S **8** 18; **15** 18, etc.

grandes, depuis le butin jusqu'aux fils et aux filles [a],
tout ce qui leur avait été enlevé : David ramena
tout. 20 Ils prirent tout le petit et le gros bétail et
le poussèrent devant lui en disant : « Voilà le butin
de David! »
21 David arriva auprès des deux cents hommes
qui avaient été trop fatigués pour le suivre et qu'il
avait laissés au torrent de Besor. Ils vinrent au
devant de David et de la troupe qui l'accompagnait; David s'approcha avec la troupe et leur souhaita le bonjour. 22 Mais tous les méchants et les
vauriens parmi les gens qui étaient allés avec
David prirent la parole et dirent : « Puisqu'ils ne
sont pas venus avec nous, qu'on ne leur donne rien
du butin que nous avons sauvé, sauf à chacun sa
femme et ses enfants : qu'ils les emmènent et s'en
aillent! » 23 Mais David dit : « N'agissez pas ainsi,
mes frères, avec ce que Yahvé nous a accordé : il
nous a protégés et il a livré entre nos mains le rezzou qui était venu contre nous. 24 Qui serait de
votre avis dans cette affaire? Car :

Telle la part de celui qui descend au combat,
telle la part de celui qui reste près des bagages.

Nb **31** 27 Ils partageront ensemble. » 25 Et, à partir de ce
jour-là, il fit de cela pour Israël une règle et une
coutume qui persistent encore aujourd'hui.
26 Arrivé à Çiqlag, David envoya des parts de
butin aux anciens de Juda, selon leurs villes [b], avec
ce message : « Voici pour vous un présent pris sur
le butin des ennemis de Yahvé »,

Jos **15**; **19** 27 à ceux de Betul,
à ceux de Rama du Négeb,
à ceux de Yattir,
28 à ceux d'Aroër,
à ceux de Siphmot,
à ceux d'Esthemoa,
29 à ceux de Karmel,
à ceux des villes de Yerahméel,
à ceux des villes des Qénites,
30 à ceux de Horma,
à ceux de Bor-Ashân,
à ceux de Éter,
31 à ceux d'Hébron

et à tous les endroits que David avait fréquentés
avec ses hommes [c].

### Bataille de Gelboé. Mort de Saül [d]. || 1 Ch **10** 1-12 2 S **1** 1-16

**31** 1 Les Philistins livrèrent bataille à Israël et les
Israélites s'enfuirent devant les Philistins et
tombèrent, frappés à mort, sur le mont Gelboé.
2 Les Philistins serrèrent de près Saül et ses fils et
ils tuèrent Jonathan, Abinadab et Malki-Shua, les **14** 49
fils de Saül. 3 Le poids du combat se porta sur Saül.
Les tireurs d'arc le surprirent et il fut blessé [e] gravement par les tireurs. 4 Alors Saül dit à son écuyer :
« Tire ton épée et transperce-moi, de peur que ces Jg **9** 54
incirconcis ne viennent et ne se jouent de moi [f]. » **17** 26+
Mais son écuyer ne voulut pas, car il était rempli **26** 9
d'effroi. Alors Saül prit son épée et se jeta sur elle. **9** 26+
5 Voyant que Saül était mort, l'écuyer se jeta lui
aussi sur son épée et mourut avec lui. 6 Ainsi moururent ensemble ce jour-là Saül, ses trois fils et son
écuyer [g]. 7 Lorsque les Israélites qui étaient de
l'autre côté de la vallée et ceux qui étaient de l'autre
côté du Jourdain virent que les hommes d'Israël
étaient en déroute et que Saül et ses fils avaient
péri, ils abandonnèrent leurs villes et prirent la
fuite. Les Philistins vinrent s'y établir.
8 Le lendemain, les Philistins, venus pour
détrousser les morts, trouvèrent Saül et ses trois fils
gisant sur le mont Gelboé. 9 Ils lui tranchèrent la **17** 54
tête et le dépouillèrent de ses armes, et ils les firent
porter [h] à la ronde dans le pays philistin, pour
annoncer la bonne nouvelle à leurs idoles et à leur
peuple. 10 Ils déposèrent ses armes dans le temple **5** 2; **21** 10
d'Astarté; quant à son corps, ils l'attachèrent au
rempart de Bet-Shân.
11 Lorsque les habitants de Yabesh de Galaad [i]
apprirent ce que les Philistins avaient fait à Saül,
12 tous les braves se mirent en route et, après avoir
marché toute la nuit, ils enlevèrent du rempart de
Bet-Shân le corps de Saül et de ses fils et, les ayant
apportés [j] à Yabesh, ils les y brûlèrent [k]. 13 Puis ils
prirent leurs ossements, les ensevelirent sous le
tamaris de Yabesh et jeûnèrent pendant sept jours [l]. Gn **50** 10

*a)* On suit l'ordre du grec.
*b)* « selon leurs villes » conj.; « à son ami » hébr.
*c)* C'est une manière de payer l'hospitalité reçue et, surtout, de se faire des amis qui porteront David au trône, 2 S **2** 4. Les villes citées (certains noms sont corrigés d'après le grec et Jos) se localisent toutes au sud d'Hébron.
*d)* Suite du ch. **28**.
*e)* « Les tireurs d'arc » 1 Ch **10** 3; « les tireurs, des hommes à l'arc » hébr. – « et il fut blessé » grec; « et il trembla » hébr.
*f)* Après « ne viennent » on omet « et ne me transpercent » avec le parallèle de 1 Ch.
*g)* Après « son écuyer » hébr. ajoute « aussi tous ses hommes » omis par le grec.
*h)* Traduction incertaine. « A leurs idoles » grec; « au temple de leurs idoles » hébr.
*i)* Ils avaient été sauvés par Saül, **11**, et veulent lui rendre les derniers hommages.
*j)* « les ayant apportés » grec, 1 Ch **10** 12; « étant revenus » hébr.
*k)* Coutume étrangère à Israël.
*l)* Sur le jeûne pour les morts, cf. 2 S **1** 12; **3** 35; et opposer 2 S **12** 23. Sur le deuil de sept jours, cf. Gn **50** 10; Jdt **16** 24; Si **22** 12.

# DEUXIÈME LIVRE DE SAMUEL

**David apprend la mort de Saül** [a].

1 S **31** 1-13 **1** [1] Après la mort de Saül, David, revenant de
1 S **30** battre les Amalécites, demeura deux jours à
1 S **4** 12-17 Çiqlag. [2] Le troisième jour, un homme arriva du
camp, d'auprès de Saül. Il avait les vêtements
déchirés et la tête couverte de poussière. En arrivant près de David, il se jeta à terre et se prosterna.
[3] David lui dit : « D'où viens-tu? » Il répondit : « Je
me suis sauvé du camp d'Israël. » [4] David
demanda : « Que s'est-il passé? Informe-moi
donc! » L'autre dit : « C'est que le peuple s'est enfui
de la bataille, et parmi le peuple beaucoup sont
tombés et sont morts. Même, Saül et son fils Jonathan sont morts! »
[5] David demanda au jeune porteur de nouvelles :
« Comment sais-tu que Saül et son fils Jonathan
sont morts? » [6] Le jeune porteur de nouvelles
répondit : « Je me trouvais par hasard sur le mont
Gelboé et je vis Saül s'appuyant sur sa lance et
serré de près par les chars et les cavaliers. [7] S'étant
retourné, il m'aperçut et m'appela. Je répondis :
" Me voici! " [8] Il me demanda : " Qui es-tu? " et
je lui dis : " Je suis un Amalécite. " [9] Il me dit
alors : " Approche-toi de moi et tue-moi, car je suis
saisi de vertige, bien que ma vie soit tout entière
en moi. " [10] Je m'approchai donc et lui donnai la
mort, car je savais qu'il ne survivrait pas, une fois
2 R **11** 12 tombé. Puis j'ai pris le diadème qu'il avait sur la
tête et le bracelet qu'il avait au bras et je les ai
apportés ici à Monseigneur. »
[11] Alors David saisit ses vêtements et les déchira,
et tous les hommes qui étaient avec lui firent de
1 S **31** 13+ même. [12] Ils se lamentèrent, pleurèrent et jeûnèrent
jusqu'au soir à cause de Saül, de son fils Jonathan,
du peuple de Yahvé et de la maison d'Israël, parce
qu'ils étaient tombés par l'épée.
[13] David demanda au jeune porteur de nouvelles : « D'où es-tu? » et il répondit : « Je suis le fils
d'un étranger en résidence, d'un Amalécite. »
[14] David lui dit : « Comment n'as-tu pas craint
1 S **26** 9 d'étendre la main pour faire périr l'oint de
Yahvé? » [15] David appela l'un des garçons et dit :
« Approche et frappe-le! » Celui-ci l'abattit et il
mourut. [16] David lui dit [b] : « Que ton sang retombe Jos **2** 19
sur ta tête, car ta bouche a témoigné contre toi, Lv **20** 9
quand tu as dit : " C'est moi qui ai donné la mort
à l'oint de Yahvé. " »

**Élégie de David sur Saül et Jonathan** [c].

[17] David entonna cette complainte sur Saül et sur
son fils Jonathan. [18] Il dit (c'est pour apprendre
l'arc aux fils de Juda; c'est écrit au Livre du Jos **10** 13+
Juste [d]) :

[19] « La splendeur d'Israël, sur tes hauteurs, a-t-elle péri?
Comment sont tombés les héros? ↗ 1 M **9** 21

[20] Ne le publiez pas dans Gat, ↗ Mi **1** 10
ne l'annoncez pas dans les rues d'Ashqelôn, 1 S **31** 9
que ne se réjouissent les filles des Philistins, Jg **16** 23-24
que n'exultent les filles des incirconcis!

[21] Montagnes de Gelboé,
ni rosée ni pluie sur vous, Dt **33** 13
campagnes traîtresses [e], Gn **27** 28
puisque y fut déshonoré le bouclier des héros!

[22] Le bouclier de Saül n'était pas oint d'huile, Is **21** 5
mais du sang des blessés, de la graisse des guerriers;
l'arc de Jonathan jamais ne recula,
ni l'épée de Saül ne revint inutile. 1 S **14** 47

[23] Saül et Jonathan, aimés et charmants,
dans la vie et dans la mort ne furent pas séparés.
Plus que les aigles ils étaient rapides,
plus que les lions ils étaient forts.

[24] Filles d'Israël, pleurez sur Saül,
qui vous revêtait d'écarlate et de lin fin [f], Jg **5** 30
qui accrochait des joyaux d'or
à vos vêtements.

[25] Comment sont tombés les héros
au milieu du combat?

*a)* Autre tradition sur la mort de Saül. Le récit, qui fait suite directement à 1 S **30**, est lui-même composite : d'après une forme de la tradition, un homme de l'armée vient annoncer la mort de Saül et de Jonathan; David et le peuple font le deuil, vv. 1-4 et 11-12. D'après l'autre forme, un jeune Amalécite se vante d'avoir tué Saül et rapporte les insignes royaux, espérant une récompense; il est exécuté sur l'ordre de David, vv. 5-10 et 13-16.

*b)* David s'adresse au mort : son sang ne criera pas vengeance (contre David), car il a été justement exécuté, cf. 1 R **2** 32.

*c)* Cette pièce est certainement authentique.

*d)* Ancien recueil poétique perdu mais cité encore en Jos **10** 13. Le chant accompagnait les exercices de tir à l'arc, cf. 2 S **22** 35 et le même verbe dans Ps **144** 1.

*e)* « campagnes traîtresses » *sedê tarmît* conj.; « et campagnes de prélèvement » *ûsedê terumôt* hébr.

*f)* « et de lin fin » *ûsedînim* conj.; « avec délices » *'im 'adânîm* hébr.

Jonathan, par ta mort je suis navré [a],
26 j'ai le cœur serré à cause de toi, mon frère
Jonathan.
Tu m'étais délicieusement cher,
ton amitié m'était plus merveilleuse
que l'amour des femmes.
27 Comment sont tombés les héros,
ont péri les armes de guerre? »

# *IV. David*

## *1. DAVID ROI DE JUDA*

**Sacre de David à Hébron.**

1 S 2 28+ 2 1 Après cela, David consulta Yahvé en ces termes : « Monterai-je dans l'une des villes de
Juda? », et Yahvé lui répondit : « Monte! » David
demanda : « Où monterai-je? », et la réponse fut :
« A Hébron [b]. » 2 David y monta et aussi ses deux
femmes, Ahinoam de Yizréel et Abigayil, la femme
de Nabal de Karmel. 3 Quant aux hommes qui
étaient avec lui, David les fit monter chacun avec
sa famille et ils s'établirent dans les villes d'Hébron [c]. 4 Les hommes de Juda vinrent et là, ils
oignirent David comme roi sur la maison de
Juda [d].

**Message aux gens de Yabesh.**

1 S 31 11-13 On apprit à David que les habitants de Yabesh
de Galaad avaient donné la sépulture à Saül.
5 Alors David envoya des messagers aux gens de
Yabesh et leur fit dire : « Soyez bénis de Yahvé
pour avoir accompli cette œuvre de miséricorde
envers Saül votre seigneur et pour l'avoir enseveli.
6 Que Yahvé vous témoigne miséricorde et bonté,
moi aussi je vous ferai du bien parce que vous avez
agi ainsi [e]. 7 Et maintenant prenez courage et soyez
braves, car Saül votre seigneur est mort. Quant à
moi, la maison de Juda m'a oint pour être son
roi [f]. »

**Abner impose Ishbaal comme roi d'Israël.**

8 Abner, fils de Ner, le chef d'armée de Saül,
1 S 14 49+ avait emmené Ishbaal [g], fils de Saül, et l'avait fait
passer à Mahanayim [h]. 9 Il l'avait établi roi sur
Galaad, sur les Ashérites [i], sur Yizréel, Éphraïm,
Benjamin, et sur tout Israël. 10 Ishbaal, fils de Saül,
avait quarante ans lorsqu'il devint roi d'Israël et il
régna deux ans. Seule la maison de Juda se rallia
à David. 11 Le temps que David régna à Hébron = 5 5
sur la maison de Juda fut de sept ans et six mois [j].

**Guerre entre Juda et Israël. Bataille de Gabaôn.**

12 Abner, fils de Ner, et la garde d'Ishbaal, fils
de Saül, firent une campagne de Mahanayim vers
Gabaôn. 13 Joab, fils de Çeruya, et la garde de
David se mirent aussi en marche et ils se rencontrèrent près de l'étang de Gabaôn [k]. Ils firent halte,
ceux-ci d'un côté de l'étang, ceux-là de l'autre
côté.
14 Abner dit à Joab : « Que les cadets se lèvent
et luttent devant nous [l]! » Joab répondit : « Qu'ils
se lèvent! » 15 Ils se levèrent et furent dénombrés :
douze de Benjamin, pour Ishbaal, fils de Saül, et
douze de la garde de David. 16 Chacun saisit son
adversaire par la tête et lui enfonça son épée dans
le flanc, en sorte qu'ils tombèrent tous ensemble.
C'est pourquoi on a appelé cet endroit le Champ
des Flancs [m]; il se trouve à Gabaôn.
17 Alors il y eut en ce jour une très dure bataille
et Abner et les gens d'Israël furent battus devant
la garde de David. 18 Il y avait là les trois fils de
Çeruya, Joab, Abishaï et Asahel. Or Asahel était
agile à la course comme une gazelle sauvage. 19 Il
se lança à la poursuite d'Abner, sans dévier de sa
trace à droite ni à gauche. 20 Abner se retourna et
dit : « Est-ce toi, Asahel? » et celui-ci répondit :
« Oui. » 21 Alors Abner dit : « Détourne-toi à droite
ou à gauche, attrape l'un des cadets et empare-toi
de ses dépouilles. » Mais Asahel ne voulut pas
s'écarter de lui. 22 Abner redit encore à Asahel :

a) « par ta mort je suis navré » *bemôteka hullet* conj.; « sur tes hauteurs a péri » *'al bamôtêka halal* hébr. répétant le v. 29.
b) Hébron était la ville la plus importante de Juda. Lors de la conquête, elle avait été prise et occupée par les Calébites, Jos **15** 13s; Jg **1** 20, mais ceux-ci avaient bientôt été assimilés par les Judéens.
c) Les villages dépendant d'Hébron.
d) David avait gagné des sympathies en Juda, 1 S **27** 10-12; **30** 26-31. Plus tard, David sera oint par les anciens d'Israël, **5** 3. Cette tradition ignore l'onction de David enfant par Samuel, 1 S **16** 1-13.
e) « du bien parce que » conj.; « ce bien que » hébr.
f) David invite les Yabéshites à le reconnaître pour successeur de Saül. Nous n'avons pas leur réponse, mais ils ne pouvaient que rester dans l'orbite d'Israël.
g) « Ishbaal », ici et dans la suite, d'après 1 Ch **8** 33, cf. **9** 39 et une partie des versions; « Ishboshet » hébr. Voir 1 S **14** 49+.
h) Ville de Transjordanie, cf. Gn **32** 3 et 2 S **17** 24.
i) « Ashérites » Targ. cf. Jg **1** 32; « Assyriens » hébr.
j) Note rédactionnelle.
k) Une dizaine de km au nord de Jérusalem, cf. Jr **41** 12.
l) Abner propose de régler l'affaire par un combat entre quelques guerriers des deux camps, cf. 1 S **17** 8-9. Mais, tous les champions étant tombés ensemble, rien n'est décidé et une bataille générale s'engage, v. 17.
m) « Champ des Flancs » (*hassiddîm*) conj.; « Champ des Rochers » (*hassurîm*) hébr.

3 27 « Écarte-toi de moi, que je ne t'abatte pas à terre.
Comment pourrais-je regarder en face ton frère
Joab[a]? » 23 Mais, comme il refusait de s'écarter,
Abner le frappa au ventre avec le talon[b] de sa
lance et la lance lui sortit par le dos : il tomba là
et mourut sur place. En arrivant à l'endroit où Asahel était tombé et était mort, tous s'arrêtaient.

24 Joab et Abishaï se mirent à la poursuite
d'Abner et, au coucher du soleil, ils arrivèrent à la
colline d'Amma, qui est à l'est de Giah sur le chemin du désert de Gabaôn[c]. 25 Les Benjaminites se
groupèrent derrière Abner en formation serrée et
firent halte au sommet d'une certaine colline.
26 Abner appela Joab et dit : « L'épée dévorera-
t-elle toujours? Ne sais-tu pas que cela finira dans
l'amertume? Qu'attends-tu pour ordonner à ces
gens d'abandonner la poursuite de leurs frères? »
27 Joab répondit : « Aussi vrai que Yahvé[d] est
vivant, si tu n'avais pas parlé, ce n'est qu'au matin
que ces gens auraient renoncé à poursuivre chacun
son frère[e]. » 28 Joab fit sonner du cor et toute
l'armée fit halte : on ne poursuivit plus Israël et on
cessa le combat.

29 Abner et ses hommes cheminèrent par la
Araba[f] pendant toute cette nuit-là, ils passèrent le
Jourdain et, après avoir marché toute la matinée,
ils arrivèrent à Mahanayim. 30 Joab, ayant cessé de
poursuivre Abner, rassembla toute la troupe : la
garde de David avait perdu dix-neuf hommes, plus
Asahel, 31 mais la garde de David avait tué à Benjamin, aux gens d'Abner, trois cent soixante hommes. 32 On emporta Asahel et on l'ensevelit dans le
tombeau de son père, qui est à Bethléem. Joab et
ses gens marchèrent toute la nuit et le jour se leva
quand ils arrivaient à Hébron.

3 1 La guerre se prolongea entre la maison de
Saül et celle de David, mais David allait se
fortifiant, tandis que s'affaiblissait la maison de
Saül.

|| 1 Ch 3 1-4 **Fils de David nés à Hébron.**
2 S 5 13-16

2 Des fils naquirent à David, à Hébron; ce
furent : son aîné Amnon, né d'Ahinoam de Yizréel;
3 son cadet Kiléab, né d'Abigayil, la femme de
Nabal de Karmel; le troisième Absalom, fils de
Maaka, la fille de Talmaï roi de Geshur[g]; 4 le quatrième Adonias, fils de Haggit; le cinquième Shephatya, fils d'Abital; 5 le sixième Yitréam, né
d'Égla, femme de David. Ceux-là naquirent à
David, à Hébron.

**Rupture entre Abner et Ishbaal.**

6 Voici ce qui arriva pendant la guerre entre la
maison de Saül et celle de David : Abner s'arro-
geait tout pouvoir dans la maison de Saül. 7 Il y
avait une concubine de Saül qui se nommait Riçpa, 21 8-10
fille d'Ayya, et Abner la prit[h]. Ishbaal dit à
Abner : « Pourquoi t'es-tu approché de la concubine de mon père? » 8 Aux paroles d'Ishbaal, Abner
entra dans une grande colère et dit : « Suis-je donc
une tête de chien[i]? Je suis plein de bienveillance
pour la maison de Saül, ton père, pour ses frères
et ses amis, je ne t'abandonne pas entre les mains
de David, et maintenant tu me fais des reproches
pour une histoire de femme! 9 Que Dieu inflige tel Rt 1 17+
mal à Abner et qu'il y ajoute tel autre si je
n'accomplis pas ce que Yahvé a promis par ser- 3 18; 5 2
ment à David, 10 d'enlever la royauté à la maison 1 S 25 30
de Saül et d'établir le trône de David sur Israël et
sur Juda depuis Dan jusqu'à Bersabée[j]. »
11 Ishbaal n'osa pas répondre un mot à Abner
parce qu'il avait peur de lui.

**Abner négocie avec David.**

12 Abner envoya des messagers dire à David :
« ... [k] Fais alliance avec moi et je te soutiendrai
pour rallier autour de toi tout Israël. » 13 David
répondit : « Bien! Je ferai alliance avec toi. Il n'y
a qu'une chose que j'exige de toi : tu ne seras pas
admis en ma présence à moins que tu n'amènes
Mikal, fille de Saül, quand tu viendras me voir. » 1 S 18 20-27
14 Et David envoya des messagers dire à Ishbaal,
fils de Saül : « Rends-moi ma femme Mikal, que je
me suis acquise pour cent prépuces de Philistins. »
15 Ishbaal l'envoya prendre chez son mari Paltiel, 1 S 25 44
fils de Layish. 16 Son mari partit avec elle et la suivit en pleurant jusqu'à Bahurim. Alors Abner lui
dit : « Retourne! » et il s'en retourna.

17 [l] Abner avait eu des pourparlers avec les
anciens d'Israël et leur avait dit : « Voici longtemps
que vous désirez avoir David pour votre roi.
18 Agissez donc maintenant, puisque Yahvé a dit

a) Abner ne veut pas attirer sur lui la vengeance du sang. Mais cf. 3 27.
b) « le talon », litt. « l'extrémité ».
c) « à l'est... Gabaôn » texte incertain.
d) « Yahvé » grec; « Dieu » hébr.
e) Joab accepte la trêve.
f) Le terme désigne ici la vallée du Jourdain. – « toute la matinée » : sens incertain.
g) A l'est du lac de Tibériade.
h) « et Abner la prit » grec; omis par hébr. – En s'appropriant l'une des concubines de Saül, Abner fait figure de prétendant au trône, car le harem du roi défunt passait à son successeur, voir 12 8; 16 20-22 et 1 R 2 22.
i) Le texte ajoute « appartenant à Juda » qui manque dans le grec.
j) On ne dit pas en quelle occasion cette promesse fut faite à David, mais cf. 5 2 et 1 S 28 3+.
k) Quelques mots corrompus.
l) Les vv. 17-19 sont d'une rédaction postérieure, mais il est vraisemblable que bien des cœurs en Israël se tournaient vers David, déjà du vivant de Saül, 1 S 18 7, 16, 28, et surtout sous son pâle héritier Ishbaal.

3 10+ ceci à propos de David : “ C'est par l'entremise de
mon serviteur David que je délivrerai [a] mon peuple
Israël de la main des Philistins et de tous ses
ennemis ”. » 19 Abner parla aussi à Benjamin, puis
il alla à Hébron pour exposer à David tout ce
qu'avaient approuvé les Israélites et toute la maison de Benjamin.

20 Abner, accompagné de vingt hommes, arriva
chez David à Hébron et David offrit un festin à
Abner et aux hommes qui étaient avec lui. 21 Abner
dit ensuite à David : « Allons! Je vais rassembler
tout Israël auprès de Monseigneur le roi : ils
concluront un pacte avec toi et tu régneras sur tout
ce que tu souhaites. » David congédia Abner, qui
partit en paix.

**Meurtre d'Abner.**

22 Il se trouva que la garde de David et Joab
revenaient alors de la razzia, ramenant un énorme
butin, et Abner n'était plus auprès de David à
Hébron, puisque David l'avait congédié et qu'il
était parti en paix. 23 Lorsque arrivèrent Joab et
toute la troupe qui le suivait, on prévint Joab
qu'Abner, fils de Ner, était venu chez le roi et que
celui-ci l'avait laissé repartir en paix. 24 Alors Joab
entra chez le roi et dit : « Qu'as-tu fait? Abner est
venu chez toi, pourquoi donc l'as-tu laissé partir?
25 Tu connais Abner, fils de Ner. C'est pour te
tromper qu'il est venu, pour connaître tes allées et
venues, pour savoir tout ce que tu fais! »

26 Joab sortit de chez David et envoya derrière
Abner des messagers qui le firent revenir depuis la
citerne de Sira, à l'insu de David. 27 Quand Abner
arriva à Hébron, Joab le prit à l'écart à l'intérieur
de la porte, sous prétexte de parler tranquillement
2 22-23 avec lui, et là il le frappa mortellement au ventre,
à cause du sang d'Asahel son frère. 28 Lorsque
David apprit ensuite la chose, il dit : « Moi et mon
royaume nous sommes pour toujours innocents
devant Yahvé du sang d'Abner, fils de Ner : 29 qu'il
retombe sur la tête de Joab et sur toute sa famille!
Qu'il ne cesse d'y avoir dans la maison de Joab des
gens atteints d'écoulement ou de lèpre, des hommes
bons à tenir le fuseau ou qui tombent sous l'épée,
ou qui manquent de pain! » 30 (Joab et son frère
Abishaï avaient assassiné Abner parce qu'il avait
2 22-23 fait mourir leur frère Asahel au combat de
Gabaôn.) 31 David dit à Joab et à toute la troupe
qui l'accompagnait : « Déchirez vos vêtements,
mettez des sacs et faites le deuil devant Abner », et
le roi David marchait derrière la civière. 32 On
ensevelit Abner à Hébron; le roi éclata en sanglots
sur sa tombe et tout le peuple pleura aussi.

33 Le roi chanta cette complainte sur Abner :

« Abner devait-il mourir comme meurt l'insensé?
34 Tes mains n'étaient pas liées, tes pieds n'étaient
pas mis aux fers,

Tu es tombé comme on tombe devant des malfaiteurs [b]! »

et les larmes de tout le peuple redoublèrent.

35 Tout le peuple vint inviter David à prendre de
la nourriture alors qu'il faisait encore jour, mais
David fit ce serment : « Que Dieu me fasse tel mal Rt 1 17+
et qu'il y ajoute tel autre si je goûte à du pain ou 1 S 31 13
à quoi que ce soit avant le coucher du soleil. »
36 Tout le peuple remarqua cela et le trouva bien,
car tout ce que faisait le roi était approuvé par le
peuple. 37 Ce jour-là, tout le peuple et tout Israël
comprirent que le roi n'était pour rien dans la mort
d'Abner, fils de Ner.
38 Le roi dit à ses officiers : « Ne savez-vous pas
qu'un prince et un grand homme est tombé
aujourd'hui en Israël? 39 Pour moi, je suis faible
maintenant, tout roi que je sois par l'onction [c], et
ces hommes, les fils de Çeruya, sont plus violents
que moi. Que Yahvé rende au méchant selon sa Ps 28 4
méchanceté! » Is 3 11

**Meurtre d'Ishbaal.**

**4** 1 Lorsque le fils de Saül apprit qu'Abner était
mort à Hébron, les mains lui tombèrent et tout
Israël fut consterné. 2 Or le fils de Saül avait deux
chefs de bandes, qui s'appelaient, l'un Baana et le
second Rékab. Ils étaient les fils de Rimmôn de
Béérôt et Benjaminites, car Béérôt aussi est attri- Jos 18 25
buée à Benjamin. 3 Les gens de Béérôt s'étaient
réfugiés à Gittayim, où ils sont demeurés jusqu'à
ce jour comme résidents étrangers. 4 [d] Il y avait un Ex 12 48+
fils de Jonathan, fils de Saül, qui était perclus des
deux pieds. Il avait cinq ans lorsque arriva de Yizréel la nouvelle concernant Saül et Jonathan. Sa 1 S 31
nourrice l'emporta et s'enfuit, mais dans la précipitation de la fuite, l'enfant tomba et s'estropia. Il
s'appelait Meribbaal [e].

5 Les fils de Rimmôn de Béérôt, Rékab et Baana,
s'étant mis en route, arrivèrent à l'heure la plus
chaude du jour à la maison d'Ishbaal, quand celui-
ci faisait la sieste. 6 La portière, qui mondait du

*a)* « je délivrerai » versions; « il a délivré » hébr.
*b)* Abner est mort sans se défendre, tout libre qu'il fût de ses mouvements – ce qui prouverait un manque de sens, s'il n'avait pas été assassiné par traîtrise.
*c)* Sens incertain. David s'excuse de ne pouvoir, si tôt après son sacre, agir contre les meurtriers, et il remet le châtiment à Dieu; il léguera finalement ce soin à Salomon, 1 R 2 5-6, cf. 31-34.
*d)* Notice étrangère au contexte. Peut-être a-t-on voulu rappeler ici qu'en dehors d'Ishbaal, il ne restait que cet infirme pour prendre la succession de Saül.
*e)* « Meribbaal » ici et dans la suite, avec 1 Ch 8 34; 9 40. Pour n'y pas retrouver le nom du Baal cananéen, l'hébr. de 2 S a

blé, s'était assoupie et dormait. Rékab et son frère
Baana se faufilèrent [a] 7 et entrèrent dans la maison,
où il était étendu sur son lit dans sa chambre à coucher. Ils le frappèrent à mort et le décapitèrent,
puis, emportant sa tête, ils marchèrent toute la nuit
par la route de la Araba [b]. 8 Ils apportèrent la tête
d'Ishbaal à David, à Hébron, et dirent au roi :
« Voici la tête d'Ishbaal, fils de Saül, ton ennemi
qui en voulait à ta vie. Yahvé a accordé
aujourd'hui à Monseigneur le roi une vengeance
sur Saül et sur sa race. »

9 Mais David, s'adressant à Rékab et à son frère
Baana, les fils de Rimmôn de Béérôt, leur dit :
« Par la vie de Yahvé, qui m'a délivré de toute
détresse! 10 Celui qui m'a annoncé la mort de Saül 1 1-16
croyait être porteur d'une bonne nouvelle, et je l'ai
saisi et exécuté à Çiqlag, pour le payer de sa bonne
nouvelle! 11 A plus forte raison lorsque des bandits
ont tué un homme honnête dans sa maison, sur son
lit! Ne dois-je pas vous demander compte de son
sang et vous faire disparaître de la terre [c]? »
12 Alors David donna un ordre aux cadets et ceux-
ci les mirent à mort. On leur coupa les mains et
les pieds et on les suspendit près de l'étang d'Hé- 1 S **31** 10
bron. Quant à la tête d'Ishbaal, on la prit et on Dt **21** 22-23
l'ensevelit dans le tombeau d'Abner à Hébron.

## *2. DAVID ROI DE JUDA ET D'ISRAËL*

|| 1 Ch **11** 1-3 **Sacre de David comme roi d'Israël.**

**5** 1 Alors toutes les tribus d'Israël vinrent auprès
de David à Hébron et dirent : « Vois! Nous
Dt **17** 15 sommes de tes os et de ta chair. 2 Autrefois déjà,
1 S **18** 16 quand Saül régnait sur nous, c'était toi qui sortais
et rentrais avec Israël, et Yahvé t'a dit : C'est toi
3 10+ qui paîtras mon peuple Israël et c'est toi qui deviendras chef d'Israël. » 3 Tous les anciens d'Israël vinrent donc auprès du roi à Hébron, le roi David
conclut un pacte avec eux à Hébron, en présence
de Yahvé, et ils oignirent David comme roi sur
Israël.

4 David avait trente ans à son avènement et il
= **2** 11 régna pendant quarante ans. 5 A Hébron, il régna
|| 1 Ch **3** 4 sept ans et six mois sur Juda [d]; à Jérusalem, il
régna trente-trois ans sur tout Israël et sur Juda.

**Prise de Jérusalem** [e]**.** || 1 Ch **11** 4-9

6 David avec ses gens marcha sur Jérusalem
contre les Jébuséens qui habitaient le pays, et ceux-
ci dirent à David : « Tu n'entreras pas ici! Les
aveugles et les boiteux t'en écarteront [f] » (c'est-
à-dire : David n'entrera pas ici). 7 Mais David
s'empara de la forteresse de Sion; c'est la Cité de
David. 8 Ce jour-là, David dit : « Quiconque frappera les Jébuséens et montera par le canal... [g] »
Quant aux boiteux et aux aveugles, David les hait
en son âme [h]. (C'est pourquoi on dit : Aveugle et Lv **21** 18
boiteux n'entreront pas au Temple.) 9 David s'installa dans la forteresse et l'appela Cité de David [i].
Puis David construisit un mur sur son pourtour,
depuis le Millo vers l'intérieur [j]. 10 David allait
grandissant et Yahvé, Dieu Sabaot, était avec lui. Gn **39** 2
1 S **1** 3+

déformé le nom en « Mephiboshèt » (sens incertain : « celui qui répand (?) la honte »). On a lu de même Ishboshèt pour Ishbaal, **2** 8+, et Yerubbeshèt pour Yerubbaal, **11** 21.

*a)* Le v. est traduit d'après le grec. L'hébr. est corrompu et représente une tradition différente. Litt. : « Eux entrèrent jusqu'au milieu de la maison, prenant du blé, et ils le frappèrent au ventre; Rékab et Baana son frère s'enfuirent. » Peut-être doublet corrompu du v. 7.

*b)* La vallée du Jourdain, cf. **2** 29.

*c)* L'indignation de David n'est pas feinte. Pourtant la mort d'Ishbaal, après celle d'Abner, va lui livrer le trône d'Israël, **5** 1-3.

*d)* David d'abord sacré par les Judéens, **2** 4, est maintenant reconnu par les Israélites, mais les deux groupes restent distincts : David est roi « sur tout Israël *et* sur Juda ». C'est une monarchie dualiste, un Royaume Uni, tiraillé par les luttes intérieures jusqu'à la scission, 1 R **12**.

*e)* Cette conquête se situe chronologiquement après les victoires sur les Philistins racontées aux vv. 17-25.

*f)* La position est si forte, pensent-ils, que des infirmes suffiront à la défendre.

*g)* « montera » conj. « frappera » ou « atteindra » hébr. – On suppléera à la fin : « recevra telle récompense ». Mais le texte est incertain. Le « canal », si tel est bien le sens du mot, serait le tunnel creusé dans l'antique colline de Jérusalem pour descendre à la source de Gihôn (1 R **1** 33s) sans sortir de la ville. Des hommes résolus pouvaient l'escalader et se trouver ainsi dans la place. 1 Ch **11** 6 a un texte simple : « Quiconque frappera le premier les Jébuséens sera chef et prince. Le premier qui monta fut Joab. »

*h)* Cette phrase, sans lien avec le contexte, manque dans Ch.

*i)* La situation de Jérusalem entre les tribus du Sud et celles du Nord explique le choix de David. Le nom de la ville est attesté depuis l'an 2000. L'ancienne ville des Jébuséens (Dt **7** 1+) occupait la colline d'Ophel ou Mont Sion entre les vallées du Cédron et du Tyropéon (voir la carte); elle était dominée au nord par le sommet où David élèvera un autel, 2 S **24** 16s, et Salomon le Temple, 1 R **6**; les palais de Salomon se dresseront au sud du sanctuaire, 1 R **7**. La ville ne s'étendra que beaucoup plus tard sur la grande colline occidentale, et son rempart septentrional devra par deux fois être reporté plus au nord, 2 R **14** 13+. Le système des eaux (v. 8+) fut perfectionné, surtout par Ézéchias, 2 R **20** 20+. Nabuchodonosor détruisit la ville en 587, 2 R **25**, mais le Temple fut relevé dès 515, Esd **6** 15, et les murailles en 445, Ne **2-6**. Antiochus Épiphane fit construire l'Akra, face au Temple, 1 M **1** 33+, et les Asmonéens transformèrent cette citadelle en un palais, auquel Hérode substituera une résidence officielle plus à l'ouest. Hérode transforma l'ancienne citadelle du Temple, Ne **7** 2, en une vaste forteresse, l'Antonia, et recontruisit le Temple, Jn **2** 20. Enfin la ville sera détruite en 70 ap. J.-C. par Titus, cf. Lc **21** 20. – Apparue pour la première fois dans la Bible avec son prêtre-roi Melchisédech, Gn **14** 18+; Ps **76** 3, devenue sous David la capitale politique et religieuse d'Israël, Jérusalem (ou Sion) en viendra à personnifier le peuple élu, Ez **23**; Is **62**. Elle est la demeure de Yahvé, Ps **76** 3+, et de son Oint, Ps **2** et **110**, le rendez-vous futur des nations, Is **2** 1-5; **60**. C'est sur la vision de la Jérusalem nouvelle, Is **54** 11+, que s'achève la Bible, Ap **21**s.

*j)* « un mur » transporté accidentellement au v. 11 (après

|| 1 Ch **14** 1-2 11 Hiram, roi de Tyr, envoya une ambassade à
1 R **5** 15 David, avec du bois de cèdre, des charpentiers et
des tailleurs de pierres, qui contruisirent une maison pour David. 12 Alors David sut que Yahvé
l'avait confirmé comme roi sur Israël et qu'il exaltait sa royauté à cause d'Israël son peuple.

|| 1 Ch **14** 3-7 **Fils de David à Jérusalem.**
2 S **3** 2-5

13 Après son arrivée d'Hébron, David prit encore
des concubines et des femmes à Jérusalem, et il lui
naquit des fils et des filles. 14 Voici les noms des
|| 1 Ch **3** 5-8 enfants qu'il eut à Jérusalem : Shammua, Shobab,
Natân, Salomon, 15 Yibhar, Élishua, Népheg,
Yaphia, 16 Élishama, Baalyada, Éliphélet.

|| 1 Ch **14** 8-16 **Victoires sur les Philistins** [a].

17 Lorsque les Philistins eurent appris qu'on
avait oint David comme roi sur Israël, ils montèrent tous pour s'emparer de lui. A cette nouvelle,
David descendit au refuge [b]. 18 Les Philistins arrivèrent et se déployèrent dans le val des Rephaïm [c].
1 S **2** 28+ 19 Alors David consulta Yahvé : « Dois-je attaquer
les Philistins? demanda-t-il. Les livreras-tu entre
mes mains? » Yahvé répondit à David : « Attaque!
Je livrerai sûrement les Philistins entre tes mains. »
20 Donc David se rendit à Baal-Peraçim et là David
les battit. Et il dit : « Yahvé m'a ouvert une brèche
dans mes ennemis comme une brèche faite par les
eaux. » C'est pourquoi on appela cet endroit Baal-
1 S **4** 11 Peraçim [d]. 21 Ils avaient abandonné sur place leurs
dieux; David et ses gens les enlevèrent.
22 Les Philistins montèrent de nouveau et se
déployèrent dans le val des Rephaïm. 23 David
consulta Yahvé, et celui-ci répondit : « Ne les attaque pas en face, tourne-les par derrière et aborde-
Ps **84** 7 les vis-à-vis des micocouliers. 24 Quand tu enten-
2 R **7** 6 dras un bruit de pas [e] à la cime des micocouliers,
Gn **3** 8 alors dépêche-toi : c'est que Yahvé sort devant toi
pour battre l'armée philistine. » 25 David fit comme
Yahvé lui avait ordonné et il battit les Philistins
depuis Gabaôn jusqu'à l'entrée de Gézer [f].

**L'arche à Jérusalem** [g]. || 1 Ch **13**
Ps **132** 6-10, 13-14

6 1 David rassembla encore toute l'élite d'Israël,
trente mille hommes. 2 S'étant mis en route,
David et toute l'armée qui l'accompagnait partirent
pour Baala [h] de Juda, afin de faire monter de là Jos **15** 9, 60
l'arche de Dieu, qui porte le nom de Yahvé Sabaot, 1 S **4** 3-4
siégeant sur les chérubins. 3 On chargea l'arche de Ex **25** 10+
Dieu sur un chariot neuf et on l'emporta de la mai- 1 S **6** 7
son d'Abinadab, qui est sur la colline. Uzza et
Ahyo, les fils d'Abinadab, conduisaient le chariot.
4 Uzza marchait [i] à côté de l'arche de Dieu et Ahyo
marchait devant elle. 5 David et toute la maison
d'Israël dansaient devant Yahvé de toutes leurs
forces, en chantant [j] au son des cithares, des har- Ps **150** 3, 5; **68** 25s
pes, des tambourins, des sistres et des cymbales.
6 Comme on arrivait à l'aire de Nakôn, Uzza étendit la main vers l'arche [k] de Dieu et la retint, car
les bœufs la faisaient verser. 7 Alors la colère de
Yahvé s'enflamma contre Uzza : sur place, Dieu le
frappa pour cette faute [l], et il mourut, là, à côté de
l'arche de Dieu. 8 David fut fâché de ce que Yahvé
eût foncé sur Uzza et on donna à ce lieu le nom
de Pérèç-Uzza [m], qu'il a gardé jusqu'à maintenant.
9 Ce jour-là, David eut peur de Yahvé et dit :
« Comment l'arche de Yahvé entrerait-elle chez
moi? » 10 Ainsi David ne voulut pas conserver
l'arche de Yahvé chez lui, dans la Cité de David, et
il la conduisit chez Obed-Édom de Gat. 11 L'arche
de Yahvé demeura trois mois chez Obed-Édom de
Gat, et Yahvé bénit Obed-Édom et toute sa famille.
12 On rapporta au roi David que Yahvé avait || 1 Ch **15**
béni la famille d'Obed-Édom et tout ce qui lui
appartenait à cause de l'arche de Dieu. Alors
David partit et fit monter l'arche de Dieu de la
maison d'Obed-Édom à la Cité de David en grande
liesse. 13 Quand les porteurs de l'arche de Yahvé
eurent fait six pas, il sacrifia un bœuf et un veau

« pierres ») – Sur le « Millo », voir 1 R **9** 15. Ce mur « vers l'intérieur » devait longer la vallée du Tyropéon.

*a)* David, roi de Juda à Hébron, restait nominalement vassal des Philistins, 1 S **27** 5-6. Maintenant, ils s'inquiètent de son pouvoir grandissant.

*b)* Peut-être celui d'Adullam, 1 S **22** 1-5; Jérusalem n'est pas encore conquise, cf. note sur v. 6.

*c)* Plaine creuse au sud-ouest de Jérusalem, Jos **15** 8; **18** 16, cf. Dt **1** 28+.

*d) Pérèç* signifie « brèche », cf. Gn **38** 29.

*e)* Les pas de Yahvé qui s'avance.

*f)* « Gabaôn » grec, Ch; « Géba » hébr. – Gézer est à la limite du pays philistin : l'ennemi est rejeté chez lui.

*g)* Ce récit reprend l'histoire de l'arche où l'avait laissée 1 S **7** 1, mais il est d'une autre main. – Jérusalem, recevant l'arche où Yahvé se rend présent, Ex **25** 8+; Dt **4** 7+, devient ainsi la capitale religieuse et non plus seulement politique d'Israël, la ville sainte.

*h)* « Baala », cf. Ch.: « des citoyens » (*mibba'alé*) hébr. – Ancien nom de Qiryat-Yéarim, Jos **15** 9, cf. Jos **15** 60; **18** 14.

*i)* « Uzza marchait » conj; hébr. répète par dittographie le début du v. 3, « un chariot neuf... colline ».

*j)* « de toutes leurs forces en chantant » grec, Ch.; hébr. corrompu, ne donne pas de sens.

*k)* « la main vers » Ch; omis par hébr.

*l)* Sens très incertain. Ch. : « parce qu'il avait porté la main sur l'arche ». – L'arche était terrible à ses ennemis, 1 S **5**, ou à ses contempteurs, 1 S **6** 19. Il y a plus ici : la sainteté de l'arche, sur laquelle trône Yahvé, la rend intangible. Cette conception primitive du sacré, cf. Lv **17** 1+, décèle un sens profond de la majesté redoutable de Dieu, cf. Ex **33** 20+. La loi sacerdotale codifie ce sentiment : les Lévites eux-mêmes ne peuvent, sans danger de mort, s'approcher de l'arche avant qu'elle ne soit couverte par les prêtres, Nb **4** 5, 15, 20. Ils ne la touchent pas, mais la portent avec des barres, Ex **25** 15.

*m)* « La brèche d'Uzza », cf. **5** 20. Explication populaire : Yahvé a foncé sur Uzza, litt. « a fait brèche ».

1 R **18** 26 gras. 14 David dansait en tournoyant de toutes ses
1 S **2** 18+ forces devant Yahvé, il avait ceint un pagne de
lin [a]. 15 David et toute la maison d'Israël faisaient
monter l'arche de Yahvé en poussant des acclamations et en sonnant du cor. 16 Or, comme l'arche de
Yahvé entrait dans la Cité de David, la fille de
Saül, Mikal, regardait par la fenêtre, et elle vit le
roi David qui sautait et tournoyait devant Yahvé,
|| 1 Ch **16** 1-3 et, dans son cœur, elle le méprisa. 17 On introduisit
l'arche de Yahvé et on la déposa à sa place, sous
la tente que David avait fait dresser pour elle, et
Lv **1** 1+ David offrit des holocaustes en présence de Yahvé,
**3** 1+ ainsi que des sacrifices de communion. 18 Lorsque
David eut achevé d'offrir des holocaustes et des
sacrifices de communion, il bénit le peuple au nom
de Yahvé Sabaot. 19 Puis il fit une distribution à
tout le peuple, à la foule entière des Israélites, hommes et femmes, pour chacun une couronne de pain,
une masse de dattes [b] et un gâteau de raisins secs,
puis tout le monde s'en alla chacun chez soi.
20 Comme David s'en retournait pour bénir sa
maisonnée, Mikal, fille de Saül, sortit à sa
rencontre et dit : « Comme il s'est fait honneur
aujourd'hui, le roi d'Israël, qui s'est découvert
aujourd'hui au regard des servantes de ses serviteurs comme se découvrirait un homme de rien [c]! »
21 Mais David répondit à Mikal : « C'est devant
Yahvé que je danse! Par la vie de Yahvé [d], qui m'a
préféré à ton père et à toute sa maison pour m'instituer chef d'Israël, le peuple de Yahvé, je danserai
devant Yahvé 22 et je m'abaisserai encore davantage. Je serai vil à tes yeux, mais auprès des servantes dont tu parles, auprès d'elles je serai en honneur [e]. » 23 Et Mikal, fille de Saül, n'eut pas d'enfant
**20** 3 jusqu'au jour de sa mort.

|| 1 Ch **17** 1-15 **Prophétie de Natân [f].**

7 1 Quand le roi habita sa maison et que Yahvé
1 R **5** 4 l'eut débarrassé de tous les ennemis qui
Dt **12** 10; **25** 19 l'entouraient, 2 le roi dit au prophète Natân : « Vois
donc! J'habite une maison de cèdre et l'arche de
Dieu habite sous la tente! » 3 Natân répondit au Ps **132** 1-5
roi : « Va et fais tout ce qui te tient à cœur, car
Yahvé est avec toi. »
4 Mais, cette même nuit, la parole de Yahvé fut
adressée à Natân en ces termes :
5 « Va dire à mon serviteur David : Ainsi parle
Yahvé. Est-ce toi qui me construiras une maison 1 R **8** 16, 27
pour que j'y habite? 6 Je n'ai jamais habité de mai- Is **66** 1
son depuis le jour où j'ai fait monter d'Égypte les ↗ Ac **7** 48
Israélites jusqu'aujourd'hui, mais j'étais en camp
volant sous une tente et un abri. 7 Pendant tout le
temps où j'ai voyagé avec tous les Israélites, ai-je Ex **40** 34-38
dit à un seul des juges [g] d'Israël, que j'avais institués comme pasteurs de mon peuple Israël :
“ Pourquoi ne me bâtissez-vous pas une maison de
cèdre [h]? ” 8 Voici maintenant ce que tu diras à mon
serviteur David : Ainsi parle Yahvé Sabaot. C'est
moi qui t'ai pris au pâturage, derrière les brebis, 1 S **16** 11;
pour être chef de mon peuple Israël. 9 J'ai été avec **17** 15, 20, 28,
toi partout où tu allais; j'ai supprimé devant toi Ps **78** 70s
tous tes ennemis. Je te donnerai un grand nom Ps **89** 28
comme le nom des plus grands de la terre. 10 Je
fixerai un lieu à mon peuple Israël, je l'y planterai,
il demeurera en cette place, il ne sera plus ballotté
et les méchants ne continueront pas à l'opprimer
comme auparavant, 11 depuis le temps où j'instituais des juges sur mon peuple Israël; je te débar-
rasserai de tous tes ennemis. Yahvé t'annonce qu'il
te fera une maison. 12 Et quand tes jours seront **23** 5
accomplis et que tu seras couché avec tes pères, je Ps **89** 30-38
maintiendrai après toi le lignage issu de tes entrail- Ps **132** 11-1
les (et j'affermirai sa royauté. 13 C'est lui qui ↗ Ac **2** 30
construira une maison pour mon Nom [i]) et j'affermirai pour toujours son trône royal. 14 Je serai pour 1 R **5** 19;
lui un père et il sera pour moi un fils [j] : s'il commet **8** 19
le mal, je le châtierai avec une verge d'homme et 1 Ch **17** 11-
par les coups que donnent les humains. 15 Mais ma **22** 10; **28** 6
faveur ne lui sera pas retirée comme je l'ai retirée ↗ He **1** 5
à Saül, que j'ai écarté de devant toi. 16 Ta maison Dt **8** 5+
1 S **13** 14; **15** 28

*a)* David, qui vient de sacrifier et qui va bénir, v. 18, porte un costume de prêtre.
*b)* Sens conjectural. Autre traduction : « une portion de viande », cf. Vulg.
*c)* En ne portant qu'un pagne, cf. Ex **20** 26 et **28** 42-43.
*d)* On suit grec luc.; hébr. a sauté du premier au deuxième « Yahvé ».
*e)* « à tes yeux » grec; « à mes yeux » hébr. – Tout le récit révèle la simplicité et la profondeur de la religion de David.
*f)* La prophétie est construite sur une opposition : Ce n'est pas David qui fera une *maison* (un temple) à Yahvé, v. 5, c'est Yahvé qui fera une *maison* (une dynastie) à David, v. 11. La promesse concerne essentiellement la permanence de la lignée davidique sur le trône d'Israël, vv. 12-16. C'est ainsi qu'elle est comprise par David, vv. 19, 25, 27, 29, cf. **23** 5, et par les Ps **80** 30-38; **132** 11-12. C'est le texte de l'alliance de Yahvé avec David et sa dynastie. L'oracle dépasse donc la personne du premier successeur de David, Salomon, à qui il est appliqué par le v. 13, par 1 Ch **17** 11-14; **22** 10; **28** 6 et par 1 R **5** 19; **8** 16-19. Mais le clair-obscur de la prophétie laisse entrevoir un descendant privilégié en qui Dieu se complaira. C'est le premier chaînon des prophéties sur le Messie, fils de David, Is **7** 14+; Mi **4** 14+; Ag **2** 23+, et Ac **2** 30 appliquera le texte au Christ.
*g)* « juges » Ch; « tribus » hébr.
*h)* On a cherché dans les vv. 6-7 la première expression d'un courant hostile au Temple, qui s'exprime effectivement dans 1 R **8** 27; Is **66** 1-2; Ac **7** 48. En fait, Natân est pour le maintien de la vieille tradition représentée par l'arche, et contre la nouveauté d'un temple à la manière de Canaan. Le problème sera résolu par l'installation de l'arche dans le Temple construit par Salomon, 1 R **8** 1, 10-12.
*i)* Ce v., qui se réfère évidemment à Salomon, est généralement considéré comme une addition; l'oracle pourrait alors dater du règne de David. Si ce v. est original, l'oracle daterait du règne de Salomon. Rien n'oblige à descendre plus bas.
*j)* C'est une formule d'adoption, comme dans Ps **2** 7; **110** 3 (grec), mais c'est aussi la première expression du messianisme royal : chaque roi de la lignée davidique sera une image (impar-

2 S 23 5 et ta royauté subsisteront à jamais devant moi [a],
Lc 1 32 33 ton trône sera affermi à jamais. »
17 Natân communiqua à David toutes ces paroles et toute cette révélation.

### || 1 Ch 17 16-27 Prière de David [b].

18 Alors le roi David entra et s'assit devant
1 S 18 18 Yahvé [c], et il dit : « Qui suis-je, Seigneur Yahvé, et
quelle est ma maison, pour que tu m'aies mené jus-
que là? 19 Mais cela est encore trop peu à tes yeux,
Seigneur Yahvé, et tu étends aussi tes promesses à
la maison de ton serviteur pour un lointain avenir.
Voilà le destin de l'homme, Seigneur Yahvé [d].
20 Que David pourrait-il te dire de plus, alors que
tu as toi-même distingué ton serviteur, Seigneur
Yahvé! 21 A cause de ta parole et selon ton cœur,
tu as eu cette magnificence d'instruire ton serviteur [e]. 22 C'est pourquoi tu es grand, Seigneur
Ex 15 11 Yahvé : il n'y a personne comme toi et il n'y a pas
d'autre Dieu que toi seul, comme l'ont appris nos
Dt 4 7, 34 oreilles. 23 Y a-t-il, comme ton peuple Israël, un
autre peuple sur la terre qu'un dieu soit allé racheter pour en faire son peuple, pour le rendre fameux
Ps 44 2-3 et opérer en sa faveur de grandes et terribles choses
en chassant devant son peuple des nations et des
Ex 6 7 dieux [f]? 24 Tu as établi ton peuple Israël pour qu'il
Dt 7 6+; 26 17; 29 12 soit à jamais ton peuple, et toi, Yahvé, tu es devenu
son Dieu. 25 Maintenant, Yahvé Dieu, garde tou-
jours la promesse que tu as faite à ton serviteur et
à sa maison et agis comme tu l'as dit. 26 Ton nom
sera exalté à jamais et l'on dira : Yahvé Sabaot est
Dieu sur Israël. La maison de ton serviteur David
subsistera en ta présence. 27 Car c'est toi, Yahvé
Sabaot, Dieu d'Israël, qui as fait cette révélation à
ton serviteur : "Je te bâtirai une maison". Aussi ton
serviteur a-t-il trouvé le courage de te faire cette
prière. 28 Oui, Seigneur Yahvé, c'est toi qui es Dieu,
Nb 23 19 tes paroles sont vérité et tu fais cette belle promesse
Jn 17 17 à ton serviteur. 29 Consens donc à bénir la maison
de ton serviteur, pour qu'elle demeure toujours en
ta présence. Car c'est toi, Seigneur Yahvé, qui as
parlé, et par ta bénédiction la maison de ton serviteur sera bénie à jamais. »

### Les guerres de David [g]. || 1 Ch 18 1-13

**8** 1 Il advint après cela que David battit les Philistins et les abaissa. David prit des mains des
Philistins... [h] 2 Il battit aussi les Moabites et les
mesura au cordeau en les faisant coucher à terre :
il en mesura deux cordeaux à mettre à mort et un
plein cordeau à laisser en vie, et les Moabites
devinrent sujets de David et lui payèrent tribut.
3 David battit Hadadézer, fils de Rehob, roi de
Çoba, lorsque celui-ci alla pour étendre son pouvoir sur le Fleuve [i]. 4 David lui prit mille sept cents
charriers et vingt mille hommes de pied, et David
coupa les jarrets de tous les attelages, il n'en garda Jos 11 6, 9
que cent [j]. 5 Les Araméens de Damas vinrent au Dt 17 16
secours de Hadadézer, roi de Çoba, mais David
tua aux Araméens vingt-deux mille hommes. 6 Puis
David établit des gouverneurs dans l'Aram de
Damas, et les Araméens devinrent sujets de David
et lui payèrent tribut. Partout où David allait,
Yahvé lui donna la victoire. 7 David prit les ronda- 2 R 11 10
ches d'or que portait la garde de Hadadézer et les
emporta à Jérusalem. 8 De Tébah et de Bérotaï, villes de Hadadézer, le roi David enleva une énorme
quantité de bronze.
9 Lorsque Tôou, roi de Hamat [k], apprit que
David avait défait toute l'armée de Hadadézer, 10 il
dépêcha son fils Hadoram [l] au roi David pour le
saluer et le féliciter d'avoir fait la guerre à Hadadézer et de l'avoir vaincu, car Hadadézer était en
guerre avec Tôou. Hadoram apportait des objets
d'argent, d'or et de bronze. 11 Le roi David les
consacra aussi à Yahvé, avec l'argent et l'or qu'il
avait consacrés, provenant de toutes les nations
qu'il avait subjuguées, 12 Aram, Moab, les Ammonites, les Philistins, Amaleq, provenant aussi du
butin pris à Hadadézer, fils de Rehob, roi de Çoba.
13 David acquit du renom lorsqu'il revint de bat-
tre les Édomites [m] dans la vallée du Sel [n], au nom- 2 R 14 7

faite, cf. la fin du v. et Ps **89** 31-34) du roi idéal de l'avenir. L'appliquant au Messie, 1 Ch **17** 13 a supprimé la seconde partie du v.

*a)* « devant moi » quelques mss et grec; « devant toi » hébr.

*b)* C'est une prière de louange et d'action de grâces en réponse à la promesse des vv. 8-15.

*c)* Dans la tente où se trouvait l'arche.

*d)* Le texte de la fin du v. est incertain.

*e)* Tout le v. est incertain.

*f)* Pour éviter de donner une apparence de réalité aux faux dieux la tradition a modifié le texte hébreu (restitué ici d'après Ch et versions) en rapportant tout à Yahvé (« Dieu » au lieu de « un dieu ») et à Israël (« ton peuple que tu as racheté d'Égypte » au lieu de « son peuple »).

*g)* Résumé des campagnes militaires du règne. La guerre ammonite est omise car elle sera racontée, **10-12**, en liaison avec l'histoire de Bethsabée.

*h)* Deux mots incompréhensibles. La traduction admise : « le contrôle de la métropole » ne se justifie pas; peut-être un nom géographique. Ch : « Gat et les villes de sa dépendance ».

*i)* Le sens est incertain. Nous comprenons ainsi : Hadadézer, chef de la principauté de Çoba, dans l'Anti-Liban, exerce une hégémonie sur les groupes araméens voisins et cherche à s'étendre vers l'Euphrate (le Fleuve); David en profite pour attaquer ses arrières. Mais c'est peut-être une autre version de la campagne du ch. **10**.

*j)* L'armée israélite n'aura pas de charrerie avant Salomon.

*k)* Sur l'Oronte, au nord des territoires contrôlés par Hadadézer.

*l)* « Hadoram » Ch, cf. grec; « Yoram » hébr., qui transforme un nom païen en nom yahviste.

*m)* « Édomites » Ch, versions; « Araméens » hébr., cf. le titre du Ps **60**.

*n)* La Araba, la vallée qui prolonge au sud la mer Morte.

bre de dix-huit mille. 14 Il établit des gouverneurs
1 R 11 14-25 en Édom [a] et tous les Édomites devinrent sujets de
David. Partout où David allait, Yahvé lui donna la
victoire.

|| 1 Ch **18** **L'administration du royaume.**

14-17 15 David régna sur tout Israël, faisant droit et
justice à tout son peuple. 16 Joab, fils de Çeruya, = **20** 23-26
commandait l'armée; Yehoshaphat, fils d'Ahilud, 1 R **4** 1-6+
était héraut; 17 Sadoq et Ébyatar, fils d'Ahimélek,
fils d'Ahitub, étaient prêtres [b]; Seraya [c] était secrétaire; 18 Benayahu, fils de Yehoyada, commandait
les Kerétiens et les Pelétiens [d]; les fils de David
étaient prêtres [e].

## *3. LA FAMILLE DE DAVID ET LES INTRIGUES POUR LA SUCCESSION* [f]

### A. MERIBBAAL

**Bonté de David envers le fils de Jonathan.**

1 S **18** 1-4+; **9** 1 David demanda : « Est-ce qu'il y a encore un
**20** 15s, 42 survivant de la famille de Saül, pour que je le
2 S **21** 1-14 traite avec bonté par égard pour Jonathan? » 2 Or
la famille de Saül avait un serviteur, qui se nom-
**16** 1-4; mait Çiba. On l'appela auprès de David et le roi
**19** 27-31 lui dit : « Tu es Çiba? » Il répondit : « Pour te servir. » 3 Le roi lui demanda : « Ne reste-t-il pas quelqu'un de la famille de Saül, pour que je le traite
avec une bonté comme celle de Dieu? » Çiba
4 4 répondit au roi : « Il y a encore un fils de Jonathan
qui est perclus des deux pieds. » – 4 « Où est-il? »,
demanda le roi, et Çiba répondit au roi : « Il est
17 27 dans la maison de Makir, fils d'Ammiel, à Lo-Debar. » 5 Le roi David l'envoya donc chercher à la
maison de Makir, fils d'Ammiel, de Lo-Debar.
6 En arrivant auprès de David, Meribbaal, fils de
Jonathan fils de Saül, tomba sur sa face et se prosterna. David dit : « Meribbaal [g]! » Et il répondit :
« C'est moi, pour te servir. » 7 David lui dit : « N'aie
pas peur, car je veux te traiter avec bonté par égard
pour ton père Jonathan. Je te restituerai toutes les
terres de Saül ton aïeul et tu mangeras toujours à
ma table. » 8 Meribbaal se prosterna et dit : « Qui
est ton serviteur pour que tu fasses grâce à un chien
crevé tel que moi? »
9 Puis le roi appela Çiba, le serviteur de Saül, et
lui dit : « Tout ce qui appartient à Saül et à sa
famille, je le donne au fils de ton maître. 10 Tu travailleras pour lui la terre, toi avec tes fils et tes
esclaves, tu en récolteras le produit qui assurera à
la famille [h] de ton maître le pain qu'elle mangera;
quant à Meribbaal, le fils de ton maître, il prendra
toujours ses repas à ma table. » Or Çiba avait
quinze fils et vingt esclaves. 11 Çiba répondit au
roi : « Ton serviteur fera tout ce que Monseigneur
le roi a ordonné à son serviteur. »
Donc Meribbaal mangeait à la table de David,
comme l'un des fils du roi. 12 Meribbaal avait un 1 Ch **8** 34s
petit garçon qui se nommait Mika. Tous ceux qui
habitaient chez Çiba étaient au service de Merib- **16** 1-4; **19**
baal. 13 Mais Meribbaal résidait à Jérusalem, puis- 25-31; **21**
qu'il mangeait toujours à la table du roi. Il était
perclus des deux pieds.

*a)* Le texte répète ici : « dans tout Édom, il établit des gouverneurs », omis par Ch.

*b)* La généalogie d'Ébyatar est rétablie d'après 1 S **22** 20. L'hébr. a : « Sadoq, fils d'Ahitub, et Abimélek, fils d'Ébyatar », voulant probablement donner à Sadoq une ascendance dont il était dépourvu, cf. aussi 1 Ch **5** 34; **6** 37-38. Mais Sadoq est un « homme nouveau ». Il supplantera Ébyatar, 1 R **2** 26-27, accomplissant la prophétie contre la maison d'Éli, 1 S **2** 30-36, et sa famille aura le monopole du sacerdoce de Jérusalem jusqu'à l'Exil.

*c)* Le nom semble original dans cette liste ancienne. Mais il devient Shiya ou Shuwa, **20** 25; Shisha, 1 R **4** 3; Shavsha, 1 Ch **18** 16, peut-être des corruptions de son titre égyptien de « scribe ».

*d)* Mercenaires étrangers, originaires de Philistie, qui composent la garde personnelle de David, **15** 18; **20** 7, 23; 1 R **1** 38, 44. – « commandait », omis par hébr., est restitué d'après Ch et versions.

*e)* Indication étrange. Sans doute assistants ou substituts de leur père dans les fonctions sacerdotales qui étaient légitimement exercées par le roi, cf. **6** 13-20.

*f)* Les ch. **9-20**, qui se continuent par 1 R **1-2**, proviennent d'un admirable récit ancien, utilisé presque sans retouches par l'auteur de Samuel. La prophétie de Natân, **7**, lui servait peut-être de préface. On y racontait comment la succession de David était échue à Salomon, malgré la survivance d'un descendant de Saül, Meribbaal, **9**, et l'opposition de Shéba, **20**, à travers la tragique histoire de la famille royale : adultère de David et naissance de Salomon, **10-12**, meurtre d'Amnon, **13**, révolte d'Absalom, **15-18**, intrigues d'Adonias, 1 R **1-2**.

*g)* Ici et dans la suite « Meribbaal » corr.; « Mephiboshèt » hébr., cf. **4** 4+.

*h)* « la famille » grec luc.; « le fils » hébr.

## B. LA GUERRE AMMONITE. NAISSANCE DE SALOMON

|| 1 Ch 19 1-5 **Insulte aux ambassadeurs de David.**

10 1 Après cela, il advint que le roi des Ammonites mourut et que son fils Hanûn régna à sa
place. 2 David se dit : « J'aurai pour Hanûn, fils de
Nahash, les mêmes bontés que son père a eues pour
moi », et David envoya ses serviteurs lui présenter
des condoléances au sujet de son père. Mais lorsque les serviteurs de David arrivèrent au pays des
1 S 21 12 Ammonites, 3 les princes des Ammonites dirent à
2 S 3 24-25 Hanûn leur maître : « T'imagines-tu que David
veuille honorer ton père, parce qu'il t'a envoyé des
porteurs de condoléances? N'est-ce pas plutôt afin
d'explorer la ville [a], pour en connaître les défenses
et la renverser, que David t'a envoyé ses serviteurs? » 4 Alors Hanûn se saisit des serviteurs de
Is 20 4 David, il leur fit raser la moitié de la barbe, et couper les vêtements à mi-hauteur jusqu'aux fesses,
puis il les congédia. 5 Lorsque David en fut informé, il envoya quelqu'un à leur rencontre, car ces
gens étaient couverts de honte, et le roi leur fit dire :
« Restez à Jéricho jusqu'à ce que votre barbe ait
repoussé, et vous reviendrez. »

|| 1 Ch 19 6-15 **Première campagne ammonite.**

6 Les Ammonites virent bien qu'ils s'étaient rendus odieux à David et ils envoyèrent des messagers
8 3 pour prendre à leur solde les Araméens de Bet-Rehob et les Araméens de Çoba [b], vingt mille hommes de pied, le roi de Maaka, mille hommes, et le
prince de Tob, douze mille hommes. 7 L'ayant
appris, David envoya Joab avec toute l'armée, les
21 15-22, 23 8-39 preux [c]. 8 Les Ammonites sortirent et se rangèrent
en bataille à l'entrée de la porte, tandis que les Araméens de Çoba et de Rehob et les gens de Tob et
de Maaka étaient à part en rase campagne.
9 Voyant qu'il avait un front de combat à la fois
devant et derrière lui, Joab fit choix de toute l'élite
d'Israël et la mit en ligne face aux Araméens. 10 Il
confia à son frère Abishaï le reste de l'armée et le
mit en ligne face aux Ammonites. 11 Il dit : « Si les
Araméens l'emportent sur moi, tu viendras à mon
secours; si les Ammonites l'emportent sur toi, j'irai
te secourir. 12 Aie bon courage et montrons-nous
forts pour notre peuple et pour les villes de notre
Dieu. Que Yahvé fasse ce qui lui semblera bon! »
13 Joab et la troupe qui était avec lui engagèrent le
combat contre les Araméens et ceux-ci s'enfuirent
devant eux. 14 Quand les Ammonites virent que les
Araméens avaient fui, ils lâchèrent pied devant
Abishaï et rentrèrent dans la ville. Alors Joab
revint de la guerre contre les Ammonites et rentra
à Jérusalem.

**Victoire sur les Araméens [d].** || 1 Ch 19 16-19 2 S 8 3-8

15 Voyant qu'ils avaient été battus devant Israël,
les Araméens concentrèrent leurs forces. 16 Hadadézer envoya des messagers et mobilisa les Araméens qui sont de l'autre côté du Fleuve. Ceux-ci
arrivèrent à Hélam, ayant à leur tête Shobak, le
chef de l'armée de Hadadézer. 17 Cela fut rapporté
à David, qui rassembla tout Israël, passa le Jourdain et arriva à Hélam. Les Araméens se rangèrent
en face de David et lui livrèrent bataille. 18 Mais les
Araméens lâchèrent pied devant Israël et David
leur tua sept cents attelages et quarante mille hommes [e]; il abattit aussi Shobak, leur général, qui
mourut sur les lieux. 19 Lorsque tous les rois vassaux de Hadadézer virent qu'ils avaient été battus
devant Israël, ils firent la paix avec les Israélites et
leur furent assujettis. Les Araméens craignirent de
porter encore secours aux Ammonites.

**Seconde campagne ammonite. Faute de David [f].**

11 1 Au retour de l'année [g], au temps où les rois || 1 Ch 20 1
se mettent en campagne, David envoya Joab
et avec lui sa garde et tout Israël : ils massacrèrent 10 7
les Ammonites et mirent le siège devant Rabba.
Cependant David restait à Jérusalem.
2 Il arriva que, vers le soir, David, s'étant levé de
sa couche et se promenant sur la terrasse du palais,
aperçut, de la terrasse, une femme qui se baignait.
Cette femme était très belle. 3 David fit prendre des
informations sur cette femme, et on répondit :
« Mais c'est Bethsabée, fille d'Éliam et femme
d'Urie le Hittite [h]! » 4 Alors David envoya des
émissaires et la fit chercher. Elle vint chez lui et il
coucha avec elle, alors qu'elle venait de se purifier
de ses règles. Puis elle retourna dans sa maison. Lv 15 19
5 La femme conçut et elle envoya dire à David :
« Je suis enceinte! »
6 Alors David expédia un message à Joab :

a) C'est la capitale Rabba, **11** 1; **12** 26, aujourd'hui Amman.
b) Çoba et Bet-Rehob, au nord des sources du Jourdain, étaient unies sous le pouvoir de Hadadézer. Maaka et Tob étaient au nord de la Transjordanie.
c) L'apposition indique que dans ce premier combat, les troupes mercenaires furent seules engagées. L'armée populaire, le ban, n'interviendra qu'ensuite, v. 17 et **11** 11.
d) Ce petit récit paraît venir d'une source différente.
e) « hommes » Ch; « charriers » hébr.
f) Pour l'auteur des ch. **9-20**, la guerre ammonite n'est que le cadre de l'histoire de David et de Bethsabée.
g) L'équinoxe de printemps.
h) Un mercenaire étranger. Les Hittites, voir Dt **7** 1+.

« Envoie-moi Urie le Hittite », et Joab envoya Urie
à David. 7 Lorsque Urie fut arrivé auprès de lui,
David demanda comment allaient Joab et l'armée
et la guerre. 8 Puis David dit à Urie : « Descends
à ta maison et lave-toi les pieds. » Urie sortit du
palais, suivi d'un présent de la table royale. 9 Mais
Urie coucha à la porte du palais avec tous les gardes de son maître et ne descendit pas à sa maison.
10 On en informa David : « Urie, lui dit-on, n'est
pas descendu à sa maison. » David demanda à
Urie : « N'arrives-tu pas de voyage? Pourquoi
n'es-tu pas descendu à ta maison? » 11 Urie répon-
1 S **4** 3s dit à David : « L'arche, Israël et Juda logent sous
les huttes, mon maître Joab et la garde de Monseigneur campent en rase campagne, et moi j'irais à
ma maison pour manger et boire et coucher avec
ma femme [a]! Aussi vrai que Yahvé est vivant et que
tu vis toi-même, je ne ferai pas une chose pareille! »
12 Alors David dit à Urie : « Reste encore
aujourd'hui ici, et demain je te donnerai congé. »
Urie resta donc à Jérusalem ce jour-là. Le lendemain, 13 David l'invita à manger et à boire en sa
présence et il l'enivra. Le soir Urie sortit et s'étendit
sur sa couche avec les gardes de son maître, mais
il ne descendit pas à sa maison.
14 Le matin suivant, David écrivit une lettre à
Joab et la fit porter par Urie. 15 Il écrivait dans la
lettre : « Mettez Urie au plus fort de la mêlée et
reculez derrière lui : qu'il soit frappé et qu'il
meure. » 16 Joab, qui bloquait la ville, plaça Urie à
l'endroit où il savait que se trouvaient de vaillants
guerriers. 17 Les gens de la ville firent une sortie et
attaquèrent Joab. Il y eut des tués dans l'armée,
parmi les gardes de David, et Urie le Hittite mourut aussi.
18 Joab envoya à David un compte rendu de tous
les détails du combat. 19 Il donna cet ordre au
messager : « Quand tu auras fini de raconter au roi
tous les détails du combat, 20 si la colère du roi
s'élève et qu'il te dise : " Pourquoi vous êtes-vous
approchés de la ville pour livrer bataille? Ne
saviez-vous pas qu'on tire du haut des remparts?
Jg **9** 50-54 21 Qui a tué Abimélek, le fils de Yerubbaal [b]?
N'est-ce pas une femme, qui a lancé une meule sur
lui, du haut du rempart, et il est mort à Tébèç?
Pourquoi vous êtes-vous approchés du rempart? ",
tu diras : Ton serviteur Urie le Hittite est mort lui
aussi. »
22 Le messager partit et, à son arrivée, il rapporta
à David tout le message dont Joab l'avait chargé.
David s'emporta contre Joab et dit au messager :
« Pourquoi vous êtes-vous approchés du rempart de
la ville pour livrer bataille? Ne saviez-vous pas
qu'on tire du haut des remparts? Qui a tué Abimélek, le fils de Yerubbaal? N'est-ce pas une femme
qui a jeté une meule sur lui du haut du rempart,
et il est mort à Tébèç? Pourquoi vous êtes-vous
approchés du rempart [c]? » 23 Le messager répondit
à David : « C'est que ces gens l'avaient emporté sur
nous et étaient sortis vers nous en rase campagne,
nous les avons refoulés jusqu'à l'entrée de la porte
24 mais les archers ont tiré sur tes gardes du haut
des remparts, certains des gardes du roi ont péri et
ton serviteur Urie le Hittite est mort lui aussi. »
25 Alors David dit au messager : « Voici ce que
tu diras à Joab : " Que cette affaire ne t'affecte
pas : l'épée dévore tantôt celui-ci et tantôt celui-là.
Force ton attaque contre la ville et détruis-là. "
Ainsi tu lui rendras courage. » 26 Lorsque la femme
d'Urie apprit que son époux, Urie, était mort, elle
fit le deuil pour son mari. 27 Quand le deuil fut
achevé, David l'envoya chercher et la recueillit
chez lui, et elle devint sa femme. Elle lui enfanta
un fils. Mais l'action que David avait commise
déplut à Yahvé.

### Reproches de Natân. Repentir de David [d].

**12** 1 Yahvé envoya le prophète Natân vers David.
Il entra chez lui et lui dit : **14** 4-17

« Il y avait deux hommes dans la même ville,
l'un riche et l'autre pauvre.
2 Le riche avait petit et gros bétail
en très grande abondance.
3 Le pauvre n'avait rien du tout qu'une brebis,
une seule petite qu'il avait achetée.
Il la nourrissait et elle grandissait avec lui et
avec ses enfants,
mangeant son pain, buvant dans sa coupe,
dormant dans son sein : c'était comme sa fille.
4 Un hôte se présenta chez l'homme riche
qui épargna de prendre sur son petit ou gros
bétail
de quoi servir au voyageur arrivé chez lui.
Il vola la brebis de l'homme pauvre
et l'apprêta pour son visiteur. »

5 David entra en grande colère contre cet
homme et dit à Natân : « Aussi vrai que Yahvé est

*a)* La continence était une loi religieuse de la guerre, cf. 1 S **21** 6.
*b)* « Yerubbaal » grec, cf. Jg **7** 1s; « Yerubbeshèt » hébr., cf. **2** 8+ et **4** 4+.
*c)* Depuis « David s'emporta », grec; omis par hébr.

*d)* L'intervention de Natân, **12** 1-15a, peut ne pas avoir figuré dans le récit primitif : au v. 22, David paraît ignorer que l'enfant est condamné. Mais les deux traditions sont également anciennes et témoignent d'un même sens religieux : le crime de David est flétri, mais son repentir lui vaut le pardon de Dieu.

vivant, l'homme qui a fait cela est passible de mort!
Ex 21 37 6 Il remboursera la brebis au quadruple, pour avoir
Lc 19 8 commis cette action et n'avoir pas eu de pitié. »
7 Natân dit alors à David : « Cet homme, c'est toi!
Ainsi parle Yahvé, Dieu d'Israël : Je t'ai oint
comme roi d'Israël, je t'ai sauvé de la main de Saül,
3 7+ 8 je t'ai livré la maison de ton maître, j'ai mis dans
tes bras les femmes de ton maître, je t'ai donné la
maison d'Israël et de Juda et, si ce n'est pas assez,
j'ajouterai pour toi n'importe quoi. 9 Pourquoi
as-tu méprisé Yahvé [a] et fait ce qui lui déplaît? Tu
as frappé par l'épée Urie le Hittite, sa femme tu l'as
prise pour ta femme, lui tu l'as fait périr par l'épée
des Ammonites. 10 Maintenant l'épée ne se détournera plus jamais de ta maison [b], parce que tu m'as
méprisé et que tu as pris la femme d'Urie le Hittite
pour qu'elle devienne ta femme.
11 « Ainsi parle Yahvé : Je vais, de ta propre maison, faire surgir contre toi le malheur. Je prendrai
16 22 tes femmes sous tes yeux et je les livrerai à ton prochain, qui couchera avec tes femmes à la vue de
ce soleil. 12 Toi, tu as agi dans le secret, mais moi
j'accomplirai cela à la face de tout Israël et à la
face du soleil! »
13 David dit à Natân : « J'ai péché contre
Yahvé! » Alors Natân dit à David : « De son côté,
Yahvé pardonne ta faute, tu ne mourras pas. 14 Seulement, parce que tu as outragé Yahvé [c] en cette
affaire, l'enfant qui t'est né mourra. » 15 Et Natân
s'en alla chez lui.

**Mort de l'enfant de Bethsabée.**
**Naissance de Salomon.**

Yahvé frappa l'enfant que la femme d'Urie avait
donné à David, et il tomba gravement malade.
16 David implora Dieu pour l'enfant : il jeûnait
21 10 strictement, rentrait chez lui et passait la nuit cou-
1 R 21 27 ché sur la terre nue. 17 Les dignitaires de sa maison
se tenaient debout autour de lui pour le relever de
terre, mais il refusa et ne prit avec eux aucune
nourriture. 18 Le septième jour, l'enfant mourut.
Les officiers de David avaient peur de lui apprendre que l'enfant était mort. Ils se disaient en effet :
« Quand l'enfant était vivant, nous lui avons parlé
et il ne nous a pas écoutés. Comment pourrons-
nous lui dire que l'enfant est mort? Il fera un malheur! » 19 David s'aperçut que ses officiers chuchotaient entre eux, et il comprit que l'enfant était
mort. David demanda à ses officiers : « L'enfant
est-il mort? », et ils répondirent : « Oui. »
20 Alors David se leva de terre, se baigna, se par-
fuma et changea de vêtements. Puis il entra dans
le sanctuaire de Yahvé et se prosterna. Rentré chez
lui, il demanda qu'on lui servît de la nourriture et
il mangea. 21 Ses officiers lui dirent : « Que fais-tu
là? Tant que l'enfant était vivant, tu as jeûné et
pleuré, et maintenant que l'enfant est mort, tu te
relèves et tu prends de la nourriture [d]! » 22 Il répondit : « Tant que l'enfant était vivant, j'ai jeûné et j'ai
pleuré, car je me disais : Qui sait? Yahvé aura
peut-être pitié de moi et l'enfant vivra. 23 Maintenant qu'il est mort, pourquoi jeûnerais-je? Pourrais-je le faire revenir? C'est moi qui m'en vais le
rejoindre [e], mais lui ne reviendra pas vers moi. » Jb 7 9+
24 David consola Bethsabée, sa femme. Il alla
vers elle et coucha avec elle. Elle conçut [f] et mit au
monde un fils auquel elle donna le nom de Salomon. Yahvé l'aima 25 et le fit savoir par le prophète
Natân. Celui-ci le nomma Yedidya, suivant la
parole de Yahvé [g].

**Prise de Rabba.** ||1 Ch 20 1b-3

26 Joab donna l'assaut à Rabba des Ammonites
et il s'empara de la ville royale. 27 Joab envoya
alors des messagers à David pour dire : « J'ai attaqué Rabba, je me suis emparé de la ville des eaux [h].
28 Maintenant, rassemble le reste de l'armée, dresse
ton camp contre la ville et prends-la, pour que ce
ne soit pas moi qui conquière la ville et lui donne
mon nom. » 29 David rassembla toute l'armée et
alla à Rabba, il donna l'assaut à la ville et s'en
empara. 30 Il enleva de la tête de Milkom [i] la couronne qui pesait un talent d'or; elle enchâssait une
pierre précieuse qui devint l'ornement de la tête de
David. Il emporta le butin de la ville en énorme
quantité. 31 Quant à sa population, il la fit sortir, || 1 Ch 20 3
la mit à manier la scie, les pics ou les haches de Ex 1 13-14
fer et l'employa au travail des briques; il agissait
de même pour toutes les villes des Ammonites.
David et toute l'armée revinrent à Jérusalem.

*a)* « Yahvé » versions; « la parole de Yahvé » hébr.
*b)* Allusion à la mort sanglante d'Amnon, d'Absalom et d'Adonias, les trois fils de David.
*c)* « outragé Yahvé » corr. L'hébr. a : « outragé les ennemis de Yahvé », pour éviter un blasphème. – Le péché n'est pas seulement la violation d'un certain ordre moral ou social, mais d'abord la rupture d'une relation personnelle entre l'homme et Dieu, cf. Gn **39** 9; Ps **51** 6; **59** 2, que Dieu seul rétablir, Ps **65** 4; cf. Mc **2** 5s+.
*d)* David manque en effet à tous les usages. Sa religion est spontanée et non conformiste, vv. 22-23 et **6** 21-22.
*e)* Au séjour des morts, le shéol, cf. Nb **16** 33+.
*f)* « Elle conçut » grec; omis par hébr.
*g)* « suivant la parole de » versions; « à cause de » hébr. – La naissance de Salomon, fils de Bethsabée, « aimé de Yahvé » (c'est la signification de *Yedidya*), est l'assurance du pardon de Dieu. Et c'est Salomon, de préférence aux héritiers mieux pourvus le titres, que le choix gratuit de Dieu portera au trône de son père.
*h)* C'est la ville basse, dominée par l'acropole.
*i)* « Milkom » grec; « leur roi » (*malkam*) hébr. C'est l'idole des Ammonites, 1 R **11** 5. – « elle enchâssait une pierre » versions,

## C. HISTOIRE D'ABSALOM [a]

### Amnon outrage sa sœur Tamar.

3 2-3 13 1 Voici ce qui arriva ensuite. Absalom, fils de
David, avait une sœur qui était belle et qui se
nommait Tamar, et Amnon, fils de David, s'éprit
d'elle. 2 Amnon était tourmenté au point de se rendre malade à cause de sa sœur Tamar, car elle était
vierge et Amnon ne voyait pas la possibilité de lui
rien faire. 3 Mais Amnon avait un ami nommé
Yonadab, fils de Shiméa, frère de David, et Yonadab était un homme très avisé. 4 Il lui dit : « D'où
vient, fils du roi, que tu sois si languissant chaque
matin? Ne m'expliqueras-tu pas? » Amnon lui
répondit : « C'est que j'aime Tamar, la sœur de
mon frère Absalom. » 5 Alors Yonadab lui dit :
« Mets-toi au lit, fais le malade et quand ton père
viendra te voir, tu lui diras : " Permets que ma
sœur Tamar vienne me donner à manger; elle
apprêtera le plat sous mes yeux pour que je le voie
et je mangerai de sa main ". » 6 Donc, Amnon se
coucha et fit le malade. Le roi vint le voir et
Amnon dit au roi : « Permets que ma sœur Tamar
vienne et que, sous mes yeux, elle prépare une paire
de beignets, et je me restaurerai de sa main. »
7 David envoya dire à Tamar au palais : « Va donc
chez ton frère Amnon et prépare-lui un plat. »
8 Tamar se rendit à la maison de son frère Amnon.
Il était couché. Elle prit de la pâte, la pétrit,
façonna des beignets sous ses yeux et fit cuire les
beignets. 9 Puis elle prit la poêle et la vida devant
lui, mais il refusa de manger. Amnon dit : « Faites
sortir tout le monde d'auprès de moi. » Et tout le
monde sortit d'auprès de lui. 10 Alors Amnon dit à
Tamar : « Apporte le plat dans l'alcôve, que je me
restaure de ta main. » Et Tamar prit les beignets
qu'elle avait faits et les apporta à son frère Amnon
dans l'alcôve. 11 Comme elle lui présentait à manger, il la saisit et lui dit : « Viens, couche avec moi,
ma sœur! » 12 Mais elle lui répondit : « Non, mon
frère! Ne me violente pas, car on n'agit pas ainsi
Gn 34 7 en Israël, ne commets pas cette infamie. 13 Moi, où
Dt 22 21 irais-je porter ma honte? Et toi, tu serais comme
Jg 20 6, 10 Jr 29 23 un infâme en Israël! Maintenant parle donc au roi :
il ne refusera pas de me donner à toi [b]. » 14 Mais
il ne voulut pas l'entendre, il la maîtrisa et, lui faisant violence, il coucha avec elle.
15 Alors Amnon se prit à la haïr très fort – la
haine qu'il lui voua surpassait l'amour dont il
l'avait aimée – et Amnon lui dit : « Lève-toi!
Va-t-en! » 16 Elle lui dit : « Non, mon frère, me
chasser serait pire que l'autre mal que tu m'as
fait [c]. » Mais il ne voulut pas l'écouter. 17 Il appela
le garçon qui le servait et lui dit : « Débarrasse-moi
de cette fille, jette-la dehors et verrouille la porte
derrière elle! » 18 (Elle portait une tunique de luxe Gn 37 3
qui était autrefois le vêtement des filles de roi qui
n'étaient pas mariées.) Le serviteur la mit dehors
et verrouilla la porte derrière elle.
19 Tamar, prenant de la poussière, la jeta sur sa
tête, elle déchira la tunique de luxe qu'elle portait,
mit la main sur sa tête et s'en alla, poussant des
cris en marchant [d]. 20 Son frère Absalom lui dit :
« Serait-ce que ton frère Amnon a été avec toi?
Maintenant, ma sœur, tais-toi; c'est ton frère : ne
prends pas cette affaire à cœur. » Tamar demeura
abandonnée, dans la maison de son frère Absalom.
21 Lorsque le roi David apprit toute cette histoire, il en fut très irrité, mais il ne voulut pas faire
de peine à son fils Amnon, qu'il aimait parce que
c'était son premier-né [e]. 22 Quant à Absalom, il
n'adressa plus la parole [f] à Amnon, car Absalom
s'était pris de haine pour Amnon à cause de la violence qu'il avait faite à sa sœur Tamar.

### Absalom fait assassiner Amnon et prend la fuite.

23 Deux ans plus tard, comme Absalom avait les
tondeurs à Baal-Haçor, qui est près d'Éphraïm, il 1 S 25 4s
invita tous les fils du roi. 24 Absalom se rendit
auprès du roi et dit : « Voici que ton serviteur a les
tondeurs. Que le roi et ses officiers daignent venir
avec ton serviteur. » 25 Le roi répondit à Absalom :
« Non, mon fils, il ne faut pas que nous allions tous
et te soyons à charge. » Absalom insista, mais il ne
voulut pas venir et lui donna congé. 26 Absalom
reprit : « Permets du moins que mon frère Amnon
vienne avec nous. » Et le roi dit : « Pourquoi irait-il
avec toi? » 27 Mais Absalom insista et il laissa partir avec lui Amnon et tous les fils du roi.
Absalom prépara un festin de roi [g] 28 et il donna
cet ordre aux serviteurs : « Faites attention! Lors-

Ch. ; « et une pierre » hébr.
*a)* Absalom, assassin de son frère, révolté contre son père, est le personnage central du grand drame de la famille de David, **13-20**. Ce drame de famille provoque une série de crises politiques, qui mettent à vif les dissentiments de la nation et compromettent l'avenir du royaume.
*b)* D'après l'usage ancien, comparer Gn **20** 12, Amnon pouvait épouser Tamar qui n'était que sa demi-sœur. Ces unions furent interdites par les lois de Lv **18** 11; **20** 17; Dt **27** 22.
*c)* Le v. corrompu en hébr. est traduit d'après une partie du grec, et la Vet. Lat.
*d)* Gestes de deuil et de douleur, **1** 2; Est **4** 1; Jr **2** 37.
*e)* Depuis « mais il ne voulut pas » avec grec; omis par hébr.
*f)* Litt. : « il ne parla ni en mal ni en bien ». Absalom rompt avec son frère.
*g)* « Absalom prépara un festin de roi » versions; omis par hébr.

que le cœur d'Amnon sera mis en gaîté par le vin
et que je vous dirai : " Frappez Amnon! ", vous le
mettrez à mort. N'ayez pas peur; n'est-ce pas moi
qui vous l'ai ordonné? Prenez courage et montrez-
vous vaillants. » 29 Les serviteurs d'Absalom agirent à l'égard d'Amnon comme Absalom l'avait
ordonné. Alors tous les fils du roi se levèrent,
enfourchèrent chacun son mulet et s'enfuirent.

30 Comme ils étaient en chemin, cette rumeur
parvint à David : « Absalom a tué tous les fils du
roi, il n'en reste pas un seul! » 31 Le roi se leva,
1 11 déchira ses vêtements et se coucha par terre; tous
ses officiers se tenaient debout, les vêtements déchirés. 32 Mais Yonadab, le fils de Shiméa, frère de
David, prit ainsi la parole : « Que Monseigneur ne
dise pas qu'on a fait périr tous les jeunes gens, les
fils du roi, car seul Amnon est mort : Absalom
s'était promis cela depuis le jour où Amnon avait
outragé sa sœur Tamar. 33 Que maintenant Monseigneur le roi ne se mette pas dans l'idée que tous
les fils du roi ont péri. Non, Amnon seul est mort
34 et Absalom s'est enfui. »

Le cadet qui était en sentinelle, levant les yeux,
aperçut une troupe nombreuse qui s'avançait sur le
chemin de Bahurim [a]. La sentinelle vint annoncer
au roi : « J'ai vu des hommes descendant par le
chemin de Bahurim au flanc de la montagne. »
35 Alors Yonadab dit au roi : « Ce sont les fils du
roi qui arrivent : il en a été comme ton serviteur
l'avait dit. » 36 Il achevait à peine de parler que les
fils du roi entrèrent, et ils se mirent à crier et à pleurer; le roi aussi et tous ses officiers pleurèrent très
3 3 fort. 37 Absalom s'était enfui et s'était rendu chez
Talmaï, fils d'Ammihud, roi de Geshur; le roi
garda tout le temps le deuil de son fils.

**Joab négocie le retour d'Absalom.**

38 Absalom s'était enfui et s'était rendu à Geshur; il y resta trois ans. 39 L'esprit du roi [b] cessa
de s'emporter contre Absalom, car il s'était consolé
de la mort d'Amnon.

**14** 1 Joab, fils de Çeruya, reconnut que le cœur
du roi se tournait vers Absalom. 2 Alors Joab
envoya chercher à Teqoa [c] une femme avisée et lui
dit : « Je t'en prie, feins d'être en deuil, mets des
habits de deuil, ne te parfume pas, sois comme une
femme qui, depuis bien des jours, porte le deuil
d'un mort. 3 Tu iras chez le roi et tu lui tiendras
ce discours. » Joab lui mit dans la bouche les paro- 12 1s
les qu'il fallait [d].

4 La femme de Teqoa alla donc chez le roi, elle 1 R 3 16s
tomba la face contre terre et se prosterna, puis elle 2 R 8 3s
dit : « Au secours, ô roi [e]! » 5 Le roi lui demanda : 2 R 6 26s
« Qu'as-tu? » Elle répondit : « Hélas! je suis veuve.
Mon mari est mort 6 et ta servante avait deux fils.
Il se sont querellés ensemble dans la campagne, il
n'y avait personne pour les séparer, l'un a frappé
l'autre et l'a tué. 7 Voilà que tout le clan s'est dressé
contre ta servante et dit : " Livre le fratricide : nous Nb 35 19+
le mettrons à mort pour prix de la vie de son frère
qu'il a tué, et nous détruirons en même temps
l'héritier. " Ils vont ainsi éteindre la braise qui me
reste, pour ne plus laisser à mon mari ni nom ni
survivant sur la face de la terre. » 8 Le roi dit à la
femme : « Va à ta maison, je donnerai moi-même
des ordres à ton sujet. » 9 La femme de Teqoa dit
au roi : « Monseigneur le roi! Que la faute retombe
sur moi et sur ma famille; le roi et son trône en sont
innocents. » 10 Le roi reprit : « Celui qui t'a menacée, amène-le moi et il ne reviendra plus te faire du
mal. » 11 Elle dit : « Que le roi daigne prononcer le
nom de Yahvé ton Dieu, afin que le vengeur du Nb 35 19+
sang n'augmente pas la ruine et ne fasse pas périr
mon fils! » Il dit alors : « Aussi vrai que Yahvé est
vivant, il ne tombera pas à terre un seul cheveu de
ton fils! »

12 La femme reprit : « Qu'il soit permis à ta servante de dire un mot à Monseigneur le roi », et il
répondit : « Parle. » 13 La femme dit : « Et alors,
pourquoi le roi – en prononçant cette sentence, il
se reconnaît coupable – a-t-il eu contre le peuple
de Dieu cette pensée de ne pas faire revenir celui
qu'il a banni? 14 Nous sommes mortels et comme Jb 14 7-12
les eaux qui s'écoulent à terre et qu'on ne peut Ps 88 6, 11
recueillir, et Dieu ne relève pas un cadavre : que le Jb 7 9
roi fasse [f] donc des plans pour que le banni ne reste
pas exilé loin de lui [g].

15 [h] « Maintenant, si je suis venue parler de cette
affaire à Monseigneur le roi, c'est que les gens
m'ont fait peur et ta servante s'est dit : Je parlerai
au roi et peut-être le roi exécutera-t-il la parole de
sa servante. 16 Car le roi consentira à délivrer sa
servante des mains de l'homme qui cherche à nous
retrancher, moi et mon fils ensemble, de l'héritage
de Dieu. 17 Ta servante a dit : Puisse la parole de
Monseigneur le roi donner l'apaisement. Car Mon-

*a)* « sur le chemin de Bahurim » conj.; « du chemin derrière lui » hébr. L'hébr. omet la suite jusqu'au second « Bahurim »; restitué d'après le grec. – Bahurim est à l'est du mont des Oliviers, sur la route de Jéricho, **16** 5.
*b)* « L'esprit du roi » grec luc.; « David le roi » hébr.
*c)* Patrie du prophète Amos, à 18 km au sud de Jérusalem.
*d)* Comme avait fait Natân, **12** 1s, Joab va amener le roi à se prononcer en simulant une affaire de justice.
*e)* C'était une formule de l'appel au roi.
*f)* « que le roi fasse » grec; « et il (Dieu) a fait » hébr.
*g)* On ne peut plus rien faire pour Amnon, qui est mort; il convient donc qu'Absalom revienne.
*h)* La femme, après avoir ouvert les yeux du roi en faisant l'application au cas d'Absalom, reprend son rôle. Le v. 17 s'applique également au cas fictif et au cas réel.

seigneur le roi est comme l'Ange de Dieu [a] pour
saisir le bien et le mal [b]. Que Yahvé ton Dieu soit
avec toi! »
18 Alors le roi, prenant la parole, dit à la femme :
« Je t'en prie, ne te dérobe pas à la question que
je vais te poser. » La femme répondit : « Que Monseigneur le roi parle! » 19 Le roi demanda : « La
main de Joab n'est-elle pas avec toi en tout cela? »
La femme répliqua : « Aussi vrai que tu es vivant,
Monseigneur le roi, on ne peut pas aller à droite
ni à gauche de tout ce qu'a dit Monseigneur le roi :
oui, c'est ton serviteur Joab qui m'a donné l'ordre,
c'est lui qui a mis toutes ces paroles dans la bouche
de ta servante. 20 C'est pour déguiser l'affaire que
ton serviteur Joab a agi ainsi, mais Monseigneur a
la sagesse de l'Ange de Dieu, il sait tout ce qui se
passe sur la terre. »
21 Le roi dit alors à Joab : « Eh bien, je fais la
chose : Va, ramène le jeune homme Absalom. »
22 Joab tomba la face contre terre, il se prosterna
et bénit le roi. Puis Joab dit : « Ton serviteur sait
aujourd'hui qu'il a trouvé grâce à tes yeux, Monseigneur le roi, puisque le roi a exécuté la parole de
son serviteur. » 23 Joab se mit en route, il alla à
Geshur et ramena Absalom à Jérusalem. 24 Cependant le roi dit : « Qu'il se retire dans sa maison, il
ne sera pas reçu par moi. » Absalom se retira dans
sa maison et ne fut pas reçu par le roi.

**Quelques détails sur Absalom [c].**

25 Dans tout Israël, il n'y avait personne d'aussi
beau qu'Absalom, à qui on pût faire tant d'éloges :
de la plante des pieds au sommet de la tête, il était
sans défaut. 26 Lorsqu'il se rasait la tête – il se
rasait chaque année parce que c'était trop lourd,
alors il se rasait –, il pesait sa chevelure : soit deux
cents sicles, poids du roi. 27 Il naquit à Absalom
18 18 trois fils et une fille, qui se nommait Tamar; c'était
une belle femme.

**Absalom obtient son pardon.**

28 Absalom demeura deux ans à Jérusalem, sans
être reçu par le roi. 29 Absalom convoqua Joab
pour l'envoyer chez le roi, mais Joab ne consentit
pas à venir chez lui, il le convoqua encore une
seconde fois, mais il ne consentit pas à venir.
30 Absalom dit à ses serviteurs : « Voyez le champ
de Joab qui est à côté du mien et où il y a de l'orge,
allez y mettre le feu. » Les serviteurs d'Absalom
mirent le feu au champ. 31 Joab vint trouver Absa- Jg 15 4-5
lom dans sa maison et lui dit : « Pourquoi tes serviteurs ont-ils mis le feu au champ qui m'appartient? »
32 Absalom répondit à Joab : « Voilà ce que je
t'avais fait dire : Viens ici, je veux t'envoyer auprès
du roi avec ce message : " Pourquoi suis-je revenu
de Geshur? Il vaudrait mieux pour moi y être
encore ". Je veux maintenant être reçu par le roi et,
si je suis coupable, qu'il me mette à mort! » 33 Joab
se rendit près du roi et lui rapporta ces paroles.
Puis il appela Absalom. Celui-ci alla chez le roi,
se prosterna devant lui et se jeta la face contre terre
devant le roi. Et le roi embrassa Absalom.

**Les intrigues d'Absalom.**

**15** 1 Il arriva après cela qu'Absalom se procura
un char et des chevaux, et cinquante hommes 1 R 1 5
couraient devant lui. 2 Levé de bonne heure, Absa- 1 S 8 11
lom se tenait au bord du chemin qui mène à la
porte, et chaque fois qu'un homme, ayant un procès, devait venir au tribunal du roi, Absalom
l'interpellait et lui demandait : « De quelle ville
es-tu? » Il répondait : « Ton serviteur est de l'une
des tribus d'Israël [d]. » 3 Alors Absalom lui disait :
« Vois! Ta cause est bonne et juste, mais tu n'auras
personne qui t'écoute de la part du roi. » 4 Absalom
continuait : « Ah! qui m'établira juge dans le pays?
Tous ceux qui ont un procès et un jugement viendraient à moi et je leur rendrais justice! » 5 Et lorsque quelqu'un s'approchait pour se prosterner
devant lui, il tendait la main, l'attirait à lui et l'em-
brassait. 6 Absalom agissait de la sorte envers tous
les Israélites qui en appelaient au tribunal du roi
et Absalom séduisait le cœur des gens d'Israël.

**Révolte d'Absalom.**

7 Au bout de quatre [e] ans, Absalom dit au roi :
« Permets que j'aille à Hébron [f] accomplir le vœu
que j'ai fait à Yahvé. 8 Car, lorsque j'étais à Geshur 13 37
en Aram, ton serviteur a fait ce vœu : Si Yahvé me
ramène à Jérusalem, je rendrai un culte à Yahvé à
Hébron [g]. » 9 Le roi lui dit : « Va en paix. » Il se mit
donc en route et alla à Hébron.
10 Absalom dépêcha des émissaires à toutes les
tribus d'Israël pour dire : « Quand vous entendrez
le son du cor, vous direz : Absalom est devenu roi
à Hébron. » 11 Avec Absalom étaient partis deux

*a)* Dans les textes anciens, Gn **16** 7+, l'Ange de Dieu, c'est Dieu lui-même, dans la forme visible où il apparaît aux hommes : David a une sagesse divine, de même au v. 20.
*b)* C'est-à-dire absolument tout, cf. **13** 22.
*c)* Les vv. 25-27 interrompent le récit et viennent d'une autre source.
*d)* Sans doute ici les tribus du Nord par opposition à Juda. Absalom exploite l'opposition latente des deux groupes qui composaient la nation, voir **19** 42s.
*e)* « quatre » grec luc.; « quarante » hébr.
*f)* Après avoir travaillé le Nord, Absalom cherche des appuis dans le Sud : Hébron, la première capitale, **2** 1s, pouvait avoir gardé rancune à David de lui avoir préféré Jérusalem.
*g)* « à Hébron » grec luc.; omis par hébr.

cents hommes de Jérusalem; c'étaient des invités
qui étaient venus en toute innocence, n'étant au
courant de rien. 12 Absalom envoya chercher[a], de
**16** 23 sa ville de Gilo, Ahitophel le Gilonite, conseiller de
David, et l'eut avec lui en offrant les sacrifices. La
conjuration était puissante et la foule des partisans
d'Absalom allait en augmentant.

**Fuite de David.**

13 Quelqu'un vint informer David : « Le cœur des
gens d'Israël, dit-il, est passé à Absalom. » 14 Alors
David dit à tous ses officiers qui étaient avec lui
à Jérusalem : « En route, et fuyons! Autrement
nous n'échapperons pas à Absalom. Hâtez-vous de
partir, de crainte qu'il ne se presse et ne nous attaque, qu'il ne nous inflige le malheur et ne passe la
ville au fil de l'épée[b]. » 15 Les officiers du roi lui
répondirent : « Quelque choix que fasse Monseigneur le roi, nous sommes à ton service. » 16 Le roi
sortit à pied avec toute sa famille; cependant le roi
**16** 21-22; laissa dix concubines pour garder le palais. 17 Le
**20** 3 roi sortit à pied avec tout le peuple et ils s'arrêtèrent à la dernière maison. 18 Tous ses officiers se
**8** 18 tenaient[c] à ses côtés. Tous les Kerétiens, tous les
Pelétiens, Ittaï et tous les Gittites qui étaient venus
de Gat à sa suite, six cents hommes, défilaient
devant le roi. 19 Celui-ci dit à Ittaï le Gittite :
« Pourquoi viens-tu aussi avec nous? Retourne et
demeure avec le roi, car tu es un étranger, tu es
même exilé de ton pays. 20 Tu es arrivé d'hier, et
aujourd'hui je te ferais errer avec nous, quand je
m'en vais à l'aventure! Retourne et remmène tes
frères avec toi, et que Yahvé te témoigne[d] miséricorde et bonté. » 21 Mais Ittaï répondit au roi :
« Par la vie de Yahvé et par la vie de Monseigneur
le roi, partout où sera Monseigneur le roi, pour la
mort et pour la vie, là aussi sera ton serviteur. »
22 David dit alors à Ittaï : « Va et passe. » Et Ittaï
le Gittite passa avec tous ses hommes et toute sa
smala. 23e Tout le monde pleurait à grands sanglots. Le roi se tenait dans le torrent du Cédron et
tout le peuple défilait devant lui en direction du
désert.

**Le sort de l'arche.**

24 On vit aussi Sadoq et tous les lévites portant
l'arche de Dieu. On déposa l'arche de Dieu auprès
d'Ébyatar jusqu'à ce que tout le peuple eût fini de
défiler hors de la ville. 25 Le roi dit à Sadoq : « Rapporte en ville l'arche de Dieu. Si je trouve grâce aux
yeux de Yahvé, il me ramènera et me permettra de
le revoir ainsi que sa demeure, 26 et s'il dit : " Tu
me déplais ", me voici : qu'il me fasse comme bon **16** 10
lui semble. » 27 Le roi dit au prêtre Sadoq : « Voyez,
toi et Ébyatar retournez[f] en paix à la ville, et vos
deux fils avec vous, Ahimaaç ton fils et Yehonatân
le fils d'Ébyatar. 28 Voyez, moi je m'attarderai dans
les passes du désert jusqu'à ce que vienne un mot
de vous qui m'apporte des nouvelles. » 29 Sadoq et
Ébyatar ramenèrent donc l'arche de Dieu à Jérusalem et ils y demeurèrent.

**David s'assure le concours de Hushaï.**

30 David gravissait en pleurant la Montée des
Oliviers, la tête voilée et les pieds nus[g], et tout le
peuple qui l'accompagnait avait la tête voilée et
montait en pleurant. 31 On avertit alors David[h]
qu'Ahitophel était parmi les conjurés avec Absa- **16** 23;
lom, et David dit : « Rends fous, Yahvé, les **17** 14, 23
conseils d'Ahitophel! »
32 Comme David arrivait au sommet, là où l'on
adore Dieu[i], il vit venir à sa rencontre Hushaï
l'Arkite, le familier de David, avec la tunique
déchirée et de la terre sur la tête. 33 David lui dit :
« Si tu pars avec moi, tu me seras à charge. 34 Mais
si tu retournes en ville et si tu dis à Absalom : " Je
serai ton serviteur, Monseigneur[j] le roi; auparavant je servais ton père, maintenant je te servirai ",
alors tu déjoueras à mon profit les conseils d'Ahitophel. 35 Sadoq et Ébyatar, les prêtres, ne seront-ils
pas avec toi? Tout ce que tu entendras du palais,
tu le rapporteras aux prêtres Sadoq et Ébyatar. 36 Il
y a avec eux leurs deux fils, Ahimaaç pour Sadoq,
et Yehonatân pour Ébyatar : vous me communi-
querez par leur intermédiaire tout ce que vous
aurez appris. » 37 Hushaï, le familier de David, rentra en ville au moment où Absalom arrivait à Jérusalem.

**David et Çiba.**

16 1 Lorsque David eut un peu dépassé le som-
met, Çiba, le serviteur de Meribbaal, vint à sa **4** 4; **9** 1-13
rencontre avec une paire d'ânes bâtés qui portaient

*a)* « chercher » grec luc.; omis par hébr.; – « et l'eut avec lui » conj.; omis par hébr.

*b)* David ne croit pas tout perdu, puisqu'il laisse dans la place des partisans, vv. 27s et 34s. Mais, pris entre les révoltés du Nord et ceux du Sud, il opère une retraite stratégique.

*c)* « se tenaient » conj.; « passaient » hébr. – « Ittaï » restitué d'après la suite.

*d)* « et que Yahvé te témoigne » grec; omis par hébr.

*e)* Le texte des vv. 23-24 est incertain.

*f)* « Voyez, toi et Ébyatar retournez » conj.; cf. la suite; « vois, retourne » hébr.

*g)* Coutumes de deuil, **19** 5; Ez **24** 17, devenues marques de douleur, Jr **14** 3s; Est **6** 12; Mi **1** 8.

*h)* « On avertit alors David » grec; « David avertit » hébr.

*i)* Peut-être le sanctuaire de Nob, 1 S **21** 2. – « le familier de David » grec; cf. v. 37; omis par hébr.

*j)* « Monseigneur » conj.; « moi » hébr.

deux cents pains, cent grappes de raisins secs, cent
fruits de saison et une outre de vin. 2 Le roi
demanda à Çiba : « Que veux-tu faire de cela? » Et
Çiba répondit : « Les ânes serviront de monture à
la famille du roi, le pain et les fruits de nourriture
pour les cadets, et le vin servira de breuvage pour
qui sera fatigué dans le désert. » 3 Le roi demanda :
« Où donc est le fils de ton maître? » Et Çiba dit
au roi : « Voici qu'il est resté à Jérusalem, car il
s'est dit : Aujourd'hui la maison d'Israël me restituera le royaume de mon père. » 4 Le roi dit alors
**19** 25-31 à Çiba : « Tout ce que possède Meribbaal est à
toi. » Çiba dit : « Je me prosterne! Puissé-je être
digne de faveur à tes yeux, Monseigneur le roi! »

**Shimeï maudit David.**

3 16 5 Comme David atteignait Bahurim, il en sortit un
homme du même clan que la famille de Saül. Il
s'appelait Shimeï, fils de Géra, et il sortait en proférant des malédictions. 6 Il lançait des pierres à
David et à tous les officiers du roi David, et pourtant toute l'armée et tous les preux encadraient le
roi à droite et à gauche. 7 Voici ce que Shimeï disait
en le maudissant : « Va-t'en, va-t'en, homme de
sang, vaurien! 8 Yahvé a fait retomber sur toi tout
le sang de la maison de Saül [a], dont tu as usurpé
la royauté, aussi Yahvé a-t-il remis la royauté entre
les mains de ton fils Absalom. Te voilà livré à ton
malheur, parce que tu es un homme de sang. »
1 S **26** 6 9 Abishaï, fils de Çeruya, dit au roi : « Faut-il que
ce chien crevé maudisse Monseigneur le roi? Laisse-moi traverser et lui trancher la tête. » 10 Mais le
**19** 23 roi répondit : « Qu'ai-je à faire avec vous, fils de
**15** 25-26 Çeruya? S'il maudit et si Yahvé lui a ordonné :
" Maudis David ", qui donc pourrait lui dire :
" Pourquoi as-tu agi ainsi? " » 11 David dit à
Abishaï et à tous ses officiers : « Voyez : le fils qui
est sorti de mes entrailles en veut à ma vie. A plus
forte raison maintenant ce Benjaminite! Laissez-le
maudire, si Yahvé le lui a commandé. 12 Peut-être
Yahvé considérera-t-il ma misère [b] et me rendra-t-il
le bien au lieu de sa malédiction d'aujourd'hui. »
13 David et ses hommes continuèrent leur route.
Quant à Shimeï, il s'avançait au flanc de la montagne, parallèlement à lui, et tout en marchant il pro-
**19** 19-24 férait des malédictions, lançait des pierres [c] et jetait
de la terre. 14 Le roi et tout le peuple qui l'accompagnait arrivèrent exténués à... [d] et là, on reprit
haleine.

**Hushaï rejoint Absalom.**

15 Absalom entra à Jérusalem avec tous les hommes d'Israël et Ahitophel se trouvait avec lui.
16 Lorsque Hushaï l'Arkite, familier de David, **15** 32-37
arriva auprès d'Absalom, Hushaï dit à Absalom :
« Vive le roi! Vive le roi! » 17 Et Absalom dit à
Hushaï : « C'est toute l'affection que tu as pour ton
ami? Pourquoi n'es-tu pas parti avec ton ami? »
18 Hushaï répondit à Absalom : « Non, celui que
Yahvé et ce peuple et tous les gens d'Israël ont
choisi, c'est à lui que je veux être et avec lui que
je demeurerai! 19 En second lieu, qui vais-je servir?
N'est-ce pas son fils? Comme j'ai servi ton père,
ainsi je te servirai. »

**Absalom et les concubines de David.**

20 Absalom dit à Ahitophel : « Consultez-vous :
qu'allons-nous faire? » 21 Ahitophel répondit à
Absalom : « Approche-toi des concubines de ton **15** 16
père, qu'il a laissées pour garder le palais : tout
Israël apprendra que tu t'es rendu odieux à ton père
et le courage de tous tes partisans en sera
affermi [e]. » 22 On dressa donc pour Absalom une
tente sur la terrasse et Absalom s'approcha des **12** 11-12
concubines de son père aux yeux de tout Israël.
23 Le conseil que donnait Ahitophel en ce temps-là
était comme un oracle qu'on aurait obtenu de
Dieu; tel était, tant pour David que pour Absalom,
tout conseil d'Ahitophel.

**Hushaï déjoue les plans d'Ahitophel.**

**17** 1 Ahitophel dit à Absalom : « Laisse-moi choisir douze mille hommes et me lancer, cette
nuit même, à la poursuite de David. 2 Je tomberai
sur lui quand il sera fatigué et sans courage. je
l'épouvanterai et tout le peuple qui est avec lui
prendra la fuite. Alors je frapperai le roi seul 3 et
je ramènerai à toi tout le peuple, comme la fiancée
revient à son époux : tu n'en veux qu'à la vie d'un
seul homme [f] et tout le peuple sera sauf. » 4 La proposition plut à Absalom et à tous les anciens
d'Israël.
5 Cependant Absalom dit : « Appelez encore
Hushaï l'Arkite, que nous entendions ce qu'il a à
dire lui aussi. » 6 Hushaï arriva auprès d'Absalom,
et Absalom lui dit : « Ahitophel a parlé de telle
manière. Devons-nous faire ce qu'il a dit? Sinon
parle toi-même. » 7 Hushaï répondit à Absalom :

*a)* Une allusion au massacre raconté en **21** 1-14, qui se réfère au début du règne, cf. **9** 1.
*b)* « ma misère » versions; « ma faute » hébr. ketib; « mon œil » qeré.
*c)* Après « lançait des pierres », hébr. répète « parallèlement à lui ».
*d)* Un nom géographique a disparu du texte.
*e)* L'action d'Absalom est beaucoup plus qu'une parade impure; en prenant possession du harem de son père, il affirme son droit à la succession, cf. **3** 7+.
*f)* « comme la fiancée... d'un seul homme » grec; hébr. corrompu.

« Pour cette fois le conseil qu'a donné Ahitophel
n'est pas bon. » 8 Et Hushaï poursuivit : « Tu sais
que ton père et ses gens sont des preux et qu'ils sont
exaspérés, comme une ourse sauvage à qui on a
ravi ses petits. Ton père est un homme de guerre,
il ne laissera pas l'armée se reposer la nuit. 9 Il se
cache maintenant dans quelque creux ou dans quelque place. Si, dès l'abord, il y a des victimes dans
notre troupe, la rumeur se répandra d'un désastre
dans l'armée qui suit Absalom. 10 Alors même le
brave qui a un cœur semblable à celui du lion perdra courage, car tout Israël sait que ton père est
un preux et que ceux qui l'accompagnent sont braves. 11 Pour moi, je donne le conseil suivant : que
tout Israël, depuis Dan jusqu'à Bersabée, se rassemble autour de toi, aussi nombreux que les grains
de sable au bord de la mer, et tu marcheras en personne au milieu d'eux [a]. 12 Nous l'atteindrons en
quelque lieu qu'il se trouve, nous nous abattrons
sur lui comme la rosée tombe sur le sol et nous ne
laisserons subsister ni lui ni personne de tous les
hommes qui l'accompagnent. 13 Que s'il se retire
dans une ville, tout Israël apportera [b] des cordes à
cette ville et nous la traînerons au torrent, jusqu'à
ce qu'on n'en trouve plus un caillou. » 14 Absalom
et tous les gens d'Israël dirent : « Le conseil de
Hushaï l'Arkite est meilleur que celui d'Ahitophel. » Yahvé avait décidé de faire échouer le plan
**15** 31 habile d'Ahitophel, afin d'amener le malheur sur
Absalom.
15 Hushaï dit alors aux prêtres Sadoq et Ébyatar : « Ahitophel a donné tel et tel conseil à Absalom et aux anciens d'Israël, mais c'est telle et telle
chose que moi, j'ai conseillée. 16 Maintenant,
envoyez vite avertir David et dites-lui : " Ne
**15** 27-28 bivouaque pas cette nuit dans les passes du désert,
mais traverse d'urgence de l'autre côté, de crainte
que ne soient anéantis le roi et toute l'armée qui
l'accompagne." »

**David, informé, passe le Jourdain.**

**15** 27 17 Yehonatân et Ahimaaç étaient postés à la
1 R 1 9 source du Foulon : une servante viendrait les avertir et eux-mêmes iraient avertir le roi David, car ils
ne pouvaient pas se découvrir en entrant dans la
ville. 18 Mais un jeune homme les aperçut et porta
la nouvelle à Absalom. Alors ils partirent tous
deux en hâte et arrivèrent à la maison d'un homme
de Bahurim. Il y avait dans sa cour une citerne où
ils descendirent. 19 La femme prit une bâche, elle
l'étendit sur la bouche de la citerne et étala dessus Jos **2** 4s, 15s
du grain concassé, de sorte qu'on ne remarquait
rien.
20 Les serviteurs d'Absalom entrèrent chez cette
femme dans la maison et demandèrent : « Où sont
Ahimaaç et Yehonatân? », et la femme leur répondit : « Ils ont passé outre allant d'ici vers l'eau [c]. »
Ils cherchèrent et, ne trouvant rien, revinrent à
Jérusalem. 21 Après leur départ, Ahimaaç et Yehonatân remontèrent de la citerne et allèrent avertir
le roi David : « Mettez-vous en route et hâtez-vous
de passer l'eau, car voilà le conseil qu'Ahitophel a
donné à votre propos. » 22 David et toute l'armée
qui l'accompagnait se mirent donc en route et passèrent le Jourdain; à l'aube, il ne manquait personne qui n'eût passé le Jourdain.
23 Quant à Ahitophel, lorsqu'il vit que son **15** 31
conseil n'était pas suivi, il sella son âne et se mit
en route pour aller chez lui dans sa ville. Il mit
ordre à sa maison, puis il s'étrangla et mourut [d].
On l'ensevelit dans le tombeau de son père.

**Absalom franchit le Jourdain.**
**David à Mahanayim.**

24 David était arrivé à Mahanayim lorsqu'Absalom franchit le Jourdain avec tous les
hommes d'Israël. 25 Absalom avait mis Amasa à la **19** 14;
tête de l'armée à la place de Joab. Or Amasa était **20** 4-13
le fils d'un homme qui s'appelait Yitra l'Ismaélite [e]
et qui s'était uni à Abigayil, fille de Jessé et sœur
de Çeruya, la mère de Joab. 26 Israël et Absalom
dressèrent leur camp au pays de Galaad.
27 Lorsque David arriva à Mahanayim, Shobi,
fils de Nahash, de Rabba des Ammonites, Makir, **10** 2
fils d'Ammiel, de Lo-Debar, et Barzillaï le Galaa- **9** 4
dite, de Roglim, 28 apportèrent des matelas de lit, **19** 32
des tapis [f], des coupes et de la vaisselle. Il y avait
du froment, de l'orge, de la farine, du grain grillé,
des fèves, des lentilles, 29[g] du miel, du lait caillé et
des fromages de vache et de brebis, qu'ils offrirent
à David et au peuple qui l'accompagnait pour
qu'ils s'en nourrissent. En effet, ils s'étaient dit :
« L'armée a souffert de la faim, de la fatigue et de
la soif dans le désert. »

*a)* « au milieu d'eux » versions; « au combat » hébr. Cela imposera un délai : David, qui attend, **15** 28, pourra se mettre en sûreté.
*b)* « apportera » grec luc.; « fera lever » hébr.
*c)* « d'ici vers l'eau » conj.; hébr. inintelligible. L'eau serait le Jourdain, cf. vv. 21-22.
*d)* Seul cas de suicide mentionné dans l'AT, en dehors de ceux où un guerrier se donne la mort pour échapper à l'ennemi, Jg **9** 54; 1 S **31** 4s; 1 R **16** 18; 2 M **14** 41s, et le cas très particulier de Samson, Jg **16** 28s.
*e)* « l'Ismaélite » grec, cf. 1 Ch **2** 17; « l'Israélite » hébr. – « Jessé » grec luc., cf. 1 Ch **2** 16; « Nahash » hébr. – Amasa est donc le cousin de Joab. Ils sont tous deux les cousins d'Absalom et les neveux de David.
*f)* « apportèrent des matelas » grec; omis par hébr.; « tapis » grec; omis par hébr.
*g)* Texte incertain.

**Défaite du parti d'Absalom.**

**18** 1 David passa en revue les troupes qui étaient
avec lui et il mit à leur tête des chefs de mille
1 S 11 11 et des chefs de cent. 2 David divisa l'armée en trois
Jg 7 16 corps[a] : un tiers aux mains de Joab, un tiers aux
mains d'Abishaï, fils de Çeruya et frère de Joab, un
tiers aux mains d'Ittaï le Gittite. Puis David dit aux
troupes : « Je partirai en guerre avec vous, moi
aussi. » 3 Mais les troupes répondirent : « Tu ne
dois pas partir. Car, si nous prenions la fuite, on
n'y ferait pas attention, et si la moitié d'entre nous
mourait, on n'y ferait pas attention, tandis que toi
tu es comme dix mille d'entre nous. Et puis, il vaut
mieux que tu nous sois un secours prêt à venir de
la ville. » 4 David leur dit : « Je ferai ce qui vous
semble bon. » Le roi se tint à côté de la porte, tandis que l'armée sortait par unités de cent et de
mille. 5 Le roi fit un commandement à Joab, à
Abishaï et à Ittaï : « Par égard pour moi, ménagez
le jeune Absalom! » et toute l'armée entendit que
le roi donnait à tous les chefs cet ordre concernant
Absalom. 6 L'armée sortit en pleine campagne à la
rencontre d'Israël et la bataille eut lieu dans la forêt
d'Éphraïm[b]. 7 L'armée d'Israël y fut battue devant
la garde de David, et ce fut ce jour-là une grande
défaite, qui frappa vingt mille hommes. 8 Le
combat s'éparpilla dans toute la région et, ce jour-
là, la forêt fit dans l'armée plus de victimes que
l'épée.

**Mort d'Absalom.**

9 Absalom se heurta par hasard à des gardes de
David. Absalom montait un mulet et le mulet
s'engagea sous la ramure d'un grand chêne. La tête
d'Absalom se prit dans le chêne et il resta suspendu[c] entre ciel et terre tandis que continuait le
mulet qui était sous lui. 10 Quelqu'un l'aperçut et
prévint Joab : « Je viens de voir, dit-il, Absalom
suspendu à un chêne. » 11 Joab répondit à l'homme
qui portait cette nouvelle : « Puisque tu l'as vu,
pourquoi ne l'as-tu pas abattu sur place? J'aurais
pris sur moi de te donner dix sicles d'argent et une
ceinture! » 12 Mais l'homme répondit à Joab :
« Quand même je soupèserais dans mes paumes
mille sicles d'argent, je ne porterais pas la main sur
le fils du roi! C'est à nos oreilles que le roi t'a
donné cet ordre ainsi qu'à Abishaï et à Ittaï : " Par
18 5 égard pour moi[d], épargnez le jeune Absalom. "
13 Que si je m'étais menti à moi-même, rien ne reste
caché au roi, et toi, tu te serais tenu à distance. »
14 Alors Joab dit : « Je ne vais pas ainsi perdre mon
temps avec toi. » Il prit en mains trois javelots[e] et
les planta dans le cœur d'Absalom encore vivant
au milieu du chêne. 15 Puis s'approchèrent dix
cadets, les écuyers de Joab, qui frappèrent Absa- 1 S 14 13
lom et l'achevèrent.

16 Joab fit alors sonner du cor et l'armée cessa
de poursuivre Israël, car Joab retint l'armée. 17 On
prit Absalom, on le jeta dans une grande fosse en
pleine forêt et on dressa sur lui un énorme monceau Jos 7 26;
de pierres. Tous les Israélites s'étaient enfuis, cha- 8 29; 10 27
cun à ses tentes.

18 De son vivant, Absalom avait entrepris de
s'ériger la stèle qui est dans la vallée du Roi, car Gn 14 17
il s'était dit : « Je n'ai pas de fils pour commémorer 2 S 14 27
mon nom », et il avait donné son nom à la stèle.
On l'appelle encore aujourd'hui le monument
d'Absalom[f].

**Les nouvelles sont portées à David.**

19 Ahimaaç, fils de Sadoq, dit : « Je vais courir
et annoncer au roi cette bonne nouvelle, que Yahvé
lui a rendu justice en le délivrant de ses ennemis. »
20 Mais Joab lui dit : « Tu ne serais pas un porteur
d'heureux message aujourd'hui; tu le seras un autre
jour, mais aujourd'hui tu ne porterais pas une
bonne nouvelle, puisque le fils du roi est mort. »
21 Et Joab dit au Kushite[g] : « Va rapporter au roi
tout ce que tu as vu. » Le Kushite se prosterna
devant Joab et partit en courant. 22 Ahimaaç, fils
de Sadoq, insista encore et dit à Joab : « Advienne
que pourra, je veux courir moi aussi derrière le
Kushite. » Joab dit : « Pourquoi courrais-tu, mon
fils, tu n'en tireras aucune récompense[h]. » 23 Il
reprit : « Advienne que pourra, je courrai! » Joab
lui dit : « Cours donc. » Et Ahimaaç partit en courant par le chemin de la Plaine et il dépassa le Kushite.

24 David était assis entre les deux portes. Le
guetteur étant monté à la terrasse de la porte, sur
le rempart, leva les yeux et aperçut un homme qui
courait seul. 25 Le guetteur cria et avertit le roi, et
le roi dit : « S'il est seul, c'est qu'il a une bonne
nouvelle sur les lèvres[i]. » Comme celui-là continuait d'approcher, 26 le guetteur vit un autre
homme qui courait, et le guetteur qui était sur la
porte[j] cria : « Voici un autre homme, qui court

*a)* « divisa (en trois) » grec luc.; « envoya (en trois) » hébr.
*b)* Localisation incertaine.
*c)* « resta suspendu » versions; « fut mis » hébr.
*d)* « (Par égard) pour moi » versions; « (Par égard) pour quiconque » hébr.
*e)* « javelots » grec; « bâtons » hébr.
*f)* Ce monument, litt. cette « main d'Absalom », n'est pas le tombeau hellénistique qu'on montre dans la vallée du Cédron. C'était une *maççebah*, une stèle funéraire, cf. Gn **35** 20.
*g)* Un esclave éthiopien (Kush est l'Éthiopie), donc un noir, messager de mauvais augure.
*h)* « tu n'en tireras » conj.; « n'y trouvant » hébr. – Le porteur d'une bonne nouvelle reçoit une gratification, **4** 10.
*i)* Un désastre serait annoncé par une bande de fuyards.
*j)* « sur la porte » versions; « au portier » hébr.

seul. » Et David dit : « Celui ci est encore un mes-
2 R 9 20 sager de bon augure. » 27 Le guetteur dit : « Je
reconnais la façon de courir du premier, c'est la
façon de courir d'Ahimaaç, fils de Sadoq. » Le roi
1 R 1 42 dit : « C'est un homme de bien, il vient pour une
bonne nouvelle. »
28 Ahimaaç s'approcha [a] du roi et dit : « Salut! »
Il se prosterna face contre terre devant le roi et
poursuivit : « Béni soit Yahvé ton Dieu qui a livré
les hommes qui avaient levé la main contre Monseigneur le roi! » 29 Le roi demanda : « En va-t-il
bien pour le jeune Absalom? » Et Ahimaaç répondit : « J'ai vu un grand tumulte au moment où Joab,
serviteur du roi, envoyait ton serviteur, mais je ne
sais pas ce que c'était [b]. » 30 Le roi dit : « Range-toi
et tiens-toi là. » Il se rangea et attendit.
31 Alors arriva le Kushite et il dit : « Que Monseigneur le roi apprenne la bonne nouvelle. Yahvé
t'a rendu justice aujourd'hui en te délivrant de tous
ceux qui s'étaient dressés contre toi. » 32 Le roi
demanda au Kushite : « En va-t-il bien pour le
jeune Absalom? » Et le Kushite répondit : « Qu'ils
aient le sort de ce jeune homme, les ennemis de
Monseigneur le roi et tous ceux qui se sont dressés
contre toi pour le mal! »

**Douleur de David.**

33 **19** 1 Alors le roi frémit. Il monta dans la chambre
supérieure de la porte et se mit à pleurer; il
disait en sanglotant [c] : « Mon fils Absalom! mon
fils! mon fils Absalom! que ne suis-je mort à ta
19 1 place! Absalom mon fils! mon fils! » 2 On prévint
Joab : « Voici que le roi pleure et se lamente sur
2 Absalom. » 3 La victoire, ce jour-là, se changea en
deuil pour toute l'armée, car l'armée apprit ce jour-
là que le roi était dans l'affliction à cause de son
3 fils. 4 Et ce jour-là, l'armée rentra furtivement dans
la ville, comme se dérobe une armée qui s'est cou-
4 verte de honte en fuyant durant la bataille. 5 Le roi
15 30 s'était voilé le visage et poussait de grands cris :
« Mon fils Absalom! Absalom mon fils! mon fils! »
5 6 Joab se rendit auprès du roi à l'intérieur et dit :
« Tu couvres aujourd'hui de honte le visage de tous
tes serviteurs qui ont sauvé aujourd'hui ta vie, celle
de tes fils et de tes filles, celle de tes femmes et celle
6 de tes concubines, 7 parce que tu aimes ceux qui te
haïssent et que tu hais ceux qui t'aiment. En effet,
tu as manifesté aujourd'hui que chefs et soldats
n'étaient rien pour toi, car je sais maintenant que,
si Absalom vivait et si nous étions tous morts
aujourd'hui, tu trouverais cela très bien. 8 Allons, 7
je t'en prie, sors et rassure tes soldats, car, je le jure
par Yahvé, si tu ne sors pas, il n'y aura personne
qui passe cette nuit avec toi, et ce sera pour toi un
malheur plus grand que tous les malheurs qui te
sont advenus depuis ta jeunesse jusqu'à présent. »
9 Le roi se leva et vint s'asseoir à la porte. On 8
l'annonça à toute l'armée : « Voici, dit-on, que le
roi est assis à la porte », et toute l'armée se rendit
devant le roi.

**On prépare le retour de David.**

Israël s'était enfui chacun à ses tentes. 10 Dans 9
toutes les tribus d'Israël, tout le monde se querel-
lait. On disait : « C'est le roi qui nous a délivrés de
la main de nos ennemis, c'est lui qui nous a sauvés
de la main des Philistins, et maintenant il a dû
s'enfuir du pays, loin d'Absalom. 11 Quant à Absa- 10
lom que nous avions oint pour qu'il régnât sur
nous, il est mort dans la bataille. Alors pourquoi
ne faites-vous rien pour ramener le roi? »
12b Ce qui se disait dans tout Israël arriva 11
jusqu'au roi [d]. 12a Alors le roi David envoya dire
aux prêtres Sadoq et Ébyatar : « Parlez ainsi aux
anciens de Juda [e] : " Pourquoi seriez-vous les derniers à ramener le roi chez lui? 13 Vous êtes mes 12
frères, vous êtes de ma chair et de mes os, pourquoi
seriez-vous les derniers à ramener le roi? " 14 Et
vous direz à Amasa [f] : " N'es-tu pas de mes os et 13
de ma chair? Que Dieu me fasse ce mal et qu'il Rt 1 17+
ajoute cet autre si tu n'es pas pour toujours à mon
service comme chef de l'armée à la place de
Joab ". » 15 Il rallia ainsi le cœur de tous les hom- 14
mes de Juda comme d'un seul homme et ils envoyèrent dire au roi : « Reviens, toi et tous tes serviteurs. »

**Épisodes du retour : Shiméï.**

16 Le roi revint donc et atteignit le Jourdain. Juda 15
était arrivé à Gilgal, venant à la rencontre du roi,
pour aider le roi à passer le Jourdain. 17 En hâte, 16
Shiméï, fils de Géra, le Benjaminite de Bahurim, **16** 5-13
descendit avec les gens de Juda au-devant du roi
David. 18 Il avait avec lui mille hommes de Benja- 17
min. Çiba, le serviteur de la maison de Saül, ses **16** 1-4;
quinze fils et ses vingt serviteurs avec lui devancè- **19** 25-31

*a)* « s'approcha » grec luc.; « cria » hébr.
*b)* « au moment... serviteur » conj.; « au moment d'envoyer le serviteur du roi Joab et ton serviteur » hébr. – Mensonge prudent : Ahimaaç laisse la mauvaise nouvelle pour le second messager.
*c)* « en sanglotant » grec luc.; « en marchant » hébr.
*d)* V. 12b transposé, avec une partie des versions. On omet les deux derniers mots (« chez lui ») répétés de 12a.

*e)* David veut être rappelé d'abord par sa tribu : c'est la voix du sang, et aussi le pressentiment que sa dynastie ne peut compter que sur la fidélité de Juda.
*f)* Le chef militaire de la révolte, **17** 25 : c'est lui surtout qu'il faut gagner. David supporte mal les violences de Joab et voudrait l'écarter, mais Joab se débarrassera de son rival, **20** 8-13, et restera à son poste jusqu'à la mort de David, 1 R **2** 5s, 28s.

18 rent le roi au Jourdain 19 et ils mirent tout en
œuvre [a] pour faire traverser la famille du roi et
satisfaire son bon plaisir.
Shimeï fils de Géra se jeta aux pieds du roi
19 quand il traversait le Jourdain, 20 et il dit au roi :
« Que Monseigneur ne m'impute pas de faute! Ne
te souviens pas du mal que ton serviteur a commis
le jour où Monseigneur le roi est sorti de Jérusa-
20 lem. Que le roi ne le prenne pas à cœur! 21 Car ton
serviteur reconnaît qu'il a péché, et voici que je suis
venu aujourd'hui le premier de toute la maison de
Joseph [b] pour descendre au-devant de Monseigneur
le roi. »
21 22 Abishaï fils de Çeruya prit alors la parole et
dit : « Shimeï ne mérite-t-il pas la mort pour avoir
22 maudit l'oint de Yahvé? » 23 Mais David dit :
16 9-10 « Qu'ai-je à faire avec vous, fils de Çeruya, pour
que vous deveniez aujourd'hui mes adversaires?
1 S 11 13 Quelqu'un pourrait-il aujourd'hui être mis à mort
en Israël? N'ai-je pas l'assurance qu'aujourd'hui
23 je suis roi sur Israël? » 24 Le roi dit à Shimeï : « Tu
ne mourras pas », et le roi le lui jura [c].

16 1-4 **Meribbaal.**

24 25 Meribbaal, le fils de Saül, était descendu aussi
Dt 21 12 au-devant du roi. Il n'avait soigné ni ses pieds ni
ses mains [d], il n'avait pas taillé sa moustache, il
n'avait pas lavé ses vêtements depuis le jour où le
roi était parti jusqu'au jour où il revint en paix.
25 26 Lorsqu'il arriva de Jérusalem [e] au-devant du roi,
celui-ci lui demanda : « Pourquoi n'es-tu pas venu
26 avec moi, Meribbaal? » 27 Il répondit : « Monseigneur le roi, mon serviteur m'a trompé. Ton serviteur lui avait dit : "Selle-moi l'ânesse [f], je la monterai et j'irai avec le roi", car ton serviteur est
27 infirme. 28 Il a calomnié ton serviteur auprès de
Monseigneur le roi. Mais Monseigneur le roi est
comme l'Ange de Dieu : agis comme il te semble
28 bon. 29 Car toute la famille de mon père méritait
seulement la mort de la part de Monseigneur le roi,
et pourtant tu as admis ton serviteur parmi ceux
9 10 qui mangent à ta table. Quel droit puis-je avoir
29 d'implorer encore le roi? » 30 Le roi dit : « Pourquoi
continuer de parler? Je décide que toi et Çiba vous
30 partagerez les terres. » 31 Meribbaal dit au roi :
« Qu'il prenne donc tout, puisque Monseigneur le
roi est rentré en paix chez lui! »

**Barzillaï.**

32 Barzillaï le Galaadite était descendu de 31
Roglim et avait continué avec le roi vers le Jourdain pour prendre congé de lui au Jourdain.
33 Barzillaï était très âgé, il avait quatre-vingts ans. 32
Il avait pourvu à l'entretien du roi pendant son
séjour à Mahanayim, car c'était un homme très
riche. 34 Le roi dit à Barzillaï : « Continue avec moi 17 27-29 33
et je pourvoirai à tes besoins auprès de moi à Jérusalem. » 35 Mais Barzillaï répondit au roi : 34
« Combien d'années me reste-t-il à vivre, pour que
je monte avec le roi à Jérusalem? 36 J'ai maintenant 35
quatre-vingts ans : puis-je distinguer ce qui est bon
et ce qui est mauvais? Ton serviteur a-t-il le goût
de ce qu'il mange et de ce qu'il boit? Puis-je entendre encore la voix des chanteurs et des chanteuses?
Pourquoi ton serviteur serait-il encore à charge à
Monseigneur le roi? 37 [g] Ton serviteur passera tout 36
juste le Jourdain avec le roi, mais pourquoi le roi
m'accorderait-il une telle récompense? 38 Permets à 37
ton serviteur de s'en retourner : je mourrai dans ma
ville près du tombeau de mon père et de ma mère.
Mais voici ton serviteur Kimhân [h], qu'il continue
avec Monseigneur le roi, et agis comme bon te semble à son égard. » 39 Le roi dit : « Que Kimhân 38
continue donc avec moi, je ferai pour lui ce qui te
plaira et tout ce que tu solliciteras de moi, je le
ferai pour toi. » 40 Tout le peuple passa le Jourdain, 39
le roi passa, il embrassa Barzillaï et le bénit, et
celui-ci s'en retourna chez lui.

**Juda et Israël se disputent le roi.**

41 Le roi continua vers Gilgal et Kimhân conti- 40
nua avec lui. Tout le peuple de Juda accompagnait [i] le roi, et aussi la moitié du peuple d'Israël.
42 Et voici que tous les hommes d'Israël vinrent 41
auprès du roi et lui dirent : « Pourquoi nos frères,
les hommes de Juda, t'ont-ils enlevé et ont-ils fait
passer le Jourdain au roi et à sa famille, et à tous
les hommes de David avec lui? » 43 Tous les hom- 42
mes de Juda répondirent aux hommes d'Israël :
« C'est que le roi m'est plus apparenté! Pourquoi
t'irriter à ce propos? Avons-nous mangé aux
dépens du roi ou nous a-t-il apporté quelque portion [j]? » 44 Les hommes d'Israël répliquèrent aux 43
hommes de Juda et dirent : « J'ai dix parts sur le
roi et de plus je suis ton aîné [k], pourquoi m'as-tu 1 R 11 31

*a)* « et ils mirent tout en œuvre » grec.; « et elle avait passé la passe » hébr.
*b)* A laquelle est quelquefois rattaché Benjamin.
*c)* Mais il se réserve une vengeance posthume, 1 R 2 8s, 36-46.
*d)* « ni ses mains » grec.; omis par hébr.
*e)* « de Jérusalem » quelques mss grecs; « à Jérusalem » hébr.
*f)* « lui avait dit... l'ânesse » versions; « s'était dit, je me ferai seller » hébr.
*g)* Traduction incertaine.
*h)* Le fils de Barzillaï.
*i)* « accompagnait » grec; « fit passer » hébr.
*j)* « portion » Targ.; « levée, portée » (?) hébr.
*k)* « ton aîné » versions; « en David » (?) hébr.

méprisé? N'ai-je pas parlé le premier de faire revenir mon roi? » Mais les propos des hommes de
Juda furent plus violents que ceux des hommes
d'Israël.

**Révolte de Shéba [a].**

**20** 1 Or, il se trouvait là un vaurien, qui s'appelait
Shéba, fils de Bikri, un Benjaminite. Il sonna
du cor et dit :
1 R 12 16 « Nous n'avons pas de part avec David,
nous n'avons pas d'héritage sur le fils de Jessé!
Chacun à ses tentes, Israël! »
2 Tous les hommes d'Israël abandonnèrent David
et suivirent Shéba fils de Bikri, mais les hommes
de Juda s'attachèrent aux pas de leur roi, depuis le
Jourdain jusqu'à Jérusalem.
3 David rentra dans son palais à Jérusalem. Le
15 16; roi prit les dix concubines qu'il avait laissées pour
16 20-22 garder le palais et les mit sous surveillance. Il pourvut à leur entretien mais il n'approcha plus d'elles
et elles furent séquestrées jusqu'à leur mort, comme
les veuves d'un vivant.

**Assassinat d'Amasa.**

19 14 4 Le roi dit à Amasa : « Convoque-moi les hommes de Juda, je te donne trois jours pour te présenter ici. » 5 Amasa partit pour convoquer Juda, mais
il tarda au-delà du terme que David lui avait fixé.
6 Alors David dit à Abishaï : « Shéba fils de Bikri
est désormais plus dangereux pour nous
qu'Absalom. Toi, prends les gardes de ton maître
et pourchasse-le de peur qu'il n'atteigne des villes
fortes et ne nous échappe [b]. » 7 Derrière Abishaï [c]
8 18 partirent en campagne Joab, les Kerétiens, les Pelé-
23 8s tiens et tous les preux; ils quittèrent Jérusalem à la
poursuite de Shéba fils de Bikri. 8 Ils étaient près
2 13 de la grande pierre qui se trouve à Gabaôn, quand
Amasa arriva en face d'eux. Or Joab était vêtu de
sa tenue militaire sur laquelle il avait ceint une épée
attachée à ses reins dans son fourreau; celle-ci sortit [d] et tomba. 9 Joab demanda à Amasa : « Tu vas
bien, mon frère? » Et, de la main droite, il saisit la
barbe d'Amasa pour l'embrasser. 10 Amasa ne prit
pas garde à l'épée que Joab avait en main, et celui-
ci l'en frappa au ventre et répandit ses entrailles
à terre. Il n'eut pas à lui donner un second coup
et Amasa mourut, tandis que Joab et son frère
Abishaï se lançaient à la poursuite de Shéba fils de
Bikri.
11 L'un des cadets de Joab resta en faction près
d'Amasa et il disait : « Quiconque aime Joab et est
pour David, qu'il suive Joab! » 12 Cependant
Amasa s'était roulé dans son sang au milieu du
chemin. Voyant que tout le monde s'arrêtait, cet
homme tira Amasa du chemin dans le champ et
jeta un vêtement sur lui, parce qu'il voyait s'arrêter
tous ceux qui arrivaient près de lui. 13 Lorsque Amasa eut été écarté [e] du chemin, tous les
hommes passèrent outre, suivant Joab [f] à la poursuite de Shéba fils de Bikri.

**Fin de la révolte.**

14 Celui-ci parcourut toutes les tribus d'Israël
jusqu'à Abel-Bet-Maaka [g] et tous les Bikrites... [h] Ils
se rassemblèrent et entrèrent aussi derrière lui [i].
15 On vint l'assiéger dans Abel-Bet-Maaka et on
entassa contre la ville un remblai qui s'adossait à
l'avant-mur, et toute l'armée qui accompagnait
Joab creusait des sapes pour faire tomber le rempart. 16 Une femme avisée cria de la ville :
« Écoutez! Écoutez! Dites à Joab : Approche ici,
que je te parle. » 17 Il s'approcha et la femme
demanda : « Est-ce toi Joab? » Il répondit : « Oui. »
Elle lui dit : « Écoute la parole de ta servante. » Il
répondit : « J'écoute. » 18 Elle parla ainsi : « Jadis,
on avait coutume de dire : Que l'on demande à
Abel et à Dan s'il en est fini 19 de ce qu'ont établi
les fidèles d'Israël [j]. Et toi tu cherches à ruiner une
ville et une métropole en Israël. Pourquoi veux-tu
anéantir l'héritage de Yahvé? » 20 Joab répondit :
« Loin, loin de moi! Je ne veux ni anéantir ni ruiner. 21 Il ne s'agit pas de cela, mais un homme de
la montagne d'Éphraïm, du nom de Shéba fils de
Bikri, s'est insurgé contre le roi, contre David.
Livrez-le tout seul et je lèverai le siège de la ville. »
La femme dit à Joab : « Eh bien, on va te jeter sa
tête par-dessus la muraille. » 22 La femme alla parler à tout le peuple comme le lui dictait sa sagesse :
on trancha la tête de Shéba fils de Bikri et on la
jeta à Joab. Celui-ci fit sonner du cor et on
s'éloigna de la ville, chacun vers ses tentes. Quant
à Joab, il revint à Jérusalem auprès du roi.

*a)* Dans cette révolte soulevée par un Benjaminite, il n'y a pas seulement la rancune de la tribu de Saül. En elle éclate l'inimitié entre Israël et Juda.
*b)* « et ne nous échappe » grec luc.; « et délivre nos yeux » (?) hébr.
*c)* « Derrière Abishaï » grec.. « Derrière lui (partirent) les hommes de (Joab) » hébr.
*d)* « celle-ci sortit » grec; « il sortit » hébr.
*e)* « eut été écarté » conj.; hébr. corrompu.
*f)* Par son prestige, Joab s'impose comme chef contre la volonté du roi et l'armée se rallie à lui.
*g)* Ville forte voisine de Dan, v. 18, à l'extrême nord du territoire israélite.
*h)* Un intervalle laissé dans le mss suggère que quelques mots sont tombés. Le texte du v. est incertain.
*i)* Dans la ville.
*j)* Vv. 18-19 d'après grec; hébr. corrompu. – La femme cite un dicton qui faisait des deux villes les gardiennes des traditions d'Israël.

= 8 16-18 **Les grands officiers de David.**

[23] Joab commandait à toute l'armée [a]; Benayahu
fils de Yehoyada commandait les Kerétiens et les
Pelétiens; [24] Adoram était chef de la corvée; Yehoshaphat fils d'Ahilud était héraut; [25] Shiya était
secrétaire; Sadoq et Ébyatar étaient prêtres. [26] De
plus, Ira le Yaïrite était prêtre de David. 8 18+

# *V. Suppléments* [b]

**La grande famine et l'exécution des descendants de Saül [c].**

21 [1] Au temps de David, il y eut une famine pendant trois ans de suite. David s'enquit auprès
de Yahvé [d], et Yahvé dit : « Il y a du sang sur Saül
et sur sa famille, parce qu'il a mis à mort les
Jos 9 3-27 Gabaonites. » [2] Le roi convoqua les Gabaonites et
leur dit. – Ces Gabaonites n'étaient pas des Israélites, ils étaient un reste des Amorites, envers qui les
Israélites s'étaient engagés par serment. Mais Saül
avait cherché à les abattre dans son zèle pour les
Israélites et pour Juda [e]. – [3] Donc David dit aux
Gabaonites : « Que faut-il vous faire et comment
réparer, pour que vous bénissiez [f] l'héritage de
Yahvé? » [4] Les Gabaonites lui répondirent : « Il ne
s'agit pas pour nous d'une affaire d'argent ou d'or
avec Saül et sa famille, et il ne s'agit pas pour nous
d'un homme à tuer en Israël. » David dit : « Ce que
vous direz, je le ferai pour vous. » [5] Ils dirent alors
au roi : « L'homme qui nous a exterminés et qui
avait projeté de nous anéantir, pour que nous ne
subsistions plus dans tout le territoire d'Israël,
[6] qu'on nous livre sept de ses fils et nous les
démembrerons devant Yahvé à Gabaôn, sur la
montagne de Yahvé [g]. » Et le roi dit : « Je les livre-
1 S 20 15s, rai. » [7] Le roi épargna Meribbaal fils de Jonathan
42 fils de Saül, à cause du serment par Yahvé qui les
liait, David et Jonathan fils de Saül. [8] Le roi prit
3 7 les deux fils que Riçpa, fille d'Ayya, avait donnés
à Saül, Armoni et Meribbaal, et les cinq fils que
1 S 18 19 Mérab [h] fille de Saül avait donnés à Adriel fils de
Barzillaï, de Mehola. [9] Il les livra aux mains des
Gabaonites et ceux-ci les démembrèrent sur la
montagne, devant Yahvé. Les sept succombèrent
ensemble; ils furent mis à mort aux premiers jours
de la moisson, au début de la moisson des orges.
[10] Riçpa, fille d'Ayya, prit le sac [i] et l'étendit pour 3 31; 12 16
elle sur le rocher, depuis le début de la moisson des
orges jusqu'à ce que l'eau tombât du ciel sur eux,
et elle ne laissa pas s'abattre sur eux [j] les oiseaux
du ciel pendant le jour ni les bêtes sauvages pendant la nuit. [11] On informa David de ce qu'avait
fait Riçpa, fille d'Ayya, la concubine de Saül.
[12] Alors David alla réclamer les ossements de Saül
et ceux de son fils Jonathan aux notables de
Yabesh de Galaad. Ceux-ci les avaient enlevés de
l'esplanade de Bet-Shân, où les Philistins les 1 S 31 10-13
avaient suspendus, quand les Philistins avaient
vaincu Saül à Gelboé. [13] David emporta de là les
ossements de Saül et ceux de son fils Jonathan et
les réunit aux ossements des suppliciés. [14] On ensevelit les ossements de Saül, ceux de son fils Jonathan et ceux des suppliciés [k] au pays de Benjamin,
à Çela, dans le tombeau de Qish, père de Saül. On
fit tout ce que le roi avait ordonné et, après cela,
Dieu eut pitié du pays.

**Exploits contre les Philistins [l].**

[15] Il y eut encore une guerre des Philistins contre
Israël. David descendit avec sa garde. Ils combattirent les Philistins, et David était fatigué. [16] Il y
avait un champion [m] d'entre les descendants de
Rapha. Le poids de sa lance était de trois cents Dt 1 28+

*a)* Après « armée », hébr. ajoute « Israël », glose.
*b)* Interrompant la grande histoire de la famille de David et de la succession au trône, qui reprendra à 1 R **1**, les ch. **21-24** contiennent six appendices allant par paires : les deux récits de **21** 1-14 (famine de trois ans) et **24** (peste de trois jours); deux séries d'anecdotes héroïques : **21** 15-22 (les quatre géants philistins) et **23** 8-39 (les preux de David); deux pièces poétiques : **22** (cantique de David) et **23** 1-7 (dernières paroles de David).
*c)* Ce récit, détaché de son contexte, doit sans doute se placer chronologiquement avant **9** 1. Le v. 7 doit être une glose ultérieure.
*d)* Litt. : « chercha la face de Yahvé », comme on demande audience à un roi, 1 R **10** 24. – « du sang... et sur sa famille » grec; hébr. corrompu.
*e)* Le récit de ces violences n'a pas été conservé.
*f)* Les Gabaonites offensés ont proféré une malédiction contre Israël. Il faut qu'ils la barrent par une bénédiction, cf. Jg **17** 2; 1 R **2** 33, 44-45.
*g)* A défaut de Saül, la vengeance du sang s'exerce sur ses descendants. – « à Gabaôn sur la montagne de Yahvé » d'après une partie du grec; « à Gibéa de Saül, l'élu de Yahvé » hébr.
*h)* « Mérab » versions, cf. 1 S **18** 19; « Mikal » hébr.
*i)* Vêtement de deuil, **3** 31; **12** 16.
*j)* Le retour de la pluie annonce que la famine va cesser et que l'expiation a été agréée par Dieu. Alors seulement David fera enlever les cadavres. A ce cas particulier on n'applique pas Dt **21** 22-23, cf. Jos **10** 27.
*k)* « et ceux des suppliciés » grec; omis par hébr.
*l)* Ces épisodes des guerres philistines se placeraient mieux après (**5** 17-25, au début du règne. Ce sont des combats singuliers, cf. 1 S **17** 40+, entre des champions philistins et David ou l'un de ses preux, cf. encore **23** 20-21. Dans le premier épisode, David est sauvé, contre les règles, par l'intervention d'Abishaï; ses hommes lui demandent alors de ne plus s'exposer en combat singulier, v. 17.
*m)* « un champion » *'ish benayim* conj.; hébr. *yishbî benob* corrompu. – « d'une épée » versions; omis par hébr.

sicles de bronze, il était ceint d'une épée neuve et
il se vantait de tuer David. 17 Mais Abishaï fils de
Çeruya vint au secours de celui-ci, frappa le Philistin et le mit à mort. C'est alors que les hommes de
David le conjurèrent et dirent : « Tu n'iras plus
avec nous au combat, pour que tu n'éteignes pas
14 7 la lampe d'Israël! »
1 R 11 36; 15 4 18 Après cela, la guerre reprit à Gob avec les Phi-
2 R 8 19 listins. C'est alors que Sibbekaï de Husha tua Saph,
|| 1 Ch 20 4-8 un descendant de Rapha.
2 S 23 27 19 La guerre reprit encore à Gob avec les Philistins, et Elhanân, fils de Yaïr [a], de Bethléem, tua
1 S 17 4+; Goliath de Gat; le bois de sa lance était comme un
17 7 liais de tisserand.
20 Il y eut encore un combat à Gat et il se trouva
là un homme de grande taille [b], qui avait six doigts
à chaque main et à chaque pied, vingt-quatre doigts
au total. Il était, lui aussi, un descendant de Rapha.
13 3 21 Comme il défiait Israël, Yehonatân, fils de Shi-
1 S 16 9 méa, frère de David, l'abattit.
22 Ces quatre-là étaient descendants de Rapha à
Gat et ils succombèrent sous la main de David et
de ses gardes.

**Psaume de David [c].**

**22** 1 David adressa à Yahvé les paroles de ce cantique, quand Yahvé l'eut délivré de tous ses
ennemis et de la main de Saül. 2 Il dit :

|| Ps 18 Yahvé est mon roc et ma forteresse,
et mon libérateur 3 c'est mon Dieu.
1 S 2 2 Je m'abrite en lui, mon rocher,
1 S 2 1 mon bouclier et ma corne de salut,
ma citadelle et mon refuge.
Mon sauveur, tu m'as sauvé de la violence.
4 Il est digne de louanges, j'invoque Yahvé
et je suis sauvé de mes ennemis.

5 Les flots de la Mort m'enveloppaient,
23 6 les torrents de Bélial m'épouvantaient;
6 les filets du Shéol me cernaient,
les pièges de la Mort m'attendaient.

7 Dans mon angoisse j'invoquai Yahvé
et vers mon Dieu je lançai mon cri;
il entendit de son temple ma voix
et mon cri parvint à ses oreilles.

Ex 19 16+ 8 Et la terre s'ébranla et chancela,
les assises des cieux frémirent
(sous sa colère elles furent ébranlées);

9 une fumée monta à ses narines,
et de sa bouche un feu dévorait
(des braises s'y enflammèrent).

10 Il inclina les cieux et descendit, Ps 144 5
une sombre nuée sous ses pieds;
11 il chevaucha un chérubin et vola, Ex 25 18+
il plana sur les ailes du vent.

12 Il fit des ténèbres son entourage,
sa tente, ténèbre d'eau, nuée sur nuée;
13 un éclat devant lui enflammait
grêle et braises de feu.

14 Yahvé tonna des cieux,
le Très-Haut donna de la voix;
15 il décocha des flèches et les dispersa,
il fit briller [d] l'éclair et les chassa. Ps 144 6

16 Et le lit des mers apparut,
les assises du monde se découvrirent,
au grondement de la menace de Yahvé,
au vent du souffle de ses narines.

17 Il envoie d'en haut et me prend,
il me retire des grandes eaux, Ps 144 7
18 il me délivre d'un puissant ennemi,
d'adversaires plus forts que moi.

19 Ils m'attendaient au jour de mon malheur,
mais Yahvé fut pour moi un appui;
20 il m'a dégagé, mis au large,
il m'a sauvé, car il m'aime.

21 Yahvé me rend selon ma justice,
selon la pureté de mes mains il me rétribue,
22 car j'ai gardé les voies de Yahvé
sans faillir loin de mon Dieu.

23 Ses jugements sont tous devant moi,
ses décrets, je ne les ai pas écartés;
24 mais je suis irréprochable avec lui,
je me garde contre le péché.

25 Et Yahvé me rétribue selon ma justice,
ma pureté qu'il voit de ses yeux.
26 Tu es fidèle avec le fidèle,
sans reproche avec l'irréprochable,
27 pur avec qui est pur
mais rusant avec le fourbe,

*a)* « fils de Yaïr » d'après 1 Ch **20** 5; hébr. inintelligible.
*b)* « de grande taille » 1 Ch **20** 6; « de querelle » hébr.
*c)* Ce cantique reproduit, avec quelques variantes de détail, le Ps **18**, voir les notes sur ce Ps., d'après lequel on corrige ce texte souvent corrompu. Ce cantique est ancien, mais son attribution à David est incertaine.
*d)* « il fit briller » grec luc.; omis par hébr.

28 toi qui sauves le peuple des humbles
et rabaisses les yeux hautains.

29 C'est toi, Yahvé, ma lampe,
mon Dieu éclaire ma ténèbre;
30 avec toi je force l'enceinte [a],
avec mon Dieu je saute la muraille.

31 Dieu, sa voie est sans reproche,
et la parole de Yahvé sans alliage.
Il est, lui, le bouclier
de quiconque s'abrite en lui.

32 Qui donc est Dieu, hors Yahvé,
qui est Rocher, sinon notre Dieu?
33 Ce Dieu qui me ceint de force
et rend ma voie irréprochable,

34 qui égale mes pieds à ceux des biches
et me tient debout sur les hauteurs,
35 qui instruit mes mains au combat,
mes bras à bander l'arc d'airain.

36 Tu me donnes ton bouclier de salut
et tu ne cesses de m'exaucer [b],
37 tu élargis mes pas sous moi
et mes chevilles n'ont point fléchi.

38 Je poursuis mes ennemis et les extermine
et je ne reviens pas qu'ils ne soient achevés;
39 je les frappe, ils ne peuvent se relever,
ils tombent, ils sont sous mes pieds.

40 Tu m'as ceint de force pour le combat,
tu fais ployer sous moi mes agresseurs;
41 mes ennemis, tu me fais voir leur dos,
et ceux qui me haïssent, je les extermine.

42 Ils crient, et pas de sauveur,
vers Yahvé, mais pas de réponse;
43 je les broie comme la poussière des places [c],
je les foule comme la boue des ruelles.

44 Tu me délivres des querelles des peuples [d],
tu me mets à la tête des nations;
le peuple que j'ignorais m'est asservi,

45 les fils d'étrangers me font leur cour,
ils sont tout oreille et m'obéissent,
46 les fils d'étrangers faiblissent,
ils quittent en tremblant leurs réduits.

47 Vive Yahvé, et béni soit mon Rocher,
exalté, le Dieu de mon salut,
48 le Dieu qui me donne les vengeances
et broie [e] les peuples sous moi,

49 qui me soustrait à mes ennemis.
Tu m'exaltes par-dessus mes agresseurs,
tu me libères de l'homme de violence.

50 Aussi je te louerai, Yahvé, chez les païens, Ps **22** 23
et je veux jouer pour ton nom.
51 Il multiplie pour son roi les délivrances
et montre de l'amour pour son oint,
pour David et sa descendance à jamais.

**Dernières paroles de David [f].** 1 R **2** 1-9

**23** 1 Voici les dernières paroles de David :

Oracle de David, fils de Jessé, Nb **24** 3s, 15s
oracle de l'homme haut placé,
de l'oint du Dieu de Jacob,
du chantre des cantiques d'Israël.

2 L'esprit de Yahvé s'est exprimé par moi, Is **59** 21
sa parole est sur ma langue. Jr **1** 9
3 Le Dieu de Jacob [g] a parlé,
le Rocher d'Israël m'a dit :

Qui gouverne les hommes avec justice Ps **72** 1-6
et qui gouverne dans la crainte de Dieu
4 est comme la lumière du matin au lever du soleil,
(un matin sans nuages)
faisant étinceler [h] après la pluie le gazon de la terre.

5 Oui, ma maison est stable [i] auprès de Dieu : 7 11-16
il a fait avec moi une alliance éternelle, Is **55** 3
réglée en tout et bien assurée;
ne fait-il pas germer tout mon salut et tout mon plaisir?

*a)* « je force l'enceinte » *'aroç gader* conj. d'après grec luc.; « je cours à la razzia » *'arûç gedûd* hébr.
*b)* Trad. incertaine; litt. « tu me multiplies ta réponse (favorable) ».
*c)* « des places » conj.; « de la terre » hébr.; « au vent » grec et Ps.
*d)* « des peuples » grec, Targ.; « de mon peuple » hébr.
*e)* « et broie » *ûmered* conj.; « et fait descendre » *ûmôrîd* hébr.
*f)* Comme à Jacob, Gn **49**, et à Moïse, Dt **33**, on a attribué à David des « dernières paroles ». Le texte a beaucoup souffert et les restitutions sont conjecturales. Ce poème peut dater du début de l'époque monarchique, mais le testament de David, 1 R **2** 5-9, est plus proche de l'histoire.
*g)* « Jacob » Vet. Lat.; « Israël » hébr.
*h)* « faisant étinceler » *menaggeah* conj.; hébr. *minnogah* inintelligible.
*i)* « est stable » *nakôn* conj.; « pas ainsi » *lo' ken* hébr. – « ne fait-il pas » conj.; « car il ne fait pas » hébr.

Dt 13 14+ 6 Mais les gens de Bélial sont tous comme l'épine
qu'on rejette,
car on ne les prend pas avec la main :
7 personne ne les touche,
sinon avec [a] un fer ou le bois d'une lance,
et ils sont brûlés au feu.

|| 1 Ch **11** 11-47 **Les preux de David** [b].
|| 1 Ch **27** 2-15

8 Voici les noms des preux de David : Ishbaal le
Hakmonite, chef des Trois [c], c'est lui qui brandit
sa lance sur huit cents victimes en une seule fois.
9 Après lui, Éléazar fils de Dodo, l'Ahohite, l'un
1 S 17 1 des trois preux. Il était avec David à Pas-Dammim
quand les Philistins [d] s'y rassemblèrent pour le
combat et que les hommes d'Israël se retirèrent
devant eux. 10 Mais lui tint bon et frappa les Philistins, jusqu'à ce que sa main engourdie se crispât
sur l'épée. Yahvé opéra une grande victoire, ce
jour-là, et l'armée revint derrière lui, mais seulement pour détrousser. 11 Après lui Shamma fils
d'Éla, le Hararite. Les Philistins étaient rassemblés
à Léhi. Il y avait là un champ tout en lentilles;
l'armée prit la fuite devant les Philistins, 12 mais lui
se posta au milieu du champ, le préserva et battit
les Philistins. Yahvé opéra une grande victoire.

13 Trois [e] d'entre les Trente descendirent et vin-
1 S 22 1 rent, au début de la moisson, vers David à la grotte
d'Adullam, tandis qu'une compagnie de Philistins
2 S 5 18 campait dans le val des Rephaïm. 14 David était
alors dans le refuge et un poste de Philistins se
trouvait à Bethléem. 15 David exprima ce désir :
« Qui me fera boire l'eau du puits qui est à la porte
de Bethléem! » 16 Les trois preux, s'ouvrant un passage au travers du camp philistin, tirèrent de l'eau
au puits qui est à la porte de Bethléem; ils l'emportèrent et l'offrirent à David, mais il ne voulut pas
en boire et il la répandit en libation à Yahvé. 17 Il
dit : « Que Yahvé me garde de faire cela! C'est le
sang des hommes qui sont allés risquer leur vie! »
Il ne voulut donc pas boire. Voilà ce qu'ont fait ces
trois preux.

18 Abishaï, frère de Joab et fils de Çeruya, était
chef des Trente [f]. C'est lui qui brandit sa lance sur
trois cents victimes et se fit un nom parmi les
Trente. 19 Il fut plus illustre que les Trente [g] et
devint leur capitaine, mais il ne fut pas compté
parmi les Trois.

20 Benayahu fils de Yehoyada, un brave [h], prodi- 8 18; 20 23
gue en exploits, originaire de Qabçéel, c'est lui qui 1 R 2 29s
abattit les deux héros de Moab, et c'est lui qui descendit et abattit le lion dans la citerne, un jour de
neige. 21 C'est lui aussi qui abattit un Égyptien de
grande taille [i]. L'Égyptien avait en main une lance,
mais il descendit contre lui avec un bâton, arracha
la lance de la main de l'Égyptien et tua celui-ci
avec sa propre lance. 22 Voilà ce qu'accomplit
Benayahu fils de Yehoyada, et il se fit un nom
parmi les Trente preux. 23 Il fut plus illustre que les
Trente, mais il ne fut pas compté parmi les Trois;
David le mit à la tête de sa garde personnelle. 1 S 22 14

24 Asahel, frère de Joab, faisait partie des 2 18-23
Trente [j].
Elhanân fils de Dodo, de Bethléem.
25 Shamma, de Harod.
Éliqa, de Harod.
26 Héleç, de Bet-Pélèt.
Ira fils d'Iqqèsh, de Teqoa.
27 Abiézer, d'Anatot.
Sibbekaï, de Husha. 21 18
28 Çalmôn, d'Ahoh.
Mahraï, de Netopha.
29 Héled fils de Baana, de Netopha.
Ittaï fils de Ribaï, de Gibéa de Benjamin.
30 Benayahu, de Piréatôn.
Hiddaï, des torrents de Gaash.
31 Abibaal, de Bet-ha-Araba.
Azmavet, de Bahurim.
32 Élyahba, de Shaalbôn.
Yashèn, de Gimzo.
Yehonatân 33 fils de Shamma, de Harar.
Ahiam fils de Sharar, de Harar.
34 Éliphélet fils d'Ahasbaï, de Bet-Maaka.
Éliam fils d'Ahitophel, de Gilo.
35 Hèçraï, de Karmel.

*a)* « sinon avec (un fer) » *'im lo' babarzel* conj.; « il est rempli (de fer) » *yimmale' barzel* hébr. A la fin du v., on omet « résidence », dittographie du v. suivant corrompu.

*b)* Cette section faisait suite au ch. **21**. Elle rassemble : vv. 8-12, des notices sur les Trois, qui sont des guerriers hors pair; vv. 13-17, un épisode des guerres philistines, introduit ici parce qu'il met en action « trois » héros; vv. 18-24ª, des notices sur Abishaï, Benayahu et probablement sur Asahel (voir la note au v. 24); vv. 24ᵇ-39, une liste des Trente.

*c)* « Ishbaal le Hakmonite » grec luc., Ch; « habitant dans la résidence Takmonite » hébr. – « Trois » grec; « Trente » hébr. – « brandit sa lance » Ch, cf. v. 18; hébr. corrompu. Ici et dans la suite, l'hébr., les versions et Ch offrent des variantes dans les noms propres.

*d)* « à Pas-Dammim quand les Philistins » Ch; « quand ils défiaient les Philistins » hébr.

*e)* « Trois » qeré, versions, Ch; « Trente » ketib. – « et vinrent au début de la moisson » conj.; l'ordre des mots est troublé dans l'hébr.

*f)* « Trente » syr.; « Trois » hébr. (les deux fois).

*g)* « Trente » conj.; « Trois » hébr. De même au v. 22.

*h)* « brave » grec; « fils de brave » qeré; « fils d'homme vivant » ketib. – « héros », sens incertain. Le grec a : « les deux fils d'Ariel ».

*i)* « de grande taille » Ch; « d'apparence » hébr.

*j)* Il est possible qu'une notice analogue aux deux précédentes ait été consacrée à Asahel, précédant la liste des « Trente », qui commence à Elhanân. Ce petit corps de guerriers d'élite n'est mentionné qu'ici. C'était sans doute les meilleurs des compagnons de David dans sa vie aventureuse, constitués peut-être en corps pendant le séjour à Çiqlag.

Paaraï, d'Arab.
36 Yigéal fils de Natân, de Çoba.
Bani, le Gadite.
37 Çéleq. l'Ammonite.
Nahraï, de Beérôt, écuyer de Joab fils de
Çeruya.
38 Ira, de Yattir.
Gareb, de Yattir.
11 3s 39 Urie, le Hittite.
En tout trente-sept [a].

|| 1 Ch **21** 1-5 **Le dénombrement du peuple [b].**

**24** 1 La colère de Yahvé s'enflamma encore
contre les Israélites et il excita David contre
eux : « Va, dit-il, fais le dénombrement d'Israël et
de Juda [c]. » 2 Le roi dit à Joab et aux chefs [d] de
l'armée qui étaient avec lui : « Parcourez donc toutes les tribus d'Israël, de Dan à Bersabée, et faites
le recensement du peuple afin que je sache le chiffre
de la population. » 3 Joab répondit au roi : « Que
Yahvé ton Dieu accroisse le peuple de cent fois
autant, pendant que Monseigneur le roi peut le voir
de ses yeux, mais pourquoi Monseigneur le roi
aurait-il ce désir? » 4 Cependant l'ordre du roi
s'imposa à Joab et aux chefs de l'armée, et Joab
et les chefs de l'armée quittèrent la présence du roi
pour recenser le peuple d'Israël.
5 Ils passèrent le Jourdain et commencèrent par
Aroër et la ville [e] qui est au milieu de la vallée, allèrent chez les Gadites et vers Yazèr. 6 Puis ils allèrent en Galaad et au pays des Hittites, à Qadesh,
ils se rendirent à Dan et de Dan ils obliquèrent vers
Sidon [f]. 7 Puis ils atteignirent la forteresse de Tyr
et toutes les villes des Hivvites et des Cananéens et
aboutirent au Négeb de Juda, à Bersabée. 8 Ayant
parcouru tout le pays, ils rentrèrent à Jérusalem au
bout de neuf mois et vingt jours. 9 Joab donna au
roi le chiffre obtenu pour le recensement du peuple : Israël comptait huit cent mille hommes
d'armes tirant l'épée, et Juda cinq cent mille hommes [g].

**La peste et le pardon divin.** || 1 Ch **21** 7-17

10 Après cela le cœur de David lui battit d'avoir 1 S **24** 6
recensé le peuple et David dit à Yahvé : « C'est un
grand péché que j'ai commis! Maintenant, Yahvé,
veuille pardonner cette faute à ton serviteur, car j'ai
commis une grande folie. » 11 Quand David se leva
le lendemain matin – cette parole de Yahvé avait
été adressée au prophète Gad, le voyant de David : 1 S **22** 5
12 « Va dire à David : Ainsi parle Yahvé. Je te propose trois choses, choisis-en une et je l'exécuterai
pour toi. » – 13 Donc Gad se rendit chez David et
lui notifia ceci : « Faut-il que t'adviennent trois
années de famine dans ton pays, ou que tu fuies **21** 1
pendant trois mois devant ton ennemi [h] qui te pour- 15-17
suivra, ou qu'il y ait pendant trois jours la peste
dans ton pays? Maintenant réfléchis et vois ce que
je dois répondre à celui qui m'envoie! » 14 David dit
à Gad : « Je suis dans une grande anxiété... Ah!
tombons entre les mains de Yahvé car sa miséricorde est grande, mais que je ne tombe pas entre
les mains des hommes! » 15 David choisit donc la
peste.
C'était le temps de la moisson des blés. Yahvé
envoya la peste en Israël depuis le matin jusqu'au
temps fixé, le fléau frappa le peuple [i] et soixante-dix
mille hommes du peuple moururent depuis Dan
jusqu'à Bersabée. 16 L'ange étendit sa main vers Ex **12** 23+
Jérusalem pour l'exterminer, mais Yahvé se repen- 2 R **19** 35
tit de ce mal et il dit à l'ange qui exterminait le peuple : « Assez! retire à présent ta main. » L'ange de
Yahvé se trouvait près de l'aire d'Arauna le Jébuséen. 17 Quand David vit l'ange qui frappait le
peuple, il dit à Yahvé : « C'est moi qui ai péché,
c'est moi qui ai commis le mal, mais ceux-là, c'est
le troupeau, qu'ont-ils fait? Que ta main s'appesantisse donc sur moi et sur ma famille! »

**Construction d'un autel.** || 1 Ch **21** 18-28

18 Ce jour-là, Gad se rendit auprès de David et
lui dit : « Monte et élève un autel à Yahvé sur l'aire
d'Arauna le Jébuséen. » 19 David monta donc, sui-

*a)* Calcul rédactionnel qui paraît additionner : les Trente (vv. 24b-39) + Joab (mentionné v. 37) + Abishaï, Benayahu, Asahel (vv. 18-24a) + les Trois (vv. 8-12).

*b)* Tout ce ch. est le pendant de **21** 1-14, cf. **21** 1+.

*c)* L'accomplissement de ce qui paraît un ordre divin sera considéré par David comme un « péché », v. 10, et puni par un fléau, vv. 15s. La mentalité religieuse de l'ancien Israël rapportait tout à Dieu comme à la cause première. Le Chroniste a remplacé « Yahvé » par « Satan ». On considérait alors un recensement comme une impiété parce qu'il portait atteinte aux prérogatives de Dieu, qui tient les registres de ceux qui doivent vivre ou mourir, Ex **32** 32-33, cf. Ex **30** 12.

*d)* « et aux chefs » Ch, cf. v. 4; « chef » hébr.

*e)* « commencèrent... la ville » grec; « campèrent à Aroër au sud de la ville » hébr. – Aroër, sur l'Arnon, marque, d'après Dt **2** 36; Jos **13** 9, 16, la limite sud des possessions israélites en Transjordanie. En Cisjordanie, les limites sont Dan au nord et Bersabée au sud, vv. 2, 6-7, 15. Tout le territoire d'Israël est ainsi parcouru. Mais le texte y ajoute Tyr et Sidon et, semble-t-il, Qadesh des Hittites, très au nord sur l'Oronte, ce qu'on essaye de justifier en invoquant Nb **34** 7-9; Ez **47** 15-17 et les conquêtes de David, **8** 3-12.

*f)* « au pays des Hittites, à Qadesh » grec luc.; hébr. corrompu; – « et de Dan ils obliquèrent » d'après grec; hébr. corrompu.

*g)* Chiffres évidemment trop élevés, comme beaucoup de chiffres analogues dans l'AT, et majorés encore dans Ch. Israël et Juda sont recensés à part, cf. **5** 5+.

*h)* « trois années » grec, Vet. Lat.; « sept années » hébr. – « ton ennemi » conj.; « tes ennemis » hébr. (mais le verbe est au sing.).

*i)* Traduit d'après grec; hébr. omet : « David... blés » et « le fléau frappa le peuple ».

*j)* Le récit combine probablement deux traditions : d'après

vant la parole de Gad, comme Yahvé l'avait
ordonné. 20 Arauna regarda et vit le roi et ses
officiers qui s'avançaient vers lui. – Arauna était
en train de battre le froment [a]. – Il sortit et se prosterna devant le roi, la face contre terre. 21 Arauna
dit : « Pourquoi Monseigneur le roi est-il venu chez
son serviteur? » Et David répondit : « Pour acquérir de toi cette aire, afin de construire un autel à
Yahvé. Ainsi le fléau s'écartera du peuple. »
22 Arauna dit alors au roi : « Que Monseigneur le
roi la prenne et qu'il offre ce qui lui semble bon!
Voici les bœufs pour l'holocauste, le traîneau [b] et
le joug des bœufs pour le bois. 23 Le serviteur de 1 S **6** 14
Monseigneur [c] le roi donne tout au roi! » Et 1 R **19** 21
Arauna dit au roi : « Que Yahvé ton Dieu agrée ton
offrande! »
24 Mais le roi dit à Arauna : « Non pas! Je veux
te l'acheter en payant, je ne veux pas offrir à Yahvé
mon Dieu des holocaustes qui ne me coûtent rien. »
Et David acheta l'aire et les bœufs pour de l'argent,
cinquante sicles [d]. 25 David construisit là un autel
à Yahvé et il offrit des holocaustes et des sacrifices
de communion. Alors Yahvé eut pitié du pays et **21** 14
le fléau s'écarta d'Israël.

l'une, Yahvé arrête le fléau aux portes de Jérusalem parce qu'il aime la ville, v. 16, et David offre un sacrifice d'action de grâces « comme Yahvé l'avait ordonné », v. 19. D'après l'autre, la délivrance est obtenue par la prière de David et l'érection de l'autel, vv. 17, 21, 25.

*a)* Cette incise, omise par hébr., est restituée d'après Ch.

*b)* La planche garnie de pierres tranchantes encore utilisée en Palestine pour battre le blé.

*c)* « Le serviteur de Monseigneur le roi » conj. « Arauna le roi » hébr.

*d)* Six cents sicles d'or d'après Ch. L'aire d'Arauna se trouvait en dehors de la ville, sur la colline qui dominait la Jérusalem primitive au nord; c'est là que s'élèvera le Temple de Salomon, Cf. **5** 9+.

# LES LIVRES DES ROIS

## PREMIER LIVRE DES ROIS

## I. La succession de David[a]

### Vieillesse de David et menées d'Adonias.

**1** [1] Le roi David était un vieillard avancé en
âge; on lui mit des couvertures sans qu'il pût
se réchauffer. [2] Alors ses serviteurs lui dirent :
« Qu'on cherche pour Monseigneur le roi une jeune
fille qui assiste le roi et qui le soigne : elle couchera
sur ton sein et cela tiendra chaud à Monseigneur
le roi. » [3] Ayant donc cherché une belle jeune fille
dans tout le territoire d'Israël, on trouva Abishag
de Shunem et on l'amena au roi. [4] Cette jeune fille
était extrêmement belle; elle soigna le roi et le ser-
2 S 3 4 vit, mais il ne la connut pas. [5] Or Adonias, le fils
de Haggit, jouait au prince en disant : « C'est moi
2 S 15 1 qui régnerai! » Il s'était procuré char et attelage et
cinquante gardes qui couraient devant lui. [6] De sa
vie, son père ne l'avait contrarié en disant :
« Pourquoi agis-tu ainsi? » Il avait lui aussi très
belle apparence et sa mère l'avait enfanté après
Absalom. [7] Il s'aboucha avec Joab fils de Çeruya
et avec le prêtre Ébyatar[b], qui se rallièrent à la
cause d'Adonias; [8] mais ni le prêtre Sadoq, ni
Benayahu fils de Yehoyada, ni le prophète Natân,
ni Shiméï et Reï[c], ni les preux de David, n'étaient
avec Adonias.
[9] Un jour qu'Adonias immolait des moutons, des
bœufs et des veaux gras à la Pierre-qui-glisse, qui
est près de la source du Foulon, il invita tous ses
frères, les princes royaux, et tous les Judéens au
service du roi, [10] mais il n'invita pas le prophète
Natân, ni Benayahu, ni les preux, ni son frère Salomon.

### L'intrigue de Natân et de Bethsabée.

[11] Alors Natân dit à Bethsabée, la mère de Salo- 2 S 12 24
mon : « N'as-tu pas appris qu'Adonias fils de Haggit est devenu roi à l'insu de notre seigneur David?
[12] Eh bien! laisse-moi te donner maintenant un
conseil, pour que tu sauves ta vie et celle de ton
fils Salomon. [13] Va, entre chez le roi David, et dis-
lui : “N'est-ce pas toi, Monseigneur le roi, qui as
fait ce serment à ta servante[d] : Ton fils Salomon
régnera après moi et c'est lui qui s'assiéra sur mon
trône? Comment donc Adonias est-il devenu roi?”
[14] Et pendant que tu seras là, conversant encore
avec le roi, j'entrerai après toi et j'appuierai tes
paroles. »
[15] Bethsabée se rendit chez le roi dans sa chambre (il était très vieux et Abishag de Shunem le servait). [16] Elle s'agenouilla et se prosterna devant le
roi, et le roi dit : « Que désires-tu? » [17] Elle lui
répondit : « Monseigneur, tu as juré à ta servante
par Yahvé ton Dieu : “Ton fils Salomon régnera
après moi, et c'est lui qui s'assiéra sur mon trône.”
[18] Voici maintenant qu'Adonias est devenu roi, et
toi, Monseigneur le roi, tu n'en saurais rien! [19] Car
il a immolé quantité de bœufs, de veaux gras et de
moutons, et il a invité tous les princes royaux, le
prêtre Ébyatar, le général Joab, mais ton serviteur
Salomon, il ne l'a pas invité! [20] Pourtant c'est vers
toi, Monseigneur le roi, que tout Israël regarde
pour que tu lui désignes le successeur de Monseigneur le roi[e]. [21] Et quand Monseigneur le roi sera
couché avec ses pères, moi et mon fils Salomon,
nous expierons cela! »

*a)* Les ch. **1-2** sont la suite du récit de 2 S **13-20**.
*b)* Joab, neveu de David et son vieux compagnon, toujours chef de l'armée, 2 S **19** 14+; Ébyatar, seul survivant du sacerdoce de Nob, 1 S **22** 20, et toujours fidèle à David.
*c)* Des questions personnelles opposent le parti de Salomon et celui d'Adonias : Sadoq est rival d'Ébyatar; Benayahu, chef de la garde, jalouse Joab, chef de l'armée; Natân a été l'intermédiaire de Dieu près de David, spécialement lors de la naissance de Salomon, 2 S **12** 24-25.
*d)* Ce serment n'est pas mentionné dans l'histoire précédente de David.
*e)* L'ordre de succession au trône n'était pas encore réglé par le droit. Saül et David avaient été les élus de Dieu et du peuple. La primogéniture n'apparaît pas comme un titre suffisant et l'on attend que le roi lui-même choisisse entre ses fils. David va non seulement désigner Salomon, mais lui transmettre le pouvoir par les cérémonies qu'il ordonne, vv. 33-35.

22 Elle parlait encore que le prophète Natân
arriva. 23 On annonça au roi : « Le prophète Natân
est là. » Il entra chez le roi et se prosterna devant
lui, la face contre terre. 24 Natân dit : « Monseigneur le roi, tu as donc décrété : “ Adonias régnera
après moi et s'assiéra sur mon trône ”! 25 Car il est
descendu aujourd'hui, il a immolé quantité de
bœufs, de veaux gras et de moutons et il a invité
tous les princes royaux, les officiers de l'armée et
le prêtre Ébyatar; les voilà qui mangent et boivent
en sa présence et qui crient : “ Vive le roi
Adonias! ” 26 Mais moi ton serviteur, le prêtre
Sadoq, Benayahu fils de Yehoyada et ton serviteur
Salomon, il ne nous a pas invités. 27 Se peut-il que
la chose vienne de Monseigneur le roi et que tu
n'aies pas fait savoir à tes fidèles qui succéderait
sur le trône à Monseigneur le roi? »

**Salomon désigné par David est sacré roi.**

28 Le roi David prit la parole et dit : « Appelez-
moi Bethsabée. » Elle entra chez le roi et se tint
devant lui. 29 Alors le roi lui fit ce serment : « Par
Yahvé vivant, qui m'a délivré de toutes les angoisses, 30 comme je t'ai juré par Yahvé, Dieu d'Israël,
que ton fils Salomon régnerait après moi et s'assié-
rait à ma place sur le trône, ainsi ferai-je
aujourd'hui même. » 31 Bethsabée s'agenouilla, la
face contre terre, se prosterna devant le roi et dit :
« Vive à jamais Monseigneur le roi David! » 32 Puis
le roi David dit : « Appelez-moi le prêtre Sadoq, le
prophète Natân et Benayahu fils de Yehoyada. » Ils
2 R **11** 11-20 entrèrent chez le roi 33 et celui-ci leur dit : « Prenez
avec vous la garde royale, faites monter mon fils
Salomon sur ma propre mule et faites-le descendre
à Gihôn. 34 Là, le prêtre Sadoq et le prophète
1 S **9** 26+ Natân lui donneront l'onction comme roi d'Israël,
vous sonnerez du cor et vous crierez : “ Vive le roi
Salomon! ” 35 Vous remonterez à sa suite, il
entrera s'asseoir sur mon trône et régnera à ma
place, car c'est lui que j'ai institué chef sur Israël
et sur Juda. » 36 Benayahu fils de Yehoyada répondit au roi : « Amen! Que parle ainsi Yahvé, le Dieu
de Monseigneur le roi! 37 Comme Yahvé a été avec
Monseigneur le roi, qu'il soit avec Salomon et qu'il
magnifie son trône encore plus que le trône de
Monseigneur le roi David! »
38 Le prêtre Sadoq, le prophète Natân, Benayahu
2 S **8** 18+ fils de Yehoyada, les Kerétiens et les Pelétiens descendirent; ils mirent Salomon sur la mule du roi et
ils le menèrent à Gihôn. 39 Le prêtre Sadoq prit
1 S **10** 1; **16** 1, 13 Ex **30** 22+ dans la Tente la corne d'huile et oignit Salomon,
on sonna du cor et tout le peuple cria : « Vive le
roi Salomon! » 40 Puis tout le peuple monta à sa
suite, et le peuple jouait de la flûte et manifestait
une grande joie, avec des clameurs à fendre la terre.

**La peur d'Adonias.**

41 Adonias et tous ses convives entendirent le
bruit; ils avaient alors fini de manger. Joab aussi
entendit le son du cor et demanda : « Pourquoi
cette rumeur de la ville en émoi? » 42 Comme il parlait encore, voici qu'arriva Yonatân, le fils du prêtre Ébyatar, et Adonias dit : « Viens! car tu es un
honnête homme et tu dois apporter une bonne nou- 2 S **18** 27
velle. » 43 Yonatân répondit : « Ah oui! notre seigneur le roi David a fait roi Salomon! 44 Le roi a
envoyé avec lui le prêtre Sadoq, le prophète Natân,
Benayahu fils de Yehoyada, les Kerétiens et les
Pelétiens, ils l'ont mis sur la mule du roi, 45 le prêtre Sadoq et le prophète Natân l'ont sacré roi à
Gihôn, ils sont remontés de là en poussant des cris
de joie et la ville est en émoi; voilà le bruit que
vous avez entendu. 46 Plus que cela : Salomon s'est
assis sur le trône royal, 47 et les officiers du roi sont
venus féliciter notre seigneur le roi David en
disant : “ Que ton Dieu glorifie le nom de Salomon
plus encore que ton nom et qu'il exalte son trône
plus que le tien! ” et le roi s'est prosterné sur son
lit, 48 et puis il a parlé ainsi : “ Béni soit Yahvé,
Dieu d'Israël, qui a permis que mes yeux voient
aujourd'hui l'un de mes descendants[a] assis sur
mon trône. ” »
49 Alors tous les invités d'Adonias furent pris de
panique, ils se levèrent et partirent chacun de son
côté. 50 Pour Adonias, il eut peur de Salomon, il se
leva et s'en alla saisir les cornes de l'autel. 51 On Ex **21** 13-14; **27** 2+ 1 R **2** 28
en informa ainsi Salomon : « Voici qu'Adonias a
eu peur du roi Salomon et qu'il a saisi les cornes
de l'autel en disant : Que le roi Salomon me jure
d'abord qu'il ne fera pas mourir son serviteur par
l'épée. » 52 Salomon dit : « S'il se conduit en honnête homme, pas un de ses cheveux ne tombera à
terre, mais si on le trouve en défaut, alors il
mourra. » 53 Et Salomon ordonna qu'on le fit descendre de l'autel; il vint se prosterner devant Salomon qui lui dit : « Va dans ta maison. »

**Testament et mort de David[b].**

**2** 1 Comme la vie de David approchait de sa fin,
il fit ces recommandations à son fils Salo-
mon : 2 « Je m'en vais par le chemin de tout le Jos **23** 14

a) « de mes descendants » grec; omis par hébr.
b) Ce « testament », où David confie à Salomon l'exécution de ses vengeances personnelles, reflète les idées de cette époque de l'AT sur la vengeance du sang et sur l'efficacité durable des malédictions, cf. v. 8. Les vv. 3-4 sont une addition au récit ancien dans le style deutéronomique.

monde. Sois fort et montre-toi un homme! [3] Tu sui-
Dt 17 18-20 vras les observances de Yahvé ton Dieu, en marchant selon ses voies, en gardant ses lois, ses
commandements, ses ordonnances et ses instructions, selon qu'il est écrit dans la loi de Moïse, afin
Dt 29 8 de réussir en toutes tes œuvres et tous tes projets,
[4] pour que Yahvé accomplisse cette promesse qu'il
2 S 7 11-16 m'a faite : " Si tes fils surveillent leur conduite en
marchant loyalement devant moi, de tout leur cœur
et de toute leur âme, tu ne manqueras jamais de
quelqu'un sur le trône d'Israël. "

[5] Tu sais aussi ce que m'a fait Joab fils de
Çeruya, ce qu'il a fait aux deux chefs de l'armée
2 S 3 27; d'Israël, Abner fils de Ner et Amasa fils de Yéter,
20 10 comment il les a tués, comment il a vengé pendant
la paix le sang de la guerre et taché d'un sang innocent le ceinturon de mes reins et la sandale de mes
pieds [a]; [6] tu agiras sagement en ne laissant pas ses
Nb 16 33+ cheveux blancs descendre en paix au shéol. [7] Quant
aux fils de Barzillaï le Galaadite, tu les traiteras
avec bonté et ils seront parmi ceux qui mangent à
2 S 17 27s; ta table, car ils m'ont ainsi secouru quand je fuyais
19 32s devant ton frère Absalom. [8] Tu as près de toi
2 S 16 5s Shiméï fils de Géra, le Benjaminite de Bahurim, qui
m'a maudit atrocement au jour de mon départ pour
Mahanayim, mais il est descendu à ma rencontre
2 S 19 19s au Jourdain et je lui ai juré par Yahvé que je ne
le tuerais pas par l'épée [b]. [9] Pour toi [c], tu ne le laisseras pas impuni et, en homme avisé que tu es, tu
sauras quoi lui faire pour conduire dans le sang ses
cheveux blancs au shéol. »

[10] Et David se coucha avec ses pères et on l'ense-
2 S 5 9+ velit dans la Cité de David. [11] Le règne de David
Ch 29 26-27 sur Israël a duré quarante ans : à Hébron il a régné
sept ans, à Jérusalem il a régné trente-trois ans.

### Mort d'Adonias.

[12] Salomon s'assit sur le trône de David son père
et son pouvoir devint très ferme. [13] Adonias fils de
Haggit se rendit chez Bethsabée, mère de Salomon.
Elle demanda : « Est-ce la paix que tu apportes? »
Il répondit : « Oui. » [14] Il dit : « J'ai à te parler. »
Elle dit : « Parle. » [15] Il reprit : « Tu sais bien que
la royauté me revenait [d] et que tout Israël s'attendait à ce que je règne, mais la royauté m'a échappé
Gn 4 5+ et est échue à mon frère, car elle lui est venue de
Yahvé. [16] Maintenant, j'ai une seule demande à te
faire, ne me rebute pas. » Elle lui dit : « Parle. » [17] Il
reprit : « Dis, je te prie, au roi Salomon – car il ne
te rebutera pas – qu'il me donne Abishag de Shunem pour femme. » [18] Elle répondit : « C'est bien,
je parlerai de toi au roi. » [19] Bethsabée se rendit
donc chez le roi Salomon pour lui parler d'Adonias, et le roi se leva à sa rencontre et se prosterna
devant elle, puis il s'assit sur son trône, on mit un
siège pour la mère du roi et elle s'assit à sa droite.
[20] Elle dit : « Je n'ai qu'une petite demande à te
faire, ne me rebute pas. » Le roi lui répondit : « Demande, ô ma mère, car je ne te rebuterai pas. »
[21] Elle continua : « Qu'on donne Abishag de Shunem pour femme à ton frère Adonias. » [22] Le roi
Salomon reprit et dit à sa mère : « Et pourquoi
demandes-tu pour Adonias Abishag de Shunem?
Demande donc pour lui la royauté [e]! Car il est mon
frère aîné et il a pour lui le prêtre Ébyatar et Joab
fils de Çeruya! » [23] Et le roi Salomon jura ainsi par
Yahvé : « Que Dieu me fasse tel mal et y ajoute Rt 1 17+
encore tel autre, si ce n'est pas au prix de sa vie
qu'Adonias a prononcé cette parole! [24] Eh bien, par
Yahvé vivant, qui m'a confirmé et fait asseoir sur
le trône de mon père David et qui lui a donné [f] une 2 S 7 11-16
maison comme il avait promis, aujourd'hui même
Adonias sera mis à mort. » [25] Et le roi Salomon en
chargea Benayahu fils de Yehoyada, qui le frappa,
et il mourut.

### Le sort d'Ébyatar et de Joab.

[26] Quant au prêtre Ébyatar, le roi lui dit : « Va
à Anatot [g] dans ton domaine, car tu mérites la Jr 1 1
mort, mais je ne te ferai pas mourir aujourd'hui,
car tu as porté l'arche de Yahvé en présence de
mon père David et partagé toutes les épreuves de
mon père. » [27] Et Salomon exclut Ébyatar du sacerdoce de Yahvé, accomplissant ainsi la parole que 1 S 2 30-36
Yahvé avait prononcée contre la maison d'Éli à
Silo.

[28] Lorsque la nouvelle parvint à Joab – car Joab
avait pris parti pour Adonias bien qu'il n'eût pas
pris parti pour Absalom –, il s'enfuit à la Tente de
Yahvé et saisit les cornes de l'autel. [29] On avertit Ex 27 2+
le roi Salomon : « Joab s'est réfugié à la Tente de 1 R 1 50
Yahvé et voici qu'il est à côté de l'autel. » Alors

*a)* Fin du v. corrigée d'après les versions; l'hébr. est corrompu. – Les crimes de Joab ont souillé l'honneur militaire de David et l'on a pu l'accuser d'être leur instigateur, 2 S **16** 7. Une vengeance du sang pèse donc sur le roi et ses descendants; elle ne peut être éteinte qu'en frappant le vrai coupable.

*b)* La malédiction de Shiméï pèsera sur les descendants de David, car une malédiction (comme une bénédiction) reste efficace. Pour la rendre vaine, il faut la retourner contre son auteur (vv. 44-45). David en a été empêché par son serment, mais Salomon n'est pas lié.

*c)* « Pour toi » Vulg.; « Maintenant » hébr.

*d)* Comme à l'aîné.

*e)* Posséder l'une des femmes du roi mort ou destitué confère un titre à la succession, cf. 2 S **3** 7; **16** 22. – « et il a pour lui le prêtre Ébyatar » versions; « pour lui et pour le prêtre Ébyatar et pour Joab » hébr.

*f)* « lui a » conj.; « m'a » hébr.

*g)* Ville lévitique près de Jérusalem.

Salomon envoya[a] dire à Joab : « Qu'est-ce qui t'a
pris de fuir à l'autel? » Joab répondit : « J'ai eu peur
de toi et je me suis réfugié près de Yahvé. » Alors
Salomon envoya Benayahu fils de Yehoyada en
disant : « Va et frappe-le! » 30 Benayahu alla à la
Tente de Yahvé et lui dit : « Par ordre du roi,
Ex 21 14 sors! » Il répondit : « Non, je mourrai ici[b]. »
Benayahu rapporta la chose au roi : « Voilà ce que
Joab a dit et ce qu'il m'a répondu. » 31 Le roi lui
dit : « Fais comme il a dit; frappe-le, puis enterre-
le. Ainsi tu ôteras aujourd'hui de sur moi et de sur
2 5+ ma famille le sang innocent qu'a versé Joab.
32 Yahvé fera retomber son sang sur sa tête parce
qu'il a frappé deux hommes plus justes et meilleurs
que lui et les a tués par l'épée à l'insu de mon père
David : Abner fils de Ner, chef de l'armée d'Israël,
et Amasa fils de Yéter, chef de l'armée de Juda.
33 Que leur sang retombe sur la tête de Joab et de
sa postérité à jamais, mais que David et sa postérité et sa dynastie et son trône aient toujours la
paix par Yahvé! » 34 Benayahu fils de Yehoyada
partit, il frappa Joab et le mit à mort, et on l'enterra
chez lui au désert. 35 Le roi mit Benayahu fils de
Yehoyada à sa place à la tête de l'armée; et le roi
mit le prêtre Sadoq à la place d'Ébyatar.

**Désobéissance et mort de Shiméï[c].**

36 Le roi fit appeler Shimeï et lui dit : « Cons-
truis-toi une maison, à Jérusalem : tu y habiteras,
mais ne t'en écarte pas où que ce soit. 37 Le jour
où tu sortiras et franchiras le ravin du Cédron,
sache bien que tu mourras certainement. Ton sang
sera sur ta tête. » 38 Shiméï répondit au roi : « C'est
bien. Comme Monseigneur le roi a ordonné, ainsi
fera ton serviteur », et Shiméï demeura longtemps
à Jérusalem.
39 Mais, au bout de trois ans, il arriva que deux
esclaves de Shiméï s'enfuirent chez Akish fils de 1 S 21 11;
Maaka, le roi de Gat, et on avertit Shiméï : « Tes 27 2s
esclaves sont à Gat. » 40 Alors Shiméï se leva, sella
son âne et partit pour Gat chez Akish chercher ses
esclaves; Shiméï alla et ramena ses esclaves de
Gat. 41 On apprit à Salomon que Shiméï était allé
de Jérusalem à Gat et qu'il était revenu.
42 Le roi fit appeler Shiméï et lui dit : « Ne
t'avais-je pas fait jurer par Yahvé et ne t'avais-je
pas averti : “ Le jour où tu sortiras pour aller où
que ce soit, sache bien que tu mourras
certainement ”? Et tu m'as dit : “ Bonne est la
parole que j'ai entendue.” 43 Pourquoi n'as-tu pas
observé le serment de Yahvé et l'ordre que je
t'avais intimé? » 44 Puis le roi dit à Shiméï : « Tu
connais par cœur tout le mal que tu as fait à mon
père David; Yahvé va faire retomber ta méchanceté sur ta propre tête. 45 Mais béni soit le roi Salomon[d], et que le trône de David subsiste devant
Yahvé pour toujours! » 46 Le roi fit commandement
à Benayahu fils de Yehoyada; il sortit et frappa
Shiméï qui mourut.

La royauté fut alors affermie dans la main de
Salomon.

# *II. Histoire de Salomon le magnifique*

## *1. SALOMON LE SAGE*

**Introduction.**

7 8; 9 16s, 24 3 1 Salomon devint le gendre de Pharaon[e], le roi
d'Égypte; il prit pour femme la fille de Pha-
2 S 5 9+ raon et l'introduisit dans la cité de David, en attendant d'avoir achevé de construire son palais, le
Temple de Yahvé et le rempart de Jérusalem. 2 Le
1 S 9 12+ peuple sacrifiait sur les hauts lieux, car on n'avait
pas encore bâti en ce temps-là une maison pour le
Nom de Yahvé. 3 Salomon aima Yahvé : il se
conduisait selon les préceptes de son père David;
seulement il offrait des sacrifices et de l'encens sur
les hauts lieux.

**Le songe de Gabaôn.** || 2 Ch 1 3-1

4 Le roi alla à Gabaôn pour y sacrifier, car le Sg 8 19 – 9
plus grand haut lieu se trouvait là – Salomon a
offert mille holocaustes sur cet autel. 5 A Gabaôn,
Yahvé apparut la nuit en songe[f] à Salomon. Dieu
dit : « Demande ce que je dois te donner. »

*a)* L'hébr. a sauté, de ce « Salomon envoya », au second « Salomon envoya ». Le texte est conservé par le grec.
*b)* Benayahu a tenté d'appliquer la procédure d'Ex **21** 14, qui vise exactement le cas de Joab : « Si un homme tue son prochain par ruse, tu l'arracheras même de mon autel pour le faire mourir », mais Joab veut infliger à Salomon l'odieux d'une profanation du lieu saint.
*c)* Salomon impose à Shiméï, sous peine de mort, de résider à Jérusalem, et le lie par un serment. Shiméï, s'étant parjuré, sera exécuté « justement ». Mais Salomon dévoile, v. 44, que le motif réel est la malédiction jadis prononcée contre David.
*d)* Comme au v. 33, Salomon ajoute immédiatement une bénédiction, pour que la malédiction qu'il vient de prononcer ne rejaillisse pas sur lui.
*e)* Probablement Psousennès II, dernier roi de la XXIe dynastie. – La « Cité de David » correspond à la ville primitive de Jérusalem, cf. 2 S **5** 9+.
*f)* Les songes étaient, avant les Prophètes, un des principaux moyens de communication entre Dieu et les hommes, cf. Gn **20** 3; **28**; **31** 11, 24; **37** 5+ et Nb **12** 6.

6 Salomon répondit : « Tu as témoigné une grande
bienveillance à ton serviteur David, mon père, et
celui-ci a marché devant toi dans la fidélité, la justice et la droiture du cœur; tu lui as gardé cette
grande bienveillance et tu as permis qu'un de ses
fils soit aujourd'hui assis sur son trône. 7 Maintenant, Yahvé mon Dieu, tu as établi roi ton serviteur
à la place de mon père David, et moi, je suis un
tout jeune homme, je ne sais pas agir en chef. 8 Ton
serviteur est au milieu du peuple que tu as élu, un
4 20 peuple nombreux, si nombreux qu'on ne peut le
compter ni le recenser. 9 Donne à ton serviteur un
Pr 2 6-9 cœur plein de jugement [a] pour gouverner ton peuple, pour discerner entre le bien et le mal, car qui
pourrait gouverner ton peuple, qui est si grand? »
10 Il plut au regard du Seigneur que Salomon ait
fait cette demande; 11 et Dieu lui dit : « Parce que
tu as demandé cela, que tu n'as pas demandé pour
toi de longs jours, ni la richesse, ni la vie de tes
ennemis, mais que tu as demandé pour toi le discernement du jugement, 12 voici que je fais ce que tu
Si 47 14 as dit : je te donne un cœur sage et intelligent
Qo 1 16 comme personne ne l'a eu avant toi et comme personne ne l'aura après toi. 13 Et même ce que tu n'as
Mt 6 33 pas demandé, je te le donne aussi : une richesse et
Qo 2 4-10 une gloire comme à personne parmi les rois [b]. 14 Et
si tu suis mes voies, gardant mes lois et mes
commandements comme a fait ton père David, je
Dt 5 33 t'accorderai une longue vie. » 15 Salomon s'éveilla
Pr 3 1-2 et voilà que c'était un songe. Il rentra à Jérusalem
et se tint devant l'arche de l'alliance du Seigneur;
Lv 1 1+; il offrit des holocaustes et des sacrifices de commu-
3 1+ nion et donna un banquet à tous ses serviteurs.

**Le jugement de Salomon.**

16 Alors deux prostituées vinrent vers le roi et se
tinrent devant lui. 17 L'une des femmes dit : « S'il
te plaît, Monseigneur! Moi et cette femme nous
habitons la même maison, et j'ai eu un enfant, alors
qu'elle était dans la maison. 18 Il est arrivé que, le
troisième jour après ma délivrance, cette femme
aussi a eu un enfant; nous étions ensemble, il n'y
avait pas d'étranger avec nous, rien que nous deux
dans la maison. 19 Or le fils de cette femme est mort
une nuit parce qu'elle s'était couchée sur lui. 20 Elle
se leva au milieu de la nuit, prit mon fils d'à côté
de moi pendant que ta servante dormait; elle le mit
sur son sein et son fils mort elle le mit sur mon sein.
21 Je me levai [c] pour allaiter mon fils, et voici qu'il
était mort! Mais, au matin, je l'examinai, et voici
que ce n'était pas mon fils que j'avais enfanté! »
22 Alors l'autre femme dit : « Ce n'est pas vrai!
Mon fils est celui qui est vivant, et ton fils est celui
qui est mort! » et celle-là reprenait : « Ce n'est pas
vrai! Ton fils est celui qui est mort et mon fils est
celui qui est vivant! » Elles se disputaient ainsi
devant le roi 23 qui prononça : « Celle-ci dit :
"Voici mon fils qui est vivant et c'est ton fils qui
est mort!" et celle-là dit : " Ce n'est pas vrai! Ton
fils est celui qui est mort et mon fils est celui qui
est vivant! " 24 Apportez-moi une épée », ordonna
le roi; et on apporta l'épée devant le roi, 25 qui dit :
« Partagez l'enfant vivant en deux et donnez la moitié à l'une et la moitié à l'autre. » 26 Alors la femme
dont le fils était vivant s'adressa au roi, car sa pitié
s'était enflammée pour son fils, et elle dit : « S'il te
plaît, Monseigneur! Qu'on lui donne l'enfant
vivant, qu'on ne le tue pas! » mais celle-là disait :
« Il ne sera ni à moi ni à toi, partagez! » 27 Alors
le roi prit la parole et dit : « Donnez l'enfant vivant
à la première, ne le tuez pas. C'est elle la mère. »
28 Tout Israël apprit le jugement qu'avait rendu le
roi, et ils révérèrent le roi car ils virent qu'il y avait
en lui une sagessse divine pour rendre la justice [d].

**Les grands officiers de Salomon.**

**4** 1 Le roi Salomon fut roi sur tout Israël, 2 et
voici quels étaient ses grands officiers [e] :
Azaryahu fils de Sadoq, prêtre.
3 Élihaph et Ahiyya, fils de Shisha, secrétaires.
Yehoshaphat fils d'Ahilud, héraut.
4 (Benayahu, fils de Yehoyada, chef de l'armée.
Sadoq et Ébyatar, prêtres [f].)
5 Azaryahu fils de Natân, chef des préfets. 1 R 4 7s
Zabud fils de Natân, familier du roi [g],
6 Ahishar, maître du palais.
Éliab fils de Joab, chef de l'armée [h]
Adoram fils d'Abda, chef de la corvée. 1 R 5 27

*a)* Salomon demande une sagesse pratique, non pas pour sa propre conduite, mais pour celle du peuple. Cf. **5** 13+; Ex **31** 3+.
*b)* L'hébr. ajoute « toute ta vie », d'après le v. 14; omis par grec.
*c)* Le texte ajoute « le matin », d'après la suite.
*d)* Dans tout l'ancien Orient, la première qualité du roi est d'être juste. Pour Israël, cf. Ps **72** 1-2; Pr **16** 12; **25** 5; **29** 14; Is **9** 6. Salomon l'a demandé, v. 9, Dieu l'a accordé, vv. 11-12, et l'histoire des vv. 16-28 montre cette justice en action.
*e)* Le héraut est chef du protocole et intermédiaire entre le roi et le peuple; le maître du palais est le vizir des cours orientales, le premier ministre; le familier du roi porte un titre honorifique plutôt qu'il n'exerce une fonction; le prêtre, chef du sacerdoce, est assimilé aux fonctionnaires du roi. Salomon garde le héraut de David, et emploie les fils de son prêtre et de son secrétaire, cf. 2 S **8** 16s; **20** 23s. – Les noms de Élihaph et Adoram sont corrigés; hébr. : « Élioreph » et « Adoniram ».
*f)* Glose dont la seconde partie contredit le v. 2 et **2** 26s.
*g)* Avant « familier du roi », on omet « prêtre » avec une partie du grec et Vet. Lat.
*h)* Le nom et le titre du chef de l'armée manquent dans l'hébr. et sont restitués d'après le grec.

**Les préfets de Salomon.**

7 Salomon avait douze préfets [a] sur tout Israël,
qui approvisionnaient le roi et sa maison; il revenait à chacun d'y pourvoir un mois par an.
8 Voici leurs noms [b] :
Fils de Hur, dans la montagne d'Éphraïm.
9 Fils de Déqer, à Mahaç, Shaalbim, Bet-Shémesh, Ayyalôn, Bet-Hanân.
10 Fils de Hésed, à Arubbot; il avait Soko et tout
le pays de Hépher.
11 Fils d'Abinadab : tous les coteaux de Dor.
Tabaat, fille de Salomon, fut sa femme.
12 Baana fils d'Ahilud, à Tanak et Megiddo
jusqu'au-delà de Yoqméam, et tout Bet-Sheân
au-dessous de Yizréel, depuis Bet-Sheân jusqu'à
Abel-Mehola, qui est vers Çartân [c].
13 Fils de Géber, à Ramot de Galaad; il avait les
Douars de Yaïr, fils de Manassé, qui sont en
Galaad; il avait le territoire d'Argob qui est en Bashân, soixante villes fortes, emmurées et verrouil-
lées de bronze.
14 Ahinadab fils d'Iddo, à Mahanayim.
15 Ahimaaç en Nephtali; lui aussi épousa une
fille de Salomon, Basmat.
16 Baana fils de Hushaï, dans Asher et aux falaises [d].
17 Yehoshaphat fils de Paruah, en Issachar.
18 Shiméï fils d'Éla, en Benjamin.
19 Géber fils d'Uri, au pays de Gad, le pays de
Sihôn roi des Amorites et d'Og roi du Bashân.
En plus, il y avait un préfet qui était dans le
pays [e].
4 27 **5** 7 [f] Ces préfets pourvoyaient à l'entretien de
Salomon et de tous ceux qui avaient accès à
la table du roi [g], chacun pendant un mois; ils ne le
28 laissaient manquer de rien. 8 Ils fournissaient aussi
l'orge et la paille pour les chevaux et les bêtes de
trait, à l'endroit où il fallait, chacun selon la consi-
22 gne qu'il avait reçue. 2 Salomon recevait chaque
jour comme vivres : trente muids de fleur de farine
et soixante muids de farine, 3 dix bœufs d'engrais, 23
vingt bœufs de pâture, cent moutons, sans compter
les cerfs, gazelles, antilopes et coucous [h] engraissés.
4 Car il dominait sur toute la Transeuphratène [i] – 24
depuis Thapsaque jusqu'à Gaza sur tous les rois de
Transeuphratène – et il avait la paix sur toutes ses
frontières alentour. 5 Juda et Israël habitèrent en 25
sécurité chacun sous sa vigne et sous son figuier, Si 47 13
depuis Dan jusqu'à Bersabée, pendant toute la vie
de Salomon.
**4** 20 Juda et Israël étaient nombreux, aussi nom- 26
breux que le sable qui est au bord de la mer;
ils mangeaient et buvaient et vivaient heureux. Qo 3 12-13
**5** 1 Salomon étendit son pouvoir sur tous les || 2 Ch 9 26
royaumes depuis le Fleuve [j] jusqu'au pays des
Philistins et jusqu'à la frontière d'Égypte. Ils
apportèrent leur tribut et servirent Salomon toute
sa vie. 6 Salomon avait pour le service de ses chars = 10 26
quatre mille stalles [k] et douze mille chevaux. || 2 Ch 1 14; 9 25

**La renommée de Salomon.**

9 Dieu donna à Salomon une sagesse et une intel- 29
ligence extrêmement grandes et un cœur aussi vaste 3 12
que le sable qui est au bord de la mer. 10 La sagesse Gn 22 1
de Salomon fut plus grande que la sagesse de tous 32 13
les fils de l'Orient et que toute la sagesse de
l'Égypte. 11 Il fut sage plus que n'importe qui, plus 31
que l'Ezrahite [l] Étân, que les fils de Mahôl, Hémân, 1 Ch 2 6
Kalkol et Darda; sa renommée s'étendait à toutes Si 47 16
les nations d'alentour. 12 Il prononça trois mille 32
sentences et ses cantiques étaient au nombre de
mille cinq. 13 Il parla des plantes, depuis le cèdre 33
qui est au Liban jusqu'à l'hysope qui croît sur les
murs; il parla aussi des quadrupèdes, des oiseaux,
des reptiles et des poissons [m]. 14 On vint de tous les 34
peuples pour entendre la sagesse de Salomon et il
reçut un tribut [n] de tous les rois de la terre, qui
avaient ouï parler de sa sagesse.

*a)* C'est une institution salomonienne qui assure la levée et l'emploi des prestations en nature. Les douze districts se répartissent en trois groupes : 1° le domaine des fils de Joseph, Éphraïm et Manassé, v. 8, avec les cités cananéennes conquises ou reconquises, vv. 9-12, et les annexes de Transjordanie, vv. 13-14; 2° les tribus du Nord, vv. 15-17; 3° Benjamin, v. 18, et Gad, v. 19. Juda avait un régime particulier, v. 19+.

*b)* Le document d'archives inséré ici avait son bord détérioré, ce qui explique que, pour les premiers préfets, le nom de leur père soit seul conservé. – Au v. 9 les noms géographiques Mahaç et Ayyalôn sont corrigés; au v. 11, on lit Tabaat d'après le grec pour « Tapat » hébr.

*c)* La traduction rétablit l'ordre géographique brouillé.

*d)* Litt. : « montées » (*ma'alôt*) grec; « à Baalot » hébr. – C'est la côte montagneuse entre Acre et Tyr.

*e)* « Gad » grec; « Galaad » hébr. – « le pays » sans spécification désigne le territoire de Juda par opposition aux provinces d'Israël. Juda avait donc une administration spéciale, qui souligne le caractère dualiste de la monarchie salomonienne.

*f)* La traduction suit l'ordre du grec qui donne une suite logique à la liste des préfets. Cet ordre a été bouleversé dans l'hébr. par des gloses : le v. 4 date de l'Exil, au plus tôt; le reste, jusqu'à la fin du paragraphe, est tardif et manque dans le grec.

*g)* Non seulement la maison royale et ses clients, mais tous les serviteurs, fonctionnaires et troupes régulières.

*h)* Traduction conjecturale : le coucou était une viande de choix.

*i)* La région comprise entre l'Euphrate et la Méditerranée, désignation officielle à l'époque perse, où ce v. fut ajouté.

*j)* L'Euphrate, voir le v. 4.

*k)* « quatre mille » d'après 2 Ch **9** 25; « quarante mille » hébr.

*l)* C'est-à-dire « l'autochtone ». Les noms qui suivent étaient probablement ceux de sages célèbres en Canaan. Le Ps **89** est attribué à Étân.

*m)* Salomon est le premier « sage d'Israël » (voir l'Introd. aux livres sapientiaux, p. 645) et il n'est pas douteux qu'il eut une activité littéraire et poétique, cf. **8** 12-13. Une partie de Pr peut remonter à lui. On a mis sous son nom les Ps **72** et **127** ainsi que Qo, Ct, Sg.

*n)* « il reçut un tribut » versions; omis par hébr.

## 2. SALOMON LE BÂTISSEUR

**Les préparatifs de la construction du Temple.**

5 1 [15] Le roi de Tyr, Hiram, envoya ses serviteurs en
ambassade auprès de Salomon, car il avait appris
2 S 5 11 qu'on l'avait sacré roi à la place de son père et
|| 2 Ch 2 2-3 Hiram avait toujours été l'ami de David. [16] Et Salo-
3 mon envoya ce message à Hiram : [17] « Tu sais bien
que mon père David n'a pu construire un temple
pour le Nom de Yahvé, son Dieu, à cause de la
guerre que les ennemis lui ont faite de tous côtés,
jusqu'à ce que Yahvé les eût mis sous la plante de
4 ses pieds. [18] Maintenant, Yahvé mon Dieu m'a
donné la tranquillité alentour : je n'ai ni adversaire
5 ni contrariété du sort. [19] Je pense donc à construire
un temple au Nom de Yahvé mon Dieu, selon ce
2 S 7 12-13 que Yahvé a dit à mon père David : “ Ton fils que
je mettrai à ta place sur ton trône, c'est lui qui
6 construira le Temple pour mon Nom. ” [20] Maintenant, ordonne que l'on me coupe des arbres du
Liban; mes serviteurs seront avec tes serviteurs et
je te payerai la location de tes serviteurs selon tout
ce que tu me fixeras. Tu sais en effet qu'il n'y a personne chez nous qui soit habile à abattre les arbres
2 Ch 2 10-11 comme les Sidoniens [a]. » [21] Lorsque Hiram entendit
les paroles de Salomon, il éprouva une grande joie
et dit : « Béni soit aujourd'hui Yahvé qui a donné
à David un fils sage qui commande à ce grand peu-
8 ple! » [22] Et Hiram manda ceci à Salomon : « J'ai
reçu ton message. Pour moi, je satisferai tout ton
|| 2 Ch 2 16 désir en bois de cèdre et en bois de genévrier.
9 [23] Mes serviteurs les descendront du Liban à la
mer, je les ferai remorquer jusqu'à l'endroit que tu
me manderas, je les délirai là et toi, tu les prendras. De ton côté, tu assureras selon mon désir
10 l'approvisionnement de ma maison. » [24] Hiram procura à Salomon des bois de cèdre et des bois de
11 genévrier autant qu'il en voulut, [25] et Salomon
|| 2 Ch 2 9 donna à Hiram vingt mille muids de froment,
comme nourriture de sa maison, et vingt mille
mesures [b] d'huile vierge. Voilà ce que Salomon
donnait à Hiram chaque année. [26] Yahvé accorda 12
la sagesse à Salomon, comme il le lui avait promis;
la bonne entente régna entre Hiram et Salomon et
tous les deux conclurent un accord.
[27] [c] Le roi Salomon leva des hommes de corvée 13
dans tout Israël; il y eut trente mille hommes de
corvée. [28] Il les envoya au Liban, dix mille par 14
mois, à tour de rôle : ils étaient un mois au Liban
et deux mois à la maison; Adoram était chef de la 4 6
corvée. [29] Salomon eut aussi soixante-dix mille por- || 2 Ch 2 2. 17
teurs et quatre-vingt mille carriers dans la monta-
gne, [30] sans compter les officiers des préfets qui 16
dirigeaient ses travaux; ceux-ci étaient trois mille
trois cents et commandaient au peuple employé
aux travaux. [31] Le roi ordonna d'extraire de grands 17
blocs, des pierres de choix, pour établir les fondations du Temple, des pierres de taille. [32] Les 18
ouvriers de Salomon et ceux de Hiram et les Gibli-
tes [d] taillèrent et mirent en place le bois et la pierre
pour la construction du Temple.

**La bâtisse du Temple.** || 2 Ch 3 1-7

6 [1] En la quatre cent quatre-vingtième année
après la sortie des Israélites du pays
d'Égypte [e], en la quatrième année du règne de Salomon sur Israël, au mois de Ziv qui est le second
mois, il bâtit le Temple de Yahvé. [2] Le Temple [f]
que le roi Salomon bâtit pour Yahvé avait soixante
coudées de long, vingt de large et vingt-cinq [g] de
haut. [3] Le Ulam devant le Hékal du Temple avait
vingt coudées de long dans le sens de la largeur du
Temple et dix coudées de large dans le sens de la
longueur du Temple. [4] Il fit au Temple des fenêtres
à cadres et à grilles [h]. [5] Il adossa au mur du Temple
une annexe [i] autour du Hékal et du Debir, et il fit
des étages latéraux autour. [6] L'étage [j] inférieur
avait cinq coudées de large, l'intermédiaire six coudées, et le troisième sept coudées, car il avait disposé des retraits autour du Temple à l'extérieur, en
sorte que cela n'était pas lié aux murs du Temple.

*a)* Les « Sidoniens » désignent les Phéniciens en général. Hiram était roi de Tyr et de Sidon.
*b)* « vingt mille mesures » grec, cf. 2 Ch **2** 9; « vingt muids » hébr.
*c)* Les vv. 27-32 sont des additions.
*d)* Les ouvriers de Gebal, la Byblos des Grecs, au nord de Beyrouth.
*e)* Cette date se rattache à un système chronologique qui mettait des intervalles égaux entre l'érection de la Tente au désert, la construction du Temple, d'une part, et la reconstruction après l'Exil. L'événement se situe aux environs de 960 av. J.-C.
*f)* Le temple était un bâtiment oblong comportant trois pièces en enfilade : le *Ulam* est le Vestibule; le *Hékal*, appelé plus tard le Saint, est la grande salle de culte; le *Debir*, l'arrière-chambre, est la partie la plus sacrée, qu'on appellera le Saint des Saints, où repose l'arche d'alliance, **6** 19. La différence de hauteur du Hékal et du Debir (**6** 2 et 10) indique que le sol du Debir était surélevé, formant une sorte d'estrade pour l'arche. Le Debir devait être séparé du Hékal par une cloison. Sur trois des côtés extérieurs du Temple était appuyé un bâtiment de trois étages peu élevés (**6** 10). Comparer la description de la Tente au désert, Ex **26**-**36** et celle du Temple futur en Ez **40**-**42**.
*g)* « vingt-cinq » grec; « trente » hébr.
*h)* Traduction incertaine.
*i)* L'hébr. répète ici « autour des murs du Temple », omis par grec.
*j)* « L'étage » grec; « L'annexe » hébr.

7 (La construction du Temple se fit en pierres de
carrière; on n'entendit ni marteaux, ni pics, ni
aucun outil de fer dans le Temple pendant sa
construction.) 8 L'entrée de l'étage inférieur était à
l'angle droit du Temple, et par des trappes on montait à l'étage intermédiaire, et de l'intermédiaire au
troisième. 9 Il construisit le Temple et l'acheva, et
il couvrit le Temple d'un plafond à caissons [a] de
cèdre. 10 Il construisit l'annexe à tout le Temple;
elle avait cinq coudées de hauteur et elle était liée
au Temple par des poutres de cèdre. 11 La parole
de Yahvé fut adressée à Salomon : 12 « Quant à
cette maison que tu es en train de construire, si tu
marches selon mes lois, si tu accomplis mes ordon-
2 S 7 11-16 nances et si tu suis fidèlement mes commandements, alors j'accomplirai ma parole sur toi, celle
que j'ai dite à ton père David, 13 et j'habiterai au
milieu des Israélites et je n'abandonnerai pas mon
peuple Israël. » 14 Salomon construisit le Temple et
il l'acheva.

|| 2 Ch 3 8-9

## L'aménagement intérieur. Le Saint des Saints.

15 Il garnit de planches de cèdre la face interne
des murs du Temple – depuis le sol du Temple
jusqu'aux poutres du plafond, il mit un revêtement
de bois à l'intérieur – et il couvrit de planches de
genévrier le sol du Temple. 16 Il construisit les vingt
coudées à partir du fond du Temple avec des planches de cèdre depuis le sol jusqu'aux poutres, et
elles furent mises à part [b] du Temple pour le Debir,
le Saint des Saints. 17 Le Temple avait quarante
coudées – c'est le Hékal – devant le Debir [c]. 18 Il
y avait du cèdre à l'intérieur du Temple, sculpté
d'un décor de coloquintes et de rosaces; tout était
en cèdre, aucune pierre ne paraissait. 19 Il aména-
gea un Debir dans le Temple, à l'intérieur, pour y
placer l'arche de l'alliance de Yahvé. 20 Le Debir
avait vingt coudées de long, vingt coudées de large
et vingt coudées de haut, et il le revêtit d'or fin; il
fit un autel de cèdre [d] 21 [e] devant le Debir et il le
revêtit d'or. 22 Tout le Temple, il le revêtit d'or,
absolument tout le Temple [f].

|| 2 Ch 3 10-13
Ex 25 18+

## Les chérubins.

23 Dans le Debir, il fit deux chérubins en bois
d'olivier sauvage [g]... Il avait dix coudées de haut.
24 Une aile du chérubin avait cinq coudées et la
seconde aile du chérubin avait cinq coudées, soit
dix coudées d'une extrémité à l'autre de ses ailes.
25 Le second chérubin avait aussi dix coudées :
même dimension et même facture pour les deux
chérubins. 26 La hauteur d'un chérubin était de dix
coudées, et de même l'autre. 27 Il plaça les chérubins au milieu de la chambre intérieure; ils
déployaient leurs ailes, en sorte que l'aile de l'un
touchait au mur, que l'aile de l'autre touchait à
l'autre mur et que leurs ailes se touchaient au
milieu de la chambre, aile contre aile. 28 Et il revêtit
d'or les chérubins. 29 Sur tous les murs du Temple,
à l'entour, il sculpta des figures de chérubins, de
palmiers et de rosaces, à l'intérieur et à l'extérieur [h]. 30 Il couvrit d'or le plancher du Temple, à
l'intérieur et à l'extérieur.

## Les portes [i]. La cour.

31 Il fit la porte du Debir à montants en bois
d'olivier sauvage, le jambage à cinq retraits, 32 deux
vantaux en bois d'olivier sauvage. Il sculpta des
figures de chérubins, des palmiers et des rosaces,
qu'il revêtit d'or; il étendit l'or en pellicule sur les
chérubins et les palmiers. 33 De même, il fit à la
porte du Hékal des montants en bois d'olivier sauvage, le jambage à quatre retraits, 34 deux vantaux
en bois de genévrier : un vantail avait deux bandes
qui le cerclaient et l'autre vantail avait deux bandes
qui le cerclaient. 35 Il sculpta des chérubins, des
palmiers et des rosaces, qu'il revêtit d'or ajusté sur
la sculpture.
36 Il construisit le mur de la cour intérieure [j] par
trois assises de pierres de taille et une assise de
madriers de cèdre [k].

## Les dates.

37 En la quatrième année, au mois de Ziv, les fondations du Temple furent posées; 38 en la onzième
année, au mois de Bûl – c'est le huitième mois –,
le Temple fut achevé selon tout son plan et toute
son ordonnance. Salomon le construisit en sept
ans.

## Le palais de Salomon [l].

7 1 Quant à son palais, Salomon y travailla
treize ans jusqu'à son complet achèvement.

*a)* Le sens des derniers mots est incertain.
*b)* « jusqu'aux poutres » (déjà v. 15) grec; « jusqu'aux murs » hébr. – « elles furent mises à part » *wayyibbadlû* conj.; « il en construisit » *wayyiben lô* hébr.
*c)* « devant le Debir » est placé fautivement par l'hébr. au début du v. 20.
*d)* Il s'agit de l'autel de l'encens, cf. Ex **30** 1+.
*e)* Au début, l'hébr. a une surcharge dont le texte est incertain.
*f)* L'hébr. ajoute « et tout l'autel du Debir, il le revêtit d'or », omis par grec.
*g)* Un ou deux mots tombés du texte.
*h)* Ici, comme au v. 30, « intérieur » (restitué par conj., l'hébr. est corrompu) désigne le Debir ou « Temple intérieur », v. 27; « l'extérieur » s'applique, par opposition, au Hékal. Les deux vv. sont additionnels.
*i)* Description difficile à interpréter. Le texte doit être corrigé et le sens de plusieurs termes techniques est incertain.
*j)* Celle où s'élevait le Temple, par opposition à la grande cour, 7 12, qui entourait Temple et palais.
*k)* Les madriers formaient un chaînage qui assurait la stabilité du mur. La superstructure était probablement en briques.
*l)* La description ne s'étend un peu que sur les parties publiques

2 Il construisit la Maison de la Forêt du Liban [a],
cent coudées de long, cinquante coudées de large
et trente coudées de haut, sur quatre rangées de
colonnes de cèdre, et il y avait des madriers de
cèdre sur les colonnes [b]. 3 Elle était lambrissée de
cèdre à la partie supérieure jusqu'aux planches qui
étaient sur les colonnes. 4 Il y avait trois rangées
d'architraves [c], quarante-cinq en tout, soit quinze
par rangée, se faisant vis-à-vis trois fois. 5 Toutes
les portes et les montants étaient à cadre rectangulaire, se faisant vis-à-vis de face, trois fois. 6 Il fit
le vestibule des colonnes, cinquante coudées de
long et trente coudées de large... avec un porche
par-devant [d]. 7 Il fit le vestibule du trône, où il rendait la justice, c'est le vestibule du jugement; il était
lambrissé de cèdre depuis le sol jusqu'aux poutres [e]. 8 Son habitation privée, dans l'autre cour et
à l'intérieur par rapport au vestibule, avait la même
façon; il y avait aussi une maison, semblable à
3 1+ ce vestibule, pour la fille de Pharaon, qu'il avait
épousée.

9 Tous ces bâtiments étaient en pierres de choix,
à la mesure des pierres de taille, parées à la scie
au-dedans et au-dehors, depuis le fondement
jusqu'aux bois de chaînage [f] – 10 ils avaient pour
fondations des pierres de choix, de grandes pierres
de dix et huit coudées, 11 et, au-dessus, des pierres
de choix, à la mesure des pierres de taille, et du
|| 2 Ch 4 9 cèdre –, 12 et à l'extérieur, la grande cour avait, à
l'entour, trois assises de pierres de taille et une
assise de madriers de cèdre, de même pour la cour
intérieure du Temple de Yahvé et pour le vestibule
du Temple.

Ch 2 12-14 **Le bronzier Hiram.**

13 Salomon envoya chercher Hiram de Tyr;
14 c'était le fils d'une veuve de la tribu de Nephtali,
mais son père était Tyrien, ouvrier en bronze. Il
x 35 30-35 était plein d'habileté, d'adresse et de savoir pour
exécuter tout travail de bronze. Il vint auprès du
roi Salomon et il exécuta tous ses travaux.

Ch 3 15-17 **Les colonnes de bronze.**

15 Il coula les deux colonnes de bronze [g]; la hauteur d'une colonne était de dix-huit coudées et un
fil de douze coudées en mesurait le tour; de même
la seconde colonne. 16 Il fit deux chapiteaux coulés
en bronze destinés au sommet des colonnes; la hauteur d'un chapiteau était de cinq coudées et la hauteur de l'autre chapiteau était de cinq coudées.
17 [h] Il fit deux treillis pour couvrir les deux tores des
chapiteaux qui étaient au sommet des colonnes, un
treillis pour un chapiteau et un treillis pour l'autre
chapiteau. 18a Il fit les grenades : il y en avait deux
rangées autour de chaque treillis, 19b en tout quatre
cents, 20 appliquées contre le noyau qui était derrière le treillis; il y avait deux cents grenades
autour d'un chapiteau, 18b et de même l'autre chapiteau. 19a Les chapiteaux qui étaient au sommet des
colonnes étaient en forme de fleurs. 21 Il dressa les
colonnes devant le vestibule du sanctuaire; il
dressa la colonne de droite et lui donna pour nom :
Yakîn; il dressa la colonne de gauche et lui donna
pour nom : Boaz [i]. 22 [j] Ainsi fut achevée l'œuvre
des colonnes.

**La Mer de bronze.** || 2 Ch 4 2-5

23 Il fit la Mer [k] en métal fondu, de dix coudées
de bord à bord, à pourtour circulaire, de cinq coudées de hauteur; un fil de trente coudées en mesurait le tour. 24 Il y avait des coloquintes au-dessous
de son bord, l'encerclant tout autour : sur trente [l]
coudées elles tournaient autour de la Mer; les coloquintes étaient en deux rangées, coulées avec la
masse. 25 Elle reposait sur douze bœufs : trois
regardaient le nord, trois regardaient l'ouest, trois
regardaient le sud et trois regardaient l'est; la Mer
s'élevait au-dessus d'eux, et tous leurs arrière-trains
étaient tournés vers l'intérieur. 26 Son épaisseur
était d'un palme et son bord avait la même forme
que le bord d'une coupe, comme une fleur. Elle
contenait deux mille mesures.

**Les bases roulantes et les bassins de bronze [m].**

27 Il fit les dix bases en bronze; chaque base avait
quatre coudées de long, quatre coudées de large et
trois coudées de haut. 28 Voici comment elles
étaient faites : elles avaient un châssis et des traverses au châssis. 29 Sur les traverses du châssis, il y
avait des lions, des taureaux et des chérubins, et

du palais. Ces bâtiments s'élevaient au sud de l'esplanade du Temple.

*a)* Grande pièce hypostyle aux colonnes de cèdre. Elle servait de salle des gardes, cf. **10** 17, 21, et de passage pour les entrées royales. Elle avait un vestibule, v. 6, et communiquait avec les appartements du roi, v. 8, et la salle du trône, v. 7.

*b)* L'hébr. a ici : « Quarante-cinq en tout, soit quinze par rangée », accidentellement transposé du v. 4.

*c)* Sens incertain.

*d)* Fin du v. corrompue.

*e)* « jusqu'aux poutres » syr.; hébr. répète « sol ».

*f)* Le texte ajoute : « et à l'extérieur jusqu'à la grande cour », doublet corrompu de la fin du v. 12.

*g)* Ces deux colonnes se dressaient devant le vestibule du Temple, de chaque côté de l'entrée.

*h)* Le texte des vv. 17-20 est bouleversé et corrompu par endroits. Restitution conjecturale.

*i)* Ces deux noms sont obscurs; peut-être « elle est solide » et « avec force ».

*j)* Au début du v., l'hébr. répète le v. 19[a].

*k)* C'était un grand réservoir d'eau lustrale.

*l)* « trente » conj.; « dix » hébr.

*m)* Le texte de cette description est corrompu et d'interprétation dificile. (Les mots qui achèvent les vv. 29, 30, 36 sont incompréhensibles.) Il s'agit de bases quadrangulaires, surmontées d'un support circulaire où s'encastrait le bassin.

au-dessus du châssis, il y avait un support; en dessous des lions et des taureaux, il y avait des volutes
en façon de... 30 Chaque base avait quatre roues de
bronze et des axes de bronze; ses quatre pieds
avaient des épaulements, en dessous du bassin, et
les épaulements étaient coulés... 31 Son embouchure, à partir de la croisée des épaulements
jusqu'en haut, avait une coudée et demie; son
embouchure était ronde en forme de support de
vase et sur l'embouchure aussi il y avait des sculptures; mais les traverses étaient quadrangulaires et
non rondes. 32 Les quatre roues étaient sous les traverses. Les tourillons des roues étaient dans la
base; la hauteur des roues était d'une coudée et
demie. 33 La forme des roues était celle d'une roue
de char : leurs tourillons, leurs jantes, leurs rais et
leurs moyeux, tout était coulé. 34 Il y avait quatre
épaulements, aux quatre angles de chaque base : la
base et ses épaulements faisaient corps. 35 Au sommet de la base, il y avait un support d'une demi-
coudée de hauteur, à pourtour circulaire; sur le
sommet de la base, il y avait des tenons; les traverses faisaient corps avec elle. 36 Il grava sur les bandes des chérubins, des lions et des palmettes... et
des volutes autour. 37 Il fit ainsi les dix bases :
même fonte et même mesure pour toutes.
|| 2 Ch 4 6 38 Il fit dix bassins de bronze, chaque bassin
contenait quarante mesures et chaque bassin avait
quatre coudées, un bassin sur chaque base pour les
dix bases. 39 Il plaça les bases, cinq près du côté
droit du Temple et cinq près du côté gauche du
|| 2 Ch 4 10 Temple; quant à la Mer, il l'avait placée à distance
du côté droit du Temple au sud-est.

|| 2 Ch 4 11-18 **Le petit mobilier. Résumé.**

40 Hiram fit les vases à cendres [a], les pelles, les
bols à aspersion. Il acheva tout l'ouvrage dont
l'avait chargé le roi Salomon pour le Temple de
Yahvé :
41 deux colonnes; les deux tores des chapiteaux
qui étaient au sommet des colonnes; les deux treillis pour couvrir les deux tores des chapiteaux qui
étaient au sommet des colonnes; 42 les quatre cents
grenades pour les deux treillis : les grenades de
chaque treillis étaient en deux rangées [b];
43 les dix bases et les dix bassins sur les bases;
44 la Mer unique et les douze taureaux sous la
Mer;
45 les vases à cendres, les pelles, les bols à aspersion.
Tous ces objets que Hiram fit au roi Salomon
pour le Temple de Yahvé étaient en bronze poli.
46 C'est dans la plaine du Jourdain qu'il les coula [c]
en pleine terre, entre Sukkot et Çartân; 47 [d] à cause
de leur énorme quantité, on ne calcula pas le poids
du bronze.
48 Salomon déposa tous les objets qu'il avait faits
dans le Temple de Yahvé, l'autel d'or [e] et la table Ex 25 23+
sur laquelle étaient les pains d'oblation, en or; 49 les || 2 Ch 4 7
chandeliers, cinq à droite et cinq à gauche devant 1 R 6 20-21
le Debir, en or fin; les fleurons, les lampes, les mou-
chettes, en or; 50 les bassins, les couteaux, les bols || 2 Ch 4 8
à aspersion, les coupes et les encensoirs, en or fin;
les pivots pour les portes de la chambre intérieure
– c'est le Saint des Saints – et du Hékal, en or [f].
51 Alors fut achevé tout le travail que fit le roi || 2 Ch 5 1
Salomon pour le Temple de Yahvé, et Salomon
apporta ce que son père David avait consacré,
l'argent, l'or et les vases, qu'il mit dans le trésor du
Temple de Yahvé.

**Transfert de l'arche d'alliance.** || 2 Ch 5 2-1

8 1 Alors Salomon convoqua les anciens
d'Israël [g] à Jérusalem pour faire monter de la
Cité de David, qui est Sion, l'arche de l'alliance de Ex 25 10+
Yahvé. 2 Tous les hommes d'Israël se rassemblè- 2 S 6 7+
rent auprès du roi Salomon, au mois d'Étanim,
pendant la fête [h] (c'est le septième mois), 3 [i] et les 8 65
prêtres portèrent l'arche 4 et la Tente du Rendez-
vous avec tous les objets sacrés qui y étaient [j]. 5 Le
roi Salomon et tout Israël avec lui [k] sacrifièrent
devant l'arche moutons et bœufs en quantité innombrable et incalculable. 6 Les prêtres apportèrent l'arche de l'alliance de Yahvé à sa place, au
Debir du Temple, c'est-à-dire au Saint des Saints,
sous les ailes des chérubins. 7 En effet, les chéru-

*a)* « vases à cendre » certains mss, grec et Vulg.; « bassins » hébr.

*b)* L'hébr. a ici un doublet du v. 41, à partir de « pour couvrir les deux tores ».

*c)* « il les coula » grec; « le roi les coula » hébr. – Sukkot et Çartân sur la rive orientale du Jourdain, peuvent être identifiées à Tell Akhsas et Tell es-Saïdiyeh.

*d)* L'hébr. ajoute ici : « Salomon déposa tous les objets », doublet du v. 48.

*e)* L'autel de l'encens, cf. **6** 20-21. – On corrige d'après le grec et le début du v. 47; « Salomon fit tous les objets » hébr.

*f)* La fin du v. est surchargée dans l'hébr.

*g)* L'hébr. ajoute ici : « tous les chefs des tribus et les chefs de famille des Israélites devant le roi Salomon », addition omise par une partie du grec.

*h)* Étanim est un mois du calendrier cananéen, qui correspondait au 7e mois du calendrier israélite postérieur, comme l'indique une glose. La fête par excellence est celle des Tentes, cf. Ex **23** 14+.

*i)* Au début, l'hébr. ajoute : « tous les anciens d'Israël vinrent », omis par le grec.

*j)* L'hébr. ajoute au début : « Ils transportèrent l'arche de Yahvé », et à la fin : « les prêtres et les lévites les transportèrent », omis par une partie du grec. – Cette tente est celle que David avait dressée pour abriter l'arche, 2 S **7** 8; 1 R **1** 39. Un glossateur la nomme « Tente du Rendez-vous », comme celle du désert qui avait disparu à l'entrée en Canaan.

*k)* « tout Israël avec lui » grec; « toute la communauté d'Israël assemblée près de lui » hébr.

bins étendaient leurs ailes au-dessus de l'emplacement de l'arche et faisaient un abri au-dessus de
l'arche et de ses barres. 8a Celles-ci étaient assez
longues pour qu'on vît leur extrémité depuis le
Saint devant le Debir, mais pas en dehors de là. 9 Il
Ex **25** 21; n'y avait rien dans l'arche, sauf les deux tables de
**40** 20 pierre que Moïse y déposa à l'Horeb, les tables de
Dt **10** 2, 5 l'alliance [a] que Yahvé avait conclue avec les Israélites à leur sortie de la terre d'Égypte; 8b elles y sont
restées jusqu'à ce jour [b].

Ch **5** 11 – **6** 2 **Dieu prend possession de son Temple.**

10 Or quand les prêtres sortirent du sanctuaire, la
Ex **40** 34-35 nuée [c] remplit le Temple de Yahvé 11 et les prêtres
Ez **43** 4-5 ↗ Ap **15** 8 ne purent pas continuer leur fonction, à cause de
Ex **24** 16+ la nuée : la gloire de Yahvé remplissait le Temple
de Yahvé!
12 Alors Salomon dit [d] :
Ps **18** 12; **97** 2 « Yahvé a décidé d'habiter la nuée obscure.
Ps **132** 13-14 13 Oui, je t'ai construit une demeure princière,
une résidence où tu habites à jamais. »

2 Ch **6** 3-11 **Discours de Salomon au peuple.**

14 Puis le roi se retourna et bénit toute l'assemblée d'Israël, et toute l'assemblée d'Israël se tenait
debout. 15 Il dit : « Béni soit Yahvé, Dieu d'Israël,
2 S **7** 4-16+ qui a accompli de sa main ce qu'il avait promis de
Ps **132** sa bouche à mon père David en ces termes :
16 " Depuis le jour où j'ai fait sortir d'Égypte mon
peuple Israël, je n'ai pas choisi de ville, dans toutes
les tribus d'Israël, pour qu'on y bâtît une maison
Ez **48** 35 où serait mon Nom [e], mais j'ai choisi David pour
qu'il commandât à mon peuple Israël. " 17 Mon
père David eut dans l'esprit de bâtir une maison
pour le Nom de Yahvé, Dieu d'Israël, 18 mais
Yahvé dit à mon père David : " Tu as eu dans l'esprit de bâtir une maison pour mon Nom, et tu as
bien fait. 19 Seulement, ce n'est pas toi qui bâtiras
cette maison, c'est ton fils, issu de tes reins, qui
bâtira la maison pour mon Nom. " 20 Yahvé a réalisé la parole qu'il avait dite : j'ai succédé à mon
père David et je me suis assis sur le trône d'Israël
comme avait dit Yahvé, j'ai construit la maison
pour le Nom de Yahvé, Dieu d'Israël, 21 et j'y ai
fixé un emplacement pour l'arche, où est l'alliance
que Yahvé a conclue avec nos pères lorsqu'il les fit
sortir du pays d'Égypte. »

**Prière personnelle de Salomon** [f]. || 2 Ch **6** 12-20

22 Puis Salomon se tint devant l'autel de Yahvé,
en présence de toute l'assemblée d'Israël; il étendit
les mains vers le ciel 23 et dit : « Yahvé, Dieu
d'Israël! il n'y a aucun Dieu pareil à toi là-haut Dt **4** 39; **7** 9
dans les cieux ni ici bas sur la terre, toi qui es fidèle
à l'alliance et gardes la bienveillance à l'égard de
tes serviteurs, quand ils marchent de tout leur cœur
devant toi. 24 Tu as tenu à ton serviteur David,
mon père, la promesse que tu lui avais faite, et ce 2 S **7** 11-16
que tu avais dit de ta bouche, tu l'as accompli
aujourd'hui de ta main. 25 Et maintenant, Yahvé,
Dieu d'Israël, tiens à ton serviteur David, mon
père, la promesse que tu lui as faite, quand tu as
dit : " Tu ne seras jamais dépourvu d'un descendant qui soit devant moi, assis sur le trône d'Israël,
à condition que tes fils veillent à leur conduite et
marchent devant moi comme tu as marché toi-
même devant moi. " 26 Maintenant donc, Dieu
d'Israël, que se vérifie la parole que tu as dite à ton
serviteur David, mon père! 27 Mais Dieu habiterait- Dt **4** 7+
il vraiment avec les hommes [g] sur la terre? Voici Jn **1** 14
que les cieux et les cieux des cieux ne le peuvent Is **66** 1
contenir, moins encore cette maison que j'ai Jr **23** 24 ↗ Ac **7** 49;
construite! 28 Sois attentif à la prière et à la suppli- **17** 24
cation de ton serviteur, Yahvé, mon Dieu, écoute
l'appel et la prière que ton serviteur fait aujourd'hui
devant toi! 29 Que tes yeux soient ouverts jour et
nuit sur cette maison, sur ce lieu dont tu as dit :
" Mon Nom sera là ", écoute la prière que ton ser- Dt **12** 5, 11
viteur fera en ce lieu. Ez **48** 35

**Prière pour le peuple.** || 2 Ch **6** 21-31

30 « Écoute la supplication de ton serviteur et de
ton peuple Israël lorsqu'ils prieront en ce lieu. Toi,
écoute du lieu où tu résides, au ciel, écoute et par- Ps **123** 1
donne.

*a)* « les tables de l'alliance » grec; omis par hébr.
*b)* Transposition exigée par le sens; la phrase manque dans une partie du grec.
*c)* La nuée, cf. Ex **13** 22+; **19** 16+ est la manifestation sensible de la présence de Yahvé, qui prend possession de son sanctuaire.
*d)* Ce court poème, certainement authentique, se retrouve dans l'ancienne version grecque après **8** 53 et avec un stique supplémentaire : « Yahvé a établi le soleil dans les cieux, mais il a décidé... » Yahvé, maître de l'univers et enveloppé de mystère, a maintenant une demeure sur terre, au milieu de son peuple Israël. C'est toute une « théologie du Temple ». Cette forme longue doit être originale. Elle était conservée, dit le grec, dans le Livre du Chant (ou de Yashar).
*e)* C'est le « Nom » de Yahvé qui habite le Temple, où Yahvé lui-même ne peut être contenu, cf. l'insertion du v. 27, qui écarte une interprétation trop grossière de la présence divine dans le Temple. Mais le nom exprime vraiment la personne et la représente : où est « le Nom de Yahvé », Dieu est présent d'une manière très spéciale, mais non exclusive.
*f)* L'auteur va développer, en un style inspiré du Dt, les idées du discours des vv. 15-21. D'abord le principe de la fidélité réciproque (v. 23) : la bienveillance divine résulte du pacte du Sinaï, mais elle a pour condition la loyauté des fidèles; c'est toute la théologie de l'alliance, doctrine centrale de l'AT. Puis deux applications : Yahvé a tenu sa promesse relativement au Temple, v. 24; qu'il tienne également sa promesse d'assurer la perpétuité de la dynastie, v. 25.
*g)* « avec les hommes » grec, Targ. et 2 Ch **6** 18; omis par hébr.

31 Supposé qu'un homme pèche contre son prochain et que celui-ci prononce sur lui un serment
imprécatoire [a] et le fasse jurer devant ton autel
dans ce Temple, 32 toi, écoute au ciel et agis; juge
entre tes serviteurs : déclare coupable le méchant
en faisant retomber sa conduite sur sa tête, et justifie l'innocent en lui rendant selon sa justice.
Lv **26** 14, 17 33 Quand ton peuple Israël sera battu devant
Dt **28** 25, 45 l'ennemi, parce qu'il aura péché contre toi, s'il
Jos **7** revient à toi, loue ton Nom, prie et supplie vers toi
dans ce Temple, 34 toi, écoute au ciel, pardonne le
péché de ton peuple Israël et ramène-le dans le
pays que tu as donné à ses pères.
Dt **11** 17; 35 Quand le ciel sera fermé et qu'il n'y aura pas
**28** 23-24 de pluie parce qu'ils auront péché contre toi, s'ils
prient en ce lieu, louent ton Nom et se repentent
de leur péché, parce que tu les auras humiliés [b],
36 toi, écoute au ciel, pardonne le péché de ton serviteur et de ton peuple Israël – tu leur indiqueras
la bonne voie qu'ils doivent suivre – et arrose de
pluie ta terre, que tu as donnée en héritage à ton
peuple.
Dt **28** 21, 38, 37 Quand le pays subira la famine, la peste, la
42, 51 rouille ou la nielle, quand surviendront les sauterelles ou les criquets, quand l'ennemi de ce peuple
assiégera l'une de ses portes [c], quand il y aura
n'importe quel fléau ou épidémie, 38 quelle que soit
la prière ou la supplication de quiconque [d] éprouve
le remords de sa propre conscience, s'il étend les
mains vers ce Temple, 39 toi, écoute au ciel, où tu
résides, pardonne et agis; rends à chaque homme
selon sa conduite, puisque tu connais son cœur –
Gn **8** 21+ tu es le seul à connaître le cœur de tous –, 40 en
Dt **12** 1 sorte qu'ils te craignent tous les jours qu'ils vivront
sur la terre que tu as donnée à nos pères.

|| 2 Ch **6** 32-39
## Suppléments [e].

Ex **12** 48+
Ac **8** 27 41 « Même l'étranger qui n'est pas d'Israël ton
Is **2** 2-5 peuple, s'il vient d'un pays lointain à cause de ton
Mi **4** 1-3
Jr **16** 19-21 Nom – 42 car on entendra parler de ton grand
Nom, de ta main forte et de ton bras étendu –, s'il
vient et prie en ce Temple, 43 toi, écoute-le au ciel,
Za **8** 20-23 où tu résides, exauce toutes les demandes de
l'étranger afin que tous les peuples de la terre
reconnaissent ton Nom et te craignent comme fait
ton peuple Israël, et qu'ils sachent que ce Temple
que j'ai bâti porte ton nom.
44 Si ton peuple part en guerre contre ses ennemis par le chemin où tu l'auras envoyé et s'il prie
Yahvé, tourné vers la ville que tu as choisie et vers Dn **6** 11
le Temple que j'ai construit pour ton Nom,
45 écoute au ciel sa prière et sa supplication et fais-
lui justice.
46 Quand ils pécheront contre toi – car il n'y
a aucun homme qui ne pèche –, quand tu seras Pr **20** 9
irrité contre eux, que tu les livreras à l'ennemi et Qo **7** 20 Rm **3** 23
que leurs conquérants les emmèneront captifs dans 1 Jn **1** 8-10
un pays ennemi, lointain ou proche, 47 s'ils rentrent
en eux-mêmes dans le pays où ils auront été dépor- Dt **28** 63-64;
tés, s'ils se repentent et te supplient dans le pays **30** 1-2
de leurs conquérants en disant : “ Nous avons
péché, nous avons mal agi, nous nous sommes
pervertis ”, 48 s'ils reviennent à toi de tout leur
cœur et de toute leur âme dans le pays des ennemis
qui les auront déportés, et s'ils te prient, tournés
vers le pays que tu as donné à leurs pères, vers la Dt **9** 5
ville que tu as choisie et le Temple que j'ai bâti
pour ton Nom, 49 écoute au ciel où tu résides [f],
50 pardonne à ton peuple les péchés qu'il a commis
envers toi et toutes les rébellions dont ils furent
coupables, fais-leur trouver grâce devant leurs
conquérants, que ceux-ci aient pitié d'eux; 51 car ils
sont ton peuple et ton héritage, ceux que tu as fait Dt **9** 26;
sortir d'Égypte, cette fournaise pour le fer. **32** 9 Jr **11** 4
Dt **4** 20

## Conclusion de la prière et bénédiction du peuple. || 2 Ch **6** 40

52 « Que tes yeux soient ouverts sur la supplication de ton serviteur et de ton peuple Israël, pour
écouter tous les appels qu'ils lanceront vers toi.
53 Car c'est toi qui les as mis à part comme ton Dt **7** 6+
héritage, parmi tous les peuples de la terre, ainsi
que tu l'as déclaré par le ministère de ton serviteur
Moïse, quand tu as fait sortir nos pères d'Égypte,
Seigneur Yahvé! »
54 Quand Salomon eut achevé d'adresser à
Yahvé toute cette prière et cette supplication, il se
releva de l'endroit où il était agenouillé, les mains
étendues vers le ciel, devant l'autel de Yahvé, 55 et
se tint debout. Il bénit à haute voix toute l'assemblée d'Israël : 56 « Béni soit Yahvé, dit-il, qui a
accordé le repos à son peuple Israël, selon toutes
ses promesses; de toutes les bonnes paroles qu'il a
dites par le ministère de son serviteur Moïse,
aucune n'a failli. 57 Que Yahvé notre Dieu soit avec Is **55** 10s
nous, comme il fut avec nos pères, qu'il ne nous Dt **31** 6
abandonne pas et ne nous rejette pas! 58 Qu'il in- Jos **1** 5

*a)* « prononce » grec; « prête sur gage » hébr. – C'est un jugement de Dieu : un accusateur, à défaut d'autre preuve, prononce devant l'autel une formule d'imprécation à laquelle l'accusé s'associe; Dieu déclarera celui-ci coupable ou innocent en accomplissant ou non la malédiction. Cf Ex **22** 6-10; Nb **5** 19-28; Jg **17** 1-3.
*b)* « tu les auras humiliés » grec, Vulg.; « tu leur auras répondu » hébr.
*c)* « l'une de ses portes » grec, syr.; « le pays de ses portes » hébr.
*d)* V. corrigé d'après le grec. Hébr. ajoute après « quiconque » : « tout son peuple Israël ».
*e)* Ajoutés après le retour de l'Exil. On notera l'esprit universaliste des vv. 41-43, la coutume de prier tourné vers Jérusalem, v. 44, le souci de ceux qui sont restés à l'étranger, vv. 47s.
*f)* L'hébr. ajoute : « leur prière et leur supplication et fais-leur justice », doublet du v. 45.

Jr 31 31+ cline nos cœurs vers lui, pour que nous suivions
toutes ses voies et gardions les commandements,
les lois et les ordonnances qu'il a donnés à nos
pères. 59 Puissent ces paroles que j'ai dites en suppliant devant Yahvé rester présentes jour et nuit à
Yahvé notre Dieu, pour qu'il rende justice à son
serviteur et justice à son peuple Israël, selon les
besoins de chaque jour; 60 tous les peuples de la
terre sauront alors que Yahvé seul est Dieu, qu'il
n'y en a point d'autre, 61 et votre cœur sera tout
entier à Yahvé, notre Dieu, observant ses lois et
gardant ses commandements comme maintenant. »

|| 2 Ch 7 4-10 **Les sacrifices de la fête de dédicace.**

62 Le roi et tout Israël avec lui sacrifièrent devant
Lv 3 1+ Yahvé. 63 Comme sacrifices de communion qu'il
présenta à Yahvé, Salomon offrit vingt-deux mille
bœufs et cent vingt mille moutons, et le roi et tous
les Israélites dédièrent le Temple de Yahvé. 64 En
ce jour, le roi consacra le milieu de la cour qui est
Lv 1-3+ devant le Temple de Yahvé; c'est là qu'il offrit l'holocauste, l'oblation et les graisses des sacrifices de
communion, parce que l'autel de bronze [a] qui était
devant Yahvé était trop petit pour contenir l'holocauste, l'oblation et les graisses des sacrifices de
communion. 65 En ce temps-là, Salomon célébra la
Jg 20 1+ fête [b], et tous les Israélites avec lui, un grand rassemblement depuis l'Entrée de Hamat jusqu'au
Torrent d'Égypte, devant Yahvé notre Dieu, pendant sept jours [c]. 66 Puis, le huitième jour, il congédia les gens; ils bénirent le roi et s'en allèrent chacun chez soi, joyeux et le cœur content de tout le
bien que Yahvé avait fait à son serviteur David et
à son peuple Israël.

Ch 7 11-22 **Nouvelle apparition divine.**

**9** 1 Après que Salomon eut achevé de construire
le Temple de Yahvé, le palais royal et tout ce
1 R 3 5-15 qu'il plut à Salomon de réaliser, 2 Yahvé apparut
une seconde fois à Salomon comme il lui était
apparu à Gabaôn. 3 Yahvé lui dit : « J'exauce la
prière et la supplication que tu m'as présentées. Je
consacre cette maison que tu as bâtie, en y plaçant
mon Nom à jamais; mes yeux et mon cœur y
seront toujours. 4 Pour toi, si tu marches devant
moi comme a fait ton père David, dans l'innocence
du cœur et la droiture, si tu agis selon tout ce que
je te commande et si tu observes mes lois et mes
ordonnances, 5 je maintiendrai pour toujours ton
trône royal sur Israël, comme je l'ai promis à ton
père David quand j'ai dit : “ Il ne te manquera
jamais un descendant sur le trône d'Israël ”; 6 mais
si vous m'abandonnez, vous et vos fils, si vous
n'observez pas les commandements et les lois que Dt 28 15
je vous ai proposés, si vous allez servir d'autres
dieux et leur rendez hommage, 7 alors je retrancherai Israël du pays que je lui ai donné; ce Temple
que j'ai consacré à mon Nom, je le rejetterai de ma
présence, et Israël sera la fable et la risée de tous Dt 28 37
les peuples. 8 Ce Temple sublime [d], tous ceux qui Jr 18 16; 19 8; 29 18
le longeront seront stupéfaits; ils siffleront et
diront : “ Pourquoi Yahvé a-t-il fait cela à ce pays Dt 29 23-26
et à ce Temple? ” 9 et l'on répondra : “ Parce qu'ils
ont abandonné Yahvé leur Dieu qui avait fait sortir
leurs pères du pays d'Égypte, qu'ils se sont attachés
à d'autres dieux et qu'ils leur ont rendu hommage
et culte, voilà pourquoi Yahvé leur a envoyé tous
ces maux ”. »

**Marché avec Hiram.** || 2 Ch 8 1-6

10 Au bout des vingt années pendant lesquelles
Salomon construisit les deux édifices, le Temple de
Yahvé et le palais royal 11 (Hiram, roi de Tyr, lui
avait fourni du bois de cèdre et de genévrier, et de 5 24-25
l'or, tant qu'il en avait voulu [e]), alors le roi Salomon donna à Hiram vingt villes dans le pays de
Galilée. 12 Hiram vint de Tyr pour voir les villes
que Salomon lui avait données, et elles ne lui plurent pas; 13 il dit : « Qu'est-ce que ces villes que tu
m'as données, mon frère? » et, jusqu'à ce jour, on
les appelle « le pays de Kabul » [f]. 14 Hiram envoya
au roi cent vingt talents d'or.

**La corvée de construction.**

15 Voici ce qui concerne la corvée que le roi Salomon leva pour construire le Temple de Yahvé, son
propre palais, le Millo [g] et le mur de Jérusalem,
Haçor, Megiddo, Gézèr, 16 (Pharaon, le roi
d'Égypte, fit une expédition, prit Gézèr, l'incendia
et massacra les Cananéens qui y habitaient, puis il
donna la ville en cadeau de noces à sa fille, la
femme de Salomon, 17 et Salomon reconstruisit
Gézèr), Bet-Horôn-le-Bas, 18 Baalat, Tamar au

*a)* Cet autel des holocaustes était placé devant l'entrée du Temple. C'était un bâti de métal qu'on pouvait déplacer, cf. 2 R **16** 14, et qui rappelait l'autel mobile de la Tente, au désert, dont la description, Ex **27** 1s, est d'ailleurs idéalisée. L'autel dressé par Salomon, **9** 25, resta en usage jusqu'au temps d'Achaz, 2 R **16** 10.

*b)* La dédicace du Temple coïncide avec la fête des Tentes, v. 2, qui durait sept jours, Dt **16** 13-15.

*c)* L'hébr. ajoute : « et encore sept jours, soit quatorze jours », glose inspirée de 2 Ch **7** 9 qui manque dans le grec et qui est contredite par le v. 66.

*d)* « Ce Temple sublime » versions; « Ce Temple sera sublime » hébr.

*e)* Ce rappel est une addition maladroite, car il s'agit ici d'un nouveau marché : Salomon vend à prix d'or, v. 14, une partie de son territoire.

*f)* Il n'est pas sûr qu'il y ait une relation entre la réflexion de Hiram et le nom du pays.

*g)* C'est un remblai de terre contre la colline rocheuse portant le Temple et le palais.

désert, dans le pays, [19] toutes les villes-entrepôts
qu'avait Salomon, les villes de chars et de che-
vaux [a], et ce qu'il plut à Salomon de construire à
Jérusalem, au Liban et dans tous les pays qui lui
|| 2 Ch **8** 7-10 étaient soumis. [20] Tout ce qui restait des Amorites,
Dt **7** 1+ des Hittites, des Perizzites, des Hivvites et des
Jébuséens, qui n'étaient pas des Israélites, [21] leurs
descendants restés après eux dans le pays, ceux que
Dt **7** 2; **20** 16 les Israélites n'avaient pas pu vouer à l'anathème,
Salomon les leva comme hommes de corvée ser-
vile; ils le sont encore. [22] Mais il n'imposa pas la
corvée servile aux Israélites [b], plutôt ceux-ci servaient comme soldats : ils étaient ses gardes, ses
officiers et ses écuyers, les officiers de sa charrerie
et de sa cavalerie. [23] Voici les officiers des préfets
qui dirigeaient les travaux de Salomon : cinq cent
cinquante, qui commandaient au peuple occupé
aux travaux. [24] Dès que la fille de Pharaon fut mon- || 2 Ch **8** 11
tée de la Cité de David à sa maison qu'il lui avait
construite, alors il bâtit le Millo.

**Le service du Temple.** || 2 Ch **8** 12-16 Dt **16** 16 Ex **23** 14+

[25] Salomon offrait trois fois par an des holocaustes et des sacrifices de communion sur l'autel
qu'il avait dressé à Yahvé et il faisait fumer devant
Yahvé ses offrandes brûlées [c]. Il maintenait le Temple en bon état.

## *3. SALOMON LE COMMERÇANT*

|| 2 Ch **8** 17-18 **Salomon armateur.**

[26] Le roi Salomon arma une flotte à Éçyôn-Gébèr, qui est près d'Élat, sur le bord de la mer
Rouge, au pays d'Édom. [27] Hiram envoya sur les
vaisseaux ses serviteurs, des matelots qui connaissaient la mer, avec les serviteurs de Salomon. [28] Ils
allèrent à Ophir et en rapportèrent quatre cent
vingt talents d'or, qu'ils remirent au roi Salomon [d].

|| 2 Ch **9** 1-12 ↗ Mt **12** 42p **Visite de la reine de Saba [e].**

**10** [1] La reine de Saba apprit la renommée de
Salomon [f] et vint éprouver celui-ci par des
énigmes. [2] Elle arriva à Jérusalem avec une très
grande suite, des chameaux chargés d'aromates,
d'or en énorme quantité et de pierres précieuses.
Quand elle fut arrivée auprès de Salomon, elle lui
proposa tout ce qu'elle avait médité, [3] mais Salomon l'éclaira sur toutes ses questions et aucune ne
fut pour le roi un secret qu'il ne pût élucider.
[4] Lorsque la reine de Saba vit toute la sagesse de
Salomon, le palais qu'il s'était construit, [5] le menu
de sa table, le placement de ses officiers, le service
de ses gens et leur livrée, son service à boire, les
holocaustes qu'il offrait au Temple de Yahvé, le
cœur lui manqua [6] et elle dit au roi : « Ce que j'ai
entendu dire sur toi et ta sagesse dans mon pays
était donc vrai! [7] Je n'ai pas voulu croire ce qu'on
disait avant de venir et de voir de mes yeux, mais
vraiment on ne m'en avait pas appris la moitié : tu
surpasses en sagesse et en prospérité la renommée
dont j'ai eu l'écho. [8] Bienheureuses tes femmes [g],
bienheureux tes serviteurs que voici, qui se tiennent
continuellement devant toi et qui entendent ta
sagesse! [9] Béni soit Yahvé ton Dieu qui t'a montré
sa faveur en te plaçant sur le trône d'Israël; c'est
parce que Yahvé aime Israël pour toujours qu'il t'a
établi roi, pour exercer le droit et la justice. » [10] Elle
donna au roi cent vingt talents d'or, une grande
quantité d'aromates et des pierres précieuses; la
reine de Saba avait apporté au roi Salomon une
abondance d'aromates telle qu'il n'en vint plus
jamais de pareille. [11] De même, la flotte d'Hiram,
qui apporta l'or d'Ophir, en rapporta du bois
d'almuggim [h] en grande quantité et des pierres précieuses. [12] Le roi fit avec le bois d'almuggim des
supports pour le Temple de Yahvé et pour le palais
royal, des lyres et des harpes pour les musiciens;
il ne vint plus de ce bois d'almuggim et on n'en a
plus vu jusqu'à maintenant. [13] Quant au roi Salomon, il offrit à la reine de Saba tout ce dont elle
manifesta l'envie, en plus des cadeaux qu'il lui fit

*a)* Ce sont les villes qui viennent d'être énumérées. Les chars de guerre, noyau de l'armée permanente sous Salomon, y stationnaient. Elles formaient une ligne de défense autour du territoire proprement israélite.

*b)* Cette indication de l'auteur ne s'accorde pas avec les données anciennes qu'il utilise en **5** 27; **11** 28, et qu'il faut préférer.

*c)* « offrandes brûlées » conj.; hébr. inintelligible.

*d)* Éçyôn-Géber, près d'Aqaba, était un port à l'extrémité du golfe de ce nom. Ophir est une région aurifère sur la côte occidentale de l'Arabie ou sur la côte opposée des Somalis.

*e)* Le royaume de Saba occupait le sud-ouest de la péninsule arabique, mais cette reine était plus vraisemblablement la régente d'une des colonies sabéennes établies en Arabie du nord. Le motif de sa visite a pu être l'établissement de relations commerciales. Salomon, qui dominait sur la Transjordanie et possédait Éçyôn-Géber, contrôlait les routes de caravanes allant d'Arabie du nord en Syrie et en Égypte. Saba est plusieurs fois mentionné avec Dedân, autre peuplade arabe, Gn **10** 7; **25** 3; Ez **38** 13, et comptant parmi les grandes tribus caravanières, Ez **27** 20s; Jr **6** 20; Jl **4** 8; Jb **6** 19. Cette nation lointaine viendra rendre hommage au Roi futur, Ps **72** 10, 15, dans la Jérusalem nouvelle, Is **45** 14 et **60** 6s; cf. Mt **2** 11.

*f)* Après « Salomon », hébr. ajoute : « pour le Nom de Yahvé »; manque en 2 Ch **9** 1.

*g)* « tes femmes » versions; « les hommes » hébr.

*h)* Essence rare, qu'on ne peut déterminer, 2 Ch **2** 7 fait venir ce bois du Liban, ce qui est confirmé par des textes akkadiens qui emploient le même mot.

avec une munificence digne du roi Salomon. Puis
elle s'en retourna et alla dans son pays, elle et ses
serviteurs.

|| 2 Ch **9** 13-24 **La richesse de Salomon.**

14 Le poids de l'or qui arriva à Salomon en une
année fut de six cent soixante-six talents d'or,
15 sans compter ce qui venait des redevances [a] des
marchands, du gain des commerçants et de tous les
rois des Arabes et des gouverneurs du pays. 16 Le
roi Salomon fit deux cents grands boucliers d'or
battu, sur chacun desquels il appliqua six cents
sicles d'or, 17 et trois cents petits boucliers d'or
battu, sur chacun desquels il appliqua trois mines
d'or, et il les déposa dans la Maison de la Forêt
du Liban. 18 Le roi fit aussi un grand trône d'ivoire
et le plaqua d'or raffiné. 19 Ce trône avait six
degrés, un dossier à sommet arrondi, et des bras de
part et d'autre du siège; deux lions étaient debout
près des bras 20 et douze lions se tenaient de part
et d'autre des six degrés. On n'a rien fait de semblable dans aucun royaume.
21 Tous les vases à boire du roi Salomon étaient
en or et tout le mobilier de la Maison de la Forêt
Si **47** 18 du Liban était en or fin; car on faisait fi de l'argent
au temps de Salomon. 22 En effet, le roi avait en
mer une flotte de Tarsis [b] avec la flotte d'Hiram et
tous les trois ans la flotte de Tarsis revenait chargée d'or, d'argent, d'ivoire, de singes et de guenons.
23 Le roi Salomon surpassa en richesse et en
sagesse tous les rois de la terre. 24 Tout le monde
voulait être reçu par Salomon pour profiter de la
sagesse que Dieu lui avait mise au cœur 25 et chacun apportait son présent : vases d'argent et vases
d'or, vêtements, armes, aromates, chevaux et
mulets, et ainsi d'année en année.

**La charrerie de Salomon.** || 2 Ch **1** 14-17

26 Salomon rassembla des chars et des chevaux;
il eut mille quatre cents chars et douze mille che- || 2 Ch **1** 14 = **9** 25
vaux et il les cantonna dans les villes des chars et 1 R **5** 6; **9** 19
près du roi à Jérusalem. 27 Le roi fit que l'argent || 2 Ch **1** 15 =
était aussi commun à Jérusalem que les cailloux, **9** 27
et les cèdres aussi nombreux que les sycomores du
Bas-Pays. 28 Les chevaux de Salomon venaient de || 2 Ch **1** 16 =
Muçur et de Cilicie [c]; les courtiers du roi les impor- **9** 28
taient de Cilicie à prix d'argent. 29 Un char était
livré d'Égypte pour six cents sicles d'argent; un
cheval en valait cent cinquante. Il en était de même
pour les rois des Hittites et les rois d'Aram qui les
importaient par leur entremise [d].

## 4. *LES OMBRES DU RÈGNE*

**Les femmes de Salomon.**

**11** 1 Le roi Salomon aima beaucoup de femmes
Dt **17** 17 étrangères – outre la fille de Pharaon – : des
Si **47** 19 Moabites, des Ammonites, des Édomites, des Sido-
niennes, des Hittites, 2 de ces peuples dont Yahvé
avait dit aux Israélites : « Vous n'irez pas chez eux
et ils ne viendront pas chez vous; sûrement ils
Dt **7** 3-4 détourneraient vos cœurs vers leurs dieux. » Mais
Salomon s'attacha à elles par amour; 3 il eut sept
cents épouses de rang princier et trois cents concu-
Ch **11** 23 – bines [e]. 4 Quand Salomon fut vieux, ses femmes
**12** 1 détournèrent son cœur vers d'autres dieux et son
cœur ne fut plus tout entier à Yahvé son Dieu
comme avait été celui de son père David.
Jg **2** 13+ 5 Salomon suivit Astarté, la divinité des Sidoniens,
et Milkom, l'abomination des Ammonites. 6 Il fit ce
qui déplaît à Yahvé et il ne lui obéit pas parfaitement comme son père David. 7 C'est alors que
Salomon construisit un sanctuaire à Kemosh,
l'abomination de Moab, sur la montagne à l'orient
de Jérusalem, et à Milkom, l'abomination des
Ammonites [f]. 8 Il en fit autant pour toutes ses femmes étrangères, qui offraient de l'encens et des
sacrifices à leurs dieux.
9 Yahvé s'irrita contre Salomon parce que son
cœur s'était détourné de Yahvé, Dieu d'Israël, qui
lui était apparu deux fois 10 et qui lui avait défendu
à cette occasion de suivre d'autres dieux, mais il
n'observa pas cet ordre. 11 Alors Yahvé dit à Salomon : « Parce que tu t'es comporté ainsi et que tu
n'as pas observé mon alliance et les prescriptions
que je t'avais faites, je vais sûrement t'arracher le

*a)* « redevances » grec; « hommes » hébr. – « Arabes » Aq., Sym., syr.; « occident » hébr.

*b)* L'identification avec Tartessos, colonie phénicienne d'Espagne, est improbable. Le mot peut signifier simplement « fonderie », et les « vaisseaux de Tarsis » seraient ceux qui desservaient les exploitations minières. Il s'agirait ici de la flotte qui transportait, comme marchandise d'échange, ces produits des fonderies de la Araba, cf. **22** 49. Ailleurs, l'expression a le sens général de « navire de haut bord », Is **23** 1, 14; **60** 9; Ez **27** 25; Ps **48** 8.

*c)* « De Muçur et de Cilicie » (*mimmuçur ûmiqqoweh*) conj.; « d'Égypte (*miçrayim*) et de *miqweh* (?) » hébr.

*d)* Les vv. 28-29 peuvent se comprendre d'un double commerce de transit : les courtiers de Salomon fournissaient à l'Égypte des chevaux importés d'Asie Mineure, aux « rois des Hittites » en Syrie du nord et aux « rois d'Aram » en Syrie du sud des chars importés d'Égypte.

*e)* L'hébr. ajoute : « et ses femmes détournèrent son cœur », doublet du v. 4, manque dans le grec.

*f)* « Milkom » grec; « Molèk » hébr. – Milkom est le dieu national des Ammonites. Jr **49** 1-3; 2 S **12** 30 (grec); Kemosh celui des Moabites, Nb **21** 29; Jr **48** 46.

royaume et le donner à l'un de tes serviteurs.
12 Seulement je ne ferai pas cela durant ta vie, en
considération de ton père David; c'est de la main
de ton fils que je l'arracherai. 13 Encore ne lui arra-
cherai-je pas tout le royaume : je laisserai une tribu
à ton fils, en considération de mon serviteur David
et de Jérusalem que j'ai choisie [a]. »

**Les ennemis extérieurs de Salomon.**

14 Yahvé suscita un adversaire à Salomon :
l'Édomite Hadad, de la race royale d'Édom.
2 S **8** 13-14 15 Après que David eut battu Édom, quand Joab,
chef de l'armée, était allé enterrer les morts, il avait
frappé tous les mâles d'Édom 16 (Joab et tout Israël
étaient demeurés là six mois jusqu'à l'anéantissement de tous les mâles d'Édom; 17 Hadad s'était
enfui en Égypte avec des Édomites au service de
son père. Hadad était alors un jeune garçon. 18 Ils
partirent de Madiân et arrivèrent à Parân; ils prirent avec eux des hommes de Parân et allèrent en
Égypte auprès de Pharaon, roi d'Égypte, qui lui
donna une maison, assura son entretien et lui assigna une terre. 19 Hadad jouit d'une grande faveur
auprès de Pharaon, qui lui fit épouser la sœur de
sa femme, la sœur de Tahpnès [b] la Grande Dame.
20 La sœur de Tahpnès lui enfanta son fils Genubat,
que Tahpnès éleva [c] dans le palais de Pharaon, et
Genubat vécut dans le palais de Pharaon, parmi les
enfants de Pharaon. 21 Quand Hadad apprit, en
Égyte, que David s'était couché avec ses pères et
que Joab, chef de l'armée, était mort, il dit à Pharaon : « Laisse-moi partir, que j'aille dans mon
pays. » 22 Pharaon lui dit : « Que te manque-t-il
chez moi pour que tu cherches à aller dans ton
pays? » Il répondit : « Rien, mais laisse-moi partir. » 25b Voici le mal que fit Hadad : il eut Israël
en aversion et il régna sur Édom.

23 A Salomon Dieu suscita aussi comme adversaire Rezôn, fils d'Élyada. Il avait fui de chez son
2 S **8** 3; maître Hadadézer, roi de Çoba; 24 des gens
**10** 16s s'étaient joints à lui et il était devenu chef de bande
(c'est alors que David les massacra). Rezôn prit
Damas, s'y installa et régna sur Damas. 25a Il
fut un adversaire d'Israël pendant toute la vie de
Salomon [d].

**La révolte de Jéroboam.**

26 Jéroboam était fils de l'Éphraïmite Nebat, de
Çerêda, et sa mère était une veuve nommée Çerua;
il était au service de Salomon et se révolta contre
le roi. 27 Voici l'histoire de sa révolte.
Salomon construisait le Millo, il fermait la brè- 9 15
che de la Cité de David, son père. 28 Ce Jéroboam 2 S 5 6+
était homme de condition; Salomon remarqua
comment ce jeune homme accomplissait sa tâche
et il le préposa à toute la corvée de la maison de
Joseph. 29 Il arriva que Jéroboam, étant sorti de
Jérusalem, fut abordé en chemin par le prophète
Ahiyya, de Silo; celui-ci était vêtu d'un manteau 1 S 1 3
neuf et ils étaient seuls tous les deux dans la campagne. 30 Ahiyya prit le manteau neuf qu'il avait
sur lui et le déchira en douze morceaux [e]. 31 Puis
il dit à Jéroboam : « Prends pour toi dix morceaux,
car ainsi parle Yahvé, Dieu d'Israël : Voici que je
vais arracher le royaume de la main de Salomon
et je te donnerai les dix tribus. 32 Il aura une tribu,
en considération de mon serviteur David et de Jérusalem, la ville que j'ai élue de toutes les tribus
d'Israël. 33 C'est qu'il m'a délaissé, qu'il s'est prosterné devant Astarté, la déesse des Sidoniens,
Kemosh, le dieu de Moab, Milkom, le dieu des
Ammonites, et qu'il n'a pas suivi mes voies [f], en
faisant ce qui est juste à mes yeux, ni mes lois et
mes ordonnances, comme son père David. 34 Mais
ce n'est pas de sa main que je prendrai le royaume,
car je l'ai établi prince pour tout le temps de sa vie,
en considération de mon serviteur David, que j'ai
élu et qui a observé mes commandements et mes
lois; 35 c'est de la main de son fils que j'enlèverai
le royaume et je te le donnerai, c'est-à-dire les dix
tribus. 36 Pourtant je laisserai à son fils une tribu,
pour que mon serviteur David ait toujours une 2 S **21** 17
lampe [g] devant moi à Jérusalem, la ville que j'ai 1 R **15** 4
choisie pour y placer mon Nom. 37 Pour toi, je te 2 R **8** 19
prendrai pour que tu règnes sur tout ce que tu voudras et tu seras roi sur Israël. 38 Si tu obéis à tout
ce que je t'ordonnerai, si tu suis mes voies et fais
ce qui est juste à mes yeux, en observant mes lois
et mes commandements comme a fait mon serviteur David, alors je serai avec toi et je te construi-

*a)* Les mariages étrangers de Salomon servaient sa politique : les sanctuaires païens étaient destinés à ses femmes et aux commerçants. Mais ces contacts mettaient en péril la pureté du Yahvisme et l'auteur interprète les faits dans l'esprit et le style de Dt : infidélité religieuse que Dieu châtie en suscitant des ennemis à l'extérieur, vv. 14s, et à l'intérieur, vv. 26s.

*b)* Tahpnès n'est pas un nom propre, mais un titre égyptien : « l'épouse du roi », qui est expliqué approximativement par le titre hébreu « la Grande Dame », titre qui désigne la reine mère, cf. **15** 13+.

*c)* « éleva » grec; « sevra » hébr.

*d)* L'ordre des vv., bouleversé par l'insertion de la notice sur Rezôn, est rétabli d'après le grec. – Cet établissement du royaume de Damas, où David avait dominé, 2 S **8** 6, préparait un rude ennemi pour Israël.

*e)* Les actions symboliques des prophètes sont des gestes non seulement expressifs, mais déjà efficaces, cf. Jr **18** 1+. Les dix morceaux attribués à Jéroboam sont les dix tribus du Nord (cf. 2 S **19** 44); il reste deux morceaux, mais qui ne représentent qu'une tribu laissée au successeur de Salomon : celle de Juda, qui avait absorbé Siméon, Jos **19** 1.

*f)* Les verbes au singulier avec les versions.

*g)* Image de la permanence d'une lignée.

rai une maison stable comme j'ai construit pour
David. Je te donnerai Israël [39] et j'humilierai la descendance de David à cause de cela; cependant pas
pour toujours. »
[40] Salomon chercha à faire mourir Jéroboam;
14 25 celui-ci partit et s'enfuit en Égypte auprès de Sheshonq, roi d'Égypte, et il demeura en Égypte
jusqu'à la mort de Salomon.

**Conclusion du règne.** || 2 Ch **9** 29-31

[41] Le reste de l'histoire de Salomon, tout ce qu'il
a fait, et sa sagesse, n'est-ce pas écrit dans le livre
de l'Histoire de Salomon [a]? [42] La durée du règne de
Salomon à Jérusalem sur tout Israël fut de quarante ans. [43] Puis Salomon se coucha avec ses pères
et on l'enterra dans la Cité de David, son père, et
son fils Roboam régna à sa place.

# *III. Le schisme politique et religieux*

|| 2 Ch **10** **L'Assemblée de Sichem.**

**12** [1] Roboam se rendit à Sichem, car c'est à
Sichem que tout Israël était venu pour le proclamer roi. ([2] [b] Dès que Jéroboam, fils de Nebat, fut
informé – il était encore en Égypte, où il avait fui
le roi Salomon –, il revint d'Égypte. [3] On fit appeler
Jéroboam et il vint, lui et toute l'assemblée
d'Israël [c].) Ils parlèrent ainsi à Roboam : [4] « Ton
père a rendu pénible notre joug, allège maintenant
le dur servage de ton père, la lourdeur du joug qu'il
nous imposa, et nous te servirons! » [5] Il leur dit :
« Retirez-vous pour trois jours, puis revenez vers
moi », et le peuple s'en alla.
[6] Le roi Roboam prit conseil des anciens, qui
avaient assisté son père Salomon pendant qu'il
vivait, et demanda : « Quelle réponse conseillez-
vous de faire à ce peuple? » [7] Ils lui répondirent :
« Si tu te fais aujourd'hui serviteur de ces gens, si
tu te soumets et leur donnes de bonnes paroles,
alors ils seront toujours tes serviteurs. » [8] Mais il
repoussa le conseil que les anciens avaient donné
et consulta des jeunes gens qui l'assistaient, ses
compagnons d'enfance. [9] Il leur demanda : « Que
conseillez-vous que nous répondions à ce peuple
qui m'a parlé ainsi : " Allège le joug que ton père
nous a imposé "? » [10] Les jeunes gens, ses compagnons d'enfance, lui répondirent : « Voici ce que tu
diras à ce peuple qui t'a dit : " Ton père a rendu
pesant notre joug, mais toi allège notre charge ",
voici ce que tu leur répondras : " Mon petit doigt
est plus gros que les reins de mon père! [11] Ainsi,
mon père vous a fait porter un joug pesant, moi
j'ajouterai encore à votre joug; mon père vous a
châtiés avec des lanières, moi je vous châtierai avec
des fouets à pointes de fer! " »

[12] Jéroboam avec tout le peuple vint à Roboam
le troisième jour, selon cet ordre qu'il avait donné :
« Revenez vers moi le troisième jour. » [13] Le roi fit
au peuple une dure réponse, il rejeta le conseil que
les anciens avaient donné [14] et, suivant le conseil
des jeunes, il leur parla ainsi : « Mon père a rendu
pesant votre joug, moi j'ajouterai encore à votre
joug; mon père vous a châtiés avec des lanières,
moi je vous châtierai avec des fouets à pointes de
fer. » [15] Le roi n'écouta donc pas le peuple : c'était
une intervention de Yahvé, pour accomplir la
parole qu'il avait dite à Jéroboam fils de Nebat par 11 29-39
le ministère d'Ahiyya de Silo. [16] Quand les Israélites virent que le roi ne les écoutait pas, ils lui répliquèrent :

« Quelle part avons-nous sur David? 2 S **20** 1
Nous n'avons pas d'héritage sur le fils de Jessé.
A tes tentes, Israël!
Et maintenant, pourvois à ta maison, David. »

Et Israël s'en fut à ses tentes. [17] Quant aux Israélites qui habitaient les villes de Juda, Roboam
régna sur eux. [18] Le roi Roboam dépêcha Adoram, 4 6; 5 27
le chef de la corvée, mais tout Israël le lapida et
il mourut; alors le roi Roboam se vit contraint de
monter sur son char pour fuir vers Jérusalem. [19] Et Si **47** 21
Israël fut séparé de la maison de David, jusqu'à ce
jour.

**Le schisme politique.**

[20] Lorsque tout Israël apprit que Jéroboam était
revenu, ils l'appelèrent à l'assemblée et ils le firent
roi sur tout Israël; il n'y eut pour se rallier à la maison de David que la seule tribu de Juda.
[21] Roboam se rendit à Jérusalem; il convoqua || 2 Ch **11** 1-4

*a)* Ce livre perdu semble avoir été l'une des sources anciennes de 1 R **3-11**.

*b)* Les vv. 2-3[a] mis entre parenthèses sont une glose qui provient de 2 Ch **10**, et qui manque dans le grec. Ils sont en contradiction avec le v. 20 qui est absent du texte des Chroniques. La mention de Jéroboam au v. 12 doit être également une glose. D'après le récit ancien, il n'assistait donc pas à la rencontre de Sichem et ne fut appelé que plus tard par les révoltés (v. 20). Ayant omis de raconter la révolte de Jéroboam, le chroniste rappelle ici maladroitement sa fuite en Égypte. – « il revint d'Égypte » versions; « il séjourna en Égypte » hébr.

*c)* Comme dans les textes historiques anciens, « tout Israël » désigne les tribus du Nord, distinguées de Juda. A Jérusalem, les Judéens ont reconnu Roboam. A Sichem, les Israélites, désavantagés par Salomon au profit de Juda, réclament une charte. La crise se préparait depuis longtemps.

toute la maison de Juda et la tribu de Benjamin,
soit cent quatre-vingt mille guerriers d'élite, pour
combattre la maison d'Israël et rendre le royaume
à Roboam fils de Salomon. 22 Mais la parole de
Dieu fut adressée à Shemaya l'homme de Dieu en
ces termes : 23 « Dis ceci à Roboam fils de Salomon, roi de Juda, à toute la maison de Juda, à Benjamin et au reste du peuple : 24 Ainsi parle Yahvé.
N'allez pas vous battre contre vos frères, les
Israélites; que chacun retourne chez soi, car cet
événement vient de moi. » Ils écoutèrent la parole
de Yahvé et prirent le chemin du retour comme
avait dit Yahvé.
25 Jéroboam fortifia Sichem dans la montagne
d'Éphraïm et y séjourna. Puis il sortit de là et fortifia Penuel.

**Le schisme religieux.**

26 Jéroboam se dit en lui-même : « Comme sont
les choses, le royaume va retourner à la maison de
David. 27 Si ce peuple continue de monter au Temple de Yahvé à Jérusalem pour offrir des sacrifices,
le cœur du peuple reviendra à son seigneur,
Roboam, roi de Juda, et on me tuera [a]. » 28 Après
avoir délibéré, il fit deux veaux d'or [b] et dit au peuple : « Assez longtemps vous êtes montés à Jérusa-
Ex 32 4 lem! Israël, voici ton Dieu qui t'a fait monter du
pays d'Égypte. » 29 Il dressa l'un à Béthel [c], 30 et le
peuple alla en procession devant l'autre jusqu'à
Dan. 31 Il établit le temple des hauts lieux et il institua des prêtres pris du commun, qui n'étaient pas
fils de Lévi. 32 Jéroboam célébra une fête le huitième mois, le quinzième jour du mois, comme la
8 65 fête qu'on célébrait en Juda, et il monta à l'autel [d].
Voilà comme il a agi à Béthel, sacrifiant aux veaux
qu'il avait faits, et il établit à Béthel les prêtres des
hauts lieux, qu'il avait institués. 33 Il monta à
l'autel qu'il avait fait [e], le quinzième jour du huitième mois, le mois qu'il avait arbitrairement
choisi; il institua une fête pour les Israélites et il
monta à l'autel pour offrir le sacrifice.

**Condamnation de l'autel de Béthel.**

13 1 Sur l'ordre de Yahvé, un homme de Dieu
arriva de Juda à Béthel, au moment où Jéroboam se tenait près de l'autel pour offrir le
sacrifice, 2 et, par ordre de Yahvé, il lança contre
l'autel cette proclamation : « Autel, autel! ainsi
parle Yahvé : Voici qu'il naîtra à la maison de
David un fils nommé Josias, il immolera sur toi les 2 R 23 15-16
prêtres des hauts lieux qui ont offert sur toi des
sacrifices, et il brûlera [f] sur toi des ossements
humains. » 3 Il donna en même temps un signe :
« Tel est le signe que Yahvé a parlé : Voici que
l'autel va se fendre et que se répandra la cendre qui
est sur lui. » 4 Quand le roi entendit ce que l'homme
de Dieu disait contre l'autel de Béthel, il étendit la
main hors de l'autel, en disant : « Saisissez-le! »
mais la main qu'il avait tendue contre l'homme
sécha, en sorte qu'il ne pouvait plus la ramener à
lui, 5 l'autel se fendit et les cendres coulèrent de
l'autel, selon le signe qu'avait donné l'homme de
Dieu, par ordre de Yahvé. 6 Le roi reprit et dit à
l'homme de Dieu : « Apaise, je t'en supplie, Yahvé
ton Dieu [g], afin que ma main puisse revenir à moi. »
L'homme de Dieu apaisa Yahvé, la main du roi
revint à lui et fut comme auparavant. 7 Le roi dit
à l'homme de Dieu : « Viens avec moi à la maison
pour te réconforter, et je te ferai un cadeau. »
8 Mais l'homme de Dieu dit au roi : « Quand tu me Nb 22 18
donnerais la moitié de ta maison, je n'irais pas avec
toi. Je ne mangerai ni ne boirai rien en ce lieu, 9 car
j'ai reçu ce commandement de Yahvé : Tu ne mangeras ni ne boiras rien et tu ne reviendras pas par
le même chemin. » 10 Et il s'en alla par un autre
chemin, sans reprendre le chemin par où il était
venu à Béthel.

**L'homme de Dieu et le prophète [h].**

11 Or habitait à Béthel un vieux prophète, et ses
fils vinrent lui raconter tout ce qu'avait fait, ce
jour-là, l'homme de Dieu à Béthel; les paroles qu'il
avait dites au roi, ils les racontèrent aussi à leur

*a)* L'hébr. ajoute : « ils reviendont à Roboam, roi de Juda », doublet omis par grec.
*b)* Jéroboam poursuivait une fin politique, il n'entendait pas changer de divinité. A l'arche d'alliance qui était à Jérusalem le symbole de la présence de Yahvé, il oppose le jeune taureau, symbole du piédestal de Yahvé invisible. Il s'appuie sur une vieille tradition, qui apparaît aussi dans l'épisode du « veau d'or », Ex **32**. Les deux récits ont été transformés par la polémique. Mais, en choisissant le même symbole que pour Baal, Jéroboam ouvrait la porte aux pires compromissions, cf. Os **13** 2. Ce sera le « péché de Jéroboam », qui reviendra comme un refrain dans la condamnation des rois d'Israël par l'historien deutéronomiste.
*c)* L'hébr. continue : « et il mit l'autre à Dan. Cette affaire mena au péché », addition qui coupe la phrase. – Dan, près d'une source du Jourdain, et Béthel, sur la route de Jérusalem, encadrent le nouveau royaume. C'étaient déjà des sanctuaires vénérés, Gn **12** 8, etc.; Jg **17-18**.
*d)* Le nouveau temple de Béthel est dédié en la fête des Tentes, comme le Temple de Salomon.
*e)* Après « qu'il avait fait », hébr. ajoute « à Béthel ».
*f)* « il brûlera » versions; « on brûlera » hébr. – Cette annonce, dont la précision est étrangère au genre prophétique, a été ajoutée à l'oracle primitif, qui se limitait au v. 3.
*g)* L'hébr. ajoute « et prie pour moi », absent des versions.
*h)* Le « prophète », *nabi*, représente à cette époque un genre d'inspiré inférieur au véritable « homme de Dieu ». Comparer Élie et Élisée avec les « frères prophètes », 2 R **2**, etc., et cf. Am **7** 14.

père. 12 Celui-ci leur demanda : « Quel chemin a-t-il
pris? » et ses fils lui montrèrent [a] le chemin qu'avait
pris l'homme de Dieu qui était venu de Juda. 13 Il
dit à ses fils : « Sellez-moi l'âne »; ils lui sellèrent
l'âne et il l'enfourcha. 14 Il poursuivit l'homme de
Dieu et le trouva assis sous le térébinthe; il lui
demanda : « Es-tu l'homme de Dieu venu de
Juda? » et il répondit : « Oui. » 15 Le prophète lui
dit : « Viens avec moi à la maison pour manger
quelque chose. » 16 Mais il répondit : « Je ne dois
pas revenir avec toi, ni rien manger ou rien boire
ici [b], 17 car j'ai reçu cet ordre de Yahvé : Tu ne
mangeras ni ne boiras rien là-bas, et tu ne retourneras pas par le chemin où tu seras allé. » 18 Alors
l'autre lui dit : « Moi aussi je suis un prophète
comme toi, et un ange m'a dit ceci, par ordre de
Yahvé : Ramène-le avec toi à la maison pour qu'il
mange et qu'il boive »; il lui mentait [c]. 19 L'homme
de Dieu revint donc avec lui, il mangea dans sa
maison et il but.

20 Or, comme ils étaient assis à table, une parole
de Yahvé arriva au prophète qui l'avait ramené
21 et celui-ci interpella l'homme de Dieu venu de
Juda : « Ainsi parle Yahvé. Parce que tu as été
rebelle à l'ordre de Yahvé et n'as pas observé le
commandement que t'avait fait Yahvé ton Dieu,
22 que tu es revenu, que tu as mangé et bu au lieu
où il t'avait dit de ne pas manger ni boire, ton cadavre n'entrera pas dans le sépulcre de tes pères. »
23 Après qu'il eut mangé et bu, le prophète lui sella
l'âne, il s'en retourna et partit [d]. 24 Un lion le trouva
sur le chemin et le tua; son cadavre resta étendu
sur le chemin, l'âne se tenait près de lui, le lion
aussi se tenait près du cadavre. 25 Des gens passèrent, qui virent le cadavre étendu sur le chemin et
le lion se tenant près du cadavre, et ils vinrent le
dire à la ville où habitait le vieux prophète.
26 Quand le prophète qui lui avait fait rebrousser
chemin apprit cela, il dit : « C'est l'homme de Dieu
qui a été rebelle à l'ordre de Yahvé! Et Yahvé l'a
livré au lion, qui l'a abattu et tué, selon la parole
que Yahvé lui avait dite! » 27 Il dit à ses fils : « Sellez-moi l'âne », et ils le sellèrent. 28 Il partit et
trouva son cadavre étendu sur le chemin, l'âne et
le lion se tenant à côté du cadavre; le lion n'avait
pas dévoré le cadavre ni brisé l'échine de l'âne. 29 Il
releva le cadavre de l'homme de Dieu et le mit sur
l'âne, et il le ramena à la ville où il habitait pour
faire le deuil et l'ensevelir. 30 Il déposa le cadavre
dans son propre sépulcre et on fit le deuil sur lui :
« Hélas, mon frère! » 31 Après qu'il l'eut enseveli, il Jr 22 18
parla ainsi à ses fils : « Après ma mort, vous
m'ensevelirez dans le même sépulcre que l'homme 2 R 23 17-18
de Dieu; déposez mes os à côté des siens. 32 Car
elle s'accomplira vraiment, la parole qu'il a pronon-
céé par ordre de Yahvé contre l'autel de Béthel, et
contre tous les sanctuaires des hauts lieux qui sont
dans les villes de Samarie. »

33 Après cet événement, Jéroboam ne se convertit
pas de sa mauvaise conduite, mais il continua
d'instituer prêtres des hauts lieux des gens pris du
commun : à qui le voulait il donnait l'investiture
pour devenir prêtre des hauts lieux. 34 Cette
conduite fit tomber dans le péché la maison de
Jéroboam et motiva sa ruine et son extermination
de la face de la terre.

# *IV. Les deux royaumes jusqu'à Élie*

**Suite du règne de Jéroboam Ier (931-910).**

**14** 1 En ce temps-là, le fils de Jéroboam, Abiyya,
tomba malade, 2 et Jéroboam dit à sa femme :
« Lève-toi, je te prie, déguise-toi pour qu'on ne
reconnaisse pas que tu es la femme de Jéroboam
11 29-39 et va à Silo. Il y a là le prophète Ahiyya : c'est lui
qui a prédit que je régnerais sur ce peuple. 3 Prends
1 S 9 7+ avec toi dix pains, des friandises et un pot de miel,
et va vers lui : il t'apprendra ce qui doit arriver à
l'enfant. » 4 Ainsi fit la femme de Jéroboam : elle se
leva, alla à Silo et entra chez Ahiyya. Or celui-ci
ne pouvait pas voir, ayant le regard fixe à cause de
son grand âge, 5 mais Yahvé lui avait dit : « Voici
que la femme de Jéroboam vient solliciter de toi un
oracle pour son fils, car il est malade; tu lui parleras de telle et telle manière. Elle viendra en se donnant pour une autre. » 6 Dès qu'Ahiyya entendit le
bruit de ses pas à la porte, il dit : « Entre, femme
de Jéroboam. Pourquoi donc te donner pour une
autre, quand j'ai un dur message pour toi? 7 Va dire
à Jéroboam : " Ainsi parle Yahvé, Dieu d'Israël :
Je t'ai tiré du milieu du peuple et t'ai établi comme
chef sur mon peuple Israël, 8 j'ai arraché le
royaume à la maison de David et je te l'ai donné.
Mais tu n'as pas été comme mon serviteur David

*a)* « lui montrèrent » versions; « virent » hébr.
*b)* L'hébr. est un peu surchargé.
*c)* Pour l'éprouver. La suite du récit, dans un style populaire très accusé, enseigne cette leçon : les ordres divins exigent une soumission absolue; l'homme de Dieu n'aurait pas dû mettre en doute celui qu'il avait reçu, pas même au commandement d'un ange, cf. Ga 1 8.
*d)* « il s'en retourna et partit » versions; hébr. corrompu.

qui a observé mes commandements et qui m'a suivi
de tout son cœur, ne faisant que ce qui me plaît;
9 tu as agi plus mal que tous tes prédécesseurs, tu
Ex **20** 3-5 es allé te fabriquer d'autres dieux, des idoles fondues [a], pour mon irritation, et tu m'as jeté derrière
ton dos. 10 C'est pourquoi je vais faire venir le malheur sur la maison de Jéroboam, j'exterminerai
1 S **25** 22 tous les mâles [b] de la famille de Jéroboam, liés ou
libres [c] en Israël, je balayerai la maison de Jéroboam comme on balaye complètement l'ordure.
**15** 27-30 11 Ceux de la famille de Jéroboam qui mourront
**16** 4; **21** 24 dans la ville seront mangés par les chiens, et ceux
qui mourront dans la campagne seront mangés par
les oiseaux du ciel [d], car Yahvé a parlé. " 12 Pour
toi, lève-toi et va chez toi : au moment où tes pieds
entreront dans la ville, l'enfant mourra. 13 Tout
Israël fera son deuil et on l'ensevelira. En effet ce
sera le seul de la famille de Jéroboam qui sera mis
dans un sépulcre, car en lui seul se sera trouvé
quelque chose d'agréable à Yahvé, Dieu d'Israël,
dans la maison de Jéroboam. 14 Yahvé établira un
roi sur Israël qui exterminera la maison de Jéroboam [e]. 15 Yahvé fera vaciller [f] Israël comme dans
l'eau vacille le roseau, il arrachera Israël de ce bon
pays qu'il a donné à ses pères et le dispersera de
l'autre côté du Fleuve, parce qu'ils ont fait leurs
pieux sacrés pour l'irritation de Yahvé. 16 Il abandonnera Israël à cause des péchés que Jéroboam a
commis et qu'il a fait commettre à Israël. » 17 La
femme de Jéroboam se leva et partit. Elle arriva à
Tirça [g] et, lorsqu'elle franchit le seuil de la maison,
l'enfant était déjà mort. 18 On l'ensevelit et tout
Israël fit son deuil, comme avait dit Yahvé, par le
ministère de son serviteur le prophète Ahiyya.
19 Le reste de l'histoire de Jéroboam, comment il
guerroya et régna, cela est écrit au livre des Annales des rois d'Israël. 20 La durée du règne de Jéroboam fut de vingt-deux années, puis il se coucha
avec ses pères et son fils Nadab régna à sa place.

**Règne de Roboam (931-913).**

|| 2 Ch **12** 13-14 21 Roboam fils de Salomon devint roi sur Juda;
il avait quarante et un ans à son avènement et
régna dix-sept ans à Jérusalem, la ville que, dans
toutes les tribus d'Israël, Yahvé avait choisie pour
y placer son Nom. Sa mère s'appelait Naama,
l'Ammonite. 22 Il fit [h] ce qui déplaît à Yahvé : il
irrita sa jalousie plus que n'avaient fait ses pères
avec tous les péchés qu'ils avaient commis, 23 eux
qui s'étaient construit des hauts lieux, avaient 1 S **9** 12+
dressé des stèles et des pieux sacrés sur toute col- Ex **23** 24+
line élevée et sous tout arbre verdoyant. 24 Même Ex **34** 13+ Dt **12** 2+
il y eut des prostitués sacrés dans le pays. Il imita Dt **23** 19+
toutes les ignominies des nations que Yahvé avait
chassées devant les Israélites.
25 La cinquième année du roi Roboam, le roi || 2 Ch **12** 2, 9-
d'Égypte, Sheshonq [i], marcha contre Jérusalem.
26 Il se fit livrer les trésors du Temple de Yahvé et
ceux du palais royal, absolument tout, jusqu'à tous
les boucliers d'or qu'avait faits Salomon. 27 A leur **10** 16
place, le roi Roboam fit des boucliers de bronze et
les confia aux chefs des gardes [j], qui veillaient à la
porte du palais royal. 28 Chaque fois que le roi
allait au Temple de Yahvé, les gardes les prenaient
puis il les rapportaient à la salle des gardes.
29 Le reste de l'histoire de Roboam, tout ce qu'il
a fait, cela n'est-il pas écrit au livre des Annales
des rois de Juda? 30 Il y eut tout le temps guerre
entre Roboam et Jéroboam. 31 Roboam se coucha || 2 Ch **12** 16
avec ses pères et on l'enterra dans la Cité de David.
Son fils Abiyyam régna à sa place [k].

**Règne d'Abiyyam en Juda (913-911).**

**15** 1 La dix-huitième année du roi Jéroboam fils || 2 Ch **13** 1-
de Nebat, Abiyyam devint roi de Juda 2 et
régna trois ans à Jérusalem; sa mère s'appelait
Maaka, fille d'Absalom. 3 Il imita les péchés que 2 Ch **11** 20
son père avait commis avant lui et son cœur ne fut
pas tout entier à Yahvé son Dieu comme le cœur
de son ancêtre David. 4 Pourtant, en considération
de David, Yahvé son Dieu lui donna une lampe à **11** 36+
Jérusalem, en maintenant son fils après lui et en 2 R **8** 19
épargnant Jérusalem. 5 En effet David avait fait ce
qui est juste aux yeux de Yahvé et il ne s'était
dérobé à rien de ce qu'il lui avait ordonné durant
toute sa vie (sauf dans l'histoire d'Urie le Hittite).
(6 [l]) 7 Le reste de l'histoire d'Abiyyam, tout ce
qu'il a fait, cela n'est-il pas écrit au livre des Anna-
les des rois de Juda? Il y eut guerre entre Abiyyam || 2 Ch **13**

*a)* C'est la réaction du pur yahvisme : les veaux d'or de Jéroboam (qui voulait les faire servir au culte de Yahvé, **12** 28+) ne peuvent représenter Yahvé et ne sont que de « faux dieux ».
*b)* Litt. « ceux qui urinent contre le mur ».
*c)* Deux mots de sens imprécis exprimant la totalité et faisant allitération.
*d)* Ces expressions désignent la privation de sépulture; cf. en contraste le v. 13.
*e)* Le texte ajoute : « Voici le jour, et quoi de plus maintenant? » glose du v. 15 par un exilé.
*f)* « fera vaciller » conj., cf. la suite; « frappera » hébr.
*g)* Première capitale du royaume d'Israël avant la fondation de Samarie, **16** 24. Aujourd'hui Tell el-Fâr'ah, au nord de Naplouse.
*h)* Les verbes au singulier d'après le grec; l'hébr. a le pluriel, appliqué à Juda en général.
*i)* Premier pharaon de la XXIIe dynastie. Il semble avoir fait une campagne en Palestine, épargnant la Judée (en raison sans doute du tribut payé par Roboam).
*j)* Les gardes du corps (ou « coureurs », cf. 1 R 1 5) qui escortaient le char royal.
*k)* Texte corrigé d'après 2 Ch **12** 16; l'hébr. est surchargé.
*l)* Ce v., qui manque dans les meilleurs témoins grecs, est un doublet de **14** 30.

|| 2 Ch 13 23 et Jéroboam. 8 Puis Abiyyam se coucha avec ses
pères et on l'enterra dans la Cité de David; son fils
Asa régna à sa place.

**Règne d'Asa en Juda (911-870).**

9 La vingtième année de Jéroboam, roi d'Israël,
Asa devint roi de Juda 10 et régna quarante et un
ans à Jérusalem; sa grand-mère s'appelait Maaka,
|| 2 Ch 14 1-3 fille d'Absalom. 11 Asa fit ce qui est juste aux yeux
Dt 23 19+ de Yahvé, comme son ancêtre David. 12 Il expulsa
|| 2 Ch 15 16-18 du pays les prostitués sacrés et supprima toutes les
11 19+ idoles que ses pères avaient faites. 13 Même il
enleva à sa grand-mère la dignité de Grande
Dame[a], parce qu'elle avait fait une horreur[b] pour
Ashéra; Asa abattit son horreur et la brûla dans la
vallée du Cédron. 14 Les hauts lieux ne disparurent
pas; pourtant le cœur d'Asa fut tout entier à Yahvé
pendant toute sa vie. 15 Il déposa dans le Temple
de Yahvé les offrandes consacrées par son père et
ses propres offrandes, de l'argent, de l'or et du
mobilier.
|| 2 Ch 16 1-6 16 Il y eut guerre entre Asa et Basha, roi d'Israël,
tant qu'ils vécurent. 17 Basha, roi d'Israël, marcha
contre Juda et il fortifia Rama pour bloquer les
communications d'Asa, roi de Juda. 18 Alors Asa
prit l'argent et l'or qui restaient dans les trésors du
Temple de Yahvé et ceux du palais royal. Il les
remit à ses serviteurs et envoya ceux-ci vers Ben-
Hadad[c] fils de Tabrimmôn fils de Hèzyôn, le roi
d'Aram qui résidait à Damas, avec ce message :
19 « Alliance entre moi et toi, entre mon père et ton
père! Je t'envoie un présent d'argent et d'or : va,
romps ton alliance avec Basha, roi d'Israël, pour
qu'il s'éloigne de moi! » 20 Ben-Hadad exauça le roi
Asa et envoya ses chefs d'armée contre les villes
d'Israël; il conquit Iyyôn, Dan, Abel-Bet-Maaka,
tout Kinnerot[d] et même tout le pays de Nephtali.
21 Quand Basha l'apprit, il arrêta les travaux à
Rama et retourna[e] à Tirça. 22 Le roi Asa convoqua
tout Juda, sans exemption pour personne; on
enleva les pierres et le bois avec lesquels Basha fortifiait Rama et le roi en fortifia Géba de Benjamin
et Miçpa.
h 16 11-14 23 Le reste de l'histoire d'Asa, toute sa vaillance
et tout ce qu'il a fait[f], cela n'est-il pas écrit au livre
des Annales des rois de Juda? Seulement, au temps
de sa vieillesse, il eut les pieds malades. 24 Asa se
coucha avec ses pères et on l'enterra dans la Cité
de David, son ancêtre. Son fils Josaphat régna à sa
place.

**Règne de Nadab en Israël (910-909).**

25 Nadab, fils de Jéroboam, devint roi d'Israël, en
la deuxième année d'Asa, roi de Juda, et régna
deux ans sur Israël. 26 Il fit ce qui déplaît à Yahvé :
il imita la conduite de son père et le péché où celui-
ci avait entraîné Israël. 27 Basha fils d'Ahiyya, de
la maison d'Issachar, conspira contre lui et l'assas-
sina à Gibbetôn, ville philistine qu'assiégeaient
Nadab et tout Israël. 28 Basha le fit périr dans la
troisième année d'Asa, roi de Juda, et régna à sa
place. 29 Devenu roi, il massacra toute la maison
de Jéroboam sans épargner personne, jusqu'à
l'extermination, selon la parole que Yahvé avait
dite par le ministère de son serviteur Ahiyya de 14 10-11
Silo, 30 pour les péchés qu'il avait commis et où il
avait entraîné Israël et pour l'irritation qu'il avait
causée à Yahvé Dieu d'Israël.
31 Le reste de l'histoire de Nadab, et tout ce qu'il
a fait, cela n'est-il pas écrit au livre des Annales
des rois d'Israël? (32[g]).

**Règne de Basha en Israël (909-886).**

33 La troisième année d'Asa, roi de Juda, Basha,
fils d'Ahiyya, devint roi sur Israël[h] à Tirça, pour
vingt-quatre ans. 34 Il fit ce qui déplaît à Yahvé, et
il imita la conduite de Jéroboam et le péché où il
avait entraîné Israël.

16 1 La parole de Yahvé fut adressée à Jéhu, fils
de Hanani, contre Basha, en ces termes : 2 « Je
t'ai tiré de la poussière et je t'ai établi chef sur mon 14 7-11
peuple Israël, mais tu as imité la conduite de Jéro- Ps 113 7-8
boam et tu as fait commettre à mon peuple Israël
des péchés qui m'irritent. 3 Aussi vais-je balayer
Basha et sa maison : je traiterai ta maison comme
celle de Jéroboam fils de Nebat. 4 Celui de la
famille de Basha qui mourra dans la ville, les 14 11
chiens le mangeront, et celui qui mourra dans la
campagne, les oiseaux du ciel le mangeront. »
5 Le reste de l'histoire de Basha, ce qu'il a fait
et ses exploits, cela n'est-il pas écrit au livre des
Annales des rois d'Israël? 6 Basha se coucha avec
ses pères et on l'enterra à Tirça. Son fils Éla régna
à sa place.
7 De plus, par le ministère du prophète Jéhu fils

*a)* En Juda, comme dans d'autres royaumes orientaux, la reine mère avait un rang d'honneur, cf. 2 19, et certaines prérogatives. Elle portait le titre de « Grande Dame ». Son nom est donné, sauf exception, dans l'introduction à chaque règne. Maaka avait conservé cette dignité sous son petit-fils, qui avait accédé très jeune au pouvoir.

*b)* Traduction incertaine. On ne sait pas ce qu'était cet objet.

*c)* Ben-Hadad Ier. Sur la suite de la dynastie, voir 20 1. Asa inaugure la politique d'alliances étrangères que les grands prophètes reprocheront sans cesse aux rois de Juda, cf. Is 7 4-9; 8 6-8, etc.

*d)* La région à l'ouest du lac de Tibériade.

*e)* « retourna » grec.; « résida » hébr.

*f)* L'hébr. ajoute ici : « et les villes qu'il a construites », addition inspirée du v. précédent.

*g)* Le v. 32, simple doublet du v. 16, est omis par grec.

*h)* « Israël » grec: « tout Israël » hébr.

de Hanani, la parole de Yahvé fut transmise à
Basha et à sa maison, d'une part à cause de tout
le mal qu'il fit au regard de Yahvé, en l'irritant par
ses œuvres, pour devenir comme la maison de
Jéroboam, d'autre part, parce qu'il extermina
celle-ci [a].

**Règne d'Éla en Israël (886-885).**

8 La vingt-sixième année d'Asa, roi de Juda, Éla
fils de Basha devint roi sur Israël à Tirça, pour
deux ans. 9 Son officier Zimri, chef de la moitié des
chars, conspira contre lui. Comme il était dans
Is 5 11 Tirça, buvant à s'enivrer dans la maison d'Arça,
maître du palais à Tirça, 10 Zimri entra, le frappa
et le tua, en la vingt-septième année d'Asa roi de
Juda, puis il régna à sa place. 11 A son avènement,
dès qu'il fut assis sur le trône, il massacra toute la
1 S 25 22 famille de Basha, sans lui laisser aucun mâle, et
aussi ses parents et son familier. 12 Zimri extermina
toute la maison de Basha, selon la parole que
Yahvé avait prononcée contre Basha, par le minis-
16 1-4 tère du prophète Jéhu, 13 pour tous les péchés de
Basha et ceux d'Éla, son fils, où ils avaient entraîné
Israël, irritant Yahvé, Dieu d'Israël, par leurs vaines idoles.
14 Le reste de l'histoire d'Éla, et tout ce qu'il a
fait, cela n'est-il pas écrit au livre des Annales des
rois d'Israël?

**Règne de Zimri en Israël (885).**

15 La vingt-septième année d'Asa, roi de Juda,
Zimri devint roi, pour sept jours, à Tirça. Le peuple
campait alors devant Gibbetôn qui appartient aux
Philistins. 16 Lorsque le bivouac reçut cette nouvelle : « Zimri a conspiré, il a même tué le roi! »
tout Israël, le jour même, dans le camp, proclama
roi sur Israël Omri, le chef de l'armée. 17 Omri et
tout Israël avec lui levèrent le siège de Gibbetôn et
vinrent bloquer Tirça. 18 Quand Zimri vit que la
ville était prise, il entra dans le donjon du palais
royal, brûla sur lui le palais et périt. 19 Ce fut pour
le péché qu'il commit en faisant ce qui déplaît à
Yahvé, en imitant la conduite de Jéroboam et le
péché où il avait entraîné Israël.
20 Le reste de l'histoire de Zimri et la conspiration qu'il ourdit, cela n'est-il pas écrit au livre des
Annales des rois d'Israël?
21 Alors le peuple d'Israël se divisa : une moitié
se rallia à Tibni fils de Ginat, pour le faire roi,
l'autre moitié à Omri. 22 Mais le parti d'Omri
l'emporta sur celui de Tibni fils de Ginat; Tibni
mourut et Omri devint roi.

**Règne d'Omri en Israël (885-874) [b].**

23 La trente et unième année d'Asa, roi de Juda,
Omri devint roi sur Israël, pour douze ans. Il régna
six années à Tirça. 24 Puis il acquit de Shémer le
mont Samarie pour deux talents d'argent; il y
construisit une ville que, d'après le nom de Shémer,
possesseur de la montagne, il nomma Samarie.
25 Omri fit ce qui déplaît à Yahvé et fut pire que
tous ses devanciers. 26 Il imita en tout la conduite
de Jéroboam fils de Nebat et les péchés où il avait
entraîné Israël, irritant Yahvé, Dieu d'Israël, par
leurs vaines idoles.
27 Le reste de l'histoire d'Omri, ce qu'il a fait et
ses exploits, cela n'est-il pas écrit au livre des
Annales des rois d'Israël? 28 Omri se coucha avec
ses pères et on l'enterra à Samarie. Son fils Achab
régna à sa place.

**Introduction au règne d'Achab (874-853).**

29 Achab fils d'Omri devint roi sur Israël en la
trente-huitième année d'Asa, roi de Juda, et il régna
vingt-deux ans sur Israël à Samarie. 30 Achab fils
d'Omri fit ce qui déplaît à Yahvé et fut pire que
tous ses devanciers. 31 La moindre chose fut qu'il
imita les péchés de Jéroboam fils de Nebat : il prit
pour femme Jézabel, fille d'Ittobaal, roi des Sidoniens [c], et se mit à servir Baal et à se prosterner
devant lui; 32 il lui dressa un autel dans le temple
de Baal qu'il construisit à Samarie. 33 Achab installa aussi le pieu sacré et fit encore d'autres offen- Ex 34 13+
ses, irritant Yahvé, Dieu d'Israël, plus que tous les
rois d'Israël ses prédécesseurs. 34 De son temps,
Hiel de Béthel rebâtit Jéricho; au prix de son
premier-né Abiram il en établit le fondement et Lv 18 21+
au prix de son dernier-né Segub il en posa les
portes [d], selon la parole que Yahvé avait dite par
le ministère de Josué, fils de Nûn. Jos 6 26

*a)* Après « Hanani » hébr. ajoute « le prophète », omis par grec. Tout le v. est une addition qui répète les vv. 1-4 et donne du châtiment de Basha une seconde raison étrangère à l'esprit du livre.

*b)* Omri fut certainement un grand souverain, mais le livre des Rois, qui ne s'intéresse au royaume d'Israël que pour l'histoire religieuse, ne retient que la fondation de Samarie, qui devait rester la capitale jusqu'à la ruine du royaume.

*c)* Ittobaal (Etbaal dans l'hébr.) est un prêtre d'Astarté qui prit le pouvoir à Tyr en même temps qu'Omri en Israël; les deux usurpateurs se sont rapprochés et ont cimenté leur union par une alliance de famille. Les conséquences religieuses de ces rapports étroits avec les Phéniciens se développeront pendant tout le règne d'Achab.

*d)* Il est possible, mais il n'est pas sûr, que les deux fils servirent de victimes pour un sacrifice de fondation.

# V. *Le cycle d'Élie*

## 1. LA GRANDE SÉCHERESSE

**L'annonce du fléau.**

17 1 Élie le Tishbite, de Tishbé en Galaad [a], dit
à Achab : « Par Yahvé vivant, le Dieu d'Israël
↗ Jc 5 17 que je sers, il n'y aura ces années-ci ni rosée ni
↗ Ap 11 6 pluie sauf à mon commandement. »

**Au torrent de Kerit.**

2 La parole de Yahvé lui fut adressée en ces termes : 3 « Va-t'en d'ici, dirige-toi vers l'orient et
cache-toi au torrent de Kerit, qui est à l'est du Jourdain. 4 Tu boiras au torrent et j'ordonne aux corbeaux de te donner à manger là-bas. » 5 Il partit
donc et il fit comme Yahvé avait dit et alla s'établir
au torrent de Kerit, à l'est du Jourdain. 6 Les cor-
Ex 16 8, 12 beaux lui apportaient du pain le matin et de la
viande le soir [b], et il buvait au torrent.

2 R 4 1-7 **A Sarepta. Le miracle de la farine et de l'huile.**

7 Mais il arriva au bout d'un certain temps que
le torrent sécha, car il n'y avait pas eu de pluie
dans le pays. 8 Alors la parole de Yahvé lui fut
↗ Lc 4 25-26 adressée en ces termes : 9 « Lève-toi et va à Sarepta,
qui appartient à Sidon, et tu y demeureras. Voici
que j'ordonne là-bas à une veuve de te donner à
manger. » 10 Il se leva et alla à Sarepta. Comme il
arrivait à l'entrée de la ville, il y avait là une veuve
qui ramassait du bois; il l'interpella et lui dit :
« Apporte-moi donc un peu d'eau dans la cruche,
que je boive! » 11 Comme elle allait la chercher, il
lui cria : « Apporte-moi donc un morceau de pain
dans ta main! » 12 Elle répondit : « Par Yahvé
vivant, ton Dieu! je n'ai pas de pain cuit; je n'ai
qu'une poignée de farine dans une jarre et un peu
d'huile dans une cruche, je suis à ramasser deux
bouts de bois, je vais préparer cela pour moi et
mon fils, nous mangerons et nous mourrons. »
13 Mais Élie lui dit : « Ne crains rien, va faire
comme tu dis; seulement, prépare-m'en d'abord
une petite galette, que tu m'apporteras : tu en feras
ensuite pour toi et ton fils. 14 Car ainsi parle Yahvé,
Dieu d'Israël :

Jarre de farine ne s'épuisera
cruche d'huile ne se videra,
jusqu'au jour où Yahvé enverra
la pluie sur la face de la terre. »

15 Elle alla et fit comme avait dit Élie, et ils mangèrent, elle, lui et son fils [c]. 16 La jarre de farine ne
s'épuisa pas et la cruche d'huile ne se vida pas,
selon la parole que Yahvé avait dite par le ministère d'Élie.

**La résurrection du fils de la veuve.** 2 R 4 18-37
Lc 7 11-17

17 Après ces événements, il arriva que le fils de
la maîtresse de maison tomba malade, et sa maladie fut si violente qu'enfin il expira. 18 Alors elle dit
à Élie : « Qu'ai-je à faire avec toi, homme de Dieu?
Tu es donc venu chez moi pour rappeler mes fautes
et faire mourir mon fils [d]! » 19 Il lui dit : « Donne-
moi ton fils »; il l'enleva de son sein, le monta dans
la chambre haute où il habitait et le coucha sur son
lit. 20 Puis il invoqua Yahvé et dit : « Yahvé, mon
Dieu, veux-tu donc aussi du mal à la veuve qui
m'héberge, pour que tu fasses mourir son fils? »
21 Il s'étendit trois fois sur l'enfant et il invoqua 2 R 4 33-36
Yahvé : « Yahvé, mon Dieu, je t'en prie, fais revenir Ac 20 10
en lui l'âme de cet enfant! » 22 Yahvé exauça l'appel
d'Élie, l'âme de l'enfant revint en lui et il reprit vie.
23 Élie le prit, le descendit de la chambre haute
dans la maison et le remit à sa mère; et Élie dit :
« Voici, ton fils est vivant. » 24 La femme lui répondit : « Maintenant je sais que tu es un homme de
Dieu et que la parole de Yahvé dans ta bouche est
vérité! »

**Rencontre d'Élie et d'Obadyahu.**

18 1 Il se passa longtemps et la parole de Yahvé
fut adressée à Élie, la troisième année, en ces
termes : « Va te montrer à Achab, je vais envoyer
la pluie sur la face de la terre. » 2 Et Élie partit pour
se montrer à Achab.
Comme la famine s'était aggravée à Samarie,
3 Achab fit appeler Obadyahu, le maître du palais 4 2+
— cet Obadyahu craignait beaucoup Yahvé :
4 lorsque Jézabel massacra les prophètes de
Yahvé, il prit cent prophètes et les cacha cinquante
à la fois dans une grotte, où il les ravitaillait de

a) « de Tishbé » grec; « des habitants » (*mittoshabé*) hébr. – Le document sur l'histoire d'Élie, utilisé à partir d'ici (cf. Introd., p 249) donnait sans doute les antécédents du prophète, mais l'auteur le prend au point où il rejoint son récit : la sécheresse doit punir l'établissement du culte de Baal, **16** 32-33.

b) Trad. d'après le grec; « du pain et de la viande le matin, du pain et de la viande le soir » hébr.

c) « et son fils » conj. d'après le grec et cf. vv. 12 et 13; « et sa maison » hébr., qui ajoute « longtemps ».

d) La femme attribue son malheur à l'intrusion d'Élie; un homme de Dieu est comme un témoin : par sa présence les fautes cachées ou inconscientes sont révélées et attirent le châtiment.

pain et d'eau [a] – 5 et Achab dit à Obadyahu :
« Viens! Nous allons parcourir le pays [b], vers toutes les sources et tous les torrents; peut-être trouverons-nous de l'herbe pour maintenir en vie chevaux
et mulets et ne pas abattre de bétail. » 6 Ils se partagèrent le pays pour le parcourir : Achab partit seul
par un chemin et Obadyahu partit seul par un autre
chemin. 7 Comme celui-ci était en route, voici qu'il
rencontra Élie; il le reconnut et se prosterna face
contre terre en disant : « Te voilà donc, Monseigneur Élie! » 8 Il lui répondit : « Me voilà! Va dire
à ton maître : voici Élie. » 9 Mais l'autre dit :
« Quel péché ai-je commis, que tu livres ton serviteur aux mains d'Achab, pour me faire mourir?
10 Par Yahvé vivant, ton Dieu! il n'y a pas de
nation ni de royaume où mon maître n'ait envoyé
te chercher, et quand on eut répondu : " Il n'est pas
là ", il a fait jurer le royaume et la nation qu'on
ne t'avait pas trouvé. 11 Et maintenant tu ordonnes : " Va dire à ton maître : voici Élie ", 12 mais
quand je t'aurai quitté, l'Esprit de Yahvé t'emportera je ne sais où [c], je viendrai informer Achab, il
ne te trouvera pas et il me tuera! Pourtant ton serviteur craint Yahvé depuis sa jeunesse. 13 N'a-t-on
pas appris à Monseigneur ce que j'ai fait quand
Jézabel a massacré les prophètes de Yahvé? J'ai
caché cent des prophètes de Yahvé, cinquante à la
fois, dans une grotte, et je les ai ravitaillés de pain
et d'eau. 14 Et maintenant, tu ordonnes : " Va dire
à ton maître : voici Élie. " Mais il me tuera! »
15 Élie lui répondit : « Aussi vrai que vit Yahvé
1 S 1 3+ Sabaot que je sers, aujourd'hui même je me montrerai à lui. »

**Élie et Achab.**

16 Obadyahu partit à la rencontre d'Achab et lui
annonça la chose; et Achab alla au-devant d'Élie.
17 Dès qu'il vit Élie, Achab lui dit : « Te voilà, toi,
le fléau d'Israël! » 18 Élie répondit : « Ce n'est pas
moi qui suis le fléau d'Israël, mais c'est toi et ta
famille, parce que vous avez abandonné Yahvé [d] et
Jg 2 13+ que tu as suivi les Baals. 19 Maintenant, envoie rassembler tout Israël près de moi sur le mont Carmel,
avec les quatre cent cinquante prophètes de Baal [e],
qui mangent à la table de Jézabel. »

**Le sacrifice du Carmel.**

20 Achab convoqua tout Israël et rassembla les
prophètes sur le mont Carmel. 21 Élie s'approcha
de tout le peuple et dit : « Jusqu'à quand clocherez-
vous des deux jarrets [f]? Si Yahvé est Dieu, suivez-
le; si c'est Baal, suivez-le. » Et le peuple ne put rien
lui répondre. 22 Élie poursuivit : « Moi, je reste seul
comme prophète de Yahvé, et les prophètes de Baal
sont quatre cent cinquante. 23 Donnez-nous deux
jeunes taureaux; qu'ils en choisissent un pour eux,
qu'ils le dépècent et le placent sur le bois, mais
qu'ils n'y mettent pas le feu. Moi, je préparerai
l'autre taureau [g] et je n'y mettrai pas le feu. 24 Vous
invoquerez le nom de votre dieu et moi, j'invoque-
rai le nom de Yahvé : le dieu qui répondra par le
feu, c'est lui qui est Dieu [h]. » Tout le peuple répondit : « C'est bien. » 25 Élie dit alors aux prophètes
de Baal : « Choisissez-vous un taureau et commencez, car vous êtes les plus nombreux. Invoquez le
nom de votre dieu, mais ne mettez pas le feu. » 26 Ils
prirent le taureau [i] et le préparèrent, et ils invoquèrent le nom de Baal, depuis le matin jusqu'à midi,
en disant : « O Baal, réponds-nous! » Mais il n'y
eut ni voix ni réponse; et ils dansaient en pliant le
genou devant l'autel qu'ils avaient fait. 27 A midi,
Élie se moqua d'eux et dit : « Criez plus fort, car
c'est un dieu : il a des soucis ou des affaires, ou
bien il est en voyage; peut-être il dort et il se réveil-
lera! » 28 Ils crièrent plus fort et ils se tailladèrent,
selon leur coutume, avec des épées et des lances
jusqu'à l'effusion du sang. 29 Quand midi fut passé,
ils se mirent à vaticiner jusqu'à l'heure de la pré- **18** 36
sentation de l'offrande [j], mais il n'y eut aucune 2 R **3** 20 Dn **9** 21
voix, ni réponse, ni signe d'attention.
30 Alors Élie dit à tout le peuple : « Approchez-
vous de moi »; et tout le peuple s'approcha de lui.
Il répara l'autel de Yahvé qui avait été démoli.
31 Élie prit douze pierres, selon le nombre des tribus
des fils de Jacob, à qui Yahvé s'était adressé en
disant : « Ton nom sera Israël », 32 et il construisit Gn **32** 29

*a)* Parenthèse qui prépare le v. 13. Sur ces « prophètes » cf. 1 S **10** 5+; ils tiendront une grande place dans le cycle d'Élisée.

*b)* « Viens! nous allons parcourir le pays » grec; « Viens dans le pays » hébr.

*c)* Ces disparitions subites semblent avoir été un trait de l'histoire d'Élie, 2 R **2** 16, jusqu'à son enlèvement définitif, 2 R **2** 11s. L'Esprit de Yahvé est une force extérieure qui transporte le prophète, cf. Ez **3** 12; **8** 3; **11** 1; **43** 5; Ac **8** 39.

*d)* « Yahvé » grec; « les commandements de Yahvé » hébr.

*e)* Une glose ajoute : « et les quatre cents prophètes d'Ashéra » dont il ne sera plus question. – Il y avait des extatiques chez les peuples voisins d'Israël, Jr **27** 9s, et ils formaient des collèges nombreux, comme les prophètes de Yahvé, **18** 4. Ici, ce sont les dévots du Baal de Tyr, appelés en Israël par Jézabel, qui les entretenait.

*f)* Le sens du dernier mot n'est pas sûr, mais la traduction (cf. grec) s'accorde à la mimique du v. 26 : les Israélites dansent à la fois pour Yahvé et pour Baal.

*g)* Après « l'autre taureau » hébr. ajoute « et je le placerai sur le bois » omis par grec.

*h)* Il ne s'agit pas seulement de décider lequel, de Yahvé ou de Baal, est le maître de la montagne ou est plus puissant, mais absolument, lequel est Dieu : la parole d'Élie, sa prière, v. 37, l'acclamation du peuple, v. 39, ne laissent aucun doute : la foi monothéiste est l'enjeu de cette compétition.

*i)* Après « taureau » hébr. ajoute « qu'il leur avait donné »; omis par grec.

*j)* La mention du sacrifice du soir, Ex **29** 39; Nb **28** 4; 2 R **16** 15, est ici une simple indication de l'heure.

un autel au nom de Yahvé [a]. Il fit un canal d'une
contenance de deux boisseaux de semence autour
de l'autel. 33 Il disposa le bois, dépeça le taureau et
le plaça sur le bois. 34 Puis il dit : « Emplissez quatre jarres d'eau et versez-les sur l'holocauste et sur
le bois », et il firent ainsi [b]; il dit : « Doublez », et
ils doublèrent; il dit : « Triplez », et ils triplèrent.
35 L'eau se répandit autour de l'autel et même le
canal fut rempli d'eau [c]. 36 A l'heure où l'on présente l'offrande, Élie le prophète s'approcha et dit :
« Yahvé, Dieu d'Abraham, d'Isaac et d'Israël,
qu'on sache aujourd'hui que tu es Dieu en Israël,
que je suis ton serviteur et que c'est par ton ordre
que j'ai accompli toutes ces choses. 37 Réponds-
moi, Yahvé, réponds-moi, pour que ce peuple
sache que c'est toi, Yahvé, qui es Dieu et qui
Nb **11** 1; convertis leur cœur [d]! » 38 Et le feu de Yahvé
**16** 35 tomba et dévora l'holocauste et le bois [e], et il
Lv **9** 24 absorba l'eau qui était dans le canal. 39 Tout le peu-
Jg **6** 21 ple le vit; les gens tombèrent la face contre terre
et dirent : « C'est Yahvé qui est Dieu! C'est Yahvé
qui est Dieu! » 40 Élie leur dit : «Saisissez les prophètes de Baal, que pas un d'eux n'échappe! », et
ils les saisirent. Élie les fit descendre près du torrent
du Qishôn, et là il les égorgea [f].

**La fin de la sécheresse.**

41 Élie dit à Achab:« Monte, mange et bois [g], car
j'entends le grondement de la pluie. » 42 Pendant
qu'Achab montait pour manger et boire, Élie
monta vers le sommet du Carmel, il se courba vers ↗ Jc 5 18
la terre et mit son visage entre ses genoux. 43 Il dit
à son serviteur : « Monte donc, et regarde du côté
de la mer. » Il monta, regarda et dit : « Il n'y a rien
du tout. » Élie reprit : « Retourne sept fois. » 44 A
la septième fois, le serviteur dit : « Voici un nuage,
petit comme une main d'homme, qui monte de la
mer. » Alors Élie dit : « Monte dire à Achab :
Attelle et descends, pour que la pluie ne t'arrête
pas. » 45 Sur le coup, le ciel s'obscurcit de nuages
et de tempête et il y eut une grosse pluie. Achab
monta en char et partit pour Yizréel [h]. 46 La main 2 R 3 15
de Yahvé fut sur Élie, il ceignit ses reins et courut Ez **13**+
devant Achab jusqu'à l'arrivée à Yizréel.

## *2. ÉLIE A L'HOREB*

**En route vers l'Horeb.**

19 1 Achab apprit à Jézabel tout ce qu'Élie avait
fait et comment il avait massacré tous les
prophètes par l'épée. 2 Alors Jézabel envoya un
Rt **1** 17+ messager à Élie avec ces paroles : « Que les dieux
me fassent tel mal et y ajoutent tel autre, si demain
à cette heure je ne fais pas de ta vie comme de la
vie de l'un d'entre eux! » 3 Il eut peur [i]; il se leva
et partit pour sauver sa vie. Il arriva à Bersabée qui
est à Juda, et il laissa là son serviteur. 4 Pour lui,
Gn **21** 14-21 il marcha dans le désert un jour de chemin et il alla
s'asseoir sous un genêt. Il souhaita de mourir et
Nb **11** 14 dit : « C'en est assez maintenant, Yahvé! Prends
Tb **3** 6 ma vie, car je ne suis pas meilleur que mes pères. »
Jon **4** 3, 8 5 Il se coucha et s'endormit. Mais voici qu'un ange
Jb **7** 15 le toucha et lui dit : « Lève-toi et mange. » 6 Il
regarda et voici qu'il y avait à son chevet une
galette cuite sur les pierres chauffées et une gourde
d'eau. Il mangea et but, puis il se recoucha. 7 Mais
l'ange de Yahvé revint une seconde fois, le toucha
et dit : « Lève-toi et mange, autrement le chemin
sera trop long pour toi. » 8 Il se leva, mangea et but,
puis soutenu par cette nourriture il marcha qua- Ex **24** 18
rante jours et quarante nuits jusqu'à la montagne Mt **4** 1+
de Dieu, l'Horeb [j].

**La rencontre avec Dieu.** Ex 33 18 – **34** 9

9 Là, il entra dans la grotte [k] et il y resta pour
la nuit. Voici que la parole de Yahvé lui fut adressée, lui disant : « Que fais-tu ici, Élie? » 10 Il répondit : « Je suis rempli d'un zèle jaloux pour Yahvé
Sabaot, parce que les Israélites ont abandonné ton
alliance, qu'ils ont abattu tes autels et tué tes prophètes par l'épée. Je suis resté moi seul et ils cherchent à m'enlever la vie [l]. » 11 Il lui fut dit : « Sors

*a)* Les vv. 31 32[a] semblent être une glose.
*b)* « et ils firent ainsi » grec, omis par hébr.
*c)* Élie ne pratique pas un rite magique pour attirer la pluie, il veut rendre plus éclatant le miracle du feu.
*d)* Le miracle prouvera : 1° aux prophètes de Baal et à l'entourage étranger de Jézabel (« qu'on sache », v. 36), qu'ils n'ont rien à faire en Israël où Yahvé est Dieu; 2° aux Israélites (« ce peuple », v. 37), que Yahvé est le seul Dieu, qui ramène à lui les cœurs.
*e)* Le texte ajoute : « les pierres et la terre », glose.
*f)* Dans la guerre entre Yahvé et Baal, les serviteurs de Baal subissent le sort qui menaçait alors les vaincus.
*g)* On avait jeûné en préparation du sacrifice et pour obtenir la pluie.
*h)* C'était alors comme une seconde capitale pour les rois d'Israël, **21** 1; 2 R **8** 29; **9** 30s.
*i)* « Il eut peur » versions; « Il vit » hébr.
*j)* Cf. Ex **19** 1+. Voulant sauvegarder l'alliance et rétablir la pureté de la foi, Élie ira à l'endroit où le vrai Dieu s'est révélé, Ex **3** et **33** 18 – **34** 9, et où l'alliance a été conclue, Ex **19; 24; 34** 10-28 : il rattache directement son œuvre à celle de Moïse. Rapprochés par la théophanie de l'Horeb, Moïse et Élie le seront aussi à la Transfiguration du Christ, cette théophanie du NT, Mt **17** 1-9p.
*k)* Le « creux du rocher » où se blottit Moïse pendant l'apparition divine, Ex **33** 22.
*l)* Les vv. 9[b]-10 sont un doublet des vv. 13-14.

et tiens-toi dans la montagne devant Yahvé. » Et
Ex **13** 22+; voici que Yahvé passa. Il y eut un grand ouragan,
**19** 16+ si fort qu'il fendait les montagnes et brisait les
rochers, en avant de Yahvé, mais Yahvé n'était pas
dans l'ouragan; et après l'ouragan un tremblement
de terre, mais Yahvé n'était pas dans le tremblement de terre; 12 et après le tremblement de terre
un feu, mais Yahvé n'était pas dans le feu; et après
Gn **3** 8 le feu, le bruit d'une brise légère [a]. 13 Dès qu'Élie
Ex **3** 6; l'entendit, il se voila le visage avec son manteau,
**33** 20+ il sortit et se tint à l'entrée de la grotte. Alors une
voix lui parvint, qui dit : « Que fais-tu ici, Élie? »
14 Il répondit : « Je suis rempli d'un zèle jaloux pour
Yahvé Sabaot, parce que les Israélites ont aban-
↗ Rm **11** 3 donné ton alliance, qu'ils ont abattu tes autels et
tué tes prophètes par l'épée. Je suis resté moi seul,
et ils cherchent à m'enlever la vie. »

15 Yahvé lui dit : « Va, retourne par le même che-
2 R **8** 7-15 min, vers le désert de Damas. Tu iras oindre
2 R **9** 1-13 Hazaël comme roi d'Aram. 16 Tu oindras Jéhu fils
**19** 19-21 de Nimshi comme roi d'Israël [b], et tu oindras [c] Élisée fils de Shaphat, d'Abel-Mehola, comme pro-
phète à ta place. 17 Celui qui échappera à l'épée de
Hazaël, Jéhu le fera mourir, et celui qui échappera
à l'épée de Jéhu, Élisée le fera mourir. 18 Mais
j'épargnerai en Israël sept milliers, tous les genoux Is **4** 3+
qui n'ont pas plié devant Baal et toutes les bouches ↗ Rm **11** 4-5
qui ne l'ont pas baisé. »

**L'appel d'Élisée.**

19 Il partit de là et il trouva Élisée [d] fils de Shaphat, tandis qu'il labourait avec douze paires de
bœufs, lui-même étant à la douzième. Élie passa
près de lui et jeta sur lui son manteau [e]. 20 Élisée 2 R **2** 13
abandonna ses bœufs, courut derrière Élie et dit :
« Laisse-moi embrasser mon père et ma mère, puis Lc **9** 61
j'irai à ta suite. » Élie lui répondit : « Va, retourne,
que t'ai-je donc fait? » 21 Élisée le quitta, prit la
paire de bœufs et l'immola. Il se servit du harnais
des bœufs pour les faire cuire, et donna à ses gens,
qui mangèrent. Puis il se leva et suivit Élie comme
son serviteur. 2 R **3** 11

## 3. *GUERRES ARAMÉENNES*

**Siège de Samarie.**

**20** 1 Ben-Hadad, roi d'Aram [f], rassembla toute son armée – il y avait avec lui trente-deux rois [g], des chevaux et des chars – et il vint investir Samarie et lui donner l'assaut. 2 Il envoya en ville des messagers à Achab, roi d'Israël, 3 et lui fit dire : « Ainsi parle Ben-Hadad. Ton argent et ton or sont à moi, tes femmes et tes enfants [h] restent à toi. » 4 Le roi d'Israël donna cette réponse : « A tes ordres, Monseigneur le roi [i]! Je suis à toi avec tout ce qui m'appartient. »

5 Mais les messagers revinrent et dirent : « Ainsi parle Ben-Hadad. Je t'ai mandé : " Donne-moi ton argent et ton or, tes femmes et tes enfants. " 6 Sois sûr que demain à pareille heure, je t'enverrai mes serviteurs, ils fouilleront ta maison et les maisons de tes serviteurs, ils mettront la main sur tout ce qui leur plaira [j] et ils l'emporteront. »

7 Le roi d'Israël convoqua tous les anciens du pays et dit : « Reconnaissez clairement que celui-là nous veut du mal! Il me réclame mes femmes et mes enfants, pourtant je ne lui ai pas refusé mon argent et mon or [k]. » 8 Tous les anciens et tout le peuple lui dirent : « N'obéis pas! ne consens pas! » 9 Il donna donc cette réponse aux messagers de Ben-Hadad : « Dites à Monseigneur le roi : Tout ce que tu as demandé à ton serviteur la première fois, je le ferai; mais cette autre exigence, je ne puis la satisfaire. » Et les messagers partirent, emportant la réponse.

10 Alors Ben-Hadad lui envoya ce message :
« Que les dieux me fassent tel mal et qu'ils y ajou- Rt **1** 17+
tent encore tel autre, s'il y a assez de poignées de

*a)* Ouragan, tremblement de terre, éclairs, qui manifestaient en Ex **19** la présence de Yahvé, ne sont ici que les signes avant-coureurs de son passage; le murmure d'un vent tranquille symbolise l'intimité de son entretien avec ses prophètes, mais non pas la douceur de son action : les ordres terribles donnés aux vv. 15-17 prouvent la fausseté de cette interprétation pourtant commune.
*b)* Ces missions seront en fait accomplies par Élisée.
*c)* L'onction, Ex **30** 22+, n'était pas donnée aux prophètes; ce terme impropre est amené ci par le parallélisme. Les rois étaient oints, 1 S **9** 26+.
*d)* Les vv. 19-21 viennent du cycle d'Élisée.
*e)* Le manteau symbolise la personnalité et les droits de son possesseur. De plus, le manteau d'Élie a une efficacité miraculeuse, 2 R **2** 8. Élie acquiert ainsi un droit sur Élisée, qui ne peut se dérober. En détruisant sa charrue et ses bœufs, Élisée marque sa renonciation à son premier état.
*f)* Ben-Hadad II, roi de la principauté araméenne de Damas, successeur de Ben-Hadad Ier, 1 R **15** 18+.
*g)* Des seigneurs, vassaux de Ben-Hadad, cf. v. 24.
*h)* Après « enfants » hébr. ajoute « bons » omis par grec. – « à toi » conj.; « à moi » hébr.
*i)* Achab fait figure de vaincu et déjà de vassal. Le siège avait été précédé par des revers israélites (le texte n'y fait qu'une allusion, v. 34).
*j)* « leur plaira » versions; « te plaira » hébr.
*k)* « pourtant... mon or » grec; « mon argent et mon or, et je n'ai pas refusé » hébr. – D'après les corr. adoptées aux vv. 3 et 7, Achab a consenti à donner son trésor mais refusé de livrer sa famille. Si l'on garde l'hébreu, il a consenti à tout livrer mais refusé une perquisition et un pillage de la ville.

décombres à Samarie pour tout le peuple qui me suit! » 11 Mais le roi d'Israël fit cette réponse : « Dites : Que celui qui boucle son ceinturon ne se glorifie pas comme celui qui le défait! » 12 Lorsque Ben-Hadad apprit cela – il était à boire avec les rois sous les tentes –, il commanda à ses serviteurs : « A vos postes! » et ils prirent leurs positions contre la ville.

**Victoire israélite.**

13 Alors un prophète vint trouver Achab, roi d'Israël, et dit : « Ainsi parle Yahvé. As-tu vu cette grande foule? Voici que je la livre aujourd'hui en ta main et tu reconnaîtras que je suis Yahvé. » 14 Achab dit : « Par qui? » Le prophète reprit : « Ainsi parle Yahvé : Par les cadets des chefs des districts. » Achab demanda : « Qui engagera le combat? » Le prophète répondit : « Toi [a]. »

15 Achab passa en revue les cadets des chefs des districts. Ils étaient deux cent trente-deux. Après eux, il passa en revue toute l'armée, tous les Israélites, ils étaient sept mille. 16 Ils firent une sortie à midi, alors que Ben-Hadad était à s'enivrer sous les tentes, lui et ces trente-deux rois, ses alliés. 17 Les cadets des chefs des districts sortirent d'abord. On envoya dire à Ben-Habad : « Des hommes sont sortis de Samarie. » 18 Il dit : « S'ils sont sortis pour la paix, prenez-les vivants, et s'ils sont sortis pour le combat, prenez-les vivants aussi! » 19 Donc ceux-ci sortirent de la ville, les cadets des chefs des districts, puis l'armée derrière eux, 20 et ils frappèrent chacun son homme. Aram s'enfuit et Israël le poursuivit; Ben-Hadad, roi d'Aram, se sauva sur un cheval d'attelage [b]. 21 Alors le roi d'Israël sortit; il prit [c] les chevaux et les chars et infligea à Aram une grande défaite.

**Intermède.**

22 Le prophète s'approcha du roi d'Israël et lui dit : « Allons! Prends courage et considère bien ce que tu dois faire, car au retour de l'année le roi d'Aram marchera contre toi. »

23 Les serviteurs du roi d'Aram lui dirent : « Leur Dieu est un Dieu des montagnes, c'est pourquoi ils l'ont emporté sur nous. Mais combattons-les dans le plat pays et sûrement nous l'emporterons sur eux. 24 Fais donc ceci : destitue ces rois et mets des préfets à leur place. 25 Pour toi, recrute une armée aussi grande que celle qui t'a abandonné, avec autant de chevaux et autant de chars; puis combattons-les dans le plat pays et sûrement nous l'emporterons sur eux. » Il écouta leur avis et fit ainsi.

**Victoire d'Apheq.**

26 Au retour de l'année [d], Ben-Hadad mobilisa les Araméens et monta à Apheq pour livrer bataille à Israël. 27 Les Israélites furent mobilisés et ravitaillés, et ils marchèrent à leur rencontre. Campés en face d'eux, les Israélites étaient comme deux troupeaux de chèvres, tandis que les Araméens couvraient le pays.

28 L'homme de Dieu [e] aborda le roi d'Israël et dit : « Ainsi parle Yahvé. Parce que Aram a dit que Yahvé était un Dieu des montagnes et non un Dieu des plaines, je livrerai en ta main toute cette grande foule et tu sauras que je suis Yahvé. » 29 Ils campèrent sept jours les uns en face des autres. Le septième jour, le combat s'engagea et les Israélites massacrèrent les Araméens, cent mille hommes de pied [f] en un seul jour. 30 Le reste s'enfuit à Apheq, dans la ville, mais le rempart s'écroula sur les vingt-sept mille hommes qui restaient.

Or Ben-Hadad avait pris la fuite et s'était réfugié en ville dans une chambre retirée. 31 Ses serviteurs lui dirent : « Vois! Nous avons entendu dire que les rois d'Israël étaient des rois miséricordieux. Nous allons mettre des sacs sur nos reins et des cordes autour de nos têtes [g] et nous nous rendrons au roi d'Israël; peut-être te laissera-t-il la vie sauve. » 32 Ils ceignirent de sacs leurs reins et de cordes leurs têtes, allèrent auprès du roi d'Israël et dirent : « Ton serviteur Ben-Hadad parle ainsi : Puissé-je vivre! » Il répondit : « Il est donc encore vivant? Il est mon frère [h]! » 33 Les hommes en augurèrent bien et ils se hâtèrent de le prendre au mot en disant : « Ben-Hadad est ton frère. » Achab reprit : « Allez le chercher. » Ben-Hadad se rendit à lui et celui-ci le fit monter sur son char. 34 Ben-Hadad lui dit : « Je restituerai les villes que mon père a prises à ton père; tu établiras pour toi des bazars à Damas, comme mon père en avait à Samarie. » – « Pour moi, dit Achab [i], je te laisserai libre moyennant un traité ». Achab conclut un traité avec lui et le laissa libre.

*a)* Dieu est consulté sur la manière de mener le combat, **22** 5s; cf. Jg **1** 1s; **20** 18; voir Ex **33** 7+ et 1 S **14** 18.
*b)* « d'attelage » grec; « et des cavaliers » hébr.
*c)* « prit » grec; « frappa » hébr.
*d)* L'équinoxe de printemps, cf. 2 S **11** 1.
*e)* Le prophète des vv. 13 et 22. – « tu sauras » grec; « vous saurez » hébr.
*f)* Chiffre fantastique, comme le suivant; c'est de l'histoire populaire.
*g)* Signes de deuil et de pénitence.
*h)* Les rois vassaux se disaient « serviteurs » de leur suzerain, les rois de même puissance se traitaient mutuellement de « frères ». Ben Hadad maintenant s'avoue vaincu, mais Achab refuse son hommage, et les messagers, entendant cette appellation de « frère » devinent que la cause de leur maître est gagnée.
*i)* « dit Achab » est ajouté pour le sens.

**Un prophète condamne la conduite d'Achab.**

2 R 2 3+ [35] Un des frères prophètes dit à son compagnon,
par ordre de Yahvé : « Frappe-moi! » mais
l'homme refusa de le frapper. [36] Alors il lui dit :
13 20-25 « Parce que tu n'as pas obéi à la voix de Yahvé,
dès que tu m'auras quitté, le lion te tuera »; comme
il s'éloignait, il rencontra le lion, qui le tua [a]. [37] Le
prophète alla trouver un autre homme et dit :
« Frappe-moi! » L'homme le frappa et le blessa [b].
2 S 12 1-12; [38] Le prophète s'en alla et attendit le roi sur le che-
14 1-20 min – il s'était rendu méconnaissable avec un bandeau au-dessus des yeux. [39] Comme le roi passait,
il lui cria : « Ton serviteur marchait au combat
quand quelqu'un a quitté les rangs et m'a amené
un homme en disant : " Garde cet homme! S'il
vient à manquer, ta vie sera pour sa vie ou tu paie-
ras un talent d'argent. " [40] Or, pendant que ton serviteur était occupé ici et là, l'autre a disparu. » Le
roi d'Israël lui dit : « Voilà ton jugement! Tu l'as
toi-même prononcé. » [41] Aussitôt celui-ci enleva le
bandeau qu'il avait au-dessus des yeux, et le roi
d'Israël reconnut qu'il était l'un des prophètes [c].
[42] Il dit au roi : « Ainsi parle Yahvé. Parce que tu
as laissé échapper l'homme qui m'était voué par
anathème, ta vie répondra pour sa vie, et ton peuple Jos 6 17+
pour son peuple. » [43] Et le roi d'Israël s'en alla sombre et irrité, et il rentra à Samarie.

Is 5 8-10+

## 4. LA VIGNE DE NABOT

**Nabot refuse de céder sa vigne.**

**21** [1] Voici ce qui arriva après ces événements :
Nabot de Yizréel possédait une vigne à côté
du palais d'Achab [d], roi de Samarie, [2] et Achab
parla ainsi à Nabot : « Cède-moi ta vigne pour
qu'elle me serve de jardin potager, car elle est tout
près de ma maison; je te donnerai en échange une
vigne meilleure, ou, si tu préfères, je te donnerai
l'argent qu'elle vaut. » [3] Mais Nabot dit à Achab :
« Yahvé me garde de te céder l'héritage de mes
pères! »

**Achab et Jézabel.**

[4] Achab s'en alla chez lui sombre et irrité à cause
de cette parole que Nabot de Yizréel lui avait dite :
21 3 « Je ne te céderai pas l'héritage de mes pères. » Il
se coucha sur son lit, détourna son visage et ne
voulut pas manger. [5] Sa femme Jézabel vint à lui
et lui dit : « Pourquoi ton esprit est-il chagrin et ne
manges-tu pas? » [6] Il lui répondit : « J'ai parlé à
Nabot de Yizréel et je lui ai dit : " Cède-moi ta
vigne pour de l'argent, ou, si tu aimes mieux, je te
donnerai une autre vigne en échange. " Mais il a
dit : " Je ne te céderai pas ma vigne ". » [7] Alors sa
femme Jézabel lui dit : « Vraiment, tu fais un joli
roi sur Israël! Lève-toi et mange, et que ton cœur
soit content, moi je vais te donner la vigne de
Nabot de Yizréel. »

**Meurtre de Nabot.**

[8] Elle écrivit au nom d'Achab des lettres qu'elle
scella du sceau royal, et elle adressa les lettres aux
anciens et aux notables [e] qui habitaient avec
Nabot. [9] Elle avait écrit dans ces lettres : « Proclamez un jeûne et faites asseoir Nabot en tête du peuple [f]. [10] Faites asseoir en face de lui deux vauriens [g]
qui l'accuseront ainsi : " Tu as maudit Dieu et le Ex 22 27
roi! " Conduisez-le dehors, lapidez-le et qu'il Lv 24 14
meure [h]! »
[11] Les hommes de la ville de Nabot, les anciens
et les notables qui habitaient sa ville, firent comme
Jézabel leur avait mandé, comme il était écrit dans
les lettres qu'elle leur avait envoyées. [12] Ils proclamèrent un jeûne et mirent Nabot en tête du peuple.
[13] Alors arrivèrent les deux vauriens, qui s'assirent
en face de lui, et les vauriens témoignèrent contre
Nabot devant le peuple en disant : « Nabot a maudit Dieu et le roi. » On le fit sortir hors de la ville,
on le lapida et il mourut. [14] Puis on envoya dire à
Jézabel : « Nabot a été lapidé et il est mort. »
[15] Lorsque Jézabel eut appris que Nabot avait
été lapidé et qu'il était mort, elle dit à Achab : « Lève-toi et prends possession de la vigne de Nabot de

*a)* Histoire semblable, dans le même style populaire, en 1 R **13** 24s : toute désobéissance, même pour des motifs louables, à la parole de Dieu ou d'un homme de Dieu est punie : conception inférieure qui n'est pas celle des grands prophètes, mais qui reflète l'état d'esprit des anciens groupes d'inspirés.
*b)* Cette blessure doit aider le prophète à se faire passer pour un combattant, v. 39.
*c)* Les prophètes avaient peut-être un signe distinctif sur le front : tatouage, incision ou tonsure (cf. 2 R **2** 23).
*d)* Son palais de Yizréel, 1 R **18** 46, non celui de Samarie, 2 R **9** 25-26; ce qu'explique une glose de l'hébr. maladroitement rattachée à « Nabot ».
*e)* Après « notables » hébr. ajoute « ceux de la ville ».
*f)* Dans les temps de malheur, on proclamait un jeûne et une prière publics, Jg **20** 26; Jl **1** 14; **2** 15, etc., pour apaiser Dieu et pour découvrir la faute qui avait provoqué sa colère. Une calamité publique (sécheresse, famine...) a dû servir de prétexte à la ruse de Jézabel.
*g)* La loi exigeait deux témoins pour une accusation capitale, Nb **35** 30; Dt **17** 6; cf. Mt **26** 60s. – l'hébr. a remplacé « maudit » par « béni », comme au v. 13 (de même en Jb **1** 5, 11; **4** 5, 9).
*h)* Il semble que les biens des condamnés à mort étaient dévolus au roi.

Yizréel, qu'il n'a pas voulu te céder pour de
l'argent, car Nabot n'est plus en vie, il est mort. »
16 Quand Achab apprit que Nabot était mort, il se
leva pour descendre à la vigne de Nabot de Yizréel
et en prendre possession.

2 S 12 **Élie fulmine la condamnation divine[a].**

17 Alors la parole de Yahvé fut adressée à Élie
le Tishbite en ces termes : 18 « Lève-toi et descends
à la rencontre d'Achab, roi d'Israël à Samarie. Le
voici qui est dans la vigne de Nabot, où il est descendu pour se l'approprier. 19 Tu lui diras ceci :
Ainsi parle Yahvé : Tu as assassiné, et de plus tu
usurpes! C'est pourquoi[b], ainsi parle Yahvé : A
2 R 9 25-26 l'endroit même où les chiens ont lapé le sang de
Nabot, les chiens laperont ton sang à toi aussi. »
20 Achab dit à Élie : « Tu m'as donc rattrapé, ô
mon ennemi! » Élie répondit : « Oui, je t'ai rattrapé.
Parce que tu as agi en fourbe, faisant ce qui déplaît
à Yahvé, 21 voici que je vais faire venir sur toi le
14 10-11; malheur : je balayerai ta race, j'exterminerai les
16 3-4 mâles de la famille d'Achab, liés ou libres en Israël.
22 Je traiterai ta maison comme celle de Jéroboam
fils de Nebat et celle de Basha fils d'Ahiyya, car
tu as provoqué ma colère et fait pécher Israël.
23 (Contre Jézabel aussi Yahvé a prononcé une
parole : “ Les chiens dévoreront Jézabel dans le 2 R 9 10
champ[c] de Yizréel. ”) 24 Celui de la famille
d'Achab qui mourra dans la ville, les chiens le
mangeront, et celui qui mourra dans la campagne,
les oiseaux du ciel le mangeront. »
25 [d] Il n'y eut vraiment personne comme Achab
pour agir en fourbe, faisant ce qui déplaît à Yahvé, 16 30-34
parce que sa femme Jézabel l'avait séduit. 26 Il a agi 11 4
d'une manière tout à fait abominable, s'attachant Gn 3 12
aux idoles, comme avaient fait les Amorites que
Yahvé chassa devant les Israélites.

**Repentir d'Achab.**

27 Quand Achab entendit ces paroles, il déchira
ses vêtements, mit un sac à même sa chair, jeûna,
coucha avec le sac et marcha à pas lents. 28 Alors
la parole de Yahvé fut adressée à Élie le Tishbite
en ces termes : 29 « As-tu vu comme Achab s'est
humilié devant moi? Parce qu'il s'est humilié 2 S 12 13-15
devant moi, je ne ferai pas venir le malheur pendant son temps; c'est au temps de son fils que je
ferai venir le malheur sur sa maison. » 2 R 9-10

## *5. NOUVELLE GUERRE ARAMÉENNE*

**Achab décide une expédition à Ramot de Galaad.**

| 2 Ch 18 2-3 22 1 On fut tranquille pendant trois ans, sans
combat entre Aram et Israël. 2 La troisième
année, Josaphat, roi de Juda, vint visiter le roi
d'Israël[e]. 3 Le roi d'Israël dit à ses officiers : « Vous
savez bien que Ramot de Galaad est à nous, et
nous ne faisons rien pour l'arracher des mains du
2 R 3 7 roi d'Aram[f]! » 4 Il dit à Josaphat : « Viendras-tu
avec moi combattre à Ramot de Galaad? » Josaphat répondit au roi d'Israël : « Il en sera pour moi
comme pour toi, pour mes gens comme pour tes
gens, pour mes chevaux comme pour tes chevaux. »

Ch 18 4-11 **Les faux prophètes prédisent le succès.**

5 Cependant Josaphat dit au roi d'Israël : « Je te
20 13-14+ prie, consulte d'abord la parole de Yahvé. » 6 Le roi
d'Israël rassembla les prophètes au nombre
d'environ quatre cents[g], et leur demanda :
« Dois-je aller attaquer Ramot de Galaad, ou dois-
je y renoncer? » Ils répondirent : « Monte, Yahvé
la livrera aux mains du roi. » 7 Mais Josaphat dit :
« N'y a-t-il donc ici aucun autre prophète de 2 R 3 11
Yahvé, par qui nous puissions le consulter? » 8 Le
roi d'Israël répondit à Josaphat : « Il y a encore un
homme par qui on peut consulter Yahvé, mais je
le hais, car il ne prophétise jamais le bien à mon
sujet, rien que le mal, c'est Michée fils de Yimla[h]. »
Josaphat dit : « Que le roi ne parle pas ainsi! » 9 Le
roi d'Israël appela un eunuque et dit : « Fais vite
venir Michée fils de Yimla. »
10 Le roi d'Israël et Josaphat, roi de Juda, étaient
assis chacun sur son siège, en grand costume, sur
l'aire devant la porte de Samarie, et tous les pro-

*a)* On notera les ressemblances de situation avec l'intervention de Natân auprès de David, 2 S **12**; même intervention de Yahvé en faveur du petit contre le puissant, même sursis accordé au pêcheur repentant, qui n'est châtié que dans son fils; mais aussi les différences : la dynastie davidique garde la promesse, celle d'Achab est « balayée », Natân reste le prophète de David, et bénira Salomon. Élie est « l'ennemi » d'Achab.
*b)* « C'est pourquoi » grec; hébr. répète « tu lui diras ».
*c)* « dans le champ » mss, versions; « sur l'avant-mur » hébr.
*d)* Les vv. 25-26 sont la réflexion d'un rédacteur qui n'était pas convaincu du repentir d'Achab, vv. 27-29.
*e)* Les deux royaumes s'étaient rapprochés : Joram, fils de Josaphat, avait épousé Athalie, sœur d'Achab, 2 R **8** 18.
*f)* Probablement encore Ben-Hadad II, cf. **20** 1. Prise par les Araméens sous Omri ou avant lui, la ville n'avait pas été rendue après la paix d'Apheq, **20** 34. Voir encore 2 R **8** 28.
*g)* Ces « prophètes » sont à la dévotion du roi, et ce ne sont pas de purs yahvistes, comme étaient les prophètes massacrés ou persécutés par Jézabel, **18** 4, 13; **19** 1. D'où la question de Josaphat, v. 7.
*h)* Ce prophète n'a que le nom de commun avec Michée, dont les oracles sont conservés dans le recueil des Douze Petits Prophètes et qui vécut un siècle et demi plus tard.

phètes se livraient à leurs transports devant eux.
11 Sédécias fils de Kenaana se fit des cornes de fer [a]
et dit : « Ainsi parle Yahvé. Avec cela tu encorneras les Araméens jusqu'au dernier. » 12 Et tous les
prophètes faisaient la même prédiction, disant :
« Monte à Ramot de Galaad! Tu réussiras, Yahvé
la livrera aux mains du roi. »

|| 2 Ch **18** 12-27 **Le prophète Michée prédit l'échec.**

13 Le messager qui était allé chercher Michée lui
dit : « Voici que les prophètes n'ont qu'une seule
bouche pour parler en faveur du roi. Tâche de parler comme l'un d'eux et prédis le succès. » 14 Mais
Michée répondit : « Par Yahvé vivant! Ce que
Yahvé me dira, c'est cela que j'énoncerai! » 15 Il
arriva près du roi, et le roi lui demanda : « Michée,
devons-nous aller à Ramot de Galaad pour
combattre, ou devons-nous y renoncer? » Il lui
répondit : « Monte! Tu réussiras. Yahvé la livrera
aux mains du roi [b]. » 16 Mais le roi lui dit :
« Combien de fois me faudra-t-il t'adjurer de ne me
dire que la vérité au nom de Yahvé? » 17 Alors il
prononça :

« J'ai vu tout Israël dispersé sur les montagnes
comme un troupeau sans pasteur.
Et Yahvé a dit : Ils n'ont plus de maître,
22 35-36 que chacun retourne en paix chez soi! »

18 Le roi d'Israël dit alors à Josaphat : « Ne
t'avais-je pas dit qu'il prophétisait pour moi non le
bien mais le mal! » 19 Michée reprit : « Écoute plu-
Is **6** 1 tôt la parole de Yahvé. J'ai vu Yahvé assis sur son
Jb **1** 6; **2** 1 trône; toute l'armée du ciel [c] se tenait en sa présence, à sa droite et à sa gauche. 20 Yahvé
demanda : " Qui trompera Achab pour qu'il marche contre Ramot de Galaad et qu'il y
succombe? " Ils répondirent, celui-ci d'une manière,
celui-là d'une autre. 21 Alors l'Esprit [d] s'avança et
se tint devant Yahvé : " C'est moi, dit-il, qui le
tromperai. " Yahvé lui demanda : " Comment? "
22 Il répondit : " J'irai et je me ferai esprit de mensonge dans la bouche de tous ses prophètes. "
Yahvé dit : " Tu le tromperas, tu réussiras. Va et
fais ainsi. " 23 Voici donc que Yahvé a mis un
esprit de mensonge dans la bouche de tous tes prophètes qui sont là, mais Yahvé a prononcé contre
toi le malheur. »
24 Alors Sédécias fils de Kenaana s'approcha et
frappa Michée à la mâchoire, en disant : « Par où
l'esprit de Yahvé m'a-t-il quitté pour te parler? »
25 Michée repartit : « C'est ce que tu verras, le jour
où tu fuiras dans une chambre retirée pour te
cacher. » 26 Le roi d'Israël ordonna : « Saisis
Michée et remets-le à Amôn, gouverneur de la ville,
et au fils du roi Yoash. 27 Tu leur diras : Ainsi parle
le roi. Mettez cet homme en prison et nourrissez-le
strictement de pain et d'eau jusqu'à ce que je
revienne sain et sauf [e]. » 28 Michée dit : « Si tu
reviens sain et sauf, c'est que Yahvé n'a pas parlé
par ma bouche [f]. »

**Mort d'Achab à Ramot de Galaad.** || 2 Ch **18** 28-34

29 Le roi d'Israël et Josaphat, roi de Juda, montèrent contre Ramot de Galaad. 30 Le roi d'Israël dit
à Josaphat : « Je me déguiserai pour marcher [g] au
combat, mais toi, revêts ton costume! » Le roi
d'Israël se déguisa et marcha au combat. 31 Le roi
d'Aram avait donné cet ordre à ses commandants
de chars [h] : « Vous n'attaquerez ni petit ni grand,
mais seulement le roi d'Israël. » 32 Lorsque les
commandants de chars virent Josaphat, ils dirent :
« C'est sûrement le roi d'Israël », et ils dirigèrent le
combat de son côté; mais Josaphat poussa son cri
de guerre 33 et, lorsque les commandants de chars
virent que ce n'était pas le roi d'Israël, ils s'éloignèrent de lui.
34 Or un homme banda son arc sans savoir qui
il visait et atteignit le roi d'Israël entre le corselet
et les appliques de la cuirasse. Celui-ci dit à son
charrier : « Tourne bride et fais-moi sortir de la
mêlée [i], car je me sens mal. » 35 Mais le combat
devint plus violent ce jour-là, on soutint le roi
debout sur son char en face des Araméens, et le
soir il mourut; le sang de sa blessure coulait dans
le fond du char. 36 Au coucher du soleil, un cri se
répandit dans le camp : « Chacun à sa ville et cha- 22 17
cun à son pays! 37 Le roi est mort [j]! » On alla à
Samarie et on enterra le roi à Samarie. 38 On lava [k]
à grande eau son char à l'étang de Samarie, les
chiens lapèrent le sang et les prostituées s'y baignè-
rent, selon la parole que Yahvé avait dite.

*a)* Ce Sédécias, inconnu par ailleurs, apparaît comme le chorège de la troupe des extatiques. Son action symbolique, cf. **11** 30+ et Jr **18** 1+, doit signifier et même procurer la victoire d'Achab. Les cornes représentent la force, Dt **33** 17, etc.
*b)* Michée reprend textuellement les paroles des faux prophètes. Mais il se moque du roi et celui-ci ne s'y méprend pas.
*c)* Les esprits célestes qui forment la cour de Yahvé.
*d)* Une personnification de l'esprit prophétique, que le dessein divin transformera en esprit de mensonge, v. 22.
*e)* Ou « victorieux » cf. **8** 9; 2 S **19** 25-31; Jr **43** 12.
*f)* Le texte ajoute : « Et il dit : Écoutez vous tous, peuples. » C'est le début des oracles du prophète canonique Michée, ajouté par un glossateur qui a confondu les deux personnages.
*g)* « Je me déguiserai pour marcher », versions; « Déguise-toi et marche » hébr. en contradiction avec la suite.
*h)* Le texte ajoute « trente deux », glose inspirée de **20** 1, 16, qui manque dans 2 Ch **18** 30.
*i)* « la mêlée » grec; « le camp » hébr.
*j)* « Le roi est mort » grec; « Et le roi mourut » hébr.
*k)* « On lava » grec; « Il lava » hébr. Le v. est une glose qui rappelle **21** 19; mais le meurtre de Nabot avait eu lieu à Yizréel, et **21** 29 reportait le châtiment d'Achab sur son fils.

## 6. APRÈS LA MORT D'ACHAB

**Conclusion du règne d'Achab.**

39 Le reste de l'histoire d'Achab, tout ce qu'il a
Am 3 15 fait, la maison d'ivoire qu'il construisit, toutes les
villes qu'il bâtit, cela n'est-il pas écrit au livre des
Annales des rois d'Israël? 40 Achab se coucha avec
ses pères et son fils Ochozias régna à sa place.

Ch 20 31 – 21 1 **Règne de Josaphat en Juda (870-848).**

41 Josaphat fils d'Asa devint roi sur Juda en la
quatrième année d'Achab, roi d'Israël. 42 Josaphat
avait trente-cinq ans à son avènement et il régna
vingt-cinq ans à Jérusalem; sa mère s'appelait
Azuba, fille de Shilhi. 43 Il suivit entièrement la
conduite de son père Asa, sans dévier, faisant ce
qui est juste au regard de Yahvé. 44 Seulement, les
hauts lieux ne disparurent pas; le peuple continua
d'offrir des sacrifices et de l'encens sur les hauts
lieux. 45 Josaphat fut en paix avec le roi d'Israël.
46 Le reste de l'histoire de Josaphat, la vaillance
qu'il déploya et les guerres qu'il livra, cela n'est-il
pas écrit au livre des Annales des rois de Juda?
15 12 47 Le reste des prostitués sacrés qui avaient subsisté
Dt 23 19+
au temps de son père Asa, il les fit disparaître du
pays. 48 Il n'y avait pas de roi établi sur Édom [a],
et le roi 49 Josaphat construisit des vaisseaux de 9 26-28;
Tarsis pour aller chercher l'or à Ophir, mais il ne 10 22
put y aller, car les vaisseaux se brisèrent à Éçyôn-
Gébèr. 50 Alors Ochozias fils d'Achab dit à Josa
phat : « Mes serviteurs iront avec tes serviteurs sur
les vaisseaux »; mais Josaphat n'accepta pas.
51 Josaphat se coucha avec ses pères et on
l'enterra [b] dans la Cité de David, son ancêtre; son
fils Joram régna à sa place.

**Le roi Ochozias d'Israël (853-852)**
**et le prophète Élie.**

52 Ochozias, fils d'Achab, devint roi sur Israël à
Samarie en la dix-septième année de Josaphat, roi
de Juda, et régna deux ans sur Israël. 53 Il fit ce qui
déplaît à Yahvé et suivit la voie de son père et celle
de sa mère, et celle de Jéroboam fils de Nebat qui
avait entraîné Israël au péché. 54 Il rendit un culte
à Baal et se prosterna devant lui, et il irrita Yahvé,
Dieu d'Israël, tout comme avait fait son père.

# DEUXIÈME LIVRE DES ROIS [c]

3 4-27 **1** 1 Après la mort d'Achab, Moab se révolta
contre Israël.
2 Comme Ochozias était tombé du balcon de son
appartement à Samarie et qu'il allait mal, il envoya
des messagers à qui il dit : « Allez consulter Baal
Zebub [d], dieu d'Éqrôn, pour savoir si je guérirai de
mon mal présent. » 3 Mais l'Ange de Yahvé dit à
Élie le Tishbite : « Debout! monte à la rencontre
des messagers du roi de Samarie et dis-leur : N'y
a-t-il donc pas de Dieu en Israël, que vous alliez
consulter Baal Zebub, dieu d'Éqrôn? 4 C'est pourquoi ainsi parle Yahvé : Le lit où tu es monté, tu
n'en descendras pas, tu mourras certainement. » Et
Élie s'en alla.
5 Les messagers revinrent vers Ochozias, qui leur
dit : « Pourquoi donc revenez-vous? » 6 Ils lui
répondirent : « Un homme nous a abordés et nous
a dit : "Allez, retournez auprès du roi qui vous a
envoyés, et dites-lui : Ainsi parle Yahvé. N'y a-t-il
donc pas de Dieu en Israël, que tu envoies consulter Baal Zebub, dieu d'Éqrôn? C'est pourquoi le lit
où tu es monté, tu n'en descendras pas, tu mourras
certainement". » 7 Il leur demanda : « De quel
genre était l'homme qui vous a abordés et vous a
dit ces paroles? » 8 et ils lui répondirent : « C'était
un homme avec une toison et un pagne de peau
autour des reins [e]. » Il dit : « C'est Élie le Tishbite! »
9 Il lui envoya un cinquantenier avec sa cinquantaine, qui monta vers lui – il était assis au sommet
de la montagne – et lui dit : « Homme de Dieu! Le
roi a ordonné : Descends! » 10 Elie répondit et dit
au cinquantenier : « Si je suis un homme de Dieu,
qu'un feu descende du ciel et te dévore, toi et ta cin- Lc 9 54-55
quantaine », et un feu descendit du ciel et le dévora,

*a)* Texte incertain et d'interprétation disputée.
*b)* Après « on l'enterra », hébr. ajoute « avec ses pères »; omis par grec.
*c)* La division des *Rois* en deux livres est artificielle. Elle était inconnue de la première Bible hébraïque.
*d)* *Baal Zebub* « Baal des mouches ». jeu de mots dérisoire sur le vrai nom du dieu, qui était *Baal Zebul* « Baal le Prince », cf. Mt **10** 25+.
*e)* Élie portait un pagne et une pelisse flottante, cf. 1 R **18** 46 et 2 R **2** 8, 13. Ce costume sera celui d'autres prophètes, Za **13** 4, et du nouvel Élie, Jean-Baptiste, Mt **3** 4p.

lui et sa cinquantaine. 11 Le roi lui envoya de nouveau un autre cinquantenier avec sa cinquantaine,
qui monta [a] et lui dit : « Homme de Dieu! Le roi
a donné cet ordre : Dépêche-toi de descendre! »
12 Élie répondit et lui dit : « Si je suis un homme de
Dieu, qu'un feu descende du ciel et te dévore, toi
et ta cinquantaine », et un feu descendit du ciel et
le dévora, lui et sa cinquantaine. 13 Le roi envoya
encore un troisième cinquantenier et sa cinquantaine. Le troisième cinquantenier arriva, plia les
genoux devant Élie et le supplia ainsi : « Homme
de Dieu! Que ma vie et celle de tes cinquante serviteurs que voici aient quelque prix à tes yeux! 14 Un
feu est descendu du ciel et a dévoré les deux premiers cinquanteniers et leur cinquantaine; mais
maintenant, que ma vie ait quelque prix à tes
yeux! » 15 L'ange de Yahvé dit à Élie : « Descends
avec lui, n'aie pas peur de lui. » Il se leva et descendit avec lui vers le roi, 16 à qui il dit : « Ainsi parle
Yahvé. Puisque tu as envoyé des messagers consulter Baal Zebub, dieu d'Éqrôn [b], eh bien! tu ne descendras pas du lit où tu es monté, tu mourras
certainement [c]. »

17 Il mourut, selon la parole de Yahvé qu'Élie
avait prononcée. Joram, son frère [d], devint roi à sa
place – en la deuxième année de Joram fils de Josaphat, roi de Juda [e]; en effet il n'avait pas de fils.
18 Le reste de l'histoire d'Ochozias, ce qu'il a fait,
cela n'est-il pas écrit au livre des Annales des rois
d'Israël?

# *VI. Le cycle d'Élisée*

## *1. LES DÉBUTS*

### Enlèvement d'Élie, qui a pour successeur Élisée [f].

**2** 1 Voici ce qui arriva lorsque Yahvé enleva
Élie au ciel dans le tourbillon : Élie et Élisée
partirent de Gilgal [g], 2 et Élie dit à Élisée : « Reste
donc ici, car Yahvé ne m'envoie qu'à Béthel »; mais
Élisée répondit : « Aussi vrai que Yahvé est vivant
et que tu vis toi-même, je ne te quitterai pas! » et
ils descendirent à Béthel. 3 Les frères prophètes [h],
qui résident à Béthel, sortirent à la rencontre
d'Élisée et lui dirent : « Sais-tu qu'aujourd'hui
Yahvé va emporter ton maître par-dessus ta tête? »
Il dit : « Moi aussi je sais; silence! » 4 Élie lui dit :
« Élisée! Reste donc ici, car Yahvé ne m'envoie
qu'à Jéricho »; mais il répondit : « Aussi vrai que
Yahvé est vivant et que tu vis toi-même, je ne te
quitterai pas! » et ils allèrent à Jéricho. 5 Les frères
prophètes qui résident à Jéricho s'approchèrent
d'Élisée et lui dirent : « Sais-tu qu'aujourd'hui
Yahvé va emporter ton maître par-dessus ta tête? »
Il dit : « Moi aussi je sais; silence! » 6 Élie lui dit :
« Reste donc ici, car Yahvé ne m'envoie qu'au
Jourdain »; mais il répondit : « Aussi vrai que
Yahvé est vivant et que tu vis toi-même, je ne te
quitterai pas! » et ils s'en allèrent tous deux.
7 Cinquante frères prophètes vinrent et s'arrêtèrent à distance, au loin, pendant que tous deux se
tenaient au bord du Jourdain. 8 Alors Élie prit son
manteau, le roula et frappa les eaux, qui se divisèrent d'un côté et de l'autre, et tous deux traversè- Ex 14 16, 22
rent à pied sec. 9 Dès qu'ils eurent passé, Élie dit
à Élisée : « Demande : Que puis-je faire pour toi
avant d'être enlevé d'auprès de toi? » et Élisée
répondit : « Que me revienne une double part de
ton esprit [i]! » 10 Élie reprit : « Tu demandes une
chose difficile : si tu me vois pendant que je serai
enlevé d'auprès de toi, cela t'arrivera; sinon, cela
n'arrivera pas. » 11 Or, comme ils marchaient en
conversant, voici qu'un char de feu et des chevaux 6 16-17
de feu se mirent entre eux deux, et Élie monta au
ciel dans le tourbillon. 12 Élisée voyait et il criait : ↗ Si 48 9,
« Mon père! Mon père! Char d'Israël et son atte- 13 14
lage! » puis il ne le vit plus et, saisissant ses vêtements, il les déchira en deux. 13 Il ramassa le man-

*a)* « monta » grec luc., cf. v. 9; « répondit » hébr.
*b)* L'hébr. répète ici la question des vv. 3 et 6.
*c)* Les vv. 9-16 paraissent être une addition, provenant des disciples d'Élisée, cf. **2** 23-24. Il s'agit d'inculquer – en négligeant les autres considérations morales – le respect et la soumission qui sont dus aux représentants de Dieu.
*d)* « son frère » versions; omis par hébr.
*e)* Cette donnée, qui ne s'accorde pas avec **3** 1, appartient à un autre système chronologique.
*f)* Littérairement, ce beau passage appartient déjà au cycle d'Élisée, auquel il sert d'introduction.
*g)* Ce Gilgal, au nord de Béthel, est différent du Gilgal de Jos **4** 19, voir la note.
*h)* Les « frères prophètes », litt. les « fils des prophètes », sont des prophètes groupés en confréries et vivant ensemble. Élisée avait des relations étroites avec eux, au contraire d'Élie, le prophète solitaire.
*i)* Le fils aîné recevait une double part de l'héritage paternel, Dt **21** 17. Élisée veut être reconnu pour le principal héritier spirituel d'Élie. Demande difficile, car l'esprit prophétique ne se transmet pas : il vient de Dieu et c'est Dieu qui signifiera que la demande est exaucée en accordant à Élisée de voir ce qui est voilé aux yeux humains, cf. v. 12 et 2 R **6** 17; les « frères prophètes » ne percevront que l'encadrement naturel du mystère.

teau d'Élie, qui avait glissé, et revint se tenir sur
la rive du Jourdain.
14 Il prit le manteau d'Élie [a] et il frappa les eaux
en disant : « Où est Yahvé, le Dieu d'Élie? » Il
frappa les eaux, qui se divisèrent d'un côté et de
l'autre, et Élisée traversa. 15 Les frères prophètes [b]
le virent à distance et dirent : « L'esprit d'Élie s'est
reposé sur Élisée! »; ils vinrent à sa rencontre et se
prosternèrent à terre devant lui. 16 Ils lui dirent : « Il
y a ici avec tes serviteurs cinquante braves. Permets qu'ils aillent à la recherche de ton maître;
1 R 18 12+ peut-être l'Esprit de Yahvé l'a-t-il enlevé et jeté sur
quelque montagne ou dans quelque vallée », mais
il répondit : « N'envoyez personne. » 17 Cependant,
comme ils l'importunaient de leurs instances, il
dit : « Envoyez! » Ils envoyèrent donc cinquante
Dt 34 6 hommes, qui cherchèrent pendant trois jours sans
Ml 3 23+ le trouver. 18 Ils revinrent vers Élisée qui était resté
à Jéricho, et il leur dit : « Ne vous avais-je pas prévenus de ne pas aller [c]? »

**Deux miracles d'Élisée [d]**

19 Les hommes de la ville dirent à Élisée : « La
ville est un séjour agréable, comme Monseigneur
peut voir, mais les eaux sont malsaines et le pays
souffre d'avortements. » 20 Il dit : « Apportez-moi
une écuelle neuve où vous aurez mis du sel », et ils
la lui apportèrent. 21 Il alla où jaillissaient les eaux,
il y jeta du sel et dit : « Ainsi parle Yahvé :
J'assainis ces eaux, il ne viendra plus de là ni mort Ex 15 25s
ni avortement. » 22 Et les eaux furent assainies
jusqu'à ce jour, selon la parole qu'Élisée avait dite.
23 Il monta de là à Béthel, et, comme il montait
par le chemin, de jeunes garçons sortirent de la
ville et se moquèrent de lui, en disant : « Monte,
tondu! Monte, tondu! » 24 Il se retourna, les vit et
les maudit au nom de Yahvé. Alors deux ourses
sortirent du bois et déchirèrent quarante-deux des
enfants. 25 Il alla de là au mont Carmel, puis il
revint à Samarie.

## *2. LA GUERRE MOABITE*

**Règne de Joram en Israël (852-841).**

3 1 Joram fils d'Achab devint roi sur Israël à
Samarie en la dix-huitième année de Josaphat
roi de Juda, et il régna douze ans [e]. 2 Il fit ce qui
déplaît à Yahvé; non pas pourtant comme son père
et sa mère, car il supprima la stèle de Baal que son
père avait faite. 3 Seulement, il resta attaché aux
péchés où Jéroboam fils de Nebat entraîna Israël
et ne s'en détourna pas.

**Expédition d'Israël et de Juda contre Moab.**

4 Mésha, roi de Moab [f], était éleveur de troupeaux et il livrait en tribut au roi d'Israël cent mille
agneaux et cent mille béliers avec leur laine; 5 mais,
à la mort d'Achab, le roi de Moab se révolta contre
le roi d'Israël.
1 R 22 6 En ce temps-là, le roi Joram sortit de Samarie
et passa en revue tout Israël. 7 Ensuite, il envoya
ce message au roi de Juda [g] : « Le roi de Moab s'est
révolté contre moi. Viendras-tu faire la guerre avec 1 R 22 4
moi en Moab? » Le roi de Juda répondit : « Je viendrai! Il en sera pour moi comme pour toi; pour
mon peuple comme pour ton peuple, pour mes chevaux comme pour tes chevaux! » 8 Il ajouta : « Par
quel chemin monterons-nous? » et l'autre répondit :
« Par le chemin du désert d'Édom. »
9 Le roi d'Israël, le roi de Juda et le roi d'Édom [h]
partirent. Ils firent un détour de sept jours de marche et l'eau manqua pour la troupe et pour les bêtes
de somme qui suivaient. 10 Le roi d'Israël s'écria :
« Malheur! c'est que Yahvé a appelé les trois rois
que nous sommes pour les livrer aux mains de
Moab! » 11 Mais le roi de Juda dit : « N'y a-t-il pas 1 R 22 7
ici un prophète de Yahvé, que nous consultions
Yahvé par lui? » Alors un des serviteurs du roi
d'Israël répondit : « Il y a Élisée fils de Shaphat, qui
versait l'eau sur les mains d'Élie. » 12 Le roi de Juda 1 R 19 21

*a)* Après « le manteau d'Élie » hébr. ajoute « qui avait glissé de lui », repris du v. 13. – Après « Dieu d'Élie » hébr. ajoute « lui aussi », glose destinée à « il frappa », en référence au v. 8.
*b)* L'hébr. ajoute « qui sont à Jéricho »; glose.
*c)* La recherche infructueuse certifie seulement qu'Élie n'est plus de ce monde, son destin est un mystère qu'Élisée ne veut pas éclairer. Le texte ne dit pas qu'Élie n'est pas mort, mais on a pu facilement le conclure. Sur le « retour d'Élie », cf. Ml **3** 23+.
*d)* Récits de la même veine que ceux du ch. **4**. Élisée détient un pouvoir divin pour sauver ou pour perdre : il est bienfaisant à ceux qui reconnaissent sa mission, mais on ne se moque pas impunément de l'homme de Dieu.
*e)* Ce chiffre appartient à un système chronologique secondaire. D'après les dates les mieux assurées, Joram d'Israël n'aurait pas régné plus de huit ans.
*f)* La « stèle de Mésha », retrouvée à Dibôn, rappelle que Moab était assujetti à Israël sous Omri et Achab, et célèbre la guerre de libération, mais passe sous silence l'épisode peu glorieux que la Bible a retenu.
*g)* Ici et aux vv. 11, 12, 14, le texte donne le nom du roi de Juda : Josaphat, mais la chronologie prouve que la guerre n'eut lieu que sous son fils, Joram de Juda. Le nom de Josaphat semble avoir été ajouté au texte primitif, en considération de sa piété et du rôle analogue qu'il joue en 1 R **22** : ici encore le roi de Juda, à l'encontre du roi d'Israël, fait figure de fervent Yahviste, vv. 11, 13-14.
*h)* Le concours de Juda et de son vassal Édom est nécessaire au roi d'Israël pour attaquer Moab par le sud, en contournant la mer Morte et en passant par le territoire édomite.

dit : « Il a la parole de Yahvé. » Le roi d'Israël, le
roi de Juda et le roi d'Édom descendirent donc vers
lui. 13 Mais Élisée dit au roi d'Israël : « Qu'ai-je à
faire avec toi? Va trouver les prophètes de ton père
et les prophètes de ta mère! » Le roi d'Israël lui
répondit : « Mais non! c'est que Yahvé a appelé les
trois rois que nous sommes pour les livrer aux
mains de Moab! » 14 Élisée reprit : « Par la vie de
Yahvé Sabaot, que je sers, si je n'avais égard au
1 R **18** 15 roi de Juda, je ne ferais pas attention à toi, je ne
te regarderais même pas. 15 Maintenant, amenez-
1 S **10** 6 moi un joueur de lyre [a]. » Or, comme le musicien
jouait, la main de Yahvé fut sur lui 16 et il dit :
« Ainsi parle Yahvé : " Creusez dans cette vallée
des fosses et des fosses ", 17 car ainsi parle Yahvé :
" Vous ne verrez pas de vent, vous ne verrez pas
de pluie, et cette vallée se remplira d'eau, et vous
boirez, vous, vos troupes [b] et vos bêtes de somme. "
18 Encore cela est-il peu aux yeux de Yahvé, car il
livrera Moab entre vos mains. 19 Vous frapperez
Dt **20** 19 toutes les villes fortes [c], vous abattrez tous les
arbres de rapport, vous boucherez toutes les
sources et vous désolerez tous les meilleurs champs
en y jetant des pierres. » 20 Or, le matin à l'heure
de la présentation de l'offrande, voici que l'eau
venait de la direction d'Édom et la contrée en fut
remplie.

21 Les Moabites ayant appris que les rois étaient
montés pour les combattre, tous ceux qui étaient en
âge de porter les armes furent convoqués, et ils se
tenaient sur la frontière. 22 Quand ils se levèrent le
matin et que le soleil brilla sur les eaux, les Moabites virent de loin les eaux rouges comme du sang [d].
23 Ils dirent : « C'est du sang! Sûrement les rois se
sont entre-tués, ils se sont mutuellement frappés. Et
maintenant, au pillage, Moab! »
24 Mais quand ils arrivèrent au camp des Israélites, ceux-ci se dressèrent et battirent les Moabites,
qui s'enfuirent devant eux; et ils allèrent de
l'avant [e], les taillant en pièces. 25 Ils détruisaient les
villes, ils jetaient chacun sa pierre dans tous les
meilleurs champs pour les remplir, ils bouchaient
toutes les sources et abattaient tous les arbres de
rapport. Finalement, il ne resta plus que Qir-Hérès [f] : les frondeurs l'encerclèrent et la battirent de
leurs coups. 26 Quand le roi de Moab vit qu'il ne
pouvait pas soutenir le combat, il prit avec lui sept
cents hommes armés de l'épée pour faire une trouée
et aller vers le roi d'Aram [g], mais ils n'y réussirent
pas. 27 Alors il prit son fils aîné, qui devait régner
à sa place, et il l'offrit en holocauste sur le rempart.
Il y eut une grande colère [h] sur les Israélites, qui
décampèrent loin de lui et rentrèrent au pays.

## 3. *QUELQUES MIRACLES D'ÉLISÉE*

1 R **17** 8-15 **L'huile de la veuve.**

**4** 1 La femme d'un des frères prophètes implora
Élisée en ces termes : « Ton serviteur, mon
mari, est mort, et tu sais que ton serviteur craignait
Yahvé. Or le prêteur sur gages est venu pour prendre mes deux enfants et en faire ses esclaves. »
2 Élisée lui dit : « Que puis-je faire pour toi? Dis-
moi, qu'as-tu à la maison? » Elle répondit : « Ta
servante n'a rien du tout à la maison, sauf un flacon d'huile. » 3 Alors, il dit : « Va emprunter dehors
des vases à tous tes voisins, des vases vides et pas
trop peu! 4 Puis tu rentreras, tu fermeras la porte
sur toi et sur tes fils et tu verseras l'huile dans tous
ces vases, en les mettant de côté à mesure qu'ils
seront pleins. » 5 Elle le quitta et ferma la porte sur
elle et sur ses fils; ceux-ci lui tendaient les vases et
elle ne cessait de verser. 6 Or, quand les vases
furent pleins, elle dit à son fils : « Tends-moi encore
un vase », mais il répondit : « Il n'y a plus de vase »;
alors l'huile cessa de couler. 7 Elle alla rendre
compte à l'homme de Dieu [i], qui dit : « Va vendre
cette huile, tu rachèteras ton gage et tu vivras du
reste, toi et tes fils! »

**Élisée, la Shunamite et son fils.**

8 Un jour qu'Élisée passait à Shunem, une femme 1 R 1 3
de qualité qui y vivait l'invita à table. Depuis, chaque fois qu'il passait, il se rendait là pour manger.
9 Elle dit à son mari : « Vois! Je suis sûre que c'est
un saint homme de Dieu qui passe toujours par
chez nous. 10 Construisons-lui donc une petite

*a)* La musique aide à procurer l'extase.
*b)* « troupes » grec luc.; « troupeaux » hébr.
*c)* L'hébr. ajoute : « et toutes les villes de choix », omis par le grec.
*d)* Coloration due sans doute aux sables du Wadi el-Hésa. Il y a jeu de mots entre *'adom* « rouge », *dam* « sang », et le nom d'*Édom*.
*e)* « et ils allèrent de l'avant » grec; l'hébr. est corrompu.
*f)* Restitution conjecturale; hébr. : « il ne resta plus à Qir-Haré-set que ses pierres ». Qir-Hérès est la capitale de Moab, Is **16** 7, 11; Jr **48** 31, 36, sur le site actuel de Kérak.
*g)* « Aram » conj.; « Édom » hébr.
*h)* Interprétation disputée. Le sacrifice de son fils est un acte désespéré du roi de Moab pour se concilier son dieu Kemosh. Accompli sur le rempart, il provoque la panique parmi les assiégeants qui se sentent l'objet d'une colère divine.
*i)* Titre ordinaire d'Élisée dans les récits émanant des « frères prophètes » cf. Ch **4**; **6** 17.

chambre haute avec des murs, et nous y mettrons
pour lui un lit, une table, un siège et une lampe :
quand il viendra chez nous, il se retirera là. » 11 Un
jour qu'il vint là, il se retira dans la chambre haute
et s'y coucha. 12 Il dit à Géhazi son serviteur :
« Appelle cette bonne Shunamite. » – Il l'appela et
elle se tint devant lui. – 13 Élisée reprit : « Dis-lui :
Tu t'es donné tout ce souci pour nous. Que peut-on
faire pour toi? Y a-t-il un mot à dire pour toi au
roi ou au chef de l'armée? » Mais elle répondit :
« Je séjourne au milieu des miens [a]. » 14 Il continua : « Alors, que peut-on faire pour elle? » Géhazi
répondit : « Eh bien! Elle n'a pas de fils et son mari
est âgé. » 15 Élisée dit : « Appelle-la. » – Le serviteur
l'appela et elle se tint à l'entrée. 16 – « A cette sai-
Gn **18** 10 son, l'an prochain, dit-il, tu tiendras un fils dans tes
bras. » Mais elle dit : « Non, Monseigneur [b], ne
trompe pas ta servante! » 17 Or la femme conçut et
elle enfanta un fils à la saison [c] que lui avait dite
Élisée.

18 L'enfant grandit. Un jour il alla trouver son
père auprès des moissonneurs 19 et il dit à son
1 R **17** 17-24 père : « Oh! ma tête! ma tête! » et le père ordonna
à un serviteur de le porter à sa mère. 20 Celui-ci le
prit et le conduisit à sa mère; il resta sur ses genoux
jusqu'à midi et il mourut. 21 Elle monta l'étendre
sur le lit de l'homme de Dieu, ferma la porte et sortit [d]. 22 Elle appela son mari et dit : « Envoie-moi
l'un des serviteurs avec une ânesse, je cours chez
l'homme de Dieu et je reviens. » 23 Il demanda :
« Pourquoi vas-tu chez lui aujourd'hui? Ce n'est
pas la néoménie ni le sabbat [e] », mais elle répondit :
« Reste en paix. » 24 Elle fit seller l'ânesse et dit à
son serviteur : « Mène-moi, va! Ne m'arrête pas en
route sans que je te l'ordonne »; 25 elle partit et alla
vers l'homme de Dieu, au mont Carmel. Lorsque
l'homme de Dieu la vit de loin, il dit à son serviteur
Géhazi : « Voici cette bonne Shunamite. 26 Maintenant, cours à sa rencontre et demande-lui : Vas-tu
bien? Ton mari va-t-il bien? Ton enfant va-t-il
bien? » Elle répondit : « Bien. » 27 Quand elle rejoignit l'homme de Dieu sur la montagne, elle saisit
ses pieds. Géhazi s'approcha pour la repousser,
mais l'homme de Dieu dit : « Laisse-la, car son âme
est dans l'amertume; Yahvé me l'a caché, il ne m'a
rien annoncé. » 28 Elle dit : « Avais-je demandé un
fils à Monseigneur? Ne t'avais-je pas dit de ne pas
me leurrer? »

29 Élisée dit à Géhazi : « Ceins tes reins, prends
mon bâton en main et va! Si tu rencontres quel-
qu'un, tu ne le salueras pas, et si quelqu'un te salue, Lc **10** 4
tu ne lui répondras pas [f]. Tu étendras mon bâton [g]
au-dessus de l'enfant. » 30 Mais la mère de l'enfant
dit : « Aussi vrai que Yahvé est vivant et que tu vis
toi-même, je ne te quitterai pas! » Alors il se leva
et la suivit. 31 Géhazi les avait précédés et il avait
étendu le bâton au-dessus de l'enfant, mais il n'y
eut ni voix ni réaction. Il revint au-devant d'Élisée
et lui rapporta ceci : « L'enfant ne s'est pas
réveillé. » 32 Élisée arriva à la maison; là était
l'enfant, mort et couché sur son propre lit. 33 Il
entra, ferma la porte sur eux deux et pria Yahvé.
34 Puis il monta sur le lit, s'étendit sur l'enfant, mit 1 R **17** 21
sa bouche contre sa bouche, ses yeux contre ses
yeux, ses mains contre ses mains, il se replia sur
lui et la chair de l'enfant se réchauffa. 35 Il se remit
à marcher de long en large dans la maison, puis
remonta et se replia sur lui, jusqu'à sept fois : alors
l'enfant éternua [h] et ouvrit les yeux. 36 Il appela
Géhazi et lui dit : « Fais venir cette bonne Shunamite. » Il l'appela. Lorsqu'elle arriva près de lui, il
dit : « Prends ton fils. » 37 Elle entra, tomba à ses
pieds et se prosterna à terre, puis elle prit son fils
et sortit.

**La marmite empoisonnée.**

38 Élisée revint à Gilgal pendant que la famine 2 1
était dans le pays. Comme les frères prophètes
étaient assis devant lui, il dit à son serviteur :
« Mets la grande marmite sur le feu et cuis une
soupe pour les frères prophètes. » 39 L'un d'eux sortit dans la campagne pour ramasser des herbes,
trouva des sarments sauvages, sur lesquels il cueillit des coloquintes [i], plein son vêtement. Il revint et
les coupa en morceaux dans la marmite de soupe,
car on ne savait pas ce que c'était. 40 On versa à
manger aux hommes. Mais à peine eurent-ils goûté
le potage qu'ils poussèrent un cri : « Homme de
Dieu! Il y a la mort dans la marmite! » et ils ne
purent pas manger. 41 Alors Élisée dit : « Eh bien!
apportez de la farine. » Il la jeta dans la marmite

*a)* Élisée a proposé d'intervenir à la cour. La femme répond fièrement que la protection de son clan lui suffit.
*b)* « Monseigneur » grec; « Monseigneur l'homme de Dieu » hébr. cf. **5** 8.
*c)* « à la saison » conj.; hébr. répète « à cette saison, l'an prochain » du v. 16.
*d)* Foi de cette femme : Élisée, qui lui a obtenu ce fils, pourra le lui rendre; en attendant, personne ne doit rien savoir de sa mort, v. 23, et elle dissimule le cadavre.
*e)* On avait donc coutume de visiter, aux fêtes, les saints personnages.
*f)* Ne saluer personne : signe d'une mission pressante.
*g)* Une puissance magique paraît attribuée au bâton d'Élisée (comme à celui de Moïse, Ex **4** 17), mais la suite montrera que rien ne peut se faire sans la prière et l'intervention personnelle du prophète.
*h)* On suit l'ordre du grec et de Vet. Lat.; l'hébr. met « jusqu'à sept fois », après « l'enfant éternua ». – Dieu insuffle l'esprit de vie dans les narines d'Adam, Gn **2** 7, et c'est par les narines que l'homme respire, Is **2** 22. L'éternuement manifeste le retour à la vie.
*i)* Fruits d'une grande amertume et d'un violent effet purgatif.

et dit : « Verse aux gens et qu'ils mangent. » – Il n'y
avait plus rien de mauvais dans la marmite.

Mt 14 13-21+ **La multiplication des pains.**

15 32-38+ 42 Un homme vint de Baal-Shalisha et apporta à
l'homme de Dieu du pain de prémices, vingt pains
d'orge et du grain frais dans son épi [a]. Celui-ci
ordonna : « Offre aux gens et qu'ils mangent »,
43 mais son serviteur répondit : « Comment servi-
rai-je cela à cent personnes? » Il reprit : « Offre aux
gens et qu'ils mangent, car ainsi a parlé Yahvé :
" On mangera et on en aura de reste. " » 44 Il leur
servit, ils mangèrent et en eurent de reste, selon la
parole de Yahvé.

**La guérison de Naamân.**

5 1 Naamân, chef de l'armée du roi d'Aram,
était un homme en grande considération et
faveur auprès de son maître, car c'était par lui que
Yahvé avait accordé la victoire aux Araméens [b],
mais cet homme était lépreux [c]. 2 Or les Araméens,
sortis en razzia, avaient enlevé du territoire d'Israël
une petite fille qui était entrée au service de la
femme de Naamân. 3 Elle dit à sa maîtresse : « Ah!
si seulement mon maître s'adressait au prophète de
Samarie! Il le délivrerait de sa lèpre. » 4 Naamân
alla informer son seigneur : « Voilà, dit-il, de quelle
et quelle manière a parlé la jeune fille qui vient du
pays d'Israël. » 5 Le roi d'Aram répondit : « Pars
donc, je vais envoyer une lettre au roi d'Israël. »
Naamân partit, prenant avec lui dix talents
d'argent, six mille sicles d'or et dix habits de fête.
6 Il présenta au roi d'Israël la lettre, ainsi conçue :
« En même temps que te parvient cette lettre, je
t'envoie mon serviteur Naamân, pour que tu le délivres de sa lèpre. » 7 A la lecture de la lettre, le roi
d'Israël déchira ses vêtements et dit : « Suis-je un
Gn 30 2 dieu qui puisse donner la mort et la vie, pour que
1 S 2 6+ celui-là me mande de délivrer quelqu'un de sa
lèpre? Pour sûr, rendez-vous bien compte qu'il me
cherche querelle! »

8 Mais quand Élisée [d] apprit que le roi d'Israël
avait déchiré ses vêtements, il fit dire au roi :
« Pourquoi as-tu déchiré tes vêtements? Qu'il
vienne donc vers moi, et il saura qu'il y a un prophète en Israël. » 9 Naamân arriva avec son attelage et son char et s'arrêta à la porte de la maison
d'Élisée, 10 et Élisée envoya un messager lui dire :
« Va te baigner sept fois dans le Jourdain, ta chair Jn 9 7
redeviendra nette. » 11 Naamân, irrité, s'en alla en
disant : « Je m'étais dit : Sûrement il sortira et se
présentera lui-même, puis il invoquera le nom de
Yahvé son Dieu, il agitera la main sur l'endroit
malade et délivrera la partie lépreuse. 12 Est-ce que
les fleuves de Damas, l'Abana et le Parpar, ne
valent pas mieux que toutes les eaux d'Israël? Ne
pourrais-je pas m'y baigner pour être purifié? » Il
tourna bride et partit en colère. 13 Mais ses serviteurs s'approchèrent et s'adressèrent à lui en ces
termes : « Mon père! Si le prophète t'avait prescrit
quelque chose de difficile, ne l'aurais-tu pas fait?
Combien plus, lorsqu'il te dit : « Baigne-toi et tu
seras purifié. » 14 Il descendit donc et se plongea
sept fois dans le Jourdain, selon la parole d'Élisée : Mt 3 13-15p
sa chair redevint nette comme la chair d'un petit ↗ Lc 4 27
enfant.

15 Il revint chez Élisée avec toute son escorte, il
entra, se présenta devant lui et dit : « Oui, je sais
désormais qu'il n'y a pas de Dieu par toute la terre
sauf en Israël [e]! Maintenant, accepte, je te prie, un
présent de ton serviteur. » 16 Mais Élisée répondit :
« Aussi vrai qu'est vivant Yahvé que je sers, je
n'accepterai rien. » Naamân le pressa d'accepter,
mais il refusa. 17 Alors Naamân dit : « Puisque
c'est non, permets qu'on donne à ton serviteur de
quoi charger de terre deux mulets, car ton serviteur
n'offrira plus ni holocauste ni sacrifice à d'autres
dieux qu'à Yahvé. 18 Seulement, que Yahvé pardonne ceci à ton serviteur : quand mon maître va
au temple de Rimmôn pour y adorer, il s'appuie sur
mon bras et je me prosterne dans le temple de Rimmôn en même temps qu'il le fait [f]; veuille Yahvé
pardonner cette action à son serviteur! » 19 Élisée
lui répondit : « Va en paix [g] », et Naamân s'éloigna
un bout de chemin.

20 Géhazi, le serviteur d'Élisée, se dit : « Mon
maître a ménagé Naamân, cet Araméen, en

*a)* Traduction conjecturale. Certains corrigent en « dans sa besace ».
*b)* Yahvé, Dieu universel, préside aux destinées d'Aram comme à celles d'Israël; l'enseignement de ce ch. rejoint celui de 1 R **18**.
*c)* Avant « lépreux » hébr. ajoute « vaillant » omis par grec luc. Cette « lèpre », comme celle de Géhazi, v. 27, n'est peut-être qu'une maladie de peau autre que la vraie lèpre, puisqu'elle n'interrompt pas les relations sociales. Cf. Lv **13** 1+.
*d)* Le grec a « Élisée » au lieu de l'hébr. « Élisée homme de Dieu », ici et v. 20, ou seulement « l'homme de Dieu », vv. 14-15; **6** 9-10, 15; **7** 2. On choisit la leçon du grec parce que les grands récits sur Élisée semblent, dans leur forme primitive, avoir désigné le prophète par son nom. Comme les historiettes recueillies par les « frères prophètes » l'appelaient « l'homme de Dieu », cf. **4** 7, le titre s'est introduit en certains passages.
*e)* Yahvé seul est vraiment Dieu. Mais ce Dieu unique a des rapports spéciaux avec le peuple et le pays d'Israël et c'est pourquoi Naamân emportera de la terre de Samarie pour dresser un autel de Yahvé à Damas.
*f)* « en même temps qu'il le fait » grec et Vulg.; « quand je me prosterne dans le temple de Rimmôn » hébr., doublet. – Rimmôn : autre nom de Hadad, dieu de l'orage, divinité principale de Damas.
*g)* Élisée excuse cette marque extérieure d'idolâtrie.

n'acceptant pas de lui ce qu'il avait offert. Aussi vrai que Yahvé est vivant, je cours après lui et j'en obtiendrai quelque chose. » 21 Et Géhazi se lança à la poursuite de Naamân. Lorsque Naamân le vit courir derrière lui, il sauta de son char à sa rencontre et demanda : « Cela va-t-il bien? » 22 Il répondit : « Bien. Mon maître m'a envoyé te dire : A l'instant m'arrivent deux jeunes gens de la montagne d'Éphraïm, des frères prophètes. Donne pour eux, je te prie, un talent d'argent et deux habits de fête. » 23 Naamân dit : « Veuille accepter deux talents », et il insista; il lia les deux talents d'argent dans deux sacs, avec les deux habits de fête, et les remit à deux de ses serviteurs qui les portèrent devant Géhazi. 24 Quand il arriva à l'Ophel [a], il les prit de leurs mains et les déposa dans la maison; puis il congédia les hommes, qui s'en allèrent.

25 Quant à lui, il vint se tenir près de son maître. Élisée lui demanda : « D'où viens-tu, Géhazi? » Il répondit : « Ton serviteur n'est allé nulle part. » 26 Mais Élisée lui dit : « Mon cœur n'était-il pas présent lorsque quelqu'un a quitté son char à ta rencontre? Maintenant tu as reçu l'argent, et tu peux acheter avec cela jardins, oliviers et vignes, petit et gros bétail, serviteurs et servantes. 27 Mais la lèpre de Naamân s'attachera à toi et à ta postérité pour toujours. » Et Géhazi s'éloigna de lui blanc de lèpre comme la neige [b]. Ex 4 6 Nb 12 10

**La hache perdue et retrouvée.**

6 1 Les frères prophètes dirent à Élisée : « Voici que l'endroit où nous habitons [c] près de toi est trop étroit pour nous. 2 Allons donc jusqu'au Jourdain; nous y prendrons chacun une poutre et nous nous ferons là une demeure. » Il répondit : « Allez. » 3 L'un d'eux dit : « Consens à accompagner tes serviteurs », et il répondit : « J'irai »; 4 il partit avec eux. Arrivés au Jourdain, ils coupèrent le bois. 5 Or, comme l'un deux abattait sa poutre, la lame de fer tomba dans l'eau, et il s'écria : « Hélas, Monseigneur! Et encore elle était empruntée! » 6 Mais l'homme de Dieu lui demanda : « Où est-elle tombée? » et l'autre lui montra la place. Alors il cassa un bout de bois, le jeta à cet endroit et fit flotter le fer. 7 Il dit : « Retire-le », et l'homme étendit la main et le prit.

## 4. *GUERRES ARAMÉENNES*

**Élisée capture tout un détachement araméen.**

8 Le roi d'Aram était en guerre avec Israël. Il tint conseil avec ses officiers et dit : « Vous ferez une descente [d] contre telle place. » 9 Mais Élisée envoya dire au roi d'Israël : « Sois sur tes gardes pour cette place, car les Araméens y descendent [e] », 10 et le roi d'Israël envoya des hommes à la place qu'Élisée lui avait dite. Il l'avertissait et le roi se tenait sur ses gardes, et cela pas rien qu'une ou deux fois.

11 Le cœur du roi d'Aram fut troublé par cette affaire, il convoqua ses officiers et leur demanda : « Ne m'apprendrez-vous pas qui nous trahit [f] auprès du roi d'Israël? » 12 L'un de ses officiers répondit : « Non, Monseigneur le roi; c'est Élisée, le prophète d'Israël, qui révèle au roi d'Israël les paroles que tu prononces dans ta chambre à coucher. » 13 Il dit : « Allez, voyez où il est, et j'enverrai le saisir. » On lui fit ce rapport : « Voici qu'il est à Dotân. » 14 Alors le roi envoya là-bas des chevaux, des chars et une forte troupe, qui arrivèrent de nuit et cernèrent la ville.

15 Le lendemain, Élisée se leva de bon matin [g] et sortit. Et voilà qu'une troupe entourait la ville avec des chevaux et des chars! Son serviteur lui dit : « Ah! Monseigneur, comment allons-nous faire? » 16 Mais il répondit : « N'aie pas peur, car il y en a plus avec nous qu'avec eux. » 17 Et Élisée fit cette prière : « Yahvé, daigne ouvrir ses yeux pour qu'il voie! » Yahvé ouvrit les yeux du serviteur et il vit : voilà que la montagne était couverte de chevaux et de chars de feu autour d'Élisée! 2 10-12; 7 6

18 Comme les Araméens descendaient vers lui, Élisée pria ainsi Yahvé : « Daigne frapper ces gens de berlue », et il les frappa de berlue [h], selon la parole d'Élisée. Gn 19 11 19 Alors Élisée leur dit : « Ce n'est pas le chemin, et ce n'est pas la ville. Suivez-moi, je vous conduirai vers l'homme que vous cherchez. » Mais il les conduisit à Samarie. 20 A leur entrée dans Samarie, Élisée dit : « Yahvé, ouvre les

*a)* Il y avait aussi un Ophel à Jérusalem. Dans les deux cas, la hauteur fortifiée qui portait la résidence royale. Le mot signifie « excroissance ».
*b)* La fin du v. est incertaine et rétablie ici d'après le grec.
*c)* Probablement Gilgal, où Élisée résidait parfois au milieu des prophètes, 1 R **4** 38.
*d)* « vous ferez une descente » *tinhatu* conj.; hébr. *tahanoti* intraduisible.
*e)* « pour » *ba'abûr* conj.; « (garde-toi) de passer à » *me'abôr* hébr. – « descendent » conj., cf. v. 8; hébr. intraduisible.
*f)* « nous trahit » grec; « parmi les nôtres (est) » (?) hébr.
*g)* « Le lendemain (Élisée se leva) » *mimmohorat* conj., cf. la suite du v.; « le serviteur (de l'homme de Dieu se leva) » *mesharet* hébr.
*h)* Non pas la cécité complète, mais une aberration de la vue, cf. Gn **19** 11. Dieu avait au contraire manifesté au serviteur, v. 17, ce qui est caché aux yeux humains.

yeux de ces gens et qu'ils voient. » Yahvé ouvrit
leurs yeux et ils virent : voilà qu'ils étaient au
milieu de Samarie!
21 Le roi d'Israël, en les voyant, dit à Élisée :
« Faut-il les tuer, mon père [a]? » 22 Mais il répondit :
« Ne les tue pas. Ceux même que ton épée et ton
arc ont fait captifs, les mets-tu à mort [b]? Offre-leur
du pain et de l'eau pour qu'ils mangent et qu'ils
boivent, et qu'ils aillent chez leur maître. » 23 Le roi
leur servit un grand festin; après qu'ils eurent
mangé et bu, il les congédia et ils partirent chez
leur maître. Les bandes araméennes ne revinrent
plus sur le territoire d'Israël.

**La famine dans Samarie assiégée.**

24 Il advint, après cela, que Ben-Hadad, roi
d'Aram [c], rassembla toute son armée et vint mettre
le siège devant Samarie. 25 Il y eut une grande
famine à Samarie et le siège fut si dur que la tête
d'âne valait quatre-vingts sicles d'argent et le quar-
teron d'oignons sauvages [d] cinq sicles d'argent.
26 Comme le roi d'Israël passait sur le rempart,
une femme lui cria : « Au secours, Monseigneur le
roi! » 27 Il répondit : « Si Yahvé ne te secourt pas,
d'où pourrais-je te secourir? Serait-ce de l'aire ou
du pressoir? » 28 Puis le roi lui dit : « Qu'as-tu? » Elle
Dt **28** 53-57 reprit : « Cette femme m'a dit : "Donne ton fils, que
nous le mangions aujourd'hui, et nous mangerons
mon fils demain." 29 Nous avons fait cuire mon fils
et nous l'avons mangé; le jour d'après, je lui ai dit :
"Donne ton fils, que nous le mangions", mais elle
a caché son fils. » 30 Quand le roi entendit les paro-
1 R **20** 31; les de cette femme, il déchira ses vêtements; le roi
**21** 27 passait sur le rempart, et le peuple vit qu'en dessous, il portait le sac à même le corps. 31 Il dit :
Rt 1 17+ « Que Dieu me fasse tel mal et y ajoute tel autre,
si la tête d'Élisée fils de Shaphat lui reste
aujourd'hui sur les épaules [e]! »

**Élisée annonce la fin imminente de l'épreuve.**

32 Élisée était assis dans sa maison et les anciens
étaient assis avec lui, et le roi se fit précéder par
un messager. Mais avant que celui-ci n'arrivât
jusqu'à lui, Élisée dit aux anciens : « Avez-vous vu
que ce fils d'assassin a donné l'ordre qu'on m'ôte
la tête! Voyez : quand arrivera le messager, fermez
la porte et repoussez-le avec la porte. Est-ce que le
bruit des pas de son maître ne le suit point? » 33 Il
leur parlait encore que le roi [f] descendit chez lui et
dit : « Voici que tout ce mal vient de Yahvé! Pourquoi garderais-je confiance en Yahvé? »

7 1 Élisée dit : « Écoute la parole de Yahvé!
Ainsi parle Yahvé : Demain à pareille heure,
on aura un boisseau de gruau pour un sicle et deux
boisseaux d'orge pour un sicle à la porte de Samarie. » 2 L'écuyer sur le bras de qui s'appuyait le roi
répondit à Élisée : « A supposer même que Yahvé
fasse des fenêtres dans le ciel, cette parole se réali- Gn 7 11; **8** 2
serait-elle? » Élisée dit : « Tu le verras de tes yeux, Is **24** 18 Ml **3** 10
mais tu n'en mangeras pas. » 2 R **7** 17

**On découvre le camp araméen abandonné.** **19** 35-36

3 Or quatre hommes se trouvaient – car ils
étaient lépreux – à l'entrée de la porte et ils se Lv **13** 46
disaient entre eux : « Pourquoi restons-nous ici à
attendre la mort? 4 Si nous décidons d'entrer en
ville, il y a la famine dans la ville et nous y mourrons; si nous restons ici, nous mourrons de même.
Venez! Désertons et passons au camp des Araméens : s'ils nous laissent la vie, nous vivrons, et
s'ils nous tuent, eh bien! nous mourrons! » 5 Au
crépuscule, ils se levèrent pour aller au camp des
Araméens; ils arrivèrent à la limite du camp, et
voilà qu'il n'y avait personne! 6 Car Yahvé avait
fait entendre dans le camp des Araméens un bruit
de chars et de chevaux, le bruit d'une grande 6 17
armée, et ils s'étaient dit entre eux : « Le roi d'Israël
a pris à solde contre nous les rois des Hittites et
les rois d'Égypte [g], pour qu'ils marchent contre
nous. » 7 Ils se levèrent et s'enfuirent au crépuscule : abandonnant leurs tentes, leurs chevaux et
leurs ânes, bref le camp comme il était, ils s'enfuirent pour sauver leur vie. 8 Ces lépreux donc arrivèrent à la limite du camp et pénétrèrent dans une
tente; ayant mangé et bu, ils emportèrent de là
argent, or et vêtements qu'ils allèrent cacher. Puis
ils revinrent, pénétrèrent dans une autre tente, et en
emportèrent du butin qu'ils allèrent cacher.

**Fin du siège et de la famine.**

9 Alors, ils se dirent entre eux : « Nous faisons là
quelque chose d'injuste. Ce jour-ci est un jour de
bonne nouvelle, et nous nous taisons! Si nous
attendons que le matin se lève, un châtiment nous
frappera. Maintenant, venez! Allons porter la nouvelle au palais. » 10 Ils vinrent, appelèrent les gardes

*a)* Le titre marque la vénération du roi pour le prophète, cf. **8** 9 et **13** 14.
*b)* En dehors de l'anathème prononcé par Yahvé, ou de cas particuliers, ce n'était pas la coutume en Israël de massacrer les prisonniers de guerre, cf. 1 R **20** 31.
*c)* Peut-être Ben-Hadad III de Damas, voir **13**. L'ordre de tous ces récits paraît artificiel.
*d)* « oignons sauvages » *harçonîm* conj.; l'hébr. *hary yonim* « fiente de pigeon » (?) est impossible ici.
*e)* Élisée avait sans doute encouragé la résistance en prédisant le secours de Yahvé; le roi, qui l'a écouté, pense maintenant qu'Élisée l'a trompé.
*f)* « le roi » *melek* conj.; « le messager » *mal'ak* hébr.
*g)* Les princes de la Syrie du nord. Il n'y a pas de raison pour

à la porte de la ville et leur annoncèrent : « Nous
sommes allés au camp des Araméens. Il n'y a là
personne, aucun bruit humain, seulement les chevaux à l'entrave, les ânes à l'entrave, et leurs tentes
telles quelles. » [11] Les gardes de la porte crièrent, et
on porta la nouvelle à l'intérieur du palais.

[12] Le roi se leva de nuit et dit à ses officiers : « Je
vais vous expliquer ce que les Araméens nous ont
fait. Comme ils savent que nous sommes affamés,
ils ont quitté le camp pour se cacher dans la campagne en se disant : ils sortiront de la ville, nous
les prendrons vivants et nous entrerons dans la
ville. » [13] L'un de ses officiers répondit : « Qu'on
prenne donc cinq des chevaux survivants, qui restent ici – il leur arrivera comme à l'ensemble qui
a péri [a] –, nous les enverrons et nous verrons. »
[14] On prit deux attelages, que le roi envoya derrière
les Araméens en disant : « Allez et voyez. » [15] Ils
les suivirent jusqu'au Jourdain; la route était jon-
chée de vêtements et de matériel que les Araméens
avaient abandonnés dans leur panique; les messagers revinrent et informèrent le roi.

[16] Le peuple sortit et pilla le camp des Araméens : le boisseau de gruau fut à un sicle et les
deux boisseaux d'orge à un sicle, selon la parole de
Yahvé. [17] Le roi avait mis de surveillance à la porte
l'écuyer sur le bras duquel il s'appuyait; le peuple
le foula aux pieds, à la porte, et il mourut, selon
7 2 ce qu'avait dit l'homme de Dieu (ce qu'il avait dit
lorsque le roi était descendu chez lui. [18] Il arriva ce
que l'homme de Dieu avait dit au roi : « On aura
deux boisseaux d'orge pour un sicle et un boisseau
de gruau pour un sicle, demain à pareille heure, à
la porte de Samarie. » [19] L'écuyer répondit à
l'homme de Dieu : « A supposer même que Yahvé
fasse des fenêtres dans le ciel, cette parole se réali-
serait-elle? » Élisée dit : « Tu le verras de tes yeux,
mais tu n'en mangeras pas. » [20] C'est ce qui lui
arriva : le peuple le foula aux pieds à la porte, et
il mourut [b]).

### Épilogue à l'histoire de la Shunamite [c].

**8** [1] Élisée avait dit à la femme dont il avait ressuscité le fils : « Lève-toi, va-t'en avec ta
famille et séjourne où tu pourras à l'étranger, car
Yahvé a appelé la famine, déjà elle vient sur le
pays, pour sept ans. » [2] La femme se leva et fit ce
qu'avait dit l'homme de Dieu : elle partit, elle et sa
famille, et séjourna sept ans au pays des Philistins.
[3] Au bout de sept années, cette femme revint du
pays des Philistins et elle alla faire appel au roi
pour sa maison et pour son champ [d].

[4] Or le roi s'entretenait avec Géhazi, le serviteur
de l'homme de Dieu : « Raconte-moi, disait-il, toutes les grandes choses qu'Élisée a faites. » [5] Il
racontait justement au roi la résurrection de
l'enfant mort quand la femme dont Élisée avait ressuscité le fils en appela au roi pour sa maison et
pour son champ, et Géhazi dit : « Monseigneur le
roi, voici cette femme, et voici son fils qu'Élisée a
ressuscité. » [6] Le roi interrogea la femme et elle lui
fit le récit. Alors le roi lui donna un eunuque,
auquel il commanda : « Qu'on lui restitue tout ce
qui est à elle et tous les revenus du champ depuis
le jour où elle a quitté le pays jusqu'à maintenant. »

### Élisée et Hazaël de Damas.

[7] Élisée vint à Damas. Le roi d'Aram, Ben-Hadad [e], était malade et on lui annonça : « L'homme
de Dieu est venu jusque chez nous. » [8] Alors le roi
dit à Hazaël [f] : « Prends avec toi un présent, va
au-devant de l'homme de Dieu et consulte par lui 5; 1 2
Yahvé pour savoir si je guérirai de ce mal que j'ai. »
[9] Hazaël alla au-devant d'Élisée et emporta en
présent tout ce qu'il y avait de meilleur à Damas,
la charge de quarante chameaux. Il vint et, se
tenant devant lui : « Ton fils Ben-Hadad roi 6 21+
d'Aram, dit-il, m'a envoyé te demander : Guérirai-
je de mon mal présent? » [10] Élisée lui répondit :
« Va lui dire : "Tu peux guérir", mais Yahvé m'a 1 R 19 15
fait voir que sûrement il mourra [g]. » [11] Puis ses
traits se figèrent, son regard devint fixe à l'extrême [h], et l'homme de Dieu pleura. [12] Hazaël dit :
« Pourquoi Monseigneur pleure-t-il? » Élisée répondit : « C'est que je sais le mal que tu feras aux
Israélites : tu mettras le feu à leurs places fortes,
tu tueras par l'épée l'élite de leurs guerriers, tu écraseras leurs petits enfants, tu éventreras leurs fem- 15 16
mes enceintes. » [13] Hazaël dit : « Mais qu'est ton Am 1 13
serviteur? Comment ce chien pourrait-il accomplir

corriger *Miçrayim* (Égypte) en *Muçri*, un énigmatique pays d'Asie Mineure.
*a)* On peut bien sacrifier pour cette reconnaissance quelques chevaux, qui autrement mourront de faim. – Le texte est confus : l'hébr. a « à leur arrivée comme à l'ensemble d'Israël », puis la phrase est répétée.
*b)* Les vv. 17[b]-20 sont vraisemblablement une addition, qui répète les vv. 1, 2 et 17[a].
*c)* Suite naturelle de **4** 37.
*d)* Usurpés en son absence par les voisins ou les fermiers.
*e)* Ben-Hadad II comme en 1 R **20** 1.
*f)* Avant son usurpation, v. 15, Hazaël apparaît comme un officier de Ben-Hadad.
*g)* La traduction se fonde sur une valeur de l'infinitif absolu préposé, attestée en Gn **2** 16 et ailleurs. Pour décharger Élisée d'un mensonge, l'hébr. a remplacé « lui » *lô* par la négation *lo'* : « va dire : tu ne guériras pas ». En réalité Ben-Hadad importe peu; la révélation concerne d'abord Hazaël, qui supplantera Ben-Hadad. Élisée n'incite pas au meurtre, il prévoit comme inévitable la réalisation des desseins de Dieu.
*h)* « son regard devint fixe » *wayyishom* conj.; « il plaça » *wayyasem* hébr. – Ce sont des signes physiques de l'extase.

cette grande chose [a]? » Élisée répondit : « Dans une
vision de Yahvé, je t'ai vu roi d'Aram. »
14 Hazaël quitta Élisée et alla chez son maître,
qui lui demanda : « Que t'a dit Élisée? » Il répondit : « Il m'a dit que tu pourrais guérir. » 15 Le lendemain, il prit une couverture, qu'il trempa dans
l'eau et étendit sur sa figure [b]. Ben-Hadad mourut
et Hazaël régna à sa place.

**Règne de Joram en Juda (848-841).**

16 La cinquième année de Joram fils d'Achab, roi
d'Israël [c], Joram fils de Josaphat devint roi de Juda.
|| 2 Ch 21 5-7 17 Il avait trente-deux ans à son avènement et régna
huit ans à Jérusalem. 18 Il imita la conduite des rois
d'Israël, comme avait fait la maison d'Achab, car
c'était de la maison d'Achab qu'il avait pris une
épouse [d], et il fit ce qui déplaît à Yahvé. 19 Cependant Yahvé ne voulut pas détruire Juda, à cause de
2 S 7 11-16+ son serviteur David, selon la promesse qu'il lui
1 R 11 36+ avait faite de lui laisser toujours une lampe en sa
présence [e].
|| 2 Ch 21 8-10 20 De son temps, Édom s'affranchit de la domi-
nation de Juda et se donna un roi [f]. 21 Joram passa
à Çaïr [g], et avec lui tous les chars... Il se leva de
nuit et força la ligne des Édomites qui l'encerclaient, et les commandants de chars avec lui; le
peuple s'enfuit à ses tentes. 22 Ainsi Édom s'affranchit de la domination de Juda, jusqu'à ce jour;
Libna [h] aussi se révolta. Dans ce temps-là...
23 Le reste de l'histoire de Joram, tout ce qu'il a
fait, cela n'est-il pas écrit au livre des Annales des
rois de Juda? 24 Joram se coucha avec ses pères et || 2 Ch 21 20
on l'enterra avec ses pères dans la Cité de David.
Son fils Ochozias régna à sa place.

**Règne d'Ochozias en Juda (841).** || 2 Ch 22 1-6

25 La douzième année de Joram fils d'Achab, roi
d'Israël, Ochozias fils de Joram devint roi de Juda.
26 Ochozias avait vingt-deux ans à son avènement
et il régna un an à Jérusalem. Le nom de sa mère
était Athalie, fille d'Omri, roi d'Israël. 27 Il imita la
conduite de la famille d'Achab et fit ce qui déplaît
à Yahvé, comme la famille d'Achab, car il lui était
allié.
28 Il alla avec Joram fils d'Achab pour combattre 1 R 22 3-4
Hazaël, roi d'Aram, à Ramot de Galaad. Mais les 2 R 9 14-15
Araméens blessèrent Joram. 29 Le roi Joram revint
à Yizréel pour faire soigner les blessures reçues des
Araméens à Ramot lorsqu'il combattait Hazaël
roi d'Aram, et Ochozias fils de Joram, roi de Juda,
descendit à Yizréel pour visiter Joram fils d'Achab
parce qu'il était souffrant.

## 5. *HISTOIRE DE JÉHU*

**Un disciple d'Élisée donne l'onction royale à Jéhu.**

9 1 Le prophète Élisée appela l'un des frères prophètes et lui dit : « Ceins tes reins, prends avec
toi cette fiole d'huile et va à Ramot de Galaad.
2 Arrivé là, cherche à voir Jéhu fils de Yehoshaphat
fils de Nimshi. L'ayant trouvé, fais qu'il se lève
d'entre ses compagnons et conduis-le dans une
chambre retirée. 3 Tu prendras la fiole d'huile et tu
la répandras sur sa tête en disant : "Ainsi parle
1 R 19 16 Yahvé. Je t'ai oint comme roi d'Israël", puis ouvre
la porte et sauve-toi sans tarder. »
4 Le jeune homme [i] partit pour Ramot de
Galaad. 5 Lorsqu'il arriva, les chefs de l'armée
étaient assis ensemble; il dit : « J'ai un mot à te
dire, chef. » Jéhu demanda : « Auquel d'entre
nous? » Il répondit : « A toi, chef. » 6 Alors Jéhu se
leva et entra dans la maison. Le jeune homme lui
versa l'huile sur la tête et lui dit : « Ainsi parle
Yahvé, Dieu d'Israël. Je t'ai oint comme roi sur le
peuple de Yahvé, sur Israël. 7 Tu frapperas la 1 R 16 4, 1
maison d'Achab, ton maître, et je vengerai le sang 19 10; 21
de mes serviteurs les prophètes et de tous les serviteurs de Yahvé sur Jézabel 8 et sur [j] toute la maison
d'Achab. J'exterminerai les mâles de la famille 1 R 21 21-
d'Achab, liés ou libres en Israël. 9 Je traiterai la
maison d'Achab comme celle de Jéroboam fils de 1 R 14 10
Nebat et celle de Basha fils d'Ahiyya. 10 Quant à 1 R 16 3-4

*a)* « chien », ici simple terme d'humilité, cf. 1 S **24** 15; 2 S **9** 8 : Hazaël s'étonne de la glorieuse destinée qu'on lui prédit.
*b)* Le sujet de la phrase n'est pas exprimé. C'est sans doute Hazaël qui fait mourir ainsi Ben-Hadad, et non Ben-Hadad lui-même qui se serait donné la mort.
*c)* L'hébr. ajoute ici : « Josaphat étant roi de Juda », qui manque dans les versions.
*d)* « de la maison » *mibbêt* conj.; « la fille » *bat* hébr. – C'est Athalie, cf. **11**, fille d'Omri et sœur d'Achab, cf. v. 26 et 2 Ch **22** 2, ou fille d'Achab, ici (hébr.) et 2 Ch **21** 6. La chronologie favorise la première solution.
*e)* « en sa présence » cf. 1 R **11** 36; « à ses fils » hébr.
*f)* Édom, cf. Nb **20** 23+, était un royaume vassal de Juda sous Josaphat, 1 R **22** 48, et encore au début du règne de Joram, 2 R **3** 9
*g)* Localité inconnue en Transjordanie. La suite du texte est mutilée : on a cherché à effacer le souvenir d'un échec. De même au v. 22.
*h)* La ville passa alors aux Philistins.
*i)* Après « Le jeune homme » le texte ajoute « le jeune homme, le prophète ».
*j)* « et sur » grec; « et périra » hébr.

Jézabel, les chiens la dévoreront dans le champ de
Yizréel; personne ne l'enterrera [a]. » Puis il ouvrit la
porte et s'enfuit.

**Jéhu est proclamé roi.**

11 Jéhu sortit pour rejoindre les officiers de son
maître. Ils lui demandèrent [b] : « Tout va-t-il bien?
Pourquoi ce fou [c] est-il venu à toi? » Il répondit :
« Vous connaissez l'homme et sa chanson! »
12 Mais ils dirent : « C'est faux! Explique-nous
donc! » Il dit : « Il m'a parlé de telle et telle façon
et a dit : Ainsi parle Yahvé : Je t'ai oint comme roi
d'Israël. » 13 Aussitôt, tous prirent leurs manteaux
et les étendirent sous lui [d], à même les degrés; ils
sonnèrent du cor et crièrent : « Jéhu est roi! »

**Jéhu prépare l'usurpation du pouvoir.**

14 Jéhu fils de Yehoshaphat fils de Nimshi forma
une conspiration contre Joram. – Joram, avec tout
1 R 22 3 Israël, gardait alors Ramot de Galaad [e] contre une
attaque de Hazaël, roi d'Aram. 15 Mais le roi
Joram était revenu à Yizréel pour faire soigner les
blessures que les Araméens lui avaient infligées
dans les combats qu'il soutenait contre Hazaël, roi
d'Aram. – Jéhu dit : « Si c'est votre sentiment, que
personne ne s'échappe de la ville et n'aille porter
la nouvelle à Yizréel! » 16 Jéhu monta en char et
partit pour Yizréel; Joram y était alité et Ochozias,
roi de Juda, était descendu le visiter.

17 Le guetteur, posté sur la tour de Yizréel, vit la
troupe de Jéhu qui arrivait et annonça : « Je vois
une troupe. » Joram ordonna : « Qu'on prenne un
cavalier, qu'on l'envoie au-devant de ces gens et
qu'il demande : Cela va-t-il bien [f]? » 18 Le cavalier
alla au-devant de Jéhu et demanda : « Ainsi parle
le roi : Cela va-t-il bien? » – « Que t'importe si cela
va bien? répondit Jéhu. Passe derrière moi. » Le
guetteur annonça : « Le messager les a rejoints et
ne revient pas. » 19 Le roi envoya un second cavalier; celui-ci les rejoignit et demanda : « Ainsi parle
le roi : Cela va-t-il bien? » – « Que t'importe si cela
va bien? répondit Jéhu. Passe derrière moi. » 20 Le
guetteur annonça : « Il les a rejoints et ne revient
pas. La manière de conduire est celle de Jéhu fils
de Nimshi : il conduit comme un fou! » 21 Joram
Ch 22 7-8 dit : « Qu'on attelle! » et on attela son char. Joram,
roi d'Israël, et Ochozias, roi de Juda, partirent,
chacun sur son char, au-devant de Jéhu. Ils le rejoignirent dans le champ de Nabot de Yizréel.

**Meurtre de Joram.**

22 Dès que Joram vit Jéhu, il demanda : « Cela
va-t-il bien, Jéhu? » Celui-ci répondit : « Quelle
question, tant que durent les prostitutions [g] de ta
mère Jézabel et ses nombreux sortilèges! » 23 Joram
tourna bride et s'enfuit, en disant à Ochozias :
« Trahison, Ochozias! » 24 Jéhu avait bandé son
arc, il atteignit Joram entre les épaules et la flèche
traversa le cœur du roi, qui s'affaissa sur son char.
25 Jéhu dit à Bidqar son écuyer : « Enlève-le et jette-
le dans le champ de Nabot de Yizréel. Souviens- 1 R 21
toi : lorsque moi et toi nous étions tous deux en
char derrière son père Achab, Yahvé a prononcé
contre lui cette sentence : 26 " Je l'assure! J'ai vu
hier le sang de Nabot et le sang de ses fils, oracle
de Yahvé. Je te rendrai la pareille dans ce champ 1 R 21 19
même, oracle de Yahvé." Enlève-le donc et jette-le
dans le champ, selon la parole de Yahvé. »

**Meurtre d'Ochozias.** || 2 Ch 22 8-9

27 Quand Ochozias, roi de Juda, eut vu cela, il
prit la fuite sur la route de Bet-ha-Gân, mais Jéhu
le poursuivit et ordonna : « Lui aussi, frappez-le! »
On le blessa [h] sur son char, à la montée de Gur,
qui est près de Yibleam, et il se réfugia à Megiddo
où il mourut. 28 Ses serviteurs le portèrent en char
à Jérusalem et l'ensevelirent dans son tombeau [i],
dans la Cité de David. 29 C'était en la onzième
année de Joram fils d'Achab qu'Ochozias était
devenu roi de Juda.

**Meurtre de Jézabel.**

30 Jéhu rentra à Yizréel et Jézabel l'apprit. Elle
se farda les yeux, s'orna la tête, se mit à la fenêtre
31 et, lorsque Jéhu franchit la porte, elle dit : « Cela
va-t-il bien, Zimri, assassin de son maître [j]? 1 R 16 9-18
32 Jéhu leva la tête vers la fenêtre et dit : « Qui est
avec moi, qui? » et deux ou trois eunuques se pen-
chèrent vers lui. 33 Il dit : « Jetez-la en bas. » Ils la
jetèrent en bas, son sang éclaboussa le mur et les
chevaux, et Jéhu lui passa sur le corps. 34 Il entra,
mangea et but, puis il ordonna : « Occupez-vous de

*a)* Les vv. 7-10ª ont été ajoutés par l'auteur des Rois : dans le récit primitif, le jeune homme devait s'enfuir aussitôt après l'onction, suivant l'ordre d'Élisée, v. 3.

*b)* « Ils lui demandèrent » versions; l'hébr. a le singulier.

*c)* Le peuple traitait ainsi les prophètes, Jr **29** 26; Os **9** 7. Le terme n'est pas absolument méprisant, mais il comporte une nuance de moquerie, et Jéhu va répondre sur le même ton.

*d)* Comme la foule qui rend les honneurs royaux à Jésus, Mt **21** 8p.

*e)* La ville avait donc été récupérée par les Israélites; les Araméens cherchaient à la reprendre.

*f)* Le roi n'imagine pas d'abord une trahison, mais il est inquiet des nouvelles de Ramot de Galaad.

*g)* Au sens métaphorique de culte des faux dieux, comme dans les Prophètes, avec peut-être une allusion à la prostitution sacrée, cf. Dt **23** 19+, tare de la religion phénicienne.

*h)* « On le blessa » syr.; manque dans l'hébr.

*i)* Après « son tombeau » l'hébr. ajoute « avec ses pères », omis par grec.

*j)* Allusion sarcastique à Zimri, qui ne régna que huit jours après avoir assassiné Éla, roi d'Israël.

cette maudite et donnez-lui la sépulture, car elle est
fille de roi. » [35] On alla pour l'ensevelir, mais on ne
trouva d'elle que le crâne, les pieds et les
mains.[36] On revint en informer Jéhu, qui dit :
« C'est la parole de Yahvé, qu'il a prononcée par
le ministère de son serviteur Elie le Tishbite :
9 10 " Dans le champ de Yizréel, les chiens dévoreront
1 R 21 23 la chair de Jézabel, [37] le cadavre de Jézabel sera
Jr 8 2 comme du fumier épandu dans la campagne[a], en
sorte qu'on ne pourra pas dire : C'est Jézabel! " »

Jg 9 5 **Massacre de la famille royale d'Israël.**

1 R 15 29; 16 11 **10** [1] Il y avait à Samarie soixante-dix fils
2 R 11 1 d'Achab[b]. Jéhu écrivit des lettres qu'il envoya
à Samarie aux commandants de la ville, aux
anciens et aux tuteurs des enfants d'Achab. Il
disait : [2] « Maintenant – quand cette lettre vous
parviendra, – vous avez avec vous les fils de votre
maître, vous avez les chars et les chevaux, une ville
forte et des armes. [3] Voyez quel est, parmi les fils
de votre maître, le meilleur et le plus digne, mettez-
le sur le trône de son père, et combattez pour la
maison de votre maître. » [4] Ils eurent une très
grande peur et dirent : « Voilà que les deux rois
n'ont pas tenu devant lui, comment pourrions-nous
tenir nous-mêmes? » [5] Le maître du palais, le
commandant de la ville, les anciens et les tuteurs
envoyèrent ce message à Jéhu : « Nous sommes tes
serviteurs, nous ferons tout ce que tu ordonneras,
nous ne proclamerons pas de roi, fais ce qui te
paraît bon. »

[6] Jéhu leur écrivit une seconde lettre, où il disait :
« Si donc vous êtes pour moi et si vous voulez
m'écouter, prenez les chefs[c] des hommes de la maison de votre maître et venez me trouver demain à
cette heure à Yizréel. » (Il y avait soixante-dix fils
du roi chez les grands de la ville, qui les élevaient.)
[7] Dès que cette lettre leur parvint, ils prirent les fils
du roi, les égorgèrent tous les soixante-dix, mirent
leurs têtes dans des corbeilles et les lui envoyèrent
à Yizréel.

[8] Le messager vint annoncer à Jéhu : « On a
apporté les têtes des fils du roi. » Il dit : « Mettez-les
en deux tas à l'entrée de la porte, jusqu'au matin. »
[9] Le matin, il sortit et, se tenant debout, il dit à tout
le peuple : « Soyez sans reproche! Moi, j'ai
conspiré contre mon maître et je l'ai assassiné,
mais tous ceux-là, qui les a tués? [10] Sachez donc 1 R 21 21-24
que rien ne tombera à terre de l'oracle que Yahvé
a prononcé contre la famille d'Achab : Yahvé a fait
ce qu'il avait dit par le ministère de son serviteur
Élie. » [11] Et Jéhu frappa tous ceux qui restaient de
la maison d'Achab à Yizréel, tous ses grands, ses
familiers, ses prêtres; il n'en laissa échapper aucun.

**Massacre des princes de Juda** || 2 Ch 22 8

[12] Jéhu partit et alla à Samarie. Comme il était
en route, à Bet-Eqèd-des-Pasteurs, [13] il y trouva les
frères[d] d'Ochozias, roi de Juda, et demanda : « Qui
êtes-vous? » Ils répondirent : « Nous sommes les
frères d'Ochozias et nous descendons saluer les fils
du roi et les fils de la reine mère. » [14] Il ordonna :
« Prenez-les vivants. » On les prit vivants et il les
égorgea à la citerne de Bet-Eqèd, au nombre de
quarante-deux; il n'en épargna pas un seul.

**Jéhu et Yonadab.**

[15] Parti de là, il trouva Yonadab fils de Rékab, Jr 35 1-11
qui venait à sa rencontre; il le salua et lui dit :
« Ton cœur est-il loyalement avec le mien[e], comme
mon cœur est avec le tien? » Yonadab répondit :
« Oui. » – « Si c'est oui, donne-moi la main. » Yonadab lui donna la main et Jéhu le fit monter près de
lui sur le char. [16] Il lui dit : « Viens avec moi, tu
admireras mon zèle pour Yahvé », et il l'emmena
sur son char. [17] Il entra dans Samarie et frappa tous
les survivants de la famille d'Achab à Samarie, il
l'extermina, selon la parole que Yahvé avait dite à
Élie.

**Massacre des fidèles de Baal
et destruction de son temple.**

[18] Jéhu rassembla tout le peuple et lui dit :
« Achab a vénéré Baal un peu, Jéhu va le vénérer
beaucoup. [19] Maintenant, appelez-moi tous les prophètes de Baal[f] et tous ses prêtres, qu'il n'en manque pas un, car j'ai à offrir un grand sacrifice à
Baal. Quiconque s'abstiendra perdra la vie. » –
Jéhu agissait par ruse, pour anéantir les fidèles de
Baal. – [20] Il ordonna : « Convoquez une assemblée
sainte pour Baal »; et ils la convoquèrent. [21] Jéhu

*a)* L'hébr. ajoute : « dans le champ de Yizréel », glose omise par une partie du grec.

*b)* « Soixante-dix » est un chiffre consacré pour exprimer la totalité d'une descendance, Gn **46** 27; Jg **8** 30; **9** 2; **12** 14. Il s'agit des fils et petits-fils d'Achab, mais en premier lieu des fils de Joram. – « de la ville » grec luc.; « de Yizréel » hébr.; – « des enfants » grec luc.; omis par hébr.

*c)* L'hébreu *rosh* signifie à la fois « chef » et « tête ». L'équivoque, voulue peut-être par Jéhu, est résolue dans le sens le plus brutal par ses correspondants, v. 7, sur lesquels il rejette alors la responsabilité, v. 9.

*d)* « Frères » au sens large de « parents ». Ils vont visiter les fils de Joram et ceux de Jézabel. Il est invraisemblable qu'ayant déjà dépassé Samarie, ils ne sachent rien du massacre des vv. 6-7. L'épisode est hors de place.

*e)* « Ton cœur... avec le mien » grec., hébr. intraduisible. – Yonadab, fils de Rékab, était un Yahviste fervent qui avait imposé à son clan les règles de la vie du désert, Jr **35** 1-11. Il est normal qu'il ait soutenu Jéhu; mais cet épisode, comme le précédent, ne doit pas être à sa vraie place.

*f)* Le texte ajoute « tous ses fidèles », mais cf. vv. 20-21.

envoya des messagers dans tout Israël et tous les
fidèles de Baal arrivèrent, il n'en resta pas un qui
1 R 16 32 ne vînt. Ils se rendirent au temple de Baal, qui fut
rempli d'un mur à l'autre. 22 Jéhu dit au gardien du
vestiaire : « Sors des vêtements pour tous les fidèles
de Baal [a] », et il sortit pour eux les vêtements.
23 Jéhu vint au temple de Baal avec Yonadab fils
de Rékab et dit aux fidèles de Baal : « Assurez-vous
bien qu'il n'y a pas de serviteurs de Yahvé ici avec
vous, mais rien que des fidèles de Baal », 24 et il
s'avança pour offrir des sacrifices et des holocaustes.

Or Jéhu avait posté au-dehors quatre-vingts de
ses gens et avait dit : « Si l'un de vous laisse échapper un des hommes que je vais vous livrer, sa vie
paiera pour la vie de l'autre [b]. » 25 Lorsque Jéhu eut
achevé d'offrir l'holocauste, il ordonna aux gardes
et aux écuyers : « Entrez, frappez-les! Que pas un
ne sorte! » Les gardes et les écuyers entrèrent, les
passèrent au fil de l'épée et arrivèrent jusqu'au
sanctuaire du temple de Baal [c]. 26 Ils enlevèrent le
pieu sacré [d] du temple de Baal et le brûlèrent. 27 Ils
démolirent la stèle de Baal, ils démolirent aussi le
temple de Baal et en firent un cloaque, ce qu'il est
resté jusqu'à maintenant.

**Règne de Jéhu en Israël (841-814).**

28 Ainsi Jéhu fit que Baal disparut d'Israël. 29 Cependant Jéhu ne se détourna pas des péchés de
Jéroboam fils de Nebat, où il avait entraîné Israël,
les veaux d'or de Béthel et de Dan [e]. 30 Yahvé dit 1 R 12 28-29
à Jéhu : « Parce que tu as bien exécuté ce qui
m'était agréable et que tu as accompli tout ce que
j'avais dans le cœur contre la maison d'Achab, tes
fils jusqu'à la quatrième génération s'assiéront sur
le trône d'Israël. » 31 Mais Jéhu ne suivit pas fidèlement et de tout son cœur la loi de Yahvé, Dieu
d'Israël : il ne se détourna pas des péchés de Jéroboam, où il avait entraîné Israël.

32 En ce temps-là, Yahvé commença à tailler
dans Israël et Hazaël battit les Israélites dans tout
le territoire 33 à partir du Jourdain vers le soleil
levant, tout le pays de Galaad, le pays des Gadites,
des Rubénites, des Manassites, depuis Aroër qui
est sur le torrent d'Arnon, Galaad et Bashân [f].

34 Le reste de l'histoire de Jéhu, tout ce qu'il a
fait, tous ses exploits, cela n'est-il pas écrit au livre
des Annales des rois d'Israël? 35 Il se coucha avec
ses pères et on l'enterra à Samarie; son fils Joachaz
devint roi à sa place. 36 Jéhu avait régné sur Israël
pendant vingt-huit ans à Samarie.

## *6. DU RÈGNE D'ATHALIE A LA MORT D'ÉLISÉE*

22 9 - 23 21 **Histoire d'Athalie [g] (841-835).**

**11** 1 Lorsque la mère d'Ochozias, Athalie, eut
appris que son fils était mort, elle entreprit
d'exterminer toute la descendance royale. 2 Mais
Yehosheba [h], fille du roi Joram et sœur d'Ochozias,
retira furtivement Joas, son neveu, du groupe des
fils du roi qu'on massacrait et elle le mit, avec sa
nourrice, dans la chambre des lits; elle le déroba
ainsi à Athalie et il ne fut pas mis à mort. 3 Il resta
six ans avec elle, caché dans le Temple de Yahvé,
pendant qu'Athalie régnait sur le pays.

4 La septième année, Yehoyada [i] envoya chercher les centeniers des Cariens [j] et des gardes, et
les fit venir auprès de lui, dans le Temple de Yahvé.
Il conclut un pacte avec eux, leur fit prêter serment [k] et leur montra le fils du roi. 5 Il leur donna
cet ordre [l] : « Voici ce que vous allez faire : le tiers

*a)* Le changement de vêtements est une purification préliminaire à la participation au culte, attestée chez les Phéniciens et chez les Arabes païens; cf. Gn **35** 2.

*b)* « il s'avança » grec; plur. hébr. – « Si ... laisse échapper » conj. « Si l'un s'échappe » hébr.

*c)* Trad. conjecturale d'un texte corrompu; hébr. : « Les gardes et les écuyers les passèrent au fil de l'épée, et jetèrent et allèrent jusqu'à la ville du temple de Baal ».

*d)* « le pieu sacré » conj., cf. 1 R **16** 33; « la stèle » hébr. (mais on ne pouvait « brûler » une stèle de pierre).

*e)* C'est le jugement de l'auteur des Rois. La source qu'il suivait dans les récits précédents louait sans réticence, v. 30, le yahvisme sincère et brutal de Jéhu. Mais en exterminant les fidèles de Baal, Jéhu voulait sans doute aussi supprimer les derniers appuis de la dynastie d'Achab.

*f)* Les Israélites perdaient ainsi toutes leurs possessions de Transjordanie. Le v. est surchargé de gloses inspirées de Dt **3** 12s.

*g)* On reconnaît, dans cette histoire, deux récits combinés. Le premier, vv. 1-12 et 18b-20, attribue la chute d'Athalie à l'action du sacerdoce, soutenu par la garde royale. Le second, vv. 13-18a, incomplet, donne plutôt au fait le caractère d'un mouvement populaire.

*h)* D'après 2 Ch **22** 11, elle était femme du prêtre Yehoyada, v. 4, ce qui explique qu'elle puisse garder Joas caché dans le Temple, v. 3. – « son neveu » (litt. « le fils de son frère ») grec; « le fils d'Ochozias » hébr.

*i)* Le chef du sacerdoce de Jérusalem, **12** 8.

*j)* Mercenaires originaires d'Asie Mineure. Ils sont différents des Kerétiens qui ne sont plus mentionnés après Salomon, 1 R **1** 38.

*k)* L'hébr. ajoute « dans le temple de Yahvé », omis par grec et syr.

*l)* Il semble que, les jours ordinaires, un tiers de la garde surveillait le Temple et les deux tiers le palais, la proportion étant renversée les jours de sabbat. Yehoyada profite d'un sabbat : les deux tiers prennent régulièrement leur faction au Temple, mais il y maintient le tiers qui devait les relever au palais. – On écarte le v. 6 : « et un tiers à la porte de Sûr (?) et un tiers à la porte derrière les gardes et vous prendrez la faction à la maison de

d'entre vous, la garde descendante du jour du sabbat, qui prend la faction au palais royal, ([6]) [7] et vos
deux autres sections, toute la garde montante du
jour du sabbat, qui prend la faction au Temple de
Yahvé [a], [8] vous ferez un cercle autour du roi; chacun aura ses armes à la main et quiconque voudra
forcer vos rangs sera mis à mort. Vous accompagnerez le roi dans ses allées et venues. »
[9] Les centeniers firent tout ce que leur avait
ordonné le prêtre Yehoyada. Ils prirent chacun
leurs hommes, la garde descendante du jour du
sabbat en même temps que la garde montante du
jour du sabbat, et vinrent auprès du prêtre
Yehoyada. [10] Le prêtre donna aux centeniers les
2 S 8 7 lances et les boucliers du roi David, qui étaient
dans le Temple de Yahvé [b]. [11] Les gardes se rangèrent, leurs armes à la main, depuis l'angle sud
jusqu'à l'angle nord du Temple, entourant l'autel et
le Temple [c]. [12] Alors Yehoyada fit sortir le fils du
roi, il lui imposa le diadème et lui remit le document de l'alliance; on le fit roi [d] et on lui donna
l'onction. On battit des mains et on cria : « Vive le
roi! »
[13] Entendant la clameur [e] populaire, Athalie se
rendit vers le peuple au Temple de Yahvé. [14] Quand
elle vit le roi debout sur l'estrade, selon l'usage, les
chefs et les trompettes près du roi, tout le peuple
du pays exultant de joie et sonnant de la trompette,
Athalie déchira ses vêtements et cria : « Trahison!
Trahison! » [15] Alors le prêtre Yehoyada donna un
ordre aux commandants [f] de la troupe : « Faites-la
sortir entre les rangs, leur dit-il, et si quelqu'un la
suit, qu'on le passe au fil de l'épée »; car le prêtre
s'était dit : « Il ne faut pas qu'elle soit tuée dans le
Temple de Yahvé. » [16] Ils mirent la main sur elle et,
quand elle arriva au palais royal par l'Entrée des
Chevaux, là elle fut mise à mort.
[17] Yehoyada conclut entre Yahvé, le roi et le peuple l'alliance par laquelle celui-ci s'obligeait à être
le peuple de Yahvé; de même entre le roi et le peuple [g]. [18] Tout le peuple du pays se rendit ensuite au
temple de Baal et le démolit; on brisa de belle façon
ses autels et ses images et on tua Mattân, prêtre de
Baal, devant les autels [h].
Le prêtre établit des postes de surveillance pour
le Temple de Yahvé, [19] puis il prit des centeniers,
les Cariens et les gardes, et tout le peuple du pays.
Ils firent descendre le roi du Temple de Yahvé et
entrèrent au palais par la porte des Gardes. Joas
s'assit sur le trône des rois. [20] Tout le peuple du
pays était en liesse mais la ville ne bougea pas.
Quant à Athalie, on la fit périr par l'épée dans le
palais royal.

**Règne de Joas en Juda (835-796).** || 2 Ch **24** 1-16

**12** [1] Joas avait sept ans à son avènement. [2] En la [21] **12**[1]
septième année de Jéhu, Joas devint roi et il
régna quarante ans à Jérusalem; sa mère s'appelait
Çibya et était de Bersabée. [3] Joas fit ce qui est 2
agréable à Yahvé, pendant toute sa vie, car le prêtre Yehoyada l'avait instruit [i]. [4] Seulement, les 3
hauts lieux ne disparurent pas et le peuple continuait d'offrir sacrifices et encens sur les hauts lieux.
[5] Joas dit aux prêtres : « Tout l'argent des rede- 4
vances sacrées qu'on apporte au Temple de Yahvé,
l'argent des taxes personnelles [j] et tout l'argent
offert volontairement au Temple, [6] les prêtres le 5
recevront chacun des gens de sa connaissance et ils
feront au Temple toutes les réparations qu'il y a à
faire [k]. » [7] Or, en la vingt-troisième année du roi 6
Joas, les prêtres n'avaient pas réparé le Temple;
[8] alors le roi Joas appela le prêtre Yehoyada et les 7
prêtres et il leur dit : « Pourquoi ne réparez-vous
pas le Temple? Il ne faut plus que vous receviez
l'argent des gens de votre connaissance, vous le
donnerez pour le dommage du Temple. » [9] Les prê- 8
tres consentirent à ne pas accepter d'argent du peuple et à n'être plus chargés de réparer le Temple.
[10] Le prêtre Yehoyada prit un coffre, perça un 9
trou dans son couvercle et le plaça à côté de la
stèle, à droite quand on entre dans le Temple de

(un mot inconnu) » : texte peut-être composé de plusieurs gloses corrompues.

*a)* Le texte ajoute : « auprès du roi »; glose probable qui anticipe sur le v. 8.

*b)* Sans doute glose provenant du récit parallèle, 2 Ch **23** 9, dans lequel le rôle des gardes est tenu par des lévites, qui avaient besoin d'être armés. – « les lances » versions; « la lance » hébr.

*c)* Derniers mots incertains. L'hébr. a un ordre différent et ajoute : « auprès du roi » (qui n'est pas encore là).

*d)* Les rois de Juda recevaient donc au moment de leur sacre un document de l'alliance conclue entre Yahvé et la race de David. On y a comparé le « protocole » rédigé pour les pharaons au moment de leur couronnement. Le même terme en araméen et en assyrien signifie « stipulation d'alliance ».

*e)* L'hébr. insère « des gardes », glose.

*f)* « commandants » (*peqidê*) grec; « recensés » (*peqûdê*) hébr., qui ajoute avant ce mot : « les centeniers », glose probable.

*g)* Les derniers mots sont souvent considérés comme une addition; ils manquent dans 2 Ch **23** 16. Cependant l'existence d'un pacte entre le roi et le peuple est indiquée par 1 S **10** 25 (Saül); 2 S **5** 3 (David); 1 R **12** 1s (Roboam).

*h)* La révolution est parallèle à celle de Jéhu dans le royaume du Nord, **10** 18-28. Mais elle a ici l'appui du « peuple du pays », l'ensemble du peuple de Juda, gardien de la tradition yahviste, à l'opposé de la capitale, atteinte par les influences étrangères et païennes.

*i)* Et non : « pendant tout le temps que le prêtre Yehoyada lui donna des instructions », comme on traduit parfois pour harmoniser avec 2 Ch **24** 2 et 17s.

*j)* Texte incertain rétabli d'après grec. – L'hébr. ajoute ici : « l'argent des personnes qu'il (le prêtre?) a estimées », glose explicative.

*k)* Une première ordonnance royale : les prêtres prendront sur leurs revenus les frais de réparation du Temple.

Yahvé, et les prêtres gardiens du seuil y déposaient
10 tout l'argent livré au Temple de Yahvé [a]. 11 Quand
ils voyaient qu'il y avait beaucoup d'argent dans le
coffre, le secrétaire royal montait, on fondait et on
comptait l'argent qui se trouvait dans le Temple de
11 Yahvé [b]. 12 Une fois l'argent éprouvé, on le remettait aux maîtres d'œuvre attachés au Temple de
Yahvé et ceux-ci le dépensaient pour les charpentiers et les ouvriers du bâtiment qui travaillaient au
12 Temple de Yahvé, 13 pour les maçons et les tailleurs
de pierres, et pour acheter le bois et les pierres de
taille, destinés à la réparation du Temple de Yahvé,
bref pour tous les frais de réparation du Temple.
13 14 Mais on ne faisait dans le Temple de Yahvé ni
bassins d'argent, ni couteaux, ni bols à aspersion,
ni trompettes, ni aucun objet d'or ou d'argent avec
14 l'argent qui y était livré, 15 on le donnait aux maîtres d'œuvre qui l'employaient à réparer le Temple
15 de Yahvé. 16 On ne tenait pas de comptes avec les
gens aux mains desquels on remettait l'argent pour
le donner aux artisans, car ils agissaient avec pro-
16 bité. 17 Quant à l'argent versé pour la satisfaction
d'un délit ou d'un péché, il n'était pas livré au Temple de Yahvé, il était pour les prêtres.
Ch **24** 23-27 18 Alors Hazaël, roi d'Aram, partit en guerre
2 R **8** 7-15 contre Gat et la prit, puis il se disposa à monter
18 contre Jérusalem. 19 Joas, roi de Juda, prit tout ce
qu'avaient consacré les rois de Juda, ses pères,
Josaphat, Joram et Ochozias, ce qu'il avait consacré lui-même et tout l'or qu'on trouva dans les trésors du Temple de Yahvé et du palais royal; il
envoya le tout à Hazaël, roi d'Aram, et celui-ci
s'éloigna de Jérusalem.
19 20 Le reste de l'histoire de Joas et tout ce qu'il
a fait, cela n'est-il pas écrit au livre des Annales
20 des rois de Juda? 21 Ses officiers se soulevèrent et
ourdirent un complot: ils frappèrent Joas au
21 Bet-Millo [c]... 22 Ce furent Yozakar fils de Shiméat
et Yehozabad fils de Shomer qui le frappèrent, et
il mourut. On l'enterra avec ses pères dans la Cité
de David et son fils Amasias régna à sa place.

**Règne de Joachaz en Israël (814-798).**

13 1 En la vingt-troisième année de Joas fils
d'Ochozias, roi de Juda, Joachaz fils de Jéhu
devint roi sur Israël à Samarie. Il régna dix-sept
ans. 2 Il fit ce qui déplaît à Yahvé et imita le péché [d]
de Jéroboam fils de Nebat, où celui-ci avait
entraîné Israël; il ne s'en détourna pas.
3 Alors la colère de Yahvé s'enflamma contre les
Israélites et il les livra à Hazaël, roi d'Aram, et à
Ben-Hadad [e], fils de Hazaël, tout le temps. 4 Mais
Joachaz chercha à apaiser Yahvé, et Yahvé
l'exauça, car il avait vu l'oppression que le roi **14** 26-27
d'Aram faisait subir à Israël. 5 Yahvé donna à
Israël un libérateur qui l'affranchit [f] de l'emprise
d'Aram, et les Israélites habitèrent leurs tentes
comme auparavant. 6 Seulement, ils ne se détournèrent pas du péché de Jéroboam [g], où celui-ci avait
entraîné Israël : ils y persistèrent, et même le pieu Ex **34** 13+
sacré resta dressé à Samarie. 7 Yahvé [h] ne laissa
comme troupes à Joachaz que cinquante cavaliers,
dix chars et dix mille hommes de pied; le roi
d'Aram les avait exterminés et rendus comme
poussière qu'on foule aux pieds.
8 Le reste de l'histoire de Joachaz, tout ce qu'il
a fait et ses exploits, cela n'est-il pas écrit au livre
des Annales des rois d'Israël? 9 Joachaz se coucha
avec ses pères, on l'enterra à Samarie et son fils
Joas régna à sa place.

**Règne de Joas en Israël (798-783).**

10 En la trente-septième année de Joas, roi de
Juda, Joas fils de Joachaz devint roi sur Israël à
Samarie; il régna seize ans. 11 Il fit ce qui déplaît
à Yahvé, il ne se détourna pas du péché de Jéroboam fils de Nebat, où celui-ci avait entraîné
Israël, il y persista.
12 Le reste de l'histoire de Joas, tout ce qu'il a = **14** 15-16
fait et ses exploits, comment il fit la guerre à Ama- **14** 8-14
sias, roi de Juda, cela n'est-il pas écrit au livre des
Annales des rois d'Israël? 13 Joas se coucha avec
ses pères et Jéroboam monta sur son trône. Joas fut
enterré à Samarie avec les rois d'Israël.

**Mort d'Élisée.**

14 Quand Élisée fut frappé de la maladie dont il
devait mourir, Joas, le roi d'Israël, descendit vers
lui, pleura sur son visage et dit : « Mon père! Mon Gn **50** 1
père! Char d'Israël et son attelage! » 15 Élisée lui 2 R 2 12
dit : « Va chercher un arc et des flèches », et il alla
chercher un arc et des flèches. 16 Élisée dit au roi [i] :
« Bande l'arc », et il le banda. Élisée mit ses mains

*a)* Exécution de la nouvelle ordonnance royale. – « la stèle » grec; « l'autel » hébr.
*b)* Hébr. ajoute : « et le grand prêtre ». – « on fondait » *wayyiserû* conj.; « on attachait » *wayyasurû* hébr.
*c)* « La maison du Millo », cf. 1 R **9** 15. A la fin, deux mots corrompus : « qui descend à Silla » (?).
*d)* « le péché » au pluriel en hébr. mais le pronom qui s'y rapporte est au singulier; de même au v. 11.
*e)* Ben-Hadad III, qui sera l'adversaire de Joas d'Israël, v. 25.
*f)* « qui l'affranchit » grec; « et ils s'affranchirent » hébr. – Ce libérateur n'est pas Joachaz, ni son fils Joas, malgré le v. 25, mais Jéroboam II, voir **14** 27, dont s'inspire le rédacteur qui a ajouté les vv. 4-6 comme une anticipation.
*g)* « Jéroboam » Targ., syr.; « la maison de Jéroboam » hébr.
*h)* Le v. 7 se rattache au v. 3 par-dessus l'addition des vv. 4-6. Le sujet, sous-entendu en hébr., est explicité pour la clarté.
*i)* « au roi » grec; « au roi d'Israël » hébr., de même au v. 18.

sur les mains du roi, 17 puis il dit : « Ouvre la fenêtre vers l'orient », et il l'ouvrit. Alors Élisée dit :
« Tire! » et il tira. Élisée dit : « Flèche de victoire
pour Yahvé! Flèche de victoire contre Aram! Tu
battras Aram à Apheq, complètement [a]. »
18 Élisée dit : « Prends les flèches »; et il les prit.
Élisée dit au roi : « Frappe contre terre », il frappa
trois coups et il s'arrêta. 19 Alors l'homme de Dieu
s'irrita contre lui : « Il fallait frapper cinq ou six
coups! Alors tu aurais battu Aram complètement;
maintenant, tu ne le battras que trois fois! »
20 Élisée mourut et on l'enterra. Des bandes de
Moabites faisaient incursion dans le pays chaque
année [b]. 21 Il arriva que des gens qui portaient un
homme en terre virent la bande; ils jetèrent
l'homme dans la tombe d'Élisée et partirent.
L'homme toucha les ossements d'Élisée : il reprit
vie et se dressa sur ses pieds.

**Victoire sur les Araméens.**

22 Hazaël, roi d'Aram, avait opprimé les Israélites pendant toute la vie de Joachaz. 23 Mais Yahvé
leur fit grâce et les prit en pitié. Il se tourna vers
eux à cause de l'alliance qu'il avait conclue avec
Abraham, Isaac et Jacob; il ne voulut pas les
anéantir et ne les rejeta pas loin de sa face [c].
24 Hazaël, roi d'Aram, mourut et son fils Ben-Hadad régna à sa place. 25 Alors Joas, fils de Joachaz,
reprit des mains de Ben-Hadad, fils de Hazaël, les
villes que Hazaël avait enlevées par les armes à son
père Joachaz. Joas le battit trois fois et recouvra 13 19
les villes d'Israël.

## VII. *Les deux royaumes jusqu'à la prise de Samarie*

|| 2 Ch 25 1-4, 11-12, 17-28 **Règne d'Amasias en Juda (796-781).**

**14** 1 En la deuxième année de Joas fils de Joachaz, roi d'Israël, Amasias fils de Joas devint
roi de Juda. 2 Il avait vingt-cinq ans à son avènement et régna vingt-neuf ans à Jérusalem; sa mère
s'appelait Yehoaddân et était de Jérusalem. 3 Il fit
ce qui est agréable à Yahvé, non pas pourtant
comme son ancêtre David; il imita en tout Joas,
son père. 4 Seulement, les hauts lieux ne disparurent pas et le peuple continuait d'offrir sacrifices et
encens sur les hauts lieux.
5 Lorsque le pouvoir royal fut affermi entre ses
12 21-22 mains, il tua ceux de ses officiers qui avaient tué
le roi son père. 6 Mais il ne mit pas à mort les fils
des meurtriers, selon ce qui est écrit dans le livre
Dt 24 16+ de la Loi de Moïse, où Yahvé a ordonné : *Les pères*
Ez 14 12+ *ne seront pas mis à mort pour les fils, ni les fils*
*pour les pères, mais chacun sera mis à mort pour*
*son propre crime.*
2 S 8 13 7 C'est lui qui battit les Édomites dans la Vallée
du Sel, au nombre de dix mille hommes, et qui prit
de haute lutte la Roche, il lui donna le nom de Yoqtéel, qu'elle porte jusqu'à ce jour.
8 Alors Amasias envoya des messagers à Joas
fils de Joachaz fils de Jéhu, roi d'Israël, pour lui
dire : « Viens et mesurons-nous! » 9 Joas, roi
d'Israël, retourna ce message à Amasias, roi de
Juda : « Le chardon du Liban manda ceci au cèdre Jg 9 8-15
du Liban : " Donne ta fille pour femme à mon
fils ", mais les bêtes sauvages du Liban passèrent
et foulèrent le chardon. 10 Tu as remporté une victoire sur Édom et tu te montes la tête! Sois glorieux
et reste chez toi. Pourquoi provoquer le malheur et
amener ta chute et celle de Juda avec toi? »
11 Mais Amasias n'écouta pas, et Joas, roi
d'Israël, se mit en campagne. Ils se mesurèrent, lui
et Amasias, roi de Juda, à Bet-Shémesh qui appartient à Juda. 12 Juda fut battu devant Israël et chacun s'enfuit à sa tente. 13 Quant au roi de Juda,
Amasias fils de Joas fils d'Ochozias, le roi d'Israël
Joas le fit prisonnier à Bet-Shémesh et l'emmena [d]
à Jérusalem. Il fit une brèche au rempart de Jérusalem, depuis la porte d'Éphraïm jusqu'à la porte de
l'Angle [e], sur quatre cents coudées. 14 Il prit tout
l'or et l'argent et tout le mobilier qui se trouvaient
dans le Temple de Yahvé et dans le trésor du palais
royal, en plus des otages, et retourna à Samarie.
15 Le reste de l'histoire de Joas, tout ce qu'il a = 13 12-13
fait et ses exploits, et comment il fit la guerre à
Amasias, roi de Juda, cela n'est-il pas écrit au livre
des Annales des rois d'Israël? 16 Joas se coucha
avec ses pères et on l'enterra à Samarie auprès des
rois d'Israël : Jéroboam, son fils, régna à sa place.

*a)* En mettant ses mains sur celles du roi, Élisée lui communique la force divine. La flèche tirée vers l'orient est dirigée contre les Araméens. L'action prophétique préfigure l'événement et ainsi en procure la réalisation, cf. Jr **18** 1+.
*b)* « chaque année » *shanah beshanah* conj.; hébr. *ba' shanah* corrompu.
*c)* L'hébr. ajoute « pas encore », glose.
*d)* « et l'emmena » versions, 2 Ch **25** 23; « et il vint » qeré; et ils vinrent » ketib. – « depuis la porte » versions, Ch; « à la porte » hébr.
*e)* C'est le rempart de la colline occidentale (cf. 2 S **5** 9+). Il sera reporté plus au nord, 2 Ch **32** 5, et c'est à l'extérieur de la nouvelle « porte d'Éphraïm » (Ne **8** 16; **12** 39) que se situeront le Calvaire et le Tombeau du Christ. Un troisième mur, encore plus au nord, sera élevé par Hérode-Agrippa Ier.

17 Amasias, fils de Joas, roi de Juda, vécut encore
quinze ans après la mort de Joas, fils de Joachaz,
roi d'Israël.
18 Le reste de l'histoire d'Amasias, cela n'est-il
pas écrit au livre des Annales des rois de Juda?
19 On trama un complot contre lui à Jérusalem, il
s'enfuit vers Lakish, mais on le fit suivre à Lakish
et mettre à mort là-bas. 20 On le transporta avec des
chevaux et on l'enterra à Jérusalem auprès de ses
pères, dans la Cité de David. 21 Tout le peuple de
|| 2 Ch 26 1-2 Juda choisit Ozias [a], qui avait seize ans, et le fit roi
à la place de son père Amasias. 22 C'est lui qui
rebâtit Élat [b] et la rendit à Juda, après que le roi
se fut couché avec ses pères.

**Règne de Jéroboam II en Israël (783-743).**

23 En la quinzième année d'Amasias fils de Joas,
roi de Juda, Jéroboam fils de Joas devint roi
d'Israël à Samarie; il régna quarante et un ans. 24 Il
fit ce qui déplaît à Yahvé, il ne se détourna pas de
tous les péchés de Jéroboam fils de Nebat, où celui-
ci avait entraîné Israël.
25 C'est lui qui recouvra le territoire d'Israël,
depuis l'Entrée de Hamat jusqu'à la mer de la
Araba, selon ce que Yahvé, Dieu d'Israël, avait dit
par le ministère de son serviteur, le prophète
Jonas [c] fils d'Amittaï, qui était de Gat-Hépher.
13 4-5 26 Car Yahvé avait vu la très amère [d] détresse
1 R 14 10+ d'Israël, plus de liés ni de libres et personne pour
secourir Israël. 27 Yahvé n'avait pas décidé
d'effacer le nom d'Israël de dessous le ciel et il le
sauva par les mains de Jéroboam fils de Joas.
28 Le reste de l'histoire de Jéroboam, tout ce qu'il
a fait et ses exploits, comment il guerroya et
comment il fit revenir Damas et Hamat à Juda et
à Israël, cela n'est-il pas écrit au livre des Annales
des rois d'Israël [e]? 29 Jéroboam se coucha avec ses
pères. On l'enterra à Samarie [f] auprès des rois
d'Israël et son fils Zacharie régna à sa place.

|| 2 Ch 26 3-4, 21-23 **Règne d'Ozias en Juda (781-740).**

**15** 1 En la vingt-septième année de Jéroboam, roi
d'Israël, Ozias fils d'Amasias devint roi de
Juda. 2 Il avait seize ans à son avènement et régna
cinquante-deux ans à Jérusalem; sa mère s'appelait
Yekolyahu et était de Jérusalem. 3 Il fit ce qui est
agréable à Yahvé, comme tout ce qu'avait fait son
père Amasias. 4 Seulement, les hauts lieux ne disparurent pas et le peuple continuait d'offrir sacrifices
et encens sur les hauts lieux.
5 Mais Yahvé frappa le roi et il fut affligé de la
lèpre jusqu'au jour de sa mort. Il demeura confiné
à la chambre [g]; Yotam, son fils, était maître du 1 R 4 2+
palais et administrait le peuple.
6 Le reste de l'histoire d'Ozias, et tout ce qu'il a
fait, cela n'est-il pas écrit au livre des Annales des
rois de Juda? 7 Ozias se coucha avec ses pères, on
l'enterra [h] dans la Cité de David et son fils Yotam
devint roi à sa place.

**Règne de Zacharie en Israël (743).**

8 En la trente-huitième année d'Ozias, roi de
Juda, Zacharie fils de Jéroboam devint roi sur
Israël à Samarie, pour six mois. 9 Il fit ce qui
déplaît à Yahvé, comme avaient fait ses pères, il ne
se détourna pas des péchés de Jéroboam fils de
Nebat, où celui-ci avait entraîné Israël.
10 Shallum fils de Yabesh fit une conspiration
contre lui, il le frappa à mort à Yibleam [i] et devint
roi à sa place.
11 Le reste de l'histoire de Zacharie est écrit au
livre des Annales des rois d'Israël. 12 C'était ce que
Yahvé avait dit à Jéhu : « Tes fils jusqu'à la qua- 10 30
trième génération s'assiéront sur le trône d'Israël »;
et il en fut ainsi.

**Règne de Shallum en Israël (743).**

13 Shallum fils de Yabesh devint roi en la trente-
neuvième année d'Ozias, roi de Juda, et régna un
mois à Samarie.
14 Menahem fils de Gadi monta de Tirça, entra
à Samarie, y frappa à mort Shallum fils de Yabesh
et devint roi à sa place.
15 Le reste de l'histoire de Shallum et le complot
qu'il trama, cela est écrit au livre des Annales des
rois d'Israël. 16 C'est alors que Menahem châtia
Tappuah [j] – tuant tous ceux qui y étaient – et son
territoire en partant de Tirça, parce qu'on ne lui

*a)* Le texte l'appelle, ici et plusieurs fois dans la suite, Azarias, mais la forme ordinaire, en dehors de 2 R, est Ozias. L'un pourrait être le nom de naissance, l'autre le nom de couronnement.
*b)* Tout près d'Éçyôn-Géber, 1 R **9** 26-28+, et plus tard confondue avec cette ville. Elle avait été perdue sous Joram, 2 R **8** 20-21.
*c)* C'est à lui qu'est attribué, par pseudonymie, le livre de Jonas.
*d)* « amère » grec; « rebelle » hébr.
*e)* Jéroboam est présenté comme restaurant l'empire de David et de Salomon, Damas et Hamat ayant le statut de royaumes vassaux ou alliés. Ce parallèle légitime la mention de Juda, à condition de lire « Juda et Israël » au lieu de l'hébr. « Juda en Israël ». On peut contester la valeur historique de cette notice, mais on doit accepter le texte (sauf la petite correction proposée).
*f)* « on l'enterra à Samarie » grec luc.; omis par hébr.
*g)* Traduction incertaine. L'expression rendue par « confiné à la chambre » est unique.
*h)* Après « on l'enterra » l'hébr. ajoute « avec ses pères », omis par le grec. De même au v. 38.
*i)* « à Yibleam » grec luc.; hébr. corrompu.
*j)* D'après grec luc. L'hébr. a « Tipsah », mais Tipsah = Thapsaque est sur le bord de l'Euphrate et il est invraisemblable que Menahem ait conduit une expédition jusque-là.

8 12+ avait pas ouvert les portes; il châtia la ville et éven-
tra toutes les femmes enceintes.

**Règne de Menahem en Israël (743-738).**

17 En la trente-neuvième année d'Ozias, roi de
Juda, Menahem fils de Gadi devint roi sur Israël;
il régna dix ans à Samarie. 18 Il fit ce qui déplaît
à Yahvé, il ne se détourna pas des péchés de Jéroboam fils de Nebat, où celui-ci avait entraîné
Israël.
De son temps [a], 19 Pul [b], roi d'Assyrie, envahit le
pays. Menahem donna à Pul mille talents d'argent
pour qu'il le soutînt et qu'il affermît le pouvoir
royal entre ses mains. 20 Menahem préleva cette
somme sur Israël, sur tous les notables, pour la
donner au roi d'Assyrie, à raison de cinquante
sicles d'argent par tête. Alors le roi d'Assyrie s'en
retourna et ne resta pas là, dans le pays.
21 Le reste de l'histoire de Menahem, et tout ce
qu'il a fait, cela n'est-il pas écrit au livre des Annales des rois d'Israël? 22 Menahem se coucha avec
ses pères et Peqahya, son fils, devint roi à sa place.

**Règne de Peqahya en Israël (738-737).**

23 En la cinquantième année d'Ozias, roi de Juda,
Peqahya fils de Menahem devint roi sur Israël à
Samarie, pour deux ans. 24 Il fit ce qui déplaît à
Yahvé, il ne se détourna pas des péchés de Jéroboam fils de Nebat, où celui-ci avait entraîné
Israël.
25 Son écuyer Péqah fils de Remalyahu complota
contre lui et le frappa à Samarie, dans le donjon
du palais royal... [c] Il y avait avec lui cinquante
hommes de Galaad. Il fit mourir le roi et régna à
sa place.
26 Le reste de l'histoire de Peqahya, et tout ce
qu'il a fait, cela est écrit au livre des Annales des
rois d'Israël.

**Règne de Péqah en Israël (737-732).**

27 En la cinquante-deuxième année d'Ozias, roi
de Juda, Péqah fils de Remalyahu devint roi sur
Israël à Samarie; il régna vingt ans [d]. 28 Il fit ce qui
déplaît à Yahvé, il ne se détourna pas des péchés
de Jéroboam fils de Nebat, où celui-ci avait
entraîné Israël.
29 Au temps de Péqah, roi d'Israël, Téglat-Phalasar, roi d'Assyrie, vint s'emparer de Iyyôn, d'Abel-
Bet-Maaka, de Yanoah, de Qédesh, de Haçor, de
Galaad, de la Galilée, tout le pays de Nephtali [e],
et il déporta les habitants en Assyrie [f]. 30 Osée fils
d'Éla ourdit un complot contre Péqah fils de Remalyahu, il le frappa à mort et devint roi à sa place [g].
31 Le reste de l'histoire de Péqah, et tout ce qu'il
a fait, cela est écrit au livre des Annales des rois
d'Israël.

**Règne de Yotam en Juda (740-736).** || 2 Ch 27 1-4, 7-9

32 En la deuxième année de Péqah fils de Remalyahu, roi d'Israël, Yotam fils d'Ozias devint roi de
Juda. 33 Il avait vingt-cinq ans à son avènement et
il régna seize ans [h] à Jérusalem; sa mère s'appelait
Yerusha, fille de Sadoq. 34 Il fit ce qui est agréable
à Yahvé, imitant en tout la conduite de son père
Ozias. 35 Seulement, les hauts lieux ne disparurent
pas, le peuple continuait d'offrir sacrifices et encens
sur les hauts lieux.
C'est lui qui construisit la Porte Supérieure du
Temple de Yahvé.
36 Le reste de l'histoire de Yotam, et tout ce qu'il
a fait, cela n'est-il pas écrit au livre des Annales
des rois de Juda? 37 En ces jours-là, Yahvé
commença d'envoyer contre Juda Raçon [i], roi
d'Aram, et Péqah, fils de Remalyahu. 38 Yotam se
coucha avec ses pères, on l'enterra dans la Cité de
David, son ancêtre, et son fils Achaz devint roi à
sa place.

**Règne d'Achaz en Juda (736-716).**

16 1 En la dix-septième année de Péqah fils de
Remalyahu, Achaz fils de Yotam devint roi de
Juda. 2 Achaz avait vingt ans à son avènement et || 2 Ch 28
il régna seize ans à Jérusalem. Il ne fit pas ce qui
est agréable à Yahvé, son Dieu, comme avait fait
David son ancêtre. 3 Il imita la conduite des rois
d'Israël, et même il fit passer son fils par le feu, Lv 18 21+
selon les coutumes abominables des nations que
Yahvé avait chassées devant les Israélites. 4 Il offrit
des sacrifices et de l'encens sur les hauts lieux, sur Dt 12 2+
les collines et sous tout arbre verdoyant.
5 C'est alors que Raçon, roi d'Aram, et Péqah 2 Ch 28 5

*a)* « De son temps » grec; « pendant tout son temps » (rattaché à la phrase précédente) hébr.

*b)* D'après les documents assyro-babyloniens, *Pûlu* est le nom de couronnement que prit Téglat-Phalasar III, roi d'Assyrie (745-727), lorsqu'il assuma le pouvoir à Babylone en 729. – Le tribut du v. 20 est mentionné dans les textes assyriens en connexion avec la campagne de ce roi en Syrie, en 738.

*c)* Le texte ajoute « Argob et Ariéh », peut-être à corriger en « Argob et les douars de Yaïr », glose destinée à « Galaad » du v. 29.

*d)* Cinq ans au plus, selon les dates assurées.

*e)* Les villes mentionnées (« tout Nephtali ») furent conquises au passage par Téglat-Phalasar dans sa campagne contre la Philistie en 734. La mention de Galaad et de la Galilée bloque avec ces conquêtes celles de la campagne de 733-732, dirigée principalement contre Damas.

*f)* Première déportation israélite.

*g)* L'hébr. ajoute : « dans la vingtième année de Yotam, fils d'Ozias », qui manque dans grec luc. et contredit le v. 33.

*h)* Si ce chiffre est exact, il comprend les années de régence de Yotam, v. 5.

*i)* Raçon (grec; hébr. Reçin) est le dernier roi de Damas, avant

Is 7-8 fils de Remalyahu, roi d'Israël, partirent en guerre
Os 5 8 – 6 6 contre Jérusalem, ils l'assiégèrent mais ils ne
|| 2 Ch **28** 17 purent pas la réduire [a]. 6 (En ce temps-là, le roi
d'Édom recouvra Élat pour Édom; il expulsa les
Judéens d'Élat, les Édomites y entrèrent et ils y
|| 2 Ch **28** 16 sont restés jusqu'à ce jour [b].) 7 Alors Achaz envoya
des messagers à Téglat-Phalasar, roi d'Assyrie,
pour lui dire : « Je suis ton serviteur et ton fils [c]!
Viens me délivrer des mains du roi d'Aram et du
roi d'Israël, qui se sont levés contre moi. » 8 Achaz
|| 2 Ch **28** 21 prit l'argent et l'or qu'on trouva dans le Temple de
Yahvé et dans les trésors du palais royal et envoya
le tout en présent au roi d'Assyrie. 9 Le roi
d'Assyrie l'exauça, il monta contre Damas et s'en
empara; il déporta les habitants à Qir et fit mourir
Raçôn [d].
10 Le roi Achaz alla à Damas pour rencontrer
Téglat-Phalasar, roi d'Assyrie, et il vit l'autel qui
était à Damas [e]. Alors le roi Achaz envoya au prêtre Uriyya l'image de l'autel et son modèle, avec
le détail de sa structure. 11 Le prêtre Uriyya
construisit l'autel; toutes les instructions que le roi
Achaz avait envoyées de Damas, le prêtre Uriyya
les exécuta avant que le roi Achaz revînt de
Damas. 12 Lorsque le roi Achaz arriva de Damas,
1 R **8** 64 il vit l'autel, il s'en approcha et il y monta. 13 Il fit
2 Ch **28** 23 fumer sur l'autel son holocauste et ses oblations,
versa sa libation et répandit le sang de ses sacrifices
de communion [f]. 14 Quant à l'autel qui était devant
Yahvé [g], il le déplaça de devant le Temple, où il
était entre le nouvel autel et le Temple de Yahvé,
et le mit à côté du nouvel autel, vers le nord. 15 Le
roi Achaz fit ce commandement au prêtre Uriyya :
« C'est sur le grand autel que tu feras fumer l'holo-
Ex **29** 39 causte du matin et l'oblation du soir, l'holocauste
Nb **28** 4 du roi et son oblation, l'holocauste, l'oblation et les
libations de tout le peuple; tu répandras sur lui tout
le sang des holocaustes et des sacrifices. Pour ce
qui concerne l'autel de bronze, je vais m'en occuper [h]. » 16 Le prêtre Uriyya fit tout ce que lui avait
ordonné le roi Achaz.
17 Le roi Achaz mit en pièces les bases roulantes, || 2 Ch **28** 24
il en détacha les traverses et les bassins, il descendit 1 R **7** 27-37
la Mer de bronze de dessus les bœufs qui la suppor- 1 R **7** 23-26
taient et la posa sur le pavé de pierres [i]. 18 En considération du roi d'Assyrie, il supprima du Temple
de Yahvé l'estrade du trône, qu'on y avait
construite, et l'entrée extérieure du roi [j].
19 Le reste de l'histoire d'Achaz, et tout ce qu'il || 2 Ch **28** 26-27
a fait, cela n'est-il pas écrit au livre des Annales
des rois de Juda? 20 Achaz se coucha avec ses
pères, on l'enterra dans la Cité de David et son fils
Ézéchias régna à sa place.

### Règne d'Osée en Israël (732-724).

**17** 1 En la douzième année d'Achaz, roi de Juda,
Osée fils d'Éla devint roi sur Israël à Samarie;
il régna neuf ans. 2 Il fit ce qui déplaît à Yahvé, non
pas pourtant comme les rois d'Israël ses prédécesseurs.
3 Salmanasar [k], roi d'Assyrie, monta contre
Osée, qui se soumit à lui et lui paya tribut. 4 Mais
le roi d'Assyrie découvrit qu'Osée le trahissait :
celui-ci avait envoyé des messagers à Saïs [l], vers le
roi d'Égypte, et il n'avait pas livré le tribut au roi
d'Assyrie, comme chaque année. Alors le roi
d'Assyrie le fit mettre en prison, chargé de chaînes [m].

### Prise de Samarie (721). = **18** 9-11

5 Le roi d'Assyrie envahit tout le pays et vint
assiéger Samarie, pendant trois ans. 6 En la neuvième année d'Osée, le roi d'Assyrie prit Samarie [n]

la prise de la ville par les Assyriens, **16** 9. C'est la préparation de la guerre qui se développera sous Achaz, **16** 5-9.

*a)* « ils l'assiégèrent » syr., cf. Is **7** 1; « ils assiégèrent Achaz » hébr. – Cette guerre, qui fut l'occasion des prophéties d'Is **7-8**, avait pour fin d'entraîner Juda dans une coalition contre l'Assyrie.

*b)* Par conjecture, on lit « Édom » au lieu de « Aram » hébr. (deux fois), et on supprime « Raçôn » hébr. devant « le roi ». – Les Édomites profitent de la situation pour reprendre Élat, voir **14** 22.

*c)* Achaz se déclare vassal de Téglat Phalasar (en 734). Mais, en achetant ainsi la protection de l'étranger, il prépare la ruine de son royaume, cf. Is **8** 5s.

*d)* Campagne de Téglat-Phalasar contre Damas, 733-732.

*e)* Il s'agit du grand autel du Temple de Damas, **5** 18, et non pas d'un autel dressé par l'armée d'occupation.

*f)* C'est le roi qui consacre l'autel en y accomplissant lui-même les fonctions sacerdotales. Il se réservait ce rôle de prêtre en certaines circonstances. Le roi est aussi l'administrateur du Temple et l'ordonnateur du culte (voir déjà **12** 5-17) et Uriyya n'apparaît que comme un fonctionnaire royal.

*g)* C'est l'autel de bronze (comme l'indique une glose exacte de l'hébr.) installé par Salomon, 1 R **8** 64; **9** 25, devant l'entrée du Temple.

*h)* Traduction incertaine. Litt. « il sera pour moi pour examiner » (les entrailles des victimes?).

*i)* Texte troublé en hébr. – On ne sait pas si les changements effectués par Achaz répondent à une intention cultuelle, ou s'ils doivent simplement lui procurer le bronze dont il a besoin (pour payer son tribut au roi d'Assyrie?).

*j)* « il supprima du Temple » conj.; « il modifia le Temple » hébr. – « l'estrade du trône » grec; hébr. inintelligible. L'interprétation est discutée. Probablement, « l'estrade » et « l'entrée du roi » sont-elles des marques extérieures de souveraineté, dont Téglat-Phalasar exige la suppression par son vassal.

*k)* Salmanasar V (727-722), successeur de Téglat-Phalasar III.

*l)* L'hébr. a « à Sô, le roi d'Égypte », mais au lieu de Sô, qui est inconnu comme nom d'un roi d'Égypte, il faut lire un nom de ville, Saïs dans le Delta, résidence du Pharaon Tefnakht, le contemporain d'Osée.

*m)* Cet emprisonnement d'Osée, qui avait marché à la rencontre de Salmanasar ou qui s'était enfui de Samarie, coïncida avec le début du siège de la ville et marque la fin du règne (9e année).

*n)* Le siège avait été mis en 724 par Salmanasar. La ville ne fut prise qu'au début du règne de son successeur, Sargon, sans doute au début de 721. La « neuvième année d'Osée » se rapporte au début du siège.

et déporta les Israélites en Assyrie. Il les établit à
Halah et sur le Habor, fleuve de Gozân [a], et dans
les villes des Mèdes [b].

**18** 12 **Réflexions sur la ruine du royaume d'Israël [c].**

7 Cela arriva parce que les Israélites avaient
péché contre Yahvé leur Dieu, qui les avait fait
monter du pays d'Égypte, les soustrayant à l'emprise de Pharaon, roi d'Égypte. Ils adorèrent d'autres dieux, 8 Ils suivirent les coutumes des nations
que Yahvé avait chassées devant eux [d]. 9 Les Israélites proférèrent des paroles inconvenantes contre
Yahvé leur Dieu, ils se construisirent des hauts
lieux partout où ils habitaient, depuis les tours de
garde jusqu'aux villes fortes. 10 Ils se dressèrent des
Ex **23** 24+ stèles et des pieux sacrés sur toute colline élevée et
Ex **34** 13+ Dt **12** 2+ sous tout arbre verdoyant. 11 Ils sacrifièrent sur
tous les hauts lieux à la manière des nations que
Yahvé avait expulsées devant eux et ils y commirent de mauvaises actions, provoquant la colère de
Yahvé. 12 Ils rendirent un culte aux idoles, alors
que Yahvé leur avait dit : « Vous ne ferez pas cette
chose-là. »

13 Pourtant, Yahvé avait fait cette injonction à
Israël et à Juda, par le ministère de tous les prophètes et de tous les voyants : « Convertissez-vous de
votre mauvaise conduite, avait-il dit, et observez
mes commandements et mes lois, selon toute la Loi
que j'ai prescrite à vos pères et que je leur ai
communiquée par le ministère de mes serviteurs les
Dt **9** 13+ prophètes. » 14 Mais ils n'obéirent pas et raidirent
leur nuque plus que [e] n'avaient fait leurs pères, qui
n'avaient pas cru en Yahvé leur Dieu. 15 Ils méprisèrent ses lois, ainsi que l'alliance qu'il avait
conclue avec leurs pères et les ordres formels qu'il
Jr **2** 5 leur avait intimés. A la poursuite de la Vanité, ils
sont devenus vanité, à l'imitation des nations
d'alentour, bien que Yahvé leur eût commandé de
ne pas faire comme elles. 16 Ils rejetèrent tous les
commandements de Yahvé leur Dieu, et se firent
1 R **12** 28 des idoles fondues, les deux veaux, ils se firent un
Ex **34** 13+ pieu sacré, ils se prosternèrent devant toute l'armée
Dt **4** 19; **17** 3 du ciel et rendirent un culte à Baal. 17 Ils firent pas-
Lv **18** 21+ Dt **18** 10 ser leurs fils et leurs filles par le feu, ils pratiquèrent
la divination et la sorcellerie, ils se vendirent pour
faire le mal au regard de Yahvé, provoquant sa
colère. 18 Alors Yahvé fut profondément irrité
contre Israël et l'écarta de devant sa face. Il ne
resta que la seule tribu de Juda. 1 R **12** 20

19 Juda non plus n'observa pas les commandements de Yahvé son Dieu, et suivit les coutumes
qu'Israël avait établies. 20 Et Yahvé repoussa toute
la race d'Israël, il l'humilia et la livra aux pillards,
tant qu'enfin il la rejeta loin de sa face. 21 Il avait,
en effet, détaché Israël de la maison de David, et 1 R **12** 26-33
Israël avait proclamé roi Jéroboam fils de Nebat;
Jéroboam avait détourné Israël de Yahvé et l'avait
entraîné dans un grand péché. 22 Les Israélites imitèrent le péché [f] que Jéroboam avait commis, ils ne
s'en détournèrent pas, 23 tant qu'enfin Yahvé écarta
Israël de sa face, comme il l'avait annoncé par le
ministère de ses serviteurs, les prophètes; il déporta
les Israélites loin de leur pays, en Assyrie, où ils
sont encore aujourd'hui.

**Origine des Samaritains [g].**

24 Le roi d'Assyrie fit venir des gens de Babylone, de Kuta, de Avva, de Hamat et de Sepharvayim et les établit dans les villes de la Samarie à
la place des Israélites; ils prirent possession de la
Samarie et demeurèrent dans ses villes.

25 Au début de leur installation dans le pays, ils
ne révéraient pas Yahvé et celui-ci envoya contre
eux des lions, qui en firent un massacre. 26 Ils dirent
au roi d'Assyrie : « Les nations que tu as déportées
pour les établir dans les villes de la Samarie ne
connaissent pas le rite du dieu du pays, et il a
envoyé contre elles des lions. Ceux-ci les font mourir parce qu'elles ne connaissent pas le rite du dieu
du pays. » 27 Alors le roi d'Assyrie donna cet
ordre : « Qu'on fasse partir là-bas l'un des prêtres
que j'en ai déportés [h], qu'il aille s'y établir et qu'il
leur enseigne le rite du dieu du pays. » 28 Alors vint
l'un des prêtres qu'on avait déportés de Samarie et
il s'installa à Béthel; il leur enseignait comment ils
devaient révérer Yahvé.

29 Chaque nation se fit ses dieux et les mit dans
les temples des hauts lieux, qu'avaient faits les

*a)* Non loin de Harran, à l'extrême nord de la Mésopotamie.

*b)* A l'est de la Mésopotamie. Les colons israélites y remplaçaient les indigènes que Téglat-Phalasar en avait déportés. L'action du livre de Tobie se situe dans ce cadre.

*c)* Ces réflexions ne sont pas d'une seule venue. Pour l'auteur principal du livre, la grande faute d'Israël est le schisme religieux, 1 R **12** 26-33, « péché originel » rappelé contre chacun des rois d'Israël et ici aux vv. 7[a] et 21-23. On a ajouté un développement plein de réminiscences du Dt et des Prophètes (surtout Jr), sur le syncrétisme religieux et les sanctuaires locaux, vv. 7[b]-18. Une autre addition englobe Juda dans cette réprobation, vv. 19-20.

*d)* L'hébr. ajoute quelques mots : « et (les coutumes) des rois d'Israël qu'ils se firent » glose (d'après le v. 21) destinée au début du v. 9.

*e)* « plus que » grec; « comme » hébr.

*f)* « le péché » grec; « tous les péchés » hébr.

*g)* Les vv. 24-28 et 41 donnent une vue simplifiée du repeuplement du royaume du Nord; ils supposent une déportation totale des habitants israélites et bloquent plusieurs colonisations successives; dans ce milieu païen, le maintien du culte yahviste est expliqué par l'histoire des vv. 25-28. Les détails des vv. 29-34[a] ont été ajoutés pendant l'Exil. Le développement des vv. 34[b]-40 revient sur les fautes qui ont motivé la ruine d'Israël et serait mieux en place dans la première partie du ch.

*h)* « j'en ai déportés » Targ.; « vous en avez déportés » hébr. – « qu'il aille » versions; pluriel hébr.

Jn **4** 9+ Samaritains; chaque nation agit ainsi dans les villes qu'elle habitait. 30 Les gens de Babylone avaient
fait un Sukkot-Benot, les gens de Kuta un Nergal,
les gens de Hamat un Ashima, 31 les Avvites un
Nibhaz et un Tartaq, et les gens de Sepharvayim
brûlaient leurs enfants au feu en l'honneur
d'Adrammélek et d'Anammélek, dieux de Sepharvayim. 32 Ils révéraient aussi Yahvé et ils se firent,
1 R **12** 31 en les prenant parmi eux, des prêtres des hauts
lieux, qui officiaient pour eux dans les temples des
hauts lieux. 33 Ils révéraient Yahvé et ils servaient
leurs dieux, selon le rite des nations d'où ils avaient
été déportés. 34 Encore aujourd'hui, ils suivent leurs
anciens rites.

Ils ne révéraient pas Yahvé [a] et ils ne se conformaient pas à ses règles et à ses rites, à la loi et aux
commandements que Yahvé avait prescrits aux
Gn **32** 29 enfants de Jacob, à qui il avait imposé le nom
Ex **19** 1+ d'Israël. 35 Yahvé avait conclu avec eux une
alliance et il leur avait fait cette prescription:
« Vous ne révérerez pas les dieux étrangers, vous
ne vous prosternerez pas devant eux, vous ne leur
rendrez pas de culte et vous ne leur offrirez pas de
sacrifices. 36 C'est seulement à Yahvé, qui vous a
fait monter du pays d'Égypte par la grande puissance de son bras étendu, qu'iront votre révérence,
votre adoration et vos sacrifices. 37 Vous observerez les règles et les rites, la loi et les commandements qu'il vous a donnés par écrit pour vous y
conformer toujours, et vous ne révérerez pas de
dieux étrangers. 38 N'oubliez pas l'alliance que j'ai
conclue avec vous et ne révérez pas de dieux étrangers, 39 révérez seulement Yahvé, votre Dieu, et il
vous délivrera de la main de tous vos ennemis. »
40 Mais ils n'obéirent pas, et ils continuent de suivre
leur ancien rite.

41 Donc ces nations révéraient Yahvé et rendaient un culte à leurs idoles; leurs enfants et les
enfants de leurs enfants continuent de faire
aujourd'hui comme avaient fait leurs pères.

# VIII. Les derniers temps du royaume de Juda

## 1. ÉZÉCHIAS, LE PROPHÈTE ISAIE ET L'ASSYRIE

### Introduction au règne d'Ézéchias (716-687).

**18** 1 En la troisième année d'Osée [b] fils d'Éla, roi
2 Ch **29** 1-2 d'Israël, Ézéchias fils d'Achaz devint roi de
Juda. 2 Il avait vingt-cinq ans à son avènement et
il régna vingt-neuf ans à Jérusalem; sa mère s'appelait Abiyya [c], fille de Zekarya. 3 Il fit ce qui est
agréable à Yahvé, imitant tout ce qu'avait fait
2 Ch **31** 1 David, son ancêtre. 4 C'est lui qui supprima les
Dt **12** 2+ Ex **23** 24+ hauts lieux, brisa les stèles, coupa les pieux sacrés [d]
Ex **34** 13+ et mit en pièces le serpent d'airain que Moïse avait
Nb **21** 4-9+ fabriqué. Jusqu'à ce temps-là, en effet, les Israélites
Sg **16** 6 lui offraient des sacrifices; on l'appelait Nehush-
tân [e].

5 C'est en Yahvé, Dieu d'Israël, qu'il mit sa
confiance. Après lui, aucun roi de Juda ne lui fut
comparable; et pas plus avant lui. 6 Il resta attaché
à Yahvé, sans jamais se détourner de lui, et il observa les commandements que Yahvé avait pres-
crits à Moïse. 7 Aussi Yahvé fut il avec lui et il Gn **39** 2
réussit dans toutes ses entreprises. Il se révolta
contre le roi d'Assyrie et ne lui fut plus soumis [f].
8 C'est lui qui battit les Philistins jusqu'à Gaza,
dévastant leur territoire, depuis les tours de garde
jusqu'aux villes fortes.

### Rappel de la prise de Samarie [g]. = **17** 1-6

9 En la quatrième année d'Ézéchias, qui était la
septième année d'Osée fils d'Éla, roi d'Israël, Salmanasar, roi d'Assyrie, attaqua Samarie et y mit
le siège. 10 On la prit au bout de trois ans. Ce fut
en la sixième année d'Ézéchias, qui était la neuvième année d'Osée, roi d'Israël, que Samarie
tomba. 11 Le roi d'Assyrie déporta les Israélites en
Assyrie et les installa [h] à Halah et sur le Habor,
fleuve de Gozân, et dans les villes des Mèdes.
12 C'était parce qu'ils n'avaient pas obéi à la parole **17** 7-18
de Yahvé, leur Dieu, et qu'ils avaient transgressé

*a)* Il ne s'agit plus des païens, comme aux vv. précédents, mais des Israélites infidèles, comme aux vv. 14s. – « ses règles, ses rites » conj.; « leurs règles, leurs rites » hébr. Les vv. 34b-40 sont une addition qui accumule des formules générales sans liaison avec la situation historique.
*b)* Chronologie incertaine.
*c)* « Abiyya » 2 Ch **29** 1; « Abi » hébr.
*d)* « les pieux sacrés » versions; sing. hébr. – Par cette centralisation du culte et cette lutte contre l'idolâtrie, Ézéchias prélude à la réforme deutéronomiste de Josias, **23**, et mérite l'éloge des vv. 3 et 5-6.
*e)* Ce nom propre fait allusion à la matière de l'objet, l'« airain », *nehoshet* et à sa forme de « serpent », *nahash*. L'image passait pour être celle que Moïse avait faite au désert, Nb **21** 8-9, et recevait un culte idolâtrique, Sg **16** 6-7.
*f)* Soit en 711, soit plutôt après la mort de Sargon en 705.
*g)* Ce passage reprend la notice de **17** 5-6 et ajoute une réflexion dans l'esprit de **17** 7.
*h)* « les installa » versions; « les conduisit » hébr.

son alliance, tout ce qu'avait prescrit Moïse, le serviteur de Yahvé. Ils n'avaient rien écouté ni rien
pratiqué.

**Invasion de Sennachérib.**

|| 2 Ch **32** 1 [13] En la quatorzième année du roi Ézéchias, Sen-
|| Is **36** 1 nachérib, roi d'Assyrie, monta contre toutes les vil-
les fortes de Juda et s'en empara [a]. [14] Alors Ézéchias, roi de Juda, envoya ce message au roi
d'Assyrie, à Lakish : « J'ai mal agi! Détourne de
moi tes coups. Je me plierai à ce que tu m'imposeras. » Le roi d'Assyrie exigea d'Ézéchias, roi de
Juda, trois cents talents d'argent et trente talents
d'or, [15] et Ézéchias livra tout l'argent qui se trouvait dans le Temple de Yahvé et dans les trésors
du palais royal. [16] C'est alors qu'Ézéchias fit sauter
le revêtement des battants et des montants des portes du sanctuaire de Yahvé, que [b]..., roi de Juda,
1 R **6** 20-22 avait plaqués de métal, et le livra au roi d'Assyrie.

**Mission du grand échanson.**

|| 2 Ch **32** 9-19 [17] De Lakish, le roi d'Assyrie envoya vers le roi
|| Is **36** 2-22 Ézéchias à Jérusalem [c] le grand échanson avec un
important corps de troupes. Il monta donc à Jéru-
Is **7** 3 salem et, étant arrivé [d], il se posta près du canal de
la piscine supérieure, qui est sur le chemin du
1 R **4** 2+ champ du Foulon. [18] Il appela le roi. Le maître du
Is **22** 15-25 palais Élyaqim fils de Hilqiyyahu, le secrétaire
Shebna et le héraut Yoah fils d'Asaph sortirent à
sa rencontre. [19] Le grand échanson leur dit : « Dites
à Ézéchias : Ainsi parle le grand roi, le roi
d'Assyrie. Quelle est cette confiance sur laquelle tu
te reposes? [20] Tu t'imagines que paroles en l'air
valent conseil et vaillance pour faire la guerre. En
qui donc mets-tu ta confiance, pour t'être révolté
contre moi? [21] Voici que tu te fies au soutien de ce
Is **30** 1-7; roseau brisé, l'Égypte [e], qui pénètre et perce la
**31** 1-3 main de qui s'appuie sur lui. Tel est Pharaon, roi
Ez **29** 6-7 d'Égypte, pour tous ceux qui se fient en lui. [22] Vous
me direz peut-être : " C'est en Yahvé, notre Dieu,
que nous avons confiance ", mais n'est-ce pas lui
**18** 4 dont Ézéchias a supprimé les hauts lieux et les
autels en disant aux gens de Juda et de Jérusalem :
" C'est devant cet autel, à Jérusalem, que vous
vous prosternerez "? [23] Eh bien! fais un pari avec
Monseigneur le roi d'Assyrie : je te donnerai deux
mille chevaux si tu peux trouver des cavaliers pour
les monter! [24] Comment ferais-tu reculer un seul [f]
des moindres serviteurs de mon maître? Mais tu
t'es fié à l'Égypte pour avoir chars et cavaliers!
[25] Et puis, est-ce sans la volonté de Yahvé que je
suis monté contre ce lieu pour le dévaster? C'est
Yahvé qui m'a dit : Monte contre ce pays et dévaste-le! »

[26] Élyaqim [g], Shebna et Yoah dirent au grand
échanson : « Je t'en prie, parle à tes serviteurs en
araméen [h], car nous l'entendons, ne nous parle pas
en judéen à portée des oreilles du peuple qui est sur
le rempart. » [27] Mais le grand échanson leur dit :
« Est-ce à ton maître ou à toi que Monseigneur m'a
envoyé dire ces choses, n'est-ce pas plutôt aux gens
assis sur le rempart et condamnés à manger leurs
excréments et à boire leur urine [i] avec vous? »

[28] Alors le grand échanson se tint debout, il cria
d'une voix forte, en langue judéenne, et prononça
ces mots : « Écoutez la parole du grand roi, le roi
d'Assyrie. [29] Ainsi parle le roi : Qu'Ézéchias ne
vous abuse pas, car il ne pourra pas vous délivrer
de ma main [j]. [30] Qu'Ézéchias n'entretienne pas
votre confiance en Yahvé en disant : " Sûrement
Yahvé nous délivrera, cette ville ne tombera pas
entre les mains du roi d'Assyrie. " [31] N'écoutez pas
Ézéchias, car ainsi parle le roi d'Assyrie : Faites la
paix avec moi, rendez-vous à moi et chacun de
vous mangera le fruit de sa vigne et de son figuier,
chacun boira l'eau de sa citerne, [32] jusqu'à ce que
je vienne et que je vous emmène vers un pays
comme le vôtre, un pays de froment et de moût, un
pays de pain et de vignobles, un pays d'huile et de
miel, pour que vous viviez et ne mouriez pas. Mais
n'écoutez pas Ézéchias, car il vous abuse en
disant : " Yahvé nous délivrera! " [33] Les dieux des
nations ont-ils vraiment délivré chacun leur pays
des mains du roi d'Assyrie? [34] Où sont les dieux de

*a)* La campagne en Palestine de Sennachérib, fils et successeur de Sargon, eut lieu en 701. Le rapport détaillé qu'en donnent ses Annales, confirme les indications des vv. 13-16, mais ne contient rien qui corresponde à **18** 17 – **19** 37, passant ainsi sous silence l'échec final de Sennachérib. Le texte biblique contient deux récits parallèles, **18** 17 – **19** 9ª et **19** 36-37 d'une part, **19** 9ᵇ-35 d'autre part, qui racontent de manière un peu différente la même succession de faits. Il est possible que ces deux récits se rapportent à deux campagnes de Sennachérib, cf. note sur **19** 9. Tout l'ensemble **18** 13 – **19** 37 a été repris, à quelques variantes près, dans Is **36-37**.

*b)* Le texte porte le nom d'Ézéchias, qui a remplacé par inadvertance le nom d'un roi précédent.

*c)* Le texte de 2 R insère : « le commandant en chef et le grand eunuque » (et accorde les verbes en conséquence aux vv. 17-18) omis par Is **36** 2. Ces personnages ne paraissent pas dans la suite du récit.

*d)* L'hébr. a ici : « ils montèrent donc à Jérusalem et ils arrivèrent et ils montèrent et ils arrivèrent ».

*e)* Les tentatives d'alliance égyptienne ont été stigmatisées par Isaïe.

*f)* « un seul » conj.; « un seul gouverneur » hébr.

*g)* « Élyaqim » Is **36** 11; hébr. ajoute « fils de Hilqiyyahu ».

*h)* L'araméen commençait à devenir la langue des relations internationales dans le Proche-Orient; elle deviendra plus tard la langue commune parlée en Palestine, mais à l'époque d'Ézéchias le peuple ne comprenait que le « judéen », l'hébreu parlé à Jérusalem.

*i)* Expression réaliste de la famine à laquelle un siège réduirait la ville.

*j)* « de ma main » versions; « de sa main » hébr.

Hamat et d'Arpad, où sont les dieux de Sephar-
17 5, 6, 24 vayim, de Héna et de Ivva [a], où sont les dieux du
pays de Samarie [b]? Ont-ils délivré Samarie de ma
main? 35 Parmi tous les dieux des pays, lesquels ont
délivré leur pays de ma main, pour que Yahvé délivre Jérusalem? »
36 Ils [c] gardèrent le silence et ne lui répondirent
pas un mot, car tel était l'ordre du roi : « Vous ne
lui répondrez pas ». 37 Le maître du palais Élyaqim
fils de Hilqiyyahu, le secrétaire Shebna et le héraut
Yoah fils d'Asaph, vinrent auprès d'Ézéchias, les
vêtements déchirés, et ils lui rapportèrent les paroles du grand échanson.

|| Is 37 1-7 **Recours au prophète Isaïe.**

**19** 1 A ce récit, le roi Ézéchias déchira ses vête-
1 R 21 27 ments, se couvrit d'un sac et se rendit au Temple de Yahvé. 2 Il envoya le maître du palais Élyaqim, le secrétaire Shebna et les anciens des prêtres,
couverts de sacs, auprès du prophète Isaïe fils
d'Amoç [d]. 3 Ceux-ci lui dirent : « Ainsi parle Ézéchias : Ce jour-ci est un jour d'angoisse, de châtiment et d'opprobre. Les enfants sont à terme et la
force manque pour enfanter [e]. 4 Puisse Yahvé, ton
Dieu, entendre les paroles du grand échanson, que
le roi d'Assyrie, son maître, a envoyé insulter le
Dieu vivant, et puisse Yahvé, ton Dieu, punir les
paroles qu'il a entendues! Adresse une prière en
Is 4 3+ faveur du reste qui subsiste encore [f]. »
5 Lorsque les ministres du roi Ézéchias furent
arrivés auprès d'Isaïe, 6 celui-ci leur dit : « Vous
direz à votre maître : Ainsi parle Yahvé. N'aie pas
peur des paroles que tu as entendues, des blasphè-
Is 10 5-19 mes que les valets du roi d'Assyrie ont lancés
contre moi. 7 Voici que je vais mettre en lui un
esprit [g] et, sur une nouvelle qu'il entendra, il retournera dans son pays et, dans son pays, je le ferai
tomber sous l'épée. »

|| Is 37 8-9 **Départ du grand échanson.**

8 Le grand échanson s'en retourna et retrouva le
roi d'Assyrie en train de combattre contre Libna.
Le grand échanson avait appris en effet que le roi
avait décampé de Lakish, 9 car il avait reçu cette
nouvelle au sujet de Tirhaqa [h], roi de Kush :
« Voici qu'il est parti en guerre contre toi. »

**Lettre de Sennachérib à Ézéchias.** || Is 37 9-20 || 2 Ch 32 17

De nouveau, Sennachérib envoya des messagers
à Ézéchias pour lui dire : 10 « Vous parlerez ainsi
à Ézéchias, roi de Juda : Que ton Dieu en qui tu
te confies, ne t'abuse pas en disant : " Jérusalem ne
sera pas livrée aux mains du roi d'Assyrie! " 11 Tu
as appris ce que les rois d'Assyrie ont fait à tous
les pays, les vouant à l'anathème, et toi, tu serais
délivré! 12 Les ont-ils délivrées, les dieux des nations
que mes pères ont dévastées, Gozân, Harân, 17 6
Réçeph, et les Édénites qui étaient à Tell Basar [i]?
13 Où sont le roi de Hamat, le roi d'Arpad, le roi 18 34
de Laïr, de Sepharvayim, de Héna et de Ivva [j]? »
14 Ézéchias prit la lettre [k] des mains des messagers et la lut. Puis il monta au Temple de Yahvé
et la déplia devant Yahvé. 15 Et Ézéchias fit cette
prière en présence de Yahvé : « Yahvé, Dieu || 2 Ch 32 20
d'Israël, qui sièges sur les chérubins, c'est toi qui Ex 25 18+
es seul Dieu de tous les royaumes de la terre, c'est
toi qui as fait le ciel et la terre. 16 Prête l'oreille,
Yahvé, et entends, ouvre les yeux, Yahvé, et vois!
Entends les paroles de Sennachérib, qui a envoyé
dire des insultes au Dieu vivant. 17 Il est vrai,
Yahvé, les rois d'Assyrie ont exterminé les
nations [l], 18 ils ont jeté au feu leurs dieux, car ce
n'étaient pas des dieux, mais l'ouvrage de mains Is 40 20+
d'hommes, du bois et de la pierre, alors ils les ont Jr 10 1-16
anéantis. 19 Mais maintenant, Yahvé, notre Dieu,
sauve-nous de sa main, je t'en supplie, et que tous
les royaumes de la terre sachent que toi seul es 1 R 18 24+
Dieu, Yahvé! »

**Intervention d'Isaïe.** || Is 37 21-35

20 Alors Isaïe, fils d'Amoç, envoya dire à Ézéchias : « Ainsi parle Yahvé, Dieu d'Israël. J'ai
entendu la prière que tu m'as adressée au sujet de
Sennachérib, roi d'Assyrie. 21 Voici l'oracle que
Yahvé a prononcé contre lui [m] :

*a)* Sur ces villes syriennes, voir **17** 24. Elles avaient été conquises par les prédécesseurs immédiats de Sennachérib.
*b)* « où sont les dieux du pays de Samarie » versions; omis par hébr.
*c)* « Ils » grec, Is **36** 31; « Le peuple » hébr.
*d)* Ézéchias recourt à Isaïe comme les anciens rois d'Israël et de Juda recouraient aux Prophètes, leurs conseillers à la guerre, tels qu'Élie ou Élisée, cf. 1 R **22** 8s; 2 R **1** 9s; **3** 11s; **6** 8s, etc.
*e)* Sans doute expression proverbiale d'une situation désespérée.
*f)* Le salut d'un « reste » du peuple élu est un des thèmes de la prédication d'Isaïe, cf. Is **4** 3+ et ici vv. 30-31.
*g)* Non pas un Esprit personnel, mais une inspiration de Dieu qui gouverne les cœurs.
*h)* Pharaon de la XXVe dynastie, d'origine éthiopienne, d'où son titre de « roi de Kush ». Il a régné de 690 à 664 et est né en 715 au plus tôt. En 701, il n'était pas roi et n'était pas en âge de commander une armée. On fait l'hypothèse que le récit biblique juxtapose ou combine le récit de deux campagnes de Sennachérib, l'une en 701 relatée dans ses Annales, l'autre en 689-688, dont ne parle aucun document assyrien. Si l'on n'accepte que la campagne de 701, il faut admettre que la mention de Tirhaqa est une erreur, due à la réputation de grand conquérant qui lui fut faite.
*i)* « Tell Basar » conj.; « Telassar » hébr.
*j)* Incertain, cf. Is **37** 13.
*k)* « la lettre » grec luc.; « les lettres » hébr.
*l)* Après « nations » l'hébr. ajoute « et leur pays »; omis par grec.
*m)* Ce poème, isaïen de style, a cependant été retouché par un disciple du prophète. Des trois oracles recueillis ici, seul le troisième, vv. 32-34, se rapporte directement à la délivrance de 701.

Elle te méprise, elle te raille,
la vierge, fille de Sion.
Elle hoche la tête après toi,
la fille de Jérusalem.
22 Qui donc as-tu insulté, blasphémé?
Contre qui as-tu parlé haut
et levé ton regard altier?
Contre le Saint d'Israël!
23 Par tes messagers, tu as insulté le Seigneur.
Tu as dit : " Avec mes nombreux chars,
j'ai gravi le sommet des monts,
les dernières cimes du Liban.
J'ai coupé [a] sa haute futaie de cèdres
et ses plus beaux cyprès.
J'ai atteint son ultime retraite,
son parc forestier.
24 Moi, j'ai creusé et j'ai bu
des eaux étrangères,
j'ai asséché sous la plante de mes pieds
tous les fleuves d'Égypte [b]. "
25 Entends-tu bien? De longue date,
j'ai préparé cela,
aux jours antiques j'en fis le dessein,
maintenant je le réalise.
Ton destin fut de réduire en tas de ruines
des villes fortifiées.
26 Leurs habitants, les mains débiles,
épouvantés et confondus,
furent comme plantes des champs,
verdure du gazon,
herbes des toits et guérets
sous le vent d'orient [c].
Ps 139 2-3 27 Quand tu te lèves [d] et quand tu t'assieds,
quand tu sors ou tu entres, je le sais.
28 Parce que tu t'es emporté contre moi,
que ton insolence est montée à mes oreilles,
je passerai mon anneau à ta narine
et mon mors à tes lèvres,
je te ramènerai sur la route
par laquelle tu es venu.
1 S 14 10+ 29 Ceci te servira de signe [e] :
On mangera cette année du grain tombé,
et l'an prochain du grain de jachère,
mais, le troisième an, semez et moissonnez,
plantez des vignes et mangez de leur fruit.
30 Le reste survivant de la maison de Juda produira
de nouvelles racines en bas et des fruits en haut.
31 Car de Jérusalem sortira un reste,
et des réchappés, du mont Sion.
L'amour jaloux de Yahvé Sabaot fera cela! Dt 4 24+

32 Voici donc ce que dit Yahvé sur le roi d'Assyrie :
Il n'entrera pas dans cette ville,
il n'y lancera pas de flèche,
il ne tendra pas de bouclier contre elle,
il n'y entassera pas de remblai.
33 Par la route qui l'amena, il s'en retournera,
il n'entrera pas dans cette ville, oracle de Yahvé.
34 Je protégerai cette ville et la sauverai 2 S 7 12-17+
à cause de moi et de mon serviteur David. » Os 1 7+

## Échec et mort de Sennachérib. || 2 Ch 32 21-22 || Is 37 36-38 Si 48 21

35 Cette même nuit, l'Ange de Yahvé sortit et
frappa dans le camp assyrien cent quatre-vingt-
cinq mille hommes. Le matin, au réveil, ce
n'étaient plus que des cadavres [f].
36 Sennachérib roi d'Assyrie leva le camp et partit. Il s'en retourna et resta à Ninive. 37 Un jour
qu'il était prosterné dans le temple de Nisrok [g], son
dieu, ses fils Adrammélek et Saréçer le frappèrent
avec l'épée et se sauvèrent au pays d'Ararat. Asarhaddon, son fils, devint roi à sa place.

## Maladie et guérison d'Ézéchias [h]. || 2 Ch 32 24 || Is 38 1-6, 21-22, 7-8

20 1 En ces jours-là [i], Ézéchias fut atteint d'une
maladie mortelle. Le prophète Isaïe, fils
d'Amoç, vint lui dire : « Ainsi parle Yahvé. Mets
ordre à ta maison, car tu vas mourir, tu ne vivras
pas. » 2 Ézéchias se tourna vers le mur et fit cette
prière à Yahvé : 3 « Ah! Yahvé, souviens-toi, de
grâce, que je me suis conduit fidèlement et en toute
probité de cœur devant toi, et que j'ai fait ce qui
était bien à tes yeux. » Et Ézéchias versa d'abondantes larmes.

*a)* Aux vv. 23-25, verbes au passé avec grec; au futur dans l'hébr.
*b)* En fait le premier roi assyrien qui ait envahi l'Égypte est Asarhaddon, successeur de Sennachérib.
*c)* « et guérets » Is **37** 27; « et brûlée » (?) hébr. – « Sous le vent d'orient » *lipneh qadîm* conj.; « avant croissance » (?) *lipneh qamah* hébr.
*d)* « Quand tu te lèves » conj. omis par hébr., cf. Is **37** 28. – A la fin du v. le texte ajoute : « et que tu t'emportes contre moi », doublet du v. 28, omis par le grec.
*e)* Isaïe s'adresse à Ézéchias. L'interprétation du « signe » est difficile : pendant deux ans on peut ne pas semer et on mange d'abord ce que produit le grain tombé lors de la précédente récolte, puis ce que la terre donne spontanément; mais Sennachérib n'est même pas resté un an en Palestine et la délivrance va être immédiate. v. 35. Ou bien l'oracle fut prononcé dans une autre circonstance, ou bien sa leçon est très générale : après les mauvais jours vient la prospérité.
*f)* L'armée assyrienne est décimée par un fléau de Dieu, peut-être une peste, cf. 2 S **24** 15s.
*g)* « Nisrok » est inconnu; probablement déformation d'un nom divin, Ninurta ou Nusku. – « ses fils » versions, Is **37** 38; omis par hébr. – Sennachérib fut en effet assassiné en 681.
*h)* Ce ch. **20** est repris en Is **38-39**, avec un texte plus court, un ordre des vv. parfois différent et l'addition du cantique d'Ézéchias.
*i)* Indication chronologique vague. Si Ézéchias est mort en 687, les 15 années du v. 6 indiqueraient le temps qui précède immédiatement l'invasion de Sennachérib, à laquelle fait allusion la fin du même v. Cette date paraît confirmée par celle qu'on peut donner à l'ambassade de Mérodak-Baladan, que le v. 12 met en rapport avec la guérison du roi.

4 Isaïe n'était pas encore sorti de la cour [a] centrale que lui parvint la parole de Yahvé :
5 « Retourne dire à Ézéchias, chef de mon peuple :
Ainsi parle Yahvé, Dieu de ton ancêtre David. J'ai
entendu ta prière, j'ai vu tes larmes. Je vais te guérir : dans trois jours, tu monteras au Temple de
Yahvé. 6 J'ajouterai quinze années à ta vie, je te
délivrerai, toi et cette ville, de la main du roi
d'Assyrie, je protégerai cette ville à cause de moi
et de mon serviteur David. »
7 Isaïe dit : « Prenez un pain de figues »; on en
prit un, on l'appliqua sur l'ulcère et le roi guérit.
1 S **14** 10+ 8 [b] Ézéchias dit à Isaïe : « A quel signe connaîtrai-je que Yahvé va me guérir et que, dans trois
jours, je monterai au Temple de Yahvé? » 9 Isaïe
répondit : « Voici, de la part de Yahvé, le signe
qu'il fera ce qu'il a dit : Veux-tu que l'ombre
avance [c] de dix degrés, ou qu'elle recule de dix
degrés? » 10 Ézéchias dit : « C'est peu de chose pour
l'ombre de gagner dix degrés! Non! Que plutôt
l'ombre recule de dix degrés! » 11 Le prophète Isaïe
invoqua Yahvé et celui-ci fit reculer l'ombre sur les
degrés que le soleil avait descendus, les degrés de
la chambre haute d'Achaz – dix degrés en arrière [d].

|| Is **39** **Ambassade de Mérodak-Baladan.**

12 En ce temps-là, Mérodak-Baladan [e], fils de
Baladan, roi de Babylone, envoya des lettres et un
|| 2 Ch **32** 23 présent à Ézéchias, car il avait appris sa maladie
et son rétablissement [f]. 13 Ézéchias s'en réjouit [g] et
Ch **32** 25-29 montra aux messagers sa chambre du trésor,
l'argent, l'or, les aromates, l'huile précieuse, ainsi
que son arsenal et tout ce qui se trouvait dans ses
magasins. Il n'y eut rien qu'Ézéchias ne leur montrât dans son palais et dans tout son domaine.
14 Alors le prophète Isaïe vint chez le roi Ézéchias et lui demanda : « Qu'ont dit ces gens-là et
d'où sont-ils venus chez toi? » Ézéchias répondit :
« Ils sont venus d'un pays lointain, de Babylone. »
15 Isaïe reprit : « Qu'ont-ils vu dans ton palais? »
Ézéchias répondit : « Ils ont vu tout ce qu'il y a
dans mon palais; il n'y a, dans mes magasins, rien
que je ne leur aie montré. »
16 Alors Isaïe dit à Ézéchias : « Écoute la parole
de Yahvé : 17 Des jours viennent où tout ce qui est
dans ton palais, tout ce qu'ont amassé tes pères
jusqu'à ce jour, sera emporté à Babylone, rien ne
sera laissé, dit Yahvé. 18 Parmi les fils issus de toi,
de ceux que tu as engendrés, on en prendra pour
être eunuques dans le palais du roi de Babylone. »
19 Ézéchias dit à Isaïe : « C'est une parole favorable
de Yahvé que tu annonces. » Il pensait en effet :
« Pourquoi pas? S'il y a paix et sûreté pendant ma
vie [h]! »

**Conclusion du règne d'Ézéchias.**

20 Le reste de l'histoire d'Ézéchias, tous ses
exploits, et comment il a construit la piscine et le || 2 Ch **32** 30
canal pour amener l'eau dans la ville [i], cela n'est-il Si **48** 17
pas écrit au livre des Annales des rois de Juda?
21 Ézéchias se coucha avec ses pères et son fils
Manassé régna à sa place.

## *2. DEUX ROIS IMPIES*

Ch **33** 1-10 **Règne de Manassé en Juda (687-642).**

**21** 1 Manassé avait douze ans à son avènement et
il régna cinquante-cinq ans [j] à Jérusalem; sa
mère s'appelait Hephçiba. 2 Il fit ce qui déplaît à
Yahvé, imitant les abominations des nations que
Yahvé avait chassées devant les Israélites. 3 Il rebâtit les hauts lieux qu'avait détruits Ézéchias, son **18** 4
père, il éleva des autels à Baal et fabriqua un pieu 1 R **16** 32-33
sacré, comme avait fait Achab, roi d'Israël, il se 2 R **17** 16
prosterna devant toute l'armée du ciel et lui rendit
un culte. 4 Il construisit des autels [k] dans le Temple
de Yahvé, au sujet duquel Yahvé avait dit : « C'est
à Jérusalem que je placerai mon Nom. »

*a)* « la cour » versions; « la ville » hébr.
*b)* Les vv. 8-11 sont une addition, Ézéchias est déjà guéri au v. 7.
*c)* « Veux-tu que l'ombre avance » conj.; « L'ombre a avancé » hébr.
*d)* « le soleil », cf. Is **38** 8 grec et syr.; conj. nécessitée par le genre du verbe qui suit. – « la chambre haute », ajouté d'après le manuscrit d'Isaïe de Qumrân (Is **38** 8). – Ce n'est pas un cadran solaire, c'est l'escalier montant à la chambre haute construite par Achaz, cf. **23** 12+.
*e)* En assyrien : Marduk-apal-iddina (« Marduk a donné un fils »), champion de l'indépendance babylonienne contre l'Assyrie. Il régna à Babylone d'abord de 721 à 710, puis en 703 pendant 9 mois. C'est probablement alors qu'il chercha dans Ézéchias un allié contre l'Assyrie.
*f)* « et son rétablissement » Is **39** 1; « Ézéchias » hébr.
*g)* « s'en réjouit » versions, Is **39** 2; « écouta » hébr.
*h)* Isaïe prédit le pillage de Jérusalem et la déportation de sa noblesse cf. **24** 13s. Ézéchias en conclut égoïstement que ses jours au moins seront tranquilles; mais la seconde moitié du v., absente d'une partie du grec, est peut-être une glose. La réponse d'Ézéchias aurait seulement exprimé sa résignation.
*i)* La source de Gihôn, 1 R **1** 33, était hors de la ville. Ézéchias fit creuser dans le roc un canal pour en amener l'eau à la piscine dite de Siloé, Jn **9** 7, le « réservoir » d'Is **22** 11 et Si **48** 17, à l'intérieur des murailles. Ce canal remplaçait un canal plus ancien, creusé en partie à ciel ouvert sur le flanc oriental du mont Sion, et qui amenait les eaux à une autre piscine, située un peu plus bas que la piscine de Siloé, Is **7** 3; 2 R **18** 17 = Is **36** 2; Is **22** 9.
*j)* Chiffre sans doute trop élevé de dix ans.
*k)* A ces divinités païennes.

5 Il construisit des autels à toute l'armée du ciel
dans les deux cours du Temple de Yahvé. 6 Il fit
Lv 18 21+ passer son fils par le feu. Il pratiqua les incantations et la divination, installa des nécromants et des
devins, il multiplia les actions que Yahvé regarde
comme mauvaises, provoquant ainsi sa colère. 7 Il
plaça l'idole d'Ashéra [a], qu'il avait faite, dans le
Temple au sujet duquel Yahvé avait dit à David et
à son fils Salomon : « Dans ce Temple et dans Jéru-
1 R 8 16 salem, la ville que j'ai choisie dans toutes les tribus
d'Israël, je placerai mon Nom à jamais. 8 Je ne
ferai plus errer les pas des Israélites loin de la terre
que j'ai donnée à leurs pères, pourvu qu'ils veillent
à pratiquer tout ce que je leur ai commandé, selon
toute la Loi qu'a prescrite pour eux mon serviteur
Moïse [b]. » 9 Mais ils n'obéirent pas, Manassé les
égara, au point qu'ils agirent plus mal que les
nations que Yahvé avait exterminées devant les
Israélites.
10 Alors Yahvé parla ainsi, par le ministère de
ses serviteurs les prophètes : 11 « Parce que
Manassé, roi de Juda, a commis ces abominations,
1 R 21 26 qu'il a agi plus mal que tout ce qu'avaient fait
avant lui les Amorites et qu'il a entraîné Juda lui
aussi à pécher avec ses idoles, 12 ainsi parle Yahvé,
Dieu d'Israël : Voici que je fais venir sur Jérusalem
et sur Juda un malheur tel que les deux oreilles en
tinteront à quiconque l'apprendra. 13 Je passerai
Is 34 11 sur Jérusalem le même cordeau que sur Samarie,
Am 7 7-9 le même niveau que pour la maison d'Achab, j'écu-
Lm 2 8 rerai Jérusalem comme on écure un plat, qu'on
retourne à l'envers après l'avoir écuré [c]. 14 Je rejetterai les restants de mon héritage [d], je les livrerai
entre les mains de leurs ennemis, ils serviront de
proie et de butin à tous leurs ennemis, 15 parce
qu'ils ont fait ce qui me déplaît et qu'ils ont provoqué ma colère, depuis le jour où leurs pères sont
sortis d'Égypte jusqu'à ce jour-ci. »
16 Manassé répandit aussi le sang innocent en si
grande quantité qu'il inonda Jérusalem d'un bout
à l'autre [e], en plus des péchés qu'il avait fait
commettre à Juda en agissant mal au regard de
Yahvé.
17 Le reste de l'histoire de Manassé et tout ce || 2 Ch 33 18-2
qu'il a fait, les péchés qu'il a commis, cela n'est-il
pas écrit au livre des Annales des rois de Juda?
18 Manassé se coucha avec ses pères et on l'enterra
dans le jardin de son palais, le jardin d'Uzza; son
fils Amon régna à sa place.

**Règne d'Amon en Juda (642-640).** || 2 Ch 33 21-2

19 Amon avait vingt-deux ans à son avènement
et il régna deux ans à Jérusalem; sa mère s'appelait
Meshullémèt, fille de Haruç, et était de Yotba. 20 Il
fit ce qui déplaît à Yahvé, comme avait fait son
père Manassé. 21 Il suivit en tout la conduite de son
père, rendit un culte aux idoles qu'il avait servies
et se prosterna devant elles. 22 Il abandonna Yahvé,
Dieu de ses ancêtres, et ne suivit pas la voie de
Yahvé.
23 Les serviteurs d'Amon complotèrent contre lui
et ils tuèrent le roi dans son palais. 24 Mais le peuple du pays [f] frappa tous ceux qui avaient conspiré
contre le roi Amon et proclama roi à sa place son
fils Josias.
25 Le reste de l'histoire d'Amon et tout ce qu'il
a fait, cela n'est-il pas écrit au livre des Annales
des rois de Juda? 26 On l'enterra dans le sépulcre
de son père [g], dans le jardin d'Uzza, et son fils
Josias régna à sa place.

## *3. JOSIAS ET LA RÉFORME RELIGIEUSE*

|| 2 Ch 34 1-2 **Introduction au règne de Josias (640-609).**

22 1 Josias avait huit ans à son avènement et il
régna trente et un ans à Jérusalem; sa mère
s'appelait Yedida, fille de Adaya, et était de Boçqat. 2 Il fit ce qui est agréable à Yahvé et imita en
tout la conduite de son ancêtre David, sans en
dévier ni à droite ni à gauche.

**Découverte du livre de la Loi.** || 2 Ch 34 8

3 En la dix-huitième année du roi Josias, le roi
envoya le secrétaire Shaphân, fils d'Açalyahu fils
de Meshullam, au Temple de Yahvé : 4 « Monte, lui 12 11-16
dit-il, chez le grand prêtre Hilqiyyahu pour qu'il
fonde [h] l'argent qui a été apporté au Temple de
Yahvé et que les gardiens du seuil ont recueilli du

*a)* Ici une image de la déesse cananéenne Ashéra, non pas l'un des pieux sacrés qui portent son nom, Ex **34** 13+.
*b)* Allusion au Deutéronome, auquel tout le passage se réfère; cf. Dt **17** 3; **18** 9-14; **12** 5 et 29s.
*c)* « qu'on retourne... écuré » conj.; « il a retourné... et écuré » hébr.
*d)* Depuis la ruine du royaume du Nord, les Judéens sont le reste, cf. Is **4** 3+, du peuple élu, héritage de Yahvé.
*e)* Selon la tradition juive, Isaïe fut l'une des victimes de cette persécution.
*f)* Même fidélité du « peuple du pays » à la lignée davidique en **11** 20 et **14** 21; cf. **11** 18+.
*g)* « le sépulcre de son père » grec; « son sépulcre » hébr.
*h)* « qu'il fonde » grec, Vulg., cf. v. 9; « qu'il rende complet » hébr.

peuple. 5 Qu'il le remette aux maîtres d'œuvre attachés au Temple de Yahvé et que ceux-ci le dépensent pour les ouvriers qui travaillent aux réparations dans le Temple de Yahvé, 6 pour les
charpentiers, les ouvriers du bâtiment et les
maçons, pour acheter le bois et les pierres de taille
destinés à la réparation du Temple. 7 Mais qu'on ne
leur demande pas compte de l'argent qui leur est
remis, car ils agissent avec probité. »
8 Le grand prêtre Hilqiyyahu dit au secrétaire
Shaphân : « J'ai trouvé le livre de la Loi dans le
Temple de Yahvé [a]. » Et Hilqiyyahu donna le livre
à Shaphân, qui le lut. 9 Le secrétaire Shaphân vint
chez le roi et lui rapporta ceci : « Tes serviteurs,
dit-il, ont fondu l'argent qui se trouvait dans le
Temple et l'ont remis aux maîtres d'œuvre attachés au Temple de Yahvé. » 10 Puis le secrétaire
Shaphân annonça au roi : « Le prêtre Hilqiyyahu
m'a donné un livre » et Shaphân le lut devant le roi.

|| 2 Ch 34 19-28 **Consultation de la prophétesse Hulda.**

11 En entendant les paroles contenues dans le
livre de la Loi, le roi déchira ses vêtements. 12 Il
donna cet ordre au prêtre Hilqiyyahu, à Ahiqam
fils de Shaphân, à Akbor fils de Mikaya, au secrétaire Shaphân, et à Asaya, ministre du roi :
13 « Allez consulter Yahvé pour moi et pour le peuple, à propos des paroles de ce livre qui vient d'être
trouvé. Grande doit être la colère de Yahvé, qui
s'est enflammée contre nous parce que nos pères
n'ont pas obéi aux paroles de ce livre, en pratiquant
tout ce qui y est écrit [b]. »
14 Le prêtre Hilqiyyahu, Ahiqam, Akbor, Shaphân et Asaya se rendirent auprès de la prophétesse Hulda [c], femme de Shallum fils de Tiqva fils
de Harhas, le gardien des vêtements; elle habitait
à Jérusalem dans la ville neuve. Ils lui exposèrent
la chose 15 et elle leur répondit : « Ainsi parle
Yahvé, Dieu d'Israël. Dites à l'homme qui vous a
envoyés vers moi : 16 "Ainsi parle Yahvé. Je vais
amener le malheur sur ce lieu et sur ses habitants,
tout ce que dit le livre qu'a lu le roi de Juda,
17 parce qu'ils m'ont abandonné et qu'ils ont
sacrifié à d'autres dieux, pour m'irriter par leurs
actions. Ma colère s'est enflammée contre ce lieu,
elle ne s'éteindra pas." 18 Et vous direz au roi de
Juda qui vous a envoyés pour consulter Yahvé :
"Ainsi parle Yahvé, Dieu d'Israël : Les paroles que
tu as entendues... [d] 19 Mais parce que ton cœur a
été touché et que tu t'es humilié devant Yahvé en
entendant ce que j'ai prononcé contre ce lieu et ses
habitants qui deviendront un objet d'épouvante et
de malédiction, et parce que tu as déchiré tes vêtements et pleuré devant moi, moi aussi, j'ai entendu,
oracle de Yahvé. 20 C'est pourquoi je te réunirai à
tes pères, tu seras recueilli en paix dans ton sépulcre [e], tes yeux ne verront pas tous les malheurs que
je fais venir sur ce lieu". » Ils portèrent la réponse
au roi.

**Lecture solennelle de la Loi.** || 2 Ch 34 29-31

23 1 Alors le roi fit convoquer auprès de lui tous
les anciens de Juda et de Jérusalem, 2 et le roi
monta au Temple de Yahvé avec tous les hommes
de Juda et tous les habitants de Jérusalem, les prêtres et les prophètes et tout le peuple du plus petit
au plus grand. Il lut devant eux tout le contenu du
livre de l'alliance [f] trouvé dans le Temple de Yahvé.
3 Le roi était debout sur l'estrade et il conclut
devant Yahvé l'alliance qui l'obligeait à suivre
Yahvé et à garder ses commandements, ses instructions et ses lois, de tout son cœur et de toute son
âme, pour rendre effectives les clauses de l'alliance
écrite dans ce livre. Tout le peuple adhéra à
l'alliance.

**Réforme religieuse en Juda.** || 2 Ch 34 3-5

4 Le roi ordonna à Hilqiyyahu [g], au prêtre en
second [h] et aux gardiens du seuil de retirer du sanctuaire de Yahvé tous les objets de culte qui avaient 21 3, 7
été faits pour Baal, pour Ashéra et pour toute
l'armée du ciel; il les brûla en dehors de Jérusalem,
dans les champs du Cédron, et porta leur cendre
à Béthel. 5 Il supprima les faux prêtres que les rois
de Juda avaient installés et qui sacrifiaient [i] dans
les hauts lieux, dans les villes de Juda et les environs de Jérusalem, et ceux qui sacrifiaient à Baal,
au soleil, à la lune, aux constellations et à toute Dt 17 3
l'armée du ciel [j]. 6 Il transporta du Temple de
Yahvé en dehors de Jérusalem, à la vallée du
Cédron, le pieu sacré et le brûla dans la vallée du 1 R 14 23
Cédron; il le réduisit en cendres et jeta ses cendres Dt 16 21+

*a)* Ce « livre de la Loi », appelé « livre de l'alliance » en **23** 2, 21, est le Deutéronome, au moins sa section législative, dont les prescriptions commanderont la réforme qui va suivre. C'est le document de l'alliance avec Yahvé, peut-être rédigé en relation avec la réforme d'Ézéchias, **18** 4, et caché, ou perdu, ou oublié sous le règne impie de Manassé. La découverte n'est certainement pas une fraude des prêtres de Jérusalem, cf. **23** 9.

*b)* Après « pour le peuple » le texte ajoute : « et pour tout Juda », glose. – « qui y est écrit » grec luc.; « qui est écrit contre nous » hébr.

*c)* Cette prophétesse n'est pas autrement connue.

*d)* Phrase interrompue. On peut suppléer : « s'accompliront ».

*e)* « ton sépulcre » versions; « tes sépultures » hébr. Ce récit a été composé avant la mort tragique de Josias, **23** 29-30.

*f)* Cf. **22** 8+. Le Dt se présente lui-même comme le code de l'alliance avec Yahvé, Dt **5** 2; **28** 69.

*g)* L'hébr. ajoute « le grand prêtre », titre post-exilique.

*h)* « au prêtre » Targ.; « aux prêtres » hébr. – C'est le second du grand prêtre. Les gardiens du seuil, cf. 2 R **12** 10, occupaient aussi un rang élevé dans le sacerdoce. Cf. encore **25** 18.

*i)* « et qui sacrifiaient » grec, Targ.; « et il sacrifia » hébr.

*j)* Les vv. $4^b$-5 peuvent être une addition.

á la fosse commune. 7 Il démolit la demeure[a] des
1 R 14 24 prostitués sacrés, qui était dans le Temple de
Dt 23 18-19+ Yahvé et où les femmes tissaient des voiles pour
Āshéra.
8 Il fit venir des villes de Juda tous les prêtres et
Dt 12 il profana les hauts lieux où ces prêtres avaient
sacrifié, depuis Géba jusqu'à Bersabée[b]. Il démolit
le haut lieu des portes[c], qui était à la porte de
Josué, gouverneur de la ville, à gauche quand on
franchit la porte de la ville. 9 Toutefois les prêtres
des hauts lieux ne pouvaient pas monter à l'autel
de Yahvé à Jérusalem, mais ils mangeaient des
pains sans levain au milieu de leurs frères[d]. 10 Il
profana le Tophèt[e] de la vallée de Ben-Hinnom,
Lv 18 21+ pour que personne ne fît plus passer son fils ou sa
fille par le feu en l'honneur de Molek. 11 Il fit disparaître les chevaux que les rois de Juda avaient
dédiés au soleil à l'entrée du Temple de Yahvé, près
de la chambre de l'eunuque Netân-Mélek, dans les
dépendances, et il brûla au feu le char du soleil[f].
21 5 12 Les autels qui étaient sur la terrasse[g] et
qu'avaient bâtis les rois de Juda, et ceux qu'avait
bâtis Manassé dans les deux cours du Temple de
Yahvé, le roi les démolit, les brisa là[h] et jeta leur
poussière dans la vallée du Cédron. 13 Les hauts
lieux qui étaient en face de Jérusalem, au sud du
1 R 11 7 mont des Oliviers[i], et que Salomon roi d'Israël
avait bâtis pour Astarté, l'horreur des Sidoniens,
pour Kemosh, l'horreur des Moabites, et pour Milkom, l'abomination des Ammonites, le roi les pro-
1 R 14 23 fana. 14 Il brisa aussi les stèles, coupa les pieux
Dt 16 21-22+ sacrés et combla leur emplacement avec des ossements humains[j].

### La réforme s'étend à l'ancien royaume du Nord[k].

1 R 12 31-32 15 De même pour l'autel qui était à Béthel, le
haut lieu bâti par Jéroboam fils de Nebat qui avait
entraîné Israël dans le péché, il démolit aussi cet
autel et ce haut lieu, il en brisa les pierres[l] et les
réduisit en poussière; il brûla le pieu sacré.
16 Josias se retourna et vit les tombeaux qui
étaient là, dans la montagne; il envoya prendre les
ossements de ces tombeaux et les brûla sur l'autel.
Ainsi il le profana, accomplissant la parole de
Yahvé qu'avait annoncée l'homme de Dieu lorsque 1 R 12 33 – 13 3
Jéroboam se tenait à l'autel pendant la fête. En se
retournant, Josias leva les yeux sur le tombeau de
l'homme de Dieu[m] qui avait annoncé ces choses
17 et il demanda : « Quel est le monument que je
vois? » Les hommes de la ville lui répondirent :
« C'est le tombeau de l'homme de Dieu qui est venu
de Juda et qui a annoncé ces choses que tu as
accomplies contre l'autel[n]. » – 18 « Laissez-le en
paix, dit le roi, et que personne ne dérange ses ossements. » On laissa donc ses ossements intacts avec 1 R 13 31
les ossements du prophète qui était de Samarie[o].
19 Josias fit également disparaître tous les tem- || 2 Ch 34 6-7
ples des hauts lieux qui étaient dans les villes de
la Samarie, et que les rois d'Israël avaient bâtis
pour l'irritation de Yahvé[p] et il agit à leur endroit
exactement comme il avait agi à Béthel. 20 Tous les
prêtres des hauts lieux qui étaient là furent immolés
par lui sur les autels et il y brûla des ossements
humains. Puis il revint à Jérusalem.

### Célébration de la Pâque. || 2 Ch 35 1,

21 Le roi donna cet ordre à tout le peuple : « Cé-
lébrez une Pâque en l'honneur de Yahvé votre
Dieu, de la manière qui est écrite dans ce livre de Dt 16 1-8
l'alliance. » 22 On n'avait pas célébré une Pâque
comme celle-là depuis les jours des Juges qui
avaient régi Israël et pendant tout le temps des rois
d'Israël et des rois de Juda. 23 C'est seulement en
la dix-huitième année du roi Josias qu'une telle
Pâque fut célébrée en l'honneur de Yahvé à Jérusalem.

*a)* « la demeure » grec; « les maisons » hébr. – « des voiles » *saddîm* conj.; « des maisons » *battîm* hébr.
*b)* Par la force, Josias centralise à Jérusalem le culte de tout le territoire de Juda, selon la loi de l'unité de sanctuaire, Dt **12**. Ces « hauts lieux » (1 R **3** 2) sont des sanctuaires de Yahvé, condamnés seulement parce qu'ils contreviennent à cette loi.
*c)* « le haut lieu » grec; « les hauts lieux » hébr. – On ne sait rien sur ce sanctuaire.
*d)* La loi prévoyait, Dt **18** 6-8, que les prêtres des provinces venant à Jérusalem jouissaient des mêmes droits que les prêtres de la ville, leurs « frères ». L'opposition du clergé de la capitale fit sans doute réduire les « prêtres des hauts lieux », concentrés à Jérusalem, à un rang subalterne.
*e)* Nom de l'endroit où l'on sacrifiait par le feu des enfants à Molek, Lv **18** 21+. Le mot signifie probablement « brûloir ».
*f)* Mention isolée et difficile à expliquer. – « à l'entrée du Temple » versions; « pour ne pas entrer au Temple » hébr. – « les dépendances » trad. incertaine. – « le char » grec; « les chars » hébr.
*g)* Petits autels dédiés aux divinités astrales, Jr **19** 13; So **1** 5. – Après « terrasse » l'hébr. ajoute « la chambre haute d'Achaz », glose (sans doute exacte).
*h)* « les brisa là » *wayyerussem sham* conj.; « il courut de là » *wayyaras mishsham* hébr.
*i)* « des Oliviers », litt. « de l'huile » Targ.; « de la Perdition » hébr.
*j)* Pour profaner définitivement ces lieux, voir vv. 16 et 20. Les mesures de Josias sont dirigées d'une part contre les sanctuaires locaux où se perpétuait un culte, plus ou moins adultéré, de Yahvé, d'autre part contre des coutumes franchement païennes : dieux et rites cananéens ou empruntés à l'Assyrie (cultes astraux). Cela donne de la situation religieuse en Juda une triste impression, qui est confirmée par Jérémie, Sophonie et Ézéchiel.
*k)* Josias, profitant de la décadence de l'Assyrie, avait non seulement rendu l'indépendance à Juda, mais étendu son autorité sur une partie de l'ancien territoire israélite.
*l)* « il en brisa les pierres » grec; « il brûla le haut lieu » hébr.
*m)* « lorsque Jéroboam... l'homme de Dieu » grec; omis par hébr.
*n)* Le texte ajoute « Béthel », glose.
*o)* « de Samarie » conj.; « venu de Samarie » hébr. – Ce prophète était de Béthel, cf. 1 R **13**. « Samarie » désigne ici non la ville, mais le territoire du royaume du Nord dont Béthel faisait partie.
*p)* « de Yahvé » versions; omis par l'hébr.

2 R **21** 6 Dt **18** 11 **Conclusion sur la réforme religieuse.**
Gn **31** 19+ [24] De plus, les nécromants et les devins, les dieux
Jg **18** 14 domestiques et les idoles, et toutes les horreurs
qu'on pouvait voir dans le pays de Juda et à Jérusalem, Josias les fit disparaître, en exécution des
paroles de la Loi inscrites au livre qu'avait trouvé
le prêtre Hilqiyyahu dans le Temple de Yahvé. [25] Il
n'y eut avant lui aucun roi qui se fût, comme lui,
Dt 6 5 tourné vers Yahvé de tout son cœur, de toute son
âme et de toute sa force, en toute fidélité à la Loi
de Moïse, et après lui il ne s'en leva pas qui lui fût
comparable [a].

[26] Pourtant, Yahvé ne revint pas de l'ardeur de
sa grande colère, qui s'était enflammée contre Juda
pour les déplaisirs que Manassé lui avait causés.
[27] Yahvé décida : « J'écarterai Juda aussi de devant
moi, comme j'ai écarté Israël, je rejetterai cette ville
que j'avais élue, Jérusalem, et le Temple dont
j'avais dit : Là sera mon Nom. »

**Fin du règne de Josias.** || 2 Ch **35** 26-27

[28] Le reste de l'histoire de Josias, et tout ce qu'il
a fait, cela n'est-il pas écrit au livre des Annales
des rois de Juda?

[29] De son temps, le Pharaon Neko, roi d'Égypte, || 2 Ch **35** 20-24
monta vers le roi d'Assyrie [b], sur le fleuve de l'Euphrate. Le roi Josias se porta au-devant de lui mais
Neko le fit périr à Megiddo, à la première
rencontre. [30] Ses serviteurs transportèrent son
corps en char depuis Megiddo, ils le ramenèrent à
Jérusalem et l'ensevelirent dans son tombeau. Le
peuple du pays prit Joachaz fils de Josias; on lui || 2 Ch **36** 1
donna l'onction et on le proclama roi à la place de 2 R **11** 20; **21** 24
son père.

## *4. LA RUINE DE JÉRUSALEM*

|| 2 Ch **36** 2-4 **Règne de Joachaz en Juda (609).**
[31] Joachaz avait vingt-trois ans à son avènement
et il régna trois mois à Jérusalem; sa mère s'appelait Hamital, fille de Yirmeyahu [c], et était de Libna.
[32] Il fit ce qui déplaît à Yahvé, tout comme avaient
fait ses pères.
**25** 6 [33] Le Pharaon Neko le mit aux chaînes à Ribla [d],
Ez **6** 14 dans le territoire de Hamat, pour qu'il ne règne
plus à Jérusalem [e], et il imposa au pays une contribution de cent talents d'argent et de talents d'or.
[34] Le Pharaon Neko établit comme roi Élyaqim,
fils de Josias, à la place de son père Josias, et il
changea son nom en celui de Joiaqim [f]. Quant à
Joachaz, il le prit et l'emmena [g] en Égypte, où il
mourut.

[35] Joiaqim livra à Pharaon l'argent et l'or mais
il dut imposer le pays pour livrer la somme exigée
par Pharaon : il leva sur chacun, selon sa fortune,
l'argent et l'or qu'il fallait donner au Pharaon
Neko.

**Règne de Joiaqim en Juda (609-598).** || 2 Ch **36** 5-7

[36] Joiaqim avait vingt-cinq ans à son avènement
et il régna onze ans à Jérusalem; sa mère s'appelait
Zebida, fille de Pedaya, et était de Ruma. [37] Il fit
ce qui déplaît à Yahvé, tout comme avaient fait ses
pères.

**24** [1] De son temps, Nabuchodonosor [h], roi de
Babylone, fit campagne, et Joiaqim lui fut
soumis pendant trois ans puis se révolta de nouveau contre lui. [2] Celui-ci [i] envoya sur lui les bandes des Chaldéens, celles des Araméens, celles des
Moabites, celles des Ammonites, il les envoya sur
Juda pour le détruire, conformément à la parole
que Yahvé avait prononcée par le ministère de ses
serviteurs les prophètes. [3] Cela arriva à Juda uniquement à cause de la colère [j] de Yahvé, qui voulait l'écarter de devant sa face, pour les péchés de
Manassé, pour tout ce qu'avait fait celui-ci [4] et
aussi pour le sang innocent qu'il avait répandu, **21** 16
inondant Jérusalem de sang innocent. Yahvé ne
voulut pas pardonner.

*a)* Ici s'arrêtait le récit de la réforme et, peut-être, la première édition des Livres des Rois.
*b)* Et non pas « contre le roi d'Assyrie ». Nékao (609-595), que la Bible appelle Neko, vint en effet, en 609, au secours du dernier roi d'Assyrie, chassé de Babylone, puis de Harran, par les Mèdes et les Babyloniens. Josias a voulu s'opposer à la jonction entre les Égyptiens et les Assyriens, parce qu'il escomptait, de la ruine définitive de l'Assyrie, un avantage pour le royaume de Juda.
*c)* Ce Yirmeyahu (forme hébraïque du nom de Jérémie) n'a que le nom de commun avec le prophète.
*d)* Nékao revenait de son expédition vers le nord, v. 29, et la défaillance de l'Assyrie lui avait donné l'empire sur la Syrie et la Palestine.
*e)* « pour qu'il ne règne plus à Jérusalem » qeré et versions, cf. 2 Ch **36** 3; « quand il était roi à Jérusalem » ketib. – « talents » : le chiffre a sans doute disparu accidentellement de l'hébr.; grec luc. et syr. ont « dix talents »; le reste du grec a « cent dix talents ».
*f)* Le nom est à peu près le même (« Yahvé-élève » au lieu de « Dieu-élève »). C'est peut-être un nom de couronnement, cf. **14** 21+; ou bien le changement serait une marque de vassalité, cf. encore **24** 17.
*g)* « et l'emmena » grec; « et il vint » hébr.
*h)* Nabû-kudur-uçur, organisateur de l'empire néo-babylonien ou chaldéen, qui prit la suite de l'empire assyrien, a régné de 605 à 562. Sa première expédition en Palestine et la soumission de Joiaqim se placent en 604, la révolte de Juda en 601.
*i)* « celui-ci » grec; « Yahvé » hébr.
*j)* « à cause de la colère » versions et v. 20; « sur l'ordre » hébr.

|| 2 Ch **36** 8 5 Le reste de l'histoire de Joiaqim et tout ce qu'il
a fait, cela n'est-il pas écrit au livre des Annales
des rois de Juda? 6 Joiaqim se coucha avec ses
pères et Joiakîn son fils régna à sa place.
7 Le roi d'Égypte ne sortit plus de son pays, car
le roi de Babylone avait conquis, depuis le Torrent
d'Égypte jusqu'au fleuve de l'Euphrate, tout ce qui
appartenait au roi d'Égypte [a].

|| 2 Ch **36** 9 **Introduction au règne de Joiakîn (598).**

8 Joiakîn avait dix-huit ans à son avènement et
il régna trois mois à Jérusalem; sa mère s'appelait
Nehushta, fille d'Elnatân, et était de Jérusalem. 9 Il
fit ce qui déplaît à Yahvé, tout comme avait fait son
père.

|| 2 Ch **36** 10 **La première déportation.**

10 En ce temps-là, les officiers de Nabuchodono
sor, roi de Babylone, marchèrent contre Jérusalem
et la ville fut investie. 11 Nabuchodonosor, roi de
Babylone, vint lui-même attaquer la ville, pendant
que ses officiers l'assiégaient. 12 Alors Joiakîn, roi
de Juda, se rendit au roi de Babylone, lui, sa mère,
ses officiers, ses dignitaires et ses eunuques, et le
roi de Babylone les fit prisonniers; c'était en la huitième année de son règne [b].
**20** 17 13 Celui-ci emporta tous les trésors du Temple de
Yahvé et les trésors du palais royal et il brisa tous
les objets d'or que Salomon, roi d'Israël, avait
fabriqués pour le sanctuaire de Yahvé, comme
l'avait annoncé Yahvé. 14 Il emmena en exil tout
Jérusalem, tous les dignitaires et tous les notables,
soit dix mille exilés, et tous les forgerons et serruriers; seule fut laissée la plus pauvre population du
pays. 15 Il déporta Joiakîn à Babylone [c]; de même
la mère du roi, les femmes du roi, ses eunuques, les
nobles du pays, il les fit partir en exil de Jérusalem
à Babylone. 16 Tous les gens de condition, au nombre de sept mille, les forgerons et les serruriers, au
nombre de mille, tous les hommes en état de porter
les armes, furent conduits en exil à Babylone par
le roi de Babylone [d].

17 Le roi de Babylone établit comme roi à la place
de Joiakîn son oncle Mattanya, dont il changea le
nom en celui de Sédécias [e].

**Introduction au règne de Sédécias en Juda (598-587)** [f]. || 2 Ch **36** 11-12 || Jr **52** 1-3

18 Sédécias avait vingt et un ans à son avènement
et il régna onze ans à Jérusalem; sa mère s'appelait
Hamital, fille de Yirmeyahu, et était de Libna. 19 Il
fit ce qui déplaît à Yahvé, tout comme avait fait
Joiaqim. 20 Cela arriva à Jérusalem et à Juda à
cause de la colère de Yahvé, tant qu'enfin il les 22 17;
rejeta de devant sa face. **23** 26-27

**Siège de Jérusalem.** Jr **52** 3-11

Sédécias se révolta contre le roi de Babylone. || 2 Ch **36** 13
**25** 1 En la neuvième année de son règne [g], au || Jr **39** 1-7
dixième mois, le dix du mois, Nabuchodono-
sor, roi de Babylone, vint attaquer Jérusalem avec
toute son armée, il campa devant la ville et la cerna
d'un retranchement. 2 La ville fut investie jusqu'à
la onzième année de Sédécias. 3 Au quatrième
mois [h], le neuf du mois, alors que la famine sévissait dans la ville et que la population n'avait plus
rien à manger, 4 une brèche fut faite au rempart de
la ville. Alors le roi s'échappa [i] de nuit avec tous
les hommes de guerre par la porte entre les deux
murs, qui est près du jardin du roi – les Chaldéens
cernaient la ville – et il prit le chemin de la Araba [j].
5 Les troupes chaldéennes poursuivirent le roi et
l'atteignirent dans les plaines de Jéricho, où tous
ses soldats se dispersèrent loin de lui. 6 Les Chaldéens s'emparèrent du roi et le menèrent à Ribla 23 33
auprès du roi de Babylone, qui le fit passer en juge- Ez **6** 14
ment [k]. 7 Il fit égorger les fils de Sédécias sous ses
yeux, puis il creva les yeux de Sédécias, le mit aux
fers et l'emmena à Babylone.

**Sac de Jérusalem et seconde déportation.** || Jr **52** 12-2 || Jr **39** 8-10

8 Au cinquième mois, le sept du mois – c'était en
la dix-neuvième année [l] de Nabuchodonosor, roi de
Babylone –, Nebuzaradân, commandant de la
garde, officier du roi de Babylone, fit son entrée à

*a)* La victoire de Karkémish sur les Égyptiens, en 605, avait livré à Nabuchodonosor la Syrie et la Palestine.
*b)* Exactement le 16 mars 597, d'après une chronique babylonienne. Cette chronique et Jr **52** 28 datent la conquête de la septième année de Nabuchodonosor, ne comptant pas l'année incomplète d'accession, cf. encore **25** 8.
*c)* Il devait y rester trente-sept ans, jusqu'à la mort de Nabuchodonosor, cf. **25** 27, dans une captivité assez douce.
*d)* Les vv. 13-14 et 15-16 sont des doublets, qui évaluent d'une manière un peu différente l'étendue de la première déportation.
*e)* Mattanya : « Don-de-Yahvé »; Sédécias : « Yahvé-est-ma-justice ». Cf. **23** 34+.
*f)* Le récit **24** 18 – **25** 30 a été repris pour servir de conclusion au livre de Jérémie, **52**. De plus 2 R **25** 1-12 a été réutilisé dans Jr **39** 1-10 (avec une addition au v. 3), ou bien les deux passages proviennent d'une même source.
*g)* Du règne de Sédécias. Fin décembre 589.
*h)* « Au quatrième mois » Jr **52** 6; omis par hébr. – Juin-juillet 587.
*i)* « Alors le roi s'échappa » grec luc.; omis par hébr.
*j)* Les « deux murs » : sans doute une ligne antérieure datant des débuts de la monarchie et une ligne extérieure construite sous Ézéchias. Le jardin du roi s'étendait au-dehors, dans la vallée du Cédron. – La Araba est la vallée désolée du Jourdain.
*k)* Comme un vassal félon. – « le fit passer » versions, cf. Jr **52** 9. L'hébr. a le pluriel; de même au v. 7.
*l)* Toujours dans la 11ᵉ année de Sédécias, v. 2, en 587. Au lieu de « dix-neuvième », Jr **52** 29 a « dix-huitième », cf. **24** 12+.

|| 2 Ch **36** 19 Jérusalem. 9 Il incendia le Temple de Yahvé, le
palais royal et toutes les maisons de Jérusalem[a].
10 Les troupes chaldéennes qui étaient avec le
commandant de la garde abattirent les remparts
qui entouraient Jérusalem. 11 Nebuzaradân,
commandant de la garde, déporta le reste de la
population laissée dans la ville, les transfuges qui
avaient passé au roi de Babylone et le reste de la
foule. 12 Du petit peuple du pays, le commandant
de la garde laissa une partie, comme vignerons et
comme laboureurs.
1 R **7** 15-39 13 Les Chaldéens brisèrent les colonnes de
2 R **16** 17 bronze du Temple de Yahvé, les bases roulantes et
la Mer de bronze qui étaient dans le Temple de
|| 2 Ch **36** 18 Yahvé, et ils en emportèrent le bronze à Babylone.
1 R **7** 45, 50 14 Ils prirent aussi les vases à cendres, les pelles, les
couteaux, les navettes et tous les ustensiles de
bronze qui servaient au culte. 15 Le commandant de
la garde prit les encensoirs et les coupes d'aspersion, tout ce qui était en or et tout ce qui était en
argent. 16 Quant aux deux colonnes, à la Mer unique et aux bases roulantes, que Salomon avait
fabriquées pour le Temple de Yahvé, on ne pouvait
évaluer ce que pesait le bronze de tous ces objets.
17 La hauteur d'une colonne était de dix-huit coudées, elle avait un chapiteau de bronze et la hauteur
du chapiteau était de cinq coudées; il y avait un
treillis et des grenades autour du chapiteau, le tout
en bronze. De même pour la seconde colonne[b].
18 Le commandant de la garde fit prisonniers
**23** 4 Seraya, le prêtre en chef, Çephanyahu, le prêtre en
second, et les trois gardiens du seuil. 19 De la ville,
il fit prisonniers un eunuque, préposé aux hommes
de guerre, cinq des familiers du roi, qui furent trouvés dans la ville, le secrétaire du chef de l'armée,
chargé de la conscription, et soixante hommes du
pays, qui furent trouvés dans la ville. 20 Nebuzaradân, commandant de la garde, les prit et les mena
auprès du roi de Babylone à Ribla, 21 et le roi de
Babylone les fit mettre à mort à Ribla, au pays de
Hamat. Ainsi Juda fut déporté loin de sa terre.

### Godolias, gouverneur de Juda[c].

22 Quant à la population qui était restée dans le
pays de Juda et qu'avait laissée Nabuchodonosor,
roi de Babylone, celui-ci lui préposa Godolias fils Jr **40** 5, 7 – **41** 18
d'Ahiqam fils de Shaphân. 23 Tous les officiers des
troupes et leurs hommes apprirent que le roi de
Babylone avait institué Godolias gouverneur et ils
vinrent auprès de lui à Miçpa : Yishmaël fils de
Netanya, Yohanân fils de Qaréah, Seraya fils de
Tanhumèt, le Netophatite, Yaazanyahu le Maakatite, eux et leurs hommes. 24 Godolias leur fit un
serment, à eux et à leurs hommes, et leur dit : « Ne
craignez rien des Chaldéens[d], demeurez dans le
pays, servez le roi de Babylone et vous vous en
trouverez bien. »
25 Mais, au septième mois, Yismaël fils de Netanya fils d'Élishama, qui était de race royale, et dix
hommes avec lui, vinrent frapper à mort Godolias,
ainsi que les Judéens et les Chaldéens qui étaient
avec lui à Miçpa. 26 Alors tout le peuple, du plus
petit au plus grand, et les chefs des troupes partirent et allèrent en Égypte, parce qu'ils eurent peur
des Chaldéens.

### La grâce du roi Joiakîn. || Jr **52** 31-34

27 En la trente-septième année de la déportation
de Joiakîn, roi de Juda, au douzième mois, le vingt-
sept du mois, Évil-Mérodak[e], roi de Babylone, en
l'année de son avènement, fit grâce à Joiakîn, roi
de Juda, et le tira[f] de prison. 28 Il lui parla avec
faveur et lui accorda un siège supérieur à ceux des
autres rois qui étaient avec lui à Babylone.
29 Joiakîn quitta ses vêtements de captif et mangea
toujours à la table du roi, sa vie durant. 30 Son
entretien fut assuré constamment par le roi, jour
après jour, sa vie durant.

*a)* A la fin, le texte ajoute : « il brûla toute maison de grand » glose.

*b)* « cinq coudées » Jr **52** 22, cf. 1 R **7** 16; « trois coudées » hébr. Les derniers mots sont une glose destinée à « grenades », ou les débris d'une description plus détaillée, cf. Jr **52** 23.

*c)* Les deux récits, vv. 22-26 et 27-30 sont des appendices ajoutés pendant l'Exil.

*d)* « des Chaldéens » grec luc. syr.; « des serviteurs des Chaldéens » hébr.

*e)* Avil-Marduk, fils et successeur de Nabuchodonosor, est monté sur le trône en 562, qui est bien la 37e année de la captivité de Joiakîn.

*f)* « et le tira » Jr **52** 31; omis par hébr.

# LES LIVRES DES CHRONIQUES, D'ESDRAS ET DE NÉHÉMIE

# LES LIVRES DES CHRONIQUES, D'ESDRAS ET DE NÉHÉMIE

## Introduction

*L'Ancien Testament comprend un second groupe de livres historiques, qui doublent en grande partie et ensuite prolongent l'histoire deutéronomiste qui s'étend de Josué à la fin des Rois. Ce sont les deux* livres des Chroniques, *puis celui d'*Esdras *et, selon l'opinion commune, celui de* Néhémie. *Les deux livres des Chroniques n'en formaient primitivement qu'un seul et les livres d'Esdras et de Néhémie faisaient partie du même ensemble, œuvre d'un seul auteur. On n'y retrouve pas seulement le même style et les mêmes idées fondamentales, mais la répétition, au début d'Esd* **1**, *des versets qui terminent 2 Ch* **36** *certifie l'unité de composition.*

*Les* livres des Chroniques *(d'après le titre hébreu; la Bible grecque et la Vulgate les appellent « Paralipomènes », c'est-à-dire les livres qui donnent les « choses omises », qui apportent un complément) sont donc une œuvre du Judaïsme postexilique, d'une époque où le peuple, privé de son indépendance politique, jouissait cependant d'une sorte d'autonomie reconnue par les maîtres de l'Orient : il vivait sous la direction de ses prêtres, selon les règles de sa loi religieuse. Le Temple et ses cérémonies étaient le centre de la vie nationale. Mais ce cadre légaliste et rituel est vivifié par un courant de piété personnelle, par les doctrines de sagesse, par le souvenir des gloires ou des défaillances du passé et la confiance dans les promesses des prophètes.*

*L'auteur des Chroniques, un lévite de Jérusalem, appartient profondément à ce milieu.*

*Il écrit après Esdras et Néhémie, notablement plus tard puisqu'il peut combiner à sa guise les sources qui les concernent. Le début de l'époque grecque, avant 300 av. J.-C., paraît être la date la plus vraisemblable. L'ouvrage reçut ensuite des additions, venant d'une ou de plusieurs mains, en particulier les tables généalogiques de 1 Ch* **2-9** *furent augmentées et des listes nominatives furent ajoutées, probablement celles des partisans de David, 1 Ch* **12**, *celles des prêtres et des lévites, 1 Ch* **15**, *et la longue addition de* **23** 3-**27** 34, *qui recense le personnel cultuel et administratif de David.*

*Ces compléments, qui peuvent avoir utilisé de bons documents, restent dans la ligne de pensée du Chroniste.*

*Il manifeste un grand intérêt pour le Temple. Le clergé joue dans son œuvre un rôle prééminent, non seulement les prêtres et les lévites, selon l'esprit du Deutéronome et des textes sacerdotaux du Pentateuque, mais les classes inférieures du clergé, les portiers et les chantres, désormais assimilés aux lévites. La sanctification du clergé s'étend aux laïcs par leur participation aux sacrifices de communion, qui retrouvent chez le Chroniste leur importance ancienne. Cette communauté sainte n'est pas restreinte aux seuls Judéens : par-delà l'apostasie du royaume d'Israël, dont il parle le moins possible, il retrouve les Douze Tribus unies sous le sceptre de David, et, au-delà des circonstances présentes, il attend la réunion de tous les fils d'Israël. Les païens eux-mêmes ne sont pas exclus de la prière du Temple. « Israël » est pour lui tout le peuple fidèle, avec qui Dieu avait fait alliance autrefois, avec qui il a renouvelé cette alliance en la personne de David. C'est sous David que se sont le mieux réalisées les conditions du règne de Dieu sur la terre, de la théocratie; c'est dans l'esprit de David que la communauté doit vivre, avec un constant souci de réforme qui est un retour aux traditions, pour que Dieu lui garde sa faveur et accomplisse les promesses.*

*Le centre permanent d'intérêt de cette longue histoire est le Temple de Jérusalem et son culte, depuis les préparations sous David jusqu'à la restauration accomplie par la communauté revenue de l'Exil.*

*Ces grandes pensées du Chroniste expliquent la composition de son ouvrage. Les premiers chapitres, 1 Ch* **1-9**, *donnent des listes généalogiques qui s'attardent davantage sur la tribu de Juda et la descendance de David, sur les lévites, sur les habitants de Jérusalem. Cela sert d'introduction à l'histoire de David qui occupe toute la fin du premier livre,* **10-29**. *Les démêlés avec Saül sont omis, comme la faute avec Bethsabée, les drames de famille et les révoltes, mais la prophétie de Natân est mise en relief,* **17**, *et une place considérable est faite aux institutions religieuses : transport de l'arche et organisation du culte à Jérusalem,* **13**, **15-16**, *préparatifs pour la construction du Temple,* **21-29**. *David a dressé le plan, assemblé les matériaux, réglé les fonctions du clergé jusque dans les détails, et il a laissé la réalisation à son fils Salomon. Dans l'histoire de celui-ci, 2 Ch* **1-9**, *la construction du Temple, la prière du roi lors de la dédicace et les promesses que Dieu fait en réponse occupent la plus grande place. A partir du schisme, le Chroniste ne se préoccupe que du royaume de Juda et de la dynastie davidique. Les rois sont jugés d'après leur fidélité ou leur infidélité aux principes de l'alliance, selon qu'ils se rapprochent ou s'écartent du modèle donné par David, 2 Ch* **10-36**. *Les désordres sont suivis de réformes, dont les plus profondes sont celles d'Ézéchias et de Josias; ce dernier roi a des successeurs impies qui précipitent le désastre, mais les Chroniques s'achèvent par la permission donnée par Cyrus de reconstruire le Temple. On a dit qu'elles se continuaient par les livres d'Esdras et de Néhémie.*

*Pour écrire cette histoire, l'auteur s'est servi d'abord des livres canoniques, ceux de la Genèse et des Nombres pour les listes du début, surtout ceux de Samuel et des Rois. Il les utilise librement, il choisit ce qui va à son propos, il ajoute et retranche. Cependant il ne cite jamais ces sources essentielles que nous pouvons vérifier. Par contre, il se réfère à un certain nombre d'autres ouvrages, des « livres » des rois d'Israël ou des rois d'Israël et de Juda, un « midrash » du livre des Rois, des « paroles » ou des « visions » de tel ou tel prophète. Ces écrits nous sont inconnus et on discute sur leur contenu et leurs relations mutuelles. Ils décrivaient probablement les différents règnes à la lumière des interventions prophétiques. Il est douteux que le Chroniste ait utilisé aussi des traditions orales.*

*Puisque le Chroniste a eu des sources que nous ignorons et qui pouvaient être dignes de foi, il n'y a pas lieu de suspecter en principe tout ce qu'il ajoute aux livres canoniques que nous connaissons. Chaque cas doit être examiné pour lui-même et des recherches récentes ont, sur plusieurs points, vengé le Chroniste du discrédit où le tenaient beaucoup d'exégètes. Mais il arrive aussi qu'il donne des informations incompatibles avec le tableau que tracent Samuel ou les Rois, ou bien qu'il modifie sciemment ce que disent ces derniers livres. Ce procédé – qui serait inexcusable chez un historien moderne dont la mission est de raconter, en l'expliquant, l'enchaînement des faits – se justifie par l'intention de l'auteur : il n'est pas un historien, il est un théologien qui, à la lumière des expériences anciennes et d'abord de l'expérience davidique, « pense » les conditions du royaume idéal; il fait confluer dans une synthèse le passé, le présent et l'avenir : il projette à l'époque de David toute l'organisation cultuelle qu'il a sous les yeux, il omet tout ce qui pourrait amoindrir son héros. En dehors des informations nouvelles qu'il contient et dont on peut éprouver la valeur, son ouvrage vaut moins pour une reconstitution du passé que comme un tableau de l'état et des préoccupations de son époque.*

*Car il écrit pour ses contemporains. Il leur rappelle que la vie de la nation dépend de sa fidélité à Dieu et que cette fidélité s'exprime par l'obéissance à la Loi et la régularité d'un culte animé par la vraie piété. Il veut faire de son peuple une communauté sainte, pour laquelle se réaliseront les promesses faites à David. Les hommes religieux du Judaïsme contemporain du Christ vivront de son esprit, avec parfois des déviations qu'il n'avait pas prévues. Son enseignement sur la primauté du spirituel et sur la conduite par Dieu de tous les événements du monde a une valeur permanente. Il devrait être médité à une époque comme la nôtre, où l'invasion du profane semble repousser indéfiniment l'établissement du royaume de Dieu.*

*Les livres d'* Esdras *et de* Néhémie *ne formaient qu'un seul « livre d'Esdras » dans la Bible hébraïque et dans la Septante. Comme celle-ci retenait le livre apocryphe grec d'Esdras et lui donnait la première place (Esdras I), le livre d'Esdras-Néhémie y est appelé Esdras II. A l'époque chrétienne, il fut divisé en deux et cet usage fut suivi par la Vulgate, dans laquelle Esdras I = Esdras et Esdras II = Néhémie; l'apocryphe grec d'Esdras y est appelé Esdras III. La désignation des deux livres par leurs personnages principaux, Esdras et Néhémie, est encore plus récente; elle a pénétré dans les éditions imprimées de la Bible massorétique.*

*Les livres d'* Esdras *et de* Néhémie *sont, comme on l'a dit, la continuation de l'œuvre du Chroniste. Après les cinquante années de l'Exil, dont il ne parle pas, celui-ci reprend l'histoire au moment où l'édit de Cyrus, en 538 av. J.-C., autorise les Juifs à retourner à Jérusalem pour y reconstruire le Temple. Les retours commencent aussitôt, mais les travaux du Temple sont interrompus par l'opposition des Samaritains et ne reprennent que sous Darius Ier; le Temple est achevé en 515. Dans le demi-siècle qui suit, les efforts pour relever les remparts de Jérusalem sont entravés par les mêmes Samaritains, Esd* **1-6**. *Sous Artaxerxès, Esdras, un scribe chargé des affaires juives à la cour de Perse, arrive à Jérusalem avec une nouvelle caravane. Il est muni d'un firman qui lui donne autorité pour imposer à la communauté la Loi de Moïse, reconnue comme loi du roi. Il doit prendre des mesures sévères contre les Juifs qui avaient contracté mariage avec des femmes étrangères, Esd* **7-10**. *Puis Néhémie, échanson d'Artaxerxès, se fait donner par le roi la mission d'aller à Jérusalem pour en relever les murailles. Ce travail est rapidement achevé, malgré les oppositions des ennemis, et la ville est repeuplée, Ne* **1** 1-**7** 72ª. *Entre-temps, Néhémie a été nommé gouverneur. Esdras fait une lecture solennelle de la Loi, on célèbre la fête des Tentes, le peuple confesse ses péchés et s'engage à observer la Loi, Ne* **7** 72ᵇ-**10** 40. *Suivent des listes, des mesures complémentaires et la dédicace du rempart,* **11** 1-**13** 3. *Néhémie, après être retourné en Perse, revient pour une seconde mission, au cours de laquelle il doit réprimer certains désordres qui se sont déjà introduits dans la communauté, Ne* **13** 4-31.

*On voit, par ce sommaire, que ces livres sont très importants pour l'histoire de la Restauration juive après l'Exil. Les premiers chapitres d'Esd complètent les renseignements qu'on peut tirer des prophètes Aggée, Zacharie et Malachie. Les deux livres sont la seule source que nous ayons sur l'activité d'Esdras et de Néhémie. La date de leur composition est antérieure à celle des Chroniques, mais surtout ils utilisent et citent textuellement des documents contemporains des faits : listes de rapatriés ou du peuplement de Jérusalem, actes des rois de Perse, correspondances avec la cour, surtout le rapport où Esdras rendit compte de sa mission et le mémoire justificatif de Néhémie.*

*Malgré cette abondance de sources, l'exégèse d'*Esdras *et de* Néhémie *est hérissée de difficultés, car les documents s'y présentent dans un ordre déconcertant. La liste des immigrants est donnée deux fois, Esd* **2** *et Ne* **7**; *dans la section d'Esd* **4** 6-**6** 18, *écrite en araméen, les événements du temps de Darius sont racontés après ceux des règnes de Xerxès et d'Artaxerxès, qui se placent cependant dans le demi-siècle qui suit. Les écrits provenant d'Esdras et de Néhémie ont été disloqués, puis combinés ensemble. En utilisant les dates précises qui y sont données, le rapport d'Esdras peut se restituer dans cet ordre : Esd* **7** 1-**8** 36; *Ne* **7** 72ᵇ-**8** 18; *Esd* **9** 1-**10** 44; *Ne* **9** 1-37.

*Mais ce document a été récrit par le Chroniste, qui en a mis certaines parties à la troisième personne, et il a reçu des additions : la liste des coupables d'Esd* **10** 18, 20-44 *et les prières d'Esd* **9** 6-15 *et Ne* **9** 6-37. *Le mémoire de Néhémie comprend les morceaux suivants :* **1-2**; **3** 33-**7** 5; **12** 27-**13** 31. *Le Chroniste y a inséré un document sur la reconstruction des murailles,* **3** 1-32. *La liste des premiers Sionistes,* **7** 6-72ª, *est reprise d'Esd* **2**. *Le ch.* **10** *est un autre document d'archives, qui scelle l'engagement pris par la communauté lors de la seconde mission de Néhémie,* **13**. *Le cadre du ch.* **11** *est une composition du Chroniste, à quoi ont été ajoutées des listes de la population de Jérusalem et de Juda et, au ch.* **12**, *des listes de prêtres et de lévites.*

*Il apparaît que le Chroniste a voulu procéder par tableaux d'ensemble. Dans Esd* **1-6**, *son objet principal est la reconstruction du Temple sous Darius : il a groupé les retours successifs de la Captivité, estompé la figure de Sheshbaççar au profit de celle de Zorobabel, constitué une sorte de dossier antisamaritain. Dans la suite des livres, il a présenté Esdras et Néhémie travaillant ensemble à la réalisation d'une même œuvre.*

*Ces procédés de composition littéraire posent de graves problèmes aux historiens. La question la plus discutée et la plus difficile concerne la chronologie d'Esdras et de Néhémie. D'après l'ordre du livre, Esdras arriva à Jérusalem en 458, la 7e année d'Artaxerxès Ier, Esd* **7** 8, *Néhémie le rejoignit en 445, la 20e année du même roi, Ne* **2** 1. *Il resta douze années, Ne* **13** 6, *donc jusqu'en 433, repartit en Perse pour un temps indéterminé et revint faire un second séjour, encore sous Artaxerxès Ier, qui ne mourut qu'en 424. Cet ordre traditionnel est maintenu par de bons exégètes qui cependant restreignent à une année, d'après les indications précises du livre lui-même, la mission d'Esdras, et le font repartir avant l'arrivée de Néhémie. D'autres exégètes inversent cet ordre car il leur semble que l'œuvre d'Esdras suppose celle de Néhémie déjà accomplie. Les dates données pour Esdras se rapporteraient, non au règne d'Artaxerxès Ier comme celles de Néhémie, mais au règne d'Artaxerxès II, et Esdras ne serait arrivé qu'en 398. Enfin, accordant qu'Esdras est venu après Néhémie mais refusant de reconnaître un changement de règne dont le texte ne dit rien, certains exégètes récents font venir Esdras entre les deux missions de Néhémie,* *au prix d'une correction textuelle d'Esd* **7** 8 *: Esdras serait arrivé, non la 7ᵉ année, mais la 37ᵉ année d'Artaxerxès, en 428.*

*Chacune de ces solutions peut invoquer de bons arguments et chacune aussi se heurte à des difficultés; le problème doit rester ouvert. Un seul point est sûr : l'activité de Néhémie à Jérusalem de 445 à 433 av. J.-C.*

*Pour l'intelligence religieuse des livres, il est d'ailleurs d'un intérêt secondaire. Conformément à l'intention de l'auteur, ils donnent un tableau synthétique, mais non pas trompeur, de la Restauration juive, et, pour comprendre celle-ci, les idées qui l'ont animée sont plus importantes à connaître que la suite exacte des faits. Profitant de la politique religieuse libérale que les Achéménides appliquaient dans leur empire, les Juifs reviennent en Terre Promise, rétablissent le culte, reconstruisent le Temple, relèvent les murs de Jérusalem et vivent en communauté, gouvernés par des hommes de leur race et régis par la Loi de Moïse. Il ne leur en coûte qu'un loyalisme, facile à garder vis-à-vis d'un pouvoir central respectueux de leurs coutumes. C'est un événement considérable, c'est la naissance du Judaïsme, préparée par les longues méditations de l'Exil, aidée par l'intervention d'hommes providentiels.*

*Après Zorobabel, qui reconstruisit le Temple mais dont le Chroniste tait les titres messianiques reconnus par Aggée et Zacharie, Ag* **2** 23; *Za* **6** 12s, *les pionniers de cette restauration furent Esdras et Néhémie. Esdras est vraiment le père du Judaïsme, avec ses trois idées essentielles : la Race élue, le Temple, la Loi. Sa foi ardente et la nécessité de sauvegarder la communauté renaissante expliquent l'intransigeance de ses réformes et le particularisme qu'il imposa aux siens. Il est le patron des scribes et sa figure est allée en grandissant dans la tradition juive. Néhémie est au service des mêmes idées, mais il agit sur un autre plan : dans Jérusalem restaurée et repeuplée par lui, il donne à son peuple la possibilité et le goût d'une vie nationale. Son mémoire, plus personnel que le rapport d'Esdras, nous le fait connaître sensible et humain, payant de sa personne mais prudent et réfléchi, se confiant en Dieu qu'il prie souvent. Il laissa un grand souvenir et Ben Sira chante l'éloge de « celui qui releva pour nous les murs en ruines », Si* **49** 13.

*Il n'est pas étonnant que, dans ce regroupement de la communauté autour du Temple et sous l'égide de la Loi, le Chroniste ait vu une réalisation de l'idéal théocratique qu'il avait prôné dans les Chroniques. Il sait bien que cette réalisation est imparfaite et qu'il faut attendre autre chose, mais, plus que dans les Chroniques, il est dépendant des documents qu'il reproduit : il garde leur ton particulariste qu'excusaient les circonstances, il respecte leur silence – inspiré sans doute par un loyalisme honorable – sur l'espérance messianique. Il écrit au milieu de cette période des IVᵉ-IIIᵉ siècles avant notre ère, qui nous est si mal connue et où la communauté de Jérusalem, repliée sur elle-même, se reconstruit en silence et s'approfondit spirituellement.*

# LES LIVRES DES CHRONIQUES

## PREMIER LIVRE DES CHRONIQUES

## *I. Autour de David : Les généalogies* [a]

### *1. D'ADAM À ISRAËL* [b]

|| Gn 5 **Origine des trois grands groupes.**

**1** 1 Adam, Seth, Énosh, 2 Qénân, Mahalaléel,
Yéred, 3 Hénok, Mathusalem, Lamek, 4 Noé,
Sem, Cham et Japhet.

|| Gn **10** 2-4 **Les Japhétites.**

5 Fils de Japhet : Gomer, Magog, les Mèdes,
Yavân, Tubal, Méshek, Tiras.
6 Fils de Gomer : Ashkenaz, Riphat, Togarma.
7 Fils de Yavân : Élisha, Tarshish, les Kittim, les
Dananéens.

**Les Chamites.**

|| Gn **10** 6-8 8 Fils de Cham : Kush, Miçrayim, Put, Canaan.
9 Fils de Kush : Séba, Havila, Sabta, Rama,
Sabteka. Fils de Rama : Sheba, Dedân. 10 Kush
engendra Nemrod, qui fut le premier potentat sur
la terre.
|| Gn **10** 13-18 11 Miçrayim engendra les gens de Lud, de Anam,
de Lehab, de Naphtuh, 12 de Putros, de Kasluh et
de Kaphtor d'où sont sortis les Philistins.
13 Canaan engendra Sidon, son premier-né, puis
Hèt, 14 et le Jébuséen, l'Amorite, le Girgashite, 15 le
Hivvite, l'Arqite, le Sinite, 16 l'Arvadite, le Çema-
rite, le Hamatite.

|| Gn **10** 22-29 **Les Sémites.**

17 Fils de Sem : Élam, Ashshur, Arpakshad, Lud
et Aram.
Fils d'Aram : Uç, Hul, Géter et Méshek.
18 Arpakshad engendra Shélah et Shélah engendra Éber. 19 A Éber naquirent deux fils : le premier
s'appelait Péleg, car ce fut en son temps que la terre
fut divisée, et son frère s'appelait Yoqtân.
20 Yoqtân engendra Almodad, Shéleph, Haççar-
mavet, Yérah, 21 Hadoram, Uzal, Diqla, 22 Ébal,
Abimaël, Shéba, 23 Ophir, Havila, Yobab; tous
ceux-là sont fils de Yoqtân.

**De Sem à Abraham.** || Gn **11** 10-26

24 Arpakshad, Shélah, 25 Éber, Péleg, Réu,
26 Serug, Nahor, Térah, 27 Abram – c'est Abraham.
28 Fils d'Abraham : Isaac et Ismaël. 29 Voici leur
postérité :

**Les Ismaélites.**

Le premier-né d'Ismaël, Nebayot, puis Qédar, || Gn **25** 13-16
Adbéel, Mibsam, 30 Mishma, Duma, Massa,
Hadad, Téma, 31 Yetur, Naphish et Qédma. Tels
sont les fils d'Ismaël.
32 Fils de Qetura, concubine d'Abraham. Elle || Gn **25** 2-4
enfanta Zimrân, Yoqshân, Medân, Madiân, Yish-
baq et Shuah. Fils de Yoqshân : Sheba et Dedân.
33 Fils de Madiân : Épha, Épher, Hanok, Abida,
Eldaa. Tous ceux-là sont fils de Qetura.

**Isaac et Ésaü.**

34 Abraham engendra Isaac. Fils d'Isaac : Ésaü || Gn **25** 19
et Israël.
35 Fils d'Ésaü : Éliphaz, Réuel, Yéush, Yalam et || Gn **36** 10-13
Qorah. 36 Fils d'Éliphaz : Témân, Omar, Çephi, || Gn **36** 15-17
Gaétam, Qenaz, Timna, Amaleq. 37 Fils de Réuel :
Nahat, Zérah, Shamma, Mizza.

*a)* Les ch. **1-9** sont presque exclusivement des listes généalogiques. Les généalogies de Gn **1-12** aboutissaient à Abraham; celles de 1 Ch aboutissent à Saül, et préparent ainsi l'histoire de David, héros principal du Chroniste. On comparera les généalogies du Christ, Mt **1** 1-17; Lc **3** 23-38. Le Chroniste utilise le Pentateuque sous sa forme définitive et les premiers livres historiques; il y ajoute des renseignements, probablement authentiques, venant d'autres sources qui lui étaient accessibles. Ces généalogies ont été largement complétées après le Chroniste et dans le même esprit. – Comme ailleurs dans la Bible, ces généalogies n'indiquent souvent que des rapports lâches de parenté ou de voisinage; des noms géographiques deviennent des noms personnels. – L'hébr. et les versions présentent nombre de variantes, qui ne seront pas indiquées ici dans le détail.

*b)* Abrégeant les longues séries de Gn **5** et **11** et copiant d'importants passages de Gn **10**, l'auteur ne retient de toutes les lignées sorties du premier homme que le Sémite Abraham, puis ses fils Isaac et Jacob.

|| Gn 36 20-28 **Séïr.**

[38] Fils de Séïr : Lotân, Shobal, Çibéôn, Ana,
Dishôn, Éçer, Dishân. [39] Fils de Lotân : Hori et
Homam. Sœur de Lotân, Timna. [40] Fils de Shobal :
Alyân, Manahat, Ébal, Shephi, Onam. Fils de
Çibéôn : Ayya et Ana. [41] Fils de Ana : Dishôn.
Fils de Dishôn : Hamrân, Eshbân, Yitrân, Kerân.
[42] Fils d'Éçer : Bilhân, Zaavân, Yaaqân. Fils de
Dishân : Uç et Arân.

|| Gn 36 31-39 **Les rois d'Édom.**

[43] Voici les rois qui régnèrent au pays d'Édom
avant que ne régnât un roi des Israélites : Béla fils
de Béor, et sa ville s'appelait Dinhaba. [44] Béla mourut et à sa place régna Yobab, fils de Zérah, de
Boçra. [45] Yobab mourut et à sa place régna Husham, du pays des Témanites. [46] Husham mourut
et à sa place régna Hadad, fils de Bedad, qui battit
les Madianites dans les Champs de Moab; sa ville
s'appelait Avvit. [47] Hadad mourut et à sa place
régna Samla de Masréqa. [48] Samla mourut et à sa
place régna Shaûl de Rehobot-ha-Nahar. [49] Shaûl
mourut et à sa place régna Baal-Hanân fils
d'Akbor. [50] Baal-Hanân mourut et à sa place régna
Hadad. Sa ville s'appelait Paï; sa femme s'appelait
Mehétabéel, fille de Matred de Mé-Zahab.

**Les chefs d'Édom.** || Gn 36 40-43

[51] Hadad mourut et il y eut alors des chefs en
Édom : le chef Timna, le chef Alya, le chef Yetèt,
[52] le chef Oholibama, le chef Éla, le chef Pinôn,
[53] le chef Qenaz, le chef Témân, le chef Mibçar,
[54] le chef Magdiel, le chef Iram. Tels sont les chefs
d'Édom.

## 2. *JUDA*

|| Gn 35 23-26 **Fils d'Israël.**

**2** [1] Voici les fils d'Israël : Ruben, Siméon, Lévi,
Juda, Issachar et Zabulon, [2] Dan, Joseph et
Benjamin, Nephtali, Gad et Asher.

**Descendants de Juda** [a].

|| Gn 38 2-5 [3] Fils de Juda : Er, Onân et Shéla. Tous trois lui
|| Gn 38 7 naquirent de Bat-Shua, la Cananéenne. Er, pre-
mier-né de Juda, déplut à Yahvé; il le fit mourir.
|| Gn 38 27-30 [4] Tamar, la belle-fille de Juda, lui enfanta Pérèç et
Zérah. Il y eut en tout cinq fils de Juda.
|| Gn 46 12 [5] Fils de Pérèç : Heçrôn et Hamul.
|| 1 R 5 11 [6] Fils de Zérah : Zimri, Étân, Hémân, Kalkol et
Darda, cinq en tout.
Jos 7 [7] Fils de Karmi : Akar, qui fit le malheur d'Israël
pour avoir violé l'anathème.
[8] Fils d'Étân : Azarya.

**Origines de David.**

[9] Fils de Heçrôn : lui naquirent : Yerahméel,
Ram, Kelubaï [b].
|| Nb 1 7 || Rt 4 19-22 [10] Ram engendra Amminadab, Amminadab
engendra Nahshôn, prince des fils de Juda,
[11] Nahshôn engendra Salma et Salma engendra
Booz. [12] Booz engendra Obed, et Obed engendra
Jessé. [13] Jessé engendra Éliab son premier-né, Abinadab le second, Shiméa le troisième, [14] Netanéel
le quatrième, Raddaï le cinquième, [15] Oçem le
sixième, David le septième. [16] Ils eurent pour sœurs
Çeruya et Abigayil. Fils de Çeruya : Abishaï, Joab
et Asahel : trois. [17] Abigayil enfanta Amasa, le
père d'Amasa fut Yéter l'Ismaélite.

**Caleb.** Jos 14 6+

[18] Caleb, fils de Heçrôn, engendra Yeriot d'Azuba 1 Ch 2 42s; 4 11s
sa femme [c]; en voici les fils : Yésher, Shobab et
Ardôn. [19] Azuba mourut et Caleb épousa Éphrata,
qui lui enfanta Hur. [20] Hur engendra Uri et Uri
engendra Beçaléel.
[21] Puis Heçrôn s'unit à la fille de Makir, père de
Galaad. Il l'épousa alors qu'il avait soixante ans et
elle lui enfanta Segub. [22] Segub engendra Yaïr qui
détint vingt-trois villes dans le pays de Galaad.
[23] Puis Aram et Geshur leur prirent les Douars de Nb 32 41-42
Yaïr, Qenat et ses dépendances, soixante villes.
Tout cela appartenait aux fils de Makir [d] père de
Galaad.
[24] Après la mort de Heçron, Caleb s'unit à
Éphrata [e], femme de son père Heçrôn, qui lui
enfanta Ashehur, père de Teqoa.

**Yerahméel.**

[25] Yerahméel, fils aîné de Heçrôn, eut des fils : 1 S 27 10
Ram son premier-né, Buna, Orèn, Oçem, Ahiyya.
[26] Yerahméel eut une autre femme du nom de
Atara; elle fut la mère d'Onam.

*a)* Le Chroniste commence par Juda, la tribu de David, vv. 3-17. Tout le reste du ch. rassemble des listes d'origines diverses (deux généalogies des Calébites), sur les groupes qui furent intégrés à Juda. Ce sont vraisemblablement des additions.
*b)* Kelubaï, comme Kelub, **4** 11, doit être identifié avec Caleb,

**2** 18, cf. Jos **14** 6+.
*c)* « d'Azuba sa femme » d'après les versions; « engendra Azuba, femme » hébr., mais cf. v. 19.
*d)* Conj.; hébr. : « Tous ceux-là étaient fils de Makir ».
*e)* « Caleb s'unit à Éphrata » grec; « dans Caleb, Éphrata » hébr.

27 Les fils de Ram, premier-né de Yerahméel,
furent Maaç, Yamîn et Éqer.
28 Les fils d'Onam furent Shammaï et Yada. Fils
de Shammaï : Nadab et Abishur. 29 La femme
d'Abishur s'appelait Abihayil; elle lui enfanta
Ahbân et Molid. 30 Fils de Nadab : Séled et
Éphraïm. Séled mourut sans fils. 31 Fils d'É-
phraïm : Yishéï; fils de Yishéï : Shéshân; fils de
Shéshân : Ahlaï. 32 Fils de Yada, frère de
Shammaï : Yéter et Yonatân. Yéter mourut sans
fils. 33 Fils de Yonatân : Pélèt et Zaza.
Tels furent les fils de Yerahméel.
34 Shéshân n'eut pas de fils[a], mais des filles. Il
avait un serviteur égyptien dénommé Yarha,
35 auquel Shéshân donna sa fille pour épouse. Elle
lui enfanta Attaï. 36 Attaï engendra Natân, Natân
engendra Zabad, 37 Zabad engendra Éphlal, Éphlal
engendra Obed, 38 Obed engendra Yéhu, Yéhu
engendra Azarya, 39 Azarya engendra Héleç, Héleç
engendra Éleasa, 40 Éleasa engendra Sismaï, Sismaï
engendra Shallum, 41 Shallum engendra Yeqamya,
Yeqamya engendra Élishama.

Jos 14 6+ 1 Ch 2 18s; 4 11s **Caleb**[b].

42 Fils de Caleb, frère de Yerahméel : Mésha, son
premier-né; c'est le père de Ziph. Son fils[c],
Maresha, père de Hébrôn. 43 Fils de Hébrôn :
Qorah, Tappuah, Réqem et Shéma. 44 Shéma
engendra Raham, père de Yorqéam. Réqem engendra Shammaï. 45 Le fils de Shammaï fut Maôn et
Maôn fut le père de Bet-Çur.
46 Épha, concubine de Caleb, enfanta Harân,
Moça et Gazèz. Harân engendra Gazèz.
47 Fils de Yahdaï : Régem, Yotam, Geshân,
Pélèt, Épha et Shaaph.
48 Maaka, concubine de Caleb, enfanta Shéber et
Tirhana. 49 Elle enfanta Shaaph, père de Mad-
manna, et Sheva, père de Makbéna et père de
Gibéa.
La fille de Caleb était Aksa. Jos 15 16-19
50 Tels furent les descendants de Caleb.

**Hur**[d].

Fils de Hur, premier-né d'Éphrata : Shobal, père 2 19; 4 1s
de Qiryat-Yéarim, 51 Salma, père de Bethléem,
Harèph, père de Bet-Gader. 52 Shobal, père de
Qiryat-Yéarim, eut des fils : Haroé, soit la moitié
des Manahatites, 53 et les clans de Qiryat-Yéarim,
Yitrites, Putites, Shumatites et Mishraïtes. Les gens
de Çoréa et d'Eshtaol en sont issus. Jg 13 2; 18 2
54 Fils de Salma : Bethléem, les Netophatites,
Atrot Bet-Yoab, la moitié des Manahatites, les
Çoréatites, 55 les clans Sophrites habitant Yabèç,
les Tiréatites, les Shiméatites, les Sukatites. Ce sont
les Qénites qui viennent de Hammat, père de la Nb 24 21+
maison de Rékab. 2 R 10 15

## 3. *LA MAISON DE DAVID*[e]

**Fils de David.**

**3** 1 Voici les fils de David qui lui naquirent à
|| 2 S 3 2-5 Hébron : Amnon l'aîné, d'Ahinoam de Yiz-
réel; Daniyyel le deuxième, d'Abigayil de Karmel;
2 Absalom le troisième, fils de Maaka, fille de
Talmaï, roi de Geshur; Adonias le quatrième, fils
de Haggit; 3 Shephatya le cinquième, d'Abital;
Yitréam, le sixième, de Égla sa femme. 4 Il y en eut
donc six qui lui naquirent à Hébron, où il régna
sept ans et six mois.
Il régna trente-trois ans à Jérusalem. 5 Voici les
= 14 3-7 fils qui lui naquirent à Jérusalem : Shiméa, Shobab,
S 5 14-16 Natân, Salomon, tous quatre enfants de Bat-Shua[f],
fille de Ammiel; 6 Yibhar, Élishama, Éliphélèt,
7 Nogah, Népheg, Yaphia, 8 Élishama, Élyada, Éliphélèt : neuf.
9 Ce sont là tous les fils de David, sans compter
les fils des concubines. Tamar était leur sœur. 2 S 13 1s

**Rois de Juda**[g].

10 Fils de Salomon : Roboam; Abiyya son fils,
Asa son fils, Josaphat son fils, 11 Joram son fils,
Ochozias son fils, Joas son fils, 12 Amasias son fils,
Azarias son fils, Yotam son fils, 13 Achaz son fils,
Ézéchias son fils, Manassé son fils, 14 Amon son
fils, Josias son fils. 15 Fils de Josias : Yohanân[h]
l'aîné, Joiaqim le deuxième, Sédécias le troisième,

*a)* Tradition différente de celle du v. 31.

*b)* Autre registre généalogique des descendants de Caleb, cf. vv. 18s, correspondant sans doute à une époque différente, lorsque les rapports des clans avaient changé.

*c)* « son fils » conj.; « les fils de (Maresha) » hébr.

*d)* Hur, « premier-né d'Éphrata », n'est mentionné qu'une seule fois comme fils de Caleb, v. 19, mais cf. vv. 24, 42; **3** 15. En contraste avec le groupe de ce dernier, cf. Jos **14** 6+, il semble que Hur représente une pure lignée judéenne qui, d'Éphrata-Bethléem, s'est étendue vers le nord-ouest (Qiryat-Yéarim, Çoréa, Eshtaol).

*e)* Ce ch. qui continue la lignée davidique jusqu'après l'Exil, n'est pas à sa place dans cette nomenclature des tribus; au moins devrait-il suivre **2** 17, mais il est vraisemblablement additionnel. La liste des fils de David nés à Jérusalem, vv. 5-8, est répétée en **14** 3-7.

*f)* Identique à « Bethsabée », que donnent ici le grec et la Vulg.

*g)* Cette liste dépend du livre des Rois. – Shallum, fils de Josias, est identique au Joachaz de 2 R **23** 30s, cf. Jr **22** 11.

*h)* Certains mss ont « Joachaz » au lieu de « Yohanân ».

2 Ch 36 1s Shallum le quatrième. 16 Fils de Joiaqim : Jékonias
son fils, Sédécias son fils.

**La lignée royale après l'exil [a].**

17 Fils de Jékonias le captif : Shéaltiel son fils,
18 puis Malkiram, Pedaya, Shéneaççar, Yeqamya,
Hoshama, Nedabya. 19 Fils de Pedaya : Zoroba-
bel [b] et Shiméï. Fils de Zorobabel : Meshullam et
Hananya; Shelomit était leur sœur. 20 Fils de Me-
shullam [c] : Hashuba, Ohel, Bérékya, Hasadya,
Yushab-Hésed : cinq. 21 Fils de Hananya : Pelatya;
Yeshaya son fils, Rephaya son fils, Arnân son fils,
Obadya son fils, Shekanya son fils [d]. 22 Fils de She- Esd 8 3
kanya : Shemaya, Hattush, Yigéal, Bariah, Néar-
ya, Shaphat : six. 23 Fils de Néarya : Élyoénaï,
Hizqiyya, Azriqam : trois. 24 Fils d'Élyoénaï :
Hodaïvahu, Élyashib, Pelaya, Aqqub, Yohanân,
Delaya, Anani : sept.

## 4. *LES TRIBUS MÉRIDIONALES* [e]

**Juda. Shobal.**

2 3 **4** 1 Fils de Juda : Péreç, Heçrôn, Karmi, Hur,
Shobal.
2 Reaya, fils de Shobal, engendra Yahat, et
Yahat engendra Ahumaï et Lahad. Ce sont les
clans Çoréatites.

2 50+ **Hur.**

3 Voici Abi-Étam, Yizréel, Yishma et Yidbash,
dont la sœur s'appelait Haçlelponi.
4 Penuel était père de Gedor, Ézer père de
Husha.
Tels sont les fils de Hur, premier-né d'Éphrata,
père de Bethléem.

**Ashehur.**

5 Ashehur, père de Teqoa, eut deux femmes :
Héléa et Naara.
6 Naara lui enfanta Ahuzam, Hépher, les Timni-
tes et les Ahashtarites. Tels sont les fils de Naara.
7 Fils de Héléa : Çéret, Çohar, Etnân.
8 Qoç engendra Anub, Haççobéba et les clans
2 55 d'Aharhel, fils de Harum. 9 Yabeç l'emporta sur ses
Gn 35 18 frères. Sa mère lui donna le nom de Yabeç en
disant : « J'ai enfanté dans la détresse [f]. » 10 Yabeç
invoqua le Dieu d'Israël : « Si vraiment tu me
bénis, dit-il, tu accroîtras mon territoire, ta main
sera avec moi, tu feras s'éloigner le malheur et ma
détresse prendra fin. » Dieu lui accorda ce qu'il
avait demandé.

**Caleb.** Jos 14 6+

11 Kelub, frère de Shuha, engendra Mehir; c'est 1 Ch 2 18s, 42
le père d'Eshtôn. 12 Eshtôn engendra Bet-Rapha, 2 9+
Paséah, Tehinna, père de Ir-Nahash. Tels sont les
hommes de Rékab.
13 Fils de Qenaz : Otniel et Seraya. Fils de || Jg 1 13
Otniel : Hatat et Meonotaï; 14 Meonotaï engendra
Ophra. Seraya engendra Yoab père de Gé-Hara-
shim [g]. Ils étaient en effet artisans. Ne 11 35
15 Fils de Caleb fils de Yephunné : Ir, Éla et || Nb 13 6
Naam. Fils d'Éla : Qenaz.
16 Fils de Yehalléléel : Ziph, Zipha, Tirya, Asa-
réel.
17 Fils de Ezra : Yéter, Méred, Épher, Yalôn.
Puis elle [h] conçut Miryam, Shammaï et Yishba
père d'Eshtemoa, 18 dont la femme judéenne
enfanta Yéred père de Gedor, Héber père de Soko
et Yequtiel père de Zanoah. Tels sont les fils de
Bitya, la fille du Pharaon qu'avait épousée Méred.
19 Fils de la femme de Hodiyya, sœur de Naham
père de Qeïla le Garmite et d'Eshtemoa le Maakatite.
20 Fils de Shimôn : Amnôn, Rinna, Ben-Hanân,
Tilôn.
Fils de Yisheï : Zohet et Ben-Zohet.

**Shéla [i].**

21 Fils de Shéla, fils de Juda : Er père de Léka, 2 3
Lada père de Maresha et les clans des producteurs
de byssus à Bet-Ashbéa. 22 Yoqim, les hommes de

*a)* Cette liste conduit sans doute jusqu'au temps du Chroniste lui-même.

*b)* Dans tous les autres textes, cf. Esd 3 2; Ag 1 1, Zorobabel est fils de Shéaltiel.

*c)* « Fils de Meshullam » manque dans le texte.

*d)* « son fils » (les quatre fois) grec; « les fils de » hébr.

*e)* Les notices sur Juda, Hur et Caleb sont parallèles à celles du ch. 2, mais avec des noms en grande partie différents. On y ajoute des notices nouvelles concernant Ashehur et Shéla. Il est possible que cette section soit additionnelle elle aussi, utilisant d'ailleurs des souvenirs anciens, et que le livre primitif ait passé directement de la notice sur Juda, 2 1-17, à celle sur Siméon, 4 24s.

*f)* Jeu de mots entre *Ya'beç* et *'oçeb*, « détresse ».

*g)* Ce nom signifie « Val des artisans (en bois et fer) », cf. Ne 11 35

*h)* Bitya, v. 18.

*i)* Cette notice tranche sur les listes précédentes. Les rapports de famille entre Bethléem et Moab sont également soulignés dans 1 S 22 3 et dans le livre de Ruth. – L'artisanat était une entreprise familiale et héréditaire, cf. déjà v. 14; le choix d'une résidence dépendait des conditions géographiques et économiques.

Kozeba, Yoash et Saraph qui allèrent se marier en
Moab [a] avant de revenir à Bethléem [b]. (Ces événements sont anciens.) 23 Ce sont eux qui étaient
potiers et habitaient Netayim et Gedéra. Ils demeuraient là avec le roi, attachés à son atelier.

**Siméon [c].**

|| Gn **46** 10 24 Fils de Siméon : Nemuel, Yamîn, Yarib,
|| Nb **26** 12s Zérah, Shaûl. 25 Son fils Shallum, son fils Mibsam,
**1** 29-30 son fils Mishma. 26 Fils de Mishma : Hammuel son
Gn **25** 13-14 fils, Zakkur son fils, Shiméï son fils. 27 Shiméï eut
seize fils et six filles, mais ses frères n'eurent pas
beaucoup d'enfants et l'ensemble de leurs clans ne
se développa pas autant que les fils de Juda.

|| Jos **19** 1-8 28 Ils habitèrent Bersabée, Molada et Haçar-
Shual, 29 Bilha, Éçém et Tolad, 30 Bétuel, Horma
et Çiqlag, 31 Bet-Markabot, Haçar-Susim, Bet-
Bireï, Shaarayim. Telles furent leurs villes
jusqu'au règne de David. 32 Ils eurent pour villages : Étam, Ayîn, Rimmôn, Tokèn et Ashân, cinq
villes, 33 et tous les villages qui entouraient ces villes jusqu'à Baalat. C'est là qu'ils demeurèrent et
qu'ils furent enregistrés : 34 Meshobab, Yamlek,
Yosha fils d'Amaçya, 35 Yoël, Yéhu fils de Yoshi-
bya, fils de Seraya, fils d'Asiel, 36 Élyoénaï, Yaaqo-
ba, Yeshohaya, Asaya, Adiel, Yesimiel, Benaya,
37 Ziza, Ben-Shiphéï, Ben-Allôn, Ben-Yedaya, Ben-
Shimri, Ben-Shemaya. 38 Ces hommes, recensés Nb **1** 2
nominativement, étaient princes dans leurs clans, et
leurs familles s'accrurent énormément. 39 Ils allèrent du col de Gérar [d] jusqu'à l'orient de la vallée,
cherchant pâture pour leur petit bétail. 40 Ils trouvèrent de bons et gras pâturages, le pays était vaste,
tranquille et pacifié. Des Chamites [e] en effet y habitaient auparavant.

41 Les Siméonites, inscrits nominativement, arrivèrent au temps d'Ézéchias, roi de Juda; ils conquirent leurs tentes et les abris [f] qui se trouvaient là.
Ils les vouèrent à un anathème qui dure encore de Jos **6** 17+
nos jours et ils s'établirent à leur place, car il y
avait là des pâturages pour leur petit bétail.

42 Certains d'entre eux, appartenant aux fils de
Siméon, gagnèrent la montagne de Séïr : cinq cents
hommes ayant à leur tête Pelatya, Nearya,
Rephaya, Uzziel, les fils de Yishéï. 43 Ils battirent
le reste des réchappés d'Amaleq et demeurèrent là Ex **17** 8+
jusqu'à nos jours.

## *5. LES TRIBUS DE TRANSJORDANIE*

**Ruben.**

5 1 Fils de Ruben, premier-né d'Israël. Il était en
Gn **35** 22 effet le premier-né; mais quand il eut violé la
couche de son père, son droit d'aînesse fut donné
aux fils de Joseph, fils d'Israël, et il ne fut plus
compté comme aîné. 2 Juda prévalut sur ses frères
et obtint un prince issu de lui, mais le droit d'aînesse appartenait à Joseph [g].
|| Gn **46** 9 3 Fils de Ruben premier-né d'Israël/: Hénok,
Nb **26** 5s Pallu, Heçrôn, Karmi.

**Yoël [h].**

4 Fils de Yoël : Shemaya son fils, Gog son fils,
Shiméï son fils, 5 Mika son fils, Reaya son fils, Baal
son fils, 6 Béera son fils, que Téglat-Phalasar, roi
d'Assyrie, emmena en captivité. Il fut prince des
Rubénites.

7 Ses frères, par clans, groupés selon leur
parenté : Yeïel en tête, Zekaryahu, 8 Béla fils de
Azaz, fils de Shéma, fils de Yoël.

**Habitat de Ruben.**

C'est Ruben qui, établi à Aroër, s'étendait
jusqu'à Nebo et Baal-Meôn. 9 A l'orient, son habi- || Nb **32** 37s
tat atteignait le seuil du désert que limite l'Euphrate, car il avait de nombreux troupeaux au pays
de Galaad.

10 Au temps de Saül, ils firent la guerre aux
Hagrites, ils tombèrent entre leurs mains et les
Hagrites s'établirent dans leurs tentes sur toute la
zone orientale de Galaad [i].

*a)* Cf. Rt **1**. – Autre traduction : « furent maîtres de Moab ».
*b)* « (avant) de revenir à Bethléem » (*wayyashubû bêt lehem*) conj.; *wayyashubê lahem* hébr. corrompu.
*c)* Cette notice comprend : une généalogie, vv. 24-27; une liste de villes, vv. 28-33; les mouvements des clans, vv. 34-43. Le v. 31[b] donne le règne de David comme la date de l'intégration de Siméon à Juda, cf. la liste de Jos **15**, où ces villes sont comptées parmi celles de Juda. Les Siméonites gardèrent très longtemps leur genre de vie semi-nomade, cf. v. 39s.
*d)* « Gérar » grec; « Gedor » hébr.
*e)* D'après **1** 8, les fils de Cham sont à la fois les habitants de Canaan et de l'Afrique. Ici, ils désignent simplement les non-Israélites.
*f)* Autre traduction : « et les Meûnites », cf. 2 Ch **20** 1.
*g)* Le Chroniste, attaché à David et à sa dynastie, concilie la prééminence accordée à Juda par Gn **49** 10 avec la tradition qui considérait Joseph comme un premier-né, cf. Dt **33** 17+. – Le texte grec corrige « droit d'aînesse » en « bénédiction ».
*h)* Cette notice est propre au Chroniste, qui ne précise pas le lien entre Yoël et Ruben. – La déportation par Téglat-Phalasar en 732, cf. 2 R **15** 29, avait frappé aussi Galaad, séjour de la tribu de Ruben.
*i)* La tribu de Ruben disparut très tôt et ses restes se dispersèrent. Il semble, d'après ce texte, que des groupes rubénites menèrent une vie semi-nomade, à la limite du désert oriental, jusqu'à l'époque de Saül où ils tombèrent sous les coups des Arabes hagrites.

Gad [a].
Jos 13 24-28 11 A leur côté, les fils de Gad habitaient le pays
Gn 46 16 Nb 26 15-18 du Bashân jusqu'à Salka : 12 Yoël en tête, Shapham
Dt 3 10s le second, puis Yanaï et Shaphat en Bashân.
13 Leurs frères, par familles : Mikaël, Meshullam, Sheba, Yoraï, Yakân, Zia, Éber : sept.
14 Voici les fils d'Abihayil : Ben-Huri, Ben-Ya-
roah, Ben-Giléad, Ben-Mikaël, Ben-Yeshishaï, Ben-
Yahdo, Ben-Buz. 15 Ahi, fils de Abdiel, fils de
Guni, était le chef de leur famille.
16 Ils étaient établis en Galaad, en Bashân et ses
dépendances, ainsi que dans tous les pâturages du
Sharon [b] jusqu'à leurs extrêmes limites. 17 C'est à
l'époque de Yotam, roi de Juda, et de Jéroboam,
roi d'Israël, qu'ils furent tous enregistrés.
18 Les fils de Ruben, les fils de Gad, la demi-tribu
de Manassé, certains de leurs guerriers, hommes
armés du bouclier, de l'épée, tirant de l'arc et
exercés au combat, au nombre de 44.760 aptes à
faire campagne, 19 firent la guerre aux Hagrites, à
Gn 25 15 Yetur, à Naphish et à Nodab. 20 Dieu leur vint en
aide contre eux, et les Hagrites, ainsi que tous leurs
Dt 33 20-21 alliés, tombèrent en leur pouvoir, car ils avaient fait
appel à Dieu dans le combat, et ils furent exaucés
pour avoir mis en lui leur confiance. 21 Ils razzièrent les troupeaux des Hagrites, 50.000 chameaux,
250.000 têtes de petit bétail, 2.000 ânes, et 100.000
personnes, 22 car, Dieu ayant mené le combat, la
plupart avaient été tués. Et ils s'installèrent à leur
place jusqu'à l'exil [c].

**La demi-tribu de Manassé.**

23 Les fils de la demi-tribu de Manassé s'établi- || Nb 32 39
rent dans le pays entre Bashân et Baal-Hermôn, le
Senir et le mont Hermon.
Ils étaient nombreux. 24 Voici les chefs de leurs
familles : Épher, Yishéï, Éliel, Azriel, Yirmeya,
Hodavya, Yahdiel. C'étaient des preux valeureux,
des hommes renommés, chefs de leurs familles.
25 Mais ils furent infidèles envers le Dieu de leurs
pères, et se prostituèrent aux dieux des peuples du
pays que Dieu avait anéantis devant eux. 26 Le
Dieu d'Israël excita l'animosité de Pul, roi d'Assyrie, et celle de Téglat-Phalasar, roi d'Assyrie. Il
déporta Ruben, Gad et la demi-tribu de Manassé,
et les emmena à Halah et sur le Habor, à Hara
et au fleuve de Gozân [d]. Ils y sont encore aujour-
d'hui.

## 6. *LÉVI* [e]

6 1 **L'ascendance des grands prêtres.**
|| Gn 46 11 Ex 6 18 27 Fils de Lévi : Gershôn, Qehat et Merari. 28 Fils
de Qehat : Amram, Yiçhar, Hébrôn, Uzziel. 29 Fils
|| Nb 26 59-60 d'Amram : Aaron, Moïse et Miryam. Fils
d'Aaron : Nadab et Abihu, Éléazar et Itamar.
4 30 Éléazar engendra Pinhas, Pinhas engendra
5 Abishua, 31 Abishua engendra Buqqi, Buqqi engen-
6 dra Uzzi, 32 Uzzi engendra Zerahya, Zerahya
7 engendra Merayot, 33 Merayot engendra Amarya,
8 Amarya engendra Ahitub, 34 Ahitub engendra
9 Sadoq, Sadoq engendra Ahimaaç, 35 Ahimaaç
engendra Azarya. Azarya engendra Yohanân.
10 36 Yohanân engendra Azarya. C'est lui qui exerça
le sacerdoce dans le Temple qu'avait bâti Salomon
11 à Jérusalem. 37 Azarya engendra Amarya, Amarya
12 engendra Ahitub, 38 Ahitub engendra Sadoq, Sadoq
13 engendra Shallum, 39 Shallum engendra Hilqiyya,
Hilqiyya engendra Azarya, 40 Azarya engendra 14
Seraya, Seraya engendra Yehoçadaq 41 et Yehoça- 15
daq dut partir quand Yahvé, par la main de Nabuchodonosor, exila Juda et Jérusalem.

**Descendance de Lévi.** || Nb 3 17-2

6 1 Fils de Lévi : Gershom, Qehat et Merari. 16
2 Voici les noms des fils de Gershom : Libni 17
et Shiméï. 3 Fils de Qehat : Amram, Yiçhar, 18
Hébrôn, Uzziel. 4 Fils de Merari : Mahli et Mushi. 19
Tels sont les clans de Lévi groupés selon leurs
pères.
5 Pour Gershom [f] : Libni son fils, Yahat son fils, 20
Zimma son fils, 6 Yoah son fils, Iddo son fils, Zérah 21
son fils, Yéatraï son fils.
7 Fils de Qehat : Amminadab son fils, Coré son 22
fils, Assir son fils, 8 Elqana son fils, Ébyasaph son 23
fils, Assir son fils, 9 Tahat son fils, Uriel son fils, 24

*a)* Les listes concernant Gad et la demi-tribu de Manassé sont propres au Chroniste. Elles peuvent provenir d'un recensement sous Jéroboam II, cf. v. 17.
*b)* « Sharon », non pas la plaine côtière, mais un lieu de Transjordanie cité dans la stèle de Mésha.
*c)* Le petit récit des vv. 18-22, pour lequel on n'a pas de parallèle et dont les chiffres sont fantastiques, garde le souvenir des conflits périodiques entre les tribus de Transjordanie et leurs turbulents voisins arabes. L'exil en question est la déportation par Téglat-Phalasar, cf. vv. 6 et 26.
*d)* Pul et Téglat-Phalasar, ne sont qu'un seul et même personnage, cf. 2 R 15 19+. - Le Chroniste combine la déportation de Galaad par Téglat-Phalasar, 2 R 15 29, avec la liste des villes où furent déportés les habitants de Samarie par Sargon, en 721.
*e)* Ces longues listes sont en majeure partie des additions, composées à partir des données de la Bible, de sources invérifiables et de combinaisons arbitraires. Il est possible que le livre primitif n'ait pas contenu beaucoup plus sur Lévi que 6 1-4, 34-38.
*f)* Gershom (appelé Gershôn dans Nb) descendait probable-

25 Uzziya son fils, Shaûl son fils. 10 Fils d'Elqana :
26 Amasaï et Ahimot. 11 Elqana son fils, Çôphaï son
1 S 1 1 fils, Nahat son fils, 12 Élyab son fils, Yeroham son
28 fils, Elqana son fils. 13 Fils d'Elqana : Samuel l'aîné
et Abiyya le second.
Ex 6 19 14 Fils de Merari : Mahli, Libni son fils, Shiméï
Nb 26 58 30 son fils, Uzza son fils, 15 Shiméa son fils, Haggiyya
son fils, Asaya son fils.

**Les chantres [a].**

31 16 Voici ceux que David chargea de diriger le
chant dans le temple de Yahvé, lorsque l'arche y
32 eut trouvé le repos. 17 Ils furent au service du chant
devant la demeure de la Tente du Rendez-vous
jusqu'à ce que Salomon eût construit à Jérusalem
le Temple de Yahvé, et ils remplissaient leur fonction en se conformant à leur règle.
33 18 Voici ceux qui étaient en fonction et leurs
fils [b] :
Parmi les fils de Qehat : Hémân le chantre, fils
34 de Yoël, fils de Samuel, 19 fils d'Elqana, fils de
35 Yeroham, fils d'Éliel, fils de Toah, 20 fils de Çuph,
36 fils d'Elqana, fils de Mahat, fils de Amasaï, 21 fils
d'Elqana, fils de Yoël, fils de Azarya, fils de
37 Çephanya, 22 fils de Tahat, fils d'Assir, fils d'Ébya-
38 saph, fils de Coré, 23 fils de Yiçhar, fils de Qehat,
fils de Lévi, fils d'Israël.
39 24 Son frère Asaph se tenait à sa droite : Asaph,
40 fils de Bérékyahu, fils de Shiméa, 25 fils de Mikaël,
41 fils de Baaséya, fils de Malkiyya, 26 fils d'Etni, fils
42 de Zérah, fils d'Adaya, 27 fils d'Étân, fils de Zimma,
43 fils de Shiméï, 28 fils de Yahat, fils de Gershom, fils
de Lévi.
44 29 A gauche, leurs frères, fils de Merari : Étân,
45 fils de Qishi, fils d'Abdi, fils de Malluk, 30 fils de
46 Hashabya, fils d'Amaçya, fils de Hilqiyya, 31 fils
47 d'Amçi, fils de Bani, fils de Shémer, 32 fils de Mahli,
fils de Mushi, fils de Merari, fils de Lévi.

**Les autres lévites.**

48 33 Leurs frères les lévites étaient entièrement
adonnés au service de la Demeure du Temple de
49 Dieu. 34 Aaron et ses fils faisaient fumer les offrandes sur l'autel des holocaustes et sur l'autel des parfums; ils s'occupaient exclusivement des choses
Lv 2 3+ très saintes et du rite d'expiation sur Israël; ils se
Lv 1 4 conformaient à tout ce qu'avait ordonné Moïse,
serviteur de Dieu.

35 Voici les fils d'Aaron : Éléazar son fils, Pinhas 50
son fils, Abishua son fils, 36 Buqqi son fils, Uzzi son 51
fils, Zerahya son fils, 37 Merayot son fils, Amarya 52
son fils, Ahitub son fils, 38 Sadoq son fils, Ahimaaç 53
son fils.

**Habitat des Aaronides.** Jos 21 4-40

39 Voici leurs lieux d'habitation, selon les limites 54
de leurs campements :
Aux fils d'Aaron, du clan de Qehat (car c'est sur || Jos 21 4, 10-19
eux que tomba le sort), 40 on donna Hébron, dans 55
le pays de Juda, avec les pâturages environnants.
41 On donna la campagne et ses villages à Caleb, 56
fils de Yephunné, 42 mais on donna aux fils d'Aaron 57
les villes de refuge : Hébron, Libna et ses pâturages, Yattir, Eshtemoa et ses pâturages, 43 Hilaz et 58
ses pâturages, Debir et ses pâturages, 44 Ashân et 59
ses pâturages, Bet-Shémesh et ses pâturages. 45 Sur 60
la tribu de Benjamin on leur donna Géba et ses
pâturages, Alémet et ses pâturages, Anatot et ses
pâturages. Leurs clans comprenaient en tout treize
villes.

**Habitat des autres Lévites.**

46 Les autres fils de Qehat obtinrent au sort dix || Jos 21 5-8
villes prises aux clans de la tribu, de la demi-tribu,
moitié de Manassé. 47 Les fils de Gershom et leurs 62
clans obtinrent treize villes prises sur la tribu
d'Issachar, la tribu d'Asher, la tribu de Nephtali et
la tribu de Manassé en Bashân. 48 Les fils de Merari 63
et leurs clans obtinrent au sort douze villes prises
sur la tribu de Ruben, la tribu de Gad et la tribu
de Zabulon. 49 Les Israélites attribuèrent aux 64
Lévites ces villes avec leurs pâturages.
50 Sur les tribus des fils de Juda, des fils de || Jos 21 9
Siméon et des fils de Benjamin, ils attribuèrent
aussi par tirage au sort les villes auxquelles ils donnèrent leurs noms.
51 C'est sur la tribu d'Éphraïm que furent prises || Jos 21 20-39
les villes du territoire de quelques clans des fils de
Qehat. 52 On leur donna les villes de refuge suivan- 67
tes : Sichem et ses pâturages dans la montagne d'É-
phraïm, Gézer et ses pâturages, 53 Yoqméam et ses 68
pâturages, Bet-Horôn et ses pâturages, 54 Ayyalôn 69
et ses pâturages, Gat-Rimmôn et ses pâturages,
55 ainsi que sur la demi-tribu de Manassé : Aner et 70
ses pâturages, Bileam et ses pâturages. Ceci pour
le clan des autres fils de Qehat.

ment de Moïse selon les traditions du Nord, Ex **2** 22; Jg **18** 30. Cette famille avait eu la charge du sanctuaire schismatique de Dan, aussi la tradition « sacerdotale » préféra-t-elle les Qehatites.

*a)* Dans la ligne d'Os **14** 3; Is **12**; **25-26**, sans doute Ml **1** 11, le Chroniste voit dans le chant sacré (louange, confession, action de grâces), l'essentiel du culte sacrificiel. Il en rattache l'institution à David.

*b)* Les trois chantres de David, Hémân, Asaph et Étân (Yedutûn en **25** 1, 3, cf. ch. **16**) sont rattachés ici aux trois lignées lévitiques de Qehat, Gershom et Merari. En fait, Hémân et Étân sont mentionnés comme d'anciens sages-chantres en 1 R **5** 11, et Étân y est appelé « l'indigène », ainsi que dans le titre du Ps **89** : il semble que le Temple de Jérusalem a d'abord fait appel à des experts cananéens. – Le rattachement d'Hémân et Étân

71 56 Pour les fils de Gershom, on prit, sur les clans
de la demi-tribu de Manassé, Golân en Bashân et
72 ses pâturages, Ashtarot et ses pâturages, – 57 sur la
tribu d'Issachar, Cadès et ses pâturages, Daberat
73 et ses pâturages, 58 Ramot et ses pâturages, Anem
74 et ses pâturages, – 59 sur la tribu d'Asher, Mashal
75 et ses pâturages, Abdôn et ses pâturages, 60 Huqoq
76 et ses pâturages, Rehob et ses pâturages, – 61 sur
la tribu de Nephtali, Qédesh en Galilée et ses pâturages, Hammôn et ses pâturages, Qiryatayim et ses
pâturages.

62 Pour les autres fils de Merari : sur la tribu de 77
Zabulon : Rimmôn et ses pâturages, Tabor et ses
pâturages, – 63 au-delà du Jourdain vers Jéricho, à 78
l'orient du Jourdain, sur la tribu de Ruben : Béçer
dans le désert et ses pâturages, Yahça et ses pâturages, 64 Qedémot et ses pâturages, Mephaat et ses 79
pâturages, – 65 sur la tribu de Gad : Ramot en 80
Galaad et ses pâturages, Mahanayim et ses pâturages, 66 Heshbôn et ses pâturages, Yazèr et ses pâtu- 81
rages.

## 7. *LES TRIBUS DU NORD* [a]

**Issachar.**

|| Gn 46 13 **7** 1 Pour les fils d'Issachar : Tola, Pua, Yashub,
|| Nb 26 23-24 Shimrôn : quatre.
Jg 10 1 2 Fils de Tola : Uzzi, Rephaya, Yeriel, Yahmaï,
Yibsam, Shemuel, chefs des familles de Tola. Celles-ci comptaient, au temps de David, 22.600 preux
valeureux, groupés selon leur parenté.

3 Fils de Uzzi : Yizrahya. Fils de Yizrahya :
Mikaël, Obadya, Yoël, Yishshiyya. En tout cinq
chefs 4 responsables des troupes de combat,
comptant 36.000 hommes, répartis selon leur
parenté et leurs familles; il y avait en effet beaucoup de femmes et d'enfants. 5 Ils avaient des frères
appartenant à tous les clans d'Issachar, vaillants
preux au nombre de 87.000 hommes, ils appartenaient tous à un groupement.

8 1s **Benjamin.**

|| Gn 46 21
|| Nb 26 38 6 Benjamin : Béla, Béker, Yediael : trois.
7 Fils de Béla : Eçbôn, Uzzi, Uzziel, Yerimot et
Iri : cinq, chefs de famille, preux valeureux, grou-
pant 22.034 hommes.
8 Fils de Béker : Zemira, Yoash, Éliézer,
Jos 21 18 Élyoénaï, Omri, Yerémot, Abiyya, Anatot, Alémèt,
tous ceux-là étaient les fils de Béker; 9 les chefs de
leurs familles, vaillants preux, groupèrent selon
leur parenté 20.200 hommes.
10 Fils de Yediael : Bilhân. Fils de Bilhân :
Yéush, Benjamin, Éhud, Kenaana, Zetân, Tarshish,
Ahishahar. 11 Tous ces fils de Yediael devinrent des
chefs de famille, preux valeureux, au nombre de
17.200 hommes aptes à faire campagne et à
combattre.
12 Shuppim et Huppim. Fils de Ir : Hushim; son || Nb 26 39
fils : Aher.

**Nephtali.** || Gn 46 24

13 Fils de Nephtali : Yahaçiel, Guni, Yéçer, || Nb 26 48-50
Shallum. Ils étaient fils de Bilha [b].

**Manassé** [c].

14 Fils de Manassé : Asriel qu'enfanta sa concubine araméenne. Elle enfanta Makir, père de
Galaad. 15 Makir prit une femme pour Huppim et
Shuppim. Le nom de sa sœur était Maaka.
Le nom du second [d] était Çelophehad. Çelophe- Nb 26 33
had eut des filles.
16 Maaka, femme de Makir, enfanta un fils
qu'elle appela Péresh. Son frère s'appelait Shéresh
et ses fils Ulam et Réqem.
17 Le fils de Ulam : Bedân. Tels furent les fils de
Galaad, fils de Makir, fils de Manassé.
18 Il avait pour sœur Hammolékèt. Elle enfanta
Ishehod, Abiézer et Mahla. Jg 6 11s
19 Shemida eut des fils : Ahyân, Sichem, Liqhi et
Aniam.

**Éphraïm** [e].

20 Fils d'Éphraïm : Shutélah. Béred son fils, Nb 26 35
Tahat son fils, Éléada son fils, Tahat son fils,
21 Zabad son fils, Shutélah son fils, Ézer et Eléad [f].

à la lignée de Juda, **2** 6, doit être dû à une confusion entre le mot *'ezrah*, « l'indigène » et le nom de *Zérah*, fils de Juda, cf. Gn **38** 30; **46** 12.

*a)* Ce ch. est également composé à partir de sources diverses; en particulier, les chiffres concernant Issachar, Benjamin et Asher indiquent l'usage d'une liste de recensement, d'ailleurs différente de celle de Nb **1** et **26**.

*b)* Les fils de Bilha furent Dan et Nephtali, Gn **30** 5-8. Hushim, v. 12, cf. Gn **46** 23, représente sans doute ici la tribu de Dan qui n'est pas décrite par ailleurs.

*c)* La liste est compliquée, et probablement corrompue : Huppim et Shuppim doivent provenir du v. 12; Maaka est sœur, v. 15, et femme, v. 16, de Makir. Cette liste concerne surtout Makir, établi en Galaad, c'est-à-dire la « demi-tribu » de Manassé, Nb **32** 39s.

*d)* Sans doute le second fils, le premier étant Asriel.

*e)* La liste des descendants d'Éphraïm aboutit à Josué, v. 27. Elle est interrompue par la petite histoire des vv. 21b-24.

*f)* Le Chroniste complète la liste de Nb **26** 35s par une autre liste qui ajoute deux noms benjaminites : Zabad, cf. **8** 15s, et Ézer, cf. **4** 4. Éphraïm et Benjamin étaient voisins et certains clans ont pu passer d'une tribu à l'autre.

Des gens de Gat natifs du pays les tuèrent, car
ils étaient descendus razzier leurs troupeaux.
22 Leur père Éphraïm s'en lamenta longtemps et ses
frères vinrent le consoler. 23 Il s'en fut alors trouver
sa femme; elle conçut et enfanta un fils qu'il
8 13 nomma Béria car « sa maison était dans le mal-
Jos **16** 3 heur [a] ». 24 Il eut pour fille Shéera qui bâtit Bet-Horôn, le bas et le haut, et Uzzèn-Shéera.
25 Réphah son fils, Shutélah [b] son fils, Tahân son
Nb **1** 10 fils, 26 Ladân son fils, Ammihud son fils, Élishama
Ex **33** 11 son fils, 27 Nôn son fils, Josué son fils.
28 Ils possédaient des domaines et habitaient à
Béthel et dans ses dépendances, à Naarân à l'est,
à Gézer et dans ses dépendances à l'ouest, à
Sichem [c] et dans ses dépendances, et même à Ayya
et ses dépendances. 29 Bet-Sheân avec ses dépendances, Tanak avec ses dépendances, Megiddo
avec ses dépendances, Dor avec ses dépendances,
étaient aux mains des fils de Manassé. C'est là que
demeuraient les fils de Joseph, fils d'Israël.

Asher [d].
30 Fils d'Asher : Yimna, Yishva, Yishvi, Béria; || Gn **46** 17
Sérah leur sœur. || Nb **26** 44s
31 Fils de Béria : Héber et Malkiel. C'est le père
de Birzayit. 32 Héber engendra Yaphlet, Shémer,
Hotam et Shua leur sœur.
33 Fils de Yaphlet : Pasak, Bimhal et Ashvat.
Tels sont les fils de Yaphlet.
34 Fils de Shémer son frère : Rohga, Hubba et
Aram.
35 Fils de Hélem son frère : Çophah, Yimna, Shé-
lesh et Amal. 36 Fils de Çophah : Suah, Harnépher,
Shual, Béri et Yimra, 37 Béçer, Hod, Shamma,
Shilsha, Yitrân et Bééra. 38 Fils de Yitrân :
Yephunné, Pispa, Ara.
39 Fils d'Ulla : Arah, Hanniel, Riçya.
40 Tous ceux-là étaient fils d'Asher, chefs des
familles, hommes d'élite, vaillants preux, premiers
des princes, ils se groupèrent en troupes de combat
comptant vingt-six mille hommes.

## 8. *BENJAMIN ET JÉRUSALEM*

**Descendance de Benjamin [e].**

|| Gn **46** 21 **8** 1 Benjamin engendra Béla son premier-né,
Nb **26** 38-40 Ashbel le second, Ahiram [f] le troisième,
2 Noha le quatrième, Rapha le cinquième. 3 Béla
Jg **3** 15s eut des fils : Addar, Géra père d'Éhud [g], 4 Abishua,
Naamân et Ahoah, 5 Géra, Shephupham et Huram.

**A Géba [h].**

6 Voici les fils d'Éhud. Ce sont eux qui furent les
chefs de famille des habitants de Géba et les emmenèrent en captivité à Manahat : 7 Naamân, Ahiyya
et Géra. C'est lui qui les emmena en captivité; il
engendra Uzza et Ahihud.

**En Moab.**

8 Il engendra Shaharayim dans les Champs de
Moab après qu'il eut répudié ses femmes, Hushim
et Baara. 9 De sa nouvelle femme il eut pour fils
Yobab, Çibya, Mésha, Malkom, 10 Yéuç, Sakya,
Mirma. Tels furent ses fils, chefs de famille.

**A Ono et Lod.**

11 De Hushim il eut pour fils Abitub et Elpaal.
12 Fils d'Elpaal : Éber, Mishéam et Shémed : c'est
lui qui bâtit Ono, et Lod avec ses dépendances.

**A Ayyalôn.**

13 Béria et Shéma. Ils étaient chefs de famille des 7 23+
habitants d'Ayyalôn et mirent en fuite les habitants
de Gat.
14 Son frère : Shéshaq.

**A Jérusalem.**

Yerémot, 15 Zebadya, Arad, Éder, 16 Mikaël,
Yishpa et Yoha étaient fils de Béria.
17 Zebadya, Meshullam, Hizqi, Haber,
18 Yishmeraï, Yizlia, Yobab étaient fils d'Elpaal.
19 Yaqim, Zikri, Zabdi, 20 Élyénaï, Çilletaï, Éliel,

*a)* Le nom de *Béria* est rapproché de *bera'ah*, « dans le malheur ». – Béria est donc un clan d'Éphraïm qui passa plus tard à Benjamin, cf. **8** 13.
*b)* D'après v. 20 et Nb **26** 35; « Réshef et Télah » hébr.
*c)* Sichem est ailleurs rattachée à Manassé. Les vv. 28-29 considèrent en bloc Éphraïm et Manassé, les « fils de Joseph ».
*d)* Le territoire d'Asher s'étendait entre la Phénicie et le Carmel, Jos **19** 24-31, mais cette liste contient plusieurs noms qui se localisent dans le sud de la montagne d'Éphraïm. C'est peut-être le souvenir d'un habitat primitif; plus vraisemblablement, des groupes ashérites émigrèrent vers le sud et furent intégrés aux tribus d'Éphraïm et Benjamin.
*e)* Nouvelle liste benjaminite, dont le style et le contenu sont différents de ceux de la précédente, **7** 6-11. Les familles benjaminites sont ici classées d'après leur résidence. La source semble être une liste du peuplement benjaminite, à une époque que nous ne pouvons pas déterminer.
*f)* D'après Nb **26** 38; « Ahrah » hébr.
*g)* « père d'Éhud » d'après Jg **3** 15; « et Abihud » hébr.
*h)* On ignore ce que signifie cette notice. Éhud est le juge qui libéra Benjamin des Moabites, Jg **3** 11-30. L'exil des habitants de Géba (confondue avec Gibéa?) pourrait être une version transformée de l'histoire de Jg **20**.

21 Adaya, Beraya, Shimrat étaient fils de Shiméï.

22 Yishpân, Éber, Éliel, 23 Abdôn, Zikri, Hanân, 24 Hananya, Élam, Antotiyya, 25 Yiphdéya, Penuel étaient fils de Shéshaq.

26 Shamsheraï, Sheharya, Atalya, 27 Yaaréshya, Éliyya, Zikri étaient fils de Yeroham.

= **9** 34 28 Tels étaient les chefs des familles groupées selon leur parenté. Ils habitèrent Jérusalem.

= **9** 35-38 **A Gabaôn.**

29 A Gabaôn habitaient Yeïel, le père de Gabaôn, dont la femme s'appelait Maaka, 30 son fils premier-né Abdôn, ainsi que Çur, Qish, Baal, Ner, Nadab, 31 Gedor, Ahyo, Zaker et Miqlot. 32 Miqlot engendra Shiméa; mais eux, contrairement à leurs frères, habitaient Jérusalem avec leurs frères [a].

**Saül et sa famille [b].**

|| 1 S **14** 49-51 33 Ner engendra Qish, Qish engendra Saül, Saül
= 1 Ch **9** 39-43 engendra Jonathan, Malki-Shua, Abinadab et Eshbaal. 34 Fils de Jonathan : Meribbaal. Meribbaal engendra Mika. 35 Fils de Mika : Pitôn, Mélek, Taréa, Ahaz. 36 Ahaz engendra Yehoadda, Yehoadda engendra Alémèt, Azmavèt et Zimri. Zimri engendra Moça. 37 Moça engendra Binéa.

Rapha son fils, Éléasa son fils, Açel son fils. 38 Açel eut six fils dont voici les noms : Azriqam son premier-né [c], puis Yishmaël, Shéarya, Obadya, Hanân. Ils étaient tous fils de Açel.

39 Fils d'Ésheq son frère : Ulam son premier-né, Yéush le second, Éliphélet le troisième. 40 Ulam eut des fils, hommes preux et valeureux, tirant de l'arc [d]. Ils eurent beaucoup de fils et de petits-fils, cent cinquante. Tous ceux-là étaient fils de Benjamin.

**Jérusalem ville israélite et ville sainte [e].**

**9** 1 Tous les Israélites furent répartis par groupes et se trouvaient inscrits sur le livre des rois d'Israël et de Juda quand ils furent déportés à Babylone à cause de leurs prévarications. 2 Les pre-
|| Ne **11** 3-19 miers à habiter dans leurs villes et leur patrimoine
furent les Israélites, les prêtres, les lévites et les
« donnés »; 3 à Jérusalem habitèrent des Judéens, Esd **2** 43+
des Benjaminites, des Éphraïmites et des Manassites [f].

4 Utaï, fils d'Ammihud, fils de Omri, fils d'Imri, fils de Bani, l'un des fils de Péreç fils de Juda. 5 Des Shélanites, Asaya, l'aîné, et ses fils. 6 Des fils de Zérah, Yéuel. Plus leurs frères : six cent quatre-vingt-dix hommes.

7 Parmi les fils de Benjamin : Sallu fils de Meshullam, fils de Hodavya, fils de Hassenua; 8 Yibneya fils de Yeroham; Éla fils de Uzzi, fils de Mikri; Meshullam fils de Shephatya, fils de Réuel, fils de Yibniyya. 9 Ils avaient neuf cent cinquante-six frères groupés selon leur parenté. Tous ces hommes étaient chefs, chacun de leur famille.

10 Parmi les prêtres : Yedaya, Yehoyarib, Yakîn, 11 Azarya fils de Hilqiyya, fils de Meshullam, fils de Sadoq, fils de Merayot, fils d'Ahitub, chef du Temple de Dieu. 12 Adaya, fils de Yeroham, fils de Pashehur, fils de Malkiyya, Maasaï fils de Adiel, fils de Yahzéra, fils de Meshullam, fils de Meshillémit, fils d'Immer. 13 Ils avaient des frères, chefs de famille, mille sept cent soixante vaillants preux qui étaient affectés au service du Temple de Dieu.

14 Parmi les lévites : Shemaya, fils de Hashshub, fils d'Azriqam, fils de Hashabya des fils de Merari, 15 Baqbaqar, Héresh, Galal. Mattanya, fils de Mika, fils de Zikri, fils d'Asaph, 16 Obadya, fils de Shemaya, fils de Galal, fils de Yedutûn, Bérékya, fils d'Asa, fils d'Elqana, qui demeurait dans les villages des Netophatites.

17 Les portiers [g] : Shallum, Aqqub, Talmôn, Ahimân et leurs frères. Shallum, le chef, 18 se tient encore maintenant à la porte royale, à l'orient. C'étaient eux les portiers des camps des Lévites : 19 Shallum, fils de Qoré, fils d'Ébyasaph, fils de Coré, et ses frères les Coréites, de la même famille, vaquaient au service liturgique; ils gardaient les seuils de la Tente, et leurs pères, responsables du camp de Yahvé, en avaient gardé l'accès [h]. 20 Pinhas, fils d'Éléazar, en avait été autrefois le

*a)* « Yeïel », « Ner » et le premier « Miqlot » sont restitués d'après **9** 35s. Autre traduction possible pour la dernière phrase : « Eux aussi, près de leurs frères... » Sur les Benjaminites habitant Jérusalem, cf. Jg **1** 21; Ne **11** 7-9.

*b)* Les ascendants de Saül sont différents de ceux donnés en 1 S **9** 1. Dans 1 S **14** 50-51, Ner et Qish sont frères, et non père et fils (et cf. v. précédent). A partir du v. 35, la descendance de Saül, répétée à **9** 41-44, n'a pas de parallèle dans la Bible. Elle conduit la lignée jusqu'à la douzième génération, probablement jusqu'à l'Exil.

*c)* Pour avoir le total de six fils, l'hébr. lit « Bokru » au lieu de « son premier-né » (*bekoro*).

*d)* Trait caractéristique des Benjaminites, **12** 2; 2 Ch **14** 7; 2 S **1** 22.

*e)* Cette liste que le v. 1 date d'avant l'Exil s'inspire en fait de la liste de repeuplement de Jérusalem sous Néhémie, Ne **11**, avec certaines différences qui reflètent peut-être la situation d'une époque encore plus tardive. Tout le ch. paraît additionnel.

*f)* Éphraïm et Manassé représentent les tribus du Nord. Pour le livre, Jérusalem, ville sainte, est la ville de toutes les tribus. Mais dans l'énumération qui suit, n'apparaîtront que Benjamin, Juda et Lévi.

*g)* Parmi le personnel cultuel, la plus grande place est donnée aux portiers, vv. 17-26 : leurs fonctions remontent au désert, vv. 19-21, et ont continué sous Samuel et David à la « maison de la Tente », v. 23; ils sont loués pour leur fidélité, v. 22; ils descendent tous de Coré, descendant de Lévi, v. 19. En fait, les portiers n'ont été assimilés que tardivement aux lévites; ils ne le sont pas encore au moment du Retour, cf. Esd **2** 42; Ne **7** 45, et la liste de Ne **11**, dont s'inspire ce ch., les classe à part, cf. **11** 19. Une fois agrégés aux lévites, ils cherchent à s'égaler aux chantres, cf. vv. 17, 27 et 2 Ch **20** 19. Douze psaumes sont attribués aux fils de Coré.

*h)* Le Chroniste assimile Jérusalem au camp israélite décrit par

chef responsable (que Yahvé soit avec lui!). 21 Zacharie, fils de Meshélémya, était portier à l'entrée
de la Tente du Rendez-vous. 22 Les portiers des
seuils appartenaient tous à l'élite; il y en avait deux
cent douze. Ils étaient groupés dans leurs villages.
Ce sont eux qu'établirent David et Samuel le
voyant, à cause de leur fidélité. 23 Ils avaient avec
leurs fils la responsabilité des portes du Temple de
Yahvé, de la maison de la Tente. 24 Aux quatre
points cardinaux se tenaient des portiers, à l'est, à
l'ouest, au nord et au sud. 25 Leurs frères, qui habitaient leurs villages, venaient se joindre à eux de
temps en temps pour une semaine; 26 car les quatre
chefs des portiers, eux, y demeuraient en permanence. C'étaient les lévites qui étaient responsables
des chambres et des réserves de la maison de Dieu.
27 Ils passaient la nuit aux alentours de la maison
de Dieu car ils en avaient la garde et devaient l'ouvrir chaque matin.

28 Certains d'entre eux avaient la charge des objets du culte; ils les comptaient quand ils les rentraient et les sortaient. 29 Certains autres étaient
responsables du mobilier, de tout le mobilier sacré,
de la fleur de farine, du vin, de l'huile, de l'encens
et des parfums, 30 tandis que ceux qui préparaient
le mélange aromatique destiné aux parfums étaient
des prêtres.

31 L'un des lévites, Mattitya – c'était le premier-
né de Shallum le Coréite –, fut, à cause de sa fidélité, chargé de la confection des offrandes cuites à Lv 2 4-7
la plaque. 32 Parmi leurs frères, quelques Qehatites
étaient chargés des pains à disposer en rangées,
chaque sabbat.

33 Voici les chantres[a], chefs de familles lévitiques. Ils avaient été détachés dans les pièces du
Temple, car ils étaient chargés d'officier jour et
nuit.
34 Tels étaient les chefs des familles lévitiques = 8 28
groupés selon leur parenté. Ces chefs habitaient
Jérusalem.

## *9. SAÜL, PRÉDÉCESSEUR DE DAVID*

= 8 29-38 **Origines de Saül.**

35 A Gabaôn habitaient le père de Gabaôn, Yeïel,
dont la femme s'appelait Maaka, 36 et son fils premier-né Abdôn, ainsi que Çur, Qish, Baal, Ner,
Nadab, 37 Gedor, Ahyo, Zekarya et Miqlot.
38 Miqlot engendra Shiméam. Mais eux, contrairement à leurs frères, habitaient Jérusalem avec leurs
frères[b].

39 Ner engendra Qish, Qish engendra Saül, Saül
engendra Jonathan, Malki-Shua, Abinadab, Eshbaal. 40 Fils de Jonathan : Meribbaal. Meribbaal
engendra Mika. 41 Fils de Mika : Pitôn, Mélek,
Tarèa. 42 Ahaz engendra Yara, Yara engendra Alémèt, Azmavèt et Zimri; Zimri engendra Moça.
43 Moça engendra Binéa.

Rephaya son fils, Éléasa son fils, Açel son fils.
44 Açel eut six fils dont voici les noms : Azriqam,
son premier-né, Yishmaël, Shéarya, Obadya,
Hanân; tels sont les fils de Açel.

S 31 1-13 **Bataille de Gelboé, mort de Saül[c].**

**10** 1 Les Philistins livrèrent bataille à Israël. Les
Israélites s'enfuirent devant eux et tombèrent,
frappés à mort, sur le mont Gelboé. 2 Les Philistins
serrèrent de près Saül et ses fils et ils tuèrent Jonathan, Abinadab et Malki-Shua, les fils de Saül. 3 Le
poids du combat se porta sur Saül. Les tireurs d'arc
le surprirent et il fut blessé par les tireurs. 4 Alors
Saül dit à son écuyer : « Tire ton épée et transperce-
moi, de peur que ces incirconcis ne viennent et ne
se jouent de moi. » Mais son écuyer ne voulut pas,
car il était rempli d'effroi. Alors Saül prit son épée
et se jeta sur elle. 5 Voyant que Saül était mort,
l'écuyer se jeta lui aussi sur son épée et mourut
avec lui. 6 Ainsi moururent ensemble Saül, ses trois
fils et toute sa maison. 7 Lorsque tous les Israélites
qui étaient dans la vallée virent que les hommes
d'Israël étaient en déroute et que Saül et ses fils
avaient péri, ils abandonnèrent leurs villes et prirent la fuite. Les Philistins vinrent s'y établir.

8 Le lendemain, les Philistins, venus pour
détrousser les morts, trouvèrent Saül et ses fils
gisant sur le mont Gelboé. 9 Ils le dépouillèrent,
enlevèrent sa tête et ses armes, et les firent porter
à la ronde dans le pays philistin, pour annoncer la
bonne nouvelle à leurs idoles et à leur peuple. 10 Ils
déposèrent ses armes dans la maison de leur dieu;
quant à son crâne, ils le clouèrent dans le temple
de Dagôn.

11 Lorsque tous les habitants de Yabesh de
Galaad[d] eurent appris tout ce que les Philistins
avaient fait à Saül, 12 tous les braves se mirent en

les textes « sacerdotaux ».
*a)* On attendrait ici une liste des chantres, comme pour les autres groupes.
*b)* Cf. **8** 29+.
*c)* Comme préface à l'histoire de David, qui remplira toute la suite du premier livre, le Chroniste rappelle la fin tragique du premier roi d'Israël, rejeté par Dieu.
*d)* « les habitants de Yabesh de Galaad », conj. d'après 1 S **31** 11; « tout Yabesh de Galaad » hébr.

route. Ils enlevèrent les corps de Saül et de ses fils, les apportèrent à Yabesh, ensevelirent leurs ossements sous le tamaris de Yabesh et jeûnèrent pendant sept jours.

13 Saül mourut pour s'être montré infidèle envers Yahvé : il n'avait pas observé la parole de Yahvé et de plus avait interrogé et consulté une nécromancienne. 14 Il n'avait pas consulté Yahvé, qui le fit mourir et transféra la royauté à David, fils de Jessé [a].

# *II. David, fondateur du culte du Temple*

## *1. LA ROYAUTÉ DE DAVID*

|| 2 S 5 1-3 **Sacre de David comme roi d'Israël [b].**

**11** 1 Alors tous les Israélites se rassemblèrent autour de David, à Hébron, et dirent : « Vois! Nous sommes de tes os et de ta chair. 2 Autrefois déjà, même quand Saül régnait sur nous, c'était toi qui rentrais et sortais avec Israël, et Yahvé ton Dieu t'a dit : " C'est toi qui paîtras mon peuple Israël et c'est toi qui seras chef de mon peuple Israël ". » 3 Tous les anciens d'Israël vinrent donc auprès du roi à Hébron. David conclut un pacte avec eux à Hébron, en présence de Yahvé, et ils
1 S **16** 1-13 oignirent David comme roi d'Israël selon la parole de Yahvé transmise par Samuel.

|| 2 S 5 6-10 **Prise de Jérusalem.**

4 David, avec tout Israël [c], marcha sur Jérusalem (c'est-à-dire Jébus); les habitants du pays étaient les Jébuséens. 5 Les habitants de Jébus dirent à David : « Tu n'entreras pas ici. » Mais David s'empara de la forteresse de Sion; c'est la Cité de David. 6 Et David dit : « Quiconque frappera le premier un Jébuséen deviendra chef et prince. » Joab, fils de Çeruya, monta le premier et devint chef. 7 David s'établit dans la forteresse, aussi l'a-t-on appelée Cité de David. 8 Puis il restaura le pourtour de la ville, aussi bien le Millo que le pourtour, et c'est Joab qui restaura le reste de la ville [d]. 9 David allait grandissant et Yahvé Sabaot était avec lui.

**Les preux de David.**

10 Voici les chefs des preux de David, ceux qui devinrent puissants avec lui sous son règne et qui, avec tout Israël, l'avaient fait roi selon la parole de
|| 2 S **23** 8-39 Yahvé sur Israël. 11 Voici la liste des preux de David :

Yashobéam, fils de Hakmoni, le chef des Trois [e]; c'est lui qui brandit sa lance sur trois cents victimes à la fois.

12 Après lui Éléazar fils de Dodo, l'Ahohite. C'était l'un des trois preux. 13 Il était avec David à Pas-Dammim quand les Philistins s'y rassemblèrent pour le combat. Il y avait un champ entièrement planté d'orge; l'armée prit la fuite devant les Philistins, 14 mais ils se postèrent au milieu du champ, le préservèrent et battirent les Philistins. Yahvé opéra là une grande victoire.

15 Trois d'entre les Trente descendirent vers David, au rocher proche de la grotte d'Adullam, tandis qu'une compagnie de Philistins campait dans le val des Rephaïm. 16 David était alors dans le repaire tandis qu'il y avait encore un préfet philistin à Bethléem. 17 David exprima ce désir : « Qui me fera boire l'eau du puits qui est à la porte de Bethléem? » 18 Les trois, s'ouvrant un passage au travers du camp philistin, tirèrent de l'eau du puits qui est à la porte de Bethléem; ils l'emportèrent et l'offrirent à David, mais il ne voulut pas en boire et il la répandit en libation à Yahvé. 19 Il dit : « Dieu me garde de faire cela! Boirais-je le sang de ces hommes au prix de leur vie? Car c'est en risquant leur vie qu'ils l'ont apportée! » Il ne voulut donc pas boire. Voilà ce qu'ont fait ces trois preux.

20 Abishaï, frère de Joab, fut, lui, le chef des Trente. C'est lui qui brandit sa lance sur trois cents victimes et se fit un nom parmi les Trente [f]. 21 Il fut plus illustre que les Trente et devint leur capitaine, mais il ne fut pas compté parmi les Trois [g].

22 Benaya, fils de Yehoyada, un brave prodigue en exploits, originaire de Qabçéel. C'est lui qui abattit les deux héros de Moab, et c'est lui qui descendit et tua le lion dans la citerne, un jour de

*a)* Les deux derniers vv. expriment le jugement du Chroniste sur le règne de Saül dont il ne retient que les côtés défavorables.
*b)* Le ralliement des tribus du Nord eut lieu plusieurs années seulement après la mort de Saül. Mais le Chroniste ne veut voir en David que celui qui a uni les tribus autour de Yahvé.
*c)* D'après 2 S 5 6, c'est seulement David et sa petite armée personnelle qui s'emparèrent de Jérusalem.
*d)* Le Chroniste réserve à David la construction des remparts, et attribue à Joab la construction des maisons, œuvre mineure.
*e)* « Trois » grec luc.; « Trente » hébr., cf. v. 20.
*f)* « Trente » syr., mss grec; « Trois » hébr., de même v. 24, mais cf. vv. 21 et 25.
*g)* Une glose a ajouté : « dans les deux ».

neige. [23] C'est lui aussi qui tua l'Égyptien, le
colosse de cinq coudées qui avait en main une
lance semblable à un liais de tisserand; il descendit
contre lui avec un bâton, arracha la lance de la
main de l'Égyptien et tua celui-ci avec sa propre
lance. [24] Voilà ce qu'accomplit Benaya fils de
Yehoyada et il se fit un nom parmi les Trente
preux. [25] Il fut plus illustre que les Trente, mais ne
fut pas compté parmi les Trois; David le mit à la
tête de sa garde personnelle.

[26] Preux vaillants [a] : Asahel, frère de Joab, Elhanân fils de Dodo, de Bethléem, [27] Shammot le
Harorite, Hèleç le Pelonite, [28] Ira fils d'Iqqesh, de
Teqoa, Abiézer d'Anatot, [29] Sibbekaï de Husha,
Ilaï d'Ahoh, [30] Maheraï de Netopha, Héled fils de
Baana, de Netopha, [31] Itaï fils de Ribaï, de Gibéa
des fils de Benjamin, Benaya de Piréatôn, [32] Huraï,
des Torrents de Gaash, Abiel de Bet-ha-Araba,
[33] Azmavèt de Bahurim, Élyahba de Shaalbôn,
[34] Bené-Hashem de Gizôn, Yonatân fils de Shagé,
de Harar, [35] Ahiam fils de Sakar, de Harar, Éliphélèt fils d'Ur, [36] Hépher, de Mekéra, Ahiyya le Pelonite, [37] Heçro de Karmel, Naaraï fils d'Ézbaï,
[38] Yoël frère de Natân, Mibhar fils de Hagri,
[39] Çéleq l'Ammonite, Nahraï de Béérot, écuyer de
Joab fils de Çeruya, [40] Ira de Yattir, Gareb de Yattir, [41] Urie le Hittite, Zabad fils d'Ahlaï, [42] Adina
fils de Shiza le Rubénite, chef des Rubénites et responsable des Trente, [43] Hanân fils de Maaka, Yoshaphat le Mitnite, [44] Uziyya d'Ashtarot, Shama
et Yéuel fils de Hotam d'Aroër, [45] Yediaël fils de
Shimri et Yoha son frère le Tiçite, [46] Éliel le
Mahavite, Yeribaï et Yoshavya, fils d'Elnaam,
Yitma le Moabite, [47] Éliel, Obed et Yaasiel, de
Çoba.

**Les premiers ralliés à David [b].**

**12** [1] Voici ceux qui rejoignirent David à Çiqlag
alors qu'il était encore retenu loin de Saül fils
8 40+ de Qish; c'étaient des preux, des combattants à la
guerre, [2] qui pouvaient tirer à l'arc de la main
droite et de la gauche, en utilisant pierres et flèches.

Des frères de Saül le Benjaminite : [3] Ahiézer le
chef, et Yoash, fils de Hashshemaa de Gibéa,
Yeziel et Pélèt, fils d'Azmavèt, Beraka et Yéhu
d'Anatot, [4] Yishmaya de Gabaôn, un preux parmi
les Trente et à la tête des Trente; [5] Yirmeya, Yaha-
5 ziel, Yohanân et Yozabad de Gedérot, [6] Éleuzaï,
Yerimot, Béalya, Shemaryahu, Shephatyahu de
Hariph, [7] Elqana, Yishiyyahu, Azaréel, Yoézer, 6
Yashobéam, Coréites, [8] Yoéla, Zebadya, fils de 7
Yeroham de Gedor.

[9] Des Gadites firent sécession pour rejoindre 8
David dans son refuge du désert. C'étaient des
preux vaillants, des hommes de guerre prêts à
combattre, sachant manier le bouclier et la lance.
Ils faisaient figure de lions; par l'agilité, ils ressem- Dt **33** 20
blaient aux gazelles sur les montagnes. [10] Ézer était 9
le chef, Obadya le second, Éliab le troisième,
[11] Mashmanna le quatrième, Yirmeya le cin- 10
quième, [12] Attaï le sixième, Éliel le septième, 11
[13] Yohanân le huitième, Elzabad le neuvième, 12
[14] Yirmeyahu le dixième, Makbannaï le onzième. 13
[15] Tels étaient les fils de Gad, chefs de corps; un 14
commandait à cent s'il était petit, à mille s'il était
grand. [16] Ce sont eux qui passèrent le Jourdain, au 15
premier mois, tandis qu'il coule partout à pleins
bords, et qui mirent en fuite les riverains tant à
l'orient qu'à l'occident.

[17] Quelques Benjaminites et Judéens s'en vinrent 16
aussi trouver David en son refuge. [18] David 17
s'avança au-devant d'eux, prit la parole et leur dit :
« Si c'est en amis que vous venez à moi pour me
prêter main-forte, je suis disposé à m'unir à vous,
mais si c'est pour me tromper au profit de mes
ennemis alors que mes mains n'ont fait aucun tort,
que le Dieu de nos pères le voie et fasse justice! »
[19] L'Esprit revêtit alors Amasaï, chef des 18
Trente :

« Va, David!
La paix soit avec toi, fils de Jessé,
paix à toi, paix à qui t'aide,
car ton aide, c'est ton Dieu. »

David les accueillit et les mit parmi les chefs de
troupe.

[20] Quelques Manassites se rendirent à David 19
alors qu'il venait lutter avec les Philistins contre
Saül. Mais ils ne leur prêtèrent pas main-forte car,
s'étant consultés, les princes des Philistins renvoyè- 1 S 29
rent David en disant : « Il irait se rendre à son seigneur Saül au prix de nos têtes! » [21] Il partait donc 20
pour Çiqlag quand quelques Manassites se rendirent à lui : Adnah, Yozabad, Yediaël, Mikaël,
Yozabad, Élihu, Çilletaï, chefs des milliers de
Manassé. [22] Ce fut un renfort pour David et sa 21
troupe, car ils étaient tous de vaillants preux et
devinrent officiers dans l'armée.

*a)* Jusqu'à Urie, v. 41[a], cette liste correspond à la liste des Trente dans 2 S **23** 24-39. Les seize preux qui suivent, vv. 41[b]-47, sont généralement originaires de Transjordanie. Ces noms doivent provenir d'une autre liste, utilisée par le Chroniste lui-même ou par un continuateur.

*b)* Le ch. 12 se divise en deux parties : vv. 1-23, les partisans de David avant sa royauté; vv. 24-41, les contingents des douze tribus qui firent David roi sur tout Israël. Ce ch. n'a pas de parallèle dans Samuel. La première partie peut remonter à une source ancienne. Si le Chroniste est responsable de la deuxième partie, son intention est ici d'insister sur le caractère pan-israélite de la royauté de David, cf. **11** 1; mais la liste peut lui être postérieure.

22 23 Jour après jour, en effet, David recevait des
renforts, si bien que son camp devint un camp
gigantesque.

**Les guerriers qui le firent roi.**

23 24 Voici le nombre des guerriers équipés pour la
guerre qui rejoignirent David à Hébron pour lui
transférer la royauté de Saül selon l'ordre de
Yahvé :
24 25 Fils de Juda portant le bouclier et la lance :
6.800 guerriers équipés pour la guerre;
25 26 des fils de Siméon, 7.100 preux vaillants à la
guerre;
26 27 27 des fils de Lévi, 4.600, 28 ainsi que Yehoyada [a],
commandant les Aaronides avec 3.700 de ces der-
28 niers, 29 Sadoq, jeune preux vaillant, et vingt-deux
officiers de sa famille;
29 30 des fils de Benjamin, 3.000 frères de Saül, la
majorité d'entre eux demeurant jusqu'alors au service de la maison de Saül;
30 31 des fils d'Éphraïm, 20.800 preux vaillants,
hommes illustres de leur famille;
31 32 de la demi-tribu de Manassé, 18.000 hommes
nominativement désignés pour aller proclamer
David roi;
32 33 des fils d'Issachar, sachant discerner les
moments où Israël devait agir et la manière de le
faire, 200 chefs et tous leurs frères à leurs ordres;
33 34 de Zabulon, 50.000 hommes aptes au service
militaire, en ordre de combat, avec toutes sortes
d'armes, et prêts à prêter main-forte d'un cœur
résolu;
34 35 de Nephtali, mille officiers et avec eux 37.000
hommes munis du bouclier et de la lance;
35 36 des Danites, 28.600 hommes en ordre de
combat;
36 37 d'Asher, 40.000 hommes partant en guerre en
ordre de combat;
37 38 de Transjordanie, 120.000 hommes de Ruben,
de Gad, de la demi-tribu de Manassé, avec toutes
sortes d'armes de guerre.
38 39 Tous ces hommes de guerre, venus en renfort
en bon ordre, se rendirent à Hébron de plein cœur
pour proclamer David roi sur tout Israël; tous les
autres Israélites étaient d'ailleurs unanimes pour
39 conférer la royauté à David. 40 Trois jours durant,
ils demeurèrent là à manger et à boire avec David.
40 Leurs frères avaient tout apprêté pour eux; 41 de
plus, des environs et jusque d'Issachar, Zabulon et
Nephtali, on leur faisait parvenir des vivres, par
ânes, chameaux, mulets et bœufs : farine, figues et
gâteaux de raisin, vin et huile, gros et petit bétail
en masse, car c'était liesse en Israël.

**L'arche ramenée de Qiryat-Yéarim [b].**

13 1 David tint conseil avec les officiers de milliers et de centaines et avec tous les commandants. 2 Il dit à toute l'assemblée d'Israël : « Si cela
vous convient et si Yahvé notre Dieu en décide
ainsi, nous enverrons des messagers à nos autres
frères de toutes les terres d'Israël, ainsi qu'aux prêtres et aux lévites dans leurs villes et champs attenants, afin qu'ils s'unissent à nous. 3 Nous ramène-
rons alors auprès de nous l'arche de notre Dieu;
nous ne nous en sommes pas souciés en effet au
temps de Saül. »
4 Toute l'assemblée décida d'agir ainsi, car
c'était chose juste aux yeux de tout le peuple.
5 David rassembla tout Israël, depuis le Shihor Jg 20 1+
d'Égypte jusqu'à l'Entrée de Hamat, pour ramener || 2 S 6 2-11
de Qiryat-Yéarim l'arche de Dieu. 6 Puis David et
tout Israël allèrent à Baala, vers Qiryat-Yéarim en
Juda, afin de faire monter de là l'arche de Dieu qui
porte le nom de Yahvé siégeant sur les chérubins.
7 C'est à la maison d'Abinadab qu'on chargea
l'arche de Dieu sur un chariot neuf. Uzza et Ahyo
conduisaient le chariot. 8 David et tout Israël dansaient devant Dieu de toutes leurs forces en chantant au son des cithares, des harpes, des tambourins, des cymbales et des trompettes. 9 Comme on
arrivait à l'aire du Javelot, Uzza étendit la main
pour retenir l'arche, car les bœufs la faisaient verser. 10 Alors la colère de Dieu s'enflamma contre
Uzza et il le frappa pour avoir porté la main sur
l'arche; Uzza mourut là, devant Dieu. 11 David fut
fâché de ce que Yahvé eût foncé sur Uzza et il
donna à ce lieu le nom de Péreç-Uzza, qu'il a gardé
jusqu'à maintenant.
12 Ce jour-là, David eut peur de Dieu et dit :
« Comment ferais-je entrer chez moi l'arche de
Dieu? » 13 Et David ne mena pas l'arche chez lui,
dans la Cité de David, mais il la fit conduire vers
la maison d'Obed-Édom de Gat. 14 L'arche de Dieu
resta trois mois chez Obed-Édom, dans sa maison;
Yahvé bénit la maison d'Obed-Édom et tout ce qui
lui appartenait.

*a)* Le nom de Yehoyada remplace celui d'Ébyatar qu'on attendrait, cf. 2 S **8** 17; c'est qu'Ébyatar avait été destitué par Salomon. Il y eut un Yehoyada chef du sacerdoce de Jérusalem, mais beaucoup plus tard, cf. 2 R **11** et **12**.

*b)* La première initiative de David après la prise de Jérusalem, **11** 4-9, est d'aller chercher l'arche à Qiryat-Yéarim. Le Chroniste place cette action avant la victoire sur les Philistins, **14** 8-16, que le livre de Samuel situait avant le retour de l'arche, et qui, historiquement, doit être antérieure à la prise de Jérusalem. Ce que le Chroniste retiendra du règne de David est surtout ce qui concerne le sanctuaire. Il dépend étroitement ici du texte de 2 S, mais il ajoute l'introduction, vv. 1-3, où, encore une fois, intervient toute l'assemblée d'Israël.

|| 2 S 5 11-16 **David à Jérusalem, son palais et ses enfants** [a].

**14** 1 Hiram, roi de Tyr, envoya une ambassade à David, avec du bois de cèdre, des maçons et des charpentiers, pour lui construire une maison. 2 Alors David sut que Yahvé l'avait confirmé comme roi d'Israël et que sa royauté était hautement exaltée à cause d'Israël son peuple.

= 3 5-8 3 A Jérusalem, David prit encore des femmes et
il engendra encore des fils et des filles. 4 Voici les noms des enfants qui lui naquirent à Jérusalem : Shammua, Shobab, Natân, Salomon, 5 Yibhar, Élishua, Elpalèt, 6 Nogah, Népheg, Yaphia, 7 Élishama, Baalyada, Éliphélèt.

|| 2 S 5 17-25 **Victoire sur les Philistins.**

8 Lorsque les Philistins eurent appris qu'on avait oint David comme roi de tout Israël, ils montèrent tous pour s'emparer de lui. A cette nouvelle, David partit au-devant d'eux. 9 Les Philistins arrivèrent et se déployèrent dans le val des Rephaïm. 10 Alors David consulta Dieu : « Dois-je attaquer les Philistins? demande-t-il, et les livreras-tu entre mes mains? » Yahvé lui répondit : « Attaque! et je les livrerai entre tes mains. » 11 Ils montèrent à Baal-Peraçim, et là, David les battit. Et David dit : « Par ma main Dieu a ouvert une brèche dans mes ennemis comme une brèche faite par les eaux. » C'est pourquoi on appela cet endroit Baal-Peraçim. 12 Ils avaient abandonné sur place leurs dieux : « Qu'ils brûlent au feu! » dit David.

13 Les Philistins recommencèrent à se déployer dans le val. 14 David consulta de nouveau Dieu et Dieu lui répondit : « Ne les attaque pas. Va derrière eux, à quelque distance, tourne-les, et aborde-les vis-à-vis des micocouliers. 15 Et quand tu entendras un bruit de pas à la cime des micocouliers, alors tu engageras le combat : c'est que Dieu sort devant toi pour battre l'armée philistine. » 16 David fit comme Dieu le lui avait ordonné : il défit l'armée philistine depuis Gabaôn jusqu'à Gézer.

17 La renommée de David s'étendit dans toutes les régions et Yahvé le fit redouter de toutes les nations.

## *2. L'ARCHE DANS LA CITÉ DE DAVID*

**Préparatifs du transport** [b].

**15** 1 Il se bâtit des édifices dans la Cité de David, il prépara un lieu pour l'arche de Dieu, il dressa pour elle une tente, 2 puis il dit : « L'arche
Nb 1 50; 3 5s; 4; 7 9 Dt 31 25 de Dieu ne peut pas être transportée, sinon par les
lévites; car Yahvé les a choisis pour porter l'arche de Yahvé et en assurer à jamais le service [c]. »

3 Alors David rassembla tout Israël à Jérusalem pour faire monter l'arche de Yahvé au lieu qu'il lui avait préparé. 4 Il réunit les fils d'Aaron et les Lévites : 5 pour les fils de Qehat, Uriel l'officier et ses cent vingt frères, 6 pour les fils de Merari, Asaya l'officier et ses deux cent vingt frères, 7 pour les fils de Gershom, Yoël l'officier et ses cent trente frères, 8 pour les fils d'Éliçaphân, Shemaya l'officier et ses deux cents frères, 9 pour les fils d'Hébrôn, Éliel l'officier et ses quatre-vingts frères, 10 pour les fils d'Uzziel, Amminadab l'officier et ses cent douze frères.

11 David convoqua les prêtres Sadoq et Ébyatar, les lévites Uriel, Asaya, Yoël, Shemaya, Éliel et Amminadab, 12 il leur dit : « Vous êtes les chefs des familles lévitiques; sanctifiez-vous, vous et vos frères, et faites monter l'arche de Yahvé, le Dieu d'Israël, au lieu que je lui ai préparé. 13 Parce que vous n'étiez pas là la première fois, Yahvé avait foncé sur nous [d] : nous ne nous étions pas adressés à lui suivant la règle. » 14 Prêtres et lévites se sanctifièrent pour faire monter l'arche de Yahvé, le Dieu d'Israël, 15 et les lévites transportèrent l'arche de
Dieu, les barres sur leurs épaules, comme l'avait Nb 7 9
prescrit Moïse, selon la parole de Yahvé.

16 David dit alors aux officiers des lévites de placer leurs frères les chantres, avec tous les instruments d'accompagnement, cithares, lyres et cymbales; on les entendait retentir d'une musique qui remplissait de liesse. 17 Les lévites placèrent Hémân fils de Yoël, Asaph l'un de ses frères, fils de Bérekyahu, Étân fils de Qushayahu, l'un des Merarites leurs frères. 18 Ils avaient avec eux leurs frères du second ordre : Zekaryahu, Uzziel, Shemiramot, Yehiel, Unni, Éliab, Benaya, Maaséyahu, Mattityahu, Éliphléhu, Miqnéyahu, Obed-Édom,

*a)* Le Chroniste utilise le séjour de l'arche chez Obed-Édom pendant trois mois, v. 14, pour insérer les indications de sa source sur la construction du palais, la famille de David et sa victoire sur les Philistins. Il y ajoutera les préparatifs pour recevoir l'arche à Jérusalem **15** 1-3.

*b)* Avant la reprise du récit de 2 S, au v. 25, le livre primitif des Chroniques semble n'avoir contenu que les vv. 1-3, 11-15 : érection de la tente pour contenir l'arche, et rappel de la loi lévitique dont la transgression a causé l'épisode tragique de Péreç-Uzza, cf. **5** 9s. Des additions y ont été faites : une liste de prêtres et de lévites, vv. 4-10; une description de l'orchestre, déjà en train de jouer autour de l'arche, vv. 16-24.

*c)* Le Chroniste va définir le rôle des prêtres et des lévites dans la cérémonie, d'après les textes sacerdotaux.

*d)* C'est ainsi que l'auteur interprète la mort d'Uzza, **13** 10s, cf. 2 S **6** 8+.

Yeïel, les portiers; 19 Hémân, Asaph et Étân, les chantres, jouaient avec éclat de la cymbale de bronze. 20 Zekarya, Uzziel, Shemiramot, Yehiel, Unni, Éliab, Maaséyahu, Benaya jouaient de la lyre à nœuds [a]. 21 Mattityahu, Éliphléhu, Miqnéyahu, Obed-Édom, Yeïel et Azazyahu, donnant le rythme, jouaient de la cithare à l'octave. 22 Kenanyahu, officier des lévites chargés du transport, commandait le transport, car il s'y entendait. 23 Bérékya et Elqana faisaient fonction de portiers près de l'arche. 24 Les prêtres Shebanyahu, Yoshaphat, Netanéel, Amasaï, Zekaryahu, Benayahu et Éliézer sonnaient de la trompette devant l'arche de Dieu. Obed-Édom et Yehiyya étaient portiers près de l'arche.

|| 2 S **6** 12-19 **La cérémonie du transport.**

25 David donc, les anciens d'Israël et les officiers de milliers faisaient en grande liesse monter l'arche de l'alliance de Yahvé depuis la maison d'Obed-Édom. 26 Et tandis que Dieu assistait les lévites qui portaient l'arche de l'alliance de Yahvé, on immola sept taureaux et sept béliers. 27 David, revêtu d'un manteau de byssus, dansait en tournoyant ainsi que tous les lévites porteurs de l'arche, les chantres et Kenanya l'officier chargé du transport [b]. David était aussi couvert de l'éphod de lin. 28 Tout Israël fit monter l'arche de l'alliance de Yahvé en poussant des acclamations, au son du cor, des trompettes et des cymbales, en faisant retentir lyres et cithares. 29 Or, comme l'arche de l'alliance de Yahvé atteignait la Cité de David, la fille de Saül, Mikal, regarda par la fenêtre et vit le roi David danser et exulter; dans son cœur elle le méprisa.

**16** 1 On introduisit l'arche de Dieu et on la déposa au centre de la tente que David avait fait dresser pour elle. On offrit devant Dieu des holocaustes et des sacrifices de communion. 2 Lorsque David eut achevé d'offrir ces holocaustes et ces sacrifices de communion, il bénit le peuple au nom de Yahvé. 3 Puis il fit une distribution à tous les Israélites, hommes et femmes; pour chacun, une couronne de pain, une masse de dattes et un gâteau de raisins secs.

**Le service des lévites devant l'arche [c].**

4 David mit des lévites en service devant l'arche de Yahvé pour célébrer, glorifier et louer Yahvé, le Dieu d'Israël, 5 Asaph le premier, Zekarya en second, puis Uzziel [d], Shemiramot, Yehiel, Mattityа, Éliab, Benayahu, Obed-Édom et Yeïel. Ils jouaient de la lyre et de la cithare, tandis qu'Asaph faisait retentir les cymbales. 6 Les prêtres Benayahu et Yahaziel ne cessaient pas de jouer de la trompette devant l'arche de l'alliance de Dieu. 7 Ce jour-là David, louant le premier Yahvé, confia cette louange [e] à Asaph et à ses frères :

8 Rendez grâce à Yahvé, criez son nom, || Ps **105** 1-15
annoncez parmi les peuples ses hauts faits!
9 Chantez-le, jouez pour lui,
répétez toutes ses merveilles!
10 Tirez gloire de son nom de sainteté,
joie pour les cœurs qui cherchent Yahvé!

11 Recherchez Yahvé et sa force,
sans relâche poursuivez sa face!
12 rappelez-vous quelles merveilles il a faites,
ses miracles et les jugements de sa bouche!
13 Lignée d'Israël son serviteur,
enfants de Jacob, ses élus,
14 c'est lui Yahvé notre Dieu;
sur toute la terre ses jugements!

15 Rappelez-vous à jamais son alliance,
parole promulguée pour mille générations,
16 pacte conclu avec Abraham,
serment qu'il fit à Isaac.

17 Il l'érigea en loi pour Jacob,
pour Israël en alliance à jamais,
18 disant : « Je te donne une terre,
Canaan, votre part d'héritage,
19 là où l'on a pu vous compter,
peu nombreux, étrangers au pays. »

20 Ils allaient de nation en nation,
d'un royaume à un peuple différent;
21 il ne laissa personne les opprimer,
à cause d'eux il châtia des rois :
22 « Ne touchez pas à qui m'est consacré,
à mes prophètes ne faites pas de mal! »

23 Chantez à Yahvé, toute la terre! || Ps 96
Proclamez jour après jour son salut,
24 racontez aux nations sa gloire,
à tous les peuples ses merveilles!

25 Très grand Yahvé, et louable hautement,

*a)* Traduction incertaine. Les autres noms d'instruments se retrouvent dans les Ps.

*b)* Après « chargé du transport », hébr. répète « les chantres », par dittographie.

*c)* Plus légitimement que le continuateur en **5** 16-24, le Chroniste ne fait commencer le service hymnique qu'après l'installation de l'arche sous la tente. D'après lui, toute la liturgie du Temple remonte à David, en s'accordant déjà aux prescriptions du Code sacerdotal.

*d)* « Uzziel », cf. **15** 18; « Yeïel » hébr.

*e)* Cet hymne est composé de fragments des Ps **105**, **96** et **106**, avec quelques variantes textuelles.

redoutable, lui, par-dessus tous les dieux.
26 Néant, tous les dieux des nations.

C'est Yahvé qui fit les cieux.
27 Devant lui, splendeur et majesté,
dans son sanctuaire puissance et allégresse.

28 Rapportez à Yahvé, familles des peuples,
rapportez à Yahvé gloire et puissance,
29 rapportez à Yahvé la gloire de son nom.

Présentez l'oblation, portez-la devant lui,
adorez Yahvé dans son parvis de sainteté!
30 Tremblez devant lui, toute la terre!

Il fixa l'univers, inébranlable.
31 Joie au ciel! exulte la terre!
Dites chez les païens : « C'est Yahvé qui règne! »

32 Que gronde la mer et sa plénitude!
Que jubile la campagne, et tout son fruit!
33 Que tous les arbres des forêts crient de joie!
à la face de Yahvé, car il vient
pour juger la terre.

**106** 1, 47-48 34 Rendez grâce à Yahvé, car il est bon,
car éternel est son amour!

35 Dites : Sauve-nous, Dieu de notre salut,
rassemble-nous, retire-nous du milieu des païens,
que nous rendions grâce à ton saint nom,
et nous félicitions en ta louange.

36 Béni soit Yahvé le Dieu d'Israël
depuis toujours jusqu'à toujours!
Et que tout le peuple dise Amen!
Alleluia!

37 David laissa là, devant l'arche de l'alliance de Yahvé, Asaph et ses frères, pour assurer un service permanent devant l'arche suivant le rituel quotidien, 38 ainsi qu'Obed-Édom et ses soixante-huit frères. Obed-Édom, fils de Yedutûn, et Hosa [a] étaient portiers.

39 Quant au prêtre Sadoq et aux prêtres ses frères, il les laissa devant la Demeure de Yahvé, sur le haut lieu de Gabaôn [b], 40 pour offrir en permanence des holocaustes à Yahvé sur l'autel des holocaustes, matin et soir, et faire tout ce qui est écrit dans la Loi de Yahvé prescrite à Israël. 41 Il y avait avec eux Hémân, Yedutûn, et le restant de l'élite que l'on avait nominativement désignée pour rendre grâce à Dieu, « car éternel est son amour ». 42 Ils avaient avec eux Hémân et Yedutûn, chargés de faire retentir les trompettes, les cymbales et les instruments accompagnant les cantiques divins. Les fils de Yedutûn étaient préposés à la porte.

43 Tout le peuple s'en alla, chacun chez soi, et || 2 S **6** 19-20
David s'en retourna bénir sa maisonnée.

**Prophétie de Natân [c].** || 2 S **7** 1-17

**17** 1 Quand David habita sa maison, il dit au prophète Natân : « Voici que j'habite une maison de cèdre et l'arche de l'alliance de Yahvé est sous les tentures! » 2 Natân répondit à David : « Tout ce qui te tient à cœur, fais-le, car Dieu est avec toi. » 3 Mais, cette même nuit, la parole de Dieu fut adressée à Natân en ces termes : 4 « Va dire à David mon serviteur : Ainsi parle Yahvé. Ce n'est pas toi qui me bâtiras une maison pour que j'y habite. 5 Non, je n'ai jamais habité de maison depuis le jour où j'ai fait monter Israël jusqu'aujourd'hui, mais j'allais de tente en tente et d'abri en abri. 6 Pendant tout le temps où j'ai voyagé avec tout Israël, ai-je dit à un seul des Juges d'Israël que j'avais institués comme pasteurs de mon peuple : Pourquoi ne me bâtissez-vous pas une maison de cèdre? 7 Voici maintenant ce que tu diras à mon serviteur David : Ainsi parle Yahvé Sabaot. C'est moi qui t'ai pris au pâturage, derrière les brebis, pour être chef de mon peuple Israël. 8 J'ai été avec toi partout où tu allais, j'ai supprimé devant toi tous tes ennemis. Je te donnerai un renom égal à celui des plus grands sur la terre. 9 Je fixerai un lieu à mon peuple Israël, je l'y planterai et il demeurera en cette place, il ne sera plus ballotté et les méchants ne continueront pas à le ruiner comme auparavant, 10 depuis le temps où j'instituais des Juges sur mon peuple Israël. Je soumettrai tous tes ennemis. Yahvé t'annonce qu'il te fera une mai-

*a)* Yedutûn, connu également par les titres des Ps **39**, **62** et **77**, est le même que Étân. Il est ici le père d'Obed-Édom, v. 38, et donc des portiers, v. 42. Des lévites de l'époque de Néhémie descendaient de lui, Ne **11** 17; 1 Ch **9** 16. Sur Hosa, cf. **26** 10.

*b)* Le sanctuaire de Gabaôn avait peut-être pris la place de celui de Silo après la prise de l'arche par les Philistins. Il sera le « plus grand haut lieu » sous Salomon, 1 R **3** 4-15. Le Chroniste tient compte de cette situation historique et il la justifie en disant que la « Demeure », la Tente du désert, y était restée dressée, cf. encore **21** 29; 2 Ch **1** 3. En conséquence, il divise le personnel cultuel entre le sanctuaire de la Demeure et le nouveau sanctuaire de l'arche, à Jérusalem.

*c)* Le Chroniste a repris presque textuellement la prophétie de Natân de 2 S **7**, qui a pour lui une importance capitale : elle exprime l'alliance avec David et la permanence de sa dynastie, dépositaire des promesses messianiques. Les seules modifications importantes qu'il apporte sont de préciser que la promesse faite au lignage de David se réalisera d'abord en l'un de ses fils (Salomon), v. 11, et de supprimer l'éventualité de la mauvaise conduite d'un descendant de David (2 S **7** 14).

son[a], [11] et quand il sera pleinement temps de rejoindre tes pères je maintiendrai après toi ton lignage; ce sera l'un de tes fils dont j'affermirai le règne. [12] C'est lui qui me bâtira une maison et j'affermirai pour toujours son trône. [13] Je serai pour lui un père et il sera pour moi un fils; je ne lui retirerai pas ma faveur comme je l'ai retirée à celui qui t'a précédé.

[14] Je le maintiendrai à jamais dans ma maison et dans mon royaume, et son trône sera à jamais affermi. »

[15] Natân communiqua à David toutes ces paroles et toute cette révélation.

|| 2 S 7 18-29 **Prière de David.**

[16] Alors le roi David entra, s'assit devant Yahvé et dit : « Qui suis-je, Yahvé Dieu, et quelle est ma maison, pour que tu m'aies mené jusque-là? [17] Mais cela est trop peu à tes yeux, ô Dieu, et tu étends tes promesses à la maison de ton serviteur pour un lointain avenir. Tu me fais voir comme un groupe d'hommes, celui qui l'élève c'est Yahvé Dieu. [18] Qu'est-ce que David pourrait faire de plus pour toi, vu la gloire que tu as donnée à ton serviteur? Toi-même, tu as distingué ton serviteur. [19] Yahvé, à cause de ton serviteur, et selon ton cœur, tu as eu cette magnificence de révéler toutes ces grandeurs. [20] Yahvé, il n'y a personne comme toi et il n'y a pas d'autre Dieu que toi seul, comme l'ont appris nos oreilles. [21] Y a-t-il, comme ton peuple Israël, un autre peuple sur la terre qu'un Dieu soit allé racheter pour en faire son peuple, pour le rendre fameux et opérer en sa faveur de grandes et terribles choses, en chassant des nations devant ton peuple que tu as racheté d'Égypte[b]? [22] Tu t'es donné à jamais pour peuple Israël ton peuple et toi, Yahvé, tu es devenu son Dieu. [23] Et maintenant, que subsiste à jamais, Yahvé, la promesse que tu as faite à ton serviteur et à sa maison, et agis comme tu l'as dit. [24] Que cette promesse subsiste et que ton Nom soit exalté à jamais! Que l'on dise : “ Yahvé Sabaot est le Dieu d'Israël, il est Dieu pour Israël. ” La maison de David ton serviteur sera affermie devant toi, [25] car c'est toi, mon Dieu, qui as fait cette révélation à ton serviteur : lui bâtir une maison. C'est pourquoi ton serviteur se trouve devant toi à te prier. [26] Oui, Yahvé, c'est toi qui es Dieu, et tu as fait cette belle promesse à ton serviteur. [27] Tu as alors consenti à bénir la maison de ton serviteur pour qu'elle demeure toujours en ta présence. Car c'est toi, Yahvé, qui as béni : elle est bénie à jamais. »

**Les guerres de David[c].** || 2 S 8 1-14

18 [1] Il advint après cela que David battit les Philistins et les abaissa. Il prit des mains des Philistins Gat et ses dépendances. [2] Puis il battit Moab, les Moabites furent asservis à David et payèrent tribut.

[3] David battit Hadadézer, roi de Çoba, à Hamat, alors qu'il allait établir son pouvoir sur le fleuve de l'Euphrate. [4] David lui prit mille chars, sept mille charriers et vingt mille hommes de pied, et David coupa les jarrets de tous les attelages, il n'en garda que cent. [5] Les Araméens de Damas vinrent au secours de Hadadézer, roi de Çoba, mais David tua aux Araméens vingt-deux mille hommes. [6] Puis David établit des gouverneurs dans l'Aram de Damas, les Araméens furent asservis à David et payèrent tribut. Partout où allait David, Yahvé lui donnait la victoire. [7] David prit les rondaches d'or que portait la garde de Hadadézer et les emporta à Jérusalem. [8] De Tibhat et de Kûn, villes de Hadadézer, David enleva une énorme quantité de 22 3
bronze dont Salomon fit la Mer de bronze, les colonnes et les ustensiles de bronze.

[9] Lorsque Tôou, roi de Hamat, apprit que David avait défait toute l'armée de Hadadézer, roi de Çoba, [10] il dépêcha son fils Hadoram au roi David pour le saluer et le féliciter d'avoir fait la guerre à Hadadézer et de l'avoir vaincu, car Hadadézer était en guerre avec Tôou. Il envoya toutes sortes d'objets d'or, d'argent et de bronze; [11] le roi David les consacra aussi à Yahvé, avec l'argent et l'or qu'il avait prélevés sur toutes les nations, Édom, Moab, Ammonites, Philistins, Amaleq.

[12] Abishaï, fils de Çeruya, battit les Édomites dans la vallée du Sel, au nombre de dix-huit mille. [13] Il établit des gouverneurs en Édom et tous les Édomites devinrent sujets de David. Partout où David allait, Dieu lui donna la victoire.

**L'administration du royaume.**

[14] David régna sur tout Israël, faisant droit et || 2 S 8
justice à tout son peuple.

[15] Joab, fils de Çeruya, commandait l'armée;

*a)* « Yahvé t'annonce ...maison » d'après 2 S **7**; « Je t'annonce, et Yahvé te fera une maison » hébr.

*b)* Le v. est corrigé en utilisant le parallèle de Samuel, cf. 2 S **7** 23+.

*c)* Du grand récit de 2 S **9** – 1 R **2** sur le règne de David, le Chroniste n'a retenu que les victoires, omettant les dissensions internes et la tragique histoire de la famille royale : adultère de David et naissance de Salomon, meurtre d'Amnon, révolte d'Absalom, opposition de Shéba, intrigues d'Adonias. Le Chroniste évite tout ce qui pourrait ternir l'image de son héros, et prépare l'affirmation que David ne devait pas construire le Temple parce qu'il avait été un homme de guerre, **22** 8; **28** 3. Il sous-entend que le butin de ses victoires servira à la construction du Temple, **29** 2-5.

Yehoshaphat, fils d'Ahilud, était héraut; 16 Sadoq,
fils d'Ahitub, et Ahimélek, fils d'Ébyatar, étaient
prêtres [a]; Shavsha était secrétaire; 17 Benayahu, fils
de Yehoyada, commandait les Kerétiens et les
Pelétiens. Les fils de David étaient les premiers aux
côtés du roi [b].

|| 2 S **10** 1-5 **Insulte aux ambassadeurs de David.**

**19** 1 Après cela, il advint que Nahash, roi des
Ammonites, mourut et que son fils régna à sa
place. 2 David se dit : « J'agirai avec bonté envers
Hanûn, fils de Nahash, parce que son père a agi
avec bonté envers moi. » Et David envoya des messagers lui présenter des condoléances au sujet de
son père. Mais lorsque les serviteurs de David arrivèrent au pays des Ammonites, auprès de Hanûn,
à l'occasion de ces condoléances, 3 les princes des
Ammonites dirent à Hanûn : « T'imagines-tu que
David veuille honorer ton père parce qu'il t'a
envoyé des porteurs de condoléances? N'est-ce pas
plutôt pour explorer, renverser et espionner le pays
que ses serviteurs sont venus à toi? » 4 Alors
Hanûn se saisit des serviteurs de David, il les rasa
et coupa leurs vêtements à mi-hauteur jusqu'aux
fesses, puis les congédia. 5 On alla informer David
de ce qui était arrivé à ces hommes : il envoya quelqu'un à leur rencontre, car ces gens étaient couverts de honte, et le roi leur fit dire : « Restez à Jéricho jusqu'à ce que votre barbe ait repoussé, puis
vous reviendrez. »

|| 2 S **10** 6-14 **Première campagne ammonite.**

6 Les Ammonites virent bien qu'ils s'étaient rendus odieux à David; Hanûn et les Ammonites
envoyèrent mille talents d'argent pour prendre à
leur solde des Araméens de Mésopotamie, des Araméens de Maaka et des gens de Çoba, chars et
charriers. 7 Ils prirent à leur solde le roi de Maaka,
ses troupes, et trente-deux mille chars; ils vinrent
camper devant Médba tandis que les Ammonites,
après avoir quitté leurs villes et s'être rassemblés,
arrivaient pour la bataille. 8 A cette nouvelle,
David envoya Joab avec toute l'armée, les preux.
9 Les Ammonites sortirent et se rangèrent en
bataille à l'entrée de la ville, mais les rois qui
étaient venus étaient à part en rase campagne.
10 Voyant qu'il avait un front de combat à la fois
devant et derrière lui, Joab fit choix de toute l'élite
d'Israël et la mit en ligne face aux Araméens. 11 Il
confia à son frère Abishaï le reste de l'armée et le
mit en ligne face aux Ammonites. 12 Il dit : « Si les
Araméens l'emportent sur moi, tu viendras à mon
secours; si les Ammonites l'emportent sur toi, je te
secourrai. 13 Aie bon courage et montrons-nous
forts pour notre peuple et pour les villes de notre
Dieu! et que Yahvé fasse ce qui lui semblera bon! »
14 Joab et la troupe qui était avec lui engagèrent le
combat contre les Araméens, qui lâchèrent pied
devant eux. 15 Quand les Ammonites virent que les
Araméens avaient fui, ils lâchèrent pied à leur tour
devant Abishaï, le frère de Joab, et rentrèrent dans
la ville. Alors Joab retourna à Jérusalem.

**Victoire sur les Araméens.** || 2 S **10** 15-19

16 Voyant qu'ils avaient été battus devant Israël,
les Araméens envoyèrent des messagers et mobili-
sèrent les Araméens qui sont de l'autre côté du
Fleuve; Shophak, général de Hadadézer, était à
leur tête. 17 Cela fut rapporté à David qui rassembla tout Israël, passa le Jourdain, les atteignit et
prit position près d'eux. Puis David se rangea en
ordre de combat en face des Araméens, qui lui
livrèrent bataille. 18 Mais les Araméens lâchèrent
pied devant Israël et David leur tua sept mille attelages et quarante mille hommes de pied; il fit aussi
périr Shophak le général. 19 Quand les vassaux de
Hadadézer se virent battus devant Israël, ils firent
la paix avec David et lui furent assujettis. Les Araméens ne voulurent plus porter secours aux Ammonites.

**Seconde campagne ammonite.**

**20** 1 Au retour de l'année, au temps où les rois se || 2 S **11** 1
mettent en campagne, Joab emmena les trou-
pes et ravagea le pays des Ammonites. Puis il vint
mettre le siège devant Rabba, tandis que David res- || 2 S **12** 26
tait à Jérusalem. Joab abattit Rabba et la déman-
tela. 2 David ôta de la tête de Milkom [c] la couronne || 2 S **12** 30-31
qui s'y trouvait. Il constata qu'elle pesait un talent
d'or et qu'elle enchâssait une pierre précieuse.
David la mit sur sa tête. Il emporta le butin de la
ville en énorme quantité. 3 Quant à sa population,
il la fit sortir, la mit à manier la scie, les pics de
fer ou les haches. Ainsi agit-il envers toutes les villes des Ammonites. Puis David et toute l'armée
revinrent à Jérusalem.

**Exploits contre les Philistins.**

4 Après cela, la guerre se poursuivit avec les Phi- || 2 S **21** 18-22

*a)* Le Chroniste utilise le texte de 2 S **8**, déjà remanié pour donner à Sadoq une ascendance lévitique, cf. 2 S **8** 17+.

*b)* Selon 2 S, ils étaient prêtres, cf. **8** 18+, mais au temps du Chroniste on ne concevait pas qu'il puisse y avoir des prêtres qui ne soient pas descendants de Lévi.

*c)* Au lieu de « Milkom », l'hébr. a lu « leur roi ». – Entre le v. 1, David à Jérusalem, et le v. 2, David à Rabba, le Chroniste omet toute l'histoire de la faute de David, 2 S **11** 2 - **12** 25.

listins à Gézer. C'est alors que Sibbekaï de Husha
Dt 1 28+ tua Sippaï, un descendant des Rephaïm. Les Philistins furent abaissés.
5 La bataille reprit encore avec les Philistins.
Elhanân, fils de Yaïr, tua Lahmi, frère de Goliath
de Gat [a]; le bois de sa lance était comme un liais
de tisserand. 6 Il y eut encore un combat à Gat et
il se trouva là un homme de grande taille qui avait
vingt-quatre doigts, six à chaque extrémité. Il était,
lui aussi, descendant de Rapha. 7 Comme il défiait
Israël, Yehonatân, fils de Shiméa frère de David,
le tua. 8 Ces hommes étaient issus de Rapha à Gat
et ils succombèrent sous la main de David et de
ses gardes.

## 3. VERS LA CONSTRUCTION DU TEMPLE [b]

|| 2 S 24 1-9 **Le dénombrement [c].**

21 1 Satan [d] se dressa contre Israël et il incita
David à dénombrer les Israélites. 2 David dit
à Joab et aux chefs du peuple : « Allez compter
Israël, de Bersabée à Dan, puis revenez m'en faire
connaître le chiffre. » 3 Joab répondit : « Que Yahvé
accroisse son peuple de cent fois autant! Monseigneur le roi, ne sont-ils pas tous les serviteurs de
Monseigneur? Pourquoi Monseigneur fait-il cette
enquête? Pourquoi Israël deviendrait-il coupable? »
4 Cependant l'ordre du roi s'imposa à Joab. Joab
partit, il parcourut tout Israël, puis rentra à Jérusalem. 5 Joab fournit à David le chiffre obtenu pour
le recensement du peuple; tout Israël comptait onze
cent mille hommes tirant l'épée, et Juda quatre cent
soixante-dix mille hommes tirant l'épée [e]. 6 L'ordre
du roi avait tant répugné à Joab qu'il n'avait
recensé ni Lévi ni Benjamin.

|| 2 S 24 10-17 **La peste et le pardon divin.**

7 Dieu vit avec déplaisir cette affaire et il frappa
Israël. 8 David dit alors à Dieu : « C'est un grand
péché que j'ai commis en cette affaire! Maintenant,
veuille pardonner cette faute à ton serviteur, car j'ai
commis une grande folie. » 9 Yahvé dit alors à Gad,
le voyant de David : 10 « Va dire à David : Ainsi
parle Yahvé. Je te propose trois choses : choisis-en
une et je l'exécuterai pour toi. » 11 Donc Gad se
rendit chez David et lui dit : « Ainsi parle Yahvé.
Il te faut accepter 12 soit trois années de famine,
soit un désastre de trois mois devant tes ennemis,
l'épée de tes adversaires dans les reins, soit l'épée
de Yahvé et trois jours de peste dans le pays, l'ange
de Yahvé ravageant tout le territoire d'Israël! Vois
maintenant ce que je dois répondre à celui qui
m'envoie. » 13 David répondit à Gad : « Je suis dans
une grande anxiété... Ah! que je tombe entre les
mains de Yahvé, car sa miséricorde est immense,
mais que je ne tombe pas entre les mains des hommes! »
14 Yahvé envoya donc la peste en Israël et, parmi
les Israélites, soixante-dix mille hommes tombèrent. 15 Puis Dieu envoya l'ange vers Jérusalem
pour l'exterminer; mais au moment de l'exterminer,
Yahvé regarda et se repentit de ce mal; et il dit à
l'ange exterminateur : « Assez! Retire ta main. »
L'ange de Yahvé se tenait alors près de l'aire
d'Ornân le Jébuséen. 16 [f] Levant les yeux, David vit
l'ange de Yahvé qui se tenait entre terre et ciel,
l'épée dégainée à la main, tendue vers Jérusalem.
Revêtus de sacs, David et les anciens tombèrent
alors face contre terre, 17 et David dit à Dieu :
« N'est-ce pas moi qui ai ordonné de recenser le
peuple? N'est-ce pas moi qui ai péché et qui ai
commis le mal? mais ceux-là, c'est le troupeau,
qu'ont-ils fait? Yahvé, mon Dieu, que ta main
s'appesantisse donc sur moi et sur ma famille, mais
que ton peuple échappe au fléau! »

**Construction d'un autel [g].** || 2 S 24 18-2

18 L'ange de Yahvé dit alors à Gad : « Que
David monte et élève un autel à Yahvé sur l'aire
d'Ornân le Jébuséen. » 19 David monta donc selon
la parole que Gad lui avait dite au nom de Yahvé.
20 Or, en se retournant, Ornân avait vu l'ange et il

*a)* Le Chroniste interprète ainsi 2 S **21** 19, en tenant compte du récit qui attribue à David la victoire sur Goliath, 1 S **17**

*b)* Ce ch. ouvre une section capitale du livre : l'organisation du culte et du clergé dans la communauté davidique, celle qui a les promesses messianiques de l'oracle de Natân.

*c)* Le Chroniste a conservé ce récit où David apparaît comme pécheur, v. 8, parce qu'il s'achève par l'érection d'un autel sur le lieu où s'élèvera le Temple, cf. v. 18+.

*d)* Le Chroniste attribue à Satan (cf. Jb **1** 6+), selon une théologie plus évoluée, ce que 2 S reportait à « la colère de Yahvé » comme à la cause première.

*e)* Chiffres différents en 2 S **24**, cf. 1 Ch **27** 24. Lévi est exclu du recensement, comme en Nb **1**.

*f)* Ce v., propre au Chroniste, suppose une nouvelle représentation des anges, assez proche de celle de Dn **9** 21 et de 2 M **10** 29.

*g)* L'épisode de 2 S **24** devient, chez le Chroniste, un récit de la fondation du Temple de Jérusalem : l'autel dressé par David sera celui du Temple, **22** 1. Le Chroniste est le seul à mettre explicitement le Temple de Salomon en rapport direct avec l'aire d'Ornân. – De même, au retour de l'Exil, Esd **3** 1s, l'érection de l'autel précéda la reconstruction du Temple.

se cachait avec ses quatre fils. Ornân était en train
de battre le froment 21 lorsque David se rendit auprès de lui. Ornân regarda, vit David, sortit de
l'aire, et se prosterna devant David, la face contre
terre. 22 David dit alors à Ornân : « Cède-moi l'emplacement de cette aire afin que j'y construise un
autel pour Yahvé. Cède-le-moi pour sa pleine
valeur en argent. Ainsi le fléau s'écartera du peuple. » 23 Ornân dit alors à David : « Prends, et que
Monseigneur le roi fasse ce qui lui semble bon!
Vois : je donne les bœufs pour les holocaustes, le
traîneau pour le bois et le grain pour l'oblation.
Je donne le tout. » 24 Mais le roi David répondit à
Ornân : « Non pas! je veux l'acheter pour sa pleine
valeur en argent; car je ne veux pas prendre pour
Yahvé ce qui t'appartient et offrir ainsi des holocaustes qui ne me coûtent rien. » 25 David donna à
Ornân pour ce lieu le poids de six cents sicles d'or.
26 David construisit là un autel pour Yahvé, et il
offrit des holocaustes et des sacrifices de communion. Il invoqua Yahvé; Yahvé lui répondit en fai-
1 R 18 38 sant tomber du ciel le feu sur l'autel des holocaustes 27 et il ordonna à l'ange de remettre l'épée au
fourreau. 28 A cette époque, voyant que Yahvé lui
avait répondu sur l'aire d'Ornân le Jébuséen, David
y fit un sacrifice. 29 La Demeure de Yahvé que
Moïse avait faite dans le désert et l'autel des holocaustes se trouvaient à cette époque sur le haut lieu
de Gabaôn, 30 mais David n'avait pu y aller devant
Dieu pour s'adresser à lui, tant l'épée de l'ange de
Yahvé lui avait fait peur [a].

22 1 Puis David dit : « C'est ici la maison de
Yahvé Dieu et ce sera l'autel pour les holocaustes d'Israël. »

**Préparatifs pour la construction du Temple [b].**

2 David ordonna de rassembler les étrangers [c]
qui se trouvaient dans le pays d'Israël, puis il pré-
1 R 5 31-32 posa des carriers à la taille des pierres pour la
construction de la maison de Dieu. 3 David d'autre
part entreposa beaucoup de fer pour les clous des
battants de porte et pour les crampons, ainsi que
du bronze en quantité impossible à peser, 4 et des
troncs de cèdre en nombre incalculable, car Sidoniens et Tyriens avaient apporté à David des troncs
de cèdre en abondance.
5 Puis David dit : « Mon fils Salomon est jeune
et faible; et cette maison qu'il doit bâtir pour Yahvé
doit être magnifique, elle doit avoir renom et gloire
dans tous les pays. J'en ferai pour lui les préparatifs. » Aussi David, avant de mourir, fit-il de grands
préparatifs; 6 puis il appela son fils Salomon et lui
ordonna de bâtir une maison pour Yahvé, le Dieu
d'Israël. 7 David dit à Salomon : « Mon fils, j'ai
désiré bâtir une maison pour le nom de Yahvé mon
Dieu. 8 Mais la parole de Yahvé me fut adressée :
“ Tu as versé beaucoup de sang et livré de grandes
batailles, tu ne bâtiras pas de maison à mon nom
car en ma présence tu as répandu beaucoup de
sang à terre [d]. 9 Voici qu'un fils t'est né; lui sera un
homme de paix et je le mettrai en paix avec tous
ses ennemis alentour, car Salomon sera son nom [e],
et c'est en ses jours que je donnerai à Israël paix
et tranquillité. 10 Il bâtira une maison à mon nom,
il sera pour moi un fils et je serai pour lui un père,
j'affermirai le trône de sa royauté sur Israël pour
toujours. ” 11 Que Yahvé, ô mon fils, soit maintenant avec toi, et te fasse achever avec succès la
construction de la maison de Yahvé ton Dieu,
comme il l'a dit de toi. 12 Qu'il te donne cependant
perspicacité et discernement, qu'il te donne ses
ordres sur Israël pour que tu observes la Loi de
Yahvé ton Dieu! 13 Tu ne réussiras que si tu observes et mets en pratique les lois et les coutumes que
Yahvé a prescrites à Moïse pour Israël. Sois fort Dt 31 23
et tiens bon! Ne crains pas, ne tremble pas! 14 Voici
que jusque dans ma pauvreté j'ai pu mettre de côté
pour la maison de Yahvé cent mille talents d'or, un
million de talents d'argent, tant de bronze et de fer
qu'on ne peut les peser. J'ai aussi entreposé du bois
et des pierres et tu en ajouteras d'autres. 15 Il y aura
avec toi maints artisans, carriers, sculpteurs et
charpentiers, toutes sortes d'experts en tous arts.
16 Quant à l'or, à l'argent, au bronze et au fer, on
ne saurait les compter. Va! agis, et que Yahvé soit
avec toi. »
17 David ordonna alors à tous les officiers
d'Israël de prêter main-forte à Salomon, son fils :
18 « Yahvé, votre Dieu, n'est-il pas avec vous? Car
il vous a donné partout le repos, puisqu'il a livré
entre mes mains les habitants du pays et que le
pays a été soumis à Yahvé et à son peuple.
19 Donnez maintenant votre cœur et votre âme à la
recherche de Yahvé, votre Dieu. Allez, bâtissez le

a) Ces deux vv. expliquent par l'intervention de l'Ange de Yahvé le transfert à Jérusalem du culte de Gabaôn où, cf. déjà **16** 39-40, se trouvait la Demeure devant laquelle on devait consulter Yahvé, Ex **29** 42; **30** 36; **33** 7s.

b) Ce ch. n'a pas de parallèle biblique, sauf des versets isolés. Il est possible que le Chroniste ait utilisé d'autres sources ou, au moins, des traditions qui se rapportaient en fait au règne de Salomon.

c) Conformément au rédacteur deutéronomiste des Rois, cf. 1 R **9** 20-22, le Chroniste n'accepte pas l'idée que des Israélites aient été astreints à la corvée, mais cela est explicitement dit dans les textes anciens de 1 R **5** 27 et **11** 28. – Selon Is **60** 10, la Jérusalem messianique doit être rebâtie par des étrangers.

d) Cf. **18** 1+.

e) Le nom de Salomon dérive de *shalom*, « paix ». Il y a une opposition voulue entre lui et David, homme de guerre.

sanctuaire de Yahvé votre Dieu, pour amener à
cette maison construite au nom de Yahvé l'arche
de l'alliance de Yahvé et les objets sacrés de
Dieu. »

**Classes et fonctions des lévites [a].**

1 R 1 1-2 1 **23** 1 Devenu vieux et rassasié de jours, David
donna à son fils Salomon la royauté sur Israël.
2 Il réunit tous les officiers d'Israël, les prêtres et les
lévites.
Nb 4 3 3 On recensa les lévites de trente ans et plus [b]. En
les comptant tête par tête, on trouva 38.000 hommes; 4 24.000 d'entre eux présidaient aux offices [c]
de la maison de Yahvé, 6.000 étaient scribes et
juges, 5 4.000 portiers, et 4.000 louaient Yahvé,
Am 6 5 avec les instruments que David avait faits [d] à cette
intention.
6 Puis David répartit les lévites en classes [e] :
Gershôn, Qehat et Merari.
26 21s 7 Pour les Gershonites [f] : Ladân et Shiméï. 8 Fils
de Ladân : Yehiel, le premier, Zétam, Yoël, trois en
tout. 9 Fils de Shiméï : Shelomit, Haziel, Harân,
trois en tout. Ce sont les chefs de famille de Ladân.
10 Fils de Shiméï : Yahat, Zina, Yéush, Béria; ce
furent là les fils de Shiméï, quatre en tout. 11 Yahat
était l'aîné, Ziza le second, puis Yéush et Béria qui
n'eurent pas beaucoup d'enfants et furent enregistrés en une seule famille.
12 Fils de Qehat : Amram, Yiçhar, Hébrôn,
Uzziel, quatre en tout. 13 Fils d'Amram : Aaron et
Moïse. Aaron fut mis à part pour consacrer les
choses très saintes, lui et ses fils à jamais, faire
fumer l'encens devant Yahvé, le servir et bénir en
son nom à jamais. 14 Moïse fut un homme de Dieu
dont les fils reçurent le nom de la tribu de Lévi.
15 Fils de Moïse : Gershom et Éliézer. 16 Fils de
24 20-30; Gershom : Shebuel, le premier. 17 Il y eut des fils
26 24-25 d'Éliézer : Rehabya, le premier. Éliézer n'eut pas
d'autres fils, mais les fils de Rehabya furent extrêmement nombreux. 18 Fils de Yiçhar : Shelomit le
premier. 19 Fils de Hébrôn : Yeriyyahu le premier,
Amarya le second, Yahaziel le troisième, Yeqaméam le quatrième. 20 Fils d'Uzziel : Mika le premier, Yishshiyya le second.

21 Fils de Merari : Mahli et Mushi. Fils de
Mahli : Éléazar et Qish. 22 Éléazar mourut sans
avoir de fils, mais des filles qu'enlevèrent les fils de
Qish leurs frères. 23 Fils de Mushi : Mahli, Éder,
Yerémot, trois en tout.
24 Tels étaient les fils de Lévi par familles, les
chefs de maison et ceux qu'on recensait nominativement, tête par tête; quiconque était âgé de vingt
ans et plus était affecté au service de la maison de
Yahvé.
25 Car David avait dit : « Yahvé, Dieu d'Israël,
a donné le repos à son peuple et il demeure pour
toujours à Jérusalem. 26 Les lévites n'auront plus à
transporter la Demeure et les objets destinés à son
service. » 27 En effet, selon les dernières paroles de
David, les lévites qui furent comptés étaient âgés 23 3, 24
de vingt ans et plus. 28 Ils sont chargés de se tenir
sous les ordres des fils d'Aaron pour le service du
Temple de Yahvé dans les parvis et les salles, pour
la purification de chaque chose consacrée; ils font
le service du Temple de Dieu. 29 Ils sont aussi chargés du pain à disposer en rangées, de la fleur de
farine destinée à l'oblation, des galettes sans levain,
de celles qui étaient préparées à la plaque ou sous
forme de mélange, et de toutes les mesures de capacité et de longueur [g]. 30 Ils ont à s'y tenir chaque
matin pour célébrer et pour louer Yahvé, et de
même le soir, 31 ainsi que pour toute offrande d'ho- Nb 28-29
locaustes à Yahvé lors des sabbats, des néoménies
et des solennités, selon le nombre fixé par la règle.
Cette charge leur incombe en permanence devant
Yahvé. 32 Ils observent, au service du Temple de
Yahvé, le rituel de la Tente du Rendez-vous, le
rituel du sanctuaire et le rituel des fils d'Aaron,
leurs frères.

**Les classes des prêtres.**

**24** 1 Classes des fils d'Aaron : fils d'Aaron : || Nb 3 2-4
Nadab, Abihu, Éléazar et Itamar. 2 Nadab et
Abihu moururent en présence de leur père sans
laisser de fils et c'est Éléazar et Itamar qui devinrent prêtres. 3 David les répartit en classes, ainsi
que Sadoq, l'un des fils d'Éléazar, et Ahimélek, l'un
des fils d'Itamar [h], et les recensa selon leurs ser-

*a)* De **23** 3 à **27** 34, une longue addition interrompt la suite normale du récit qui, de **23** 1, se continuait à **28** 2. **23** 2 est un v. de liaison qui introduit les prêtres et les lévites dont parle l'addition.
*b)* Comme dans Nb **4** 3, 23, 30, mais vingt ans d'après le v. 24.
*c)* Ce sont sans doute des chantres; les catégories sont les mêmes qu'aux ch. **25** et **26** : chantres, cf. **25**, portiers, **26** 1s, scribes et juges, **26** 29, enfin instrumentistes, cf. **15** 19s.
*d)* « David avait faits » conj.; « j'avais faits » hébr.
*e)* Les vv. 6-32 sont une introduction, inspirée de Nb **8** 5s, à l'organisation du clergé. Mais les fonctions des lévites ne sont plus celles que prévoyait Nb. Dieu ayant élu domicile, ils n'assurent plus les transports, Nb **3-4**, mais demeurent dans le Temple pour aider les prêtres dans les tâches prévues au Lv. Certes les Aaronides ont des pouvoirs spéciaux, vv. 13s, mais l'auteur ne distingue pas ici prêtres et lévites. Ce nouvel ordre des choses, stable et définitif, est censé venir de David, comme l'ancien, itinérant et provisoire, venait de Moïse.
*f)* C'est avec **26** 21s que cette liste a le plus d'affinités. Elle diverge des autres listes de Gershonites, Ex **6** 17; Nb **3** 18; 1 Ch **6** 2, 5.
*g)* Les lévites ne sont pas des contrôleurs des poids et mesures, simplement ils doivent veiller à ce que les offrandes soient de la quantité fixée par le rituel.
*h)* Ce texte témoigne de l'accord intervenu à la fin de l'exil entre les deux familles sacerdotales concurrentes : celle des descen-

vices. [4] Les fils d'Éléazar se trouvèrent avoir plus de chefs de preux que les fils d'Itamar; on forma seize classes avec les chefs de famille des fils d'Éléazar et huit avec les chefs de famille des fils d'Itamar. [5] On les répartit au sort, les uns comme les autres; il y eut des officiers consacrés, des officiers de Dieu, parmi les fils d'Éléazar, comme parmi les fils d'Itamar. [6] L'un des lévites, le scribe Shemaya, fils de Netanéel, les inscrivit en présence du roi, des officiers, du prêtre Sadoq, d'Ahimélek fils d'Ébyatar, des chefs de familles sacerdotales et lévitiques; on tirait une fois au sort pour chaque famille des fils d'Éléazar, toutes les deux fois pour les fils d'Itamar [a].

[7] Yehoyarib fut le premier sur qui tomba le sort, Yedaya le second, [8] Harim le troisième, Séorim le quatrième, [9] Malkiyya le cinquième, Miyyamîn le sixième, [10] Haqqoç le septième, Abiyya [b] le huitième, [11] Yéshua le neuvième, Shekanyahu le dixième, [12] Élyashib le onzième, Yaqim le douzième, [13] Huppa le treizième, Ishbaal le quatorzième, [14] Bilga le quinzième, Immér le seizième, [15] Hézir le dix-septième, Happiçèç le dix-huitième, [16] Petahya le dix-neuvième, Yehèzqel le vingtième, [17] Yakîn le vingt et unième, Gamul le vingt-deuxième, [18] Delayahu le vingt-troisième, Maazyahu le vingt-quatrième [c].

[19] Tels sont ceux qui furent recensés selon leur service, pour entrer dans le Temple de Yahvé, conformément à leur règle, règle transmise par Aaron, leur père, comme le lui avait prescrit Yahvé, Dieu d'Israël.

[20] Quant aux autres fils de Lévi :
23 16s Pour les fils de Amram : Shubaël. Pour les fils
de Shubaël, Yéhdeyahu. [21] Pour Rehabyahu, pour les fils de Rehabyahu, l'aîné Yishshiyya. [22] Pour les Yiçharites, Shelomot; pour les fils de Shelomot, Yahat. [23] Fils de Hébrôn : Yeriyya le premier, Amaryahu le second, Yahaziel le troisième, Yeqaméam le quatrième. [24] Fils de Uzziel : Mika; pour les fils de Mika, Shamir; [25] frère de Mika, Yishshiyya; pour les fils de Yishshiyya, Zekaryahu. [26] Fils de Merari : Mahli et Mushi. Fils de Yaaziyyahu, son fils; [27] fils de Merari : pour Yaaziyyahu son fils : Shoham, Zakkur et Ibri; [28] pour Mahli, Éléazar qui n'eut pas de fils; [29] pour Qish : fils de Qish, Yerahméel. [30] Fils de Mushi : Mahli, Éder, Yerimot.

Tels furent les fils de Lévi, répartis par familles. [31] Comme les fils d'Aaron, leurs frères, ils tirèrent au sort en présence du roi David, de Sadoq, d'Ahimélek, et des chefs de familles sacerdotales et lévitiques, les premières familles comme les plus petites.

## Les chantres.

25 [1] Pour le service, David et les officiers mirent
à part les fils d'Asaph, de Hémân et de Yedu- 16 37-43
tûn, les prophètes [d] qui s'accompagnaient de lyres, de cithares et de cymbales, et l'on compta les hommes affectés à ce service [e].

[2] Pour les fils d'Asaph : Zakkur, Yoseph, Netanya, Asarééla; les fils d'Asaph dépendaient de leur père qui prophétisait sous la direction du roi.

[3] Pour Yedutûn : fils de Yedutûn : Gedalyahu,
Çeri, Yeshayahu, Hashabyahu, Mattityahu; ils
étaient six sous la direction de leur père Yedutûn
qui prophétisait au son des lyres en l'honneur et à 2 R 3 15
la louange de Yahvé.

[4] Pour Hémân : fils de Hémân : Buqqiyyahu, Mattanyahu, Uzziel, Shebuel, Yerimot, Hananya, Hanani, Éliata, Giddalti, Româmti-Ézer, Yoshbeqasha, Malloti, Hotir, Mahaziot. [5] Tous ceux-là étaient fils de Hémân, le voyant du roi; aux paroles de Dieu, ils sonnaient de la trompe [f]. Dieu donna à Hémân quatorze fils et trois filles; [6] ils chantaient tous sous la direction de leur père dans le Temple de Yahvé, au son des cymbales, des cithares et des lyres, au service du Temple de Dieu, sous les ordres du roi.

Asaph, Yedutûn, Hémân, [7] ceux qui avaient appris à chanter pour Yahvé, furent comptés avec

dants de Sadoq, en possession du Temple jusqu'à l'exil et celle des descendants d'Ébyatar (et d'Éli) écartés du sanctuaire par Salomon, 1 R **2** 27. On leur donna comme ancêtres les deux fils d'Aaron, cf. v. 1 : Sadoq fut rattaché à Éléazar, cf. 1 Ch **5** 30-34; **6** 35-38; Ébyatar, de bonne origine lévitique, cf. 1 S **2** 27, fut rattaché à Itamar sans que le détail de sa généalogie fut donné nulle part. Tous les prêtres étaient ainsi « fils d'Aaron ».

*a)* Texte incertain, mais cf. v. 4.

*b)* A cette classe appartiendra Zacharie, père de Jean-Baptiste, Lc **1** 5.

*c)* Ne **12** contient deux listes de familles sacerdotales, qui ne contiennent que 22 (ou 21) noms. La classification du Chroniste paraît postérieure.

*d)* Les Chroniques sont seules à donner aux chantres le nom de « prophète », vv. 2, 3, ou de « voyant », v. 5. L'auteur assimile la composition et le chant des psaumes à un certain genre d'« inspiration », mais il ne fait pas des chantres une classe de prophètes cultuels.

*e)* A côté des vingt-quatre classes de prêtres, 1 Ch compte vingt-quatre classes de chantres rattachées aux trois grands noms d'Asaph, Hémân et Yedutûn. Seuls sont assez bien attestés par ailleurs Zakkur, fils d'Asaph, cf. **9** 15 (Zikri); Ne **12** 35; Mattityahu, **15** 18, 21; **16** 5, et Mattanya, **9** 15; Ne **11** 17. Il semble que les neuf derniers noms, v. 4[b], aient été obtenus, pour atteindre le chiffre de vingt-quatre, non à partir d'une liste mais en découpant un fragment de psaume. Avec de petites corrections, celui-ci pourrait se traduire : « Fais-moi grâce, Yahvé, fais-moi grâce, tu es mon Dieu! J'ai grandi, je me suis élevé, c'est toi mon secours que j'ai recherché! Donne des visions nombreuses! »

*f)* Sens incertain. Litt. « pour élever la corne ». D'autres comprennent : « pour exalter sa puissance, selon la parole de Dieu ».

leurs frères; ils étaient en tout deux cent quatre-
vingt-huit à s'y entendre. 8 Ils tirèrent au sort
l'ordre à observer, pour le petit comme pour le
grand, pour le maître comme pour l'élève. 9 Le premier sur qui tomba le sort fut l'Asaphite Yoseph.
Le second fut Gedalyahu; avec ses fils et ses frères
ils étaient douze. 10 Le troisième fut Zakkur; avec
ses fils et ses frères ils étaient douze. 11 Le quatrième fut Yiçri; avec ses fils et ses frères ils étaient
douze. 12 Le cinquième fut Netanyahu; avec ses fils
et ses frères ils étaient douze. 13 Le sixième fut Buqqiyyahu; avec ses fils et ses frères ils étaient douze.
14 Le septième fut Yesarééla; avec ses fils et ses frères ils étaient douze. 15 Le huitième fut Yeshayahu;
avec ses fils et ses frères ils étaient douze. 16 Le neuvième fut Mattanyahu; avec ses fils et ses frères ils
étaient douze. 17 Le dixième fut Shiméï; avec ses fils
et ses frères ils étaient douze. 18 Le onzième fut
Azaréel; avec ses fils et ses frères ils étaient douze.
19 Le douzième fut Hashabyahu; avec ses fils et ses
frères ils étaient douze. 20 Le treizième fut Shubaël;
avec ses fils et ses frères ils étaient douze. 21 Le
quatorzième fut Mattityahu; avec ses fils et ses frères ils étaient douze. 22 Le quinzième fut Yerémot;
avec ses fils et ses frères ils étaient douze. 23 Le seizième fut Hananyahu; avec ses fils et ses frères ils
étaient douze. 24 Le dix-septième fut Yoshbeqasha;
avec ses fils et ses frères ils étaient douze. 25 Le dix-
huitième fut Hanani; avec ses fils et ses frères ils
étaient douze. 26 Le dix-neuvième fut Malloti; avec
ses fils et ses frères ils étaient douze. 27 Le vingtième fut Élyata; avec ses fils et ses frères ils étaient
douze. 28 Le vingt et unième fut Hotir; avec ses fils
et ses frères ils étaient douze. 29 Le vingt-deuxième
fut Giddalti; avec ses fils et ses frères ils étaient
douze. 30 Le vingt-troisième fut Mahaziot; avec ses
fils et ses frères ils étaient douze. 31 Le vingt-quatrième fut Româmti-Ézer; avec ses fils et ses frères
ils étaient douze.

9 17-27 **Les portiers** [a].

**26** 1 Quant aux classes de portiers :
Pour les Coréites : Meshélémyahu, fils de
Qoré, l'un des fils d'Ébyasaph [b]. 2 Meshélémyahu
eut des fils : Zekaryahu le premier, Yediael le
second, Zebadyahu le troisième, Yatniel le quatrième, 3 Élam le cinquième, Yehohanân le sixième,
Élyhoénaï le septième.
2 S 6 10s 4 Obed-Édom eut des fils : Shemaya l'aîné, Yeho-
1 Ch 15 21 zabad le second, Yoah le troisième, Sakar le quatrième, Netanéel le cinquième, 5 Ammiel le sixième,
Issachar le septième, Péulletaï le huitième; Dieu en
effet l'avait béni. 6 A son fils Shemaya naquirent
des fils qui eurent autorité sur leurs familles, car ce
furent des preux valeureux. 7 Fils de Shemaya :
Otni, Rephaël, Obed, Elzabad, et ses frères les vaillants Élihu et Semakyahu. 8 Tous ceux-là étaient
fils d'Obed-Édom. Eux, leurs fils et leurs frères
eurent dans leur service une haute valeur. Pour
Obed-Édom, soixante-deux.

9 Meshélémyahu eut des fils et des frères : dix-
huit hommes vaillants.

10 Hosa, l'un des fils de Merari, eut des fils.
Shimri était le premier, car, sans qu'il fût l'aîné, son Gn 48 13-20
père l'avait mis en tête. 11 Hilqiyya était le second,
Tebalyahu le troisième, Zekaryahu le quatrième.
Treize en tout, fils et frères de Hosa.

12 Ceux-ci eurent leurs classes de portiers. Les
chefs de ces preux avaient des charges correspon-
dantes à celles de leurs frères au service du Temple
de Yahvé. 13 Pour chaque porte, on tira au sort par 9 24
famille, qu'elle soit petite ou grande. 14 Pour l'Est,
le sort tomba sur Shélémyahu, dont le fils Zekaryahu donnait des conseils avisés. On tira les sorts
et le Nord échut à ce dernier. 15 Obed-Édom eut le
Sud et ses fils les magasins. 16 Shuppim et Hosa
eurent l'Ouest avec la porte du Tronc abattu sur la
chaussée supérieure. Règles correspondant aux
charges : 17 six par jour [c] à l'Est, quatre par jour au
Nord, quatre par jour au Sud, deux par deux aux
magasins; 18 pour le Parbar [d] à l'Ouest : quatre
pour la chaussée, deux pour le Parbar. 19 Telles
étaient les classes de portiers chez les Coréites et
les Merarites.

**Autres fonctions lévitiques.**

20 Les lévites, leurs frères [e], étaient responsables
des trésors du Temple de Dieu, et affectés aux trésors des offrandes consacrées.

21 Les fils de Ladân, fils de Gershôn par Ladân,
avaient les Yéhiélites pour chefs des familles de
Ladân le Gershonite. 22 Les Yéhiélites, Zétam et
Yoël [f] son frère, furent responsables des trésors du
Temple de Yahvé.

23 Quant aux Amramites, Yiçharites, Hébronites
et Uzziélites : 24 Shebuel, fils de Gershom, fils de
Moïse, était chef responsable des trésors. 25 Ses frères par Éliézer : Rehabyahu son fils, Yeshayahu
son fils, Yoram son fils, Zikri son fils et Shelomit
son fils. 26 Ce Shelomit et ses frères furent responsables de tous les trésors des offrandes consacrées 18 11
par le roi David et par les chefs de familles, à titre

*a)* C'est la plus détaillée des trois listes de portiers, cf. **9** 17-27; **16** 37-42.
*b)* « Ébyasaph », conj., cf. **9** 19; « Asaph » hébr.
*c)* « six par jour » grec; « six lévites » hébr.
*d)* Étymologie et signification incertaines.
*e)* « leurs frères » grec; « Ahiyya » hébr.
*f)* Zétam et Yoël, avec Shebuel et Shelomit, forment une commission chargée de veiller aux trésors publics, analogue à

Nb **31** 48-54 d'officiers de milliers, de centaines et de corps [27] (ils
les avaient consacrées sur le butin de guerre pour
enrichir le Temple de Yahvé), [28] ainsi que de tout
ce qu'avait consacré Samuel le voyant, Saül fils de
Qish, Abner fils de Ner et Joab fils de Çeruya. Tout
ce que l'on consacrait fut sous la responsabilité de
Shelomit et de ses frères.
15 22 [29] Pour les Yiçharites : Kenanyahu et ses fils,
affectés aux affaires profanes en Israël [a] à titre de
scribes et de juges.
27 17 [30] Pour les Hébronites : Hashabyahu et ses frères, mille sept cents guerriers responsables de la
surveillance d'Israël à l'ouest du Jourdain, pour
toutes les affaires de Yahvé et le service du roi.
[31] Pour les Hébronites : Yeriyya le chef. En l'an
quarante du règne de David, on fit des recherches
sur les parentés des familles hébronites, et l'on
trouva parmi eux de vaillants preux à Yazèr, en
Galaad. [32] Quant aux frères de Yeriyya, deux
mille sept cents guerriers chefs de familles, le roi
David les nomma inspecteurs des Rubénites, des
Gadites et de la demi-tribu de Manassé, en toute
affaire divine et royale.

**Organisation civile et militaire** [b].

**27** [1] Les Israélites d'après leur nombre :
Chefs de familles, officiers de milliers et de
centaines et leurs scribes au service du roi, pour
tout ce qui concernait les classes en activité pour
un mois, tous les mois de l'année. Chaque classe
était de vingt-quatre mille hommes.
[2] Le responsable de la première classe, affecté au
11 11 premier mois, était Yashobéam, fils de Zabdiel. Il
était responsable d'une classe de vingt-quatre mille
hommes. [3] C'était l'un des fils de Péréç, chef de
tous les officiers du corps affecté au premier mois.
[4] Le responsable de la classe du second mois était
11 12 Dodaï l'Ahohite [c]; il était responsable d'une classe
de vingt-quatre mille hommes. [5] L'officier du troisième corps affecté au troisième mois était
12 28 Benayahu, fils de Yehoyada, le prêtre en chef. Il
était responsable d'une classe de vingt-quatre mille
hommes. [6] C'est ce Benayahu qui fut le héros des
Trente, et eut la responsabilité des Trente et de sa
classe. Il eut pour fils Ammizabad.
[7] Le quatrième, affecté au quatrième mois, était
Asahel, frère de Joab; son fils Zebadya lui succéda. 2 S **2** 18-23
Il était responsable d'une classe de vingt-quatre
mille hommes.
[8] Le cinquième, affecté au cinquième mois, était
l'officier Shamehut, le Zarhite [d]. Il était responsable
d'une classe de vingt-quatre mille hommes. [9] Le
sixième, affecté au sixième mois, était Ira, fils
d'Iqqesh, de Teqoa; il était responsable d'une
classe de vingt-quatre mille hommes. [10] Le septième, affecté au septième mois, était Héleç, le
Pelonite, l'un des fils d'Éphraïm; il était responsable d'une classe de vingt-quatre mille hommes.
[11] Le huitième, affecté au huitième mois, était Sibbekaï, de Husha, un Zarhite; il était responsable
d'une classe de vingt-quatre mille hommes. [12] Le
neuvième, affecté au neuvième mois, était Abiézer
d'Anatot, un Benjaminite; il était responsable d'une
classe de vingt-quatre mille hommes. [13] Le dixième,
affecté au dixième mois, était Mahraï de Netopha,
un Zarhite; il était responsable d'une classe de
vingt-quatre mille hommes. [14] Le onzième, affecté
au onzième mois, était Benaya, de Piréatôn, un fils
d'Éphraïm; il était responsable d'une classe de
vingt-quatre mille hommes. [15] Le douzième, affecté
au douzième mois, était Heldaï, de Netopha,
d'Otniel; il était responsable d'une classe de vingt-
quatre mille hommes. [16] Responsables des tribus
d'Israël [e] : Eliézer, fils de Zikri, commandait les
Rubénites, Shephatyahu fils de Maaka les Siméonites, [17] Hashabya fils de Qemuel les Lévites, Sadoq
les Aaronides, [18] Élihu, l'un des frères de David, les
Judéens, Omri fils de Mikaël les Issacharites,
[19] Yishmayahu fils d'Obadyahu les Zabulonites,
Yerimot fils d'Azriel les Nephtalites, [20] Hoshéa fils
d'Azazyahu les Éphraïmites, Yoël fils de Pedayahu
la demi-tribu de Manassé, [21] Yiddo fils de Zekaryahu la demi-tribu de Manassé en Galaad, Yaasiel fils d'Abner les Benjaminites, [22] Azaréel fils de
Yeroham les Danites. Tels furent les officiers des
tribus d'Israël.

celle qui existait au temps de Néhémie, Ne **13** 13, et d'Esdras, Esd **8** 33.

*a)* Litt. « affaires extérieures », cf. Ne **11** 16 : ce sont les fonctions qui sont confiées aux lévites par l'autorité royale, cf. vv. 30 et 32, et qui sont en dehors du service proprement cultuel, cf. 2 Ch **19** 4-11.

*b)* Ce ch. additionne quatre listes différentes : 1° les responsables du service mensuel, vv. 1-15; 2° les responsables des tribus d'Israël, vv. 16-24; 3° les responsables des réserves du roi, vv. 25-31; 4° les conseillers royaux, vv. 32-34. – Quant à la première liste, il est possible que David ait déjà songé à une organisation administrative, mais celle qui est décrite ici semble inspirée des douze préfectures de Salomon, qui assuraient chacune pendant un mois l'entretien du roi, de ses gens et de ses troupes, cf. 1 R **5** 7-8. D'un autre côté, la répartition en classes fait penser à une organisation militaire, et les noms des responsables ont été pris parmi ceux des preux de David. Il s'agit peut-être des contingents de l'armée de conscription qui, à la fin de la monarchie, aurait assuré mois après mois le service des garnisons.

*c)* Le texte ajoute : « et sa classe, et Miqlôt le commandant »; omis par grec.

*d)* « le Zarhite » *hazarehî* conj.; cf. vv. 11 et 13; *hayizerah* hébr.

*e)* Il est probable que David maintint l'organisation tribale, mais cette liste est artificielle : elle suit l'ordre des fils de Jacob donné en 1 Ch **2** 1-2, maintient Ruben, Siméon et Lévi qui ne sont plus, sous David, des tribus autonomes, et, ayant divisé Joseph en trois (Éphraïm et les deux demi-tribus de Manassé), omet Gad et Asher pour ne pas dépasser le chiffre de douze.

21 23 David ne fit pas le dénombrement de ceux qui
avaient vingt ans et au-dessous, parce que Dieu
avait dit qu'il multiplierait les Israélites comme les
étoiles des cieux. 24 Joab, fils de Çeruya, commença
à faire le compte, mais ne l'acheva pas. C'est pourquoi la Colère éclata contre Israël, et le chiffre
n'atteignit pas celui qu'on trouve dans les Annales
du roi David [a].

25 Responsable des provisions du roi [b] : Azmavèt, fils d'Adiel. Responsable des provisions dans
les villes, bourgs et forteresses de la province :
Yehonatân, fils de Uzziyyahu. 26 Responsable des
ouvriers agricoles employés à la culture du sol :
Ezri, fils de Kelub. 27 Responsable des vignobles :
Shiméï, de Rama. Responsable de ceux qui, dans
les vignobles, étaient affectés aux réserves de vin :
Zabdi, de Shepham. 28 Responsable des oliviers et
des sycomores dans le Bas-Pays : Baal-Hanân, de
Géder. Responsable des réserves d'huile : Yoash.
29 Responsable du gros bétail pâturant en Sarôn :
Shitraï, de Sarôn. Responsable du gros bétail dans
les vallées : Shaphat, fils de Adlaï. 30 Responsable
des chameaux : Obil, l'Ismaélite. Responsable des
ânesses : Yehdeyahu, de Méranot. 31 Responsable
du petit bétail : Yaziz, le Hagrite. Tous ceux-là
furent les responsables des biens appartenant au roi
David.

32 Yehonatân, oncle de David, conseiller, homme
avisé, et scribe, s'occupait des enfants du roi avec
2 S 15 31s Yehiel, fils d'Hakmoni. 33 Ahitophel était conseiller
16 17 du roi. Hushaï l'Arkite était ami du roi.
34 Yehoyada, fils de Benayahu, et Ébyatar succédè-
rent à Ahitophel. Joab était le général des armées
du roi [c].

**Instructions de David concernant le Temple [d].**

**28** 1 David réunit à Jérusalem tous les officiers
d'Israël, officiers des tribus et officiers des
classes au service du roi, officiers de milliers et de
centaines, officiers chargés de tous les biens et des
troupeaux du roi et de ses fils, ainsi que les eunuques et les preux, tous les preux vaillants. 2 Le roi
David se leva et, debout, déclara :

« Écoutez-moi, mes frères et mon peuple. J'ai
désiré, moi, édifier une demeure stable pour l'arche
de l'alliance de Yahvé, pour le piédestal de notre Ps 132 7
Dieu. J'ai fait les préparatifs de construction 3 mais
Dieu m'a dit : “ Ne bâtis pas de maison à mon 22 8
nom, car tu as été un homme de guerre et tu as
versé le sang. ”

4 De toute la maison de mon père, c'est moi que
Yahvé, le Dieu d'Israël, a choisi pour être à jamais
roi sur Israël. C'est en effet Juda qu'il a choisi pour
guide, c'est ma famille qu'il a choisie dans la maison de Juda, et parmi les fils de mon père, c'est en
moi qu'il s'est complu à donner un roi à tout Israël.
5 De tous mes fils – car Yahvé m'en a donné beaucoup – c'est mon fils Salomon qu'il a choisi pour
siéger sur le trône de la royauté de Yahvé sur
Israël : 6 “ C'est ton fils Salomon, m'a-t-il dit, qui 17 12s;
bâtira ma Maison et mes parvis, car c'est lui que 22 10s
j'ai choisi pour fils et je serai pour lui un père. 7 Je
lui ai préparé une royauté éternelle, s'il pratique
avec courage, comme aujourd'hui, mes commandements et mes lois. ”

8 Et maintenant, devant tout Israël qui nous voit,
devant l'assemblée de Yahvé, devant notre Dieu
qui nous entend, gardez, scrutez les commandements de Yahvé votre Dieu, afin de posséder ce bon Dt 4 5
pays et de le transmettre après vous pour toujours
en héritage à vos fils.

9 Toi, Salomon mon fils, connais le Dieu de ton
père, sers-le d'un cœur sans partage, d'une âme
bien disposée, car Yahvé sonde tous les cœurs et
pénètre tous les desseins qu'ils forgent. Si tu le
recherches, il se fera trouver de toi, si tu le délais-
ses, il te rejettera pour toujours. 10 Considère maintenant que Yahvé t'a choisi pour lui bâtir une maison pour sanctuaire. Sois ferme et agis [e] ! »

11 David donna à son fils Salomon le modèle du
vestibule [f], des bâtiments, des magasins, des chambres hautes, des pièces de fond à l'intérieur, de la
salle du propitiatoire; 12 il lui donna aussi la description de tout ce qu'il concevait [g] concernant les
parvis du Temple de Yahvé, les pièces du pourtour, Ez 42
les trésors du Temple de Dieu et les saintes réser- 26 20

*a)* Ces deux vv. se réfèrent au ch. **21** et semblent destinés à expliquer pourquoi les chiffres de 1 Ch **21** sont inférieurs à ceux de 2 S **24** 9.

*b)* Ce sont les intendants des domaines royaux qui existaient déjà sous David, cf. **28** 1. Cette liste n'est pas inventée, comme l'indiquent les noms propres non-israélites qu'elle contient, mais nous ne pouvons pas en vérifier le détail ni la date.

*c)* En dehors de Joab, la liste ne correspond pas à celles des grands officiers de David, données en **18** 14-17; 2 S **8** 15-16; **20** 23-26. Il s'agit ici des conseillers privés du roi. Cette liste peut dépendre d'une bonne source ancienne datant de la fin du règne de David. Ébyatar doit être le prêtre de ce nom, 1 S **22** 20s, mais son caractère sacerdotal n'est pas précisé à cause de la prépondérance prise par la famille de son concurrent, Sadoq.

*d)* Ce ch. reprend le récit au point où il en était resté en **23** 1. Le Chroniste néglige tout le récit de 1 R **1-2** sur l'accession de Salomon au trône, et développe sa propre vue de l'histoire : Dieu a choisi le Judéen David comme roi d'Israël, et il choisit maintenant son fils Salomon, qui lui succédera et construira le Temple.

*e)* Cette exhortation morale, dans le style du Dt, précédant la description purement cultuelle, porte la marque de l'enseignement des prophètes sur le culte intérieur.

*f)* Moïse avait reçu de Dieu le modèle de la Tente, Ex **25** 9. David qui, pour le Chroniste, est le fondateur des nouvelles institutions, donne lui-même le modèle du Temple. Mais au v. 19, tout est ramené à Dieu.

*g)* Autre traduction : « recevait par l'Esprit ».

ves, 13 les classes de prêtres et de lévites, toutes les
charges du service du Temple de Yahvé, tout le
mobilier pour le service du Temple de Yahvé, 14 l'or
en lingots, l'or destiné à chacun des objets de tel
ou tel service, l'argent en lingots destiné à tous les
objets d'argent, pour chacun des objets de tel ou tel
service, 15 les lingots destinés aux chandeliers d'or
et à leurs lampes, l'or en lingots destiné à chaque
chandelier [a] et à ses lampes, les lingots destinés aux
chandeliers d'argent, pour le chandelier et ses lampes suivant l'usage de chaque chandelier, 16 l'or en
lingots destiné aux tables des rangées de pain, pour
chacune des tables, l'argent destiné aux tables
Nb **4** 14 d'argent [b], 17 les fourchettes, les coupes d'aspersion,
Ex **27** 3 les aiguières en or pur, les lingots d'or pour les coupes, pour chacune des coupes, les lingots d'argent
pour les coupes, pour chacune des coupes, 18 les
lingots d'or épuré destinés à l'autel des parfums. Il
lui donna le modèle du char divin [c], des chérubins
d'or aux ailes déployées couvrant l'arche de
l'alliance de Yahvé, 19 l'ensemble selon ce que
Yahvé avait écrit de sa main pour faire comprendre
tout le travail dont il donnait le modèle.

20 David dit alors à son fils Salomon : « Sois
ferme et courageux, agis sans crainte ni tremblement, car Yahvé Dieu, mon Dieu, est avec toi. Il
ne te laissera pas sans force et sans soutien avant
que tu n'aies achevé tout le travail à accomplir
pour la Maison de Yahvé. 21 Voici les classes des
prêtres et des lévites pour tout le service de la maison de Dieu, chaque volontaire habile en n'importe
quel travail te secondera dans toute cette œuvre; les
officiers et tout le peuple sont à tes ordres. »

**Les offrandes** [d].

29 1 Le roi David dit alors à toute l'assemblée :
« Mon fils Salomon, celui qu'a choisi Dieu, est
jeune et faible alors que l'œuvre est grande, car ce
palais n'est pas destiné à un homme mais à Yahvé
Dieu. 2 De toutes mes forces, j'ai préparé la Maison
de mon Dieu : l'or pour ce qui doit être en or,
l'argent pour ce qui doit être en argent, le bronze
pour ce qui doit être en bronze, le fer pour ce qui
doit être en fer, le bois pour ce qui doit être en bois,
des cornalines, des pierreries à enchâsser, des
escarboucles et des pierres multicolores, toutes sortes de pierres précieuses et quantité d'albâtre. 3 Plus
encore, ce que je possède personnellement en or et
en argent, je le donne à la Maison de mon Dieu,
par amour pour la Maison de mon Dieu en plus
de ce que j'ai préparé pour le Temple saint : 4 trois
mille talents d'or, en or d'Ophir, sept mille talents
d'argent épuré pour en plaquer les parois des salles.
5 Qu'il s'agisse d'or pour ce qui doit être en or,
d'argent pour ce qui doit être en argent, ou d'œuvre
de main d'orfèvre, qui d'entre vous aujourd'hui est
volontaire pour le consacrer à Yahvé? »

6 Les officiers chefs de familles, les officiers des
tribus d'Israël, les officiers de milliers et de centaines et les officiers chargés des travaux royaux
furent volontaires. 7 Ils donnèrent pour le service de Nb **7**
la Maison de Dieu cinq mille talents d'or, dix mille
dariques, dix mille talents d'argent, dix-huit mille
talents de bronze et cent mille talents de fer. 8 Y
ajoutant ce qui se trouva comme pierres, ils remirent tout cela au trésor de la Maison de Yahvé, à
la disposition de Yehiel le Gershonite. 9 Le peuple
se réjouit de ce qu'ils avaient fait, car c'était d'un
cœur sans partage qu'ils avaient ainsi fait des
offrandes volontaires pour Yahvé; le roi David lui-
même en conçut une grande joie.

**Action de grâces de David** [e].

10 Il bénit alors Yahvé sous les yeux de toute
l'assemblée. David dit : « Béni sois-tu, Yahvé, Dieu
d'Israël notre père, depuis toujours et à jamais!
11 A toi, Yahvé, la grandeur, la force, la splendeur,
la durée et la gloire, car tout ce qui est au ciel et
sur la terre est à toi. A toi, Yahvé, la royauté : tu
es souverainement élevé au-dessus de tout. 12 La
richesse et la gloire te précèdent, tu es maître de
tout, dans ta main sont la force et la puissance; à
ta main d'élever et d'affermir qui que ce soit. 13 A
cette heure, ô notre Dieu, nous te célébrons, nous
louons ton éclatant renom; 14 car qui suis-je et
qu'est-ce que mon peuple pour être en mesure de
faire de telles offrandes volontaires? Car tout vient
de toi et c'est de ta main même que nous t'avons
donné. 15 Car nous ne sommes devant toi que des
étrangers et des hôtes comme tous nos pères; nos Ps **39** 13
jours sur terre passent comme l'ombre et il n'est
point d'espoir. 16 Yahvé, notre Dieu, tout ce que
nous avons amoncelé pour la construction d'une
Maison à ton saint nom provient de ta main, et tout
est à toi. 17 Je sais, ô mon Dieu, que tu sondes les
cœurs et que tu te plais à la droiture, c'est d'un

*a)* Il y en a plusieurs, 1 R **7** 49; la Tente n'en connaissait qu'un, Ex **25** 31-40.

*b)* Il y en aurait eu dix selon 2 Ch **4** 8. Il n'y en avait qu'une à la Tente, Ex **25** 23s, et au Temple de Salomon, 1 R **7** 48.

*c)* L'arche d'alliance représentait un trône et non un char. Mais le Chroniste songe au char de Ez **1** et **10**.

*d)* David donne pour le Temple tous les trésors qu'il a amassés à cette intention, et tous ses trésors personnels. Les grands du royaume y ajoutent leurs dons. Les chiffres fantastiques soulignent l'importance que David accorde au projet et la splendeur du Temple à venir. Pour le Chroniste, David a tout préparé et Salomon n'aura plus qu'à exécuter.

*e)* Dans cette très belle prière, David rapporte à Dieu l'origine des dons qui viennent d'être faits pour son Temple. Ceux-ci lui sont rendus par une offrande dont la sincérité est agréable à Dieu, v. 17. C'est vraiment une prière d'« Offertoire ».

cœur droit que je t'ai fait toutes ces offrandes et,
à cette heure, j'ai vu avec joie ton peuple, ici présent, te faire ces offrandes volontaires. 18 Yahvé,
Dieu d'Abraham, d'Isaac et d'Israël nos pères,
garde à jamais cela, formes-en les dispositions de
cœur de ton peuple, et fixe en toi leurs cœurs. 19 A
mon fils Salomon donne un cœur intègre pour qu'il
garde tes commandements, tes témoignages et tes
lois, qu'il les mette tous en pratique et bâtisse ce
palais que je t'ai préparé. »

20 Puis David dit à toute l'assemblée : « Bénissez
donc Yahvé votre Dieu! » Et toute l'assemblée
bénit Yahvé, Dieu de ses pères, et s'agenouilla pour
se prosterner devant Dieu et devant le roi.

**Avènement de Salomon; fin de David.**

21 Puis les Israélites, le lendemain de ce jour,
Ex **24** 5 offrirent des sacrifices et des holocaustes à Yahvé :
mille taureaux, mille béliers, mille agneaux avec les
libations conjointes, ainsi que de multiples
Ex **24** 11 sacrifices pour tout Israël. 22 Ils mangèrent et
burent [a] en ce jour devant Yahvé, dans une grande
liesse. Puis, ayant fait Salomon, fils de David, roi
pour la seconde fois [b], ils l'oignirent au nom de 1 R **1** 39
Yahvé comme chef, et oignirent Sadoq comme
prêtre [c]. 23 Salomon s'assit sur le trône de Yahvé
pour régner à la place de David son père. Il prospéra et tout Israël lui obéit. 24 Tous les officiers,
tous les preux et même tous les fils du roi David
se soumirent au roi Salomon. 25 Sous les yeux de
tout Israël, Yahvé porta à son faîte la grandeur de
Salomon et lui donna un règne d'une splendeur que
n'avait jamais connue aucun de ceux qui avaient
régné avant lui sur Israël.

26 David, fils de Jessé, avait régné sur tout Israël.
27 Son règne sur Israël avait duré quarante ans; à || 1 R **2** 11
Hébron il avait régné sept ans et à Jérusalem il
avait régné trente-trois ans. 28 Il mourut dans une
heureuse vieillesse, rassasié de jours, de richesses
et d'honneur. Puis Salomon son fils régna à sa
place. 29 L'histoire du roi David, du début à la fin,
n'est-ce pas écrit dans l'histoire de Samuel le
voyant, l'histoire de Natân le prophète, l'histoire de
Gad le voyant [d], 30 avec son règne entier, ses
prouesses, et les heurs et malheurs qu'il dut traverser ainsi qu'Israël et tous les royaumes des pays.

# DEUXIÈME LIVRE DES CHRONIQUES

## *III. Salomon et la construction du Temple* [e]

**Salomon reçoit la Sagesse** [f].

**1** 1 Salomon, fils de David, s'affermit sur son
trône. Yahvé son Dieu était avec lui et porta
au faîte sa grandeur. 2 Salomon parla alors à tout
Israël, aux officiers de milliers et de centaines, aux
juges et à tous les princes de tout Israël, chefs de
|| 1 R **3** 4-15 famille. 3 Puis, avec toute l'assemblée, Salomon se
1 Ch **16** 39; **21** 29 rendit au haut lieu de Gabaôn où se trouvait en
effet la Tente du Rendez-vous de Dieu, faite dans
le désert par Moïse, serviteur de Yahvé; 4 mais
David avait fait monter l'arche de Dieu de Qiryat-
Yéarim jusqu'à l'endroit qu'il avait préparé pour
elle : il lui avait en effet dressé une tente à Jérusa-
lem. 5 L'autel de bronze qu'avait fait Beçaléel, fils Ex **27** 1-2; **31** 2
de Uri, fils de Hur, était là devant la Demeure de 1 Ch **2** 20
Yahvé où Salomon et l'assemblée venaient le
consulter. 6 C'est là que Salomon, en présence de
Dieu, monta à l'autel de bronze qui était attenant
à la Tente du Rendez-vous et il y offrit mille holocaustes [g].

7 La nuit même, Dieu se montra à Salomon et
lui dit : « Demande ce que je dois te donner. »
8 Salomon répondit à Dieu : « Tu as témoigné une
grande bienveillance à David mon père et tu m'as
établi roi à sa place. 9 Yahvé Dieu, la promesse que

*a)* Comme après la première alliance, cf. Ex **24** 5, 11.
*b)* Ces mots, absents du grec, semblent avoir été introduits pour harmoniser ce passage avec **23** 1.
*c)* Le Chroniste rapporte à cette époque ancienne l'onction du grand prêtre, qui semble n'avoir été pratiquée qu'après l'Exil. – D'après 1 R **1** 39, c'est Sadoq qui donna l'onction à Salomon.
*d)* Il semble que, du moins ici, ces sources prophétiques ne représentent pas autre chose que les livres canoniques de Samuel et des Rois qui, dans la Bible hébraïque, font partie des « Prophètes antérieurs ».
*e)* Les ch. **1-9** de 2 Ch ne retiennent guère du règne de Salomon que la construction du Temple, par laquelle s'achève l'œuvre entreprise par David. Les ombres du règne sont ignorées et l'on insiste, au début et à la fin (ch. **1** et **9**), sur la richesse et la gloire de Salomon, qui sont le fruit de la bénédiction divine.
*f)* Ayant passé sous silence les luttes qui suivirent la mort de David, 1 R **2**, le Chroniste ouvre son récit du règne par le songe de Gabaôn. Il justifie cette consultation de Dieu à Gabaôn par la présence de la Tente du Rendez-vous, cf. **16** 39+, à quoi s'ajoute ici l'autel du désert, cf. v. 6. Le Chroniste souligne ainsi la continuité avec les institutions mosaïques. – C'est la sagesse reçue à Gabaôn qui sera à l'origine de la gloire de Salomon.
*g)* L'auteur deutéronomiste des Rois avait excusé les sacrifices offerts hors du Temple par la bonne raison que le Temple n'existait pas encore, 1 R **3** 2, et qu'on sacrifiait encore sur les hauts lieux. Le Chroniste légitime le sanctuaire et les sacrifices en supposant que la Tente et l'autel du désert étaient à Gabaôn, cf. v. 3 et les références marginales.

tu as faite à mon père David s'accomplit maintenant puisque tu m'as établi roi sur un peuple aussi
nombreux que la poussière de la terre. 10 Donne-
moi donc à présent sagesse et savoir pour agir en
chef à la tête de ce peuple, car qui pourrait gouverner un peuple aussi grand que le tien? »
11 Dieu dit à Salomon : « Puisque tel est ton
désir, puisque tu n'as demandé ni richesse, ni trésors, ni gloire, ni la vie de tes ennemis, puisque tu
n'as pas même demandé de longs jours, mais
sagesse et savoir pour gouverner mon peuple dont
je t'ai établi roi, 12 la sagesse et le savoir te sont
Mt 6 33 donnés. Je te donne aussi richesse, trésors et gloire
comme n'en eut aucun des rois qui t'ont précédé
et comme n'en auront point ceux qui viendront
après toi. »
13 Salomon quitta le haut lieu de Gabaôn pour
Jérusalem, loin de la Tente du Rendez-vous; il
|| 1 R 10 26-29 régna sur Israël. 14 Il rassembla des chars et des
= 2 Ch 9 25 chevaux; il eut mille quatre cents chars et mille
deux cents chevaux. et il les cantonna dans les villes des chars et près du roi à Jérusalem. 15 Le roi
fit que l'argent et l'or étaient aussi communs à Jérusalem que les cailloux, et les cèdres aussi nombreux
que les sycomores du Bas-Pays. 16 Les chevaux de
Salomon étaient importés de Muçur et de Cilicie [a];
les courtiers du roi en prenaient livraison en Cilicie
à prix d'argent. 17 Ils s'en allaient aussi importer
d'Égypte des chars à six cents sicles l'unité; un cheval en valait cent cinquante; il en était de même
pour tous les rois des Hittites et les rois d'Aram
qui les importaient par leur entremise.

**Derniers préparatifs. Huram de Tyr.**

2¹ 18 Salomon ordonna de bâtir une maison au nom
de Yahvé et une autre pour y régner lui-même.

= 2 17 **2** 1 Il enrôla 70.000 hommes pour le transport,
1 R 5 29-30 80.000 pour extraire les pierres de la montagne et 3.600 contremaîtres.
1 R 5 15-20 2 Puis Salomon envoya ce message à Huram, roi
de Tyr : « Agis comme tu l'as fait envers mon père
1 Ch 14 1 David en lui envoyant des cèdres pour se bâtir une
4 maison où il résiderait. 3 Or voici que je bâtis une
Nb 20 12 maison au nom de Yahvé mon Dieu pour reconnaî-
Nb 17 5 tre sa sainteté, brûler devant lui de l'encens par-
Lv 24 6
Nb 28-29 fumé, avoir en permanence des pains rangés, offrir
des holocaustes le matin, le soir, aux sabbats, aux
néoménies et aux solennités [b] de Yahvé notre Dieu;
et cela pour toujours en Israël. 4 La maison que je 5
bâtis sera grande, car notre Dieu est plus grand
que tous les dieux. 5 Qui serait en mesure de lui 6
bâtir une maison quand les cieux et les cieux des 6 18
cieux ne le peuvent contenir? Et moi, qui suis-je
pour lui bâtir une maison, si ce n'est pour que les
fumées montent devant lui? 6 Envoie-moi mainte- 7
nant un homme habile à travailler l'or, l'argent, le
bronze, le fer, l'écarlate, le cramoisi et la pourpre
violette, et connaissant l'art de la gravure; il travaillera avec les artisans qui sont près de moi dans
Juda et à Jérusalem, eux que mon père David a mis
à ma disposition [c]. 7 Envoie-moi du Liban des 8
troncs de cèdre, de genévrier et d'algummim [d], car
je sais que tes serviteurs savent abattre les arbres
du Liban. Mes serviteurs travailleront avec les
tiens. 8 Ils me prépareront du bois en quantité, car 9
la maison que je veux bâtir sera d'une grandeur
étonnante. 9 Je livre pour les bûcherons qui abat- 10
tront les arbres 20.000 muids de froment, 20.000
muids d'orge, 20.000 mesures de vin et 20.000
mesures d'huile, ceci pour l'entretien [e] de tes serviteurs. »
10 Huram, roi de Tyr, répondit par une lettre 11
qu'il envoya à Salomon : « C'est parce qu'il aime
son peuple que Yahvé t'en a fait le roi. » 11 Puis il 12
ajouta : « Béni soit Yahvé le Dieu d'Israël! Il a fait
les cieux et la terre, il a donné au roi David un fils
sage, sensé et intelligent qui va bâtir une maison
pour Yahvé et une autre pour y régner lui-même.
12 J'envoie aussitôt un homme habile et intelligent, 13
Huram-Abi, 13 fils d'une Danite, et de père tyrien. || 1 R 7 14
Il sait travailler l'or, l'argent, le bronze, le fer, la Ex 31 2s
pierre, le bois, l'écarlate, la pourpre violette, le byssus, le cramoisi, graver n'importe quoi et concevoir
des projets. C'est lui qu'on fera travailler avec tes
artisans et ceux de Monseigneur David, ton père.
14 Que soient alors envoyés à ses serviteurs le fro- 15
ment, l'orge, l'huile et le vin dont a parlé Monseigneur.
15 Quant à nous, nous abattrons au Liban tout le || 1 R 5 22-26
bois dont tu auras besoin, nous l'amènerons à
Joppé en radeaux par mer, et c'est toi qui le feras
monter à Jérusalem. »

**Les travaux [f].**

16 Salomon fit le compte de tous les étrangers en 1 Ch 22 2+
résidence en terre d'Israël, d'après le recensement

*a)* Comme dans le parallèle des Rois, le texte a « Égypte » (*miçrayim*) au lieu de « Muçur », et, ici et au v. suivant, *miqwe'* (« rassemblement »?) au lieu de *miqqoweh*, « de Cilicie » (dont le nom ancien est « Quë »).

*b)* Ces expressions décrivent le culte de la Tente, d'après les textes sacerdotaux du Pentateuque. – « offrir » grec; omis par hébr.

*c)* Le Chroniste combine les textes de 1 R 5 32 et 7 13-15 avec des réminiscences de la construction de la Tente, Ex 26 1: 31 2s.

*d)* *almuggim* en 1 R 10 11 qui fait venir ce bois d'Ophir et non pas du Liban, cf. 2 Ch 9 10.

*e)* « entretien » (*ma'akolet*) versions; « coups » (*makkôt*) hébr.

*f)* Malgré l'importance qu'il accorde au Temple, le Chroniste a beaucoup abrégé la description des Rois (et modifié un certain nombre de détails et de chiffres). Il s'intéresse au culte plutôt qu'aux bâtiments qui, d'ailleurs, dans le Temple post-exilique qu'il connaissait, n'avaient plus la splendeur salomonienne.

qu'en avait fait David son père, et on en trouva
= 2 1 153.600. 17 Il en affecta 70.000 aux transports,
80.000 aux carrières de la montagne, 3.600 à la
direction du travail de ces gens.

|| 1 R 6 **3** 1 Salomon commença alors la construction de
la maison de Yahvé. C'était à Jérusalem, sur
Gn 22 2 le mont Moriyya, là où son père David avait eu une
1 Ch 21 15s vision. C'était le lieu préparé par David, l'aire
d'Ornân le Jébuséen. 2 Salomon commença les
constructions au second mois [a] de la quatrième
année de son règne. 3 Voici que l'édifice de la maison de Dieu, fondée par Salomon, eut une longueur
Ez 40 5+ de soixante coudées – coudée d'ancienne mesure –
et une largeur de vingt. 4 Le vestibule qui se trouvait par devant avait une longueur de vingt coudées
couvrant la largeur de la maison et une hauteur de
cent vingt coudées. Salomon en revêtit d'or pur
l'intérieur. 5 Quant à la grande salle, il la plaqua en
bois de genévrier qu'il recouvrit d'un bel or et y
dressa des palmes et des guirlandes. 6 Il sertit alors
la salle de pierres précieuses, éclatantes; l'or était
de l'or de Parvayim, 7 il en recouvrit la salle, les
poutres, les seuils, les parois et les portes, et grava
ensuite des chérubins sur les parois.

8 Puis il bâtit la salle du Saint des Saints [b] dont
la longueur de vingt coudées couvrait la largeur de
la grande salle, et dont la largeur était de vingt
coudées. Il la plaqua pour six cents talents d'un bel
or; 9 les clous d'or pesaient cinquante sicles. Il plaqua d'or les chambres hautes. 10 Dans la salle du
Saint des Saints il fit deux chérubins, ouvrage en
métal forgé qu'il plaqua d'or. 11 Les ailes des chérubins avaient vingt coudées de long, chacune
d'elles ayant cinq coudées et touchant l'une à la
paroi de la salle, l autre à celle de l'autre chérubin.
12 L'une des ailes de cinq coudées d'un chérubin
touchait à la paroi de la salle; la seconde, de cinq
coudées, touchait à l'aile de l'autre chérubin.
13 Déployées, les ailes de ces chérubins mesuraient
vingt coudées. Eux-mêmes se tenaient debout, face
à la Salle.

14 Il fit le Rideau [c] de pourpre violette et écarlate,
de cramoisi et de byssus; il y appliqua des chérubins.

|| 1 R 7 15-22 15 Devant la salle, il fit deux colonnes longues de
trente-cinq coudées que surmontait un chapiteau de
cinq coudées. 16 Dans le Debir, il fit des guirlandes
qu'il disposa au haut des colonnes et fit cent grenades qu'il mit dans les guirlandes. 17 Il dressa les
colonnes devant le Hékal, l'une à droite et l'autre
à gauche, et il appela Yakîn celle de droite, Boaz
celle de gauche.

**4** 1 Il fit un autel de bronze, long de vingt coudées, large de vingt et haut de dix [d]. 2 Puis
il coula la Mer en métal fondu, de dix coudées de || 1 R 7 23-26
bord à bord, à pourtour circulaire, de cinq coudées
de hauteur; un fil de trente coudées en mesurait le
tour. 3 Il y avait sous le pourtour des animaux ressemblant à des bœufs, l'encerclant tout autour. In-
curvées sur dix coudées du pourtour de la Mer,
deux rangées de bœufs avaient été coulées avec la
masse. 4 La Mer reposait sur douze bœufs, trois
regardaient vers le nord, trois regardaient vers
l'ouest, trois regardaient vers le sud, trois regardaient vers l'est : la Mer s'élevait au-dessus d'eux
et tous leurs arrière-trains étaient tournés vers
l'intérieur. 5 Son épaisseur était d'un palme et son
bord avait la même forme que le bord d'une coupe,
comme une fleur. Elle contenait trois mille mesures.

6 Il fit dix bassins et en plaça cinq à droite et cinq || 1 R 7 38-39
à gauche pour y laver la victime de l'holocauste
que l'on y purifiait, mais c'est dans la Mer que les
prêtres se lavaient. 7 Il fit les dix chandeliers d'or || 1 R 7 49
du modèle prescrit et les mit dans le Hékal, cinq
à droite et cinq à gauche. 8 Il fit dix tables qu'il ins- 1 Ch 28 16+
talla dans le Hékal, cinq à droite et cinq à gauche. || 1 R 7 50
Il fit cent coupes d'aspersion en or.

9 Il fit le parvis des prêtres [e], la grande cour et 1 R 7 12
ses portes qu'il revêtit de bronze. 10 Quant à la
Mer, il l'avait placée à distance du côté droit, au
sud-est.

11 Huram fit les vases à cendres, les pelles, les 1 R 7 40-51
bols à aspersion. Il acheva tout l'ouvrage dont
l'avait chargé le roi Salomon pour le Temple de
Dieu :

12 deux colonnes; les tores des chapiteaux qui
étaient au sommet des colonnes; les deux treillis
pour couvrir les deux tores des chapiteaux qui
étaient au sommet des colonnes; 13 les quatre cents
grenades pour les deux treillis : les grenades pour
chaque treillis étaient en deux rangées [f];

*a)* Après « second mois » hébr. répète « le second » (jour?), dittographie.

*b)* Le Chroniste remplace ici le terme Debir (cf. v. 16; **4** 21, etc.) de 1 R par celui de « Saint des Saints » qui avait été utilisé par Ez **41** 3-4 dans sa vision du Temple futur, et par Ex **26** 34, etc., dans la description de la Demeure du désert. Ce terme est ensuite devenu courant.

*c)* C'est le rideau de la Demeure d'Ex **26** 31. A sa place, le Temple de Salomon avait une porte de bois sur laquelle étaient sculptés des chérubins, 1 R **6** 31-32, que le Chroniste récupère ici.

*d)* Les textes parallèles, 1 R **8** 64 et **9** 25, ne précisent pas les dimensions de l'autel de bronze du Temple de Salomon. Le Chroniste donne peut-être ici les mesures de l'autel de pierre du Temple post-exilique.

*e)* Le parallèle des Rois distinguait seulement entre « cour intérieure » et « grande cour ». Le Chroniste s'inspire des usages de son temps.

*f)* Comme en 1 R **7** 42, le texte ajoute : « pour couvrir les deux tores... », doublet du v. précédent.

14 les dix bases [a] et les dix bassins sur les bases;
15 la Mer unique et les douze bœufs sous la Mer:
16 les vases à cendres, les pelles, les fourchettes,
et tous leurs accessoires que fit en bronze poli
Huram-Abi pour le roi Salomon, pour le Temple
de Yahvé. 17 C'est dans le district du Jourdain que
le roi les coula en pleine terre, entre Sukkot et
Çeréda. 18 Salomon fit tous ces objets en grand
nombre, car on ne calculait pas le poids du bronze.
19 Salomon fit tous les objets destinés au Temple
de Dieu : l'autel d'or et les tables sur lesquelles
étaient les pains d'oblation; 20 les chandeliers et
leurs lampes qui devaient, selon la règle, briller
devant le Debir, en or fin; 21 les fleurons, les lampes
et les mouchettes, en or (et c'était de l'or pur); 22 les
couteaux, les coupes d'aspersion, les coupes et les
encensoirs, en or fin; l'entrée du Temple, les portes
intérieures (pour le Saint des Saints) et les portes
du Temple (pour le Hékal), en or.

**5** 1 Alors fut achevé tout le travail que fit Salomon pour le Temple de Yahvé; et Salomon
apporta ce que son père David avait consacré,
l'argent, l'or et tous les vases, qu'il mit dans le trésor du Temple de Dieu.

|| 1 R 8 1-9 **Transfert de l'arche d'alliance.**

2 Alors Salomon convoqua à Jérusalem les
anciens d'Israël, tous les chefs des tribus et les
princes des familles israélites, pour faire monter de
la Cité de David, qui est Sion, l'arche de l'alliance
de Yahvé. 3 Tous les hommes d'Israël se rassemblèrent auprès du roi, au septième mois, pendant la
fête. 4 Tous les anciens d'Israël vinrent, et ce furent
les lévites [b], qui portèrent l'arche. 5 Ils portèrent
l'arche et la Tente du Rendez-vous avec tous les
objets sacrés qui y étaient; ce sont les prêtres lévites qui les transportèrent.
6 Puis le roi Salomon et toute la communauté
d'Israël, réunie près de lui devant l'arche,
sacrifièrent moutons et bœufs en quantité innombrable et incalculable. 7 Les prêtres apportèrent
l'arche de l'alliance de Yahvé à sa place, au Debir
du Temple, c'est-à-dire au Saint des Saints, sous les
ailes des chérubins. 8 Les chérubins étendaient
leurs ailes au-dessus de l'emplacement de l'arche et
abritaient l'arche et ses barres. 9 Celles-ci étaient
assez longues pour qu'on vît leur extrémité depuis
le Saint [c], devant le Debir, mais pas en dehors de
là; elles y sont restées jusqu'à ce jour. 10 Il n'y avait
rien dans l'arche, sauf les deux tables que Moïse y
déposa à l'Horeb, lorsque Yahvé avait conclu une
alliance avec les Israélites à leur sortie d'Égypte.

**Dieu prend possession de son Temple.** || 1 R 8 10-13

11 Or, quand les prêtres sortirent du sanctuaire [d],
– en effet, tous les prêtres qui se trouvaient là
s'étaient sanctifiés sans garder l'ordre des classes; 1 Ch 24
12 les chantres lévites au complet : Asaph, Hémân
et Yedutûn avec leurs fils et leurs frères s'étaient
revêtus de byssus et jouaient des cymbales, de la
lyre et de la cithare en se tenant à l'orient de l'autel,
et cent vingt prêtres les accompagnaient en sonnant
des trompettes. 13 Chacun de ceux qui jouaient de
la trompette ou qui chantaient, louaient et célébraient Yahvé d'une seule voix; élevant la voix au
son des trompettes, des cymbales et des instruments d'accompagnement, ils louaient Yahvé « car
il est bon, car éternel est son amour » – le sanctuaire fut rempli par la nuée de la gloire de Yahvé.
14 Les prêtres ne purent pas continuer leur fonction à cause de la nuée, car la gloire de Yahvé remplissait le Temple de Dieu.

**6** 1 Alors Salomon dit :
« Yahvé a décidé d'habiter la nuée obscure.
2 Moi, je t'ai construit une demeure princière,
une résidence où tu habites à jamais. »

**Discours de Salomon au peuple [e].** || 1 R 8 14-21

3 Puis le roi se retourna et bénit toute l'assemblée
d'Israël. Toute l'assemblée d'Israël se tenait
debout; 4 il dit :
« Béni soit Yahvé, Dieu d'Israël, qui a accompli
de sa main ce qu'il avait promis de sa bouche à
mon père David en ces termes : 5 " Depuis le jour
où j'ai fait sortir mon peuple du pays d'Égypte, je
n'ai pas choisi de ville, dans toutes les tribus
d'Israël, pour qu'on y bâtît une maison où serait
mon Nom, ni choisi d'homme pour qu'il fût chef
de mon peuple Israël. 6 Mais j'ai choisi Jérusalem
pour qu'y fût mon Nom et j'ai choisi David pour
qu'il commandât à mon peuple Israël."
7 Mon père David eut dans l'esprit de bâtir une
maison pour le Nom de Yahvé, Dieu d'Israël,

*a)* « dix » (les deux fois) *'aser* d'après 1 R **7** 43; « il fit » *'asah* hébr.
*b)* 1 R parlait ici des prêtres, mais le Chroniste tient compte de Nb **1** 50s (cf. 1 Ch **15** 2). L'expression deutéronomique « les prêtres lévites » unit à la fin du v. 5 les deux traditions. Cf. **23** 18; **30** 27.
*c)* « Saint » grec et 1 R **8** 8; « arche » hébr.
*d)* Le récit emprunté aux Rois est coupé par une longue parenthèse : elle peut être du Chroniste lui-même ou du continuateur qui, dans 1 Ch **23** 27, insistait sur les fonctions des chantres. La phrase se poursuit au v. 13[b].
*e)* Tout ce ch. suit de près 1 R **8**, dont la rédaction deutéronomiste et les additions post-exiliques répondaient d'avance aux intentions du Chroniste.

8 mais Yahvé dit à mon père David : “ Tu as eu dans l'esprit de bâtir une maison pour mon Nom, et tu as bien fait. 9 Seulement, ce n'est pas toi qui bâtiras cette maison, c'est ton fils, issu de tes reins, qui bâtira la maison pour mon Nom. ” 10 Yahvé a réalisé la parole qu'il avait dite : j'ai succédé à mon père David et je me suis assis sur le trône d'Israël comme avait dit Yahvé, j'ai construit la maison pour le Nom de Yahvé, Dieu d'Israël, 11 et j'y ai placé l'arche où est l'alliance que Yahvé a conclue avec les Israélites. »

|| 1 R 8 22-29

**Prière personnelle de Salomon.**

12 Puis il se tint devant l'autel de Yahvé, en présence de toute l'assemblée d'Israël et il étendit les mains. 13 Or Salomon avait fait un socle de bronze qu'il avait mis au milieu de la cour; il avait cinq coudées de long, cinq de large et trois de haut. Salomon y monta, s'y tint et s'y agenouilla en présence de toute l'assemblée d'Israël [a]. Il étendit les mains vers le ciel 14 et dit :

« Yahvé, Dieu d'Israël! Il n'y a aucun Dieu pareil à toi dans les cieux ni sur la terre, toi qui es fidèle à l'alliance et gardes la bienveillance à l'égard de tes serviteurs, quand ils marchent de tout leur cœur devant toi. 15 Tu as tenu à ton serviteur David, mon père, la promesse que tu lui avais faite, et ce que tu avais dit de ta bouche, tu l'as accompli aujourd'hui de ta main. 16 Et maintenant, Yahvé, Dieu d'Israël, tiens à ton serviteur David, mon père, la promesse que tu lui as faite, quand tu as dit : “ Tu ne seras jamais dépourvu d'un descendant qui soit devant moi, assis sur le trône d'Israël, à condition que tes fils veillent à leur conduite et suivent ma loi comme toi-même tu as marché devant moi. ” 17 Maintenant donc, Yahvé, Dieu d'Israël, que se vérifie la parole que tu as dite à ton serviteur David! 18 Mais Dieu habiterait-il vraiment avec les hommes sur la terre? Voici que les cieux et les cieux des cieux ne le peuvent contenir, moins encore cette maison que j'ai construite! 19 Sois attentif à la prière et à la supplication de ton serviteur, Yahvé, mon Dieu, écoute l'appel et la prière que ton serviteur fait devant toi! 20 Que tes yeux soient ouverts jour et nuit sur cette maison, sur ce lieu où tu as dit mettre ton Nom. Écoute la prière que ton serviteur fera en ce lieu.

|| 1 R 8 30-51

**Prière pour le peuple.**

21 « Écoute les supplications de ton serviteur et de ton peuple Israël, lorsqu'ils prieront en ce lieu. Toi, écoute du lieu où tu résides, du ciel, écoute et pardonne.

22 Si un homme pèche contre son prochain, et que celui-ci prononce [b] sur lui un serment imprécatoire et le fasse jurer devant ton autel dans ce Temple, 23 toi, écoute du ciel et agis; juge entre tes serviteurs : rends au méchant son dû en faisant retomber sa conduite sur sa tête, et justifie l'innocent en lui rendant selon sa justice.

24 Si ton peuple Israël est battu devant l'ennemi parce qu'il aura péché contre toi, s'il se convertit, loue ton Nom, prie et supplie devant toi dans ce Temple, 25 toi, écoute du ciel, pardonne le péché de ton peuple Israël, et ramène-le dans le pays que tu lui as donné comme à ses pères.

26 Quand le ciel sera fermé et qu'il n'y aura pas de pluie parce qu'ils auront péché contre toi, s'ils prient en ce lieu, louent ton Nom, se repentent de leur péché, parce que tu les auras humiliés, 27 toi, écoute du ciel, pardonne le péché de tes serviteurs et de ton peuple Israël – tu leur indiqueras la bonne voie qu'ils doivent suivre –, et arrose de pluie ta terre, que tu as donnée en héritage à ton peuple.

28 Quand le pays subira la famine, la peste, la rouille ou la nielle, quand surviendront les sauterelles ou les criquets, quand l'ennemi de ce peuple assiégera l'une de ses portes, quand il y aura n'importe quel fléau ou quelle épidémie, 29 quelle que soit la prière ou la supplication, qu'elle soit d'un homme quelconque ou de tout Israël ton peuple, si l'on éprouve peine ou douleur et si l'on tend les mains vers ce Temple, 30 toi, écoute du ciel où tu résides, pardonne et rends à chaque homme selon sa conduite, puisque tu connais son cœur – tu es le seul à connaître le cœur des hommes –, 31 en sorte qu'ils te craindront et suivront tes voies tous les jours qu'ils vivront sur la terre que tu as donnée à nos pères.

32 Même l'étranger qui n'est pas d'Israël ton peuple, s'il vient d'un pays lointain à cause de la grandeur de ton Nom, de ta main forte et de ton bras étendu, s'il vient et prie dans ce Temple, 33 toi, écoute du ciel où tu résides, exauce toutes les demandes de l'étranger afin que tous les peuples de la terre reconnaissent ton Nom et te craignent comme le fait ton peuple Israël, et qu'ils sachent que ce Temple que j'ai bâti porte ton Nom.

34 Si ton peuple part en guerre contre ses ennemis par le chemin où tu l'auras envoyé, s'il te prie, tourné vers la ville que tu as choisie et vers le Temple que j'ai construit pour ton Nom, 35 écoute du ciel sa prière et sa supplication et fais-lui justice.

*a)* Ce v. est propre au Chroniste, mais il garde peut-être un souvenir authentique : il y avait dans le Temple un emplacement réservé au roi, cf. 2 R **16** 18; **23** 3.

*b)* « prononce » (*nasa* ') grec; « s'engage » (*nasha* ') hébr.

36 Quand ils pécheront contre toi – car il n'y a
aucun homme qui ne pèche –, quand tu seras irrité
contre eux, quand tu les livreras à l'ennemi et que
leurs conquérants les emmèneront captifs dans un
pays lointain ou proche, 37 s'ils rentrent en eux-mêmes,
dans le pays où ils auront été déportés, s'ils
se repentent et te supplient dans le pays de leur
captivité en disant : " Nous avons péché, nous
avons mal agi, nous nous sommes pervertis ",
38 s'ils reviennent à toi de tout leur cœur et de toute
leur âme dans le pays de leur captivité où ils ont
été déportés et s'ils prient, tournés vers le pays que
tu as donné à leurs pères, vers la ville que tu as
choisie et le Temple que j'ai bâti pour ton Nom,
39 écoute du ciel où tu résides, écoute leur prière et
leur supplication, fais-leur justice et pardonne à ton
peuple les péchés commis envers toi.

**Conclusion de la prière [a].**

|| 1 R 8 52 40 « Maintenant, ô mon Dieu, que tes yeux
soient ouverts et tes oreilles attentives aux prières
faites en ce lieu! 41 Et maintenant
| Ps 132 8-10 Dresse-toi, Yahvé Dieu,
fixe-toi, toi et l'arche de ta force!
Que tes prêtres, Yahvé Dieu, se revêtent de salut
et que tes fidèles jubilent dans le bonheur!
42 Yahvé Dieu, n'écarte pas la face de ton oint,
souviens-toi des grâces faites à David ton serviteur! »

**La dédicace [b].**

1 Ch 21 26+ **7** 1 Quand Salomon eut fini de prier, le feu descendit
du ciel, consuma l'holocauste et les
sacrifices, et la gloire de Yahvé remplit le Temple.
= 5 14 2 Les prêtres ne purent entrer dans la maison de
Ex 24 16+ Yahvé, car la gloire de Yahvé remplissait la maison
de Yahvé. 3 Tous les Israélites, voyant le feu descendre
et la gloire de Yahvé reposer sur le Temple,
se prosternèrent face contre terre sur le pavé; ils
5 13 adorèrent et célébrèrent Yahvé « car il est bon, car
Ps 136 1 éternel est son amour ». 4 Le roi et tout le peuple
R 8 62-63 sacrifièrent devant Yahvé. 5 Le roi Salomon
immola en sacrifice 22.000 bœufs et 120.000 moutons,
et le roi et tout le peuple dédièrent le Temple
de Dieu. 6 Les prêtres se tenaient à leur poste et les
lévites célébraient Yahvé avec les instruments
qu'avait faits le roi David pour accompagner les
cantiques de Yahvé « car éternel est son amour ». Ps 136 1
C'étaient eux qui exécutaient les louanges composées
par David. A leurs côtés, les prêtres sonnaient Nb 10 1-10
de la trompette et tout Israël se tenait debout.
7 Salomon consacra le milieu de la cour qui était || 1 R 8 64-66
devant le Temple de Yahvé, car c'est là qu'il offrit
les holocaustes et les graisses des sacrifices de
communion. L'autel de bronze qu'avait fait Salomon
ne pouvait en effet contenir l'holocauste,
l'oblation et les graisses. 8 En ce temps-là, Salomon
célébra la fête pendant sept jours et tous les Israélites
avec lui, un très grand rassemblement depuis
l'Entrée de Hamat jusqu'au Torrent d'Égypte. 9 Le
huitième jour eut lieu une réunion solennelle, car
on avait célébré la dédicace de l'autel pendant sept
jours et célébré la fête pendant sept jours. 10 Le
vingt-troisième jour [c] du septième mois, Salomon
renvoya le peuple chacun chez soi, joyeux et le
cœur content du bien que Yahvé avait fait à David,
à Salomon et à son peuple Israël.

**Avertissement divin [d].** || 1 R 9 1-9

11 Salomon acheva le Temple de Yahvé et le
palais royal et il mena à bien tout ce qu'il désirait
faire dans la maison de Yahvé et la sienne.
12 Yahvé apparut alors de nuit à Salomon et lui
dit : « J'ai entendu ta prière et je me suis choisi ce
lieu pour qu'il soit la maison des sacrifices.
13 Quand je fermerai le ciel et que la pluie fera
défaut, quand j'ordonnerai aux sauterelles de dévorer
le pays, quand j'enverrai la peste sur mon peuple,
14 si mon peuple sur qui est invoqué mon Nom
s'humilie, prie, recherche ma présence et se repent
de sa mauvaise conduite, moi, du ciel, j'écouterai,
je pardonnerai ses péchés et je restaurerai son pays.
15 Désormais mes yeux sont ouverts, et mes oreilles
attentives à la prière faite en ce lieu. 16 J'ai désormais
choisi et consacré cette maison afin que mon

*a)* De la conclusion de la prière de Salomon dans 1 R **8** 51-53, le Chroniste omet les références à la sortie d'Égypte, à Moïse et à l'élection du peuple. Il y substitue une citation libre du Ps **132** qui célèbre l'entrée de l'arche à Jérusalem et l'alliance davidique, avec les promesses messianiques faites à sa dynastie.
*b)* Au récit de 1 R **8**, le Chroniste ajoute : une répétition de la manifestation de la gloire de Yahvé, v. 2, comme à l'introduction de l'arche dans le Saint des Saints, 1 Ch **5** 14; le feu du ciel qui consume les sacrifices, vv. 1, 3, comme à l'inauguration de l'autel de David, 1 Ch **21** 26; le v. 6 sur la musique liturgique, et une prolongation des festivités, cf. v. 10+.
*c)* Alors que 1 R faisait simplement coïncider la dédicace du Temple avec la fête des Tentes, le Chroniste suppose une fête de la dédicace suivie de la fête des Tentes. D'après Dt **16** 13-15, la fête des Tentes ne durait que sept jours, et c'est ainsi qu'elle fut célébrée d'après 1 R **8** 65-66 : le huitième jour, Salomon renvoie le peuple. Mais, d'après le rituel de Lv **23** 33-43; Nb **29** 35-38, la fête s'achevait par une assemblée solennelle le huitième jour. C'est ce que suppose le calendrier du Chroniste : du 8 au 14 du septième mois, fête de la dédicace; du 15 au 21, fête des Tentes; le 22, assemblée de clôture, et le 23, renvoi du peuple. Ce texte des Chroniques a réagi sur celui des Rois, où une glose sur 1 R **8** 65 a ajouté sept autres jours de fête.
*d)* Les vv. 13-16, propres au Chroniste, sont une réponse à la grande prière du roi, au ch. précédent.

Nom y soit à jamais; mes yeux et mon cœur y
seront toujours. [17] Pour toi, si tu marches devant
moi comme a fait ton père David, si tu agis selon
tout ce que je te commande et si tu observes mes
lois et mes ordonnances, [18] je maintiendrai ton
trône royal comme je m'y suis engagé envers ton
père David quand j'ai dit : " Il ne te manquera
jamais un descendant qui règne en Israël. " [19] Mais
si vous m'abandonnez, si vous délaissez les lois et
les commandements que je vous ai proposés, si
vous allez servir d'autres dieux et leur rendez hommage, [20] j'arracherai les Israélites de ma terre que
je leur avais donnée; ce Temple que j'ai consacré
à mon Nom, je le rejetterai de ma présence et j'en
ferai la fable et la risée de tous les peuples. [21] Ce
Temple qui aura été sublime, tous ceux qui le longeront seront stupéfaits et diront : " Pourquoi
Yahvé a-t-il fait cela à ce pays et à ce Temple? "
[22] Et l'on répondra : " Parce qu'ils ont abandonné
Yahvé, le Dieu de leurs pères, qui les avait fait sortir du pays d'Égypte, qu'ils se sont attachés à d'autres dieux et qu'ils leur ont rendu hommage et
culte, voilà pourquoi il leur a envoyé tous ces
maux ". »

|| 1 R **9** 10-25 **Conclusion : Achèvement des constructions.**

**8** [1] Au bout des vingt années pendant lesquelles
Salomon construisit le Temple de Yahvé et
son propre palais, [2] il restaura les villes que lui
avait données Huram et y établit les Israélites [a].
[3] Puis il alla à Hamat de Çoba [b], dont il se rendit
maître; [4] il restaura Tadmor dans le désert [c] et toutes les villes-entrepôts qu'il avait édifiées dans le
pays de Hamat. [5] Il restaura Bet-Horôn-le-Haut et
Bet-Horôn-le-Bas, villes fortifiées, munies de murs,
de portes et de barres, [6] ainsi que Baalat, toutes les
villes-entrepôts qu'avait Salomon, toutes les villes
de chars et les villes de chevaux, et ce qu'il plut à
Salomon de construire à Jérusalem, au Liban et
dans tous les pays qui lui étaient soumis.

[7] Tout ce qui restait des Hittites, des Amorites,
des Perizzites, des Hivvites et des Jébuséens, qui
n'étaient pas des Israélites [8] et dont les descendants
étaient restés après eux dans le pays sans être exterminés par les Israélites, Salomon les leva comme
hommes de corvée; ils le sont encore. [9] Mais Salomon ne fit point des Israélites des esclaves travaillant pour lui, car ils servaient comme soldats : ils
étaient les officiers de ses écuyers, les officiers de
sa charrerie et de sa cavalerie. [10] Voici les officiers
des préfets dont disposait le roi Salomon : deux
cent cinquante qui commandaient au peuple.

[11] Salomon fit monter de la Cité de David la fille
de Pharaon jusqu'à la maison qu'il lui avait
construite. Il disait en effet : « Une femme ne saurait demeurer à cause de moi dans le palais de
David, roi d'Israël; ce sont des lieux sacrés où vint
l'arche de Yahvé [d]. »

[12] Salomon offrit alors des holocaustes à Yahvé
sur l'autel de Yahvé qu'il avait bâti devant le Vestibule. [13] Selon le rituel quotidien des holocaustes, Nb **28-29**
conformément à l'ordre de Moïse sur les sabbats, Ex **23** 14+
les néoménies et les trois solennités annuelles : la
fête des Azymes, la fête des Semaines et la fête des
Tentes, [14] il établit, selon la règle de David son
père, les classes des prêtres dans leur service, les 1 Ch **23-26**
lévites dans leur fonction pour louer et officier près
des prêtres selon le rituel quotidien, et les portiers,
selon leur classe respective, à chaque porte, car tels
avaient été les ordres de David, homme de Dieu.
[15] Sur aucun autre point, même au sujet des réserves, ils ne s'écartèrent des ordres du roi relatifs aux
prêtres et aux lévites. [16] Et toute l'œuvre de Salomon, qui n'avait été que préparée jusqu'au jour de
la fondation du Temple de Yahvé, fut parfaite lorsqu'il eut achevé le Temple de Yahvé [e].

**Gloire de Salomon.**

[17] Alors Salomon gagna Éçyôn-Géber et Élat, au || 1 R **9** 26-2
bord de la mer, au pays d'Édom. [18] Huram lui
envoya des navires montés par ses serviteurs ainsi
que des serviteurs qui connaissaient la mer. Avec
les serviteurs de Salomon ils allèrent à Ophir et en
rapportèrent quatre cent cinquante talents d'or
qu'ils remirent au roi Salomon.

**9** [1] La reine de Saba apprit la renommée de || 1 R **10** 1-
Salomon et vint à Jérusalem éprouver Salo-
mon par des énigmes. Elle arriva avec de très grandes richesses, des chameaux chargés d'aromates,
quantité d'or et de pierres précieuses. Quand elle se
fut rendue auprès de Salomon, elle s'entretint avec
lui de tout ce qu'elle avait médité. [2] Salomon

*a)* Il doit s'agir des villes de Galilée que Salomon offrit en paiement à Hiram (Huram), qui n'en fut pas satisfait, 1 R **9** 11-12. Hiram les aurait refusées et le Chroniste interprète en disant qu'il les a « données ».

*b)* Cette campagne n'est pas mentionnée dans les Rois. Rois et Samuel distinguent Hamat et Çoba. Pour rehausser le prestige de Salomon, le Chroniste a pu lui attribuer la victoire de David dont il est question en 2 S **8** 3; **10** 8 (cf. 1 Ch **18** 3s; **19** 16).

*c)* Le Chroniste a vu dans la Tamar de 1 R **9** 18 la grande cité de Tadmor, qui n'est autre que Palmyre.

*d)* Cette explication n'est pas dans 1 R. Les impuretés rituelles particulières aux femmes les éloignaient de certains lieux consacrés. Cette préoccupation qui s'intensifie après l'Exil aboutira à l'établissement d'un parvis des femmes dans le Temple hérodien.

*e)* Le Chroniste transforme profondément 1 R **9** 25 (v. 12) et ajoute les vv. 13-16, dans lesquels il montre l'œuvre de Salomon comme l'exécution des règles posées par David en conformité avec les prescriptions mosaïques telles qu'elles ont été élaborées par le Code sacerdotal.

l'éclaira sur toutes ses questions et aucune ne fut
pour lui un secret qu'il ne pût élucider. 3 Lorsque
la reine de Saba vit la sagesse de Salomon, le palais
qu'il s'était construit, 4 le menu de sa table, le placement de ses officiers, le service de ses gens et leur
livrée, ses échansons et leur livrée, les holocaustes
qu'il offrait au Temple [a] de Yahvé, le cœur lui manqua 5 et elle dit au roi : « Ce que j'ai entendu dire
dans mon pays sur toi et sur ta sagesse était donc
vrai! 6 Je n'ai pas voulu croire ce qu'on me disait
avant de venir et de voir de mes yeux, mais vraiment on ne m'avait pas appris la moitié de
l'étendue de ta sagesse : tu surpasses la renommée
dont j'avais eu l'écho. 7 Bienheureux tes gens [b],
bienheureux tes serviteurs que voici, qui se tiennent
continuellement devant toi et entendent ta sagesse!
8 Béni soit Yahvé, ton Dieu, qui t'a montré sa
faveur en te plaçant sur son trône comme roi au
nom de Yahvé ton Dieu [c]; c'est parce que ton Dieu
aime Israël et veut le maintenir à jamais qu'il t'en
a donné la royauté pour exercer le droit et la justice. » 9 Elle donna au roi cent vingt talents d'or,
une grande quantité d'aromates et des pierres précieuses. Les aromates que la reine de Saba apporta
au roi Salomon étaient incomparables. 10 De même
les serviteurs de Huram et les serviteurs de Salomon qui rapportèrent l'or d'Ophir, rapportèrent du
bois d'algummim et des pierres précieuses. 11 Le roi
fit avec le bois d'algummim des planchers pour le
Temple de Yahvé et pour le palais royal, des lyres
et des harpes pour les musiciens; on n'avait encore
jamais rien vu de pareil dans le pays de Juda.
12 Quant au roi Salomon, il offrit à la reine de Saba
tout ce dont elle manifesta l'envie, sans compter ce
qu'elle avait apporté au roi [d]. Puis elle s'en
retourna et alla dans son pays, elle et ses serviteurs.
R 10 14-15 13 Le poids de l'or qui arriva à Salomon en une
année fut de six cent soixante-six talents d'or,
14 sans compter ce qui venait des redevances [e] des
marchands et des courtiers importateurs; tous les
rois d'Arabie, tous les gouverneurs du pays apportaient également de l'or et de l'argent à Salomon.
R 10 16-17 15 Le roi Salomon fit deux cents grands boucliers
d'or battu, sur chacun desquels il appliqua six cents
sicles d'or battu, 16 et trois cents petits boucliers
d'or battu, sur chacun desquels il appliqua trois
cents sicles d'or, et il les déposa dans la Galerie de
la Forêt du Liban. 17 Le roi fit aussi un grand trône || 1 R **10** 18-20
d'ivoire et le plaqua d'or raffiné. 18 Ce trône avait
six degrés et un marchepied d'or qui lui étaient
attachés, des bras de part et d'autre du siège et
deux lions debout près des bras. 19 Douze lions se
tenaient de part et d'autre des six degrés. On n'a
rien fait de semblable dans aucun royaume.
20 Tous les vases à boire du roi Salomon étaient || 1 R **10** 21-25
en or et tout le mobilier de la Galerie de la Forêt
du Liban était en or fin; car on faisait fi de l'argent
au temps du roi Salomon. 21 En effet le roi avait
des navires allant à Tarsis avec les serviteurs de
Huram et tous les trois ans les navires revenaient
de Tarsis chargés d'or, d'argent, d'ivoire, de singes
et de guenons.
22 Le roi Salomon surpassa en richesse et en
sagesse tous les rois de la terre. 23 Tous les rois de
la terre voulaient être reçus par Salomon pour profiter de la sagesse que Dieu lui avait mise au cœur
24 et chacun apportait son présent : vases d'argent
et vases d'or, vêtements, armes et aromates, chevaux et mulets, et ainsi d'année en année.
25 Salomon eut quatre mille stalles pour ses che- || 1 R **5** 6; **10** 26 = 2 Ch **1** 14
vaux et ses chars, et douze mille chevaux qu'il can-
tonna dans les villes de chars et près du roi à Jérusalem.
26 Il étendit son pouvoir sur tous les rois depuis || 1 R **5** 1
le Fleuve jusqu'au pays des Philistins et jusqu'à la
frontière d'Égypte. 27 Il rendit l'argent aussi || 1 R **10** 27-28 = 2 Ch **1** 15
commun à Jérusalem que les cailloux, et les cèdres
aussi nombreux que les sycomores du Bas-Pays.
28 On importait pour Salomon des chevaux de
Muçur [f] et de tous les pays.

**Mort de Salomon.** || 1 R **11** 41-43

29 Le reste de l'histoire de Salomon, du début à
la fin, n'est-ce pas écrit dans l'histoire de Natân le
prophète, dans la prophétie d'Ahiyya de Silo, et
dans la vision de Yéddo le voyant [g] concernant
Jéroboam fils de Nebat? 30 Salomon régna quarante ans à Jérusalem sur tout Israël. 31 Puis il se
coucha avec ses pères et on l'enterra dans la Cité
de David, son père, et son fils Roboam régna à sa
place.

*a)* « les holocaustes qu'il offrait » versions, 1 R **10** 15; « ses chambres hautes où il montait » hébr.

*b)* Le texte grec de 1 R **10** 8 a « tes femmes », qui doit être original. Mais il ne faut pas introduire cette correction ici : le Chroniste a évité de parler du harem de Salomon, cf. 1 R **11** 1-8.

*c)* En ajoutant ces derniers mots, le Chroniste souligne que Yahvé reste le roi d'Israël.

*d)* C'est-à-dire, probablement, l'équivalent de ses propres cadeaux. Le texte de 1 R **10** 13, différent, éclaire celui-ci.

*e)* « redevances » syr. et 1 R **10** 15 grec; « hommes » hébr.

*f)* « Muçur » conj.; « Égypte » hébr., cf. **1** 16.

*g)* Ce prophète, probablement le même qu'Iddo de **12** 15; **13** 22, est peut-être l'« homme de Dieu » anonyme de 1 R **13**. Natân et Ahiyya sont connus.

# IV. *Les premières réformes de la monarchie*

## *1. ROBOAM ET LE REGROUPEMENT DES LÉVITES*

|| 1 R 12 1-19 **Le schisme**[a].

**10** 1 Roboam se rendit à Sichem, car c'est à Sichem que tout Israël était venu pour le proclamer roi. 2 Dès que Jéroboam fils de Nebat en fut informé – il était en Égypte, où il avait fui le roi Salomon – il revint d'Égypte. 3 On le fit appeler et il vint avec tout Israël.

Ils parlèrent ainsi à Roboam : 4 « Ton père a rendu pénible notre joug, allège maintenant le dur servage de ton père, la lourdeur du joug qu'il nous imposa, et nous te servirons. » 5 Il leur répondit : « Attendez trois jours, puis revenez vers moi. » Et le peuple s'en alla.

6 Le roi Roboam prit conseil des anciens, qui avaient servi son père Salomon de son vivant, et demanda : « Que conseillez-vous de répondre à ce peuple? » 7 Ils lui répondirent : « Si tu te montres bon envers ces gens, si tu leur es bienveillant et leur donnes de bonnes paroles, alors ils resteront toujours tes serviteurs. » 8 Mais il repoussa le conseil que les anciens lui avaient donné et consulta des jeunes gens qui l'assistaient, ses compagnons d'enfance. 9 Il leur demanda : « Que conseillez-vous que nous répondions à ce peuple, qui m'a parlé ainsi : “ Allège le joug que ton père nous a imposé ”? » 10 Les jeunes gens, ses compagnons d'enfance, lui répondirent : « Voici ce que tu diras au peuple qui t'a dit : “ Ton père a rendu pesant notre joug, mais toi allège notre charge ”, voici ce que tu leur répondras : “ Mon petit doigt est plus gros que les reins de mon père! 11 Ainsi mon père vous a fait porter un joug pesant, moi, j'ajouterai encore à votre joug; mon père vous a châtiés avec des lanières, je le ferai, moi, avec des fouets à pointes de fer! ” »

12 Jéroboam, avec tout le peuple, vint à Roboam le troisième jour, selon cet ordre qu'il avait donné : « Revenez vers moi le troisième jour. » 13 Le roi leur répondit durement. Le roi Roboam rejeta le conseil des anciens 14 et, suivant le conseil des jeunes, il leur parla ainsi : « Mon père a rendu[b] pesant votre joug, moi j'y ajouterai encore; mon père vous a châtiés avec des lanières, je le ferai, moi, avec des fouets à pointes de fer. » 15 Le roi n'écouta donc pas le peuple : c'était une intervention de Dieu, pour accomplir la parole que Yahvé avait dite à Jéroboam, fils de Nebat, par le ministère d'Ahiyya de Silo, 16 et à tous les Israélites, à savoir : que le roi ne les écouterait pas. Ils répliquèrent alors au roi :

« Quelle part avons-nous sur David?
Nous n'avons pas d'héritage sur le fils de Jessé.
Chacun à ses tentes, Israël!
Et maintenant, pourvois à ta maison, David. »

Tout Israël regagna ses tentes. 17 Quant aux Israélites qui habitaient les villes de Juda, Roboam régna sur eux. 18 Le roi Roboam dépêcha Adoram, le chef de la corvée, mais les Israélites le lapidèrent et il mourut; alors le roi Roboam se vit contraint de monter sur son char pour fuir à Jérusalem. 19 Et Israël fut séparé de la maison de David, jusqu'à ce jour.

**Activité de Roboam.**

**11** 1 Roboam se rendit à Jérusalem; il convoqua || 1 R 12 21
la maison de Juda et de Benjamin, soit cent quatre-vingt mille guerriers d'élite, pour combattre Israël et rendre le royaume à Roboam. 2 Mais la parole de Yahvé fut adressée à Shemaya, l'homme de Dieu, en ces termes : 3 « Dis ceci à Roboam, fils de Salomon, roi de Juda, et à tous les Israélites qui sont en Juda et en Benjamin : 4 Ainsi parle Yahvé. N'allez pas vous battre contre vos frères; que chacun retourne chez soi, car cet événement vient de moi. » Ils écoutèrent les paroles de Yahvé et firent demi-tour au lieu de marcher contre Jéroboam.

5 Roboam habita Jérusalem et construisit des villes fortifiées en Juda. 6 Il restaura Bethléem, Étam et Teqoa, 7 Bet-Çur, Soko, Adullam, 8 Gat, Maresha, Ziph, 9 Adorayim, Lakish, Azéqa, 10 Çoréa, Ayyalôn, Hébron; c'étaient des villes fortifiées en Juda et en Benjamin[c]. 11 Il les fortifia puissamment et y mit des commandants, ainsi que

*a)* Ce ch. suit presque littéralement le texte de 1 R **12**. Le Chroniste est bien obligé d'accepter le fait du schisme, mais il a omis l'histoire de la révolte de Jéroboam qui a précédé, 1 R **11**, et il ne fera qu'une courte allusion, **11** 14-15, au schisme religieux longuement rapporté dans 1 R **12** 26 - **13** 32.

*b)* « Mon père a rendu », 1 R **12** 14; « je rendrai » hébr.

*c)* Cette liste des places fortes de Roboam n'a pas de parallèle dans 1 R, mais elle provient d'une bonne source historique. Cette action de Roboam peut avoir suivi la campagne de Sheshonq, **12** 9, qui avait montré combien le territoire était vulnérable. Les forteresses nommées ici ne jalonnaient pas la frontière du royaume, mais étaient établies en des points stratégiques favorables. Elles étaient tenues par des corps de l'armée de métier, vv. 11-12.

des réserves de vivres, d'huile et de vin. 12 Dans
chacune de ces villes il y avait des boucliers et des
lances. Il les rendit extrêmement fortes et fut maître
de Juda et de Benjamin.

**Le clergé près de Roboam [a].**

13 Les prêtres et les lévites qui se trouvaient dans
tout Israël quittèrent leur territoire pour s'établir
Nb **35** 2 près de lui. 14 Les lévites, en effet, abandonnèrent
leurs pâturages et leurs patrimoines et vinrent en
Juda et à Jérusalem, Jéroboam et ses fils les ayant
exclus du sacerdoce de Yahvé. 15 Jéroboam avait
1 R **12** 30 établi des prêtres pour les hauts lieux, pour les
Lv **17** 7+ satyres et pour les veaux qu'il avait fabriqués.
16 Des membres de toutes les tribus d'Israël qui
avaient à cœur de rechercher Yahvé, Dieu d'Israël,
les suivirent et vinrent à Jérusalem afin de sacrifier
à Yahvé, Dieu de leurs pères. 17 Ils renforcèrent le
royaume de Juda et, pendant trois ans, soutinrent
Roboam, fils de Salomon, car c'est pendant trois
ans qu'il suivit la voie de David et de Salomon.

1 R **11** 1-13 **La famille de Roboam [b].**

18 Roboam prit pour femme Mahalat, fille de
Yerimot, fils de David, et d'Abihayil [c], fille d'Éliab,
fils de Jessé. 19 Elle lui donna des fils : Yéush, She-
1 R **15** 2 marya et Zaham. 20 Il épousa après elle Maaka,
fille d'Absalom, qui lui enfanta Abiyya, Attaï,
Ziza et Shelomit. 21 Roboam aima Maaka, fille
d'Absalom, plus que toutes ses autres femmes et
concubines. Il avait en effet pris dix-huit femmes
et soixante concubines, et engendré vingt-huit fils
et soixante filles. 22 Roboam fit d'Abiyya, fils de
Maaka, le chef de famille, prince parmi ses frères,
afin de le faire roi [d]. 23 Roboam fut avisé et il répartit certains de ses fils dans toutes les régions de
Juda et de Benjamin et dans toutes les villes fortifiées; il les pourvut de vivres en abondance et leur
trouva des femmes [e].

**L'infidélité de Roboam [f].**

**12** 1 Alors que sa royauté s'était établie et affer-
1 R **14** 22 mie, Roboam abandonna la Loi de Yahvé, et
1 R **14** 25 tout Israël avec lui. 2 La cinquième année du règne
de Roboam, le roi d'Égypte, Sheshonq, marcha
contre Jérusalem, car elle avait été infidèle à
Yahvé. 3 Avec mille deux cents chars, soixante
mille chevaux et une innombrable armée de
Libyens, de Sukkiens et de Kushites, qui vint avec
lui d'Égypte, 4 il prit les villes fortifiées de Juda et
atteignit Jérusalem. 5 Shemaya, le prophète, vint 11 2
trouver Roboam et les officiers judéens qui, devant
Sheshonq, s'étaient regroupés près de Jérusalem, et
il leur dit : « Ainsi parle Yahvé. Vous m'avez abandonné, aussi vous ai-je abandonnés moi-même aux
mains de Sheshonq. » 6 Alors les officiers israélites
et le roi s'humilièrent et dirent : « Yahvé est juste. »
7 Quand Yahvé vit qu'ils s'humiliaient, la parole de
Yahvé fut adressée à Shemaya en ces termes : « Ils
se sont humiliés, je ne les exterminerai pas; sous
peu je leur permettrai d'échapper et ce n'est pas par
les mains de Sheshonq que ma colère s'abattra sur
Jérusalem. 8 Mais ils deviendront ses esclaves et ils
apprécieront ce que c'est que de me servir et de servir les royaumes des pays! »
9 Le roi d'Égypte Sheshonq marcha contre Jéru-
salem. Il se fit livrer les trésors du Temple de Yahvé || 1 R **14** 26-28
et ceux du palais royal, absolument tout, jusqu'aux
boucliers d'or qu'avait faits Salomon; 10 à leur
place le roi Roboam fit des boucliers de bronze et
les confia aux chefs des gardes qui veillaient à la
porte du palais royal : 11 chaque fois que le roi
allait au Temple de Yahvé, les gardes venaient les
prendre, puis il les rapportaient à la salle des gardes.
12 Mais parce qu'il s'était humilié la colère de
Yahvé se détourna de lui et ne l'anéantit pas
complètement. Qui plus est, d'heureux événements
survinrent en Juda, 13 le roi Roboam put s'affermir
dans Jérusalem et régner. Il avait en effet quarante || 1 R **14** 21
et un ans à son avènement et il régna dix-sept ans
à Jérusalem, la ville que Yahvé avait choisie entre
toutes les tribus d'Israël pour y placer son Nom.
Sa mère s'appelait Naama, l'Ammonite. 14 Il fit
le mal, parce qu'il n'avait pas disposé son cœur à
rechercher Yahvé. 15 L'histoire de Roboam, du || 1 R **14** 29-31
début à la fin, cela n'est-il pas écrit dans l'histoire
du prophète Shemaya et du voyant Iddo [g]? Il y eut
tout le temps des combats entre Roboam et Jéroboam. 16 Roboam se coucha avec ses pères et fut
enterré dans la Cité de David; son fils Abiyya
régna à sa place.

*a)* D'après le Chroniste, le schisme religieux de Jéroboam eut pour conséquence l'émigration des lévites et des Israélites fidèles vers Jérusalem, le seul sanctuaire légitime. Une émigration de ce genre se produisit effectivement après la chute de Samarie, deux siècles plus tard.

*b)* Ces renseignements sur la famille de Roboam sont propres au Chroniste, qui n'avait rien dit des nombreuses femmes de Salomon, mais qui signale ici le harem d'un roi infidèle.

*c)* « fille (de Yerimot) » grec; « fils » hébr. – « et d'Abihayil » grec; « Abihayil » hébr.

*d)* Roboam choisit comme successeur le fils de son épouse préférée qui n'était pas sa première femme, tout comme David l'avait fait pour Salomon.

*e)* « Il leur trouva des femmes » (*wayyissah lahem nashîm*) conj.; « il consulta une multitude de femmes » (*wayyisheal hamôn nashîm*) hébr.

*f)* Aux indications de 1 R **14** sur la campagne de Sheshonq, le Chroniste ajoute les vv. 2[b]-8 et 12, qu'il tire d'une source indépendante, peut-être l'écrit du prophète Shemaya mentionné au v. 15.

*g)* Hébr. ajoute : « selon le registre généalogique (?) ».

## 2. ABIYYA ET LA FIDÉLITÉ AU SACERDOCE LÉGITIME

**La guerre.**

|| 1 R 15 1-2, 7 13 [1] La dix-huitième année du règne de Jéro-
boam, Abiyya [a] devint roi de Juda [2] et régna
trois ans à Jérusalem. Sa mère s'appelait
Mikayahu [b], fille d'Uriel, de Gibéa. Il y eut guerre
entre Abiyya et Jéroboam. [3] Abiyya engagea le
combat avec une armée de guerriers vaillants –
quatre cent mille hommes d'élite – et Jéroboam se
rangea en bataille contre lui avec huit cent mille
hommes d'élite, preux vaillants.

**Le discours d'Abiyya [c].**

[4] Abiyya se posta sur le mont Çemarayim, situé
dans la montagne d'Éphraïm, et s'écria : « Jéroboam et vous tous, Israélites, écoutez-moi! [5] Ne
savez-vous pas que Yahvé, le Dieu d'Israël, a
donné pour toujours à David la royauté sur Israël?
C'est une alliance infrangible [d] pour lui et pour ses
fils. [6] Jéroboam, fils de Nebat, serviteur de Salomon, fils de David, s'est dressé et révolté contre son
Dt 13 14+ seigneur; [7] des gens de rien, des vauriens, se sont
unis à lui et se sont imposés à Roboam, fils de
Salomon; Roboam n'était encore qu'un jeune
homme, timide de caractère, et n'a pas pu leur
résister. [8] Or vous parlez maintenant de tenir tête
à la royauté de Yahvé qu'exercent les fils de David,
et vous voilà en foule immense, accompagnés des
veaux d'or que vous a faits pour dieux Jéroboam!
[9] N'avez-vous pas expulsé les prêtres de Yahvé, fils
d'Aaron, et les lévites, pour vous faire des prêtres
comme s'en font les peuples des pays : quiconque
vient avec un taureau et sept béliers pour se faire
donner l'investiture, peut devenir prêtre de ce qui
n'est point Dieu! [10] Notre Dieu à nous, c'est Yahvé,
et nous ne l'avons pas abandonné : les fils d'Aaron
sont prêtres au service de Yahvé et les lévites
officient. [11] Chaque matin et chaque soir nous faisons fumer les holocaustes pour Yahvé, nous avons
l'encens aromatique, les pains rangés sur la table
pure, le candélabre d'or avec ses lampes qui brûlent
chaque soir. Car nous gardons les ordonnances de
Yahvé notre Dieu que vous, vous avez abandonnées. [12] Voici que Dieu est en tête avec nous, voici
ses prêtres et les trompettes dont ils vont sonner Nb 10 9
pour que l'on pousse le cri de guerre contre vous!
Israélites, ne luttez pas avec Yahvé, le Dieu de vos 2 M 7 19
pères, car vous n'aboutirez à rien. » Ac 5 39

**La bataille [e].**

[13] Jéroboam fit faire un mouvement tournant à
l'embuscade qui atteignit leurs arrières; l'armée
était face à Juda, et l'embuscade par-derrière.
[14] Faisant volte-face, les Judéens se virent combattus de front et de dos. Ils firent appel à Yahvé, les
prêtres sonnèrent de la trompette, [15] les hommes de
Juda poussèrent le cri de guerre, et, tandis qu'ils
poussaient ce cri, Dieu frappa Jéroboam et tout
Israël devant Abiyya et Juda. [16] Les Israélites
s'enfuirent devant Juda et Dieu les livra aux mains
des Judéens. [17] Abiyya et son armée leur infligèrent
une cuisante défaite : cinq cent mille hommes
d'élite tombèrent morts parmi les Israélites. [18] En
ce temps-là, les Israélites furent humiliés, les
fils de Juda raffermis pour s'être appuyés sur
Yahvé, Dieu de leurs pères.

**Fin du règne.**

[19] Abiyya poursuivit Jéroboam et lui conquit des
villes : Béthel et ses dépendances, Yeshana et ses
dépendances, Éphrôn et ses dépendances [f]. [20] Jéroboam perdit alors sa puissance durant la vie
d'Abiyyahu; Yahvé le frappa et il mourut.
[21] Abiyyahu s'affermit; il épousa quatorze femmes
et engendra vingt-deux fils et seize filles. [22] Le reste
de l'histoire d'Abiyya, sa conduite et ses actions || 1 R 15 7
sont écrits dans le Midrash du prophète Iddo. 12 15
[23] Puis Abiyya se coucha avec ses pères et on 14[1]
l'enterra dans la Cité de David; son fils Asa régna
à sa place.

*a)* Le même que Abiyyam de 1 R **14** 31; **15** 1, 7, 8.
*b)* Elle est appelée Maaka par le grec et 1 R, et donnée comme fille d'Absalom, cf. **11** 20.
*c)* Cette composition du Chroniste est un bel exemple de prédication lévitique de son époque, qui utilise des événements du passé pour donner un enseignement. Au-delà des Israélites du temps d'Abiyya, le Chroniste s'adresse aux gens de Samarie, et leur rappelle que Juda a la seule royauté, le seul vrai Dieu, le seul sacerdoce légitime et le seul culte conforme à la législation du Pentateuque.
*d)* Litt. « alliance de sel », cf. Lv **2** 13.
*e)* La bataille est décrite avec des réminiscences des récits sur la prise de Aï, Jos **8**, et de Gibéa, Jg **20** (l'embuscade), et des récits de guerre sainte (cri de guerre, sonneries de trompette, attribution de la victoire à Dieu), cf. Jos **6**.
*f)* Il n'y a pas lieu de mettre cette conquête en doute, mais elle ne fut pas durable. C'est un épisode des conflits frontaliers que Juda eut avec Israël, avec des alternances de succès et de revers, 1 R **15** 16-23; 2 Ch **15** 8; **16** 1-6; **17** 2.

## 3. ASA ET SES RÉFORMES CULTUELLES

### La paix d'Asa.

Le pays, de son temps, fut tranquille pendant dix
ans.
1 R **15** 11-12 **14** [1] Asa fit ce qui est bien et juste aux yeux de
Yahvé, son Dieu. [2] Il supprima les autels de
1 S **9** 12+ l'étranger et les hauts lieux, il brisa les stèles, mit
Ex **23** 24+ en pièces les ashéras [3] et dit aux Judéens de recher-
Ex **34** 13+ cher Yahvé, le Dieu de leurs pères, et de pratiquer
5 loi et commandement [a]. [4] Il supprima de toutes les
villes de Juda les hauts lieux et les autels à encens.
6 Aussi le royaume fut-il calme sous son règne; [5] il
restaura les villes fortifiées de Juda, car le pays
était calme et ne participa à aucune guerre en ces
années-là, Yahvé lui ayant donné la tranquillité.
7 [6] « Restaurons ces villes, dit-il à Juda, entourons-
les d'un mur, de tours, de portes et de barres; le
pays est encore à notre disposition car nous avons
cherché Yahvé, notre Dieu; aussi nous a-t-il recher-
chés et nous a-t-il donné la tranquillité sur toutes
nos frontières. »
8 Ils restaurèrent et prospérèrent. [7] Asa disposa
d'une armée de trois cent mille Judéens, portant le
bouclier et la lance, et de deux cent quatre-vingt
Ch **8** 40+ mille Benjaminites portant la rondache et tirant de
l'arc, tous preux valeureux.

### L'invasion de Zérah [b].

9 [8] Zérah le Kushite fit une incursion avec une
armée de mille milliers et de trois cents chars, et
10 il atteignit Maresha. [9] Asa sortit à sa rencontre et
se rangea en bataille dans la vallée de Çephata, à
11 Maresha. [10] Asa invoqua Yahvé son Dieu et dit :
« Il n'en est point comme toi, Yahvé, pour secourir
le puissant aussi bien que celui qui est sans force.
Porte-nous secours, Yahvé notre Dieu! C'est sur toi
que nous nous appuyons et c'est en ton nom que
nous nous heurtons à cette foule. Yahvé, tu es notre
Dieu. Que le mortel ne te résiste pas! »
12 [11] Yahvé battit les Kushites devant Asa et les
Judéens : les Kushites s'enfuirent [12] et Asa les 13
poursuivit avec son armée jusqu'à Gérar. Il tomba
tant de Kushites qu'ils ne purent subsister, car ils
s'étaient brisés devant Yahvé et son camp. On
ramassa une grande quantité de butin, [13] on 14
conquit toutes les villes aux alentours de Gérar, car
la Terreur de Yahvé s'était appesantie sur elles, et
on les pilla toutes car il s'y trouvait beaucoup de
butin. [14] On s'en prit même aux tentes des trou- 15
peaux et l'on razzia nombre de moutons et de chameaux, puis l'on revint à Jérusalem.

### L'exhortation d'Azaryahu et la réforme [c].

**15** [1] L'esprit de Dieu vint sur Azaryahu, fils
d'Oded, [2] qui sortit au-devant d'Asa. Il lui
dit : « Asa, et vous tous, de Juda et de Benjamin,
écoutez-moi! Yahvé est avec vous quand vous êtes
avec lui. Quand vous le recherchez il se laisse trou- Os **3** 4-5
ver par vous, quand vous l'abandonnez il vous
abandonne. [3] Israël passera bien des jours sans
Dieu fidèle, sans prêtre pour l'enseigner, et sans loi;
[4] mais dans sa détresse il reviendra à Yahvé, Dieu Dt **4** 29-30+
d'Israël, il le recherchera et Yahvé se laissera trouver par lui. [5] En ce temps-là, aucun adulte ne
connaîtra la paix, mais des tribulations multiples
pèseront sur tous les habitants du pays. [6] Les
nations s'écraseront l'une contre l'autre, les villes Is **19** 2
l'une contre l'autre, car Dieu les frappera par toutes sortes de détresses. [7] Mais vous, soyez fermes
et que vos mains ne faiblissent point, car vos Is **7** 4
actions auront leur récompense. » Jr **31** 16
[8] Quand Asa entendit ces paroles et cette prophétie [d], il se décida à faire disparaître les horribles
idoles de tout le pays de Juda et de Benjamin et
des villes qu'il avait conquises dans la montagne
d'Éphraïm, puis il remit en état l'autel de Yahvé qui
se trouvait devant le Vestibule de Yahvé. [9] Il réunit
tout Juda et Benjamin, ainsi que les Éphraïmites,
les Manassites et les Siméonites qui séjournaient
avec eux, car beaucoup d'Israélites s'étaient ralliés

*a)* Le Chroniste renchérit sur l'éloge que 1 R **15** fait d'Asa, et lui attribue une réforme religieuse sur laquelle il reviendra au ch. **15**.

*b)* Cet épisode, absent de 1 R, ne doit pas être inventé : il est trop attaché à des lieux précis et ne cadre pas avec l'image de paix que le Chroniste donne de presque tout le règne d'Asa, cf. vv. 5-6; **15** 19. Mais on ne sait pas qui est ce Zérah. Comme Kush désigne normalement l'Éthiopie, il peut être un mercenaire éthiopien, commandant une garnison égyptienne laissée par Sheshonq dans le sud du pays, cf. **12** 3; **16** 8. Mais Kush peut désigner aussi des nomades du Négeb (cf. la femme kushite de Moïse, Nb **12** 1+) qui seraient venus razzier Juda, v. 14. En tout cas, le chiffre des combattants est sûrement exagéré.

*c)* Le Chroniste reprend le thème de la réforme, cf. **14** 1-4; elle est suscitée par l'action d'un prophète, vv. 1-7, et comprend : une suppression des idoles jusque dans le territoire d'Israël, des travaux dans le Temple, un sacrifice solennel et un renouvellement de l'alliance. Le récit semble s'être inspiré de la réforme d'Ézéchias, 2 Ch **29** - **31**, cf. Jr **26** 18-19, et surtout de celle de Josias, 2 Ch **34** - **35**, où l'on retrouve les mêmes thèmes : suppression des idoles et des hauts lieux dans tout le pays, travaux dans le Temple, prédication prophétique, renouvellement de l'alliance et sacrifices solennels.

*d)* L'hébr. ajoute « Oded le prophète », rapportant ainsi ce qui précède à Oded, et non à son fils comme le v. 1.

à Asa en voyant que Yahvé, son Dieu, était avec
lui. 10 Le troisième mois de la quinzième année du
règne d'Asa, ils se réunirent à Jérusalem. 11 Ils
offrirent en sacrifice à Yahvé, ce jour-là, une part
du butin qu'ils rapportaient, sept cents bœufs et
sept mille moutons. 12 Ils s'engagèrent par une
alliance à chercher Yahvé, le Dieu de leurs pères,
de tout leur cœur et de toute leur âme; 13 quiconque
ne chercherait pas Yahvé, Dieu d'Israël, serait mis
Ne 10 30 à mort, grand ou petit, homme ou femme. 14 Ils prêtèrent serment à Yahvé à voix haute et par acclamation, au son des trompettes et des cors; 15 tous
les Judéens furent joyeux de ce serment qu'ils
avaient prêté de tout leur cœur. C'est de plein gré
qu'ils cherchèrent Yahvé. Aussi se laissa-t-il trouver par eux et leur donna-t-il la tranquillité sur toutes leurs frontières.

|| 1 R 15 13-15 16 Même Maaka, grand-mère du roi Asa, se vit
retirer par lui la dignité de Grande Dame, parce
qu'elle avait fait une horreur pour Ashéra; Asa
abattit son horreur, la réduisit en poudre et la brûla
dans la vallée du Cédron. 17 Les hauts lieux ne disparurent pas d'Israël [a]; pourtant le cœur d'Asa
resta intègre toute sa vie. 18 Il déposa dans le Temple de Dieu les saintes offrandes de son père et ses
propres offrandes, de l'argent, de l'or et du mobilier.

19 Il n'y eut point de guerre jusqu'à la trente-cin-
quième année du règne d'Asa.

**Guerre avec Israël** [b].

16 1 La trente-sixième année du règne d'Asa,
|| 1 R 15 16-22 Basha, roi d'Israël, marcha contre Juda; il for-
tifia Rama pour bloquer les communications
d'Asa, roi de Juda. 2 Alors Asa puisa de l'or et de
l'argent dans les trésors du Temple de Yahvé et du
palais royal pour en faire l'envoi à Ben-Hadad, le
roi d'Aram, qui résidait à Damas, avec ce message : 3 « Alliance entre moi et toi, entre mon père
et ton père! Je t'envoie de l'argent et de l'or; va
romps ton alliance avec Basha, roi d'Israël, pour
qu'il s'éloigne de moi! » 4 Ben-Hadad exauça le roi
Asa et envoya ses chefs d'armée contre les villes
d'Israël; il conquit Iyyôn, Dan, Abel-Mayim et
tous les entrepôts des villes de Nephtali. 5 Quand
Basha l'apprit, il arrêta les travaux de Rama et fit
cesser l'ouvrage. 6 Alors le roi Asa amena tout
Juda; on enleva les pierres et le bois avec lesquels
Basha fortifiait Rama, et on s'en servit pour fortifier Géba et Miçpa.

7 C'est alors que Hanani le voyant vint trouver
Asa, roi de Juda. Il lui dit : « Parce que tu t'es
appuyé sur le roi d'Aram et non sur Yahvé ton
Dieu, les forces du roi d'Aram échapperont à tes
mains. 8 Kushites et Libyens ne formaient-ils pas 14 8-14
une armée nombreuse avec une grande multitude
de chars et de chevaux? Or n'ont-ils pas été livrés
entre tes mains parce que tu t'étais appuyé sur
Yahvé? 9 Puisque Yahvé parcourt des yeux toute la Ps 33 13-15
terre pour affermir ceux dont le cœur est tout entier
tourné vers lui, tu as cette fois-ci agi en insensé et
tu auras désormais la guerre. » 10 S'emportant
contre le voyant, Asa le mit aux ceps en prison, car Jr 20 2
cela l'avait irrité; il prit en ce temps-là de dures
mesures contre une partie du peuple.

**Fin du règne.** || 1 R 15 2

11 L'histoire d'Asa, du début à la fin, est écrite
au livre des Rois de Juda et d'Israël. 12 Asa eut les
pieds malades, d'une maladie très grave, dans la
trente-neuvième année de son règne; même alors, il
n'eut pas recours, dans sa maladie à Yahvé mais
aux médecins [c]. 13 Asa se coucha avec ses pères et
mourut dans la quarante et unième année de son
règne. 14 On l'enterra dans le tombeau [d] qu'il s'était
fait creuser dans la Cité de David. On l'étendit sur
un lit tout rempli d'aromates, d'essences et
d'onguents préparés; l'on fit pour lui un feu tout à
fait grandiose [e].

*a)* Le Chroniste suit 1 R, sans l'harmoniser avec 2 Ch **14** 4.
*b)* Au récit parallèle de 1 R, le Chroniste ajoute la date précise, v. 1, qu'il doit tenir d'une bonne source, et l'intervention d'un prophète, vv. 7-10, qui condamne l'appel à l'étranger, comme fera Isaïe à propos de l'Égypte, Is **30** 1-7; **31** 1-3; cf. aussi Os **6** 13; **7** 11; **12** 2.
*c)* La médecine était alors souvent contaminée par la magie. mais le texte veut surtout dire qu'Asa s'est adressé seulement aux médecins pour un mal qui était une punition de Yahvé, cf. v. 10.
*d)* L'hébr. a « les tombeaux ».
*e)* Il ne s'agit pas d'une incinération, mais d'une combustion de parfums, rite de funérailles pour les rois morts en paix avec Dieu, cf. Jr **34** 5. Joram en sera privé, 2 Ch **21** 19.

## 4. JOSAPHAT ET L'ADMINISTRATION

**La puissance de Josaphat [a].**

17 1 Son fils Josaphat régna à sa place et affermit
son pouvoir sur Israël. 2 Il mit des troupes
dans toutes les villes fortifiées de Juda et établit des
préfets dans le pays de Juda et dans les villes
d'Éphraïm qu'avait conquises Asa, son père.

**Son souci de la Loi.**

3 Yahvé fut avec Josaphat, car sa conduite fut
celle qu'avait d'abord suivie son père [b] et il ne
rechercha pas les Baals. 4 C'est bien le Dieu de son
père qu'il rechercha, et il marcha selon ses
commandements sans imiter les actions d'Israël.
5 Yahvé maintint le royaume entre ses mains; tous
les Judéens payaient tribut à Josaphat, si bien qu'il
eut beaucoup de richesses et d'honneur. 6 Son cœur
progressa dans les voies de Yahvé et il supprima
1 S 9 12+ de nouveau en Juda les hauts lieux et les ashéras.
Ex 34 13+ 7 La troisième année de son règne, il envoya ses
officiers : Ben-Hayil, Obadya, Zekarya, Netanéel,
Mikayahu, instruire les cités judéennes [c]. 8 Des
19 8 lévites les accompagnaient : Shemayahu, Netanyahu, Zebadyahu, Asahel, Shemiramot, Yehonatân, Adoniyyahu, Tobiyyahu, lévites, ainsi que
les prêtres Élishama et Yehoram. 9 Ils se mirent à
Esd 7 25 enseigner en Juda, munis du livre de la Loi de
Yahvé, et firent le tour des cités judéennes, en instruisant le peuple. 10 La terreur de Yahvé s'étendit
sur tous les royaumes des pays qui entouraient
Juda; ils ne firent pas la guerre à Josaphat. 11 Des
Philistins lui apportèrent en tribut des présents et
Is 16 1 de l'argent; les Arabes [d] eux-mêmes lui amenèrent
du petit bétail : sept mille sept cents béliers et sept
mille sept cents boucs. 12 Josaphat grandissant
allait au plus haut; il édifia en Juda des citadelles
et des villes-entrepôts.

**L'armée [e].**

13 Il eut d'importants services dans les cités
judéennes et des guerriers, des vaillants preux, à
Jérusalem. 14 En voici la répartition par familles :
Pour Juda : officiers de milliers : Adna l'officier,
avec 300 milliers de vaillants preux; 15 à ses ordres,
Yehohanân l'officier, avec 280 milliers; 16 à ses
ordres, Amasya, fils de Zikri, engagé volontaire au
service de Yahvé, avec 200 milliers de vaillants
preux.
17 De Benjamin : le vaillant preux Élyada avec
200 milliers armés de l'arc et de la rondache; 18 à 1 Ch 8 40+
ses ordres, Yehozabad, avec 180 milliers équipés
pour la guerre.
19 Tels étaient ceux qui servaient le roi, sans
compter les hommes qu'il avait mis dans les places
fortes de tout Juda.

**L'alliance avec Achab**
**et l'intervention des prophètes [f].** || 1 R 22 1-35

18 1 Josaphat eut donc beaucoup de richesses et
d'honneur et il s'allia par mariage avec
Achab [g]. 2 Au bout de quelques années, il vint visiter Achab à Samarie. Achab immola quantité de
moutons et de bœufs [h] pour lui et sa suite afin de
l'inciter à attaquer Ramot de Galaad. 3 Achab, roi
d'Israël, dit à Josaphat, roi de Juda : « Viendras-tu
avec moi à Ramot de Galaad? » Il lui répondit : « Il
en sera de la bataille pour moi comme pour toi,
pour mes gens comme pour tes gens. »
4 Cependant Josaphat dit au roi d'Israël : « Je te
prie, consulte d'abord la parole de Yahvé. » 5 Le roi
d'Israël rassembla les prophètes, au nombre de
quatre cents, et leur demanda : « Devons-nous aller
attaquer Ramot de Galaad, ou dois-je y renoncer? » Ils répondirent : « Monte, Dieu la livrera aux
mains du roi. » 6 Mais Josaphat dit : « N'y a-t-il
donc ici aucun autre prophète de Yahvé, par qui
nous puissions le consulter? » 7 Le roi d'Israël
répondit à Josaphat : « Il y a encore un homme par
qui on peut consulter Yahvé, mais je le hais, car

*a)* Comme Asa était le type du roi pacifique, Josaphat est pour le Chroniste le type du roi qui gouverne avec fermeté. Le nom du roi signifie : « Yahvé juge ». Avec Ézéchias et Josias, il est l'un des favoris du Chroniste.

*b)* L'hébr. a : « David son père ».

*c)* Cette mission d'enseignement de la Loi, confiée à cinq laïcs, huit lévites et deux prêtres, est difficilement attribuable au règne de Josaphat. Elle reflète plutôt l'époque du Chroniste où s'est développée la fonction d'enseignement des lévites, préparant l'ère des synagogues et des docteurs de la Loi.

*d)* Non pas les tribus d'Arabie, mais des nomades infiltrés dans les régions d'Édom et de Moab, cf. **21** 16.

*e)* En dehors des chiffres, qui sont extravagants, cette notice provient d'une bonne source. Josaphat avait une armée de conscription, recrutée par familles, distribuée en contingents où Juda et Benjamin sont distingués, et encadrée par des officiers. Il y avait également un service des places fortes.

*f)* Le Chroniste, qui ne s'occupe pas du royaume du Nord et qui omet tout le cycle d'Élie, 1 R **17-18**, et celui d'Élisée, 2 R **2-8**, parce qu'ils n'ont eu aucun rapport avec Juda, a reproduit presque textuellement ce récit qui concerne pourtant principalement le royaume d'Israël. C'est parce que son héros, Josaphat, y est étroitement mêlé, et aussi parce qu'intervient un vrai prophète de Yahvé, qui s'oppose aux faux prophètes à la solde d'Achab.

*g)* Son fils Joram épousa Athalie, fille ou sœur d'Achab, cf. 2 R **8** 18+.

*h)* Ce sacrifice, qui n'est pas mentionné dans les Rois, sera funeste parce qu'il est fait loin du sanctuaire légitime.

il ne prophétise jamais le bien à mon sujet, mais toujours du mal : c'est Michée, fils de Yimla. » Josaphat dit : « Que le roi ne parle pas ainsi! » 8 Le roi d'Israël appela un eunuque et dit : « Fais vite venir Michée, fils de Yimla. »

9 Le roi d'Israël et Josaphat, roi de Juda, étaient assis, chacun sur son trône, en grand costume; ils siégeaient sur l'aire devant la porte de Samarie et tous les prophètes se livraient à leurs transports devant eux. 10 Sédécias, fils de Kenaana, se fit des cornes de fer et dit : « Ainsi parle Yahvé. Avec cela tu encorneras les Araméens jusqu'au dernier. » 11 Et tous les prophètes faisaient la même prédiction, disant : « Monte à Ramot de Galaad! Tu réussiras, Yahvé la livrera aux mains du roi. »

12 Le messager qui était allé chercher Michée lui dit : « Voici que les prophètes n'ont qu'une seule bouche pour parler en faveur du roi. Tâche de parler comme l'un d'eux et prédis le succès. » 13 Mais Michée répondit : « Par Yahvé vivant! Ce que mon Dieu dira, c'est cela que j'énoncerai. » 14 Il arriva près du roi, et le roi lui demanda : « Michée, devons-nous aller combattre à Ramot de Galaad, ou dois-je y renoncer? » Il répondit : « Montez! Vous réussirez, ses habitants seront livrés entre vos mains. » 15 Mais le roi lui dit : « Combien de fois me faudra-t-il t'adjurer de ne me dire que la vérité au nom de Yahvé? » 16 Alors il prononça :

> « J'ai vu tout Israël dispersé sur les montagnes
> comme un troupeau sans pasteur.
> Et Yahvé a dit : ils n'ont plus de maître,
> que chacun retourne en paix chez soi! »

17 Le roi d'Israël dit alors à Josaphat : « Ne t'avais-je pas dit qu'il prophétisait pour moi non le bien mais le mal? » 18 Michée reprit :

« Écoutez plutôt la parole de Yahvé : J'ai vu Yahvé assis sur son trône; toute l'armée du ciel se tenait à sa droite et à sa gauche. 19 Yahvé demanda : " Qui trompera Achab, le roi d'Israël pour qu'il marche contre Ramot de Galaad et qu'il y succombe? " Ils répondirent, celui-ci d'une manière et celui-là d'une autre. 20 Alors l'Esprit s'avança et se tint devant Yahvé : " C'est moi, dit-il, qui le tromperai. " Yahvé lui demanda : " Comment? " 21 Il répondit : " J'irai et je me ferai esprit de mensonge dans la bouche de tous ses prophètes. " Yahvé dit : " Tu le tromperas, tu réussiras. Va et fais ainsi. " 22 Voici donc que Yahvé a mis un esprit de mensonge dans la bouche de tes prophètes qui sont là, mais Yahvé a prononcé contre toi le malheur. »

23 Alors Sédécias, fils de Kenaana, s'approcha et frappa Michée à la mâchoire, en disant : « Par quelle voie l'esprit de Yahvé m'a-t-il quitté pour te parler? » 24 Michée repartit : « C'est ce que tu verras le jour où tu fuiras dans une chambre retirée pour te cacher. » 25 Le roi d'Israël ordonna : « Saisissez Michée, et remettez-le à Amon, gouverneur de la ville, et au fils du roi, Yoas. 26 Vous leur direz : " Ainsi parle le roi. Mettez cet homme en prison et nourrissez-le strictement de pain et d'eau jusqu'à ce que je revienne sain et sauf ". » 27 Michée dit : « Si tu reviens sain et sauf, c'est que Yahvé n'a pas parlé par ma bouche[a]. »

**Le combat.**
**Intervention d'un prophète.**

28 Le roi d'Israël et Josaphat, roi de Juda, marchèrent contre Ramot de Galaad. 29 Le roi d'Israël dit à Josaphat : « Je me déguiserai pour marcher au combat[b], mais toi, revêts ton costume! » Le roi d'Israël se déguisa et ils marchèrent au combat. 30 Le roi d'Aram avait donné cet ordre à ses commandants de chars : « Vous n'attaquerez ni petit ni grand, mais seulement le roi d'Israël. » 31 Lorsque les commandants de chars virent Josaphat, ils dirent : « C'est le roi d'Israël », et ils concentrèrent sur lui le combat; mais Josaphat poussa son cri de guerre, Yahvé lui vint en aide et Dieu les entraîna loin de lui. 32 Lorsque les commandants de chars virent que ce n'était pas le roi d'Israël, ils s'éloignèrent de lui.

33 Or un homme banda son arc sans savoir qui il visait et atteignit le roi d'Israël entre le corselet et les appliques de la cuirasse. Celui-ci dit au charrier : « Tourne bride et fais-moi sortir de la mêlée[c], car je me sens mal. » 34 Mais le combat se fit plus violent ce jour-là; le roi d'Israël, jusqu'au soir, resta debout sur son char en face des Araméens et, au coucher du soleil, il mourut[d].

**19** 1 Josaphat, roi de Juda, retourna sain et sauf chez lui, à Jérusalem. 2 Jéhu, fils de Hanani le voyant, sortit à sa rencontre et dit au roi Josaphat[e] : « Porte-t-on secours au méchant? Aimerais-tu ceux qui haïssent Yahvé, pour attirer ainsi sur toi sa colère? 3 Néanmoins, on a trouvé en toi quelque chose de bon, car tu as extirpé du pays les ashéras et tu as disposé ton cœur à la recherche de Dieu. »

*a)* L'hébr. ajoute : « et il dit : Écoutez, vous tous peuples »; c'est le début du livre du prophète canonique Michée, qui a été également ajouté par un glossateur à 1 R **22** 28.
*b)* « Je me déguiserai pour marcher » grec; « Déguise-toi et marche » hébr., mais cf. la suite.
*c)* « de la mêlée » grec; « du camp » hébr.
*d)* Le Chroniste, qui ne s'intéresse qu'à Josaphat et à Juda, omet les détails de 1 R **22** 35b-38 sur la mort d'Achab.
*e)* Le prophète Jéhu, absent des Rois, intervient ici pour exprimer l'opinion du Chroniste sur l'alliance avec Achab : elle a déplu à Dieu, cependant les bonnes actions de Josaphat lui ont valu d'être épargné.

### Réformes judiciaires [a].

4 Josaphat, après un séjour à Jérusalem,
repartit à travers son peuple depuis Bersabée
jusqu'à la montagne d'Éphraïm, afin de le ramener
à Yahvé, le Dieu de ses pères. 5 Il établit des juges
dans le pays pour toutes les villes fortifiées de Juda,
Dt **1** 16-17; dans chaque ville. 6 Il dit à ces juges : « Soyez
**16** 19 attentifs à ce que vous faites, car vous ne jugez pas
au nom des hommes mais de Yahvé, lui qui est
avec vous quand vous prononcez une sentence.
7 Que la crainte de Yahvé pèse maintenant sur
vous! Prenez garde à ce que vous faites, car Yahvé
Dt **10** 17+ notre Dieu ne consent ni aux fraudes, ni aux privilèges, ni aux cadeaux acceptés. »
Dt **17** 8-13 8 En outre, Josaphat établit à Jérusalem des prêtres, des lévites et des chefs de famille israélites,
pour promulguer les sentences de Yahvé et juger les
procès. Ils habitaient Jérusalem [b] 9 et Josaphat leur
donna ainsi ses prescriptions : « Vous remplirez de
telles fonctions dans la crainte de Yahvé, dans la
fidélité et l'intégrité du cœur. 10 Quel que soit le
procès qu'introduiront devant vous vos frères établis dans leurs villes : affaire de meurtre, de contestation sur la Loi, sur un commandement, sur des
décrets ou des coutumes, vous les éclairerez pour
qu'ils ne se rendent point coupables devant Yahvé
et que sa colère n'éclate pas contre vous et vos frères; en agissant ainsi vous ne serez point coupables.
11 Voici qu'Amaryahu, le premier prêtre, vous
contrôlera pour toute affaire de Yahvé et Zebadyahu, fils de Yishmaël, chef de la maison de Juda,
pour toute affaire royale. Les lévites vous serviront
de scribes. Soyez fermes, mettez cela en pratique,
et Yahvé sera là avec le bonheur. »

### Une guerre sainte [c].

20 1 Après cela les Moabites et les Ammonites,
accompagnés de Méünites [d], s'en vinrent
combattre Josaphat. 2 On vint en informer Josaphat en ces termes : « Une foule immense s'avance
contre toi d'au-delà de la mer, d'Édom [e]; la voici
à Haçaçôn Tamar, c'est-à-dire En-Gaddi. »
3 Josaphat prit peur et se tourna vers Yahvé. Il
s'adressa à lui et proclama un jeûne pour tout Juda. 1 R **21** 9
4 Les Judéens se rassemblèrent pour chercher Jr **36** 6
secours auprès de Yahvé; ce sont même toutes les Jl **1** 14
cités judéennes qui vinrent chercher secours auprès
de Yahvé. 5 Lors de cette Assemblée des Judéens
et des Hiérosolymites dans le Temple de Yahvé,
Josaphat se tint debout devant le nouveau parvis
6 et s'écria [f] : « Yahvé, Dieu de nos pères, n'est-ce
pas toi le Dieu qui est dans les cieux? N'est-ce pas Dt **4** 35+
toi qui domines sur tous les royaumes des nations?
Dans ta main sont la force et la puissance, et nul
ne peut tenir contre toi. 7 N'est-ce pas toi qui es
notre Dieu, toi qui, devant Israël ton peuple, as
dépossédé les habitants de ce pays? Ne l'as-tu pas
donné à la race d'Abraham que tu aimeras éternel- Is **41** 8
lement? 8 Ils s'y sont établis et y ont construit un
sanctuaire à ton Nom en disant : 9 " Si le malheur
s'abat sur nous, guerre, punition, peste ou famine,
nous nous tiendrons devant ce Temple et devant
toi, car ton Nom est dans ce Temple. Du fond de
notre détresse nous crierons vers toi, tu nous entendras et tu nous sauveras. "
10 Vois à cette heure les Ammonites, Moab et
les montagnards de Séïr; tu n'as pas laissé Israël Dt **2** 4s,
les envahir lorsqu'il venait du pays d'Égypte, il 9s, 18s
s'est au contraire écarté d'eux sans les détruire;
11 or voici qu'ils nous récompensent en venant
nous chasser des possessions que tu nous as
léguées. 12 O notre Dieu, n'en feras-tu pas justice,
car nous sommes sans force devant cette foule
immense qui nous attaque. Nous, nous ne savons
que faire, aussi est-ce sur toi que se portent nos
regards. »
13 Tous les Judéens se tenaient debout en présence de Yahvé, et même leurs familles, leurs femmes et leurs fils. 14 Au milieu de l'Assemblée, l'Esprit de Yahvé fut sur Yahaziel [g], fils de Zekaryahu,
fils de Benaya, fils de Yeïel, fils de Mattanya le 1 Ch **9** 15 Ne **11** 17, 22

*a)* Bien qu'elle ne soit pas mentionnée dans les Rois, cette réforme de Josaphat doit être retenue comme historique, même si la rédaction a été influencée par le Dt et par la situation de l'époque du Chroniste. Josaphat institua une juridiction centrale à côté de la juridiction communale et déchargea le roi de son office de juge suprême. Cette réforme a pu influencer le récit de mesures analogues attribuées à Moïse, cf. Ex **18** 13+, et elle est à la base des lois de Dt **16** 18-20; **17** 8-13. La mesure fait partie d'une réforme religieuse, v. 4; les tribunaux jugent au nom de Yahvé, vv. 6, 8, et sont compétents pour les affaires religieuses, vv. 10-11.

*b)* « ils habitaient (*wayyeshebû*) Jérusalem » conj.; « ils revinrent (*wayyashubû*) à Jérusalem » hébr.; « pour juger les habitants de Jérusalem » grec.

*c)* Ce long récit, sans parallèle dans les Rois, n'est pas une invention du Chroniste et doit reposer sur une tradition du Sud, comme en témoignent les précisions géographiques. Le noyau historique peut en être une attaque d'éléments venus de Transjordanie et du Négeb, l'un de ces efforts périodiques qui aboutiront à l'installation des Édomites dans le sud de la Palestine. Mais le récit abonde en réminiscences deutéronomistes et est écrit dans le style des récits de guerre sainte, cf. notamment vv. 15-18; 22-23; 29.

*d)* « Méünites » grec; hébr. corrompu. – Leur nom est généralement rapproché de celui de Maân, à l'est de Pétra, en Transjordanie, mais le rapport est incertain. Dans la suite du récit, ils sont remplacés par les « montagnards de Séïr ». Le nom de « Séïr » est l'équivalent d'Édom, mais s'est appliqué assez tôt au massif montagneux du Négeb septentrional.

*e)* « Édom » conj.; « Aram » hébr. (confusion fréquente).

*f)* Cet appel commence par reprendre les thèmes de la prière de Salomon, **6** 1s.

*g)* Le Chroniste attribue à ce chantre l'esprit prophétique, cf. 1 Ch **25** 1+, comme il le fait pour Zacharie, fils du prêtre Yehoyada, 2 Ch **24** 20.

lévite, l'un des fils d'Asaph. 15 Il s'écria : « Prêtez
l'oreille, vous tous Judéens et habitants de Jérusalem, et toi, roi Josaphat! Ainsi vous parle Yahvé :
Ne craignez pas, ne vous effrayez pas devant cette
foule immense; ce combat n'est pas le vôtre mais
celui de Dieu. 16 Descendez demain contre eux :
voici qu'ils empruntent la montée de Çiç et vous
les rencontrerez à l'extrémité de la vallée, près du
désert de Yeruel. 17 Vous n'aurez pas à y combattre. Tenez-vous là, prenez position, vous verrez le
salut que Yahvé vous réserve. Juda et Jérusalem,
ne craignez pas, ne vous effrayez pas, partez
Is **8** 10 demain à leur rencontre et Yahvé sera avec vous. »
18 Josaphat s'inclina, la face contre terre, tous les
Judéens et les habitants de Jérusalem se prosternèrent devant Yahvé pour l'adorer. 19 Les lévites –
des Qehatites et des Coréites – se mirent alors à
louer Yahvé, Dieu d'Israël, à pleine voix.
20 De grand matin, ils se levèrent et partirent
pour le désert de Téqoa. A leur départ, Josaphat,
debout, s'écria : « Écoutez-moi, Judéens et habi-
Is 7 9 tants de Jérusalem! Croyez en Yahvé votre Dieu et
vous vous maintiendrez, croyez en ses prophètes et
vous réussirez. » 21 Puis, après avoir tenu conseil
avec le peuple, il plaça au départ, devant les guerriers, les chantres de Yahvé qui le louaient, vêtus
d'ornements sacrés, en disant : « Louez Yahvé, car
Ps **136** 1 éternel est son amour. » 22 Au moment où ils entonnaient l'exaltation et la louange, Yahvé tendit une
embuscade contre les Ammonites, Moab et les
montagnards de Séïr qui attaquaient Juda, et qui
se virent alors battus. 23 Les Ammonites et les
Moabites se dressèrent contre les habitants de la
Jos **6** 17+ montagne de Séïr pour les vouer à l'anathème et les
anéantir, mais en exterminant les habitants de Séïr
Ez **38** 21 ils ne s'entraidaient que pour leur propre perte.
24 Les Judéens atteignaient le point d'où l'on a
vue sur le désert et allaient faire face à la foule,
quand il n'y avait déjà plus que cadavres à terre
et aucun rescapé. 25 Josaphat vint avec son armée
razzier du butin; l'on y trouva en abondance du
bétail, des biens, des vêtements et des objets précieux [a]; ils en ramassèrent plus qu'ils n'en pouvaient porter et ils passèrent trois jours à razzier
ce butin tant il était abondant. 26 Le quatrième jour,
ils se rassemblèrent dans la vallée de Beraka; ils y
bénirent en effet Yahvé, d'où le nom de vallée de
Beraka donné à ce lieu jusqu'à nos jours. 27 Puis
tous les hommes de Juda et de Jérusalem revinrent
tout joyeux à Jérusalem, avec Josaphat à leur tête,
car Yahvé les avait réjouis aux dépens de leurs
ennemis. 28 Ils entrèrent à Jérusalem, dans le Temple de Yahvé, au son des lyres, des cithares et des
trompettes, 29 et la terreur de Dieu s'abattit sur tous Dt **2** 25
les royaumes des pays quand ils apprirent que
Yahvé avait combattu les ennemis d'Israël. 30 Le
règne de Josaphat fut calme et Dieu lui donna la
tranquillité sur toutes ses frontières.

**Fin du règne.** || 1 R **22** 41-5

31 Josaphat régna sur Juda; il avait trente-cinq
ans à son avènement et il régna vingt-cinq ans à
Jérusalem; sa mère s'appelait Azuba, fille de Shilhi.
32 Il suivit la conduite de son père Asa sans dévier,
faisant ce qui est juste au regard de Yahvé. 33 Cependant les hauts lieux ne disparurent pas et le peu- 17 6
ple continua à ne pas fixer son cœur dans le Dieu
de ses pères. 34 Le reste de l'histoire de Josaphat,
du début à la fin, se trouve écrit dans les Actes de
Jéhu, fils de Hanani, qui ont été portés sur le livre
des Rois d'Israël.
35 Après quoi, Josaphat, roi de Juda, se lia à
Ochozias, roi d'Israël. C'est celui-ci qui le poussa
à mal faire. 36 Il s'associa avec lui pour construire
des navires à destination de Tarsis; c'est à Éçyôn-
Géber qu'ils les construisirent. 37 Éliézer, fils de
Dodavahu de Maresha, prophétisa alors contre
Josaphat : « Parce que tu t'es associé à Ochozias,
dit-il, Yahvé a fait une brèche dans tes œuvres. »
Les navires se brisèrent et ne furent pas en mesure
de partir pour Tarsis [b].

**21** 1 Josaphat se coucha avec ses pères et on
l'enterra avec eux dans la Cité de David; son
fils Joram régna à sa place.

*a)* « du bétail » *behemah* conj.; « parmi eux » *bahem* hébr. – « des vêtements » *begadim* mss; « des cadavres » *pegarim* hébr.
*b)* Le Chroniste modifie l'histoire de 1 R **22** 49-51 : ici, l'échec de Josaphat est attribué à son alliance avec le roi d'Israël. Le prophète Éliézer est inconnu par ailleurs.

## 5. IMPIÉTÉ ET DÉSASTRES DE JORAM, OCHOZIAS, ATHALIE ET JOAS

**Règne de Joram.**

2 Joram avait des frères, fils de Josaphat : Azarya, Yehiel, Zekaryahu, Azaryahu, Mikaël et Shephatyahu; ce sont là tous les fils de Josaphat, roi
d'Israël [a]. 3 Leur père leur avait fait de multiples
dons en argent, en or, en joyaux et en villes fortifiées de Juda, mais il avait laissé la royauté à
Joram, car c'était l'aîné. 4 Joram put s'établir à la
tête du royaume de son père, puis, s'étant affermi,
il fit passer au fil de l'épée tous ses frères, plus quelques officiers d'Israël.
2 R **8** 17-19 5 Joram avait trente-deux ans à son avènement et
il régna huit ans à Jérusalem. 6 Il imita la conduite
des rois d'Israël, comme avait fait la maison
d'Achab, car il avait épousé une fille d'Achab; et
il fit ce qui déplaît à Yahvé. 7 Cependant Yahvé ne
voulut pas détruire la maison de David [b] à cause
de l'alliance qu'il avait conclue avec lui et selon la
promesse qu'il lui avait faite de lui laisser toujours
1 R **11** 36+ une lampe ainsi qu'à ses fils.
2 R **8** 20-22 8 De son temps, Édom s'affranchit de la domination de Juda et se donna un roi. 9 Joram passa la
frontière, et avec lui ses officiers et tous ses chars.
Il se leva de nuit, et força la ligne des Édomites qui
l'encerclaient, et les commandants de chars avec
lui. 10 Ainsi Édom s'affranchit de la domination de
Juda, jusqu'à ce jour. C'est aussi l'époque où Libna
s'affranchit de sa domination.

Il avait en effet abandonné Yahvé, le Dieu de ses
pères. 11 C'est aussi lui qui institua des hauts lieux
sur les montagnes de Juda, qui fit se prostituer les
habitants de Jérusalem et s'égarer les Judéens.
12 Un écrit du prophète Élie [c] lui parvint alors, qui
disait : « Ainsi parle Yahvé, le Dieu de ton père
David. Parce que tu n'as pas suivi la conduite de
Josaphat ton père, ni celle d'Asa, roi de Juda,
13 mais parce que tu as suivi la conduite des rois
d'Israël et que tu es cause de la prostitution des
Judéens et des habitants de Jérusalem, comme l'a
été la maison d'Achab, et parce que tu as en outre
assassiné tes frères, ta famille, qui étaient meilleurs
que toi, 14 Yahvé va frapper d'un grand désastre ton
peuple et tes fils, tes femmes et tous tes biens.
15 Toi-même tu seras frappé de graves [d] maladies,
d'un mal d'entrailles tel que, par cette maladie, jour
après jour, tu te videras de tes entrailles. »

16 Yahvé excita contre Joram l'animosité des
Philistins et des Arabes voisins des Kushites. 17 Ils **14** 8+
attaquèrent Juda, y pénétrèrent, et razzièrent tous
les biens qui se trouvaient appartenir à la maison
du roi, et même ses fils et ses femmes, et il ne lui
resta plus d'autre fils qu'Ochozias, le plus petit
d'entre eux. 18 Après tout cela, Yahvé le frappa
d'une maladie d'entrailles incurable; 19 cela arriva
jour après jour, et vers la fin de la deuxième année,
il se vida de ses entrailles et mourut dans de cruelles souffrances. Le peuple ne lui fit pas de feux **16** 14
comme il en avait fait pour ses pères.

20 Il avait trente-deux ans à son avènement et
régna huit ans à Jérusalem. Il s'en alla sans laisser
de regrets et on l'enterra dans la Cité de David, || 2 R **8** 24a
mais non dans les sépultures royales.

**Règne d'Ochozias.**

22 1 Les habitants de Jérusalem firent roi à sa 2 R **8** 24b-29
place Ochozias, son plus jeune fils, car la
troupe qui, avec les Arabes, avait fait incursion
dans le camp, avait assassiné les aînés. Ainsi
Ochozias, fils de Joram, devint roi de Juda. 2 Il
avait quarante-deux ans [e] à son avènement et il
régna un an à Jérusalem. Le nom de sa mère était
Athalie, fille de Omri. 3 Lui aussi imita la conduite
de la maison d'Achab, car sa mère lui donnait de
mauvais conseils. 4 Il fit ce qui déplaît à Yahvé,
comme la famille d'Achab, car ce sont ces gens
qui, pour sa perte, devinrent ses conseillers après **10** 6s
la mort de son père. 5 Il suivit en outre leur politi- Qo **10** 16
que et alla avec Joram, fils d'Achab, roi d'Israël,
pour combattre Hazaël, roi d'Aram, à Ramot de
Galaad. Mais les Araméens [f] blessèrent Joram;
6 il revint à Yizréel pour faire soigner les blessures
reçues à Ramot en combattant Hazaël, roi
d'Aram.

*a)* Les versions ont corrigé en « Juda », mais pour le Chroniste, Juda est le véritable « Israël », cf. v. 4; **28** 19.
*b)* Le Chroniste ajoute à 2 R **8** 19 la mention de la « maison de David » et celle de l'alliance davidique, conformément à sa préoccupation principale.
*c)* C'est la seule mention d'Élie dans ce livre, et cette intervention d'Élie en Juda est inconnue du livre des Rois. D'après la chronologie de 2 R, Élie avait disparu avant le règne de Joram d'Israël, 2 R **2** et **3** 1, et donc avant Joram de Juda, 2 R **8** 16 (cf. pourtant 2 R **1** 17). Le Chroniste doit utiliser une tradition apocryphe.
*d)* « graves » grec; « nombreuses » hébr.
*e)* Vingt-deux ans selon 2 R **8** 26.
*f)* « Araméens » *ha'arammîm* conj.: « tireurs » *harammîm* hébr.

Ochozias, fils de Joram, roi de Juda, descendit
à Yizréel, pour visiter Joram, fils d'Achab, parce
qu'il était souffrant. 7 Dieu fit de cette visite à
|| 2 R 9 21 Joram la perte d'Ochozias. A son arrivée, il sortit
avec Joram à la rencontre de Jéhu, fils de Nimshi,
oint par Yahvé pour en finir avec la maison
d'Achab. 8 Alors qu'il s'employait à faire justice de
la maison d'Achab, Jéhu rencontra les officiers de
|| 2 R 10 12-14 Juda et les neveux d'Ochozias, ses serviteurs; il les
tua, 9 puis se mit à la recherche d'Ochozias. On se
saisit de lui tandis qu'il essayait de se cacher dans
Samarie et on l'amena à Jéhu, qui l'exécuta. Mais
|| 2 R 9 28-29 on l'ensevelit parce qu'on disait : « C'est le fils de
Josaphat qui recherchait Yahvé de tout son cœur. »
Il n'y avait personne dans la maison d'Ochozias
qui fût en mesure de régner.

|| 2 R 11 1-3 **Le crime d'Athalie.**

10 Lorsque la mère d'Ochozias, Athalie, eut
appris que son fils était mort, elle entreprit d'exterminer [a] toute la descendance royale de la maison
de Juda. 11 Mais Yehoshéba, fille du roi, retira furtivement Joas, fils d'Ochozias, du groupe des fils du
roi qu'on massacrait et elle le mit, avec sa nourrice,
dans la chambre des lits. Ainsi Yehoshéba, fille du
roi Joram et femme du prêtre Yehoyada (et elle
était sœur d'Ochozias), put le soustraire à Athalie
et éviter qu'elle ne le tuât. 12 Il resta six ans avec
eux, caché dans le Temple de Dieu, pendant
qu'Athalie régnait sur le pays.

|| 2 R 11 4-16 **Avènement de Joas et mort d'Athalie [b].**

23 1 La septième année, Yehoyada se décida. Il
envoya chercher les officiers de centaines,
Azarya fils de Yeroham, Yishmaël fils de Yehohanân, Azaryahu fils d'Obed, Maaséyahu fils
d'Adayahu, Élishaphat fils de Zikri, qui étaient liés
à lui par un pacte. 2 Ils parcoururent Juda, rassemblèrent les lévites de toutes les cités judéennes et les
chefs de famille israélites. Ils vinrent à Jérusalem
3 et toute cette Assemblée conclut un pacte avec le
roi dans le Temple de Dieu. « Voici le fils du roi,
leur dit Yehoyada. Qu'il règne, comme l'a déclaré
Yahvé des fils de David! 4 Voici ce que vous allez
faire : tandis que le tiers d'entre vous, prêtres, lévites et portiers des seuils, entrera pour le sabbat,
5 un tiers se trouvera au palais royal, un tiers à la
porte du Fondement et tout le peuple dans les parvis du Temple de Yahvé. 6 Que personne n'entre
dans le Temple de Yahvé, sinon les prêtres et les
lévites de service, car ils sont consacrés. Tout le
peuple observera les ordonnances de Yahvé. 7 Les
lévites feront cercle autour du roi, chacun ses
armes à la main, et ils accompagneront le roi partout où il ira; mais quiconque entrera dans le Temple sera mis à mort. »

8 Les lévites et tous les Judéens exécutèrent tout
ce que leur avait ordonné le prêtre Yehoyada. Ils
prirent chacun leurs hommes, ceux qui commençaient la semaine et ceux qui la terminaient, le prêtre Yehoyada n'ayant exempté aucune des classes. 1 Ch 24 19
9 Puis le prêtre donna aux centeniers les lances, les
rondaches et les boucliers du roi David, qui étaient
dans le Temple de Dieu. 10 Il rangea tout le peuple,
chacun son arme à la main, depuis l'angle sud
jusqu'à l'angle nord du Temple, entourant l'autel et
le Temple pour faire cercle autour du roi. 11 On fit
alors sortir le fils du roi, on lui imposa le diadème
et on lui donna le document d'alliance. Puis
Yehoyada et ses fils [c] lui donnèrent l'onction royale
et s'écrièrent : « Vive le roi! »

12 Entendant les cris du peuple qui se précipitait
vers le roi et l'acclamait, Athalie se rendit auprès
du peuple au Temple de Yahvé. 13 Quand elle vit
le roi debout sur l'estrade, à l'entrée, les chefs et
les trompettes auprès du roi, tout le peuple du pays
exultant de joie et sonnant de la trompette, les
chantres avec les instruments de musique dirigeant
le chant des hymnes [d], Athalie déchira ses vêtements et s'écria : « Trahison! Trahison! » 14 Mais
Yehoyada fit sortir les officiers de centaines, qui
commandaient la troupe, et leur dit : « Faites-la
sortir entre les rangs, et si quelqu'un la suit, qu'on
le passe au fil de l'épée »; car le prêtre avait dit :
« Ne la tuez pas dans le Temple de Yahvé. » 15 Ils
mirent la main sur elle et, quand elle arriva au
palais royal, à l'entrée de la porte des Chevaux, là
ils la mirent à mort.

**La réforme de Yehoyada.** || 2 R 11

16 Yehoyada conclut entre tout le peuple et le roi
une alliance par laquelle le peuple s'obligeait à être
le peuple de Yahvé. 17 Tout le peuple se rendit
ensuite au temple de Baal et le démolit; on brisa
ses autels et ses images et on tua Mattân, prêtre de
Baal, devant les autels.

*a)* « exterminer » *te 'abbed* 2 R **11** 1; « dire » *tedabber* hébr.
*b)* Certaines modifications et additions au parallèle des Rois reflètent les vues du Chroniste : les mercenaires étrangers au service du roi sont remplacés par des Israélites; le peuple reste à sa place dans le parvis; l'action est conduite par les lévites qui sont supposés assurer la garde du Temple; tout est fait selon les « ordonnances de Yahvé », v. 6, c'est-à-dire selon la législation sacerdotale. Cela donne à ce coup d'État politique l'aspect d'une fonction liturgique, selon un thème cher au Chroniste. Un autre de ses thèmes, le souci de la descendance davidique, est souligné au v. 3.
*c)* L'ancien texte ne précisait pas que l'onction avait été faite par le sacerdoce.
*d)* Nouvelle notation propre au Chroniste.

18 Yehoyada établit des postes de surveillance du
Temple de Yahvé, confiés aux prêtres lévites. C'est
1 Ch 23 13 à eux que David avait donné pour part le Temple
de Yahvé afin d'offrir les holocaustes de Yahvé,
comme il est écrit dans la Loi de Moïse [a], dans la
1 Ch 25 joie et avec des chants, selon les ordres de David.
1 Ch 26 19 Il installa des portiers aux entrées du Temple de
Yahvé pour qu'en aucun cas un homme impur n'y
pénétrât [b]. 20 Puis il prit les centeniers, les notables,
ceux qui avaient une autorité publique et tout le
peuple du pays; et il fit descendre le roi du Temple
de Yahvé. Ils entrèrent au palais royal par la voûte
centrale de la porte supérieure, et ils firent asseoir
le roi sur le trône royal. 21 Tout le peuple du pays
était en joie, mais la ville ne bougea pas. Quant à
Athalie, on la fit périr par l'épée.

|| 2 R 12 1-17 **Joas restaure le Temple [c].**

**24** 1 Joas avait sept ans à son avènement et il
régna quarante ans à Jérusalem; sa mère
s'appelait Çibya, elle était de Bersabée. 2 Joas fit ce
qui est agréable à Yahvé tout le temps que vécut
le prêtre Yehoyada, 3 qui lui avait fait épouser deux
femmes dont il eut des fils et des filles. 4 Après quoi
Joas désira restaurer le Temple de Yahvé.

5 Il réunit les prêtres et les lévites et leur dit :
« Partez dans les cités judéennes et recueillez
auprès de tous les Israélites de l'argent pour réparer
le Temple de votre Dieu, autant qu'il en faudra
chaque année. Hâtez cette affaire [d]. » Mais les lévites ne se pressèrent pas. 6 Alors le roi appela
Yehoyada, le premier d'entre eux, et lui dit :
« Pourquoi n'as-tu pas exigé des lévites qu'ils fas-
Ex 25 1-9; sent rentrer de Juda et de Jérusalem le tribut de
38 24-31 Moïse, serviteur de Yahvé, et de l'assemblée
d'Israël, pour la Tente du Témoignage? 7 Athalie et
ses fils qu'elle a pervertis ont endommagé le Temple de Dieu et ont même attribué aux Baals tous
les revenus sacrés du Temple de Yahvé. » 8 Et le roi
ordonna de faire un coffre, qu'ils mirent devant la
porte du Temple de Yahvé. 9 On proclama en Juda
et à Jérusalem qu'il fallait apporter à Yahvé le tribut que Moïse, le serviteur de Dieu, avait imposé
à Israël dans le désert. 10 Tous les officiers et tout
le peuple vinrent avec joie jeter leur dû dans le coffre jusqu'à paiement complet.

11 Or, au moment d'apporter le coffre à l'administration royale qui était aux mains des lévites,
ceux-ci virent qu'il y avait beaucoup d'argent; le
secrétaire royal vint avec le préposé du premier
prêtre; ils soulevèrent le coffre, l'emportèrent, puis
le remirent en place. Ils firent ainsi chaque jour et
recueillirent beaucoup d'argent. 12 Le roi et
Yehoyada le donnèrent au maître d'œuvre attaché
au service du Temple de Yahvé. Les salariés,
maçons et charpentiers, se mirent à restaurer le
Temple de Yahvé; des forgerons et des bronziers
travaillèrent aussi à le réparer. 13 Les maîtres
d'œuvre s'étant donc mis au travail, les réparations
progressèrent entre leurs mains, ils réédifièrent le
Temple de Dieu dans ses dimensions propres et le
consolidèrent. 14 Quand ils eurent terminé, ils
apportèrent au roi et à Yehoyada le reste de
l'argent; on en fabriqua du mobilier pour le Temple
de Yahvé, vases pour le service et les holocaustes,
coupes et objets d'or et d'argent.

On put ainsi offrir l'holocauste perpétuel dans le
Temple de Yahvé tout le temps que vécut
Yehoyada. 15 Puis Yehoyada vieillit et mourut rassasié de jours. Il avait cent trente ans à sa mort 16 et
on l'ensevelit avec les rois dans la Cité de David,
car il avait bien agi en Israël envers Dieu et son
Temple [e].

**Défaillance de Joas et châtiment.**

17 Après la mort de Yehoyada, les officiers de
Juda vinrent se prosterner devant le roi, et cette fois
le roi les écouta [f]. 18 Les Judéens abandonnèrent le
Temple de Yahvé, Dieu de leurs pères, pour rendre
un culte aux pieux sacrés et aux idoles. A cause de Ex 34 13+
cette faute, la colère de Dieu s'abattit sur Juda et
sur Jérusalem. 19 Des prophètes leur furent envoyés
pour les ramener à Yahvé; mais ils témoignèrent
contre eux sans qu'ils prêtent l'oreille. 20 L'Esprit
de Dieu revêtit Zacharie, le fils du prêtre
Yehoyada, qui se tint debout devant le peuple et lui
dit : « Ainsi parle Dieu. Pourquoi transgressez-
vous les commandements de Yahvé sans aboutir

*a)* Il semble qu'on ait ici et à **30** 16 le plus ancien usage du terme « Loi de Moïse » pour désigner non plus seulement le Deutéronome, cf. Jos **8** 31; **23** 6, etc., mais l'ensemble des cinq livres que nous appelons le Pentateuque, cf. Si prol.; **24** 23. La reconnaissance du rôle décisif joué par Moïse se joint à la conscience du lien créé par Yahvé entre lui-même et le peuple de l'Alliance, cf. Dt **4** 8+.

*b)* Dans les vv. 18-19, le Chroniste présente la réforme de Yehoyada comme une restauration des institutions davidiques, dans lesquelles il a reporté les usages du Temple post-exilique.

*c)* Le Chroniste donne un récit qui, pour l'ensemble, est conforme à celui des Rois, mais avec des différences qui indiquent l'usage d'une source parallèle, peut-être le « Midrash du livre des Rois » cité au v. 27.

*d)* Le Chroniste a remplacé les offrandes faites au Temple, 2 R **12** 5, par cette collecte inspirée des prescriptions attribuées à Moïse pour la construction du Tabernacle, Ex **25** 1-9; **30** 12-16; **38** 25-28, et renouvelées par Néhémie, Ne **10** 33-35. Cf. encore Mt **17** 24s.

*e)* Rien ne correspond dans les Rois aux vv. 14-16.

*f)* On ne trouve pas trace dans 2 R de ce changement de politique; mais il est vraisemblable qu'après la mort de Yehoyada le roi ait secoué la tutelle cléricale et suivi ses conseillers laïcs. – Selon son habitude, le Chroniste signale ici l'intervention de prophètes.

à rien? Parce que vous avez abandonné Yahvé, il
vous abandonne. » 21 Ils se liguèrent alors contre lui
↗ Mt 23 35+ et sur l'ordre du roi le lapidèrent sur le parvis du
Temple de Yahvé. 22 Le roi Joas, oubliant la générosité que lui avait témoignée Yehoyada, père de
Zacharie, tua Zacharie son fils, qui en mourant
s'écria : « Yahvé verra et demandera compte! »
|| 2 R 12 18-22 23 Or, au retour de l'année, l'armée araméenne
partit en guerre contre Joas [a]. Elle atteignit Juda et
Jérusalem, extermina parmi la population tous les
officiers et envoya toutes leurs dépouilles au roi de
Damas. 24 Certes, l'armée araméenne n'était venue
Dt 32 30 qu'avec peu d'hommes, mais c'est une armée considérable que Yahvé livra entre ses mains pour
l'avoir abandonné, lui, le Dieu de leurs pères.
Les Araméens firent justice de Joas, 25 et quand
ils le quittèrent, le laissant gravement malade, ses
serviteurs se conjurèrent contre lui pour venger le
fils [b] du prêtre Yehoyada et le tuèrent sur son lit.
Il mourut et on l'ensevelit dans la Cité de David,
mais non pas dans les sépultures royales. 26 Voici
les conjurés : Zabad fils de Shiméat l'Ammonite,
Yehozabad fils de Shimrit la Moabite. 27 Quant à
ses fils, l'importance du tribut qui lui fut imposé et
la restauration du Temple de Dieu, on trouvera
cela consigné dans le Midrash du livre des Rois.
Amasias, son fils, régna à sa place.

## 6. DEMI-PIÉTÉ ET DEMI-SUCCÈS D'AMASIAS, OZIAS ET YOTAM

### || 2 R 14 2-6 Avènement d'Amasias [c].

25 1 Amasias devint roi à l'âge de vingt-cinq ans
et régna vingt-neuf ans à Jérusalem. Sa mère
s'appelait Yehoaddân, et était de Jérusalem. 2 Il fit
ce qui est agréable à Yahvé, non pas pourtant d'un
cœur sans défaillance. 3 Lorsque le royaume se fut
affermi sous son gouvernement, il mit à mort ceux
de ses officiers qui avaient tué le roi son père.
4 Mais il ne fit pas mourir leurs fils, car il est écrit
dans la Loi, dans le livre de Moïse, que Yahvé a
Dt 24 16 prescrit : *Les pères ne seront pas mis à mort pour
les fils et les fils ne seront pas mis à mort pour les
pères, mais chacun sera mis à mort pour son propre crime.*

### Guerre contre Édom.

5 Amasias réunit les Judéens et les constitua en
familles avec officiers de milliers et de centaines
pour tout Juda et Benjamin. Il recensa ceux qui
avaient vingt ans et plus et il en trouva trois cent
mille, hommes d'élite aptes à faire campagne, la
lance et le bouclier au poing. 6 Il enrôla ensuite
comme mercenaires, pour cent talents d'argent,
cent mille preux vaillants d'Israël. 7 Un homme de
Dieu vint alors le trouver et lui dit : « O Roi, il ne
faut pas que les troupes d'Israël viennent se joindre
à toi, car Yahvé n'est ni avec Israël ni avec aucun
des Éphraïmites. 8 Car s'ils viennent, tu auras beau
agir et combattre vaillamment, Dieu ne t'en fera
pas moins trébucher devant tes ennemis, car c'est
en Dieu qu'est le pouvoir de soutenir et d'abattre. »
9 Amasias répondit à l'homme de Dieu : « Quoi! Et
les cent talents que j'ai donnés à la troupe d'Israélites! » – « Yahvé a de quoi te donner beaucoup plus
que cela », dit l'homme de Dieu. 10 Amasias détacha alors de la sienne la troupe qui lui était venue
d'Éphraïm et la renvoya chez elle; ces gens furent
très excités contre Juda et retournèrent chez eux
fort en colère.
11 Amasias se décida à partir à la tête de ses
troupes, il gagna la vallée du Sel et battit dix mille || 2 R 14 7
fils de Séïr. 12 Les Judéens emmenèrent vivants dix
mille captifs qu'ils conduisirent au sommet de la
Roche, d'où ils les précipitèrent; tous s'écrasèrent.
13 Quant à la troupe qu'avait congédiée Amasias au
lieu de l'emmener combattre avec lui, elle envahit
les villes de Juda, de Samarie à Bet-Horôn, battit
une troupe de trois milliers et fit un grand pillage.
14 Une fois rentré de sa campagne victorieuse
contre les Édomites, Amasias introduisit les dieux
des fils de Séïr, en fit ses dieux, se prosterna devant
eux et les encensa. 15 La colère de Yahvé s'enflamma contre Amasias, il lui envoya un prophète
qui lui dit : « Pourquoi recherches-tu les dieux de
ce peuple, qui n'ont pu le sauver de ta main? » 16 Il
lui parlait encore qu'Amasias l'interrompit :

*a)* 2 R parle d'une guerre entre les Philistins et les Araméens, qui s'écartent de Juda après paiement d'un lourd tribut, et mentionne ensuite l'assassinat de Joas. Le Chroniste paraît avoir disposé d'une autre source qui présentait peut-être déjà la mort violente de Joas comme le châtiment de son impiété.

*b)* L'hébr. a « les fils ».

*c)* A ce long paragraphe correspond seulement un v. dans 2 R (14 7). Le Chroniste doit avoir disposé d'une source beaucoup plus développée. La vengeance des mercenaires israélites, après leur renvoi, contre des villes de Juda, conduira à la guerre contre Israël, v. 17s; 2 R ne lui donnait pas d'autre motif que l'enivrement d'Amasias après sa victoire sur Édom. Noter encore l'intervention prophétique, vv. 7 et 15.

« T'avons-nous nommé conseiller du roi? Arrête-
toi, si tu ne veux pas qu'on te frappe. » Le prophète
s'arrêta, puis il dit : « Je sais que Dieu a tenu
conseil pour ta perte, puisque tu as agi ainsi et que
tu n'as pas écouté mon conseil. »

|| 2 R **14** 8-14 **Guerre contre Israël.**

[17] Après avoir tenu conseil, Amasias, roi de
Juda, envoya dire à Joas, fils de Joachaz, fils de
Jéhu, roi d'Israël : « Viens et mesurons-nous! »
[18] Joas, roi d'Israël, retourna ce message à Ama-
Jg **9** 7-15 sias, roi de Juda : « Le chardon du Liban manda
ceci au cèdre du Liban : " Donne ta fille pour
femme à mon fils ", mais les bêtes sauvages du
Liban passèrent et foulèrent le chardon. [19] " Me
voici vainqueur d'Édom ", as-tu dit, et tu te montes
la tête! Sois glorieux et reste maintenant chez toi.
Pourquoi provoquer le malheur et amener ta chute
et celle de Juda avec toi? »
[20] Mais Amasias n'écouta pas; c'était le fait de
Dieu qui voulait livrer ces gens-là pour avoir
recherché les dieux d'Édom. [21] Joas, roi d'Israël, se
mit en campagne. Ils se mesurèrent, lui et Amasias,
roi de Juda, à Bet-Shémesh qui appartient à Juda.
[22] Juda fut battu devant Israël et chacun s'enfuit à
sa tente. [23] Quant au roi de Juda, Amasias, fils de
Joas, fils d'Ochozias [a], le roi d'Israël Joas le fit prisonnier à Bet-Shémesh et l'emmena à Jérusalem. Il
fit une brèche au rempart de Jérusalem, depuis la
porte d'Éphraïm jusqu'à la porte de l'Angle, sur
quatre cents coudées. [24] Il prit tout l'or et l'argent,
tout le mobilier qui se trouvait dans le Temple de
Ch **26** 15 Dieu chez Obed-Édom, les trésors du palais royal,
des otages, et retourna à Samarie.

**Fin du règne.**

**14** 17-20 [25] Amasias, fils de Joas, roi de Juda, vécut encore
quinze ans après la mort de Joas, fils de Joachaz,
roi d'Israël.
[26] Le reste de l'histoire d'Amasias, du début à la
fin, n'est-il pas écrit au livre des Rois de Juda et
d'Israël? [27] Après l'époque où Amasias se détourna
de Yahvé, on trama contre lui un complot à Jérusalem; il s'enfuit vers Lakish, mais on le fit poursuivre à Lakish et mettre à mort là-bas. [28] On le transporta avec des chevaux et on l'enterra auprès de ses
pères dans la Cité de David [b].

**Les débuts d'Ozias.**

**26** [1] Tout le peuple de Juda choisit Ozias, qui || 2 R **14** 21-22
avait seize ans, et le fit roi à la place de son
père Amasias. [2] C'est lui qui rebâtit Élat et la rendit à Juda, après que le roi se fut couché avec ses
pères. [3] Ozias avait seize ans à son avènement et || 2 R **15** 2-4
il régna cinquante-deux ans à Jérusalem; sa mère
s'appelait Yekolyahu et était de Jérusalem. [4] Il fit
ce qui est agréable à Yahvé, comme tout ce
qu'avait fait son père Amasias [c]; [5] il s'appliqua à
rechercher Dieu tant que vécut Zekaryahu, celui **24** 2
qui l'instruisait dans la crainte de Dieu [d]. Tant qu'il
chercha Yahvé, celui-ci le fit réussir.

**Sa puissance [e].**

[6] Il partit combattre les Philistins, démantela les
murailles de Gat, celles de Yabné et d'Ashdod, puis
restaura des villes dans la région d'Ashdod et chez
les Philistins. [7] Dieu l'aida contre les Philistins, les
Arabes, les habitants de Gur-Baal [f] et les Méünites. **20** 1 +
[8] Les Ammonites payèrent tribut à Ozias. Sa
renommée s'étendit jusqu'au seuil de l'Égypte, car
il était devenu extrêmement puissant.
[9] Ozias construisit des tours à Jérusalem, à la
porte de l'Angle, à la porte de la Vallée, à l'Encoignure, et il les fortifia [g]. [10] Il construisit aussi des
tours dans le désert et creusa de nombreuses citernes, car il disposait d'un cheptel abondant dans le
Bas-Pays et sur le Plateau, de laboureurs et de 1 Ch **27** 25-31
vignerons dans les montagnes et les vergers; il avait
en effet le goût de l'agriculture.
[11] Ozias eut une armée entraînée, prête à entrer
en campagne, répartie en groupes recensés sous la
surveillance du scribe Yeïel et du greffier Maaséyahu; elle était sous les ordres de Hananyahu,
l'un des officiers royaux. [12] Le nombre total des
chefs de famille de ces preux vaillants était de deux
mille six cents. [13] Ils avaient sous leurs ordres
l'armée de campagne, soit trois cent sept mille cinq
cents guerriers, d'une grande valeur militaire pour
prêter main-forte au roi contre l'ennemi. [14] A chaque campagne Ozias leur distribuait boucliers,
lances, casques, cuirasses, arcs et pierres de fronde.
[15] Il fit faire à Jérusalem des engins inventés par les
ingénieurs, à placer sur les tours et les saillants
pour lancer des flèches et de grosses pierres [h]. Son

*a)* « Ochozias » conj.; « Joachaz » hébr.
*b)* « David » 2 R **14** 20; « Juda » hébr.
*c)* Cette phrase tirée de 2 R s'accorde mal avec 2 Ch **25**.
*d)* « crainte de Dieu » grec; « vision de Dieu » hébr. – Zekar-yahu est inconnu. Son rôle est parallèle à celui de Yehoyada auprès de Joas.
*e)* Il est clair que le Chroniste a disposé pour le règne d'Ozias d'une bonne source indépendante, beaucoup plus développée que 2 R. – Les constructions d'Ozias dans le désert, v. 10, sont confirmées par l'archéologie.
*f)* C'est-à-dire « séjour de Baal »; ce nom n'est mentionné qu'ici. Localisation inconnue.
*g)* Ozias répare les désastres de la guerre précédente, cf. **25** 23.
*h)* Il ne s'agit pas de balistes ou de catapultes, mais de charpentes ajoutées aux remparts, à la manière des hourds du moyen-âge.

renom s'étendit au loin, et il dut sa puissance à un
secours vraiment miraculeux.

**Orgueil et châtiment.**

16 Quand il fut devenu puissant, son cœur s'enorgueillit jusqu'à le perdre : il prévariqua envers
Yahvé son Dieu. Il vint dans la grande salle du
Temple de Yahvé pour faire l'encensement sur
l'autel des parfums [a]. 17 Le prêtre Azaryahu, ainsi
que quatre-vingts vertueux prêtres de Yahvé, vinrent 18 s'opposer au roi Ozias et lui dirent : « Ce
n'est pas à toi, Ozias, d'encenser Yahvé, mais aux
prêtres descendants d'Aaron consacrés à cet effet.
Quitte le sanctuaire, car tu as prévariqué et tu n'as
plus droit à la gloire qui vient de Yahvé Dieu. »
19 Ozias, tenant dans ses mains l'encensoir à parfum, s'emporta. Mais alors qu'il s'emportait contre
Nb **12** 10 les prêtres, la lèpre [b] bourgeonna sur son front, en
présence des prêtres, dans le Temple de Yahvé, près
de l'autel des parfums! 20 Azaryahu, premier prêtre,
et tous les prêtres se tournèrent vers lui et lui virent
la lèpre au front. Ils l'expulsèrent en hâte et il se
hâta lui-même de sortir, car Yahvé l'avait frappé.
|| 2 R **15** 5-7 21 Le roi Ozias fut affligé de la lèpre jusqu'au
jour de sa mort. Il demeura confiné à la chambre,
Lv **13** 46 lépreux, vraiment exclu du Temple de Yahvé. Son
Nb **19** 20 fils Yotam était maître du palais et administrait le
peuple du pays. 22 Le reste de l'histoire d'Ozias, du
début à la fin, a été écrit par le prophète Isaïe, fils
d'Amoç [c]. 23 Puis Ozias se coucha avec ses pères
et on l'enterra avec eux dans le terrain des sépultures royales [d], car on disait : « C'est un lépreux. »
Son fils Yotam devint roi à sa place.

**Le règne de Yotam.** || 2 R **15** 32-38

**27** 1 Yotam avait vingt-cinq ans à son avènement
et il régna seize ans à Jérusalem; sa mère
s'appelait Yerusha, fille de Sadoq. 2 Il fit ce qui est
agréable à Yahvé, imitant en tout la conduite de
son père Ozias. Seulement il n'entra pas dans le
sanctuaire de Yahvé [e]. Mais le peuple continua à
se perdre.

3 C'est lui qui construisit la Porte Supérieure du
Temple de Yahvé, et fit de nombreux travaux au
mur de l'Ophel. 4 Il construisit des villes dans la
montagne de Juda ainsi que des citadelles et des
tours dans les terres labourables.

5 Il combattit le roi des Ammonites [f]. Il
l'emporta sur eux et les Ammonites lui livrèrent
cette année-là cent talents d'argent, dix mille muids
de froment et dix mille d'orge. C'est cela que les
Ammonites durent lui rendre; il en fut de même la
seconde et la troisième année. 6 Yotam devint puissant, car il se conduisait avec fermeté en présence
de Yahvé son Dieu.

7 Le reste de l'histoire de Yotam, toutes ses guerres et sa politique, est écrit dans le livre des rois
d'Israël et de Juda. 8 Il avait vingt-cinq ans à son
avènement et il régna seize ans à Jérusalem. 9 Puis
Yotam se coucha avec ses pères, on l'enterra dans
la Cité de David, et son fils Achaz devint roi à sa
place.

# *V. Les grandes réformes d'Ézéchias et de Josias*

## *1. L'IMPIÉTÉ D'ACHAZ, PÈRE D'ÉZÉCHIAS*

|| 2 R **16** 2-4 **Aperçu sur le règne.**

**28** 1 Achaz avait vingt ans à son avènement et il
régna seize ans à Jérusalem. Il ne fit pas ce
qui est agréable à Yahvé comme avait fait David
son ancêtre. 2 Il imita la conduite des rois d'Israël
et même il fit fondre des idoles pour les Baals, 3 il
fit fumer des offrandes dans le val des fils de Hin-
nom [g] et fit passer ses fils par le feu, selon les coutu- Lv **18** 21
mes abominables des nations que Yahvé avait
chassées devant les Israélites. 4 Il offrit des
sacrifices et de l'encens sur les hauts lieux, sur les
collines et sous tout arbre verdoyant.

*a)* 2 R parle du châtiment, la lèpre, mais non de sa cause. Les rois ont exercé certaines fonctions cultuelles sans soulever de protestations. C'est seulement après l'Exil qu'on s'en est offusqué, et que l'offrande de l'encens est devenu un privilège exclusif des descendants d'Aaron, cf. Nb **17** 5; 1 Ch **23** 17.

*b)* Même châtiment pour Miryam, qui avait prétendu aux droits de Moïse, Nb **12** 10. La lèpre rendait impur et interdisait l'entrée au sanctuaire, Lv **13** 45.

*c)* Il doit s'agir d'un écrit perdu, attribué au grand prophète. Ozias n'est mentionné au livre d'Isaïe que dans des titres, **1** 1; **6** 1; **7** 1.

*d)* Donc dans le terrain, mais non dans le monument.

*e)* Cette remarque doit être un éloge, par opposition à la conduite d'Ozias, **26** 16s.

*f)* Cette guerre contre les Ammonites n'est pas mentionnée par 2 R. Juda n'avait pas de frontière commune avec Ammon.

*g)* C'est la Géhenne, vallée au sud de Jérusalem et lieu de culte de Molek, cf. Lv **18** 21; 2 R **23** 10; Jr **32** 35.

### L'invasion [a].

2 R 16 Is 7-9 5 Yahvé son Dieu le livra aux mains du roi des Araméens. Ceux-ci le battirent et lui enlevèrent de nombreux captifs qu'ils emmenèrent à Damas. Il fut livré aussi aux mains du roi d'Israël, qui lui infligea une lourde défaite. 6 Péqah, fils de Remalyahu, tua en un seul jour cent vingt mille hommes en Juda, tous vaillants, pour avoir abandonné Yahvé, le Dieu de leurs pères. 7 Zikri, héros éphraïmite, tua Maaséyahu, fils du roi, Azriqam, chef du palais, et Elqana le lieutenant du roi. 8 Les Israélites firent à leurs frères deux cent mille prisonniers, femmes, fils et filles; ils razzièrent de plus un important butin et emmenèrent le tout à Samarie.

### Les Israélites écoutent le prophète Oded [b].

9 Il y avait là un prophète de Yahvé nommé Oded. Il sortit au-devant des troupes qui arrivaient à Samarie et leur dit : « Voici que Yahvé, le Dieu de vos pères, a livré les Judéens entre vos mains parce qu'il était irrité contre eux, mais vous les avez massacrés avec une telle fureur que le ciel en est atteint. 10 Et vous parlez maintenant de réduire les enfants de Juda et de Jérusalem à devenir vos serviteurs et vos servantes! Mais vous-mêmes, n'êtes-vous pas coupables envers Yahvé votre Dieu? 11 Écoutez-moi maintenant, rendez les prisonniers faits à vos frères, car l'ardente colère de Yahvé vous menace. »

12 Certains des chefs éphraïmites, Azaryahu fils de Yehohanân, Bérékyahu fils de Meshillemot, Yehizqiyyahu fils de Shallum, Amasa fils de Hadlaï, s'élevèrent alors contre ceux qui revenaient de l'expédition. 13 Ils leur dirent : « Vous ne ferez pas entrer ici ces prisonniers, car c'est de nous rendre coupables envers Yahvé que vous parlez, c'est d'ajouter à nos péchés et à nos fautes, alors que notre culpabilité est énorme et qu'une ardente colère menace Israël. » 14 L'armée abandonna alors les prisonniers et le butin en présence des officiers et de toute l'assemblée. 15 Des hommes, qui avaient été nominativement désignés, se mirent à réconforter les prisonniers. Prélevant sur le butin, ils habillèrent tous ceux qui étaient nus; ils les vêtirent, les chaussèrent , les nourrirent, les désaltérèrent et les abritèrent. Puis ils les reconduisirent, les éclopés montés sur des ânes, et les amenèrent auprès de Lc 10 29-37 leurs frères à Jéricho, la ville des palmiers. Puis ils rentrèrent à Samarie.

### Fautes et mort d'Achaz.

16 C'est alors que le roi Achaz envoya demander || 2 R 16 7 au roi d'Assyrie de lui porter secours [c]. Is 7-8

17 Les Édomites envahirent de nouveau Juda, le battirent et emmenèrent des prisonniers. 18 Les Philistins se répandirent dans les villes du Bas-Pays et du Négeb de Juda. Ils prirent Bet-Shémesh, Ayyalôn, Gedérot, Soko et ses dépendances, Timna et ses dépendances, Gimzo et ses dépendances, et s'y établirent. 19 Yahvé abaissa en effet Juda à cause d'Achaz, roi d'Israël [d], qui laissait aller Juda et était infidèle à Yahvé.

20 Téglat-Phalasar, roi d'Assyrie, l'attaqua et l'assiégea sans pouvoir l'emporter [e]; 21 mais Achaz || 2 R 16 8 dut prélever une part des biens du Temple de Yahvé et des maisons royale et princières, pour les envoyer au roi d'Assyrie, sans recevoir secours de lui. 22 Tandis qu'il était assiégé, il accrut son infidélité envers Yahvé, lui, le roi Achaz, 23 en offrant des || 2 R 16 12-13 sacrifices aux dieux de Damas dont il était la vic- Is 10 20 time : « Puisque les dieux des rois d'Aram leur prêtent main-forte, disait-il, je leur sacrifierai pour qu'ils m'aident. » Mais ce furent eux qui causèrent sa chute, et celle de tout Israël.

24 Achaz rassembla le mobilier du Temple de Dieu, il le mit en pièces, ferma les portes du Tem- || 2 R 16 17 ple de Yahvé et se fit des autels à tous les coins de rue de Jérusalem; 25 il institua des hauts lieux dans toutes les cités judéennes pour y encenser d'autres dieux, et provoqua l'irritation de Yahvé, le Dieu de ses pères [f].

26 Le reste de son histoire et de toute sa politique, || 2 R 16 19-20 du début à la fin, est écrit dans le livre des Rois de Juda et d'Israël. 27 Achaz se coucha avec ses pères, on l'enterra dans la Cité, à Jérusalem, sans le transporter dans les tombeaux des rois d'Israël. Son fils Ézéchias régna à sa place.

*a)* Ce récit de la guerre syro-éphraïmite est fait d'un point de vue très différent de celui des autres sources judéennes, 2 R **16** et Is **7**-**8**. Le Chroniste semble avoir disposé d'une source éphraïmite.

*b)* Il est remarquable que, malgré son animosité contre le royaume du Nord, le Chroniste ait accepté cette tradition, absente de 2 R, sur l'intervention d'un prophète de Samarie, fidèle représentant de Yahvé, qui appelle les Judéens ses « frères » et convainc les chefs d'Israël de libérer leurs prisonniers. Une telle largeur de vues est unique dans le livre et annonce déjà la parabole du bon Samaritain.

*c)* D'après la source du Chroniste, Achaz était menacé non seulement par les Araméens et les Israélites comme en 2 R **16** 7, mais par les Édomites et les Philistins. Les Annales assyriennes témoignent effectivement d'une campagne de Téglat-Phalasar contre les Philistins. Le prix de cette assistance fut un lourd tribut et une réduction en vassalité. Le Chroniste interprète ces faits comme un châtiment.

*d)* Le grec a « Juda », cf. **21** 2.

*e)* Cela n'est pas confirmé par les textes assyriens ni par 2 R. Il semble que le Chroniste a reporté au règne d'Achaz ce qui s'est passé sous Ézéchias, 2 Ch **32**.

*f)* Depuis le v. 22, le Chroniste remanie 2 R en dégageant seulement le fait qui a une signification religieuse : la servilité d'Achaz vis-à-vis des divinités étrangères victorieuses.

## 2. *LA RESTAURATION D'ÉZÉCHIAS*

|| 2 R 18 1-3 **Aperçu sur le règne.**

**29** 1 Ézéchias devint roi à l'âge de vingt-cinq ans
et il régna vingt-neuf ans à Jérusalem; sa mère
s'appelait Abiyya, fille de Zekaryahu. 2 Il fit ce qui
est agréable à Yahvé, imitant tout ce qu'avait fait
David son ancêtre.

**Purification du Temple** [a].

28 24 3 C'est lui qui ouvrit les portes du Temple de
Yahvé, le premier mois de la première année de son
règne, et qui les restaura. 4 Puis il fit venir les prêtres et les lévites, les réunit sur la place orientale
5 et leur dit :
« Écoutez-moi, lévites! Sanctifiez-vous maintenant, consacrez le Temple de Yahvé, Dieu de nos
pères, et éliminez du sanctuaire la souillure. 6 Nos
pères ont prévariqué [b] et fait ce qui déplaît à Yahvé
notre Dieu. Ils l'ont abandonné; ils ont détourné
leurs faces de la Demeure de Yahvé, et lui ont
tourné le dos. 7 Ils ont même fermé les portes du
Vestibule, ils ont éteint les lampes et n'ont plus fait
2 3 fumer d'encens, ils n'ont plus offert d'holocaustes
au Dieu d'Israël dans le sanctuaire. 8 La colère de
Yahvé s'est appesantie sur Juda et sur Jérusalem;
Lv 26 32 il en a fait un objet d'épouvante, de stupeur et de
Dt 28 25 dérision, comme vous le voyez de vos propres
Jr 25 18 yeux. 9 Aussi nos pères sont-ils tombés sous l'épée,
nos fils, nos filles et nos femmes sont-ils partis prisonniers. 10 Je veux maintenant conclure une
alliance avec Yahvé, Dieu d'Israël, pour qu'il
détourne de nous l'ardeur de sa colère. 11 O mes
fils, ne soyez plus négligents, car c'est vous que
Yahvé a choisis pour vous tenir en sa présence,
pour le servir, pour vaquer à son culte et à ses
encensements. »
12 Les lévites se levèrent [c] : Mahat fils de
Amasaï; Yoël fils de Azaryahu, des fils de Qehat;
des Merarites : Qish fils d'Abdi et Azaryahu fils de
Yehalléléel; des Gershonites : Yoah fils de Zimma
et Éden fils de Yoah; 13 des fils d'Éliçaphân :
Shimri et Yeïel; des fils d'Asaph : Zekaryahu et
Mattanyahu; 14 des fils de Hémân : Yehiel et
Shimeï; des fils de Yedutûn : Shemaya et Uzziel.
15 Ils réunirent leurs frères, se sanctifièrent et,
conformément à l'ordre du roi, selon les paroles de
Yahvé, vinrent purifier le Temple de Yahvé.
16 Les prêtres [d] entrèrent dans le Temple de
Yahvé pour le purifier. Ils emportèrent sur le parvis
du Temple de Yahvé toutes les choses impures
qu'ils trouvèrent dans le sanctuaire de Yahvé, et les
lévites en firent des tas qu'ils allèrent déposer à 15 16
l'extérieur, dans la vallée du Cédron. 17 Ayant
commencé cette consécration le premier jour du
premier mois, ils purent entrer dans le Vestibule de
Yahvé le huit du mois; ils mirent huit jours à
consacrer le Temple de Yahvé et terminèrent le seizième jour du premier mois.

**Le sacrifice d'expiation.**

18 Ils se rendirent alors dans les appartements du
roi Ézéchias et lui dirent : « Nous avons entièrement purifié le Temple de Yahvé, l'autel des holocaustes et tous ses accessoires, la table des rangées
de pains et tous ses accessoires. 19 Tous les objets
qu'avait rejetés le roi Achaz durant son règne
impie, nous les avons réinstallés et consacrés; les
voici devant l'autel de Yahvé. »
20 Le roi Ézéchias se leva aussitôt, il réunit les
officiers de la ville et monta au Temple de Yahvé.
21 On fit venir sept taureaux, sept béliers et sept
agneaux, plus sept boucs en vue du sacrifice pour
le péché, à l'intention de la monarchie, du sanctuaire et de Juda. Le roi dit alors aux prêtres, fils
d'Aaron, d'offrir les holocaustes sur l'autel de
Yahvé. 22 Ils immolèrent les taureaux; les prêtres
recueillirent le sang qu'ils versèrent sur l'autel. Puis
ils immolèrent les béliers, dont ils versèrent le sang
sur l'autel, et les agneaux, dont ils versèrent le sang
sur l'autel. 23 Ils firent alors approcher les boucs,
destinés au sacrifice pour le péché, devant le roi et
l'Assemblée qui leur imposèrent les mains. 24 Les
prêtres les immolèrent et de leur sang versé sur
l'autel firent un sacrifice pour le péché afin
d'accomplir le rite d'expiation sur tout Israël;
c'était en effet pour tout Israël que le roi avait

*a)* Le Chroniste développe en trois ch., **29-31**, la réforme religieuse d'Ézéchias qui n'est rapportée dans 2 R que par un seul v. (**18** 4), repris à **31** 1. Cette réforme centralisatrice était d'une grande importance à ses yeux, et il l'a décrite en s'inspirant de la réforme de Josias.

*b)* Ce qui suit est une confession publique, comme Dn **9** 4-19; Ba **1** 15 - **3** 8. Voir aussi Lm **5** et Jr **3** 22-25.

*c)* Cette liste de lévites groupe les lévites descendants de Qehat, Merari et Gershôn, et les chantres descendants d'Asaph, Hémân et Yedutûn. Cette union des chantres et des lévites reflète une situation post-exilique, cf. déjà 1 Ch **6** 18-32.

*d)* Sur le rôle des prêtres en matière de purification, cf. Lv **13-16**.

ordonné les holocaustes et le sacrifice pour le
péché [a].
25 Il plaça ensuite les lévites dans le Temple de
Yahvé avec des cymbales, des lyres et des cithares
selon les prescriptions de David, de Gad le voyant
du roi, et de Natân le prophète; l'ordre venait en
effet de Dieu par l'intermédiaire de ses prophètes.
26 Quand on eut placé les lévites avec les instruments de David et les prêtres avec les trompettes,
27 Ézéchias ordonna d'offrir les holocaustes sur
l'autel; l'holocauste commençait quand on entonna
les chants de Yahvé et quand les trompettes sonnèrent, accompagnées des instruments de David, roi
d'Israël. 28 Toute l'Assemblée se prosterna, chacun
chantant les hymnes ou faisant retentir les trompettes jusqu'à l'achèvement de l'holocauste.

**Reprise du culte [b].**

29 Quand l'holocauste fut terminé, le roi et tous
ceux qui l'accompagnaient à ce moment fléchirent
le genou et se prosternèrent. 30 Puis le roi Ézéchias
et les officiers dirent aux lévites de louer Yahvé
avec les paroles de David et d'Asaph le voyant; ils
le firent jusqu'à exaltation, puis tombèrent et se
prosternèrent. 31 Ézéchias prit alors la parole et
dit : « Vous voici maintenant consacrés à Yahvé.
Approchez-vous, apportez dans le Temple de
Yahvé les victimes et les sacrifices de louange. »
L'Assemblée apporta les victimes et les sacrifices
Lv 7 11+ de louange et toutes sortes d'holocaustes en dons
votifs. 32 Le nombre des victimes de ces holocaustes fut de soixante-dix bœufs, cent béliers, deux
cents agneaux, tous en holocaustes pour Yahvé;
33 six cents bœufs et trois mille moutons furent
consacrés. 34 Les prêtres furent toutefois trop peu
nombreux pour pouvoir dépecer tous ces holocaustes, et leurs frères les lévites leur prêtèrent main-
forte jusqu'à ce que cette opération fût terminée et
Ch 15 12 les prêtres sanctifiés; les lévites avaient été en effet
mieux disposés que les prêtres à se sanctifier [c]. 35 Il
y eut de plus un abondant holocauste des graisses
des sacrifices de communion, et des libations
conjointes à l'holocauste. Ainsi fut rétabli le culte
dans le Temple de Yahvé. 36 Ézéchias et tout le
peuple se réjouirent de ce que Dieu eût disposé le
peuple à agir sur-le-champ.

**Convocation pour la Pâque [d].**

**30** 1 Ézéchias envoya des messagers à tout Israël
et Juda, et écrivit même des lettres à Éphraïm
et à Manassé, pour que l'on vienne au Temple de
Yahvé à Jérusalem célébrer une Pâque pour Yahvé, Ex 12 1+
le Dieu d'Israël. 2 Le roi, ses officiers et toute
l'Assemblée de Jérusalem furent d'avis de la célébrer le second mois 3 puisqu'on ne pouvait plus la
faire au moment même [e], les prêtres ne s'étant pas Nb 9 6-13
sanctifiés en nombre suffisant et le peuple ne s'étant
pas rassemblé à Jérusalem. 4 La chose parut juste
au roi et à toute l'Assemblée. 5 On décida de faire
passer à travers tout Israël, de Bersabée à Dan, un
appel à venir célébrer à Jérusalem une Pâque pour
Yahvé, Dieu d'Israël; peu, en effet, s'étaient confor-
més à l'Écriture. 6 Des courriers partirent, avec des
lettres de la main du roi et des officiers, dans tout
Israël et Juda. Ils devaient dire, selon l'ordre du
roi : « Israélites, revenez à Yahvé, le Dieu
d'Abraham, d'Isaac et d'Israël, et il reviendra à
ceux d'entre vous qui restent après avoir échappé
à la poigne des rois d'Assyrie. 7 Ne soyez pas
comme vos pères et vos frères qui ont prévariqué
envers Yahvé, le Dieu de leurs pères, et ont été
livrés par lui à la ruine comme vous le voyez. 8 Ne
raidissez plus vos nuques comme l'ont fait vos
pères. Soumettez-vous à Yahvé [f], venez à son sanctuaire qu'il a consacré pour toujours, servez Yahvé
votre Dieu et il détournera de vous son ardente
colère. 9 Si vous revenez vraiment à Yahvé, vos frères et vos fils trouveront grâce devant leurs conqué- 1 R 8 50
rants, ils reviendront en ce pays, car Yahvé votre
Dieu est plein de pitié et de tendresse. Si vous revenez à lui, il ne détournera pas de vous sa face [g]. »
10 Les courriers parcoururent, de ville en ville, le
pays d'Éphraïm et de Manassé, et même de Zabulon, mais on se moqua d'eux et on les tourna en
dérision. 11 Toutefois, quelques hommes d'Asher,
de Manassé et de Zabulon s'humilièrent et vinrent
à Jérusalem. 12 C'est plutôt en Juda que la main de
Dieu agit pour donner à tous un seul cœur, afin
d'exécuter les prescriptions du roi et des officiers
contenues dans la Parole de Yahvé. 13 Un peuple
nombreux se rassembla à Jérusalem pour célébrer
au deuxième mois la fête des Azymes. Une assem-

*a)* Ce rituel s'inspire de Lv **4**, cf. 13-21. La purification du Temple à l'époque maccabéenne semble s'être à son tour inspirée de ce modèle, 1 M **4** 42-59.
*b)* Après la purification du Temple et la cérémonie d'expiation, le culte normal peut reprendre, et il est inauguré par une liturgie solennelle.
*c)* Ce v., favorable aux lévites, reflète une certaine animosité contre les prêtres. En participant ainsi aux sacrifices, les lévites frôlent le domaine réservé aux prêtres et il dut y avoir des conflits.
*d)* Le Chroniste s'inspire de Nb **9** 1-14 où l'on retrouve les deux mêmes traits : état d'impureté et long voyage à faire. Cette réglementation s'explique par les conditions d'après l'exil et la participation des fidèles de la diaspora.
*e)* C'est-à-dire à la date normale du premier mois (Nisân).
*f)* Litt. « Tendez la main à Yahvé ».
*g)* Cet appel, proche des exhortations du Dt, témoigne, au v. 9, du souci des frères israélites exilés depuis la chute de Samarie. Au temps du Chroniste, on espérait le rassemblement de toute la diaspora juive.

blée extrêmement nombreuse 14 se mit à enlever les
**28** 24-25 autels qui étaient dans Jérusalem et tous les brûle-
parfums, pour les jeter dans la vallée du Cédron.

**La Pâque et les Azymes [a].**

15 On immola la Pâque le quatorze du second
Esd **9** 6 mois. Pleins de confusion, les prêtres et les lévites
se sanctifièrent et purent porter les holocaustes au
Temple de Yahvé. 16 Puis ils se tinrent à leur poste,
conformément à leurs statuts selon la loi de Moïse,
homme de Dieu. Les prêtres versaient le sang qu'ils
prenaient de la main des lévites, 17 car il y avait
beaucoup de gens dans l'Assemblée qui ne s'étaient
pas sanctifiés et les lévites étaient chargés
d'immoler les victimes pascales au profit de ceux
qui n'avaient pas la pureté requise pour les consacrer à Yahvé [b]. 18 En effet, la majorité du peuple,
beaucoup d'Éphraïmites, de Manassites, de fils
d'Issachar et de Zabulon, ne s'étaient pas purifiés;
ils avaient mangé la Pâque sans se conformer à
l'Écriture. Mais Ézéchias pria pour eux; il dit :
« Que Yahvé dans sa bonté couvre la faute de
19 quiconque s'est disposé de cœur à chercher Dieu,
Yahvé, le Dieu de leurs pères, même s'il n'a pas la
pureté requise pour les choses saintes! » 20 Yahvé
exauça Ézéchias et laissa le peuple sain et sauf [c].
21 Les Israélites qui se trouvaient à Jérusalem
célébrèrent pendant sept jours, et en grande joie, la
fête des Azymes, tandis que les lévites et les prêtres
louaient chaque jour Yahvé de toutes leurs forces.
22 Ézéchias encouragea les lévites qui avaient tous
l'intelligence des choses de Yahvé, et pendant sept
jours ils prirent part au festin de la solennité, célébrant les sacrifices de communion et louant Yahvé,
le Dieu de leurs pères [d]. 23 Puis toute l'Assemblée
fut d'avis de célébrer sept autres jours de fête et ils
en firent sept jours de joie. 24 Car Ézéchias, roi de
Juda, avait fait un prélèvement de mille taureaux
et de sept mille moutons pour l'Assemblée, et les
officiers un autre de mille taureaux et de dix mille
moutons. Les prêtres se sanctifièrent en masse, 25 et
toute l'Assemblée des Judéens se réjouit, ainsi que
les prêtres, les lévites, toute l'Assemblée venue
d'Israël; les réfugiés venus du pays d'Israël aussi
bien que ceux qui habitaient en Juda. 26 Il y eut
grande joie à Jérusalem, car depuis les jours de
Salomon, fils de David, roi d'Israël, rien de semblable ne s'était produit à Jérusalem [e]. 27 Les prêtres
lévites se mirent à bénir le peuple. Leur voix fut
entendue et leur prière reçue en Sa demeure sainte
des cieux.

**Réforme du culte.**

31 1 Quand tout cela fut terminé, tous les Israéli- || 2 R **18** 4
tes qui se trouvaient là allèrent dans les villes
de Juda briser les stèles, couper les pieux sacrés,
saccager les hauts lieux et les autels pour en débarrasser entièrement tout Juda, Benjamin, Éphraïm et
Manassé. Puis tous les Israélites retournèrent dans
leurs villes, chacun dans son patrimoine.

**Restauration du clergé [f].**

2 Ézéchias rétablit les classes sacerdotales et
lévitiques, chacun dans sa classe, selon son service,
qu'il fût prêtre ou lévite, qu'il s'agît d'holocaustes,
de sacrifices de communion, de service liturgique,
d'action de grâces ou d'hymne, – dans les portes
du camp de Yahvé. 3 Le roi prit une part sur ses 1 Ch **9** 19
biens pour les holocaustes, holocaustes du matin et Ez **45** 17
du soir, holocaustes des sabbats, des néoménies et 1 Ch **29** 3
des solennités, comme il est écrit dans la Loi de Nb **28-29**
Yahvé. 4 Puis il dit au peuple, aux habitants de
Jérusalem, de livrer la part des prêtres et des lévites
afin qu'ils puissent observer la Loi de Yahvé. 5 Dès
qu'on eut répandu cette parole, les Israélites accu-
mulèrent les prémices du froment, du vin, de
l'huile, du miel et de tous les produits agricoles, et
ils apportèrent une large dîme de tout. 6 Les Israéli- Nb **18** 8-2‹
tes et les Judéens, qui habitaient les cités judéennes, Dt **14** 22+
apportèrent eux aussi la dîme du gros et du petit
bétail et la dîme des choses saintes consacrées à
Yahvé [g]; ils les apportèrent, tas après tas. 7 C'est au Ne **12** 44-
troisième mois qu'ils commencèrent à faire ces tas **13** 10-13
et ils les achevèrent le septième [h]. 8 Ézéchias et les
officiers vinrent voir les tas et bénirent Yahvé et
Israël, son peuple. 9 Ézéchias interrogea à ce sujet
les prêtres et les lévites. 10 C'est Azarya, de la maison de Sadoq, et premier prêtre, qui lui répondit :
« Dès les premiers prélèvements apportés au Temple de Yahvé, dit-il, on a pu manger, se rassasier,
et avoir même de larges excédents, car Yahvé a

*a)* Cette Pâque solennelle suit moins les prescriptions de Dt **16** que celles du Code sacerdotal où les Azymes sont enfin rattachés à la Pâque, cf. Lv **23** 5+.

*b)* C'était l'offrant lui-même qui devait immoler la victime, Lv **1** 5; **3** 2, 8, 16, etc. Lorsque l'offrant n'était pas en état de pureté rituelle et lors des grands sacrifices publics, Ez **44** 11, cette action était accomplie par le clergé inférieur.

*c)* Ce passage réagit contre une interprétation trop rigide des lois de pureté. Cf. Mt **15** 1-20p.

*d)* C'est le « sacrifice de communion avec louange » de Lv **7** 12s.

*e)* Le Chroniste met en parallèle cette restauration du Temple sous Ézéchias et sa dédicace sous Salomon.

*f)* Selon le Chroniste, Ézéchias rétablit l'ordre institué par Salomon, 2 Ch **8** 12-14, qui ne faisait d'ailleurs qu'appliquer les règles posées par David.

*g)* La dîme semble ici étendue aux offrandes volontaires.

*h)* Donc entre la fête de la Pentecôte et la fête des Tentes où s'achève la récolte.

Lv **25** 19-22 béni son peuple; ce qui reste, c'est cette masse-
ci [a]. »
11 Ézéchias ordonna de mettre en état des pièces
dans le Temple de Yahvé. On le fit 12 et l'on
apporta fidèlement les prélèvements, les dîmes et
les choses consacrées. Le lévite Konanyahu en fut
le chef responsable avec son frère Shimeï pour
second. 13 Yehiel, Azazyahu, Nahat, Asahel, Yerimot, Yozabad, Éliel, Yismakyahu, Mahat et
Benayahu en étaient les surveillants sous les ordres
de Konanyahu et de son frère Shimeï, sous le gouvernement du roi Ézéchias et d'Azaryahu, chef du
Temple de Dieu. 14 Qoré, fils de Yimna le lévite,
gardien de la porte orientale, avait la charge des
offrandes volontaires faites à Dieu; il fournissait le
prélèvement de Yahvé et les choses très saintes.
15 Éden, Minyamîn, Yéshua, Shemayahu, Amaryahu et Shekanyahu l'assistaient fidèlement dans
les villes sacerdotales pour faire les distributions à
leurs frères répartis en classes, autant au grand
qu'au petit, 16 et, sans tenir compte de leur enregis-
1 Ch **23** 3s trement, aux hommes âgés de trente ans [b] et plus,
à tous ceux qui allaient au Temple de Yahvé selon
le rituel quotidien, assurer le service de leurs fonctions, selon leurs classes. 17 Les prêtres furent enre-
1 Ch **23** 7-23 gistrés par familles et les lévites, âgés de vingt ans
et plus, selon leurs fonctions et leurs classes. 18 Ils
furent enregistrés avec toutes les personnes à leur
charge, femmes, fils et filles, toute l'Assemblée, car
ils devaient se sanctifier avec fidélité [c]. 19 Pour les
prêtres, fils d'Aaron, qui se trouvaient dans les terrains de pâturage de leurs villes et dans chaque
ville, il y eut des hommes inscrits nominativement
pour faire les répartitions à tout mâle parmi les prêtres [d] et à tous ceux qui étaient enregistrés parmi
les lévites.
20 C'est ainsi qu'agit Ézéchias en tout Juda. Il fit
ce qui était bon, juste et loyal devant Yahvé, son
Dieu. 21 Tout ce qu'il entreprit au service du Temple de Dieu, au sujet de la Loi et des commandements, il le fit en cherchant Dieu de tout son cœur,
et il réussit.

**L'invasion de Sennachérib [e].**

|| 2 R **18** 13 **32** 1 Après ces actes de loyauté eut lieu l'invasion
de Sennachérib, roi d'Assyrie. Il envahit Juda,
campa devant les villes fortes et ordonna de lui en
forcer les murs. 2 Ézéchias, observant que Sennachérib, en arrivant, se proposait d'attaquer Jérusalem, 3 décida avec ses officiers et ses preux d'obstruer les eaux des sources qui se trouvaient à
l'extérieur de la ville. Ceux-ci lui prêtèrent leur
concours 4 et beaucoup de gens se groupèrent pour
obstruer toutes les sources ainsi que le cours d'eau Is **22** 9-11
qui coulait dans les terres : « Pourquoi, disaient-ils,
les rois d'Assyrie trouveraient-ils à leur arrivée des
eaux abondantes? » 5 Ézéchias se fortifia : il fit
maçonner toutes les brèches de la muraille qu'il Ne **2** 17s
surmonta de tours et pourvut d'un second mur à
l'extérieur, répara le Millo de la Cité de David, et
fabriqua quantité d'armes de jet et de boucliers.
6 Puis il mit des généraux à la tête du peuple, les
réunit près de lui sur la place de la porte de la cité
et les encouragea en ces termes : 7 « Soyez fermes
et tenez bon; ne craignez pas, ne tremblez pas **14** 10;
devant le roi d'Assur et devant toute la foule qui **20** 6-12
l'accompagne, car Ce qui est avec nous est plus
puissant que ce qui est avec lui. 8 Avec lui il n'y Is **31** 3
a qu'un bras de chair, mais avec nous il y a Yahvé,
notre Dieu, qui nous secourt et combat nos
combats. » Le peuple fut réconforté par les paroles
d'Ézéchias, roi de Juda.

**Paroles impies de Sennachérib.**

9 Après cela Sennachérib, roi d'Assyrie, tandis || 2 R **18** 17-37
qu'il se trouvait lui-même devant Lakish avec tou- || Is **36** 1-22
tes ses forces, envoya ses serviteurs à Jérusalem, à
Ézéchias, roi de Juda, et à tous les Judéens qui se
trouvaient à Jérusalem. Ils dirent : 10 « Ainsi parle
Sennachérib, roi d'Assyrie : Sur quoi repose votre
confiance pour demeurer ainsi dans Jérusalem
assiégée? 11 Ézéchias ne vous abuse-t-il pas, ne
vous livre-t-il pas à la mort, par la faim et par la
soif, quand il dit : " Yahvé notre Dieu nous délivrera de la main du roi d'Assyrie "? 12 N'est-ce pas
cet Ézéchias qui a supprimé ses hauts lieux et ses
autels et qui a déclaré à Juda et à Jérusalem :
" C'est devant un seul autel que vous vous prostér-
nerez et sur lui que vous ferez monter l'encens "?
13 Ne savez-vous pas ce que moi-même et mes
pères nous avons fait à tous les peuples des pays?
Les dieux des nations de ces pays ont-ils pu les
délivrer de ma main? 14 Parmi tous les dieux des
nations que mes pères ont vouées à l'anathème,
quel est celui qui a pu délivrer son peuple de ma
main? Votre dieu pourrait-il alors vous délivrer de

*a)* Ézéchias semble s'être inquiété de savoir si le peuple n'avait pas été pressuré.
*b)* « trente ans » conj., cf. 1 Ch **23** 3; « trois ans » hébr. – Les hommes sont les prêtres et les lévites.
*c)* Texte obscur; la fin du v. est incertaine.
*d)* Comparer la commission instituée par Néhémie, Ne **13** 10-14.
*e)* Le Chroniste, qui avait très longuement développé la brève mention de 2 R sur la réforme religieuse, est au contraire beaucoup plus bref que sa source sur les autres événements du règne; il ajoute cependant une notice sur les préparatifs militaires d'Ézéchias devant la menace de Sennachérib, v. 3s. Il exalte la figure d'Ézéchias, le montre déterminé et courageux, exhortant le peuple à avoir confiance dans le secours de Yahvé, v. 7-8, en des termes qui rappellent ceux du prophète Isaïe dans les Rois.

ma main? 15 Et maintenant, qu'Ézéchias ne vous
leurre pas! Qu'il ne vous abuse pas ainsi! Ne le
croyez pas, car aucun dieu d'aucune nation ni
d'aucun royaume ne peut délivrer son peuple de ma
main pas plus que de celle de mes pères; votre dieu
ne vous délivrera pas davantage de ma main. »
16 Ses serviteurs parlaient encore contre Yahvé
|| 2 R **19** 9-13 Dieu et son serviteur Ézéchias, 17 quand Senna-
|| Is **37** 9-13 chérib écrivit une lettre pour insulter Yahvé, Dieu
d'Israël; il en parlait ainsi : « Pas plus que les dieux
des nations des pays n'ont délivré leurs peuples
de ma main, le dieu d'Ézéchias n'en délivrera son
peuple. » 18 Ils s'adressaient en criant, en judéen, au
peuple de Jérusalem qui se trouvait sur les murs,
pour l'effrayer et le bouleverser et par suite capturer la ville; 19 ils parlaient du Dieu de Jérusalem
comme de l'un des dieux des peuples de la terre,
œuvre de mains humaines.

**Succès de la prière d'Ézéchias.**

|| 2 R **19** 15 20 Dans cette situation, le roi Ézéchias et le pro-
|| Is **37** 15 phète Isaïe, fils d'Amoç, prièrent et implorèrent le
|| 2 R **19** 35-37 ciel. 21 Yahvé envoya un ange qui extermina tous
|| Is **37** 36-38 les vaillants preux, les capitaines et les officiers,
dans le camp du roi d'Assyrie; celui-ci s'en
retourna, le visage couvert de honte, dans son pays;
puis il entra dans le temple de son dieu où quelques-uns de ses enfants le frappèrent de l'épée.
22 Ainsi Yahvé sauva Ézéchias et les habitants de
Jérusalem de la main de Sennachérib, roi
d'Assyrie, et de la main de tous les autres. Il leur
**14** 6 donna la tranquillité [a] sur toutes leurs frontières.
23 Beaucoup apportèrent à Jérusalem une oblation
|| 2 R **20** 12 à Yahvé et des présents à Ézéchias roi de Juda qui,
à la suite de ces événements, acquit du prestige aux
yeux de toutes les nations.

24 En ces jours-là, Ézéchias tomba malade et fut || 2 R **20** 1s
sur le point de mourir. Il pria Dieu qui l'exauça [b] || Is **38** 1s
et lui accorda un miracle. 25 Mais Ézéchias ne
répondit pas au bienfait reçu, son cœur s'enorgueil- || 2 R **20** 12-19
lit et la Colère s'appesantit sur lui, sur Juda et sur || Is **39** 1-8
Jérusalem. 26 Toutefois Ézéchias s'humilia de
l'orgueil de son cœur, ainsi que les habitants de
Jérusalem : la colère de Yahvé cessa de s'appesan-
tir sur eux du vivant d'Ézéchias [c]. 27 Ézéchias eut
pléthore de richesses et de gloire. Il se constitua des || 2 R **20** 13
trésors en or, argent, pierres précieuses, onguents, || Is **39** 2
joyaux [d] et toutes sortes d'objets précieux. 28 Il eut
des entrepôts pour ses rentrées de blé, de vin et
d'huile, des étables pour les différentes espèces de
son bétail, et des parcs pour ses troupeaux. 29 Il se
procura des ânes [e] et un cheptel abondant en gros
et en petit bétail. Dieu lui avait vraiment donné plé-
thore de biens [f].

**Résumé du règne, mort d'Ézéchias.**

30 C'est Ézéchias qui obstrua l'issue supérieure || 2 R **20** 20-21
des eaux du Gihôn et les dirigea vers le bas de la 2 R **20** 20+
Cité de David, à l'ouest. Ézéchias réussit dans toutes ses entreprises. 31 Et même avec les interprètes
des officiers babyloniens envoyés près de lui pour
enquêter sur le miracle qui avait eu lieu dans le
pays, c'est pour l'éprouver que Dieu l'abandonna,
et pour connaître le fond de son cœur [g]. 32 Le reste
de l'histoire d'Ézéchias, les témoignages de sa piété
se trouvent écrits dans la vision du prophète Isaïe,
fils d'Amoç, au livre des rois de Juda et d'Israël.
33 Ézéchias se coucha avec ses pères et on l'enterra
sur la montée des tombeaux des fils de David [h]. A
sa mort, tous les Judéens et les habitants de Jérusalem lui rendirent honneur. Son fils Manassé régna
à sa place.

## *3. IMPIÉTÉ DE MANASSÉ ET D'AMON*

|| 2 R **21** 1-18 **Manassé détruit l'œuvre d'Ézéchias.**

**33** 1 Manassé avait douze ans à son avènement et
il régna cinquante-cinq ans à Jérusalem. 2 Il fit
ce qui déplaît à Yahvé, imitant les abominations
des nations que Yahvé avait chassées devant les
Israélites. 3 Il rebâtit les hauts lieux qu'avait
détruits Ézéchias son père, il éleva des autels aux
Baals et fabriqua des pieux sacrés, il se prosterna
devant toute l'armée du ciel et lui rendit un culte.
4 Il construisit des autels dans le Temple de Yahvé,
dont Yahvé avait dit : « C'est à Jérusalem que mon
Nom sera à jamais. »
5 Il construisit des autels à toute l'armée du ciel
dans les deux cours du Temple de Yahvé. 6 C'est
lui qui fit passer ses enfants par le feu dans la vallée

*a)* « donna la tranquillité » grec; « conduisit » hébr.
*b)* « qui l'exauça » grec; « et il lui dit » hébr.
*c)* Ces trois vv. contiennent seulement des allusions aux récits de 2 R **20** : v. 24, la maladie d'Ézéchias et le signe favorable qui lui est donné; v. 25, l'ambassade de Mérodak-Baladan; v. 26, la réponse égoïste d'Ézéchias à Isaïe, considérée ici comme une acceptation de la volonté divine.
*d)* « joyaux » (*migdanîm*) conj.; « boucliers » (*maginîm*) hébr.
*e)* « ânes » (*'ayarîm*) conj.; « villes » (*'arîm*) hébr.
*f)* Cette énumération des richesses d'Ézéchias, plus développée que dans 2 R, démontre qu'il a été béni par Dieu, comme le furent David, 1 Ch **29** 2; cf. **27** 25-31, et Salomon, 2 Ch **9** 10-28.
*g)* Nouvelle interprétation (cf. v. 26) du récit de 2 R **20** 12-19.
*h)* Cela peut signifier une place éminente dans la nécropole royale.

des fils de Hinnom. Il pratiqua les incantations, la
divination et la magie, installa des nécromants et
des devins, et multiplia les actions que Yahvé
regarde comme mauvaises, provoquant ainsi sa
colère. [7] Il plaça l'idole, qu'il avait fait sculpter,
dans le Temple de Dieu, dont Dieu avait dit à
David et à son fils Salomon : « Dans ce Temple et
dans Jérusalem, la ville que j'ai choisie entre toutes
les tribus d'Israël, je placerai mon Nom à jamais.
[8] Je ne détournerai plus les pas des Israélites de la
terre où j'ai établi vos pères, pourvu qu'ils veillent
à pratiquer tout ce que je leur ai commandé selon
toute la Loi, les prescriptions et les coutumes transmises par Moïse. » [9] Mais Manassé égara les
Judéens et les habitants de Jérusalem, au point
qu'ils agirent encore plus mal que les nations que
Yahvé avait exterminées devant les Israélites.
[10] Yahvé parla à Manassé et à son peuple, mais ils
ne prêtèrent pas l'oreille.

**Captivité et conversion** [a].

[11] Alors Yahvé fit venir contre eux les généraux
du roi d'Assyrie qui capturèrent Manassé avec des
Ez 19 9 crocs, le mirent aux fers et l'emmenèrent à Babylone. [12] A l'occasion de cette épreuve, il chercha à
apaiser Yahvé, son Dieu, il s'humilia profondément
devant le Dieu de ses pères; [13] il le pria et lui se
laissa fléchir. Il entendit sa supplication et le réinté-
gra dans sa royauté, à Jérusalem. Manassé
reconnut que c'est Yahvé qui est Dieu. [14] Après
quoi, il restaura la muraille extérieure de la Cité de
David, à l'ouest du Gihôn situé dans le ravin,
jusqu'à la porte des Poissons; elle entoura l'Ophel
et il la suréleva beaucoup. Il mit des généraux dans
toutes les villes fortifiées de Juda.

[15] Il écarta alors du Temple de Yahvé les dieux 14 2
de l'étranger et la statue, ainsi que tous les autels
qu'il avait construits sur la montagne du Temple
et dans Jérusalem; il les jeta hors de la ville [b]. [16] Il
rétablit l'autel de Yahvé, y offrit des sacrifices de
communion et de louange, et ordonna aux Judéens
de servir Yahvé, Dieu d'Israël; [17] mais le peuple
continuait de sacrifier sur les hauts lieux, bien qu'à
Yahvé son Dieu.

[18] Le reste de l'histoire de Manassé, la prière || 2 R 21 17-18
qu'il fit à son Dieu [c] et les paroles des voyants qui
s'adressèrent à lui au nom de Yahvé, Dieu d'Israël,
se trouvent dans les Actes des rois d'Israël. [19] Sa
prière et son exaucement, tous ses péchés et son
impiété, les endroits où il avait construit des hauts
lieux et dressé des pieux sacrés et des idoles avant
de s'être humilié, sont consignés dans l'histoire de
Hozaï [d]. [20] Manassé se coucha avec ses pères et on
l'enterra dans le jardin de son palais. Son fils Amon
régna à sa place.

**Endurcissement d'Amon** [e].

[21] Amon avait vingt-deux ans à son avènement || 2 R 21 19-26
et il régna deux ans à Jérusalem. [22] Il fit ce qui
déplaît à Yahvé, comme avait fait son père
Manassé. Amon sacrifia et rendit un culte à toutes
les idoles qu'avait faites son père Manassé. [23] Il ne
s'humilia pas devant Yahvé comme s'était humilié
son père Manassé; au contraire, lui, Amon, se rendit gravement coupable. [24] Ses serviteurs complotèrent contre lui et ils le tuèrent dans son palais;
[25] mais le peuple du pays frappa tous ceux qui
avaient conspiré contre Amon et proclama roi à sa
place son fils Josias.

## *4. LA RÉFORME DE JOSIAS* [f]

2 R 22 1-2 **Aperçu sur le règne.**

**34** [1] Josias avait huit ans à son avènement et il
régna trente et un ans à Jérusalem. [2] Il fit ce
qui est agréable à Yahvé et suivit la conduite de
son ancêtre David sans en dévier ni à droite ni à
gauche.

**Premières réformes.** || 2 R 23 4-20

[3] La huitième année de son règne, n'étant encore
qu'un jeune homme, il commença à rechercher le
Dieu de David son ancêtre. La douzième année de
son règne, il commença à purifier Juda et Jéru- 14 1-4; 31 1
salem des hauts lieux, des pieux sacrés, des idoles

*a)* Des textes assyriens mentionnent Manassé de Juda comme vassal d'Asarhaddon et d'Assurbanipal, mais ni les textes assyriens ni le livre des Rois ne parlent d'une captivité de Manassé. Elle peut être mise en relation avec les révoltes anti-assyriennes qui ont agité la Palestine à cette époque, ou bien elle peut représenter l'interprétation par le Chroniste d'une convocation de tous ses vassaux par Asarhaddon, qui est mentionnée par d'autres textes assyriens. Le renvoi de Manassé, v. 13, est interprété par le Chroniste comme le fruit de sa conversion.

*b)* Le Chroniste attribue à Manassé une réforme décrite sur le modèle de celle d'Asa, d'Ézéchias et de Josias.

*c)* Il existe un Psaume apocryphe intitulé « Prière de Manassé », et sans doute inspiré par ce passage des Chroniques.

*d)* Prophète inconnu dont le nom signifie « voyant ».

*e)* Le Chroniste reporte sur Amon la condamnation que 2 R **21** 12 portait sur Manassé. Le règne d'Amon fut aussi bref que celui de Manassé fut long; et la longue vie est une récompense, Pr **4** 10; Ps **34** 13, etc.

*f)* Le livre des Rois présente la réforme comme une conséquence de la découverte du livre de la Loi, à l'occasion de travaux dans le Temple. Le Chroniste présente ces travaux comme une purification du Temple, **34** 8, précédée elle-même d'une lutte

sculptées et fondues. [4] On démolit devant lui les autels des Baals, il arracha les autels à encens qui étaient placés sur eux, il brisa les pieux sacrés, les idoles sculptées et fondues, et les réduisit en une poussière qu'il répandit sur les tombeaux de ceux qui leur avaient offert des sacrifices. [5] Il brûla les ossements des prêtres sur leurs autels et purifia ainsi Juda et Jérusalem. [6] Dans les villes de Manassé, d'Éphraïm, de Siméon, et même de Nephtali, et dans les territoires saccagés qui les entouraient, [7] il démolit les autels, les pieux sacrés, brisa et pulvérisa les idoles, il abattit les autels à encens dans tout le pays d'Israël, puis il revint à Jérusalem.

|| 2 R 22 3-7 **Les travaux du Temple.**

[8] La dix-huitième année de son règne, dans le but de purifier le pays et le Temple, il envoya Shaphân, fils d'Açalyahu, Maaséyahu, gouverneur de la ville, et Yoah, fils de Yoahaz le héraut, pour réparer le Temple de Yahvé son Dieu. [9] Ils allèrent remettre
24 8s à Hilqiyyahu, le grand prêtre, l'argent qui avait été apporté au Temple de Dieu et que les lévites gardiens du seuil avaient recueilli : l'argent provenait de Manassé, d'Éphraïm, de tout le reste d'Israël, ainsi que de tous les Judéens et Benjaminites qui habitaient Jérusalem [a]. [10] Ils le remirent aux maîtres d'œuvre attachés au Temple de Yahvé et ceux-ci l'utilisèrent pour les travaux de restauration et de réparation du Temple. [11] Ils le donnèrent aux charpentiers et aux ouvriers du bâtiment pour acheter les pierres de taille et le bois nécessaire au chaînage et aux charpentes des bâtiments qu'avaient endommagés les rois de Juda.

[12] [b] Ces hommes travaillèrent avec fidélité à cette œuvre; ils étaient sous la surveillance de Yahat et de Obadyahu, lévites des fils de Merari, de Zekarya et de Meshullam, Qehatites contremaîtres, des lévites experts dans les instruments d'accompagnement du chant, [13] de ceux qui étaient à la tête des transporteurs et de ceux qui dirigeaient tous les maîtres d'œuvre de chaque service, et enfin de quelques lévites, scribes, greffiers et portiers.

|| 2 R 22 8-13 **Découverte de la Loi.**

[14] Quand on retira l'argent déposé au Temple de Yahvé, le prêtre Hilqiyyahu trouva le livre de la Loi de Yahvé transmise par Moïse. [15] Hilqiyyahu prit la parole et dit au secrétaire Shaphân : « J'ai trouvé le livre de la Loi dans le Temple de Yahvé. » Et Hilqiyyahu donna le livre à Shaphân. [16] Shaphân remit le livre au roi et lui rapporta encore ceci : « Tout ce qui a été confié à tes serviteurs, ils l'exécutent, [17] ils ont fondu l'argent qui se trouvait dans le Temple de Yahvé et l'ont remis aux mains des subordonnés et des maîtres d'œuvre ». [18] Puis le secrétaire Shaphân annonça au roi : « Le prêtre Hilqiyyahu m'a donné un livre »; et Shaphân y fit une lecture [c] devant le roi.

[19] En entendant les paroles de la Loi, le roi déchira ses vêtements. [20] Il donna cet ordre à Hilqiyyahu, à Ahiqam fils de Shaphân, à Abdôn fils de Mika, au secrétaire Shaphân et à Asaya, ministre du roi : [21] « Allez consulter Yahvé pour moi et pour ce qui reste d'Israël et de Juda, à propos des paroles du livre qui vient d'être trouvé. Grande doit être la colère de Yahvé qui s'est répandue sur nous parce que nos pères n'ont pas observé la parole de Yahvé en pratiquant tout ce qui est écrit dans ce livre. »

**L'oracle de la prophétesse.** || 2 R 22 1

[22] Hilqiyyahu et les gens du roi se rendirent auprès de la prophétesse Hulda, femme de Shallum, fils de Toqhat, fils de Hasra, le gardien des vêtements; elle habitait à Jérusalem dans la ville neuve. Ils lui parlèrent en ce sens [23] et elle répondit : « Ainsi parle Yahvé, Dieu d'Israël. Dites à l'homme qui vous a envoyés vers moi : [24] Ainsi parle Yahvé. Je vais amener le malheur sur ce lieu et sur ses habitants, toutes les malédictions écrites dans le livre qu'on a lu devant le roi de Juda, [25] parce qu'ils m'ont abandonné et qu'ils ont sacrifié à d'autres dieux pour m'irriter par toutes leurs actions. Ma colère s'est enflammée contre ce lieu, elle ne s'éteindra pas [26] Et vous direz au roi de Juda qui vous a envoyés pour consulter Yahvé : Ainsi parle Yahvé, Dieu d'Israël : les paroles que tu as entendues... [27] Mais parce que ton cœur a été touché et que tu t'es humilié devant Dieu en entendant les paroles qu'il a prononcées contre ce lieu et ses habitants, parce que tu t'es humilié, que tu as déchiré tes vêtements et que tu as pleuré devant moi, moi aussi je t'ai entendu, oracle de Yahvé.

contre l'idolâtrie à Jérusalem, en Juda et en Israël, vv. 3-7. La réforme aurait ainsi commencé en la douzième année du règne de Josias et non en la dix-huitième comme en 2 R. Cette chronologie est vraisemblable : les travaux dans le Temple peuvent avoir été inspirés par un souci réformateur, et la lutte contre les cultes étrangers est l'expression d'un renouveau national qui profite de l'affaiblissement de l'Assyrie, dans les dernières années d'Assurbanipal. On peut penser que la réforme s'est accomplie par étapes. 2 R a tout bloqué après la découverte de la Loi, le Chroniste a utilisé cette source pour décrire les premières étapes, et n'a gardé pour la fin que le renouvellement de l'alliance et la Pâque solennelle.

*a)* Tous les Israélites ont donc participé de leurs deniers à cette restauration du Temple. Le Chroniste insiste toujours sur l'unité du peuple de Yahvé, cf. Ez **37** 15s.

*b)* Paragraphe propre au Chroniste qui donne aux lévites et aux chantres la direction des travaux.

*c)* 2 R **22** 10 porte : « le lut ». Mais pour le Chroniste ce livre est le Pentateuque, trop long pour être lu en une fois.

[28] Voici que je te réunirai à tes pères, tu seras
recueilli en paix dans ton sépulcre, tes yeux ne verront pas tous les malheurs que je fais venir sur ce
lieu et sur ses habitants. » Ils portèrent la réponse
au roi.

|| 2 R **23** 1-3 **Renouvellement de l'alliance.**

[29] Alors le roi fit convoquer tous les anciens de
Juda et de Jérusalem, [30] et le roi monta au Temple
de Yahvé avec tous les hommes de Juda, les habitants de Jérusalem, les prêtres, les lévites et tout le
peuple, du plus grand au plus petit. Il lut devant
eux tout le contenu du livre de l'alliance trouvé
dans le Temple de Yahvé. [31] Le roi était debout sur
l'estrade [a], et il conclut devant Yahvé l'alliance qui
l'obligeait à suivre Yahvé, à garder ses commandements, ses instructions et ses lois, de tout son cœur
et de toute son âme, et à mettre en pratique les
clauses de l'alliance écrites dans ce livre. [32] Il y fit
adhérer quiconque se trouvait à Jérusalem ou dans
Benjamin, et les habitants de Jérusalem se conformèrent à l'alliance de Dieu, le Dieu de leurs pères.
2 R **23** 4s [33] Josias enleva toute chose abominable de tous les
territoires appartenant aux Israélites. Pendant toute
sa vie, il mit au service de Yahvé leur Dieu
quiconque se trouvait en Israël. Ils ne s'écartèrent
pas de Yahvé, le Dieu de leurs pères [b].

**Préparation de la Pâque.**

|| 2 R **23** 21 **35** [1] Josias célébra alors à Jérusalem une Pâque
Ex **12** 1+ pour Yahvé et on immola la Pâque le quatorzième jour du premier mois.
[2] Josias rétablit les prêtres dans leurs offices et
les mit en mesure de vaquer au service du Temple
de Yahvé [c]. [3] Puis il dit aux lévites, eux qui avaient
l'intelligence [d] pour tout Israël et qui étaient consacrés à Yahvé : « Déposez l'arche sainte dans le
Temple qu'a bâti Salomon, fils de David, roi
1 Ch **15** 15 d'Israël. Ce n'est plus un fardeau pour vos épaules.
2 Ch **5** 4 Servez maintenant Yahvé votre Dieu et Israël son
1 Ch **24-26** peuple. [4] Disposez-vous par familles selon vos classes, comme l'a fixé par écrit David, roi d'Israël, et
libellé son fils Salomon. [5] Tenez-vous dans le sanctuaire, à la disposition des fractions des familles,
à la disposition de vos frères laïcs; les lévites
**30** 17+ auront une part dans la famille. [6] Immolez la
Dt **12** 18-19 Pâque, sanctifiez-vous, et soyez à la disposition de
vos frères en agissant selon la parole de Yahvé
transmise par Moïse. »

**La solennité [e].**

[7] Josias préleva alors pour les laïcs du petit
bétail, des agneaux et des chevreaux, au nombre de
trente mille, toutes victimes pascales pour tous Ex **12** 5
ceux qui se trouvaient là, plus trois mille bœufs. Ce
bétail était pris sur les biens du roi. [8] Ses officiers
firent aussi un prélèvement en offrande volontaire Nb **7**
pour le peuple, pour les prêtres et les lévites. Hil- 1 Ch **29** 6-9
qiyyahu, Zekaryahu et Yehiel, chefs du Temple de
Dieu, donnèrent aux prêtres, en victimes pascales,
deux mille six cents têtes de petit bétail et trois
cents bœufs. [9] Les officiers des lévites Konanyahu,
Shemayahu et Netanéel son frère, Hashabyahu,
Yeïel et Yozabad prélevèrent pour les lévites,
comme victimes pascales, cinq mille têtes de petit
bétail et cinq cents bœufs. [10] L'ordre de la liturgie
fut fixé, les prêtres à leur place et les lévites selon
leurs classes, conformément aux prescriptions
royales. [11] Ils immolèrent la Pâque; les prêtres
répandirent le sang qu'ils recevaient des mains des
lévites, et les lévites dépecèrent les victimes [f]. [12] Ils
mirent à part l'holocauste pour le donner aux fractions des familles du peuple qui devaient faire une
offrande à Yahvé, comme il est écrit dans le livre
de Moïse; il en fut de même pour le gros bétail.
[13] Ils cuirent au feu la Pâque selon la règle, et cui- Ex **12** 2-11
rent les mets sacrés [g] dans des terrines, des marmi-
tes et des plats creux qu'ils portèrent en hâte à tout
le peuple. [14] Après quoi ils préparèrent la Pâque
pour eux-mêmes et pour les prêtres – les prêtres,
fils d'Aaron, ayant été occupés jusqu'à la nuit à
offrir l'holocauste et les graisses; c'est pourquoi les
lévites préparèrent la Pâque pour eux-mêmes et
pour les prêtres, fils d'Aaron. [15] Les chantres, fils
d'Asaph, étaient à leur poste, selon les prescriptions de David; ni Asaph, ni Hémân, ni Yedutûn
le voyant du roi, ni les portiers à chaque porte,
n'eurent à quitter leur service, car leurs frères lévites leur préparèrent tout.
[16] C'est ainsi que toute la liturgie de Yahvé fut,
ce jour-là, organisée de manière à célébrer la Pâque
et à offrir des holocaustes sur l'autel de Yahvé
selon les prescriptions du roi Josias. [17] C'est à ce
moment que les Israélites présents célébrèrent la

*a)* « sur l'estrade » conj., cf. **23** 13; 2 R **11** 14; « à son poste » hébr.
*b)* Le Chroniste résume rapidement les données de 2 R **23** 4s, qu'il a transposées au début de son récit, 2 Ch **34** 3s.
*c)* Comme dans le cas d'Ézéchias, la cérémonie est précédée par une restauration du clergé, cf. **31** 2s, suivant les normes attribuées à David. Ici encore, le Chroniste s'intéresse surtout aux lévites.
*d)* L'intelligence, au sens que le terme a pris dans les écrits de sagesse : le discernement des choses de Dieu.
*e)* La fête, seulement mentionnée en 2 R **23** 21, est décrite ici en détail. Le rituel est celui de Dt **16**, mais avec des additions qui doivent s'inspirer de la pratique de l'époque du Chroniste. Les lévites jouent un rôle prédominant dans l'action liturgique. Le sacrifice pascal se combine ici avec des holocaustes et des sacrifices de communion.
*f)* D'après Lv **1** 6, c'était le rôle du laïc.
*g)* Non pas les herbes amères et les pains sans levain, mais les sacrifices de communion qui sont ici associés à la Pâque.

Pâque et pendant sept jours la fête des Azymes.
|| 2 R 23 22 18 On n'avait pas célébré une Pâque comme celle-là
en Israël depuis l'époque de Samuel le prophète;
aucun roi d'Israël n'avait célébré une Pâque semblable à celle que célébra Josias avec les prêtres,
les lévites, tous les Judéens et Israélites présents, et
les habitants de Jérusalem [a].

**Fin tragique du règne [b].**

|| 2 R 23 23, 19 C'est la dix-huitième année du règne de Josias
29-30 que cette Pâque fut célébrée [c]. 20 Après tout ce que
fit Josias pour remettre en ordre le Temple, Neko,
roi d'Égypte, monta combattre à Karkémish sur
l'Euphrate. Josias s'étant porté à sa rencontre, 21 il
lui envoya des messagers pour lui dire : « Qu'ai-je
à faire avec toi, roi de Juda? Ce n'est pas toi que
je viens attaquer aujourd'hui, mais c'est une autre
maison que j'ai à combattre, et Dieu m'a dit de me
hâter. Laisse donc faire Dieu qui est avec moi, de
peur qu'il ne cause ta perte. » 22 Mais Josias ne
renonça pas à l'affronter, car il était fermement
décidé [d] à le combattre et n'écouta pas ce que lui
disait Neko au nom de Dieu. Il livra bataille dans
la trouée de Megiddo; 23 les archers tirèrent sur le 18 33-34
roi Josias et le roi dit à ses serviteurs : « Emportez-
moi, car je me sens très mal. » 24 Ses serviteurs le
tirèrent hors de son char, le firent monter sur un
autre de ses chars et le ramenèrent à Jérusalem où
il mourut. On l'enterra dans les sépultures de ses
pères. Tout Juda et Jérusalem firent un deuil pour
Josias; 25 Jérémie composa une lamentation sur
Josias, que tous les chanteurs et chanteuses récitent
encore aujourd'hui dans leurs lamentations sur
Josias; on en a fait une règle en Israël, et on trouve
ces chants consignés dans les Lamentations [e].

26 Le reste de l'histoire de Josias, les témoignages
de sa piété, conformes à tout ce qui est écrit dans
la loi de Yahvé, 27 son histoire, du début à la fin,
tout cela est écrit dans le livre des Rois d'Israël et
de Juda.

## *5. SITUATION D'ISRAËL A LA FIN DE LA MONARCHIE [f]*

|| 2 R 23 30-34 **Joachaz.**

**36** 1 Le peuple du pays prit Joachaz, fils de
Josias, et on le fit roi à la place de son père
à Jérusalem. 2 Joachaz avait vingt-trois ans à son
avènement et il régna trois mois à Jérusalem [g]. 3 Le
roi d'Égypte l'enleva de Jérusalem et imposa au
pays une contribution de cent talents d'argent et
d'un talent d'or. 4 Puis le roi d'Égypte établit son
frère Élyaqim comme roi sur Juda et Jérusalem, et
il changea son nom en celui de Joiaqim. Quant à
Joachaz, son frère, Neko le prit et l'emmena en
Égypte.

**Joiaqim.**

|| 2 R 23 36-37 5 Joiaqim avait vingt-cinq ans à son avènement
et il régna onze ans à Jérusalem; il fit ce qui déplaît
|| 2 R 24 1s à Yahvé, son Dieu. 6 Nabuchodonosor, roi de
Babylone, fit campagne contre lui et le mit aux fers
pour l'emmener à Babylone [h]. 7 Nabuchodonosor
emporta aussi à Babylone une partie du mobilier
du Temple de Yahvé et le déposa dans son palais
de Babylone. 8 Le reste de l'histoire de Joiaqim, les || 2 R 24 5
abominations qu'il commit et ce qui a été relevé
contre lui, cela est écrit dans le livre des Rois
d'Israël et de Juda. Joiakîn son fils régna à sa
place.

**Joiakîn.**

9 Joiakîn avait dix-huit ans [i] à son avènement et || 2 R 24 8-9
il régna trois mois et dix jours à Jérusalem; il fit
ce qui déplaît à Yahvé. 10 Au retour de l'année, le
roi Nabuchodonosor l'envoya chercher et le fit || 2 R 24 10-
conduire à Babylone avec le mobilier précieux du
Temple de Yahvé, et il établit Sédécias son frère [j] || 2 R 24 17
comme roi sur Juda et Jérusalem.

*a)* La nouveauté de la Pâque de Josias est sa célébration par tout le peuple à Jérusalem; c'est une conséquence de la centralisation du culte édictée par le Dt, et qui avait été reportée à l'époque d'Ézéchias par 2 Ch **30** 15-27. La Pâque s'était maintenue comme cérémonie familiale pendant toute l'époque monarchique. La référence à l'époque de Samuel ici, et à l'époque des Juges dans le parallèle de 2 R **23** 22, semble indiquer qu'elle était jadis célébrée en commun dans un sanctuaire central.
*b)* Le Chroniste semble avoir disposé d'une source plus détaillée que le parallèle de 2 R qu'il a interprété selon sa théologie de la rétribution, v. 22.
*c)* Le grec ajoute ici un éloge de Josias qui reproduit 2 R **23** 24-27.
*d)* « il était fermement décidé » grec; « il se déguisa » hébr. (cf. 1 R **22** 30).
*e)* Jr **22** 10 fait allusion à la mort de Josias, mais le livre des Lamentations, attribué au Prophète, ne comporte rien qui se rapporte spécifiquement à ce roi. Le texte auquel le Chroniste se réfère est perdu pour nous.
*f)* Résumé des événements rapportés par 2 R **23** 31 - **25** 30. Le Chroniste passe ainsi rapidement sur la période sombre qui a séparé la réforme religieuse de Josias de la restauration nationale et religieuse au retour de l'Exil.
*g)* Le grec ajoute ici 2 R **23** 31-33.
*h)* Cette captivité et ce pillage ne sont pas autrement connus. Il semble qu'à une époque tardive on ait attribué au pervers Joiaqim quelques-uns des malheurs de son fils Joiakîn. Cf. Dn **1** 1-2.
*i)* « dix-huit ans » versions, 2 R **24** 8; « huit ans » hébr.
*j)* En réalité son oncle, 2 R **14** 17. Mais 1 Ch **3** 15-16 distingue deux Sédécias, un oncle et un frère de Joiakîn.

|| 2 R **24** 18-20 || Jr **52** 1-3

**Sédécias.**

11 Sédécias avait vingt et un ans à son avènement
et il régna onze ans à Jérusalem. 12 Il fit ce qui
déplaît à Yahvé, son Dieu. Il ne s'humilia pas
Jr **37-39** devant le prophète Jérémie venu sur l'ordre de
Ez **17** 13-16 Yahvé. 13 Il se révolta en outre contre le roi Nabuchodonosor auquel il avait prêté serment par Dieu.
Il raidit sa nuque et endurcit son cœur au lieu de
revenir à Yahvé, le Dieu d'Israël.

**La nation** [a].

14 De plus, tous les chefs des prêtres et le peuple
multiplièrent les infidélités, imitant toutes les abominations des nations, et souillèrent le Temple que
Yahvé s'était consacré à Jérusalem. 15 Yahvé, le
He **1** 1 Dieu de leurs pères, leur envoya sans se lasser des
messagers, car il voulait épargner son peuple et sa
Mt **23** 34-36p Demeure. 16 Mais ils tournaient en dérision les
envoyés de Dieu, ils méprisaient ses paroles, ils se
moquaient de ses prophètes, tant qu'enfin la colère
de Yahvé contre son peuple fut telle qu'il n'y eut
plus de remède.

**La ruine.**

17 Il fit monter contre eux le roi des Chaldéens
Lm **1** 15; **5** 11-14 qui passa au fil de l'épée leurs jeunes guerriers dans
leur sanctuaire et n'épargna ni le jeune homme, ni
la jeune fille, ni le vieillard, ni l'homme à la tête
chenue. Dieu les livra tous entre ses mains. 18 Tous
les objets du Temple de Dieu, grands et petits, les || 2 R **25** 14s
trésors du Temple de Yahvé, les trésors du roi et
de ses officiers, il emporta le tout à Babylone. 19 On || 2 R **25** 9s
brûla le Temple de Dieu, on abattit les murailles
de Jérusalem, on incendia tous ses palais et l'on
détruisit tous ses objets précieux. 20 Puis Nabuchodonosor déporta à Babylone le reste échappé à
l'épée; ils durent le servir ainsi que ses fils jusqu'à
l'établissement du royaume perse, 21 accomplissant
ainsi ce que Yahvé avait dit par la bouche de Jérémie : « Jusqu'à ce que le pays ait acquitté ses sabbats, il chômera durant tous les jours de la désolation, jusqu'à ce que soixante-dix ans soient
révolus. »

**Vers l'avenir** [b]. || Esd **1** 1-3

22 Et la première année de Cyrus, roi de Perse,
pour accomplir la parole de Yahvé prononcée par
Jérémie, Yahvé éveilla l'esprit de Cyrus, roi de
Perse, qui fit proclamer – et même afficher – dans
tout son royaume : 23 « Ainsi parle Cyrus, roi de
Perse : Yahvé, le Dieu du ciel, m'a remis tous les
royaumes de la terre; c'est lui qui m'a chargé de
lui bâtir un Temple à Jérusalem, en Juda.
Quiconque, parmi vous, fait partie de tout son peuple, que son Dieu soit avec lui et qu'il monte! »

*a)* Jugement général sur l'infidélité du peuple qui cause la ruine de Juda. Le Chroniste rejoint ici Jérémie et Ézéchiel.

*b)* Ces deux derniers vv. reproduisent le début de Esd. Mais l'utilisation de ce texte comme conclusion en change l'accent. L'annonce d'un labeur pénible devient ici un cri de triomphe sur la restauration du Temple, par laquelle s'affirme la pérennité des institutions davidiques.

# LE LIVRE D'ESDRAS

## I. *Le retour d'exil et la reconstruction du Temple*

### Le retour des Sionistes.

|| 2 Ch 36 **1** 1 Or la première année de Cyrus, roi de
22-23 Perse [a], pour accomplir la parole de Yahvé
Jr 25 11-12; 29 10 prononcée par Jérémie [b], Yahvé éveilla l'esprit de
Za 1 12 Cyrus, roi de Perse, qui fit proclamer – et même
afficher – dans tout son royaume : 2 « Ainsi parle
Is 45 1 Cyrus, roi de Perse : Yahvé, le Dieu du ciel [c], m'a
remis tous les royaumes de la terre, c'est lui qui
m'a chargé de lui bâtir un Temple à Jérusalem, en
Juda. 3 Quiconque, parmi vous, fait partie de tout
son peuple [d], que son Dieu soit avec lui! Qu'il
monte à Jérusalem, en Juda, et bâtisse le Temple
de Yahvé, le Dieu d'Israël – c'est le Dieu qui est
à Jérusalem. 4 Qu'à tous les rescapés [e], partout, la
population des lieux où ils résident apporte une
aide en argent, en or, en équipement et en montures, en même temps que des offrandes de dévotion
pour le Temple de Dieu qui est à Jérusalem [f]. »
5 Alors les chefs de famille de Juda et de Benjamin, les prêtres et les lévites, bref tous ceux dont
Ag 1 14 Dieu avait éveillé l'esprit, se levèrent pour aller
bâtir le Temple de Yahvé, à Jérusalem; 6 et tous
leurs voisins leur apportèrent toute sorte d'aide : Ex 3 22;
argent, or, équipement, montures et cadeaux pré- 11 2; 12 35
cieux [g], sans compter toutes les offrandes de dévotion.
7 Le roi Cyrus fit prendre les ustensiles du Temple de Yahvé que Nabuchodonosor avait apportés
de Jérusalem et offerts au temple de son dieu.
8 Cyrus, roi de Perse, les remit aux mains de
Mithridate, le trésorier, qui les dénombra pour
Sheshbaççar, le prince de Juda [h]. 9 Voici leur inventaire : bassins d'or : 30; bassins d'argent : 1.000,
réparés : 29; 10 coupes d'or : 30; coupes d'argent :
1.000, abîmées : 410; autres ustensiles : 1.000.
11 Total des ustensiles d'or et d'argent : 5.400 [i].
Tout cela, Sheshbaççar le rapporta, quand on fit
remonter les exilés de Babylone à Jérusalem.

### Liste des Sionistes [j]. || Ne 7 6-72

**2** 1 Voici les gens de la province qui revinrent de
la captivité et de l'exil, ceux que Nabuchodo-

*a)* La conquête de Babylone par Cyrus date de l'automne 539; la première année de son règne (sur l'empire babylonien) commence en Nisan (mars-avril) 538.

*b)* Les soixante-dix ans de captivité annoncés par Jérémie n'étaient qu'un chiffre rond, mais on pouvait les prendre littéralement en faisant commencer l'assujettissement de Juda avec le règne de Joiaqim (609), cf. 2 R **24** 1. Quant au rôle de Cyrus, il est annoncé en Is **44** 28; **45** 1s.

*c)* Les rois de Perse furent en général très libéraux pour les cultes des temples conquis, qu'ils restaurèrent et soutinrent de leur appui, tout en les contrôlant. Leur politique religieuse à l'égard du Judaïsme s'inspira des mêmes principes. Le Judaïsme bénéficia peut-être aussi d'une faveur spéciale : Yahvé, toujours désigné comme « Dieu du ciel » dans les actes officiels, pouvait être assimilé au dieu suprême que reconnaissaient les Grands Rois : Ahura-Mazda.

*d)* L'expression semble inclure les exilés du royaume du Nord. Mais cf. v. 5.

*e)* Ces « rescapés », **9** 8, 13-15; Ne **1** 2, constituent le Reste épargné par Dieu et identifié, depuis Ez **6** 8-10, avec les déportés de Babylone, cf. Is **4** 3+.

*f)* Cet édit apparaît comme une proclamation faite en hébreu, par hérauts publics, aux Juifs exilés, et sans doute rédigée par les employés juifs de la chancellerie perse. Au contraire **6** 3-5 reproduit un mémorandum à l'usage des fonctionnaires perses.

*g)* « toute sorte d'aide : argent » d'après 3 Esd **2** 6; « aide avec des ustensiles d'argent » hébr. – On désigne par 3 Esd le livre apocryphe appelé Esdras A dans la Bible grecque et Esdras III dans des manuscrits et des éditions de la Vulgate. Il est en partie parallèle au livre canonique et son texte grec, traduit d'un original sémitique, permet parfois de corriger le texte massorétique.

*h)* Le chef du premier convoi, voir l'Introd., p. 441.

*i)* Les vv. 8-11[a] reproduisent un document arameen malheureusement mutilé. Le total des ustensiles ne correspond pas à la somme des éléments énumérés.

*j)* Cette liste se retrouve dans Ne **7** et dans 3 Esd **5** avec des différences dans les noms, les chiffres et l'alternance de « fils » et « hommes ». Ce sont trois états d'un même texte qui paraît, en certains cas, avoir été mieux conservé par 3 Esd, mais il est arbitraire de corriger un texte par l'autre. Cette liste composite comporte des classements par familles et par localités. Elle représente un recensement de la population de Judée nettement postérieur aux premiers retours de l'Exil. Elle a été utilisée par le Chroniste, ici pour illustrer l'histoire du retour, puis dans Ne **7** en liaison avec le repeuplement de Jérusalem.

nosor, roi de Babylone, avait déportés à Babylone; ils retournèrent à Jérusalem et en Juda, chacun dans sa ville. 2 Ils arrivèrent avec Zorobabel, Josué, Néhémie, Seraya, Réélaya, Nahamani, Mordokaï, Bilshân, Mispar, Bigvaï, Rehum, Baana [a].

Liste des hommes du peuple d'Israël : 3 les fils de Paréosh : 2.172; 4 les fils de Shephatya : 372; 5 les fils d'Arah : 775; 6 les fils de Pahat-Moab, c'est-à-dire les fils de Josué et de Yoab : 2.812; 7 les fils de Élam : 1.254; 8 les fils de Zattu : 945; 9 les fils de Zakkaï : 760; 10 les fils de Bani : 642; 11 les fils de Bébaï : 623; 12 les fils de Azgad : 1.222; 13 les fils d'Adoniqam : 666; 14 les fils de Bigvaï : 2.056; 15 les fils de Adîn : 454; 16 les fils d'Ater, c'est-à-dire de Yehizqiyya : 98; 17 les fils de Béçaï : 323; 18 les fils de Yora : 112; 19 les fils de Hashum : 223; 20 les fils de Gibbar : 95; 21 les fils de Bethléem : 123; 22 les hommes de Netopha : 56; 23 les hommes d'Anatot : 128; 24 les fils de Azmavèt : 42; 25 les fils de Qiryat-Yéarim, Kephira et Béérot : 743; 26 les fils de Rama et Géba : 621; 27 les hommes de Mikmas : 122; 28 les hommes de Béthel et de Aï : 223; 29 les fils de Nebo : 52; 30 les fils de Magbish : 156; 31 les fils d'un autre Élam : 1.254; 32 les fils de Harim : 320; 33 les fils de Lod, Hadid et Ono : 725; 34 les fils de Jéricho : 345; 35 les fils de Senaa : 3.630.

36 Les prêtres : les fils de Yedaya, c'est-à-dire la maison de Josué : 973; 37 les fils d'Immer : 1.052; 38 les fils de Pashehur : 1.247; 39 les fils de Harim : 1.017.

40 Les lévites : les fils de Josué, et Qadmiel, des fils de Hodavya : 74.

41 Les chantres [b] : les fils d'Asaph : 128.

42 Les fils des portiers : les fils de Shallum, les fils d'Ater, les fils de Talmôn, les fils de Aqqub, les fils de Hatita, les fils de Shobaï : en tout 139.

43 Les « donnés [c] » : les fils de Çiha, les fils de Hasupha, les fils de Tabbaot, 44 les fils de Qéros, les fils de Sia, les fils de Padôn, 45 les fils de Lebana, les fils de Hagaba, les fils de Aqqub, 46 les fils de Hagab, les fils de Shamlaï, les fils de Hanân, 47 les fils de Giddel, les fils de Gahar, les fils de Reaya, 48 les fils de Reçîn, les fils de Neqoda, les fils de Gazzam, 49 les fils de Uzza, les fils de Paséah, les fils de Bésaï, 50 les fils d'Asna, les fils des Méûnites, les fils des Nephusites, 51 les fils de Baqbuq, les fils de Haqupha, les fils de Harhur, 52 les fils de Baçlut, les fils de Mehida, les fils de Harsha, 53 les fils de Barqos, les fils de Sisra, les fils de Témah, 54 les fils de Neçiah, les fils de Hatipha.

55 Les fils des esclaves de Salomon : les fils de Sotaï, les fils de Ha-Sophérèt, les fils de Peruda, 56 les fils de Yaala, les fils de Darqôn, les fils de Giddel, 57 les fils de Shephatya, les fils de Hattil, les fils de Pokérèt-ha-Çebayim, les fils de Ami. 58 Total des « donnés » et des fils des esclaves de Salomon : 392.

59 Quant aux suivants, qui venaient de Tel-Mélah, Tel-Harsha, Kerub, Addân et Immer, ils ne purent faire connaître si leur famille et leur race étaient d'origine israélite : 60 les fils de Delaya, les fils de Tobiyya, les fils de Neqoda : 652. 61 Et parmi les fils des prêtres : les fils de Hobayya, les
fils d'Haqqoç, les fils de Barzillaï – celui-ci avait
pris pour femme l'une des filles de Barzillaï, le 2 S 17 27;
Galaadite, dont il adopta le nom. 62 Ceux-là recher- 19 32s
chèrent leurs registres généalogiques mais ne les 1 R 2 7
trouvèrent pas : on les écarta donc du sacerdoce comme impurs [d] 63 et Son Excellence [e] leur interdit de manger des aliments sacrés [f] jusqu'à ce qu'un prêtre se levât pour l'Urim et le Tummim [g].

64 L'assemblée tout entière se montait à 42.360 individus, 65 sans compter leurs esclaves et leurs servantes au nombre de 7.337. Ils avaient aussi 200 chanteurs et chanteuses. 66 Leurs chevaux étaient au nombre de 736, leurs mulets au nombre de 245, 67 leurs chameaux au nombre de 435 et leurs ânes au nombre de 6.720.

68 Un certain nombre de chefs de famille, en arrivant au Temple de Yahvé qui est à Jérusalem, firent des offrandes de dévotion pour le Temple de Dieu, afin qu'on le rétablît en son site. 69 Selon leurs possibilités, ils versèrent au trésor du culte 61.000 drachmes d'or, 5.000 mines d'argent et 100 tuniques sacerdotales.

70 Prêtres, lévites et une partie du peuple s'installèrent à Jérusalem [h]; chantres, portiers et « donnés » dans leurs villes, et tous les autres Israélites dans leurs villes.

*a)* Les guides sont douze : le chiffre d'Israël.
*b)* Non compris parmi les lévites, à la différence de **3** 10. On mentionne une seule ghilde, à la différence de 1 Ch **6** 16s.
*c)* Les Natinéens (*netînîm*) ou « donnés » (le terme rend littéralement l'hébreu et le grec), dont l'origine est racontée en Jos **9** 27, et les fils des esclaves de Salomon (nommés ici en Ne **11** 3), descendants de prisonniers de guerre ou de corvéables païens, cf. Ez **44** 7-9, étaient employés dans le Temple à des fonctions inférieures, au service des lévites. Cf. Esd **8** 10.
*d)* Cette mesure fut rapportée, au moins en ce qui concerne les fils de Haqqoç, Ne **3** 4, 21; Esd **8** 33.
*e)* Le gouverneur est désigné par son titre honorifique : *Tirshata*, mot perse dont le sens paraît être « Sa Révérence » et qu'on retrouve en Ne **7** 65, 69; **8** 9; **10** 2. Le gouverneur laisse aux prêtres les décisions religieuses. Les directives d'Ézéchiel, cf. Ez **45** 7-17; **46** 1-10, 12, 16-18, ont porté fruit.
*f)* Sur ce privilège sacerdotal, voir Lv **22** 10s; **10** 14-15.
*g)* Pour consulter Dieu par les sorts sacrés, cf. 1 S **14** 41+. Le grand prêtre n'est donc pas encore réinstallé dans sa fonction, cf. Za **3**; Ag **1** 1.
*h)* « à Jérusalem » grec, 3 Esd **5** 45; omis par hébr.

**La reprise du culte.**

|| Ne 7 72b **3** 1 Quand arriva le septième mois – les Israéli-
– 8 1 tes étant ainsi dans leurs villes –, tout le peuple
se rassembla comme un seul homme à Jérusalem [a].
2 Josué, fils de Yoçadaq, avec ses frères les prêtres,
et Zorobabel, fils de Shéaltiel, avec ses frères [b], se
mirent à rebâtir l'autel du Dieu d'Israël, pour y
1 R 8 64+ offrir des holocaustes, comme il est écrit dans la
Loi de Moïse, l'homme de Dieu. 3 On rétablit
l'autel en son site [c] – malgré la crainte où l'on était
des peuples des pays [d] – et l'on y offrit des holocaustes à Yahvé, holocaustes du matin et du soir;
Ex 23 14+ 4 on célébra la fête des Tentes, comme il est écrit,
Nb 28 3-8 avec autant d'holocaustes quotidiens qu'il est fixé
pour chaque jour; 5 puis, outre l'holocauste perpétuel, on offrit ceux prévus pour les sabbats [e], néoménies et toutes solennités consacrées à Yahvé,
plus ceux que chacun voulait offrir par dévotion à
Yahvé [f]. 6 Dès le premier jour du septième mois, on
commença à offrir des holocaustes à Yahvé, bien
que les fondations du sanctuaire de Yahvé ne fussent pas encore posées [g].
7 Puis on donna de l'argent aux tailleurs de pierre
1 Ch 22 4 et aux charpentiers; aux Sidoniens et aux Tyriens
2 Ch 2 9, 14 on remit vivres, boissons et huile, pour qu'ils ache-
minent par mer jusqu'à Jaffa du bois de cèdre en
provenance du Liban, selon l'autorisation accordée
par Cyrus, roi de Perse [h]. 8 C'est la seconde année
de leur arrivée au Temple de Dieu à Jérusalem [i],
le deuxième mois, que Zorobabel, fils de Shéaltiel,
et Josué, fils de Yoçadaq, avec le reste de leurs frères, les prêtres, les lévites et tous les gens rentrés
de captivité à Jérusalem, commencèrent l'ouvrage,
et ils confièrent aux lévites de vingt ans et au-dessus la direction des travaux du Temple de Yahvé [j].
9 Josué, ses fils et ses frères, Qadmiel et ses fils, les
fils de Hodavya [k], se mirent donc d'un seul cœur
à diriger les travailleurs du chantier, au Temple de
Dieu [l]. 10 Quand les bâtisseurs eurent posé les fondations du sanctuaire de Yahvé, les prêtres en costume, avec des trompettes, ainsi que les lévites, fils
d'Asaph, avec des cymbales, se présentèrent pour 2 41
louer Yahvé, selon les prescriptions de David, roi
d'Israël; 11 ils chantèrent à Yahvé louange et action
de grâces : « Car il est bon, car éternel est son Ps 100 5+
amour » pour Israël. Et le peuple tout entier pous- Ps 136
sait de grandes clameurs en louant Yahvé, parce Nb 10 5+
que le Temple de Yahvé avait ses fondations. 12 Cependant, maints prêtres, maints lévites et chefs de
famille, déjà âgés et qui avaient vu le premier Tem- Ag 2 3
ple, pleuraient très fort tandis qu'on posait les fon- Tb 14 5
dations [m] sous leurs yeux, mais beaucoup d'autres
élevaient la voix en joyeuses clameurs. 13 Et nul ne
pouvait distinguer le bruit des clameurs joyeuses
du bruit des lamentations du peuple; car le peuple
poussait d'immenses clameurs dont l'éclat se faisait
entendre très loin.

**Le dossier antisamaritain :**
**obstruction samaritaine sous Cyrus [n].**

**4** 1 Mais lorsque les ennemis de Juda et de Benjamin apprirent que les exilés construisaient
un sanctuaire à Yahvé, le Dieu d'Israël, 2 ils s'en
vinrent trouver Zorobabel, Josué [o] et les chefs de
famille et leur dirent : « Nous voulons bâtir avec
vous, car, comme vous, nous cherchons votre Dieu
et lui sacrifions [p], depuis le temps d'Asarhaddon,
roi d'Assur, qui nous amena ici [q]. » 3 Zorobabel,
Josué et les autres chefs de familles israélites leur
répondirent : « Il ne convient point que nous bâtis-
sions, vous et nous, un Temple à notre Dieu : C'est
à nous seuls de bâtir pour Yahvé le Dieu d'Israël,
comme nous l'a prescrit Cyrus, roi de Perse. »

*a)* La même phrase (après corr.) décrit le rassemblement réalisé par Esdras, Ne 7 72b - 8 1.
*b)* La mention de Zorobabel et Josué comme initiateurs des travaux, ici et v. 8, vient du rédacteur. Cette mission avait été confiée officiellement à Seshbaççar, 5 13-16; 6 3-5.
*c)* « en son site » grec, syr., cf. 2 68; « sur ses fondations » hébr.
*d)* L'expression « peuple du pays » (*'am ha'areç*) désigne fondamentalement tous les hommes libres jouissant de leurs pleins droits civiques dans un territoire déterminé, distingués de leurs chefs. Jusqu'à l'Exil elle s'est appliquée au peuple de Juda et d'Israël. Dans Esd 4 4; 9 1-2; 10 2, 11, et dans Ne 10 29, 31s, l'expression, presque toujours au pluriel (« les peuples du pays » ou « les peuples des pays »), désigne les Samaritains et les Ammonites, Moabites, etc., qui ont occupé les terres laissées vacantes par les déportés, et qui ont maintenant les droits politiques. Ils sont distingués du « peuple de Juda ». Cet usage prépare celui de l'époque rabbinique où le « peuple du pays » représente ceux qui n'observent pas la loi religieuse, cf. déjà Jn 7 49.
*e)* « pour les sabbats » 3 Esd 5 51, cf. 2 Ch 2 3; omis par hébr.
*f)* Le sacrifice de dévotion se distingue des offrandes sacrificielles obligatoires en vertu de la Loi, ou devenues obligatoires par suite d'un vœu, cf. Lv 7 11+.
*g)* Il s'agit, dans la pensée du Chroniste, de la reprise de tout le système cultuel défini par les textes des documents sacerdotaux de la Loi.
*h)* Préparatifs analogues à ceux qui furent faits pour le Temple de Salomon.
*i)* C'est à la deuxième année de Darius que Ag 1 14; 2 10s; Za 4 9 placent le commencement des travaux. En fait, ils commencèrent bien sous Cyrus, Esd 5 16, mais ils avancèrent fort peu, cf. 4 24.
*j)* L'importance donnée aux lévites est un trait du Chroniste.
*k)* « Hodavya » conj., cf. 2 40; « Juda » hébr.
*l)* L'hébr. ajoute : « les fils de Henadad, leurs fils et leurs frères les lévites », glose d'après Ne 3 18, 24; 10 10.
*m)* Apres « fondations », hébr. ajoute : « il s'agit du Temple », glose.
*n)* Ag 1 2 mettait le retard à construire le Temple – de 538 à 520 – au compte de la négligence des Juifs. Le Chroniste souligne l'opposition samaritaine.
*o)* « Josué » grec; omis par hébr.
*p)* « et lui sacrifions » qeré, grec, syr.; « et nous ne sacrifions pas » hébr.
*q)* Déportation qu'il faut peut-être rapporter à la campagne égyptienne d'Asarhaddon et à la prise de Tyr (671); voir Is 7 8b (selon la leçon de l'hébr. : « soixante-cinq ans »).

4 Alors le peuple du pays se mit à décourager les gens de Juda et à les effrayer pour qu'ils ne bâtissent plus; 5 on soudoya contre eux des conseillers [a] pour faire échouer leur plan, pendant tout le temps de Cyrus, roi de Perse, jusqu'au règne de Darius, roi de Perse.

**Obstruction samaritaine sous Xerxès et Artaxerxès [b].**

6 Sous le règne de Xerxès, au début de son règne [c], ils [d] rédigèrent une plainte contre les habitants de Juda et de Jérusalem.

7 Au temps d'Artaxerxès [e], Mithridate, Tabéel et leurs autres collègues écrivirent contre Jérusalem [f] à Artaxerxès, roi de Perse. Le texte du document était d'écriture araméenne et de langue araméenne. 8 Puis Rehum, gouverneur [g], et Shimshaï, secrétaire, écrivirent au roi Artaxerxès, contre Jérusalem, la lettre qui suit – 9 Rehum, le gouverneur, Shimshaï, le secrétaire et leurs autres collègues; les juges et les légats, fonctionnaires perses; les gens d'Uruk, de Babylone et de Suse – c'est-à-dire les Élamites – 10 et les autres peuples que le grand et illustre Assurbanipal a déportés et établis dans les villes de Samarie et dans le reste de la Transeuphratène [h].

11 Voici la copie de la lettre qu'ils lui envoyèrent : « Au roi Artaxerxès, tes serviteurs, les gens de Transeuphratène :

Maintenant donc 12 le roi doit être informé que les Juifs, montés de chez toi vers nous, et venus à Jérusalem, sont en train de rebâtir la ville rebelle et perverse; ils commencent à restaurer les remparts et ils creusent les fondations. 13 Maintenant le roi doit être informé que si cette ville est rebâtie et les remparts restaurés, on ne paiera plus impôts, contributions ni droits de passage, et qu'en fin de compte mon roi sera lésé [i]. 14 Maintenant, mangeant le sel du palais, il ne nous paraît pas décent de voir cet affront fait au roi; aussi envoyons-nous au roi ces informations 15 pour qu'on fasse des recherches dans les Mémoriaux de tes pères : dans ces Mémoriaux, tu trouveras et constateras que cette ville est une ville rebelle, néfaste aux rois et aux provinces, et qu'on y a fomenté des séditions depuis les temps anciens. C'est pourquoi cette ville fut détruite. 16 Nous informons le roi que si cette ville est rebâtie et ses remparts relevés, tu n'auras bientôt plus de territoires en Transeuphratène! »

17 Le roi envoya cette réponse :

« A Rehum, gouverneur, à Shimshaï, secrétaire, et à leurs autres collègues, résidant à Samarie et ailleurs, en Transeuphratène, paix!

Maintenant donc 18 le document que vous nous avez envoyé a été, devant moi, lu dans sa traduction. 19 Sur mon ordre, on a fait des recherches et l'on a trouvé que cette ville s'est soulevée contre les rois depuis les temps anciens et que des révoltes et des séditions s'y produisirent. 20 Des rois puissants ont régné à Jérusalem, qui dominèrent toute la Transeuphratène [j] : on leur payait impôt, contributions et droits de passage. 21 Donnez donc l'ordre qu'on interrompe l'entreprise de ces hommes : cette ville ne doit pas être rebâtie tant que je n'aurai rien décidé. 22 Gardez-vous d'agir avec négligence en cette affaire, de peur que le mal n'empire au préjudice des rois. »

23 Dès que la copie du document du roi
Artaxerxès eut été lue devant Rehum, le gouverneur [k], Shimshaï, le secrétaire, et leurs collègues, ils
partirent en toute hâte pour Jérusalem chez les
Juifs et, par la force des armes, arrêtèrent leurs tra- Ne 1 3+
vaux.

**La construction du Temple (520-515).**

24 [l] C'est ainsi qu'avaient été arrêtés les travaux pour le Temple de Dieu à Jérusalem : ils demeurèrent interrompus jusqu'à la deuxième année du règne de Darius, roi de Perse.

5 1 Alors les prophètes Aggée et Zacharie, fils
d'Iddo, se mirent à prophétiser pour les Juifs
de Juda et de Jérusalem, au nom du Dieu d'Israël
qui était sur eux. 2 Sur ce, Zorobabel, fils de Shéaltiel, et Josué, fils de Yoçadaq, se levèrent et
commencèrent à bâtir le Temple de Dieu à Jérusa- Ag 1 14-2
lem : les prophètes de Dieu étaient avec eux, leur Za 4 9
donnant de l'aide [m]. 3 En ce temps-là, Tattenaï,
gouverneur de Transeuphratène, Shetar-Boznaï et

*a)* Fonctionnaires royaux, en résidence à Samarie.
*b)* Ici commence la « source araméenne » qui se termine en **6** 18; mais le Chroniste en a résumé, en hébreu, aux vv. 6-7, certaines données.
*c)* Fin 486 – début 485.
*d)* Les mêmes gens qu'au v. 4.
*e)* Artaxerxès Ier (465-424).
*f)* « contre Jérusalem » *beshalem* conj.; « avec l'accord (de Mithridate) » *bishelam* hébr. (à moins que Bishelam ne soit considéré comme un nom propre, comme en 3 Esd **2** 12 et Vulg.).
*g)* Gouverneur de Samarie, cf. v. 17. Samarie était le chef-lieu de la province qui englobait encore le district de Juda. Son gouverneur avait donc droit de regard sur Jérusalem.
*h)* « les villes » grec; « la ville » aram. – A la fin du v., l'araméen ajoute : « maintenant donc », cf. v. 11c. – Les vv. 9-10 viendraient mieux après 11b. – La liste des plaignants samaritains comprend les autorités suprêmes de la province, puis les hauts fonctionnaires perses, enfin les chefs des groupements naturels des colons d'après leur pays d'origine.
*i)* « mon roi sera lésé » conj.; « tu léseras les rois » aram.
*j)* Allusion volontairement exagérée à l'empire de David et de Salomon.
*k)* « le gouverneur » 1 ms hébr., mss grecs, syr.; omis par aram.
*l)* « ainsi » conj.; « alors » aram. – Par ce v., le rédacteur a relié la suite à **4** 5.
*m)* Ces deux vv. recoupent les informations des livres d'Aggée et de Zacharie. L'élan initial pour la reconstruction du Temple,

leurs collègues vinrent les trouver et leur demandèrent : « Qui vous a donné un permis pour rebâtir ce temple et restaurer cette charpente? 4 [a] Comment s'appellent les hommes qui construisent cet édifice? » 5 Mais les yeux de leur Dieu étaient sur les anciens des Juifs : on ne les força pas à s'arrêter en attendant qu'un rapport parvînt à Darius et que fît retour un acte officiel à propos de cette affaire.

6 Copie de la lettre que Tattenaï, gouverneur de Transeuphratène, Shetar-Boznaï et ses collègues, les autorités en Transeuphratène, expédièrent au roi Darius. 7 Ils lui adressèrent un rapport dont voici la teneur :

« Au roi Darius, paix entière! 8 Le roi doit être informé que nous nous sommes rendus dans le district de Juda, au temple du grand Dieu : il se rebâtit en blocs de pierre et des poutres sont mises dans les murs; le travail est activement exécuté et progresse entre leurs mains. 9 Interrogeant alors ces anciens, nous leur avons dit : " Qui vous a donné un permis pour rebâtir ce temple et restaurer cette charpente? " 10 Nous leur avons encore demandé leurs noms pour t'en informer; nous avons ainsi pu transcrire le nom des hommes qui commandent à ces gens.

11 Or ils nous firent cette réponse : " Nous sommes les serviteurs du Dieu du ciel et de la terre; nous rebâtissons un Temple qui resta debout, jadis, durant bien des années, et qu'un grand roi d'Israël construisit et acheva. 12 Mais nos pères ayant irrité le Dieu du ciel, il les livra aux mains de Nabuchodonosor le Chaldéen, roi de Babylone, qui détruisit ce Temple et déporta le peuple à Babylone. 13 Cependant, la première année de Cyrus, roi de Babylone, le roi Cyrus donna l'ordre de rebâtir ce Temple de Dieu; 14 en outre, les ustensiles d'or et d'argent du Temple de Dieu, dont Nabuchodonosor avait dépouillé le sanctuaire de Jérusalem et qu'il avait transférés en celui de Babylone, le roi Cyrus les fit enlever du sanctuaire de Babylone et remettre à un nommé Sheshbaççar, qu'il institua gouverneur; 15 il lui dit : " Prends ces ustensiles, va les rapporter au sanctuaire de Jérusalem, et que le Temple de Dieu soit rebâti sur son ancien site "; 16 ce Sheshbaççar vint donc, posa les fondations du Temple de Dieu à Jérusalem; et depuis lors jusqu'à présent, on le construit [b], sans qu'il soit encore terminé.

17 Maintenant donc, s'il plaît au roi, qu'on recherche dans les trésors du roi, à Babylone, s'il est vrai qu'ordre a été donné par le roi Cyrus de reconstruire ce Temple de Dieu à Jérusalem. Et la décision du roi sur cette affaire, qu'on nous l'envoie! »

**6** 1 Alors, sur l'ordre du roi Darius, on fit des recherches dans les trésors où étaient déposées les archives à Babylone [c], 2 et l'on trouva à Ecbatane, la forteresse sise dans la province des Mèdes, un rouleau dont voici la teneur :

« Mémorandum. 1 4+

3 La première année du roi Cyrus, le roi Cyrus a ordonné :

Temple de Dieu à Jérusalem.

Le Temple sera rebâti comme lieu où l'on offre des sacrifices et ses fondations seront préservées. Sa hauteur sera de soixante coudées, sa largeur de soixante coudées [d]. 4 Il y aura trois assises de blocs de pierres et une assise de bois [e]. La dépense sera couverte par la maison du roi. 5 En sus, les ustensiles d'or et d'argent du Temple de Dieu que Nabuchodonosor enleva au sanctuaire de Jérusalem et emporta à Babylone, on les restituera, pour que tout reprenne sa place au sanctuaire de Jérusalem et soit déposé dans le Temple de Dieu [f]. »

6 « Maintenant donc, Tattenaï, gouverneur de Transeuphratène, Shetar-Boznaï, et vous leurs collègues, les autorités en Transeuphratène, écartez-vous de là; 7 laissez travailler à ce Temple de Dieu le gouverneur de Juda [g] et les anciens des Juifs : ils peuvent rebâtir ce Temple de Dieu sur son emplacement. 8 Voici mes ordres concernant votre ligne de conduite vis-à-vis de ces anciens des Juifs pour la reconstruction de ce Temple de Dieu : c'est sur les fonds royaux – c'est-à-dire sur l'impôt de Transeuphratène – que les dépenses de ces gens leur seront exactement, et sans interruption, remboursées. 9 Ce qu'il leur faut pour les holocaustes du Dieu du ciel : jeunes taureaux, béliers et agneaux, et aussi blé, sel, vin et huile, leur sera, sans négligence, quotidiennement fourni suivant les indications des prêtres de Jérusalem, 10 pour qu'on offre au Dieu du ciel des sacrifices d'agréable odeur et qu'on prie pour la vie du roi et de ses

amorcé par Sheshbaççar, 5 16, n'avait pas été suivi d'effet et, à l'automne de 520, on n'avait encore devant soi que des ruines, Ag 1 4. Aussi peut-on parler d'un véritable commencement des travaux à cette date. Zorobabel, dont l'importance est soulignée en Ag et Za, s'efface ici devant les « anciens », v. 5.

*a)* Avec 3 Esd **6** 4 on omet au début : « Alors nous leur avons dit ».

*b)* La réflexion des anciens embellit intentionnellement la réalité, cf. **4** 1-5, 23-24, pour ne pas laisser prescrire le droit accordé en 538.

*c)* Babylone peut désigner généralement ici l'empire perse, cf. « Cyrus, roi de Babylone », 5 13. Le roi partageait sa résidence entre Babylone, Suse et Ecbatane où l'édit fut retrouvé, v. 2.

*d)* Texte altéré. La longueur manque et les autres mesures sont invraisemblables.

*e)* Cf. 5 8; même mode de construction que pour les édifices salomoniens, 1 R **7** 9-12.

*f)* « tout » ajouté par conj. – « soit déposé » versions; « tu les déposeras » aram.

*g)* « de Juda » 3 Esd **6** 22; « des Juifs » aram.

fils [a]. 11 J'ordonne encore ceci : quiconque transgressera cet édit, on arrachera de sa maison une poutre : elle sera dressée et il y sera empalé; quant à sa maison, on en fera, pour ce forfait, un bourbier. 12 Que le Dieu qui fait résider là son Nom renverse tout roi ou peuple qui entreprendraient de passer outre en détruisant ce Temple de Dieu à Jérusalem! Moi Darius, j'ai donné cet ordre. Qu'il soit ponctuellement exécuté! »

13 Alors Tattenaï, gouverneur de Transeuphratène, Shetar-Boznaï et leurs collègues exécutèrent ponctuellement les instructions envoyées par le roi Darius. 14 Quant aux anciens des Juifs, ils continuèrent à bâtir, avec succès, sous l'inspiration d'Aggée le prophète et de Zacharie, fils d'Iddo. Ils achevèrent la construction conformément à l'ordre du Dieu d'Israël et à l'ordre de Cyrus et de Darius [b]. 15 Ce Temple fut terminé le vingt-troisième jour du mois d'Adar : c'était la sixième année du règne du roi Darius [c]. 16 Les Israélites – les prêtres, les lévites et le reste des exilés [d] – firent avec joie la dédicace de ce Temple de Dieu; 17 ils offrirent, pour la dédicace de ce Temple de Dieu, cent taureaux, deux cents béliers, quatre cents agneaux et, en sacrifice pour le péché de tout Israël, douze boucs suivant le nombre des tribus d'Israël. 18 Puis ils installèrent les prêtres selon leurs catégories et les lévites selon leurs classes au service du Temple de Dieu [e], à Jérusalem, comme il est écrit dans le livre de Moïse [f].

**La Pâque de 515.**

19 Les exilés célébrèrent la Pâque le quatorze du Ex 12 1+
premier mois. 20 Les lévites, comme un seul
homme, s'étaient purifiés : tous étaient purs; ils
immolèrent donc la pâque pour tous les exilés,
pour leurs frères les prêtres et pour eux-mêmes [g].
21 Mangèrent la pâque [h] : les Israélites qui étaient
revenus d'exil et tous ceux qui, ayant rompu avec
l'impureté des nations du pays, s'étaient joints à
eux pour chercher Yahvé, le Dieu d'Israël. 22 Ils
célébrèrent avec joie pendant sept jours la fête des Azymes, car Yahvé les avait remplis de joie, ayant incliné vers eux le cœur du roi d'Assur, pour qu'il fortifiât leurs mains dans les travaux du Temple de Dieu, le Dieu d'Israël.

# *II. L'organisation de la communauté par Esdras et Néhémie*

**Mission et personnalité d'Esdras [i].**

7 1 Après ces événements, sous le règne d'Artaxerxès, roi de Perse, Esdras, fils de Seraya, fils de Azarya, fils de Hilqiyya, 2 fils de Shallum, fils de Sadoq, fils d'Ahitub, 3 fils d'Amarya, fils de Azarya, fils de Merayot, 4 fils de Zerahya, fils de Uzzi, fils de Buqqi, 5 fils d'Abishua, fils de Pinhas, fils d'Éléazar, fils du grand prêtre Aaron [j], 6 cet Esdras monta de Babylone. C'était un scribe versé [k] dans la Loi de Moïse,
qu'avait donnée Yahvé, le Dieu d'Israël. Comme la
main de Yahvé, son Dieu, était sur lui, le roi lui 7 28; 8 18
accorda tout ce qu'il demandait. 7 Un certain nom- Ne 2 8, 18
bre d'Israélites, de prêtres, de lévites, de chantres, de portiers et de « donnés » montèrent à Jérusalem la septième année du roi Artaxerxès. 8 Il arriva à Jérusalem le cinquième mois : c'était la septième année du roi. 9 Il avait en effet fixé au premier jour du premier mois son départ de Babylone et c'est le

*a)* La prière pour les souverains païens est recommandée, cf. Jr **29** 7; Ba **1** 10-11; 1 M **7** 33. Même loyalisme en Rm **13** 1-7; 1 P **2** 13-17.

*b)* L'aram. ajoute : « et d'Artaxerxès, roi de Perse ».

*c)* « le vingt-troisième jour » 3 Esd **7** 5; « le troisième jour » aram. – C'est le 1er avril 515. Ce Temple, transformé par Hérode le Grand, cf. Jn **2** 20+, servira pendant 585 ans. Il sera détruit par Titus en 70 ap. J.-C.

*d)* C'est le Reste épargné par Dieu et revenu de l'Exil, cf. note sur **1** 4.

*e)* « du Temple de Dieu » syr., grec luc.; « de Dieu » aram. et grec.

*f)* Ici s'achève le document araméen. Le Chroniste a écrit les vv. 19-22.

*g)* Au début du v. l'hébr. ajoute : « Les prêtres et », mais cf. la fin du v. – Les lévites immolent la pâque, selon les idées du Chroniste, cf. 2 Ch **35** 6, 11. Mais ce n'était pas prévu par le rituel, Dt **16** 2; Ex **12** 6, et, à l'époque du Nouveau Testament, les fidèles égorgeaient eux-mêmes leurs victimes.

*h)* « la pâque » grec; omis par hébr.

*i)* Les vv. 1-11 sont du Chroniste qui utilise le rapport d'Esdras, voir Introd., pp. 440-441.

*j)* La généalogie d'Esdras répond à la préoccupation des exilés de faire valoir les titres au sacerdoce, **2** 62; **8** 2. Mais elle a sans doute été développée par le Chroniste sur la base de 1 Ch **5** 28s.

*k)* Cf. Ps **45** 2. Cette habileté dans l'art d'écrire faisait des scribes les fonctionnaires des cours orientales. Ainsi le titre de « scribe » désigne Esdras, aux vv. 11 et 21, comme une sorte de Secrétaire pour les affaires juives à la cour perse. Mais le Chroniste a commenté ici le titre officiel d'après la conduite d'Esdras à Jérusalem, Ne **8** 8+ : le scribe est celui qui lit, traduit et explique la Loi au peuple d'Israël. Esdras inaugure ce genre d'activité, qui sera si fécond après l'Exil et dont les scribes (*grammateis*) du temps du Christ seront les continuateurs.

premier jour du cinquième mois qu'il parvint à Jérusalem : la main bienveillante de son Dieu était sur lui! 10 Car Esdras avait appliqué son cœur à scruter la Loi de Yahvé, à la pratiquer et à enseigner, en Israël, les lois et les coutumes.

**Le firman d'Artaxerxès** [a].

11 Voici la copie du document que le roi Artaxerxès remit à Esdras, le prêtre-scribe, savant interprète des commandements de Yahvé et de ses lois concernant Israël.

(Araméen) 12 [b] « Artaxerxès, le roi des rois, au prêtre Esdras,
1 2+ secrétaire de la Loi du Dieu du ciel, paix parfaite [c].

Maintenant donc, 13 j'ai donné l'ordre que quiconque en mon royaume fait partie du peuple d'Israël, de ses prêtres ou de ses lévites et est volontaire pour aller à Jérusalem, peut partir avec toi, 14 puisque tu es envoyé par le roi et ses sept conseillers pour inspecter Juda et Jérusalem d'après la Loi de ton Dieu, que tu as en mains, 15 et pour porter l'argent et l'or que le roi et ses conseillers ont offerts par dévotion au Dieu d'Israël qui réside à Jérusalem, 16 ainsi que tout l'argent et l'or que tu auras reçus dans toute la province de Babylone, avec les offrandes de dévotion que le peuple et les prêtres auront faites pour le temple de leur Dieu à Jérusalem. 17 Donc, avec cet argent tu auras soin d'acheter taureaux, béliers, agneaux, ainsi que les oblations et libations qui les accompagnent : tu en feras offrande sur l'autel du temple de votre Dieu à Jérusalem; 18 quant à l'argent et l'or qui resteront, vous les emploierez comme il vous semblera bon, à toi et à tes frères, en vous conformant à la volonté de votre Dieu [d]. 19 Les ustensiles qu'on t'a remis pour le service du temple de ton Dieu, dépose-les devant ton Dieu, à Jérusalem [e]. 20 Ce qui serait encore nécessaire au temple de ton Dieu et qu'il t'incomberait de lui procurer, tu le procureras du trésor royal. 21 C'est moi-même, le roi Artaxerxès, qui donne cet ordre à tous les trésoriers de Transeuphratène : " Tout ce que vous demandera le prêtre Esdras, Secrétaire de la Loi du Dieu du ciel, qu'on y fasse ponctuellement droit 22 jusqu'à concurrence de cent talents d'argent, cent muids de blé, cent mesures de vin, cent mesures d'huile; le sel sera fourni à volonté. 23 Tout ce qu'ordonne le Dieu du ciel doit être exécuté avec zèle pour le temple du Dieu du ciel, de peur que la Colère ne se lève sur le royaume du roi et de ses fils. 24 On vous informe encore qu'il est interdit de percevoir impôt, contribution, ou droit de passage sur tous les prêtres, lévites, chantres, portiers, « donnés », bref sur les servants de cette maison de Dieu. "

25 Quant à toi, Esdras, en vertu de la sagesse de ton Dieu, que tu as en mains [f], établis des scribes [g] et des juges qui exercent la justice pour tout le peuple de Transeuphratène, c'est-à-dire tous ceux qui connaissent la Loi [h] de ton Dieu. Qui ne la connaît pas, vous devrez l'en instruire. 26 Quiconque n'observerait pas la Loi de ton Dieu – qui est la Loi du roi –, qu'une rigoureuse justice lui soit appliquée : mort, bannissement, amende ou emprisonnement. »

**Voyage d'Esdras de Babylone en Palestine.** (Hébreu)

27 Béni soit Yahvé, le Dieu de nos pères, qui inspira ainsi au cœur du roi de glorifier le Temple de Yahvé à Jérusalem, 28 et qui tourna vers moi la faveur du roi, de ses conseillers et de tous les fonctionnaires royaux les plus puissants. Quant à moi, je pris courage, car la main de Yahvé mon Dieu était sur moi, et je rassemblai des chefs d'Israël, pour qu'ils partent avec moi.

**8** 1 Voici, avec leur généalogie, les chefs de famille qui partirent avec moi de Babylone sous le règne du roi Artaxerxès [i] :

2 Des fils de Pinhas : Gershom; des fils d'Itamar [j] : Daniyyel; des fils de David : Hattush, 3 fils de Shekanya; des fils de Paréosh : Zekarya, avec qui furent enregistrés cent cinquante mâles; 4 des fils de Pahat-Moab : Élyehoénaï, fils de

*a)* Trois choses sont à noter dans le firman : a) la permission de s'établir en Juda pour les Juifs qui vivent en Babylonie, v. 13; b) la promotion de la Loi de Moïse en loi d'État, vv. 25-26 : sur la base de cette loi se fera le contrôle de la communauté palestinienne, v. 14, et aussi des communautés juives de la Transeuphratène, v. 25; cette loi sera obligatoire, v. 26; c) des dispositions financières, vv. 15-20. Sur la politique religieuse des rois de Perse, cf. **1** 2+.

*b)* Les vv. 12-26 sont en araméen.

*c)* Traduction hypothétique; l'aram. a seulement « accompli », « fait »; 3 Esd **8** 9 et syr. ont seulement « salut », « paix ». L'aram. peut signifier que le document est promulgué et inaltérable.

*d)* C'est-à-dire à la Loi, comme au v. 25.

*e)* « devant ton Dieu à Jérusalem » grec, 3 Esd **8** 17; « devant le Dieu de Jérusalem » aram.

*f)* Concrètement, la Loi, cf. v. 18.

*g)* « des scribes » grec; « des juges » aram.

*h)* « la Loi » grec, 3 Esd **8** 23; « les lois » aram. – « Connaître la Loi », c'est la pratiquer.

*i)* Cette liste, qui interrompt le rapport d'Esdras entre **7** 28 et **8** 15, comprend deux prêtres descendants de Pinhas et d'Itamar, un descendant de la lignée royale de David et douze familles dont les chefs, sauf un, se retrouvent dans la liste d'Esd **2** = Ne **7**. C'est une composition du Chroniste ou d'un rédacteur. – Le texte, à plusieurs endroits défectueux, est corrigé d'après 3 Esd **8** et les versions.

*j)* Le descendant de Pinhas appartient à la lignée sadocide qui est seule représentée dans la liste d'Esd **2** = Ne **7**. Le descendant d'Itamar appartient à la lignée d'Ébyatar qui avait été écartée du Temple, cf. 1 R **2** 27. Sa présence dans cette liste signifie la réconciliation des deux familles rivales qui se partageront, dans le second Temple, le sacerdoce des « fils d'Aaron », les Sadocides gardant cependant la prépondérance avec seize classes contre huit pour les Itamarides, 1 Ch **24** 4.

Zerahya, et avec lui deux cents mâles; 5 des fils de
Zattu [a] : Shekanya, fils de Yahaziel, et avec lui
trois cents mâles; 6 des fils de Adîn : Ébed, fils de
Yonatân, et avec lui cinquante mâles; 7 des fils de
Élam : Yeshaya, fils d'Atalya, et avec lui soixante-
dix mâles; 8 des fils de Shephatya : Zebadya, fils
de Mikaël, et avec lui quatre-vingts mâles; 9 des fils
de Yoab : Obadya, fils de Yehiel, et avec lui deux
cent dix-huit mâles; 10 des fils de Bani [b] : Shelomit,
fils de Yosiphya, et avec lui cent soixante mâles;
11 des fils de Bébaï : Zekarya, fils de Bébaï, et avec
lui vingt-huit mâles; 12 des fils de Azgad : Yohanân,
fils de Haqqatân, et avec lui cent dix mâles; 13 des
fils d'Adoniqam : les cadets dont voici les noms :
Éliphélet, Yeïel et Shemaya, et avec eux soixante
mâles; 14 et des fils de Bigvaï : Utaï, fils de Zabud [c],
et avec lui soixante-dix mâles.

15 Je les rassemblai près de la rivière qui coule
vers Ahava [d]. Nous campâmes là trois jours. J'y
remarquai des laïcs et des prêtres, mais n'y trouvai
aucun lévite. 16 Alors je dépêchai Éliézer, Ariel,
Shemaya, Elnatân, Yarib, Elnatân, Natân, Zekarya et Meshullam, hommes judicieux [e], 17 et les
mandatai auprès d'Iddo, chef en la localité de
Kasiphya; je mis en leur bouche les paroles qu'ils
devaient adresser à Iddo et à ses frères, fixés dans
la localité de Kasiphya [f] : nous fournir des servants
pour le Temple de notre Dieu. 18 Or, grâce à la
main bienveillante de notre Dieu, qui était sur
nous, ils nous fournirent un homme avisé, des fils
de Mahli, fils de Lévi, fils d'Israël, Shérébya, avec
ses fils et ses frères : dix-huit hommes; 19 plus Hashabya et avec lui son frère Yeshaya, des fils de
Merari [g], ainsi que leurs fils : vingt hommes. 20 Et
parmi les « donnés » que David et les chefs avaient
procurés aux lévites pour les servir : deux cent
2 43+ vingt « donnés ». Tous furent enregistrés nommément.

21 Je proclamai là, près de la rivière d'Ahava, un
jeûne : il s'agissait de nous humilier devant notre
Dieu et de lui demander un heureux voyage pour
nous, les personnes à notre charge et tous nos
biens. 22 Car j'aurais eu honte de réclamer au roi
Ne 2 9 une troupe et des cavaliers pour nous protéger de
l'ennemi pendant la route; nous avions au contraire
déclaré au roi : « La main de notre Dieu s'étend
favorablement sur tous ceux qui le cherchent; mais
sa puissance et sa colère sont sur tous ceux qui
l'abandonnent. » 23 Nous jeûnâmes donc, invoquant notre Dieu à cette intention, et il nous
exauça.

24 Je choisis douze des chefs des prêtres, en plus
de Shérébya et Hashabya et avec eux dix de leurs
frères; 25 je leur pesai l'argent, l'or et les ustensiles,
les offrandes que le roi, ses conseillers, ses grands
et tous les Israélites se trouvant là avaient faites
pour le Temple de notre Dieu. 26 Je pesai donc et
remis en leurs mains six cent cinquante talents
d'argent, cent ustensiles d'argent de deux talents [h],
cent talents d'or, 27 vingt coupes d'or de mille dariques et deux vases d'un beau cuivre brillant, qui
étaient précieux comme de l'or. 28 Je leur déclarai :
« Vous êtes consacrés à Yahvé; ces ustensiles sont
sacrés; cet argent et cet or sont voués à Yahvé, le
Dieu de vos pères. 29 Veillez-y et gardez-les jusqu'à
ce que vous puissiez les peser devant les chefs des
prêtres et des lévites et les chefs de familles
d'Israël, à Jérusalem, dans les salles du Temple de
Yahvé. » 30 Prêtres et lévites prirent alors en charge
l'argent, l'or et les ustensiles ainsi pesés pour les
transporter à Jérusalem, au Temple de notre Dieu.

31 Le douze du premier mois, nous quittâmes la
rivière d'Ahava pour aller à Jérusalem : la main de
notre Dieu était sur nous, et, sur la route, il nous
protégea des attaques des ennemis et des pillards.
32 Nous arrivâmes à Jérusalem et y restâmes trois
jours au repos. 33 Le quatrième jour, l'argent, l'or
et les ustensiles furent pesés dans le Temple de
notre Dieu et remis entre les mains du prêtre Merémot, fils d'Uriyya, avec qui était Éléazar, fils de
Pinhas; auprès d'eux se tenaient les lévites Yozabad, fils de Josué, et Noadya, fils de Binnuï.
34 Nombre et poids, tout y était. On enregistra le
poids total.

En ce temps-là, 35 ceux qui revenaient de captivité, les exilés, offrirent des holocaustes au Dieu
d'Israël : douze taureaux pour tout Israël, quatre-
vingt-seize béliers, soixante-douze [i] agneaux,
douze boucs pour le péché : le tout en holocauste
à Yahvé.

36 Et l'on remit les ordonnances du roi aux satrapes royaux et aux gouverneurs de Transeuphratène,
lesquels vinrent en aide au peuple et au Temple de
Dieu.

*a)* « Zattu » 3 Esd **8** 32; omis par hébr.
*b)* « Bani » 3 Esd **8** 36; omis par hébr.
*c)* « fils de Zabud » 3 Esd **8** 40; « et Zabud » hébr.
*d)* Localité inconnue. La « rivière » est un canal d'irrigation.
*e)* « hommes judicieux » d'après grec et 3 Esd **8** 43; « chefs, et Yoyarib et Elnatân, judicieux » hébr.
*f)* « et à ses frères » 3 Esd **8** 45, versions; « son frère » hébr. – Kasiphya : localité inconnue. On ne peut pas conclure du texte qu'il y ait eu un lieu de culte à Kasiphya : s'il y avait là une concentration de lévites, c'est parce que les déportés étaient restés groupés selon leurs liens de famille et leur communauté d'origine.
*g)* « son frère Yeshaya, des fils de Merari » 3 Esd **8** 46; « Yeshaya, des fils de Merari, ses frères » hébr.
*h)* « de deux talents » *lekikkarayim* conj.; « de talents » *lekikkarîm* hébr.
*i)* « soixante-douze » 3 Esd **8** 63; « soixante-dix-sept » hébr.

Ml 2 10-12 **La rupture des mariages avec des étrangers** [a].

9 1 Cela réglé, les chefs m'abordèrent en disant :
« Le peuple d'Israël, les prêtres et les lévites
n'ont point rompu avec les peuples des pays plon-
Dt 7 1+ gés [b] dans leurs abominations – Cananéens, Hittites, Perizzites, Jébuséens, Ammonites, Moabites,
Égyptiens et Amorites! – 2 mais, pour eux et pour
leurs fils, ils ont pris femmes parmi leurs filles : la
Ne 9 2 race sainte s'est mêlée aux peuples des pays : chefs
et magistrats, les premiers, ont participé à cette infidélité! » 3 A cette nouvelle, je déchirai mon vêtement et mon manteau, m'arrachai les cheveux et les
Is 66 2, 5 poils de barbe et m'assis accablé. 4 Tous ceux qui
tremblaient aux paroles du Dieu d'Israël se rassemblèrent autour de moi, devant cette infidélité des
exilés [c]. Quant à moi, je restai assis, accablé,
jusqu'à l'oblation du soir. 5 A l'oblation du soir, je
sortis de ma prostration; vêtement et manteau
déchirés, je tombai à genoux, étendis les mains vers
Yahvé, mon Dieu, 6 et dis [d] :
« Mon Dieu, j'ai honte et je rougis de lever mon
visage vers toi, mon Dieu. Car nos iniquités se sont
multipliées jusqu'à dépasser nos têtes, et nos fautes
se sont amoncelées jusqu'au ciel. 7 Depuis les jours
de nos pères jusqu'à ce jour, nous sommes grandement coupables : pour nos iniquités nous fûmes
livrés, nous, nos rois et nos prêtres, aux mains des
rois des pays, à l'épée, à la captivité, au pillage et
à la honte, comme c'est le cas aujourd'hui. 8 Mais
à présent, pour un bref moment, Yahvé notre Dieu
Is 4 3+ nous a fait une grâce en nous conservant des rescapés et en nous accordant de nous fixer dans son lieu
saint : ainsi notre Dieu a-t-il illuminé nos yeux et
nous a-t-il donné quelque répit en notre servitude.
9 Car nous sommes esclaves; mais dans notre servitude notre Dieu ne nous a point abandonnés : il
nous a concilié la faveur des rois de Perse, nous
accordant un répit pour que nous puissions relever
le Temple de notre Dieu et restaurer ses ruines, et
nous procurant un abri sûr en Juda et à Jérusalem.
10 Mais maintenant, notre Dieu, que pourrons-nous
dire, après cela? Car nous avons abandonné tes
commandements, 11 que, par tes serviteurs les prophètes, tu avais prescrits en ces termes : " Le pays
où vous entrez pour en prendre possession est un
pays souillé par la souillure des peuples des pays, Lv 18 24s
par les abominations dont ils l'ont infesté d'un bout Ez 36 17
à l'autre avec leurs impuretés [e]. 12 Eh bien! ne donnez pas vos filles à leurs fils et ne prenez pas leurs Dt 7 3
filles pour vos fils; ne vous souciez jamais de leur
paix ni de leur bonheur, afin que vous deveniez
forts, que vous mangiez les meilleurs fruits du pays
et le laissiez en patrimoine à vos fils pour
toujours. "
13 Or après tout ce qui nous est advenu par nos
actions mauvaises et notre grande faute – bien que,
ô notre Dieu, tu aies réduit le poids de nos iniquités
et nous aies laissé les rescapés que voici! – 14 pourrions-nous encore violer tes commandements et
nous allier à ces gens abominables? Ne t'irriterais-
tu pas jusqu'à nous détruire, sans que subsiste un
reste et des rescapés? 15 Yahvé, Dieu d'Israël, tu es
juste [f] car nous sommes restés un groupe de rescapés, comme c'est le cas aujourd'hui. Nous voici
devant toi avec notre faute! Oui, il est impossible
à cause de cela de subsister en ta présence! »

10 1 Comme Esdras, pleurant et prosterné devant
le Temple de Dieu, faisait cette prière et cette
confession, une immense assemblée d'Israël, hommes, femmes et enfants, s'était réunie autour de lui,
et le peuple pleurait abondamment. 2 Alors Shekanya, fils de Yehiel, l'un des fils d'Élam, prenant la
parole, dit à Esdras : « Nous avons trahi notre
Dieu en épousant des femmes étrangères, prises
parmi les peuples du pays. Eh bien! malgré cela,
il y a encore un espoir pour Israël. 3 Nous allons
prendre devant notre Dieu l'engagement solennel
de renvoyer toutes nos femmes étrangères et les
enfants qui en sont nés, nous conformant au
conseil de Monseigneur [g] et de ceux qui tremblent
au commandement de notre Dieu. Que l'on agisse
selon la Loi! 4 Lève-toi! cette affaire te regarde,
mais nous serons à tes côtés. Courage et à
l'œuvre! » 5 Alors Esdras se leva et fit jurer aux
chefs des prêtres et des lévites et à tout Israël qu'ils
agiraient comme il avait été dit. On jura. 6 Esdras
quitta le devant du Temple de Dieu et se rendit à
la salle de Yohanân, fils d'Élyashib, où il passa la
nuit [h] sans manger de pain ni boire d'eau, car il
était dans le deuil à cause de l'infidélité des exilés.
7 On fit publier en Juda et à Jérusalem, à

a) Ces mariages n'étaient pas interdits dans l'ancien Israël, Gn **41** 45; **48** 5s; Nb **12** 1s; Rt **1** 4; 2 S **3** 3. Ils le furent par le Deutéronome, pour combattre l'idolâtrie que les femmes païennes risquaient d'introduire dans leur foyer, Dt **7** 1-4, cf. **23** 4s. Après l'Exil, le danger redoubla, sans doute parce que les rapatriés étaient en majorité des hommes. Le motif de la rupture est encore religieux, **9** 1, 11, mais un autre se fait jour : la préoccupation de la pureté du sang, **9** 2.
b) « plongés dans » grec; « en ce qui concerne » hébr.
c) La communauté juive dans son ensemble est appelée la *Golah* (les exilés), du nom de son élite, **4** 1; **6** 16; **10** 6, 8, 16. Elle s'identifie avec un Reste, cf. Is **4** 3+.
d) La prière d'Esdras, qui est aussi une prédication, s'inspire du Deutéronome et des prophètes, vv. 11s.
e) « souillure », « abomination », « impureté » caractérisent l'idolâtrie.
f) La justice de Dieu se tempère de miséricorde, sinon il ne serait resté personne. C'est la justice salvifique, cf. Is **56** 1; Rm **1** 17.
g) « étrangères » 1 ms, 3 Esd **8** 90; omis par hébr. – « Monseigneur » conj.; « (du) Seigneur » hébr.
h) « passa la nuit » 3 Esd **9** 2; « alla » hébr.

l'adresse de tous les exilés, qu'ils eussent à se réunir
à Jérusalem : 8 quiconque n'y viendrait pas dans les
trois jours – tel fut l'avis des chefs et des anciens
– verrait tout son bien voué à l'anathème [a] et serait
lui-même exclu de la communauté des exilés.
9 Tous les hommes de Juda et de Benjamin
s'assemblèrent donc à Jérusalem dans les trois
jours : ce fut le neuvième mois, au vingtième jour
du mois; tout le peuple s'installa sur la place du
Temple de Dieu, tremblant à cause de cette affaire
et parce qu'il pleuvait à verse. 10 Alors le prêtre
Esdras se leva ct leur déclara : « Vous avez commis
une infidélité en épousant des femmes étrangères :
ainsi avez-vous ajouté à la faute d'Israël! 11 Mais
à présent rendez grâces à Yahvé, le Dieu de vos
pères, et accomplissez sa volonté en vous séparant
des peuples du pays et des femmes étrangères. »
12 Toute l'assemblée répondit à forte voix : « Oui,
notre devoir est d'agir suivant tes consignes!
13 Mais le peuple est nombreux et c'est la saison
des pluies : il n'y a pas moyen de rester dehors; de
plus ce n'est pas une entreprise d'un jour ou deux,
car nous sommes nombreux à avoir été rebelles en
cette matière. 14 Que nos chefs représentent
l'assemblée entière [b] : tous ceux qui dans nos villes
ont épousé des femmes étrangères viendront aux
dates assignées, accompagnés des anciens et des
juges de chaque ville, jusqu'à ce que nous ayons
détourné la fureur de notre Dieu, motivée par cette
affaire. »
15 Seuls Yonatân, fils d'Asahel, et Yahzeya, fils
de Tiqva, firent opposition à cette procédure, soutenus par Meshullam et le lévite Shabtaï [c]. 16 Les exilés agirent comme on l'avait proposé. Le prêtre
Esdras se choisit [d] des chefs de famille, selon leurs
maisons, tous nommément désignés. Ils commencèrent à siéger le premier jour du dixième mois
pour examiner les cas. 17 Et le premier jour du premier mois, ils en eurent fini avec tous les hommes
qui avaient épousé des femmes étrangères.

**La liste des coupables [e].**

18 Parmi les prêtres, voici ceux que l'on trouva
avoir épousé des femmes étrangères : parmi les fils
de Josué, fils de Yoçadaq, et parmi ses frères :
Maaséya, Éliézer, Yarib et Gedalya; 19 ils s'engagèrent par serment à renvoyer leurs femmes et, pour
leur faute, ils offrirent un bélier en sacrifice de
réparation [f];
20 parmi les fils d'Immer : Hanani et Zebadya;
21 parmi les fils de Harim : Maaséya, Éliyya,
Shemaya, Yehiel et Uziyya;
22 parmi les fils de Pashehur : Élyoénaï, Maaséya, Yishmaël, Netanéel, Yozabad et Éléasa.
23 Parmi les lévites : Yozabad, Shiméï, Qélaya – Ne 8 7;
le même que Qelita –, Petahya, Yehuda et Éliézer. 10 11
24 Parmi les chantres : Élyashib et Zakkur [g].
Parmi les portiers : Shallum, Télem et Uri.
25 Et parmi les Israélites :
des fils de Paréosh : Ramya, Yizziyya, Malkiyya, Miyyamîn, Éléazar, Malkiyya et Benaya;
26 des fils d'Élam : Mattanya, Zekarya, Yehiel,
Abdi, Yerémot et Éliyya;
27 des fils de Zattu : Élyoénaï, Élyashib, Mattanya, Yerémot, Zabad et Aziza;
28 des fils de Bébaï : Yohanân, Hananya, Zabbaï,
Atlaï;
29 des fils de Bigvaï : Meshullam, Malluk,
Yedaya, Yashub, Yishal, Yerémot;
30 des fils de Pahat-Moab : Adna, Kelal, Benaya,
Maaséya, Mattanya, Beçaléel, Binnuï et Menassé;
31 des fils de Harim : Éliézer, Yishshiyya, Malkiyya, Shemaya, Shiméôn, 32 Binyamîn, Malluk,
Shemarya;
33 des fils de Hashum : Mattenaï, Mattatya,
Zabad, Éliphélet, Yerémaï, Menassé, Shiméï;
34 des fils de Bani : Maadaï, Amram, Yoël,
35 Benaya, Bédya, Kelaya, 36 Vanya, Merémot,
Élyashib, 37 Mattanya, Mattenaï et Yaasaï;
38 des fils de Binnuï : Shiméï, 39 Shélémya, Natân
et Adaya;
40 des fils de Zakkaï : Shashaï, Sharaï,
41 Azaréel, Shélémya, Shemarya, 42 Shallum, Amarya, Yoseph;
43 des fils de Nebo : Yeiel, Mattitya, Zabad,
Zebina, Yaddaï, Yoël, Benaya.
44 Ceux-là avaient tous pris des femmes étrangères : ils les renvoyèrent, femmes et enfants [h].

*a)* Cf. Jos **6** 17+; Lv **27** 28+.
*b)* Institution d'une commission d'enquête formée par les notables.
*c)* L'opposition à la procédure semble venir des gens zélés qui ne la trouvent pas assez rapide.
*d)* « se choisit » 3 Esd **9** 16; « furent choisis » hébr.
*e)* Le rapport d'Esdras sur le renvoi des femmes étrangères ne contenait, après le v. 17, que les vv. 19 et 44[b]. Le Chroniste a inséré une liste des coupables, vv. 18, 20-44[a], qu'il a pu emprunter aux archives du Temple mais qu'il a modifiée en s'inspirant d'Esd **2** = Ne **7** et d'Esd **8**. Les quatre familles sacerdotales sont les mêmes qu'en **2** 36-39, sept des familles laïques se retrouvent en **2** 3-35 et **8** 3-14. – Certains noms sont corrigés d'après 3 Esd et les versions.
*f)* « sacrifice de réparation » grec, 3 Esd **9** 20; « coupables » hébr.
*g)* « et Zakkur » 3 Esd **9** 24; omis par hébr.
*h)* « ils les renvoyèrent, femmes et enfants » 3 Esd **9** 36; « il y eut parmi elles des femmes qui mirent au monde des enfants » hébr.

# LE LIVRE DE NÉHÉMIE

**Vocation de Néhémie : sa mission pour Juda.**

**1** 1 Paroles de Néhémie, fils d'Hakalya [a].
Au mois de Kisleu, la vingtième année [b],
comme je me trouvais dans la citadelle de Suse,
2 Hanani, l'un de mes frères, arriva avec des gens
de Juda. Je les interrogeai sur les Juifs – les rescapés restés de la captivité [c] – et sur Jérusalem. 3 Ils
me répondirent : « Ceux qui sont restés de la captivité, là-bas dans la province, sont en grande
détresse et dans la confusion, il y a des brèches
dans le rempart de Jérusalem et ses portes ont été
incendiées [d]. » 4 A ces mots, je m'assis et pleurai;
je fus plusieurs jours dans le deuil, jeûnant et priant
devant le Dieu du ciel.
5 Et je dis [e] : « Ah! Yahvé, Dieu du ciel, toi, le
Dt 7 9, 12 Dieu grand et redoutable qui garde l'alliance et la
grâce à ceux qui l'aiment et observent ses comman-
2 Ch 6 40 dements, 6 que ton oreille soit attentive, et tes yeux
ouverts, pour écouter la prière de ton serviteur. Je
te l'adresse maintenant, jour et nuit, pour les
Israélites tes serviteurs, et je confesse les péchés
des Israélites que nous avons commis contre toi :
moi-même et la maison de mon père, nous avons
péché! 7 Nous avons très mal agi envers toi,
n'observant pas les commandements, lois et coutumes que tu avais prescrits à Moïse, ton serviteur.
8 Souviens-toi cependant de la parole que tu pres-
Dt 30 1-4 crivis à Moïse ton serviteur : " Si vous êtes infidèles, je vous disperserai parmi les peuples; 9 mais
si, revenant à moi, vous observez mes commandements et les pratiquez, vos bannis seraient-ils à
l'extrémité des cieux, je les en rassemblerais et les || Dt 30 4
ramènerais au Lieu que j'ai choisi pour y faire
habiter mon Nom. " 10 Ils sont tes serviteurs et ton
peuple que tu as rachetés par ta grande puissance Dt 9 29
et à la force de ton bras! 11 Ah! Seigneur, que ton
oreille soit attentive à la prière de ton serviteur, à
la prière de tes serviteurs, qui se plaisent à craindre
ton Nom. Je t'en supplie, accorde maintenant le
succès à ton serviteur et obtiens-lui bon accueil
devant cet homme. »
J'étais alors échanson du roi.

**2** 1 Au mois de Nisan, la vingtième année du roi
Artaxerxès [f], comme j'étais chargé du vin, je
pris le vin et l'offris au roi. Je n'avais, auparavant [g],
jamais été triste. 2 Aussi le roi me dit-il :
« Pourquoi ce triste visage? Tu n'es pourtant pas
malade? Non, c'est assurément une affliction du
cœur! » Je fus pris d'une vive appréhension 3 et dis
au roi : « Que le roi vive à jamais! Comment mon
visage ne serait-il pas triste quand la ville où sont
les tombeaux de mes pères est en ruines et ses portes dévorées par le feu? » 4 Et le roi de me dire :
« Quelle est donc ta requête? » J'invoquai le Dieu
du ciel 5 et répondis au roi : « S'il plaît au roi et que
tu sois satisfait de ton serviteur, laisse-moi aller en
Juda, dans la ville des tombeaux de mes pères, que
je la reconstruise. » 6 Le roi me demanda – la reine
était alors assise à ses côtés – : « Jusques à quand
durera ton voyage? Quand reviendras-tu? » Je lui
fixai une date, qui convint au roi, et il m'autorisa

*a)* Ici commence le mémoire de Néhémie, voir l'Introduction, pp. 440-441.
*b)* Du roi Artaxerxès Ier (465-424), cf. **2** 1, soit décembre 446.
*c)* Le peuple fidèle revenu de l'Exil, groupé autour de Jérusalem. Cf. Esd **1** 4+; **6** 15; Is **4** 3+.
*d)* La préoccupation de rebâtir les murs de Jérusalem se fait jour durant l'Exil, Is **54** 11-12, et après, Is **60** 10-17; Za **2** 5s. L'initiative date probablement du temps de Xerxès, Esd **4** 6, et est clairement attestée sous Artaxerxès, Esd **4** 12-13, 16. Elle apparut comme une revendication d'autonomie, qui risquait de léser les droits acquis de Samarie. D'où l'opposition samaritaine qui arracha au pouvoir perse un arrêt brutal de la construction, Esd **4** 23. C'est à cet événement récent qu'Hanani fait allusion.
*e)* La prière de Néhémie est inspirée du Deutéronome.
*f)* Mars-avril 445.
*g)* « j'étais chargé » grec; « il était chargé » hébr. – « auparavant » *lepanîm* conj.; « devant sa face » *lepanayw* hébr.

à partir. [7] Je dis encore au roi : « S'il plaît au roi,
qu'on me donne des lettres pour les gouverneurs de
Transeuphratène, afin qu'ils me laissent passer
jusqu'à ce que j'arrive en Juda; [8] et aussi une lettre
pour Asaph, l'inspecteur du parc royal, afin qu'il
me fournisse du bois de construction pour les portes de la citadelle du Temple, le rempart de la ville
et la maison où j'habiterai. » Le roi me l'accorda,
car la main bienveillante de mon Dieu était sur
moi.

[9] Je me rendis donc chez les gouverneurs de
Transeuphratène et leur remis les lettres du roi. Le
Esd **8** 22 roi m'avait fait escorter par des officiers de l'armée
et des cavaliers.

[10] Quand Sânballat, le Horonite, et Tobiyya, le
fonctionnaire ammonite [a], furent informés, ils se
montrèrent fort contrariés qu'un homme fût venu
travailler au bien des Israélites.

**Décision de rebâtir le rempart de Jérusalem.**

[11] Arrivé à Jérusalem, j'y restai trois jours.
[12] Puis je me levai, de nuit, accompagné de quelques hommes, sans avoir confié à personne ce que
mon Dieu m'avait inspiré d'accomplir pour Jérusalem, et sans avoir avec moi d'autre animal que ma
propre monture. [13] La nuit donc, sortant par la
porte de la Vallée, je me rendis devant la fontaine
du Dragon, puis à la porte du Fumier : je fis l'inspection du rempart de Jérusalem, où il y avait des
brèches [b] et dont les portes avaient été incendiées.
[14] Je poursuivis mon chemin vers la porte de la
Fontaine et l'étang du Roi, et ne trouvai plus de
passage pour la bête que je chevauchais. [15] Je
remontai donc de nuit par le ravin, inspectant toujours le rempart, et rentrai par la porte de la Vallée [c]. Je m'en revins ainsi, [16] sans que les conseillers
sachent où j'étais allé ni ce que je faisais. Jusqu'ici
je n'avais rien communiqué aux Juifs : ni aux prêtres, ni aux grands, ni aux magistrats, ni aux autres
responsables; [17] je leur dis alors : « Vous voyez la
détresse où nous sommes : Jérusalem est en ruines,
ses portes sont incendiées. Venez! reconstruisons
le rempart de Jérusalem, et nous ne serons plus
insultés! » [18] Et je leur exposai comment la
main bienveillante de mon Dieu avait été sur moi,
leur rapportant aussi les paroles que le roi m'avait
dites. « Levons-nous! s'écrièrent-ils, et construi-
sons! » et ils affermirent leurs mains pour ce bel
ouvrage.

[19] A ces nouvelles, Sânballat, le Horonite,
Tobiyya, le fonctionnaire ammonite, et Géshem [d],
l'Arabe, se moquèrent de nous et nous regardèrent
avec mépris en disant : « Que faites-vous là? Allez-
vous vous révolter contre le roi? » [20] Mais je leur
répliquai en ces termes : « C'est le Dieu du ciel qui
nous fera réussir. Nous, ses serviteurs, nous allons
nous mettre à construire. Quant à vous, vous
n'avez ni part, ni droit, ni souvenir dans Jérusalem. »

**Les volontaires à la reconstruction [e].**

3 [1] Élyashib, le grand prêtre, et ses frères les
prêtres se levèrent et construisirent la porte
des Brebis, ils en firent la charpente [f], fixèrent ses
battants, verrous et barres, et continuèrent jusqu'à
la tour des Cent et jusqu'à la tour de Hananéel. [2] A Jr **31** 38
leur suite, construisirent les gens de Jéricho; à leur
suite, construisit Zakkur, fils d'Imri. [3] Les fils de
Ha-Senaa construisirent la porte des Poissons; ils Esd **2** 35
en firent la charpente, fixèrent ses battants, verrous
et barres. [4] A leur suite répara Merémot, fils
d'Uriyya, fils d'Haqqoç; à sa suite répara Meshullam, fils de Bérékya, fils de Meshèzabéel; à sa suite
répara Sadoq, fils de Baana. [5] A sa suite réparèrent
les gens de Teqoa, mais leurs notables refusèrent
de mettre leur nuque au service de leurs seigneurs [g].
[6] Quant à la porte du Quartier neuf [h], Yoyada, fils
de Paséah, et Meshullam, fils de Besodya, la réparèrent; ils en firent la charpente, fixèrent ses battants, verrous et barres. [7] A leur suite, réparèrent
Melatya de Gabaôn et Yadôn de Méronot, ainsi
que les gens de Gabaôn et de Miçpa, pour le
compte [i] du gouverneur de Transeuphratène. [8] A
leur suite répara Uzziel, membre de la corporation
des orfèvres [j], et à sa suite répara Hananya, de la
corporation des parfumeurs : ils renforcèrent Jérusalem jusqu'à la muraille large. [9] A leur suite
répara Rephaya, fils de Hur, chef de la moitié du

*a)* Sânballat est connu comme gouverneur de Samarie. Tobiyya était, sous ses ordres, un Juif gouverneur d'Ammon.

*b)* « du rempart » mss, grec, Vulg.; « des remparts » hébr. – « où il y avait des brèches » *hameporaçîm* conj.; « qui étaient détruits » *'asher hem perûçîm* hébr.

*c)* Voir le plan à la fin du volume. Le ravin est celui du Cédron.

*d)* Géshem ou Gashmu (**6** 6), roi de la fédération arabe de Qédar, dont le territoire s'étendait jusqu'au sud de la Transjordanie et de la Palestine.

*e)* Le ch. **3** reproduit un document tiré des archives du Temple, intégré dans le mémoire de Néhémie. Il nous renseigne sur la topographie de Jérusalem (voir le plan), cf. 2 S **5** 9+; 2 R **14** 13+, et sur la géographie politique de la province qui comptait cinq chefs-lieux : Jérusalem, Bet-ha-Kerem, Miçpa, Bet-Çur et Qeïla (voir la carte à la fin du volume).

*f)* « en firent la charpente » conj. d'après vv. 3, 6; « la consacrèrent » hébr. – « et jusqu'à la tour » conj.; « et la consacrèrent jusqu'à la tour » hébr.

*g)* Néhémie et ses collègues.

*h)* « du Quartier neuf » syr.; « Vieille » hébr. – Le développement de la ville au nord aboutit à la constitution de ce quartier, cf. 2 R **22** 14; So **1** 10-11. En **12** 39, cette porte est appelée « porte d'Éphraïm ».

*i)* Sens incertain.

*j)* « membre de la corporation des orfèvres » conj. d'après syr.; « fils de Harhaya, orfèvres » hébr.

district de Jérusalem. 10 A leur suite répara
Yedaya, fils de Harumaph, devant sa maison; à sa
suite répara Hattush, fils de Hashabnéya.
11 Malkiyya, fils de Harim, et Hashshub, fils de
Pahat-Moab, réparèrent le secteur suivant jusqu'à
la tour des Fours [a]. 12 A leur suite répara Shallum,
fils de Hallohesh, chef de la moitié du district de
Jérusalem, lui et ses fils [b]. 13 Quant à la porte de la
Vallée, Hanûn et les habitants de Zanoah la réparèrent : ils la construisirent, fixèrent ses battants, verrous et barres et firent mille coudées de mur,
jusqu'à la porte du Fumier [c]. 14 Quant à la porte du
Fumier, Malkiyya, fils de Rékab, chef du district
de Bet-ha-Kérem, la répara, lui et ses fils [d] : il fixa
ses battants, verrous et barres.

15 Quant à la porte de la Fontaine, Shallum, fils
de Kol-Hozé, chef du district de Miçpa, la répara :
il la construisit, la couvrit, fixa ses battants, verrous et barres. Il refit aussi le mur de la citerne de
Siloé, jouxtant le jardin du roi, jusqu'aux escaliers
qui descendent de la Cité de David [e]. 16 Après lui
Néhèmya, fils d'Azbuq, chef de la moitié du district
de Bet-Çur, répara jusqu'en face des tombeaux de
David, jusqu'à la citerne construite [f] et jusqu'à la
Maison des Preux [g]. 17 Après lui, les lévites réparèrent : Rehum, fils de Bani; à sa suite répara Hashabya, chef de la moitié du district de Qéïla, pour son
district; 18 à sa suite réparèrent leurs frères :
Binnuï, fils de Hénadad, chef de la moitié du district de Qéïla; 19 à sa suite Ézer, fils de Yeshua, chef
de Miçpa, répara un autre secteur, en face de la
montée de l'Arsenal, à l'Encoignure.

20 Après lui Baruk, fils de Zabbaï, répara [h] un
autre secteur, depuis l'Encoignure jusqu'à la porte
de la maison d'Élyashib, le grand prêtre. 21 Après
lui Merémot, fils d'Uriyya, fils d'Haqqoç, répara un
autre secteur, depuis l'entrée de la maison
d'Élyashib jusqu'à son extrémité. 22 Après lui les
prêtres qui habitaient le district travaillèrent aux
réparations. 23 Après eux Binyamîn et Hashshub
réparèrent en face de leurs maisons. Après eux
Azarya, fils de Maaséya, fils d'Ananya, répara à
côté de sa maison. 24 Après lui Binnuï, fils de Hénadad, répara un autre secteur, depuis la maison
d'Azarya jusqu'à l'Encoignure et à l'Angle.
25 Après lui Palal, fils d'Uzaï, répara [i] vis-à-vis de
l'Encoignure et de la tour qui fait saillie sur le
Palais royal supérieur et est située dans la cour de
la prison. Après lui Pedaya, fils de Paréash, répara
26 [j] jusque devant la porte des Eaux, vers l'orient et
jusqu'à la tour saillante. 27 Après lui les gens de
Teqoa réparèrent un autre secteur, vis-à-vis de la
grande tour en saillie jusqu'au mur de l'Ophel.

28 A partir de la porte des Chevaux, les prêtres
travaillèrent aux réparations, chacun en face de sa
maison. 29 Après eux Sadoq, fils d'Immer, répara
en face de sa maison. Après lui répara Shemaya,
fils de Shekanya, gardien de la porte de l'Orient. Ez 40 6
30 Après lui [k] Hananya, fils de Shélémya, et Hanûn,
sixième fils de Çalaph, réparèrent un autre secteur.
Après lui Meshullam, fils de Bérékya, répara vis-
à-vis de son habitation. 31 Après lui Malkiyya, de
la corporation des orfèvres, répara jusqu'à la
demeure des « donnés » et des commerçants, en
face de la porte de la Surveillance, jusqu'à la salle
haute de l'Angle. 32 Et entre la salle haute de
l'Angle et la porte des Brebis, les orfèvres et les
commerçants réparèrent.

**Réactions chez les ennemis des Juifs [l].**

33 Lorsque Sânballat apprit que nous reconstrui- 4 1
sions le rempart, il se mit en colère et se montra
fort irrité. Il se moqua des Juifs, 34 et s'écria devant 2
ses frères et devant l'aristocratie de Samarie :
« Qu'entreprennent là ces misérables Juifs?... Vont-
ils y renoncer? ou sacrifier [m]? ou en finir en un
jour? Feront-ils revivre ces pierres, tirées de monceaux de décombres et même calcinées? »
35 Tobiyya l'Ammonite se tenait à ses côtés; il dit : 3
« Pour ce qu'ils construisent, si un chacal y montait, il démolirait leur muraille de pierres! »
36 Écoute, ô notre Dieu, comme nous voilà mépri- 4
sés! Fais retomber leurs insultes sur leur tête.
Livre-les au mépris en un pays de captivité! 37 Ne 5
pardonne point leur iniquité et que leur péché ne Jr 18 23
soit pas effacé devant toi : car ils ont offensé les
bâtisseurs!

38 Or nous rebâtissions le rempart qui fut réparé. 6

*a)* Ou tour de l'Angle, 2 Ch **26** 9. – « jusqu'à la tour » grec; « et avec la tour » hébr.

*b)* « ses fils » conj.; « ses filles » hébr.

*c)* « du Fumier » qeré et grec; « des Fromages » ketib. – Appelée plus tard porte des Esséniens.

*d)* « lui et ses fils » mss grecs; « c'est lui qui la construisit » hébr.

*e)* La Cité de David, site primitif de Jérusalem sur la colline d'Ophel, était située au sud de l'ensemble Temple-palais royal, cf. 2 S **5** 9+. Les escaliers dont il est question ici ont été retrouvés, taillés dans le roc.

*f)* Vieux réservoir qui captait primitivement l'eau de Gihôn à son issue naturelle. Le roi Ézéchias le fit remblayer lors du percement du canal souterrain qui amène l'eau à la piscine de Siloé, cf. 2 R **20** 20+.

*g)* C'était la caserne de l'ancienne garde personnelle des rois, 2 S **16** 6; **23** 8.

*h)* Avant « répara » hébr. ajoute « enflamma », dittographie omise par le grec.

*i)* On ajoute « après lui, répara » (l'hébr. ne donne que le nom propre) ainsi que « répara » à la fin du v.

*j)* L'hébr. porte au début : « et les donnés habitaient dans l'Ophel », glose tirée de **11** 21 et qui conviendrait au v. 27.

*k)* « lui » qeré, versions; « moi » ketib. De même au v. 31.

*l)* Les difficultés rencontrées par Néhémie à l'extérieur sont les plus soulignées. Après les moqueries et les insultes, **2** 19-20; **3** 33-35, Sânballat et ses alliés menacent de passer à l'action directe, **4**. Puis on essaie un chantage, **6**.

*m)* Ces derniers mots sont incertains.

tout entier jusqu'à mi-hauteur. Le peuple avait le
cœur à l'ouvrage.
7 **4** [1] Lorsque Sânballat, Tobiyya, les Arabes, les
Ammonites et les Ashdodites apprirent que
les réparations du rempart de Jérusalem avançaient
– que les brèches commençaient à être comblées –,
8 ils se mirent fort en colère; [2] ils se jurèrent tous
mutuellement de venir attaquer Jérusalem et de me
confondre.
9 [3] Nous invoquâmes alors notre Dieu et, pour
protéger la ville [a], nous établîmes contre eux une
10 garde de jour et de nuit. [4] Juda disait néanmoins :
« Les forces des porteurs fléchissent, il y a trop de
décombres : nous n'arriverons jamais à relever le
11 rempart! » [5] Et nos ennemis déclaraient : « Avant
qu'ils ne sachent et ne voient rien, nous surgirons
au milieu d'eux : alors nous les massacrerons et
12 mettrons fin à l'entreprise! » [6] Or il arrivait des
Juifs qui habitaient près d'eux et qui dix fois nous
avertirent : « Ils montent contre nous de toutes les
13 localités qu'ils habitent [b]! » [7] On se posta [c] donc en
contrebas, dans l'espace derrière le rempart, aux
endroits découverts; je disposai le peuple par famil-
14 les, avec ses épées, ses lances et ses arcs. [8] Voyant
leur peur [d], je me levai et fis aux grands, aux magistrats et au reste du peuple cette déclaration : « Ne
craignez pas ces gens! Pensez au Seigneur, grand
et redoutable, et combattez pour vos frères, vos fils,
15 vos filles, vos femmes et vos maisons! » [9] Quand
nos ennemis apprirent que nous étions renseignés
et que Dieu avait déjoué leur plan, ils se retirèrent [e]
et nous retournâmes tous au rempart, chacun à son
travail.
16 [10] Mais, à partir de ce jour, la moitié seulement
de mes hommes participaient au travail, les autres,
munis de lances, de boucliers, d'arcs et de cuirasses, se tenaient [f] derrière toute la maison de Juda
17 [11] qui bâtissait le rempart. Les porteurs aussi
étaient armés [g] : d'une main chacun assurait son
18 travail, l'autre main serrant un javelot. [12] Chacun
des bâtisseurs, tandis qu'il travaillait, portait son
épée attachée aux reins. Un sonneur de cor se tenait
19 à mon côté. [13] Je dis aux grands, aux magistrats et
au reste du peuple : « Le chantier est important et
étendu et nous sommes dispersés sur le rempart,
20 loin les uns des autres : [14] rassemblez-vous autour
de nous à l'endroit d'où vous entendrez le son du
cor, et notre Dieu combattra pour nous. » [15] Ainsi 21
menions-nous le travail [h] depuis le lever de l'aurore
jusqu'à l'apparition des étoiles. [16] En ce temps-là, 22
je dis encore au peuple : « Chacun, avec son serviteur, devra passer la nuit à Jérusalem : de la sorte,
nous utiliserons la nuit pour la surveillance et le
jour pour le travail. » [17] Mais ni moi, ni mes frères, 23
ni mes gens, ni les hommes de garde qui me suivaient ne quittions nos vêtements; chacun gardait
son javelot à sa droite [i].

**Difficultés sociales sous Néhémie.**
**Apologie de son administration.**

**5** [1] Une grande plainte s'éleva parmi les gens Jr 34 8-22
du peuple et leurs femmes contre leurs
frères juifs. [2] Les uns disaient : « Nous devons
donner en gage [j] nos fils et nos filles pour
recevoir du blé, manger et vivre. »
[3] D'autres disaient : « Nous devons engager
nos champs, nos vignes et nos maisons pour recevoir du blé pendant la famine. » [4] D'autres encore
disaient : « Pour acquitter l'impôt du roi, nous
avons dû emprunter de l'argent sur nos champs et
nos vignes; [5] et alors que nous avons la même chair
que nos frères, que nos enfants valent les leurs,
nous devons livrer en esclavage nos fils et nos filles; Ex 21 7
il en est, parmi nos filles, qui sont asservies! Nous Lv 25 39
n'y pouvons rien, puisque nos champs et nos vignes
sont déjà à d'autres [k]. »
[6] Je me mis fort en colère quand j'entendis leur
plainte et ces paroles. [7] Ayant délibéré en moi-
même, je tançai les grands et les magistrats en ces
termes : « Quel fardeau [l] chacun de vous impose à
son frère! » Et convoquant contre eux une grande
assemblée, [8] je leur dis : « Nous avons, dans la
mesure de nos moyens, racheté nos frères juifs qui
s'étaient vendus aux nations. Et c'est vous maintenant qui vendez vos frères pour que nous les rachetions [m]! » Ils gardèrent le silence et ne trouvèrent
rien à répliquer. [9] Je poursuivis : « Ce que vous faites là n'est pas bien. Ne voulez-vous pas marcher
dans la crainte de notre Dieu, pour éviter les insultes des nations, nos ennemies? [10] Moi aussi, mes
frères et mes gens, nous leur avons prêté de l'argent
et du blé. Eh bien! faisons abandon de cette dette.
[11] Restituez-leur sans délai leurs champs, leurs

*a)* « pour protéger la ville », litt. « pour elle » *'alêah* conj.; « contre eux » *'alêhem* hébr.
*b)* « Ils montent » grec; omis par hébr. – « ils habitent » *ieshebû* conj.; « vous reviendrez » *tashûbû* hébr.
*c)* « On se posta » mss grecs; « Je postai » hébr.
*d)* « leur peur » est ajouté d'après la suite du v.
*e)* « ils se retirèrent » est ajouté.
*f)* Devant « se tenaient » l'hébr. ajoute : « les chefs ».
*g)* « étaient armés » grec; « chargeaient » hébr.
*h)* L'hébr. ajoute : « et la moitié d'eux tenaient des lances », cf. v. 10.
*i)* « à sa droite » *bîmînô* conj.; « de l'eau » *hammayim* hébr.
*j)* « Nous devons donner en gage » *'orebîm* conj.; « Nous sommes nombreux » *rabbîm* hébr.
*k)* Cette crise ne peut résulter uniquement du travail au rempart. Le mal était endémique en Israël, cf. 2 R **4** 1; Am **2** 6; **8** 6; Is **50** 1.
*l)* « fardeau » *massa'* conj.; « dette » *nashsha'* hébr.
*m)* « pour que nous les rachetions » Vulg.; « pour qu'ils nous soient vendus » hébr.

vignes, leurs oliviers et leurs maisons, et remettez-leur la dette [a] de l'argent, du blé, du vin et de l'huile que vous leur avez prêtés [b]. » 12 Ils répondirent : « Nous restituerons; nous n'exigerons plus rien d'eux; nous agirons comme tu l'as dit. » J'appelai alors les prêtres et leur fis jurer d'agir sui-
Jr **18** 1+ vant cette promesse. 13 Puis je secouai le pli de mon vêtement en disant : « Que Dieu secoue de la sorte, hors de sa maison et de son bien, tout homme qui ne tiendra pas cette parole : qu'il soit ainsi secoué et vidé! » Et toute l'assemblée répondit : « Amen! » et loua Yahvé. Et le peuple agit suivant cet engagement.

14 Bien plus [c], depuis le jour où le roi [d] m'institua gouverneur au pays de Juda, de la vingtième à la trente-deuxième année du roi Artaxerxès, pendant douze ans, moi et mes frères n'avons jamais mangé la provende du gouverneur [e]. 15 Or les anciens gouverneurs, qui m'ont précédé [f], pressuraient le peuple : ils lui prenaient chaque jour [g], pour la provende, quarante sicles d'argent; leurs serviteurs aussi opprimaient le peuple. Moi au contraire je n'ai jamais agi de la sorte, par crainte de Dieu.

16 Je me suis également appliqué au travail de ce rempart, bien que je ne fusse propriétaire d'aucun champ! Tous mes gens étaient là, réunis à la tâche.

17 A ma table mangeaient les grands et les magistrats [h], au nombre de cent cinquante, sans compter ceux qui nous venaient des nations environnantes. 18 Quotidiennement on apprêtait à mes frais un bœuf, six moutons de choix et des volailles; tous les dix jours, on apportait quantité d'outres de vin [i]. Malgré cela, je n'ai jamais réclamé la provende du gouverneur, car sur ce peuple pesait un lourd service.

19 Souviens-toi, mon Dieu, en ma faveur, de tout ce que j'ai fait pour ce peuple!

**Intrigues des ennemis de Néhémie.**
**Achèvement du rempart [j].**

**6** 1 Quand Sânballat, Tobiyya, Géshem l'Arabe et nos autres ennemis eurent appris que j'avais reconstruit le rempart et qu'il n'y restait plus une brèche – à cette date toutefois je n'avais pas encore fixé les battants aux portes –, 2 Sânballat et Géshem m'expédièrent ce message : « Viens, rencontrons-nous à Ha-Kephirim, dans la vallée d'Ono. » Mais ils méditaient de me faire du mal. 3 Je leur envoyai donc des messagers avec cette réponse : « Je suis occupé à un grand travail et ne puis descendre : pourquoi le travail s'arrêterait-il, quand je le quitterais pour descendre vers vous? » 4 Quatre fois ils m'adressèrent la même invitation et je leur retournai la même réponse. 5 Alors, une cinquième fois, Sânballat m'envoya son serviteur, porteur d'une lettre ouverte 6 où il était écrit : « On entend dire parmi les nations et Gashmu [k] confirme que toi et les Juifs songeriez à un soulèvement; c'est pourquoi tu construirais le rempart; et c'est toi qui deviendrais leur roi [l]; 7 tu aurais même mis en place des prophètes [m] pour proclamer à ton profit dans Jérusalem : Il y a un roi en Juda! Maintenant ces bruits-là vont parvenir aux oreilles du roi : aussi, viens, que nous tenions conseil ensemble. » 8 Mais je lui fis répondre : « Rien n'est arrivé de semblable à ce que tu affirmes et ce n'est qu'une invention de ton cœur! » 9 Car ils voulaient tous nous effrayer, se disant : « Leurs mains se lasseront de l'entreprise et elle ne sera jamais exécutée. » Or, au contraire je fortifiais [n] mes mains!

10 Un jour j'étais allé chez Shemaya, fils de Delaya, fils de Méhétabéel, qui se trouvait empêché [o]. Il prononça :

« Rendons-nous au Temple de Dieu,
à l'intérieur du sanctuaire :
fermons bien les portes du sanctuaire,
car on va venir pour te tuer,
oui, cette nuit, on viendra te tuer! »

11 Mais je répondis : « Un homme comme moi, prendre la fuite? Et quel est l'homme de mon état qui pénétrerait dans le sanctuaire pour sauver sa vie [p] ? Non, je n'irai pas! » 12 Je reconnus que ce n'était pas Dieu qui l'avait envoyé, mais il avait

*a)* « la dette » *mashsha't* conj.; « le centième » *me'at* hébr.
*b)* Ici Néhémie, comme Jr **34** 8-22, s'inspire de l'esprit de Dt **15**, sans que la remise des dettes soit liée à l'année sabbatique, Lv **25** 1+.
*c)* Ce passage se rattache au v. 10 et développe les preuves du désintéressement de Néhémie.
*d)* « le roi » Vulg.; « il » hébr.
*e)* L'impôt pour l'entretien du gouverneur, vv. 15 et 18.
*f)* Les gouverneurs de Samarie, chef-lieu de la province dont dépendait le district de Juda, plutôt que les gouverneurs juifs.
*g)* « chaque jour » Vulg.; « et le vin ensuite » hébr.
*h)* « les magistrats » syr.; « les Juifs » hébr.
*i)* « on apportait » ajouté par conj. – « outres de vin » 2 mss; « avec toutes sortes de vin » hébr.
*j)* Le ch. **6** continue le ch. **4**.
*k)* Ou Géshem, v. 1; cf. note sur **2** 19.
*l)* De fait, certains ont pu mettre de telles espérances en Néhémie. Il y avait le précédent de Zorobabel, Za **6** 9-15. – A la fin du v. on omet « selon ces paroles », absent du grec.
*m)* Aggée et Zacharie avaient ainsi appuyé Zorobabel.
*n)* « je fortifiais » versions; « fortifie » hébr.
*o)* Ou « détenu », ou « confiné », ou « saisi » par l'extase? Peut-être simplement le prophète, empêché de venir, aura appelé le gouverneur pour lui communiquer un oracle.
*p)* Tout l'épisode est obscur et probablement remanié par le rédacteur. Shemaya semble conseiller à Néhémie de recourir au droit d'asile attaché à l'autel du parvis, 1 R **1** 50s; **2** 28s; puis étendu à tout le Temple, Ps **27** 5 (?); 1 M **10** 43. Mais, en spécifiant « l'intérieur du sanctuaire », où un laïc ne pouvait pas pénétrer, il entraîne Néhémie dans une faute grave, vv. 11 et 13, cf. Nb **18** 7.

prononcé sur moi cet oracle parce que Tobiyya[a] l'avait acheté, [13] [b] pour que, pris de frayeur, j'agisse de la sorte et en vienne à pécher; cela leur servirait à me faire une mauvaise réputation et ils pourraient m'outrager! [14] Souviens-toi, mon Dieu, de Tobiyya, pour ce qu'il a commis; et aussi de Noadya, la pro-
Jr **23** 9-40 phétesse, et des autres prophètes qui voulurent
Za **13** 2s m'effrayer.

[15] Le rempart fut achevé le 25 Élul[c], en cinquante-deux jours. [16] Quand tous nos ennemis l'apprirent et que toutes les nations autour de nous l'eu-
Ps **118** 22-23 rent vu, ce fut une grande merveille à leurs yeux[d]
Ps **127** 1 et ils reconnurent que ce travail avait été accompli grâce à notre Dieu.

[17] A cette même époque, les grands de Juda multipliaient leurs lettres à l'adresse de Tobiyya et celles de Tobiyya leur parvenaient; [18] car il avait en Juda beaucoup d'alliés, étant le gendre de Shekanya, fils d'Ara, et son fils Yohanân ayant pris pour femme la fille de Meshullam, fils de Bérékya. [19] Ils vantaient même, en ma présence, ses bonnes actions et lui rapportaient mes paroles. Et Tobiyya envoyait des lettres pour m'effrayer.

**7** [1] Quand le rempart fut reconstruit et que j'eus fixé les battants, les portiers (les chantres et les lévites[e]) furent installés. [2] Je confiai l'administration de Jérusalem à Hanani, mon frère, et à Hananya, commandant de la citadelle, car c'était un homme de confiance et qui craignait Dieu plus que beaucoup d'autres; [3] je leur dis : « Les portes de Jérusalem ne seront ouvertes que lorsque le soleil commencera à chauffer; et il sera encore haut[f] quand on devra clore et verrouiller les battants; on établira des piquets de garde pris parmi les habitants de Jérusalem, chacun à son poste, et chacun devant sa maison. »

**Le repeuplement de Jérusalem[g].**

[4] La ville était spacieuse et grande, mais ne comptait qu'une faible population et il n'y avait pas de familles constituées[h]. [5] Aussi mon Dieu m'inspira-t-il de rassembler les grands, les magistrats et le peuple pour en faire le recensement généalogique. Je mis la main sur le registre généalogique de ceux qui étaient revenus au début, et j'y trouvai consigné :

**Liste des premiers Sionistes[i].** || Esd **2** 1-70

[6] Voici les gens de la province qui revinrent de la captivité et de l'exil. Après avoir été déportés par Nabuchodonosor, roi de Babylone, ils retournèrent à Jérusalem et en Juda, chacun dans sa ville. [7] Ils arrivèrent avec Zorobabel, Josué, Néhémie, Azarya, Raamya, Nahamani, Mordokaï, Bilshân, Mispérèt, Bigvaï, Nehum, Baana.

Nombre des hommes du peuple d'Israël : [8] les fils de Paréosh : 2.172; [9] les fils de Shephatya : 372; [10] les fils d'Arah : 652; [11] les fils de Pahat-Moab, c'est-à-dire les fils de Josué et de Yoab : 2.818; [12] les fils de Élam : 1.254; [13] les fils de Zattu : 845; [14] les fils de Zakkaï : 760; [15] les fils de Binnuï : 648; [16] les fils de Bébaï : 628; [17] les fils de Azgad : 2.322; [18] les fils d'Adoniqam : 667; [19] les fils de Bigvaï : 2.067; [20] les fils de Adîn : 655; [21] les fils d'Ater, c'est-à-dire de Hizqiyya : 98; [22] les fils de Hashum : 328; [23] les fils de Béçaï : 324; [24] les fils de Hariph : 112; [25] les fils de Gabaôn : 95; [26] les hommes de Bethléem et de Netopha : 188; [27] les hommes d'Anatot : 128; [28] les hommes de Bet-Azmavèt : 42; [29] les hommes de Qiryat-Yéarim, Kephira et Béérot : 743; [30] les hommes de Rama et Géba : 621; [31] les hommes de Mikmas : 122; [32] les hommes de Béthel et de Aï : 123; [33] les hommes de l'autre Nebo : 52; [34] les fils de l'autre Élam : 1.254; [35] les fils de Harim : 320; [36] les fils de Jéricho : 345; [37] les fils de Lod, Hadid et Ono : 721; [38] les fils de Senaa : 3.930.

[39] Les prêtres : les fils de Yedaya, c'est-à-dire la maison de Josué : 973; [40] les fils d'Immer : 1.052; [41] les fils de Pashehur : 1.247; [42] les fils de Harim : 1.017.

[43] Les lévites : les fils de Josué, c'est-à-dire Qadmiel, les fils de Hodva : 74.

[44] Les chantres : les fils d'Asaph : 148.

[45] Les portiers : les fils de Shallum, les fils d'Ater, les fils de Talmôn, les fils de Aqqub, les fils de Hatita, les fils de Shobaï : 138.

[46] Les « donnés » : les fils de Çiha, les fils de Hasupha, les fils de Tabbaot, [47] les fils de Qéros, les fils de Sia, les fils de Padôn, [48] les fils de Lebana, les fils de Hagaba, les fils de Shalmaï, [49] les fils de Hanân, les fils de Giddel, les fils de Gahar, [50] les

*a)* L'hébr. ajoute : « et Sânballat ». De même au v. 14.
*b)* Au début on omet « pour que celui-ci soit acheté », glose.
*c)* Début octobre 445.
*d)* « eurent vu » plusieurs mss; « craignirent » hébr. – « ce fut une merveille » *wayyippale'* conj.; « ils tombèrent » *wayyippelû* hébr.
*e)* Cette addition a assimilé les gardiens des portes de la ville aux « portiers » du Temple, auprès desquels sont généralement nommés les lévites et les chantres, cf. vv. 43-45.
*f)* « il sera encore haut », Aquila, syr.; « ils seront à leur poste » hébr.
*g)* Le repeuplement de Jérusalem par Néhémie, **7** 4-72[a]; **11** 1-2, 20, 25[a], peut être rapproché d'opérations analogues dans le monde grec, où le « synœcisme » désigne soit la concentration en une agglomération unique de plusieurs agglomérations dispersées, soit la concentration en une cité des cadres administratifs et cultuels d'une région.
*h)* Litt. « et les maisons n'étaient pas rebâties », la « maison » désignant ici la famille, cf. Dt **25** 9.
*i)* Cette liste est parallèle à celle d'Esd **2**, cf. la note sur **2** 1.

fils de Reaya, les fils de Reçîn, les fils de Neqoda, 51 les fils de Gazzam, les fils d'Uzza, les fils de Paséah, 52 les fils de Bésaï, les fils des Méûnites, les fils des Nephusites, 53 les fils de Baqbuq, les fils de Haqupha, les fils de Harhur, 54 les fils de Baçlit, les fils de Mehida, les fils de Harsha, 55 les fils de Barqos, les fils de Sisra, les fils de Témah, 56 les fils de Neçiah, les fils de Hatipha.

57 Les fils des esclaves de Salomon : les fils de Sotaï, les fils de Sophérèt, les fils de Perida, 58 les fils de Yaala, les fils de Darqôn, les fils de Giddel, 59 les fils de Shephatya, les fils de Hattil, les fils de Pokérèt-haç-Çebayim, les fils d'Amôn. 60 Total des « donnés » et des fils des esclaves de Salomon : 392.

61 Les gens suivants, qui venaient de Tel-Mélah, Tel-Harsha, Kerub, Addôn et Immer, ne purent faire connaître si leur famille et leur race étaient d'origine israélite : 62 les fils de Delaya, les fils de Tobiyya, les fils de Neqoda : 642. 63 Et parmi les prêtres, les fils de Hobayya, les fils d'Haqqoç, les fils de Barzillaï – celui-ci avait pris pour femme l'une des filles de Barzillaï, le Galaadite, dont il adopta le nom. 64 Ceux-là recherchèrent leur registre généalogique mais on ne le trouva pas : on les écarta donc du sacerdoce comme impurs, 65 et Son Excellence leur interdit de manger des aliments sacrés jusqu'à ce qu'un prêtre se levât pour l'Urim et le Tummim.

66 L'assemblée tout entière se montait à 42.360 individus, 67 sans compter leurs esclaves et servantes au nombre de 7.337. Ils avaient aussi 245 chanteurs et chanteuses. 68 On comptait 435 chameaux et 6.720 ânes.

69 Un certain nombre de chefs de famille firent des dons pour les travaux. Son Excellence versa au trésor 1.000 drachmes d'or, 50 coupes et 30 tuniques sacerdotales [a]. 70 Des chefs de famille versèrent au trésor des travaux 20.000 drachmes d'or et 2.200 mines d'argent. 71 Quant aux dons faits par le reste du peuple, ils se montèrent à 20.000 drachmes d'or, 2.000 mines d'argent et 67 tuniques sacerdotales.

72 [b] Prêtres, lévites et une partie du peuple s'installèrent à Jérusalem; portiers, chantres, « donnés » dans leurs villes, et tous les autres Israélites dans leurs villes.

**Le jour de naissance du Judaïsme : Esdras lit la Loi. La fête des Tentes [c].**

Or quand arriva le septième mois – les Israélites Esd 3 1
**8** étant ainsi dans leurs villes –, 1 tout le peuple se rassembla comme un seul homme sur la place située devant la porte des Eaux [d]. Ils dirent au scribe Esdras d'apporter le livre de la Loi de Moïse, que Yahvé avait prescrite à Israël [e]. 2 Alors le prêtre Esdras apporta la Loi devant l'assemblée, qui se composait des hommes, des femmes et de tous ceux qui avaient l'âge de raison. C'était le premier jour du septième mois [f]. 3 Sur la place située devant la porte des Eaux, il lut dans le livre, depuis l'aube jusqu'à midi, en présence des hommes, des femmes et de ceux qui avaient l'âge de raison : tout le peuple tendait l'oreille au livre de la Loi.

4 Le scribe Esdras se tenait sur une estrade de bois, construite pour la circonstance; près de lui se tenaient : à sa droite, Mattitya, Shéma, Anaya, Uriyya, Hilqiyya et Maaséya, et, à sa gauche, Pedaya, Mishaël, Malkiyya, Hashum, Hashbaddana, Zekarya et Meshullam [g]. 5 Esdras ouvrit le livre au regard de tout le peuple – car il dominait tout le peuple – et, quand il l'ouvrit, tout le peuple se mit debout. 6 Alors Esdras bénit Yahvé, le grand Dieu; tout le peuple, mains levées, répondit : « Amen! Amen! », puis ils s'inclinèrent et se prosternèrent devant Yahvé, le visage contre terre. 7 (Josué, Bani, Shérébya, Yamîn, Aqqub, Shabtaï, Hodiyya, Maaséya, Qelita, Azarya, Yozabad, Hanân, Pelaya, qui étaient lévites [h], expliquaient la Loi au peuple, pendant que le peuple demeurait
debout.) 8 Et Esdras lut [i] dans le livre de la Loi de Esd 7 6+
Dieu, traduisant et donnant le sens : ainsi l'on comprenait la lecture.

9 Alors (Son Excellence Néhémie et) [j] Esdras, le prêtre-scribe (et les lévites qui instruisaient le peuple) dit à tout le peuple : « Ce jour est saint pour Yahvé, votre Dieu! Ne soyez pas tristes, ne pleurez pas! » Car tout le peuple pleurait en entendant les paroles de la Loi. 10 Il leur dit encore : « Allez, mangez des viandes grasses, buvez des boissons douces et faites porter sa part à qui n'a rien de prêt. Car ce jour est saint pour notre Seigneur! Ne vous affligez point : la joie de Yahvé est votre forte-

*a)* « 30 tuniques » grec; « 530 tuniques (litt. tuniques : 30 et 500) » hébr. D'après les énumérations des vv. 70-71, il faut peut-être lire « 30 tuniques et 500 mines d'argent », en ajoutant « mines d'argent » par conjecture.
*b)* 7 72 – **8** 1 est parallèle à Esd 2 70 – **3** 1, qu'on suit pour corriger le v. 72, corrompu.
*c)* Logiquement et chronologiquement, Ne **8** est la suite d'Esd **8** 36 : Esdras était venu de Babylone pour promulguer la Loi, Esd 7 25-26. Le Chroniste utilise ici le rapport d'Esdras.
*d)* Au sud-est du Temple, sur un territoire non sacré.
*e)* Le Pentateuque, dans l'état où il existait alors.
*f)* Avant l'Exil, la fête du septième mois (septembre-octobre) inaugurait la nouvelle année, Ex **23** 16; **34** 22; Lv **23** 24s; Nb **29** 1.
*g)* Ces assesseurs sont des notables laïcs.
*h)* « qui étaient lévites » 3 Esd **9** 48, Vulg.; « et les lévites » hébr. – Le v. est une addition du Chroniste qui veut donner aux lévites le rôle important qu'ils tiennent dans le culte plus récent.
*i)* « Esdras lut » grec, cf. v. 3; « ils lurent » hébr.
*j)* 3 Esd omet « Néhémie »; grec omet « Son Excellence »; ces mentions viennent du rédacteur.

resse! » 11 Et les lévites calmaient tout le peuple en
disant : « Taisez-vous : ce jour est saint. Ne vous
affligez point! » 12 Et tout le peuple s'en fut manger,
boire, distribuer des parts et se livrer à grande
liesse : car ils avaient compris les paroles qu'on
leur avait communiquées.
13 Le deuxième jour, les chefs de famille de tout
le peuple, les prêtres et les lévites se réunirent
autour du scribe Esdras, pour scruter les paroles de
la Loi. 14 Ils trouvèrent écrit, dans la Loi que Yahvé
avait prescrite par le ministère de Moïse, que les
Lv **23** 33-36, Israélites habiteront sous des huttes durant la fête
39-43 du septième mois [a] 15 et qu'ils annonceront et feront
Ex **23** 14+ publier dans toutes leurs villes et à Jérusalem :
« Allez dans la montagne et rapportez des rameaux
d'olivier, de pin, de myrte, de palmier et d'autres
arbres feuillus, pour faire des huttes, comme il est
écrit. » 16 Le peuple partit : ils rapportèrent des
rameaux et se firent des huttes, chacun sur son toit,
dans leurs cours, dans les parvis du Temple de
Dieu, sur la place de la porte des Eaux, et sur celle
de la porte d'Éphraïm. 17 Toute l'assemblée, ceux
qui étaient revenus de la captivité, construisit ainsi
des huttes et y habita – les Israélites n'avaient rien
fait de tel depuis les jours de Josué, fils de Nûn,
jusqu'à ce jour [b]. Et il y eut très grande liesse.
18 Esdras lut dans le livre de la Loi de Dieu chaque jour, du premier au dernier. Sept jours durant,
on célébra la fête; le huitième, il y eut, comme prescrit, une réunion solennelle.

### Cérémonie expiatoire [c].

**9** 1 Le vingt-quatrième jour de ce mois, les Israélites, revêtus de sacs et la tête couverte de
poussière, se rassemblèrent pour un jeûne [d]. 2 La
Esd **9** 1-2+ race d'Israël se sépara de tous les gens de souche
Esd **10** 11 étrangère : debout, ils confessèrent leurs péchés et
les iniquités de leurs pères. 3 Debout, et chacun à
sa place, ils lurent dans le livre de la Loi de Yahvé
leur Dieu, durant un quart de la journée; pendant
un autre quart, ils confessaient leurs péchés et se
prosternaient devant Yahvé leur Dieu [e]. 4 Prenant
place sur l'estrade des lévites, Josué, Binnuï [f], Qadmiel, Shebanya, Bunni, Shérébya, Bani, Kenani
crièrent à voix forte vers Yahvé leur Dieu, 5 et les
lévites Josué, Qadmiel, Bani, Hashbabnéya, Shérébya, Hôdiyya, Shebanya, Petahya dirent : « Levez-
vous, bénissez Yahvé votre Dieu [g]! »

Béni sois-tu, Yahvé notre Dieu [h], Ps **78**+
d'éternité en éternité!
Et qu'on bénisse ton Nom de gloire Dn **3** 52
qui surpasse toute bénédiction et louange!

6 C'est toi, Yahvé, qui es l'Unique! Dt **6** 4
Tu fis les cieux, les cieux des cieux et toute
leur armée,
la terre et tout ce qu'elle porte,
les mers et tout ce qu'elles renferment.
Tout cela, c'est toi qui l'animes
et l'armée des cieux devant toi se prosterne.

7 Tu es Yahvé, Dieu,
qui fis choix d'Abram, Gn **12** 1
le tiras d'Ur des Chaldéens
et lui donnas le nom d'Abraham. Gn **17** 5
8 Trouvant son cœur fidèle devant toi,
tu fis alliance avec lui, Gn **15** 18s
pour lui donner le pays du Cananéen,
du Hittite et de l'Amorite,
du Perizzite, du Jébuséen et du Girgashite,
à lui et à sa postérité.
Et tu as tenu tes promesses,
car tu es juste.

9 Tu vis la détresse de nos pères en Égypte, Ex **2** 23-24
tu entendis leur cri près de la mer des
Roseaux.
10 Tu opéras signes et prodiges contre Pharaon, Ex **7-12**
tous ses valets et tout le peuple de son pays;
car tu savais quelle fut envers eux leur arrogance.
Tu t'acquis un renom qui dure encore.
11 La mer, tu l'ouvris devant eux : Ex **14**
ils passèrent au milieu de la mer à pied sec.
Dans les abîmes tu précipitas leurs poursui- Ex **15** 5, 10
vants,
telle une pierre dans des eaux impétueuses.
12 Par une colonne de nuée, tu les guidas le jour, Ex **13** 21s
la nuit, par une colonne de feu,

*a)* Lv **23** 33-36, 39-43 place aussi la fête des Tentes au septième mois; la fête dure huit jours. Mais Lv **23** 40 donne aux branches d'arbre un usage processionnel, au lieu de les faire servir à la confection des huttes, comme en Ne **8** 15. D'après Lv **23** 27, 34, 39; Nb **29** 12-38, la fête commence le 15 du septième mois. Notre récit ignore le jour des Expiations, Lv **16**, qui, célébré le 10 du septième mois, Lv. **23** 27, aurait dû avoir lieu entre la lecture de la Loi par Esdras et la fête des Tentes.
*b)* Comparer 2 R **23** 22; 2 Ch **35** 18. On ne voit pas en quoi consiste ici ce retour aux vieilles traditions; ce n'est pas l'érection des huttes, qui donnait déjà son nom à la fête dans Dt **16** 13, et cf. Esd **3** 4.
*c)* Pour le péché des mariages mixtes. Le récit fait suite à Esd **10** 44. Mais seuls les vv. 1-2 font partie du mémoire d'Esdras.
*d)* La liturgie pénitentielle, cf. Jl **1-2**, comporte une lamentation chantée, cf. Ps **74**; **79**; **83** : ici les vv. 5[b]-37.
*e)* Le v. est une glose inspirée de **8** 3-6, qui assimile l'assemblée aux rassemblements liturgiques pénitentiels du temps du Chroniste.
*f)* « Binnuï » conj., cf. **10** 10; **12** 8, 24; « Bani » hébr.
*g)* Le Chroniste a mis en scène les lévites pour un invitatoire à la foule et pour la récitation du psaume qui suit, sans doute emprunté à la liturgie de son temps. Ce psaume est plein de réminiscences bibliques et rappelle Si **36** 1-17.
*h)* Stique rétabli par conj.

pour illuminer devant eux la voie
où ils chemineraient.
Ex 19 13 Tu es descendu sur le mont Sinaï,
et du ciel leur as parlé;
Dt 4 5-8 et tu leur as donné
des ordonnances justes,
des lois sûres,
des préceptes et des commandements excellents;
14 tu leur fis connaître
Ex 20 8+ ton saint sabbat;
tu leur prescrivis commandements, préceptes [a] et Loi
par le ministère de Moïse, ton serviteur.
Ex 16 1+ 15 Du ciel tu leur fournis le pain pour leur faim,
Ex 17 1+ du roc tu fis jaillir l'eau pour leur soif.
Tu leur commandas d'aller
prendre possession du pays
que tu avais fait serment
de leur donner.

16 Mais nos pères s'enorgueillirent,
Nb 14 1-4 ils raidirent la nuque, ils n'obéirent point à tes ordres.
17 Ils refusèrent d'obéir, oublieux des merveilles
que tu avais accomplies pour eux;
ils raidirent la nuque, ils se mirent en tête
de retourner en Égypte [b], à leur esclavage.
Ex 34 6+ Mais tu es le Dieu des pardons,
plein de pitié et de tendresse,
lent à la colère et riche en bonté :
tu ne les as pas abandonnés!
18 Même quand ils se fabriquèrent
un veau de métal fondu,
Ex 32 4 déclarèrent : « C'est là ton Dieu
qui t'a fait monter d'Égypte! »
et commirent de grands blasphèmes,
19 toi, dans ton immense tendresse,
tu ne les as pas abandonnés au désert :
la colonne de nuée ne s'écarta point d'eux
pour les guider de jour sur la route,
ni la colonne de feu la nuit,
pour illuminer devant eux la route
où ils chemineraient.
20 Tu leur as donné ton bon esprit
pour les rendre sages,
tu n'as pas retenu ta manne loin de leur bouche
et tu leur as fourni l'eau pour leur soif.
21 Quarante ans tu en pris soin au désert :
ils ne manquèrent de rien,
ni leurs habits ne s'usèrent, Dt 8 4
ni leurs pieds n'enflèrent.

22 Et tu leur livras des royaumes et des peuples Dt 1 4; 2 26 – 3 11 Nb 21 21-35
et les leur attribuas en cantons frontaliers :
ils ont pris possession du pays de Sihôn, roi d'Heshbôn [c],
et du pays d'Og, roi du Bashân.
23 Et tu multiplias leurs fils Dt 1 10
comme étoiles du ciel
et tu les introduisis dans le pays où tu avais dit à leurs pères
d'entrer pour en prendre possession.
24 Les fils envahirent et conquirent ce pays
et tu abaissas devant eux
les habitants du pays, les Cananéens,
que tu livras entre leurs mains,
leurs rois et les peuples du pays
pour les traiter à leur gré;
25 ils s'emparèrent de villes fortifiées Dt 3 5; 6 10-11
et d'une terre grasse;
ils héritèrent de maisons
regorgeant de tous biens,
de citernes déjà creusées, de vignes, d'oliviers,
d'arbres fruitiers à profusion :
ils mangèrent, ils se rassasièrent, ils engraissèrent, Dt 32 15
ils firent leurs délices de tes immenses biens.

26 Mais voici qu'indociles, révoltés contre toi,
ils jetèrent ta Loi derrière leur dos,
ils tuèrent les prophètes qui les avertissaient
pour te les ramener
et commirent de grands blasphèmes. Sg 2 10-20
27 Tu les livras alors aux mains de leurs oppresseurs,
qui les opprimèrent.
Au temps de leur oppression, ils criaient vers toi,
et toi, du ciel, tu les entendais
et dans ton immense tendresse tu leur accordais
des sauveurs qui les délivraient des mains de leurs oppresseurs.
28 Mais, sitôt en paix, voilà qu'ils refaisaient le mal devant toi,
et tu les abandonnais aux mains de leurs ennemis, qui les tyrannisaient.
Eux, de nouveau, criaient vers toi,
et toi, du ciel, tu les entendais :
que de fois dans ta tendresse ne les délivras-tu pas!

*a)* L'un de ces deux mots doit être ajouté d'après v. 13; le rythme est rompu.
*b)* « en Égypte » grec. mss hébr.; « dans leur rébellion » hébr.
*c)* Devant « roi d'Heshbôn », hébr. répète « le pays du », dittographie.

29 Tu les avertis pour les ramener à ta Loi :
mais ils s'enorgueillirent, ils n'obéirent pas à tes commandements,
ils péchèrent contre tes ordonnances, celles-là mêmes
où trouve vie l'homme qui les observe,
ils présentèrent une épaule rebelle,
raidirent leur nuque et n'obéirent point.
30 Tu fus patient avec eux
bien des années;
tu les avertis par ton Esprit,
par le ministère de tes prophètes,
mais ils n'écoutèrent pas.
Alors tu les livras aux mains des peuples des pays.
31 Dans ton immense tendresse,
tu ne les as pas exterminés,
tu ne les as pas abandonnés,
car tu es un Dieu plein de pitié et de tendresse
32 Et maintenant, ô notre Dieu,
Lm **5** toi le Dieu grand, puissant et redoutable,
Si **36** 1-9 qui maintiens l'alliance et la bonté,
ne compte pas pour rien tout cet accablement
qui est tombé sur nous, sur nos rois, nos chefs,
nos prêtres, nos prophètes [a] et tout ton peuple,
depuis le temps des rois d'Assur
jusqu'à ce jour.
33 Tu as été juste
en tout ce qui nous est advenu,
car tu as montré ta fidélité,
alors que nous agissions mal.
34 Oui, nos rois, nos chefs, nos prêtres et nos pères
n'ont pas suivi ta Loi,
inattentifs à tes commandements et aux obligations
que tu leur imposais.
35 Tant qu'ils furent en leur royaume,
parmi les grands biens que tu leur accordais,
et dans le vaste et fertile pays
que tu avais mis devant eux,
ils ne t'ont point servi
et ne se sont pas détournés de leurs actions mauvaises.
36 Voici que nous sommes aujourd'hui asservis,
et le pays que tu avais donné à nos pères
pour jouir de ses fruits et de ses biens,
voici que nous y sommes en servitude.
37 Ses produits profitent aux rois,
que tu nous imposas, pour nos péchés,
et qui disposent à leur gré de nos personnes et de notre bétail.
Nous sommes en grande détresse.

**Procès-verbal de l'engagement pris par la communauté [b].**

**10** 1 ... A cause de tout cela, nous prenons un 38
ferme engagement, et par écrit. Sur le document scellé figurent nos chefs, nos lévites et nos
prêtres [c]...
2 Sur le document scellé figuraient [d] : **10** 1
Néhémie fils de Hakalya et Çidqiyya,
3 Seraya, Azarya, Yirmeya, 4 Pashehur, Amarya, **12** 12-26
Malkiyya, 5 Hattush, Shebanya, Malluk, 6 Harim, 4 5
Merémot, Obadya, 7 Daniyyel, Ginnetôn, Baruk, 6
8 Meshullam, Abiyya, Miyyamîn, 9 Maazya, 7 8
Bilgaï, Shemaya : ce sont les prêtres.
10 Puis les lévites : Josué, fils d'Azanya, Binnuï, 9
des fils de Hénadad, Qadmiel, 11 et leurs frères She- 10
kanya, Hodavya, Qelita, Pelaya, Hanân, 12 Mika, 11
Rehob, Hashabya, 13 Zakkor, Shérébya, Shebanya, 12
14 Hodiyya, Bani, Kenani. 13
15 Les chefs du peuple : Paréosh, Pahat-Moab, 14
Élam, Zattu, Bani, 16 Bunni, Azgad, Bébaï, 15
17 Adoniyya, Bigvaï, Adîn, 18 Ater, Hizqiyya, 16 17
Azzur, 19 Hodiyya, Hashum, Béçaï, 20 Hariph, 18 19
Anatot, Nobaï, 21 Magpiash, Meshullam, Hézir, 20
22 Meshézabéel, Sadoq, Yaddua, 23 Pelatya, Hanân, 21 22
Anaya, 24 Hoshéa, Hananya, Hashshub, 25 Hallo- 23 24
hesh, Pilha, Shobèq, 26 Rehum, Hashabna, Maa- 25
séya, 27 Ahiyya, Hanân, Anân, 28 Malluk, Harim, 26 27
Baana.
29 ... et le reste du peuple, les prêtres, les lévites, 28
les portiers, les chantres, les « donnés », bref, tous
ceux qui se sont séparés des peuples des pays pour
adhérer à la Loi de Dieu, et aussi leurs femmes,
leurs fils et filles, tous ceux qui ont l'âge de raison,
30 se joignent à leurs frères et chefs et s'engagent, 29
par imprécation et serment, à marcher selon la Loi
de Dieu, donnée par le ministère de Moïse, le serviteur de Dieu, à garder et observer tous les commandements de Yahvé notre Dieu, ses coutumes et ses
lois.
31 En particulier : nous ne donnerons plus nos 30

*a)* L'hébr. ajoute : « nos pères ».
*b)* A la suite de la lecture de la Loi et de la cérémonie pénitentielle, **8-9**, le Chroniste donne un document qui ne provient ni du rapport d'Esdras ni du mémoire de Néhémie mais qu'il a emprunté aux archives du Temple en le modifiant; les vv. 31-39 ont des rapports étroits avec **13** 10-31. La liste des vv. 2-28 est une insertion postérieure, cf. note [d].
*c)* Le procès-verbal continue au v. 29.
*d)* La liste supposée des signataires, vv. 2-28, est une composition artificielle : dans les vv. 3-9, elle utilise les listes de **12** 1-6, 12-18, en donnant des noms de famille alors qu'on attendrait des noms d'individus; les vv. 10-14 sont un choix de noms lévitiques qu'on retrouve presque tous ailleurs; les noms des laïcs, vv. 15-21, viennent de la liste d'Esd **2** = Ne **7**. Les noms nouveaux aux vv. 12-14 et 22-28 doivent être contemporains de l'auteur de la liste, qui est postérieure à Néhémie. – Quelques noms sont corrigés d'après les versions.

13 23-27 filles aux peuples du pays et ne prendrons plus
leurs filles pour nos fils[a].
31 32 Si les peuples du pays apportent pour les ven-
13 15-22 dre, le jour du sabbat, des marchandises ou quelque
Ex 20 8+ denrée que ce soit, nous ne leur achèterons rien un
jour de sabbat ni un jour sacré.
5 1-13+ Nous ferons abandon des produits du sol[b], la
Lv 25 1+ septième année, et de toute créance.
32 33 Nous nous sommes imposé comme obligations :
Ex 30 11s de donner un tiers de sicle par an pour le culte
2 Ch 24 6, 9 du Temple de notre Dieu : 34 pour le pain d'obla-
Lv 24 5-9 Nb 28 3-8 tion, pour l'oblation perpétuelle et l'holocauste perpétuel, pour les sacrifices des sabbats, des néomé-
nies, des solennités, et pour les mets sacrés, pour
les sacrifices pour le péché qui assurent l'expiation
en faveur d'Israël, bref pour tout le service du Temple de notre Dieu[c];
35 36[d] et d'apporter chaque année au Temple de
13 31 Yahvé les prémices de notre sol et les prémices de
Dt 26 1+ tous les fruits de tous les arbres, 37 ainsi que les pre-
Gn 22 1+ miers-nés de nos fils et de notre bétail, comme il
Ex 13 11+ est écrit dans la Loi – les premiers-nés de notre
gros et menu bétail, apportés au Temple de notre
Dieu, étant destinés aux prêtres en fonction dans
37 le Temple de notre Dieu. 38 De plus, la meilleure
13 10-14 part de nos moutures[e], des fruits de tout arbre, du
vin nouveau et de l'huile, nous l'apporterons aux
prêtres, dans les salles du Temple de notre Dieu;
Dt 14 22+ et la dîme de notre sol, aux lévites – ce sont les lévi-
Nb 18 21, 24s tes eux-mêmes qui lèveront la dîme dans toutes les
38 villes de notre culte; 39 un prêtre, fils d'Aaron,
accompagnera les lévites quand ils lèveront la
Nb 18 26 dîme; les lévites achemineront la dîme de la dîme
vers le Temple de notre Dieu, vers les salles du Tré-
39ab sor; 40ab car c'est dans ces salles que les Israélites
et les lévites apportent les redevances de blé, de vin
et d'huile; là se trouve aussi le matériel du sanctuaire, des prêtres en service, des portiers et des
chantres.
34 35 Nous avons aussi réglé par le sort, prêtres,
13 31 lévites et peuple, la question des livraisons de bois
qu'on doit faire au Temple de notre Dieu, chaque
famille à son tour, à dates fixes, chaque année, pour
le brûler sur l'autel de Yahvé notre Dieu, comme
il est écrit dans la Loi.
40c Nous ne négligerons plus le Temple de notre 39c
Dieu.

### Le synœcisme de Néhémie. Listes diverses[f]. 7 4+

11 1 Alors les chefs du peuple s'établirent à Jérusalem. Le reste du peuple tira au sort pour
qu'un homme sur dix vînt résider à Jérusalem, la
Ville sainte[g], tandis que les neuf autres resteraient
dans les villes. 2 Et le peuple bénit tous les hommes
qui furent volontaires pour résider à Jérusalem.
3 Voici les chefs de la province qui étaient établis
à Jérusalem et dans les villes de Juda. Israélites,
prêtres, lévites, « donnés » et fils des esclaves de || 1 Ch 9 2
Salomon demeuraient dans leurs villes, chacun en
sa propriété.

### La population juive à Jérusalem[h]. || 1 Ch 9

4 A Jérusalem demeuraient des fils de Juda et des 4-17
fils de Benjamin :
Parmi les fils de Juda : Ataya, fils de Uzziyya,
fils de Zekarya, fils d'Amarya, fils de Shephatya,
fils de Mahalaléel, des descendants de Pérèç;
5 Maaséya, fils de Baruk, fils de Kol-Hozé, fils de
Hazaya, fils de Adaya, fils de Yoyarib, fils de
Zekarya, descendant de Shéla[i]. 6 Le total des descendants de Pérèç fixés à Jérusalem était de 468,
hommes de condition.
7 Voici les fils de Benjamin : Sallu, fils de Meshullam fils de Yoëd, fils de Pedaya, fils de Qolaya,
fils de Maaséya, fils d'Itiel, fils de Yeshaya, 8 et ses
frères[j], Gabbaï, Sallaï : 928.
9 Yoël, fils de Zikri, les commandait, et Yehuda,
fils de Hassenuu, commandait en second la ville.
10 Parmi les prêtres : Yedaya, fils de Yoyaqim,
fils de[k] 11 Seraya, fils d'Hilqiyya, fils de Meshullam, fils de Sadoq, fils de Merayot, fils d'Ahitub,
chef du Temple de Dieu[l], 12 et ses frères qui
vaquaient au service du Temple : 822; Adaya, fils
de Yeroham, fils de Pelalya, fils d'Amçi, fils de
Zekarya, fils de Pashehur, fils de Malkiyya, 13 et
ses frères, chefs de famille : 242; et Amasaï, fils
d'Azaréel, fils d'Ahzaï, fils de Meshillémot, fils

*a)* C'est un engagement pour l'avenir; il ne s'agit plus, comme dans Esd **9-10**, de rompre les mariages déjà conclus. Cette affaire était-elle déjà réglée? Cf. Esd **10** 44.
*b)* « des produits du sol » conj. d'après Ex **23** 10; omis par hébr.
*c)* Le v. 35 est à lire après le v. 40[ab].
*d)* Les vv. 36-40 ont été retouchés, en 37 et surtout en 38[b]-39 qui mettent la pratique de la dîme des lévites en accord avec le texte plus récent de Nb **18** 21, 24s. De telles retouches sont normales dans un texte qui doit servir à l'usage juridique.
*e)* L'hébr. ajoute : « et nos redevances »; omis par grec.
*f)* Le ch. **11** a deux couches littéraires : les vv. 1-2, 20, 25[a], 36 sont une composition du Chroniste à partir de **7** 1-5[a] (mémoire de Néhémie); un rédacteur a inséré les listes des vv. 4-19 et 25[b]-35, qu'il trouvait dans des documents d'archives. Il les a introduites par un titre, v. 3, et a ajouté (lui ou un autre) les notes des vv. 21-24.
*g)* Jérusalem est ainsi désignée depuis Is **48** 2; **52** 1. Cf. Ne **11** 18; Dn **9** 24; Tb **13** 9; Mt **4** 5; **27** 53; Ap **11** 2. Mais l'idée est plus ancienne, cf. 2 S **5** 9+.
*h)* Cette liste, dont dépend 1 Ch **9** 1-18, paraît donner l'état de la population de Jérusalem, une génération ou plus après Néhémie.
*i)* « descendants de Shéla » (litt. « fils du Shélanite ») conj., cf. Nb **26** 20; « fils du Silonite » (habitant de Silo) hébr.
*j)* « et ses frères » ms grec; « et après lui » hébr.
*k)* « Yoyaqim fils de » conj.; « Yoyarib, Yakîn » hébr.
*l)* Titre du grand prêtre, 2 Ch **31** 13.

d'Immer, 14 et ses frères, hommes de condition : 128.

Zabdiel, fils de Haggadol, les commandait.

15 Parmi les lévites : Shemaya, fils de Hashshub, fils d'Azriqam, fils de Hashabya, fils de Bunni; 16 Shabtaï et Yozabad, ceux des chefs lévitiques responsables des affaires extérieures du Temple de Dieu; 17 Mattanya, fils de Mika, fils de Zabdi, fils d'Asaph [a], qui dirigeait les hymnes [b], entonnait l'action de grâces pour la prière; Baqbuqya, le second parmi ses frères; Obadya fils de Shammua, fils de Galal, fils de Yedutûn. 18 Total des lévites dans la Ville sainte : 284.

19 Les portiers : Aqqub, Talmôn et leurs frères, qui montaient la garde aux portes : 172 [c].

**Notes complémentaires [d].**

21 Les « donnés » habitaient l'Ophel; Çiha et Gishpa étaient à la tête des « donnés ». – 22 Le chef des lévites de Jérusalem était Uzzi, fils de Bani, fils de Hashabya, fils de Mattanya, fils de Mika; il faisait partie des fils d'Asaph, les chantres chargés du service du Temple de Dieu; 23 car ils faisaient l'objet d'une instruction royale et un règlement fixait aux chantres leur rôle jour par jour. – 24 Petahya, fils de Meshézabéel, qui appartenait aux fils de Zérah, fils de Juda, était à la disposition du roi pour toutes les affaires du peuple.

20 Quant au reste des Israélites, des prêtres et des lévites, ils demeuraient dans toutes les villes de Juda, chacun dans son domaine, 25 et dans les villages situés dans leurs champs.

**La population juive en province [e].**

Des fils de Juda demeuraient à Qiryat-ha-Arba et dans ses dépendances, à Dibôn et dans ses dépendances, à Yeqqabçéel et dans les villages de son ressort, 26 à Yeshua, à Molada, à Bet-Pélèt, 27 à Haçar-Shual, à Bersabée et dans ses dépendances, 28 à Çiqlag, à Mekona et dans ses dépendances, 29 à En-Rimmôn, à Çoréa, à Yarmut, 30 Zanoah, Adullam et les villages de leur ressort, Lakish et sa campagne, Azéqa et ses dépendances : ils s'établirent donc de Bersabée jusqu'au val de Hinnom.

31 Des fils de Benjamin habitaient Géba [f], Mikmas, Ayya et Béthel ainsi que ses dépendances, 32 Anatot, Nob, Ananya, 33 Haçor, Rama, Gittayim, 34 Hadid, Çeboyim, Neballat, 35 Lod et Ono, et le val des Artisans.

36 Des groupes de lévites se trouvaient tant en Juda qu'en Benjamin [g].

**Prêtres et lévites de retour sous Zorobabel et Josué [h].**

12 1 Voici les prêtres et les lévites qui revinrent avec Zorobabel, fils de Shéaltiel, et Josué :

Seraya, Yirmeya, Esdras, 2 Amarya, Malluk, Hattush, 3 Shekanya, Rehum, Merémot, 4 Iddo, Ginnetôn, Abiyya, 5 Miyyamîn, Maadya, Bilga, 6 Shemaya; plus : Yoyarib, Yedaya, 7 Sallu, Amoq, Hilqiyya, Yedaya.

Tels étaient les chefs des prêtres, et leurs frères, au temps de Josué, 8 c'est-à-dire les lévites, étaient : Josué, Binnuï, Qadmiel, Shérébya, Yehuda, Mattanya – ce dernier, avec ses frères, dirigeait les hymnes d'action de grâces, 9 tandis que Baqbuqya, Unni et leurs frères leur faisaient vis-à-vis, selon leurs classes respectives.

**Liste généalogique des grands prêtres [i].**

10 Josué engendra Yoyaqim; Yoyaqim engendra Élyashib: Élyashib Yoyada; 11 Yoyada engendra Yohanân; et Yohanân engendra Yaddua.

**Prêtres et lévites au temps** 10 3-14;
**du grand prêtre Yoyaqim [j].** 12 1+

12 Au temps de Yoyaqim, les familles sacerdotales avaient pour chefs : famille de Seraya : Meraya; famille de Yirmeya : Hananya; 13 famille d'Esdras : Meshullam; famille d'Amarya : Yehohanân; 14 famille de Malluk : Yonatân; famille de Shebanya : Yoseph; 15 famille de Harim : Adna; famille de Merayot : Helqaï; 16 famille d'Iddo : Zekarya; famille de Ginnetôn : Meshullam; 17 famille d'Abiyya : Zikri; famille de Minyamîn : .....; famille de Moadya : Piltaï; 18 famille de Bilga : Shammua; famille de Shemaya : Yehonatân; 19 plus : famille de Yoyarib : Mattenaï; famille de

*a)* Les chantres sont déjà assimilés aux lévites, cf. v. 22, mais pas encore les portiers, v. 19. Parmi les chantres, seuls les fils d'Asaph étaient revenus d'Exil, Esd **2** 41 = Ne **7** 44. Il est possible que les deux autres ghildes, Hémân et Yedutûn, soient issues des chantres du premier Temple qui n'avaient pas été déportés, cf. 1 Ch **16** 37, 41.
*b)* « les hymnes » ms grec, Vulg.; « le début » hébr.
*c)* Le v. 20 est reporté après le v. 24.
*d)* La note sur les « donnés », v. 21, peut être contemporaine de la liste précédente. La note sur Uzzi, v. 22-23, est postérieure : il est l'arrière-petit-fils du Mattanya mentionné au v. 17. Petahya, v. 24, détenait, à une époque indéterminée, une charge analogue à celle de Néhémie.
*e)* Cette liste qui atteste l'expansion juive jusque dans le Négeb est d'une époque postérieure, à moins qu'il ne faille la reporter à l'époque préexilique (sous Josias).
*f)* « Des fils » 2 mss, cf. v. 25; « les fils » hébr. – « Géba » conj.; « depuis Géba » hébr.
*g)* « tant en Juda qu'en Benjamin » ms grec; « des groupes de Juda (se ioignirent) à Benjamin » hébr.
*h)* Les noms, absents de Esd **2** 36-39, sont ceux des familles sacerdotales sous Yoyaqim, successeur de Josué, cf. vv. 12-21. Il y avait dans cette présentation un moyen juridique d'attester leurs droits, par l'antiquité.
*i)* De 520 à 405 (Darius II).
*j)* Donc après 500. Les noms alignés figurent encore au ch. **10**, plus récent, avec trois nouvelles familles. La liste est suivie d'une note justificative sur sa provenance.

Yedaya : Uzzi; 20 famille de Sallaï : Qallaï; famille
d'Amoq : Éber; 21 famille de Hilqiyya : Hashabya;
famille de Yedaya : Netanéel.
22 Au temps d'Élyashib, de Yoyada, de Yohanân
et de Yaddua, les chefs des familles des prêtres [a]
furent enregistrés sur le Livre des Chroniques [b]
jusqu'au règne de Darius le Perse [c].
23 Les fils de Lévi.
Les chefs des familles furent enregistrés sur le
Livre des Chroniques, mais seulement jusqu'au
temps de Yohanân, petit-fils d'Élyashib.
24 Les chefs des lévites étaient : Hashabya, Shé-
Esd 2 40 rébya, Josué, Binnuï [d], Qadmiel; et leurs frères, qui
leur faisaient face pour exécuter les hymnes de
louange et d'action de grâces selon les instructions
de David, homme de Dieu, une classe correspon-
11 17 dant à l'autre, 25 étaient : Mattanya, Baqbuqya et
Obadya. Quant à Meshullam, Talmôn et Aqqub,
portiers, ils montaient la garde aux magasins près
des portes [e].
26 Ceux-ci vivaient au temps de Yoyaqim, fils de
Josué, fils de Yoçadaq, et au temps de Néhémie le
gouverneur et d'Esdras le prêtre-scribe [f].

**Dédicace du rempart de Jérusalem [g].**

27 Lors de la dédicace du rempart de Jérusalem,
on alla chercher les lévites partout où ils résidaient
pour les amener à Jérusalem : il s'agissait de célébrer la dédicace dans la liesse avec chants d'action
de grâce et musique de cymbales, de luths et de
cithares. 28 Les chantres, fils de Lévi [h], se rassemblèrent donc, du district qui entoure Jérusalem, des
villages des Netophatites, 29 de Bet-ha-Gilgal, des
champs de Géba et d'Azmavèt : car les chantres
s'étaient construit des villages tout autour de Jérusalem. 30 Prêtres et lévites se purifièrent eux-mêmes,
puis ils purifièrent le peuple, les portes et le rempart.
31 Je fis alors monter les chefs de Juda sur le rempart et organisai deux grands chœurs. Le premier
chemina [i] par la crête du rempart, vers la droite,
en direction de la porte du Fumier; 32 derrière lui
marchaient Hoshaya et une moitié des chefs de
Juda – 33 ainsi qu'Azarya, Esdras, Meshullam,
34 Yehuda, Benjamin, Shemaya et Yirmeya,
35 choisis parmi les prêtres et munis de trompettes;
puis Zekarya, fils de Yonatân, fils de Shemaya, fils
de Mattanya, fils de Mika, fils de Zakkur, fils
d'Asaph, 36 avec ses frères Shemaya, Azaréel,
Milalaï, Gilalaï, Maaï, Netanéel, Yehuda, Hanani,
munis des instruments de musique de David, Am 6 5
l'homme de Dieu. Et Esdras, le scribe, marchait à 1 Ch 23 5
leur tête. – 37 A la porte de la Fontaine, ils montèrent droit devant eux, près des escaliers de la Cité
de David, par la crête du rempart, et par la montée
du Palais [j] de David, jusqu'à la porte des Eaux, à
l'orient.
38 Quant au second chœur, il chemina vers la
gauche : je le suivis, avec la moitié des chefs du
peuple [k], par la crête du rempart, par-dessus la tour
des Fours et jusqu'à la muraille large, 39 puis par-
dessus la porte d'Éphraïm [l], la porte des Poissons,
la tour de Hananéel et la tour des Cent, jusqu'à la
porte des Brebis; on fit halte à la porte de la Garde.
40 Les deux chœurs prirent ensuite place dans le
Temple de Dieu. – J'avais avec moi une moitié des
magistrats 41 ainsi que les prêtres Élyaqim, Maaséya, Minyamîn, Mika, Élyoénai, Zekarya, Hananya, munis de trompettes, 42 plus Maaséya, Shemaya, Éléazar, Uzzi, Yehohanân, Malkiyya, Élam
et Ézer. – Les chantres se firent entendre sous la
direction de Yizrahya. 43 On offrit ce jour-là
d'importants sacrifices et les gens se livrèrent à la
joie : c'est que Dieu leur avait accordé grand sujet
de joie; les femmes aussi et les enfants se réjouirent.
Et la joie de Jérusalem s'entendit de loin.

**Une époque idéale [m].**

44 En ce temps-là, on préposa aux salles prévues 13 10s
pour les provisions, prélèvements, prémices et
dîmes, des hommes qui y rassembleraient, du terri-

*a)* Au début du v., l'hébr. ajoute : « les lévites ». – « les chefs des familles de prêtres » 1 ms; « les chefs de famille et les prêtres » hébr.
*b)* Chronique officielle du Temple. – « le Livre des Chroniques jusqu'au » ajouté par conj.
*c)* Darius II, mort en 405.
*d)* « Binnuï » conj., cf. v. 8; **10** 10; « fils de » *ben* hébr.
*e)* Les chantres et portiers sont maintenant assimilés aux lévites, cf. **11** 17+.
*f)* La synchronisation de ces trois personnages est l'œuvre du Chroniste.
*g)* La cérémonie se situe historiquement après **6** 16; mais le Chroniste en a fait un pendant d'Esd **16** 13-18 (Dédicace du Temple) : deux dédicaces achèvent ainsi deux périodes d'histoire, l'une dominée par Zorobabel et l'autre, aux yeux du Chroniste, par Esdras et Néhémie. – On peut reconstituer ainsi la cérémonie : Après les purifications d'usage, deux processions suivent la crête du rempart, en partant de la porte de la Vallée, l'une vers le sud, l'autre vers le nord (voir la carte). Elles se rejoignent au Temple où a lieu la clôture de la fête. Chaque cortège est composé d'un chœur de prêtres suivi de notables. Le Chroniste a coupé le récit en introduisant aux vv. 33-36 la liste des prêtres du premier chœur et, aux vv. 40-42, celle des prêtres du second chœur. Il a aussi introduit Esdras dans le défilé.
*h)* « fils de Lévi » ms grec; « les fils des prêtres chantres » hébr.
*i)* « Le premier chemina » conj., cf. v. 38; « et des processions » hébr.
*j)* « par la crête du rempart et la montée du Palais » conj.; « par la montée du rempart au-dessus du Palais » hébr.
*k)* « vers la gauche » conj., cf. v. 31; « vis-à-vis » (?) hébr. – « des chefs » conj. d'après v. 32; omis par hébr.
*l)* L'hébr. ajoute : « et sur la porte Vieille ».
*m)* Ce tableau idéal de la communauté au temps des gouverneurs Zorobabel et Néhémie va faire ressortir comme des anomalies les malfaçons qu'énumérera la fin du mémoire de Néhémie, **13** 4s.

toire [a] des villes, les parts que la Loi alloue aux prêtres et aux lévites. Car Juda mettait sa joie dans
les prêtres et les lévites en fonction. 45 Ce sont eux
1 Ch 23-26 qui assuraient le service de leur Dieu et le service
2 Ch 8 14 des purifications – ainsi que les chantres et les portiers –, suivant les prescriptions de David et de
Salomon son fils. 46 Car dès les jours de David et
d'Asaph, depuis bien longtemps, il existait un chef
2 Ch 29 30; de chantres et des cantiques de louange et d'action
35 15 de grâces à Dieu. 47 Donc tout Israël, au temps de
Zorobabel et au temps de Néhémie, versait aux
13 10s chantres et aux portiers les parts qui leur revenaient, d'après leurs besoins quotidiens. On remet-
10 39 tait aux lévites les redevances sacrées et les lévites
Nb 18 26 les remettaient aux fils d'Aaron.

**13** 1 En ce temps-là, on lut au peuple dans le livre
Dt 23 4-6 de Moïse et l'on y trouva écrit : *« L'Ammonite
et le Moabite ne seront pas admis à l'assemblée de*
Dieu, *et cela pour toujours,* 2 *car ils ne sont pas
venus à la rencontre* des Israélites *avec le pain et
l'eau. Ils soudoyèrent* contre eux *Balaam, pour* les
*maudire* [b], *mais* notre Dieu *changea la malédiction
en bénédiction. »* 3 Dès qu'on eut entendu la Loi, on
13 4-9, 23-27, 28 10 exclut d'Israël tout élément étranger [c].

**La deuxième mission de Néhémie.**

4 Mais auparavant [d], le prêtre Élyashib [e] avait été
préposé aux salles [f] du Temple de notre Dieu. Lié
12 44 à Tobiyya, 5 il lui avait aménagé une salle spacieuse, où l'on plaçait précédemment les offrandes,
l'encens, les ustensiles, la dîme du blé, du vin et de
l'huile, c'est-à-dire les parts [g] des lévites, des chantres et des portiers et ce qu'on prélevait pour les
prêtres. 6 J'étais, durant tout cela, absent de Jérusalem, car dans la trente-deuxième année
d'Artaxerxès, roi de Babylone [h], j'étais parti auprès
du roi; mais, au bout d'un certain temps, je demandai au roi un congé 7 et revins à Jérusalem. J'appris
alors la mauvaise action qu'avait faite Élyashib en
Mt 21 12- faveur de Tobiyya, en lui aménageant une salle
13p dans le parvis du Temple de Dieu. 8 Cela me déplut
Jn 2 13-17 fort : je jetai donc à la rue, hors de la salle, tout
le mobilier de Tobiyya, 9 et j'ordonnai qu'on
purifiât les salles; puis j'y fis réintégrer les ustensiles du Temple de Dieu, les offrandes et l'encens.

10 J'appris également que les parts des lévites ne 12 44, 47
rentraient plus et que les lévites et les chantres
chargés du service s'étaient enfuis chacun vers son
champ. 11 Aussi tançai-je les magistrats en ces termes : « Pourquoi le Temple de Dieu est-il à
l'abandon? » Je les [i] rassemblai donc et les rétablis
dans leur fonction. 12 Alors tout Juda apporta aux
magasins la dîme du blé, du vin et de l'huile. 13 Je 10 38s
préposai [j] aux magasins le prêtre Shélémya, le
scribe Sadoq, Pedaya, l'un des lévites, et, pour les
assister, Hanân, fils de Zakkur, fils de Mattanya,
car ils passaient pour intègres; leur office fut de
faire les distributions à leurs frères. 14 Pour cela,
souviens-toi de moi, mon Dieu : n'efface pas les
actes de piété que j'ai accomplis pour le Temple de
mon Dieu et ses observances.

15 En ces jours-là, je vis en Juda des gens qui fou- 10 32
laient au pressoir, le jour du sabbat; d'autres Ex 20 8+
apportaient des gerbes de blé, les chargeaient sur
des ânes, avec du vin, des raisins, des figues et toutes sortes de fardeaux, qu'ils voulaient introduire à Jr 17 21
Jérusalem le jour du sabbat : je les avertis de ne
point vendre de denrées [k]. 16 A Jérusalem même,
des Tyriens, qui habitaient là, apportaient du poisson et des marchandises de tout genre pour les vendre aux Judéens le jour du sabbat. 17 Aussi tançai-
je les grands de Juda, leur déclarant : « Quelle
chose exécrable vous faites là, en profanant le jour
du sabbat! 18 N'est-ce pas ainsi qu'ont agi vos
pères? alors notre Dieu fit venir tout ce malheur sur
nous et sur cette ville. Et vous, vous accroissez la
Colère contre Israël en profanant le sabbat. »
19 Aussi, dès que l'ombre eut gagné les portes de
Jérusalem, juste avant le sabbat [l], j'ordonnai la fermeture des battants et je dis qu'on ne les rouvre
qu'après le sabbat. Je postai quelques-uns de mes
gens aux portes pour qu'aucun fardeau n'entrât le
jour du sabbat. 20 Une fois ou deux, des marchands,
des trafiquants en tous genres de marchandises passèrent la nuit hors de Jérusalem, 21 mais je les avertis, leur déclarant : « Pourquoi passer la nuit aux
abords du mur? Si vous recommencez, je mettrai
la main sur vous! » Depuis ce moment, ils ne sont
plus venus le jour du sabbat. 22 J'ordonnai aux lévites de se purifier et de venir surveiller les portes,

*a)* « du territoire » conj.; « d'après le territoire » hébr.
*b)* « Ils... eux... les » versions; l'hébr. a le sing. comme Dt **23** 5.
*c)* Ce rigorisme dépasse ce qu'exigeait la Loi, cf. Dt **23** 7-9.
*d)* Le Chroniste introduit par cette transition la suite du mémoire de Néhémie, cf. **12** 44+. Néhémie énumère les mesures qu'il a prises à l'occasion des désordres survenus dans la communauté : action contre Tobiyya, cf. **2** 10, qui avait au Temple un pied-à-terre (4-9); versement régulier des redevances aux lévites (10-14); revalorisation du sabbat (15-22); action contre les mariages mixtes (23-29); réglementations cultuelles (30-31). Cf. **10** 1+.
*e)* Différent du grand prêtre de ce nom, **3** 1s, 20s; **12** 10, 22; **13** 28.
*f)* « aux salles » conj., cf. **12** 44; « à la salle » hébr.
*g)* « les parts » Vulg.; « ce qui est ordonné » hébr.
*h)* La première mission de Néhémie avait donc duré de 445 à 433.
*i)* Les lévites.
*j)* « Je préposai » ms grec, syr.; « Je fis trésorier » hébr.
*k)* « je les avertis... » conj. d'après syr.; « je fis des reproches le jour où ils vendaient ces denrées » hébr.
*l)* Le sabbat commençait le vendredi soir, au coucher du soleil.

pour qu'on observât saintement le jour du sabbat.
Pour cela aussi souviens-toi de moi, mon Dieu, et
prends-moi en pitié, selon ta grande miséricorde!
23 En ces jours-là encore, je vis des Juifs qui
**10** 31; avaient épousé des femmes ashdodites, ammonites
**13** 1-3+ ou moabites. 24 Quant à leurs enfants, la moitié
parlait l'ashdodien [a] ou la langue de tel ou tel peuple, mais ne savait plus parler le juif. 25 Je les tançai
et les maudis, en frappai plusieurs, leur arrachai les
cheveux et les adjurai de par Dieu : « Vous ne
devez pas donner vos filles à leurs fils, ni prendre
pour femmes aucune de leurs filles, pour vos fils ou
pour vous-mêmes! 26 N'est-ce pas en cela qu'a
1 R **11** 1-13 péché Salomon, roi d'Israël? Parmi tant de nations,
2 S **12** 25+ aucun roi ne lui fut semblable; il était aimé de son
Dieu; Dieu l'avait fait roi sur tout Israël. Même lui,
les femmes étrangères l'entraînèrent à pécher!
27 Faudra-t-il entendre dire que vous commettez
aussi ce grand crime : trahir notre Dieu en vous
mariant avec des femmes étrangères? »
28 L'un des fils de Yoyada, fils d'Élyashib, le
grand prêtre, était le gendre de Sânballat, le Horo- **2** 10+
nite. Je le chassai loin de moi. 29 Souviens-toi de
ces gens, mon Dieu, pour l'avilissement causé au
sacerdoce et à l'alliance des prêtres et lévites [b].
30 Je les purifiai donc de tout élément étranger.
J'établis, pour les prêtres et les lévites, les règlements qui délimitaient à chacun sa tâche. 31 J'en
établis également pour les livraisons du bois à
dates fixées, et pour les prémices.

Souviens-toi de moi, mon Dieu, pour mon
bonheur!

*a)* Probablement un parler araméen. L'araméen était la langue reçue, **8** 8, mais Néhémie ne voulait pas qu'on oubliât l'hébreu.

*b)* « des prêtres » 1 ms, syr.; l'hébr. répète « sacerdoce ».

# LES LIVRES
# DE TOBIE, DE JUDITH
# ET D'ESTHER

# LES LIVRES DE TOBIE, DE JUDITH ET D'ESTHER

## Introduction

*Dans la Vulgate, les trois livres de* Tobie, *de* Judith *et d'* Esther *sont rangés à la suite des livres historiques. Certains grands manuscrits de la version grecque suivent le même ordre mais d'autres les classent après les Écrits sapientiaux. Ils forment un petit groupe qui se distingue par plusieurs caractères particuliers.*

*1° Ils ont un* texte *mal fixé. Le livre de* Tobie *dépend d'un original sémitique qui est perdu. Saint Jérôme s'était servi, pour la Vulgate, d'un texte « chaldéen » (araméen) que nous ne possédons plus. On a cependant découvert dans une grotte de Qumrân les restes de quatre manuscrits araméens et d'un manuscrit hébreu de Tobie. Les versions grecque, syriaque et latine représentent quatre recensions du texte, dont les deux plus importantes sont celle du manuscrit Vaticanus (B) et Alexandrinus (A) d'une part et celle du codex Sinaïticus (S) et de l'ancienne latine d'autre part. Cette dernière recension, appuyée maintenant par les fragments de Qumrân, paraît être la plus ancienne et c'est elle que suit la présente traduction, tout en faisant appel aux autres témoins.*

*L'original hébreu du livre de* Judith *est également perdu. Il est douteux qu'il soit représenté par aucun des textes hébreux qui ont circulé au Moyen Age. Les textes grecs se présentent sous trois formes qui divergent notablement. La Vulgate donne à son tour un texte fort différent : il semble que saint Jérôme ait seulement révisé, en s'aidant d'une paraphrase araméenne, une traduction latine antérieure.*

*Le livre d'*Esther *a une forme courte, celle de l'hébreu, et une forme longue, celle du grec. Il y a deux variétés du texte grec : le type commun de la Bible grecque et le type aberrant de la recension de Lucien d'Antioche. La version grecque fait à l'hébreu les additions suivantes : songe de Mardochée,* **1** 1$^{a-r}$, *et son explication,* **10** 3$^{a-k}$, *deux édits d'Assuérus,* **3** 13$^{a-g}$ *et* **8** 12$^{a-v}$, *prières de Mardochée,* **4** 17$^{a-i}$, *et d'Esther,* **4** 17$^{k-z}$, *un autre récit de la démarche d'Esther auprès d'Assuérus,* **5** 1$^{a-f}$ *et* **5** 2$^{a-b}$, *un appendice expliquant l'origine de la version grecque,* **10** 3$^{l}$. *Ces additions ont été traduites par saint Jérôme à la suite du texte hébreu (Vulg.* **10** 4 - **16** 24*); dans la présente traduction, elles ont été laissées à la place que leur donne le texte grec, en italique et avec une numérotation spéciale.*

*2° Ils ne sont entrés que tardivement dans le* canon *des Écritures. Les livres de* Tobie *et de* Judith *n'ont pas été accueillis par la Bible hébraïque, ils ne sont pas reçus par les Protestants. Ce sont des livres deutérocanoniques, que l'Église catholique a reconnus après certaines hésitations à l'époque patristique. Lus et utilisés très tôt, ils figurent dans les listes officielles du Canon, en Occident à partir du synode romain de 382, en Orient à partir du concile de Constantinople dit « in Trullo », en 692. Les sections grecques d'*Esther *sont également deutérocanoniques et ont la même histoire que Tobie et Judith. Le livre hébreu était encore discuté par les Rabbins au Ier siècle de notre ère, mais il trouva ensuite une très grande faveur chez les Juifs.*

*3° Ils ont en commun un certain* genre littéraire. *Ces histoires traitent avec beaucoup de liberté l'histoire et la géographie. D'après* Tobie, *le vieux Tobit a vu dans sa jeunesse la division du royaume à la mort de Salomon (en 931), Tb* **1** 4, *il a été déporté avec la tribu de Nephtali (en 734), Tb* **1** 5 *et* 10, *et son fils Tobie n'est mort qu'après la ruine de Ninive (en 612), Tb* **14** 15. *Le livre donne Sennachérib comme successeur immédiat de Salmanasar, Tb* **1** 15, *omettant le règne de Sargon. Entre Rhagès situé dans la montagne et Ecbatane au milieu de la plaine, il n'y aurait que deux jours de marche, Tb* **5** 6, *alors qu'Ecbatane était à 2.000 m d'altitude, beaucoup plus haut que Rhagès, et que*

*300 km séparaient les deux villes. Le livre d'*Esther *a un cadre historique plus ferme : la ville de Suse est correctement décrite, certaines coutumes perses sont bien observées, Assuérus, transcription hébraïque de Xerxès, est un personnage connu et le portrait moral du roi s'harmonise avec ce que nous en dit Hérodote. Pourtant, le décret qu'il accepte de signer pour l'extermination des Juifs s'accorde mal avec la politique tolérante des Achéménides; il est encore moins vraisemblable qu'il ait autorisé le massacre de ses propres sujets et que 75.000 Perses se soient laissé tuer sans résistance. Aux dates que donne le récit, la reine des Perses, épouse de Xerxès, se nommait Amestris, et la grande histoire ne laisse pas de place pour Vasthi ni pour Esther. Si Mardochée a été déporté au temps de Nabuchodonosor, Est* **2** 6, *il aurait eu environ 150 ans sous Xerxès.*

*Le livre de* Judith, *surtout, manifeste une superbe indifférence pour l'histoire et la géographie. Le récit est placé sous « Nabuchodonosor, qui régna sur les Assyriens à Ninive », Jdt* **1** 1; *or Nabuchodonosor était roi de Babylone et Ninive avait été détruite par son père Nabopolassar. En revanche, le retour de l'Exil, sous Cyrus, est déjà présenté comme une chose accomplie, Jdt* **4** 3; **5** 19. *Holopherne et Bagoas portent des noms perses, mais il y a aussi des allusions transparentes à certaines coutumes grecques,* **3** 7-8*;* **15** 13. *L'itinéraire guerrier d'Holopherne,* **2** 21-28, *est un défi à la géographie. Quand il arrive en Samarie, on pense être sur un terrain plus solide et les noms de lieux se multiplient. Mais beaucoup nous sont inconnus et sonnent étrangement; la ville même de Béthulie, qui est le centre de l'action, ne peut pas être située sur une carte, malgré les apparentes précisions topographiques du récit.*

*Ces libertés étonnantes ne s'expliquent que si les auteurs ont voulu faire autre chose qu'une œuvre d'histoire. Il est vraisemblable qu'ils sont partis de faits réels, mais il est impossible de déterminer quels ils furent, sous les développements dont ils ont été le prétexte, développements qui sont l'œuvre propre des auteurs et qui contiennent leur message. Ce qui importe, c'est de déterminer l'intention de chaque livre et de dégager l'enseignement qu'il donne.*

*Le livre de* Tobie *est une histoire familiale. A Ninive, Tobit, un déporté de la tribu de Nephtali, pieux, observant, charitable, est devenu aveugle. A Ecbatane, son parent Ragouël a une fille, Sarra, qui a vu mourir successivement sept fiancés, tués au soir des noces par le démon Asmodée. Tobit et Sarra demandent l'un et l'autre à Dieu d'être délivrés de la vie. De ces deux infortunes et de ces deux prières, Dieu va faire une grande joie : il envoie son ange Raphaël, qui conduit Tobie, fils de Tobit, chez Ragouël, lui fait épouser Sarra et lui donne le remède qui guérira l'aveugle. C'est un récit d'édification, où les devoirs envers les morts et le conseil de l'aumône ont une place marquante. Le sens de la famille s'y exprime avec un charme prenant. Il développe une notion très élevée, chrétienne avant la lettre, du mariage. L'ange Raphaël manifeste et masque tout à la fois l'action de Dieu, dont il est l'instrument. C'est cette Providence quotidienne, cette proximité d'un Dieu bienveillant, que le livre invite à reconnaître.*

*Le livre s'inspire de modèles bibliques, surtout des récits patriarcaux de la Genèse, il se place littérairement entre Job et Esther, entre Zacharie et Daniel. Il offre des points de contact avec la* Sagesse d'Ahikar *(cf. Tb* **1** 22; **2** 10; **11** 18; **14** 10), *ouvrage apocryphe dont le fond remonte au moins au Ve siècle av. J.-C. Le livre de Tobie semble avoir été écrit vers 200 av. J.-C., peut-être en Palestine et probablement en araméen.*

*Le livre de* Judith *est l'histoire d'une victoire du peuple élu contre ses ennemis, grâce à l'intervention d'une femme. La petite nation juive s'affronte à l'imposante armée d'Holopherne, qui doit soumettre le monde au roi Nabuchodonosor et détruire tout autre culte que celui de Nabuchodonosor déifié. Les Juifs sont assiégés dans Béthulie qui, privée d'eau, est sur le point de se rendre. Alors paraît Judith, une jeune veuve, belle, sage, pieuse et décidée, qui triomphera successivement de la veulerie de ses compatriotes et de l'armée assyrienne. Elle reproche aux chefs de la ville leur manque de confiance en Dieu, puis elle prie, se pare, sort de Béthulie et se fait conduire devant Holopherne. Elle emploie contre lui la séduction et la ruse et, laissée seule avec le soudard ivre, elle lui tranche la tête. Pris de panique, les Assyriens s'enfuient, leur camp est mis au pillage. Le peuple exalte Judith et se rend à Jérusalem pour une solennelle action de grâces.*

*Il semble que l'auteur ait multiplié délibérément les entorses à l'histoire pour détacher l'attention d'un contexte historique précis et la reporter tout entière sur le drame religieux et son dénouement. C'est un récit habilement composé, qui s'apparente étroitement aux apocalypses. Holopherne, serviteur de Nabuchodonosor, est une synthèse des puissances du mal, Judith, dont le nom signifie « la Juive », représente le parti de Dieu, identifié à celui de la nation. Ce parti paraît voué à l'extermination mais Dieu procure son triomphe par les faibles mains d'une femme, et le peuple saint monte vers Jérusalem. Ce livre a des contacts certains avec Daniel, Ézéchiel et Joël; la scène se passe dans la plaine d'Esdrelon, près de cette plaine d'Harmagedôn où saint Jean placera la bataille eschatologique d'Ap* **16** 16. *La victoire de Judith récompense sa prière, son observance scrupuleuse des règles de pureté légale, et cependant la perspective du livre est universaliste : le salut de Jérusalem est assuré à Béthulie, dans cette Samarie odieuse aux « bien pensants » du Judaïsme étroit, le sens religieux du conflit est dégagé par Achior, qui est un Ammonite, Jdt* **5** 5-21, *et se convertit au vrai Dieu, Jdt* **14** 5-10. *Le livre a été écrit en Palestine vers le milieu du IIe siècle avant notre ère, dans l'atmosphère de ferveur nationale et religieuse qui fut créée par le soulèvement des Maccabées.*

*Le livre d'*Esther *raconte, comme celui de Judith, une délivrance de la nation par l'intermédiaire d'une femme. Les Juifs établis en Perse sont menacés d'extermination par la haine d'un vizir omnipotent, Aman, et sont sauvés grâce à l'intervention d'Esther, une jeune compatriote devenue reine, elle-même dirigée par son oncle Mardochée; c'est un retournement complet de la situation : Aman est pendu, Mardochée prend sa place, les Juifs massacrent leurs ennemis. La fête des Purim est instituée pour commémorer cette victoire et on recommande aux Juifs de la célébrer chaque année.*

*Ce récit illustre l'hostilité dont les Juifs étaient l'objet dans le monde antique, à cause de la singularité de leur vie qui les mettait en opposition avec la loi du prince (comparer la persécution d'Antiochus Épiphane); leur nationalisme exacerbé est une réaction de défense. Sa violence nous choque mais nous devons nous souvenir que le livre est antérieur à la révélation chrétienne. Il faut aussi faire la part de la convention littéraire : ces intrigues de harem et ces tueries ne servent qu'à la présentation dramatique d'une thèse, qui est une thèse religieuse. L'élévation de Mardochée et d'Esther et la délivrance qui en résulte rappellent l'histoire de Daniel, et surtout celle de Joseph, opprimé puis exalté pour le salut de son peuple. Dans le récit de la Genèse sur Joseph, Dieu ne manifeste pas extérieurement sa puissance et cependant il dirige les événements. De même, dans le livre hébreu d'Esther, qui évite de nommer Dieu, la Providence conduit toutes les péripéties du drame. Les acteurs le savent et mettent toute leur confiance en Dieu, qui réalisera son dessein de salut, même si défaillent les instruments humains qu'il a choisis, cf. Est* **4** 13-17 *qui donne la clé du livre. Les additions grecques sont d'un ton plus religieux (elles ont fourni tous les passages d'Esther utilisés par la liturgie), mais elles ne font qu'expliciter ce que l'auteur hébreu laissait deviner.*

*La version grecque existait en 114 (ou 78) av. J.-C., où elle est envoyée en Égypte pour authentiquer la fête des Purim, Est* **10** 3[1]. *Le texte hébreu est antérieur; d'après 2 M* **15** 36, *les Juifs de Palestine célébraient, en 160 av. J.-C., un « jour de Mardochée », qui suppose connus l'histoire d'Esther et peut-être le livre lui-même. Celui-ci peut avoir été composé dans le second quart du IIe siècle av. J.-C. Son rapport original avec la fête des Purim est incertain : le passage d'Est* **9** 20-32 *est d'un style différent et paraît être une addition. Les origines de la fête sont obscures et il est possible que le livre lui ait été rattaché secondairement (2 M* **15** 36 *ne donne pas le nom de « Purim » au « jour de Mardochée ») et ait servi à la justifier historiquement.*

# TOBIE[a]

**1** [1] Histoire de Tobit[b], fils de Tobiel, fils de
Ananiel, fils d'Adouel, fils de Gabaël, de la
lignée d'Asiel, de la tribu de Nephtali. [2] Aux jours
de Salmanasar[c], roi d'Assyrie, il fut déporté de
Tibé, qui se trouve au sud de Kédès-Nephtali, en
Haute-Galilée, au-dessus de Hasor, à l'ouest, au
soleil couchant, et au nord de Shephat.

## *I. Le déporté*

[3] Moi, Tobit, j'ai marché sur des chemins de
vérité et dans les bonnes œuvres tous les jours de
ma vie[d]. J'ai fait beaucoup d'aumônes à mes frères
et à mes compatriotes déportés avec moi à Ninive,
au pays d'Assyrie. [4] Dans ma jeunesse, quand
j'étais encore dans mon pays, la terre d'Israël, toute
la tribu de Nephtali mon ancêtre se détacha de la
maison de David et de Jérusalem. C'était pourtant
la ville choisie parmi toutes les tribus d'Israël pour
leurs sacrifices; c'était là que le Temple où Dieu
réside avait été bâti et dédié pour toutes les générations à venir. [5] Tous mes frères, et la maison de
R 12 26-32 Nephtali, eux, sacrifiaient au veau qu'avait fait
Jéroboam, roi d'Israël, à Dan, sur tous les monts
de Galilée.
[6] Bien des fois, j'étais absolument seul à venir en
Dt 16 16 pèlerinage à Jérusalem, pour satisfaire à la loi qui
oblige tout Israël à perpétuité. Je courais à Jérusalem, avec les prémices des fruits et des animaux,
Dt 14 22+ la dîme du bétail, et la première tonte des brebis.
[7] Je les donnais aux prêtres, fils d'Aaron, pour Dt 18 3-5
l'autel. Aux lévites, alors en fonction à Jérusalem, Nb 18 12s
je donnais la dîme du vin et du blé, des olives, des
grenades et des autres fruits. Je prélevais en espèces
la seconde dîme, six ans de suite, et j'allais la Dt 14 22-27
dépenser à Jérusalem chaque année. [8] Je donnais la
troisième[e] aux orphelins, aux veuves et aux étran- Dt 14 28-29
gers qui vivent avec les Israélites; je la leur apportais en présent tous les trois ans. Nous la mangions, fidèles à la fois aux prescriptions de la Loi
mosaïque et aux recommandations de Debbora,
mère de Ananiel, notre père; parce que mon père
était mort, en me laissant orphelin. [9] A l'âge
d'homme, je pris une femme de notre parenté, qui
s'appelait Anna[f]; elle me donna un fils que je nom-
mai Tobie.
[10] Lors de la déportation en Assyrie, quand je fus 11
emmené, je vins à Ninive. Tous mes frères, et ceux
de ma race, mangeaient les mets des païens; [11] pour 12
moi, je me gardai de manger les mets des païens[g].

*a)* Le texte de la Vulg. est souvent assez différent du texte grec suivi par la présente traduction (voir l'Introd., p. 533), ce qui entraîne de fréquentes discordances dans la numérotation des versets. Les notes signaleront les additions de la Vulg. les plus notables, et on trouvera en marge la numérotation de la Vulg., lorsqu'elle est différente du grec et que le texte de la Vulg. correspond, au moins substantiellement, à celui du grec.
*b)* Le nom du père est en grec Tôbeith ou Tôbeit, ce qui se transcrit en français Tobit; celui du fils, Tôbeias ou Tôbias, forme francisée : Tobie. Les autres noms propres du livre varient beaucoup suivant les témoins. – Le Sinaïticus (S) allonge cette généalogie en ajoutant après « Gabaël » : « fils de Raphaël, fils de Ragouël », omis par Alexandrinus (A) et Vaticanus (B).
*c)* Le cadre historique a des raccourcis conventionnels, voir l'Introd. p. 533.
*d)* La piété de Tobit n'est pas tant faite de la méditation de la Loi, cf. Ps **119**, etc., que de la pratique des bonnes œuvres qui l'accomplissent : l'aumône, la sépulture donnée aux morts, les pèlerinages, l'acquittement de la dîme, etc.
*e)* « la troisième » syr.; « celle de la troisième année » Vet. Lat.; omis par S.
*f)* « qui s'appelait Anna » A, B, Vet. Lat.; omis par S.
*g)* Préparés sans tenir compte des interdits légaux, cf. Lv **11**; Dt **14**.

13 [12] Comme j'avais été fidèle à mon Dieu de tout
mon cœur, [13] le Très Haut me donna la faveur de
Dn 2 48, 49 Salmanasar, dont je devins l'homme d'affaires.
16 [14] Je voyageais en Médie, où je passai des marchés
pour lui, jusqu'à sa mort; et je déposai chez
Gabaël, frère de Gabri, à Rhagès de Médie, des
sacs d'argent pour dix talents [a].
18 [15] A la mort de Salmanasar, Sennachérib, son
fils, lui succéda; les routes de Médie se fermèrent,
et je ne pus continuer à m'y rendre. [16] Aux jours
de Salmanasar, j'avais fait souvent l'aumône à mes
Jb 31 16-20 frères de race, [17] je donnais mon pain aux affamés,
et des habits à ceux qui étaient nus; et j'enterrais,
quand j'en voyais, les cadavres de mes compatriotes, jetés par-dessus les remparts de Ninive.
21 [18] J'enterrai de même ceux que tua Sennachérib. –
Quand il revint en fuyard de Judée, après le châtiment du Roi du Ciel sur le blasphémateur, Sennachérib, dans sa colère, tua un grand nombre
d'Israélites. – Alors, je dérobais leurs corps pour
les ensevelir; Sennachérib les cherchait et ne les
trouvait plus. [19] Un Ninivite vint informer le roi 22
que j'étais le fossoyeur clandestin. Quand je sus le
roi renseigné sur mon compte, que je me vis recherché pour être mis à mort, j'eus peur, et je pris la
fuite. [20] Tous mes biens furent saisis; tout fut
confisqué pour le trésor; rien ne me resta, que ma
femme Anna, et que mon fils Tobie.
[21] Moins de quarante jours après, le roi fut assas- 24
siné par ses deux fils, qui s'enfuirent dans les monts
Ararat. Asarhaddon, son fils, lui succéda. Ahikar [b],
fils de mon frère Anaël, fut chargé des comptes du
royaume, et il avait la direction générale des affaires. [22] Alors Ahikar intercéda pour moi, et je pus
redescendre à Ninive. C'est que Ahikar, sous Sennachérib, roi d'Assyrie, avait été grand échanson,
garde du sceau, administrateur et maître des
comptes; et Asarhaddon l'avait maintenu en fonctions. Il était de ma parenté, c'était mon neveu.

## *II. L'aveugle*

2 [1] Sous le règne d'Asarhaddon, je revins donc
chez moi, et ma femme Anna me fut rendue
Ex 23 14+ avec mon fils Tobie. A notre fête de la Pentecôte
(la fête des Semaines), il y eut un bon dîner. Je pris
ma place au repas, [2] on m'apporta la table et on
m'apporta plusieurs plats. Alors je dis à mon fils
Tobie : « Va chercher, mon enfant, parmi nos frères
déportés à Ninive, un pauvre qui soit de cœur
fidèle, et amène-le pour partager mon repas.
J'attends que tu reviennes, mon enfant. » [3] Tobie
sortit donc en quête d'un pauvre parmi nos frères,
mais il revint et dit : « Père! » Je répondis : « Eh
bien, mon enfant? » Il reprit : « Père, il y a quelqu'un de notre peuple qui vient d'être assassiné, il
a été étranglé, puis jeté sur la place du marché, et
il y est encore. » [4] Je ne fis qu'un bond, laissai mon
repas intact, enlevai l'homme de la place, et le
déposai dans une chambre, en attendant le coucher
du soleil pour l'enterrer. [5] Je rentrai me laver, et je
mangeai mon pain dans le chagrin, [6] avec le souvenir des paroles du prophète Amos sur Béthel :

*Vos fêtes seront changées en deuils* Am 8 10
*et tous vos cantiques en lamentations.*

[7] Et je pleurai. Puis, quand le soleil fut couché,
j'allai, je creusai une fosse et je l'ensevelis. [8] Mes
voisins disaient en riant : « Tiens! Il n'a plus peur. »
(Il faut se rappeler que ma tête avait déjà été mise
à prix pour ce motif-là.) « La première fois, il s'est
enfui; et le voilà qui se remet à enterrer les morts! »
[9] Ce soir-là, je pris un bain, et j'allai dans la 10
cour, je m'étendis le long du mur de la cour.
Comme il faisait chaud, j'avais le visage découvert,
[10] je ne savais pas qu'il y avait, au-dessus de moi, 11
des moineaux dans le mur. De la fiente me tomba
dans les yeux, toute chaude; elle provoqua des
taches blanches que je dus aller faire soigner par
les médecins. Plus ils m'appliquaient d'onguents, Mc 5 26
plus les taches m'aveuglaient, et finalement la
cécité fut complète. Je restai quatre ans privé de la
vue, tous mes frères en furent désolés; et Ahikar
pourvut à mon entretien pendant deux années,
avant son départ en Élymaïde [c].

*a)* Un talent d'argent, ou soixante mines, équivalait à un poids d'environ 44 kilos.

*b)* La mention d'Ahikar, Tb **1** 22; **2** 10; **11** 18; **14** 10 (cf. Jdt **5** 5+), rattache l'histoire de Tobit au *Livre* (ou : *Sagesse*) *d'Ahikar*, ouvrage ancien connu sous diverses formes et en diverses langues. C'est un récit qui sert de cadre à deux recueils de sapience, dont l'écho se retrouve dans Tb et dans Si. Le sage Ahikar, chancelier des rois d'Assyrie Sennachérib et Asarhaddon, a élevé son neveu Nadab, qu'il prépare pour lui succéder; ce qui introduit une première série de maximes. Nadab, parvenu et ingrat, fait condamner à mort son bienfaiteur. Ahikar échappe à la mort par un subterfuge et reste caché. Asarhaddon, sommé par le Pharaon de lui présenter un sage capable de répondre à ses défis, regrette la disparition d'Ahikar. Celui-ci sort alors de sa cachette, tient tête à Pharaon et, réhabilité, châtie son neveu et lui adresse des reproches, qui constituent la seconde série de sentences.

*c)* Une addition de la Vulg. (vv. 12-18) compare la patience de Tobit à celle de Job. Aux reproches de ses parents, Tobit répond : « Ne parlez pas de la sorte, nous sommes les fils des saints, et nous attendons cette vie que Dieu donnera à ceux qui ne retirent pas leur foi de lui. »

19 11 A ce moment-là, ma femme Anna prit du travail d'ouvrière, elle filait de la laine et recevait de
la toile à tisser [a], 12 elle livrait sur commande et on
lui payait le prix. Or, le sept du mois de Dystros [b],
elle termina une pièce et elle la livra aux clients.
20 Ils lui donnèrent tout son dû, et de plus ils lui firent
21 cadeau d'un chevreau pour un repas. 13 En rentrant
chez moi, le chevreau se mit à bêler, j'appelai ma
femme et lui dis : « D'où sort ce cabri? Et s'il avait
été volé? Rends-le donc à ses maîtres, nous n'avons
pas le droit de manger le produit d'un vol. » 14 Elle
me dit : « Mais c'est un cadeau qu'on m'a donné
par-dessus le marché! » Je ne la crus pas, et je lui
dis de le rendre à ses propriétaires (j'en rougissais
22 devant elle). Alors elle répliqua : « Où sont donc
Jb **2** 9 tes aumônes? Où sont donc tes bonnes œuvres?
Tout le monde sait ce que cela t'a rapporté [c]! »

**3** 1 L'âme désolée, je soupirai, je pleurai, et je
commençai cette prière de lamentation :

Dn **3** 27-32 2 Tu es juste, Seigneur,
Ps **119** 137 et toutes tes œuvres sont justes.
Ps **25** 10 Toutes tes voies sont grâce et vérité,
et tu es le Juge du monde.

3 Et maintenant, toi, Seigneur,
souviens-toi de moi, regarde-moi.
Ne me punis pas pour mes péchés,
ni pour mes ignorances,
Ex **34** 7 ni pour celles de mes pères.

Car nous avons péché devant toi Ba **1** 17-18
4 et violé tes commandements; Dn **9** 5-6
et tu nous as livrés au pillage, Ba **2** 4s; **3** 8
à la captivité et à la mort,
à la fable, à la risée et au blâme
de tous les peuples où tu nous as dispersés.

5 Et maintenant, tous tes décrets sont vrais,
quand tu me traites selon mes fautes
et celles de mes pères [d].
Car nous n'avons pas obéi à tes ordres,
ni marché en vérité devant toi.

6 Et maintenant, traite-moi comme il te plaira, Nb **11** 15
daigne me retirer la vie : 1 R **19** 4
je veux être délivré de la terre
et redevenir terre.
Car la mort vaut mieux pour moi que la vie. Jon **4** 3, 8
J'ai subi des outrages sans raison, Jb **7** 15
et j'ai une immense douleur!

Seigneur, j'attends que ta décision
me délivre de cette épreuve.
Laisse-moi partir au séjour éternel,
ne détourne pas ta face de moi, Seigneur.
Car mieux vaut mourir que passer ma vie
en face d'un mal inexorable,
et je ne veux plus m'entendre outrager.

# III. Sarra

7 Le même jour, il advint que Sarra, fille de
Ragouël, habitant d'Ecbatane en Médie, entendit
aussi les insultes d'une servante de son père. 8 Il
faut savoir qu'elle avait été donnée sept fois en
mariage, et qu'Asmodée [e], le pire des démons, avait
tué ses maris l'un après l'autre, avant qu'il se soient
unis à elle comme de bons époux. Et la servante
de dire : « Oui, c'est toi qui tues tes maris! En voilà
déjà sept à qui tu as été donnée, et tu n'as pas eu
de chance [f] une seule fois! 9 Si tes maris sont morts,
ce n'est pas une raison pour nous châtier! Va donc
les rejoindre, qu'on ne voie jamais de toi ni garçon
ni fille! » 10 Ce jour-là, elle eut du chagrin, elle sanglota, elle monta dans la chambre de son père, avec
le dessein de se pendre. Puis, à la réflexion, elle
pensa : « Et si l'on blâmait mon père? On lui dira :
" Tu n'avais qu'une fille chérie, et, de malheur, elle
s'est pendue!" Je ne veux pas affliger la vieillesse 6 15
de mon père jusqu'au séjour des morts [g]. Je ferais Gn **37** 35; **42**
mieux de ne pas me pendre, et de supplier le Sei- 38; **44** 29, 31
gneur de me faire mourir, afin que je n'entende plus
d'insultes pendant ma vie. » 11 A l'instant, elle étendit les bras du côté de la fenêtre, elle pria ainsi : Dn **6** 11

1 R **8** 44, 48
Ps **5** 8; **28** 2;
**134** 2; **138** 2

Tu es béni Dieu de miséricorde!
Que ton Nom soit béni dans les siècles,
et que toutes tes œuvres
te bénissent dans l'éternité!

*a)* « elle filait... tisser » ajouté avec Vet. Lat.
*b)* Le mois macédonien de Dystros correspondait au mois de Adar chez les Juifs (février-mars).
*c)* La Vulg. (v. 23) accentue le parallèle entre Anna et la femme de Job.
*d)* « et celles de mes pères » ajouté avec B, Vet. Lat., syr.
*e)* Le nom d'Asmodée signifierait : « celui qui fait périr », cf. l'ange destructeur de 2 S **24** 16; Sg **18** 25; Ap **9** 11. On retrouve Asmodée dans le *Testament de Salomon* (où il est comme ici l'ennemi de l'union conjugale) et dans le judaïsme postbiblique. On l'a rapproché d'Aeshma, l'un des démons du parsisme.
*f)* « tu n'as pas eu de chance » A, B, Vet. Lat., syr.; « tu n'as pas été nommée » S. – Sarra est affligée d'un maléfice qui entraîne la mort de ses fiancés.
*g)* L'un des refrains de l'histoire de Joseph.

14 [12] Et maintenant, je lève mon visage
et je tourne les yeux vers toi.
3 6+ 15 [13] Que ta parole me délivre de la terre,
je ne veux plus m'entendre outrager!

16 [14] Tu le sais, toi, Seigneur,
je suis restée pure,
aucun homme ne m'a touchée,
17 [15] je n'ai pas déshonoré mon nom,
ni celui de mon père,
sur ma terre d'exil.

Je suis la fille unique de mon père,
il n'a pas d'autre enfant pour héritier,
il n'a pas de frère auprès de lui,
il ne lui reste aucun parent,
à qui je doive me réserver.

J'ai perdu déjà sept maris,
pourquoi devrai-je vivre encore?
S'il te déplaît de me faire mourir,
regarde-moi avec pitié,
je ne veux plus m'entendre outrager [a]!

[16] Cette fois-ci, leur prière, à l'un et à l'autre, fut 24
agréée devant la Gloire de Dieu, [17] et Raphaël [b] fut 25 **12** 12
envoyé pour les guérir tous les deux. Il devait enle-
ver les taches blanches des yeux de Tobit, pour
qu'il voie de ses yeux la lumière de Dieu; et il
devait donner Sarra, fille de Ragouël, en épouse à
Tobie, fils de Tobit, et la dégager d'Asmodée, le
pire des démons. Car c'est à Tobie qu'elle revenait **4** 12-13;
de droit, avant tous les autres prétendants. A ce **6** 12+
moment-là, Tobit rentrait de la cour dans la maison; et Sarra, fille de Ragouël, de son côté, était en
train de descendre de la chambre.

# *IV. Tobie*

**4** [1] Ce jour-là, Tobit pensa à l'argent qu'il avait
déposé chez Gabaël, à Rhagès de Médie, [2] et
il se dit : « J'en suis venu à demander la mort, je
ferais bien d'appeler mon fils Tobie, pour lui parler
de cette somme, avant de mourir. » [3] Il fit venir son
fils Tobie auprès de lui, et parla ainsi :
« Quand je mourrai [c], fais-moi un enterrement
Ex **20** 12 convenable. Honore ta mère, et ne la délaisse en
Pr **23** 22 aucun jour de ta vie. Fais ce qui lui plaît, et ne lui
Si **7** 27 5 fournis aucun sujet de tristesse. [4] Souviens-toi, mon
enfant, de tant de dangers qu'elle a courus pour toi,
quand tu étais dans son sein. Et quand elle mourra,
enterre-la auprès de moi, dans la même tombe.
6 [5] Mon enfant, sois tous les jours fidèle au Seigneur. N'aie pas la volonté de pécher, ni de transgresser ses lois. Fais de bonnes œuvres tous les
jours de ta vie, et ne suis pas les sentiers de l'injus-
**13** 6 tice. [6] Car, si tu agis dans la vérité [d], tu réussiras
Jn **3** 21 dans toutes tes actions, comme tous ceux qui prati-
Ep **4** 15 quent la justice.
**12** 8-10 [7] Prends sur tes biens pour faire l'aumône. Ne
Pr **19** 17 détourne jamais ton visage d'un pauvre, et Dieu ne
Si **4** 1-6 détournera pas le sien de toi. [8] Mesure ton aumône
Dt **15** 7-8, 11
1 Jn **3** 17

à ton abondance : si tu as beaucoup, donne davantage; si tu as peu, donne moins, mais n'hésite pas 9
à faire l'aumône. [9] C'est te constituer un beau tré- 10 Mt **6** 20p
sor pour le jour du besoin. [10] Car l'aumône délivre 11 Si **3** 30
de la mort, et elle empêche d'aller dans les ténèbres. **29** 12
[11] L'aumône est une offrande de valeur, pour tous 12
ceux qui la font en présence du Très Haut.
[12] Garde-toi, mon enfant, de toute inconduite. 13
Choisis une femme du sang de tes pères. Ne prends Gn **24** 3-4;
pas une femme étrangère à la tribu de ton père, **28** 1-2
parce que nous sommes les fils des prophètes. Sou- Jg **14** 3
viens-toi de Noé, d'Abraham, d'Isaac et de Jacob, Gn **11** 31;
nos pères dès le commencement. Ils ont tous pris **25** 20;
une femme dans leur parenté, et ils ont été bénis **29** 15-30
dans leurs enfants, et leur race aura la terre en héri- Tb **6** 12+
tage. [13] Toi aussi, mon enfant, préfère tes frères,
n'aie pas le cœur de mépriser tes frères, les fils et
les filles de ton peuple, et prends ta femme parmi
eux. Parce que l'orgueil entraîne la ruine, et beau- 14
coup d'inquiétude; l'oisiveté amène la pauvreté et
la pénurie, car la mère de la famine, c'est l'oisiveté.
[14] Ne fais pas attendre au lendemain le salaire de Lv **19** 13
ceux qui travaillent pour toi, mais paie-le tout de Dt **24** 15

*a)* « je ne veux plus m'entendre outrager » B, Vet. Lat., syr.; « entends mon outrage » S. – La fin de la prière est assez différente dans la Vulg. : « [18] Si j'ai consenti à prendre mari, ce ne fut pas par passion, mais dans ta crainte. [19] En ce cas, ou bien moi je n'ai pas été digne d'eux, ou bien eux peut-être n'ont-ils pas été dignes de moi. Ou alors, serait-ce que tu m'aurais réservée à un autre mari? [20] Ton conseil n'est pas à la mesure de l'homme, [21] mais quiconque te révère sait que, s'il a été dans l'épreuve, il sera couronné; s'il a été dans la tribulation, il sera délivré; s'il a passé par la correction, il sera admis à ta miséricorde. [22] Car tu ne prends pas plaisir à notre perte, mais, après la tempête, tu amènes le calme et, après les pleurs et les larmes, tu répands l'allégresse... »

*b)* Raphaël, l'ange protecteur envoyé à Tobit et à Sarra, a d'abord été devant Dieu, ch. **12** 12, 15, l'intercesseur de leur prière. Cf. **5** 4+.

*c)* « Quand je mourrai » B, Vet. Lat.; syr.; omis par S.

*d)* Litt. « si tu fais la vérité » B, Vet. Lat., syr.; « ceux qui font la vérité » S. – Les vv. 7-19 manquent dans le grec du Sinaïticus et sont restitués d'après Vet. Lat. en tenant compte de B et syr.

suite. Si tu sers Dieu, tu seras récompensé. Sois
vigilant, mon fils, dans toutes tes œuvres, et bien
Mt **7** 12 élevé dans toute ta conduite. 15 Ne fais à personne
Lc **6** 31 ce que tu n'aimerais pas subir. Ne bois pas de vin
jusqu'à l'ivresse, et n'aie pas la débauche pour
compagne de ta route.
Is **58** 7 16 Donne de ton pain à ceux qui ont faim, et de
Mt **25** 35-36 tes habits à ceux qui sont nus. De tout ce que tu
as en abondance, prends pour faire l'aumône; et
Dt **15** 10 quand tu fais l'aumône, n'aie pas de regrets dans
2 Co **9** 7 les yeux. 17 Sois prodigue de pain et de vin sur le
Dt **26** 14 tombeau des justes, mais non pour le pécheur [a].
19 18 Prends l'avis de toute personne sage, et ne
20 méprise pas un conseil profitable. 19 En toute
circonstance, bénis le Seigneur Dieu, demande-lui
de diriger tes voies, et de faire aboutir tes sentiers Ps **119** 10,
et tes projets. Car la sagesse n'est pas le propre de 12, 26s, 33s
toute nation, c'est le Seigneur qui leur donne de Dt **4** 6
vouloir le bien. A son gré, il élève [b], ou il abaisse 1 S **2** 7
jusqu'au fond du séjour des morts. Et maintenant,
mon enfant, rappelle-toi ces commandements, et ne
les laisse pas s'effacer de ton cœur.
20 Maintenant, mon enfant, je t'informe que j'ai 21
déposé dix talents d'argent chez Gabaël, fils de
Gabri, à Rhagès de Médie. 21 N'aie pas peur, mon 23
enfant, si nous sommes devenus pauvres. Tu as une
grande richesse, si tu crains Dieu, si tu évites toute 1 Tm **6** 6-8
espèce de péché, et si tu fais ce qui plaît au Sei-
gneur ton Dieu. »

## *V. Le compagnon*

**5** 1 Alors Tobie répondit à son père Tobit : « Je
ferai, père, tout ce que tu m'as commandé.
2 Seulement, comment faire pour lui reprendre ce
dépôt? Lui ne me connaît pas, et moi, je ne le
connais pas non plus. Quel signe de reconnaissance
vais-je lui donner, pour qu'il me croie et qu'il me
remette l'argent? De plus, je ne sais pas les routes
à prendre pour ce voyage en Médie. » 3 Alors Tobit
répondit à son fils Tobie : « Nous avons échangé
nos signatures sur un billet, et je l'ai coupé en deux
pour que nous en ayons chacun la moitié. J'ai pris
l'une [c], et j'ai mis l'autre avec l'argent. Dire que
cela fait vingt ans que j'ai mis cet argent en dépôt!
4 Maintenant, mon enfant, cherche-toi quelqu'un de
sérieux pour compagnon de voyage, il sera à nos
frais jusqu'à ton retour; et puis va toucher cet
argent chez Gabaël. »
5 4 Tobie sortit, en quête d'un bon guide capable
de venir avec lui en Médie. Dehors, il trouva
3 17+ Raphaël, l'ange [d], debout face à lui, sans se douter
7 que c'était un ange de Dieu. 5 Il lui dit : « D'où
es-tu, mon ami? » L'ange répondit : « Je suis l'un
des Israélites tes frères, je suis venu chercher du
travail par là. » Tobie lui dit : « Sais-tu la route
8 pour aller en Médie? » 6 L'autre répondit : « Bien
sûr! J'y ai été plusieurs fois, je connais tous les chemins par cœur. Je suis allé fréquemment en Médie,
j'ai été reçu chez Gabaël, l'un de nos frères qui
habite à Rhagès de Médie [e]. Il faut bien deux jours
de marche normale, d'Ecbatane à Rhagès; Rhagès
est situé dans la montagne, et Ecbatane est au
milieu de la plaine [f]. » 7 Tobie lui dit : « Attends- 9
moi, mon ami, que j'aille prévenir mon père : j'ai
besoin que tu viennes avec moi, je te paierai tes
journées. » 8 L'autre répondit : « Bien, j'attends.
Seulement ne sois pas long. »
9 Tobie alla prévenir son père qu'il avait trouvé 10
quelqu'un de leurs frères israélites. Et le père dit :
« Présente-le moi, que je m'informe de sa famille et
de sa tribu. Il faut voir si l'on peut compter sur lui
pour t'accompagner, mon enfant. » Tobie sortit
donc l'appeler : « Mon ami, dit-il, mon père te
demande. »
10 L'ange entra dans la maison. Tobit salua le 11
premier, et l'autre lui répondit par des souhaits de
bonheur. Tobit reprit : « Puis-je encore avoir du 12
bonheur? Je suis un aveugle, je ne vois plus l'éclat
du ciel, je suis plongé dans l'obscurité, comme les
morts qui ne contemplent plus la lumière. Je suis
un enterré vivant, j'entends la voix des gens sans

*a)* Le précepte vient d'*Ahikar*, cf. **1** 21+. Tobit, toutefois, semble conseiller à son fils non pas de faire des offrandes aux morts, usage réprouvé par la Loi, mais de faire l'aumône en leur honneur.

*b)* « il élève » Vet. Lat.; omis par S.

*c)* « j'ai pris l'une » ajouté avec Vet. Lat.

*d)* Mis à part « l'Ange de Yahvé » ou « l'Ange de Dieu » qui, dans les textes anciens, désigne l'apparence visible de Dieu, cf. Gn **16** 7+, les anges sont des créatures distinctes de Dieu et inférieures à lui, les membres de sa cour céleste (appelés « fils de Dieu », Jb **1** 6; cf. Ps **29** 1+, « saints », Jb **5** 1, « armée du ciel » 1 R **22** 19; Ne **9** 6; Ps **103** 21; **148** 2). Le prologue de Job évoque leur assemblée, Jb **1** 6; **2** 1, d'où partent les messagers (c'est le sens du mot « ange ») que Dieu envoie sur terre. Ce sont tantôt des anges de destruction, cf. Ex **12** 23+; 2 R **19** 35; Ez **9** 1; Ps **78** 49, tantôt des anges gardiens des nations et des individus, cf. Ex **23** 20+; Dn **10** 13+. Raphaël est envoyé comme guide de Tobie, **3** 17, cf. Gn **24** 7. Sur le rôle intermédiaire des anges dans la prophétie, voir Ez **40** 3+. La doctrine se développera dans le Judaïsme et dans le NT.

*e)* « Rhagès (de Médie) » Vet. Lat., cf. **1** 14; **4** 1; « Ecbatane (de Médie) » S.

*f)* Géographie peu exacte; Ecbatane, aujourd'hui Hamadan, est assez éloignée de Rhagès, aujourd'hui Raï, près de Téhéran, cf. l'Introd. p. 533. Mais l'auteur ne se soucie pas de précision, il veut seulement situer son récit dans une région lointaine.

13 les voir. » L'ange lui dit : « Aie confiance, Dieu ne
14 tardera pas à te guérir. Aie confiance! » Tobit lui
dit : « Mon fils Tobie désire aller en Médie. Veux-tu
te joindre à lui comme guide? Frère, je te paierai. »
Il répondit : « Je veux bien l'accompagner, je sais
tous les chemins, je suis souvent allé en Médie, j'en
ai traversé toutes les plaines et les montagnes, et
16 j'en connais toutes les pistes. » [11] Tobit dit : « Frère,
de quelle famille et de quelle tribu es-tu? Veux-tu
17 me l'indiquer, frère? » – [12] « Que peut te faire ma
tribu? » – « Je veux savoir pour de bon de qui tu
18 es fils et quel est ton nom. » – [13] « Je suis Azarias,
fils d'Ananias le grand, l'un de tes frères. » –
19 [14] « Sois le bienvenu, salut, frère! Ne te froisse pas
si j'ai désiré connaître ta vraie famille : il se trouve
que tu es mon parent, de belle et bonne lignée. Je
connais Ananias et Nathân, les deux fils de
Séméias le grand. Ils venaient avec moi à Jérusalem, nous y avons adoré ensemble, et ils n'ont pas
quitté la bonne route. Tes frères sont des hommes
de bien, tu es de bonne souche : sois le bienvenu! »
[15] Il poursuivit : « Je t'engage pour une drachme
par jour, avec ton entretien, comme pour mon fils.
Voyage donc avec mon fils, [16] et je dépasserai le
20 prix convenu. » L'ange répondit : « Je ferai le
voyage avec lui. Ne crains rien. Notre départ se
passera bien, et notre retour aussi, parce que la
route est sûre. » [17] Tobit lui dit : « Sois béni, frère! »
Puis il s'adressa à son fils : « Mon enfant, dit-il,
prépare ce qu'il te faut pour le voyage, et pars avec
ton frère. Que le Dieu qui est dans les cieux vous 21
protège là-bas, et qu'il vous ramène sains et saufs
auprès de moi! Que son ange vous accompagne de Gn 24 7, 40
sa protection, mon enfant! » Ex 23 20+

Tobie sortit pour se mettre en route, et il 22
embrassa son père et sa mère. Tobit lui dit : « Bon
voyage! » [18] Sa mère pleura, et elle dit à Tobit : 23
« Pourquoi as-tu décidé le départ de mon enfant?
N'est-ce pas lui le bâton de notre main, lui qui va
et vient devant nous? [19] J'espère que l'argent ne 24
passe pas avant tout, mais qu'il ne compte pas à
côté de notre enfant [a]. [20] Le mode de vie que Dieu 25
nous avait donné nous suffisait bien. » [21] Il lui dit : 26
« Ne te fais pas des idées! Notre enfant ira bien en
partant, il ira encore bien en rentrant à la maison.
Le jour où il te reviendra, tes yeux verront qu'il va
toujours très bien. Ne te fais pas des idées, n'aie
pas d'inquiétude pour eux, ma sœur [b]. [22] Un bon 27
ange l'accompagnera, il fera bon voyage, et il
reviendra en bien bonne santé! »

**6** [1] Et elle cessa de pleurer. 28

## *VI. Le poisson*

6[1] [2] L'enfant partit avec l'ange, et le chien suivit
derrière. Ils marchèrent tous les deux, et quand vint
le premier soir, ils campèrent le long du Tigre.
2 [3] L'enfant descendit au fleuve se laver les pieds,
quand un gros poisson sauta de l'eau, et faillit lui
3 4 avaler le pied. Le garçon cria, [4] et l'ange lui dit :
« Attrape le poisson, et ne le lâche pas! » Le garçon
vint à bout du poisson, et le tira sur la rive.
[5] L'ange lui dit : « Ouvre-le, enlève le fiel, le cœur
et le foie; mets-les à part, et jette les entrailles,
parce que le fiel, le cœur et le foie font des remèdes
utiles. » [6] Le jeune homme ouvrit le poisson, préleva le fiel, le cœur et le foie. Il fit frire un peu de
poisson pour son repas, et il en garda pour le saler.
Ils marchèrent ensuite tous deux ensemble
jusqu'auprès de la Médie.

[7] Alors le garçon posa à l'ange cette question :
« Frère Azarias, quel remède y a-t-il donc dans le
cœur, le foie et le fiel de poisson? » [8] Il répondit :
« On brûle le cœur et le foie de poisson, et leur
fumée s'emploie dans le cas d'un homme, ou d'une
femme, que tourmente un démon ou un esprit
malin : toute espèce de malaise disparaît définitivement sans laisser aucune trace. [9] Quant au fiel, il
sert d'onguent pour les yeux, quand on a des taches
blanches sur l'œil : il n'y a plus qu'à souffler sur
les taches pour les guérir. »

[10] Ils pénétrèrent en Médie, ils étaient déjà rendus près d'Ecbatane, [11] quand Raphaël dit au jeune
homme : « Frère Tobie! » Il répondit : « Eh bien? »
L'ange reprit : « Ce soir nous devons loger chez
Ragouël, c'est un parent à toi. Il a une fille du nom
de Sarra, [12] mais, à part Sarra, il n'a ni garçon ni
fille. Or c'est toi son plus proche parent, elle te
revient par priorité [c], et tu peux prétendre à l'héritage de son père. C'est une enfant sérieuse, coura-

*a)* « l'argent » conj.; « l'argent à l'argent » grec. – Ce v. difficile déroute les traducteurs. On pourrait aussi comprendre : « Que l'argent (de là-bas) ne s'ajoute pas à l'argent (d'ici) mais qu'il soit la rançon de notre enfant »; ou bien, en corrigeant : « Que l'argent ne passe pas avant le fils, mais qu'il soit sans valeur à côté de notre enfant. » Cette idée que l'argent ne doit pas passer avant l'enfant semble bien suggérée par le contexte.

*b)* Même nom donné à l'épouse ou à la fiancée en **8** 4, 7, 21 et en Ct **4** 9s; **5** 1, 2; cf. **8** 1.

*c)* Selon l'usage patriarcal du mariage à l'intérieur du clan, cf. **4** 12-13 et le récit du mariage d'Isaac, Gn **24**. (La loi du lévirat, Dt **25** 5+, est peut-être dérivée de cette coutume.) Pour les tribus établies en Palestine, cet usage assurait la stabilité des parts issues du partage de Canaan, cf. Nb **36**. Dans la Dispersion,

geuse, très gentille, et son père l'aime bien [a]. [13] Tu
as le droit de la prendre. Écoute-moi, frère, je parlerai de la jeune fille à son père, dès ce soir, pour te
la retenir comme fiancée; et quand nous reviendrons de Rhagès, nous ferons le mariage. Je certifie
que Ragouël n'a absolument pas le droit de te la
refuser, ou de la fiancer à un autre. Ce serait encourir la mort, d'après les termes du livre de Moïse,
du moment qu'il saurait que la parenté te donne
avant tout autre le droit de prendre sa fille. Alors,
écoute-moi, frère. Dès ce soir, nous parlons de la
jeune fille, et nous faisons la demande en mariage.
A notre retour de Rhagès, nous la prendrons, pour
l'emmener avec nous chez toi. »
[14] Tobie répondit à Raphaël : « Frère Azarias, je
me suis laissé dire qu'elle a déjà été donnée sept
fois en mariage, et que, chaque fois, son mari est
mort dans la chambre des noces. Il mourait le soir
où il entrait dans sa chambre, et j'ai entendu des
gens dire que c'était un démon qui les tuait, [15] si
bien que j'ai un peu peur. Elle, il ne lui fait rien,
parce qu'il l'aime [b]; mais dès que quelqu'un veut
s'en approcher, il le tue. Je suis le seul fils de mon
père, et je ne tiens pas à mourir, je ne veux pas que
mon père et ma mère s'affligent toute leur vie sur
moi jusqu'au tombeau : ils n'ont pas d'autre fils 3 10+
pour les enterrer. » [16] Il lui dit [c] : « Oublieras-tu les
avis de ton père? Il t'a pourtant recommandé de 4 12-13
prendre une femme de la maison de ton père. Alors,
écoute-moi, frère. Ne tiens pas compte de ce
démon, et prends-la. Je te garantis que, dès ce soir,
elle te sera donnée pour femme. [17] Seulement quand
tu seras entré dans la chambre, prends le foie et le
cœur du poisson, mets en un peu sur les braises de
l'encens. L'odeur se répandra, [18] le démon la respi-
rera, il s'enfuira, et il n'y a pas de danger qu'on le
reprenne autour de la jeune fille. Puis, au moment
de vous unir, levez-vous d'abord tous les deux pour
prier. Demandez au Seigneur du Ciel de vous
accorder sa grâce et sa protection. N'aie pas peur,
elle t'a été destinée dès l'origine, c'est à toi de la Gn 24 44
sauver. Elle te suivra, et je gage qu'elle te donnera
des enfants qui te seront comme des frères. N'hésite
pas. » Et quand Tobie entendit parler Raphaël,
qu'il sut que Sarra était sa sœur, parente de la
famille de son père, il l'aima, au point de ne plus
pouvoir en détacher son cœur.

# VII. Ragouël

7 [1] A l'entrée d'Ecbatane, Tobie dit : « Frère
Azarias, mène-moi tout droit chez notre frère
Ragouël. » Il le conduisit à la maison de Ragouël,
qu'ils trouvèrent assis à la porte de la cour. Ils le
saluèrent les premiers, et il répondit : « Je vous
salue bien, frères, vous êtes les bienvenus! » Et il
les fit entrer dans sa maison. [2] Il dit à sa femme
Edna : « Que ce jeune homme ressemble donc à
mon frère Tobit! » [3] Edna leur demanda d'où ils
étaient, et ils lui dirent : « Nous sommes des fils de
Gn 29 4-6; Nephtali déportés à Ninive. » – [4] « Connaissez-
43 27-30 vous notre frère Tobit? » – « Oui. » – « Comment
va-t-il? » – [5] « Il est toujours en vie, et il se porte
Gn 33 4; 45 14 bien. » Et Tobie ajouta : « C'est mon père. » [6] D'un
Lc 15 20 bond, Ragouël fut debout, il l'embrassa et il pleura.
[7] Puis il parla et lui dit : « Béni sois-tu, mon enfant!
Tu es le fils d'un père excellent. Quel malheur
qu'un homme si juste et si bienfaisant soit devenu
aveugle! » Il tomba au cou de son frère Tobie, et
il pleura. [8] Et sa femme Edna pleura sur lui, et puis
leur fille Sarra aussi. [9] Et il tua un mouton du troupeau, et on leur fit une réception chaleureuse.
On se lava, on se baigna, on se mit à table. Alors
Tobie dit à Raphaël : « Frère Azarias, si tu deman-
dais à Ragouël de me donner ma sœur Sarra? »
[10] Ragouël surprit ces paroles, et dit au jeune
homme : « Mange et bois, ne gâte pas ta soirée,
parce que personne n'a le droit de prendre ma fille
Sarra, si ce n'est toi, mon frère. Aussi bien ne suis-
je pas libre, moi non plus, de la donner à un autre,
puisque tu es son plus proche parent. Maintenant,
mon petit, je vais te parler franchement. [11] J'ai tenté
sept fois de lui trouver un mari parmi nos frères,
et tous sont morts, le premier soir, quand ils

il en restait l'idée de garder dans la parenté les biens de la famille, et la volonté de rester fidèle au droit ancestral d'Israël.

*a)* « l'aime bien » Vet. Lat.; « est beau » S.

*b)* « parce qu'il l'aime » ajouté avec B, Vet. Lat., syr.

*c)* La fin du dialogue se présente autrement dans la Vulg. : « [16] Alors l'ange lui dit : Écoute, je vais te montrer ceux que peut vaincre le démon. [17] Ceux qui, lors de leur mariage, bannissent Dieu de leur intention et s'adonnent à leurs instincts, au point de ne pas avoir plus de raison que cheval et mulet (Ps 32 9; cf. Rm 1 21-26), le démon est plus fort que ceux-là. [18] Mais toi, quand tu l'épouseras, passe trois jours dans la continence, à ne t'occuper que de prier avec elle. [19] La première nuit, le démon sera chassé par la fumée du foie de poisson. [20] La seconde nuit, tu seras admis à la réunion des saints patriarches. [21] La troisième nuit, tu obtiendras la bénédiction, pour qu'il vous naisse des enfants sains. [22] Après la troisième nuit, dans la crainte du Seigneur, tu prendras la vierge, moins inspiré par l'instinct que par l'amour des enfants, afin d'obtenir sur tes fils la bénédiction de la race d'Abraham. »

entraient dans sa chambre. Pour le moment, mon
enfant, mange et bois, le Seigneur vous accordera
sa grâce et sa paix [a]. » Et Tobie de déclarer : « Je
Gn 24 33 ne veux pas entendre parler de boire et de manger,
tant que tu n'as pas pris de décision vis-à-vis de
moi. » Ragouël répondit [b] : « Soit! Puisque, aux termes de la Loi de Moïse, elle t'est donnée, c'est le
Ciel qui décrète qu'on te la donne. Je te confie donc
ta sœur. Désormais tu es son frère, et elle est ta
sœur. Elle t'est donnée à partir d'aujourd'hui pour
toujours. Le Seigneur du Ciel vous sera favorable
ce soir, mon enfant, et vous accordera sa grâce et
sa paix. » 12 Ragouël fit venir sa fille Sarra, il lui
prit la main, et la remit à Tobie avec ces paroles :
Gn 24 50-51 « Je te la confie, c'est la loi et la décision écrite dans
le livre de Moïse qui te l'attribuent pour femme.
Prends-la, emmène-la chez ton père, en bonne
conscience. Que le Dieu du Ciel vous donne de
faire en paix un bon voyage! » 13 Puis il s'adressa
à la mère, et lui dit d'aller chercher une feuille pour
écrire. Il rédigea le contrat de mariage, comme
quoi il donnait à Tobie sa fille pour épouse, en
application de l'article de la Loi de Moïse. 6 12+
14 Après quoi, on se mit à manger et à boire. Gn 24 54
15 Ragouël appela sa femme Edna, et lui dit : « Ma 18
sœur, prépare la seconde chambre, où tu la conduiras. » 16 Elle alla faire le lit de la chambre comme 19
il lui avait dit, et elle y mena sa fille. Elle pleura 20
sur elle, puis elle essuya ses larmes, et dit : « Aie
confiance, ma fille! Que le Seigneur du Ciel change
ton chagrin en joie! Aie confiance, ma fille! » Et
elle sortit.

# *VIII. La tombe*

**8** 1 Quand on eut fini de boire et de manger, on
parla d'aller se coucher, et l'on conduisit le
jeune homme depuis la salle du repas jusque dans
la chambre. 2 Tobie se souvint des conseils de
Raphaël, il prit son sac, il en tira le cœur et le foie
du poisson, et il en mit sur les braises de l'encens.
3 L'odeur du poisson incommoda le démon, qui
s'enfuit par les airs jusqu'en Égypte [c]. Raphaël l'y
Mt 12 22-30, poursuivit, l'entrava et le garotta sur-le-champ.
43-45p 4 Cependant les parents étaient sortis en refer-
mant la porte. Tobie se leva du lit, et dit à Sarra :
« Debout, ma sœur! Il faut prier [d] tous deux, et
recourir à notre Seigneur, pour obtenir sa grâce et
6 sa protection. » 5 Elle se leva et ils se mirent à prier
7 pour obtenir d'être protégés, et il commença ainsi :

Dn 3 26 Tu es béni, Dieu de nos pères,
et ton Nom est béni
dans tous les siècles des siècles!
Que te bénissent les cieux,
et toutes tes créatures
dans tous les siècles!
8 6 C'est toi qui as créé Adam,
c'est toi qui as créé Ève sa femme,
pour être son secours et son appui,
et la race humaine est née de ces deux-là.
C'est toi qui as dit :
*Il ne faut pas que l'homme reste seul,* Gn 2 18
*faisons-lui une aide semblable à lui.*

7 Et maintenant, ce n'est pas le plaisir 9
que je cherche en prenant ma sœur,
mais je le fais d'un cœur sincère.
Daigne avoir pitié d'elle et de moi
et nous mener ensemble à la vieillesse!

8 Et ils dirent de concert [e] : « Amen, amen! » 9 Et ils
se couchèrent pour la nuit.
Or Ragouël se leva, il appela les serviteurs, et ils 11
vinrent l'aider à creuser une tombe. 10 Il avait 12
pensé : « Pourvu qu'il ne meure pas! Nous serions
couverts de ridicule et de honte. » 11 Une fois la 13
fosse achevée, Ragouël revint à la maison, il appela
sa femme 12 et lui dit : « Si tu envoyais une servante 14
dans la chambre voir si Tobie est en vie? Parce
que, s'il est mort, on l'enterrerait sans que personne
en sache rien. » 13 On avertit la servante, on alluma 15
la lampe, on ouvrit la porte, et la servante entra.
Elle les trouva dormant tous deux d'un profond
sommeil; 14 elle ressortit, et leur dit tout bas : « Il 16
n'est pas mort, tout va bien. » 15 Ragouël bénit [f] le 17
Dieu du Ciel par ces paroles :

*a)* « sa grâce et sa paix », restitué d'après la fin du v.
*b)* La rédaction de la Vulg. est différente : à la demande que présente Tobie (v. 10), Ragouël hoche d'abord la tête sans répondre (v. 11), et ne cède que sur les instances de Raphaël (v. 12) : « ... 14 " Je crois, dit-il, que si Dieu vous fait venir chez moi, c'est pour qu'elle ait un époux de sa parenté, selon la loi de Moïse. Aussi ne doute plus que je te la donne. " 15 Et prenant la main droite de sa fille, il la mit dans la main droite de Tobie, en disant : " Que le Dieu d'Abraham, le Dieu d'Isaac et le Dieu de Jacob soit avec vous! Qu'il vous unisse lui-même et qu'il vous comble de sa bénédiction! " » Cette formule a inspiré la bénédiction liturgique des époux.
*c)* « par les airs jusqu'en Égypte »; var. : « vers les régions élevées d'Égypte ».
*d)* Conformément à son texte de **6** 18s, la Vulg. précise que ces prières durèrent trois nuits.
*e)* Dans la Vulg., après la prière de Tobie (vv. 7-9), Sarra prend la parole à son tour (v. 10) et invoque la miséricorde de Dieu.
*f)* « Ragouël bénit » Vet. Lat.; « ils bénirent » grec.

Tu es béni, mon Dieu,
par toute bénédiction pure!
Qu'on te bénisse dans tous les siècles!
[16] Tu es béni de m'avoir réjoui,
ce que je redoutais n'est pas arrivé,
mais tu nous as traités
avec ton immense bienveillance.
19 [17] Tu es béni d'avoir eu pitié
de ce fils unique et de cette fille unique.
Donne-leur, Maître, ta grâce et ta protection,
fais-les poursuivre leur vie,
dans la joie et dans la grâce!
20 [18] Et il fit combler la tombe par les serviteurs, avant
le petit jour.

[19] Il fit faire par sa femme une fournée de pains,
il alla au troupeau, prit deux bœufs et quatre moutons, il les recommanda à la cuisine, et l'on
commença les préparatifs. [20] Il fit venir Tobie et lui 23
déclara : « Pendant quatorze jours, il n'est pas Gn 24 54-55
question que tu bouges d'ici. Tu resteras là où tu Jg 14 10-18
es, à manger et à boire, chez moi. Tu rendras la
joie à ma fille après tous ses chagrins. [21] Après, 24.
emporte d'ici la moitié de tout ce que j'ai, et
retourne sans encombre auprès de ton père [a].
Quand nous serons morts, ma femme et moi, vous
aurez l'autre moitié. Aie confiance, mon garçon! Je
suis ton père, et Edna est ta mère. Nous sommes
tes parents, comme ceux de ta sœur, désormais. Aie
confiance, mon enfant! »

# IX. Les noces

**9** [1] Alors Tobie s'adressa à Raphaël : [2] « Frère
Azarias, dit-il, emmène quatre serviteurs et
deux chameaux, et pars pour Rhagès. [3] Tu iras
chez Gabaël, tu lui donneras le reçu, et tu t'occupe-
ras de l'argent; enfin tu l'inviteras à venir à mes
noces avec toi. [4] Tu sais que mon père doit compter
les jours, et que je ne puis en perdre un seul sans
le contrarier. [5] Tu vois bien à quoi Ragouël s'est
6 engagé : je suis tenu par son serment. » Raphaël
partit donc pour Rhagès de Médie, avec les quatre
serviteurs et les deux chameaux. Ils descendirent
7 chez Gabaël, à qui il présenta le reçu. Il lui fit part
du mariage de Tobie, fils de Tobit, et de son invitation aux noces. Gabaël se mit à lui compter les sacs
avec leurs sceaux intacts, et ils les chargèrent sur
les chameaux [b]. [6] Ils partirent ensemble de bonne
heure pour la noce, et ils arrivèrent chez Ragouël,
8 où ils trouvèrent Tobie en train de dîner. Il se leva
et le salua, Gabaël pleura, et le bénit avec ces paroles : « Excellent fils d'un père parfait, juste et bien-
9 faisant! Que le Seigneur te donne la bénédiction du
Ciel, à toi, et à ta femme, au père et à la mère [c]
de ta femme! Béni soit Dieu de m'avoir fait voir
le portrait vivant de mon cousin Tobit [d]! »

44 18-34 **10** [1] Cependant, de jour en jour, Tobit comptait
Lc 15 20 les journées que demandait le voyage, à l'aller
et au retour. Le nombre fut atteint, sans que le fils
eût paru. [2] Alors il pensa : « Pourvu qu'il ne soit
pas retenu là-bas! Pourvu que Gabaël ne soit pas
mort! Il n'y a peut-être eu personne pour lui donner
l'argent! » [3] Et il commença à être contrarié. [4] Sa
femme Anna disait : « Mon enfant est mort! Il n'est
plus au nombre des vivants! » Et elle se mettait à
pleurer et à se lamenter sur son fils. Elle disait :
[5] « Quel malheur! Mon enfant, je t'ai laissé partir,
toi, la lumière de mes yeux! » [6] Et Tobit répondait :
« Du calme, ma sœur! Ne te fais pas des idées! Il
va bien! Ils auront eu là-bas un contretemps. Son
compagnon est quelqu'un de sérieux, et l'un de nos
frères. Ne te désole pas, ma sœur. Il va arriver d'un
moment à l'autre. » [7] Mais elle répliquait : « Laisse-
moi, n'essaie pas de me tromper. Mon enfant est
mort. » Et, tous les jours, elle sortait soudain, pour
surveiller la route par où son fils était parti. Elle
ne croyait plus personne. Quand le soleil était cou- Gn 45 26
ché, elle rentrait, pour pleurer et gémir à longueur
de nuits sans pouvoir dormir.
A la fin des quatorze jours de noces, que Gn 24 54-61
Ragouël avait juré de faire en l'honneur de sa fille,
Tobie vint lui dire : « Laisse-moi partir, parce que
mon père et ma mère ne doivent plus penser me
revoir. Aussi, je t'en prie, père, laisse-moi rentrer
chez mon père, je t'ai expliqué dans quel état je l'ai
laissé. » [8] Ragouël dit à Tobie : « Reste, mon fils,
reste avec moi. J'enverrai des messagers à ton père
Tobit donner de tes nouvelles. » [9] Tobie insista :
« Non, je te demande la liberté de retourner chez
mon père. » [10] Sur-le-champ, Ragouël lui remit son

*a)* Le récit du mariage de Sarra a beaucoup de traits communs avec les récits qui concernent Rébecca, Gn **24**; Rachel, Gn **29**; Dina, Gn **34**; la femme de Samson, Jg **14**; Mikal, 1 S **18**. Mais ici pas de *mohar* (prix versé par le fiancé au père de sa femme, Gn **34** 12; 1 S **18** 25); au contraire le père dote sa fille.

*b)* « sur les chameaux » Vet. Lat.; syr.; omis par S.

*c)* « au père et à la mère » Vet. Lat.; « à ton père » grec.

*d)* Certains témoins du texte omettent la bénédiction de Gabaël, qu'amplifie au contraire la Vulg. (vv. 9-12).

Gn 24 35; épouse Sarra. Il donnait à Tobie la moitié de ses
30 43 biens, en serviteurs et servantes, en bœufs et brebis,
ânes et chameaux, et en habits, argent et ustensiles.
11 Il les laissait ainsi partir contents. Pour Tobie,
il eut ces paroles d'adieu : « Bonne santé, mon
enfant, et bon voyage! Que le Seigneur du Ciel soit
favorable, à toi et à ta femme Sarra! J'espère bien
Gn 45 28 voir vos enfants avant de mourir. » 12 A sa fille
13 Sarra, il dit : « Va chez ton beau-père, puisque
désormais ils sont tes parents, comme ceux qui
t'ont donné la vie. Va en paix, ma fille. Je compte
n'entendre dire que du bien de toi, tant que je
vivrai. » Il leur fit ses adieux, et il leur donna congé.
A son tour, Edna dit à Tobie : « Fils et frère très
cher, qu'il plaise au Seigneur de te ramener! Je souhaite vivre assez pour voir vos enfants, à toi et à
ma fille Sarra, avant de mourir. En présence du Seigneur je confie ma fille à ta garde. Ne lui fais
jamais de la peine durant ta vie. Va en paix, mon
fils. Désormais je suis ta mère, et Sarra est ta sœur.
Puissions-nous tous vivre heureux pareillement,
tous les jours de notre vie! » Et elle les embrassa 12
tous les deux, et elle les laissa partir bien contents.
13 Tobie partit satisfait de chez Ragouël. Tout
joyeux, il bénissait le Seigneur du Ciel et de la
Terre et Roi de l'univers, de l'heureux succès de Gn 24 21,
son voyage. Il bénit ainsi Ragouël et sa femme 40, 42, 56
Edna : « Puissé-je avoir le bonheur de vous honorer
tous les jours de ma vie [a]! »

## X. *Les yeux*

**11** 1 Ils approchaient de Kasérîn, en face de
Ninive. 2 Raphaël dit : « Tu sais dans quel état
Gn 46 28 nous avons laissé ton père, 3 prenons de l'avance
sur ta femme, pour aller préparer la maison, pendant qu'elle arrive avec les autres. » 4 Ils marchèrent tous deux ensemble (il lui avait bien
recommandé d'emporter le fiel), et le chien les suivait [b].
5 Anna était assise, à surveiller la route par où
viendrait son fils. 6 Elle pressentit que c'était lui, et
elle dit au père : « Voici ton fils qui arrive avec son
compagnon! »
7 Raphaël dit à Tobie, avant qu'il eût rejoint son
père : « Je te garantis que les yeux de ton père vont
s'ouvrir. 8 Tu lui appliqueras sur l'œil le fiel de
poisson : la drogue mordra, et lui tirera des yeux
une petite peau blanche. Et ton père cessera d'être
aveugle et verra la lumière. »
Gn 33 4; 45 9 La mère courut se jeter au cou de son fils :
14; 46 29-30 « Maintenant, disait-elle, je puis mourir, je t'ai
Lc 15 20 revu! » Et elle pleura. 10 Tobit se leva, il trébuchait,
mais il réussit à franchir la porte de la cour. Tobie
13 se dirigea à sa rencontre 11 (il portait dans sa main
le fiel de poisson). Il lui souffla dans les yeux, et
lui dit, en le tenant bien : « Aie confiance, père! »
Puis il appliqua la drogue, et la laissa quelque
temps, 12 et enfin, de chaque main, il lui ôta une
Ac 9 18 petite peau du coin des yeux. 13 Alors son père
tomba à son cou 14 et il pleura. Il s'écria : « Je te
vois, mon fils, lumière de mes yeux! » Et il dit :

Béni soit Dieu! 17
Béni son grand Nom!
Bénis tous ses saints anges!
Béni son grand Nom
dans tous les siècles [c]!
15 Parce qu'il m'avait frappé, Dt 32 39
et qu'il a eu pitié de moi, Tb 13 2
et que je vois mon fils Tobie!

Tobie entra dans la maison, de joie il bénissait
Dieu à haute voix [d]. Puis il mit son père au courant : son voyage a bien marché. Il rapporte
l'argent; il a épousé Sarra, fille de Ragouël; elle le
suit de peu, elle n'est pas loin des portes de Ninive.
16 Tobit partit à la rencontre de sa belle-fille, vers
les portes de Ninive, en louant Dieu dans sa joie.
Quand les gens de Ninive le virent marcher en se
passant de guide, et avancer avec sa vigueur d'autrefois, ils furent émerveillés. 17 Tobit proclama
devant eux que Dieu avait eu pitié de lui, et lui
avait ouvert les yeux. Enfin Tobit approcha de
Sarra, l'épouse de son fils Tobie, et il la bénit en
ces termes : « Sois la bienvenue, ma fille! Béni soit
ton Dieu de t'avoir fait venir chez nous, ma fille!
Béni soit ton père, béni soit mon fils Tobie, et bénie
sois-tu, ma fille! Sois la bienvenue chez toi, dans
la joie et la bénédiction! Entre, ma fille. » Ce jour-
là fut une fête pour tous les Juifs de Ninive, 18 et 20
ses cousins Ahikar et Nadab vinrent partager la
joie de Tobit [e].

*a)* Texte corrigé d'après B et Vet. Lat.
*b)* « le chien » B, Vet. Lat.; « le Seigneur » S (dans une rédaction corrompue). – « les suivait », var. : « courut devant eux »; dans syr., c'est le chien qu'Anna voit arriver sur la route avant d'avertir Tobit. De même Vulg. (v. 9) : « le chien qui les avait accompagnés en route courut devant eux et, survenant comme un messager, montrait sa joie en agitant la queue. »
*c)* V. 14 d'après Vet. Lat.; le grec allonge les bénédictions par dittographie.
*d)* « à haute voix » Vet. Lat., cf. 13 6; « de tout son corps » S.
*e)* B, Vet. Lat. et syr. ajoutent : « et les noces se poursuivirent pendant sept jours, et on lui donna beaucoup de présents », et

## XI. Raphaël

**12** 1 A la fin des noces, Tobit appela son fils
Gn 30 25-31 Tobie, et lui dit : « Mon enfant, pense à régler
ce qui est dû à ton compagnon, tu dépasseras le
prix convenu. » 2 Il demanda : « Père, combien
vais-je lui donner pour ses services? Même en lui
laissant la moitié des biens qu'il a rapportés avec
moi, je n'y perds pas. 3 Il me ramène sain et sauf,
il a soigné ma femme, il rapporte avec moi l'argent,
et enfin il t'a guéri! Combien lui donner encore
pour cela? » 4 Tobit lui dit : « Il a bien mérité la
moitié de ce qu'il a rapporté. » 5 Tobie fit donc
venir son compagnon, et lui dit : « Prends la moitié
de ce que tu as ramené, pour prix de tes services,
et va en paix. »
6 Alors Raphaël les prit tous les deux à l'écart,
et il leur dit : « Bénissez Dieu, célébrez-le devant
tous les vivants, pour le bien qu'il vous a fait.
Bénissez et chantez son Nom. Faites connaître à
tous les hommes les actions de Dieu comme elles
le méritent, et ne vous lassez pas de le remercier.
7 Il convient de garder le secret du roi, tandis qu'il
convient de révéler et de publier les œuvres de
Dieu. Remerciez-le dignement. Faites ce qui est
bien, et le malheur ne vous atteindra pas.
4 7-11+ 8 Mieux vaut la prière avec le jeûne [a], et l'au-
Si 29 8-13 mône avec la justice, que la richesse avec l'iniquité.
Pr 16 8; Mieux vaut pratiquer l'aumône, que thésauriser de
11 4 l'or. 9 L'aumône sauve de la mort et elle purifie de
Si 3 30 tout péché. Ceux qui font l'aumône sont rassasiés
Dn 4 24 de jours; 10 ceux qui font le péché et le mal se font
du tort à eux-mêmes.

11 Je vais vous dire toute la vérité, sans rien vous
cacher : je vous ai déjà enseigné qu'il convient de
garder le secret du roi, tandis qu'il convient de
révéler dignement les œuvres de Dieu. 12 Vous saurez donc que, lorsque vous étiez en prière, toi et
Sarra, c'était moi qui présentais vos suppliques Za 1 12
devant la gloire du Seigneur et qui les lisais [b]; et Jb 33 23-24 Ac 10 4
de même lorsque tu enterrais les morts. 13 Quand Ap 8 3-4
tu n'as pas hésité à te lever, et à quitter la table,
pour aller ensevelir un mort, j'ai été envoyé pour
éprouver ta foi [c], 14 et Dieu m'envoya en même Jb 1-2
temps pour te guérir, ainsi que ta belle-fille Sarra. 3 17
15 Je suis Raphaël, l'un des sept [d] Anges qui se tien- Za 4 10
nent toujours prêts à pénétrer auprès de la Gloire Ap 8 2 Lc 1 19
du Seigneur. »
16 Ils furent remplis d'effroi tous les deux; ils se
prosternèrent, et ils eurent grand'peur. 17 Mais il Jg 13 20-22
leur dit : « Ne craignez point, la paix soit avec
vous. Bénissez Dieu à jamais. 18 Pour moi, quand
j'étais avec vous, ce n'est pas à moi que vous
deviez ma présence, mais à la volonté de Dieu :
c'est lui qu'il faut bénir au long des jours, lui qu'il
faut chanter. 19 Vous avez cru me voir manger, ce Jg 13 16, 20
n'était qu'une apparence [e]. 20 Alors, bénissez le Sei- Lc 24 41-43
gneur sur la terre, et rendez grâces à Dieu. Je vais Jn 20 17,
remonter à Celui qui m'a envoyé. Écrivez tout ce 16 5
qui est arrivé. » Et il s'éleva. 21 Quand ils se redres- 21 22
sèrent, il n'était plus visible. Ils louèrent Dieu par
des hymnes; ils le remercièrent d'avoir opéré de telles merveilles : un ange de Dieu ne leur était-il pas
apparu!

## XII. Sion

**13** 1 Et il dit [f] :

11; 8 5, 15 Béni soit Dieu qui vit à jamais,
Ps 144 1 car son règne dure dans tous les siècles!
1 Ch 29 10 2 Car tour à tour il châtie et il pardonne,
Dn 3 26 il fait descendre aux profondeurs des enfers
Lc 1 68 Ep 1 3 et il retire de la grande Perdition :
1 S 2 6 Sg 16 13 Dt 32 39

personne n'échappe à sa main. Sg 16 15
3 Célébrez-le en face des nations,
vous, enfants d'Israël!
Car s'il vous a dispersés parmi elles,
4 c'est là qu'il vous a montré sa grandeur.
Exaltez-le en face de tous les vivants,
c'est lui notre Seigneur

Vulg. : « et les noces se poursuivirent pendant sept jours, et tous eurent une grande joie. »

*a)* « le jeûne » B, Vet. Lat.; « la vérité » S.

*b)* « et qui les lisais », restitué d'après Vet. Lat. – L'ange, cf. **5** 4+, devient ici intercesseur. Raphaël présente devant Dieu le « mémoire » des prières et des bonnes œuvres de Tobit. Le mot évoque un relevé officiel; il peut évoquer aussi le « mémorial » des sacrifices, Lv **2** 2+, c'est-à-dire la part des offrandes brûlée sur l'autel « en parfum d'apaisement ». L'ange du centurion Corneille, Ac **10** 4, lui dira de même que ses prières et ses aumônes sont montées en « mémorial » devant Dieu.

*c)* Comme, d'une autre façon, Satan auprès de Job, **1-2**.

*d)* Les livres saints ne connaissent que trois noms d'anges : Gabriel, Dn **8** 16; **9** 21; Lc **1** 19, Michel Dn **10** 13, 21; **12** 1; Jude 9, et Raphaël ici et **3** 17. Les apocryphes complètent la liste des sept de façon fantaisiste. On trouve un écho de Tb dans les sept anges de l'Apocalypse, Ap **8** 2.

*e)* Avec Vet. Lat.; S : « Vous voyez que je n'ai rien mangé, et que vous avez eu une vision. » Vulg. : « Moi, je me sers d'une nourriture invisible et d'une boisson que les hommes ne peuvent voir. »

*f)* Le cantique final (cf. Ex **15**; Jdt **16**) comprend deux parties.

et c'est lui notre Dieu
Is **63** 16; et c'est lui notre Père
**64** 7 et il est Dieu dans tous les siècles!
Jr **3** 4
Sg **14** 3
Si **23** 1, 4
Mt **6** 9+ 5 S'il vous châtie pour vos iniquités,
Dt **30** 3 il aura pitié de vous tous,
il vous rassemblera [a] de toutes les nations
où vous aurez été dispersés.
Dt **30** 2 6 Si vous revenez à lui,
du fond du cœur et de toute votre âme,
pour agir dans la vérité devant lui,
alors il reviendra vers vous,
et ne vous cachera plus sa face.
Regardez donc comme il vous a traités,
rendez-lui grâces à haute voix.
Bénissez le Seigneur de justice,
1 Tm **1** 17 et exaltez le Roi des siècles [b].

7 Pour moi, je le célèbre
sur ma terre d'exil,
je fais connaître sa force et sa grandeur
au peuple des pécheurs.
8 Pécheurs, revenez à lui,
pratiquez la justice devant lui;
peut-être vous sera-t-il favorable
et vous fera-t-il miséricorde!
9 7 Pour moi, j'exalte Dieu
et mon âme se réjouit
dans le Roi du Ciel.
Que sa grandeur 8 soit sur toutes les lèvres,
et qu'on le célèbre à Jérusalem!

Is **60** 9 Jérusalem, cité sainte,
↗ Ap **21** Dieu te frappa pour les œuvres de tes mains
Mi **7** 19 et il aura encore pitié des fils des justes.
12 10 Remercie dignement le Seigneur
et bénis le Roi des siècles,
pour qu'en toi son temple
Am **9** 11 soit rebâti dans la joie
Is **44** 26, 28 et qu'en toi il réjouisse tous les exilés,
Za **1** 16 et qu'en toi il aime tous les malheureux,
pour toutes les générations à venir.

Is **9** 1; 11 Une vive lumière illuminera
**49** 6; **60** 1 toutes les contrées de la terre;
Ps **22** 28 des peuples nombreux viendront de loin,
Mi **4** 2 de toutes les extrémités de la terre,
Is **2** 3
Za **8** 20-22

séjourner près du saint Nom du Seigneur Dieu [c],
les mains portant des présents au Roi du Ciel.
En toi des générations de générations
manifesteront leur allégresse,
et le nom de l'Élue durera
dans les générations à venir.

12 Maudit soit qui t'insultera, Ba **4** 31s
maudit soit qui te détruira,
qui renversera tes murs,
qui abattra tes tours,
qui brûlera tes maisons!
Et béni éternellement qui te bâtira [d]!
13 Alors tu exulteras et tu te réjouiras 17
sur les fils des justes,
car ils seront tous rassemblés
et ils béniront le Seigneur des siècles.

14 Bienheureux ceux qui t'aiment! Is **66** 10
heureux ceux qui se réjouiront de ta paix! Ps **122** 6
heureux ceux qui se seront lamentés
sur tous tes châtiments!
Car ils vont se réjouir en toi,
et ils verront tout ton bonheur à l'avenir.
15 Mon âme bénit le Seigneur, le grand Roi, 19
16 parce que Jérusalem sera rebâtie [e],
et Sa maison pour tous les siècles!

Quel bonheur, s'il reste quelqu'un de ma race, 20
pour voir ta gloire et louer le Roi du Ciel! Ag **2** 9
Les portes de Jérusalem seront bâties Is **62** 1-2
de saphir et d'émeraude, Ba **5** 1
et tous tes murs de pierre précieuse; Is **54** 11-12;
les tours de Jérusalem seront bâties en or, **60** 17
et leurs remparts en or pur. ↗ Ap **21** 10-21
17 Les rues de Jérusalem seront pavées 22
de rubis et de pierres d'Ophir;
les portes de Jérusalem retentiront
de cantiques d'allégresse;
et toutes ses maisons diront :
Alleluia! Béni soit le Dieu d'Israël! 23
En toi l'on bénira le saint Nom,
dans les siècles des siècles!

**14** 1 Fin des hymnes de Tobit.

La première, vv. 1-8, est un chant d'action de grâces utilisant des motifs d'hymnes et de psaumes du Règne; la seconde, vv. 9-17, est une adresse à Jérusalem dans le style des prophètes : elle traduit les espérances des exilés en une Jérusalem idéale. – Le texte présente selon les témoins de notables divergences et des lacunes, et la restitution est parfois conjecturale.

*a)* « il vous rassemblera » Vet. Lat.; omis par grec.
*b)* A partir d'ici, S a une lacune jusqu'à 10c; on restitue d'après B, Vet. Lat. et syr., en corrigeant 7-8 d'après Ps **145** 6, 11.
*c)* D'après Vet. Lat.; « près de ton saint Nom » S.
*d)* « qui te bâtira » Vet. Lat.; « qui te craint » S.
*e)* Après « rebâtie », on omet « en cité » avec Vet. Lat. et B.

# *XIII. Ninive*

2 Tobit mourut en paix à l'âge de cent douze ans,
3 et il fut enterré à Ninive avec honneur. 2 Il avait
4 soixante-deux ans quand il devint aveugle; et,
depuis sa guérison, il vécut dans l'abondance, il
pratiqua l'aumône, et il continua toujours à bénir
**4** 2-3 Dieu et à célébrer sa grandeur. 3 Sur le point de
Gn **47** 29 mourir, il fit venir son fils Tobie, et lui donna ses
instructions : « Mon fils, emmène tes enfants,
5 4 cours en Médie, parce que je crois à la parole de
Na **1-3** Dieu que Nahum [a] a dite sur Ninive. Tout
6 s'accomplira, tout se réalisera, de ce que les prophètes d'Israël, que Dieu a envoyés, ont annoncé
contre l'Assyrie et contre Ninive; rien ne sera
retranché de leurs paroles. Tout arrivera en son
temps [b]. On sera plus à l'abri en Médie qu'en Assyrie et qu'en Babylonie. Parce que je sais et je crois,
moi, que tout ce que Dieu a dit s'accomplira, cela
sera, et il ne tombera pas un mot des prophéties.
Nos frères qui habitent le pays d'Israël seront
Is **5** 13 tous recensés et déportés loin de leur belle patrie.
Jr **9** 15 Ez **12** 15 Tout le sol d'Israël sera un désert. Et Samarie et
Ez **23** Jérusalem seront un désert. Et la Maison de Dieu
Is **64** 10 sera, pour un temps, désolée et brûlée. 5 Puis de
Is **35** 8-10 nouveau, Dieu en aura pitie, et il les ramenera au
Jr **31**+ Ez **36** 24s pays d'Israël. Ils rebâtiront sa Maison, moins belle
Esd **3** 12 que la première, en attendant que les temps soient
Ag **2** 3 révolus. Mais alors, tous revenus de leur captivité,
Jr **31** 38s ils rebâtiront Jérusalem dans sa magnificence, et en
elle la Maison de Dieu sera rebâtie, comme l'ont
Ag **2** 9 annoncé les prophètes d'Israël. 6 Et tous les peuples
Ez **40-42** de la terre entière se convertiront, et ils craindront
Is **18** 7; Dieu en vérité. Tous, ils répudieront leurs faux
**19** 22 Jr **16** 19 dieux, qui les ont fait s'égarer dans l'erreur. 7 Et ils
béniront le Dieu des siècles dans la justice. Tous
les Israélites, épargnés en ces jours-là, se souvien-
Is **60** 4, 21 dront de Dieu avec sincérité. Ils viendront se ras-
Jr **32** 37 sembler à Jérusalem, et désormais ils habiteront la
Ez **34** 28; **36** terre d'Abraham en sécurité, et elle sera leur pro-
12; **37** 25; **39** 26 priété. Et ceux-là se réjouiront, qui aiment Dieu en
vérité. Et ceux-là disparaîtront de la terre, qui
accomplissent le péché et l'injustice.

8 Et maintenant, mes enfants, je vous en fais un 10
devoir, servez Dieu en vérité, et faites ce qui lui 11
plaît. Imposez à vos enfants l'obligation de faire la
justice et l'aumône, de se souvenir de Dieu, de
bénir son Nom en tout temps, en vérité, et de toutes
leurs forces.
9 Alors, toi, mon fils, quitte Ninive, ne reste pas 12
ici. 10 Dès que tu auras enterré ta mère auprès de
moi, pars le jour même, quel qu'il soit, et ne 13
demeure plus dans ce pays, où je vois triompher
sans vergogne la perfidie et l'iniquité. Regarde,
mon enfant, tout ce qu'a fait Nadab à son père
nourricier, Ahikar. Ne fut-il pas réduit à descendre **1** 21+
vivant sous la terre? Mais Dieu a fait payer son infamie au criminel, à la face de sa victime, parce
que Ahikar revint à la lumière, tandis que Nadab
entra dans les ténèbres éternelles, en châtiment de
son dessein contre la vie d'Ahikar. A cause de ses
bonnes œuvres [c], Ahikar échappa au filet mortel
que lui avait tendu Nadab, et Nadab y tomba pour
sa perte. 11 Ainsi, mes enfants, voyez où mène l'aumône, et où conduit l'iniquité, c'est-à-dire à la
mort. Mais le souffle me manque. »
Ils l'étendirent sur le lit, il mourut [d], et il fut
enterré avec honneur.
12 Quand sa mère mourut, Tobie l'enterra auprès **4** 4
de son père. Puis il partit pour la Médie, avec sa Gn **49** 31
femme et ses enfants [e]. Il habita Ecbatane, chez
Ragouël son beau-père. 13 Il entoura la vieillesse de 15
ses beaux-parents de respect et d'attention, puis il
les enterra à Ecbatane de Médie. Tobie héritait du
patrimoine de Ragouël, comme de celui de son père
Tobit. 14 Il vécut honoré jusqu'à l'âge de cent dix- 16
sept ans [f]. 15 Il fut témoin de la ruine de Ninive
avant de mourir. Il vit les Ninivites prisonniers et
déportés en Médie par Cyaxare [g], roi de Médie. Il
bénit Dieu de tout ce qu'il infligea aux Ninivites et
aux Assyriens. Avant sa mort, il put se réjouir du Ps **137** 8
sort de Ninive, et bénir le Seigneur Dieu dans les Na **1-3**
siècles des siècles. Amen.

*a)* Au lieu de « Nahum », B a « Jonas ».
*b)* Le récit, qui a donné Tobit comme un contemporain de l'apogée assyrien, lui fait annoncer comme futurs des événements passés pour l'auteur, selon l'artifice propre de l'apocalyptique. Mais une fois parvenue au temps réel de l'auteur, la prophétie ne s'arrête pas et s'engage vers l'avenir messianique (« quand les temps seront révolus », v. 5).

*c)* « ses bonnes œuvres » conj.; « mes bonnes œuvres » S.
*d)* B ajoute : « âgé de cent cinquante-huit ans ».
*e)* « et ses enfants » B, Vet. Lat.; omis par S.
*f)* Var. : « cent vingt-sept » (B); « cent sept » (syr.); « quatre-vingt-dix-neuf » (Vulg.).
*g)* « Cyaxare » conj.; « Ahikar » S et Vet. Lat.; « Nabuchodonosor et Assuérus » B.

# JUDITH [a]

## I. La campagne d'Holopherne

**Nabuchodonosor et Arphaxad.**

**1** 1 C'était en la douzième année de Nabuchodo-
nosor [b], qui régna sur les Assyriens à Ninive
Gn 10 22 la grande ville. Arphaxad régnait alors sur les
Mèdes à Ecbatane [c]. 2 Il entoura cette ville d'un mur d'enceinte en pierres de taille larges de trois coudées et longues de six, donnant au rempart une hauteur de soixante-dix coudées et une largeur de cinquante. 3 Aux portes il dressa des tours de cent coudées de haut sur soixante de large à leurs fondations, 4 les portes elles-mêmes s'élevant à soixante-dix coudées avec une largeur de quarante, ce qui permettait la sortie du gros de ses forces et le défilé de ses fantassins.

5 Or, vers cette époque, le roi Nabuchodonosor livra bataille au roi Arphaxad dans la grande plaine située sur le territoire de Ragau. 6 A ses côtés s'étaient rangés tous les peuples des montagnes [d], tous ceux de l'Euphrate, du Tigre, de l'Hydaspe, et ceux des plaines soumises au roi des Élyméens [e] Arioch. Ainsi de nombreux peuples se rassemblèrent pour prendre part à la bataille des fils de Chéléoud [f].

7 Nabuchodonosor, roi des Assyriens, envoya un message à tous les habitants de la Perse, à tous ceux de la région occidentale, de la Cilicie, de Damas, du Liban, de l'Anti-Liban, à tous ceux de la côte, 8 aux peuplades du Carmel, de Galaad, de la Haute-Galilée, de la grande plaine d'Esdrelon, 9 aux gens de Samarie et des villes de sa dépendance, à ceux d'au-delà du Jourdain, jusqu'à Jérusalem, Batanée, Chélous, Cadès, le fleuve d'Égypte, Taphnès, Ramsès, tout le territoire de Goshèn, 10 au-delà de Tanis et de Memphis, et à tous les habitants de l'Égypte jusqu'aux confins de l'Éthiopie [g]. 11 Mais les habitants de ces contrées ne firent pas cas de l'appel de Nabuchodonosor, roi des Assyriens, et ne se joignirent pas à lui pour faire campagne. Ils ne le craignaient pas car, à leurs yeux, il paraissait un isolé [h]. Ils renvoyèrent donc ses messagers les mains vides et déshonorés. 12 Nabuchodonosor en éprouva une violente colère contre tous ces pays [i]. Il jura par son trône et son royaume de se venger et de dévaster par l'épée tous les territoires de Cilicie, de Damascène, de Syrie, ainsi que ceux de Moab, ceux des Ammonites, de Judée et d'Égypte, jusqu'aux frontières des deux mers [j].

**Campagne contre Arphaxad.**

13 Avec ses propres forces, il livra bataille au roi Arphaxad en la dix-septième année et, dans ce combat, le vainquit. Il culbuta toute son armée, sa cavalerie, ses chars, 14 se soumit ses villes et parvint jusqu'à Ecbatane. Là il s'empara des tours,

*a)* Le texte de la Vulg. est assez différent du texte grec. On donne ici en notes ses additions les plus significatives et, en marge, un repérage approximatif de sa numérotation des vv., là où elle diffère du grec.
*b)* Nabuchodonosor, roi de Babylone (604-562 av. J.-C.), ne fut jamais appelé « roi d'Assur » et ne régna pas à Ninive, détruite depuis 612 par son père, Nabopolassar. Sur les libertés du récit avec l'histoire, voir l'Introd. p. 534. – Nabuchodonosor est ici le type du souverain puissant et impie, adversaire du peuple de Dieu.
*c)* Arphaxad est inconnu de l'histoire. Son nom a fait penser à Phraorte (675-653), fondateur du royaume de Médie dont Ecbatane (aujourd'hui Hamadan,) fut la capitale.
*d)* Les hauts plateaux de l'Iran occidental.
*e)* L'auteur veut sans doute désigner l'Élymaïde, province orientale de l'Empire perse, cf. 1 M **6** 1. – L'« Hydaspe » doit être le Choaspès, qui passe à Suse.
*f)* Ce nom désigne probablement les Chaldéens.
*g)* Le texte a énuméré tous les vassaux ou amis de Nabuchodonosor.
*h)* Litt. « un homme seul », réduit à chercher de toutes parts des appuis; à moins qu'il ne faille comprendre « un homme de rien ».
*i)* Litt. « toute la terre ». L'expression, fréquente dans Jdt, ou bien désigne la région considérée dans le contexte (= « tout le pays »), ou bien est un trait d'emphase.
*j)* A la liste des vv. 7-11 s'ajoutent maintenant Moab, Ammon et la Judée. – L'expression « les frontières des deux mers » est une façon d'exprimer une domination universelle, comp. Ps **72** 8; Mi **7** 12; Za **9** 10.

ravagea les places, faisant un objet de honte de tout
ce qui constituait sa parure. 15 Puis il prit
Arphaxad dans les montagnes de Ragau, le perça
de ses javelots et l'extermina définitivement.
16 Il s'en retourna ensuite avec ses troupes et
l'immense foule qui s'était jointe à eux, incommen-
surable cohue d'hommes armés. Alors, dans
Est 1 3-4 l'insouciance, ils s'adonnèrent à la bonne chère, lui
et son armée, cent vingt jours durant.

**Campagne occidentale.**

2 1 La dix-huitième année[a], le vingt-deuxième
jour du premier mois, le bruit courut au palais
que Nabuchodonosor, roi des Assyriens, allait tirer
vengeance de toute la terre, comme il l'avait dit.
2 Tous ses aides de camp et notables convoqués, il
tint avec eux un conseil secret, et décida de sa propre bouche la destruction totale de toute la contrée.
3 Alors on décréta de faire périr quiconque n'avait
pas répondu à l'appel du roi.
4 Le conseil terminé, Nabuchodonosor, roi des
Assyriens, fit appeler Holopherne[b], général en chef
de ses armées et son second. Il lui dit : 5 « Ainsi
parle le grand roi, maître de toute la terre[c] : Pars,
prends avec toi des gens d'une valeur éprouvée, à
peu près cent vingt mille fantassins et un fort
contingent de chevaux avec douze mille cavaliers,
6 puis marche contre toute la région occidentale,
puisque ces gens ont résisté à mon appel. 7 Mande-
leur de préparer la terre et l'eau[d], car, dans ma
fureur, je vais marcher contre eux. Des pieds de
mes soldats je couvrirai toute la surface du pays
et je le livrerai au pillage. 8 Leurs blessés rempliront les ravins et, comblés de leurs cadavres, torrents et fleuves déborderont. 9 Je les emmènerai en
captivité jusqu'au bout du monde. 10 Va donc!
Commence par me conquérir toute cette région.
S'ils se livrent à toi, tu me les réserveras pour le
jour de leur châtiment. 11 Quant aux insoumis, que
ton œil n'en épargne aucun. Voue-les à la tuerie et
au pillage dans tout le territoire qui t'est confié.
12 Car je suis vivant, moi, et vivante est la puissance de ma royauté! J'ai dit. Tout cela, je
l'accomplirai de ma main! 13 Et toi, ne néglige rien
des ordres de ton maître, mais agis strictement
selon ce que je t'ai prescrit, sans plus tarder! »

14 Sorti de chez son souverain, Holopherne 7
convoqua tous les princes, les généraux, les
officiers de l'armée d'Assur, 15 puis dénombra des
guerriers d'élite, conformément aux ordres de son
maître : environ cent vingt mille hommes plus
douze mille archers montés. 16 Il les disposa en formation normale de combat. 17 Il prit ensuite des 8
chameaux, des ânes, des mulets en immense quantité pour porter les bagages, des brebis, des bœufs,
des chèvres sans nombre pour le ravitaillement.
18 Chaque homme reçut d'amples provisions ainsi 10
que beaucoup d'or et d'argent comptés par la maison du roi.
19 Puis, avec toute son armée, il partit en expédi- 11
tion devant le roi Nabuchodonosor afin de submerger toute la contrée occidentale de ses chars, de ses
cavaliers, de ses fantassins d'élite. 20 Une foule
composite marchait à sa suite, aussi nombreuse Jl 2 2-7, 11
que les sauterelles, que les grains de sable de la Jg 7 12
terre. Aucun chiffre n'en pourrait évaluer la multitude.

**Étapes de l'armée d'Holopherne[e].**

21 Ils quittèrent donc Ninive et marchèrent trois 12
jours durant dans la direction de la plaine de Bektileth. De Bektileth ils s'en vinrent camper près des
montagnes situées à gauche de la Haute-Cilicie.
22 De là, avec toute son armée, fantassins, cavaliers
et chars, Holopherne s'engagea dans la région
montagneuse. 23 Il pourfendit Put et Lud, rançonna Gn 10 6, 13, 22
tous les fils de Rassis et ceux d'Ismaël cantonnés
à l'orée du désert au sud de Chéléôn, 24 longea l'Eu- 14
phrate, traversa la Mésopotamie, détruisit de fond
en comble toutes les villes fortifiées qui dominent
le torrent d'Abrona et parvint jusqu'à la mer.
25 Puis il s'empara des territoires de la Cilicie, tail- 15
lant en pièces quiconque lui résistait, arriva
jusqu'aux limites méridionales de Japhet, en face
de l'Arabie, 26 encercla tous les Madianites, brûla 16
leurs campements et pilla leurs bergeries, 27 descen- 17
dit ensuite dans la plaine de Damas à l'époque de
la moisson des blés[f], mit le feu aux champs, fit disparaître petit et gros bétail, pilla les villes, dévasta
les campagnes et passa au fil de l'épée tous les jeunes gens. 28 Crainte et tremblement s'emparèrent de 18
tous les habitants de la côte : ceux de Sidon et de

*a)* De son règne, soit l'an 587, celui de la prise de Jérusalem. L'auteur aura voulu opposer à ce triste souvenir le récit de la victoire obtenue par Judith. Ce récit est construit à l'image des grandes campagnes militaires des rois d'Assyrie et de Babylonie contre leurs vassaux révoltés de l'Ouest.

*b)* Holopherne et Bagoas, **12** 11, portent des noms perses, ceux d'officiers d'Artaxerxès III Ochos (358-338). Peut-être l'auteur a-t-il voulu aussi évoquer les campagnes de ce roi sous le nom de Nabuchodonosor.

*c)* Titre officiel du roi des Perses.

*d)* Le nécessaire pour le passage et le séjour du vainqueur, selon une formule perse.

*e)* L'itinéraire comporte un certain nombre de sites inconnus ou dont l'identification est incertaine; pour d'autres, les noms connus semblent utilisés de façon inhabituelle. En tout cas le trajet décrit est inconcevable. Peut-être l'auteur ignorait-il la géographie de cette région, ou peut-être ne s'intéressait-il pas à la localisation exacte des faits.

*f)* Les Hébreux distinguent la moisson des orges, en avril, cf. 2 S **21** 9, et la moisson des blés, fin mai, cf. Gn **30** 14.

Ex **15** 15-16 Tyr, ceux de Sour, d'Okina et de Jamnia. La terreur régnait parmi les populations d'Azot et
d'Ascalon.

**3** 1 Des envoyés, porteurs de messages de paix,
furent alors dépêchés vers lui. 2 « Nous sommes, dirent-ils, les serviteurs du grand roi Nabuchodonosor et nous nous prosternons devant toi.
Fais de nous ce qu'il te plaira. 3 Nos parcs à bestiaux, notre territoire tout entier, tous nos champs
de blé, notre petit et gros bétail, tous les enclos
de nos campements sont à ta disposition. Uses-en
comme bon te semblera. 4 Nos villes mêmes et
leurs habitants sont à ton service. Viens, avance-toi
vers elles selon ton bon plaisir. » 5 Ces hommes se
présentèrent donc devant Holopherne et lui transmirent en ces termes leur message.
7 6 Avec son armée il descendit ensuite vers la
8 côte, établit des garnisons dans toutes les villes fortifiées et y préleva des hommes d'élite comme trou-
9 pes auxiliaires. 7 Les habitants de ces cités et de
10 toutes celles d'alentour l'accueillirent parés de cou-
2 Ch **17** 6 ronnes et dansant au son des tambourins. 8 Mais il
Ex **34** 13+ n'en dévasta pas moins leurs sanctuaires [a] et coupa
leurs arbres sacrés, conformément à la mission
reçue d'exterminer tous les dieux indigènes pour
obliger les peuples à ne plus adorer que le seul
Nabuchodonosor et forcer toute langue et toute
race à l'invoquer comme dieu [b].
9 Il arriva ainsi en face d'Esdrelon, près de
Dôtaia, bourgade sise en avant de la grande chaîne
de Judée, 10 campa entre Géba et Scythopolis et y
demeura tout un mois pour réapprovisionner ses
forces.

### Alerte en Judée.

**4** 1 Les Israélites établis en Judée, apprenant ce
qu'Holopherne, général en chef de Nabuchodonosor roi des Assyriens, avait fait aux différents
peuples et comment, après avoir dépouillé leurs
temples, il les avait livrés à la destruction, 2 furent
saisis d'une extrême frayeur à son approche et
tremblèrent pour Jérusalem et le Temple du Seigneur leur Dieu. 3 A peine venaient-ils de remonter
de captivité, et le regroupement du peuple en Judée,
la purification du mobilier sacré, de l'autel et du
Temple profanés étaient choses récentes [c].
4 Ils alertèrent donc toute la Samarie, Kona, 3
Bethorôn, Belmaïn, Jéricho, Choba, Ésora et la
vallée de Salem. 5 Les sommets des plus hautes
montagnes furent occupés, les bourgs qui s'y trouvaient, fortifiés. On prépara des approvisionne- 4
ments en vue de la guerre, car les champs venaient
d'être moissonnés. 6 Le grand prêtre Ioakim, alors 5
en résidence à Jérusalem, écrivit aux habitants de
Béthulie et de Bétomestaïm [d], villes situées en face
d'Esdrelon et vers la plaine de Dotaïn, 7 pour leur 6
dire d'occuper les hautes passes de la montagne,
seule voie d'accès vers la Judée. Il leur serait d'ailleurs aisé d'arrêter les assaillants, l'étroitesse du
passage ne permettant d'y avancer que deux de
front. 8 Les Israélites exécutèrent les ordres du 7
grand prêtre Ioakim et du Conseil des anciens du
peuple d'Israël [e], siégeant à Jérusalem.

### Les grandes supplications.

9 Avec une ardeur soutenue, tous les hommes 8
d'Israël crièrent vers Dieu et s'humilièrent devant
lui [f]. 10 Eux, leurs femmes, leurs enfants, leurs trou- Jon **3** 7-8
peaux, tous ceux qui vivaient avec eux, mercenaires
ou esclaves, ceignirent leurs reins de sacs. 11 Tous 9
les Israélites de Jérusalem, femmes et enfants
compris, se prosternèrent devant le sanctuaire et, la
tête couverte de cendres, étendirent les mains [g]
devant le Seigneur. 12 Ils entourèrent d'un sac Est **4** 1s
l'autel lui-même [h]. A grands cris ils suppliaient
unanimement et avec ardeur le Dieu d'Israël de ne
pas livrer leurs enfants au pillage, leurs femmes au
rapt, les villes de leur héritage à la destruction, le
Temple à la profanation et à l'ironie outrageante
des païens. 13 Attentif à leur voix, le Seigneur prit
en considération leur détresse.
Dans toute la Judée et à Jérusalem devant le
sanctuaire du Seigneur Tout-Puissant le peuple jeû- Est **4** 16
nait de longs jours [i]. 14 Le grand prêtre Ioakim et
tous ceux qui se tenaient devant le Seigneur, prêtres
et ministres du Seigneur, le sac sur les reins, Jl **2** 17
offraient l'holocauste perpétuel, les oblations votives et les dons volontaires du peuple, 15 et, le tur-

*a)* « sanctuaires » syr.; « territoire » grec, mais cf. la suite du v.
*b)* Les rois assyriens ou babyloniens n'eurent jamais cette exigence. Les Séleucides, à l'exemple d'Alexandre, furent les premiers à exiger les honneurs divins.
*c)* L'auteur fait abstraction du temps (cf. Introd. p. 534) pour évoquer ainsi, du vivant de Nabuchodonosor, le retour de l'exil et le repeuplement de Jérusalem (539-400), peut-être même la purification du Temple après la persécution d'Antiochus IV (165).
*d)* Les deux villes sont inconnues par ailleurs. Béthulie est donnée ici comme une position-clef commandant le passage vers la Judée, v. 7 et **8** 21.
*e)* Un « Conseil des anciens » n'apparaît pas auprès du grand prêtre avant l'Exil. Il paraît être une institution permanente à l'époque grecque.
*f)* Après « s'humilièrent » on omet : « avec une ardeur soutenue » dittographie.
*g)* « les mains » conj.; « leurs sacs » grec. Vulg. : « ils firent prosterner leurs enfants devant le Temple ».
*h)* L'usage du sac comme vêtement de pénitence est habituel, mais ce geste est surprenant.
*i)* Vulg. mentionne une mission du grand prêtre à travers tout Israël pour exhorter à la prière en rappelant l'antique défaite d'Amaleq, Ex **17** 9-13.

ban couvert de cendres, ils suppliaient intensément
le Seigneur de visiter la maison d'Israël.

### Conseil de guerre dans le camp d'Holopherne.

**5** 1 On annonça à Holopherne, général en chef
de l'armée assyrienne, que les Israélites se préparaient au combat : ils avaient, disait-on, fermé
les passes de la montagne, fortifié les hautes cimes
et, dans les plaines, disposé des obstacles. 2 Il entra
alors dans une très violente colère, convoqua tous
Nb **21** 21 les princes de Moab, tous les généraux d'Ammon,
Dt **2** 19+ tous les satrapes du littoral. 3 « Hommes de
Canaan, leur dit-il, renseignez-moi : quel est ce
peuple qui demeure dans la région montagneuse?
Quelles sont les villes qu'il habite? Quelle est
l'importance de son armée? En quoi résident sa
puissance et sa force? Quel est le roi qui est à sa
tête et dirige son armée? 4 Pourquoi a-t-il dédaigné
de venir au-devant de moi, contrairement à ce
qu'ont fait tous les habitants de la région occidentale [a]? »
**11** 9-19 5 Achior [b], chef de tous les Ammonites, lui
répondit : « Que Monseigneur écoute, je t'en prie,
les paroles prononcées par ton serviteur. Je vais te
dire la vérité sur ce peuple de montagnards qui
demeure tout près de toi. De la bouche de ton serviteur aucun mensonge ne sortira. 6 Les gens de ce
peuple sont des descendants des Chaldéens.
7 Anciennement ils vinrent habiter en Mésopotamie
parce qu'ils n'avaient pas voulu suivre les dieux de
leurs pères établis en Chaldée. 8 Ils s'écartèrent
donc de la voie de leurs ancêtres et adorèrent le
Dieu du ciel [c], Dieu qu'ils avaient reconnu. Bannis
alors de la face de leurs dieux, ils s'enfuirent en
Mésopotamie où ils habitèrent longtemps. 9 Leur
Gn **11** 31- Dieu leur ayant signifié de sortir de leur résidence
**12** 5 et de s'en aller au pays de Canaan, ils s'y installèrent et y furent surabondamment comblés d'or,
d'argent et de nombreux troupeaux. 10 Ils descendi-
Gn **42** 1-5; rent ensuite en Égypte, car une famine s'était abat-
**46** 1-7 tue sur la terre de Canaan, et ils y demeurèrent tant
qu'ils y trouvèrent de la nourriture. Là ils devinrent
Ex **1** 7 une grande multitude et une race innombrable.
11 Mais le roi d'Égypte se dressa contre eux et se
Ex **1** 8-14 joua d'eux en les astreignant au travail des briques.
On les humilia, on les assujettit à l'esclavage. 12 Ils
crièrent vers leur Dieu, qui frappa la terre d'Égypte
tout entière de plaies sans remède. Les Égyptiens 11 Ex **7-12**
les chassèrent alors loin d'eux. 13 Devant eux Dieu
dessécha la mer Rouge [d] 14 et les conduisit par le 12 Ex **14** 21-22
chemin du Sinaï et de Cadès Barné. Après avoir
repoussé tous les habitants du désert, 15 ils s'établirent dans le pays des Amorites et, vigoureusement, Nb **21** 21-32
exterminèrent tous les habitants d'Heshbôn. Puis,
traversant le Jourdain, ils prirent possession de Jos **3**
toute la montagne, 16 expulsant devant eux les 20
Cananéens, les Perizzites, les Jébuséens, les Siché- Dt **7** 1+
mites ainsi que tous les Girgashites, et ils y habitèrent de longs jours. 17 Tant qu'ils ne péchèrent pas Dt **28-30**
en présence de leur Dieu, la prospérité fut avec eux, Is **59** 2 Ps **106**
car ils ont un Dieu qui hait l'iniquité. 18 Quand au 40-46
contraire ils s'écartèrent de la voie qu'il leur avait 22
assignée, une partie fut complètement détruite en
de multiples guerres, l'autre fut conduite en captivité dans une terre étrangère. Le temple de leur 2 R **25**
Dieu fut rasé et leurs villes tombèrent au pouvoir
de leurs adversaires. 19 Alors ils se retournèrent de 23
nouveau vers leur Dieu, remontèrent de leur dispersion, des lieux où ils avaient été disséminés, reprirent possession de Jérusalem où se trouve leur temple et repeuplèrent la montagne demeurée déserte.
20 Et maintenant, maître et seigneur, s'il y a dans 24
ce peuple quelque égarement, s'ils ont péché contre
leur Dieu, alors assurons-nous qu'il y a bien en eux
cette cause de chute. Puis montons, attaquons-les.
21 Mais s'il n'y a pas d'injustice dans leur nation, **11** 10
que Monseigneur s'abstienne, de peur que leur Seigneur et Dieu ne les protège. Nous serions alors la
risée de toute la terre! »
22 Quand Achior eut cessé de parler, toute la 26
foule massée autour de la tente se prit à murmurer.
Les notables d'Holopherne, tous les habitants de la
côte comme ceux de Moab parlaient de le mettre
en pièces. 23 « Qu'avons-nous donc à craindre des 27
Israélites? C'est un peuple sans force ni puissance,
incapable de tenir dans un combat un peu rude. 28
24 Allons donc! Montons et ton armée n'en fera
qu'une bouchée, ô notre maître, Holopherne [e]! »

### Achior est livré aux Israélites.

**6** 1 Quand se fut apaisé le tumulte des gens
attroupés autour du Conseil, Holopherne,
général en chef de l'armée d'Assur, invectiva

*a)* Sur le non-conformisme juif, cf. Est **3** 8+.
*b)* Le personnage d'Achior l'Ammonite semble inspiré de la figure du sage et bon païen Ahikar, cf. Tb **1** 21+. Dans sa bouche l'auteur place un rappel de l'histoire du peuple élu conçue comme les *Gesta Dei*, thème souvent traité dans l'AT, notamment Ps **78, 105, 106**; cf. Ez **16, 20**; Sg **10**s et, dans le NT, Ac **7**. Comparer l'épisode du devin païen Balaam, Nb **22-24**. Ainsi se prépare le discours de Judith, **11** 9-19.
*c)* Expression perse, cf. Esd **5** 11s; **6** 9s et les papyri d'Éléphantine, mais qui, dans la Bible, est souvent mise dans la bouche d'un non-Juif pour désigner le Dieu d'Israël, cf. Dn **2** 18+.
*d)* Le lieu du miracle qui marqua la sortie d'Égypte n'est désigné ainsi dans aucun texte ancien; c'est « la mer des Roseaux » ou, plus souvent, simplement « la mer », cf. Ex **13** 18+.
*e)* A la conception religieuse de l'histoire proposée par Achior, est opposée la considération tout humaine de la force. Tout le livre illustre la thèse d'Achior, reprise par Judith, **11** 10.

Achior devant toute la foule des étrangers et les
Ammonites [a] : 2 « Qui es-tu donc, Achior, toi avec
les mercenaires d'Éphraïm, pour vaticiner chez
nous comme tu le fais aujourd'hui et pour nous dis-
suader de partir en guerre contre la race d'Israël?
Tu prétends que leur Dieu les protégera? Qui donc
3 8 est dieu hormis Nabuchodonosor? C'est lui qui va
Dn 3 14-18 envoyer sa puissance et les faire disparaître de la
Is 36 18-20; face de la terre, et ce n'est pas leur Dieu qui les
37 4, 16-20 sauvera! 3 Mais nous, ses serviteurs, nous les broie-
rons comme un seul homme! Ils ne pourront conte-
nir la puissance de nos chevaux. 4 Nous les brûlerons pêle-mêle. Leurs monts s'enivreront de leur
sang et leurs plaines seront remplies de leurs cadavres. Loin de pouvoir tenir pied devant nous, ils
périront du premier au dernier, dit le roi Nabuchodonosor, le maître de toute la terre. Car il a parlé
et ses paroles ne seront pas vaines. 5 Toi donc,
Achior, mercenaire ammonite, toi qui as proféré
ce discours en un moment d'emportement, à partir
d'aujourd'hui tu ne verras plus mon visage jusqu'au
jour où je me serai vengé de cette engeance évadée
5 12; 16 12 d'Égypte. 6 Alors l'épée de mes soldats et la lance [b]
de mes serviteurs te transperceront le flanc. Tu
tomberas parmi les blessés quand je me tournerai
contre Israël. 7 Mes serviteurs vont maintenant te
mener dans la montagne et te laisser près d'une des
villes situées dans les défilés. 8 Tu ne périras pas
sans partager leur ruine. 9 Ne prends pas cet air
abattu si tu nourris le secret espoir qu'elles ne
seront pas capturées! J'ai dit; aucune de mes paroles ne restera sans effet. »
7 10 Holopherne ordonna aux gens de service dans
sa tente de saisir Achior, de le mener à Béthulie et
de le remettre aux mains des Israélites. 11 Les servi- 8
teurs le prirent donc, le conduisirent hors du camp
à travers la plaine et de là, prenant la direction de
la montagne, ils parvinrent aux sources situées en
contrebas de Béthulie. 12 Quand les hommes de la
ville les virent, ils prirent leurs armes, sortirent de
la cité et gagnèrent la crête de la montagne, tandis
que, pour les empêcher de monter, les frondeurs les
criblaient de pierres. 13 Aussi purent-ils tout juste 9
se glisser au bas des pentes, ligoter Achior et le
laisser étendu au pied de la montagne avant de s'en
retourner vers leur maître.
14 Les Israélites descendirent alors de leur ville, 10
s'arrêtèrent près de lui, le délièrent, le conduisirent
à Béthulie et le présentèrent aux chefs de la cité,
15 qui étaient alors Ozias, fils de Michée, de la tribu 11
de Siméon [c], Chabris, fils de Gothoniel, et Charmis, fils de Melchiel. 16 Ceux-ci convoquèrent les
anciens de la ville. Les jeunes gens et les femmes
accoururent aussi à l'assemblée. Ozias interrogea
Achior, debout au milieu du peuple, sur ce qui était
arrivé. 17 Prenant la parole, il leur fit connaître les 12
délibérations du conseil d'Holopherne, tout ce qu'il
avait lui-même dit parmi les chefs assyriens, ainsi
que les rodomontades d'Holopherne à l'adresse de
la maison d'Israël. 18 Alors le peuple se prosterna, 14
adora Dieu et cria : 19 « Seigneur, Dieu du ciel, 15
considère leur orgueil démesuré et prends en pitié
l'humiliation de notre race. En ce jour tourne un
visage favorable vers ceux qui te sont consacrés [d]. »
20 Puis on rassura Achior, vivement félicité. 21 Au 16 19
sortir de la réunion, Ozias le prit chez lui et offrit
un banquet aux anciens. Durant toute cette nuit-là
on implora le secours du Dieu d'Israël.

# II. Le siège de Béthulie

**Campagne contre Israël.**

7 1 Le lendemain, Holopherne fit donner ordre
à toute son armée, et à toute la foule des auxiliaires qui s'étaient rangés à ses côtés, de lever le
camp pour se porter sur Béthulie, d'occuper les
hautes passes de la montagne et d'engager ainsi la
guerre contre les Israélites. 2 En ce même jour tous
les hommes d'armes levèrent donc le camp. Leur
armée sur pied de guerre comprenait cent vingt
mille fantassins [e] et douze mille cavaliers, sans
compter les bagages et la multitude considérable
des gens de pied mêlés à eux. 3 Ils s'engagèrent
dans le vallon proche de Béthulie en direction de
la source et se déployèrent en profondeur, de
Dotaïn jusqu'à Belbaïn, et en longueur de Béthulie
jusqu'à Cyamôn, située en face d'Esdrelon.
4 Quand les Israélites aperçurent cette multitude,
tout tremblants ils se dirent entre eux : « Et maintenant ils vont tondre tout le pays! Ni les cimes les

*a)* « Ammonites » grec luc.; « Moabites » texte reçu. – Au v. suivant « Ammon » avec Vet. Lat. et syr.; « Éphraïm » texte reçu.
*b)* « lance » Vet. Lat. et syr.; « foule » grec.
*c)* L'auteur du livre paraît s'être intéressé spécialement à la tribu de Siméon, pourtant bien effacée dans l'histoire d'Israël. Le nom d'Ozias rappelle celui d'Oziel, 1 Ch **4** 42. En **9** 2-4 Judith réhabilite le Patriarche, blâmé en Gn **34** 30 et **49** 5-7.
*d)* Telle était la situation de l'ensemble d'Israël, du fait de l'alliance.
*e)* « cent vingt mille » avec Vulg., cf. **2** 15; « cent soixante-dix mille » grec.

plus élevées, ni les gorges, ni les collines ne pourront tenir sous leur masse! » 5 Chacun prit ses
1 M 12 28-29 armes, sur les tours des feux furent allumés et l'on
passa cette nuit-là à veiller.
6 Le deuxième jour Holopherne déploya toute sa
cavalerie sous les yeux des Israélites qui étaient à
6 Béthulie. 7 Il explora les montées qui conduisaient
à leur ville, reconnut les sources d'eau, les occupa,
y plaça des postes de soldats et revint lui-même à
8 son armée. 8 Puis, les princes des fils d'Ésaü, les
chefs du peuple des Moabites[a] et les généraux du
district côtier s'approchèrent de lui et lui dirent :
9 « Que notre maître veuille bien nous écouter et
son armée n'aura pas une seule blessure. 10 Ce peuple des Israélites ne compte pas tant sur ses lances
1 R 20 23, 28 que sur la hauteur des monts où il habite. Il n'est
Ps 68 15, 17 certes pas facile d'escalader les cimes de ses montagnes!
11 Alors, maître, ne combats pas contre eux en
bataille rangée, et pas un homme de ton peuple ne
9 tombera. 12 Reste dans ton camp et gardes-y tous
les hommes de ton armée, mais que tes serviteurs
s'emparent de la source qui jaillit au pied de la
montagne. 13 C'est là en effet que se ravitaillent en
eau les habitants de Béthulie. La soif les poussera
donc à te livrer leur ville. Pendant ce temps nous
et nos gens nous monterons sur les crêtes des
monts les plus proches et nous y camperons en
avant-postes : ainsi pas un seul homme ne sortira
de la ville. 14 La faim les consumera, eux, leurs
femmes et leurs enfants, et, avant même que l'épée
ne les atteigne, ils seront déjà étendus dans les rues
devant leurs demeures. 15 Et tu leur feras payer fort
cher leur révolte et leur refus de venir pacifiquement à ta rencontre. »
10 16 Leurs propos plurent à Holopherne ainsi qu'à
tous ses officiers et il décida d'agir selon leurs sug-
gestions. 17 Une troupe de Moabites partit donc et
avec eux cinq mille Assyriens[b]. Ils se glissèrent
dans le vallon et s'emparèrent des points d'eau et
des sources des Israélites. 18 Les Édomites et les
Ammonites montèrent de leur côté, prirent position
dans la montagne en face de Dotaïn, et envoyèrent
de leurs hommes au sud et à l'est en face d'Égrebel
qui est près de Chous, sur le torrent de Mochmour.
Le reste de l'armée assyrienne prit position dans la
plaine et couvrit toute la région. Tentes et bagages
formaient un campement d'une masse énorme car
leur multitude était considérable.
19 Les Israélites crièrent vers le Seigneur leur
Dieu. Ils perdaient courage, car les ennemis les
avaient entourés et leur coupaient toute retraite.
20 Durant trente-quatre jours l'armée assyrienne, 11
fantassins, chars et cavaliers, les tint encerclés. Les
habitants de Béthulie virent se vider toutes les jarres d'eau 21 et les citernes s'épuiser. On ne pouvait
plus boire à sa soif un seul jour, car l'eau était
rationnée. 22 Les enfants s'affolaient, les femmes et
les adolescents défaillaient de soif. Ils tombaient
dans les rues et aux issues des portes de la ville,
sans force aucune.
23 Tout le peuple, adolescents, femmes et enfants, 12
se rassembla autour d'Ozias et des chefs de la ville,
poussant de grands cris et disant en présence de
tous les anciens : 24 « Que Dieu soit juge entre vous 13
et nous, car vous nous avez causé un immense préjudice en ne traitant pas amicalement avec les
Assyriens. 25 Maintenant, il n'y a plus personne qui
puisse nous secourir. Dieu nous a livrés entre leurs 14
mains pour être terrassés par la soif en face d'eux
et périr totalement. 26 Appelez-les donc tout de 15
suite. Livrez entièrement la ville au pillage des gens
d'Holopherne et de toute son armée. 27 Après tout, 16
il vaut bien mieux pour nous devenir leur proie.
Ainsi nous serons esclaves sans doute, mais nous
vivrons et nous ne verrons pas de nos yeux la mort
de nos petits, ni le trépas de nos femmes et de nos
enfants. 28 Nous vous adjurons par le ciel et la terre 17
ainsi que par notre Dieu, le Seigneur de nos pères,
qui nous punit à cause de nos fautes et pour les
transgressions de nos pères, d'agir de cette façon
aujourd'hui même[c]. » 29 L'assemblée tout entière se
livra à une immense lamentation et tous crièrent à 18
haute voix vers le Seigneur Dieu[d].
30 Ozias leur dit : « Courage, frères, tenons 23
encore cinq jours. D'ici là le Seigneur notre Dieu 24
aura pitié de nous, car il ne nous abandonnera pas
jusqu'au bout! 31 Si, ce délai écoulé, aucun secours 25
ne nous est parvenu, alors je suivrai votre avis. »
32 Puis il congédia le peuple, chacun dans ses quartiers. Les hommes s'en allèrent sur les remparts et
les tours de la cité, renvoyant femmes et enfants à
la maison. La ville était plongée dans une profonde
consternation.

*a)* Édomites (les « fils d'Ésaü ») et Moabites sont les ennemis traditionnels d'Israël, Nb **20** 23+.

*b)* « Moabites » Vet. Lat. et syr.; « Ammonites » texte reçu. – Ici comme en **10** 17, le chiffre indiqué est disproportionné à la mission qu'il s'agit de remplir.

*c)* « Nous vous adjurons (...) d'agir » syr., Vet. Lat.; le grec ajoute une négation, mais celle-ci n'est qu'un décalque de la formule hébraïque de serment dont le sens est positif. – Le châtiment des fautes individuelles reste ici lié au châtiment collectif, selon l'ancienne foi d'Israël en la solidarité du peuple dans la faute et la peine.

*d)* Vulg. exprime ainsi la prière du peuple : « 19 Nous avons péché avec nos pères, nous avons agi injustement, nous avons commis l'iniquité. 20 Toi qui es miséricordieux, aie pitié de nous. Ou du moins, si tu châties de tes coups nos iniquités, ne livre pas ceux qui se confient en toi à un peuple qui ne te connaît pas, 21 afin qu'on ne dise pas parmi les nations : Où donc est leur Dieu? (cf. Ps **42** 11; Jl **2** 17). 22 Puis, lassés de crier et fatigués de pleurer, ils se turent. »

# *III. Judith*

**Présentation de Judith.**

**8** 1 En ces mêmes jours, Judith [a] fut informée de
ces faits. Elle était fille de Merari, fils d'Ox,
fils de Joseph, fils d'Oziel, fils d'Elkia, fils d'Ananias, fils de Gédéon, fils de Raphen, fils d'Achitob,
fils d'Élias, fils d'Helkias, fils d'Éliab, fils de Nathanaël, fils de Salamiel, fils de Sarasadé, fils d'Israël [b].
2 Son mari, Manassé, de même tribu et de même
famille, était mort à l'époque de la moisson des
orges. 3 Il surveillait les lieurs de gerbes dans les
champs quand, frappé d'insolation, il dut s'aliter et
mourut dans sa ville, à Béthulie, où on l'ensevelit
avec ses pères dans le champ situé entre Dotaïn et
Balamôn. 4 Devenue veuve, Judith vécut en sa mai-
2 R **4** 10 son durant trois ans et quatre mois. 5 Sur la ter-
Jg **3** 20 rasse elle s'était aménagé une chambre haute. Elle
portait un sac sur les reins, se vêtait d'habits de
deuil 6 et jeûnait tous les jours de son veuvage, hormis les veilles de sabbat, les sabbats, les veilles de
néoménies, les néoménies, ainsi que les jours de
fête et de liesse de la maison d'Israël. 7 Or elle était
très belle et d'aspect charmant. Son mari Manassé
lui avait laissé de l'or, de l'argent, des serviteurs,
des servantes, des troupeaux et des champs, et elle
habitait au milieu de tous ses biens 8 sans que personne eût rien à lui reprocher, car elle craignait
Dieu grandement.

**Judith et les anciens.**

9 Elle apprit donc que le peuple, découragé par
la pénurie d'eau, avait murmuré contre le chef de
la cité. Elle sut aussi tout ce qu'Ozias leur avait dit
et comment il leur avait juré de livrer la ville aux
Assyriens au bout de cinq jours. 10 Alors elle
envoya la servante préposée à tous ses biens appeler Chabris et Charmis, anciens de la ville.
11 Quand ils furent chez elle, elle leur dit :

« Écoutez-moi, chefs des habitants de Béthulie.
Vraiment vous avez eu tort de parler aujourd'hui
comme vous l'avez fait devant le peuple et de vous
engager contre Dieu, en faisant serment de livrer
la ville à nos ennemis si le Seigneur ne vous portait
secours dans le délai fixé! 12 Allons! Qui donc êtes- Jb **38** 2;
vous pour tenter Dieu en ce jour et pour vous dres- **40** 2s, 7s;
ser au-dessus de lui parmi les enfants des hommes? **42** 3
13 Et maintenant vous mettez le Seigneur Tout-
Puissant à l'épreuve! Vous ne comprendrez donc
rien au grand jamais! 14 Si vous êtes incapables de
scruter les profondeurs du cœur de l'homme et de Pr **14** 10
démêler les raisonnements de son esprit, comment 1 Co **2** 11
donc pourrez-vous pénétrer le Dieu qui a fait toutes Ps **139** 16-17
ces choses, scruter sa pensée et comprendre ses Rm **11** 33-34
desseins? Non, frères, gardez-vous d'irriter le Seigneur notre Dieu! 15 S'il n'est pas dans ses intentions de nous sauver avant cette échéance de cinq
jours, il peut nous protéger dans le délai qu'il voudra, comme il peut nous détruire à la face de nos
ennemis. 16 Mais vous, n'exigez pas de garanties
envers les desseins du Seigneur notre Dieu. Car on 15
ne met pas Dieu au pied du mur comme un
homme, on ne lui fait pas de sommations comme
à un fils d'homme. 17 Dans l'attente patiente de son
salut, appelons-le plutôt à notre secours. Il écoutera notre voix si tel est son bon plaisir [c].

18 A vrai dire, il ne s'est trouvé, naguère pas plus **5** 20-21;
qu'aujourd'hui, ni une de nos tribus, ni une de nos **11** 10
familles, ni un de nos bourgs, ni une de nos cités
qui se soit prosterné devant des dieux faits de main
d'homme, comme cela s'est produit jadis, 19 ce qui Ps **78** 56s;
fut cause que nos pères furent livrés à l'épée et au **106** 13s
pillage et succombèrent misérablement devant Ez **16** 15-58
leurs ennemis. 20 Mais nous, nous ne connaissons Jr **7** 17-20;
pas d'autre Dieu que Lui. Aussi pouvons-nous **14** 7 - **15** 9+
espérer qu'il ne nous regardera pas avec dédain et
ne se détournera pas de notre race [d].

21 Si en effet on s'empare de nous, comme vous
l'envisagez, toute la Judée aussi sera prise et nos
lieux saints pillés. Notre sang devra alors répondre
de leur profanation. 22 Le meurtre de nos frères, la
déportation du pays, le dépeuplement de notre héritage retomberont sur nos têtes parmi les nations
dont nous serons devenus les esclaves et nous
serons alors pour nos nouveaux maîtres un scandale et une honte, 23 car notre servitude n'aboutira
pas à un retour en grâce, mais le Seigneur notre

*a)* Le nom de Judith (cf. Gn **26** 34) semble ici choisi pour sa signification : « la Juive ». Judith émule de Yaël, Jg **4** 17-22, est le type de la vraie fille d'Israël. Dans son chant de triomphe, **16** 2, 4, etc., elle parlera comme la nation personnifiée.

*b)* Cette généalogie omet le nom de Siméon (qu'on trouve dans des mss et des versions), cf. **9** 2. Mais le v. 2 suppose un nom de tribu.

*c)* Comme Job,, Jb **38** 2, etc., les anciens de Béthulie ont tort de discuter les desseins divins. Ils doivent comme lui s'humilier et se taire. Mais l'auteur de Jdt invite à plus de confiance filiale que celui de Jb. Sa conception de l'efficacité de la prière est déjà chrétienne.

*d)* Thèse déjà affirmée par Achior et que reprendra Judith devant Holopherne. Judith fait avec ses compatriotes un examen de conscience national : celui-ci montre que le peuple est exempt de l'idolâtrie jadis dénoncée par les prophètes (comme il le fut effectivement à la fin de l'époque du second Temple).

Dieu en fera une punition infamante. [24] Et maintenant, frères, mettons-nous en avant pour nos frères,
car leur vie dépend de nous, et le sanctuaire, le
Temple et l'autel reposent sur nous.
21 [25] Pour toutes ces raisons, rendons plutôt grâces
au Seigneur notre Dieu qui nous met à l'épreuve,
22 tout comme nos pères [a]. [26] Rappelez-vous tout ce
Gn 22 1-19; qu'il a fait à Abraham, toutes les épreuves d'Isaac,
28 5; 29 tout ce qui arriva à Jacob en Mésopotamie de Syrie
22-30; 31 alors qu'il gardait les brebis de Laban, son oncle
maternel. [27] Comme il les éprouva pour scruter leur
cœur, de même ce n'est pas une vengeance que
Dieu tire de nous, mais c'est plutôt un avertisse-
Dt 4 7 ment dont le Seigneur frappe ceux qui le touchent
de près. »
[28] Ozias lui répondit : « Tout ce que tu viens de
dire, tu l'as dit dans un excellent esprit et personne
n'y contredira. [29] Bien sûr, ce n'est pas d'aujourd'hui que se manifeste ta sagesse. Dès ta prime
jeunesse le peuple tout entier a reconnu ton intelligence tout comme l'excellence foncière de ton
28 cœur. [30] Mais les gens avaient tellement soif! Ils
nous ont contraints de faire ce que nous leur avions
promis et de nous y engager par un serment irrévo-
29 cable. [31] Et maintenant, puisque tu es une femme
pieuse, prie le Seigneur de nous envoyer une averse
qui remplisse nos citernes afin que nous ne soyons
plus épuisés. »
30 – [32] « Écoutez-moi bien, leur répondit Judith. Je
vais accomplir une action dont le souvenir se trans-
mettra aux enfants de notre race d'âge en âge.
32 [33] Vous, trouvez-vous cette nuit à la porte de la
ville. Moi, je sortirai avec ma servante et, avant la
date où vous aviez pensé livrer la ville à nos ennemis, par mon entremise le Seigneur visitera Israël.
33 [34] Quant à vous, ne cherchez pas à connaître ce que
je vais faire. Je ne vous le dirai pas avant de l'avoir
34 exécuté. » – [35] « Va en paix! lui dirent Ozias et les
chefs. Que le Seigneur Dieu te conduise pour tirer
vengeance de nos ennemis! » [36] Et, quittant la
chambre haute, ils rejoignirent leurs postes.

### Prière de Judith.

**9** [1] Judith tomba le visage contre terre, répandit
de la cendre sur sa tête, se dépouilla jusqu'au
sac dont elle était revêtue et, à haute voix, cria vers
le Seigneur. C'était l'heure où, à Jérusalem, au
Ex 30 7-8 Temple de Dieu, on offrait l'encens du soir [b]. Elle
Ps 141 2 dit :

[2] « Seigneur, Dieu de mon père Siméon, 6 15+
tu l'armas d'un glaive vengeur contre les étrangers Gn 34
qui défirent la ceinture [c] d'une vierge, à sa honte,
mirent son flanc à nu, à sa confusion,
et profanèrent son sein, à son déshonneur;
car tu as dit : « Cela ne sera pas », et ils le firent.
[3] C'est pourquoi tu as livré leurs chefs au meurtre,
et leur couche, avilie par leur duperie,
fut dupée jusqu'au sang.
Tu as frappé les esclaves avec les princes
et les princes avec leurs serviteurs [d].
[4] Tu as livré leurs femmes au rapt
et leurs filles à la captivité,
et toutes leurs dépouilles au partage,
au profit de tes fils préférés
qui avaient brûlé de zèle pour toi,
avaient eu horreur de la souillure infligée à leur sang
et t'avaient appelé à leur secours.
O Dieu, ô mon Dieu,
exauce la pauvre veuve que je suis,
[5] puisque c'est toi qui as fait le passé
et ce qui arrive maintenant et ce qui arrivera plus tard. Is 44 7
Le présent et l'avenir, tu les as conçus,
et ce qui est arrivé c'est ce que tu avais dans Ps 115 3;
l'esprit. 135 6
[6] Tes desseins se présentèrent
et dirent : « Nous sommes là! » Ba 3 35
Car toutes tes voies sont préparées Jb 38 35 Is 46 9-13
et tes jugements portés avec prévovance.
[7] Voici les Assyriens : ils se prévalent de leur armée, 5 23; 6 2
se glorifient de leurs chevaux et de leurs cavaliers, Ps 33 16-17
se targuent de la valeur de leurs fantassins.
Ils ont compté sur la lance et le bouclier, 2 M 8 18
sur l'arc et sur la fronde;
et ils n'ont pas reconnu en toi 10
le Seigneur briseur de guerres [e]. 16 2
[8] A toi le nom de Seigneur! Ps 46 10;

Et toi, brise leur violence par ta puissance, 11
fracasse leur force dans ta colère!

*a)* Leçon de l'histoire patriarcale (que l'auteur de Jb n'en avait pas dégagée) : le malheur du juste n'est pas un châtiment, mais une épreuve.
*b)* L'auteur se réfère souvent à Jérusalem, au Temple, au culte, au grand prêtre : **4** 2-3, 6-8; **5** 19; **8** 21-24; **9** 8, 13; **15** 8; **16** 18.
*c)* « la ceinture » conj.; « le ventre » grec. L'expression « dénouer la ceinture » a le sens de « se marier avec », ici : « avoir des relations avec ».
*d)* Stique corrigé d'après **9** 10, cf. Sg **18** 11; grec : « et les princes sur leurs trônes ».
*e)* La présomption des païens, fiers de leur force militaire, a toujours été un scandale pour Israël et une raison d'attendre avec confiance l'aide de Dieu, cf. Ha **1** 12-17; Is **30** 15; **31** 1-3, etc.

Car ils ont projeté de profaner tes lieux saints,
de souiller la tente où siège ton Nom glorieux
et de renverser par le fer la corne de ton autel.
12 [9] Regarde leur outrecuidance,
envoie ta colère sur leurs têtes,
donne à ma main de veuve
la vaillance escomptée.
[10] Par la ruse de mes lèvres,
frappe l'esclave avec le chef
et le chef avec son serviteur.
Brise leur arrogance
par une main de femme.
1 S **14** 6 [11] Ta force ne réside pas dans le nombre,
Jg **7** 4-7 ni ton autorité dans les violents,
mais tu es le Dieu des humbles,
le secours des opprimés,
le soutien des faibles,
l'abri des délaissés,
le sauveur des désespérés [a].
[12] Oui, oui, Dieu de mon père,
Dieu de l'héritage d'Israël,
Maître du ciel et de la terre, 17
Créateur des eaux,
Roi de tout ce que tu as créé,
toi, exauce ma prière.
[13] Donne-moi un langage séducteur, Est **4** 17r-s
pour blesser et pour meurtrir Jdt **10** 4;
ceux qui ont formé de si noirs desseins **11** 20, 23;
contre ton alliance **16** 6, 9
et ta sainte demeure
et la montagne de Sion
et la maison qui appartient à tes fils.
[14] Et fais connaître à tout peuple et à toute tribu 19
que tu es le Seigneur, Dieu [b] de toute puissance et de toute force,
et que le peuple d'Israël n'a d'autre protecteur que toi. »

# *IV. Judith et Holopherne*

**Judith se rend auprès d'Holopherne.**

**10** [1] Ainsi criait Judith vers le Dieu d'Israël. Au
terme de sa prière, [2] elle se releva de sa prostration, appela sa servante, descendit dans l'appar-
8 6 tement où elle se tenait aux jours de sabbat et de
fête. [3] Là, ôtant le sac qui l'enveloppait et quittant
ses habits de deuil, elle se baigna, s'oignit d'un
généreux parfum, peigna sa chevelure, ceignit un
turban et revêtit le costume de joie qu'elle mettait
du vivant de son mari Manassé. [4] Elle chaussa ses
sandales, mit ses colliers, ses anneaux, ses bagues,
ses pendants d'oreilles, tous ses bijoux, elle se fit
9 13+ aussi belle que possible pour séduire les regards de
tous les hommes qui la verraient [c]. [5] Puis elle
donna à sa servante une outre de vin et une cruche
d'huile, remplit une besace de galettes de farine
Est **4** 17x d'orge, de gâteaux de fruits secs et de pains purs [d],
v **17** 10-14 et lui remit toutes ces provisions empaquetées.
[6] Elles sortirent alors dans la direction de la porte
de Béthulie. Elles y trouvèrent posté Ozias, avec
deux anciens de la ville, Chabris et Charmis.
[7] Quand ils virent Judith le visage transformé et les
vêtements changés, sa beauté les jeta dans la plus
grande stupéfaction. Alors ils lui dirent :
[8] « Que le Dieu de nos pères te tienne en sa bienveillance!
Qu'il donne accomplissement à tes desseins
pour la glorification des enfants d'Israël
et pour l'exaltation de Jérusalem! »
[9] Judith adora Dieu et leur dit : « Faites moi
ouvrir la porte de la ville, que je puisse sortir et réaliser tous les souhaits que vous venez de m'exprimer. » Ils ordonnèrent donc aux jeunes gardes de
lui ouvrir comme elle l'avait demandé. [10] Ils obéirent et Judith sortit avec sa servante, suivie du
regard par les gens de la ville pendant toute la descente de la montagne jusqu'à la traversée du vallon.
Puis ils ne la virent plus.
[11] Comme elles marchaient droit devant elles
dans le vallon, un poste avancé d'Assyriens se
porta à leur rencontre [12] et, se saisissant de Judith,
ils l'interrogèrent. « De quel parti es-tu? D'où
viens-tu? Où vas-tu? » – « Je suis, répondit-elle, une
fille des Hébreux et je m'enfuis de chez eux, car ils
ne seront pas longs à vous servir de pâture. [13] Et
je viens voir Holopherne, le général de votre armée,
pour lui donner des renseignements sûrs [e]. Je lui
montrerai le chemin par où passer pour se rendre
maître de toute la montagne sans perdre un homme

*a)* On reconnaît la religion des « pauvres », caractéristique de la piété de l'AT, cf. So **2** 3+.
*b)* Ici et à **13** 11, le grec a : « Dieu, Dieu », phraséologie des Psaumes retouchés par l'Élohiste, cf. Ps **45** 8; **50** 7.
*c)* La Vulg. ajoute : « Le Seigneur accrut encore son éclat parce que tout cet ajustement n'était pas inspiré par la volupté mais par son courage » (cf. Est **5** 1 grec et **15** 4-5 Vulg.). Le grec, qui raconte sans sourciller l'entreprise hardie de Judith, laisse sous-entendre, jusqu'au cri d'action de grâces de **13** 16, l'aide divine qui la gardera indemne.
*d)* Judith semble plus scrupuleuse qu'Esther sur la pureté légale, plus exigeante même que ne l'était la Loi, cf. **11** 17; **12** 6-9.
*e)* Les protestations de véracité, cf. **11** 5, 10, mises dans la bouche de Judith pourtant décidée à tromper Holopherne, **11** 12-19, sont à comprendre dans le contexte moral de l'époque patriar-

ni une vie. » [14] En l'entendant parler les hommes la
regardaient et n'en revenaient pas de la trouver si
belle : [15] « Ç'aura été ton salut, lui dirent-ils, que
d'avoir pris les devants et d'être descendue voir
notre maître! Va donc le trouver dans sa tente,
voici des nôtres pour t'accompagner et te remettre
entre ses mains. [16] Une fois devant lui, ne crains
rien. Répète-lui ce que tu viens de nous dire, et il
te traitera bien. » [17] Ils détachèrent alors cent de
leurs hommes qui se joignirent à elle et à sa servante et les conduisirent auprès de la tente d'Holopherne.

[18] La nouvelle de son arrivée s'étant répandue
parmi les tentes, il en résulta dans le camp une agitation générale. Elle était encore à l'extérieur de la
tente d'Holopherne, attendant d'être annoncée, que
déjà autour d'elle on faisait cercle. [19] On ne se
lassait pas d'admirer son étonnante beauté, et
18 d'admirer par contrecoup les Israélites. « Qui
donc pourrait encore mépriser un peuple qui a des
femmes pareilles? se disait-on à l'envi. Ce ne serait
pas bien avisé d'en laisser debout un seul homme!
Les survivants seraient capables de séduire la terre
entière! »

[20] Les gardes du corps d'Holopherne et ses aides
de camp sortirent et introduisirent Judith dans la
19 tente. [21] Holopherne reposait sur un lit placé sous
une draperie de pourpre et d'or, rehaussée d'éme-
raudes et de pierres précieuses. [22] On la lui
annonça et il sortit sous l'auvent de la tente, précédé de porteurs de flambeaux d'argent [a]. [23] Quand
Judith se trouva en présence du général et de ses
aides de camp, la beauté de son visage les stupéfia
tous. Elle se prosterna devant lui, la face contre
terre. Mais les serviteurs la relevèrent.

**Première entrevue de Judith et d'Holopherne.**

**11** [1] « Confiance, femme, lui dit Holopherne. Ne
crains rien. Je n'ai jamais fait de mal à personne qui ait choisi de servir Nabuchodonosor, roi
de toute la terre. [2] Maintenant même, si ton peuple
de montagnards ne m'avait pas méprisé, je n'aurais
pas levé la lance contre lui. Ce sont eux qui l'ont
voulu. [3] Mais, dis-moi, pourquoi t'es-tu enfuie de
chez eux pour venir chez nous?... En tout cas
ç'aura été ton salut! Courage! Cette nuit-ci te verra
encore en vie, et les autres aussi! [4] Personne ne te
fera de mal, va! mais on te traitera bien, comme
cela se pratique avec les serviteurs de mon seigneur
le roi Nabuchodonosor. »

[5] Et Judith : « Daigne accueillir favorablement 4
les paroles de ton esclave et que ta servante puisse
parler devant toi. Cette nuit je ne proférerai aucun 10 13+
mensonge devant Monseigneur [b]. [6] Suis seulement
les avis de ta servante, et Dieu mènera ton affaire
à bonne fin, mon Seigneur n'échouera pas dans ses
entreprises. [7] Vive Nabuchodonosor, roi de toute la 5
terre, lui qui t'a envoyé remettre toute âme vivante
dans le droit chemin, et vive sa puissance! Car,
grâce à toi, ce ne sont pas seulement les hommes Jr 27 6
qui le servent, mais par l'effet de ta force, les bêtes Ba 3 16-17
sauvages elles-mêmes, les troupeaux et les oiseaux Dn 2 38
du ciel vivront pour Nabuchodonosor et pour toute
sa maison!

[8] Nous avons, en effet, entendu parler de ton 6
talent et des ressources de ton esprit. C'est chose
connue de toute la terre que, dans tout l'empire, tu
es singulièrement capable, riche en expérience,
étonnant dans la conduite de la guerre. [9] Et puis, 7
nous connaissons le discours prononcé par Achior
dans ton conseil. Les gens de Béthulie l'ayant épargné, il leur a communiqué tout ce qu'il t'avait dit.
[10] Eh bien, maître et seigneur, ne néglige pas ses
paroles, mais garde-les présentes à ton esprit, car
elles sont vraies [c]. Certes, notre race ne sera pas 8
châtiée, l'épée ne pourra rien contre ses fils à moins
qu'ils ne pèchent contre leur Dieu. [11] Or, juste 9
maintenant, afin que Monseigneur ne connaisse ni
rebut ni échec, la mort va fondre sur leurs têtes.
Car le péché s'est emparé d'eux, ce péché par
lequel ils excitent la colère de leur Dieu chaque fois
qu'ils se livrent au désordre. [12] Depuis que les 10
vivres leur manquent et que l'eau se fait rare, ils
ont résolu de se rabattre sur leurs troupeaux et 11
décidé de prendre pour eux tout ce que, par ses lois,
Dieu leur a défendu de manger [d]. [13] Il n'est pas 12
jusqu'aux prémices du blé, aux dîmes du vin et de Dt 14 22
l'huile – choses pourtant consacrées et réservées
par eux aux prêtres qui, à Jérusalem, se tiennent
devant la face de notre Dieu – qu'ils n'aient décidé
de consommer. Pourtant personne du peuple n'a le
droit d'y toucher, même de la main [e]. [14] Bien plus,
ils ont envoyé à Jérusalem, où tout le monde en fait
autant, des gens chargés de leur apporter du

cale (cf. Gn **27** 1-25; **34** 13-29; **37** 32-34) ou de celle des guerres de Yahvé (Jos **2** 1-7; Jg **4** 17-22), où l'auteur entend se placer.

*a)* La tente d'Holopherne, cf. encore **12** 1; **13** 1-3; **14** 14-15, paraît être un pavillon spacieux et richement décoré. La fantaisie du narrateur s'est donné libre cours dans cette présentation d'une tente d'armée en campagne, fût-elle celle du général en chef.

*b)* Le discours de Judith use habilement de l'équivoque. L'action et le Seigneur qui sont nommés au v. 6 ne sont pas les mêmes pour Judith qui parle et pour Holopherne qui l'écoute. Même double sens au v. 16. Et, au v. 8, Judith fait l'éloge de la sagacité d'Holopherne au moment même où elle le berne.

*c)* Nouvelle ambiguïté : la thèse d'Achior est vraie, la conduite que Judith va prêter aux Juifs ne l'est pas.

*d)* Vulg. fait porter l'infraction sur l'usage du sang, Lv **17** 10-14.

*e)* Ici encore l'auteur renchérit sur les exigences de la Loi, peut-

Conseil des anciens la permission nécessaire.
[15] Voici donc ce qui va leur arriver : sitôt la permission parvenue et dès qu'ils en auront usé, ce jour-là
même ils te seront livrés pour leur ruine.
13 [16] Lorsque moi, ta servante, j'eus appris tout
cela, je m'enfuis de chez eux. Dieu m'a envoyée
11 5+ pour réaliser avec toi des entreprises dont la terre
entière sera stupéfaite quand on les apprendra.
14 [17] Car ta servante est une femme pieuse. Nuit et
jour elle honore le Dieu du ciel. Alors moi, je me
15 propose de rester près de toi, Monseigneur. Moi, ta
servante, je sortirai de nuit dans le ravin et j'y prierai Dieu afin qu'il me fasse savoir quand ils auront
consommé leur faute. [18] Je reviendrai alors t'en informer pour que tu sortes avec toute ton armée, et
nul d'entre eux ne pourra te résister. [19] Je te conduirai à travers toute la Judée jusqu'à ce que tu par-
viennes devant Jérusalem. Je te ferai siéger au beau
milieu de la cité. Alors tu les mèneras comme des
brebis sans pasteur et il ne se trouvera même pas
16 un chien pour gronder devant toi. De tout cela j'ai
eu le pressentiment, cela m'a été annoncé et j'ai été
17 envoyée pour te le révéler. »
18 [20] Les paroles de cette femme plurent à Holopherne et à tous ses aides de camp. Étonnés de sa
19 sagesse, ils s'écrièrent : [21] « D'un bout du monde à
l'autre il n'y a pas de femme pareille, à la fois si
20 belle et si bien-disante! » [22] Et Holopherne lui dit :
« Dieu a bien fait de t'envoyer en avant du peuple!
Entre nos mains sera la puissance, et chez ceux qui
21 ont méprisé mon seigneur, la ruine. [23] Quant à toi,
tu es aussi jolie qu'habile en tes discours. Si tu fais
comme tu l'as dit, ton Dieu sera mon Dieu, et toi
tu résideras dans le palais du roi Nabuchodonosor
et tu seras célèbre par toute la terre! »

**12** [1] Il la fit ensuite introduire là où était disposée
sa vaisselle d'argent, lui fit servir de ses mets
et lui donna à boire de son vin. [2] Mais Judith : « Je
**10** 5+ me garderai bien d'en manger de peur que, pour
Dn **1** 8 moi, il n'y ait là une occasion de faute. Ce que j'ai
Est **4** 17x apporté avec moi me suffira. » – [3] « Et si tes provisions viennent à manquer, comment pourrons-nous
t'en procurer de semblables? reprit Holopherne.
Parmi nous il n'y a personne de ta race. » – [4] « Vis
en paix, Monseigneur! Moi, ta servante, je n'aurai
pas consommé toutes mes provisions que le Seigneur n'ait accompli par moi ses desseins! » [5] Les
aides de camp d'Holopherne la conduisirent alors
à sa tente où elle dormit jusqu'au milieu de la nuit.
Quand approcha la veille de l'aurore, elle se leva.
[6] Elle avait fait dire à Holopherne : « Que Monseigneur veuille bien ordonner de laisser sortir sa servante pour la prière », [7] de sorte qu'Holopherne
avait prescrit à ses gardes de ne pas l'en empêcher.
Elle demeura trois jours dans le camp. Elle sortait 7
de nuit vers le ravin de Béthulie et se lavait à la
source où se trouvait le poste de garde. [8] En remon- 8
tant elle priait le Seigneur Dieu d'Israël de diriger
son entreprise en vue du relèvement des fils de son
peuple. [9] Une fois purifiée, elle revenait et se tenait
dans sa tente jusqu'au moment où, le soir, on lui
apportait sa nourriture.

**Judith au banquet d'Holopherne.**

[10] Le quatrième jour, Holopherne donna un banquet auquel il invita seulement ses officiers, non
compris ceux des services. [11] Il dit à Bagoas, l'eunuque préposé à ses affaires : « Va donc persuader
cette fille des Hébreux qui est chez toi de venir avec
nous pour manger et boire en notre compagnie.
[12] Ce serait une honte pour nous de laisser partir 11
une telle femme sans avoir eu commerce avec elle [a].
Si nous ne réussissons pas à la décider, on rira bien
de nous. » [13] Bagoas sortit donc de chez Holo- 12
pherne et entra chez Judith. « Cette jeune beauté
daignerait-elle venir sans tarder en présence de
mon maître? dit-il. Elle sera à la place d'honneur
en face de lui, boira avec nous un vin joyeux, et
deviendra aujourd'hui même comme l'une des filles
des Assyriens qui se tiennent dans le palais de
Nabuchodonosor. » – [14] « Qui suis-je donc, répon- 13
dit Judith, pour m'opposer à Monseigneur? Tout ce 14
qui sera agréable à ses yeux je le ferai avec empressement, et ce sera pour moi un sujet de joie
jusqu'au jour de ma mort! »
[15] Elle se leva, se para de ses vêtements et de tous 15
ses atours féminins. Sa servante la précéda et étendit par terre vis-à-vis d'Holopherne la toison que
Bagoas avait donnée à Judith pour son usage journalier, afin qu'elle pût s'y étendre pour manger [b].
[16] Judith entra et s'installa. Le cœur d'Holopherne 16
en fut tout ravi et son esprit troublé. Il était saisi
d'un désir intense de s'unir à elle, car depuis le jour
où il l'avait vue il guettait un moment favorable
pour la séduire. [17] Il lui dit : « Bois donc! Partage 17
notre joie! » – [18] « Je bois volontiers, seigneur, car
depuis ma naissance je n'ai jamais tant apprécié la
vie qu'aujourd'hui! » [19] Elle prit ce que lui avait
préparé sa servante, puis mangea et but en face de
lui. [20] Holopherne était sous son charme, aussi but-
il une telle quantité de vin qu'en aucun jour de sa
vie il n'en avait tant absorbé.

être selon une tradition pharisienne.

*a)* Litt. « sans nous être entretenus », euphémisme, cf. Dn **13** 54, 58.

*b)* Comme dans Esther, le sort d'Israël va se jouer au cours d'un banquet.

**13** 1 Quand il se fit tard, ses officiers se hâtèrent
de partir. Bagoas ferma la tente de l'extérieur,
après avoir éconduit d'auprès de son maître ceux
2 qui s'y trouvaient encore. Ils allèrent se coucher,
3 4 fatigués par l'excès de boisson, 2 et Judith fut laissée seule dans la tente avec Holopherne effondré
5 sur son lit, noyé dans le vin. 3 Judith dit alors à sa
servante de se tenir dehors, près de la chambre à
coucher, et d'attendre sa sortie comme elle le faisait
chaque jour. Elle avait d'ailleurs eu soin de dire
qu'elle sortirait pour sa prière et avait parlé dans
le même sens à Bagoas.

4 Tous s'en étaient allés de chez Holopherne et
nul, petit ou grand, n'avait été laissé dans la cham-
6 bre à coucher. Debout près du lit Judith dit en elle-
même :

« Seigneur, Dieu de toute force,
en cette heure, favorise l'œuvre de mes mains
pour l'exaltation de Jérusalem.
5 C'est maintenant le moment
de ressaisir ton héritage
et de réaliser mes plans
pour écraser les ennemis levés contre nous. »

8 6 Elle s'avança alors vers la traverse du lit proche de la tête d'Holopherne, en détacha son cime-
9 terre, 7 puis s'approchant de la couche elle saisit la
chevelure de l'homme et dit : « Rends-moi forte en
ce jour, Seigneur, Dieu d'Israël! » 8 Par deux fois
Jg **4** 21 elle le frappa au cou, de toute sa force, et détacha
sa tête. 9 Elle fit ensuite rouler le corps loin du lit
11 et enleva la draperie des colonnes. Peu après elle
sortit et donna la tête d'Holopherne à sa servante,
12 10 qui la mit dans la besace à vivres, et toutes deux
sortirent du camp comme elles avaient coutume de
le faire pour aller prier. Une fois le camp traversé
elles contournèrent le ravin, gravirent la pente de
Béthulie et parvinrent aux portes.

**Judith apporte à Béthulie la tête d'Holopherne.**

13 11 De loin Judith cria aux gardiens des portes :
« Ouvrez, ouvrez la porte! Car le Seigneur notre
Ex **15** 1-2 Ps **48** 8-12; **68**; **98** 1-3 Dieu est encore avec nous pour accomplir des
prouesses en Israël et déployer sa force contre nos
ennemis comme il l'a fait aujourd'hui! » 12 Quand 14
les hommes de la ville eurent entendu sa voix, ils
se hâtèrent de descendre à la porte de leur cité et
appelèrent les anciens. 13 Du plus petit jusqu'au 15
plus grand tout le monde accourut, car on ne
s'attendait pas à son arrivée. Les gens ouvrirent la
porte, accueillirent les deux femmes, firent du feu
pour y voir et les entourèrent. 14 D'une voix forte
Judith leur dit : « Louez Dieu! Louez-le! Louez le 17 18
Dieu qui n'a pas détourné sa miséricorde de la maison d'Israël, mais qui, cette nuit, a par ma main
brisé nos ennemis. » 15 Elle tire alors la tête de sa 19
besace et la leur montre : « Voici la tête d'Holopherne, le général en chef de l'armée d'Assur, et
voici la draperie sous laquelle il gisait dans son
ivresse! Le Seigneur l'a frappé par la main d'une
femme! 16 Vive le Seigneur qui m'a gardée dans
mon entreprise! Car mon visage n'a séduit cet
homme que pour sa perte. Il n'a pas péché avec
moi pour ma honte et mon déshonneur [a]. » 17 En 22
proie à une grande émotion tout le peuple se prosterna pour adorer Dieu et cria d'une seule voix :
« Béni sois-tu, ô notre Dieu, toi qui, en ce jour, as
anéanti les ennemis de ton peuple! » 18 Ozias, à son 23
tour, dit à Judith [b] :

« Sois bénie, ma fille, par le Dieu Très Haut, Jg **5** 24
plus que toutes les femmes de la terre; ↗ Lc **1** 28, 42
et béni soit le Seigneur Dieu, 24
Créateur du ciel et de la terre,
lui qui t'a conduite pour trancher la tête
du chef de nos ennemis!
19 Jamais la confiance dont tu as fait preuve 25
ne s'effacera de l'esprit des hommes;
mais ils se souviendront éternellement
de la puissance de Dieu.
20 Fasse Dieu que tu sois éternellement exaltée
et récompensée de mille biens,
puisque tu n'as pas ménagé ta vie
quand notre race était humiliée,
mais que tu as conjuré notre ruine
en marchant droit devant notre Dieu. »

Tout le peuple répondit : « Amen! Amen! » 26

*a)* Au v. 16 correspondent les vv. 20-21 de la Vulg. : « 20 Vive le Seigneur! car son ange m'a gardée tandis que j'allais (vers Holopherne), durant mon séjour et dans mon retour. Le Seigneur n'a pas permis que je fusse souillée, mais il m'a fait revenir parmi vous, sans tache, joyeuse de sa victoire, de mon évasion et de votre libération. 21 Célébrez-le tous car il est bon, car sa miséricorde est éternelle » (cf. Ps **136** 1).

*b)* La Vulg., tout en développant les mêmes idées, a un texte assez différent.

# V. La victoire

**Les Juifs assaillent le camp assyrien.**

**14** [1] Judith leur dit : « Écoutez-moi, frères. Prenez cette tête, suspendez-la au faîte de vos
remparts. [2] Puis, quand l'aube aura paru et que le
soleil sera levé sur la terre, prenez chacun vos
armes et que tout homme valide sorte de la ville.
Sur cette troupe établissez un chef, tout comme si
vous vouliez descendre dans la plaine vers le poste
avancé des Assyriens. Mais ne descendez pas. [3] Les
Assyriens prendront leur équipement, gagneront
14 4 leur camp et éveilleront les chefs de leur armée. On
se précipitera alors vers la tente d'Holopherne et on
ne le trouvera pas. La frayeur s'emparera d'eux et
5 ils fuiront devant vous. [4] Vous, et tous ceux qui
habitent dans le territoire d'Israël, vous n'aurez
plus qu'à les poursuivre et à les abattre dans leur
retraite.

[5] Mais avant d'agir ainsi, appelez-moi Achior
l'Ammonite [a], pour qu'il voie et reconnaisse le
contempteur de la maison d'Israël, celui qui l'avait
envoyé parmi nous comme un homme voué
13 27 28 d'avance à la mort. » [6] On fit donc venir Achior de
29 chez Ozias. Sitôt arrivé, à la vue de la tête d'Holopherne que tenait un des hommes de l'assemblée du
peuple, il tomba la face contre terre et s'évanouit.
30 [7] On le releva. Il se jeta alors aux pieds de Judith
et, se prosternant devant elle, s'écria :

31 « Bénie sois-tu dans toutes les tentes de Juda
et parmi tous les peuples;
ceux qui entendront prononcer ton nom
seront saisis d'effroi!

[8] Et maintenant dis-moi ce que tu as fait durant
ces jours. » Et Judith lui raconta, au milieu de tout
le peuple, tout ce qu'elle avait fait depuis le jour
de sa sortie de Béthulie jusqu'au moment où elle
parlait. [9] Quand elle se fut tue, le peuple poussa de
puissantes acclamations et emplit la ville de cris
d'allégresse. [10] Achior, voyant tout ce qu'avait fait
le Dieu d'Israël, crut fermement en lui, se fit
Dt 23 4-5 circoncire et fut admis définitivement [b] dans la
maison d'Israël.

14 7 [11] Quand l'aube parut, les gens de Béthulie pen-
dirent la tête d'Holopherne au rempart. Chacun
prit ses armes et tous sortirent par bandes sur les
8 pentes de la montagne. [12] Ce que voyant, les Assyriens dépêchèrent des messagers vers leurs chefs
qui, à leur tour, se rendirent chez les stratèges, les
chiliarques et tous leurs officiers. [13] On parvint 9 11
ainsi jusqu'à la tente d'Holopherne. « Éveille notre
maître, dit-on à son intendant. Ces esclaves [c] ont 12
osé descendre vers nous et nous attaquer pour se
faire complètement massacrer. » [14] Bagoas entra 13
donc. Il frappa des mains devant le rideau de la
tente, pensant qu'Holopherne dormait avec Judith. 14
[15] Mais comme personne ne semblait rien entendre,
il ouvrit et pénétra dans la chambre à coucher et
le trouva jeté sur le seuil, mort, la tête coupée. [16] Il
poussa alors un grand cri, pleura, sanglota, hurla
et déchira ses vêtements, [17] puis pénétra dans la 15
tente où logeait Judith et ne la trouva pas. Alors,
s'élançant dans la foule, il cria : [18] « Ah! les esclaves se sont rebellés! Une femme des Hébreux a 13 15; 16 5-9
couvert de honte la maison de Nabuchodonosor. Jg 9 54
Holopherne gît à terre, décapité! » [19] A ces mots les 17
chefs de l'armée d'Assur, l'esprit complètement
bouleversé, déchirèrent leurs tuniques et firent 18
retentir le camp de leurs cris et de leurs clameurs.

**15** [1] Lorsque ceux qui étaient encore dans leurs
tentes apprirent la nouvelle, ils en furent frappés de stupeur. [2] Pris de crainte et de tremblement
ils ne purent rester deux ensemble : ce fut la déban-
dade. Chacun s'enfuit par les sentiers de la plaine
ou de la montagne. [3] Ceux qui étaient campés dans
la région montagneuse autour de Béthulie se mirent
à fuir eux aussi. Alors les hommes de guerre
d'Israël foncèrent sur eux. [4] Ozias dépêcha des
messagers à Bétomestaïm, à Bébé, à Chobé, à
Kola, dans le territoire d'Israël tout entier, afin d'y
faire connaître tout ce qui venait de se passer et
d'inviter toutes les populations à se jeter sur les
ennemis et à les anéantir. [5] A peine les Israélites
furent-ils avertis que d'un seul élan ils tombèrent
tous sur eux et les frappèrent jusqu'à Choba. Ceux
de Jérusalem et de toute la montagne [d] se joignirent
également à eux, car ils avaient aussi été mis au
courant de ce qui s'était passé dans le camp
ennemi. Puis ce furent les gens de Galaad et de
Galilée qui les prirent de flanc et les frappèrent
durement jusqu'à proximité de Damas et de sa
région. [6] Quant aux autres, demeurés à Béthulie, ils 7
se jetèrent sur le camp d'Assur, le pillèrent et Est 9 5, 16
s'enrichirent extrêmement. [7] Les Israélites, de

*a)* La Vulg. a placé l'intervention d'Achior à la fin du ch. **13**, et fait tenir à Judith un bref discours qui rappelle la présomption d'Holopherne.

*b)* Litt. « jusqu'à ce jour », cf. aussi **1** 5. – L'agrégation d'Achior à Israël est une réhabilitation des Ammonites, cf. Dt **23** 4-5.

*c)* Vulg. : « Les rats sortis de leurs trous ont osé nous provoquer au combat. »

*d)* La montagne de Judée.

retour du carnage, se rendirent maîtres du reste.
Les gens des bourgs et des villages de la montagne
et de la plaine s'emparèrent aussi d'un immense
butin, car il y en avait en quantité.

**Actions de grâces.**

9 8 Le grand prêtre Ioakim et tout le Conseil des
anciens d'Israël qui étaient à Jérusalem vinrent
contempler les bienfaits dont le Seigneur avait
comblé Israël, pour voir Judith et la saluer. 9 En
10 entrant chez elle, tous la bénirent ainsi d'une seule
voix :

« Tu es la gloire de Jérusalem!
Tu es le suprême orgueil d'Israël!
Tu es le grand honneur de notre race!

11 10 En accomplissant tout cela de ta main,
tu as bien mérité d'Israël,
et Dieu a ratifié ce que tu as fait.

Bénie sois-tu par le Seigneur Tout-Puissant
dans la suite des temps [a]! »

12 Et tout le peuple reprit : « Amen! »

13 14 11 La population pilla le camp trente jours
durant. On donna à Judith la tente d'Holopherne,
toute son argenterie, sa literie, ses bassins et tout
son mobilier. Elle le prit, en chargea sa mule, attela
ses chariots et y amoncela le tout. 12 Toutes les
Ex 15 20 femmes d'Israël, accourues pour la voir, s'organisè-
Jg 11 34 rent en chœur de danse pour la fêter. Judith prit en
1 S 18 6 main des thyrses et en donna aux femmes qui
Jr 31 4, 13 l'accompagnaient [b]. 13 Judith et ses compagnes se
couronnèrent d'olivier. Puis elle se mit en tête du
peuple et conduisit le chœur des femmes. Tous les
hommes d'Israël, en armes et couronnés, l'ac-
16[1] compagnaient au chant des hymnes. 14 Au milieu
de tout Israël, Judith entonna ce chant d'action de
grâces et tout le peuple clama l'hymne [c] :

Ps 81 2-4; 135 1-3; 149 1-3 **16** 1 « Entonnez un chant à mon Dieu sur les tambourins,
chantez le Seigneur avec les cymbales,
mêlez pour lui le psaume au cantique,
exaltez et invoquez son nom!

9 7 Ex 15 3 Ps 46 10; 68 31; 76 4 2 Car le Seigneur est un Dieu briseur de guerres:
il a établi [d] son camp au milieu de son peuple,
pour m'arracher de la main de mes adversaires.

3 Assur descendit des montagnes du septentrion,
il vint avec les myriades de son armée.
Leur multitude obstruait les torrents,
leurs chevaux couvraient les collines.
4 Ils parlaient d'embraser mon pays, 6
de passer mes adolescents au fil de l'épée,
de jeter à terre mes nourrissons,
de livrer au butin mes enfants
et mes jeunes filles au rapt.
5 Mais le Seigneur Tout-Puissant le leur interdit 7
par la main d'une femme.
6 Car leur héros n'est pas tombé devant des jeunes gens, 8
ce ne sont pas des fils de titans qui l'ont frappé,
ni de fiers géants qui l'ont attaqué,
mais c'est Judith, fille de Merari,
qui l'a désarmé par la beauté de son visage.
7 Elle avait déposé son vêtement de deuil 9
pour le réconfort des affligés d'Israël,
elle avait oint son visage de parfums, 10
8 elle avait emprisonné sa chevelure sous un turban,
elle avait mis une robe de lin pour le séduire.
9 Sa sandale ravit son regard, 11
sa beauté captiva son âme...
et le cimeterre lui trancha le cou!
10 Les Perses frémirent de son audace 12
et les Mèdes furent confondus de sa hardiesse.
11 Alors mes humbles crièrent, et eux prirent peur,
mes faibles hurlèrent, et eux furent saisis d'effroi;
ils enflèrent leur voix, et eux reculèrent.
12 Des enfants de femmelettes les tuèrent, 5 23
ils les transpercèrent comme des fils de déserteurs. 6 5
Ils périrent dans la bataille de mon Seigneur!

13 Je veux chanter à mon Dieu un cantique nouveau. Ps 144 9
Seigneur, tu es grand, tu es glorieux, Ps 86 10
admirable dans ta force, invincible. 147 5
14 Que toute ta création te serve! 17
Car tu as dit et les êtres furent, Ps 33 9;
tu envoyas ton souffle et ils furent construits, 148 5 Ps 104 30
et personne ne peut résister à ta voix. Est 4 17b

*a)* Au lieu du v. 10, la Vulg. (v. 11) porte : « Car tu as agi virilement. Ton cœur s'est affermi parce que tu aimais la chasteté et que tu n'as voulu connaître aucun autre homme après la mort de ton mari. Alors la main de Dieu t'a donné la force. Ainsi, tu seras éternellement bénie. »

*b)* De tels cortèges sont bien connus (cf. les références en marge), mais les parures de couronnes de verdure, v. 13, sont un usage proprement grec. De même les thyrses, rameaux ou bâtons décorés de feuillage, n'apparaissent dans la Bible qu'en 2 M **10** 7. Cependant on avait l'habitude d'agiter des branchages pour exprimer l'allégresse, Lv **23** 40, cf. Jn **12** 13, Ap **7** 9.

*c)* Le poème est composé comme un psaume hymnique, et utilise aux vv. 13-16 des locutions fréquentes dans les Psaumes.

*d)* « il a établi » versions; « dans ses camps » grec.

Ps **97** 5 15 Les montagnes crouleraient-elles
Jg **5** 5 pour se mêler aux flots,
les rochers fondraient-ils
comme la cire devant ta face,
Ps **25** 14; qu'à ceux qui te craignent
**103** 13 tu serais encore propice.

Pr **51** 18-19 16 Certes, c'est peu de chose
qu'un sacrifice d'agréable odeur,
et moins encore la graisse
qui t'est brûlée en holocauste;
Si **34** 13-17 mais qui craint le Seigneur
est grand toujours.

Jg **5** 31 17 Malheur aux nations
Jl **4** 1-4 qui se dressent contre ma race!
Le Seigneur Tout-Puissant
les châtiera au jour du jugement.
Is **66** 24+ Il enverra le feu et les vers dans leurs chairs
et ils pleureront de douleur éternellement.

18 Quand ils furent arrivés à Jérusalem, tous se
prosternèrent devant Dieu et, une fois le peuple
Jos **6** 17+ purifié, ils offrirent leurs holocaustes, leurs obla-
Nb **31** 48-54 tions volontaires et leurs dons. 19 Judith voua à
Dt **13** 13-19
Lv **27** 28-29
Dieu, en anathème, tout le mobilier d'Holopherne
donné par le peuple et la draperie qu'elle avait elle-
même enlevée de son lit. 20 La population se livra
à l'allégresse devant le Temple, à Jérusalem, trois
mois durant, et Judith resta avec eux.

**Vieillesse et mort de Judith.**

21 Ce temps écoulé, chacun revint chez soi. 25
Judith regagna Béthulie et y demeura dans son
domaine. De son vivant elle devint célèbre dans
tout le pays. 22 Beaucoup la demandèrent en 26
mariage, mais elle ne connut point d'homme tous
les jours de sa vie depuis que son mari Manassé
était mort et avait été réuni à son peuple. 23 Son
renom croissait de plus en plus tandis qu'elle avançait en âge dans la maison de son mari. Elle atteignit cent cinq ans [a]. Elle affranchit sa servante, 28
puis mourut à Béthulie et fut ensevelie dans la Gn **23** 19;
caverne où reposait son mari Manassé. 24 La mai- **49** 29-32 29
son d'Israël célébra son deuil durant sept jours.
Avant de mourir elle avait réparti ses biens dans
la parenté de son mari Manassé et dans la sienne
propre.
25 Plus personne n'inquiéta les Israélites du Jg **3** 11+
temps de Judith ni longtemps encore après sa
mort [b].

*a)* Cet âge très avancé achève de mettre Judith au rang des héros de l'époque patriarcale, cf. Gn **23** 1; **35** 28; **50** 26.
*b)* Cette finale rappelle les conclusions du livre des Juges. Vulg. ajoute (v. 31) : « Le jour anniversaire de cette victoire est fêté parmi les Hébreux et compté parmi les jours sacrés. Les Juifs le célèbrent depuis lors jusqu'aujourd'hui. » En fait, nous ne connaissons aucune trace de cette solennité. Mais cf. Est **9** 27s; 1 M **7** 48-49.

# ESTHER

## Préliminaires

### Songe de Mardochée [a].

11 2 **1** [1a] *La deuxième année du règne du grand roi*
*Assuérus* [b]*, le premier jour de Nisan, un*
*songe* [c] *vint à Mardochée, fils de Yaïr, fils de*
3 *Shimeï, fils de Qish, de la tribu de Benjamin,* [1b] *Juif*
*établi à Suse* [d] *et personnage considérable comme*
4 *attaché à la cour.* [1c] *Il était du nombre des déportés*
*que, de Jérusalem, le roi de Babylone, Nabuchodo-*
*nosor, avait emmenés en captivité avec le roi de*
2 R **24** 8, 15 *Juda, Jékonias* [e].
5 [1d] *Or, voici quel fut ce songe. Cris et fracas, le*
*tonnerre gronde, le sol tremble, bouleversement sur*
6 *toute la terre.* [1e] *Deux énormes dragons s'avancent,*
*l'un et l'autre prêts au combat. Ils poussent un hur-*
7 *lement;* [1f] *il n'a pas plus tôt retenti que toutes les*
*nations se préparent à la guerre contre le peuple*
8 *des justes.* [1g] *Jour de ténèbres et d'obscurité! Tribu-*
*lation, détresse, angoisse, épouvante fondent sur la*
9 *terre.* [1h] *Bouleversé de terreur devant les maux qui*
*l'attendent, le peuple juste tout entier se prépare à*
10 *périr et crie vers Dieu.* [1i] *Or, à son cri, comme*
*d'une petite source, naît un grand fleuve, des eaux*
*débordantes.* [1k] *La lumière se lève avec le soleil.* 11 **8** 16
*Les humbles sont exaltés et dévorent les puissants.* So **2** 3+
[1l] *A son réveil, Mardochée, devant ce songe et la* 12
*pensée des desseins de Dieu, y porta toute son*
*attention et, jusqu'à la nuit, s'efforça de multiples*
*façons d'en pénétrer le sens.*

### Complot contre le roi. **2** 21s; **6** 2s

[1m] *Mardochée logeait à la cour avec Bigtân et* **12** 1
*Téresh* [f]*, deux eunuques du roi, gardes du palais.*
[1n] *Ayant eu vent de ce qu'ils machinaient et pénétré* 2
*leurs desseins, il découvrit qu'ils s'apprêtaient à*
*porter la main sur le roi Assuérus, et le mit au cou-*
*rant.* [1o] *Le roi fit donner la question aux deux eunu-* 3
*ques, et, sur leurs aveux, les envoya au supplice.*
[1p] *Il fit ensuite consigner l'histoire dans ses Mémoi-* 4 **6** 1; **10** 2
*res cependant que Mardochée, de son côté, la cou-*
*chait aussi par écrit.* [1q] *Puis le roi lui confia une*
*fonction au palais et, pour le récompenser, le gra-* **6** 3
*tifia de présents.* [1r] *Mais Aman, fils de Hamdata,* **3** 1s
*l'Agagite, avait la faveur du roi, et, pour cette*
*affaire des deux eunuques royaux, il médita de*
*nuire à Mardochée.* **3** 5-6

*a)* En italiques, les passages que la version grecque ajoute au texte hébreu, additions que l'Église reconnaît comme inspirées. Saint Jérôme les a rejetées en appendice à sa version latine, **10** 4s. Nous les replaçons selon la disposition du texte grec avec la numérotation de l'édition des LXX de Rahlfs. La numérotation de ces passages dans la Vulg. est donnée en marge.

*b)* Assuérus, transcription latine et française de la forme hébraïque du nom perse Kshajarsha, en grec Xerxès, cf. Esd **4** 6. Par confusion avec le nom de ses successeurs, le grec porte Artaxerxès.

*c)* Le texte grec, qui rapporte seul ce songe, donne d'avance la trame du récit sous une forme énigmatique et apocalyptique (la clé sera donnée en **10** 3[a–k]), et souligne ainsi l'intervention divine.

*d)* Ville située à l'est de Babylone, ancienne capitale d'Élam et résidence d'hiver des rois perses.

*e)* La chronologie est très libre : la généalogie de Mardochée ne retient que quelques noms pour couvrir cinq ou six siècles. Lui-même est présenté à la fois comme un courtisan d'Assuérus (vers 480) et comme un déporté contemporain de Jékonias (= Joiakîn, vers 598).

*f)* On unifie les noms propres qui ont des formes variables selon les textes.

# I. Assuérus et Vasthi

### Festin d'Assuérus.

1 1 C'était au temps d'Assuérus, cet Assuérus
dont l'empire s'étendait de l'Inde à l'Éthiopie,
soit sur cent vingt-sept provinces. 2 En ce temps-là,
comme il siégeait sur son trône royal, à la citadelle
de Suse, 3 la troisième année de son règne, il donna
un banquet, présidé par lui, à tous ses grands
officiers et serviteurs chefs de l'armée [a] des Perses
et des Mèdes, nobles et gouverneurs de provinces.
4 Il voulait étaler à leurs yeux la richesse et la
magnificence de son royaume ainsi que l'éclat
splendide de sa grandeur, pendant une longue suite
de jours, exactement cent quatre-vingts.
5 Ce temps écoulé, ce fut alors toute la population de la citadelle de Suse, du plus grand au plus
petit, qui se vit offrir par le roi un banquet de sept
jours, sur l'esplanade du jardin du palais royal.
6 Ce n'étaient que tentures de toile blanche et de
pourpre violette attachées par des cordons de byssus et de pourpre rouge, eux-mêmes suspendus à
des anneaux d'argent fixés sur des colonnes de marbre blanc, lits d'or et d'argent posés sur un dallage
de pierres rares, de marbre blanc, de nacre et de
mosaïques! 7 Pour boire, des coupes d'or, toutes
différentes, et abondance de vin offert par le roi
avec une libéralité royale. 8 Le décret royal toutefois ne contraignait pas à boire, le roi ayant prescrit à tous les officiers de sa maison que chacun fût
traité comme il l'entendait.

### L'affaire Vasthi.

9 La reine Vasthi [b], de son côté, avait offert aux
femmes un festin dans le palais royal d'Assuérus.
Dn 5 1-4 10 Le septième jour, mis en gaîté par le vin, le roi
ordonna à Mehumân, à Bizzeta, à Harbona, à
Bigta, à Abgata, à Zétar et à Karkas, les sept eunuques attachés au service personnel du roi Assuérus,
11 de lui amener la reine Vasthi coiffée du diadème
royal, en vue de faire montre de sa beauté au peuple et aux grands officiers. Le fait est qu'elle était
très belle. 12 Mais la reine Vasthi refusa de venir
selon l'ordre du roi que les eunuques lui avaient
transmis. L'irritation du roi fut extrême et sa colère
s'enflamma. 13 Il s'adressa aux sages versés dans la
science des lois [c] – car c'est ainsi que les affaires
du roi étaient traitées, en présence de tous ceux qui
étaient versés dans la science de la loi et du droit.
14 Il fit venir près de lui Karshena, Shétar, Admata,
Tarshish, Mérès, Marsena et Memukân, sept
grands officiers perses et mèdes admis à voir la
face du roi [d] et siégeant aux premières places du
royaume. 15 « Selon la loi, dit-il, que faut-il faire à
la reine Vasthi pour n'avoir pas obtempéré à
l'ordre du roi Assuérus que les eunuques lui transmettaient? » 16 Et en présence du roi et des grands
officiers Memukân répondit : « Ce n'est pas seulement contre le roi que la reine Vasthi a mal agi,
c'est aussi contre tous les grands officiers et contre
toutes les populations répandues à travers les provinces du roi Assuérus. 17 La façon d'agir de la
reine ne manquera pas de venir à la connaissance
de toutes les femmes, qui regarderont leur mari
avec mépris. " Le roi Assuérus lui-même, pourront-
elles dire, avait donné l'ordre de lui amener la
reine Vasthi, et elle n'est pas venue! " 18 Aujourd'hui même les femmes des grands officiers
perses et mèdes vont parler à tous les grands
officiers du roi de ce qu'elles ont appris de la façon
d'agir de la reine, et ce sera grand mépris et grande
colère. 19 Si tel est le bon plaisir du roi, qu'un édit Dn 6 8, 10,
émané de lui s'inscrive, irrévocable [e], parmi les lois 13, 16
des Perses et des Mèdes, pour interdire à Vasthi de Est 3 12;
paraître en présence du roi Assuérus, et que le roi 8 5, 8
confère sa qualité de reine à une autre qui vaille
mieux qu'elle. 20 Puis l'ordonnance portée par le roi
sera promulguée dans tout son royaume, qui est
grand, et lors les femmes rendront honneur à leur
mari, du plus grand jusqu'au plus humble. »
21 Ce discours plut au roi et aux grands officiers,
et le roi suivit l'avis de Memukân. 22 Il envoya des
lettres à toutes les provinces de l'empire, à chaque
province selon son écriture et à chaque peuple Dn 3 4; 6
selon sa langue, afin que tout mari fût maître chez
lui [f].

a) « chefs de l'armée » conj.; « l'armée » hébr. – Les « servi-teurs » sont ici les hauts fonctionnaires. De tels banquets étaient fréquents, cf. Gn **40** 20; 1 R **3** 15; Dn **5** 1; Mc **6** 21.
b) Vasthi, comme Esther, est inconnue de l'histoire.
c) « la science des lois » conj.; « la science des temps » hébr.
d) C'est-à-dire admis au conseil royal, cf. 2 R **25** 19. – Cette consultation de sages est également attestée en Dn **2** 2s; **5** 7-12.
e) Le thème de l'édit irrévocable, et bientôt caduc, est très exploité dans la littérature biblique d'inspiration perse, peut-être avec une subtile ironie de l'écrivain juif.
f) Hébr. ajoute : « et qu'il parle la langue de son peuple », omis par grec.

# II. Mardochée et Esther

### Esther devient reine.

2 1 Quelque temps après, sa fureur calmée, le roi
Assuérus se souvint de Vasthi, il se rappela la
conduite qu'elle avait eue, les décisions prises à son
sujet [a]. 2 Les courtisans de service auprès du roi lui
dirent : « Que l'on recherche pour le roi des jeunes
filles, vierges et belles. 3 Que le roi constitue des
commissaires dans toutes les provinces de son
royaume afin de rassembler tout ce qu'il y a de jeunes filles vierges et belles à la citadelle de Suse,
dans le harem, sous l'autorité de Hégé, eunuque du
roi, gardien des femmes. Celui-ci leur donnera tout
ce qu'il faut pour leurs soins de beauté 4 et la jeune
fille qui aura plu au roi succédera comme reine à
Vasthi. » L'avis convint au roi, et c'est ce qu'il fit.
5 Or, à la citadelle de Suse vivait un Juif nommé
1 1a–c Mardochée, fils de Yaïr, fils de Shiméï, fils de Qish,
de la tribu de Benjamin, 6 qui avait été exilé
de Jérusalem parmi les déportés emmenés avec le
roi de Juda, Jékonias, par le roi de Babylone,
Nabuchodonosor, 7 et élevait alors une certaine
Hadassa, autrement dit Esther [b], fille de son oncle,
car orpheline de père et de mère. Elle avait belle
prestance et agréable aspect, et, à la mort de ses
parents, Mardochée l'avait prise avec lui comme si
elle eût été sa fille [c].
Dn 1 3-20 8 L'ordre royal et le décret proclamés, une foule
de jeunes filles furent donc rassemblées à la citadelle de Suse et confiées à Hégé. Esther fut prise
et amenée au palais royal. Or, confiée comme les
autres à l'autorité de Hégé, gardien des femmes,
9 la jeune fille lui plut et gagna sa faveur. Il prit à
cœur de lui donner au plus vite ce qui lui revenait
pour sa parure et pour sa subsistance et, de plus,
lui attribua sept suivantes choisies de la maison du
roi, puis la transféra, avec ses suivantes, dans un
meilleur appartement du harem. 10 Esther n'avait
révélé ni son peuple ni sa parenté, car Mardochée
le lui avait défendu [d]. 11 Chaque jour celui-ci se
promenait devant le vestibule du harem pour avoir
des nouvelles de la santé d'Esther et de tout ce qui
lui advenait.
12 Chaque jeune fille devait se présenter à son
tour au roi Assuérus au terme du délai fixé par le
statut des femmes, soit douze mois. L'emploi de ce
temps de préparation était tel : pendant six mois les
jeunes filles usaient de l'huile de myrrhe, et pendant
six autres mois du baume et des onguents employés
pour les soins de beauté féminine. 13 Quand elle se
présentait au roi, chaque jeune fille obtenait tout ce
qu'elle demandait pour le prendre avec elle en passant du harem au palais royal. 14 Elle s'y rendait
au soir et, le lendemain matin, regagnait un autre
harem, confié à Shaashgaz, l'eunuque royal préposé à la garde des concubines. Elle ne retournait 4 11
pas vers le roi à moins que le roi ne s'en fût épris
et la rappelât nommément.
15 Mais Esther, fille d'Abihayil, lui-même oncle
de Mardochée qui l'avait adoptée pour fille, son
tour venu de se rendre chez le roi, ne demanda rien
d'autre que ce qui lui fut indiqué par l'eunuque
royal Hégé, commis à la garde des femmes. Et
voici qu'Esther trouva grâce devant tous ceux qui
la virent. 16 Elle fut conduite au roi Assuérus, au
palais royal, le dixième mois, qui est Tébèt, en la
septième année de son règne, 17 et le roi la préféra
à toutes les autres femmes, elle trouva devant lui
faveur et grâce plus qu'aucune autre jeune fille. Il
posa donc le diadème royal sur sa tête et la choisit 4 17u–y
pour reine à la place de Vasthi.
18 Après cela le roi donna un grand festin, le festin d'Esther, à tous les grands officiers et serviteurs,
accorda un jour de repos à toutes les provinces et
prodigua des présents avec une libéralité royale.

### Mardochée et Aman.

19 En passant, comme les jeunes filles, dans le
second harem [e], 20 Esther n'avait révélé ni sa 2 14
parenté ni son peuple, ainsi que le lui avait prescrit
Mardochée dont elle continuait à observer les instructions comme au temps où elle était sous sa

*a)* L'hébr. implique que le roi regrette Vasthi. Le grec et Lucien suggèrent au contraire qu'il l'a oubliée.
*b)* Le nom d'Esther est sans doute d'origine babylonienne (*Ishtar*) comme celui de Mardochée (*Marduk*) : mais on peut penser au persan *stareh*, « étoile ». Hadassa est un nom hébreu (« myrte »).
*c)* Grec lit à la fin : « Il l'avait élevée dans le but d'en faire sa femme. » La tradition juive postérieure à l'ère chrétienne a suivi cette leçon et fait d'Esther la femme de Mardochée.
*d)* La situation rappelle celle de Daniel et de ses trois compagnons, Dn **1**. Mais en Dn, la faveur des jeunes Hébreux auprès du roi, qui connaît leur origine, est clairement rapportée à leur fidélité à la Loi.
*e)* Texte corrigé. Hébr. (suivi par Vulg.) : « Lorsque les jeunes filles furent rassemblées pour la deuxième fois, Mardochée siégeait à la Porte »; grec : « Mardochée était en fonction dans le palais ». La mention de Mardochée et de sa fonction est inattendue ici. Elle revient bien en place au v. 21, dont elle est sans doute une dittographie.

tutelle[a]. [21] Mardochée était alors attaché à la
Royale Porte[b]. Mécontents, deux eunuques
royaux, Bigtân et Téresh, du corps des gardes du
seuil, complotèrent de porter la main sur le roi
Assuérus. [22] Mardochée en eut vent, informa la
reine Esther et celle-ci, à son tour, en parla au roi
au nom de Mardochée. [23] Après enquête, le fait se
révéla exact. Ces deux-là furent envoyés au gibet
et, en présence du roi, une relation de l'histoire fut
consignée dans le livre des Chroniques.

**3** [1] Quelque temps après, le roi Assuérus distin-
gua Aman, fils de Hamdata, du pays
d'Agag[c]. Il l'éleva en dignité, lui accorda prééminence sur tous les grands officiers, ses collègues,
[2] et tous les serviteurs du roi, préposés au service
de sa Porte, s'agenouillaient et se prosternaient
devant lui, car tel était l'ordre du roi. Mardochée
refusa de fléchir le genou et de se prosterner[d]. 4 17d–e
[3] « Pourquoi transgresses-tu l'ordre royal? » dirent
à Mardochée les serviteurs du roi préposés à la
Royale Porte. [4] Mais ils avaient beau le lui répéter
tous les jours, il ne les écoutait pas. Ils dénoncèrent
alors le fait à Aman, pour voir si Mardochée per-
sisterait dans son attitude (car il leur avait dit qu'il
était Juif). [5] Aman put en effet constater que Mardochée ne fléchissait pas le genou devant lui ni ne
se prosternait : il en prit un accès de fureur.
[6] Comme on l'avait instruit du peuple de Mardochée, il lui parut que ce serait peu de ne frapper
que lui et il prémédita de faire disparaître, avec
Mardochée, tous les Juifs établis dans tout le
royaume d'Assuérus.

## *III. Les Juifs menacés*

**Décret d'extermination des Juifs.**

[7] L'an douze d'Assuérus, le premier mois, qui est
9 24-26 Nisan, on tira, sous les yeux d'Aman, le « Pûr[e] »
(c'est-à-dire les sorts), par jour et par mois. Le sort
étant tombé sur le douzième mois, qui est Adar,
[8][f] Aman dit au roi Assuérus : « Au milieu des
populations, dans toutes les provinces de ton
3 13d–e royaume, est dispersé un peuple à part. Ses lois ne
Dn 3 8-12 Sg 2 14-15 ressemblent à celles d'aucun autre et les lois royales sont pour lui lettre morte[g]. Les intérêts du roi
ne permettent pas de le laisser tranquille. [9] Que sa
perte soit donc signée, si le roi le trouve bon, et je
7 4 verserai à ses fonctionnaires, au compte du Trésor
royal, dix mille talents d'argent. »
Gn 41 42 [10] Le roi ôta alors son anneau de sa main et le
donna à Aman, fils de Hamdata l'Agagite, le persécuteur des Juifs. [11] « Garde ton argent, lui répondit-
il. Quant à ce peuple, je te le livre, fais-en ce que
tu voudras! »

[12] Une convocation fut donc adressée aux scribes
royaux pour le treize du premier mois et l'on mit
par écrit tout ce qu'Aman avait ordonné aux satrapes du roi, aux gouverneurs de chaque province et
aux grands officiers de chaque peuple, selon l'écri- Dn 3 4, 7
ture de chaque province et la langue de chaque
peuple. Le rescrit fut signé du nom d'Assuérus,
scellé de son anneau, [13] et des courriers transmirent
à toutes les provinces du royaume des lettres mandant de détruire, tuer et exterminer tous les Juifs,
depuis les adolescents jusqu'aux vieillards, enfants
et femmes compris, le même jour, à savoir le treize
du douzième mois, qui est Adar, et de mettre à sac
leurs biens.

[13a] *Voici le texte de cette lettre :*
*« Le grand roi Assuérus aux gouverneurs des* 13 1
*cent vingt-sept provinces qui vont de l'Inde à*
*l'Éthiopie, et aux chefs de district, leurs subordon-*
*nés :*

*a)* Le grec, plus religieux que l'hébr., lit : « Quant à Esther, elle n'avait pas fait connaître sa patrie. Mardochée lui avait en effet recommandé de craindre Dieu et d'observer ses commandements comme au temps où elle était avec lui. Et Esther n'avait pas changé de conduite. »
*b)* L'expression désigne l'ensemble des services royaux, ou, en d'autres cas, les bâtiments qui les abritaient (nous traduisons alors « la Porte Royale »).
*c)* Pays inconnu, dont le nom, celui d'un roi d'Amaleq vaincu par Saül, 1 S **15** 7-9, a pu être choisi pour souligner l'opposition entre Aman et Mardochée, Benjaminite et fils de Qish comme Saül.
*d)* La prostration exigée, geste de déférence admis dans toutes les cours orientales et attesté dans la Bible, cf. 1 R **1** 23; 2 R **4** 37, etc., n'avait rien en soi qui pût offusquer un Juif. Plutôt donc qu'une fidélité immédiate à Dieu et à sa Loi (comme en Dn **1** 8; **3** 12; **6** 14), Mardochée met dans son refus une fierté raciale, que la prière du texte grec interprétera dans un sens religieux, **4** 17d–o.
*e)* Mot babylonien que l'auteur explique. En fait Aman a décidé l'extermination. Il ne demande au sort que de désigner le jour favorable. Le grec, complétant l'hébreu, ajoute qu'Aman fit un décret la douzième année du roi, qu'il jeta les sorts pour perdre la race de Mardochée et que le sort tomba sur le quatorzième jour du mois qui est Adar. – Ce v. est peut-être une addition, introduite en même temps que la section concernant la fête des « Purim », **9** 24-26.
*f)* Lucien paraphrase ainsi : « Aman, jaloux et agité en tous ses sentiments, en devint tout rouge et détourna de lui ses yeux. Puis, d'un cœur pervers, il parla en mal d'Israël au roi : Il y a un peuple, dit-il, dispersé dans tous les royaumes, un peuple belliqueux et insoumis, ayant des lois toutes particulières. Mais de tes lois, ô roi, ils ne tiennent pas compte, connus qu'ils sont parmi tous les peuples comme de méchantes gens. Tes décrets, ils les violent afin d'anéantir ta gloire. »
*g)* Ces griefs contre les Juifs se retrouvent dans plusieurs écrits de l'époque hellénistique, cf. **3** 13d–e; Dn **1** 8; **3** 8-12; Jdt **12** 2; Esd **4** 12s; Sg **2** 14s et l'apocryphe 3 Maccabées.

Jdt 2 5 13b *Placé à la tête de peuples sans nombre et maî-*
Dn 3 31 *tre de toute la terre, je me suis proposé de ne point*
*me laisser enivrer par l'orgueil du pouvoir et de*
*toujours gouverner dans un grand esprit de modé-*
*ration et avec bienveillance afin d'octroyer à mes*
*sujets la perpétuelle jouissance d'une existence sans*
*orages, et, mon royaume offrant les bienfaits de la*
*civilisation et la libre circulation d'une de ses fron-*
*tières à l'autre, d'y instaurer cet objet de l'universel*
3 *désir qu'est la paix.* 13c *Or, mon conseil entendu sur*
*les moyens de parvenir à cette fin, l'un de mes*
*conseillers, de qui la sagesse parmi nous éminente,*
*l'indéfectible dévouement, l'inébranlable fidélité*
*ont fait leurs preuves, et dont les prérogatives vien-*
*nent immédiatement après les nôtres, Aman,*
4 13d *nous a dénoncé, mêlé à toutes les tribus du*
3 8+ *monde, un peuple mal intentionné, en opposition*
*par ses lois avec toutes les nations, et faisant*
*constamment fi des ordonnances royales, au point*
*d'être un obstacle au gouvernement que nous assu-*
*rons à la satisfaction générale.*

13e *Considérant donc que ledit peuple, unique en*
*son genre, se trouve sur tous les points en conflit*
*avec l'humanité entière, qu'il en diffère par un*
*régime de lois étranges, qu'il est hostile à nos inté-*
*rêts, qu'il commet les pires méfaits jusqu'à menacer*
*la stabilité de notre royaume.*

6 13f *Pour ces motifs, nous ordonnons que toutes*
*les personnes à vous signalées dans les lettres*
*d'Aman, commis au soin de nos intérêts et pour*
8 12[1] *nous un second père, soient radicalement extermi-*
Gn 45 8 *nées, femmes et enfants inclus, par l'épée de leurs*
*ennemis, sans pitié ni ménagement aucun, le qua-*
*torzième jour du douzième mois, soit Adar, de la*
7 *présente année,* 13g *afin que, ces opposants d'au-*
*jourd'hui comme d'hier étant précipités de force*
*dans l'Hadès en un jour, stabilité et tranquillité plé-*
*nières soient désormais assurées à l'État. »*

14 La copie de cet édit, destiné à être promulgué comme loi dans chaque province, fut publiée parmi toutes les populations afin que chacun se tînt prêt au jour dit. 15 Sur l'ordre du roi, les courriers partirent dans les plus brefs délais. L'édit fut promulgué d'abord à la citadelle de Suse.

Et tandis que le roi et Aman se prodiguaient en festins et beuveries, dans la ville de Suse régnait la consternation [a].

**Mardochée et Esther vont conjurer le péril.**

**4** 1 Sitôt instruit de ce qui venait d'arriver, Mardochée déchira ses vêtements et prit le sac et la cendre. Puis il parcourut toute la ville en l'emplissant de ses cris de douleur, 2 et il alla jusqu'en face de la Porte Royale que nul ne pouvait franchir revêtu d'un sac. 3 Dans les provinces, partout où parvinrent l'ordre et le décret royal, ce ne fut plus, parmi les Juifs, que deuil, jeûne, larmes et lamentations. Le sac et la cendre devinrent la couche de beaucoup [b].

4 Les servantes et les eunuques d'Esther vinrent l'avertir. La reine fut saisie d'angoisse. Elle fit envoyer des vêtements à Mardochée pour qu'il les mît et abandonnât son sac [c]. Mais il les refusa. 5 Mandant alors Hataq, l'un des eunuques mis par le roi à son service, Esther le dépêcha à Mardochée avec mission de s'enquérir de ce qui se passait et de lui demander les motifs de sa conduite.

6 Hataq sortit et s'en vint vers Mardochée, sur la place, devant la Porte Royale. 7 Mardochée le mit au courant des événements et, notamment, de la somme qu'Aman avait offert de verser au Trésor du roi pour l'extermination des Juifs. 8 Il lui remit aussi une copie de l'édit d'extermination publié à Suse : il devait la montrer à Esther pour qu'elle soit renseignée. Et il enjoignait à la reine d'aller chez
le roi implorer sa clémence et plaider la cause du
peuple auquel elle appartenait. 8a *« Souviens-toi, lui* 15 1 3
*fit-il dire, des jours de ton abaissement où je te*
*nourrissais de ma main. Car Aman, le second personnage du royaume, a demandé au roi notre mort.* 8b *Prie le Seigneur, parle pour nous au roi, arrache-nous à la mort* [d]*! »*

9 Hataq revint et rapporta ce message à Esther [e]. 10 Celle-ci répondit, avec ordre de répéter ses paroles à Mardochée : 11 « Serviteurs du roi et habitants des provinces, tous savent que pour quiconque, homme ou femme, pénètre sans convocation chez le roi jusque dans le vestibule intérieur, il n'y a qu'une loi : il doit mourir, à moins qu'en lui tendant son sceptre d'or le roi ne lui fasse grâce de la vie. Et il y a trente jours que je n'ai pas été invitée à approcher le roi! »

12 Ces paroles d'Esther furent transmises à Mardochée, 13 qui répondit à son tour : « Ne va pas

*a)* Ici la Vet. Lat. introduit une prière des Juifs, où s'expriment des sentiments de pénitence pour les péchés du peuple et des appels à la fidélité de Dieu.
*b)* Marques de deuil et de pénitence, cf. Is **37** 1; Jdt **4** 10; 1 M **3** 47, etc.
*c)* Afin qu'il puisse entrer au palais et venir lui parler.
*d)* La Vet. Lat. ajoute ici au grec : « Lève-toi, pourquoi restes-tu assise en silence? Car tu es livrée, toi et ta maison et celle de ton père et tout ton peuple et toute ta postérité. Lève-toi! Voyons s'il est possible de lutter et de souffrir pour notre peuple, pour que Dieu lui devienne propice. »
*e)* La Vet. Lat. peint en ces termes la douleur d'Esther : « Comme Esther lisait le message de son frère, elle déchira son vêtement et s'exclama d'une voix douloureuse. Elle versa de grands pleurs et son corps devint effrayant, sa chair s'affaissa. »

t'imaginer que, parce que tu es dans le palais, seule
d'entre les Juifs tu pourras être sauvée. 14 Ce sera
tout le contraire. Si tu t'obstines à te taire quand
les choses en sont là, salut et délivrance viendront
aux Juifs d'un autre lieu[a], et toi et la maison de
Gn 45 7 ton père vous périrez. Qui sait? Peut-être est-ce en
prévision d'une circonstance comme celle-ci que tu
as accédé à la royauté? »
15 Esther lui fit dire : 16 « Va rassembler tous les
Juifs de Suse. Jeûnez à mon intention. Ne mangez
ni ne buvez de trois jours et de trois nuits. De mon
côté, avec mes servantes, j'observerai le même jeûne. Ainsi préparée, j'entrerai chez le roi malgré la
loi et, s'il faut périr, je périrai. » 17 Mardochée se
retira et exécuta les instructions d'Esther.

**Prière de Mardochée[b].**

13 8 17a *Priant alors le Seigneur au souvenir de toutes*
*ses grandes œuvres il s'exprima en ces termes :*
Ex 19 5 17b *« Seigneur, Seigneur, Roi tout-puissant,*
2 Ch 20 6-7 *tout est soumis à ton pouvoir*
Jdt 16 14 *et il n'y a personne qui puisse te tenir tête*
Is 41 10-16 *dans ta volonté de sauver Israël.*

2 R 19 15 17c *Oui, c'est toi qui as fait le ciel et la terre*
Is 40 21-26 *et toutes les merveilles qui sont sous le firma-*
*ment.*
11 *Tu es le Maître de l'univers*
*et il n'y a personne qui puisse te résister,*
*Seigneur.*

12 17d *Toi, tu connais tout!*
*Tu le sais, toi Seigneur,*
*ni suffisance, ni orgueil, ni gloriole*
*ne m'ont fait faire ce que j'ai fait :*
3 2 *refuser de me prosterner*
*devant l'orgueilleux Aman.*
13 *Volontiers je lui baiserais la plante des pieds*
*pour le salut d'Israël.*

14 17e *Mais ce que j'ai fait, c'était*
*pour ne pas mettre la gloire d'un homme*
*plus haut que la gloire de Dieu;*
*et je ne me prosternerai devant personne*
*si ce n'est devant toi, Seigneur,*
*et ce que je ferai là ne sera pas orgueil.*

15 17f *Et maintenant, Seigneur Dieu,*
Ex 3 6 *Roi, Dieu d'Abraham,*
Ps 47 10 *épargne ton peuple!*

*car on machine notre ruine,*
*on projette de détruire ton antique héritage.*
17g *Ne délaisse pas cette part qui est ta part,* Dt 9 26;
*que tu t'es rachetée de la terre d'Égypte!* 32 9
17h *Exauce ma prière,* 1 R 8 51 Jr 10 16
*sois propice à ta part d'héritage* Ps 33 12
*et tourne notre deuil en joie;* Jl 4 2
*afin que nous vivions pour chanter ton nom,*
*Seigneur.*
*Et ne laisse pas disparaître* Ps 6 6;
*la bouche de ceux qui te louent. »* 115 17s Is 38 18-20

17i *Et tout Israël criait de toutes ses forces, car* 18
*la mort était devant ses yeux.*

**Prière d'Esther.**

17k *La reine Esther cherchait aussi refuge près du* 14 1
*Seigneur dans le péril de mort qui avait fondu sur*
*elle. Elle avait quitté ses vêtements somptueux pour* 2
*prendre des habits de détresse et de deuil. Au lieu*
*de fastueux parfums elle avait couvert sa tête de*
*cendres et d'ordures. Elle humiliait durement son* 3
*corps, et les tresses de sa chevelure défaite remplis-*
*saient tous les lieux témoins ordinaires de ses*
*joyeuses parures. Et elle suppliait le Seigneur Dieu*
*d'Israël en ces termes :*

17l *« O mon Seigneur, notre Roi, tu es l'Unique!*
*Viens à mon secours, car je suis seule*
*et n'ai d'autre recours que toi,*
*et je vais jouer ma vie.* 4 11, 16

17m *J'ai appris, dès le berceau,* Dt 6 20-25
*au sein de ma famille[c],*
*que c'est toi, Seigneur, qui as choisi* Dt 7 6+
*Israël entre tous les peuples*
*et nos pères parmi tous leurs ancêtres,*
*pour être ton héritage à jamais;*
*et tu les as traités comme tu l'avais dit.*

17n *Et puis nous avons péché contre toi,* 6
*et tu nous as livrés aux mains de nos ennemis* Jg 2 6+
*pour les honneurs rendus à leurs dieux.* 7
*Tu es juste, Seigneur!*

17o *Mais ils ne se sont pas contentés* 8
*de l'amertume de notre servitude;*
*ils ont mis leurs mains dans celles de leurs*
*idoles[d]*
*en vue d'abolir l'arrêt sorti de tes lèvres,* 9

*a)* L'auteur du texte hébreu évite d'écrire le nom de Dieu.
*b)* Les prières de Mardochée et d'Esther sont toutes pétries de la piété de l'AT, avec, toutefois, une analyse des sentiments de l'orant, préoccupé de sa propre justification, que l'on ne retrouve pas dans les textes plus anciens.

*c)* C'est par la famille que se transmettait la tradition israélite sur toutes les merveilles accomplies par Dieu en faveur de son peuple, cf. Dt 6 20-25.
*d)* Geste de serment, peut-être d'alliance.

*de faire disparaître ton héritage,*
4 17+ *de clore les bouches qui te louent,*
*d'éteindre ton autel et la gloire de ta maison;*
10 17p *et d'ouvrir à la place la bouche des nations*
*pour la louange des idoles de néant,*
*et pour s'extasier à jamais devant un roi de chair.*

17q *N'abandonne pas ton sceptre, Seigneur,*
*à ceux qui ne sont pas.*
*Point de sarcasmes sur notre ruine!*
*Retourne ces projets contre leurs auteurs,*
*et du premier de nos assaillants,*
*fais un exemple!*
12 17r *Souviens-toi, Seigneur, manifeste-toi*
*au jour de notre tribulation!*

*Et moi, donne-moi du courage,*
Dt 10 17 *Roi des dieux et dominateur de toute autorité.*
Ps 136 2; 95 3 17s *Mets sur mes lèvres un langage charmeur*
Dn 2 47; 11 36 *lorsque je serai en face du lion,*
*et tourne son cœur à la haine de notre ennemi,*
*pour que celui-ci y trouve sa perte*
*avec tous ses pareils.*

14 17t *Et nous, sauve-nous par ta main*
*et viens à mon secours, car je suis seule*
*et n'ai rien à part toi, Seigneur!*
15 17u *De toute chose tu as connaissance*
*et tu sais que je hais la gloire des impies,*
*que j'abhorre la couche des incirconcis*
*et celle de tout étranger.*
16 17w *Tu sais la nécessité qui me tient,*
*que j'ai horreur de l'insigne de ma grandeur,*
*qui ceint mon front dans mes jours de représentation,*
Is 64 5 *la même horreur que d'un linge souillé,*
Lv 15 19-30 *et ne le porte pas dans mes jours de tranquillité.*
17 17x *Ta servante n'a pas mangé à la table d'Aman,*
*ni prisé les festins royaux,*
*ni bu le vin des libations.*
18 17y *Ta servante ne s'est pas réjouie*
*depuis le jour de son changement jusqu'à présent,*
*si ce n'est en toi, Seigneur, Dieu d'Abraham.*

19 17z *O Dieu, dont la force l'emporte sur tous,*
*écoute la voix des désespérés,*
*tire-nous de la main des méchants*
*et libère-moi de ma peur!* »

### Esther se présente au palais.

5 1 *Le troisième jour* [a], *lorsqu'elle eut cessé de* 15 4
*prier, elle quitta ses vêtements de suppliante*
*et se revêtit de toute sa splendeur.* 1a *Ainsi devenue* 5
*éclatante de beauté, elle invoqua le Dieu qui veille*
*sur tous et les sauve. Puis elle prit avec elle deux*
*servantes. Sur l'une elle s'appuyait mollement.* 6
*L'autre l'accompagnait et soulevait son vêtement.*
1b *A l'apogée de sa beauté, elle rougissait et son* 8
*visage joyeux était comme épanoui d'amour. Mais*
*la crainte faisait gémir son cœur.* 1c *Franchissant* 9
*toutes les portes, elle se trouva devant le roi. Il était*
*assis sur son trône royal, revêtu de tous les orne-*
*ments de ses solennelles apparitions, tout rutilant*
*d'or et de pierreries, redoutable au possible.* 1d *Il* 10
*leva son visage empourpré de splendeur et, au*
*comble de la colère, regarda. La reine s'effondra.*
*Dans son évanouissement son teint blêmit et elle*
*appuya la tête sur la servante qui l'accompagnait.*
1e *Dieu changea le cœur du roi et l'inclina à la dou-* 11
*ceur. Anxieux, il s'élança de son trône et la prit*
*dans ses bras jusqu'à ce qu'elle se remît, la*
*réconfortant par des paroles apaisantes.* 1f *« Qu'y* 12
*a-t-il, Esther? Je suis ton frère! Rassure-toi! Tu ne* 13
*mourras pas. Notre ordonnance ne vaut que pour*
*le commun des gens. Approche-toi. »* 2 *Levant son* 14 15
*sceptre d'or il le posa sur le cou d'Esther, l'em-*
*brassa et lui dit : « Parle-moi! »* – 2a *« Seigneur, lui*
*dit-elle, je t'ai vu pareil à un ange de Dieu. Mon* 16
*cœur s'est alors troublé et j'ai eu peur de ta splen-*
*deur. Car tu es admirable, Seigneur, et ton visage* 17 18
*est plein de charmes. »* 2b *Tandis qu'elle parlait, elle* 19
*défaillit. Le roi se troubla et tout son entourage*
*cherchait à la ranimer.* 3 « Qu'y a-t-il, reine Esther?
lui dit le roi. Dis-moi ce que tu désires, et, serait-ce 5 6; 7 2; 9 12
la moitié du royaume, c'est accordé d'avance! » – Mc 6 23
4 « Plairait-il au roi, répondit Esther, de venir
aujourd'hui avec Aman au banquet que je lui ai
préparé? » – 5 « Qu'on prévienne aussitôt Aman
pour combler le souhait d'Esther », dit alors le roi.

Le roi et Aman vinrent ainsi au banquet préparé
par Esther 6 et, pendant le banquet, le roi redit à
Esther : « Dis-moi ce que tu demandes, c'est
accordé d'avance! Dis-moi ce que tu désires, serait-
ce la moitié du royaume, c'est chose faite! » –
7 « Ce que je demande, ce que je désire? répondit
Esther. 8 Si vraiment j'ai trouvé grâce aux yeux du
roi, s'il lui plaît d'exaucer ma demande et de
combler mon désir, que demain encore le roi vienne

*a)* Au lieu du développement du grec que nous donnons, l'hébr. porte simplement : « 1 Le troisième jour, Esther revêtit la (parure) royale et se tint dans la cour intérieure du palais royal, face à la maison du roi, le roi étant assis sur son trône royal, dans la maison royale, en face de la porte de la maison. 2 Quand le roi vit la reine Esther debout dans la cour, elle trouva grâce à ses yeux. Le roi tendit alors à Esther le sceptre d'or qu'il tenait en main. Esther s'approcha et en toucha l'extrémité. » – Le grec et l'hébr. se retrouvent d'accord au v. 3.

avec Aman au banquet que je leur donnerai et j'y
exécuterai l'ordre du roi. »
9 Ce jour-là Aman sortit joyeux et le cœur en
fête, mais quand, à la Porte Royale, il vit Mardochée ne point se lever devant lui ni bouger de sa
place, il fut pris de colère contre lui. 10 Néanmoins
il se contint. Revenu chez lui, il convoqua ses amis
et sa femme Zéresh 11 et, longuement, devant eux,
parla de son éblouissante richesse, du nombre de
ses enfants, de tout ce dont le roi l'avait comblé
pour l'élever et l'exalter au-dessus de tous ses
grands officiers et serviteurs. 12 « Ce n'est pas tout,
ajouta-t-il, la reine Esther vient de m'inviter avec
le roi, et moi seul, à un banquet qu'elle lui offrait,
et bien plus, je suis encore invité par elle avec le
roi demain. 13 Mais que me fait tout cela aussi
longtemps que je verrai Mardochée, le Juif, siéger
à la Porte Royale! » – 14 « Fais seulement dresser
une potence de cinquante coudées, lui répondirent
sa femme, Zéresh, et ses amis; demain matin tu
demanderas au roi qu'on y pende Mardochée! Tu
pourras alors, tout joyeux, aller rejoindre le roi au
banquet! » Ravi du conseil, Aman fit préparer la
potence.

# *IV. Revanche des Juifs*

### Déconvenue d'Aman [a].

6 1 Or, cette nuit-là, comme le sommeil le
fuyait, le roi réclama le livre des Mémoires ou
Chroniques pour s'en faire donner lecture. 2 Il s'y
2 21-23 trouvait la dénonciation par Mardochée de Bigtân
et Téresh, les deux eunuques gardes du seuil, coupables d'avoir projeté d'attenter à la vie
d'Assuérus. 3 « Et quelle distinction, quelle dignité,
s'enquit le roi, furent pour cela conférées à ce Mar-
Qo 9 13-16 dochée? » – « Rien n'a été fait pour lui », répondi-
Est 1 1q rent les courtisans de service [b]. 4 Le roi leur
demanda alors : « Qui est dans le vestibule? »
C'était juste le moment où Aman arrivait dans le
vestibule extérieur du palais royal pour demander
au roi de faire pendre Mardochée à la potence dressée pour lui par ses soins, 5 si bien que les courtisans répondirent : « C'est Aman qui se tient dans
le vestibule. » – « Qu'il entre! » ordonna le roi, 6 et,
sitôt entré : « Comment faut-il traiter un homme
que le roi veut honorer? » – « Quel autre que moi
le roi voudrait-il honorer? », se dit Aman. 7 « Le roi
veut honorer quelqu'un? répondit-il donc, 8 qu'on
Gn 41 42s prenne des vêtements princiers, de ceux que porte
1 R 1 33 Dn 5 29 le roi; qu'on amène un cheval, de ceux que monte
le roi et sur la tête duquel on aura mis un diadème
royal. 9 Puis vêtements et cheval seront confiés à
l'un des plus nobles des grands officiers royaux.
Celui-ci revêtira alors de ce costume l'homme que
le roi veut honorer et le conduira à cheval sur la
grand-place en criant devant lui : Voyez comment
l'on traite l'homme que le roi veut honorer! » –
10 « Ne perds pas un instant, répondit le roi à
Aman, prends vêtements et cheval, et tout ce que
tu viens de dire, fais-le à Mardochée, le Juif,
l'attaché de la Royale Porte. Surtout, n'omets rien
de ce que tu as dit! »
11 Prenant donc vêtements et cheval, Aman
habilla Mardochée, puis le promena à cheval sur
la grand-place en criant devant lui : « Voyez
comment l'on traite l'homme que le roi veut honorer! » 12 Après quoi Mardochée s'en revint à la
Porte Royale tandis qu'Aman, de son côté, rentrait
précipitamment chez lui, consterné et le visage
voilé. 13 Il raconta à sa femme Zéresh et à tous ses
amis ce qui venait d'arriver. Sa femme Zéresh et
ses amis [c] lui dirent : « Tu viens de commencer à
déchoir devant Mardochée : s'il est de la race des
Juifs, tu ne pourras plus reprendre le dessus. Au
contraire tu tomberas sans cesse plus bas devant
lui [d]. »

### Aman au banquet d'Esther.

14 La conversation n'était pas achevée qu'arrivèrent les eunuques du roi, venus chercher Aman
pour le conduire en hâte au banquet offert par
Esther.
7 1 Le roi et Aman allèrent banqueter chez la
reine Esther, 2 et ce deuxième jour, pendant le
banquet, le roi dit encore à Esther : « Dis-moi ce
que tu demandes, reine Esther, c'est accordé
d'avance! Dis-moi ce que tu désires; serait-ce la
moitié du royaume, c'est chose faite! » – 3 « Si vraiment j'ai trouvé grâce à tes yeux, ô roi, lui répondit
la reine Esther, et si tel est ton bon plaisir, accorde-
moi la vie, voilà ma demande, et la vie de mon

*a)* Aux ch. **6** et **7**, le texte de Lucien paraphrase largement les passages qui vont à la gloire de Mardochée ou à la confusion d'Aman.
*b)* L'auteur du texte hébreu ignore la tradition rapportée par le texte grec, cf. **1** 1q.
*c)* « amis » grec; « conseillers » hébr.
*d)* Le texte hébreu suggère ce que sera le dénouement, sans faire mention du secours divin. Le grec explicite la pensée et ajoute : « car le Dieu vivant est avec lui ».

peuple, voilà mon désir. 4 Car nous sommes livrés,
mon peuple et moi, à l'extermination, à la tuerie et
à l'anéantissement. Si encore nous avions seulement été livrés comme esclaves ou servantes, je me
serais tue. Mais en l'occurrence le persécuteur sera
3 8-9 hors d'état de compenser le dommage qui va en
résulter pour le roi [a]. » 5 Mais Assuérus prit la
parole et dit à la reine Esther : « Qui est-ce? Où est
l'homme qui a pensé agir ainsi? » 6 Alors Esther :
« Le persécuteur, l'ennemi, c'est Aman, c'est ce
misérable! » A la vue du roi et de la reine, Aman
fut glacé de terreur. 7 Furieux, le roi se leva et
quitta le banquet pour gagner le jardin du palais,
cependant qu'Aman demeurait près de la reine
Esther pour implorer la grâce de la vie, sentant
trop bien que le roi avait décidé sa perte.
8 Quand le roi revint du jardin dans la salle du
banquet, il trouva Aman effondré sur le divan où
Esther était étendue. « Va-t-il après cela faire violence à la reine chez moi, dans le palais? » s'écria-
t-il. A peine le mot était-il sorti de sa bouche qu'un
voile fut jeté sur la face d'Aman [b]. 9 Harbona, un
des eunuques, dit en présence du roi : « Justement
il y a une potence de cinquante coudées qu'Aman
a fait préparer pour ce Mardochée qui a parlé pour
le bien du roi; elle est toute dressée dans sa maison [c]. » – « Qu'on l'y pende », ordonna le roi.
10 Aman fut donc pendu à la potence dressée par lui
pour Mardochée et la colère du roi s'apaisa.

### La faveur royale passe aux Juifs.

Pr **11** 8; **26** 27 Mt **7** 2 **8** 1 Ce jour même le roi Assuérus donna à la
reine Esther la maison d'Aman, le persécuteur
des Juifs, et Mardochée fut présenté au roi, à qui
Esther avait révélé ce qu'il était pour elle. 2 Le roi
avait repris son anneau à Aman; il l'ôta de son
Dn **2** 48-49 Pr **13** 22 doigt pour le donner à Mardochée, à qui, de son
côté, Esther confia la gestion de la maison d'Aman.
3 Esther alla une seconde fois parler au roi. Elle
se jeta à ses pieds, elle pleura, elle se le rendit favorable en vue de faire échouer la méchanceté
d'Aman l'Agagite et le dessein qu'il avait conçu
contre les Juifs. 4 Le roi lui tendit son sceptre d'or.
Esther se releva donc et se tint debout en face de
lui. 5 « Si tel est le bon plaisir du roi, lui dit-elle,
et si vraiment j'ai trouvé grâce devant lui, si ma
demande lui paraît juste et si je suis moi-même
agréable à ses yeux, qu'il veuille révoquer expressément les lettres qu'Aman, fils de Hamdata, l'Agagite, a fait écrire pour perdre les Juifs de toutes les
provinces royales. 6 Comment pourrais-je voir mon
peuple dans le malheur qui va l'atteindre?
Comment pourrais-je être témoin de l'extermination de ma parenté? »
7 Le roi Assuérus répondit à la reine Esther et au
Juif Mardochée : « En ce qui me concerne, j'ai
donné à Esther la maison d'Aman après l'avoir fait
pendre pour avoir voulu perdre les Juifs. 8 Pour
vous, écrivez au sujet des Juifs ce que vous jugerez
bon, au nom du roi. Scellez ensuite de l'anneau
royal. Car tout édit rédigé au nom du roi et scellé **1** 19; **3** 12
de son sceau est irrévocable [d]. » 9 Les scribes
royaux furent convoqués aussitôt – c'était le troisième mois, qui est Sivân, le vingt-troisième jour [e]
– et, sur l'ordre de Mardochée, ils écrivirent aux
Juifs, aux satrapes, aux gouverneurs, aux grands
officiers des provinces échelonnées de l'Inde à
l'Éthiopie, soit cent vingt-sept provinces, à chaque
province selon son écriture, à chaque peuple selon
sa langue et aux Juifs selon leur écriture et leur langue. 10 Ces lettres, rédigées au nom du roi Assuérus
et scellées de son sceau, furent portées par des
courriers montés sur des chevaux des haras du roi.
11 Le roi y octroyait aux Juifs, en quelque ville
qu'ils fussent, le droit de se rassembler pour mettre
leur vie en sûreté, avec permission d'exterminer,
égorger et détruire tous gens armés des peuples ou
des provinces qui voudraient les attaquer, avec
leurs femmes et leurs enfants, comme aussi de piller leurs biens. 12 Cela se ferait le même jour dans
toutes les provinces du roi Assuérus, le treizième
jour du douzième mois, qui est Adar.

### Décret de réhabilitation.

12a *Voici le texte de cette lettre :* **16** 1
12b *« Le grand roi Assuérus aux satrapes des
cent vingt-sept provinces qui s'étendent de l'Inde
à l'Éthiopie, aux gouverneurs de province et à tous
ses loyaux sujets, salut!*
12c *Bien des gens, lorsque sur leur tête l'extrême* 2
*bonté de leurs bienfaiteurs accumule les honneurs,
n'en conçoivent que de l'orgueil. Il ne leur suffit pas* 3
*de chercher à nuire à nos sujets, mais leur satiété
même leur devenant un fardeau insupportable, ils
montent leurs machinations contre leurs propres
bienfaiteurs;* 12d *et, non contents de bannir la* 4
*reconnaissance du cœur des hommes, enivrés plu-
tôt par les applaudissements de qui ignore le bien,*

*a)* Comme l'avait fait Aman lui-même pour perdre les Juifs, **3** 8, c'est la raison d'État qu'invoque Esther.
*b)* Ce geste équivaut à une condamnation à mort : on voilait la tête de ceux qui allaient être pendus.
*c)* Comparer les dictons sur ceux qui tombent dans la fosse qu'ils ont creusée eux-mêmes, Pr **26** 27; **28** 10; Qo **10** 8; Si **27** 26; Ps **7** 16; **9** 16; **35** 7-8; **57** 7.
*d)* Le texte grec, **8** 12c–o, fera expliquer par Mardochée écrivant au nom du roi comment, pour le précédent décret, lui aussi « irrévocable », la bonne foi royale a été surprise. Le texte de Lucien insiste sur le rôle d'Esther dans le massacre.
*e)* Grec : « le premier mois de cette année, celui de Nisan, le vingt-troisième jour ».

*alors que tout est à jamais sous le regard de Dieu,*
*ils se flattent d'échapper à sa justice qui hait les*
5 *méchants.* 12e *Ainsi maintes et maintes fois est-il*
*arrivé aux autorités constituées, pour avoir confié*
*à des amis l'administration des affaires et s'en être*
*laissé influencer, de porter avec eux le poids du*
*sang innocent au prix d'irrémédiables malheurs,*
6 12f *les sophismes menteurs d'une nature perverse*
*ayant égaré l'irréprochable droiture d'intentions du*
7 *pouvoir.* 12g *Il n'est que d'ouvrir les yeux : sans*
*même aller jusqu'aux récits d'autrefois que nous*
*venons de rappeler, regardez seulement sous vos*
*pas, que d'impiétés perpétrées par cette peste des*
8 *gouvernants indignes!* 12h *Aussi bien nos efforts*
*vont-ils tendre a assurer à tous, dans l'avenir, la*
9 *tranquillité et la paix du royaume,* 12i *en procédant*
*aux changements opportuns et en jugeant toujours*
*les affaires qui nous seront soumises dans un esprit*
*de bienveillant accueil.*
10 12k *C'est ainsi qu'Aman, fils de Hamdata, un*
*Macédonien*[a]*, en toute vérité étranger au sang*
*perse et très éloigné de notre bonté, avait été reçu*
11 *chez nous comme hôte* 12l *et avait rencontré de*
*notre part les sentiments d'amitié que nous portons*
*à tous les peuples, jusqu'au point de se voir procla-*
*mer " notre père " et de se voir révérer par tous de*
*la prostration, comme placé immédiatement après*
12 *le trône royal.* 12m *Or, incapable de tenir son rang*
*élevé, il s'appliqua à nous ôter le pouvoir et la vie.*
13 12n *Nous avons un sauveur, un homme qui toujours*
*a été notre bienfaiteur, Mardochée, une irréprocha-*
*ble compagne de notre royauté, Esther; Aman, par*
*les manœuvres de ses tortueux sophismes, nous en*
*a demandé la mort, avec celle de tout leur peuple,*
14 12o *pensant, par ces premières mesures, nous*
*réduire à l'isolement et remplacer la domination*
*perse par celle des Macédoniens.*
15 12p *Mais nous, loin de trouver en ces Juifs, voués*
*à la disparition par ce triple scélérat, des criminels,*
*nous les voyons régis par les plus justes des lois.*
16 12q *Ils sont les fils du Très-Haut, du grand Dieu*
*vivant, à qui nous et nos ancêtres devons le main-*
17 *tien du royaume dans l'état le plus florissant.*
18 12r *Vous ferez donc bien de ne pas tenir compte des*
*lettres envoyées par Aman, fils de Hamdata, leur*
*auteur ayant été pendu aux portes de Suse avec*
*toute sa maison, digne châtiment que Dieu, Maître*
19 *de l'univers, lui a incontinent infligé.* 12s *Affichez*
*une copie de la présente lettre en tout lieu, laissez*
Esd 7 25-26 *les Juifs suivre ouvertement les lois qui leur sont*
20 *propres et portez-leur assistance contre qui les atta-*
*querait au propre jour fixé pour les écraser, soit le*
*treizième jour du douzième mois, qui est Adar.*
12t *Car ce jour qui devait être un jour de ruine, la* 21
*suprême souveraineté de Dieu vient de le changer*
*en un jour d'allégresse en faveur de la race choisie.*
12u *Quant à vous, parmi vos fêtes solennelles, célé-* 22
*brez ce jour mémorable par force banquets, afin*
*qu'il soit dès maintenant et demeure à l'avenir,*
*pour vous et pour les Perses de bonne volonté, le*
*souvenir de votre salut, et pour vos ennemis le* 23
*mémorial de leur ruine.*
12x *Toute ville, et, plus généralement, toute* 24
*contrée qui ne suivra pas ces instructions sera*
*impitoyablement dévastée par le fer et le feu, ren-* Dn 3 29
*due impraticable aux hommes et pour toujours*
*odieuse aux bêtes sauvages et aux oiseaux eux-*
*mêmes. »*
13 La copie de cet édit, destiné à être promulgué
comme loi dans chaque province, fut publiée parmi
toutes les populations afin que les Juifs se tinssent
prêts au jour dit à tirer vengeance de leurs ennemis.
14 Les courriers, montant des chevaux royaux, partirent en grande hâte et diligence sur l'ordre du roi.
Le décret fut aussi publié dans la citadelle de Suse.
15 Mardochée sortit de chez le roi revêtu d'un habit
princier de pourpre violette et de lin blanc, couronné d'un grand diadème d'or et portant un manteau de byssus et de pourpre rouge. La ville de Suse
tout entière retentit d'allégresse. 16 Ce fut, pour les
Juifs, un jour de lumière, de liesse, d'exultation et
de triomphe. 17 Dans toutes les provinces, dans toutes les villes, partout enfin où parvinrent les ordres
du décret royal, ce ne fut pour les Juifs qu'allégresse, liesse, banquets et fêtes. Parmi la population du pays bien des gens se firent Juifs, car la
crainte des Juifs s'appesantit sur eux.

**Le grand jour des Purim.**

**9** 1 Les ordres du décret royal entrant en vigueur
le douzième mois, Adar, au treizième jour, ce
jour où les ennemis des Juifs s'étaient flattés de les
écraser vit la situation retournée : ce furent les Juifs 4 17q
qui écrasèrent leurs ennemis. 2 Dans toutes les pro- 8 1+
vinces du roi Assuérus ils se rassemblèrent dans les Gn 22 17
villes qu'ils habitaient afin de frapper ceux qui
avaient comploté leur perte. Personne ne leur
résista, car la peur des Juifs pesait sur toutes les
populations. 3 Grands officiers des provinces,
satrapes, gouverneurs, fonctionnaires royaux, tous
soutinrent les Juifs par crainte de Mardochée.
4 Mardochée était en effet un personnage éminent
au palais, sa renommée se répandait dans toutes les

*a)* Le mot « Macédonien », attesté (ici et à 12o) par tous les mss, est surprenant. On attendrait « Mède » car le contexte historique suggère une allusion aux conflits d'hégémonie entre Mèdes et Perses.

provinces : Mardochée était en train de devenir un
grand homme.
5 Les Juifs frappèrent donc tous leurs ennemis à
coups d'épée. Ce fut un massacre, une extermination, et ils firent ce qu'ils voulurent de leurs
adversaires [a]. 6 A la seule citadelle de Suse les Juifs
mirent à mort et exterminèrent cinq cents hommes,
7 notamment Parshândata, Dalphôn, Aspata,
8 Porata, Adalya, Aridata, 9 Parmashta, Arisaï,
Aridaï et Yezata, 10 les dix fils d'Aman, fils de
3 13; 9 15 Hamdata, le persécuteur des Juifs. Mais ils ne se
Jdt 15 6-7, 11 livrèrent pas au pillage.
11 Le dénombrement des victimes égorgées à la
citadelle de Suse parvint au roi le jour même. 12 Le
roi dit à la reine Esther : « Dans la seule citadelle
de Suse, les Juifs ont mis à mort et exterminé cinq
cents hommes, ainsi que les dix fils d'Aman. Que
n'auront-ils pas fait dans le reste des provinces
royales! Et maintenant, dis-moi ce que tu as à
demander, c'est accordé d'avance! Dis-moi ce que
tu désires de plus, c'est chose faite! » – 13 « Si tel
est le bon plaisir du roi, répondit Esther, les Juifs
de Suse ne pourraient-ils pas appliquer encore
demain le décret porté pour aujourd'hui? Quant
aux dix fils d'Aman, qu'on suspende leurs cadavres
au gibet! » 14 Sur quoi, le roi en ayant donné
l'ordre, le décret fut proclamé à Suse et les dix fils
d'Aman pendus. 15 Ainsi, les Juifs de Suse se réunirent aussi le quatorzième jour d'Adar et ils égorgèrent trois cents hommes dans Suse, mais ils ne se
livrèrent pas au pillage.
16 De leur côté, les Juifs des provinces royales se
réunirent aussi pour mettre leur vie en sûreté. Ils
se débarrassèrent de leurs ennemis en égorgeant
soixante-quinze mille [b] de leurs adversaires, sans se
livrer au pillage. 17 C'était le treizième jour du mois
d'Adar. Le quatorzième ils se reposèrent et de ce
jour ils firent un jour de festins et de liesse. 18 Pour
les Juifs de Suse qui s'étaient réunis le treizième et
le quatorzième jour, c'est le quinzième qu'ils se
reposèrent, faisant pareillement de ce jour un jour
de festins et de liesse [c]. 19 Ce qui explique que ce
soit le quatorzième jour d'Adar que les Juifs de la
campagne, ceux qui habitent des villages non fortifiés, célèbrent dans l'allégresse et les banquets,
par des festivités et l'échange mutuel de portions, Ap 11 10
19a *tandis que pour ceux des villes, le jour heureux* Ne 8 10-12
*qu'ils passent dans la joie en envoyant des portions*
*à leurs voisins est le quinzième jour d'Adar.*

# V. La fête des Purim

**Institution officielle de la fête des Purim.**

20 Mardochée consigna par écrit ces événements.
Puis il envoya des lettres à tous les Juifs qui se
trouvaient dans les provinces du roi Assuérus, proches ou lointaines. 21 Il les y engageait à célébrer
chaque année le quatorzième et le quinzième jour
d'Adar, 22 parce que ces jours sont ceux où les Juifs
se sont débarrassés de leurs ennemis, et ce mois
celui où, pour eux, l'affliction fit place à l'allégresse
et le deuil aux festivités. Il les conviait donc à faire
de ces journées des jours de festins et de liesse, à
y échanger mutuellement des portions et à y faire
des largesses aux pauvres.
23 Les Juifs adoptèrent ces pratiques qu'ils
avaient commencé d'observer et au sujet desquelles
Mardochée leur avait écrit : 24 Aman, fils de Hamdata, l'Agagite, le persécuteur de tous les Juifs,
avait machiné leur perte et il avait tiré le « Pûr », 3 7
c'est-à-dire les sorts, pour leur confusion et leur
ruine. 25 Mais quand il fut rentré chez le roi [d] pour
lui demander de faire pendre Mardochée, le mauvais dessein qu'il avait conçu contre les Juifs se 6 5-13
retourna contre lui, et il fut pendu, ainsi que ses fils,
à la potence. 26 C'est la raison pour laquelle ces
jours furent appelés les Purim, du mot « Pûr ».
C'est aussi pourquoi, d'après les termes de cette lettre de Mardochée, d'après ce qu'ils avaient eux-mêmes constaté ou d'après ce qui était parvenu
jusqu'à eux, 27 les Juifs s'engagèrent de plein gré,
eux, leur postérité, et tous ceux qui s'adjoindraient
à eux [e], à célébrer sans faute ces deux jours-là, 8 12u, 17
d'après ce texte et à cette date, d'année en année.
28 Ainsi commémorés et célébrés de génération en
génération, dans chaque famille, dans chaque province, chaque ville, ces jours des Purim ne dispa-

*a)* Pas plus qu'il ne correspond aux vraisemblances historiques (voir l'Introd., p. 535), le récit de ces massacres ne doit être compris comme exaltant ou consacrant l'esprit de vengeance. L'outrance même des situations, les chiffres exagérés à plaisir et l'emphase du récit dénoncent l'intention de l'auteur : il a voulu avant tout illustrer le thème (très biblique) du retournement des situations en faveur des opprimés, et il le fait selon la mentalité ancienne qui anime les récits des guerres d'Israël, et qui s'exprime par la loi du talion.

*b)* Grec : « quinze mille ».

*c)* Les banquets, qui tiennent une grande place dans le livre d'Esther, caractériseront le jour des Purim, fête plus populaire que religieuse.

*d)* D'après grec. Hébr. : « Mais quand elle (Esther) fut entrée chez le roi, il dit... » (le mot suivant est inintelligible).

*e)* Le caractère nationaliste du livre n'exclut donc pas un certain universalisme par l'accueil des prosélytes.

raîtront pas de chez les Juifs, leur souvenir ne
périra pas au sein de leur race.
29 La reine Esther, fille d'Abihayil [a], écrivit avec
toute autorité pour donner force de loi à cette
9 23-26 seconde lettre, 30 et fit envoyer des lettres à tous les
Juifs des cent vingt-sept provinces du royaume
d'Assuérus, comme paroles de paix et consignes de
fidélité, 31 pour leur enjoindre d'observer ces jours
des Purim à leur date, comme le leur avait
commandé le Juif Mardochée et de la façon dont
on les y avait obligés, eux-mêmes et leur race, en
y joignant des ordonnances de jeûne et de lamentations [b]. 32 Ainsi l'ordonnance d'Esther fixa la loi
des Purim et elle fut écrite dans un livre.

### Éloge de Mardochée.

**10** 1 Le roi Assuérus leva tribut sur le continent
et sur les îles de la mer. 2 Tous les exploits de
sa vigueur et de sa vaillance, ainsi que la relation
de l'élévation de Mardochée qu'il avait exalté, tout
cela est écrit dans le livre des Chroniques des rois
des Mèdes et des Perses [c].
3 Car le Juif Mardochée était le premier après le
roi Assuérus. C'était un homme considéré par les
2 M 15 14 Juifs, aimé par la multitude de ses frères, recherchant le bien de son peuple et se préoccupant du
bonheur de sa race [d].
10 4-5 3a *Et Mardochée dit : « C'est de Dieu qu'est venu*
*tout cela!* 3b *Si je me remémore le songe que j'eus*
*à ce sujet, rien n'a été omis :* 3c *ni la petite source* 6
*qui devient un fleuve, ni la lumière qui brille, ni le*
*soleil, ni l'abondance d'eaux. Esther est ce fleuve,*
*elle qu'épousa le roi et qu'il fit reine.* 3d *Les deux* 7-8
*dragons, c'est Aman et moi.* 3e *Les peuples, ce sont*
*ceux qui se coalisèrent pour détruire le nom des*
*Juifs.* 3f *Mon peuple, c'est Israël, ceux qui crièrent* 9
*vers Dieu et furent sauvés. Oui, le Seigneur a sauvé*
*son peuple, le Seigneur nous a arrachés à tous ces*
*maux, Dieu a accompli des prodiges et des merveil-*
*les comme il n'y en eut jamais parmi les nations.*
3g *De fait, il a établi deux destinées, l'une en faveur* 10
*de son peuple, l'autre pour les nations.* 3h *Et ces* 11
*destinées se sont accomplies à l'heure, au temps et*
*au jour arrêtés selon son dessein et chez tous les*
*peuples.* 3i *Dieu, alors, s'est souvenu de son peuple,* 12
*il a fait justice à son héritage* [e], 3k *pour qui ces* 13
*jours, les quatorzième et quinzième du mois*
*d'Adar, seront désormais des jours d'assemblée, de*
*liesse et de joie devant Dieu, pour toutes les généra-*
*tions et à perpétuité, dans Israël, son peuple. »*

### Note sur la traduction grecque du livre [f].

3l *La quatrième année du règne de Ptolémée et de Cléopâtre, Dosithée qui se disait prêtre et lévite, ainsi que son fils Ptolémée, apportèrent la présente lettre concernant les Purim. Ils la donnaient comme authentique et traduite par Lysimaque, fils de Ptomélée, de la communauté de Jérusalem.*

*a)* Traduction conjecturale. L'hébr. porte : « Esther, fille d'Abihayil, et Mardochée le Juif », mais cf. v. 31, et Esther figure seule au v. 32.
*b)* Ces dernières ordonnances, inattendues, se réfèrent sans doute à **4** 16 : le jeûne a mérité la délivrance. – Depuis **9** 20, le texte paraît fort composite et porte la trace de documents d'origines diverses.
*c)* Le grec attribue au roi cette mise par écrit.
*d)* Ce dernier v. de l'hébr. et la finale du texte grec tendent à faire du livre plus encore « le livre de Mardochée » que « le livre d'Esther », cf. **9** 4. C'est lui, qui, éclairé par Dieu, a tout conduit. Il est « le Juif » par excellence, comme Judith sera « la Juive ». Le jour commémoratif sera d'abord appelé « le jour de Mardochée », 2 M **15** 36.
*e)* La recension lucianique donne ici le texte d'une brève action de grâces : « Et tout le peuple cria et poussa de grandes clameurs : Béni sois-tu, Seigneur, toi qui te souviens des alliances conclues avec nos ancêtres! Amen. »
*f)* Cet appendice au texte grec nous apprend que la communauté juive égyptienne tenait le livre d'Esther de la communauté de Palestine, cf. 2 M **2** 14-16. Mais il n'est pas fait mention des autorités de Jérusalem, et l'on sent une certaine réticence devant ce Dosithée « qui se disait prêtre et lévite ». Le Ptolémée dont il est question doit être Ptolémée VIII, dont la femme s'appelait Cléopâtre, ce qui indique la date de 114 av. J.-C.

# LES LIVRES DES MACCABÉES

# LES LIVRES DES MACCABÉES

## *Introduction*

*Les deux* livres des Maccabées *ne faisaient pas partie du canon scripturaire des Juifs mais ont été reconnus par l'Église chrétienne comme inspirés (livres deutérocanoniques). Ils se rapportent à l'histoire des luttes menées contre les souverains séleucides pour obtenir la liberté religieuse et politique du peuple juif. Leur titre vient du surnom de Maccabée donné au principal héros de cette histoire,* 1 *M* **2** 4, *et étendu ensuite à ses frères.*

*Le* Premier livre des Maccabées *campe dans son introduction,* **1-2**, *les adversaires en présence : l'hellénisme conquérant, qui trouve des complices en certains Juifs, et la réaction de la conscience nationale, attachée à la Loi et au Temple : d'un côté, Antiochus Épiphane qui profane le Temple et déchaîne la persécution, de l'autre, Mattathias qui lance l'appel à la guerre sainte. Le corps du livre se divise en trois parties, consacrées aux actions des trois fils de Mattathias qui prennent successivement la tête de la résistance. Judas Maccabée (166-160 av. J.-C.),* **3** 1 - **9** 22, *remporte une série de victoires sur les généraux d'Antiochus, purifie le Temple et obtient pour les Juifs la liberté de vivre selon leurs coutumes. Sous Démétrius Ier, il est gêné par les intrigues du grand prêtre Alkime, mais ses succès militaires continuent et Nikanor, qui voulait détruire le Temple, est défait et tué. Pour assurer ses positions, Judas recherche l'alliance des Romains. Il meurt sur le champ de bataille. Son frère Jonathan lui succède (160-142),* **9** 23 - **12** 53. *Les manœuvres politiques l'emportent alors sur les opérations militaires. Jonathan tire habilement profit des compétitions dont le trône de Syrie est l'objet : il est nommé grand prêtre par Alexandre Balas, reconnu par Démétrius II, confirmé par Antiochus VI. Il cherche à faire alliance avec les Romains et les Spartiates. Le territoire soumis à son contrôle s'étend et la paix intérieure semble assurée, quand Jonathan tombe entre les mains de Tryphon, qui le fait périr ainsi que le jeune Antiochus VI. Le frère de Jonathan, Simon (142-134),* **13** 1 - **16** 24, *soutient Démétrius II, qui reprend le pouvoir, et il est reconnu par lui puis par Antiochus VII comme grand prêtre, stratège et ethnarque des Juifs. L'autonomie politique est ainsi obtenue. Ces titres lui sont confirmés par un décret du peuple. L'alliance avec les Romains est renouvelée. C'est une époque de paix et de prospérité. Mais Antiochus VII se retourne contre les Juifs et Simon, avec deux de ses fils, est assassiné par son gendre, qui croyait être agréable au souverain.*

*Le récit couvre ainsi quarante ans, de l'avènement d'Antiochus Épiphane, en 175, à la mort de Simon et à l'avènement de Jean Hyrcan, en 134 av. J.-C. Il a été écrit en hébreu, mais n'est conservé que par une traduction grecque. Son auteur est un Juif palestinien, qui a composé son ouvrage après 134, mais avant la prise de Jérusalem par Pompée en 63 av. J.-C. Les dernières lignes du livre,* **16** 23-24, *indiquent qu'il a été écrit au plus tôt vers la fin du règne de Jean Hyrcan, plus vraisemblablement peu après sa mort, vers 100 av. J.-C. C'est un document précieux pour l'histoire de ce temps, à condition que l'on tienne compte du genre littéraire, imité des anciennes chroniques d'Israël, et des intentions de l'auteur.*

*Car, bien qu'il s'étende longuement sur les événements de guerre et sur les intrigues politiques, il entend raconter une histoire religieuse. Il considère les malheurs de son peuple comme une punition du péché et il rapporte à l'assistance de Dieu les succès de ses champions. Il est un Juif zélé pour sa foi et il a compris que celle-ci était l'enjeu du combat entre l'influence païenne et les coutumes des pères. Il est donc un adversaire déterminé de l'hellénisation et il est rempli d'admiration pour les héros qui ont lutté pour la Loi et pour le Temple et qui ont conquis au peuple sa liberté religieuse puis son indépendance nationale. Il est le chroniqueur d'une lutte où fut sauvé le Judaïsme, porteur de la Révélation.*

*Le* Second livre des Maccabées *n'est pas la continuation du premier. Il lui est parallèle en partie, prenant les événements un peu plus tôt, à la fin du règne de Séleucus IV, prédécesseur d'Antiochus Épiphane, mais ne les suivant que jusqu'à la défaite de Nikanor, avant la mort de Judas Maccabée. Cela ne représente qu'une quinzaine d'années et le contenu des seuls ch.* **1-7** *du Premier livre.*

*Le genre est très différent. Le livre, écrit originalement en grec, se donne comme l'abrégé de l'œuvre d'un certain Jason de Cyrène,* **2** 19-32, *en tête duquel sont mises deux lettres des Juifs de Jérusalem,* **1** 1 - **2** 18. *Le style, qui est celui des écrivains hellénistiques mais non des meilleurs, est parfois ampoulé. C'est celui d'un prédicateur plutôt que d'un historien, bien que la connaissance des institutions grecques et des personnages de l'époque dont fait preuve notre auteur soit très supérieure à celle dont témoigne l'auteur de* 1 *M.*

*De fait, son but est de plaire et d'édifier,* **2** 25; **15** 39, *en racontant la guerre de libération conduite par Judas Maccabée, soutenue par des apparitions célestes, gagnée grâce à l'intervention divine,* **2** 19-22. *La persécution elle-même était un effet de la miséricorde de Dieu, corrigeant son peuple avant que la mesure du péché ne fût comble,* **6** 12-17. *Il écrit pour les Juifs d'Alexandrie et son intention est de réveiller le sentiment de leur communauté avec leurs frères de Palestine. Il veut les intéresser spécialement au sort du Temple, centre de la vie religieuse selon la Loi, objet de haine pour les Gentils. Cette préoccupation se marque dans le plan de son livre : après l'épisode d'Héliodore,* **3** 1-40, *qui souligne la sainteté inviolable du sanctuaire, la première partie,* **4** 1 - **10** 8, *s'achève par la mort du persécuteur qui a souillé le Temple, Antiochus Épiphane, et par l'institution de la fête de la Dédicace; la seconde partie,* **10** 9 - **15** 36, *s'achève également par la mort d'un persécuteur, Nikanor, qui a menacé le Temple, et par l'institution d'une fête commémorative. Répondant au même objet, les deux lettres attachées au début du livre,* **1** 1 - **2** 18, *sont des invitations adressées par les Juifs de Jérusalem à leurs frères d'Égypte pour célébrer avec eux la fête de la purification du Temple, la Dédicace.*

*Puisque le dernier événement rapporté est la mort de Nikanor, l'ouvrage de Jason de Cyrène aurait été composé peu après 160 av. J.-C. Si c'est l'abréviateur lui-même – mais la chose est discutée – qui a mis en tête les deux lettres de* **1-2** *pour accompagner l'envoi de son résumé, la date de celui-ci serait donnée par l'indication de* **1** 10[a], *qui correspond à l'an 124 av. J.-C. La valeur historique du livre ne doit pas être sous-estimée. Il est vrai que l'abréviateur (ou un rédacteur?) a accueilli les récits apocryphes contenus dans la lettre de* **1** 10[b] - **2** 18, *et qu'il a reproduit les histoires pathétiques d'Héliodore,* **3**, *du martyre d'Éléazar,* **6** 18-31, *et de celui des sept frères,* **7**, *qu'il trouvait dans Jason et qui illustraient bien ses thèses religieuses. Mais l'accord général avec* 1 *M assure l'historicité des événements qui sont rapportés par ces deux sources indépendantes. Sur un point important où* 2 *M est en conflit avec* 1 *M, il lui est préférable :* 1 *M* **6** 1-13 *place la purification du Temple avant la mort d'Antiochus Épiphane,* 2 *M* **9** 1-29 *la situe après; une tablette chronologique babylonienne, récemment éditée, lui a donné raison : Antiochus est mort en octobre-novembre 164, avant la re-dédicace du Temple à la fin de décembre de la même année. Dans les sections qui sont propres à* 2 *M, il n'y a pas de raison de suspecter les informations données au ch.* **4** *sur les années qui précédèrent le pillage du Temple par Antiochus. Cependant, l'abréviateur, plutôt que Jason, est responsable d'une grave confusion : ayant une lettre d'Antiochus V,* **11** 22-26, *il y a joint dans* **11-12** 9 *d'autres lettres et le récit d'événements qui datent de la fin du règne d'Antiochus IV et qui auraient dû trouver leur place entre les ch.* **8** *et* **9**.

*Le livre est important par les affirmations qu'il contient sur la résurrection des morts, voir la note sur* **7** 9; **14** 46; *les sanctions d'outre-tombe,* **6** 26, *la prière pour les défunts,* **12** 41-46 *et la note, le mérite des martyrs,* **6** 18 – **7** 41, *l'intercession des saints,* **15** 12-16 *et la note. Ces enseignements, portant sur des points que les autres écrits de l'Ancien Testament laissaient incertains, justifient l'autorité que l'Église lui a reconnue.*

*Le système chronologique suivi par chacun des deux livres nous est mieux connu depuis la découverte d'une tablette cunéiforme qui est un fragment de chronologie des rois séleucides. Celle-ci a permis de fixer la date de la mort d'Antiochus Épiphane. On constate que* 1 *M suit le comput macédonien, qui part d'octobre 312 av. J.-C., tandis que* 2 *M suit le comput juif, analogue au comput babylonien, qui part de nisân (3 avril) 311. Mais cela avec une double exception : en* 1 *M, les événements propres au Temple et à l'histoire juive sont datés selon ce calendrier judéo-babylonien (***1** 54; **2** 70; **4** 52; **9** 3, 54; **10** 21; **13** 41, 51; **14** 27; **16** 14*), tandis que les lettres citées par* 2 *M* **11** *le sont d'après* *le comput macédonien, ce qui est parfaitement normal.*

*Le texte nous a été transmis par trois onciaux, le Sinaïticus, l'Alexandrinus et le Venetus, et par une trentaine de minuscules, mais dans le Sinaïticus (notre meilleur témoin), la partie correspondant à 2 M est malheureusement perdue. Les minuscules qui attestent la recension du prêtre Lucien (300 ap. J.-C.) conservent parfois un texte plus ancien que celui des autres manuscrits grecs, texte qu'on retrouve dans les Antiquités Judaïques de l'historien Flavius Josèphe qui suit généralement 1 M et ignore 2 M. La Vetus Latina, elle aussi, traduit un texte grec perdu et souvent meilleur que celui des manuscrits que nous connaissons. La Vulgate n'est pas l'œuvre de saint Jérôme, pour qui les Maccabées n'étaient pas canoniques, et ne représente qu'une recension secondaire.*

# PREMIER LIVRE DES MACCABÉES

## I. Préambule

### Alexandre et les Diadoques.

**1** [1] Après qu'Alexandre, fils de Philippe, Macédonien sorti du pays de Chettiim [a], eut battu
Darius, roi des Perses et des Mèdes, et fut devenu
roi à sa place en commençant par l'Hellade [b], [2] il
entreprit de nombreuses guerres, s'empara de
mainte place forte et mit à mort les rois de la
contrée. [3] Il poussa jusqu'aux extrémités du monde
en amassant les dépouilles d'une quantité de
4 nations, et la terre se tut devant lui. Son cœur
s'exalta et s'enfla d'orgueil; [4] il rassembla une
5 armée très puissante, soumit provinces, nations,
6 dynastes et en fit ses tributaires. [5] Après cela, il dut
7 s'aliter et connut qu'il allait mourir. [6] Il fit venir ses
officiers, les nobles qui avaient été élevés avec lui
depuis le jeune âge, et partagea entre eux son
royaume pendant qu'il était encore en vie.
8 [7] Alexandre avait régné douze ans quand il mou-
9 rut [c]. [8] Ses officiers prirent le pouvoir chacun dans
10 son gouvernement. [9] Tous ceignirent le diadème
après sa mort, et leurs fils après eux durant de longues années : sur la terre, ils firent foisonner le malheur.

### Antiochus Épiphane [d] et la pénétration de l'hellénisme en Israël.

[10] Il sortit d'eux un rejeton impie, Antiochus Épi- 11 2 M 4 7
phane, fils du roi Antiochus, qui, d'abord otage
à Rome [e], devint roi l'an cent trente-sept de la
royauté des Grecs [f]. [11] En ces jours-là surgit || 2 M 4 9-17
d'Israël une génération de vauriens [g] qui séduisirent
beaucoup de personnes en disant : « Allons, faisons
alliance avec les nations qui nous entourent, car
depuis que nous nous sommes séparés d'elles, bien
des maux nous sont advenus. » [12] Ce discours leur 13
parut bon. [13] Plusieurs parmi le peuple s'empressè- 14
rent d'aller trouver le roi, qui leur donna l'autorisation d'observer les coutumes païennes [h]. [14] Ils 15
construisirent donc un gymnase à Jérusalem, selon
les usages des nations, [15] se refirent des prépuces et 1 Co 7 18
renièrent l'alliance sainte pour s'associer aux
nations. Ils se vendirent pour faire le mal [i].

### Première campagne d'Égypte et pillage du temple [j].

[16] Quand il vit son règne affermi, Antiochus vou- 17
lut devenir roi du pays d'Égypte, afin de régner sur

*a)* Les Chettiim, en hébr. *Kittim*, étaient les habitants de Kition et plus généralement de l'île de Chypre, Gn **10** 4; 1 Ch **1** 7; Is **23** 1. Puis le terme s'étendit aux îles, Jr **2** 10; Ez **27** 6, et aux régions situées plus à l'ouest, telle la Macédoine, 1 M **8** 5, puis enfin au monde romain.

*b)* Le terme n'est pas restreint à la Grèce proprement dite; l'hébr. *Iavân* qui lui correspond, Is **66** 19; Ez **27** 13, désigne avant tout l'Ionie, en Asie Mineure.

*c)* En juin 323 av. J.-C. – Cette convocation fit naître l'idée d'un partage à la mort d'Alexandre; en fait, les tentatives de partage ne triomphèrent de la notion d'empire unique qu'après la bataille d'Ipsus, en 301. Dn **8** 12, 22; **10** 4 fait également allusion à l'éclatement de l'empire.

*d)* 175-164. Frère cadet de Séleucus IV et fils d'Antiochus III. – L'épithète royale d'*épiphanès* (« qui se manifeste avec éclat ») marque la prétention du roi à être la manifestation terrestre de Zeus.

*e)* Antiochus IV avait fait partie des otages livrés par son père aux Romains après la défaite de Magnésie du Sipyle, en 189.

*f)* C'est-à-dire de l'ère séleucide, qui en Syrie débute en automne 312 (date théorique de la fondation d'Antioche) et en Babylonie au printemps 311.

*g)* Litt. « transgresseurs de la Loi », expression qui, dans les LXX, traduit généralement l'hébr. « fils de Bélial », Dt **3** 14, etc.

*h)* Litt. « des nations »; c'est l'équivalent du mot hébreu *goyim* qui désigne souvent les nations païennes, par opposition au « peuple (d'Israël) » *'am* (avec pourtant des exceptions, **3** 59; **8** 23s; **9** 29, cf. Gn **12** 2; Ex **32** 10. etc.).

*i)* La religion, la Loi, les coutumes faisaient des Juifs un groupe séparé, un corps étranger dans le monde oriental, unifié et hellénisé depuis la conquête d'Alexandre. L'assimilation, qui donnait les avantages humains de la civilisation nouvelle, ne pouvait se faire qu'en brisant les cadres qui assuraient la fidélité de la foi. Les innovations ne s'identifiaient pas encore aux pratiques idolâtriques que le roi imposera sept ans plus tard, mais elles multipliaient les occasions d'y prendre part. C'est le drame sous-jacent aux deux livres des Maccabées. Ce mouvement des Juifs philhellènes ne pouvait que trouver un appui auprès d'Antiochus Épiphane, fervent de la culture grecque, cf. vv. 41-51.

*j)* C'est la première campagne contre Ptolémée Philométor, en 169. Elle est omise par l'auteur de 2 M qui ne mentionne que la « seconde attaque », 2 M **5** 1, laquelle est omise ici. La suite

Dn **11** 25-28 les deux royaumes. 17 Entré en Égypte avec une
2 M **5** 1 armée imposante, des chars, des éléphants[a] (et des
19 cavaliers) et une grande flotte, 18 il attaqua le roi
d'Égypte, Ptolémée, qui recula devant lui et
s'enfuit; beaucoup d'hommes restèrent sur le ter-
20 rain. 19 Les villes fortes égyptiennes furent prises et
Antiochus s'empara des dépouilles du pays.
|| 2 M **5** 11-16 20 Ayant ainsi vaincu l'Égypte et pris le chemin du
22 retour en l'année cent quarante-trois, il marcha
contre Israël et sur Jérusalem avec une armée
imposante.
23 21 Entré dans le sanctuaire avec arrogance,
Antiochus enleva l'autel d'or, le candélabre de
lumière avec tous ses accessoires, 22 la table d'oblation, les vases à libation, les coupes, les cassolettes
d'or, le voile, les couronnes, la décoration d'or sur
la façade du Temple, dont il détacha tout le pla-
2 M **5** 21 cage. 23 Il prit l'argent et l'or ainsi que les ustensiles
précieux et fit main basse sur les trésors cachés
25 qu'il trouva. 24 Emportant le tout, il s'en alla dans
son pays; il versa beaucoup de sang et proféra des
paroles d'une extrême insolence[b].

26 25 Israël fut l'objet d'un grand deuil dans tout le
pays :
27 26 Chefs et anciens gémirent,
jeunes filles et jeunes gens dépérirent,
et la beauté des femmes s'altéra.
28 27 Le nouveau marié entonna un thrène;
assise dans la chambre, l'épouse fut en deuil.
29 28 La terre trembla à cause de ses habitants
et la honte couvrit toute la maison de Jacob[c].

**Intervention du Mysarque**
**et construction de l'Akra.**

2 M **5** 24-26 29 Deux ans après, le roi envoya dans les villes
de Juda le Mysarque[d], qui vint à Jérusalem avec
31 une armée imposante. 30 Il tint aux habitants des
discours faussement pacifiques et gagna leur
32 confiance, puis il tomba sur la ville à l'improviste,
lui assénant un coup terrible, et fit périr beaucoup
33 de gens d'Israël. 31 Il pilla la ville, y mit le feu,
34 détruisit ses maisons et son mur d'enceinte. 32 Ses
gens réduisirent en captivité les femmes et les
enfants et s'approprièrent le bétail. 33 Alors ils 35
rebâtirent la Cité de David, avec un grand mur très
fort, muni de tours puissantes et ils s'en firent une
citadelle[e]. 34 Ils y installèrent une race de pécheurs, 36
des vauriens, et ils s'y fortifièrent; 35 ils y emmaga- 37
sinèrent armes et provisions, y déposèrent les
dépouilles de Jérusalem qu'ils avaient rassemblées,
et cela devint un piège redoutable.

36 Ce fut une embuscade pour le lieu saint, 38
un adversaire maléfique en tout temps pour
Israël.
37 Ils répandirent le sang innocent autour du 39
sanctuaire
et souillèrent le lieu saint.
38 A cause d'eux s'enfuirent les habitants de Jéru- 40
salem
et celle-ci devint une colonie d'étrangers;
elle fut étrangère à sa progéniture
et ses propres enfants l'abandonnèrent.
39 Son sanctuaire désolé devint comme un désert, 41
ses fêtes se changèrent en deuil,
ses sabbats en dérision
et son honneur en mépris.
40 A sa gloire se mesura son avilissement 42
et sa grandeur fit place au deuil.

**Installation des cultes païens.**

41 Le roi publia ensuite dans tout son royaume 43
l'ordre de n'avoir à former tous qu'un seul peuple
42 et de renoncer chacun à ses coutumes : toutes les 44
nations se conformèrent aux prescriptions royales.
43 Beaucoup d'Israélites firent bon accueil à son 45
culte, sacrifiant aux idoles et profanant le sabbat.
44 Le roi envoya aussi, par messagers, à Jérusalem 46
et aux villes de Juda, des édits[f] leur enjoignant de
suivre des coutumes étrangères à leur pays, 45 de 47
bannir du sanctuaire holocaustes, sacrifice et liba- 48
tion, de profaner sabbats et fêtes, 46 de souiller le 49
sanctuaire et tout ce qui est saint, 47 d'élever autels, 50
lieux de culte et temples d'idoles, d'immoler des
porcs et des animaux impurs, 48 de laisser leurs fils 51

des faits apparaît plus clairement dans le livre de Daniel, **11** 25-27 : première campagne; v. 28 : pillage du Temple; v.29 : deuxième campagne et intervention romaine; v. 30 : répression à Jérusalem; 31-39 : abolition du culte.

*a)* Ils venaient des Indes, et le centre d'élevage de ces animaux de combat, cf. ch. **6**, était Apamée.

*b)* L'orgueil d'Épiphane, qui s'égalait à Zeus, avait étonné ses contemporains qui, jouant sur son nom, l'appelaient *épimanès*, « fou ». Cf. 2 M **5** 17, 21; **9** 4-11; Dn **7** 8, 25; **11** 36.

*c)* C'est la première des compositions poétiques du livre, cf. encore vv. 38-42; **2** 8-13, 49-64; **3** 3-9, 45; **14** 4-14.

*d)* « le Mysarque » conj. d'après 2 M **5** 24 (qui donne son nom : Apollonius); grec : « préposé aux tributs »; les deux mots sont très semblables en hébr. – Il commandait aux mercenaires de Mysie, d'où son titre. Il vint à Jérusalem en 167. On le retrouve à **3** 10.

*e)* Le nom de « Cité de David » s'était étendu à la grande colline occidentale. Devenu la Citadelle, en grec l'Akra, ce quartier abritera la garnison syro-macédonienne et les Juifs hellénisants. Il sera une menace pour le Temple situé à l'est, en contrebas, sur ce qu'on appelait alors le mont Sion. La toponymie de ce temps ne répond pas à celle de la période davidique, cf. 2 S **5** 9+.

*f)* Cherchant l'unité de son empire, Antiochus Épiphane enjoint aux Juifs des pratiques païennes, abolissant ainsi la charte qu'en 198 Antiochus III leur avait accordée, reconnaissant la Loi de Moïse comme leur statut légal (comme avaient fait les rois de Perse après l'Exil). La fidélité à la Loi devenait ainsi un acte de rébellion politique, d'où la persécution. La liberté religieuse sera rétablie par le rescrit d'Antiochus V, **6** 57-61; 2 M **11** 22-26.

incirconcis, de se rendre abominables par toute
sorte d'impuretés et de profanations, [49] oubliant
ainsi la Loi et altérant toutes les observances.
52 [50] Quiconque n'agirait pas selon l'ordre du roi
53 serait puni de mort. [51] Conformément à toutes ces
prescriptions, le roi écrivit à tout son royaume,
54 créa des inspecteurs pour tout le peuple et enjoignit
aux villes de Juda de sacrifier dans chaque ville.
55 [52] Beaucoup de gens du peuple se rallièrent à eux,
quiconque en somme abandonnait la Loi. Ils firent
56 du mal dans le pays. [53] Ils réduisirent Israël à se
cacher dans tous ses lieux de refuge.
57 [54] Le quinzième jour de Kisleu en l'an cent qua-
Dn **9** 27; rante-cinq [a], le roi construisit l'Abomination de la
**11** 31 désolation sur l'autel des holocaustes [b] et, dans les
villes de Juda circonvoisines, on éleva des autels.
58 [55] Aux portes des maisons et sur les places, on brû-
59 lait de l'encens. [56] Quant aux livres de la Loi [c], ceux
qu'on trouvait étaient jetés au feu après avoir été
lacérés. [57] Découvrait-on chez quelqu'un un exem- 60
plaire de l'Alliance, ou quelque autre se confor-
mait-il à la Loi, la décision du roi le mettait à mort.
[58] Ils sévissaient chaque mois dans les villes contre 61
les Israélites pris en contravention; [59] le vingt-cinq 62
de chaque mois [d], on sacrifiait sur l'autel dressé sur
l'autel des holocaustes. [60] Les femmes qui avaient || 2 M **6** 10
fait circoncire leurs enfants, ils les mettaient à
mort, suivant l'édit, [61] avec leurs nourrissons pen- 64
dus à leur cou, exécutant aussi leurs proches et
ceux qui avaient opéré la circoncision.
[62] Cependant plusieurs en Israël se montrèrent 65
fermes et furent assez forts pour ne pas manger de
mets impurs. [63] Ils acceptèrent de mourir plutôt que 66
de se contaminer par la nourriture et de profaner
la sainte alliance et, en effet, ils moururent. [64] Une 67
grande colère plana sur Israël.

# *II. Mattathias déchaîne la guerre sainte* [e]

Mattathias et ses fils.

**2** [1] En ces jours-là, Mattathias, fils de Jean, fils
1 Ch **24** 7 de Syméon, prêtre de la lignée de Ioarib [f],
quitta Jérusalem pour s'établir à Modîn. [2] Il avait
cinq fils : Jean surnommé Gaddi, [3] Simon appelé
Thassi, [4] Judas appelé Maccabée, [5] Éléazar appelé
Auârân, Jonathès appelé Apphous [g]. [6] A la vue des
impiétés qui se perpétraient en Juda et à Jérusalem,
[7] il s'écria : « Malheur à moi! Suis-je né pour voir
la ruine de mon peuple et la ruine de la ville sainte,
et pour rester là assis tandis que la ville est livrée
aux mains des ennemis et le sanctuaire au pouvoir
des étrangers?

[8] Son Temple est devenu comme un homme vil [h],
[9] les objets qui faisaient sa gloire ont été emmenés captifs,
ses petits enfants périrent égorgés sur ses places
et ses adolescents par l'épée de l'ennemi.
[10] Quelle nation n'a pas hérité de ses droits royaux
et ne s'est emparée de ses dépouilles?
[11] Toute sa parure lui a été ravie.
De libre qu'elle était, elle est devenue esclave.
[12] Voici que le lieu saint, notre beauté et notre gloire, est réduit en désert,
voici que les nations l'ont profané.
[13] A quoi bon vivre encore? »

[14] Mattathias et ses fils déchirèrent leurs vêtements, revêtirent des sacs et menèrent grand deuil.

*a)* De l'ère séleucide comptée à partir du printemps. On est en décembre 167.

*b)* L'« Abomination de la désolation », Dn **9** 27; **11** 31, c'est l'autel de Baal Shamem ou Zeus Olympien, édifié sur le grand autel des holocaustes.

*c)* Livre de « l'Alliance » ou livres de « la Loi » : ici le Pentateuque.

*d)* Jour anniversaire du roi, cf. 2 M **6** 7, qui fut aussi celui de l'inauguration de l'autel. C'est trois ans après, jour pour jour, que Judas célébrera la dédicace du nouvel autel, 1 M **4** 52s.

*e)* La persécution provoque un sursaut de la conscience religieuse. L'opposition à l'hellénisme prend la forme d'interventions brutales, **2** 15-28, ou de résistance passive, **2** 29-38, finalement d'une guerre sainte, déjà sous Mattathias, **2** 39-48, surtout sous Judas Maccabée, **3** - **5**. Celui-ci avait compris que le maintien de la religion était lié à l'indépendance nationale, et c'est pourquoi la lutte continua après que la liberté religieuse eut été reconnue, **6** 57-62. Mais ce transfert du conflit sur le terrain politique ouvrait la porte aux compromissions et aux luttes de partis, qui occupent toute la fin du livre. Elles évinceront finalement les préoccupations religieuses et déconsidéreront, aux yeux des hommes vraiment religieux, la dynastie des Asmonéens, issue des Maccabées.

*f)* Chef de la première des vingt-quatre classes sacerdotales, celle de Yedaya, ancêtre des Oniades d'après Josèphe, étant seulement la seconde, cf. 1 Ch **24** 7. Mais cette prééminence peut être due à un remaniement du texte après l'accession des Maccabées au souverain sacerdoce, **10** 20.

*g)* Les surnoms de Gaddi, Auârân, Apphous peuvent signifier « le Fortuné », « l'Éveillé », « le Favori »; Maccabée peut signifier « qui a la tête en forme de marteau », ou être une forme abrégée de *Maqqabyahu*, « la désignation de Yahvé », sur la base de Is **62** 2. « Thassi » n'est pas assuré.

*h)* « vil » *adoxos* mss grecs et lat.; « noble » *endoxos* grec. Le texte primitif devait porter « non noble » (hébraïsme) et la négation sera tombée par accident ou scrupule.

**L'épreuve du sacrifice à Modîn.**

15 Les officiers du roi chargés d'imposer l'apostasie vinrent à la ville de Modîn pour les sacrifices.
16 Beaucoup d'Israélites vinrent à eux, mais Mattathias et ses fils se tinrent ensemble à part. 17 Prenant
la parole, les officiers du roi s'adressèrent à Mattathias en ces termes : « Tu es chef célèbre et puissant
dans cette ville, appuyé par des fils et des frères.
18 Avance donc le premier pour exécuter l'ordre du
roi, comme l'ont fait toutes les nations, les chefs de
Juda et ceux qu'on a laissés à Jérusalem. Tu seras,
toi et tes fils, parmi les amis du roi [a]; toi et tes fils
serez honorés de dons en argent et en or ainsi que
d'une quantité de cadeaux. » 19 Mattathias répliqua
d'une voix forte : « Quand toutes les nations établies dans l'empire du roi lui obéiraient, chacune
désertant le culte de ses pères, et se conformeraient
à ses ordonnances, 20 moi, mes fils et mes frères,
nous suivrons l'alliance de nos pères. 21 Dieu nous
garde [b] d'abandonner Loi et observances! 22 Nous
n'écouterons pas les ordres du roi. Nous ne dévie-
rons pas de notre religion ni à droite ni à gauche. »
23 Dès qu'il eut achevé ce discours, un Juif
s'avança, à la vue de tous, pour sacrifier sur l'autel
de Modîn, selon le décret du roi. 24 A cette vue, le
zèle de Mattathias s'enflamma et ses reins frémirent. Pris d'une juste colère [c], il courut et l'égorgea
sur l'autel. 25 Quant à l'homme du roi qui obligeait
à sacrifier, il le tua dans le même temps, puis il renversa l'autel. 26 Son zèle pour la Loi fut semblable
Nb 25 6-15 à celui que Pinhas exerça contre Zimri, fils de Salu.
27 Mattathias se mit à crier d'une voix forte à travers la ville : « Quiconque a le zèle de la Loi et
2 M 5 27 maintient l'alliance, qu'il me suive! » 28 Lui-même
et ses fils s'enfuirent dans les montagnes, laissant
dans la ville tout ce qu'ils possédaient.

**L'épreuve du sabbat au désert.**

29 Nombre de gens soucieux de justice et de Loi
descendirent au désert pour s'y fixer, 30 eux, leurs
enfants, leurs femmes et leur bétail, parce que le
malheur s'était appesanti sur eux. 31 On annonça
aux officiers royaux et aux forces en résidence à
Jérusalem, dans la Cité de David, que des gens qui
avaient rejeté l'ordonnance du roi étaient descendus vers les retraites cachées du désert. 32 Une forte
troupe se mit à leur poursuite et les atteignit. Ayant
dressé son camp en face d'eux, elle se disposa à les || 2 M 6 11
attaquer le jour du sabbat 33 et leur dit : « En voilà
assez! Sortez, obéissez à l'ordre du roi et vous
aurez la vie sauve. » – 34 « Nous ne sortirons pas,
dirent les autres, et nous n'observerons pas l'ordre
donné par le roi de violer le jour du sabbat [d]. »
35 Assaillis sans retard, 36 ils s'abstinrent de ripos-
ter, de lancer des pierres, de barricader leurs
cachettes. 37 « Mourons tous dans notre droiture,
déclaraient-ils; le ciel et la terre sont pour nous
témoins que vous nous faites périr injustement. »
38 La troupe leur donna l'assaut en plein sabbat et
ils succombèrent, eux, leurs femmes, leurs enfants
et leur bétail, au nombre d'un millier de personnes.

**Activité de Mattathias et de son parti.**

39 Lorsqu'ils l'apprirent, Mattathias et ses amis
les pleurèrent amèrement 40 et se dirent les uns aux
autres : « Si nous faisons tous comme ont fait nos
frères, si nous ne luttons pas contre les nations
pour notre vie et nos observances, ils nous auront
vite exterminés de la terre. » 41 Ce jour-là même, ils
prirent cette décision : « Tout homme qui viendrait
nous attaquer le jour du sabbat, combattons-le en
face, et ainsi nous ne mourrons pas tous comme
nos frères sont morts dans les cachettes. »
42 Alors s'adjoignit à eux la congrégation des
Assidéens [e], hommes valeureux d'entre Israël et
tout ce qu'il y avait de dévoué à la Loi. 43 Tous
ceux qui fuyaient les mauvais traitements vinrent
grossir leur nombre et leur fournir un appui. 44 Ils
se composèrent une forte armée, frappèrent les
pécheurs dans leur colère et les mécréants dans leur
fureur; le reste s'enfuit chez les nations pour y trouver sauvegarde. 45 Mattathias et ses amis firent une
tournée pour détruire les autels 46 et circoncire de
force tous les enfants incirconcis qu'ils trouvèrent
sur le territoire d'Israël. 47 Ils chassèrent les inso-

*a)* Distinction honorifique, héritée de la cour de Perse; elle comportait plusieurs degrés. Les « amis du roi » avaient accès auprès du souverain, qui leur confiait à l'occasion certaines charges, cf. 3 38; 7 8; **10** 16, 20, 60, 65; **11** 27, 57; **14** 39; **15** 28; 2 M **8** 9.

*b)* Expression biblique, mais ici le mot « Dieu » est sous-entendu.

*c)* Litt. « (une colère) conforme à la Loi », cf. Dt **13** 7-12. – Le zèle pour la Loi est caractéristique de la piété de l'époque. Au siècle suivant, il prendra une tournure plus politique avec le parti des Zélotes.

*d)* Ex **16** 29 interdit de sortir de chez soi le jour du sabbat, cf. Ex **20** 8+; un des textes de Qumrân, le Document de Damas, fixe, d'après Nb **35** 4s, à mille coudées le chemin de sabbat hors la ville, à deux mille s'il s'agit de faire paître un troupeau, et exclut pratiquement toute activité, cf. Ne **13** 15s. En fait, les révoltés comprendront vite qu'il leur faut se défendre même le jour du sabbat, v. 40s, et Jésus dira que « le sabbat est fait pour l'homme et non l'homme pour le sabbat », Mc **2** 27.

*e)* Forme grécisée de l'hébr. *hasîdîm*, les « Pieux » : communauté de Juifs attachés à la Loi; ils résistèrent à l'influence païenne dès avant les Maccabées, et devinrent la troupe de choc de Judas, cf. 2 M **14** 6, mais sans s'inféoder à la politique des Asmonéens, cf. 1 M **7** 13. D'après Josèphe, sous le principat de Jonathan, vers 150, ils se différencieront en Pharisiens (Mt **3** 7+; Ac **4** 1+) et en Esséniens, mieux connus depuis les découvertes de Qumrân (cf. *Ant.* XIII, 17s).

lents et l'entreprise prospéra entre leurs mains.
48 Ils arrachèrent la Loi de la main des nations et
des rois et réduisirent le pécheur à l'impuissance [a].

### Testament et mort de Mattathias [b].

49 Cependant les jours de Mattathias approchaient de leur fin. Il dit alors à ses fils : « Voici
maintenant le règne de l'arrogance et de l'outrage,
le temps du bouleversement et l'explosion de la
colère. 50 A vous maintenant, mes enfants, d'avoir
le zèle de la Loi, et de donner vos vies pour
l'alliance de nos pères.

51 « Souvenez-vous des œuvres accomplies par
nos pères en leur temps,
vous gagnerez une grande gloire et un nom
immortel.
52 Abraham n'a-t-il pas été trouvé fidèle dans
l'épreuve
Gn 15 6+ et cela ne lui a-t-il pas été compté comme
justice?
Gn 37; 39-41 53 Joseph, au temps de sa détresse, observa la
Loi,
aussi est-il devenu Seigneur de l'Égypte.
Nb 25 6-13 54 Pinhas, notre père [c], pour avoir brûlé d'un
beau zèle,
a reçu l'alliance d'un sacerdoce éternel.
Jos *passim* 55 Josué, pour avoir rempli son mandat,
est devenu juge en Israël.
Nb 13 30; 14 24 56 Caleb, pour avoir attesté le vrai dans l'assemblée,
a reçu un héritage dans le pays.
2 S 7 57 David, pour sa piété,
hérita d'un trône royal pour les siècles.
58 Élie, pour avoir brûlé du zèle de la Loi, 1 R 19 10. 14 2 R 2 11-12
a été enlevé jusqu'au ciel.
59 Ananias, Azarias, Misaël, pour avoir eu Dn 3
confiance,
furent sauvés de la flamme.
60 Daniel, pour sa droiture, Dn 6
a été sauvé de la gueule des lions.
61 Et comprenez ainsi que de génération en génération
ceux qui espèrent en Lui ne faibliront pas.
62 Ne redoutez point les menaces de l'homme
pécheur [d],
car sa gloire s'en va au fumier et aux vers;
63 aujourd'hui il est exalté et demain on ne le
trouve plus,
car il retourne à la poussière d'où il est venu
et ses calculs sont anéantis.
64 Mes enfants, soyez forts et tenez fermement à
la Loi,
parce que c'est elle qui vous comblera de
gloire.
65 « Voici Syméon [e], votre frère, je sais qu'il est
homme de bon conseil : écoutez-le toujours, il vous
tiendra lieu de père. 66 Quant à Judas Maccabée,
vaillant dès son jeune âge, il sera lui-même le chef
de votre armée, il conduira la guerre contre les peuples. 67 Vous autres, adjoignez-vous tous les observateurs de la Loi et assurez la vengeance de votre
peuple. 68 Rendez aux nations le mal qu'elles vous
ont fait et attachez-vous aux préceptes de la Loi. »
69 Après cela il les bénit et fut réuni à ses pères. 70 Il
mourut en l'année cent quarante-six et fut enseveli
dans le caveau de ses pères à Modîn, et tout Israël
mena sur lui un grand deuil.

# *III. Judas Maccabée chef des Juifs (166-160 av. J.-C.)*

### Éloge de Judas Maccabée.

**3** 1 Judas, appelé Maccabée, son fils, se leva à
sa place; 2 tous ses frères et tous les partisans
de son père lui prêtèrent leur concours. Ils menèrent le combat d'Israël avec entrain.
3 Il étendit le renom de son peuple,
revêtit la cuirasse comme un géant
et ceignit ses armes de guerre.
Il engagea mainte bataille,
protégeant le camp par son épée,
4 rival du lion dans ses hauts faits,
pareil au lionceau rugissant sur sa proie.
5 Il fit la chasse aux mécréants qu'il dépistait
et livra au feu les perturbateurs de son peuple.
6 Les mécréants furent abattus par la terreur
qu'il inspirait,

*a)* Litt. « ne donnèrent pas une corne au pécheur »; sur ce symbole biblique de force, cf. Ps 18 3+; cf. aussi Dn 7 - 8.
*b)* Ce testament rappelle l'éloge des Pères de Si 44 - 50.
*c)* L'auteur rattache le grand prêtre contemporain, Simon II, à Éléazar, fils d'Aaron et père de Pinhas, de qui étaient issus Sadoq et les Oniades : la légitimité du sacerdoce asmonéen ne lui semble donc pas douteuse.
*d)* Sans doute Antiochus Épiphane, cf. 1 10 (et 2 48?); 2 M 9 9.
*e)* Syméon est le nom sémitique du second fils de Mattathias, cf. 2 2, tandis que Simon est un nom grec, choisi pour son homophonie. – Malgré son âge et ses qualités, il ne sera que le troisième à prendre la tête du peuple, cf. ch. 13.

tous les ouvriers d'iniquité furent bouleversés,
et la libération dans sa main fut menée à bon
terme.
7 Il causa d'amers déboires à plus d'un roi,
réjouit Jacob par ses actions,
et sa mémoire sera en bénédiction à jamais.
8 Il parcourut les villes de Juda
pour en exterminer les impies,
et détourna d'Israël la Colère.
9 Son nom retentit jusqu'aux extrémités de la
terre,
il a rassemblé ceux qui étaient perdus.

|| 2 M 8 1-7 **Premiers succès de Judas** [a].

10 Apollonius rassembla des païens et un fort
contingent de Samarie pour faire la guerre à
Israël [b]. 11 Judas le sut et sortit à sa rencontre; il
le défit et le tua. Beaucoup tombèrent blessés à
mort et le reste s'enfuit. 12 On ramassa les dépouilles; Judas s'attribua l'épée d'Apollonius et s'en servit au combat tous les jours de sa vie. 13 A la nouvelle que Judas avait rassemblé autour de lui un
assemblage de croyants et de gens de guerre, Séron,
général de l'armée de Syrie, 14 se dit à lui-même :
« Je me ferai un nom et me couvrirai de gloire dans
le royaume. Je combattrai Judas et ses hommes,
qui méprisent les ordres du roi. » 15 Il partit donc
à son tour et avec lui monta une puissante armée
d'impies pour l'aider à tirer vengeance des Israélites. 16 Comme il approchait de la montée de
Bethoron, Judas sortit a sa rencontre avec une poignée d'hommes. 17 A la vue de l'armée qui s'avançait contre eux, ceux-ci dirent à Judas : « Comment
pourrons-nous, en si petit nombre, lutter contre une
si forte multitude? Nous sommes exténués, n'ayant
rien mangé aujourd'hui. » 18 Judas répondit :
« Qu'une multitude tombe aux mains d'un petit
nombre est chose facile, et il est indifférent au
Ciel [c] d'opérer le salut au moyen de beaucoup ou
1 S 14 6 de peu d'hommes, 19 car la victoire à la guerre ne
tient pas à l'importance de la troupe : c'est du Ciel
que vient la force. 20 Ceux-ci viennent contre nous,
débordant d'insolence et d'iniquité, pour nous
exterminer, nous, nos femmes et nos enfants, et
nous dépouiller. 21 Mais nous, nous combattons
pour nos vies et pour nos lois, 22 et lui les brisera
devant nous, ne craignez rien de leur part [d]. »
23 Lorsqu'il eut cessé de parler, il bondit sur eux à
l'improviste. Séron et son armée furent écrasés.
24 Ils les poursuivirent à la descente de Bethoron Jos 10 10
jusqu'à la plaine. Huit cents hommes environ
succombèrent et le reste s'enfuit au pays des Philistins [e]. 25 Judas et ses frères commencèrent à être
redoutés et l'effroi fondit sur les nations d'alentour.
26 Son nom parvint jusqu'au roi et toutes les
nations commentaient les batailles de Judas.

**Préparatifs d'Antiochus contre la Perse et la Judée** [f]**. Régence de Lysias.**

27 Lorsqu'il entendit ces récits, Antiochus entra
dans une grande fureur; il envoya rassembler toutes les forces de son royaume, une armée très puissante. 28 Il ouvrit son trésor, distribua la solde aux
troupes pour un an et leur enjoignit d'être prêtes à
toute éventualité. 29 Il s'aperçut alors que l'argent
manquait dans ses coffres et que les tributs de la
province avaient diminué, par suite des dissensions
et du fléau qu'il avait déchaînés dans le pays en
supprimant les lois qui existaient de toute antiquité.
30 Il craignit de ne pas avoir, comme il était arrivé
plus d'une fois, de quoi fournir aux dépenses et aux
largesses qu'il faisait auparavant d'une main prodigue, surpassant en cela les rois ses prédécesseurs.
31 L'anxiété s'emparait de son âme, il décida de
gagner la Perse pour lever les tributs des provinces
et ramasser beaucoup d'argent. 32 Il laissa Lysias,
homme de la noblesse et de la famille royale, à la
tête de ses affaires depuis l'Euphrate jusqu'à la
frontière de l'Égypte [g], 33 et le chargea de la tutelle
d'Antiochus, son fils [h], jusqu'à son retour. 34 Il lui
confia la moitié de ses troupes, avec les éléphants,
et lui dicta toutes ses volontés, en particulier au
sujet des habitants de la Judée et de Jérusalem :
35 il devait envoyer contre eux une armée pour
extirper et faire disparaître la force d'Israël et le
petit reste de Jérusalem, effacer leur souvenir de ce

*a)* Ces deux accrochages ne sont pas mentionnés par 2 M.

*b)* D'après Josèphe, Apollonius, cf. **1** 29+, est gouverneur de Samarie.

*c)* « au Ciel » mss grecs, Vet. Lat.; « au Dieu du ciel » le reste du grec, Vulg., mais, par respect, 1 M évite systématiquement le mot « Dieu » : v v. 19, 50, 60; **4** 10, 40, 55; **9** 46; **12** 15; cf. 2 M **9** 4.

*d)* Exhortation dans le style deutéronomique, cf. par exemple Dt **1** 29s; **3** 18-22; **9** 1s, etc. La littérature juive de cette époque s'inspire volontiers des récits sur les Patriarches et la conquête. – Le v. 21 résume parfaitement le ressort profond des premières luttes maccabéennes.

*e)* Expression archaïsante pour désigner la zone maritime, cf. **15** 38.

*f)* Vues générales propres à l'auteur de 1 M, qui met le problème juif au centre des préoccupations d'Antiochus IV. En fait, la campagne d'Asie n'était pas seulement destinée à remettre à flot ses finances, mais aussi à reconquérir l'Arménie.

*g)* C'est-à-dire la Transeuphratène de l'époque perse. Lysias (également connu par l'historien Polybe) était donc le chef du stratège de Coelé-Syrie et de Phénicie, cf. 2 M **10** 11, ainsi que des stratèges de Haute-Syrie. – L'expression « de la famille royale » correspond à « parent du roi », 2 M **11** 1, titre honorifique le plus élevé à la cour séleucide, cf. 1 M **10** 89.

*h)* Le futur Antiochus V Eupator, **6** 17, dont la tutelle sera confiée deux ans plus tard à Philippe, l'ami intime du roi, **6** 14; 2 M **9** 29.

lieu, 36 établir des fils d'étrangers sur tout leur territoire et distribuer leur pays en lots [a]. 37 Le roi prit
avec lui la moitié restante des troupes et partit
d'Antioche, capitale de son royaume, l'an cent
quarante-sept; il traversa l'Euphrate et poursuivit
sa marche à travers les provinces d'en haut [b].

|| 2 M **8** 8-15 **Gorgias et Nikanor conduisent en Judée**
**l'armée de Syrie.**

2 M **4** 45; 38 Lysias se choisit Ptolémée fils de Dorymène,
**8** 8s; **10** 14 Nikanor et Gorgias, personnages puissants d'entre
**2** 18+ les amis du roi [c]. 39 Il envoya avec eux quarante
mille hommes de pied et sept mille cavaliers pour
envahir le pays de Juda et le dévaster suivant
l'ordre du roi. 40 S'étant mis en marche avec toute
leur armée, ils arrivèrent près d'Emmaüs dans le
Bas-Pays et y dressèrent leur camp. 41 Les
trafiquants de la province l'apprirent par la renommée; ils prirent avec eux de l'or et de l'argent en
grande quantité ainsi que des entraves [d] et s'en vinrent au camp pour acheter comme esclaves les
Israélites. Un contingent d'Idumée et du pays des
Philistins se joignit à eux [e]. 42 Judas et ses frères
virent que le malheur s'aggravait et que des armées
campaient sur leur territoire. Ils connurent aussi la
consigne donnée par le roi de livrer leur peuple à
une destruction radicale. 43 Ils se dirent alors les
uns aux autres : « Relevons notre peuple de sa
ruine et luttons pour notre peuple et notre saint
lieu. » 44 On convoqua l'assemblée pour se préparer
à la guerre, se livrer à la prière et implorer pitié et
miséricorde.

45 Or Jérusalem était dépeuplée comme un
désert,
de ses enfants nul n'y entrait, nul n'en sortait.
Le sanctuaire était foulé aux pieds
et les fils d'étrangers logeaient dans la Citadelle,
devenue un caravansérail pour les nations.
La joie avait disparu de Jacob
et l'on n'entendait plus ni flûte ni lyre.

**Réunion des Juifs à Maspha.** || 2 M **8** 16-23

46 Ils se rassemblèrent donc et vinrent à
Maspha [f] en face de Jérusalem, car il y avait eu Jg **20** 1-3
jadis à Maspha un lieu de prière pour Israël. 47 Ils 1 S **7** 5-6+
jeûnèrent ce jour-là, revêtirent des sacs, répandirent
de la cendre sur leur tête et déchirèrent leurs vêtements. 48 Ils déployèrent le livre de la Loi pour y 2 M **8** 23
découvrir ce que les païens demandaient aux représentations de leurs faux dieux [g]. 49 Ils apportèrent
les ornements sacerdotaux, les prémices et les
dîmes, ils firent paraître les Naziréens qui avaient Nb **6** 1+
accompli la période de leur vœu [h]. 50 Ils disaient en
élevant la voix vers le Ciel : « Que faire de ces **3** 18+
gens-là et où les emmener? 51 Ton lieu saint, on l'a
foulé aux pieds et profané, tes prêtres sont dans le
deuil et l'humiliation, 52 et voici que les nations se
sont liguées contre nous afin de nous faire disparaître. Tu connais leurs desseins à notre égard.
53 Comment pourrons-nous résister en face d'elles
si tu ne viens pas à notre secours? » 54 Ils firent
ensuite sonner les trompettes et poussèrent de
grands cris.

55 Après cela, Judas institua des chefs du peuple, Ex **18** 21s
chefs de milliers, de centaines, de cinquantaines et
de dizaines [i]. 56 A ceux qui étaient en train de bâtir
une maison, ou qui venaient de se fiancer, de planter une vigne, ou qui avaient peur, il dit de s'en Jg **7** 3+
retourner chacun à sa demeure comme le permet- Dt **20** 5-9
tait la Loi. 57 La colonne se mit alors en marche
et vint camper au sud d'Emmaüs. 58 « Équipez-
vous, dit Judas, soyez des braves, tenez-vous prêts
à combattre demain ces nations qui sont massées
contre nous pour notre ruine et celle de notre sanctuaire, 59 car il vaut mieux pour nous mourir dans
la bataille qu'être spectateurs des malheurs de
notre nation et de notre lieu saint. 60 Ce que le Ciel **3** 18+
aura voulu, il l'accomplira. »

*a)* Les Juifs rebelles devaient être exterminés ou vendus comme esclaves, 2 M **8** 9-11, et leurs terres confisquées puis redistribuées en partie à des étrangers, cf. Dn **11** 39. La Judée devenait donc « terre royale », louée à des colons sous forme de lots, suivant l'usage séleucide. Les redevances qu'on en exigeait constituaient un impôt plus lourd que l'ancien tribut.

*b)* Cette expression désigne le plateau iranien, cf. **6** 1; 2 M **9** 25. – On est au printemps 165.

*c)* Ptolémée est le stratège de la province de Coelé-Syrie et Phénicie, 2 M **8** 8. Gorgias est un stratège au sens militaire du mot, et c'est lui qui dirigea les opérations, bien que Nikanor eût préséance sur lui comme « premier ami » du roi, 2 M **8** 9. On retrouvera ce dernier comme chef de guerre cinq ans plus tard, 1 M **7** 26.

*d)* « entraves » *pedas* conj. d'après syr. et Josèphe; « enfants » *paidas* grec, lat.

*e)* « Idumée » conj.; le grec et les versions ont « Syrie » qui doit traduire l'hébr. *'aram* lu au lieu de *'edom*, selon une confusion fréquente, cf. Jg **3** 8; 2 S **8** 12; 1 R **11** 25; 2 R **16** 6, etc. – « pays des Philistins », litt. « terre des étrangers », en grec *allophyles*, mot qui dans les LXX désigne les Philistins, cf. **5** 68.

*f)* La Miçpa biblique, à 13 km. au nord de Jérusalem, lieu traditionnel de rassemblement pour Israël, Jg **20** 1; 1 S **7** 5; **10** 17; cf. Jr **40** 5.

*g)* 2 M **8** 23 éclaire ce passage. Comme il n'y a plus de prophètes, on ouvre au hasard le livre de la Loi pour y trouver une réponse divine sur l'opportunité et l'issue de la lutte.

*h)* Les Naziréens devaient, au terme de leur vœu, offrir un sacrifice dans le Temple, Nb **6** 13. Mais le Temple est profané et inaccessible.

*i)* Ces divisions ne se retrouvent que partiellement dans les armées hellénistiques et Juda s'inspire surtout de l'organisation judiciaire et militaire ancienne, Ex **18** 21 (cf. **18** 13+); Nb **31** 48; Dt **1** 15; 2 S **18** 1; 2 R **1** 9-14. Les Esséniens conserveront la même organisation.

|| 2 M 8 23-29 **La bataille d'Emmaüs.**

**4** [1] Gorgias prit avec lui cinq mille hommes de
pied et mille cavaliers d'élite, détachement qui
partit de nuit [2] en vue de faire irruption dans le
camp des Juifs et de les frapper à l'improviste. Les
1 33 gens de la Citadelle lui servaient de guides. [3] Ce
qu'ayant entendu, Judas lui-même se mit en marche avec ses braves pour battre l'armée royale qui
était à Emmaüs, [4] pendant que ses effectifs se trouvaient encore dispersés en dehors du camp.
[5] Gorgias, de son côté, étant arrivé de nuit au camp
de Judas, n'y trouva personne et se mit à chercher
les Juifs dans les montagnes car, disait-il : « Ils
fuient devant nous. » [6] Au petit jour, Judas parut
dans la plaine avec trois mille hommes. Seulement,
ceux-ci n'avaient pas les armures ni les épées qu'ils
auraient voulues. [7] Ils apercevaient le camp des
païens, puissant et fortifié, une cavalerie qui l'environnait, bref, des gens qui avaient l'expérience de
la guerre.

[8] Judas dit à ses hommes [a] : « Ne craignez pas
cette multitude et ne redoutez pas leur attaque.
[9] Rappelez-vous que nos pères furent sauvés à la
mer Rouge quand Pharaon les poursuivait avec
3 18+ une armée, [10] et maintenant crions vers le Ciel : s'il
veut de nous, il se souviendra de son alliance avec
nos pères et il écrasera aujourd'hui cette armée que
voici devant nous. [11] Alors toutes les nations
reconnaîtront qu'il y a quelqu'un qui rachète et
sauve Israël. »

[12] Les étrangers levèrent leurs regards et, voyant
les Juifs marcher contre eux, [13] ils sortirent du
camp pour livrer bataille. Les soldats de Judas sonnèrent de la trompette [14] et engagèrent le combat.
Les nations furent écrasées, elles s'enfuirent vers la
plaine, [15] mais tous les ennemis qui se trouvaient
à l'arrière tombèrent sous l'épée. La poursuite atteignit Gazara [b] et les plaines de l'Idumée, d'Azôtos
et de Iamnia : trois mille hommes environ y
succombèrent.

[16] Revenu de la chasse qu'il venait de donner à
la tête de sa troupe, [17] Judas dit au peuple : « Ne
soyez pas avides de butin, car un autre combat
nous menace. [18] Gorgias et son détachement sont
dans la montagne tout près de nous. Tenez tête
maintenant à nos ennemis et combattez-les; après
cela vous ramasserez le butin en toute sécurité. »
[19] Judas achevait à peine sa phrase qu'une section
se fit voir épiant du haut de la montagne. [20] Elle
constata que les leurs avaient dû fuir et que le
camp avait été la proie des flammes : la fumée que
l'on apercevait le manifestait encore. [21] Un tel spectacle les remplit de panique. Voyant en outre dans
la plaine l'armée de Judas prête au combat, [22] ils
s'enfuirent tous au pays des Philistins. [23] Judas
revint alors pour le pillage du camp. On emporta
beaucoup d'or et d'argent monnayés, des étoffes
teintes de pourpre violette et de pourpre marine [c]
et autres grandes richesses. [24] Les Juifs, à leur
retour, louaient et bénissaient le Ciel en disant : « Il
est bon et son amour est éternel [d]! » [25] Une insigne Ps 118 1-4+
délivrance s'est opérée ce jour-là en Israël.

[26] Ceux des étrangers qui avaient échappé vinrent annoncer à Lysias tout ce qui était arrivé [e].
[27] Cette nouvelle le bouleversa et lui fit perdre courage, car les affaires avec Israël n'avaient pas été
comme il aurait voulu et le résultat était le
contraire de ce qu'avait ordonné le roi.

**Première campagne de Lysias.** || 2 M 11 1-12

[28] L'année suivante, pourtant, Lysias rassembla
soixante mille hommes d'élite et cinq mille cavaliers afin de venir à bout des Juifs. [29] Ils vinrent en
Idumée et campèrent à Bethsour [f]. Judas se porta
à leur rencontre avec dix mille hommes. [30] Quand
il vit cette armée puissante, il pria en ces termes :
« Tu es béni, sauveur d'Israël, toi qui as brisé
l'attaque du puissant guerrier par la main de ton 1 S 17
serviteur David et qui as livré le camp des Philistins aux mains de Jonathan, fils de Saül, et de son 1 S 14 1-23
écuyer. [31] Enferme de la même façon cette armée
entre les mains d'Israël, ton peuple; qu'ils ne retirent que honte de leurs forces et de leur cavalerie.
[32] Sème la panique dans leurs rangs, fais fondre
l'assurance qu'ils mettent dans leur force et qu'ils
soient ébranlés par leur défaite. [33] Renverse-les
sous l'épée de ceux qui t'aiment, et que te louent
dans les hymnes tous ceux qui connaissent ton
nom! » [34] On en vint aux mains et il tomba de
l'armée de Lysias jusqu'à cinq mille hommes, et
cela dans le corps à corps. [35] Voyant la déroute de
son armée et l'intrépidité des soldats de Judas qui
étaient prêts à vivre ou à mourir courageusement,
Lysias reprit le chemin d'Antioche [g] où il recruta
des étrangers pour revenir en Judée avec plus de
troupes qu'auparavant.

*a)* Cf. **3** 22+. L'exhortation avant le combat, prescrite par Dt **20** 2, semble avoir été de règle dans l'Antiquité; cf. encore 2 M **8** 16-20.

*b)* C'est Gézer, Jos **10** 33, qui sera attaquée par Judas, 2 M **10** 32, mais ne sera prise que par Simon qui en fera une résidence pour son fils (Jean Hyrcan), **13** 43s; **14** 7, 34; **16** 1, 21.

*c)* La « pourpre marine », d'un rouge foncé, est celle de Tyr. C'est la « pourpre écarlate » d'Ex **25** - **29**.

*d)* Litt. « sa miséricorde est éternelle ». Sans doute chantaient-ils le Ps **118**, cf. 2 Ch **20** 21.

*e)* Cf. **3** 37 et 2 M **11** 21. Nous sommes au début de 164.

*f)* L'armée avait contourné la Judée par le pays plat. La citadelle séleucide de Bethsour, cf. **6** 7, limite sud de la Judée, est à 28 km de Jérusalem, sur la route d'Hébron.

*g)* L'auteur semble ignorer les tractations qui suivirent ce choc décisif entre Judas et l'importante armée de Lysias, 2 M **11** 13s.

|| 2 M 10 1-8 **Purification du Temple et dédicace [a].**

36 Alors Judas et ses frères dirent : « Voici nos
ennemis écrasés, allons purifier le sanctuaire et
faire la dédicace. » 37 Toute l'armée s'assembla et
Ps 74 2-7 ils montèrent au mont Sion. 38 Ils virent là le lieu
saint désolé, l'autel profané, les portes brûlées, des
arbrisseaux poussés dans les parvis comme dans un
bois ou sur une montagne, et les chambres détruites. 39 Ils déchirèrent alors leurs vêtements, menèrent un grand deuil et répandirent de la cendre sur
leur tête. 40 Ils tombaient ensuite la face contre
terre et, au signal donné par les trompettes, ils
2 21+ poussaient des cris vers le Ciel.

41 Judas donna l'ordre à des hommes de combattre ceux qui étaient dans la Citadelle jusqu'à ce
qu'il eût nettoyé le sanctuaire. 42 Puis il choisit des
prêtres sans tache et zélés pour la Loi, 43 qui
purifièrent le sanctuaire et reléguèrent en un lieu
impur les pierres de la souillure [b].
1 R 8 64+ 44 On délibéra sur ce qu'on devait faire de l'autel
des holocaustes, qui avait été profané, 45 et il leur
vint l'heureuse idée de le supprimer de peur qu'il
ne leur devînt un sujet d'opprobre, du fait que les
païens l'avaient souillé. Ils le démolirent 46 et en
déposèrent les pierres sur la montagne de la
Demeure en un endroit convenable, en attendant la
venue d'un prophète [c] qui se prononcerait à leur
Ex 20 25 sujet. 47 Ils prirent des pierres brutes, selon la Loi,
et en bâtirent un autel nouveau sur le modèle du
précédent. 48 Ils réparèrent le sanctuaire et l'intérieur de la Demeure et sanctifièrent les parvis.
49 Ayant fait de nouveaux ustensiles sacrés, ils in-
Ex 25 31-39 troduisirent dans le Temple le candélabre, l'autel
Ex 30 1-10 des parfums et la table. 50 Ils firent fumer l'encens
Ex 25 23-30 sur l'autel et allumèrent les lampes du candélabre
qui brillèrent à l'intérieur du Temple. 51 Ils déposèrent les pains sur la table, suspendirent les rideaux
et achevèrent tout ce qu'ils avaient entrepris.
52 Le vingt-cinq du neuvième mois – nommé
Kisleu – en l'an cent quarante-huit [d], ils se levèrent
au point du jour 53 et offrirent un sacrifice légal sur
le nouvel autel des holocaustes qu'ils avaient
construit. 54 L'autel fut inauguré au son des hymnes, des cithares, des lyres et des cymbales, à la
même époque et le même jour que les païens
l'avaient profané. 55 Le peuple entier se prosterna
pour adorer, puis il fit monter la louange vers le
Ciel qui l'avait conduit au succès. 56 Huit jours
durant, ils célébrèrent la dédicace de l'autel, offrant
des holocaustes avec allégresse et le sacrifice de
communion et d'action de grâces. 57 Ils ornèrent la
façade du Temple de couronnes d'or et d'écussons,
remirent à neuf les entrées ainsi que les chambres
qu'ils pourvurent de portes. 58 Une grande joie
régna parmi le peuple et l'opprobre infligé par les
païens fut effacé. 59 Judas décida avec ses frères et
toute l'assemblée d'Israël que les jours de la dédicace de l'autel seraient célébrés en leur temps chaque année pendant huit jours, à partir du vingt-cinq
du mois de Kisleu, avec joie et allégresse [e].
60 Ils bâtirent en ce temps-là tout autour du mont
Sion des murs élevés et de fortes tours, de peur que
les nations ne vinssent comme auparavant fouler
ces lieux. 61 Judas y plaça une garnison pour le
garder. Il fortifia Bethsour [f] pour que le peuple eût
une forteresse face à l'Idumée.

**Expédition contre les Iduméens et les Ammonites [g].**

**5** 1 Lorsque les nations d'alentour eurent appris
que l'autel avait été reconstruit et le sanctuaire
rétabli comme il était auparavant, elles en furent
très irritées 2 et décidèrent d'exterminer les descendants de Jacob qui vivaient au milieu d'elles; elles
se mirent à opérer des meurtres et des expulsions
parmi le peuple.
3 Judas fit la guerre aux fils d'Ésaü en Idumée, || 2 M 10
au pays d'Akrabattène [h], parce qu'ils tenaient 15-23
assiégés les Israélites. Il leur porta un grand coup,

*a)* Centre de la vie religieuse, cadre exigé pour l'observation intégrale de la Loi, le Temple est l'une des préoccupations essentielles des révoltés, cf. **2** 7; **3** 43; 2 M **13** 11. Pillé et profané par les Gentils, **1** 21s, 54, il est purifié et consacré à nouveau au lendemain des premières victoires. La mort d'Antiochus Épiphane, que notre auteur place à tort après les expéditions contre les peuples voisins, ch. **5**, n'y fut sans doute pas étrangère. – L'idée de la sainteté du Temple sera particulièrement mise en relief dans le second livre, 2 M **3** 12+; **5** 15; **13** 11; **15** 18, 37+.

*b)* Le mot grec traduit sans doute l'hébr. *shiqquç*, souvent employé pour désigner les idoles (les « horreurs », cf. Dt **29** 16; Jr **4** 1; **7** 30; etc.; Ez **5** 11; **7** 20; **11** 18, etc.), et vise ici l'autel idolâtrique, cf. **1** 54.

*c)* Le livre revient plusieurs fois sur cette interruption de la prophétie, **9** 27; **14** 41; cf. déjà Ps **74** 9; **77** 9; Lm **2** 9; Ez **7** 26.

*d)* Décembre 164, troisième anniversaire du premier sacrifice offert à Zeus, cf. **1** 59.

*e)* Cette fête de la Dédicace, en hébreu *Hanukka*, est l'une des plus récentes du calendrier d'Israël. cf. Ex **23** 14+. On y chantait le *Hallel* (Ps **113** - **118**), on y portait des rameaux verts et des palmes. Ces ressemblances avec la fête des Tentes sont soulignées par 2 M **1** 9+; **10** 6. C'était d'ailleurs à la fête des Tentes que le Temple de Salomon avait été inauguré, 1 R **8** 2, 62-66. On y allumait aussi des lampes, qui donnèrent bientôt à la fête son autre nom de « fête des lumières ». Ces lampes, symbole de la Loi, placées aux ouvertures de chaque maison, assurèrent le maintien et la popularité de la fête après la destruction du Temple. Elle a une grande importance dans 2 M, cf. les deux lettres préliminaires et 2 M **10** 1-8. Elle est mentionnée dans Jn **10** 22.

*f)* Le grec ajoute « pour le garder », dittographie.

*g)* Ces campagnes contre les peuples qui entourent la Judée, rapportées au ch. **5**, s'échelonnent du début jusqu'à l'automne de 163, donc après la mort d'Antiochus Épiphane. Les raids menés l'année précédente contre Joppé et Jamnia, 2 M **12** 1-9, en furent le prélude.

*h)* « Idumée » : nom grécisé d'Édom, le pays des « Fils d'Ésaü », cf. Nb **20** 23+. – « Akrabattène » : district d'Akrabatta, sans doute l'actuel Aqrabeh, au sud-est de Sichem.

les refoula et s'empara de leurs dépouilles. 4 Il se
souvint aussi de la méchanceté des fils de Baïân [a]
qui étaient pour le peuple un piège et un traquenard
par les embûches qu'ils lui dressaient sur les chemins. 5 Les ayant bloqués dans leurs tours, il les
Jos 6 17+ assiégea et les voua à l'anathème; il mit le feu à
ces tours et les brûla avec tous ceux qui s'y trou-
Dt 2 5+ vaient. 6 Puis il passa chez les Ammonites, chez qui
il trouva une forte troupe et un peuple nombreux
que commandait Timothée. 7 Il leur livra de nombreux combats; ils furent écrasés devant lui et il les
tailla en pièces. 8 Il prit Iazèr et les villages de son
ressort, et revint en Judée.

**Préliminaires des campagnes en Galilée et en Galaad.**

9 Les nations en Galaad [b] se coalisèrent contre
les Israélites qui habitaient sur leur territoire afin
de les exterminer, et ceux-ci se réfugièrent dans la
forteresse de Dathéma. 10 Ils envoyèrent à Judas et
à ses frères des lettres ainsi conçues : « Les nations
qui nous entourent sont coalisées contre nous pour
nous exterminer. 11 Elles se disposent à venir prendre la forteresse où nous avons trouvé un refuge et
c'est Timothée qui commande leur armée. 12 Viens
donc maintenant nous arracher de leurs mains, car
déjà nombre d'entre nous ont succombé. 13 Tous
nos frères établis au pays de Tobie [c] ont été mis à
mort, on a emmené en captivité leurs femmes et
leurs enfants, pris leurs biens et fait périr en ces
lieux environ un millier d'hommes. » 14 On était
encore à lire ces lettres, quand arrivèrent de la
Galilée d'autres messagers, les vêtements déchirés,
porteurs des mêmes nouvelles : 15 « De Ptolémaïs [d],
disaient-ils, de Tyr et de Sidon, on s'est coalisé
Is 8 23 contre nous avec toute la Galilée des Nations pour
nous exterminer. » 16 Lorsque Judas et le peuple
eurent entendu ces discours, ils tinrent une grande
assemblée pour délibérer sur ce qu'ils devaient faire
en faveur de leurs frères en butte à la tribulation
et aux attaques des ennemis. 17 Judas dit à son frère
Simon : « Choisis-toi des hommes et va délivrer tes
frères qui sont en Galilée; moi et Jonathan, mon
frère, nous irons en Galaaditide. » 18 Il laissa en
Judée Joseph, fils de Zacharie, et Azarias, chef du
peuple, avec le reste de l'armée pour faire la garde.
19 Il leur donna cet ordre : « Gouvernez ce peuple
et n'engagez pas de combat avec les nations jusqu'à
notre retour. » 20 A Simon furent assignés trois
mille hommes pour aller en Galilée, à Judas huit
mille hommes pour la Galaaditide.

**Expéditions en Galilée et en Galaaditide.**

21 Étant donc allé dans la Galilée, Simon livra
plusieurs combats aux païens, qui furent balayés
devant lui; 22 il les poursuivit jusqu'à la porte de
Ptolémaïs. Ils avaient laissé sur le terrain environ
trois mille hommes dont il recueillit les dépouilles.
23 Il prit avec lui les Juifs de Galilée et d'Arbatta [e]
avec leurs femmes, leurs enfants et tout leur avoir,
et les emmena en Judée au milieu d'une joie débordante.
24 Cependant Judas Maccabée et Jonathan, son || 2 M 12
frère, passaient le Jourdain et marchaient trois 10-31
jours dans le désert. 25 Ils rencontrèrent les Nabatéens [f] qui les accueillirent avec des sentiments
pacifiques et leur racontèrent tout ce qui était
arrivé à leurs frères en Galaaditide 26 et comment
nombre d'entre eux se trouvaient enfermés à
Bosora, à Bosor, en Aléma, à Chaspho, à Maked
et à Karnaïn [g], qui sont toutes de fortes et grandes
villes; 27 qu'il y en avait aussi d'enfermés dans les
autres villes de Galaaditide et que leurs ennemis
avaient résolu pour demain d'attaquer ces places
fortes, de s'en emparer et d'y exterminer en un seul
jour tous ceux qui s'y trouvent.
28 Brusquement, Judas fit prendre à son armée le
chemin de Bosora à travers le désert. Il prit la ville
et, après avoir passé tous les mâles au fil de l'épée
et ramassé tout le butin, il la livra aux flammes.
29 Il en repartit nuitamment et l'on marcha
jusqu'aux abords de la forteresse [h]. 30 Au point du
jour, en levant les yeux ils aperçurent une foule innombrable dressant des échelles et des machines
pour s'emparer de la place; déjà on attaquait.
31 Voyant que l'attaque était commencée et qu'une
clameur immense mêlée au son des trompettes
montait de la ville vers le ciel, 32 Judas dit aux

*a)* Tribu semi-nomade, qui rançonnait peut-être les voyageurs sur la route de Jérusalem à Jéricho.

*b)* Galaad était primitivement le pays au sud du Yabboq, mais il comprit bientôt la région entre Yabboq et Yarmuk et, à l'époque hellénistique, le plateau syrien, au nord du Yarmuk, où les Juifs comptaient de nombreuses colonies.

*c)* La région entre Amman et le Jourdain, gouvernée par la famille juive des Tobiades, cf. Ne **2** 10; **6** 17s; **13** 8. – Cet épisode cruel explique peut-être le raid de représailles ordonné par Judas, 2 M **12** 17s.

*d)* Ptolémaïs est le nom donné à Akko (cf. Jos **19** 30; Jg **1** 31) par Ptolémée II en 261 av. J.-C.

*e)* La région d'Arbatta (la transmission textuelle du toponyme n'est pas sûre) doit être la Narbatène de Josèphe, entre Galilée et Samarie. – L'auteur de 2 M, qui ne s'intéresse qu'à Judas, ne dit rien de cette campagne de Galilée.

*f)* Ce sont les « Arabes » de 2 M **5** 8; **12** 10, et Jonathan conservera leur amitié, 1 M **9** 35, après un violent engagement, cf. 2 M **5** 11s. Leur centre était Pétra, mais au siècle suivant ils seront les maîtres d'une grande partie du plateau transjordanien et même quelque temps de Damas. Ici, nous sommes en présence de caravaniers, venant sans doute de Bosora (v. 28, l'actuelle Boçra, en Syrie méridionale, où confluent les pistes du désert) et du Hauran, où ils avaient été témoins des faits rapportés à Judas.

*g)* Le nom de presque tous ces bourgs subsiste, à peine déformé, dans la toponymie du Hauran et du Golân.

*h)* Dathéma, v. 9, site non identifié à l'ouest de Boçra.

hommes de son armée : « Combattez aujourd'hui
pour vos frères! » 33 Il les fit avancer en trois corps
sur les arrières de l'ennemi. Les trompettes sonnèrent et les invocations retentirent. 34 Les troupes de
Timothée, reconnaissant que c'était Maccabée, prirent la fuite à son approche. Celui-ci leur infligea
une grande défaite, car ils laissèrent ce jour-là près
de huit mille hommes sur le terrain. 35 S'étant
ensuite retourné sur Aléma [a], il l'attaqua, la prit, et,
après avoir tué tous les mâles et ramassé le butin,
il la livra aux flammes. 36 De là il alla s'emparer
de Chaspho, de Maked, de Bosor et des autres villes de Galaaditide. 37 Après ces événements Timothée rassembla une autre armée et vint camper en
face de Raphôn, de l'autre côté du torrent. 38 Judas
envoya reconnaître le camp et on lui fit ce rapport :
« Auprès de ce chef se sont groupés tous les païens
qui nous entourent, formant une armée extrêmement nombreuse 39 où des Arabes ont été enrôlés
comme auxiliaires; ils sont campés au-delà du torrent, prêts à venir t'attaquer. » Judas alla à leur
rencontre. 40 Mais Timothée dit aux commandants
de son armée, au moment où Judas et sa troupe
1 S **14** 9-10 approchaient du cours d'eau : « S'il passe vers nous
le premier, nous ne pourrons lui résister, parce qu'il
aura un grand avantage sur nous; 41 mais s'il a peur
et campe de l'autre côté du fleuve, nous traverse-
rons en face de lui et nous le vaincrons. »
42 Lorsqu'il arriva près du cours d'eau, Judas
posta le long du torrent les scribes du peuple [b] et
leur donna cette consigne : « Ne laissez personne
dresser sa tente, mais que tous marchent au
combat! » 43 Il traversa le premier et marcha sur
l'ennemi; tout le peuple le suivit. Il écrasa devant
lui tous les païens, qui jetèrent leurs armes et coururent chercher refuge dans le sanctuaire de
Karnaïn [c]. 44 Les Juifs s'emparèrent d'abord de la
ville, puis brûlèrent le temple avec tous ceux qui
étaient dedans. Karnaïn fut renversée et désormais
on ne put résister à Judas.
45 Judas rassembla tous les Israélites qui étaient
en Galaaditide, depuis le plus petit jusqu'au plus
grand, avec leurs femmes, leurs enfants et leurs
bagages, une troupe immense en route vers le pays
de Juda. 46 Ils arrivèrent à Éphrôn, ville importante
et très forte située sur le chemin. Comme on ne
pouvait la tourner ni sur la droite ni sur la gauche,
il ne restait qu'à la traverser. 47 Les habitants leur
refusèrent le passage et bloquèrent les portes avec Nb **20** 14s;
des pierres. 48 Judas leur envoya un message conçu **21** 21s
en ces termes pacifiques : « Nous allons traverser
votre pays pour aller dans le nôtre; nul ne vous fera
de mal, nous ne ferons que passer en piétons. »
Mais ils refusèrent de lui ouvrir. 49 Judas fit alors
publier dans les rangs que chacun gardât la position où il était. 50 Les braves de l'armée prirent
position. Judas fit donner l'assaut tout le jour et
toute la nuit et la ville tomba en son pouvoir. 51 Il
fit passer tous les mâles au fil de l'épée, détruisit Jos **6** 17+
la ville jusqu'aux fondements, en ravit les dépouilles et traversa la place sur le corps des tués. 52 Ils
franchirent le Jourdain pour entrer dans la Grande
Plaine en face de Bethsân. 53 Judas s'employait à
rallier les traînards et à encourager le peuple tout
le long de la route jusqu'à son arrivée au pays de
Juda. 54 Ils gravirent le mont Sion avec joie et allégresse et offrirent des holocaustes [d] parce qu'ils
étaient revenus en paix sans perdre aucun des leurs.

**Revers de Iamnia.**

55 Pendant que Judas et Jonathan étaient au pays
de Galaad, et Simon, son frère, en Galilée devant
Ptolémaïs, 56 Joseph, fils de Zacharie, et Azarias,
chefs de l'armée, apprirent leurs gestes de bravoure
et les combats qu'ils avaient livrés, 57 et ils se
dirent : « Faisons-nous un nom, nous aussi, et
allons combattre les nations qui sont autour de
nous. » 58 Ils donnèrent des ordres aux forces qu'ils
commandaient et marchèrent sur Iamnia [e].
59 Gorgias [f] et ses hommes sortirent de la ville à
leur rencontre pour leur livrer combat. 60 Joseph et
Azarias furent mis en fuite et poursuivis jusqu'aux
frontières de la Judée. Il périt ce jour-là environ
deux mille hommes du peuple d'Israël. 61 Ce fut une
grande déroute parmi le peuple, parce qu'ils
n'avaient pas écouté Judas ni ses frères, s'imaginant qu'ils se signaleraient par leur bravoure.
62 Mais ils n'étaient pas de la race de ces hommes
à qui il était donné de sauver Israël.

**Succès en Idumée et en Philistie.**

63 Le noble Judas et ses frères furent en grand
honneur devant tout Israël et toutes les nations où
l'on entendait prononcer leur nom, 64 les foules se
pressaient autour d'eux pour les acclamer. 65 Judas
avec ses frères partit en guerre contre les fils d'Ésaü

*a)* « Aléma » 1 ms grec et cf. v. 7; la tradition manuscrite est hésitante.

*b)* Les officiers d'administration de l'armée, cf. Ex **5** 6; Dt **20** 5, 8s; Jos **1** 10; **3** 2.

*c)* C'est-à-dire « les deux cornes », attribut de l'Astarté locale. dont le temple, le Karnion de 2 M **12** 26, tirait son nom. La capitale d'Og, roi du Bashân (Hauran), était Ashterot-Qarnayim, Gn **14** 5; Jos **9** 10, dont le nom est conservé par l'actuel Tell Ashtarah.

*d)* Lors des fêtes de la Pentecôte (mi-juin 163), cf. 2 M **12** 31.

*e)* Nom grécisé de Yabné ou Yabnéel, Jos **15** 11; 2 Ch **26** 6, au sud de Jaffa, chef-lieu de la zone maritime, 1 M **10** 69; **15** 38, 40: cf. 2 M **12** 8.

*f)* Cf. **3** 38+. Il est maintenant stratège, c'est-à-dire préfet de la zone maritime et de l'Idumée, cf. 2 M **12** 32.

dans la région du midi; il prit de force Hébron et
les villages de son ressort, abattit ses fortifications
et livra au feu les tours de son enceinte. 66 Ayant
levé son camp, il partit pour gagner le pays des
Philistins et traversa Marisa [a]. 67 Ce jour-là périrent dans le combat des prêtres qui voulaient y
signaler leur bravoure en prenant part imprudemment à la lutte. 68 Judas se dirigea ensuite sur Azôtos [b], district des Philistins, renversa leurs autels,
livra au feu les images taillées de leurs dieux, y soumit les villes à un pillage en règle et revint au pays
de Juda.

|| 2 M 9
2 M 1 11-17

### Fin d'Antiochus Épiphane [c].

**6** 1 Cependant le roi Antiochus parcourait les
provinces d'en haut. Il apprit qu'il y avait en
Perse une ville du nom d'Élymaïs [d], fameuse par
ses richesses, son argent et son or, 2 avec un temple
très riche [e] renfermant des pièces d'armure en or,
des cuirasses et des armes qu'y avait laissées
Alexandre, fils de Philippe, roi de Macédoine, qui
régna le premier sur les Grecs. 3 Il vint donc tenter
de prendre cette ville pour la piller, mais il n'y réussit pas, les gens de la ville ayant eu connaissance
de la chose. 4 Ils s'opposèrent à lui les armes à la
main. Il fut mis en fuite et quitta les lieux avec
beaucoup de tristesse pour regagner Babylone. 5 Il
était encore en Perse quand on vint lui annoncer
la déroute des armées qui étaient entrées dans le
pays de Juda. 6 Lysias, en particulier, s'étant
avancé avec une forte armée, avait dû fuir devant
les Juifs devenus plus redoutables grâce aux armes,
aux ressources et à la quantité de dépouilles enlevées aux armées vaincues; 7 ceux-ci avaient ren-
1 54; 4 45 versé l'abomination construite par lui sur l'autel à
Jérusalem et entouré leur lieu saint de hautes
murailles comme auparavant, ainsi que Bethsour,
une de ses villes. 8 A ces nouvelles, le roi, frappé
de stupeur, fut en proie à une violente agitation :
il se jeta sur sa couche et tomba malade de chagrin
parce que les choses ne s'étaient pas passées selon
ses désirs [f]. 9 Il demeura là plusieurs jours, retom-
bant sans cesse dans une profonde mélancolie.
Lorsqu'il se vit sur le point de mourir, 10 il convoqua tous ses amis et leur dit : « Le sommeil s'est
retiré de mes yeux et mon cœur est abattu par
l'inquiétude. 11 Je me suis dit à moi-même : A
quelle affliction suis-je réduit et en quel flot de tristesse suis-je maintenant plongé? Moi qui étais bon
et aimé au temps de ma puissance! 12 Mais à cette
heure je me souviens des maux dont j'ai été l'auteur
à Jérusalem, quand je pris tous les objets d'argent
et d'or qui s'y trouvaient et que j'envoyai exterminer sans motif les habitants de Juda. 13 Je reconnais
donc que c'est à cause de cela que ces malheurs
m'ont atteint et que je meurs d'une profonde affliction sur une terre étrangère [g]! »

### Avènement d'Antiochus V.

14 Il fit appeler Philippe [h], un de ses amis, et l'établit sur tout le royaume. 15 Il lui donna son diadème, sa robe et son sceau, pour qu'il prît soin de
l'éducation et de l'entretien d'Antiochus, son fils, en
vue du trône. 16 Le roi Antiochus mourut en ce lieu,
l'année cent quarante-neuf [i]. 17 Lysias, à la nouvelle
de sa mort, lui donna pour successeur son fils
Antiochus qu'il avait élevé depuis son enfance et
qu'il surnomma Eupator.

### Le siège de la Citadelle de Jérusalem par Judas Maccabée.

18 Les gens de la Citadelle bloquaient Israël 1 33-35
autour du sanctuaire et s'ingéniaient à lui faire du
mal en toute occasion, et à soutenir les païens.
19 Résolu à les exterminer, Judas convoqua tout le
peuple pour les assiéger. 20 On se rassembla et l'on
mit le siège devant la Citadelle en l'an cent
cinquante [j]; on construisit des batteries et des
machines. 21 Mais des assiégés rompirent le blocus,
et avec eux des Israélites impies, 22 qui allèrent
chez le roi et lui dirent : « Jusqu'à quand tarderas-
tu à nous rendre justice et à venger nos frères?

*a)* « Marisa » Vet. Lat., Josèphe et 2 M **12** 35; « Samarie » grec et Vulg. Marisa, l'ancienne Maresha, Jos **15** 44, capitale très hellénisée de l'Idumée, est sur la route qui va d'Hébron vers la Philistie.
*b)* Azot, l'Ashdod philistine, Jos **11** 22, célèbre par son temple de Dagôn, 1 M **10** 83s, désigne ici l'ensemble de l'ancienne Philistie. – Les objets consacrés aux « idoles de Iamnia », 2 M **12** 40, proviennent du sac décrit ici.
*c)* Chronologiquement, cet épisode trouverait sa vraie place avant la Dédicace du Temple, **4** 36. Le récit de la fin d'Antiochus Épiphane, rapporté de façon analogue par Polybe, est beaucoup plus sobre qu'en 2 M.
*d)* En fait, on ne connaît pas de ville du nom d'Élymaïs, forme grecque de « Élam », Gn **10** 22. L'Élymaïde est le pays autour de Suse, ancienne capitale de la Perse, Ne **1** 1, et, au sens restreint, la région montagneuse au nord-est de cette ville.
*e)* Le temple de Nanaia-Artémis, cf. 2 M **1** 13.
*f)* En réalité, Antiochus devait être mort avant ces événements, mais l'auteur de 1 M doit adapter son récit à la chronologie qu'il s'est fixée.
*g)* En fait, la Perse relevait encore de l'empire séleucide. – Pour l'auteur de 1 M, c'est le pillage du Temple de Jérusalem, et non de celui d'Artémis comme pour l'auteur de 2 M, qui est sanctionné par la mort du roi. Mais l'un et l'autre lui prêtent les mêmes sentiments de repentir.
*h)* Ce Philippe qu'on retrouve en **6** 55 et 2 M **9** 29 est distinct du Philippe de 2 M **5** 22; **8** 8. Nommé régent et tuteur du jeune Antiochus, il reçoit en dépôt les insignes royaux destinés à ce dernier.
*i)* En septembre ou octobre 164.
*j)* C'est-à-dire 163/162. Le siège de la Citadelle suit l'expédition en Idumée qui eut lieu après la Pentecôte 163, **1** 33. L'auteur de 2 M n'en parle pas.

23 nous avons consenti volontiers à servir ton père,
à nous conduire selon ses ordres et à observer ses
édits; 24 [a] à cause de cela nos concitoyens nous ont
pris en aversion. Bien plus, ils ont tué tous ceux
d'entre nous qui sont tombés entre leurs mains et
ont pillé nos héritages. 25 Ils ont porté la main non
seulement sur nous mais encore sur tous tes territoires [b]. 26 Voici qu'ils investissent aujourd'hui la
Citadelle de Jérusalem pour s'en rendre maîtres et
qu'ils ont fortifié le sanctuaire et Bethsour. 27 Si tu
ne te hâtes pas de les prévenir, ils en feront encore
davantage et tu ne pourras plus les arrêter. »

**Campagne d'Antiochus V et de Lysias.
Bataille de Bethzacharia.**

28 A ces mots, le roi se mit en colère et réunit
tous ses amis, les chefs de son armée et les maréchaux [c]. 29 Des autres royaumes et des îles de la
mer il lui vint aussi des troupes mercenaires. 30 Le
nombre de ses forces s'éleva à cent mille fantassins,
vingt mille cavaliers et trente-deux éléphants dressés au combat. 31 Ils vinrent par l'Idumée [d] et assiégèrent Bethsour qu'ils combattirent longtemps à
l'aide de machines. Mais les autres, opérant des
sorties, y mettaient le feu et luttaient vaillamment.
32 Alors Judas partit de la Citadelle et vint camper à Bethzacharia [e] en face du camp royal. 33 Le
roi, debout de grand matin, enleva sa troupe d'un
bond sur le chemin de Bethzacharia où les armées
prirent leur position de combat et sonnèrent de la
trompette. 34 On exposa à la vue des éléphants du
jus de raisin et de mûres pour les disposer à
l'attaque. 35 Les bêtes furent réparties parmi les
phalanges. Près de chaque éléphant on rangea mille
hommes cuirassés de cottes de mailles et coiffés de
casques de bronze, sans compter cinq cents cavaliers d'élite affectés à chaque bête. 36 Ceux-ci préve-
naient tous les mouvements de la bête et
l'accompagnaient partout sans jamais s'en éloigner. 37 Sur chaque éléphant, comme appareil
défensif, une solide tour de bois était assujettie par
des sangles, et dans chacune se trouvaient les trois
guerriers [f] combattant sur les bêtes, en plus de leur
cornac. 38 Quant au reste de la cavalerie, le roi la
répartit sur les deux flancs de l'armée pour harceler
l'ennemi et couvrir les phalanges [g].
39 Lorsque le soleil frappa de ses rayons les boucliers d'or et d'airain [h], les montagnes en furent
illuminées et brillèrent comme des flambeaux allumés. 40 Une partie de l'armée royale se déploya sur
les hauts de la montagne et une autre en contrebas;
ils avançaient en formation solide et ordonnée.
41 Tous étaient troublés en entendant les clameurs
de cette multitude, le bruit de sa marche et le fracas
de ses armes, armée immense et forte s'il en fut.
42 Judas et sa troupe s'avancèrent pour engager le
combat, et six cents hommes de l'armée du roi
succombèrent. 43 Eléazar surnommé Auârân aperçut alors une des bêtes caparaçonnée d'un harnais
royal et surpassant toutes les autres par la taille.
S'imaginant que le roi était dessus, 44 il se sacrifia [i]
pour sauver son peuple et acquérir un nom immortel. 45 Il eut la hardiesse de courir sur la bête au
milieu de la phalange, tuant à droite et à gauche,
si bien que, devant lui, les ennemis s'écartèrent de
part et d'autre. 46 S'étant glissé sous l'éléphant, il
le frappa par en dessous et le tua. La bête s'écroula
à terre sur Éléazar qui mourut sur place. 47 Les
Juifs, voyant les forces du royaume et l'impétuosité
des troupes, se retirèrent devant elles.

**Prise de Bethsour
et siège du mont Sion par les Syriens.**

48 L'armée royale monta au-devant des Juifs à
Jérusalem, et le roi mit en état de siège la Judée et
le mont Sion, 49 tandis qu'il faisait la paix avec
ceux de Bethsour qui évacuèrent la ville : ils
n'avaient pas de vivres pour soutenir un siège, car
c'était l'année sabbatique accordée à la terre [j]. 50 Le Lv 25 1+
roi prit Bethsour et y plaça une garnison pour la
garder. 51 Il assiégea assez longtemps le sanctuaire,
dressant contre lui batteries et machines, lance-
flammes et balistes, scorpions pour flèches et
frondes [k]. 52 Les assiégés aussi dressèrent des
machines contre celles des assiégeants et l'on
combattit longtemps. 53 Mais il n'y avait pas de

*a)* Au début du v. le texte (sauf quelques mss et Vulg.) ajoute : « ils y ont mis le siège et », dittographie du v. 20.
*b)* « tes territoires » Vet. Lat.; « leurs territoires » grec; « nos territoires » Vulg.
*c)* C'est en fait Lysias qui agit : Antiochus n'a que neuf ans. – « maréchaux », litt. « préposés aux rênes », titre non attesté ailleurs.
*d)* Sans doute par la vallée du Térébinthe, 1 S **17** 2, et Odollam, 2 M **12** 38. Un premier accrochage aura lieu à Modîn, cf. 2 M **13** 14.
*e)* A 9 km au nord de Bethsour. Le nom est encore porté par un village.
*f)* « trois » conj.; « trente (ou trente-deux) » grec et lat. L'original hébr. avait sans doute *shalîshîm*, « les trois (hommes qui montaient un char) », cf. Ex **14** 7; **15** 4; 2 R **10** 25; le traducteur aura lu *shelôshîm*, « trente ». – « le cornac », litt. « l'hindou » : expression qui avait fini par désigner la profession.
*g)* Litt. : « pour harceler (l'ennemi) et protéger (ou serrer) dans les phalanges ». – Une partie du texte a *pharanxin* au lieu de *phalanxin* : « pour serrer dans les gorges » (cf. v. 40?).
*h)* C'est peut-être une réminiscence biblique, cf. 1 R **10** 16.
*i)* Litt. « se donna lui-même », cf. Ga **1** 4; Tm **2** 6; Tt **2** 14. – Il doit s'agir de l'action que 2 M **13** 15 situe « aux environs de Modîn ».
*j)* D'après Lv **25** 1, l'année sabbatique excluait semailles et moissons. Elle avait commencé en automne 164 puisque cette disette date de l'automne 163.
*k)* Les « scorpions » sont des arbalètes. Cette description de l'artillerie de siège séleucide est la plus complète que l'on connaisse.

vivres dans les dépôts[a] parce que c'était la septième année et que les Israélites ramenés en Judée
du milieu des nations avaient consommé les dernières réserves. 54 On laissa peu d'hommes dans le
saint lieu parce qu'on était en proie à la famine; les
autres se dispersèrent chacun chez soi.

**Le roi accorde aux Juifs la liberté religieuse.**

55 Philippe, que le roi Antiochus avait de son
vivant choisi pour élever Antiochus, son fils, en vue
du trône, 56 était revenu de Perse et de Médie avec
les troupes qui avaient accompagné le roi, et cherchait à s'emparer de la direction des affaires.
|| 2 M 11 57 Lysias n'eut rien de plus pressé que de signifier
13-33 le départ. Il dit au roi, aux généraux de l'armée et
aux hommes : « Nous dépérissons chaque jour,
notre ration se fait maigre et le lieu que nous assié-
geons est bien fortifié. Du reste, les affaires du
royaume nous attendent. 58 Donnons donc la main
droite à ces hommes, faisons la paix avec eux et
avec toute leur nation. 59 Accordons-leur de vivre
suivant leurs coutumes comme auparavant, car
c'est à cause des coutumes que nous avons abolies
qu'ils se sont irrités et ont fait tout cela[b]. » 60 Le
roi et les chefs approuvant ce motif, il envoya traiter de la paix avec les Juifs, qui acceptèrent. 61 Le
roi et les chefs confirmèrent l'accord par serment
et là-dessus les assiégés sortirent de la forteresse.
62 Alors le roi entra au mont Sion et, voyant la
force de ce lieu, il viola le serment qu'il avait prêté
et donna l'ordre de démanteler toute l'enceinte[c].
63 Puis il partit en toute hâte et retourna à Antioche
où il trouva Philippe maître de la ville. Il lui livra
bataille et s'empara de la ville par la force.

**Démétrius Ier devient roi.**
|| 2 M 14 1-10 **Il envoie Bacchidès et Alkime en Judée.**

7 1 L'année cent cinquante et un, Démétrius fils
de Séleucus quitta Rome, et aborda avec un
petit nombre d'hommes dans une ville maritime où
il inaugura son règne[d]. 2 Il arriva, comme il
gagnait la résidence royale de ses pères, que
l'armée se saisit d'Antiochus et de Lysias pour les
lui amener. 3 Lorsqu'il eut connaissance de la
chose, il dit : «Ne me faites point voir leur visage. »
4 L'armée les tua et Démétrius s'assit sur son trône.
5 Alors tous les hommes d'Israël sans loi ni piété
vinrent le trouver, conduits par Alkime, qui voulait
exercer la charge de grand prêtre. 6 Ils accusèrent
le peuple devant le roi en disant : «Judas et ses frères ont fait périr tous tes amis et il nous a expulsés
de notre pays. 7 Envoie donc maintenant un
homme en qui tu aies confiance : qu'il aille voir
tous les ravages que Judas a exercés parmi nous et
dans les domaines du roi, et qu'il punisse ces gens-
là et tous ceux qui leur viennent en aide. »
8 Le souverain choisit Bacchidès, un des amis du 2 18+
roi, gouverneur de la Transeuphratène[e], grand du
royaume et fidèle au roi. 9 Il l'envoya avec l'impie
Alkime, à qui il confirma le sacerdoce, et lui enjoignit de tirer vengeance des Israélites[f]. 10 S'étant mis
en route, ils vinrent avec une nombreuse armée au
pays de Juda. Ils envoyèrent à Judas et à ses frères
des messagers porteurs de propositions pacifiques
mais trompeuses. 11 Mais eux n'accordèrent aucun
crédit à leurs discours, voyant qu'ils étaient venus
avec une forte armée. 12 Cependant une commission de scribes[g] se réunit chez Alkime et Bacchidès
pour chercher une solution équitable. 13 Les Assi- 2 42+
déens étaient les premiers d'entre les Israélites à
leur demander la paix[h]; 14 ils disaient : « C'est un
prêtre de la race d'Aaron qui est venu avec les troupes : il ne nous fera pas de mal. » 15 Il leur tint des
discours pacifiques et leur assura sous serment :
« Nous ne chercherons à vous faire aucun mal, pas
plus qu'à vos amis. » 16 Ils le crurent, et cependant
il fit arrêter soixante d'entre eux, qu'il exécuta le
même jour, suivant la parole de l'Écriture[i] : 17 *Ils* Ps 79 2-3
*ont dispersé la chair de tes saints et répandu leur*
*sang autour de Jérusalem, et il n'y avait personne*
*qui les ensevelît.* 18 Alors la crainte et la terreur
s'emparèrent de tout le peuple : « Il n'y a chez eux,
disait-on, ni vérité ni justice, car ils ont violé leur
engagement et le serment qu'ils avaient fait. »

*a)* « dans les dépôts » *angeiois* conj. d'après lat.; « dans le sanctuaire » *hagiois* grec.

*b)* Ce revirement s'explique par la mort d'Antiochus Épiphane, champion de l'hellénisation forcée, par la lassitude que le manque de vivres engendre dans les deux camps, v. 57, par les intrigues de Philippe, v. 56.

*c)* Le rescrit du roi, 2 M **11** 25, rendait le Temple aux Juifs et ne mentionnait pas les remparts, mais notre auteur les considère comme inséparables et voit donc en ce geste le manquement à une promesse.

*d)* Démétrius Ier, qui avait remplacé Antiochus Épiphane comme otage à Rome en 176, s'en échappa en 161, avec la complicité de Polybe qui nous raconte le fait. Démétrius gagne d'abord Tripoli, d'où il rejoindra Antioche (v. 2). Il sera reconnu par Rome en 160.

*e)* C'est la moitié ouest de l'empire séleucide, de l'Euphrate à l'Égypte, qui avait été confiée à Lysias par Antiochus Épiphane, **3** 22. Bacchidès est chargé de pacifier la région pendant que le roi ira réprimer une révolte en Médie.

*f)* Alkime (« le vaillant », nom grec choisi pour sa ressemblance avec le nom juif Yaqîm), est traité d'impie parce qu'il frayait avec les Grecs et créait un obstacle aux prétentions des Asmonéens, mais sa qualité d'Aaronide légitimait sa nomination et lui attirait les Assidéens, cf. v. 12s.

*g)* Ce sont des Lévites ou des prêtres versés dans la loi, Esd **7** 6s; 2 Ch **34** 13.

*h)* Les « Pieux », qui s'étaient d'abord ralliés à Judas, **2** 42, prennent leurs distances. Ils estimaient sans doute la liberté religieuse suffisamment assurée par les concessions du roi, **6** 59. Sceptique, Judas ne participe pas directement aux négociations, bien que le roi ne l'ait pas encore révoqué, cf. 2 M **14** 12.

*i)* Litt. « selon la parole qu'il a écrite », c'est-à-dire David (ms 56), Asaph (Eusèbe), ou le Prophète (grec luc.).

19 Bacchidès partit de Jérusalem et vint camper
à Bethzeth, d'où il envoya arrêter nombre de personnages qui avaient passé de son côté avec quelques-uns du peuple; il les égorgea et les jeta dans
le grand puits [a]. 20 Il remit ensuite la province à
Alkime, laissant avec lui une armée pour le soutenir. Bacchidès s'en revint chez le roi. 21 Alkime
soutint la lutte pour la dignité de grand prêtre.
22 Tous ceux qui troublaient le peuple se groupèrent
autour de lui, se rendirent maîtres du pays de Juda
et firent beaucoup de mal en Israël. 23 Voyant que
toute la malfaisance d'Alkime et de ses partisans
contre les Israélites surpassait celle des nations,
24 Judas parcourut à la ronde tout le territoire de
la Judée pour tirer vengeance des transfuges et les
empêcher de circuler à travers la contrée.

**Nikanor en Judée. Combat de Chapharsalama.**

25 Lorsqu'il vit que Judas et ses partisans étaient
devenus plus forts et qu'il se reconnut impuissant
à leur résister, Alkime retourna chez le roi et les
|| 2 M **14** accusa des pires méfaits. 26 Le roi envoya Nikanor,
12-14 un de ses généraux du rang des illustres, haineux
M **3** 38; 2 M **8** et hostile à l'égard d'Israël, avec mission d'extermi-
9, 34-36; **15** 3 ner le peuple. 27 Arrivé à Jérusalem avec une armée
|| 2 M **14** nombreuse, Nikanor fit adresser à Judas et à ses
15 24 frères des propositions pacifiques insidieuses ainsi
conçues : 28 « Qu'il n'y ait pas de guerre entre vous
et moi; je viendrai avec une faible escorte pour
vous rencontrer en paix. » 29 Il arriva chez Judas et
ils se saluèrent l'un l'autre pacifiquement, mais les
|| 2 M **14** 30 ennemis étaient prêts à enlever Judas. 30 S'aperce-
vant qu'il était venu chez lui avec des intentions
perfides, Judas eut peur de lui et ne voulut plus le
voir. 31 Nikanor reconnut alors que son dessein
était découvert, et marcha contre Judas pour le
combattre près de Chapharsalama [b]. 32 Du côté de
Nikanor, cinq cents hommes environ succombèrent
et les autres s'enfuirent dans la Cité de David.

M **14** 31-36 **Menaces contre le Temple.**

33 Après ces événements, Nikanor monta au
mont Sion. Des prêtres sortirent du lieu saint avec
des anciens du peuple pour le saluer pacifiquement
et lui montrer l'holocauste qui s'offrait pour le roi.
34 Mais lui se moqua d'eux, les tourna en dérision,
les souilla [c] et se répandit en paroles insolentes.
35 Dans un accès de colère, il proféra ce serment :
« Si Judas n'est pas cette fois livré entre mes mains
avec son armée, dès que je serai revenu, la paix
rétablie, je brûlerai cet édifice! » Il sortit furieux.
36 Les prêtres rentrèrent et, s'arrêtant devant l'autel
et le temple, ils dirent avec larmes : 37 « C'est toi [d]
qui as choisi cette maison pour qu'elle porte ton
nom afin qu'elle fût pour ton peuple une demeure
de prière et de supplication; 38 exerce ta vengeance
sur cet homme et sur son armée, qu'ils tombent
sous l'épée! Souviens-toi de leurs blasphèmes et ne
leur accorde pas de relâche! »

**Le jour de Nikanor à Adasa.**

39 Nikanor quittant Jérusalem alla camper à
Bethoron où vint le rejoindre une armée de Syrie.
40 Judas, de son côté, campa en Adasa [e] avec trois
mille hommes. Il fit alors cette prière : 41 « Lorsque || 2 M **15**
les messagers du roi [f] eurent blasphémé, ton ange 22-24
sortit et frappa cent quatre-vingt-cinq mille des 2 R **18** 17-
siens. 42 Écrase de même aujourd'hui en notre pré- **19** 37
sence cette armée, afin que tous les autres sachent Is **36-37**
qu'il a tenu un langage impie contre ton sanctuaire,
et juge-le selon sa méchanceté! »
43 Les armées se livrèrent bataille le treize du || 2 M **15**
mois de Adar, celle de Nikanor fut écrasée et lui- 25-36
même tué le premier dans le combat. 44 Quand ils
le virent tomber, les soldats de Nikanor jetèrent
leurs armes et prirent la fuite. 45 Les Juifs les poursuivirent une journée de chemin, depuis Adasa
jusqu'aux abords de Gazara, sonnant derrière eux
les trompettes en fanfare. 46 De tous les villages
judéens à la ronde on sortait pour encercler les
fuyards qui se retournaient les uns sur les autres.
Tous tombèrent par l'épée et pas un seul n'en
réchappa. 47 Les dépouilles et le butin ramassés, on
coupa la tête de Nikanor et la main droite qu'il
avait insolemment dressée; elles furent apportées et
dressées en vue de Jérusalem. 48 Le peuple fut rempli de joie et fêta ce jour-là comme une grande journée d'allégresse. 49 On décréta que ce jour serait
célébré chaque année le treize Adar [g]. 50 Le pays de
Juda fut en repos pendant un peu de temps [h].

*a)* « Bethzeth » (« l'oliveraie ») est la leçon la mieux attestée, mais la tradition manuscrite est hésitante. Le nom s'est conservé au village de Bet-Zeita, à 6 km au nord de Bethsour, où l'on a retrouvé un puits à escalier tournant. – Bacchidès n'hésite pas à supprimer tous ceux qu'il estime trop compromis dans la révolte, même s'ils se sont ralliés à lui.
*b)* Le « village de la paix », peut-être l'actuel Khirbet Selma, près de Gabaôn et à 4 km d'Adasa (**7** 40), cf. 2 M **14** 16+.
*c)* En crachant dans la direction du Temple, d'après la tradition juive.
*d)* Après « c'est toi », grec luc. et versions ajoutent « Seigneur », mais les mots « Dieu » et « Seigneur » sont évités par 1 M.
*e)* C'est la Hadasha (« ville neuve ») de Jos **15** 37, transcrite Dessau en 2 M **14** 15, située entre Bethoron et Jérusalem.
*f)* Sennachérib, comme le précise la Vulg. Certains mss portent « le roi des Assyriens ». – Après « ton ange », mss, grec luc. et Vet. Syr. ajoutent « Seigneur »; cf. v. 37+.
*g)* Le 13 Adar 151 séleucide tombe vers le 28 mars 160 av. J.-C. Le 13 Adar était inscrit parmi les jours fériés comme « Jour de Nikanor », cf. 2 M **15** 36. Sa célébration cessa assez tôt dans le Judaïsme.
*h)* C'est ici que se termine le récit de 2 M.

### Éloge des Romains [a]

8 1 Or Judas entendit parler des Romains. Ils
étaient, disait-on, puissants, bienveillants
aussi envers tous ceux qui s'attachaient à leur
cause, accordant leur amitié à quiconque s'adressait à eux. 2 (Leur puissance en effet était fort
grande.) On lui raconta leurs guerres et les exploits
qu'ils avaient accomplis chez les Gaulois [b],
comment ils s'étaient rendus maîtres de ce peuple
et l'avaient soumis au tribut, 3 tout ce qu'ils avaient
fait dans le pays d'Espagne pour s'emparer des
mines d'argent et d'or qui s'y trouvaient,
4 comment ils avaient eu raison de tout ce pays
grâce à leur esprit averti et à leur persévérance (car
l'endroit était fort éloigné de chez eux); il en avait
été de même des rois venus pour les attaquer des
extrémités de la terre, ils les avaient écrasés, leur
infligeant un grand désastre, tandis que les autres
leur apportaient un tribut annuel; 5 enfin ils avaient
abattu par les armes Philippe, Persée, roi des
Kitiens, et les autres qui s'étaient levés contre eux,
et ils les avaient soumis [c]. 6 Antiochus le Grand, roi
de l'Asie, qui s'était avancé pour les combattre
avec cent vingt éléphants, de la cavalerie, des chars
et une armée considérable, avait été entièrement
défait par eux 7 et capturé vivant [d]. A lui et à ses
successeurs sur le trône étaient imposés, à termes
fixés, le paiement d'un lourd tribut et la livraison
d'otages. 8 On lui enlevait le pays indien, la Médie,
la Lydie et quelques-unes de ses plus belles provinces au profit du roi Eumène. 9 Ceux de la Grèce
ayant formé le dessein d'aller les exterminer, 10 les
Romains, l'ayant su, avaient envoyé contre eux un
seul général; ils leur firent une guerre où tombèrent
un grand nombre de victimes, ils emmenèrent en
captivité femmes et enfants, ils pillèrent leurs biens,
assujettirent leur pays, détruisirent leurs forteresses et réduisirent leurs personnes en servitude
comme elles le sont encore aujourd'hui [e]. 11 Quant
aux autres royaumes et aux îles qui leur avaient
résisté, les Romains les avaient détruits et asservis.
12 Mais à leurs amis et à ceux qui se reposent sur
eux, ils ont gardé leur amitié. Ils ont assujetti les
rois voisins et les rois éloignés, tous ceux qui entendent leur nom les redoutent. 13 Tous ceux à qui ils
veulent prêter secours et conférer la royauté,
règnent; ils déposent au contraire qui il leur plaît :
ils ont atteint une puissance considérable.
14 Malgré tout cela aucun d'entre eux n'a ceint le
diadème ni revêtu la pourpre pour en tirer gloire.
15 Ils se sont créé un conseil où chaque jour déli-
bèrent trois cent vingt membres continuellement
occupés du peuple pour le maintenir en bon ordre.
16 Ils confient chaque année à un seul homme [f] le
pouvoir et la domination sur tout leur empire : tous
obéissent à ce seul homme sans qu'il y ait d'envie
ou de jalousie parmi eux.

### Alliance des Juifs avec les Romains.

17 Ayant choisi Eupolème, fils de Jean, de la mai- 2 M 4 11
son d'Akkôs, et Jason, fils d'Éléazar, Judas les
envoya à Rome conclure avec les Romains amitié
et alliance [g], 18 et obtenir d'être délivrés du joug,
car ils voyaient que la royauté des Grecs réduisait
Israël en servitude. 19 Ils arrivèrent à Rome au bout
d'un très long voyage et, entrés au Sénat, ils prirent
la parole en ces termes : 20 « Judas, dit Maccabée,
et ses frères avec le peuple juif nous ont envoyés
vers vous pour conclure avec vous un traité
d'alliance et de paix et pout être inscrits au nombre
de vos alliés et de vos amis. » 21 La requête plut aux
sénateurs. 22 Voici la copie de la lettre qu'ils gravèrent sur des tables de bronze et envoyèrent à Jéru- 14 18
salem pour y être chez les Juifs un document de
paix et d'alliance :
23 « Prospérité aux Romains et à la nation des
Juifs sur mer et sur terre à jamais! Loin d'eux le
glaive et l'ennemi! 24 S'il arrive une guerre, à Rome
d'abord, ou à quelqu'un de ses alliés sur toute
l'étendue de sa domination, 25 la nation des Juifs
combattra avec elle, suivant ce que lui dicteront les
circonstances, de tout cœur; 26 ils ne donneront aux
adversaires et ne leur fourniront ni blé, ni armes,
ni argent, ni vaisseaux : ainsi en a décidé Rome, et
ils garderont leurs engagements sans recevoir de
garantie. 27 De même, s'il arrive d'abord une guerre
à la nation des Juifs, les Romains combattront avec
elle de toute leur âme, suivant ce que leur dicteront
les circonstances. 28 Il ne sera donné aux assaillants
ni blé, ni armes, ni argent, ni vaisseaux : ainsi en
a décidé Rome, et ils garderont leurs engagements

*a)* L'éloge des Romains introduit le traité conclu entre Judas et Rome, vv. 17s. Celle-ci soutenait volontiers les rebelles pour affaiblir les monarchies encore incomplètement soumises.

*b)* Litt. « les Galates ». Il s'agit sans doute des Gaulois cisalpins, réduits en 222.

*c)* Philippe, roi de Macédoine, fut battu en 197 à Cynoscéphales et son fils Persée en 168 à Pydna.

*d)* Défaite de Magnésie du Sipyle, en 189, suivie du très onéreux traité d'Apamée, cf. 2 M 3 1+.

*e)* Ces deux vv. ne peuvent guère viser que la défaite de la ligue achéenne, la destruction de Corinthe et la réduction de la Grèce en province romaine, en 146. L'auteur dépasse largement l'horizon de Judas.

*f)* Il y avait en réalité deux consuls, mais l'auteur ne connait peut-être l'existence que du seul consul qui se trouvait chargé des affaires d'Orient.

*g)* Cette ambassade doit avoir eu lieu avant la mort de Nikanor (qui ne précède que de deux mois celle de Judas) : on est tenté de l'identifier avec celle que mentionne Josèphe pour l'année 161.

sans dol. 29 C'est en ces termes que les Romains
ont conclu leur convention avec le peuple des Juifs.
30 Que si, dans la suite, les uns et les autres décident d'y ajouter ou en retrancher quelque chose, ils
le feront à leur gré et ce qu'ils auront ajouté ou
retranché sera obligatoire [a].

31 Au sujet des maux que le roi Démétrius leur
a causés, nous lui avons écrit en ces termes :
" Pourquoi fais-tu peser ton joug sur les Juifs, nos
amis alliés? 32 Si donc ils t'accusent encore, nous
soutiendrons leurs droits et nous te combattrons
sur mer et sur terre. " »

**Le combat de Béerzeth
et la mort de Judas Maccabée [b].**

9 1 Cependant Démétrius, ayant appris que
Nikanor avait succombé avec son armée dans
le combat, envoya de nouveau au pays de Juda
Bacchidès et Alkime, à la tête de l'aile droite.
2 Ceux-ci prirent le chemin de la Galilée et assiégèrent Mésaloth [c] au territoire d'Arbèles et, s'en étant
emparés, ils y tuèrent un grand nombre d'habitants.
3 Le premier mois de l'année cent cinquante-deux [d],
ils dressèrent leur camp devant Jérusalem, 4 puis ils
partirent et allèrent à Béerzeth [e] avec vingt mille
fantassins et deux mille cavaliers. 5 Judas avait établi son camp à Éléasa [f], ayant avec lui trois mille
guerriers d'élite. 6 A la vue du grand nombre des
ennemis, ils furent pris de frayeur et beaucoup
s'échappèrent du camp, où il ne resta plus que huit
cents hommes. 7 Judas vit que son armée s'était
dérobée alors que le combat le pressait; son cœur
en fut brisé parce qu'il n'avait plus le temps de rassembler les siens. 8 Dans son désarroi, il dit cependant à ceux qui étaient restés : « Debout! marchons
contre nos adversaires si par hasard nous pouvons
les combattre. » 9 Eux l'en dissuadaient : « Nous ne
pouvons, disaient-ils, rien d'autre pour le moment
que sauver notre vie, quitte à revenir avec nos frères pour reprendre la lutte. Nous sommes vraiment
trop peu. » 10 Judas répliqua : « Loin de moi d'agir
ainsi et de fuir devant eux. Si notre heure est arrivée, mourons bravement pour nos frères et ne laissons rien à reprendre à notre gloire. »

11 L'armée sortit du camp et s'arrêta face à
l'ennemi. La cavalerie fut partagée en deux escadrons, les frondeurs et les archers marchaient sur
le front de l'armée ainsi que les troupes de choc,
tous les vaillants. 12 Bacchidès se tenait à l'aile
droite, la phalange s'avança des deux côtés au son
de la trompette. Ceux du côté de Judas sonnèrent
aussi la trompette 13 et la terre fut ébranlée par la
clameur des armées. Le combat s'engagea le matin
et dura jusqu'au soir.

14 Judas s'aperçut que Bacchidès et le fort de son
armée se trouvaient à droite : autour de lui se groupèrent tous les hommes de cœur, 15 l'aile droite fut
écrasée par eux et ils la poursuivirent jusqu'aux
monts Azâra [g]. 16 Cependant, voyant que l'aile
droite était enfoncée, les Syriens de l'aile gauche se
rabattirent sur les talons de Judas et de ses compagnons, les prenant à revers. 17 La lutte devint acharnée et, de part et d'autre, un grand nombre tombèrent frappés. 18 Judas succomba lui aussi, et le reste
prit la fuite.

**Funérailles de Judas Maccabée.**

19 Jonathan et Simon enlevèrent leur frère Judas
et l'ensevelirent au tombeau de ses pères à Modîn.
20 Tout Israël le pleura et mena sur lui un grand
deuil, redisant plusieurs jours cette lamentation :
21 « Comment est-il tombé, le héros qui sauvait 2 S 1 27
Israël? » 22 Le reste des actions de Judas, de ses
guerres, des exploits qu'il accomplit et de ses titres
de gloire, n'a pas été écrit; il y en avait trop.

*a)* Ici s'achève le texte du traité, dont le style rappelle d'autres documents similaires. Le paragraphe suivant résume une réponse orale faite aux envoyés.
*b)* Le récit fait suite à 7 50.
*c)* « Galilée » conj. d'après Josèphe; « Galgala » grec et lat. – « Mesaloth », toponyme hébr. signifiant « sentiers » : ils devaient mener aux grottes d'Arbèles qui servirent de refuge à maintes reprises.
*d)* Avril-mai 160.
*e)* « Béerzeth » grec luc., Vet. Syr. et Josèphe. C'est l'actuelle Birzeit, à 20 km au nord de Jérusalem. Si on retient la leçon « Béréan » ou « Bereth » de grec et lat., il faut alors situer le camp à El-Biré, la Beérot biblique, Jos 9 17, à 13 km au sud de Birzeit.
*f)* « Eléasa » mss; « Elasa » ou « Alasa » ensemble du grec. S'il s'agit du Khirbet Il'asa, près de Bethoron, le camp de Judas est très éloigné de celui de Bacchidès, ce qui s'accorde mal avec le récit, à moins qu'il ne s'agisse ici de la base arrière de Judas.
*g)* « Azâra » d'après Josèphe; « Azôtos » grec et lat., mais il n'existe pas de montagne près d'Azôtos (l'ancienne Ashdod).

# *IV. Jonathan chef des Juifs et grand prêtre (160-143 av. J.-C.)*

**Triomphe du parti grec.**
**Jonathan chef de la résistance.**

23 Après la mort de Judas, les sans-loi se montrèrent sur tout le territoire d'Israël et tous les artisans
d'iniquité reparurent. 24 Comme en ces jours-là
sévissait une très grande disette, le pays passa de
leur côté. 25 Bacchidès choisit à dessein les hommes
impies pour administrer le pays. 26 Ceux-ci exerçaient sur les amis de Judas perquisitions et enquê-
tes, puis les faisaient comparaître devant Bacchidès
qui les punissait et les tournait en dérision. 27 Il
sévit alors en Israël une oppression telle qu'il ne
s'en était pas produite de pareille depuis le jour où
4 46+ l'on n'y avait plus vu de prophète.
28 Alors tous les amis de Judas se rassemblèrent
et dirent à Jonathan : 29 « Depuis que ton frère
Judas est mort, il ne se trouve plus d'homme semblable à lui pour s'opposer à nos ennemis, les Bacchidès et quiconque hait notre nation. 30 Nous te
choisissons donc aujourd'hui même pour être à sa
place notre chef et notre guide dans la lutte que
nous avons entreprise. » 31 C'est à ce moment-là
que Jonathan prit le commandement et la succession de son frère Judas.

**Jonathan au désert de Thékoé.**
**Épisodes sanglants autour de Médaba.**

32 Bacchidès, l'ayant appris, cherchait à faire
périr Jonathan. 33 Celui-ci en ayant eu connaissance, ainsi que son frère Simon et tous ceux qui
l'accompagnaient, s'enfuirent au désert de Thékoé
et campèrent près de l'eau de la citerne Asphar [a].
34 (Bacchidès le sut le jour du sabbat et vint lui
aussi avec toute son armée au-delà du Jourdain [b].)
35 Jonathan envoya son frère qui commandait à
5 25+ la troupe demander à ses amis les Nabatéens de
mettre en dépôt chez eux ses bagages qui étaient
considérables. 36 Mais les fils de Amrai [c], ceux de
Médaba, sortirent, s'emparèrent de Jean et de tout
ce qu'il avait et partirent avec leur butin. 37 Après
ces événements, on annonça à Jonathan et à
Simon, son frère, que les fils de Amrai célébraient
une grande noce et amenaient en grande pompe
depuis Nabatha [d] la fiancée, fille d'un des grands
personnages de Canaan. 38 Ils se souvinrent alors
de la fin sanglante de leur frère Jean, et montèrent
se cacher sous l'abri de la montagne. 39 En levant
les yeux ils virent paraître, au milieu d'un bruit
confus, un nombreux équipage, puis le fiancé, ses
amis et ses frères s'avançant au-devant du cortège
avec des tambourins, des musiques et un riche
équipement guerrier. 40 De leur embuscade les Juifs
se jetèrent sur eux et les massacrèrent, faisant de
nombreuses victimes, tandis que les survivants
fuyaient vers la montagne, et que toutes leurs
dépouilles étaient emportées. 41 Ainsi *les noces se* Am 8 10
*changèrent en deuil et les accents musicaux en*
*lamentations*. 42 Ayant vengé de la sorte le sang de
leur frère, ils revinrent aux rives fangeuses du Jourdain.

**Le passage du Jourdain.**

43 Bacchidès, l'ayant appris, vint le jour du sabbat jusqu'aux berges du Jourdain avec une nombreuse armée. 44 Alors Jonathan dit à ses gens :
« Debout! Luttons pour nos vies, car aujourd'hui
ce n'est pas comme hier et avant-hier. 45 Voici que
nous avons le combat en face de nous et derrière
nous, ici l'eau du Jourdain, là le marais et le fourré,
il n'y a pas où battre en retraite. 46 Maintenant
donc, criez vers le Ciel afin d'échapper au pouvoir
de vos ennemis. » 47 Le combat s'engagea et Jonathan étendit la main pour frapper Bacchidès, mais
ce dernier lui échappa en se rejetant en arrière.
48 Alors Jonathan et ses compagnons sautèrent
dans le Jourdain et atteignirent l'autre bord à la
nage, mais les adversaires ne franchirent pas le
fleuve à leur suite [e]. 49 En cette journée, environ
mille hommes restèrent sur le terrain du côté de
Bacchidès.

*a)* « Thékoé » ou Téqoa, patrie du prophète Amos, au sud-est de Bethléem, domine une région aride, 2 Ch **20** 20; ses wadis qui descendent à la mer Morte avaient servi de refuge aux partisans de David, 1 S **24**; **26**, et seront de même utilisés par les partisans de Bar Kokhéba lors de la seconde révolte juive (132-135 ap. J.-C.). – Le toponyme « Asphar » n'est pas identifié.

*b)* Doublet du v. 43.

*c)* « Amrai » d'après Josèphe et syr.; « Ambrei » ou « Iambri » grec, lat. – Les Benê-Amrai sont une tribu arabe, différente des Nabatéens.

*d)* « Nabatha » d'après Josèphe; « Gabadan » ou « Nabadath » grec, lat. – C'est sans doute une place forte araméenne de Nébo, Nb **32** 3, en bordure de la plaine de Moab appelée ici « Canaan », terme qui englobe tous les indigènes païens.

*e)* Avec Josèphe, nous situons l'engagement sur la rive ouest du Jourdain, où Jonathan aura dressé son camp avec l'intention de regagner la région occidentale de la mer Morte. Bacchidès l'oblige à regagner la rive orientale du fleuve, que lui-même ne franchit pas.

**Fortifications de Bacchidès. Mort d'Alkime.**

50 De retour à Jérusalem, Bacchidès se mit à construire des villes fortes en Judée : la forteresse qui est à Jéricho, Emmaüs, Bethoron, Béthel, Tamnatha, Pharathôn et Tephôn [a], avec de hautes murailles, des portes et des verrous, 51 laissant en chacune d'elles une garnison pour sévir contre Israël. 52 Il fortifia la ville de Bethsour, Gazara et la Citadelle; il y plaça des hommes armés et des dépôts de vivres. 53 Il prit comme otages les fils des chefs du pays et les fit mettre sous garde dans la Citadelle de Jérusalem.

54 Et en l'année cent cinquante-trois, au deuxième mois [b], Alkime ordonna d'abattre le mur de la cour intérieure du sanctuaire; il détruisit les travaux des prophètes [c], il commença à démolir. 55 En ce temps-là, Alkime eut une attaque et ses entreprises se trouvèrent empêchées. Sa bouche s'obstrua et fut paralysée de sorte qu'il lui fut désormais impossible de prononcer une seule parole et de donner des ordres concernant sa maison. 56 Alkime mourut à cette époque au milieu de vives souffrances. 57 Voyant qu'Alkime était mort, Bacchidès revint chez le roi et le pays de Juda fut en repos durant deux ans.

**Le siège de Bethbassi.**

58 Tous les sans-loi tinrent conseil : « Voici, disaient-ils, que Jonathan et les siens vivent tranquilles en toute confiance; nous ferons donc venir maintenant Bacchidès et il les arrêtera tous en une seule nuit. 59 Étant allés le trouver, ils en délibérèrent avec lui. 60 Bacchidès se mit en route avec une forte armée et écrivit en secret à tous ses alliés de Judée pour leur demander de se saisir de Jonathan et de ses compagnons, mais ils ne le purent, leur dessein ayant été éventé. 61 Ceux-là, par contre, appréhendèrent parmi les hommes du pays, auteurs de cette scélératesse, une cinquantaine d'individus, et les massacrèrent.

62 Jonathan et Simon se retirèrent ensuite avec leurs partisans à Bethbassi [d] dans le désert, ils relevèrent ce qui était ruiné de cette place et la consolidèrent. 63 Bacchidès, en ayant eu connaissance, rassembla tous ses gens et fit appel à ses partisans de Judée. 64 Il vint camper près de Bethbassi, l'attaqua durant de nombreux jours et fit construire des machines. 65 Laissant son frère Simon dans la ville, Jonathan sortit dans la campagne et marcha avec une poignée de gens. 66 Il battit Odoméra et ses frères ainsi que les fils de Phasirôn dans leur campement [e]; ces gens se mirent à combattre eux aussi et à monter avec les troupes. 67 Simon et ses hommes firent une sortie et incendièrent les machines. 68 Ils combattirent Bacchidès qui, écrasé par eux, tomba dans un accablement profond parce que son plan et son attaque n'avaient pas réussi. 69 Il entra en fureur contre les mécréants qui lui avaient conseillé de venir dans le pays, il en tua beaucoup et, avec ses gens, il décida de retourner chez lui. 70 A cette nouvelle, Jonathan lui envoya des députés pour conclure avec lui la paix et la reddition des prisonniers. 71 Il accepta et fut fidèle à ses engagements : il lui jura de ne pas chercher à lui faire du mal durant tous les jours de sa vie. 72 Après avoir rendu les prisonniers qu'il avait faits auparavant au pays de Juda, Bacchidès s'en retourna chez lui et ne revint plus sur le territoire des Juifs. 73 L'épée se reposa en Israël et Jonathan s'installa à Machmas où il se mit à juger le
peuple [f], et il fit disparaître les impies du milieu Dt 19 19; 22 22
d'Israël.

**Compétition d'Alexandre Balas.**
**Il institue Jonathan grand prêtre.**

**10** 1 L'an cent soixante, Alexandre, fils d'Antiochus Épiphane [g], se mit en marche et vint occuper Ptolémaïs. Il fut reçu et c'est là qu'il inaugura son règne [h]. 2 A cette nouvelle, le roi Démétrius rassembla une très forte armée et marcha contre lui pour le combattre. 3 Démétrius envoyait d'autre part à Jonathan une lettre des plus pacifiques lui promettant de l'élever en dignité. 4 Il se disait en effet : « Hâtons-nous de faire la paix avec ces gens-là avant qu'ils ne la fassent avec Alexandre contre nous, 5 car Jonathan se souviendra de tous les maux que nous avons causés à sa personne, à ses frères et à sa nation. » 6 Il lui donna même l'autorisation de lever des troupes, de fabri-

*a)* « Tamnatha, Pharathôn » lat., syr., Josèphe; grec et mss lat. en font un seul nom. – Tamnatha est la Timna de Jos **19** 50; Pharathôn est Pireatôn, Jg **12** 15, et Tephôn doit être Tappuah, Jos **12** 17. – Les fouilles archéologiques pratiquées à Gézer, Bethsour, Béthel et Jéricho confirment l'occupation séleucide.

*b)* Avril-mai 159.

*c)* Sans doute ceux du retour de l'Exil, comme Aggée et Zacharie. Ce mur répond peut-être à la balustrade qui séparera le parvis des Gentils de celui des Juifs dans le Temple d'Hérode, cf. Ez **44** 9, mais les deux cours que suppose le texte sont peut-être celles qui existaient déjà sous Manassé, 2 R **21** 5.

*d)* La liste des rapatriés de Babylonie mentionne les Fils de Béçaï, Esd **2** 17, qui auront donné leur nom à notre localité, aujourd'hui Beit-Baçça, entre Bethléem et Téqoa.

*e)* Tribus arabes qui devaient collaborer avec Bacchidès.

*f)* Comme Judas, Jonathan est assimilé à un Juge, cf. **3** 10; **4** 4, etc. Machmas ou Mikmas, au sud-est de Béthel, était célèbre par l'exploit de Jonathan, fils de Saül, 1 S **14**.

*g)* Cette épithète se lit sur les monnaies, mais l'histoire le connaît sous le nom d'Alexandre Balas. Il se prétendait le fils d'Antiochus Épiphane.

*h)* La défection de Ptolémaïs en faveur de Balas eut lieu en 152. Au début de la même année, il avait reçu l'assentiment du Sénat.

quer des armes, de se dire son allié, et prescrivit
de lui rendre les otages qui étaient dans la Citadelle.
7 Jonathan s'en vint à Jérusalem et lut le message
en présence de tout le peuple et des gens de la Citadelle. 8 Une grande crainte les saisit lorsqu'ils
entendirent que le roi lui avait accordé la faculté
de lever des troupes. 9 Les gens de la Citadelle rendirent les otages à Jonathan qui les remit à leurs
parents. 10 Jonathan habita Jérusalem et se mit
à rebâtir et à restaurer la ville. 11 Il ordonna en
particulier aux entrepreneurs des travaux de
reconstruire le rempart et d'entourer le mont Sion
de pierres de taille [a] pour le fortifier, ce qui fut exécuté. 12 Les étrangers qui étaient dans les forteresses que Bacchidès avait bâties prirent la fuite :
13 chacun d'eux abandonna son poste pour retourner en son pays. 14 A Bethsour seulement on laissa
quelques-uns de ceux qui avaient abandonné la Loi
et les préceptes, car c'était leur refuge.
15 Le roi Alexandre apprit les promesses que
Démétrius avait mandées à Jonathan. On lui
raconta aussi les guerres et les exploits dans
lesquels lui et ses frères s'étaient signalés et les peines qu'ils avaient endurées. 16 « Trouverons-nous
jamais, s'écria-t-il, un homme pareil? Faisons-nous
donc de lui un ami et un allié! » 17 Il lui écrivit une
lettre et la lui envoya libellée en ces termes : 18 « Le
roi Alexandre à son frère Jonathan, salut. 19 Nous
avons appris à ton sujet que tu es un homme puissant et que tu mérites d'être notre ami. 20 Aussi
nous t'établissons aujourd'hui grand prêtre de ta
2 18+ nation [b] et te donnons le titre d'ami du roi – et il
lui envoyait en même temps une chlamyde de pourpre et une couronne d'or – afin que tu embrasses
notre parti et que tu nous gardes ton amitié. »
21 Et Jonathan revêtit les ornements sacrés le
septième mois de l'an cent soixante [c] en la fête des
Tentes; il rassembla des troupes et fabriqua beaucoup d'armes.

**Lettre de Démétrius Ier à Jonathan.**

22 Instruit de ces faits, Démétrius en fut contrarié
et dit : 23 « Qu'avons-nous fait pour qu'Alexandre
ait capté avant nous l'amitié des Juifs pour affermir
sa position? 24 Je leur écrirai moi aussi en termes
persuasifs avec des offres de situation élevée et de
richesses, afin qu'ils soient une aide pour moi. »
25 Et il leur écrivit en ces termes :
« Le roi Démétrius à la nation des Juifs, salut.
26 Vous avez gardé les conventions passées avec
nous et persévéré dans notre amitié, vous n'êtes pas
passés du côté de nos ennemis, nous l'avons appris
et nous nous en sommes réjouis. 27 Continuez donc
encore à nous conserver votre fidélité et nous
récompenserons par des bienfaits ce que vous faites
pour nous. 28 Nous vous accorderons beaucoup de
remises et nous vous ferons des faveurs. 29 Dès à
présent je vous libère et je décharge tous les Juifs
des contributions, des droits sur le sel et des couronnes. 30 Et du tiers des produits du sol et de la
moitié du fruit des arbres qui me revient [d], je fais
dès aujourd'hui et pour toujours la remise au pays
de Juda et aux trois nomes qui lui sont annexés de 11 34
la Samarie-Galilée [e]... à partir de ce jour pour tout
le temps. 31 Que Jérusalem soit sainte et exempte
ainsi que son territoire, ses dîmes et ses droits.
32 Je renonce à la possession de la Citadelle qui
est à Jérusalem et je la cède au grand prêtre pour
qu'il y établisse des hommes qu'il choisira lui-
même pour la garder. 33 Toute personne juive
emmenée captive hors du pays de Juda dans toute
l'étendue de mon royaume, je lui rends la liberté
sans rançon. Je veux que tous soient exempts
d'impôts, même pour leurs bêtes. 34 Que toutes les
solennités, les sabbats, les néoménies, les jours
prescrits et les trois jours qui précèdent et qui suivent soient des jours de rémission et de franchise [f]
pour tous les Juifs qui sont dans mon royaume,
35 et personne n'aura la faculté d'exiger un paiement ni d'inquiéter quelqu'un d'entre eux pour
n'importe quelle affaire. 36 On enrôlera des Juifs
dans les armées du roi jusqu'au nombre de trente
mille soldats et il leur sera donné la solde qui
revient à toutes les troupes du roi. 37 Il en sera aussi
placé dans les forteresses royales les plus impor-

*a)* « de taille », litt. « à quatre faces », grec luc., lat.; « à quatre pieds » grec.

*b)* Jonathan est descendant de Ioiarib, chef d'une des classes sacerdotales, cf. **2** 1, 54, et Alexandre, souverain reconnu, avait le droit de le nommer, cf. **7** 9; 2 M **4** 24. Ainsi était évincée la famille des Oniades qui donnait traditionnellement les grands prêtres. C'est sans doute à cette occasion que le fils d'Onias III se réfugia en Égypte où il fonda le temple de Léontopolis, cf. 2 M **1** 1, et qu'un autre prêtre, le « Maître de Justice » dont parle l'écrit essénien dit *Document de Damas,* se réfugia à Qumrân. – Jonathan inaugure une dynastie de princes-prêtres, comme il en existait d'autres à l'époque. Avec ses successeurs (les Asmonéens), les préoccupations politiques l'emporteront sur les préoccupations religieuses.

*c)* Octobre 152.

*d)* « Et du tiers » Vet. Lat., Vet. Syr.; « et en échange du tiers » grec. – Les « droits sur le sel » (litt. « le prix du sel ») sont la contrevaleur du sel de la mer Morte dû au roi, cf. **11** 35. Les « couronnes » (« palmes » ou « rameaux d'oliviers », **13** 37; 2 M **14** 4) sont des présents offerts au souverain, faits en réalité d'espèces sonnantes. – Ces lourdes taxes qui, depuis 165, avaient remplacé le tribut, cf. **3** 36+, s'expliquent par la prétention que les Séleucides avaient, comme les Ptolémées d'Égypte, d'être les propriétaires de toutes les terres, qu'ils affermaient en quelque sorte aux indigènes. Mais le tribut semble bien être rétabli : il faudrait suppléer dans le texte « en échange de 300 talents », cf. **11** 28.

*e)* Les districts conquis par Judas, que les Juifs considéraient comme leurs et que Bacchidès avait d'ailleurs inclus dans la Judée, cf. **9** 50.

*f)* Généralisation de la coutume qui voulait que les dettes et droits d'octroi soient suspendus pendant les fêtes de pèlerinage.

tantes et il en sera établi dans les emplois de confiance du royaume; que leurs préposés et leurs chefs sortent de leurs rangs et vivent selon leurs lois, comme le roi l'a ordonné pour le pays de Juda. 38 Quant aux trois nomes ajoutés à la Judée aux dépens de la province de Samarie, qu'ils soient annexés à la Judée et considérés comme relevant d'un seul homme, n'obéissant à nulle autre autorité qu'à celle du grand prêtre. 39 Je donne en présent Ptolémaïs et le territoire qui s'y rattache au sanctuaire de Jérusalem pour couvrir les dépenses exigées par le culte [a]. 40 Pour moi, je donne chaque année quinze mille sicles d'argent à prendre sur la liste royale dans les localités convenables. 41 Et tout le surplus, que les fonctionnaires n'ont pas versé comme dans les années antérieures, ils le donneront dorénavant pour les travaux du Temple. 42 En outre, les cinq mille sicles d'argent, somme qu'on prélevait sur les profits du sanctuaire dans le compte de chaque année, même cela est abandonné comme revenant aux prêtres qui font le service liturgique. 43 Quiconque se sera réfugié dans le Temple de Jérusalem et dans toutes ses limites, redevable des impôts royaux et de toute autre dette, sera libre avec tous les biens qu'il possède dans mon royaume. 44 Pour les travaux de construction et de restauration du sanctuaire, les dépenses seront aussi prélevées sur le compte du roi. 45 Pour reconstruire les murs de Jérusalem et fortifier son enceinte, les dépenses seront encore prélevées sur le compte du roi, ainsi que pour relever les murs des villes en Judée. »

**Jonathan repousse les offres de Démétrius. Mort du roi.**

46 Lorsque Jonathan et le peuple eurent entendu ces paroles, ils n'y crurent pas et refusèrent de les admettre, parce qu'ils se souvenaient des grands maux que Démétrius avait causés à Israël, et de l'oppression qu'il avait fait peser sur eux. 47 Ils se décidèrent en faveur d'Alexandre parce qu'il l'emportait à leurs yeux en gratifications [b], et ils furent ses constants alliés. 48 Alors le roi Alexandre rassembla de grandes forces et s'avança contre Démétrius. 49 Les deux rois ayant engagé le combat, l'armée d'Alexandre prit la fuite. Démétrius se mit à sa poursuite et l'emporta sur ses soldats. 50 Il mena fortement le combat jusqu'au coucher du soleil. Mais ce jour-là même Démétrius succomba.

**Mariage d'Alexandre avec Cléopâtre. Jonathan stratège et gouverneur.**

51 Alexandre envoya à Ptolémée, roi d'Égypte, des ambassadeurs, avec ce message : 52 « Puisque je suis revenu dans mon royaume, que je me suis assis sur le trône de mes pères, que je me suis emparé du pouvoir, puisque j'ai écrasé Démétrius, que j'ai pris possession de notre pays, 53 puisque je lui ai livré bataille et qu'il a été écrasé par nous, lui et son armée, et que nous sommes monté sur son siège royal, 54 faisons donc amitié l'un avec l'autre et donne-moi donc ta fille pour épouse, je serai ton gendre et je te donnerai, ainsi qu'à elle, des présents dignes de toi. »

55 Le roi Ptolémée répondit en ces termes : « Heureux le jour où tu es rentré dans le pays de tes pères et où tu as occupé leur siège royal! 56 Maintenant je ferai pour toi ce que tu as écrit, mais viens à ma rencontre à Ptolémaïs afin que nous nous voyions l'un l'autre, et je serai ton beau-père comme tu l'as dit. »

57 Ptolémée partit d'Égypte, lui et Cléopâtre, sa fille, et vint à Ptolémaïs en l'an cent soixante-deux [c]. 58 Le roi Alexandre vint au-devant de Ptolémée; celui-ci lui donna sa fille Cléopâtre et célébra son mariage à Ptolémaïs avec grande magnificence, comme il sied à des rois. 59 Le roi Alexandre écrivit à Jonathan de venir le trouver. 60 Ce dernier se rendit à Ptolémaïs avec apparat et rencontra les deux rois; il leur donna de l'argent et de l'or ainsi qu'à leurs amis, il fit de nombreux présents et trouva grâce à leurs yeux. 61 Alors s'unirent contre lui des vauriens, la peste d'Israël, pour se plaindre de lui, mais le roi ne leur prêta aucune attention [d]; 62 il ordonna même d'ôter à Jonathan ses habits et de le revêtir de la pourpre, ce qui fut exécuté. 63 Le roi le fit asseoir auprès de lui et dit à ses dignitaires : « Sortez avec lui au milieu de la ville et publiez que personne n'élève de plainte contre lui sur n'importe quelle affaire et que nul ne l'inquiète pour quelque raison que ce soit. » 64 Quand ils virent les honneurs qu'on lui rendait, à la voix du héraut, et la pourpre sur ses épaules, tous ses accusateurs prirent la fuite. 65 Le roi lui fit l'honneur de l'inscrire au rang des premiers amis 2 18+

*a)* C'était inviter les Juifs à faire un raid contre la base d'opérations de Balas, **10** 1; ils avaient précisément un compte à régler avec les Ptoléméens, 2 M **6** 8; 1 M **5** 15, 22.

*b)* « il l'emportait à leurs yeux en gratifications » conj.; le grec : « il devint pour eux prince de paroles pacifiques » n'a guère de sens. Le traducteur aura confondu *shillûm* « gratification » avec *shalom* « paix ».

*c)* En automne 150 av. J.-C. – Cléopâtre Théa, fille de Ptolémée VI Philométor, épousera successivement Alexandre Balas (de qui naîtra Antiochus VI), Démétrius II, **11** 12, et le frère de celui-ci, Antiochus VII.

*d)* Les Juifs du parti grec trouvaient, non sans raison, qu'ils étaient mal récompensés de leur adhésion à l'hellénisme. Certains ne voyaient pas sans déplaisir rejeter les droits d'autres familles sacerdotales.

et de l'instituer stratège et méridarque[a]. 66 Aussi Jonathan revint-il à Jérusalem dans la paix et la joie.

**Démétrius II. Apollonius, gouverneur de Cœlé-Syrie, battu par Jonathan.**

67 En l'an cent soixante-cinq, Démétrius, fils de Démétrius, vint de Crète dans le pays de ses pères[b]. 68 Le roi Alexandre, l'ayant appris, en fut très contrarié et revint à Antioche. 69 Démétrius confirma Apollonius qui était gouverneur de la Cœlé-Syrie[c], lequel rassembla une grande armée et, étant venu camper à Iamnia, envoya dire à Jonathan le grand prêtre :

70 « Tu es absolument seul à t'élever contre nous, et moi je suis devenu un objet de dérision et d'injure à cause de toi. Pourquoi exerces-tu ton autorité contre nous dans les montagnes? 71 Si donc tu as confiance dans tes forces, descends maintenant vers nous dans la plaine et là mesurons-nous l'un avec l'autre, car avec moi se trouve la force des villes. 72 Informe-toi et apprends qui je suis et quels sont les autres qui nous prêtent leur concours. Ils disent que vous ne pourrez pas nous résister puisque deux fois tes pères ont été mis en fuite dans leur pays[d]. 73 Et maintenant tu ne pourras pas résister à la cavalerie ni à une grande armée dans cette plaine où il n'y a ni rocher, ni caillasse, ni endroit pour fuir. »

74 Lorsque Jonathan eut entendu les paroles d'Apollonius, son esprit fut tout remué; il fit choix de dix mille hommes et partit de Jérusalem, et Simon son frère le rejoignit avec une troupe de secours. 75 Il dressa son camp contre Joppé; les gens de la ville lui avaient fermé ses portes parce qu'il y avait une garnison d'Apollonius dans Joppé, et l'attaque commença. 76 Pris de peur, les habitants ouvrirent les portes et Jonathan fut maître de Joppé. 77 Mis au courant, Apollonius rangea en ordre de bataille trois mille cavaliers et une nombreuse infanterie, et se dirigea sur Azôtos comme pour traverser le pays, tandis qu'en même temps il s'enfonçait dans la plaine, parce qu'il avait un grand nombre de cavaliers en qui il avait confiance. 78 Jonathan se mit à le poursuivre du côté d'Azôtos, et les deux armées en vinrent aux mains.

79 Or Apollonius avait laissé mille cavaliers cachés derrière eux. 80 Jonathan sut qu'il y avait une embuscade derrière lui. Les cavaliers entourèrent son armée et lancèrent leurs traits sur la troupe depuis le matin jusqu'au soir. 81 La troupe tint bon, comme l'avait ordonné Jonathan, tandis que leurs chevaux se fatiguèrent. 82 Simon entraîna ses forces et attaqua la phalange une fois la cavalerie épuisée, et les ennemis furent écrasés par lui et prirent la fuite. 83 La cavalerie se débanda à travers la plaine
et les fuyards gagnèrent Azôtos et entrèrent dans
Beth-Dagôn, le temple de leur idole, afin d'y trou- 1 S 5 1s
ver le salut. 84 Mais Jonathan mit le feu à Azôtos 1 M **11** 4
et aux villes des alentours, il prit leurs dépouilles et livra aux flammes le sanctuaire de Dagôn et ceux qui s'y étaient réfugiés. 85 Ceux qui tombèrent sous l'épée, avec ceux qui furent brûlés, se trouvèrent au nombre de huit mille. 86 Jonathan partit de là pour aller camper près d'Ascalon; les habitants de cette ville sortirent à sa rencontre en grand apparat. 87 Jonathan revint ensuite à Jérusalem avec les siens, chargés d'un grand butin. 88 Lorsque le roi Alexandre apprit ces événements, il accorda de nombreux honneurs à Jonathan. 89 Il lui envoya une agrafe d'or comme il est d'usage de l'accorder aux parents des rois[e], et lui donna en propriété Akkarôn et tout son territoire.

**Ptolémée VI soutient Démétrius II. Il meurt ainsi qu'Alexandre Balas.**

**11** 1 Le roi d'Égypte rassembla des forces nombreuses comme le sable qui est sur le bord de la mer, ainsi que beaucoup de vaisseaux, et il chercha à s'emparer par ruse du royaume d'Alexandre pour l'ajouter à son propre royaume. 2 Il s'en vint en Syrie avec des paroles de paix, les gens des villes lui ouvraient leurs portes et venaient à sa rencontre parce que l'ordre du roi Alexandre était de le recevoir, car il était son beau-père. 3 Mais dès qu'il entrait dans les villes, Ptolémée[f] casernait des troupes en garnison dans chaque ville. 4 Lorsqu'il
approcha d'Azôtos, on lui montra le sanctuaire de
Dagôn incendié, Azôtos et ses environs ravagés, les **10** 84
cadavres épars, et les restes calcinés de ceux que Jonathan avait brûlés dans la guerre, car ils en avaient fait des tas sur le parcours du roi. 5 Et ils

*a)* Le méridarque gouvernait une méride (cf. Ac **16** 12), c'est-à-dire une « part » de territoire plus grande qu'une stratégie, ici celle de Judée avec en plus les trois nomes, v. 30. Voir le cas analogue d'Apollonius le Mysarque, **3** 10; 2 M **5** 24. Pour le titre de « premier ami », cf. 1 M **2** 18; 2 M **8** 9.

*b)* En 147 av. J.-C., mais en fait il ne fera commencer son règne qu'en 145, après la mort d'Alexandre, **11** 17. Il régnera jusqu'en 125, avec une interruption de 138 à 129, quand, prisonnier des Parthes, il sera remplacé par son frère Antiochus VII, cf. **14** 3; **15** 1s.

*c)* Sans doute l'Apollonius qui aida Démétrius Ier à s'évader de Rome, cf. **7** 1. Il porte le même nom que son père qui fut aussi gouverneur de Coelé-Syrie et de Phénicie, 2 M **3** 5.

*d)* Cette allusion à l'histoire des « pères », cf. 1 S **4** 2, 10, est sans doute rédactionnelle. De même l'allusion à la faiblesse des Hébreux en pays plat, 1 R **20** 23, 28.

*e)* Alexandre, en mal de surenchère, n'hésite pas à faire de Jonathan son « parent », cf. **3** 32. La fibule d'or qui agrafait la cape de pourpre était l'insigne de ce rang, plus élevé encore que celui de « premier ami », v. 65.

*f)* « Ptolémée » mss, grec luc., lat.; « de Ptolémaïs » ensemble du grec.

racontèrent au roi ce qu'avait fait Jonathan pour
qu'il le blâmât, mais le roi garda le silence. 6 Et
Jonathan vint à la rencontre du roi à Joppé avec
apparat, ils échangèrent des salutations et couchèrent en ce lieu. 7 Jonathan accompagna le roi
jusqu'au fleuve appelé Éleuthère [a], puis revint à
Jérusalem. 8 Quant au roi Ptolémée, il se rendit
maître des villes de la côte jusqu'à Séleucie-sur-
Mer [b]; il méditait de mauvais desseins contre
Alexandre. 9 Il envoya des ambassadeurs au roi
Démétrius pour lui dire : « Viens, concluons
ensemble un traité : je te donnerai ma fille que possède Alexandre [c] et tu régneras sur le royaume de
ton père. 10 Je me repens de lui avoir donné ma fille,
car il a cherché à me tuer. » 11 Il lui reprochait cela
parce qu'il convoitait son royaume [d]. 12 Ayant
enlevé sa fille, il la donna à Démétrius; il changea
d'attitude avec Alexandre et leur inimitié devint
manifeste. 13 Ptolémée fit son entrée à Antioche et
ceignit le diadème de l'Asie, de sorte qu'il mit à son
front deux diadèmes, celui d'Égypte et celui
d'Asie [e]. 14 Le roi Alexandre se trouvait en Cilicie
en ce temps-là, parce que les gens de cette contrée
s'étaient révoltés. 15 Alexandre, instruit de tout
cela, s'avança contre lui pour livrer bataille; Ptolémée de son côté se mit en mouvement, marcha à
sa rencontre avec une forte armée et le mit en
fuite [f]. 16 Alexandre s'enfuit en Arabie pour y
trouver un refuge, et le roi Ptolémée triompha.
17 L'Arabe Zabdiel [g] trancha la tête d'Alexandre et
l'envoya à Ptolémée. 18 Le roi Ptolémée mourut
le surlendemain et les Égyptiens qui étaient dans
ses places fortes furent tués par les habitants de celles-ci. 19 Démétrius devint roi en l'année cent
soixante-sept.

**Premiers rapports entre Démétrius II et Jonathan.**

20 En ces jours-là, Jonathan réunit ceux de la
Judée pour attaquer la Citadelle qui est à Jérusalem et ils dressèrent contre elle de nombreuses
machines [h]. 21 Alors des gens haïssant leur nation,
des vauriens, s'en allèrent trouver le roi pour lui
annoncer que Jonathan faisait le siège de la Citadelle. 22 A cette nouvelle, le roi fut irrité et, aussitôt
averti, il se mit en route et vint à Ptolémaïs. Il écrivit à Jonathan de cesser le siège et de venir le trouver pour conférer avec lui à Ptolémaïs le plus vite
possible. 23 Dès qu'il eut reçu cet avis, Jonathan
ordonna de poursuivre le siège, choisit pour
compagnons des anciens d'Israël et des prêtres, et
se livra lui-même au danger. 24 Prenant avec lui de
l'argent, de l'or, des vêtements et autres cadeaux
en quantité, il se rendit auprès du roi à Ptolémaïs
et trouva grâce à ses yeux. 25 Certains mécréants
de la nation portaient contre lui des accusations,
26 mais le roi agit avec lui comme avaient agi ses
prédécesseurs et il l'exalta en présence de tous ses
amis. 27 Il lui confirma la grand-prêtrise et toutes
les autres distinctions qu'il avait auparavant, et il
le fit compter parmi les premiers amis. 28 Jonathan 2 18+;
demanda au roi d'exempter d'impôts la Judée, ainsi **10** 65+
que les trois toparchies de la Samaritide, lui pro- **10** 30; **11** 34
mettant en retour trois cents talents [i]. 29 Le roi
consentit et écrivit à Jonathan sur tout ceci une
lettre tournée de cette manière :

**Nouvelle charte en faveur des Juifs [j].** **10** 26-45

30 « Le roi Démétrius à Jonathan, son frère, et à
la nation des Juifs, salut. 31 La copie de la lettre que
nous avons écrite à votre sujet à Lasthène notre
parent, nous vous l'adressons aussi afin que vous
en preniez connaissance : 32 Le roi Démétrius à
Lasthène, son père, salut. 33 A la nation des Juifs
qui sont nos amis et observent ce qui est juste
envers nous, nous sommes décidés à faire du bien
à cause des bons sentiments qu'ils ont à notre
égard. 34 Nous leur confirmons et le territoire de la
Judée et les trois nomes d'Aphéréma, de Lydda et **10** 30
de Ramathaïm [k]. Ils ont été ajoutés de la Samarie
à la Judée, ainsi que toutes leurs dépendances, en

*a)* Autant pour faire sa cour à Ptolémée que pour montrer aux Juifs et aux païens la faveur dont il jouissait auprès de lui. – Le fleuve Éleuthère est au nord de Tripoli.
*b)* Le port d'Antioche.
*c)* Certains mss lisent « que possédait ». Il est difficile de savoir si, comme le pense Josèphe, il avait déjà enlevé sa fille à Alexandre.
*d)* Cet attentat à la vie de Ptolémée nous est rapporté par Josèphe mais, tout comme l'historien Diodore, l'auteur de 1 M, qui connaît cette tradition, n'y croit pas.
*e)* D'après Diodore, Tryphon, qui était passé dans le camp de Balas et tenait Antioche en son nom, offrit le diadème à Ptolémée. Celui-ci n'aurait gardé que la Coelé-Syrie, qu'il considérait comme l'héritage de sa mère, Cléopâtre 1re, et aurait laissé l'Asie à Démétrius II.
*f)* Bataille de l'Oinoparos (qui coule dans la plaine d'Antioche), fin août ou septembre 145. Ptolémée VI y reçut une blessure qui l'emporta quatre jours après.
*g)* Diodore l'appelle Dioclès, de son nom grec, et précise qu'Alexandre lui avait confié son fils Antiochus, cf. v. 39.
*h)* L'article de **10** 32 était donc resté lettre morte.
*i)* Le montant traditionnel du tribut annuel dû par le grand prêtre, cf. 2 M **4** 8. Jonathan demande au roi de remplacer l'impôt foncier par le tribut, ce qu'avait déjà accordé son père, cf. **10** 30+. Démétrius II y consentira, semble-t-il, mais exclura les trois nomes de cette faveur, vv. 34s.
*j)* Cette charte reprend en partie celle de Démétrius 1er, qui avait été refusée par Jonathan. – Le titre de « frère » appliqué ici à Jonathan, v. 30, suggère qu'il a été nommé « parent du roi » et non plus seulement « premier ami », v. 27, titre que lui avait aussi donné Balas, **10** 89. – L'original de la lettre est adressé au Crétois Lasthène, le ministre de Démétrius.
*k)* Ces trois nomes, cf. **10** 30, 38; **11** 28, sont les territoires d'Éphraïm (ou Ophra), Jos **18** 23; 2 S **13** 23, à 20 km au nord-est de Jérusalem, de Lod, 1 Ch **8** 11, et de Rama, 1 S **1** 1 (l'Arimathie de Mt **27** 57). Ils sont rattachés à la Judée, mais les impôts sur les récoltes restent dûs au roi, contrairement à la demande de Jonathan, v. 28.

faveur de tous ceux qui sacrifient à Jérusalem, en
échange des redevances régaliennes que le roi y
percevait auparavant chaque année sur les produits
de la terre et les fruits des arbres. 35 Quant aux
10 29 autres droits que nous avons sur les dîmes et les
impôts qui nous reviennent, sur les marais salants
et les couronnes qui nous étaient dues, à dater de
ce jour nous leur en faisons remise totale [a]. 36 Il ne
sera dérogé en rien à toutes ces faveurs, désormais
et en aucun pays. 37 Ayez donc soin d'en faire une
copie qui soit donnée à Jonathan et placée sur la
montagne sainte en un lieu apparent. »

**Démétrius II secouru par les troupes de Jonathan à Antioche.**

38 Le roi Démétrius, voyant que le pays était en
repos sous sa direction et que rien ne lui offrait de
résistance, renvoya toute son armée, chacun dans
son foyer, sauf les forces étrangères qu'il avait
recrutées dans les îles des nations [b]. Aussi toutes
les troupes qu'il tenait de ses pères se mirent à le
haïr. 39 Or Tryphon, ancien partisan d'Alexandre,
s'apercevant que toutes les troupes murmuraient
contre Démétrius, se rendit chez Iamlikou [c],
l'Arabe qui élevait Antiochus, le jeune fils
d'Alexandre. 40 Il lui demandait avec insistance de
lui livrer l'enfant pour qu'il régnât à la place de son
père. Il le mit au courant de tout ce qu'avait
ordonné Démétrius et de la haine que lui portaient
ses armées. Il resta là de longs jours.

41 Cependant Jonathan envoyait demander au roi
Démétrius de faire sortir de la Citadelle de Jérusalem et des autres forteresses leurs garnisons toujours en guerre avec Israël. 42 Démétrius envoya
dire à Jonathan : « Non seulement je ferai cela pour
toi et pour ta nation, mais je te comblerai d'honneurs ainsi que ta nation dès que j'en trouverai
l'occasion favorable. 43 Pour le moment tu ferais
bien d'expédier des hommes à mon secours, car
toutes mes armées ont fait défection. » 44 Jonathan
lui envoya à Antioche trois mille hommes aguerris;
quand ils arrivèrent chez le roi, celui-ci se réjouit
de leur venue. 45 Les gens de la ville se massèrent
au centre de la ville au nombre de près de cent
vingt mille dans l'intention de faire périr le roi.
46 Celui-ci se réfugia dans le palais tandis que les
citadins occupaient les rues de la ville et commençaient l'attaque. 47 Aussi le roi appela-t-il à son
aide les Juifs, qui se rassemblèrent tous auprès de
lui, pour se répandre à travers la ville et y tuer ce
jour-là jusqu'à cent mille habitants. 48 Ils incendièrent la ville, faisant en même temps un butin considérable : c'est ainsi qu'ils sauvèrent le roi. 49 Lorsque les gens de la ville virent que les Juifs s'étaient
rendus maîtres de la ville comme ils voulaient, ils
perdirent courage et firent entendre au roi des cris
suppliants. 50 « Donne-nous la main droite et que
les Juifs cessent de combattre contre nous et contre
la ville! » 51 Ils jetèrent leurs armes et firent la paix.
Les Juifs furent couverts de gloire en présence du
roi et devant tous ceux qui font partie de son
royaume. S'étant fait un nom dans ses états, ils
revinrent à Jérusalem chargés d'un riche butin.
52 Le roi Démétrius s'affermit sur le trône royal et
le pays fut en repos sous sa direction. 53 Mais il
manqua à toutes les paroles données, devint tout
autre à l'égard de Jonathan, ne reconnut plus les
services que celui-ci lui avait rendus et lui infligea
mille vexations [d].

**Jonathan contre Démétrius II. Simon reprend Bethsour. Affaire d'Asor.**

54 Après cela Tryphon revint et avec lui Antiochus [e], tout jeune enfant, qui commença à régner
et ceignit le diadème. 55 Et toutes les troupes dont
Démétrius s'était débarrassé se groupèrent autour
de lui et firent la guerre à Démétrius, qui fut mis
en fuite et en déroute. 56 Tryphon prit les éléphants
et s'empara d'Antioche.

57 Le jeune Antiochus écrivit à Jonathan en ces
termes : « Je te confirme dans le souverain sacerdoce et je t'établis sur les quatre nomes [f] et veux
que tu sois parmi les amis du roi. » 58 Il lui envoyait 2 18+
en même temps des vases d'or et un service de
table, lui donnait l'autorisation de boire dans des
coupes d'or, de porter la pourpre et l'agrafe d'or [g].
59 Il institua Simon, son frère, stratège depuis
l'Échelle de Tyr jusqu'aux frontières d'Égypte.
60 Jonathan partit et se mit à parcourir la Transeuphratène et les cités. Toutes les troupes de Syrie

*a)* Mais le tribut de 300 talents n'est sûrement pas inclus dans cette remise, v. 28. La charte de Démétrius II est moins avantageuse que celle de son père; ainsi, il n'est plus question de rendre la Citadelle, ni de dons pour reconstruire Jérusalem ou pourvoir au culte.

*b)* Mesure d'économie, probablement dictée par Lasthène qui ne garde que les mercenaires, dont un grand nombre étaient crétois.

*c)* « Iamlikou » d'après syr. et Diodore; « Imalkoué » ou « Simalkoué » grec. – C'est peut-être le fils de Zabdiel, v. 17. Ce prince arabe résidait sans doute à Chalcis, au sud d'Alep, où Antiochus VI sera couronné, v. 54.

*d)* Selon Josèphe, Démétrius II exigea le versement du tribut traditionnel, mais cela est conforme à la charte, vv. 28, 35. Il doit donc s'agir d'autre chose, mais nous ignorons quoi.

*e)* Antiochus VI Dionysos (144-142).

*f)* Le quatrième nome doit être Akrabatta, cf. **5** 3.

*g)* Antiochus renouvelle les faveurs accordées par son père Alexandre, cf. **10** 89 (et par son rival Démétrius II). Il nommera également Jonathan stratège de Coelé-Syrie, v. 60, tandis que son frère Simon sera stratège de la zone maritime, v. 59. Cette surenchère des rois de Syrie montre que la principauté asmonéenne représentait une réelle puissance.

se rangèrent auprès de lui pour combattre avec lui;
arrivé à Ascalon, les habitants de la ville vinrent
le recevoir magnifiquement. 61 Il se rendit de là à
Gaza[a]. Gaza ferma ses portes, aussi en fit-il le
siège, livrant sa banlieue au feu et au pillage. 62 Les
gens de Gaza implorèrent Jonathan, qui leur
accorda la paix mais prit comme otages les fils de
leurs chefs qu'il envoya à Jérusalem. Il parcourut
ensuite la contrée jusqu'à Damas.
63 Jonathan apprit que les généraux de Démétrius étaient arrivés à Kédès de Galilée[b] avec une
nombreuse armée, pour l'écarter de sa charge, 64 et
il s'en alla à leur rencontre, tout en laissant son
frère Simon dans le pays. 65 Simon assiégea Bethsour, la combattit durant de longs jours et en blo-
qua les habitants 66 qui lui demandèrent de faire la
paix, ce qu'il leur accorda. Leur ayant fait évacuer
la place, il prit possession de la ville et y plaça une
garnison[c]. 67 De son côté, Jonathan avec son
armée était venu camper près des eaux du Gennè-
sar et de grand matin il atteignit la plaine d'Asor[d].
68 L'armée des étrangers s'avança à sa rencontre
dans la plaine, après avoir détaché une embuscade
contre Jonathan dans les montagnes. Tandis que
cette armée marchait directement sur les Juifs,
69 les hommes de l'embuscade surgirent de leur
cachette et engagèrent le combat. 70 Tous les soldats de Jonathan prirent la fuite, personne ne resta,
à l'exception de Mattathias, fils d'Absalom, et de
Judas, fils de Chalfi, généraux de ses troupes.
71 Alors Jonathan déchira ses vêtements, répandit
de la poussière sur sa tête et pria. 72 Revenu au
combat il mit en déroute l'ennemi, qui prit la fuite.
73 A cette vue, ceux des siens qui fuyaient retournèrent vers lui et ils poursuivirent ensemble l'ennemi
jusqu'à Kédès où était son camp, et eux-mêmes
campèrent en ce lieu. 74 Il périt en cette journée-là
trois mille hommes des troupes étrangères et Jonathan retourna à Jérusalem.

### Relations de Jonathan avec Rome et Sparte.

**12** 1 Jonathan, voyant que les circonstances lui
étaient favorables, choisit des hommes qu'il
envoya à Rome pour confirmer et renouveler 8 17-32
l'amitié avec les Romains[e]. 2 Aux Spartiates et en
d'autres lieux il envoya des lettres dans le même
sens. 3 Ils se rendirent donc à Rome, entrèrent au
Sénat et dirent : « Jonathan le grand prêtre et la
nation des Juifs nous ont envoyés renouveler
l'amitié et l'alliance avec eux telles qu'elles étaient
auparavant. » 4 Le Sénat leur donna des lettres pour
les autorités de chaque pays, recommandant de les
acheminer en paix jusqu'au pays de Juda.
5 Voici la copie de la lettre que Jonathan écrivit
aux Spartiates :
6 « Jonathan, grand prêtre, le sénat de la nation,
les prêtres et le reste du peuple des Juifs aux Spartiates leurs frères, salut! 7 Déjà au temps passé, une
lettre fut envoyée au grand prêtre Onias de la part 12 20-23
d'Areios[f] qui régnait parmi vous, attestant que
vous êtes nos frères, comme le montre la copie 2 M 5 9
ci-dessous. 8 Onias reçut avec honneur l'homme
qui était envoyé et prit la lettre, qui traitait clairement d'alliance et d'amitié. 9 Pour nous, quoique
nous n'en ayons pas besoin, ayant pour consola- Rm 15 4
tion les saints livres[g] qui sont en nos mains, 10 nous
avons essayé d'envoyer renouveler la fraternité et
l'amitié qui nous lient à vous afin que nous ne devenions pas des étrangers pour vous, car bien des
années se sont écoulées depuis que vous nous avez
envoyé une missive. 11 Quant à nous, nous ne cessons pas, en toute occasion, de faire mémoire de
vous aux fêtes et aux autres jours fériés, dans les
sacrifices que nous offrons et dans nos prières,
comme il est juste et convenable de se souvenir de
ses frères. 12 Nous nous réjouissons de votre gloire.
13 Mais pour nous, tribulations et guerres se sont
multipliées et les rois nos voisins nous ont combattus. 14 Nous n'avons pas voulu vous être à charge
à propos de ces guerres, ni à nos autres alliés et
amis, 15 car du Ciel nous vient un secours qui nous
sauve. Aussi avons-nous été arrachés à nos ennemis, et ceux-ci ont été humiliés. 16 Nous avons donc
choisi Nouménios, fils d'Antiochos, et Antipater, 14 22; 15 15
fils de Jason, et nous les avons envoyés aux
Romains pour renouveler l'amitié et l'alliance qui

*a)* La plus méridionale des cités de l'antique Pentapole philistine, 1 S **6** 17, Gaza était un centre hellénistique particulièrement hostile aux Juifs. Alexandre Jannée s'en emparera vers 100 av. J.-C., après un siège d'un an, et livrera la ville au pillage et au massacre.

*b)* La Qédesh de Jos **12** 22, à 36 km de Tyr où les généraux avaient pu débarquer.

*c)* Jonathan, stratège de Coelé-Syrie, a le droit de contrôler cette importante place royale. (La victoire de Simon sera comptée parmi les jours fastes.)

*d)* L'ancienne métropole cananéenne de Haçor, Jos **11** 10, qui n'était plus qu'une forteresse, située à une dizaine de km au nord des « eaux du Gennésar » (le lac de Tibériade).

*e)* Ces renouvellements d'alliance sont caractéristiques de l'époque, cf. **14** 18, 22. Pour le texte du traité renouvelé, cf. **8** 22s.

*f)* « Areios » conj. d'après Josèphe; « Darius » grec. – Areios II étant mort à huit ans, il ne peut s'agir que d'Areios Ier (309-265) et donc d'Onias Ier, contemporain d'Alexandre. La réponse à la lettre a donc tardé un siècle et demi (cf. v. 10)! Josèphe, qui n'a pas vu que ce premier document n'est qu'une fiction diplomatique, situe l'affaire sous Onias III (mort en 174).

*g)* Les « saints livres » représentent un groupe plus large que « le livre de la Loi », **3** 48, ou « le livre saint », 2 M **8** 23; ce sont tous les livres auxquels on reconnaît une autorité divine. Le canon de l'AT se constitue alors : un Psaume est cité comme « Écriture », **7** 17, et le Prologue de l'Ecclésiastique (132 av. J.-C.) connaît la division en Loi, Prophètes et « autres livres » (cf. 2 M **2** 13) qui restera celle de la Bible hébraïque, cf. Rm **1** 2; 2 Tm **3** 15+.

nous unissaient à eux auparavant. 17 Nous leur avons mandé d'aller aussi chez vous, de vous saluer et de vous remettre notre lettre concernant le renouvellement de notre fraternité. 18 Et maintenant vous ferez bien de nous répondre à ce sujet. »

19 Voici la copie de la lettre qu'on avait envoyée à Onias :

20 « Areios [a], roi des Spartiates, à Onias, grand prêtre, salut. 21 Il a été trouvé dans un récit au sujet des Spartiates et des Juifs qu'ils sont frères et qu'ils sont de la race d'Abraham [b]. 22 Maintenant que nous savons cela, vous ferez bien de nous écrire au sujet de votre prospérité. 23 Quant à nous, nous vous écrivons : Vos troupeaux et vos biens sont à nous et les nôtres sont à vous [c]. En conséquence nous ordonnons qu'on vous apporte un message en ce sens. »

**Jonathan en Cœlé-Syrie, Simon en Philistie.**

24 Jonathan apprit que les généraux de Démétrius étaient revenus avec une armée plus nombreuse qu'auparavant pour lui faire la guerre. 25 Il partit de Jérusalem et se porta à leur rencontre dans le pays de Hamath, car il ne leur donna pas le loisir d'entrer dans son territoire. 26 Il envoya des espions dans leur camp; ceux-ci revinrent et lui annoncèrent qu'ils étaient disposés à tomber, la nuit, sur les Juifs. 27 Au coucher du soleil, Jonathan ordonna aux siens de veiller et d'avoir les armes sous la main pour être prêts au combat toute la nuit, et disposa des avant-postes tout autour du camp. 28 A la nouvelle que Jonathan et les siens étaient prêts au combat, les ennemis eurent peur et, le cœur pénétré d'épouvante, allumèrent des feux dans leur camp et s'esquivèrent [d]. 29 Mais Jonathan et sa troupe ne s'aperçurent de leur départ qu'au matin, car ils voyaient briller les feux. 30 Jonathan se mit à leur poursuite mais ne les atteignit pas, parce qu'ils avaient franchi le fleuve Éleuthère [e]. 31 Jonathan se tourna contre les Arabes appelés Zabadéens [f], les battit et s'empara de leurs dépouilles, 32 puis, ayant levé le camp, il vint à Damas et parcourut toute la province. 33 Quant à Simon, il était parti et avait marché jusqu'à Ascalon et aux places voisines. Il se détourna sur Joppé et l'occupa. 34 Il avait appris en effet que les habitants voulaient livrer cette place forte aux partisans de Démétrius; il y plaça une garnison pour la garder [g].

**Travaux à Jérusalem.**

35 Une fois revenu, Jonathan réunit l'assemblée des anciens du peuple et décida avec eux d'édifier des forteresses en Judée, 36 de surélever les murs de Jérusalem, de dresser une haute barrière entre la Citadelle [h] et la ville pour séparer celle-là de la ville et pour qu'elle fût isolée, afin que ses gens ne pussent ni acheter ni vendre. 37 Ils se réunirent pour rebâtir la ville : il était tombé une partie du mur du torrent qui est au levant; il remit à neuf le quartier appelé Chaphénatha [i]. 38 Quant à Simon, il rebâtit Adida [j] dans le Bas-Pays, la fortifia et y disposa des portes munies de verrous.

**Jonathan tombe aux mains de ses ennemis.**

39 Tryphon songeait à régner sur l'Asie, à ceindre 11 39s, 54s
le diadème et à mettre la main sur le roi Antiochus. 40 Redoutant que Jonathan ne le laissât pas faire et qu'il ne lui fît au besoin la guerre, il cherchait un biais pour l'appréhender et le faire périr; s'étant mis en mouvement, il vint à Bethsân. 41 Jonathan sortit à sa rencontre avec quarante mille hommes choisis pour la bataille rangée, et vint à Bethsân. 42 Tryphon, voyant qu'il était venu avec une armée nombreuse, se garda de mettre la main sur lui. 43 Il le reçut même avec honneur, le recommanda à tous ses amis, lui fit des cadeaux et ordonna à ses amis et à ses troupes de lui obéir comme à lui-même. 44 Il dit à Jonathan : « Pourquoi as-tu fatigué tout ce peuple alors qu'il n'y a pas entre nous menace de guerre? 45 Renvoie-les donc chez eux, choisis-toi quelques hommes pour t'accompagner et viens avec moi à Ptolémaïs. Je te livrerai cette ville ainsi que les autres forteresses, le reste des troupes et tous les fonctionnaires [k], puis, prenant le chemin du retour, je m'en irai, car c'est dans ce but que je suis venu ici. » 46 Lui faisant confiance, Jonathan agit suivant ses dires : il renvoya ses troupes, qui regagnèrent le

*a)* « à Onias : Areios » conj. d'après Josèphe; « à Oniarès » grec.
*b)* Cette légende, conforme aux fictions diplomatiques du temps, existait déjà à Sparte lorsque Jason y chercha refuge, 2 M **5** 9.
*c)* Ce tableau idyllique trahit l'auteur de l'*écrit* : un Juif qui trouve son idéal dans les récits sur les Patriarches.
*d)* « et s'esquivèrent » 2 mss, grec luc., syr., Josèphe; omis par le reste du grec et le lat.
*e)* L'actuel Nahr el-Kebir, qui sépare le Liban de la Syrie. C'était sans doute la frontière nord de la province de Coelé-Syrie et Phénicie dont Jonathan était le stratège.
*f)* Ce nom se retrouve encore dans des toponymes de l'Antiliban, par exemple Zebdâni.
*g)* Simon agit donc en tant que stratège nommé par Antiochus VI, **11** 59, mais dans son éloge de Simon, l'auteur soulignera toute l'importance que revêtait pour les Juifs la prise de ce port si disputé, **14** 5.
*h)* Toujours entre les mains des mercenaires de Démétrius, **11** 20, que rien n'empêchait de sortir dans la ville.
*i)* Terme à rapprocher de l'araméen *kaphelta*, « la double » : c'est la traduction de l'hébr. *ha-mishneh* qui désigne le nouveau quartier, au nord-ouest du Temple, cf. 2 R **22** 14. – Le « torrent » est le Cédron.
*j)* La Hadid d'Esd **2** 33, à 6 km au nord-est de Lydda, dont Simon semble avoir fait sa base, **13** 13.
*k)* Tryphon reconnaît donc à Jonathan (ou fait semblant de reconnaître) sa qualité de stratège de Coelé-Syrie et Phénicie.

pays de Juda. 47 Il garda avec lui trois mille hommes dont il détacha deux mille en Galilée, et mille
allèrent avec lui. 48 Lorsque Jonathan fut entré à
Ptolémaïs, les Ptolémaïtes fermèrent les portes, se
saisirent de sa personne et passèrent tous ceux qui
étaient entrés avec lui au fil de l'épée. 49 Tryphon
envoya des troupes et de la cavalerie en Galilée et
dans la Grande Plaine pour exterminer tous les
partisans de Jonathan. 50 Ceux-ci comprirent qu'il
avait été pris et qu'il était perdu comme ceux qui
se trouvaient avec lui; ils s'encouragèrent les uns
les autres et marchèrent en rangs serrés, prêts au
combat. 51 Ceux qui les poursuivaient, voyant
qu'ils luttaient pour leur vie, s'en retournèrent.
52 Ils arrivèrent tous sains et saufs au pays de Juda,
pleurèrent Jonathan et ses compagnons et furent en
proie à une grande frayeur; tout Israël mena un
grand deuil. 53 Toutes les nations d'alentour cherchèrent à les exterminer : « Ils n'ont pas de chef,
disaient-ils, ni d'aide, il est temps de les attraper et
nous effacerons leur souvenir du milieu des hommes. »

## *V. Simon, grand prêtre et ethnarque des Juifs (143-134 av. J.-C.)*

**Simon prend le commandement.**

**13** 1 Simon apprit que Tryphon avait réuni une
grande armée pour aller ravager le pays de
Juda. 2 Voyant que le peuple tremblait d'épouvante, il monta à Jérusalem, rassembla le peuple
3 qu'il exhorta en ces termes : « Vous n'êtes pas
sans savoir tout ce que moi, mes frères et la maison
de mon père avons fait pour les lois et le saint lieu,
ainsi que les guerres et les tribulations que nous
avons vues. 4 C'est bien pour cela que tous mes frères ont péri [a], oui, pour la cause d'Israël, et que moi
je suis resté tout seul. 5 Maintenant, loin de moi
d'épargner ma vie en aucun temps d'oppression!
car je ne suis pas meilleur que mes frères. 6 Mais
plutôt je vengerai ma nation, le lieu saint, vos femmes et vos enfants, parce que toutes les nations se
5 2; 12 53 sont coalisées pour nous anéantir, poussées par la
haine. » 7 A ces paroles, l'esprit du peuple se ral-
luma; 8 Ils répondirent d'une voix forte : « Tu es
notre guide à la place de Judas et de Jonathan, ton
frère; 9 prends la direction de notre guerre et tout
ce que tu nous diras, nous le ferons [b]. » 10 Il rassembla tous les hommes aptes au combat, se hâta
d'achever les murs de Jérusalem et la fortifia. 11 Il
envoya à Joppé Jonathan, fils d'Absalom, avec une
troupe importante; celui-ci en chassa les habitants
et s'y établit [c].

**Simon repousse Tryphon de la Judée.**

12 Tryphon partit de Ptolémaïs avec une nombreuse armée pour entrer dans le pays de Juda,
ayant avec lui Jonathan prisonnier. 13 Simon vint
alors camper à Adida, en face de la plaine.
14 Tryphon, ayant appris que Simon avait remplacé
son frère Jonathan et qu'il était sur le point
d'engager la lutte avec lui-même, lui dépêcha des
messagers pour lui dire : 15 « C'est au sujet de
l'argent que ton frère Jonathan doit au trésor royal,
à raison des fonctions qu'il remplissait, que nous
le tenons captif. 16 Envoie donc maintenant cent
talents d'argent et deux de ses fils en otages, de
peur qu'une fois relâché il ne se rebelle contre
nous; alors nous le laisserons aller. » 17 Simon, bien
qu'il connût la fausseté des paroles que lui adressaient les messagers, envoya prendre l'argent et les
enfants, de peur de s'attirer une grande inimitié de
la part du peuple qui aurait dit : 18 « C'est parce
que je n'ai pas envoyé l'argent et les enfants que
Jonathan a péri. » 19 Il envoya donc les enfants et
les cent talents, mais Tryphon le trompa en ne renvoyant pas Jonathan. 20 Après cela, Tryphon se mit
en marche pour envahir le pays et le ravager; il fit
un détour par le chemin d'Adôra [d] : Simon et son
armée lui faisaient obstacle partout où il passait.
21 Cependant ceux de la Citadelle dépêchaient à
Tryphon des messagers le pressant de venir chez
eux par le désert et de leur faire parvenir des vivres.
22 Tryphon disposa alors toute sa cavalerie pour y
aller, mais dans cette nuit-là il tomba une neige si
abondante qu'il ne put s'y rendre. Il partit de là
et se rendit en Galaaditide. 23 Aux approches de

*a)* Simon, comme tout le peuple, pensait que Jonathan était mort. Il n'était encore que prisonnier, v. 12.

*b)* Simon est nommé par acclamation, comme l'avait été Jonathan, **9** 30, alors que Judas avait été désigné par son père, **2** 66; celui-ci avait d'ailleurs demandé à ses fils de regarder Simon, l'aîné, comme leur père, mais jusque-là il s'était effacé devant ses cadets.

*c)* La politique juive de Simon est plus radicale que celle de Jonathan. Déjà à Bethsour, il avait expulsé toute la population païenne, **11** 66.

*d)* L'Adoraïm de 2 Ch **11** 9, aujourd'hui Dura, à 8 km à l'ouest d'Hébron. Tryphon opère le même mouvement tournant que Lysias, cf. **4** 29; **6** 31.

Baskama[a], il tua Jonathan, qui fut enseveli en ce lieu. 24 Tryphon, s'en retournant, regagna son pays.

**Jonathan enseveli dans le mausolée de Modîn construit par Simon.**

25 Simon envoya recueillir les ossements de Jonathan, son frère, et il l'ensevelit à Modîn, ville de ses pères. 26 Tout Israël mena sur lui un grand deuil et se lamenta durant de longs jours. 27 Simon bâtit sur la sépulture de son père et de ses frères un monument de pierres polies tant par derrière qu'en façade, assez haut pour être vu. 28 Il érigea sept pyramides, l'une en face de l'autre, à son père, à sa mère et à ses quatre frères[b]. 29 Il les entoura d'un ouvrage consistant en hautes colonnes surmontées de panoplies, pour un souvenir éternel, et, à côté des panoplies, de vaisseaux sculptés pour être vus par tous ceux qui naviguent sur la mer. 30 Tel est le mausolée qu'il fit à Modîn, et qui existe encore aujourd'hui.

**Faveurs de Démétrius II à l'égard de Simon.**

31 Or Tryphon, usant de perfidie avec le jeune roi Antiochus, le mit à mort[c]. 32 Il régna à sa place, ceignit le diadème de l'Asie et fit beaucoup de mal dans le pays. 33 Quant à Simon, il rebâtit les forteresses de Judée, les entoura de hautes tours et de murs élevés munis de portes et de verrous et, dans ces forteresses, il entreposa des vivres. 34 En outre, Simon désigna des hommes qu'il envoya au roi Démétrius pour que celui-ci accordât rémission à la province, parce que tous les actes de Tryphon n'étaient que rapines[d]. 35 Le roi Démétrius envoya une réponse à sa demande dans une lettre libellée comme suit :

36 « Le roi Démétrius à Simon, grand prêtre, ami des rois, aux anciens et à la nation des Juifs, salut. 37 Nous avons agréé la couronne d'or et la palme que vous nous avez envoyées et nous sommes disposés à faire avec vous une paix complète et à écrire aux fonctionnaires de vous accorder des remises. 38 Tout ce que nous avons statué à votre égard reste stable, et les forteresses que vous avez construites sont à vous. 39 Nous vous remettons les erreurs et les manquements commis jusqu'à ce jour ainsi que la couronne que vous devez[e], et si quelque autre droit était perçu à Jérusalem, qu'il ne soit plus exigé. 40 Si quelques-uns d'entre vous étaient aptes à s'enrôler dans notre garde du corps, qu'ils se fassent inscrire et que la paix soit faite entre nous. » 41 L'an cent soixante-dix le joug des nations fut ôté d'Israël[f], 42 et le peuple commença à écrire sur les actes et les contrats : « En la première année sous Simon, grand prêtre éminent, stratège et higoumène des Juifs.[g] »

**Prise de Gazara par Simon.** || 2 M **10** 32-38

43 En ces jours-là, Simon vint mettre le siège devant Gazara[h] et l'investir avec ses troupes. Il construisit une tour roulante, la fit donner contre la ville, ouvrit une brèche dans l'un des bastions et s'en empara. 44 Ceux qui étaient dans la tour sautèrent dans la place, ce qui y produisit une agitation considérable. 45 Les habitants de la ville avec leurs femmes et leurs enfants montèrent sur le rempart et, déchirant leurs vêtements, ils demandèrent à grands cris à Simon de faire la paix avec eux : 46 « Ne nous traite pas, dirent-ils, selon notre méchanceté, mais selon ta miséricorde. » 47 Simon fit un arrangement avec eux et ne les combattit pas. Seulement, il les chassa de la ville, purifia les maisons dans lesquelles il y avait des idoles, et alors il y entra au chant des hymnes et des bénédictions. 48 Il en bannit toute impureté, y établit des hommes qui pratiquaient la Loi et, l'ayant fortifiée, il s'y bâtit pour lui-même une résidence.

**Conquête de la Citadelle de Jérusalem par Simon.**

49 Quant à ceux de la Citadelle à Jérusalem, ils étaient empêchés de sortir et de se rendre à la campagne, d'acheter et de vendre[i] : ils eurent terriblement faim et nombre d'entre eux furent emportés par la famine. 50 Ils demandèrent avec cris à Simon de faire la paix avec eux, ce qu'il leur accorda. Il les chassa de là et purifia la Citadelle de toute souillure. 51 Les Juifs y firent leur entrée le vingt-trois du deuxième mois de l'an cent soixante et

*a)* A la pointe occidentale du promontoire du Carmel; c'est le Sykaminos où débarquera Ptolémée IX vers 100 av. J.-C. On peut alors voir dans le difficile « Galaaditide » une erreur pour « Galilée ». – Tryphon aura exécuté Jonathan avant de se rembarquer.

*b)* Les monuments à pyramides sont caractéristiques de l'art funéraire de l'époque.

*c)* Pour notre auteur comme pour Diodore, ce meurtre précède l'avènement de Tryphon (qu'il faut fixer à l'année 142/141), mais d'après Tite-Live et Josèphe, il a suivi la capture de Démétrius (en 139, cf. **14** 2). L'ordre réel pourrait être : avènement de Tryphon, capture de Démétrius et meurtre d'Antiochus.

*d)* Il y a probablement un jeu de mot dans l'hébr. entre le nom de Tryphon et *tereph*, « rapine ». – La rémission demandée concerne les taxes.

*e)* Sans doute le tribut annuel (alors qu'au v. 37 il devait s'agir d'un don occasionnel). – Pour les autres taxes, seule Jérusalem (en fait, la Judée) semble exemptée, à l'exclusion des trois nomes, **11** 34+; cf. **15** 31.

*f)* En 142 av. J.-C. – Le « joug » est le symbole de la servitude, **8** 18; 1 R **12** 4, concrétisée par le paiement du tribut.

*g)* C'est-à-dire « prince » ou « chef de la communauté » (équivalent de l'hébr. *rôsh*, litt. « tête »). – Simon compte ses années comme les rois d'Égypte ou Tryphon, à partir de son avènement et non par rapport à l'ère séleucide.

*h)* « Gazara » conj. d'après Josèphe, et cf. **14** 7; **15** 28; **16** 21; 2 M **10** 32s; « Gaza » grec et lat. – C'est Gézer, à 30 km au nord-ouest de Jérusalem.

*i)* Situation qui durait depuis deux ans, cf. **12** 36.

onze [a], avec des acclamations et des palmes, au son
des lyres, des cymbales et des harpes, au chant des
hymnes et des cantiques, parce qu'un grand ennemi
avait été brisé et jeté hors d'Israël. 52 Simon
ordonna de célébrer chaque année ce jour-là avec
jubilation. Il fortifia la montagne du sanctuaire du
côté de la Citadelle et y habita lui et les siens.
53 Simon vit que Jean, son fils, était vraiment un
homme; aussi l'établit-il chef de toutes les forces;
il résidait à Gazara.

**Éloge de Simon.**

**14** 1 En l'année cent soixante-douze [b], le roi
Démétrius réunit son armée et s'en alla en
Médie se procurer des secours afin de combattre
Tryphon. 2 Arsace, roi de Perse et de Médie [c],
ayant appris que Démétrius était entré sur son territoire, envoya un de ses généraux le capturer
vivant. 3 Celui-ci partit et défit l'armée de Démétrius, dont il se saisit; il l'amena à Arsace, qui le
mit en prison.

4 Le pays de Juda fut en repos durant tous les
jours du règne de Simon [d].

3 3-9 Il chercha le bien de sa nation
et son autorité fut agréée des siens,
comme sa magnificence, durant toute sa vie.
5 En plus de ses titres de gloire,
il prit Joppé, en fit son port,
et s'ouvrit un accès aux îles de la mer.
Ex **34** 24 6 Il recula les frontières de sa nation,
tout en gardant le pays en main,
7 et regroupa la foule des captifs.
Il maîtrisa Gazara, Bethsour et la Citadelle [e],
il en extirpa les impuretés
et nul ne se trouva pour lui résister.
8 Les gens cultivaient leur terre en paix,
Za **8** 12 la terre donnait ses produits
et les arbres de la plaine leurs fruits.
Za **8** 4-5 9 Les vieillards sur les places étaient assis,
tous s'entretenaient de la prospérité,
les jeunes revêtaient de magnifiques armures.
10 Aux villes il fournit des vivres,
il les munit de fortifications,
si bien que sa gloire parvint au bout du monde.
11 Il fit la paix dans le pays
et Israël éprouva une grande allégresse.
12 Chacun s'assit sous sa vigne et son figuier 1 R **5** 5
et il n'y avait personne pour l'inquiéter. Mi **4** 4 Za **3** 10
13 Quiconque le combattait dans le pays dis-
parut
et, en ces jours-là, les rois furent écrasés.
14 Il affermit tous les humbles de son peuple 14c et
supprima tout impie et tout méchant [f].
14b Il observa la Loi,
15 couvrit de gloire le sanctuaire
et l'enrichit de vases nombreux.

**Renouvellement de l'alliance avec Sparte et Rome.**

16 Lorsqu'on apprit à Rome, et jusqu'à Sparte,
que Jonathan était mort, on en fut profondément
affligé. 17 Mais lorsqu'on entendit que Simon, son
frère, lui avait succédé comme grand prêtre et qu'il
était maître du pays et des villes qui s'y trouvaient,
18 ils lui écrivirent sur des tablettes de bronze pour 8 22
renouveler avec lui l'amitié et l'alliance qu'ils 8 17s: 12 3
avaient conclues avec Judas et Jonathan ses frères [g]. 19 Lecture en fut donnée devant l'assemblée à
Jérusalem.

20 Voici la copie des lettres qu'envoyèrent les
Spartiates :

« Les magistrats et la ville des Spartiates à
Simon, grand prêtre, aux anciens, aux prêtres et au
reste du peuple des Juifs, salut. 21 Les ambassadeurs que vous avez envoyés à notre peuple nous
ont informés de votre gloire et de votre bonheur,
nous avons été enchantés de leur venue. 22 Nous
avons enregistré leurs déclarations parmi les décisions populaires en ces termes : Nouménios, fils 12 16
d'Antiochos, et Antipater, fils de Jason, ambassadeurs des Juifs, sont venus chez nous pour renouer
amitié avec nous. 23 Et il a plu au peuple de recevoir ces personnages avec honneur et de déposer la
copie de leurs discours aux archives publiques,
pour que le peuple de Sparte en garde le souvenir.
Il en a été exécuté par ailleurs une copie pour
Simon le grand prêtre. »

24 Après cela, Simon envoya Nouménios à Rome
avec un grand bouclier d'or du poids de mille
mines, pour confirmer l'alliance avec eux.

*a)* Début juin 141. – Cette expulsion marque la fin de l'occupation séleucide de Jérusalem qui durait depuis 167, cf. **1** 33-40.

*b)* Octobre 141 à septembre 140.

*c)* Mithridate Ier, Arsace VI (171-138), fondateur de l'empire parthe, avait déjà enlevé à Démétrius la Médie et la Perse. Appelé au secours par ses anciens sujets, Démétrius semble d'abord l'emporter, mais il est fait prisonnier en 139, cf. **10** 67, et relégué en Hyrcanie (au sud de la Caspienne), où il reçut d'ailleurs un traitement digne de son rang.

*d)* L'éloge rythmé qui suit, cf. **1** 28+, est plein de réminiscences bibliques.

*e)* Avec la prise du port de Joppé, v. 5, cf. **12** 32; **13** 11; **14** 34, celle des trois places fortes séleucides les plus importantes avait « établi la liberté d'Israël » sur des bases solides, **14** 26.

*f)* Ce v. rend un son presque messianique, cf. Ps **18** 28; Lc **1** 52. – La suite du v., rétablie selon l'ordre logique (avec grec luc. et mss syr.), traduit bien le légalisme de l'époque et le souci de la Loi propre à Simon, **13** 3; **14** 29; cf. 2 M **13** 10, 14.

*g)* Cf. **8** 22. En fait, ce renouvellement d'alliance a dû être sollicité par Simon peu après son accession en 142, puisque la réponse de Rome date de cette même année (celle du consulat de Lucius, **15** 16). Tel devait être l'objet de la mission de Nouménios, **14** 24. – La répartition de ce dossier historique dans la trame du récit est maladroite.

**Décret honorifique en faveur de Simon.**

25 En apprenant ces faits, on dit parmi le peuple : « Quel témoignage de reconnaissance donnerons-nous à Simon et à ses fils? 26 Car il s'est montré ferme [a], lui aussi bien que ses frères et la maison de son père; il a, en les combattant, repoussé les ennemis d'Israël loin de lui, et établi sa liberté. » Aussi gravèrent-ils un texte sur des tables de bronze et le placèrent-ils sur des stèles au mont Sion. 27 Voici la copie de ce texte :

« Le dix-huit Élul de l'an cent soixante-douze qui est la troisième année de Simon, grand prêtre éminent, en Asaramel [b], 28 en la grande assemblée des prêtres, du peuple, des princes de la nation et des anciens du pays, on nous a notifié ceci :

29 Lorsque des combats incessants eurent lieu dans la contrée, Simon, fils de Mattathias, descendant des fils de Ioarib, et ses frères se sont exposés au danger et ont tenu tête aux ennemis de leur nation, afin que leur sanctuaire demeurât debout ainsi que la Loi, et ils ont acquis à leur nation une grande gloire. 30 Jonathan rassembla sa nation et devint son grand prêtre, puis il alla rejoindre son peuple. 31 Les ennemis des Juifs voulurent envahir leur pays pour ravager leur territoire et porter la main sur leur sanctuaire. 32 Alors Simon se leva et combattit pour sa nation. Il dépensa beaucoup de ses propres richesses [c], fournit des armes aux hommes vaillants de sa nation et leur donna une solde; 33 il fortifia les villes de Judée ainsi que Bethsour, sur les limites de la Judée, où se trouvaient auparavant les armes des ennemis, et il y mit une garnison de guerriers juifs. 34 Il fortifia Joppé sur la mer et Gazara sur les limites d'Azôtos, habitée naguère par des ennemis, où il plaça des colons juifs et entreposa tout ce qui convenait à leur entretien. 35 Le peuple vit la fidélité de Simon et la gloire qu'il se proposait de donner à sa nation; ils le constituèrent leur higoumène et leur grand prêtre à cause de tous les services qu'il avait rendus, à cause de la justice et de la fidélité qu'il garda envers sa nation et parce qu'il avait travaillé de toutes manières à l'élévation de son peuple. 36 En ces jours, il lui fut donné d'extirper de son pays [d] les nations et ceux qui étaient dans la Cité de David à Jérusalem, dont ils s'étaient fait une citadelle d'où ils opéraient des sorties, souillant les alentours du sanctuaire et portant une atteinte grave à sa sainteté. 37 Il y établit des guerriers juifs et la fortifia pour la sécurité du pays et de la ville, et il exhaussa les murailles de Jérusalem.

38 Le roi Démétrius lui confirma en conséquence
la souveraine sacrificature, 39 il l'éleva au rang des
amis et l'entoura d'un éclat considérable [e]. 40 Le roi 2 18+
en effet avait appris que les Romains appelaient les
Juifs amis, alliés et frères [f], qu'ils avaient reçu avec
honneur les ambassadeurs de Simon, 41 et que les
Juifs et les prêtres avaient jugé bon que Simon fût
higoumène et grand prêtre pour toujours jusqu'à ce
que paraisse un prophète accrédité; 42 et aussi qu'il 4 46+
fût leur stratège et prît soin de désigner les responsables de la fabrique du sanctuaire, de l'administration du pays, des armements et des places fortes; 43 (qu'il prît soin du sanctuaire [g]), qu'il fût obéi de tous, que tous les actes dans le pays fussent rédigés en son nom, qu'il fût revêtu de la pourpre et portât des ornements d'or. 44 Il ne sera permis à personne du peuple et d'entre les prêtres de rejeter un de ces points, ni de contredire les ordres qu'il donnera, ni de tenir un conciliabule dans le pays à son insu, ni de revêtir la pourpre ou de porter l'agrafe d'or. 45 Quiconque agira contrairement à ces décisions ou en rejettera un point, sera passible d'une peine. 46 Le peuple trouva bon d'accorder à Simon le droit d'agir suivant ces dispositions. 47 Simon accepta et il consentit à exercer le souverain sacerdoce, à être stratège et ethnarque des Juifs et des prêtres [h], à être à la tête de tous. 48 Ils décrétèrent que cet écrit serait gravé sur des tables de bronze qui devraient être placées dans l'enceinte du sanctuaire en un lieu apparent, 49 et que des copies en seraient déposées dans le Trésor pour être à la disposition de Simon et de ses fils. »

**Lettre d'Antiochus VII et siège de Dôra.**

**15** 1 Antiochus, fils du roi Démétrius, envoya, des îles de la mer [i], à Simon, prêtre et ethnarque des Juifs, et à toute la nation, 2 une lettre ainsi conçue :

« Le roi Antiochus à Simon, grand prêtre et ethn-

*a)* « il s'est montré ferme » trad. conjecturale d'un verbe qui a normalement un sens actif.

*b)* En septembre 140. – « Asaramel » (et non la forme mutilée « Saramel » de certains mss) est la transcription de *haçar 'am 'el*, « parvis du peuple de Dieu ». Il s'agit sans doute de la cour extérieure du sanctuaire, cf. v. 48; **9** 54.

*c)* Mention caractéristique des textes honorifiques. – A la levée en masse du temps de la Révolte s'est substituée peu à peu une armée permanente.

*d)* « son pays » 1 ms lat.; « leur pays » grec, lat.

*e)* Cf. **13** 36. Le lien avec Antioche reste donc réel.

*f)* La formule « amis et alliés » est bien attestée; celle de « frères » doit être rédactionnelle car elle exigerait une communauté d'origine, au moins fictive, comme celle avec les Spartiates, **12** 21.

*g)* Sans doute dittographie, cf. v. 42.

*h)* La mention explicite des prêtres, ici et v. 41, pourrait s'expliquer par l'opposition du clergé resté fidèle aux Oniades évincés. – Le pouvoir de Simon se veut traditionnel (grand prêtre), respectueux de la suzeraineté séleucide (stratège), mais avant tout national (ethnarque = higoumène, chef d'un groupe ethnique à l'intérieur de l'empire).

*i)* C'est à Rhodes qu'Antiochus VII apprend la captivité de son frère Démétrius II. Élevé à Cnide et à Sidè, il reçut le surnom

arque, et à la nation des Juifs, salut. 3 Puisque des
malfaiteurs se sont emparés du royaume de nos
pères, que je prétends revendiquer la possession du
royaume afin de le rétablir dans sa situation antérieure, et que j'ai levé quantité de troupes et équipé
des vaisseaux de guerre 4 avec l'intention de débarquer dans le pays et de poursuivre ceux qui l'ont
ruiné et qui ont dévasté beaucoup de villes de mon
royaume, 5 je te confirme donc maintenant toutes
les remises que t'ont concédées les rois, mes prédécesseurs, et la dispense de tous les autres présents
qu'ils t'ont accordée [a]. 6 Je te permets de battre
monnaie à ton empreinte, avec cours légal dans ton
pays [b]. 7 Que Jérusalem et le sanctuaire soient
libres; que toutes les armes que tu as fabriquées et
les forteresses que tu as bâties et que tu occupes
te demeurent. 8 Que tout ce que tu dois au trésor
royal et ce que tu lui devras dans l'avenir te soit
remis dès maintenant et pour toujours. 9 Lorsque
nous aurons conquis notre royaume, nous te gra-
tifierons, toi, ta nation et le sanctuaire, de tels honneurs que votre gloire deviendra éclatante sur toute
la terre. »
10 L'année cent soixante-quatorze [c], Antiochus se
mit en marche vers le pays de ses pères, et toutes
les troupes s'en vinrent à lui, de sorte qu'il resta
peu de monde avec Tryphon. 11 Antiochus se mit
à sa poursuite et Tryphon s'enfuit à Dôra [d] sur la
mer, 12 car il savait que les malheurs s'amassaient
sur lui et que ses troupes l'avaient abandonné.
13 Antiochus vint camper devant Dôra, avec cent
vingt mille combattants et huit mille cavaliers. 14 Il
investit la ville, et les vaisseaux s'approchèrent du
côté de la mer, de sorte qu'il pressait la ville par
terre et par mer et ne laissait personne entrer ni sortir.

### Retour de l'ambassade de Rome en Judée et promulgation de l'alliance avec les Romains.

**12** 16; 15 Cependant, Nouménios et ses compagnons
**14** 22, 24; **8** 17 arrivèrent de Rome avec des lettres adressées aux
rois et aux pays; en voici la teneur :
16 « Lucius [e], consul des Romains, au roi Ptolémée, salut. 17 Les ambassadeurs des Juifs sont
venus chez nous en amis et en alliés pour renouveler l'amitié et l'alliance de jadis, envoyés par le
grand prêtre Simon et le peuple des Juifs. 18 Ils ont
apporté un bouclier d'or de mille mines [f]. 19 Il nous
a plu, en conséquence, d'écrire aux rois et aux pays
de ne pas leur chercher noise, de ne pas leur faire
la guerre, ni à leurs villes, ni à leur pays, et de ne
pas s'allier à ceux qui les attaqueraient. 20 Nous
avons décrété de recevoir le bouclier de leur part.
21 Si donc des gens pernicieux se sont enfuis de leur
pays pour se réfugier chez vous, livrez-les au grand
prêtre Simon pour qu'il les punisse suivant leurs
lois. »
22 La même lettre fut adressée au roi Démétrius,
à Attale, à Ariarathe, à Arsace [g] 23 et à tous les
pays, à Sampsamè, aux Spartiates, à Délos, à Myn-
dos, à Sicyone, à la Carie, à Samos, à la Pamphylie, à la Lycie, à Halicarnasse, à Rhodes, à Phasé-
lis, à Cos, à Sidè, à Arados, à Gortyne, à Cnide,
à Chypre et à Cyrène [h]. 24 Ils rédigèrent une copie
de ces lettres pour le grand prêtre Simon.

### Antiochus VII assiégeant Dôra devient hostile à Simon et le fait réprimander.

25 Le roi Antiochus campait devant Dôra, dans
le faubourg, faisant avancer continuellement les
détachements contre la ville et construisant des
machines. Il bloquait Tryphon de sorte qu'on ne
pouvait ni sortir ni entrer. 26 Simon lui envoya deux
mille hommes d'élite pour prendre part au combat,
avec de l'argent, de l'or et un matériel considérable.
27 Il ne voulut pas les recevoir; bien plus, il révoqua
tout ce dont il avait convenu avec Simon auparavant et il devint tout autre à son égard. 28 Il lui
envoya Athénobius, un de ses amis, pour conférer 2 18+
avec lui et lui dire : « Vous occupez Joppé, Gazara
et la Citadelle qui est à Jérusalem, villes de mon
royaume [i]. 29 Vous avez dévasté leurs territoires,

de Sidétès, mais sur les monnaies il s'intitule Évergète (« bienfaiteur »).

*a)* Cf. **13** 39, Antiochus inclut ici, au moins implicitement, les taxes dues par les trois nomes, **15** 30s, cf. **11** 34+.

*b)* En fait, le privilège fut bientôt révoqué (v. 27), et aucune monnaie juive trouvée à ce jour ne peut être attribuée à Simon. En revanche les petites pièces de bronze au nom de « Jean et la communauté des Juifs » sont abondantes; elles sont peut-être de Jean Hyrcan, fils de Simon.

*c)* 139/138. – Les premières monnaies d'Antiochus datent de 138; son débarquement eut lieu en automne 139, à l'appel de sa belle-sœur Cléopâtre Théa.

*d)* Au sud du Carmel. Cet ancien chef-lieu de district, 1 R **4** 11, était resté un port prospère.

*e)* Lucius Caecilius Metellus Calvus, consul en 142; sa circulaire n'est donc pas en place, cf. **14** 18.

*f)* Il faut sans doute comprendre « de (la valeur de) mille mines (d'argent) » – soit l'équivalent de 44 kgs d'or; on connaît en effet de tels boucliers décoratifs – et corriger **14** 24 où on lit « du poids de mille mines », ce qui ferait près d'une demi-tonne d'or!

*g)* Attale II (159-138), roi de Pergame. Ariarathe V (162-131), roi de Cappadoce. Sur Arsace, cf. **14** 2.

*h)* Cette liste reflète bien l'état politique du Proche-Orient vers le milieu du II^e^ s. av. J.-C. A côté des quelques grands royaumes, il y avait une multitude de cités (Sidè, en Pamphylie, Sicyone, dans le Péloponnèse, etc.), d'îles (Délos, Samos, Rhodes, Arados, l'actuelle Rouad, au nord de Tripoli) et de territoires (Carie, Lycie, etc.) pratiquement indépendants, où se trouvait un certain nombre de colonies juives. Chypre et Cyrène étaient encore égyptiennes, mais Rome n'hésitait pas à s'adresser directement aux états vassaux.

*i)* La citadelle de Jérusalem était assez vaste pour mériter le nom de ville, cf. **1** 33. Simon refusera naturellement de la rendre ou de payer un impôt pour elle, mais il y consentira pour les deux autres places fortes qui ne faisaient pas partie de la Judée ni des quatre nomes, v. 29.

vous avez fait beaucoup de mal au pays et vous
vous êtes rendu maîtres de nombreuses localités [a]
de mon royaume. 30 Rendez donc maintenant les
villes que vous avez prises et les impôts des cantons dont vous vous êtes emparés en dehors des
limites de la Judée. 31 Ou bien donnez à leur place
cinq cents talents d'argent et, pour les dévastations
que vous avez commises et pour les impôts des villes, cinq cents autres talents; sinon, nous viendrons
vous faire la guerre. » 32 Athénobius, ami du roi,
vint à Jérusalem et vit la magnificence de Simon,
son buffet garni de vases d'or et d'argent et tout
l'apparat dont il s'entourait. Il en fut stupéfait et
lui fit connaître les paroles du roi. 33 Simon lui
répondit en ces termes : « Ce n'est point une terre
étrangère que nous avons prise ni des biens d'autrui
que nous avons conquis, mais c'est l'héritage de
nos pères : c'est injustement que nos ennemis l'ont
possédé un certain temps. 34 Mais nous, trouvant
l'occasion favorable, nous récupérons l'héritage de
nos pères. 35 Quant à Joppé et à Gazara que tu
réclames, ces villes faisaient beaucoup de mal au
peuple et désolaient notre pays [b], pour elles nous
donnerons cent talents. » L'envoyé ne lui répondit
mot. 36 Il s'en revint furieux chez le roi et lui fit
connaître la réponse et la magnificence de Simon,
bref, tout ce qu'il avait vu, ce qui mit le roi dans
une grande colère.

**Le gouverneur Kendébée harcèle la Judée.**

37 Or Tryphon, étant monté sur un bateau,
s'enfuit à Orthosia [c]. 38 Le roi institua Kendébée
épistratège de la Zone Maritime et lui confia une
armée de fantassins et de cavaliers. 39 Il lui donna
l'ordre de camper en face de la Judée et lui enjoignit de construire Kédrôn, de consolider ses portes
et de guerroyer contre le peuple; quant au roi il se
mit à la poursuite de Tryphon. 40 Kendébée se rendit à Iamnia et ne tarda pas à provoquer le peuple,
à envahir la Judée, à faire des prisonniers et à massacrer. 41 Il rebâtit Kédrôn [d] et y cantonna des
cavaliers et des fantassins pour opérer des sorties
et patrouiller sur les chemins de Judée, comme le
roi le lui avait ordonné.

**Victoire des fils de Simon sur Kendébée.**

16 1 Jean monta de Gazara et avertit Simon son
père de ce que Kendébée était en train
d'accomplir. 2 Simon appela alors ses deux fils les
plus âgés, Judas et Jean, et leur dit : « Mes frères
et moi, et la maison de mon père, nous avons
combattu les ennemis [e] d'Israël depuis notre jeunesse jusqu'à ce jour, et nos mains ont réussi à sauver Israël maintes fois. 3 Maintenant je suis vieux,
tandis que vous, par la miséricorde du ciel [f], vous
êtes d'un âge suffisant : prenez ma place et celle de
mon frère et partez combattre pour notre nation,
et que le secours du Ciel soit avec vous. » 4 Puis
il choisit dans le pays vingt mille combattants et
des cavaliers qui marchèrent sur Kendébée et passèrent la nuit à Modîn. 5 S'étant levés le matin, ils
s'avancèrent vers la plaine. Et voici qu'une armée
nombreuse venait à leur rencontre, fantassins et
cavaliers, mais il y avait un torrent [g] entre eux.
6 Jean [h] prit position en face des ennemis, lui et sa
troupe, et, voyant que la troupe craignait de traverser le torrent, il passa le premier. A cette vue, ses
hommes à leur tour passèrent après lui. 7 Il divisa
la troupe (en deux corps) avec les cavaliers au
milieu des fantassins [i], car la cavalerie des adversaires était fort nombreuse. 8 Les trompettes retentirent et Kendébée fut mis en fuite avec son armée;
beaucoup tombèrent frappés à mort; ceux qui
échappèrent s'enfuirent vers la forteresse. 9 C'est
alors que fut blessé Judas, le frère de Jean. Quant
à Jean, il les poursuivit jusqu'à ce que Kendébée
arrivât à Kédrôn qu'il avait rebâtie. 10 Ils s'enfuirent jusqu'aux tours qui sont dans les champs
d'Azôtos, que Jean incendia. Deux mille d'entre
eux succombèrent et il retourna en paix dans la
Judée.

**Mort tragique de Simon à Dôk.**
**Son fils Jean lui succède.**

11 Ptolémée fils d'Aboubos avait été établi stratège de la plaine de Jéricho [j]; il possédait beaucoup
d'or et d'argent, 12 car il était le gendre du grand
prêtre. 13 Son cœur s'enorgueillit; il aspira à se ren-

*a)* En grec *topos*, terme très vague qui doit désigner ici les quatre nomes ou « toparchies », cf. **11** 57.
*b)* « et désolaient notre pays » 1 ms; « et notre pays » ou « et à notre pays » ensemble du grec.
*c)* Entre Tripoli et le fleuve Éleuthère. On y a retrouvé trente-trois tétradrachmes de Tryphon, et la rareté de ces pièces autorise à les mettre en relation avec son passage. Tryphon s'enfuira jusqu'à Apamée où il sera mis à mort (à moins qu'il ne se soit suicidé, si l'on en croit Strabon plutôt que Josèphe).
*d)* L'actuel Qatra, à 6 km au sud-est de Iamnia.
*e)* « les ennemis » 1 ms grec, lat.; « les guerres » grec. – Ce Jean est Jean Hyrcan, qui succédera à son père en 134. – Les paroles de Simon rappellent le testament de Mattathias, **2** 49s. Cf. également **2** 66; **12** 15; **13** 3; **14** 26, 36.
*f)* Litt. « par la miséricorde », la précision est sous-entendue, cf. **2** 21.
*g)* Peut-être le wadi Qatra, qui passe à 1 km au nord de Qatra, entre Modîn (à 25 km) et Azôtos (v. 10, à 13 km).
*h)* Le sujet n'est pas exprimé, mais cela ne peut être Simon, cf. v. 3.
*i)* Cette tactique était connue des Anciens et permettait de résister à une cavalerie supérieure en nombre. Nous avons ici la première mention de la cavalerie asmonéenne.
*j)* Ptolémée avait-il été nommé par Simon à Jéricho comme Jean à Gazara? En tout cas cette « stratégie » relevait de la Judée, **9** 50, et deviendra l'une des toparchies hérodiennes.

dre maître du pays et formait des desseins perfides
contre Simon et ses fils pour les supprimer. 14 Or
Simon faisait une tournée d'inspection dans les
villes du pays, soucieux de ce qui regardait leur
administration. Il descendit à Jéricho, lui et ses fils
Mattathias et Judas, l'année cent soixante-dix-sept,
au onzième mois qui est le mois de Shebat[a]. 15 Le
fils d'Aboubos les reçut par ruse dans une petite
forteresse, nommée Dôk[b], qu'il avait bâtie. Il leur
servit un grand banquet et cacha des hommes dans
le fortin. 16 Lorsque Simon fut ivre ainsi que ses
fils, Ptolémée se leva avec ses hommes et, prenant
leurs armes, ils se précipitèrent sur Simon dans la
salle du festin et le tuèrent avec ses deux fils[c] et
quelques-uns de ses serviteurs. 17 Il commit ainsi
une grande perfidie et rendit le mal pour le bien.
18 Ptolémée en écrivit un rapport qu'il adressa au
roi, afin de se faire envoyer des troupes de secours
et de lui livrer les villes et la province. 19 Il envoya
d'autres émissaires à Gazara pour supprimer Jean,
et manda par lettre aux chiliarques[d] de venir
auprès de lui pour qu'il leur donnât de l'argent, de
l'or et des présents. 20 Il en dépêcha d'autres pour
prendre possession de Jérusalem et de la montagne
du sanctuaire. 21 Mais quelqu'un, ayant pris les
devants, avait annoncé à Jean, à Gazara, que son
père et ses frères avaient péri, et il dit : « Il a envoyé
quelqu'un pour te tuer toi aussi. » 22 A cette nouvelle, Jean fut tout bouleversé; il arrêta les hommes
venus pour le tuer et les mit à mort, car il savait
qu'ils cherchaient à le perdre[e]. 23 Quant au reste
des actions de Jean, ses combats et les exploits
qu'il accomplit, les remparts qu'il construisit et ses
autres entreprises, 24 cela est écrit dans le livre des
Annales de son pontificat depuis le jour où il devint
grand prêtre après son père[f].

*a)* Janvier-février 134.
*b)* Au sommet du mont de la Quarantaine, qui domine Jéricho.
*c)* En fait, les deux fils de Simon ne furent mis à mort que plus tard. Ptolémée les gardait comme otages ainsi que leur mère, et Jean Hyrcan, pour épargner leur vie, n'osait trop presser le siège de Dôk. Josèphe nous apprend que Ptolémée profita d'une suspension du siège, les tua et s'enfuit à Philadelphie (Ammân).
*d)* C'est-à-dire « chefs de mille », cf. **3** 55; Jdt **14** 12.
*e)* D'après Josèphe, Jean Hyrcan se réfugia à Jérusalem où il fut bien accueilli par le peuple qui repoussa Ptolémée. Ce dernier dut faire appel à Antiochus qui vint assiéger la ville mais finit par composer avec Hyrcan. A la mort du roi (129), il se rendit pratiquement indépendant. – L'auteur omet tout cela, car son objet se limitait aux exploits de Mattathias et de ses fils.
*f)* Des extraits de ces Annales apparaissent dans l'œuvre de Josèphe. La formule rappelle volontairement celles des livres des Rois, cf. par exemple 2 R **10** 20, et se comprend mieux si Jean Hyrcan est déjà mort, donc après 104 av. J.-C.

# DEUXIÈME LIVRE DES MACCABÉES

## *I. Lettres aux Juifs d'Égypte*[a]

### PREMIÈRE LETTRE

**1** 1 A leurs frères, aux Juifs qui sont en Égypte[b],
salut; les Juifs, leurs frères, qui sont à Jérusalem et ceux du pays de Judée leur souhaitent une
paix excellente. 2 Que Dieu vous comble de ses
bienfaits, qu'il se souvienne de son alliance avec
Abraham, Isaac et Jacob, ses fidèles serviteurs.
3 Qu'il vous donne à tous un cœur pour l'adorer et
1 Ch 28 9 accomplir ses volontés généreusement et de bon
gré. 4 Qu'il ouvre votre cœur à sa loi et à ses préceptes et qu'il instaure la paix. 5 Qu'il exauce vos
prières et se réconcilie avec vous, qu'il ne vous
abandonne pas au temps du malheur. 6 En ce
moment, ici même, nous sommes en prière pour
vous. 7 Sous le règne de Démétrius, l'an cent
soixante-neuf, nous, les Juifs, nous vous avons écrit
ceci[c] : « Au cours de la détresse et de la crise qui
fondirent sur nous en ces années, depuis que Jason 4 7s
et ses partisans avaient trahi la terre sainte et le
royaume, 8 ils incendièrent la grande porte (du
Temple) et répandirent le sang innocent. Alors
nous avons prié le Seigneur et nous avons été
exaucés; nous avons offert un sacrifice et de la fleur
de farine; nous avons allumé les lampes et exposé
les pains. » 9 Et maintenant nous vous écrivons
pour que vous célébriez la fête des Tentes du mois
de Kisleu. 10 En l'année cent quatre-vingt-huit[d].

### DEUXIÈME LETTRE[e]

**Adresse.**

Ceux qui sont à Jérusalem et ceux qui sont en
Judée, le sénat et Judas[f], à Aristobule[g], conseiller
du roi Ptolémée et issu de la race des prêtres consacrés, aux Juifs qui sont en Égypte, salut et bonne
santé.

**Action de grâces pour le châtiment d'Antiochus.**

11 Sauvés par Dieu de graves périls, nous le
remercions grandement de ce qu'il est notre champion contre le roi, 12 car c'est lui qui a emporté
ceux qui ont marché en armes contre la ville sainte.
13 Leur chef, en effet, étant allé en Perse, fut taillé 1 M 6 1-13 2 M 9 1-29

*a)* Ces deux lettres sont des invitations à célébrer la fête de la Dédicace, cf. 1 M **4** 59+. La première partie du livre, jusqu'à **10** 8, sera une justification historique de cette fête.
*b)* Il y avait depuis longtemps des colonies juives en Égypte. La mieux connue est celle d'Éléphantine qui remonte au début du VIe s. Vers 150 av. J.-C., le prêtre Onias IV, fils d'Onias III massacré à Daphné, **4** 33s, établit à Léontopolis un temple à l'imitation de celui de Jérusalem, cf. 1 M **10** 20+. Les Juifs de Jérusalem veulent maintenir la communauté de culte avec leurs frères d'Égypte, alors persécutés par Ptolémée VIII.
*c)* On rappelle donc ici une lettre antérieure, écrite aux Égyptiens en 169 séleucide (142 av. J.-C., cf. 1 M **1** 10+), touchant les malheurs des Judéens, consécutifs à la défection de Jason, cf. **4** 7s. Ce châtiment a cessé avec la réconciliation du Temple et de ses fidèles. Donc, avis de célébrer la nouvelle dédicace du Temple de Jérusalem.
*d)* En 124 av. J.-C., cette « fête des Tentes » (encore v. 18) de Kisleu (décembre) est la Dédicace, cf. 1 M **4** 59+; cet autre nom lui vient de sa ressemblance avec la grande fête des Tentes du mois de Tishri (octobre) cf. **10** 6; Lv **23** 34s.
*e)* La seconde lettre se donne pour un document de quarante ans plus vieux que le précédent, étant une invitation, v. 18, à la dédicace même du Temple, qui eut lieu le 25 Kisleu 148 séleucide (15 décembre 164 av. J.-C.). Le récit joint à des rumeurs sur la mort d'Antiochus Épiphane des traditions populaires concernant Néhémie et Jérémie. L'auteur sacré, en l'insérant en tête de son ouvrage, ne se porte pas garant de sa valeur historique.
*f)* Judas Maccabée.
*g)* Juif alexandrin connu par ses explications allégoriques du Pentateuque. Il dédia son œuvre à Ptolémée VI Philométor (180-145).

en pièces avec son armée qui paraissait irrésistible,
dans le temple de Nanaia [a], grâce à un expédient
dont usèrent les prêtres de la déesse. 14 Sous prétexte d'épouser Nanaia, Antiochus se rendit en ce
lieu avec ses amis dans le but d'en recevoir les très
grandes richesses à titre de dot. 15 Les prêtres du
Nanaion les avaient exposées, et lui s'était présenté
avec quelques personnes dans l'enceinte du sanctuaire. Dès qu'Antiochus fut entré dans le temple,
ils le fermèrent et, 16 ayant ouvert la porte secrète
dans les lambris du plafond, ils foudroyèrent le
chef en lançant des pierres. Ils le coupèrent en morceaux et jetèrent la tête [b] à ceux qui se trouvaient
dehors. 17 Qu'en toute chose notre Dieu soit béni,
lui qui a livré (à la mort) les sacrilèges!

**Le feu sacré miraculeusement conservé [c].**

18 Comme nous allons célébrer, le vingt-cinq
Kisleu, la purification du Temple, nous avons jugé
bon de vous en informer, afin que vous aussi vous
la célébriez à la manière de la fête des Tentes et
du feu qui se manifesta quand Néhémie [d], ayant
construit le sanctuaire et l'autel, offrit des
sacrifices. 19 Lorsque nos pères, en effet, furent
emmenés en Perse, les prêtres pieux d'alors prirent
du feu de l'autel et le cachèrent secrètement dans
une cavité semblable à un puits desséché. Ils l'y
mirent en sûreté de telle sorte que l'endroit demeurât ignoré de tous. 20 Nombre d'années s'étant
écoulées, lorsque tel fut le bon plaisir de Dieu,
Néhémie, envoyé par le roi de Perse [e], fit rechercher
le feu par les descendants des prêtres qui l'avaient
caché. 21 Comme ils expliquaient qu'en fait [f] ils
n'avaient pas trouvé de feu, mais une eau épaisse,
il leur ordonna d'en puiser et de la rapporter.
Quand on l'eut apportée, Néhémie commanda aux
prêtres de répandre cette eau sur ce qui était nécessaire aux sacrifices, le bois et ce qu'on avait placé
dessus. 22 Cet ordre une fois exécuté, et le moment
venu où le soleil, d'abord obscurci par les nuages,
se remit à briller, un grand brasier s'alluma, ce qui
suscita l'admiration de tout le monde. 23 Tandis
que le sacrifice se consumait, les prêtres faisaient
la prière : tous les prêtres avec Jonathan [g] qui
entonnait, les autres reprenant comme Néhémie.
24 Cette prière était ainsi conçue : « Seigneur, Seigneur Dieu, créateur de toutes choses, redoutable,
fort, juste, miséricordieux, le seul roi, le seul bon,
25 le seul libéral, le seul juste, tout-puissant et éternel, qui sauves Israël de tout mal, qui as fait de nos
pères tes élus et les as sanctifiés, 26 reçois ce
sacrifice pour tout ton peuple d'Israël; garde ton
héritage et sanctifie-le. 27 Rassemble ceux d'entre Dt **30** 3-5
nous qui sont dispersés [h], délivre ceux qui sont en
esclavage parmi les nations, regarde favorablement
ceux qui sont objets de mépris et d'abomination,
afin que les nations reconnaissent que tu es notre
Dieu. 28 Châtie ceux qui nous tyrannisent et nous
outragent insolemment, 29 implante ton peuple dans
ton lieu saint, comme l'a dit Moïse. »
30 Les prêtres exécutaient les hymnes sur la
harpe. 31 Quand le sacrifice fut consumé, Néhémie
ordonna de verser le reste de l'eau sur de grandes
pierres. 32 Cela fait, une flamme s'alluma, qui fut
absorbée par l'éclat concurrent du feu de l'autel.
33 Lorsque le fait eut été divulgué et qu'on eut
raconté au roi des Perses que, dans le lieu où les
prêtres déportés avaient caché le feu, une eau avait
paru avec laquelle Néhémie et ses compagnons
avaient purifié les offrandes du sacrifice [i], 34 le roi,
ayant vérifié l'événement, entoura le lieu et fit un
sanctuaire. 35 A ceux à qui le roi le concédait, il faisait part des grands revenus qu'il en retirait.
36 Néhémie et ses compagnons nommèrent ce
liquide « nephtar », ce qui s'interprète par purification, mais on l'appelle généralement naphte [j].

**Jérémie cache le matériel du culte.**

**2** 1 On trouve dans les documents que le prophète Jérémie [k] donna aux déportés l'ordre de

*a)* Déesse mésopotamienne assimilée à l'Artémis d'Éphèse. Le temple qu'Antiochus IV voulait dépouiller était celui d'Artémis en Élymaïde.

*b)* « la tête » 1 ms, syr.; « les têtes » grec et lat. (distraction du scribe, provoquée par le pluriel : « morceaux »). – Ce récit populaire de la fin d'Antiochus ne correspond ni à celui de **9** 1s, ni à celui de 1 M **6** 1s. Les circonstances réelles de sa mort n'étaient pas encore connues et on l'aura imaginée à travers celle d'Antiochus III, qui périt dans une embuscade avec toute son armée, après avoir pillé un temple de Bêl, également en Élymaïde.

*c)* L'anecdote a pour but de montrer que le sanctuaire de Jérusalem n'a perdu aucun de ses privilèges, puisqu'il a même conservé l'ancien feu sacré, cf. Lv **6** 5-6.

*d)* A Néhémie qui avec Esdras fonda vers 445/425 la nouvelle communauté juive, des mémoires apocryphes (**2** 13) attribuent la restauration de l'autel et du Temple, alors que l'autel fut dédié dès 538 et le Temple dès 515, Esd **3** 1s; **6** 14s. On notera que l'inauguration de l'autel par Zorobabel est également mise en relation avec la fête des Tentes, Esd **3** 4.

*e)* Probablement Artaxerxès Ier (464-423).

*f)* « en fait » *è mèn* conj.; « à nous » *hèmin* grec et lat.

*g)* « tous les prêtres » Vulg.; « les prêtres et tous » grec et Vet. Lat. – Il y a un anachronisme : les grands prêtres du temps de Néhémie sont Élyashib et Yoyada, Ne **3** 1; **13** 28, mais cf. Ne **12** 11.

*h)* Litt. « notre dispersion » (Diaspora), cf. Dt **30** 11; Ne **1** 5, 8s; Ps **147** 2; Is **49** 6.

*i)* C'est la version rapportée au roi, différente de celle qui précède.

*j)* Étymologie populaire peu claire donnée du mot persan *naft*. – Cette histoire combine le souvenir du culte du feu chez les Perses, v. 34, et une certaine connaissance des propriétés du naphte, le pétrole natif, qui fit l'admiration des géographes et des naturalistes grecs et romains.

*k)* Jérémie a été l'une des grandes figures reconnues par le judaïsme, cf. **15** 13-15. On lui a attribué les Lamentations, la lettre contre les idoles de Ba **6** (Vulg.), plusieurs apocryphes. L'un de ceux-ci, perdu pour nous, contenait les détails qui vont suivre. Ils ne sont pas conformes à l'histoire : la Tente n'existe plus depuis la construction du Temple de Salomon, l'arche a disparu lors de la destruction de ce Temple, et le Jérémie

prendre du feu, comme on l'a indiqué, 2 et
Ba **6** Vulg. comment, leur ayant donné la Loi, le prophète
recommanda à ceux qu'on emmenait de ne pas
oublier les préceptes du Seigneur et de ne pas
s'égarer dans leurs pensées en voyant des statues
d'or et d'argent et les ornements dont elles étaient
revêtues. 3 Entre autres conseils analogues, il leur
adressa celui de ne pas laisser la Loi s'éloigner de
leur cœur. 4 Il y avait dans cet écrit qu'averti par
un oracle, le prophète se fit accompagner par la
tente et l'arche, lorsqu'il se rendit à la montagne où
Moïse, étant monté, contempla l'héritage de Dieu.
5 Arrivé là, Jérémie trouva une habitation en forme
de grotte et il y introduisit la tente, l'arche, l'autel
des parfums, puis il en obstrua l'entrée. 6 Quelques-
uns de ses compagnons, étant venus ensuite pour
marquer le chemin par des signes, ne purent le
retrouver. 7 Ce qu'apprenant, Jérémie leur fit des
reproches : « Ce lieu sera inconnu, dit-il, jusqu'à ce
que Dieu ait opéré le rassemblement de son peuple
et lui ait fait miséricorde. 8 Alors le Seigneur manifestera de nouveau ces objets, la gloire du Seigneur
apparaîtra ainsi que la Nuée, comme elle se montra
Ex **24** 16 au temps de Moïse et quand Salomon pria pour que
1 R **8** 10-11 le saint lieu [a] fût glorieusement consacré. » 9 On
racontait en outre comment, doué du don de
sagesse, celui-ci offrit le sacrifice de la dédicace et
de l'achèvement du sanctuaire. 10 De même que
Lv **9** 24 Moïse avait prié le Seigneur et fait descendre le feu
2 Ch **7** 1
du ciel qui consuma le sacrifice, ainsi Salomon pria
et le feu venu d'en haut dévora les holocaustes.
11 Moïse avait dit : « Parce qu'il n'a pas été mangé, Lv **10** 16-17
le sacrifice pour le péché a été consumé. »
12 Salomon célébra pareillement les huit jours de 1 R **8** 65-66
fête.

**La bibliothèque de Néhémie.**

13 Outre ces mêmes faits, il était encore raconté
dans ces écrits et dans les Mémoires de Néhémie [b]
comment ce dernier, fondant une bibliothèque, y
réunit les livres qui concernaient les rois, les écrits
des prophètes et de David, et les lettres des rois au
sujet des offrandes [c]. 14 Judas pareillement a rassemblé tous les livres dispersés à cause de la guerre 1 M **1** 56-57
qu'on nous a faite, et ils sont entre nos mains. 15 Si
donc vous en avez besoin, envoyez-nous des gens
qui vous en rapporteront.

**Invitation à la Dédicace.**

16 Puisque nous sommes sur le point de célébrer 1 M **4** 59+
la purification, nous vous en écrivons. Vous ferez
bien par conséquent d'en célébrer les jours. 17 Le
Dieu qui a sauvé tout son peuple et qui a conféré
à tous l'héritage, la royauté, le sacerdoce et la sanctification, 18 comme il l'avait promis par la Loi, ce
Dieu, certes, nous l'espérons, aura bientôt pitié de
nous et, des régions qui sont sous le ciel, il nous Dt **30** 3-5
rassemblera dans le saint lieu, car il nous a arrachés à de grands maux et il l'a purifié.

## *II. Préface de l'auteur*

19 L'histoire de Judas Maccabée et de ses frères,
la purification du très grand sanctuaire, la dédicace
de l'autel, 20 les guerres contre Antiochus Épiphane
et son fils Eupator, 21 et les manifestations célestes
produites en faveur des braves qui luttèrent généreusement pour le judaïsme, de telle sorte que malgré leur petit nombre ils pillèrent toute la contrée
et mirent en fuite les hordes barbares, 22 recouvrèrent le sanctuaire fameux dans tout l'univers, déli-
vrèrent la ville, rétablirent les lois menacées d'abolition, le Seigneur leur ayant été propice avec toute
sa mansuétude, 23 tout cela ayant été exposé en
cinq livres par Jason de Cyrène, nous essaierons de
le résumer en un seul ouvrage [d]. 24 Considérant le
flot des chiffres et la difficulté qu'éprouvent ceux
qui veulent entrer dans les détours des récits de
l'histoire, à cause de l'abondance de la matière,
25 nous avons eu le souci d'offrir de l'agrément à
ceux qui se contentent d'une simple lecture, de la
commodité à ceux qui aiment à confier les faits à
leur mémoire, de l'avantage à tous indistinctement.
26 Pour nous qui avons assumé le pénible labeur de
ce résumé, c'est là non une tâche aisée, mais une
affaire de sueurs et de veilles, 27 non moins difficile
que celle de l'ordonnateur d'un festin qui cherche
à procurer la satisfaction des autres. De la même

historique ne la regrette pas, Jr **3** 16. Mais l'intention du récit est d'affirmer, malgré l'absence de la Tente et de l'arche, la continuité du culte légitime, cf. **1** 18+, et de rattacher cette Dédicace à celle du premier Temple par Salomon et à celle de la Tente par Moïse, cf. les vv. 8-12.

*a)* Litt. « le lieu », de même en **2** 18; **3** 2, 18, 30, 38; **5** 16-20; **10** 7; **13** 23; **15** 34, expression plus fréquente que « le lieu saint », **1** 29; **2** 18; **8** 17, mais le sens est identique.

*b)* Ouvrage non canonique inconnu par ailleurs.

*c)* Ce n'est pas encore une collection des écrits considérés comme canoniques, ce sont des ouvrages utiles à la vie de la communauté. Cette initiative est mise en parallèle avec celle de Judas Maccabée, v. 14.

*d)* Les deux règnes, v. 20, couvrent les années 175 à 162. En fait, le cadre historique de Jason (lettré de l'importante communauté juive de Cyrénaïque) était plus large : la victoire sur Nikanor est de mars 160, sous Démétrius Ier. L'épisode d'Héliodore, par lequel l'auteur inaugure son récit, se situe encore sous le règne de Séleucus IV, l'aîné d'Épiphane et le père de Démétrius Ier.

façon, pour rendre service à nombre de gens, nous supporterons agréablement ce pénible labeur, 28 laissant à l'écrivain le soin d'être complet sur chaque événement pour nous efforcer de suivre les contours d'un simple précis. 29 De même en effet que l'architecte d'une maison neuve doit s'occuper de toute la structure, tandis que celui qui se charge de la décorer de peintures à l'encaustique doit rechercher ce qui est approprié à l'ornementation, ainsi, pensé-je, en est-il pour nous. 30 Pénétrer dans les questions et en faire le tour pour en examiner avec curiosité tout le détail appartient à celui qui compose l'histoire, 31 mais, à celui qui fait une adaptation, il faut concéder qu'il recherche la concision de l'exposé et renonce à une histoire exhaustive.

32 Commençons donc ici notre relation sans rien ajouter à ce qui a été dit, car il serait sot d'être diffus avant d'entamer l'histoire et concis dans l'histoire elle-même.

## *III. Histoire d'Héliodore*[a]

**La venue d'Héliodore à Jérusalem.**

3 1 Tandis que la ville sainte était habitée dans une paix complète et qu'on y observait les lois le plus exactement possible, à cause de la piété du grand prêtre Onias[b] et de sa haine pour le mal, 2 il arrivait que les rois eux-mêmes honoraient le saint lieu et rehaussaient la gloire du Temple par les dons les plus magnifiques, 3 si bien que Séleucus, roi d'Asie, couvrait de ses revenus personnels toutes les dépenses nécessaires au service des sacrifices[c]. 4 Mais un certain Simon, de la tribu de Bilga, institué prévôt du Temple[d], se trouva en désaccord avec le grand prêtre sur la police des marchés de la ville. 5 Comme il ne pouvait l'emporter sur Onias, il alla trouver Apollonius, fils de Thraséos, qui était à cette époque le stratège de Cœlé-Syrie et de Phénicie. 6 Il rapporta que le trésor de Jérusalem regorgeait de richesses indicibles au point que la quantité des sommes en était incalculable et nullement en rapport avec le compte exigé par les sacrifices : il était possible de les faire tomber en la possession du roi. 7 Au cours d'une entrevue avec le roi, Apollonius mit celui-ci au courant des richesses qu'on lui avait dénoncées. Arrêtant son choix sur Héliodore, qui était à la tête des affaires, le roi l'envoya avec ordre de procéder à l'enlèvement des susdites richesses. 8 Aussitôt Héliodore se mettait en route, en apparence pour inspecter les villes de Cœlé-Syrie et de Phénicie, en fait pour accomplir les intentions du roi. 9 Arrivé à Jérusalem, et reçu avec bienveillance par le grand prêtre et par la ville, il fit part de ce qu'on avait dévoilé et manifesta le but de sa présence, demandant ensuite si véritablement il en était ainsi. 10 Le grand prêtre lui représenta que le trésor contenait les dépôts des veuves et des orphelins 11 et une somme appartenant à Hyrcan, fils de Tobie, personnage occupant une très haute situation[e], et qu'à l'encontre de ce que colportait faussement l'impie Simon, il y avait en tout quatre cents talents d'argent et deux cents talents d'or[f]; 12 qu'au reste il était absolument impossible de faire tort à ceux qui s'étaient confiés à la sainteté de ce lieu, à la majesté et à l'inviolabilité d'un Temple vénéré dans le monde entier.

**La ville est bouleversée.**

13 Mais Héliodore, en vertu des ordres qu'il avait reçus du roi, soutenait absolument que ces richesses devaient être confisquées au profit du trésor royal. 14 Au jour fixé par lui, il entrait pour dresser un inventaire de ces richesses. Une grande anxiété régna dans toute la ville. 15 Revêtus de leurs habits sacerdotaux, les prêtres, prosternés devant l'autel, invoquaient le ciel, auteur de la loi sur les dépôts, le priant de conserver ces biens intacts à ceux qui les avaient déposés. 16 A voir l'aspect du grand prêtre, on ne pouvait manquer de sentir une blessure jusqu'au fond du cœur, tant son air et l'altération de son teint trahissaient l'angoisse de son âme. 17 En proie à la frayeur et au tremblement dans tout son corps, cet homme manifestait à ceux qui le regardaient la souffrance installée dans son cœur. 18 Des gens se précipitaient par groupes hors des

*a)* L'auteur a retenu du livre de Jason cet épisode coloré, car il illustre sa thèse, exprimée au v. 39. Le fait se passe au temps de Séleucus IV Philopator (187-175). Il n'est pas étonnant que ce monarque ait voulu s'emparer des richesses du Temple : il était en effet très à court d'argent, à cause de la lourde dette envers Rome qu'avait contractée son père Antiochus III à la suite de la défaite de Magnésie (189), cf. 1 M **8** 7.
*b)* Onias III, fils de Simon II dont Si **50** 1s fait un bel éloge. Il est loué lui-même, 2 M **4** 5-6; **15** 12. Les Oniades continuent la lignée des grands prêtres de l'époque perse, issue de Josué, cf. Ne **12** 10s, un descendant de Sadoq, cf. 2 S **8** 17; 1 Ch **5** 27s.
*c)* Ptolémée II et Ptolémée III d'Égypte ainsi qu'Antiochus III de Syrie avaient de même, au siècle précédent, honoré le Temple de leurs présents. Cf. 1 M **10** 39s (pour Démétrius Ier).
*d)* « Bilga » Vet. Lat. et arm.; « Benjamin » grec. C'est une lignée sacerdotale, cf. Ne **12** 5, 18. – Le prévôt avait l'administration financière du Temple.
*e)* Gouverneur de l'Ammanitide, cf. 1 M **5** 13+.
*f)* Le dépôt serait de 10.500 kg d'argent et de 5.250 kg d'or, chiffre peu vraisemblable.

maisons pour prier tous ensemble parce que le
saint lieu était menacé d'opprobre. [19] Les femmes,
ceintes de sacs au-dessous des seins, remplissaient
les rues; les jeunes filles qui étaient tenues à la maison couraient, les unes aux portes, les autres sur les
murs, certaines se penchaient aux fenêtres :
[20] toutes, les mains tendues vers le ciel, proféraient
leur supplication. [21] C'était pitié de voir la prostration confuse de la multitude et l'appréhension du
grand prêtre en proie à une grande inquiétude.
[22] Pendant que d'un côté on demandait au Seigneur
tout-puissant de garder intacts, en toute sûreté, les
dépôts à ceux qui les avaient confiés, [23] Héliodore,
d'autre part, exécutait ce qui avait été décidé.

**Châtiment d'Héliodore.**

[24] Il était déjà là avec ses satellites, près du Trésor, lorsque le Souverain des Esprits et de toute
Puissance se manifesta, avec un tel éclat que tous
ceux qui avaient osé entrer là, frappés par la force
de Dieu, se trouvèrent sans vigueur ni courage. [25] A
5 4+ leurs yeux apparut un cheval monté par un redoutable cavalier et richement caparaçonné; bondissant avec impétuosité, il agitait contre Héliodore
ses sabots de devant. L'homme qui le montait
paraissait avoir une armure d'or. [26] Deux autres
jeunes hommes lui apparurent en même temps,
d'une force remarquable, éclatants de beauté, couverts d'habits magnifiques; s'étant placés l'un d'un
côté, l'autre de l'autre, ils le flagellaient sans relâche, lui portant une grêle de coups. [27] Héliodore,
soudain tombé à terre, fut environné d'épaisses
ténèbres. On le ramassa pour le mettre dans une
litière, [28] et cet homme, qui venait d'entrer dans la
chambre dudit trésor avec un nombreux entourage
et tous ses gardes du corps, fut emporté, incapable
de s'aider lui-même, par des gens qui reconnaissaient ouvertement la souveraineté de Dieu.

[29] Pendant que cet homme, sous le coup de la
puissance divine, gisait sans voix, privé de tout
espoir et de tout secours, [30] les autres bénissaient
le Seigneur qui avait miraculeusement glorifié [a] son
saint lieu. Et le sanctuaire, qui un instant auparavant était plein de frayeur et de trouble, fut, par la
manifestation du Seigneur tout-puissant, débordant
de joie et d'allégresse. [31] Certains des compagnons
d'Héliodore s'empressèrent de demander à Onias
de prier le Très-Haut et d'accorder la vie à celui
qui gisait n'ayant plus qu'un souffle.

[32] Dans la crainte que le roi ne soupçonnât par
hasard les Juifs d'avoir joué un mauvais tour à
Héliodore, le grand prêtre offrit un sacrifice pour
le retour de cet homme à la vie. [33] Alors que le
grand prêtre offrait le sacrifice d'expiation, les
mêmes jeunes hommes apparurent à Héliodore
revêtus des mêmes habits, et, se tenant debout, lui
dirent : « Rends mille actions de grâces au grand
prêtre Onias, car c'est en considération de lui que
le Seigneur t'accorde la vie sauve. [34] Quant à toi,
ainsi fustigé du Ciel, annonce à tous la grandeur
de la force de Dieu. » Ayant dit ces paroles, ils disparurent.

**Conversion d'Héliodore.**

[35] Héliodore, ayant offert un sacrifice au Seigneur et fait les plus grands vœux à celui qui lui
avait conservé la vie, prit amicalement congé
d'Onias et revint avec son armée auprès du roi. [36] Il
rendait témoignage à tous des œuvres du Dieu très
grand qu'il avait contemplées de ses yeux. [37] Au roi
lui demandant quel homme lui paraissait propre à
être envoyé une fois encore à Jérusalem, Héliodore
répondit : [38] « Si tu as quelque ennemi ou quelque
conspirateur contre l'État, envoie-le là-bas et il te
reviendra déchiré par les fouets, si toutefois il en
réchappe, car il y a vraiment pour le lieu saint une
puissance toute particulière de Dieu. [39] Celui qui a
sa demeure dans le ciel veille sur ce lieu et le protège; ceux qui y viennent avec de mauvais desseins,
il les frappe et les fait périr. » [40] C'est ainsi que se
passèrent les choses relatives à Héliodore et à la
sauvegarde du trésor sacré.

## *IV. Propagande hellénistique et persécution sous Antiochus Épiphane*

**Méfaits du prévôt Simon.**

**4** [1] Le susdit Simon, passé dénonciateur du trésor et de la patrie, calomniait Onias comme
si ce dernier avait fait assaillir Héliodore et avait
été l'artisan de ce malheur [b]. [2] Le bienfaiteur de la
cité, le protecteur de ses frères de race, le zélé observateur des lois, il osait en faire un ennemi de la
chose publique. [3] Cette haine grandit au point que
des meurtres furent commis par des affidés de

*a)* En grec *epiphainesthai,* cf. **2** 21. La littérature juive et païenne de l'époque gréco-romaine est pleine de ces « épiphanies » et « théophanies », qui illustraient en quelque sorte la toute-puissance divine. Ici, le récit vient de Jason, cf. **2** 23+. L'intervention de Dieu est réelle mais nous en ignorons le mode.

*b)* En inventant quelque stratagème pour épouvanter Héliodore.

Simon. 4 Considérant combien une telle rivalité
était fâcheuse, et qu'Apollonius, fils de Ménesthée,
stratège de Cœlé-Syrie et Phénicie, ne faisait qu'accroître la méchanceté de Simon, 5 Onias se transporta chez le roi, non pour être l'accusateur de ses
concitoyens, mais ayant en vue l'intérêt général et
particulier de tout le peuple. 6 Il voyait bien en effet
que, sans une intervention royale, il était impossible d'obtenir désormais la paix publique, et que
Simon ne mettrait pas un terme à sa folie.

**Jason, le grand prêtre, introduit l'hellénisme.**

1 M 1 10 7 Séleucus ayant quitté cette vie et Antiochus,
surnommé Épiphane, lui ayant succédé [a], Jason,
frère d'Onias, usurpa le pontificat [b] : 8 il promit au
roi, au cours d'une entrevue, trois cent soixante
talents d'argent et quatre-vingts talents à prélever
1 M 1 11-15 sur quelque autre revenu. 9 Il s'engageait en outre
à payer cent cinquante autres talents si le roi lui
donnait pouvoir d'établir un gymnase et une éphébie et de dresser la liste des Antiochéens de Jérusalem [c]. 10 Le roi ayant consenti, Jason, dès qu'il eut
saisi le pouvoir, amena ses frères de race à la pratique de la vie grecque. 11 Il supprima les franchises
que les rois, par philanthropie, avaient accordées
aux Juifs grâce à l'entremise de Jean, père de cet
1 M 8 17 Eupolème qui sera envoyé en ambassade pour
conclure un traité d'amitié et d'alliance avec les
Romains; détruisant les institutions légitimes,
Jason inaugura des usages contraires à la Loi. 12 Il
se fit en effet un plaisir de fonder un gymnase au
pied même de l'acropole [d], et il conduisit les meilleurs des éphèbes sous le pétase [e]. 13 L'hellénisme
atteignit une telle vigueur et la mode étrangère un
tel degré, par suite de l'excessive perversité de
Jason impie et pas du tout pontife, 14 que les prêtres
ne montraient plus aucun zèle pour le service de
l'autel, mais que, méprisant le Temple et négligeant
les sacrifices, ils se hâtaient de prendre part, dès
l'appel du gong, à la distribution, prohibée par la
Loi, de l'huile dans la palestre [f]; 15 ne faisant aucun
cas des honneurs de leur patrie, ils estimaient au
plus haut point les gloires helléniques. 16 C'est bien
pour ces raisons qu'ils se trouvèrent ensuite dans
des situations pénibles, et qu'en ceux-là mêmes
dont ils cherchaient à copier les façons de vivre et
auxquels ils voulaient ressembler en tout, ils
rencontrèrent des ennemis et des bourreaux. 17 On
ne viole pas impunément les lois divines, c'est ce
que démontrera la période suivante.

18 Comme on célébrait à Tyr les jeux quadrien-
naux en présence du roi, 19 l'abject Jason envoya 4 9
des ambassadeurs, à titre d'Antiochéens de Jérusalem, portant avec eux trois cents drachmes d'argent
pour le sacrifice à Héraclès. Mais ceux-là mêmes
qui les portaient jugèrent qu'il ne convenait pas de
les affecter au sacrifice et qu'elles seraient réservées
à une autre dépense. 20 Ainsi, l'argent destiné au
sacrifice d'Héraclès par celui qui l'envoyait fut
affecté, à cause de ceux qui l'apportaient, à la
construction des trirèmes.

**Antiochus Épiphane acclamé à Jérusalem.**

21 Apollonius, fils de Ménesthée, avait été envoyé
en Égypte pour assister aux noces du roi Philométor [g]. Antiochus apprit que ce dernier était
devenu hostile à ses affaires et se préoccupa de sa
propre sécurité : c'est ce qui l'amena à Joppé, d'où
il se rendit à Jérusalem. 22 Grandement reçu par
Jason et par la ville, il fut introduit à la lumière des
flambeaux et au milieu des acclamations. A la suite
de quoi, il emmena l'armée camper en Phénicie [h].

**Ménélas devient grand prêtre.**

23 Au bout de trois ans, Jason envoya Ménélas,
frère du Simon signalé plus haut, porter l'argent [i] 3 4
au roi et mener à bien les négociations des affaires
urgentes. 24 Ménélas, s'étant fait recommander au
roi et l'ayant abordé avec les manières d'un personnage de marque, se fit attribuer le pontificat à lui-
même, offrant trois cents talents d'argent de plus
que n'avait offert Jason. 25 Muni des lettres royales
d'investiture, il s'en revint, n'ayant rien qui fût
digne de la grand-prêtrise, mais n'apportant que les
fureurs d'un tyran cruel et les rages d'une bête sauvage. 26 Ainsi Jason qui avait supplanté son propre
frère, supplanté à son tour par un autre, dut gagner
en fugitif l'Ammanitide. 27 Quant à Ménélas, il possédait sans doute le pouvoir, mais il ne versait rien

*a)* Antiochus IV (175-164), frère de Séleucus IV.
*b)* La mort de Séleucus, provoquée par Héliodore en 175, contraria les espoirs d'Onias. Jésus, frère d'Onias, avait marqué son goût pour l'hellénisme en prenant le nom de Jason.
*c)* L'éphébie était un corps de jeunes gens de dix-huit à vingt ans qui apprenaient à porter les armes et s'adonnaient aux exercices corporels et à une certaine culture littéraire. – La formule « Antiochéens de Jérusalem » (cf. de même les « Antiochéens de Ptolémaïs » nommés par des monnaies) témoigne d'une transformation de la ville sainte en cité grecque dont les citoyens étaient recensés.
*d)* Siège de la garnison syrienne, l'acropole de ce temps-là dominait l'esplanade du Temple vers l'angle nord-ouest, cf. Ne **7** 2 (c'est la future Antonia d'Hérode le Grand). Le gymnase était ainsi contigu au sanctuaire.
*e)* « Conduire sous le pétase », c'était amener quelqu'un aux exercices du gymnase où l'on portait le chapeau à large bord, coiffure d'Hermès, dieu de la lutte et des concours.
*f)* L'huile dont se frottaient les athlètes, que leur offraient les gymnasiarques.
*g)* « les noces », litt. « la présidence (du repas de noce) » *prôtoklisia* quelques mss grecs et lat., Mt **23** 6; « la proclamation » (? mot non attesté) *prôtoklèsia* grec. – Il s'agit du mariage de Ptolémée VI Philométor avec sa sœur Cléopâtre II.
*h)* Le terme de Phénicie s'applique également à la côte palestinienne, et Joppé (Jaffa) fut peut-être le quartier général du roi.
*i)* Le tribut annuel, cf. **4** 8; 1 M **11** 28, et peut-être d'autres sommes promises, cf. **4** 9.

au roi des sommes qu'il lui avait promises. 28 Sostrate cependant, préfet de l'acropole, lui présentait
des réclamations, car c'est à lui que revenait la perception des impôts. Aussi bien tous les deux furent-
ils convoqués par le roi. 29 Tandis que Ménélas
laissait pour le remplacer comme grand prêtre son
propre frère Lysimaque, Sostrate laissait Kratès, le
chef des Chypriotes [a].

**Le meurtre d'Onias.**

30 Sur ces entrefaites, il arriva que les habitants
de Tarse et de Mallos se révoltèrent parce que leurs
villes avaient été données en présent à Antiochis,
la concubine du roi. 31 Le roi alla donc en hâte
régler cette affaire, laissant pour le remplacer
Andronique, l'un des grands dignitaires.
32 Convaincu de saisir une occasion favorable,
Ménélas déroba quelques vases d'or du sanctuaire,
il en fit cadeau à Andronique et réussit à en vendre
d'autres à Tyr et aux villes voisines. 33 Devant l'évidence du fait, Onias lui adressa des reproches,
après s'être retiré dans le lieu inviolable de Daphné
voisine d'Antioche. 34 En conséquence Ménélas,
prenant à part Andronique, le pressait de supprimer Onias. Andronique vint donc trouver Onias :
se fiant à la ruse et lui tendant la main droite avec
serment, il le décida, sans toutefois dissiper tout
Dn 9 26 soupçon, à sortir de son asile, et le mit à mort sur-
le-champ sans tenir compte de la justice. 35 Pour
ce motif, non seulement les Juifs, mais aussi beaucoup de gens parmi les autres peuples furent indignés et trouvèrent intolérable le meurtre injuste de
cet homme.

36 Lorsque le roi fut rentré des régions cilicien-
nes, les Juifs de la capitale et les Grecs qui partageaient leur haine de la violence vinrent le trouver
au sujet du meurtre injustifié d'Onias. 37 Antiochus,
contristé jusqu'au fond de l'âme et touché de
compassion, versa des larmes au souvenir de la
prudence et de la modération du défunt. 38 Enflammé d'indignation, il dépouilla immédiatement
Andronique de la pourpre et déchira ses vêtements,
puis l'ayant fait mener par toute la ville, il envoya
hors de ce monde le meurtrier, à l'endroit même où
il avait exercé son impiété sur Onias, le Seigneur
le frappant ainsi d'un juste châtiment [b].

**Lysimaque périt au cours d'une sédition.**

39 Or, un grand nombre de vols sacrilèges ayant
été commis dans la ville par Lysimaque d'accord
avec Ménélas, et le bruit s'en étant répandu au
dehors, le peuple s'ameuta contre Lysimaque, alors
que beaucoup d'objets d'or avaient déjà été dispersés. 40 Comme la multitude s'était soulevée, débordante de colère, Lysimaque arma près de trois
mille hommes et prit l'initiative des violences; marchait en tête un certain Auranos, homme avancé en
âge, et non moins en folie. 41 Prenant conscience de
l'attaque de Lysimaque, les uns s'armaient de pierres, les autres de gourdins, certains prenaient à
pleines mains la cendre qui se trouvait là [c], et tous
assaillirent pêle-mêle les gens de Lysimaque.
42 Aussi bien leur firent-ils beaucoup de blessés et
quelques morts; ils mirent le reste en fuite et, quant
au voleur sacrilège, ils le massacrèrent près du Trésor.

**Ménélas acquitté à prix d'argent.**

43 Sur ces faits un procès fut intenté à Ménélas.
44 Lorsque le roi vint à Tyr, les trois hommes
envoyés par le sénat soutinrent devant lui la justice
de leur cause. 45 Voyant déjà la partie perdue,
Ménélas promit des sommes importantes à Ptolé- 1 M 3 38
mée, fils de Dorymène, pour qu'il gagnât le roi à 2 M 8 8;
sa cause. 46 Aussi Ptolémée, ayant emmené le roi 10 12
sous un portique comme pour prendre le frais, le
fit changer d'avis, 47 si bien qu'il renvoya Ménélas,
l'auteur de tout ce mal, absous des accusations portées contre lui, et qu'il condamna à mort des malheureux qui, s'ils avaient plaidé leur cause même
devant des Scythes, eussent été renvoyés innocents.
48 Ceux donc qui avaient pris la défense de la ville,
des bourgs et des vases sacrés subirent sans délai
cette peine injuste. 49 Aussi vit-on même des
Tyriens, outrés d'une telle méchanceté, pourvoir
magnifiquement à leur sépulture. 50 Quant à Ménélas, grâce à la cupidité des puissants, il se maintint
au pouvoir, grandissant en malice et se posant en
principal adversaire de ses concitoyens.

**Seconde campagne d'Égypte.**

**5** 1 Vers ce temps-là Antiochus préparait sa
seconde attaque contre l'Égypte [d]. 2 Il arriva

*a)* Il s'agit de mercenaires.

*b)* Onias est le Prince Oint de Dn **9** 25s et le Prince d'une alliance de Dn **11** 22. Sa mort ouvre la 70e et dernière semaine d'années, dont le milieu est marqué par la cessation du sacrifice légitime et l'installation de l'« Abomination de la désolation », Dn **9** 27; cf. **7** 25; **8** 11-14; **11** 31; **12** 11s; 1 M **1** 54; **4** 52; 2 M **1** 9; **6** 2; **10** 5. Cette période de trois ans et demi (la moitié d'une « semaine d'années ») doit correspondre à une réalité, car c'est elle qui a suggéré à l'auteur de Dn sa transposition de la prophétie de Jérémie (**25** 11-12; **29** 10). La date donnée en 1 M **1** 54 (décembre 167) autorise donc à situer le meurtre d'Onias dans le cours de l'été 170.

*c)* La cendre des sacrifices, l'échauffourée ayant eut lieu dans les parvis du Temple.

*d)* Selon l'auteur de 2 M, l'intervention violente d'Antiochus IV, cf. **5** 11s, aurait été provoquée par une sédition à Jérusalem, vv. 5s, et il place le fait pendant la seconde expédition d'Égypte en 168. L'ordre de 1 M est préférable : pillage du Temple après la première expédition en 169, 1 M **1** 16-24; sédition au cours de l'été 169, réprimée en 167 par le Mysarque Apollonius, **1** 29-35; cf. 2 M **5** 24-26.

que dans toute la ville, pendant près de quarante
jours, apparurent, courant dans les airs, des cavaliers vêtus de robes brodées d'or, des troupes
armées disposées en cohortes, 3 des escadrons de
cavalerie rangés en ordre de bataille, des attaques
et des charges conduites de part et d'autre, des boucliers agités, des forêts de piques, des épées tirées
hors du fourreau, des traits volants, un éclat fulgurant d'armures d'or et des cuirasses de tout modèle.
4 Aussi tous priaient pour que cette apparition fût
de bon augure [a].

**Agression de Jason et répression d'Épiphane.**

5 Or, sur un faux bruit de la mort d'Antiochus,
Jason, ne prenant avec lui pas moins d'un millier
d'hommes, dirigea à l'improviste une attaque
contre la ville. La muraille forcée et la ville finalement prise, Ménélas se réfugia dans l'acropole.
6 Jason se livra sans pitié au massacre de ses propres concitoyens, sans penser qu'un succès remporté sur ses frères de race était le plus grand des
insuccès, croyant remporter des trophées sur des
ennemis et non sur des compatriotes. 7 D'un côté,
il ne réussit pas à s'emparer du pouvoir et, de
l'autre, ses machinations ayant tourné à sa honte,
il s'en alla chercher de nouveau un refuge en
Ammanitide. 8 Sa conduite perverse trouva donc
un terme : enfermé chez Arétas, tyran des Arabes,
puis s'enfuyant de sa ville [b], poursuivi par tous,
détesté parce qu'il reniait les lois, exécré comme le
bourreau de sa patrie et de ses concitoyens, il
échoua en Égypte. 9 Lui qui avait banni un grand
nombre de personnes de leur patrie, il périt sur la
terre étrangère, étant parti pour Lacédémone dans
l'espoir d'y trouver un refuge en considération
1 M 12 7 d'une commune origine. 10 Lui qui avait jeté tant
d'hommes sur le sol sans sépulture, nul ne le pleura
et ne lui rendit les derniers devoirs; il n'eut aucune
place dans le tombeau de ses pères.

11 Lorsque ces faits furent arrivés à la connaissance du roi, celui-ci en conclut que la Judée faisait
défection. Il quitta donc l'Égypte, furieux comme
une bête sauvage, et prit la ville à main armée. 12 Il
ordonna ensuite aux soldats d'abattre sans pitié
ceux qu'ils rencontreraient et d'égorger ceux qui
monteraient dans leurs maisons. 13 On extermina
jeunes et vieux, on supprima femmes et enfants, on
égorgea jeunes filles et nourrissons. 14 Il y eut
quatre-vingt mille victimes en ces trois jours, dont
quarante mille tombèrent sous les coups et autant
furent vendus comme esclaves.

**Pillage du Temple.** || 1 M 1 20-24

15 Non content de cela, il osa pénétrer dans le
sanctuaire le plus saint de toute la terre, avec pour
guide Ménélas, qui en était venu à trahir les lois
et la patrie. 16 Il prit de ses mains impures les vases
sacrés et rafla de ses mains profanes les offrandes
que les autres rois y avaient déposées pour l'accroissement, la gloire et la dignité du saint lieu.
17 Antiochus s'exaltait en pensée, ne voyant pas
que le Seigneur était irrité pour peu de temps à
cause des péchés des habitants de la ville – d'où 6 12-16;
venait cette indifférence envers le lieu saint. 18 En 7 16-19.
tout cas, s'ils n'avaient pas été plongés dans une 32-38
multitude de péchés, lui aussi, à l'instar d'Héliodore envoyé par le roi Séleucus pour inspecter le
trésor, il aurait été, dès son arrivée, flagellé et
détourné de sa témérité. 19 Mais le Seigneur a
choisi non pas le peuple à cause du lieu saint, mais 3 1+
le lieu à cause du peuple [c]. 20 C'est pourquoi le lieu 1 Ch 17 9
lui-même, après avoir participé aux malheurs du Mc 2 27
peuple, a eu part ensuite aux bienfaits; délaissé au
moment de la colère du Tout-Puissant, il a été de
nouveau, en vertu de sa réconciliation avec le
grand Souverain, restauré dans toute sa gloire.

21 Antiochus, après avoir enlevé au Temple dix-
huit cents talents, se hâta de retourner à Antioche,
croyant, dans sa superbe, à cause de l'exaltation de
son cœur, rendre navigable la terre ferme et rendre
la mer praticable à la marche. 22 Mais il laissa des
préposés pour faire du mal à la nation; à Jérusalem, Philippe, Phrygien de race [d], de caractère
plus barbare encore que celui qui l'avait institué;
23 sur le mont Garizim, Andronique [e]; et en plus de
ceux-ci, Ménélas qui plus méchamment que les
autres dominait sur ses concitoyens.

**Intervention d'Apollonius le Mysarque.**

Nourrissant à l'égard des Juifs une hostilité fon-
cière, 24 le roi envoya le mysarque Apollonius à la || 1 M 1 29
tête d'une armée, soit vingt-deux mille hommes,
avec ordre d'égorger tous ceux qui étaient dans la
force de l'âge et de vendre les femmes et les enfants.
25 Arrivé en conséquence à Jérusalem, et jouant le
personnage pacifique, il attendit jusqu'au saint jour

*a)* L'auteur aime à rapporter ces apparitions célestes, qu'il utilise comme un procédé littéraire, **3** 25; **10** 29-30; **11** 8, et qu'il a annoncées dans sa préface, **2** 21. Cf. une apparition analogue avant la ruine du Temple en 70, rapportée par Josèphe dans sa *Guerre Juive*.

*b)* « de sa ville », litt. « de la ville » (c'est Pétra, la capitale) Vet. Lat.; « de ville en ville » grec. – Il s'agit d'Arétas Ier, roi des Nabatéens, cf. 1 M **5** 25+.

*c)* Dieu n'est pas esclave des institutions judaïques, cf. Jr **7** 14; Mc **2** 27. Cette affirmation de la primauté du peuple élu sur les institutions où il prend corps est un présage de l'Évangile.

*d)* Philippe le Phrygien, qu'on retrouve à **6** 11 et **8** 8, est distinct du Philippe « ami du roi » de **9** 29; 1 M **6** 14.

*e)* Andronique, distinct de celui de **4** 31s, était, ainsi que Philippe, un *épistate*, représentant du roi dans une ville. Il résidait sans doute au pied du mont Garizim, à Sichem.

du sabbat où, profitant du repos des Juifs, il
commanda à ses subordonnés une prise d'armes.
26 Tous ceux qui étaient sortis pour assister au
spectacle, il les fit massacrer et, envahissant la ville
avec ses soldats en armes, il mit à mort une multitude de gens.
1 M 2 28 27 Or Judas, appelé aussi Maccabée, se trouvant
avec une dizaine d'autres, se retira dans le désert,
vivant comme les bêtes sauvages sur les montagnes
avec ses compagnons, ne mangeant jamais que des
herbes pour ne pas contracter de souillures [a].

|| 1 M 1 45-51

### Installation des cultes païens.

6 1 Peu de temps après, le roi envoya Géronte
l'Athénien pour forcer les Juifs à enfreindre
les lois de leurs pères et à ne plus régler leur vie
sur les lois de Dieu, 2 pour profaner le Temple de
Jérusalem et le dédier à Zeus Olympien, et celui du
mont Garizim à Zeus Hospitalier, comme le
demandaient les habitants du lieu [b]. 3 L'invasion de
ces maux était, même pour la masse, pénible et
difficile à supporter. 4 Le sanctuaire était rempli de
débauches et d'orgies par des païens qui s'amu-
saient avec des prostituées et avaient commerce
avec des femmes dans les parvis sacrés [c], et qui
encore y apportaient des choses défendues.
5 L'autel était couvert de victimes illicites, réprouvées par les lois. 6 Il n'était même pas permis de
célébrer le sabbat, ni de garder les fêtes de nos
pères, ni simplement de confesser que l'on était
Juif. 7 On était conduit par une amère nécessité à
participer chaque mois au repas rituel, le jour de
la naissance du roi et, lorsque arrivaient les fêtes
dionysiaques, on devait, couronné de lierre,
accompagner le cortège de Dionysos. 8 Un décret
fut rendu, à l'instigation des gens de Ptolémaïs [d],
pour que, dans les villes grecques du voisinage, l'on
tînt la même conduite à l'égard des Juifs, et que
ceux-ci prissent part au repas rituel, 9 avec ordre
d'égorger ceux qui ne se décideraient pas à adopter
les coutumes grecques. Tout cela faisait prévoir
l'imminence de la calamité.
M 1 60-61 10 Ainsi deux femmes furent déférées en justice
pour avoir circoncis leurs enfants. On les produisit
en public à travers la ville, leurs enfants suspendus
à leurs mamelles, avant de les précipiter ainsi du
haut des remparts. 11 D'autres s'étaient rendus || 1 M 2 32-38
ensemble dans des cavernes voisines pour y célébrer en cachette le septième jour. Dénoncés à Philippe, ils furent brûlés ensemble, se gardant bien de
se défendre eux-mêmes par respect pour la sainteté
du jour.

5 17-20; 7 16-19, 32-38

### Le sens providentiel de la persécution.

12 Je recommande à ceux qui auront ce livre
entre les mains de ne pas se laisser déconcerter à
cause de ces calamités, et de croire que ces persécutions ont eu lieu non pour la ruine mais pour la correction de notre race. 13 Quand les pécheurs ne sont
pas laissés longtemps à eux-mêmes, mais que les
châtiments ne tardent pas à les atteindre, c'est une
marque de grande bonté. 14 A l'égard des autres Sg 11 9-10; 12 2, 22 1 Th 2 16
nations, le Maître attend avec longanimité, pour les
châtier, qu'elle arrivent à combler la mesure de
leurs iniquités; ce n'est pas ainsi qu'il a jugé à propos d'agir avec nous, 15 afin qu'il n'ait pas à nous
punir plus tard lorsque nos péchés auraient atteint
leur pleine mesure [e]. 16 Aussi bien ne retire-t-il
jamais de nous sa miséricorde : en le châtiant par
l'adversité, il n'abandonne pas son peuple. 17 Qu'il
nous suffise d'avoir rappelé cette vérité; après ces
quelques mots, il nous faut revenir à notre récit.

### Le martyre d'Éléazar [f].

18 Éléazar, un des premiers docteurs de la Loi,
homme déjà avancé en âge et du plus noble extérieur, était contraint, tandis qu'on lui ouvrait la
bouche de force, de manger de la chair de porc. Lv 11 7 8
19 Mais lui, préférant une mort glorieuse à une exis- He 11 35
tence infâme, marchait volontairement au supplice
de la roue, 20 non sans avoir craché sa bouchée,
comme le doivent faire ceux qui ont le courage de
rejeter ce à quoi il n'est pas permis de goûter par
amour de la vie. 21 Ceux qui présidaient à ce repas
rituel interdit par la Loi le prirent à part, car cet
homme était pour eux une vieille connaissance; ils
l'engagèrent à faire apporter des viandes dont il
était permis de faire usage, et qu'il aurait lui-même

*a)* L'auteur regroupe les événements racontés en 1 M **1** 53; **2** 28.
*b)* « (comme le) demandaient » *enetugchanon* conj. d'après Josèphe (*Ant. Jud.*); « (comme) se trouvaient être (les habitants) » *etugchanon* grec, lat.; ce qui signifierait qu'étant eux-mêmes hospitaliers, les Samaritains choisissent cette épithète. Mais, en grec, la construction de la phrase serait extrêmement laborieuse. – Les Samaritains, qui ne veulent pas être traités comme les Juifs, vont au-devant des désirs du souverain.
*c)* A l'époque gréco-romaine, les parvis des temples comprenaient des portiques et des salles de banquet pour les repas rituels, qui dégénéraient facilement en orgies. Par ailleurs, la prostitution sacrée se pratiquait encore dans les temples de Syrie.
*d)* « gens de Ptolémaïs » conj.; « des Ptolémées » ou « de Ptolémée » grec et lat. – La cité grecque de Ptolémaïs, l'ancienne Akko (Saint-Jean d'Acre), était hostile aux Juifs, cf. **13** 25; 1 M **5** 15; **12** 48.
*e)* L'auteur de la Sagesse développera ce double aspect de la justice divine, mais montrera que, même pour les nations, Dieu reste indulgent, Sg **11** 10; **12** 20-22. Pour la pleine mesure des péchés, cf. Dn **8** 23; **9** 24; 1 Th **2** 16. L'expression est ancienne, cf. déjà Gn **15** 16.
*f)* Les Pères de l'Église ont loué en Éléazar un martyr d'avant le Christ.

préparées; il n'avait qu'à feindre de manger des
chairs de la victime, comme le roi l'avait ordonné,
22 afin qu'en agissant de la sorte, il fût préservé de
la mort et profitât de cette humanité due à la vieille
amitié qui les liait. 23 Mais lui, prenant une noble
résolution, digne de son âge, de l'autorité de sa
vieillesse et de ses vénérables cheveux blanchis
dans le labeur, digne d'une conduite parfaite depuis
l'enfance et surtout de la sainte législation établie
par Dieu même, il fit une réponse en conséquence,
disant qu'on l'envoyât sans tarder au séjour des
morts. 24 « A notre âge, ajouta-t-il, il ne convient
pas de feindre, de peur que nombre de jeunes, persuadés qu'Éléazar aurait embrassé à quatre-vingt-
dix ans les mœurs des étrangers, 25 ne s'égarent
eux aussi, à cause de moi et de ma dissimulation,
et cela pour un tout petit reste de vie. J'attirerais
ainsi sur ma vieillesse souillure et déshonneur, 26 et
quand j'échapperais pour le présent au châtiment
des hommes, je n'éviterai pas, vivant ou mort, les
mains du Tout-Puissant. 27 C'est pourquoi, si je
quitte maintenant la vie avec courage, je me montrerai digne de ma vieillesse, 28 ayant laissé aux jeunes le noble exemple d'une belle mort, volontaire
et généreuse, pour les vénérables et saintes lois [a]. »

Ayant ainsi parlé, il alla tout droit au supplice
de la roue, 29 mais ceux qui l'y conduisaient changèrent en malveillance la bienveillance qu'ils
avaient eue pour lui un peu auparavant, à cause du
discours qu'il venait de tenir et qui à leur point de
vue était de la folie. 30 Lui, de son côté, étant sur
le point de mourir sous les coups, dit en soupirant :
« Au Seigneur qui a la science sainte, il est manifeste que, pouvant échapper à la mort, j'endure
sous les fouets des douleurs cruelles dans mon
corps, mais qu'en mon âme je les souffre avec joie
à cause de la crainte qu'il m'inspire. »

31 Il quitta donc la vie de cette manière (laissant
dans sa mort, non seulement à la jeunesse, mais à
la grande majorité de la nation, un exemple de courage et un mémorial de vertu).

**Le martyre des sept frères [b].** ↗ He 11 35

**7** 1 Il arriva aussi que sept frères ayant été arrêtés avec leur mère, le roi voulut les contrain- Jr 15 9
dre, en leur infligeant les fouets et les nerfs de bœuf,
à toucher à la viande de porc (interdite par la Loi).
2 L'un d'eux se faisant leur porte-parole : « Que
vas-tu, dit-il, demander et apprendre de nous?
Nous sommes prêts à mourir plutôt que d'enfreindre les lois de nos pères. » 3 Le roi, hors de lui, fit
mettre sur le feu des poêles et des chaudrons. 4 Sitôt
qu'ils furent brûlants, il ordonna de couper la langue à celui qui avait été leur porte-parole, de lui
enlever la peau de la tête et de lui trancher les extrémités, sous les yeux de ses autres frères et de sa
mère. 5 Lorsqu'il fut complètement impotent, il
commanda de l'approcher du feu, respirant encore,
et de le faire passer à la poêle. Tandis que la vapeur
de la poêle se répandait au loin, les autres s'exhor-
taient mutuellement avec leur mère à mourir avec
vaillance : 6 « Le Seigneur Dieu voit, disaient-ils, et
il a en vérité compassion de nous selon que Moïse
l'a annoncé par le cantique qui proteste ouvertement en ces termes : " Et il aura pitié de ses servi- Dt 32 36
teurs ". »

7 Lorsque le premier eut quitté la vie de cette
manière, on amena le second pour le supplice.
Après lui avoir arraché la peau de la tête avec les
cheveux, on lui demandait : « Veux-tu manger du
porc, avant que ton corps ne soit torturé membre
par membre? » 8 Il répondit dans la langue de ses
pères [c] : « Non! » C'est pourquoi lui aussi fut à son
tour soumis aux tourments. 9 Au moment de rendre
le dernier soupir : « Scélérat que tu es, dit-il, tu
nous exclus de cette vie présente, mais le Roi du
monde nous ressuscitera pour une vie éternelle [d], 12 38-46+
nous qui mourons pour ses lois. »

10 Après lui on châtia le troisième. Il présenta
aussitôt sa langue comme on le lui demandait et
tendit ses mains avec intrépidité; 11 (il déclara courageusement : « C'est du Ciel que je tiens ces mem-

*a)* L'expression relève du juridisme hellénique, mais pour l'auteur « les lois » sont essentiellement la Loi, **7** 30; **10** 26; **12** 40; **15** 9, identique à l'Alliance, cf. 1 M **2** 20, et gage de la bienveillance divine, cf. **7** 36; **8** 15.

*b)* Après l'exemple d'un vénérable docteur de la Loi, on nous donne celui d'une mère de famille et de ses fils. La persécution, dont les moyens étaient à l'époque très cruels, s'était en effet étendue jusqu'aux femmes et aux enfants, cf. 1 M **1** 60s. Le fond du récit est donc historique et l'élaboration littéraire se traduit surtout par les discours mis dans la bouche des protagonistes. Le culte des « sept frères Maccabées » se répandit jusqu'en Occident où plusieurs églises leurs furent dédiées. Le récit appelé « Passion des saints Maccabées » eut une large diffusion et servit de modèle à divers Actes de Martyrs.

*c)* Cette expression revient aux vv. 21 et 27, et l'auteur semble l'avoir comprise comme faisant allusion à l'hébreu, cf. **12** 37; **15** 29. En fait, la langue de cette femme devait plutôt être l'araméen.

*d)* Litt. « pour une revivification éternelle de vie ». – La foi en la résurrection des corps, qui ne se dégage pas sûrement d'Is **26** 19 et de Jb **19** 26-27 (cf. les notes), est affirmée pour la première fois ici (et cf. vv. 11, 14, 23, 29, 36) et dans le passage de Dn **12** 2-3, en relation lui aussi avec la persécution d'Antiochus Épiphane (Dn **11**). Cf. encore 2 M **12** 38-46; **14** 46. Les martyrs ressusciteront, par un effet de la puissance du Créateur, v. 23, pour la vie, v. 14, cf. Jn **5** 29, pour une vie éternelle, vv. 9, 36. On rejoint ainsi la doctrine de l'immortalité, qui sera développée, en milieu grec, et sans référence à la résurrection des corps, par Sg **3** 1-5, 16. Mais, pour la pensée hébraïque qui ne distinguait pas entre le corps et l'âme, l'idée d'une survie impliquait la résurrection des corps, on le voit ici. Le texte n'enseigne pas directement la résurrection de tous les hommes, et n'envisage que le cas des justes, cf. v. 14. Dn **12** 2-3 est plus clair.

bres, mais à cause de ses lois je les méprise et c'est
de lui que j'espère les recouvrer de nouveau[a]. »)
12 Le roi lui-même et son escorte furent frappés du
courage de ce jeune homme qui comptait les souffrances pour rien.

13 Ce dernier une fois mort, on soumit le quatrième aux mêmes tourments et tortures. 14 Sur le
point d'expirer il s'exprima de la sorte : « Mieux
vaut mourir de la main des hommes en tenant de
Dieu l'espoir d'être ressuscité par lui, car pour toi
il n'y aura pas de résurrection à la vie. »

15 On amena ensuite le cinquième et on le tor-
tura. 16 Mais lui, fixant les yeux sur le roi, lui
disait : « Tu as, quoique corruptible, autorité sur les
hommes, tu fais ce que tu veux. Ne pense pas
cependant que notre race soit abandonnée de Dieu.
17 Pour toi, prends patience et tu verras sa grande
puissance, comme il te tourmentera toi et ta race. »

18 Après celui-là ils amenèrent le sixième, qui dit,
**5** 17-20; sur le point de mourir : « Ne te fais pas de vaine
**6** 12-16 illusion, c'est à cause de nous-mêmes que nous
souffrons cela, ayant péché envers notre propre
Dieu (aussi nous est-il arrivé des choses étonnan-
2 Ch **13** 12 tes). 19 Mais toi, ne t'imagine pas que tu seras
Ac **5** 39 impuni après avoir entrepris de faire la guerre à
Dieu. »

20 Éminemment admirable et digne d'une illustre
mémoire fut la mère qui, voyant mourir ses sept fils
dans l'espace d'un seul jour, le supporta courageusement en vertu des espérances qu'elle plaçait dans
le Seigneur. 21 Elle exhortait chacun d'eux dans la
langue de ses pères, et, remplie de nobles sentiments, elle animait d'un mâle courage son raisonnement de femme. Elle leur disait : 22 « Je ne sais
Jb **10** 8-12 comment vous avez apparu dans mes entrailles; ce
Ps **139** 13 15 n'est pas moi qui vous ai gratifiés de l'esprit et de
Qo **11** 5 la vie; ce n'est pas moi qui ai organisé les éléments
qui composent chacun de vous. 23 Aussi bien le
Créateur du monde, qui a formé le genre humain
et qui est à l'origine de toute chose, vous rendra-
t-il, dans sa miséricorde, et l'esprit et la vie, parce
que vous vous méprisez maintenant vous-mêmes
pour l'amour de ses lois. »

24 Antiochus se crut vilipendé et soupçonna un
outrage dans ces paroles. Comme le plus jeune
était encore en vie, non seulement il l'exhortait par
des paroles, mais il lui donnait par des serments
l'assurance de le rendre à la fois riche et très heureux, s'il abandonnait les traditions ancestrales,
d'en faire son ami et de lui confier de hauts
emplois. 25 Le jeune homme ne prêtant à cela
aucune attention, le roi fit approcher la mère et
l'engagea à donner à l'adolescent des conseils pour
sauver sa vie. 26 Lorsqu'il l'eut longuement exhor-
tée, elle consentit à persuader son fils. 27 Elle se
pencha donc vers lui et, mystifiant le tyran cruel,
elle s'exprima de la sorte dans la langue de ses
pères : « Mon fils, aie pitié de moi qui t'ai porté
neuf mois dans mon sein, qui t'ai allaité trois ans,
qui t'ai nourri et élevé jusqu'à l'âge où tu es (et
pourvu à ton entretien). 28 Je t'en conjure, mon
enfant, regarde le ciel et la terre et vois tout ce qui
est en eux, et sache que Dieu les a faits de rien[b]
et que la race des hommes est faite de la même
manière. 29 Ne crains pas ce bourreau, mais, te
montrant digne de tes frères, accepte la mort, afin
que je te retrouve avec eux dans la miséricorde. »

30 A peine[c] achevait-elle de parler que le jeune
homme dit : « Qu'attendez-vous? Je n'obéis pas
aux ordres du roi, j'obéis aux ordres de la Loi qui
a été donnée à nos pères par Moïse. 31 Et toi, qui
t'es fait l'inventeur de toute la calamité qui fond sur
les Hébreux[d], tu n'échapperas pas aux mains de
Dieu. 32 (Nous autres, nous souffrons à cause de 5 17-20
nos propres péchés.) 33 Si, pour notre châtiment et 6 12-16
notre correction, notre Seigneur qui est vivant s'est
courroucé un moment contre nous, il se réconci-
liera de nouveau avec ses serviteurs. Mais toi
34 ô impie et le plus infect de tous les hommes, ne
t'élève pas sans raison, te berçant de vains espoirs
et levant la main contre ses serviteurs[e], 35 car tu
n'as pas encore échappé au jugement de Dieu qui
peut tout et qui voit tout. 36 Quant à nos frères,
après avoir supporté une douleur passagère, en vue
d'une vie intarissable, ils sont tombés pour l'alliance de Dieu[f], tandis que toi, par le jugement de
Dieu, tu porteras le juste châtiment de ton orgueil.
37 Pour moi, je livre comme mes frères mon corps
et ma vie pour les lois de mes pères, suppliant Dieu
d'être bientôt favorable à notre nation et de
t'amener par les épreuves et les fléaux à confesser
qu'il est le seul Dieu[g]. 38 Puisse enfin s'arrêter sur
moi et sur mes frères la colère du Tout-Puissant
justement déchaînée sur toute notre race! »

*a)* Ce v., omis par plusieurs mss latins, est en contradiction avec le précédent : la langue tendue a dû être aussitôt coupée, cf. v. 4.

*b)* Litt. « non des choses qui étaient », première affirmation explicite de la création *ex nihilo*, mais cf. déjà Is **44** 24; voir aussi Jn **1** 3; Col **1** 15s. – Quelques mss et le syr. lisent : « des choses qui ne sont pas », expression qui pour le philosophe juif Philon désigne la matière inorganisée; cf. Sg **11** 17+.

*c)* « à peine » *arti* conj.; « encore » *eti* grec.

*d)* Terme archaïsant, ici et à **11** 13; **15** 37; cf. Jdt **10** 12; **12** 11; **14** 18. Les LXX en usent rarement en dehors du Pentateuque.

*e)* « ses serviteurs » quelques mss et versions; « les serviteurs célestes » grec.

*f)* « en vue d'une vie intarissable » mss latins; « tombés pour » conj., cf. **6** 28; 1 M **5** 20; le grec est inintelligible.

g) Antiochus IV se faisait l'égal des dieux, cf. **9** 12+. – Sur la notion d'un Dieu absolument universel et sans rival possible, cf. 1 Ch **17** 20; Si **36** 4, et déjà Is **45** 14.

39 Le roi, hors de lui, sévit contre ce dernier
encore plus cruellement que contre les autres, le
sarcasme lui étant particulièrement amer. 40 Ainsi
trépassa le jeune homme, sans s'être souillé, et avec
une parfaite confiance dans le Seigneur. 41 Enfin la
mère mourut la dernière, après ses fils.
42 Mais en voilà assez sur la question des repas
rituels et des tortures monstrueuses.

# *V. Victoire du judaïsme. Mort du persécuteur et purification du Temple*

**Judas Maccabée dans le maquis [a].**

5 27 8 1 Or Judas, appelé aussi Maccabée, et ses
compagnons, s'introduisant secrètement dans
les villages, appelaient à eux leurs frères de race,
et s'adjoignant ceux qui demeuraient fermes dans
le judaïsme, ils en rassemblèrent jusqu'à six mille.
2 Ils suppliaient le Seigneur d'avoir les yeux sur le
peuple que tout le monde accablait, d'avoir pitié du
Temple profané par les hommes impies, 3 d'avoir
compassion de la ville en train d'être détruite et
réduite au niveau du sol, d'écouter le sang qui criait
jusqu'à lui, 4 de se souvenir aussi du massacre criminel des enfants innocents et de se venger des
blasphèmes lancés contre son nom.
5 Une fois à la tête d'un corps de troupe, le Mac-
1 M 3 3-9 cabée devint désormais invincible aux nations, la
colère du Seigneur s'étant changée en miséricorde.
6 Tombant à l'improviste sur des villes et des villages, il les brûlait; occupant les positions favorables,
il infligeait à l'ennemi de très lourdes pertes [b].
7 Pour de telles opérations, il choisissait surtout la
complicité de la nuit, et la renommée de sa vaillance se répandait partout.

|| 1 M 3 38- **Campagne de Nikanor et de Gorgias.**
4 25
8 Voyant cet homme s'affirmer peu à peu et remporter des succès de plus en plus fréquents, Phi-
4 45; 10 12 lippe [c] écrivit à Ptolémée, stratège de Cœlé-Syrie et
Phénicie, de venir au secours des affaires du roi.
1 M 3 38 9 Ayant fait choix de Nikanor, fils de Patrocle, du
1 M 2 18+ rang des premiers amis, le roi l'envoya sans retard,
à la tête d'au moins vingt mille hommes de diverses
nations, pour qu'il exterminât la race entière des
Juifs. Il lui adjoignit Gorgias, général de métier
rompu aux choses de la guerre. 10 Nikanor
comptait, à part lui, acquitter au moyen de la vente
des Juifs qu'on ferait prisonniers, le tribut de deux
mille talents dû par le roi aux Romains. 11 Il s'em-
pressa d'envoyer aux villes maritimes une invitation à venir acheter des esclaves juifs, promettant
de leur en livrer quatre-vingt-dix pour un talent; il
ne s'attendait pas à la sanction qui devait s'ensui-
vre pour lui de la main du Tout-Puissant.
12 La nouvelle de l'avance de Nikanor parvint à
Judas. Quand celui-ci eut averti les siens de l'approche de l'armée ennemie, 13 les lâches et ceux qui
manquaient de foi en la justice de Dieu prirent la
fuite et gagnèrent d'autres lieux. 14 Les autres vendaient tout ce qui leur restait et priaient le Seigneur
de les délivrer de l'impie Nikanor qui les avait vendus avant même que la rencontre eût lieu : 15 sinon
à cause d'eux, du moins en considération des
alliances conclues avec leurs pères et parce qu'ils
portaient eux-mêmes son nom [d] auguste et plein de
majesté.
16 Maccabée, ayant donc réuni ses hommes au
nombre de six mille, les exhorte à ne pas être frappés de crainte devant les ennemis et à n'avoir cure
de la multitude des païens qui les attaquent injustement, mais à combattre avec vaillance, 17 ayant
devant les yeux l'outrage qu'ils ont commis contre
le lieu saint et le traitement indigne infligé à la ville
bafouée, enfin la ruine des usages traditionnels.
18 « Eux, ajouta-t-il, se fient aux armes et aux actes Ps 20 8
audacieux, tandis que nous autres, nous avons
placé notre confiance en Dieu, le Tout-Puissant,
capable de renverser en un clin d'œil ceux qui marchent contre nous, et avec eux le monde entier. »
19 Il leur énuméra les cas de protection dont leurs
aïeux furent favorisés, celui qui eut lieu sous Sen- 2 R 19 35
nachérib, comment avaient péri cent quatre-vingt- Is 37 36
cinq mille hommes; 20 celui qui arriva en Babylonie
dans une bataille livrée aux Galates, comment ceux
qui prenaient part à l'action, en tout huit mille [e]
avec quatre mille Macédoniens, ceux-ci étant aux

*a)* Ces vv. se rattachent à **5** 27. L'auteur bloque ici des faits attribués à Mattathias en 1 M **2** avec l'activité propre de Judas avant l'intervention d'Antiochus, cf. 1 M **3** 1-26.
*b)* « très lourdes pertes », litt. « quantité de cadavres », d'après le lat.; « quantité d'ennemis (mis en fuite) » grec; certains mss lisent à la fois « ennemis » et « cadavres ».
*c)* Philippe est l'épistate (cf. **5** 22 et 23+) de Jérusalem, qui relève de Ptolémée, stratège de Coelé-Syrie et Phénicie, cf. **4** 45+.
*d)* Litt. : « à cause de l'invocation de son nom sur eux », cf. 1 M **7** 37. C'est un hébraïsme, cf. Dt **28** 10; 2 S **12** 28; 1 R **8** 43; Is **4** 1, etc.
*e)* Peut-être des Juifs qui auraient combattu contre des mercenaires gaulois à la solde de Molon, satrape de Médie révolté.

abois, les huit mille avaient détruit cent vingt mille
ennemis, grâce au secours qui leur était venu du
Ciel, et avaient fait un grand butin.

[21] Après les avoir remplis de confiance par ces
paroles, et les avoir disposés à mourir pour leurs
lois et leur patrie, il divisa son armée en quatre
corps. [22] A la tête de chaque corps il mit ses frères
Simon, Joseph et Jonathas, donnant à chacun d'eux
quinze cents hommes. [23] En outre, il ordonna à
1 M 3 48+ Esdrias [a] de lire le Livre saint, puis, ayant donné
pour mot d'ordre : « Secours de Dieu [b]! » il prit la
tête du premier corps et attaqua Nikanor. [24] Le
Tout-Puissant s'étant fait leur allié, ils égorgèrent
plus de neuf mille ennemis, blessèrent et mutilèrent
la plus grande partie des soldats de Nikanor et les
mirent tous en fuite. [25] L'argent de ceux qui étaient
venus les acheter tomba entre leurs mains. S'étant
attardés assez longtemps à les poursuivre, ils revinrent sur leurs pas, pressés par l'heure, [26] car c'était
la veille du sabbat, et, pour ce motif, ils ne s'attardèrent pas à leur poursuite. [27] Quand ils eurent
ramassé les armes des ennemis et enlevé leurs
dépouilles, ils se livrèrent à la célébration du sabbat, multipliant les bénédictions et louant le Seigneur qui les avait sauvés et avait fixé à ce jour la
première manifestation de sa miséricorde. [28] Après
le sabbat, ils distribuèrent une part du butin à ceux
qu'avait lésés la persécution, aux veuves et aux
orphelins; eux-mêmes et leurs enfants se partagèrent le reste. [29] Cela fait, ils organisèrent une supplication commune, priant le Seigneur miséricordieux de se réconcilier entièrement avec ses serviteurs.

**Timothée et Bacchidès vaincus [c].**

[30] Se mesurant avec les soldats de Timothée et de
Bacchidès, ils en tuèrent plus de vingt mille et
emportèrent de bien hautes forteresses. Ils divisèrent leur immense butin en deux parts égales, l'une
pour eux-mêmes, l'autre pour les victimes de la persécution, les orphelins et les veuves, sans oublier
les vieillards. [31] Ils apportèrent un grand soin à
recueillir les armes ennemies et les entreposèrent en
des lieux convenables. Quant au reste des dépouilles, ils le portèrent à Jérusalem. [32] Ils tuèrent le
phylarque [d] qui se trouvait dans l'entourage de
Timothée, homme fort impie qui avait causé beaucoup de mal aux Juifs. [33] Pendant qu'ils célébraient
les fêtes de la victoire dans leur patrie, ils brûlèrent
ceux qui avaient mis le feu aux portes saintes [e] et 1 8
s'étaient avec Callisthène réfugiés dans une même
petite maison, et qui reçurent ainsi le digne salaire
de leur profanation.

**Fuite et confession de Nikanor.**

[34] Le triple scélérat Nikanor, qui avait amené les
mille marchands pour la vente des Juifs, [35] humilié,
avec l'aide du Seigneur, par des gens qui, pensait-il 8 23-24
à part lui, étaient ce qu'il y avait de plus bas, Nikanor, dépouillant son habit d'apparat, s'isolant
même de tous les autres, fuyant à travers champs
à la manière d'un esclave échappé, parvint à Antioche, ayant une chance extraordinaire alors que son
armée avait été détruite. [36] Et celui qui avait promis
aux Romains de réaliser un tribut avec le prix des
captifs de Jérusalem proclama que les Juifs avaient
un défenseur, que les Juifs étaient invulnérables par
cela même qu'ils suivaient les lois que lui-même
avait dictées.

**Fin d'Antiochus Épiphane.** || 1 M 6 1-16 2 M 1 11-17

**9** [1] Vers ce temps-là, Antiochus était piteuse-
ment revenu des régions de la Perse. [2] En effet,
une fois entré dans la ville qu'on appelle Persépolis,
il s'était mis en devoir d'en piller le temple [f] et d'opprimer la ville. Aussi la foule, se soulevant, recou-
rut-elle aux armes, et il arriva qu'Antiochus, mis en
fuite par les habitants du pays, dut opérer une
retraite humiliante. [3] Comme il se trouvait vers
Ecbatane [g], il apprit ce qui était arrivé à Nikanor
et aux gens de Timothée. [4] Transporté de fureur, il
pensait faire payer aux Juifs l'injure de ceux qui
l'avaient mis en fuite et, pour ce motif, il ordonna
au conducteur de pousser son char sans s'arrêter
jusqu'au terme du voyage. Mais déjà il était
accompagné par la sentence du Ciel. Il avait dit en
effet, dans son orgueil : « Arrivé à Jérusalem, je
ferai de cette ville la fosse commune des Juifs. »
[5] Mais le Seigneur qui voit tout, le Dieu d'Israël,
le frappa d'une plaie incurable et invisible. A
peine avait-il achevé sa phrase qu'une douleur d'en-

*a)* « Esdrias » (ou « Esdras ») d'après lat. et arm., cf. **12** 36; « Éléazar » grec; c'est l'Azarias de 1 M **5** 18, 56.
*b)* Semblables formules étaient en usage dans les armées hellénistiques et romaines, et sont mentionnées par la *Règle de la Guerre* à Qumrân.
*c)* Ce fragment a été placé ici par l'abréviateur pour rassembler ce qui concerne le châtiment des persécuteurs. Le récit interrompu reprend au v. 34.
*d)* Sans doute le chef des Arabes défaits au début de la campagne contre Timothée, **12** 10s.
*e)* Cet incendie fut sans doute allumé par le mysarque, 1 M **1** 31. Les portes saintes sont celles du Temple plutôt que celles du parvis.
*f)* Le temple en question se trouvait en réalité en Élymaïde, au nord de Persépolis, 1 M **6** 3, mais Jason ou l'abréviateur aura préféré situer ce fait dans une ville connue de tous.
*g)* L'actuelle Hamadan, à 700 km au nord-est de Persépolis. En fait, Épiphane mourut à Tabae, à mi-chemin entre ces deux villes.

trailles sans remède le saisit et que des souffrances aiguës le torturaient au-dedans, 6 ce qui était pleine justice, puisqu'il avait infligé aux entrailles des autres des tourments nombreux et étranges. 7 Il ne rabattait pourtant rien de son arrogance; toujours rempli d'orgueil, il exhalait contre les Juifs le feu de sa colère et commandait d'accélérer la marche, quand il tomba soudain du char qui roulait avec fracas, le corps entraîné dans une chute malheureuse, et tous les membres tordus. 8 Lui qui tout à
l'heure croyait, dans sa jactance surhumaine,
Is 40 12; 51 15 commander aux flots de la mer, lui qui s'imaginait
Jb 38 8-11 peser dans la balance la hauteur des montagnes, se
Ps 65 7-8 voyait gisant à terre, puis transporté dans une
litière, faisant éclater aux yeux de tous la puissance
de Dieu, 9 à telle enseigne que les yeux de l'impie
Si 7 17 fourmillaient de vers et que, lui vivant, ses chairs
Ac 12 23 se détachaient par lambeaux avec d'atroces douleurs [a], enfin que la puanteur de cette pourriture soulevait le cœur de toute l'armée. 10 Celui qui naguère semblait toucher aux astres du ciel, personne maintenant ne pouvait l'escorter à cause de l'incommodité intolérable de cette odeur.

11 Là donc, il commença, tout brisé, à dépouiller cet excès d'orgueil et à prendre conscience des réalités sous le fouet divin, torturé par des crises douloureuses. 12 Comme lui-même ne pouvait supporter son infection, il avoua : « Il est juste de se soumettre à Dieu et, simple mortel, de ne pas penser à s'égaler à la divinité [b]. » 13 Mais les prières de cet être abject allaient vers un Maître qui ne devait plus avoir pitié de lui : 14 il promettait de déclarer libre la ville sainte que naguère il gagnait en toute hâte pour la raser et la tranformer en fosse commune, 15 de faire de tous les Juifs les égaux des Athéniens, eux qu'il jugeait indignes de la sépulture et bons à servir de pâture aux oiseaux de proie ou à être jetés aux bêtes avec leurs enfants, 16 d'orner des plus belles offrandes le saint Temple qu'il avait jadis dépouillé, de lui rendre au double tous les vases sacrés et de subvenir de ses propres revenus aux frais des sacrifices, 17 et finalement de devenir lui-même juif et de parcourir tous les lieux habités pour y proclamer la toute-puissance de Dieu.

**Lettre d'Antiochus aux Juifs.**

18 Comme ses souffrances ne se calmaient d'aucune façon, car le jugement équitable de Dieu pesait sur lui, et qu'il voyait son état désespéré, il écrivit aux Juifs la lettre transcrite ci-dessous, sous forme de supplique. Elle était ainsi libellée :

19 « Aux excellents Juifs, aux citoyens, Antiochus roi et stratège [c] : salut, santé et bonheur parfaits! 20 Si vous vous portez bien ainsi que vos enfants, et que vos affaires aillent suivant vos désirs, nous en rendons de très grandes actions de grâces [d]. 21 Pour moi, je suis étendu sans force sur un lit et je garde un affectueux souvenir de vous [e].

A mon retour des régions de la Perse, atteint d'un mal fâcheux, j'estimai nécessaire de veiller à la sûreté de tous. 22 Ce n'est pas que je désespère de mon état, ayant au contraire le ferme espoir d'échapper à cette maladie. 23 Mais, considérant que mon père, chaque fois qu'il portait les armes [f] dans les pays d'en haut, désignait son futur successeur, 24 afin que, en cas d'un événement inattendu ou d'un bruit fâcheux, ceux qui étaient dans les provinces n'en pussent être troublés, sachant à qui il avait laissé la direction des affaires, 25 après avoir songé en outre que les souverains proches de nous et les voisins de notre royaume épient les circonstances et attendent les éventualités, j'ai désigné comme roi mon fils Antiochus, que plus d'une fois, lorsque je parcourais les satrapies d'en haut, j'ai confié et recommandé à la plupart d'entre vous. Je lui ai écrit d'ailleurs la lettre transcrite ci-dessous [g]. 26 Je vous prie donc et vous conjure, vous souvenant des bienfaits que vous avez reçus de moi en public et en particulier, de conserver chacun, pour mon fils également, les dispositions favorables que vous éprouvez pour moi. 27 Je suis en effet persuadé que, plein de douceur et d'humanité, il suivra scrupuleusement mes intentions et s'entendra bien avec vous. »

28 Ainsi ce meurtrier, ce blasphémateur, en proie aux pires souffrances, semblables à celles qu'il avait fait endurer aux autres, eut le sort lamentable de perdre la vie loin de son pays, en pleine montagne [h]. 29 Philippe, son familier, ramena son corps,

*a)* « les yeux » Vet. Lat., arm.; « le corps » grec (sauf 1 ms : « les yeux du corps »). – On ignore la nature du mal qui emporta Antiochus. La description relève d'un genre littéraire propre à la mort des tyrans, cf. Jdt **16** 17; Is **14** 11; Ac **12** 23. Même genre de description de la mort d'Hérode le Grand dans les *Antiquités Judaïques* de Josèphe. Le parallèle de 1 M **6** 9 est beaucoup plus sobre.

*b)* « ne pas s'égaler à la divinité » mss et versions; « ne pas avoir de pensées orgueilleuses » une partie du grec; grec luc. combine les deux. – L'expression grecque qualifie les honneurs divins que recevaient les rois et les hommes illustres. Cf. l'expression semblable de Ph **2** 6 appliquée au Christ.

*c)* Le terme désigne la magistrature suprême d'une ville, ici Antioche, la capitale, dont Antiochus s'était déjà fait nommer édile et tribun. – La lettre devait s'adresser aux « excellents citoyens » d'Antioche, et la mention des Juifs doit être une glose de Jason de Cyrène.

*d)* A la fin du v., le grec ajoute « faisant confiance au ciel ».

*e)* « de vous » 1 ms grec, lat., arm.; « de vos marques de respect et de vos bons sentiments » grec.

*f)* « porta les armes » *estrateusen* conj. d'après lat.; « campa » *estratopedeusen* grec.

*g)* L'auteur n'a pas reproduit cette seconde lettre, à laquelle il n'avait sans doute pas accès.

*h)* Le ton violent de l'abréviateur contraste avec celui de la lettre, tout à fait conforme au style protocolaire hellénistique.

mais, craignant le fils d'Antiochus, il se retira en
Égypte auprès de Ptolémée Philométor [a].

|| 1 M 4 36-61 **Purification du Temple.**

**10** [1] Maccabée, avec ses compagnons, recouvra
sous la conduite du Seigneur le sanctuaire et
la ville [2] et détruisit les autels élevés par les étrangers sur la place publique ainsi que les lieux du
culte. [3] Une fois le Temple purifié, ils bâtirent un
autre autel, puis, ayant tiré des étincelles de pierres
à feu, ils prirent de ce feu et, après deux ans d'interruption, ils offrirent un sacrifice, firent fumer
l'encens, allumèrent les lampes et exposèrent les
pains de proposition. [4] Cela fait, prosternés sur le
ventre, ils prièrent le Seigneur de ne plus les laisser
tomber dans de tels maux, mais de les corriger avec
mesure, s'il leur arrivait jamais de pécher, et de ne
pas les livrer aux nations blasphématrices et barbares. [5] Ce fut le jour même où le Temple avait été
profané par les étrangers que tomba le jour de la
purification du Temple, c'est-à-dire le vingt-cinq du
même mois qui est Kisleu [b]. [6] Ils célébrèrent avec
allégresse huit jours de fête à la manière des Tentes,
se souvenant comment naguère, aux jours de la fête
des Tentes, ils gîtaient dans les montagnes et dans
les grottes à la façon des bêtes sauvages. [7] C'est
pourquoi, portant des thyrses, de beaux rameaux et
des palmes, ils firent monter des hymnes vers Celui
qui avait mené à bien la purification de son lieu
saint. [8] Ils décrétèrent par un édit public confirmé
par un vote que toute la nation des Juifs solennise-
rait chaque année ces jours-là [c].

## *VI. Lutte de Judas contre les peuples voisins et contre Lysias, ministre d'Eupator*

**Débuts du règne d'Antiochus Eupator.**

[9] Telles furent donc les circonstances de la mort
d'Antiochus surnommé Épiphane. [10] Nous allons
maintenant exposer les faits qui concernent Antio-
1 M 6 17 chus Eupator, fils de cet impie, en résumant les
maux causés par les guerres [d]. [11] Ayant hérité du
royaume, ce prince promut à la tête des affaires un
8 8 certain Lysias, stratège en chef de Cœlé-Syrie et
Phénicie. [12] Quant à Ptolémée, surnommé Makrôn,
le premier à observer la justice envers les Juifs, à
cause des torts qu'on leur infligeait, il s'était efforcé
de les administrer pacifiquement. [13] Accusé en
conséquence par les amis du roi auprès d'Eupator,
il s'entendait, en toute occasion, appeler traître,
pour avoir abandonné Chypre [e] que lui avait confié
Philométor, avoir passé du côté d'Antiochus Épiphane et n'avoir pas fait honneur à la dignité de
sa charge : il quitta l'existence en s'empoisonnant.

**Gorgias et les forteresses iduméennes.**

[14] Gorgias, devenu stratège de la région, entretenait des troupes mercenaires et saisissait toutes les
occasions pour faire la guerre aux Juifs. [15] En
même temps, les Iduméens, maîtres de forteresses || 1 M 5 1-8
bien situées, harcelaient les Juifs, et, accueillant les
proscrits de Jérusalem, tentaient de fomenter la
guerre. [16] Maccabée et ses compagnons, après
avoir fait des prières publiques et demandé à Dieu
de se faire leur allié, se mirent en mouvement 8 23-24
contre les forteresses des Iduméens. [17] Les ayant
attaquées avec vigueur, ils se rendirent maîtres de
ces positions et repoussèrent tous ceux qui combattaient sur le rempart; ils égorgeaient quiconque
tombait entre leurs mains, ils n'en tuèrent pas
moins de vingt mille. [18] Neuf mille hommes au
moins s'étant réfugiés dans deux tours remarqua-
blement fortes, ayant avec eux tout ce qu'il faut
pour soutenir un siège, [19] Maccabée laissa pour les
assiéger Simon et Joseph avec Zacchée et les siens
en nombre suffisant, et partit en personne pour des
endroits où il y avait urgence. [20] Mais les gens de
Simon, avides de richesses, se laissèrent gagner à
prix d'argent par quelques-uns de ceux qui gardaient les tours et, pour une somme de soixante-dix
mille drachmes, ils en laissèrent s'échapper un certain nombre. [21] Quand on eut annoncé à Maccabée
ce qui était arrivé, il réunit les chefs du peuple, il

*a)* Détail difficile à concilier avec 1 M **6** 55 et 63. Sans doute Philippe sera-t-il resté en Égypte jusqu'à la fin de 163, cf. **13** 23.
*b)* Le 15 décembre 164, cf. **1** 10+, peu de semaines après la mort d'Antiochus Épiphane.
*c)* Sur cette fête, la *hanukkah*, cf. 1 M **4** 59+. Ici s'achève la première partie du livre, dont l'un des objectifs est d'imposer cette fête à tous les Juifs, cf. les deux lettres préliminaires, **1-2**. De même, la seconde partie se terminera par une invitation à célébrer le Jour de Nikanor, **15** 36.
*d)* « guerres » *polemôn* mss lat., syr.; « villes » *poleôn* mss lat., grec (sauf 3 mss qui lisent « des guerriers » *polemiôn*).
*e)* Où sa présence comme gouverneur est attestée par des inscriptions et par l'historien Polybe.

accusa les coupables d'avoir vendu leurs frères à
prix d'argent en relâchant contre eux leurs ennemis. 22 Il les fit donc exécuter comme traîtres
et aussitôt après il s'empara des deux tours.
23 Menant tout à bonne fin par la valeur de ses
armes, il tua dans ces deux forteresses plus de vingt
mille hommes [a].

**Judas bat Timothée et prend Gazara [b].**

24 Timothée, qui avait été battu précédemment
par les Juifs, ayant levé des forces étrangères en
grand nombre et réuni quantité de chevaux venus
d'Asie, parut bientôt en Judée, s'imaginant qu'il
allait s'en rendre maître par les armes. 25 A son
approche, Maccabée et ses hommes se répandirent
en supplications devant Dieu, la tête saupoudrée de
terre et les reins ceints d'un cilice. 25 Prosternés
contre le soubassement antérieur de l'autel, ils
demandaient à Dieu de leur être favorable, de se
Ex *23* 22 déclarer l'ennemi de leurs ennemis, l'adversaire de
leurs adversaires, suivant les claires expressions de
la Loi.
27 Ayant pris les armes au sortir de cette prière,
ils s'avancèrent hors de la ville, jusqu'à une
sérieuse distance, et, quand ils furent près de
l'ennemi, ils s'arrêtèrent. 28 Au moment même où
se diffusait la clarté du soleil levant, ils en vinrent
aux mains de part et d'autre, les uns ayant pour
gage du succès et de la victoire, outre leur vaillance, le recours au Seigneur, les autres prenant
leur emportement pour guide des batailles. 29 Au
5 4+ fort du combat, apparurent du ciel aux ennemis,
sur des chevaux aux freins d'or, cinq hommes
magnifiques qui se mirent à la tête des Juifs 30 et,
prenant en même temps Maccabée au milieu d'eux
et le couvrant de leurs armures, le gardaient invul-
nérable. Ils lançaient aussi des traits et la foudre
sur les adversaires qui, bouleversés par l'éblouisse-
ment, se dispersaient [c] dans le plus grand désordre.
31 Vingt mille cinq cents fantassins et six cents
cavaliers furent alors égorgés. 32 Quant à Timothée, il s'enfuit en personne dans une place très
|| 1 M **13** forte appelée Gazara, où Chéréas était stratège [d].
43-48 33 Pendant quatre jours [e], Maccabée et les siens
l'assiégèrent avec une ardeur joyeuse. 34 Confiants
dans la force de la place, ceux qui se trouvaient à
l'intérieur proféraient d'énormes blasphèmes et lançaient des paroles impies. 35 Le cinquième jour
commençant à poindre, vingt jeunes gens de la
troupe de Maccabée, que les blasphèmes avaient
enflammés de colère, s'élancèrent contre la
muraille, animés d'un mâle courage et d'une ardeur
farouche, et ils massacrèrent quiconque se présentait devant eux. 36 D'autres montaient pareillement
contre les assiégés en les prenant à revers, mettaient le feu aux tours et, ayant allumé des bûchers,
brûlèrent vifs les blasphémateurs. Cependant, brisant les portes, les premiers accueillirent le reste de
l'armée et, à leur tête, s'emparèrent de la ville. 37 Ils
égorgèrent Timothée, qui s'était caché dans une
citerne, et avec lui son frère Chéréas et Apollo-
phane. 38 Après avoir accompli ces exploits, ils
bénirent avec des hymnes et des louanges le Seigneur qui accordait de si grands bienfaits à Israël
et qui lui donnait la victoire.

**Première campagne de Lysias [f].** || 1 M **4** 26-35

**11** 1 Très peu de temps après, Lysias, tuteur et
parent du roi, à la tête des affaires du
royaume, très affecté par les derniers événements,
2 assembla environ quatre-vingt mille hommes de
pied, avec toute sa cavalerie, et se mit en marche
contre les Juifs, comptant bien faire de la Ville une
résidence pour les Grecs, 3 soumettre le sanctuaire
à un impôt comme les autres lieux de culte des
nations et vendre tous les ans la dignité de grand
prêtre, 4 ne tenant aucun compte de la puissance de
Dieu, mais pleinement confiant dans ses myriades
de fantassins, dans ses milliers de cavaliers et ses
quatre-vingts éléphants.
5 Ayant donc pénétré en Judée, il s'approcha de
Bethsour, qui est une place forte distante de Jérusalem d'environ cinq schoenes [g], et la pressa vivement. 6 Lorsque Maccabée et les siens apprirent
que Lysias assiégeait les forteresses, ils prièrent le
Seigneur avec gémissements et larmes, de concert
avec la foule, d'envoyer un bon ange à Israël pour Ex **23** 20+
le sauver. 7 Maccabée lui-même, prenant les armes
le premier, exhorta les autres à s'exposer avec lui
au danger pour secourir leurs frères. Ceux-là donc
s'élancèrent ensemble, remplis d'ardeur; 8 ils se
trouvaient encore près de Jérusalem lorsqu'un

*a)* Chiffre grossi, cf. v. 18.
*b)* Cet épisode ne semble pas à sa place chronologique, car Timothée qui y trouve la mort apparaît bien vivant l'été de la même année 163, lors de la campagne de Galaad, **12** 10-31. La prise de Gazara fait également difficulté, cf. v. 32.
*c)* « se dispersaient » plusieurs mss grecs; « furent massacrés » grec et lat.
*d)* Restreint aux exploits de Judas, 2 M a ramené dans le cycle de ce héros la fameuse prise de Gézer dont la renommée persistait dans la tradition populaire. 1 M **13** 43, cf. **14** 34, l'attribuera avec raison à son frère Simon.
*e)* « quatre » lat.; « quarante » ou « vingt-quatre » grec.
*f)* Les événements rapportés en **11** 1-21 et **11** 27 - **12** 9 se situent encore en 164, du vivant d'Antiochus Épiphane. Chez Jason de Cyrène, la péricope devait suivre **8** 36 (et ainsi se justifie le « très peu de temps après » du v. 1), mais pour l'abréviateur l'action se passe sous Antiochus V, cf. v. 23.
*g)* « schoenes » mss grecs; « stades » grec et versions (avec des chiffres variables). – Le schoene comptait 30 stades, soit environ 5 km et demi.

5 4+ cavalier vêtu de blanc apparut à leur tête, agitant des armes d'or. 9 Alors tous à la fois bénirent le Dieu miséricordieux et se sentirent animés d'une telle ardeur qu'ils étaient prêts à transpercer, non seulement des hommes, mais encore les bêtes les plus sauvages et des murailles de fer. 10 Ils s'avancèrent en ordre de bataille, aidés par un allié venu du ciel, le Seigneur ayant eu pitié d'eux. 11 Ils foncèrent donc à la façon des lions sur les ennemis, couchèrent sur le sol onze mille fantassins et seize cents cavaliers, et contraignirent tous les autres à fuir. 12 La plupart n'en réchappèrent que blessés et sans armes. Lysias lui-même sauva sa vie par une fuite honteuse.

|| 1 M 6 57-61 **Paix avec les Juifs.**
**Quatre lettres concernant le traité.**

13 Mais Lysias, qui ne manquait pas de sens, réfléchit sur le revers qu'il venait d'essuyer; comprenant que les Hébreux étaient invincibles puisque le Dieu puissant combattait avec eux, il leur envoya une députation 14 pour les amener à un arrangement sous toutes conditions équitables, et leur promettait de contraindre le roi à devenir leur ami [a]. 15 Maccabée consentit à tout ce que proposait Lysias, n'ayant souci que du bien public. Tout ce que Maccabée transmit par écrit à Lysias au sujet des Juifs, le roi l'accorda [b].

16 La lettre écrite aux Juifs par Lysias était ainsi libellée : « Lysias au peuple juif, salut. 17 Jean et Absalom [c], vos émissaires, m'ayant remis l'acte transcrit ci-dessous, m'ont prié de ratifier les choses qu'il contenait. 18 J'ai donc exposé au roi [d] ce qui devait lui être soumis. Quant à ce qui était possible, je l'ai accordé. 19 Si donc vous conservez vos dispositions favorables envers les intérêts de l'État, je m'efforcerai à l'avenir de travailler à votre bien. 20 Quant aux matières de détail, j'ai donné des ordres à vos envoyés et à mes gens pour en conférer avec vous. 21 Portez-vous bien. L'an cent quarante-huit, le vingt-quatre de Dioscore [e]. »

22 La lettre du roi contenait ce qui suit : « Le roi Antiochus [f] à son frère Lysias, salut. 23 Notre père ayant émigré vers les dieux [g], et nous-même désirant que ceux de notre royaume soient à l'abri des troubles pour s'appliquer au soin de leurs propres affaires, 24 ayant appris d'autre part que les Juifs ne consentent pas à l'adoption des mœurs grecques voulue par notre père, mais que, préférant leur manière de vivre particulière, ils demandent qu'on leur permette l'observation de leurs lois, 25 désirant donc que ce peuple aussi reste tranquille, nous décidons que le Temple leur soit rendu et qu'ils puissent vivre selon les coutumes de leurs ancêtres. 26 Tu feras donc bien d'envoyer quelqu'un vers eux pour leur tendre la main afin que, au fait du parti adopté par nous, ils aient confiance et vaquent joyeusement à leurs propres affaires. »

27 La lettre du roi à la nation des Juifs était ainsi conçue : « Le roi Antiochus au Sénat des Juifs et aux autres Juifs, salut. 28 Si vous allez bien, cela est conforme à nos vœux, et nous-même nous sommes en bonne santé. 29 Ménélas nous a fait connaître le désir que vous avez de retourner à vos propres demeures. 30 Tous ceux qui, jusqu'au trente Xanthique, retourneront chez eux, obtiendront l'assurance de l'impunité. 31 Les Juifs auront l'usage de leurs aliments spéciaux et de leurs lois comme auparavant. Que nul d'entre eux ne soit molesté d'aucune façon pour des fautes commises par ignorance. 32 J'envoie pareillement Ménélas pour vous tranquilliser [h]. 33 Portez-vous bien. L'an cent quarante-huit, le quinze Xanthique. »

34 Les Romains adressèrent aussi aux Juifs une lettre de cette teneur : « Quintus Memmius, Titus Manilius, Manius Sergius [i], légats romains, au peuple des Juifs, salut. 35 Les choses que Lysias, parent du roi, vous a accordées, nous vous les concédons aussi. 36 Quant à celles qu'il a jugé devoir soumettre au roi, envoyez-nous quelqu'un sans délai, après les avoir bien examinées, afin que nous les exposions au roi d'une façon qui vous soit avantageuse, car nous nous rendons à Antioche. 37 Aussi bien, hâtez-vous de nous expédier des gens afin que

*a)* « de contraindre » Vet. Lat., Vulg.; « de persuader » mss lat.; « de persuader de contraindre » grec. – L'expression aura paru trop forte à un copiste qui l'aura remplacée en marge par « persuader », mot ensuite incorporé à plusieurs mss. – Pour l'abréviateur, le roi est Antiochus V; c'est encore un enfant et une telle pression n'a rien d'étonnant.

*b)* Cet accord explique que Judas n'ait pas été autrement inquiété pendant cette année 164.

*c)* Ce Jean peut être l'aîné des fils de Mattathias, 1 M **2** 2; Absalom doit être un personnage important, car deux de ses fils exerceront des commandements militaires, cf. 1 M **11** 70; **13** 11.

*d)* Antiochus IV. S'il s'agissait du jeune Antiochus V, comme le croit l'abréviateur, la démarche du tout-puissant Lysias s'expliquerait moins bien.

*e)* « Dioscore » lat.; « de Jupiter corinthien » (*dioscorinthios*) grec. – C'est le nom d'un mois crétois, équivalent de Xanthique, cf. v. 30. On est au printemps de 164.

*f)* Ici, il s'agit d'Antiochus V, cf. v. suivant, et du rescrit accordé aux Juifs après la deuxième campagne de Lysias, cf. **13** 23; 1 M **6** 59.

*g)* Allusion à l'apothéose du souverain, qui était en usage chez les Séleucides autant que chez les Lagides.

*h)* Le rôle conféré au grand prêtre honni par les insurgés montre que le roi n'entendait pas reconnaître leur chef, Judas. Mais l'objectif religieux de la révolte, à savoir le retrait de l'édit d'abolition du culte juif, était atteint.

*i)* « Manilius » et « Sergius » sont restitués d'après 2 mss grecs; le reste du grec lit seulement « Titus Manius », mais ce nom formé de deux prénoms est impossible. Titus Manilius et Manius Sergius sont d'ailleurs des personnages connus. Quant à Quintus Memmius, il n'est pas lui-même connu, mais un Titus Memmius avait été légat en 170.

nous sachions, nous aussi, quelles sont vos intentions. 38 Portez-vous bien. L'an cent quarante-huit,
le quinze de Dioscore [a]. »

### Affaires de Joppé et de Iamnia.

**12** 1 Ces traités conclus, Lysias revint chez le
roi [b], tandis que les Juifs se remettaient aux
travaux des champs. 2 Parmi les stratèges en place,
Timothée et Apollonius, fils de Gennéos, et aussi
Hiéronyme et Démophon, à qui s'ajoutait Nikanor
le Cypriarque, ne laissaient goûter aux Juifs ni
repos, ni tranquillité.
3 Les habitants de Joppé commirent un acte particulièrement impie. Ils invitèrent les Juifs domiciliés chez eux à monter avec leurs femmes et leurs
enfants sur des barques qu'ils avaient préparées
eux-mêmes, comme si nulle inimitié n'existait à
leur égard. 4 Sur l'assurance d'un décret rendu par
le peuple de la ville, les Juifs acceptèrent comme
des gens désireux de la paix et sans défiance, mais
quand ils furent au large, on les coula à fond au
nombre d'au moins deux cents.
5 Dès que Judas eut appris la cruauté commise
contre les gens de sa nation, il fit savoir ses ordres
à ceux qui étaient avec lui, 6 et, après avoir invoqué
Dieu, le juge équitable, il marcha contre les meurtriers de ses frères. De nuit, il incendia le port,
brûla les vaisseaux et passa au fil de l'épée ceux qui
y avaient cherché un refuge. 7 Mais la place ayant
été fermée, il partit dans le dessein d'y revenir pour
extirper toute la cité des Joppites. 8 Averti que ceux
de Iamnia voulaient jouer le même tour aux Juifs
qui habitaient parmi eux, 9 il attaqua de nuit les
Iamnites, incendia le port avec la flotte, de telle
sorte que les lueurs des flammes furent aperçues
jusqu'à Jérusalem quoique distante de deux cent
quarante stades.

|| 1 M 5 24-54 **Expédition en Galaaditide.**

10 Il s'était éloigné de là de neuf stades [c] dans une
marche contre Timothée, lorsque tombèrent sur lui
des Arabes au nombre d'au moins cinq mille hommes de pied et cinq cents cavaliers. 11 Un violent
combat s'étant engagé, et les soldats de Judas
l'ayant emporté avec l'aide de Dieu, les nomades
vaincus demandèrent à Judas de leur donner la
main droite, promettant de lui livrer du bétail et de
lui être utiles en tout le reste. 12 Comprenant qu'en
réalité ils pourraient lui rendre beaucoup de services, Judas consentit à faire la paix avec eux et,
après qu'on se fut donné la main, ils se retirèrent
sous la tente.
13 Judas attaqua aussi une certaine ville forte,
entourée de remparts, habitée par un mélange de
nations et dont le nom était Kaspîn. 14 Confiants
dans la puissance de leurs murs et leurs dépôts de
vivres, les assiégés se montraient grossiers à l'excès
envers Judas et les siens, joignant aux insultes les
blasphèmes et des propos impies. 15 Judas et ses
compagnons, ayant invoqué le grand Souverain du
monde qui, sans béliers ni machines de guerre, ren- Jos 6
versa Jéricho au temps de Josué, assaillirent le mur
avec férocité. 16 Devenus maîtres de la ville par la
volonté de Dieu, ils firent un carnage indescriptible,
au point que l'étang voisin, large de deux stades,
paraissait rempli par le sang qui y avait coulé.

**La bataille du Karnion.** || 1 M 5 37-44

17 Comme ils s'étaient éloignés à sept cent cinquante stades de là, ils atteignirent le Charax, chez
les Juifs appelés Toubiens [d]. 18 Quant à Timothée, 1 M 5 13
ils ne le trouvèrent point dans ces parages, car il
avait quitté les lieux sans avoir rien fait, mais non
sans avoir laissé sur un certain point une très forte
garnison. 19 Dosithée et Sosipater, généraux du
Maccabée, s'y rendirent et tuèrent les hommes laissés par Timothée dans la forteresse au nombre de
plus de dix mille. 20 Maccabée, de son côté, ayant
distribué ses troupes en cohortes, nomma ceux qui
seraient à leur tête et s'élança contre Timothée, qui
avait autour de lui cent vingt mille fantassins et
deux mille cinq cents cavaliers. 21 Informé de l'approche de Judas, Timothée envoya tout d'abord les
femmes, les enfants et le reste des bagages au lieu
dit le Karnion [e], car la place était inexpugnable et 1 M 5 43+
difficile d'accès à cause des passes étroites de toute
la contrée. 22 La cohorte de Judas parut la première : l'épouvante s'étant emparée de l'ennemi,
ainsi que la crainte que leur inspirait la manifestation de Celui qui voit tout, ils prirent la fuite en

a) « Dioscore » Vet. Lat.; « Xanthique » grec.
b) L'abréviateur imagine le roi à Antioche (puisque pour lui il s'agit d'Antiochus V). En fait, les deux raids contre les villes maritimes ont dû suivre la première campagne de Lysias, alors qu'Antiochus IV se trouvait en Perse, cf. **6** 1; **9** 1, et ils prennent facilement place dans le courant de l'an 164.
c) Ces neuf stades (moins de 2 km) ne peuvent être comptés à partir de Iamnia, mais d'un point situé en Galaatide, cf. v. 13. L'abréviateur aura mal coupé son extrait de Jason. Sur les circonstances de cette expédition de l'été 163, cf. 1 M **5** 9s. – Les « Arabes » sont des Nabatéens, cf. 1 M **5** 25, dont le chef serait le phylarque de 2 M **8** 32.
d) Le « pays de Tobie » de 1 M **5** 13, c'est-à-dire l'Ammanitide gouvernée par la famille des Tobiades. On y élevait des chevaux, et un corps de cavaliers toubiens s'illustra en Idumée, v. 35. – Le Charax doit être la forteresse ou Birta de l'Ammanitide (l'actuel Araq el Emir), résidence du gouverneur.
e) Site du sanctuaire de l'Astarté aux cornes, cf. 1 M **5** 43. – Les « passes étroites » doivent être simplement le lit du torrent mentionné en 1 M **5** 37 (le Nahr el-Ehreir, affluent du Yarmuk); ce n'est que plus au sud que le terrain devient accidenté, mais l'auteur veut souligner les qualités militaires de la cohorte de Judas et l'effet de terreur qu'elle produit.

tous sens, de telle sorte que souvent ils se blessaient entre eux et se transperçaient de leurs propres épées. 23 Judas les poursuivit avec une vigueur extrême, embrochant ces criminels dont il fit périr jusqu'à trente mille hommes. 24 Timothée, étant tombé lui-même aux mains des gens de Dosithée et de Sosipater, les conjura avec beaucoup d'artifice de le laisser aller sain et sauf, affirmant qu'il avait en son pouvoir des parents et même des frères de beaucoup d'entre eux, à qui il pourrait arriver d'être supprimés. 25 Quand il les eut persuadés par de longs discours qu'il leur restituerait ces hommes sains et saufs en vertu de l'engagement qu'il prenait, ils le relâchèrent pour sauver leurs frères.

26 S'étant rendu au Karnion et à l'Atargatéion [a], Judas égorgea vingt-cinq mille hommes.

**Retour par Éphrôn et Scythopolis.**

27 Après leur désastre (et leur perte), il conduisit son armée contre Éphrôn, ville forte où habitait Lysanias [b]. De robustes jeunes gens, rangés devant les murailles, combattaient avec vigueur, et, à l'intérieur, il y avait des quantités de machines et de projectiles en réserve. 28 Mais, ayant invoqué le Souverain qui brise par sa puissance les forces des ennemis, les Juifs se rendirent maîtres de la ville et couchèrent sur le sol, parmi ceux qui s'y trouvaient, environ vingt-cinq mille hommes. 29 Partis de là, ils foncèrent sur Scythopolis [c], à six cents stades de Jérusalem. 30 Mais les Juifs qui s'y étaient fixés, ayant attesté que les Scythopolites avaient eu pour eux de la bienveillance et leur avaient réservé un accueil humain au temps du malheur, 31 Judas et les siens remercièrent ces derniers et les engagèrent à se montrer encore à l'avenir bien disposés pour leur race.

Ils arrivèrent à Jérusalem très peu avant la fête des Semaines.

**Campagne contre Gorgias.**

Ex 23 14+ 32 Après la fête appelée Pentecôte, ils foncèrent contre Gorgias, stratège de l'Idumée. 33 Celui-ci sortit à la tête de trois mille fantassins et quatre cents cavaliers, 34 qui engagèrent une bataille rangée où il arriva qu'un certain nombre de Juifs succombèrent.

35 Le dénommé Dosithée, cavalier du corps des Toubiens, homme vaillant, se rendit maître de la personne de Gorgias et, l'ayant saisi par la chlamyde [d], il l'entraînait de force en vue de capturer vivant ce maudit, mais un cavalier thrace, se jetant sur Dosithée, lui trancha l'épaule, et Gorgias s'enfuit à Marisa. 36 Cependant ceux qui se trouvaient avec Esdrias combattaient depuis longtemps et tombaient d'épuisement. Judas supplia le Seigneur de se montrer leur allié et leur guide dans le combat. 37 Entonnant ensuite à pleine voix dans la langue des pères le cri de guerre avec des hymnes [e], il mit en déroute les gens de Gorgias.

**Le sacrifice pour les morts [f].**

38 Judas, ayant ensuite rallié son armée, se rendit à la ville d'Odollam [g] et, le septième jour de la semaine survenant, ils se purifièrent selon la coutume et célébrèrent le sabbat en ce lieu. 39 Le jour suivant, on vint trouver Judas [h] (au temps où la nécessité s'en imposait) pour relever les corps de ceux qui avaient succombé et les inhumer avec leurs proches dans le tombeau de leurs pères. 40 Or ils trouvèrent sous la tunique de chacun des morts
des objets consacrés aux idoles de Iamnia [i] et que Dt 7 25
la Loi interdit aux Juifs. Il fut donc évident pour tous que cela avait été la cause de leur mort. 41 Tous donc, ayant béni la conduite du Seigneur, juge équitable qui rend manifestes les choses cachées, 42 se mirent en prière pour demander que le péché commis fût entièrement pardonné, puis le valeureux Judas exhorta la troupe à se garder pure de tout péché, ayant sous les yeux ce qui était arrivé à cause de la faute de ceux qui étaient tombés. 43 Puis, ayant fait une collecte d'environ deux mille drachmes, il l'envoya à Jérusalem afin qu'on offrît un sacrifice pour le péché, agissant fort bien et noblement d'après le concept de la résurrection.

*a)* Sanctuaire d'Atargatis, la grande déesse syrienne identifiée à l'Astarté locale.

*b)* « où habitait Lysanias » mss lat. (d'autres mss ont « Lysias »); « où habitaient des troupes de toutes races » grec, Vulg.; « où habitaient Lysias et des troupes de toutes races » grec luc., mss lat. et syr. – Même s'il faut préférer la leçon « Lysias », il ne peut s'agir du stratège de Coelé-Syrie, qui devait résider à Tyr, mais simplement d'un dynaste local. Le nom était courant.

*c)* Nom grec de la ville de Bethsân, 1 M **5** 52 (Bet-Sheân en hébreu).

*d)* La pèlerine courte des cavaliers. – « du corps des Toubiens » mss lat., syr.; « de ceux de Bakénor » grec, Vulg., mais un tel nom propre n'existe pas.

*e)* Les hymnes, même guerriers, avaient un caractère liturgique et devaient être en hébreu.

*f)* Même allégé de ses gloses, cf. v. 45+, ce texte exprime la conviction que la prière et le sacrifice expiatoire sont efficaces pour la rémission des péchés des défunts. C'est la première attestation de cette croyance. Cependant, un sacrifice comme celui que faisait faire Judas pouvait n'avoir d'autre but que la purification de la communauté, tout entière souillée par le crime de quelques-uns, cf. Jos **7**, et il se peut que ce soit l'auteur qui, quarante ans plus tard, ait prêté à son héros sa propre conviction. Quoi qu'il en soit, elle marque une nouvelle et importante étape dans la théologie juive.

*g)* C'est Adullam, ville célèbre du Bas-Pays, Jos **12** 15, cf. 1 S **22** 1; 2 Ch **11** 17, etc.

*h)* « on vint trouver Judas » grec luc., Vet. Lat., syr.; « ceux qui étaient avec Judas vinrent » grec, Vulg.

*i)* C'est-à-dire des amulettes ou des objets offerts aux divinités païennes, et qui auraient dû être brûlés, cf. Dt **7** 25s.

44 Car, s'il n'avait pas espéré que les soldats tombés
7 9+ dussent ressusciter, il était superflu et sot de prier
pour les morts, 45 et s'il envisageait qu'une très
belle récompense est réservée à ceux qui s'endorment dans la piété, c'était là une pensée sainte et
pieuse [a]. Voilà pourquoi il fit faire ce sacrifice
expiatoire pour les morts, afin qu'ils fussent délivrés de leur péché.

### Campagne d'Antiochus V et de Lysias. Supplice de Ménélas.

13 1 L'an cent quarante-neuf [b], la nouvelle parvint à Judas qu'Antiochus Eupator marchait
sur la Judée avec une troupe nombreuse 2 et
accompagné de son tuteur Lysias, qui était à la tête
des affaires; il avait une armée grecque de cent dix
1 M 6 30 mille fantassins, cinq mille trois cents cavaliers,
vingt-deux éléphants et trois cents chars armés de
faux.

3 Ménélas se joignit à eux et se mit à circonvenir
Antiochus avec beaucoup d'astuce, non pour le
salut de sa patrie, mais avec l'espoir d'être rétabli
dans sa dignité. 4 Mais le Roi des rois éveilla contre
ce scélérat la colère d'Antiochus et, Lysias ayant
démontré au roi que Ménélas était la cause de tous
les maux, Antiochus ordonna de le conduire à
Bérée et de l'y faire périr suivant la coutume du
lieu [c]. 5 Il y a en ce lieu une tour de cinquante coudées, pleine de cendre, munie d'un dispositif circulaire qui, de tout autour, faisait tomber dans la cendre. 6 C'est là qu'on fait monter l'homme coupable
de pillage sacrilège ou de quelques autres forfaits
énormes et qu'on le précipite pour le faire périr [d].
7 Tel fut le supplice dont mourut le prévaricateur,
et Ménélas ne fut même pas enterré, 8 et cela en
toute justice, car il avait commis beaucoup de
péchés contre l'autel dont le feu et la cendre étaient
purs, et c'est dans la cendre qu'il trouva la mort.

### Prières et succès des Juifs près de Modîn.

9 Le roi s'avançait donc, l'esprit hanté de desseins barbares, pour faire voir aux Juifs des choses
pires que celles qui leur étaient advenues sous son
père. 10 Judas, l'ayant appris, prescrivit au peuple
d'invoquer le Seigneur jour et nuit pour que, cette
fois encore, il vînt au secours de ceux qui allaient
être privés de la Loi, de la patrie et du sanctuaire 1 M 4 36+
sacré, 11 et qu'il ne laissât pas ce peuple, qui
commençait seulement à reprendre haleine, tomber
au pouvoir des nations de triste renom. 12 Lorsqu'ils eurent tous exécuté cet ordre avec ensemble
et imploré le Seigneur miséricordieux avec des larmes et des jeûnes, prosternés pendant trois jours
continus, Judas les encouragea et leur enjoignit de
se tenir prêts. 13 Après un entretien particulier avec
les Anciens, il résolut de ne pas attendre que
l'armée royale envahît la Judée et devînt maîtresse
de la ville, mais de se mettre en marche et de décider de toute l'affaire avec l'assistance du Seigneur.
14 Ayant donc remis la décision au Créateur du
monde, exhorté ensuite ses compagnons à combattre généreusement jusqu'à la mort, pour les lois,
pour le sanctuaire, la ville, la patrie et les institutions, il fit camper son armée aux environs de
Modîn. 15 Quand il eut donné aux siens comme mot
d'ordre : « Victoire de Dieu! », il attaqua avec une 8 23
élite de jeunes braves la tente du roi pendant la
nuit. Parmi les hommes campés, il en tua environ
deux mille et ses gens transpercèrent le plus grand 1 M 6 43s
des éléphants avec son cornac; 16 ils remplirent
finalement le camp d'épouvante et de confusion et
se retirèrent avec un plein succès, 17 alors que déjà
le jour commençait à poindre. Et cela se fit grâce
à la protection dont le Seigneur couvrait Judas.

### Antiochus V traite avec les Juifs. || 1 M 6 48-6

18 Le roi, ayant tâté de la hardiesse des Juifs,
essaya d'attaquer les places au moyen d'artifices.
19 Il s'approcha de Bethsour, forteresse puissante
des Juifs, mais il était repoussé, mis en échec,
vaincu.

20 Judas fit passer aux assiégés ce qui leur était
nécessaire, 21 mais Rodokos, de l'armée juive,
dévoilait les secrets aux ennemis : il fut recherché,
arrêté et exécuté. 22 Pour la seconde fois, le roi par-
lementa avec ceux de Bethsour; il leur tendit la
main, prit la leur, se retira, attaqua Judas et ses
hommes et eut le dessous. 23 Il apprit que Philippe,
laissé à la tête des affaires, avait fait un coup de
tête à Antioche. Bouleversé, il donna aux Juifs de
bonnes paroles, vint à composition, jura de garder
avec eux toutes les conditions justes. Après cette

*a)* Le texte actuel, tel qu'il nous est transmis par le grec et la plupart des versions, représente une harmonisation du texte primitif avec les deux gloses qui l'ont surchargé (l'une sadducéenne, cf. Mt **22** 23, l'autre pharisienne). Ce texte nous est conservé dans le principal ms de la Vet. Lat. : « parce qu'il espérait que ceux qui étaient tombés ressusciteraient (il est superflu et vain de prier pour les morts), considérant que pour ceux qui se sont endormis avec piété est réservée une très belle récompense (sainte et salutaire pensée). »

*b)* Du calendrier séleucide, mais en comptant à partir du printemps (de 311). On est en automne 163.

*c)* Le grand prêtre Ménélas, qui avait regagné Jérusalem, cf. **11** 32, n'a sans doute pas pu s'y maintenir, mais son supplice doit plutôt se situer après la prise de Jérusalem par Antiochus, comme nous le dit Josèphe (*Antiquités Judaïques*). – Bérée est le nom de la ville macédonienne, Ac **17** 10, donné à Alep par Séleucus Ier.

*d)* « on fait monter » *arantes* conj.; « tous » *apantes* grec, versions. – « on précipite » *proôthousin* conj. d'après lat.; « poussent vers » (?) *prosôthousin* grec. – Le supplice de la cendre est attesté chez les Perses; il prend ici l'allure d'une application du talion, v. 8; cf. **4** 26; **9** 5-6.

réconciliation, il offrit un sacrifice, honora le Temple et fut généreux envers le lieu saint [a].
24 Il fit bon accueil à Maccabée et laissa Hégé-
monide stratège depuis Ptolémaïs jusqu'au pays
des Gerréniens [b]. 25 Il se rendit à Ptolémaïs, mais
les habitants de cette ville, n'agréant pas ce traité,
s'en indignaient fort et voulurent en violer les
conventions [c]. 26 Alors Lysias monta à la tribune,
défendit de son mieux ces conventions, persuada
les esprits, les calma, les amena à la bienveillance
et partit pour Antioche.

Il en alla ainsi de l'offensive et de la retraite du
roi.

# *VII. Lutte contre Nikanor, général de Démétrius Ier. Le jour de Nikanor*

|| 1 M 7 1-21 **Intervention du grand prêtre Alkime.**

**14** 1 Après un intervalle de trois ans [d], Judas et
ses compagnons apprirent que Démétrius, fils
de Séleucus, ayant abordé au port de Tripoli avec
une forte armée et une flotte, 2 s'était emparé du
pays et avait fait périr Antiochus et son tuteur
Lysias. 3 Un certain Alkime, précédemment devenu
grand prêtre, mais qui s'était volontairement
souillé [e] au temps de la révolte, comprenant qu'il
n'y avait pour lui de salut en aucune façon, ni
désormais d'accès possible au saint autel, 4 vint
trouver le roi Démétrius vers l'an cent cinquante et
1 M **10** 30+ un, et lui offrit une couronne d'or avec une palme
et, de plus, des rameaux d'olivier dus selon l'usage
par le Temple; et, ce jour-là, il ne fit rien de plus.
5 Mais il trouva une occasion complice de sa
démence quand, l'ayant appelé dans son conseil,
Démétrius l'interrogea sur les dispositions et les
desseins des Juifs. Il répondit : 6 « Ceux des Juifs
qu'on appelle Assidéens, dont Judas Maccabée a
pris la direction, fomentent la guerre et les séditions, ne laissant pas le royaume jouir du calme.
7 C'est pourquoi, ayant été dépouillé de ma dignité
héréditaire, je veux dire du souverain pontificat, je
suis venu ici, 8 d'abord avec le souci sincère des intérêts du roi, ensuite en considération de nos concitoyens, car la déraison de ceux que j'ai nommés
plonge toute notre race dans une grande infortune.
9 Toi donc, ô roi, quand tu auras pris connaissance
de chacun de ces griefs, daigne pourvoir au salut
de notre pays et de notre nation menacée de toutes
parts, suivant cette bienfaisance affable que tu
témoignes à tout le monde, 10 car tant que Judas
sera en vie, il sera impossible à l'État de goûter la
paix. »
11 Dès qu'il eut parlé de la sorte, les autres amis 1 M 2 18+
du roi, hostiles à l'action de Judas, s'empressèrent
d'enflammer Démétrius. 12 Ayant aussitôt fixé son
choix sur Nikanor, qui était devenu éléphantarque, || 1 M 7 26
il le promut stratège de Judée [f] et le fit partir 13 avec
l'ordre de faire périr Judas, de disperser ceux qui
étaient avec lui et d'introniser Alkime grand prêtre
du plus grand des sanctuaires. 14 Quant aux païens
de Judée, qui avaient fui devant Judas, ils se rassemblèrent par troupes autour de Nikanor, pensant
bien que l'infortune et le malheur des Juifs tourne-
raient à leur propre avantage.

**Nikanor fait amitié avec Judas.** || 1 M 7 27-28

15 Informés de l'arrivée de Nikanor et de l'agression des païens, les Juifs répandirent sur eux de la
poussière et implorèrent Celui qui avait constitué
son peuple pour l'éternité et qui ne manquait
jamais de secourir son propre héritage avec des
signes manifestes. 16 Sur l'ordre de leur chef, ils
partirent aussitôt du lieu où ils se trouvaient et en
vinrent aux mains avec eux au bourg de Dessau [g]. 1 M 7 31
17 Simon, frère de Judas, avait engagé le combat
avec Nikanor, mais à cause de l'arrivée subite des
adversaires, il avait subi un léger échec [h]. 18 Toutefois, apprenant quelle était la valeur de Judas et de

*a)* Le récit de 1 M est moins optimiste, mais insiste sur la liberté religieuse rendue aux Juifs, **6** 59, qui n'est pas spécifiée ici : l'auteur de 2 M ne semble pas avoir vu la relation entre le rescrit d'Antiochus V, **11** 22s, et cette seconde campagne de Lysias.

*b)* C'est donc le début (encore officieux) des Asmonéens, puisque Judas est reconnu *de facto* et que seule la région côtière reçoit un gouverneur.

*c)* « s'en indignaient fort et voulurent » Vet. Lat.; grec corrompu.

*d)* A partir de 149 séleucide. C'est le printemps de 161.

*e)* C'est-à-dire qu'il avait accepté l'hellénisme.

*f)* « stratège », c'est-à-dire ici gouverneur, pour retirer au grand prêtre Alkime tout pouvoir politique.

*g)* Cette affaire de Dessau (Adasa, cf. 1 M **7** 40) est peut-être identique à l'affaire de Chapharsalama qui est tout proche, 1 M **7** 31.

*h)* V. mal transmis. On peut aussi comprendre : « mais sur le tard, il avait été bousculé par un mouvement inopiné de l'adversaire » ou : « mais sur le moment, il avait été terrifié par l'apparition inopinée de l'adversaire ».

ses compagnons, leur assurance dans les combats
livrés pour la patrie, Nikanor craignit de s'en
remettre au jugement par le sang. [19] Aussi envoya-
t-il Posidonius, Théodote et Mattathias pour tendre la main aux Juifs et recevoir la leur.

[20] Après un examen approfondi des propositions,
le chef les communiqua aux troupes, et, les avis
ayant été unanimes, elles manifestèrent leur assentiment au traité. [21] On fixa un jour où les chefs
s'aboucheraient en particulier. De part et d'autre
s'avança un véhicule; on plaça des sièges d'honneur. [22] Judas avait aposté aux endroits favorables
des gens en armes, prêts à intervenir en cas
de perfidie soudaine de la part des ennemis. Dans
leur entretien ils se mirent d'accord. [23] Nikanor
séjourna à Jérusalem sans y rien faire de déplacé.
Au contraire, il renvoya ces foules qui, par bandes,
s'étaient groupées autour de lui. [24] Il avait sans
cesse Judas devant les yeux, éprouvant pour cet
homme une inclination de cœur. [25] Il l'engagea à se
marier et à avoir des enfants. Judas se maria, goûta
la tranquillité, jouit de la vie [a].

**Alkime rallume les hostilités
et Nikanor menace le Temple.**

[26] Alkime, voyant leur bonne entente, et s'étant
procuré une copie du traité conclu, s'en vint chez
Démétrius et lui dit que Nikanor avait des idées
contraires aux intérêts de l'État, car l'adversaire
même de son royaume, Judas, il l'avait promu dia-
doque. [27] Le roi entra en fureur et, excité par les
calomnies de ce misérable, il écrivit à Nikanor, lui
déclarant qu'il éprouvait un grand déplaisir de ces
conventions et lui donnant l'ordre d'envoyer sans
retard à Antioche le Maccabée chargé de chaînes.
[28] Au reçu de ces lignes, Nikanor fut bouleversé,
car il lui en coûtait de violer les conventions avec
un homme qui n'avait commis aucune injustice.
[29] Mais comme il n'était pas facile de s'opposer
au roi, il épiait une occasion favorable [b] pour
|| 1 M 7 29-30 accomplir cet ordre au moyen d'un stratagème.
[30] De son côté, Maccabée, remarquant que Nikanor se comportait plus sèchement à son égard et
que son abord ordinaire se faisait plus rude, pensa
qu'une telle sévérité ne présageait rien de très bon.
Il rassembla donc un grand nombre de ses parti-
|| 1 M 7 33-38 sans et se déroba à Nikanor. [31] Quand l'autre
reconnut qu'il avait été joué de belle manière par
cet homme, il se rendit au Sanctuaire très grand et
saint, pendant que les prêtres offraient les sacrifices
accoutumés, et commanda de lui livrer cet homme.
[32] Comme ils assuraient avec serment qu'ils ne
savaient où était l'homme qu'il cherchait,
[33] Nikanor leva la main droite vers le Temple et
affirma avec serment : « Si vous ne me livrez pas
Judas enchaîné, je raserai cette demeure de Dieu,
je détruirai l'autel et, au même endroit, j'élèverai à
Dionysos un sanctuaire splendide. » [34] Sur de telles
paroles, il se retira. Mais les prêtres, de leur côté,
tendirent les mains vers le ciel, implorant en ces
termes Celui qui a toujours combattu pour notre
nation : [35] « O toi Seigneur, qui n'as besoin de rien,
il t'a plu que le Temple où tu habites se trouve au
milieu de nous. [36] Maintenant donc, Seigneur saint
de toute sainteté, préserve pour jamais de toute
profanation cette Maison qui vient d'être purifiée. »

**Mort de Razis [c].**

[37] On dénonça alors à Nikanor un des anciens de
Jérusalem nommé Razis, homme zélé pour ses
concitoyens, jouissant d'un excellent renom et
qu'on appelait Père des Juifs à cause de son affection pour eux. [38] Inculpé de Judaïsme dans les premiers temps de la révolte, il avait exposé avec toute
la constance possible son corps et sa vie pour le
Judaïsme. [39] En vue de montrer la malveillance
qu'il nourrissait à l'égard des Juifs, Nikanor
envoya plus de cinq cents soldats pour l'arrêter,
[40] car il ne doutait pas que faire disparaître cet
homme ne fût un grand coup porté aux Juifs.
[41] Comme ces troupes étaient sur le point de
s'emparer de la tour et forçaient le porche, l'ordre
étant donné de mettre le feu et de brûler les portes,
Razis, cerné de toutes parts, dirigea son épée
contre lui-même; [42] il choisit noblement de mourir
plutôt que de tomber entre des mains criminelles 1 S 31 4+
et de subir des outrages indignes de sa noblesse.
[43] Son coup ayant manqué le bon endroit, dans la
hâte du combat, et les troupes se ruant à l'intérieur
des portes, il courut allègrement en haut de la
muraille et se précipita avec intrépidité sur la foule.
[44] Tous s'étant reculés aussitôt, il s'en vint choir au
milieu de l'espace vide. [45] Respirant encore, et
enflammé d'ardeur, il se releva tout ruisselant de
sang et, malgré de très douloureuses blessures, il
traversa la foule en courant. Enfin, debout sur une
roche escarpée, [46] et déjà tout à fait exsangue, il
s'arracha les entrailles et, les prenant à deux mains,

*a)* Ce portrait nuancé du caractère de Judas et de Nikanor ne se retrouve pas chez l'auteur de 1 M, qui préfère opposer vigoureusement le héros juif au païen impie, 7 42.

*b)* Litt. « (de s'opposer au roi) il n'était pas facile, une occasion favorable (il épiait) » *ouk èn eucheros, kairon* conj.; « il n'était pas, une bonne occasion » (?) *ouk èn, eukairon* grec, mais ce mot n'est pas attesté.

*c)* Le style de cet épisode, qui est absent de 1 M, rappelle celui des sept frères et d'Éléazar, et comme lui aura été emprunté sans grand changement à Jason de Cyrène.

il les projeta sur la foule, priant le maître de la vie
7 9+ et de l'esprit de les lui rendre un jour. Ce fut ainsi
qu'il mourut [a].

**Blasphèmes de Nikanor.**

**15** 1 Apprenant que Judas et les siens étaient dans les parages de Samarie, Nikanor prit le parti de les attaquer sans risque, le jour du repos. 2 Les Juifs qui le suivaient par contrainte lui dirent : « Ne va pas les faire périr d'une façon si sauvage et si barbare, mais rends gloire au jour que Celui qui veille sur toutes choses a sanctifié de préférence. » 3 Alors ce triple scélérat demanda s'il y avait au ciel un souverain qui eût prescrit de célébrer le jour du sabbat. 4 Comme ceux-ci lui répliquaient : « C'est le Seigneur vivant lui-même, souverain au ciel, qui a ordonné d'observer le septième jour », 5 l'autre reprit : « Et moi aussi je suis souverain sur terre : je commande qu'on prenne les armes et qu'on fasse le service du roi. » Toutefois, il ne fut pas maître de réaliser son funeste dessein.

**Exhortation et songe de Judas.**

6 Tandis que Nikanor, se redressant avec une extrême jactance, décidait d'ériger un trophée commun [b] avec les dépouilles de Judas et de ses compagnons, 7 Maccabée, de son côté, gardant une confiance inaltérable, avait plein espoir d'obtenir du secours de la part du Seigneur. 8 Il engageait ceux qui se trouvaient avec lui à ne pas redouter l'attaque des païens, mais, au souvenir des secours qui étaient déjà venus du Ciel, à compter qu'en ce moment aussi, du Tout-Puissant leur viendrait la victoire. 9 En les encourageant à l'aide de la Loi et des Prophètes [c], en évoquant à leur esprit les combats qu'ils avaient déjà soutenus, il les remplit d'une nouvelle ardeur. 10 Ayant ainsi réveillé leurs ardeurs, il acheva de les exhorter en leur montrant la déloyauté des païens et la violation de leurs serments.

11 Ayant armé chacun d'eux moins de la sécurité que donnent les boucliers et les lances que de l'assurance fondée sur les bonnes paroles, il leur raconta un songe digne de foi, une sorte de vision [d], qui les réjouit tous. 12 Voici le spectacle qui lui
avait été offert : l'ex-grand prêtre Onias, cet 3 1+
homme de bien, d'un abord modeste et de mœurs douces, distingué dans son langage et adonné dès l'enfance à toutes les pratiques de la vertu, Onias étendait les mains et priait pour toute la communauté des Juifs [e]. 13 Ensuite avait apparu à Judas, de la même manière, un homme remarquable par ses cheveux blancs et par sa dignité, revêtu d'une prodigieuse et souveraine majesté. 14 Prenant la parole, Onias disait : « Celui-ci est l'ami de ses frères, qui prie beaucoup pour le peuple et pour la ville sainte tout entière, Jérémie, le Prophète de Dieu [f]. » 15 Puis Jérémie, avançant la main droite, donnait à Judas une épée d'or et prononçait ces paroles en la lui remettant : 16 « Prends ce glaive saint, il est un don de Dieu, avec lui tu briseras les ennemis. »

**Dispositions des combattants.**

17 Excités par les excellentes paroles de Judas, capables d'inspirer de la vaillance et de donner aux jeunes des âmes d'hommes faits, les Juifs décidèrent de ne pas se retrancher dans un camp, mais de prendre bravement l'offensive et, dans un corps à corps, de remettre la décision à la fortune des armes [g], puisque la ville, la religion et le Sanctuaire étaient en péril, 18 car, dans cette lutte, l'inquiétude au sujet des femmes, des enfants, des frères et des proches se réduisait à peu de chose, tandis que la plus grande et la première des craintes était pour
le Temple consacré. 19 L'angoisse de ceux qui 1 M **4** 36+
avaient été laissés dans la ville n'était pas moindre, inquiets qu'ils étaient au sujet de l'action qui allait se livrer en rase campagne. 20 Pendant que tous attendaient le prochain dénouement et que déjà les ennemis, ayant opéré leur concentration, se rangeaient en ordre de bataille, les éléphants étant ramenés sur une position favorable et la cavalerie rangée sur les ailes [h], 21 Maccabée observait ces masses imposantes, l'appareil varié de leurs armements et l'aspect farouche des éléphants. Il leva les mains vers le ciel et invoqua le Seigneur qui opère les prodiges, sachant bien que ce n'est pas à l'aide

*a)* Le suicide est rare dans la Bible et ne se rencontre guère que dans des situations morales extrêmes, cf. 2 S **17** 23+. Il n'est pas l'objet d'une condamnation formelle.
*b)* Par «trophée commun » on désigne un tas de pierres autour duquel on entassait les armures des ennemis tombés sur le champ de bataille.
*c)* A ces deux groupes primordiaux (cf. Lc **24** 27), le traducteur de l'Ecclésiastique, peu d'années après, ajoutera « les autres livres » des ancêtres, dont certains étaient sans doute considérés comme « livres saints » dès le temps des Maccabées, cf. 1 M **12** 9.
*d)* « une sorte de vision » *hupar ti* grec luc.; « au sujet de » *huper ti* grec, versions (mais le *ti* est inexplicable).
*e)* Onias poursuit le rôle d'intercesseur qu'il avait déjà joué de son vivant, **3** 10s; **4** 5.
*f)* Jérémie, qui a durement souffert pour son peuple, cf. **11** 19, 21; **14** 15; **18** 18s; **20** 1-2; **26**, en est l'intercesseur tout indiqué. Ce rôle conféré à Jérémie et à Onias est la première attestation d'une croyance en une prière des justes défunts pour les vivants. Elle est liée à celle en la résurrection, cf. **6-7**; Ps **16** 10; **49** 16.
*g)* « de ne pas se retrancher dans un camp » grec luc.; « de ne pas combattre » grec. – « à la fortune des armes », litt. « à la bonne fortune » 1 ms grec, Vet. Lat.; « avec tout leur courage » grec (sauf grec luc. qui additionne les deux leçons).
*h)* Cf. 1 M **6** 35, et pour la cavalerie sur les flancs, **6** 38. Le récit parallèle de 1 M ne nomme pas les éléphants, mais il précise le champ de bataille : Adasa, **7** 40, 45.

des armes, mais selon ce qu'il juge, qu'il accorde
la victoire à ceux qui en sont dignes. 22 Il prononça
|| 1 M 7 40-42 en ces termes l'invocation suivante : « O toi, Maî-
2 M **8** 19 tre, tu as envoyé ton ange sous Ézéchias, roi de la
2 R **19** 35 Judée, et il a exterminé cent quatre-vingt-cinq mille
Is **37** 36 hommes de l'armée de Sennachérib; 23 maintenant
encore, ô Souverain des cieux, envoie un bon ange
devant nous pour semer la crainte et l'effroi. 24 Que
par la grandeur de ton bras soient frappés ceux qui
sont venus, le blasphème à la bouche, attaquer ton
peuple saint! » Et il termina sur ces mots.

|| 1 M 7 43-50 **Défaite et mort de Nikanor.**

25 Or, tandis que les gens de Nikanor s'avançaient au son des trompettes et au chant du péan,
26 les hommes de Judas en vinrent aux mains avec
l'ennemi en faisant des invocations et des prières.
27 Combattant de leurs mains et priant Dieu de leur
cœur, ils couchèrent sur le sol au moins trente-cinq
mille hommes, et se réjouirent grandement de cette
manifestation de Dieu. 28 La besogne une fois terminée, et comme ils s'en retournaient avec joie, ils
reconnurent que Nikanor était tombé, revêtu de son
armure.

29 Alors, au milieu des clameurs et de la confusion, ils bénissaient le souverain Maître dans la
langue de leurs pères. 30 Celui qui au premier rang [a]
s'était consacré, corps et âme, à ses concitoyens,
qui avait conservé pour ses compatriotes l'affection
du jeune âge, ordonna de couper la tête de Nikanor
et son bras jusqu'à l'épaule, et de les porter à Jérusalem. 31 Il s'y rendit lui-même et, après avoir
convoqué ses compatriotes et placé les prêtres
devant l'autel, il envoya chercher les gens de la
Citadelle : 32 il leur montra la tête de l'abominable
Nikanor et la main que cet infâme avait étendue
avec tant d'insolence contre la sainte Maison du
Tout-Puissant. 33 Puis, ayant coupé la langue de
l'impie Nikanor, il dit qu'on la donnât par morceaux aux oiseaux et qu'on suspendît en face du
Temple le salaire de sa folie [b]. 34 Tous alors firent
monter vers le ciel des bénédictions au Seigneur
glorieux, en ces termes : « Béni soit Celui qui a
gardé son saint lieu exempt de souillure! »

35 Judas attacha la tête de Nikanor à la Cita- 1 S **31** 9-10
delle [c], comme un signe manifeste et visible à tous
du secours du Seigneur. 36 Ils décrétèrent tous par
un vote public de ne pas laisser passer ce jour ina-
perçu, mais de célébrer le treizième du douzième 1 M 7 49+
mois, appelé Adar en araméen [d], la veille du jour
dit de Mardochée [e].

**Épilogue de l'abréviateur.**

37 Ainsi se passèrent les choses concernant Nikanor, et, comme depuis ce temps-là la ville demeura
en la possession des Hébreux [f], je finirai également
mon ouvrage ici même. 38 Si la composition en est
bonne et réussie, c'est aussi ce que j'ai voulu.
A-t-elle peu de valeur et ne dépasse-t-elle pas la
médiocrité? C'est tout ce que j'ai pu faire...
39 Comme il est nuisible de boire seulement du vin
ou seulement de l'eau, tandis que le vin mêlé à l'eau
est agréable et produit une délicieuse jouissance, de
même c'est l'art de disposer le récit qui charme
l'entendement de ceux qui lisent le livre. C'est donc
ici que j'y mettrai fin.

*a)* Cf. 1 M **9** 11 (le mot ne se retrouve pas ailleurs dans la Bible). Étant donné la culture hellénique de notre auteur, il est probable qu'il a en vue le seul sens attesté en grec, à savoir « premier rôle » (au théâtre) et qu'il emploie le mot pour faire image.

*b)* « le salaire », *ta epicheira*, signifie également « le bras » et fait jeu de mot avec « la main », *cheir*, v. 32.

*c)* C'est peu probable puisque l'Akra ne fut débarrassée des Syriens que neuf ans plus tard, 1 M **13** 51. On a comparé cet anachronisme à celui de 1 S **17** 54. Ici aussi, il pourrait s'agir d'une addition, car l'auteur a déjà mentionné l'exposition des restes de Nikanor, v. 33.

*d)* Litt. « en langue syriaque », mot qui dans les LXX traduit « en araméen » de 2 R **18** 26; Esd **4** 7; Dn **2** 4.

*e)* Ce « jour de Mardochée » sera identifié à la fête des Purim, cf. Est **9**. Mais vers 124 av. J.-C., ils semblent encore distingués. – Le « Rouleau du jeûne » (1er s. ap. J.-C.) cite le « jour de Nikanor » parmi ceux où il ne faut pas jeûner.

*f)* Il s'agit de la ville religieuse (le mont Sion de 1 M), car la Citadelle, qui reste aux mains des Syriens, n'intéresse pas l'auteur. La victoire de Judas sur Nikanor a en effet sauvé le sanctuaire qui ne sera plus menacé. L'auteur, qui a atteint le but qu'il s'était proposé, peut donc mettre le point final à son ouvrage.

# LES LIVRES SAPIENTIAUX

# LES LIVRES SAPIENTIAUX

## *Introduction*

*On donne le nom de « livres sapientiaux » à cinq livres de l'Ancien Testament :* Job, les Proverbes, l'Ecclésiaste, l'Ecclésiastique *et* la Sagesse; *on y joint improprement les Psaumes et le Cantique des Cantiques. Ils représentent un courant de pensée qui se retrouve aussi dans une partie des livres de Tobie et de Baruch.*

*Cette littérature sapientielle a fleuri dans tout l'Ancien Orient. Au long de son histoire, l'Égypte a produit des écrits de sagesse. En Mésopotamie, depuis l'époque sumérienne, on a composé des proverbes, des fables, des poèmes sur la souffrance qu'on a comparés à Job. Cette sagesse mésopotamienne pénétra en Canaan : on a retrouvé à Râs Shamra des textes sapientiaux écrits en akkadien. Des milieux de langue araméenne provient la* Sagesse d'Ahiqar, *qui est d'origine assyrienne et qui a été traduite en plusieurs langues anciennes. Cette sagesse est internationale. Elle a peu de préoccupations religieuses et s'exerce sur le plan profane. Elle éclaire la destinée des individus, non par une réflexion philosophique à la manière des Grecs, mais en cueillant les fruits de l'expérience. Elle est un art de bien vivre avec une marque de bonne éducation. Elle apprend à l'homme à se conformer à l'ordre de l'univers et devrait lui donner le moyen d'être heureux et de réussir. Mais ce n'est pas toujours le cas et cette expérience justifie le pessimisme de certains ouvrages de sagesse, en Égypte comme en Mésopotamie.*

*Cette sagesse a été connue des Israélites. Le plus bel éloge que la Bible pense faire de la sagesse de Salomon est qu'elle dépassait celle des fils de l'Orient et celle de l'Égypte,* 1 *R* **5** 10. *Les sages arabes et édomites étaient renommés, Jr* **49** 7; *Ba* **3** 22-23; *Ab* 8. *Job et les trois sages, ses amis, vivent en Édom. L'auteur de Tobie connaissait la Sagesse d'Ahiqar et Pr* **22** 17 - **23** 11 *suit de près les maximes d'Amenemopé. Plusieurs psaumes sont attribués à Hémân et à Étân, qui sont des sages de Canaan, d'après* 1 *R* **5** 11. *Les Proverbes contiennent les Paroles d'Agur, Pr* **30** 1-14, *et les Paroles de Lemuel, Pr* **31** 1-9, *tous deux originaires de Massa, une tribu du nord de l'Arabie, Gn* **25** 14.

*Il n'est pas étonnant que les premières œuvres sapientielles d'Israël ressemblent beaucoup à celles de ses voisins : elles sortent du même terroir. Les parties anciennes des Proverbes ne donnent guère que des préceptes de sagesse humaine. Si l'on excepte l'Ecclésiastique et la Sagesse, qui sont les plus récents, les livres sapientiaux n'abordent pas les grands thèmes de l'Ancien Testament : la Loi, l'Alliance, l'Élection, le Salut. Les sages d'Israël ne s'inquiètent pas de l'histoire et de l'avenir de leur peuple, ils se penchent sur la destinée des individus, comme leurs confrères orientaux. Mais ils l'envisagent sous une lumière plus haute, celle de la religion yahviste. Malgré une origine commune et tant de ressemblances, il y a de ce fait, au profit de la sagesse israélite, une différence essentielle qui s'accentue avec le progrès de la Révélation. L'opposition sagesse-folie devient une opposition entre justice et iniquité, entre piété et impiété. La vraie sagesse est en effet la crainte de Dieu, et la crainte de Dieu est la piété. Si la sagesse orientale est un humanisme, on pourrait dire que la sagesse israélite est un « humanisme dévot ».*

*Mais cette valeur religieuse de la sagesse ne s'est dégagée que peu à peu. Le terme hébreu a une signification complexe, il peut désigner l'habileté manuelle ou professionnelle, le sens politique, le discernement, et aussi l'astuce, le savoir-faire, l'art de la magie. Cette sagesse humaine peut s'exercer pour le bien et pour le mal, et cette ambiguïté justifie les jugements défavorables que les prophètes portent sur les sages, ainsi Is* **5** 21; **29** 14; *Jr* **8** 9. *Elle peut expliquer aussi qu'on ait mis si longtemps à parler de la sagesse de Dieu, bien que celui-ci la* *donne aux hommes et que, à Ugarit déjà, la sagesse soit l'attribut du grand dieu El. C'est seulement dans des écrits postexiliques qu'on dira que Dieu seul est sage, d'une sagesse transcendante que l'homme voit à l'œuvre dans la création mais qu'il est impuissant à scruter, Jb* **28**; **38-39**; *Si* **1** 1-10; **16** 24*s*; **39** 12*s*; **42** 15 - **43** 33, *etc. Dans le grand prologue mis en tête des Proverbes, Pr* **1-9**, *la Sagesse divine parle comme une personne, elle est à la fois présente en Dieu dès l'éternité et agissant avec lui dans la création, surtout Pr* **8** 22-31. *Dans Jb* **28**, *elle apparaît comme distincte de Dieu, qui seul connaît où elle se cache. Dans Si* **24**, *la Sagesse elle-même se dit issue de la bouche du Très-Haut, habitant dans les cieux et envoyée en Israël par Dieu. Dans Sg* **7** 22 - **8** 1, *elle est une effusion de la gloire du Tout-Puissant, une image de son excellence. Ainsi, la Sagesse attribut de Dieu se détache de lui et devient une personne. Dans la foi de l'Ancien Testament, ces expressions si vives excèdent les limites d'une personnification littéraire, mais elles gardent leur mystère et préparent la révélation des Personnes Divines. Comme cette Sagesse, le Logos de saint Jean est à la fois en Dieu et hors de Dieu, et tous ces grands textes justifient le titre de « Sagesse de Dieu » que saint Paul donne au Christ,* 1 *Co* **1** 24.

*La destinée des individus étant la préoccupation dominante des sages, le problème de la rétribution avait pour eux une importance capitale. C'est dans leur milieu et par leur réflexion que la doctrine évolue. Dans les parties anciennes des Proverbes, la sagesse, c'est-à-dire la justice, conduit nécessairement au bonheur, et la folie, c'est-à-dire l'iniquité, mène à la ruine. C'est Dieu qui récompense ainsi les bons et qui punit les méchants. Telle est encore la position du prologue des Proverbes,* **3** 33-35; **9** 6 et 18. *Cette doctrine est alors le fondement de l'enseignement de sagesse et se conclut du gouvernement du monde par un Dieu sage et juste. Elle prétend faire appel à l'expérience, cependant l'expérience la contredit souvent. C'est ce qu'expose d'une manière dramatique le livre de Job, où les trois amis défendent la thèse traditionnelle. Mais, à la question du juste malheureux, il n'y a pas de réponse satisfaisante pour l'esprit, si l'on s'en tient aux rétributions terrestres; il n'y a qu'à adhérer à Dieu dans la foi, malgré tout. Si différent que soit son ton, l'Ecclésiaste ne donne pas une autre solution; il souligne également l'insuffisance des réponses courantes, il refuse qu'on puisse demander des comptes à Dieu et réclamer le bonheur comme un dû. L'Ecclésiastique reste fidèle à la même doctrine, il vante le bonheur du sage,* **14** 20 - **15** 10, *mais il est hanté par l'idée de la mort et il sait que tout dépend de cette dernière heure, il dit qu'« il est aisé au Seigneur, au jour de la mort, de rendre à chacun selon ses œuvres »,* **11** 26, *cf.* **1** 13; **7** 36; **28** 6; **41** 9. *Il pressent la doctrine des « fins dernières » mais il ne l'exprime pas clairement. Peu après lui, Dn* **12** 2 *explicitera la foi en une rétribution outre-tombe, et cette foi sera chez lui liée à la foi en la résurrection des morts, la pensée hébraïque ne concevant pas une vie de l'esprit séparé de la chair. Dans le Judaïsme alexandrin, le progrès se fera selon une voie parallèle et ira plus avant. La philosophie platonicienne, par sa théorie de l'âme immortelle, ayant libéré la pensée hébraïque de ses entraves, le livre de la Sagesse affirme que « Dieu a créé l'homme pour l'immortalité »,* **2** 23, *et qu'après la mort l'âme fidèle jouira d'un bonheur sans fin auprès de Dieu tandis que les impies recevront leur châtiment,* **3** 1-12. *Au grand problème des sages d'Israël, la réponse est enfin donnée.*

*La forme la plus simple et la plus ancienne de la littérature sapientielle est le* mâshâl. *Tel est, au pluriel, le titre du livre que nous appelons les « Proverbes ». Le* mâshâl *est plus exactement une formule frappante qui retient l'attention, un dicton populaire ou une maxime. Les collections anciennes des Proverbes ne contiennent que de courtes sentences. Puis le* mâshâl *se développe, il devient parabole ou allégorie, discours et raisonnement. Cette évolution, sensible déjà dans les petites sections annexes des Proverbes et plus encore dans le prologue, Pr* **1-9**, *se précipite dans les livres suivants : Job ou la Sagesse sont de grandes œuvres littéraires.*

*Au-delà de toutes ces formes littéraires, même les plus simples, l'origine de la sagesse doit être cherchée dans la vie de famille ou de clan. Les observations sur la nature et sur les hommes, accumulées de génération en génération, se sont exprimées en sentences, en dictons paysans, en courts apologues, qui avaient une application morale et qui servaient de règles de conduite. La même origine peut être attribuée aux premières formulations du droit coutumier, qui se rencontrent parfois, dans le contenu et pas seulement dans la forme, avec les sentences de sagesse. Ce courant de la sagesse populaire s'est continué parallèlement à la formation des collections sapientielles. De lui viennent, par exemple, les proverbes de* 1 *S* **24** 14; 1 *R* **20** 11, *la fable de Jg* **9** 8-15 *et celle de* 2 *R* **14** 9, *et les prophètes eux-mêmes lui ont emprunté, ainsi Is* **28** 24-28; *Jr* **17** 5-11.

*La brièveté des sentences, qui s'impriment dans la mémoire, les destinait à l'enseignement oral. Le père ou la mère les apprend à son fils, Pr* **1** 8; **4** 1; **31** 1; *Si* **3** 1, *et le maître continuera d'appeler « son* *fils » le disciple qu'il forme, car les sages tiennent école, Si* **51** 23, 26; *cf. Pr* **7** 1*s;* **9** 1*s. La sagesse devient un privilège de la classe instruite, de celle par conséquent qui sait aussi écrire; sages et scribes apparaissent côte à côte dans Jr* **8** 8-9, *et Si* **38** 24 - **39** 11 *exalte, en l'opposant aux métiers manuels, le métier du scribe qui lui permet d'acquérir la sagesse. Les scribes fournissaient au roi ses fonctionnaires, et c'est à la cour que se développèrent d'abord les doctrines de sagesse. Tous ces traits ont des parallèles exacts dans les autres milieux de la sagesse orientale, en Égypte ou en Mésopotamie. Un des recueils salomoniens des Proverbes a été rassemblé par « les gens d'Ézéchias, roi de Juda », Pr* **25** 1. *Mais ces sages n'étaient pas seulement des collecteurs de maximes antiques, ils écrivaient eux-mêmes. Deux œuvres littéraires composées probablement à la cour de Salomon, l'histoire de Joseph et celle de la succession au trône de David, peuvent être considérées comme des écrits de sagesse.*

*Le milieu des sages est donc bien différent de ceux d'où sont sortis les écrits sacerdotaux et les écrits prophétiques, et Jr* **18** 18 *énumère comme trois classes les prêtres, les sages et les prophètes. Leurs préoccupations sont différentes : les sages ne s'intéressent pas spécialement au culte et ils ne paraissent pas émus par les malheurs de leur peuple ni travaillés par la grande espérance qui le soutient. Mais, à partir de l'Exil, ces trois courants confluent. Le prologue des Proverbes prend le ton de la prédication prophétique, l'Ecclésiastique,* **44-49**, *et la Sagesse,* **10-19**, *méditent longuement sur l'Histoire Sainte; l'Ecclésiastique vénère le sacerdoce, il est un fervent du culte, enfin il identifie la Sagesse et la Loi, Si* **24** 23-34 *: c'est l'alliance entre le scribe (ou le sage) et le docteur de la Loi, qu'on retrouvera aux temps évangéliques.*

*C'est, dans l'Ancien Testament, le terme d'un long chemin au début duquel on plaçait Salomon. Ici encore se retrouvent les parallèles orientaux : deux écrits de la sagesse égyptienne passaient pour être les enseignements qu'un Pharaon avait donnés à son fils. Depuis* 1 *R* **5** 9-14, *cf.* **3** 9-12 *et* 28; **10** 1-9, *jusqu'à Si* **47** 12-17, *Salomon fut loué comme le plus grand sage d'Israël, et les deux recueils les plus importants et les plus anciens des Proverbes,* **10-22** *et* **25-29**, *lui sont attribués, ce qui explique le titre donné à tout le livre, Pr* **1** 1. *On mit également sous son nom l'Ecclésiaste, la Sagesse et le Cantique. Tout cet enseignement dispensé graduellement au peuple choisi préparait la révélation de la Sagesse Incarnée. Mais « il y a ici plus que Salomon », Mt* **12** 42.

# LE LIVRE DE JOB

## *Introduction*

*Le chef-d'œuvre littéraire du mouvement de Sagesse est le livre de Job. Il commence par un recit en prose. Il y avait une fois un grand serviteur de Dieu, nommé Job, qui vivait riche et heureux. Dieu permit à Satan de l'éprouver pour voir s'il resterait fidèle dans l'infortune. Frappé d'abord dans ses biens et ses enfants, Job accepte que Dieu reprenne ce qu'il lui avait donné. Atteint dans sa chair par une maladie répugnante et douloureuse, Job reste soumis et repousse sa femme qui lui conseille de maudire Dieu. Alors, trois de ses amis, Éliphaz, Bildad et Çophar, viennent pour le plaindre,* **1-2**. *Après ce prologue s'ouvre un grand dialogue poétique, qui forme le corps du livre. C'est d'abord une conversation à quatre : en trois cycles de discours,* **3-14**, **15-21**, **22-27**, *Job et ses amis confrontent leurs conceptions de la justice divine; les idées progressent d'une marche assez libre, plutôt par un renforcement de lumière sur des principes posés dès le début. Éliphaz parle avec la modération de l'âge et aussi avec la sévérité que peut donner une longue expérience des hommes, Çophar suit les emportements de la jeunesse, Bildad est un sentencieux qui se tient dans une gamme moyenne. Mais tous trois, ils défendent la thèse traditionnelle des rétributions terrestres : si Job souffre, c'est qu'il a péché, il peut paraître juste à ses propres yeux mais il ne l'est pas aux yeux de Dieu. Devant les protestations d'innocence de Job, ils ne font que durcir leur position. A ces considérations théoriques, Job oppose son expérience douloureuse et les injustices qui remplissent le monde. Il y revient sans cesse, et sans cesse se heurte au mystère d'un Dieu juste qui afflige le juste. Il n'avance pas, il se débat dans la nuit. Dans son désarroi moral, il a des cris de révolte et des paroles de soumission, comme il a des crises et des répits dans sa souffrance physique. Ce mouvement alterné atteint deux sommets : l'acte de foi du ch.* **19** *et la protestation finale d'innocence du ch.* **31**. *C'est alors qu'intervient un nouveau personnage, Élihu, qui donne tort à la fois à Job et à ses amis et, avec une éloquence verbeuse,* **32-37**, *essaye de justifier la conduite de Dieu. Il est interrompu par Yahvé lui-même qui, « du sein de la tempête », c'est-à-dire dans le cadre des antiques théophanies, répond à Job. Ou plutôt il refuse de répondre, car l'homme n'a pas le droit de mettre en jugement Dieu, qui est infiniment sage et tout-puissant, et Job reconnaît qu'il a parlé sans intelligence,* **38** 1 - **42** 6. *Un épilogue en prose conclut le livre : Yahvé blâme les trois interlocuteurs de Job et rend à celui-ci des fils et des filles et le double de ses biens,* **42** 7-17.

*Le personnage principal de ce drame, Job, est un héros des anciens temps, Ez* **14** 14, 20, *qui est censé vivre à l'époque patriarcale, aux confins de l'Arabie et du pays d'Édom, dans une région dont les sages étaient célèbres, Jr* **49** 7; *Ba* **3** 22-23; *Ab* 8, *et d'où viennent aussi ses trois amis. La tradition le tenait pour un grand juste, cf. Ez* **14**, *qui était resté fidèle à Dieu dans une épreuve exceptionnelle. L'auteur s'est servi de cette vieille histoire pour encadrer son livre et, malgré les différences de style et de ton, le dialogue poétique n'a pas pu exister sans le prologue et l'épilogue en prose.*

*Dans le dialogue lui-même, on a contesté l'authenticité de certains passages. Le poème sur la Sagesse,* **28**, *ne peut pas être mis dans la bouche de Job : il contient une notion de la sagesse qui n'est pas celle de Job ni de ses amis; en revanche, il a des affinités avec le discours de Yahvé,* **38-39**. *Mais c'est une œuvre qui provient du même milieu, et qui a été composée en marge du livre; on ne saurait dire pourquoi elle a été insérée précisément à cet endroit, où elle n'a pas de lien avec le contexte. On a douté aussi que les discours de Yahvé,* **38-41**, *appartinssent au poème primitif, mais on méconnaît ainsi le sens du livre : précisément parce* *qu'ils ne tiennent pas compte de la discussion qui a précédé ni du cas particulier de Job, parce qu'ils transportent le débat du plan humain au plan purement divin, ces discours donnent au problème la seule solution qu'entrevoyait l'auteur : celle du mystère des actions de Dieu. A l'intérieur de cette section, certains voudraient au moins retrancher le passage sur l'autruche,* **39** 13-18, *et les longues descriptions de Béhémoth et de Léviathan,* **40** 15 - **41** 26. *Si l'on supprime ces descriptions de deux animaux exotiques, il ne reste à peu près rien du second discours de Yahvé : il n'y aurait eu d'abord qu'un seul discours qui aurait été augmenté et divisé en deux par une première et brève réponse de Job,* **41** 3-5. *L'hypothèse est attrayante, mais il n'y a aucun argument décisif en sa faveur, et l'affaire est d'une importance secondaire. Il y a enfin dans le troisième cycle de discours,* **24-27**, *un désordre certain qui peut s'expliquer par des accidents de la tradition manuscrite ou par des remaniements rédactionnels.*

*L'authenticité des discours d'Élihu,* **32-37**, *est plus sérieusement contestable. Le personnage intervient subitement, sans avoir été annoncé, et Yahvé, qui l'interrompt, ne tient pas compte de lui. Cela est d'autant plus étrange qu'Élihu a anticipé sur les discours de Yahvé; il donne même l'impression de vouloir les compléter. D'autre part, il répète, sans utilité, ce qu'ont dit les trois amis. Enfin, le vocabulaire et le style sont différents et les aramaïsmes sont beaucoup plus fréquents qu'ailleurs. Il semble donc que ces chapitres aient été ajoutés au livre, et par un autre auteur. Mais ils apportent eux aussi leur contribution doctrinale.*

*L'auteur de Job ne nous est connu que par le chef-d'œuvre qu'il a composé. On y reconnaît qu'il était certainement un Israélite, nourri des œuvres des prophètes et des enseignements des sages. Il habitait probablement la Palestine, mais il a dû voyager ou séjourner à l'étranger, particulièrement en Égypte. Sur la date où il vécut, nous ne pouvons faire que des hypothèses. Le ton patriarcal du récit en prose fit croire aux Anciens que le livre était, comme la Genèse, l'œuvre de Moïse. Mais l'argument ne vaudrait, en tout état de cause, que pour le cadre du poème, et ce coloris s'explique assez comme un héritage de la tradition ou comme un pastiche littéraire. Le livre est postérieur à Jérémie et à Ézéchiel, avec lesquels il a des contacts d'expression et de pensée, et sa langue est fortement teintée d'aramaïsmes. Cela nous reporte après l'Exil, à un moment où l'obsession du sort de la nation fait place au souci des destinées individuelles. La date la plus indiquée, mais sans raisons décisives, est le début du Ve siècle avant notre ère.*

*L'auteur envisage le cas d'un juste souffrant. Pour la doctrine courante des rétributions terrestres, un tel cas serait un paradoxe irréel : l'homme reçoit ici-bas la récompense ou le châtiment de ses actions. Sur le plan collectif, la règle est posée clairement par les grands textes de Dt* **28** *et Lv* **26**; *le livre des Juges et ceux des Rois montrent comment le principe s'applique dans le déroulement de l'histoire, et la prédication prophétique le suppose constamment. La notion de la responsabilité individuelle, latente déjà et parfois exprimée, Dt* **24** 16; *Jr* **31** 29-30; 2 *R* **14** 6, *est exposée nettement par Ez* **18**. *Mais Ézéchiel s'en tient lui-même aux rétributions terrestres et, par là, il encourt le démenti flagrant des faits. Dans une perspective de solidarité, on peut accepter que, les péchés de la collectivité l'emportant, les justes soient punis avec les méchants. Mais si chacun doit être traité selon ses œuvres, comment un juste peut-il souffrir? Or il y a des justes qui souffrent, et cruellement, témoin Job. Le lecteur sait, par le prologue, que ses maux viennent de Satan et non de Dieu, et qu'ils sont une épreuve de sa fidélité. Mais Job ne le sait pas, ni ses amis. Ceux-ci donnent les réponses traditionnelles : le bonheur des méchants est de courte durée, cf. Ps* **37** *et* **73**, *le malheur du juste éprouve sa vertu, cf. Gn* **22** 12, *ou bien la peine châtie des fautes commises par ignorance ou par faiblesse, cf. Ps* **19** 13; **25** 7. *Cela, tant qu'ils croient à l'innocence relative de Job, mais les cris que lui arrache la douleur, ses emportements contre Dieu leur font admettre chez lui un état d'injustice beaucoup plus profond : les maux qu'endure Job ne peuvent s'expliquer que comme le châtiment de péchés graves. Les discours d'Élihu approfondissent ces solutions : si Dieu afflige ceux qui paraissent justes, c'est pour leur faire expier des péchés d'omission, ou des fautes d'inadvertance, ou bien – et c'est l'apport le plus original de ces chapitres – c'est pour prévenir des fautes plus graves et guérir de l'orgueil. Mais Élihu maintient, comme les trois amis bien qu'avec moins de dureté, la liaison entre la souffrance et le péché personnel.*

*Contre cette corrélation rigoureuse, Job s'élève avec toute la force de son innocence. Il ne nie pas les rétributions terrestres, il les attend, et Dieu les lui accordera finalement dans l'épilogue. Mais c'est pour lui un scandale qu'elles lui soient refusées présentement et il cherche en vain le sens de son épreuve. Il lutte désespérément pour retrouver Dieu qui se dérobe et qu'il persiste à croire bon. Et lorsque Dieu intervient, c'est pour dévoiler la transcendance de son être et de ses desseins et réduire Job au silence. Telle est la leçon religieuse du livre : l'homme doit persister dans la foi alors même que son esprit ne reçoit pas d'apaisement. A cette étape de la Révélation, l'auteur du livre de Job ne pouvait pas aller plus loin. Pour éclairer le mystère de la douleur innocente, il fallait attendre d'avoir l'assurance des sanctions d'outre-tombe et de connaître la valeur de la souffrance des hommes unie à la souffrance du Christ. A la question angoissée de Job répondront deux textes de saint Paul : « Les souffrances du temps présent ne sont pas à comparer à la gloire qui doit se révéler en nous », Rm* **8** 18, *et : « Je complète en ma chair ce qui manque aux épreuves du Christ pour son Corps qui est l'Église », Col* **1** 24.

# JOB

## I. Prologue[a]

**Satan met Job à l'épreuve.**

**1** 1 Il y avait jadis, au pays de Uç[b], un homme
Ez 14 14+ appelé Job : un homme intègre et droit qui
craignait Dieu et se gardait du mal. 2 Sept fils et
Gn 12 16; trois filles lui étaient nés. 3 Il possédait aussi sept
13 2; 26 14 mille brebis, trois mille chameaux, cinq cents paires de bœufs et cinq cents ânesses, avec de très
nombreux serviteurs. Cet homme était le plus fortuné de tous les fils de l'Orient[c]. 4 Ses fils avaient
coutume d'aller festoyer chez l'un d'entre eux, à
tour de rôle, et d'envoyer chercher leurs trois sœurs
pour manger et boire avec eux. 5 Or, une fois terminé le cycle de ces festins, Job les faisait venir
1 S 16 5 pour les purifier[d] et, le lendemain, à l'aube, il
offrait un holocauste pour chacun d'eux. Car il se
disait : « Peut-être mes fils ont-ils péché et maudit[e]
Dieu dans leur cœur! » Ainsi faisait Job, chaque
fois.
1 R 22 19-23 6 Le jour où les Fils de Dieu venaient se présen-
Gn 6 1+ ter devant Yahvé[f], le Satan[g] aussi s'avançait
Za 3 1-2 parmi eux. 7 Yahvé dit alors au Satan : « D'où
Gn 3 1+ viens-tu? » – « De rôder sur la terre, répondit-il, et
Lc 22 31 d'y flâner. » 8 Et Yahvé reprit : « As-tu remarqué
mon serviteur Job? Il n'a point son pareil sur la
terre : un homme intègre et droit, qui craint Dieu
et se garde du mal. » 9 Et le Satan de répliquer :
« Est-ce pour rien que Job craint Dieu? 10 Ne
l'as-tu pas entouré d'une haie, ainsi que sa maison
et son domaine alentour? Tu as béni toutes ses
entreprises, ses troupeaux pullulent dans le pays.
11 Mais étends la main et touche à ses biens; je te
jure qu'il te maudira en face! » – 12 « Soit! dit
Yahvé au Satan, tous ses biens sont en ton pouvoir.
Évite seulement de porter la main sur lui. » Et le
Satan sortit de l'audience de Yahvé.
13 Le jour où les fils et les filles de Job étaient en
train de manger et de boire chez leur frère aîné,
14 un messager vint dire à Job : « Tes bœufs labou-
raient et les ânesses paissaient à leurs côtés
15 quand les Sabéens[h] ont fondu sur eux et les ont 1 R 10 1+
enlevés, après avoir passé les serviteurs au fil de
l'épée. Moi, le seul rescapé, je me suis sauvé pour
te l'annoncer. » 16 Il parlait encore quand un autre
survint et dit : « Le feu de Dieu[i] est tombé du ciel;
il a brûlé les brebis et les pâtres jusqu'à les consumer. Moi, le seul rescapé, je me suis sauvé pour te
l'annoncer. » 17 Il parlait encore quand un autre
survint et dit : « Les Chaldéens, divisés en trois
bandes, ont fait un raid contre les chameaux et ils

*a)* L'auteur a gardé à ce récit en prose son caractère de récit populaire.
*b)* Sans doute au sud d'Édom. Cf. Gn **36** 28; Lm **4** 21.
*c)* Ce terme désigne tous ceux qui habitaient à l'est de la Palestine, plus spécialement en pays édomite et arabe, cf. Nb **24** 21+.
*d)* Litt. « sanctifier ». Il s'agit des rites écartant les souillures qui rendent inapte à la vie cultuelle, cf. Lv **11** 1+.
*e)* L'hébr. porte « béni ». De même en **1** 11 et **2** 5, 9. Le verbe original, « maudire », « blasphémer », a été ainsi remplacé pour éviter la présence d'un terme péjoratif auprès du nom de Dieu.
*f)* Dieu reçoit ou donne audience à certains jours, comme le fait un monarque. – Sur les « Fils de Dieu », cf. **2** 1; **38** 7; Gn **6** 1-4; Ps **29** 1; **82** 1; **89** 7. Il s'agit d'êtres supérieurs à l'homme, qui forment la cour de Yahvé et son conseil. On les identifie avec les anges (la Septante traduit : «les anges de Dieu», cf. Tb **5** 4+).
*g)* Précédé de l'article, comme en Za **3** 1-2, le terme n'est pas encore un nom propre et le devient seulement en 1 Ch **21** 1. D'après l'étymologie hébraïque, il désigne « l'adversaire », cf. 2 S **19** 23; 1 R **5** 18; **11** 14, 23, 25, ou « l'accusateur », Ps **109** 6, mais ici son rôle est plutôt celui d'un espion. C'est un personnage équivoque, distinct des Fils de Dieu, sceptique à l'égard de l'homme, désireux de le trouver en défaut, capable de déchaîner sur lui toutes sortes de maux et même de le pousser au mal, cf. aussi 1 Ch **21** 1. S'il n'est pas délibérément hostile à Dieu, il doute de la réussite de son œuvre dans la création de l'homme. Au-delà du Satan cynique, à l'ironie froide et malveillante, se profile l'image d'un être pessimiste, qui en veut à l'homme parce qu'il a des raisons de l'envier. Mais le texte ne s'appesantit pas sur les motifs de son attitude. A tous ces titres, il sera rapproché d'autres ébauches ou figures de l'esprit du mal, en particulier du serpent de Gn **3**, avec lesquelles il finira par se fondre, cf. Sg **2** 24; Ap **12** 9; **20** 2, pour incarner la puissance diabolique, cf. Lc **10** 18.
*h)* Sabéens et Chaldéens (v. 17) sont ici des tribus de nomades pillards.
*i)* La foudre. Cf. 2 R **1** 10, 12, 14.

les ont enlevés, après avoir passé les serviteurs au
fil de l'épée. Moi, le seul rescapé, je me suis sauvé
pour te l'annoncer. » 18 Il parlait encore quand un
autre survint et dit : « Tes fils et tes filles étaient en
train de manger et de boire du vin dans la maison
de leur frère aîné. 19 Et voilà qu'un vent violent a
soufflé du désert. Il a heurté les quatre coins de la
maison et celle-ci est tombée sur les jeunes gens,
qui ont péri. Moi, le seul rescapé, je me suis sauvé
pour te l'annoncer. »

20 Alors Job se leva, déchira son vêtement, se
rasa la tête[a]. Puis, tombant sur le sol, il se prosterna 21 et dit :

Qo **5** 14 « Nu, je suis sorti du sein maternel,
Si **40** 1 nu, j'y retournerai[b].
Gn **2** 7; **3** 19 Yahvé avait donné, Yahvé a repris :
Ps **139** 15 que le nom de Yahvé soit béni! »
Si **11** 14
Qo **5** 18

22 En toute cette infortune, Job ne pécha point et
il n'adressa pas à Dieu de sots reproches.

1 6+ **2** 1 Un autre jour où les Fils de Dieu venaient
se présenter devant Yahvé, le Satan aussi
s'avançait parmi eux[c]. 2 Yahvé dit alors au Satan :
« D'où viens-tu? » – « De rôder sur la terre, répondit-il, et d'y flâner. » 3 Et Yahvé reprit : « As-tu
remarqué mon serviteur Job? Il n'a point son pareil
sur la terre : un homme intègre et droit, qui craint
Dieu et se garde du mal! Il persévère dans son intégrité et c'est en vain que tu m'as excité contre lui
pour le perdre. » 4 Et le Satan de répliquer : « Peau
après peau[d]! Tout ce que l'homme possède, il
l'abandonne pour sauver sa vie! 5 Mais étends la
main, touche à ses os et à sa chair; je te jure qu'il
te maudira en face! » – 6 « Soit! dit Yahvé au Satan,
dispose de lui, mais respecte pourtant sa vie. » 7 Et
le Satan sortit de l'audience de Yahvé.

Il affligea Job d'un ulcère malin[e], depuis la
plante des pieds jusqu'au sommet de la tête. 8 Job
prit un tesson pour se gratter et il s'installa parmi
les cendres. 9 Alors sa femme lui dit : « Pourquoi Tb **2** 14+
persévérer dans ton intégrité? Maudis donc Dieu et 2 R **6** 33
meurs! » 10 Job lui répondit : « Tu parles comme
une folle. Si nous accueillons le bonheur comme un
don de Dieu, comment ne pas accepter de même
le malheur! » En toute cette infortune, Job ne pécha
point en paroles.

11 La nouvelle de tous les maux qui avaient
frappé Job parvint à ses trois amis. Ils partirent
chacun de son pays, Éliphaz de Témân, Bildad de
Shuah, Çophar de Naamat[f]. Ensemble, ils décidèrent d'aller le plaindre et le consoler. 12 De loin,
fixant les yeux sur lui, ils ne le reconnurent pas. Is **52** 14
Alors ils éclatèrent en sanglots. Chacun déchira
son vêtement et jeta de la poussière sur sa tête[g].
13 Puis, s'asseyant à terre près de lui, ils restèrent
ainsi durant sept jours et sept nuits. Aucun ne lui
adressa la parole, au spectacle d'une si grande
douleur.

*a)* Ce double geste, exprimant la douleur ou le deuil, est mentionné souvent par la Bible. Cf., dans le premier cas, Gn **37** 34; Jos **7** 6; 2 S **1** 11; **3** 31, etc.; dans le second, Jr **7** 29; **48** 37; Ez **7** 16; Esd **9** 3, etc.

*b)* La terre mère semble assimilée au sein maternel.

*c)* L'hébr. ajoute : « pour se présenter devant Yahvé », manquant en **1** 6 et omis par le grec.

*d)* Locution proverbiale, sans doute vulgaire, qu'on doit interpréter d'après la phrase suivante. Jouant sur le mot « peau », susceptible de désigner des vêtements de peau (Gn **3** 21; **27** 16) ou le cuir, elle semble signifier que l'homme consent à se laisser dépouiller progressivement de ce qu'il a sur lui ou de ce qu'il possède, pour éviter qu'on touche à sa propre peau. Atteint alors dans son être physique et individuel, il révèle ce qu'il est vraiment. D'autres interprétations sont proposées à partir de la traduction « peau pour peau ».

*e)* Le mot qui désigne proprement une inflammation est appliqué ailleurs à la sixième plaie d'Égypte, Ex **9** 9-11, à un mal endémique en Égypte, Dt **28** 27, à la maladie d'Ézéchias, 2 R **20** 7, ou au début possible de la lèpre, Lv **13** 18-20, 23. Il s'agit ici d'un mal pernicieux généralisé sur tout le corps, de même Dt **28** 35, mais difficile à identifier de manière précise.

*f)* Les trois villes se localisent dans la région iduméenne et arabe. Édom et l'« Orient », cf. **1** 3+, étaient considérés en Israël comme des patries de la sagesse : 1 R **5** 10-11; **10** 1-3; Pr **30** 1; Jr **49** 7; Ab 8; Ba **3** 22-23.

*g)* Rite de pénitence et surtout de deuil, cf. Jos **7** 6; 2 S **13** 19; Ez **27** 30. Les trois amis considèrent déjà Job comme mort. – Le texte ajoute « vers le ciel », glose omise par le grec, peut-être inspirée de Ex **9** 8, 10, et qui ferait du geste un signe d'indignation prenant le ciel à témoin pour attirer sa vengeance ou se couvrir contre elle, cf. Ac **22** 23.

# II. Dialogue

## 1. PREMIER CYCLE DE DISCOURS

**Job maudit le jour de sa naissance.** Jr **20** 14-18

3 [1] Enfin Job ouvrit la bouche et maudit le jour de sa naissance.
[2] Il prit la parole et dit :

[3] Périsse le jour qui me vit naître Si **23** 14
et la nuit qui annonça : « Un garçon vient d'être conçu [a]! » Mt **26** 24
[4] Ce jour-là, qu'il soit ténèbres,
que Dieu, de là-haut, ne le réclame pas,
que la lumière ne brille pas sur lui!
[5] Que le revendiquent ténèbre et ombre épaisse,
qu'une nuée s'installe sur lui,
qu'une éclipse en fasse sa proie [b]!
[6] Oui, que l'obscurité le possède,
qu'il ne s'ajoute pas aux jours de l'année [c],
n'entre point dans le compte des mois!
[7] Cette nuit-là, qu'elle soit stérile,
qu'elle ignore les cris de joie!
[8] Que la maudissent ceux qui maudissent les jours [d]
et sont prêts à réveiller Leviathan [e]!
[9] Que se voilent les étoiles de son aube,
qu'elle attende en vain la lumière
et ne voie point s'ouvrir les paupières de l'aurore!
[10] Car elle n'a pas fermé sur moi la porte du ventre,
pour cacher à mes yeux la souffrance.

[11] Pourquoi ne suis-je pas mort au sortir du sein, **10** 18-19
n'ai je péri aussitôt enfanté?
[12] Pourquoi s'est-il trouvé deux genoux pour m'accueillir,
deux mamelles pour m'allaiter?
[13] Maintenant je serais couché en paix,
je dormirais d'un sommeil reposant,
[14] avec les rois et les grands ministres de la terre, Is **14** 9-11
qui ont bâti leurs demeures dans des lieux désolés [f], Ez **32** 18-32
[15] ou avec les princes qui ont de l'or en abondance

*a)* Deux malédictions parallèles, celle du jour de la naissance et celle de la nuit de la conception.
*b)* « ombre épaisse » *çalmût* conj.; « ombre de la mort » *çalmawet* hébr. – « éclipse » *kamrîr yôm* conj.; « comme des amertumes du jour » *kimerîrê yôm* hébr.
*c)* « Oui » tiré du v. 7, et on supprime « cette nuit-là », dû à une contamination du même v. – « s'ajoute » syr., Vulg.; « se réjouisse » hébr.
*d)* Soit les ennemis de la lumière, ceux qui agissent dans les ténèbres, cf. **24** 13s; **38** 15; soit ceux qui, comme Job, maudissent le jour de leur naissance; soit plutôt des sorciers ou jeteurs de sorts, capables, croyait-on, par leurs imprécations et sortilèges, de changer les jours fastes en jours néfastes, ou bien d'attirer les éclipses, lorsque « Léviathan » engloutissait momentanément le soleil.
*e)* Léviathan (ou encore le Dragon, le Serpent Fuyard), cf. **26** 13; **40** 25+; Is **27** 1; **51** 9; Am **9** 3; Ps **74** 14; **104** 26, était dans la mythologie phénicienne un monstre du chaos primitif, cf. **7** 12+; l'imagination populaire pouvait toujours craindre qu'il ne se réveillât, attiré par une malédiction efficace contre l'ordre existant. Le dragon de Ap **12** 3, qui incarne la résistance à Dieu de la puissance du mal, revêt certains traits de ce serpent chaotique.
*f)* Litt. « qui bâtissent des ruines (*harabôt*) pour eux ». L'expression pourrait signifier, à la lumière d'Is **58** 12 et **61** 4, « rebâtir des ruines » : les rois de Babylonie et d'Assyrie se glorifient souvent de l'avoir fait. Mais le pronom « pour eux » renvoie plutôt à des demeures funéraires édifiées à l'avance dans des lieux déserts ou solitaires. C'était tout spécialement le cas en Égypte. Il se peut que le mot *harabôt* ait suffi à désigner, chez les Hébreux, les mastabas ou les pyramides.

et de l'argent plein leurs tombes [a].
Qo 6 3 — 16 Ou bien, tel l'avorton caché, je n'aurais pas existé,
comme les petits qui ne voient pas le jour.

17 Là [b] prend fin l'agitation des méchants,
là se reposent les épuisés.
18 Les captifs de même sont laissés tranquilles
et n'entendent plus les cris du surveillant.
19 Là petits et grands se confondent
et l'esclave recouvre sa liberté.
20 Pourquoi donner à un malheureux la lumière,
la vie à ceux qui ont l'amertume au cœur,
↗ Ap 9 6 — 21 qui aspirent après la mort sans qu'elle vienne,
fouillent à sa recherche plus que pour un trésor?
22 Ils se réjouiraient en face du tertre funèbre [c],
exulteraient s'ils atteignaient la tombe.
19 8 — 23 Pourquoi ce don à l'homme qui ne voit plus sa route
Pr 4 18-19 — et que Dieu enclôt sur lui-même?
Is 26 7

Ps 42 4 — 24 Pour nourriture, j'ai mes soupirs,
comme l'eau s'épanchent mes rugissements.
Pr 10 24 — 25 Toutes mes craintes se réalisent
et ce que je redoute m'arrive.
26 Ni tranquillité ni paix pour moi,
et mes tourments chassent le repos.

**Confiance en Dieu [d].**

**4** 1 Éliphaz de Témân prit la parole et dit :

2 Si on t'adresse la parole [e], le supporteras-tu?
Mais qui pourrait garder le silence!
3 Vois, tu faisais la leçon à beaucoup d'autres,
tu rendais vigueur aux mains débiles;
4 tes propos redressaient l'homme qui chancelle,
fortifiaient les genoux qui ploient.
Pr 24 10 — 5 Et maintenant, ton tour venu, tu perds patience,
atteint toi-même, te voilà tout bouleversé!
6 Ta piété ne t'inspire-t-elle pas confiance,
ta vie intègre n'est-elle pas ton assurance?
Ps 37 25 — 7 Souviens-toi : quel est l'innocent qui a péri?
Pr 12 21 — Où donc a-t-on vu des justes exterminés?
Si 2 10
2 P 2 9 — 8 Je parle d'expérience : ceux qui labourent l'iniquité
Pr 22 8 — et sèment le malheur, les moissonnent.
Si 7 3
9 Sous l'haleine de Dieu ils périssent,
au souffle de sa colère ils sont anéantis.
Pr 28 15 — 10 Les rugissements du lion, les cris du fauve,
Ps 17 12; 22 14, 22 — comme les crocs des lionceaux sont brisés.

*a)* Litt. « leurs maisons », c'est-à-dire leurs « maisons d'éternité », cf. Qo **12** 5, ou demeures funéraires, cf. aussi Ps **49** 12. De fait, les fouilles archéologiques (notamment à Ur et en Égypte) ont révélé les richesses accumulées dans les tombes royales ou princières.
*b)* Au shéol, cf. Nb **16** 33+.
*c)* « (en face du) tertre funèbre » *gal* ou *golel* conj.; « (jusqu'à) jubilation » *gîl* hébr.
*d)* Cette réponse d'Éliphaz exprime en la durcissant la doctrine traditionnelle de la rétribution : doctrine qui est avant tout une affirmation de foi en la justice providentielle du Dieu de l'Alliance. Doutant de son efficacité dans tous les cas, le poète la rappelle néanmoins avec beaucoup de chaleur.
*e)* « Si on t'adresse » Aq., Sym., Théod.; « a-t-on essayé » hébr.

11 Le lion périt faute de proie,
et les petits de la lionne se dispersent.
12 J'ai eu aussi une révélation furtive [a],
mon oreille en a perçu le murmure.
13 A l'heure où les rêves agitent confusément l'esprit,
quand une torpeur envahit les humains,
14 un frisson d'épouvante me saisit
et remplit tous mes os d'effroi.
15 Un souffle glissa sur ma face,
hérissa le poil de ma chair.
16 Quelqu'un se dressa... je ne reconnus pas son visage,
mais l'image restait devant mes yeux.
Un silence... puis une voix se fit entendre : 1 R **19** 12-13
17 « Un mortel est-il juste devant Dieu, Ps **143** 2
en face de son Auteur, un homme serait-il pur? Jb **14** 4+; **15** 14; **25** 4-6
18 A ses serviteurs mêmes, Dieu ne fait pas confiance, **15** 15-16
et il convainc ses anges d'égarement [b].
19 Que dire des hôtes de ces maisons d'argile, 2 Co **5** 1
posées elles-mêmes sur la poussière?
On les écrase comme une mite;
20 un jour suffit à les pulvériser.
A jamais ils disparaissent, car nul ne les ramène [c].
21 Leur piquet de tente est arraché,
et ils meurent dénués de sagesse [d]. »

**5** Appelle maintenant! Est-ce qu'on te répondra?
Auquel des saints [e] t'adresseras-tu?
2 En vérité, le dépit tue l'insensé
et l'emportement fait mourir le sot.
3 J'ai vu ceci, moi : l'un deux prenait racine,
quand sa demeure fut soudain maudite [f].
4 Ses fils sont privés de tout appui,
accablés à la Porte [g] sans défenseur; Ps **127** 5
5 leur moisson nourrit des affamés,
car Dieu la leur ôte de la bouche [h],
et des hommes altérés convoitent leurs biens.
6 Non, la misère ne sourd pas de terre,
la peine ne germe pas du sol.

*a)* Litt. « A moi une parole vint furtivement ». Il s'agit d'une parole céleste, proférée par un personnage mystérieux, cf. v. 16, communiquée au milieu d'un sommeil profond (même terme en Gn **2** 21; **15** 12) et visant à provoquer le frisson du sacré. Ce mode de connaissance surnaturel contraste avec le caractère rationnel de la doctrine des sages et atteste une évolution de celle-ci, du moins dans certains cercles. Mais la révélation dont se réclame Éliphaz ne correspond exactement ni à l'expérience habituelle des prophètes, lesquels recevaient ordinairement la Parole à l'état de veille, ni à l'inspiration que revendiquera plus tard le Siracide, **24** 31-33; **39** 6. Elle s'apparente plutôt aux songes ou visions nocturnes, cf. Za **1** 8, avec une note terrifiante soulignée volontiers par le genre littéraire apocalyptique, cf. Dn **4** 2; **5** 5-6.

*b)* « Serviteurs de Dieu » et anges sont identiques. Si ces êtres qui approchent Dieu gardent pourtant une infirmité radicale, à plus forte raison l'homme charnel et périssable.

*c)* « nul ne les ramène » *meshîb* conj.; « nul n'y prend garde » (?) *meshîm* hébr.

*d)* « piquet de tente » *yetedam* conj.; « corde » *yitram* hébr. – « dénués de sagesse », litt. « et non avec sagesse »; on pourrait aussi comprendre « faute de sagesse » ou « et ce n'est pas la faute de la sagesse ». Mais le contexte immédiat, qui insiste sur la fragilité de l'homme en général et la brièveté de son existence, suggère plutôt l'idée que celui-ci n'a pas ou ne sait pas trouver le temps (cf. Ps **90** 12) d'acquérir la sagesse, ou encore que sa science limitée ne peut rien contre la mort.

*e)* Les anges, cf. **15** 15 (à éclairer par **4** 18); Za **14** 5; Dn **4** 10, 14, 20; **8** 13. Leur intercession est encore mentionnée à **33** 23-24, cf. Za **1** 12; Tb **12** 12. La question d'Éliphaz est formulée sur un ton ironique : si les anges eux-mêmes sont jugés par Dieu, il ne sert à rien de compter sur leur appui contre Dieu. Mais elle suppose précisément la coutume de recourir à une intercession de cette nature, coutume qui pourrait avoir de lointaines attaches polythéistes : le dieu d'un individu intervenait dans l'assemblée des dieux pour défendre son client.

*f)* « fut maudite » d'après grec et syr.; « je maudis » hébr. – le texte des vv. 3-4 est mal assuré et la traduction reste conjecturale.

*g)* La porte principale de la ville, lieu des rassemblements et de la justice.

*h)* « de la bouche », litt. « de leurs dents », *mishshinîm* conj.; « (hors) des épines » *miççinîm* hébr.

**15** 35 7 C'est l'homme qui engendre la peine
Gn **3** 17-19 comme le vol des aigles recherche l'altitude [a].
8 Pour moi, j'aurais recours à Dieu,
à lui j'exposerais ma cause [b].
= **9** 10 9 Il est l'auteur d'œuvres grandioses et insondables,
Si **43** 32 de merveilles qu'on ne peut compter.
10 Il répand la pluie sur la terre,
envoie les eaux sur les campagnes.
1 S **2** 7-8 11 S'il veut relever les humiliés,
Ps **75** 7-8 pousser les affligés au comble du bonheur,
**12** 23-25 12 il déjoue les desseins des astucieux,
incapables de mener à bien leurs intrigues.
↗ 1 Co **3** 19 13 Il prend les sages au piège de leurs astuces,
rend stupides les conseillers retors.
Jn **12** 35 14 En plein jour ils se heurtent aux ténèbres,
ils tâtonnent à midi comme dans la nuit.
15 Il arrache de leur gueule l'homme ruiné [c]
et le pauvre des mains du puissant.
16 Alors le faible renaît à l'espoir
et l'injustice doit fermer la bouche.

Pr **3** 11-12+ 17 Oui, heureux l'homme que Dieu corrige!
Gn **17** 1+ Aussi, ne méprise pas la leçon [d] de Shaddaï [e]!
18 Lui, qui blesse, puis panse la plaie,
Dt **32** 39 qui meurtrit, puis guérit de sa main,
Os **6** 1 19 six fois de l'angoisse il te délivrera,
et une septième le mal t'épargnera [f].
Ps **33** 19 20 Dans une famine, il te sauvera de la mort;
Jr **39** 18 à la guerre, des atteintes de l'épée.
Ps **12** 3-5; 21 Tu seras à l'abri du fouet de la langue,
**31** 21; **91** sans crainte à l'approche du pillard [g].
22 Tu riras de la sécheresse et du gel [h]
et tu ne craindras pas les bêtes de la terre.
Is **5** 2 23 Tu auras un pacte avec les pierres des champs [i],
2 R **3** 19, 25 Os **2** 20 les bêtes sauvages seront en paix avec toi.
Is **11** 6-8 24 Tu trouveras ta tente prospère,
ton bercail au complet quand tu le visiteras.
Dt **28** 4, 11 25 Tu verras ta postérité s'accroître,
tes rejetons pousser comme l'herbe des champs.
26 Tu entreras dans la tombe bien mûr,
comme on entasse la meule en son temps.
27 Tout cela, nous l'avons observé : c'est la vérité!
A toi d'écouter et d'en faire ton profit.

*a)* « qui engendre » *yôlîd* conj.; « qui est né » *yûllad* hébr. – « aigles » : en suivant les versions qui ont lu *nesher*; mais l'hébr. « fils de Reshep » a peut-être le même sens : Reshep, dieu de la foudre et de l'éclair aurait l'aigle pour symbole.
*b)* Après sa question ironique du v. 1 (cf. note explicative), Éliphaz semble opposer à ceux qui recourent aux anges, ceux qui, comme lui, n'ont pas peur de s'adresser directement à Dieu. Par là même, il invite Job à rectifier son attitude vis-à-vis de Dieu et à se comporter avec plus de loyauté à son égard.
*c)* « ruiné » *mohorab* conj.; « de l'épée » *mehereb* hébr.
*d)* Les maux de Job sont donc une correction, une leçon douloureuse mais salutaire. Ainsi dira encore Élihu, **33** 19s.
*e)* Ce nom divin de l'époque patriarcale, cf. Gn **17** 1+, est employé dans Jb avec une intention d'archaïsme.
*f)* Éliphaz s'exprime à la façon des « proverbes numériques », cf. Pr **6** 16-19; **30** 15s.
*g)* « du pillard » conj.; « du pillage » hébr.
*h)* « de la sécheresse et du gel » *lesharab ûlekepôr* conj.; « du pillage et de la famine » *leshod ûlekapan* hébr., mais ces deux fléaux sont déjà mentionnés.
*i)* Dont il faut débarrasser, en Palestine, les champs cultivés. Cf. Is **5** 2; 2 R **3** 19, 25.

**L'homme accablé connaît seul sa misère.**

**6** [1] Job prit la parole et dit :

[2] Oh! Si l'on pouvait peser mon affliction,
mettre sur une balance tous mes maux ensemble!
[3] Mais c'est plus lourd que le sable des mers :
aussi mes propos sont-ils irréfléchis.
[4] Les flèches de Shaddaï en moi sont plantées, 7 20; **16** 13
mon humeur boit leur venin Ps **38** 3
et les terreurs de Dieu sont en ligne contre moi. Ps **88** 17
[5] Voit-on braire l'onagre auprès de l'herbe tendre,
le bœuf mugir à portée du fourrage?
[6] Un aliment fade se mange-t-il sans sel,
le blanc de l'œuf [a] a-t-il quelque saveur?
[7] Or ce que mon appétit se refuse à toucher,
c'est là ma nourriture de malade [b].

[8] Oh! que se réalise donc ma prière,
que Dieu réponde à mon attente!
[9] Que Lui consente à m'écraser, 7 15
qu'il dégage sa main et me supprime! Nb **11** 15
[10] J'aurai du moins cette consolation, 1 R **19** 4
ce sursaut de joie en de cruelles souffrances,
de n'avoir pas renié les décrets du Saint [c]. Lv **17** 1+
[11] Ai-je donc assez de force pour attendre? Is **6** 3+
Voué à une telle fin, à quoi bon patienter?
[12] Ma force est-elle celle du roc,
ma chair est-elle de bronze?
[13] Aurai-je pour appui le néant
et tout secours [d] n'a-t-il pas fui loin de moi?
[14] Refuser [e] la pitié à son prochain, **29** 12-13.
c'est rejeter la crainte de Shaddaï [f]. **31** 16-20
1 Jn **3** 17

[15] Mes frères ont été décevants comme un torrent, Jr **15** 18
comme le cours des torrents passagers.
[16] La glace assombrit leurs eaux,
au-dessus d'eux fond la neige [g],
[17] mais, dès la saison brûlante, ils tarissent,
ils s'évanouissent sous l'ardeur du soleil.
[18] Pour eux, les caravanes quittent les pistes,
s'enfoncent dans le désert et s'y perdent.
[19] Les caravanes de Téma les fixent des yeux, Is **21** 14+
en eux espèrent les convois de Saba. 1 R **10** 1+
[20] Leur confiance se voit déçue;
arrivés près d'eux, ils restent confondus [h].

*a)* « blanc de l'œuf » selon une interprétation du Targ.; d'autres songent à une plante : le suc du pourpier ou le jus de la mauve.
*b)* Le v. 7, très difficile, est interprété d'après la Vulg. (qui rattache les deux hémistiches en une seule phrase). – « de malade », litt. « dans ma maladie » conj.; « comme une maladie » hébr. – La répugnance de Job devant sa misérable nourriture (à la fois réelle et symbolique) traduit son dégoût de la vie. Ses amis bien nourris sont incapables de comprendre.
*c)* En faisant acte de révolte contre la Providence. Le « Saint » désigne ici Yahvé, cf. Is **6** 3+; Ha **3** 3.
*d)* « secours » grec, syr.; « sagacité » hébr.
*e)* « Refuser » mss hébr.; « fondre » TM.
*f)* La bonté pour autrui est le signe d'une religion authentique.
*g)* Texte difficile : litt. « noircis (ou : troublés) à cause de la glace, sur eux disparaît la neige ».
*h)* « Leur confiance », litt. « ils ont espéré », syr., Targ.; « il a espéré » hébr. – « près d'eux » conj.; « près de lui » hébr.

[21] Tels vous êtes pour moi à cette heure [a] :
à ma vue, saisis d'effroi, vous prenez peur.
Jr **15** 10 [22] Vous ai-je donc dit : « Faites-moi tel don,
offrez tel présent pour moi sur vos biens;
[23] arrachez-moi à l'étreinte d'un oppresseur,
délivrez-moi des mains d'un violent »?
[24] Instruisez-moi, alors je me tairai;
montrez-moi en quoi j'ai pu errer [b].
[25] On supporte sans peine des discours équitables,
mais vos critiques, que visent-elles?
[26] Prétendez-vous censurer des paroles,
propos de désespoir qu'emporte le vent?
[27] Vous iriez jusqu'à tirer au sort un orphelin,
à faire bon marché de votre ami!
[28] Allons, je vous en prie, regardez-moi!
En face, je ne mentirai point.
[29] Revenez, pas d'injustice;
revenez, car je reste dans mon droit.
[30] Y a-t-il du mal sur mes lèvres?
Mon palais ne sait-il plus discerner l'infortune?

**14** 14 **7** [1] N'est-ce pas un temps de service [c] qu'accomplit l'homme sur terre,
Si **40** 1s n'y mène-t-il pas la vie d'un mercenaire [d]?
[2] Tel l'esclave soupirant après l'ombre
ou l'ouvrier tendu vers son salaire,
Qo **2** 25 [3] j'ai en partage des mois de déception,
Si **30** 17 à mon compte des nuits de souffrance.
Dt **28** 67 [4] Étendu sur ma couche, je me dis : « A quand le jour? »
Sitôt levé : « Quand serai-je au soir [e]! »
Et des pensées folles m'obsèdent jusqu'au crépuscule.
[5] Vermine et croûtes terreuses couvrent ma chair,
ma peau gerce et suppure.
Is **38** 12 [6] Mes jours ont couru plus vite que la navette
et disparu sans espoir.
Ps **78** 39; [7] Souviens-toi [f] que ma vie n'est qu'un souffle,
**89** 48 que mes yeux ne reverront plus le bonheur!
[8] Désormais je serai invisible à tout regard,
tes yeux seront sur moi et j'aurai disparu.
Sg **2** 1, 4 [9] Comme la nuée se dissipe et passe,
qui descend au shéol n'en remonte pas [g].
[10] Il ne revient pas habiter sa maison
et sa demeure ne le connaît plus.
[11] Et c'est pourquoi je ne puis me taire,
je parlerai dans l'angoisse de mon esprit,
je me plaindrai dans l'amertume de mon âme.

*a)* « Tels » *ken* conj.; « Car » *kî* hebr. – « pour moi » *lî* conj.; « pas » *lo'* hébr.
*b)* Par inadvertance ou par ignorance, cf. Lv **4**; Nb **15** 22-29; Ps **19** 13.
*c)* Au sens de service militaire, cf. **14** 14, à la fois lutte et corvée. Grec traduit « épreuve »; Vulg. *militia*.
*d)* Le mercenaire, payé à la journée, Dt **24** 15; Mt **20** 8, peine chaque jour pour les autres du matin au soir. De même l'esclave, Lv **25** 39-40.
*e)* « le jour » grec; omis par hébr. – « quand serai-je au soir » *mî yitten ʿereb* conj.; *middad ʿereb* hébr; inintelligible.
*f)* Solidaire de l'humanité souffrante, résigne a mourir, Job ébauche une prière, pour demander à Dieu quelques instants de paix avant sa mort.
*g)* Selon l'opinion courante, que l'auteur semble partager ici et **10** 21; **14** 7-22; **16** 22, cf. 2 S **12** 23; Ps **88** 11, etc., il est impossible de remonter du shéol. Cf. Nb **16** 33+.

12 Suis-je la Mer, moi, ou le monstre marin [a], 3 8+; 9 13; 26 12
pour poster une garde contre moi?
13 Si je dis : « Mon lit me soulagera,
ma couche atténuera ma plainte »,
14 alors tu m'effraies par des songes,
tu m'épouvantes par des visions.
15 Ah! je voudrais être étranglé [b] : 6 9
la mort plutôt que mes douleurs [c]!
16 Je me consume, je ne vivrai pas toujours;
aussi, laisse-moi, mes jours ne sont qu'un souffle! Ps 144 4
17 Qu'est-ce donc que l'homme pour en faire si grand cas, Ps 8 5; 144 3
pour fixer sur lui ton attention [d],
18 pour l'inspecter chaque matin, Ps 139
pour le scruter à tout instant?
19 Cesseras-tu enfin de me regarder,
pour me laisser le temps d'avaler ma salive?
20 Si j'ai péché, que t'ai-je fait, à toi [e],
l'observateur attentif de l'homme?
Pourquoi m'as-tu pris pour cible,
pourquoi te suis-je à charge [f]?
21 Ne peux-tu tolérer mon offense,
passer sur ma faute?
Car bientôt je serai couché dans la poussière,
tu me chercheras et je ne serai plus [g].

**Le cours nécessaire de la justice divine.**

**8** 1 Bildad de Shuah prit la parole et dit :

2 Jusqu'à quand parleras-tu dc la sorte,
et tiendras-tu des propos semblables à un grand vent?
3 Dieu peut-il fléchir le droit, 34 10-12
Shaddaï fausser la justice [h]? Dt 32 4
4 Si tes fils ont péché contre lui, 1 19
il les a punis pour leurs fautes.
6a Pour toi, si tu es irréprochable et droit,
5 recherche Dieu, implore Shaddaï [i].
6b Dès maintenant, sa lumière brillera [j] sur toi
et il restaurera la maison d'un juste.
7 Ta condition ancienne te paraîtra comme rien,
si grand sera ton avenir.

8 Interroge la génération passée, Si 8 9
médite [k] sur l'expérience acquise par ses pères. Dt 4 32; 32 7

*a)* Selon les cosmogonies babyloniennes, Tiamat (la Mer), après avoir contribué à donner naissance aux dieux, avait été vaincue et soumise par l'un d'eux. L'imagination populaire ou poétique, reprenant cette imagerie, attribuait à Yahvé cette victoire, antérieure à l'organisation du Chaos, et le voyait maintenir toujours en sujétion la Mer et les Monstres ses hôtes. Cf 3 8+; 9 13; 26 12; 40 25s; Ps 65 8; 74 13-14; 77 17; 89 10-11; 93 3-4; 104 7, 26; 107 29; 148 7; Is 27 1; 51 9.

*b)* A l'encontre du « lassé de la vie » égyptien, Job n'envisage pas le suicide. C'est d'ailleurs un acte qui n'est rapporté qu'exceptionnellement dans l'AT, cf. 2 S 17 23+.

*c)* « mes douleurs » *'aççebôtay* conj.; « mes os » *'açemôtay* hébr.

*d)* L'auteur semble reprendre avec une ironie amère des expressions du Ps 8. La sollicitude de Dieu pour l'homme devient ici une surveillance exigeante. L'auteur du Ps 139 y trouvait un motif de confiance. Job, lui, se sent traité comme un ennemi par le Dieu qui l'observe. Se débattant contre une notion juridique de la religion et du péché, il cherche en tâtonnant le Dieu de miséricorde, v. 21.

*e)* Dieu ne peut être atteint par le péché.

*f)* « te suis-je » grec; « me suis-je » hébr.

*g)* Ces derniers mots, inattendus, réintroduisent l'image d'un Dieu incliné mystérieusement vers l'homme.

*h)* « fausser » grec, Vulg.; hébr. répète « fléchir ».

*i)* V. corrigé; hébr. : « si toi tu recherches Dieu et si tu implores Shaddaï ».

*j)* « sa lumière brillera » *ya'ïr* conj.; « il s'éveillera » *ya'ïr* hébr.

*k)* « médite » *bônen* conj.; « affermis » *kônen* hébr.

9 Nous, nés d'hier, nous ne savons rien,
14 2 notre vie sur terre passe comme une ombre.
10 Mais eux, ils t'instruiront, te parleront,
et leur pensée livrera ces sentences [a] :
11 « Le papyrus pousse-t-il hors des marais?
Privé d'eau, le jonc peut-il croître?
12 Quand il est encore dans sa fraîcheur et non cueilli,
avant toute autre herbe il se dessèche.
Ps **37** 1-2 13 Tel est le sort [b] de ceux qui oublient Dieu,
Pr **10** 28 ainsi périt l'espoir de l'impie.
14 Sa confiance n'est que filandre,
**27** 18 sa sécurité, une maison d'araignée.
15 S'appuie-t-il sur sa demeure, elle cède;
Mt 7 26-27 s'y cramponne-t-il, elle s'écroule.
16 Plein de sève au soleil,
au-dessus du jardin il lançait ses jeunes pousses.
17 Ses racines entrelacées sur un tertre pierreux,
il puisait sa vie au milieu des rochers [c].
18 On l'arrache de son lieu;
son lieu le renie : " Je ne t'ai jamais vu! "
19 Et le voilà pourrissant [d] sur le chemin,
tandis que du sol, d'autres germent.
20 Non, Dieu ne rejette pas l'homme intègre,
il ne prête pas main-forte aux méchants.
21 Le rire peut de nouveau [e] remplir ta bouche,
la joie éclater sur tes lèvres.
Ps **6** 11 22 Tes ennemis seront couverts de honte,
Pr **14** 11 et la tente des méchants disparaîtra. »

**La justice divine domine le droit.**

**9** 1 Job prit la parole et dit :

**38-42** 2 En vérité, je sais bien qu'il en est ainsi :
l'homme pourrait-il se justifier devant Dieu?
3 A celui qui se plaît à discuter avec lui,
il ne répond même pas une fois sur mille.
4 Parmi les plus sages et les plus robustes
qui donc lui tiendrait tête impunément?
Is **13** 10, 13 5 Il déplace les montagnes à leur insu
Jl **2** 10; **4** 15-16 et les renverse dans sa colère.
6 Il ébranle la terre de son site
et fait vaciller ses colonnes [f].
Ps **19** 5-7 7 A sa défense, le soleil ne se lève pas,
Ba **3** 34-35 il met un sceau sur les étoiles [g].
Ps **104** 2 8 Lui seul a déployé les Cieux
Is **40** 22; **42** 5 et foulé le dos de la Mer [h].

*a)* La tradition des ancêtres est la base de l'enseignement sapientiel. La loi du châtiment des impies y apparaît aussi rigoureuse et vérifiable qu'une loi de nature, vv. 11s.
*b)* « le sort » grec; « les sentiers » hébr.
*c)* « il puisait sa vie » grec; « il voyait » hébr. – « au milieu des » *bên* conj.; « maison » *bêt* hébr.
*d)* Traduction conjecturale.
*e)* « de nouveau » *'od* conj.; « jusqu'à » *'ad* hébr.
*f)* La terre repose sur des « colonnes », que Dieu « ébranle » lors des tremblements de terre, **38** 6; Ps **75** 4; **104** 5; 1 S **2** 8. Les vv. 5-7 rappellent les images eschatologiques courantes, cf. Am **8** 9+.
*g)* Pour les empêcher de paraître et de briller. Ba **3** 34 mentionne l'ordre contraire.
*h)* Des phénomènes physiques actuels, l'auteur remonte aux origines de la création. Dieu alors « foula le dos de la mer », c'est-à-dire lui imposa son empire, la maîtrisa aux origines; même expression dans Dt **33** 29. Sur la personnification de la mer, cf. **7** 12+.

[9] Il a fait l'Ourse et Orion,
les Pléiades et les Chambres du Sud [a]. 38 31-32 Am 5 8
[10] Il est l'auteur d'œuvres grandioses et insondables, = 5 9
de merveilles qu'on ne peut compter.
[11] S'il passe sur moi, je ne le vois pas 23 8-9
et il glisse imperceptible.
[12] S'il ravit une proie, qui l'en empêchera
et qui osera lui dire : « Que fais-tu? »
[13] Dieu ne renonce pas à sa colère :
sous lui restent prostrés les satellites de Rahab [b]. Ps 89 11

[14] Et moi, je voudrais me défendre [c], 9 32; 13 13s, 18s; 23 1-7
je choisirais mes arguments contre lui [d]?
[15] Même si je suis dans mon droit, à quoi bon lui répondre?
C'est mon juge qu'il faudrait supplier.
[16] Et si, sur mon appel, il daignait comparaître, Rm 9 20-21
je ne puis croire qu'il écouterait ma voix,
[17] lui, qui m'écrase pour un cheveu [e],
qui multiplie sans raison mes blessures
[18] et ne me laisse même pas reprendre mon souffle, 7 19
tant il me rassasie d'amertume!
[19] Recourir à la force? Il l'emporte en vigueur!
Au tribunal? Mais qui donc l'assignera [f]?
[20] Si je me justifie, sa bouche [g] peut me condamner;
si je m'estime parfait, me déclarer pervers.
[21] Mais suis-je parfait? Je ne le sais plus moi-même,
et je fais fi de l'existence!
[22] Car c'est tout un et j'ose dire :
il fait périr de même l'homme intègre et le méchant. Qo 9 2-3
[23] Quand un fléau mortel s'abat soudain,
il se rit de la détresse des innocents.
[24] Dans un pays livré au pouvoir d'un méchant,
il met un voile sur la face des juges.
Si ce n'est pas lui, qui donc alors [h]? 12 9
[25] Mes jours passent, plus rapides qu'un coureur,
ils s'enfuient sans voir le bonheur.
[26] Ils glissent comme des nacelles de jonc,
comme un aigle fond sur sa proie.
[27] Si je décide de refouler ma plainte,
de changer de mine pour faire gai visage,
[28] l'effroi me saisit en face de tous mes maux,
car, je le sais, tu ne me tiens pas pour innocent [i].

*a)* Grec : « celui qui a fait les Pléiades et Vénus et Arcturus et les Chambres du Sud »; Vulg. : « Arcturus et Orion et les Hyades et les Chambres du Sud ». – L'identification de ces constellations n'est que probable.
*b)* Rahab, monstre du Chaos, alternant avec Léviathan ou Tânnin, est la personnification mythique des eaux primitives, la Mer (Tiamat). Pour affirmer la maîtrise créatrice de Yahvé, l'imagination populaire et poétique le célébrait comme le vainqueur ou le pourfendeur de Rahab, cf. **7** 12+ et **26** 12+; Ps **89** 11; Is **51** 9. En contexte historique, Rahab personnifie la mer Rouge, puis l'Égypte, cf. Is **30** 7; Ps **87** 4.
*c)* Litt. « lui répondre », mais ce verbe a souvent un sens judiciaire : prendre la parole comme témoin ou pour plaider sa propre cause.
*d)* En face de ce Dieu tout-puissant, à la fois juge et partie, Job ne peut recourir aux formes ordinaires de la procédure humaine. (En d'autres passages du Dialogue se retrouve ce désir d'une justification selon les formes légales.) Job en vient à douter de son innocence, vv. 20-21. Plutôt que la sagesse infinie des jugements de Dieu (que défendra Çophar, **11**), il en considère l'arbitraire apparent, cf. v. 24.
*e)* « pour un cheveu » syr., Targ.; « dans un tourbillon » hébr.
*f)* « l'emporte en vigueur », litt. « le vigoureux c'est lui », Targ.; « le vigoureux, voici » hébr. – « l'assignera » grec, syr.; « m'assignera » hébr.
*g)* « sa bouche » conj.; « ma bouche » hébr.
*h)* Parce qu'il croit sans restriction à la Providence universelle, Job ne craint pas de rejeter directement sur Dieu la responsabilité de ces faits « scandaleux ».
*i)* Éliphaz et Bildad recommandaient à Job la docilité, **5** 17; **8** 5-6. Mais Job sait que cette attitude forcée ne peut changer ni son état réel ni les dispositions de Dieu pour lui.

[29] Et si j'ai commis le mal,
à quoi bon me fatiguer en vain?
Is 1 18 Ps 51 9 Jr 2 22 [30] Que je me lave avec de la saponaire,
que je purifie mes mains à la soude [a]?
[31] Tu me plonges alors dans l'ordure [b],
et mes vêtements mêmes me prennent en horreur!
[32] Car lui n'est pas, comme moi, un homme : impossible de lui répondre,
Qo 6 10 de comparaître ensemble en justice.
[33] Pas d'arbitre entre nous
pour poser la main sur nous deux,
[34] pour écarter de moi ses rigueurs,
13 21 chasser l'épouvante de sa terreur!
[35] Je parlerai pourtant, sans le craindre,
car je ne suis pas tel à mes yeux [c]!

7 11, 15 **10** [1] Puisque la vie m'est en dégoût,
je veux donner libre cours à ma plainte,
épancher l'amertume de mon âme.
[2] Je dirai à Dieu : Ne me condamne pas,
indique-moi pourquoi tu me prends à partie.
[3] Est-ce bien, pour toi, de me faire violence,
d'avilir l'œuvre de tes mains
et de favoriser les desseins des méchants?
1 S 16 7 Jr 11 20+ [4] Aurais-tu des yeux de chair
et ta manière de voir serait-elle celle des hommes?
[5] Ton existence est-elle celle des mortels,
tes années passent-elles comme les jours de l'homme [d]?
[6] Toi, qui recherches ma faute
et fais une enquête sur mon péché,
[7] tu sais bien que je suis innocent
Sg 16 15 Dt 32 39 et que nul ne peut me soustraire à tes mains!
Gn 2 7 [8] Tes mains m'ont façonné, créé;
puis, te ravisant [e], tu voudrais me détruire!
33 6 [9] Souviens-toi : tu m'as fait comme on pétrit l'argile
et tu me renverras à la poussière.
Sg 7 2 Ps 139 13, 15 [10] Ne m'as-tu pas coulé comme du lait
et fait cailler comme du laitage [f],
[11] vêtu de peau et de chair,
tissé en os et en nerfs?
Gn 2 7 [12] Puis tu m'as gratifié de la vie,
et tu veillais avec sollicitude sur mon souffle.
[13] Mais tu gardais une arrière-pensée [g];
je sais que tu te réservais
[14] de me surveiller si je pèche

*a)* Dieu seul peut effacer le péché; le pécheur y est impuissant, mais trouve une issue dans un appel à la miséricorde divine, ainsi Ps **51**. Job, qui n'a pas conscience d'un péché, partage ce sentiment d'impuissance sans pouvoir partager cet élan.
*b)* « dans l'ordure » grec, Vulg.; « dans la fosse » hébr.
*c)* Job ne veut pas reconnaître une culpabilité dont il n'est pas convaincu.
*d)* Dieu connaît le fond des cœurs et n'a pas besoin de torturer Job pour éprouver son innocence, v. 4, cf. vv. 6-7[a]. Dieu qui domine le temps n'a pas besoin d'assouvir tout d'un coup sa vengeance et peut se montrer longanime, v. 5, cf. v. 7[b].
*e)* « puis, te ravisant » grec; « ensemble autour » hébr.
*f)* La science médicale antique se représentait la formation de l'embryon comme une coagulation du sang maternel sous l'influence de l'élément séminal.
*g)* Cette sollicitude de Dieu dissimulait donc des exigences redoutables. L'homme est responsable de tous ses actes devant Dieu. La plainte de Job traduit une vérité tragique. L'homme devrait pouvoir, en usant spontanément de sa liberté, vivre en paix avec Dieu, en harmonie avec les êtres et les choses. Or il se sent dépendant d'une volonté mystérieuse et exigeante qui le laisse dans l'incertitude sur lui-même et sur Dieu, met sa conscience à l'épreuve et lui refuse les garanties sur lesquelles il voudrait s'appuyer. Sous une forme négative, Job évoque le drame même de la foi.

et de ne pas m'innocenter de mes fautes.
15 Suis-je coupable, malheur à moi!
suis-je dans mon droit, je n'ose lever la tête,
moi, saturé d'outrages, ivre de peines [a]!
16 Fier [b] comme un lion, tu me prends en chasse,
tu multiplies tes exploits à mon propos,
17 tu renouvelles tes attaques,
ta fureur sur moi redouble,
tes troupes fraîches se succèdent contre moi [c].

18 Oh! Pourquoi m'as-tu fait sortir du sein? 3 11-16
J'aurais péri alors : nul œil ne m'aurait vu,
19 je serais comme n'ayant pas été,
du ventre on m'aurait porté à la tombe.
20 Et ils durent si peu les jours de mon existence! 14 1; 7 7
Cesse donc de me fixer, pour me permettre un peu de joie [d],
21 avant que je m'en aille sans retour Ps 39 14
au pays des ténèbres et de l'ombre épaisse,
22 où règnent l'obscurité et le désordre,
où la clarté même ressemble à la nuit sombre [e]. Nb 16 33+

**La sagesse de Dieu appelle l'aveu de Job.**

**11** 1 Çophar de Naamat prit la parole et dit :

2 Le bavard restera-t-il sans réponse?
Suffit-il d'être loquace pour avoir raison?
3 Ton verbiage rendra-t-il muets les autres,
te moqueras-tu sans qu'on te confonde?
4 Tu as dit : « Ma conduite est pure [f],
je suis irréprochable à tes yeux. »
5 Mais si Dieu voulait parler,
ouvrir les lèvres pour te répondre,
6 s'il te dévoilait les secrets de la Sagesse, Rm 11 33
qui déconcertent toute sagacité,
tu saurais que Dieu te demande compte de ta faute [g].
7 Prétends-tu sonder la profondeur de Dieu,
atteindre la limite de Shaddaï?
8 Elle est plus haute que les cieux [h] : que feras-tu? ↗ Ep 3 18
Plus profonde que le shéol : que sauras-tu?
9 Elle serait plus longue que la terre à mesurer
et plus large que la mer.
10 S'il intervient pour enfermer et convoquer l'assemblée,
qui l'en empêchera?
11 Car lui connaît la fausseté chez l'homme;
il voit le crime et y prête attention [i].

*a)* « ivre de peines *ûreweh onî* conj.; « et voyant (?) ma peine » *ûre'eh 'onyî* hébr.
*b)* « Fier » conj.; « il est fier » hébr.
*c)* « tes attaques », litt. « ton hostilité », *'edyeka* conj.; « tes témoins » *'edêka* hébr. – On suit le grec pour le dernier stique; hébr. : « relèves et armée avec moi ».
*d)* « les jours de mon existence » *yemê heldî* conj.; « mes jours, qu'il cesse » *yamay yahadal* hébr. – « Cesse de me fixer », litt. « regarde loin de moi », *she'eh mimmennî* conj.; « et place loin de moi » *weshît mimmennî* hébr.
*e)* Le shéol, cf. Nb 16 33+. – L'hébr. ajoute : « comme la nuit sombre, ombre épaisse ».
*f)* « Ma conduite » grec; « ma doctrine » hébr.
*g)* « te demande compte » *yishe'alka* conj.; « te fait oublier » *yashsheh leka* hébr.
*h)* « plus haute que les cieux » Vulg.; « les hauteurs des cieux » hébr.
*i)* « y *(lô)* prête attention » conj.; « ne prête pas *(lo')* attention » hébr.

12 Aussi l'écervelé doit-il s'assagir,
39 5-8 — et l'homme aux mœurs d'onagre se laisser domestiquer [a].
Gn 16 12

13 Allons, redresse tes pensées,
tends tes paumes vers lui [b]!
14 Si tu répudies le mal dont tu serais responsable
et ne laisses pas l'injustice habiter sous tes tentes,
15 tu lèveras un front pur,
tu seras ferme et sans crainte.
16 Ton malheur, tu n'y songeras plus,
il laissera le souvenir des eaux qui passent.
17 Alors débutera une existence plus radieuse que le midi
Jn 8 12+ — et l'obscurité même sera comme le matin.
18 Confiant car il y a de l'espoir,
même après la confusion [c], tu te coucheras en sécurité.
19 Lorsque tu reposeras, nul ne te troublera,
et bien des gens rechercheront ta faveur.
20 Les méchants, eux, tournent des yeux éteints,
tout refuge leur fait défaut;
leur espoir, c'est le dernier soupir [d].

**La sagesse de Dieu se manifeste surtout par les ravages de sa puissance.**

**12** 1 Job prit la parole et dit :

2 Vraiment, vous êtes la voix du peuple [e],
avec vous mourra la Sagesse.
13 2 — 3 Moi aussi, j'ai de l'intelligence, tout comme vous,
je ne vous cède en rien,
et qui donc ne sait tout cela?
4 Mais un homme devient [f] la risée de son ami,
quand il crie vers Dieu pour avoir une réponse.
On se moque du juste intègre.
5 « A l'infortune, le mépris! opinent les gens heureux,
un coup de plus à qui chancelle! »
6 Cependant, les tentes des pillards sont en paix :
pleine sécurité pour ceux qui provoquent Dieu
et pour celui qui met Dieu dans son poing!
7 Interroge pourtant le bétail pour t'instruire,
les oiseaux du ciel pour t'informer.
8 Les reptiles du sol [g] te donneront des leçons,
ils te renseigneront, les poissons des mers.
9 24 — 9 Car lequel ignore, parmi eux tous,
que la main de Dieu [h] a fait tout cela!
Nb 16 22 — 10 Il tient en son pouvoir l'âme de tout vivant
Dn 5 23 — et le souffle de toute chair d'homme [i].

= 34 3 — 11 L'oreille n'apprécie-t-elle pas les discours,
comme le palais goûte les mets?

*a)* « se laisser domestiquer », litt. « apprendre à devenir (un âne) », *yillamed* conj.; « est né (un âne) » *yiwwaled* hébr.
*b)* C'était le geste de la prière suppliante, cf. Ex 9 29, 33; 1 R 8 38; Is 1 15.
*c)* « après la confusion », litt. « (même si) tu as été confus », *wehupparta* conj.; « tu épieras » *wehaparta* hébr.
*d)* Ainsi de Job qui n'espère plus que la mort, 3 21; 6 9; 10 21.
*e)* Texte obscur; litt. « en vérité, c'est ous le peuple ».
*f)* « devient », litt. « il est », grec, syr.; « je suis » hébr.
*g)* « Les reptiles » *zohalê* conj.; « parle au (sol) » *siah la* hébr.
*h)* « Dieu » 7 mss hébr.; « Yahvé » TM, mais le poète évite partout ce nom divin parce qu'il fait parler des étrangers.
*i)* Si Dieu, au témoignage de tous les êtres, est la cause universelle, vv. 7-10, c'est donc à lui qu'il faut faire remonter la responsabilité du règne de l'injustice, vv. 4-6.

[12] La sagesse est l'affaire des vieillards, 32 7-9
le discernement le fait du grand âge.
[13] Mais en Lui résident sagesse et puissance, Is 11 2
à lui le conseil et le discernement [a]. Pr 8 14
[14] S'il détruit, nul ne peut rebâtir, Ps 127 1
s'il emprisonne quelqu'un, nul n'ouvrira. Is 22 22
[15] S'il retient les eaux, c'est la sécheresse;
s'il les relâche, elles bouleversent la terre.
[16] En lui vigueur et sagacité,
à lui appartiennent l'égaré et celui qui l'égare.
[17] Il rend stupides les conseillers du pays [b]
et frappe les juges de démence.
[18] Il délie la ceinture des rois
et passe une corde à leurs reins [c].
[19] Il fait marcher nu-pieds les prêtres
et renverse les puissances établies.
[20] Il ôte la parole aux plus assurés,
ravit le discernement aux vieillards.
[21] Il déverse le mépris sur les nobles, Ps 107 40
dénoue le ceinturon des forts.
[22] Il dévoile les profondeurs des ténèbres,
amène à la lumière l'ombre épaisse.
[23] Il agrandit des nations, puis les ruine : Ac 17 26
il fait s'étendre des peuples, puis les supprime [d].
[24] Il ôte l'esprit aux chefs d'un pays [e],
les fait errer dans un désert sans routes, Ps 107 40
[25] tâtonner dans les ténèbres, sans lumière,
et tituber comme sous l'ivresse.

13 [1] Tout cela, je l'ai vu de mes yeux,
entendu de mes oreilles, et compris.
[2] J'en sais, moi, autant que vous, 12 3
je ne vous cède en rien.
[3] Mais j'ai à parler à Shaddaï, 9 14+
je veux faire à Dieu des remontrances.
[4] Vous, vous n'êtes que des charlatans,
des médecins de fantaisie!
[5] Qui donc vous apprendra le silence, Pr 17 28
la seule sagesse qui vous convienne!
[6] Écoutez, je vous prie, mes griefs,
soyez attentifs au plaidoyer de mes lèvres [f].
[7] Pensez-vous défendre Dieu par un langage inique
et par des propos mensongers?
[8] prendre ainsi son parti,
vous faire ses avocats?
[9] Serait-il bon qu'il vous scrutât?
Se moque-t-on de lui comme on se joue d'un homme? Ga 6 7

*a)* La sagesse humaine patentée, avec ses maximes rassurantes, n'est rien devant la sagesse de Dieu, qui se manifeste par des œuvres de puissance, vv. 14-16, et qui confond les autorités humaines, vv. 16-25.
*b)* Au début du v., on supprime « il fait marcher », cf. v. 19. – « Il rend stupide » *yesakkel* conj.; « nu-pieds » *sôlel* hébr. – « du pays » grec; omis par hébr.
*c)* Texte difficile; on lit *môser* « corde » au lieu de *mûsar* « discipline » (avec Targ. et Vulg.) et on intervertit ce mot avec *'ezor* « ceinture ». – L'expression semble évoquer le traitement infligé aux captifs à qui on retirait leurs vêtements.
*d)* « supprime » *wayyimehem* conj.; « conduit » *wayyanehem* hébr.
*e)* « d'un pays » grec; « il les égare » hébr.
*f)* Job revient à la procédure juridique, cf. v. 18 et 9 14+. Il veut interroger Dieu lui-même, écartant les faux sages qui se font audacieusement ses avocats.

10 Il vous infligerait une sévère réprimande
pour votre partialité secrète.
Is **6** 1-5 11 Est-ce que sa majesté ne vous effraie pas?
Sa terreur ne fond-elle pas sur vous?
12 Vos leçons apprises sont des sentences de cendre,
vos défenses, des défenses d'argile.
**10** 1 13 Faites silence! C'est moi qui vais parler,
quoi qu'il m'advienne.
14 Je prends ma chair entre mes dents,
je place ma vie dans mes mains [a],
15 il peut me tuer : je n'ai d'autre espoir
que de défendre devant lui ma conduite [b].
16 Et cela même me sauvera,
Gn **3** 8 car un impie n'oserait comparaître en sa présence.

17 Écoutez, écoutez mes paroles,
prêtez l'oreille à mes déclarations.
**9** 14+ 18 Voici : je vais procéder en justice [c],
conscient d'être dans mon droit.
19 Qui veut plaider contre moi [d]?
D'avance, j'accepte d'être réduit au silence et de périr!
20 Fais-moi seulement deux concessions [e],
alors je ne me cacherai pas loin de ta face :
**9** 34; **23** 6 21 Écarte ta main qui pèse sur moi
et ne m'épouvante plus par ta terreur.
22 Puis engage le débat et je répondrai;
ou plutôt je parlerai et tu me répliqueras.
23 Combien de fautes et de péchés ai-je commis?
Dis-moi quelle a été ma transgression, mon péché?
Ps **4** 7+ 24 Pourquoi caches-tu ta face [f]
Ps **44** 25; **88** 15 et me considères-tu comme ton ennemi?
Ps **83** 14 25 Veux-tu effrayer une feuille chassée par le vent,
poursuivre une paille sèche?
26 Toi qui rédiges contre moi d'amères sentences
Ps **25** 7 et m'imputes mes fautes de jeunesse,
27 qui as mis mes pieds dans les ceps,
observes tous mes sentiers
et prends l'empreinte de mes pas!

28 Et lui [g] s'effrite comme un bois vermoulu,
Is **50** 9 ou comme un vêtement dévoré par la teigne,
Ps **39** 12; **102** 27 **14** [h] 1 l'homme, né de la femme,
Si **40** 1-10; **41** 1-4 qui a la vie courte, mais des tourments à satiété.
Sg **2** 1 2 Pareil à la fleur, il éclôt puis se fane,
Is **40** 6-8+
Ps **37** 2+

*a)* On supprime les deux premiers mots, dittographie de la fin du v. 13. – Ces locutions d'allure proverbiale signifient qu'on risque sa vie, qu'on joue le tout pour le tout, cf. Jg **12** 3; 1 S **19** 5; **28** 21.

*b)* Plutôt que de voir restaurer son bonheur, Job veut venger son honneur aux yeux des hommes et surtout de Dieu.

*c)* Job imagine un procès entre Dieu et lui. Il oublie cette fois qu'il n'existe pas d'arbitre au-dessus des parties, **9** 32-33. Il réduit maintenant son juge au rôle d'adversaire.

*d)* Job retourne contre Dieu le défi juridique que Yahvé, Is **1** 18; Os **2** 4; Mi **6** 1-2, ou son Serviteur, Is **50** 8, lançait à son peuple. Le second stique, litt. « car dès maintenant je me tairai et je périrai », peut être encore une formule juridique. Celui qui défie les contradicteurs accepte d'avance d'être confondu et de subir la peine. Job, sûr de son droit, y consent.

*e)* D'abord, rencontrer Dieu sur un pied d'égalité et recouvrer sa liberté. Ensuite un ordre du débat : Job parlera le premier.

*f)* Dieu « cache sa face » lorsqu'il refuse les signes de sa présence gracieuse et favorable.

*g)* L'homme dont parle le v. suivant; c'est pourquoi certains critiques proposent de lire ce v. après **14** 2 ou **14** 6.

*h)* Élégie sur la misère de l'homme. Job, cf. **7** 1s, voit dans son infortune personnelle toute la condition humaine, et son plaidoyer en tire argument : contre cette créature chétive, les rigueurs divines ne se comprennent pas.

il fuit comme l'ombre sans arrêt. Qo 6 12
3 Et sur cet être tu gardes les yeux ouverts, Ps 8 5; 144 3
tu l'amènes [a] en jugement devant toi!
4 Mais qui donc extraira le pur de l'impur? 4 17; 9 30; 15 14; 25 4
Personne [b]! Ps 51 7
5 Puisque ses jours sont comptés,
que le nombre de ses mois dépend de toi,
que tu lui fixes un terme infranchissable,
6 détourne de lui tes yeux et laisse-le,
tel un mercenaire, finir sa journée.
7 L'arbre conserve un espoir,
une fois coupé, il peut renaître encore Is 6 13
et ses rejetons continuent de pousser.
8 Même avec des racines qui ont vieilli en terre
et une souche qui périt dans le sol,
9 dès qu'il flaire l'eau, il bourgeonne
et se fait une ramure comme un jeune plant.
10 Mais l'homme, s'il meurt, reste inerte;
quand un humain expire, où donc est-il? Qo 3 21
11 Les eaux de la mer pourront disparaître, Is 19 5; 51 6
les fleuves tarir et se dessécher : Ps 102 27
12 l'homme une fois couché ne se relèvera pas,
les cieux s'useront [c] avant qu'il ne s'éveille,
ou ne soit réveillé de son sommeil [d].

13 Oh! Si tu m'abritais dans le shéol, Is 26 20
si tu m'y cachais, tant que dure ta colère [e], Am 9 2
si tu me fixais un délai, pour te souvenir ensuite de moi :
14 – car, une fois mort, peut-on revivre? –
tous les jours de mon service j'attendrais, 7 1
jusqu'à ce que vienne ma relève.
15 Tu appellerais et je te répondrais;
tu voudrais revoir l'œuvre de tes mains.
16 Tandis que maintenant tu comptes tous mes pas,
tu n'épierais plus mon péché, 10 6
17 tu scellerais ma transgression dans un sachet
et tu couvrirais ma faute.

18 Hélas! Comme une montagne finit par s'écrouler [f],
le rocher par changer de place,
19 l'eau par user les pierres,
l'averse [g] par emporter les terres,
ainsi, l'espoir de l'homme, tu l'anéantis.
20 Tu le terrasses pour toujours et il s'en va;

*a)* « tu l'amènes » versions; « tu m'amènes » hébr.
*b)* Job reconnaît l'impureté foncière de l'homme, mais il l'allègue ici comme une excuse. – L'accent est mis sur l'impureté physique (et donc rituelle) que l'homme contracte dès sa conception, cf. Lv **15** 19s, et sa naissance, cf. Ps **51** 7; mais cette impureté entraîne une faiblesse morale, une propension au péché, et l'exégèse chrétienne a vu dans ce passage au moins une allusion au péché originel, transmis par la génération. Cf. Rm **5** 12+.
*c)* « s'useront » syr., Vulg.; hébr. corrompu.
*d)* Ces images eschatologiques, en éloignant à l'infini toute possibilité de réveil, servent ici à souligner que l'homme disparaît sans espoir de retour. L'attente d'une résurrection à la fin des temps semble encore en dehors des perspectives de l'auteur, cf. **19** 25+.
*e)* Il n'est pas dit expressément que ce séjour au shéol suivrait la mort et que Job reviendrait ensuite à la vie. Seule la situation imaginée évoque par elle-même cette possibilité. Job aux abois se prend à espérer un abri dans le seul séjour auquel il puisse penser en dehors de la terre. Car le ciel est réservé à Dieu, cf. Ps **115** 16. Si Job pouvait se cacher quelque part, le temps que se décharge la fureur divine, il rencontrerait ensuite de nouveau le visage d'un Dieu favorable. Cette situation est développée aux vv. 14-17 : d'un côté Job attendant sa « relève »; de l'autre Dieu qui, sa colère passée, languit de revoir Job. Et il ne serait plus question de péché, après le pardon total des fautes possibles.
*f)* « finit par s'écrouler » grec, syr.; « en tombant se flétrit » hébr.
*g)* « averse » *sehîpah* conj.; hébr. *sepîhêha* doit être corrompu.

tu le défigures, puis tu le congédies.
[21] Ses fils sont-ils honorés, il n'en sait rien;
sont-ils méprisés, il ne s'en rend pas compte.
[22] Il n'a de souffrance que pour son corps,
il ne se lamente que sur lui-même [a].

## 2. DEUXIÈME CYCLE DE DISCOURS

**Job se condamne par son langage.**

**15** [1] Éliphaz de Témân prit la parole et dit :

[2] Un sage répond-il par des raisons en l'air,
et se repaît-il d'un vent d'est?
[3] Se défend-il avec des mots inutiles
et des discours sans profit?
[4] Tu fais plus : tu supprimes la crainte,
tu discrédites les pieux entretiens [b] devant Dieu.
[5] Ta faute te dicte de telles paroles
et tu adoptes le langage des astucieux.
[6] Ta propre bouche te condamne, et non pas moi,
tes lèvres mêmes témoignent contre toi [c].

Si **49** 16 Pr **8** 25 [7] Es-tu né le premier des hommes?
Est-ce qu'on t'enfanta avant les collines [d]?
Jr **23** 18; Rm **11** 34 [8] As-tu écouté au conseil de Dieu
et accaparé la sagesse?
[9] Que sais-tu que nous ne sachions,
que comprends-tu qui nous dépasse?
[10] Il y a même parmi nous une tête chenue, un vieillard,
chargé d'ans plus que ton père.
[11] Fais-tu peu de cas de ces consolations divines
et du ton modéré de nos paroles?
[12] Comme la passion t'emporte!
Et quels yeux tu roules,
[13] quand tu tournes contre Dieu ta colère
en proférant tes discours!
**4** 17-18 **14** 4+ [14] Comment l'homme serait-il pur [e],
resterait-il juste, l'enfant de la femme?
[15] A ses Saints mêmes Dieu ne fait pas confiance,
et les Cieux ne sont pas purs à ses yeux.
[16] Combien moins cet être abominable et corrompu,
**34** 7 l'homme, qui boit l'iniquité comme l'eau!
[17] Je veux t'instruire, écoute-moi,

*a)* Litt. « sa *nephesh* se lamente sur lui » cf. Ps **6** 5+. – L'homme, au shéol, garde donc une certaine conscience de soi. Cf. Nb **16** 33+. Ou bien l'auteur veut dire que cette ombre n'a de pensée et de peine que pour elle-même; ou bien qu'elle se souvient avec regret de son existence charnelle.
*b)* On traduit ainsi un mot qui désigne l'application de l'esprit aux réalités religieuses tout en gardant la notion de parole : la méditation et l'étude de la Loi prenaient souvent une forme orale.
*c)* Job se trahit par son langage : ses protestations d'innocence trahissent le souci de dissimuler une faute.
*d)* La première question oppose à Job le premier homme, qui aurait pu, lui, se poser en maître de sagesse. La seconde, en *a fortiori*, semble lui opposer la Sagesse elle-même, enfantée avant les collines, Pr **8** 25, et dès lors présente au conseil de Dieu, Pr **8** 22-31; cf. Jb **28** 23-27; Sg **8** 3-4.
*e)* Éliphaz reprend son propos antérieur, **4** 17, et celui de Job, **14** 4, mais dans un autre sens. L'impureté radicale de l'homme n'est plus regardée comme la raison de son instabilité, **4** 17-19, ni comme l'excuse de fautes inévitables, **14** 1-4, mais comme la racine de péchés graves, qui aboutissent à l'« iniquité ».

te faire part de mon expérience
18 et de la tradition des Sages,
restés fidèles à leurs Pères, **8** 8-10
19 à qui seuls fut donné le pays, Dt **32** 7-8
sans qu'aucun étranger se fût mêlé à eux.
20 « La vie du méchant est un tourment continuel, Sg **17** 3s
les années réservées au tyran sont comptées.
21 Le cri d'alarme résonne à ses oreilles, **18** 11
en pleine paix le dévastateur fond sur lui.
22 Il ne compte plus échapper aux ténèbres
et se voit désigné [a] pour l'épée,
23 assigné en pâture au vautour.
Il sait que sa ruine est imminente [b].
L'heure des ténèbres 24 l'épouvante
la détresse et l'angoisse l'envahissent,
comme lorsqu'un roi décide l'assaut.
25 Il levait la main contre Dieu,
il osait braver Shaddaï!
26 Il fonçait sur lui la tête baissée,
avec un bouclier aux bosses massives.
27 Son visage s'était couvert de graisse,
le lard s'était accumulé sur ses reins.
28 Il avait occupé des villes détruites,
des maisons inhabitées
et prêtes à tomber en ruines;
29 mais il ne s'enrichira pas, sa fortune ne tiendra pas,
il ne couvrira plus le pays de son ombre [c],
(il n'échappera pas aux ténèbres),
30 la flamme desséchera ses jeunes pousses,
sa fleur sera emportée par le vent [d].
31 Qu'il ne se fie pas à sa taille élevée [e], **20** 6-7
car il se ferait illusion.
32 Avant le temps se flétriront ses palmes [f]
et ses rameaux ne reverdiront plus.
33 Comme une vigne il secouera ses fruits verts,
il rejettera, tel l'olivier, sa floraison.
34 Oui, l'engeance de l'impie est stérile,
un feu dévore la tente de l'homme vénal.
35 Qui conçoit la peine engendre le malheur. **5** 6-7
et porte en soi un fruit de déception [g]. » Pr **22** 8
Ps **7** 15
Ga **6** 8

**De l'injustice des hommes à la justice de Dieu.**

**16** 1 Job prit la parole et dit :

2 Que de fois ai-je entendu de tels propos,
et quels pénibles consolateurs vous faites!

*a)* « désigné » *çapûn* conj.; « guetté » (?) *çapû* hébr.
*b)* « assigné » *mô 'ad* conj.; « il erre » *noded* hébr. – « vautour » grec; la vocalisation de l'hébr. est fautive. – « sa ruine » grec; « sa main » hébr.
*c)* « ombre » grec; l'hébr. a un mot inconnu.
*d)* Le premier stique, répétition partielle du v. 22[a], doit être une glose ou la corruption d'un autre texte. – « sa fleur » grec; « sa bouche » hébr. – « sera emportée » *wiso 'ar* conj.; « il s'écartera » *weyasûr* hébr.
*e)* « sa taille » *si 'ô* conj.; cf. **20** 6; « vanité » *shaw* hébr., et l'on supprime *nite 'ah*, litt. « il est égaré ».
*f)* « se flétriront » version; « sera rempli » hébr. – « ses palmes » : en lisant *timoratô* le mot *temûratô* en surplus dans le v. précédent.
*g)* « porte » grec, syr.; « prépare » hébr. – Le même principe est formulé sous une forme identique en Is **59** 4, presque identique en Ps **7** 15; il est énoncé avec une image différente en **4** 8; **5** 6; Pr **22** 8. Cf. aussi, mais avec un élargissement eschatologique, Ga **6** 8.

3 « Y aura-t-il une fin à ces paroles en l'air? »
Ou encore : « Quel mal te pousse à te défendre? »
4 Oh! moi aussi, je saurais parler comme vous,
si vous étiez à ma place;
je pourrais vous accabler [a] de discours
Mt **27** 39 en hochant la tête sur vous [b],
5 vous réconforter en paroles,
puis cesser d'agiter les lèvres.
6 Mais quand je parle, ma souffrance ne cesse pas,
si je me tais, en quoi disparaît-elle [c]?
7 Et maintenant elle me pousse à bout;
**30** 12+ tu as frappé d'horreur tout mon entourage 8 et il me presse,
mon calomniateur [d] s'est fait mon témoin,
il se dresse contre moi, il m'accuse en face;
9 sa colère déchire et me poursuit,
en montrant des dents grinçantes.
Mes adversaires aiguisent sur moi leurs regards,
10 ouvrent une bouche menaçante.
Leurs railleries m'atteignent comme des soufflets;
ensemble ils s'ameutent contre moi.
11 Oui, Dieu m'a livré à des injustes [e],
entre les mains des méchants, il m'a jeté.

12 Je vivais tranquille quand il m'a fait chanceler,
saisi par la nuque pour me briser.
Il a fait de moi sa cible :
13 il me cerne de ses traits,
transperce mes reins sans pitié
et répand à terre mon fiel.
14 Il ouvre en moi brèche sur brèche,
fonce sur moi tel un guerrier.
15 J'ai cousu un sac sur ma peau,
jeté mon front dans la poussière.
16 Mon visage est rougi par les larmes
et l'ombre couvre mes paupières.
17 Pourtant, point de violence dans mes mains,
et ma prière est pure.
18 O terre, ne couvre point mon sang [f],
Ap **8** 3-4 et que mon cri monte sans arrêt.
19 Dès maintenant, j'ai dans les cieux un témoin,
**19** 25+ là-haut se tient mon défenseur.
20 Interprète de mes pensées auprès de Dieu,
devant qui coulent mes larmes [g],
21 qu'il plaide la cause d'un homme aux prises avec Dieu,

*a)* « accabler » *'akbîdah* conj.; « disposer » *'ahbîrah* hébr.
*b)* Geste, soit de condoléance, soit de mépris ou de moquerie.
*c)* A la différence de ses consolateurs qui ne s'intéressent à son cas qu'en paroles, Job souffre sans répit, qu'il parle ou qu'il se taise. Il justifie ainsi le ton de ses propos, cf. **6** 26, contre Éliphaz, cf. **15** 5-6.
*d)* « mon calomniateur », litt. « mon menteur », *kehashî* conj.; « ma maigreur » *kahasî* hébr. – Les vv. 7-8 sont très difficiles; la traduction suit de près le TM (sauf la corr. signalée), mais celui-ci est peut-être corrompu.
*e)* « des injustes », litt. « un injuste » (collectif), versions; « un gamin » hébr.
*f)* Le sang crie vengeance vers Dieu tant qu'il n'a pas été recouvert par la poussière du sol, Gn **4** 10; **37** 26; Is **26** 21; Ez **24** 8. Job blessé à mort veut que subsiste un appel permanent à la vengeance de sa cause, cf. Ps **5** 11, son sang sur la terre et près de Dieu le cri de sa prière. Celle-ci est personnifiée et, à ce titre, peut devenir auprès de Dieu « le témoin » et le « défenseur » de Job, v. 19. Mais on peut aussi appliquer ces termes à Dieu lui-même, le Dieu de fidélité et de bonté à qui Job en appellerait dans un sursaut d'espérance. On peut encore penser qu'il s'agit d'un médiateur de Job. Le contexte semble plutôt en faveur de la première interprétation.
*g)* « interprète » *meliç* conj.; « mes interprètes » ou « mes moqueurs » *meliçay* hébr. – « devant qui » d'après grec; omis par hébr.

comme un mortel défend son semblable.
22 Car mes années de vie sont comptées,
et je m'en vais par le chemin sans retour [a]. 10 21

17 1 Mon souffle en moi s'épuise
et les fossoyeurs pour moi s'assemblent [b]. Qo 12 1-7
2 Je n'ai pour compagnons que des railleurs,
dont la dureté obsède mes veilles.
3 Place donc toi-même ma caution près de toi,
car lequel voudrait toper dans ma main [c]?
4 Tu as fermé leur cœur à la raison,
aussi aucune main ne se lève [d].
5 Tel celui qui invite des amis à un partage,
quand les yeux de ses fils languissent,
6 je suis devenu la fable [e] des gens, 30 9
quelqu'un à qui l'on crache au visage.
7 Mes yeux s'éteignent de chagrin,
mes membres s'évanouissent [f] comme l'ombre.
8 A cette vue, les hommes droits restent stupéfaits [g], Is 52 15
l'innocent s'indigne contre l'impie;
9 le juste s'affermit dans ses voies,
l'homme aux mains pures redouble d'énergie.
10 Allons, vous tous, revenez à la charge,
et je ne trouverai pas un sage parmi vous!
11 Mes jours ont fui, avec mes projets [h],
et les fibres de mon cœur sont rompues.
12 On veut faire de la nuit le jour; 5 17-26; 8 6-7; 11 17
elle serait proche la lumière qui chasse les ténèbres [i]. Jn 8 12+
13 Or mon espoir, c'est d'habiter le shéol,
d'étendre ma couche dans les ténèbres.
14 Je crie au sépulcre : « Tu es mon père! »
à la vermine : « C'est toi ma mère et ma sœur! »
15 Où donc est-elle, mon espérance?
et mon bonheur [j], qui l'aperçoit?
16 Vont-ils descendre à mes côtés au shéol,
sombrer de même dans la poussière [k]?

**La colère ne peut rien contre l'ordre de la justice.**

**18** 1 Bildad de Shuah prit la parole et dit :

2 Jusqu'à quand mettrez-vous des entraves aux discours?
Réfléchissez, puis nous parlerons [l].

*a)* Job espère-t-il être justifié avant sa mort et souhaite-t-il que Dieu entende son cri, car il est temps? Ou bien repousse-t-il cette issue comme illusoire et n'attend-il plus que sa fin prochaine?

*b)* « en moi » *'immî* conj.; « mes jours » *yamay* hébr. – « les fossoyeurs » *qoberim* conj.; « les tombes » *qebarim* hébr. – « s'assemblent » *nize'aqû* conj.; « s'éteignent » *nize'aku* hébr. L'hébr. pourrait se comprendre litt. : « mon souffle s'épuise, mes jours s'éteignent, pour moi les tombes ».

*c)* Usage juridique. Par ce geste, cf. Pr **6** 1; **17** 18; **22** 26; Si **29** 14-20, le garant se substituait à l'homme endetté pour arrêter la saisie, et déposait une caution. Devant l'indifférence de ses amis, Job semble demander à Dieu de se faire lui-même son garant.

*d)* « aucune main ne se lève » *lo' tarûm yadam* conj.; « tu n'élèveras pas » *lo' teromem* hébr.

*e)* « la fable » versions; « pour dominer » hébr. (vocalisation fautive).

*f)* « s'évanouissent » *kalîm* conj.; « tous » *kullam* hébr.

*g)* Expression biblique du saisissement que provoque le châtiment divin des coupables chez ceux qui en sont témoins. Ainsi les amis de Job : à la vue de ses maux, ils s'édifient sur la justice de Dieu, selon les idées reçues. Job raille cette sagesse et cette piété convenues.

*h)* « avec mes projets » conj.; l'hébr. fait de « projets » le sujet du verbe suivant.

*i)* « qui chasse » *mepanneh* conj.; « en face (des ténèbres) » ou « plus que (les ténèbres) » *mippenê* hébr.

*j)* « mon bonheur » grec; hébr. répète « mon espérance ».

*k)* « à mes côtés » grec; « aux verrous (du shéol) » hébr. – « sombrer » grec; « le repos » hébr. (simple corr. vocalique).

*l)* Ce v. doit s'adresser à Çophar et à Éliphaz.

**12** 7-8 3 Pourquoi nous considères-tu comme des bêtes,
passons-nous pour des brutes à tes yeux [a]?
**16** 9-10 4 O toi qui te déchires dans ta fureur,
la terre à cause de toi sera-t-elle abandonnée
et les rochers quitteront-ils leur place?
Jn **8** 12+ 5 La lumière du méchant doit s'éteindre
Jr **25** 10 sa flamme ardente ne plus briller.
6 La lumière s'assombrit sous sa tente,
la lampe qui l'éclairait s'éteint.
Ps **18** 37 7 Ses pas vigoureux se rétrécissent,
Pr **4** 12 il trébuche dans ses propres desseins.
Ps **35** 7-8; 8 Car ses pieds le jettent dans un filet
**140** 6 et il avance parmi les rets.
9 Un lacet le saisit au talon
et le piège se referme sur lui.
10 Le nœud pour le prendre est caché en terre,
une trappe l'attend sur le sentier.
**15** 21 11 De toutes parts des terreurs l'épouvantent
Sg **17** 10-14 et elles le suivent pas à pas.
12 La faim devient sa compagne [b],
le malheur se tient à ses côtés.
13 Le mal dévore sa peau [c],
le Premier-né de la Mort [d] ronge ses membres.
14 On l'arrache à l'abri de sa tente
et tu le traîneras vers le Roi des frayeurs [e].
15 Tu peux habiter la tente qui n'est plus la sienne,
Dt **29** 22 et l'on répand du soufre sur son bercail [f].
Is **34** 9 16 En bas ses racines se dessèchent,
Ps **11** 6 en haut se flétrit sa ramure.
Ps **9** 6; **34** 17 17 Son souvenir disparaît du pays,
Pr **10** 7 son nom s'efface dans la contrée.
18 Poussé de la lumière aux ténèbres,
il se voit banni de la terre.
Ps **37** 28 19 Il n'a ni lignée ni postérité parmi son peuple,
aucun survivant en ses lieux de séjour.
20 Sa fin frappe de stupeur l'Occident
et l'Orient est saisi d'effroi.
21 Point d'autre sort pour les demeures de l'injustice.
Voilà ce que devient le lieu de quiconque méconnaît Dieu.

**Le triomphe de la foi dans l'abandon de Dieu et des hommes.**

**19** 1 Job prit la parole et dit :

2 Jusqu'à quand allez-vous me tourmenter
et m'écraser par vos discours?
3 Voilà dix fois que vous m'insultez
et me malmenez sans vergogne.

*a)* « passons-nous pour des brutes » *nidmînû kabba 'ar* conj.; « sommes-nous impurs » *nitmînû* hébr.
*b)* « La faim » conj.; « affame » hébr. – « sa compagne » *'ittô* conj.; « sa force » ou « son malheur » *'onô* hébr.
*c)* « Le mal dévore » *ye 'akel bidway* conj.; « il dévore des morceaux (de la peau) » *yo 'kal baddê* hébr.
*d)* Sans doute la plus grave des maladies : la peste.
*e)* Personnage de la mythologie orientale et grecque (Nergal, Pluton, etc.) qui semble ici commander à des esprits infernaux, sortes de Furies qui s'acharnent sur les criminels, déjà de leur vivant.
*f)* Traduction litt., mais le texte est peut-être corrompu. Certains critiques proposent de lire : « on mettra le feu à sa tente » (*toshkan mabbel* au lieu de *tishkan mibbelî lô*), à cause du parallélisme avec le soufre, symbole de stérilité, cf. Dt **29** 22; Is **34** 9; Ps **11** 6, et peut-être ici désinfectant.

4 Même si je m'étais égaré,
mon égarement resterait en moi seul [a].
5 Mais, en vérité, quand vous pensez triompher de moi
et m'imputer mon opprobre,
6 sachez que Dieu lui-même m'a fait du tort
et enveloppé de son filet [b].
7 Si je crie à la violence, pas de réponse; Lm **3** 7-9
si j'en appelle, point de jugement.
8 Il a dressé sur ma route un mur infranchissable,
mis des ténèbres sur mes sentiers.
9 Il m'a dépouillé de ma gloire, **29** 14
ôté la couronne de ma tête.
10 Il me sape de toutes parts pour me faire disparaître; **14** 7s; **17** 15
il déracine comme un arbre mon espérance.
11 Enflammé de colère contre moi,
il me considère comme son adversaire. **33** 10
12 Ensemble ses troupes sont arrivées;
elles ont frayé vers moi leur chemin d'approche,
campé autour de ma tente.

13 Mes frères, il les a écartés de moi, Ps **38** 12;
mes relations s'appliquent à m'éviter. **69** 9; **88** 9, 19
14 Mes proches et mes familiers ont disparu,
les hôtes de ma maison m'ont oublié [c].
15 Mes servantes me tiennent pour un intrus,
je suis un étranger à leurs yeux.
16 Si j'appelle mon serviteur, il ne répond pas,
et je dois moi-même le supplier.
17 Mon haleine répugne à ma femme,
ma puanteur à mes propres frères [d].
18 Même les gamins me témoignent du mépris :
si je me lève, ils se mettent à dauber sur moi.
19 Tous mes intimes m'ont en horreur,
mes préférés se sont retournés contre moi. Ps **41** 10
20 Sous ma peau, ma chair tombe en pourriture Si **6** 8
et mes os se dénudent comme des dents [e]. Jn **13** 18
21 Pitié, pitié pour moi, ô vous mes amis!
car c'est la main de Dieu qui m'a frappé.
22 Pourquoi vous acharner sur moi comme Dieu lui-même,
sans vous rassasier de ma chair? Ps **27** 2

23 Oh! je voudrais qu'on écrive mes paroles, **16** 18-21+
qu'elles soient gravées en une inscription,
24 avec le ciseau de fer et le stylet [f],
sculptées dans le roc pour toujours!

*a)* Un égarement qu'excuserait la souffrance, cf. **6** 24+. Grec ajoute : « en prononçant des mots qui ne conviennent pas, avec des paroles qui s'égarent et sont intempestives ».
*b)* Et non pas Job qui se prend lui-même au filet de ses fautes, cf. **18** 8.
*c)* « les hôtes de ma maison » emprunté au début du v. 15.
*d)* Litt. « les fils de mon ventre ». La formule est insolite pour désigner les enfants d'un père : seule, l'expression « fruit du ventre » peut s'appliquer occasionnellement à ceux-ci (cf. Dt **28** 53; Mi **6** 7; Ps **132** 11). Comme le poète suppose ailleurs la mort des fils de Job (cf. **8** 4; **29** 5), il s'agit plutôt de frères utérins et la formule s'éclaire en partie par **3** 10 (cf. aussi Ps **69** 9 : « les fils de ma mère »).
*e)* V. corrigé d'après le grec; hébr. : « à ma peau et à ma chair adhèrent mes os et je m'échappe avec la peau de mes dents ».
*f)* « et le stylet » *weçipporen* d'après Jr **17** 1; « et du plomb » *we-'oparet* hébr.

25 Je sais, moi, que mon Défenseur [a] est vivant,
que lui, le dernier, se lèvera sur la poussière [b].
26 Après mon éveil, il me dressera près de lui [c]
et, de ma chair, je verrai Dieu.
27 Celui que je verrai sera pour moi,
celui que mes yeux regarderont ne sera pas un étranger.
Et mes reins en moi se consument.
28 Lorsque vous dites : « Comment l'accabler,
quel prétexte trouverons-nous en lui? »
29 craignez pour vous-mêmes l'épée,
car la colère s'enflammera [d] contre les fautes,
et vous saurez qu'il y a un jugement.

**27** 13-23 **L'ordre de la justice est sans exception.**

**20** 1 Çophar de Naamat prit la parole et dit :

2 Aussi mes pensées s'agitent pour répondre,
de là cette impatience qui me possède.
3 J'ai subi une leçon qui m'outrage,
mais mon esprit me souffle la réponse.
Ps **37**; **73** 4 Ne sais-tu pas que, de tout temps,
depuis que l'homme fut mis sur terre,
5 l'allégresse du méchant est brève
et la joie de l'impie ne dure qu'un instant.
Ps **37** 35 6 Même si sa taille s'élevait jusqu'aux cieux,
si sa tête touchait la nue [e],
7 comme un fantôme il disparaît à jamais,
et ceux qui le voyaient disent : « Où est-il? »
Ps **73** 20 8 Il s'envole comme un songe insaisissable,
Is **29** 8 il s'enfuit comme une vision nocturne.
Sg **5** 14
9 L'œil habitué à sa vue ne l'aperçoit plus,
à sa demeure il devient invisible.
**27** 16-17 10 Ses fils devront indemniser les pauvres,
ses enfants [f] restituer ses richesses.
11 Ses os étaient pleins d'une vigueur juvénile :
la voilà étendue avec lui dans la poussière.
Pr **20** 17 12 Le mal était doux à sa bouche :
il l'abritait sous sa langue,
13 il le gardait soigneusement,
le retenait au milieu du palais.
14 Cet aliment dans ses entrailles se corrompt,

*a)* Le mot *go 'el*, imparfaitement rendu par « défenseur », est un terme technique du droit israélite, cf. Nb **35** 19+. On l'applique souvent à Dieu, sauveur de son peuple et vengeur des opprimés. Il fut appliqué au Messie par le judaïsme rabbinique, d'où sans doute la traduction de saint Jérôme « mon rédempteur ». – Job calomnié et condamné par ses amis attend un Défenseur qui n'est autre que Dieu lui-même, à moins qu'il ne faille y voir un médiateur céleste qui prendrait la défense de Job et le réconcilierait avec Dieu, cf. **16** 19. Mais Job continue à croire son bonheur perdu et sa mort prochaine : Dieu n'interviendra pour venger sa cause qu'après sa mort. Toutefois Job espère en être témoin, « voir » son vengeur. Il semble donc ici (après avoir imaginé, **14** 10-14, la possibilité d'une attente au shéol durant le temps de la colère), dans un élan de foi au Dieu qui peut faire revenir du shéol (cf. 1 S **2** 6; 1 R **17** 17-24; Ez **37**), escompter un retour passager à la vie corporelle, pour le temps de la vengeance. Cette brève échappée de la foi de Job hors des bornes infranchissables de la condition mortelle, pour satisfaire son besoin de justice dans une situation désespérée, prélude à la révélation explicite de la résurrection de la chair, cf. 2 M **7** 9+.

*b)* « se lèvera » : terme juridique, appliqué souvent au témoin ou au juge, **31** 14; Dt **19** 16; Is **2** 19, 21; Ps **12** 6. – « le dernier » rappelle Is **44** 6; **48** 12.

*c)* « mon éveil » *'ûrî* conj.; « ma peau » *'ôrî* hébr. – « il me dressera près de lui » *zeqapanî 'ittô* conj.; « ils ont détruit cela » *niqqepû zo t* hébr

*d)* « s'enflammera » d'après le grec; hébr. inintelligible.

*e)* La Bible fait mainte allusion à l'orgueil titanesque manifesté par l'homme aux origines, cf. Gn **11** 4; Is **14** 13-14; Ez **28** 2, 17. Cette tradition de caractère plutôt mythologique, s'accorde avec la tradition de Gn **3** pour expliquer par l'orgueil la chute de l'homme.

*f)* « ses enfants » *wiladayw* conj.; « ses mains » *weyadayw* hébr.

devient au-dedans du fiel d'aspic.
15 Il doit vomir les richesses englouties,
et Dieu lui fait rendre gorge.
16 Il suçait du venin d'aspic : Dt 32 32-33
la langue de la vipère le tue.
17 Il ne connaîtra plus les ruisseaux d'huile [a], 29 6
les torrents de miel et de laitage.
18 Il perdra sa mine réjouie en restituant ses gains [b],
cet air satisfait du temps où les affaires prospéraient.
19 Parce qu'il a détruit les cabanes [c] des pauvres,
volé des maisons au lieu d'en bâtir,
20 parce que son appétit s'est montré insatiable,
ses trésors ne le sauveront pas [d];
21 parce que nul n'échappait à sa voracité,
sa prospérité ne durera pas.
22 En pleine abondance, l'angoisse le saisira,
la misère, de toute sa force, fondra sur lui,
23 Dieu lâche sur lui l'ardeur de sa colère,
lance contre sa chair une pluie de traits [e].
24 S'il fuit devant l'arme de fer, Dt 32 41-42
l'arc de bronze le transperce. Sg 5 17-23
25 Une flèche [f] sort de son dos,
une pointe étincelante de son foie.
Les terreurs s'avancent contre lui, 15 21; 18 14
26 toutes les ténèbres cachées sont là pour l'enlever [g]. Ps 88 16-17
Un feu qu'on n'allume pas [h] le dévore 1 16; 15 34
et consume ce qui reste sous sa tente.
27 Les cieux dévoilent son iniquité,
et la terre se dresse contre lui.
28 Le revenu de sa maison s'écoule,
comme des torrents, au jour de la colère. Is 24 18
29 Tel est le sort que Dieu réserve au méchant, = 27 13
l'héritage qu'il assigne au maudit [i]. Ap 21 8

**Le démenti des faits.**

**21** 1 Job prit la parole et dit :

2 Écoutez, écoutez mes paroles,
accordez-moi cette consolation.
3 Souffrez que je parle à mon tour;
quand j'aurai fini, libre à vous de railler.
4 Est-ce que moi je m'en prends à un homme?
Est-ce sans raison que je perds patience? 6 3, 26
5 Prêtez-moi attention : vous serez stupéfaits, 16 4-6
et vous mettrez la main sur votre bouche [j]. 29 9; 40 4

*a)* « d'huile » *yiçehar* conj.; « les fleuves » (rattaché à la suite) *naharê* hébr.
*b)* « mine réjouie » *yablig* conj.; « il avale » *yibla'* hébr. – « ses gains » *yegi'o* conj.; « (fruit de sa) peine » *yaga'* hébr.
*c)* « cabanes » *'ezeb* Targ.; « il a abandonné » *'azab* hébr.
*d)* « ses trésors ne le sauveront pas » conj.; « par son trésor (?) il ne sauvera pas » hébr.
*e)* L'hébr. ajoute au début : « pendant qu'il emplit son ventre », omis par grec. – « traits » *'olmayw* conj.; « sur lui » *'alêmô* hébr. – Les mêmes images décrivent le châtiment collectif d'Israël ou des peuples. Le Dieu guerrier manie les armes, cf. Dt 32 41; Sg 5 18-20, envoie maladies et fléaux divers, et la terre, secouée par la colère divine, s'associe à cette œuvre de destruction comme lors du jugement eschatologique, cf. Is 24 18.
*f)* « Une flèche » d'après le grec; « il a tiré » hébr.
*g)* « pour l'enlever » *lisepôtô* conj.; « pour ses choses cachées » *liçeponayw* hébr. – Il s'agit des ténèbres du shéol, pressenties dans celles de l'Égypte, Ex 10 21.
*h)* La foudre.
*i)* « maudit » *mûr'ar* conj.; « de sa parole » *'imrô* hébr.
*j)* Le geste expressif du silence, quand toute parole apparaît vaine ou imprudente.

[6] Moi-même, quand j'y songe, je suis épouvanté,
ma chair est saisie d'un frisson.

Jr 12 1-2 Ps 73 3-12 Ml 3 15, 18-19
[7] Pourquoi les méchants restent-ils en vie,
vieillissent-ils et accroissent-ils leur puissance?
[8] Leur postérité devant eux s'affermit
et leurs rejetons sous leurs yeux subsistent [a].
[9] La paix de leurs maisons n'a rien à craindre,
les rigueurs de Dieu les épargnent.
[10] Leur taureau féconde à coup sûr,
leur vache met bas sans avorter.
[11] Ils laissent courir leurs gamins comme des brebis,
leurs enfants bondir comme des cerfs [b].
Is 5 12 Am 6 5
[12] Ils chantent avec tambourins et cithares,
se réjouissent au son de la flûte.
[13] Leur vie s'achève dans le bonheur,
ils descendent [c] en paix au shéol.

22 17 Ml 3 14-15 Jr 2 31
[14] Eux, pourtant, disent à Dieu [d] : « Écarte-toi de nous,
connaître tes voies ne nous plaît pas!
[15] Qu'est-ce que Shaddaï pour que nous le servions,
quel profit pour nous à l'invoquer? »
[16] Ne tiennent-ils pas leur bonheur en main,
et Dieu n'est-il pas écarté du conseil des méchants?

18 5; 20 22, 26-28
[17] Voit-on souvent la lampe du méchant s'éteindre,
le malheur fondre sur lui,
la colère divine détruire ses biens [e],
Ps 1 4
[18] le vent le chasser comme une paille,
un tourbillon l'emporter comme la bale?
[19] Dieu se réserverait de le punir dans ses enfants [f]?
Mais qu'il soit donc châtié lui-même et qu'il le sache!
[20] Que, de ses yeux, il assiste à sa ruine [g],
qu'il s'abreuve à la fureur de Shaddaï!
14 21-22 2 R 20 19 Qo 9 5-6
[21] Que peut lui faire, après lui, le sort de sa maison,
quand la série de ses mois sera tranchée?
[22] Mais enseigne-t-on à Dieu la science,
à Celui qui juge les êtres d'en haut?
[23] Tel encore meurt en pleine vigueur,
au comble du bonheur et de la paix [h],
[24] les flancs chargés de graisse [i]
et la mœlle de ses os tout humide.
[25] Et tel autre périt l'amertume dans l'âme,
sans avoir goûté au bonheur.
Qo 9 2-3
[26] Ensemble, dans la poussière, ils se couchent,
et la vermine les recouvre.

*a)* « subsistent » *'omedim* conj.; « avec eux » *'immam* (rattaché au premier stique) hébr.
*b)* « comme des cerfs » addition conjecturale d'après Ps **114** 4-6.
*c)* « ils descendent » syr., Vulg.; « ils sont effrayés » hébr.
*d)* « Dieu », litt. « Lui », conj.; l'hébr. a la première personne.
*e)* Litt. « ses biens détruits (par la colère) » *yehubbal helqo'* conj.; « détruit-il les méchants » ou « partage-t-il des lots » *habalîm yehalleq* hébr.
*f)* Opinion ancienne et autorisée, Ex **34** 7; Dt **5** 9, corrigée plus tard, Dt **24** 16; Jr **31** 29; Ez **18**; cf. Jn **9** 1-3. Job en montre l'insuffisance : l'impie n'en souffrira pas et n'en saura rien, cf. **14** 21-22.
*g)* « sa ruine » versions; hébr. corrompu.
*h)* Autre fait déroutant : le caprice selon lequel la mort frappe.
*i)* « les flancs » syr.; hébr. obscur. – « graisse » versions; « lait » hébr.

27 Oh! je sais bien quelles sont vos pensées,
vos réflexions méchantes sur mon compte.
28 « Qu'est devenue, dites-vous, la maison du grand seigneur,
où est la tente qu'habitaient des méchants? »
29 N'interrogez-vous pas les voyageurs,
méconnaissez-vous leurs témoignages?
30 Au jour du désastre, le méchant est épargné, Pr **11** 4
au jour de la fureur, il est mis à l'abri. Am **5** 18+ Rm **2** 3-6
31 Et qui donc lui reproche en face sa conduite,
et lui rend ce qu'il a fait?
32 Il est emporté au cimetière,
où il veille sur son tertre.
33 Les mottes du ravin lui sont douces,
et, derrière lui, toute la population défile [a].
34 Que signifient donc vos vaines consolations?
Et quelle tromperie que vos réponses!

## 3. TROISIÈME CYCLE DE DISCOURS

**Dieu ne châtie qu'au nom de la justice.**

**22** 1 Éliphaz de Témân prit la parole et dit :

2 Un homme peut-il être utile à Dieu,
quand un être sensé n'est utile qu'à soi?
3 Shaddaï est-il intéressé par ta justice, **35** 7
tire-t-il profit de ta conduite intègre? Lc **17** 7-10
4 Serait-ce à cause de ta piété qu'il te corrige
et qu'il entre en jugement avec toi?
5 N'est-ce pas plutôt pour ta grande méchanceté, **29** 11-17; **31**
pour tes fautes illimitées?
6 Tu as exigé de tes frères des gages injustifiés, Ex **22** 25-26
dépouillé de leurs vêtements ceux qui sont nus; Is **58** 7 Ez **18** 7
7 omis de désaltérer l'homme assoiffé Mt **25** 42s
et refusé le pain à l'affamé;
8 livré la terre à un homme de main,
pour que s'y installe le favori;
9 renvoyé les veuves les mains vides **31** 16-20
et broyé le bras des orphelins [b]. Ex **22** 21
10 Voilà pourquoi des filets t'enveloppent **18** 8-11; **19** 5
et des frayeurs soudaines t'épouvantent.
11 La lumière s'est assombrie [c], tu n'y vois plus Is **58** 10-11
et la masse des eaux te submerge. Ps **69** 2-3

12 Dieu n'est-il pas au plus haut des cieux, Is **40** 26-27
ne voit-il pas [d] la tête des étoiles?

*a)* Le texte ajoute : « et devant lui une foule innombrable », sans doute glose.
*b)* Le catalogue de fautes qu'Éliphaz impute gratuitement à Job est remarquable par son insistance sur les manquements à la justice et à la charité envers le prochain, fût-ce par omission. Il rappelle ainsi l'enseignement des Prophètes, cf. l'apologie de Job, **29** 11-17; **31**.
*c)* « La lumière s'est assombrie » grec; « Ou bien l'obscurité » hébr.
*d)* « ne voit-il pas » conj.; « et vois » hébr.

Ps 73 11 Is 29 15 [13] Et parce qu'il est là-haut tu as dit : « Que connaît Dieu [a]?
Peut-il juger à travers la nuée sombre?
Jr 23 23-24 [14] Les nuages sont pour lui un voile opaque
et il circule au pourtour des cieux. »
[15] Veux-tu donc suivre la route antique
que foulèrent les hommes pervers?
[16] Ils furent enlevés avant le temps
et un fleuve noya leurs fondations.
21 14 [17] Car ils disaient à Dieu : « Éloigne-toi de nous!
Que peut nous faire Shaddaï [b]? »
[18] Et lui comblait de biens leurs maisons,
tout en étant tenu à l'écart du conseil des méchants!
Ps 58 11 [19] A ce spectacle, les justes se sont réjouis
et l'homme intègre s'est moqué d'eux :
[20] « Comme ils ont été supprimés, nos adversaires!
et quel feu a dévoré leur abondance! »

5 17s [21] Allons! Réconcilie-toi avec lui et fais la paix :
ainsi ton bonheur te sera rendu.
[22] Recueille de sa bouche la doctrine
et place ses paroles dans ton cœur.
[23] Si tu reviens à Shaddaï en humilié [c],
si tu éloignes de ta tente l'injustice,
[24] si tu déposes ton or sur la poussière,
l'Ophir parmi les cailloux du torrent,
Ps 4 8; 16 5-6; 63 4-6; 84 11 Is 58 14 [25] Shaddaï sera pour toi des lingots d'or
et de l'argent en monceaux.
[26] Alors tu feras de Shaddaï tes délices
et tu lèveras vers Dieu ta face.
[27] Tes prières, il les exaucera
et tu pourras acquitter tes vœux.
[28] Toutes tes entreprises réussiront
et sur ta route brillera la lumière.
Is 2 11-17 Lc 1 52-53 [29] Car il abaisse l'orgueil des superbes [d],
mais il sauve l'homme aux yeux baissés.
[30] Il délivre l'homme innocent;
aie les mains pures, et tu seras sauvé.

**Dieu est loin, et le mal triomphe.**

**23** [1] Job prit la parole et dit :

[2] C'est toujours une révolte que ma plainte;
sa main [e] reste pesante, malgré mon gémissement.
[3] Oh! Si je savais comment l'atteindre,
parvenir jusqu'à sa demeure,
9 14+ [4] j'ouvrirais un procès devant lui,
ma bouche serait pleine de griefs.
[5] Je connaîtrais les termes de sa réponse,

*a)* « parce qu'il est là-haut » : en rattachant au v. 13 les deux derniers mots du v. 12 et en les lisant *kî ram hû'*, hébr. *kî ramû*. – Job n'a pas dit cela. Mais Éliphaz lui fait un procès de tendance, et déduit ce blasphème des déclarations de Job : si Dieu reste indifférent, c'est qu'il ne discerne rien.
*b)* « nous faire » versions; « leur faire » hébr.
*c)* « en humilié », litt. « et t'humilies », *wete 'aneh* grec; « tu seras bâti » *tibbaneh* hébr.
*d)* Stique corrigé; l'hébr. est inintelligible (litt. « car ils abaissent et tu as dit : orgueil »).
*e)* « sa main » versions; « ma main » hébr.

attentif à ce qu'il me dirait.
6 Jetterait-il toute sa force dans ce débat avec moi?
Non, il lui suffirait de me prêter attention.
7 Il reconnaîtrait dans son adversaire un homme droit,
et je ferais triompher ma cause à jamais [a].

8 Si je vais vers l'orient, il est absent; Ps **139** 7-10
vers l'occident, je ne l'aperçois pas.
9 Quand je le cherche au nord, il n'est pas discernable,
il reste invisible si je me tourne au midi [b].
10 Et pourtant, toutes mes démarches [c], il les connaît! Ps **139** 1-6
Qu'il me passe au creuset : or pur j'en sortirai! Jr **11** 20+
11 Mon pied s'est attaché à ses pas, Ps **17** 5
j'ai suivi sa route sans dévier;
12 je n'ai pas négligé le commandement de ses lèvres,
j'ai abrité dans mon sein les paroles de sa bouche [d].
13 Mais lui décide [e], qui le fera changer?
Ce qu'il a projeté, il l'accomplit. Is **55** 10-11
14 Il exécutera donc ma sentence,
comme tant d'autres de ses décrets!
15 C'est pourquoi, devant lui, je suis terrifié; Ps **119** 120
plus j'y songe, plus il me fait peur.
16 Dieu a brisé mon courage,
Shaddaï me remplit d'effroi.
17 Car je n'ai pas été anéanti devant les ténèbres
mais il a recouvert ma face d'obscurité [f].

**24** 1 Pourquoi Shaddaï n'a-t-il pas des temps en réserve,
et ses fidèles ne voient-ils pas ses jours [g]?
2 Les méchants déplacent les bornes, Dt **27** 17
ils enlèvent troupeau et berger [h].
3 On emmène l'âne des orphelins,
on prend en gage le bœuf de la veuve. Dt **24** 17
4 Les indigents s'écartent du chemin, **30** 2 8
les pauvres du pays se cachent tous de même. Dt **15** 11
5 Tels les onagres du désert, ils sortent à leur travail,
cherchant dès l'aube une proie,
et le soir, du pain pour leurs petits [i].
6 Ils moissonnent dans le champ d'un vaurien [j],
ils pillent la vigne d'un méchant.
10 Ils s'en vont nus, sans vêtements;
affamés, ils portent les gerbes.
11 En plein midi ils restent entre deux murettes [k];

*a)* « ma cause » versions; « de mon juge » hébr.
*b)* « Quand je le cherche » conj.; « quand il agit » hébr. – « si je me tourne » conj.; « s'il se tourne » hébr.
*c)* « toutes mes démarches », litt. « ma marche et mon arrêt », syr.; « le chemin avec moi » hébr.
*d)* « dans mon sein » grec, Vulg.; hébr. inintelligible. – Il s'agit de la Loi.
*e)* « décide » *bahar* conj.; « en un » *be 'ehad* hébr.
*f)* « ma face » *panay* conj.; « devant moi » *mippanay* hébr. – V. très obscur; on comprend que Job regrette de ne pas avoir été délivré par la mort, avant l'heure terrible des ténèbres. On peut aussi faire porter la négation sur les deux stiques et traduire : « il n'a pas (encore) recouvert ma face d'obscurité. »
*g)* Des « temps » supplémentaires, ajoutés à celui qui mesure une vie humaine, pour exercer enfin le châtiment; des « jours » pour la rétribution des individus, analogues au « Jour de Yahvé » eschatologique, cf. Am 5 18+.
*h)* « Les méchants » grec; omis par hébr. – « et berger » grec; « et le font paître » hébr. – Job oppose aux forts qui oppriment les autres, vv. 2-4, la basse classe des prolétaires indigents, vv. 5-12, dont la misère crie vers Dieu.
*i)* « cherchant dès l'aube (*mishshahar*) une proie », litt. « dès l'aube, pour une proie », conj.; « cherchant (*meshaharê*) pour une proie » hébr. – « le soir, du pain » *'ereb lallehem* conj.; « dans la steppe, pour lui, du pain » *'arabah lô lehem* hébr.
*j)* « d'un vaurien » *beliyya'al* conj.; « son fourrage » *belilô* hébr.
*k)* « entre deux murettes » *ben shûrotayim* conj.; « entre leurs murettes » *ben shûrotam* hébr.

altérés, ils foulent les cuves.
Dt **24** 12-13 7 Ils passent la nuit nus, sans vêtements,
sans couverture contre le froid.
8 L'averse des montagnes les transperce;
faute d'abri, ils étreignent le rocher.
9 On arrache l'orphelin à la mamelle,
on prend en gage le nourrisson du pauvre [a].
12 De la ville on entend gémir les mourants [b],
les blessés, dans un souffle, crier à l'aide.
Ap **6** 10-11 Et Dieu reste sourd à la prière [c]!

Jn **3** 20 Ep **5** 8-14 1 Th **5** 4-8 13 D'autres sont de ceux qui repoussent la lumière [d] :
ils en méconnaissent les chemins,
n'en fréquentent pas les sentiers.
14 Il fait noir quand l'assassin se lève,
Ps **10** 8-9; **37** 32 pour tuer le pauvre et l'indigent.
Durant la nuit rôde le voleur [e],
16a dans les ténèbres, il perfore les maisons.
Pr **7** 9-10 15 L'œil de l'adultère épie le crépuscule :
« Personne ne me verra », dit-il,
et il met un voile sur son visage.
16b Pendant le jour, ils se cachent,
ceux qui ne veulent pas connaître la lumière.
17 Pour eux tous, le matin devient ténèbres,
car ils en éprouvent alors les terreurs [f].

25 N'en est-il pas ainsi? Qui me convaincra de mensonge,
et réduira mes paroles à néant?

## Hymne à la toute-puissance de Dieu [g].

**25** 1 Bildad de Shuah prit la parole et dit :

2 C'est un souverain redoutable,
Celui qui fait régner la paix dans ses hauteurs [h].
3 Peut-on dénombrer ses troupes?
Contre qui ne surgit pas son éclair?
**4** 17+, **15** 14+ 4 Et l'homme se croirait juste devant Dieu,
il serait pur l'enfant de la femme?
5 La lune même est sans éclat [i],
les étoiles ne sont pas pures à ses yeux.
6 Combien moins l'homme, cette vermine,
un fils d'homme, ce vermisseau?
**26** [j] 5a Les Ombres [k] tremblent sous terre,

*a)* « mamelle » grec; « dévastation » hébr. (simple différence vocalique). – « nourrisson » *'ul* conj.; « sur » *'al* hébr.
*b)* « les mourants » syr.; « les hommes » hébr.
*c)* D'après le syr.; « Dieu n'applique pas (son attention) à la sottise » hébr.
*d)* Cette diatribe contre les ennemis de la lumière, peut-être un poème indépendant repris ici par l'auteur, ramène l'attention sur les oppresseurs, que Dieu laisse opérer dans l'ombre. La lumière est la lumière physique, mais le sens moral est sous-jacent, cf. Jn **8** 12+.
*e)* « Il fait noir » *belo' 'ôr* conj.; « à la lumière » *la'ôr* hébr. – « rôde » *yehallek* conj.; « il est comme » *yehî ka* hébr.
*f)* Stique corrigé. Hébr. : « car il connaît les terreurs de l'ombre épaisse ». On transpose les vv. 18-24 après **27** 23.
*g)* Ce discours, peut-être mutilé, semble ici anticiper sur les Discours de Yahvé. On peut pourtant le rattacher au Dialogue en y voyant une réponse de Bildad à l'accusation tacite d'impuissance portée par Job contre Dieu.
*h)* Parmi les anges, cf. Is **24** 21; Ap **12** 7-12, et les astres, cf. Is **40** 26; Si **43** 10.
*i)* « est sans éclat » versions; hébr. corrompu.
*j)* On reporte **26** 1-4 après **26** 14. Les vv. 5-14, plutôt que la suite du discours de Job qui commence à **26** 1, semblent compléter le discours mutilé de Bildad.
*k)* Litt. « les Rephaïm », cf. Dt **2** 10+ : soit les trépassés, cf. Ps **88** 11, soit les faibles, les impuissants.

les eaux et leurs habitants sont dans l'effroi [a].
6 Devant lui, le Shéol est à nu, Pr **15** 11
la Perdition [b] à découvert. Ps **139** 8, 11-12
7 C'est lui qui a étendu le Septentrion sur le vide [c], Am **9** 2
suspendu la terre sans appui [d]. **38** 6
8 Il enferme les eaux dans ses nuages,
sans que la nuée crève sous leur poids.
9 Il couvre la face de la pleine lune
et déploie sur elle sa nuée [e].
10 Il a tracé un cercle à la surface des eaux [f], **22** 14
aux confins de la lumière et des ténèbres. Gn **1** 7, 14
11 Les colonnes des cieux sont ébranlées [g],
frappées de stupeur quand il menace.
12 Par sa force, il a brassé la Mer, **7** 12+ **9** 13+
par son habileté, écrasé Rahab. Ps **65** 8+
13 Son souffle a clarifié les Cieux, Is **51** 9-10 Jb **3** 8+
sa main transpercé le Serpent Fuyard [h]. Is **27** 1
14 Tout cela, c'est l'extérieur de ses œuvres,
et nous n'en saisissons qu'un faible écho.
Mais le tonnerre de sa puissance, qui le comprendra?

**Bildad parle en l'air.**

**26** 1 Job prit la parole et dit :

2 Comme tu sais bien soutenir le faible,
secourir le bras sans vigueur!
3 Quels bons conseils tu donnes à l'ignorant,
comme ton savoir est fertile en ressources!
4 Mais ces discours, à qui s'adressent-ils,
et d'où provient l'esprit qui sort de toi [i]? 1 R **22** 24

**Job, innocent, connaît la puissance de Dieu.**

**27** 1 Et Job continua de s'exprimer en sentences et dit :

2 Par le Dieu vivant qui me refuse justice, **34** 5
par Shaddaï qui m'emplit d'amertume,
3 tant qu'un reste de vie m'animera,
que le souffle de Dieu passera dans mes narines, **33** 4 Gn **2** 7
4 mes lèvres ne diront rien de mal,
ma langue n'exprimera aucun mensonge.
5 Bien loin de vous donner raison,
jusqu'à mon dernier souffle, je maintiendrai mon innocence.
6 Je tiens à ma justice et ne lâche pas;

*a)* Les eaux de l'abîme, peuplées par l'imagination populaire des monstres vaincus aux origines, cf. **7** 12+. – « sont dans l'effroi », en restituant *yehattû*, tombé par haplographie après *mittahat* (« sous terre »), que l'hébr. rattache au deuxième hémistiche.
*b)* Ce mot (en hébreu *Abaddôn*, cf. Ap **9** 11), synonyme de « Shéol », désignait peut-être anciennement une divinité infernale.
*c)* La partie septentrionale du firmament, sur laquelle celui-ci était censé pivoter.
*d)* Des colonnes, **9** 6, supportent la terre, mais l'homme ignore leur point d'appui, **38** 6. Ce v., seul dans la Bible, évoque un espace infini.
*e)* Lors des éclipses. – « la pleine lune » *keseh* conj.; « trône » *kisseh* hébr. – « déploie », en lisant *parosh*, au lieu de l'hébr. *parshez* (forme anormale combinant les racines *parash* et *paraz*).
*f)* « tracé un cercle » *haq hûg* conj.; « circonscrit un terme » *hoq hag* hébr.
*g)* Les hautes montagnes, qui supportent la voûte céleste, sont ébranlées par le tonnerre, voix de Yahvé, Ps **29**, ou par les tremblements de terre, Ps **18** 8.
*h)* C'est « Léviathan », cf. **3** 8+ et **7** 12+.
*i)* Répartie ironique de Job à Bildad qui semble avoir perdu de vue l'objet précis de la discussion.

en conscience, je n'ai pas à rougir de mes jours [a].
7 Que mon ennemi ait le sort du méchant,
mon adversaire celui de l'injuste!
8 Quel espoir, en effet, reste à l'impie quand il supplie
et qu'il élève vers Dieu son âme [b]?
9 Est-ce que Dieu entend ses cris,
quand fond sur lui la détresse?
22 26 10 Faisait-il ses délices de Shaddaï,
invoquait-il Dieu à tout instant [c]?
11 Mais je vous instruis sur la maîtrise de Dieu,
sans rien vous cacher des pensées de Shaddaï [d].
12 Et si vous tous aviez su l'observer,
à quoi bon vos vains discours dans le vide?

**Discours de Çophar : le maudit [e].**

= **20** 29 13 Voici le lot que Dieu assigne au méchant [f],
l'héritage que le violent reçoit de Shaddaï.
14 Si ses fils se multiplient, c'est pour l'épée,
et ses descendants n'apaiseront pas leur faim.
15 Les survivants seront ensevelis par la Peste [g],
sans que ses veuves puissent les pleurer.
16 S'il accumule l'argent comme la poussière,
s'il entasse des vêtements comme de la glaise,
**20** 10, 15 17 qu'il les entasse! un juste les revêtira,
un innocent recevra l'argent en partage.
**8** 14 18 Il s'est bâti une maison d'araignée,
il s'est construit une hutte de gardien [h] :
19 riche il se couche, mais c'est la dernière fois [i];
quand il ouvre les yeux, plus rien.
**20** 25 20 Les terreurs l'assaillent en plein jour [j],
la nuit, un tourbillon l'enlève.
21 Un vent d'est le soulève et l'entraîne,
l'arrache à son lieu de séjour.
22 Sans pitié, on le prend pour cible,
il doit fuir des mains menaçantes.
23 On applaudit à sa ruine,
on le siffle partout où il va.

24 [k] 18 Ce n'est plus qu'un fétu à la surface des eaux,
son domaine est maudit dans le pays,
nul ne prend le chemin de sa vigne.
19 Comme une chaleur sèche fait disparaître la neige,
ainsi le shéol celui qui a péché [l].

*a)* « n'ai pas à rougir » *yehepar* conj.; « n'insulte pas » *yeherap* hébr.

*b)* « supplie » *yipga'* conj.; « tranche » ou « réalise des gains » *yibça'* hébr. – « qu'il élève vers Dieu » grec, syr.; « que Dieu retire » hébr.

*c)* Job reprend certaines paroles d'Éliphaz sur le châtiment de l'impie, mais il refuse de se les appliquer.

*d)* Job semble dire qu'il a exposé en toute vérité et d'après les faits le comportement étrange et mystérieux de Dieu. Ses amis ont fermé les yeux à l'évidence.

*e)* Le fragment de discours **27** 13-23 peut difficilement être attribué à Job et semble devoir être restitué à l'un de ses amis, dont il reprend l'une des thèses. L'attribution à Çophar est la plus indiquée.

*f)* « que Dieu assigne », litt. « de la part de Dieu ». *me 'el* conj.; « avec Dieu » *'im 'el* hébr.

*g)* Litt. « la mort », mais ce mot désigne parfois le mal par excellence, ici personnifié. Cf. **18** 13; Jr **15** 2; **43** 11; Ap **6** 8.

*h)* « d'araignée » grec, syr.; « de teigne » hébr. – Ce sont deux images d'instabilité.

*i)* Litt. « il ne recommencera plus » grec, syr.; « il n'est pas rassemblé » hébr.

*j)* « en plein jour » *yômam* conj.; « comme des eaux » *kammayîm* hébr.

*k)* Le rattachement de cette section **24** 18-24 en cet endroit est conjectural. Le texte en est très abîmé et nécessite de nombreuses corrections.

*l)* « la neige », litt. « les eaux de la neige ». – « celui qui a péché » conj.; « ils ont péché » hébr.

20 Le sein qui l'a formé l'oublie
et son nom n'est plus mentionné [a].
Ainsi est foudroyée comme un arbre l'iniquité.
21 Il a maltraité [b] la femme stérile, privée d'enfants,
il s'est montré dur pour la veuve.
22 Mais Celui qui se saisit des tyrans avec force
surgit et lui ôte l'assurance de la vie.
23 Il le laissait s'appuyer sur une sécurité trompeuse,
mais, des yeux, il surveillait ses démarches.
24 Élevé pour un temps, il disparaît,
il s'affaisse comme l'arroche qu'on cueille [c],
il se fane comme la tête des épis.

## 4. ÉLOGE DE LA SAGESSE

**La Sagesse inaccessible à l'homme [d].**

28 1 Il existe, pour l'argent, des mines,
pour l'or, un lieu où on l'épure.
2 Le fer est tiré du sol,
la pierre fondue livre du cuivre.
3 On met fin aux ténèbres,
on fouille jusqu'à l'extrême limite
la pierre obscure et sombre.
4 Des étrangers percent les ravins [e]
en des lieux non fréquentés,
et ils oscillent, suspendus, loin des humains.
5 La terre d'où sort le pain
est ravagée en dessous par le feu [f].
6 Là, les pierres sont le gisement du saphir,
et aussi des parcelles d'or.
7 L'oiseau de proie en ignore le sentier,
l'œil du vautour ne l'aperçoit pas.
8 Il n'est point foulé par les fauves altiers [g],
le lion ne l'a jamais frayé.
9 L'homme s'attaque au silex,
il bouleverse les montagnes dans leurs racines.
10 Dans les roches il perce des canaux [h],
l'œil ouvert sur tout objet précieux.
11 Il explore les sources des fleuves [i],

*a)* « qui l'a formé » *petaqô* conj.; « faisait ses délices » *metaqô* hébr. – « son nom » *shemoh* conj.; « la vermine » *simmah* hébr.
*b)* « Il a maltraité » *hera'* Targ.; « paissant » *ro'eh* hébr.
*c)* Stique corrigé d'après le grec; hébr. : « ils s'affaissent, comme tout ils s'écoulent ». – L'arroche, litt. « la plante salée », est une plante verte et comestible qu'on trouve sur les bords de la mer Morte. – Le v. 25 est laissé après **24** 17.
*d)* La place et la signification primitives de cet intermède dans le Dialogue restent obscures (cf. Introduction p. 649). Il présente des analogies avec Pr **8** 22s, où, cependant, la Sagesse figurée comme l'inspiratrice des œuvres de Dieu aux origines devient l'inspiratrice de l'homme. Ici on célèbre une Sagesse inaccessible à l'homme. Ba **3** 9 - **4** 4 reprendra le même thème, mais parlera, lui, d'une Sagesse révélée par faveur à Israël dans la Loi. Il s'agit donc d'une Sagesse rigoureusement transcendante. En définitive, elle incarne le mystère des voies de Dieu, et se confond avec l'attribut divin de Sagesse; mais celui-ci est personnifié d'une façon étrange. La représentation d'une Sagesse mystérieuse, habitant un domicile propre et finalement découverte par Dieu, peut être l'écho de vieilles croyances. Seule en subsiste une simple image : la Sagesse, qui inspira le plan de Dieu, explique toutes ses œuvres et incarne sa Providence, échappe aux atteintes de l'homme; celui-ci, en dépit de ses efforts et de ses découvertes, se heurte sans cesse au mystère d'une Sagesse qui le dépasse.
*e)* « Des étrangers (percent) les ravins » *nehalim 'am ger* conj.; hébr. *nehal me' im gar* n'a pas de sens. – Les travaux des mines étaient laissés aux esclaves étrangers et aux prisonniers de guerre. Ils étaient effectués le plus souvent dans des lieux déserts, en particulier dans le désert du Sinaï.
*f)* « par le feu » Vulg.; « comme par le feu » hébr.
*g)* Litt. « les fils de l'orgueil », cf. **41** 26.
*h)* Litt. « des Nils ».
*i)* Qui sortent de l'abîme souterrain. – « explore » *hippes* conj.; « lie » *hibbesh* hébr. – « sources » *mabbekê* conj.; « de pleurer » (?) *mibbekî* hébr.

amène au jour ce qui restait caché.

Qo 7 24 Ba 3 15 Si 1 6 — [12] Mais la Sagesse, d'où provient-elle [a]?
Où se trouve-t-elle, l'Intelligence?

Ba 3 29-31 — [13] L'homme en ignore le chemin [b],
on ne la découvre pas sur la terre des vivants.
[14] L'Abîme déclare : « Je ne la contiens pas! »
et la Mer : « Elle n'est point chez moi! »
[15] On ne peut l'acquérir avec l'or massif,
la payer au poids de l'argent,
[16] l'évaluer avec l'or d'Ophir,
l'agate précieuse ou le saphir.
Sg 7 9 — [17] On ne lui compare pas l'or ou le verre,
on ne l'échange point contre un vase d'or fin.
[18] Coraux et cristal ne méritent pas mention,
mieux vaudrait pêcher la Sagesse que les perles.
[19] Auprès d'elle, la topaze de Kush est sans valeur
et l'or pur perd son poids d'échange.
[20] Mais la Sagesse, d'où provient-elle?
où se trouve-t-elle, l'Intelligence?

[21] Elle se dérobe aux yeux de tout vivant,
elle se cache aux oiseaux du ciel.
26 6+ — [22] La Perdition et la Mort déclarent :
« La rumeur de sa renommée est parvenue à nos oreilles. »
Ba 3 37 Pr 2 6; 8 27-30 — [23] Dieu seul en a discerné le chemin
et connu, lui, où elle se trouve.
[24] (Car il voit jusqu'aux extrémités de la terre,
il aperçoit tout ce qui est sous les cieux.)
[25] Lorsqu'il voulut donner du poids au vent,
Is 40 12-14 36 27-33 — jauger les eaux avec une mesure;
[26] quand il imposa une loi à la pluie,
une route aux roulements du tonnerre,
Si 1 8-9, 19 — [27] alors il la vit et l'évalua,
il la pénétra [c] et même la scruta.
[28] Puis il dit à l'homme :
Pr 1 7+; 8 13 — « La crainte du Seigneur, voilà la sagesse;
fuir le mal, voilà l'intelligence. »

## 5. CONCLUSION DU DIALOGUE

### Plaintes et apologie de Job [d] :
### A. Les jours d'antan.

**29** [1] Job continua de s'exprimer en sentences et dit :

[2] Qui me fera revivre les mois d'antan,
ces jours où Dieu veillait sur moi,

*a)* « d'où provient-elle » avec 1 ms hébr., cf. v. 20; « d'où se trouve-t-elle » TM.
*b)* « chemin » grec; « prix » hébr.
*c)* « la pénétra » *hebînah* avec 5 mss; le TM porte *hekînah*, « l'établit », « la fonda ». Si l'on adopte cette traduction, il faut donner au deuxième verbe le sens de « en fit l'épreuve ».
*d)* Il est possible que telle ou telle section de ce discours (**30-31**) ait fait partie primitivement de la réponse à Bildad dans le troi-

3 où sa lampe brillait sur ma tête
et sa lumière me guidait dans les ténèbres!
4 Puissé-je revoir les jours de mon automne,
quand Dieu protégeait ma tente [a], 1 10
5 que Shaddaï demeurait avec moi
et que mes garçons m'entouraient; Ps 127 3-5; 128 3
6 quand mes pieds baignaient dans le laitage,
et du rocher coulaient des ruisseaux d'huile [b]! 20 17

7 Si je sortais vers la porte de la ville,
si j'installais mon siège sur la place, 5 4 1
8 à ma vue, les jeunes gens se retiraient,
les vieillards se mettaient debout. Lv 19 32
9 Les notables arrêtaient leurs discours
et mettaient la main sur leur bouche. Sg 8 10-12
10 La voix des chefs s'étouffait
et leur langue se collait au palais.
21c Ils m'écoutaient, dans l'attente,
silencieux pour entendre mon avis.
22 Quand j'avais parlé, nul ne répliquait,
et sur eux, goutte à goutte, tombaient mes paroles.
23 Ils m'attendaient comme la pluie,
leur bouche s'ouvrait comme pour l'ondée tardive. Dt 32 2
24 Si je leur souriais, ils n'osaient y croire,
ils recueillaient sur mon visage tout signe de faveur. Pr 16 15
25 Je leur indiquais la route en siégeant à leur tête,
tel un roi installé parmi ses troupes,
et je les menais partout à mon gré [d].

11 A m'entendre, on me félicitait,
à me voir, on me rendait témoignage. 22 6-9
12 Car je délivrais le pauvre en détresse
et l'orphelin privé d'appui. Ps 72 12s; Is 11 4-5
13 La bénédiction du mourant se posait sur moi
et je rendais la joie au cœur de la veuve.
14 J'avais revêtu la justice comme un vêtement,
j'avais le droit pour manteau et turban. 19 9; Ps 132 9; Is 59 17
15 J'étais les yeux de l'aveugle,
les pieds du boiteux.
16 C'était moi le père des pauvres;
la cause d'un inconnu, je l'examinais. Pr 29 7
17 Je brisais les crocs de l'homme inique,
d'entre ses dents, j'arrachais sa proie. Pr 30 14

18 Et je disais : « Je mourrai dans ma fierté [e],
après des jours nombreux comme le sable.
19 Mes racines ont accès à l'eau,
la rosée se dépose la nuit sur mon feuillage. Ps 1 1-3

sième cycle de discours. La notice : « Job continua de s'exprimer en sentences et dit », peut être un indice de cette appartenance originale à un autre contexte. Mais les essais de morcellement de ce discours n'ont pas donné de résultat satisfaisant, car il possède une unité réelle qu'il vaut mieux ne pas briser. Le premier tableau est un témoignage précieux sur la conception israélite ancienne d'une vie heureuse.

*a)* « protégeait » grec, syr.; « dans l'intimité » hébr.

*b)* L'hébr. ajoute : « avec moi ».

*c)* On transpose les vv. 21-25 avant le v. 11 : ils font suite au v. 10 et le v. 11 semble en être la conclusion. Il doit s'agir d'un déplacement accidentel dans la transmission manuscrite.

*d)* « je les menais partout à mon gré » *ba 'asher 'ôbîlam yinnahû* conj.; « comme celui qui console les affligés » *ka 'asher 'abelîm yenahem* hébr.

*e)* « dans ma fierté » *qarnî* conj.; « avec mon nid » *qinnî* hébr.

[20] Ma gloire sera toujours nouvelle
et dans ma main mon arc [a] reprendra force. »

### B. Détresse présente.

**30** [1] Et maintenant, je suis la risée
de gens qui sont plus jeunes que moi,
et dont les pères étaient trop vils à mes yeux
pour les mêler aux chiens de mon troupeau [b].
**24** 4s [2] Aussi bien, la force de leurs mains m'eût été inutile :
ils avaient perdu toute vigueur [c],
[3] épuisée par la disette et la famine,
car ils rongeaient les racines de la steppe [d],
ce sombre lieu de ruine et de désolation;
**24** 24+ [4] ils cueillaient l'arroche sur le buisson,
faisaient leur pain des racines de genêt.
[5] Bannis de la société des hommes,
qui les hue comme des voleurs,
[6] ils logent au flanc des ravins,
dans les grottes ou les crevasses du rocher.
[7] Des buissons, on les entend braire,
ils s'entassent sous les chardons.
[8] Fils de vauriens, bien plus, d'hommes sans nom,
ils sont rejetés par le pays [e].
**16** 7-11 [9] Et maintenant, voilà qu'ils me chansonnent,
Lm **3** 14 Ps **69** 13 qu'ils font de moi leur fable!
[10] Saisis d'horreur, ils se tiennent à distance,
devant moi, ils crachent sans retenue.
**29** 20+ [11] Et parce qu'il a détendu mon arc et m'a terrassé,
ils rejettent la bride en ma présence.
Ps **109** 6 [12] Leur engeance surgit à ma droite,
Za **3** 1 épie si je suis tranquille
et fraie vers moi ses chemins sinistres [f].
[13] Ils me ferment toute issue,
en profitent pour me perdre et nul ne les arrête [g],
[14] ils pénètrent comme par une large brèche
et je suis roulé [h] sous les décombres.
[15] Les terreurs se tournent contre moi,
mon assurance est chassée [i] comme par le vent,
mon espoir de salut disparaît comme un nuage.

**16** 12-17 [16] Et maintenant, la vie en moi s'écoule,
les jours de peine m'ont saisi.
[17] La nuit, le mal [j] perce mes os
et mes rongeurs ne dorment pas.
[18] Avec violence il m'a pris [k] par le vêtement,
serré au col de ma tunique.

*a)* L'arc symbolise la force, cf. Gn **49** 24.
*b)* La classe des indigents, rebut de la société, cf. **24** 4s. Job est maintenant rejeté au-dessous d'eux.
*c)* « toute vigueur » *kol leah* conj.; « maturité » (?) *kalah* hébr.
*d)* « racines » est restitué : le mot *'iqqarê* a dû tomber par haplographie après *'oreqîm* (litt. « rongeant »).
*e)* « sont rejetés » *nikretû* conj.; « sont frappés » *nike'û* hébr.
*f)* Ce v., très difficile, est traduit de diverses manières selon les corrections adoptées. On lit ici *waveraggelû shalwî* « épie si je suis tranquille » au lieu de *weraglay shillehû*, litt. « ils ont jeté mes pieds ». – Job compare les injures qu'il a subies au siège et à l'assaut d'une ville.
*g)* « ne les arrête » *'oçer* conj.; « ne les aide » *'ozer* hébr.
*h)* « je suis roulé » conj.; « ils se roulent » hébr.
*i)* « est chassée » grec; « chasse » hébr.
*j)* « le mal » *mahaleh* conj.; « de sur moi » *me'alay* hébr.
*k)* « m'a pris » grec; « s'est déguisé » hébr.

[19] Il m'a jeté dans la boue,
je suis comme poussière et cendre.

[20] Je crie vers Toi et tu ne réponds pas;
je me présente sans que tu me remarques [a].
[21] Tu es devenu cruel à mon égard,
ta main vigoureuse sur moi s'acharne.
[22] Tu m'emportes à cheval sur le vent
et tu me dissous dans une tempête.
[23] Oui, je sais que tu me fais retourner vers la mort,
vers le rendez-vous de tout vivant.

[24] Pourtant, ai-je porté la main sur le pauvre,
quand, dans sa détresse, il réclamait justice [b]?
[25] N'ai-je pas pleuré sur celui dont la vie est pénible,
éprouvé de la pitié pour l'indigent?
[26] J'espérais le bonheur, et le malheur est venu;
j'attendais la lumière : voici l'obscurité.
[27] Mes entrailles bouillonnent sans relâche,
les jours de souffrance m'ont atteint.
[28] Si je m'avance l'air sombre, nul ne me console [c],
si je me dresse dans l'assemblée, c'est pour crier.
[29] Je suis devenu le frère des chacals
et le compagnon des autruches.
[30] Ma peau sur moi s'est noircie,
mes os sont brûlés par la fièvre.
[31] Ma harpe est accordée aux chants de deuil,
ma flûte à la voix des pleureurs.

Apologie de Job [d].

**31** [1] J'avais fait un pacte avec mes yeux,
au point de ne fixer aucune vierge [e]. Ex **20** 14, 17
[2] Or, quel partage Dieu fait-il donc de là-haut, Dt **5** 18, 21
Si **9** 5
quel lot Shaddaï assigne-t-il de son ciel? Mt 5 27-29
[3] N'est-ce pas le malheur qu'il réserve à l'injuste
et l'adversité aux hommes malfaisants?
[4] Ne voit-il pas ma conduite,
ne compte-t-il point tous mes pas?
[5] Ai-je fait route avec le mensonge,
pressé le pas vers la fausseté [f]?
[6] Qu'il me pèse sur une balance exacte : Pr **11** 1;
lui, Dieu, reconnaîtra mon intégrité! **20** 10
[7] Si mes pas ont dévié du droit chemin,
si mon cœur fut entraîné par mes yeux
et si une souillure adhère à mes mains [g],
[8] qu'un autre mange ce que j'ai semé

*a)* On ajoute la négation (« sans que... ») avec Vulg. et 1 ms hébr.
*b)* « ai-je porté » grec; « il ne portait pas » hébr. – « sur le pauvre » *be 'anî* conj.; « sur les ruines » *be 'î* hébr. – « réclamait justice » *ledîn shiwwe 'a* conj.; *lahen shû 'a* hébr. inintelligible.
*c)* litt. « pas de consolation » *belo' nehamah* conj.; « pas de soleil » *belo' hammah* hébr.
*d)* En cette protestation d'innocence, la morale de l'AT atteint sa plus grande pureté, au point de préluder directement à la morale évangélique. La forme est celle du serment imprécatoire contre soi-même, qu'on réclamait en justice de l'accusé, Ex **22** 9-10; Nb **5** 20-22; 1 R **8** 31-32.
*e)* Job commence par les fautes les plus secrètes, les désirs mauvais dont les yeux sont l'organe, cf. v. 7.
*f)* Les fraudes dans les échanges et les marchés semblent comprises dans cette déclaration générale. En tout cas Job, se réclamant du talion, demande à être pesé sur une balance exacte, v. 6.
*g)* Autres fautes d'injustice : Job n'a pas convoité ou pris le bien d'autrui.

et que soient arrachées mes jeunes pousses!
Pr 7 9 Si mon cœur fut séduit par une femme,
si j'ai épié à la porte de mon prochain [a],
10 que ma femme se mette à moudre pour autrui,
que d'autres aient commerce avec elle!
Dt **22** 22-24 11 J'aurais commis là une impudicité,
Pr **6** 32-35 un crime passible de justice [b],
Jn **8** 4-5
**26** 6+ 12 ce serait feu qui dévore jusqu'à la Perdition
et consumerait [c] tout mon revenu.
Ex **21** 2s 13 Si j'ai méconnu les droits de mon serviteur,
Lv **25** 39s
Dt **5** 14-15 de ma servante, dans leurs litiges avec moi [d],
Jr **34** 8s 14 que ferai-je quand Dieu surgira?
Lorsqu'il fera l'enquête, que répondrai-je?
Pr **17** 5; **22** 2 15 Ne les a-t-il pas créés comme moi dans le ventre?
Ep **6** 9
Col **4** 1 Un même Dieu nous forma dans le sein.
38 Si ma terre crie vengeance contre moi
et que ses sillons pleurent avec elle,
39 si j'ai mangé de ses produits sans payer,
fait expirer ses propriétaires [e],
40a qu'au lieu de froment y poussent les ronces,
à la place de l'orge, l'herbe fétide [f]!

Is **58** 7 16 Ai-je été insensible aux besoins des faibles [g],
Tb **4** 7-11, 16
Mt **25** 35-36 laissé languir les yeux de la veuve?
17 Ai-je mangé seul mon morceau de pain,
sans le partager avec l'orphelin?
18 Alors que Dieu, dès mon enfance, m'a élevé comme un père,
guidé depuis le sein maternel [h]!
19 Ai-je vu un miséreux sans vêtements,
un pauvre sans couverture,
20 sans que leurs reins m'aient béni,
que la toison de mes agneaux les ait réchauffés?
21 Ai-je agité la main [i] contre un orphelin,
me sachant soutenu à la Porte?
22 Qu'alors mon épaule se détache de ma nuque
et que mon bras se rompe au coude!
23 Car la terreur de Dieu fondrait sur moi [j],
je ne tiendrais pas devant sa majesté.

Pr **11** 28 24 Ai-je placé dans l'or ma confiance
Ps **49** 7; **52** 9 et dit à l'or fin : « Ô ma sécurité [k] »?
Si **31** 5-10
Mt **6** 24 25 Me suis-je réjoui de mes biens nombreux,
des richesses acquises par mes mains?
Dt **4** 19 26 A la vue du soleil dans son éclat,
Jr **8** 2
Ez **8** 16 de la lune radieuse dans sa course,
27 mon cœur, en secret, s'est-il laissé séduire,

*a)* Le péché d'adultère.
*b)* Ce v. est probablement une glose.
*c)* « consumerait » *tiserop* conj.; « déracinerait » *tesharesh* hébr.
*d)* La Loi avait toujours tempéré d'humanité les rapports entre maîtres et serviteurs. Le v. 15 fonde les droits des serviteurs sur la condition commune de créatures d'un même Dieu. Saint Paul rappellera que maîtres et serviteurs ont un même Seigneur.
*e)* Autre forme d'injustice : l'acquisition malhonnête d'une terre. – On insère ici les vv. 38-40a, dont la place à la fin de l'apologie de Job est certainement accidentelle.
*f)* Traduction incertaine d'un mot de la racine qui signifie « sentir mauvais ». On pense à la mercuriale ou à l'ortie puante.
*g)* Après la justice, la bienfaisance, inspirée par la reconnaissance envers Dieu.
*h)* « (m'a) guidé » conj.; « je la guidais » (ma mère) hébr.
*i)* En signe d'hostilité et de menace, cf. Is **11** 15; **19** 16; Za **2** 13, pour l'accabler en justice.
*j)* « de Dieu fondrait sur moi » *'el ye'eta' lî* conj.; « pour moi, le malheur de Dieu » *'elay 'êd 'el* hébr.
*k)* L'avarice, et aussi la superbe du riche qui croit pouvoir se passer de Dieu.

pour leur envoyer de la main un baiser [a]?
28 Ce serait encore une faute criminelle,
car j'aurais renié le Dieu suprême.
29 Me suis-je réjoui de l'infortune de mon ennemi, Pr 24 17-18
ai-je exulté quand le malheur l'atteignait [b], Mt 5 43-48p
30 moi, qui ne permettais pas à ma langue de pécher,
de réclamer sa vie dans une malédiction?
31 Et ne disaient-ils pas, les gens de ma tente :
« Trouve-t-on quelqu'un qu'il n'ait pas rassasié de viande »?
32 Jamais étranger ne coucha dehors,
au voyageur ma porte restait ouverte [c].
33 Ai-je dissimulé aux hommes [d] mes transgressions,
caché ma faute dans mon sein?
34 Ai-je eu peur de la rumeur publique,
ai-je redouté le mépris des familles,
et me suis-je tenu coi, n'osant franchir ma porte [e]?
35 Ah! qui fera donc que l'on m'écoute?
J'ai dit mon dernier mot [f] : à Shaddaï de me répondre!
Le libelle qu'aura rédigé mon adversaire,
36 je veux le porter sur mon épaule,
le ceindre comme un diadème [g].
37 Je lui rendrai compte de tous mes pas
et je m'avancerai vers lui comme un prince.

40b Fin des paroles de Job [h].

# III. Discours d'Élihu [i]

**Intervention d'Élihu.**

32 1 Ces trois hommes cessèrent de répondre à
Job parce qu'il s'estimait juste [j]. 2 Mais voici
que se mit en colère Élihu, fils de Barakéel le
Gn 22 21 Buzite, du clan de Ram. Sa colère s'enflamma
Jr 25 23 contre Job parce qu'il prétendait avoir raison
contre Dieu; 3 elle s'enflamma également contre ses
trois amis, qui n'avaient plus rien trouvé à répliquer et ainsi avaient laissé les torts à Dieu [k].
4 Tandis qu'ils parlaient [l] avec Job, Élihu avait
attendu, car ils étaient ses anciens; 5 mais quand il
vit que ces trois hommes n'avaient plus de réponse
à la bouche, sa colère éclata. 6 Et il prit la parole,
lui, Élihu, fils de Barakéel le Buzite, et il dit :

**Exorde.**

Je suis tout jeune encore,
et vous êtes des anciens;
aussi je craignais, intimidé,
de vous manifester mon savoir.

*a)* Après le culte de Mammon, celui des astres. Le baiser était un geste ancien d'adoration.
*b)* Job ne parle pas de la vengeance effective, courante et considérée comme normale (cf. pourtant Ex **23** 4-5; Lv **19** 18; Pr **20** 22; **25** 21-22). Il va plus loin et s'interdit de se réjouir du malheur d'un ennemi, ou de le maudire.
*c)* « au voyageur » version; « à la route » hébr. – Dans l'ancien Orient, l'hospitalité est une des vertus éminentes.
*d)* « aux hommes » conj.; hébr. : « comme un homme », qu'on interprète alors : « comme le vulgaire » ou « comme Adam ».
*e)* Les vv. 33-34 ne visent pas un péché particulier mais une attitude laissant supposer une faute. Job n'a jamais eu à se cacher des hommes. Il est prêt de même à paraître devant Dieu, vv. 35-37.
*f)* Litt. « voici mon tav » (la dernière lettre de l'alphabet).
*g)* C'est le rouleau portant l'acte d'accusation. Job, sûr de pouvoir le réfuter, veut le porter comme un insigne d'honneur.
*h)* Notice d'un rédacteur. – Les vv. 38-40[a] sont transposés avant le v. 16.
*i)* L'intervention d'Élihu n'est pas préparée dans le Dialogue, et il n'en sera plus question dans la conclusion. L'argumentation, le vocabulaire et le style tranchent sur ceux des interlocuteurs précédents; certains passages anticipent sur les Discours de Yahvé. Les discours d'Élihu paraissent ainsi avoir été ajoutés au livre de Job par un autre auteur inspiré.
*j)* Rien ne pouvant ébranler Job dans la conviction de son innocence, toute parole leur semble désormais superflue.
*k)* Le texte porte « à Job », correction de scribe.
*l)* Tandis qu'ils parlaient » conj.; « en paroles » hébr.

**12** 12; **15** 10 Si **25** 4-6 — 7 Je me disais : « L'âge parlera,
les années nombreuses feront connaître la sagesse. »
8 A la vérité, c'est un esprit dans l'homme,
c'est le souffle de Shaddaï qui rend intelligent [a].
Sg **4** 8 — 9 Le grand âge ne donne pas la sagesse,
ni la vieillesse le sens du juste.
10 Aussi, je vous invite à m'écouter [b],
car je vais manifester, à mon tour, mon savoir.
11 Jusqu'ici, j'attendais vos paroles,
j'ouvrais l'oreille à vos raisonnements,
tandis que chacun cherchait ses mots.
12 Sur vous se fixait mon attention.
Et je vois qu'aucun n'a confondu Job,
nul d'entre vous n'a réfuté ses dires.
**4** 12s; **11** 6 — 13 Ne dites donc pas : « Nous avons trouvé la sagesse;
notre doctrine est divine [c], non humaine. »
14 Ce n'est pas ainsi [d] que je discuterai,
je répliquerai à Job en d'autres termes.

15 Ils sont restés interdits, sans réponse;
les mots leur ont manqué.
16 Et j'attendais! Puisqu'ils ne parlent plus,
qu'ils ont cessé de se répondre,
17 je prendrai la parole à mon tour,
je montrerai moi aussi mon savoir.
18 Car je suis plein de mots,
oppressé par un souffle intérieur.
Jr **20** 9 Mt **9** 17p — 19 En mon sein, c'est comme un vin nouveau cherchant issue
et qui fait éclater des outres neuves [e].
20 Parler me soulagera,
j'ouvrirai les lèvres et je répondrai.
21 Je ne prendrai le parti de personne,
à aucun je ne dirai des mots flatteurs.
22 Je ne sais point flatter,
car mon Créateur me supprimerait sous peu.

### La présomption de Job.

**33** 1 Mais veuille, Job, écouter mes dires,
tends l'oreille à toutes mes paroles.
2 Voici que j'ouvre la bouche
et ma langue articule des mots sur mon palais.
3 Mon cœur délivrera des paroles de science [f],
mes lèvres s'exprimeront avec sincérité.
5 Si tu le peux, réponds-moi!
Tiens-toi prêt devant moi, prends position!
6 Vois, je suis ton égal, non un dieu [g],

*a)* A la sagesse acquise, Élihu oppose la sagesse « charismatique », reçue par révélation de l'Esprit. La sagesse traditionnelle de l'Orient, introduite en Israël par les Sages, proclamait bien la primauté de la Sagesse divine, cf. Pr **21** 30, la corrélation entre sagesse et justice, cf. Pr **1** 7; **10** 31; **15** 33; Ps **119** 98-100, la conviction que c'est Dieu qui donne la sagesse, Pr **2** 6; **16** 33. Mais en dehors du cercle des Sages était connue une sagesse inspirée, cf. Is **11** 2; Gn **41** 38-39. La pénétration de la Sagesse par l'Esprit s'affirme en Dn **5** 11, 12, 14, se développe dans le livre de la Sagesse, Sg **1** 5-7; **7** 22-23; **9** 17, en attendant la révélation nouvelle de l'Esprit dans le NT, cf. 1 Co **2** 6-16.

*b)* Litt. « écoutez-moi » versions; « écoute-moi » hébr.

*c)* « notre doctrine », litt. « (Dieu) nous instruit », *yallepenû* conj.; « (Dieu) le chasse » *yiddepennu* hébr. – Élihu force les affirmations de ceux qu'il critique.

*d)* « ainsi » d'après le grec; « à moi » hébr.

*e)* Stique corrigé; hébr. : « comme des outres neuves, il éclate ».

*f)* « délivrera » *yishereh* conj.; « droiture » *yosher* hébr. – « science » est tiré du second hémistiche.

*g)* « non un dieu » *lo' 'el* conj.: « pour dieu » *la 'el* hébr.

comme toi, d'argile je suis pétri. **10** 8-12
4 C'est l'esprit de Dieu qui m'a fait, Gn **2** 7
le souffle de Shaddaï qui m'anima.
7 Aussi ma terreur ne t'effraiera point, **13** 21
ma main [a] ne pèsera pas sur toi.

8 Comment as-tu pu dire à mes oreilles
– car j'ai entendu le son de tes paroles :
9 « Je suis pur, sans transgression; **10** 7; **16** 17
je suis intact, sans faute [b]. **23** 10; **27** 5
10 Mais il invente des prétextes contre moi [c]
et il me considère comme son ennemi. **13** 24; **19** 11
11 Il met mes pieds dans les ceps **13** 27
et surveille tous mes sentiers »?
12 Or, en cela, je t'en réponds, tu as eu tort,
car Dieu dépasse l'homme.
13 Pourquoi lui chercher querelle
parce qu'il ne te répond pas mot pour mot?
14 Dieu parle d'une façon
et puis d'une autre, sans qu'on prête attention.
15 Par des songes, par des visions nocturnes, **4** 12-16
quand une torpeur s'abat sur les humains Gn **20** 3; **41** 1s
et qu'ils sont endormis sur leur couche, Dn **4** 2s
16 alors il parle à leurs oreilles,
il les épouvante par des apparitions [d],
17 pour détourner l'homme de ses œuvres
et mettre fin à son orgueil [e].
18 Il préserve ainsi son âme de la fosse,
sa vie du passage par le Canal.
19 Il le corrige aussi sur son grabat par la souffrance [f], Dt **8** 5+
quand ses os tremblent sans arrêt, Pr **3** 12
20 quand sa vie prend en dégoût la nourriture Ps **107** 18
et son appétit les friandises;
21 quand sa chair se consume à vue d'œil **19** 20
et que se dénudent les os qui étaient cachés;
22 quand son âme approche de la fosse
et sa vie du séjour des morts [g].
23 Alors s'il se trouve près de lui un Ange,
un Médiateur [h] pris entre mille,
qui rappelle à l'homme son devoir,
24 le prenne en pitié et déclare :
« Exempte-le de descendre dans la fosse :
j'ai trouvé la rançon pour sa vie [i] »,
25 sa chair retrouve une fraîcheur juvénile [j], Ps **103** 5

*a)* « ma main » *kappî* grec; l'hébr. *'akeppî* est obscur.
*b)* Résumé de plusieurs déclarations de Job.
*c)* Citation interprétative de tous les textes où Dieu est dit poursuivre Job sans raison. – « prétextes » syr.; « inimitiés » hébr.
*d)* D'après le grec; hébr. : « et par leur correction (ou : leur lien) il scelle ».
*e)* « de ses œuvres » Vulg., Targ.; « de l'œuvre » hébr. – « mettre fin » *yekasseah* conj.; « cacher, couvrir » *yekasseh* hébr.
*f)* Après les révélations, vv. 15-18, seconde manière (cf. v. 14) dont Dieu parle à l'homme : une épreuve comme celle de Job.
*g)* « séjour des morts » grec; « ceux qui font mourir » hébr.
*h)* Litt. « un interprète ». L'Ange « interprète » au malade le sens de son mal, lui ouvre les yeux sur ses fautes, v. 27, et intercède pour lui auprès de Dieu, v. 24, cf. **5** 1+. Cette conception a des attaches dans l'AT : l'intercession des hommes justes, cf. **42** 8+, et l'expiation pour autrui, Is **53** 10; la médiation des anges dans les révélations prophétiques (Ézéchiel, Daniel et Zacharie), leur intervention pour écarter les dangers qui menacent l'homme, Ps **91** 11-13, ou pour transmettre ses prières, Tb **12** 12, cf. Ap **8** 3s. La littérature juive apocryphe illustrera cette doctrine. A la lumière de la révélation chrétienne, cet ange médiateur s'identifierait aisément avec l'« ange gardien », cf. Tb **5** 4; Mt **18** 10; Ac **12** 15.
*i)* « exempte-le » syr., Vulg.; hébr. inintelligible. – On restitue « pour sa vie ».
*j)* « retrouve une fraîcheur » *yirtab* conj.; le verbe hébr. *rutapash*, inconnu, vient peut-être d'une racine apparentée.

il revient aux jours de son adolescence.
26 Il prie Dieu qui lui rend sa faveur,
il vient le voir dans l'allégresse.
Il annonce à autrui sa justification [a]
27 et fait entendre devant les hommes ce cantique :
« J'avais péché et perverti le droit :
Dieu ne m'a pas traité selon ma faute [b].
28 Il a exempté mon âme de passer par la fosse
et fait jouir ma vie de la lumière. »
29 Voilà tout ce que fait Dieu,
deux fois, trois fois pour l'homme,
30 afin d'arracher son âme à la fosse
et de faire briller sur lui la lumière des vivants.

31 Sois attentif, Job, écoute-moi bien :
tais-toi, j'ai encore à parler.
32 Si tu as quelque chose à dire, réplique-moi,
parle, car je veux te donner raison.
33 Sinon, écoute-moi :
fais silence, et je t'enseignerai la sagesse.

**L'échec des trois Sages à disculper Dieu.**

**34** 1 Élihu reprit son discours et dit :

2 Et vous, les sages, écoutez mes paroles,
vous, les savants, prêtez-moi l'oreille.
= **12** 11 3 Car l'oreille apprécie les discours
comme le palais goûte les mets.
4 Examinons ensemble ce qui est juste,
voyons entre nous ce qui est bien.
5 Job a dit : « Je suis juste
**27** 2 et Dieu écarte mon droit.
**9** 15; **30** 21 6 Mon juge envers moi se montre cruel:
ma plaie est incurable, sans crime de ma part [c]. »
7 Où trouver un homme tel que Job,
**15** 16 qui boive le sarcasme comme l'eau [d],
8 fasse route avec les malfaiteurs,
marche du même pas que les méchants?
9 N'a-t-il pas dit : « L'homme ne tire aucun profit
à se plaire dans la société de Dieu »?

10 Aussi écoutez-moi, en hommes de sens.
**8** 3-7 Qu'on écarte de Dieu le mal,
de Shaddaï, l'injustice!
Ps **62** 13 11 Car il rend à l'homme selon ses œuvres,
Pr **24** 12 traite chacun d'après sa conduite [e].
Si **16** 14 ↗ Mt **16** 27 12 En vérité, Dieu n'agit jamais mal,
↗ Rm **2** 6 Shaddaï ne pervertit pas le droit.

*a)* « annonce » *yebasser* conj.; « rend » *yasheb* hébr. – « à autrui » litt. « à l'homme ».
*b)* Stique corrigé d'après le grec; hébr. : « et il n'y a pas eu d'égalité pour moi ».
*c)* « Mon juge... cruel » *'alay meshopti 'akzar* conj.; « au sujet de mon droit, je mens » *'al mishpati 'akazzeb* hébr. – « ma plaie » *mahaçî* conj.; « ma flèche » *hiççî* hébr.
*d)* Élihu, se méprenant sur l'attitude religieuse de Job, l'assimile aux « railleurs » que combat la littérature sapientielle, cf. Pr **21** 24.
*e)* Énoncé classique de la doctrine de la rétribution. Le NT en renvoie la réalisation au dernier Jour.

[13] Autrement qui donc aurait confié la terre à ses soins,
l'aurait chargé de l'univers entier [a]?
[14] S'il ramenait à lui son esprit [b], Ps **104** 29-30
s'il concentrait en lui son souffle,
[15] toute chair expirerait à la fois Gn **6** 3
et l'homme retournerait à la poussière. Gn **3** 19
[16] Si tu sais comprendre, écoute ceci,
prête l'oreille au son de mes paroles.
[17] Un ennemi du droit saurait-il gouverner?
Oserais-tu condamner le Juste tout-puissant?
[18] Lui, qui dit à un roi : « Vaurien! » Is **40** 23-24
traite les nobles de méchants,
[19] n'a pas égard aux princes
et ne distingue pas du faible l'homme important.
Car tous sont l'œuvre de ses mains.
[20] Ils meurent soudain en pleine nuit, Ex **12** 29 Sg **18** 14-16
les grands périssent [c] et disparaissent,
et il écarte un tyran sans effort.
[21] Car ses yeux surveillent les voies de l'homme Ps **33** 14-15 Jr **32** 19
et il observe tous ses pas.
[22] Pas de ténèbres ou d'ombre épaisse
où puissent se cacher les malfaiteurs.
[23] Il n'envoie pas d'assignation [d] à l'homme,
pour qu'il se présente devant Dieu en justice.
[24] Il brise les grands sans enquête Dn **2** 21
et en met d'autres à leur place.
[25] C'est qu'il connaît leurs œuvres!
Il les renverse de nuit et on les piétine.
[26] Comme des criminels, il les soufflette,
en public il les enchaîne [e],
[27] car ils se sont détournés de lui,
n'ont rien compris à ses voies,
[28] jusqu'à faire monter vers lui le cri du faible,
lui faire entendre l'appel des humbles.

[29] Mais s'il reste immobile sans que nul ne l'ébranle,
s'il voile sa face sans se laisser apercevoir,
c'est qu'il prend en pitié nations et individus [f], Sg **11** 23; **12** 2
[30] délivre un impie des filets de l'affliction [g],
[31] quand celui-ci dit à Dieu :
« Je fus séduit [h], je ne ferai plus le mal;
[32] si j'ai péché [i], instruis-moi,
si j'ai commis l'injustice, je ne recommencerai plus. »
[33] Est-ce que, d'après toi, il devrait punir,
puisque tu rejettes ses décisions?

*a)* Le sens de l'argumentation paraît être le suivant : Dieu ne régit pas l'univers en second. Il n'applique pas le droit posé par un autre, mais c'est sa propre toute-puissance qui a fondé le droit. Il ne peut donc violer la justice, ni par intérêt, ni sous la contrainte. Cf. Sg **11** 20-26; **12** 11-18.
*b)* « ramenait » grec, syr.; « appliquait » hébr. – On rattache « son esprit » au premier stique et l'on omet « son cœur » qui doit être une surcharge.
*c)* « les grands périssent » *yigwa'û shô'îm* conj.; « sont ébranlés, le peuple » *yego'ashû 'am* hébr.
*d)* « assignation » *mô'ed* conj.; hébr. *'ôd* inintelligible.
*e)* Le texte des vv. 26-33 est très corrompu et la traduction en est incertaine. Le grec omet les vv. 28-33. – « les enchaîne » *'asaram*, est restitué d'après **36** 13 et le premier mot du v. 27 *'asher*.
*f)* « ébranle » *yare'îsh* conj.; « condamne » *yareshi'a* hébr. – « prend en pitié » *yahon* conj.; « ensemble » *yahad* hébr. – A l'objection classique : le châtiment semble parfois épargner les impies, Élihu répond que la justice est alors tempérée par la miséricorde. Cf. Sg **11** 23; **12** 2.
*g)* V. corrigé; hébr. corrompu, litt. : « pour que ne règne aucun homme impie, des pièges du peuple ».
*h)* « Je fus séduit » *nishshe'tî* conj.; « j'ai porté » *nasa'tî* hébr.
*i)* « si j'ai péché » Vulg.; « que je voie » hébr.

Comme c'est toi qui choisis et non pas moi,
fais-nous part de ta science [a]!
34 Mais les gens sensés me diront,
ainsi que tout sage qui m'écoute :
35 « Job ne parle pas avec science,
ses propos manquent d'intelligence.
36 Veuille donc l'examiner à fond,
pour ses réponses dignes de celles des méchants [b].
37 Car il ajoute à son péché la rébellion,
met fin au droit parmi nous [c]
et multiplie contre Dieu ses paroles. »

**Dieu n'est pas indifférent aux affaires humaines.**

**35** Élihu reprit son discours et dit :

2 Crois-tu assurer ton droit,
affirmer ta justice devant Dieu,
**7** 20 3 d'oser lui dire : « Que t'importe à toi,
ou quel avantage pour moi, si j'ai péché ou non [d] »?
4 Eh bien! moi, je te répondrai,
et à tes amis en même temps [e].

5 Considère les cieux et regarde,
vois comme les nuages sont plus élevés que toi [f]!
6 Si tu pèches, en quoi l'atteins-tu?
Si tu multiplies tes offenses, lui fais-tu quelque mal?
**22** 3 7 Si tu es juste, que lui donnes-tu,
ou que reçoit-il de ta main?
8 Ce sont tes semblables qu'affecte ta méchanceté,
des mortels que concerne ta justice.
9 Ils gémissent sous le poids de l'oppression,
ils crient au secours sous la tyrannie des grands,
10 mais nul ne pense à dire : « Où est Dieu, mon auteur,
lui qui fait éclater dans la nuit les chants d'allégresse [g],
11 qui nous rend plus avisés que les bêtes sauvages,
plus sages que les oiseaux du ciel? »
12 Alors on crie, sans qu'il réponde,
sous le coup de l'orgueil des méchants.
13 Assurément Dieu n'écoute pas la vanité,
Shaddaï n'y prête pas attention.
14 Et encore moins quand tu dis : « Je ne le vois pas,
mon procès est ouvert devant lui et je l'attends [h]. »
**21** 15 Ou bien : « Sa colère ne châtie pas,

*a)* « ses décisions » ajouté pour le sens; ce verbe n'est jamais employé sans complément. – Quand il juge la conduite de Dieu, Job se laisse guider par une conception rigide de la justice distributive. Or si la loi de la rétribution était sans exception, Dieu ne devrait pas pardonner. On pourrait conclure que Job ne doit pas juger de son propre cas selon cette loi, mais penser que Dieu l'éprouve pour d'autres raisons. Élihu en conclut, lui, que Job « ajoute à son péché la rébellion », v. 37.

*b)* « Veuille donc », trad. conjecturale; le terme hébreu *'abî* semble exprimer le souhait ou la supplication. – « dignes de », litt. « comme », *ke* conj.; « parmi » *be* hébr.

*c)* « met fin au droit » *yasip hoq* conj.; « bat des mains » *yispôq* hébr.

*d)* On peut aussi comprendre : « à quoi me sert (d'être) sans péché ». Grec : « que te fais-je si je pèche? ».

*e)* Élihu relève (**3** 13-15), pour les mettre au point, d'autres paroles de Job, spécialement celles où celui-ci reproche à Dieu de ne pas sanctionner équitablement les actes de l'homme et d'agir comme s'il se désintéressait du bien ou du mal accompli par l'homme. Cf. en particulier **7** 20; **9** 22.

*f)* Sous-entendu : *a fortiori* Dieu est hors des atteintes de l'homme.

*g)* Élihu semble envisager le cas de ceux qui sont atteints par la méchanceté d'autrui, v. 8. Si Dieu ne les secourt pas, c'est qu'ils manquent de foi en lui et se raidissent par orgueil, au lieu de demander la délivrance.

*h)* Élihu renvoie surtout à **23** 3-9; cf. aussi **13** 18-22.

et il semble ignorer la révolte de l'homme [a]. »
16 Job, alors, ouvre la bouche pour parler dans le vide,
par ignorance, il multiplie les mots.

### Le vrai sens des souffrances de Job [b].

5 17; 22 23-30

**36** 1 Élihu continua et dit :

2 Patiente un peu et laisse-moi t'instruire,
car je n'ai pas tout dit en faveur de Dieu.
3 Je veux tirer mon savoir de très loin,
pour justifier mon Créateur.
4 En vérité, mes paroles ignorent le mensonge,
et un homme d'une science accomplie est près de toi.
5 Dieu ne rejette pas l'homme au cœur pur [c],
6 il ne laisse pas vivre le méchant en pleine force [d].
Il rend justice aux pauvres,
7 fait prévaloir les droits du juste.
Lorsqu'il élève des rois au trône 2 Ch **33** 11-13
et que s'exaltent ceux qui siègent pour toujours [e],
8 alors il les lie avec des chaînes,
ils sont pris dans les liens de l'affliction.
9 Il les éclaire sur leurs actes,
sur les fautes d'orgueil qu'ils ont commises.
10 A leurs oreilles il fait entendre un avertissement, **33** 23
leur ordonne de se détourner du mal.
11 S'ils écoutent et se montrent dociles,
leurs jours s'achèvent dans le bonheur
et leurs années dans les délices.
12 Sinon, ils passent par le Canal
et ils périssent en insensés.
13 Oui, les endurcis, qui gardent leur colère [f]
et ne crient pas à l'aide quand il les enchaîne,
14 meurent en pleine jeunesse
et leur vie est méprisée [g].
15 Mais il sauve le pauvre par sa pauvreté,
il l'avertit [h] dans sa misère.
16 Toi aussi, il veut t'arracher à l'angoisse.
Tandis que tu jouissais d'une abondance sans restriction
et que la graisse débordait sur ta table [i],
17 tu n'instruisais pas le procès des méchants,
et ne faisais pas droit à l'orphelin [j].
18 Prends garde [k] d'être séduit par l'abondance,
corrompu par de riches présents.

*a)* « la révolte de l'homme » d'après les versions; hébr. corrompu.
*b)* Éliphaz avait déjà annoncé, **5** 17, et développé, **22** 23-30, l'idée de ce discours. Le texte est obscur et il est difficile de déterminer l'apport original d'Élihu.
*c)* Stique corrigé; hébr. : « Dieu est puissant et il ne rejette pas, puissant en force du cœur (?) ».
*d)* « en pleine force », tiré du v. précédent (litt. « puissant en force »).
*e)* « les droits » conj.; « les yeux » hébr. – « Lorsqu'il élève » *bise 'et* conj.; *'et* (particule de l'accusatif) hébr. – « ceux qui siègent » conj.; « et les fait siéger » hébr.
*f)* « gardent » *yishmerû* conj.; « placent » *yasîmû* hébr.
*g)* Litt. « leur vie, parmi les hiérodules ».
*h)* Litt. « lui ouvre l'oreille » : lui fait comprendre. Cf. Ps **40** 7; Is **50** 5.
*i)* Avant « la graisse » on omet *nahat*, dittographie du mot précédent.
*j)* Ce v., sans doute corrompu, est très diversement traduit. La traduction conjecturale donnée ici coupe et vocalise le texte autrement que ne le fait l'hébr. D'autres : « tu jugeras le jugement du méchant et (tes mains) saisiront la justice » ou, sans corriger, « si tu encours un verdict de coupable, verdict et sentence l'emporteront ».
*k)* « Prends garde » *hameh* conj.; « car la colère » *ki hemah* hébr.

[19] Fais comparaître le grand comme l'homme sans or,
l'homme au bras puissant comme le faible.
[20] N'écrase pas ceux qui te sont étrangers
pour mettre à leur place ta parenté [a].
[21] Garde-toi de te porter vers l'injustice,
car c'est pour cela que l'affliction t'éprouve.

Si **42** 15 **43** 33 **Hymne à la Sagesse toute-puissante** [b].

[22] Vois, Dieu est sublime par sa force
et quel maître lui comparer?
Rm **11** 33-34 Is **40** 13 [23] Qui lui a indiqué la voie à suivre,
qui oserait lui dire : « Tu as commis l'injustice »?
[24] Songe plutôt à magnifier son œuvre,
que l'homme a célébrée par des cantiques.
[25] C'est un spectacle offert à tous,
à distance l'homme la regarde.
[26] Oui, Dieu est si grand qu'il dépasse notre science,
et le nombre de ses ans reste incalculable.
[27] C'est lui qui réduit les gouttes d'eau,
pulvérise la pluie en brouillard.
[28] Et les nuages déversent celle-ci,
la font ruisseler sur la foule humaine.
Ps **104** 13s [31] Par eux [c] il sustente les peuples,
leur donne la nourriture en abondance.
Ps **18** 10-15 [29] Qui comprendra encore les déploiements de sa nuée,
le grondement menaçant de sa tente [d]?
[30] Il répand un brouillard devant lui,
couvre les sommets des montagnes [e].
[32] A pleines mains, il soulève l'éclair [f]
et lui fixe le but à atteindre.
[33] Son fracas en annonce la venue,
la colère s'enflamme contre l'iniquité [g].
**37** [1] Mon cœur lui-même en tremble
et bondit hors de sa place.
Ps **18** 14; **29** [2] Écoutez, écoutez le fracas de sa voix,
le grondement qui sort de sa bouche!
[3] Son éclair est lâché sous l'étendue des cieux,
il atteint les extrémités de la terre.
[4] Derrière lui mugit une voix,
car Dieu tonne de sa voix superbe.
Et il ne retient pas ses foudres [h]
tant que sa voix retentit.
5 9 [5] Oui, Dieu nous fait voir des merveilles [i],

*a)* Le texte des vv. 19-20 semble irrémédiablement corrompu et la traduction en est incertaine. Les corrections apportées donnent un sens probable dans ce contexte, mais il n'est pas sûr que ces vv. n'aient pas été déplacés. L'hébr. se traduit litt. : « comparera-t-il ton cri, non dans l'angoisse et tous les efforts de la force? Ne soupire pas après la nuit pour que des peuples montent à leur place. »
*b)* De l'interprétation des voies de Dieu, Élihu passe à l'éloge de sa Puissance et de sa Sagesse. Mouvement analogue en Rm **11** 33.
*c)* Les premiers mots indiquent que le v. n'est plus dans son contexte; il doit s'agir des nuages mentionnés au v. 28. – « il sustente » *yazûn* conj.; « il juge » *yadîn* hébr.
*d)* « Qui » syr.; « si (il comprend) » hébr. – La nuée, « tente » de Yahvé, c'est l'orage qui se déploie au milieu des grondements du tonnerre, sa « voix ». Elle s'abaisse, et Dieu lance l'éclair comme une flèche. Cf. Ps **18** 10-15; **29**; Ex **13** 22+; **19** 16+.
*e)* « un brouillard », litt. « sa vapeur », Targ.; « sa lumière » hébr. – « les sommets des montagnes » *ra 'shê harîm* conj.; « les racines de la mer » *shoreshê hayyam* hébr.
*f)* « il soulève » *nissah* conj.; « il couvre » *kissah* hébr.
*g)* « s'enflamme » *meqanneh* conj.; « troupeau » *miqneh* hébr. – « contre l'iniquité » *'al 'awlah* conj.; « contre celui qui monte » *'al 'ôleh* hébr.
*h)* « ne retient pas ses foudres » conj.; « ne les retient pas » hébr.
*i)* Stique corrigé. Hébr. : « Dieu tonne de sa voix à merveille ».

il accomplit des œuvres grandioses qui nous dépassent.
6 Quand il dit à la neige : « Tombe sur la terre! »
aux averses : « Pleuvez dru [a]! »
7 alors il suspend l'activité des hommes, Ps **104** 19-23
pour que chacun reconnaisse là son œuvre.
8 Les animaux regagnent leurs repaires
et s'abritent dans leurs tanières.
9 De la Chambre australe sort l'ouragan **9** 9
et les vents du nord amènent le froid [b].
10 Au souffle de Dieu se forme la glace Ps **147** 17
et la surface des eaux se durcit.
11 Il charge d'humidité les nuages
et les nuées d'orage diffusent son éclair.
12 Et lui les fait circuler
et préside à leur alternance [c].
Ils exécutent en tout ses ordres,
sur la face de son monde terrestre.
13 Soit pour châtier les peuples de la terre,
soit pour une œuvre de bonté, il les envoie [d].
14 Écoute ceci, Job, sans broncher,
et réfléchis aux merveilles de Dieu.
15 Sais-tu comment Dieu leur commande,
et comment sa nuée fait luire l'éclair?
16 Sais-tu comment il suspend les nuages en équilibre, Pr **8** 28
prodige d'une science consommée?
17 Toi, quand tes vêtements sont brûlants
et que la terre se tient immobile sous le vent du sud,
18 peux-tu étendre comme lui la nue, Gn **1** 6
durcie comme un miroir de métal fondu [e]?
19 Apprends-moi ce qu'il faut lui dire :
mieux vaut ne plus discuter à cause de nos ténèbres.
20 Mes paroles comptent-elles pour lui,
est-il informé des ordres d'un homme?
21 Un temps la lumière devient invisible,
lorsque les nuages l'obscurcissent;
puis le vent passe et les balaie,
22 et du nord arrive la clarté [f].
Dieu s'entoure d'une splendeur redoutable; Ex **24** 16+
23 lui, Shaddaï, nous ne pouvons l'atteindre.
Suprême par la force et l'équité,
maître en justice sans opprimer,
24 il s'impose à la crainte des hommes;
à lui la vénération de tous les esprits sensés [g]!

*a)* Après « aux averses », on omet « et aux averses de pluie », dittographie. – « Pleuvez dru », litt. « soyez fortes », conj.; « sa force » hébr.
*b)* La « Chambre australe », cf. **9** 9 : litt. la « chambre », où est tenu en réserve (cf. **38** 22; Ps **135** 7) l'ouragan, qui est un vent du sud. Les « vents du nord » : litt. « les dispersants ».
*c)* Texte corrigé; l'hébr. se traduirait litt. : « et lui (l'éclair) en cercles tournoyants selon ses directives ».
*d)* « les peuples de la terre » *le'ammê ha'areç* conj.; « si (c'est) pour sa terre » *'im le'arçô* hébr. – « il les envoie » *yoçi'am* conj.; « il lui fait trouver » *yameçi'ehû* hébr.
*e)* Le firmament, le ciel d'airain de l'été.
*f)* « clarté » *zôhar* conj.; « l'or » *zahab* hébr.
*g)* « à lui la vénération » *lô yire'at* conj.; cf. grec; « il ne voit pas (tous les esprits sensés) » *lo' yire'eh* hébr.

# *IV. Les discours de Yahvé*

## PREMIER DISCOURS

### La Sagesse créatrice confond Job.

**38** 1 Yahvé répondit à Job du sein de la tempête[a] et dit :

42 3 — 2 Quel est celui-là qui obscurcit mes plans
par des propos dénués de sens?
3 Ceins tes reins comme un brave :
je vais t'interroger et tu m'instruiras[b].
4 Où étais-tu quand je fondai la terre?
Parle, si ton savoir est éclairé.
5 Qui en fixa les mesures, le saurais-tu,
Za **1** 16 — ou qui tendit sur elle le cordeau?
**26** 7+ — 6 Sur quel appui s'enfoncent ses socles?
Ps **118** 22 — Qui posa sa pierre angulaire,
Ba **3** 34 — 7 parmi le concert joyeux des étoiles du matin
Za **4** 7 — et les acclamations unanimes des Fils de Dieu?
Ps **148** 2-3 — 8 Qui enferma[c] la mer à deux battants,
quand elle sortit du sein, bondissante;
9 quand je mis sur elle une nuée pour vêtement
et fis des nuages sombres ses langes;
10 quand je découpai pour elle sa limite
et plaçai portes et verrou?
Ps **104** 6-9 — 11 « Tu n'iras pas plus loin, lui dis-je,
Jb **7** 12+ — ici se brisera[d] l'orgueil de tes flots! »
Pr **8** 29

12 As-tu, une fois dans ta vie, commandé au matin?
assigné l'aurore à son poste,
13 pour qu'elle saisisse la terre par les bords
et en secoue les méchants?
14 Alors elle la change en argile de sceau[e]
et la teint comme un vêtement;
**24** 13-17 — 15 elle ôte aux méchants leur lumière[f],
brise le bras qui se levait.
16 As-tu pénétré jusqu'aux sources marines[g],
circulé au fond de l'Abîme?
17 Les portes de la Mort te furent-elles montrées,
**10** 21-22 — as-tu vu les portiers du pays de l'Ombre[h]?
18 As-tu quelque idée des étendues terrestres?
Raconte, si tu sais tout cela.
19 De quel côté habite la lumière[i],

*a)* Selon le mode ancien des théophanies de Yahvé qui manifestait sa toute-puissance redoutable, cf. Ps **18** 8-16; **50** 3; Na **1** 3; Ez **1** 4, cf. Ex **13** 22+; **19** 16+.
*b)* « comme un brave » 1 ms hébr., syr., Targ.; « comme un homme » TM (simple différence de vocalisation). De même en **40** 7. – Les rôles sont renversés : Yahvé attaque et invite Job à se défendre.
*c)* « Qui enferma » Vulg.; « il a enfermé » hébr.
*d)* « se brisera » *yishtabber*, d'après grec; « il mettra à (l'orgueil) » *yashît bi* hébr.
*e)* De couleur rouge. – « la teint », litt. « est teinte », *tiççaba'* conj.; « ils se tiennent debout » *yiteyaççebû* hébr.
*f)* Qui n'est pas la lumière du jour, cf. **24** 13s.
*g)* Celles qui étaient censées alimenter la mer.
*h)* « les portiers » grec; « les portes » hébr. – Le « pays de l'Ombre » est le shéol, Nb **16** 33+. Sur « les portes de la Mort », cf. Is **38** 10; Ps **9** 14; **107** 18; Sg **16** 13.
*i)* La lumière est personnifiée comme une entité distincte du soleil. Elle regagne chaque soir son domicile tandis que sortent les ténèbres.

et les ténèbres, où résident-elles,
20 pour que tu puisses les conduire dans leur domaine,
les acheminer [a] vers leur demeure?
21 Si tu le sais, c'est qu'alors tu étais né,
et tu comptes des jours bien nombreux!

22 Es-tu parvenu jusqu'aux dépôts de neige?
As-tu vu les réserves de grêle, Ex **9** 18-26
23 que je ménage pour les temps de détresse, Jos **10** 11
pour les jours de bataille et de guerre? Is **28** 17; **30** 30
24 De quel côté se divise l'éclair,
où se répand sur terre le vent d'est?
25 Qui perce un canal pour l'averse,
fraie la route aux roulements du tonnerre,
26 pour faire pleuvoir sur une terre sans hommes,
sur un désert que nul n'habite,
27 pour abreuver les solitudes désolées,
faire germer l'herbe sur la steppe [b]?
28 La pluie a-t-elle un père,
ou qui engendre les gouttes de rosée?
29 De quel ventre sort la glace,
et le givre des cieux, qui l'enfante,
30 quand les eaux se durcissent [c] comme pierre
et que devient compacte la surface de l'abîme?

31 Peux-tu nouer les liens des Pléiades, **9** 9+
desserrer les cordes d'Orion,
32 amener la Couronne en son temps,
conduire l'Ourse avec ses petits [d]?
33 Connais-tu les lois des Cieux,
appliques-tu leur charte sur terre?
34 Ta voix s'élève-t-elle jusqu'aux nuées
et la masse des eaux t'obéit-elle [e]?
35 Sur ton ordre, les éclairs partent-ils,
en te disant : « Nous voici »? Ba **3** 35
36 Qui a mis dans l'ibis la sagesse,
donné au coq l'intelligence [f]?
37 Qui dénombre les nuages avec compétence
et incline les outres des cieux,
38 tandis que la poussière s'agglomère
et que collent ensemble les glèbes?

39 Chasses-tu pour la lionne [g] une proie, Ps **104** 20-22
apaises-tu l'appétit des lionceaux,

*a)* « les acheminer », litt. « les reconduire (par les sentiers) », *tebi 'ennû* conj.; « pour que tu comprennes (les sentiers) » *tabîn* hébr.
*b)* « sur la steppe » *miççiyyah* conj.; « lieu d'origine » *moça'* hébr. – Les vv. 26-27 soulignent la gratuité des œuvres divines, ou bien la sollicitude de Dieu pour d'autres êtres que les hommes.
*c)* « se durcissent » *yitehamma'û* conj.; « se cachent » *yithabba'û* hébr.
*d)* « la Couronne », c'est-à-dire la Couronne boréale, d'après l'une des étymologies possibles du mot. Selon d'autres : « l'étoile du berger » (cf. Vulg. « Lucifer »), ou « les Hyades » parce qu'Aldébaran marquait le temps de la pluie et des labours. – Les « petits » de l'Ourse désignent peut-être la constellation de la petite Ourse.
*e)* « t'obéit-elle » grec; « te couvre-t-elle » hébr.
*f)* « ibis » et « coq » : traduction incertaine. Le mot *sekwi* (« coq ») n'apparaît qu'ici, mais on s'appuie sur un targum et sur la Vulg. *Tuhôt* (« ibis ») semble être une transcription de *Thot*, le dieu-ibis égyptien. Ce mot se retrouve une fois, Ps **51** 8, mais dans un sens tout différent. – On attribuait à ces animaux des facultés de prévision : l'ibis annonçait les crues du Nil, le coq annonce le jour et, selon certaines croyances populaires, la pluie.
*g)* On passe de la nature inanimée au règne animal. Sont choisis les types les plus farouches et indépendants, ou les plus étranges. Or Dieu veille à leur subsistance.

40 quand ils sont tapis dans leurs tanières,
aux aguets dans le fourré?
Ps **147** 9 41 Qui prépare au corbeau sa provende,
lorsque ses petits crient vers Dieu
et se dressent [a] sans nourriture?

**39** 1 Sais-tu quand les bouquetins [b] font leurs petits?
As-tu observé des biches en travail?
2 Combien de mois dure leur gestation,
quelle est l'époque de leur délivrance?
3 Alors elles s'accroupissent pour mettre bas [c],
elles se débarrassent de leurs portées.
4 Et quand leurs petits ont pris des forces et grandi,
ils partent dans le désert et ne reviennent plus près d'elles.
5 Qui a lâché l'onagre en liberté,
délié la corde de l'âne sauvage?
6 A lui, j'ai donné la steppe pour demeure,
la plaine salée pour habitat.
7 Il se rit du tumulte des villes
et n'entend pas l'ânier vociférer.
8 Il explore les montagnes, son pâturage,
à la recherche de toute verdure.

9 Le bœuf sauvage voudra-t-il te servir,
passer la nuit chez toi devant la crèche?
10 Attacheras-tu une corde à son cou,
hersera-t-il les sillons derrière toi [d]?
11 Peux-tu compter sur sa force très grande
et lui laisser la peine de tes travaux?
12 Seras-tu assuré de son retour,
pour amasser ton grain sur ton aire?

13 [e] L'aile de l'autruche peut-elle se comparer
au pennage de la cigogne et du faucon [f]?
14 Elle abandonne à terre ses œufs,
les confie à la chaleur du sol.
15 Elle oublie qu'un pied peut les fouler,
une bête sauvage les écraser.
Lm **4** 3 16 Dure pour ses petits comme pour des étrangers,
d'une peine inutile elle ne s'inquiète pas.
17 C'est que Dieu l'a privée de sagesse,
ne lui a point départi l'intelligence.
18 Mais sitôt qu'elle se dresse et se soulève,
elle défie le cheval et son cavalier.

19 Donnes-tu au cheval la bravoure [g],
revêts-tu son cou d'une crinière?
20 Le fais-tu bondir comme la sauterelle?
Son hennissement altier répand la terreur.

*a)* « ils se dressent » *yite 'alû* conj.; « ils errent » *yite 'û* hébr.
*b)* Les bouquetins et les biches sont choisis parce que leur reproduction échappe à toute observation, de même que celle des autruches ne respecte aucune prudence, v. 14 : cependant Dieu veille à la conservation de l'espèce.
*c)* « mettre bas » *tepalletnah* conj.; « fendre » (?) *tepallahenah* hébr.
*d)* Texte corrigé par conjecture; l'hébr., corrompu, se traduirait litt. : « attacheras-tu un bœuf sauvage à un sillon sa corde, hersera-t-il les vallées derrière toi? ».
*e)* Toute la section sur l'autruche, vv. 13-18, manque dans le grec et est parfois considérée comme une addition.
*f)* « L'aile... peut-elle se comparer » *hakenap... ne 'erkah* conj., cf. Vulg.; « l'aile... est allègre » *kenap... ne 'elasah* hébr. – La suite du v. est traduite d'après Vul. et Targ.; hébr. corrompu.
*g)* Le cheval est ici la monture du guerrier.

21 Il piaffe de joie dans le vallon,
avec vigueur il s'élance au-devant des armes.
22 Il se moque de la peur et ne craint rien,
il ne recule pas devant l'épée.
23 Sur lui résonnent le carquois,
la lance étincelante et le javelot.
24 Frémissant d'impatience, il dévore l'espace;
il ne se tient plus quand sonne la trompette :
25 à chaque coup de trompette, il crie : Héah!
Il flaire de loin la bataille,
la voix tonnante des chefs et les cris.

26 Est-ce avec ton discernement que le faucon prend son vol, Jr **8** 7
qu'il déploie ses ailes vers le sud [a]?
27 Sur ton ordre que l'aigle s'élève
et place son nid dans les hauteurs?
28 Il fait du rocher son habitat nocturne,
d'un pic rocheux sa forteresse.
29 Il guette de là sa proie
et ses yeux de loin l'aperçoivent.
30 Ses petits lapent le sang,
où il y a des tués, il est là. Mt **24** 28p

**40** 1 Alors Yahvé s'adressant à Job lui dit [b] : 31
2 L'adversaire de Shaddaï cédera-t-il [c]? 32
Le censeur de Dieu va-t-il répondre?

3 Et Job répondit à Yahvé : 33
4 J'ai parlé à la légère : que te répliquerai-je? 34
Je mettrai plutôt ma main sur ma bouche.
5 J'ai parlé une fois, je ne répéterai pas [d]; 35
deux fois, je n'ajouterai rien.

## SECOND DISCOURS

**Maîtrise de Dieu sur les forces du mal.**

6 Yahvé répondit à Job du sein de la tempête et dit : **40**1

7 Ceins tes reins comme un brave : 2
je vais t'interroger et tu m'instruiras.
8 Veux-tu vraiment casser mon jugement, 3
me condamner pour assurer ton droit?
9 Ton bras a-t-il une vigueur divine, 4
ta voix peut-elle tonner pareillement?
10 Allons, pare-toi de majesté et de grandeur, 5
revêts-toi de splendeur et de gloire.
11 Fais éclater les fureurs de ta colère, 6

*a)* Les migrations saisonnières des oiseaux, manifestation de la sagesse instinctive qui leur est communiquée par le Créateur.
*b)* Ce v. d'introduction manque dans le grec. – Job a voulu disputer avec Dieu. Dieu lui oppose le mystère de sa sagesse, manifestée par ses œuvres.

*c)* « L'adversaire », litt. « celui qui dispute », *harab* conj.; « la multitude » *harob* hébr. – « cédera-t-il » *yasûr*, cf. Vulg.; « le critique » *yissôr* hébr.
*d)* « répéterai » *'eshneh* conj.; « répondrai » *'e'eneh* hébr.

d'un regard, courbe l'arrogant.
7 12 D'un regard, ravale l'homme superbe [a],
écrase sur place les méchants.
Nb **16** 31-34 13 Enfouis-les ensemble dans le sol,
emprisonne-les chacun dans le cachot [b].
9 14 Et moi-même je te rendrai hommage,
car tu peux assurer ton salut par ta droite.

**Béhémoth [c].**

10 15 Mais regarde donc Béhémoth, ma créature, tout comme toi!
Il se nourrit d'herbe, comme le bœuf.
11 16 Vois, sa force réside dans ses reins,
sa vigueur dans les muscles de son ventre.
12 17 Il raidit sa queue comme un cèdre,
les nerfs de ses cuisses s'entrelacent.
13 18 Ses os sont des tubes d'airain,
sa carcasse, comme du fer forgé.
14 19 C'est lui la première des œuvres de Dieu.
Gn **3** 24 Son Auteur le menaça de l'épée,
15 20 lui interdit la région des montagnes [d]
et toutes les bêtes sauvages qui s'y ébattent.
16 21 Sous les lotus, il est couché,
il se cache dans les roseaux des marécages.
17 22 Le couvert des lotus lui sert d'ombrage
et les saules du torrent le protègent.
18 23 Si le fleuve déborde [e] il ne s'émeut pas;
un Jourdain lui jaillirait jusqu'à la gueule sans qu'il bronche.
19 24 Qui donc le saisira par les yeux,
lui percera le nez avec des pieux [f]?

**Léviathan [g].**

20 25 Et Léviathan, le pêches-tu à l'hameçon,
avec une corde comprimes-tu sa langue?
21 26 Fais-tu passer un jonc dans ses naseaux,
Ez **19** 4, 9; avec un croc perces-tu sa mâchoire?
**29** 4 22 27 Est-ce lui qui te suppliera longuement,
te parlera d'un ton timide?
23 28 S'engagera-t-il par contrat envers toi,
pour devenir ton serviteur à vie?
24 29 T'amusera-t-il comme un passereau,
l'attacheras-tu pour la joie de tes filles?
25 30 Sera-t-il mis en vente par des associés,

*a)* « l'homme superbe » grec; hébr. répète « l'arrogant ».
*b)* Le « cachot » est le shéol, Nb **6** 33+, où les Ombres sont muettes.
*c)* C'est la forme plurielle d'un mot qui signifie « bête », « bétail ». Cette forme peut désigner la bête ou la brute par excellence, donc n'importe quel monstre. En fait, Béhémoth a souvent été identifié avec l'éléphant, ou avec un buffle mythique mentionné par les textes d'Ugarit. Il représente ici l'hippopotame, symbole de la force brutale que Dieu maîtrise mais que l'homme ne peut domestiquer.
*d)* On lit *gebûl harim yissa' lô* au lieu de *kî bûl harim yise'û lô,* litt. « car les montagnes lui apportent leur produit », obscur dans ce contexte.
*e)* « déborde » grec; « opprime » hébr.
*f)* On restitue « Qui donc » *mî hu'*, tombé par haplographie après *pihû*, dernier mot du v. 23. – « pieux » sens incertain, litt. « des pièges ».
*g)* Ce nom désigne proprement un monstre du Chaos primitif, **3** 8+, censé toujours vivant dans la mer. Il est appliqué ici au crocodile. Mais l'animal visible – qui symbolise l'Égypte en Ez **29** 3s; **32** 2s – continue à évoquer ici le souvenir du monstre vaincu par Yahvé aux origines, cf. **7** 12+, lui-même type des puissances hostiles à Dieu.

puis débité entre marchands [a]?
31 Cribleras-tu sa peau de dards, 26
le harponneras-tu à la tête comme un poisson?
32 Pose seulement la main sur lui : 27
au souvenir de la lutte, tu ne recommenceras plus!

**41** 1 Ton espérance serait illusoire, 28
car sa vue seule suffit à terrasser [b].
2 Il devient féroce quand on l'éveille, **41**[1]
qui peut lui résister en face [c]?
3 Qui donc l'a affronté sans en pâtir? 2
Personne sous tous les cieux [d]!

4 Je parlerai aussi de ses membres, 3
je dirai sa force incomparable [e].
5 Qui a découvert par devant sa tunique, 4
pénétré dans sa double cuirasse [f]?
6 Qui a ouvert les battants de sa gueule? 5
La terreur règne autour de ses dents!
7 Son dos, ce sont des rangées de boucliers, 6
que ferme un sceau de pierre [g].
8 Ils se touchent de si près 7
qu'un souffle ne peut s'y infiltrer.
9 Ils adhèrent l'un à l'autre 8
et font un bloc sans fissure.
10 Son éternuement projette de la lumière [h], 9
ses yeux ressemblent aux paupières de l'aurore.
11 De sa gueule jaillissent des torches, Ap **9** 17
il s'en échappe des étincelles de feu.
12 Ses naseaux crachent de la fumée, 11
comme un chaudron qui bout [i] sur le feu.
13 Son souffle allumerait des charbons, 12
une flamme sort de sa gueule.
14 Sur son cou est campée la force, 13
et devant lui bondit la violence [j].
17 Quand il se dresse, les flots prennent peur 16
et les vagues de la mer se retirent [k].
15 Les fanons de sa chair sont soudés ensemble : 14
ils adhèrent à elle, inébranlables.
16 Son cœur est dur comme le roc, 15
résistant comme la meule de dessous.

18 L'épée l'atteint sans se fixer, 17
de même lance, javeline ou dard.
19 Pour lui, le fer n'est que paille, 18
et l'airain, du bois pourri.
20 Les traits de l'arc ne le font pas fuir : 19

*a)* Associés pour la pêche en commun. Ils « vendraient la peau de l'ours ». – « marchands », litt. « Cananéens » : les commerçants par excellence.
*b)* « Ton espérance » syr.; « son espérance » hébr. – Dans le deuxième stique, on supprime le pronom interrogatif.
*c)* « Il devient », litt. « n'est-il pas », conj. « il n'est pas » hébr. – « en face », litt. « devant sa face », conj.; « devant ma face » de l'hébr. représente une corr. théologique : Dieu est le seul devant qui on ne peut résister.
*d)* « l'a affronté sans en pâtir » *hiqedîmô wayyishelam* conj.; « m'a affronté pour que je rende » *hieqeddimanî wa'ashallem* hébr. – « Personne » *lo''hu'* conj.; « à moi, lui » *lî hu'* hébr.
*e)* « je dirai sa force » conj.; « la parole des forces » hébr. – « incomparable » *'ên 'erek* conj.; hébr. *hên 'ereko* corrompu.
*f)* « cuirasse » grec; « frein » hébr.
*g)* « Son dos » grec, Vulg.; « la fierté » hébr. – « que ferme un sceau de pierre » grec; « fermé, un sceau étroit » hébr.
*h)* Il fait jaillir des gouttelettes d'eau qui étincellent au soleil.
*i)* « qui bout » *'ogem* syr., Vulg.; « un roseau » (?) *'agmon* hébr.
*j)* « violence » *deba'ah* conj.; « effroi » (?) *de'abah* hébr.
*k)* V. déplacé comme semble l'exiger le contexte. – « les flots » *gallîm* conj.; « les dieux » *'elîm* hébr. – « les vagues de la mer » *mishberê yam* conj.; « à cause des ruptures » *mishshebarîm* hébr.

il reçoit comme un fétu les pierres de fronde.
20 [21] La massue lui semble un fétu,
il se rit du javelot qui vibre.
21 [22] Il a sous lui des tessons aigus,
comme une herse il passe sur la vase.
22 [23] Il fait bouillonner le gouffre comme une chaudière,
il change la mer en brûle-parfums.
23 [24] Il laisse derrière lui un sillage lumineux,
l'abîme semble couvert d'une toison blanche [a].
24 [25] Sur terre, il n'a point son pareil,
il a été fait intrépide.
25 [26] Il regarde en face les plus hautains,
il est roi sur tous les fils de l'orgueil [b].

**Dernière réponse de Job.**

**42** Et Job fit cette réponse à Yahvé :

[2] Je sais que tu es tout-puissant :
ce que tu conçois, tu peux le réaliser.
**38** 2 [3] J'étais celui qui voile tes plans,
par des propos dénués de sens [c].
Aussi as-tu raconté des œuvres grandioses que je ne comprends pas,
des merveilles qui me dépassent et que j'ignore.
[4] (Écoute, laisse-moi parler :
je vais t'interroger et tu m'instruiras [d].)
[5] Je ne te connaissais que par ouï-dire,
mais maintenant mes yeux t'ont vu [e].
[6] Aussi je me rétracte
et m'afflige sur la poussière et sur la cendre [f].

## *V. Épilogue*

**Yahvé blâme les trois sages.**

[7] Après qu'il eût ainsi parlé à Job, Yahvé s'adressa à Éliphaz de Témân : « Ma colère s'est enflammée contre toi et tes deux amis, car vous n'avez pas parlé de moi avec droiture comme l'a fait mon serviteur Job. [8] Et maintenant, procurez-vous sept taureaux et sept béliers, puis allez vers mon serviteur Job. Vous offrirez pour vous un holocauste, tandis que mon serviteur Job priera pour vous. J'aurai égard à lui [g] et ne vous infligerai pas ma disgrâce pour n'avoir pas, comme mon serviteur Job, parlé avec droiture de moi. » [9] Éliphaz de Témân, Bildad de Shuah, Çophar de Naamat s'en furent exécuter l'ordre de Yahvé. Et Yahvé eut égard à Job.

**Yahvé restaure la fortune de Job.**

[10] Et Yahvé restaura la situation de Job, tandis qu'il intercédait pour ses amis; et même Yahvé accrut au double tous les biens de Job. [11] Celui-ci

*a)* Lorsqu'il plonge, les bulles d'air jaillissent; lorsqu'il nage, il laisse un sillage étincelant.
*b)* Les « fils de l'orgueil » sont les fauves, cf. **28** 8, type de tous les puissants de ce monde, que Dieu seul tient en son pouvoir, **40** 7-14.
*c)* « J'étais celui », litt. « Qui est celui-là », comme en **38** 2. – « par des propos » ajouté avec grec, syr., et d'après **38** 2.
*d)* Sans doute glose (cf. **33** 31; **38** 3).
*e)* Ce n'est pas une vision proprement dite, cf. Ex **33** 20+, mais une perception nouvelle de la réalité de Dieu. Job, qui n'avait de Dieu qu'une idée reçue, en a saisi le mystère, et s'incline devant la Toute-Puissance. Ses questions sur la justice restent sans réponse. Mais il a compris que Dieu n'a pas de comptes à rendre, et que sa Sagesse peut donner un sens insoupçonné à des réalités comme la souffrance et la mort.
*f)* Le geste classique de la douleur et de la pénitence, cf. **2** 8.
*g)* « J'aurai égard à lui », en lisant *kî* (ou *kî 'et*) au lieu de *kî 'im*. – Job fait figure d'intercesseur comme Abraham, Gn **18** 22-32; **20** 7; Moïse, Ex **32** 11+; Samuel, 1 S **7** 5; **12** 19; Amos, Am **7** 2-6; Jérémie, Jr **11** 14; **37** 3; 2 M **15** 14. Cf. Ez **14** 14, 20. Son épreuve semble être l'une des raisons de l'efficacité de sa prière. A l'arrière-plan se profile la figure du Serviteur, cf. Is **53** 12, dont la souffrance, cette fois, est expressément une expiation pour autrui.

vit venir vers lui tous ses frères et toutes ses sœurs
ainsi que tous ceux qui le fréquentaient autrefois.
Partageant le pain avec lui dans sa maison, ils
s'apitoyaient sur lui et le consolaient de tous les
maux que Yahvé lui avait infligés. Chacun lui fit
cadeau d'une pièce d'argent[a], chacun lui laissa un
anneau d'or. 12 Yahvé bénit la condition dernière de
Job plus encore que l'ancienne. Il posséda quatorze
mille brebis, six mille chameaux, mille paires de
bœufs et mille ânesses. 13 Il eut sept fils[b] et trois
filles. 14 La première, il la nomma « Tourterelle », la
seconde « Cinnamome » et la troisième « Corne à
fard ». 15 Dans tout le pays on ne trouvait pas
d'aussi belles femmes que les filles de Job. Et leur
père leur donna une part d'héritage en compagnie
de leurs frères[c].

16 Après cela Job vécut encore cent quarante ans,
et il vit ses fils et les fils de ses fils jusqu'à la quatrième génération. 17 Puis Job mourut chargé d'ans
et rassasié de jours[d]. Gn **25** 8; **35** 29

*a)* En hébr. *qesitah,* monnaie ancienne de valeur inconnue. Les versions traduisent « brebis ».
*b)* Le Targ. a : « quatorze fils ».
*c)* Régulièrement, les filles n'héritaient qu'en l'absence de fils, cf. Nb **27** 1-11. Le fait temoigne de la richesse exceptionnelle de Job.
*d)* Le grec contient deux additions. La première témoigne qu'anciennement on trouvait dans le livre l'idée de résurrection : « Il est écrit qu'il ressuscitera de nouveau avec ceux que le Seigneur ressuscitera. » La seconde nous dit que Job habitait « au pays d'Ausitide, aux confins de l'Idumée et de l'Arabie »; elle l'identifie avec Yobab, Gn **36** 33.

# LES PSAUMES

## Introduction

*Comme ses voisins d'Égypte, de Mésopotamie et de Canaan, Israël a, dès ses origines, pratiqué la poésie lyrique sous toutes ses formes. Certaines pièces sont enchâssées dans les livres historiques, depuis le Cantique de Moïse, Ex* **15**, *le Chant du Puits, Nb* **21** 17-18, *l'hymne de victoire de Débora, Jg* **5**, *l'élégie de David sur Saül et Jonathan, 2 S* **1**, *etc., jusqu'aux éloges de Judas et de Simon Maccabée, 1 M* **3** 3-9 *et* **14** 4-15, *en attendant les cantiques du Nouveau Testament, le* Magnificat, *le* Benedictus *et le* Nunc dimittis. *De nombreux passages des livres prophétiques appartiennent aux mêmes genres littéraires. D'anciens recueils existaient, dont il ne reste que le nom et quelques bribes, le livre des Guerres de Yahvé, Nb* **21** 14, *et le livre du Juste, Jos* **10** 13; *2 S* **1** 18. *Mais le trésor de la lyrique religieuse d'Israël nous est conservé par le Psautier.*

**Les noms.**

*Le Psautier (du grec* Psaltèrion, *proprement le nom de l'instrument à cordes qui accompagnait les chants, les* psaumes*) est la collection des cent cinquante psaumes. Du Ps* **10** *au Ps* **148**, *la numérotation de la Bible hébraïque (qui est suivie ici) est en avance d'une unité sur celle de la Bible grecque et de la Vulgate, qui réunissent les Ps* **9** *et* **10** *et les Ps* **114** *et* **115** *mais coupent en deux le Ps* **116** *et le Ps* **147**.

*En hébreu, le Psautier s'appelle* Tehillim, *« Hymnes », mais le nom ne convient exactement qu'à un certain nombre de psaumes. En fait, dans les titres qui surmontent la plupart des psaumes, le nom d'hymne n'est donné qu'au Ps* **145**. *Le titre le plus fréquent est* mizmor, *qui suppose un accompagnement musical et que notre mot « psaume » rend très bien. Certains de ces « psaumes » sont appelés aussi des « cantiques », et le même terme, employé seul, introduit chaque pièce du recueil « Cantiques des Montées », Ps* **120-134**. *D'autres désignations sont plus rares et parfois difficiles à interpréter.*

**Genres littéraires.**

*Une meilleure classification est obtenue par l'étude des formes littéraires et, de ce point de vue stylistique, on distingue trois grands genres : les hymnes, les supplications et les actions de grâces. Cette division n'est pas exhaustive, car il y a des formes secondaires ou aberrantes ou mixtes, et elle ne correspond pas toujours à un groupement des psaumes qu'on ferait d'après leurs sujets ou leurs intentions.*

1. *Les* hymnes. *Ainsi les Ps* **8, 19, 29, 33, 46-48, 76, 84, 87, 93, 96-100, 103-106, 113, 114, 117, 122, 135, 136, 145-150.** *Leur composition est assez constante. Chacun débute par une exhortation à louer Dieu. Le corps de l'hymne détaille les motifs de cette louange, les prodiges accomplis par Dieu dans la nature, spécialement son œuvre créatrice, et dans l'histoire, particulièrement le salut accordé à son peuple. La conclusion reprend la formule d'introduction ou exprime une prière.*

*Dans cet ensemble, on peut isoler, d'après leur sujet, deux groupes de psaumes. Les* Cantiques de Sion, *Ps* **46, 48, 76, 87**, *exaltent, avec une note marquée d'eschatologie, la ville sainte, séjour du Très Haut et but des pèlerinages, cf. Ps* **84** *et* **122**. *Les* Psaumes du Règne de Dieu, *spécialement Ps* **47, 93, 96-98**, *célèbrent, dans un style qui rappelle les prophètes, le règne universel de Yahvé. Parce qu'ils utilisent le vocabulaire et les images de l'accession des rois humains à leur trône, on a voulu les rattacher à une fête de l'intronisation de Yahvé, qui se serait célébrée annuellement en*

*Israël, comme on faisait en Babylone pour Marduk. Mais l'existence d'une telle fête en Israël est une hypothèse mal assurée.*

2. *Les* supplications, *ou psaumes de souffrance, ou lamentations. A la différence des hymnes, les supplications ne chantent pas les gloires de Dieu mais s'adressent à lui. Généralement, elles commencent par une invocation, qui se double d'un appel au secours, d'une prière ou d'une expression de confiance. Dans le corps du psaume, on cherche à émouvoir Dieu en lui dépeignant la triste situation des suppliants, avec des métaphores qui sont des clichés et permettent rarement de déterminer les circonstances historiques ou concrètes de la prière : on parle des eaux de l'abîme, des pièges de la mort ou du shéol, d'ennemis ou de bêtes (chiens, lions, taureaux) qui menacent ou déchirent, des os qui se dessèchent ou se brisent, du cœur qui palpite et s'épouvante. Il y a des protestations d'innocence, Ps* **7**, **17**, **26**, *et des confessions de péchés comme le* Miserere, *Ps* **51**, *et d'autres psaumes de pénitence. On rappelle à Dieu ses bienfaits anciens ou on lui reproche de paraître oublieux ou absent, ainsi Ps* **9-10**, **22**, **44**. *Mais on affirme aussi la confiance qu'on garde en lui, Ps* **3**, **5**, **42-43**, **55-57**, **63**, **130**, *etc., et parfois le psaume de demande n'est qu'un long appel confiant, Ps* **4**, **11**, **16**, **23**, **62**, **91**, **121**, **125**, **131**. *Souvent, la supplication s'achève, et d'une manière parfois abrupte, par la certitude que la prière est exaucée et par une action de grâces, ainsi les Ps* **6**, **22**, **69**, **140**.

*Ces supplications peuvent être collectives ou individuelles.*

*a)* Supplications collectives, *ainsi Ps* **12**, **44**, **60**, **74**, **79**, **80**, **83**, **85**, **106**, **123**, **129**, **137**. *L'occasion en est un désastre national, défaite ou destruction, ou une indigence commune; on demande alors le salut et la restauration du peuple. Les Ps* **74** *et* **137**, *au moins, reflètent, comme le recueil des Lamentations attribuées à Jérémie, les suites de la ruine de Jérusalem en 587; le Ps* **85** *exprime les sentiments des rapatriés. Le Ps* **106** *est une confession générale des fautes de la nation.*

*b)* Supplications individuelles, *ainsi Ps* **3**, **5-7**, **13**, **17**, **22**, **25**, **26**, **28**, **31**, **35**, **38**, **42-43**, **51**, **54-57**, **59**, **63**, **64**, **69-71**, **77**, **86**, **102**, **120**, **130**, **140-143**. *Ces prières sont particulièrement nombreuses et leur contenu est très varié : outre les périls de mort, les persécutions, l'exil et la vieillesse, les maux dont elles demandent la délivrance sont spécialement la maladie, la calomnie et le péché. Les ennemis, « ceux qui font le mal », desquels on se plaint ou contre lesquels on s'emporte, sont mal définis. En tout cas, ils ne sont pas, comme certains l'ont pensé, des jeteurs de sorts dont ces psaumes combattraient les maléfices. Ces poèmes ne sont pas, comme on le soutenait naguère, l'expression au singulier du « moi » collectif. Ils ne peuvent même pas, comme on l'a proposé récemment, être mis tous dans la bouche du roi parlant au nom de son peuple. Ces prières sont trop individuelles de ton, d'une part, et elles sont trop dépourvues d'allusions à la personne et à la condition royales, d'autre part, pour que ces théories soient vraisemblables. Il est sans doute vrai que plusieurs ont été adaptées et utilisées comme lamentations nationales, ainsi Ps* **22**, **28**, **59**, **69**, **71**, **102**, *vrai aussi qu'il y a des psaumes royaux, dont nous reparlerons, vrai enfin que ces prières sont finalement entrées toutes dans l'usage commun (ce que signifie leur inclusion dans le Psautier), mais il reste qu'elles ont été composées pour tel individu, ou par tel individu, dans un besoin particulier. Elles sont des cris de l'âme et les expressions d'une foi personnelle. Car elles ne sont jamais des lamentations pures, elles sont des appels confiants à Dieu dans la détresse.*

3. *Les* actions de grâces. *On a vu que les supplications pouvaient s'achever par un remerciement à Dieu qui exauce la prière. Ce remerciement peut devenir l'essentiel du poème dans les psaumes d'action de grâces, qui sont assez peu nombreux, ainsi Ps* **18**, **21**, **30**, **33**, **34**, **40**, **65-68**, **92**, **116**, **118**, **124**, **129**, **138**, **144**. *Ils sont rarement collectifs : le peuple y rend grâces pour la délivrance d'un péril, pour l'abondance des récoltes, pour les bienfaits accordés au roi. Ils sont plus souvent individuels : des particuliers, après le rappel des maux endurés et de la prière exaucée, expriment leur reconnaissance et exhortent les fidèles à louer Dieu avec eux. Cette dernière partie est souvent l'occasion d'introduire des thèmes didactiques. La structure littéraire des psaumes d'action de grâces est proche de celle des hymnes.*

4. Genres aberrants et mélanges de genres. *La frontière entre les genres précédemment décrits est indécise et il arrive fréquemment qu'ils se mélangent. Il y a, par exemple, des lamentations qui succèdent à une prière confiante, Ps* **27**, **31**, *ou qui sont suivies d'un chant d'action de grâces, Ps* **28**, **57**. *Le Ps* **89** *commence comme un hymne, se continue par un oracle et se termine par une lamentation. Le long Ps* **119** *est un hymne à la Loi, mais il est aussi une lamentation individuelle et il expose une doctrine de Sagesse. Car bien des éléments, en eux-mêmes étrangers à la lyrique, se sont introduits dans le Psautier. On vient de faire allusion aux thèmes*

*de Sagesse et l'on avait déjà dit qu'ils se rencontrent dans certains psaumes d'action de grâces. Ils peuvent prendre parfois tant de place qu'on parle, assez improprement, de* Psaumes didactiques. *De fait, les Ps* **1**, **112** *et* **127** *sont de pures compositions sapientielles. Mais d'autres retiennent certains caractères des genres lyriques : le Ps* **25** *s'apparente aux lamentations, les Ps* **32**, **37**, **73** *aux actions de grâces, etc.*

*D'autres psaumes ont accueilli des oracles, ou ne sont que des oracles développés, ainsi Ps* **2**, **50**, **75**, **81**, **82**, **85**, **95**, **110**. *On les a expliqués récemment comme de véritables oracles rendus par des prêtres ou des prophètes pendant les cérémonies du Temple. Une autre opinion continue de n'y voir qu'un usage du style prophétique, sans liaison réelle avec le culte. La question est débattue, mais il faut reconnaître, d'une part, que les rapports entre le Psautier et la littérature prophétique dépassent les oracles et s'étendent à de nombreux thèmes, comme les théophanies, les images de la coupe, du feu, du creuset, etc., et, d'autre part, que des liens indéniables rattachent le Psautier au culte du Temple; nous allons y revenir.*

**Psaumes royaux.**

*Il y a, semés dans le Psautier et appartenant à différents genres, un certain nombre de chants « royaux ». Il y a des oracles en faveur du roi, Ps* **2** *et* **110**, *des prières pour le roi, Ps* **20**, **61**, **72**, *une action de grâces pour le roi, Ps* **21**, *des prières du roi, Ps* **18**, **28**, **63**, **101**, *un chant royal de procession, Ps* **132**, *un hymne royal, Ps* **144**, *même un épithalame pour un mariage princier, Ps* **45**. *Ce seraient des poèmes anciens, datant de l'époque monarchique et reflétant le langage et le cérémonial de la cour. Ils viseraient un roi de leur époque et les Ps* **2**, **72**, **110** *peuvent avoir été des psaumes d'intronisation. Le roi est dit fils adoptif de Dieu, son règne sera sans fin, sa puissance s'étendra jusqu'aux extrémités de la terre; il fera triompher la paix et la justice, il sera le sauveur de son peuple. Ces expressions peuvent paraître extravagantes, mais elles ne dépassent pas ce que les peuples voisins disaient de leur souverain et ce qu'Israël espérait du sien.*

*Mais, en Israël, le roi reçoit l'onction, qui fait de lui le vassal de Yahvé et son lieutenant sur terre. Il est l'Oint de Yahvé, en hébreu le « Messie », et ce rapport religieux établi avec Dieu spécifie la conception israélite et la différencie de celles d'Égypte ou de Mésopotamie, malgré l'usage d'une phraséologie commune. Le « messianisme royal », qui débute avec la prophétie de Natân, 2 S* **7**, *s'exprime dans les commentaires qu'en donnent les Ps* **89** *et* **132** *et spécialement dans les Ps* **2**, **72**, **110**. *Ils entretenaient le peuple dans l'espérance en les promesses faites à la dynastie de David. Si l'on définit le messianisme comme l'attente d'un roi futur, d'un dernier roi qui apporterait le salut définitif et qui instaurerait le règne de Dieu sur terre, aucun de ces psaumes n'est proprement « messianique ». Mais certains de ces anciens chants royaux, restant utilisés après la chute de la monarchie et étant incorporés dans le Psautier, peut-être avec des retouches et des additions, ont nourri l'attente d'un Messie individuel, descendant de David. Cette espérance était vivante parmi les juifs à la veille du début de notre ère et les chrétiens ont vu sa réalisation dans le Christ (titre qui signifie Oint en grec comme Messie en hébreu). Le Ps* **110** *sera le texte du Psautier le plus souvent cité dans le Nouveau Testament. Le chant nuptial du Ps* **45** *en vint lui-même à exprimer l'union du Messie avec l'Israël nouveau, dans la ligne des allégories matrimoniales des prophètes, et il est appliqué au Christ par He* **1** 8. *Dans la même perspective, le Nouveau Testament et la tradition chrétienne appliquent au Christ d'autres psaumes qui n'étaient pas des psaumes royaux mais qui exprimaient d'avance l'état et les sentiments du Messie, le Juste par excellence, ainsi les Ps* **16** *et* **22**, *et certains passages de nombreux psaumes, en particulier des Ps* **8**, **35**, **40**, **41**, **68**, **69**, **97**, **102**, **118**, **119**. *De même, les psaumes du règne de Yahvé ont été rapportés au règne du Christ. Même si ces applications dépassent le sens littéral, elles restent légitimes parce que toutes les espérances qui animent le psautier ne se sont réalisées pleinement que par la venue sur terre du Fils de Dieu.*

**Les Psaumes et le culte.**

*Le Psautier est le recueil des chants religieux d'Israël. Nous savons, d'autre part, que des chantres figuraient parmi le personnel du Temple et, bien que ceux-ci ne soient explicitement mentionnés qu'après l'Exil, il est certain qu'ils ont existé dès le début. On célébrait les fêtes de Yahvé avec des danses et des chœurs, Jg* **21** 19-21; *2 S* **6** 5, 16. *D'après Am* **5** 23, *les sacrifices s'accompagnaient de chants et, puisque le palais royal avait ses chantres sous David, d'après 2 S* **19** 36, *et sous Ézéchias, d'après les Annales de Sennachérib, le Temple de Salomon a dû avoir les siens, comme tous les grands sanctuaires orientaux. De fait, des psaumes sont attribués à Asaph, aux fils de Coré, à Hémân et à Étân (ou Yedutûn), qui sont tous des chantres du Temple préexilique d'après les Chroniques. La tradition, qui rapporte à David beaucoup de psaumes, fait aussi remonter à lui l'organisation* *du culte, y compris les chantres, 1 Ch* **25**, *et rejoint les textes anciens qui le montrent dansant et chantant devant Yahvé, 2 S* **6** 5, 16.

*Beaucoup de psaumes portent des indications musicales ou liturgiques. Certains se réfèrent, dans leur texte, à un rite qui s'accomplit conjointement, Ps* **20**, **26**, **27**, **66**, **81**, **107**, **116**, **134**, **135**. *Ceux-là et d'autres, Ps* **48**, **65**, **95**, **96**, **118**, *étaient évidemment récités dans l'enceinte du Temple. Les « Cantiques des Montées » Ps* **120-134**, *comme le Ps* **84**, *étaient des chants de pèlerinage au sanctuaire. Ces exemples, choisis parmi les plus clairs, suffisent à montrer que de nombreux psaumes, même des psaumes individuels, ont été composés pour le service du Temple. D'autres, s'ils n'avaient pas premièrement cette destination, y ont été au moins adaptés, par exemple par l'ajoute de bénédictions, Ps* **125**, **128**, **129**.

*Le rapport des psaumes avec le culte et le caractère liturgique du Psautier pris dans son ensemble sont donc des choses indéniables. Mais les renseignements nous manquent généralement pour déterminer la cérémonie ou la fête au cours desquelles tels psaumes étaient utilisés. Le titre hébreu du Ps* **92** *le destine au jour du sabbat, les titres grecs des Ps* **24**, **48**, **93**, **94** *les répartissent sur d'autres jours de la semaine. Le Ps* **30** *servait à la fête de la Dédicace, d'après l'hébreu, et le Ps* **29** *était chanté à la fête des Tentes, d'après le grec. Ces indications ne sont peut-être pas primitives mais, comme les affectations détaillées qui furent faites à l'époque juive, elles témoignent que le Psautier fut le livre de chant du Temple et de la Synagogue avant de devenir celui de l'Église chrétienne.*

**Auteurs et dates.**

*Les titres rapportent 73 psaumes à David, 12 à Asaph, 11 aux fils de Coré, et des psaumes isolés à Hémân, Étân (ou Yedutûn), Moïse et Salomon. 35 psaumes sont sans attribution. Les titres de la version grecque ne coïncident pas toujours avec l'hébreu et ils attribuent 82 psaumes à David. La version syriaque est encore plus différente.*

*Ces titres ne voulaient peut-être pas, à l'origine, désigner les auteurs de ces psaumes. La formule hébraïque qui est employée établit seulement une certaine relation du psaume avec le personnage nommé, soit à cause de la convenance du sujet soit parce que ce psaume appartenait à un recueil mis sous son nom. Les psaumes « aux fils de Coré » appartenaient au répertoire de cette famille de chantres, comme les nombreux psaumes « au maître de chœur », Ps* **4**, **5**, **6**, **8**, *etc., étaient des morceaux qu'exécutait la maîtrise du Temple. Il y avait de même un recueil d'Asaph et un recueil davidique. Mais on en vint très vite à voir, dans ces étiquettes de provenance, des indications d'auteur, et certains psaumes « à David » reçurent un sous-titre précisant la circonstance de la vie du roi où le poème fut composé, Ps* **3**, **7**, **18**, **34**, **51**, **52**, **54**, *etc. Finalement, la tradition a vu en David l'auteur, non seulement de tous les psaumes qui portent son nom, mais de tout le Psautier.*

*Ces interprétations abusives ne doivent pas faire négliger un témoignage important et ancien qu'apportent les titres des psaumes. Il est raisonnable d'admettre que les recueils d'Asaph et des fils de Coré ont été composés par des chantres du Temple. Semblablement, le recueil davidique doit, de quelque manière, se rattacher au grand roi. Considérant ce que les livres historiques rapportent de son talent de musicien, 1 S* **16** 16-18; *cf. Am* **6** 5, *et de poète, 2 S* **1** 19-27*;* **3** 33-34, *de son goût pour le culte, 2 S* **6** 5, 15-16, *on reconnaîtra qu'il doit y avoir dans le Psautier des pièces qui ont David pour auteur. De fait, le Ps* **18** *reproduit dans une autre recension un poème attribué à David par 2 S* **22**. *Tous les psaumes du recueil davidique ne sont pas de lui, sans doute, mais ce recueil n'a pu se former qu'à partir d'un noyau authentique. Seulement, il est difficile de préciser davantage. On a vu que les titres donnés par l'hébreu n'étaient pas déterminants et les écrivains du Nouveau Testament, en citant tel ou tel psaume sous le nom de David, se conforment à l'opinion de leur temps. Ces témoignages, cependant, ne doivent pas être rejetés entièrement, et il faudra toujours garder à David « chantre des cantiques d'Israël », 2 S* **23** 1, *un rôle essentiel aux origines de la lyrique religieuse du peuple élu.*

*L'impulsion donnée par lui a continué et le Psautier résume plusieurs siècles d'activité poétique. Après avoir rejeté jusqu'au retour de l'Exil et quelquefois très tard presque tous les Psaumes, la critique revient maintenant à des vues plus sages. Un assez grand nombre de Psaumes remonteraient à l'époque monarchique, en particulier les psaumes « royaux », mais leur contenu est trop général pour qu'on puisse faire autre chose que des hypothèses sur leur date précise. En revanche, les psaumes du Règne de Yahvé, chargés de réminiscences d'autres psaumes et de la seconde partie d'Isaïe, ont été composés pendant l'Exil; de même, évidemment, les psaumes qui, comme le Ps* **137**, *parlent de la ruine de Jérusalem et de la déportation. Le Retour est chanté dans le Ps* **126**. *La période qui suivit paraît avoir été féconde en compositions psalmiques : c'est le moment où le culte s'épanouit dans* *le Temple restauré, où les chantres montent en dignité et sont assimilés aux lévites, où également les sages empruntent le genre psalmique pour diffuser leurs enseignements, ainsi fera Ben Sira. Faut-il descendre plus bas que l'époque perse et reconnaître des psaumes maccabéens? La question se pose surtout pour les Ps* **44**, **74**, **79**, **83**, *mais les arguments proposés ne suffisent pas pour rendre vraisemblable une date aussi basse.*

**Formation du Psautier.**

*Le Psautier que nous possédons est le terme de cette longue activité. Il exista d'abord des collections partielles. Le Ps* **72** *(que son titre attribue d'ailleurs à Salomon) se termine par la note : « Fin des prières de David », bien qu'il y ait des psaumes non davidiques avant lui et d'autres psaumes davidiques après lui. Il y a, de fait, deux premiers groupes davidiques, les Ps* **3-41** *et* **51-72**, *attribués individuellement à David, sauf le dernier (Salomon) et trois psaumes anonymes. D'autres recueils analogues ont dû exister d'abord à part : le psautier d'Asaph, Ps* **50** *et* **73-83**, *celui des fils de Coré, Ps* **42-49** *et* **84**, **85**, **87**, **88**, *celui des Montées, Ps* **120-134**, *celui du Hallel, Ps* **105-107**, **111-118**, **135**, **136**, **146-150**. *La coexistence de plusieurs recueils est prouvée par les psaumes qui se répètent, à des variantes près, ainsi les Ps* **14** *et* **53**; **40** 14-18 *et* **70**; **57** 8-12 *plus* **60** 7-14 *et* **108**.

*Le travail des collecteurs se marque aussi par l'usage des noms divins : « Yahvé » est employé d'une manière presque exclusive dans les Ps* **1-41** *(premier groupe davidique), « Élohim » le remplace dans les Ps* **42-89** *(qui comportent le second groupe davidique, une partie des psaumes des fils de Coré, le psautier d'Asaph), toute la suite, Ps* **90-150**, *est « yahviste », à l'exception du Ps* **108**, *qui combine les deux psaumes « élohistes »* **57** *et* **60**. *Ce second ensemble « yahviste », où beaucoup de psaumes sont anonymes, où abondent les répétitions et les emprunts, doit être le plus récent du Psautier, ce qui ne préjuge pas de la date de chaque psaume.*

*Finalement, le Psautier fut divisé, sans doute à l'imitation du Pentateuque, en cinq livres qui furent séparés par de courtes doxologies :* **41** 14; **72** 18-20; **89** 52; **106** 48. *Le Ps* **150** *sert de longue doxologie finale, tandis que le Ps* **1** *est comme une préface mise à l'ensemble.*

*Cette forme canonique du Psautier ne s'est définitivement imposée que très tard et elle eut des concurrents. Le Psautier grec compte 151 psaumes, l'ancienne version syriaque en compte 155. Les découvertes de la Mer Morte ont restitué l'original hébreu du Ps* **151** *du grec, en fait deux psaumes combinés, et les deux derniers psaumes syriaques, et elles ont fait connaître trois nouvelles compositions poétiques, insérées dans des manuscrits du Psautier où, par ailleurs, les Psaumes ne se suivent pas toujours dans l'ordre canonique. Le Psautier est donc resté une collection ouverte jusqu'au début de notre ère, au moins dans certains milieux.*

**Valeur spirituelle.**

*Il suffit de peu de mots, tant la richesse religieuse des psaumes est évidente. Ils ont été les prières de l'Ancien Testament, où Dieu a lui-même inspiré les sentiments que ses enfants doivent avoir à son égard et les paroles dont ils doivent se servir en s'adressant à lui. Ils ont été récités par Notre Seigneur et la Vierge, par les Apôtres et les premiers martyrs. L'Église chrétienne en a fait, sans changement, sa prière officielle. Sans changement ces cris de louange, de supplication ou d'action de grâces, arrachés aux psalmistes dans les circonstances de leur époque et de leur expérience personnelle, ont un son universel, car ils expriment l'attitude que tout homme doit avoir en face de Dieu. Sans changement dans les mots, mais avec un considérable enrichissement du sens : dans l'Alliance Nouvelle, le fidèle loue et remercie Dieu qui lui a révélé le secret de sa vie intime, qui l'a racheté par le sang de son Fils, qui lui a infusé son Esprit, et, dans la récitation liturgique, chaque psaume s'achève par la doxologie trinitaire du Gloire au Père, au Fils et au Saint-Esprit. Les supplications anciennes deviennent plus ardentes depuis que la Cène, la Croix et la Résurrection ont appris à l'homme l'amour infini de Dieu, l'universalité et la gravité du péché, la gloire promise aux justes. Les espérances chantées par les psalmistes se réalisent, le Messie est venu, il règne, et toutes les nations sont appelées à le louer.*

# LES PSAUMES

## *PSAUME* 1[a] Jr **21** 8 Dt **30** 15-20 Pr **4** 18-19 ↗ Mt **7** 13-14

### Les deux voies.

1 Heureux l'homme qui ne suit pas le conseil des impies,
ni dans la voie des égarés ne s'arrête,
ni au siège des rieurs ne s'assied,
2 mais se plaît dans la loi de Yahvé,
mais murmure [b] sa loi jour et nuit! Jos **1** 8 Ps **119**

3 Il est comme un arbre planté auprès des cours d'eau; Jr **17** 8
celui-là portera fruit en son temps Ez **47** 12
et jamais son feuillage ne sèche;
tout ce qu'il fait réussit :
4 rien de tel pour les impies, rien de tel [c]!

Mais ils sont comme la bale qu'emporte le vent. Jb **21** 18
5 Ainsi, les impies ne tiendront pas au Jugement [d], Ps **35** 5
ni les égarés, à l'assemblée des justes.
6 Car Yahvé connaît la voie des justes,
mais la voie des impies se perd. Ps **112** 10

## *PSAUME* 2 Ps **110**

### Le drame messianique [e].

1 Pourquoi ces nations qui remuent, ↗ Ac **4** 25-28
ces peuples qui murmurent en vain?
2 Des rois de la terre s'insurgent, ↗ Ap **19** 19
des princes conspirent contre Yahvé Ps **83** 6
et contre son Messie :
3 « Faisons sauter leurs entraves, Ps **149** 8
débarrassons-nous de leurs liens! »
4 Celui qui siège dans les cieux s'en amuse, Is **40** 15-17, 22-24
Yahvé les tourne en dérision. Ps **59** 9

*a)* Les Ps **1** et **2** sont comme la préface du Psautier, dont ils résument la doctrine morale et les idées messianiques. Le Ps **1**, en opposant « les deux voies », célèbre la Loi, donnée aux hommes pour leur bonheur. Cf. Ps **19** 8-15 et **119**.
*b)* Cette récitation à voix basse est une méditation, cf. Ps **63** 7; **77** 13; **143** 5, qui s'oppose au cri de la prière dans l'épreuve, cf. Ps **3** 5; **5** 3; etc.
*c)* « rien de tel » (2e) grec; omis par hébr.
*d)* Le Jugement eschatologique, selon le texte massorétique; un jugement quelconque de Dieu en cette vie, selon le grec.
*e)* La tradition juive et chrétienne considère ce Ps comme messianique au même titre que le Ps **110**, dont il pourrait dépendre. Ses perspectives sont messianiques et eschatologiques.

5 Puis dans sa colère il leur parle,
dans sa fureur il les épouvante :
6 « C'est moi qui ai sacré mon roi
sur Sion, ma montagne sainte [a]. »

7 J'énoncerai le décret de Yahvé [b] :

Ps **89** 27+ Il m'a dit : « Tu es mon fils,
Lc **3** 22 ↗ Ac **13** 33+ moi, aujourd'hui, je t'ai engendré.
↗ He **1** 5; **5** 5 8 Demande, et je te donne les nations pour héritage,
Gn **12** 7+ pour domaine les extrémités de la terre;
Is **49** 6 9 tu les briseras avec un sceptre de fer,
Dn **7** 14 Ps **110** 5-6 ↗ Ap **19** 15; **2** 26-27 comme vases de potier tu les casseras [c]. »

10 Et maintenant, rois, comprenez,
Sg **6** 1s corrigez-vous, juges de la terre!
11 Servez Yahvé avec crainte,
12 baisez ses pieds [d] avec tremblement;
qu'il se fâche, vous vous perdez en chemin :
d'un coup flambe sa colère.

= Ps **34** 9 Pr **16** 20 Heureux qui s'abrite en lui!

# *PSAUME* 3

**Appel matinal du juste persécuté.**

2 S **15** 13s 1 *Psaume. De David. Quand il fuyait devant son fils Absalom.*

2 Yahvé, qu'ils sont nombreux mes oppresseurs,
nombreux ceux qui se lèvent contre moi,
3 nombreux ceux qui disent de mon âme :
« Point de salut pour elle en son Dieu! » *Pause.*

Ps **18** 3; **62** 8 4 Mais toi, Yahvé, bouclier qui m'entoures,
Dt **33** 29 ma gloire! tu me redresses la tête.
Ps **27** 6; **110** 7 5 A pleine voix je crie vers Yahvé,
Si **11** 13 il me répond de sa montagne sainte. *Pause.*

Pr **3** 24 6 Et moi, je me couche et m'endors,
Ps **4** 9 je m'éveille : Yahvé est mon soutien [e].
7 Je ne crains pas ces gens par milliers
qui forment un cercle contre moi.

*a)* La « montagne de Dieu » était d'abord le Sinaï, Ex **3** 1; **18** 5, où Moïse avait rencontré Dieu et reçu de lui la Loi, Ex **24** 12-18; Dt **33** 2; cf. 1 R **19** 8. Quand Salomon eut bâti le Temple sur la colline de Sion, 2 S **5** 9+, celle-ci devint l'unique montagne où Dieu résidait, où l'homme « montait » pour l'entendre et l'adorer, cf. Dt **12** 2-3+, et elle donna son nom à toute la ville de Jérusalem, cité du roi messianique où se rassembleront les peuples, Ps **48** 1+; Is **2** 1-3; **11** 9; **24** 23; **56** 7; Jl **3** 5; Za **14** 16-19; cf. He **12** 22; Ap **14** 1; **21** 1+.

*b)* Après les rebelles, v. 3, après Yahvé, v. 6, le Messie prend la parole. En le sacrant roi sur Israël, v. 6, Dieu l'a déclaré « son fils », selon une formule familière à l'ancien Orient, mais qui, reprise déjà par la promesse messianique de 2 S **7**, recevra un sens plus profond : le v. 7 sera appliqué par He **1** 5, puis par la tradition et la liturgie, à la génération éternelle du Verbe.

*c)* Le Roi-Messie est ici représenté dans son rôle guerrier traditionnel.

*d)* « baisez ses pieds » *nashsheqû beraglayw* conj.; « et tressaillez... baisez le fils » ou « ... baisez ce qui est pur » (le Rouleau de la Loi) *wegîlû... nashsheqû bar* hébr., de même grec et Targ., cf. Ps **19** 9. L'hébr. a sans doute voulu éliminer l'anthropomorphisme.

*e)* Ce passage est appliqué par les Pères au Christ mort et ressuscité.

8 Lève-toi, Yahvé!
Sauve-moi, mon Dieu!
Tu frappes à la joue tous mes adversaires,
les dents des impies, tu les brises. Ps **58** 7
9 De Yahvé, le salut! || Jon **2** 10
Sur ton peuple, ta bénédiction! *Pause.*

# *PSAUME* 4

**Prière du soir** [a].

1 *Du maître de chant. Avec instruments à cordes. Psaume. De David.*

2 Quand je crie, réponds-moi, Dieu de ma justice,
dans l'angoisse tu m'as mis au large :
pitié pour moi, écoute ma prière!

3 Fils d'homme, jusqu'où s'alourdiront vos cœurs [b],
pourquoi ce goût du rien, cette course à l'illusion? *Pause.*

4 Sachez-le, pour son ami Yahvé fait merveille,
Yahvé écoute quand je crie vers lui.

5 Frémissez et ne péchez plus, ↗ Ep **4** 26
parlez en votre cœur, sur votre couche faites silence [c]. *Pause*

6 Offrez des sacrifices de justice et soyez sûrs de Yahvé. Ps **51** 21

7 Beaucoup disent : « Qui nous fera voir le bonheur? »
Fais lever sur nous la lumière de ta face [d]. Nb **6** 25 Pr **16** 15 Dn **9** 17

Yahvé, 8 tu as mis en mon cœur plus de joie
qu'aux jours où leur froment, leur vin nouveau débordent.

9 En paix, tout aussitôt, je me couche et je dors : Ps **3** 6
c'est toi, Yahvé, qui m'établis à part, en sûreté.

*a)* Psaume de confiance et de gratitude envers Dieu, de qui seul vient le bonheur. Les vv. 5 et 9 en font une prière du soir.

*b)* « s'alourdiront vos cœurs » grec; « ma gloire est outragée » hébr. (mal coupé).

*c)* Texte obscur, sans doute troublé, mais aucune corr. ne s'impose. Le sens général est qu'il faut craindre d'offenser Dieu, et le prier dans le calme et le silence de l'adoration.

*d)* Expression biblique, fréquente dans le Psautier, de la bienveillance de Dieu ou des rois. La « face » est l'aspect extérieur d'une chose, Ps **104** 30; Gn **2** 6, etc., ou d'un homme, dont elle rend visible les pensées et les sentiments, Gn **4** 5; **31** 2, etc. Elle peut donc désigner la personnalité (« ma face » = moi, Ps **42** 6, 12; **43** 5, etc.) et la présence, tout spécialement à propos de Dieu s'adressant à l'homme. Comme il est impossible à l'homme de voir Dieu, Ex **33** 20+, **34** 29-35, Dieu ne « fait luire la lumière de sa face », cf. Ps **31** 17; **44** 4; **80** 4, etc., qu'en un sens atténué. Il faut entendre de la même façon les passages où l'homme cherche Dieu, Ps **24** 6; **27** 8+; Jb **33** 26; Am **5** 4+, ou le contemple, Ps **11** 7+; **42** 3. La trad. du grec et de la Vulg. : « la lumière de ta face est scellée (ou : imprimée) sur nous » a été interprétée de l'âme créée à l'image de Dieu et marquée du sceau baptismal, qui fait du chrétien un « enfant de lumière », Lc **16** 8; Jn **8** 12+; 1 Th **5** 5; Ep **5** 8.

# PSAUME 5

## Prière du matin.

1 *Du maître de chant. Sur les flûtes. Psaume. De David.*

Ps **86** 6 — 2 Ma parole, entends-la, Yahvé,
discerne ma plainte,
3 attentif à la voix de mon appel,
= Ps **84** 4 — ô mon Roi et mon Dieu!

C'est toi que je prie, 4 Yahvé!
Au matin [a] tu écoutes ma voix;
au matin je fais pour toi les apprêts [b]
et je reste aux aguets.

5 Tu n'es pas un Dieu agréant l'impiété,
le méchant n'est pas ton hôte;
6 non, les arrogants ne tiennent pas
devant ton regard.
Pr **6** 17-19 — Tu hais tous les malfaisants,
Mt **7** 23 — 7 tu fais périr les imposteurs;
Ap **21** 8 — l'homme de sang et de fraude,
Yahvé le hait.

8 Et moi, par la grandeur de ton amour,
j'accède à ta maison;
= Ps **138** 2 — vers ton temple sacré je me prosterne,
1 R **8** 44, 48 — pénétré de ta crainte.
Dn **6** 11

Ps **23** 3 — 9 Yahvé, guide-moi dans ta justice
à cause de ceux qui me guettent,
Is **26** 7 — redresse devant moi ton chemin.

10 Non, rien n'est sûr dans leur bouche,
en leur fond n'est que ruine,
↗ Rm **3** 13 — leur gosier est un sépulcre béant,
mielleuse se fait leur langue.

11 Traite-les en coupables, ô Dieu [c],
qu'ils échouent dans leurs intrigues;
pour leurs crimes sans nombre, repousse-les,
pour leur révolte contre toi.

Ap **7** 15-16 — 12 Joie pour tous ceux que tu abrites,
réjouissance à jamais;
tu les protèges, en toi exultent
Ps **69** 37 — les amants de ton nom.
**119** 132

*a)* Le matin, moment des faveurs divines, Ps **17** 15+.
*b)* Les traductions divergent : j'expose ma requête, j'offre mes vœux, je prépare mon offrande.
*c)* De tels appels à la vengeance divine contre les ennemis de Dieu ou du fidèle reviennent très fréquemment dans les Ps, cf. par exemple **10** 15; **31** 18; **54** 7; **58** 7s; **59** 12s; **69** 23-29; **79** 12; **83** 10-19; **104** 35; **109** 6-20; **125** 5; **137** 7-9; **139** 19-22; **140** 10-12. Sous le régime de la rétribution temporelle qui était encore celui de l'ancienne Alliance, ils traduisent un besoin de justice, que les démentis de l'expérience immédiate et les progrès de la Révélation affineront en le confrontant au mystère de la justice transcendante de Dieu (cf. Jb), en attendant que le Nouveau Testament l'invite à se dépasser dans la charité, Mt **5** 43-48. Ainsi purifiés du ressentiment personnel, les Psaumes de vengeance restent, pour l'Église comme pour le chrétien, l'expression de ce même besoin de justice, en face des puissances du mal toujours actives dans le monde.

[13] Toi, tu bénis le juste, Yahvé,
comme un bouclier, ta faveur le couronne.

# PSAUME 6

### Imploration dans l'épreuve [a].

[1] *Du maître de chant. Sur les instruments à cordes. Sur l'octacorde. Psaume. De David.*

[2] Yahvé, ne me châtie point dans ta colère, || Jr 10 24 = Ps 38 2
ne me reprends point dans ta fureur.
[3] Pitié pour moi, Yahvé, je suis à bout de force,
guéris-moi, Yahvé, mes os sont bouleversés, Jr 17 14-15
[4] mon âme est toute bouleversée.
Mais toi, Yahvé, jusques à quand?

[5] Reviens, Yahvé, délivre mon âme [b],
sauve-moi, en raison de ton amour.
[6] Car, dans la mort, nul souvenir de toi : Is 38 18+ Ps 88 11-13
dans le shéol, qui te louerait [c]?

[7] Je me suis épuisé en gémissements,
chaque nuit, je baigne ma couche;
de mes larmes j'arrose mon lit,
[8] mon œil est rongé de pleurs.
Insolence chez tous mes oppresseurs [d];
[9] loin de moi, tous les malfaisants! = Ps 119 115 ↗ Mt 7 23

Car Yahvé entend la voix de mes sanglots;
[10] Yahvé entend ma supplication,
Yahvé accueillera ma prière.
[11] Tous mes ennemis, confondus, bouleversés,
qu'ils reculent, soudain confondus!

# PSAUME 7

### Prière du juste persécuté [e].

[1] *Lamentation. De David. Qu'il chanta à Yahvé à propos de Kush[f] le Benjaminite.*

[2] Yahvé mon Dieu, en toi j'ai mon abri,
sauve-moi de tous mes poursuivants, délivre-moi;

*a)* C'est le premier des sept « Psaumes de pénitence » (**32**; **38**; **51**; **102**; **130**; **143**). Un malade implore son Dieu.
*b)* Le mot hébreu *nephesh*, cf. Gn **2** 7, désigne le souffle vital (et par extension la gorge), qui est au principe de la vie et se retire à la mort. Ce mot désigne souvent l'homme, ou l'animal, comme individu animé, Gn **12** 1; **14** 21; Ex **1** 5; **12** 4, etc., ou dans les différentes fonctions de sa vie corporelle ou affective, toujours liées entre elles, cf. Gn **2** 21+. L'expression « mon âme » équivaut souvent au pronom réfléchi « moi-même », cf. Ps **3** 3; **44** 26; **124** 7; Gn **12** 13; Ex **4** 19; 1 S **1** 26; **18** 1-3, etc., tout comme « ma vie », « ma face », « ma gloire ». Ces différents sens de l'« âme » resteront vivants dans le NT *(psychè)*, cf. Mt **2** 20; **10** 28; **16** 25-26; 1 Co **4** 16+; **15** 44+.
*c)* Au shéol, cf. Nb **16** 33+, les morts mènent une vie diminuée et silencieuse, sans plus entretenir de rapports avec Dieu, Is **38** 18; Ps **30** 10; **88** 6, 11-13.
*d)* « insolence » *'ateqah* conj.; « il a vieilli » *'atqah* hébr. Les « oppresseurs » voient dans les épreuves du malade le châtiment de quelque faute cachée (cf. les amis de Job). Thème ailleurs plus développé (Ps **31**; **35**; **38**; **69**).
*e)* Deux protestations d'innocence sont ici fusionnées. La première, vv. 1-6, 13[b]-17, de style sapientiel, réclame la stricte application du talion, la seconde, vv. 7-13[a], inspirée de Jérémie, conjure le Juge céleste d'intervenir. Le v. 18 est une conclusion liturgique.
*f)* Les versions ont « Kushite », cf. 2 S **18** 21 : c'est le messager qui annonça à David la mort d'Absalom. Mais l'épithète « Benjaminite » suggère plutôt un ennemi de David.

[3] qu'il n'emporte comme un lion mon âme,
lui qui déchire, et personne qui délivre!

[4] Yahvé mon Dieu, si j'ai fait cela,
laissé la fraude sur mes mains,
[5] si j'ai rendu le mal à mon bienfaiteur,
épargné un injuste oppresseur [a],
Ps 6 5+ [6] que l'ennemi poursuive mon âme et l'atteigne!
Qu'il écrase ma vie contre terre
et relègue mes entrailles [b] dans la poussière! *Pause.*

*

[7] Lève-toi, Yahvé, dans ta colère,
dresse-toi contre les excès de mes oppresseurs,
réveille-toi, mon Dieu [c].
Tu ordonnes le jugement.
[8] Que l'assemblée des nations t'environne,
Ps 6 5 reviens au-dessus d'elle.
[9] (Yahvé est l'arbitre des peuples.)

Juge-moi, Yahvé, selon ma justice
et selon mon intégrité [d].
[10] Mets fin à la malice des impies,
confirme le juste,
Jr 11 20 Sg 1 6+ toi qui sondes les cœurs et les reins,
ô Dieu le juste!

Ps 3 4 [11] Le bouclier qui me couvre, c'est Dieu,
le sauveur des cœurs droits,
[12] Dieu le juste juge,
Ex 34 6-7+ lent à la colère [e],
mais Dieu en tout temps menaçant
[13] pour qui ne revient.

*

Que l'ennemi [f] affûte son épée,
qu'il bande son arc et l'apprête,
[14] c'est pour lui qu'il apprête les engins de mort
Is 50 11 et fait de ses flèches des brandons;
Is 59 4 Jb 15 35 [15] le voici en travail de malice,
il a conçu la peine, il enfante le mécompte.

Ps 9 16; 35 8 Pr 26 27 [16] Il ouvre une fosse et la creuse,
il tombera dans le trou qu'il a fait;
Jb 4 8 Si 27 25-27 [17] sa peine reviendra sur sa tête,
sa violence lui retombera sur le crâne.

*a)* Le principe du talion, cf. Ex **21** 25+, voulait que l'on rendît le bien pour le bien et le mal pour le mal. Il ne faut pas édulcorer le texte comme les versions qui traduisent : « rendre le mal à qui me le faisait » ou comprendre (d'après l'araméen) : « dépouillé (mon oppresseur) ». On n'en est pas encore à la morale évangélique, Mt **5** 38s.
*b)* Litt. « ma gloire », mais le mot désigne aussi le foie, organe des pensées et des sentiments pour les Sémites. Ce terme peut aussi désigner l'âme. La « poussière » est celle du tombeau.
*c)* « mon Dieu » (*'elî*) grec; « vers moi » (*'elay*) hébr.
*d)* Le texte ajoute : « sur moi ».
*e)* « lent à la colère » grec; omis par hébr.
*f)* Mot suppléé pour le sens, ce distique étant la suite normale du v. 6

[18] Je rends grâce à Yahvé pour sa justice,
je joue pour le Nom du Très-haut [a].

# *PSAUME* 8

**Puissance du nom divin.** Ps **19** 2-7 Ps **104**

[1] *Du maître de chant. Sur la ... de Gat [b]. Psaume. De David.*

[2] Yahvé, notre Seigneur,
qu'il est puissant ton nom [c] par toute la terre!

Lui qui redit [d] ta majesté plus haute que les cieux
[3] par la bouche des enfants, des tout petits [e], ↗ Mt **21** 16
tu l'établis, lieu fort [f], à cause de tes adversaires Sg **10** 20-21
pour réduire l'ennemi et le rebelle. Mt **11** 25p

[4] A voir ton ciel, ouvrage de tes doigts,
la lune et les étoiles, que tu fixas,
[5] qu'est donc le mortel, que tu t'en souviennes, = Ps **144** 3
le fils d'Adam, que tu le veuilles visiter? Jb **7** 17-18 ↗ He **2** 6-9

[6] A peine le fis-tu moindre qu'un dieu [g]; Gn **1** 26
tu le couronnes de gloire et de beauté, Si **17** 1-4
[7] pour qu'il domine sur l'œuvre de tes mains; Sg **2** 23
tout fut mis par toi sous ses pieds, ↗ 1 Co **15** 27 ↗ Ep **1** 22

[8] brebis et bœufs, tous ensemble,
et même les bêtes des champs,
[9] l'oiseau du ciel et les poissons de la mer,
quand il va par les sentiers des mers.

[10] Yahvé, notre Seigneur,
qu'il est puissant ton nom par toute la terre!

# *PSAUME* 9-10

**Dieu abat les impies et sauve les humbles [h].**

[1] *Du maître de chant. Sur hautbois et harpe [i] Psaume. De David.*

*Aleph.* [2] Je te rends grâce, Yahvé, de tout mon cœur, = Ps **138** 1
j'énonce toutes tes merveilles,

*a)* « Très-Haut » conj.; « Yahvé très-haut » hébr. – Le verbe hébr. *zamar*, grec *psallein*, habituellement traduit « psalmodier », signifie proprement : jouer d'un instrument (à cordes) ou chanter avec accompagnement musical.
*b)* Peut-être la harpe, ou une mélodie d'origine philistine.
*c)* Le nom divin permet au croyant, dès qu'il sait le prononcer, de participer à la gloire de Yahvé, cf. v. 6. Fait à l'image de Dieu, l'homme est ainsi associé à sa souveraineté, cf. Ps **20** 2; **54** 3, 8; Is **63** 17. C'est sans doute ce thème qui a causé le rapprochement avec le Ps précédent.
*d)* « qui redit » *tinnah* conj.; « veuille donner » *tenah* hébr.
*e)* Le Christ a cité ce texte à propos des enfants qui acclamaient son triomphe des Rameaux. La liturgie en use pour célébrer le témoignage des saints Innocents, cf. Mt **2** 16; **21** 16.
*f)* Comme dans Pr **18** 10, etc.; le nom divin confond toute idolâtrie en révélant le Dieu unique, Yahvé, cf. Ex **3** 14.
*g)* L'auteur pense aux êtres mystérieux qui forment la cour de Yahvé, Ps **29** 1+, les « anges » du grec et de la Vulg. Cf. Ps **45** 7+; Tb **5** 4+.
*h)* Les Ps **9** et **10** ne formaient à l'origine qu'un seul poème (ainsi dans grec et Vulg.) : le porte-parole des « pauvres », cf. So **2** 3+, décrit dans un hymne et implore dans une prière l'avènement du jugement divin sur les impies. Le Psaume est « alphabétique » (cf. Pr **31** 10+), mais plusieurs lettres n'ont pas de strophes qui leur correspondent dans le texte reçu, qui est en mauvais état.
*i)* Sens incertain. L'hébr. peut se traduire mot à mot : « sur (l'air de) mourir pour le fils ».

3 j'exulte et me réjouis en toi,
je joue pour ton nom, Très-Haut.

*Bèt.* 4 Mes ennemis retournent en arrière,
ils fléchissent, ils périssent devant ta face,
Ps **7** 9, 12; **89** 15 — 5 quand tu m'as rendu sentence et jugement,
siégeant sur le trône en juste juge [a].

*Gimel.* 6 Tu as maté les païens, fait périr l'impie,
effacé leur nom pour toujours et à jamais;
7 l'ennemi est achevé, ruines sans fin,
Gn **19** 23-25 — tu as renversé des villes, et leur souvenir a péri.

*Hé.* Voici [b], 8 Yahvé siège pour toujours,
il affermit pour le jugement son trône;
Ps **96** 13; **98** 9 — 9 lui, il jugera le monde avec justice,
prononcera sur les nations avec droiture.

Is **25** 4 = Ps **37** 39 — *Vav.* 10 Que Yahvé soit un lieu fort pour l'opprimé,
un lieu fort aux temps de détresse!
Ps **36** 11; **87** 4 — 11 En toi se confient ceux qui connaissent ton nom,
tu n'abandonnes point ceux qui te cherchent, Yahvé.

Ps **7** 18+ — *Zaïn.* 12 Jouez pour Yahvé, l'habitant de Sion,
racontez parmi les peuples ses hauts faits!
Jb **16** 18+ — 13 Lui qui s'enquiert du sang se souvient d'eux,
il n'oublie pas le cri des malheureux.

*Hèt.* 14 Pitié pour moi, Yahvé, vois mon malheur [c],
Sg **16** 13 — tu me fais remonter des portes de la mort,
15 que j'énonce toute ta louange
aux portes de la fille de Sion, joyeux de ton salut.

Ps **7** 16+ — *Tèt.* 16 Les païens ont croulé dans la fosse qu'ils ont faite,
au filet qu'ils ont tendu, leur pied s'est pris.
17 Yahvé s'est fait connaître, il a rendu le jugement,
il a lié l'impie dans l'ouvrage de ses mains. *Sourdine.*
*Pause.*

*Yod.* 18 Que les impies retournent au shéol,
Ps **50** 22 — tous ces païens qui oublient Dieu!
*Kaph.* 19 Car le pauvre n'est pas oublié jusqu'à la fin,
Pr **23** 18 — l'espoir des malheureux ne périt pas à jamais.

Ps **7** 7 — 20 Dresse-toi, Yahvé, que l'homme ne triomphe,
qu'ils soient jugés, les païens, devant ta face!
21 Jette, Yahvé, sur eux l'épouvante,
Ps **10** 18 — qu'ils connaissent, les païens, qu'ils sont hommes! *Pause.*

Ps **22**: **74** 1 — *Lamed.* **10** 1 Pourquoi, Yahvé, restes-tu loin,
te caches-tu aux temps de détresse?
2 Sous l'orgueil de l'impie le malheureux est pourchassé,
il est pris aux ruses que l'autre a combinées.

*a)* Le jugement divin est considéré comme acquis, le « jour de Yahvé » le mettra en lumière. Ce thème eschatologique est fréquent dans les Ps.

*b)* « Voici » *hinneh* conj.; « eux et » *hemmah we* hébr.

*c)* L'hébr. ajoute : « à cause de ceux qui me haïssent ».

*(Mem.)* 3 L'impie se loue des désirs de son âme,
l'homme avide qui bénit méprise Yahvé [a], Ps **10** 13
*(Nun.)* 4 l'impie, arrogant, ne cherche point : Jb **22** 13 Ps **14** 1;
« Pas de Dieu! » voilà toute sa pensée [b]. **36** 2 So **1** 12

5 A chaque instant ses démarches aboutissent,
tes jugements sont trop hauts pour lui,
tous ses rivaux, il souffle sur eux.

6 Il dit en son cœur : « Je tiendrai bon d'âge en âge. »
Lui qui n'est pas dans le malheur, 7 il maudit.

*(Samek.)*
*Phé.* Fraude et violence lui emplissent la bouche, ↗ Rm **3** 14
sous sa langue peine et méfait;
8 il est assis à l'affût dans les roseaux, Ps **17** 12 Os **6** 9
sous les couverts il massacre l'innocent. Jr **5** 26 Ha **3** 14

*Aïn.* Des yeux il épie le misérable [c],
9 à l'affût, bien couvert, comme un lion dans son fourré, Ps **17** 12
à l'affût pour ravir le malheureux,
il ravit le malheureux en le traînant dans son filet.

*(Çadé)* 10 Il épie, s'accroupit, se tapit [d],
le misérable tombe en son pouvoir;
11 il dit en son cœur : « Dieu oublie, Ps **73** 11; **44**
il se couvre la face pour ne pas voir jusqu'à la fin. » 25; **74** 19; **94** 7 Ez **9** 9 Jb **22** 13

*Qoph.* 12 Dresse-toi, Yahvé! O Dieu, lève ta main [e],
n'oublie pas les malheureux!
13 Pourquoi l'impie blasphème-t-il Dieu,
dit-il en son cœur : « Tu ne chercheras point »? Ps **10** 4

*Resh.* 14 Tu as vu, toi, la peine et les pleurs, Ps **31** 8;
tu regardes pour les prendre en ta main : **56** 9
à toi le misérable s'abandonne,
l'orphelin, toi, tu le secours [f]. Ex **22** 21-22

*Shin.* 15 Brise le bras de l'impie, du méchant,
tu chercheras son impiété, tu ne la trouveras plus.
16 Yahvé est roi pour toujours et à jamais, Jr **10** 10 Ps **145** 13
les païens ont disparu de sa terre. Na **2** 1

*Tav.* 17 Le désir des humbles, tu l'écoutes, Yahvé,
tu affermis leur cœur, tu tends l'oreille,
18 pour juger l'orphelin et l'opprimé : Dt **10** 18
qu'il cesse de faire peur, l'homme né de la terre!

*a)* Le texte des vv. 3-4 est incertain et sans doute retouché pour des raisons théologiques (« bénit » est un euphémisme comme en 1 R **21** 10, 13 et Jb **1** 5, 11; **2** 5, 9). Les versions offrent des variantes.
*b)* En niant l'action de la Providence, l'impie en vient pratiquement à nier Dieu.
*c)* « roseaux » *haçirîm* conj.; cf. Is **35** 7; « enclos » ou « villages » *haçerîm* hébr. – « il épie », litt. « (ses yeux) épient », versions; « se cachent » hébr.
*d)* « Il épie » conj. pour restituer la lettre *çadé*; omis par hébr. – « s'accroupit », litt. « s'écrase » qeré, grec; « écrasé » ketib.
*e)* Pour sauver, Ps **138** 7, et pour frapper, Is **11** 15; Ez **36** 7; Mi **5** 8.
*f)* Le texte de ce v. est incertain.

# *PSAUME* 11 (10)

**Confiance du juste.**

1 *Du maître de chant. De David.*

En Yahvé j'ai mon abri.
Comment dites-vous à mon âme :
Ps 91 3; 55 7 « Fuis à ta montagne, passereau [a].

Ps 7 13; 10 8; 37 14; 57 5; 64 4 2 « Vois les impies bander leur arc,
ils ajustent leur flèche à la corde
pour viser dans l'ombre les cœurs droits;
3 si les fondations sont ruinées, que peut le juste? »

|| Ha 2 20 Ps 102 20 4 Yahvé dans son palais de sainteté,
Dt 26 15 Yahvé, dans les cieux est son trône;
Is 66 1 ses yeux contemplent le monde [b],
Mt 5 34 ses paupières éprouvent les fils d'Adam.

5 Yahvé éprouve le juste et l'impie.
Qui aime la violence, son âme le hait.
Gn 19 24 6 Il fera pleuvoir sur les impies charbons [c] de feu et soufre
Ez 38 22; 10 2 et dans leur coupe un vent de flamme pour leur part [d].

Ap 20 10; 8 5 7 Yahvé est juste, il aime la justice,
les cœurs droits contempleront sa face [e].

# PSAUME 12 (11)

**Contre le monde menteur [f].**

1 *Du maître de chant. Sur l'octacorde. Psaume. De David.*

2 Sauve, Yahvé! c'en est fait de tes amis,
Mi 7 2 les fidèles ont disparu [g] d'entre les fils d'Adam.
Is 59 15 Jr 9 7 3 On ne fait que mentir, chacun à son prochain,
Is 59 3-4 Ps 55 22 lèvres trompeuses, langage d'un cœur double.

4 Que Yahvé retranche toute lèvre trompeuse,
la langue qui fait de grandes phrases,
Ps 31 19 5 ceux qui disent : « La langue est notre fort,
nos lèvres sont pour nous, qui serait notre maître? »

*a)* Le fidèle qu'on pourchasse est comparé à l'oiseau, Ps **55** 7; **91** 3; **124** 7. La montagne est le lieu de refuge, Gn **19** 17; Ps **121** 1; Ez **7** 16; Mt **24** 16.
*b)* « le monde » versions; omis par hébr.
*c)* « charbons » Symmaque; « pièges » hébr.
*d)* Litt. « part de coupe ». Cette métaphore (la coupe servait peut-être au tirage au sort) désigne la destinée, en bonne, Ps **16** 5; **23** 5, ou plus souvent en mauvaise part, Ps **75** 9; Mt **20** 22; Ap **14** 10; **16** 19; la coupe de la colère divine est un thème prophétique, Is **51** 17+; Jr **25** 15; Lm **4** 21; Ez **23** 31s; Ha **2** 16.
*e)* Conj.; la leçon de l'hébr. « sa face contemplera le cœur droit » peut être due à un scrupule théologique : l'homme ne peut voir Dieu, cf. Ex **33** 20+. L'expression « contempler la face de Dieu » est pourtant fréquente dans les Ps, au sens de : se tenir en sa présence comme des serviteurs devant un maître bienveillant (Ps **15** 1), cf. Ps **16** 11; **17** 15; **24** 6; **27** 8+; **105** 4; Gn **33** 10; Jb **33** 26; Is **38** 11.
*f)* Prière dans le style prophétique. Aux mensonges des hommes s'oppose la vérité des paroles et des promesses divines.
*g)* « disparu » *sapû* conj.; *passû* hébr. inintelligible.

[6] A cause du malheureux qu'on dépouille, du pauvre qui gémit,
maintenant je me lève, déclare Yahvé : Is 33 10
j'assurerai le salut à ceux qui en ont soif.

[7] Les paroles de Yahvé sont des paroles sincères, Ps 18 31; 19 8
argent natif[a] qui sort de terre, sept fois épuré; Pr 30 5

[8] toi, Yahvé, tu y veilleras.
Tu le protégeras d'une telle engeance à jamais;
[9] de toutes parts les impies s'en iront,
comble d'abjection[b] chez les fils d'Adam.

# PSAUME 13 (12)

## Appel confiant.

[1] *Du maître de chant. Psaume. De David.*

[2] Jusques à quand, Yahvé, m'oublieras-tu? jusqu'à la fin? Ps 6 4; 77 8s;
jusques à quand me vas-tu cacher ta face? 89 47; 94 3 Lm 5 20
[3] jusques à quand mettrai-je en mon âme la révolte,
en mon cœur le chagrin, de jour et de nuit[c]?
jusques à quand mon adversaire aura-t-il le dessus?
[4] Regarde, réponds-moi, Yahvé mon Dieu!
Illumine mes yeux, que dans la mort je ne m'endorme.

[5] Que l'adversaire ne dise : « Je l'emporte sur lui », Ps 38 17
que mes oppresseurs n'exultent à me voir chanceler!
[6] Pour moi, en ton amour je me confie;
que mon cœur exulte, admis en ton salut,
que je chante à Yahvé pour le bien qu'il m'a fait,
que je joue pour le nom de Yahvé le Très-Haut[d]!

# PSAUME 14 (13)

= Ps 53

## L'homme sans Dieu[e].

[1] *Du maître de chant. De David.*

L'insensé a dit en son cœur : Ps 10 4; 36 2
« Non, plus de Dieu! » So 1 12
Corrompues, abominables leurs actions;
non, plus d'honnête homme.

[2] Des cieux Yahvé se penche Ps 11 4
vers les fils d'Adam,
pour voir s'il en est un de sensé,
un qui cherche Dieu.

*a)* Litt. « fondu à l'entrée de la terre », c'est-à-dire déjà épuré quand on le trouve. La parole de Dieu est absolument pure de mensonge.
*b)* Trad. incertaine; litt. « comme une élévation d'abjection ». Le Targum paraphrase : « comme une vermine qui suce le sang des hommes ».
*c)* « et de nuit » mss grecs; omis par hébr.
*d)* Grec et Vulg., cf. Ps 7 18; stique omis par hébr.
*e)* L'homme « sans Dieu », cf. 10 4+, est un insensé. Son heure viendra, cf. Jr 5 12s.

↗ Rm **3** 11-12 [3] Tous ils sont dévoyés,
ensemble pervertis.
Ps **12** 2 Non, il n'est plus d'honnête homme,
non, plus un seul [a].

[4] Ne savent-ils, tous les malfaisants?
Is **9** 11+ Ils mangent mon peuple [b],
voilà le pain qu'ils mangent,
ils n'invoquent pas Yahvé.

Dt **28** 67 [5] Là [c], ils seront frappés d'effroi
sans cause d'effroi [d],
car Dieu est pour la race du juste :
[6] vous bafouez la révolte du pauvre,
mais Yahvé est son abri.

[7] Qui donnera de Sion le salut d'Israël?
Ps **85** 2; **126** 1 Lorsque Yahvé ramènera son peuple,
allégresse à Jacob et joie pour Israël [e]!

Is **33** 15-16; Mi **6** 6-8; Ps **24** 3-6

## *PSAUME* 15 (14)

### L'hôte de Yahvé [f].

[1] *Psaume. De David.*

Yahvé, qui logera sous ta tente [g],
habitera sur ta sainte montagne?

Ps **119** 1 [2] Celui qui marche en parfait,
celui qui agit en juste
et dit la vérité de son cœur,
[3] sans laisser courir sa langue;

qui ne lèse en rien son frère,
ne jette pas d'opprobre à son prochain,
[4] méprise du regard le réprouvé,
mais honore les craignants de Yahvé [h];

qui jure à ses dépens sans se dédire,
Ex **22** 24+; **23** 8+ [5] ne prête pas son argent à intérêt,
n'accepte rien pour nuire à l'innocent.
Qui fait ainsi jamais ne bronchera.

*a)* Des mss grecs et la Vulg. insèrent ici trois vv., cités en Rm **3** 10-18 et comprenant Ps **5** 10; **140** 4; **10** 7; Pr **1** 16; Is **59** 7-8; Ps **36** 2.
*b)* Image prophétique.
*c)* C'est-à-dire à Sion, v. 7, cf. **48** 3; **76** 4; **87** 4, 6; Ez **48** 35.
*d)* « sans cause d'effroi » grec et Ps **53**; omis par hébr. – Terreur mystérieuse sans cause apparente, cf. Lv **26** 36; Dt **28** 67; 1 S **14** 15; 2 Ch **14** 13; Jb **3** 25. On pense ici à l'extermination des Assyriens en 701, frappés soudainement alors qu'ils n'avaient, semblait-il, aucun motif de crainte, cf. 2 R **19** 35; Is **37** 36.
*e)* L'expression, cf. Ps **85** 2; **126** 1; Dt **30** 3; Jb **42** 10; Jr **29** 14; Ez **16** 53; Os **6** 11; Am **9** 14, etc., qui vise d'abord le retour de la captivité, a souvent le sens plus général de rétablir, restaurer, changer le sort.
*f)* Précis de morale, cf. les préceptes du Décalogue, Ex **20** 1+.
*g)* Le sanctuaire de Jérusalem prend parfois le nom de « tente », à l'image de l'ancien sanctuaire du désert que rappelait chaque année la fête des Tentes, Ex **23** 14+.
*h)* Ceux qui lui sont fidèles et soumis. L'expression, fréquente dans Ps, est synonyme de : fidèle, pieux, dévot. Elle désignera plus tard les sympathisants au Judaïsme, cf. Ac **2** 11+; **10** 2+.

# *PSAUME* 16 (15)

**Yahvé, ma part d'héritage.**

1 *A mi-voix*[a]. *De David.*

Garde-moi, ô Dieu, mon refuge est en toi.

2 J'ai dit à Yahvé : C'est toi mon Seigneur,
mon bonheur n'est en aucun 3 de ces démons de la terre.

Ceux-là en imposent à tous ceux qui les aiment[b],
4 leurs idoles foisonnent, on court à leur suite[c].
Verser leurs libations de sang? jamais!
Faire monter leurs noms sur mes lèvres? jamais!

5 Yahvé, ma part d'héritage et ma coupe, Nb **18** 20
c'est toi qui garantis mon lot; Dt **10** 9
6 le cordeau me marque un enclos de délices, Si **45** 20-22
et l'héritage est pour moi magnifique[d]. Lm **3** 24

7 Je bénis Yahvé qui s'est fait mon conseil,
et même la nuit, mon cœur[e] m'instruit.
8 J'ai mis Yahvé devant moi sans relâche;
puisqu'il est à ma droite, je ne bronche pas. Ps **121** 5

9 Aussi, mon cœur exulte, mes entrailles[f] jubilent, ↗ Ac **2** 25-28
et ma chair reposera en sûreté; ↗ Ac **13** 35
10 car tu ne peux abandonner mon âme au shéol, Nb **16** 33+
tu ne peux laisser ton ami voir la fosse[g]. Ps **49** 16; **73** 24
11 Tu m'apprendras le chemin de vie,
devant ta face, plénitude de joie,
en ta droite, délices éternelles.

*a)* Sens incertain. On trouve cette rubrique devant les Ps dont la récitation publique pouvait provoquer la colère des païens maîtres de Jérusalem.

*b)* Le texte des vv. 2-3, très obscur, est traduit par conj. en changeant la vocalisation. L'hébr. se traduirait litt. : « Mon Seigneur, toi mon bonheur, non au-dessus de toi. Aux saints, ceux dans la terre, ceux-là et ceux qui imposent (?), tout mon plaisir est en eux. » – Ces vv. pourraient s'adresser à ceux qui prétendent unir l'adoration de Yahvé au culte des dieux locaux, syncrétisme qui fut longtemps la grande tentation d'Israël, cf. Is **57** 6; **65** 5; **66** 3s.

*c)* « on court à leur suite » versions; hébr. corrompu (litt. : « paient le prix de l'étranger »). – « idoles », litt. « infirmités » : euphémisme.

*d)* Allusion à la condition des Lévites. Leur part, désignée par les images traditionnelles de la coupe, cf. Ps **11** 6+, et de la corde d'arpentage, Mi **2** 4-5, c'est Yahvé. Le nom propre *Hilqiyyahu*, « Yahvé est ma part » est fréquent.

*e)* Litt. « mes reins », siège des pensées et des affections secrètes, cf. Ps **7** 10; Pr **23** 16; Jr **12** 2.

*f)* Litt. « ma gloire », cf. Ps **7** 6+.

*g)* Le psalmiste a choisi Yahvé. Le réalisme de sa foi et les exigences de sa vie mystique réclament une intimité indissoluble avec lui : il lui faut donc échapper à la mort qui l'en séparerait, Ps **6** 6, cf. Ps **49** 16+. Espérance encore imprécise, qui prélude déjà à la foi en la résurrection, cf. Dn **12** 2; 2 M **7** 9+. Les versions traduisent « fosse » par « corruption ». L'application messianique admise par le Judaïsme s'est vue vérifiée par la résurrection du Christ.

# *PSAUME* 17 (16)

**Appel de l'innocent.**

1 *Prière. De David.*

Écoute, Yahvé, la justice,
sois attentif à mes cris;
prête l'oreille à ma prière,
point de fraude sur mes lèvres.
2 De ta face sortira mon jugement,
tes yeux regardent la droiture.

Jb **7** 18; **23** 10 — 3 Tu sondes mon cœur, tu me visites la nuit,
Ps **26** 2; — tu m'éprouves sans rien trouver, aucun murmure en moi :
**139** 23 — ma bouche n'a point péché 4 à la façon des hommes.

Jb **23** 11-12 — La parole de tes lèvres, moi je l'ai gardée,
aux sentiers prescrits 5 attachant mes pas,
Ps **18** 37 — à tes traces, que mes pieds ne trébuchent.
6 Je suis là, je t'appelle, car tu réponds, ô Dieu!
Tends l'oreille vers moi, écoute mes paroles,
7 signale tes grâces, toi qui sauves
ceux qui recourent à ta droite contre les assaillants.

Dt **32** 10-11 — 8 Garde-moi comme la prunelle de l'œil,
Rt **2** 12 Ps **36** 8; — à l'ombre de tes ailes cache-moi
**61** 5; **63** 8; **91** 4 — 9 aux regards de ces impies qui me ravagent;
Mt **23** 37 — ennemis au fond de l'âme, ils me cernent.

10 Ils sont enfermés dans leur graisse,
ils parlent, l'arrogance à la bouche.
11 Ils marchent contre moi [a], maintenant ils m'encerclent,
ils ont l'œil sur moi pour me terrasser.
Ps **10** 9; **22** 14; — 12 Leur apparence est d'un lion impatient d'arracher
**35** 17; **57** 5 — et d'un lionceau tapi dans sa cachette.

Jr **15** 15-16 — 13 Lève-toi, Yahvé, affronte-le, renverse-le,
par ton épée délivre mon âme de l'impie,
14 des mortels, par ta main, Yahvé,
des mortels qui, dans la vie, ont leur part de ce monde [b]!

Ps **73** 12 — Avec tes réserves [c] tu leur rempliras le ventre,
leurs fils seront rassasiés
et ils laisseront le surplus à leurs enfants.
Nb **12** 8+ — 15 Moi, dans la justice, je contemplerai ta face,
↗ Ap **22** 4 Ps **4** 8; **73** 25-26 — au réveil je me rassasierai de ton image [d].

*a)* « Ils marchent contre moi » Vulg.; « Nos pas » hébr.
*b)* Texte incertain. On peut également comprendre : « des mortels qui ont en partage une vie non durable ». L'ambiguïté est peut-être voulue.
*c)* Litt. « ce que tu caches ». Plutôt que de châtiments, il doit s'agir des biens périssables auxquels le fidèle préfère l'amitié divine.
*d)* L'heure du réveil matinal est le moment privilégié des largesses divines, Ps **5** 4; **30** 6; **46** 6; **49** 15; **57** 9; **73** 20; **90** 14; **130** 6; **143** 8. Il est aussi le temps de la justice, Ps **101** 8+. L'aurore et la lumière symbolisent le salut, Is **8** 20; **9** 1; **33** 2; **58** 10; Lm **3** 23; So **3** 5; cf. Jn **1** 4-5+; **8** 12+. Le soir et l'obscurité symbolisent au contraire l'épreuve et le malheur, ici v. 3; Ps **30** 6; **59** 7; **88** 19; **107** 10; Is **17** 14; **50** 10. Le mot « réveil » a parfois été considéré comme une allusion voilée à la résurrection, cf. 2 R **4** 31; Is **26** 19; Dn **12** 2; Ps **16** 10+.

# *PSAUME* 18 (17)

|| 2 S 22

### Te Deum royal [a].

1 *Du maître de chant. Du serviteur de Yahvé, David, qui adressa à Yahvé les paroles de ce cantique, quand Yahvé l'eut délivré de tous ses ennemis et de la main de Saül. Il dit :*

2 Je t'aime, Yahvé, ma force
(mon sauveur, tu m'as sauvé de la violence [b]).
3 Yahvé est mon roc et ma forteresse, Gn **49** 24
mon libérateur, c'est mon Dieu. Dt **32** 4, 15, 18, 37

Je m'abrite en lui, mon rocher [c],
mon bouclier et ma force [d] de salut, Dt **33** 17
ma citadelle et mon refuge. Ps **75** 5 Lc **1** 69
4 J'invoque Yahvé, digne de louange
et je suis sauvé de mes ennemis.

5 Les flots [e] de la Mort m'enveloppaient,
les torrents de Bélial m'épouvantaient; Dt **13** 14+
6 les filets du Shéol me cernaient, Nb **16** 33+
les pièges de la Mort m'attendaient.

7 Dans mon angoisse j'invoquai Yahvé,
vers mon Dieu je lançai mon cri [f];
il entendit de son temple ma voix
et mon cri parvint à ses oreilles.

8 Et la terre s'ébranla et chancela [g], Ex **19** 16, 18
les assises des montagnes frémirent, Jg **5** 4-5
(sous sa colère elles furent ébranlées); Ha **3** 3-6, 8-13
9 une fumée monta à ses narines
et de sa bouche un feu dévorait
(des braises s'y enflammèrent).

10 Il inclina les cieux et descendit,
une sombre nuée sous ses pieds;
11 il chevaucha un chérubin [h] et vola, Dt **33** 26
il plana sur les ailes du vent. Ps **68** 5+

12 Il fit des ténèbres son voile, Ex **13** 21+; **19** 16
sa tente, ténèbre d'eau, nuée sur nuée; Dt **4** 11
13 un éclat devant lui enflammait [i]
grêle et braises de feu.

*a)* Cette ode triomphale joint à une prière d'action de grâces, vv. 5-28, un cantique royal de victoire, vv. 32-51, à finale messianique. La recension parallèle de 2 S **22** permet de corriger le texte souvent défectueux.
*b)* Stique omis par hébr. et placé par 2 S à la fin du v. 3. On le rapproche du v. 2 qui est le seul à s'adresser à Dieu à la deuxième personne.
*c)* Yahvé est appelé fréquemment dans les Ps le Rocher d'Israël : rempart de ses fidèles et avant tout de la lignée davidique. Cf. Mt **16** 18+.
*d)* Litt. « ma corne », symbole de puissance et de vigueur, Ps **75** 5; **89** 18; **92** 11, etc., cf. Dt **33** 17; 1 R **22** 11; Za **2** 4, avec parfois une portée messianique, Ps **132** 17; Ez **29** 11.
*e)* « flots » 2 S, cf. v. 6; « filets » hébr. – Les eaux symbolisent les périls mortels, cf. Ps **32** 6; **40** 3; **42** 8; **66** 12; **69** 2s, 15s; **88** 18; **130** 1; Is **8** 7; **30** 28; Jb **22** 11; **27** 20; Jon **2** 6.
*f)* Hébr. ajoute « devant sa face »; omis par 2 S.
*g)* Ici commence la description de la théophanie victorieuse de Yahvé, venant au secours de son fidèle, vv. 8-18. Cf. Ex **13** 22+; **19** 16+.
*h)* Les chérubins qui surmontaient l'arche, Ex **25** 18+, et qui inspirèrent à Ézéchiel sa vision du char divin, Ez **1** 5s+, servent de trône à Yahvé, 1 S **4** 4; 2 S **6** 2; 2 R **19** 15. Après la destruction du Temple, ils symbolisent des êtres célestes.
*i)* « un éclat enflammait » 2 S; hébr. corrompu (litt. « ses nuées passèrent »).

Ps **29** 14 Yahvé tonna des cieux,
Ps **77** 18-19 le Très-Haut donna de la voix [a];
Ex **19** 19 15 il décocha ses flèches et les dispersa,
Jb **36** 29-30 il lança les éclairs et les chassa.

Ps **77** 17 16 Et le lit de la mer [b] apparut,
les assises du monde se découvrirent,
au grondement de ta menace, Yahvé,
Ex **15** 8 au vent du souffle de tes narines.

17 Il envoie d'en haut et me prend,
il me retire des grandes eaux,
1 S **17** 37 18 il me délivre d'un puissant ennemi,
d'adversaires plus forts que moi.

19 Ils m'attendaient au jour de mon malheur,
mais Yahvé fut pour moi un appui;
20 il m'a dégagé, mis au large,
il m'a sauvé, car il m'aime.

21 Yahvé me rend selon ma justice,
selon la pureté de mes mains me rétribue,
22 car j'ai gardé les voies de Yahvé
sans faillir loin de mon Dieu.

23 Ses jugements sont tous devant moi,
ses décrets, je ne les ai pas écartés,
Dt **18** 13 24 mais je suis irréprochable avec lui,
je me garde contre le péché.

25 Et Yahvé me rétribue selon ma justice,
ma pureté [c] qu'il voit de ses yeux.
26 Tu es fidèle avec le fidèle,
sans reproche avec l'irréprochable,

27 pur avec qui est pur
mais rusant avec le fourbe,
Pr **3** 34 28 toi qui sauves le peuple des humbles,
Jb **22** 29 et rabaisses les yeux hautains.

Jb **29** 3 29 C'est toi, Yahvé, ma lampe [d],
mon Dieu éclaire ma ténèbre;
30 avec toi je force l'enceinte [e],
avec mon Dieu je saute la muraille.

Dt **32** 4 31 Dieu, sa voie est sans reproche
Ps **12** 7 et la parole de Yahvé sans alliage.
|| Pr **30** 5 Il est, lui, le bouclier
de quiconque s'abrite en lui.

*a)* Hébr. répète ici 13[b], omis par grec et 2 S.
*b)* « de la mer » 2 S; « des eaux » hébr.
*c)* « ma pureté » 2 S; « la pureté de mes mains » hébr. qui harmonise avec 21[b].
*d)* Avant « ma lampe » hébr. ajoute « tu éclaires », glose omise dans 2 S et adoucissant l'anthropomorphisme.
*e)* « je force l'enceinte » (*'aroç geder*) 2 S; « je cours à la razzia » (*'arûç gedûd)* hébr.

32 Qui donc est Dieu, hors Yahvé? Is **44** 8;
qui est Rocher, sinon notre Dieu? **45** 21
33 Ce Dieu qui me ceint de force
et rend ma voie irréprochable,

34 qui égale mes pieds à ceux des biches Ha **3** 19
et me tient debout sur les hauteurs, Dt **32** 13
35 qui instruit mes mains au combat, Is **58** 14
mes bras à bander l'arc d'airain.

36 Tu me donnes ton bouclier de salut
(ta droite me soutient), tu ne cesses de m'exaucer [a],
37 tu élargis mes pas sous moi
et mes chevilles n'ont point fléchi.

38 Je poursuis mes ennemis et les atteins,
je ne reviens pas qu'ils ne soient achevés;
39 je les frappe, ils ne peuvent se relever,
ils tombent, ils sont sous mes pieds.

40 Tu m'as ceint de force pour le combat,
tu fais ployer sous moi mes agresseurs;
41 mes ennemis, tu me fais voir leur dos, Ps **21** 13
ceux qui me haïssent, je les extermine.

42 Ils crient, et pas de sauveur,
vers Yahvé, mais pas de réponse;
43 je les broie comme poussière au vent,
je les foule comme la boue des ruelles.

44 Tu me délivres des querelles de mon peuple [b],
tu me mets à la tête des nations; Ps **2** 8-9
le peuple que j'ignorais m'est asservi, Ap **2** 26-28

45 les fils d'étrangers me font leur cour,
ils sont tout oreille et m'obéissent;
46 les fils d'étrangers faiblissent,
ils quittent en tremblant leurs réduits. Mi **7** 17

47 Vive Yahvé, et béni soit mon rocher, Ps **18** 47
exalté, le Dieu de mon salut,
48 le Dieu qui me donne les vengeances
et prosterne les peuples sous moi! = Ps **18** 48

49 Me délivrant d'ennemis furieux,
tu m'exaltes par-dessus mes agresseurs,
tu me libères de l'homme de violence.

50 Aussi je te louerai, Yahvé, chez les païens, ↗ Rm **15** 9
et je veux jouer pour ton nom : Ps **7** 18+

*a)* « tu ne cesses de m'exaucer », litt. « tu me multiplies ta réponse » (*'anôteka*), d'après grec et 2 S, cf. Ps **20** 7; « ton humilité (ou « ton souci », sens araméen, *'anewateka*) me fait grandir » hébr.

*b)* « mon peuple » 2 S; « un peuple » hébr.; « des peuples » grec (pour Ps et 2 S). La leçon de 2 S doit être primitive; on aurait ensuite généralisé à cause de la suite du v. et peut-être aussi pour éliminer l'allusion défavorable à Israël.

[51] « Il multiplie pour son roi les délivrances
et montre de l'amour pour son oint,
pour David et sa descendance à jamais [a]. »

## *PSAUME* 19 (18)

### Yahvé, soleil de justice [b].

[1] *Du maître de chant. Psaume. De David.*

Gn 1 1-8, 14-19 Si 43 1s Ps 93; 147 4-5, 15-20 Pr 8 22-31 Jb 38 7, 31-33 Ps 104 Rm 1 20+

[2] Les cieux racontent la gloire de Dieu,
et l'œuvre de ses mains, le firmament l'annonce;
[3] le jour au jour en publie le récit
et la nuit à la nuit transmet la connaissance.

[4] Non point récit, non point langage,
nulle voix qu'on puisse entendre [c],
[5] mais pour toute la terre en ressortent les lignes
↗ Rm 10 18 — et les mots jusqu'aux limites du monde.

Là-haut, pour le soleil il dressa une tente,
[6] et lui, comme un époux qui sort de son pavillon,
se réjouit, vaillant, de courir sa carrière [d].

Ps 65 9 — [7] A la limite des cieux il a son lever
et sa course atteint à l'autre limite,
à sa chaleur rien n'est caché.

Ps 119 — [8] La loi de Yahvé est parfaite,
réconfort pour l'âme;
le témoignage de Yahvé est véridique,
sagesse du simple.

[9] Les préceptes de Yahvé sont droits,
joie pour le cœur;
le commandement de Yahvé est limpide,
lumière des yeux.

[10] La crainte de Yahvé est pure,
immuable à jamais;
les jugements de Yahvé sont vérité,
équitables toujours,

Ps 119 127 — [11] désirables plus que l'or,
que l'or le plus fin;
Ps 119 103 — ses paroles [e] sont douces plus que le miel,
que le suc des rayons.

*a)* Finale liturgique qui rappelle les promesses de victoire et de salut faites à la dynastie davidique, cf. Ps **89** 2s, 29s; 1 S **2** 10.
*b)* L'hymne célèbre en Yahvé le créateur du ciel, spécialement du soleil, vv. 5[b]-7, et l'auteur de la Loi : la nature et la Loi manifestent les perfections divines. Dans l'ancien Orient, le soleil était le symbole de la justice, cf. Sg **5** 6; Ml **3** 20 : ainsi s'explique l'union des deux parties du Ps. Celui-ci est appliqué par la liturgie de Noël au Verbe de Dieu, Soleil de justice, Ml **3** 20; Jn **1** 9; Lc **1** 78. Le v. 5 est appliqué aux Apôtres, cf. Rm **10** 18.
*c)* Les versions ont compris au contraire : « dont on n'entende pas le son », mais la suite fait allusion au thème assyro-babylonien des astres, silencieuse « écriture des cieux ».
*d)* Le Psalmiste, parlant du soleil créature de Yahvé, emploie des expressions qu'on trouve également dans la mythologie babylonienne.
*e)* « ses paroles » *debarayw* conj., cf. Ps **119** 103, 127; « surabondent » *rab* hébr. (placé à la fin de 11[a]).

[12] Aussi ton serviteur s'en pénètre,
les observer est grand profit.
[13] Mais qui s'avise de ses faux pas?
Purifie-moi du mal caché.

[14] Préserve aussi ton serviteur de l'orgueil [a],
qu'il n'ait sur moi nul empire!
Alors je serai irréprochable
et pur du grand péché.

[15] Agrée les paroles de ma bouche
et le murmure de mon cœur,
sans trêve [b] devant toi, Yahvé,
mon rocher, mon rédempteur [c]!

## *PSAUME* 20 (19)

### Prière pour le roi [d].

[1] *Du maître de chant. Psaume. De David.*

[2] Qu'il te réponde, Yahvé, au jour d'angoisse,
qu'il te protège, le nom du Dieu de Jacob! Pr **18** 10
[3] Qu'il t'envoie du sanctuaire un secours Ps **18** 50; **44** 6
et de Sion qu'il te soutienne! 1 R **8** 30

[4] Qu'il se rappelle toutes tes offrandes,
ton holocauste, qu'il le trouve savoureux! *Pause.*
[5] Qu'il te donne selon ton cœur
et tous tes desseins, qu'il les seconde!

[6] Que nous criions de joie en ton salut,
qu'au nom de notre Dieu nous pavoisions!

Que Yahvé accomplisse toutes tes requêtes!

[7] Maintenant je connais que Yahvé
donne le salut à son messie [e], Ps **18** 51
des cieux de sainteté il lui répondra
par les gestes sauveurs de sa droite.

[8] Aux uns les chars, aux autres les chevaux, Os **1** 7+
à nous d'invoquer le nom de Yahvé notre Dieu. Ps **33** 16-17; **147** 10-11
[9] Eux, ils plient, ils tombent, 2 Ch **14** 10
nous, debout, nous tenons. Is **40** 30-31

[10] Yahvé, sauve le roi, Ps **21**
réponds-nous [f] au jour de notre appel.

*a)* Litt. « des orgueilleux » ou « des choses orgueilleuses ». Grec : « des (dieux) étrangers ». – Le Ps **119** oppose constamment l'orgueil à la pratique de la Loi.
*b)* « sans trêve » grec; omis par hébr.
*c)* En hébreu *go'el*. Le mot, qui désigne le vengeur du sang, Nb **35** 19+, et le rédempteur, Lv **25** 25, 47-49, est appliqué par Jb **19** 25; Ps **19** 15; **78** 35; Jr **50** 34, et fréquemment dans la seconde partie d'Isaïe, Is **41** 14; **43** 14; **44** 6, 24; **49** 7; **59** 20, etc., à Yahvé qui venge, sauve, et arrache à la mort ses fidèles et son peuple.
*d)* Prière pour le roi au départ en campagne, cf. 1 R **8** 44; 2 Ch **20** 18s, en deux parties suivies chacune d'une antienne chorale.
*e)* Ou son « oint », son « christ » (cf. Ex **30** 22+; 1 S **9** 26+) : le roi d'Israël.
*f)* « réponds-nous » versions; « il nous répond » hébr.

Ps **20**
Ps **61** 6-8

## *PSAUME* 21 (20)

**Liturgie de couronnement [a].**

1 *Du maître de chant. Psaume. De David.*

2 En ta force, Yahvé, le roi se réjouit;
combien ton salut le comble d'allégresse!
3 Tu lui as accordé le désir de son cœur,
tu n'as point refusé le souhait de ses lèvres. *Pause.*

4 Car tu l'as prévenu de bénédictions de choix,
tu as mis sur sa tête une couronne d'or fin;
2 R **20** 1-7 — 5 tu lui as accordé la vie qu'il demandait,
Is **38** 1-20 — 1 R **3** 14 — longueur de jours, encore et à jamais.

6 Grande gloire lui fait ton salut,
Ps **45** 4 — tu as mis sur lui le faste et l'éclat;
Gn **12** 2; **48** 20 — 7 oui, tu l'établis en bénédiction pour toujours,
Ps **72** 17 — tu le réjouis de bonheur près de ta face;
1 Ch **17** 27 — Ps **16** 11 — 8 oui, le roi se confie en Yahvé,
la grâce du Très-Haut le garde du faux pas.

9 Ta main trouvera tous tes adversaires,
Ps **18** 38 — ta droite trouvera tes ennemis;
10 tu feras d'eux une fournaise au jour de ta face [b],
Yahvé les engloutira dans sa colère, le feu les avalera;
Ps **109** 13 — 11 leur fruit, tu l'ôteras de la terre,
Jb **18** 19 — leur semence, d'entre les fils d'Adam.

12 Ils ont poussé sur toi le malheur,
mûri un plan : ils ne pourront rien.
Ps **18** 41 — 13 Oui, tu leur feras tourner le dos,
sur eux tu ajusteras ton arc.

14 Lève-toi, Yahvé, dans ta force!
Nous chanterons, nous jouerons pour ta vaillance.

## *PSAUME* 22 (21)

Is **52** 13 – **53** 12

**Souffrances et espoirs du juste [c].**

1 *Du maître de chant. Sur « la biche de l'aurore » [d]. Psaume. De David.*

↗ Mt **27** 46p — 2 Mon Dieu, mon Dieu, pourquoi m'as-tu abandonné?
Loin de me sauver, les paroles que je rugis!
Is **49** 14; **54** 7 — 3 Mon Dieu, le jour j'appelle et tu ne réponds pas,
la nuit, point de silence pour moi.

*a)* Ce Ps, en deux parties suivies d'antiennes chorales, vv. 8 et 14, est d'un accent messianique et eschatologique qui l'a fait appliquer au Christ Roi.
*b)* C'est-à-dire : quand tu paraîtras pour juger. Les vv. 9-13 s'adressent au roi. Mais l'expression « au jour de ta face » et la mention du feu relèvent du style eschatologique. Ce passage dans le texte primitif (cf. mss grecs) a pu s'adresser à Yahvé.
*c)* La plainte et la prière d'un innocent persécuté s'achèvent en action de grâces pour la délivrance attendue, vv. 23-27, et s'adaptent à la liturgie nationale par le v. 24 et la finale universaliste, vv. 28-32, où l'avènement du règne de Dieu dans le monde entier apparaît consécutif aux épreuves du serviteur fidèle. Proche du poème du Serviteur souffrant, Is **52** 13 – **53** 12, ce Ps, dont le Christ prononça le début sur la croix, et où les évangélistes ont vu décrits par avance plusieurs épisodes de la Passion, est ainsi messianique au moins au sens typique.
*d)* Peut-être le début d'un air connu. Versions : « Pour le réconfort matinal ».

[4] Et toi, le Saint, Lv **17** 1+
qui habites les louanges d'Israël [a]! Is **6** 3+
[5] en toi nos pères avaient confiance,
confiance et tu les délivrais,
[6] vers toi ils criaient, et ils échappaient, Jg **2** 6+
en toi leur confiance, et ils n'avaient pas honte.

[7] Et moi, ver et non pas homme,
risée des gens, mépris du peuple,
[8] tous ceux qui me voient me bafouent,
leur bouche ricane, ils hochent la tête : Mt **27** 39p
[9] « Il s'est remis [b] à Yahvé, qu'il le délivre! ↗ Mt **27** 43
qu'il le libère, puisqu'il est son ami! » Sg **2** 18-20

[10] C'est toi qui m'as tiré du ventre, Is **44** 2, 24
ma confiance près des mamelles de ma mère;
[11] sur toi je fus jeté au sortir des entrailles; Gn **50** 23
dès le ventre de ma mère, mon Dieu c'est toi. Is **46** 3
[12] Ne sois pas loin : proche est l'angoisse, Ps **35** 22; **38**
point de secours! 22; **40** 14; **71** 12

[13] Des taureaux nombreux me cernent,
de fortes bêtes de Bashân m'encerclent;
[14] contre moi bâille leur gueule,
lions lacérant et rugissant. Ps **17** 12

[15] Comme l'eau je m'écoule
et tous mes os se disloquent;
mon cœur est pareil à la cire,
il fond au milieu de mes viscères;
[16] mon palais [c] est sec comme un tesson, Jn **19** 28
et ma langue collée à la mâchoire.
Tu me couches dans la poussière de la mort.

[17] Des chiens nombreux me cernent,
une bande de vauriens m'entoure;
comme pour déchiqueter [d] mes mains et mes pieds.
[18] Je peux compter tous mes os,
les gens me voient, ils me regardent;
[19] ils partagent entre eux mes habits ↗ Mt **27** 35p
et tirent au sort mon vêtement. ↗ Jn **19** 24

[20] Mais toi, Yahvé, ne sois pas loin,
ô ma force, vite à mon aide;
[21] délivre de l'épée mon âme, Jn **12** 27
de la patte du chien, mon unique;
[22] sauve-moi de la gueule du lion, Ps **7** 3
de la corne du taureau, ma pauvre âme [e], **17** 12; **57** 5
2 Tm **4** 17

*a)* Ou : « Toi qui habites le sanctuaire, louange d'Israël », cf. grec.
*b)* « Il s'est remis » versions; « Remets-t'en » hébr.
*c)* « mon palais » *hikkî* conj.; « ma force » *kohî* hébr.
*d)* « comme pour déchiqueter » *ke'erô* (du verbe *'arah*) conj.; « comme un lion » *ka'arî* hébr., inintelligible; grec : « ils ont creusé »; syr. : « ils ont blessé »; Vulg. : « ils ont percé ». Le passage rappelle Is **53** 5, mais les évangélistes ne l'ont pas utilisé dans le récit de la Passion.
*e)* « ma pauvre (âme) » *'anniyyatî* conj.; « tu m'as répondu » *'anîtanî* hébr.

↗ He 2 12 — 23 J'annonçerai ton nom à mes frères,
Ps 40 10 — en pleine assemblée je te louerai :
24 « Vous qui craignez Yahvé, louez-le,
toute la race de Jacob, glorifiez-le,
redoutez-le, toute la race d'Israël. »

25 Car il n'a point méprisé,
ni dédaigné la pauvreté du pauvre,
ni caché de lui sa face,
mais invoqué par lui il écouta.

26 De toi vient ma louange dans la grande assemblée,
j'accomplirai mes vœux devant ceux qui le craignent.
27 Les pauvres mangeront et seront rassasiés [a].
Ils loueront Yahvé, ceux qui le cherchent :
« que vive votre cœur à jamais! »

Is 45 22; — 28 Tous les lointains de la terre se souviendront et reviendront vers Yahvé;
52 10 — toutes les familles des nations se prosterneront devant lui [b].
Za 14 9 — 29 A Yahvé la royauté, au maître des nations!
Ab 21 — 30 Oui, devant lui seul [c] se prosterneront tous les puissants de la terre,
devant lui se courberont tous ceux qui descendent à la poussière :
Is 53 10 — et pour celui qui ne vit plus, 31 sa lignée le servira [d],
Ps 48 14; — elle annoncera le Seigneur aux âges 32 à venir [e],
71 18; 78 6; — elle racontera aux peuples à naître sa justice :
102 19 — il l'a faite!
Ep 2 7

# *PSAUME* 23 (22)

## Le bon Pasteur [f].

1 *Psaume. De David.*

Ez 34 1+ — Yahvé est mon berger, rien ne me manque.
Jn 10 1-16 — 2 Sur des prés d'herbe fraîche il me parque.

Jn 4 1+ — Vers les eaux du repos il me mène,
Is 40 31 — 3 il y refait mon âme;
Jr 31 25 — il me guide aux sentiers de justice
Pr 4 11 — à cause de son nom.
Ps 115 1

Is 50 10 — 4 Passerais-je un ravin de ténèbre,
Jb 10 21-22 — je ne crains aucun mal car tu es près de moi [g];
ton bâton, ta houlette sont là qui me consolent.

Ex 16 1+ — 5 Devant moi tu apprêtes une table
Ps 22 27+ — face à mes adversaires;

*a)* Allusion au festin messianique, Is 55 1s, etc., plutôt qu'au repas rituel qui suit le sacrifice de communion, Lv 3 1+.
*b)* « lui » versions; « toi » hébr.
*c)* « devant lui seul » *'ak lô* conj.; « ils ont mangé » *'aklû* hébr.
*d)* Texte difficile; on peut aussi comprendre : « Il (l'impie) ne vivra pas mais une lignée le servira. » Certains mss et le grec ont : « mon âme vivra pour lui », retouche apportée en fonction de la croyance en la résurrection.
*e)* « à venir » grec; « on viendra » hébr.
*f)* La sollicitude divine pour les justes, décrite sous la double image du pasteur, vv. 1-4, et de l'hôte qui offre le festin messianique, vv. 5-6. Ce Ps est traditionnellement appliqué à la vie sacramentelle, spécialement au Baptême et à l'Eucharistie.
*g)* « car tu es » : addition probable pour harmoniser avec 1 S 22 23 et souligner ainsi l'allusion à la geste davidique. Le texte primitif serait : « Près de moi, ton bâton, ta houlette sont là... ».

d'une onction tu me parfumes la tête [a],
ma coupe déborde. Ps 16 5+; 63 6

6 Oui, grâce et bonheur me pressent
tous les jours de ma vie;
ma demeure [b] est la maison de Yahvé Ps 27 4
en la longueur des jours.

## PSAUME 24 (23)

**Liturgie d'entrée au sanctuaire [c].**

1 *Psaume. De David.*

A Yahvé la terre et sa plénitude, Is 66 1-2
le monde et tout son peuplement; Ps 89 12
2 c'est lui qui l'a fondée sur les mers, Dt 10 14 ↗ 1 Co 10 26
et sur les fleuves l'a fixée [d]. Ps 75 4 Is 42 5

3 Qui montera sur la montagne de Yahvé? Ps 15
et qui se tiendra dans son lieu saint?
4 L'homme aux mains nettes, au cœur pur :
son âme ne se porte pas vers des riens,
il ne jure pas pour tromper.

5 Il emportera la bénédiction de Yahvé
et la justice du Dieu de son salut.
6 C'est la race de ceux qui Le cherchent,
qui recherchent ta face, Dieu de Jacob [e]. *Pause.* Ps 27 8-9

7 Portes, levez vos frontons, 2 S 6 12-16
élevez-vous, portails antiques, Ps 118 19-20 Ez 44 2
qu'il entre, le roi de gloire! Ml 3 1

8 Qui est-il, ce roi de gloire? 1 Co 2 8
C'est Yahvé, le fort, le vaillant,
Yahvé le vaillant des combats.

9 Portes, levez vos frontons,
élevez-vous, portails antiques,
qu'il entre, le roi de gloire!

10 Qui est-il, ce roi de gloire?
Yahvé Sabaot, 1 S 1 3+
c'est lui, le roi de gloire. *Pause.* Ex 24 16+

*a)* Selon la coutume de l'hospitalité orientale, Ps 92 11; 133 2; Qo 9 8; Am 6 6; Lc 7 46.
*b)* « ma demeure » versions; « je reviendrai » hébr. (simple corr. vocalique).
*c)* Les vv. 7-10 peuvent se rapporter à la translation de l'arche sous David, 2 S 6 12-16, cf. Ps 68 25s; 132. Le début, vv. 1-6, paraît postérieur, cf. Ps 15 : le créateur de l'univers est aussi l'ami qui accueille le juste.
*d)* La terre est représentée comme reposant sur les eaux de l'océan inférieur, cf. Ex 20 4.
*e)* « ta face, Dieu de Jacob » 2 mss hébr., syr.; « ta face, Jacob » TM; « la face du Dieu de Jacob » grec.

# *PSAUME* 25 (24)

**Prière dans le péril.**

1 *De David.*

= Ps **86** 4 *Aleph.* Vers toi, Yahvé, j'élève mon âme,
2 ô mon Dieu.

Ps **22** 6; **40** 15s; Is **49** 23; **50** 7

*Bèt.* En toi je me confie, que je n'aie point honte,
que mes ennemis ne se rient de moi!
*Gimel.* 3 Pour qui espère en toi, point de honte,
mais honte à qui trahit sans raison.

Ps **27** 11; **86** 11; **119** 35; **143** 8; Jn **14** 6; **16** 13

*Dalèt.* 4 Fais-moi connaître, Yahvé, tes voies,
enseigne-moi tes sentiers.
*Hé.* 5 Dirige-moi dans ta vérité, enseigne-moi,
c'est toi le Dieu de mon salut.

*(Vav.)* En toi tout le jour j'espère
7c à cause de ta bonté, Yahvé.
*Zaïn.* 6 Souviens-toi de ta tendresse, Yahvé,
de ton amour, car ils sont de toujours.
Jb **13** 26; Is **64** 8; Ps **106** 4+
*Hèt.* 7 Ne te souviens pas des égarements de ma jeunesse [a],
mais de moi, selon ton amour souviens-toi!

*Tèt.* 8 Droiture et bonté que Yahvé,
lui qui remet dans la voie les égarés,
*Yod.* 9 qui dirige les humbles dans la justice,
qui enseigne aux malheureux [b] sa voie.

Tb **3** 2; Ps **85** 10-11

*Kaph.* 10 Tous les sentiers de Yahvé sont amour et vérité
pour qui garde son alliance et ses préceptes.
*Lamed.* 11 A cause de ton nom, Yahvé,
pardonne mes torts, car ils sont grands.

Pr **19** 23

*Mem.* 12 Est-il un homme qui craigne Yahvé,
il le remet dans la voie qu'il faut prendre;
*Nun.* 13 son âme habitera le bonheur,
Ps **37** 9, 29; Is **57** 13
sa lignée possédera la terre [c].
*Samek.* 14 Le secret de Yahvé [d] est pour ceux qui le craignent,
son alliance, pour qu'ils aient la connaissance.

Ps **123** 1; **141** 8-9

*Aïn.* 15 Mes yeux sont fixés sur Yahvé,
car il tire mes pieds du filet.
Ps **86** 16; **119** 132
*Phé.* 16 Tourne-toi vers moi, pitié pour moi,
solitaire et malheureux que je suis.

*Çadé.* 17 Desserre [e] l'angoisse de mon cœur,
hors de mes tourments tire-moi.

*a)* L'hébr. ajoute ici « et de mes péchés », doublet omis par syr.
*b)* « malheureux » syr.; l'hébr. répète « humbles ».
*c)* A la conviction, héritée des Sages d'Israël, qu'une récompense terrestre est accordée au juste, s'ajoute ici l'espoir des Juifs revenus de l'Exil dans la pleine jouissance du pays des ancêtres.
*d)* Plutôt que le mystère divin, Sg **2** 22, il faut comprendre ici l'intimité avec Dieu, Ps **73** 28; Ex **33** 20+; Jb **29** 5; Pr **3** 32, unie à la connaissance des choses divines, Jr **16** 21; **31** 34; Os **6** 6.
*e)* « Desserre » conj.; « Ils ont desserré » hébr.

*(Qoph.)* [18] Vois mon malheur et ma peine,
efface tous mes égarements.

*Resh.* [19] Vois mes ennemis qui foisonnent,
de quelle haine violente ils me haïssent.
*Shin.* [20] Garde mon âme, délivre-moi, Ps **16** 1
point de honte pour moi : tu es mon abri.
*Tav.* [21] Qu'intégrité et droiture me protègent,
j'espère en toi, Yahvé[a].

[22] Rachète Israël, ô Dieu, Ps **130** 8
de toutes ses angoisses[b].

# *PSAUME* 26 (25)

Ps **7**; **17**; **18** 21-28; **59** 4 Jb **31**

## Prière de l'innocent[c].

[1] *De David.*

Justice pour moi, Yahvé,
moi j'ai marché en mon intégrité,
je m'appuie sur Yahvé et ne dévie pas.

[2] Scrute-moi, Yahvé, éprouve-moi, Ps **7** 10;
passe au feu mes reins et mon cœur : **17** 3; **139** 23
[3] j'ai devant les yeux ton amour
et je marche en ta vérité. Ps **119** 30

[4] Je n'ai pas été m'asseoir avec le fourbe,
chez l'hypocrite je ne veux entrer;
[5] j'ai détesté le parti des méchants, Ps **1** 1
avec l'impie je ne veux m'asseoir.

[6] Je lave mes mains en l'innocence = Ps **73** 13
et tourne autour de ton autel, Yahvé, Dt **21** 6-7 Mt **27** 24
[7] faisant retentir l'action de grâces,
énonçant toutes tes merveilles;
[8] Yahvé, j'aime la beauté[d] de ta maison Ex **25** 8+; **24** 16+.
et le lieu du séjour de ta gloire. Ps **29** 9; **63** 3

[9] Ne joins pas mon âme aux égarés Ps **28** 3
ni ma vie aux hommes de sang;
[10] ils ont dans les mains l'infamie,
leur droite est pleine de profits. Ex **23** 8+

[11] Pour moi je veux marcher en mon intégrité,
rachète-moi, pitié pour moi; Ps **25** 16
[12] mon pied se tient en droit chemin,
je te[e] bénis, Yahvé, dans les assemblées. Ps **22** 23 **40** 11; **52** 11

*a)* « Yahvé » grec; omis par hébr.
*b)* Ce v., qui est en surplus dans la série alphabétique, peut être une antienne liturgique postexilique. Cf. de même Ps **34** 23.
*c)* Comme dans les Ps **7** et **17**, le croyant proteste de son innocence.
*d)* « beauté » grec; « demeure » hébr. (simple permutation de deux consonnes).
*e)* « te » grec; omis par hébr.

# *PSAUME* 27 (26)

**Près de Dieu, point de crainte.**

1 *De David.*

Ps **18** 29; Yahvé est ma lumière et mon salut,
**36** 10; **43** 3 de qui aurais-je crainte?
Mi **7** 8 Is **10** 17 Yahvé est le rempart de ma vie,
devant qui tremblerais-je?

2 Quand s'avancent contre moi les méchants
Jb **19** 22 pour dévorer ma chair,
Ps **14** 4 ce sont eux, mes ennemis, mes adversaires,
qui chancellent et succombent.

3 Qu'une armée vienne camper contre moi,
mon cœur est sans crainte;
qu'une guerre éclate contre moi,
j'ai là ma confiance.

4 Une chose qu'à Yahvé je demande,
la chose que je cherche,
= Ps **23** 6 c'est d'habiter la maison de Yahvé
Ps **42** 3 tous les jours de ma vie,
de savourer la douceur de Yahvé,
de rechercher son palais.

Ap **7** 15-16 5 Car il me réserve en sa hutte un abri
au jour de malheur;
Ps **31** 21 il me cache au secret de sa tente [a],
Ps **18** 3 il m'élève sur le roc.

6 Maintenant ma tête s'élève
sur mes rivaux qui m'entourent,
et je viens sacrifier en sa tente
des sacrifices d'acclamation.

Je veux chanter, je veux jouer pour Yahvé.

7 Écoute, Yahvé, mon cri d'appel,
pitié, réponds-moi!
8 De toi mon cœur a dit :
« Cherche sa face [b]. »
C'est ta face, Yahvé, que je cherche,
Ps **24** 6; 9 ne me cache point ta face.
**105** 4
Os **5** 15

N'écarte pas ton serviteur avec colère;
c'est toi mon secours.

*a)* « hutte » et « tente » désignent le sanctuaire de Jérusalem.

*b)* « cherche sa face » conj.; « cherchez ma face » hébr. – L'expression, cf. Am **5** 4+, qui signifiait à l'origine « aller consulter Yahvé » en son sanctuaire, 2 S **21** 1, prit un sens plus général : chercher à le connaître, vivre en sa présence. « Chercher Yahvé », Dt **4** 29; Ps **40** 17; **69** 7; **105** 3, etc., cf. Am **5** 4+, c'est le servir fidèlement.

Ne me laisse pas, ne m'abandonne pas,
Dieu de mon salut.
10 Si mon père et ma mère m'abandonnent, Jr **31** 20
Yahvé m'accueillera. Os **11** 8 Is **49** 15

11 Enseigne-moi, Yahvé, ta voie, = Ps **86** 11
conduis-moi sur un chemin de droiture Ps **25** 4
à cause de ceux qui me guettent;
12 ne me livre pas à l'appétit de mes adversaires :
contre moi se sont levés de faux témoins
qui soufflent la violence.

13 Je le crois, je verrai [a] la bonté de Yahvé
sur la terre des vivants. Ps **116** 9;
14 Espère en Yahvé, prends cœur et prends courage, **142** 6
espère en Yahvé.

## *PSAUME* 28 (27)

**Supplication et action de grâces.**

1 *De David.*

Vers toi, Yahvé, j'appelle,
mon rocher, ne sois pas sourd! Ps **18** 3+
que je ne sois, devant ton silence,
comme ceux qui descendent à la fosse!

2 Écoute la voix de ma prière
quand je crie vers toi,
quand j'élève les mains, Yahvé [b], Ps **5** 8; **134** 2
vers ton saint des saints. 1 R **8** 48

3 Ne me traîne pas avec les impies, Ps **26** 9
avec les malfaisants,
qui parlent de paix à leur prochain, Ps **12** 3;
et le mal est dans leur cœur. **55** 22; **62** 5 Pr **26** 24-25

4 Donne-leur, Yahvé, selon leurs œuvres
et la malice de leurs actes,
selon l'ouvrage de leurs mains donne-leur, Jr **50** 29
paie-les de leur salaire.

5 Ils méconnaissent les œuvres de Yahvé, Is 5 12
l'ouvrage de tes mains :
qu'il les abatte et ne les rebâtisse! Ps **52** 7

6 Béni soit Yahvé, car il écoute
la voix de ma prière!

*a)* On peut comprendre aussi : « Ah! si je ne devais pas voir ». A l'époque maccabéenne, on a interprété ce passage en fonction de la foi en une vie future.
*b)* Ici et au v. 4, « Yahvé » manque dans l'hébr.

[7] Yahvé ma force et mon bouclier,
en lui mon cœur a foi;
j'ai reçu aide, ma chair a refleuri,
de tout cœur [a] je rends grâces.

[8] Yahvé, force pour son peuple,
forteresse de salut pour son messie [b].
Ps 3 9; 29 11 — [9] Sauve ton peuple, bénis ton héritage,
Ex 19 4 — conduis-les, porte-les à jamais!

Ps 18 14; 68 9; 77 17-19; 97 2-6; 144 5-6 Ex 19 16+ Ha 3

## *PSAUME* 29 (28)

### Hymne au Seigneur de l'orage [c].

[1] *Psaume de David.*

Rapportez à Yahvé, fils de Dieu [d],
= Ps 96 7-9 — rapportez à Yahvé gloire et puissance,
[2] rapportez à Yahvé la gloire de son nom,
adorez Yahvé dans son éclat de sainteté [e].

Ps 77 19; 104 7 Is 30 30 Ez 10 5 Jb 37 4-5 — [3] Voix de Yahvé sur les eaux, le Dieu de gloire tonne;
Yahvé sur les eaux innombrables,
[4] voix de Yahvé dans la force, voix de Yahvé dans l'éclat;

[5] voix de Yahvé, elle fracasse les cèdres,
Yahvé fracasse les cèdres du Liban,
Ps 114 4 — [6] il fait bondir comme un veau le Liban,
et le Siryôn [f] comme un bouvillon.

Ha 3 11 — [7] Voix de Yahvé, elle taille des éclairs de feu [g];
[8] voix de Yahvé, elle secoue le désert,
Yahvé secoue le désert de Cadès.
[9] Voix de Yahvé, elle secoue les térébinthes [h],
elle dépouille les futaies.

Dans son palais [i] tout crie : Gloire!
Gn 6-9 Is 54 9 — [10] Yahvé a siégé pour le déluge [j],
il a siégé, Yahvé, en roi éternel.
Dn 7 27 — [11] Yahvé donne la puissance à son peuple,
Yahvé bénit son peuple dans la paix.

*a)* « ma chair a refleuri, de tout cœur » grec; « mon cœur se réjouit, par mon cantique » hébr.
*b)* D'après le parallélisme, le « messie » (« oint ») paraît être ici le peuple de Dieu, consacré à son service, cf. Ex **19** 3+; Ps **105** 15; Ha **3** 13, plutôt que le prince, Ps **20** 7, ou le grand prêtre, Ps **84** 10.
*c)* L'orage, cf. Ex **13** 22+ et Ex **19** 16+, évoque la puissance et la gloire divines qui terrassent les ennemis d'Israël et assurent au peuple de Dieu la paix.
*d)* Litt. « fils des dieux », cf. Ps **82** 1; **89** 7; Jb **1** 6+, identifiés aux Anges qui forment la cour divine. Le passage est parfois appliqué à Israël, « fils de Dieu », Ex **4** 22; Dt **14** 1; Os **11** 1. – Grec et Vulg. ont ensuite la variante : « Apportez à Yahvé des petits de béliers ».
*e)* Ou : « dans son parvis de sainteté » (grec, syr.); il s'agirait alors du ciel, réplique invisible du Temple de Jérusalem, Ps **11** 4; **78** 69.
*f)* Nom sidonien du Liban, Dt **3** 9.
*g)* Dieu se taille des flèches pour percer ses ennemis, cf. Ps **18** 15; Dt **32** 23, 42; Ha **3** 11; Za **9** 14.
*h)* « les térébinthes » *'êlôt* conj.; « (fait enfanter) les biches » *'ayyalôt* hébr. – Les grands arbres, ici et au v. 5, peuvent être le symbole des ennemis orgueilleux de Dieu et de son peuple, cf. Is **2** 13; **10** 18, 33; **32** 19; Jr **21** 14; **46** 23; Ez **21** 2; Za **11** 2.
*i)* Soit au ciel (v. 2), soit dans le Temple de Jérusalem dont la liturgie fait écho aux louanges célestes, soit enfin dans la Terre Sainte, consacrée à Yahvé, Ps **114** 2, sa maison, Jr **12** 7; Za **9** 8.
*j)* Première manifestation de la justice divine.

## *PSAUME* 30 (29)

### Action de grâces après un danger mortel.

1 *Psaume. Cantique pour la dédicace de la Maison. De David.* Esd **6** 16 1 M **4** 36s

2 Je t'exalte, Yahvé, qui m'as relevé,
tu n'as pas fait rire de moi mes ennemis.
3 Yahvé mon Dieu, vers toi j'ai crié, tu m'as guéri.
4 Yahvé, tu as tiré mon âme du shéol, Nb **16** 33+
me ranimant d'entre ceux qui descendent à la fosse. 1 S **2** 6

5 Jouez pour Yahvé, ceux qui l'aiment, Ps **7** 18+
louez sa mémoire de sainteté. = Ps **97** 12
6 Sa colère est d'un instant, sa faveur pour la vie; Is **54** 7-8 Jb **14** 13
au soir la visite des larmes [a], au matin les cris de joie. Ps **17** 15+

7 Moi, j'ai dit dans mon bonheur :
« Rien à jamais ne m'ébranlera! »
8 Yahvé, ta faveur m'a fixé sur de fortes montagnes [b];
tu caches ta face, je suis bouleversé. Ps **104** 29

9 Vers toi, Yahvé, j'appelle,
à mon Dieu [c] je demande pitié :
10 Que gagnes-tu à mon sang [d], à ma descente en la tombe? Is **38** 18+
Te loue-t-elle, la poussière, annonce-t-elle ta vérité? Ps **6** 6; **88** 11-13

11 Écoute, Yahvé, pitié pour moi
Yahvé, sois mon secours!
12 Pour moi tu as changé le deuil en une danse, Jr **31** 13
tu dénouas mon sac et me ceignis d'allégresse; Is **61** 3 Ps **126**
13 aussi mon cœur [e] te chantera sans plus se taire, Est **9** 22
Yahvé mon Dieu, je te louerai à jamais.

## *PSAUME* 31 (30)

### Prière dans l'épreuve [f].

1 *Du maître de chant. Psaume. De David.*

2 En toi, Yahvé, j'ai mon abri, = Ps **71** 1-2
Sur moi pas de honte à jamais!
En ta justice affranchis-moi, délivre-moi [g],
3 tends l'oreille vers moi, hâte-toi!

Sois pour moi un roc de force, Ps **18** 3
une maison fortifiée qui me sauve; **71** 3

*a)* Litt. : « au soir, les larmes passent la nuit ».
*b)* Trad. conj.; hébr. : « par ta faveur, tu as fixé sur ma montagne (forme anormale) une force ».
*c)* « mon Dieu » grec; « Seigneur » hébr.
*d)* C'est-à-dire « à ma mort »; le sang contient la vie, Gn **9** 6+; Lv **1** 5+; Ps **72** 14; **116** 15.
*e)* « mon cœur » : en lisant avec le grec *kebedî*, litt. « mon foie » ou « ma gloire », cf. Ps **7** 6; « la gloire » *kabôd* hébr.
*f)* Cette prière s'inspire des Confessions de Jérémie. Jon **2** en est assez proche.
*g)* « délivre-moi » mss grecs; décalé dans l'hébr. après « hâte-toi ».

4 car mon rocher, mon rempart, c'est toi,
pour ton nom, guide-moi, conduis-moi!

5 Tire-moi du filet qu'on m'a tendu,
car c'est toi ma force;
↗ Lc **23** 46 6 en tes mains je remets mon esprit,
↗ Ac **7** 59 c'est toi qui me rachètes, Yahvé.

Dieu de vérité, 7 tu détestes [a]
les servants de vaines idoles;
pour moi, je suis sûr de Yahvé :
8 que j'exulte et jubile en ton amour!

Toi qui as vu ma misère,
connu l'oppression de mon âme,
9 tu ne m'as point livré aux mains de l'ennemi,
tu as mis au large mes pas.

Ps **35**; **38**; **69**; **71** 10 Pitié pour moi, Yahvé,
l'oppression est sur moi!
Les pleurs me rongent les yeux,
la gorge et les entrailles.

11 Car ma vie se consume en affliction
et mes années en soupirs;
ma vigueur succombe à la misère [b]
Ps **6** 3 et mes os se rongent.

12 Tout ce que j'ai d'oppresseurs
fait de moi un scandale;
Jb **19** 13-19 pour mes voisins je ne suis que dégoût [c],
Ps **38** 12 un effroi pour mes amis.

Ceux qui me voient dans la rue
s'enfuient loin de moi,
13 comme un mort oublié des cœurs,
comme un objet de rebut.

|| Jr **20** 10 14 J'entends les calomnies des gens,
Ps **41** 6 terreur de tous côtés!
ils se groupent à l'envi contre moi,
complotant de m'ôter la vie.

15 Et moi, je m'assure en toi, Yahvé,
je dis : C'est toi mon Dieu!
16 Mes temps sont dans ta main, délivre-moi,
des mains hostiles qui s'acharnent;
Ps **4** 7+ 17 fais luire ta face sur ton serviteur,
sauve-moi par ton amour.

18 Yahvé, pas de honte sur moi qui t'invoque,
mais honte sur les impies!

*a)* « tu détestes » versions; « je déteste » hébr.
*b)* « à la misère » versions; « dans mon iniquité » hébr.
*c)* « dégoût » *ma'ôs* conj.; « beaucoup » *me'ôd* hébr.

Qu'ils aillent muets au shéol;
19 silence aux lèvres de mensonge
qui parlent du juste insolemment
avec superbe et mépris!

20 Qu'elle est grande, Yahvé [a], ta bonté!
tu la réserves pour qui te craint,
tu la dispenses à qui te prend pour abri
face aux fils d'Adam.

21 Tu les caches au secret de ta face, Ps **27** 5
loin des intrigues des hommes; Ap **7** 15-16 Jb **5** 21
tu les mets à couvert sous la tente, Ps **109** 3
loin de la guerre des langues [b].

22 Béni Yahvé qui fit pour moi
des merveilles d'amour
(en une ville de rempart)! Ps **60** 11 Is **26** 1
23 Et moi je disais en mon trouble :
« Je suis ôté [c] loin de tes yeux! »
Et pourtant tu écoutas la voix de ma prière
quand je criai vers toi.

24 Aimez Yahvé, tous les siens : Ps **37** 34s
il garde les fidèles,
mais Yahvé rétribue avec usure
celui qui fait l'orgueilleux.
25 Courage, reprenez cœur, vous tous
qui espérez Yahvé!

## *PSAUME* 32 (31)

Os **14** 3 Is **1** 18 Pr **28** 13 Jc **5** 16 1 Jn **1** 9

**L'aveu libère du péché [d].**

1 *De David. Poème.*

Heureux qui est absous de son péché, ↗ Rm **4** 7-8
acquitté de sa faute [e]!
2 Heureux l'homme à qui Yahvé
ne compte pas son tort,
et dont l'esprit est sans fraude!

3 Je me taisais, et mes os se consumaient Ps **31** 11
à rugir tout le jour;
4 la nuit, le jour, ta main
pesait sur moi;
mon cœur était changé en un chaume [f]
au plein feu de l'été. *Pause.*

*a)* « Yahvé » 3 mss hébr., versions; manque dans TM.
*b)* Les moqueries, calomnies, faux témoignages, cf. Ps **55** 10; **109** 3; **120** 2s; 1 R **21** 10, 13; Jb **5** 21; Is **54** 17; Jr **18** 18.
*c)* « ôté » : en rétablissant le texte primitif; dans le mot hébr., deux lettres ont été permutées pour édulcorer l'expression, trop pessimiste.
*d)* Poème didactique, dont les deux parties, vv. 1-7 et 8-11, de rythme différent, se répondent. – C'est l'un des Psaumes de pénitence.
*e)* Litt. « son péché est couvert », cf. Ps **65** 4+; **85** 3; Jb **31** 33.
*f)* « mon cœur » 1 ms; manque dans TM. – « un chaume », litt. « un champ » *lesaday* conj.; « ma sève » *leshaddi* hébr.

Jb **31** 33 Ps **51** 5 — 5 Ma faute, je te l'ai fait connaître,
je n'ai point caché mon tort;
j'ai dit : J'irai à Yahvé
2 S **12** 13 — confesser mon péché.
Ps **51** 3-4 — Et toi, tu as absous mon tort,
pardonné [a] ma faute. *Pause.*

6 Aussi chacun des tiens te prie
à l'heure de l'angoisse [b].
Ps **18** 5+ — Que viennent à déborder les grandes eaux,
elles ne peuvent l'atteindre.
7 Tu es pour moi un refuge,
de l'angoisse tu me gardes,
de chants [c] de délivrance tu m'entoures. *Pause.*

8 Je t'instruirai, je t'apprendrai la route à suivre,
Ps **33** 18 — les yeux sur toi, je serai ton conseil.

9 Ne sois pas comme le cheval ou le mulet
qui ne comprend ni la rêne ni le frein :
qu'on s'avance [d] pour le dompter,
rien à faire pour qu'il s'approche de toi!

10 Nombreux sont les tourments pour l'impie;
qui se fie en Yahvé, la grâce l'entoure.

Ps **33** 1 — 11 Réjouissez-vous en Yahvé,
exultez, les justes,
jubilez, tous les cœurs droits.

## *PSAUME* 33 (32)

### Hymne à la Providence.

Ps **32** 11 — 1 Criez de joie, les justes, pour Yahvé,
Ps **92** 2; **147** 1 — aux cœurs droits convient la louange.
2 Rendez grâce à Yahvé sur la harpe,
Ps **92** 4; — jouez-lui sur la lyre à dix cordes;
**144** 9 — 3 chantez-lui un cantique nouveau,
de tout votre art accompagnez l'acclamation [e]!

Dt **32** 4 — 4 Droite est la parole de Yahvé,
Ps **89** 15 — et toute son œuvre est vérité;
5 il chérit la justice et le droit,
= Ps **119** 64 — de l'amour de Yahvé la terre est pleine.

*a)* « pardonné » *salahta* conj.; omis par hébr., peut-être tombé par haplographie devant *selah* (« pause »).
*b)* « de l'angoisse » *maçor* ou *maçoq* conj.; « de trouver seulement » *meço' raq* hébr.; *raq* (« seulement ») proviendrait de la juxtaposition des consonnes finales des deux variantes.
*c)* « de chants » : mot douteux; sans doute dittographie de la fin du verbe précédent.
*d)* « qu'on s'avance », litt. « s'étant avancé », *'adûy* conj.; « son avance » *'edyô* hébr.
*e)* Ce terme désignait à l'origine le cri de guerre qui précédait l'assaut, Ex **32** 17; Jos **6** 5; Jg **7** 20-21; 1 S **17** 20, 52; Jr **4** 19; **49** 2; Os **5** 8; Am **1** 14; il saluait Yahvé comme roi et chef de guerre, Nb **23** 21; So **1** 14; cf. 1 S **10** 24, et l'arche son palladium, 1 S **4** 5; 2 S **6** 15. Après l'Exil, ce hourra rituel prend un sens cultuel et liturgique; il exalte Yahvé, roi d'Israël et des païens, Ps **47** 2, 6; **89** 16; **95** 1; **98** 4, 6, sauveur, Is **44** 23, et juge, Jl **2** 1, ainsi que son Messie, Za **9** 9. Il est poussé aux jours de fête, Esd **3** 11, cf. Jb **38** 7, aux sacrifices d'action de grâces, Ps **27** 6; **65** 14; **100** 1; Jb **33** 26, et aux liturgies processionnelles, Ps **95** 1, 2; **100** 1s. Cf. Nb **10** 5+.

[6] Par la parole de Yahvé les cieux ont été faits, Gn **2** 1
par le souffle de sa bouche, toute leur armée; Jn **1** 1+
[7] il rassemble l'eau des mers comme une digue [a], Gn **1** 9-10
il met en réserve les abîmes. Jb **38** 8-11, 22 Ex **15** 8 Ps **78** 13

[8] Qu'elle tremble devant Yahvé, toute la terre,
qu'il soit craint de tous les habitants du monde!
[9] Il parle et cela est, Gn **1** 3s
il commande et cela existe. Is **48** 13 Ps **148** 5 Jn **1** 3

[10] Yahvé déjoue le plan des nations,
il empêche les pensées des peuples;
[11] mais le plan de Yahvé subsiste à jamais, Is **40** 8; **46** 10
les pensées de son cœur, d'âge en âge. Pr **19** 21
[12] Heureux le peuple dont Yahvé est le Dieu, = Ps **144** 15
la nation qu'il s'est choisie en héritage! Ex **19** 6+ Dt **7** 6+

[13] Du haut des cieux Yahvé regarde, Jr **16** 17
il voit tous les fils d'Adam; Jb **34** 21
[14] du lieu de sa demeure il observe
tous les habitants de la terre;
[15] lui seul forme le cœur, Za **12** 1
il discerne tous leurs actes. Ps **94** 9-11; **139** 1-16

[16] Le roi n'est pas sauvé par une grande force, 1 S **14** 6; **17** 47
le brave préservé par sa grande vigueur. Jdt **9** 7
[17] Mensonge qu'un cheval pour sauver, Os **1** 7+
avec sa grande force, pas d'issue.
[18] Voici, l'œil de Yahvé est sur ceux qui le craignent, Ps **32** 8; **34** 16
sur ceux qui espèrent son amour,
[19] pour préserver leur âme de la mort
et les faire vivre au temps de la famine.

[20] Notre âme attend Yahvé,
notre secours et bouclier, c'est lui; = Ps **115** 9s
[21] en lui, la joie de notre cœur,
en son nom de sainteté notre foi.
[22] Sur nous soit ton amour, Yahvé, Ps **90** 17
comme notre espoir est en toi.

## *PSAUME* 34 (33)

**Louange de la justice divine [b].**

[1] *De David. Quand, déguisant sa raison devant Abimélek, il se fit chasser par lui et s'en alla.* 1 S **21** 11-16

*Aleph.* [2] Je bénirai Yahvé en tout temps,
sa louange sans cesse en ma bouche;
*Bèt.* [3] en Yahvé mon âme se loue,
qu'ils écoutent, les humbles, qu'ils jubilent!

*a)* Les versions corrigent la vocalisation pour lire « comme une outre », mais on voit ici une allusion au miracle de la Mer en Ex **15** 8, cf. aussi Ps **18** 13.
*b)* Psaume sapientiel « alphabétique », cf. Pr **31** 10+ (mais l'ordre des strophes est troublé) : action de grâces, vv. 2-11, et instruction dans le style des Proverbes, sur le sort des justes et des méchants, vv. 12-23.

*Gimel.* [4] Magnifiez avec moi Yahvé,
exaltons ensemble son nom.
*Dalèt.* [5] Je cherche Yahvé, il me répond
et de toutes mes frayeurs me délivre.

*Hé.* [6] Qui regarde vers lui resplendira
et sur son visage point de honte.
*Zaïn.* [7] Un pauvre a crié, Yahvé écoute,
et de toutes ses angoisses il le sauve.

Ex 14 19+ *Hèt.* [8] Il campe, l'ange de Yahvé,
autour de ses fidèles, et il les dégage.
↗ 1 P 2 3 *Tèt.* [9] Goûtez et voyez comme Yahvé est bon;
= Ps 2 12 heureux qui s'abrite en lui!

*Yod.* [10] Craignez Yahvé, vous les saints :
qui le craint ne manque de rien.
*Kaph.* [11] Les jeunes fauves [a] sont dénués, affamés;
qui cherche Yahvé ne manque d'aucun bien.

Pr 1 8; 4 1 *Lamed.* [12] Venez, fils, écoutez-moi,
la crainte de Yahvé, je vous l'enseigne.
↗ 1 P 3 10-12 *Mem.* [13] Où est l'homme qui désire la vie,
épris de jours où voir le bonheur?

*Nun.* [14] Garde ta langue du mal,
tes lèvres des paroles trompeuses;
= Ps 37 27 *Samek.* [15] Évite le mal, fais le bien,
Mt 5 9 recherche la paix et poursuis-la.

*Aïn.* [16] Pour les justes, les yeux de Yahvé,
et pour leurs clameurs, ses oreilles;
*Phé.* [17] contre les malfaisants, la face de Yahvé,
pour ôter de la terre leur mémoire.

*Çadé.* [18] Ils crient, Yahvé écoute,
de toutes leurs angoisses il les délivre;
Ps 51 19 *Qoph.* [19] proche est Yahvé des cœurs brisés,
Mt 11 29-30 il sauve les esprits abattus.

*Resh.* [20] Malheur sur malheur pour le juste,
mais de tous Yahvé le délivre;
*Shin.* [21] Yahvé garde tous ses os,
↗ Jn 19 36 pas un ne sera brisé.

*Tav.* [22] Le mal tuera l'impie,
qui déteste le juste expiera.
[23] Yahvé rachète l'âme de ses serviteurs,
qui s'abrite en lui n'expiera point.

*a)* Les bêtes fauves désignent souvent les impies, Ps 3 8; 22 22; Jb 4 9-10; Ez 38 13; Za 11 3. Le grec a interprété en traduisant « les riches ».

# *PSAUME* 35 (34)

**Prière d'un juste persécuté [a].**

1 *De David.*

Accuse, Yahvé, mes accusateurs,
assaille mes assaillants;
2 prends armure et bouclier
et te lève à mon aide;
3 brandis la lance et la pique [b]
contre mes poursuivants.
Dis à mon âme : « C'est moi ton salut. » Ps 27 1

4 Honte et déshonneur sur ceux-là = Ps 71 13; 40 15
qui cherchent mon âme!
Arrière! qu'ils reculent confondus, Jn 18 6
ceux qui ruminent mon malheur!
5 Qu'ils soient de la bale au vent, Ps 1 4; 83 14
l'ange de Yahvé les poussant, Ps 34 8
6 que leur chemin soit ténèbre et glissade, Jr 23 12
l'ange de Yahvé les poursuivant!

7 Sans raison ils m'ont tendu leur filet,
creusé pour moi une fosse [c],
8 la ruine vient sur eux sans qu'ils le sachent; Is 47 11 1 Th 5 3
le filet qu'ils ont tendu les prendra, Ps 7 16+
dans la fosse [d], ils tomberont.

9 Et mon âme exultera en Yahvé,
jubilera en son salut.
10 Tous mes os diront : Yahvé, Ps 51 10
qui est comme toi Ps 86 8+
pour délivrer le petit du plus fort,
le pauvre du spoliateur [e]?

11 Des témoins de mensonge se lèvent, Ps 27 12 Mt 26 59s
que je ne connais pas.
On me questionne, 12 on me rend le mal pour le bien, Ps 38 21; 109 5
ma vie devient stérile.

13 Et moi, pendant leurs maladies, vêtu d'un sac,
je m'humiliais par le jeûne,
ma prière revenant dans mon sein,
14 comme pour un ami, pour un frère, j'allais çà et là;
comme en deuil d'une mère,
assombri je me courbais.

15 Ils se rient de ma chute, ils s'attroupent,
ils s'attroupent contre moi;

*a)* Grande lamentation imprécatoire, proche des Ps 22; 55; 59: **69**; **70**; **109**.
*b)* « et la pique » *wesagar* conj. d'après un texte de Qumrân; « et ferme » *ûsegor* hébr.
*c)* V. corrigé d'après le syr.; hébr. corrompu, litt. : « tendu une fosse, leur filet, creusé sans raison ».
*d)* « dans la fosse » syr.; « dans la ruine » hébr., dittographie.
*e)* Avant « le pauvre », hébr. répète « le petit ».

des étrangers [a], sans que je le sache,
déchirent sans répit;
16 si je tombe, ils m'encerclent [b],
ils grincent des dents contre moi.

17 Seigneur, combien de temps verras-tu cela?
Soustrais mon âme à leurs ravages [c],
Ps 17 12; 22 21s aux lionceaux mon unique.

Ps 22 23 18 Je rendrai grâce dans la grande assemblée,
dans un peuple nombreux je te louerai.

Ps 38 17 19 Que ne puissent rire de moi
ceux qui m'en veulent à tort,
ni se faire des clins d'œil
Ps 69 5 ↗ Jn 15 25 ceux qui me haïssent sans cause!

Ps 120 6-7 20 Ce n'est point de la paix qu'ils parlent
aux paisibles de la terre;
ils ruminent de perfides paroles,
21 la bouche large ouverte contre moi;
Lm 2 16 ils disent : Ha! ha!
notre œil a vu [d]!

22 Tu as vu, Yahvé, ne te tais plus,
= Ps 38 22 Seigneur, ne sois pas loin de moi;
23 éveille-toi, lève-toi, pour mon droit,
Seigneur mon Dieu, pour ma cause;
24 juge-moi selon ta justice, Yahvé mon Dieu,
qu'ils ne se rient de moi!

Ps 40 16 Ez 25 3; 26 2 25 Qu'ils ne disent en leur cœur : Ha! ma foi!
qu'ils ne disent : Nous l'avons englouti!
26 Honte et déshonneur ensemble
sur ceux qui rient de mon malheur;
que honte et confusion les couvrent,
ceux qui se grandissent à mes dépens!

27 Rires et cris de joie pour ceux-là
que réjouit ma justice,
ceux-là, qu'ils disent constamment :
Ps 40 17 « Grand est Yahvé
que réjouit la paix de son serviteur! »

28 Et ma langue redira ta justice,
tout le jour, ta louange.

*a)* « étrangers » ***nokrîm*** conj.; « frappés » ***nekîm*** hébr.
*b)* Stique corrompu; on coupe les mots autrement que l'hébr. et on corrige la vocalisation. Grec : « ils m'éprouvent, ils m'insultent d'insultes » donne un sens satisfaisant, mais représente une correction plus importante.
*c)* Sens incertain.
*d)* Ils l'accusent faussement de quelque crime.

# *PSAUME* 36 (35)

## Malice du pécheur et bonté de Dieu [a].

1 *Du maître de chant. Du serviteur de Yahvé. De David.*

2 C'est un oracle pour l'impie que le péché
au fond de son cœur [b];
point de crainte de Dieu
devant ses yeux. ↗ Rm 3 18

3 Il se voit d'un œil trop flatteur
pour découvrir et détester son tort [c]; Mt 7 3-5
4 les paroles de sa bouche : fraude et méfait!
c'est fini d'être un sage.

En fait de bien 5 il rumine le méfait Mi 2 1
jusque sur sa couche;
il s'obstine dans la voie qui n'est pas bonne,
la mauvaise, il n'en démord pas.

6 Yahvé, dans les cieux ton amour, = Ps 57 11; 71 19
jusqu'aux nues, ta vérité;
7 ta justice, comme les montagnes de Dieu [d],
tes jugements, le grand abîme.

L'homme et le bétail, tu les secours, Yahvé,
8 qu'il est précieux, ton amour, ô Dieu!
Ainsi, les fils d'Adam :
à l'ombre de tes ailes ils ont abri. Ps 17 8+

9 Ils s'enivrent de la graisse de ta maison, Ps 63 6
au torrent de tes délices tu les abreuves;
10 en toi est la source de vie [e], Ps 16 11; 46 5 Is 55 1 Jr 2 13+ Jn 4 14
par ta lumière nous voyons la lumière [f].

11 Garde ton amour à ceux qui te connaissent,
et ta justice aux cœurs droits.
12 Que le pied des superbes ne m'atteigne,
que la main des impies ne me chasse!

13 Les voilà tombés, les malfaisants,
abattus sans pouvoir se relever.

*a)* Les deux parties du Ps, vv. 2-5 et 6-13, ont pu exister séparément.
*b)* La voix du péché, ici personnifié, se substitue à la parole de Dieu.
*c)* Texte incertain; on peut aussi comprendre : « Oui, il (le péché) le flatte à ses yeux pour qu'il répugne à découvrir son tort ».
*d)* C'est-à-dire les hautes montagnes, cf. Ps **68** 16; **80** 11.
*e)* La « vie » implique la prospérité, la paix et le bonheur, cf. Ps **133** 3. L'expression « source de vie » désigne dans les Proverbes la sagesse, Pr **13** 14; **16** 22; **18** 4, et la crainte de Dieu, **14** 27. Le passage est appliqué au Christ, vie et lumière des hommes, cf. Jn, *passim*.
*f)* A la « lumière de la face » de Dieu, Ps **27** 1; **89** 16; Jb **29** 3, expression de sa bienveillance, cf. Ps **4** 7+, l'homme trouve la lumière du bonheur.

Ps 73
Jb 21 7-26

# *PSAUME* 37 (36)

## Le sort du juste et de l'impie [a].

[1] *De David.*

Pr 23 17; 24 1, 19 Ml 2 17; 3 14 — *Aleph.*

Ne t'échauffe pas contre les méchants,
ne jalouse pas les artisans de fausseté :
2 vite comme l'herbe ils sont fanés,
flétris comme le vert des prés.

Ps 90 6; 103 15 Is 40 7

*Bèt.*

3 Compte sur Yahvé et agis bien,
habite la terre [b] et vis tranquille,
4 mets en Yahvé ta réjouissance :
il t'accordera plus que les désirs de ton cœur.

Pr 3 5 — *Gimel.*

5 Remets ton sort à Yahvé,
compte sur lui, il agira;
6 il produira ta justice comme le jour,
comme le midi ton droit.

Is 58 10 Sg 5 6

*Dalèt.*

7 Sois calme devant Yahvé et attends-le,
ne t'échauffe pas contre le parvenu,
l'homme qui use d'intrigues.

*Hé.*

8 Trêve à la colère, renonce au courroux,
ne t'échauffe pas, ce n'est que mal;
9 car les méchants seront extirpés,
qui espère Yahvé possédera la terre.

Ps 25 13

*Vav.*

10 Encore un peu, et plus d'impie,
tu t'enquiers de sa place, il n'est plus;
11 mais les humbles posséderont la terre,
réjouis d'une grande paix.

Mt 5 4

*Zaïn.*

12 L'impie complote contre le juste
et grince des dents contre lui;
13 le Seigneur se moque de lui,
car il voit venir son jour.

*Hèt.*

14 Les impies tirent l'épée,
ils tendent l'arc, pour égorger l'homme droit,
pour renverser le pauvre et le petit;
15 l'épée leur entrera au cœur
et leurs arcs seront brisés.

Pr 15 16; 16 8 — *Tèt.*

16 Mieux vaut un peu pour le juste
que tant de fortune pour l'impie [c];
17 car les bras de l'impie seront brisés,
mais Yahvé soutient les justes.

*a)* Ce Ps alphabétique, le « miroir de la Providence » (Tertullien), oppose à ceux qu'indigne le bonheur des impies l'enseignement des sages sur la rétribution temporelle des justes et des méchants. Ce débat sera repris par l'Ecclésiaste, cf. Qo **8** 11-14, et par Job.

*b)* La Terre Sainte, cf. Ps **25** 13; Dt **16** 20. – « vis tranquille », litt. « pais en sécurité », cf. Is **14** 30. Ces promesses seront reprises au sens spirituel par les Béatitudes, Mt **5** 3-4, cf. Rm **4** 13.

*c)* Avec les versions; « la fortune de nombreux impies » hébr.

*Yod.*
[18] Yahvé connaît les jours des parfaits,
éternel sera leur héritage;
[19] pas de honte pour eux aux mauvais jours,
dans la famine ils seront rassasiés.

*Kaph.*
[20] Cependant les impies périront,
eux, les ennemis de Yahvé;
ils s'en iront comme la parure des prés,
en fumée ils s'en iront.

*Lamed.*
[21] L'impie emprunte et nc rend pas,
le juste a pitié, il donne;
[22] ceux qu'il bénit posséderont la terre,
ceux qu'il maudit seront extirpés [a].

*Mem.*
[23] Yahvé mène les pas de l'homme, || Pr **20** 24
ils sont fermes et sa marche lui plaît;
[24] quand il tombe, il ne reste pas terrassé,
car Yahvé le soutient par la main.

*Nun.*
[25] J'étais jeune, et puis j'ai vieilli,
je n'ai pas vu le juste abandonné,
ni sa lignée cherchant du pain.
[26] Tout le jour il a pitié, il prête,
sa lignée sera en bénédiction!

*Samek.*
[27] Évite le mal, agis bien, = **34** 15
tu auras une habitation pour toujours;
[28] car Yahvé aime le droit,
il n'abandonne pas ses amis.

*Aïn*
Les malfaisants seront détruits à jamais [b]
et la lignée des impies extirpée;
[29] les justes posséderont la terre,
là ils habiteront pour toujours.

*Phé.*
[30] La bouchc du juste murmure la sagesse
et sa langue dit le droit;
[31] la loi de son Dieu dans son cœur, Dt **6** 3, 6
ses pas ne chancellent point. Jr **31** 33

*Çadé.*
[32] L'impie guette le juste
et cherche à le faire mourir;
[33] à sa main Yahvé ne l'abandonne,
ne le laisse en justice condamner.

*Qoph.*
[34] Espère Yahvé et observe sa voie,
il t'exaltera pour que tu possèdes la terre :
tu verras les impies extirpés.

*a)* Grec : « ceux qui Le bénissent... ceux qui Le maudissent ».
*b)* « Les malfaisants seront détruits » : en suivant le grec, ce qui restitue la lettre *aïn*, absente de l'hébr., et permet de garder la même structure poétique que dans le reste du Ps. L'hébr. se traduirait : « ils (ses amis) seront gardés à jamais ».

Jb 20 6-7 Is 2 13; 14 13 Ez 31 10

*Resh.*

35 J'ai vu l'impie forcené
s'élever comme un cèdre du Liban [a];
36 je suis passé [b], voici qu'il n'était plus,
je l'ai cherché, on ne l'a pas trouvé.

*Shin.*

Pr 23 18; 24 14

37 Regarde le parfait, vois l'homme droit :
il y a pour le pacifique une postérité;
38 mais les pécheurs seront tous anéantis,
la postérité des impies extirpée.

*Tav.*

= Ps 9 10

39 Le salut des justes vient de Yahvé,
leur lieu fort au temps de l'angoisse;
40 Yahvé les aide et les délivre,
il les délivrera des impies,
il les sauvera quand ils s'abritent en lui.

# *PSAUME* 38 (37)

**Prière dans la détresse [c].**

1 *Psaume. De David. Pour commémorer.*

= Ps 6 2

2 Yahvé, ne me châtie pas dans ton courroux,
ne me reprends pas dans ta fureur.

Lm 3 12 Jb 6 4

3 En moi tes flèches ont pénétré,
sur moi ta main s'est abattue [d],

Is 1 5-6

4 rien d'intact en ma chair sous ta colère,
rien de sain dans mes os après ma faute.

Esd 9 6 Gn 4 13

5 Mes offenses me dépassent la tête,
comme un poids trop pesant pour moi;
6 mes plaies sont puanteur et pourriture
à cause de ma folie;
7 ravagé, prostré, à bout,
tout le jour, en deuil, je m'agite.

8 Mes reins sont pleins de fièvre,
plus rien d'intact en ma chair;

Ps 102 4-6

9 brisé, écrasé, à bout,
je rugis, tant gronde mon cœur.

10 Seigneur, tout mon désir est devant toi,
pour toi mon soupir n'est point caché;

Ps 6 8; 31 11; 88 7

11 le cœur me bat, ma force m'abandonne,
et la lumière même de mes yeux.

Jb 12 4-5; 19 13-19 Ps 31 12; 41 6-10; 88 9

12 Amis et compagnons s'écartent de ma plaie,
mes plus proches se tiennent à distance;
13 ils posent des pièges, ceux qui traquent mon âme,

*a)* D'après le grec; hébr. : « se dénudant alors que je resplendirais, verdoyant (?) », cf. Ps **92** 15.
*b)* « je suis passé » versions; « il est passé » hébr.
*c)* Complainte d'un fidèle malade et présumé coupable, vv. 4-5, 6[b], 19. Psaume de pénitence dont certains passages rappellent Job et le Chant du Serviteur souffrant d'Is **53**.
*d)* « s'est abattue » syr., Targ.; « est tombée » hébr.

ils parlent de crime, ceux qui cherchent mon malheur,
tout le jour ils ruminent des trahisons. Ps 35 20

14 Et moi, comme un sourd, je n'entends pas,
comme un muet qui n'ouvre pas la bouche, Is 53 7
15 comme un homme qui n'a rien entendu
et n'a pas de réplique à la bouche.

16 C'est toi, Yahvé, que j'espère,
c'est toi qui répondras, Seigneur mon Dieu.
17 J'ai dit : « Qu'ils ne se gaussent de moi, Ps 13 5; 35 19
qu'ils ne gagnent sur moi quand mon pied chancelle! »

18 Or, je suis voué à la chute,
mon tourment est devant moi sans relâche. Ps 51 5
19 Mon offense, oui, je la confesse, Ps 32 5
je suis anxieux de ma faute.

20 Ceux qui m'en veulent sans cause [a] foisonnent,
ils sont légion à me haïr à tort,
21 à me rendre le mal pour le bien, Ps 109 3-5
à m'accuser quand je cherche le bien [b]. Ps 35 12

22 Ne m'abandonne pas, Yahvé, = Ps 35 22; 22 12
mon Dieu, ne sois pas loin de moi;
23 vite, viens à mon aide, Ps 40 14, 18
Seigneur, mon salut!

## *PSAUME* 39 (38)

Ps 88

### Néant de l'homme devant Dieu [c].

1 *Du maître de chant. De Yedutûn. Psaume. De David.*

2 J'ai dit : « Je garderai ma route,
sans laisser ma langue s'égarer,
je garderai à la bouche un bâillon,
tant que devant moi sera l'impie. »
3 Je me suis tu, silence et calme;
à voir sa chance [d], mon tourment s'exaspéra. Ps 37 1+

4 Mon cœur brûlait en moi,
à force d'y songer le feu flamba
et ma langue vint à parler :
5 « Fais-moi savoir, Yahvé, ma fin
et quelle est la mesure de mes jours,
que je sache combien je suis fragile. Ps 89 48

*a)* « sans cause » *hinnam* conj.; « vivants » *hayyîm* hébr.
*b)* Des mss grecs et des versions ajoutent : « Ils m'ont rejeté, moi le bien-aimé, comme un affreux cadavre », cf. Is **14** 19 grec, allusion au Christ crucifié que la version copte précise encore : « ils ont cloué ma chair ».
*c)* Cf. Ps **88**. Le Psalmiste confesse son tourment devant le bonheur des impies et la brièveté de l'existence, vv. 2-7; il s'en remet à Dieu et implore sa clémence.
*d)* Litt. « à cause de son bonheur » *mittobô* conj.; « sans bonheur et » *mittôb û* hébr. (mal coupé).

Jb 7 6, 16; 14 1, 5 Ps 73 20; 90 9-10; 62 10; 94 11 Is 40 7 Qo 2 21s; 6 2

6 Vois, d'un empan tu fis mes jours,
ma durée est comme rien devant toi;
rien qu'un souffle, tout homme qui se dresse,
7 rien qu'une ombre, l'humain qui va;
rien qu'un souffle, les richesses [a] qu'il entasse,
et il ne sait qui les ramassera. »

8 Et maintenant, que puis-je attendre, Seigneur?
Mon espérance, elle est en toi.
9 De tous mes péchés délivre-moi,
ne me fais point la risée de l'insensé.
10 Je me tais, je n'ouvre pas la bouche,
car c'est toi qui es à l'œuvre.

11 Éloigne de moi tes coups,
sous les assauts de ta main je me consume.
12 Reprenant les torts, tu corriges l'homme,
comme la teigne, tu ronges ses désirs.
Rien qu'un souffle, tous les humains. *Pause.*

13 Écoute ma prière, Yahvé,
prête l'oreille à mon cri,
ne reste pas sourd à mes pleurs.
Ex 12 48+ Lv 25 23 Ps 119 19 1 Ch 29 15
Car je suis l'étranger chez toi,
un passant comme tous mes pères.
Jb 7 19; 14 6
14 Détourne ton regard, que je respire [b],
avant que je m'en aille et ne sois plus.

# *PSAUME* 40 (39)

**Action de grâces. Appel au secours [c].**

1 *Du maître de chant. De David. Psaume.*

2 J'espérais Yahvé d'un grand espoir,
il s'est penché vers moi,
il écouta mon cri.

Ps 18 5; 69 2-3, 15-16 Jr 38 6
3 Il me tira du gouffre tumultueux,
de la vase du bourbier;
il dressa mes pieds sur le roc,
affermissant mes pas.

4 En ma bouche il mit un chant nouveau,
louange à notre Dieu;
= Ps 52 8 Is 41 5
beaucoup verront et craindront,
ils auront foi en Yahvé.

|| Jr 17 7 Ps 1 1
5 Heureux est l'homme, celui-là
qui met en Yahvé sa foi,

*a)* « les richesses » *hamôn* conj.; « ils s'agitent » *yehemayûn* hébr.
*b)* Litt. « que je fasse gai visage », cf. Jb 9 27; 10 20.
*c)* L'hymne d'action de grâces, vv. 2-12, est suivi d'un cri de détresse, vv. 14-18, devenu le Ps 70. Dans l'ensemble actuel, la première partie apparaît comme un retour sur le passé, opposé aux misères du présent et justifiant l'appel à Yahvé.

ne tourne pas du côté des rebelles
égarés dans le mensonge!

6 Que de choses tu as faites, toi, Ps 139 17-18
Yahvé mon Dieu, Dt 4 34
tes merveilles, tes projets pour nous :
rien ne se mesure à toi! Ps 35 10
Je veux le publier, le redire :
il en est trop pour les dénombrer.

7 Tu ne voulais sacrifice ni oblation, ↗ He 10 5-7
tu m'as ouvert [a] l'oreille, Is 50 5
tu n'exigeais holocauste ni victime, Am 5 21+
8 alors j'ai dit : Voici, je viens. Ps 50 7-15; 51 18-19; 69 31-32

Au rouleau du livre il m'est prescrit
9 de faire tes volontés [b];
mon Dieu, j'ai voulu ta loi
au profond de mes entrailles. Ps 37 31 Jn 4 34; 8 29

10 J'ai annoncé la justice de Yahvé [c] Ps 22 23; 35 18; 149 1
dans la grande assemblée;
vois, je ne ferme pas mes lèvres,
toi, tu le sais.

11 Je n'ai pas celé ta justice au profond de mon cœur,
j'ai dit ta fidélité, ton salut,
je n'ai pas caché ton amour et ta vérité
à la grande assemblée.

12 Toi, Yahvé, tu ne fermes pas
pour moi tes tendresses!
ton amour et ta vérité Ps 89 34
sans cesse me garderont.

13 Car les malheurs m'assiègent,
à ne pouvoir les dénombrer;
mes torts retombent sur moi, Ps 38 5
je n'y peux plus voir; Ps 6 8; 38 11; 69 5
ils foisonnent plus que les cheveux de ma tête
et le cœur me manque.

14 Daigne, Yahvé, me secourir! = Ps 70 2s
Yahvé, vite à mon aide!
15 Honte et déshonneur sur tous ceux-là = Ps 71 13
qui cherchent mon âme pour la perdre!

*a)* Litt. « creusé ». Dieu fait entendre au fidèle sa volonté, cf. Is **50** 5. Une variante du grec : « tu m'as formé un corps » fut interprétée dans un sens messianique et appliquée au Christ, He **10** 5s.
*b)* L'obéissance vaut mieux que le sacrifice, 1 S **15** 22. Les prophètes ont souvent mis Israël en garde contre des pratiques qui n'engageaient pas le cœur, Am **5** 21+, cf. Gn **8** 21+, ou contre une confiance présomptueuse en la présence de Dieu en son Temple, cf. Jr **7** 3-4+. Dans le judaïsme qui suit l'Exil, quelle que soit encore l'importance du Temple comme signe du salut, Za **1** 16, le culte intérieur s'affine de plus en plus et les dispositions du cœur, la prière, l'obéissance, l'amour, prennent elles-mêmes valeur de culte, Ps **50**; **51** 19; **69** 31-32; **141** 2; Pr **21** 3; cf. aussi Tb **4** 11; Si **34** 18 - **35** 10. Cette évolution prépare la survivance du judaïsme après la destruction du Temple et se poursuivra dans le NT, Rm **1** 9+; **12** 1+.
*c)* « Yahvé » est transposé du dernier stique pour suivre le rythme du reste du Ps.

Arrière! honnis soient-ils,
ceux que flatte mon malheur!
16 qu'ils soient stupéfiés de honte,
Ps **35** 21, 25 ceux qui me disent : Ha! ha!

17 Joie en toi et réjouissance
**69** 7, 33; à tous ceux qui te cherchent!
**35** 27; **104** 1 qu'ils redisent toujours : « Dieu est grand! »
ceux qui aiment ton salut!

18 Et moi, pauvre et malheureux,
le Seigneur pense à moi.
Toi, mon secours et sauveur,
mon Dieu, ne tarde pas.

## *PSAUME* 41 (40)

### Prière du malade abandonné.

1 *Du maître de chant. Psaume. De David.*

Pr **14** 21 2 Heureux qui pense au pauvre [a] et au faible :
Tb **4** 7-11 au jour de malheur, Yahvé le délivre;
3 Yahvé le garde, il lui rend vie et bonheur sur terre :
oh! ne le livre pas à l'appétit de ses ennemis!
4 Yahvé le soutient sur son lit de douleur;
tu refais tout entière la couche où il languit [b].

5 Moi, j'ai dit : « Pitié pour moi, Yahvé!
guéris mon âme, car j'ai péché contre toi! »
Jr **20** 10 6 Parlant de moi, mes ennemis me malmènent :
Ps **31** 12-14; **38** 12-13; « Quand va-t-il mourir et son nom périr? »
**88** 9 7 Vient-on me voir, on dit des paroles en l'air,
Jb **19** 13-19 le cœur plein de malice, on déblatère au dehors.

8 Tous à l'envi, mes haïsseurs chuchotent contre moi,
ils supputent contre moi le malheur qui est sur moi [c] :
9 « C'est une plaie d'enfer [d] qui gagne en lui,
maintenant qu'il s'est couché, il n'aura plus de lever. »
Ps **55** 14 10 Même le confident sur qui je faisais fond
↗ Jn **13** 18 et qui mangeait mon pain, se hausse [e] à mes dépens.

11 Mais toi, Yahvé, pitié pour moi,
fais-moi lever, je les paierai de leur dû, ces gens :
12 par là, je connaîtrai que tu es mon ami,
si l'ennemi ne lance plus contre moi son cri;
13 et moi, que tu soutiens, je resterai indemne,
tu m'auras à jamais établi devant ta face.

*a)* « au pauvre » grec, Targ.; omis par hébr.
*b)* Litt. « dans sa maladie »; texte incertain.
*c)* L'épreuve de la maladie est considérée comme le châtiment d'un péché, cf. Job; Ps **38** 4; **107** 17.
*d)* Litt. « chose de Bélial », cf. Dt **13** 14+.
*e)* Litt. « hausse le talon ». – Le « confident » (litt. « mon homme de paix ») a été parfois identifié à Ahitophel, conseiller de David, 2 S **15** 12; **17** 23; cf. **12** 19. Jésus a appliqué ce texte à Judas, Jn **13** 18.

14 Béni soit Yahvé, le Dieu d'Israël, Ne **9** 5
depuis toujours jusqu'à toujours. Dn **2** 20
Amen! Amen [a]!

# *PSAUME* 42-43 (41-42)

## Complainte du lévite exilé [b]

1 *Du maître de chant. Poème. Des fils de Coré.*

2 Comme languit une biche [c]
après les eaux vives, Jn **4** 1+
ainsi languit mon âme Is **26** 9
vers toi, mon Dieu. Ps **63** 2; **84** 3

3 Mon âme a soif de Dieu,
du Dieu vivant; Ps **36** 10
quand irai-je et verrai-je
la face de Dieu [d]? Ps **27** 4

4 Mes larmes, c'est là mon pain,
le jour, la nuit,
moi qui tout le jour entends dire : Mi **7** 10
Où est-il, ton Dieu? Ml **2** 17
Ps **79** 10

5 Oui, je me souviens, et mon âme Lm **3** 20
sur moi s'épanche,
je m'avançais sous le toit du Très-Grand [e],
vers la maison de Dieu, Ps **27** 4-5
parmi les cris de joie, l'action de grâces,
la rumeur de la fête.

6 Qu'as-tu, mon âme, à défaillir
et à gémir sur moi?
Espère en Dieu : à nouveau je lui rendrai grâce,
le salut de ma face [f] 7 et mon Dieu! Ps **6** 5+

Mon âme est sur moi défaillante,
alors je me souviens de toi :
depuis la terre du Jourdain et des Hermons,
de toi, humble montagne [g]. Ps **43** 3; **68** 17

8 L'abîme appelant l'abîme
au bruit de tes écluses,
la masse de tes flots et de tes vagues || Jon **2** 4
a passé sur moi. Ps **32** 6; **69** 3; **88** 8

*a)* Cette doxologie achève le premier livre du Psautier, cf. Ps **72** 18; **106** 48.
*b)* L'exil, type de la détresse du fidèle qui « vit en exil loin du Seigneur » 2 Co **5** 6-8, est ici l'éloignement du sanctuaire où Dieu réside, et des fêtes qui y rassemblent son peuple.
*c)* « biche » grec; « cerf » hébr., mais le verbe est au féminin.
*d)* « et verrai-je » mss, syr., Targ.; « paraîtrai-je devant » hébr. (corr. d'un scribe choqué par cette expression, cf. Ex **33** 20+). « Voir la face de Dieu », c'est ici visiter son sanctuaire, le Temple de Jérusalem, cf. Dt **31** 11; Ps **27** 8+.
*e)* « Très-Grand », litt. « admirables » (avec un pluriel de majesté), grec, syr.; hébr. inintelligible. – Le « toit », litt. « la hutte », est le Temple où Dieu réside et que tout Israélite pieux visitait chaque année, Ex **23** 14-17.
*f)* « ma face » mss hébr., ms grec, syr., cf. v. 12; « sa face » hébr.
*g)* « de toi, humble montagne » conj. : il s'agit du mont Sion; l'hébr. porte « de l'humble montagne » ou « du mont Miçar » : il s'agirait de Zaorah, non loin des sources du Jourdain, qui pourrait être une étape sur la route de l'Exil. Le premier « de toi » se rapporterait alors à Dieu.

[9] Le jour, Yahvé mande sa grâce
et même pendant la nuit
le chant qu'elle m'inspire est une prière
à mon Dieu vivant.

Ps 18 3+
[10] Je dirai à Dieu mon Rocher :
pourquoi m'oublies-tu?
pourquoi m'en aller en deuil,
accablé par l'ennemi?

[11] Touché à mort dans mes os,
mes adversaires m'insultent
en me redisant tout le jour :
Où est-il, ton Dieu?

[12] Qu'as-tu, mon âme, à défaillir
et à gémir sur moi?
Espère en Dieu : à nouveau je lui rendrai grâce,
le salut de ma face et mon Dieu!

## 43

[1] Juge-moi, Dieu, défends ma cause
contre des gens sans amour;
de l'homme perfide et pervers,
délivre-moi.

[2] C'est toi le Dieu de ma force :
pourquoi me rejeter?
pourquoi m'en aller en deuil,
accablé par l'ennemi?

Ps 57 4
[3] Envoie ta lumière et ta vérité :
elles me guideront,
me mèneront à ta montagne sainte,
jusqu'en tes Demeures.

[4] Et j'irai vers l'autel de Dieu,
jusqu'au Dieu de ma joie [a].
Ps 63 6; 81 3; 108 3
J'exulterai, je te rendrai grâce sur la harpe,
Dieu, mon Dieu.

[5] Qu'as-tu, mon âme, à défaillir
et à gémir sur moi?
Espère en Dieu : à nouveau je lui rendrai grâce,
le salut de ma face et mon Dieu!

*a)* « ma joie » ms hébr.; « la joie (de mon exultation) » TM. Grec a compris : « Dieu qui réjouit ma jeunesse ».

# *PSAUME* 44 (43)

Is **63** 7 – **64** 11
Ps **74**; **79**; **80**

**Élégie nationale** [a].

1 *Du maître de chant. Des fils de Coré. Poème.*

2 O Dieu, nous avons ouï de nos oreilles, 2 S 7 22-23
nos pères nous ont raconté Ps **78** 3
l'œuvre que tu fis de leurs jours,
aux jours d'autrefois, 3 et par ta main.

Pour les planter, tu expulsas des nations, Ps **78** 55
pour les étendre, tu malmenas des peuples;
4 ni leur épée ne conquit le pays, Dt **8** 17-18+
ni leur bras n'en fit des vainqueurs, Jos **24** 12
mais ce furent ta droite et ton bras Os **1** 7+
et la lumière de ta face, car tu les aimais. Ps **4** 7+

5 C'est toi, mon Roi, mon Dieu,
qui décidais [b] les victoires de Jacob;
6 par toi, nous enfoncions nos adversaires,
par ton nom, nous piétinions nos agresseurs. Ps **60** 14

7 Ni dans mon arc n'était ma confiance,
ni mon épée ne me fit vainqueur;
8 par toi nous vainquions nos adversaires,
tu couvrais nos ennemis de honte;
9 en Dieu nous jubilions tout le jour,
célébrant sans cesse ton nom.

*Pause.*

10 Et pourtant, tu nous as rejetés et bafoués, = Ps **60** 12
tu ne sors plus avec nos armées; Ps **68** 8
11 tu nous fais reculer devant l'adversaire, Jg **5** 4
nos ennemis ont pillé à cœur joie. Lv **26** 17
Dt **28** 25

12 Comme animaux de boucherie tu nous livres
et parmi les nations tu nous as dispersés; Lv **26** 33
13 tu vends ton peuple à vil prix Dt **28** 64
sans t'enrichir à ce marché. Dt **32** 30
Is **52** 3

14 Tu fais de nous l'insulte de nos voisins, Ps **79** 4
fable et risée de notre entourage;
15 tu fais de nous le proverbe des nations,
hochement de tête parmi les peuples.

16 Tout le jour, mon déshonneur est devant moi
et la honte couvre mon visage,
17 sous les clameurs d'insulte et de blasphème,
au spectacle de la haine et de la vengeance.

*a)* Ce Ps qui oppose aux triomphes du passé les humiliations présentes peut se rapporter, comme les Ps **74**; **79**; **80**, à la ruine de Jérusalem en 587. Les vv. 18-23 ont pu être ajoutés plus tardivement pour adapter le Ps aux persécutions des temps maccabéens.

*b)* « mon Dieu, qui décidais » versions; « O Dieu, décide » hébr.

18 Tout cela nous advint sans t'avoir oublié,
sans avoir trahi ton alliance,
19 sans que nos cœurs soient revenus en arrière,
sans que nos pas aient quitté ton sentier :
Is **34** 13 — 20 tu nous broyas au séjour des chacals [a],
Jr **9** 10 — nous couvrant de l'ombre de la mort.

21 Si nous avions oublié le nom de notre Dieu,
tendu les mains [b] vers un dieu étranger,
22 est-ce que Dieu ne l'eût pas aperçu,
lui qui sait les secrets du cœur?
↗ Rm **8** 36 — 23 C'est pour toi qu'on nous massacre tout le jour,
qu'on nous traite en moutons d'abattoir [c].

Ps **74** 1; — 24 Lève-toi, pourquoi dors-tu, Seigneur?
**79** 5; **80** 5; — Réveille-toi, ne rejette pas jusqu'à la fin!
**89** 47 — 25 Pourquoi caches-tu ta face,
oublies-tu notre oppression, notre misère?

= Ps **119** 25 — 26 Car notre âme est effondrée en la poussière,
Ps **7** 6 — notre ventre est collé à la terre.
27 Debout, viens à notre aide,
rachète-nous en raison de ton amour!

## *PSAUME* 45 (44)

### Épithalame royal [d].

Ps **60** 1; **69** 1; **80** 1 — 1 *Du maître de chant. Sur l'air : Des lys...* [e] *Des fils de Coré. Poème. Chant d'amour.*

2 Mon cœur a frémi de paroles belles :
je dis mon œuvre pour un roi,
ma langue est le roseau d'un scribe agile.

Ct **5** 10-16 — 3 Tu es beau, le plus beau des enfants des hommes,
la grâce est répandue sur tes lèvres.
Aussi tu es béni de Dieu à jamais.

4 Ceins ton épée sur ta cuisse, vaillant,
Ps **21** 6 — dans le faste et l'éclat 5 va, chevauche,
pour la cause de la vérité, de la piété, de la justice.

Tends la corde sur l'arc [f], il rend terrible ta droite!
6 Tes flèches sont aiguës, voici les peuples sous toi,
ils perdent cœur, les ennemis du roi.

*a)* Soit le pays dévasté, Is **34** 13; Jr **9** 10, soit le désert, refuge des Juifs persécutés, 1 M **2** 29; **9** 33.
*b)* Geste de la prière, Ps **28** 2; **141** 2; Is **1** 15.
*c)* Allusion vraisemblable aux persécutions d'Antiochus Épiphane.
*d)* Selon certains, ce Ps aurait été un chant profane pour les noces d'un roi israélite, Salomon, Jéroboam II ou Achab (qui épousa une princesse tyrienne, 1 R **16** 31). Mais la tradition juive et chrétienne l'interprète des noces du Roi-Messie avec Israël (figure de l'Église), cf. Ct **3** 11; Is **62** 5; Ez **16** 8-13, etc., et la liturgie étend à son tour l'allégorie en l'appliquant à Notre-Dame. Le poète s'adresse d'abord au Roi-Messie, vv. 3-10, en lui appliquant des attributs de Yahvé (Ps **145** 4-7, 12-13, etc.) et de l'Emmanuel (Is **9** 5-6), puis à la reine, vv. 11-17.
*e)* « Des lys » doit être une relecture maccabéenne en fonction du Ct. La rubrique originale peut se comprendre d'après le grec : « Ceux qui altèrent (la Charte = la Loi, le précepte) », cf. Ps **60** 1; **69** 1; **80** 1; allusion aux Juifs apostats.
*f)* « Tends la corde sur l'arc » *wehadrek yitreka* conj.; « et ton éclat... et t'enseigne » *wehadareka* (décalé au début du v.) *wetôreka* hébr.

[7] Ton trône est de Dieu [a] pour toujours et à jamais!
Sceptre de droiture, le sceptre de ton règne!
[8] Tu aimes la justice, tu hais l'impiété.

C'est pourquoi Dieu, ton Dieu, t'a donné l'onction
d'une huile d'allégresse comme à nul de tes rivaux;
[9] ton vêtement n'est plus que myrrhe et aloès.

Des palais d'ivoire, les harpes te ravissent.
[10] Parmi tes bien-aimées [b] sont des filles de roi;
à ta droite une dame, sous les ors d'Ophir.

[11] Écoute, ma fille, regarde et tends l'oreille,
oublie ton peuple et la maison de ton père [c], — Gn **12** 1
[12] alors le roi désirera ta beauté : — Jos **24** 2
il est ton Seigneur, prosterne-toi devant lui! — Ez **16** 3
[13] La fille de Tyr, par des présents, déridera ton visage, — Is **60** 5s
et les peuples les plus riches, [14] par maint joyau serti d'or [d]. — Ps **72** 10-11

Vêtue [15] de brocarts, la fille de roi est amenée — Ez **16** 10-13
au-dedans [e] vers le roi, des vierges à sa suite.
On amène les compagnes qui lui [f] sont destinées;
[16] parmi joie et liesse, elles entrent au palais du roi.
[17] A la place de tes pères te viendront des fils;
tu en feras des princes par toute la terre. — Gn **17** 6; **35** 11

[18] Que je fasse durer ton nom d'âge en âge, — Is **60** 15;
que les peuples te louent dans les siècles des siècles. — **61** 9; **62** 2, 7

## *PSAUME* 46 (45)

Is **33** 20-21; **66** 12

### Dieu est avec nous [g].

[1] *Du maître de chant. Des fils de Coré. Sur le hautbois. Cantique.*

[2] Dieu est pour nous refuge et force,
secours dans l'angoisse toujours offert.
[3] Aussi ne craindrons-nous si la terre est changée, — Is **24** 18-23;
si les montagnes chancellent au cœur des mers, — **54** 10
[4] lorsque mugissent et bouillonnent leurs eaux — Jb **9** 5-6
et que tremblent les monts à leur soulèvement [h].

(Avec nous, Yahvé Sabaot,
citadelle pour nous, le Dieu de Jacob [i]!) *Pause.*

*a)* Le grec traduit : « Ton trône, ô Dieu... », voyant dans le mot *élohim* un vocatif qualifiant le roi; ce titre protocolaire est en effet appliqué au Messie, Is **9** 5, ainsi qu'aux chefs et aux juges, Ex **22** 6; Ps **82** 6, à Moïse, Ex **4** 16; **7** 1, et à la maison de David, Za **12** 8.
*b)* Les nations païennes, converties au vrai Dieu, Ct **1** 3; **6** 8; Is **60** 3s; **61** 5, et admises à son service à la suite d'Israël, vv. 15-16.
*c)* Comme Abraham son ancêtre, Israël doit rompre toute attache avec le monde païen qui l'entoure, et recevra des « fils », v. 17, en échange des « pères » ainsi quittés.
*d)* L'hommage des peuples païens, promis pour les temps messianiques.
*e)* Hébr. lit « la fille du roi au-dedans » avant « serti d'or ».
*f)* « lui » 2 mss, cf. syr.; « te » TM.
*g)* Cantique de Sion. La Présence divine au Temple protège la ville sainte, des eaux symboliques la purifient, la fécondent et en font un nouvel Éden.
*h)* Images d'un retour au chaos. La terre repose, par des colonnes, cf. Ps **75** 4; **104** 5; Jb **9** 6; Pr **8** 27, sur l'océan inférieur, Ps **24** 2. Ces colonnes sont ébranlées et les eaux déchaînées atteignent les montagnes.
*i)* Le refrain, omis par hébr., est restitué d'après les vv. 8 et 12.

Ps 36 9 — 5 Un fleuve! Ses bras réjouissent la cité de Dieu,
Gn 2 10 — il sanctifie [a] les demeures du Très-Haut.
6 Dieu est en elle; elle ne peut chanceler,
2 R 19 35 — Dieu la secourt au tournant du matin [b];
Is 17 14 — 7 des peuples mugissaient, des royaumes chancelaient,
Ps 29 — il a élevé la voix, la terre se dissout.

Is 7 14; 8 10 — 8 Avec nous, Yahvé Sabaot,
citadelle pour nous, le Dieu de Jacob! *Pause.*

9 Allez, contemplez les hauts faits de Yahvé,
lui qui remplit la terre de stupeurs.
Is 2 4 — 10 Il met fin aux guerres jusqu'au bout de la terre;
Ez 39 9-10 — l'arc, il l'a rompu, la lance, il l'a brisée,
Ps 76 4 — il a brûlé les boucliers au feu.
Dt 32 39 — 11 « Arrêtez, connaissez que moi je suis Dieu,
Ez 12 16 — exalté sur les peuples, exalté sur la terre! »

12 Avec nous, Yahvé Sabaot,
citadelle pour nous, le Dieu de Jacob! *Pause.*

Ps 93; 96; 97; 98; 99

## *PSAUME* 47 (46)

### Yahvé roi d'Israël et du monde [c].

1 *Du maître de chant. Des fils de Coré. Psaume.*

2 Tous les peuples, battez des mains,
So 3 14-15 — acclamez Dieu en éclats de joie!

3 C'est Yahvé, le Très-Haut, le redoutable,
Ex 15 18 — le grand Roi sur toute la terre.
Is 52 7 — 4 Il tient des peuples sous notre joug
et des nations sous nos pieds.

Is 58 14 — 5 Il a choisi pour nous notre héritage,
Ps 2 8 — l'orgueil de Jacob, qu'il aime. *Pause.*

Nb 23 21 — 6 Dieu monte parmi l'acclamation,
Ps 24 7-10; 68 19; 89 16; 98 6 — Yahvé, aux éclats du cor.

7 Sonnez pour notre Dieu [d], sonnez,
sonnez pour notre Roi, sonnez!

8 C'est le roi de toute la terre :
sonnez pour Dieu, qu'on l'apprenne!
Jr 10 7 — 9 Dieu, il règne sur les païens,
Ps 72 11 — Dieu siège sur son trône de sainteté.

*a)* « sanctifie » grec; « la (plus) sainte (des demeures) » hébr.
*b)* L'heure des faveurs divines, Ps **17** 15+. – Allusion probable à la retraite des armées de Sennachérib en 701, 2 R **19** 35; Is **17** 14.
*c)* Hymne eschatologique, le premier des « psaumes du Règne », cf. Ps **93**s; il développe l'acclamation : « Yahvé est Roi! » Le Roi d'Israël monte au Temple en cortège triomphal, au milieu des acclamations rituelles, Ps **33** 3+. Son empire s'étend à tous les peuples, qui viendront se joindre au peuple élu.
*d)* « notre Dieu » grec; « Dieu » hébr.

[10] Les princes des peuples s'unissent : Is **2** 2 4+
c'est le peuple du Dieu d'Abraham [a]. Esd **6** 21
A Dieu sont les pavois de la terre, Ex **3** 6
au plus haut il est monté.

## *PSAUME* 48 (47)

### Sion, montagne de Dieu [b].

[1] *Cantique. Psaume. Des fils de Coré.*

[2] Grand, Yahvé, et louable hautement = Ps **96** 4
dans la ville de notre Dieu,
le mont sacré, [3] superbe d'élan, Ps **50** 2
joie de toute la terre; Lm **2** 15

le mont Sion, cœur de l'Aquilon [c],
cité du grand roi :
[4] Dieu, du milieu de ses palais,
s'est révélé citadelle.

[5] Voici, des rois s'étaient ligués,
avançant à la fois;
[6] ils virent, et du coup stupéfaits,
pris de panique, ils décampèrent.

[7] Là, un tremblement les saisit, Ex **15** 14
un frisson d'accouchée, Jr **4** 31+
[8] ce fut le vent d'est qui brise
les vaisseaux de Tarsis [d].

[9] Comme on nous l'avait dit, nous l'avons vu
dans la ville de notre Dieu,
dans la ville de Yahvé Sabaot;
Dieu l'affermit à jamais. *Pause.*

[10] Nous méditons, Dieu, ton amour
au milieu de ton temple!
[11] Comme ton nom, Dieu, ta louange, Ps **113** 3
jusqu'au bout de la terre! Ml **1** 11

Ta droite est remplie de justice,
[12] le mont Sion jubile; = Ps **97** 8
les filles de Juda [e] exultent
devant tes jugements.

[13] Longez Sion, parcourez-la, Is **26** 1;
dénombrez ses tours; **33** 20s

*a)* L'alliance avec Abraham est étendue à toute l'humanité. Les « pavois » ou boucliers sont les rois, défenseurs de leurs peuples.
*b)* Cet hymne célèbre le mont Sion, résidence du roi d'Israël et site du Temple, au cœur de l'ancienne Jérusalem, cf. 2 S **5** 9+. Il évoque peut-être, aux vv. 5-6, l'échec de la coalition syro-éphraïmite contre Achaz en 735 et la retraite précipitée de Sennachérib en 701.
*c)* Le Psalmiste applique au mont Sion le thème littéraire de la « montagne du Nord », qui désigne une demeure divine dans les poèmes phéniciens.
*d)* Vaisseaux au long cours pouvant aller jusqu'à « Tarsis », cf. Is **23** 1+.
*e)* Les villes de la région.

14 que vos cœurs s'attachent à ses murs [a],
détaillez ses palais;

Ps **71** 18 pour raconter aux âges futurs
15 que lui est Dieu,
Ps **90** 2; **102** 28 notre Dieu aux siècles des siècles,
Ps **23** 3+ lui, il nous conduit [b]!

# *PSAUME* 49 (48)

## Le néant des richesses [c].

1 *Du maître de chant. Des fils de Coré. Psaume.*

Pr **8** 4s 2 Écoutez ceci, tous les peuples,
prêtez l'oreille, tous les habitants du monde,
3 gens du commun et gens de condition,
riches et pauvres ensemble!

4 Ma bouche énonce la sagesse,
et le murmure de mon cœur, l'intelligence;
Ps **78** 2 5 je tends l'oreille à quelque proverbe,
je résous sur la lyre mon énigme.

6 Pourquoi craindre aux jours de malheur?
La malice me talonne [d] et me cerne :
Pr **10** 15 Jr **9** 22 7 eux se fient à leur fortune,
se prévalent du surcroît de leur richesse.

Jb **33** 24 8 Mais l'homme ne peut acheter son rachat
Pr **11** 4 ni payer à Dieu sa rançon :
Mt **16** 26 Rm **3** 24+ 9 il est coûteux, le rachat de son âme,
et il manquera toujours 10 pour que l'homme survive
et jamais ne voie la fosse.

Qo **2** 16 11 Or, il verra mourir les sages,
Ps **39** 7 Si **11** 18-19+ périr aussi le fou et l'insensé,
qui laissent à d'autres leur fortune.

Qo **12** 5 12 Leurs tombeaux [e] sont à jamais leurs maisons,
et leurs demeures d'âge en âge;
et ils avaient mis leur nom sur leurs terres!

13 L'homme dans son luxe ne comprend [f] pas,
Qo **3** 18-21 il ressemble au bétail muet.
14 Ainsi vont-ils, sûrs d'eux-mêmes,
et finissent-ils, contents de leur sort [g]. *Pause.*

*a)* Le Ps peut dater de l'époque de la restauration des murs par Néhémie, Ne **6** 15; **12** 27.
*b)* L'hébr. ajoute : « sur (ou contre) la mort », rubrique corrompue du Ps suivant.
*c)* Sur le thème d'un dicton ironique, vv. 13 et 21, ce Ps traite, comme les Ps **37** et **73**, du problème des rétributions et du bonheur apparent des impies; il le résout selon la doctrine traditionnelle des Sages.
*d)* « me talonne » conj. d'après les Hexaples; « de mes talons » hébr.
*e)* « tombeaux » versions; « intérieur » hébr. (interversion de deux lettres).
*f)* « comprend » versions, cf. v. 21; « passe la nuit » hébr.
*g)* Texte difficile. D'autres traductions sont proposées. Le thème est celui de la fausse confiance des riches attachés à leurs biens, v. 7.

15 Troupeau que l'on parque au shéol,
la Mort [a] les mène paître,
les hommes droits domineront sur eux.

Au matin s'évanouit leur image, Ps 73 20
le shéol, voilà leur résidence [b]!
16 Mais Dieu rachètera mon âme
des griffes du shéol, et me prendra [c]. *Pause.* Ps 73 24

17 Ne crains pas quand l'homme s'enrichit,
quand s'accroît la gloire de sa maison.
18 A sa mort, il n'en peut rien emporter, ↗ Tm 6 7
avec lui ne descend pas sa gloire [d].

19 Son âme qu'en sa vie il bénissait
– et l'on te loue d'avoir pris soin de toi –
20 ira rejoindre la lignée de ses pères Gn 15 15
qui plus jamais ne verront la lumière. Jb 10 21-22

21 L'homme dans son luxe ne comprend pas,
il ressemble au bétail muet.

## *PSAUME* 50 (49)

**Pour le culte en esprit [e].**

1 *Psaume. D'Asaph.*

Le Dieu des dieux, Yahvé, accuse, Dt 10 17
il appelle la terre du levant au couchant. Jos 22 22
2 Depuis Sion, beauté parfaite, Dieu resplendit;
3 il vient, notre Dieu, il ne se taira point. Is 63 19

Devant lui, un feu dévore,
autour de lui, bourrasque violente;
4 il appelle les cieux d'en haut Dt 32 1
et la terre pour juger son peuple.

5 « Assemblez devant moi les miens,
qui scellèrent mon alliance en sacrifiant. » Ex 24 4-8
6 Les cieux annoncent sa justice : Ps 19 2
« Dieu, c'est lui le juge! » *Pause.*

7 « Écoute, mon peuple, j'accuse,
Israël, et je t'adjure,
moi, Dieu, ton Dieu.

*a)* Ici personnifiée, cf. Jb **18** 13; **28** 22; Jr **9** 20; Os **13** 14.
*b)* « leur résidence », litt. « une résidence pour eux » *zebul lamô* conj.; « sans résidence pour lui » *mizebûl lô* hébr. – Le matin est le temps des jugements eschatologiques et du triomphe des justes, Ps **17** 15+.
*c)* Pour échapper aux atteintes du shéol, le sage compte sur Dieu. On ne peut affirmer qu'il entrevoie la possibilité d'être enlevé au ciel comme Hénok, Gn **5** 24, et Élie, 2 R **2** 3, cf. Ps **16** 10+, mais il pense que le sort final des justes doit être différent de celui des impies et que l'amitié divine ne doit pas cesser. Cette foi encore implicite dans une rétribution future prépare la révélation ultérieure de la résurrection des morts et de la vie éternelle, 2 M **7** 9+.
*d)* Au contraire, Dieu glorifiera les justes, Ps **73** 24; **91** 15.
*e)* Dieu vient juger Israël, vv. 1-7, et prononce le réquisitoire contre le formalisme des sacrifices, vv. 8-15, joint au mépris des commandements, vv. 16-23.

Am 5 21+ — [8] Ce n'est pas tes sacrifices que j'accuse,
tes holocaustes constamment devant moi;
[9] je ne prendrai pas de ta maison un taureau,
ni de tes bergeries des boucs.

[10] Car tout fauve des forêts est à moi,
des animaux sur les montagnes par milliers;
[11] je connais tous les oiseaux des cieux [a],
toute bête des champs est pour moi.

[12] Si j'ai faim, je n'irai pas te le dire,
Ps 24 1 — car le monde est à moi et son contenu.
[13] Vais-je manger la chair des taureaux,
le sang des boucs, vais-je le boire?

Os 14 3 — [14] Offre à Dieu un sacrifice d'action de grâces,
accomplis tes vœux pour le Très-Haut;
[15] appelle-moi au jour de l'angoisse,
je t'affranchirai et tu me rendras gloire. »

[16] Mais l'impie, Dieu lui déclare [b] :

Rm 2 17-24 — « Que viens-tu réciter mes commandements,
qu'as-tu mon alliance à la bouche,
[17] toi qui détestes la règle
et rejettes mes paroles derrière toi?

[18] Si tu vois un voleur, tu fraternises,
tu es chez toi parmi les adultères;
[19] tu livres ta bouche au mal
et ta langue trame la tromperie.

[20] Tu t'assieds, tu accuses ton frère,
tu déshonores le fils de ta mère.
[21] Voilà ce que tu fais, et je me tairais?
Penses-tu que je suis comme toi?
Je te dénonce et m'explique devant toi.

Is 42 8+ — [22] Prenez bien garde, vous qui oubliez Dieu,
Dt 32 39 — que je n'emporte, et personne pour délivrer!
= Ps 91 16 — [23] Qui offre l'action de grâces me rend gloire,
à l'homme droit [c], je ferai voir le salut de Dieu. »

*a)* « cieux » versions; hébr. « montagnes ».
*b)* Ce stique a pu être ajouté pour décharger les fidèles : Dieu ne s'adressait plus dans la suite à tout Israël indistinctement.
*c)* « l'homme droit », litt. « le parfait de chemin », *wetam derek* conj.; « il a placé le chemin » *wesam derek* hébr.

# *PSAUME* 51 (50)

## Miserere [a].

1 *Du maître de chant. Psaume. De David.* 2 *Quand Natân le prophète vint à lui parce qu'il était allé* 2 S **11**-**12**
*vers Bethsabée.*

3 Pitié pour moi, Dieu, en ta bonté, Ez **18** 23+
en ta grande tendresse efface mon péché,
4 lave-moi tout entier de mon mal
et de ma faute purifie-moi.

5 Car mon péché, moi, je le connais, Is **59** 12 Ez **6** 9
ma faute est devant moi sans relâche;
6 contre toi, toi seul, j'ai péché, Is **59** 12
ce qui est coupable à tes yeux, je l'ai fait.

Pour que tu montres ta justice quand tu parles ↗ Rm **3** 4
et que paraisse ta victoire quand tu juges [b].
7 Vois : mauvais je suis né, Jb **14** 4+
pécheur ma mère m'a conçu [c].

8 Mais tu aimes la vérité au fond de l'être,
dans le secret tu m'enseignes la sagesse [d].
9 Ote mes taches avec l'hysope [e], je serai pur; Is **1** 18 Ez **36** 25 Jb **9** 30 He **9** 13-14
lave-moi, je serai blanc plus que neige.

10 Rends-moi le son de la joie et de la fête :
qu'ils dansent, les os que tu broyas! Ps **6** 3; **35** 10
11 Détourne ta face de mes fautes,
et tout mon mal, efface-le.

12 Dieu, crée [f] pour moi un cœur pur, Ez **11** 19+
restaure en ma poitrine un esprit ferme;
13 ne me repousse pas loin de ta face,
ne m'enlève pas ton esprit de sainteté [g]. Sg **1** 5; **9** 17 Rm **8** 9, 14-16 Is **57** 15s

14 Rends-moi la joie de ton salut,
assure en moi un esprit magnanime.
15 Aux pécheurs j'enseignerai tes voies,
à toi se rendront les égarés.

*a)* Ce Ps de pénitence, cf. **6** 1+, accuse une parenté profonde avec la littérature prophétique, surtout Isaïe et Ézéchiel.
*b)* Totalement pur et intègre, Dieu, en pardonnant, manifeste sa puissance sur le mal et sa victoire sur le péché.
*c)* Tout homme naît impur, Jb **14** 4+, cf. Pr **20** 9, et par là même porté au mal, Gn **8** 21. Cette impureté foncière est ici alléguée comme une circonstance atténuante, cf. 1 R **8** 46, dont Dieu doit tenir compte. La doctrine du péché originel sera explicitée, Rm **5** 12-21, en corrélation avec la révélation de la rédemption par Jésus-Christ.
*d)* Le vocabulaire de ce v. (« fond de l'être », litt. « ce qui est enduit, couvert », d'où peut-être « les lombes », et « secret », litt. « ce qui est bouché, fermé ») est à rapprocher des Ps **7** 10; **16** 7; **33** 15, etc. : Dieu pénètre au fond de l'homme et peut le transformer. On pourrait également discerner un sens figuré en rapprochant ce v. d'Ez **13** 10s, sur les prophètes de mensonge qui « crépissent » les murs lézardés au lieu de les rebâtir (cf. aussi Lv **14** 43 sur la lèpre des murs). Ici au contraire, même ce qui est recouvert (« crépi ») et caché sera purifié et restauré par la sagesse divine.
*e)* Plante employée pour les purifications, Lv **14** 4; Nb **19** 18.
*f)* Ce verbe est réservé à Dieu et désigne l'acte par lequel il pose dans l'existence une chose nouvelle et merveilleuse, Gn **1** 1; Ex **34** 10; Is **48** 7; **65**17; Jr **31** 21-22. La justification du pécheur est l'œuvre divine par excellence, analogue à l'acte créateur, cf. Ez **36** 25s. – Cf. encore Jr **31** 33; **32** 39-40.
*g)* Ici le principe, intérieur à l'homme mais donné par Dieu, de la vie morale et religieuse, soit de chacun, Ps **143** 10; Sg **1** 5; **9** 17; soit du peuple entier, Ne **9** 20; Is **63** 11; Ag **2** 5.

Ps **30** 10 [16] Affranchis-moi du sang [a], Dieu, Dieu de mon salut,
et ma langue acclamera ta justice;
[17] Seigneur, ouvre mes lèvres,
et ma bouche publiera ta louange.

Ps **50** 8+ Am **5** 21-25 [18] Car tu ne prends aucun plaisir au sacrifice;
un holocauste, tu n'en veux pas.
Is **57** 15; **66** 2 [19] Le sacrifice à Dieu, c'est un esprit brisé;
Ps **34** 19 d'un cœur brisé, broyé, Dieu, tu n'as point de mépris.

[20] En ton bon vouloir, fais du bien à Sion :
Jr **30** 18; **31** 4 rebâtis les remparts de Jérusalem [b]!
Ez **36** 33 Is **58** 12 [21] Alors tu te plairas aux sacrifices de justice
– holocauste et totale oblation [c] –
Ps **4** 6 Lv **1** 3 alors on offrira de jeunes taureaux sur ton autel.

## *PSAUME* 52 (51)

### Jugement du cynique.

1 S **21** 8; **22** 6s [1] *Du maître de chant. Poème. De David.* [2] *Quand Doëg l'Édomite vint avertir Saül en lui disant : « David est entré dans la maison d'Ahimélek. »*

[3] Pourquoi te prévaloir du mal,
héros d'infamie [d],
tout le jour [4] ruminer le crime?
Ta langue est un rasoir effilé,
artisan d'imposture.

Jr **4** 22; **9** 4 Jn **3** 19-20 [5] Tu aimes mieux le mal que le bien,
le mensonge que la justice; *Pause.*
[6] tu aimes toute parole qui dévore,
langue d'imposture.

[7] C'est pourquoi Dieu t'écrasera,
Ps **28** 5 te détruira jusqu'à la fin,
Jb **18** 14 Pr **2** 22 t'arrachera de la tente,
t'extirpera de la terre des vivants. *Pause.*

= Ps **40** 4 [8] Ils verront, les justes, ils craindront,
ils se riront de lui :
[9] « Le voilà, l'homme qui n'a pas mis
en Dieu sa forteresse,
mais se fiait au nombre de ses biens,
se faisait fort de son crime! »

*a)* Le prophète Ézéchiel, cf. Ez **7** 23; **9** 9; **22** 2, **24** 6, appelle Jérusalem « ville de sang ». On a vu quelquefois ici une allusion au meurtre d'Urie par David, 2 S **12** 9. On y a aussi lu l'expression de la mort prématurée de l'impie, châtiment des péchés selon la doctrine traditionnelle.

*b)* Au retour de l'Exil, le relèvement des murs de Jérusalem est attendu comme le signe du pardon divin, Is **60-62**; Jr **30** 15-18; Ez **36** 33.

*c)* Précision liturgique insérée après coup. – Dans Jérusalem restaurée, les sacrifices procédant de la « justice » retrouveront leur valeur.

*d)* La trad. suit le grec, en donnant à *hesed* son sens araméen (« infamie » au lieu de « grâce »). L'hébr. se traduirait : « O tyran, la grâce de Dieu (est) tout le jour ».

[10] Et moi, comme un olivier verdoyant
dans la maison de Dieu,
je compte sur l'amour de Dieu
toujours et à jamais.

Ps **1** 3; **92** 13-15 Jr **11** 16 Za **4** 14

[11] Je veux te rendre grâce à jamais,
car tu as agi,
et j'espère ton nom, car il est bon,
devant ceux qui t'aiment.

## *PSAUME* 53 (52)

= Ps **14**

### L'homme sans Dieu [a].

[1] *Du maître de chant. Pour la maladie. Poème. De David.*

[2] L'insensé a dit en son cœur :
« Non, plus de Dieu! »
Ils sont faux, corrompus, abominables;
non, il n'est plus d'honnête homme.

[3] Des cieux Dieu se penche
vers les fils d'Adam,
pour voir s'il en est un de sensé,
un qui cherche Dieu?

[4] Tous ils ont dévié,
ensemble pervertis.
Non, il n'est plus d'honnête homme,
non, plus un seul.

[5] Le savent-ils, les malfaisants?
Ils mangent mon peuple,
voilà le pain qu'ils mangent,
ils n'invoquent pas Dieu.

[6] Là ils seront frappés d'effroi
sans cause d'effroi.
Car Dieu disperse les ossements de ton assiégeant [b],
on les bafoue, car Dieu les rejette.

[7] Qui donnera de Sion le salut d'Israël?
Lorsque Dieu ramènera son peuple,
allégresse à Jacob et joie pour Israël!

*a)* Recension élohiste du Ps **14**, voir les notes.
*b)* Allusion à Sennachérib et, à travers lui, à tous les ennemis de Jérusalem. – Le texte de ce v. semble moins corrompu que dans le Ps **14**.

# *PSAUME* 54 (53)

**Appel au Dieu justicier.**

1 S 23 19 [1] *Du maître de chant. Sur les instruments à cordes. Poème. De David.* [2] *Lorsque les Ziphéens vinrent*
*dire à Saül : « David n'est-il pas caché parmi nous? »*

[3] O Dieu, par ton nom [a] sauve-moi,
par ton pouvoir fais-moi raison;
[4] ô Dieu, entends ma prière,
écoute les paroles de ma bouche!

= Ps **86** 14 [5] Contre moi ont surgi des orgueilleux [b],
des forcenés pourchassent mon âme,
point de place pour Dieu devant eux. *Pause.*

Ps **118** 7 [6] Mais voici Dieu qui vient à mon secours,
le Seigneur avec ceux qui soutiennent mon âme.
[7] Que retombe le mal sur ceux qui me guettent,
Yahvé, par ta vérité détruis-les!

[8] De grand cœur je t'offrirai le sacrifice,
Ps **52** 11 je rendrai grâce à ton nom, car il est bon,
[9] car il m'a délivré de toute angoisse,
Ps **58** 11; **91** 8 mes ennemis me sont donnés en spectacle.

Jr **9** 1-8

# *PSAUME* 55 (54)

**Prière du calomnié [c].**

[1] *Du maître de chant. Sur les instruments à cordes. Poème. De David.*

[2] Entends, ô Dieu, ma prière,
ne te dérobe pas à ma supplique,
[3] donne-moi audience, réponds-moi,
je divague en ma plainte.

Je frémis [4] sous les cris de l'ennemi,
sous les huées [d] de l'impie;
ils me chargent de crimes,
avec rage ils m'accusent.

[5] Mon cœur se tord en moi,
les affres de la mort tombent sur moi;
[6] crainte et tremblement me pénètrent,
un frisson m'étreint.

[7] Et je dis :
Ps **11** 1 Qui me donnera des ailes comme à la colombe,
que je m'envole et me pose?

*a)* Le nom est le substitut de la personne, cf. Ex **3** 14+.
*b)* « orgueilleux » mss hébr., Targ.; « étrangers » hébr., qui témoigne d'une relecture xénophobe d'époque maccabéenne.
*c)* Lamentation individuelle inspirée par Jérémie, cf. Jr **4** 19; **9** 1s; **18** 19; **23** 9, etc. – Le texte est en mauvais état.
*d)* « huées » *za ʿaqat* ou *ça ʿaqah* conj.; hébr. *ʿaqat* inintelligible.

8 Voici, je m'enfuirais au loin, Jr **9** 1
je gîterais au désert. *Pause.* ↗ Ap **12** 6

9 J'aurais bientôt un asile
contre le vent de calomnie,
et l'ouragan 10 qui dévore, Seigneur,
et le flux de leur langue [a].

Je vois en effet la violence Jr **5** 1; **6** 6
et la discorde en la ville; Ez **22** 2
11 de jour et de nuit elles tournent So **3** 1
en haut de ses remparts.

Crime et peine sont au-dedans,
12 la ruine est au-dedans;
jamais de sa grand-place ne s'éloignent
fraude et tyrannie.

13 Si [b] encore un ennemi m'insultait,
je pourrais le supporter;
si contre moi s'élevait mon rival,
je pourrais me dérober.

14 Mais toi, un homme de mon rang, Ps **41** 10
mon ami, mon intime, Jr **9** 3, 7
15 à qui m'unissait une douce intimité Mt **26** 21-24p
dans la maison de Dieu!

Qu'ils s'en aillent [c] dans le tumulte,
16 que sur eux fonde la Mort [d], Ps **49** 15
qu'ils descendent vivants au shéol, Nb **16** 33+
car le mal est chez eux, dans leur logis. Is **5** 14 Pr **1** 12

17 Pour moi, vers Dieu j'appelle
et Yahvé me sauve;
18 le soir et le matin et à midi [e]
je me plains et frémis.

Il entend mon cri,
19 il rachète dans la paix mon âme
de la guerre qu'on me fait :
ils sont en procès avec moi [f].

20 Or Dieu entendra, il les humiliera,
lui qui trône dès l'origine; Ps **29** 10; **93** 2
pour eux, point d'amendement :
ils ne craignent pas Dieu.

21 Il étend les mains contre ses alliés,
il a violé son pacte;

*a)* « qui dévore » *bela*ʿ conj.; « dévore » *balla*ʿ hébr. – « le flux » (sens dérivé) *peleg* syr.; « divise » *pallag* hébr.
*b)* « Si » (les deux fois) grec; l'hébr. a la négation.
*c)* « Qu'ils s'en aillent » conj.; « nous allions » hébr.
*d)* La mort subite et prématurée est le châtiment de l'impie, Ps **73** 19; **102** 25; Jb **15** 32; Is **38** 10; Jr **17** 11.
*e)* Ce sont les heures de la prière, cf. Dn **6** 11.
*f)* « en procès » *berîbîm* conj.; « en grand nombre » *berabbîm* hébr.

Ps **28** 3+ 22 plus onctueuse que la crème est sa bouche
et son cœur fait la guerre;
Ps **57** 5 ses discours sont plus doux que l'huile
Pr **12** 18 et ce sont des épées nues.

Ps **37** 5 23 Décharge sur Yahvé ton fardeau
↗ 1 P **5** 7 et lui te subviendra,
il ne peut laisser à jamais
chanceler le juste [a].

24 Et toi, ô Dieu, tu les pousses
dans le puits du gouffre,
les hommes de sang et de fraude,
avant la moitié de leurs jours.

Ps **25** 2; Et moi je compte sur toi.
**56** 5

## *PSAUME* 56 (55)

### Le fidèle ne succombera pas.

1 S **21** 11s 1 *Du maître de chant. Sur « l'oppression des princes lointains* [b] *». De David. A mi-voix. Quand les Philistins s'emparèrent de lui à Gat.*

2 Pitié pour moi, ô Dieu, on me harcèle,
tout le jour des assaillants me pressent.
3 Ceux qui me guettent me harcèlent tout le jour :
ils sont nombreux ceux qui m'assaillent là-haut [c].

4 Le jour où je crains, moi je compte sur toi.
5 Sur Dieu dont je loue la parole [d],
sur Dieu je compte et ne crains plus,
que me fait à moi la chair?

6 Tout le jour ils s'en prennent à mes paroles,
contre moi tous leurs pensers vont à mal;
7 ils s'ameutent [e], se cachent, épient mes traces,
comme pour surprendre mon âme.

8 A cause du forfait, rejette-les,
dans ta colère, ô Dieu, abats les peuples!
9 Tu as compté, toi, mes déboires,
2 R **20** 5 recueille mes larmes dans ton outre [f]!
Is **25** 8 10 Alors mes ennemis reculeront
Ap **7** 17 le jour où j'appelle.

*a)* Ce v. peut s'entendre, soit de propos ironiques du faux frère, v. 22, soit d'un encouragement que le persécuté s'adresse à lui-même. – Le mot traduit par « fardeau » est un hapax (mot n'apparaissant qu'une fois); on le comprend d'après le contexte et les versions (« souci »).

*b)* Les « princes » ou les « dieux », cf. Ps **45** 7; **58** 2 (« êtres divins »). – Le mot « oppression » est le même en hébr. que « colombe » et il est parfois ainsi traduit, mais le Ps parle bien d'oppression.

*c)* Sur les hauteurs qui entourent Jérusalem, cf. 2 R **19** 22. Il y aurait là une allusion au siège de 701, tout comme au Ps **76** (cf. vv. 11-12) avec lequel celui-ci a des contacts très nets. Mais on peut aussi comprendre « avec hauteur », « avec orgueil ».

*d)* La parole de Dieu est ici, comme au v. 11, sa promesse, sur laquelle compte le fidèle, cf. Ps **106** 12; **119** 42, 65; **130** 5.

*e)* « s'ameutent » Targ., Jérôme; « attaquent » hébr.

*f)* On peut voir ici une allusion aux larmes d'Ézéchias, 2 R **20** 5; Is **38** 3-5. Chaque larme du juste aura sa compensation eschatologique, Is **25** 8; cf. Ap **7** 17. – Le texte ajoute une glose sur ce thème : « N'est-ce pas " dans ton livre de compte "? », cf. Ps **139** 16; Jb **19** 23; Ml **3** 16.

Je le sais, Dieu est pour moi.
11 Sur Dieu dont je loue la parole, Ps **118** 6s: **124** 1s
sur Yahvé dont je loue la parole,
12 sur Dieu je compte et ne crains plus, ↗ He **13** 6
que me fait à moi un homme? = Ps **118** 6

13 A ma charge, ô Dieu, les vœux que je t'ai faits,
j'acquitte envers toi les actions de grâces; Lv **7** 11s
14 car tu sauvas mon âme de la mort [a]
pour que je marche à la face de Dieu Jb **33** 30
dans la lumière des vivants. Ps **27** 13; **116** 9 Qo **11** 7

# PSAUME 57 (56)

## Au milieu des « lions ».

1 *Du maître de chant. « Ne détruis pas. » De David. A mi-voix. Quand il s'enfuit de devant Saül dans la caverne.* 1 S **24** 4s

2 Pitié pour moi, ô Dieu, pitié pour moi,
en toi s'abrite mon âme,
à l'ombre de tes ailes je m'abrite, Ps **17** 8+
tant que soit passé le fléau.

3 J'appelle vers Dieu le Très-Haut,
le Dieu qui a tout fait pour moi:
4 que des cieux il envoie et me sauve
qu'il confonde celui qui me harcèle, *Pause.*
que Dieu envoie son amour et sa vérité. Ps **43** 5

5 Mon âme est couchée parmi les lions, Ps **17** 12
qui dévorent les fils d'Adam;
leurs dents, une lance et des flèches,
leur langue, une épée acérée. Ps **64** 4

6 O Dieu, élève-toi sur les cieux!
Sur toute la terre, ta gloire [b]! Ps **72** 19; **102** 16
7 Ils tendaient un filet sous mes pas, Nb **14** 21+
mon âme était courbée;
ils creusaient devant moi une trappe,
ils sont tombés dedans. *Pause.* = Ps **7** 16+

8 Mon cœur est prêt, ô Dieu, = Ps **108** 2-6
mon cœur est prêt;
je veux chanter, je veux jouer pour toi!
9 éveille-toi, ma gloire; Ps **6** 5+
éveille-toi, harpe, cithare,
que j'éveille l'aurore [c]! Jb **38** 12

10 Je veux te louer chez les peuples, Seigneur, Ps **9** 12; **18** 50
jouer pour toi dans les pays;

*a)* L'hébr. ajoute : « N'est-ce pas " mes pieds de la chute "? », et certains mss grecs : « mes yeux des larmes », emprunts à **116** 8 suggérés par le v. 9.

*b)* Le fidèle souhaite la manifestation du règne de Dieu qui délivrera les opprimés et ruinera les impies.

*c)* Personnifiée comme en Jb **3** 9; **38** 12; **41** 10. Cf. Ps **17** 15+.

= Ps 36 6 [11] grand jusqu'aux cieux ton amour,
jusqu'aux nues, ta vérité.
[12] O Dieu, élève-toi sur les cieux.
Sur toute la terre, ta gloire!

Ps 82
## *PSAUME* 58 (57)

### Le juge des juges terrestres [a].

[1] *Du maître de chant. « Ne détruis pas. » De David. A mi-voix.*

[2] Est-il vrai, êtres divins [b], que vous disiez la justice,
Dt 16 19 que vous jugiez selon le droit les fils d'Adam?
Mi 2 1 [3] Mais non! de cœur vous fabriquez le faux,
Ps 82 2 de vos mains, sur terre, vous pesez l'arbitraire.

[4] Ils sont dévoyés dès le sein, les impies,
égarés dès le ventre, ceux qui disent l'erreur;
Dt 32 33 [5] ils ont du venin comme un venin de serpent,
Ps 140 4 sourds comme l'aspic qui se bouche l'oreille
[6] de peur d'entendre la voix des enchanteurs,
du charmeur expert en charmes.

Ps 3 8;
35 17; 57 5 [7] O Dieu, brise en leur bouche leurs dents,
arrache les crocs des lionceaux, Yahvé.
Jb 11 16 [8] Qu'ils s'écoulent comme les eaux qui s'en vont,
Ps 37 2+ comme l'herbe qu'on piétine [c], qu'ils se fanent!
[9] Comme la limace qui s'en va fondant
Jb 3 16 ou l'avorton de la femme qui ne voit pas le soleil!
Qo 6 3s

Os 13 3 [10] Avant qu'ils ne poussent en épines [d] comme la ronce :
Jb 21 18; verte ou brûlée, que la Colère en tempête l'emporte!
27 21
Na 1 10 [11] Joie pour le juste de voir la vengeance :
Ps 52 8; il lavera ses pieds dans le sang de l'impie.
68 24
Jb 19 29 [12] Et l'on dira : oui, il est un fruit pour le juste;
Ml 2 17; oui, il est un Dieu qui juge sur terre.
3 18

## *PSAUME* 59 (58)

### Contre les impies [e].

1 S 19 11s [1] *Du maître de chant. « Ne détruis pas. » De David. A mi-voix. Quand Saül envoya surveiller sa maison pour le mettre à mort.*

[2] Délivre-moi de mes ennemis, mon Dieu,
contre mes agresseurs protège-moi,
[3] délivre-moi des ouvriers de mal,
des hommes de sang sauve-moi.

*a)* Le Psalmiste apostrophe les mauvais juges à la manière des anciens prophètes, en appelant l'heure de la justice divine.
*b)* « êtres divins », litt. « dieux », *'elîm* conj.; « en silence » *'elem* hébr. – L'expression est appliquée ici aux juges et aux princes, cf. Ps **45** 7; **82**; Ex **21** 6; **22** 7; Dt **19** 17; 2 S **14** 17.
*c)* « comme l'herbe (*haçîr*) qu'on piétine » conj.; « il piétine ses traits (*hiççayw*) comme » hébr.
*d)* « ils ne poussent en épines » corr. d'après Symmaque et Jérôme; l'hébr (litt. « vos marmites distinguent la ronce ») a mal coupé les mots et interverti deux consonnes.
*e)* Ce Ps, où les imprécations se mêlent aux louanges, comporte deux refrains : vv. 7 et 15, et vv. 10 et 18. L'auteur peut être un Juif de la diaspora en butte à l'hostilité des païens, ou un fidèle vivant dans une Jérusalem à demi paganisée.

4 Voici qu'ils guettent mon âme,
des puissants s'en prennent à moi;
sans péché ni faute en moi, Yahvé,
5 sans aucun tort, ils accourent et se préparent.

Réveille-toi, sois devant moi et regarde,
6 et toi, Yahvé, Dieu Sabaot, Dieu d'Israël,
lève-toi pour visiter tous ces païens [a],
sans pitié pour tous ces traîtres malfaisants! *Pause.* Is **26** 10

7 Ils reviennent au soir,
ils grognent comme un chien,
ils rôdent par la ville [b]. Ps **55** 11

8 Voici qu'ils déblatèrent à pleine bouche,
sur leurs lèvres sont des épées : Ps **52** 4
« Y a-t-il quelqu'un qui entende [c]? » **55** 22; **57** 5; **64** 4

9 Toi, Yahvé, tu t'en amuses, Ps **2** 4; **37** 13
tu te ris de tous les païens;
10 ô ma force, vers toi je regarde.

Oui, c'est Dieu ma citadelle,
11 le Dieu de mon amour [d] vient à moi,
Dieu me fera voir ceux qui me guettent. Ps **54** 9

12 Ne les massacre pas, que mon peuple n'oublie,
fais-en par ta puissance des errants, des pourchassés [e],
ô notre bouclier, Seigneur!

13 Péché sur leur bouche, la parole de leurs lèvres : Pr **12** 13;
qu'ils soient donc pris à leur orgueil, **18** 7
pour le blasphème, pour le mensonge qu'ils débitent.

14 Détruis en ta colère, détruis, qu'ils ne soient plus! Ez **5** 13;
Et qu'on sache que c'est Dieu le Maître **6** 12; **13** 13
en Jacob, jusqu'aux bouts de la terre! *Pause.* Ps **46** 10-11; **83** 19

15 Ils reviennent au soir,
ils grognent comme un chien,
ils rôdent par la ville;
16 les voici en chasse pour manger,
tant qu'ils n'ont pas leur soûl, ils grondent [f].

17 Et moi, je chanterai ta force,
j'acclamerai ton amour au matin; Ps **17** 15+
tu as été pour moi une citadelle,
un refuge au jour de mon angoisse.

*a)* Style eschatologique, cf. Is **26** 21.
*b)* L'image, cf. vv. 15-16, évoque les troupes de chiens errants des villes d'Orient.
*c)* Type de blasphème, cf. Ps **10** 4; **14** 1; **64** 6; **94** 7.
*d)* « ma force », « mon amour » mss, versions, cf. v. 18; « sa force », « son amour » hébr.
*e)* Comme Caïn, Gn **4** 14-15, les païens sont maintenus en vie pour être les témoins de la justice divine.
*f)* « ils grondent » versions; « ils passeront la nuit » hébr. (simple changement de vocalisation).

18 O ma force, pour toi je jouerai;
oui, c'est Dieu ma citadelle,
le Dieu de mon amour [a].

# *PSAUME* 60 (59)

**Prière nationale après la défaite [b].**

1 *Du maître de chant. Sur « Un lys est le précepte ». A mi-voix. De David. Pour apprendre.* 2 *Quand*
2 S **8** 2, 3, 13 1 Ch **18** 2, 3, 12 *il lutta avec Aram Naharayim et Aram de Çoba, et que Joab revint pour battre Édom dans la vallée*
*du Sel, douze mille hommes.*

3 Dieu, tu nous as rejetés, rompus,
tu étais irrité, reviens à nous!
Is **24** 20 — 4 Tu as fait trembler la terre, tu l'as fendue;
guéris ses brèches, car elle chancelle [c]!

5 Tu en fis voir de dures à ton peuple,
Jr **25** 15s — tu nous fis boire un vin de vertige;
Is **51** 17, 21-22 — 6 tu donnas à tes fidèles le signal [d]
Ps **75** 9 — de leur débâcle sous le tir de l'arc. *Pause.*

= Ps **108** 7-14 — 7 Pour que soient délivrés tes bien-aimés,
sauve par ta droite, et réponds-nous.

8 Dieu a parlé dans son sanctuaire [e] :
Is **42** 13 — « J'exulte, je partage Sichem [f],
Si **50** 26 — j'arpente la vallée de Sukkot.

Ab 19-20 — 9 « A moi Galaad, à moi Manassé,
Is **11** 13 — Éphraïm, l'armure de ma tête,
Gn **49** 10 — Juda, mon bâton de commandement,

Dt **2** 5+ — 10 « Moab, le bassin où je me lave!
Ps **137** 7 — sur Édom, je jette ma sandale [g].
Is **11** 14 — Crie donc victoire contre moi, Philistie [h]! »

11 Qui me mènera dans une ville forte,
qui me conduira jusqu'en Édom,
Ps **44** 10; — 12 sinon toi, Dieu, qui nous as rejetés,
**68** 8 — Dieu qui ne sors plus avec nos armées [i].

13 Porte-nous secours dans l'oppression :
Ps **33** 16-17 — néant, le salut de l'homme!
Os **1** 7+ — 14 Avec Dieu, nous ferons des prouesses,
2 Ch **14** 10 Ps **44** 6 — et lui piétinera nos oppresseurs.

*a)* La dernière antienne semble incomplète, cf. v. 11.

*b)* Ce Ps suppose la même situation historique que les Ps **44** et **80**. Le v. 7 introduit un oracle d'espoir, repris en Ps **108** 7-14, qui prédit la restauration d'un royaume agrandi et unifié comme aux débuts de la monarchie, et la domination sur Édom, Éphraïm, Galaad, cf. Is **11** 13-14; Ab.

*c)* Trait apocalyptique appliqué à la défaite.

*d)* Le thème de la bannière ou signe de ralliement est fréquent, Ex **17** 15; Ct **2** 4; Is **5** 26; **11** 10; **49** 22; 10. Mais ici, c'est le signal de la retraite, cf. v. 12.

*e)* Ou : « au nom de sa sainteté », qui garantit ses promesses.

*f)* Pointe antisamaritaine, cf. Ne **3** 33s. Le rapprochement de Sichem et Sukkot, cf. Gn **33** 17-18, fait sans doute allusion à la conquête de la Terre Promise, dont on se souvient avec regret, mais aussi avec espérance.

*g)* Une antique coutume, cf. Dt **25** 9; Rt **4** 7+, faisait de ce geste le signe de la prise de possession.

*h)* Apostrophe ironique, édulcorée dans le Ps **108** 10 : « Je crie victoire contre la Philistie ».

*i)* Expression de la nostalgie du Psalmiste qui, dans un pays divisé et pillé par ses voisins pense à l'âge d'or de la guerre sainte, de la conquête et du royaume davidique.

## *PSAUME* 61 (60)

**Prière d'un exilé [a].**

1 *Du maître de chant. Sur les instruments à cordes. De David.*

2 Écoute, ô Dieu, mes cris,
sois attentif à ma prière.
3 Du bout de la terre vers toi j'appelle, Ps **27** 4-5
le cœur me manque.
Au rocher qui s'élève loin de moi, conduis-moi [b]. Ps **43** 3

4 Car tu es pour moi un abri,
une tour forte devant l'ennemi. Pr **18** 10
5 Qu'à jamais je loge sous ta tente Ps **46** 2
et m'abrite au couvert de tes ailes! *Pause.* Ps **17** 8+
6 Car toi, ô Dieu, tu écoutes mes vœux :
tu accordes l'héritage de ceux qui craignent ton nom.

7 Aux jours du roi ajoute les jours; Ps **21** 5+
ses années : génération sur génération.
8 Qu'il trône à jamais devant la face de Dieu! Ps **72** 5; **89** 5, 30, 34, 37
Assigne Amour et Fidélité pour le garder [c]. Ps **40** 12; **85** 11s; **89** 15, 25

9 Alors je jouerai sans fin pour ton nom, Pr **20** 28
accomplissant mes vœux jour après jour.

## *PSAUME* 62 (61)

**Dieu, seul espoir [d].**

1 *Du maître de chant... Yedutûn. Psaume. De David.*

2 En Dieu seul le repos pour mon âme,
de lui mon salut;
3 lui seul mon rocher, mon salut,
ma citadelle, je ne bronche pas.

4 Jusques à quand vous ruer sur un homme
et l'abattre, vous tous,
comme une muraille qui penche,
une clôture qui croule?
5 Duperie [e] seulement, leurs projets, Ps **4** 3
leur plaisir est de séduire;
le mensonge à la bouche, ils bénissent, Ps **28** 3+; **55** 22
au-dedans ils maudissent. *Pause.*

*a)* A la plainte du lévite exilé loin du mont Sion, vv. 2-6, s'ajoute une prière pour le roi, vv. 7-8.
*b)* C'est le Rocher du Temple, objet de la nostalgie du Psalmiste. Ce Ps pourrait dater de la première déportation (598), cf. 2 R **24** 14s, et le Temple ne doit pas être encore détruit.
*c)* Ces attributs divins personnifiés accompagneront le Roi-Messie, Ps **85** 11s; **89** 15,25, comme ils protègent le roi, Pr **20** 28, ou le lévite fidèle, Ps **40** 12. Les vv. 7-8 peuvent être une ancienne prière pour le roi, mais leur insistance sur un règne indéfini rejoint la prophétie de Natân, 2 S **7** 16; 1 Ch **17** 14, et leur étroite ressemblance avec des passages messianiques des Ps **72** et **89** autorise leur application au Roi-Messie.
*d)* Psaume didactique : malice des hommes, néant des créatures, vanité des richesses, impartialité du Juge céleste. Le thème du refrain, vv. 2-3, 6-7, est celui du Ps suivant.
*e)* « Duperie » *mashshû'ôt* conj.; « de sa hauteur » *misse'etô* hébr.

Ps **42** 6, 12; **43** 5; **118** 8 Mi 7 7

6 En Dieu seul repose-toi, mon âme,
de lui vient mon espoir;
7 lui seul mon rocher, mon salut,
ma citadelle, je ne bronche pas;

Jr **3** 23 Is **45** 17 **60** 19

8 en Dieu mon salut et ma gloire,
le rocher de ma force.

Is **26** 4

En Dieu mon abri, 9 fiez-vous à lui,
peuple, en tout temps,
devant lui épanchez votre cœur,
Dieu nous est un abri! *Pause.*

Ps **39** 6-7 Ps **116** 11 Is **40** 15

10 Un souffle seulement, les fils d'Adam,
un mensonge, les fils d'homme [a];
sur la balance s'ils montaient ensemble,
ils seraient moins qu'un souffle.

Is **30** 12 Ez **22** 29

11 N'allez pas vous fier à la violence,
vous essoufflant en rapines;

Jr **17** 11 Jb **27** 13s; **31** 25 Mt **6** 19s, 24 Qo **5** 9s

aux richesses quand elles s'accroissent
n'attachez pas votre cœur!

Jb **40** 5

12 Une fois Dieu a parlé,
deux fois, j'ai entendu [b].
Ceci : que la force est à Dieu,
13 à toi, Seigneur, l'amour;

Ps **28** 4; **31** 24 Jb **34** 11 ↗ Rm **2** 6 ↗ 2 Tm **4** 14

et cela : toi, tu paies
l'homme selon ses œuvres [c].

# *PSAUME* 63 (62)

## Le désir de Dieu.

1 S 22-24

1 *Psaume. De David. Quand il était dans le désert de Juda* [d]

Ps **36** 8-10 Ps **42** 2

2 Dieu, c'est toi mon Dieu, je te cherche [e],
mon âme a soif de toi,
après toi languit ma chair,

Ps **143** 6

terre sèche, altérée, sans eau.
3 Oui, au sanctuaire je t'ai contemplé,
voyant ta puissance et ta gloire.

4 Meilleur que la vie, ton amour;
mes lèvres diront ton éloge.
5 Oui, je veux te bénir en ma vie,
à ton nom, élever les mains;

Ps **36** 9

6 comme de graisse et de moelle se rassasie mon âme,
lèvres jubilantes, louange en ma bouche.

*a)* « fils d'Adam » et « fils d'homme » désignent, comme en Ps **49** 3, les gens du commun et les gens de condition.
*b)* Ce procédé littéraire, celui des « proverbes numériques », se retrouve en Jb **40** 5; Pr **6** 16; **30** 15; Am **1** 3s.
*c)* C'est la doctrine de la rétribution personnelle enseignée par les prophètes, surtout Ézéchiel, cf. Ez **14** 12+, par les Sages et les Psalmistes, cf. Ps **37** 1+, et par le NT, Mt **16** 27; Ap **2** 23.
*d)* Ce Ps a été appliqué à David errant au désert; il a peut-être été retouché en fonction de cette relecture.
*e)* Versions : « je suis matinal auprès de toi ».

[7] Quand je songe à toi sur ma couche,
au long des veilles je médite sur toi,
[8] toi qui fus mon secours,
et je jubile à l'ombre de tes ailes; Ps 17 8+
[9] mon âme se presse contre toi,
ta droite me sert de soutien.

[10] Mais ceux qui poussent mon âme à sa perte, Ps 5 11+
qu'ils descendent au profond de la terre!
[11] Qu'on les livre au tranchant de l'épée,
qu'ils deviennent la part des chacals!
[12] Et le roi se réjouira en Dieu; Ps 21 2; 64 11
qui jure par lui [a] en tirera louange
quand les menteurs auront la bouche fermée.

## *PSAUME* 64 (63)

### Châtiment des calomniateurs [b].

[1] *Du maître de chant. Psaume. De David.*

[2] Écoute, ô Dieu, la voix de ma plainte,
contre la peur de l'ennemi garde ma vie;
[3] à la bande des méchants cache-moi,
à la meute des ouvriers de mal!

[4] Eux qui aiguisent leur langue comme une épée, Ps 55 22; 57 5; 59 8; 140 4; 11 2
ils ajustent leur flèche, parole amère,
[5] pour tirer en cachette sur l'innocent, Jr 9 2
ils tirent soudain et ne craignent rien.

[6] Ils s'encouragent dans leur méchante besogne, Pr 1 11s; 6 14
ils calculent pour tendre des pièges,
ils disent : « Qui les verra Ps 10 11; 94 7
[7] et scrutera nos secrets? »
Il les scrute, celui qui scrute le fond de l'homme Jr 11 20+
et le cœur profond [c]. Qo 7 24

[8] Dieu a tiré une flèche, Ps 7 13s; 38 3
soudaines ont été leurs blessures; Dt 32 42
[9] il les fit choir à cause de leur langue [d],
tous ceux qui les voient hochent la tête. Ps 44 15; 22 8

[10] Tout homme alors craindra, Ps 40 4; 52 8
il publiera l'œuvre de Dieu,
et son action, il la comprendra.

[11] Le juste aura sa joie en Yahvé Ps 5 12; 58 11; 63 12
et son refuge en lui;
ils s'en loueront, tous les cœurs droits.

*a)* Par Yahvé, cf. Dt 6 13; Jr 12 16, ou par le roi : le texte est ambigu.
*b)* Selon la loi du talion, la flèche divine, v. 8, répond à la flèche de la parole mauvaise, v. 4.
*c)* Texte corrigé en permutant deux consonnes et en coupant les mots autrement que le TM; hébr. corrompu, litt. : « ils scrutent (combinent) des crimes; nous sommes prêts (mss : « ils cachent »), une dissimulation dissimulée, et le fond ».
*d)* « il les fit choir à cause de (leur langue) » conj.; « on le fit choir; contre eux (est leur langue) » hébr. (lettres interverties).

# *PSAUME* 65 (64)

**Hymne d'action de grâces [a].**

1 *Du maître de chant. Psaume. De David. Cantique.*

2 A toi la louange est due [b],
ô Dieu, dans Sion;
que pour toi le vœu soit acquitté :
3 tu écoutes la prière.

Is **66** 23 Jusqu'à toi vient toute chair
avec 4 ses œuvres de péché;
nos fautes sont plus fortes que nous,
Ps **32** 1 mais toi, tu les effaces [c].

5 Heureux ton élu, ton familier,
il demeure en tes parvis.
Rassasions-nous des biens de ta maison,
des choses saintes de ton Temple.

6 Tu nous réponds en prodiges de justice,
Dieu de notre salut,
Is **66** 19 espoir des extrémités de la terre
et des îles lointaines [d];

Jb **38** 6s 7 toi qui maintiens les montagnes par ta force,
qui te ceins de puissance,
Ps **89** 10; **107** 29 8 qui apaises le fracas des mers,
Jb **26** 12 Mt **8** 26 Is **17** 12 le fracas de leurs flots.

Les peuples sont en rumeur [e], 9 pris d'effroi,
les habitants des bouts du monde;
tes signes font jubiler les portes [f]
du matin et du soir.

Jl **2** 22s 10 Tu visites la terre et la fais regorger,
Is **30** 23, 25 tu la combles de richesses.
Lv **26** 3s Le ruisseau de Dieu est rempli d'eau [g],
tu prépares les épis.

Ainsi tu la prépares :
11 arrosant ses sillons, aplanissant ses mottes,
tu la détrempes d'averses, tu bénis son germe.

*a)* Après une année fertile et d'abondantes pluies, le peuple remercie le Créateur. La première partie, vv. 2-9, rappelle Isaïe par ses perspectives universalistes. La seconde, vv. 10-14, avec un changement de rythme au v. 11, est une enthousiaste description du printemps judéen.

*b)* « est due » versions; « le silence (est la louange) » hébr. (simple différence de vocalisation).

*c)* « Effacer », litt. « couvrir la faute »; c'est, en style sacerdotal, l'expression du pardon divin spécialement obtenu au jour de l'Expiation, Lv **1** 4+; **16** 1+; cf. Ps **78** 38; **79** 9.

*d)* « îles » Targ.; « mers » hébr., peut-être après une retouche anti-universaliste : « les îles » représentent les nations païennes.

*e)* « sont en rumeur » grec; « et la rumeur (des peuples) » hébr.

*f)* Ces « portes », où le soleil était censé passer chaque jour, désignent les pays les plus lointains.

*g)* Le poète, évoque les chambres hautes du ciel, où les eaux sont en réserve, Ps **104** 3; Gn **1** 7; **7** 11; Jb **38** 25, et non le fleuve symbolique de Sion, Ps **46** 5+.

[12] Tu couronnes l'année de tes bontés,
sur tes ornières [a] la graisse ruisselle; Am **9** 13
[13] ils ruissellent, les pacages du désert,
les collines sont bordées d'allégresse; Ps **96** 12
[14] les prairies se revêtent de troupeaux,
les vallées se drapent de froment,
les cris de joie, ô les chansons [b]! Is **44** 23 Ps **66** 1

# *PSAUME* 66 (65)

**Action de grâces publique [c].**

[1] *Du maître de chant. Cantique. Psaume.*

Acclamez Dieu, toute la terre,
[2] chantez à la gloire de son nom,
rendez-lui sa louange de gloire, Ep **1** 12, 14
[3] dites à Dieu : Que tu es redoutable!

A la mesure de ta force, tes œuvres.
Tes ennemis se font tes flatteurs; Ps **18** 45; **81** 16
[4] toute la terre se prosterne devant toi,
elle te chante, elle chante pour ton nom. *Pause.*

[5] Venez, voyez les gestes de Dieu,
redoutable en hauts faits pour les fils d'Adam :
[6] il changea la mer en terre ferme, Ps **114** 3
on passa le fleuve à pied sec [d]. Is **44** 27; **50** 2

Là, notre joie en lui,
[7] souverain de puissance éternelle!
Les yeux sur les nations, il veille,
sur les rebelles pour qu'ils ne se relèvent. *Pause.*

[8] Peuples, bénissez notre Dieu,
donnez une voix à sa louange,
[9] lui qui rend notre âme à la vie [e],
et préserve nos pieds du faux pas.

[10] Tu nous as éprouvés, ô Dieu,
épurés comme on épure l'argent; Is **48** 10
[11] tu nous as fait tomber dans le filet,
tu as mis sur nos reins une étreinte;
[12] tu fis chevaucher à notre tête un mortel;
nous passions par le feu et par l'eau, Is **43** 2
puis tu nous as fait reprendre haleine [f]. Ps **32** 6; **81** 8

*a)* Le char divin, Ps **68** 5, 18; Is **66** 15, parcourt la terre en y dispensant la fécondité.
*b)* Litt. « elles acclament, même elles chantent ».
*c)* Cette liturgie d'action de grâces pour la communauté (dont le chef ou le porte-parole parle à partir du v. 13) rappelle par le style et l'horizon universaliste la seconde partie d'Isaïe.
*d)* Le passage de la mer des Roseaux, Ex **14-15**, et celui du Jourdain, Jos **3** : deux grands faits « typiques » de l'histoire d'Israël, également rapprochés par Ps **74** 13-15; **114**.
*e)* D'où le titre « Psaume de la résurrection » que des mss grecs et la Vulg. donnent à ce Ps.
*f)* « haleine » versions; « saturation » hébr. On peut aussi traduire (avec la même corr.) « tu nous as fait sortir vers la délivrance ».

13 Je viens en ta maison avec des holocaustes,
j'acquitte envers toi mes vœux,
14 ceux qui m'ouvrirent les lèvres,
que prononçait ma bouche en mon angoisse.

15 Je t'offrirai de gras holocaustes
avec la fumée des béliers,
je le ferai avec des taureaux et des boucs. *Pause.*

16 Venez, écoutez, que je raconte,
vous tous les craignant-Dieu,
ce qu'il a fait pour mon âme.

17 Vers lui ma bouche a crié,
l'éloge déjà sur ma langue.
18 Si j'avais vu de la malice en mon cœur,
le Seigneur ne m'eût point écouté.
19 Et pourtant Dieu m'a écouté,
attentif à la voix de ma prière.

20 Béni soit Dieu
qui n'a pas écarté ma prière
ni son amour loin de moi.

# *PSAUME* 67 (66)

**Prière collective après la récolte annuelle [a].**

1 *Du maître de chant. Sur les instruments à cordes. Psaume. Cantique.*

Nb **6** 24-25 — 2 Que Dieu nous prenne en grâce et nous bénisse,
Ps **31** 17 — faisant luire sur nous sa face! *Pause.*
Ps **4** 7+ — 3 Sur la terre on connaîtra tes voies,
Jr **33** 9 — parmi toutes les nations, ton salut.

4 Que les peuples te rendent grâce, ô Dieu,
que les peuples te rendent grâce tous [b]!

5 Que les nations jubilent et chantent,
= Ps **98** 9 — car tu juges le monde avec justice,
Ps **82** 8 — tu juges [c] les peuples en droiture,
sur la terre tu gouvernes les nations. *Pause.*

6 Que les peuples te rendent grâce, ô Dieu,
que les peuples te rendent grâce tous!

= Ps **85** 13 — 7 La terre a donné son produit,
Lv **26** 4 — Dieu, notre Dieu, nous bénit.
Ez **34** 27
Os **2** 23-24 — 8 Que Dieu nous bénisse et qu'il soit craint
de tous les lointains de la terre!

*a)* Sans doute récité lors de la fête clôturant le temps des récoltes, cf. Ex **23** 14+.
*b)* Ce refrain reflète l'universalisme enseigné par la seconde partie du livre d'Isaïe : les nations païennes sont appelées, par l'exemple du peuple élu et l'enseignement de son histoire, à servir elles aussi le Dieu unique.
*c)* « le monde avec justice, tu juges » Sinaïticus, cf. Ps **9** 9; **96** 13; **98** 9; omis par hébr.

# *PSAUME* 68 (67)

## La glorieuse épopée d'Israël [a]

1 *Du maître de chant. De David. Psaume. Cantique.*

2 Que Dieu se lève, et ses ennemis se dispersent, || Nb **10** 35
et ses adversaires fuient devant sa face. Is **33** 3
3 Comme se dissipe la fumée, tu les dissipes;
comme fond la cire en face du feu,
ils périssent, les impies, en face de Dieu.

4 Mais les justes jubilent devant la face de Dieu,
ils exultent et dansent de joie.
5 Chantez à Dieu, jouez pour son nom,
frayez la route au Chevaucheur des nuées, Ps **18** 10-11
jubilez [b] en Yahvé, dansez devant sa face. Dt **33** 26 Is **19** 1; **66** 15; Is **57** 14

6 Père des orphelins, justicier des veuves, Ex **22**
c'est Dieu dans son lieu de sainteté; 21-22+
7 Dieu donne à l'isolé le séjour d'une maison, Ps **146** 9 Ba **6** 37
il ouvre aux captifs la porte du bonheur,
mais les rebelles demeurent sur un sol aride.

8 O Dieu, quand tu sortis à la face de ton peuple, || Jg **5** 4-5
quand tu foulas le désert, 9 la terre trembla, *Pause.* Ha **3** 3s
les cieux mêmes fondirent en face de Dieu [c], Dt **33** 2
en face de Dieu, le Dieu d'Israël.

10 Tu répandis, ô Dieu, une pluie de largesses, Ex **16** 1+;
ton héritage exténué, toi, tu l'affermis; **16** 13
11 ta famille trouva un séjour, celui-là Ps **78** 24s
qu'en ta bonté, ô Dieu, tu préparais au pauvre [d].

12 Le Seigneur a donné un ordre,
c'est l'annonce [e] d'une armée innombrable.
13 Et les chefs d'armée détalaient, détalaient, Jg **5** 19, 22
la belle du foyer partage le butin [f].

14 Alors que vous reposez entre les deux murets [g], Jg **5** 16
les ailes de la Colombe se couvrent d'argent [h],
et ses plumes d'un reflet d'or vert:
15 quand Shaddaï disperse les rois, Gn **17** 1+
c'est par elle qu'il neige sur le Mont-Sombre [i].

*a)* Cet hymne d'action de grâces évoque les grandes étapes de l'histoire du peuple de Dieu, comme celles d'une procession triomphale de Yahvé : la sortie d'Égypte, la marche au désert, les victoires de l'époque des Juges (Débora, Gédéon) et l'installation à Sion (David, Salomon), l'histoire d'Élie et d'Élisée, le sort tragique de la famille d'Achab, la Pâque solennelle d'Ézéchias, enfin les perspectives universalistes de la fin du livre d'Isaïe. Prélude (vv. 2-7) et finale (vv. 33-36) encadrent six groupes de deux strophes unies par le sens. Un accident graphique a troublé les sixième et septième strophes.

*b)* « jubilez » *simhû* conj.; « son nom » *shemô* hébr.

*c)* L'hébr. glose : « c'est le Sinaï », comme en Jg **5** 5. – La strophe évoque l'entrée en campagne de Yahvé : la sortie d'Égypte dans la nuée, Ex **13** 21; Nb **14** 14, et la théophanie du Sinaï, Ex **19** 16+.

*d)* Rappel des miracles de l'Exode, la manne et les cailles, et de l'entrée dans la Terre Promise.

*e)* « un ordre, c'est l'annonce » conj.; « l'ordre de celles qui annoncent » hébr.

*f)* Allusion aux victoires de la conquête. La « belle » est peut-être Yaël, Jg **5** 24, ou le groupe des femmes des vainqueurs, cf. Jg **5** 30; **11** 34; 1 S **18** 6.

*g)* Les petits murs convergents des parcs à brebis.

*h)* La Colombe est le symbole d'Israël, cf. Ps **74** 19; Os **7** 11, etc., qui se pare des richesses gagnées dans le combat, cf. Jos **22** 8; Jg **8** 24s.

*i)* Le « Mont-Sombre » est sans doute une colline boisée proche de Sichem, Jg **9** 48-49; Abimélek jeta du sel (blanc comme la

16 Montagne de Dieu, la montagne de Bashân!
Montagne sourcilleuse, la montagne de Bashân!
17 Pourquoi jalouser, montagnes sourcilleuses,
la montagne que Dieu a désirée pour séjour?
Ez **43** 7 Oui, Yahvé y demeurera jusqu'à la fin.

2 R **6** 17; **7** 6 18 Les équipages de Dieu [a] sont des milliers de myriades;
le Seigneur est venu du Sinaï au sanctuaire [b].
Ps **47** 6 19 Tu as gravi la hauteur [c], capturé des captifs,
↗ Ep **4** 8-10 reçu des hommes en tribut, même les rebelles,
pour que Yahvé Dieu ait une demeure.

20 Béni soit le Seigneur de jour en jour!
Dt **32** 11 Il prend charge de nous, le Dieu de notre salut. *Pause.*
Is **46** 3-4
Ps **63** 9
21 Le Dieu que nous avons est un Dieu de délivrances,
au Seigneur Yahvé sont les issues de la mort;
22 mais Dieu défonce la tête de ses ennemis,
le crâne chevelu du criminel qui rôde.

23 Le Seigneur a dit : « De Bashân je fais revenir,
je fais revenir des abîmes de la mer,
1 R **21** 19; 24 afin que tu enfonces ton pied dans le sang,
**22** 38 que la langue de tes chiens ait sa part d'ennemis [d]. »
2 R **9** 36

25 On a vu tes processions, ô Dieu,
les processions de mon Dieu, de mon roi, au sanctuaire :
26 les chantres marchaient devant, les musiciens derrière,
les jeunes filles au milieu, battant du tambourin.

27 En chœurs, ils bénissaient Dieu :
Dt **33** 28 c'est Yahvé, dès l'origine d'Israël [e].
Jr **2** 13;
**17** 13 28 Benjamin était là, le cadet ouvrant la marche;
Ps **80** 2-3 les princes de Juda en robes multicolores,
Is **8** 23 les princes de Zabulon, les princes de Nephtali [f].

29 Commande, ô mon Dieu, selon ta puissance [g],
la puissance, ô Dieu, que tu as mise en œuvre pour nous,
30 depuis ton temple au-dessus de Jérusalem.
Vers toi viendront les rois, apportant des présents.

Ez **29** 2s 31 Menace la bête des roseaux,
la bande de taureaux avec les peuples de veaux [h],

neige, cf. Si **43** 18-19) sur les ruines de cette ville, Jg **9** 45. – Ce passage est très obscur, mais on peut comprendre que le poète, imitant Jg **5** 16s, interpelle les clans isolationnistes, absents du combat, et leur vante le butin précieux que se partagent les femmes d'Israël, et qui brille sur leur peau brune comme les plumes de la colombe.

*a)* Plutôt que les chars de Salomon, 1 R **10** 26, les chars divins qu'entrevit Élisée, 2 R **6** 17, cf. **7** 6; Is **66** 15. La suite évoque les victoires du temps des rois.

*b)* A l'époque du second Temple, on a retouché le texte hébr. de ce vers (en modifiant la coupure des mots); il se traduirait litt. : « Le Seigneur est en eux, le Sinaï est dans le sanctuaire. » Le Sinaï était ainsi identifié à Sion, d'où provient la Loi, Is **2** 3. C'est le premier indice d'une relecture de ce Ps en fonction de la fête liturgique de la Pentecôte où l'on célèbre le don de la Loi au Sinaï, cf. la glose du v. 9.

*c)* Sion.

*d)* Allusion à la mort d'Achab, 1 R **21** 19; **22** 38, de Joram, 2 R **8** 29; **9** 15, et de Jézabel, 2 R **9** 36.

*e)* Antienne liturgique.

*f)* « robes multicolores » *riqmatam* conj.; « en tas » *rigmatam* hébr. – Les vv. 25-28 évoquent la Pâque d'Ézéchias, 2 Ch **30**, à laquelle participèrent les tribus du Nord.

*g)* Stique corrigé d'après les versions; hébr. : « Ton Dieu a commandé ta puissance ». – Le texte et le rythme des deux strophes suivantes sont incertains.

*h)* Allusion insultante à l'Égypte, à ses chefs et à son peuple. On doit être à l'époque de la grande déportation juive en Égypte, sous le règne de Ptolémée Sôter, vers 320.

qui s'humilie, avec des lingots d'argent!
Disperse les peuples qui aiment la guerre.
32 Depuis l'Égypte, des grands viendront, — Is 18 7; 45 14
l'Éthiopie tendra les mains vers Dieu [a].

33 Royaumes de la terre, chantez à Dieu,
jouez pour [b] 34 le Chevaucheur des cieux, des cieux antiques. *Pause.* — Ps 68 5+
Voici qu'il élève la voix, voix de puissance :
35 reconnaissez la puissance de Dieu.

Sur Israël sa splendeur, dans les nues sa puissance :
36 redoutable est Dieu depuis son sanctuaire [c].
C'est lui, le Dieu d'Israël,
qui donne au peuple force et puissance. — Ps 28 8; 29 11

Béni soit Dieu!

## *PSAUME* 69 (68)

### Lamentation [d].

1 *Du maître de chant. Sur l'air : Des lys... De David.* — Ps 45 1

2 Sauve-moi, ô Dieu, car les eaux — Ps 18 5+; Ps 124 4-5; Jon 2 6
me sont entrées jusqu'à l'âme [e].

3 J'enfonce dans la bourbe du gouffre,
et rien qui tienne;
je suis entré dans l'abime des eaux
et le flot me submerge.

4 Je m'épuise à crier, ma gorge brûle,
mes yeux sont consumés d'attendre mon Dieu.

5 Plus nombreux que les cheveux de la tête, — Ps 40 13
ceux qui me haïssent sans cause;
ils sont puissants ceux qui me détruisent,
ceux qui m'en veulent à tort. — ↗ Jn 15 25; Ps 35 19
(Ce que je n'ai pas pris, devrai-je le rendre?)

6 O Dieu, tu sais ma folie,
mes offenses sont à nu devant toi.

7 Qu'ils ne rougissent pas de moi, ceux qui t'espèrent,
Yahvé Sabaot [f]!
Qu'ils n'aient pas honte de moi, ceux qui te cherchent,
Dieu d'Israël!

*a)* « grands », litt. « (gens) gras », *hashshemenîm* ou *mishmannîm* conj. d'après le grec; « objets en bronze » (?) *hashmannîm* hébr. – « tendra » *yitroç* conj.; « fera courir » *tariç* hébr.
*b)* L'hébr. ajoute ici « le Seigneur. Pause ».
*c)* « son sanctuaire » Vulg.; « tes sanctuaires » hébr.
*d)* Ce Ps réunit deux lamentations, de rythme différent, chacune composée d'une plainte suivie d'une prière. La première, vv. 2-7 et 14-16, développe le thème des eaux infernales, Ps **18** 5+, et celui des ennemis, Ps **35**, etc. La seconde, vv. 8-13 et 17s, est le cri de détresse du fidèle victime de son zèle, cf. Ps **22**; Is **53** 10; Jr **15** 15. L'ensemble s'achève par une finale hymnique, vv. 31s, aux perspectives nationales, cf. Ps **22** 28s et Ps **102** 14s. Le caractère messianique du Ps ressort des citations qu'en fait le NT.
*e)* Ou : « jusqu'à la gorge ».
*f)* L'hébr. ajoute « Seigneur » devant « Yahvé ».

Jr **15** 15 — 8 C'est pour toi que je souffre l'insulte,
que la honte me couvre le visage,
Jb **19** 13-15 — 9 que je suis un étranger pour mes frères,
un inconnu pour les fils de ma mère;
= Ps **119** 139 — 10 car le zèle de ta maison me dévore,
↗ Jn **2** 17 ↗ Rm **15** 3 — l'insulte de tes insulteurs tombe sur moi.

11 Que j'afflige [a] mon âme par le jeûne
et l'on m'en fait un sujet d'insulte;
12 que je prenne un sac pour vêtement
et pour eux je deviens une fable,
13 le conte des gens assis à la porte
et la chanson des buveurs de boissons fortes.

Is **49** 8 — 14 Et moi, t'adressant ma prière, Yahvé,
Ps **32** 6; **102** 14 — au temps favorable,
en ton grand amour, Dieu, réponds-moi
en la vérité de ton salut.

15 Tire-moi du bourbier, que je n'enfonce,
que j'échappe à mes adversaires,
à l'abîme des eaux!
16 Que le flux des eaux ne me submerge,
que le gouffre ne me dévore,
que la bouche de la fosse ne me happe!

17 Réponds-moi, Yahvé : car ton amour est bonté;
en ta grande tendresse regarde vers moi;
18 à ton serviteur ne cache point ta face,
Ps **102** 3 — l'oppression est sur moi, vite, réponds-moi;
19 approche de mon âme, venge-la,
à cause de mes ennemis, rachète-moi.

20 Toi, tu connais mon insulte,
ma honte et mon affront.
Devant toi tous mes oppresseurs.
21 L'insulte m'a brisé le cœur,
jusqu'à défaillir [b].
Jb **6** 14s — J'espérais la compassion, n'en ai en vain,
Lm **1** 2 — des consolateurs, et je n'en ai pas trouvé.
Mt **26** 40p
Jn **16** 32

22 Pour nourriture ils m'ont donné du poison,
↗ Mt **27** 34, 48 — dans ma soif ils m'abreuvaient de vinaigre.
↗ Rm **11** 9-10 — 23 Que devant eux leur table soit un piège
et leur abondance un traquenard;
24 que leurs yeux s'enténèbrent pour ne plus voir,
fais qu'à tout instant les reins leur manquent!

25 Déverse sur eux ton courroux,
que le feu de ta colère les atteigne;
↗ Ac **1** 20 — 26 que leur enclos devienne un désert,

*a)* « afflige » grec, syr.; « pleure » hébr.
*b)* Trad. conj.; l'ordre des mots et des stiques dans les vv. 20-21 semble troublé, mais aucune restitution ne s'impose absolument.

que leurs tentes soient sans habitants :
27 ils s'acharnent sur celui que tu frappes, Is 53 4
ils rajoutent aux blessures de ta victime [a]. Ps 71 11

28 Charge-les, tort sur tort,
qu'ils n'aient plus d'accès à ta justice;
29 qu'ils soient rayés du livre de vie, Ex 32 32
retranchés du compte des justes. Is 4 3 Dn 12 1 Ap 3 5

30 Et moi, courbé, blessé,
que ton salut, Dieu, me redresse!
31 Je louerai le nom de Dieu par un cantique, Ps 22 26s
je le magnifierai par l'action de grâces;
32 cela plaît à Yahvé plus qu'un taureau, Ps 50 8+,
une forte bête avec corne et sabot. 14; 51 18

33 Ils ont vu, les humbles, ils jubilent; Ps 22 27; 70
chercheurs de Dieu, que vive votre cœur! 5; 119 144
34 Car Yahvé exauce les pauvres,
il n'a pas méprisé ses captifs.
35 Que l'acclament le ciel et la terre,
la mer et tout ce qui s'y remue!

36 Car Dieu sauvera Sion, Is 44 26
il rebâtira les villes de Juda, Ez 36 10
là, on habitera, on possédera; Ps 102 29, 22-23
37 la lignée de ses serviteurs en hérite Ps 5 12
et les amants de son nom y demeurent. Is 65 9

## *PSAUME* 70 (69)

= 40 14-18

### Cri de détresse [b].

1 *Du maître de chant. De David. Pour commémorer.* Ps 38 1

2 O Dieu, vite à mon secours,
Yahvé, à mon aide!
3 Honte et déshonneur sur ceux-là
qui cherchent mon âme!

Arrière! honnis soient-ils,
ceux que flatte mon malheur;
4 qu'ils reculent couverts de honte,
ceux qui disent : Ha! Ha!

5 Joie en toi et réjouissance
à tous ceux qui te cherchent;
qu'ils redisent toujours : « Dieu est grand! »
ceux qui aiment ton salut!

*a)* « rajoutent » grec, syr.; « s'entretiennent sur » hébr. – Au v. 27, les compléments sont au pluriel dans l'hébr., adaptation à la liturgie nationale.
*b)* Doublet de Ps 40 14-18, voir les notes.

6 Et moi, pauvre et malheureux!
ô Dieu, viens vite!
Toi, mon secours et mon sauveur,
Yahvé, ne tarde pas!

## *PSAUME* 71 (70)

**Prière d'un vieillard.**

= Ps **31** 2-4 1 En toi, Yahvé, j'ai mon abri,
Ps **25** 2 sur moi pas de honte à jamais!
2 En ta justice défends-moi, délivre-moi,
tends vers moi l'oreille et sauve-moi.

3 Sois pour moi un roc hospitalier [a],
toujours accessible;
tu as décidé de me sauver,
car mon rocher, mon rempart, c'est toi.
Ps **140** 2 4 Mon Dieu, délivre-moi de la main de l'impie,
de la poigne du fourbe et du violent.

5 Car c'est toi mon espoir, Seigneur,
Yahvé, ma foi dès ma jeunesse.
6 Sur toi j'ai mon appui dès le sein,
toi ma part [b] dès les entrailles de ma mère,
Jr **17** 14 en toi ma louange sans relâche.
Ps **22** 4; **109** 1

Is **52** 14 7 Pour beaucoup je tenais du prodige [c],
Ps **31** 12 mais toi, tu es mon sûr abri.
8 Ma bouche est remplie de ta louange,
tout le jour, de ta splendeur.

Ps **22** 12, 20 9 Ne me rejette pas au temps de ma vieillesse,
quand décline ma vigueur, ne m'abandonne pas.
10 Car mes ennemis parlent de moi,
ceux qui guettent mon âme se concertent :

Ps **3** 3; **22** 9; **69** 27 11 « Dieu l'a abandonné, pourchassez-le,
empoignez-le, il n'a personne pour le défendre. »
Ps **22** 12+ 12 Dieu, ne sois pas loin de moi,
mon Dieu, vite à mon aide.

= Ps **40** 15 13 Honte et ruine sur ceux-là
= Ps **35** 4 qui attaquent mon âme;
que l'insulte et l'infamie les couvrent,
ceux qui cherchent mon malheur!

14 Et moi, sans relâche espérant,
j'ajouterai à ta louange;
Ps **35** 28; 15 ma bouche racontera ta justice,
**109** 30 tout le jour, ton salut [d].

*a)* « hospitalier » mss, versions; « demeure » hébr. – Les deux stiques suivants sont incertains; grec : « une enceinte de rempart pour mon salut ».
*b)* Sens incertain; versions : « ma force ».
*c)* Par les épreuves subies : on s'étonne de voir un juste souffrir, cf. Jb.
*d)* L'hébr. ajoute : « je n'ai pas compris les lettres », sans doute glose d'un scribe embarrassé par le mot suivant.

[16] Je viendrai dans la puissance de Yahvé [a],
pour rappeler ta justice, la seule.
[17] O Dieu, tu m'as instruit dès ma jeunesse, Os 2 17
et jusqu'ici j'annonce tes merveilles. Jr 2 1 Ps 129 1-2 Is 46 3-4

[18] Or, vieilli, chargé d'années,
ô Dieu, ne m'abandonne pas [b],
que j'annonce ton bras [c] aux âges à venir, Ps 22 31+
ta puissance [19] et ta justice, ô Dieu, jusqu'aux nues! Ps 36 7

Toi qui as fait de grandes choses, Ps 72 18
ô Dieu, qui est comme toi? Ps 86 8+
[20] Toi qui m'as fait tant voir de maux et de détresses,
tu reviendras me faire vivre.
Tu reviendras me tirer des abîmes de la terre, Ps 9 14; 40 3
[21] tu nourriras mon grand âge, tu viendras me consoler.

[22] Or moi, je te rendrai grâce sur la lyre,
en ta vérité, mon Dieu,
je jouerai pour toi sur la harpe,
Saint d'Israël. Is 6 3+

[23] Que jubilent mes lèvres, quand je jouerai pour toi, Ps 7 18+
et mon âme que tu as rachetée!
[24] Or ma langue tout le jour
murmure ta justice :
honte et déshonneur sur ceux-là
qui cherchent mon malheur!

## *PSAUME* 72 (71)

Is 11 1-5 Za 9 9s

### Le roi promis [d].

[1] *De Salomon.*

O Dieu, donne au roi ton jugement, Jr 23 5
au fils de roi ta justice,
[2] qu'il rende à ton peuple sentence juste
et jugement à tes petits.

[3] Montagnes, apportez, et vous collines, Is 45 8; 52 7; 55 12
la paix au peuple.
Avec justice [e] [4] il jugera le petit peuple, So 2 3+
il sauvera les fils de pauvres,
il écrasera leurs bourreaux.

[5] Il durera [f] sous le soleil et la lune Ps 61 8
siècle après siècle;

*a)* Sens incertain, litt. « je viendrai dans les puissances du Seigneur Yahvé ». On propose de corriger la première lettre pour lire : « je publierai (les hauts faits de Yahvé) ».
*b)* Le passage pouvait s'appliquer à Israël, dont les prophètes évoquaient la jeunesse et la vieillesse.
*c)* Image prophétique, Is **51** 9; **53** 1, qui évoquait les miracles de l'Exode.
*d)* Dédié à Salomon, roi juste et pacifique, riche et glorieux, 1 R **3** 9, 12, 28; **4** 20; **10** 1-29; 1 Ch **22** 9, ce Ps appelle le roi idéal de l'avenir. La tradition juive et chrétienne y a vu le portrait anticipé du roi messianique prédit par Isaïe, **9** 5; **11** 1-5, et Zacharie, **9** 9s.
*e)* On suit le grec pour la coupe du vers. – Texte peu sûr.
*f)* « Il durera » grec; « Ils te craindront » hébr.

Os **6** 3 — 6 il descendra comme la pluie sur le regain [a],
Is **45** 8 Dt **32** 2 — comme la bruine mouillant la terre.

7 En ses jours justice fleurira [b]
2 S **7** 13s — et grande paix jusqu'à la fin des lunes [c];
Jr **31** 35; **33** 20 — 8 il dominera de la mer à la mer,
Ps **89** 38 — du Fleuve jusqu'aux bouts de la terre [d].

Za **9** 10 Si **44** 21
Is **27** 1 — 9 Devant lui se courbera la Bête [e],
Mi **7** 17 Is **49** 23 — ses ennemis lécheront la poussière;
10 les rois de Tarsis et des îles
rendront tribut.

1 R **10** 1+ — Les rois de Saba et de Seba
feront offrande;
11 tous les rois se prosterneront devant lui,
tous les païens le serviront.

|| Jb **29** 12 — 12 Car il délivre le pauvre qui appelle
et le petit qui est sans aide;
13 compatissant au faible et au pauvre,
il sauve l'âme des pauvres.

14 De l'oppression, de la violence, il rachète leur âme,
Ps **116** 15 — leur sang est précieux à ses yeux.
Ps **61** 7-8 — 15 (Qu'il vive et que lui soit donné [f] l'or de Saba!)
On priera pour lui sans relâche,
tout le jour, on le bénira [g].

Is **27** 6 — 16 Foisonne le froment sur la terre,
Os **14** 6-9 — qu'il ondule au sommet des montagnes,
Am **9** 13 — comme le Liban quand il éveille ses fruits et ses fleurs [h],
comme l'herbe de la terre!

17 Soit béni son nom à jamais,
qu'il dure sous le soleil!
Gn **12** 3+ — Bénies seront en lui toutes les races de la terre [i],
que tous les païens le disent bienheureux!

18 Béni soit Yahvé, le Dieu d'Israël,
qui seul a fait des merveilles;
19 béni soit à jamais son nom de gloire,
Ha **3** 3 — toute la terre soit remplie de sa gloire!
Amen! Amen!

20 Fin des prières de David, fils de Jessé [j].

*a)* Les versions ont traduit « toison », cf. Jg **6** 37s.
*b)* « justice » mss, versions; « le juste » hébr. (relecture messianique), cf. Jr **23** 5; Za **9** 9.
*c)* L'ère messianique durera jusqu'à la fin des temps.
*d)* Les limites de la Palestine idéale, cf. Jg **20** 1+.
*e)* Ce terme, qui désigne les animaux ou les démons qui hantent les déserts, Is **13** 21; **34** 14; Jr **50** 39; Ez **34** 28, évoque ici les États païens abattus, cf. Is **27** 1; Dn **7** 3; Ap **13** 1, etc.
*f)* « que lui soit donné » versions; « qu'il donne » hébr.
*g)* Texte obscur, le sujet du verbe n'est pas explicité. On comprend qu'Israël prie pour le succès de la mission salvatrice du Messie. Mais on pourrait aussi comprendre : « Il (le Messie) intercédera pour lui (le pauvre) et le bénira. »
*h)* « et ses fleurs » conj.; « et qu'ils fleurissent » hébr.
*i)* « béni » et « toutes les races de la terre » grec; omis par hébr. – « qu'il dure » *yikkôn* versions; « qu'il prolifère » *yinnôn* hébr. – Dans l'état actuel du texte, on pourrait traduire : « Que son nom soit à jamais devant le soleil. Il bourgeonnera (proliférera) est son nom », relecture qui peut faire allusion au rejeton de Jessé, Is **11** 1, et au nom messianique de Germe, Is **4** 2; Jr **23** 5; **33** 15; Za **6** 12.
*j)* Doxologie et colophon du deuxième livre du Psautier.

# *PSAUME* 73 (72)

**La justice finale [a].**

1 *Psaume. D'Asaph.*

Mais enfin, Dieu est bon pour Israël,
le Seigneur [b] pour les hommes au cœur pur.

2 Un peu plus, mon pied bronchait,
un rien, et mes pas glissaient,
3 envieux que j'étais des arrogants Ps **37** 1+
en voyant le bien-être des impies. Jb **21** 13-26

4 Pour eux, point de tourments,
rien n'entame [c] leur riche prestance;
5 de la peine des hommes ils sont absents,
avec Adam ils ne sont point frappés.

6 C'est pourquoi l'orgueil est leur collier,
la violence, le vêtement qui les couvre;
7 la malice [d] leur sort de la graisse, Ps **17** 10; **119** 70
l'artifice leur déborde du cœur. Jb **15** 27 Jr **5** 28

8 Ils ricanent, ils prônent le mal,
hautement ils prônent la force;
9 leur bouche s'arroge le ciel
et leur langue va bon train sur la terre.

10 C'est pourquoi mon peuple va vers eux :
des eaux d'abondance leur adviennent [e].
11 Ils disent : « Comment Dieu saurait-il? Ps **10** 11+
Chez le Très-Haut y a-t-il connaissance? »
12 Voyez le : ce sont des impies,
et, tranquilles toujours, ils entassent!

13 Mais enfin pourquoi aurais-je gardé un cœur pur, Ml **3** 14
lavant mes mains en l'innocence? = Ps **26** 6

14 Quand j'étais frappé tout le jour,
et j'avais mon châtiment chaque matin, Jb **7** 18
15 si j'avais dit : « Je vais parler comme eux »,
j'aurais trahi la race de tes fils.

16 Alors j'ai réfléchi pour comprendre :
quelle peine c'était à mes yeux!
17 jusqu'au jour où j'entrai aux sanctuaires divins [f], Ps **119** 130
où je pénétrai leur destin.

*a)* D'abord scandalisé par la prospérité des impies et la souffrance des justes, cf. Jb **21** 1s; Qo **7** 15; Jr **12** 1s; Ml **3** 15, etc., un sage oppose le bonheur éphémère des méchants à la paix de l'amitié divine qui ne déçoit jamais.
*b)* « le Seigneur » conj.; « et moi » (au début du v. 2) hébr.
*c)* « pour eux (...) rien n'entame », litt. « est parfaite », *lamô tam* conj.; « à leur mort » *lamôtam* hébr. (mal coupé).
*d)* « malice » versions; « œil » hébr.
*e)* On suit les versions; hébr. corrompu, litt. : « C'est pourquoi son peuple revient de ce côté (ou : Il fait revenir son peuple de ce côté), des eaux d'abondance sont vidées. »
*f)* Ceux des dieux païens, soutiens des impies et responsables des injustices en ce monde, Ps **82**. On a pensé aussi au Temple, Jr **51** 51, ou aux mystères divins, Ps **119** 130; Sg **2** 22, mais le contexte indique plutôt la ruine des sanctuaires païens.

[18] Mais enfin, tu en as fait des choses trompeuses,
tu les fais tomber dans le chaos.

[19] Ah! que soudain ils font horreur,
disparus, achevés par l'épouvante!
[20] Comme un songe au réveil, Seigneur,
Ps **49** 15 en t'éveillant [a], tu méprises leur image.

[21] Alors que s'aigrissait mon cœur
et que j'avais les reins percés,
[22] moi, stupide, je ne comprenais pas,
j'étais une brute [b] près de toi.

[23] Et moi, qui restais près de toi,
tu m'as saisi par ma main droite;
[24] par ton conseil tu me conduiras,
Ps **16** 10+ et derrière la gloire [c] tu m'attireras.

[25] Qui donc aurais-je dans le ciel?
Avec toi, je suis sans désir sur la terre.
[26] Et ma chair et mon cœur sont consumés [d] :
Ps **16** 5+ roc de mon cœur, ma part, Dieu à jamais!

[27] Voici : qui s'éloigne de toi périra,
tu extirpes ceux qui te sont adultères [e].
[28] Pour moi, approcher Dieu est mon bien,
j'ai placé dans le Seigneur mon refuge,
afin de raconter toutes tes œuvres [f].

## *PSAUME* 74 (73)

### Lamentation après le sac du Temple [g].

[1] *Poème. D'Asaph.*

Pourquoi, ô Dieu, rejeter jusqu'à la fin,
fumer de colère contre le troupeau de ton bercail?
Dt **7** 6+ Ex **15** 17 Jr **10** 16; Is **63** 17 **51** 19 [2] Rappelle-toi ton assemblée que tu as acquise dès l'origine,
que tu rachetas, tribu de ton héritage,
et ce mont Sion où tu fis ta demeure.

[3] Élève tes pas vers ce chaos sans fin :
il a tout saccagé, l'ennemi, au sanctuaire;

*a)* Sur Dieu qui « se réveille », cf. Ps **35** 23; **44** 24; **59** 6; **78** 65; Is **15** 9. Sur l'« image », cf. Ps **49** 15; **90** 5; Jb **20** 8; Is **29** 7-8.
*b)* Litt. « Béhémot », ce chef-d'œuvre de lourdeur, cf. Jb **40** 15+.
*c)* La Gloire semble être ici l'attribut divin personnifié, rappelant la Nuée de l'Exode. Les versions ont traduit « avec gloire », en donnant au mot son sens habituel quand il est appliqué aux hommes : il faudrait comprendre que Dieu préserve le juste d'une mort prématurée et honteuse, et qu'il réhabilitera le juste qui meurt alors que les impies survivent. Toutefois, comme dans Ps **16** 9s, la ferveur du fidèle contient déjà le désir d'une union définitive avec Dieu; c'est une étape vers la croyance explicite en la résurrection et la vie éternelle, cf. Ps **16** 10+.
*d)* De désir, cf. Ps **84** 3; Jb **19** 27, et non de faiblesse, cf. Ps **143** 7.
*e)* L'expression désigne chez les prophètes l'infidélité à Dieu, cf. Os **1** 2+.
*f)* Le grec ajoute : « aux portes de la fille de Sion », cf. Ps **9** 15.
*g)* D'après le Targum, l'« insensé » (v.22) serait Antiochus Épiphane, le « roi fou », qui brûla les portes du Temple, 1 M **4** 38; 2 M **1** 8 et profana le sanctuaire, 1 M **1** 21s, 39; 2 M **6** 5. Mais le Ps peut aussi s'appliquer au sac du Temple par les armées chaldéennes, 2 R **25** 9; Is **64** 10. Dès cette époque, la voix des prophètes s'était tue, v. 9, cf. Ps **77** 9; Lm **2** 9; Ez **7** 26 et 1 M **4** 46; **9** 27; **14** 41.

4 dans le lieu de tes assemblées ont rugi tes adversaires,
ils ont mis leurs insignes au fronton de l'entrée,
des insignes 5 qu'on ne connaissait pas [a].

Leurs cognées en plein bois, 6 abattant les vantaux [b],
et par la hache et par la masse ils martelaient;
7 ils ont livré au feu ton sanctuaire, Is **64** 10
profané jusqu'à terre la demeure de ton nom.

8 Ils ont dit en leur cœur : « Écrasons-les d'un coup [c]! »
Ils ont brûlé dans le pays tout lieu d'assemblée sainte.
9 Nos signes ont cessé, il n'est plus de prophètes, Ps **77** 9
et nul parmi nous ne sait jusques à quand [d]. Lm **2** 9 Ez **7** 26

10 Jusques à quand, ô Dieu, blasphémera l'oppresseur? Ps **6** 4 **89** 47
l'ennemi va-t-il outrager ton nom jusqu'à la fin?
11 Pourquoi retires-tu ta main,
tiens-tu ta droite cachée [e] en ton sein? Is **52** 10

12 Pourtant, ô Dieu, mon roi dès l'origine,
l'auteur des délivrances au milieu du pays,
13 toi qui fendis la mer par ta puissance, Jb **7** 12+ Is **51** 9-10
qui brisas les têtes des monstres sur les eaux; Ps **89** 10-11

14 toi qui fracassas les têtes de Léviathan [f] Jb **3** 8+
pour en faire la pâture des bêtes sauvages [g],
15 toi qui ouvris la source et le torrent,
toi qui desséchas des fleuves intarissables [h];

16 à toi le jour, et à toi la nuit, Gn **1**
toi qui agenças la lumière et le soleil,
17 toi qui posas toutes les limites de la terre,
l'été et l'hiver, c'est toi qui les formas.

18 Rappelle-toi, Yahvé, l'ennemi blasphème,
un peuple insensé outrage ton nom.
19 Ne livre pas à la bête l'âme de ta tourterelle [i],
la vie de tes malheureux, ne l'oublie pas jusqu'à la fin.

20 Regarde vers l'alliance.
Ils sont pleins, les antres du pays,
repaires de violence.
21 Que l'opprimé ne rentre pas couvert de honte,
que le pauvre et le malheureux louent ton nom!

*a)* « au fronton de l'entrée », litt. « comme à l'entrée, en haut », versions; « comme celui qui fait entrer » hébr. – « des insignes qu'on ne connaissait pas » grec; « des insignes, il est connu » hébr. – Glose probable de 4[b].
*b)* « abattant les vantaux » grec; « et maintenant ses sculptures » hébr.
*c)* « écrasons-les » *nînem* d'après syr.; « leur descendance » *nînam* hébr.
*d)* Jérémie avait annoncé soixante-dix ans d'exil, Jr **25** 11; **29** 10, chiffre symbolique d'une longue durée.
*e)* « tiens-tu cachée », litt. « est-elle retenue », *kelûyah* conj.; « (et ta droite en ton sein) détruis » *kalleh* hébr.
*f)* Allusion au passage de la mer des Roseaux et à la défaite des Égyptiens, Ex **14** 15s; cf. Ez **29** 3; **32** 4.
*g)* « des bêtes sauvages », litt. « au peuple, aux bêtes sauvages ».
*h)* Allusion aux miracles de l'Exode, Ex **17** 1-7; Nb **20** 2-13, et au passage du Jourdain, Jos **3**, œuvres de la puissance du Créateur. Ce rappel des œuvres passées de Dieu, vv. 12-17, prépare l'adjuration finale, vv. 18-23.
*i)* Osée comparait Israël à une colombe, Os **7** 11; **11** 11, cf. Ct **5** 2. Grec et syr. : « l'âme qui te rend grâce ».

22 Lève-toi, ô Dieu, plaide ta cause,
rappelle-toi l'insensé qui te blasphème tout le jour!
23 N'oublie pas le vacarme de tes adversaires,
la clameur de tes ennemis, qui va toujours montant!

## *PSAUME* 75 (74)

### Jugement total et universel [a].

1 *Du maître de chant. « Ne détruis pas. » Psaume. D'Asaph. Cantique.*

2 A toi nous rendons grâce, ô Dieu, nous rendons grâce,
en invoquant ton nom, en racontant tes merveilles [b].

3 « Au moment que j'aurai décidé,
je ferai, moi, droite justice;
Ps **46** 3; **60** 4 — 4 la terre s'effondre et tous ses habitants;
**93** 1s; **96** 10 — j'ai fixé, moi, ses colonnes. *Pause.*
1 S **2** 8

1 S **2** 3 — 5 « J'ai dit aux arrogants : Pas d'arrogance!
Za **2** 1-4 — aux impies : Ne levez pas le front [c],
6 ne levez pas si haut votre front,
Jb **15** 25 — ne parlez pas en raidissant l'échine. »
Ps **94** 4

Mt **24** 23-28 — 7 Car ce n'est plus du levant au couchant,
ce n'est plus au désert des montagnes
8 qu'en vérité, Dieu le juge,
1 S **2** 7 — abaisse l'un ou élève l'autre [d] :
Dn **2** 21 — 9 Yahvé a en main une coupe
Ps **60** 5 — et c'est de vin fermenté qu'est rempli le breuvage;
Jb **21** 20
Is **51** 17+ — il en versera, ils en suceront la lie,
ils boiront, tous les impies de la terre.

10 Et moi, j'annoncerai à jamais,
je jouerai pour le Dieu de Jacob;
11 je briserai la vigueur des impies;
Ps **92** 11 — et la vigueur du juste se dressera.

## *PSAUME* 76 (75)

### Ode au Dieu redoutable [e].

1 *Du maître de chant. Sur les instruments à cordes. Psaume. D'Asaph. Cantique.*

2 En Juda Dieu est connu,
en Israël grand est son nom;
Ps **122** 6s — 3 sa tente s'est fixée en Salem [f]
et sa demeure en Sion;

*a)* Une antienne, v. 2, introduit un oracle divin adressé aux impies et annonçant leur jugement, vv. 3-6. Les vv. 7-9 décrivent le jugement universel, dont le juste se réjouit, vv. 10-11.
*b)* « en invoquant ton nom, en racontant » versions; « proche est ton nom, on raconte » hébr.
*c)* Litt. « la corne », cf. Ps **18** 3+.
*d)* Le « désert des montagnes » doit être le plateau d'Édom. – Ce n'est plus contre Moab, Édom ou la Philistie que s'exerce le jugement divin, mais en tout lieu et contre tous les impies, cf. Za **2** 1. – L'image de la coupe, v. 9, cf. déjà Ps **11** 6, vient de Jérémie, **25** 11; **48** 26; **49** 12; **51** 7; cf. Is **51** 17+; Ez **23** 31; Ap **14** 10.
*e)* Hymne eschatologique. Comme les Ps **46** et **48** 6, il paraît évoquer la défaite de Sennachérib en 701 devant Jérusalem, 2 R **19** 35, devenue le symbole du salut attendu par les « pauvres », v. 10. Le grec porte en titre : « Au sujet de l'Assyrien ».
*f)* Nom abrégé de Jérusalem, cf. Gn **14** 18; Jdt **4** 4, la « cité de paix » (*shalôm*).

[4] là, il a brisé les éclairs de l'arc [a], Ps 48 4-8
le bouclier, l'épée et la guerre [b]. *Pause.* Ps 46 10

[5] Lumineux que tu es, et célèbre
pour les monceaux de butin [6] qu'on leur a pris;
les braves ont dormi leur sommeil, 2 R 19 35
tous ces guerriers, les bras leur ont manqué; Na 3 18
[7] sous ta menace, Dieu de Jacob, Jr 51 39, 57
char et cheval se sont figés.

[8] Toi, toi le terrible! Qui tiendra Dt 7 21; 10 17
devant ta face, sous le coup de ta fureur? Na 1 6
[9] Des cieux tu fais entendre la sentence, Ml 3 2
la terre a peur et se tait
[10] quand Dieu se lève pour le jugement,
pour sauver tous les humbles de la terre. *Pause.*

[11] La colère de l'homme te rend gloire,
des réchappés de la Colère, tu te ceindras [c]; Jr 13 11
[12] faites des vœux, acquittez-les à Yahvé votre Dieu,
ceux qui l'entourent [d], faites offrande au Terrible;
[13] il coupe le souffle des princes,
terrible aux rois de la terre.

## *PSAUME* 77 (76)

### Méditation sur le passé d'Israël [e].

[1] *Du maître de chant... Yedutûn. D'Asaph. Psaume.*

[2] Vers Dieu ma voix : je crie,
vers Dieu ma voix : il m'entend.

[3] Au jour d'angoisse j'ai cherché le Seigneur; Is 26 16
la nuit, j'ai tendu la main sans relâche, Ps 50 15; 88 2
mon âme a refusé d'être consolée.
[4] Je me souviens de Dieu et je gémis, Jon 2 8
je médite et le souffle me manque. *Pause.*

[5] Tu as retenu les paupières de mes yeux,
je suis troublé, je ne puis parler;
[6] j'ai pensé aux jours d'autrefois, = Ps 143 5
d'années séculaires [7] je me souviens; Dt 32 7
je murmure [f] dans la nuit en mon cœur,
je médite et mon esprit interroge :

*a)* Les flèches.
*b)* On traduit aussi : « les armes de guerre ».
*c)* L'image, prise à Jérémie, cf. Ps **109** 19, symbolise l'étroite union. Comme la Terreur (= « le Terrible », v. 12), la Colère divine semble ici personnifiée, cf. Ps **58** 10. Quant à « la colère de l'homme », impuissante, elle rend témoignage à la puissance et à la justice de Dieu.
*d)* Comme sa « ceinture », v. 11; comparer Is **49** 18.
*e)* A l'époque difficile du retour de l'Exil, le psalmiste évoque les bienfaits passés de Yahvé pour Israël, les merveilles de la sortie d'Égypte, gage d'interventions futures de Yahvé pour son peuple.
*f)* « je murmure » grec, syr.; « (je me souviens) de ma musique » hébr. – On coupe les vv. 6-7 comme les versions.

Ps **74** 1; **89** 47s; Lm **3** 21; **3** 22-23 — 8 Est-ce pour les siècles que le Seigneur rejette,
qu'il cesse de se montrer favorable?
9 Son amour est-il épuisé jusqu'à la fin,
achevée pour les âges des âges la Parole?
Is **63** 15; Ps **74** 9; Is **49** 14s — 10 Est-ce que Dieu oublie d'avoir pitié,
ou de colère ferme-t-il ses entrailles? *Pause.*

11 Et je dis : « Voilà ce qui me blesse :
Ml **3** 6 — elle est changée, la droite du Très-Haut. »
12 Je me souviens [a] des hauts faits de Yahvé,
oui, je me souviens d'autrefois, de tes merveilles,
13 je me murmure toute ton œuvre,
Ps **143** 5 — et sur tes hauts faits je médite :

Ex **15** 1-18; Ps **18** 31-32; **89** 7; Dt **32** 4 — 14 O Dieu, saintes sont tes voies!
quel dieu est grand comme Dieu?
15 Toi, le Dieu qui fait merveille,
tu fis savoir parmi les peuples ta force;
Ne **1** 10 — 16 par ton bras tu rachetas ton peuple,
Gn **46** 26-27 — les enfants de Jacob et de Joseph. *Pause.*

Ha **3** 10-11; Jb **7** 12+; Na **1** 4 — 17 Les eaux te virent, ô Dieu,
les eaux te virent et furent bouleversées,
les abîmes aussi s'agitaient.
18 Les nuées déversèrent les eaux,
les nuages donnèrent de la voix,
Ps **18** 15; **144** 6 — tes flèches aussi filaient [b].

Ps **29**; Ex **19** 16+ — 19 Voix de ton tonnerre en son roulement.
Tes éclairs illuminaient le monde,
= Ps **97** 4 — la terre s'agitait et tremblait.
Is **43** 16; **51** 10; Ne **9** 11; Sg **14** 3 — 20 Sur la mer fut ton chemin,
ton sentier sur les eaux innombrables.
Et tes traces, nul ne les connut.

Is **63** 11-14; Ps **78** 52; Mi **6** 4 — 21 Tu guidas comme un troupeau ton peuple
par la main de Moïse et d'Aaron.

Is **63** 7s; Ps **105**; **106**; **144**; **136**; Sg **16-19**; Ne **9** 9-37

# *PSAUME* 78 (77)

## Les leçons de l'histoire d'Israël [c].

1 *Poème. D'Asaph.*

Dt **32** 1 — Écoute, ô mon peuple, ma loi;
tends l'oreille aux paroles de ma bouche;
Ps **49** 5; ↗ Mt **13** 35 — 2 j'ouvre la bouche en paraboles [d],
j'évoque du passé les mystères.

Ps **44** 2; Dt **4** 9+; Jb **8** 8; **15** 18; Ex **10** 2; **13** 14; Ps **145** 4 — 3 Nous l'avons entendu et connu,
nos pères nous l'ont raconté;

*a)* « je me souviens » qeré, versions; « je ferai connaître » ketib.
*b)* Le miracle de la mer des Roseaux est présenté dans une perspective cosmique, cf. Jb **7** 12+. La suite, v. 19, évoque la théophanie du Sinaï, Ex **19** 16+.
*c)* Méditation didactique, inspirée du Dt, sur l'histoire d'Israël, les fautes de la nation et leur châtiment. Le Ps met en relief la responsabilité d'Éphraïm, ancêtre des Samaritains, l'élection de Juda et le choix de David.
*d)* Parabole (*mashal*) : sentence rythmée en vers parallèles, voir l'Introd. aux livres sapientiaux, p. 646.

[4] nous ne le tairons pas à leurs enfants,
nous le raconterons à la génération qui vient :

les titres de Yahvé et sa puissance,
ses merveilles telles qu'il les fit;
[5] il établit un témoignage en Jacob,
il mit une loi en Israël; Dt **33** 4 Ps **147** 19

il avait commandé à nos pères Dt **4** 9; **6** 7
de le faire connaître à leurs enfants,
[6] que la génération qui vient le connaisse, Ps **22** 31+
les enfants qui viendront à naître.

Qu'ils se lèvent, qu'ils racontent à leurs enfants,
[7] qu'ils mettent en Dieu leur espoir,
qu'ils n'oublient pas les hauts faits de Dieu,
et ses commandements, qu'ils les observent;

[8] qu'ils ne soient pas, à l'exemple de leurs pères,
une génération de révolte et de bravade, Dt **31** 27; **32** 5, 20
génération qui n'a point le cœur sûr
et dont l'esprit n'est point fidèle à Dieu.

[9] Les fils d'Éphraïm, tireurs d'arc, Os **7** 13-16
se retournèrent, le jour du combat [a];
[10] ils ne gardaient pas l'alliance de Dieu,
ils refusaient de marcher dans sa loi;

[11] ils avaient oublié ses hauts faits,
ses merveilles qu'il leur donna de voir [b] :
[12] devant leurs pères il fit merveille
en terre d'Égypte, aux champs de Tanis.

[13] Il fendit la mer et les transporta, Ex **14-15**
il dressa les eaux comme une digue; Ex **14** 22; **15** 8
[14] il les guida de jour par la nuée,
par la lueur d'un feu toute la nuit; Ex **13** 21 Ps **105** 39

[15] il fendit les rochers au désert, Ex **17** 1-7
il les abreuva à la mesure du grand abîme; Nb **20** 2-13 Ps **105** 41; **114** 8
[16] du roc il fit sortir des ruisseaux Is **48** 21
et descendre les eaux en torrents.

[17] Mais de plus belle ils péchaient contre lui Ez **20** 13
et bravaient le Très-Haut dans le lieu sec;
[18] ils tentèrent Dieu dans leur cœur, Ex **16** 2-36
demandant à manger à leur faim.

[19] Or ils parlèrent contre Dieu;
ils dirent : « Est-il capable, Dieu,
de dresser une table au désert? Ps **23** 5

*a)* Le Psalmiste, s'inspirant d'Os **7** 16, rejette ainsi les péchés du peuple sur les Éphraïmites, en anticipant sur l'histoire ultérieure du royaume du Nord, cf. v. 67, ou en faisant allusion au schisme des Samaritains, cf. Za **11** 14.
*b)* Les miracles de l'Exode.

20 « Voici qu'il frappe le rocher,
les eaux coulent, les torrents s'échappent :
Ex **16** 3 mais du pain, est-il capable d'en donner,
ou de fournir de la viande à son peuple? »

Nb **11** 21 Alors Yahvé entendit, il s'emporta;
Dt **32** 22 un feu flamba contre Jacob,
et puis la Colère monta contre Israël,
22 car ils étaient sans foi en Dieu,
ils étaient sans confiance en son salut.

23 Aux nuées d'en haut il commanda,
2 R **7** 2 il ouvrit les battants des cieux;
Ml **3** 10 24 pour les nourrir il fit pleuvoir la manne,
↗ Jn **6** 31 il leur donna le froment des cieux;
Sg **16** 20 1 Co **10** 3 25 du pain des Forts [a] l'homme se nourrit,
Ps **105** 40 Dt **8** 3 il leur envoya des vivres à satiété.

26 Il fit lever dans les cieux le vent d'est,
il fit venir par sa puissance le vent du sud,
27 il fit pleuvoir sur eux la viande comme poussière,
la volaille comme sable des mers,
28 il en fit tomber au milieu de son camp,
tout autour de sa demeure.

Os **13** 6 29 Ils mangèrent et furent bien rassasiés,
il leur servit ce qu'ils désiraient;
Nb **11** 33 30 eux n'étaient pas revenus de leur désir,
leur manger encore en la bouche,
31 que la colère de Dieu monta contre eux :
Nb **14** 29 il massacrait parmi les robustes,
abattait les cadets d'Israël.

32 Malgré tout, ils péchèrent encore,
ils n'eurent pas foi en ses merveilles [b].
33 Il consuma en un souffle leurs jours,
leurs années en une panique.

Os **5** 15 34 Quand il les massacrait, ils le cherchaient,
Is **26** 16 ils revenaient, s'empressaient près de lui [c].
Nb **21** 7 Dt **32** 15, 18 35 Ils se souvenaient : Dieu leur rocher,
Dieu le Très-Haut, leur rédempteur!

Os **6** 4 36 Mais ils le flattaient de leur bouche,
mais de leur langue ils lui mentaient,
Is **29** 13 37 leur cœur n'était pas sûr envers lui,
Os **8** 1 ils étaient sans foi en son alliance.

Ex **32** 14 38 Lui alors, dans sa tendresse,
Nb **14** 20 Is **48** 9 effaçait les torts au lieu de dévaster;
Ez **20** 22 Os **11** 8-9 sans se lasser, il revenait de sa colère
Ps **65** 4; **85** 4

*a)* Les Forts sont les Anges, cf. Ps **103** 20.
*b)* Rappel général, vv. 32-39, de l'inconstance d'Israël et de la patience divine.
*c)* « lui » *'elaw* syr.: « Dieu » *'el* hébr.

au lieu de réveiller tout son courroux.
39 Il se souvenait : eux, cette chair,
souffle qui s'en va et ne revient pas.

40 Que de fois ils le bravèrent au désert, Dt **9** 22
l'offensèrent parmi les solitudes!
41 Ils revenaient tenter Dieu,
affliger le Saint d'Israël, Is **6** 3+
42 sans nul souvenir de sa main,
ni du jour qu'il les sauva de l'adversaire.

43 Lui qui en Égypte mit ses signes [a], Ex **7** 14 – **11** 10; **12** 29-36 Sg **16-18**
ses miracles aux champs de Tanis,
44 fit tourner en sang leurs fleuves,
leurs ruisseaux pour les priver de boire.

45 Il leur envoya des taons qui dévoraient,
des grenouilles qui les infestaient;
46 il livra au criquet leurs récoltes
et leur labeur à la sauterelle;

47 il massacra par la grêle leur vigne
et leurs sycomores par la gelée;
48 il remit à la grêle leur bétail
et leurs troupeaux aux éclairs.

49 Il lâcha sur eux le feu de sa colère,
emportement et fureur et détresse,
un envoi d'anges de malheur;
50 il fraya un sentier à sa colère.

Il n'exempta pas leur âme de la mort,
à la peste il remit leur vie;
51 il frappa tout premier-né en Égypte, = Ps **105** 36
la fleur de la race aux tentes de Cham.

52 Il poussa comme des brebis son peuple [b], Ps **77** 21
les mena comme un troupeau dans le désert;
53 il les guida sûrement, ils furent sans crainte,
leurs ennemis, la mer les recouvrit. Ex **14** 26-28

54 Il les amena vers son saint territoire,
la montagne que sa droite a conquise;
55 il chassa devant eux les païens, Ps **44** 3 Jos **24** 8-13
il leur marqua au cordeau un héritage;
il installa sous leurs tentes les tribus d'Israël.

56 Ils tentaient, ils bravaient Dieu le Très-Haut,
se refusaient à garder ses témoignages [c];
57 ils déviaient, ils trahissaient comme leurs pères,
se retournaient comme un arc infidèle;

*a)* Les « plaies » d'Égypte, cf. Ex 7 8+, que les vv. 43-51 vont résumer.
*b)* Lors de la sortie d'Égypte et de l'entrée en Canaan, vv. 52-55.
*c)* Allusion aux fautes d'Israël au temps de Samuel et de Saül, vv. 56-64.

58 ils l'indignaient avec leurs hauts lieux,
Dt **32** 16, 21 par leurs idoles ils le rendaient jaloux.

59 Dieu entendit et s'emporta,
il rejeta tout à fait Israël;
1 S **1** 3+ Jos **18** 1 Jr **7** 12; **26** 6 60 il délaissa la demeure de Silo,
la tente où il demeurait chez les hommes.

61 Il livra sa force à la captivité,
1 S **4** 11, 22 aux mains de l'ennemi sa splendeur [a];
Jr **12** 7 62 il remit son peuple à l'épée,
contre son héritage il s'emporta.

Dt **32** 22-25 Jr **7** 34 63 Ses cadets, le feu les dévora,
ses vierges n'eurent pas de chant de noces;
64 ses prêtres tombèrent sous l'épée,
Jb **27** 15 ses veuves ne firent pas de lamentations.

65 Il s'éveilla comme un dormeur, le Seigneur,
comme un vaillant terrassé par le vin,
1 S **5** 6s 66 il frappa ses ennemis au dos [b],
les livra pour toujours à la honte.

67 Il rejeta la tente de Joseph [c],
il n'élut pas la tribu d'Éphraïm;
68 il élut la tribu de Juda,
la montagne de Sion qu'il aime.
2 S **5** 9+ Ps **87** 2 Ps **48** 3 69 Il bâtit comme les hauteurs [d] son sanctuaire,
comme la terre qu'il fonda pour toujours.

1 S **13** 14; **16** 11-13 2 S **7** 8 Ps **89** 21 Ez **34** 23; **37** 24 70 Il élut David son serviteur,
il le tira des parcs à moutons,
71 de derrière les brebis mères il l'appela
pour paître Jacob son peuple
et Israël son héritage;
Ps **77** 21 72 il les paissait d'un cœur parfait,
et d'une main sage les guidait.

Ps **44**; **74**; **80**

# *PSAUME* 79 (78)

### Plainte nationale [e].

1 *Psaume. D'Asaph.*

2 R **25** 9-10 Lm **1** 10 Dieu, ils sont venus, les païens, dans ton héritage,
ils ont souillé ton temple sacré;
ils ont fait de Jérusalem un tas de ruines,
Jr **7** 33 Ps **80** 13-14 2 ils ont livré le cadavre de tes serviteurs

*a)* L'arche d'alliance, cf. Ps **132** 8; 2 Ch **6** 41.
*b)* Litt. « par derrière ». Il s'agit du mal humiliant dont furent frappés les Philistins, détenteurs de l'arche.
*c)* Rejet d'Éphraïm, v. 67, élection de Sion, demeure de Yahvé et réplique du sanctuaire céleste, vv. 68-69, et de David, oint de Yahvé, pasteur de son peuple et type du messie attendu, vv. 70-72.
*d)* « les hauteurs » conj.; « les (êtres) hauts » hébr.
*e)* Ce Ps peut se rapporter à la prise de Jérusalem par les Chaldéens, en 587, et au pillage de la ville par les voisins d'Israël, Édom, Moab, etc., cf. 2 R **24** 2.

en pâture à l'oiseau des cieux,
la chair des tiens aux bêtes de la terre. ↗ 1 M **7** 17

[3] Ils ont versé le sang comme de l'eau So **1** 17
alentour de Jérusalem, et pas un fossoyeur. Jr **14** 16
[4] Nous voici l'insulte de nos voisins, = Ps **44** 14; **80** 7
fable et risée de notre entourage. So **2** 8
[5] Jusques à quand, Yahvé, ta colère? jusqu'à la fin? = Ps **89** 47+; **44** 24
ta jalousie brûlera-t-elle comme un feu? Dt **4** 24+

[6] Déverse ta fureur sur les païens, || Jr **10** 25
eux qui ne te connaissent pas, Si **36** 1-5
et sur les royaumes, ceux-là
qui n'invoquent pas ton nom. Ps **14** 4
[7] Car ils ont dévoré Jacob Jr **50** 7
et dévasté sa demeure.

[8] Ne retiens pas contre nous les fautes des ancêtres,
hâte-toi, préviens-nous par ta tendresse,
nous sommes à bout de force; Ps **142** 7
[9] aide-nous, Dieu de notre salut,
par égard pour la gloire de ton nom; Ex **32** 12+
efface, Yahvé [a], nos péchés, Ez **20** 44; **36** 22
délivre-nous, à cause de ton nom.

[10] Pourquoi les païens diraient-ils : « Où est leur Dieu? » = Ps **115** 2
Que sous nos yeux les païens connaissent la vengeance || Jl **2** 17
du sang de tes serviteurs, qui fut versé [b]! Ps **42** 4; **126** 2
[11] Que vienne devant toi la plainte du captif, Dt **32** 43
par ton bras puissant, épargne les clients de la mort! Jl **4** 21 Jb **16** 18+ Ps **102** 21

[12] Fais retomber sept fois sur nos voisins, à pleine mesure,
leur insulte, l'insulte qu'ils t'ont faite, Seigneur. Ps **89** 51
[13] Et nous, ton peuple, le troupeau de ton bercail, Ez **34** 1+
nous te rendrons grâce à jamais
et d'âge en âge publierons ta louange.

## *PSAUME* 80 (79)

Is **63** 15 – **64** 11

### Prière pour la restauration d'Israël [c].

[1] *Du maître de chant. Sur l'air : Des lys sont les préceptes. D'Asaph. Psaume.* Ps **45** 1

[2] Pasteur d'Israël, écoute, Ez **34** 1+
toi qui mènes Joseph comme un troupeau;
toi qui sièges sur les Chérubins, resplendis Ex **25** 18+
[3] devant Éphraïm, Benjamin et Manassé [d],
réveille ta vaillance
et viens à notre secours.

*a)* « Yahvé » grec; omis par hébr.
*b)* Dieu est le « vengeur du sang » d'Israël, cf. Nb **35** 19+.
*c)* Ce Ps s'applique aussi bien au royaume du Nord (cf. vv. 2-3) dévasté par les Assyriens (que mentionne le titre du grec), cf. Jr **31** 15s, qu'à Juda après le sac de Jérusalem en 586, cf. Jr **12** 7-13. Le Psalmiste, peut-être un lévite réfugié à Miçpa de Benjamin sous Godolias, cf. 2 R **25** 22-23, 27, espère la restauration du royaume unifié, cf. Is **49** 5; Ez **37** 16; Za **9** 13; **10** 6, dans ses limites idéales, v. 12, cf. Jg **20** 1+.
*d)* Éphraïm et Manassé, fils de Joseph, auxquels est parfois rattaché Benjamin, sont les deux principales tribus du Nord.

Jr 31 18 [4] Dieu, fais-nous revenir,
Ps 4 7+ fais luire ta face et nous serons sauvés.

Ps 44 24+ [5] Jusques à quand, Yahvé Dieu Sabaot,
prendras-tu feu contre la prière de ton peuple?
Ps 74 1 [6] Tu l'as nourri d'un pain de larmes,
Ps 42 4 abreuvé de larmes à triple mesure;
[7] tu fais de nous une question pour nos voisins
Ps 79 4+ et nos ennemis se moquent de nous.

[8] Dieu Sabaot, fais-nous revenir,
fais luire ta face et nous serons sauvés.

Is 5 1+ [9] Il était une vigne [a] : tu l'arraches d'Égypte,
tu chasses des nations pour la planter;
[10] devant elle tu fais place nette,
elle prend racine et remplit le pays.

[11] Les montagnes étaient couvertes de son ombre,
et de ses pampres les cèdres de Dieu [b];
Jg 20 1+ [12] elle étendait ses sarments jusqu'à la mer
et du côté du Fleuve [c] ses rejetons.

Jr 12 7-13 [13] Pourquoi as-tu rompu ses clôtures,
et tout passant du chemin la grappille,
[14] le sanglier des forêts la ravage
et la bête des champs la dévore?

[15] Dieu Sabaot, reviens enfin,
observe des cieux et vois,
visite cette vigne : [16] protège-la,
celle que ta droite a plantée [d].
[17] Ils l'ont brûlée [e] par le feu comme une ordure,
au reproche de ta face ils périront.

[18] Ta main soit sur l'homme de ta droite,
le fils d'Adam que tu as confirmé [f]!
[19] Jamais plus nous n'irons loin de toi;
rends-nous la vie, qu'on invoque ton nom.

[20] Yahvé Dieu Sabaot, fais-nous revenir,
fais luire ta face et nous serons sauvés.

*a)* Allégorie familière aux prophètes, cf. Is **5** 1+.
*b)* Ou : « les pampres étaient des cèdres de Dieu », c'est-à-dire les cèdres les plus hauts, cf. Ps **36** 7; **68** 16.
*c)* L'Euphrate.
*d)* L'hébr. ajoute : « et sur le fils que tu as confirmé », anticipation de 18[b].
*e)* « ils l'ont brûlée » *serapûha* conj.; « brûlée » *serûpah* hébr.
*f)* Allusion probable à Zorobabel, Esd **3** 2; Ag **1** 1, plutôt qu'à Benjamin (« fils de la droite »), à Amasias (« Yahvé est assuré ») ou à Israël.

# *PSAUME* 81 (80)

**Pour la fête des Tentes [a].**

1 *Du maître de chant. Sur la... de Gat. D'Asaph.* Ps **8** 1

2 Criez de joie pour Dieu notre force,
acclamez le Dieu de Jacob.

3 Ouvrez le concert, frappez le tambourin,
la douce harpe ainsi que la lyre;
4 sonnez du cor au mois nouveau, Lv **23** 34
à la pleine lune, au jour de notre fête [b]. Nb **29** 12

5 Car Israël a une loi, Ex **23** 14+
un jugement du Dieu de Jacob,
6 un témoignage qu'il mit en Joseph
quand il sortit contre la terre d'Égypte.

Un langage inconnu se fait entendre [c] :
7 « Du fardeau j'ai déchargé son épaule, Ex **1** 14; **6** 6
ses mains ont lâché le couffin [d];
8 dans la détresse tu as crié, je t'ai sauvé.

Je te répondis caché dans l'orage [e], Ex **19** 19
je t'éprouvai aux eaux de Meriba. *Pause.* Ex **17** 1-7
Ps **95** 8
9 Écoute, mon peuple, je t'adjure,
ô Israël, si tu pouvais m'écouter! Ex **15** 26
Is **55** 2 3

10 Qu'il n'y ait point chez toi un dieu d'emprunt, Ex **20** 2-3p
n'adore pas un dieu étranger;
11 c'est moi, Yahvé, ton Dieu,
qui t'ai fait monter de la terre d'Égypte,
ouvre large ta bouche, et je l'emplirai.

12 Mon peuple n'a pas écouté ma voix, Dt **9** 7
Israël ne s'est pas rendu à moi;
13 je les laissai à leur cœur endurci, Jr **3** 17;
ils marchaient ne suivant que leur conseil. **7** 24

14 Ah! si mon peuple m'écoutait, Is **48** 18
si dans mes voies marchait Israël,
15 en un instant j'abattrais ses adversaires Lv **26** 7-8
et contre ses oppresseurs tournerais ma main.

16 Les ennemis de Yahvé l'aduleraient,
et leur temps serait à jamais révolu.

*a)* Un prélude, vv. 2-6, introduit un oracle divin, cf. Ps **50**; **95**, dans le style du Dt. La fête des Tentes, cf. Ex **23** 14+, commémorait le séjour au désert et la Loi reçue au Sinaï. C'était la fête par excellence.
*b)* On fêtait le premier jour du mois lunaire, ou « néoménie », 2 R **4** 23; Is **1** 13; Os **2** 13; Am **8** 5. Le début du septième mois fut longtemps considéré comme le jour de l'an, Lv **23** 24; Nb **29** 1; à la pleine lune suivante était célébrée la fête des Tentes, Lv **23** 34; Nb **29** 12.
*c)* Litt. « J'entends... », actualisation liturgique. Cette première personne représente l'assemblée d'Israël qui doit être à l'écoute de Dieu, cf. vv. 9, 12, 14.
*d)* Allusion aux corvées imposées à Israël en Égypte.
*e)* Lors de la théophanie du Sinaï.

17 Je l'aurais nourri [a] de la fleur du froment,
je t'aurais rassasié avec le miel du rocher. »

## *PSAUME* 82 (81)

### Contre les princes païens [b].

1 *Psaume. D'Asaph.*

Is 3 13-14 — Dieu se dresse au conseil divin,
au milieu des dieux il juge :

2 « Jusques à quand jugerez-vous faussement [c],
soutiendrez-vous les prestiges des impies? *Pause.*
Ex 23 6+ — 3 Jugez pour le faible et l'orphelin,
au malheureux, à l'indigent rendez justice;
4 libérez le faible et le pauvre,
de la main des impies délivrez-les.

5 Sans savoir, sans comprendre, ils vont par la ténèbre,
toute l'assise de la terre s'ébranle.
Ps 58 2+ — 6 Moi, j'ai dit : Vous, des dieux,
Jn 10 34 — des fils du Très-Haut, vous tous [d]?
7 Mais non! comme l'homme vous mourrez,
comme un seul, ô princes, vous tomberez. »

8 Lève-toi, ô Dieu, juge la terre,
car tu domines sur toutes les nations.

## *PSAUME* 83 (82)

### Contre les ennemis d'Israël [e].

1 *Psaume. Cantique. D'Asaph.*

Ps 44 24 — 2 O Dieu, ne reste pas muet,
50 3; 109 1 — plus de repos, plus de silence, ô Dieu!
3 Voici, tes adversaires grondent,
tes ennemis lèvent la tête.

4 Contre ton peuple ils trament un complot,
conspirent contre tes protégés 5 et disent :
Jr 11 19 — « Venez, retranchons-les des nations,
qu'on n'ait plus souvenir du nom d'Israël! »

6 Ils conspirent tous d'un seul cœur [f],
contre toi ils scellent une alliance :

*a)* « je l'aurais nourri » conj.; « il l'aurait nourri » hébr.
*b)* Apostrophe aux princes et aux juges iniques, dans une perspective eschatologique, vv. 1, 5, 8.
*c)* Réquisitoire fréquent chez les prophètes, Is **1** 17s; Jr **5** 28; **21** 12; **22** 3; Ez **22** 27, 29; Mi **3** 1-11; Za **7** 9-10; cf. Jb **29** 12; Pr **18** 5; **24** 11-12.
*d)* Les princes et les juges sont assimilés aux « fils du Très-Haut », membres de la cour divine, cf. Jb **1** 6+. Le Christ applique ce passage, dans un contexte différent, aux Juifs instruits par la parole de Dieu.
*e)* Sans désigner aucune coalition précise, le Ps énumère dix ennemis traditionnels d'Israël, dont l'hostilité se prolongea jusqu'à une époque tardive, cf. 2 Ch **20** 1s; Ne **2** 19; 1 M **5** 3s.
*f)* « d'un seul (cœur) » *'ehad* conj.; « (de cœur) ensemble » *yahdaw* hébr.

7 les tentes d'Édom et les Ismaélites, Nb **20** 2+ Dt **2** 5+
Moab et les Hagrites[a], 1 Ch **5** 10. 19
8 Gébal[b], Ammon, Amaleq, Ex **17** 8+
la Philistie avec les gens de Tyr; Jos **13** 2+
9 même Assur[c] s'est joint à eux,
il prête main-forte aux fils de Lot. *Pause.*

10 Fais d'eux comme de Madiân et de Sisera, Ex **2** 15+ Jg **7**
comme de Yabîn au torrent de Qishôn; Is **9** 3; **10** 26
11 ils furent détruits à En-Dor, Jg **4-5**
ils ont servi de fumier à la glèbe. Jr **8** 2
12 Traite leurs princes comme Oreb et Zéeb, Jg **7** 25
comme Zébah et Çalmunna, tous leurs chefs, Jg **8** 10-21
13 eux qui disaient : A nous
l'empire sur les demeures de Dieu!

14 Mon Dieu, traite-les comme une roue d'acanthe[d], Is **17** 13; **29** 5
comme un fétu en proie au vent. Jb **27** 21
15 Comme un feu dévore une forêt, Ps **58** 10 Is **5** 24;
comme la flamme embrase les montagnes, **10** 17
16 ainsi poursuis-les de ta bourrasque, Ez **21** 3
par ton ouragan remplis-les d'épouvante. Jr **25** 32
17 Couvre leur face de honte,
qu'ils cherchent ton nom, Yahvé!
18 Sur eux la honte et l'épouvante pour toujours,
la confusion et la perdition,
19 et qu'ils le sachent : toi seul as nom Yahvé, = Ps **97** 9
Très-Haut sur toute la terre. Ps **46** 11 Is **42** 8

## *PSAUME* 84 (83)

**Chant de pèlerinage[e].**

1 *Du maître de chœur. Sur la... de Gat. Des fils de Coré. Psaume.* Ps **8** 1

2 Que tes demeures sont désirables,
Yahvé Sabaot!
3 Mon âme soupire et languit Ps **42** 2-3; **122** 1
après les parvis de Yahvé,
mon cœur et ma chair crient de joie
vers le Dieu vivant.

4 Le passereau même a trouvé une maison,
et l'hirondelle un nid pour elle,
où elle pose ses petits :
tes autels, Yahvé Sabaot,
mon Roi et mon Dieu. = Ps **5** 3

5 Heureux les habitants de ta maison,
ils te louent sans cesse. *Pause.*

*a)* Fils de Hagar, nomades de Transjordanie.
*b)* Gébal : ici la Gabalène, région de l'Idumée au nord de Pétra, et non pas Byblos comme en Ez **27** 9.
*c)* Soit l'Assyrie, représentant peut-être la Syrie des Séleucides, cf. Jdt **16** 3, soit la tribu des Ashshurites, Gn **25** 3; Nb **24** 22+; 2 S **2** 9.
*d)* Ou de chardon, dont la graine vole en tournoyant.
*e)* Chant de Sion, qui célèbre l'hôte divin du Temple, source de bonheur et de grâce pour les pèlerins, vv. 6-8, comme pour les familiers du sanctuaire, vv. 5, 11.

[6] Heureux les hommes dont la force est en toi,
qui gardent au cœur les montées [a].

[7] Quand ils passent au val du Baumier [b],
où l'on ménage une fontaine,
Ez 34 26 Jl 2 23 surcroît de bénédiction, la pluie d'automne les enveloppe [c].
[8] Ils marchent de hauteur en hauteur,
Dieu leur apparaît dans Sion [d].

[9] Yahvé Dieu Sabaot, écoute ma prière,
prête l'oreille, Dieu de Jacob; *Pause.*
[10] ô Dieu notre bouclier, vois,
regarde la face de ton messie [e].

[11] Mieux vaut un jour en tes parvis
que mille à ma guise [f],
rester au seuil dans la maison de mon Dieu
qu'habiter la tente de l'impie.

[12] Car Yahvé Dieu est rempart et bouclier,
il donne grâce et gloire;
Yahvé ne refuse pas le bonheur
à ceux qui marchent en parfaits.

[13] Yahvé Sabaot,
heureux qui se fie en toi!

## *PSAUME* 85 (84)

### Prière pour la paix et la justice [g].

[1] *Du maître de chant. Des fils de Coré. Psaume.*

Ps 126 [2] Ta complaisance, Yahvé, est pour ta terre,
tu fais revenir les captifs de Jacob;
[3] tu lèves les torts de ton peuple,
tu couvres toute sa faute; *Pause.*
Ps 78 38+ [4] tu retires tout ton emportement,
tu reviens de l'ardeur de ta colère.

Ps 80 4 [5] Fais-nous revenir, Dieu de notre salut,
apaise ton ressentiment contre nous!
Ps 79 5+ [6] Seras-tu pour toujours irrité contre nous,
garderas-tu ta colère d'âge en âge?

*a)* « montées » grec; « sentiers » hébr. – Les Ps dits « graduels » ou « des montées », Ps **120**s, étaient chantés durant la marche par les pèlerins.
*b)* Dans 7 mss et les versions, « val des pleurs » (à l'audition, les deux mots sont identiques), cf. Jg **2** 5. Le « Baumier » (ou « l'arbre pleureur ») doit être ici le micocoulier, cf. 2 S **5** 23-24. Le « Val du Micocoulier », au nord de la vallée de Hinnom (Géhenne), était la dernière étape du pèlerinage, au carrefour des routes venant du nord, de l'ouest et du sud, cf. 2 S **5** 17-25.
*c)* Texte incertain; grec : « le législateur donnera des bénédictions ». On peut corriger pour lire : « le guide criera des bénédictions ». Nous gardons le texte hébr. L'allusion à la première pluie d'automne permettrait de référer le Ps à la fête des Tentes, Ex **23** 14+.
*d)* « de hauteur en hauteur » : on traduit aussi « de soutien en soutien », ou (Targ.) « de rempart en rempart ». – « leur » *'alêhem* conj.; « (Dieu) des dieux » *'elohîm* hébr.
*e)* Ici l'« oint » ou « messie » est probablement le grand prêtre, chef de la communauté après l'Exil.
*f)* « à ma guise », litt. « dans ma liberté », *beheruti* conj.; « j'ai choisi » *bahartî* hébr.
*g)* Aux rapatriés, ce Ps promet la paix messianique annoncée par Isaïe et Zacharie.

[7] Ne reviendras tu pas nous vivifier,
et ton peuple en toi se réjouira? Is **43** 4; **49** 14s; **54** 7s
[8] Fais-nous voir, Yahvé, ton amour,
que nous soit donné ton salut!

[9] J'écoute. Que dit Dieu?
Ce que dit Yahvé, c'est la paix
pour son peuple et ses amis,
pourvu qu'ils ne reviennent à leur folie.
[10] Proche est son salut pour qui le craint, Ex **24** 16+ Ez **11** 23; **43** 2 Jn **1** 14
et la Gloire habitera notre terre [a].

[11] Amour et Vérité se rencontrent, Ps **89** 15; **97** 2
Justice et Paix s'embrassent [b];
[12] Vérité germera de la terre, Is **45** 8+
et des cieux se penchera la Justice;

[13] Yahvé lui-même donnera le bonheur
et notre terre donnera son fruit; = Ps **67** 7+ Za **8** 12
[14] Justice marchera devant lui Is **58** 8
et de ses pas tracera un chemin [c].

# *PSAUME* 86 (85)

### Prière dans l'épreuve [d].

[1] *Prière. De David.*

Tends l'oreille, Yahvé, réponds-moi,
pauvre et malheureux que je suis;
[2] garde mon âme, car je suis ton ami,
sauve ton serviteur qui se fie en toi.

Tu es mon Dieu [e], [3] pitié pour moi, Seigneur,
c'est toi que j'appelle tout le jour;
[4] réjouis l'âme de ton serviteur,
quand j'élève mon âme vers toi, Seigneur. = Ps **25** 1

[5] Seigneur, tu es pardon et bonté,
plein d'amour pour tous ceux qui t'appellent;
[6] Yahvé, entends ma prière, Ps **5** 2-3
attentif à la voix de ma plainte.

[7] Au jour de l'angoisse, je t'appelle,
car tu me réponds, Seigneur;
[8] entre les dieux, pas un comme toi, Ex **15** 11 Ps **35** 10; **89** 9 Jr **10** 6
rien qui ressemble à tes œuvres.

*a)* La Gloire de Yahvé, Ex **24** 16+, qui avait quitté le Temple et la Ville sainte, Ez **11** 23, reviendra dans le Temple restauré, Ez **43** 2; Ag **2** 9.
*b)* Les attributs divins, personnifiés, viennent instaurer le règne de Dieu sur la terre et dans le cœur des hommes.
*c)* La justice divine ouvre la voie : elle est la condition de la paix et du bonheur.
*d)* Composition hellénistique sans grande unité littéraire, qui reflète l'état d'âme de Juifs dévots, précurseurs des Assidéens de l'époque maccabéenne.
*e)* « qui se fie en toi. Tu es mon Dieu » conj.; « Tu es mon Dieu qui se fie en toi » hébr.

↗ Ap **15** 9 — 9 Tous les païens [a] viendront t'adorer,
Ps **22** 28 — Seigneur, et rendre gloire à ton nom;
10 car tu es grand et tu fais des merveilles,
toi, Dieu, et toi seul.

= Ps **27** 11 — 11 Enseigne-moi, Yahvé, tes voies,
Ps **26** 3 — afin que je marche en ta vérité,
rassemble mon cœur pour craindre ton nom.

12 Je te rends grâce de tout mon cœur, Seigneur mon Dieu,
à jamais je rendrai gloire à ton nom,
13 car ton amour est grand envers moi,
Ps **88** 7 — tu as tiré mon âme du tréfonds du shéol.

= Ps **54** 5 — 14 O Dieu, des orgueilleux ont surgi contre moi,
une bande de forcenés pourchasse mon âme,
point de place pour toi devant eux.

= Ex **34** 6+ — 15 Mais toi, Seigneur, Dieu de tendresse et de pitié,
Ps **103** 8; **145** 8 — lent à la colère, plein d'amour et de vérité,
= Ps **25** 16 — 16 tourne-toi vers moi, pitié pour moi!

Donne à ton serviteur ta force
Ps **116** 16 — et ton salut au fils de ta servante,
17 fais pour moi un signe de bonté.

Ils verront, mes ennemis, et rougiront,
car toi, Yahvé, tu m'aides et me consoles.

## *PSAUME* 87 (86)

2 S **5** 9+ — **Sion, mère des peuples** [b].

Ps **48**; **46** 5; Is **2** 2-3 — 1 *Des fils de Coré. Psaume. Cantique.*

Ps **76** 3 — Sa fondation sur les montagnes saintes,
2 Yahvé la chérit,
Ps **78** 68 — préférant les portes de Sion
Za **2** 14 — à toute demeure de Jacob.

3 Il parle [c] de toi pour ta gloire,
cité de Dieu : *Pause.*
4 « Je compte Rahab et Babylone
parmi ceux qui me connaissent,
voyez Tyr, la Philistie ou l'Éthiopie,
Is **62** 4-5 — un tel y est né. »

↗ Ga **4** 26; ↗ Ep **5** 22-33 — 5 Mais de Sion l'on dira :
« Tout homme y est né [d] »
Ps **48** 9 — et celui qui l'affermit, c'est le Très-Haut.

*a)* L'hébr. ajoute ici « que tu fis », glose déplacée du stique précédent.
*b)* La sainte Sion, cité de Dieu, 2 S **5** 9+, doit devenir la capitale spirituelle et la mère de tous les peuples. Tous les voisins païens d'Israël : Égypte (« Rahab »), Éthiopie, Syro-Palestine, Mésopotamie, sont appelés à connaître le vrai Dieu et à lui fournir des prosélytes. Telle est la volonté de Yahvé, qu'exprime un oracle, vv. 4-5. Le Ps s'inspire d'Isaïe et de Zacharie. Isaïe annonçait déjà ce rôle maternel de Sion, épouse féconde de Yahvé, rôle par lequel elle figure l'Église.
*c)* « il parle » conj.; « il est parlé » hébr.
*d)* Les païens sont adoptés par Sion, qui devient leur vraie patrie.

[6] Yahvé inscrit au registre les peuples [a] : Is 4 3
« Un tel y est né », *Pause.* Ez 13 9
[7] et les princes, comme les enfants.
Tous font en toi leur demeure [b].

# *PSAUME* 88 (87)

**Prière du fond de la détresse [c].**

[1] *Cantique. Psaume. Des fils de Coré. Du maître de chant. Pour la maladie. Pour l'affliction. Poème.*
*De Hémân l'indigène.*

[2] Yahvé, Dieu de mon salut,
lorsque je crie la nuit devant toi,
[3] que jusqu'à toi vienne ma prière,
prête l'oreille à mes sanglots.

[4] Car mon âme est rassasiée de maux Jb 10 15;
et ma vie est au bord du shéol; 17 1
[5] déjà compté comme descendu dans la fosse, Nb 16 33+
je suis un homme fini : Ps 143 7

[6] congédié [d] chez les morts,
pareil aux tués
qui gisent dans la tombe,
eux dont tu n'as plus souvenir
et qui sont retranchés de ta main.

[7] Tu m'as mis au tréfonds de la fosse,
dans les ténèbres, dans les abîmes;
[8] sur moi pèse ta colère,
tu déverses toutes tes vagues. *Pause.* Ps 42 8
Ps 18 5+

[9] Tu as éloigné de moi mes compagnons, Ps 38 12+
tu as fait de moi une horreur pour eux;
je suis enfermé et ne puis sortir, Ps 142 8
[10] mon œil est usé par le malheur. Lm 3 7
Je t'appelle, Yahvé, tout le jour,
je tends les mains vers toi :

[11] « Pour les morts fais-tu des merveilles,
les ombres se lèvent-elles pour te louer? *Pause.* Ps 6 6+
[12] Parle-t-on de ton amour dans la tombe, Is 38 18+
de ta vérité au lieu de perdition [e]?
[13] Connaît-on dans la ténèbre tes merveilles
et ta justice au pays de l'oubli? »

*a)* Il s'agit de la liste des citoyens, Is **4** 3; Ez **13** 9, plutôt que du livre apocalyptique des destinées, Ps **69** 29. Les païens inscrits deviennent donc citoyens de Sion.
*b)* « les princes » mss, versions; « les chanteurs » TM (confusion de deux lettres presque identiques). – « tous font leur demeure » grec; « toutes mes sources (sont en toi) » hébr. (mal vocalisé). – Dieu inscrit les princes étrangers en qualité d'enfants (litt. « engendrés ») de Sion.
*c)* A cette prière angoissée, comparer les plaintes de Job.
*d)* Ou « libéré » (grec) : dans la tombe, le serviteur est libéré de son maître, cf. Jb **3** 19. Ainsi en va-t-il du pauvre affligé : il n'a plus de relations avec Dieu.
*e)* En hébr. « Abaddôn », Jb **26** 6; **28** 22; Pr **15** 11; Ap **9** 11.

14 Et moi, je crie vers toi, Yahvé,
le matin, ma prière te prévient;
15 pourquoi, Yahvé, repousses-tu mon âme,
caches-tu loin de moi ta face?

16 Malheureux et mourant dès mon enfance,
j'ai enduré tes effrois, je suis à bout [a];
17 sur moi ont passé tes colères,
tes épouvantes m'ont réduit à rien [b].

18 Elles me cernent comme l'eau tout le jour,
se referment sur moi toutes ensemble.
19 Tu éloignes de moi amis et proches;
Jb **17** 13-14 ma compagnie, c'est la ténèbre.

## *PSAUME* 89 (88)

### Hymne et prière au Dieu fidèle [c].

Ps **88** 1 1 *Poème. D'Étân l'indigène.*

2 L'amour de Yahvé à jamais je le chante,
d'âge en âge ma parole annonce ta vérité.
3 car tu as dit [a] : l'amour est bâti à jamais,
les cieux, tu fondes en eux ta vérité.

2 S 7 8-16+ 4 « J'ai fait une alliance avec mon élu,
j'ai juré à David mon serviteur :
5 A tout jamais j'ai fondé ta lignée,
je te bâtis d'âge en âge un trône. » *Pause.*

6 Les cieux rendent grâce pour ta merveille, Yahvé,
Jb **5** 1+ pour ta vérité, dans l'assemblée des saints.
7 Qui donc en les nues se compare à Yahvé,
Ps **29** 1; **82** 1 s'égale à Yahvé parmi les fils des dieux?
Jb **1** 6+ 8 Dieu redoutable au conseil des saints [e],
grand [f] et terrible à tout son entourage,
Ps **86** 8+ 9 Yahvé, Dieu Sabaot, qui est comme toi?
Yahvé puissant, que ta vérité entoure!

Jb **7** 12+ 10 C'est toi qui maîtrises l'orgueil de la mer,
Ps **65** 8+ quand ses flots se soulèvent, c'est toi qui les apaises;
11 c'est toi qui fendis Rahab [g] comme un cadavre,
dispersas tes adversaires par ton bras de puissance.

Ps **24** 1-2 12 A toi le ciel, à toi aussi la terre,
le monde et son contenu, c'est toi qui les fondas;

*a)* « je suis à bout » *'apugah* conj.; cf. Ps **77** 3; *'apunah* hébr., inintelligible.
*b)* « m'ont réduit à rien » *çimmetûnî* conj.; *çimmetûtûnî* hébr., inintelligible. – Ces deux fautes sont probablement des retouches, visant à édulcorer un texte choquant par son pessimisme.
*c)* Le prélude, vv. 2-3, suivi du rappel de l'alliance davidique, vv. 4-5, et d'un hymne au Créateur, vv. 6-19, introduit un oracle messianique, vv. 20-38, et, en contraste, l'évocation des humiliations nationales, vv. 39-46, conclue par une prière, vv. 47-52. Le couple « amour » – « fidélité » est un leit-motiv du Ps.
*d)* « tu as dit » grec, Vulg.; « j'ai dit » hébr.
*e)* « fils des dieux » et « saints » désignent ici les anges.
*f)* « grand » grec; l'hébr. joint « grand » à « conseil ».
*g)* Nom d'un monstre mythique personnifiant le chaos marin, cf. Jb **7** 12+; il désigne parfois aussi l'Égypte, Ps **87** 4. cf. Is **30** 7+.

13 le nord et le midi, c'est toi qui les créas,
le Tabor et l'Hermon à ton nom crient de joie.

14 A toi ce bras et sa prouesse,
puissante est ta main, sublime est ta droite;
15 Justice et Droit sont l'appui de ton trône, Ps **85** 11; **97** 2
Amour et Vérité marchent devant ta face. Ex **34** 6-7

16 Heureux le peuple qui sait l'acclamation! Ps **47** 1+
Yahvé, à la clarté de ta face ils iront;
17 en ton nom ils jubilent tout le jour,
en ta justice ils s'exaltent.

18 L'éclat de leur puissance, c'est toi,
dans ta faveur tu exaltes notre vigueur;
19 car à Yahvé est notre bouclier,
à lui, Saint d'Israël, est notre roi. Is **6** 3+ Ps **47** 10

20 Jadis, en vision, tu as parlé Ps **132** 11-12 2 S **7** 8-16+
et tu as dit à tes amis [a] :
« J'ai prêté assistance à un preux,
j'ai exalté un cadet de mon peuple.

21 J'ai trouvé David mon serviteur, Ps **78** 70+
je l'ai oint de mon huile sainte;
22 pour lui ma main sera ferme, Is **42** 1
mon bras aussi le rendra fort.

23 L'adversaire ne pourra le tromper,
le pervers ne pourra l'accabler;
24 j'écraserai devant lui ses agresseurs,
ses ennemis, je les frapperai.

25 Ma vérité et mon amour avec lui,
par mon nom s'exaltera sa vigueur;
26 j'établirai sa main sur la mer
et sur les fleuves sa droite.

27 Il m'appellera : " Toi, mon père, 2 S **7** 14+ Ps **2** 7
mon Dieu et le rocher de mon salut!" Jr **3** 19
28 si bien que j'en ferai l'aîné, Jn **20** 17
le très-haut sur les rois de la terre. Col **1** 15-18 ↗ Ap **1** 5

29 A jamais je lui garde mon amour,
mon alliance est pour lui véridique; Is **55** 3
30 j'ai pour toujours établi sa lignée,
et son trône comme les jours des cieux.

31 Si ses fils abandonnent ma loi,
ne marchent pas selon mes jugements,
32 s'ils profanent mes préceptes
et ne gardent pas mes commandements,

*a)* Samuel et Natân.

2 S **7** 14 33 je visiterai avec des verges leur péché,
avec des coups leur méfait,
34 mais sans retirer [a] de lui mon amour,
sans faillir dans ma vérité.

Jr **33** 20-21 35 Point ne profanerai mon alliance,
ne dédirai le souffle de mes lèvres;
Ps **110** 4 36 une fois j'ai juré par ma sainteté :
mentir à David, jamais!

37 Sa lignée à jamais sera,
et son trône comme le soleil devant moi,
Ps **72** 5, 7 38 comme est fondée la lune à jamais,
témoin véridique dans la nue. » *Pause.*

39 Mais toi, tu as rejeté et répudié,
tu t'es emporté contre ton oint [b];
40 tu as renié l'alliance de ton serviteur,
tu as profané jusqu'à terre son diadème.

Ps **80** 13-14 41 Tu as fait brèche à toutes ses clôtures,
tu as mis en ruines ses lieux forts;
42 tous les passants du chemin l'ont pillé,
ses voisins en ont fait une insulte.

43 Tu as donné la haute main à ses agresseurs,
tu as mis en joie tous ses adversaires;
44 tu as brisé son épée contre le roc [c],
tu ne l'as pas épaulé dans le combat.

45 Tu as ôté son sceptre de splendeur [d],
renversé son trône jusqu'à terre;
46 tu as écourté les jours de sa jeunesse,
étalé sur lui la honte. *Pause.*

= Ps **79** 5 47 Jusques à quand, Yahvé, seras-tu caché? jusqu'à la fin?
brûlera-t-elle comme un feu, ta colère?
Ps **39** 5 48 Souviens-toi de moi : quelle est ma durée?
pour quel néant as-tu créé les fils d'Adam?
Ps **90** 3s 49 Qui donc vivra sans voir la mort,
soustraira son âme à la griffe du shéol? *Pause.*

50 Où sont les prémices de ton amour, Seigneur?
Tu as juré à David sur ta vérité.
51 Souviens-toi, Seigneur, de l'insulte à ton serviteur :
je reçois en mon sein tous les traits des peuples;
52 ainsi tes adversaires, Yahvé, ont insulté,
ainsi insulté les traces de ton oint!

= Ps **106** 48 53 Béni soit Yahvé à jamais!
Amen! Amen [e]!

*a)* « retirer » 13 mss, syr., Vulg.; « casser » TM.
*b)* Le terme désigne ici toute la dynastie davidique.
*c)* « tu as brisé... contre le roc » *sha 'apta baççûr* conj.; « tu as même fait reculer le tranchant (de son épée) » *'ap tashîb çur* hébr.
*d)* « son sceptre de splendeur » *matteh hodô* conj.; « de son éclat » (?) *mitteharô* hébr.
*e)* Doxologie terminant le troisième livre du Psautier.

# PSAUME 90 (89)

### Fragilité de l'homme [a].

1 *Prière. De Moïse, homme de Dieu* [b].

Seigneur, tu as été pour nous
un refuge [c] d'âge en âge.

2 Avant que les montagnes fussent nées, Gn **1** 1
enfantés la terre et le monde, Pr **8** 25
de toujours à toujours tu es Dieu. Ha **1** 12 Ps **93** 2

3 Tu fais revenir le mortel à la poussière Gn **3** 19+
en disant : « Revenez, fils d'Adam! »
4 Car mille ans sont à tes yeux ↗ 2 P **3** 8
comme le jour d'hier qui passe,
comme une veille dans la nuit.

5 Tu les submerges de sommeil,
ils seront le matin comme l'herbe qui pousse; Is **40** 6-7+
6 le matin, elle fleurit et pousse, Jb **14** 1-2; **20** 8
le soir, elle se flétrit et sèche. Ps **37** 2; **103** 15-16

7 Par ta colère, nous sommes consumés,
par ta fureur, épouvantés.
8 Tu as mis nos torts devant toi,
nos secrets sous l'éclat de ta face.

9 Sous ton courroux tous nos jours déclinent,
nous consommons nos années comme un soupir [d].
10 Le temps de nos années, quelque soixante-dix ans, Gn **6** 3
quatre-vingts, si la vigueur y est; Pr **10** 27 Si **18** 8-9
mais leur grand nombre n'est que peine et mécompte, Qo **12** 1-7
car elles passent vite, et nous nous envolons.

11 Qui sait la force de ta colère
et, te craignant, connaît ton courroux?

12 Fais-nous savoir comment compter nos jours,
que nous venions de cœur à la sagesse [e]!
13 Reviens, Yahvé! Jusques à quand?
Prends en pitié tes serviteurs [f].

14 Rassasie-nous de ton amour au matin, Ps **17** 15+
nous serons dans la joie et le chant tous les jours.
15 Rends-nous en joies tes jours de châtiment Nb **14** 34
et les années où nous connûmes le malheur.

*a)* Prière d'un sage pénétré des Écritures (allusions à Gn, Jb, Dt), qui médite sur la faiblesse humaine et la brièveté de la vie écourtée par le péché.
*b)* Ce Ps est le seul qui soit attribué à Moïse, peut-être à cause de ses contacts avec Gn et Dt **32**.
*c)* « refuge » grec; « demeure » hébr.
*d)* Le syr. a compris « comme une araignée », que grec et Vulg. ajoutent.
*e)* De la connaissance de la fragilité humaine procède la sagesse, qui est crainte de Dieu, Pr **1** 7+.
*f)* Les vv. 14-17 vont étendre à tout Israël la méditation et la prière dont l'objet était l'homme seul.

16 Paraisse ton œuvre pour tes serviteurs,
ta splendeur soit sur leurs enfants!
17 La douceur du Seigneur soit sur nous!
Confirme l'ouvrage de nos mains [a]!

Jb **5** 19-22
## *PSAUME* 91 (90)

**Sous les ailes divines [b].**

1 Qui habite le secret d'Élyôn
passe la nuit à l'ombre de Shaddaï [c],
2 disant [d] à Yahvé :
Ps **18** 3 Mon abri, ma forteresse,
mon Dieu sur qui je compte!

3 C'est lui qui t'arrache au filet
de l'oiseleur qui s'affaire [e] à détruire;
Dt **32** 11 4 il te couvre de ses ailes,
Ps **17** 8+ tu as sous son pennage un abri.
Rt **2** 12
Mt **23** 37 Armure et bouclier, sa vérité.

Ct **3** 8 5 Tu ne craindras ni les terreurs de la nuit,
Pr **3** 25 ni la flèche qui vole de jour,
Dt **32** 24 6 ni la peste qui marche en la ténèbre,
Os **13** 14 ni le fléau qui dévaste à midi [f].
Jr **15** 8
Si **34** 16

7 Qu'il en tombe mille à tes côtés
et dix mille à ta droite,
toi, tu restes hors d'atteinte.

8 Il suffit que tes yeux regardent,
tu verras le salaire des impies,
9 toi qui dis : Yahvé mon abri!
et qui fais d'Élyôn ton refuge [g].

Pr **12** 21 10 Le malheur ne peut fondre sur toi,
Dt **7** 15 ni la plaie approcher de ta tente :
↗ Mt **4** 6 11 il a pour toi donné ordre à ses anges
He **1** 14 de te garder en toutes tes voies.

12 Sur leurs mains ils te porteront
Pr **3** 23 pour qu'à la pierre ton pied ne heurte;
Is **11** 8 13 sur le fauve [h] et la vipère tu marcheras,
Jb **5** 22 tu fouleras le lionceau et le dragon.
↗ Lc **10** 19

14 Puisqu'il s'attache à moi, je l'affranchis,
Ps **9** 11 je l'exalte puisqu'il connaît mon nom.

*a)* L'hébr. ajoute « notre Dieu » après « Seigneur » et, à la fin, « sur nous et confirme l'ouvrage de nos mains », doublet.

*b)* Ce Ps développe l'enseignement traditionnel des sages, cf. Jb **5** 19s, sur la protection divine accordée au juste. L'oracle divin qui le termine, vv. 14-16, suppose que le fidèle connaîtra l'épreuve, mais que Dieu l'en délivrera.

*c)* La strophe juxtapose quatre noms divins : Élyôn (le « Très-Haut »), Shaddaï (cf. Gn **17** 1+), que grec et Vulg. traduisent ici « Dieu du ciel » et ailleurs « Tout-Puissant », Yahvé (cf. Ex **3** 14+) et Élohim (Dieu).

*d)* « disant » versions; « je dis » hébr.

*e)* « qui s'affaire » *medabber* hébr.; « de la peste » *middeber* hébr.

*f)* Les versions traduisent : « du démon de midi ».

*g)* « toi qui dis » *'amarta* conj.; « toi » *'atta* hébr. – « refuge » grec; « demeure » hébr.

*h)* Trad. incertaine. Grec et syr. ont « l'aspic ».

[15] Il m'appelle et je lui réponds : Jr **33** 3
« Je suis près de lui dans la détresse, Is **43** 2
je le délivre et je le glorifie,
[16] de longs jours je veux le rassasier Pr **3** 2+; **10** 27 Jb **5** 26
et je ferai qu'il voie mon salut. » = Ps **50** 23

## *PSAUME* 92 (91)

### Cantique du juste [a].

[1] *Psaume. Cantique. Pour le jour du sabbat.*

[2] Il est bon de rendre grâce à Yahvé, Ps **33** 1-3
de jouer pour ton nom, Très-Haut,
[3] de publier au matin ton amour,
ta fidélité au long des nuits,
[4] sur la lyre à dix cordes et la cithare,
avec un murmure de harpe.

[5] Tu m'as réjoui, Yahvé, par tes œuvres,
devant l'ouvrage de tes mains je m'écrie :
[6] « Que tes œuvres sont grandes, Yahvé, Ps **8**;
combien profonds tes pensers! » **139** 6, 17-18
[7] L'homme stupide ne sait pas, Sg **13** 1
cela, l'insensé n'y comprend rien.

[8] S'ils poussent comme l'herbe, les impies, Ps **37** 35-36
s'ils fleurissent, tous les malfaisants,
c'est pour être abattus à jamais,
[9] mais toi, tu es élevé pour toujours, Yahvé.

[10] Voici [b] : tes ennemis périssent, Ps **68** 2-3
tous les malfaisants se dispersent;
[11] tu me donnes la vigueur du taureau, Ps **75** 11 Dt **33** 17
tu répands [c] sur moi l'huile fraîche; Ps **23** 5
[12] mon œil a vu ceux qui m'épiaient [d], Ps **54** 9; **91** 8
mes oreilles ont entendu les méchants.

[13] Le juste poussera comme un palmier, Ps **1** 3
il grandira comme un cèdre du Liban.
[14] Plantés dans la maison de Yahvé, Ps **52** 10
ils pousseront dans les parvis de notre Dieu.

[15] Dans la vieillesse encore ils portent fruit,
ils restent frais et florissants,
[16] pour publier que Yahvé est droit :
mon Rocher, en lui rien de faux. Dt **32** 4

*a)* Hymne didactique qui développe la doctrine traditionnelle des Sages : sort heureux des justes et ruine des impies, cf. Ps **37**; **49**, etc.
*b)* Au début du v., hébr. ajoute : « car voici, tes ennemis Yahvé », doublet.
*c)* « tu répands », litt. « tu me trempes », syr., Targ.; « je trempe » hébr.
*d)* « ceux qui m'épiaient » *beshoreray* versions; *beshûray* hébr. est fautif, et a été glosé ensuite par le mot « mes adversaires ».

# *PSAUME* 93 (92)

## Le Dieu de majesté [a].

Ps **97** 1; **99** 1 Ps **47** 8; **96** 10 Is **52** 7 — 1 Yahvé règne, il est vêtu de majesté,
il est vêtu, Yahvé, enveloppé de puissance.

= Ps **96** 10; **104** 5 — Oui, le monde est stable; point ne bronchera.
2 Ton trône est établi dès l'origine [b],
Ps **90** 2 — depuis toujours, tu es.

Jb **7** 12+ Ps **18** 5+ — 3 Les fleuves déchaînent, ô Yahvé,
les fleuves déchaînent leur voix,
les fleuves déchaînent leur fracas;

4 plus que la voix des eaux innombrables,
plus superbe que le ressac [c] de la mer,
superbe est Yahvé dans les hauteurs.

5 Ton témoignage [d] est véridique entièrement;
1 R **9** 3 — la sainteté est l'ornement de ta maison [e],
Yahvé, en la longueur des jours.

# *PSAUME* 94 (93)

## Le Dieu de justice [f].

Na **1** 2 Dt **32** 35 — 1 Dieu des vengeances, Yahvé,
Dieu des vengeances, parais!
2 Lève-toi, juge de la terre,
Jr **51** 56 Lm **3** 64 — retourne aux orgueilleux leur salaire!

Jr **12** 1 Ml **2** 17; **3** 14 Ps **73** — 3 Jusques à quand les impies, Yahvé,
jusques à quand les impies triomphant?
4 Ils déblatèrent, ils ont le verbe haut,
ils se rengorgent, tous les malfaisants.

5 Et ton peuple, Yahvé, qu'ils écrasent,
et ton héritage qu'ils oppriment,
Ex **22** 21-22 Dt **24** 17-22 — 6 la veuve et l'étranger, ils les égorgent,
et l'orphelin, ils l'assassinent!

Ps **10** 11+ Ez **9** 9 — 7 Et ils disent : « Yahvé ne voit pas,
le Dieu de Jacob ne prend pas garde. »
Pr **1** 22; **8** 5 — 8 Prenez garde, stupides entre tous!
insensés, quand aurez-vous l'intelligence?

*a)* La royauté de Yahvé, manifestée par les lois qu'il impose au monde physique et par celle qu'il donne aux hommes. Selon le titre du grec et du Talmud, ce Ps était récité « la veille du sabbat, quand la terre fut habitée » (cf. Gn **1** 24-31). Il est appliqué allégoriquement au Christ.
*b)* Le ciel est le palais de Dieu, Ps **8** 3, etc. Les eaux, vv. 3-4, pourraient désigner les forces hostiles à Dieu et à son peuple, cf. Ps **18** 5+; Jb **7** 12+; Is **8** 7; **17** 12; Dn **7** 2; Ap **17** 15.
*c)* « plus superbe que le ressac » conj.; « superbe, le ressac » hébr.
*d)* Ces arrêts divins (au pluriel dans l'hébr.) constituent la Loi révélée, aussi immuable que l'univers physique, fondement du règne définitif de Yahvé en Israël comme dans la création.
*e)* Le Temple, consacré pour toujours, 1 R **8** 13; **9** 3, et qui consacre ceux qui y approchent le Dieu saint, Ex **19** 6+; Lv **10** 3; **19** 2; Ez **42** 14.
*f)* Ce Ps exprime la doctrine traditionnelle des sages, dans le style du livre des Proverbes.

[9] Lui qui planta l'oreille n'entendrait pas?
s'il a façonné l'œil, il ne verrait pas? Ex 4 11 Pr 20 12
[10] Lui qui reprend les peuples ne punirait pas?
Lui qui enseigne à l'homme le savoir,
[11] Yahvé sait les pensées de l'homme ↗ 1 Co 3 20
et qu'elles sont du vent [a]. Qo 1 2+

[12] Heureux l'homme que tu reprends, Yahvé, || Jb 5 17
et que tu enseignes par ta loi [b], Ps 119 71
[13] pour lui donner le repos aux mauvais jours,
tant que se creuse une fosse pour l'impie.

[14] Car Yahvé ne délaisse point son peuple, 1 S 12 22
son héritage, point ne l'abandonne; Si 47 22
[15] le jugement revient vers la justice,
tous les cœurs droits lui font cortège.

[16] Qui se lève pour moi contre les méchants,
qui siège pour moi contre les malfaisants?
[17] Si Yahvé ne me venait en aide,
bientôt mon âme habiterait le silence [c]. Ps 115 17

[18] Quand je dis : « Mon pied chancelle »,
ton amour, Yahvé, me soutient;
[19] dans l'excès des soucis qui m'envahissent,
tes consolations délectent mon âme.

[20] Es-tu l'allié d'un tribunal de perdition,
érigeant en loi le désordre?
[21] On s'attaque à la vie du juste,
et le sang innocent, on le condamne.

[22] Mais Yahvé est pour moi une citadelle,
et mon Dieu, le rocher de mon refuge;
[23] il retourne contre eux leur méfait Ps 7 17
et pour leur malice il les fait taire, Pr 5 22; 12 14
il les fait taire, Yahvé notre Dieu! Ps 63 12; 107 42

## *PSAUME* 95 (94)

### Invitatoire [d].

[1] Venez, crions de joie pour Yahvé,
acclamons le Rocher [e] de notre salut; Dt 32 15
[2] approchons de sa face en rendant grâces,
au son des musiques acclamons-le.

[3] Car c'est un Dieu grand que Yahvé, Ps 47 3; 96 4
un Roi grand par-dessus tous les dieux; Jb 36 22 Dn 2 47

*a)* Litt. « souffle », mot favori de l'Ecclésiaste. – Ce v. fut peut-être ajouté pour commenter le stique précédent.
*b)* Au sens large de révélation et de doctrine morale.
*c)* C'est-à-dire le shéol.
*d)* Hymne processionnel, peut-être récité à la fête des Tentes, cf. Dt 31 11.
*e)* Allusion, reprise par le v. 8, au rocher d'où jaillit l'eau dans le désert, Ex 17 1s, ou au rocher sur lequel le Temple était bâti, 2 S 24 18.

4 en sa main sont les creux de la terre
et les hauts des montagnes sont à lui;
5 à lui la mer, c'est lui qui l'a faite,
Ps **24** 1-2
la terre ferme, ses mains l'ont façonnée.

6 Entrez, courbons-nous, prosternons-nous;
à genoux devant Yahvé qui nous a faits!
= Ps **100** 3
7 Car c'est lui notre Dieu,
Ez **34** 1+ Ps **23** 1-4 **80** 2
et nous le peuple de son bercail,
le troupeau de sa main.

Ex **19** 5 ↗ He **3** 7-11 Ps **81** 9
Aujourd'hui si vous écoutiez sa voix!
8 « N'endurcissez pas vos cœurs comme à Meriba
Ex **17** 1-7 Nb **20** 2-13 Dt **6** 16; **33** 8 Nb **14** 22 Ps **78** 8, 37
comme au jour de Massa dans le désert [a],
9 où vos pères m'éprouvaient,
me tentaient, alors qu'ils me voyaient agir!

Dt **32** 5, 20
10 Quarante ans cette génération m'a dégoûté
et je dis : Toujours ces cœurs errants [b],
Jb **21** 14
ces gens-là n'ont pas connu mes voies.
Ps **132** 8, 14 Nb **14** 30, 34 Dt **12** 9
11 Alors j'ai juré en ma colère :
jamais ils ne parviendront à mon repos [c]. »

|| 1 Ch **16** 23-33

## *PSAUME* 96 (95)

### Yahvé roi et juge [d].

= Ps **98** 1
1 Chantez à Yahvé un chant nouveau!
Chantez à Yahvé, toute la terre!
2 Chantez à Yahvé, bénissez son nom!

Ps **98** 2
Proclamez jour après jour son salut,
Ps **105** 1
3 racontez aux païens sa gloire,
à tous les peuples ses merveilles!

= Ps **48** 2; **145** 3
4 Grand, Yahvé, et louable hautement,
redoutable, lui, par-dessus tous les dieux!
Is **40** 17-20 Ps **97** 7 1 Co **8** 4-6
5 Néant, tous les dieux des nations [e].

C'est Yahvé qui fit les cieux;
6 devant lui, splendeur et majesté,
dans son sanctuaire, puissance et beauté.

= Ps **29** 1-2
7 Rapportez à Yahvé, familles des peuples,
rapportez à Yahvé gloire et puissance,

*a)* *Meriba* signifie « dispute » et *Massa* « tentation ».
*b)* « cette génération » versions; « une génération » hébr. – « toujours » *'ad* 1 ms et grec; « peuple de (cœurs errants) » *'am* hébr. – Le grec a conservé les leçons primitives, corrigées dans l'hébr. pour adoucir l'accusation contre l'Israël du temps de l'Exode, temps dont la tradition ultérieure a fait un âge d'or.
*c)* La Terre Promise, et le Temple où Dieu réside. Dans He **3** 7, le repos est interprété au sens spirituel : ce sera le sabbat définitif.
*d)* Cet hymne, qui réunit peut-être deux poèmes, célébrant la royauté divine et l'avènement du Juge du monde, est fait de réminiscences de Psaumes et d'Isaïe. – L'ordre est différent dans la recension de 1 Ch **16** 23-33.
*e)* Le grec traduit ici « les démons ». – Thème fréquent dans le second Isaïe, Is **40** 18s, etc. Cf. 1 Co **8** 4+.

[8] rapportez à Yahvé la gloire de son nom [a].

Présentez l'oblation, entrez en ses parvis,
[9] adorez Yahvé dans son éclat de sainteté. Ps **29** 2
Tremblez devant lui, toute la terre.

[10] Dites chez les païens : « Yahvé règne. » Ps **93** 1+
Le monde est stable, point ne bronchera. = Ps **93** 1
Sur les peuples il prononce avec droiture.

[11] Joie au ciel! exulte la terre!
Que gronde la mer, et sa plénitude! = Ps **98** 7
[12] Que jubile la campagne, et tout son fruit, Is **55** 12
que tous les arbres des forêts crient de joie,

[13] à la face de Yahvé, car il vient, = Ps **98** 9
car il vient pour juger la terre;
il jugera le monde en justice
et les peuples en sa vérité.

## *PSAUME* 97 (96)

### Yahvé triomphant [b].

[1] Yahvé règne! Exulte la terre, Ps **93** 1+
que jubilent les îles nombreuses!
[2] Ténèbre et Nuée l'entourent,
Justice et Droit sont l'appui de son trône. Ps **85** 11+

[3] Un feu devant lui s'avance = Ps **18** 9; **50** 3
et dévore à l'entour ses rivaux;
[4] ses éclairs illuminent le monde, = Ps **77** 19
la terre voit et chavire.

[5] Les montagnes fondent comme la cire [c] Ps **68** 3
devant le Maître de toute la terre;
[6] les cieux proclament sa justice = Ps **50** 6
et tous les peuples voient sa gloire.

[7] Honte aux servants des idoles,
eux qui se vantent de vanités; Ps **96** 5
prosternez-vous devant lui, tous les dieux.

[8] Sion entend et jubile, = Ps **48** 12
les filles de Juda [d] exultent
à cause de tes jugements, Yahvé.

[9] Car toi, tu es Yahvé, = Ps **83** 19
Très-Haut sur toute la terre,
surpassant de beaucoup tous les dieux.

*a)* Le poète démarque Ps **29** 1-2 dont il accentue le ton universaliste, cf. Ps **47** 10; Za **14** 17.
*b)* Hymne eschatologique. On y retrouve de nombreuses réminiscences de Psaumes antérieurs.
*c)* L'hébr. ajoute « devant Yahvé », doublet.
*d)* C'est-à-dire les villes du pays.

10 Yahvé aime qui déteste [a] le mal,
il garde les âmes des siens
et de la main des impies les délivre.

Ps **112** 4 — 11 La lumière se lève [b] pour le juste,
Ps **4** 7; **36** 10 — et pour l'homme au cœur droit, la joie.
12 Justes, jubilez en Yahvé,
= Ps **30** 5 — louez sa mémoire de sainteté.

# *PSAUME* 98 (97)

**Le juge de la terre [c].**

1 *Psaume.*

= Ps **96** 1 — Chantez à Yahvé un chant nouveau,
car il a fait des merveilles;
le salut lui vint de sa droite,
Is **52** 10; **59** 16; **63** 5 — de son bras de sainteté.

Ps **96** 2 — 2 Yahvé a fait connaître son salut,
aux yeux des païens révélé sa justice,
3 se rappelant son amour et sa fidélité
pour la maison d'Israël.

Tous les lointains de la terre ont vu
le salut de notre Dieu.
Ps **96** 1 — 4 Acclamez Yahvé, toute la terre,
Is **52** 9 — éclatez en cris de joie [d]!

5 Jouez pour Yahvé sur la harpe [e],
au son des instruments;
Ps **47** 6 — 6 au son de la trompette et du cor [f] acclamez
Ex **19** 16 — à la face du roi Yahvé.

= Ps **96** 11 — 7 Gronde la mer et sa plénitude,
le monde et son peuplement;
8 que tous les fleuves battent des mains
Is **55** 12 — et les montagnes crient de joie,

= Ps **96** 13 — 9 à la face de Yahvé, car il vient
pour juger la terre,
il jugera le monde en justice
= Ps **67** 5 — et les peuples en droiture.

*a)* « Yahvé aime qui déteste » conj., cf. syr.; « ceux qui aiment Yahvé, détestez » hébr.
*b)* « se lève » versions; « est semée » hébr.
*c)* Hymne eschatologique, inspiré de la fin du livre d'Isaïe et très proche du Ps **96**.
*d)* L'hébr. ajoute « et jouez », doublet.
*e)* L'hébr. répète « sur la harpe ».
*f)* Ces sonneries qui marquaient en Israël l'avènement des rois, 2 S **15** 10; 1 R **1** 34, accompagnent l'intronisation de Yahvé, Ps **47** 6, pour qui elles avaient retenti au Sinaï, Ex **19** 16.

# *PSAUME* 99 (98)

**Dieu, roi juste et saint [a].**

1 Yahvé règne, les peuples tremblent;
il siège sur les Chérubins, la terre chancelle; Ps **18** 8, 11; **80** 2
2 dans Sion Yahvé est grand. Ps **48** 2

Il s'exalte, lui, par-dessus tous les peuples;
3 qu'ils célèbrent ton nom grand et redoutable :
il est saint, lui, 4 et puissant [b]. Is **6** 3+

Le roi qui aime le jugement, c'est toi; Ps **72** 1s
tu as fondé droiture, jugement et justice,
en Jacob c'est toi qui agis.

5 Exaltez Yahvé notre Dieu,
prosternez-vous vers son marchepied :
lui, il est saint.

6 Moïse, Aaron parmi ses prêtres, et Samuel [c],
appelant son nom, en appelaient à Yahvé :
et lui, il leur répondait.

7 Dans la colonne de nuée, il parlait avec eux; Ex **19** 18-19; **33** 9
eux gardaient ses témoignages, la Loi qu'il leur donna. Nb **12** 5

8 Yahvé notre Dieu, toi, tu leur répondais,
Dieu de pardon que tu étais pour eux, Ex **32** 11+
mais te vengeant de leurs méfaits [d]. Nb **20** 12+

9 Exaltez Yahvé notre Dieu,
prosternez-vous vers sa sainte montagne :
saint est Yahvé notre Dieu.

# *PSAUME* 100 (99)

**Appel à la louange [e].**

1 *Psaume. Pour l'action de grâces.*

Acclamez Yahvé, toute la terre,
2 servez Yahvé dans l'allégresse,
venez à lui avec des chants de joie!

3 Sachez-le, c'est Yahvé qui est Dieu, = Ps **95** 7
il nous a faits et nous sommes à lui, Dt **32** 39
son peuple et le troupeau de son bercail. Is **43** 10-13 Is **64** 7

*a)* Hymne eschatologique dont les deux parties, vv. 1-4 et 6-8, s'achèvent par un refrain, vv. 5 et 9, qui célèbre la sainteté du roi d'Israël.

*b)* « et puissant » *we 'az* conj.; « et la puissance (du roi) » *we 'oz* hébr.

*c)* Les grands intercesseurs, cf. Ps **106** 23; Ex **32** 11+; Nb **17** 11-13.

*d)* Certains corrigent la vocalisation pour comprendre : « les tenant quittes de leurs méfaits », mais on pense à la punition de Moïse et Aaron, qui ne purent entrer en Terre Promise, cf. Nb **27** 14; Dt **3** 26, etc.

*e)* Cet hymne doxologique achève la série des Ps du règne de Yahvé (Ps **93**s). On le récitait peut-être en entrant au sanctuaire pour offrir les sacrifices de communion, cf. Lv **7** 11-12.

[4] Venez à ses portiques en rendant grâces,
à ses parvis en chantant louange,
rendez-lui grâces, bénissez son nom!

|| Jr **33** 11 = Ps **106** 1; **107** 1; **118** 1s; **136** 1s
[5] Il est bon, Yahvé,
éternel est son amour [a],
et d'âge en âge, sa vérité.

## *PSAUME* 101 (100)

### Le miroir des princes [b].

[1] *De David. Psaume.*

Je chanterai amour et jugement,
pour toi, Yahvé, je jouerai;
Ps **26** 11-12 [2] j'avancerai dans la voie des parfaits :
Ps **50** 3 quand viendras-tu vers moi [c]?

Is **33** 15 Je suivrai la perfection de mon cœur
1 R **9** 4 dans ma maison;
[3] point de place devant mes yeux
pour rien de vil [d].

Pr **11** 20 Je hais les façons des dévoyés,
elles n'ont sur moi nulle prise;
[4] loin de moi le cœur tortueux,
le méchant, je l'ignore.

Pr **17** 20; **30** 10 [5] Qui dénigre en secret son prochain,
celui-là, je le fais taire;
Pr **21** 4 l'œil hautain, le cœur enflé,
je ne puis les souffrir.

[6] J'ai les yeux sur les fidèles du pays,
qu'ils demeurent avec moi;
Ps **26** 11 celui qui marche dans la voie des parfaits
Ps **14** 35; **20** 7 sera mon servant.

[7] Point de demeure en ma maison
Pr **25** 5 pour le faiseur de tromperie;
le diseur de mensonges ne tient pas
Ps **5** 6 devant mes yeux.

[8] Au matin [e], je les fais taire,
tous les impies du pays,
pour retrancher de la ville de Yahvé
tous les malfaisants.

*a)* Refrain ancien, Jr **33** 11, souvent repris dans les Ps en antienne et en prélude, et cité à 2 Ch **5** 13; **7** 3; **20** 21; Esd **3** 11; Jdt **13** 21 Vulg.; 1 M **4** 24. Cf. Mi **7** 20.

*b)* Portrait du prince vertueux, qui rappelle plusieurs passages des Proverbes.

*c)* Peut-être allusion à l'avènement attendu du Messie, « celui qui vient », Mt **11** 3; Jn **4** 25.

*d)* Litt. « pour des affaires de Bélial », c'est-à-dire pour des pratiques idolâtriques.

*e)* Litt. « chaque matin ». Le matin, temps des faveurs divines, Ps **17** 15+, est aussi celui de la justice, humaine et divine, Ps **46** 6; **73** 14; 2 S **15** 2; Jb **7** 18; Is **33** 2; Jr **21** 12; So **3** 5.

# *PSAUME* 102 (101)

**Prière dans le malheur [a].**

1 *Prière pour un malheureux qui dans son accablement répand sa plainte devant Yahvé.*

2 Yahvé, entends ma prière,
que mon cri vienne jusqu'à toi;
3 ne cache pas loin de moi ta face = Ps **69** 18; **143** 7
au jour où l'angoisse me tient;
incline vers moi ton oreille,
au jour où je t'appelle, vite, réponds-moi!

4 Car mes jours s'en vont en fumée,
mes os brûlent comme un brasier;
5 battu comme l'herbe, mon cœur sèche
et j'oublie de manger mon pain;
6 à force de crier ma plainte,
ma peau s'est collée à mes os.

7 Je ressemble au hibou du désert,
je suis pareil à la hulotte des ruines;
8 je veille et je gémis [b],
comme l'oiseau solitaire sur le toit;
9 tout le jour mes ennemis m'outragent,
ceux qui me louaient maudissent par moi [c].

10 La cendre est le pain que je mange,
je mêle à ma boisson mes larmes, Ps **42** 4
11 devant ta colère et ta fureur,
car tu m'as soulevé puis rejeté;
12 mes jours sont comme l'ombre qui décline,
et moi comme l'herbe je sèche. Ps **90** 6

13 Mais toi, Yahvé, tu trônes à jamais; Lm **5** 19
d'âge en âge, mémoire de toi!
14 Toi, tu te lèveras, attendri pour Sion,
car il est temps de la prendre en pitié,
car l'heure est venue;
15 car tes serviteurs en chérissent les pierres,
pris de pitié pour sa poussière. Is **52** 2

16 Et les païens craindront le nom de Yahvé, Is **59** 19; **66** 18
et tous les rois de la terre, ta gloire;
17 quand Yahvé rebâtira Sion,
il sera vu dans sa gloire; Is **60** 1
18 il se tournera vers la prière du spolié,
il n'aura pas méprisé sa prière.

*a)* Ce Ps de pénitence réunit deux poèmes de rythme différent : une plainte personnelle, vv. 1-12 et 24-28, cf. Ps **69**, et une prière pour la restauration de Sion, vv. 13-23 et 29.
*b)* « je gémis » *wa 'ehemayah* conj.; « je suis » *wa 'ehyeh* hébr.

*c)* Me donnant pour exemple du sort qu'ils souhaitent à leurs ennemis, cf. Jr **29** 22. – « ceux qui me louaient » mss, grec, syr.; « ceux qui enragent contre moi » hébr. (différence de vocalisation).

Ps **22** 31-32+ 19 On écrira ceci pour l'âge à venir
et un peuple nouveau louera Dieu [a] :
20 il s'est penché du haut de son sanctuaire, Yahvé,
et des cieux a regardé sur terre,
Ps **79** 11 21 afin d'écouter le soupir du captif,
de libérer les clients de la mort,
22 pour répandre dans Sion le nom de Yahvé,
sa louange dans Jérusalem,
Is **60** 3s 23 quand se joindront peuples et royaumes
pour rendre un culte à Yahvé.

24 En chemin ma force a fléchi [b];
Ps **39** 5; **90** 10 le petit nombre de mes jours, 25 fais-le-moi savoir [c],
ne me prends pas à la moitié de mes jours,
d'âge en âge vont tes années.

|| Is **51** 6-8 ↗ He **1** 10-12 Is **65** 17; **66** 22; Ap **20** 11; **21** 1 Lm **5** 19 He **13** 8 26 Depuis longtemps tu as fondé la terre,
et les cieux sont l'ouvrage de tes mains;
27 eux périssent, toi tu restes,
tous comme un vêtement ils s'usent,
comme un habit qu'on change, tu les changes;
28 mais toi, le même, sans fin sont tes années.

Ps **69** 36-37 29 Les fils de tes serviteurs auront une demeure
et leur lignée subsistera devant toi.

## *PSAUME* 103 (102)

### Dieu est amour.

1 *De David.*

Bénis Yahvé, mon âme,
du fond de mon être, son saint nom,
2 bénis Yahvé, mon âme,
n'oublie aucun de ses bienfaits.

3 Lui qui pardonne toutes tes offenses,
Ex **15** 26 qui te guérit de toute maladie;
Ps **41** 4 qui rachète à la fosse ta vie,
Jb **42** 10 qui te couronne d'amour et de tendresse;
5 qui rassasie de biens tes années [d],
Is **40** 31 et comme l'aigle se renouvelle ta jeunesse.

6 Yahvé qui fait œuvre de justice
et fait droit à tous les opprimés
7 révéla ses desseins à Moïse,
aux enfants d'Israël ses hauts faits.

*a)* « Dieu » conj.; « Yah » hébr.
*b)* « a fléchi » conj.; « il a fait fléchir » hébr.
*c)* Stique traduit d'après grec et syr.; hébr. : « il a abrégé mes jours. Je dis : mon Dieu » (vocalisation fautive).
*d)* « tes années », litt. « ton existence », *'odeki* conj.; « ta parure » *'edyek* hébr.

[8] Yahvé est tendresse et pitié, || Ex **34** 6-7+
lent à la colère et plein d'amour [a]; = Ps **86** 15: **145** 8
[9] elle n'est pas jusqu'à la fin, sa querelle,
elle n'est pas pour toujours, sa rancune; Jr **3** 12
[10] il ne nous traite pas selon nos fautes, Is **57** 16 Jon **4** 2
ne nous rend pas selon nos offenses. Jl **2** 13

[11] Comme est la hauteur des cieux sur la terre,
puissant est son amour pour qui le craint;
[12] comme est loin l'orient de l'occident,
il éloigne de nous nos péchés.

[13] Comme est la tendresse d'un père pour ses fils,
tendre est Yahvé pour qui le craint; Ps **145** 9
[14] il sait de quoi nous sommes pétris,
il se souvient que poussière nous sommes. Ps **90** 3+

[15] L'homme! ses jours sont comme l'herbe, Is **40** 7+ Ps **90** 5-6+
comme la fleur des champs il fleurit;
[16] sur lui, qu'un souffle passe, il n'est plus,
jamais plus ne le connaîtra sa place. Jb **7** 10

[17] Mais l'amour de Yahvé pour qui le craint Ex **20** 6
est de toujours à toujours,
et sa justice pour les fils de leurs fils,
[18] pour ceux qui gardent son alliance,
qui se souviennent d'accomplir ses volontés.

[19] Yahvé a fixé son trône dans les cieux,
par-dessus tout sa royauté domine. Ps **22** 29
[20] Bénissez Yahvé, vous ses anges,
héros puissants, qui accomplissent sa parole,
attentifs au son de sa parole.

[21] Bénissez Yahvé, toutes ses armées,
serviteurs, ouvriers de son désir.
[22] Bénissez, Yahvé, toutes ses œuvres
en tous lieux de son domaine.

Bénis Yahvé, mon âme.

## *PSAUME* 104 (103)

Gn **1** Ac **17** 28

### Les splendeurs de la création [b].

[1] Bénis Yahvé, mon âme.
Yahvé, mon Dieu, tu es si grand!
Vêtu de faste et d'éclat,
[2] drapé de lumière comme d'un manteau, Gn **1** 3

*a)* Ce sont les attributs du nom de Yahvé, révélés à Moïse, Ex **34** 6+, que tout le Ps développe en mettant l'accent sur la miséricorde et la bonté, cf. vv. 17-18 et Ex **20** 6, préparant ainsi 1 Jn **4** 8.

*b)* Cet hymne suit le même ordre que la cosmologie de Gn **1**.

Ps **19** 2s tu déploies les cieux comme une tente,
Gn **1** 6-7 Am **9** 6 3 tu bâtis sur les eaux tes chambres hautes;
Ps **68** 5+ faisant des nuées ton char,
tu t'avances sur les ailes du vent;
↗ He **1** 7 4 tu prends les vents pour messagers,
pour serviteurs un feu de flammes.

5 Tu poses la terre sur ses bases,
inébranlable pour les siècles des siècles.
6 De l'abîme tu la couvres comme d'un vêtement,
sur les montagnes se tenaient les eaux.

Jb **7** 12+ 7 A ta menace, elles prennent la fuite,
à la voix de ton tonnerre, elles s'échappent;
8 elles sautent les montagnes, elles descendent les vallées
Gn **1** 9 Jb **38** 8-11 vers le lieu que tu leur as assigné;
Gn **9** 11-15 9 tu mets une limite à ne pas franchir,
qu'elles ne reviennent couvrir la terre.

10 Dans les ravins tu fais jaillir les sources,
elles cheminent au milieu des montagnes;
11 elles abreuvent toutes les bêtes des champs,
les onagres y calment leur soif;
Ez **31** 6, 13 12 l'oiseau des cieux séjourne près d'elles,
sous la feuillée il élève la voix.

13 De tes chambres hautes, tu abreuves les montagnes;
la terre se rassasie du fruit de tes œuvres;
Gn **1** 11-12, 14 tu fais croître l'herbe pour le bétail
29-30; **2** 16 et les plantes à l'usage des humains,

Gn **2** 15; pour qu'ils tirent le pain de la terre
**3** 17-19; **9** 20 15 et le vin qui réjouit le cœur de l'homme,
Za **10** 7 pour que l'huile fasse luire les visages
Si **31** 27 Jg **9** 13 et que le pain fortifie le cœur de l'homme.
Gn **5** 29 Jg **19** 5, 8

16 Les arbres de Yahvé se rassasient,
les cèdres du Liban qu'il a plantés;
17 c'est là que nichent les passereaux,
sur leur cime [a] la cigogne a son gîte;
18 aux chamois, les hautes montagnes,
aux damans [b], l'abri des rochers.

19 Il fit la lune pour marquer les temps,
le soleil connaît son coucher.
20 Tu poses la ténèbre, c'est la nuit,
toutes les bêtes des forêts s'y remuent.
Jb **38** 39 21 Les lionceaux rugissent après la proie
et réclament à Dieu leur manger.

Jb **37** 8 22 Quand se lève le soleil, ils se retirent
et vont à leurs repaires se coucher;

*a)* « sur leur cime » *bero 'sham* d'après grec; « sur les genévriers » *berôshîm* hébr.

*b)* Petits mammifères ressemblant à des marmottes et vivant en groupe, cf. Pr **30** 26.

[23] l'homme sort pour son ouvrage,
faire son travail jusqu'au soir.

[24] Que tes œuvres sont nombreuses, Yahvé! Ps 8 2 Pr 8 22-31+
toutes avec sagesse tu les fis,
la terre est remplie de ta richesse.

[25] Voici la grande mer aux vastes bras,
et là le remuement sans nombre
des animaux petits et grands,
[26] là des navires se promènent
et Léviathan que tu formas pour t'en rire. Jb 3 8+; 40 25+

[27] Tous ils espèrent de toi
que tu donnes en son temps leur manger;
[28] tu leur donnes, eux, ils ramassent,
tu ouvres la main, ils se rassasient.

[29] Tu caches ta face, ils s'épouvantent,
tu retires leur souffle, ils expirent, Jb 34 14-15
à leur poussière ils retournent. Gn 3 19 Qo 12 7
[30] Tu envoies ton souffle, ils sont créés [a], Ps 90 3
tu renouvelles la face de la terre. Gn 1 2; 2 7 Ac 2 2s

[31] A jamais soit la gloire de Yahvé,
que Yahvé se réjouisse en ses œuvres! Gn 1 31
[32] Il regarde la terre, elle tremble, Ha 3 6
il touche les montagnes, elles fument! = Ps 144 5

[33] Je veux chanter à Yahvé tant que je vis, Ps 146 2
je veux jouer pour mon Dieu tant que je dure. Ps 7 18+
[34] Puisse mon langage lui plaire,
moi, j'ai ma joie en Yahvé!
[35] Que les pécheurs disparaissent de la terre,
les impies, qu'il n'en soit jamais plus!

Bénis Yahvé, mon âme [b].

## *PSAUME* 105 (104)

Ps 78

### L'histoire merveilleuse d'Israël [c].

Alleluia!

[1] Rendez grâce à Yahvé, criez son nom, || 1 Ch 16 8-22
annoncez parmi les peuples ses hauts faits; Is 12 4-5
[2] chantez-le, jouez pour lui, Ps 18 50; 96 3; 145 5
récitez toutes ses merveilles;
[3] tirez gloire de son nom de sainteté,
joie pour les cœurs qui cherchent Yahvé!

*a)* L'esprit de Dieu est à l'origine de l'être et de la vie.
*b)* L'hébr. rattache ici le « Alleluia » lu dans le grec au début du Ps **105**.
*c)* Le Ps évoque successivement l'histoire patriarcale, vv. 8-15, l'histoire de Joseph, vv. 16-23, la mission de Moïse, vv. 24-27, les plaies d'Égypte, vv. 28-36, le départ et la marche au désert, vv. 37-43, et enfin l'entrée en Canaan, terre promise à Abraham, vv. 44-45.

4 Recherchez Yahvé et sa force,
Ps **27** 8 sans relâche poursuivez sa face;
5 rappelez-vous quelles merveilles il a faites,
ses miracles et les jugements de sa bouche.

Is **51** 2; **45** 4 6 Lignée d'Abraham son serviteur,
enfants de Jacob son élu[a],
7 c'est lui Yahvé notre Dieu :
sur toute la terre ses jugements.

8 Il se rappelle à jamais son alliance,
parole promulguée pour mille générations,
Gn **15** 1+ Gn **26** 3 9 pacte conclu avec Abraham,
serment qu'il fit à Isaac.

10 Il l'érigea en loi pour Jacob,
pour Israël en alliance à jamais,
Gn **15** 18 11 disant : « Je te donne une terre,
Canaan, votre part d'héritage. »

12 Tant qu'on put les compter,
peu nombreux, étrangers au pays,
13 tant qu'ils allaient de nation en nation,
d'un royaume à un peuple différent,

14 il ne laissa personne les opprimer,
Gn **12** 10-20; **20**; **26** 1-11 à cause d'eux il châtia des rois :
15 « Ne touchez pas à qui m'est consacré[b];
à mes prophètes ne faites pas de mal. »

Gn **41** 54 16 Il appela sur le pays la famine,
Lv **26** 26 il brisa leur bâton, le pain;
Gn **37** 28; **45** 5 17 il envoya devant eux un homme,
Joseph vendu comme esclave.

Gn **39** 20 18 On affligea ses pieds d'entraves,
on lui passa les fers au cou;
Gn **40**; **41** 9-13 19 le temps passa, son oracle s'accomplit,
la parole de Yahvé le justifia.

Gn **41** 14 20 Le roi envoya l'élargir,
le maître des peuples, lui ouvrir;
Gn **41** 39-44 21 il l'établit seigneur sur sa maison,
maître de toute sa richesse,

22 pour instruire[c] à son gré ses princes;
de ses anciens il fit des sages.
Gn **46** 1 – **47** 12 23 Israël passa en Égypte,
Jacob séjourna au pays de Cham.

Ex **1** 7 24 Il fit croître son peuple abondamment,
le fortifia plus que ses adversaires;

*a)* « son élu » 2 mss; « ses élus » TM.
*b)* Litt. « à mes oints ». Israël est un royaume de prêtres, Ex **19** 6; Is **61** 6; cf. Ps **28** 8; Ha **3** 13.
*c)* « instruire » versions; « lier » hébr.

25 changeant leur cœur, il les fit haïr son peuple — Ex 1 8s
et ruser avec ses serviteurs.

26 Il envoya son serviteur Moïse, — Ex 3 10
Aaron qu'il s'était choisi; — Ex 4 27
27 ils firent chez eux les signes qu'il avait dits,
des miracles au pays de Cham.

28 Il envoya la ténèbre et enténèbra, — Ex 10 21-29
mais ils bravèrent ses ordres [a].
29 Il changea leurs eaux en sang — Ex 7 14-25
et fit périr leurs poissons.

30 Leur pays grouilla de grenouilles — Ex 7 26 – 8 11
jusque dans les chambres des rois;
31 il dit, et les insectes passèrent, — Ex 8 12-15
les moustiques sur toute la contrée.

32 Il leur donna pour pluie la grêle, — Ex 9 13-35
flammes de feu sur leur pays;
33 il frappa leur vigne et leur figuier,
il brisa les arbres de leur contrée.

34 Il dit, et les sauterelles passèrent, — Ex 10 1-20
les criquets, et ils étaient sans nombre,
35 et ils mangèrent toute herbe en leur pays
et ils mangèrent le fruit de leur terroir.

36 Il frappa tout premier-né dans leur pays, — = Ps 78 51
toute la fleur de leur race; — Ex 12 29-36
37 il les fit sortir avec or et argent,
et pas un dans leurs tribus ne trébuchait.

38 L'Égypte se réjouit de leur sortie, — Ex 12 33
elle en était saisie de terreur;
39 il déploya une nuée pour les couvrir, — = Ps 78 14
un feu pour éclairer de nuit. — Ex 13 21-22

40 Ils demandèrent [b], il fit passer les cailles, — = Ps 78 24
du pain des cieux il les rassasia; — Ex 16 2-36+
41 il ouvrit le rocher, les eaux jaillirent, — = Ps 78 15
dans le lieu sec elles coulaient comme un fleuve. — Ex 17 1-7+

42 Se rappelant sa parole sacrée
envers Abraham son serviteur,
43 il fit sortir son peuple dans l'allégresse, — Ex 15
parmi les cris de joie, ses élus.

44 Il leur donna les terres des païens, — Dt 4 37-40; 6 20-25; 7 8-11
du labeur des nations ils héritèrent,
45 en sorte qu'ils gardent ses décrets
et qu'ils observent ses lois [c].

*a)* « ils bravèrent » versions; « ils ne bravèrent pas » hébr. En lisant *shamerû* au lieu de *marû*, on pourrait traduire : « ils ne prirent pas garde ». – « Ses ordres », litt. « ses paroles ».

*b)* « Ils demandèrent » versions; l'hébr. a le singulier (une lettre omise).

*c)* L'hébr. ajoute ici « Alleluia »; omis par les versions.

Ps **78**

# *PSAUME* 106 (105)

## Confession nationale [a].

1 Alleluia!

= Ps **107** 1
= Ps **100** 5+
|| 1 Ch **16** 34

Rendez grâce à Yahvé, car il est bon,
car éternel est son amour!
2 Qui dira les prouesses de Yahvé,
fera retentir toute sa louange?

Is **56** 1-2

3 Heureux qui observe le droit,
qui pratique en tout temps la justice!

Ne **5** 19;
**13** 14, 22, 31
Ps **25** 7

4 Souviens-toi de moi, Yahvé,
par amour de ton peuple,

visite-moi par ton salut,
5 que je voie le bonheur de tes élus,
joyeux de la joie de ton peuple,
glorieux avec ton héritage!

1 R **8** 47
Lv **26** 40
Dn **9** 5
Ps **78** 11-17

6 Nous avons failli avec nos pères,
nous avons dévié, renié;
7 nos pères en Égypte
n'ont pas compris tes merveilles.

Ps **78** 17
Ez **20** 8-9, 14;
**36** 20-22;
**39** 25

Ils n'eurent pas souvenir de ton grand amour,
ils bravèrent le Très-Haut [b] à la mer des Joncs.
8 Il les sauva à cause de son nom,
pour faire connaître sa prouesse.

Na **1** 4
Ps **89** 10+
Is **63** 11-14
Ex **14**

9 Il menaça la mer des Joncs, elle sécha,
il les mena sur l'abîme comme au désert,
10 les sauva de la main de l'ennemi,
les racheta de la main de l'adversaire.

11 Et les eaux recouvrirent leurs oppresseurs,
pas un d'entre eux n'échappa.

Ex **14** 31
Ex **15** 1-21

12 Alors ils eurent foi en ses paroles,
ils chantèrent sa louange.

Lm **3** 26
Ex **15** 24;
**16** 3
Nb **11** 4-6
Ps **78** 18

13 Ils coururent oublier ses actions,
ils n'attendirent pas même son projet;
14 ils brûlaient de désir dans le désert,
ils tentaient Dieu parmi les solitudes.

Nb **11** 33
Nb **16**
Dt **11** 6

15 Il leur accorda leur demande :
il envoya la fièvre [c] dans leur âme;
16 ils jalousèrent Moïse dans le camp,
Aaron le saint de Yahvé.

*a)* Les vv. 1-5 et 48 donnent un cadre liturgique à un psaume historique, inspiré de Dt et de Nb, qui forme une confession nationale, où le peuple repentant revient, pour s'en accuser devant Dieu, sur les péchés collectifs commis dans le passé. Cf. 1 R **8** 33-34; Ne **9** 5-37; Is **63** 7 - **64** 11; Dn **9**; Ba **1** 15 - **3** 8.

*b)* « le Très-Haut » *'elyôn* conj.; « sur la mer » *'al yam* hébr.

*c)* Mot de sens incertain. Le grec traduit « satiété ».

17 La terre s'ouvre, elle avale Datân
et recouvre la bande d'Abiram;
18 un feu s'allume contre leur bande, Is **26** 11
une flamme embrase les renégats.

19 Ils fabriquèrent un veau en Horeb, Ex **32**
se prosternèrent devant une fonte; Dt **9** 8-21. 25-29
20 ils échangèrent leur gloire [a] || Jr **2** 11
pour l'image du bœuf mangeur d'herbe. Rm **1** 23

21 Ils oubliaient Dieu qui les sauvait, Dt **32** 18
l'auteur de grandes choses en Égypte, Jr **2** 32 Ps **78** 42
22 de merveilles en terre de Cham,
d'épouvantes sur la mer des Joncs.

23 Il parlait de les supprimer, Dt **9** 25
si ce n'est que Moïse son élu Ex **32** 11+
se tint sur la brèche devant lui Ez **22** 30
pour détourner son courroux de détruire.

24 Ils refusèrent une terre de délices, Nb **13** 25 – **14** 37
ils n'eurent pas foi en sa parole; Dt **1** 25-36
25 ils murmurèrent sous leurs tentes,
ils n'écoutèrent pas la voix de Yahvé.

26 Il leva la main sur eux, Ez **20** 15, 23
pour les abattre au désert, Lv **26** 33 Nb **14** 29s
27 pour abattre leur lignée chez les païens,
pour les parsemer dans les pays.

28 Ils se mirent au joug de Baal-Péor Nb **25**
et mangèrent les sacrifices des morts. Dt **26** 14+
29 Ils l'indignèrent par leurs pratiques, Tb **4** 17
un fléau éclata contre eux.

30 Alors se lève Pinhas, il tranche, Nb **25** 7s
alors s'arrête le fléau; Si **45** 23-24
31 justice lui en est rendue Nb **25** 11-13
d'âge en âge et pour toujours.

32 Ils le fâchèrent aux eaux de Meriba; Ps **95** 8-9
mal en prit à Moïse par leur faute, Ex **17** 1-7 Nb **20** 2-13
33 car ils aigrirent [b] son esprit
et ses lèvres parlèrent trop vite. Nb **20** 12+

34 Ils ne supprimèrent pas les peuples, Jg **1** 21s;
ceux que Yahvé leur avait dits,
35 et ils se mêlaient aux païens, Jg **2** 1-5
ils apprenaient leurs manières d'agir. Lv **18** 3

36 Ils en servaient les idoles, Jg **2** 11-13
elles devenaient pour eux un piège!

*a)* La leçon primitive, conservée par quelques mss, devait être « sa gloire » (de Dieu), mais le texte a été corrigé pour éliminer une expression qui semblait irrespectueuse et presque impie.
*b)* « aigrirent » *hemerû* conj.; « bravèrent » *himerû* hébr.

Lv **18** 21+ Dt **32** 17 Ba **4** 7 1 Co **10** 20

37 Ils avaient sacrifié leurs fils
et leurs filles aux démons.

38 Ils versaient le sang innocent,
le sang de leurs fils et de leurs filles
qu'ils sacrifiaient aux idoles de Canaan,
et le pays fut profané de sang. (Nb **35** 33)

39 Ils se souillaient par leurs actions,
ils se prostituaient [a] par leurs pratiques;
40 Yahvé prit feu contre son peuple,
il eut en horreur son héritage.

41 Il les livra aux mains des païens, (Jg **2** 14-23)
leurs ennemis devinrent leurs maîtres;
42 leurs adversaires furent leurs tyrans,
ils furent courbés sous leur main.

43 Mainte et mainte fois il les délivra, (Is **63** 7-9)
mais eux par bravade se révoltaient
et s'enfonçaient dans leur tort;
44 il eut un regard pour leur détresse
alors qu'il entendait leur cri.

45 Il se souvint pour eux de son alliance, (Lv **26** 42)
il s'émut selon son grand amour; (Jr **42** 10)
46 il leur donna d'apitoyer (Esd **9** 9)
tous ceux qui les tenaient captifs.

47 Sauve-nous, Yahvé notre Dieu, (1 Ch **16** 35-36)
rassemble-nous du milieu des païens
afin de rendre grâce à ton saint nom
de nous féliciter en ta louange.

48 Béni soit Yahvé le Dieu d'Israël (= Ps **89** 53)
depuis toujours jusqu'à toujours!
Et tout le peuple dira : Amen [b]!

# *PSAUME* 107 (106)

### Dieu sauve l'homme de tout péril [c].

Alleluia!

1 Rendez grâce à Yahvé, car il est bon, (= Ps **106** 1)
car éternel est son amour! (= Ps **100** 5+)

2 Ils le diront, les rachetés de Yahvé, (Is **62** 12)
qu'il racheta de la main de l'oppresseur,

*a)* Adultère, Ps **73** 27, et prostitution désignent chez les prophètes l'infidélité à Dieu et l'idolâtrie, cf. Os **1** 2+.
*b)* Doxologie marquant la fin du quatrième livre du Psautier et suivie d'une rubrique liturgique. – L'hébr. ajoute « Alleluia », placé par le grec au début du Ps suivant.
*c)* Hymne d'action de grâces, inspiré du second Isaïe, pour les bienfaits de la Providence : l'Exode, vv. 4-9, le retour de l'exil, vv. 10-16, les secours divins à ceux qui souffrent, vv. 17-22, à ceux qui voyagent en mer, vv. 23-32. L'épilogue, vv. 33-34, développe le thème sapientiel du renversement des conditions. Double refrain, vv. 6 et 8, 13 et 15, 19 et 21, 28 et 31.

[3] qu'il rassembla du milieu des pays, Is 43 5-6; 49 12
orient et occident, nord et midi [a]. Za 8 7-8

[4] Ils erraient au désert, dans les solitudes, Dt 8 15; 32 10
sans trouver le chemin d'une ville habitée;
[5] ils avaient faim, surtout ils avaient soif, Is 49 10
leur âme en eux défaillait.

[6] Et ils criaient vers Yahvé dans la détresse, Os 5 15
de leur angoisse il les a délivrés, Is 63 9
[7] acheminés par un droit chemin Is 35 8; 40 3; 43 19
pour aller vers la ville habitée [b]. Dt 6 10

[8] Qu'ils rendent grâce à Yahvé de son amour,
de ses merveilles pour les fils d'Adam!
[9] Il rassasia l'âme avide, Is 49 10; 55 1
l'âme affamée, il la combla de biens. ↗ Lc 1 53

[10] Habitants d'ombre et de ténèbre, Is 42 7, 22
captifs de la misère et des fers, Jb 36 8s
[11] pour avoir bravé l'ordre de Dieu Lv 26 40-41
et méprisé le projet du Très-Haut, Ps 106 43
[12] il ploya leur cœur sous la peine,
ils succombaient, et pas un pour les aider.

[13] Et ils criaient vers Yahvé dans la détresse,
de leur angoisse il les a délivrés,
[14] il les tira de l'ombre et la ténèbre Is 42 7, 16; 49 9; 51 14;
et il rompit leurs entraves. 52 2; 61 1

[15] Qu'ils rendent grâce à Yahvé de son amour,
de ses merveilles pour les fils d'Adam!
[16] Car il brisa les portes d'airain, Is 45 2; 61 1
les barres de fer, il les fracassa.

[17] Insensés, sur les chemins du péché,
misérables à cause de leurs fautes,
[18] tout aliment les dégoûtait, Jb 6 6-7
ils touchaient aux portes de la mort.

[19] Et ils criaient vers Yahvé dans la détresse,
de leur angoisse il les a délivrés.
[20] Il envoya sa parole, il les guérit, Is 55 11
à la fosse il arracha leur vie [c]. Ps 147 15
Sg 16 12
Mt 8 8
[21] Qu'ils rendent grâce à Yahvé de son amour,
de ses merveilles pour les fils d'Adam!
[22] Qu'ils sacrifient des sacrifices d'action de grâces,
qu'ils répètent ses œuvres en chants de joie!

*a)* « midi » *yamîn* conj.; « mer » *yam* hébr. – Ce prélude appelle à la louange ceux qui sont revenus d'exil.
*b)* Sion, qui personnifie toute la terre sainte. L'Exode et l'installation dans la Terre Promise étaient déjà pour Is **40**s la figure du retour de l'exil.
*c)* « à la fosse... leur vie » *mishshahat hayyatam* conj.; « à leurs fosses » *mishshehîtôtam* hébr.

23 Descendus en mer sur des navires,
ils faisaient négoce parmi les grandes eaux;
24 ceux-là ont vu les œuvres de Yahvé,
ses merveilles parmi les abîmes.

Jon **1** 4s
25 Il dit et fit lever un vent de bourrasque
qui souleva les flots;
26 montant aux cieux, descendant aux gouffres,
sous le mal leur âme fondait;
Is **29** 9
27 tournoyant, titubant comme un ivrogne,
leur sagesse était toute engloutie.

Jon **1** 14-15
28 Et ils criaient vers Yahvé dans la détresse,
de leur angoisse il les a délivrés.
Ps **89** 10+ Mt **8** 26p Ps **65** 8+ Is **43** 2; **54** 11; **57** 20
29 Il ramena la bourrasque au silence
et les flots se turent.
30 Ils se réjouirent de les voir s'apaiser,
il les mena jusqu'au port de leur désir.

31 Qu'ils rendent grâce à Yahvé de son amour,
de ses merveilles pour les fils d'Adam!
32 Qu'ils l'exaltent dans l'assemblée du peuple,
au conseil des anciens qu'ils le louent!

Is **42** 15
33 Il changeait les fleuves en désert,
et les sources d'eau en soif,
Gn **13** 10; **19** 23-28 Dt **29** 22 Si **39** 23
34 un pays de fruits en saline,
à cause de la malice des habitants.

Is **41** 18+ = Ps **114** 8
35 Mais il changea le désert en nappe d'eau,
une terre sèche en source d'eau;
36 là il fit habiter les affamés,
vv. 4, 7 Ez **36** 35
et ils fondèrent une ville habitée.

Jr **31** 5 Is **65** 21
37 Ils ensemencent des champs, plantent des vignes,
et font du fruit à récolter.
Dt **7** 13s Is **49** 21
38 Il les bénit et ils croissent beaucoup,
il ne laisse pas diminuer leur bétail.

39 Ils étaient diminués, défaillants,
sous l'étreinte des maux et des peines;
|| Jb **12** 21, 24
40 déversant le mépris sur les princes,
il les perdait en un chaos sans chemin.

Is **65** 13s Ps **113** 7-9 Jr **31** 27 || Jb **22** 19; **5** 16 Ps **58** 11; **63** 12
41 Mais il relève le pauvre de sa misère,
il multiplie comme un troupeau les familles;
42 les cœurs droits voient et se réjouissent,
tout ce qui ment a la bouche fermée.

|| Os **14** 10
43 Est-il un sage? qu'il observe ces choses
et comprenne l'amour de Yahvé!

# *PSAUME* 108 (107)

**Hymne matinal et prière nationale [a].**

1 *Cantique. Psaume. De David.*

2 Mon cœur est prêt, ô Dieu, = Ps **57** 8-12
– je veux chanter, je veux jouer! –
allons, ma gloire,
3 éveille-toi, harpe, cithare,
que j'éveille l'aurore!

4 Je veux te louer chez les peuples, Yahvé,
jouer pour toi dans les pays;
5 grand par-dessus les cieux ton amour,
jusqu'aux nues, ta vérité.

6 O Dieu, élève-toi sur les cieux.
Sur toute la terre, ta gloire!

7 Pour que soient délivrés tes bien-aimés, = Ps **60** 7-14
sauve par ta droite et réponds-nous.

8 Dieu a parlé en son sanctuaire :
« J'exulte, je partage Sichem,
j'arpente la vallée de Sukkot.

9 « A moi Galaad, à moi Manassé,
Éphraïm, l'armure de ma tête,
Juda, mon bâton de commandement,

10 « Moab, le bassin où je me lave!
sur Édom, je jette ma sandale,
contre la Philistie je crie victoire. »

11 Qui me mènera dans une ville forte,
qui me conduira jusqu'en Édom,
12 sinon Dieu, toi qui nous as rejetés,
Dieu qui ne sors plus avec nos armées.

13 Porte-nous secours dans l'oppression :
néant, le salut de l'homme!
14 Avec Dieu nous ferons des prouesses,
et lui piétinera nos oppresseurs.

*a)* Compilation tardive, postérieure à la formation du recueil élohiste, cf. Introd. p. 713. Un recenseur a juxtaposé ici, avec quelques variantes, Ps **57** 8-12 et Ps **60** 7-14. Voir les notes de ces Ps.

# *PSAUME* 109 (108)

**Psaume imprécatoire [a].**

1 *Du maître de chant. De David. Psaume.*

Ps **35** 22 Dieu de ma louange, ne te tais plus!
2 Bouche méchante et bouche d'imposture
s'ouvrent contre moi.
On me parle une langue de mensonge,
3 de paroles de haine on m'entoure,
on m'attaque sans raison.

Jr **18** 20 4 Pour prix de mon amitié, on m'accuse,
Ps **35** 13 et je ne suis que prière [b];
Ps **35** 12; **38** 21 5 on amène sur moi le malheur
pour prix du bienfait,
la haine pour prix de mon amitié.

6 « Suscite contre lui le méchant,
que se dresse à sa droite l'accusateur [c];
7 du jugement qu'il sorte coupable,
que sa prière soit tenue pour péché!

8 Que les jours lui soient écourtés,
↗ Ac **1** 20 qu'un autre prenne sa charge;
Ex **22** 23 Jr **18** 21 9 que ses enfants deviennent orphelins
et sa femme, une veuve!

10 Ses fils, qu'ils errent et qu'ils errent,
Jb **5** 4-5 qu'ils mendient et qu'on les chasse [d] de leurs ruines;
Jb **20** 18 11 que l'usurier rafle tout son bien,
que l'étranger pille son revenu!

Is **14** 21 12 Que pas un ne lui reste charitable,
que pas un n'ait pitié de ses orphelins,
Jb **18** 19 Pr **10** 7 13 que soit retranchée sa descendance,
qu'en une génération soit effacé leur nom!

Ex **20** 5 Jr **18** 23 14 Que Yahvé se souvienne du tort de ses pères,
que le péché de sa mère ne soit pas effacé;
Ps **90** 8; **139** 16 = Ps **34** 17 15 qu'ils soient devant Yahvé constamment,
pour qu'il retranche de la terre leur souvenir! »

Jb **20** 19 16 Lui ne s'est pas souvenu d'être charitable :
il pourchassait le pauvre et le malheureux,
jusqu'à la mort, l'homme au cœur brisé.

*a)* Faussement accusé, calomnié, le fidèle en appelle à la vengeance divine, cf. Ps **5** 11+; Jr **11** 20; **18** 19s. La litanie d'imprécations, vv. 6-19, accumule, dans le style oriental, les malédictions hyperboliques. Il est possible que les vv. 6-15, que nous avons mis entre guillemets, représentent les paroles de haine de l'accusateur, cf. vv. 2-3, et que la suite soit la réponse du fidèle, invoquant contre son adversaire l'application du talion, vv. 16-20, cf. Ex **21** 25+.

*b)* Litt. « et moi, prière ».

*c)* Un « satan », nom donné ensuite au diable, cf. Jb **1** 6+. Comme l'avocat, v. 31, il se tient à la droite de l'accusé, Jb **30** 12; Za **3** 1.

*d)* « qu'on les chasse » grec; « qu'ils cherchent » hébr.

17 Il aimait la malédiction : elle vient à lui!
Il ne goûtait pas la bénédiction : elle le quitte[a]!

18 Il revêtait la malédiction comme un manteau :
elle entre au fond de lui comme de l'eau[b], Nb 5 24
et comme de l'huile dans ses os.
19 Qu'elle lui soit un vêtement qui l'enveloppe, Ps 73 6
une ceinture qui l'enserre constamment! Ps **76** 11+

20 Tel soit, de par Yahvé, le salaire de mes accusateurs
qui profèrent le mal sur mon âme!
21 Mais toi, Yahvé, agis pour moi selon ton nom,
délivre-moi, car ton amour est bonté. Ps **103** 8+

22 Pauvre et malheureux que je suis,
mon cœur est blessé au fond de moi;
23 comme l'ombre qui décline je m'en vais, Ps **102** 12
on m'a secoué comme la sauterelle. Jb **30** 22

24 A tant jeûner mes genoux fléchissent, Ps **69** 11
ma chair est amaigrie faute d'huile;
25 on a fait de moi une insulte, Ps **22** 7s
ceux qui me voient hochent la tête.

26 Aide-moi, Yahvé mon Dieu,
sauve-moi selon ton amour :
27 qu'ils le sachent, c'est là ta main,
toi, Yahvé, voilà ton œuvre! Ps **22** 32; **64** 10

28 Eux maudissent, et toi tu béniras, Nb **22** 2s
ils attaquent, honte sur eux, et joie pour ton serviteur! 2 S **16** 12
29 Qu'ils soient vêtus d'infamie, ceux qui m'accusent, Jr **20** 11
enveloppés de leur honte comme d'un manteau! Is **65** 13-15

30 Grandes grâces à Yahvé sur mes lèvres, Ps **22** 26s;
louange à lui parmi la multitude; **71** 22s
31 car il se tient à la droite du pauvre
pour sauver de ses juges son âme.

## *PSAUME* 110 (109)

Ps 2

### Le Sacerdoce du Messie[c].

1 *De David. Psaume.*

Oracle de Yahvé à mon Seigneur : « Siège à ma droite[d], ↗ Mt 22 44p
tant que j'aie fait de tes ennemis l'escabeau de tes pieds[e]. » ↗ Ac 2 33-35+ ↗ He **1** 13; **10** 12-13 ↗ 1 P 3 22

*a)* Malédiction et bénédiction sont ici personnifiées.
*b)* Allusion vraisemblable au vieux rituel des eaux amères décrit en Nb **5** 11-31.
*c)* Les prérogatives du Messie, royauté universelle et sacerdoce perpétuel, cf. 2 S **7** 1+; Za **6** 12-13, ne découlent d'aucune investiture terrestre, pas plus que celles du mystérieux Melchisédech, Gn **14** 18+. Le Christ réalise à la lettre cet oracle, cf. Mt **22** 44p; **27** 11; **28** 18; Ac **2** 34-35; He **1** 13; Ap **19** 11,16.
*d)* Le Christ ressuscité est assis à la droite du Père, Rm **8** 34; He **10** 12; 1 P **3** 22.
*e)* Cf. Jos **10** 24; Dn **7** 14.

2 Ton sceptre de puissance, Yahvé l'étendra :
depuis Sion, domine jusqu'au cœur de l'ennemi.

3 A toi le principat au jour de ta naissance,
les honneurs sacrés dès le sein, dès l'aurore de ta jeunesse [a].

4 Yahvé l'a juré, il ne s'en dédira point :
Gn 14 18+ ↗ He 5 6 « Tu es prêtre à jamais selon l'ordre de Melchisédech. »

5 A ta droite, Seigneur,
Ps 2 9 il abat [b] les rois au jour de sa colère;
6 il fait justice des nations, entassant des cadavres,
il abat les têtes sur l'immensité de la terre.
7 Au torrent il s'abreuve en chemin [c],
c'est pourquoi il redresse la tête [d].

## *PSAUME* 111 (110)

### Éloge des œuvres divines [e].

1 Alleluia!

*Aleph.* Je rends grâce à Yahvé de tout cœur
*Bèt.* dans le cercle des justes et l'assemblée.
*Gimel.* 2 Grandes sont les œuvres de Yahvé,
*Dalèt.* dignes d'étude pour qui les aime.

*Hé.* 3 Faste et splendeur, son ouvrage;
= Ps 112 3 *Vav.* sa justice demeure à jamais.
*Zaïn.* 4 Il laisse un mémorial de ses merveilles [f].
Ps 103 8+ Ps 112 4 *Hèt.* Yahvé est tendresse et pitié.

*Tèt.* 5 Il donne à qui le craint la nourriture [g],
*Yod.* il se souvient de son alliance pour toujours.
*Kaph.* 6 Il fait voir à son peuple la vertu de ses œuvres,
*Lamed.* en lui donnant l'héritage des nations.

*Mem.* 7 Justice et vérité, les œuvres de ses mains,
*Nun.* fidélité, toutes ses lois,
*Samek.* 8 établies pour toujours et à jamais,
*Aïn.* accomplies avec droiture et vérité.

*Phé.* 9 Il envoie la délivrance à son peuple,
*Çade.* il déclare pour toujours son alliance;
*Qoph.* saint et redoutable est son nom.

*a)* V. corrigé d'après le grec. Hébr. : « Ton peuple est générosité au jour de ta force (vocalisation fautive), en honneurs sacrés dès le sein de l'aurore (mot incertain), à toi la rosée de ta jeunesse. » Grec : « A toi le principat... dès le sein, dès l'aurore je t'ai engendré » (cf. Ps **2** 7). Au lieu de « les honneurs sacrés », 83 mss, Jérôme et Symmaque lisent : « sur les monts sacrés ».
*b)* C'est lui qui préside au jugement eschatologique. – Jésus, Messie et Fils de Dieu, a revendiqué pour lui ce jugement, Mt **24** 30; **26** 64; Jn **5** 22; cf. Ac **7** 56; **10** 42; **17** 31.
*c)* Le Messie boit au torrent des épreuves, Ps **18** 5+; **32** 6; **66** 12, ou au torrent des grâces divines, Ps **36** 9; **46** 5; Ez **47**, sens qui s'accorderait mieux avec le contexte. Ou encore, il est comme le guerrier à la poursuite de ses ennemis, qui ne s'arrête qu'un instant pour boire au torrent, Jg **7** 5; **15** 18; 1 S **30** 9.
*d)* On applique ce texte au Christ souffrant et glorifié, cf. Ph **2** 7-11.
*e)* Psaume « alphabétique », comme le suivant qui lui est apparenté par la doctrine, le style et la structure poétique.
*f)* Par la célébration des fêtes annuelles, cf. Ex **23** 14+.
*g)* Allusion aux miracles de la manne et des cailles, Ex **16** 1+.

*Resh.* [10] Principe du savoir : la crainte de Yahvé; Pr 1 7+
*Shin.* bien avisés tous ceux qui s'y tiennent.
*Tav.* Sa louange demeure à jamais.

## *PSAUME* 112 (111)

### Éloge du juste [a].

[1] Alleluia!

*Aleph.* Heureux l'homme qui craint Yahvé, Ps 1 1-2
*Bèt.* et se plaît fort à ses préceptes!
*Gimel.* [2] Sa lignée sera puissante sur la terre,
*Dalèt.* et bénie la race des hommes droits.

*Hé.* [3] Opulence et bien-être en sa maison;
*Vav.* sa justice [b] demeure à jamais. = Ps **111** 3
*Zaïn.* [4] Il se lève en la ténèbre, lumière des cœurs droits, Ps **37** 6; **97** 11
*Hèt.* pitié, tendresse et justice [c]. Is **58** 10 Pr **13** 9 Ps **111** 6

*Tèt.* [5] Bienheureux l'homme qui prend pitié et prête,
*Yod.* qui règle ses affaires avec droiture.
*Kaph.* [6] Non, jamais il ne chancelle,
*Lamed.* en mémoire éternelle sera le juste.

*Mem.* [7] Il ne craint pas d'annonces de malheur,
*Nun.* ferme est son cœur, confiant en Yahvé;
*Samek.* [8] son cœur est assuré, il ne craint pas :
*Aïn.* à la fin il toisera ses oppresseurs.

*Phé.* [9] Il fait largesse, il donne aux pauvres;
*Çadé.* sa justice demeure à jamais,
*Qoph.* sa vigueur rehausse son prestige [d]. Ps **89** 18

*Resh.* [10] L'impie le voit et s'irrite,
*Shin.* il grince des dents et dépérit.
*Tav.* Le désir des impies va se perdre.

## *PSAUME* 113 (112)

### Au Dieu de gloire et de pitié [e].

[1] Alleluia!

Louez, serviteurs de Yahvé,
louez le nom de Yahvé!
[2] Béni soit le nom de Yahvé,
dès maintenant et à jamais!

*a)* Des expressions appliquées à Dieu dans le Ps précédent sont ici appliquées au juste.
*b)* A la fois sa vertu et le bonheur qui la récompense.
*c)* Au juste est ainsi appliqué ce qui est dit ailleurs de Dieu, Ps **18** 29; **27** 1. On traduit aussi : « Pour le juste, en la ténèbre une lumière se lève; clément et compatissant est l'homme droit. »
*d)* Ou : « pour sa gloire (litt. « en gloire ») se dresse sa vigueur ».
*e)* Cet hymne commence le *Hallel* (Ps **113-118**), que les Juifs récitaient pour les grandes fêtes, notamment au repas pascal, cf. Mt **26** 30p.

3 Du lever du soleil à son coucher,
loué soit le nom de Yahvé!

4 Plus haut que tous les peuples, Yahvé!
plus haut que tous les cieux, sa gloire!
Ps **89** 7, 9 — 5 Qui est comme Yahvé notre Dieu,
lui qui s'élève pour siéger
6 et s'abaisse pour voir cieux et terre?

|| 1 S **2** 8 — 7 De la poussière il relève le faible,
Ps **107** 41 — du fumier il retire le pauvre,
8 pour l'asseoir au rang des princes,
au rang des princes de son peuple.
1 S **2** 5 — 9 Il assied la stérile en sa maison,
mère en ses fils heureuse [a].

# *PSAUME* 114 (113 A)

**Hymne pascal [b].**

Alleluia [c]!

1 Quand Israël sortit d'Égypte,
la maison de Jacob, de chez un peuple barbare,
Ex **19** 6+ — 2 Juda lui devint un sanctuaire,
Jr **2** 3 — et Israël, son domaine.
Ps **78** 54

Ps **66** 6; **74** 14-15; **77** 17 — 3 La mer voit et s'enfuit,
Jg **5** 4 — le Jourdain retourne en arrière;
Ps **29** 6; **68** 9 — 4 les montagnes sautent comme des béliers
Sg **19** 9 — et les collines comme des agneaux.

5 Qu'as-tu, mer, à t'enfuir,
Jourdain, à retourner en arrière,
6 et vous montagnes, à sauter comme des béliers,
collines, comme des agneaux?

Jg **5** 4 — 7 Tremble, terre, devant la face du Maître,
Ps **68** 9 — devant la face du Dieu de Jacob,
Ex **17** 1-7+ — 8 qui change le rocher en étang
1 Co **10** 4 — et le caillou en source.
Ps **107** 35

*a)* Comme Sara, Gn **16** 1; **17** 15-21; **18** 9-15; **21** 1-7, et Anne, 1 S **1-2**. On insiste ici sur l'honneur qui lui est fait : une femme restait normalement debout pour servir.
*b)* Relié à tort au suivant par les versions, cet hymne met en parallèle, cf. Ps **66** 6+, le passage de la mer des Roseaux et celui du Jourdain, Ex **14** et Jos **3**.
*c)* Grec; l'hébr. rattache « Alleluia » au Ps précédent.

# *PSAUME* 115 (113 B)

**Le seul vrai Dieu [a].**

[1] Non pas à nous, Yahvé, non pas à nous, Ez **36** 22-23
mais à ton nom rapporte la gloire, Ps **23** 3
pour ton amour et pour ta vérité!
[2] Que les païens ne disent : « Où est leur Dieu? » = Ps **79** 10

[3] Notre Dieu, il est dans les cieux,
tout ce qui lui plaît, il le fait. = Ps **135** 6
[4] Leurs idoles, or et argent, Is **44** 9s Jr **10** 1s
une œuvre de main d'homme! Ba **6** 3, 7s

[5] Elles ont une bouche et ne parlent pas,
elles ont des yeux et ne voient pas,
[6] elles ont des oreilles et n'entendent pas,
elles ont un nez et ne sentent pas.

[7] Leurs mains, mais elles ne touchent point,
leurs pieds, mais ils ne marchent point!
de leur gosier, pas un murmure.
[8] Comme elles, seront ceux qui les firent,
quiconque met en elles sa foi.

[9] Maison d'Israël, mets ta foi en Yahvé, Ps **135** 19-20;
lui, leur secours et bouclier! Ps **118** 2-4
[10] Maison d'Aaron, mets ta foi en Yahvé,
lui, leur secours et bouclier! = Ps **33** 20
[11] Ceux qui craignent Yahvé, ayez foi en Yahvé, Qo **8** 12
lui, leur secours et bouclier [b]! Ml **3** 16

[12] Yahvé se souvient de nous, il bénira,
il bénira la maison d'Israël,
il bénira la maison d'Aaron,
[13] il bénira ceux qui craignent Yahvé,
les petits avec les grands.

[14] Que Yahvé vous fasse croître, Ps **127** 3
vous et vos enfants! Dt **1** 10-11
[15] Bénis soyez-vous de Yahvé
qui a fait le ciel et la terre!

[16] Le ciel, c'est le ciel de Yahvé,
la terre, il l'a donnée aux fils d'Adam. Gn **1** 28

[17] Non, les morts ne louent point Yahvé, Ps **6** 6; **94** 17
ni tous ceux qui descendent au Silence; Is **38** 18-19+
[18] mais nous, les vivants [c], nous bénissons Yahvé
dès maintenant et à jamais.

*a)* Exhortation à la confiance par un rappel de la puissance de Yahvé et du néant des idoles : revenu de l'Exil, le peuple n'a pas le droit de perdre courage.

*b)* On retrouve ces trois classes au Ps **118** 2-4; les « craignant Yahvé » sont les prosélytes, cf. Ps **15** 4+.

*c)* « les vivants » grec; omis par hébr.

# *PSAUME* 116 (114-115)

**Action de grâces.**

**Alleluia [a]!**

**[1] J'aime, lorsque Yahvé entend**
**le cri de ma prière,**
**[2] lorsqu'il tend l'oreille vers moi,**
**le jour où j'appelle [b].**

Ps **18** 5-7 Jon **2** 3
**[3] Les lacets de la mort m'enserraient,**
**les filets [c] du shéol;**
**l'angoisse et l'affliction me tenaient,**
**[4] j'appelai le nom de Yahvé.**

**De grâce, Yahvé, délivre mon âme!**

Ex **34** 6+
**[5] Yahvé a pitié, il est juste,**
**notre Dieu est tendresse;**
**[6] Yahvé protège les simples,**
**je faiblissais, il m'a sauvé.**

Ps **13** 6
**[7] Retourne, mon âme, à ton repos,**
**car Yahvé t'a fait du bien.**
= Ps **56** 14 Is **25** 8 Ap **21** 4
**[8] Il a gardé mon âme de la mort [d], mes yeux des larmes**
**et mes pieds du faux pas :**
Ps **27** 13; **52** 7; **142** 6 Is **38** 11
**[9] je marcherai à la face de Yahvé**
**sur la terre des vivants.**

↗ 1 Co **4** 13
**[10e] Je crois lors même que je dis :**
**« Je suis trop malheureux »,**
**[11] moi qui ai dit dans mon trouble :**
Ps **12** 3; **62** 10
**« Tout homme n'est que mensonge. »**

**[12] Comment rendrai-je à Yahvé**
**tout le bien qu'il m'a fait?**
1 Co **10** 16
**[13] J'élèverai la coupe du salut [f],**
**j'appellerai le nom de Yahvé.**

**[14] J'accomplirai mes vœux envers Yahvé,**
**oui, devant tout son peuple!**
Is **43** 4 Ps **72** 14
**[15] Elle coûte aux yeux de Yahvé,**
**la mort de ses amis [g].**

**[16] De grâce, Yahvé, je suis ton serviteur,**
Ps **86** 16
**je suis ton serviteur fils de ta servante,**
**tu as défait mes liens.**
Lv **7** 11+
**[17] Je t'offrirai le sacrifice d'action de grâces,**
**j'appellerai le nom de Yahvé.**

*a)* « Alleluia » grec; rattaché par hébr. au Ps précédent. De même pour les deux Ps suivants.
*b)* « le jour où » syr.; « et en mes jours » hébr.
*c)* « filets » Jérôme; « angoisse » hébr., qui ajoute à la fin du v. « je trouve ».
*d)* « Il » versions; « Tu » hébr. – « mon âme de la mort » semble être une addition.
*e)* Ici commence le Ps **115** dans grec et Vulg.
*f)* Rite d'action de grâces conservé dans la liturgie juive et chrétienne. Cf. 1 Co **10** 16.
*g)* Car elle romprait toute relation entre eux et lui, cf. Ps **6** 6+. Les versions ont interprété ce texte d'après le dogme de la résurrection : « Elle est précieuse aux yeux de Yahvé, la mort de ses amis. »

[18] J'accomplirai mes vœux envers Yahvé, Lv 7 11+ Jon 2 10
oui, devant tout son peuple,
[19] dans les parvis de la maison de Yahvé,
au milieu de toi, Jérusalem!

## *PSAUME* 117 (116)

**Appel à la louange.**

Alleluia!

[1] Louez Yahvé, tous les peuples, ↗ Rm **15** 11
fêtez-le, tous les pays!
[2] Fort est son amour pour nous,
pour toujours sa vérité.

## *PSAUME* 118 (117)

**Liturgie pour la fête des Tentes [a].**

Alleluia!

[1] Rendez grâce à Yahvé, car il est bon, Ps **100** 5+ Ps **136** 1s
car éternel est son amour!

[2] Qu'elle le dise, la maison [b] d'Israël : Ps **115** 9-11+ Ps **135** 19-20
éternel est son amour!
[3] Qu'elle le dise, la maison d'Aaron :
éternel est son amour!
[4] Qu'ils le disent, ceux qui craignent Yahvé :
éternel est son amour!

[5] De mon angoisse, j'ai crié vers Yahvé, Ps **4** 2
il m'exauça, me mit au large.
[6] Yahvé est pour moi, plus de crainte, Ps **27** 1 Ps **56** 12 ↗ He **13** 6
que me fait l'homme, à moi?
[7] Yahvé est pour moi, mon aide entre tous, Ps **54** 6, 9
j'ai toisé mes ennemis.

[8] Mieux vaut s'abriter en Yahvé
que se fier en l'homme;
[9] mieux vaut s'abriter en Yahvé
que se fier aux puissants.

[10] Les païens m'ont tous entouré,
au nom de Yahvé je les sabre [c];
[11] ils m'ont entouré, enserré,
au nom de Yahvé je les sabre;

*a)* Ce chant clôt le *Hallel*, cf. Ps **113** 1+. Un invitatoire, vv. 1-4, précède l'hymne d'action de grâces placé sur les lèvres de la communauté personnifiée, complété par le livret des répons, vv. 19s, 25s, récités par divers groupes quand la procession entrait au Temple. L'ensemble a peut-être été utilisé pour la fête décrite en Ne **8** 13-18, cf. Esd **3** 4; Za **14** 16 et Ex **23** 14+. Cf. aussi Esd **3** 11.

*b)* « la maison » grec, cf. v. 3; omis par hébr.

*c)* On traduit aussi : « je les fais circoncire » (Jean Hyrcan astreignit Iduméens et Grecs à la circoncision).

Dt 1 44
[12] ils m'ont entouré comme des guêpes,
ils ont flambé [a] comme feu de ronces,
au nom de Yahvé je les sabre.

[13] On m'a poussé [b], poussé pour m'abattre
mais Yahvé me vint en aide;
|| Ex 15 2 || Is 12 2
[14] ma force et mon chant, c'est Yahvé,
il fut pour moi le salut.

[15] Clameurs de joie et de salut
sous les tentes des justes :
« La droite de Yahvé a fait prouesse,
[16] la droite de Yahvé a le dessus,
la droite de Yahvé a fait prouesse! »

Ps 11 17-18 Is 38 19
[17] Non, je ne mourrai pas, je vivrai
et publierai les œuvres de Yahvé;
[18] il m'a châtié et châtié, Yahvé,
à la mort il ne m'a pas livré.

Ps 24 7-10
[19] Ouvrez-moi les portes de justice,
j'entrerai, je rendrai grâce à Yahvé!
[20] C'est ici la porte de Yahvé,
les justes entreront.
Is 26 2 Is 1 26
[21] Je te rends grâce, car tu m'as exaucé,
tu fus pour moi le salut.

Is 28 16 Za 3 9; 4 7 ↗ Mt 21 42p ↗ Ac 4 11 Ep 2 20 1 Co 3 11
[22] La pierre qu'ont rejetée les bâtisseurs
est devenue la tête de l'angle;
[23] c'est là l'œuvre de Yahvé,
ce fut merveille à nos yeux [c].
[24] Voici le jour que fit Yahvé,
pour nous allégresse et joie [d].

[25] De grâce, Yahvé, donne le salut!
Ne 1 11
De grâce, Yahvé, donne la victoire!
↗ Mt 21 9p ↗ Mt 23 39p
[26] Béni soit au nom de Yahvé celui qui vient [e]!
Nous vous bénissons de la maison de Yahvé.
[27] Yahvé est Dieu, il nous illumine.
Lv 23 40 Ne 8 15 2 M 10 7
Serrez vos cortèges, rameaux en main,
jusqu'aux cornes de l'autel [f].

[28] C'est toi mon Dieu, je te rends grâce,
mon Dieu, je t'exalte;
je te rends grâce, car tu m'as exaucé,
tu fus pour moi le salut.

[29] Rendez grâce à Yahvé, car il est bon,
car éternel est son amour!

*a)* « ont flambé » grec; « se sont éteints » hébr. – Le dernier stique doit être un doublet.
*b)* « On m'a poussé » versions; « Tu m'as poussé » hébr.
*c)* Le Temple est rebâti, cf. Ag 1 9; Za 1 16. La « pierre d'angle » (ou « pierre de faîte »), cf. Jr 51 26, qui peut devenir une « pierre d'achoppement », est un thème messianique, Is 8 14; **28** 16; Za **3** 9; **4** 7; **8** 6, et désignera le Christ, Mt **21** 42p; Ac **4** 11; Rm **9** 33; 1 P **2** 4s; cf. Ep **2** 20; 1 Co **3** 11.
*d)* Dans la tradition chrétienne, ce v. est appliqué au jour de la résurrection du Christ et utilisé dans la liturgie pascale.
*e)* A l'acclamation rituelle du v. 25 (en hébr. *hoshi'ah na'*, « donne le salut », d'où Hosanna), les prêtres répondaient par cette bénédiction qui fut reprise par la foule au jour des Rameaux. Elle est entrée dans le *Sanctus* de la messe romaine.
*f)* « Serrez... », litt. « Engagez la cérémonie avec des rameaux ». Rite des *lulab*, thyrses ou palmes qu'on agitait autour de l'autel.

# *PSAUME* 119 (118)

Ps **1**
Ps **19** 8-15

## Éloge de la loi divine [a].

*Aleph.*

[1] Heureux, impeccables en leur voie, Ps **1** 1; **112** 1
ceux qui marchent dans la loi de Yahvé! Mt **5** 3s
[2] Heureux, gardant son témoignage,
ceux qui le cherchent de tout cœur, Dt **4** 29 2 Ch **31** 21
[3] et qui, sans commettre de mal,
marchent dans ses voies!
[4] Toi, tu promulgues tes préceptes,
à observer entièrement.
[5] Puissent mes voies se fixer
à observer tes volontés.
[6] Alors je n'aurai nulle honte
en revoyant tous tes commandements.
[7] Je te rendrai grâce en droiture de cœur,
instruit de tes justes jugements.
[8] Tes volontés, je les veux observer,
ne me délaisse pas entièrement.

*Bèt.*

[9] Comment, jeune, garder pur son chemin?
A observer ta parole.
[10] De tout mon cœur c'est toi que je cherche,
ne m'écarte pas de tes commandements.
[11] Dans mon cœur j'ai conservé tes promesses
pour ne point faillir envers toi.
[12] Béni que tu es, Yahvé,
apprends-moi tes volontés! Ps **25** 4; **143** 10
[13] De mes lèvres je les ai tous énumérés,
les jugements de ta bouche.
[14] Dans la voie de ton témoignage j'ai ma joie
plus qu'en toute richesse.
[15] Sur tes préceptes je veux méditer
et regarder à tes chemins.
[16] Je trouve en tes volontés mes délices,
je n'oublie pas ta parole.

*Gimel.*

[17] Sois bon pour ton serviteur et je vivrai [b],
j'observerai ta parole.
[18] Ouvre mes yeux : je regarderai
aux merveilles de ta loi.
[19] Étranger que je suis sur la terre, Ps **39** 13+
ne me cache pas tes commandements.
[20] Mon âme se consume à désirer
en tout temps tes jugements.

*a)* Ps « alphabétique ». Les huit vers de chaque strophe commencent par l'une des 22 lettres de l'alphabet hébreu, et contiennent chacun, sauf une seule exception, v. 122, l'un des termes qui désignent la Loi : témoignage, précepte, volonté, commandement, promesse, parole, jugement, voie. Le mot loi et ses synonymes sont à prendre ici dans le sens le plus large d'enseignement révélé, tel que l'ont transmis les prophètes. On a dans ce Ps l'un des monuments les plus caractéristiques de la piété israélite envers la Révélation divine.

*b)* La « vie » dans ce Ps s'entend au sens plénier : bonheur, sécurité, épanouissement. Thème fréquent chez Ézéchiel : **3** 21; **18** 33. Cf. Dt **4** 1; Ps **133** 3, etc.

[21] Tu t'en prends aux superbes [a], aux maudits,
qui sortent de tes commandements.
[22] Décharge-moi [b] de l'insulte et du mépris,
car je garde ton témoignage.
[23] Que des princes tiennent séance et parlent contre moi,
ton serviteur médite tes volontés.
[24] Ton témoignage, voilà mes délices,
tes volontés [c], mes conseillers.

= Ps **44** 26 *Dalèt.*

[25] Mon âme est collée à la poussière,
vivifie-moi selon ta parole.
[26] J'énumère mes voies, tu me réponds,
apprends-moi tes volontés.
[27] Fais-moi comprendre la voie de tes préceptes,
je méditerai sur tes merveilles.
[28] Mon âme se fond de chagrin,
relève-moi selon ta parole.
[29] Détourne-moi de la voie de mensonge,
fais-moi la grâce de ta loi.
[30] J'ai choisi la voie de vérité,
je me conforme à tes jugements.
[31] J'adhère à ton témoignage,
Yahvé, ne me déçois pas.
[32] Je cours sur la voie de tes commandements,
car tu as mis mon cœur au large.

*Hé.*

[33] Enseigne-moi, Yahvé, la voie de tes volontés,
Ps **19** 12 je la veux garder en récompense [d].
[34] Fais-moi comprendre [e] et que je garde ta loi,
que je l'observe de tout cœur.
[35] Guide-moi au chemin de tes commandements,
car j'ai là mon plaisir.
[36] Infléchis mon cœur vers ton témoignage,
et non point vers le gain.
[37] Libère mes yeux des images de rien,
vivifie-moi par ta parole [f].
[38] Tiens ta promesse à ton serviteur,
afin qu'on te craigne.
[39] Libère-moi de l'insulte qui m'épouvante,
tes jugements sont les bienvenus.
[40] Voici, j'ai désiré tes préceptes,
vivifie-moi par ta justice.

*Vav.*

[41] Que me vienne ton amour, Yahvé,
ton salut selon ta promesse!
[42] Que je riposte à l'insulte par la parole,
car je compte sur ta parole.
[43] N'ôte pas de ma bouche la parole de vérité [g],
car j'espère en tes jugements.

*a)* Les grands ennemis de Dieu, vv. 51, 69, 78, 85, 122; Ps **19** 14; **86** 14; Is **13** 11; Ml **3** 19.
*b)* Litt. « roule loin de moi ».
*c)* « tes volontés » grec; omis par hébr.
*d)* La fidélité aux commandements est déjà la joie et la récompense du juste.
*e)* Ou : « donne-moi l'intelligence ». Ce souhait, souvent répété ici, est aussi souvent exprimé par les sages.
*f)* « par ta parole » mss, Targ.; « dans ta voie » TM.
*g)* Hébr. ajoute « beaucoup », à reporter au v. 47, cf. grec, syr.

[44] J'observerai ta loi sans relâche
pour toujours et à jamais.
[45] Je serai au large en ma démarche,
car je cherche tes préceptes [a]. Esd 7 10
[46] Devant les rois je parlerai de ton témoignage,
et n'aurai nulle honte.
[47] Tes commandements ont fait mes délices,
je les ai beaucoup aimés.
[48] Je tends les mains vers tes commandements que j'aime,
tes volontés, je les médite.

*Zaïn.*

[49] Rappelle-toi ta parole à ton serviteur,
dont tu fis mon espoir.
[50] Voici ma consolation dans ma misère :
ta promesse me vivifie.
[51] Les superbes m'ont bafoué à plaisir,
sur ta loi je n'ai pas fléchi.
[52] Je me rappelle tes jugements d'autrefois,
Yahvé, et je me console.
[53] La fureur me prend devant les impies,
qui délaissent ta loi.
[54] Cantiques pour moi, que tes volontés,
en ma demeure d'étranger.
[55] Je me rappelle dans la nuit ton nom, Yahvé,
et j'observe ta loi.
[56] Voici qui est pour moi :
garder tes préceptes.

*Hèt.*

[57] Ma part, ai-je dit, Yahvé,
c'est d'observer tes paroles.
[58] De tout cœur, je veux attendrir ta face,
pitié pour moi selon ta promesse!
[59] Je fais réflexion sur mes voies
et je reviens à ton témoignage.
[60] Je me hâte et je ne retarde
d'observer tes commandements.
[61] Les filets des impies m'environnent,
je n'oublie pas ta loi.
[62] Je me lève à minuit, te rendant grâce
pour tes justes jugements,
[63] allié que je suis de tous ceux qui te craignent
et observent tes préceptes.
[64] De ton amour, Yahvé, la terre est pleine, = Ps **33** 5
apprends-moi tes volontés.

*Tèt.*

[65] Tu as fait du bien à ton serviteur,
Yahvé, selon ta parole.
[66] Apprends-moi le bon sens et le savoir,
car j'ai foi dans tes commandements.
[67] Avant d'être affligé je m'égarais,
maintenant j'observe ta promesse.

*a)* Le fidèle veut à la fois comprendre la Loi et en faire une règle de vie. Cette étude est à l'origine de la littérature « midrashique » (terme qui vient de *darash*, « chercher »).

[68] Toi, le bon, le bienfaisant,
apprends-moi tes volontés.
[69] Les superbes m'engluent de mensonge,
moi de tout cœur je garde tes préceptes.
Ps 17 10; 73 7 [70] Leur cœur est épais comme la graisse,
moi, ta loi fait mes délices.
[71] Un bien pour moi, que d'être affligé
afin d'apprendre tes volontés.
[72] Un bien pour moi, que la loi de ta bouche,
plus que millions d'or et d'argent.

Dt 32 6 Jb 10 8 *Yod.* [73] Tes mains m'ont fait et fixé,
fais-moi comprendre, j'apprendrai tes commandements.
[74] Qui te craint me voit avec joie,
Ps 130 5 car j'espère en ta parole.
[75] Je sais, Yahvé, qu'ils sont justes, tes jugements,
que tu m'affliges avec vérité.
[76] Que ton amour me soit consolation,
selon ta promesse à ton serviteur!
[77] Que m'advienne ta tendresse et je vivrai,
car ta loi fait mes délices.
[78] Honte aux superbes qui m'accablent de mensonge!
moi, je médite tes préceptes.
[79] Que se tournent vers moi ceux qui te craignent
et qui savent ton témoignage!
[80] Que mon cœur soit impeccable en tes volontés :
pas de honte alors pour moi.

*Kaph.* [81] Jusqu'au bout mon âme ira pour ton salut,
j'espère en ta parole.
[82] Jusqu'au bout mes yeux pour ta promesse [a],
quand m'auras-tu consolé?
Jb 30 30 Ps 35 14 [83] Rendu pareil à une outre qu'on enfume,
je n'oublie pas tes volontés.
[84] Combien seront les jours de ton serviteur,
quand jugeras-tu mes persécuteurs?
[85] Des superbes me creusent des fosses
à l'encontre de ta loi.
[86] Vérité, tous tes commandements : aide-moi.
quand le mensonge me persécute.
[87] On viendrait à bout de moi sur terre,
sans que je laisse tes préceptes.
[88] Selon ton amour vivifie-moi,
je garderai le témoignage de ta bouche.

Ps 19 10 Pr 8 22s Is 40 8 *Lamed.* [89] A jamais, Yahvé, ta parole,
immuable aux cieux;
[90] d'âge en âge, ta vérité;
tu fixas la terre, elle subsiste;
[91] par tes jugements tout subsiste à ce jour,
car toute chose est ta servante.

*a)* Hébr. ajoute « en disant » (dittographie du début du mot précédent). – « jusqu'au bout », litt. : « mon âme se détruira... mes yeux se détruiront... »

[92] Si ta loi n'eût fait mes délices,
je périssais dans la misère.
[93] Jamais je n'oublierai tes préceptes,
par eux tu me vivifies.
[94] Je suis tien, sauve-moi,
je cherche tes préceptes.
[95] Que les impies me guettent pour ma perte,
je comprends ton témoignage.
[96] De toute perfection j'ai vu le bout :
combien large, ton commandement!

*Mem.*

[97] Que j'aime ta loi!
tout le jour, je la médite.
[98] Plus que mes ennemis tu me rends sage
par ton commandement, toujours mien.
[99] Plus que tous mes maîtres j'ai la finesse,
ton témoignage, je le médite.
[100] Plus que les anciens, j'ai l'intelligence, Jb **32** 6s
tous tes préceptes, je les garde. Sg **4** 8-9
[101] A tout chemin de mal je soustrais mes pas,
pour observer ta parole.
[102] De tes jugements je ne me détourne point,
car c'est toi qui m'enseignes.
[103] Qu'elle est douce à mon palais ta promesse, Ps **19** 11
plus que le miel à ma bouche! Jr **15** 16
[104] Par tes préceptes j'ai l'intelligence
et je hais tout chemin de mensonge.

*Nun.*

[105] Une lampe sur mes pas, ta parole, Ps **18** 29
une lumière sur ma route. Pr **6** 23
[106] J'ai juré d'observer, et je tiendrai,
tes justes jugements.
[107] Je suis au fond de la misère, Yahvé,
vivifie-moi selon ta parole.
[108] Agrée l'offrande de ma bouche, Yahvé, Ps **50** 14, 23
apprends-moi tes jugements. He **13** 15
[109] Mon âme à tout moment entre mes mains [a],
je n'oublie pas ta loi.
[110] Que les impies me tendent un piège,
je ne dévie pas de tes préceptes.
[111] Ton témoignage est à jamais mon héritage,
il est la joie de mon cœur.
[112] J'infléchis mon cœur à faire tes volontés,
récompense pour toujours.

*Samek.*

[113] Je hais les cœurs partagés
et j'aime ta loi.
[114] Toi mon abri, mon bouclier,
j'espère en ta parole.
[115] Détournez-vous de moi, méchants, = Ps **6** 9
je veux garder les commandements de mon Dieu.
[116] Sois mon soutien selon ta promesse et je vivrai,
ne fais pas honte à mon attente.

*a)* C'est-à-dire : je suis prêt à risquer ma vie à tout instant.

117 Sois mon appui et je serai sauvé,
mes yeux sur tes volontés sans relâche.
118 Tu renverses tous ceux qui sortent de tes volontés,
mensonge est leur calcul.
Ez **22** 18-22
119 Tu considères [a] comme une rouille tous les impies de la terre,
aussi j'aime ton témoignage.
Jb **4** 14-15
Ps **88** 17
120 De ton effroi tremble ma chair,
sous tes jugements je crains.

*Aïn.*
121 Mon action fut jugement et justice,
ne me livre pas à mes bourreaux.
122 A ton serviteur sois allié pour le bien,
que les superbes ne me torturent.
123 Jusqu'au bout vont mes yeux pour ton salut,
pour ta promesse de justice.
124 Agis avec ton serviteur selon ton amour,
apprends-moi tes volontés.
125 Je suis ton serviteur, fais-moi comprendre,
et je saurai ton témoignage.
126 Il est temps d'agir, Yahvé [b] :
on a violé ta loi.
127 Aussi j'aime tes commandements,
plus que l'or et que l'or fin.
128 Aussi je me règle sur tous tes préceptes [c]
et je hais tout chemin de mensonge.

*Phé.*
129 Merveille que ton témoignage;
aussi mon âme le garde.
Ps **73** 17
130 Ta parole en se découvrant illumine,
et les simples comprennent.
131 J'ouvre large ma bouche et j'aspire,
avide de tes commandements.
= Ps **25** 16
132 Regarde vers moi, pitié pour moi,
Ps **5** 12; **91** 14
c'est justice pour les amants de ton nom.
133 Fixe mes pas dans ta promesse,
que ne triomphe de moi le mal.
134 Rachète-moi de la torture de l'homme,
j'observerai tes préceptes.
Ps **4** 7+
135 Pour ton serviteur illumine ta face,
apprends-moi tes volontés.
Ez **9** 4
Esd **9** 3s
136 Mes yeux ruissellent de larmes,
car on n'observe pas ta loi.

*Çadé.*
137 O juste que tu es, Yahvé!
Droiture que tes jugements.
138 Tu imposes comme justice ton témoignage,
comme entière vérité.
= Ps **69** 10
139 Mon zèle [d] me consume,
car mes oppresseurs oublient ta parole.
140 Ta promesse est éprouvée entièrement,
ton serviteur la chérit.

*a)* « Tu considères » 3 mss, Vulg., Aquila et Symmaque; « Tu fais cesser » TM.
*b)* « Yahvé » 1 ms, Jérôme; « pour Yahvé » TM.
*c)* Avec grec et Jérôme; hébr. corrompu, litt. : « Je déclare droits tous les préceptes de tout ».
*d)* Le grec lit « Ton zèle » ou « Le zèle de ta maison », cf. Ps **69** 10.

[141] Chétif que je suis et méprisé,
je n'oublie pas tes préceptes.
[142] Justice éternelle que ta justice,
vérité que ta loi.
[143] Angoisse, oppression m'ont saisi,
tes commandements font mes délices.
[144] Justice éternelle que ton témoignage,
fais-moi comprendre et je vivrai.

*Qoph.*

[145] J'appelle de tout cœur, réponds-moi, Yahvé,
jc garderai tes volontés.
[146] Je t'appelle, sauve-moi,
j'observerai ton témoignage.
[147] Je devance l'aurore et j'implore,
j'espère en ta parole.
[148] Mes yeux devancent les veilles Ps 63 7;
pour méditer sur ta promesse. 77 5
[149] En ton amour écoute ma voix, Yahvé,
en tes jugements vivifie-moi.
[150] Ils s'approchent de l'infamie, mes persécuteurs [a],
ils s'éloignent de ta loi.
[151] Tu es proche, toi, Yahvé,
vérité que tous tes commandements.
[152] Dès longtemps, j'ai su de ton témoignage
qu'à jamais tu l'as fondé.

*Resh.*

[153] Vois ma misère, délivre-moi,
car je n'oublie pas ta loi.
[154] Plaide ma cause, défends-moi, Ps 43 1
en ta promesse vivifie-moi.
[155] Il est loin des impies, le salut,
ils ne recherchent pas tes volontés.
[156] Nombreuses tes tendresses, Yahvé,
en tes jugements vivifie-moi.
[157] Nombreux mes persécuteurs, mes oppresseurs,
je n'ai pas fléchi sur ton témoignage.
[158] J'ai vu les renégats, ils m'écœurent,
ils n'observent pas ta promesse.
[159] Vois si j'aime tes préceptes, Yahvé,
en ton amour vivifie-moi.
[160] Vérité, le principe de ta parole!
pour l'éternité, tes justes jugements.

*Shin.*

[161] Des princes me persécutent sans raison,
mon cœur redoute ta parole.
[162] Joie pour moi dans ta promesse,
comme à trouver grand butin.
[163] Le mensonge, je le hais, je l'exècre,
ta loi, je l'aime.
[164] Sept fois le jour, je te loue
pour tes justes jugements.
[165] Grande paix pour les amants de ta loi, Ps 37 11;
pour eux rien n'est scandale. 72 7

*a)* Litt. « ceux qui me poursuivent », 12 mss et versions; « ceux qui poursuivent (l'infamie) » TM.

166 J'attends ton salut, Yahvé,
tes commandements, je les suis.
167 Mon âme observe ton témoignage,
je l'aime entièrement.
Pr **5** 21 — 168 J'observe tes préceptes, ton témoignage,
toutes mes voies sont devant toi.

*Tav* — 169 Que mon cri soit proche de ta face, Yahvé,
par ta parole fais-moi comprendre.
Ps **79** 11; **88** 3 — 170 Que ma prière arrive devant ta face,
par ta promesse délivre-moi.
171 Que mes lèvres publient ta louange,
car tu m'apprends tes volontés.
172 Que ma langue redise ta promesse,
car tous tes commandements sont justice.
173 Que ta main me soit en aide,
car j'ai choisi tes préceptes.
174 J'ai désir de ton salut, Yahvé,
ta loi fait mes délices.
Ps **22** 27; **69** 33 Is **38** 19; **55** 3 — 175 Que vive mon âme à te louer,
tes jugements me soient en aide!
Is **53** 6 Jr **50** 6 Ez **34** 1+ Lc **15** 4-7 — 176 Je m'égare, brebis perdue [a] :
viens chercher ton serviteur.

Non, je n'ai pas oublié tes commandements.

## *PSAUME* 120 (119)

### Les ennemis de la paix [b].

1 *Cantique des montées.*

Vers Yahvé, quand l'angoisse me prend,
je crie, il me répond.
Ps **12** 3-5; **52** 4, 6 — 2 Yahvé, délivre-moi des lèvres fausses,
de la langue perfide!

3 Que va-t-il te donner, et quoi encore [c],
langue perfide?
4 Les flèches du batailleur, qu'on aiguise
à la braise des genêts.

5 Malheur à moi de vivre en Méshek [d],
d'habiter les tentes de Qédar!

6 Mon âme a trop vécu parmi des gens
qui haïssent la paix.
7 Moi, si je parle de paix,
Ps **140** 3 — eux sont pour la guerre.

*a)* Le thème prophétique des brebis égarées, Ez **34** 1+, est ici appliqué à l'individu.
*b)* Les « cantiques des montées » (Ps **120-134**) étaient sans doute chantés par les pèlerins sur la route de Jérusalem, cf. Ps **84** 7+; Is **30** 39. A l'exception du Ps **132**, ils sont formés de vers « élégiaques », aux stiques inégaux, et utilisent souvent le « rythme graduel » : les mêmes mots ou expressions sont repris en écho d'un vers à l'autre, cf. ici vv. 2-3, 5, 6 et 7.
*c)* C'est la formule habituelle du serment d'imprécation, cf. Rt **1** 17+; 1 S **3** 17; **14** 44; **20** 13; **25** 22.
*d)* Pays des Mosques, peuplade du Caucase, Gn **10** 2; Ez **27** 13, où régnera Gog, Ez **38** 2. Les Arabes de Qédar peuplaient le désert syrien. Le poète prend « Méshek » et « Qédar » comme synonymes de « Barbares ».

# *PSAUME* 121 (120)

**Le gardien d'Israël [a].**

[1] *Cantique pour les montées.*

Je lève les yeux vers les monts : Jr **3** 23
d'où viendra mon secours?
[2] Le secours me vient de Yahvé Os **13** 9
qui a fait le ciel et la terre. = Ps **124** 8

[3] Qu'il ne laisse broncher ton pied! 1 S **2** 9
qu'il ne dorme, ton gardien! Pr **3** 24, 26 Ps **66** 9;
[4] Vois, il ne dort ni ne sommeille, **91** 12
le gardien d'Israël. Dt **32** 10

[5] Yahvé est ton gardien, ton ombrage, Is **25** 4
Yahvé, à ta droite. Ps **16** 8; **73** 23
[6] De jour, le soleil ne te frappe, Is **25** 4 Is **49** 10
ni la lune en la nuit.

[7] Yahvé te garde de tout mal,
il garde ton âme. Ps **97** 10
[8] Yahvé te garde au départ, au retour, Gn **28** 15
dès lors et à jamais. Dt **28** 6 Tb **5** 17

# *PSAUME* 122 (121)

**Salut à Jérusalem [b].**

[1] *Cantique des montées. De David.*

J'étais joyeux que l'on me dise : Ps **42** 5, 7;
Allons à la maison de Yahvé! **43** 3; **84** 2-5
[2] Enfin nos pieds s'arrêtent
dans tes portes, Jérusalem!

[3] Jérusalem, bâtie comme une ville Ps **48** 13-14
où tout ensemble fait corps [c], ↗ Ep **2** 19-22
[4] là où montent les tribus, Dt **16** 16
les tribus de Yahvé,
est pour Israël une raison de rendre grâce [d]
au nom de Yahvé.
[5] Car ils sont là, les sièges du jugement, 1 R **7** 7
les sièges de la maison de David. Dt **17** 8 2 Ch **19** 8

*a)* Ce Ps, qui rappelle aux fidèles que Dieu les garde, convenait aux pèlerins qui montaient à Jérusalem par des routes pénibles. Il convient aussi bien au chrétien en route vers la Jérusalem céleste.

*b)* Arrêtés aux portes de la ville sainte, les pèlerins lui adressent leur salut : *Shalôm* (« Paix »), en jouant sur l'étymologie populaire de Jérusalem, « cité de paix », cf. Ps **76** 3. La paix souhaitée faisait partie des espérances messianiques, cf. Is **11** 6+; Os **2** 20+. L'amour pour la sainte Sion, 2 S **5** 9+, est un trait de la piété juive, cf. Ps **48**; **84**; **87**; **133**; **137**.

*c)* Jérusalem, solidement restaurée, cf. Ne **2** 17s, est le symbole de l'unité du peuple élu (versions : « où la communauté est une »), et la figure de l'unité de l'Église.

*d)* Litt. « témoignage pour Israël, pour qu'il rende grâce » : la ville sainte est le signe visible des bienfaits divins, le gage des promesses messianiques.

6 Appelez la paix sur Jérusalem :
que reposent tes tentes [a]!
Ps 48 13 Ct 4 4 — 7 Advienne la paix dans tes murs :
repos en tes palais!

8 Pour l'amour de mes frères, de mes amis,
laisse-moi dire : paix sur toi!
Ps 26 8 Tb 13 14 — 9 Pour l'amour de la maison de Yahvé notre Dieu,
je prie pour ton bonheur!

## *PSAUME* 123 (122)

### Prière des malchanceux [b].

1 *Cantique des montées.*

Vers toi j'ai les yeux levés,
qui te tiens au ciel;
2 les voici comme les yeux des serviteurs
vers la main de leur maître.

Comme les yeux de la servante
vers la main de sa maîtresse,
Ps 25 15; 69 4; 119 82; 141 8 — ainsi nos yeux vers Yahvé notre Dieu,
tant qu'il nous prenne en pitié.

3 Pitié pour nous, Yahvé, pitié pour nous,
Ne 3 36 — trop de mépris nous rassasie;
Ps 44 14s — 4 notre âme est par trop rassasiée
Jb 12 5 Za 1 15 — des sarcasmes des satisfaits!

(Le mépris est pour les orgueilleux [c]!)

## *PSAUME* 124 (123)

### Le sauveur d'Israël [d].

1 *Cantique des montées. De David.*

Sans Yahvé qui était pour nous
= Ps 129 1 — – à Israël de le dire [e] –
Ps 118 2s — 2 sans Yahvé qui était pour nous
quand on sauta sur nous,
Pr 1 12 — 3 alors ils nous avalaient tout vifs
dans le feu de leur colère.

Ps 18 5+ — 4 Alors les eaux nous submergeaient,
le torrent passait sur nous,

*a)* « tes tentes » *'ohalayk* 1 ms; « ceux qui t'aiment » *'ohabayk* hébr.
*b)* Ce Ps date sans doute des temps qui suivirent le retour de l'Exil ou de l'époque de Néhémie, quand la communauté renaissante était en butte au mépris et aux attaques des païens, cf. Ne **2** 19; **3** 36.
*c)* Addition d'époque maccabéenne, peut-être sous la persécution d'Antiochus Épiphane. Le texte en est obscur. Qeré : « le mépris est pour les orgueilleux Grecs »; mais dans le texte consonantique et les versions, le mot « grec » a été rattaché au mot précédent (donnant une forme possible du mot « orgueilleux »), pour camoufler l'allusion xénophobe.
*d)* Action de grâces pour les épreuves surmontées, décrites sous les images traditionnelles : fauves, inondations, pièges.
*e)* La foule est invitée à répéter la première phrase sous forme d'antienne.

5 alors il passait sur notre âme
en eaux écumantes.

6 Béni Yahvé qui n'a point fait de nous
la proie de leurs dents!
7 Notre âme comme un oiseau s'est échappée Pr 6 5
du filet de l'oiseleur.

Le filet s'est rompu
et nous avons échappé;
8 notre secours est dans le nom de Yahvé = Ps 121 2
qui a fait le ciel et la terre.

## *PSAUME* 125 (124)

### Dieu protège les siens.

1 *Cantique des montées.*

Qui s'appuie sur Yahvé ressemble au mont Sion :
rien ne l'ébranle, il est stable pour toujours. Pr 10 25
2 Jérusalem! les montagnes l'entourent,
ainsi Yahvé entoure son peuple Dt 32 10
dès maintenant et pour toujours. Mt 28 20

3 Jamais un sceptre impie ne tombera
sur la part des justes,
de peur que ne tende au crime Ps 119 134
la main des justes.

4 Fais du bien, Yahvé, aux gens de bien, Ps 18 26s
qui ont au cœur la droiture. Ex 21 25+
5 Mais les tortueux, les dévoyés, qu'il les repousse, Pr 3 32
Yahvé, avec les malfaisants! Ps 92 10

Paix sur Israël! = Ps 128 6 Ga 6 16

## *PSAUME* 126 (125)

### Chant du retour [a].

1 *Cantique des montées.*

Quand Yahvé ramena les captifs de Sion,
nous étions comme en rêve;
2 alors notre bouche s'emplit de rire || Jb 8 21
et nos lèvres de chansons.

Alors on disait chez les païens : Merveilles Ez 36 36
que fit pour eux Yahvé!

*a)* Pour les rapatriés, aux prises avec les difficultés de la restauration, cf. Ne **5**, etc., le retour de l'exil de Babylone préfigure l'avènement de l'ère messianique.

Lc **1** 49 — 3 Merveilles que fit pour nous Yahvé,
nous étions dans la joie.

4 Ramène, Yahvé, nos captifs
comme torrents au Négeb [a]!
Is **25** 8-9; Ba **4** 23; Ap **21** 4 — 5 Ceux qui sèment dans les larmes
moissonnent en chantant.

Jr **31** 9 — 6 Il s'en va, il s'en va en pleurant,
il porte la semence;
Is **65** 19; Jn **12** 24; **16** 20 — il s'en vient, il s'en vient en chantant,
il rapporte ses gerbes.

## *PSAUME* 127 (126)

**L'abandon à la Providence [b].**

1 *Cantique des montées. De Salomon.*

Dt **8** 11-18; Pr **3** 5-6; **10** 22; Mt **6** 25-34; Jn **15** 5 — Si Yahvé ne bâtit la maison,
en vain peinent les bâtisseurs;
si Yahvé ne garde la ville,
en vain la garde veille.

2 Vanité de vous lever matin,
de retarder votre coucher,
Mt **6** 11p — mangeant le pain des douleurs,
Pr **3** 24-26; Qo **2** 24+ — quand Lui comble son bien-aimé qui dort [c].

Dt **28** 11; Pr **17** 6; Ps **12** 8 — 3 C'est l'héritage de Yahvé que des fils,
récompense, que le fruit des entrailles;
4 comme flèches en la main du héros,
ainsi les fils de la jeunesse.

5 Heureux l'homme, celui-là
qui en a rempli son carquois;
point de honte pour eux, quand ils débattent
Jb **29** 5, 7s; Pr **31** 23 — à la porte [d], avec leurs ennemis.

*a)* Presque toujours à sec, cf. Jb **6** 15, ils se remplissent brusquement en hiver et fertilisent la terre.
*b)* Le labeur de l'homme est voué à l'échec si Dieu ne le féconde; pain quotidien et descendance sont des dons de Dieu.
*c)* « qui dort », litt. « dans le sommeil », mot araméen peut-être ajouté; les versions ont lu : « quand il comble de sommeil ses bien-aimés ». – Le titre hébreu a vu dans le « bien-aimé » Salomon, cf. 2 S **12** 25, et peut-être dans le « sommeil » le songe de Gabaôn, 1 R **3** 5.
*d)* Là où se traitent les affaires, cf. Dt **21** 19; **22** 15; Rt **4** 1, etc.

# *PSAUME* 128 (127)

**Bénédiction sur le fidèle [a].**

1 *Cantique des montées.*

Heureux tous ceux qui craignent Yahvé Ps 112 1
et marchent dans ses voies! Ps 37 3-5

2 Du labeur de tes mains tu te nourriras, Ps 112 3
heur et bonheur pour toi!
3 Ton épouse : une vigne fructueuse Pr 31
au fort de ta maison.
Tes fils : des plants d'olivier Ps 144 12
à l'entour de la table. Jb 29 5

4 Voilà de quels biens sera béni
l'homme qui craint Yahvé.
5 Que Yahvé te bénisse de Sion! = Ps 134 3
Puisses-tu voir Jérusalem dans le bonheur Ps 20 3
tous les jours de ta vie, Ps 122 9
6 et voir les fils de tes fils! Gn 50 23 Jb 42 16 Pr 17 6

Paix sur Israël! = Ps 125 5 Ga 6 16

# *PSAUME* 129 (128)

**Contre les ennemis de Sion.**

1 *Cantique des montées.*

Tant ils m'ont traqué dès ma jeunesse [b],
– à Israël de le dire – = Ps 124 1
2 tant ils m'ont traqué dès ma jeunesse, Ps 118 13
ils n'ont pas eu le dessus. Jn 16 33

3 Sur mon dos ont labouré les laboureurs, Is 51 23
allongeant leurs sillons;
4 Yahvé le juste a brisé
les liens des impies.

5 Qu'ils soient tous confondus, repoussés,
les ennemis de Sion;
6 qu'ils soient comme l'herbe des toits Is 37 27
qui sèche avant qu'on l'arrache [c] !

7 Le moissonneur n'en remplit pas sa main,
ni le lieur, son giron;
8 et point ne diront les passants :
Bénédiction de Yahvé sur vous! Rt 2 4

Nous vous bénissons au nom de Yahvé. = Ps 118 26

*a)* Ce Ps célèbre le bonheur domestique que Dieu accorde au juste, selon la doctrine des sages sur la rétribution temporelle.
*b)* Le temps du séjour en Égypte et de l'entrée en Canaan.

*c)* Trad. incertaine. « avant » est un hapax. On propose parfois de corriger d'après Targ., syr. et Is **37** 27 (IQIs[a]) pour comprendre : « que roussit le vent d'est ».

# *PSAUME* 130 (129)

### De profundis [a].

1 *Cantique des montées.*

Ps **18** 5; **69** 3 · Jon **2** 3 · Lm **3** 55 · Ps **5** 2-3; **55** 2-3 · 2 Ch **6** 40; **7** 15 · Ne **1** 6s

Des profondeurs je crie vers toi, Yahvé :
2 Seigneur, écoute mon appel.
Que ton oreille se fasse attentive
à l'appel de ma prière!

Jb **9** 2 · Na **1** 6 · Mi **7** 18 · Ex **34** 7 · 1 R **8** 39-40

3 Si tu retiens les fautes, Yahvé,
Seigneur, qui subsistera?
4 Mais le pardon est près de toi,
pour que demeure ta crainte [b].

Ps **56** 5; **119** 81 · Is **21** 11; **26** 9

5 J'espère, Yahvé, elle espère,
mon âme, en ta parole;
6 mon âme attend le Seigneur
plus que les veilleurs l'aurore;
plus que les veilleurs l'aurore,
7 qu'Israël attende Yahvé [c]!

Is **30** 18 · Ps **68** 21; **86** 15; **100** 5+; **103** 8+ · Mt **1** 21 · Ps **25** 22 · ↗ Tt **2** 14

Car près de Yahvé est la grâce,
près de lui, l'abondance du rachat;
8 c'est lui qui rachètera Israël
de toutes ses fautes.

# *PSAUME* 131 (130)

### L'esprit d'enfance [d].

1 *Cantique des montées. De David.*

Mi **6** 8 · Ps **139** 6 · Is **30** 15 · ↗ Mt **18** 3p · Os **11** 4 · Is **66** 12-13

Yahvé, je n'ai pas le cœur fier,
ni le regard hautain.
Je n'ai pas pris un chemin de grandeurs
ni de prodiges qui me dépassent.
2 Non, je tiens mon âme en paix et silence;
comme un petit enfant contre sa mère,
comme un petit enfant, telle est mon âme en moi.
3 Mets ton espoir, Israël, en Yahvé,
dès maintenant et à jamais!

*a)* Psaume de pénitence, cf. **6** 1, mais plus encore psaume d'espérance. La liturgie chrétienne des défunts en fait grand usage, non pas comme d'une lamentation mais comme de la prière où s'exprime la confiance dans le Dieu rédempteur.
*b)* « pour que demeure ta crainte », litt. « pour qu'on te craigne »; le grec a traduit « à cause de ta loi », relecture juridique.
*c)* Traduit d'après le grec. L'hébr. corrompu se traduirait litt. : « J'espère Yahvé, elle espère mon âme et en sa parole j'ai attendu. Mon âme pour le Seigneur plus que les veilleurs l'aurore, les veilleurs l'aurore. Qu'Israël attende Yahvé. »
*d)* L'âme en paix s'abandonne à Dieu sans inquiétude ni ambition. La même confiance filiale est demandée, v. 3, à tout le peuple de Dieu.

# *PSAUME* 132 (131)

**Pour l'anniversaire de la translation de l'arche [a].**

1 *Cantique des montées.*

Garde mémoire à David,
Yahvé, de tout son labeur,
2 du serment qu'il fit à Yahvé,
de son vœu au Puissant de Jacob : Gn **49** 24

3 « Point n'entrerai sous la tente, ma maison, 2 S **7** 1-2
point ne monterai sur le lit de mon repos, 1 Ch **28** 2
4 point ne donnerai de sommeil à mes yeux
et point de répit à mes paupières,
5 que je ne trouve un lieu pour Yahvé,
un séjour au Puissant de Jacob! »

6 Voici : on parle d'Elle [b] en Éphrata,
nous l'avons découverte aux Champs-du-bois [c]! 1 S **7** 1
7 Entrons au lieu où Il [d] séjourne, 2 S **6** 2
prosternons-nous devant son marchepied. = Ps **99** 5

8 Lève-toi, Yahvé, vers ton repos, Nb **10** 35
toi et l'arche de ta force. Ps **68** 2
9 Tes prêtres se vêtent de justice, || 2 Ch **6**
tes fidèles crient de joie. 41-42
10 A cause de David ton serviteur,
n'écarte pas la face de ton messie [e]. Ps **2** 2
Ex **30** 22+
1 S **9** 26+

11 Yahvé l'a juré à David, Ps **110** 4
vérité dont jamais il ne s'écarte :
« C'est le fruit sorti de tes entrailles 2 S **7** 1+
que je mettrai sur le trône fait pour toi. Ps **89** 20s

12 Si tes fils gardent mon alliance,
mon témoignage que je leur ai enseigné,
leurs fils eux-mêmes à tout jamais
siégeront sur le trône fait pour toi. »

13 Car Yahvé a fait choix de Sion, Ps **68** 17
il a désiré ce siège pour lui : 2 S **5** 9+
14 « C'est ici mon repos à tout jamais,
là je siégerai, car je l'ai désiré.

15 Sa nourriture, je la bénirai de bénédiction
ses pauvres, je les rassasierai de pain,
16 ses prêtres, je les vêtirai de salut || 2 Ch **6** 41
et ses fidèles jubileront de joie. Is **61** 10
Jr **31** 14

*a)* Psaume messianique, cf. surtout vv. 17-18. Les promesses faites par Dieu, 2 S **7** 1+, sont présentées comme la réponse divine à un serment prêté par David. Un processional, v. 6s, évoque l'invention et la translation de l'arche, 1 S **6** 13s; 2 S **6**.
*b)* L'arche.
*c)* Toponyme apparenté à Qiryat-Yéarim, « la ville des forêts », située comme Bethléem dans le district d'Éphrata.
*d)* Yahvé.
*e)* L'oint de Yahvé, descendant de David attendu par Israël. Il partagera le pouvoir avec les prêtres, cf. Ps **110** 3; Za **4** 14; **6** 13.

Ez **29** 21 Is **11** 1 Jr **33** 15 Za **3** 8 ↗ Lc **1** 69

17 Là, je susciterai une lignée [a] à David,
j'apprêterai une lampe [b] pour mon messie:
18 ses ennemis, je les vêtirai de honte,
mais sur lui fleurira son diadème [c]. »

## *PSAUME* 133 (132)

### La vie fraternelle [d].

1 *Cantique des montées. De David.*

Ps **87**

Voyez! Qu'il est bon, qu'il est doux
d'habiter [e] en frères tous ensemble!

Ex **30** 25, 30

2 C'est une huile excellente sur la tête,
qui descend sur la barbe,
qui descend sur la barbe d'Aaron [f],
sur le col de ses tuniques.

Os **14** 6; Dt **28** 8; **30** 20; Ps **36** 10

3 C'est la rosée de l'Hermon, qui descend
sur les hauteurs de Sion;
là, Yahvé a voulu la bénédiction,
la vie à jamais.

## *PSAUME* 134 (133)

### Pour la fête de nuit [g].

1 *Cantique des montées.*

= Ps **135** 1-2; 1 Ch **9** 33; **23** 30; Ps **28** 2; **63** 5; **141** 2

Allons! bénissez Yahvé,
tous les serviteurs de Yahvé,
officiant dans la maison de Yahvé,
dans les parvis de la maison de notre Dieu [h].
Dans les nuits 2 levez vos mains vers le sanctuaire,
et bénissez Yahvé.

= Ps **128** 5; Ps **118** 26; Nb **6** 24

3 Que Yahvé te bénisse de Sion,
lui qui fit le ciel et la terre [i]!

*a)* Litt. « je ferai germer une corne », cf. Ps **18** 3+.
*b)* Cf. 1 R **11** 36; **15** 4; 2 R **8** 19; 2 Ch **21** 7. Sur la lampe qui s'éteint, cf. Jb **18** 5; Jr **25** 10. Le Messie sera la lumière des nations, Is **42** 6; **49** 6; Lc **3** 32.
*c)* Insigne royal, cf. Ps **89** 40; 2 S **1** 10; 2 R **11** 12, mais aussi sacerdotal, Ex **28** 36; **39** 30 : le Messie davidique est à la fois prêtre et roi, cf. Ps **110** 4.
*d)* Il s'agit des liens fraternels qui unissent, dans le Temple et la Ville sainte, prêtres et lévites.
*e)* Ou « de s'asseoir », peut-être pour un repas de communion clôturant le pèlerinage de la fête des Tentes.
*f)* « qui descend sur la barbe » conj.; « la barbe qui descend » hébr.
*g)* Appel à la prière ou dialogue liturgique entre les ministres du Temple et les pèlerins, peut-être au cours d'une cérémonie nocturne inaugurant la fête des Tentes, Ex **23** 14+.
*h)* Avec grec et cf. Ps **135** 2; stique omis par hébr.
*i)* Cette bénédiction liturgique, cf. Nb **6** 23s, clôt le Psautier des « Montées », Ps **120** 1+.

# *PSAUME* 135 (134)

**Hymne de louange** [a].

1 Alleluia!

Louez le nom de Yahvé, = Ps **134** 1
louez, serviteurs de Yahvé, = Ps **113** 1
2 officiant dans la maison de Yahvé,
dans les parvis de la maison de notre Dieu.

3 Louez Yahvé, car il est bon, Yahvé,
jouez pour son nom, car il est doux. Ps **7** 18+
4 C'est Jacob que Yahvé s'est choisi, Ps **33** 12 Ex **19** 5
Israël dont il fit son apanage. Dt **7** 6+

5 Moi je sais qu'il est grand, Yahvé, || Ex **18** 11
que notre Seigneur surpasse tous les dieux. = Ps **95** 3
6 Tout ce qui plaît à Yahvé, = Ps **115** 3
il le fait, au ciel et sur terre,
dans les mers et tous les abîmes.

7 Faisant monter les nuages du bout de la terre, || Jr **10** 13 || Jr **51** 16
il produit avec les éclairs la pluie, Jb **28** 26; **37** 9
il tire le vent de ses trésors. Ps **148** 8

8 Il frappa les premiers-nés d'Égypte = Ps **136** 10
depuis l'homme jusqu'au bétail; Ex **12** 29
9 il envoya signes et prodiges Ps **78** 43
au milieu de toi, Égypte,
sur Pharaon et tous ses serviteurs.

10 Il frappa des païens en grand nombre, = Ps **136**
fit périr des rois valeureux, 17 22
11 Sihôn, roi des Amorites,
et Og, roi du Bashân,
et tous les royaumes de Canaan;
12 et il donna leur terre en héritage,
en héritage à Israël son peuple.

13 Yahvé, ton nom à jamais! Is **63** 12
Yahvé, ton souvenir d'âge en âge! Ps **102** 13 Ex **3** 15
14 Car Yahvé prononce pour son peuple, || Dt **32** 36
il s'émeut pour ses serviteurs.

15 Les idoles des païens, or et argent, Ps **115** 4-6
une œuvre de main d'homme!
16 elles ont une bouche et ne parlent pas,
elles ont des yeux et ne voient pas.

17 Elles ont des oreilles et n'entendent pas,
pas le moindre souffle en leur bouche.

*a)* Ce chant de louange est entièrement fait de réminiscences ou d'emprunts aux Ps ou à d'autres textes.

= Ps **115** 8 [18] Comme elles, seront ceux qui les firent,
quiconque met en elles sa foi.

Ps **115** 9-11 [19] Maison d'Israël, bénissez Yahvé,
maison d'Aaron, bénissez Yahvé,
[20] maison de Lévi, bénissez Yahvé.
ceux qui craignent Yahvé, bénissez Yahvé.

[21] Béni soit Yahvé depuis Sion,
lui qui habite Jérusalem [a]!

## *PSAUME* 136 (135)

### Grande litanie d'action de grâces [b].

Alleluia [c]!

[1] Rendez grâce à Yahvé, car il est bon,
car éternel est son amour!
Dt **10** 17 [2] Rendez grâce au Dieu des dieux,
car éternel est son amour!
[3] Rendez grâce au Seigneur des seigneurs,
car éternel est son amour!

= Ps **72** 18 Ex **15** 11 [4] Lui seul a fait des merveilles [d],
car éternel est son amour!
Pr **3** 19; **8** 27-29 [5] Il fit les cieux avec sagesse,
car éternel est son amour!
Ps **24** 2 [6] Il affermit la terre sur les eaux,
car éternel est son amour!

Gn **1** 16 [7] Il a fait les grands luminaires,
car éternel est son amour!
[8] Le soleil pour gouverner sur le jour,
car éternel est son amour!
[9] La lune et les étoiles pour gouverner sur la nuit,
car éternel est son amour!

= Ps **78** 51; **135** 8 [10] Il frappa l'Égypte en ses premiers-nés,
car éternel est son amour!
[11] Et de là fit sortir Israël,
car éternel est son amour!
Dt **4** 34 [12] A main forte et à bras étendu,
car éternel est son amour!

Ex **14** 21s [13] Il sépara en deux parts la mer des Joncs,
car éternel est son amour!
[14] Et fit passer Israël en son milieu,
car éternel est son amour!

*a)* Ancienne liturgique qui sert de finale à tout l'hymne.
*b)* Cette litanie, cf. Dn **3** 52-90, est appelée par les Juifs « le grand Hallel »; elle était récitée pour la Pâque après le « petit Hallel », Ps **113-118**.
*c)* « Alleluia » grec; rattaché par l'hébr. à la fin du Ps précédent.
*d)* Hébr. ajoute « grandes », redondance.

[15] Y culbutant Pharaon et son armée [a],
car éternel est son amour!

[16] Il mena son peuple au désert, Dt 8 2, 15
car éternel est son amour!
[17] Il frappa des rois puissants,
car éternel est son amour!
[18] Fit périr des rois redoutables,
car éternel est son amour!
[19] Sihôn, roi des Amorites, Dt 2 30s
car éternel est son amour!
[20] Et Og, roi du Bashân, Dt 3 1s
car éternel est son amour!
[21] Il donna leur terre en héritage, Ps 44 3
car éternel est son amour!
[22] En héritage à Israël son serviteur, Is 41 8; 44 21
car éternel est son amour!
[23] Il se souvint de nous dans notre abaissement, ↗ Lc 1 48
car éternel est son amour!
[24] Il nous sauva de la main des oppresseurs, Ps 106 43s ↗ Lc 1 71
car éternel est son amour!

[25] A toute chair il donne le pain, Ps 104 27; 145 15-16
car éternel est son amour!
[26] Rendez grâce au Dieu du ciel, Dn 2 18
car éternel est son amour!

# *PSAUME* 137 (136)

## Chant de l'exilé [b].

[1] Au bord des fleuves de Babylone Ez 3 15
nous étions assis et nous pleurions, Lm 3 48
nous souvenant de Sion;
[2] aux peupliers d'alentour
nous avions pendu nos harpes. Is 24 8 Jr 25 10 Lm 5 14
[3] Et c'est là qu'ils nous demandèrent,
nos geôliers, des cantiques,
nos ravisseurs [c], de la joie :
« Chantez-nous, disaient-ils,
un cantique de Sion. »

[4] Comment chanterions-nous
un cantique de Yahvé
sur une terre étrangère?
[5] Si je t'oublie, Jérusalem, Jr 51 50
que ma droite se dessèche [d]!

*a)* Hébr. répète « dans la mer des Joncs », doublet tiré du v. 13.
*b)* Ce Ps évoque le souvenir de la chute de Jérusalem en 587 et de l'exil de Babylone.
*c)* « nos ravisseurs » *sholelênû* Targ.; le mot hébreu *tolalênû* est inintelligible.
*d)* « se dessèche » *tikhash* conj.; « oublie » *tishkah* hébr. (qui doit avoir volontairement cherché à édulcorer cette malédiction).

[6] Que ma langue s'attache à mon palais
si je perds ton souvenir,
Ps **122** 1+ si je ne mets Jérusalem
au plus haut de ma joie!

[7] Souviens-toi, Yahvé,
Ez **25** 12-14+; **35** contre les fils d'Édom,
Ab 10-14 du Jour de Jérusalem [a],
Lm **4** 21-22 quand ils disaient : « A bas!
Rasez jusqu'aux assises! »

Is **47** 10 [8] Fille de Babel, qui dois périr,
Jr **50-51** heureux qui te revaudra
↗ Ap **18** 6 les maux que tu nous valus,
Is **14** 22
Os **14** 1 [9] heureux qui saisira et brisera
tes petits contre le roc!

# *PSAUME* 138 (137)

### Hymne d'action de grâces.

[1] *De David.*

= Ps **9** 2 Je te rends grâce, Yahvé, de tout mon cœur,
tu as entendu les paroles de ma bouche [b].
Je te chante en présence des anges [c],
= Ps **5** 8 [2] je me prosterne vers ton temple sacré.

Je rends grâce à ton nom pour ton amour et ta vérité;
ta promesse a même surpassé ton renom [d].
[3] Le jour où j'ai crié, tu m'exauças,
Is **40** 29 tu as accru [e] la force en mon âme.

Ps **68** 33 [4] Tous les rois de la terre te rendent grâce, Yahvé,
Ml **1** 11 car ils entendent les promesses de ta bouche;
[5] ils célèbrent les voies de Yahvé :
« Grande est la gloire de Yahvé!
Is **57** 15 [6] Sublime, Yahvé! et il voit les humbles
Lc **1** 51-52 et de loin connaît les superbes. »

[7] Si je marche au milieu des angoisses,
Ps **23** 5 tu me fais vivre, à la fureur de mes ennemis;
tu étends la main et ta droite me sauve.
Ps **57** 3 [8] Yahvé aura tout fait pour moi;
Ps **100** 5+ Yahvé, éternel est ton amour,
ne délaisse pas l'œuvre de tes mains.

*a)* Le 9e jour du 4e mois (juin-juillet 587), quand les Chaldéens percèrent les murs de Jérusalem, Jr **39** 2; **52** 7, ou le 10e jour du 5e mois, quand le Temple fut incendié, Jr **52** 13, cf. Za **7** 5; **8** 19. Les Édomites, Nb **20** 23+, firent alors cause commune avec les assiégeants. De nombreux oracles prophétiques appellent sur eux la vengeance de Yahvé, Is **34** 5s; Jr **49** 17; Jl **4** 19; Ml **1** 3s.

*b)* Grec; stique omis par hébr.

*c)* Au lieu de « anges » (grec, Vulg., cf. Ps **8** 6), on traduit parfois « dieux » (les idoles que brave le psalmiste); syr. traduit « rois », cf. Ps **45** 7, et le Targ. « juges », cf. Ps **58** 2.

*d)* Litt. « tu as fait grandir ta promesse par-dessus tout ton renom ». Texte incertain.

*e)* « tu as accru » syr.; « tu m'as troublé » hébr.

# *PSAUME* 139 (138)

**Hommage à Celui qui sait tout [a].**

1 *Du maître de chant. De David. Psaume.*

Yahvé, tu me sondes et me connais; Jr **12** 3
2 que je me lève ou m'assoie, tu le sais, 2 R **19** 27
tu perces de loin mes pensées: Jb **31** 4 Ps **44** 22
3 que je marche ou me couche, tu le sens, He **4** 13
mes chemins te sont tous familiers.

4 La parole n'est pas encore sur ma langue,
et voici, Yahvé, tu la sais tout entière;
5 derrière et devant tu m'enserres,
tu as mis sur moi ta main.
6 Merveille de science qui me dépasse,
hauteur où je ne puis atteindre.

7 Où irai-je loin de ton esprit, Am **9** 2-3
où fuirai-je loin de ta face? Jb **11** 8-9; **23** 8-9
8 Si j'escalade les cieux, tu es là, Jr **23** 23-24
qu'au shéol je me couche, te voici. Pr **15** 11

9 Je prends les ailes de l'aurore,
je me loge au plus loin de la mer,
10 même là, ta main me conduit,
ta droite me saisit.

11 Je dirai : « Que me presse la ténèbre,
que la nuit soit pour moi une ceinture [b] »;
12 même la ténèbre n'est point ténèbre devant toi Jb **12** 22; **34** 22
et la nuit comme le jour illumine [c]. Dn **2** 22

13 C'est toi qui m'as formé les reins, Jb **10** 8s
qui m'as tissé au ventre de ma mère;
14 je te rends grâce pour tant de prodiges :
merveille que je suis, merveille que tes œuvres.

Mon âme, tu la connaissais bien [d],
15 mes os n'étaient point cachés de toi,
quand je fus façonné dans le secret,
brodé au profond de la terre.

16 Mon embryon, tes yeux le voyaient;
sur ton livre, ils sont tous inscrits Ml **3** 16
les jours qui ont été fixés, Dn **7** 10
et chacun d'eux y figure [e]. Ps **69** 29; Ps **31** 16 Jb **14** 5

*a)* A cette méditation sur l'omniscience divine, comparer celle de Job, où s'exprime la crainte de l'homme sous le regard de Dieu, Jb **7** 17-20+.
*b)* « ceinture » *'ezor* 11QPs[a]; « lumière » *'or* TM.
*c)* Le texte ajoute une glose araméenne : « Comme la ténèbre, ainsi la lumière ».
*d)* « tu la connaissais » conj.; « connaissant » hébr.
*e)* « y figure » qeré de certains mss; « n'y figure pas » TM. – Texte difficile. Le Psalmiste médite sur l'omniscience divine : Dieu connaît l'homme et sa destinée avant même sa naissance, cf. Ps **22** 11; **71** 16, tandis que, pour l'homme, le mystère est impénétrable.

Jb **11** 7 — 17 Mais pour moi, que tes pensées sont difficiles,
Si **18** 5-7 / Rm **11** 33 — ô Dieu, que la somme en est imposante!
Ps **40** 6 — 18 Je les compte, il en est plus que sable;
ai-je fini [a], je suis encore avec toi.

19 Si tu voulais, ô Dieu, tuer l'impie!
Ps **119** 115 — Hommes de sang, allez-vous-en de moi!
20 Eux qui parlent de toi sournoisement,
Jb **21** 14 — qui tiennent pour rien tes pensées [b].

21 Yahvé, n'ai-je pas en haine qui te hait,
Ps **119** 158 — en dégoût, ceux qui se dressent contre toi?
22 Je les hais d'une haine parfaite,
Ps **5** 11+ — ce sont pour moi des ennemis.

Ps **17** 3; **26** 2 — 23 Sonde-moi, ô Dieu, connais mon cœur,
scrute-moi, connais mon souci;
24 vois que mon chemin ne soit fatal,
Ps **5** 9; **143** 10 — conduis-moi sur le chemin d'éternité.

## *PSAUME* 140 (139)

### Contre les méchants.

1 *Du maître de chant. Psaume. De David.*

2 Délivre-moi, Yahvé, des mauvaises gens,
contre l'homme de violence défends-moi,
3 ceux dont le cœur médite le mal,
qui tout le jour hébergent la guerre,
4 qui aiguisent leur langue ainsi qu'un serpent,
↗ Rm **3** 13 — un venin de vipère sous la lèvre. *Pause.*

5 Garde-moi, Yahvé, des mains de l'impie,
contre l'homme de violence défends-moi,
Jr **18** 22 — ceux qui méditent de me faire trébucher,
Ps **56** 7; **57** 7 — 6b qui tendent un filet sous mes pieds [c],
Si **12** 16 — 6a insolents qui m'ont caché une trappe et des lacets,
6c m'ont posé des pièges au passage. *Pause.*

Ps **31** 15 — 7 J'ai dit à Yahvé : C'est toi mon Dieu,
entends, Yahvé, le cri de ma prière.
8 Yahvé mon Seigneur, force de mon salut,
tu me couvres la tête au jour du combat.
9 Ne consens pas, Yahvé, aux désirs des impies,
ne fais pas réussir leurs complots.

Que sur moi les assiégeants ne dressent 10 leur tête [d], Pause.
que la malice de leurs lèvres les accable;

*a)* « ai-je fini » *haqiççôtî* 3 mss; « je m'éveille » *heqiçotî* TM.
*b)* « tes pensées » *re ʿêka* conj.; cf. vv. 2, 17; « tes villes » *ʿarêka* hébr. – Tout ce v. est incertain.
*c)* « sous mes pieds » grec; omis par hébr.
*d)* On suit le grec pour 9b-10a. L'hébr., mal coupé et mal vocalisé, est inintelligible; litt. : « (Ne fais pas réussir) son complot, ils se dressaient. Pause. 10 La tête de mes assiégeants... »

11 qu'il pleuve sur eux des charbons de feu [a], Gn **19** 24
que jetés à l'abîme ils ne se lèvent plus : Nb **16** 31s
12 que le calomniateur [b] ne tienne plus sur la terre, Ps **11** 6; **55** 24
que le mal pourchasse à mort le violent!

13 Je sais que Yahvé fera droit aux malheureux,
fera justice aux pauvres.
14 Oui, les justes rendront grâce à ton nom,
les saints vivront avec ta face. Ps **11** 7; **16** 11; **17** 15

## *PSAUME* 141 (140)

### Contre l'entraînement du mal.

1 *Psaume. De David.*

Yahvé, je t'appelle, accours vers moi,
écoute ma voix qui t'appelle;
2 que monte ma prière, en encens devant ta face, Lv **2** 2
les mains que j'élève, en offrande du soir [c]! Ex **30** 8 Nb **28** 4

3 Établis, Yahvé, une garde à ma bouche,
veille sur la porte de mes lèvres.
4 Retiens mon cœur de parler mal, de commettre l'impiété
en compagnie des malfaisants.

Non, je ne goûterai pas à leurs plaisirs!
5 Que le juste me frappe en ami et me corrige, Pr **9** 8;
que l'huile de l'impie jamais n'orne ma tête, **25** 12; **27** 6, 9
car je me compromettrais encore dans leurs méfaits [d].

6 Ils sont livrés à l'empire du Rocher, leur juge [e],
eux qui avaient pris plaisir à m'entendre dire :
7 « Comme une meule éclatée [f] par terre,
nos os sont dispersés à la bouche du shéol. »

8 Vers toi, Yahvé, mes yeux,
en toi je m'abrite, ne répands pas mon âme;
9 garde-moi d'être pris au piège qu'on me tend,
au traquenard des malfaisants.

10 Qu'ils tombent, les impies, chacun dans son filet,
tandis que moi, je passe.

*a)* « qu'il pleuve » *yamter* conj.; « que soient ébranlés » *yimmôtû* qeré, versions; « qu'on ébranle » *yamitû* ketib. – « de feu » grec; « dans le feu » hébr.
*b)* Litt. « l'homme de langue ».
*c)* Cette oblation quotidienne était de règle. Aux sacrifices, la piété juive assimile ainsi la prière, cf. Ps **51** 18. Voir aussi Ap **5** 8; **8** 4.
*d)* « l'impie » *rasha*ʿ grec, syr.; « excellent » *ro'sh* hébr. – « je me compromettrais » *hitlapattî* d'après 11QPs[a]; « ma prière » *tephilatî* hébr. – Le texte est très obscur. On comprend que le Psalmiste craint les avances des impies qui pourraient le séduire.
*e)* Yahvé, « Rocher d'Israël » : Ps **18** 3; **19** 15; **42** 10, etc. – « leur juge » est au pluriel en hébr.; c'est un pluriel de majesté comme en Ps **58** 12.
*f)* « une meule éclatée » *pelah yebûqqa*ʿ grec, syr.; « en creusant et fendant » *poleh ûboqeʿa* hébr.

# *PSAUME* 142 (141)

**Prière d'un persécuté [a].**

Ps **57** 1 — [1] *Poème. De David. Quand il était dans la caverne. Prière.*

[2] A Yahvé mon cri! J'implore.
A Yahvé mon cri! Je supplie.
[3] Je déverse devant lui ma plainte,
ma détresse, je la mets devant lui,
[4] alors que le souffle me manque;
Ps **139** 24 — mais toi, tu connais mon sentier.

Sur le chemin où je vais
Ps **141** 9 — ils m'ont caché un piège.
Ps **121** 5 — [5] Regarde à droite [b] et vois,
pas un qui me reconnaisse.
Le refuge se dérobe à moi,
pas un qui ait soin de mon âme.

[6] Je m'écrie vers toi, Yahvé,
Ps **91** 2, 9 — je dis : Toi, mon abri,
Ps **16** 5 — ma part dans la terre des vivants [c]!
[7] Sois attentif à ma clameur,
Ps **79** 8 — je suis à bout de force.

Délivre-moi de mes persécuteurs,
eux sont plus forts que moi!
Ps **88** 9 — [8] Fais sortir de prison mon âme,
Lm **3** 7 — que je rende grâce à ton nom!
Autour de moi les justes feront cercle [d],
à cause du bien que tu m'as fait.

# *PSAUME* 143 (142)

**Humble supplication.**

[1] *Psaume. De David [e].*

Yahvé, écoute ma prière,
prête l'oreille à mes supplications,
en ta fidélité réponds-moi, en ta justice;
Jb **9** 2; **14** 3-4; Qo **7** 20; ↗ Rm **3** 20 — [2] n'entre pas en jugement avec ton serviteur,
nul vivant n'est justifié devant toi [f].

Ps **7** 6 — [3] L'ennemi pourchasse mon âme,
contre terre il écrase ma vie:
|| Lm **3** 6 — il me fait habiter dans les ténèbres

*a)* Complainte individuelle qui sera appliquée au Christ souffrant.
*b)* La droite est la place du défenseur, cf. Ps **109** 31; Is **63** 12.
*c)* Ici-bas, cf. Ps **27** 13; **52** 7; comparer Ps **16** 5; **46** 2; **91** 2.
*d)* Grec et syr. traduisent : « les justes espèrent ». – Tous les amis de Dieu sont solidaires, ils s'associent à l'action de grâces du fidèle sauvé par Dieu, cf. Ps **64** 11; **107** 42.
*e)* Le grec précise : « quand son fils (Absalom) le poursuivait », cf. Ps **3** 1; 2 S **15** 13s.
*f)* Cf. Ps **51** 7; **130** 3. Saint Paul utilise ce passage assez librement, Rm **3** 20; Ga **2** 16.

comme ceux qui sont morts à jamais;
4 le souffle en moi s'éteint, Ps **142** 4 Jb **17** 1
mon cœur au fond de moi s'épouvante.

5 Je me souviens des jours d'autrefois, = Ps **77** 6, Ps **77** 12-13
je me redis toutes tes œuvres,
sur l'ouvrage de tes mains je médite;
6 je tends les mains vers toi,
mon âme est une terre assoiffée de toi. *Pause.* Ps **63** 2

7 Viens vite, réponds-moi, Yahvé,
je suis à bout de souffle;
ne cache pas loin de moi ta face, Ps **10** 1; **69** 18; **102** 3
je serais de ceux qui descendent à la fosse. Ps **28** 1; **88** 5

8 Fais que j'entende au matin ton amour, Ps **17** 15+
car je compte sur toi;
fais que je sache la route à suivre,
car vers toi j'élève mon âme. Ps **25** 1-2; **86** 4

9 Délivre-moi de mes ennemis, Yahvé,
près de toi je suis à couvert [a];
10 enseigne-moi à faire tes volontés, Ps **25** 4-5
car c'est toi mon Dieu;
que ton souffle bon me conduise
par une terre unie.

11 A cause de ton nom, Yahvé,
fais que je vive en ta justice;
tire mon âme de l'angoisse,
12 en ton amour anéantis mes ennemis; Ps **54** 7
détruis tous les oppresseurs de mon âme,
car moi je suis ton serviteur. Ps **116** 16

## *PSAUME* 144 (143)

### Hymne pour la guerre et la victoire [b].

1 *De David.*

Béni soit Yahvé mon rocher, = Ps **18** 47
qui instruit mes mains au combat = Ps **18** 35
et mes doigts pour la bataille,
2 mon amour et ma forteresse,
ma citadelle et mon libérateur, = Ps **18** 3
mon bouclier, en lui je m'abrite,
il range les peuples sous moi [c]. = Ps **18** 48

3 Yahvé, qu'est donc l'homme, que tu le connaisses, = Ps **8** 5
l'être humain, que tu penses à lui?

*a)* « je suis à couvert » Vulg.; « j'ai couvert » hébr.; « j'ai fui » grec.
*b)* La première partie, vv. 1-11, abrégé de liturgie royale, s'inspire du Ps **18** et d'autres Ps. La seconde, vv. 12-15, originale, décrit la prospérité messianique.
*c)* « les peuples » mss, versions; « mon peuple » hébr. et grec; correction intentionnelle pour faire allusion à David.

= Ps **39** 6-7 Jb **14** 2 — [4] L'homme est semblable à un souffle,
ses jours sont comme l'ombre qui passe.

= Ps **18** 10 — [5] Yahvé, incline tes cieux et descends,
= Ps **104** 32 — touche les montagnes et qu'elles fument;
Is **63** 19 = Ps **18** 15 — [6] fais éclater l'éclair, et les disloque,
décoche tes flèches, et les ébranle.

= Ps **18** 17 — [7] D'en haut tends la main,
sauve-moi, tire-moi des grandes eaux,
de la main des fils d'étrangers
[8] dont la bouche parle de riens,
et la droite est une droite de parjure.

= Ps **33** 2-3 — [9] O Dieu, je te chante un chant nouveau,
sur la lyre à dix cordes je joue pour toi,
= Ps **18** 51 — [10] toi qui donnes aux rois la victoire,
qui sauves David ton serviteur [a].

De l'épée de malheur [11] sauve-moi,
tire-moi de la main des étrangers
dont la bouche parle de riens,
et la droite est une droite de parjure.

Ps **128** 3 — [12] Voici nos fils comme des plants
grandis dès le jeune âge,
Jb **42** 14-15 Si **26** 18 — nos filles, des figures d'angle [b],
image de palais,

Lv **26** 4-5 Dt **7** 13 — [13] nos greniers remplis, débordants,
de fruits de toute espèce,
nos brebis, des milliers, des myriades,
parmi nos campagnes,

[14] nos bestiaux bien pesants,
Lv **26** 6 Is **65** 19 — point de brèche ni de fuite,
et point de gémissement sur nos places.

Ps **29** 11 = Ps **33** 12 — [15] Heureux le peuple où c'est ainsi,
heureux le peuple dont Yahvé est le Dieu!

## *PSAUME* 145 (144)

### Louange au Roi Yahvé [c].

[1] *Louange. De David.*

Ps **44** 5 — *Aleph.* Je t'exalte, ô Roi mon Dieu,
Ps **34** 2; **68** 20 — je bénis ton nom toujours et à jamais;
*Bèt.* [2] je veux te bénir chaque jour,

*a)* « Mon serviteur David » est devenu un titre messianique, Jr **33** 21; Ez **34** 23-24; **37** 24.
*b)* Mot rare, évoquant des cariatides.
*c)* Ps « alphabétique », qui emprunte des éléments à plusieurs autres Ps.

je louerai ton nom toujours et à jamais;
*Gimel.* 3 grand est Yahvé et louable hautement, Ps **48** 2; **95** 3
à sa grandeur point de mesure. Jb **36** 26

*Dalèt.* 4 Un âge à l'autre vantera tes œuvres, Ps **71** 18;
fera connaître tes prouesses. **78** 4
*Hé.* 5 Splendeur de gloire, ton renom!
Je me répète le récit de tes merveilles.

*Vav.* 6 On dira ta puissance de terreurs,
et moi je raconterai ta grandeur;
*Zaïn.* 7 on fera mémoire de ton immense bonté,
on acclamera ta justice.

*Hèt.* 8 Yahvé est tendresse et pitié, Ps **103** 8+
lent à la colère et plein d'amour;
*Tèt.* 9 il est bon, Yahvé, envers tous, Ps **103** 13
et ses tendresses pour toutes ses œuvres. Sg **1** 13-14

*Yod.* 10 Que toutes tes œuvres te rendent grâce, Yahvé,
que tes amis te bénissent;
*Kaph.* 11 qu'ils disent la gloire de ton règne, Ps **93** 1
qu'ils parlent de ta prouesse, 1 Ch **29** 11

*Lamed.* 12 pour faire savoir aux fils d'Adam tes prouesses,
la splendeur de gloire de ton règne [a]!
*Mem.* 13 Ton règne, un règne pour tous les siècles, || Dn **3** 33 (100)
ton empire, pour les âges des âges! Ps **102** 13
1 Tm **1** 17
Ap **11** 15

*(Nun.)* Yahvé est vérité en toutes ses paroles,
amour en toutes ses œuvres [b];
*Samek.* 14 Yahvé retient tous ceux qui tombent, = Ps **94** 18
redresse tous ceux qui sont courbés. = Ps **146** 8

*Aïn.* 15 Tous ont les yeux sur toi, ils espèrent; = Ps **104**
tu leur donnes la nourriture en son temps; 27-28
*Phé.* 16 toi, tu ouvres la main Mt **6** 25s
et rassasies tout vivant à plaisir.

*Çadé.* 17 Yahvé est justice en toutes ses voies, Dt **32** 4
amour en toutes ses œuvres;
*Qoph.* 18 proche est Yahvé de ceux qui l'invoquent, Dt **4** 7
de tous ceux qui l'invoquent en vérité. Jr **29** 13
Is **58** 9

*Resh.* 19 Le désir de ceux qui le craignent, il le fait,
il entend leur cri et les sauve; Ps **34** 18
*Shin.* 20 Yahvé garde tous ceux qui l'aiment, Jg **5** 31
tous les impies, il les détruira.

*Tav.* 21 Que ma bouche dise la louange de Yahvé,
que toute chair bénisse son saint nom,
toujours et à jamais!

*a)* « tes prouesses », « ton règne » versions; « ses... son » hébr.
*b)* Le distique *nun* est omis dans l'hébr. et conservé par les versions.

## *PSAUME* 146 (145)

### Hymne au Dieu secourable [a].

1 Alleluia!

Loue Yahvé, mon âme!
= Ps 104 33 — 2 Je veux louer Yahvé tant que je vis,
Ps 7 18+ — je veux jouer pour mon Dieu tant que je dure.

Is 2 22 — 3 Ne mettez point votre foi dans les princes,
Ps 90 3; 104 29 — dans un fils de la glaise, il ne peut sauver!
Qo 12 7 — 4 Il rend le souffle, il retourne à sa glaise,
↗ 1 M 2 63 — en ce jour-là périssent ses pensées.

Jr 17 7 — 5 Heureux qui a l'appui du Dieu de Jacob
Ps 2 12 — et son espoir en Yahvé son Dieu,
Ps 121 2; — 6 lui qui a fait le ciel et la terre,
124 8 — la mer, et tout ce qu'ils renferment!

Il garde à jamais la vérité,
Ps 103 6 — 7 il rend justice aux opprimés,
il donne aux affamés du pain,
Ps 68 7 — Yahvé délie les enchaînés.
Is 49 9; 61 1

8 Yahvé rend la vue aux aveugles,
Ps 145 14 — Yahvé redresse les courbés,
Ex 22 20s — 9 Yahvé protège l'étranger,
Ps 68 6 — il soutient l'orphelin et la veuve.

Ps 11 7 — 8c Yahvé aime les justes,
9c mais détourne la voie des impies,
Ex 15 18 — 10 Yahvé règne pour les siècles,
Ps 145 13+ — ton Dieu, ô Sion, d'âge en âge.

## *PSAUME* 147 (146-147)

### Hymne au Tout-Puissant [b].

Alleluia [c]!

Ps 92 2 — 1 Louez Yahvé – il est bon de chanter,
notre Dieu – douce est la louange [d].

2 Bâtisseur de Jérusalem, Yahvé!
Is 11 12; — il rassemble les déportés d'Israël,
56 8 — 3 lui qui guérit les cœurs brisés
Jr 31 10 — et qui bande leurs blessures;
Jr 33 6
Is 61 1
Jb 5 18

*a)* Ce Ps inaugure un troisième *Hallel*, Ps **146-150**, récité le matin par les Juifs. Cf. Ps **113-118** et **136**.

*b)* Ce Ps est coupé en deux au v. 12 par plusieurs versions, dont la Vulg., mais il forme une unité. Le poète célèbre en Yahvé le libérateur d'Israël, le Créateur, l'ami des « pauvres ».

*c)* « Alleluia » grec; rattaché par l'hébr. au Ps précédent.

*d)* « douce » grec; « doux, belle » hébr. On propose : « Chantez notre Dieu car il est doux, cf. Ps **135** 3.

[4] qui compte le nombre des étoiles,
et il appelle chacune par son nom. Is **40** 26+

[5] Il est grand, notre Seigneur, tout-puissant,
à son intelligence point de mesure. Is **40** 28
[6] Yahvé soutient les humbles, 1 S **2** 7-8
jusqu'à terre il abaisse les impies.

[7] Entonnez pour Yahvé l'action de grâces,
jouez pour notre Dieu sur la harpe :

[8] lui qui drape les cieux de nuées, Ps **104** 10
qui prépare la pluie à la terre, 14, 27-28
qui fait germer l'herbe sur les monts Jr **14** 22
et les plantes au service de l'homme [a], Jl **2** 23
[9] qui dispense au bétail sa pâture, Jb **5** 9-10
aux petits du corbeau qui crient. Jb **38** 41
Mt **6** 26

[10] Ni la vigueur du cheval ne lui agrée, Ps **20** 8-9;
ni le jarret de l'homme ne lui plaît; **33** 16-18
[11] Yahvé se plaît en ceux qui le craignent,
en ceux qui espèrent son amour.

[12] Fête Yahvé, Jérusalem,
loue ton Dieu, ô Sion [b]!

[13] Il renforça les barres de tes portes, Jr **33** 10s
il a chez toi béni tes enfants; Is **65** 18s
[14] il assure ton sol dans la paix, Ps **48** 14
de la graisse du froment te rassasie. Lv **26** 6
Ps **81** 17

[15] Il envoie son verbe sur terre, Ps **29** 3s;
rapide court sa parole [c]; **33** 9; **107** 20
[16] il dispense la neige comme laine, Is **55** 10 11
répand le givre comme cendre.

[17] Il jette sa glace par morceaux : Jb **6** 16;
à sa froidure, qui peut tenir? **37** 10; **38** 22
[18] Il envoie sa parole et fait fondre,
il souffle son vent, les eaux coulent.

[19] Il révèle à Jacob sa parole, Dt **33** 3-4
ses lois et jugements à Israël;
[20] pas un peuple qu'il ait ainsi traité, Dt **4** 7-8
pas un qui ait connu ses jugements [d]. Ac **14** 16

*a)* Grec. cf. Ps **104** 14; stique omis par hébr.
*b)* Les Pères ont appliqué cette seconde partie du Ps à la Jérusalem nouvelle, militante ou triomphante.
*c)* La parole divine est présentée ici comme un messager, presque comme une hypostase. Cf. Ps **107** 20; Is **55** 11; Jn **1** 14+.
*d)* L'hébr. ajoute ici « Alleluia »; omis par grec. De même aux deux Ps suivants.

# *PSAUME* 148

## Louange cosmique [a].

1 Alleluia!

Louez Yahvé depuis les cieux,
louez-le dans les hauteurs,
Ps **103** 20-21 2 louez-le, tous ses anges,
Jb **38** 7 louez-le, toutes ses armées!

3 Louez-le, soleil et lune,
louez-le, tous les astres de lumière,
1 R **8** 27 4 louez-le, cieux des cieux,
Gn **1** 7 et les eaux de dessus les cieux!

5 Qu'ils louent le nom de Yahvé [b] :
lui commanda, eux furent créés;
6 il les posa pour toujours et à jamais,
Jr **31** 35-36 sous une loi qui jamais ne passera.

7 Louez Yahvé depuis la terre,
monstres marins, tous les abîmes,
8 feu et grêle, neige et brume,
vent d'ouragan, l'ouvrier de sa parole,

Is **44** 23 9 montagnes, toutes les collines,
arbre à fruit, tous les cèdres,
Is **43** 20 10 bête sauvage, tout le bétail,
reptile, et l'oiseau qui vole,

11 rois de la terre, tous les peuples,
princes, tous les juges de la terre,
Jr **31** 13 12 jeunes hommes, aussi les vierges,
les vieillards avec les enfants!

13 Qu'ils louent le nom de Yahvé :
sublime est son nom, lui seul,
Ps **108** 6; sa majesté par-dessus terre et ciel!
**113** 4
Ps **89** 18 14 Il rehausse la vigueur de son peuple,
fierté pour tous ses amis,
Dt **7** 6+ pour les enfants d'Israël [c], le peuple de ses proches.
Ep **2** 13

*a)* Le ciel, la terre et toute la création sont convoqués pour célébrer Yahvé, restaurateur du peuple élu. Ce Ps est récité chaque matin par les Juifs.

*b)* Grec et Vulg. ajoutent ici : « il parle, cela est », Ps **33** 9[a].

*c)* Seul cas, avec Ps **103** 7, où les Psaumes emploient l'expression « enfant d'Israël » qui devient très fréquente après l'Exil, dans les écrits deutéronomiques et sacerdotaux.

## *PSAUME* 149

### Chant triomphal [a].

1 Alleluia!

Chantez à Yahvé un chant nouveau :
sa louange dans l'assemblée des siens! Ps **40** 10
2 Joie pour Israël en son auteur,
pour les fils de Sion, allégresse en leur roi,
3 louange à son nom par la danse, Ps **87** 7; **150** 4
pour lui, jeu de harpe et de tambour! Ps **68** 26; **81** 3

4 Car Yahvé se complaît en son peuple, Is **61** 9; **62** 4-5
de salut il pare les humbles, 1 S **2** 8
5 les siens jubilent de gloire,
ils acclament depuis leur place [b] :
6 les éloges de Dieu à pleine gorge,
à pleines mains l'épée à deux tranchants; Ne **4** 10-12 2 M **15** 27

7 pour exercer sur les peuples vengeance, Za **9** 13-16
sur les nations le châtiment,
8 pour lier de chaînes leurs rois,
d'entraves de fer leurs notables,
9 pour leur appliquer la sentence écrite [c] :
gloire en soit à tous les siens!

## *PSAUME* 150

### Doxologie finale [d].

1 Alleluia!

Louez Dieu en son sanctuaire,
louez-le au firmament de sa puissance,
2 louez-le en ses œuvres de vaillance,
louez-le en toute sa grandeur!

3 Louez-le par l'éclat du cor,
louez-le par la harpe et la cithare,
4 louez-le par la danse et le tambour,
louez-le par les cordes et les flûtes,
5 louez-le par les cymbales sonores,
louez-le par les cymbales triomphantes [e]!
6 Que tout ce qui respire loue Yahvé! Ap **5** 13

Alleluia!

*a)* Cet hymne national d'époque hellénistique (on en rapproche Ne **4** 11, 18; 1 M **2** 42 et 2 M **15** 27) envisage l'avenir eschatologique, cf. Is **61** 2s, et fait d'Israël l'instrument de la justice divine, cf. Za **9** 13-16.
*b)* Litt. « sur leur couche », c'est-à-dire depuis la place où ils se prosternent, cf. Ps **95** 6; Jdt **6** 18; Si **50** 17, 21; à moins qu'il ne faille comprendre : leur louange ne cesse pas, même la nuit, cf. Ps **4** 5; **63** 7; Os **7** 14.
*c)* Allusion aux oracles contre les nations contenus dans les livres prophétiques.
*d)* Plus développée que les doxologies qui terminent les quatre premiers livres du Psautier, Ps **41** 14; **72** 18-20; **89** 52; **106** 48, celle-ci invite toutes les musiques et tous les êtres vivants à la louange de Yahvé.
*e)* Litt. « cymbales d'acclamation », cf. Nb **10** 5; Ps **33** 3+.

# LES PROVERBES

## Introduction

*Le livre des Proverbes est le plus typique de la littérature sapientielle d'Israël, cf. pp. 645-647. Il s'est formé autour de deux recueils :* **10-22** 16, *intitulé « Proverbes de Salomon » (375 sentences), et* **25-29**, *introduit par « Voici encore des proverbes de Salomon, que transcrivirent les gens d'Ézéchias » (128 sentences). A ces deux parties sont ajoutés des appendices : à la première, les « Paroles des sages »,* **22** 17 - **24** 22, *et « Ceci est encore des sages »,* **24** 23-34; *à la seconde, les « Paroles d'Agur »,* **30** 1-14, *suivies de proverbes numériques,* **30** 15-33, *et les « Paroles de Lemuel »,* **31** 1-9. *Cet ensemble est précédé par une longue introduction,* **1-9**, *où un père fait à son fils des recommandations de sagesse et où la Sagesse elle-même prend la parole. Le livre s'achève par un poème alphabétique, qui loue la femme parfaite,* **31** 10-31.

*L'ordre des sections est indifférent, il n'est pas le même dans la Bible grecque et, à l'intérieur de chacune, les maximes s'alignent sans aucun plan et avec des répétitions. Le livre est donc une collection de collections, encadrées par un prologue et un épilogue. Il reflète une évolution littéraire, qui a été esquissée dans l'introduction générale aux livres sapientiaux (p. 646). Les deux grands recueils représentent le* mâshâl *sous sa forme primitive et n'ont que de brèves sentences, généralement d'un seul distique. La formule devient déjà plus ample dans les appendices; les petits poèmes numériques de* **30** 15-33, *cf.* **6** 16-19, *ajoutent à l'enseignement l'attrait d'une présentation énigmatique, déjà connue anciennement, cf. Am* **1**. *Le prologue,* **1-9**, *est une suite d'instructions, coupée par deux harangues de la Sagesse personnifiée, et l'épilogue,* **31** 10-31, *est une composition savante.*

*Cette évolution de la forme correspond à une succession dans le temps. Les parties les plus anciennes sont les deux grands recueils de* **10-22** *et* **25-29**. *Ils sont attribués à Salomon, qui, d'après 1 R* **5** 12, *« prononça trois mille sentences », et qui fut toujours considéré comme le plus grand sage d'Israël. En dehors de ce témoignage de la tradition, le ton des Proverbes est trop anonyme pour qu'on puisse rapporter sûrement au roi telle ou telle maxime particulière, mais il n'y a pas de raison de douter que l'ensemble ne remonte à son époque; les maximes du second recueil étaient déjà anciennes lorsque les gens d'Ézéchias les recueillirent vers l'an 700. Formant le noyau du livre, ces deux collections lui ont donné son nom : il s'appelle tout entier « Proverbes de Salomon »,* **1** 1. *Mais les sous-titres des petites sections indiquent que ce titre général ne doit pas être pris à la lettre : il recouvre aussi l'œuvre de sages anonymes,* **22** 17 - **24** 34, *et les paroles d'Agur et de Lemuel,* **30** 1 - **31** 8. *Même si ces noms de deux sages arabes sont fictifs et n'appartiennent pas à des personnages réels, ils témoignent de l'estime qu'on faisait de la sagesse étrangère, cf. p. 645. Une preuve claire de cette estime est donnée par certaines « paroles des sages »,* **22** 17 - **23** 11, *qui s'inspirent des maximes égyptiennes d'Amenemopé, écrites au début du premier millénaire avant notre ère.*

*Les discours de Pr* **1-9** *se modèlent sur les « Instructions », qui sont un genre classique de la sagesse égyptienne, mais aussi sur les « Conseils d'un père à son fils », récemment retrouvés dans un texte akkadien d'Ugarit. Même la personnification de la Sagesse a des antécédents littéraires en Égypte, où fut personnifiée Maat, la Justice-Vérité. Mais l'imitation n'est pas servile, elle préserve l'originalité du penseur israélite et est transformée par sa foi yahviste. On peut avec confiance dater d'avant l'Exil tout le centre du livre, les ch.* **10-29**; *la date des ch.* **30-31** *est incertaine. Quant au prologue,* **1-9**, *il est sûrement plus tardif :* son contenu et ses attaches littéraires avec les écrits postérieurs à l'Exil permettent de fixer sa composition au V<sup>e</sup>

*siècle av. J.-C. Ce doit être le moment aussi où l'ouvrage prit sa forme définitive.*

*Parce que le livre représente ainsi plusieurs siècles de réflexion des sages, on y suit un progrès de la doctrine. Dans les deux anciens recueils domine un ton de sagesse humaine et profane, qui déconcerte le lecteur chrétien. Cependant, déjà, un proverbe sur sept y a un caractère religieux. C'est l'exposé d'une théologie pratique : Dieu récompense la vérité, la charité, la pureté de cœur, l'humilité, et punit les vices opposés. La source et le résumé de toutes ces vertus est la sagesse, qui est crainte de Yahvé,* **15** 16, 33; **16** 6; **22** 4, *et c'est en Yahvé seul qu'il faut se confier,* **20** 22; **29** 25. *La première partie donne les mêmes conseils de sagesse humaine et religieuse; elle insiste sur des fautes que les vieux sages passaient sous silence : l'adultère et la fréquentation de la femme étrangère,* **2** 16*s*; **5** 2*s*, 15*s*. *L'épilogue manifeste également un plus grand respect de la femme. Surtout, le prologue donne, pour la première fois, un enseignement suivi sur la sagesse, sa valeur, son rôle de guide et de modérateur des actions. Prenant elle-même la parole, la Sagesse fait son propre éloge et définit son rapport avec Dieu, en qui elle est dès l'éternité et qu'elle a assisté quand il a créé le monde,* **8** 22-31. *C'est le premier des textes sur la Sagesse personnifiée, qui ont été présentés ensemble p. 646.*

*L'enseignement des Proverbes a sans doute été bien dépassé par celui du Christ, Sagesse de Dieu, mais certaines maximes annoncent déjà la morale de l'Évangile. On doit aussi se souvenir que la vraie religion ne se développe que sur un fond d'honnêteté humaine, et le fréquent usage que le Nouveau Testament fait du livre (quatorze citations et une vingtaine d'allusions) commande aux chrétiens le respect pour ces pensées des vieux sages d'Israël.*

# LES PROVERBES

Titre général.

**1** [1] Proverbes de Salomon, fils de David, roi d'Israël :

[2] pour connaître sagesse et discipline,
pour pénétrer les discours profonds,
[3] pour acquérir une discipline avisée
– justice, équité, droiture –
[4] pour procurer aux simples le savoir-faire,
au jeune homme le savoir et la réflexion,
[6] pour pénétrer proverbes et sentences obscures,
les dits des sages et leurs énigmes.
[5] Que le sage écoute, il augmentera son acquis, 22 17 Qo 9 17
et l'homme entendu acquerra l'art de diriger.

[7] La crainte de Yahvé, principe de savoir [a] : || Ps 111 10 Pr 9 10; 15 33 Jb 28 28 Si 1 14
les fous dédaignent sagesse et discipline.

# *I. Prologue*

## *RECOMMANDATIONS DE LA SAGESSE*

Le sage : Fuir la compagnie des mauvais garçons.

[8] Écoute, mon fils, l'instruction de ton père, = 6 20
ne méprise pas l'enseignement de ta mère :
[9] c'est une couronne de grâce pour ta tête, 4 9
des colliers pour ton cou. 3 22
[10] Mon fils, si des pécheurs veulent te séduire, Si 6 24, 29
n'y va pas! Ps 1 1
[11] S'ils disent : « Viens avec nous,
embusquons-nous pour répandre le sang, Ps 10 8
sans raison, prenons l'affût contre l'innocent; Si 11 32
[12] comme le shéol, avalons-les tout vifs, Nb 16 33+
tout entiers, tels ceux qui descendent dans la fosse!

*a)* La « crainte de Yahvé », dans la Bible, cf. Ex **20** 20+; Dt **6** 2+, est à peu près ce que nous appelons religion ou piété envers Dieu. Elle est à la fois le principe, **9** 10; **15** 33; Jb **28** 28; Ps **111** 10; Si **1** 14, 20, et le couronnement, Si **1** 18; **19** 20; **25** 10-11; **40** 25-27, d'une sagesse foncièrement religieuse, où se développe une relation personnelle avec le Dieu de l'alliance, de sorte que crainte et amour, soumission et confiance coïncident, cf. Ps **25** 12-14; **112** 1; **128** 1; Qo **12** 13; Si **1** 27-28; **2** 7-9, 15-18, etc.

13 Nous trouverons mainte chose précieuse,
nous emplirons de butin nos maisons;
14 avec nous tu tireras ta part au sort,
nous ferons tous bourse commune! »
15 Mon fils, ne les suis pas dans leur voie,
éloigne tes pas de leur sentier,
= Is **59** 7 16 *car leurs pieds courent au mal*
Pr **6** 18 *ils ont hâte de répandre le sang* [a];
17 car c'est en vain qu'on étend le filet
sous les yeux de tout volatile [b].
18 C'est pour répandre leur propre sang qu'ils s'embusquent,
contre eux-mêmes, ils sont à l'affût!
**15** 27 19 Tels sont les sentiers de tout homme avide de rapine :
elle ôte la vie à ceux qu'elle habite.

**La Sagesse : Harangue aux insouciants.**

**8** 1-3; **9** 3 20 La Sagesse crie par les rues [c],
Jn **7** 37 sur les places elle élève la voix [d];
21 à l'angle des carrefours [e], elle appelle,
près des portes, dans la ville, elle prononce son discours :
Ps **94** 8 22 « Jusques à quand, ô niais, aimerez-vous la niaiserie?
et les railleurs se plairont-ils à la raillerie?
et les sots haïront-ils le savoir?
23 Convertissez-vous à mon exhortation,
pour vous je vais épancher mon cœur
et vous faire connaître mes paroles.
Is **65** 2. 12; 24 Puisque j'ai appelé et que vous avez refusé,
**66** 4 puisque j'ai étendu la main sans que nul y prenne garde,
Jr **7** 13
Ps **107** 11 25 puisque vous avez négligé tous mes conseils
et que vous n'avez pas voulu de mon exhortation,
Dt **28** 63 26 à mon tour, je me rirai de votre détresse,
je me moquerai quand viendra sur vous l'épouvante,
Jr **23** 19 27 quand l'épouvante viendra sur vous comme l'orage,
quand votre détresse arrivera comme un tourbillon,
quand l'épreuve et l'angoisse fondront sur vous.
Jr **11** 11+ 28 Alors ils m'appelleront, mais je ne répondrai pas;
Os **5** 6+ ils me chercheront et ne me trouveront pas.
Jn **7** 34 29 Ils ont détesté le savoir,
ils n'ont pas choisi la crainte de Yahvé,
30 ils n'ont pas voulu de mon conseil,
Jr **6** 19 ils ont méprisé toutes mes exhortations :
31 ils mangeront donc du fruit de leurs errements,
ils se rassasieront de leurs propres conseils!
**8** 36 32 Car l'égarement des niais les tue,
Am **6** 1 l'insouciance des sots les mène à leur perte;
Jr **5** 12-13 33 mais qui m'écoute demeure en sécurité,
il sera tranquille, sans craindre le malheur. »

*a)* Ce v., absent des meilleurs mss grecs, est généralement considéré comme une glose empruntée à Is **59** 7.
*b)* L'idée semble être que les oiseaux évitent le filet s'ils ont vu le chasseur le poser; de même le jeune homme, averti des dangers qu'il court, saura les éviter.
*c)* « par les rues » grec; « au-dehors » hébr.
*d)* A la manière des prophètes, cf. Jr **5** 1; **7** 2, la sagesse personnifiée, cf. **8** 22+, parcourt les rues et poursuit les habitants pour leur imposer son enseignement, dénonçant l'insouciance et la fausse sécurité, cf. Am **6** 1; **9** 10; Jr **5** 12-13; So **1** 12.
*e)* Litt. « au départ des (rues) bruyantes », mais le texte n'est pas sûr. Grec : « au sommet des remparts ».

### La sagesse contre les mauvaises compagnies.

**2** [1] Mon fils, si tu accueilles mes paroles [a],
si tu conserves à part toi mes préceptes,
[2] rendant tes oreilles attentives à la sagesse,
inclinant ton cœur vers l'intelligence,
[3] oui, si tu fais appel à l'entendement,
si tu réclames l'intelligence,
[4] si tu la recherches comme l'argent, 3 14; 8 19;
si tu la creuses comme un chercheur de trésor, 16 16 Mt 13 44-46
[5] alors tu comprendras la crainte de Yahvé,
tu trouveras la connaissance de Dieu.
[6] Car c'est Yahvé qui donne la sagesse, Jb 32 8 Sg 9 10
de sa bouche sortent le savoir et l'intelligence. Si 1 1
[7] Il réserve aux hommes droits son conseil,
il est le bouclier de ceux qui pratiquent l'honnêteté;
[8] il monte la garde aux chemins de l'équité,
il veille sur la voie de ses fidèles.
[9] Alors tu comprendras justice, équité et droiture,
toutes les pistes du bonheur.

[10] Quand la sagesse entrera dans ton cœur,
que le savoir fera les délices de ton âme,
[11] la prudence veillera sur toi,
l'intelligence te gardera
[12] pour t'éloigner de la voie mauvaise,
de l'homme aux propos pervers,
[13] de ceux qui délaissent les droits sentiers
et vont courir par des voies ténébreuses;
[14] ils trouvent leur joie à faire le mal, 10 23
ils se complaisent dans la perversité;
[15] leurs sentiers sont tortueux,
leurs pistes sont obliques.
[16] Pour te garder aussi de la femme étrangère [b], 5 2-20; 6 24 - 7 27
de l'inconnue aux paroles enjôleuses; Si 9 9
[17] elle a abandonné l'ami de sa jeunesse,
elle a oublié l'alliance de son Dieu; Ex 20 14
[18] sa maison penche vers la mort,
ses pistes conduisent vers les ombres.
[19] De ceux qui vont à elle, pas un ne revient,
ils ne rejoignent plus les sentiers de la vie.

[20] Ainsi chemineras-tu dans la voie des gens de bien,
garderas-tu le sentier des justes.
[21] Car les hommes droits habiteront le pays, Ps 37 9, 29
les gens honnêtes y demeureront, Mt 5 4
[22] mais les méchants seront retranchés du pays, 10 30
les traîtres en seront arrachés.

*a)* Toute sagesse vient de Dieu, v. 6, mais on s'y dispose par une curiosité toujours en éveil, vv. 3-4, et par la docilité à l'enseignement des aînés, vv. 1-2, etc.
*b)* C'est-à-dire la femme d'autrui. Cette première partie des Proverbes, la plus récente dans sa rédaction, met souvent en garde contre l'adultère, **2** 16-19; **5** 2-23; **6** 24-**7** 27. L'adultère y est assimilé, **2** 17, à une rupture de l'alliance avec Dieu, cf. encore **5** 15+; il conduit au shéol, **2** 18; **5** 5, 6; **7** 26-27. Il n'est fait dans ces textes qu'une allusion à la prostitution, **6** 26, que les anciens proverbes assimilent à l'adultère, cf. **23** 27; **31** 3, cf. **29** 3, sous le commun grief de corrompre les rois et d'affaiblir les guerriers.

## Comment acquérir la sagesse.

Dt 8 1; **3** [1] Mon fils, n'oublie pas mon enseignement,
30 16 et que ton cœur garde mes préceptes,
4 10; 9 11 [2] car ils augmenteront la durée de tes jours,
Dt 4 40; 8 3 tes années de vie et ton bien-être.
Ne 9 29
Si 1 20

[3] Que piété et fidélité ne te quittent!
= 6 21 Fixe-les à ton cou,
= 7 3
Dt 6 6-9 inscris-les sur la tablette de ton cœur.
↗ Rm 12 17 [4] Tu trouveras ainsi faveur et réussite
Lc 2 52 aux regards de Dieu et des hommes.
Ps 37 5 [5] Repose-toi sur Yahvé de tout ton cœur,
Ps 28 26 ne t'appuie pas sur ton propre entendement;
[6] en toutes tes démarches, reconnais-le
16 3 et il aplanira tes sentiers.
Si 2 6 [7] Ne te figure pas être sage,
↗ Rm 12 16 crains Yahvé et te détourne du mal :
Ps 34 10, 15 [8] cela sera salutaire à ton corps [a]
et rafraîchissant pour tes os.
Ml 3 10-12 [9] Honore Yahvé de tes biens
Dt 26 1+ et des prémices de tout ton revenu;
Ps 4 8 [10] alors tes greniers regorgeront de blé
Dt 28 8 et tes cuves déborderont de vin nouveau [b].

↗ He 12 5-6 [11] Ne méprise pas, mon fils, la correction de Yahvé,
Jb 5 17 et ne prends pas mal sa réprimande,
Ap 3 19 [12] car Yahvé reprend celui qu'il aime,
Dt 8 5+ comme un père le fils qu'il chérit.

## Les joies du sage.

[13] Heureux l'homme qui a trouvé la sagesse,
l'homme qui acquiert l'intelligence!
2 4+ [14] Car mieux vaut la gagner que gagner de l'argent,
son revenu vaut mieux que de l'or.
8 11 [15] Elle est précieuse plus que les perles,
rien de ce que tu désires ne l'égale.
Si 4 12 [16] Dans sa droite : longueur des jours!
Ps 8 18 Dans sa gauche : richesse et honneur!
[17] Ses chemins sont chemins de délices,
tous ses sentiers, de bonheur.
11 30 [18] C'est un arbre de vie pour qui la saisit,
Gn 2 9; 3 22
Ap 2 7 et qui la tient devient heureux.

8 22-31 [19] Yahvé, par la sagesse, a fondé la terre,
il a établi les cieux par l'intelligence.
[20] Par sa science furent creusés les abîmes,
et les nues distillent la rosée.

4 21 [21] Mon fils, sans les quitter des yeux,
observe le conseil et la prudence;
[22] ils seront vie pour ton âme

*a)* « à ton corps » versions, cf. **4** 22; « à ton ventre » hébr.
*b)* « de blé » grec; « abondamment » hébr. – L'offrande des prémices, Dt **16** 1+, est le seul acte de culte explicitement commandé par les Proverbes, mais il sera souvent question de la prière.

et grâce pour ton cou. 1 9
23 Tu iras ton chemin en sécurité, 4 12; 6 22
ton pied n'achoppera pas. Ps 91 12
24 Si tu te couches, tu seras sans frayeur,
une fois couché, ton sommeil sera doux. Ps 3 6
25 Ne redoute ni terreur soudaine Ps 91 5
ni attaque qui vienne des méchants,
26 car Yahvé sera ton assurance, Jb 5 19-27
il préservera tes pas du piège.

27 Ne refuse pas un bienfait à qui y a droit Si 4 3
quand il est en ton pouvoir de le faire. Mt 7 12
28 Ne dis pas à ton prochain [a] : « Va-t'en! repasse! Lc 10 25-37
demain je te donnerai! » quand la chose est en ton pouvoir. Mt 5 43-48
29 Ne machine pas le mal contre ton prochain,
alors qu'il demeure en confiance avec toi.
30 Ne te querelle pas sans motif avec un homme,
s'il ne t'a fait aucun mal.
31 N'envie pas l'homme violent [b], Si 11 21
ne choisis jamais ses chemins, Pr 23 17 Ps 37 1
32 car les pervers sont l'abomination de Yahvé,
lui qui fait des hommes droits ses familiers.
33 Malédiction de Yahvé sur la maison du méchant!
mais il bénit la demeure des justes.
34 Il raille les railleurs, ↗ Jc 4 6
mais aux pauvres il donne sa faveur. ↗ 1 P 5 5 Si 3 18. 20
35 La gloire est la part des sages,
mais les sots héritent [c] le mépris.

**Élection de la sagesse.**

**4** 1 Écoutez, mes fils, l'instruction d'un père,
soyez attentifs à connaître l'intelligence.
2 Car c'est une bonne doctrine que je vous livre :
n'abandonnez pas mon enseignement.
3 Je fus un fils pour mon père,
tendre et unique aux yeux de ma mère.
4 Or il m'enseignait en ces termes :
« Que ton cœur retienne mes paroles, = 7 2; 8 35
observe mes préceptes et tu vivras;
5 acquiers la sagesse, acquiers l'intelligence,
ne l'oublie pas et ne t'écarte pas des paroles de ma bouche.
6 Ne l'abandonne pas, elle te gardera,
aime-la, elle veillera sur toi.
7 Commencement de la sagesse : acquiers la sagesse [d];
au prix de tout ce que tu possèdes, acquiers l'intelligence! Mt 13 44-46
8 Étreins-la [e] et elle t'élèvera,
elle fera ta gloire si tu l'embrasses;

*a)* Le « prochain » signifiait primitivement le compagnon, l'ami, le commensal, bref l'homme avec lequel on a des relations précises. Mais dans Pr ce mot prend un sens plus large : « autrui », cf. **6** 1, 3, 29; **25** 9; **27** 17. C'est le premier pas vers l'élargissement du précepte de l'amour, Lv **19** 18, qui aboutira au précepte évangélique de l'amour des ennemis, Mt **5** 43s.

*b)* La réussite apparente des impies (« violents », « pervers », « méchants », « moqueurs », « sots », tous ces termes désignant la même catégorie des ennemis de Yahvé) a toujours été pour les Israélites une tentation, cf. **24** 1,19; Ps **73**, en attendant de devenir un scandale, Jr **12** 1; Jb **21** 7, etc.

*c)* « héritent » *morishîm* conj.; « élevant » (au sing.) *merim* hébr.

*d)* C'est-à-dire : le premier pas dans la pratique de la sagesse, c'est d'être persuadé que son acquisition s'impose et exige des sacrifices.

*e)* Sens incertain; on peut aussi comprendre « exalte-la ». Grec : « entoure-la d'une palissade » (pour la protéger).

1 9 — 9 sur ta tête elle posera un diadème de grâce,
Sg 5 16 — elle t'offrira une couronne d'honneur. »

3 1-2 — 10 Écoute, mon fils, accueille mes paroles,
et les années de ta vie se multiplieront.
11 Dans la voie de la sagesse je t'ai enseigné,
Ps 23 3 — je t'ai fait cheminer sur la piste de la droiture.
3 23+ — 12 Dans ta marche tes pas seront sans contrainte,
si tu cours, tu ne trébucheras pas.
13 Saisis la discipline, ne la lâche pas,
garde-la, c'est ta vie.
14 Ne suis pas le sentier des méchants,
ne t'avance pas sur le chemin des mauvais.
15 Évite-le, n'y passe pas,
détourne-toi, passe outre.
16 Car ils ne s'endorment pas qu'ils n'aient fait le mal,
le sommeil leur manque s'ils n'ont fait trébucher quelqu'un;
17 car ils mangent un pain de méchanceté
et boivent le vin des violents.

Jn 8 12+ — 18 La route des justes est comme la lumière de l'aube,
Ps 1 1+ — dont l'éclat grandit jusqu'au plein jour;
19 le chemin des méchants est comme l'obscurité :
ils ne savent sur quoi ils trébuchent.

3 21 — 20 Mon fils, sois attentif à mes paroles,
à mes discours prête l'oreille!
21 qu'ils n'échappent pas à tes regards,
au fond du cœur garde-les!
22 Car pour qui les trouve ils sont vie
et santé pour toute chair.
23 Plus que sur toute chose, veille sur ton cœur,
c'est de lui que jaillit la vie.
24 Écarte loin de toi la bouche perverse,
et les lèvres trompeuses, éloigne-les.
25 Que tes yeux regardent en face,
que tes regards se dirigent droit devant toi.
26 Aplanis la piste sous tes pas
et que tous tes chemins soient bien affermis.
Dt 5 32; — 27 Ne dévie ni à droite ni à gauche,
28 14 — écarte ton pied du mal.

**La méfiance devant l'étrangère et les vraies amours du sage.**

**5** 1 Mon fils, sois attentif à ma sagesse,
prête l'oreille à mon intelligence,
2 pour suivre la prudence
et que tes lèvres gardent le savoir.
2 16+ — Ne prête pas attention à la femme perverse [a],
3 car les lèvres de l'étrangère distillent le miel
et plus onctueux que l'huile est son palais;
Qo 7 26 — 4 mais à la fin elle est amère comme l'absinthe,
aiguisée comme une épée à deux tranchants.

*a)* D'après grec et Vulg.; stique omis par hébr.

[5] Ses pieds descendent à la mort 7 27
ses démarches gagnent le shéol; Nb **16** 33+
[6] loin de prendre les sentiers de la vie,
sa marche est incertaine et elle ne le sait pas.

[7] Et maintenant, fils, écoutez-moi,
ne vous écartez pas des paroles de ma bouche :
[8] loin d'elle, passe ton chemin,
n'approche pas de l'entrée de sa maison,
[9] de peur qu'elle ne livre ton honneur à autrui,
tes années à un homme impitoyable,
[10] que ton bien n'engraisse des étrangers,
que le fruit de ton labeur n'aille à des inconnus, **29** 3
[11] et que sur ta fin,
ton corps et ta chair consumés,
tu ne rugisses [12] et ne t'écries :
« Hélas, j'ai haï la discipline,
mon cœur a dédaigné la remontrance;
[13] je n'ai pas écouté la voix de mes maîtres,
je n'ai pas prêté l'oreille à ceux qui m'instruisaient!
[14] Peu s'en faut que je sois au comble du malheur,
au milieu de l'assemblée et de la communauté! » Si **1** 30

[15] Bois l'eau de ta propre citerne, **31** 10s
l'eau jaillissante de ton puits [a]!
[16] Tes fontaines s'écouleraient au dehors,
tes ruisseaux sur les places publiques :
[17] Qu'ils restent pour toi seul,
et non pour des étrangers avec toi!
[18] Bénie soit ta source!

Trouve la joie dans la femme de ta jeunesse : Qo **9** 9
[19] biche aimable, gracieuse gazelle!
En tout temps que ses seins t'enivrent,
sois toujours épris de son amour!
[20] Pourquoi, mon fils, te laisser égarer par une étrangère
et embrasser le sein d'une inconnue?
[21] Car les yeux de Yahvé observent les chemins de l'homme
et surveillent tous ses sentiers.
[22] Le méchant est pris à ses propres méfaits,
dans les liens de son péché il est capturé.
[23] Il mourra faute de discipline,
par l'excès de sa folie il s'égarera [b].

**La caution imprudente [c].** **11** 15; **17** 18; **20** 16 = **27** 13; **22** 26-27 Si **29** 14-20

**6** [1] Mon fils, si tu t'es porté garant envers ton prochain,
si tu as topé dans la main en faveur d'un étranger,

*a)* Ces images désignent l'épouse légitime. A la condamnation de l'adultère, **2** 16+, est ici opposé l'éloge de la fidélité conjugale et de la femme légitime, vv. 15-18$^{a}$ et vv. 18$^{b}$-19. On peut le compléter par divers proverbes à la louange de la femme parfaite, don de Dieu, consolation de son mari, **18** 22; **19** 14 (cf. en contraste **11** 22; **19** 13; **21** 9; **25** 24; **27** 15; **31** 3), et surtout par l'éloge de la « femme forte » qui termine le livre, **31** 10-31. – Peut-être faut-il voir aussi, ici comme en **31** 10s, sous les traits de l'épouse légitime, une description symbolique de la sagesse personnifiée. Dans le contexte des ch. **1-9**, adultère et fidélité conjugale désigneraient ainsi, selon la tradition prophétique, cf. Os **1** 2+, respectivement l'apostasie religieuse et la fidélité à Dieu et à sa Loi, source de la sagesse.

*b)* Les quatre recommandations qui suivent, **6** 1-5, 6-11, 12-15, 16-19, forment une addition; le discours du sage reprend en **6** 20.

*c)* Le cautionnement était une vieille coutume en Israël. Les plus anciens proverbes préviennent contre ses abus. Plus tard, Ben Sira recommandera au contraire le cautionnement comme une œuvre de charité.

[2] si tu t'es lié par les paroles de ta bouche,
si tu es pris aux paroles de ta bouche,
[3] fais donc ceci, mon fils, pour te tirer d'affaire,
puisque tu es tombé aux mains de ton prochain :
Va, prosterne-toi, importune ton prochain,
[4] n'accorde ni sommeil à tes yeux
ni repos à tes paupières,
[5] dégage-toi, comme du filet la gazelle [a],
ou comme l'oiseau de la main de l'oiseleur.

20 4, 13; 22 13; 24 30-34; 30 24-25 **Le paresseux et la fourmi.**

[6] Va voir la fourmi, paresseux!
observe ses mœurs et deviens sage [b] :
[7] elle qui n'a ni magistrat,
ni surveillant ni chef,
[8] durant l'été elle assure sa provende
et amasse, au temps de la moisson, sa nourriture [c].
[9] Jusques à quand, paresseux, resteras-tu couché?
Quand te lèveras-tu de ton sommeil?
= 24 33-34 [10] Un peu dormir, un peu s'assoupir,
un peu croiser les bras en s'allongeant,
[11] et, tel un rôdeur, viendra l'indigence,
et la disette comme un mendiant [d].

Ps 36 1-5 **L'insensé.**

[12] Un vaurien, un homme inique,
il va, la bouche torse,
10 10 Si 27 22 [13] clignant de l'œil, traînant les pieds,
faisant signe des doigts.
[14] La fourberie au cœur, méditant le mal en toute saison,
il suscite des querelles.
[15] Aussi, soudain viendra sa ruine,
à l'instant il sera brisé, sans remède.

**Les sept abominations [e].**

[16] Il y a six choses que hait Yahvé,
sept qui lui sont en abomination :
[17] des yeux hautains, une langue menteuse,
des mains qui répandent le sang innocent,
[18] un cœur qui médite des projets coupables,
1 16 des pieds empressés à courir au mal,
[19] un faux témoin qui profère des mensonges,
le semeur de querelles entre frères.

**Reprise du discours paternel.**

= 1 8 [20] Garde, mon fils, le précepte de ton père,
ne rejette pas l'enseignement de ta mère.
= 3 3 [21] Fixe-les constamment dans ton cœur,
noue-les à ton cou.

*a)* « du filet » grec; « de la main » hébr.
*b)* La connaissance de la nature fait partie de la science du sage, cf. 1 R **5** 13; Pr **30** 24-31, etc.
*c)* Le grec ajoute : « Ou bien, va vers l'abeille et vois comme elle est laborieuse, et combien auguste l'œuvre qu'elle accomplit. Rois et particuliers, pour leur santé, usent de ses produits; elle est recherchée et fameuse auprès de tous; quoique chétive sous le rapport de la vigueur, elle se distingue pour avoir honoré la sagesse. »
*d)* « mendiant », litt. « homme de gratification » *'îsh maggan* conj.; « homme armé » *'îsh magen* hébr.
*e)* Proverbe numérique, cf. **30** 15+.

22 Dans tes démarches ils te guideront, 3 23-24
dans ton repos ils te garderont,
à ton réveil ils s'entretiendront avec toi.

23 Car le précepte est une lampe, Ps 119 105
l'enseignement une lumière;
les exhortations de la discipline sont le chemin de la vie, 10 17
24 pour te préserver de la femme mauvaise, 2 16-19; 5 2 20
de la langue doucereuse d'une étrangère.
25 Ne convoite pas dans ton cœur sa beauté,
ne te laisse pas prendre à ses œillades,
26 car à la prostituée suffit un quignon de pain,
mais la femme mariée en veut à une vie précieuse [a].
27 Peut-on porter du feu dans son sein
sans enflammer ses vêtements?
28 Peut-on marcher sur des charbons ardents
sans se brûler les pieds?
29 Ainsi celui qui court après la femme de son prochain :
qui s'y essaie ne s'en tirera pas indemne.
30 On ne méprise pas le voleur
qui vole pour s'emplir l'estomac quand il a faim;
31 pourtant, s'il est pris, il rendra au septuple, Ex 22 1-8
il donnera toutes les ressources de sa maison [b].
32 Mais l'adultère est privé de sens,
qui veut sa propre perte agit ainsi!
33 Il récolte coups et mépris,
jamais ne s'effacera son opprobre.
34 Car la jalousie excite la rage du mari, 27 4
au jour de la vengeance il sera sans pitié,
35 il n'aura égard à aucune compensation,
il ne consentira à rien, même si tu multiplies les présents.

7 1 Mon fils, garde mes paroles,
conserve chez toi mes préceptes.
2 Garde mes préceptes et tu vivras, 4 4; 8 35
que mon enseignement soit comme la pupille de tes yeux.
3 Fixe-les à tes doigts, Dt 6 8
inscris-les sur la tablette de ton cœur. = 3 3
4 Dis à la sagesse : « Tu es ma sœur! » 6 20
donne le nom de parente à l'intelligence,
5 pour te garder de la femme étrangère, = 2 16+
de l'inconnue aux paroles doucereuses.

6 Comme j'étais à la fenêtre de ma demeure,
j'ai regardé par le treillis
7 et j'ai vu, parmi de jeunes niais,
j'ai remarqué parmi des enfants
un garçon privé de sens.
8 Passant par la venelle, près du coin où elle est,
il gagne le chemin de sa maison,
9 à la brune, au tomber du jour,
au cœur de la nuit et de l'ombre.

*a)* La femme adultère est plus dangereuse que la prostituée : celle-ci se contente d'une rémunération, à celle-là il faut sacrifier toute la vie.

*b)* Même excusé par la faim, le voleur devra restituer avec usure. Ex **22** 1-8 prévoit une restitution au double. Ici, le septuple est un chiffre arbitraire exprimant l'importance de la restitution.

Gn 38 19 [10] Et voici qu'une femme vient à sa rencontre,
vêtue comme une prostituée, la fausseté au cœur.
[11] Elle est hardie et insolente;
5 6 ses pieds ne peuvent tenir à la maison.
[12] Tantôt dans la rue, tantôt sur les places,
23 27-28 à tous les coins elle se tient aux aguets.
[13] Elle le saisit et l'embrasse
5 3 et d'un air effronté lui dit :
[14] « J'avais à offrir un sacrifice de communion,
j'ai accompli mes vœux aujourd'hui,
[15] voilà pourquoi je suis sortie à ta rencontre
Ct 3 2s pour te chercher, et je t'ai trouvé.
[16] J'ai recouvert mon divan de couvertures,
de tissus brodés, d'étoffe d'Égypte,
[17] j'ai aspergé ma couche de myrrhe,
d'aloès et de cinnamome.
[18] Viens! Enivrons-nous d'amour jusqu'au matin!
Jouissons dans la volupté!
[19] Car il n'y a point de mari à la maison :
il est parti pour un lointain voyage,
[20] il a emporté le sac aux écus,
à la pleine lune il reviendra chez lui.
[21] A force de persuasion elle le séduit,
par le charme doucereux de ses lèvres elle l'entraîne.
[22] Aussitôt il la suit,
tel un bœuf qui va à l'abattoir,
tel un fou marchant au supplice des entraves [a],
[23] jusqu'à ce qu'un trait lui perce le foie,
Qo 7 26; tel l'oiseau qui se précipite dans le filet
9 12 sans savoir qu'il y va de sa vie.
[24] A présent, fils, écoutez-moi,
prêtez attention aux paroles de ma bouche :
[25] Que ton cœur ne dévie pas vers ses chemins,
ne t'égare pas dans ses sentiers,
[26] car nombreux sont ceux qu'elle a frappés à mort
et les plus robustes furent tous ses victimes.
[27] Sa demeure est le chemin du shéol,
la pente vers le parvis des morts.

1 20-33 **Deuxième prosopopée de la Sagesse [b].**

**8** [1] La Sagesse n'appelle-t-elle pas?
l'Intelligence n'élève-t-elle pas la voix?
[2] Au sommet des hauteurs qui dominent la route,
au croisement des chemins, elle se poste;
[3] près des portes, à l'entrée de la cité,
Jn 7 37 sur les voies d'accès, elle s'écrie [c] :
[4] « Humains! C'est vous que j'appelle,
ma voix s'adresse aux enfants des hommes.
[5] Simples! apprenez le savoir-faire,
sots, devenez raisonnables [d].

*a)* Stique incertain. Le grec lit : (22[c]) « tel un chien pris aux entraves, (23[a]) tel un cerf frappé d'une flèche au foie ».
*b)* Les ch. **8-9** contiennent le sommet de la doctrine des Proverbes sur la sagesse, cf. **8** 22+. Le même thème est développé dans des livres plus tardifs : Si **1** 1-20; **24**; Sg **6-9**; cf. aussi Jb **28**.
*c)* Peut-être tout simplement comme le commerçant ambulant, qui attire les chalands en vantant sa marchandise.
*d)* Litt. « comprenez le cœur », c'est-à-dire « l'intelligence »; cf. de même **6** 32 : « privé de sens », litt. « privé de cœur ».

[6] Écoutez, j'ai à vous dire des choses importantes,
j'ouvre mes lèvres pour dire des paroles droites.
[7] C'est la vérité que mon palais proclame,
car le mal est abominable à mes lèvres.
[8] Toutes les paroles de ma bouche sont justes,
en elles rien de faux ni de tortueux.
[9] Toutes sont franches pour qui les comprend,
droites pour qui a trouvé le savoir.
[10] Prenez ma discipline et non de l'argent, 3 14; **16** 16
le savoir plutôt que l'or pur.
[11] Car la sagesse vaut mieux que les perles, Jb **28** 15-19
et rien de ce que l'on désire ne l'égale. » Pr 3 15

**Éloge de la Sagesse par elle-même. La Sagesse royale.** Si **24**

[12] « Moi, la Sagesse, j'habite avec le savoir-faire,
je possède la science de la réflexion.
[13] (La crainte de Yahvé est la haine du mal.) Jb **28** 28
Je hais l'orgueil et l'arrogance, Si **15** 8
la mauvaise conduite et la bouche torse.
[14] A moi appartiennent le conseil et la prudence,
je suis l'entendement, à moi la puissance!
[15] Par moi règnent les rois Is **11** 2-5
et les nobles décrètent le droit; Jr **23** 5
1 R **3** 4-15; Si **10** 4
[16] par moi gouvernent les princes
et les grands, les juges légitimes [a].
[17] J'aime ceux qui m'aiment, Sg **6** 12
↗ Mt **7** 7-11
qui me cherche avec empressement me trouve. Jn **14** 21
[18] Chez moi sont la richesse et la gloire, **3** 16
les biens stables et la justice.
[19] Mon fruit est meilleur que l'or, que l'or fin, Si **1** 16s
mes produits meilleurs que le pur argent
[20] Je marche dans le chemin de la justice,
dans le sentier du droit,
[21] pour procurer des biens à ceux qui m'aiment,
et remplir leurs trésors.

**La Sagesse créatrice [b].** Jn **1** 1-3+

[22] « Yahvé m'a créée, prémices de son œuvre [c], Si **1** 4, 9;
avant ses œuvres les plus anciennes. **24** 8, 9

*a)* On transpose parfois le v. 17 avant le v. 15 pour rendre sa logique au développement.

*b)* L'idée d'une sagesse personnifiée, simple artifice littéraire en Pr **14** 1, s'est développée en Israël à partir de l'Exil, lorsque le polythéisme ne fut plus une menace pour la vraie religion. Si en Jb **28** et Ba **3** 9 - **4** 4 la sagesse apparaît comme une chose, un bien désirable extérieur à Dieu et à l'homme, elle est présentée en Pr **1** 20-33; **3** 16-19 et **8-9** comme une personne. Ici elle révèle elle-même son origine (créée avant toute créature, vv. 22-26), ainsi que la part active qu'elle prend à la création, vv. 27-30, et le rôle qu'elle joue auprès des hommes, pour les mener à Dieu, vv. 31, 35-36. Ben Sira développera cette doctrine : Si **1** 1-10 rappelle Jb **28**, mais Si **4** 11-19; **14** 20 - **15** 10 et surtout **24** 1-29 (cf. Si **24** 1+) prolongent Pr **8**. Toutefois, en tous ces textes où la sagesse est personnifiée, comme ailleurs la Parole ou l'Esprit, il est difficile de démêler ce qui est artifice poétique, expression d'anciennes conceptions religieuses ou intuition de révélations nouvelles. Enfin Sg **7** 22 - **8** 1 donne l'impression que la sagesse, « effusion de la gloire de Dieu », participe à la nature divine, mais les termes abstraits qui la décrivent conviennent à un attribut divin aussi bien qu'à une hypostase distincte. – La doctrine de la Sagesse, ainsi ébauchée dans l'AT, sera reprise dans le NT qui lui fera accomplir un progrès nouveau et décisif en l'appliquant à la personne du Christ. Jésus est désigné comme Sagesse et sagesse de Dieu, Mt **11** 19p; Lc **11** 49, cf. Mt **23** 34-36; 1 Co **1** 24-30; comme la Sagesse, le Christ participe à la création et à la conservation du monde, Col **1** 16-17, à la garde d'Israël, 1 Co **10** 4, cf. Sg **10** 17s. Enfin le prologue de Jn attribue au Verbe des traits de la Sagesse créatrice, et tout l'évangile johannique présente le Christ comme la Sagesse de Dieu, cf. Jn **6** 35+. Ceci explique que la tradition chrétienne, depuis saint Justin, ait reconnu le Christ dans la Sagesse de l'AT. Par accommodation, la liturgie a appliqué Pr **8** 22s à la Vierge Marie, collaboratrice du Rédempteur comme la Sagesse l'est du Créateur.

*c)* Le verbe hébreu (*qanani*) est traduit « m'a créée » par grec, syr., Targ., cf. Si **1** 4, 9; **24** 8, 9. La traduction « m'a acquise » ou « m'a possédée » (Aquila, Symmaque, Théodotion) a été reprise par saint Jérôme (Vulg.), sans doute pour combattre l'erreur d'Arius qui faisait du Verbe (identifié avec la Sagesse)

[23] Dès l'éternité je fus établie [a],
Jn 1 1 dès le principe, avant l'origine de la terre.
[24] Quand les abîmes [b] n'étaient pas, je fus enfantée,
quand n'étaient pas les sources aux eaux abondantes.
[25] Avant que fussent implantées les montagnes,
avant les collines, je fus enfantée;
[26] avant qu'il eût fait la terre et la campagne
et les premiers éléments du monde.
Gn 1 6 [27] Quand il affermit les cieux, j'étais là,
Jb 28 23-27 Si 24 5 quand il traça un cercle à la surface de l'abîme,
Sg 9 9 [28] quand il condensa les nuées d'en haut,
quand se gonflèrent les sources de l'abîme,
Jb 38 8-11 [29] quand il assigna son terme à la mer,
Ps 104 7-9 – et les eaux n'en franchiront pas le bord –
quand il traça les fondements de la terre,
[30] j'étais à ses côtés comme le maître d'œuvre [c],
je faisais ses délices, jour après jour,
m'ébattant tout le temps en sa présence,
[31] m'ébattant sur la surface de sa terre
Sg 1 6 et trouvant mes délices parmi les enfants des hommes.

### L'invite suprême.

[32] « Et maintenant, mes fils, écoutez-moi :
Si 14 20-27 Heureux ceux qui gardent mes voies!
[33] Écoutez l'instruction et devenez sages,
ne la méprisez pas.
[34] Heureux l'homme qui m'écoute,
Ap 3 20 qui veille jour après jour à mes portes
Sg 6 14 pour en garder les montants!
3 1-2 [35] Car qui me trouve trouve la vie,
1 Jn 5 12 il obtient la faveur de Yahvé;
[36] mais qui pèche contre moi blesse son âme,
Sg 1 12-16 quiconque me hait chérit la mort. »

Mt 22 1-14p
### La Sagesse hospitalière.

**9** [1] La Sagesse a bâti sa maison,
elle a taillé ses sept colonnes [d],
[2] elle a abattu ses bêtes, préparé son vin,
elle a aussi dressé sa table.
[3] Elle a dépêché ses servantes
et proclamé sur les buttes, en haut de la cité :
[4] « Qui est simple? Qu'il passe par ici! »
A l'homme insensé elle dit :
Is 55 1-3 [5] « Venez, mangez de mon pain,
Si 24 19-21 buvez du vin que j'ai préparé!
Jn 6 35+ [6] Quittez la niaiserie et vous vivrez,
marchez droit dans la voie de l'intelligence. »

une créature. La formule « prémices de son œuvre » (litt. prémices de sa voie » ou « de ses voies » si l'on suit les versions) doit être rapprochée du titre de « Premier-né de toute créature » donné au Christ par saint Paul, Col 1 15, et de celui de « principe des œuvres de Dieu », Ap 3 14.
*a)* D'après le sens du verbe *nasak* attesté par Ps 2 6. Certains préfèrent le sens habituel de « verser », « couler » (un objet de métal). D'autres corrigent pour faire venir ce mot de la racine *sakak* et traduisent : « j'ai été cachée » ou « tenue en réserve ».

*b)* L'abîme liquide sur lequel reposent à la fois le cercle de la terre et la calotte du ciel, cf. Gn 1; Ps 104; Jb 38.
*c)* Mot rare en hébreu. Le sens d'« artisan », « artiste » (d'où « maître d'œuvre ») est attesté par Jr 52 15; Ct 7 2, et confirmé par le grec. La Sagesse est la collaboratrice du Créateur, cf. Sg 7 22. Une autre traduction, fondée sur une légère correction, en fait « l'enfant chéri », « le disciple fidèle » du Créateur.
*d)* Caractéristiques d'une maison riche, avec une cour intérieure. Le nombre sept est ici le symbole de la perfection.

Contre les railleurs [a].

[7] Qui corrige un railleur s'attire le mépris,
qui reprend un méchant, le déshonneur.
[8] Ne reprends pas le railleur, il te haïrait, **15** 12
reprends le sage, il t'aimera. **19** 25
[9] Donne au sage : il deviendra plus sage encore;
instruis le juste, il accroîtra son acquis.
[10] Principe de la sagesse : la crainte de Yahvé! **1** 7+
la science des saints, voilà l'intelligence.
[11] Car par moi tes jours se multiplient **3** 1-2
et pour toi s'accroissent les années de vie.
[12] Si tu es sage, tu l'es pour toi-même,
si tu es railleur, toi seul en porteras la peine.

Dame Folie singe la Sagesse [b]. **9** 1-6

[13] Dame Folie est impulsive,
niaise et ne connaissant rien!
[14] Elle s'assied à la porte de sa maison,
sur un trône, en haut de la cité,
[15] pour appeler les passants,
ceux qui vont droit leur chemin.
[16] « Qui est simple? Qu'il fasse un détour par ici! »
A l'homme insensé elle dit :
[17] « Les eaux dérobées sont douces,
et savoureux le pain du mystère! »
[18] Or il ignore qu'il y a là des Ombres
et que ses invités sont aux vallées du shéol. Nb **16** 33+

## *II. Le grand recueil salomonien* [c]

**10** [1] Proverbes de Salomon.

Le fils sage réjouit son père, = **15** 20
le fils sot chagrine sa mère. **17** 25; **19** 13

[2] Trésors mal acquis ne profitent pas, Si **5** 8
mais la justice délivre de la mort. = **11** 4
**12** 28

[3] Yahvé ne laisse pas le juste affamé, Ps **34** 10
mais il réprime la convoitise des méchants.

[4] Main nonchalante appauvrit, **15** 19; **19** 15
la main des diligents enrichit.

[5] Amasser en été est d'un homme avisé, **20** 4
dormir à la moisson est d'un homme indigne. **6** 9-11

*a)* Maximes introduites plus tard, comme un commentaire du v. 6.

*b)* La folie est à son tour personnifiée, et son activité opposée à celle de la sagesse, **9** 1-6. Le sens de la parole est transparent : de même qu'il y a deux voies, celle du bien et celle du mal (**4** 18-19; Dt **30** 15-20; Ps **1**; ce thème se retrouve dans la *Didachè* et le Pseudo-Barnabé comme dans les mss de Qumrân), de même il y a deux appels pour l'homme, deux banquets auxquels il est invité. L'homme doit choisir, cf. Rm **12** 21; 2 Co **6** 14s; Tt **1** 15.

*c)* On a probablement ici la partie la plus ancienne du livre. Aucun ordre apparent dans ce recueil, sinon quelques rapprochements parfois tout extérieurs.

**10** 16-24; **11** 18 — 6 Bénédictions sur la tête du juste,
mais la bouche des impies recouvre la violence [a].

**10** 27; **12** 7; **14** 11 Ps **112** 6 — 7 La mémoire du juste est en bénédiction,
le nom des méchants tombe en pourriture.

Mt **7** 24 — 8 L'homme au cœur sage accepte les ordres,
l'homme aux lèvres folles court à sa perte.

**28** 18 — 9 Qui va honnêtement va en sécurité,
qui suit une voie tortueuse est démasqué.

**6** 13 Si **27** 22 — 10 Qui cligne de l'œil donne du tourment,
qui réprimande en face procure l'apaisement [b].

11 Source de vie : la bouche du juste,
mais la bouche des impies recouvre la violence.

**17** 9 — 12 La haine allume des querelles,
↗ 1 Co **13** 7 ↗ 1 P **4** 8 — l'amour couvre toutes les offenses.

13 Sur les lèvres de l'homme intelligent se trouve la sagesse,
**19** 29; **26** 3 — sur le dos de l'insensé, le bâton.

Mt **12** 34-35 Pr **18** 7 — 14 Les sages thésaurisent le savoir,
mais la bouche du fou est un danger menaçant.

= **18** 11 Si **8** 2 Ps **49** 7 — 15 La fortune du riche, voilà sa place forte;
le mal des faibles, c'est leur indigence.

Rm **6** 21-22 Pr **12** 28 — 16 Le salaire du juste procure la vie,
le revenu du méchant, le péché.

**6** 23 **15** 32 — 17 Il marche vers la vie [c], celui qui garde la discipline;
qui délaisse la réprimande se fourvoie.

18 Les lèvres du menteur couvrent la haine;
qui profère une calomnie est un sot.

Qo **5** 2 Pr **13** 3; **17** 27 Jc **3** 8 — 19 Abondance de paroles ne va pas sans offense;
qui retient ses lèvres est avisé.

20 La langue du juste est pur argent,
le cœur des méchants est de peu de prix.

21 Les lèvres du juste repaissent une multitude,
mais les fous meurent faute de sens.

Ps **127** 1 — 22 C'est la bénédiction de Yahvé qui enrichit,
sans que l'effort y ajoute rien.

**2** 14 — 23 C'est un jeu pour le sot de s'adonner au crime,
et pour l'homme intelligent de cultiver la sagesse.

*a)* Stique identique à 11[b]. Le grec lit : « un deuil prématuré ferme la bouche aux impies. »

*b)* Avec grec. Hébr. : « le sot bavard court à sa perte », cf. 8[b].

*c)* « Il marche » *'oreah* conj.; « sentier » *'orah* hébr.

[24] Ce que redoute le méchant lui échoit,
ce que souhaite le juste lui est donné. Jb **3** 25 Ps **37** 4

[25] Quand la tourmente a passé, plus de méchant!
mais à jamais, le juste est établi. Mt **7** 24-27 Pr **12** 3 1 Jn **2** 16-17

[26] Vinaigre aux dents, fumée aux yeux,
tel est le paresseux pour qui l'envoie [a]. **13** 17; **25** 13 **26** 6

[27] La crainte de Yahvé prolonge les jours,
les années du méchant seront abrégées. **4** 10

[28] L'espoir des justes est joie,
l'espérance des méchants périra. Jb **8** 13 Ps **112** 10

[29] La voie de Yahvé est un rempart pour l'homme honnête,
pour les malfaisants, une ruine.

[30] Jamais le juste ne sera ébranlé,
mais les méchants n'habiteront pas le pays. **2** 21-22

[31] La bouche du juste exprime la sagesse,
la langue perverse sera coupée. || Ps **37** 30

[32] Les lèvres du juste connaissent la bienveillance,
la bouche des méchants la perversité. Qo **10** 12

11 [1] La balance fausse est une abomination pour Yahvé,
mais le poids juste a sa faveur. **20** 10, 23; **16** 11 Dt **25** 13-16 Am **8** 5-6 Os **12** 8 Mi **6** 10-11

[2] Vienne l'insolence, viendra le mépris,
mais chez les humbles se trouve la sagesse. = **13** 10

[3] Leur honnêteté conduit les hommes droits,
leur perversité mène les traîtres à la ruine.

[4] Au jour de la fureur, la richesse sera inutile,
mais la justice délivre de la mort. Ps **49** 7-9 Jb **21** 30 = Pr **10** 2

[5] La justice de l'homme honnête rend droit son chemin,
le méchant succombe dans sa méchanceté.

[6] Leur justice sauve les hommes droits,
dans leur convoitise les traîtres sont pris. **11** 3

[7] L'espérance du méchant périt à sa mort,
l'espoir mis dans les richesses est anéanti. **10** 28 Ps **112** 10

[8] Le juste échappe à l'angoisse,
le méchant y vient à sa place.

[9] Par sa bouche l'impie ruine son prochain,
par le savoir les justes se tirent d'affaire. **29** 5

*a)* C'est-à-dire le messager paresseux.

**28** 12 — 10 Au bonheur des justes, la cité exulte,
à la perte des méchants, c'est un cri de joie.

**14** 1 — 11 Par la bénédiction des hommes droits s'élève une ville,
par la bouche des méchants, elle est démolie.

**14** 21 — 12 Qui méprise son prochain est privé de sens;
l'homme intelligent se tait.

**10** 19; **17** 27s — 13 C'est un colporteur de médisance, celui qui révèle les secrets,
c'est un esprit sûr, celui qui cache l'affaire.

= **24** 6 **15** 22 Sg **6** 24 — 14 Faute de direction un peuple succombe,
le succès tient au grand nombre de conseillers.

**6** 1+ — 15 Celui qui cautionne l'étranger se fait du tort,
qui répugne à toper est en sécurité.

**31** 10s **5** 15+ — 16 Une femme gracieuse acquiert de l'honneur [a],
les violents acquièrent la richesse.

17 L'homme miséricordieux fait du bien à soi-même,
Si **14** 6 — mais un homme intraitable afflige sa propre chair.

18 Le méchant accomplit un travail décevant,
2 Co **9** 6 Ga **6** 8 — à qui sème la justice, la récompense est assurée.

19 Qui établit [b] la justice va à la vie,
qui poursuit le mal, à la mort.

**12** 22; **15** 9 — 20 Abomination pour Yahvé : les cœurs tortueux;
il aime ceux dont la conduite est honnête.

**16** 5 **12** 21 — 21 A coup sûr [c], le méchant ne restera pas impuni,
mais la race des justes sera sauve.

22 Un anneau d'or au groin d'un pourceau :
une femme belle mais dépourvue de sens.

23 Le souhait des justes, ce n'est que le bien,
l'espoir des méchants, c'est la colère.

24 Tel est prodigue et sa richesse s'accroît,
tel amasse sans mesure et ne fait que s'appauvrir.

25 L'âme qui bénit prospérera,
Is **58** 7-11 Mt **7** 2; **10** 42 — et qui abreuve sera abreuvé.

26 Le peuple maudit l'accapareur de blé,
bénédiction sur la tête de celui qui le vend.

*a)* Le grec a ici : « Une femme gracieuse fait l'honneur de son mari, celle qui fait fi de la justice est un trône de déshonneur. Les indolents manquent de ressources, les violents acquièrent la richesse. »

*b)* « Qui établit » *kan* conj.; « ainsi » *ken* hébr.

*c)* « A coup sûr », litt. « main pour main » : allusion possible à l'habitude de toper.

[27] Qui vise le bien obtient la faveur [a], 12 2
qui poursuit le mal, celui-ci l'atteindra. 5 22

[28] Qui se fie en la richesse tombera, Ps 52 9-10 Mc 10 23
mais les justes pousseront comme le feuillage. Ps 1 3

[29] Qui laisse sa maison en désordre hérite le vent,
et le fou devient esclave du sage.

[30] Le fruit du juste est un arbre de vie; Ps 1
le sage captive les âmes [b].

[31] Si le juste ici-bas reçoit son salaire,
combien plus le méchant et le pécheur.

**12** [1] Qui aime la discipline aime le savoir, 13 18; 15 5 Si 21 6
qui hait la réprimande est stupide.

[2] L'homme de bien attire la faveur de Yahvé, 11 27
mais l'homme malintentionné, celui-ci le condamne.

[3] On ne s'affermit pas par la méchanceté, 10 25
mais rien n'ébranle la racine des justes.

[4] Une maîtresse femme est la couronne de son mari, 31 10s
mais une femme indigne est comme une carie dans ses os.

[5] Les desseins du juste sont équité,
les machinations du méchant, tromperie.

[6] Les paroles des méchants sont des pièges de sang,
mais la bouche des hommes droits les délivre. 14 3

[7] Jetés bas, les méchants ne sont plus, Mt 7 24-27
la maison des justes subsiste.

[8] On fait l'éloge d'un homme selon son bon sens,
le cœur tortueux est en butte aux affronts.

[9] Mieux vaut un homme du commun qui a un serviteur
qu'un homme qui se glorifie et manque de pain. Si 10 27

[10] Le juste connaît les besoins de ses bêtes, 27 23
mais les entrailles du méchant sont cruelles.

[11] Qui cultive sa terre sera rassasié de pain, = 28 19
qui poursuit des chimères est dépourvu de sens.

[12] L'impie se plaît au filet des méchants,
mais la racine des justes rapporte.

a) La faveur de Yahvé qui récompense les justes, cf. 12 2.
b) Le grec, peut-être gêné par ce texte qui pourrait se comprendre : « le sage enlève la vie », lit : « avant le temps les méchants seront emportés. »

**10** 19; **18** 7 [13] Dans le forfait des lèvres, il y a un piège funeste,
**24** 16 mais le juste se tire de la détresse.

**13** 2; **18** 20 [14] Par le fruit de sa bouche l'homme se rassasie de ce qui est bon,
Lc **6** 37-38 on reçoit la récompense de ses œuvres.

[15] Le chemin du fou est droit à ses propres yeux,
mais le sage écoute le conseil.

[16] Le fou manifeste son dépit sur l'heure,
2 S **13** 20s, 32 mais l'homme habile dissimule le mépris.

**14** 25 [17] Celui qui révèle la vérité proclame la justice,
le faux témoin n'est que tromperie.

**15** 4 [18] Tel qui parle étourdiment blesse comme une épée,
la langue des sages guérit.

[19] La lèvre sincère est affermie pour jamais,
mais pour un instant la langue trompeuse.

[20] Au cœur de qui médite le mal : la fraude;
Mt **5** 9 aux conseillers pacifiques : la joie.

**11** 21 [21] Au juste n'échoit nul mécompte,
Ps **91** 10 mais les méchants sont comblés de malheur.

**11** 20 [22] Abomination pour Yahvé : des lèvres menteuses;
il aime ceux qui pratiquent la vérité.

**10** 19; **13** 16 [23] L'homme avisé cèle son savoir,
le cœur des sots publie sa folie.

[24] A la main diligente le commandement,
la main nonchalante aura la corvée.

**15** 13 [25] Une peine au cœur de l'homme le déprime,
mais une bonne parole le réjouit.

[26] Un juste montre la voie à son compagnon [a],
la voie des méchants les égare.

[27] L'indolence ne rôtit pas son gibier [b],
mais la diligence est une précieuse ressource de l'homme.

**10** 16 [28] Sur le sentier de la justice : la vie;
Rm **6** 21-23 le chemin des pervers mène à la mort [c].

**13** [1] Le fils sage écoute [d] la discipline de son père,
le railleur n'entend pas le reproche.

*a)* « montre la voie » : sens incertain. La forme verbale est unique, mais on s'accorde généralement à la faire venir du verbe signifiant « explorer ».
*b)* Parce qu'il n'a rien pris.
*c)* « le chemin des pervers » grec; « et un chemin, un sentier (?) » hébr.
*d)* « écoute » suppléé d'après le deuxième stique.

[2] Par le fruit de sa bouche l'homme se nourrit de ce qui est bon, 12 14; 18 20
mais l'âme des traîtres se repaît de violence.

[3] Qui veille sur sa bouche garde sa vie [a], 21 23
qui ouvre grand ses lèvres se perd. Si 28 25-26 Jc 3 2-12

[4] Le paresseux attend, mais rien pour sa faim; Pr 6 6-11
la faim des diligents est apaisée.

[5] Le juste hait la parole mensongère,
mais le méchant déshonore et diffame.

[6] La justice garde celui dont la voie est honnête,
le péché cause la ruine du méchant [b].

[7] Tel joue au riche qui n'a rien, Ap 3 17
tel fait le pauvre qui a de grands biens. Lc 12 21. 33

[8] Rançon d'une vie d'homme : sa richesse; 15 16
mais le pauvre n'entend pas le reproche [c].

[9] La lumière des justes est joyeuse, Ps 97 11
la lampe des méchants s'éteint.

[10] Insolence n'engendre que chicane;
chez qui accepte les conseils se trouve la sagesse. = 11 2

[11] Fortune hâtive [d] va diminuant, 20 21
qui amasse peu à peu s'enrichit.

[12] Espoir différé rend le cœur malade; 3 28
c'est un arbre de vie que le désir satisfait. 13 19

[13] Qui méprise la parole se perdra,
qui respecte le commandement sera sauf.

[14] L'enseignement du sage est source de vie = 14 27
pour éviter les pièges de la mort.

[15] Un grand bon sens procure la faveur,
la voie des traîtres est dure.

[16] Tout homme avisé agit à bon escient, 12 23
le sot étale sa folie. Qo 10 3

[17] Messager malfaisant tombe [e] dans le malheur,
messager fidèle apporte la guérison. 25 13

[18] Misère et mépris à qui abandonne la discipline, 12 1
honneur à qui observe la réprimande.

*a)* Il y a peut-être un jeu de mot : le terme rendu ici par « vie » peut signifier aussi «gorge » et « âme ».
*b)* « méchant » conj.; « méchanceté » hébr.
*c)* C'est l'idée de la fable du savetier et du financier.
*d)* « hâtive » grec; « (issue) de vanité » hébr.
*e)* A moins qu'il ne faille corriger pour comprendre « fait tomber », ce que suggérait le stique suivant. Mais le grec est en faveur du TM : « Un roi téméraire tombera dans le malheur. »

13 12 [19] Désir satisfait, douceur pour l'âme.
29 27 Abomination pour les sots : se détourner du mal [a].

Si 6 33-34 [20] Qui chemine avec les sages devient sage,
Pr 14 7 qui hante les sots devient mauvais.

[21] Aux trousses du pécheur, le malheur;
le bonheur récompense les justes.

[22] Aux enfants de ses enfants l'homme de bien laisse un héritage,
28 8 au juste est réservée la fortune des pécheurs.
Jb 27 16-17

[23] Riche en nourriture, la culture des pauvres;
il en est qui périssent faute d'équité [b].

22 15; [24] Qui épargne la baguette hait son fils,
23 13, 14; qui l'aime prodigue la correction.
29 15, 17
3 12+

[25] Le juste mange et se rassasie,
le ventre des méchants crie famine.

8 22+; **14** [1] La Sagesse [c] bâtit sa maison,
9 1; 24 3 de sa main, la Folie la renverse.

[2] Qui marche dans sa droiture craint Yahvé,
qui dévie de ses chemins le méprise.

[3] Dans la bouche du fou il y a un surgeon d'orgueil,
les lèvres des sages les gardent [d].

[4] Point de bœufs, mangeoire vide;
taureau vigoureux, revenus abondants.

[5] Le témoin véridique ne ment pas,
mais le faux témoin exhale le mensonge [e].

[6] Le railleur poursuit la sagesse, mais en vain,
à l'homme intelligent le savoir est chose aisée.

13 20 [7] Écarte-toi du sot,
tu ignorerais les lèvres savantes.

[8] Pour l'homme avisé, la sagesse est de surveiller sa conduite,
mais la folie des sots n'est que tromperie.

[9] Les fous raillent le sacrifice pour le péché,
mais parmi les hommes droits se trouve la faveur.

[10] Le cœur connaît son propre chagrin
et nul étranger ne partage sa joie.

*a)* On ne voit pas bien le lien entre les deux vers : le texte est peut-être corrompu ou incomplet.
*b)* Ici encore, le texte semble altéré. Grec : « Les justes vivent dans la richesse beaucoup d'années, les injustes périssent soudainement. »
*c)* « La Sagesse » conj.; « Les plus sages des femmes » hébr., mais le verbe est au singulier.
*d)* Texte incertain.
*e)* Sur le faux témoignage, cf. **6** 19; **12** 17; **14** 25; **19** 5, 9; **21** 28; **24** 28; **25** 18, et peut-être aussi **10** 11; **11** 9; **12** 6. Cf. Ex **20** 16; **23** 1; Dt **19** 15-21.

11 La maison des méchants sera détruite, Jb **8** 22
la tente des hommes droits prospérera.

12 Tel chemin paraît droit à quelqu'un, = **16** 25
mais en fin de compte c'est le chemin de la mort.

13 Dans le rire même, le cœur trouve la peine, Qo **2** 1-2; **7** 2-6
et la joie s'achève en chagrin. Lc **6** 25

14 Le cœur dévoyé se rassasie de ses démarches,
et l'homme de bien de ses œuvres [a].

15 Le niais croit tout ce qu'on dit,
l'homme avisé surveille ses pas.

16 Le sage craint le mal et se détourne,
le sot est insolent et sûr de lui.

17 L'homme prompt à la colère fait des sottises, **14** 29; **29** 22
l'homme malintentionné est odieux.

18 La part des niais, c'est la folie,
les gens avisés se font du savoir une couronne. **14** 24

19 Devant les bons, les méchants se prosternent,
et aux portes des justes, les impies.

20 Même à son voisin, le pauvre est odieux, Si **6** 8-12
mais nombreux sont ceux qui aiment le riche. Pr **19** 4, 6, 7

21 Il pèche, celui qui méprise son prochain; **11** 12
heureux qui a pitié des pauvres. Ps **41** 2

22 N'est-ce pas s'égarer que machiner le mal?
Miséricorde et fidélité pour qui s'applique au bien.

23 Tout labeur donne du profit,
le bavardage ne produit que disette.

24 Couronne des sages : leur richesse; **14** 18
la folie des sots est folie.

25 Un témoin véridique sauve des vies, **12** 17
qui profère des mensonges est un imposteur [b].

26 Dans la crainte de Yahvé, puissante sécurité; **19** 23
pour ses enfants il est un refuge.

27 La crainte de Yahvé est source de vie
pour éviter les pièges de la mort. = **13** 14

28 Peuple nombreux, gloire du roi;
baisse de population, ruine du prince.

*a)* « de ses œuvres » *mimma'alalayw* conj.; « d'au-dessus de lui » (?) *me'alayw* hébr.

*b)* « un imposteur » *merammeh* conj.; « l'astuce » *mirmah* hébr.

14 17; 15 18; 19 11 — 29 L'homme lent à la colère est plein d'intelligence,
qui a l'humeur prompte exalte la folie.

17 22 — 30 Vie du corps : un cœur paisible;
mais l'envie est carie des os.

17 5 — 31 Opprimer le faible, c'est outrager son Créateur;
c'est l'honorer que d'être bon pour les malheureux.

32 Par sa propre malice le méchant est terrassé,
le juste trouve un refuge dans son intégrité [a].

33 En un cœur intelligent demeure la sagesse;
on ne la reconnaît pas au cœur des sots [b].

34 La justice grandit une nation,
le péché est la honte des peuples.

Gn 41 37-44; Si 8 8; Mt 24 45 — 35 La faveur du roi va au serviteur intelligent
et sa colère à celui qui fait honte.

1 S 25 32-33; 1 R 12 12-19 — **15** 1 Une aimable réponse apaise la fureur,
une parole blessante fait monter la colère.

Qo 10 12 — 2 La langue des sages rend le savoir agréable,
la bouche des sots éructe la folie.

5 21; 15 11; 16 2; Ps 7 10; 139 1s; Za 4 10 — 3 En tout lieu sont les yeux de Yahvé,
ils observent méchants et bons.

12 18 — 4 Langue apaisante est un arbre de vie,
langue perverse brise le cœur [c].

12 1; 13 18 — 5 Le fou méprise la correction paternelle,
qui observe la réprimande est avisé.

6 Biens abondants dans la maison du juste,
mais les revenus du méchant sont source d'inquiétude.

7 Les lèvres des sages répandent le savoir,
mais non le cœur des sots.

= 21 27; 1 S 15 22+ — 8 Le sacrifice des méchants est une abomination pour Yahvé,
mais la prière des hommes droits fait ses délices.

11 20; 12 22 — 9 Abomination pour Yahvé : la mauvaise conduite;
mais il chérit qui poursuit la justice.

10 Sévère correction pour qui s'écarte du sentier;
12 1; 15 32 — qui hait la réprimande mourra.

11 Shéol et Perdition sont devant Yahvé :
11 20+; Jn 2 25 — combien plus le cœur des enfants des hommes!

*a)* « dans son intégrité » grec, syr.; « dans sa mort » hébr.
*b)* « on ne la reconnaît pas » grec; hébr. omet la négation.
*c)* Litt. « la perversité en elle est brisure d'esprit ».

[12] Le railleur n'aime pas qu'on le reprenne, **9** 8
avec les sages il ne va guère.

[13] Cœur joyeux fait bon visage, **12** 25
cœur chagrin a l'esprit abattu. Si **13** 25

[14] Cœur intelligent recherche le savoir, **18** 15
la bouche des sots se repaît de folie.

[15] Pour le pauvre tous les jours sont mauvais,
pour le cœur joyeux, c'est un banquet perpétuel. Si **30** 25

[16] Mieux vaut peu avec la crainte de Yahvé **13** 8; **16** 8
qu'un riche trésor avec l'inquiétude. **17** 1 Ps **37** 16

[17] Mieux vaut une portion de légumes avec l'affection **17** 1
qu'un bœuf gras avec la haine.

[18] L'homme emporté engage la querelle, **14** 29; **28** 25
l'homme lent à la colère apaise la dispute. Mt **5** 9

[19] Le chemin du paresseux est comme une haie d'épines,
le sentier des hommes droits est une grand-route.

[20] Le fils sage réjouit son père, = **10** 1
l'homme sot méprise sa mère. **17** 25; **23** 22

[21] La folie fait la joie de l'homme privé de sens,
l'homme intelligent va droit son chemin.

[22] Faute de réflexion les projets échouent, **11** 14
grâce à de nombreux conseillers, ils prennent corps.

[23] Joie pour l'homme qu'une réplique de sa bouche,
que c'est bon, une réponse opportune!

[24] A l'homme de bon sens, le sentier de la vie, qui mène en haut, Qo **3** 21
afin d'éviter le shéol, en bas [a]. Nb **16** 33+

[25] Yahvé renverse la maison des superbes,
mais il relève la borne de la veuve. **22** 28 **23** 10-11 Dt **19** 14

[26] Abomination pour Yahvé : les mauvais desseins; Os **5** 10
mais les paroles bienveillantes sont purcs.

[27] Qui est avide de rapines trouble sa maison, **1** 19;
qui hait les présents vivra. **17** 23+

[28] Le cœur du juste médite pour répondre,
la bouche des méchants éructe la méchanceté. = **19** 28

*a)* Les expressions « qui mène en haut » et « en bas », omises par le grec, pourraient être des gloses tardives. Le « chemin de la vie » semble désigner la prolongation de la vie terrestre, opposée à la mort, descente au shéol. Plus tard, on comprit : « le chemin qui mène à la béatitude céleste », mais une telle notion ne faisait pas partie de la théologie de cette époque.

Is **59** 2 29 Yahvé s'éloigne des méchants,
Jn **9** 31 mais il entend la prière des justes.

30 Un regard bienveillant réjouit le cœur,
une bonne nouvelle ranime les forces [a].

**25** 12 31 L'oreille attentive à la réprimande salutaire
a sa demeure parmi les sages.

**15** 10; 32 Qui rejette la correction se méprise lui-même,
**10** 17; **19** 20 qui écoute la réprimande acquiert du sens.

**1** 7 33 La crainte de Yahvé est discipline de sagesse,
= **18** 12 avant la gloire, il y a l'humilité.

**19** 21; **16** 1 A l'homme les projets du cœur,
**16** 9 de Yahvé vient la réponse [b].

= **21** 2 2 Toutes les voies de l'homme sont pures à ses yeux,
mais Yahvé pèse les esprits.

**3** 6 3 Recommande à Yahvé tes œuvres,
Ps **37** 5 et tes projets se réaliseront.

4 Yahvé fit toute chose en vue d'une fin,
Rm **9** 22 et même le méchant pour le jour du malheur [c].

5 Abomination pour Yahvé : tout cœur altier;
**11** 21 à coup sûr, il ne restera pas impuni.

Tb **12** 9 6 Par la piété et la fidélité on expie la faute,
par la crainte de Yahvé on s'écarte du mal.

7 Que Yahvé se plaise à la conduite d'un homme,
Gn **26** 26s; il lui réconcilie même ses ennemis.
**31** 1s

**15** 16+ 8 Mieux vaut peu avec la justice
Tb **12** 8 que d'abondants revenus sans le bon droit.

**19** 21 9 Le cœur de l'homme délibère sur sa voie,
mais c'est Yahvé qui affermit ses pas.

10 L'oracle est sur les lèvres du roi [d],
dans un jugement, sa bouche est sans défaillance.

**11** 1+ 11 La balance et les plateaux justes [e] sont à Yahvé,
tous les poids du sac sont son œuvre.

12 Abomination pour les rois : commettre le mal,
**25** 5; **29** 14 car sur la justice le trône est établi.

*a)* Litt. « engraisse les os ».
*b)* L'homme propose et Dieu dispose.
*c)* Le méchant a été créé pour manifester, au jour de son malheur, la justice divine.
*d)* Car le roi rend ses jugements au nom de Dieu, cf. 2 S **14** 18-20; 1 R **3** 4-28. – Les proverbes qui suivent (sauf 11) sont des proverbes royaux.
*e)* « plateaux justes » conj.; « plateaux de justice » hébr.

[13] Les lèvres justes gagnent la faveur du roi, **14** 35; **22** 11
il aime qui parle avec droiture.

[14] La fureur du roi est messagère de mort, **19** 12; **20** 2
mais l'homme sage l'apaise.

[15] Dans la lumière du visage royal est la vie; Ps **4** 7+
telle une pluie printanière est sa bienveillance. Pr **19** 12

[16] Combien il vaut mieux acquérir la sagesse que l'or! **3** 14; **8** 19
L'acquisition de l'intelligence est préférable à l'argent.

[17] Le chemin des gens droits, c'est d'éviter le mal;
il garde sa vie, celui qui veille sur ses démarches.

[18] L'arrogance précède la ruine **11** 2; **15** 33
et l'esprit altier la chute.

[19] Mieux vaut être humble avec les pauvres Is **57** 15
qu'avec les superbes partager le butin.

[20] Qui est attentif à la parole trouve le bonheur, **13** 13
qui se fie en Yahvé est bienheureux. Ps **2** 12; **40** 5

[21] Un cœur sage est proclamé intelligent, **16** 23
la douceur des lèvres augmente le savoir.

[22] Le bon sens est source de vie pour qui le possède,
la folie des fous est leur châtiment.

[23] Le cœur du sage rend sa bouche avisée **16** 21
et ses lèvres riches de savoir. Qo **10** 12

[24] Les paroles aimables sont un rayon de miel :
doux au palais, salutaire au corps.

[25] Tel chemin paraît droit à quelqu'un, = **14** 12
mais en fin de compte, c'est le chemin de la mort.

[26] L'appétit du travailleur travaille pour lui,
car sa bouche le presse.

[27] L'homme de rien [a] produit le malheur,
c'est comme un feu brûlant sur ses lèvres. Jc **3** 6

[28] L'homme fourbe sème la querelle, Si **28** 13s
le diffamateur divise les intimes. **17** 9

[29] L'homme violent séduit son prochain
et le mène dans une voie qui n'est pas bonne.

[30] Qui ferme les yeux pour méditer des fourberies,
qui pince les lèvres, a commis le mal.

***a)*** Litt. « homme de Bélial », c'est-à-dire de Néant (le « vaurien », cf. **6** 12). Mais certains considèrent Bélial comme une désignation du démon, cf. 2 Co **6** 15.

Sg **4** 9 31 C'est une couronne d'honneur que des cheveux blancs,
Si **25** 4-6 sur les chemins de la justice on la trouve.

32 Mieux vaut un homme lent à la colère qu'un héros,
**25** 28 un homme maître de soi qu'un preneur de villes.

33 Dans le pli du vêtement on jette le sort [a],
de Yahvé dépend le jugement.

## 17

**15** 17 1 Mieux vaut une bouchée de pain sec et la tranquillité
qu'une maison pleine de sacrifices de discorde [b].

2 Un serviteur avisé l'emporte sur le fils indigne,
avec les frères il aura sa part d'héritage.

= **27** 21 3 La fournaise pour l'argent, le fourneau pour l'or,
Jr **11** 20+ pour éprouver les cœurs : Yahvé.

4 Le méchant est attentif aux lèvres pernicieuses,
le menteur prête l'oreille à la langue perverse.

**14** 31 5 Qui nargue le pauvre outrage son Créateur,
Lv **19** 14 qui rit d'un malheureux ne restera pas impuni [c].

Ps **128** 3, 6 6 Couronne des vieillards : les enfants de leurs enfants;
Si **3** 10-11 fierté des enfants : leur père.

7 Une langue distinguée ne sied pas à l'insensé,
moins encore, au prince, une langue menteuse.

**18** 16; **21** 14 8 Un présent est un talisman pour qui en dispose :
**17** 23+ de quelque côté qu'il se tourne, il réussit.

**10** 12 9 Qui jette le voile sur une offense cultive l'amitié,
**16** 28 qui répète la chose divise les intimes.

10 Un reproche fait plus d'impression sur l'homme intelligent
que cent coups sur le sot [d].

11 Le méchant ne cherche que rébellion,
mais un messager cruel sera envoyé contre lui [e].

12 Plutôt rencontrer une ourse privée de ses petits
qu'un insensé en son délire.

Ps **109** 4s 13 Qui rend le mal pour le bien,
le malheur ne s'éloignera pas de sa maison.

*a)* Allusion à *l'éphod*, placé sur la poitrine du grand prêtre, Ex **28** 6+, assimilé ici à *l'éphod*-réceptacle des sorts sacrés, 1 S **2** 28+.

*b)* Il s'agit sans doute des viandes sacrifiées et mangées ensuite dans des repas sacrés.

*c)* Comparer Amenemopé : « Ne ris pas d'un aveugle, ne ridiculise pas un nain, ne fais pas tort à l'infirme... l'homme est argile et paille, le dieu est son architecte. »

*d)* On s'est demandé si cette mention de *cent* coups n'était pas d'origine égyptienne : les lois israélites interdisaient de dépasser quarante coups, cf. Dt **25** 3.

*e)* Peut-être l'Ange exterminateur, cf. Ex **12** 23+. C'est ce qu'a compris le grec : « Le Seigneur dépêchera contre lui un ange impitoyable. »

[14] C'est libérer les eaux qu'entamer une querelle;
avant que n'éclate le procès, désiste-toi. Mt 5 25, 40

[15] Acquitter le coupable et condamner le juste : Ex 23 7
deux choses également en horreur à Yahvé. Dt 16 18-20

[16] A quoi bon de l'argent dans la main d'un sot?
A acheter la sagesse? Il n'y a pas le cœur!

[17] Un ami aime en tout temps, Si 6 7-10
un frère est engendré en vue de l'adversité. 1 S 20

[18] Est court de sens qui tope dans la main 6 1+
et pour son prochain se porte garant.

[19] C'est aimer l'offense qu'aimer la chicane,
qui se montre orgueilleux [a] cultive la ruine.

[20] Qui a le cœur tortueux ne trouve pas le bonheur,
qui a la langue perverse tombe dans le malheur.

[21] Qui engendre un sot, c'est pour son chagrin; 10 1
il n'a guère de joie, le père de l'insensé! Si 22 3

[22] Cœur joyeux améliore la santé, 14 30
esprit déprimé dessèche les os.

[23] Le méchant accepte un présent sous le manteau, Ex 23 8
pour faire une entorse au droit [b]. Dt 16 19; 27 25 Is 1 23 Am 5 12 1 Sm 8 3

[24] L'homme intelligent a devant lui la sagesse,
mais les regards du sot se portent au bout du monde [c].

[25] Chagrin pour son père qu'un fils insensé, 10 1
et amertume pour celle qui l'a enfanté. 29 15

[26] Il n'est pas bon de mettre le juste à l'amende;
frapper les nobles est contraire au droit.

[27] Qui retient ses paroles connaît le savoir, 10 19
un esprit froid est un homme d'intelligence.

[28] Même le fou, s'il se tait, passe pour sage, Jb 13 5
pour intelligent, celui qui clôt ses lèvres. Si 20 5

**18** [1] Qui vit à l'écart suit son bon plaisir,
contre tout conseil il s'emporte [d].

[2] Le sot ne prend pas plaisir à être intelligent,
mais à étaler son sentiment. 12 23

*a)* Litt. « qui hausse sa porte ».
*b)* Il s'agit évidemment ici des présents reçus par le juge ou le faux témoin; cf. **17** 8; **18** 16 et **21** 14, où le sens est plus large.
*c)* C'est-à-dire : le sot regarde tout et se mêle de tout.
*d)* Texte incertain : éloge ou condamnation de la solitude?

3 Quand vient la méchanceté, vient aussi l'affront,
avec le mépris, l'opprobre.

20 5 — 4 Des eaux profondes, voilà les paroles de l'homme :
Si 21 13 — un torrent débordant, une source de sagesse.
Jn 7 38

17 15+ — 5 Il n'est pas bon de favoriser le méchant,
24 23+ — pour débouter le juste dans un jugement.

6 Les lèvres du sot vont au procès
et sa bouche appelle les coups.

10 14; 13 3 — 7 La bouche du sot est sa ruine
12 13 — et ses lèvres un piège pour sa vie.

= 26 22 — 8 Les dires du calomniateur sont de friands morceaux
qui descendent jusqu'au fond des entrailles.

9 Quiconque est paresseux à l'ouvrage,
celui-là est frère du destructeur.

Ps 61 4 — 10 Une tour forte : le nom de Yahvé!
124 8 — le juste y accourt et il est hors d'atteinte.

= 10 15 — 11 La fortune du riche, voilà sa place forte :
c'est une haute muraille, pense-t-il.

16 18 — 12 Avant la ruine, le cœur humain s'élève,
= 15 33 — avant la gloire, il y a l'humilité.

Si 11 8 — 13 Qui riposte avant d'écouter,
c'est pour lui folie et confusion.

14 L'esprit de l'homme peut endurer la maladie,
mais l'esprit abattu, qui le relèvera?

15 14 — 15 Cœur intelligent acquiert la science,
l'oreille des sages recherche le savoir.

17 8; 21 14 — 16 Le don que fait un homme lui ouvre la voie
17 23+ — et le met en présence des grands.

17 On donne raison au premier qui plaide,
que survienne un adversaire, il le démasque.

16 33 — 18 Le sort met fin aux querelles
et décide entre les puissants [a].

19 Un frère offensé est pire qu'une ville fortifiée
et les querelles sont comme les verrous d'un donjon [b].

*a)* Plutôt qu'une vue pessimiste de la justice, il faut probablement lire ici une allusion au « jugement de Dieu », cf. **16** 33.

*b)* Texte douteux. Le grec est très différent : « Un frère aidé par son frère est une ville fortifiée et élevée, il est fort comme un rempart royal. »

[20] Du fruit de sa bouche l'homme rassasie son estomac, 12 14: 13 2
du produit de ses lèvres il se rassasie.

[21] Mort et vie sont au pouvoir de la langue, 21 23
ceux qui la chérissent mangeront de son fruit. Si 37 18 Jc 3 2-12

[22] Trouver une femme, c'est trouver le bonheur, 5 15+
c'est obtenir une faveur de Yahvé. 31 10s Si 26 1-4

[23] Le pauvre parle en suppliant, Si 13 3
le riche répond durement.

[24] Il y a [a] des amis qui mènent à la ruine, 17 17: 27 10
il y en a qui sont plus chers qu'un frère.

**19** [1] Mieux vaut le pauvre qui se conduit honnêtement = 28 6
que l'homme aux lèvres tortueuses et qui n'est qu'un sot.

[2] Où manque le savoir, le zèle n'est pas bon, 21 5
qui presse le pas se fourvoie. Rm 10 2

[3] La folie de l'homme pervertit sa conduite Si 15 11-20
et c'est contre Yahvé que son cœur s'emporte. Jc 1 13-14

[4] La richesse multiplie les amis, 14 20
mais de son ami le pauvre est privé. Si 6 8-12

[5] Le faux témoin ne restera pas impuni, = 19 9
qui profère des mensonges n'échappera point. 21 28

[6] Beaucoup flattent en face l'homme généreux, Si 13 5-6
tout le monde est ami de celui qui donne. Qo 5 10

[7] Tous les frères du pauvre le haïssent,
à plus forte raison, ses amis s'éloignent-ils de lui. Si 13 21

Il se met en quête de paroles, mais point [b]!

[8] Qui acquiert du sens se chérit lui-même,
qui garde l'intelligence trouve le bonheur.

[9] Le faux témoin ne restera pas impuni, = 19 5
qui profère des mensonges périra.

[10] Il ne sied pas au sot de vivre dans le luxe, 30 22
moins encore à l'esclave de dominer les princes. Qo 10 6-7

[11] Le bon sens rend l'homme lent à la colère, 14 29
sa fierté, c'est de passer sur une offense.

[12] Comme le rugissement du lion, la fureur du roi, = 20 2
mais comme la rosée sur l'herbe, sa faveur. 16 14, 15

*a)* « il y a » *yesh* conj.; « un homme » *'ish* hébr.
*b)* Sans doute fragment d'un proverbe dont le premier stique a disparu.

**17** 25 — 13 C'est une calamité pour son père qu'un fils insensé,
= **27** 15 — une gargouille qui ne cesse de couler que les querelles d'une femme.

14 Une maison et du bien sont l'héritage paternel,
**18** 22; **31** 10s — mais c'est Yahvé qui donne une femme de sens.

15 La paresse fait choir dans la torpeur,
**10** 4 — l'âme nonchalante aura faim.

Lc **10** 28; **11** 28 — 16 A garder le commandement on se garde soi-même,
mais qui méprise ses voies mourra [a].

**28** 27 ↗ Mt **25** 40 — 17 Qui fait la charité au pauvre prête à Yahvé
qui paiera le bienfait de retour.

Dt **21** 18-21 — 18 Tant qu'il y a de l'espoir, châtie ton fils,
mais ne t'emporte pas jusqu'à le faire mourir [b].

19 L'homme violent s'expose à l'amende;
si tu l'épargnes, tu augmentes son mal [c].

**15** 32 — 20 Entends le conseil, accepte la discipline,
pour être sage à la fin.

**16** 1, 9 — 21 Nombreux sont les projets au cœur de l'homme,
Ps **33** 11 — mais le dessein de Yahvé, lui, reste ferme.

22 Ce qu'on souhaite, chez l'homme, c'est la miséricorde;
on aime mieux un pauvre qu'un menteur.

**14** 27 — 23 La crainte de Yahvé mène à la vie,
on a vivre et couvert sans craindre le malheur.

= **26** 15 — 24 Le paresseux plonge la main dans le plat,
mais ne peut même pas la ramener à sa bouche.

25 Frappe le railleur, et le niais deviendra avisé;
**9** 8 — reprends un homme intelligent, il comprendra le savoir.

Ex **21** 17+ Pr **20** 20 **23** 22; **30** 17 — 26 Qui maltraite son père et chasse sa mère
est un fils indigne et infâme.

27 Cesse, mon fils, d'écouter l'instruction
pour t'écarter des paroles de science [d]!

28 Un témoin indigne se moque du droit;
= **15** 28 — la bouche des méchants avale l'iniquité.

29 Les châtiments sont faits pour les railleurs,
**10** 13 — les coups pour l'échine des sots.

*a)* Soit celui qui ne veille pas sur sa propre conduite, soit celui qui ne marche pas dans la voie indiquée par « le commandement » (16[a]).

*b)* Ou bien ce proverbe se montre moins sévère que le texte législatif, Dt **21** 18-21, ou bien il met seulement en garde contre une justice expéditive.

*c)* Texte très incertain. L'idée semble être qu'en négligeant de punir le coléreux, on ne fait que redoubler son mal.

*d)* Sens incertain. Le grec lit : « Un fils qui cesse de garder l'instruction de son père méditera des paroles mauvaises. »

**20** [1] Raillerie dans le vin! Insolence dans la boisson! 23 29-35
Qui s'y égare n'est pas sage.

[2] Tel le rugissement du lion, la colère du roi! = 19 12
Qui l'excite pèche contre lui-même.

[3] C'est un honneur pour l'homme d'éviter les procès,
mais quiconque est fou se déchaîne [a]. 14 17, 29

[4] A l'automne, le paresseux ne laboure pas,
à la moisson il cherche, et rien!

[5] C'est une eau profonde que le conseil au cœur de l'homme, 18 4
l'homme intelligent n'a qu'à puiser.

[6] Beaucoup de gens se proclament hommes de bien, Mt 6 2, 5, 16
mais un homme fidèle, qui le trouvera? Pr 27 2

[7] Le juste qui se conduit honnêtement,
heureux ses enfants après lui!

[8] Un roi siégeant au tribunal 16 10
dissipe [b] tout mal par son regard.

[9] Qui peut dire : « J'ai purifié mon cœur, Ps 51
de mon péché je suis net »? Jb 4 17+
1 Jn 1 8-10

[10] Poids et poids, mesure et mesure : 11 1+
deux choses en horreur à Yahvé.

[11] Même par ses actes un jeune homme se fait connaître,
si son action est pure et si elle est droite.

[12] L'oreille qui entend, l'œil qui voit, Ex 4 11
l'un et l'autre, Yahvé les a faits. Ps 94 9

[13] N'aime pas à somnoler, tu deviendrais pauvre;
tiens les yeux ouverts, tu auras ton content de pain!

[14] « Mauvais! mauvais! » dit l'acheteur,
mais en partant il se félicite.

[15] Il y a l'or et toutes sortes de perles, 3 13-15
mais la chose la plus précieuse ce sont les lèvres instruites.

[16] Prends-lui son vêtement, car il a cautionné un étranger, = 27 13
au profit d'inconnus, prends-lui un gage! 6 1+

[17] Doux est à l'homme le pain de la fraude, Jb 20 12-14
mais ensuite la bouche est remplie de gravier.

[18] Dans le conseil s'affermissent les projets :
par de sages calculs conduis la guerre.

*a)* Litt. « mais tout insensé éclate ».
*b)* Ou « vanne » (en distinguant les bonnes et les mauvaises causes), cf. **20** 26.

11 13+ [19] Il révèle les secrets, le colporteur de médisance;
avec qui a toujours la bouche ouverte, ne te lie pas!

Ex 20 12; 21 17+ Pr 19 26+ [20] Qui maudit son père et sa mère
verra s'éteindre sa lampe au cœur des ténèbres.

13 11 [21] Le bien vite acquis au début
ne sera pas béni à la fin.

25 22+ Rm 12 17 1 Th 5 15 [22] Ne dis point : « Je rendrai le mal! »
fie-toi à Yahvé qui te sauvera.

11 1+ [23] Abomination pour Yahvé : poids et poids;
une balance fausse, ce n'est pas bien.

‖ Ps 37 23 Pr 16 9; 19 21 [24] Yahvé dirige les pas de l'homme :
comment l'homme comprendrait-il son chemin?

Dt 23 22s Qo 5 3-5 Mt 15 5p [25] C'est un piège pour l'homme de crier : « Ceci est sacré! »
et, après les vœux, de réfléchir.

[26] Un roi sage vanne les méchants
et fait passer sur eux la roue [a].

Mt 6 22 ↗ 1 Co 2 11 [27] La lampe de Yahvé, c'est l'esprit [b] de l'homme
qui pénètre jusqu'au tréfonds de son être.

Ps 61 8 Is 16 5 [28] Piété et fidélité montent la garde près du roi;
sur la piété est fondé son trône.

[29] La fierté des jeunes gens, c'est leur vigueur,
16 31 la parure des vieillards, c'est leur tête chenue.

[30] Les blessures sanglantes sont un remède à la méchanceté,
les coups vont jusqu'au fond de l'être [c].

**21** [1] Comme l'eau courante, le cœur du roi est aux mains de Yahvé
qui l'incline partout à son gré.

= 16 2 [2] Toutes les voies de l'homme sont droites à ses yeux,
Lc 16 15; 18 9-14 mais Yahvé pèse les cœurs.

Am 5 22-24+ 1 S 15 22+ [3] Pratiquer la justice et le droit
vaut, pour Yahvé, mieux que le sacrifice [d].

[4] Regards altiers, cœur dilaté,
flambeau des méchants, ce n'est que péché [e].

*a)* Allusion au battage ou « dépiquage » du grain, pour lequel on utilisait des sortes de traineaux munis parfois de roues, cf. Is **28** 28.

*b)* L'« esprit », principe de vie que Dieu insuffle à l'homme après avoir formé son corps, cf. Gn **2** 7.

*c)* C'est, semble-t-il, l'apologie des châtiments corporels, mais le texte de ce proverbe est incertain.

*d)* On retrouve à travers tout l'AT cette insistance sur la droiture de cœur, condition de toute observance rituelle, cf. Am **5** 22s; Os **6** 6; Is **1** 11; Jr **7** 21 23.

*e)* Litt. « le flambeau (*ner*) des méchants est péché » conj.; « le labour (*nir*) des méchants est péché » hébr., mais le texte n'est pas sûr.

[5] Les projets de l'homme diligent ne sont que profit; 19 2
pour qui se presse, rien que la disette!

[6] Amasser des trésors par une langue menteuse :
vanité fugitive de qui cherche la mort.

[7] La violence des méchants les emporte,
car ils refusent de pratiquer le droit.

[8] Tortueuse est la voie de l'homme criminel,
mais de l'innocent l'action est droite.

[9] Mieux vaut habiter à l'angle d'un toit = 25 24
que faire maison commune avec une femme querelleuse. 19 13; 21 19 Si 25 16

[10] L'âme du méchant souhaite le mal,
à ses yeux le prochain ne trouve pas grâce.

[11] Quand on châtie le railleur, le niais s'assagit; = 19 25
quand on instruit le sage, il accueille le savoir.

[12] Le Juste [a] considère la maison du méchant :
il précipite les méchants dans le malheur.

[13] Qui ferme l'oreille à l'appel du faible Mt 6 15
criera, lui aussi, sans qu'on lui réponde. Jc 2 13

[14] Un don secret apaise la colère, 17 8. 23+
un présent sous le manteau, la fureur violente.

[15] C'est une joie pour le juste de pratiquer le droit,
mais c'est l'épouvante pour les malfaisants.

[16] Qui s'égare loin du chemin de la prudence
dans l'assemblée des ombres reposera.

[17] Restera indigent qui aime le plaisir, 23 20, 21
point ne s'enrichira qui aime vin et bonne chère [b].

[18] Le méchant est la rançon du juste;
à la place des hommes droits : le traître [c].

[19] Mieux vaut habiter en un pays désert 21 9+
qu'avec une femme querelleuse et chagrine.

[20] Il y a un trésor précieux et de l'huile dans la demeure du sage,
mais le sot les engloutit.

[21] Qui poursuit la justice et la miséricorde Mt 5 6
trouvera vie, justice et honneur.

a) C'est-à-dire Yahvé, si le texte n'est pas corrompu.
b) Litt. « vin et huile ».
c) Cf. 11 8. Ce proverbe semble supposer qu'il y a nécessairement une certaine dose de malheur dans l'univers. Mais Yahvé, dans sa justice, en protège les hommes droits et y voue les méchants.

Qo **9** 13-15 22 Le sage escalade la ville des guerriers,
il abat le rempart dans lequel elle se confiait.

**13** 3 23 A garder sa bouche et sa langue,
on se garde soi-même de l'angoisse.

24 Insolent, hautain, son nom est « railleur »!
il agit dans l'excès de son insolence.

**13** 4; **20** 4 25 Le désir du paresseux cause sa mort,
car ses mains refusent le travail.

Lc **6** 30, 34-35 26 Tout le jour l'impie est en proie au désir [a],
le juste donne sans jamais refuser.

= **15** 8 Si 7 9 27 Le sacrifice des méchants est une abomination [b],
surtout s'ils l'offrent avec malice.

**19** 5, 9 28 Le faux témoin périra,
mais qui sait écouter parlera à jamais.

29 Le méchant se donne un air assuré,
l'homme droit affermit sa propre conduite.

Is **8** 10 30 Il n'y a ni sagesse, ni intelligence,
ni conseil devant Yahvé [c].

Ps **20** 8 Os **1** 7+ 31 On équipe le cheval pour le jour du combat,
mais c'est à Yahvé qu'appartient la victoire.

Qo 7 1 **22** 1 Le renom l'emporte sur de grandes richesses,
la faveur, sur l'or et l'argent.

= **29** 13 Jb **31** 15 Sg **6** 7 Mt **5** 45 2 Riche et pauvre se rencontrent,
Yahvé les a faits tous les deux.

= **27** 12 3 L'homme avisé voit le malheur et se cache,
les niais passent outre, à leurs dépens.

4 Le fruit de l'humilité, c'est la crainte de Yahvé,
la richesse, l'honneur et la vie.

5 Épines et pièges sur le chemin du pervers,
qui tient à la vie s'en éloigne.

Si **6** 18 6 Instruis le jeune homme selon ses dispositions [d],
devenu vieux, il ne s'en détournera pas.

7 Le riche domine les pauvres,
du créancier l'emprunteur est esclave.

*a)* « l'impie est en proie au désir » grec; « il convoite la convoitise » hébr.
*b)* Le grec lit « Abomination pour Yahvé » comme en **15** 8.
*c)* C'est-à-dire « ne subsistent devant lui » ou « ne prévalent contre lui ».
*d)* Litt. « sur la bouche (l'entrée) de sa voie ». Certains comprennent : « dès ses premiers pas ». Le grec omet tout ce v.

8 Qui sème l'injustice récolte le malheur Jb **4** 8
et le bâton de sa colère disparaîtra [a]. Pr **12** 14

9 L'homme bienveillant sera béni, **19** 17; **28** 27
car il donne de son pain au pauvre. Ps **112** 9 Lc **14** 13-14

10 Chasse le railleur et la querelle cessera, **26** 20
procès et mépris s'apaiseront.

11 Celui qui aime les cœurs purs, ↗ Mt **5** 8
qui a la grâce sur les lèvres, a le roi pour ami. Pr **16** 13

12 Les yeux de Yahvé protègent le savoir,
mais il confond les discours du traître.

13 Le paresseux dit : « Il y a un lion dehors! = **26** 13
dans la rue je vais être tué! »

14 Fosse profonde, la bouche des étrangères : **5** 2+
celui que Yahvé réprouve y tombe.

15 La folie est ancrée au cœur du jeune homme,
le fouet de l'instruction l'en délivre. **13** 24; **29** 15, 17

16 Opprimer un pauvre, c'est l'enrichir,
donner au riche, c'est l'appauvrir [b].

## *III. Recueil des sages*

17 Prête l'oreille, entends les paroles des sages,
à mon savoir, applique ton cœur,
18 car il y aura plaisir à les garder au-dedans de toi,
à les avoir toutes assurées sur tes lèvres.
19 Pour qu'en Yahvé soit ta confiance,
je veux t'instruire aujourd'hui, toi aussi.

20 N'ai-je écrit pour toi trente chapitres [c]
de conseils et de science,

21 pour te faire connaître la certitude des paroles vraies
et que tu rapportes des paroles sûres à qui t'enverra?
22 Ne dépouille pas le faible, car il est faible,
et n'opprime pas à la porte [d] le pauvre, Ex **23** 6
23 car Yahvé épouse leur querelle **23** 11
et ravit à leurs ravisseurs la vie. Is **33** 1

24 Ne te lie pas avec un homme emporté,
ne va pas avec un homme irascible, Si **8** 15

*a)* Sens incertain. Grec : « et il paiera le châtiment de ses œuvres ».
*b)* Ce proverbe exprime soit une loi d'après laquelle la difficulté seule stimule l'effort et procure le succès, soit une foi religieuse en la justice de Yahvé qui renversera les situations.
*c)* « trente chapitres » : « chapitres » est suppléé et « trente » (*sheloshîm*) corrigé; l'hébr. a « avant-hier » *shileshôm*, vocalisé *shalishim* qui ne correspond à rien. Cette mention de trente chapitres, mal comprise, doit venir de la *Sagesse d'Amenemopé* dont tout ce passage s'inspire : « Considère ces trente chapitres, ils réjouissent, ils instruisent. »
*d)* A la porte de la ville, où se rendait la justice et où se traitaient les affaires publiques, cf. **24** 7.

[25] de peur que tu n'apprennes ses manières
et n'y trouves un piège pour ta vie.

6 1+ [26] Ne sois pas de ceux qui topent dans la main.
qui se portent garants pour dettes;
[27] si tu n'as pas de quoi t'acquitter.
on prendra [a] ton lit de dessous toi.

= 23 10 [28] Ne déplace pas la borne antique
15 25+ que posèrent tes pères.
Dt 19 14

[29] Vois-tu un homme preste à sa besogne?
au service des rois il se tiendra.
il ne se tiendra pas au service des gens obscurs.

23 [1] Si tu t'assieds à la table d'un grand,
prends bien garde à ce qui est devant toi;
[2] mets un couteau sur ta gorge [b]
si tu es gourmand.
= 23 6 [3] Ne convoite pas ses mets,
car c'est une nourriture décevante [c].

[4] Ne te fatigue pas à acquérir la richesse,
cesse d'y appliquer ton intelligence.
[5] Lèves-tu les yeux vers elle, elle n'est plus là,
car elle sait se faire des ailes
comme l'aigle qui vole vers le ciel.

[6] Ne mange pas le pain de l'homme aux regards envieux,
23 3 ne convoite pas ses mets.
[7] Car le calcul qu'il fait en lui-même, c'est lui :
« Mange et bois! » te dit-il, mais son cœur n'est pas avec toi [d].
[8] La bouchée à peine avalée, tu la vomiras
et tu en seras pour tes paroles flatteuses.

Mt 7 6 [9] Aux oreilles du sot ne parle pas,
il mépriserait la finesse de tes propos.

= 22 28+ [10] Ne déplace pas la borne antique
dans le champ des orphelins n'entre pas,
Ex 22 21-23 [11] car leur vengeur est puissant,
Pr 22 23 c'est lui qui épousera, contre toi, leur querelle [e].

[12] Applique ton cœur à la discipline,
tes oreilles aux paroles de science.

19 18 [13] Ne ménage pas à l'enfant la correction,
si tu le frappes de la baguette, il n'en mourra pas!

*a)* « on prendra » grec; « pourquoi prendra-t-il? » hébr.
*b)* C'est-à-dire sans doute : « mets un frein à ta voracité ». Selon d'autres : « C'est mettre un couteau sur ta gorge (mettre ta vie en danger) que de te montrer gourmand. »
*c)* Deux textes tout à fait semblables, l'un de Ptah-hotep l'autre d'Amenemopé, montrent qu'il s'agit là d'un thème bien connu du savoir-vivre égyptien; cf. aussi Gn **43** 34.
*d)* Le premier stique est assez obscur, litt. : « comme il pense en son âme, ainsi il est ». On voit ici une opposition entre les sentiments réels et ceux qui sont exprimés.
*e)* Le vengeur (*go'el*), cf. Nb **35** 19+, est ici Yahvé, cf. **22** 23; Jr **50** 34. – Il faut peut-être corriger « la borne antique » (*'olam*) en « la borne de la veuve » (*'almanah*), cf. **15** 25.

14 Si tu le frappes de la baguette,
c'est son âme que tu délivreras du shéol.

15 Mon fils, si ton cœur est sage,
mon cœur, à moi, se réjouira,
16 et mes reins exulteront
quand tes lèvres exprimeront des choses justes.

17 Que ton cœur n'envie pas les pécheurs, Ps **37** 1-4;
mais dans la crainte de Yahvé qu'il reste tout le jou **73** 3
18 car il existe un avenir Pr **3** 31
et ton espérance ne sera pas anéantie. = **24** 14

19 Écoute, mon fils, deviens sage,
et dirige ton cœur dans le chemin.

20 Ne sois pas de ceux qui s'enivrent de vin,
ni de ceux qui se gavent de viande,
21 car buveur et glouton s'appauvrissent, **21** 17
et la torpeur fait porter des haillons.

22 Écoute ton père qui t'a engendré, Dt **21** 18-21
ne méprise pas ta mère devenue vieille. Pr **19** 26
23 Acquiers la vérité, ne la vends pas :
sagesse, discipline et intelligence.
24 Il est au comble de l'allégresse, le père du juste; **10** 1
celui qui a donné le jour au sage s'en réjouit.
25 Ton père et ta mère seront dans la joie, **17** 25
et dans l'allégresse, celle qui t'a enfanté.

26 Mon fils, prête-moi attention,
que tes yeux se complaisent dans ma voie :
27 c'est une fosse profonde que la prostituée, **22** 14
un puits étroit que l'étrangère.
28 Elle aussi, comme un brigand, est en embuscade, **7** 12
parmi les hommes elle multiplie les traîtres.

29 Pour qui les « Malheur »? pour qui les « Hélas »?
pour qui les querelles? pour qui les plaintes?
pour qui les coups à tort et à travers?
pour qui les yeux troubles?
30 Pour ceux qui s'attardent au vin,
qui vont en quête de boissons mêlées.
31 Ne regarde pas le vin, comme il est vermeil! Ep **5** 18-19
comme il brille dans la coupe!
comme il coule tout droit!
32 Il finit par mordre comme un serpent,
par piquer comme une vipère.
33 Tes yeux verront d'étranges choses,
ton cœur s'exprimera de travers.
34 Tu seras comme un homme couché en haute mer, Ps **107** 26-27
ou couché à la pointe d'un mât.
35 « On m'a battu, je n'ai point de mal!
On m'a rossé, je n'ai rien senti!
Quand m'éveillerai-je?...
J'en demanderai encore! »

23 17 **24** [1] Ne porte pas envie aux méchants,
ne souhaite pas leur compagnie,
[2] car leur cœur ne songe qu'à la violence,
leurs lèvres n'expriment que malheur.

14 1 [3] C'est par la sagesse qu'on bâtit une maison,
par l'intelligence qu'on l'affermit;
[4] par le savoir, on emplit ses greniers
de tous les biens précieux et désirables.

1 S 16 7 [5] Un homme sage est plein de force,
l'homme de science affermit sa vigueur;
Lc 14 31 [6] car c'est par des calculs que tu feras la guerre,
= 11 14 et le succès tient au grand nombre des conseillers.

[7] Pour le fou, la sagesse est une forteresse inaccessible [a] :
à la porte de la ville, il n'ouvre pas la bouche.

[8] Qui songe à mal faire,
on l'appelle un maître en astuce.

[9] La folie ne rêve que péché,
le railleur est honni des hommes.

Jb 4 5 [10] Si tu te laisses abattre au jour mauvais,
ta vigueur est peu de chose [b].

[11] Délivre ceux qu'on envoie à la mort,
ceux qu'on traîne au supplice, puisses-tu les sauver [c]!
[12] Diras-tu : « Voilà! nous ne savions pas »?
16 2 Celui qui pèse les cœurs ne comprend-il pas?
Alors qu'il sait, lui qui a façonné ton âme;
c'est lui qui rendra à l'homme selon son œuvre.

[13] Mange du miel, mon fils, car c'est bon,
un rayon de miel est doux à ton palais.
[14] Ainsi sera, sache-le, la sagesse pour ton âme.
= 23 18 Si tu la trouves, il y aura un avenir
et ton espérance ne sera pas anéantie.

[15] Ne t'embusque pas, méchant, près de la demeure du juste,
ne dévaste pas son habitation.
Jb 5 19 [16] Car le juste tombe sept fois et se relève,
mais les méchants trébuchent dans l'adversité.

Jb 31 29 [17] Si ton ennemi tombe, ne te réjouis pas,
que ton cœur n'exulte pas de ce qu'il trébuche,
[18] de peur que, voyant cela, Yahvé ne soit mécontent
et qu'il ne détourne de lui sa colère.

Ps 37 1 [19] Ne t'échauffe pas au sujet des méchants,
ne jalouse pas les impies.

*a)* Terme difficile. Selon d'autres : « du corail », cf. Ez **27** 16; *çarah.* Jb **28** 18, chose rare et délicate que le fou ne saurait apprécier.

*b)* Litt. « étroite », *çar*, jeu de mot avec « (le jour) mauvais », *çarah.*

*c)* V. diversement interprété; il s'agit peut-être des innocents injustement condamnés.

[20] Car pour le méchant, il n'est pas d'avenir :
la lampe des impies s'éteint.

[21] Crains Yahvé, mon fils, et le roi; ↗ 1 P **2** 17
ne te lie pas avec les novateurs :
[22] car tout soudain surgira leur malheur,
et la ruine de l'un et de l'autre, qui la connaît [a]?

## IV. Suite au recueil des Sages

[23] Ceci est encore des Sages :

Avoir égard aux personnes dans les jugements n'est pas bien [b]. **18** 5; **28** 21; **31** 5
[24] Quiconque dit au méchant : « Tu es juste »,
les peuples le maudissent, les nations le honnissent;
[25] mais ceux qui punissent s'en trouvent bien,
sur eux viendra une heureuse bénédiction.

[26] Il met un baiser sur les lèvres,
celui qui répond franchement.

[27] Organise au-dehors ta besogne Si **7** 15
et prépare-la aux champs;
ensuite, tu bâtiras ta maison.

[28] Ne témoigne pas à la légère contre ton prochain [c],
ne trompe pas par tes lèvres.

[29] Ne dis pas : « Comme il m'a fait, je lui ferai! Mt **6** 12, 14-15
à chacun je rendrai selon son œuvre! »

[30] Près du champ du paresseux j'ai passé, **26** 13-16
près de la vigne de l'homme court de sens.
[31] Or voici : tout était monté en orties,
le chardon en couvrait la surface,
le mur de pierres était écroulé.
[32] Ayant vu, je réfléchis,
ayant regardé, je tirai cette leçon :
[33] « Un peu dormir, un peu s'assoupir, = **6** 10-11
un peu croiser les bras en s'allongeant,
[34] et, tel un rôdeur, viendra l'indigence
et la disette, comme un mendiant [d]! »

*a)* Après cette maxime, le grec ajoute cinq vv., qui semblent être le développement de 21-22 :
[22a] Un fils qui garde la parole échappera à la perdition,
car il la reçoit avec bienveillance (?).
[22b] Que rien de mensonger ne soit dit au roi,
et rien de mensonger ne sortira de sa bouche.
[22c] C'est une épée que la langue du roi, non un organe de chair :
quiconque y est livré est broyé.
[22d] Car si sa fureur s'enflamme,
il détruira les hommes avec leurs nerfs.
[22e] Il dévore les os des hommes,
il les brûle comme une flamme
et les rend immangeables aux petits des aigles.
Le grec intercale ensuite **30** 1-4.

*b)* La Loi commande au juge de ne pas faire acception de personnes, Lv **19** 15; Dt **1** 17; **16** 19. Les prophètes reviennent souvent, en des termes différents, sur ce devoir, Am **2** 6; **5** 7,10; Is **10** 2; Mi **3** 9,11; Jr **5** 28; Ez **22** 12. Le Messie rendra cette justice impartiale, Is **11** 3-5; Jr **23** 5-6; Ps **72** 4,12,14, comme Dieu lui-même, cf. Ga **2** 6.

*c)* Le grec interprète : « Ne sois pas un témoin mensonger contre ton compatriote. »

*d)* « un mendiant » conj., cf. **6** 11.

# V. Deuxième recueil salomonien

25 [1] Voici encore des proverbes de Salomon, que transcrivirent les gens d'Ézéchias, roi de Juda.

Tb 12 7 Dt 29 28 Rm 11 33

[2] C'est la gloire de Dieu de celer une chose,
c'est la gloire des rois de la scruter.
[3] Les cieux, par leur hauteur, la terre, par sa profondeur,
et le cœur des rois sont insondables.

[4] Ote de l'argent les scories,
il en sortira totalement purifié [a];
16 12; 29 14
[5] ôte le méchant de la présence du roi,
et sur la justice s'affermira son trône.

Si 7 4; 13 9-10 ↗ Lc 14 7-11
[6] En face du roi, ne prends pas de grands airs,
ne te mets pas à la place des grands;
[7] car mieux vaut qu'on te dise : « Monte ici! »
que d'être abaissé en présence du prince.

Ce que tes yeux ont vu [b],
[8] ne le produis pas trop vite au procès,
car que feras-tu à la fin
si ton prochain te confond?

[9] Avec ton prochain, vide ta querelle,
mais sans révéler le secret d'autrui,
[10] de crainte que celui qui entend ne te bafoue
et que ta diffamation soit sans retour [c].

[11] Des pommes d'or avec des ciselures d'argent,
telle est une parole dite à propos.
[12] Un anneau d'or, un joyau d'or fin,
15 31 telle une sage réprimande à l'oreille attentive.

25 25 [13] La fraîcheur de la neige au jour de la moisson,
13 17 tel est un messager fidèle :
il réconforte l'âme de son maître.

[14] Nuages et vent, mais point de pluie!
tel est l'homme qui promet royalement, mais ne tient pas [d].

Lc 18 1-8 [15] Par la patience un juge se laisse fléchir,
la langue douce broie les os.

25 27; 27 7 [16] As-tu trouvé du miel? manges-en à ta faim;
garde-toi de t'en gorger, tu le vomirais.

*a)* « totalement purifié » grec; « un vase pour le fondeur » hébr.
*b)* « Ce que... » versions; « que... » (rattaché à ce qui précède) hébr., qui continue par « ne sors pas... » au lieu de « ne le produis pas », litt. « ne le fais pas sortir » (simple différence vocalique).
*c)* V. difficile. « ta diffamation » : soit celle que tu as causée à ton prochain, soit celle que ton adversaire a répandue contre toi.
*d)* Litt. « qui se vante d'un cadeau de mensonge ».

[17] Dans la maison du prochain, fais-toi rare,
de crainte que, fatigué de toi, il ne te prenne en grippe.

[18] Une massue [a], une épée, une flèche aiguë :
tel est l'homme qui porte un faux témoignage contre son prochain.

[19] Dent gâtée, pied boiteux :
le traître en qui l'on se confie au jour du malheur,
[20] autant ôter son manteau par un temps glacial.

C'est mettre du vinaigre sur du nitre
que de chanter des chansons à un cœur affligé.

[21] Si ton ennemi a faim, donne-lui à manger, Ex **23** 4-5+
s'il a soif, donne-lui à boire, Mt **5** 44s
[22] c'est amasser des charbons sur sa tête **20** 22
et Yahvé te le revaudra. ↗ Rm **12** 20

[23] L'aquilon engendre la pluie,
la langue dissimulatrice un visage irrité.

[24] Mieux vaut habiter à l'angle d'un toit = **21** 9
que faire maison commune avec une femme querelleuse.

[25] De l'eau fraîche pour une gorge altérée : **25** 13
telle est une bonne nouvelle venant d'un pays lointain.

[26] Fontaine piétinée, source souillée :
tel est un juste tremblant devant un méchant.

[27] Il n'est pas bon de manger trop de miel, **25** 16
ni de rechercher gloire sur gloire [b].

[28] Ville ouverte, sans remparts :
tel est l'homme qui ne se possède pas. **16** 32

**26** [1] Pas plus que la neige à l'été ou la pluie à la moisson,
les honneurs ne conviennent au sot.

[2] Le passereau s'échappe, l'hirondelle s'envole,
ainsi la malédiction gratuite n'atteint pas son but. Nb **23** 8
Dt **23** 5s

[3] Le fouet pour le cheval, la bride pour l'âne,
pour l'échine des sots, le bâton. **10** 13; **19** 29

[4] Ne réponds pas à l'insensé selon sa folie,
de peur de lui devenir semblable, toi aussi.

[5] Réponds à l'insensé selon sa folie,
de peur qu'il ne soit sage à ses propres yeux [c].

*a)* « massue » grec; hébr. corrompu.
*b)* « gloire sur gloire » *kabôd mikkabôd* conj.; « leur gloire est gloire » *kebodam kabôd* hébr.
*c)* La contradiction entre les deux proverbes est intentionnelle et joue sur les deux sens de l'expression : « selon sa folie ».

[6] Il se mutile, il s'abreuve de violence,
celui qui envoie un message par l'entremise d'un sot.

[7] Mal assurées [a], les jambes du boiteux;
= **26** 9 ainsi un proverbe dans la bouche des sots.

[8] C'est attacher la pierre à la fronde [b]
que de rendre honneur à un sot.

[9] Une ronce pousse dans la main d'un ivrogne
= **26** 7 comme un proverbe dans la bouche d'un sot.

[10] Un archer blessant tout le monde :
tel est celui qui embauche le sot et l'ivrogne qui passent [c].

↗ 2 P **2** 22 [11] Comme le chien revient à son vomissement,
le sot retourne à sa folie.

**3** 7 [12] Tu vois un homme sage à ses propres yeux?
= **29** 20 Il y a plus à espérer d'un insensé.

= **22** 13 [13] Le paresseux dit : « Un fauve sur le chemin!
un lion par les rues! »

[14] La porte tourne sur ses gonds,
et sur son lit le paresseux.

= **19** 24 [15] Le paresseux plonge la main dans le plat :
la ramener à sa bouche le fatigue!

[16] Le paresseux est plus sage à ses propres yeux
que sept personnes répondant avec tact.

[17] Il prend par les oreilles un chien qui passe,
celui qui s'immisce dans une querelle étrangère.

[18] Un homme pris de folie qui lance des traits enflammés,
des flèches et la mort :
[19] tel est l'homme qui ment à son compagnon,
puis dit : « N'était-ce pas pour plaisanter? »

[20] Faute de bois, le feu s'éteint,
**22** 10 faute de calomniateur, la querelle s'apaise.

[21] Du charbon sur les braises, du bois sur le feu,
tel est l'homme querelleur pour attiser les disputes.

= **18** 8 [22] Les dires du calomniateur sont de friands morceaux
qui descendent jusqu'au fond des entrailles.

Mt **23** 25-28 [23] De l'argent non purifié appliqué sur de l'argile :
1 Jn **3** 18 tels sont lèvres brûlantes et cœur mauvais.

*a)* Litt. « faibles » *dallû* conj.; « puisez » (?) *dalyû* hébr.
*b)* On ne peut plus la lancer, et elle risque de venir frapper le frondeur.
*c)* Le texte de ce v. est corrompu. L'hébr. se traduirait litt. : « Un archer (?) blessant tout, et celui qui embauche un sot, et celui qui embauche (ceux) qui passent ». On corrige le 2e « et qui embauche » (*wesoker*) en « et l'ivrogne » (*weshikkor*) et on restitue « tel est ».

[24] Celui qui hait donne le change par ses propos, Si 12 10-11
mais en son sein gît la tromperie;
[25] s'il prend un ton cauteleux, ne t'y fie pas, Si 27 23
car en son cœur il y a sept abominations. Jr 9 4-8
[26] La haine peut s'envelopper de ruse, Ps 28 3
elle révélera sa méchanceté dans l'assemblée.

[27] Qui creuse une fosse y tombe, Ps 7 16
qui roule une roche, elle revient sur lui. Qo 10 8 Si 27 25-27

[28] La langue menteuse hait ses victimes,
la bouche enjôleuse provoque la chute.

27 [1] Ne te félicite pas du lendemain, Lc 12 19-20
car tu ignores ce qu'aujourd'hui enfantera. Jc 4 13-14

[2] Qu'autrui fasse ton éloge, mais non ta propre bouche, 2 Co 10
un étranger, mais non tes lèvres! 12-13

[3] Lourde est la pierre, pesant le sable,
mais plus lourd qu'eux, le dépit du fou.

[4] Cruelle est la fureur, impétueuse la colère,
mais contre la jalousie, qui tiendra? 6 34-35

[5] Mieux vaut réprimande ouverte
qu'amour dissimulé.

[6] Fidèles sont les coups d'un ami,
mensongers les baisers d'un ennemi [a]. 26 24-26 Mt 26 49

[7] Gorge rassasiée méprise le miel, Pr 25 16
gorge affamée trouve douce toute amertume. Lc 15 16

[8] Comme l'oiseau qui erre loin de son nid, Si 29 21-28
ainsi l'homme qui erre loin de son pays.

[9] L'huile et le parfum mettent le cœur en joie,
et la douceur de l'amitié, plus que la complaisance en soi-même.

[10] N'abandonne pas ton ami ni l'ami de ton père; Si 37 6
à la maison de ton frère, ne va pas au jour de ton affliction.
Mieux vaut un voisin proche qu'un frère éloigné. 18 24

[11] Deviens sage, mon fils, et réjouis mon cœur,
que je puisse répondre à qui m'outrage.

[12] L'homme avisé voit le malheur et se cache, = 22 3
les niais passent outre, à leurs dépens.

[13] Prends-lui son vêtement, car il a cautionné un étranger, = 20 16
à cause d'inconnus [b], prends-lui un gage. 6 1+

*a)* Traduction incertaine. Le mot rendu par « mensongers » est souvent traduit « abondants ». Certains corrigent pour lire « déplaisants », « mauvais ». L'idée de fausseté est recommandée par le parallélisme antithétique.

*b)* « d'inconnus » *nokrîm* conj., cf. **20** 16; « d'une étrangère » *nokriyyah* hébr.

14 Si quelqu'un bénit son prochain à haute voix dès l'aube [a],
cela lui est compté pour une malédiction.

**19** 13 15 Gargouille qui ne cesse de couler un jour de pluie
et femme querelleuse sont pareilles!
16 Qui veut la saisir, saisit le vent
et sa droite rencontre de l'huile.

17 Le fer s'aiguise par le fer,
l'homme s'affine en face de son prochain.

18 Le gardien du figuier mange de son fruit,
qui veille sur son maître sera honoré.

19 Comme l'eau donne le reflet du visage,
ainsi le cœur de l'homme pour l'homme [b].

**30** 15-16 20 Insatiables sont le Shéol et la Perdition,
Qo **1** 8; **6** 7 ainsi les yeux de l'homme sont-ils insatiables [c].

= **17** 3 21 Il y a la fournaise pour l'argent, le fourneau pour l'or :
l'homme vaut ce que vaut sa réputation.

22 Quand tu pilerais le fou au mortier
(parmi les grains, avec un pilon),
sa folie ne se séparerait pas de lui.

**12** 10 23 Connais bien l'état de ton bétail,
Si **7** 22 à ton troupeau donne tes soins;
24 car la richesse n'est pas éternelle,
et une couronne ne se transmet pas [d] d'âge en âge.
25 Une fois l'herbe enlevée, le regain apparu,
ramassé le foin des montagnes,
26 aie des agneaux pour te vêtir,
des boucs pour acheter un champ,
27 le lait des chèvres en abondance pour te sustenter,
pour nourrir ta maison et faire vivre tes servantes.

Lv **26** 17, 36 **28** 1 Le méchant s'enfuit quand nul ne le poursuit,
Ps **118** 6 d'un lionceau les justes ont l'assurance.

2 Quand un pays se révolte, nombreux sont les princes,
avec l'homme intelligent et instruit, c'est la stabilité [e].

3 Un homme méchant [f] qui opprime des faibles,
c'est une pluie dévastatrice et plus de pain.

4 Ceux qui délaissent la loi font l'éloge du méchant,
ceux qui observent la loi s'irritent contre eux.

*a)* Le Talmud interdit de faire des salutations avant d'avoir dit la prière du matin.
*b)* L'interprétation de ce v. est incertaine. Il semble dire que l'homme retrouve en autrui ses propres sentiments, comme un visage devant son reflet; mais le grec a compris le contraire : « Comme les visages ne sont pas semblables aux visages, ainsi diffèrent les cœurs des hommes. »
*c)* Les yeux sont le siège de l'envie.
*d)* « une couronne ne se transmet pas » grec; « une couronne se transmet-elle? » hébr.
*e)* Le grec a compris : « Par la révolte des violents surgissent les disputes, l'homme intelligent les éteint. »
*f)* « méchant » grec; « pauvre » hébr.

[5] Les méchants ne comprennent pas le droit, Jn **10** 26+
ceux qui cherchent Yahvé comprennent tout. 1 Co **2** 14
Sg **3** 9

[6] Mieux vaut le pauvre qui se conduit honnêtement = **19** 1
que l'homme aux voies tortueuses, fût-il riche.

[7] Qui garde la loi est un fils intelligent, **23** 19-22
qui hante les débauchés est la honte de son père.

[8] Qui accroît son bien par usure et par intérêt, Ex **22** 24
c'est pour qui en gratifiera les pauvres qu'il l'amasse [a]. Pr **13** 22

[9] Qui se bouche les oreilles pour ne pas entendre la loi,
sa prière même est une abomination. **15** 8

[10] Qui fourvoie les gens droits dans le mauvais chemin,
en sa propre fosse tombera. **26** 27+
Les hommes honnêtes posséderont le bonheur.

[11] Le riche est sage à ses propres yeux,
mais un pauvre intelligent le démasque.

[12] Quand les justes exultent, c'est une grande fierté, **11** 10; **29** 2
quand se lèvent les méchants, on se dérobe. = **28** 28

[13] Qui masque ses forfaits point ne réussira; Lc **18** 9-14
qui les avoue [b] et y renonce obtiendra merci. 1 Jn **1** 9
Si **4** 26

[14] Heureux l'homme toujours en alarme;
qui s'endurcit le cœur tombera dans le malheur. Si **3** 26

[15] Un lion rugissant, un ours qui bondit,
tel est le chef méchant sur un peuple faible.

[16] Un prince sans intelligence est riche en extorsions,
qui hait la cupidité prolongera ses jours.

[17] Un homme coupable de meurtre fuira jusqu'à la tombe :
Qu'on ne l'arrête pas!

[18] Qui se conduit honnêtement sera sauf; **10** 9
qui, tortueux, suit deux voies, tombera dans l'une d'elles.

[19] Qui cultive sa terre sera rassasié de pain, = **12** 11
qui poursuit des chimères sera rassasié d'indigence [c].

[20] L'homme loyal sera comblé de bénédictions,
qui se hâte de faire fortune ne restera pas impuni.

[21] C'est mal de faire acception de personnes, **24** 23
mais pour une bouchée de pain, l'homme commet un forfait. Dt **16** 19+

*a)* Le bien amassé injustement ne profite pas et revient finalement aux pauvres.

*b)* Allusion à la confession des péchés, cf. Lv **5** 5; Nb **5** 7; Ps **32** 5; Os **14** 2-4; Is **1** 16-18.

*c)* Les « chimères » ou « choses vaines » sont peut-être, pour l'auteur de ces proverbes, les activités commerciales. Beaucoup de proverbes sont restés attachés à l'antique idéal agricole.

[22] Il court après la fortune, l'homme au regard cupide,
ignorant que c'est la disette qui lui adviendra.

**27** 5, 6 [23] Qui reprend autrui trouvera faveur à la fin,
plus que le flatteur.

[24] Qui dérobe à son père et à sa mère en disant : « Point d'offense! »
du brigand est l'associé.

**15** 18 [25] L'homme envieux engage la querelle,
qui se confie en Yahvé prospérera.

**3** 5-6; 1 Co **3** 18 [26] Qui se fie à son propre sens est un sot,
qui chemine avec sagesse sera sauf.

**11** 25; **19** 17; **22** 9 [27] Pour qui donne aux pauvres, pas de disette,
mais pour qui ferme les yeux, abondante malédiction.

= **28** 12 [28] Quand se lèvent les méchants, chacun se cache;
qu'ils viennent à périr, les justes se multiplient.

**29** [1] Celui qui, sous les reproches, raidit la nuque
sera brisé soudain et sans remède.

**11** 10; **28** 12, 28 [2] Quand les justes se multiplient, le peuple est en liesse;
quand les méchants dominent, le peuple gémit.

**10** 1; **5** 10; **6** 26; Si **9** 6; Lc **15** 13 [3] Qui aime la sagesse réjouit son père,
qui hante les prostituées dissipe son bien.

Pr **14** 34; Is **11** 4, 5 [4] Par l'équité, un roi fait prospérer le pays,
mais l'exacteur le mène à la ruine.

**11** 9 [5] L'homme qui flatte son prochain
tend un filet sous ses pas.

Jb **18** 7-10 [6] Dans l'offense du méchant il y a un piège,
mais le juste exulte et se réjouit.

Jb **29** 16 [7] Le juste connaît la cause des faibles,
le méchant n'a pas l'intelligence de la connaître [a].

[8] Les railleurs mettent la cité en effervescence,
mais les sages apaisent la colère.

[9] Un sage est-il en procès avec un sot,
qu'il se fâche ou plaisante, il n'aura pas de repos.

[10] Les hommes sanguinaires haïssent l'homme honnête,
mais les hommes droits recherchent sa personne.

**12** 16 [11] Le sot donne libre cours à tous ses emportements,
mais le sage, en les réprimant, les calme.

*a)* Litt. « ne comprend pas la connaissance ».

[12] Quand un chef accueille des rapports mensongers,
tous ses serviteurs sont mauvais.

[13] Le pauvre et l'oppresseur se rencontrent :
tous deux reçoivent de Yahvé la lumière. = **22** 2 Mt **5** 45

[14] Le roi qui juge les faibles avec équité
voit son trône affermi pour toujours. **16** 12; **20** 28

[15] Baguette et réprimande procurent la sagesse,
le jeune homme laissé à lui-même est la honte de sa mère. **10** 1, **22** 15

[16] Quand se multiplient les méchants, le forfait se multiplie,
mais les justes seront témoins de leur chute.

[17] Corrige ton fils, il te laissera en repos
et fera les délices de ton âme. **13** 24; **19** 18

[18] Faute de vision, le peuple vit sans frein;
heureux qui observe la loi [a].

[19] On ne corrige pas un esclave avec des mots :
même s'il comprend, il n'obéit pas. Si **33** 25-30

[20] Tu vois un homme prompt au discours?
il y a plus à espérer d'un sot. = **26** 12

[21] Si dès l'enfance on gâte son esclave,
il deviendra finalement ingrat [b].

[22] L'homme coléreux engage la querelle,
l'homme emporté multiplie les offenses. **14** 17 Si **1** 22

[23] L'orgueil de l'homme l'humiliera,
qui est humble d'esprit obtiendra de l'honneur. ↗ Mt **23** 12p

[24] C'est partager avec le voleur et se haïr soi-même,
que d'entendre l'adjuration [c] sans dénoncer.

[25] Trembler devant les hommes est un piège,
qui se confie en Yahvé est en sûreté. **16** 20

[26] Beaucoup recherchent la faveur du chef,
mais de Yahvé vient le droit de chacun.

[27] Abomination pour les justes : l'homme inique;
abomination pour le méchant : celui dont la voie est droite.

*a)* La « vision » semble faire allusion à l'activité des prophètes. Quant au terme traduit par « loi » (*tôrah*) il peut aussi désigner l'« enseignement », ici : des prophètes.
*b)* Traduction incertaine : le mot n'apparaît qu'ici.
*c)* C'est-à-dire la malédiction que l'on prononcera contre le criminel inconnu ou les témoins demeurés cachés. Cf. Lv **5** 1; Jg **17** 2.

# VI. Paroles d'Agur

31 1 **30** 1 Paroles d'Agur, fils de Yaqé, de Massa [a]. Oracle de cet homme pour Itéel, pour Itéel et pour Ukal [b].

2 Oui, je suis le plus stupide des hommes,
sans aucune intelligence humaine,
3 je n'ai pas appris la sagesse
et j'ignore la science des saints [c].
Jn **3** 13 4 Qui est monté au ciel et puis en est descendu?
qui dans ses poings a recueilli le vent?
Jb **38-39** qui dans son manteau a serré les eaux?
Si **1** 2-3 qui a affermi toutes les extrémités de la terre?
Quel est son nom?
quel est le nom de son fils, si tu le sais?

= Ps **18** 31 5 Toute parole de Dieu est éprouvée,
|| 2 S **22** 31 il est un bouclier pour qui s'abrite en lui.
6 A ses discours, n'ajoute rien,
de crainte qu'il ne te reprenne
et ne te tienne pour un menteur.

7 J'implore de toi deux choses,
ne les refuse pas avant que je meure :
Ps **119** 29 8 éloigne de moi fausseté et paroles mensongères,
ne me donne ni pauvreté ni richesse,
Mt **6** 11 laisse-moi goûter ma part de pain,
Dt **6** 12; 9 de crainte que, comblé, je ne me détourne
**32** 15 et ne dise : « Qui est Yahvé? »
Lv **5** 21 ou encore, qu'indigent, je ne vole
et ne profane le nom de mon Dieu.

Phm 8-20 10 Ne dénigre pas un esclave près de son maître,
de crainte qu'il ne te maudisse et que tu n'en portes la peine.

Ex **21** 17 11 Engeance qui maudit son père
et ne bénit pas sa mère,
12 engeance pure à ses propres yeux,
mais dont la souillure n'est pas effacée,
13 engeance aux regards altiers
et aux paupières hautaines,
14 engeance dont les dents sont des épées,
les mâchoires, des couteaux,
Jb **19** 22 pour dévorer les pauvres et les retrancher du pays,
Is **9** 11 et les malheureux, d'entre les hommes [d].

*a)* « de Massa » *hammassa 'î* conj.; « l'oracle » *hammassa'* hébr. Sur Massa, cf. **31** 1+. – La Vulgate n'a pas vu ici des noms propres, et interprète ainsi ce titre : « Paroles de celui qui rassemble, fils de celui qui vomit ». – Dans le texte grec, **30** 1-14 se trouve inséré entre **24** 22 et **24** 23, et **30** 15 - **31** 9 suit **24** 34.

*b)* Interprétation incertaine d'un texte sans doute mal transmis. D'autres corrigent la vocalisation et comprennent : « Je me suis fatigué, ô Dieu, je me suis fatigué et je suis épuisé. » Les versions anciennes témoignent du même embarras : Vulg. : « Vision dite par l'homme avec qui est Dieu, et qui, Dieu étant avec lui, a été réconforté. » Grec : « Voici ce que dit l'homme à ceux qui croient en Dieu, et je m'arrête. »

*c)* C'est-à-dire des sages, ou « du Saint » (avec pluriel de majesté), c'est-à-dire de Dieu.

*d)* On ne sait s'il faut appliquer cette description à une catégorie définie, nation ou classe sociale.

# VII. *Proverbes numériques* [a]

15 La sangsue a deux filles : « Apporte! Apporte! »

Il y a trois choses insatiables
et quatre qui jamais ne disent : «Assez! » :
16 le shéol, le sein stérile, Nb **16** 33+
la terre que l'eau ne peut rassasier, Pr **27** 20
le feu qui jamais ne dit : « Assez! » Gn **30** 1

17 L'œil qui nargue un père **19** 26+
et méprise l'obéissance due à une mère,
les corbeaux du torrent le crèveront,
les aigles le dévoreront.

18 Il est trois choses qui me dépassent
et quatre que je ne connais pas :
19 le chemin de l'aigle dans les cieux, Sg **5** 10-12
le chemin du serpent sur le rocher,
le chemin du vaisseau en haute mer,
le chemin de l'homme chez la jeune femme [b].

20 Telle est la conduite de la femme adultère :
elle mange, puis s'essuie la bouche en disant :
« Je n'ai rien fait de mal! » [c]

21 Sous trois choses tremble la terre Qo **10** 5-7
et il en est quatre qu'elle ne peut porter :
22 un esclave qui devient roi, **19** 10
une brute gorgée de nourriture,
23 une fille odieuse qui vient à se marier,
une servante qui hérite de sa maîtresse. Gn **16** 3-6

24 Il est quatre êtres minuscules sur la terre,
mais sages entre les sages [d] :
25 les fourmis, peuple chétif, **6** 6-8
mais qui, en été, assure sa provende;
26 les damans [e], peuple sans vigueur,
mais qui gîtent dans les rochers;
27 chez les sauterelles, point de roi!
mais elles marchent toutes en bon ordre;
28 le lézard que l'on capture à la main,
mais qui hante les palais du roi.

29 Trois choses ont une belle allure
et quatre une belle démarche :

*a)* Le « proverbe numérique » tient à la fois de la maxime, de l'énigme et de la comparaison. Ce procédé littéraire est attesté dans la littérature hébraïque, sous une forme encore imparfaite, dès l'époque prophétique, Am **1** 3, 6, 9, 11, 13; Is **17** 6; Mi **5** 4, cf. Ps **62** 12s, et reparaît à travers toute la littérature sapientielle, Pr **6** 16s et ici **30** 15-33; Jb **5** 19; **40** 5; Qo **11** 2; **4** 12 (?); Si **23** 16s; **25** 7; **26** 5-7, 28; **50** 25; cf. **25** 1-2. – Le bref recueil **30** 15-33 marque un intérêt particulier pour les merveilles de la nature et les mœurs des animaux.

*b)* Non pas les manœuvres pour la séduire, mais le mystère de l'union conjugale et de la procréation.

*c)* Ce v. semble être une glose maladroite des deux vv. précédents.

*d)* « entre les sages » versions; « formés à la sagesse » hébr.

*e)* Petit mammifère ressemblant à la marmotte, qui vit dans les rochers et se laisse très difficilement approcher. Cf. Ps **104** 18; Lv **11** 5.

30 le lion, le plus brave des animaux,
qui ne recule devant rien;
31 le coq bien râblé, ou le bouc,
et le roi, quand il harangue le peuple [a].

32 Si tu fus assez sot pour t'emporter
et si tu as réfléchi, mets la main sur ta bouche!
33 Car en pressant le lait, on obtient le beurre,
en pressant le nez, on obtient le sang,
en pressant la colère, on obtient la querelle.

## *VIII. Paroles de Lemuel*

**31** 1 Paroles de Lemuel, roi de Massa [b], que sa mère lui apprit.

5 1-14 — 2 Quoi, mon fils! quoi, fils de mes entrailles!
quoi, fils de mes vœux!
Si 9 2; 1 R 11 1-4 — 3 Ne livre pas ta vigueur aux femmes,
ni tes voies à celles qui perdent les rois [c].

Qo 10 16-17 — 4 Il ne convient pas aux rois, Lemuel,
il ne convient pas aux rois de boire du vin [d],
ni aux princes d'aimer [e] la boisson,
5 de crainte qu'en buvant ils n'oublient ce qui est décrété
et qu'ils ne faussent la cause de tous les pauvres.

Mt 27 34 — 6 Procure des boissons fortes à qui va mourir,
du vin à qui est rempli d'amertume :
7 qu'il boive, qu'il oublie sa misère,
qu'il ne se souvienne plus de son malheur!

Ps 72 2, 4, 12-14 — 8 Ouvre la bouche en faveur du muet,
pour la cause de tous les abandonnés;
9 ouvre la bouche, juge avec justice,
défends la cause du pauvre et du malheureux.

## *IX. La parfaite maîtresse de maison* [f]

*Aleph.* 10 Une maîtresse femme [g], qui la trouvera?
Elle a bien plus de prix que les perles!
*Bèt.* 11 En elle se confie le cœur de son mari,

*a)* D'après le grec. Hébr. : « et un roi (ayant) son armée (?) avec lui ». – Le début du v. est également incertain; au lieu de « coq » (d'après l'arabe) on a proposé « cigale » (d'après l'akkadien), ou encore « cheval », « zèbre », « lévrier », etc.

*b)* « roi de Massa » en liant les deux mots; « roi; oracle » (*massa'*) hébr., cf. **30** 1. – Massa est le nom d'une tribu ismaélite du nord de l'Arabie, Gn **25** 14. La sagesse des « fils de l'Orient », Nb **24** 21+, était réputée, cf. 1 R **5** 10; Jr **49** 7; Jb **2** 11+.

*c)* « à celles qui perdent » conj.; « pour perdre » hébr. – Au lieu de « tes voies », une légère correction permettrait de lire « tes flancs ». Grec : « et n'expose pas ton esprit et ta vie à des regrets tardifs ».

*d)* L'insistance sur les dangers du vin est un des traits de la morale du désert (cf. les Rékabites, Jr **35**, et les Arabes modernes).

*e)* « d'aimer » *'awwoh* conj.; « ou » *'ô* hébr. ket.; « où » *'ê* qeré.

*f)* Poème alphabétique (cf. Ps **9-10**; **25**; **34**; **37**; **111**; **112**; **119**; **145**; Lm **1-4**; Na **1** 2-8; Si **51** 13-29 hébr.) : en prenant la première lettre de chaque vers (ailleurs de chaque strophe), on retrouve l'alphabet hébreu. – Sur l'interprétation de ce poème, cf. v. 30+ et **5** 15+. Comparer **11** 16; **12** 4; **18** 22; **19** 14 et Si **7** 19.

*g)* L'expression hébraïque, que le grec et la Vulgate traduisent

il ne manque pas d'en tirer profit.
*Gimel.* 12 Elle fait son bonheur et non son malheur,
tous les jours de sa vie.
*Dalèt.* 13 Elle cherche laine et lin
et travaille d'une main allègre.
*Hé.* 14 Elle est pareille à des vaisseaux marchands :
de loin, elle amène ses vivres.
*Vav.* 15 Il fait encore nuit qu'elle se lève,
distribuant à sa maisonnée la pitance,
et des ordres à ses servantes [a].
*Zaïn.* 16 A-t-elle en vue un champ, elle l'acquiert;
du produit de ses mains, elle plante une vigne.
*Hèt.* 17 Elle ceint vigoureusement ses reins
et déploie la force de ses bras.
*Tèt.* 18 Elle sait que ses affaires vont bien,
de la nuit, sa lampe ne s'éteint.
*Yod.* 19 Elle met la main à la quenouille,
ses doigts prennent le fuseau.
*Kaph.* 20 Elle étend les mains vers le pauvre,
elle tend les bras aux malheureux.
*Lamed.* 21 Elle ne redoute pas la neige pour sa maison,
car toute sa maisonnée porte double vêtement.
*Mem.* 22 Elle se fait des couvertures,
de lin et de pourpre est son vêtement.
*Nun.* 23 Aux portes de la ville, son mari est connu, **24** 7+
il siège parmi les anciens du pays.
*Samek.* 24 Elle tisse des étoffes et les vend,
au marchand elle livre une ceinture.
*Aïn.* 25 Force et dignité forment son vêtement,
elle rit au jour à venir [b].
*Phé.* 26 Avec sagesse elle ouvre la bouche,
sur sa langue : une doctrine de piété.
*Çadé.* 27 De sa maisonnée, elle surveille le va-et-vient,
elle ne mange pas le pain de l'oisiveté.
*Qoph.* 28 Ses fils se lèvent pour la proclamer bienheureuse,
son mari, pour faire son éloge :
*Resh.* 29 « Nombre de femmes ont accompli des exploits,
mais toi, tu les surpasses toutes! »
*Shin.* 30 Tromperie que la grâce! Vanité, la beauté!
La femme qui craint Yahvé [c], voilà celle qu'il faut féliciter!
*Tav.* 31 Accordez-lui une part du produit de ses mains,
et qu'aux portes ses œuvres fassent son éloge!

littéralement par « femme forte », évoque à la fois l'efficacité et la vertu. C'est la parfaite maîtresse de maison.
*a)* Glose probable qui rompt le rythme.
*b)* C'est-à-dire qu'elle envisage l'avenir avec confiance, qu'il s'agisse de la destinée de sa famille, ou de la récompense que Dieu accordera un jour à son zèle.
*c)* Cet éloge de la femme parfaite a peut-être été compris allégoriquement, comme une description de la Sagesse personnifiée, cf. **8** 22+. C'est ce que semble suggérer une amplification du grec (« Une femme sage sera louée, – la crainte de Yahvé, voilà ce qu'il faut vanter. »), et cela expliquerait que ce morceau, d'ailleurs très beau, ait été placé en conclusion du livre.

# L'ECCLÉSIASTE

## *Introduction*

*Ce petit livre s'intitule « Propos de Qohélet, fils de David, roi à Jérusalem ». Le mot « Qohélet », cf.* **1** 2 *et* 12; **7** 27; **12** 8-10, *n'est pas un nom propre mais un nom commun employé parfois avec l'article; bien que sa forme soit féminine, il se construit au masculin. D'après l'explication la plus vraisemblable, c'est un nom de fonction qui désigne celui qui parle dans l'assemblée (*qahal, *en grec* ekklèsia, *d'où les titres latin et français, transcrits de la Bible grecque), en somme le « Prédicateur ». Il est dit « fils de David et roi dans Jérusalem », cf.* **1** 12, *et, bien que le nom ne soit pas écrit, il est certainement identifié avec Salomon à qui le texte fait clairement allusion,* **1** 16 *(cf.* 1 R **3** 12; **5** 10-11; **10** 7*) ou* **2** 7-9 *(cf.* 1 R **3** 13; **10** 23). *Mais cette attribution n'est qu'une fiction littéraire de l'auteur qui met ses réflexions sous le patronage du plus illustre des sages d'Israël. La langue du livre et sa doctrine, sur laquelle on va revenir, interdisent de le placer avant l'Exil. On a souvent contesté l'unité d'auteur et l'on a distingué deux, trois, quatre et jusqu'à huit mains différentes. On renonce de plus en plus à un démembrement qui méconnaît le genre et la pensée du livre et qui est contredit par l'unité de style et de vocabulaire. Mais il a été édité par un disciple, qui a ajouté les derniers versets,* **12** 9-14.

*Comme en d'autres livres sapientiaux, ainsi Job et l'Ecclésiastique, pour ne rien dire des Proverbes qui sont composites, la pensée va et vient, elle se reprend et se corrige. Il n'y a pas de plan défini, mais ce sont des variations sur un thème unique, la vanité des choses humaines, qui est affirmé au début et à la fin du Livre,* **1** 2 *et* **12** 8. *Tout est décevant : la science, la richesse, l'amour, la vie même. Celle-ci n'est qu'une suite d'actes décousus et sans portée,* **3** 1-11, *qui s'achève par la vieillesse,* **12** 1-7, *et par la mort, laquelle frappe également sages et fous, riches et pauvres, bêtes et hommes,* **3** 14-20. *Le problème de Qohélet est celui de Job : le bien et le mal ont-ils leur sanction ici-bas? Et, comme la réponse de Job, celle de Qohélet est négative, car l'expérience contredit les solutions reçues,* **7** 25 - **8** 14. *Seulement, Qohélet est un homme en bonne santé, il ne cherche pas comme Job les raisons de la souffrance, il constate l'inanité du bonheur et il se console en cueillant les joies modestes que peut donner l'existence,* **3** 12-13; **8** 15; **9** 7-9. *Disons plutôt qu'il cherche à se consoler, car il est d'un bout à l'autre insatisfait. Le mystère de l'au-delà le tourmente, sans qu'il entrevoie une solution,* **3** 21; **9** 10; **12** 7. *Mais Qohélet est un croyant et, s'il est déconcerté par le tour que Dieu donne aux affaires humaines, il affirme que Dieu n'a pas de comptes à rendre,* **3** 11, 14; **7** 13, *qu'on doit accepter de sa main les épreuves comme les joies,* **7** 14, *qu'il faut observer les commandements et craindre Dieu,* **5** 6; **8** 12-13.

*Il est évident que cette doctrine est loin d'être cohérente. Mais, plutôt que d'en répartir les éléments entre plusieurs auteurs qui se corrigeraient ou se contrediraient, ne faut-il pas en attribuer les disparates à une pensée incertaine d'elle-même parce qu'elle aborde un mystère redoutable sans avoir les éléments de solution? A Qohélet comme à Job, la réponse ne peut être donnée que par l'affirmation d'une sanction d'outre-tombe, cf. pp. 646s.*

*Le livre a le caractère d'une œuvre de transition. Les assurances traditionnelles sont ébranlées mais rien de ferme ne les remplace encore. Dans ce tournant de la pensée hébraïque, on a cherché à discerner des influences étrangères qui se seraient exercées sur Qohélet. Il faut écarter les rapprochements souvent proposés avec les courants philosophiques du stoïcisme, de l'épicurisme et du cynisme, que Qohélet aurait pu connaître par l'intermédiaire de l'Égypte hellénisée; aucun de ces rapprochements n'est décisif et la mentalité de l'auteur est très éloignée de celle des philosophes grecs. On a établi des parallèles, en apparence plus valables, avec des compositions égyptiennes comme le* Dialogue du Désespéré avec son âme *ou les* Chants du Harpiste *et, plus récemment, avec la littérature mésopotamienne de sagesse et avec l'*Épopée de Gilgamesh. *Mais on ne peut démontrer l'influence directe d'aucune de ces œuvres. Les rencontres se font sur des thèmes qui sont parfois très anciens et qui étaient devenus le bien commun de la sagesse orientale. C'est sur cet héritage du passé que Qohélet a exercé sa réflexion personnelle, comme le dit son éditeur,* **12** 9.

*Qohélet est un Juif de Palestine, probablement de Jérusalem même. Il écrit un hébreu tardif, semé d'aramaïsmes, et il emploie deux mot perses. Cela suppose une date assez postérieure à l'Exil, mais antérieure au début du IIe siècle av. J.-C., où Ben Sira a utilisé le livret; de fait, la paléographie situe aux environs de 150 av. J.-C. des fragments de Qo trouvés dans les grottes de Qumrân. Le IIIe siècle est donc la date de composition la plus vraisemblable. C'est le temps où la Palestine, soumise aux Ptolémées, est atteinte par le courant humaniste et ne connaît pas encore le sursaut de foi et d'espérance de l'époque des Maccabées.*

*Le livre ne marque qu'un moment dans le développement religieux et il ne faut pas le juger en le détachant de ce qui l'a précédé et de ce qui le suivra. En soulignant l'insuffisance des conceptions anciennes et en forçant les esprits à affronter les énigmes humaines, il appelle une révélation plus haute. Il donne une leçon de détachement des biens terrestres et, en niant le bonheur des riches, il prépare le monde à entendre que « bienheureux sont les pauvres », Lc* **6** 20.

# L'ECCLÉSIASTE

**1** 1 Paroles de Qohélet[a], fils de David, roi à Jérusalem[b].

## *Première partie*

**Prologue**[c].

Ps **62** 10 2 Vanité des vanités[d], dit Qohélet; vanité des
Rm **8** 20 vanités, tout est vanité. 3 Quel profit trouve
l'homme à toute la peine[e] qu'il prend sous le
Si **14** 18 soleil? 4 Un âge va, un âge vient, mais la terre tient
toujours. 5 Le soleil se lève, le soleil se couche, il
se hâte vers son lieu et c'est là qu'il se lève. 6 Le
vent part au midi, tourne au nord, il tourne, tourne
et va, et sur son parcours retourne le vent. 7 Tous
Si **40** 11 les fleuves coulent vers la mer et la mer n'est pas
remplie. Vers l'endroit où coulent les fleuves, c'est
par là qu'ils continueront de couler. 8 Toute parole
est lassante! Personne ne peut dire que l'œil n'est
Pr **27** 20 pas rassasié de voir, et l'oreille saturée par ce
qu'elle a entendu[f].

**2** 12; **3** 15 9 Ce qui fut, cela sera,
ce qui s'est fait se refera,
et il n'y a rien de nouveau sous le soleil!

10 Qu'il y ait quelque chose dont on dise :
« Tiens, voilà du nouveau! », cela fut dans les siècles qui nous ont précédés. 11 Il n'y a pas de souve- **2** 16
nir d'autrefois, et même pour ceux des temps
futurs : il n'y aura d'eux aucun souvenir auprès de
ceux qui les suivront.

**Vie de Salomon**[g].

12 Moi, Qohélet, j'ai été roi d'Israël à Jérusalem.
13 J'ai mis tout mon cœur à rechercher et à explorer
par la sagesse tout ce qui se fait sous le ciel. C'est
une mauvaise besogne[h] que Dieu a donnée aux Gn **3** 17-19
enfants des hommes pour qu'ils s'y emploient. Qo **3** 10
14 J'ai regardé toutes les œuvres qui se font sous le
soleil : eh bien, tout est vanité et poursuite de
vent[i]! Os **12** 2

15 Ce qui est courbé ne peut être redressé,
ce qui manque ne peut être compté.

16 Je me suis dit à moi-même : Voici que j'ai 1 R **3** 12;
amassé et accumulé la sagesse plus que quiconque **5** 9-10;
avant moi à Jérusalem, et, en moi-même, j'ai péné- **10** 1-13
tré toute sorte de sagesse et de savoir. 17 J'ai mis Si **47** 14-18

*a)* « Qohélet », ou « l'Ecclésiaste » : l'homme de l'assemblée (hébreu *qahal,* grec *ekklèsia).* C'est-à-dire soit le Maître ou l'Orateur, soit au contraire le représentant de l'assemblée, le Public personnifié et qui, las de l'enseignement classique, va prendre la parole à son tour.

*b)* Fiction littéraire qui identifie l'auteur à Salomon, le sage par excellence, 1 R **5** 9-14.

*c)* Le déterminisme du cosmos, cadre monotone de la vie humaine, provoque chez l'Ecclésiaste l'ennui, à l'opposé de l'émerveillement et de l'adoration qu'expriment Jb **38-40** ou le Ps **104**.

*d)* Le terme dont nous gardons la traduction traditionnelle « vanité » signifie d'abord « buée », « haleine », et fait partie du répertoire d'images (l'eau, l'ombre, la fumée, etc.) qui décrivent dans la poésie hébraïque la fragilité humaine. Mais le mot a perdu son sens concret et n'évoque plus chez Qo que l'être illusoire des choses et par conséquent la déception qu'elles réservent à l'homme.

*e)* En hébreu *'amal,* qui évoque le plus souvent un travail pénible comme celui de l'esclave (cf. Dt **26** 7), d'où la peine, la souffrance. Ce mot est très fréquent dans Qo : sous forme de substantif il y apparaît vingt fois, sous sa forme verbale, treize fois.

*f)* On peut aussi comprendre : « Tout est ennuyeux (plus qu') on ne peut dire. L'œil n'est pas rassasié de voir, ni l'oreille saturée par ce qu'elle a entendu. »

*g)* Salomon lui-même, en sa vie fastueuse, 1 R **10** 4s, et malgré sa sagesse, 1 R **5** 9s, n'a pas connu le bonheur.

*h)* « besogne » ou « tâche », en hébreu *'inyân;* ce mot n'apparaît que dans ce livre où il a généralement une connotation péjorative : c'est le travail, le métier, vu comme une source de fatigues ou de tracas.

*i)* C'est-à-dire effort inutile, chimère, temps perdu.

tout mon cœur à comprendre la sagesse et le
savoir, la sottise[a] et la folie, et j'ai compris que
tout cela aussi est recherche de vent.

18 Beaucoup de sagesse, beaucoup de chagrin;
plus de savoir, plus de douleur.

**2** 1 Je me suis dit en moi-même : Viens donc que
je te fasse éprouver la joie, fais connaissance
Pr **14** 13 du bonheur! Eh bien, cela aussi est vanité. 2 Du rire
j'ai dit : « sottise », et de la joie : « à quoi sert-elle? »
3 J'ai décidé en moi-même de livrer[b] mon corps à
la boisson tout en menant mon cœur dans la
sagesse, de m'attacher à la folie pour voir ce qu'il
convient aux hommes de faire sous le ciel, tous les
1 R **7** 1-12 jours de leur vie. 4 J'ai fait grand. Je me suis bâti
1 Ch **27** 27s des palais, je me suis planté des vignes, 5 je me suis
fait des jardins et des vergers et j'y ai planté tous
les arbres fruitiers. 6 Je me suis fait des citernes
pour arroser de leur eau les jeunes arbres de mes
plantations. 7 J'ai acquis des esclaves et des servantes, j'ai eu des domestiques et des troupeaux, du
gros et du petit bétail en abondance, plus que
quiconque avant moi à Jérusalem. 8 Je me suis
1 R **9** 28; **10** amassé aussi de l'argent et de l'or, le trésor des rois
et des provinces. Je me suis procuré chanteurs et
1 R **11** 1-3 chanteuses et tout le luxe des enfants des hommes,
coffret par coffret[c]. 9 Je me suis élevé et j'ai sur-
1 R **10** 23 passé quiconque était avant moi à Jérusalem, et ma
sagesse m'est restée. 10 Je n'ai rien refusé à mes
yeux de ce qu'ils désiraient, je n'ai privé mon cœur
d'aucune joie, car je me réjouissais de tout mon travail et cela fut mon sort dans tout mon travail.

11 Alors je réfléchis à toutes les œuvres de mes
mains et à toute la peine que j'y avais prise, eh
bien, tout est vanité et poursuite de vent, il n'y a
pas de profit sous le soleil! 12 Puis je me mis à réfléchir sur la sagesse, la sottise et la folie : Voyons
1 9 que fera le successeur du roi? Ce qu'on a déjà
fait[d]. 13 J'ai vu qu'il y avait avantage de la sagesse
sur la folie comme du jour sur l'obscurité.

**10** 2 14 Le sage a les yeux ouverts[e],
1 Jn **2** 10-11 Jn **8** 12+ mais l'insensé marche dans les ténèbres.

Et je sais, moi aussi, qu'ils auront tous deux le
même sort.

15 Alors je me dis en moi-même : « Le sort de 6 8
l'insensé sera aussi le mien, pourquoi donc avoir
été sage[f]? » Je me dis que cela aussi est vanité. 16 Il
n'y a pas de souvenir durable du sage ni de Sg **2** 4
l'insensé, et dans les jours suivants, tous deux sont Si **44** 8-15 Qo **1** 11
oubliés : le sage meurt bel et bien avec l'insensé. Ps **49** 11

17 Je déteste la vie, car ce qui se fait sous le soleil
me déplaît : tout est vanité et poursuite de vent.

18 Je déteste le travail pour lequel j'ai pris de la
peine sous le soleil, et que je laisse à mon successeur : 19 qui sait s'il sera sage ou fou? Pourtant il
sera maître de tout mon travail pour lequel j'ai pris
de la peine et me suis comporté avec sagesse sous
le soleil; cela aussi est vanité. 20 Mon cœur en est
venu à se décourager pour toute la peine que j'ai
prise sous le soleil.

21 Car voici un homme qui a travaillé avec
sagesse, savoir et succès, et il donne sa part à celui
qui n'a pas travaillé : cela aussi est vanité, et c'est
un tort grave. 22 Car que reste-t-il à l'homme de
toute sa peine et de tout l'effort pour lequel son
cœur a peiné sous le soleil?

23 Oui, tous ses jours sont douloureux et sa tâche
est pénible; même la nuit il ne peut se reposer, cela
aussi est vanité!

24 Il n'y a de bonheur pour l'homme que dans le 3 12-13, 22;
manger et le boire[g] et dans le bonheur qu'il trouve 5 17; **8** 15;
dans son travail, et je vois que cela aussi vient de **9** 7-8
la main de Dieu, 25 car qui mangera et qui boira
si cela ne vient de lui[h]? 26 A qui lui plaît, il donne Si **1** 10
sagesse, savoir et joie, et au pécheur il donne Jb **27** 16-17
comme tâche de recueillir et d'amasser pour celui Pr **13** 22
qui plaît à Dieu[i]. Cela aussi est vanité et poursuite
de vent.

### La mort[j].

**3** 1 Il y a un moment pour tout et un temps pour
toute chose sous le ciel.

2 Un temps pour enfanter,
et un temps pour mourir;
un temps pour planter,

*a)* « la sottise » mss, cf. **10** 13; « des sottises » hébr.
*b)* Au lieu de lire *limeshôk*, litt. « tirer », « entraîner » (d'où « livrer »), certains corrigent en *lisemôk* et traduisent : « j'ai soutenu mon corps par le vin ».
*c)* D'après le sens du mot en hébreu postbiblique. D'autres comprennent : « une princesse, des princesses » ou « une concubine, des concubines », et pensent au harem de Salomon.
*d)* « que fera » conj.; « qui » hébr. – « ce qu'on a (déjà) fait » conj.; « ce qu'on lui a (déjà) fait » hébr. – La sagesse ne procure aucun avantage, pas même celui d'un souvenir durable; elle vaut pourtant mieux que la sottise, comme le jour vaut mieux que la nuit.
*e)* Litt. « a des yeux dans la tête ».
*f)* L'hébr. ajoute : « alors davantage ».
*g)* Cette maxime d'allure épicurienne est un argument dans une polémique. Bien que l'auteur fasse de ce paradoxe un refrain, **3** 12-13; **5** 17; **8** 15; **9** 7, il n'y enferme pas toute sa conception de la vie, comme s'il conseillait de faire du plaisir le mobile dernier de l'action et excluait le sens du devoir.
*h)* « boira » versions; « se hâtera » hébr. – « si cela ne vient de lui », litt. « en dehors de lui », mss, versions; « en dehors de moi » hébr.
*i)* Ainsi parlaient les Sages pour justifier le scandale des richesses accordées au méchant, cf. Pr **11** 8; **13** 22; Jb **27** 16s. Qohélet ironise en passant sur l'insuffisance de cette doctrine.
*j)* La moitié des occupations de l'homme est sinistre, la moitié de ses gestes, des gestes de deuil. La mort a déjà mis son empreinte sur la vie. Celle-ci est une suite d'actes décousus, vv. 1-8, sans but, vv. 9-13, sinon la mort, qui elle-même n'a aucun sens, vv. 14-22.

et un temps pour arracher le plant.
3 Un temps pour tuer,
et un temps pour guérir;
un temps pour détruire,
et un temps pour bâtir.
4 Un temps pour pleurer,
et un temps pour rire;
un temps pour gémir,
et un temps pour danser.
5 Un temps pour lancer des pierres,
et un temps pour en ramasser;
un temps pour embrasser,
et un temps pour s'abstenir d'embrassements.
6 Un temps pour chercher,
et un temps pour perdre;
un temps pour garder,
et un temps pour jeter.
7 Un temps pour déchirer,
et un temps pour coudre;
un temps pour se taire,
et un temps pour parler.
8 Un temps pour aimer,
et un temps pour haïr;
un temps pour la guerre,
et un temps pour la paix.

9 Quel profit celui qui travaille trouve-t-il à la
peine qu'il prend? 10 Je regarde la tâche que Dieu
donne aux enfants des hommes : 11 tout ce qu'il fait
convient en son temps. Il a mis dans leur cœur
8 17; 11 5 l'ensemble du temps [a], mais sans que l'homme
Ps **139** 17 puisse saisir ce que Dieu fait, du commencement
Si **11** 4; **18** 6 à la fin.
Is **55** 8-9 12 Et je sais qu'il n'y a pas de bonheur pour
Rm **11** 33 2 24+ l'homme [b], sinon dans le plaisir et le bien-être
durant sa vie. 13 Et si un homme mange, boit et
trouve le bonheur dans son travail, cela est un don
de Dieu.
Ps **33** 11 14 Je sais que tout ce que Dieu fait sera pour toujours [c].
A cela il n'y a rien à ajouter,
de cela il n'y a rien à retrancher,
et Dieu fait en sorte qu'on le craigne.

15 Ce qui est fut déjà; 1 9
ce qui sera est déjà.
Or Dieu recherche le persécuté [d].
16 Je regarde encore sous le soleil :
à la place du droit, là se trouve le crime, 4 1; 5 7
à la place du juste [e] se trouve le criminel;
17 et je me dis en moi-même : le juste et le criminel, Dieu les jugera, car il y a un temps pour toutes
choses et pour toute action ici.
18 Je me dis en moi-même, en ce qui concerne les
enfants des hommes : c'est pour que Dieu les
éprouve et leur montre qu'ils sont des bêtes [f]. 19 Car Ps **49** 13, 21
le sort de l'homme et le sort de la bête sont un sort
identique : comme meurt l'un, ainsi meurt l'autre,
et c'est un même souffle qu'ils ont tous les deux.
La supériorité de l'homme sur la bête est nulle, car Mt **12** 12
tout est vanité.
20 Tout s'en va vers un même lieu :
tout vient de la poussière, Gn **2** 7; **3** 19
tout s'en retourne à la poussière. Ps **104** 29 Jb **34** 15
21 Qui sait si le souffle de l'homme monte vers Si **16** 29-30
le haut et si le souffle de la bête descend en bas, Qo **12** 7 Pr **15** 24
vers la terre [g]?
22 Je vois qu'il n'y a de bonheur pour l'homme
qu'à se réjouir de ses œuvres, car c'est là sa part. 2 24+
Qui donc l'emmènera voir ce qui sera après lui? 6 12

**Le groupe [h].**

**4** 1 Je regarde encore toute l'oppression qui se 3 16
commet sous le soleil :
Voici les larmes des opprimés, et ils n'ont pas de
consolateur;
et la force du côté des oppresseurs, et ils n'ont
pas de consolateur.
2 Alors je félicite les morts qui sont déjà morts Jb **3** 11-23;
plutôt que les vivants qui sont encore vivants. **10** 18-22
3 Et plus heureux que tous les deux est celui qui 6 3
ne vit pas encore et ne voit pas l'iniquité qui se Jr **20** 17, 18
commet sous le soleil. 3 16
4 Et je vois que tout travail et toute réussite n'est
que jalousie de l'un pour l'autre : cela est vanité et
poursuite de vent!

*a)* Ou : « Dieu a mis dans leur cœur l'éternité », mais cette phrase n'a pas le sens qu'elle prendrait dans le vocabulaire chrétien. Elle veut dire seulement : Dieu a donné au cœur (à la pensée) de l'homme l'ensemble de la durée, il lui a permis de réfléchir sur la suite des faits et de dominer le moment présent. Mais l'auteur ajoute que cet aperçu est décevant : il ne révèle pas le sens de la vie.

*b)* « pour l'homme » *ba 'adam*, cf. **2** 24, « pour eux » *bam* hébr.

*c)* Dans la théorie de la rétribution, la mort est le châtiment du péché. Pour Qohélet, la mort tient simplement à la condition humaine; la vertu et la justice n'ont rien à y voir. Le sort de l'homme est celui de la bête. Et même dans le domaine de la justice règne la loi du plus fort, vv. 16,18. Pourtant Dieu, lui, préfère le faible, v. 15 [b].

*d)* « persécuté » : c'est le sens que donne à ce mot, litt. « poursuivi », le midrash Qohélet Rabba.

*e)* « juste » grec, Targ.; « justice » hébr.

*f)* « et leur montre » grec, syr.; « et qu'ils voient » hébr. – A la fin du v., hébr. ajoute deux mots, litt. « eux, pour eux », qu'on pourrait peut-être comprendre « les uns pour les autres ». Mais le contexte n'est guère en faveur de cette traduction : comme l'indique la suite, la comparaison avec les bêtes ne cherche pas à suggérer la méchanceté, mais l'impossibilité d'échapper à la mort.

*g)* Ce doute lancé au passage suffit à donner toute son épouvante à la mort. Le dernier mot du livre est d'un pessimisme moins radical : la vie de l'homme retourne à Dieu qui l'a donnée, **12** 7.

*h)* Les misères de la vie en société : l'oppression de la force et la défaite de l'homme isolé, **4** 1-12; l'engouement politique, **4** 13-16; la religion moutonnière et l'abus des vœux, **4** 17-**5** 6; la tyrannie du pouvoir, **5** 7-8.

Pr 6 9-11 5 L'insensé se croise les bras
et se dévore lui-même.

6 Mieux vaut une poignée de repos
que deux poignées de travail
à poursuivre le vent [a].

7 Je vois encore une autre vanité sous le soleil :
8 soit quelqu'un de seul qui n'a pas de second, pas
de fils ni de frère; il n'y a pas de limite à toute sa
besogne, et ses yeux ne sont pas rassasiés de richesses : « Pour qui donc est-ce que je travaille et me
prive de bonheur? »

Cela aussi est vanité, et c'est une mauvaise besogne.
Lc 10 1 9 Mieux vaut être deux que seul, car ainsi le travail donne bon profit. 10 En cas de chute, l'un relève
l'autre; mais qu'en est-il de celui qui tombe sans
personne pour le relever? 11 Et si l'on couche à
deux, on se réchauffe, mais seul, comment avoir
chaud?
12 Là où un homme seul est renversé, deux résistent, et le fil triple ne rompt pas facilement [b].

13 Mieux vaut un enfant pauvre et sage
qu'un roi vieux et insensé
qui ne sait plus prendre conseil.
Si 11 5 14 Même s'il est sorti de prison pour régner,
et même s'il est né mendiant dans le
royaume [c],
15 je vois tous les vivants qui vont sous le soleil
être avec l'enfant, le second, l'usurpateur [d], 16 et
c'est d'une foule sans fin qu'il se trouve à la tête.
Mais ceux qui viennent après ne s'en réjouiront
pas, car cela aussi est vanité et recherche de vent.
17 Prends garde à tes pas quand tu vas à la Maison de Dieu : approcher pour écouter vaut mieux
que le sacrifice offert par les insensés, mais ils ne
savent pas qu'ils font le mal [e].

**5** 1 Ne hâte pas tes lèvres, que ton cœur ne se
Pr 20 25 presse pas de proférer une parole devant Dieu,
car Dieu est au ciel et toi sur la terre; aussi, que
tes paroles soient peu nombreuses. Mt 6 7 Si 7 14 Pr 10 19

2 Car du nombre des tracas vient le songe,
du nombre des paroles, le ton de l'insensé.

3 Si tu fais un vœu à Dieu, ne tarde pas à Lv 27 1+
l'accomplir, car Dieu n'aime pas les insensés. Ton Nb 30 3
vœu, accomplis-le. 4 Et mieux vaut ne pas faire de Dt 23 22-24
vœu que d'en faire un sans l'accomplir. 5 Ne laisse
pas ta bouche faire de toi un pécheur. Et ne va pas
dire au Messager que c'était par inadvertance [f] :
pourquoi donner à Dieu l'occasion de s'irriter
contre toi et de ruiner l'œuvre de tes mains?

6 Car du nombre des songes Si 34 1-5
viennent les vanités et les paroles multipliées [g].

Ainsi crains Dieu. 12 13
7 Si tu vois dans une province le pauvre opprimé,
la justice et le droit bafoués, n'en sois pas surpris; 3 16; 4 1
car au-dessus d'une autorité veille une plus haute
autorité, et de plus hautes au-dessus d'elles. 8 Mais
le profit qu'on tire d'une terre est à tous, un roi est
servi par les champs [h].

### L'argent [i].

9 Qui aime l'argent ne se rassasie pas d'argent,
qui aime l'abondance n'a pas de revenu, cela
aussi est vanité.
10 Où abonde le bien, abondent ceux qui le man- Pr 19 6
gent, quel avantage pour le propriétaire, sinon un Si 13 6
spectacle pour les yeux?
11 Le sommeil du travailleur est doux, qu'il ait
mangé peu ou beaucoup; mais la satiété du riche Pr 13 8
ne le laisse pas dormir.
12 Il est un tort criant que je vois sous le soleil :
la richesse gardée par son possesseur à son propre
détriment. 13 Il perd cette richesse dans une mauvaise affaire, il met au monde un fils, il n'y a plus rien
en main. 14 Comme il était sorti du sein de sa mère,
tout nu, il s'en retournera, comme il était venu. De Jb 1 21

*a)* « à poursuivre le vent » conj.; « et poursuite de vent » hébr.
*b)* L'image du fil triple se retrouve, sous la même forme, dans un texte sumérien du cycle de Gilgamesh, également comme illustration de l'avantage d'être deux plutôt que solitaire.
*c)* Traduction incertaine d'un texte obscur.
*d)* Ou simplement : « le successeur », litt. « celui qui se dresse à sa place ».
*e)* Ou : « car ils ne savent rien, si ce n'est faire le mal ». Tout ce v. est difficile.
*f)* On peut voir dans le « Messager » l'ange devant qui on ne peut se disculper, une des fonctions angéliques étant de faire le relevé des bonnes œuvres, cf. Tb **12** 12+; Ac **10** 4, ou encore le prêtre qui attend l'exécution du vœu, cf. Ml **2** 7. Les Septante ont corrigé en « Dieu ». – Sur les péchés par inadvertance, cf. Lv **4**; Nb **15** 22s.
*g)* Ce petit proverbe (litt. « dans le nombre des songes, et vanités et paroles multipliées ») est probablement mutilé. Certains corrigent d'après le v. 2 et lisent : « du nombre des tracas viennent les songes, et du nombre des paroles les vanités »; ou encore : « du nombre des songes viennent les vanités, abondance de paroles, poursuite de vent ». Mais ces conjectures n'ont aucun appui dans les versions anciennes.
*h)* Traduction littérale d'un v. très obscur dont l'interprétation reste discutée. On peut y voir une allusion aux injustices commises sous prétexte d'obéissance à une autorité supérieure, injustices qui ont pour conséquence de priver les pauvres du revenu de leurs terres, et en viennent finalement à nuire même aux grands.
*i)* Satire, non du mauvais riche (comme dans les Prophètes), mais de l'argent lui-même, bien ou mal acquis, bien ou mal employé. Il n'est pas une assurance dans la vie, ni une source de bonheur. Cette critique prépare l'enseignement évangélique du détachement, cf. Mt **6** 19-21, 24, 25-34. – Voici la suite des idées : l'argent est mal réparti, **5** 9, souvent dilapidé, **5** 10, pénible à gagner, **5** 11, pénible à perdre, **5** 12-16. Alors, autant le dépenser au fur et à mesure, **5** 17-19. Trois exemples : la richesse qui passe à un autre, **6** 1-2, le riche sans tombeau, **6** 3-6, le pauvre qui veut faire le riche, **6** 7-11. Conclusion, **6** 12.

son travail il n'a rien retiré qui lui reste en main.
15 Cela aussi est un tort criant qu'il s'en aille
comme [a] il était venu : Quel profit retire-t-il d'avoir
travaillé pour le vent? 16 Et puis tous ses jours se
passent dans l'obscurité, le deuil [b], les chagrins
nombreux, la maladie et l'irritation.
2 24+ 17 Voici ce que j'ai vu : le bonheur qui convient
à l'homme [c], c'est de manger et de boire, et de trouver le bonheur dans tout le travail qu'il accomplit
sous le soleil, tout au long des jours de la vie que
Dieu lui donne, car c'est là sa part. 18 Et tout
homme à qui Dieu donne richesses et ressources,
qu'il laisse maître de s'en nourrir, d'en recevoir sa
part et de jouir de son travail, cela est un don de
Dieu. 19 Car il ne se souvient guère des jours de sa
vie tant que Dieu occupe son cœur à la joie.

**6** 1 Il y a un autre mal que je vois sous le soleil
et qui est grand pour l'homme : 2 soit un
homme à qui Dieu donne richesses, ressources et
gloire, et à qui rien ne manque de tout ce qu'il peut
2 18-19 désirer; mais Dieu ne le laisse pas maître de s'en
Lc **12** 20 nourrir et c'est un étranger qui s'en nourrit : cela
est vanité et cruelle souffrance. 3 Soit un homme
qui a eu cent enfants et a vécu de nombreuses
années, et alors que ses années ont été nombreuses,
il ne s'est pas rassasié de bonheur et il n'a même
Jb **3** 11 pas de tombeau : je vois que l'avorton est plus heureux que lui.
4 Il est venu dans la vanité, il s'en va dans les
ténèbres,
et dans les ténèbres son nom est enseveli.
5 Il n'a même pas vu le soleil et ne l'a pas
connu : il y a plus de repos pour lui que pour
l'autre.
6 Et même s'il avait vécu deux fois mille ans, il
n'aurait pas vu le bonheur; n'est-ce pas vers un
même lieu que tous s'en vont?
7 Toute la peine que prend l'homme est pour sa
bouche, et pourtant son appétit n'est jamais satisfait.
8 Quel avantage a le sage sur l'insensé?
Et qu'en est-il de l'indigent qui sait se conduire Pr **13** 7
devant les vivants [d]?
9 Mieux vaut ce que voient les yeux que le mouvement du désir [e], cela aussi est vanité et poursuite
de vent!
10 Ce qui fut a déjà été nommé et l'on sait ce 1 9-11
qu'est un homme :
il ne peut faire procès à celui qui est plus fort
que lui.
11 Plus il y a de paroles, plus il y a de vanité, quel
avantage pour l'homme?
12 Et qui sait ce qui convient à l'homme pendant
sa vie, tout au long des jours de la vie de vanité
qu'il passe comme une ombre? Qui annoncera à Ps **39** 7;
l'homme ce qui doit venir après lui sous le soleil? **90** 10; **102** 12; **109** 23 Jb **8** 9; **14** 2

## *Deuxième partie*

**Prologue** [f].

Pr **22** 1 **7** 1 Mieux vaut un nom que l'huile fine,
et le jour de la mort que le jour de la naissance.
2 Mieux vaut aller à la maison du deuil
qu'à la maison du banquet,
puisque c'est la fin de tout homme;
ainsi le vivant y réfléchira.
3 Mieux vaut le chagrin que le rire,
car avec un triste visage on peut avoir le cœur
joyeux.
4 Le cœur du sage est dans la maison du deuil,
le cœur des insensés, dans la maison de la joie.
5 Mieux vaut écouter la semonce du sage
qu'écouter le chant [g] de l'insensé;
6 car tel le bruit des épines sous le chaudron,
tel est le rire de l'insensé,
et cela aussi est vanité.
7 Mais l'oppression rend fou le sage
et un présent perd le cœur [h].

**La sanction** [i].

8 Mieux vaut la fin d'une chose que son début,
mieux vaut la patience que la prétention.
9 Ne te hâte pas de t'irriter, car l'irritation habite Pr **22** 24
au cœur des insensés. 10 Ne dis pas : « Comment se Jc **1** 19
fait-il que le passé fût meilleur que le présent? »

*a)* « comme » grec, syr.; hébr. corrompu.
*b)* « dans l'obscurité, le deuil » grec; « il mange dans l'obscurité » hébr.
*c)* « à l'homme » conj., cf. **2** 24; omis par hébr.
*d)* Sens incertain, mais peut-être pourrait-on voir ici une comparaison désabusée entre le sage et celui qui sait faire illusion.
*e)* En hébreu *nephesh*, qui signifie le plus souvent « âme », mais dont le sens premier est « gorge », d'où « appétit », « désir », cf. déjà v. 7.
*f)* Le premier prologue était sur l'ennui, le second est sur le rire, mais il est tout aussi austère.
*g)* « chant » a peut-être ici le sens de « louange ».
*h)* V. obscur, mais les diverses corrections proposées ne sont pas satisfaisantes. Peut-être Qohélet veut-il seulement exprimer la faiblesse du sage lui-même, qui ne peut supporter sereinement ni le malheur, ni la trop grande faveur.
*i)* La Loi avait formulé le principe d'une rétribution collective : fidèle, Israël serait heureux; infidèle, malheureux, cf. Dt **7** 12s; **11** 26-28; **28** 1-68; Lv **26**. Les Sages l'avaient appliqué au sort

Si **39** 16, 33s Car ce n'est pas la sagesse qui te fait poser cette
question.
11 La sagesse est bonne comme un héritage,
elle profite à ceux qui voient le soleil.
12 Car l'abri de la sagesse vaut l'abri de l'argent,
et l'avantage du savoir, c'est que la sagesse fait
vivre ceux qui la possèdent.
13 Regarde l'œuvre de Dieu :
1 15 qui pourra donc redresser ce qu'il a courbé?
14 Au jour du bonheur, sois heureux,
et au jour du malheur, regarde :
Dieu a bel et bien fait l'un et l'autre,
afin que l'homme ne trouve rien derrière soi [a].
15 J'ai tout vu, en ma vie de vanité :
8 14 le juste périr dans sa justice
et l'impie survivre dans son impiété.
16 Ne sois pas juste à l'excès
et ne te fais pas trop sage,
pourquoi te détruirais-tu?
17 Ne te fais pas méchant à l'excès
et ne sois pas insensé,
Pr **10** 27 pourquoi mourir avant ton temps?
18 Il est bon de tenir à ceci sans laisser ta main
lâcher cela,
puisque celui qui craint Dieu trouvera [b] l'un et
l'autre.
9 16s 19 La sagesse rend le sage plus fort que dix gou-
Pr **21** 22 verneurs dans une ville.
1 Jn **1** 8-9 20 Il n'est pas d'homme assez juste sur la terre
Jb **14** 4+ pour faire le bien sans jamais pécher.
21 D'ailleurs ne prête pas attention à toutes les
paroles qu'on prononce, ainsi tu n'entendras pas
ton serviteur te maudire.
22 Car bien des fois ton cœur a su que toi aussi
avais maudit les autres.
23 Tout cela, j'en ai fait l'épreuve par la sagesse;
j'ai dit : « je serai sage », mais c'est hors de ma portée!
24 Hors de portée ce qui fut;
profond! profond! Qui le découvrira?
25 J'en suis venu, en mon cœur, à connaître, à
explorer et à m'enquérir de la sagesse et de la
réflexion, à reconnaître le mal pour une chose
insensée et la folie pour une sottise [c].

26 Et je trouve plus amère que la mort, la femme, Pr 5 3-4
car elle est un piège,
son cœur un filet, et ses bras des chaînes. Jg **16**
Qui plaît à Dieu lui échappe,
mais le pécheur s'y fait prendre.
27 Voici ce que je trouve, dit Qohélet,
en regardant une chose après l'autre pour en
tirer une réflexion
28 que je cherche encore sans la trouver :
un homme sur mille je le trouve,
mais une femme sur toutes, je ne la trouve pas.
29 Seulement voici ce que je trouve :
Dieu a fait l'homme tout droit,
et lui, cherche bien des calculs.

## 8

1 Qui est comme le sage?
Qui sait expliquer quelque chose?
La sagesse de l'homme fait luire son visage
et son air austère est changé.
2 Écoute l'ordre du roi, Rm **13** 1s
et à cause du serment divin,
3 ne te presse pas de t'en écarter [d];
ne t'entête pas dans un mauvais cas,
parce qu'il fait ce qui lui plaît.
4 Parce que la parole du roi est souveraine,
qui lui dira : « Que fais-tu? »
5 Celui qui garde le commandement ne connaît
aucun malheur;
le cœur du sage connaît le temps et le jugement,
6 car il y a un temps et un jugement pour toute
chose.
Mais le malheur de l'homme est grave pour
lui, 7 car il ne sait pas ce qui arrivera [e] : **10** 14
qui pourrait lui annoncer comment ce sera?
8 Aucun homme n'est maître du vent
pour retenir le vent,
personne n'est maître du jour de la mort. Sg 2 1
Il n'y a pas de sursis à la guerre,
et la méchanceté ne sauve pas celui qui la
commet [f].
9 Tout cela je l'ai vu, en mettant tout mon cœur
à tout ce qui se fait sous le soleil, au temps où
l'homme est maître de l'homme, pour son malheur.

personnel : Dieu rend à chacun selon ses œuvres, Pr **24** 12; Ps **62** 13; Jb **34** 11. Ils en concluaient que le sort présent de l'homme est proportionné à son mérite. Aux démentis de l'expérience, on répondait : le bonheur du méchant est éphémère, le malheur du juste, temporaire. Ainsi le Ps **37** et les amis de Job. Qohélet réfute cette thèse. A la réponse classique, **7** 8, il oppose le scepticisme, **7** 9-12. Il faut prendre le sort comme il vient, sans vouloir l'expliquer, **7** 13-15. Si même la vie et la mort sont mal réparties, **7** 15, il est inutile de faire des efforts surhumains, **7** 16-18. Quant à la réputation, elle ne signifie rien, **7** 19-22. Les faits sont inexplicables, le réel est un mystère insondable, **7** 23s (avec une parenthèse misogyne, **7** 25-28). Le sort aveugle, implacable (le roi n'y échappe pas, **8** 1-9), est même révoltant, **8** 10-14. Conclusion, **8** 15.

*a)* C'est-à-dire : « afin qu'on ne puisse compter sur rien ». Ou bien : « afin que l'homme ne découvre rien de ce qui doit arriver ».

*b)* « trouvera » *yimeça'* conj.; « sortira » *yeçe'* hébr. Peut-être faut-il comprendre « fera aboutir » *hoçi'*.

*c)* « en mon cœur » mss, Targ.; « et mon cœur » hébr. – « une sottise » conj., cf. **10** 13; « des sottises » hébr.

*d)* Avant « Écoute » hébr. ajoute « moi ». – Le « serment divin » peut être l'engagement pris par Dieu envers le roi, 2 S 7; Ps **89**, ou bien le serment fait à Dieu, soit par le roi, soit par les sujets.

*e)* On comprend que ce qui arrive à l'homme lui paraît d'autant plus grave qu'il n'en peut prévoir le dénouement. D'autres : « il y a un grand malheur pour l'homme : il ne sait... »

*f)* Certains corrigent « méchanceté » (*resha'*) en « richesse »

10 Et ainsi j'ai vu des méchants emmenés à leur
tombeau, et l'on s'en va du lieu saint, et l'on oublie
dans la ville comment ils ont agi [a], cela aussi est
vanité!
11 Parce que la sentence contre celui qui fait le
mal n'est pas vite exécutée, le cœur des enfants des
hommes est plein de l'envie de mal faire. 12 Que le
pécheur fasse cent fois le mal, il survit. Mais moi
je sais aussi qu'il arrive du bien à ceux qui craignent Dieu parce qu'ils le craignent, 13 mais qu'il
n'arrive pas de bien au méchant et que, comme
6 12+ l'ombre, il ne prolongera pas ses jours, parce qu'il
ne craint pas Dieu.
14 Il y a une vanité qui se fait sur la terre :
Ps **73** il y a des justes qui sont traités selon la
Jr **12** 1s conduite des méchants
et des méchants qui sont traités selon la
conduite des justes.
Je dis que cela aussi est vanité.
2 24+ 15 Et je fais l'éloge de la joie, car il n'y a de bonheur pour l'homme que dans le manger, le boire et
le plaisir qu'il prend; c'est cela qui accompagne son
travail aux jours de la vie que Dieu lui donne sous
le soleil.
16 Après avoir mis tout mon cœur à connaître la
sagesse et à observer la tâche qu'on exerce sur la
terre – car ni jour ni nuit on ne voit de ses yeux
le repos – 17 j'ai observé toute l'œuvre de Dieu :
3 11+ l'homme ne peut découvrir toute l'œuvre qui se fait
sous le soleil; quoique l'homme se fatigue à chercher, il ne trouve pas. Et même si un sage dit qu'il
sait, il ne peut trouver.

## Le sort.

**9** 1 Oui! A tout cela j'ai mis tout mon cœur et
Pr **16** 1 j'ai éprouvé tout cela : à savoir que les justes
Dt **33** 3 et les sages avec leurs œuvres sont dans la main
Sg **7** 16 de Dieu [b].
L'homme ne connaît ni l'amour ni la haine [c],
tous deux sont devant lui 2 vanité.
7 15; **8** 14 Ainsi, tous ont un même sort,
le juste et le méchant,
le bon et le mauvais [d],
le pur et l'impur,
celui qui sacrifie et celui qui ne sacrifie pas;
le bon est comme le pécheur,
celui qui prête serment comme celui qui craint
de prêter serment.
3 C'est un mal, parmi tout ce qui se fait sous le
soleil, qu'il y ait un même sort pour tous. Et le
cœur des hommes est plein de méchanceté, la sottise est dans leur cœur durant leur vie et leur fin
est chez les morts [e].
4 Mais il y a de l'espoir pour celui qui est lié à
tous les vivants [f],
et un chien vivant vaut mieux qu'un lion mort.
5 Les vivants savent au moins qu'ils mourront,
mais les morts ne savent rien du tout. Il n'y a plus
pour eux de salaire, puisque leur souvenir est
oublié. 6 Leur amour, leur haine, leur jalousie ont
déjà péri, et ils n'auront plus jamais part à tout ce
qui se fait sous le soleil [g].

7 Va, mange avec joie ton pain 2 24+
et bois de bon cœur ton vin,
car Dieu a déjà apprécié tes œuvres.
8 En tout temps porte des habits blancs
et que le parfum ne manque pas sur ta tête.
9 Prends la vie avec la femme que tu aimes, Pr **5** 15+
tous les jours de la vie de vanité que Dieu te
donne sous le soleil,
tous tes jours de vanité,
car c'est ton lot dans la vie
et dans la peine que tu prends sous le soleil.
10 Tout ce que ta main trouve à faire, fais-le
tant que tu en as la force,
car il n'y a ni œuvre, ni réflexion, ni savoir,
ni sagesse
dans le Shéol où tu t'en vas.
11 J'ai vu encore sous le soleil
que la course ne revient pas aux plus rapides,
ni le combat aux héros,
qu'il n'y a pas de pain pour les sages,
pas de richesse pour les intelligents,
pas de faveur pour les savants :
temps et contretemps leur arrivent à tous.
12 Mais l'homme ne connaît pas son heure.
Comme les poissons pris au filet perfide,
comme les oiseaux pris au piège,
ainsi sont surpris les enfants des hommes au

(*'osher*) et traduisent : « la richesse ne sauve pas son possesseur ».
*a)* « emmenés » grec, syr.; « et ils vont » hébr. – Le grec comprend : « et on louera dans la ville la façon dont ils ont agi », ce qu'on peut rapprocher de Jb **21** 32-33; mais cette correction est inutile : le thème de l'égalité de tous, bons et méchants, devant la mort et l'oubli appartient bien à la pensée de Qohélet.
*b)* « j'ai mis tout mon cœur » conj., cf. **1** 13, 17; « j'ai mis vers mon cœur » (?) hébr.; il faut peut-être supprimer le premier « à tout cela » et lire : « j'ai mis tout mon cœur à éprouver tout cela ». – « leurs œuvres » *'abadêhem* est un mot araméen suspect; partout ailleurs on a *ma'aseh*; il faut peut-être corriger en *'ahabêhem*, « leurs amours ».
*c)* Ces sentiments, qu'il éprouve pourtant, restent pour l'homme une énigme. Comme la mort, comme le sort, l'amour est aveugle et fatal.
*d)* « vanité » versions; « tout » hébr., dittographie. – « le mauvais » versions; omis par hébr.
*e)* « leur fin » *'aharitam* Symmaque; « après eux » *'aharayw* hébr.
*f)* « est lié » qeré, versions; « est choisi » hébr. ketib.
*g)* La certitude de la mort va rendre plus discrète l'invitation à la joie, vv. 7-8, cf. **2** 24+, qui s'achève par le conseil de fidélité à l'amour d'une vie entière, jusqu'à la séparation définitive, au sujet de laquelle aucune consolation n'est entrevue.

temps du malheur,
Lc 12 20 quand il fond sur eux à l'improviste.

**Sagesse et folie.**

[13] Voici encore quelle sorte de sagesse j'ai vue
sous le soleil, et elle me paraît importante :
[14] Il y avait une ville, petite, avec peu d'habitants. Un grand roi vint contre elle; il l'assiégea et
bâtit contre elle de grands ouvrages[a]. [15] Mais il
trouva devant lui un homme pauvre et sage qui
sauva la ville par sa sagesse. Or personne n'a gardé
le souvenir de cet homme pauvre. [16] Alors je dis :
7 19 La sagesse vaut mieux que la force,
Pr 21 22; mais la sagesse du pauvre est méconnue
24 5 et ses paroles, personne ne les écoute.
[17] On écoute les paroles calmes des sages plus
que les cris de celui qui commande aux insensés.
[18] Mieux vaut la sagesse que les armes,
mais un seul péché[b] annule beaucoup de bien.

**10** [1] Une mouche morte gâte[c] l'huile du parfumeur, un peu de sottise compte plus que
Ga 5 9 sagesse et gloire.
2 14 [2] Le sage se dirige bien,
l'insensé va de travers[d].
[3] Qu'il avance sur la route, celui qui est insensé,
l'esprit lui manque, et tous disent : « C'est un
insensé! »
[4] Si l'humeur de celui qui commande se monte
contre toi, ne quitte pas ta place, car le calme évite
de grands péchés.
[5] Il y a un mal que je vois sous le soleil, c'est
comme une méprise de la part du souverain :
Pr 19 10; [6] la folie placée au plus haut et des riches qui
30 22 restent dans l'abaissement. [7] Je vois des esclaves
aller à cheval et des princes à pied comme des
esclaves.

Pr 26 27 [8] Qui creuse une fosse tombe dedans,
Ps 7 16 qui sape un mur, un serpent le mord;
Si 27 26-27 [9] qui extrait des pierres se blesse avec,
qui fend du bois prend un risque.

[10] Si le fer est émoussé et qu'on n'en aiguise pas
la lame, il faut redoubler de forces; mais il y a
profit à faire aboutir la sagesse.
[11] Si faute d'être charmé le serpend mord, il n'y
a pas de profit pour le charmeur.

[12] Les paroles du sage plaisent, Pr 10 32;
les lèvres de l'insensé le perdront : 15 2
[13] le début de ses paroles est folie
et la fin de son propos perfide sottise.
[14] Le fou multiplie les paroles,
mais l'homme ne sait pas ce qui sera : 8 7
ce qui arrivera après lui, qui le lui annoncera?
[15] Le travail de l'insensé[e] le fatigue,
lui qui ne sait même pas aller à la ville.

[16] Malheur à toi, pays dont le roi est un gamin, Pr 31 4-7
et dont les princes mangent dès le matin!
[17] Heureux le pays dont le roi est né noble,
dont les princes mangent au temps voulu
pour prendre des forces et non pour banqueter!

[18] Pour des mains paresseuses, la poutre cède,
pour des mains négligentes, il pleut dans la
maison.
[19] Pour se divertir on fait un repas, Ps 104 15
le vin réjouit les vivants Jg 9 13
et l'argent a réponse à tout.

[20] Ne maudis pas le roi, fût-ce en pensée, Ex 22 27
ne maudis pas le riche, fût-ce dans ta chambre,
car un oiseau du ciel emporterait le bruit, Lc 12 2-3
celui qui a des ailes redirait ta parole.

**11** [1] Lance ton pain sur l'eau,
à la longue tu le retrouveras[f].
[2] Donne une part à sept ou à huit,
car tu ne sais pas quel malheur peut venir sur
la terre.
[3] Si les nuages sont pleins de pluie,
ils la déversent sur la terre;
et si un arbre tombe, au sud ou bien au nord,
l'arbre reste où il est tombé.
[4] Qui observe le vent ne sème pas,
qui regarde les nuages ne moissonne pas.
[5] De même que tu ne connais pas le chemin que Jn 3 8
suit le vent,
ou celui de l'embryon dans le sein de la Ps 139 1
femme[g],
de même tu ne connais pas l'œuvre de Dieu 3 11+
qui fait tout.
[6] Le matin, sème ton grain,

*a)* « ouvrages » (ou « terrassements ») versions; « filet » (ou « piège ») hébr.
*b)* « péché » syr.; « pécheur » hébr.
*c)* « une mouche morte » *zebûb met* conj.; « les mouches de la mort » *zebûbê mawet* hébr. – Après « gâte », hébr. ajoute « infecte », dittographie probable.
*d)* Litt. « Le cœur du sage est à droite, celui du fou à gauche. »
*e)* « l'insensé » grec, Targ., mss.; « les insensés » hébr.

*f)* Certains interprètes pensent à l'appât lancé sur l'eau par le pêcheur, et retrouvé sous forme de capture; d'autres pensent au négoce maritime. Cette séquence sur le risque permet d'apprécier l'attitude que Qohélet souhaite chez son disciple. Il n'a pas voulu le décourager à plaisir, mais lui enlever des illusions, pour lui épargner des déconvenues. En définitive, il faut risquer.
*g)* Litt. « et de même, les os dans le sein de la femme enceinte ».

et le soir, ne laisse pas ta main inactive,
car de deux choses tu ne sais pas celle qui réussira,
ou si elles sont aussi bonnes l'une que l'autre.

L'âge [a].

7 Douce est la lumière
et il plaît aux yeux de voir le soleil;
8 si l'homme vit de longues années,
qu'il profite de toutes,
mais qu'il se rappelle que les jours de ténèbres seront nombreux :
tout ce qui vient est vanité.

9 Réjouis-toi, jeune homme, dans ta jeunesse,
sois heureux aux jours de ton adolescence,
suis les voies de ton cœur et les désirs de tes yeux [b],
mais sache que sur tout cela Dieu te fera venir en jugement.

10 Éloigne de ton cœur le chagrin,
écarte de ta chair la souffrance,
mais la jeunesse et l'âge des cheveux noirs sont vanité.

**12** [c] 1 Et souviens-toi de ton Créateur aux jours de ton adolescence,
avant que viennent les jours mauvais
et qu'arrivent les années dont tu diras : « Je ne les aime pas »;
2 avant que s'obscurcissent le soleil et la lumière,
la lune et les étoiles,
et que reviennent les nuages après la pluie;
3 au jour où tremblent les gardiens de la maison,
où se courbent les hommes vigoureux,
où les femmes, l'une après l'autre, cessent de moudre [d],
où l'obscurité gagne celles qui regardent par la fenêtre.
4 Quand la porte est fermée sur la rue,
quand tombe la voix du moulin,
quand on se lève à la voix de l'oiseau,
quand se taisent toutes les chansons [e].
5 Quand on redoute la montée
et qu'on a des frayeurs en chemin.
Et l'amandier est en fleur, Ct **2** 11+
et la sauterelle est pesante,
et la câpre perd son goût [f].
Tandis que l'homme s'en va vers sa maison Ps **49** 12
d'éternité
et les pleureurs tournent déjà dans la rue.
6 Avant que lâche le fil d'argent [g],
que la coupe d'or se brise,
que la jarre se casse à la fontaine,
que la poulie se rompe au puits
7 et que la poussière retourne à la terre comme 3 20-21+
elle en est venue,
et le souffle à Dieu qui l'a donné [h].

8 Vanité des vanités, dit Qohélet, tout est 1 2
vanité [i].

**Épilogue** [j].

9 Sans compter que Qohélet fut un sage, il a encore enseigné au peuple le savoir; il a pesé, examiné et corrigé beaucoup de proverbes;
10 Qohélet s'est efforcé de trouver beaucoup de paroles plaisantes et d'écrire des paroles de vérité.

*a)* La longévité était la récompense promise aux Israélites dans les discours du Deutéronome, Dt **5** 16, 33; **11** 9, 21; **22** 7, etc., la suprême béatitude garantie au juste par les Sages. Pour Qohélet, la vieillesse n'est pas le bonheur, c'est la peur de la mort, **11** 7, le regret de la jeunesse, **11** 8-**12** 2, la vie au ralenti, **12** 3-5, l'attente de l'irréparable, **12** 5-7.
*b)* Litt. « ce que voient tes yeux ». – On a peut-être là un dicton sur la jeunesse, que Qohélet reprend mais en y ajoutant un prudent rappel de sa brièveté.
*c)* Ce très beau poème, plein d'émotion et de nostalgie, évoque la vieillesse de façon plus ou moins métaphorique; mais il est parfois difficile de saisir la portée exacte de ces métaphores. Avec un courant d'interprétation rabbinique, on a parfois voulu y lire l'évocation des diverses parties du corps (cf. surtout v. 3, les bras, les dents et les yeux); mais cette interprétation physiologique ne s'impose pas. On peut y voir aussi la description de la vieillesse comme de l'hiver de la vie, mais un hiver qui, à la différence de celui de la nature, ne cède plus la place à aucun printemps.
*d)* « les femmes », litt. « celles qui moulent ». – « l'une après l'autre » ou « (parce qu'elles sont) trop peu nombreuses ».
*e)* « se taisent » *weyeheshû* conj.; « sont humiliés » *weyishahû* hébr. – L'allusion au sommeil léger du vieillard (stique précédent) semble hors de contexte; on a parfois proposé de corriger « on se lève » *wayyaqûm* en « on s'arrête » *weyiddôm*, mais les versions (sauf Symmaque) sont en faveur du TM.
*f)* « perd son goût », traduction incertaine, en lisant un passif (*wetuppar*) au lieu de la forme *wetaper* non attestée. On peut aussi comprendre « est sans effet ». On corrige parfois en *wetipereh* : « donne son fruit », ce qui continue l'image du retour de la belle saison : la vie va quitter l'homme au moment même où la nature ressuscite. La sauterelle est « pesante », soit parce qu'elle est repue (encore une image du printemps), soit au contraire parce que le moindre poids est une charge pour le vieillard.
*g)* « lâche » *yinnateq* conj. d'après syr. et Sym.; « soit écartée » *yeraheq* hébr.
*h)* Ce qui dans l'homme est de la terre y retourne. Mais comme rien ici-bas ne peut le satisfaire, tout en lui ne vient pas de la terre, et ce qui est de Dieu retourne à Dieu.
*i)* Le livre se termine comme il avait commencé, mais on mesure le chemin parcouru. Il a appris à l'homme sa misère, mais aussi sa grandeur, en lui montrant que ce monde n'est pas digne de lui. Il le provoque à une religion désintéressée, à une prière qui soit l'adoration de la créature consciente de son néant en présence du mystère de Dieu. Cf. le Ps **39**.
*j)* Cet appendice n'est pas de la même main que le reste du livre. Il peut être l'œuvre d'un disciple de Qohélet, qui fait son éloge, en restant dans le même ton (cf. vv. 12-14).

[11] Les paroles du sage sont comme des aiguillons et comme des piquets plantés par les maîtres de troupeaux; ils sont mis par le même pasteur [a].

[12] En plus de cela, mon fils, sois averti que faire des livres est un travail sans fin et que beaucoup d'étude fatigue le corps.

[13] Fin du discours. Tout est entendu. Crains 5 6
Dieu et observe ses commandements, car c'est là Si 1 13
le devoir de tout homme [b].

[14] Car Dieu amènera en jugement toutes les actions de l'homme, tout ce qui est caché, que ce soit bien ou mal.

*a)* L'aiguillon pour pousser les bêtes à avancer, et les piquets pour les maintenir à l'attache, sont utilisés, chacun en temps voulu, par le pasteur, non pas selon son caprice mais pour le bien du troupeau. L'image du pasteur pourrait être une métaphore faisant allusion, selon certains, à Moïse, selon d'autres à Salomon ou à Dieu. Mais le texte est peut-être corrompu (on restitue « par », peut-être tombé par haplographie).

*b)* « le devoir » conj.; omis par hébr.

# LE CANTIQUE DES CANTIQUES

## Introduction

*Le Cantique des Cantiques, c'est-à-dire le Cantique par excellence, le plus beau Cantique, chante dans une suite de poèmes l'amour mutuel d'un Bien-aimé et d'une Bien-aimée, qui se joignent et se perdent, se cherchent et se trouvent. Le Bien-aimé est appelé « roi »,* **1** 4 *et* 12, *et « Salomon »,* **3** 7 *et* 9; *la Bien-aimée est appelée « la Sulamite »,* **7** 1, *nom qu'on a rapproché de celui de Salomon, ou de la Sunamite qui paraît dans l'histoire de David et de Salomon,* 1 *R* **1** 3; **2** 21-22. *Comme la tradition savait que Salomon avait composé des cantiques,* 1 *R* **5** 12, *on lui a attribué ce cantique au superlatif, d'où le titre du livre,* **1** 1, *comme on lui attribua, parce qu'il était un sage, les Proverbes, l'Ecclésiaste et la Sagesse. A cause du titre, on rangea le Cantique parmi les livres sapientiaux, dans la Bible grecque après l'Ecclésiaste, dans la Vulgate entre l'Ecclésiaste et la Sagesse, justement deux livres « salomoniens ». Dans la Bible hébraïque, le Cantique est rangé parmi les « écrits », qui forment la troisième et la plus récente partie du canon juif. Après le VIII*[e] *siècle de notre ère, lorsque le Cantique fut utilisé dans la liturgie pascale, il devint l'un des cinq « megillôt », ou rouleaux, qu'on lisait aux grandes fêtes.*

*Ce livre, qui ne parle pas de Dieu et qui emploie le langage d'un amour passionné, a étonné. Au I*[er] *siècle de notre ère, dans les milieux juifs, des doutes se sont élevés sur sa canonicité et ont été résolus par un appel à la tradition. C'est en se fondant sur celle-ci que l'Église chrétienne l'a toujours reçu comme une Écriture sainte.*

*Il n'y a pas de livre de l'Ancien Testament dont on ait proposé des interprétations plus divergentes.*

*La plus récente cherche l'origine du Cantique dans le culte d'Ishtar et de Tammuz, et dans les rites de mariage divin, de hiérogamie, qu'on suppose accomplis par le roi, substitut du dieu. Un tel rituel, emprunté aux Cananéens, aurait été pratiqué anciennement dans le culte de Yahvé, et le Cantique serait le livret, expurgé et révisé, de cette liturgie. Cette théorie cultuelle et mythologique ne peut être démontrée, et elle est invraisemblable. On ne peut pas imaginer un croyant israélite qui démarquerait ces productions d'une religion de la fécondité simplement pour en tirer des chants d'amour. S'il y a des rencontres d'expression entre les hymnes à Ishtar ou à Tammuz et les poèmes du Cantique, c'est parce que les uns et les autres parlent le langage de l'amour.*

*L'interprétation allégorique est beaucoup plus ancienne. Elle est devenue commune chez les Juifs à partir du II*[e] *siècle de notre ère : l'amour de Dieu pour Israël et celui du peuple pour son Dieu sont représentés comme les rapports entre deux époux; ce serait le même thème du mariage que les Prophètes ont développé depuis Osée. Les auteurs chrétiens, surtout sous l'influence d'Origène et malgré l'opposition individuelle de Théodore de Mopsueste, ont suivi la même ligne que l'exégèse juive, mais l'allégorie est devenue chez eux celle des noces du Christ avec l'Église ou de l'union mystique de l'âme avec Dieu. Beaucoup de commentateurs catholiques modernes sont restés fidèles à cette interprétation allégorique, sous des formes variées. Ils s'en tiennent au thème général de Yahvé époux d'Israël, ou bien ils cherchent à retrouver dans la suite du Cantique l'histoire des conversions d'Israël, de ses désillusions et de ses espérances. Le caractère inspiré et canonique du Cantique leur paraît exiger qu'il chante autre chose que l'amour profane. Mais les justifications exégétiques qu'ils donnent du sens allégorique, en accumulant les parallèles verbaux avec le reste de la Bible, apparaissent artificielles et forcées.*

*Aussi bien, un nombre croissant d'exégètes catholiques se rallie-t-il à l'interprétation littérale, qui recueille aujourd'hui la presque totalité des suf-*

*frages. Elle rejoint la tradition la plus ancienne : il n'y a aucun indice d'une interprétation allégorique du Cantique avant notre ère, et les écrits de Qumrân n'en révèlent aucune trace; le Nouveau Testament, quoi qu'on ait dit, n'en apporte pas le témoignage; les Juifs du Ier siècle chantaient le Cantique dans les fêtes profanes de mariage et continuèrent de le faire malgré l'interdiction portée par Rabbi Aqiba. Le Cantique lui-même ne manifeste aucune intention allégorisante, contrairement aux Prophètes qui, lorsqu'ils recourent à l'allégorie, le disent explicitement et fournissent la clé, Is* **5** 7; *Ez* **16** 2; **17** 12; **23** 4; **31** 2; **32** 2, *etc. Rien n'indique qu'il faille appliquer une grille sur le Cantique pour le décoder et y lire autre chose que le sens qui sort naturellement du texte : c'est un recueil de chants qui célèbrent l'amour mutuel et fidèle que scelle le mariage. Il proclame la légitimité et il exalte la valeur de l'amour humain, et le sujet n'est pas seulement profane, puisque Dieu a béni le mariage, entendu moins comme un moyen de procréation que comme l'association affectueuse et stable de l'homme et de la femme, Gn* **2**. *Sous l'influence du Yahvisme, la vie sexuelle, que le milieu cananéen concevait à l'image des relations entre divinités de la fécondité, est ici démythologisée et considérée avec un sain réalisme. Le même amour humain est accessoirement le sujet d'autres livres de l'Ancien Testament, ainsi dans de vieux récits de la Genèse, dans l'histoire de David, dans les Proverbes et l'Ecclésiastique, où il est traité de la même manière et parfois avec des expressions proches de celles du Cantique; son honnêteté justifie le transfert que les Prophètes en font aux relations de Yahvé avec Israël. Il n'y a donc pas d'objection à ce qu'un livre lui ait été consacré et qu'il ait été reçu dans le Canon. Ce n'est pas à nous de fixer des limites à l'inspiration de Dieu.*

*On peut chercher l'origine du Cantique dans les fêtes qui accompagnaient la célébration du mariage, cf. Jr* **7** 24; **16** 9; *Ps* **45**, *et l'on a fait des rapprochements utiles avec les cérémonies et les chants de noces des Arabes de Syrie et de Palestine. Mais le Cantique n'est pas un recueil de chants populaires. Quels que soient les modèles anciens qu'il a pu connaître, l'auteur du Cantique est un poète original et un habile lettré. Les meilleurs parallèles se trouvent dans les chants d'amour de l'Égypte ancienne, qui sont des œuvres littéraires, mais on ne peut pas affirmer qu'il s'en soit inspiré. Israël a dû avoir comme ses voisins une poésie amoureuse, et, dans un milieu semblable, le langage de l'amour a utilisé les mêmes images et les mêmes hyperboles.*

*Le Cantique ne suit aucun plan défini. C'est un recueil de chants, qu'unit seulement leur sujet commun, qui est l'amour. Les cinq « poèmes » entre lesquels la traduction est divisée ne font que suggérer des groupements possibles d'unités plus courtes, et il ne faut chercher, de l'un à l'autre, aucune progression de la pensée ou de l'action. Les recueils de chants égyptiens qui nous sont parvenus ont la même disposition. Ce sont des répertoires dans lesquels on pouvait choisir selon la circonstance ou l'auditoire, et cela explique que les pièces soient des variations sur les mêmes thèmes et qu'il y ait de nombreux doublets. Ils n'étaient pas destinés à être chantés ou récités tous à la suite.*

*Si l'on renonce au secours de l'allégorie pour découvrir dans le Cantique des allusions à des événements historiques, sa date est difficile à préciser. Certains le font remonter jusqu'au règne de Salomon, mais les aramaïsmes de sa langue et l'emprunt d'un mot perse,* **4** 13, *et d'un mot grec,* **3** 9, *imposent une date après l'Exil, au Ve ou au IVe siècle av. J.-C. Le lieu de composition est certainement la Palestine.*

*En dehors de l'attribution qui en fut faite à Salomon, le grand Sage, l'interprétation littérale du Cantique légitime son classement parmi les livres sapientiaux : comme eux, il se préoccupe de la condition humaine et il considère l'un de ses aspects vitaux. Il enseigne à sa manière la bonté et la dignité de l'amour qui rapproche l'homme et la femme, il exorcise les mythes qui s'y attachaient alors et il le dégage des contraintes du puritanisme comme des licences de l'érotisme. Cette leçon ne doit pas être perdue pour notre époque. Au-delà de ce sens littéral, il est d'ailleurs légitime d'appliquer le Cantique aux relations du Christ avec son Église, ce que cependant saint Paul n'a pas fait dans Ep* **5**, *ou à l'union des âmes avec le Dieu d'amour, ce qui justifie l'usage admirable qu'en firent des mystiques comme saint Jean de la Croix.*

# LE CANTIQUE DES CANTIQUES

## *Titre et Prologue*

**1** 1 Cantique des Cantiques, de Salomon [a].

La bien-aimée [b].

2 Qu'il me baise des baisers de sa bouche.
Tes amours sont plus délicieuses que le vin;
3 l'arôme de tes parfums est exquis;
ton nom est une huile [c] qui s'épanche,
c'est pourquoi les jeunes filles t'aiment. **6** 8

4 Entraîne-moi sur tes pas, courons!
Le roi [d] m'a introduite en ses appartements;
tu seras notre joie et notre allégresse.
Nous célébrerons tes amours plus que le vin;
comme on a raison de t'aimer!

## *Premier poème*

La bien-aimée.

5 Je suis noire [e] et pourtant belle, filles de Jérusalem [f],
comme les tentes de Qédar,
comme les pavillons de Salma [g].
6 Ne prenez pas garde à mon teint basané :
c'est le soleil qui m'a brûlée.
Les fils de ma mère se sont emportés contre moi,
ils m'ont mise à garder les vignes.
Ma vigne à moi, je ne l'avais pas gardée [h]! Is 5 1+

*a)* Sur l'attribution à Salomon, cf. l'Introduction.
*b)* Les vv. 2-4 sont comme un prologue, qui donne le thème général des poèmes qui vont suivre et qui a déjà le ton de tendresse passionnée qui dominera tout le recueil. Les passages brusques de la troisième à la deuxième personne sont caractéristiques aussi des chants d'amour égyptiens. Le bien-aimé est absent, mais il reste présent au cœur de son aimée, à laquelle s'associent ses compagnes, v. 4[b], qui sont les filles de Jérusalem du v. 5. L'ensemble a des parallèles dans l'épithalame royal de Ps **45** 8-9, 15-16.
*c)* Simple jeu poétique d'allitération avec *shem*, « nom », et *shemen*, « huile », l'huile étant appelée par les parfums du stique précédent.
*d)* Ce roi n'est pas Yahvé, comme le dit l'interprétation allégorique, ni Salomon dans le poème primitif. Le fiancé et la fiancée sont appelés « roi » et « reine » dans les chants de mariage syriens. Peut-être ici tout le stique est-il simplement une réminiscence de Ps **45** 15.
*e)* Elle a le teint hâlé par les travaux campagnards auxquels elle a été astreinte, v. 6; elle se compare aux tentes noires des Bédouins, tissées avec du poil de chèvre. Les anciens poètes arabes opposent le teint clair des filles de bonne naissance (ici, les filles de Jérusalem) à celui des esclaves et des servantes occupées aux travaux extérieurs.
*f)* Les filles de Jérusalem, ou les filles de Sion, **3** 11, représentent une assistance que les amoureux interpellent, ici et **2** 7; **3** 5, 11; **5** 8, 16; **8** 4, ou qui intervient pour introduire ou relancer un développement poétique, **1** 8; **5** 9; **6** 1; **7** 1.
*g)* « Salma » conj.; « Salomon » hébr. – Salma et Qédar sont deux tribus d'Arabes nomades.
*h)* Elle a donné son cœur à celui qu'elle aime.

[7] Dis-moi donc, toi que mon cœur aime :
Gn 37 16 Où mèneras-tu paître le troupeau [a],
Ez 34 1+ où le mettras-tu au repos, à l'heure de midi?
Ps 23 1-3 Pour que je n'erre plus en vagabonde,
Jn 10 1-16 près des troupeaux de tes compagnons.

LE CHŒUR. [8] Si tu l'ignores, ô la plus belle des femmes,
Jr 31 21 suis les traces du troupeau,
et mène paître tes chevreaux
près de la demeure des bergers.

LE BIEN-AIMÉ. [9] A ma cavale, attelée au char de Pharaon,
je te compare, ma bien-aimée [b].
[10] Tes joues restent belles, entre les pendeloques,
et ton cou dans les colliers.
[11] Nous te ferons des pendants d'or
et des globules d'argent.

DUO [c]. [12] – Tandis que le roi [d] est en son enclos,
1 3+ mon nard donne son parfum.
[13] Mon bien-aimé est un sachet de myrrhe,
qui repose entre mes seins.
[14] Mon bien-aimé est une grappe de cypre,
dans les vignes d'En-Gaddi [e].

[15] – Que tu es belle, ma bien-aimée,
que tu es belle!
Tes yeux sont des colombes.

[16] – Que tu es beau, mon bien-aimé,
combien délicieux!
Notre lit n'est que verdure.

[17] – Les poutres de notre maison sont de cèdre,
nos lambris de cyprès.

**2** [1] – Je suis le narcisse de Saron,
le lis des vallées.
[2] – Comme le lis entre les chardons,
telle ma bien-aimée entre les jeunes femmes [f].

8 5 [3] – Comme le pommier parmi les arbres d'un verger,
ainsi mon bien-aimé parmi les jeunes hommes.

*a)* Réminiscence possible de Gn **37** 16. Le thème de la séparation et de la recherche est, dans toute la littérature amoureuse, aussi ou plus fréquent que celui de la présence et de la possession heureuse. Dans le Cantique, il se retrouve en **3** 1-4; **4** 8; **5** 2-8: **6** 1. Le cadre est ici celui d'une idylle pastorale, cf. Jacob et Rachel, Gn **29** 1-12. Dans **5** 2-8, le cadre sera différent; ce ne sont pas des situations réelles.

*b)* Comparer la bien-aimée à une jument, digne d'un attelage royal, nous paraît saugrenu. Mais c'était un éloge choisi de la beauté féminine chez les anciens poètes arabes et chez Théocrite.

*c)* Les amoureux sont ensemble, et les parfums rares et capiteux, nard, myrrhe, cypre, signifient le plaisir qu'ils éprouvent de cette rencontre, vv. 12-14. Ils font assaut de compliments, vv. 15-16; **2** 1-3. Le lieu de la rencontre est vague, un lit de verdure, v. 16, un palais, v. 17, un cellier, **2** 4, mais cf. la note. En revanche le dénouement est clair : ils sont enlacés, **2** 6, et le bien-aimé supplie qu'on ne réveille pas celle qu'il aime, **2** 7, ce qui sera repris comme un refrain en **3** 5 et **8** 3-4. Cela ne choquera pas, si l'on considère le Cantique comme un recueil de chants de mariage et si l'on ne recherche pas une situation qui se développe d'un poème à l'autre, cf. l'Introduction.

*d)* Cf. v. 4.

*e)* La « Source du Chevreau », sur la rive ouest de la mer Morte, avec une oasis fertile où croissaient aussi, d'après d'autres textes, le baume et le palmier.

*f)* La bien-aimée s'est comparée au narcisse et au lis; le bien-aimé renchérit : elle est un lis parmi les épines, il n'aime qu'elle. Ici comme plus loin, **4** 13-14, il ne faut pas tuer cette poésie en y accrochant des notes botaniques.

A son ombre désirée je me suis assise,
et son fruit est doux à mon palais.
4 Il m'a menée au cellier [a],
et la bannière qu'il dresse sur moi, c'est l'amour.
5 Soutenez-moi avec des gâteaux de raisin,
ranimez-moi avec des pommes,
car je suis malade d'amour [b].

6 Son bras gauche est sous ma tête = **8** 3
et sa droite m'étreint.

7 – Je vous en conjure, = **3** 5
filles de Jérusalem, = **8** 4
par les gazelles, par les biches des champs [c],
n'éveillez pas, ne réveillez pas mon amour, **5** 2; **8** 5
avant l'heure de son bon plaisir.

## *Second poème*

La bien-aimée [d].

8 J'entends mon bien-aimé.
Voici qu'il arrive,
sautant sur les montagnes,
bondissant sur les collines.
9 Mon bien-aimé est semblable à une gazelle,
à un jeune faon.

Voilà qu'il se tient
derrière notre mur.
Il guette par la fenêtre,
il épie par le treillis.

10 Mon bien-aimé élève la voix,
il me dit :
« Lève-toi, ma bien-aimée,
ma belle, viens.
11 Car voilà l'hiver passé, **6** 11; **7** 13-14
c'en est fini des pluies, elles ont disparu. Qo **12** 5
12 Sur notre terre les fleurs se montrent.
La saison vient des gais refrains,
le roucoulement de la tourterelle se fait entendre
sur notre terre.
13 Le figuier forme ses premiers fruits
et les vignes en fleur exhalent leur parfum.
Lève-toi, ma bien-aimée,
ma belle, viens!

*a)* Litt. « maison du vin »; on pourrait traduire aussi « salle de banquet », cf. Est **7** 8; Qo **7** 2, et, d'après Jr **16** 8-9, trouver une référence aux fêtes de mariage.

*b)* Amnon aussi était malade d'amour pour Tamar, 2 S **13** 2, unique parallèle biblique, mais on en trouverait d'autres dans les chants égyptiens.

*c)* Note pastorale, comme aux vv. 9 et 17. Il est peu vraisemblable que *çebaôt*, « gazelles », et *'ayyalôt*, « biches » (dans cet ordre), soit un cryptogramme pour *'Elohê Çebaôt*, le Dieu d'Israël, dont on n'aurait pas voulu prononcer le nom dans ces chants profanes.

*d)* La scène est différente. La bien-aimée est chez ses parents, à la ville. Le bien-aimé accourt de la campagne et se présente à la fenêtre, vv. 8-9, cf. **5** 2s. La poésie égyptienne et grecque contient des complaintes de l'amant devant une porte fermée; ici le bien-aimé invite son amie à le rejoindre en lui chantant les attraits du printemps, saison des fleurs, des oiseaux et des amours, vv. 10-14. Il y a là un sentiment de la nature, une fraîcheur, un ton moderne, qui sont inégalés dans tout l'Ancien Testament.

14 Ma colombe, cachée au creux des rochers,
en des retraites escarpées,
montre-moi ton visage,
fais-moi entendre ta voix;
car ta voix est douce
et charmant ton visage. »

15 Attrapez-nous les renards,
les petits renards
ravageurs de vignes,
car nos vignes sont en fleur [a].

= 6 3 16 Mon bien-aimé est à moi, et moi à lui [b].
2 1 Il paît son troupeau parmi les lis.

17 Avant que souffle la brise du jour
et que s'enfuient les ombres [c],
reviens...! Sois semblable,
mon bien-aimé, à une gazelle,
à un jeune faon,
sur les montagnes de Bétèr [d].

**3** 1 Sur ma couche, la nuit, j'ai cherché
celui que mon cœur aime [e].
5 6 Je l'ai cherché, mais ne l'ai point trouvé!
Jn 20 13 2 Je me lèverai donc, et parcourrai la ville.
Dans les rues et sur les places,
je chercherai celui que mon cœur aime.
Je l'ai cherché, mais ne l'ai point trouvé!

5 7 3 Les gardes m'ont rencontrée,
ceux qui font la ronde dans la ville [f] :
« Avez-vous vu celui que mon cœur aime? »

4 A peine les avais-je dépassés,
j'ai trouvé celui que mon cœur aime.
Jn 20 17 Je l'ai saisi et ne le lâcherai point
que je ne l'aie fait entrer
8 2, 5 dans la maison de ma mère,
dans la chambre de celle qui m'a conçue.

*a)* Fragment poétique indépendant, probablement attiré par la mention des vignes en fleur au v. 13. Elles sont ici la figure des attraits des jeunes filles qui souhaitent d'être débarrassées de leurs soupirants, les petits renards.

*b)* Cette assurance d'une possession mutuelle revient, en termes presque identiques, en **6** 3 et **7** 11 et, dans les trois cas, elle est formulée en l'absence du bien-aimé : sécurité de l'amour. Mais celui-ci souhaite une présence et, dans les trois cas, cette confiance dans le bien-aimé s'accompagne d'un appel ou d'une attente, ici vv. 17, et **6** 1; **7** 12.

*c)* La brise du jour, cf. Gn **3** 8, est en Palestine le vent du soir, à l'heure où les ombres qui s'allongent ont l'air de « fuir ». C'est le moment où le bien-aimé rentrera de la campagne, et l'on rejoint le début du morceau, v. 8. La fin du v. 17 reprend effectivement les expressions des vv. 8-9ª.

*d)* Toutes les explications de ce mot pris comme un nom commun sont forcées et ce doit être un nom géographique, ou bien réel : Bétèr à l'ouest de Jérusalem, Jos **15** 59, ou bien semi-légendaire : les parallèles de **4** 6 et de **8** 14 parlent des montagnes de la myrrhe ou du baume. Bétèr serait l'équivalent palestinien de Pount, le pays des aromates pour les Égyptiens. Un chant d'amour dit : « Lorsque ses bras m'enlacent c'est comme au pays de Pount. »

*e)* Les vv. 1-4 forment un tout, auquel est attaché le v. 5, le même refrain qu'en **2** 7; **8** 4. Le titre pourrait être : le bien-aimé perdu et retrouvé. C'est le thème de la recherche, comme en **1** 7-8; **5** 2-8. Ici, le cadre est la ville et le temps est la nuit. Cette course nocturne d'une jeune fille et sa décision d'entraîner son ami chez sa mère est si contraire aux coutumes juives qu'on a pensé au récit d'un songe. Mais les poètes et les amoureux se plaisent à imaginer des situations irréelles. L'audace de la poursuite et la volonté de ne pas laisser repartir le bien-aimé sont les preuves d'un amour passionné.

*f)* Ces gardes de nuit, cf. Ps **127** 1; **130** 6-7; Is **21** 11-12, reviendront dans **5** 7. Ils étaient probablement des personnages typiques de la poésie populaire, comme le guet ou les sergents de ville dans nos chansons médiévales et modernes.

LE BIEN-AIMÉ. [5] Je vous en conjure, = 2 7; 8 4
filles de Jérusalem,
par les gazelles, par les biches des champs,
n'éveillez pas, ne réveillez pas mon amour,
avant l'heure de son bon plaisir.

## *Troisième poème*

LE POÈTE [a]. [6] Qu'est-ce là qui monte du désert, 6 10; 8 5
comme une colonne de fumée,
vapeur de myrrhe et d'encens
et de tous parfums exotiques?

[7] Voici la litière de Salomon.
Soixante preux l'entourent,
élite des preux d'Israël :
[8] tous experts à manier l'épée,
vétérans des combats.
Chacun a le glaive au côté,
craignant les surprises de la nuit.

[9] Le roi Salomon
s'est fait un palanquin [b]
en bois du Liban. 1 17
[10] Il en a fait les colonnes d'argent,
le baldaquin d'or,
le siège de pourpre.
Le fond est une marqueterie d'ébène [c].

[11] Venez contempler,
filles de Sion,
le roi Salomon,
avec le diadème dont sa mère l'a couronné
au jour de ses épousailles [d],
au jour de la joie de son cœur.

LE BIEN-AIMÉ [e]. **4** [1] Que tu es belle, ma bien-aimée,
que tu es belle!
Tes yeux sont des colombes,

*a)* Le poème des vv. 6-11 ne parle plus d'amour, il n'est mis dans la bouche d'aucun des deux partenaires et il ne peut pas être prononcé par les « filles de Sion », qui sont interpellées au v. 11. C'est le poète qui parle et il décrit un cortège royal, que le v. 11 rattache aux fêtes de mariage. On peut en trouver le commentaire dans le récit de 1 M **9** 37-39 : « les fils de Iambri célébraient une grande noce et amenaient la fiancée en grande pompe... On vit paraître, au milieu d'un bruit confus, un nombreux équipage, puis le fiancé, ses amis et ses frères s'avançant au-devant du cortège avec des tambourins, des musiques et un riche équipement. » Des usages analogues se conservent chez les Arabes de Syrie et de Palestine et ils remontent à une époque ancienne, Ps **45** 15-16. Les vv. 6-10 décrivent l'équipage et l'escorte que l'époux a envoyés pour chercher la fiancée; la rencontre est évoquée par le v. 11. Dans le recueil, ce petit poème devient une bonne introduction à l'éloge de la bien-aimée au ch. **4**. La description est hyperbolique, le fiancé est un « roi », cf. **1** 4, 12, un « Salomon ».

*b)* Le mot *'appiryôn* est unique en hébreu et probablement un emprunt au grec *phoreion*, « litière ».

*c)* « ébène » *hobnîm* conj.; « amour » *'ahabah* hébr. Celui-ci ajoute : « des filles de Jérusalem », que l'on peut rattacher au début du v. 11, en y supprimant « filles de Sion », qui manque dans le grec et serait une glose.

*d)* Le diadème du fiancé n'est mentionné ailleurs que dans Is **61** 10, avec un autre mot que celui qui est employé ici.

*e)* Le petit poème de **4** 1-7 est un éloge physique de la bien-aimée, qui sera partiellement repris en **6** 5-7, il y en aura un autre en **7** 2-10, et l'éloge physique du bien-aimé sera donné en **5** 10-16. On peut se demander si le portrait de l'épouse parfaite en Pr **31** 10-31 n'est pas la réaction d'un « sage » contre de telles compositions. Elles étaient répandues. La Genèse Apocryphe retrouvée à Qumrân insère en Gn **12** 15 un éloge de la beauté de Sara, d'ailleurs assez plat; les chants d'amour égyptiens

**4** 3; **6** 7 derrière ton voile [a];
= **6** 5-7 tes cheveux comme un troupeau de chèvres,
ondulant sur les pentes du mont Galaad.
2 Tes dents, un troupeau de brebis à tondre
qui remontent du bain [b].
Chacune a sa jumelle
et nulle n'en est privée.
3 Tes lèvres, un fil d'écarlate,
et tes discours sont ravissants.
Tes joues, des moitiés de grenades,
derrière ton voile.
4 Ton cou, la tour de David,
bâtie par assises.
Ez **27** 10-11 Mille rondaches y sont suspendues,
tous les boucliers des preux.
– **7** 4 5 Tes deux seins, deux faons,
jumeaux d'une gazelle,
qui paisssent parmi les lis.

6 Avant que souffle la brise du jour
et que s'enfuient les ombres,
j'irai à la montagne de la myrrhe,
à la colline de l'encens [c].

7 Tu es toute belle, ma bien-aimée,
et sans tache aucune [d]!

8 Viens [e] du Liban, ô fiancée [f],
viens du Liban, fais ton entrée.
Abaisse tes regards, des cimes de l'Amana,
des cimes du Sanir et de l'Hermon,
repaire des lions,
montagnes des léopards [g].

9 Tu me fais perdre le sens,
ma sœur [h], ô fiancée,
tu me fais perdre le sens
par un seul de tes regards,
par un anneau de ton collier!
**1** 2, 4 10 Que ton amour a de charmes,
ma sœur, ô fiancée.
Que ton amour est délicieux, plus que le vin!

contiennent des pièces analogues, et c'est l'un des genres classiques de la poésie arabe, le *waṣf*, « description ». A les prendre à la lettre, ces descriptions traceraient une image grotesque de la bien-aimée ou du bien-aimé; également invraisemblable est l'interprétation allégorique qui y lit des descriptions de la Terre Sainte et du Temple. En réalité, ces textes ne « décrivent » pas, ils alignent des métaphores empruntées à tout le domaine de la nature, physique, animale, végétale, qui traduisent, par l'intermédiaire d'impressions sensorielles, vue et odorat, les sentiments d'admiration, de joie et de plaisir qu'éveille la présence de l'objet aimé.

*a)* La fiancée était voilée quand on la présentait à son époux, Gn **24** 65; **28** 23-25.

*b)* Blanches comme des brebis qu'on a lavées avant la tonte.

*c)* Le v. est une reprise de **2** 17, peut-être secondaire, appelée par les derniers mots du v. 5, semblables à la fin de **2** 16.

*d)* Comparer l'éloge d'Absalom, 2 S **14** 25. – La liturgie applique le v. à l'Immaculée Conception de Marie.

*e)* « Viens » *'etî* versions; « Avec moi » *'ittî* hébr. De même au stique suivant.

*f)* La jeune fille est appelée la « fiancée » seulement dans ce poème de **4** 8 - **5** 1, où le mot revient six fois.

*g)* La strophe est difficile à expliquer. C'est peut-être le fragment d'un poème plus long. Jointe aux strophes suivantes, qui lui sont rattachées par les mots clés « fiancée » (cinq fois) et « Liban », vv. 11, 15, elle pourrait être un appel à la bien-aimée de quitter un pays difficile et dangereux pour rejoindre le bien-aimé et devenir son « jardin », cf. **6** 2.

*h)* Encore aux vv. 10, 12; **5** 1, 2. L'expression est peut-être empruntée au vocabulaire des poésies d'amour égyptiennes, où elle est courante. Mais ces poésies emploient « frère » pour désigner le bien-aimé, ce que Ct ne fait jamais, cf. par contraste **8** 1.

Et l'arôme de tes parfums,
plus que tous les baumes!
11 Tes lèvres, ô fiancée, Pr 5 3
distillent le miel vierge.
Le miel et le lait
sont sous ta langue;
et le parfum de tes vêtements
est comme le parfum du Liban [a]. Os **14** 7

12 Elle est un jardin bien clos [b], **6** 2
ma sœur, ô fiancée;
un jardin [c] bien clos,
une source scellée. Pr 5 16
13 Tes jets font un verger [d] de grenadiers,
avec les fruits les plus exquis [e] :
14 le nard et le safran,
le roseau odorant et le cinnamome,
avec tous les arbres à encens;
la myrrhe et l'aloès,
avec les plus fins arômes [f].
15 Source des jardins, Pr 5 15-16
puits d'eaux vives,
ruissellement du Liban!

LA BIEN-AIMÉE.

16 Lève-toi, aquilon,
accours, autan!
Soufflez sur mon jardin,
qu'il distille ses aromates!
Que mon bien-aimé entre dans son jardin,
et qu'il en goûte les fruits délicieux!

LE BIEN-AIMÉ.

**5** 1 J'entre dans mon jardin,
ma sœur, ô fiancée,
je récolte ma myrrhe et mon baume,
je mange mon miel et mon rayon,
je bois mon vin et mon lait.

Mangez, amis, buvez, Is **55** 1-2
enivrez-vous, mes bien-aimés [g]!

*a)* Le bien-aimé est transporté par les regards de sa fiancée, v. 9, le goût de ses baisers, v. 11, le parfum de ses vêtements, vv. 10, 11. On peut citer des parallèles tirés des poésies égyptiennes ou arabes; on en trouverait dans toutes les littératures.
*b)* Comme le vignoble de **1** 6; **2** 15, le jardin avec sa source et sa flore choisie, un « paradis », v. 13, cf. Gn **2** 9-10, est une image des attraits de la bien-aimée. Le thème de la « Belle Jardinière » ou du « Verger d'Amour » se retrouve dans la poésie égyptienne. Mais le jardin est clos, v. 12, jusqu'au moment où la fiancée l'ouvrira à son bien-aimé, v. 16, pour les épousailles, **5** 1. Comparer Pr **5** 15-20 sur l'amour conjugal.
*c)* « jardin » *gan* versions; « vague » *gal* hébr., toujours au pluriel ailleurs; c'est une simple faute de graphie.
*d)* En hébr. *pardes*, comme Qo **2** 5; Ne **2** 8, mot perse signifiant « parc », dont nous avons fait « paradis ».
*e)* L'hébr. ajoute : « des cypres et des nards ».
*f)* Les plantes des vv. 13-14 ne peuvent pas vivre ensemble et, sauf le grenadier, ne poussent pas en Palestine. C'est un jardin imaginaire qui rassemble les aromates les plus rares, selon un thème fréquent de ces poèmes. **1** 2-3, 12-14; **3** 6; **5** 5. 13. Comparer la Sagesse dans Si **24** 12-21.
*g)* Les deux dernières lignes ne sont pas dites par le bien-aimé, c'est la conclusion du poète.

## *Quatrième poème*

2 7+ LA BIEN-AIMÉE [a]. 2 Je dors, mais mon cœur veille.
Ap 3 20 J'entends mon bien-aimé qui frappe.
« Ouvre-moi, ma sœur, mon amie,
ma colombe, ma parfaite!
Car ma tête est couverte de rosée,
mes boucles, des gouttes de la nuit. »

3 – « J'ai ôté ma tunique,
comment la remettrais-je?
J'ai lavé mes pieds,
comment les salirais-je? »
4 Mon bien-aimé a passé la main par la fente [b],
et pour lui mes entrailles ont frémi.
5 Je me suis levée
pour ouvrir à mon bien-aimé,
et de mes mains a dégoutté la myrrhe,
de mes doigts la myrrhe vierge,
sur la poignée du verrou [c].

6 J'ai ouvert à mon bien-aimé,
mais tournant le dos, il avait disparu!
Sa fuite [d] m'a fait rendre l'âme.
3 1+ Je l'ai cherché, mais ne l'ai point trouvé,
je l'ai appelé, mais il n'a pas répondu!
3 3+ 7 Les gardes m'ont rencontrée,
ceux qui font la ronde dans la ville.
Ils m'ont frappée, ils m'ont blessée,
ils m'ont enlevé mon manteau,
ceux qui gardent les remparts [e].

= 2 7; 3 5 8 Je vous en conjure,
filles de Jérusalem,
si vous trouvez mon bien-aimé,
que lui déclarerez-vous?
Que je suis malade d'amour.

LE CHŒUR [f]. 9 Qu'a donc ton bien-aimé de plus que les autres,
ô la plus belle des femmes?
Qu'a donc ton bien-aimé de plus que les autres,
pour que tu nous conjures de la sorte?

LA BIEN-AIMÉE [g]. 10 Mon bien-aimé est frais et vermeil,
il se reconnaît entre dix mille.

*a)* Encore le thème de la recherche, cf. note sur **1** 7. Cette scène charmante a le même cadre que **3** 1-4 : la nuit, la course à travers la ville, les gardes, mais le mouvement est différent : le bien-aimé est à la porte et veut entrer, cf. **2** 9, la bien-aimée le taquine et oppose des prétextes futiles que dément son empressement à aller ouvrir, mais il a disparu et elle ne le retrouve pas!
*b)* Le bien-aimé essaye de forcer l'entrée en manœuvrant le loquet qu'on soulevait de l'extérieur avec une clé de bois, Jg **3** 25: Is **22** 22.
*c)* La bien-aimée s'est parfumée, ou le bien-aimé a laissé cette trace de sa tentative et c'est tout ce qu'elle trouve de lui!
*d)* « Sa fuite » *bedobrô* conj.; « sa parole » *bedabberô* hébr.
*e)* Les gardes, comme dans **3** 3, mais dans un autre rôle : ils prennent la jeune fille pour une coureuse, cf. Pr **7** 11-12.
*f)* Le chœur intervient pour introduire la description du bien-aimé et la relier à la scène précédente.
*g)* Sur le genre littéraire, cf. note sur **4** 1. On a cherché ici une description du Temple de Jérusalem, surtout à cause des vv. 11,

[11] Sa tête est d'or, et d'un or pur;
ses boucles sont des palmes,
noires comme le corbeau.
[12] Ses yeux sont des colombes,
au bord des cours d'eau
se baignant dans le lait,
posées au bord d'une vasque.
[13] Ses joues [a] sont comme des parterres d'aromates, Ps **133** 2
des massifs parfumés.
Ses lèvres sont des lis;
elles distillent la myrrhe vierge.
[14] Ses mains sont des globes d'or,
garnis de pierres de Tarsis.
Son ventre est une masse d'ivoire,
couverte de saphirs.
[15] Ses jambes sont des colonnes d'albâtre,
posées sur des bases d'or pur.
Son aspect est celui du Liban,
sans rival comme les cèdres.
[16] Ses discours sont la suavité même,
et tout en lui n'est que charme.
Tel est mon bien-aimé, tel est mon époux,
filles de Jérusalem.

LE CHŒUR [b].

**6** [1] Où est parti ton bien-aimé,
ô la plus belle des femmes?
Où s'est tourné ton bien-aimé,
que nous le cherchions avec toi?

LA BIEN-AIMÉE.

[2] Mon bien-aimé est descendu à son jardin, **4** 12-16
aux parterres embaumés,
pour paître son troupeau dans les jardins,
et pour cueillir des lis.
[3] Je suis à mon bien-aimé, et mon bien-aimé est à moi! = **2** 16
Il paît son troupeau parmi les lis.

## *Cinquième poème*

LE BIEN-AIMÉ [c].

[4] Tu es belle, mon amie, comme Tirça,
charmante comme Jérusalem [d],
redoutable comme des bataillons [e].
[5] Détourne de moi tes regards,
car ils m'assaillent [f]!

14-15. Un modèle plus vraisemblable serait l'une de ces statues chryséléphantines (faites d'or et d'ivoire) que produisit l'antiquité orientale et classique. Il y a peut-être là simplement l'expression imagée de la beauté masculine idéale : haute stature, chevelure abondante, bon teint et belle allure, cf. Saül, 1 S **9** 2; **10** 23-24, David, 1 S **16** 12, Absalom, 2 S **14** 25-26. L'hyperbole est une règle de ce genre littéraire, comparer la description du grand prêtre Simon dans Si **50** 5-12.

*a)* Le bas du visage, où pousse la barbe, qui est parfumée, cf. Ps **133** 2.

*b)* Nouvelle intervention du chœur, qui prépare la conclusion des vv. 2 et 3 : il ne faut pas chercher le bien-aimé, il reste présent au cœur de la bien-aimée, qui est son « jardin », cf. **4** 12+. La sécurité de l'amour mutuel s'exprime au v. 3 en des termes semblables à ceux de **2** 16.

*c)* Les vv. 4-10 forment un petit poème que délimite la répétition des mêmes mots à la fin du v. 4 et du v. 10. Les vv. 5b-7 reprennent partiellement **4** 1-2, 3b et peuvent être une addition. Le bien-aimé proclame que l'aimée est son unique, qui vaut plus que tout un harem royal, v. 8, cf. 1 R **11** 3; 2 Ch **11** 21; **13** 21.

*d)* Jérusalem est « la toute belle, la joie de l'univers », Lm **2** 15. Tirça, première capitale du royaume du Nord, 1 R **14** 17, est mise en parallèle parce que son nom signifie qu'elle est « agréable, plaisante ».

*e)* Sens incertain.

*f)* D'autres poètes parleront de « regards assassins ».

= **4** 1-3 Tes cheveux sont un troupeau de chèvres,
ondulant sur les pentes du Galaad.
6 Tes dents sont un troupeau de brebis,
qui remontent du bain.
Chacune a sa jumelle
et nulle n'en est privée.
7 Tes joues sont des moitiés de grenade
derrière ton voile.

8 Il y a soixante reines
et quatre-vingts concubines!
(et des jeunes filles sans nombre [a].)
9 Unique est ma colombe,
ma parfaite.
Pr **4** 3 Elle est l'unique de sa mère,
la préférée de celle qui l'enfanta.
Pr **31** 28 Les jeunes femmes l'ont vue et glorifiée,
reines et concubines l'ont célébrée :
**3** 6 10 « Qui est celle-ci qui surgit comme l'aurore,
belle comme la lune,
resplendissante comme le soleil [b],
**4** 4 redoutable comme des bataillons? »

**4** 12+ 11 Au jardin des noyers je suis descendu,
**2** 11+ pour voir les jeunes pousses de la vallée,
**7** 13-14 pour voir si la vigne bourgeonne,
si les grenadiers fleurissent.
12 Je ne sais, mais mon désir m'a jeté
sur les chars d'Amminadîb [c]!

LE CHŒUR [d].

**7** 1 Reviens, reviens, Sulamite [e];
reviens, reviens, que nous te regardions!
Pourquoi regardez-vous la Sulamite,
dansant comme en un double chœur [f]?

LE BIEN-AIMÉ.

2 Que tes pieds sont beaux dans tes sandales,
fille de prince!
La courbe de tes flancs est comme un collier,
œuvre des mains d'un artiste.
3 Ton nombril forme une coupe,

*a)* Glose probable.
*b)* Comparer l'éloge de l'épouse dans Si **26** 16-18. Le grand prêtre Simon est lui-même comparé à la lune et au soleil, Si **50** 6-7. Un chant d'amour égyptien compare l'aimée, unique et sans pareille, cf. ici v. 9, à Sirius, la plus brillante des étoiles.
*c)* Les vv. 11 et 12 sont indépendants du poème qui précède et ils sont énigmatiques. On ne sait pas qui parle : c'est le bien-aimé si le jardin du v. 11 représente son amie, comme en **4** 12, 16; **5** 1, mais c'est la bien-aimée si l'on considère que la seconde partie du v. sera dite par elle à **7** 13. – Le v. 12 est le plus difficile du Cantique et défie toute interprétation. Peut-être cet Amminadîb est-il l'équivalent palestinien du « Prince Mehi », un personnage accessoire des chants égyptiens, qui circule en char et s'ingère dans les amours d'autrui.
*d)* Un appel du chœur et une intervention du poète (plutôt que du bien-aimé) introduisent une nouvelle description de la bien-aimée, vv. 2-6. Elle est symétrique à celle de **4** 1-6, dont elle reprend certains éléments, les faons jumeaux, la tour, mais elle est plus sensuelle et l'ordre est différent : il va de bas en haut. Les termes de comparaison sont disparates : collier, coupe, froment, faons, tour, puis des particularités géographiques. On ne peut pas y lire une description allégorique de la Terre Sainte : la bien-aimée a les yeux en Transjordanie (Heshbôn), le nez au Liban et la tête au Carmel. Ce sont des hyperboles, exprimant l'admiration que suscite sa vue.
*e)* Le nom n'apparaît qu'ici et reste inexpliqué. On a proposé d'y voir une allusion à la Sunamite qui réchauffa David et dont 1 R **1** 2-4 exalte la beauté, ou une forme féminine dérivée du nom de Salomon, « celle qui appartient à Salomon », représentant le bien-aimé, cf. **3** 7-11.
*f)* La Sulamite est imaginée chantant entre deux chœurs qui scandent ses évolutions par des « Reviens » répétés, au début du v. C'est un type connu de danse orientale et pas seulement dans les fêtes de mariage. Cela justifie que la description qui suit commence par les pieds de la danseuse; le texte pourrait être récité par le chœur et non par le bien-aimé : celui-ci n'intervient sûrement que dans le morceau suivant, vv. 7-10.

que les vins n'y manquent pas!
Ton ventre, un monceau de froment,
de lis environné.
4 Tes deux seins ressemblent à deux faons, =4 5
jumeaux d'une gazelle.
5 Ton cou, une tour d'ivoire.
Tes yeux, les piscines de Heshbôn,
près de la porte de Bat-Rabbim.
Ton nez, la tour du Liban,
sentinelle tournée vers Damas.
6 Ton chef se dresse, semblable au Carmel,
et ses nattes sont comme la pourpre;
un roi est pris à tes boucles [a].

7 Que tu es belle, que tu es charmante,
ô amour, ô délices [b]!
8 Dans ton élan tu ressembles au palmier [c],
tes seins en sont les grappes.
9 J'ai dit : Je monterai au palmier,
j'en saisirai les régimes.
Tes seins, qu'ils soient des grappes de raisin,
le parfum de ton souffle, celui des pommes;
10 tes discours, un vin exquis!

LA BIEN-AIMÉE [d].

Il va droit à mon bien-aimé,
comme il coule sur les lèvres de ceux qui sommeillent [e].
11 Je suis à mon bien-aimé,
et vers moi se porte son désir [f]. Gn 3 16

12 Viens, mon bien-aimé,
allons aux champs [g]!
Nous passerons la nuit dans les villages,
13 dès le matin nous irons aux vignobles.
Nous verrons si la vigne bourgeonne,
si ses pampres fleurissent,
si les grenadiers sont en fleur.
Alors je te ferai
le don de mes amours [h].
14 Les mandragores exhalent leur parfum,
à nos portes sont tous les meilleurs fruits.
Les nouveaux comme les anciens,
je les ai réservés pour toi, mon bien-aimé.

8 1 Ah que ne m'es-tu un frère,
allaité au sein de ma mère [i]!

*a)* Traduction incertaine; si elle est juste, on comparera un chant d'amour égyptien : « De ses cheveux elle a lancé contre moi ses rêts. » Sur le « roi » de ce v. et la « fille de prince » du v. 2, cf. **1** 4 et 12.
*b)* Litt. « fille de délices » syr. et Aquila; « dans les délices » hébr. – Les vv. 7-10 expriment un mouvement passionné vers la possession physique de l'aimée.
*c)* Trois femmes de la Bible, Gn **38** 6; 2 S **13** 1; **14** 27, s'appellent Tamar, « palmier », symbole de la beauté féminine, comme l'explicitent les deux dernières références.
*d)* La bien-aimée enchaîne avec le dernier mot de l'aimé (vin) et affirme la réciprocité de leur amour.
*e)* Texte et sens incertains. Le grec a « sur mes lèvres et dents ».
*f)* Allusion à Gn **3** 16, où le même mot très rare signifie l'attrait de la femme pour son mari.
*g)* Évocation du printemps comme en **2** 10-14, mais ici l'invitation vient de la bien-aimée. Les jardins sont le cadre favori des scènes d'amour égyptiennes.
*h)* Il faut donner au mot son sens le plus réaliste, que développe le stique suivant : la mandragore passait pour exciter l'amour et donner la fécondité, cf. Gn **30** 14-16; les fruits réservés au bien-aimé évoquent non plus le printemps mais l'automne, le temps de l'amour consommé.
*i)* Ceci commence un autre petit poème, dont le cadre est diffé-

Te rencontrant dehors, je pourrais t'embrasser,
sans que les gens me méprisent.
2 Je te conduirais, je t'introduirais
dans la maison de ma mère, tu m'enseignerais!
Je te ferais boire un vin parfumé,
ma liqueur de grenades.

= 2 6 — 3 Son bras gauche est sous ma tête,
et sa droite m'étreint.

= 2 7
= 3 5
LE BIEN-AIMÉ.
4 Je vous en conjure,
filles de Jérusalem,
n'éveillez pas, ne réveillez pas mon amour,
avant l'heure de son bon plaisir.

## *Épilogue*[a]

3 6 — 5 Qui est celle-ci qui monte du désert,
appuyée sur son bien-aimé?

2 7; 3 5; 5 2; **8** 4 — Sous le pommier je t'ai réveillée,
là même où ta mère te conçut,
là où conçut celle qui t'a enfantée.

Dt **6** 6,8; **11** 18; Jr **31** 33; Pr **3** 3; Dt **4** 24
LA BIEN-AIMÉE[b].
6 Pose-moi comme un sceau[c] sur ton cœur,
comme un sceau sur ton bras.
Car l'amour est fort comme la Mort,
la passion[d] inflexible comme le Shéol[e].
Ses traits sont des traits de feu,
une flamme de Yahvé[f].
Is **43** 2 — 7 Les grandes eaux ne pourront éteindre l'amour,
ni les fleuves le submerger.
Qui offrirait toutes les richesses de sa maison
pour acheter l'amour,
ne recueillerait que mépris.

rent. La jeune fille est illogique : elle souhaite autre chose qu'un amour fraternel; le « vin » et la « liqueur » du v. 2 sont l'équivalent des « fruits » du poème précédent. Le morceau s'achève par le refrain alterné de **2** 6-7; cf. aussi **3** 4-5, qui correspond à **8** 2 et 4.

*a)* Les deux petits couplets du v. 5 ne sont pas liés à ce qui suit et sont indépendants l'un de l'autre. Ils semblent être les débuts de deux poèmes qui n'ont pas été transcrits, comme plus loin le v. 13. Cette absence de contexte rend vaine toute tentative d'interprétation; on peut seulement noter en marge des contacts avec les autres poèmes. Les pronoms-suffixes du v. 5[b] sont masculins dans l'hébr.; on les corrige en suffixes féminins d'après syr.

*b)* Nulle part encore le Cantique n'avait défini l'amour. La bien-aimée le fait ici dans les termes les plus forts et les plus beaux, elle dit sa puissance invincible, son caractère inéluctable, sa valeur sans pareille. On comprend que ce poème ait été mis, comme un couronnement, à la fin du recueil. Ce qui suit est additionnel.

*c)* Le sceau, substitut de la personne et signe de son autorité, se portait suspendu au cou, Gn **38** 18, 25, et reposant sur la poitrine (ici, le cœur), ou passé à un doigt de la main, Gn **41** 42; Jr **22** 24; Ag **2** 23 (l'hébr. « bras » employé ici inclut la main). Un chant égyptien dit : « Ah! Si j'étais son cachet qu'elle porte au doigt! »

*d)* Non pas « jalousie »; le terme est parallèle à « amour » du stique précédent. Ce qui est décrit ici est l'amour passion.

*e)* Séjour souterrain des défunts; ici l'équivalent de « mort » du stique précédent.

*f)* L'amour consume comme le feu du ciel, comme la foudre, Jb **1** 16.

# *Appendices*

**Deux épigrammes** [a].

8 Notre sœur est petite : elle n'a pas encore les seins formés. Que ferons-nous à notre sœur, le jour où il sera question d'elle [b]?

– 9 Si elle est un rempart, nous élèverons au faîte un couronnement d'argent; si elle est une porte, nous dresserons [c] contre elle des ais de cèdre.

– 10 Je suis un mur, et mes seins en figurent les tours. Aussi ai-je à leurs [d] yeux trouvé la paix.

11 Salomon avait une vigne à Baal-Hamôn [e]. Il la confia à des gardiens, et chacun devait lui remettre le prix de son fruit : mille sicles d'argent. 12 Ma vigne à moi, je l'ai sous mes yeux : à toi Salomon les mille sicles, et deux cents aux gardiens de son fruit.

**Dernières additions** [f].

13 Toi qui habites les jardins, mes compagnons [g] prêtent l'oreille à ta voix : daigne me la faire entendre!

14 Fuis, mon bien-aimé. 2 17
Sois semblable à une gazelle,
à un jeune faon,
sur les montagnes embaumées!

*a)* Ces deux morceaux n'ont été rattachés que secondairement au Cantique, avec lequel ils n'ont pas de rapports directs, ni par les personnages ni par le sujet. Dans le premier, vv. 8-10, des frères se préoccupent du moment où ils marieront leur petite sœur; celle-ci réplique qu'elle est assez grande pour se garder elle-même. L'allusion au mariage a favorisé le rattachement au Cantique. – Dans le second morceau, vv. 11-12, un propriétaire préfère sa propre vigne au vignoble de Salomon avec son riche revenu; on songe à la vigne de Nabot, 1 R **21** 1-3. La métaphore de la vigne ou du jardin pour signifier la bien-aimée en Ct **1** 6; **2** 15; **4** 12s, et le nom de Salomon ont fait interpréter le morceau comme un chant d'amour, d'où son insertion ici.

*b)* Pour un mariage.

*c)* « dresserons » *naççîb* conj.; « assiégerons » *naçûr* hébr.

*d)* « leurs » grec; « ses » hébr.

*e)* Localité inconnue.

*f)* Le v. 11 est probablement le début d'un poème non conservé, auquel on a ajouté un verset inspiré de **2** 17.

*g)* « mes compagnons » conj.; « les compagnons » hébr.

# LE LIVRE DE LA SAGESSE

## Introduction

*Le livre grec de la* Sagesse *fait partie des livres deutérocanoniques. Il a été utilisé par les Pères dès le IIe siècle ap. J.-C. et, malgré des hésitations et certaines oppositions, en particulier celle de saint Jérôme, il a été reconnu comme inspiré au même titre que les livres du canon hébreu.*

*Dans une première partie, le livre, qui est appelé simplement* Liber Sapientiae *dans la Vulgate, montre le rôle de la Sagesse dans la destinée de l'homme et compare le sort des justes et des impies pendant la vie et après la mort,* **1-5**. *Une seconde partie,* **6-9**, *expose l'origine et la nature de la sagesse et les moyens de l'acquérir. Une dernière partie,* **10 19**, *magnifie l'action de la sagesse et de Dieu dans l'histoire du peuple élu, en insistant uniquement, sauf une brève introduction qui remonte aux origines, sur le moment capital de cette histoire, la délivrance d'Égypte; une longue digression,* **13-15**, *contient une critique serrée de l'idolâtrie.*

*L'auteur est censé être Salomon, qui est désigné clairement, sauf le nom, à* **9** 7-8, 12, *et le livre s'appelle en grec « Sagesse de Salomon ». Celui-ci y parle comme un roi,* **7** 5; **8** 9-15, *et il s'adresse à ses confrères en royauté,* **1** 1; **6** 1-11, 21. *Mais c'est un artifice littéraire évident, qui met cet écrit de sagesse, comme l'Ecclésiaste ou le Cantique, sous le nom du plus grand sage d'Israël. Le livre, en effet, a été écrit tout entier en grec, même la première partie,* **1-5**, *pour laquelle certains ont supposé à tort un original hébreu. L'unité de la composition va de pair avec celle de la langue, qui est souple et riche et qui se coule sans effort dans les formes de la rhétorique.*

*L'auteur est assurément un Juif, plein de foi au « Dieu des pères »,* **9** 1, *fier d'appartenir au « peuple saint », à la « race irréprochable »,* **10** 15, *mais c'est un Juif hellénisé. Son insistance sur les événements de l'Exode, l'antithèse qu'il établit entre Égyptiens et Israélites, sa critique de la zoolâtrie prouvent qu'il vivait à Alexandrie, devenue à la fois capitale de l'hellénisme sous les Ptolémées et grande ville juive de la Dispersion. Il cite l'Écriture selon la traduction des Septante, faite dans ce milieu : il lui est donc postérieur, mais il ne connaît pas l'œuvre de Philon d'Alexandrie (20 av. J.-C. – 54 ap. J.-C.). De son côté, ce philosophe grec ne semble jamais s'inspirer de la Sagesse, mais il y a beaucoup de contacts entre les deux œuvres, elles sortent du même milieu et elles ne peuvent pas être très éloignées dans le temps. L'utilisation de la Sagesse par le Nouveau Testament ne peut être démontrée d'une manière absolument certaine, mais il reste probable que saint Paul a subi son influence littéraire et que saint Jean lui a emprunté des idées pour exprimer sa théologie du Verbe. Le livre peut avoir été écrit dans la seconde moitié du Ier siècle avant notre ère; c'est le plus récent des livres de l'Ancien Testament.*

*L'auteur s'adresse d'abord aux Juifs, ses compatriotes, dont la fidélité est ébranlée par les prestiges de la civilisation alexandrine : l'éclat des écoles philosophiques, le développement des sciences, l'appel des religions à mystères, de l'astrologie, de l'hermétisme, ou l'attrait sensible des cultes populaires. Certains ménagements qu'il prend indiquent qu'il recherche aussi l'audience des païens, qu'il veut mener au Dieu qui aime tous les hommes. Mais cette intention est secondaire; le livre est beaucoup plus une œuvre de défense qu'une œuvre de conquête.*

*Étant donné le milieu, la culture et les intentions de l'auteur, il n'est pas étonnant qu'on relève dans son livre de nombreux contacts avec la pensée grecque. Mais leur importance ne doit pas être exagérée. A sa formation hellénique, il doit certainement un vocabulaire d'abstraction et une aisance de raisonnement que ne permettaient pas le lexique et la syntaxe de l'hébreu; il lui doit aussi un certain nombre de termes philosophiques, de cadres de classification et de thèmes d'école, mais ces emprunts limités ne signifient pas l'attachement à une doctrine intellectuelle, ils servent à exprimer une pensée qui se nourrit de l'Ancien Testament. Des systèmes philosophiques ou des spéculations de l'astrologie, il ne sait sans doute pas plus qu'un homme cultivé de son époque à Alexandrie.*

*Il n'est ni un philosophe, ni un théologien, il reste un sage d'Israël. Comme ses prédécesseurs, il exhorte à la recherche de la sagesse, qui vient de Dieu, qui s'obtient par la prière, qui est source des vertus et qui procure tous les biens. Voyant plus large qu'eux, il annexe à cette sagesse les acquisitions récentes de la science,* **7** 17-21; **8** 8. *La question de la rétribution, qui préoccupait tant les sages, cf. p. 646, reçoit chez lui sa solution. Profitant des doctrines platoniciennes sur la distinction du corps et de l'âme, cf.* **9** 15, *et sur l'immortalité de l'âme, il affirme que Dieu a créé l'homme pour l'incorruptibilité,* **2** 23, *que la récompense de la sagesse est cette incorruptibilité qui assure une place auprès de Dieu,* **6** 18-19. *Ce qui se passe ici-bas n'est qu'une préparation de l'autre vie, où les justes vivront avec Dieu, mais où les impies recevront leur châtiment,* **3** 9-10. *L'auteur ne fait pas allusion à une résurrection corporelle. Il semble cependant laisser place à la possibilité d'une résurrection des corps sous une forme spiritualisée, voulant ainsi concilier la notion grecque d'immortalité et les doctrines bibliques qui s'orientaient vers une résurrection corporelle (Daniel).*

*Comme pour ses prédécesseurs, la Sagesse est un attribut de Dieu. C'est cette Sagesse qui a tout réglé déjà lors de la création et qui conduit les événements de l'histoire. A partir du ch.* **11**, *ce qui lui était attribué est rapporté directement à Dieu, mais c'est parce que la Sagesse s'identifie à Dieu dans son gouvernement du monde. Par ailleurs, elle est « une émanation de la gloire du Tout-Puissant... un reflet de la lumière éternelle... une image de son excellence »,* **7** 25-26; *elle apparaît par là comme distincte de Dieu, mais elle est en même temps un rayonnement de l'essence divine. Il ne paraît cependant pas que l'auteur aille ici plus loin que les autres livres sapientiaux, cf. p. 645, et fasse de la Sagesse une hypostase, mais tout ce passage sur la nature de la Sagesse,* **7** 22 – **8** 8, *marque un progrès dans la formulation et un approfondissement des idées anciennes.*

*Dans sa méditation sur le passé d'Israël,* **10-19**, *l'auteur avait été précédé par Ben Sira, Si* **44-50**, *cf. aussi les Ps* **78**, **105**, **106**, **135**, **136**, *mais son originalité se marque sur deux points. D'abord, il cherche les raisons des faits et esquisse une philosophie religieuse de l'histoire, qui suppose une interprétation nouvelle des textes : ainsi les développements sur la modération de Dieu envers l'Égypte et Canaan,* **11** 15 – **12** 27. *Surtout, il plie le récit biblique à la démonstration d'une thèse. Les ch.* **16-19** *ne sont qu'un long parallèle antithétique entre le sort des Égyptiens et celui des Israélites, où, pour mieux faire ressortir son thème, l'auteur enrichit le récit par des traits inventés, rapproche des épisodes distincts, grossit des faits. C'est un exemple excellent de cette exégèse midrashique, que cultiveront les rabbins.*

*Les goûts ont changé et ces pages ont vieilli, mais la première partie,* **1-9**, *offre toujours au chrétien un aliment spirituel de haute qualité; la liturgie de l'Église y a largement puisé.*

*Le texte du livre de la Sagesse est contenu dans quatre grands mss : B (Vaticanus, IVe s.), S (Sinaïticus, IVe s.), A (Alexandrinus, Ve s.) et C (Codex Ephraemi rescriptus, Ve s.), et dans de nombreux mss secondaires. Le meilleur ms est B qui a servi de base à la présente traduction; c'est celui qu'on indique par l'expression « texte reçu ». Le sigle lat. représente la version latine Itala, passée dans la Vulgate mais non revue par S. Jérôme.*

# LE LIVRE DE LA SAGESSE

## I. La Sagesse et la destinée humaine

### Chercher Dieu et fuir le péché.

Mt 6 33 **1** 1 Aimez la justice [a], vous qui jugez la terre [b],
ayez sur le Seigneur de droites pensées
2 Ch 15 2 et cherchez-le [c] en simplicité de cœur,
Pr 8 17 2 parce qu'il se laisse trouver par ceux qui ne le tentent pas,
il se révèle [d] à ceux qui ne lui refusent pas leur foi.
3 Car les pensées tortueuses éloignent de Dieu,
et, mise à l'épreuve, la Puissance [e] confond les insensés.
4 Non, la Sagesse n'entre pas dans une âme malfaisante,
Rm 7 24; 8 2 elle n'habite pas dans un corps tributaire du péché [f].
Rm 8 14 5 Car l'esprit saint, l'éducateur [g], fuit la fourberie,
il se retire devant des pensées sans intelligence,
il s'offusque [h] quand survient l'injustice.

7 23 Pr 8 31 Tt 3 4 6 La Sagesse est un esprit ami des hommes,
mais elle ne laisse pas impuni le blasphémateur pour ses propos;
car Dieu est le témoin de ses reins, Jr 11 20
le surveillant véridique de son cœur [i],
et ce que dit sa langue, il l'entend.
7 L'esprit du Seigneur en effet remplit le monde [j], Ps 139 7-12
et lui, qui tient unies toutes choses [k], a connaissance de chaque mot [l]. ↗ Ac 2 4 Pr 22 12 Si 39 19
8 Nul ne saurait donc se dérober, qui profère des méchancetés,
la Justice vengeresse ne le laissera pas échapper. 11 20
9 Sur les desseins de l'impie il sera fait enquête,
le bruit de ses paroles ira jusqu'au Seigneur,
pour que soient châtiés ses forfaits.
10 Une oreille jalouse écoute tout, Dt 29 19
la rumeur même des murmures ne lui échappe pas.
11 Gardez-vous donc des vains murmures, Ex 15 24+
épargnez à votre langue les mauvais propos [m]; Ps 78 19
car un mot furtif ne demeure pas sans effet,
une bouche mensongère donne la mort à l'âme.

*a)* Même formule grecque en Ps **44** (**45**) 8 et 1 Ch **29** 17. Par « justice » il faut entendre le plein accord de la pensée et de l'action avec la volonté divine, telle qu'elle s'exprime par les préceptes de la Loi et les injonctions de la conscience.

*b)* Cf. Ps **2** 10. « Juger », c'est l'acte essentiel du gouvernement. L'auteur, qui, par une fiction littéraire, se donnera pour Salomon **7** 7-11; **9** 7-8, 12, s'adresse apparemment à ses collègues en royauté (cf. **6** 1-11). En réalité, il veut toucher les Juifs menacés par le paganisme ambiant.

*c)* « chercher Dieu » pour « le trouver », invitation constante de la littérature prophétique et sapientielle, cf. Am **5** 4+. Mais l'influence de 1 Ch **28** 9 semble plus directe. Sur la « simplicité de cœur », cf. 1 Ch **29** 17; Ep **6** 5; Col **3** 22.

*d)* Même expression grecque en Jr **29** (LXX : **36**) 13-14 et Is **65** 1.

*e)* La Puissance divine à l'œuvre dans le monde et qui sera identifiée tour à tour avec l'Esprit ou sa Sagesse.

*f)* Le corps n'est pas mauvais par lui-même. Mais il peut se faire l'instrument du péché, et devenir ainsi le tyran de l'âme. Saint Paul, Rm **7** 14-24, et saint Jean, **8** 34, donneront à cette pensée son expression définitive.

*g)* « L'éducateur » litt. « de l'éducation »; var. : « de la sagesse ». – L'éducation israélite, dispensée traditionnellement par les sages, est placée sous l'influence d'un « esprit saint » cf. Ps **51** 13; Is **63** 10-11; déjà certains textes avaient représenté l'Esprit divin comme le guide d'Israël dans le passé, Ne **9** 20, 30; Is **63** 10-11, ou comme une force intérieure, Ps **51** 13; Ez **11** 19; **36** 26-27; par ailleurs, la Sagesse assumait parfois le rôle des maîtres de sagesse, Pr **1-9**, ou tendait à s'identifier avec l'Esprit, cf. vv. 6-7; **7** 22; **9** 17.

*h)* Texte difficile; litt. « est confondu », « mis en échec ».

*i)* Les « reins » sont le siège des passions et des impulsions conscientes, Jb **19** 27; Ps **16** 7; **73** 21; Pr **23** 16; le « cœur », celui de l'activité consciente, intellectuelle aussi bien qu'affective, Gn **8** 21+. « Cœur » et « reins » sont souvent associés, Ps **7** 10; **26** 2; Jr **11** 20; **17** 10; **20** 12; Ap **2** 23, pour désigner l'ensemble des puissances intérieures de l'homme.

*j)* L'omniprésence de Dieu, affirmée en Jr **23** 24 (cf. aussi Am **9** 2-3; 1 R **8** 27), est envisagée en fonction de son Esprit d'après Ps **139** 7 et les textes qui attribuent à celui-ci une activité vivifiante universelle, Jdt **16** 14; Jb **34** 14-15; Ps **104** 30.

*k)* Le terme traduit par cette expression est emprunté au vocabulaire stoïcien. Il marque avec force le rôle de l'esprit du Seigneur. Le seul parallèle biblique (lointain) serait Gn **1** 2. Mais le terme, transposé, désigne la puissance efficace d'un Dieu transcendant.

*l)* L'Esprit relie si intimement les êtres qu'il perçoit immédiatement chaque mot proféré. En vertu d'une accommodation, la liturgie de la Pentecôte applique ce texte au « don des langues », Ac **2** 2-4.

*m)* Contre Dieu et sa Providence.

Pr **8** 36 12 Ne recherchez pas la mort par les égarements de
votre vie
et n'attirez pas sur vous la ruine par les œuvres
de vos mains.
**2** 23-24 13 Car Dieu n'a pas fait la mort [a],
**11** 23 - **12** 1 Ez **18** 32; **33** 11 il ne prend pas plaisir à la perte des vivants.
14 Il a tout créé pour l'être [b];
les créatures du monde sont salutaires,
en elles il n'est aucun poison de mort,
et l'Hadès [c] ne règne pas sur la terre;
**3** 4+ 15 car la justice est immortelle [d].

**La vie selon les impies.**

16 Mais les impies [e] appellent la mort du geste et de
la voix;
Pr **8** 36 la tenant pour amie, pour elle ils se consument,
Is **28** 15 avec elle ils font un pacte,
Si **14** 12 dignes qu'ils sont de lui appartenir [f].

**2** 1 Car ils disent entre eux, dans leurs faux
calculs :

Jb **14** 1-2+ « Courte et triste est notre vie [g];
Ps **39** 5-7 Qo **8** 8 il n'y a pas de remède lors de la fin de l'homme
Jb **7** 9 et on ne connaît personne qui soit revenu [h] de
l'Hadès.
2 Nous sommes nés du hasard [i],
après quoi nous serons comme si nous n'avions
pas existé.
Ps **102** 4 C'est une fumée que le souffle de nos narines,
et la pensée, une étincelle qui jaillit au battement
de notre cœur;
3 qu'elle s'éteigne, le corps s'en ira en cendre
et l'esprit se dispersera comme l'air inconsistant.
4 Avec le temps, notre nom tombera dans l'oubli [j], Qo **1** 11; **2** 16; **9** 5s
nul ne se souviendra de nos œuvres; Jb **18** 17-19
notre vie passera comme les traces d'un nuage, Jb **7** 9
elle se dissipera comme un brouillard
que chassent les rayons du soleil
et qu'abat sa chaleur.
5 Oui, nos jours sont le passage d'une ombre, Ps **39** 7; **144** 4
notre fin est sans retour, Jb **8** 9; **14** 2
le sceau est apposé et nul ne revient [k]. Qo **6** 12; **8** 13 1 Ch **29** 15

6 Venez donc et jouissons des biens présents, Is **22** 13
usons des créatures avec l'ardeur de la jeunesse. 1 Co **15** 32
7 Enivrons-nous de vins de prix et de parfums,
ne laissons point passer la fleur du printemps [l],
8 couronnons-nous de boutons de roses, avant
qu'ils ne se fanent,
9 qu'aucune prairie [m] ne soit exclue de notre orgie,
laissons partout des signes de notre liesse,
car telle est notre part, tel est notre lot! **1** 16 Is **57** 6

10 Opprimons le juste qui est pauvre [n], Lv **25** 35-37
n'épargnons pas la veuve, Ex **22** 21+
soyons sans égards pour les cheveux blancs Lv **19** 32
chargés d'années du vieillard [o].
11 Que notre force soit la loi de la justice [p],
car ce qui est faible s'avère inutile.
12 Tendons des pièges au juste, puisqu'il nous Jr **11** 19; **20** 10-13
gêne [q] Jn **5** 16, 18 Mt **26** 3-4 Mt **23**

*a)* L'auteur envisage à la fois la mort physique et la mort spirituelle, liées l'une à l'autre : le péché est la cause de la mort et, pour l'homme pécheur, la mort physique est aussi la mort spirituelle et éternelle. L'auteur renvoie ici au récit de Gn **2-3** pour en dégager les intentions du Créateur : l'homme a été fait pour l'immortalité et rien dans la création ne peut faire échec à la volonté divine; au contraire, « les créatures » aident au salut de l'homme. – Saint Paul, Rm **5** 12-21+, reprendra la doctrine de la mort introduite par le péché, en opposant au premier Adam pécheur le nouvel Adam sauveur.

*b)* Dieu, « Celui qui est », Ex **3** 14+, a créé toutes choses pour qu'elles « soient », pour qu'elles aient une vie réelle, solide, durable.

*c)* L'« Hadès » – le shéol des Hébreux, Nb **16** 33+ – représente ici, non pas le séjour des morts, mais la puissance de la Mort personnifiée, cf. Mt **16** 18; Ap **6** 8; **20** 14.

*d)* Celui qui pratique la « justice » (cf. **1** 1) est assuré de l'immortalité. – Des mss lat. ajoutent : « Mais l'injustice est l'acquisition de la mort ». Cette addition, mal attestée, ne doit pas représenter le texte grec original.

*e)* Les « impies » sont ici avant tout des Juifs renégats, cyniques et jouisseurs, qui vont jusqu'à persécuter leurs frères et défier Dieu. Mais les païens matérialistes avec lesquels ils se confondent ou dont ils adoptent les maximes de vie ne sont pas exclus.

*f)* Litt. « d'être la part de celle-ci ». Les impies sont la part de la mort, comme Israël est la part de Dieu, Dt **32** 9; 2 M **1** 26; Za **2** 16, et comme Dieu est la part du fidèle, Ps **16** 5; **73** 26; **142** 6.

*g)* Cette appréciation pessimiste de la vie se rencontre ailleurs dans la Bible, cf. Gn **47** 9; Jb **14** 1-2; Ps **39** 5-7; **90** 9-10; Qo **2** 23; Si **40** 1-2; on la retrouve aussi dans la littérature grecque, mais avec un désarroi plus profond ou une note mélancolique plus accentuée.

*h)* Ou peut-être « qui ait délivré ». L'Hadès désigne ici, comme en Ap **1** 18, le séjour des morts, Nb **16** 33+, d'où l'on ne peut remonter, Jb **7** 9+, et non plus la puissance de la mort personnifiée comme plus haut, **1** 14. Les impies ne croient même pas à son existence et nient celle-ci à partir de l'expérience.

*i)* Le concours fortuit d'éléments ou d'atomes explique l'origine de chaque individu et cet assemblage se défait entièrement à la mort. Ensuite ($2^{c-d}$), le souffle vital est ramené à un phénomène d'échauffement et de combustion de l'air, la pensée, à une étincelle que fait jaillir « le battement du cœur ». Cette explication mécaniste durcit certaines théories grecques pour mieux pulvériser la réalité de l'âme; en même temps elle prend le contre-pied de doctrines bibliques, avec une allusion ironique au « souffle des narines », Gn **2** 7; Jb **27** 3.

*j)* Dans la Bible cet oubli est présenté souvent comme le châtiment des impies, cf. Dt **9** 14; Jb **18** 17; Ps **9** 6-7; Si **44** 9, etc., mais quelques textes l'appliquent à tous les morts sans distinction, Ps **31** 13; Qo **2** 16; **9** 5.

*k)* Ou « ne fait revenir ».

*l)* « Du printemps » mss grecs, syr. hex., arm.; « de l'air » texte reçu et syr.

*m)* « Qu'aucune prairie » *mèdeis leimôn* conj. d'après lat.; « qu'aucun de nous » *mèdeis hèmôn* grec.

*n)* Sarcasme : Le « juste » est « pauvre », malgré les promesses formelles de l'Écriture, Ps **37** 25; **112** 3; Pr **3** 9-10; **12** 21, etc.

*o)* Ceux-là mêmes que l'Écriture prescrit de respecter et de protéger.

*p)* Cette norme qui entraîne le mépris des faibles se substitue à la Loi qui trace le chemin de la justice. La Bible connaît ce primat de la force, Jb **12** 6; Ha **1** 7, 11, et le montre souvent à l'œuvre; certaines théories grecques justifiaient le droit du plus fort comme étant conforme à la nature.

*q)* Influence littéraire d'Is **3** 10 (LXX), à moins que la dépen-

et qu'il s'oppose à notre conduite,
nous reproche nos fautes contre la Loi
et nous accuse de fautes contre notre éducation.
Mt 11 27 13 Il se flatte d'avoir la connaissance de Dieu [a]
5 5 et se nomme enfant du Seigneur.
Lc 22 70 14 Il est devenu un blâme pour nos pensées,
sa vue même nous est à charge;
Est 3 8, 13de 15 car son genre de vie ne ressemble pas aux autres,
et ses sentiers sont tout différents [b].
16 Il nous tient pour chose frelatée
et s'écarte de nos chemins comme d'impuretés.
Mt 5 11 Il proclame heureux le sort final des justes [c]
Jn 5 18 et il se vante d'avoir Dieu pour père.
17 Voyons si ses dires sont vrais,
expérimentons ce qu'il en sera de sa fin [d].
Ps 22 9 18 Car si le juste est fils de Dieu [e], Il l'assistera
↗ Mt 27 43 et le délivrera des mains de ses adversaires.
19 Éprouvons-le par l'outrage et la torture
Is 53 7 afin de connaître sa douceur
Mt 26 67-68; et de mettre à l'épreuve sa résignation.
27 12s 20 Condamnons-le à une mort honteuse,
puisque, d'après ses dires, il sera visité [f]. »

**Erreur des impies.**

21 Ainsi raisonnent-ils, mais ils s'égarent,
car leur malice les aveugle.
22 Ils ignorent les secrets de Dieu [g],
ils n'espèrent pas de rémunération pour la sainteté,
ils ne croient pas à la récompense des âmes pures.
23 Oui, Dieu a créé l'homme pour l'incorruptibilité, 1 13+; 3 4+
il en a fait une image de sa propre nature [h]; Gn 1 26+
24 c'est par l'envie du diable que la mort est entrée 2 P 1 4
dans le monde [i] : Gn 3 ↗ Rm 5 12
ils en font l'expérience, ceux qui lui appartiennent!

**Sort comparé des justes et des impies.**

3 1 Les âmes des justes sont dans la main de Dt 33 3
Dieu [j] Is 51 16 Ps 89 22
et nul tourment ne les atteindra. Jn 10 29
2 Aux yeux des insensés ils ont paru mourir, 4 17
leur départ a été tenu pour un malheur
3 et leur voyage loin de nous pour un anéantissement,
mais eux sont en paix [k]. Is 57 2
4 S'ils ont, aux yeux des hommes, subi des châtiments,
leur espérance était pleine d'immortalité [l]; 1 15; 2 23+
5 pour une légère correction ils recevront de Rm 8 18
grands bienfaits. 2 Co 4 17
Dieu en effet les a mis à l'épreuve [m] Ps 17 3; 26 2
et il les a trouvés dignes de lui; Pr 17 3
6 comme l'or au creuset, il les a éprouvés, Jb 23 10
comme un parfait holocauste, il les a agréés.
7 Au temps de leur visite [n], ils resplendiront, Dn 12 3 Mt 13 43

dance ne se soit exercée en sens inverse.

*a)* Non seulement la connaissance du Dieu unique, mais celle de ses volontés, Rm 2 17-20, mises en pratique, peut-être aussi celle de ses desseins mystérieux sur l'homme (cf. 2 22).

*b)* Les impies reprennent les griefs formulés souvent contre le peuple juif, séparé du reste des hommes par ses croyances et ses pratiques.

*c)* Allusion possible à l'histoire de Job, 42 12-15, si l'horizon reste limité aux rétributions temporelles. Mais l'expression évoque peut-être, de la part du juste, l'assurance d'une récompense dans l'au-delà, et les impies en déformeraient la portée.

*d)* Lat. ajoute : « et nous saurons quel sera son sort final ». C'est une seconde traduction du texte grec.

*e)* Dans la Bible, l'expression « fils de Dieu » désigne souvent Israël ou les Israélites, Ex 4 22-23; Dt 14 1; Is 1 2; Os 11 1. Mais on note ensuite la tendance à la réserver aux seuls justes ou au peuple de l'avenir, cf. déjà Os 2 1. Elle reçoit parfois une application individuelle, 2 S 7 14; Ps 2 7; Si 4 10. Mais s'il arrive à un Israélite d'invoquer Dieu comme père, Si 23 1, 4; 51 10; cf. aussi Ps 89 27, aucun ne se désigne de lui-même comme « son fils ». Dans le reste du livre, le titre est attribué aux Israélites du passé membres d'un peuple saint, 9 7; 10 15, 17; 12 19, 21; 16 26; 18 4.

*f)* Litt. : « il y aura une visite (de Dieu) pour lui ». Sur cette « visite » cf. 3 7+. – Les correspondances avec la Passion du Christ condamné à une « mort honteuse » parce qu'il se déclarait « fils de Dieu » ont frappé les premières générations chrétiennes, cf. Mt 27 43, et nombre de Pères ont considéré ce passage comme prophétique. L'auteur a directement en vue les Juifs fidèles d'Alexandrie, raillés et persécutés par les renégats et leurs alliés païens. Mais il est amené à décrire une persécution idéale ou typique. Aussi son texte convient-il éminemment au Juste par excellence, He 12 3.

*g)* Les secrets desseins de Dieu concernant la destinée immortelle de l'homme.

*h)* Litt. : « de sa propre propriété »; var. : « de sa propre éternité » ou : « de sa propre ressemblance ». – L'auteur reprend ici d'une façon originale le thème de l'homme créé à l'image de Dieu, Gn 1 26, avec une expression recherchée qui semble insister sur l'éternité divine.

*i)* « Diable » traduit, dans les LXX, l'hébreu *satan*, cf. Jb 1 6+. L'auteur interprète ici Gn 3, cf. Jn 8 44; 1 Jn 3 8; Ap 12 9; 20 2. La mort que le diable a fait entrer dans le monde est la mort spirituelle, avec sa conséquence la mort physique, cf. 1 13+; Rm 5 12s.

*j)* C'est-à-dire sous sa protection, cf. Dt 33 3; Is 51 16; Jn 10 28-29, et sa dépendance, cf. Jb 12 10.

*k)* La « paix » ne signifie pas seulement l'absence de tout mal, Is 57 2; Jb 3 17-18, mais un état de sécurité ou de bonheur sous la protection (v. 1) ou dans l'intimité (v. 9) de Dieu.

*l)* L'espérance, Rm 5 2+, se voit assigner un rôle capital dans la vie des justes et elle a pour objet l'immortalité, *athanasia*. Ce mot, inusité jusque-là dans l'AT, mais familier aux Grecs, désignait, soit l'immortalité du souvenir, cf. 8 13, soit celle de l'âme. L'auteur l'emploie ici dans le second sens, mais pour signifier l'immortalité bienheureuse dans la société de Dieu en récompense de la justice, 1 15; 2 23. Il précise de la sorte les espérances du Psalmiste qui ne se résignait pas à perdre par la mort l'intimité de Dieu, Ps 16 10+.

*m)* Sur l'épreuve, pierre de touche et moyen de purification du juste, cf. Gn 22 1; Tb 12 13; Jb 1 2; Ps 66 10; 1 P 1 6-7.

*n)* Le mot, cf. Ex 3 16+, désigne ici une intervention favorable de Dieu, susceptible de coïncider avec un jugement général ou partiel. L'expression elle-même, qui reproduit litt. Jr 6 15; 10 15 (LXX), cf. aussi Is 24 22, indique une phase ultérieure dans la condition des âmes justes. Le verbe suivant doit signifier leur glorification définitive; si la notion de « resplendissement » s'applique ailleurs aux élus ressuscités, Dn 12 3; Mt 13 43, cette doctrine d'une résurrection corporelle ne s'explicite nulle part dans le livre.

et comme des étincelles à travers le chaume [a] ils
courront.
Dn 7 27 8 Ils jugeront les nations et domineront sur les peu-
Ps 49 15; 149 7s ples,
1 Co 6 2 et le Seigneur régnera sur eux à jamais.
Ap 5 10; 20 4-6 9 Ceux qui mettent en lui leur confiance compren-
Pr 28 5 dront la vérité [b]
1 Co 13 12 et ceux qui sont fidèles demeureront auprès de lui
1 Jn 3 2 dans l'amour [c],
4 15 car la grâce et la miséricorde sont pour ses saints
et sa visite est pour ses élus.

10 Mais les impies auront un châtiment conforme à
leurs pensées,
eux qui ont négligé le juste [d] et se sont écartés
du Seigneur.
11 Car malheur à qui méprise sagesse et discipline [e] :
vaine est leur espérance,
sans utilité leurs fatigues,
sans profit leurs œuvres;
12 leurs femmes sont insensées,
Si 41 5-6 pervers leurs enfants,
Ps 109 9-10 maudite leur postérité!

**Mieux vaut la stérilité qu'une postérité impie.**

4 1 13 Heureuse la femme stérile [f] qui est sans tache,
Is 54 1 celle qui n'a pas connu d'union coupable [g];
He 13 4 car elle aura du fruit à la visite des âmes [h].
Is 56 3-4 14 Heureux encore l'eunuque [i] dont la main ne
commet pas de forfait
et qui ne nourrit pas de pensées perverses contre
le Seigneur :
il lui sera donné pour sa fidélité une grâce de
choix,
un lot très délicieux dans le Temple du Sei- Ps 16 5-6
gneur [j].
15 Car le fruit de labeurs honnêtes est plein de
gloire,
impérissable est la racine de l'intelligence [k]. 1 15; 2 23

16 Mais les enfant d'adultères [l] n'atteindront pas
leur maturité,
la postérité issue d'une union illégitime disparaîtra.
17 Même si leur vie se prolonge, ils seront comptés
pour rien
et, à la fin, leur vieillesse sera sans honneur;
18 s'ils meurent tôt, ils n'auront pas d'espérance
ni de consolation au jour de la Décision,
19 car la fin d'une race injuste est cruelle [m]! Si 16 4

4 1 Mieux vaut ne pas avoir d'enfants et possé- Si 16 3
der la vertu [n],
car l'immortalité s'attache à sa mémoire [o], Pr 10 7
elle est en effet connue de Dieu et des hommes.
2 Présente, on l'imite,
absente, on la regrette:
dans l'éternité, ceinte de la couronne, elle 5 16
triomphe,

*a)* Dans plusieurs textes bibliques, cf. Is **1** 31; **5** 24; Na **1** 10; Abd 18; Za **12** 6; Ml **3** 19, l'image symbolise les effets de la colère vengeresse de Dieu ou la revanche d'Israël sur ses ennemis. Elle est ici transposée et signifie peut-être la participation des justes glorifiés à l'extermination du mal, comme prélude à l'établissement du règne de Dieu, auquel ils sont associés (v. 8).
*b)* Une « vérité » qui justifiera leur confiance et leur révélera tout le dessein de Dieu.
*c)* Ou bien, en coupant la phrase autrement : « et ceux qui sont fidèles dans l'amour demeureront auprès de lui ». Selon la traduction adoptée, le bonheur des élus est donc fait à la fois de connaissance et d'amour.
*d)* Ou : « ce qui est juste ».
*e)* Formule empruntée à Pr **1** 7. Le mot « sagesse » désigne la sagesse pratique qui fait vivre selon la vertu; le mot « discipline », traduit ailleurs par « éducation » **1** 5; **2** 12, ou « instruction » **6** 17; **7** 14, résume les moyens nécessaires pour l'acquérir.
*f)* La stérilité était tenue pour un déshonneur ou un châtiment, la fécondité était le signe de la bénédiction divine. A la femme stérile mais fidèle est reconnue ici une fécondité spirituelle.
*g)* Litt. : « qui n'a pas connu la couche dans l'infidélité ». L'auteur envisage avant tout le cas d'une Juive fidèle, mariée à un Juif fidèle, conformément aux prescriptions de la Loi. Il écarte donc non seulement l'adultère et la fornication, cf. He **13** 4, mais aussi les relations conjugales à l'intérieur de mariages mixtes, Dt **7** 3; Esd **9** 1-2.
*h)* Var. de nombreux mss lat. : « de leurs âmes » ou « des âmes saintes ». – Cette « visite » doit être la même que celle mentionnée au v. 7.
*i)* L'eunuque était exclu de l'assemblée cultuelle d'Israël, Dt **23** 2, mais Is **56** 3-5 avait annoncé sa réhabilitation au temps messianique, s'il observait fidèlement la Loi de Dieu. L'auteur prolonge et transpose ici ce dernier texte.
*j)* C'est-à-dire dans le ciel, Ps **11** 4; **18** 7; Mi **1** 2-3, etc.; Ap **3** 12; **7** 15, où l'on partage la société de Dieu.
*k)* « L'intelligence » désigne le sage discernement des vrais biens qui fait vivre selon la vertu et assure la conformité aux exigences divines, cf. **4** 9; **6** 15; **7** 7; **8** 6, 18, 21. C'est une racine stable, Pr **12** 3, et féconde, portant des fruits pour l'éternité, **1** 15; **2** 23.
*l)* Dans l'usage biblique, le mot « adultère » est appliqué à Israël ou aux Israélites infidèles à Dieu, cf. Is **57** 3; Jr **9** 1; Ez **23** 37; Os **3** 1. On peut donc l'entendre de Juifs apostats ou de Juifs ayant contracté mariage avec une partie païenne, cf. 13+, et non pas seulement des adultères au sens précis du terme. Cf. encore **4** 3, 6.
*m)* Dans ce développement (cf. déjà v. 12) sur le sort misérable d'une descendance impie, l'auteur rejoint des motifs bibliques anciens : les parents sont punis dans leurs enfants et ceux-ci, rendus solidaires dans le mal et le châtiment (cf. pourtant Ez **18** 14-20), mourront soudainement ou ne connaîtront pas une vieillesse honorable (cf. pourtant Jb **21** 7-33). La perspective d'un jugement sévère, v. 18, lorsque Dieu décidera en dernier ressort, rend le tableau plus sombre encore. Cf. **4** 3-5.
*n)* La plupart des mss latins portent pour ce stique : « Oh qu'elle est belle la race chaste avec éclat ». Cette leçon ne doit pas être la traduction primitive, mais elle témoigne de la tendance à retrouver dans le texte grec l'éloge de la chasteté, et une tradition patristique ancienne l'entend de la virginité. Cette interprétation ne s'impose pas, car l'auteur continue apparemment d'opposer la stérilité vertueuse (cf. **3** 13) à la fécondité impie.
*o)* L'immortalité dans le souvenir se prolonge en une immortalité personnelle conférée par Dieu, cf. **3** 4+.

pour avoir vaincu dans une lutte dont les prix
sont sans tache [a].
3 Mais la nombreuse postérité des impies ne profitera pas;
Si 23 25; issue de rejetons bâtards, elle ne poussera pas de
40 15 racines profondes,
elle n'établira pas de base solide.
4 Même si pour un temps elle monte en branches,
Ps 58 10 mal affermie, elle sera ébranlée par le vent,
déracinée par la violence des vents;
5 ses rameaux seront brisés avant d'être formés,
leur fruit sera sans profit,
n'étant pas mûr pour être mangé,
impropre à tout usage.
6 Car les enfants nés de sommeils coupables
témoignent, lors de leur examen [b], de la perversité des parents.

### La mort prématurée du juste [c].

3 3+ 7 Le juste, même s'il meurt avant l'âge, trouve le
Is 57 1-2 repos.
Si 25 4-6 8 La vieillesse honorable n'est pas celle que donnent de longs jours,
elle ne se mesure pas au nombre des années;
Pr 16 31 9 c'est cheveux blancs pour les hommes que l'intelligence,
c'est un âge avancé qu'une vie sans tache.
10 Devenu agréable à Dieu, il a été aimé,
Gn 5 24 et, comme il vivait parmi des pécheurs, il a été
Si 44 16 transféré [d].
He 11 5 11 Il a été enlevé, de peur que la malice n'altère son
jugement
ou que la fourberie ne séduise son âme;
12 car la fascination du mal obscurcit le bien
et le tourbillon de la convoitise gâte un esprit
sans malice.
13 Devenu parfait en peu de temps, il a fourni une
longue carrière.
14 Son âme était agréable au Seigneur,
aussi est-il sorti en hâte [e] du milieu de la perversité.

Les foules [f] voient cela sans comprendre, Is 57 1
et il ne leur vient pas à la pensée
15 que la grâce et la miséricorde sont pour ses élus 3 9
et sa visite pour ses saints.
16 Le juste qui meurt condamne les impies qui
vivent,
et la jeunesse vite consommée, la longue vieillesse de l'injuste.
17 Ils voient la fin du sage, 3 2
sans comprendre les desseins du Seigneur sur lui,
ni pourquoi il l'a mis en sûreté;
18 ils voient et méprisent,
mais le Seigneur se rira d'eux. Ps 37 13;
19 Après cela ils deviendront un cadavre méprisé, 59 9 Pr 1 26
un objet d'outrage parmi les morts à jamais [g].
Car il les brisera, précipités, muets, la tête la pre- Ac 1 18
mière.
Il les ébranlera de leurs fondements,
ils seront complètement dévastés,
en proie à la douleur,
et leur mémoire périra.

### Les impies comparaissent en jugement [h].

20 Et quand s'établira le compte de leurs péchés, ils
viendront pleins d'effroi;
et leurs forfaits les accuseront en face.
5 1 Alors le juste [i] se tiendra debout, plein Mt 13 43
d'assurance,
en présence de ceux qui l'opprimèrent, 2 10-20
et qui, pour ses labeurs, n'avaient que mépris.
2 A sa vue, ils seront troublés par une peur terrible,

*a)* Ou : « dans une compétition aux luttes sans tache ». L'image est empruntée aux jeux athlétiques grecs. Le vainqueur y recevait une couronne et on lui faisait un cortège d'honneur. Cf. 1 Co **9** 24+.

*b)* C'est-à-dire du jugement, cf. **1** 9; **3** 18 auquel seront soumis les enfants; mais « leur » peut se rapporter également aux parents.

*c)* Une longue vie devait être la part du juste ici-bas, cf. Dt **4** 40; **5** 16; Jb **5** 26; Ps **91** 16; Pr **3** 2, 16; **4** 10; Si **1** 12, 20, etc., tandis que l'impie était voué à une mort soudaine ou violente, Jb **15** 20-23; **18** 5-20; Ps **37**; **73** 18-20, etc., mais de telles affirmations étaient souvent contredites par les faits, cf. 2 R **23** 29; Jb **21** 7; Qo **8** 12-14. L'auteur envisage ici un cas extrême, la mort d'un juste dans sa jeunesse (cf. v. 16[b]), et il identifie la longévité avec une maturité intérieure qui atteint la vraie fin de la vie humaine et prédispose à l'immortalité bienheureuse.

*d)* L'expression s'inspire du récit de l'enlèvement d'Hénok, Gn **5** 24; Si **44** 16; He **11** 5.

*e)* Ou : « est-elle (l'âme) sortie en hâte »; ou : « l'a-t-il retirée en hâte ».

*f)* « Les foules », litt. « les peuples » (var. : « les autres ») : ce mot, repris plus loin par « impies » (v. 16), étonne quelque peu. D'autre part la construction de la phrase est compliquée par une anacoluthe. Il est possible que l'ordre primitif des vv. dans cette section ait été troublé.

*g)* Parce qu'il n'aura pas reçu les honneurs d'une sépulture, ce qui est un terrible châtiment. Cf. Is **14** 19; Jr **22** 19; **36** 30; Ez **29** 5.

*h)* C'est bien une scène de jugement, lorsque Dieu « fera le compte » des péchés ou lorsqu'il faudra « rendre compte » de ceux-ci. Mais ce jugement concerne les seuls impies, car les justes sont déjà admis auprès de Dieu, cf. **5** 4-5. L'auteur s'intéresse moins au prononcé de la sentence qu'à l'état d'âme des pécheurs, torturés par une conscience coupable, cf. **17** 10. Leur confession, **5** 4-13, contraste avec les propos tenus jadis, **2** 1-20.

*i)* Le terme doit avoir la même portée qu'en **2** 12s, cf. **2** 20+. Il semble même généraliser davantage. Cependant certains critiques relèvent ensuite des correspondances avec le Serviteur, Is **53**, voire même avec le Maître de justice des textes de Qumrân. Le développement fait penser à une figure exemplaire, représentant tous ceux qui subissent des épreuves semblables et connaîtront la même revanche dans l'au-delà.

stupéfaits de le voir sauvé contre toute attente.
[3] Ils se diront entre eux, saisis de regrets
et gémissant [a], le souffle oppressé :
[4] « Le voilà, celui que nous avons jadis tourné en dérision
et dont nous avons fait un objet d'outrage, nous, insensés!
2 15 Nous avons tenu sa vie pour folie
2 20 et sa fin pour infâme.
2 13 [5] Comment donc a-t-il été compté parmi les fils de Dieu?
Col **1** 12 Comment a-t-il son lot parmi les saints [b]?
Pr **21** 16 [6] Oui, nous avons erré hors du chemin de la vérité;
Ps **119** 105 la lumière de la justice n'a pas brillé pour nous,
Ml **3** 20 le soleil ne s'est pas levé pour nous.
[7] Nous nous sommes rassasiés dans les sentiers de l'iniquité et de la perdition,
nous avons traversé des déserts sans chemins,
et la voie du Seigneur, nous ne l'avons pas connue!
[8] A quoi nous a servi l'orgueil?
Que nous ont valu richesse et jactance?
2 5 [9] Tout cela a passé comme une ombre,
Jb **9** 25-26 comme une nouvelle fugitive.
Pr **30** 19 [10] Tel un navire qui parcourt l'onde agitée,
sans qu'on puisse découvrir la trace de son passage
ni le sillage de sa carène dans les flots;
[11] tel encore un oiseau qui vole à travers les airs,
sans que de son trajet on découvre un vestige;
il frappe l'air léger, le fouette de ses plumes,
il le fend en un violent sifflement,
s'y fraie une route en remuant les ailes,
et puis, de son passage on ne trouve aucun signe;
[12] telle encore une flèche lancée vers le but;
l'air déchiré revient aussitôt sur lui-même,
si bien qu'on ignore le chemin qu'elle a pris.

[13] Ainsi de nous : à peine nés, nous avons disparu [c],
et nous n'avons à montrer aucune trace de vertu;
dans notre malice nous nous sommes consumés [d]! »
[14] Oui [e], l'espoir de l'impie est comme la bale emportée par le vent, Ps **1** 4 Is **29** 5
comme l'écume [f] légère chassée par la tempête;
il se dissipe comme fumée au vent, Ps **37** 20; **68** 3
il passe comme le souvenir de l'hôte d'un jour.

**Destinée glorieuse des justes et châtiment des impies [g].**

[15] Mais les justes vivent à jamais [h],
leur récompense est auprès du Seigneur [i], Is **62** 11
et le Très-Haut a souci d'eux.
[16] Aussi recevront-ils la couronne royale magnifique 4 2 Pr **4** 9; Is **28** 1 Co **9** 25+
et le diadème de beauté, de la main du Seigneur;
car de sa droite il les protégera, **19** 8
et de son bras, comme d'un bouclier, il les couvrira. Ps **7** 11
[17] Pour armure [j], il prendra son ardeur jalouse, Is **59** 16-17
il armera la création pour repousser ses ennemis; **16** 24; **19** 6
[18] pour cuirasse il revêtira la justice,
il mettra pour casque un jugement sans feinte,
[19] il prendra pour bouclier la sainteté invincible; Lv **17** 1+
[20] de sa colère inexorable il fera une épée tranchante [k],
et l'univers ira au combat avec lui contre les insensés [l]. **16** 17
[21] Traits bien dirigés, les éclairs jailliront [m], Ps **7** 13-14 **18** 15
et des nuages, comme d'un arc bien bandé, voleront vers le but;
[22] une baliste lancera des grêlons [n] chargés de courroux,
les flots de la mer contre eux feront rage,

*a)* « gémissant » lat., copte; « ils gémiront » grec.
*b)* « fils de Dieu » et « saints » peuvent désigner les anges : cf. d'une part Jb **1** 6; Ps **29** 1; **82** 1; **89** 7; d'autre part Jb **5** 1; **15** 15; Ps **89** 6, 8; Si **42** 17; Dn **4** 14; Za **14** 5. Mais à cause de **2** 18, il est préférable d'identifier les « fils de Dieu » avec les élus qui partagent dans le ciel l'intimité de Dieu et qui sont susceptibles également d'être appelés « saints », cf. Ps **16** 3; **34** 10; Is **4** 3; Dn **7** 18, 21, 22; **8** 24.
*c)* Entre ces deux extrêmes aucune valeur durable n'a rempli leur existence.
*d)* La plupart des mss latins ajoutent : « Voilà ce que disent dans l'enfer ceux qui ont péché ». Cette glose ancienne, passée dans le texte, est comptée par la Vulgate comme v. 14.
*e)* L'auteur conclut maintenant cette confession des damnés avec d'autres images : l'impie voit son espoir de bonheur (cf. **3** 11, 18) frustré à jamais, car il s'est attaché à des biens inconsistants.
*f)* « écume » lat., syr.; « givre » grec (sauf quelques mss qui lisent : « toile d'araignée »).
*g)* L'auteur évoque, par contraste, la vie des justes, assurés d'une récompense éternelle, vv. 15-16[a-b], protégés par Dieu, v. 16[c-d], contre les fléaux déchaînés pour le châtiment final des impies, vv. 17-23. Ce châtiment est décrit en termes d'apocalypse, avec la reprise des images d'un grand combat, Ez **38-39**; Is **24-26**, et de bouleversements cosmiques, Am **8** 8-9+. Cette section fait peut-être allusion à un événement eschatologique distinct.
*h)* De la vraie vie dans l'intimité avec Dieu. Commencée sur terre, cette vie ne finit jamais.
*i)* Ou : « leur récompense est dans le Seigneur », qui est leur « part », Ps **16** 5-6; **73** 26.
*j)* Cette « armure », inspirée d'Is **59** 16-17, symbolise les attributs du Dieu justicier qui s'enferme dans sa volonté de châtier et la met à exécution en déchaînant les éléments.
*k)* Sur cette « épée » divine, cf. Dt **32** 41; Is **66** 16; Ez **21**.
*l)* Dans la Bible, Dieu utilise souvent la nature pour exercer ses jugements. L'auteur accentue ici cette idée et il le fera davantage encore en revenant sur les événements de l'Exode (cf. en particulier **16** et **19**). La description suivante reprend divers motifs anciens, transposés déjà en contexte eschatologique.
*m)* L'orage est la représentation traditionnelle de l'intervention divine, cf. Ex **19** 16+. Sur les « traits », cf. Ps **18** 15; Ha **3** 11; Za **9** 14.
*n)* Comme au temps de l'Exode, Ex **9** 23-25, et de Josué, Jos

les fleuves les submergeront sans merci [a],
Is 30 27-28 23 un souffle puissant se lèvera contre eux
et les vannera comme un ouragan.
Ainsi l'iniquité dévastera la terre entière
et la malfaisance renversera des trônes de puissants.

# II. Salomon et la quête de la Sagesse

**Les rois doivent rechercher la Sagesse.**

1 1 6 1 [b] Écoutez donc, rois, et comprenez [c]!
Ps 2 10 Instruisez-vous, juges des confins de la terre!
Si 33 19
Pr 8 15-16 2 Prêtez l'oreille, vous qui dominez sur la multitude,
qui vous enorgueillissez de foules de nations!
Dn 2 21, 37 3 Car c'est le Seigneur qui vous a donné la domi-
1 Ch 29 12 nation
Rm 13 1
Jn 19 11 et le Très-Haut le pouvoir [d],
c'est lui qui examinera vos œuvres et scrutera vos desseins.

5 4 Si donc, étant serviteurs de son royaume [e], vous n'avez pas jugé droitement,
ni observé la loi [f],
ni suivi la volonté de Dieu,
6 5 il fondra sur vous d'une manière terrifiante et rapide.
Un jugement inexorable s'exerce en effet sur les
7 gens haut placés;
6 au petit, par pitié, on pardonne,
mais les puissants seront examinés puissamment.
34 17-19 7 Car le Maître de tous ne recule devant personne,
Si 35 12s la grandeur ne lui en impose pas;
Pr 22 2 petits et grands, c'est lui qui les a faits
Jb 31 15 et de tous il prend un soin pareil,
9 8 mais une enquête sévère attend les forts.
10 9 C'est donc à vous, souverains, que s'adressent mes paroles,
pour que vous appreniez la sagesse et évitiez les fautes;
10 car ceux qui observent saintement les choses 5 5
saintes seront reconnus saints [g],
et ceux qui s'en laissent instruire y trouveront leur défense.
11 Désirez donc mes paroles, 12
aspirez à elles et vous serez instruits.

**La Sagesse se laisse trouver [h].**

13
12 La Sagesse est brillante, elle ne se flétrit pas.
Elle se laisse facilement contempler par ceux qui Pr 8 17
l'aiment, Si 6 27
Mt 7 7-11p
elle se laisse trouver par ceux qui la cherchent. Jn 14 21
13 Elle prévient ceux qui la désirent en se faisant 14
connaître la première.
14 Qui se lève tôt pour la chercher n'aura pas à pei- Si 6 36
ner : 39 5
il la trouvera assise à sa porte.
15 Méditer sur elle est en effet la perfection de 16
l'intelligence,
et qui veille à cause d'elle sera vite exempt de soucis.
16 Car ceux qui sont dignes d'elle, elle-même va Pr 1 20-21;
partout les chercher 8 2-3
et sur les sentiers elle leur apparaît avec bienveil- Is 65 1 2, 24
lance, Si 15 2
1 Jn 4 10
à chaque pensée [i] elle va au-devant d'eux.
17 [j] Car son commencement, c'est le désir très vrai 18 Pr 4 7
de l'instruction [k],

**10** 11, et comme dans les jugements de Dieu annoncés par les prophètes, Is **28** 17; Ez **13** 13; **38** 22; cf. Ap **8** 7; **11** 19; **16** 21.

*a)* Comme la mer des Roseaux engloutit les Égyptiens, Ex **14** 26s, et comme le Qishôn roula les cadavres des soldats de Sisera, Jg **5** 21. Le déchaînement des eaux est le symbole des grandes calamités, Ps **18** 5+.

*b)* Lat. commence le ch. par une addition qui est sans doute un titre : « la sagesse est meilleure que la force et l'homme prudent que le fort ». Cette addition est le v. 1 de la Vulgate.

*c)* A la différence de **1** 1, l'attention se fixe sur la condition des souverains et sur leurs responsabilités. L'horizon est nettement universaliste.

*d)* Cette doctrine de l'origine divine du pouvoir était affirmée déjà sous différentes formes par l'Écriture, en particulier par Pr **8** 15-16; Dn **2** 37; **5** 18; 1 Ch **29** 12; Si **10** 4. L'auteur lui donne plus grande rigueur (cf. aussi Rm **13** 1; Jn **19** 11) et la prolonge en faisant de tous les princes sans exception des « serviteurs » de la royauté de Dieu (v. 4).

*e)* Ou : « de sa royauté ».

*f)* D'abord la loi naturelle, dont la conscience est l'interprète, cf. Rm **2** 14, mais sans doute aussi les différentes législations positives qui la précisent et que les rois païens doivent observer pour se différencier des tyrans.

*g)* C'est-à-dire : ceux qui observent religieusement la volonté divine et qui seront reconnus « saints » (**5** 5) lors du jugement.

*h)* Le mot « sagesse » désigne maintenant, non seulement une doctrine (v. 9), mais la vérité divine qui brille à travers celle-ci et sollicite l'homme intérieurement, v. 13, cf. Jn **6** 44; Ph **2** 13; 1 Jn **4** 19.

*i)* Ou : « par toutes sortes d'inventions ».

*j)* Les vv. 17-20 imitent librement le raisonnement grec appelé « sorite », où l'attribut de chaque proposition devient le sujet de la suivante et où la conclusion (v. 20) relie le sujet initial (ici : « le désir de la Sagesse ») à l'avant-dernier attribut (ici : « être près de Dieu », repris par « royauté »).

*k)* Ou : « son commencement très vrai, c'est le désir de l'instruction ».

le souci de l'instruction, c'est l'amour,
19 18 l'amour, c'est l'observation de ses lois [a],
3 4+ l'attention aux lois, c'est la garantie [b] de l'incorruptibilité,
20 19 et l'incorruptibilité fait qu'on est près de Dieu;
3 7-8; 5 16 20 ainsi le désir de la Sagesse conduit à la royauté.
22 21 Si donc trônes et sceptres vous plaisent, souverains des peuples,
honorez la Sagesse, afin de régner à jamais [c].

**Salomon va décrire la Sagesse.**

24 22 Ce qu'est la Sagesse et comment elle est née, je
vais l'exposer;
Jb 28 je ne vous cacherai pas les mystères,
mais je suivrai ses traces depuis le début de son
origine,
je mettrai sa connaissance en pleine lumière [d],
sans m'écarter de la vérité.
Si 51 23s 23 Oh! je ne ferai pas route avec l'envie dessé-
chante :
elle n'a rien de commun avec la Sagesse.
26 24 Une multitude de sages est le salut du monde,
Pr 29 4 un roi sensé fait la stabilité du peuple.
Si 10 1-3 25 Laissez-vous donc instruire par mes paroles :
vous y trouverez profit.

**Salomon n'était qu'un homme.**

**7** 1 Je suis, moi aussi, un homme [e] mortel, pareil
à tous,
Gn 2 7 un descendant du premier être formé de la terre.
Si 17 1 J'ai été modelé en chair dans le ventre d'une
Ps 139 13-16 Jb 10 10+ mère,
2 où, pendant dix mois [f], dans le sang j'ai pris
consistance,
à partir d'une semence d'homme et du plaisir,
compagnon du sommeil.
3 A ma naissance, moi aussi j'ai aspiré l'air
commun,
je suis tombé sur la terre qui nous reçoit tous
pareillement,
et des pleurs, comme pour tous, furent mon premier cri.
4 J'ai été élevé dans les langes et parmi les soucis.
5 Aucun roi ne connut d'autre début d'existence :
6 même façon pour tous d'entrer dans la vie et
pareille façon d'en sortir. 1 R 2 2

**Estime de Salomon pour la Sagesse.**

7 C'est pourquoi j'ai prié, et l'intelligence m'a été 1 R 3 6-9, 12;
donnée, 5 9-14
j'ai invoqué, et l'esprit de Sagesse m'est venu. Sg 9 Si 47 12-17
8 Je l'ai préférée aux sceptres et aux trônes [g]
et j'ai tenu pour rien la richesse en comparaison
d'elle.
9 Je ne lui ai pas égalé la pierre la plus précieuse;
car tout l'or, au regard d'elle, n'est qu'un peu de
sable,
à côté d'elle, l'argent compte pour de la boue.
10 Plus que santé et beauté je l'ai aimée
et j'ai préféré l'avoir plutôt que la lumière,
car son éclat ne connaît point de repos. Is 60 19-20
11 Mais avec elle me sont venus tous les biens 1 R 3 13;
et, par ses mains, une incalculable richesse. 10 21s
12 De tous ces biens je me suis réjoui, parce que Si 47 18 Mt 6 33
c'est la Sagesse qui les amène [h];
j'ignorais pourtant qu'elle en fût la mère [i]. 7 21; 8 5-6
13 Ce que j'ai appris sans faute, je le communique-
rai sans envie,
je ne cacherai pas sa richesse. 6 22
14 Car elle est pour les hommes un trésor inépui- Lc 12 33
sable,
ceux qui l'acquièrent s'attirent l'amitié de Dieu,
recommandés par les dons qui viennent de l'instruction [j].

**Appel à l'inspiration divine.**

15 Que Dieu me donne d'en parler à son gré
et de concevoir des pensées dignes des dons
reçus,
parce qu'il est lui-même et le guide de la Sagesse
et le directeur des sages;
16 nous sommes en effet dans sa main, et nous et Ps 31 16
nos paroles, Jb 12 10
et toute intelligence et tout savoir pratique. Si 10 5

*a)* L'amour implique l'obéissance, Ex **20** 6; Dt **5** 10; **11** 1; Si **2** 15; Jn **14** 15, etc. Les « lois » de la Sagesse s'identifient avec les grandes obligations religieuses et morales contenues dans la Révélation; peut-être encore avec des lois non écrites, dictées par la conscience et mises en lumière par la Sagesse divine.
*b)* Le mot est employé ici au sens juridique. L'application à observer les lois de la Sagesse ne suffit pas à rendre incorruptible, mais elle crée un titre réel et incontestable à obtenir de Dieu l'incorruptibilité bienheureuse ou l'immortalité, cf. **2** 23; **3** 4.
*c)* Un bon nombre de mss latins ajoutent ici : « aimez la lumière de la sagesse vous tous qui êtes à la tête des peuples ». Ce v., supplémentaire dans la Vulg. (23) est, soit une glose marginale, soit un doublet.
*d)* Allusion au secret gardé jalousement dans les religions à mystères et dans les doctrines ésotériques : la révélation était communiquée aux seuls initiés.
*e)* « un homme », omis par deux des principaux mss (B et S).
*f)* Dix mois lunaires. Sur la façon dont on se représentait la formation de l'embryon, cf. Jb **10** 10+.
*g)* Ce développement prend appui sur la notice de 1 R **3** 10 et sur les textes sapientiaux qui exaltent la Sagesse au-dessus des biens les plus précieux, Jb **28** 15-19; Pr **3** 14-15; **8** 10-11, 19. L'auteur y ajoute des valeurs appréciées surtout par les Grecs (v. 10) : la santé, cf. cependant Si **1** 18; **30** 14-16, la beauté, cf. Ps **45** 3; Si **26** 16-17; **36** 22, et la lumière du jour, cf. Qo **11** 7.
*h)* Ou bien : « leur commande en maîtresse », en réglant leur usage.
*i)* « la mère » mss grecs, lat.; « l'origine » texte reçu.
*j)* « l'acquièrent » mss grecs, syr.; « en usent » texte reçu, lat. L'image sous-jacente est celle de cadeaux offerts à un haut personnage pour solliciter son amitié. Ces cadeaux « proviennent de l'instruction », cf. **3** 11+; **6** 17, c'est-à-dire d'un enseignement qui règle la vie entière selon une authentique éducation morale et religieuse.

17 C'est lui qui m'a donné une connaissance infaillible des êtres,
pour connaître la structure du monde et l'activité des éléments,
18 le commencement, la fin et le milieu des temps,
les alternances des solstices et les changements des saisons,
19 les cycles de l'année [a] et les positions des astres,
1 R 5 13 20 la nature des animaux et les instincts des bêtes sauvages,
le pouvoir des esprits et les pensées des hommes,
les variétés de plantes et les vertus des racines.
21 Tout ce qui est caché et visible, je l'ai connu [b];
8 4, 6; 9 9; 14 2 car c'est l'ouvrière de toutes choses qui m'a ins-
Pr 8 22-31+ truit, la Sagesse!

### Éloge de la Sagesse [c].

Jc 3 17 22 En elle est, en effet, un esprit intelligent, saint,
unique, multiple, subtil,
mobile, pénétrant, sans souillure,
clair, impassible, ami du bien, prompt,
23 irrésistible, bienfaisant, ami des hommes,
ferme, sûr, sans souci,
1 6-10 qui peut tout, surveille tout,
pénètre à travers tous les esprits,
les intelligents, les purs, les plus subtils.
24 Car plus que tout mouvement la Sagesse est mobile;
elle traverse et pénètre tout à cause de sa pureté.
Si 24 3 25 Elle est en effet un effluve de la puissance de Dieu,
Ex 24 16+ une émanation toute pure de la gloire du Tout-Puissant;
aussi rien de souillé ne s'introduit en elle.
↗ He 1 3 26 Car elle est un reflet de la lumière éternelle [d],
↗ Jn 1 9 un miroir sans tache de l'activité de Dieu,
Col 1 15 une image de sa bonté.

27 Bien qu'étant seule, elle peut tout,
demeurant en elle-même, elle renouvelle l'univers Ps 102 27, 28; 104 30
et, d'âge en âge passant en des âmes saintes,
elle en fait des amis de Dieu [e] et des prophètes [f];
28 car Dieu n'aime que celui qui habite avec la Sagesse.
29 Elle est, en effet, plus belle que le soleil,
elle surpasse toutes les constellations,
comparée à la lumière, elle l'emporte;
30 car celle-ci fait place à la nuit,
mais contre la Sagesse le mal ne prévaut pas. ↗ Jn 1 5; 16 33

**8** 1 Elle s'étend avec force d'un bout du monde à l'autre
et elle gouverne l'univers pour son bien.

### La Sagesse épouse idéale pour Salomon.

2 C'est elle que j'ai chérie et recherchée dès ma jeunesse; 6 12-16
j'ai cherché à la prendre pour épouse Si 15 2
et je suis devenu amoureux de sa beauté.
3 Elle fait éclater sa noble origine en vivant avec Dieu,
car le maître de tout l'a aimée [g].
4 Elle est, de fait, initiée à la science de Dieu
et c'est elle qui choisit ses œuvres. Pr 8 27, 30
5 Si, dans la vie, la richesse est un bien désirable,
quoi de plus riche que la Sagesse, qui opère tout? 7 21+
6 Et si c'est l'intelligence qui opère,
qui est plus qu'elle l'ouvrière de ce qui est?
7 Aime-t-on la justice?
ses labeurs, ce sont les vertus [h],
elle enseigne, en effet, tempérance et prudence,
justice et force;
ce qu'il y a de plus utile pour les hommes dans la vie.
8 Désire-t-on encore un savoir étendu?
elle connaît le passé et conjecture l'avenir,

*a)* « de l'année » mss grecs, lat.; « des années » texte reçu.
*b)* Modernisant la notice de 1 R **5** 9-14, l'auteur prête à Salomon le savoir que recherchait surtout la culture hellénique de son temps. Dans ce contexte, Dieu apparaît comme la source de toute vérité, et les sciences humaines sont placées sous la dépendance de sa sagesse.
*c)* L'auteur prolonge ici d'une façon originale les personnifications antérieures de la Sagesse, cf. Pr **8** 22+. Comme il l'a annoncé, **6** 22, il précise à la fois la nature et l'origine, d'abord en énumérant les caractéristiques de l'Esprit divin que la Sagesse possède en propre et qui renseignent déjà sur sa nature, vv. 22-24 (on compte 21 attributs et ce chiffre, 3 × 7, paraît intentionnel pour signifier une perfection éminente); ensuite en déterminant la relation de la Sagesse à Dieu, vv. 25-26, à l'aide d'images qui indiquent à la fois provenance et participation intime. Faisant de nombreux emprunts de vocabulaire à la philosophie grecque, l'auteur souligne ensuite les différentes caractéristiques de la Sagesse et en vient à l'identifier à la providence divine, **8** 1. Cet éloge de la Sagesse qui partage l'intimité de Dieu, **8** 3, qui possède sa toute-puissance, **7** 23, 25, 27, et collabore à son œuvre créatrice, **7** 12, 22; **8** 4, 6, annonce déjà toute une théologie de l'Esprit à qui elle est assimilée, **9** 17, et dont elle reçoit les fonctions traditionnelles, cf. Is **11** 2+, mais surtout la christologie, notamment celle de saint Jean, et aussi celle de saint Paul (cf. Ep et Col) et de l'Épître aux Hébreux.
*d)* La « lumière éternelle » s'identifie avec Dieu, désigné sous cet aspect. Certains textes antérieurs suggéraient déjà l'idée d'une lumière transcendante qui émane de Dieu, Ha **3** 4, éclaire ses fidèles ou son peuple, Ps **18** 29; Is **2** 5, constitue le rayonnement de sa gloire, Is **60** 1, 19-20; Ba **5** 9, ou réside près de lui, Dn **2** 22+. Mais seul 1 Jn **1** 5 dira explicitement que « Dieu est lumière ».
*e)* Comme Abraham, Is **41** 8; 2 Ch **20** 7; Jc **2** 23, et Moïse, Ex **33** 11.
*f)* Non seulement les grands prophètes ou les scribes inspirés (Si **24** 33), mais encore tous ceux qui, par leur vie sainte et leur intimité avec Dieu, pénètrent davantage dans la connaissance de ses exigences ou de ses mystères et deviennent ses « interprètes » autorisés, capables d'éclairer les autres hommes.
*g)* La Sagesse continue d'apparaître au jeune Salomon comme une épouse idéale qui possède, non seulement la beauté (v. 2), mais une noblesse divine, puis (vv. 4-8) la source même du savoir, de la richesse, de l'efficacité, de la vertu et de l'expérience.
*h)* L'auteur reprend peut-être une interprétation allégorique de Pr **31** 10-31, appliquée à la Sagesse (cf. Pr **31** 30+). Il énumère ensuite les quatre grandes vertus des philosophes grecs, qui

elle sait l'art de tourner[a] les maximes et de
résoudre les énigmes,
les signes et les prodiges, elle les sait d'avance,
ainsi que la succession[b] des époques et des
temps.

**La Sagesse indispensable aux souverains.**

9 Je décidai donc de la prendre pour compagne de
ma vie,
sachant qu'elle me serait une conseillère pour le
bien,
et un encouragement dans les soucis et la tristesse :
10 « J'aurai à cause d'elle gloire parmi les foules
1 R 3 7s et, bien que jeune, honneur auprès des vieillards.
1 R 3 16-28 11 On me trouvera pénétrant dans le jugement
1 R 5 14, 21; et en présence des grands je serai admiré.
10 4-9 12 Si je me tais, ils m'attendront,
si je parle, ils seront attentifs,
si je prolonge mon discours, ils mettront la main
sur leur bouche[c].
13 J'aurai à cause d'elle l'immortalité
Ps 112 6 et je laisserai un souvenir éternel à ceux qui vien-
Si 39 9 dront après moi.
1 R 5 1 14 Je gouvernerai des peuples, et des nations me
seront soumises.
15 En entendant parler de moi, des souverains terribles auront peur;
je me montrerai bon avec la multitude et vaillant
à la guerre.

16 Rentré dans ma maison, je me reposerai auprès
d'elle;
car sa société ne cause pas d'amertume,
Qo 1 18 ni son commerce de peine,
Pr 3 17-18 mais du plaisir et de la joie. »

**Salomon va demander la Sagesse.**

17 Ayant médité cela en moi-même,
et considéré en mon cœur
que l'immortalité se trouve dans la parenté[d]
avec la Sagesse,
18 dans son amitié une noble jouissance,
dans les travaux de ses mains une richesse inépuisable,
dans sa fréquentation assidue l'intelligence,
et la renommée à s'entretenir avec elle,
j'allais de tous côtés, cherchant comment
l'obtenir pour moi.
19 J'étais un enfant d'un heureux naturel,
et j'avais reçu en partage une âme bonne,
20 ou plutôt, étant bon, j'étais venu dans un corps
sans souillure[e];
21 mais, comprenant que je ne pourrais devenir possesseur de la Sagesse que si Dieu me la donnait, Si 1 1
– et c'était déjà de l'intelligence que de savoir de
qui vient cette faveur –
je m'adressai au Seigneur et le priai,
et je dis de tout mon cœur :

**Prière pour obtenir la Sagesse[f].** 1 R 3 6-9

**9** 1 « Dieu des Pères et Seigneur de miséricorde[g],
toi qui, par ta parole, as fait l'univers, Si 42 15+
2 toi qui, par ta Sagesse, as formé l'homme
pour dominer sur les créatures que tu as faites, Gn 1 28+
3 pour régir le monde en sainteté et justice
et exercer le jugement en droiture d'âme,
4 donne-moi celle qui partage ton trône, la Sagesse, Pr 8 27, 30
et ne me rejette pas du nombre de tes enfants. Si 1 1

5 Car je suis ton serviteur et le fils de ta servante, Ps 86 16
un homme faible et de vie éphémère, 116 16
peu apte à comprendre la justice et les lois.
6 Quelqu'un, en effet, serait-il parfait parmi les fils
des hommes,
s'il lui manque la sagesse qui vient de toi, on le
comptera pour rien.
7 C'est toi qui m'as choisi[h] pour roi de ton peuple

deviendront plus tard les « vertus cardinales » de la théologie chrétienne.

*a)* Ou : « d'interpréter ». – « maximes » et « énigmes » signifient des sentences morales exprimées en termes volontairement obscurs. Cf. Jg **14** 12; Pr **1** 6; Si **39** 2-3; Ez **17** 2. Salomon y excellait, 1 R **5** 12; **10** 1-3; Qo **12** 9; Si **47** 15-17. Les termes associés : « signes » et « prodiges » renvoient surtout aux miracles de l'Exode, cf. **10** 16. D'après l'usage grec, ils désigneraient plutôt des phénomènes naturels extraordinaires ou exceptionnels, considérés comme difficilement prévisibles.

*b)* Ou : « les résultats, les issues ». Le texte envisage donc, soit le déroulement de l'histoire, soit les temps favorables aux initiatives ou entreprises humaines, cf. Qo **3** 1-8. – Cette description du « savoir étendu » de la Sagesse complète le tableau de **7** 17-21.

*c)* Attitude du silence, Pr **30** 32; Si **5** 12, sous l'effet, soit de la stupeur ou de la confusion, Mi **7** 16; Jb **21** 5; **40** 4, soit de l'admiration, Jb **29** 9.

*d)* Une « parenté » conférée par grâce (cf. v. 21). L'immortalité qui en résulte est d'abord celle du souvenir (cf. v. 13), mais sans doute aussi l'immortalité personnelle (cf. **4** 1) car la Sagesse doit communiquer ce qu'elle possède par nature.

*e)* Ce texte n'enseigne pas la préexistence de l'âme, comme on pourrait le croire si on l'isolait du contexte. Il corrige l'expression du v. 19, qui paraissait donner la priorité au corps comme sujet personnel, et souligne la prééminence de l'âme.

*f)* Cette prière s'inspire librement de celle rapportée par 1 R **3** 6-9 et 2 Ch **1** 8-10. Salomon y rappelle par divers traits sa condition historique, vv. 5 , 7-8, 12, mais l'horizon est élargi à la condition humaine à laquelle appartient Salomon, vv. 1-3, 5[b], 6, 13-17. Cette prière comprend trois sections (vv. 1-6; 7-12; 13-18), avec des correspondances mutuelles et la triple mention (4, 10, 17) de l'envoi de la Sagesse.

*g)* « de miséricorde » mss, versions; « de ta miséricorde » texte reçu. – Les « Pères » sont tous les ancêtres d'Israël, spécialement les Patriarches, Gn **32** 10; 2 Ch **20** 6, sans omettre David, 1 R **3** 6; 1 Ch **28** 9; 2 Ch **1** 9.

*h)* De préférence à Adonias et à ses autres frères, 1 R **1**; 1 Ch **28** 5-6.

et pour juge de tes fils et de tes filles.
2 S 7 13 1 R 5 19 8 Tu m'as ordonné de bâtir un temple sur ta mon-
Si 47 13 tagne sainte,
et un autel dans la ville où tu as fixé ta tente,
imitation de la Tente sainte que tu as préparée
dès l'origine [a].
9 4; 8 4 9 Avec toi est la Sagesse, qui connaît tes œuvres
7 21 et qui était présente quand tu faisais le monde;
Pr 8 22-31+ elle sait ce qui est agréable à tes yeux
et ce qui est conforme à tes commandements.

10 Mande-la des cieux saints,
de ton trône de gloire envoie-la,
pour qu'elle me seconde et peine avec moi,
et que je sache ce qui te plaît;
7 23 11 car elle sait et comprend tout.
Elle me guidera prudemment dans mes actions
Ex 24 16+ et me protégera par sa gloire [b].
12 Alors mes œuvres seront agréées,
je jugerai ton peuple avec justice
et je serai digne du trône de mon père.

13 Quel homme en effet peut connaître le dessein de Rm 11 34
Dieu, 1 Co 2 16
et qui peut concevoir ce que veut le Seigneur?
14 Car les pensées des mortels sont timides,
et instables nos réflexions;
15 un corps corruptible, en effet, appesantit l'âme, Jb 4 19
et cette tente d'argile alourdit l'esprit aux multi- Is 38 12
ples soucis [c]. Rm 7 14-25+
16 Nous avons peine à conjecturer ce qui est sur la Jn 3 6
terre,
et ce qui est à notre portée nous ne le trouvons Dt 30 11+
qu'avec effort,
mais ce qui est dans les cieux, qui l'a découvert? Is 55 9
17 Et ta volonté, qui l'a connue, sans que tu aies Jn 3 12
donné la Sagesse Mt 11 27
et envoyé d'en haut ton esprit saint?
18 Ainsi ont été rendus droits les sentiers de ceux
qui sont sur la terre,
ainsi les hommes ont été instruits de ce qui te Ba 4 4
plaît
et, par la Sagesse, ont été sauvés [d]. »

## III. *La Sagesse à l'œuvre dans l'histoire*

### D'Adam à Moïse.

10 1 C'est elle qui protégea le premier modelé,
père du monde,
qui avait été créé seul [e],
c'est elle qui le tira de sa propre chute [f]
Gn 1 26, 28 2 et lui donna la force de devenir maître de tout.
Sg 9 2 3 Mais quand dans sa colère, un injuste [g] se fut
écarté d'elle,
Gn 4 8-13 il périt par ses fureurs fratricides.
Gn 7-8 4 Lorsqu'à cause de lui la terre fut submergée, c'est
P 3 20-21 la Sagesse encore qui la sauva,
en pilotant le juste [h] à l'aide d'un bois sans Gn 6 9
valeur. Sg 14 6-7
5 Et lorsque, unanimes en leur perversité, les
nations eurent été confondues, Gn 11 1-9
c'est elle qui reconnut le juste [i], le conserva sans Gn 12 1-3
reproche devant Dieu,
et le garda fort contre sa tendresse pour son Gn 22 1-19
enfant.
6 C'est elle qui, lors de la destruction des impies, Gn 19
délivra le juste [j] 2 P 2 6-8
qui fuyait le feu descendant sur la Pentapole.
7 En témoignage de sa perversité,
une terre désolée continue de fumer;

*a)* Le mot « imitation » concerne à la fois le Temple et l'autel (il s'agit de l'autel des holocaustes, visible par tous, 1 R **8** 22, 54, 62-64). On identifie la « Tente sainte », préparée par Dieu lui-même, soit avec le temple céleste de Dieu, Ps **18** 7; **96** 6; He **8** 2; **9** 11; Ap **3** 12, etc. (pour un autel céleste, cf. Ap **6** 9; **8** 3-4; **14** 18), soit avec l'exemplaire divin du Temple de Jérusalem, Ex **15** 17; 1 Ch **28** 19, soit avec le sanctuaire de l'Exode, Si **24** 10, exécuté d'après un modèle donné par Dieu, Ex **25** 9, 40, Ac **7** 44; He **8** 5.
*b)* Par sa puissance, cf. Rm **6** 4. Ou : « elle me gardera dans sa gloire » en me guidant à sa lumière cf. Is **60** 1-3; Ba **5** 7, 9, ou en m'enveloppant comme d'une nuée protectrice, cf. Si **14** 27.
*c)* Les termes employés dans ce v. rappellent l'opposition établie par la philosophie grecque entre le corps et l'âme ou l'esprit, cf. Rm **7** 25+, cependant l'auteur estime normale l'union de l'âme et du corps. Dans l'AT l'image de la « tente » évoque la précarité de l'existence humaine, Jb **4** 21; Is **33** 20; **38** 12; l'épithète « d'argile », litt. « de terre » peut renvoyer à Jb **4** 19 ou Gn **2** 7. Dans le NT, on rapprochera 2 Co **4** 7; **5** 1-4; 2 P **1** 13-14, et aussi l'opposition marquée par Ga **5** 17; Rm **7** 14-15.
*d)* Des périls temporels et spirituels. Cette action salutaire de la Sagesse est illustrée par le développement suivant qui sert de transition à la troisième partie. – De nombreux mss latins ajoutent ici : « tous ceux qui, Seigneur, t'ont plu dès l'origine ».
*e)* Adam, seul dans le monde, comme Dieu est seul au ciel.
*f)* Certains mss latins portent ici : « et elle le tira du limon de la terre, et elle l'arracha à sa faute ». La première leçon provient sans doute d'une glose explicative sur « premier modelé ». – Le thème du repentir et du relèvement d'Adam (une opinion juive souvent reprise par les Pères de l'Église) est mis en relation avec l'influence miséricordieuse de la Sagesse qui permet à Adam de garder, après la faute, sa domination sur le monde et lui donne la force de l'exercer.
*g)* Caïn, cf. Gn **4** 8-13. – Par son meurtre, ou bien il se condamna lui-même à une existence misérable (terminée tragiquement selon certaines légendes juives), ou bien il fut la cause de l'extermination de sa race par le déluge, v. 4, ou bien il se livra volontairement à la mort véritable, cf. **1** 11[d]-12, 16.
*h)* Noé, cf. Gn **6** 9.
*i)* Abraham, cf. Gn **22**.
*j)* Lot. cf. Gn **19**.

Dt 32 32 les arbustes y donnent des fruits qui ne mûrissent
pas en leur temps
et, mémorial d'une âme incrédule, se dresse une
Gn 19 26 colonne de sel.
8 Car, pour s'être écartés du chemin de la Sagesse,
non seulement ils ont subi le dommage de ne pas
connaître le bien,
Gn 19 1+ mais ils ont encore laissé aux vivants un monument de leur folie,
afin que leurs fautes mêmes, ils ne puissent les
cacher.

9 Mais la Sagesse a délivré ses fidèles de leurs
peines.
Gn 27 43 10 Ainsi le juste [a] qui fuyait la colère de son frère,
elle le guida par de droits sentiers ;
Gn 28 10-22 elle lui montra le royaume de Dieu
et lui donna la connaissance des choses saintes [b];
Gn 29 1 elle le fit réussir dans ses durs travaux
31 16 et fit fructifier ses peines;
11 elle l'assista contre la cupidité de ceux qui l'opprimaient,
et elle le rendit riche;
Gn 31 23-29; 12 elle le garda de ses ennemis
32-33 et le protégea de ceux qui lui dressaient des
embûches;
Gn 32 25-31 elle lui donna la palme en un rude combat,
Os 12 4-5 pour qu'il sût que la piété est plus puissante que
1 Tm 4 8 tout [c].

Gn 37-39 13 C'est elle qui n'abandonna pas le juste vendu [d],
mais elle l'arracha au péché;
14 elle descendit avec lui dans la citerne,
Ps 105 17-22 elle ne le délaissa pas dans les fers,
Gn 41 40-44 jusqu'à ce qu'elle lui eût apporté le sceptre royal
et l'autorité sur ceux qui le tyrannisaient,
jusqu'à ce qu'elle eût convaincu de mensonge
ceux qui l'avaient diffamé
et qu'elle lui eût donné une gloire éternelle.

### L'Exode.

15 C'est elle qui délivra un peuple saint et une race 18 1
irréprochable [e] Ex 19 6+
d'une nation d'oppresseurs.
16 Elle entra dans l'âme d'un serviteur du Seigneur
et tint tête à des rois redoutables [f] par des prodi- Ex 7-12
ges et des signes. Ps 135 9-10
17 Aux saints elle remit le salaire de leurs peines,
elle les guida par un chemin merveilleux,
elle devint pour eux un abri pendant le jour,
et une lumière d'astres pendant la nuit [g]. Ex 13 21-22+
18 Elle leur fit traverser la mer Rouge Ex 14 21-29
et les conduisit à travers l'onde immense,
19 tandis qu'elle submergea leurs ennemis,
puis les rejeta des profondeurs de l'abîme.
20 Aussi les justes dépouillèrent-ils les impies [h];
ils célébrèrent, Seigneur, ton saint Nom
et, d'un cœur unanime, chantèrent ta main Ex 15
secourable;
21 car la Sagesse ouvrit la bouche des muets
et elle rendit claire la langue des tout-petits [i]. Ps 8 3
11 1 Elle fit prospérer leurs entreprises par la Mt 21 16
main d'un saint prophète [j]. Dt 18 15, 18
2 Ils traversèrent un désert inhabité 34 10
et plantèrent leurs tentes en des lieux inaccessi- Os 12 14
bles.
3 Ils tinrent tête à leurs ennemis et repoussèrent
leurs adversaires [k].

### Le miracle de l'eau. Première antithèse [l].

4 Dans leur soif, ils t'invoquèrent :
de l'eau leur fut donnée d'un rocher escarpé Ex 17 1-7
et, d'une pierre dure, un remède à leur soif. Nb 20 2-1

*a)* Jacob, cf. Gn **27** 41-45; **28** 5-6.
*b)* Ou : « des saints », c'est-à-dire des anges, Gn **28** 12. Les « choses saintes » peuvent désigner les révélations concernant la cour céleste ou s'entendre des promesses faites à Jacob, Gn **28** 13-15.
*c)* Dans sa « lutte avec Dieu » Jacob l'aurait donc emporté, non par la force physique, mais par la vigueur de sa piété. Seule celle-ci peut contraindre Dieu et obtenir l'assurance de sa bénédiction. L'épisode est donc interprété dans le sens d'une expérience spirituelle.
*d)* Joseph, cf. Gn **39-41**.
*e)* Le peuple de l'Exode est « saint » et « irréprochable » en raison de sa vocation, Ex **19** 6; Lv **19** 2, et des valeurs religieuses qu'il incarne. En même temps l'auteur idéalise le passé et continuera de le faire dans la troisième partie; son but est triple : illustrer par l'histoire le traitement différent des justes et des impies, exalter la supériorité religieuse et morale du judaïsme, enfin montrer que le passé préfigure le futur apocalyptique.
*f)* Généralisation oratoire : il s'agit du Pharaon.
*g)* L'auteur attribue à la Sagesse ce qu'Ex dit de Dieu présent dans la Nuée.
*h)* Selon la tradition juive, les Israélites dépouillèrent de leurs armes les Égyptiens morts.
*i)* Jadis Dieu avait délié la langue de Moïse pour parler à Pharaon, Ex **4** 10; **6** 12, 30. Cette fois il intervient pour que tous les Israélites sans exception puissent s'associer à sa louange. L'auteur suit ici une tradition juive qui va s'amplifiant dans les textes rabbiniques.
*j)* Moïse, cf. Nb **12** 7+; Dt **18** 15.
*k)* La longue marche au désert est résumée en quelques phrases pour préparer un développement distinct. La sagesse n'est plus mentionnée, sauf **14** 2, 5 et l'auteur s'adresse à Dieu dans une sorte de méditation sur les événements de l'Exode. Il va opposer constamment, mais avec de longues digressions (**12** 2-22; **13** 1-**15** 13), le traitement des Israélites considérés comme un peuple de justes, cf. **10** 15, et celui des Égyptiens, devenus le symbole de l'endurcissement des impies. Par ses libertés à l'égard des sources bibliques antérieures, tout ce développement s'apparente au midrash ou commentaire rabbinique de l'Écriture.
*l)* A propos du miracle de l'eau au désert, l'auteur va mettre en œuvre une comparaison complexe dont le principe est posé au v. 5. En même temps il s'attache à justifier les châtiments correspondants d'après une sorte de « talion divin » énoncé au v. 16. D'autres antithèses suivront plus loin, cf. **16** 1, 5, 15; **17** 1; **18** 5; **19** 1, mais on ne s'accorde pas sur leur chiffre précis et il est souvent difficile de les délimiter exactement.

6 5 Ainsi ce par quoi avaient été châtiés leurs ennemis
devint un bienfait pour eux dans leurs difficultés.
6 Tandis que les premiers n'avaient que la source
intarissable
Ex 7 17-21 d'un fleuve que troublait un sang mêlé de boue,
Ex 1 15-16 7 en punition d'un décret infanticide [a].
Ex 17 3-6 Tu donnas aux tiens, contre tout espoir, une eau
abondante,
9 8 montrant par la soif qu'alors ils ressentirent
comment tu avais châtié leurs adversaires.
Dt 8 2-5 9 Par leurs épreuves, qui n'étaient pourtant qu'une
correction de miséricorde,
ils comprirent comment un jugement de colère
torturait les impies [b];
Dt 8 5+ 10 car eux, tu les avais éprouvés en père qui avertit,
Sg 12 22 mais ceux-là, tu les avais punis en roi inexorable
qui condamne,
12 11 et de loin comme de près, ils se consumaient
pareillement.
13 12 Car une double tristesse les saisit,
et un gémissement, au souvenir du passé [c];
14 13 lorsqu'ils apprirent, en effet, que cela même qui
les châtiait
était un bienfait pour les autres [d], ils reconnurent
le Seigneur [e],
Ex 1 22; 2 3 14 car celui que jadis ils avaient fait exposer, puis
repoussé avec dérision [f],
ils l'admirèrent au terme des événements,
ayant souffert d'une soif bien différente de celle
des justes.

**Modération divine envers l'Égypte.**

12 24-25 15 Pour leurs sottes et coupables pensées,
Rm 1 21 qui les égaraient en leur faisant rendre un culte
à des reptiles sans raison et à de misérables bestioles [g],
tu leur envoyas en punition une multitude d'animaux sans raison [h]
17 16 afin qu'ils sachent qu'on est châtié par où l'on
pèche [i].

17 Ta main toute puissante, certes, n'était pas 18
embarrassée,
– elle qui a créé le monde d'une matière informe [j] –
pour envoyer contre eux une multitude d'ours ou
de lions intrépides,
18 ou bien des bêtes féroces inconnues, nouvelle- 19
ment créées, pleines de fureur,
exhalant un souffle enflammé, Ap 9 17
émettant une fumée infecte [k],
ou faisant jaillir de leurs yeux de terribles étin- Jb 41 10-13
celles,
19 des bêtes capables, non seulement de les anéantir 20
par leur malfaisance,
mais encore de les faire périr par leur aspect terrifiant.
20 Sans cela même, d'un seul souffle ils pouvaient Jb 4 9
tomber, Is 11 4
poursuivis par la Justice,
balayés par le souffle de ta puissance.
Mais tu as tout réglé avec mesure, nombre et Is 40 12
poids. Jb 28 25
Si 1 9

**Raisons de cette modération.**

21 Car ta grande puissance est toujours à ton ser- 22
vice,
et qui peut résister à la force de ton bras?
22 Le monde entier est devant toi comme ce qui fait Is 40 15
pencher la balance [l],
comme la goutte de rosée matinale qui descend Os 6 4; 13 3
sur la terre.
23 Mais tu as pitié de tous [m], parce que tu peux tout, Si 18 12
tu fermes les yeux sur les péchés des hommes, 12 2, 10
pour qu'ils se repentent. Rm 2 4; 3 25
24 Tu aimes en effet tout ce qui existe, Gn 1 31+
et tu n'as de dégoût pour rien de ce que tu as fait; Ps 145 9
car si tu avais haï quelque chose, tu ne l'aurais Sg 1 13-14;
pas formé. 2 23-24
25 Et comment une chose aurait-elle subsisté, si tu 26
ne l'avais voulue?
Ou comment ce que tu n'aurais pas appelé
aurait-il été conservé?

*a)* Selon Ex 7 14-25, c'est pour contraindre Pharaon à laisser partir les Israélites que Yahvé changea les eaux du Nil en sang. L'auteur fait ici de ce miracle le châtiment du décret de Ex 1 15s.

*b)* La soif, et peut-être aussi les autres souffrances que les Israélites endurèrent au désert devaient leur faire comprendre le châtiment des Égyptiens.

*c)* « au souvenir du passé » corr. d'après certains mss; « des souvenirs passés » texte reçu.

*d)* L'eau retirée aux Égyptiens, miraculeusement donnée aux Israélites, 11 4.

*e)* De nombreux mss latins ajoutent ici : « pleins d'admiration à l'issue des événements », addition qui provient de 14[b].

*f)* Moïse exposé sur les eaux, Ex 1 22; 2 3, rebuté par Pharaon, Ex 5 2-5; 7 13, 22, etc.

*g)* Le culte des animaux, « reptiles » (le crocodile, le serpent, le lézard, la grenouille), « misérables bestioles » (le scarabée), était très en honneur dans l'Égypte des Ptolémées.

*h)* Grenouilles, Ex 8 1-2; moustiques, 8 13-14; taons, 8 20; sauterelles, 10 12-15.

*i)* Cf. 12 23; 16 1; 18 4 et Gn 9 6; Jg 1 6-7; 1 Sm 15 23; 2 M 4 26; 13 8; Pr 5 22, etc.

*j)* Expression philosophique inspirée partiellement de Platon (Timée 51 A) et devenue courante à l'époque pour désigner l'état indifférencié de la matière, suppposée éternelle. L'auteur n'a aucune raison de soustraire la matière à l'activité créatrice et songe sans doute à l'organisation du monde à partir de la masse chaotique, Gn 1 1.

*k)* « une fumée infecte », litt. « une puanteur de fumée »; « puanteur » mss, versions; « grondement » texte reçu.

*l)* On peut encore comprendre : « qui ne fait pas pencher la balance ».

*m)* La pensée des vv. 23s n'est pas nouvelle en Israël, mais jamais on n'avait exprimé avec autant de force et sous forme de raisonnement, l'universalité de la pitié de Dieu pour les

Ez 33 11; 26 Mais tu épargnes tout, parce que tout est à toi,
18 23+ Maître ami de la vie!
Gn 2 7+ 12 1 Car ton esprit incorruptible est en toutes
choses [a]!
2 Aussi est-ce peu à peu que tu reprends ceux qui
tombent;
Am 4 6+ tu les avertis, leur rappelant en quoi ils pèchent,
Lc 15 7 pour que, débarrassés du mal, ils croient en toi,
Seigneur.

**Modération de Dieu envers Canaan.**

3 Les anciens habitants [b] de la terre sainte,
Dt 12 31; 4 tu les avais pris en haine pour leurs détestables
18 10s pratiques,
actes de sorcellerie, rites impies.
Lv 18 21+ 5 Ces impitoyables tueurs d'enfants,
ces mangeurs d'entrailles en des banquets de
chairs humaines et de sang,
ces initiés membres de confrérie [c],
6 ces parents meurtriers d'êtres sans défense,
Nb 33 51-56 tu avais voulu les faire périr par les mains de nos
Dt 20 16-18 pères,
Dt 11 12 7 pour que cette terre, qui de toutes t'est la plus
chère,
reçût une digne colonie d'enfants de Dieu.
Ps 78 39; 8 Eh bien! même ceux-là, parce que c'étaient des
103 14 hommes, tu les as ménagés [d],
Sg 6 7; 11 23+
Ex 23 28+ et tu as envoyé des frelons comme avant-coureurs de ton armée,
pour les exterminer petit à petit [e].
9 Non qu'il te fût impossible de livrer des impies
aux mains de justes en une bataille rangée,
11 17-19 ou de les anéantir d'un seul coup au moyen de
bêtes cruelles ou d'une parole inexorable;
12 2 10 mais en exerçant tes jugements peu à peu, tu
laissais place au repentir.
Tu n'ignorais pourtant pas que leur nature était
perverse,
leur malice innée,
et que leur mentalité ne changerait jamais [f];
11 car c'était une race maudite dès l'origine. Gn 9 25
Sg 3 12, 19

**Raisons de cette modération.**

Et ce n'est pas non plus par crainte de personne
que tu accordais l'impunité à leurs fautes.
12 Car qui dira : Qu'as-tu fait? Jb 9 12
Ou qui s'opposera à ta sentence? Rm 9 19-23
Et qui te citera en justice pour avoir fait périr des Jb 9 19
nations que tu as créées?
Ou qui se portera contre toi le vengeur
d'hommes injustes?
13 Car il n'y a pas, en dehors de toi, de Dieu qui Dt 32 39
ait soin de tous, Jb 34 13+
pour que tu doives lui montrer que tes jugements
n'ont pas été injustes.
14 Il n'y a pas non plus de roi ou de souverain qui
puisse te regarder en face au sujet de ceux que tu
as châtiés.
15 Mais, étant juste, tu régis l'univers avec justice, Gn 18 25
et tu estimes que condamner celui qui ne doit pas
être châtié [g], serait incompatible avec ta puissance.
16 Car ta force est le principe de ta justice [h],
et de dominer sur tout te fait ménager tout.
17 Tu montres ta force, si l'on ne croit pas à la plénitude de ta puissance,
et tu confonds l'audace de ceux qui la connaissent;
18 mais toi, dominant ta force, tu juges avec modération, et tu nous [i] gouvernes avec de grands
ménagements,
car tu n'as qu'à vouloir, et ta puissance est là. Ps 115 3;
135 6

pécheurs (cf. Jon **3-4**), le rôle déterminant de l'amour dans la création et la conservation des êtres.
*a)* C'est le souffle vital répandu par Dieu dans les créatures, Gn **2** 7; **6** 3; Ps **104** 29-30; Jb **27** 3; **34** 14-15. Il ne semble pas que l'auteur fasse allusion à l'esprit de la philosophie stoïcienne ou à l'âme du monde. – La Vulg. et de nombreux mss latins traduisent (à tort) : « comme il est bon et doux, Seigneur, ton esprit en tous les êtres ».
*b)* Une liste est donnée par Dt **7** 1, mais l'auteur vise principalement les Cananéens.
*c)* « mangeurs d'entrailles » lat.; « (banquet) où l'on mange les entrailles » 3 mss; « (banquet) de mangeurs d'entrailles » texte reçu. – « membres de confrérie », litt. « du milieu du thiase » plusieurs mss; dans le texte reçu, l'expression est corrompue et n'a pas de sens. Ce cannibalisme n'est pas attesté en Canaan, mais se rencontre chez d'autres peuples de l'antiquité. L'auteur emprunte des traits aux « mystères » hellénistiques et fait allusion aux rites mal famés de certains d'entre eux.
*d)* Ce trait insiste moins sur la fragilité foncière de l'homme Gn **8** 31; Ps **78** 39; **103** 14-15, etc., que sur sa dignité essentielle Gn **1** 26-27; Ps **8** 5-7 autorisant des relations privilégiées avec la Sagesse divine, Pr **8** 31. Cette dignité était reconnue aussi par le stoïcisme, mais avec une insistance particulière sur la notion commune d'humanité.
*e)* L'auteur transforme le sens donné à l'épisode des « frelons », Ex **23** 28; Dt **7** 20, par les textes anciens, préoccupés d'expliquer le retard apporté à l'extermination des Cananéens. Au lieu de se soucier seulement d'Israël, Dieu exerçait ainsi sa miséricorde envers les Cananéens pécheurs.
*f)* Non pas en vertu d'une prédestination positive au mal, mais en raison de leur refus de se repentir. Dieu savait que, comme le Pharaon, ils « s'endurciraient », ce qu'illustre le rappel de la malédiction de Canaan, Gn **9** 25, transposée sur un plan moral, cf. **3** 12, 19; **4** 3-6.
*g)* Par suite d'une altération ancienne du verbe « condamner » et d'une coupure malheureuse, presque tous les mss latins portent : « celui-là aussi qui ne doit pas être puni, tu le condamnes ».
*h)* Parce qu'il possède la plénitude de la force et n'a aucune raison d'en abuser (cf. au contraire **2** 11), Dieu exerce sa justice avec une entière impartialité et liberté; de même sa souveraine maîtrise sur tous les êtres l'autorise et l'invite à user de clémence envers tous.
*i)* Ou bien l'auteur s'identifie avec tous les hommes, ou bien il amorce déjà (cf. vv. 21-22) l'idée d'un traitement de faveur réservé aux Israélites.

**Leçons données par Dieu à Israël.**

19 En agissant ainsi, tu as appris à ton peuple
que le juste doit être ami des hommes [a],
et tu as donné le bel espoir à tes fils
11 23 qu'après les péchés tu donnes le repentir.
20 Car, si ceux qui étaient les ennemis de tes enfants
et promis à la mort,
tu les as punis avec tant d'attention et d'indulgence [b],
leur donnant temps et lieu pour se défaire de leur
malice [c],
21 avec quelle précaution n'as-tu pas jugé tes fils,
Gn 12 7+ toi qui, par serments et alliances, as fait à leurs
pères de si belles promesses?
11 10 22 Ainsi, tu nous instruis, quand tu châties nos
ennemis avec mesure [d],
Mt 5 7; 7 2 pour que nous songions à ta bonté quand nous
jugeons,
et, quand nous sommes jugés, nous comptions
sur la miséricorde.

**Retour aux Égyptiens. Leur châtiment progressif.**

23 Voilà pourquoi aussi ceux qui avaient mené dans
l'injustice une vie insensée,
11 16 tu les as torturés par leurs propres abominations [e];
24 car ils avaient erré trop loin sur les chemins de
l'erreur,
11 15 en prenant pour des dieux les plus vils et les plus
méprisés des animaux [f],
trompés comme de tout petits enfants sans intelligence.
25 Aussi, comme à des enfants sans raison,
leur as-tu envoyé un jugement de dérision.
26 Mais ceux qui ne s'étaient pas laissé avertir par
une réprimande dérisoire
allaient subir un jugement digne de Dieu.

27 Sur ces êtres qui les faisaient souffrir et contre
lesquels ils s'indignaient,
ces êtres qu'ils tenaient pour dieux et par lesquels 11 15
ils étaient châtiés,
ils virent clair, et celui que jadis ils refusaient de
connaître, ils le reconnurent pour vrai Dieu.
Et c'est pourquoi l'ultime condamnation s'abattit
sur eux [g].

**Procès de l'idolâtrie [h]. Divinisation de la nature.**

13 1 Oui, vains par nature tous les hommes en qui
se trouvait l'ignorance de Dieu,
qui, en partant des biens visibles, n'ont pas été
capables de connaître Celui-qui-est, Ex 3 14+
et qui, en considérant les œuvres, n'ont pas
reconnu l'Artisan [i]. Ap 14 17
2 Mais c'est le feu, ou le vent, ou l'air rapide, Rm 1 19-20
ou la voûte étoilée, ou l'eau impétueuse, Si 17 8
ou les luminaires du ciel, qu'ils ont considérés Dt 4 19; 17 3
comme des dieux, gouverneurs du monde! Jb 31 26-28

3 Que si, charmés de leur beauté, ils les ont pris
pour des dieux,
qu'ils sachent combien leur Maître est supérieur,
car c'est la source même de la beauté qui les a
créés [j].
4 Et si c'est leur puissance et leur activité qui les
ont frappés,
qu'ils en déduisent combien plus puissant est
Celui qui les a formés,
5 car la grandeur et la beauté des créatures
font, par analogie, contempler leur Auteur. 13 1+

6 Ceux-ci toutefois ne méritent qu'un blâme
léger [k];
peut-être en effet ne s'égarent ils
qu'en cherchant Dieu et en voulant le trouver : Ac 17 27
7 versés dans ses œuvres, ils les explorent

*a)* A l'exemple de la Sagesse, **1** 6; **7** 23. Cette attitude correspond à l'universalisme foncier des écrits de sagesse et trouvera une expression nouvelle dans le NT, cf. Mt **5** 43-48.
*b)* « d'indulgence » une partie des mss; « de prière » texte reçu, syr.; « tu as sauvé » quelques mss, lat., arm.; d'autres témoins omettent le mot.
*c)* Cf. **12** 2. L'idée que Dieu tente d'arracher son peuple au péché par des épreuves et des châtiments est fréquente dans l'AT, cf. Am **4** 6+. L'auteur l'étend délibérément à tous les hommes pécheurs, cf. déjà Jb **33** 14-22; **34** 29-32; Jon **3-4**.
*d)* « avec mesure » *en métriotèti* conj.; « avec une myriade (de coups) » *en muriotèti* texte reçu.
*e)* Désignation biblique des faux dieux et des idoles, cf. Dt **7** 26; **27** 15, etc. Le culte des animaux est ici visé et l'auteur renoue avec **11** 15-16.
*f)* « les plus vils et les plus méprisés des animaux », litt. « ceux qui même chez les animaux sont méprisés parmi les vils »; « parmi les vils » mss; « chez les animaux des ennemis » ou « parmi les hostiles » texte reçu.
*g)* Pharaon reconnut enfin l'action de Dieu, Ex **12** 31-32, après s'y être longtemps refusé, Ex **7-11**, mais n'en continua pas moins à le braver.
*h)* A propos du culte des animaux, l'auteur se livre à une critique générale de l'idolâtrie sous ses trois grandes formes : divinisation des forces naturelles et des astres, **13** 1-9; culte des idoles fabriquées par l'homme, **13** 10-**15** 17; culte des animaux, **15** 18-19. Il s'inspire sans doute d'un schéma courant, car des classifications analogues se rencontrent ailleurs dans les écrits du Judaïsme hellénisé, en particulier chez Philon. Mais la pensée reste originale et le développement intègre des considérations diverses sur la navigation, **14** 1-7, sur les origines de l'idolâtrie, **14** 12-21, sur les maux qu'elle entraîne, **14** 22-31, et sur la condition privilégiée du peuple juif, **15** 1-5.
*i)* Le spectacle et l'étude de la nature devraient élever l'esprit humain jusqu'à un Dieu transcendant et créateur de tout.
*j)* Touche grecque, cf. encore vv. 5, 7; Si **43** 9-12. L'AT avait souvent célébré la grandeur et la puissance de Dieu dans la création, Jb **36** 22-26; Ps **19** 2; Is **40** 12-14, etc., mais non la beauté de l'univers conçu comme une œuvre d'art reflétant son auteur.
*k)* ou : « moindre », par comparaison avec les idolâtres du v. 10.

et se laissent prendre aux apparences, tant ce
qu'on voit est beauté!
8 Et pourtant eux non plus ne sont point pardonna-
bles :
9 s'ils ont été capables d'acquérir assez de science
pour pouvoir scruter le monde,
comment n'en ont-ils pas plus tôt découvert le
Maître!

**Le culte des idoles** [a].

10 Mais malheureux sont-ils, avec leurs espoirs mis
en des choses mortes,
Dt **4** 28 ceux qui ont appelé dieux des ouvrages de mains
2 R **19** 18 Is **40** 18-20 d'hommes,
or, argent, traités avec art,
figures d'animaux,
ou pierre inutile, ouvrage d'une main antique.

Is **40** 20+ 11 Et voici encore un bûcheron : il scie un arbre
Jr **10** 3-5 facile à manier,
il en racle soigneusement toute l'écorce,
il le travaille avec adresse,
**15** 7-13 il en forme un objet propre aux usages de la vie.
12 Quant aux déchets de son travail,
il les emploie à préparer sa nourriture et il se rassasie.
13 Et le déchet qui en reste et qui n'est bon à rien,
un bois tordu et poussé tout en nœuds :
il le prend et le sculpte avec l'application des
heures de loisir,
il le façonne, avec le savoir-faire des instants de
détente;
il lui donne une figure humaine,
14 ou bien il le fait semblable à quelque vil animal,
le recouvre de vermillon, en rougit la surface à
la sanguine,
recouvre d'un enduit toutes ses taches.
15 Puis il lui fait une habitation convenable,
Is **46** 7 le place dans un mur et l'assure avec du fer.
16 Ainsi veille-t-il à ce qu'il ne tombe pas,
sachant bien qu'il est incapable de s'aider lui-
même,
Ba **6** 25-27 car ce n'est qu'une image, et il a besoin d'aide [b]!

17 Pourtant, s'il veut prier pour ses biens, son
mariage, ses enfants,
il ne rougit pas d'adresser la parole à cet objet Is **44** 17
sans vie; Jr **2** 27
pour la santé, il invoque ce qui est faible,
18 pour la vie, il implore ce qui est mort,
pour un secours, il supplie ce qui a le moins
d'expérience,
pour un voyage, ce qui ne peut même pas se ser- Ps **115** 4-7
vir de ses pieds,
19 pour un gain, une entreprise, le succès du travail
de ses mains,
il demande de la vigueur à ce qui n'a pas la
moindre vigueur dans les mains!

**14** 1 Tel autre qui prend la mer pour traverser les
flots farouches
invoque à grands cris un bois plus fragile que le
bateau qui le porte [c].
2 Car ce bateau, c'est la soif du gain qui l'a conçu,
c'est la sagesse artisane [d] qui l'a construit;
3 mais c'est ta Providence [e], ô Père, qui le pilote,
car tu as mis un chemin jusque dans la mer, Ps **77** 20
et dans les flots un sentier assuré [f], Is **43** 16
4 montrant que tu peux sauver de tout,
en sorte que, même sans expérience, on puisse
embarquer.
5 Tu ne veux pas que les œuvres de ta Sagesse
soient stériles;
c'est pourquoi les hommes confient leur vie
même à un bois minuscule,
traversent les vagues sur un radeau et demeurent
sains et saufs. Ps **107** 29-30
6 Et de fait, aux origines, tandis que périssaient les
géants orgueilleux [g], Gn **6** 1-5+
l'espoir du monde se réfugia sur un radeau [h] Si **16** 7 Ba **3** 26-28
et, piloté par ta main, laissa aux siècles futures
le germe d'une génération nouvelle.
7 Car il est béni, le bois par lequel advient la jus- Ga **3** 13-14
tice [i],
8 mais maudite l'idole fabriquée [j], elle et celui qui Dt **27** 15
l'a faite.
lui, pour y avoir travaillé, et elle parce que,

*a)* La polémique contre les idoles, qui apparaît chez les philosophes grecs, était un lieu commun dans les écrits bibliques, cf. surtout Is **44** 9-20; Jr **10** 1-16; Ba **6**, etc.
*b)* Description calculée pour jeter le ridicule sur l'idole : la matière est du bois de rebut, l'artiste un vulgaire artisan, le travail est fait sans soin et l'objet ne tiendra même pas debout.
*c)* Figure de proue ou de poupe, à l'effigie d'une divinité protectrice de la navigation, cf. Ac **28** 11.
*d)* L'habileté technique de l'artisan, fruit de la Sagesse, **8** 6; cf. Ex **31** 3; **35** 31.
*e)* Le terme, qui paraît ici pour la première fois dans les LXX, est emprunté à la philosophie et à la littérature grecques. Cependant l'idée est biblique, Jb **10** 12; Ps **145** 8s, 15s; **147** 9, etc.
*f)* En reprenant deux textes qui font allusion au passage de la mer Rouge, Ps **77** 20; Is **43** 16 l'auteur veut illustrer la maîtrise de Dieu sur la mer et son pouvoir de protéger efficacement les navigateurs.
*g)* Ces géants tiennent une grande place dans les traditions ou légendes juives, cf. Gn **6** 4; Si **16** 7; Ba **3** 26, et l'apocryphe qu'on appelle troisième livre des Maccabées (3 M **2** 4), de même que dans certaines légendes grecques.
*h)* L'arche de Noé, cf. déjà **10** 4.
*i)* En servant à l'accomplissement des desseins de Dieu. Plusieurs Pères ont appliqué ce texte au bois de la Croix.
*j)* Litt. : « la chose faite à la main », c-à-d. de main d'homme, mais ce mot composé désigne souvent les idoles dans les LXX.

corruptible, elle a été appelée dieu.
9 Car Dieu déteste également l'impie et son impiété,
10 et l'œuvre sera châtiée avec l'ouvrier.
Ex **12** 12 — 11 Aussi y aura-t-il une visite même pour les idoles
Is **2** 18, 20 — des nations,
Jr **10** 11, 15
Za **13** 2 — parce que, dans la création de Dieu, elles sont devenues une abomination,
un scandale pour les âmes des hommes,
Ex **23** 33 — un piège pour les pieds des insensés.

**Origine du culte des idoles.**

Ex **34** 16 — 12 L'idée de faire des idoles a été l'origine de la for-
Dt **31** 16 — nication,
leur découverte a corrompu la vie [a].
13 Car elles n'existaient pas à l'origine, et elles n'existeront pas toujours;
14 c'est par la vanité des hommes qu'elles ont fait leur entrée dans le monde [b],
**14** 11 — aussi bien une prompte fin leur a-t-elle été réservée.
15 Un père [c] que consumait un deuil prématuré
a fait faire une image de son enfant si tôt ravi,
et celui qui hier encore n'était qu'un homme mort, il l'honore maintenant comme un dieu
et il transmet aux siens des mystères et des rites,
16 puis avec le temps la coutume se fortifie et on l'observe comme loi.
C'est encore sur l'ordre des souverains que les images sculptées recevaient un culte :
17 des hommes qui ne pouvaient les honorer en personne, parce qu'ils habitaient à distance,
représentèrent leur lointaine figure
et firent une image visible du roi qu'ils honoraient;
ainsi, grâce à ce zèle, on flatterait l'absent comme s'il était présent.
18 Ceux-là mêmes qui ne le connaissaient pas
furent amenés par l'ambition de l'artiste à étendre son culte;
19 car, désireux sans doute de plaire au maître,
il força son art à faire plus beau que nature,
20 et la foule, attirée par le charme de l'œuvre,
considéra désormais comme un objet d'adoration celui que naguère on honorait comme un homme. — Dn **3** 1-7
21 Et voilà qui devint un piège pour la vie :
que des hommes, asservis au malheur ou au pouvoir,
eussent conféré à des pierres et à des morceaux de bois le Nom incommunicable [d]. — Ex **3** 14+

**Conséquences du culte des idoles.** — Rm **1** 24-32

22 En outre il ne leur a pas suffi d'errer au sujet de la connaissance de Dieu;
mais alors que l'ignorance les fait vivre dans une grande guerre [e],
ils donnent à de tels maux le nom de paix!
23 Avec leurs rites infanticides, leurs mystères — **12** 5
occultes, — Lv **18** 21+
ou leurs orgies furieuses aux coutumes extravagantes [f],
24 ils ne gardent plus aucune pureté ni dans la vie ni dans le mariage,
l'un supprime l'autre insidieusement ou l'afflige par l'adultère.
25 Partout, pêle-mêle, sang et meurtre, vol et fourberie,
corruption, déloyauté, trouble, parjure,
26 confusion des gens de bien, oubli des bienfaits,
souillure des âmes, crimes contre nature [g],
désordres dans le mariage, adultère et débauche [h].
27 Car le culte des idoles sans nom [i]
est le commencement, la cause et le terme de tout mal.
28 Ou bien en effet ils poussent leurs réjouissances jusqu'au délire, ou bien ils prophétisent le men- — **14** 23
songe,
ou ils vivent dans l'injustice, ou ils ont tôt fait de se parjurer :
29 comme ils mettent leur confiance en des idoles sans vie,
ils n'attendent aucun préjudice de leurs faux serments.

*a)* La « fornication » est à entendre au sens d'infidélité religieuse, cf. Os **1** 2+, mais l'erreur de l'esprit a entraîné le dérèglement des mœurs, cf. Rm **1** 24-32; Ep **4** 17-19.

*b)* Plusieurs bons mss ont ici « que la mort a fait son entrée », sous l'influence de **2** 24. – Pour notre auteur, le monothéisme a précédé le polythéisme. Même conception dans Gn.

*c)* Deux exemples vont montrer comment la « vanité » humaine a inventé les idoles, en insistant sur le culte idolâtrique rendu à des hommes divinisés plus que sur la divinisation elle-même. Le premier exemple s'éclaire par la coutume grecque d'élever les enfants défunts au rang de « héros protecteurs », une coutume rappelée et imitée par Cicéron après la mort de sa fille Tullia.

*d)* Le nom révélé à Moïse, Ex **3** 14, ou le nom même de « Dieu ».

*e)* Guerre au-dedans par le déchaînement des passions, au-dehors par les désordres que ces passions provoquent dans la société.

*f)* Allusion aux Bacchanales des mystères dionysiaques, ou aux violences et immoralités des mystères phrygiens.

*g)* Litt. : « inversion de la génération ».

*h)* Réflexion sur la société, ébranlée dans ses fondements par le mépris de la vie et des droits d'autrui, par la profanation du mariage, par la déloyauté et surtout par la violation constante du serment (cf. vv. 29-31). Ce déséquilibre foncier est mis en relation immédiate, non avec la simple méconnaissance du vrai Dieu, mais avec les cultes idolâtriques. – On rapproche Rm **1** 26-31, peut-être inspiré de ce passage.

*i)* C'est-à-dire inexistantes. Peut-être faut-il entendre : « qu'on ne doit pas nommer », cf. Ex **23** 13.

30 Mais de justes arrêts les frapperont pour ce double crime :
parce qu'ils ont mal pensé de Dieu en s'attachant
à des idoles, parce qu'ils ont juré frauduleusement
contre la justice, au mépris de la sainteté.
31 Car ce n'est pas la puissance de ceux par qui l'on
jure,
mais le châtiment réservé aux pécheurs
qui poursuit toujours la trangression des injustes.

### Israël n'est pas idolâtre.

Ex **34** 6-7+ **15** 1 Mais toi, notre Dieu, tu es bon et vrai,
lent à la colère et gouvernant l'univers avec
miséricorde.
2 Si nous péchons, nous sommes à toi, car nous
connaissons ton pouvoir [a],
mais nous ne pécherons pas, sachant que nous
sommes comptés pour tiens.
Jn **17** 3 3 Te connaître, en effet, est la justice intégrale,
et savoir quel est ton pouvoir est la racine de
**1** 15; **2** 23 l'immortalité [b].
4 Non, les inventions humaines d'un art pervers ne
nous ont pas égarés,
ni le travail stérile des peintres,
**13** 14 ces figures barbouillées de couleurs disparates,
5 dont la vue éveille la passion chez les insensés
et leur fait désirer la forme inanimée d'une image
morte.
**13** 10 6 Amants du mal et dignes de tels espoirs,
et ceux qui les font, et ceux qui les désirent, et
ceux qui les adorent!

### **13** 10-19 Folie des artisans d'idoles [c].

7 Voici donc un potier qui laborieusement pétrit
une terre molle
et modèle chaque objet pour notre usage.
Rm **9** 21 De la même argile il a modelé
les vases destinés à de nobles emplois
et ceux qui auront un sort contraire, tous pareillement;
mais dans chacun des deux groupes, quel sera
l'usage de chacun,
Is **29** 16+ c'est celui qui travaille l'argile qui en est juge.
8 Puis – peine bien mal employée! – de la même
argile il modèle une divinité vaine,
lui qui, depuis peu né de la terre, Gn **2** 7+
retournera sous peu à la terre dont il fut pris, Gn **3** 19
quand on lui redemandera l'âme qui lui a été
prêtée.

9 Cependant il ne se soucie pas de ce qu'il doit
mourir
et qu'il a une vie brève,
mais il rivalise [d] avec les orfèvres et les fondeurs
d'argent,
il imite ceux qui coulent le bronze,
il met sa gloire à modeler du faux.
10 Cendres, que son cœur! Is **44** 20
plus vil que la terre, son espoir!
plus misérable que l'argile, sa vie!
11 Car il a méconnu Celui qui l'a modelé, Dt **32** 15
qui lui a insufflé une âme agissante Gn **2** 7
et inspiré un souffle vital [e].
12 Mais il a estimé que notre vie est un jeu d'enfant,
et notre existence une foire à profits : Ac **19** 24
« Il faut gagner, dit-il, par tous les moyens, même
mauvais. »
13 Oui, plus que tout autre, celui-là sait qu'il pèche,
lui qui, d'une matière terreuse, fabrique des vases
fragiles et des statues d'idoles.

### Folie des Égyptiens : leur idolâtrie universelle.

14 Mais ils sont tous très insensés et plus infortunés
que l'âme d'un petit enfant [f], ces ennemis de ton
peuple qui l'ont opprimé [g];
15 en effet, ils ont tenu aussi pour dieux toutes les
idoles des nations,
qui n'ont ni l'usage des yeux pour voir, Ps **115** 4-7
ni de narines pour aspirer l'air, Sg **13** 18
ni d'oreilles pour entendre,
ni de doigts aux mains pour palper,
et dont les pieds ne servent à rien pour marcher.
16 Car c'est un homme qui les a faites,
un être au souffle d'emprunt qui les a modelées; Gn **2** 7
nul homme, en effet, n'est capable de modeler un Ps **104** 29-3
dieu qui lui soit semblable;
17 mortel, c'est une chose morte qu'il produit de ses
mains impies.

*a)* Même pécheurs, les Israélites ne cessent d'appartenir à Dieu, car ils savent qu'il exerce son pouvoir sur tous avec bonté et miséricorde, offrant la possibilité du repentir, **11** 23-**12** 2; **12** 16-18; ou encore ils continuent de reconnaître en lui le seul Seigneur, qui s'est engagé solennellement vis-à-vis de leurs Pères et qui reste fidèle, **12** 19, 21-22; **15** 1.

*b)* Il s'agit d'une connaissance vitale, cf. Jr **9** 23-24 qui est au principe de la vraie justice. La notion d'immortalité, avec l'image de la racine, cf. **3** 15, prolonge celle de justice, cf. **1** 1, 15; **3** 1-9. Pour l'idée d'ensemble, cf. Jn **17** 3.

*c)* L'auteur s'en prend aux fabricants d'idoles et met en scène un potier modeleur de statuettes, comme il y en avait tant dans le monde hellénistique. La description est parallèle à celle du bûcheron, **13** 11-19.

*d)* Au lieu de songer à ses fins dernières, que lui rappelle l'argile qu'il travaille, Gn **3** 19, ce potier se donne le ridicule de rivaliser avec les artistes dont le talent s'emploie sur une matière noble.

*e)* « Ame agissante » et « souffle vital » sont synonymes.

*f)* L'enfant peut être facilement abusé.

*g)* Les Égyptiens, « oppresseurs » d'Israël avant l'Exode et encore sous le règne des Ptolémées. L'auteur revient à eux (cf. **12** 23-27) peut-être par une transition implicite : le potier dont on vient de parler peut fabriquer des statuettes représentant les divinités en faveur dans le syncrétisme religieux de l'Égypte contemporaine (v. 15).

Il vaut mieux, certes, que les objets qu'il adore :
lui du moins aura vécu, eux jamais!
11 15 18 Et ils adorent même les bêtes les plus odieuses;
car en fait de stupidité, elles sont pires que les
autres.
19 Et pour autant qu'on puisse éprouver du désir à
la vue d'animaux, rien de beau ne s'y trouve,
ils échappent à l'éloge de Dieu et à sa bénédiction [a].

**Seconde antithèse [b] : les grenouilles.**

11 16; 12 23, 27 **16** 1 Voilà pourquoi ils ont été châtiés justement
par des êtres semblables,
et torturés par une multitude de bestioles.
2 Au lieu de ce châtiment, tu as accordé un bienfait à ton peuple
pour satisfaire son ardent appétit,
Ex 16 9-13 c'est un aliment merveilleux – des cailles! –
Nb 11 10-32 que tu lui as préparé pour nourriture;
3 si bien que, malgré leur désir de manger,
ceux-là, devant l'aspect repoussant des bêtes
envoyées contre eux,
perdirent jusqu'à leur appétit naturel,
tandis que ceux-ci, après avoir un peu de temps
connu la disette,
eurent en partage un aliment merveilleux.
4 Car il fallait que sur ceux-là, les oppresseurs,
s'abattît une irrémédiable disette;
11 8-9 il suffisait à ceux-ci qu'on leur montrât comment
leurs ennemis étaient torturés.

**Troisième antithèse : sauterelles et serpent d'airain.**

5 Et même lorsque s'abattit sur eux la fureur terrible de bêtes féroces,
Nb 21 4-9 et qu'ils périssaient sous les morsures de serpents
tortueux,
ta colère ne dura pas jusqu'au bout;
6 mais c'est par manière d'avertissement et pour
peu de temps qu'ils furent inquiétés,
et ils avaient un signe de salut [c] pour leur rappe- Nb 21 9+
ler le commandement de ta Loi,
7 car celui qui se tournait vers lui était sauvé, non Jn 3 14-17
par ce qu'il avait sous les yeux,
mais par toi, le Sauveur de tous [d]. Is 45 14+
8 Et par là tu prouvas à nos ennemis
que c'est toi qui délivres de tout mal [e];
9 eux, en effet, les morsures de sauterelles et de Ex 10 4-15; 8 16-20
mouches les tuèrent,
sans qu'on trouvât de remède pour leur sauver
la vie,
car ils méritaient d'être châtiés par de telles 11 15-16
bêtes [f],
10 tandis que tes fils, même les dents de serpents
venimeux n'en eurent pas raison;
car ta miséricorde leur vint en aide et les guérit.
11 Ainsi tes oracles leur étaient rappelés par des
coups d'aiguillon, bien vite guéris,
de peur que, tombés dans un profond oubli,
il ne fussent exclus de ta bienfaisance [g].
12 Et de fait, ce n'est ni herbe ni émollient qui leur
rendit la santé,
mais ta parole, Seigneur, elle qui guérit tout! Ps 107 20
Is 55 10-11
13 Oui, c'est toi qui as pouvoir sur la vie et sur la Dt 32 39
mort,
qui fais descendre aux portes de l'Hadès et en 1 S 2 6
fais remonter [h].
14 L'homme, dans sa malice, peut bien tuer,
mais il ne ramène pas le souffle une fois parti,
et ne libère pas l'âme que l'Hadès a reçue [i].

**Quatrième antithèse : la grêle et la manne.**

15 Il est impossible d'échapper à ta main.
16 Les impies qui refusaient de te connaître
furent fustigés par la force de ton bras;
pluies insolites, grêle, averses inexorables les Ex 9 24, 25
assaillirent, Ps 78 47-49
et le feu les consuma [j].

*a)* Au début de la création, Dieu avait béni son œuvre de vie, Gn **1** 22, 28; **2** 3. Après la chute le serpent fut maudit, Gn **3** 14-15. Les animaux-dieux des Égyptiens méritent la même réprobation.

*b)* Après une longue digression, la fin du livre, **16-19**, reprend le parallèle entre Égyptiens et Israélites, cf. **11** 4+. La seconde antithèse a été préparée de loin par la mention générale des plaies, cf. **11** 15-16; **12** 23-27. L'auteur continue à ajouter maint détail aux récits bibliques anciens (ainsi v. 3), en les interprétant librement selon le genre du *midrash*.

*c)* Au lieu de « signe » plusieurs mss importants ont « conseiller ».

*d)* L'auteur interprète Nb **21** 4-9 dans le sens de la miséricorde. Il affirme aussi que le serpent d'airain n'avait aucun pouvoir par lui-même. Il y voit le rappel de la Loi et le signe d'un salut offert à tous par Dieu, ce qui ne ressort pas du texte ancien. – Serpent d'airain et dessein salvifique universel de Dieu figurent dans un même contexte en Jn **3** 14-17.

*e)* Les ennemis sont supposés informés de ces événements, cf. **11** 13, à moins que l'auteur ne songe à un enseignement toujours valable dans le présent.

*f)* A la plaie des sauterelles, Ex **10** 4-15, l'auteur semble vouloir associer par un terme assez vague, les taons, Ex **8** 16-20, et les moustiques, Ex **8** 12-15. L'idée de leur prêter une action meurtrière peut résulter d'une amplification d'Ex **10** (« fléau meurtrier ») et de Ps **78** 45 (« des taons qui dévoraient »); on rapproche aussi, pour une transposition apocalyptique de ces plaies, Ap **9** 3-12.

*g)* Ou : « ils ne devinssent insensibles à tes bienfaits ».

*h)* L'auteur enseigne ici le pouvoir absolu de Dieu sur la vie et la mort, non seulement en ce sens qu'il peut tirer qui il lui plaît du péril de mort, cf. Ps **9** 14; **107** 17-19; Is **38** 10-17, mais encore, semble-t-il, en ce sens plus profond qu'il peut rendre à la vie corporelle l'âme descendue au shéol, cf. 1 R **17** 17-23; 2 R **4** 33-35; **13** 21.

*i)* « Hadès » n'est pas exprimé (litt. : « l'âme qui a été reçue ») mais le sens ne fait pas de doute.

*j)* Tous les traits de cette énumération renvoient à la plaie de la grêle, Ex **9** 13-35, mais l'auteur exploite à la manière du *midrash* toutes les indications bibliques : pour les « pluies » cf. Ex **9** 29 (LXX), 33, 34; pour « le feu » cf. Ex **9** 23-24; Ps **78** 47-49; **105** 32 (où l'on trouve aussi la « pluie »).

17 Car voici le plus étrange : dans l'eau, qui éteint
tout,
le feu n'avait que plus d'ardeur;
5 17, 20 l'univers en effet combat pour les justes.
18 Tantôt en effet la flamme s'apaisait,
de peur de brûler complètement les animaux
envoyés contre les impies [a],
et pour leur faire comprendre, à cette vue, qu'ils
étaient poursuivis par un jugement de Dieu;
19 tantôt, au sein même de l'eau, elle brûlait avec
plus de force que le feu,
pour détruire les produits d'une terre inique.
Ex **16** Ps **78** 25 20 Au contraire, c'est une nourriture d'anges que tu
Ps **105** 40 as donnée à ton peuple,
et c'est un pain tout préparé que, du ciel, tu leur
as fourni [b] inlassablement,
un pain capable de procurer toutes les délices et
de satisfaire tous les goûts [c].
21 Et la substance que tu donnais manifestait ta
douceur envers tes enfants,
et, s'accommodant au goût de celui qui la prenait, elle se changeait en ce que chacun voulait.
22 Neige et glace [d] supportaient le feu sans fondre :
on saurait ainsi que c'était pour détruire les
récoltes des ennemis,
16 19 que le feu brûlait au milieu de la grêle et flam-
boyait sous la pluie,
23 tandis qu'au contraire, pour respecter la nourriture des justes,
il oubliait jusqu'à sa propre vertu.

5 17; **19** 6 24 Car la création qui est à ton service, à toi, son
Créateur,
se tend à fond pour le châtiment des injustes
et se détend pour faire du bien à ceux qui se
confient en toi [e].

19 18 25 C'est pourquoi, alors aussi, en se changeant en
tout [f],
Ps **104** 27, 28; **136** 25; **145** 16 elle se mettait au service de ta libéralité, nourri-
cière universelle,
selon le désir de ceux qui étaient dans le besoin [g];
26 ainsi tes fils que tu as aimés, Seigneur, l'appren-
draient :
ce ne sont pas les diverses espèces de fruits qui
nourrissent l'homme,
mais c'est ta parole qui conserve ceux qui croient Dt **8** 3+
en toi.
27 Car ce qui n'était pas détruit par le feu
fondait à la simple chaleur d'un bref rayon de Ex **16** 21
soleil,
28 afin que l'on sache qu'il faut devancer le soleil
pour te rendre grâce,
et te rencontrer dès le lever du jour [h]; Ps **5** 4
29 l'espoir de l'ingrat fond, en effet, comme le givre Si **39** 5
hivernal,
comme une eau inutile, il s'écoule. Ps **58** 8

### Cinquième antithèse : ténèbres et colonne de feu [i].

**17** 1 Oui, tes jugements sont grands et inexplica- Ps **92** 6, 7
bles, Rm **11** 33-35
c'est pourquoi des âmes sans instruction se sont
égarées.
2 Alors que des impies s'imaginaient tenir en leur
pouvoir une nation sainte,
devenus prisonniers des ténèbres, dans les entra- Ex **10** 21-23
ves d'une longue nuit,
ils gisaient enfermés sous leurs toits, bannis de
la providence éternelle. **14** 3
3 Alors qu'ils pensaient demeurer cachés avec
leurs péchés secrets,
sous le sombre voile de l'oubli,
ils furent dispersés, en proie à de terribles
frayeurs,
épouvantés par des fantômes [j].
4 Car le réduit qui les abritait ne les préservait pas
de la peur;
des bruits effrayants retentissaient autour d'eux,
et des spectres lugubres, au visage morne, leur
apparaissaient.
5 Aucun feu n'avait assez de force pour les éclairer,

*a)* L'auteur semble penser que les premières plaies durent encore quand la septième, celle de la grêle (Ex **9** 13-35) s'abat sur l'Égypte.

*b)* Var. attestée par de bons mss : « tu leur as envoyé ».

*c)* La manne, « pain des anges », Ps **78** 25, ou « pain du ciel », Ps **105** 40, qui avait le « goût d'un gâteau de miel », Ex **16** 31, devient une nourriture susceptible de se plier à tous les goûts et de prendre toutes les saveurs désirables et le symbole même de la douceur de Dieu (v. 21). Ce trait trouve des parallèles très concrets dans les textes rabbiniques et atteste déjà l'existence d'une légende juive sur la manne. La liturgie chrétienne a appliqué ce passage à l'Eucharistie.

*d)* C'est encore la manne, qu'Ex **16** 14 compare à la rosée, et Nb **11** 7 (LXX) à la glace, cf. **19** 21.

*e)* « se tend ... se détend », image empruntée aux instruments à cordes cf. **19** 18.

*f)* L'auteur tente d'expliquer cette particularité de la manne, cf. vv. 20[c], 21[c], à l'aide de la physique de l'époque, par une mutation des éléments ou un échange de leurs propriétés. Mais il insiste moins sur ce fait extraordinaire que sur l'enseignement qui s'en dégage.

*g)* Ou : « de ceux qui demandaient », ou « priaient ».

*h)* Cette leçon, appuyée sur une interprétation très libre d'Ex **16** 21, enregistre l'usage de faire coïncider la prière du matin avec l'aurore ou les premiers rayons du soleil.

*i)* A la plaie des ténèbres, Ex **10** 21-23, l'auteur oppose la lumière qui continuait d'éclairer le monde entier et les Israélites, v. 18 et **18** 1, puis la lumière de la Loi, **18** 4, mais l'antithèse proprement dite fait intervenir la « colonne de feu » **18** 3.

*j)* L'auteur va dramatiser étrangement la plaie des ténèbres. La description qui suit amplifie en divers sens le récit biblique et s'apparente au *midrash* hellénistique, utilisant peut-être des légendes juives et des spéculations rabbiniques qu'on retrouve chez Philon d'Alexandrie. On relèvera en même temps l'orientation apocalyptique de l'ensemble : les ténèbres d'Égypte deviennent l'anticipation ou l'image des ténèbres infernales, cf. surtout vv. 14, 20.

et l'éclat étincelant des étoiles
ne parvenait pas à illuminer cette horrible nuit.
6 Seule brillait pour eux une masse de feu qui
s'allumait d'elle-même,
semant la peur,
et, terrifiés, une fois disparue cette vision,
ils tenaient pour pire ce qu'ils venaient de voir.
7 Les artifices de l'art magique demeuraient
impuissants [a],
et sa prétention à l'intelligence était honteusement confondue;
8 car ceux qui promettaient de bannir de l'âme
malade les terreurs et les troubles
étaient eux-mêmes malades d'une peur ridicule.
9 Même si rien d'effrayant ne leur faisait peur,
les passages de bestioles et les sifflements de reptiles les frappaient de panique,
10 ils périssaient, tremblants de frayeur,
et refusant même de regarder cet air, que d'aucune manière on ne peut fuir.
11 Car la perversité s'avère singulièrement lâche et
se condamne elle-même;
pressée par la conscience, toujours elle grossit
les difficultés [b].
12 La peur en effet n'est rien d'autre que la défaillance des secours de la réflexion;
13 moins on compte intérieurement sur eux,
plus on trouve grave d'ignorer la cause qui provoque le tourment.
14 Pour eux, durant cette nuit vraiment impuissante,
sortie des profondeurs de l'Hadès impuissant,
endormis d'un même sommeil,
15 ils étaient tantôt poursuivis par des spectres
monstrueux,
tantôt paralysés par la défaillance de leur âme;
car une peur subite et inattendue les avait envahis [c].

16 Ainsi encore, celui qui tombait là, quel qu'il fût,
se trouvait emprisonné, enfermé dans cette geôle
sans verrous.
17 Qu'on fût laboureur ou berger,
ou qu'on fût occupé à des travaux dans le désert,
surpris, on subissait l'inéluctable nécessité;
18 car tous avaient été liés par une même chaîne de
ténèbres.
Le vent qui siffle,
le chant mélodieux des oiseaux dans les rameaux
touffus,
le bruit cadencé d'une eau coulant avec violence,
19 le rude fracas des pierres dégringolant,
la course invisible d'animaux bondissants,
le rugissement des bêtes les plus sauvages,
l'écho se répercutant au creux des montagnes,
tout les terrorisait et les paralysait. Lv **26** 36
20 Car le monde entier était éclairé par une lumière
étincelante
et vaquait librement à ses travaux;
21 sur eux seuls s'étendait une pesante nuit,
image des ténèbres qui devaient les recevoir.
Mais ils étaient à eux-mêmes plus pesants que les
ténèbres.

**18** 1 Cependant pour tes saints il y avait une très Ex **10** 23
grande lumière.
Les autres, qui entendaient leur voix sans voir
leur figure [d],
les proclamaient heureux de n'avoir pas eux-mêmes souffert [e],
2 ils leur rendaient grâce de ne pas sévir, après
avoir été maltraités,
et leur demandaient pardon pour leur attitude
hostile [f].
3 Au lieu de ces ténèbres, tu donnas aux tiens une
colonne flamboyante, Ex **13** 21-22+ **10** 17
pour leur servir de guide en un voyage inconnu, Ps **121** 6
de soleil inoffensif en leur glorieuse migration.
4 Mais ceux-là méritaient bien d'être privés de
lumière et d'être prisonniers des ténèbres, **11** 16
qui avaient gardé enfermés tes fils,
par qui devait être donnée au monde l'incorruptible lumière de la Loi. Is **2** 3, 5

**Sixième antithèse : nuit tragique et nuit de délivrance [g].**

5 Comme ils avaient résolu de tuer les petits
enfants des saints,
et que, des enfants exposés, un seul avait été Ex **1** 22 - **2** 10
sauvé,
tu leur enlevas, pour les châtier, la multitude de Ex **12** 29. 30
leurs enfants [h]

*a)* Après une réussite temporaire, Ex **7** 11, 22; **8** 3, ils avaient échoué, Ex **8** 14, et même porté malheur à leurs auteurs, Ex **9** 11. Il semble bien qu'à travers les magiciens du Pharaon, l'auteur s'en prenne aux magiciens de son temps.
*b)* Première mention de la « conscience » dans la Bible grecque, cf. Ac **23** 1+; le mot désigne ici la conscience morale reprochant les péchés commis. – La réflexion élimine les causes imaginaires de la peur. Mais la conscience chargée la trouble et l'empêche d'accomplir son œuvre.
*c)* « avait envahis » mss; « s'était abattue » texte reçu.
*d)* Les Hébreux sont supposés ici mêlés aux Égyptiens, cf. Ex **11** 4-7; **12** 12-13, 29-36.
*e)* « de n'avoir pas » mss, lat.: « quoiqu'ils aient (eux-mêmes souffert) » texte reçu.
*f)* On pourrait aussi traduire : « leur demandaient en grâce de partir », cf. Ex **10** 24; **11** 8; **12** 33.
*g)* En alléguant un autre exemple de la correspondance entre faute et châtiment, cf. **11** 16, l'auteur annonce à la fois l'extermination des premiers-nés et le désastre de la mer Rouge (v. 5). Mais son attention se fixe ensuite sur le premier épisode.
*h)* Cette correspondance s'appuie peut-être sur Ex **4** 22-23. Précédemment, **11** 6-7, le décret infanticide était invoqué pour jus-

Ex **14** 26-28 et tu les fis périr tous ensemble dans l'eau impétueuse [a].
6 Cette nuit-là fut à l'avance connue de nos pères [b],
pour que, sachant d'une manière sûre à quels serments ils avaient cru, ils aient bon courage.
7 Ton peuple attendit
et le salut des justes et la perte des ennemis;
8 car, par la vengeance même que tu tiras de nos
adversaires,
tu nous glorifias en nous appelant à toi [c].
9 Aussi les saints enfants des bons [d] sacrifiaient-ils
en secret,
et ils établirent d'un commun accord cette loi
divine,
que les saints partageraient également biens et
périls;
et ils entonnaient déjà les cantiques des Pères [e].

Ex **11** 6; **12** 30 10 La clameur discordante de leurs ennemis faisait
écho,
et les accents plaintifs de ceux qui se lamentaient
sur leurs enfants se répandaient au loin.
Ex **11** 5; **12** 29 11 Un même châtiment frappait esclave et maître,
l'homme du peuple endurait les mêmes souf-
frances que le roi.
12 Tous donc pareillement, frappés du même trépas,
eurent des morts innombrables.
Nb **33** 4 Les vivants ne suffisaient plus aux funérailles,
car, en un instant, leur plus précieuse descendance avait été détruite.
13 Ainsi, ceux que des sortilèges avaient rendus
absolument incrédules
confessèrent, devant la perte de leurs premiers-
Ex **4** 22 Dt **1** 31+ Os **11** 1 nés, que ce peuple était fils de Dieu [f].
14 Alors qu'un silence paisible enveloppait toutes
choses
et que la nuit parvenait au milieu de sa course Ex **11** 4; **12** 29
rapide,
15 du haut des cieux, ta Parole toute-puissante Ap **19** 11-13
s'élança du trône royal,
guerrier inexorable, au milieu d'une terre vouée
à l'extermination [g].
Portant pour glaive aigu ton irrévocable décret, Ap **19** 15
16 elle s'arrêta et remplit de mort l'univers;
elle touchait au ciel et se tenait sur la terre.
17 Alors [h] brusquement des apparitions en des son- Jb **4** 13-15
ges terribles les épouvantèrent,
des peurs inattendues les assaillirent.
18 Jetés à demi morts, l'un d'un côté, l'autre de
l'autre,
ils faisaient savoir pour quelle raison ils mouraient,
19 car les songes qui les avaient troublés les en
avaient avertis d'avance,
afin qu'ils ne périssent pas sans savoir pourquoi
ils subissaient le mal.

**Menace d'extermination au désert.**

20 Cependant l'épreuve de la mort atteignit aussi les
justes [i]
et une multitude fut frappée au désert. Nb **17** 6-15
Mais la colère ne dura pas longtemps, 1 Co **10** 8
21 car un homme irréprochable [j] se hâta de les
défendre.
Prenant les armes de son ministère,
prière et encens expiatoire [k], Nb **17** 11, 12
il affronta le Courroux et mit un terme au fléau,
montrant qu'il était ton serviteur.
22 Il vainquit l'Animosité [l], non par la vigueur du
corps,
non par la puissance des armes;
c'est par la parole [m] qu'il eut raison de celui qui
châtiait,

tifier la plaie du Nil changé en sang.

*a)* Cet autre épisode est mis également en relation avec le décret infanticide par le livre des Jubilés (**48** 14) et un commentaire rabbinique.

*b)* Soit les Israélites du temps de l'Exode, Ex **11** 4-7, soit plutôt les patriarches, à qui Dieu avait promis de délivrer leurs descendants de la servitude d'Égypte, Gn **15** 13-14; **46** 3-4.

*c)* L'extermination des premiers-nés d'Égypte, la célébration de la Pâque et l'Exode désignaient définitivement Israël comme le peuple de Dieu, cf. Dt **7** 6+.

*d)* C'est-à-dire les descendants de bonne souche, d'une lignée sainte; on peut aussi traduire : « les saints enfants des biens », c'est-à-dire les héritiers des biens promis aux Pères. – La Pâque est appelée sacrifice, Ex **12** 27; Dt **16** 2, 5. Ce sacrifice est dit « secret » parce que célébré à l'intérieur des maisons, Ex **12** 46.

*e)* L'auteur se représente déjà la première Pâque à l'image des Pâques postérieures, où l'on chantait le Hallel, Ps **113-118**.

*f)* Dans leur foi aux sortilèges, les Égyptiens avaient espéré jusque-là que leurs magiciens finiraient par l'emporter sur Moïse, cf. Ex **7** 11-13; **8** 3, 14; **9** 11, qui semblait mettre en œuvre une magie rivale. Cette fois, Dieu frappe directement.

*g)* La mort des premiers-nés, attribuée directement à Dieu par Ex **11** 4; **12** 12, 23, 27, 29, accompagné de l'Exterminateur, Ex **12** 23, devient l'œuvre de la Parole divine. Celle-ci était représentée déjà comme exécutant les jugements par Is **11** 4; **55** 11; Jr **23** 29; Os **6** 5. Dans cette évocation dramatique, l'auteur s'inspire, au v. 16[b] de 1 Ch **21** 15-27, et peut-être aussi d'Homère (Iliade IV, 443). L'ensemble prend une signification apocalyptique et la Parole de jugement préfigure, non l'Incarnation du Verbe (contrairement à l'usage que la liturgie a fait de ce texte), mais l'aspect redoutable de son second avènement. On rapproche 1 Th **5** 2-4; Ap **19** 11-21.

*h)* Ce qui suit n'a aucune attache avec le récit de l'Exode.

*i)* En punition de la révolte qui suivit le châtiment de Coré, Datân et Abiram, Nb **17** 6-15. C'est là une sorte de parenthèse dans la suite des antithèses.

*j)* Aaron, « irréprochable » parce que, choisi par Yahvé, il lui est demeuré fidèle.

*k)* Litt. : « le sacrifice expiatoire de l'encens ». En ajoutant la « prière » non mentionnée par le récit biblique, le texte transforme le grand prêtre en intercesseur, cf. 2 M **3** 31; **15** 12; Ps **99** 6; He **7** 25

*l)* « l'Animosité » *ton cholon* conj.; « la foule » *ton ochlon* texte reçu.

*m)* Soit la prière mentionnée v. 21, soit une parole impérative réduisant à l'impuissance l'agent du châtiment, appelé plus loin v. 25, l'Exterminateur.

Ex **32** 11-13 en rappelant les serments faits aux Pères et les
alliances.
23 Alors que déjà les morts s'entassaient par monceaux,
il s'interposa, arrêta la Colère,
et lui barra le chemin des vivants.
24 Car sur sa robe talaire était le monde entier,
Ex **28** 17-21, 29 les noms glorieux des Pères étaient gravés sur les
quatre rangées de pierre,
Ex **28** 36 et sur le diadème de sa tête il y avait ta Majesté [a].
25 Devant cela l'Exterminateur [b] recula, il en eut
peur;
la seule expérience de la Colère suffisait.

**Septième antithèse : la mer Rouge [c].**

**19** 1 Mais sur les impies s'abattit jusqu'au bout
un impitoyable courroux,
car Il savait à l'avance ce qu'ils allaient faire,
2 et qu'après avoir permis aux siens de s'en aller
et pressé leur départ [d],
Ex **11** 1+; **14** 5-9 ils changeraient d'avis et les poursuivraient.
**18** 12 3 De fait, ils étaient encore occupés à leurs deuils
et ils se lamentaient auprès des tombes de leurs
morts,
quand ils imaginèrent un autre dessein de folie
et se mirent à poursuivre comme des fugitifs
ceux qu'avec des supplications ils avaient expulsés.
4 Un juste destin [e] les poussait à cette extrémité
et il leur inspira l'oubli du passé :
ils ajouteraient ainsi le châtiment qui manquait
à leurs tortures [f]
5 et, tandis que ton peuple ferait l'expérience d'un
**18** 3 voyage merveilleux,
eux-mêmes trouveraient une mort insolite.

6 Car la création entière, en sa propre nature, était
encore de nouveau façonnée,
se soumettant à tes ordres [g], **5** 17; **16** 24
pour que tes enfants fussent gardés indemnes.
7 On vit la nuée couvrir le camp de son ombre, Ex **14** 19-22
la terre sèche émerger de ce qui était l'eau,
la mer Rouge devenir un libre passage,
les flots impétueux une plaine verdoyante [h],
8 par où ceux que protégeait ta main passèrent **5** 16
comme un seul peuple,
en contemplant d'admirables prodiges.
9 Comme des chevaux, ils étaient à la pâture, Is **63** 13-14 Ml **3** 20
comme des agneaux, ils bondissaient,
en te célébrant, Seigneur, toi leur libérateur. Ex **15**
10 Ils se souvenaient encore des événements de leur
exil,
comment la terre, et non des animaux, avait produit des moustiques, Ex **8** 12-15
et comment le Fleuve, et non des êtres aquatiques, avait vomi une multitude de grenouilles. Ex **8** 2
11 Plus tard, ils virent encore un nouveau mode de
naissance pour les oiseaux, Nb **11** 31
quand, poussés par la convoitise, ils réclamèrent
des mets délicats :
12 pour les satisfaire, des cailles montèrent pour eux Ex **16** 13
de la mer [i].

**L'Égypte plus coupable que Sodome.**

13 Mais les châtiments s'abattirent sur les pécheurs,
non sans avoir été signalés à l'avance par de violents coups de tonnerre [j],
et c'est en toute justice qu'ils souffraient pour
leurs propres crimes;
car ils avaient montré une haine de l'étranger par
trop cruelle.

*a)* L'auteur se représente Aaron revêtu d'une robe descendant jusqu'aux talons, avec l'ephod et le pectoral aux douze pierres gravées du nom des « Pères » (les douze fils de Jacob), cf. Ex **26** 6s; **39** 2s, avec sur la tête la fleur d'or du « diadème » portant l'inscription « consacré à Yahvé », Ex **28** 36s; **39** 30s. Ces insignes de la dignité de grand prêtre reçoivent ici un symbolisme cosmique qui devait être habituel dans les milieux juifs hellénisés.

*b)* Peut-être un ange, comme celui de 1 Ch **21** 15-16. Cf. Ex **12** 23 et 1 Co **10** 10. – « il eut peur » mss, versions; « ils eurent peur » texte reçu.

*c)* Préparée par des considérations sur l'endurcissement final des impies livrés à une colère sans pitié, l'antithèse devient explicite au v. 5. Puis l'auteur insiste sur la traversée merveilleuse des Israélites, vv. 6-9, en brodant assez librement sur la tradition ancienne, cf. Ex **14** 15+.

*d)* « après avoir permis » nombreux mss; « après s'être décidés » texte reçu, lat., syr. – « s'en aller » mss; « être absents » texte reçu. – « pressé leur départ », litt. « les avoir congédiés en hâte ».

*e)* Litt. : « une nécessité digne ». L'auteur transcrit avec un terme grec le motif de l'endurcissement de Pharaon, Ex **14** 4, 8, pour désigner en réalité, non l'aveugle et impitoyable Destin antique, mais un châtiment mérité.

*f)* Le thème d'une mesure déterminée d'avance par Dieu – et qui n'est autre que le temps de sa patience ou de sa miséricorde – revient souvent dans les écrits apocalyptiques.

*g)* Texte obscur. L'auteur doit renvoyer à la création initiale, Gn **1**, et signifier que, pour le passage de la mer Rouge, la nature créée reçut une nouvelle empreinte ou fut modifiée. Primitivement les « ténèbres avaient couvert l'abîme » et la terre avait surgi de l'eau, Gn **1** 1, 6 : on assiste de nouveau à un phénomène semblable, mais cette fois, l'activité extraordinaire de l'air, de la terre et de l'eau, s'écartent de l'ordre établi par le Créateur. On ne sait si l'auteur envisage une transmutation des éléments ou un échange de leurs propriétés, cf. **16** 25 et **19** 18.

*h)* Is **63** 14 parle également d'une « plaine », mais seulement à titre de comparaison. Le midrash palestinien parle, non seulement d'herbe abondante, mais d'arbres fruitiers qui ornaient la route ainsi ouverte. Les « prodiges » mentionnés au v. suivant relèvent du même processus d'idéalisation. La tradition rabbinique comptera dix miracles pour le passage de la mer Rouge.

*i)* L'auteur prend à la lettre Nb **11** 31 : les cailles sont sorties de la mer (comme les moustiques de la terre et les grenouilles du Fleuve).

*j)* Cette addition au récit de l'Exode est suggérée, soit par Ps **77** 18-19, soit par une interprétation ancienne d'Ex **14** 24 illustrée par les Targums.

14 D'aucuns [a], en effet, n'avaient pas accueilli les inconnus qui leur arrivaient,
mais eux réduisaient en servitude des hôtes bienfaisants.
15 Bien plus, et certes il y aura pour ceux-là un châtiment [b],
puisqu'ils ont reçu les étrangers d'une manière hostile,...
16 maix ceux-ci, après avoir reçu avec des fêtes
Gn **45** 17-20; **47** 1-12 ceux qui déjà partageaient les mêmes droits qu'eux [c],
Ex **1** 8-14; **5** 4-18 les ont ensuite accablés de terribles travaux.
17 Aussi furent-ils frappés de cécité [d],
comme ceux-là aux portes du juste [e],
lorsque, enveloppés de ténèbres béantes,
Gn **19** 11 ils cherchaient chacun l'accès de sa porte.

**16** 17-22 **Une harmonie nouvelle** [f].

18 Ainsi les éléments étaient différemment accordés entre eux,
comme, sur la harpe, les notes modifient la nature du rythme
tout en conservant le même son;
ce qu'on peut se représenter exactement en regardant qui est arrivé :
19 des animaux terrestres devenaient aquatiques [g],
ceux qui nagent [h] se déplaçaient sur la terre;
20 le feu renforçait dans l'eau sa propre vertu,
et l'eau oubliait son pouvoir d'éteindre;
21 en revanche, les flammes ne consumaient pas les chairs **16** 18
d'animaux fragiles qui s'y aventuraient;
et elles ne faisaient pas fondre l'aliment divin, **16** 22
semblable à de la glace et si facile à fondre!

**Conclusion.**

22 Oui, de toutes manières, Seigneur, tu as magnifié ton peuple et tu l'as glorifié; Is **45** 17, 25
tu n'as pas négligé, en tout temps et en tout lieu, de l'assister!

*a)* Les habitants de Sodome, habituellement regardés comme les plus grands des criminels. L'auteur va montrer que les Égyptiens ont violé plus gravement les lois de l'hospitalité.
*b)* Texte difficile qu'on peut couper et ponctuer différemment; avec l'interprétation adoptée ici, la construction est brisée. Ou bien l'auteur continue de décharger les habitants de Sodome, ou bien il rappelle qu'une « visite » punitive (cf. **14** 11) leur est cependant réservée et l'on pourrait traduire : « et, certes, il leur en sera demandé compte ». Il est possible que le châtiment concerne également les Égyptiens.
*c)* Allusion vraisemblable à une revendication actuelle des Juifs d'Alexandrie.
*d)* Présentation oratoire de la plaie des ténèbres.
*e)* Lot, **10** 6; cf. Gn **19** 11.
*f)* Les écrits grecs illustrent souvent par une comparaison musicale le jeu des éléments constitutifs de l'univers. L'auteur reprend ici une telle comparaison et l'applique aux principaux miracles de l'Exode pour suggérer une explication de ceux-ci, soit par un changement de rythme des éléments (cf. **16** 24), soit par une combinaison différente de leurs propriétés. La nature créée est ici entièrement au service du peuple de Dieu, cf. v. 6.
*g)* Les Israélites et leur bétail lors du passage de la mer Rouge.
*h)* Les grenouilles, Ex **8** 2.

# L'ECCLÉSIASTIQUE

## Introduction

*Ce livre fait partie de la Bible grecque, mais il ne figure pas dans le canon juif. Il est donc l'un des livres deutéro-canoniques reçus par l'Église chrétienne. Il a cependant été composé en hébreu, saint Jérôme l'a connu dans sa langue originale et les rabbins l'ont cité. Environ les deux tiers de ce texte hébreu ont été retrouvés en 1896 dans les fragments de plusieurs manuscrits du Moyen Age provenant d'une vieille synagogue du Caire. Plus récemment, de petits fragments sont sortis d'une grotte de Qumrân et, en 1964, on a découvert à Masada un long texte qui contient* **39** 27 - **44** 17 *dans une écriture du début du Ier siècle av. J.-C. Les variantes de ces témoins entre eux et par rapport aux traductions grecque et syriaque indiquent que le livre a circulé très tôt en plusieurs recensions.*

*Seul le texte grec est reconnu comme canonique par l'Église et c'est sur lui qu'est faite la traduction qu'on donne ici (plus précisément sur les trois principaux manuscrits, Sinaïticus, Alexandrinus et Vaticanus, qui forment ce qu'on appelle le « texte reçu »), quitte à indiquer en note certaines variantes de l'hébreu.*

*Son titre latin* Ecclesiasticus (liber) *est une appellation récente (saint Cyprien), qui souligne sans doute l'usage officiel qu'en faisait l'Église, à l'opposé de la Synagogue. En grec, cf. la souscription,* **51** 30, *le livre s'appelait « Sagesse de Jésus fils de Sira » et l'auteur est encore nommé à* **50** 27. *Les modernes l'appellent Ben Sira ou le Siracide (d'après la forme grecque Sirach). Dans un prologue, vv.* 1-35, *le petit-fils de l'auteur explique qu'il traduisit le livre lorsqu'il vint et séjourna en Égypte en la 38e année du roi Évergète, v. 27. Il ne peut s'agir que de Ptolémée VII Évergète et la date correspond à l'an 132 av. J.-C. Son grand-père, Ben Sira, vécut donc et écrivit vers 190-180. Un argument interne confirme cette date : Ben Sira fait du grand prêtre Simon un éloge nourri de souvenirs personnels,* **50** 1-21. *C'est Simon II, qui ne mourut qu'après 200.*

*La Palestine vient alors de passer sous la domination des Séleucides, en 198. L'adoption des mœurs étrangères, l'hellénisation, est favorisée par une partie de la classe dirigeante et bientôt Antiochus Épiphane (175-163) voudra l'imposer par la force. A ces nouveautés menaçantes, Ben Sira oppose toutes les forces de la tradition. Il est un scribe qui unit l'amour de la Sagesse à celui de la Loi. Il est rempli de ferveur pour le Temple et ses cérémonies, plein de respect pour le sacerdoce, mais aussi il est nourri des livres saints, les Prophètes et surtout les écrits sapientiaux. Il a voulu donner lui-même l'instruction de la sagesse pour tous ceux qui la cherchent,* **33** 18; **50** 27, *cf. le prologue du traducteur, vv. 7-14.*

*Dans sa forme, le livre est bien dans la ligne de ses devanciers et de ses modèles. Si l'on excepte la partie qui célèbre la gloire de Dieu dans la nature,* **42** 15 - **43** 33, *et dans l'histoire,* **44** 1 - **50** 29, *le livre n'est pas plus composé que les collections des Proverbes ou que l'Ecclésiaste. Les thèmes les plus divers sont abordés sans ordre et avec des redites, ils sont traités comme de petits tableaux qui groupent, d'une manière lâche, de courtes maximes. Deux appendices sont attachés au livre : un hymne d'action de grâces,* **51** 1-12, *et un poème sur la recherche de la sagesse,* **51** 13-30. *Le texte hébreu de ce dernier morceau a été retrouvé dans une grotte de Qumrân, inséré dans un manuscrit du Psautier; cette découverte confirme qu'il exista d'abord à part avant d'être rattaché à l'Ecclésiastique.*

*La doctrine est aussi traditionnelle que la forme. La sagesse que prêche Ben Sira vient du Seigneur, son principe est la crainte de Dieu, elle forme la jeunesse et procure le bonheur. Sur la destinée humaine et le problème des sanctions, il a les mêmes incertitudes que Job et l'Ecclésiaste. Il a foi en la rétribution, il sent l'importance tragique de l'heure de la mort, mais il ne sait pas encore comment Dieu rendra à chacun selon ses actes, cf. p.646. Sur la nature même de la Sagesse divine,* **24** 1-22, *il prolonge les intuitions des Proverbes et de Job, cf. p. 646s.*

*Mais Ben Sira innove en identifiant la Sagesse à la Loi proclamée par Moïse,* **24** 23-24, *ce que fera aussi le poème sapientiel de Baruch, Ba* **3** 9 - **4** 4; *à la différence de ses prédécesseurs, il intègre donc la sagesse au courant légaliste. Davantage, il voit l'observance de la Loi dans une pratique exacte du culte,* **35** 1-10; *il est un fervent ritualiste.*

*A la différence aussi des sages anciens, Ben Sira médite sur l'Histoire Sainte,* **44** 1 - **49** 16. *Il fait défiler les grandes figures de l'Ancien Testament, depuis Hénok jusqu'à Néhémie. Sur trois d'entre elles, Salomon (pourtant le premier sage), Roboam, Jéroboam, il porte le même jugement sévère que l'histoire deutéronomique et, comme celle-ci, condamne en bloc tous les rois sauf David, Ézéchias et Josias. Mais il est fier du passé de son peuple, il s'attarde surtout aux saints et rappelle les merveilles que Dieu a accomplies par eux. Avec Noé, Abraham, Jacob, Moïse, Aaron, Pinhas, David, Dieu a conclu une alliance, qui regarde sans doute tout le peuple mais qui assure des privilèges durables à certaines familles, surtout sacerdotales. Car l'honneur du sacerdoce lui tient à cœur : dans sa galerie des ancêtres il donne une place de choix à Aaron et à Pinhas, et il termine par l'éloge enthousiaste d'un contemporain, le grand prêtre Simon. Il évoque les gloires passées avec une certaine mélancolie en songeant au présent et il souhaite, à propos des Juges et des Petits Prophètes, que « leurs os refleurissent en leurs tombes »,* **46** 12; **49** 10, *qu'ils aient des successeurs. Il écrit à la veille du soulèvement maccabéen; s'il l'a encore vécu, il a pu penser que son vœu était exaucé.*

*Dans cette Histoire Sainte, Ben Sira, qui met en relief la notion d'Alliance, ne fait pour ainsi dire aucune place à l'espérance d'un salut à venir. Il est vrai que dans sa prière de* **36** 1-17, *il rappelle à Dieu ses promesses et lui demande d'avoir pitié de Sion et de rassembler les tribus de Jacob. Mais cette expression d'un nationalisme prophétique est exceptionnelle chez le Siracide. En vrai sage, il paraît avoir pris son parti de la situation, humiliée mais paisible, à laquelle son peuple était réduit. Il est confiant que la délivrance viendra, mais elle sera la récompense de la fidélité à la Loi, non pas l'œuvre d'un Messie sauveur.*

*Ben Sira est le dernier témoin canonique de la sagesse juive en Palestine. Il est le représentant par excellence de ces* hasidim, *ces « pieux » du judaïsme, cf.* 1 M **2** 42+, *qui bientôt défendront leur foi contre la persécution d'Antiochus Épiphane et qui maintiendront en Israël des îlots fidèles où germera la prédication du Christ. Bien qu'il ne soit pas reçu dans le canon hébreu, l'Ecclésiastique est fréquemment cité dans les écrits rabbiniques; dans le Nouveau Testament, l'épître de saint Jacques lui emprunte beaucoup d'expressions, l'évangile de saint Matthieu s'y réfère plusieurs fois, et aujourd'hui encore, la liturgie se fait l'écho de cette ancienne tradition de sagesse.*

# L' ECCLÉSIASTIQUE

## *Prologue du traducteur* [a]

[1] Puisque la Loi, les Prophètes [2] et les autres
écrivains qui leur ont succédé [b] nous ont transmis
tant de grandes leçons [3] grâce auxquelles on ne
saurait trop féliciter Israël de sa science et de sa
sagesse; [4] comme, en outre, c'est un devoir, non
seulement d'acquérir la science par la lecture,
[5] mais encore, une fois instruit, de se mettre au service de ceux du dehors, [6] par ses paroles et ses
écrits : [7] mon aïeul Jésus, après s'être appliqué avec
persévérance à la lecture [8] de la Loi, [9] des Prophètes et [10] des autres livres des ancêtres [11] et y avoir
acquis une grande maîtrise, [12] en est venu, lui aussi,
à écrire quelque chose sur des sujets d'enseignement et de sagesse [13] afin que les hommes soucieux
d'instruction, se soumettant aussi à ces disciplines,
[14] apprissent d'autant mieux à vivre selon la Loi.
[15] Vous êtes donc invités [16] à en faire la lecture
[17] avec une bienveillante attention [18] et à vous montrer indulgents [19] là où, en dépit de nos efforts
d'interprétation, nous pourrions sembler [20] avoir
échoué à rendre quelque expression; [21] c'est qu'en
effet il n'y a pas d'équivalence [22] entre des choses
exprimées originairement en hébreu et leur traduction dans une autre langue; [23] bien plus, [24] si l'on
considère la Loi elle-même, les Prophètes [25] et les
autres livres, [26] leur traduction diffère considérablement de ce qu'exprime le texte original.
[27] C'est en l'an 38 du feu roi Évergète [c]
[28] qu'étant venu en Égypte et y ayant séjourné,
[29] j'y découvris une vie conforme à une haute
sagesse [d] [30] et je me fis un devoir impérieux d'appliquer, moi aussi, mon zèle et mes efforts à traduire
le présent livre; [31] j'y ai consacré beaucoup de veilles et de science [32] pendant cette période, [33] afin de
mener à bien l'entreprise et de publier le livre [34] à
l'usage de ceux-là aussi qui, à l'étranger, désirent
s'instruire, [35] réformer leurs mœurs, et vivre conformément à la Loi.

## *I. Recueil de sentences*

**L'origine de la sagesse** [e].

**1** [1] Toute sagesse vient du Seigneur [f], Pr 2 6
elle est près de lui à jamais.
[2] Le sable de la mer, les gouttes de la pluie, Sg 9 4

a) Ce prologue du traducteur grec ne fait pas partie du livre de l'Ecclésiastique proprement dit et n'est pas habituellement considéré comme canonique.
b) C'est la division tripartite de la Bible hébraïque, cf. 1 M **12** 9+ et la Table. De même en 8-10, 24-25. Mais il n'est pas sûr qu'à l'époque (fin du IIe s. av. J.-C.) ces trois parties aient eu exactement le même contenu qu'aujourd'hui, surtout en ce qui concerne la troisième.
c) Probablement Ptolémée VII Évergète Physcon (170-117). La date correspondrait donc à 132 av. J.-C.
d) « une vie conforme à », litt. « une copie de »: traduction incertaine. On peut aussi comprendre : « ... Je trouvai que l'instruction (religieuse) était loin d'égaler (la nôtre) »; ou encore : « je trouvai une copie renfermant une instruction non médiocre ». D'après l'interprétation adoptée, Ben Sira, présentant au public grec le livre de son grand-père, veut satisfaire une communauté déjà cultivée et digne de cet enrichissement.
e) Ce premier ch. se présente comme une suite de variations sur les thèmes du début des Proverbes.
f) Le terme « Seigneur » (*Kyrios*) traduit communément dans les LXX le nom de « Yahvé ». Le traducteur de Ben Sira l'emploie très fréquemment, même pour rendre les autres noms divins.

les jours de l'éternité, qui peut les dénombrer?
3 La hauteur du ciel, l'étendue de la terre,
la profondeur de l'abîme [a], qui peut les explorer?
**24** 8, 9 — 4 Mais avant toutes choses fut créée la Sagesse.
Pr **8** 22+ — l'intelligence prudente vient des temps les plus lointains.
Ba **3** 20-22 — 6 [b] La racine de la sagesse, à qui fut-elle révélée?
Jb **28** 12-23 — ses ressources, qui les connaît [c]?
8 Il n'y a qu'un être sage, très redoutable
quand il siège sur son trône : 9 c'est le Seigneur [d].
Jb **28** 27 — C'est lui qui l'a créée [e], vue et dénombrée,
Jl **3** 1-2 — qui l'a répandue sur toutes ses œuvres,
Ac **2** 17s, 33 — 10 en toute chair selon sa largesse,
Qo **2** 26 — et qui l'a distribuée à ceux qui l'aiment.

## La crainte de Dieu [f].

**9** 16 — 11 La crainte du Seigneur est gloire et fierté,
gaîté et couronne d'allégresse.
12 La crainte du Seigneur réjouit le cœur,
Pr **4** 10 — donne gaîté, joie et longue vie.
Si **1** 20 — 13 Pour qui craint le Seigneur, tout finira bien,
**11** 27 — au jour de sa mort il sera béni [g].
Pr **1** 7+ — 14 Le principe de la sagesse, c'est de craindre le Seigneur;
en même temps que les fidèles, elle est créée dès le sein maternel.
19 — 15 Parmi les hommes, elle s'est fait un nid, fondation éternelle,
et à leur race elle s'attachera fidèlement.
20 — 16 La plénitude de la sagesse, c'est de craindre le Seigneur,
Pr **8** 18-19 — elle les enivre de ses fruits;
Sg **7** 11 — 21 — 17 elle remplit toute leur maison de trésors
et de ses produits leurs greniers.
22 — 18 Le couronnement de la sagesse c'est la crainte du Seigneur,
elle fait fleurir bien-être et santé.
Jb **28** 27 — 23 — 19 Le Seigneur l'a vue et dénombrée,
24 — il a fait pleuvoir la science et l'intelligence,
il a exalté la gloire de ceux qui la possèdent.
25 — 20 La racine de la sagesse, c'est de craindre le Seigneur,
**1** 12 — et sa frondaison, c'est une longue vie [h].

## Patience et maîtrise de soi.

23 — 22 La passion du méchant ne saurait le justifier [i],
Pr **29** 22 — car le poids de sa passion est sa ruine.
29 — 23 L'homme patient tient bon jusqu'à son heure,
mais à la fin, sa joie éclate.

*a)* « la profondeur de l'abîme » lat., cf. syr.; « l'abîme et la sagesse » grec.
*b)* La numérotation des versets a été faite sur un texte latin plus long que le texte grec, d'où l'absence dans notre traduction de certains vv. qui sont des additions; celles-ci figurent également dans un groupe de mss grecs (qu'on désigne par le sigle : grec 248). Add. v. 5 : « La source de la sagesse, c'est la parole de Dieu dans les cieux; ses cheminements, ce sont les lois éternelles. »
*c)* Grec 248, syr. hex. et lat. ajoutent : « 7 La science de la sagesse, à qui est-elle apparue? et la richesse de ses voies, qui l'a comprise? »
*d)* L'auteur insiste sur l'unicité et la transcendance de Dieu. Attribut de Dieu, qualité du monde créé par lui, don de Dieu aux hommes, et souvent personnifiée par les livres sapientiaux, Pr **8** 22+, la sagesse reste cependant ici une créature, qu'on ne peut identifier avec Dieu.
*e)* Lat. ajoute : « dans l'Esprit Saint », interpolation chrétienne.
*f)* La crainte du Seigneur, pour un Juif, n'est autre chose que la religion ou la piété. On voit dès le début de ce développement que l'idée de crainte physique, de terreur devant la puissance redoutable de Yahvé, a pratiquement disparu de la théologie juive.
*g)* Lat. ajoute ici : « 14 L'amour de Dieu est une sagesse digne d'honneur, 15 mais ceux auxquels il est apparu l'aiment en le contemplant et en proclamant ses grandeurs. »
*h)* Grec 248 et syr. hex. ajoutent : « 21 La crainte du Seigneur ôte les péchés, celui qui persévère détourne la colère », et lat. : « 26 La crainte du Seigneur, c'est la piété dans la connaissance, 27 mais la sagesse est abhorrée des pécheurs. La crainte du Seigneur chasse le péché. »
*i)* « la passion du méchant » conj.; « la passion méchante » grec.

30 24 Jusqu'à son heure, il dissimule ses paroles,
et tout le monde proclame son intelligence.

**Sagesse et droiture.**

31 25 Dans les trésors de la sagesse sont les maximes de la science,
32 mais le pécheur a la piété en horreur.
33 26 Convoites-tu la sagesse? garde les commandements [a],
le Seigneur te la prodiguera.
34 27 Car la crainte du Seigneur est sagesse et instruction, Pr **15** 33
35 ce qu'il aime, c'est la fidélité et la douceur.
36 28 Ne sois pas indocile à la crainte du Seigneur,
et ne la pratique pas avec un cœur double.
37 29 Ne sois pas hypocrite devant le monde [b], 2 12; **5** 9
et veille sur tes lèvres. Jc **1** 6-8
38 30 Ne t'élève pas, de peur de tomber
et de te couvrir de honte,
39 car le Seigneur révélerait tes secrets
et, au milieu de l'assemblée, il te renverserait, Pr **5** 14
40 parce que tu n'as pas pratiqué la crainte du Seigneur
et que ton cœur est plein de fraude.

**La crainte de Dieu dans l'épreuve [c].**

**2** 1 Mon fils, si tu prétends servir le Seigneur,
prépare-toi à l'épreuve. Ap **2** 10
2 Fais-toi un cœur droit, arme-toi de courage, Jc **1** 2-4 1 P **4** 12
ne te laisse pas entraîner, au temps de l'adversité.
3 Attache-toi à lui, ne t'éloigne pas,
afin d'être exalté à ton dernier jour. Ap **3** 21
4 Tout ce qui t'advient, accepte-le
et, dans les vicissitudes de ta pauvre condition, montre-toi patient, Rm **5** 3
5 car l'or est éprouvé dans le feu, Jc **1** 2-4
et les élus dans la fournaise de l'humiliation.
6 Mets en Dieu ta confiance et il te viendra en aide, Pr **3** 5-6
suis droit ton chemin et espère en lui.
7 Vous qui craignez le Seigneur, comptez sur sa miséricorde,
ne vous écartez pas, de peur de tomber.
8 Vous qui craignez le Seigneur, ayez confiance en lui,
et votre récompense ne saurait faillir.
9 Vous qui craignez le Seigneur, espérez ses bienfaits,
la joie éternelle et la miséricorde.
11 10 Considérez les générations passées et voyez :
qui donc, confiant dans le Seigneur, a été confondu? Jb **4** 7
12 ou qui, persévérant dans sa crainte, a été abandonné? Ps **22** 5-6
ou qui l'a imploré sans avoir été écouté? Ps **37** 25
13 11 Car le Seigneur est compatissant et miséricordieux, Ps **145** 8s
il remet les péchés et sauve au jour de la détresse. Ex **34** 6-7
14 12 Malheur aux cœurs lâches et aux mains nonchalantes [d],
et au pécheur dont la conduite est double.
15 13 Malheur au cœur nonchalant faute de foi,
car il ne sera pas protégé.

*a)* Pour Ben Sira, la sagesse se confond avec l'accomplissement de la Loi, **19** 20; cf. Qo **12** 13. Ici, elle est la récompense de cette fidélité.
*b)* « devant (le monde) » mss, versions; « dans la bouche (du monde) » grec.
*c)* Thème fréquent dans l'AT, tout particulièrement dans les Ps.
*d)* L'auteur semble faire appel à la résistance en temps de persécution. Il condamne l'apostasie, même purement extérieure, vv. 12[b], 15, cf. 2 M **6** 21-28.

16 14 Malheur à vous qui avez perdu l'endurance,
17 que ferez-vous lorsque le Seigneur vous visitera?
18 15 Ceux qui craignent le Seigneur ne transgressent pas ses paroles,
Jn **14** 15, 21, 23 ceux qui l'aiment observent ses voies.
19 16 Ceux qui craignent le Seigneur cherchent à lui plaire,
ceux qui l'aiment se rassasient de la loi [a].
20 17 Ceux qui craignent le Seigneur ont un cœur toujours prêt
21 et savent s'humilier devant lui.
2 S **24** 14 22b 18 Jetons-nous dans les bras du Seigneur, et non dans ceux des hommes,
car telle est sa majesté, telle aussi sa miséricorde.

Ex **20** 12+ Ep **6** 1-3

### Devoirs envers les parents.

2 **3** 1 Enfants, écoutez-moi, je suis votre père,
faites ce que je vous dis, afin d'être sauvés.
3 2 Car le Seigneur glorifie le père dans ses enfants,
il fortifie le droit de la mère sur ses fils.
4 3 Celui qui honore son père expie ses fautes,
5 4 celui qui glorifie sa mère est comme quelqu'un qui amasse un trésor.
6 5 Celui qui honore son père trouvera de la joie dans ses enfants,
au jour de sa prière il sera exaucé.
7 6 Celui qui glorifie son père verra de longs jours,
celui qui obéit au Seigneur donne satisfaction à sa mère [b].
8b 7 Il sert ses parents comme son Seigneur [c].
Mt **21** 28-31 9 8 En actes comme en paroles honore ton père
10 afin que la bénédiction te vienne de lui.
Gn **27** 27s; **48** 15-20; **49** 3-29 11 9 Car la bénédiction d'un père affermit la maison de ses enfants,
mais la malédiction d'une mère en détruit les fondations.
Dt **33** 1-25 12 10 Ne te glorifie pas du déshonneur de ton père :
il n'y a pour toi aucune gloire au déshonneur de ton père.
Pr **17** 6 13 11 Car c'est la gloire d'un homme que l'honneur de son père
et c'est une honte pour les enfants qu'une mère méprisée.
Mt **15** 4-6 Pr **19** 26 14 12 Mon fils, viens en aide à ton père dans sa vieillesse,
ne lui fais pas de peine pendant sa vie.
15 13 Même si son esprit faiblit, sois indulgent,
ne le méprise pas, toi qui es en pleine force.
14 Car une charité faite à un père ne sera pas oubliée,
17 et, pour tes péchés, elle te vaudra réparation.
15 Au jour de ton épreuve Dieu se souviendra de toi,
comme glace au soleil, s'évanouiront tes péchés.
Pr **19** 26; **30** 17 18 16 Tel un blasphémateur, celui qui délaisse son père,
Ex **21** 17+ un maudit du Seigneur, celui qui fait de la peine à sa mère.

### L'humilité.

19 17 Mon fils, conduis tes affaires avec douceur,
et tu seras plus aimé qu'un homme munificent [d].
Ph **2** 5-8 Mt **20** 26-28 20 18 Plus tu es grand, plus il faut t'abaisser
pour trouver grâce devant le Seigneur [e];
21 20 car grande est la puissance du Seigneur,

*a)* Ainsi Ben Sira, loin d'opposer amour et obéissance, les identifie. L'amour est désintéressé; il n'est question que secondairement de la récompense attendue. Cette attitude, caractéristique de Ben Sira, n'est pas inouïe dans la pensée juive. Cf. par exemple *Pirqé Abôt*, **1** 3 : « Ne soyez pas comme des esclaves qui servent leur maître pour en recevoir une récompense. Soyez comme des esclaves qui servent leur maître sans songer à la récompense. »

*b)* Grec 248 et lat. ajoutent : « 7a Celui qui craint le Seigneur honore son père. »

*c)* « son Seigneur » conj.; « des maîtres » grec.

*d)* « munificent », litt. « donneur de présents » hébr.; « agréable » grec.

*e)* Grec 248 et syr. ajoutent : « 19 Nombreux sont les hommes hautains et glorieux, mais c'est aux humbles qu'il révèle ses secrets. »

mais il est honoré par les humbles [a]. Pr **3** 34
22 [21] Ne cherche pas ce qui est trop difficile pour toi, So **2** 3+
ne scrute pas ce qui est au-dessus de tes forces [b]. Ps **131** 1
23 [22] Sur ce qui t'a été assigné exerce ton esprit,
tu n'as pas à t'occuper de choses mystérieuses.
24 [23] Ne te tracasse pas de ce qui te dépasse [c],
25 l'enseignement que tu as reçu est déjà trop vaste pour l'esprit humain.
26 [24] Car beaucoup se sont fourvoyés dans leurs conceptions [d],
une prétention coupable a égaré leurs pensées [e].

**L'orgueil.**

27 [26] Un cœur obstiné finira dans le malheur Pr **28** 14
et qui aime le danger y tombera [f]. Rm **2** 5
28 [27] Un cœur obstiné se charge de peines,
le pécheur accumule péché sur péché.
29 [28] Au mal de l'orgueilleux il n'est pas de guérison,
30 car la méchanceté est enracinée en lui.
31 [29] L'homme prudent médite en son cœur les paraboles,
une oreille qui l'écoute, c'est le rêve du sage.

**Charité envers les pauvres.** Dt **15** 7-11
Si **29** 8-13;
33 [30] L'eau éteint les flammes, **7** 32-36
l'aumône remet les péchés. Tb **12** 9
34 [31] Qui répond par des bienfaits [g] prépare l'avenir, 1 P **4** 8
au jour de sa chute il trouvera un soutien.

**4** [1] Mon fils, ne refuse pas au pauvre sa subsistance
et ne fais pas languir le miséreux.
[2] Ne fais pas souffrir celui qui a faim,
n'exaspère pas l'indigent.
[3] Ne t'acharne pas sur un cœur exaspéré,
ne fais pas languir après ton aumône le nécessiteux. Pr **3** 27-28+
[4] Ne repousse pas le suppliant durement éprouvé,
ne détourne pas du pauvre ton regard. Tb **4** 7
[5] Ne détourne pas tes yeux du nécessiteux,
ne donne à personne l'occasion de te maudire.
[6] Si quelqu'un te maudit dans sa détresse,
son Créateur exaucera son imprécation. Dt **15** 9
[7] Fais-toi aimer de la communauté, Ex **22** 22
devant un grand baisse la tête.
[8] Prête l'oreille au pauvre
et rends-lui son salut avec douceur.
[9] Délivre l'opprimé des mains de l'oppresseur Jb **29** 12, 17
et ne sois pas lâche en rendant la justice.
[10] Sois pour les orphelins un père Ex **22** 21
et comme un mari pour leurs mères [h].
11 Et tu seras comme un fils du Très-Haut Lc **6** 35
qui t'aimera plus que ne fait ta mère. Ps **41** 2-4
Is **49** 15
Jn **14** 21, 23

*a)* C'est souligner la condescendance de Dieu qui se met à la portée des plus humbles. Mais l'hébr., « car grande est la miséricorde de Dieu, aux humbles il dévoile ses secrets », exprime une idée plus fréquente dans l'AT : Dieu comble de grâce celui qui s'humilie, Pr **3** 34; Ps **25** 14; cf. Mt **11** 25; Lc **1** 52.
*b)* Contre la curiosité (vv. 21-24) : la Loi doit suffire à l'étude du sage.
*c)* « de ce qui te dépasse » hébr.; « de tes œuvres superflues » grec.
*d)* Hébr. : « car nombreuses sont les pensées des hommes. »
*e)* Grec 248 ajoute : « [25] Faute de prunelle tu manques de lumière; si tu es dénué de science, n'essaye pas de persuader. »
*f)* Hébr. : « et qui aime le bonheur sera conduit par lui. »
*g)* Le texte ne précise pas s'il s'agit de répondre aux bienfaits par des bienfaits, ou au mal par le bien.
*h)* Il faut peut-être lire avec l'hébr. « les veuves » au lieu de « leurs mères », la veuve et l'orphelin étant le type de ceux envers qui la charité est recommandée, cf. Dt **10** 18; **14** 29; **24** 19, etc.; Ps **68** 6; **146** 9; Ez **22** 7, etc.

**La Sagesse éducatrice** [a].

12 11 La Sagesse élève ses enfants
**6** 27-28 et prend soin de ceux qui la cherchent.
Pr **3** 16-18 13 12 Celui qui l'aime aime la vie,
Sg **6** 14; **8** 17-18 ceux qui la cherchent dès le matin seront remplis de joie.
Pr **3** 35 14 13 Celui qui la possède héritera la gloire;
où il porte ses pas le Seigneur le bénit.
15 14 Ceux qui la servent rendent un culte au Saint
Jn **14** 21 et ceux qui l'aiment sont aimés du Seigneur.
16 15 Celui qui l'écoute juge les nations,
celui qui s'y applique habite en sécurité.
17 16 S'il se confie en elle il l'aura en partage,
et sa postérité en conservera la jouissance.
Mt **7** 14 18 17 Car elle peut le conduire d'abord par un chemin sinueux,
19 faisant venir sur lui crainte et tremblement,
le tourmenter par sa discipline jusqu'à ce qu'elle puisse lui faire confiance,
l'éprouver par ses exigences,
20 18 puis elle revient vers lui sur le droit chemin et le réjouit,
Jb **11** 6 21 et lui découvre ses secrets.
Dn **2** 21-22 22 19 S'il s'égare elle l'abandonne,
Jn **15** 15 et le laisse aller à sa perte [b].

**Pudeur et respect humain** [c].

23 20 Tiens compte des circonstances et garde-toi du mal,
24 et n'aie pas à rougir de toi-même.
**20** 22 25 21 Car il y a une honte qui conduit au péché
et il y a une honte qui est gloire et grâce.
26 22 Ne sois pas trop sévère pour toi-même
27 et ne rougis pas pour ta perte.
28 23 Ne tais pas une parole lorsqu'elle peut sauver
et ne cache pas ta sagesse [d].
29 24 Car c'est au discours qu'on connaît la sagesse
et dans la parole que paraît l'instruction.
30 25 Ne parle pas contre la vérité,
mais rougis de ton ignorance.
Lv **5** 5 31a 26 N'aie pas honte de confesser tes péchés,
Nb **5** 7 32b ne t'oppose pas au courant du fleuve [e].
1 R **21** 27s 31b 27 Ne t'aplatis pas devant un sot,
32a ne sois pas partial en faveur du puissant.
Jn **18** 37 33 28 Jusqu'à la mort lutte pour la vérité,
le Seigneur Dieu combattra pour toi.
1 Jn **3** 18 34 29 Ne sois pas hardi en paroles,
paresseux et lâche dans tes actes.
35 30 Ne sois pas comme un lion [f] à la maison
et un poltron avec tes serviteurs.

*a)* La Sagesse est ici personnifiée, comme en Pr **1** 23-25; **8** 12-21; **9** 1-6. Ses « enfants » sont ceux qui l'étudient et la pratiquent, cf. Lc **7** 35.
*b)* L'hébr. fait de ce passage, vv. 15-19, un « discours de la Sagesse » à la première personne, à l'imitation de Pr **1** 22s; **8** 1s.
*c)* Ce passage fait peut-être allusion à la tentation à laquelle étaient exposés les Juifs de dissimuler leur foi et leurs observances face à l'hellénisme, cf. 1 M **1** 12-15; 2 M **4** 11-16.
*d)* « lorsqu'elle peut sauver », litt. « au temps du salut », sens incertain (hébr. « en son temps »). – « et ne cache pas ta sagesse » hébr., grec 248, lat. (qui ajoutent : « pour la beauté »); omis par grec.
*e)* Il serait plus aisé de l'arrêter que de celer à Dieu les péchés commis. La confession des péchés n'était pas inconnue dans le Judaïsme, Lv **5** 5; Nb **5** 7; 2 S **12** 13; 1 R **21** 27; Ps **38** 2, 5-6; **51** 6, etc.
*f)* Var. (hébr. et syr.) : « un chien »; les deux stiques seraient parallèles au lieu de s'opposer.

36 31 Que ta main ne soit pas tendue pour recevoir Ac **20** 35
et fermée quand il s'agit de rendre.

**Richesse et présomption.**

5 1 Ne te confie pas en tes richesses **11** 24
et ne dis pas : « Cela me suffit. » Lc **12** 15-21
2 Ne laisse pas ton désir et ta force
t'entraîner à suivre les passions de ton cœur.
3 Ne dis pas : « Qui a pouvoir sur moi [a]? » Ps **12** 5
car le Seigneur ne manquera pas de te punir. Sg **2** 11
4 Ne dis pas : « J'ai péché! que m'est-il arrivé [b]? » Qo **8** 11-14
car le Seigneur sait attendre. Rm **2** 4;
5 Ne sois pas si assuré du pardon **3** 25
que tu entasses péché sur péché.
6 Ne dis pas : « Sa miséricorde est grande,
il me pardonnera la multitude de mes péchés! »
7 car il y a chez lui pitié et colère **16** 11
et son courroux s'abat sur les pécheurs. Ex **20** 5-6
8 7 Ne tarde pas à revenir au Seigneur Is **55** 6-7
et ne remets pas jour après jour,
9 car soudain éclate la colère du Seigneur Lc **12** 35-40
et au jour du châtiment tu serais anéanti.
10 8 Ne te fie pas aux richesses mal acquises, Pr **10** 2
elles te seront inutiles au jour du malheur.

**Fermeté et possession de soi.**

11 9 Ne vanne pas à tout vent,
ne t'engage pas dans tout sentier
(ainsi fait le pécheur à la parole double).
12 10 Sache être ferme dans ton sentiment
et n'avoir qu'une parole. Mt **5** 37
13 11 Sois prompt à écouter Jc **5** 12
et lent à donner ta réponse. ↗ Jc **1** 19
14 12 Si tu sais quelque chose, réponds à ton prochain,
sinon mets la main sur ta bouche. Pr **30** 32
15 13 Honneur et confusion sont dans la parole
et la langue de l'homme fait son malheur. Pr **18** 21
16 14 Ne te fais pas traiter de médisant Jc **3** 6
et ne sois pas un rusé discoureur;
17 car si la honte est pour le voleur,
une dure condamnation atteint le fourbe.
18 15 Dans les grandes comme dans les petites choses évite les fautes [c]
et d'ami ne deviens pas ennemi.
6 1 Car une mauvaise réputation produit confusion et infamie;
ainsi en est-il du pécheur à la parole double.
2 Ne t'exalte pas dans l'excès de ta passion,
de peur que ta force ne soit déchirée (comme un taureau),
3 que tu ne dévores ton feuillage et que tu ne perdes tes fruits,
que tu ne te retrouves comme du bois sec. Jn **15** 5-6
4 Une âme passionnée est la perte d'un homme,
elle fait de lui la risée de ses ennemis.

*a)* Comme l'« insensé » qui nie, sinon l'existence de Dieu, du moins sa providence, Ps **53** 2.

*b)* Défi du sceptique à la justice divine apparemment inactive.

*c)* « évite les fautes » hébr.; « ne sois pas ignorant » grec.

37 1-6 **L'amitié.**

Pr 15 1 5 Une parole agréable multiplie les amis,
une langue affable attire maintes réponses aimables.
6 Que soient nombreuses tes relations [a],
37 7-15 mais pour les conseillers prends-en un entre mille.
Pr 17 17 7 Si tu veux te faire un ami, commence par l'éprouver
Si 12 8-9 et ne te hâte pas de te confier à lui.
8 Car tel lie amitié lorsque ça lui chante,
qui ne restera pas fidèle au jour de ton épreuve.
9 Tel est ami qui se change en ennemi
Pr 25 9-10 et qui va dévoiler votre querelle pour ta confusion.
10 Tel est ami et s'assied à ta table,
qui ne restera pas fidèle au jour de l'épreuve.
Pr 19 4, 7 11 Dans ta prospérité il sera un autre toi-même,
parlant librement à tes serviteurs [b],
12 mais dans ton abaissement il se tournera contre toi
et évitera ton regard.
13 Éloigne-toi de tes ennemis
Jr 9 3 et garde-toi de tes amis.
Pr 18 19 14 Un ami fidèle est un puissant soutien :
Qo 4 9-12 qui l'a trouvé a trouvé un trésor.
15 Un ami fidèle n'a pas de prix,
on ne saurait en estimer la valeur.
Pr 17 17; 16 Un ami fidèle est un baume de vie,
18 24 le trouveront ceux qui craignent le Seigneur.
17 Qui craint le Seigneur se fait de vrais amis,
car tel on est, tel est l'ami qu'on a [c].

**L'apprentissage de la sagesse.**

Pr 22 6 18 Mon fils! dès ta jeunesse choisis l'instruction
et jusqu'à tes cheveux blancs tu trouveras la sagesse.
19 Comme le laboureur et le semeur, cultive-la [d]
Pr 8 18-19 et compte sur ses fruits excellents,
Sg 7 14 20 car quelque temps tu peineras à la cultiver,
mais bientôt tu mangeras de ses produits.
21 20 Elle est fort rude aux ignorants
Pr 24 7 et l'homme court de sens ne s'y attache pas.
22 21 Elle pèsera lourd sur lui comme une pierre de touche
et il ne tardera pas à la rejeter.
23 22 Car la sagesse mérite bien son nom,
elle n'est pas accessible au grand nombre.
24 23 Écoute, mon fils, accueille ma pensée,
ne rejette pas mon conseil :
25 24 Engage tes pieds dans ses entraves
Mt 11 29 et ton cou dans son collier.
26 25 Présente ton épaule à son fardeau,
ne sois pas impatient de ses liens.
Dt 6 5 27 26 De toute ton âme approche-toi d'elle,
de toutes tes forces suis ses voies.

*a)* Litt. « ceux qui sont en paix avec toi », ou peut-être « ceux qui te souhaitent la paix ». Cf. hébr. : « les hommes de ta salutation ».
*b)* Hébr. : « dans ton malheur, il s'éloigne de toi ».
*c)* On entend généralement : « car son ami lui est aussi cher que lui-même ». Mais le sens peut être également : « car son ami sera nécessairement comme lui, craignant Dieu ». La vraie piété garantit l'amitié.
*d)* « cultive-la », litt. « approche-toi d'elle ».

28 [27] Mets-toi sur sa trace et cherche-la : elle se fera connaître;
si tu la tiens ne la lâche pas.
29 [28] Car à la fin tu trouveras en elle le repos **4** 11-12
et pour toi elle se changera en joie. Mt **11** 29 Jr **6** 16
30 [29] Ses entraves te deviendront une puissante protection,
ses colliers une parure précieuse. Pr **1** 9
31 [30] Son joug [a] sera un ornement d'or,
ses liens des rubans de pourpre.
32 [31] Comme un vêtement d'apparat tu la revêtiras,
tu la ceindras comme un diadème de joie. Pr **4** 9
33 [32] Si tu le veux, mon fils, tu t'instruiras
et ta docilité te vaudra l'intelligence.
34 [33] Si tu aimes à écouter tu apprendras
et si tu prêtes l'oreille tu seras sage. **8** 8
35 [34] Tiens-toi dans l'assemblée des vieillards Pr **13** 20
et si tu vois un sage attache-toi à lui.
[35] Écoute volontiers toute parole qui vient de Dieu,
que les proverbes subtils ne t'échappent pas.
[36] Si tu vois un homme de sens, va vers lui dès le matin,
et que tes pas usent le seuil de sa porte.
[37] Médite sur les commandements du Seigneur, Ps **1** 2
occupe-toi sans cesse de ses préceptes.
C'est lui qui fortifiera ton cœur
et la sagesse que tu désires te sera accordée.

**Conseils divers.**

**7** [1] Ne fais pas le mal, et le mal ne sera pas ton maître; Gn **4** 7
[2] éloigne-toi de l'injustice, et elle s'écartera de toi.
[3] Mon fils, ne sème pas dans les sillons d'injustice Jb **4** 8 Pr **22** 8
de crainte de récolter sept fois plus. Ga **6** 7-8 Gn **4** 15, 24
[4] Ne demande pas au Seigneur la première place,
ni au roi un siège glorieux. **13** 9-10 Pr **25** 6-7
[5] Ne joue pas au juste devant le Seigneur, Gn **3** 12s; **4** 9
ni au sage devant le roi.
[6] Ne brigue pas la place de juge
si tu n'es pas capable d'extirper l'injustice,
de peur de te laisser influencer par un grand, Lv **19** 15
au risque de perdre ta droiture.
[7] Ne te rends pas coupable envers l'assemblée de la ville
et ne déchois pas devant le peuple.
[8] Ne te laisse pas entraîner deux fois à pécher,
car pour une seule fois tu n'échapperas pas.
11 [9] Ne dis pas : « Dieu considérera la multitude de mes offrandes, Pr **21** 27
quand je les présenterai au Dieu Très-Haut, il les recevra. » Am **5** 21+
9 [10] Ne sois pas hésitant dans la prière Jc **1** 6
10 et ne néglige pas de faire l'aumône. Si **3** 30+
12 [11] Ne te gausse pas d'un homme qui est dans la peine,
car celui qui l'humilie peut le relever. 1 S **2** 7
13 [12] Ne forge pas le mensonge contre ton frère, Lc **1** 52
pas davantage envers un ami.

*a)* « son joug » d'après hébr.; « sur elle » grec : le traducteur a dû lire '*alêah* au lieu de '*ullah*.

14 [13] Garde-toi de proférer aucun mensonge,
car il ne peut en sortir rien de bon [a].

15 [14] Ne pérore pas dans l'assemblée des vieillards
Mt **6** 7 et ne répète pas tes paroles dans la prière.

16 [15] Ne répugne pas aux besognes pénibles,
Gn **3** 17-19 ni au travail des champs créé par le Très-Haut.
Pr **24** 27

17 [16] Ne te range pas au nombre des pécheurs,
**5** 7 18 souviens-toi que la Colère ne saurait tarder.
19 [17] Humilie-toi profondément,
Is **66** 24 car le feu et les vers sont le châtiment de l'impie [b].
Jdt **16** 17
Mc **9** 48
20 [18] N'échange pas un ami contre de l'argent,
ni un vrai frère pour l'or d'Ophir.
21 [19] Ne prends pas en grippe une épouse sage et bonne [c],
car sa grâce vaut plus que l'or.
**33** 25-33 22 [20] Ne maltraite pas l'esclave qui travaille honnêtement,
Dt **24** 14-15 ni le serviteur qui se dévoue.
23 [21] Aime dans ton cœur [d] l'esclave intelligent,
Ex **21** 2 ne lui refuse pas la liberté.
Dt **15** 12-15

### Les enfants.

Pr **27** 23 24 [22] As-tu des troupeaux? prends-en soin;
si tu en tires profit, garde-les.
**30** 1-13 25 [23] As-tu des enfants? fais leur éducation
Pr **13** 24+ et dès l'enfance fais-leur plier l'échine [e].
**42** 9-11 26 [24] As-tu des filles? veille sur leur corps,
mais montre-leur un visage sévère.
1 Co **7** 36-38 27 [25] Marie ta fille, tu auras accompli une grande chose,
mais donne-la à un homme sensé.
28 [26] As-tu une femme selon ton cœur? ne la répudie pas,
mais si tu ne l'aimes pas ne te fie pas à elle.

### Les parents.

Ex **20** 12 29 [27] De tout ton cœur honore ton père
Tb **4** 4 et n'oublie jamais ce qu'a souffert ta mère.
30 [28] Souviens-toi qu'ils t'ont donné le jour :
que leur offriras-tu en échange de ce qu'ils ont fait pour toi [f]?

### Les prêtres.

31 [29] De toute ton âme crains le Seigneur
et révère ses prêtres [g].
32 [30] De toutes tes forces aime celui qui t'a créé
et ne délaisse pas ses ministres.
33 [31] Crains le Seigneur et honore le prêtre

*a)* Litt. « sa continuité (?) n'est pas pour le bien. » Sens incertain mais confirmé par l'hébr. « le résultat n'est pas agréable ».
*b)* Dans l'hébr., peut-être inspiré de Jb **25** 6, seuls les vers sont mentionnés. – Les vers et le feu se trouvent réunis en Is **66** 24 (que reprendra Mc **9** 48) et en Jdt **16** 17.
*c)* Ou peut-être : « N'hésite pas à épouser une femme sage et bonne », cf. v. 26.
*d)* Litt. « que ton âme aime » : le traducteur a sans doute mal compris l'hébr. « aime comme ton âme », c'est-à-dire « comme toi-même ».
*e)* Hébr. : « et dès l'enfance, marie-les ».
*f)* Ces deux vv. sont omis par l'hébr.
*g)* Ben Sira vénère le culte et ses ministres, cf. **50**. Ici, le respect pour le prêtre est mis directement en parallèle avec l'adoration du Seigneur, selon l'esprit des textes auxquels le v. 31 fait allusion : Nb **18** 11-18 (prémices); Lv **5** 6 (sacrifices de réparation, ou « pour le péché »); Ex **29** 27; Lv **7** 32; Dt **18** 3 (offrande des épaules). Le « sacrifice de sanctification » (hébr. « de justice ») est probablement l'oblation de Lv **2** 1-16.

34 et donne-lui sa part comme il t'est prescrit :
prémices, sacrifice de réparation, offrande des épaules,
35 sacrifice de sanctification et prémices des choses saintes.

**Les pauvres et les éprouvés.** 3 30 - 4 10; 29 8-13

36 32 Au pauvre également fais des largesses,
pour que ta bénédiction [a] soit parfaite. Dt 14 29
37 33 Que ta générosité touche tous les vivants, Ps 41 2
même aux morts ne refuse pas ta piété [b].
38 34 Ne te détourne pas de ceux qui pleurent, 37 12
afflige-toi avec les affligés. Rm 12 15 Mt 25 35
39 35 Ne crains pas de t'occuper des malades,
par de tels actes tu te gagneras l'affection.
40 36 Dans tout ce que tu fais souviens-toi de ta fin
et tu ne pécheras jamais [c].

**Prudence et réflexion.**

8 1 Ne lutte pas avec un grand,
de peur de tomber entre ses mains.
2 Ne te querelle pas avec un riche,
de peur qu'il n'ait plus de poids que toi; Pr 10 15
3 car l'or a perdu bien des gens
et a fait fléchir le cœur des rois.

4 3 Ne dispute pas avec un beau parleur,
ne mets pas de bois sur le feu.
5 4 Ne plaisante pas avec un homme mal élevé,
de peur de voir insulter tes ancêtres [d].

6 5 Ne fais pas de reproches au pécheur repentant, Mt 7 1-5p
souviens-toi que nous sommes tous coupables [e]. Rm 3 9-20 1 Jn 1 8-10
7 6 Ne méprise pas un homme avancé en âge, Lv 19 32
car peut-être nous aussi deviendrons vieux.
8 7 Ne te réjouis pas de la mort d'un homme,
souviens-toi que tous nous devons mourir.

**La tradition [f].**

9 8 Ne méprise pas le discours des sages Pr 13 20
et reviens souvent à leurs maximes;
10 car c'est d'eux que tu apprendras la doctrine
et l'art de servir les grands. Pr 14 35;
11 9 Ne fais pas fi du discours des vieillards, 16 13s
car eux-mêmes ont été à l'école de leurs parents [g];
12 c'est d'eux que tu apprendras la prudence
et l'art de répondre à point nommé. Col 4 6

*a)* Celle qu'accordera le Seigneur.
*b)* Sur le devoir de donner aux morts une sépulture décente, cf. 2 S **21** 10-14; Jr **22** 19; Is **34** 3; Tb **1** 17-18; **12** 12. Plus tard, on se préoccupa aussi d'offrir pour eux des prières et des sacrifices, 2 M **12** 38-46. Mais certaines pratiques païennes du culte des morts semblent avoir été prohibées par la Loi, Dt **26** 14, cf. Ba **6** 26; Si **30** 18. Ben Sira ne précise pas.
*c)* « ce que tu fais » hébr.; « tes paroles » grec. – Même si Ben Sira n'a pas encore une idée nette et certaine de la rétribution après la mort, il souligne à plusieurs reprises l'importance de la dernière heure, cf. **11** 26-28. Il peut d'ailleurs y avoir un progrès de l'hébreu à la traduction grecque : l'hébreu dit simplement : « en toutes tes actions considère la fin », c'est-à-dire : prends garde aux conséquences de tes actes. En précisant « ta fin », le grec vise clairement les fins dernières.
*d)* Par les malédictions si fréquentes dans le style oriental.
*e)* « coupables » hébr.; « dans les châtiments » grec.
*f)* Ben Sira n'ignore pas que la sagesse est affaire de tradition, et qu'elle était autrefois, en Israël comme en Égypte, le bien du fonctionnaire, constituant pour lui un « art de servir les grands ».
*g)* Les rabbins ont une haute idée de la tradition qu'ils appellent « la loi orale ». Cf. déjà Dt **4** 9; **11** 19; Ps **44** 2; **78** 3s; Jb **8** 8; **12** 12. La plupart des livres bibliques ont existé à l'état de tradition orale avant d'être mis par écrit. Et ceci est vrai en particulier des proverbes et des maximes de sagesse.

**La prudence.**

13 10 Ne mets pas le feu aux charbons du pécheur
de crainte de te brûler à sa flamme.
14 11 Ne te laisse pas pousser à bout par l'homme coléreux,
ce serait un piège tendu devant tes lèvres.

15 12 Ne prête pas à un homme plus fort que toi :
**29** 4 si tu prêtes, tiens la chose pour perdue.

16 13 Ne te porte pas caution au-delà de tes moyens :
**29** 14-20 si tu t'es porté caution, sois prêt à payer.
Pr **6** 1+

17 14 N'aie pas de procès avec un juge,
car la sentence sera rendue en sa faveur.

18 15 Ne te mets pas en route avec un aventurier,
Pr **22** 24-25 de peur qu'il ne s'impose à toi :
car il n'en fait qu'à sa tête
et sa folie te perdra avec lui.
Pr **15** 18 19 16 Ne te dispute pas avec un homme coléreux,
ne t'engage pas avec lui dans un lieu désert,
car le sang ne compte pas à ses yeux
et là où il n'y a pas de secours il se jettera sur toi.

20 17 Ne prends pas un sot pour confident,
car il ne saurait garder ton secret.
21 18 Devant un étranger, ne fais rien qui doive rester secret,
car tu ne sais pas ce qu'il peut inventer.
22 19 N'ouvre pas ton cœur à n'importe qui
et ne prétends pas obtenir ses bonnes grâces [a].

**Les femmes.**

Nb **5** 14-15 **9** 1 Ne sois pas jaloux de ton épouse bien-aimée
et ne lui donne pas l'idée de te faire du mal.
Pr **31** 3 2 Ne te livre pas entre les mains d'une femme,
Jg **16** 4-21 de peur qu'elle ne prenne de l'ascendant sur toi.
1 R **11** 1-4
3 Ne va pas au-devant d'une prostituée :
Pr **23** 27; tu pourrais tomber dans ses pièges.
**29** 3 4 Ne fréquente pas une chanteuse :
Pr **7** 6-27 tu te ferais prendre à ses artifices.
Jb **31** 1 5 N'arrête pas ton regard sur une jeune fille,
Mt **5** 28 de crainte d'être puni avec elle.
Pr **29** 3 6 Ne te livre pas aux mains des prostituées :
Lc **15** 13 tu y perdrais ton patrimoine.
7 Ne promène pas ton regard dans les rues de la ville
et ne rôde pas dans les coins déserts.
**41** 22-23 8 Détourne ton regard d'une jolie femme
Pr **2** 16 et ne l'arrête pas sur une beauté étrangère.
9 Beaucoup ont été égarés par la beauté d'une femme
et l'amour s'y enflamme comme un feu.
Pr **5** 2+ 12 9 Près d'une femme mariée garde-toi bien de t'asseoir
13 et de t'attabler pour des beuveries,

*a)* Hébr. : « et ne détourne pas de toi le bonheur. »

de crainte que ton cœur ne succombe à ses charmes
et que dans ta passion tu ne glisses à ta perte.

Rapports avec les hommes.

14 10 N'abandonne pas un vieil ami,
le nouveau venu ne le vaudra pas.
15 Vin nouveau, ami nouveau,
laisse-le vieillir, tu le boiras avec délices.

16 11 N'envie pas le succès du pécheur, Ps **37**; **73**
tu ne sais comment cela finira.
17 12 Ne te félicite pas de la réussite des impies,
souviens-toi qu'ici-bas ils ne resteront pas impunis [a].

18 13 Tiens-toi éloigné de l'homme qui est capable de tuer
et tu n'auras aucune crainte de la mort.
19 Si tu l'approches surveille-le bien,
il pourrait t'ôter la vie.
20 Sache bien que tu es entouré de pièges
et que tu marches sur les remparts [b].

21 14 Autant que tu le peux fréquente ton prochain
et prends conseil des sages. **37** 7-15
22 15 Pour ta conversation recherche les hommes intelligents
et que tous tes entretiens portent sur la loi du Très-Haut.
23 16 Que les justes soient tes commensaux
et que ta fierté soit dans la crainte du Seigneur. **1** 11; **10** 22

24 17 Un ouvrage fait de main d'ouvrier mérite louange,
mais le chef du peuple, lui, doit être habile dans le discours [c].
25 18 Le beau parleur est redouté dans la ville **37** 20
et le bavard est détesté.

Le gouvernement.

**10** 1 Le sage gouvernant tient son peuple dans la discipline
et l'autorité d'un homme sensé est bien établie.
2 Tel le gouvernant et tels ses subordonnés,
tel celui qui régit la ville et tels les habitants.
3 Un roi sans instruction est la ruine de son peuple,
une ville doit sa prospérité à l'intelligence des chefs.
4 Aux mains du Seigneur est le gouvernement du monde; Jr **27** 5
il suscite au bon moment le chef qui convient. Pr **8** 15-16
5 Le succès d'un homme est dans la main du Seigneur; Is **11** 2-5
c'est lui qui donne au scribe sa gloire. Rm **13** 1

Contre l'orgueil.

6 Ne garde jamais rancune au prochain, quels que soient ses torts, Lv **19** 18
et ne fais rien dans un mouvement de passion. Mt **5** 21-24; **18** 21-22

7 L'orgueil déplaît à Dieu comme à l'homme
et tous deux ont l'injustice en horreur.

*a)* « ici-bas », litt. « jusqu'au shéol ». – Sur le problème de la rétribution temporelle, cf. l'Introduction, p. 988.
*b)* Donc exposé aux flèches des ennemis, mais le texte est douteux. Hébr. : « sur des filets ».
*c)* Cette maxime met en parallèle l'ouvrier, dont la valeur réside dans l'habileté manuelle, et le chef d'État qui s'impose par son éloquence. Mais le texte n'est pas sûr. Hébr. : « Par les gens habiles la droiture s'obscurcit et le chef du peuple est habile en discours. »

[8] La souveraineté passe d'une nation à une autre
par l'injustice, la violence et l'argent.

Gn **2** 7; [9] Pourquoi tant d'orgueil pour qui est terre et cendre,
**18** 27 10b un être qui, vivant, a déjà les tripes dégoûtantes [a]?
Si **17** 32
12 [10] Une longue maladie se moque du médecin,
qui est roi aujourd'hui demain mourra [b].
13 [11] Quand un homme meurt il reçoit en partage
Is **14** 11 les insectes, les fauves et les vers.
Jb **17** 14

Dt **8** 14 14 [12] Le principe de l'orgueil, c'est d'abandonner le Seigneur
15 et de tenir son cœur éloigné du Créateur.
[13] Car le principe de l'orgueil c'est le péché,
celui qui s'y adonne répand l'abomination.
16 C'est pourquoi le Seigneur lui a infligé d'étranges châtiments
et l'a réduit à néant.
Lc **1** 52 17 [14] Le Seigneur a renversé le trône des puissants
1 S **2** 4-8 et fait asseoir à leur place les doux.
**33** 12 18 [15] Le Seigneur a déraciné les orgueilleux [c]
Dn **2** 35 et planté à leur place les humbles.
Is **40** 15-17 19 [16] Le Seigneur a bouleversé le territoire des nations
Sg **11** 21-22 et les a anéanties jusqu'aux fondements de la terre.
20 [17] Il les a quelquefois enlevées et détruites
21 et a effacé du monde leur souvenir.

22 [18] L'orgueil n'est pas fait pour l'homme
ni la violente colère pour la race de la femme.

**Les gens dignes d'honneur.**

Jr **9** 22-23 23 [19] Quelle race est digne d'honneur? La race de l'homme.
1 Co **1** 26-31 Quelle race est digne d'honneur? Ceux qui craignent le Seigneur.
2 Co **10** 17
Jc **1** 9s Quelle race est digne de mépris? La race de l'homme.
Quelle race est digne de mépris? Ceux qui violent la loi.
24 [20] Le chef est honoré parmi ses frères,
ceux qui craignent le Seigneur sont honorés de lui [d].
25 [22] Riche, chargé d'honneurs ou pauvre,
**9** 16 qu'il mette sa fierté dans la crainte du Seigneur.
26 [23] Ce n'est pas bien de mépriser un pauvre intelligent,
il ne convient pas d'honorer un pécheur.
27 [24] Grand, magistrat, puissant, sont dignes d'honneur,
mais nul n'est plus grand que celui qui craint le Seigneur.
Pr **17** 2; 28 [25] L'esclave sage a les hommes libres comme serviteurs
**11** 29 et l'homme instruit ne se plaint pas [e].

**Humilité et vérité.**

Lc **17** 10 29 [26] Ne fais pas le malin quand tu accomplis ta besogne,
ne fais pas le glorieux quand tu es dans la gêne.
30 [27] Mieux vaut l'homme qui travaille et vit dans l'abondance

*a)* Texte corrigé d'après syr. hex. et des commentaires; le grec est obscur (« un être qui, vivant, jette (?) ses intestins »); l'hébr., corrompu, est inintelligible.

*b)* Le texte semble affirmer l'inutilité des efforts humains pour sauver l'homme voué à la mort, mais cf. ch. **38**.

*c)* « les orgueilleux » conj.; « les nations » grec (les deux mots sont graphiquement très proches en hébr., mais le v. 15 manque); « les nations orgueilleuses » lat.

*d)* Grec 248 ajoute : « [21]La crainte du Seigneur est le commencement de l'élévation, mais le commencement du rejet, c'est l'endurcissement et l'orgueil. »

*e)* On rapprochera de cette maxime les déclarations de saint Paul sur l'esclavage, Ga **3** 28; Col **3** 11; Phm 16.

que celui qui va se glorifiant et n'a pas de quoi vivre. Pr **12** 9
31 [28] Mon fils, glorifie-toi modestement Jr **9** 22
et apprécie-toi à ta juste valeur. 1 Co **1** 31
32 [29] Qui oserait justifier celui qui se fait tort à soi-même
et estimer celui qui se méprise?
33 [30] On honore le pauvre pour son savoir **11** 1; **10** 22
et le riche pour ses richesses.
34 [31] Honoré dans la pauvreté, que serait-ce dans la richesse!
méprisé dans la richesse, que serait-ce dans la pauvreté!

**Ne pas se fier aux apparences.**

**11** [1] Le pauvre, s'il est sage, tient la tête haute
et s'assied parmi les grands.

[2] Ne félicite pas un homme pour sa prestance 1 S **16** 7
et ne prends personne en grippe d'après son apparence. 2 Co **10** 10-11

[3] L'abeille est petite parmi les êtres ailés, Mt **13** 31-32
mais ce qu'elle produit est d'une douceur exquise.

[4] Ne t'enorgueillis pas lorsqu'on t'honore [a] :
car les œuvres du Seigneur sont admirables,
mais elles sont cachées aux hommes [b].

[5] Souvent des souverains ont été assis sur le pavé [c] **10** 14
et un inconnu a reçu le diadème. Qo **4** 14;
[6] Souvent des puissants ont été durement humiliés **10** 6-7
et des hommes illustres sont tombés au pouvoir d'autrui.

**Réflexion et lenteur.**

[7] Ne blâme pas avant d'avoir examiné,
réfléchis d'abord, puis exprime tes reproches.
[8] Ne réponds pas avant d'avoir écouté, Pr **18** 13
n'interviens pas au milieu du discours.

[9] Ne t'échauffe pas pour une affaire qui ne te regarde pas
et ne te mêle pas des querelles des pécheurs.

[10] Mon fils, n'entreprends pas beaucoup d'affaires; **38** 24
si tu les multiplies tu ne t'en tireras pas indemne;
même en courant, tu n'arriveras pas
et tu ne pourras échapper par la fuite [d].
[11] Il en est qui peinent, se fatiguent et se hâtent Pr **11** 24; **21** 5
pour n'en être que mieux distancés. Ps **127** 1 2

**Confiance en Dieu seul.**

[12] Il y a des faibles qui réclament de l'aide, So **2** 3+
pauvres de biens et riches de dénuement;

*a)* Hébr. : « Ne te moque pas de qui est en haillons, ne raille pas qui est dans la peine. »
*b)* C'est-à-dire invisibles et imprévisibles. Un coup du sort peut renverser toutes les situations. Cf. Ps **113** 7s; 1 S **2** 8; Jb **12** 17-19. Les maximes suivantes illustrent celle-ci.
*c)* On peut aussi comprendre : « ont été mis sur le pavé » (après avoir régné); le parallèle serait alors antithétique, mais l'hébr. : « beaucoup d'humiliés se sont assis sur le trône », appuie l'interprétation proposée.
*d)* Hébr. « si tu ne cours pas tu n'atteindras pas, si tu ne cherches pas tu ne trouveras pas. »

le Seigneur les regarde avec faveur,
il les relève de leur misère.
13 Il leur fait relever la tête
et beaucoup s'en étonnent.
Is **45** 7 14 Bien et mal, vie et mort,
Jb **1** 21; **2** 10 pauvreté et richesse, tout vient du Seigneur [a].
17 Le don du Seigneur reste fidèle aux hommes pieux [b]
et sa bienveillance les conduira à jamais.
Jb **27** 16-23 Ps **49** 17-18 18 Il y a des gens qui s'enrichissent à force d'avarice,
Qo **2** 21-23 voici quelle sera leur récompense :
Lc **12** 16-21 19 Le jour où ils se disent : « J'ai trouvé le repos,
maintenant je peux vivre sur mes biens »,
20 ils ne savent pas combien de temps cela durera :
il leur faudra laisser cela à d'autres et mourir [c].
21 20 Sois attaché à ta besogne, occupe-t'en bien [d]
et vieillis dans ton travail.
Pr **3** 31; 22 21 N'admire pas les œuvres du pécheur,
**23** 17 Si **9** 11 confie-toi dans le Seigneur et tiens-toi à ta besogne.
23 Car c'est chose facile aux yeux du Seigneur,
rapidement, en un instant, d'enrichir un pauvre.
24 22 La bénédiction du Seigneur est la récompense de l'homme pieux,
en un instant Dieu fait fleurir sa bénédiction.
Mt **6** 25-26 25 23 Ne dis pas : « De quoi ai-je besoin?
désormais quel sera mon avoir? »
**5** 1 26 24 Ne dis pas : « J'ai suffisamment,
Lc **12** 15-21 quelle malchance pourrait m'atteindre? »
**18** 25 27 25 Au jour du bonheur on ne se souvient pas des maux
Jn **16** 21 et au jour du malheur on oublie le bonheur [e].
28 26 C'est qu'il est aisé au Seigneur, au jour de la mort,
de rendre à chacun selon ses actes.
29 27 Une heure d'épreuve fait oublier le bien-être
**1** 13 et c'est à sa dernière heure que les œuvres d'un homme sont dévoilées.
30 28 Ne vante le bonheur de personne avant la fin,
car c'est dans sa fin qu'on se fait connaître [f].

**Se méfier du méchant.**

31 29 N'introduis pas chez toi n'importe qui,
car nombreuses sont les ruses de l'intrigant.
32 30 Comme une perdrix captive dans sa cage, ainsi le cœur de l'orgueilleux,
comme l'espion il attend ta ruine [g].
33 31 Changeant le bien en mal, il est à l'affût,
aux meilleures qualités il trouve des tares.
34 32 Une étincelle allume un grand brasier,
Pr **1** 11 le pécheur est à l'affût pour faire couler le sang.

*a)* Hébr., grec 248, lat. et syr. ajoutent : « [15] La sagesse, la science et la connaissance de la loi viennent du Seigneur, la charité et la pratique des bonnes œuvres viennent de lui. [16] La folie et les ténèbres sont créées pour les pécheurs; pour ceux qui se plaisent au mal, le mal vieillit ».
*b)* Le grec traduit ainsi l'hébr. « justes », de même v. 22; **12** 2; **13** 17.
*c)* On s'est demandé si Jésus ne s'est pas inspiré de ce v. pour la parabole de Lc **12** 16-21 (noter surtout le v. 19). C'est bien la même idée de l'inutilité des biens amassés à grand-peine, et dont le possesseur va se trouver privé au jour de sa mort.
*d)* « ta besogne » hébr.; « ton alliance » grec. – « occupe-t'en bien » var.; hébr. : « mets-y ta joie », cf. Qo **2** 24; **3** 13.
*e)* Ou peut-être : « On oublie les maux (qui peuvent survenir)... On ne se souvient pas du bonheur (dont on peut être gratifié) ». Ainsi appliqué à l'avenir, ce v. serait plus conforme au contexte. L'interprétation paraît cependant moins probable.
*f)* « dans sa fin » hébr.; « dans ses enfants » grec. – Ces trois vv. (cf. **7** 36) expriment la confiance avec laquelle l'auteur attend, au jour de la mort, un jugement où seront dévoilés les mérites et les fautes. Mais il ne s'arrête pas à décrire la rétribution, ni à préciser si elle sera éternelle.
*g)* Hébr. : « comme un loup, il se tient aux aguets pour déchirer. » – A la manière de l'oiseau placé comme « appelant » dans un piège, le cœur de l'orgueilleux attire le prochain dans les pièges du péché.

35 33 Prends garde au méchant car il complote le mal,
crains qu'il ne t'inflige une flétrissure éternelle.
36 34 Introduis l'étranger, il mettra le trouble chez toi
et il t'aliénera ta maisonnée.

**Les bienfaits.** Mt **5** 43-48 Lc **14** 12-14

**12** 1 Si tu fais le bien, sache à qui tu le fais
et tes bienfaits ne seront pas perdus.
2 Fais le bien à un homme pieux, il te le rendra,
sinon par lui-même du moins par le Très-Haut. Dt **14** 29
3 Pas de bienfaits à qui persévère dans le mal
et se refuse à faire la charité [a].
4 Donne à l'homme pieux
et ne viens pas en aide au pécheur [b].
5 Fais le bien à qui est humble
et ne donne pas à l'impie.
Refuse-lui son pain, ne le lui donne pas,
il en deviendrait plus fort que toi.
Car tu serais payé au double en méchanceté
pour tous les bienfaits dont tu l'aurais gratifié.
6 Car le Très-Haut lui-même a les pécheurs en horreur Mt **5** 45
et aux impies il infligera une punition. Lc **6** 35
7 Donne à l'homme bon,
mais ne viens pas en aide au pécheur.

**Vrais et faux amis.** **6** 5-17

8 Dans la prospérité on ne peut reconnaître le véritable ami,
et dans l'adversité l'ennemi ne peut se cacher. Pr **19** 4;
9 Quand un homme est heureux, ses ennemis ont du chagrin [c]; **17** 17
quand il est malheureux, même son ami l'abandonne.
10 Ne te fie jamais à ton ennemi; Pr **26** 24-26
de même que l'airain se rouille, ainsi fait sa méchanceté.
11 Même s'il se fait humble et s'avance en courbant l'échine,
veille sur toi-même et méfie-toi de lui.
Agis envers lui comme si tu polissais un miroir,
sache que sa rouille ne tiendra pas jusqu'à la fin [d].
12 Ne le mets pas près de toi,
il pourrait te renverser et prendre ta place.
Ne le fais pas asseoir à ta droite,
il chercherait à te ravir ton siège,
et finalement tu comprendrais mes paroles,
tu te repentirais en songeant à mon discours.
13 Qui aurait pitié du charmeur que mord le serpent
et de tous ceux qui affrontent les bêtes féroces?
13b 14 Il en va de même de celui qui fait du pécheur son compagnon
et qui prend part à ses péchés.
14 15 Il reste quelque temps avec toi,
mais, si tu chancelles, il ne se contient plus.

*a)* Hébr. : « Point de profit pour qui fait du bien au méchant; il ne fait même pas une bonne action. »

*b)* Lat. ajoute : « car aux impies et aux pécheurs, il (Dieu) infligera une punition, les gardant pour le jour de la punition. 5 Donne à celui qui est bon et ne reçois pas le pécheur. » Opposer Mt **5** 43-48; Lc **6** 27-36; Rm **12** 20. – Saint Augustin, choqué par cette injonction, a tenté de l'adoucir en commentant : « Ne donne pas au pécheur en tant que pécheur, donne-lui en tant qu'homme. »

*c)* L'hébr. : « même celui qui le hait est son ami » respecte mieux le parallélisme.

*d)* Hébr. : « agis envers lui comme (avec) celui qui révèle un secret : il ne sera pas capable de te nuire; et sache la conséquence de la jalousie. »

Pr **26** 24-26 15 16 L'ennemi n'a que douceur sur les lèvres,
Jr **9** 7 mais dans son cœur il médite de te jeter dans la fosse.
16 L'ennemi a des larmes dans les yeux,
et s'il trouve l'occasion il ne se rassasiera pas de sang.
17 17 Si le sort t'est contraire, tu le trouveras là avant toi,
et sous prétexte de t'aider il te saisira le talon.
19 18 Il hochera la tête et battra des mains [a],
il ne fera que murmurer et changer de visage.

## Fréquenter ses égaux.

**13** 1 Qui touche à la poix s'englue,
qui fréquente l'orgueilleux en vient à lui ressembler.
2 Ne te charge pas d'un lourd fardeau,
ne te lie pas à plus fort et plus riche que toi.
3 Pourquoi mettre le pot de terre avec le pot de fer?
s'il le heurte il se brisera [b].
Pr **18** 23 4 3 Le riche commet une injustice, il prend de grands airs;
le pauvre est lésé, il se fait suppliant.
5 4 Si tu lui es utile il se sert de toi,
si tu fais défaut il s'écartera de toi.
6 5 As-tu quelque bien? il vivra avec toi,
il te dépouillera sans aucun remords.
7 6 A-t-il besoin de toi? il t'enjôlera,
te fera des sourires et te donnera de l'espoir,
il t'adressera de bonnes paroles
et dira : « De quoi as-tu besoin? »
Pr **23** 1-3 8 7 Il t'humiliera au cours de ses festins,
jusqu'à te dépouiller par deux et trois fois,
et pour finir il se moquera de toi.
Puis s'il t'aperçoit il s'écartera de toi
en hochant la tête à ton sujet.

11 8 Prends garde de ne pas te laisser séduire,
pour ne pas être humilié dans ta sottise [c].
12 9 Quand un grand t'appelle, dérobe-toi,
il t'appellera de plus belle.
13 10 Ne te précipite pas, de peur d'être repoussé;
ne te tiens pas trop loin, de peur d'être oublié [d].
14 11 Ne t'avise pas d'être familier avec lui,
ne te fie pas à sa faconde.
Par son verbiage il te met à l'épreuve,
comme en se jouant il s'informe.

15 12 Impitoyable est celui qui colporte les propos;
il ne t'épargne ni les coups ni les chaînes.
16 13 Prends garde et fais bien attention,
car tu chemines en compagnie de ta propre ruine [e].

*a)* Hocher la tête, geste de moquerie, Ps **22** 8; **109** 25; Jb **16** 4; cf. Mt **27** 39. Battre des mains, Ez **25** 6; Na **3** 19; Lm **2** 15.
*b)* Comparaison classique qui se trouve déjà dans Ésope.
*c)* « dans ta sottise » lat., syr.; « dans ta joie » grec. – Hébr. : « Prends garde de ne pas être trop insolent (?), ne ressemble pas aux insensés. »
*d)* Expression frappante de la modération réfléchie et non dépourvue de malice qui caractérise Ben Sira. – Le conseil évangélique de Lc **14** 8-10, dont on serait tenté de rapprocher cette maxime, n'a en fait exactement ni le même contenu ni le même motif.
*e)* Grec 248 et lat. ajoutent : « 14 Quand tu entends cela dans ton sommeil, éveille-toi; toute ta vie, aime le Seigneur et invoque-le pour ton salut. »

18 [15] Tout être vivant aime son semblable
et tout homme son prochain.
19 [16] Toute bête s'accouple selon son espèce
et l'homme s'associe à son semblable.
21 [17] Comment pourraient s'entendre le loup et l'agneau?
ainsi en est-il du pécheur et de l'homme pieux.
22 [18] Quelle paix peut-il y avoir entre l'hyène et le chien?
et quelle paix entre le riche et le pauvre [a]?
23 [19] Les onagres au désert sont le gibier des lions,
ainsi les pauvres sont la proie des riches.
24 [20] Pour l'orgueilleux l'humilité est une abjection :
ainsi le riche a le pauvre en horreur.
25 [21] Quand le riche fait un faux pas ses amis le soutiennent; Pr **19** 4, 7
quand le malheureux fait une chute ses amis le rejettent [b].
26 [22] Quand le riche trébuche beaucoup le reçoivent dans leurs bras, Pr **14** 20
s'il dit des sottises on le félicite.
27 Quand le malheureux trébuche on lui fait des reproches,
s'il dit des choses sensées il n'y a pas de place pour lui.
28 [23] Quand le riche parle, tous se taisent
et l'on porte aux nues son discours.
29 Quand le pauvre parle, on dit : « Qui est-ce? »
et s'il achoppe on le jette par terre.

30 [24] La richesse est bonne quand elle est sans péché,
la pauvreté est mauvaise aux dires de l'impie [c].

31 [25] Le cœur de l'homme modèle son visage Pr **15** 13
soit en bien soit en mal.
32 [26] A cœur en fête, gai visage;
l'invention des proverbes est un travail pénible [d].

### Le vrai bonheur.

**14** [1] Heureux l'homme qui n'a pas péché [e] en paroles **19** 16; **25** 8
et qui n'est pas tourmenté par le regret de ses fautes.
[2] Heureux l'homme qui ne se fait pas à lui-même de reproches
et qui ne sombre pas dans le désespoir.

### Envie et avarice.

Qo **5** 9; **6** 2

[3] A l'homme mesquin ne sied pas la richesse,
et pour l'homme cupide à quoi bon de grands biens?
[4] Qui amasse en se privant amasse pour autrui, Lc **12** 16-21 Jb **27** 16-17
de ses biens d'autres se repaîtront. Pr **13** 22

[5] Celui qui est dur pour soi-même, pour qui serait-il bon?
il ne jouit même pas de ses propres biens.
[6] Il n'y a pas homme plus cruel que celui qui se torture soi-même, Pr **11** 17

*a)* Pour Ben Sira, le précepte de ne fréquenter que ses égaux est en continuité avec l'harmonie de la nature et donc conforme à l'ordre divin. La condamnation de la richesse n'est pas absolue, cf. v. 24, mais l'auteur veut empêcher le pauvre de se laisser séduire par le riche qui risque de l'écraser.
*b)* Ce v. est sans doute à prendre métaphoriquement; « faire un faux pas » peut avoir le sens de « dire des sottises » (hébr. : « parle »), cf. **14** 1, et la suite montre qu'il s'agit surtout de discours.
*c)* Ou peut-être : « à la mesure de l'impiété » (hébr. : « à la mesure de l'insolence »). –La richesse n'est pas une tare mais seulement un danger.
*d)* On voit mal comment ce stique se rattache au précédent, mais le texte n'est pas sûr. Hébr. : « méditations et préoccupations : pensées de tristesse. »
*e)* Litt. « n'a pas trébuché ». – Beaucoup de Ps chantent ainsi le bonheur des cœurs purs, cf. Ps **1**; **32**; **41**; **119**; **128**, par opposition aux « heureux » de ce monde. C'est déjà l'annonce des béatitudes évangéliques, Mt **5** 1-12.

c'est là le salaire de sa méchanceté.
7 S'il fait du bien c'est par mégarde,
finalement il laisse voir sa méchanceté.
8 C'est un méchant, l'homme aux regards cupides,
qui détourne les yeux [a] et méprise la vie d'autrui.

Sg **6** 23 9 L'homme jaloux n'est pas content de ce qu'il a,
la cupidité [b] dessèche l'âme.

10 L'avare est chiche de pain
et la disette est sur sa table.

11 Mon fils, si tu as de quoi, traite-toi bien,
et présente au Seigneur les offrandes qu'il demande.
12 N'oublie pas que la mort ne tardera pas
Nb **16** 33 et que le pacte du shéol [c] ne t'a pas été révélé.
13 Avant de mourir fais du bien à tes amis
et selon tes moyens sois libéral.
Qo **2** 24 14 Ne te refuse pas le bonheur présent,
ne laisse rien échapper d'un légitime désir.
15 Ne laisseras-tu pas à d'autres ta fortune?
et tes biens ne seront-ils pas partagés par le sort?
16 Offre et reçois, trompe tes soucis,
Qo **9** 10 17 ce n'est pas au shéol qu'on peut chercher la joie.
18 17 Toute chair s'use comme un vêtement,
la loi éternelle c'est qu'il faut mourir.
19 18 Comme le feuillage sur un arbre touffu
tantôt tombe et tantôt repousse,
Qo **1** 4 20 ainsi les générations de chair et de sang :
les uns meurent et les autres naissent
Qo **9** 6 21 19 Toute œuvre corruptible périt
↗ Ap **14** 13 et son auteur s'en va avec elle [d].

## Bonheur du sage.

Pr **8** 32-35 22 20 Heureux l'homme qui médite sur la sagesse
et qui raisonne avec intelligence,
23 21 qui réfléchit dans son cœur sur les voies de la sagesse
et qui s'applique à ses secrets [e].
22 Il la poursuit comme le chasseur,
il est aux aguets sur sa piste;
24 23 il se penche à ses fenêtres
et écoute à ses portes;
25 24 il se poste tout près de sa demeure
et fixe un pieu dans ses murailles [f];
25 il dresse sa tente à proximité
et s'établit dans une retraite de bonheur;

*a)* De ceux qui ont besoin de son secours.
*b)* « la cupidité », litt. « l'œil mauvais », conj.; « l'iniquité mauvaise » grec (confusion entre *'ayin* et *'awon*, mais le texte hébr. que nous connaissons est différent).
*c)* Probablement le décret qui fixe la date de la mort, cf. Is **28** 15, 18.
*d)* Hébr. : « Toutes les actions de l'homme sont vouées à la corruption, et l'œuvre de ses mains le suivra », c'est-à-dire le suivra dans la corruption. Ap **14** 13 transpose cette pensée : les œuvres suivent l'homme dans la splendeur de la vie nouvelle. Ces réflexions sont pour Qohélet un sujet d'étonnement et même de scandale. Ben Sira n'y voit qu'une leçon de détachement.
*e)* Cf. le Ps **119**, en particulier les vv. 15, 23, 148 sur le bonheur que donne la méditation de la Loi. Ici l'objet de l'étude est la sagesse, qui se découvre surtout dans les proverbes et les maximes des sages.
*f)* Pour y fixer sa propre tente. – Plusieurs images sont employées pour caractériser la recherche de la sagesse : celle du chasseur qui la poursuit, de l'espion qui tente de surprendre ses paroles, du nomade qui campe sous son ombre.

[26] il place ses enfants sous sa protection
et sous ses rameaux il trouve un abri;
[27] sous son ombre il est protégé de la chaleur
et il s'établit dans sa gloire [a].

15 [1] Ainsi fait celui qui craint le Seigneur;
celui qui se saisit de la loi [b] reçoit la sagesse.
[2] Elle vient au-devant de lui comme une mère,
comme une épouse vierge elle l'accueille; Sg 8 2
[3] elle le nourrit du pain de la prudence, Pr 9 5
elle lui donne à boire l'eau de la sagesse; Si 24 19-22 Jn 4 1+
[4] il s'appuie sur elle et ne chancelle pas,
il s'attache à elle et n'est pas confondu.
[5] Elle l'élève au-dessus de ses compagnons, Sg 8 10-15
au milieu de l'assemblée elle lui ouvre la bouche.
[6] Il trouve le bonheur et une couronne de joie,
il reçoit en partage une renommée éternelle.
[7] Jamais les insensés ne la posséderont,
et les pécheurs jamais ne la verront.
[8] Elle se tient à distance de l'orgueil Pr 8 13
et les menteurs ne songent pas à elle.
[9] La louange ne sied pas à la bouche du pécheur
puisqu'elle ne lui est pas accordée par le Seigneur.
[10] Car c'est en sagesse que s'exprime la louange,
et c'est le Seigneur qui la guide.

## La liberté humaine.

[11] Ne dis pas : « C'est le Seigneur qui m'a fait pécher », Gn 3 12
car il ne fait pas ce qu'il a en horreur [c]. ↗ Jc 1 13-15
[12] Ne dis pas : « C'est lui qui m'a égaré », Gn 3 13
car il n'a que faire d'un pécheur.
[13] Le Seigneur hait toute espèce d'abomination
et aucune n'est aimée de ceux qui le craignent.
[14] C'est lui qui au commencement a fait l'homme
et il l'a laissé à son conseil [d].
16 [15] Si tu le veux tu garderas les commandements
pour rester fidèle à son bon plaisir.
17 [16] Devant toi il a mis le feu et l'eau, Dt 11 26-28
selon ton désir étends la main.
18 [17] Devant les hommes sont la vie et la mort, Dt 30 15-20
à leur gré l'une ou l'autre leur est donnée. Jr 21 8
19 [18] Car grande est la sagesse du Seigneur,
il est tout-puissant et voit tout. Ps 33 13-18
20 [19] Ses regards sont tournés vers ceux qui le craignent, Ps 34 16
il connaît lui-même toutes les œuvres des hommes.
21 [20] Il n'a commandé à personne d'être impie,
il n'a donné à personne licence de pécher.

*a)* Cette « gloire » (hébr. « refuge ») désigne peut-être la nuée qui manifestait la présence de Yahvé, cf. Ex **16** 10; **24** 16+. C'est la *shekinah* (« Présence ») de la littérature rabbinique.

*b)* Jr **2** 8 connaît quatre fonctions officielles : le prêtre, le légiste, le chef, le prophète. « Celui qui se saisit de la loi » se rattache au second de ces états, celui du « scribe », du « docteur de la Loi », qui devint de plus en plus important dans le judaïsme, cf. Esd **7** 6+.

*c)* « il ne fait pas » hébr. et 1 ms grec; « ne fais pas » grec.

*d)* Ce v. est souvent invoqué pour soutenir la doctrine de la liberté. L'hébr. : « ... il l'a livré à son ennemi et l'a laissé à son penchant », en fait plutôt une explication de l'origine du mal, mais le v. suivant affirme la liberté de choix.

**Malédiction des impies.**

Pr **17** 21; **19** 13 **16** 1 Ne désire pas une nombreuse descendance de propres à rien
et ne mets pas ta joie dans des fils impies.
2 Quel que soit leur nombre ne te réjouis pas
s'ils ne possèdent pas la crainte de Dieu.
3 Ne compte pas pour eux sur une longue vie
et n'aie pas confiance dans leur destin,
4 car mieux vaut un seul que mille
Sg **4** 1 et mourir sans enfants qu'avoir des fils impies [a].
5 4 Par un seul homme intelligent une ville se peuple,
Sg **3** 19 mais la race des pervers sera détruite.
6 5 J'ai vu de mes yeux beaucoup de choses semblables
et de mes oreilles j'en ai entendu de plus fortes.
Nb **11** 1; **16** 1-30 7 6 Dans l'assemblée des pécheurs s'allume le feu,
dans la race rebelle s'est enflammée la Colère.
Gn **6** 1-7 8 7 Dieu n'a point pardonné aux géants d'autrefois
qui s'étaient révoltés, fiers de leur puissance.
Gn **19** 1-29 9 8 Il n'a pas épargné la ville où habitait Lot :
leur orgueil lui faisait horreur.
10 9 Il n'a pas eu pitié de la race de perdition [b] :
ceux qui se prévalaient de leurs péchés.
Ex **12** 37 11 10 Il traita de même six cent mille hommes de pied,
Si **46** 8 qui s'étaient ligués dans la dureté de leur cœur [c].
12 11 N'y eût-il qu'un seul homme au cou raide,
il serait inouï qu'il restât impuni,
**5** 6 car pitié et colère appartiennent au Seigneur
Ex **34** 6-7 puissant dans le pardon, répandant la colère.
13 12 Autant que sa miséricorde, autant est grande sa sévérité,
il juge les hommes selon leurs œuvres.
14 13 Il ne laisse pas impuni le pécheur avec ses larcins,
il ne frustre pas la patience de l'homme pieux.
15 14 Il tient compte de tout acte de charité [d]
et chacun est traité selon ses œuvres [e].

**La rétribution est certaine.**

Ps **139** 7-12 16 17 Ne dis pas : « Je me cacherai pour échapper au Seigneur;
Jr **23** 24 là-haut qui se souviendra de moi?
Am **9** 2-3 17 Au milieu de la foule je ne serai pas reconnu,
que suis-je dans la création immense [f]? »
18 Voici : le ciel, le plus haut des cieux,
l'abîme et la terre sont ébranlés lors de sa visite.
Ps **18** 8 19 En même temps les montagnes et les fondements de la terre
Jb **37** 1-7 tremblent sous son regard.
20 Mais à tout cela on ne réfléchit pas;
qui donc s'intéresse à ses voies?
21 La tempête aussi reste invisible,
Rm **11** 33 la plupart de ses œuvres sont dans le secret [g].

*a)* Après « destin », l'hébr. ajoute : « car ils n'auront pas un avenir heureux », et après « un seul » : « faisant le bon plaisir de Dieu ».
*b)* Les anciens habitants de Canaan.
*c)* On songe à Ex **12** 37 ou à Nb **11** 21. Ces hommes moururent au désert et n'entrèrent pas en Canaan, Nb **14** 20-23.
*d)* Hébr. : « Pour tout homme pratiquant la justice, il y a un salaire. »
*e)* Grec 248, hébr. et syr ajoutent : « 15 Dieu a endurci le cœur de Pharaon pour qu'il ne le reconnût pas afin de faire connaître ses œuvres sous le ciel. 16 A toute la création sa pitié se manifeste, il a partagé sa lumière et son ombre entre les hommes. » (cf. **12** 6 et Mt **5** 45).
*f)* Ainsi Adam et Caïn tentaient de se cacher de la face du Seigneur, Gn **3** 10; **4** 9.
*g)* Hébr. : « 20 Il ne fait pas attention à moi non plus, qui s'inté-

22 « Les œuvres de la justice, qui les annoncera?
qui les attendra? car l'alliance est loin [a]. »
23 Ainsi pense l'homme court de sens;
l'insensé, égaré, ne rêve que folies.

**L'homme dans la création.**

24 Écoute-moi, mon fils, et acquiers la connaissance,
applique ton cœur à mes paroles [b]. Pr **1** 23
25 Avec mesure je te révélerai la discipline,
avec soin je proclamerai la connaissance.
26 Lorsqu'au commencement Dieu créa ses œuvres [c], Gn **1**
sitôt faites, il leur attribua une place.
27 Il ordonna ses œuvres pour l'éternité, **42** 20-25
depuis leurs origines jusqu'à leurs générations lointaines.
Elles ne souffrent la faim ni la fatigue
et n'abandonnent jamais leur tâche.
28 Aucune n'a jamais heurté l'autre
29 et jamais elles ne désobéissent à sa parole [d].
30 29 Ensuite le Seigneur jeta les yeux sur la terre
et la remplit de ses biens.
31 30 De toute espèce d'animaux il en couvrit la face Gn **1** 24-25
et ils retourneront à la terre. Gn **3** 19 Ps **104** 29

**17** 1 Le Seigneur a tiré l'homme de la terre [e] Gn **2** 7
pour l'y renvoyer ensuite. Qo **3** 20; **12** 7
2 Il a assigné aux hommes un nombre précis de jours et un temps déterminé, Gn **6** 3
il a remis en leur pouvoir ce qui est sur terre. Gn **1** 28+ Sg **9** 2-3
3 Il les a revêtus de force, comme lui-même,
à son image il les a créés. Gn **1** 27
4 A toute chair il a inspiré la terreur de l'homme, Gn **9** 2
pour qu'il domine bêtes sauvages et oiseaux [f].
5 6 Il leur forma une langue, des yeux, des oreilles,
il leur donna un cœur pour penser [g].
6 7 Il les remplit de science et d'intelligence
et leur fit connaître le bien et le mal. Gn **2** 17
7 8 Il mit sa lumière dans leur cœur
pour leur montrer la grandeur de ses œuvres [h]. Sg **13** 1 Rm **1** 19-20
8 10 Ils loueront son saint nom,
racontant la grandeur de ses œuvres.
9 11 Il leur accorda encore la connaissance,
il les gratifia de la loi de la vie :
10 12 il a conclu avec eux une alliance éternelle
et leur a fait connaître ses jugements [i]; Dt **30** 15-20
11 13 leurs yeux contemplèrent la grandeur de sa majesté, Ex **34** 10s

resse à mes voies? 21 Si je pèche nul œil ne me voit, et si je mens en grand secret, qui le sait? » Le discours du pécheur se poursuit ainsi jusqu'au v. 22, les vv. 18 et 19 n'étant que des incidentes.

*a)* L'objecteur semble vouloir dire que la rétribution se fait attendre et n'est pas certaine. Sur le sens du mot alliance (ou pacte), cf. **14** 12+. – Hébr. pour ce stique : « Quel espoir y a-t-il car le décret est éloigné? »

*b)* C'est ici le scribe qui parle et non la sagesse personnifiée.

*c)* « (Dieu) créa » *en ktisei* conj. d'après l'hébr.; « dans le jugement » *en krisei* grec.

*d)* Il s'agit des astres dont la marche régulière a frappé Ben Sira.

*e)* Ben Sira suit l'ordre du récit de Gn **1** : création des astres, des plantes et des animaux, de l'homme.

*f)* Grec 248 ajoute : « 5 Ils reçurent l'usage des cinq pouvoirs du Seigneur, comme sixième leur fut donnée la participation de l'intelligence et comme septième la raison, interprète de ses pouvoirs. » Glose d'origine stoïcienne, semble-t-il.

*g)* « il leur forma » *wayyiçer* conj.; « le conseil » *diaboulion* = *weyeçer* grec. – Dans l'anthropologie israélite, le cœur est le siège de l'intelligence, cf. Gn **8** 21+.

*h)* « sa lumière », litt. « son œil ». – A la fin, grec 248 ajoute : « 9 et leur donna de célébrer éternellement ses merveilles. »

*i)* C'est la loi de Moïse : les vv. suivants décrivent la révélation du Sinaï.

Dt 4 11-12 leurs oreilles entendirent la magnificence de sa voix.
[14] Il leur dit : « Gardez-vous de tout mal »,
12 il leur donna des commandements chacun à l'égard de son prochain.

**Le juge divin.**

13 [15] Leur conduite est toujours devant lui,
jamais cachée à ses regards [a].
14 [17] A chaque peuple il a préposé un prince,
Dt 7 6+ 15 mais Israël est la portion du Seigneur [b].
16 [19] Toutes leurs actions sont devant lui comme le soleil,
ses regards sont assidus à observer leur conduite.
17 [20] Leurs injustices ne lui sont point cachées,
tous leurs péchés sont devant le Seigneur [c].
18 [22] L'aumône d'un homme est pour lui comme un sceau,
il conserve un bienfait comme la pupille de l'œil [d].
19 [23] Un jour il se lèvera et les récompensera,
sur leur tête il fera venir leur récompense [e].
20 [24] Mais à ceux qui se repentent il accorde un retour,
il réconforte ceux qui ont perdu l'espérance.

**Invitation à la pénitence.**

21 [25] Convertis-toi au Seigneur et renonce à tes péchés,
22 implore-le bien en face, cesse de l'offenser.
Ps 34 15 23 [26] Reviens vers le Très-haut, détourne-toi de l'injustice [f]
et hais vigoureusement l'iniquité.
Ps 6 6; 115 17 (26) [27] Car qui louera le Très-Haut dans le shéol,
si les vivants ne lui rendent gloire?
(27) [28] La louange est inconnue des morts comme de ceux qui ne sont pas,
celui qui a vie et santé glorifie le Seigneur.
Ps 111 4 28 [29] Qu'elle est grande la miséricorde du Seigneur,
son indulgence pour ceux qui se tournent vers lui!
29 [30] Car l'homme ne peut tout avoir,
puisque le fils d'homme n'est pas immortel.
30 [31] Quoi de plus lumineux que le soleil? pourtant il disparaît.
Gn 6 5; 8 21 La chair et le sang ne peuvent nourrir que malice.
Jb 15 14-16 31 [32] C'est lui qui surveille les puissances en haut des cieux [g],
Gn 18 27 Si 10 9 et tous les hommes ne sont que terre et cendre.

**Grandeur de Dieu.**

**18** [1] Celui qui vit éternellement a créé tout ensemble.
[2] Le Seigneur seul sera proclamé juste [h].
[4] A personne il n'a donné le pouvoir d'annoncer ses œuvres
et qui découvrira ses merveilles?
[5] Qui pourra mesurer la puissance de sa majesté

*a)* Grec 248 ajoute : « [16] Dès l'enfance leur voie les mène au mal et ils ne purent pas changer leur cœur de pierre en un cœur de chair, [17] car dans la répartition des peuples de toute la terre... » Peut-être glose inspirée d'Ez **11** 19; **36** 26, et affirmant l'impossibilité pour l'homme de faire le bien. Le texte lui-même paraît moins pessimiste.
*b)* Grec 248 ajoute : « [18] son premier-né qu'il nourrit de discipline, auquel il dispense la lumière de son amour sans l'abandonner. » – A l'époque de Ben Sira, aucune dynastie ne règne sur Israël. Du reste, l'opposition à la royauté, très ancienne, 1 S **8**, dut à plus forte raison exister lors de la restauration maccabéenne.
*c)* Grec 248 ajoute : « [21] Mais le Seigneur est bon et connaît sa créature, il ne les détruit ni ne les abandonne, mais il les épargne. »
*d)* Grec 248 ajoute : « accordant à ses fils et à ses filles le repentir. »
*e)* On ne voit pas exactement ici quand et sous quelle forme aura lieu la rétribution.
*f)* Grec 248 ajoute ici : « car c'est lui qui te tirera des ténèbres pour te conduire à la lumière du salut. »
*g)* Sans doute les astres, cf. **16** 28; Is **24** 21-23.
*h)* Grec 248 ajoute : « et il n'y en a pas d'autres que lui. [3] Il gouverne le monde d'un geste de la main, tout obéit à sa volonté; car il est le roi de toutes choses et par sa puissance il sépare les choses sacrées des profanes. »

et qui pourra en outre raconter ses miséricordes?
6 On n'y peut rien retrancher et rien ajouter, Si **42** 21
et l'on ne peut découvrir les merveilles du Seigneur.
6c 7 Quand un homme a fini, c'est alors qu'il commence, Ps **139** 17s
et quand il s'arrête il est tout déconcerté [a].

**Néant de l'homme.**

7 8 Qu'est-ce que l'homme? à quoi sert-il? Ps **8** 5
quel est son bien et quel est son mal?
8 9 La durée de sa vie : cent ans tout au plus. Ps **90** 10
10 Une goutte d'eau tirée de la mer, un grain de sable, Si **17** 2
telles sont ces quelques années auprès de l'éternité.
9 11 C'est pourquoi le Seigneur use avec eux de patience
et répand sur eux sa miséricorde.
10 12 Il voit, il sait combien leur fin est misérable,
11 c'est pourquoi il a multiplié son pardon.
12 13 La pitié de l'homme est pour son prochain,
mais la pitié du Seigneur est pour toute chair :
13 il reprend, il corrige, il enseigne,
il ramène, tel le berger, son troupeau [b].
14 Il a pitié de ceux qui trouvent la discipline
et qui cherchent avec zèle ses jugements.

**La façon de donner [c].**

15 Mon fils, n'assaisonne pas de blâme tes bienfaits,
ni tous tes cadeaux de paroles chagrines.
16 La rosée ne calme-t-elle pas la chaleur?
ainsi la parole vaut mieux que le cadeau.
17 Certes, une parole ne vaut-elle pas mieux qu'un riche présent?
Mais l'homme charitable unit les deux.
18 L'insensé ne donne rien et fait affront,
et le don de l'envieux brûle les yeux.

**Réflexion et prévision.**

19 Avant de parler, instruis-toi,
avant d'être malade, soigne-toi.
20 Avant le jugement, éprouve-toi,
au jour de la visite tu seras acquitté.
21 Humilie-toi avant de tomber malade [d],
quand tu as péché montre ton repentir.
22 Que rien ne t'empêche d'accomplir un vœu en temps voulu, Dt **23** 22-24
n'attends pas la mort pour te mettre en règle. Qo **5** 3
23 Avant de faire un vœu, prépare-toi Pr **20** 25
et ne sois pas comme un homme qui tente le Seigneur. Qo **5** 1-6
24 Pense à la colère des derniers jours,
à l'heure de la vengeance, quand Dieu détourne sa face [e].
25 Quand tu es dans l'abondance songe à la disette,

*a)* Quand l'homme a épuisé ses possibilités pour connaître Dieu et ses merveilles, il n'en est encore qu'au commencement. Ces constatations rappellent celles de Qohélet, mais la conclusion est toute différente : pour Ben Sira, cette faiblesse de l'homme ne fait que souligner la grandeur de Dieu.

*b)* Cf. 2 M **6** 13-16; Sg **12** 19-22. Le Judaïsme tardif était préoccupé de justifier les interventions divines pour la punition des hommes. La miséricorde universelle de Dieu et son caractère pédagogique, ici soulignés, sont une nouveauté dans l'AT.

*c)* Ici reprennent les conseils de conduite. Le développement sur la magnanimité de Dieu amène une première collection de maximes sur la bienfaisance.

*d)* La maladie est fréquemment présentée comme le châtiment du péché. Aussi la conversion et le repentir sont-ils un moyen d'éviter la maladie.

*e)* Le jour de la mort, cf. **1** 13, plutôt que le jour du jugement. En général Ben Sira est peu préoccupé d'eschatologie.

à la pauvreté et à la misère quand tu es riche.
26 Entre matin et soir le temps s'écoule,
tout passe vite devant le Seigneur.
27 En toutes choses le sage est sur ses gardes,
aux jours de péché [a] il évite l'offense.
28 Tout homme sensé reconnaît la sagesse;
à qui l'a trouvée il fait son compliment.
29 Des hommes intelligents et diserts ont cultivé, eux aussi, la sagesse
et se sont épanchés en maximes excellentes [b].

**Possession de soi-même.**

30 Ne te laisse pas entraîner par tes passions
et refrène tes désirs.
31 Si tu t'accordes la satisfaction de tes appétits,
tu fais la risée de tes ennemis.
32 Ne te complais pas dans une existence voluptueuse,
ne te lie pas à une telle société [c].
Pr **23** 20-21 33 Ne t'appauvris pas en festoyant avec de l'argent emprunté,
quand tu n'as pas un sou en poche.
**19** 1 Un ouvrier buveur ne sera jamais riche,
qui méprise les riens peu à peu s'appauvrit.
Pr **31** 3-5 Os **4** 11 2 Le vin et les femmes pervertissent les hommes sensés,
qui fréquente les prostituées perd toute pudeur.
Pr **5** 5; **7** 26s; **9** 18 3 Des larves et des vers il sera la proie
et l'homme téméraire y perdra la vie [d].

**Contre le bavardage.**

4 Celui qui a la confiance facile montre sa légèreté,
celui qui pèche se fait tort à soi-même.
5 Celui qui prend plaisir au mal [e] sera condamné,
6 celui qui hait le bavardage échappe au mal.
7 Ne rapporte jamais ce qu'on t'a dit
et jamais on ne te nuira;
Pr **25** 9-10 8 à ton ami comme à ton ennemi ne raconte rien,
à moins qu'il n'y ait faute pour toi, ne le révèle pas;
9 on t'écouterait, on se méfierait de toi
et à l'occasion on te haïrait.
10 As-tu entendu quelque chose? sois un tombeau [f].
Courage! tu n'en éclateras pas!
11 Une parole entendue, et voilà le sot en travail
comme la femme en mal d'enfant.
12 Une flèche plantée dans la cuisse,
telle est une parole dans le ventre du sot.

**Vérifier ce qu'on entend dire.**

13 Va trouver ton ami : peut-être n'a-t-il rien fait,
et s'il a fait quelque chose il ne recommencera pas.
14 Va trouver ton voisin : peut-être n'a-t-il rien dit,
et s'il a dit quelque chose il ne le redira pas.

*a)* C'est-à-dire aux jours où le péché attire le sage.
*b)* Allusion aux recueils de sagesse tels que les Proverbes. – A la fin du v., grec 248 ajoute : « de vie. Mieux vaut la confiance en l'unique Seigneur que d'attacher des cœurs morts à des morts. »
*c)* Hébr. : « Ne te réjouis pas d'un bien-être sans valeur (?), de crainte de devenir deux fois plus pauvre. »
*d)* C'est-à-dire que la mort prématurée sera son châtiment.
*e)* « au mal » mss grecs (dont Sinaïticus); « à son cœur » texte reçu. Grec 248 ajoute : « et celui qui résiste aux plaisirs couronne sa propre vie; 6 celui qui tient sa langue vivra en paix. »
*f)* Litt. « que cela meure en toi ».

16 [15] Va trouver ton ami, car on calomnie souvent,
ne crois pas tout ce qu'on te dit. Qo **7** 21
17 [16] Souvent on glisse sans mauvaise intention;
qui n'a jamais péché en parole?
18 [17] Va trouver ton voisin avant d'en venir aux menaces,
obéis à la loi du Très-Haut [a]. Lv **19** 17

**Vraie et fausse sagesse.**

[20] Toute sagesse est crainte du Seigneur
et en toute sagesse il y a l'accomplissement de la loi [b].
19 [22] Mais connaître le mal n'est pas la sagesse
et le conseil des pécheurs n'est pas la prudence.
20 [23] Il y a un savoir-faire qui est abominable;
est insensé celui à qui manque la sagesse.
21 [24] Mieux vaut être pauvre d'intelligence avec la crainte
que surabonder de prudence et violer la loi [c].
22 [25] Il y a un habile savoir-faire au service de l'injustice
23 et tel pour établir son droit use de fourberie.
[26] Tel marche courbé sous le chagrin [d]
mais au fond de lui ce n'est que ruse :
24 [27] baissant la tête et faisant le sourd,
s'il n'est pas démasqué il prend l'avantage sur toi.
25 [28] Tel se sent trop faible pour pécher,
qui fera le mal à la première occasion.
26 [29] A son air on connaît un homme,
à son visage on connaît l'homme de sens.
27 [30] L'habit d'un homme, son rire,
sa démarche, révèlent ce qu'il est.

**Silence et parole.**

28 **20** [1] Il y a des reproches intempestifs,
il y a un silence qui dénote l'homme sensé.
20 1 [2] Mieux vaut faire des reproches que garder sa colère.
[3] Celui qui s'accuse d'une faute évite la peine.

2 [4] Tel l'eunuque qui voudrait déflorer une jeune fille, **30** 20
tel celui qui prétend rendre la justice par la violence.

3 [5] Tel se tait et passe pour sage, Pr **17** 28
tel autre se fait détester pour son bavardage.

[6] Tel se tait parce qu'il ne sait que répondre,
tel autre se tait qui attend son heure.

[7] Le sage sait se taire jusqu'au bon moment,
mais le bavard et l'insensé manquent l'occasion.

[8] Celui qui parle trop se fait détester
et celui qui prétend s'imposer suscite la haine.

*a)* Grec 248 ajoute : « qui est sans colère. [18] La crainte du Seigneur est le principe de son indulgence et la sagesse gagne son affection. [19] La connaissance des commandements du Seigneur c'est la discipline de vie, ceux qui font ce qui lui plaît récoltent l'arbre d'immortalité. »
*b)* Cf. **1** 16, 18, etc.; Jb **28** 28; Ps **111** 10; Pr **1** 7; **9** 10; **15** 33. – A la fin, grec 248 ajoute : « et la connaissance de sa toute-puissance. [21] Le serviteur qui dit à son maître : " Je ne ferai pas ce qui te plaît ", même si après il le fait, irrite celui qui le nourrit »; cf. Mt **21** 28-32.
*c)* Toute intelligence n'est pas sagesse. Il y a une intelligence dépravée et une prudence de mauvais aloi.
*d)* « marche » quelques mss; « fait le mal » texte reçu.

**Paradoxes.**

[9] Tel trouve son salut dans le malheur
et parfois une aubaine provoque un dommage.

[10] Il y a des générosités qui ne te profitent pas
et il y a des générosités qui rapportent le double.

[11] Parfois la gloire apporte l'humiliation
Lc **1** 52 et certains dans l'abaissement lèvent la tête [a].

[12] Tel achète beaucoup de choses avec peu d'argent,
et cependant les paie sept fois trop cher.

[13] Par des paroles le sage se fait aimer
mais les générosités des sots vont en pure perte.
[14] Le cadeau de l'insensé ne te sert à rien
car ses yeux sont avides de recevoir le septuple [b];
[15] il donne peu et reproche beaucoup,
il ouvre la bouche comme un crieur public;
16 il prête aujourd'hui, demain il redemande :
c'est un homme détestable.
17 [16] L'insensé dit : « Je n'ai pas un ami,
de mes bienfaits nul ne me sait gré;
18 [17] ceux qui mangent mon pain ont mauvaise langue. »
Tant de gens, si souvent, se gaussent de lui [c]!

**Paroles maladroites.**

20 [18] Mieux vaut un faux pas sur le pavé qu'une incartade de langage;
c'est ainsi que trébuchent soudainement les méchants.

21 [19] Un homme grossier est comme une gaudriole
ressassée par des imbéciles [d].

22 [20] De la bouche du sot on n'accepte pas un proverbe,
Pr **26** 7, 9 car il ne le dit pas à propos.

23 [21] Tel est préservé du péché par son indigence,
à ses heures de loisir il n'a pas de remords.

**4** 21 24 [22] Tel se perd par respect humain,
il se perd par égard pour un insensé.

25 [23] Tel par timidité fait des promesses à son ami
et s'en fait un ennemi sans motif.

**Le mensonge.**

Pr **13** 5 26 [24] C'est une grave souillure pour un homme que le mensonge,
il est ressassé par les ignorants.

*a)* Le sens n'est pas certain. L'interprétation donnée ici paraît conforme au contexte : elle affirme le rapprochement des contraires : la gloire produit l'humiliation, l'abaissement produit l'exaltation. On songe au Magnificat : « Il a renversé les potentats de leur trône et élevé les humbles. »
*b)* D'après syr. et lat.; « car ses yeux sont beaucoup au lieu d'un » grec.
*c)* Grec 248 et lat. ajoutent : « Il n'accueille pas la richesse avec un esprit droit, ni l'absence de richesse avec indifférence. »
*d)* Interprétation incertaine d'un texte peu sûr. On peut préférer le syr. : « Comme une queue grasse de brebis mangée sans sel, ainsi une parole intempestive. »

27 25 Mieux vaut un voleur qu'un maître menteur,
mais l'un et l'autre vont à leur perte.

28 26 L'habitude du mensonge est une abomination, Pr 12 22
la honte du menteur est sans cesse sur lui.

**Sur la sagesse.**

29 27 Par ses discours le sage se fait estimer
et l'homme avisé plaît aux grands [a].
30 28 Celui qui cultive la terre obtient une bonne récolte,
celui qui plaît aux grands se fait pardonner l'injustice. Pr 14 35

31 29 Présents et cadeaux aveuglent les yeux des sages, Pr 17 8;
comme un bâillon sur la bouche ils étouffent les reproches. 18 16; 21 14

32 30 Sagesse cachée et trésor invisible, = 41 14-15
à quoi servent-ils l'un et l'autre? Mt 5 14-16
33 31 Mieux vaut un homme qui cache sa folie
qu'un homme qui cache sa sagesse [b].

**Différents péchés.**

**21** 1 Mon fils! tu as péché? Ne recommence plus
et implore le pardon de tes fautes passées.
2 Comme tu fuirais le serpent, fuis la faute :
si tu l'approches elle te mordra;
3 ses dents sont des dents de lion
qui ôtent la vie aux hommes.
4 3 Toute transgression est une épée à deux tranchants Pr 5 4
dont la blessure est incurable.

5 4 La terreur et la violence dévastent la richesse,
ainsi la maison de l'orgueilleux sera détruite.
6 5 La prière du pauvre frappe les oreilles de Dieu,
dont le jugement ne saurait tarder.

7 6 Qui hait la réprimande emprunte le sentier du pécheur, Pr 12 1
celui qui craint le Seigneur se convertit en son cœur.

8 7 Le beau parleur est connu partout
mais l'homme réfléchi en connaît les faiblesses.

9 8 Bâtir sa maison avec l'argent d'autrui,
c'est amasser des pierres pour sa tombe [c].

10 9 L'assemblée des pécheurs est un tas d'étoupe 16 6
qui finira dans la flamme et le feu.

11 10 Le chemin des pécheurs est bien pavé, Mt 7 13
mais il aboutit au gouffre du shéol [d].

*a)* La sagesse du scribe est d'abord un savoir-faire qui permet de réussir dans la vie, spécialement par la faveur des grands.
*b)* La sagesse est faite pour briller et éclairer les hommes; la cacher, c'est manquer à sa vocation. – Grec 248 ajoute : « Mieux vaut la persévérance inflexible dans la recherche du Seigneur que l'agitation anarchique de sa propre vie. »
*c)* « pour sa tombe » grec 248, syr.; « pour l'hiver » (au lieu de bois pour se chauffer?) grec.
*d)* Ces deux vv. expriment clairement la foi en une rétribution et font songer aux peines de l'enfer (cf. aussi Is **50** 11; **66** 24). C'est bien ainsi que l'interprète le lat. : « mais à la fin, ce sont les enfers, les ténèbres et les tourments. »

**Le sage et l'insensé.**

Gn **4** 7 12 11 Celui qui garde la loi contrôle ses instincts [a],
13 la perfection de la crainte du Seigneur c'est la sagesse.

14 12 Tel ne peut rien apprendre faute de dons naturels,
15 mais il est des dons qui engendrent l'amertume.

16 13 La science du sage est riche comme l'abime
Pr **13** 14; et son conseil est comme une source vive.
**18** 4 17 14 Le cœur du sot est comme un vase brisé
qui ne retient aucune connaissance.
18 15 Si un homme instruit entend une parole sage,
il l'apprécie et y ajoute du sien;
qu'un débauché l'entende, elle lui déplaît,
il la rejette derrière lui.

19 16 Le discours du sot pèse comme un fardeau en voyage,
mais sur les lèvres du sage on trouve la grâce.
20 17 La parole de l'homme sensé est recherchée dans l'assemblée,
ce qu'il dit, chacun le médite dans son cœur.

21 18 Une maison en ruines, telle est la sagesse du sot,
et la science de l'insensé, ce sont des discours incohérents.

22 19 La discipline pour l'insensé, ce sont des entraves à ses pieds
et des menottes à sa main droite.

23 20 Le sot éclate de rire bruyamment,
le rire de l'homme de sens est rare et discret.

24 21 Pour l'homme sensé la discipline est un bijou d'or,
un bracelet à son bras droit [b].

25 22 Le sot se hâte de faire son entrée,
l'homme expérimenté prend une attitude modeste [c];
26 23 de la porte l'insensé regarde à l'intérieur,
l'homme bien élevé reste dehors.
27 24 C'est le fait d'un mal élevé que d'écouter aux portes,
un homme sensé en sent le déshonneur.

28 25 Les lèvres des bavards répètent les paroles d'autrui [d],
les paroles des sages sont soigneusement pesées.

29 26 Le cœur des sots est dans leur bouche,
mais la bouche des sages c'est leur cœur.

30 27 Quand l'impie maudit le Satan [e]
il se maudit soi-même.

*a)* « ses instincts » syr.; « sa compréhension (de la loi) » grec.
*b)* Ce v. répond au v. 19. Le v. 20 qui les sépare n'est pas à sa place.
*c)* « prend une attitude modeste », litt. « a honte devant un visage »; l'interprétation adoptée est soutenue par l'hébr.
*d)* D'après grec 248; « les lèvres des étrangers en sont peinées » texte reçu.
*e)* L'auteur identifie le Satan (le tentateur, cf. Jb **1-2**) avec l'instinct mauvais qui est intérieur. En croyant maudire un être extérieur, c'est sa propre volonté perverse que l'homme maudit.

31 28 Le médisant se fait tort à soi-même
et se fait détester de son entourage.

**Le paresseux.**

22 1 Le paresseux est semblable à une pierre crottée,
tout le monde le persifle.
2 Le paresseux est semblable à une poignée d'ordures,
quiconque le touche secoue la main.

**Les enfants dégénérés.**

3 C'est la honte d'un père que d'avoir donné le jour à un fils mal élevé,
mais une fille naît pour sa confusion.
4 Une fille sensée trouvera un mari,
mais la fille indigne est le chagrin de celui qui l'a engendrée.
5 Une fille éhontée déshonore son père et son mari,
l'un et l'autre la renient.

6 Remontrances inopportunes : musique en un jour de deuil;
coups de fouet et correction, voilà en tout temps la sagesse [a].

**Sagesse et folie.**

7 9 C'est recoller des tessons que d'enseigner un sot,
8 c'est réveiller un homme abruti de sommeil.
9 10 Raisonner un sot c'est raisonner un homme assoupi,
à la fin il dira : « De quoi s'agit-il? »

10 11 Pleure un mort : il a perdu la lumière,
pleure un insensé : il a perdu l'esprit [b];
11 pleure plus doucement le mort, car il a trouvé le repos,
12 pour l'insensé la vie est plus triste que la mort.
13 12 Pour un mort le deuil dure sept jours,
pour l'insensé et l'impie, tous les jours de leur vie.

14 13 N'adresse pas de longs discours à l'insensé,
ne va pas au-devant du sot,
15 garde-toi de lui pour n'avoir pas d'ennuis,
pour ne pas te souiller à son contact.
16 Écarte-toi de lui, tu trouveras le repos,
ses divagations ne t'ennuieront pas.

17 14 Qu'y-a-t-il de plus lourd que le plomb?
comment cela s'appelle-t-il? L'insensé.
18 15 Le sable, le sel, la masse de fer Pr 27 3
sont plus faciles à porter que l'insensé.

19 16 Une charpente de bois assemblée dans une construction
ne se laisse pas disjoindre par un tremblement de terre;
20 un cœur résolu, après mûre réflexion,
ne se laisse pas émouvoir à l'heure du danger.

*a)* Les scribes sont partisans des châtiments corporels dans l'éducation, Pr **13** 24; **19** 18; **22** 15; **23** 13-14; **29** 15, 17. Ils sont toujours efficaces tandis que les remontrances exigent des circonstances favorables. – Grec 248 ajoute : « [7] Des enfants qui mènent une vie honnête en ne manquant de rien font oublier l'origine obscure de leurs parents. [8] Des enfants méprisants, mal élevés, gonflés d'orgueil déshonorent la noblesse de leur famille. ».

*b)* L'insensé n'est pas le fou, mais l'homme révolté, sceptique ou libertin.

[17] Un cœur appuyé sur une sage réflexion
est comme un ornement de stuc [a] sur un mur poli.

21 [18] De petits cailloux au sommet d'un mur [b]
ne résistent pas au vent :
22 le cœur du sot effrayé par ses imaginations
ne peut résister à la peur.

**L'amitié.**

24 [19] En frappant l'œil on fait couler des larmes,
en frappant le cœur on fait apparaître les sentiments.

25 [20] Qui lance une pierre sur des oiseaux les fait envoler,
qui fait un reproche à son ami tue l'amitié.

**19** 13-17 26 [21] Si tu as tiré l'épée contre ton ami,
ne te désespère pas : il peut revenir;
27 [22] si tu as ouvert la bouche contre ton ami,
ne crains pas : une réconciliation est possible,
Pr **11** 13; **20** 19; **25** 9 sauf le cas d'outrage, mépris, trahison d'un secret, coup perfide,
car alors ton ami s'en ira.

28 [23] Gagne la confiance de ton prochain dans sa pauvreté
afin que, dans sa prospérité, tu jouisses avec lui de ses biens;
29 aux jours d'épreuve demeure-lui fidèle
afin de recevoir, s'il vient à hériter, ta part de l'héritage.

30 [24] Précédant les flammes on voit la vapeur du brasier et la fumée;
ainsi, précédant le sang, les injures.

31 [25] Je n'aurai pas honte de protéger un ami
et de lui je ne me cacherai pas;
32 [26] et s'il m'arrive du mal par lui,
tous ceux qui l'apprendront se garderont de lui.

**Vigilance** [c].

Ps **141** 3 33 [27] Qui mettra une garde à ma bouche
et sur mes lèvres le sceau du discernement,
afin que je ne trébuche pas par leur fait,
que ma langue ne cause pas ma perte?

**23** [1] Seigneur, père et maître de ma vie,
ne m'abandonne pas à leur caprice,
ne me laisse pas trébucher par leur fait.
[2] Qui appliquera le fouet à mes pensées
et à mon cœur la discipline de la sagesse,
Ps **141** 5 afin qu'on n'épargne pas mes erreurs
et que mes péchés n'échappent pas?
[3] De peur que mes erreurs ne se multiplient
et que mes péchés ne surabondent,
que je ne tombe aux mains de mes adversaires

*a)* Litt. « de sable », sens incertain.
*b)* « de petits cailloux » mss grecs; « des pieux » texte reçu. – Il y a peut-être là une allusion à la coutume palestinienne de placer sur les murs entourant les vignes de petits cailloux que les chacals en passant font tomber, causant un bruit qui attire l'attention du veilleur.
*c)* On notera la profondeur religieuse de ce développement. Chacun des souhaits, que formule l'homme qui veut progresser, s'achève en prière.

et que mon ennemi ne se moque de moi.
[4] Seigneur, père et Dieu de ma vie,
fais que mes regards ne soient pas altiers, Ps **131** 1
[5] détourne de moi l'envie,
[6] que la sensualité et la luxure ne s'emparent pas de moi,
ne me livre pas au désir impudent.

**Les serments.**

[7] Enfants, écoutez mon enseignement,
celui qui le garde ne sera pas confondu.
[8] Le pécheur est pris [a] par ses propres lèvres,
elles font choir le médisant et l'orgueilleux.
[9] N'accoutume pas ta bouche à faire des serments,
(10) ne prends pas l'habitude de prononcer le nom du Saint. Mt 5 34s;
11 [10] Car de même qu'un domestique toujours surveillé **23** 20s
n'échappera pas aux coups [b], Jc 5 12
ainsi celui qui jure et invoque le Nom à tort et à travers
ne sera pas exempt de faute.
12 [11] Un homme prodigue de serments est rempli d'impiété
et le fléau ne s'éloignera pas de sa maison.
13 S'il pèche [c], sa faute sera sur lui;
s'il a agi à la légère, il a péché doublement;
14 s'il a fait un faux serment, il ne sera pas justifié,
car sa maison sera pleine de calamités.

**Les paroles impures [d].**

15 [12] Il y a une manière de parler qui ressemble à la mort,
qu'elle ne soit pas en usage dans l'héritage de Jacob,
16 car les hommes pieux repoussent tout cela,
ils ne se vautrent pas dans le péché.
17 [13] N'habitue pas ta bouche à l'impureté grossière
où se trouve la parole du péché.
18 [14] Souviens-toi de ton père et de ta mère
quand tu sièges au milieu des grands,
19 de crainte que tu ne t'oublies en leur présence [e],
que tu ne te conduises comme un sot,
et que tu n'en arrives à souhaiter de n'être pas né
et à maudire le jour de ta naissance.
20 [15] Un homme accoutumé aux paroles répréhensibles
ne se corrigera de sa vie.

21 [16] Deux sortes d'êtres multiplient les péchés [f]
et la troisième attire la colère :
22 [17] la passion brûlante comme un brasier :
elle ne s'éteindra pas qu'elle ne soit assouvie;
23 l'homme qui convoite sa propre chair :
il n'aura de cesse que le feu ne le consume;
24 à l'homme impudique toute nourriture est douce,
il ne se calmera qu'à sa mort.

*a)* « est pris (par) » mss grecs; « est abandonné (à) » texte reçu.
*b)* Traduction incertaine. On peut aussi comprendre : « un domestique continuellement mis à la question en porte nécessairement les marques. »
*c)* En n'accomplissant pas son serment. L'auteur envisage trois cas de gravité croissante : serment fait sincèrement mais non tenu, serment fait à la légère, faux serment.
*d)* D'après le contexte il s'agit d'impureté en paroles. Mais le texte reste vague et ne permet pas de préciser exactement la faute envisagée.
*e)* « quand » conj.; « car » grec. – « tu ne t'oublies » syr.; « tu ne (l') oublies » grec; « Dieu ne t'oublie » lat.
*f)* Proverbe numérique, cf. Pr **30** 15+, mais dont la structure n'est pas très claire.

25 18 L'homme qui pèche sur sa propre couche
et dit en son cœur : « Qui me voit?
26 L'ombre m'environne, les murs me protègent,
personne ne me voit, que craindrais-je?
Le Très-Haut ne se souviendra pas de mes fautes. »
27 19 Ce qu'il craint ce sont les yeux des hommes,
Pr **15** 3, 11; **17** 3; **24** 12 — 28 il ne sait pas que les yeux du Seigneur
sont dix mille fois plus lumineux que le soleil,
qu'ils observent toutes les actions des hommes
et pénètrent dans les recoins les plus secrets.
Pr **8** 22s — 29 20 Avant qu'il créât, toutes choses lui étaient connues [a],
elles le sont encore après leur achèvement [b].
30 21 En pleine ville cet homme sera puni,
quand il s'y attend le moins il sera pris.

Pr **2** 16; **5** 2-20; **6** 24-35; **7** 5

### La femme adultère.

32 22 Il en est de même de la femme infidèle à son mari
qui lui apporte un héritier conçu d'un étranger.
33 23 Tout d'abord elle a désobéi à la loi du Très-Haut,
ensuite elle est coupable envers son mari;
en troisième lieu elle s'est souillée par l'adultère
34 et a conçu des enfants d'un étranger.
24 Elle sera traduite devant l'assemblée
et on examinera ses enfants.
35 25 Ses enfants n'auront pas de racines,
ses branches ne porteront pas de fruit.
36 26 Elle laissera un souvenir de malédiction
et sa honte ne sera jamais effacée.
37 27 Et ceux qui viennent après elle sauront
que rien ne vaut la crainte du Seigneur
et que rien n'est plus doux que de s'attacher aux commandements du Seigneur [c].

Pr **1** 20-33; **8** 1-36; **9** 1-6; Jb **28**; Ba **3** 9 - **4** 4

### Discours de la Sagesse [d].

**24** 1 La Sagesse fait son propre éloge,
au milieu de son peuple elle montre sa fierté.
2 Dans l'assemblée du Très-Haut elle ouvre la bouche,
devant la Puissance elle montre sa fierté.
5 3 « Je suis issue de la bouche du Très-Haut
Gn **1** 2 — 6 et comme une vapeur j'ai couvert la terre.
7 4 J'ai habité dans les cieux
Ex **13** 21-22 — et mon trône était une colonne de nuée [e].
Pr **8** 27; Jb **22** 14 — 8 5 Seule j'ai fait le tour du cercle des cieux,
j'ai parcouru la profondeur des abîmes.
9 6 Dans les flots de la mer, sur toute la terre,
10 chez tous les peuples et toutes les nations, j'ai régné [f].
11 7 Parmi eux tous j'ai cherché le repos,

*a)* Cette connaissance antérieure à la création, c'est précisément la sagesse divine, Pr **8** 22+.
*b)* Dieu continue de veiller sur le monde après la création.
*c)* Grec 248 et lat. ajoutent : « [28] Suivre Dieu est un grand honneur et c'est prolonger ses jours que de lui être agréable. »
*d)* On comparera ce morceau aux autres discours de la Sagesse personnifiée (Pr **1** 20-33; **8** 1-36; **9** 1-6) et aux éloges de la sagesse (Jb **28**; Ba **3** 9 – **4** 4). C'est ici le chapitre central du livre, où la doctrine de la sagesse est présentée dans son ensemble, avec de nombreuses réminiscences des livres bibliques antérieurs : c'est une interprétation du passé que propose l'auteur. Plus encore que dans les Proverbes, on est frappé par certaines expressions qui annoncent une théologie de la Trinité : la Sagesse est à la fois intimement unie à Dieu et distincte de lui, caractéristiques que l'on appliquera plus tard soit à la personne du Verbe, soit à celle de l'Esprit. Ce passage semble avoir particulièrement inspiré le prologue de saint Jean, qui applique au Logos plusieurs des activités et des caractéristiques de la Sagesse.
*e)* La colonne de nuée du désert, qui dans les textes anciens est la manifestation de la présence de Yahvé.
*f)* « j'ai régné » 1 ms grec, syr., lat.; « j'ai acquis » grec.

j'ai cherché en quel patrimoine m'installer.
12 8 Alors le créateur de l'univers m'a donné un ordre,
celui qui m'a créée m'a fait dresser ma tente,
13 Il m'a dit : “ Installe-toi en Jacob, Ps **132** 8,
entre dans l'héritage d'Israël. ” 13-14
14 9 Avant les siècles, dès le commencement il m'a créée, Pr **8** 23
éternellement je subsisterai.
10 Dans la Tente sainte, en sa présence, j'ai officié [a];
15 c'est ainsi qu'en Sion je me suis établie,
11 et que dans la cité bien-aimée j'ai trouvé mon repos,
qu'en Jérusalem j'exerce mon pouvoir.
16 12 Je me suis enracinée chez un peuple plein de gloire,
dans le domaine du Seigneur, en son patrimoine.
17 13 J'y ai grandi comme le cèdre du Liban,
comme le cyprès sur le mont Hermon.
18 14 J'ai grandi comme le palmier d'Engaddi [b],
comme les plants de roses de Jéricho,
19 comme un olivier magnifique dans la plaine,
j'ai grandi comme un platane.
20 15 Comme le cinnamome et l'acanthe j'ai donné du parfum,
comme une myrrhe de choix j'ai embaumé,
21 comme le galbanum. l'onyx, le labdanum [c],
comme la vapeur d'encens dans la Tente. Ex **30** 7s, 34s
22 16 J'ai étendu mes rameaux comme le térébinthe,
ce sont des rameaux de gloire et de grâce.
23 17 Je suis comme une vigne aux pampres gracieux,
et mes fleurs sont des produits de gloire et de richesse [d].
26 19 Venez à moi, vous qui me désirez;
et rassasiez-vous de mes produits.
27 20 Car mon souvenir est plus doux que le miel, Ps **19** 11
28 mon héritage plus doux qu'un rayon de miel.
29 21 Ceux qui me mangent auront encore faim,
ceux qui me boivent auront encore soif. Jn **4** 13-14
30 22 Celui qui m'obéit n'aura pas à en rougir
et ceux qui font mes œuvres ne pécheront pas. »

**La Sagesse et la Loi** [e].

Ex **19** 1+
32 23 Tout cela n'est autre que le livre de l'alliance du Dieu Très-Haut, Dt **33** 4
33 la Loi promulguée par Moïse,
laissée en héritage aux assemblées de Jacob [f].
35 25 C'est elle qui fait abonder la sagesse comme les eaux du Phisôn [g], Gn **2** 11
comme le Tigre à la saison des fruits;
36 26 qui fait déborder l'intelligence comme l'Euphrate,

*a)* Pour Ben Sira, le culte du Temple de Jérusalem est encore une œuvre de la Sagesse, soit simplement parce que, comme l'ordre du monde, il est une expression de la perfection divine, soit plus précisément parce qu'il se trouve codifié dans la Loi qui, **24** 23s, se confond avec la Sagesse.
*b)* « Engaddi » 2 mss grecs; « sur les rivages » texte reçu.
*c)* La Sagesse participe au culte, **24** 10+. Après les différents parfums naturels, c'est donc à l'encens liturgique que Ben Sira la compare. – Galbanum et labdanum sont des gommes-résines aromatiques comme la myrrhe; l'onyx est une sécrétion de certains mollusques, utilisée dans la fabrication de l'encens.
*d)* Grec 248 et lat. ajoutent : « 18 Je suis la mère du pur amour, de la crainte, de la connaissance et de la digne espérance », et grec 248 : « Je suis donnée à mes enfants de toute éternité, à ceux qui ont été désignés par lui. » Au lieu de la dernière phrase, le lat. porte : « En moi est toute grâce de voie et de vérité, en moi toute espérance de vie et de force », glose d'inspiration chrétienne qui fait allusion à Jn **14** 6 et suppose l'identification de la Sagesse avec le Christ.
*e)* Le discours de la Sagesse est terminé. L'auteur développe maintenant le thème de l'identité de la Sagesse et de la Loi.
*f)* Grec 248 ajoute : « 24 Ne cessez pas d'être forts dans le Seigneur, attachez-vous à lui pour qu'il vous fortifie. Le Seigneur tout-puissant est l'unique Dieu et il n'y a pas d'autre sauveur que lui. »
*g)* Dans tout ce passage, l'auteur songe au paradis terrestre et à ses quatre fleuves. Gn 2 10s, symboles de fertilité.

Jos **3** 15 comme le Jourdain au temps de la moisson;
37 27 qui fait couler la discipline comme le Nil [a],
Gn **2** 13 comme le Gihôn aux jours des vendanges.
Jr **2** 8 38 28 Le premier n'a pas fini de la découvrir,
et de même le dernier ne l'a pas trouvée.
39 29 Car ses pensées sont plus vastes que la mer,
ses desseins plus grands que l'abîme.
Is **58** 11 40 30 Et moi [b], je suis comme un canal issu d'un fleuve,
Jn **4** 14 41 comme un cours d'eau conduisant au paradis.
42 31 J'ai dit : « Je vais arroser mon jardin,
je vais irriguer mes parterres. »
Ez **47** 1-12 43 Et voici que mon canal est devenu fleuve
Is **11** 9 et le fleuve est devenu mer [c].
Jn **7** 38
44 32 Je ferai luire la discipline dès le matin,
je porterai au loin sa lumière.
46 33 Je répandrai l'instruction comme une prophétie
et je la transmettrai aux générations futures.
47 34 Voyez : ce n'est pas pour moi que je travaille,
mais pour tous ceux qui la cherchent.

**Proverbes.**

**25** 1 Il est trois choses que mon âme désire,
qui sont agréables à Dieu et aux hommes [d] :
2 l'accord entre frères, l'amitié entre voisins,
un mari et une femme qui s'entendent bien.

2 Il est trois sortes de gens que hait mon âme,
3 et dont l'existence me met hors de moi :
un pauvre gonflé d'orgueil, un riche menteur,
4 un vieillard adultère et dénué de sens.

**Les vieillards.**

5 3 Si tu n'as rien amassé dans ta jeunesse,
comment dans ta vieillesse aurais-tu quelque chose?
6 4 Quelle belle chose que le jugement joint aux cheveux blancs
et, pour les anciens, de connaître le conseil!
Sg **4** 8-9 7 5 Quelle belle chose que la sagesse chez les vieillards
et chez les grands du monde une pensée réfléchie!
8 6 La couronne des vieillards, c'est une riche expérience,
leur fierté, c'est la crainte du Seigneur.

**Proverbe numérique.**

9 7 Il y a neuf choses qui me viennent à l'esprit et que j'estime heureuses
et une dixième que je vais vous dire :
10 un homme qui trouve sa joie dans ses enfants,
celui qui voit, de son vivant, la chute de ses ennemis;

*a)* « couler ... comme le Nil » (*ye'ôr*) d'après syr.; « briller ... comme une lumière » (*'ôr*) grec.
*b)* C'est l'auteur qui se met en scène, tout en continuant à exploiter l'image des vv. précédents. Si la Sagesse est un vaste cours d'eau qui irrigue tout Israël, il est, lui, un canal qui en procède et qui arrose son modeste jardin.
*c)* Par la grâce du Seigneur, les eaux deviennent de plus en plus abondantes. Le scribe devient un prophète qui s'adresse à toutes les générations, v. 33. L'auteur s'inspire probablement d'images analogues telles que Ez **47** 1-12; Is **11** 9, etc. – Le lat. applique tout ce texte à la Sagesse personnifiée, qu'il identifie toujours avec le Christ, en ajoutant : « Je pénétrerai toutes les profondeurs de la terre, je visiterai tous ceux qui dorment, j'illuminerai tous ceux qui espèrent dans le Seigneur. »
*d)* D'après syr. et lat.; grec : « En trois choses j'étais grande, et je demeurai grande devant Dieu et les hommes. » Ce serait un discours de la Sagesse.

11 8 heureux celui qui vit avec une femme de sens,
celui qui ne laboure pas avec un bœuf et un âne [a],
celui qui n'a jamais péché par la parole, 14 1
celui qui ne sert pas un maître indigne de lui;
12 9 heureux celui qui a trouvé la prudence
et qui peut s'adresser à un auditoire attentif;
13 10 comme il est grand celui qui a trouvé la sagesse,
mais personne ne surpasse celui qui craint le Seigneur.
14 11 Car la crainte du Seigneur l'emporte sur tout :
15 celui qui la possède, à quoi le comparer [b]?

**Les femmes.**

17 13 Toute blessure, sauf une blessure du cœur!
toute méchanceté, sauf une méchanceté de femme!
18 14 tout malheur, sauf un malheur qui vient de l'adversaire!
19 toute injustice, sauf une injustice qui vient de l'ennemi!
22 15 Il n'y a pire venin que le venin du serpent [c],
23 il n'y a pire haine que la haine d'un ennemi.
16 J'aimerais mieux habiter avec un lion ou un dragon Pr 21 9, 19;
qu'habiter avec une femme méchante. 25 24; 27 15

24 17 La méchanceté d'une femme change son visage,
elle fait grise mine, on dirait un ours [d].
25 18 Son mari s'attable parmi ses voisins
et, malgré lui [e], il gémit amèrement.

26 19 Toute malice n'est rien près d'une malice de femme :
que le sort des pécheurs lui advienne!

27 20 Une montée sablonneuse sous les pas d'un vieillard,
telle est une femme bavarde pour un homme tranquille.
28 21 Ne te laisse pas prendre à la beauté d'une femme,
ne t'éprends jamais d'une femme.

29 22 C'est un objet de colère, de reproche et de honte
qu'une femme qui entretient son mari.

31 23 Cœur abattu, visage triste, blessure secrète,
voilà l'œuvre d'une femme méchante.
32 Mains inertes et genoux sans force,
telle est la femme qui fait le malheur de son mari.

33 24 C'est par la femme que le péché a commencé Gn 3 1-6
et c'est à cause d'elle que tous nous mourons [f]. 1 Co 15 22
1 Tm 2 14
Rm 5 12

34 25 Ne donne pas à l'eau un passage,
ni à la femme méchante la liberté de parler.

*a)* Soit au sens propre, cf. Lv **19** 19; Dt **22** 10, soit plutôt au sens métaphorique (cf. **2** 10; **6** 14) : image d'un couple mal assorti. – Ce stique, omis par le grec, est rétabli d'après le syr., avec l'appui de l'hébr. (mutilé).

*b)* Grec 248 et lat. ajoutent : « [12] La crainte du Seigneur est le commencement de son amour, mais c'est par la foi qu'on commence à s'attacher à lui. »

*c)* « venin » syr.; « tête » grec et lat. (le mot hébr. *rôsh* signifie « tête » et « venin »).

*d)* Hébr. : « change le visage de son mari et le fait ressembler à un ours. »

*e)* « malgré lui » 1 ms grec, hébr., syr.; « en les écoutant » grec.

*f)* Allusion au premier péché. Saint Paul souligne aussi la culpabilité d'Ève, 2 Co **11** 3; 1 Tm **2** 14, mais cf. Rm **5** 12.

35 [26] Si elle n'obéit pas au doigt et à l'œil,
36 sépare-toi d'elle [a].

Pr **31** 10s **26** [1] Heureux l'époux dont la femme est excellente,
le nombre de ses jours sera doublé.
Pr **12** 4 [2] Une femme parfaite est la joie de son mari,
il passera dans la paix toutes les années de sa vie.
[3] Une femme excellente est une part de choix,
attribuée à ceux qui craignent le Seigneur :
[4] riches ou pauvres, leur cœur est en liesse,
ils montrent toujours un visage joyeux.

[5] Trois choses me font peur
et une quatrième m'épouvante [b] :
6 une calomnie qui court la ville, une émeute populaire,
7 une fausse accusation : tout cela est pire que la mort;
8 [6] mais c'est crève-cœur et douleur qu'une femme jalouse d'une autre,
9 et tout cela c'est le fléau de la langue [c].

10 [7] Une femme méchante, c'est un joug à bœufs mal attaché [d];
prétendre la maîtriser c'est saisir un scorpion.
11 [8] Une femme qui boit, c'est un sujet de grande colère,
elle ne peut cacher son déshonneur.

12 [9] L'inconduite d'une femme se lit dans la vivacité de son regard
Pr **6** 25 et se reconnaît à ses œillades.
13 [10] Méfie-toi bien d'une fille hardie
de peur que, se sentant les coudées franches, elle n'en profite.
14 [11] Garde-toi bien des regards effrontés
et ne t'étonne pas s'ils t'entraînent au mal.
15 [12] Comme un voyageur altéré elle ouvre la bouche,
elle boit de toutes les eaux qu'elle rencontre,
elle va au-devant de toute fornication
et offre son corps à l'impureté.

16 [13] La grâce d'une épouse fait la joie de son mari
17 et sa science est pour lui une force [e].
18 [14] Une femme silencieuse est un don du Seigneur,
celle qui est bien élevée est sans prix.
19 [15] Une femme pudique est une double grâce,
20 celle qui est chaste est d'une valeur inestimable.

21 [16] Comme le soleil levant sur les montagnes du Seigneur,
ainsi le charme d'une jolie femme dans une maison bien tenue.
22 [17] Une lumière brillant sur un lampadaire sacré [f],
ainsi la beauté d'un visage sur un corps bien planté.
23 [18] Des colonnes d'or sur une base d'argent,
ainsi de belles jambes sur des talons solides [g].

*a)* Litt. : « Si elle ne marche pas selon ta main, sépare-la de ta chair », cf. Gn **2** 24; Ep **5** 31. On sait que la loi mosaïque permettait le divorce, Dt **24** 1-4; cf. Mt **19** 3-9p.
*b)* « et une quatrième m'épouvante » mss grecs, lat., cf. syr.; « et devant une quatrième je supplie » ou « et à une quatrième j'ai été livré » texte reçu.
*c)* « et tout cela... langue » syr.; « et le fléau de la langue qui atteint tout le monde » grec.
*d)* Qui frotte et glisse sur le cou des animaux, causant douleurs et blessures.
*e)* Litt. « engraisse les os ».
*f)* Allusion probable au candélabre à sept branches, 1 M **4** 49, 50.
*g)* « sur des talons solides » Sinaïticus (= S), cf. lat.; « sur la poi-

### Choses attristantes.

24 28 Il y a deux choses qui me font de la peine
et la troisième m'excite la bile :
25 un guerrier qui vieillit dans la misère,
des hommes de sens qui souffrent le mépris,
27 celui qui passe de la justice au péché;
le Seigneur le destine à périr par l'épée.

### Le négoce.

28 29 Un marchand résiste difficilement à la tentation
et le trafiquant ne saurait être sans péché.

**27** 1 Beaucoup ont péché par amour du gain [a],
celui qui veut s'enrichir se montre impitoyable [b].
2 Un piquet s'enfonce entre deux pierres jointes,
entre vente et achat une faute s'introduit [c].
4 3 Qui ne s'attache pas fermement à la crainte du Seigneur,
sa maison sera bientôt détruite.

### La parole.

5 4 Dans le crible qu'on secoue il reste des saletés,
de même les défauts de l'homme dans ses discours.
6 5 Le four éprouve les vases du potier,
l'épreuve de l'homme est dans sa conversation.
7 6 Le verger où croît l'arbre est jugé à ses fruits, Mt 7 16
ainsi la parole d'un homme fait connaître ses sentiments [d].
7 Ne loue personne avant qu'il n'ait parlé,
8 car c'est là qu'est la pierre de touche.

### La justice.

9 8 Si tu poursuis la justice tu l'atteindras,
tu t'en revêtiras comme d'une robe d'apparat.
10 9 Les oiseaux cherchent la compagnie de leurs semblables,
la vérité revient à ceux qui la pratiquent.
11 10 Le lion guette sa proie,
ainsi le péché guette ceux qui commettent l'injustice.

12 11 Le discours de l'homme pieux est toujours sagesse,
mais l'insensé est changeant comme la lune.
13 12 Pour aller chez les insensés, attends l'occasion [e],
avec les gens réfléchis attarde-toi sans crainte.

trine d'une (femme) solide » grec.– Grec 248 et syr. ajoutent :
[19] « Mon fils, garde saine la fleur de ton âge
et ne livre pas ta force à des étrangers (cf. Pr **5** 9-10).
[20] Après avoir cherché le champ le plus fertile du pays,
sèmes-y ton propre grain, confiant dans la noblesse de ta race.
[21] Ainsi les rejetons que tu laisseras après toi,
sûrs de leur noblesse, s'enorgueilliront.
[22] Une femme de louage ne vaut pas un crachat,
une femme légitime est solide comme une tour (de mort?).
[23] Une femme impie sera donnée en partage au pécheur,
une femme pieuse à qui craint le Seigneur.
[24] Une femme éhontée ne se plaît que dans le déshonneur,
une femme pudique est délicate même avec son mari.
[25] Une femme hardie n'est pas plus respectée qu'un chien,
mais celle qui est modeste craint le Seigneur.
[26] La femme qui honore son époux passe pour sage aux yeux de tous,
mais celle qui le déshonore est réputée impie dans son orgueil.
Heureux le mari d'une femme excellente,
car le nombre de ses jours sera doublé (= **26** 1).
[27] La femme criarde et bavarde est une trompette qui sonne la charge,
tout homme, dans ces conditions, passe sa vie dans les fracas de la guerre ».

*a)* « par amour du gain » S; « pour une chose indifférente » texte reçu.

*b)* Litt. « détourne les yeux », c'est-à-dire : refuse de compatir; cf. Pr **28** 27.

*c)* « s'introduit » *sunthlibèsetai* conj.; « est broyée » *suntribèsetai* grec.

*d)* Texte corrigé; grec : « ainsi la parole vient du sentiment du cœur de l'homme. »

*e)* Traduction incertaine; on peut aussi comprendre : « Parmi les insensés, guette les occasions », c'est-à-dire : sois sur tes gardes.

14 13 Le discours des sots est une horreur,
Qo 7 3-6 leur rire éclate dans les délices du péché.

15 14 Le langage de l'homme prodigue de serments fait dresser les cheveux,
quand il se querelle on se bouche les oreilles.

16 15 La querelle des orgueilleux fait couler le sang
et leurs injures sont pénibles à entendre.

**Les secrets.**

22 22 17 16 Qui révèle les secrets perd son crédit
et ne trouve plus d'ami selon son cœur.
18 17 Envers ton ami sois affectueux et confiant,
19 mais si tu as révélé ses secrets ne cours plus après lui;
20 18 car, comme on supprime un homme en le tuant,
tu as tué l'amitié de ton prochain.
21 19 Comme on ouvre la main et l'oiseau s'envole,
tu as perdu ton ami, tu ne le rattraperas pas.
22 20 Ne le poursuis pas : il est loin,
il s'est enfui comme la gazelle échappée au filet.
23 21 Car on panse une blessure, on pardonne une injure,
24 mais pour qui a révélé un secret, plus d'espoir.

**Hypocrisie.**

Pr **6** 13; 25 22 Qui cligne de l'œil machine le mal,
**10** 10 nul ne peut l'en détourner.
Ps **35** 19
26 23 En ta présence il est tout miel,
il s'extasie devant tes propos;
mais par derrière il change de langage
et de tes paroles fait une pierre d'achoppement.
27 24 Je hais bien des choses, mais rien tant que cet homme,
et le Seigneur le hait aussi.

28 25 Qui jette une pierre en l'air se la jette sur la tête,
qui frappe en traître en subit le contrecoup [a].
Pr **26** 27 29 26 Qui creuse une fosse y tombera,
Qo **10** 8 qui tend un piège s'y fera prendre.
Ps **7** 16;
**9** 16 30 27 Qui fait le mal, le mal retombera sur lui,
sans même qu'il sache d'où il lui vient.

31 28 Sarcasme et injure sont le fait de l'orgueilleux,
mais la vengeance le guette comme un lion.
32 29 Ils seront pris au piège ceux que réjouit la chute des hommes pieux,
la douleur les consumera avant leur mort [b].

**La rancune.**

33 30 Rancune et colère, voilà encore des choses abominables
qui sont le fait du pécheur.
**28** 1 Celui qui se venge éprouvera la vengeance du Seigneur
qui tient un compte rigoureux des péchés.
Mt **6** 12p 2 Pardonne à ton prochain ses torts,
Mt **5** 23-24
**6** 14-15

*a)* Litt. « et un coup perfide fait partager les blessures ».
*b)* Perspective de rétribution terrestre conforme aux idées traditionnelles; cf. Jb **21** 20-21.

alors, à ta prière, tes péchés te seront remis.
3 Si un homme nourrit de la colère contre un autre,
comment peut-il demander à Dieu la guérison?
4 Pour un homme, son semblable, il est sans compassion, Mt **18** 23-35
et il prierait pour ses propres fautes!
5 Lui qui n'est que chair garde rancune,
qui lui pardonnera ses péchés?
6 Souviens-toi de la fin et cesse de haïr, 7 36; **38** 20
7 de la corruption et de la mort, et sois fidèle aux commandements.
8 7 Souviens-toi des commandements et ne garde pas rancune au prochain, Lv **19** 17-18
9 de l'alliance du Très-Haut et passe par-dessus l'offense. Ex **23** 4-5

**Les querelles.**

10 8 Reste à l'écart des querelles et tu éviteras le péché; Pr **15** 18
11 l'homme passionné attise les querelles;
9 le pécheur sème le trouble parmi les amis,
parmi les gens qui vivent en paix il jette la brouille.
12 10 Le feu brûle suivant son combustible, Pr **26** 20-21
la querelle se propage d'après sa violence;
la fureur d'un homme dépend de sa force,
sa colère monte selon sa richesse.
13 11 Une querelle soudaine allume le feu,
une dispute irréfléchie fait verser le sang.
14 12 Souffle sur une flammèche, elle s'enflamme,
crache dessus, elle s'éteint :
telle est la puissance de ta bouche.

**La langue.** ↗ Jc **3** 1-12

15 13 Fi du bavard et du fourbe : Pr **16** 28
ils ont perdu beaucoup de gens qui vivaient en paix.
16 14 La troisième langue [a] a ébranlé bien des gens,
les a dispersés d'une nation à l'autre;
17 elle a détruit de puissantes cités
et renversé des maisons de grands.
19 15 La troisième langue a fait répudier des femmes parfaites,
les dépouillant du fruit de leurs travaux.
20 16 Qui lui prête l'oreille ne trouve plus le repos,
ne peut plus demeurer dans la paix.
21 17 Un coup de fouet laisse une marque,
mais un coup de langue brise les os. Pr **25** 15
22 18 Bien des gens sont tombés par l'épée,
mais beaucoup plus ont péri par la langue.
23 19 Heureux qui est à l'abri de ses atteintes, Ps **31** 21
qui n'est pas exposé à sa fureur,
qui n'a pas porté son joug,
qui n'a pas été lié de ses chaînes.
24 20 Car son joug est un joug de fer
et ses chaînes des chaînes d'airain.
25 21 Une mort terrible, la mort qu'elle inflige,
et le shéol lui est préférable.
26 22 Elle n'a pas d'emprise sur les hommes pieux,

*a)* Soit celle qui s'immisce en tiers dans les querelles, soit celle qui fait trois victimes : le calomniateur, l'auditeur et le calomnié (ainsi le Talmud).

ils ne sont pas brûlés à sa flamme [a].
27 23 Ceux qui abandonnent le Seigneur sont ses victimes,
en eux elle brûlera sans s'éteindre,
elle sera lancée contre eux comme un lion,
elle les déchirera comme une panthère.
28 24 Vois, entoure d'épines ta propriété,
serre ton argent et ton or.
29 25 Dans ton langage use de balances et de poids,
**22** 27 à ta bouche mets porte et verrou.
Pr **13** 3 30 26 Garde-toi de faire par elle des faux pas,
tu tomberais au pouvoir de celui qui te guette.

## Le prêt [b].

**29** 1 Prêter à son prochain c'est pratiquer la miséricorde,
lui venir en aide c'est observer les commandements [c].
2 Sache prêter à ton prochain lorsqu'il est dans le besoin;
à ton tour, restitue au temps convenu.
3 Tiens bien ta parole et sois loyal avec autrui,
et dans tous tes besoins tu trouveras ce qu'il te faut.
**8** 12 4 Beaucoup traitent un prêt comme une aubaine [d]
et mettent dans la gêne ceux qui les ont aidés.
5 Avant de recevoir, on baise les mains du prêteur,
on parle humblement de ses richesses.
6 Au jour de l'échéance, on tire en longueur,
on s'acquitte en récriminations,
on s'en prend aux circonstances.
7 6 Peut-on s'acquitter? Le prêteur recevra à peine la moitié de son argent
et il pourra s'estimer heureux.
8 Dans le cas contraire on l'aura frustré de son argent
et il aura, sans l'avoir mérité [e], un ennemi de plus
9 qui s'acquitte en malédictions et en injures
et qui rend des outrages en guise de révérence.
10 7 Bien des gens, sans malice [f], se refusent à prêter,
ils ne se soucient pas d'être dépouillés malgré eux.

**3** 30 - **4** 10; **7** 32-36

## L'aumône.

Tb **12** 8-9 Mt **6** 19-21; **19** 21
11 8 Pourtant, sois indulgent pour les malheureux,
ne leur fais pas attendre tes aumônes.
Dt **15** 11 12 9 Pour obéir au précepte, viens en aide au pauvre;
il est dans le besoin : ne le renvoie pas les mains vides.
13 10 Sacrifie ton argent pour un frère et un ami,
qu'il ne rouille pas en pure perte, sous une pierre.
Mt **6** 19-21 Jc **5** 3 14 11 Use de tes richesses selon les préceptes du Très-Haut,
cela te sera plus utile que l'or.
Tb **4** 9-11 Mt **6** 19-20 Lc **16** 9 15 12 Serre tes aumones dans tes greniers,
elles te délivreront de tout malheur.
16 13 Mieux qu'un fort bouclier, mieux qu'une lourde lance,
devant l'ennemi, elles combattront pour toi.

*a)* La comparaison de la langue avec un feu sera reprise par Jc **3** 5-6. Mais on se demande si Ben Sira, qui s'est lancé dans une description de la calomnie personnifiée, n'oublie pas plus ou moins l'objet précis de son discours pour décrire l'ennemi en général.

*b)* Le prêt (sans intérêt) était prescrit par la Loi à l'égard des Israélites, Ex **22** 24; Lv **25** 35-36; Dt **15** 7-11. Cf. Mt **5** 42; Ps **37** 21, 26

*c)* D'après syr.; grec intervertit les termes.

*d)* Litt. « comme un objet trouvé ».

*e)* « sans l'avoir mérité » mss grecs, syr., lat.; « non sans raison » texte reçu.

*f)* « Sans malice » mss grecs, syr., lat.; « par suite de la méchanceté (des emprunteurs) » texte reçu.

**Les cautions.** **8** 13

19 14 L'homme de bien se porte caution pour son prochain; Pr **6** 1+
c'est avoir perdu toute honte que de l'abandonner.
20 15 N'oublie pas les services de ton garant :
il a donné sa vie pour toi.
22 16 Des bontés de son garant le pécheur n'a cure,
l'ingrat oublie celui qui l'a sauvé.
24 17 Une caution a ruiné bien des gens heureux
et les a ballottés comme les vagues de la mer.
25 18 Elle a exilé des hommes puissants
qui ont erré parmi des nations étrangères.
26 19 Le méchant qui se précipite pour cautionner
en quête d'un profit se précipite vers la condamnation.
27 20 Viens en aide au prochain selon ton pouvoir
et prends garde de ne pas tomber toi-même.

**L'hospitalité.**

28 21 La première chose pour vivre, c'est l'eau, le pain et le vêtement,
et une maison pour s'abriter.
29 22 Mieux vaut une vie de pauvre dans un abri de planches
que des mets fastueux dans une maison étrangère.
30 23 Que tu aies peu ou beaucoup, montre-toi content,
tu n'entendras pas le reproche de ton entourage [a].
31 24 Triste vie que d'aller de maison en maison, Pr **27** 8
là où tu t'arrêtes, tu n'oses ouvrir la bouche;
32 25 tu es un étranger, tu sers à boire à un ingrat,
et par-dessus le marché tu en entends de dures :
33 26 « Viens ici, étranger, mets la table,
si tu as quelque chose, donne-moi à manger. »
34 27 – « Va-t'en, étranger, cède à un plus digne,
mon frère vient me voir, j'ai besoin de la maison. »
35 28 C'est dur pour un homme sensé
de s'entendre reprocher l'hospitalité [b],
et d'être traité comme un débiteur.

**L'éducation.** Pr **13** 24; **23** 13, 14; **29** 15

**30** 1 Qui aime son fils lui prodigue le fouet,
plus tard ce fils sera sa consolation.
2 Qui élève bien son fils en tirera satisfaction
et parmi ses connaissances il s'en montrera fier.
3 Celui qui instruit son fils rend jaloux son ennemi
et se montre joyeux devant ses amis.

4 Qu'un père vienne à mourir, c'est comme s'il n'était pas mort, Tb **9** 6
car il laisse après lui un fils qui lui ressemble.
5 Vivant, il a trouvé la joie dans sa présence,
devant la mort il n'a pas eu de peine.
6 Contre ses ennemis il laisse un vengeur [c]
et pour ses amis quelqu'un qui leur rende leurs bienfaits.

*a)* Var. de lat. : « et ne te fais pas traiter d'étranger ».
*b)* Litt. « d'entendre un reproche d'étranger » lat.; « d'entendre un reproche de la maison » grec.

*c)* Au sens hébreu (*go'el*) : celui qui a « droit de rachat » (cf. Rt **2** 20+; **4** 4), mais aussi celui qui est le défenseur des opprimés.

7 Celui qui gâte son fils pansera ses blessures [a],
à chacun de ses cris ses entrailles tressailleront.
8 Un cheval mal dressé devient rétif,
un enfant laissé à lui-même devient mal élevé.
9 Cajole ton enfant, il te terrorisera,
joue avec lui, il te fera pleurer.
10 Ne ris pas avec lui, si tu ne veux pas pleurer avec lui,
tu finirais par grincer des dents.
11 Ne lui laisse pas de liberté pendant sa jeunesse
et ne ferme pas les yeux sur ses sottises.
12 Fais-lui courber l'échine pendant sa jeunesse,
meurtris-lui les côtes tant qu'il est enfant,
de crainte que, révolté, il ne te désobéisse
et que tu n'en éprouves de la peine [b].
13 Élève ton fils et forme-le bien,
pour ne pas avoir à endurer son insolence.

**La santé.**

14 Mieux vaut un pauvre sain et vigoureux
qu'un riche éprouvé dans son corps.
15 Santé et vigueur valent mieux que tout l'or du monde,
un corps vigoureux mieux qu'une immense fortune.
16 Il n'y a richesse préférable à la santé
ni bien-être supérieur à la joie du cœur.
17 Plutôt la mort qu'une vie chagrine,
l'éternel repos qu'une maladie persistante.
18 Des mets à profusion devant une bouche fermée,
telles sont les offrandes déposées sur une tombe [c].
Dt 4 28 19 Que sert l'offrande à une idole
Ps 115 4-7 qui ne mange ni ne sent!
Is 40 20+ 20 Tel est celui que le Seigneur persécute [d] :
21 20 il regarde et soupire,
20 4 il est comme un eunuque qui étreint une vierge et soupire.

**La joie.**

22 21 Ne te laisse pas aller à la tristesse
et ne t'abandonne pas aux idées noires.
23 22 La joie du cœur, voilà la vie de l'homme,
la gaîté, voilà qui prolonge ses jours.
24 23 Trompe tes soucis [e], console ton cœur,
chasse la tristesse :
25 car la tristesse en a perdu beaucoup,
elle ne saurait apporter de profit.
26 24 Passion et colère abrègent les jours,
les soucis font vieillir avant l'heure [f].
Pr 15 15 27 25 A cœur généreux, bon appétit [g] :
il se soucie de ce qu'il mange.

*a)* Interprétation incertaine; soit les blessures de son fils, que celui-ci recevra au cours d'une vie agitée, soit ses propres blessures qu'un fils ingrat lui infligera.
*b)* Les vv. 11[b]-12[a], 12[d], omis par le grec, sont restitués d'après grec 248, hébr. et lat.(+ syr. pour 12[a]).
*c)* « sur une tombe »; var. hébr. : « devant une idole ».
*d)* C'est-à-dire le malade, incapable de se nourrir; cf. l'hébr. : « Ainsi celui qui a de la fortune et ne peut pas en jouir », mais le texte est probablement altéré.
*e)* « Trompe tes soucis » S, hébr., syr.; « Aime ton âme » texte reçu.
*f)* Tous les mss grecs mettent **33** 16 - **36** 10 avant **30** 25 - **33** 16. Les versions syriaque et latine ont conservé l'ordre primitif, dont les fragments hébreux témoignent également.
*g)* Hébr. : « Le sommeil d'un cœur heureux tient lieu de mets ».

**Les richesses.**

**31** 1 Les insomnies que cause la richesse sont épuisantes,
les soucis qu'elle apporte ôtent le sommeil.
2 Les soucis de la journée empêchent de dormir [a],
une grave maladie éloigne le sommeil.
3 Le riche travaille à amasser des biens
et lorsqu'il s'arrête c'est pour se rassasier de plaisirs;
4 le pauvre travaille n'ayant pas de quoi vivre
et dès qu'il s'arrête il tombe dans la misère.

5 Celui qui aime l'argent n'échappe guère au péché, Pr **28** 20
celui qui poursuit le gain en sera la dupe [b].
6 Beaucoup ont été victimes de l'or,
leur ruine était inévitable [c].
7 Car c'est un piège [d] pour ceux qui lui sacrifient
et tous les insensés s'y laissent prendre.
8 Bienheureux le riche qui se garde sans tache
et qui ne court pas après l'or [e].
9 Qui est-il, que nous le félicitions?
car il fait des miracles dans son peuple.
10 Qui a subi cette épreuve et s'est révélé parfait?
ce lui sera un sujet de gloire.
Qui a pu pécher et n'a pas péché,
faire le mal et ne l'a pas fait?
11 Ses biens seront consolidés
et l'assemblée publiera ses bienfaits [f].

**Les banquets.** Pr **23** 1-3, 6-8

12 As-tu pris place à une table somptueuse?
n'ouvre pas la bouche pour la vanter,
13 ne dis pas : « Quelle abondance! »
14 13 Souviens-toi que c'est mal d'avoir un œil avide :
15 y a-t-il pire créature que l'œil?
aussi pleure-t-il à tout propos [g].
16 14 Là où ton hôte regarde, n'étends pas la main,
17 ne te jette pas sur le plat en même temps que lui.
18 15 Juge le prochain d'après toi-même
et en toute chose sois réfléchi [h].
19 16 Mange en homme bien élevé [i] ce qui t'est présenté,
ne joue pas des mâchoires, ne te rends pas odieux.
20 17 Arrête-toi le premier par bonne éducation,
ne sois pas glouton, de crainte d'un affront.
21 18 Si tu es à table en nombreuse compagnie,
ne te sers pas avant les autres.
22 19 Qu'il suffit de peu à un homme bien élevé! Pr **13** 25

*a)* « empêchent ( de dormir) » hébr.; « appellent (le sommeil) » grec.

*b)* « (celui qui poursuit) le gain en sera la dupe » hébr.; « (celui qui poursuit) la corruption en sera rempli » grec.

*c)* Hébr. : « Ils ont misé sur les perles, ils n'ont pas réussi à échapper au malheur ni à être sauvés au jour de la colère. »

*d)* Litt. « un bois d'achoppement ». Grammaticalement, il s'agit de l'or, mais l'auteur songe peut-être à une idole, ce qui justifierait la leçon « sacrifient » de 2 mss et lat. (texte reçu : « ceux qui sont fous »); hébr. : « c'est un piège pour le sot ».

*e)* En hébreu « la richesse », *mammôn*, mot d'origine araméenne fréquent dans les écrits rabbiniques, et cf. Mt **6** 24; Lc **16** 9, 11, 13.

*f)* Allusion probable à la coutume de proclamer dans les synagogues les noms des bienfaiteurs de la communauté. – Lat. : « toute l'assemblée (*ecclesia*) des saints publiera ses bienfaits. »

*g)* « à tout propos » hébr.; « de tout visage » grec.

*h)* Hébr. : « sur tout ce que tu détestes, réfléchis ».

*i)* « bien élevé » hébr.; omis par grec.

aussi, une fois couché, il respire librement.
24 20 A régime sobre, bon sommeil,
on se lève tôt, on a l'esprit libre.
23 L'insomnie, les vomissements, les coliques,
voilà pour l'homme intempérant.
25 21 Si tu as été forcé de trop manger,
lève-toi, va vomir [a] et tu seras soulagé.
26 22 Écoute-moi, mon fils, sans me mépriser :
plus tard tu comprendras mes paroles.
27 Dans tout ce que tu fais sois modéré [b]
et jamais la maladie ne t'atteindra.

28 23 On vante hautement un hôte fastueux
et l'éloge de sa munificence est durable.
29 24 Mais un hôte mesquin est décrié dans la ville
et l'on cite les traits de son avarice.

Pr **20** 1; **23** 20-21, 29-35; **31** 4-7 Is **5** 22; **28** 1-4

## Le vin.

30 25 Avec le vin ne fais pas le brave,
car le vin a perdu bien des gens.
31 26 La fournaise éprouve la trempe de l'acier,
ainsi le vin éprouve les cœurs dans un tournoi de fanfarons.
32 27 Le vin c'est la vie pour l'homme,
quand on en boit modérément.
33 Quelle vie mène-t-on privé de vin?
Ps **104** 15 — 35 il a été créé pour la joie des hommes.
Jg **9** 13 — 36 28 Gaîté du cœur et joie de l'âme, voilà le vin
1 Tm **5** 23 — 37 qu'on boit quand il faut et à sa suffisance.
39 29 Amertume de l'âme, voilà le vin
qu'on boit avec excès, par passion et par défi [c].
40 30 L'ivresse excite la fureur de l'insensé pour sa perte,
elle diminue sa force et provoque les coups.
41 31 Au cours d'un banquet ne provoque pas ton voisin
et ne te moque pas de lui s'il est gai,
42 ne lui adresse pas de reproche,
ne l'agace pas en lui réclamant de l'argent.

## Les banquets.

**32** 1 On t'a fait président [d]? ne le prends pas de haut,
sois avec les convives comme l'un d'eux,
prends soin d'eux et ensuite assieds-toi.
2 Ayant rempli tous tes devoirs, prends place
pour te réjouir avec eux
3 et recevoir la couronne, prix de ta réussite [e].

4 3 Parle, vieillard, car cela te sied,
5 mais avec discrétion : n'empêche pas la musique [f].
6 4 Au cours d'une audition ne prodigue pas les discours,

*a)* « va vomir » mss grecs, hébr.; « au milieu du repas (?) » texte reçu.
*b)* « modéré » hébr.; « rapide » grec.
*c)* « par défi » d'après hébr. (trad. incertaine); « par un faux pas (?) » grec.
*d)* L'institution de festins somptueux avec un « ordonnateur » choisi par le sort ou par élection (cf. 2 M **2** 27; Jn **2** 8) semble s'être répandue en Palestine sous l'influence des Grecs ou des Romains. Les rabbins mettront les Juifs pieux en garde contre ces mœurs, Ben Sira recommande seulement les bonnes manières.
*e)* Sur les couronnes dans les festins, cf. Is **28** 1-4; Sg **2** 8.
*f)* Le terme peut désigner soit la musique ou le chant, soit toute manifestation d'art : poésie, représentation dramatique, etc.

ne sermonne pas à contretemps.
7 [5] Un sceau d'escarboucle sur un bijou,
tel est un concert musical au cours d'un banquet.
8 [6] Un sceau d'émeraude sur une monture d'or,
telle est une mélodie avec un vin de choix.

9 [7] Parle, jeune homme, quand c'est nécessaire,
deux fois au plus, si l'on t'interroge.
[8] Résume ton discours, dis beaucoup en peu de mots,
sache te montrer ensemble entendu et silencieux.
13 [9] Ne traite pas avec les grands d'égal à égal,
si un autre parle, sois sobre de paroles.
14 [10] L'éclair précède le tonnerre,
la grâce s'avance devant l'homme modeste. Pr **15** 33; **18** 12
15 [11] L'heure venue, va-t'en, ne traîne pas,
cours à la maison, ne flâne pas.
16 [12] Là, divertis-toi, fais ce qui te plaît,
mais ne pèche pas en parlant avec insolence [a].
17 [13] Et pour cela bénis le Créateur,
celui qui te comble de ses bienfaits.

**La crainte de Dieu.**

18 [14] Celui qui craint le Seigneur entend ses leçons,
ceux qui le cherchent trouvent sa faveur.
19 [15] Celui qui scrute la loi en est rassasié,
mais pour l'hypocrite elle est un scandale.
20 [16] Ceux qui craignent le Seigneur sont justifiés,
ils font briller leurs bonnes actions comme une lumière [b].

21 [17] Le pécheur n'accepte pas la réprimande,
pour suivre sa volonté il trouve des excuses [c].
22 [18] L'homme sensé ne méprise pas les avis,
l'étranger et l'orgueilleux ne connaissent pas la crainte [d].

24 [19] Ne fais rien sans réflexion,
tu ne te repentiras pas de tes actes [e].
25 [20] Ne suis pas un chemin raboteux,
de crainte de buter sur les pierres.
[21] Ne te fie pas au chemin uni
26 [22] et méfie-toi de tes enfants.
27 [23] En toutes choses veille sur toi-même [f], Pr **13** 3; **16** 17; **22** 5
cela aussi c'est observer les commandements. Dt **4** 9

28 [24] Celui qui a confiance dans la loi observe ses préceptes,
celui qui met sa confiance dans le Seigneur ne souffre aucun dommage. Pr **19** 16 Ps **23** 3s

**33** [1] Celui qui craint le Seigneur, le mal ne le frappe pas, Jb **5** 19
et même dans l'épreuve, il sera délivré. Pr **12** 21; **24** 16 Ps **1**; **91**
[2] Celui qui hait la loi n'est pas sage [g],

*a)* Hébr. : « dans la crainte de Dieu et non dans le dénuement. »
*b)* « sont justifiés ... une lumière »; hébr. : « comprennent la justice et font sortir de l'obscurité leur pensée. »
*c)* Hébr. : « il fait violence à la loi. »
*d)* Hébr. : « Le sage ne cache pas la sagesse; l'orgueilleux et l'impie ne gardent pas la Loi. »
*e)* Ou : « et ne te repens pas quand tu es en train de faire quelque chose. »
*f)* « veille sur toi-même » d'après l'hébr.; « fie-toi à toi-même » grec.
*g)* Avec l'hébr.; « le sage ne hait pas la loi » grec.

mais le faux observant est comme un vaisseau dans la tempête.
3 L'homme sensé met sa confiance dans la loi [a],
la loi est pour lui digne de foi comme un oracle.

4 Prépare tes discours et tu te feras écouter [b],
rassemble ton savoir avant de répondre.
5 Les sentiments du sot sont comme une roue de chariot,
son raisonnement comme un essieu qui tourne.
6 Un cheval en rut est comme un ami moqueur,
dès qu'on veut le monter il hennit.

**Inégalité des conditions.**

7 Pourquoi un jour est-il plus grand que l'autre [c],
puisque, toute l'année, la lumière vient du soleil?
8 C'est qu'ils ont été distingués dans la pensée du Seigneur,
qui a diversifié les saisons et les fêtes.
9 Il a exalté et consacré les uns
et fait des autres des jours ordinaires.
10 Tous les hommes viennent du limon,
c'est de la terre qu'Adam a été formé.
11 Dans sa grande sagesse [d] le Seigneur les a distingués,
il a diversifié leurs conditions.
1 S **2** 6-8 12 Il en a béni quelques-uns,
Lc **1** 51-53 il en a consacré et les a mis près de lui.
Si **10** 14-15
Il en a maudit et humilié
et les a rejetés de leur place.
Is **29** 16+ 13 Comme l'argile dans la main du potier,
Rm **9** 21 qui la façonne selon son bon plaisir [e],
ainsi les hommes dans la main de leur Créateur
qui les rétribue selon sa justice.
14 Vis-à-vis du mal il y a le bien,
vis-à-vis de la mort, la vie.
Ainsi, vis-à-vis de l'homme pieux, le pécheur [f].
15 Contemple donc toutes les œuvres du Très-Haut,
**42** 24-25 toutes vont par paires, en vis-à-vis.
Qo **3** 1-8

16 Pour moi, dernier venu, j ai veillé
Is **24** 13 comme un grapilleur après les vendangeurs.
Jr **49** 9
17 Par la bénédiction du Seigneur j'arrive le premier
et comme le vendangeur j'ai rempli le pressoir.
18 Reconnaissez que je n'ai pas travaillé pour moi seul,
mais pour tous ceux qui cherchent l'instruction.

19 Écoutez-moi donc, grands du peuple,
présidents de l'assemblée [g], prêtez l'oreille.

**Indépendance.**

20 A ton fils, à ta femme, à ton frère, à ton ami,
ne donne pas pouvoir sur toi pendant ta vie.

*a)* Hébr. : « comprend la parole de Yahvé ».
*b)* Hébr. : « et ensuite tu agiras ».
*c)* Le problème posé semble être non de cosmologie, différence de longueur des jours, mais de religion, différence de dignité entre jours de fête et jours profanes. C'est du moins ce que suggère le v. 9.
*d)* « sagesse » hébr.; « science » grec.
*e)* « qui la façonne selon » 1 ms grec, lat.; « toutes ses voies (sont) selon » grec.
*f)* Hébr. et syr. ajoutent : « et en face de la lumière, les ténèbres. »
*g)* La synagogue, où les Juifs pieux se réunissaient pour leur instruction.

Ne donne pas à un autre tes biens,
tu pourrais le regretter et devrais les redemander.
21 Tant que tu vis et qu'il te reste un souffle,
ne te livre pas au pouvoir de qui que ce soit.
22 Car il vaut mieux que tes enfants te supplient,
plutôt que de tourner vers eux des regards suppliants.
23 En tout ce que tu fais, reste le maître,
ne fais pas une tache à ta réputation.
24 Quand seront consommés les jours de ta vie,
à l'heure de la mort, distribue ton héritage.

Les esclaves [a].

25 A l'âne le fourrage, le bâton, les fardeaux, Pr **26** 3
au serviteur le pain, le châtiment, le travail.
26 Fais travailler ton esclave, tu trouveras le repos;
laisse-lui les mains libres [b], il cherchera la liberté.
27 Le joug et la bride font plier la nuque,
au mauvais serviteur la torture et la question.
28 Mets-le au travail pour qu'il ne reste pas oisif [c],
car l'oisiveté enseigne tous les mauvais tours.
29 Mets-le à l'ouvrage comme il lui convient
et s'il n'obéit pas mets-le aux fers. Pr **29** 19
30 Mais ne sois trop exigeant envers personne,
ne fais rien de contraire à la justice.

31 Tu n'as qu'un esclave? qu'il soit comme toi-même,
puisque tu l'as acquis dans le sang [d].
32 Tu n'as qu'un esclave? traite-le comme un frère, **7** 20
car tu en as besoin comme de toi-même.
33 Si tu le maltraites et qu'il prenne la fuite,
sur quel chemin iras-tu le chercher?

Les songes [e].

34 1 Les espérances vaines et trompeuses sont pour l'insensé
et les songes donnent des ailes aux sots.
2 C'est saisir une ombre et poursuivre le vent
que de s'arrêter à des songes.
3 Miroir et songes sont choses semblables :
en face d'un visage paraît son image [f].
4 De l'impur que peut-on tirer de pur? Jb **14** 4
du mensonge que peut-on tirer de vrai?
5 Divination, augures, songes, autant de vanités, Qo **5** 6
ce sont là rêveries de femme enceinte [g].
6 A moins qu'ils ne soient envoyés en visiteurs du Très-Haut,

*a)* Sur la dureté à l'égard des esclaves : Ex **21** 20-21; cf. Mt **18** 34; Lc **12** 46. Les esclaves n'étaient pourtant pas abandonnés à l'arbitraire des maîtres. Leurs droits étaient précisés par la Loi : Ex **21** 1-6, 26-27; Lv **25** 46; Dt **15** 12-18, cf. ici vv. 30, 31-33. Comparer l'attitude de saint Paul, Ep **6** 9; Col **4** 1; Phm 16.

*b)* « tu trouveras le repos »; var. hébr. : « afin qu'il ne demande pas le repos ». – « laisse-lui les mains libres »; hébr. : « et s'il lève la tête ».

*c)* Hébr. : « pour qu'il ne se révolte pas ».

*d)* C'est-à-dire : tu l'as acquis de ta substance, avec de l'argent péniblement gagné. Mais le texte n'est pas sûr.

*e)* Dans l'AT, Dieu use parfois des songes pour instruire les hommes : Gn **28** 10-17; **31** 10-13, 24; **37** 5-11; **41** 1-36, etc. Cf. Nb **12** 6. Voir encore Mt **1** 20-23; **2** 13, 22. Mais le recours aux songes comme moyens ordinaires de divination est blâmé par les prophètes et les législateurs : Jr **29** 8; Qo **5** 6; Lv **19** 26; Dt **13** 2-6; **18** 9-14. Ben Sira adopte cette dernière attitude tout en reconnaissant la possibilité de songes authentiquement divins (v.6).

*f)* « miroir et songes » conj. (cf. la suite); « visions de songes » grec. – Le songe, comme le miroir, ne fait apparaître qu'une image irréelle; ou encore : le songe ne fait que refléter ce que le songeur porte en lui, sans rien lui apprendre de hlus, et sans plus de garantie (cf. v. 4).

*g)* Litt. « ainsi imagine le cœur d'une femme en travail ».

n'y applique pas ton cœur.
7 Les songes ont égaré beaucoup de gens,
ceux qui comptaient dessus ont échoué.
8 C'est sans mensonge que s'accomplit la Loi
et la sagesse est parfaite dans la sincérité[a].

**Les voyages.**

9 On a beaucoup appris quand on a beaucoup voyagé
et un homme d'expérience parle avec intelligence.
10 Celui qui n'a pas été à l'épreuve connaît peu de choses,
mais celui qui a voyagé déborde de savoir-faire.
12 11 J'ai beaucoup vu au cours de mes voyages
et j'en ai compris plus que je ne saurais dire.
13 12 Bien des fois j'ai été en danger de mort,
et j'ai été sauvé, voici de quelle manière :
14 13 Ceux qui craignent le Seigneur, leur esprit vivra,
15 car leur espérance s'appuie sur qui peut les sauver.
16 14 Celui qui craint le Seigneur n'a peur de rien,
il ne tremble pas, car Dieu est son espérance.
17 15 Heureuse l'âme de qui craint le Seigneur :
18 sur qui s'appuie-t-il et qui est son soutien?
**15** 19 19 16 Les regards du Seigneur sont fixés sur ceux qui l'aiment.
Ps **33** 18; puissante protection, soutien plein de force,
**34** 16 abri contre le vent du désert, ombrage contre l'ardeur du midi,
20 protection contre les obstacles, assurance contre les chutes.
17 Il élève l'âme, il illumine les yeux,
il donne santé, vie et bénédiction.

**35** 1+ **Sacrifices.**

21 18 Sacrifier un bien mal acquis, c'est se moquer,
les dons des méchants ne sont pas agréables.
23 19 Le Très-Haut n'agrée pas les offrandes des impies,
Am **5** 21+ ce n'est pas pour l'abondance des victimes qu'il pardonne les péchés.
24 20 C'est immoler le fils en présence de son père
que d'offrir un sacrifice avec les biens des pauvres.
25 21 Une maigre nourriture, c'est la vie des pauvres,
les en priver c'est commettre un meurtre.
26 22 C'est tuer son prochain que de lui ôter la subsistance,
Lv **19** 13 27 c'est répandre le sang que de priver le salarié de son dû.
Dt **24** 14-15 28 23 L'un bâtit, l'autre démolit;
Jr **22** 13 qu'en retirent-ils sinon de la peine?
29 24 L'un bénit, l'autre maudit :
de qui le Maître écoutera-t-il la voix?
Nb **19** 11 30 25 Qui se purifie du contact d'un mort et de nouveau le touche,
que lui sert son ablution?
31 26 Ainsi l'homme qui jeûne pour ses péchés,
puis s'en va et les commet encore;
qui exaucera sa prière?
que lui sert de s'humilier?

*a)* Aux songes trompeurs, Ben Sira oppose la Loi et la sagesse qui ne déçoivent pas.

### Loi et sacrifices [a].

**35** [1] Observer la loi c'est multiplier les offrandes,
2, 3 s'attacher aux préceptes c'est offrir des sacrifices de communion. Lv **3** 1+
4 [2] Se montrer charitable c'est faire une oblation de fleur de farine, Lv **2** 1+
faire l'aumône c'est offrir un sacrifice de louange. Lv **7** 11+
5 [3] Ce qui plaît au Seigneur c'est qu'on se détourne du mal,
c'est offrir un sacrifice expiatoire que de fuir l'injustice. Lv **16** 1+
6 [4] Ne parais pas devant le Seigneur les mains vides,
7 car tout cela est dû selon les préceptes.
8 [5] L'offrande du juste réjouit l'autel [b],
son parfum s'élève devant le Très-Haut. Ex **29** 18+
9 [6] Le sacrifice du juste est agréable,
son mémorial ne sera pas oublié. Lv **2** 1-3
10 [7] Glorifie le Seigneur avec générosité
et ne sois pas avare des prémices que tu offres. Dt **26** 1+
11 [8] Chaque fois que tu fais une offrande montre un visage joyeux 2 Co **9** 7
et consacre la dîme avec joie. Dt **14** 22+
12 [9] Donne au Très-Haut comme il t'a donné, Dt **12** 6; **14**
avec générosité, selon tes moyens [c]. 23; **26** 12-15
13 [10] Car le Seigneur paie de retour,
il te rendra au septuple.

### La justice divine.

14 [11] N'essaie pas de le corrompre par des présents, il les refuse,
15 ne t'appuie pas sur un sacrifice injuste.
[12] Car le Seigneur est un juge
qui ne fait pas acception de personnes. Dt **10** 17
16 [13] Il ne considère pas les personnes pour faire tort au pauvre, Jb **34** 19
il écoute l'appel de l'opprimé. Pr **24** 23+
17 [14] Il ne néglige pas la supplication de l'orphelin, Ex **22** 21-23
ni de la veuve qui épanche ses plaintes. Pr **23** 10-11
18 [15] Les larmes de la veuve ne coulent-elles pas sur ses joues
19 et son cri n'accable-t-il pas celui qui les provoque?
20 [16] Celui qui sert Dieu [d] de tout son cœur est agréé
et son appel parvient jusqu'aux nuées.
21 [17] La prière de l'humble pénètre les nuées [e];
tant qu'elle n'est pas arrivée il ne se console pas [f]. Jb **16** 18+
[18] Il n'a de cesse que le Très-Haut n'ait jeté les yeux sur lui,
qu'il n'ait fait droit aux justes et rétabli l'équité.
[19] Et le Seigneur ne tardera pas,
il n'aura pas de patience à leur égard,
[20] tant qu'il n'aura brisé les reins des violents
23 et tiré vengeance des nations,
[21] exterminé la multitude des orgueilleux
et brisé le sceptre des injustes,
24 [22] tant qu'il n'aura rendu à chacun selon ses œuvres
et jugé les actions humaines selon les cœurs,
25 [23] tant qu'il n'aura rendu justice à son peuple

*a)* Ben Sira est à la fois un fervent ritualiste très attaché au culte et un moraliste soucieux d'observer la Loi dans tous ses préceptes de justice et de charité. Ces deux tendances se rejoignent ici : selon Ben Sira, la pratique de la Loi est elle-même un culte.
*b)* Litt. « graisse l'autel ».
*c)* L'hébr. ajoute dans la marge : « Celui-là prête à Dieu qui donne à un pauvre; qui le lui rendra sinon lui? », cf. Pr **19** 17.
*d)* Ou : « qui rend service (au prochain) ».
*e)* Où Dieu habite, cf. Ps **68** 35; **104** 3, etc.
*f)* « il ne se console pas »: var. hébr. : « elle ne s'arrête pas ».

et ne l'aura comblé de joie dans sa miséricorde.
26 24 La miséricorde est bonne au temps de la tribulation,
comme les nuages de pluie au temps de la sécheresse.

## Ps **79** Prière pour la délivrance et la restauration d'Israël [a].

**36** 1 Aie pitié de nous, maître, Dieu de l'univers, et regarde,
Jr **10** 25 2 répands ta crainte sur toutes les nations.
Ps **79** 6 3 2 Lève la main contre les nations étrangères,
et qu'elles voient ta puissance.
Ez **28** 22; 4 3 Comme, à leurs yeux, tu t'es montré saint envers nous,
**38** 23 de même, à nos yeux, montre-toi grand envers elles.
Dt **32** 39 5 4 Qu'elles te connaissent, tout comme nous avons connu
Is **45** 14 1 R **8** 43 qu'il n'y a pas d'autre Dieu que toi, Seigneur.
1 Ch **17** 20 6 5 Renouvelle les prodiges et fais d'autres miracles,
7 glorifie ta main et ton bras droit.
Ps **79** 6 8 6 Réveille ta fureur, déverse ta colère,
9 détruis l'adversaire, anéantis l'ennemi.
10 7 Hâte le temps, souviens-toi du serment,
que l'on célèbre tes hauts faits [b].
11 8 Qu'un feu vengeur dévore les survivants,
que les oppresseurs de ton peuple soient voués à la ruine.
12 9 Brise la tête des chefs étrangers
qui disent : « Il n'y a que nous. »
13 10 Rassemble toutes les tribus de Jacob,
rends-leur leur héritage comme au commencement [c].
Ex **4** 22 14 11 Aie pitié, Seigneur, du peuple appelé de ton nom,
Dt **7** 6+ d'Israël dont tu as fait un premier-né.
15 12 Aie compassion de ta ville sainte,
2 S **5** 9+ de Jérusalem le lieu de ton repos.
16 13 Remplis Sion de ta louange
et ton sanctuaire de ta gloire [d].
17 14 Rends témoignage à tes premières créatures [e],
accomplis les prophéties faites en ton nom.
18 15 Donne satisfaction à ceux qui espèrent en toi,
que tes prophètes soient véridiques.
16 Exauce, Seigneur, la prière de tes serviteurs [f]
Nb **6** 22-27 selon la bénédiction d'Aaron sur ton peuple.
19 17 Et que tous, sur la terre, reconnaissent
que tu es le Seigneur, le Dieu éternel!

## Du discernement.

20 18 L'estomac accueille toute sorte de nourriture,
mais tel aliment est meilleur qu'un autre.
21 19 Le palais reconnaît à son goût le gibier,
de même le cœur avisé discerne les paroles mensongères.

*a)* Cette prière est révélatrice des sentiments des Juifs pieux vers 190, à la veille du soulèvement national des Maccabées. Chose rare chez Ben Sira, elle est marquée de messianisme, de même que le psaume final hébreu, Si **51** 12+.
*b)* Hébr. : « fais hâter la fin, souviens-toi du terme. Car qui te dira : Que fais-tu? »
*c)* Cette espérance d'un rassemblement des tribus, particulièrement vivace au temps de l'Exil, se perpétua dans le Judaïsme bien après le retour des exilés; les Juifs considérèrent toujours la dispersion à l'étranger comme une situation provisoire et regrettable à laquelle la venue du messie doit mettre fin.
*d)* « de ta louange »; var. hébr. : « de ta majesté ». – « ton sanctuaire » (*naon*) avec hébr.; « ton peuple » (*laon*) grec.
*e)* S'agit-il du peuple d'Israël dans son ensemble, ou des patriarches, qu'un ancien midrash range parmi les sept choses créées avant le monde? ou de la sagesse créée, prémice de la création (Pr **8** 22)? Ou l'auteur considère-t-il que le messie ou le règne messianique, créés avant toutes choses, vont bientôt se manifester sur la terre? Il est difficile de préciser la pensée.
*f)* « tes serviteurs » mss grec, hébr.; « ceux qui te prient » texte reçu.

22 20 Un cœur pervers donne du chagrin,
l'homme d'expérience le paie de retour.

### Choix d' une femme. Pr **5** 15+

23 21 Une femme accepte n'importe quel mari,
mais il y a des filles meilleures que d'autres [a].
24 22 La beauté d'une femme réjouit le regard,
c'est le plus grand de tous les désirs de l'homme.
25 23 Si la bonté et la douceur sont sur ses lèvres, Pr **15** 4
son mari est le plus heureux des hommes.
26 24 Celui qui acquiert une femme a le principe de la fortune,
une aide semblable à lui [b], une colonne d'appui. Gn **2** 18
27 25 Faute de clôture le domaine est livré au pillage,
sans une femme l'homme gémit et va à la dérive. Gn **4** 12
28 26 Comment se fier à un voleur de grand chemin
qui court de ville en ville?
27 De même à l'homme qui n'a pas de nid,
qui s'arrête là où la nuit le surprend.

### Faux amis. **6** 5-17

**37** 1 Tout ami dit : « Moi aussi je suis ton ami », Pr **20** 6
mais tel n'est ami que de nom.
2 N'est-ce pas pour un homme un chagrin mortel
qu'un camarade ou un ami qui devient ennemi?
3 O mauvais penchant, pourquoi as-tu été créé [c], **17** 31; **21** 11
pour couvrir la terre de malice? Gn **3** 22; **4** 7
4 Le camarade félicite un ami dans le bonheur
et au moment de l'adversité se tourne contre lui [d].
5 Le camarade compatit avec son ami par intérêt [e]
et au moment du combat prend les armes.
6 N'oublie pas ton ami dans ton cœur, Pr **27** 10
ne perds pas son souvenir au milieu des richesses.

### Les conseillers.

8 7 Tout conseiller donne des conseils,
mais il en est qui cherchent leur intérêt. **6** 6
9 8 Méfie-toi du donneur de conseils,
demande-toi d'abord de quoi il a besoin
– car il donne ses conseils dans son propre intérêt –
10 de crainte qu'il ne jette son dévolu sur toi [f],
11 9 qu'il ne te dise : « Tu es sur la bonne voie »,
et ne reste à distance pour voir ce qui t'arrivera.
12 10 Ne consulte pas quelqu'un qui te regarde en dessous
et à ceux qui t'envient, cache tes desseins.
11 Ne consulte pas non plus une femme sur sa rivale [g],

*a)* On s'est demandé, en se basant sur le parallélisme, s'il ne fallait pas lire plutôt : « un mari prend n'importe quelle femme, mais... » Pourtant l'hébr. donne la même construction que le grec. Tel qu'il se présente, le texte semble souligner l'avantage de l'homme qui peut choisir sa femme, tandis que celle-ci n'a pas le choix.
*b)* Hébr. : « une ville fortifiée ».
*c)* « créé », litt. « roulé (dans quelque chose) »; le mot, peut-être mal transcrit ou altéré par une correction théologique, est interprété d'après l'hébr. : « Malheur au méchant qui dit : Pourquoi ai-je été créé? » – Le « mauvais penchant » qui entraine l'homme au mal est un élément important de la théologie rabbinique.
*d)* Hébr. : « Mauvais est l'ami qui profite de la table et au moment de l'adversité se tient au loin. »
*e)* Litt. « dans l'intérêt de son ventre ». – Les vv. 4-5 présentent le contraste entre deux compagnons : l'un s'enfuit lors du danger, l'autre reste fidèle. Le v. 5 hébr. rend le contraste plus clair : « Le bon ami combat contre l'ennemi, et contre les adversaires prend les armes. »
*f)* Texte incertain; hébr. : « pourquoi cela arrive-t-il? »
*g)* Le développement qui suit illustre les vv. 7-8 en donnant l'exemple de conseillers qui ont un intérêt personnel dans les avis qu'ils peuvent donner.

ni un poltron sur la guerre,
Pr **20** 14 ni un négociant sur le commerce,
ni un acheteur sur une vente,
ni un envieux sur la reconnaissance,
13 ni un égoïste sur la bienfaisance,
ni un paresseux sur un travail quelconque,
14 ni un mercenaire saisonnier sur l'achèvement d'une tâche,
ni un domestique nonchalant sur un grand travail;
ne t'appuie sur ces gens pour aucun conseil.
**9** 15 15 [12] Mais adresse-toi toujours à un homme pieux [a],
que tu connais pour observer les commandements,
16 dont l'âme est comme la tienne,
et qui, si tu échoues, sera compatissant.
17 [13] Ensuite, tiens-toi au conseil de ton cœur,
car nul ne peut t'être plus fidèle.
18 [14] Car l'âme de l'homme l'avertit souvent mieux
que sept veilleurs en faction sur une hauteur.
Pr **16** 9 19 [15] Et par-dessus tout cela, supplie le Très-Haut,
qu'il dirige tes pas dans la vérité.

**Vraie et fausse sagesse.**

20 [16] Le principe de toute œuvre c'est la raison [b],
avant toute entreprise il faut la réflexion.
21 [17] La racine des pensées, c'est le cœur,
il donne naissance à quatre rameaux [c] :
Pr **18** 21 [18] le bien et le mal, la vie et la mort,
et ce qui les domine toujours, c'est la langue.
22 [19] Tel homme est habile pour enseigner les autres
qui, pour lui-même, n'est bon à rien;
**9** 18 23 [20] tel homme, beau parleur, est détesté,
il finira par mourir de faim [d],
24 [21] car le Seigneur ne lui accorde pas sa faveur :
il est dépourvu de toute sagesse.
25 [22] Tel est sage à ses propres yeux
et les fruits de son intelligence sont, à l'entendre, assurés [e].
26 [23] Le vrai sage enseigne son peuple
et les fruits de son intelligence sont assurés [f].
27 [24] Le sage est comblé de bénédiction,
tous ceux qui le voient le proclament heureux.
28 [25] Le temps de la vie humaine est compté,
mais les jours d'Israël sont infinis.
29 [26] Le sage, au milieu du peuple, s'acquiert la confiance :
son nom vivra éternellement.

**La tempérance.**

30 [27] Mon fils, pendant ta vie éprouve ton tempérament,
vois ce qui t'est contraire et ne te l'accorde pas.
1 Co **3** 2: **6** 12; **10** 23 He **5** 12 31 [28] Car tout ne convient pas à tous

*a)* Hébr. : « celui qui est dans la crainte (de Dieu) », cf. Pr **1** 7+. Pour Ben Sira, la crainte de Dieu l'emporte sur toutes les sagesses profanes.
*b)* Ou « la parole » (*logos*), mais, dans ce contexte, la parole est l'expression de la sagesse créatrice.
*c)* D'après l'hébr.; grec : « comme signe de changement de cœur, quatre parties apparaissent ».
*d)* Hébr. : « [19] Tel est sage et agit sagement pour beaucoup, qui pour lui-même est un sot. [20] Tel est sage et méprisé pour ses paroles, il sera privé de toute nourriture agréable. »
*e)* Hébr. : « sont pour son corps. »
*f)* Hébr. : « Tel sage est sage pour les gens de son peuple, et les fruits de son intelligence sont pour eux. »

et tout le monde ne se trouve pas bien de tout.
32 [29] Ne sois pas gourmand de toute friandise
et ne te jette pas sur la nourriture,
33 [30] car trop manger est malsain
et l'intempérance provoque les coliques.
34 [31] Beaucoup sont morts pour avoir trop mangé,
celui qui se surveille prolonge sa vie.

**Médecine et maladie** [a].

**38** [1] Au médecin rends les honneurs qui lui sont dus [b],
en considération de ses services,
car lui aussi, c'est le Seigneur qui l'a créé.
[2] C'est en effet du Très-Haut que vient la guérison,
comme un cadeau qu'on reçoit du roi [c].
[3] La science du médecin lui fait porter la tête haute,
il fait l'admiration des grands.
[4] Le Seigneur fait sortir de terre les simples,
l'homme sensé ne les méprise pas.
[5] N'est-ce pas une baguette de bois qui rendit l'eau douce, Ex **15** 23-25
manifestant ainsi sa vertu [d]?
[6] C'est lui aussi qui donne aux hommes la science
pour qu'ils se glorifient de ses œuvres puissantes.
[7] Il en [e] fait usage pour soigner et soulager;
le pharmacien en fait des mixtures.
[8] Et ainsi ses œuvres n'ont pas de fin [f]
et par lui le bien-être se répand sur la terre.

[9] Mon fils, quand tu es malade ne te révolte pas,
mais prie le Seigneur et il te guérira.
[10] Renonce à tes fautes, garde tes mains nettes,
de tout péché purifie ton cœur.
[11] Offre de l'encens et un mémorial de fleur de farine
et fais de riches offrandes selon tes moyens [g]. **35** 2-5
[12] Puis aie recours au médecin, car le Seigneur l'a créé, lui aussi,
ne l'écarte pas, car tu as besoin de lui.
[13] Il y a des cas où la santé est entre leurs mains.
[14] A leur tour en effet ils prieront le Seigneur
qu'il leur accorde la faveur d'un soulagement
et la guérison pour te sauver la vie [h].
[15] Celui qui pèche aux yeux de son Créateur,
qu'il tombe au pouvoir du médecin [i].

*a)* Peut-être certains Juifs pieux considéraient-ils le recours aux médecins comme un manque de foi en Yahvé, cf. 2 Ch **16** 12. Ben Sira va corriger cette opinion.
*b)* Peut-être tout bonnement les « honoraires ». Hébr. : « sois l'ami du médecin ».
*c)* Litt. « qu'il reçoit »; il s'agit soit du malade soit du médecin (v. 1) qui n'est qu'un intermédiaire. Hébr. : « De Dieu le médecin tient son art, et du roi il reçoit des présents. »
*d)* Selon le grec, Ben Sira semble donner du miracle de Mara une explication naturelle. L'hébr., au lieu de « sa vertu », porte « sa puissance (de Dieu) ».
*e)* Des simples dont il a été question au v. 4 (5 et 6 sont une parenthèse).
*f)* Les œuvres de Dieu, qu'il continue après la création en donnant aux hommes et aux choses une participation à sa puissance, et en répandant ainsi le bien sur la terre.
*g)* « Selon tes moyens » hébr.; « comme n'étant pas (?) » grec.
*h)* Ce développement a peut-être inspiré Jc **5** 14s., mais le conseil donné par saint Jacques a une autre portée.
*i)* C'est-à-dire : qu'il tombe malade. Il ne semble pas que l'expression veuille être discourtoise à l'égard des médecins. Mais il faut peut-être corriger d'après l'hébreu : « Celui-là pèche devant son Créateur qui fait le brave devant le médecin. »

### Le deuil [a].

16 Mon fils, répands tes larmes pour un mort,
pousse des lamentations pour montrer ton chagrin,
puis enterre le cadavre selon le cérémonial
et ne manque pas d'honorer sa tombe [b].
17 Pleure amèrement, frappe-toi la poitrine [c],
observe le deuil comme le mort le mérite
18 un ou deux jours durant, de peur de faire jaser [d],
puis console-toi de ton chagrin.
19 18 Car le chagrin mène à la mort,
un cœur abattu perd toute vigueur.
20 19 Avec le malheur persiste la peine,
une vie de chagrin est insupportable [e].
**30** 21 21 20 N'abandonne pas ton cœur au chagrin,
7 36; **28** 6 repousse-le. Songe à ta propre fin [f].
22 21 Ne l'oublie pas : il n'y a pas de retour,
tu ne servirais de rien au mort et tu te ferais du mal.
23 22 « Souviens-toi de ma sentence [g] qui sera aussi la tienne :
moi hier, toi aujourd'hui [h]! »
24 23 Dès qu'un mort repose, laisse reposer sa mémoire,
console-toi de lui dès que son esprit est parti.

### Métiers manuels [i].

25 24 La sagesse du scribe s'acquiert aux heures de loisir
et celui qui est libre d'affaires devient sage.
26 25 Comment deviendrait-il sage, celui qui tient la charrue,
dont toute la gloire est de brandir l'aiguillon,
qui mène des bœufs et ne les quitte pas au travail,
et qui ne parle que de bétail?
27 26 Son cœur est occupé des sillons qu'il trace
et ses veilles se passent à engraisser des génisses.
28 27 Pareillement tous les ouvriers et gens de métier
qui travaillent jour et nuit,
ceux qui font profession de graver des sceaux
et qui s'efforcent d'en varier le dessin;
ils ont à cœur de bien reproduire le modèle
et veillent pour achever leur ouvrage.
29 28 Pareillement le forgeron assis près de l'enclume :
il considère le fer brut;
la vapeur du feu lui ronge la chair,
dans la chaleur du four il se démène;
30 le bruit du marteau l'assourdit [j],
il a les yeux rivés sur son modèle;
31 il met tout son cœur à bien faire son travail

*a)* Les cérémonies funéraires étaient, chez les Juifs comme chez les Orientaux en général, spectaculaires et soumises à des règles précises. Voir des traits divers dans Jr **9** 17,18; Am **5** 16; Ez **24** 15-24; Mt **9** 23; Mc **5** 38.
*b)* Hébr. : « et ne te dérobe pas quand il expire. »
*c)* Litt. « rend brûlant le coup » : on se frappait la poitrine en signe de deuil. – Hébr. : « accomplis le deuil ».
*d)* Sept jours d'après **22** 12 , mais il pouvait y avoir divers rites selon les deuils.
*e)* « Une vie de chagrin » conj.; « une vie de pauvre » grec.
*f)* Ou simplement : « songe à l'avenir ». L'expression *ta eschata*, **7** 36; **26** 6; **48** 24, est difficile à traduire.
*g)* « ma sentence » (c'est le mort qui parle), ou « la sentence », S, ou « sa sentence », Vaticanus, hébr. Mais quelle que soit la leçon adoptée, il s'agit de la sentence qui condamne tout homme à mourir, Gn **2** 17; **3** 3, 4.
*h)* C'est-à-dire : j'étais vivant hier comme tu l'es aujourd'hui. – Hébr. : « lui hier ».
*i)* On a rapproché ce passage d'un ancien texte égyptien, connu sous le nom de « Satire des métiers ». On notera que Ben Sira limite sa description aux métiers typiquement palestiniens.
*j)* « le fer brut » Vaticanus; « le travail du fer » texte reçu. – « assourdit » conj. qui suppose l'hébr. *yeherash* lu par le traducteur grec *yehaddesh* (confusion fréquente du *resh* et du *dalet*), « renouvelle ».

et il passe ses veilles à le parfaire.
32 [29] Pareillement le potier, assis à son travail,
de ses pieds faisant aller son tour,
sans cesse préoccupé de son ouvrage.
tous ses gestes sont comptés [a];
33 [30] de son bras il pétrit l'argile,
de ses pieds il la contraint;
34 il met son cœur à bien appliquer le vernis
et pendant ses veilles il nettoie le foyer.
35 [31] Tous ces gens ont mis leur confiance en leurs mains
et chacun est habile [b] dans son métier.
36 [32] Sans eux nulle cité ne pourrait se construire,
37 on ne pourrait ni s'installer ni voyager.
[33] Mais on ne les rencontre pas au conseil du peuple
et à l'assemblée ils n'ont pas un rang elevé.
38 Ils n'occupent pas le siège du juge
et ne méditent pas sur la loi [c].
[34] Ils ne brillent ni par leur culture ni par leur jugement,
on ne les rencontre pas parmi les faiseurs de maximes [d].
39 Mais ils assurent une création éternelle,
et leur prière a pour objet les affaires de leur métier.

### Le scribe.

**39** [1] Il en va autrement de celui qui applique son âme Ps **1** 2
et sa méditation à la loi du Très-Haut.
39[1] Il scrute la sagesse de tous les anciens,
il consacre ses loisirs aux prophéties [e].
[2] Il conserve les récits des hommes célèbres,
il pénètre dans les détours des paraboles [f].
[3] Il cherche le sens caché des proverbes,
il se complaît aux secrets des paraboles.
[4] Il prend son service parmi les grands,
on le remarque en présence des chefs.
5 Il voyage dans les pays étrangers [g],
il a fait l'expérience du bien et du mal parmi les hommes.
6 [5] Dès le matin, de tout son cœur,
il se tourne vers le Seigneur, son créateur;
il supplie en présence du Très-Haut,
7 il ouvre la bouche pour la prière,
il supplie pour ses propres péchés.
8 [6] Si telle est la volonté du Seigneur grand,
il sera rempli de l'esprit d'intelligence. Is **11** 2
9 Lui-même répandra ses paroles de sagesse,
dans sa prière il rendra grâce au Seigneur.
10 [7] Il acquerra la droiture du jugement et de la connaissance,
il méditera ses mystères cachés.
11 [8] Il fera paraître l'instruction qu'il a reçue
et mettra sa fierté dans la loi de l'alliance du Seigneur.
12 [9] Beaucoup vanteront son intelligence

*a)* Traduction incertaine; litt. « son activité est comptée » ou « chiffrée », peut-être parce qu'il doit fournir un nombre fixé de pièces à la fin de la journée.
*b)* Litt. « sage ». C'est une forme élémentaire de sagesse que l'habitude manuelle, cf. Ex **35** 30 - **36** 1; 1 R **5** 20; **7** 13-14. Mais elle ne peut se comparer à celle du scribe, cf. Si **39** 1-11.
*c)* Litt. « l'alliance du jugement », cf. **45** 17.
*d)* « faiseurs de maximes » conj.; « maximes » grec.
*e)* Loi, sagesse, prophéties, ce sont, semble-t-il, les trois parties de l'Écriture, cf. Prologue l, 8-10, 24-25.
*f)* Le scribe est d'abord le *conservateur* des Écritures, mais il a aussi la charge de les expliquer au peuple, cf. Esd **7** 6+. Sur la parabole ou *mashal*, cf. l'Introduction p. 646.
*g)* Le scribe est souvent fonctionnaire, ministre, ambassadeur.

et jamais on ne l'oubliera.
13 Son souvenir ne s'effacera pas,
son nom vivra de génération en génération.
= 44 15 14 10 Des nations proclameront sa sagesse
et l'assemblée célébrera ses louanges.
15 11 S'il vit longtemps son nom sera plus glorieux que mille autres,
et s'il meurt cela lui suffit [a].

**Invitation à louer Dieu.**

16 12 Je veux encore faire part de mes réflexions,
dont je suis rempli comme la lune en son plein.
17 13 Écoutez-moi, mes pieux enfants, et grandissez
Ps 1 3 comme la rose plantée au bord d'un cours d'eau.
18 14 Comme l'encens répandez une bonne odeur,
19 fleurissez comme le lis, donnez votre parfum,
chantez un cantique,
bénissez le Seigneur pour toutes ses œuvres.
20 15 Magnifiez son nom,
publiez ses louanges,
par vos chants, sur vos cithares,
et vous direz à sa louange :
Ps 104 24 21 16 Qu'elles sont magnifiques, toutes les œuvres du Seigneur!
Ps 33 9 tous ses ordres sont exécutés ponctuellement.
Qo 3 11 Il ne faut pas dire : « Qu'est-ce que cela? Pourquoi cela? »
tout doit être étudié en son temps [b].
22 17 A sa parole l'eau s'arrête et s'amasse,
à sa voix se forment les réservoirs des eaux [c],
23 18 sur son ordre tout ce qu'il désire s'accomplit,
1 S 14 6 il n'est personne qui arrête son geste de salut.
24 19 Toutes les œuvres des hommes sont devant lui,
Sg 1 7-8 il n'est pas possible d'échapper à son regard;
25 20 son regard s'étend de l'éternité à l'éternité,
rien n'est extraordinaire à ses yeux.
26 21 Il ne faut pas dire : « Qu'est-ce que cela? Pourquoi cela? »
car tout a été créé pour une fin.

27 22 De même que sa bénédiction a tout recouvert comme un fleuve [d]
28 et abreuvé la terre comme un déluge,
(29) 23 de même aux nations il donne sa colère en partage,
Gn 19 24-26 ainsi a-t-il changé les eaux en sel.
24 Si ses voies sont unies pour les hommes pieux,
elles sont pour les méchants pleines d'obstacles.
33 14-15 30 25 Les biens ont été créés pour les bons dès le commencement,
et de même, pour les méchants, les maux [e].
31 26 Ce qui est de première nécessité pour la vie de l'homme,
c'est l'eau, le feu, le fer et le sel,

*a)* « cela lui suffit » *ekpoiei* conj.; « il produit pour soi (?) » *empoiei* grec. – Texte difficile. Le sens semble être que s'il meurt sans avoir eu le temps d'atteindre la gloire humaine le scribe ne doit pas regretter ses efforts.

*b)* Ces deux stiques, qui ne se trouvent que dans le grec, sont partiellement un doublet du v. 21. Ils semblent signifier : inutile de poser prématurément des questions sur l'ordre du monde. Un jour ou l'autre, par la récompense ou le châtiment, Dieu fera voir l'utilité de tel élément qui posait des questions (vv. 21, 34). Alors le sage qui étudiera « en son temps » comprendra. Il peut y avoir dans ce passage un essai de mise au point de certaines pages pessimistes de l'Ecclésiaste.

*c)* Allusion aux nombreux miracles concernant l'eau : création, Gn **1** 9, déluge, Gn **7** 11, passage de la mer, Ex **14** 21-22, et du Jourdain, Jos **3** 16, et peut-être aussi au mystère des nuages, réservoirs inépuisables. Cf. Ps **104** 6-13.

*d)* L'auteur songe aux crues bienfaisantes du Nil. – L'hébr. porte : « comme un Nil ».

*e)* « les maux ; var. hébr. : « le bien ou le mal ».

la farine de froment, le lait et le miel,
le jus de la grappe, l'huile et le vêtement.
32 27 Tout cela est un bien pour les bons,
mais pour les pécheurs cela devient un mal.

33 28 Il y a des vents créés pour le châtiment
et dans sa fureur il en a fait des fléaux [a],
34 à l'heure de la consommation ils déchaînent leur violence
et assouvissent la fureur de leur Créateur.
35 29 Le feu, la grêle, la famine et la mort,
tout cela a été créé pour le châtiment [b].
36 30 Les dents des fauves, les scorpions et les vipères,
l'épée vengeresse pour la perte des impies,
37 31 tous se font une joie d'exécuter ses ordres,
ils sont sur la terre prêts pour le cas de besoin,
le moment venu ils n'enfreindront pas sa parole.
38 32 C'est pourquoi dès le début j'étais décidé,
j'ai réfléchi et j'ai écrit [c] :
39 33 « Les œuvres du Seigneur sont toutes bonnes,
il donne sa faveur à qui en a besoin, à l'heure propice.
40 34 Il ne faut pas dire : « Ceci est moins bon que cela! »
car tout en son temps sera reconnu bon.
41 35 Et maintenant de tout cœur, à pleine bouche, chantez, Ps **145** 21
et bénissez le nom du Seigneur! »

**Misère de l'homme [d].**

**40** 1 Un sort pénible a été fait à tous les hommes, Gn **3** 16-19
un joug pesant accable les fils d'Adam, Jb **7** 1s;
depuis le jour qu'ils sortent du sein maternel **14** 1-2+
jusqu'au jour de leur retour [e] à la mère universelle. Jb **1** 21+
2 L'objet de leurs réflexions, la crainte de leur cœur,
c'est l'attente anxieuse du jour de leur mort.
3 Depuis celui qui siège sur un trône, dans la gloire,
jusqu'au miséreux assis sur la terre et la cendre,
4 depuis celui qui porte la pourpre et la couronne
jusqu'à celui qui est vêtu d'étoffe grossière,
ce n'est que fureur, envie, trouble, inquiétude,
crainte de la mort, rivalités et querelles.
5 Et à l'heure où, couché, l'on repose,
le sommeil de la nuit ne fait que varier les soucis [f]: Dt **28** 65-67
6 à peine a-t-on trouvé le repos Jb **7** 4
qu'aussitôt, dormant, comme en plein jour [g], Qo **2** 23;
on est agité de cauchemars, **8** 16
comme un fuyard échappé du combat.
7 Au moment de la délivrance on s'éveille,
tout surpris que sa peur soit vaine.

*a)* D'après grec 248 et syr.; « dans leur fureur ils établissent les fléaux » texte reçu.
*b) Testament des XII Patriarches* : « Il (le ciel inférieur) contient le feu, la neige, la glace, prêts pour le jour du jugement, dans le juste jugement de Dieu. Car c'est là que sont les esprits de vengeance pour le châtiment des hommes » (Lévi **3** 2). Ben Sira considère aussi les fléaux comme tenus en réserve, mais sa perspective ne paraît pas être proprement eschatologique.
*c)* C'est l'annonce solennelle de la conclusion optimiste : tout est voulu par Dieu pour une fin. Tout est dans l'ordre et l'homme n'a pas de raison de se plaindre; il ne souffre que s'il l'a mérité.
*d)* Ce développement sur la misère universelle fait contraste avec le ch. précédent. Ce n'est pas incohérence dans la pensée de Ben Sira. Cette misère s'explique puisqu'elle est la conséquence du péché, v. 10.
*e)* « retour » grec 248, hébr.; « sépulture » texte reçu.
*f)* D'après l'hébr. (incertain) et le contexte on peut comprendre : le sommeil lui apporte d'autres idées non moins pénibles. Cf. Qo **2** 22, 23.
*g)* « comme en plein jour » conj.; « comme au jour de l'observation » grec.

8 Pour toute créature, de l'homme à la bête,
mais pour les pécheurs, au septuple,
9 la mort, le sang, la querelle et l'épée,
malheurs, famine, tribulation, calamité!
**39** 25, 29 10 Tout cela a été créé pour les pécheurs,
et c'est à cause d'eux que vint le déluge.
= **41** 10 Gn **3** 19 11 Tout ce qui vient de la terre retourne à la terre,
Ps **146** 4 Qo **1** 7 et ce qui vient de l'eau fait retour à la mer [a].

**Maximes diverses.**

12 Les pots-de-vin et les injustices disparaîtront,
mais la bonne foi tiendra éternellement.
13 Les richesses mal acquises s'évanouiront comme un torrent,
comme le coup de tonnerre qui éclate pendant l'averse.
14 Quand il ouvre les mains il se réjouit [b],
ainsi les pécheurs iront à la ruine.
**23** 25 Sg **4** 3 15 Les rejetons des impies sont pauvres de rameaux,
les racines impures ne trouvent qu'âpre rocher.
Jb **8** 11-12 16 Le roseau qui abonde sur toutes les eaux et sur les bords du fleuve
sera arraché le premier [c].
**40** 27 17 La charité est comme un paradis de bénédiction
et l'aumône demeure à jamais [d].

18 L'homme indépendant et le travailleur ont la vie douce;
mieux loti encore celui qui trouve un trésor.
19 Des enfants et une ville fondée perpétuent un nom;
mieux encore apprécie-t-on une femme parfaite [e].
20 Le vin et les arts mettent la joie au cœur;
mieux encore l'amour de la sagesse [f].
21 La flûte et la cithare agrémentent le chant;
mieux encore une voix mélodieuse.
22 Beauté et grâce font la joie de l'œil;
mieux encore la verdure des champs.
23 Ami et camarade se rencontrent au bon moment;
mieux encore la femme et l'homme.
Pr **17** 17 Si **29** 8+ 24 Frères et protecteurs sont utiles aux mauvais jours;
mieux encore l'aumône tire d'affaire.
25 L'or et l'argent rendent la démarche ferme;
mieux encore estime-t-on le conseil.
26 La richesse et la force donnent un cœur assuré;
mieux encore la crainte du Seigneur.
27 Avec la crainte du Seigneur rien ne manque;
avec elle on n'a pas à chercher d'appui.
**40** 17 28 27 La crainte du Seigneur est un paradis de bénédiction;
mieux que toute gloire elle protège.

**Mendicité.**

29 28 Mon fils, ne vis pas de mendicité,
mieux vaut mourir que mendier.
30 29 L'homme qui louche vers la table d'autrui,

*a)* Hébr. : « et ce qui vient d'en haut retourne en haut », cf. Qo **12** 7.

*b)* Texte difficile. Il s'agit peut-être du juste dont la générosité est source de joie.

*c)* Litt. « avant toute herbe »; hébr. : « avant toute pluie ».

*d)* Hébr. : « La piété ne sera jamais ébranlée et la justice demeure à jamais. »

*e)* Hébr. ajoute entre les deux stiques : « mieux encore la trouvaille de la sagesse. Bétail, plantation font une notoriété ».

*f)* Hébr. : « Le vin et les boissons mettent la joie au cœur, mais plus que ces deux choses, l'amour. »

sa vie ne saurait passer pour une vie.
Il se souille la gorge de nourritures étrangères,
31 un homme instruit et bien élevé s'en gardera [a].
32 [30] A la bouche de l'impudent la mendicité est douce, Jb **20** 12-14
mais à ses entrailles, c'est un feu brûlant.

**La mort.**

**41** [1] O mort, quelle amertume que ta pensée Jb **14** 1-2+
pour l'homme qui vit heureux au milieu de ses biens,
2 pour l'homme arrivé à qui tout réussit
et qui peut encore goûter la nourriture [b].

3 [2] O mort, ta sentence est la bienvenue Jb **3** 20s
pour l'homme misérable et privé de ses forces,
4 pour le vieillard usé, agité de soucis,
révolté et à bout de patience.

5 [3] Ne redoute pas l'arrêt de la mort,
souviens-toi de ceux d'avant toi et de ceux d'après toi.
6 [4] C'est la loi que le Seigneur a portée sur toute chair; Gn **3** 19; **6** 3
pourquoi se révolter contre le bon plaisir du Très-Haut?
7 Que tu vives dix ans, cent ans, mille ans, Qo **6** 6; **9** 10
au shéol on ne te reprochera pas ta vie [c].

**Destin des impies.**

8 [5] De méchants garnements, tels sont les fils des pécheurs,
ceux qui hantent les maisons des impies.
9 [6] L'héritage des fils des pécheurs va à la ruine,
leur postérité est l'objet d'un continuel reproche.
10 [7] Un père impie est insulté par ses enfants,
car c'est de lui qu'ils tiennent le déshonneur.
11 [8] Malheur à vous, impies,
qui avez délaissé la loi du Dieu Très-Haut.
12 [9] A votre naissance vous ne naissez que pour la malédiction [d];
à votre mort la malédiction sera pour vous.
13 [10] Tout ce qui vient de la terre retourne à la terre, = **40** 11
ainsi vont les impies de la malédiction à la ruine.
14 [11] Le deuil des hommes s'adresse à leurs dépouilles
mais le nom maudit des pécheurs s'efface [e].

15 [12] Aie souci de ton nom, car il te restera Pr **22** 1
bien mieux que mille fortunes en or. Qo **7** 1
16 [13] Une vie heureuse dure un certain nombre de jours,
mais un nom honoré demeure à jamais.

**La honte.**

17 [14] Mes enfants, gardez en paix mes instructions.

Sagesse cachée et trésor invisible, = **20** 30-31
à quoi cela peut-il servir? Mt **5** 14-16

*a)* Hébr. : « c'est une torture intérieure pour l'homme de sens. »
*b)* « la nourriture »; var. hébr. : « le plaisir ».
*c)* Puisque l'aboutissement est le même pour tous, on ne fait pas de reproche à ceux qui ont vécu plus longtemps.
*d)* Hébr. ajoute entre les deux stiques : « Si vous engendrez, c'est pour l'affliction, si vous trébuchez, c'est pour la joie éternelle » (qu'il faut sans doute lire avec syr. : « pour la joie du peuple »).
*e)* Hébr. : « en son corps l'homme est vanité, mais le renom de la bonté ne s'efface pas. »

18 15 Mieux vaut un homme qui cache sa folie
qu'un homme qui cache sa sagesse.

19 16 Ainsi donc éprouvez la honte selon ce que je vais dire,
20 car il n'est pas bon de se plier à toute espèce de honte
et tout n'est pas exactement apprécié de tous.
21 17 Ayez honte de la débauche devant un père et une mère
et du mensonge devant un chef et un puissant;
22 18 du délit devant un juge et un magistrat
et de l'impiété devant l'assemblée du peuple;
23 19 de la perfidie devant un compagnon ou un ami
24 et du vol devant ton village;
20 devant la vérité de Dieu et l'alliance,
aie honte de plier les coudes à table [a],
21 de l'affront en recevant ou en donnant,
25 de rester sans réponse devant ceux qui te saluent,
22 d'arrêter ton regard sur une prostituée,
26 de repousser ton compatriote,
23 de t'approprier la part d'un autre ou le cadeau qui lui est fait,
**9** 8-9 27 de regarder une femme en puissance de mari,
24 d'avoir des privautés avec une servante,
– ne t'approche pas de son lit! –
28 25 d'avoir des paroles blessantes devant tes amis,
– après avoir donné ne fais pas de reproches! –
**42**[1] 26 de répéter ce que tu entends dire
et de révéler les secrets.
27 Alors tu connaîtras la véritable honte
et tu trouveras grâce devant tous les hommes.

**42** 1 Mais de ce qui suit n'aie pas honte [b]
et ne pèche pas en tenant compte des personnes :
2 n'aie pas honte de la loi du Très-Haut ni de l'alliance,
du jugement qui rend justice aux impies [c],
3 de compter avec un compagnon de voyage [d],
de distribuer ton héritage à tes amis,
4 d'examiner les balances et les poids,
d'obtenir de petits et de grands profits,
5 de faire du bénéfice en matière commerciale [e],
**30** 1 de corriger sévèrement tes enfants,
**33** 25, 27 de meurtrir les flancs de l'esclave vicieux.
6 Avec une femme curieuse il est bon d'utiliser le sceau,
là où il y a beaucoup de mains mets les choses sous clef!
7 Pour les dépôts, comptes et poids sont de rigueur,
et que tout, doit et avoir, soit mis par écrit.
Pr **10** 13; **19** 8 N'aie pas honte de corriger l'insensé et le sot,
25, 29; **26** 3 et le vieillard décrépit qui discute avec des jeunes [f].
Ainsi tu te montreras vraiment instruit
et tu seras approuvé de tout le monde.

*a)* « à table », litt. « sur les pains »; s'agit-il d'une règle de savoir-vivre? Cela semble peu en accord avec le contexte. L'hébr. est aussi peu intelligible : « de violer serment et alliance, de tendre les coudes sur (vers) le pain (?) ».
*b)* Ben Sira proclame la licéité, voire la convenance de certains actes auxquels s'opposaient le respect humain ou les préjugés.
*c)* Les impies sont peut-être les étrangers : l'auteur recommanderait de leur rendre justice comme aux Israélites.
*d)* « compter » : en lisant *logismou* d'après l'hébr. au lieu de *logou*. – « compagnon de voyage » conj.; « un compagnon et des voyageurs » grec.
*e)* Cf. en sens contraire **26** 29 et **27** 2. Le commerce est légitime, mais il est plein de tentations.
*f)* Hébr. : « qui pèche par fornication ».

Soucis d'un père pour sa fille.

9 Sans le savoir une fille cause à son père bien du souci [a];
le tracas qu'elle lui donne l'empêche de dormir :
jeune, c'est la crainte qu'elle ne tarde à se marier,
et, mariée, qu'elle ne soit prise en grippe. Dt **24** 1
10 Vierge, si elle se laissait séduire
et devenait enceinte dans la maison paternelle!
En puissance de mari, si elle faisait une faute,
établie, si elle demeurait stérile!
11 Ta fille est indocile? surveille-la bien,
qu'elle n'aille pas faire de toi la risée de tes ennemis,
la fable de la ville, l'objet des commérages,
et te déshonorer aux yeux de tous.

Les femmes.

12 Devant qui que ce soit ne t'arrête pas à la beauté
et ne t'assieds pas avec les femmes [b].
13 Car du vêtement sort la teigne
et de la femme une malice de femme.
14 Mieux vaut la malice d'un homme que la bonté d'une femme : Qo 7 26-28
une femme cause la honte et les reproches [c].

# *II. La gloire de Dieu*

## *I. DANS LA NATURE*

15 Maintenant je vais rappeler les œuvres du Seigneur,
ce que j'ai vu, je vais le raconter.
Par ses paroles [d] le Seigneur a fait ses œuvres Gn **1** 3s
et la création obéit à sa volonté [e].
16 Le soleil qui brille regarde toutes choses
et l'œuvre du Seigneur est pleine de sa gloire.
17 Le Seigneur n'a pas donné pouvoir aux Saints [f]
de raconter toutes ses merveilles,
ce que le Seigneur, maître de tout, a fermement établi
pour que l'univers subsiste dans sa gloire [g].
18 Il a sondé les profondeurs de l'abîme et du cœur humain Pr **15** 11
et il a découvert leurs calculs.
Car le Très-Haut possède toute science,
il a regardé les signes des temps [h].
19 Il annonce le passé et l'avenir
et dévoile les choses cachées.

*a)* Hébr. : « une fille est pour son père un trésor trompeur ».
*b)* Hébr. : « Qu'elle ne montre à aucun homme sa beauté, qu'elle ne bavarde pas avec les femmes. »
*c)* Ben Sira est plus sévère que les Proverbes, qui pourtant ne sont guère indulgents pour les femmes. Il faut faire la part du paradoxe, mais noter aussi que le rabbinisme postérieur manifeste la même tendance.
*d)* Hébr. : « Par sa parole ». – C'est une des premières manifestations de la doctrine de la Parole créatrice. Cf. **43** 26; Gn **1**; Ps **33** 6; Sg **9** 1, 2; Jn **1** 1+. Dans l'ensemble de la littérature sapientielle c'est plutôt la Sagesse qui est dite créatrice, cf. Pr **8** 22+.
*e)* Stique traduit d'après S, hébr. et syr.; omis par l'ensemble du grec.
*f)* C'est-à-dire aux anges, Jb **5** 1+.
*g)* Hébr. (pour $17^{c-d}$) : « Le Seigneur a donné à ses armées la force de subsister devant sa gloire. »
*h)* Les astres sont « signes des temps », non seulement parce qu'ils divisent régulièrement le temps, **43** 6; Gn **1** 14-18, mais aussi parce que, selon la conception la plus répandue, l'avenir était déjà inscrit dans le ciel, Jr **10** 2. Il faut peut-être songer ici particulièrement aux signes extraordinaires qui doivent annoncer la venue du Messie, Mt **24** 29-31.

Ps **139** 1-4 — 20 Aucune pensée ne lui échappe,
aucune parole ne lui est cachée.
21 Il a disposé dans l'ordre les merveilles de sa sagesse,
car il est depuis l'éternité jusqu'à l'éternité
**18** 6 — 22 sans que rien lui soit ajouté ni ôté,
Qo **3** 14 — et il n'a besoin du conseil de personne.
**16** 24-29 — 23 22 Que toutes ses œuvres sont aimables,
comme une étincelle qu'on pourrait contempler.
24 23 Tout cela vit et demeure éternellement
et en toutes circonstances tout obéit.
**33** 14-15 — 25 24 Toutes les choses vont par deux, en vis-à-vis,
Qo **3** 1-8 — et il n'a rien fait de déficient [a].
26 25 Une chose souligne l'excellence de l'autre,
qui pourrait se lasser de contempler sa gloire?

Ps **19** 2-7 — **Le soleil** [b].

Gn **1** 14-18 — **43** 1 Orgueil des hauteurs, firmament de clarté,
Ps **8** 4 — tel apparaît le ciel dans son spectacle de gloire.
2 Le soleil, en se montrant, proclame dès son lever :
« Quelle merveille que l'œuvre du Très-Haut! »
3 A son midi il dessèche la terre,
qui peut résister à son ardeur?
4 On attise la fournaise pour produire la chaleur,
le soleil brûle trois fois plus les montagnes;
exhalant des vapeurs brûlantes,
dardant ses rayons, il éblouit les yeux.
5 Il est grand, le Seigneur qui l'a créé
et dont la parole dirige sa course rapide.

**La lune.**

Ps **89** 38; — 6 La lune aussi, toujours exacte
**104** 19 — à marquer les temps, signe éternel.
7 C'est la lune qui marque les fêtes,
cet astre qui décroît, après son plein [c].
8 C'est d'elle que le mois tire son nom [d];
elle croît étonnamment en sa révolution,
9 enseigne des armées célestes,
brillant au firmament du ciel.

Ba **3** 33-35 — **Les étoiles.**

10 9 La gloire des astres fait la beauté du ciel;
ils ornent brillamment les hauteurs du Seigneur.
11 10 Sur la parole du Saint ils se tiennent selon son ordre
et ne relâchent pas leur faction.

Gn **9** 13 — **L'arc-en-ciel.**
Ez **1** 28

Si **50** 7 — 12 11 Vois l'arc-en-ciel et bénis son auteur,
il est magnifique dans sa splendeur.
13 12 Il forme dans le ciel un cercle de gloire,
les mains du Très-Haut l'ont tendu.

*a)* Hébr. : « toutes choses sont différentes l'une de l'autre et il n'en a fait aucune en vain. »

*b)* Comparer ces développements lyriques à ceux de Dn **3** 52-90 et de Ps **19** 5s; **136**; **145**; **148**. – Le texte est difficile et l'hébr., très différent, n'est pas d'un grand secours.

*c)* Les deux grandes fêtes juives de Pâque et des Tentes, cf. Ex **23** 14+, commençaient le jour de la pleine lune (le 14 du mois) et duraient huit jours.

*d)* Soit parce que le même mot hébreu (*yerah*) désignait la lune et le mois, soit parce que l'autre mot désignant le mois (*hôdesh*) signifie « nouveauté » (nouvelle lune).

**Merveilles de la nature.**

14 13 Par son ordre il fait tomber la neige, Ps **147** 16-18
il lance les éclairs selon ses décrets. Jb **38** 22s
15 14 C'est ainsi que s'ouvrent ses réserves
et que s'envolent les nuages comme des oiseaux.
16 15 Sa puissance épaissit les nuages,
qui se pulvérisent en grêlons;
18a 17a à la voix de son tonnerre la terre entre en travail; Ps **29** 8
17a 16 à sa vue les montagnes sont ébranlées;
17b à sa volonté souffle le vent du sud,
18b 17b comme l'ouragan du nord et les cyclones [a].
19 18 Comme des oiseaux qui se posent il fait descendre la neige,
elle s'abat comme des sauterelles.
20 L'œil s'émerveille devant l'éclat de sa blancheur
et l'esprit s'étonne de la voir tomber.
21 19 Il déverse encore sur la terre, comme du sel,
le givre que le gel change en pointes d'épines.
22 20 Le vent froid du nord souffle,
la glace se forme sur l'eau;
elle se pose sur toute eau dormante,
la revêt comme une cuirasse.
23 21 Il dévore les montagnes et brûle le désert,
il consume la verdure comme un feu.
24 22 Le nuage est un prompt remède,
la rosée, après la canicule, rend la joie.

25 23 Selon un plan il a dompté l'abîme Jb **7** 12+
et il y a planté les îles. Ps **104** 5s
26 24 Ceux qui parcourent la mer en content les dangers;
leurs récits nous remplissent d'étonnement :
27 25 ce ne sont qu'aventures étranges et merveilleuses,
animaux de toutes sortes et monstres marins. Ps **104** 25s;
28 26 Grâce à Dieu son messager arrive à bon port, **107** 23s
et tout s'arrange selon sa parole.

29 27 Nous pourrions nous étendre sans épuiser le sujet;
en un mot : « Il est toutes choses [b]. »
30 28 Où trouver la force de le glorifier?
car il est le Grand, au-dessus de toutes ses œuvres, Ps **96** 4
31 29 Seigneur redoutable et souverainement grand, **145** 3
dont la puissance est admirable.
32 30 Que vos louanges exaltent le Seigneur,
33 selon votre pouvoir, car il vous dépasse.
34 Pour l'exalter déployez vos forces,
ne vous lassez pas, car vous n'en finirez pas.
35 31 Qui l'a vu et pourrait en rendre compte? Jn **1** 18
qui peut le glorifier comme il le mérite?
36 32 Il reste beaucoup de mystères plus grands que ceux-là,
car nous n'avons vu qu'un petit nombre de ses œuvres. Jb **26** 14
37 33 Car c'est le Seigneur qui a tout créé,
et aux hommes pieux il a donné la sagesse. Si **1** 9-10; **42** 17

*a)* On suit l'ordre de l'hébr.
*b)* Non pas certes dans un sens panthéiste. Pour Ben Sira, tout vient de Dieu dont il a toujours affirmé la transcendance, cf. ici v. 28, et tout lui appartient.

1 M **2** 51-64
He **11**

## *II. DANS L'HISTOIRE*

### Éloge des ancêtres [a].

**44** 1 Faisons l'éloge des hommes illustres [b],
de nos ancêtres dans leur ordre de succession.
2 Le Seigneur a créé à profusion la gloire [c],
et montré sa grandeur depuis les temps anciens.
3 Des hommes exercèrent l'autorité royale
et furent renommés pour leurs exploits;
d'autres furent avisés dans les conseils
et s'exprimèrent en oracles prophétiques.
4 D'autres régirent le peuple par leurs conseils,
leur intelligence de la sagesse populaire
et les sages discours de leur enseignement [d];
5 d'autres cultivèrent la musique
et écrivirent des récits poétiques;
6 d'autres furent riches et doués de puissance,
vivant en paix dans leur demeure.
7 Tous ils furent honorés de leurs contemporains
et glorifiés, leurs jours durant.
8 Certains d'entre eux laissèrent un nom
qu'on cite encore avec éloges.
9 D'autres n'ont laissé aucun souvenir
et ont disparu comme s'ils n'avaient pas existé.
Ils sont comme n'ayant jamais été,
et de même leurs enfants après eux.

10 Mais voici des hommes de bien
dont les bienfaits n'ont pas été oubliés [e].
11 Dans leur descendance ils trouvent
un riche héritage, leur postérité.
**39** 9 12 Leur descendance reste fidèle aux commandements
et aussi, grâce à eux, leurs enfants.
13 Leur descendance demeurera à jamais,
leur gloire ne ternira point.
14 Leurs corps ont été ensevelis dans la paix
et leur nom est vivant pour des générations.
= **39** 10 15 Les peuples proclameront leur sagesse,
l'assemblée célébrera leurs louanges.

### Hénok.

Gn **5** 24 LXX
He **11** 5 16 Hénok plut au Seigneur et fut enlevé,
exemple pour la conversion [f] des générations.

*a)* Cet éloge nous apprend comment un Juif pieux du IIe s. av. J.-C. comprenait l'histoire d'Israël, cf. 1 M **2** 51-64.
*b)* Cf. **44** 10 où l'on a, dans l'hébr., la même expression : homme de piété (*hesed*), qui a donné naissance au terme « Assidéens » (*Hasidîm*), cf. 1 M **2** 42; **7** 13), ces juifs qui à l'époque du soulèvement maccabéen se faisaient remarquer pour leur fidélité à Dieu et à la Loi. Si le traducteur n'a pas rendu exactement l'expression, c'est peut-être qu'il la trouvait, à son époque, chargée d'un sens trop précis.
*c)* Les vv. 2-9 peuvent être soit une description des gloires profanes connues en dehors d'Israël, auxquelles l'auteur opposerait (vv. 1 et 10s) les ancêtres des Juifs. soit une vue d'ensemble des gloires d'Israël que l'auteur va détailler ensuite.
*d)* Hébr. : « princes des nations dans leurs projets, fonctionnaires dans leurs pensées profondes, sages réfléchis dans leurs livres, gouvernants dans leurs traditions. »
*e)* Hébr. : « leur espoir ne cessera pas », leçon qui semble exprimer une espérance d'immortalité qui n'apparait pas dans le grec.
*f)* C'est-à-dire motif de se convertir. La leçon de l'hébr. « exemple de science » fait peut-être allusion aux mystères dont Hénok fut le témoin et qu'il révéla aux hommes (« Livre des secrets d'Hénok »). Lat. : « pour porter la conversion aux nations ».

Noé.

17 Noé fut trouvé parfaitement juste, Gn **6** 9
au temps de la colère il fut le surgeon : Is **6** 13
18 grâce à lui un reste demeura à la terre [a] ↗ 1 P **3** 20
lorsque se produisit le déluge [b]. ↗ 2 P **2** 5
19 18 Des alliances éternelles [c] furent établies en lui, Gn **9** 9+
afin qu'aucune chair ne fût plus anéantie par le déluge. Gn **8** 21-22

Abraham.

20 19 Abraham, ancêtre célèbre d'une multitude de nations, Gn **12** 2;
nul ne lui fut égal en gloire [d]. **17** 4s Rm **4** 1,
20 Il observa la loi du Très-Haut 13-18
et fit une alliance avec lui.
21 Dans sa chair il établit cette alliance Gn **17** 10+
et au jour de l'épreuve il fut trouvé fidèle [e]. Gn **22** 1-19 1 M **2** 52
22 21 C'est pourquoi Dieu lui promit par serment He **11** 17
de bénir toutes les nations en sa descendance, Gn **22** 18; **12** 3; **15** 5
de la multiplier comme la poussière de la terre Ac **3** 25
23 et d'exalter sa postérité comme les étoiles, Ga **3** 8-9
de leur donner le pays en héritage,
d'une mer à l'autre,
depuis le Fleuve jusqu'aux extrémités de la terre. Gn **15** 18 Jg **20** 1+

Isaac et Jacob.

24 22 A Isaac, à cause d'Abraham son père, Gn **17** 19; **26** 3-5
25 il renouvela 23 la bénédiction de tous les hommes;
il fit reposer l'alliance sur la tête de Jacob [f].
26 Il le confirma dans ses bénédictions
et lui donna le pays en héritage;
il le divisa en lots
et le partagea entre les douze tribus.

Moïse.

27 **45** 1 Il fit sortir de lui un homme de bien
qui trouva faveur aux yeux de tout le monde [g],
45 1 bien aimé de Dieu et des hommes,
Moïse, dont la mémoire est en bénédiction.
2 Il lui accorda une gloire égale à celle des saints **42** 17+
et le rendit puissant pour la terreur des ennemis.
3 Par la parole de Moïse il fit cesser les prodiges, Ex **8** 8s, 26s **9** 33; **10** 18s
et il le glorifia en présence des rois;
il lui donna des commandements pour son peuple Ex **19** 1s; **33** 20+
et lui fit voir quelque chose de sa gloire.
4 Dans la fidélité et la douceur il le sanctifia, Nb **12** 3
il le choisit parmi tous les vivants;
5 il lui fit entendre sa voix Ex **19** 19s

*a)* « surgeon » d'après hébr. (terme incertain); « échange » grec; « réconciliation » lat. – C'est, appliquée à l'histoire de Noé, la doctrine prophétique du « reste » d'où sortira le salut, cf. Is **4** 3+.
*b)* Hébr. : « à cause de son alliance, le déluge cessa. »
*c)* Les alliances « noachiques » du code sacerdotal. Mais l'hébr. parle seulement de « signe éternel » (l'arc-en-ciel, Gn **9** 12-13).
*d)* Hébr. : « nul n'infligera de tache à sa gloire. »
*e)* Sur la foi d'Abraham, cf. Gn **12** 1+; **15** 6+; **22** 1+; Ga **3** 6-14; Rm **4** 1-25.
*f)* Hébr. : « sur la tête d'Israël », cf. Gn **32** 28. Une glose marginale remplace le mot « bénédiction » (*berakah*) par « droit d'aînesse » (*bekorah*), cf. Gn **25** 29s; 1 Ch **5** 1 (où le mot « droit d'aînesse » de l'hébr. est lu « bénédiction » par le grec).
*g)* Tels qu'ils sont conservés ici, ces deux vers s'appliquent bien à Moïse, mais on s'est demandé si, primitivement, ils ne se rapportaient pas à Joseph dont il n'est pas fait mention. Ils seraient alors le vestige d'un développement disparu.

Ex **20** 21; **24** 18 et l'introduisit dans les ténèbres;
Ex **20** 1s, 22s 6 il lui donna face à face les commandements,
Dt **4** 6-8 une loi de vie et d'intelligence,
**32** 47 pour enseigner à Jacob ses prescriptions
et ses décrets à Israël.

**Aaron.**

7 6 Il éleva Aaron, un saint semblable à Moïse,
son frère, de la tribu de Lévi.
8 7 Il conclut avec lui une alliance éternelle
et lui concéda le sacerdoce du peuple.
Il le fit heureux dans son apparat,
9 il le couvrit d'un vêtement glorieux [a].
8 Il le revêtit d'une gloire parfaite
Ex **28** 42, et le para de riches ornements,
31-35, 6-12 10 caleçons, manteau et éphod.
9 Il lui donna, pour entourer son vêtement, des grenades
Ex **28** 33-34 et des clochettes d'or, nombreuses, tout autour,
11 qui tintaient à chacun de ses pas,
se faisant entendre dans le Temple
comme un mémorial pour les enfants de son peuple;
Ex **28** 2-5 12 10 et un vêtement sacré d'or, de pourpre violette
et d'écarlate, ouvrage d'un damasseur;
Ex **28** 6+ le pectoral du jugement, l'Urim et le Tummim [b],
1 S **14** 41+ 13 de cramoisi retors, ouvrage d'artisan;
11 des pierres précieuses gravées en forme de sceau,
dans une monture d'or, ouvrage de joaillier,
pour faire un mémorial, une inscription gravée,
selon le nombre des tribus d'Israël;
Ex **28** 36-39 14 12 et un diadème d'or par-dessus le turban,
portant, gravée, l'inscription de consécration,
décoration superbe, travail magnifique,
délices pour les yeux que ces ornements.
15 13 On n'avait jamais vu avant lui pareilles choses,
16 et jamais un étranger ne les a revêtues,
mais seulement ses enfants
et ses descendants pour toujours.
17 14 Ses sacrifices se consumaient entièrement,
deux fois par jour à perpétuité.
Lv **8** 1-13 18 15 C'est Moïse qui le consacra
et l'oignit de l'huile sainte.
19 Et ce fut pour lui une alliance éternelle
ainsi que pour sa race tant que dureront les cieux [c],
pour qu'il préside au culte, exerce le sacerdoce
et bénisse le peuple au nom du Seigneur.
Lv **2** 2, 9, 16 20 16 Il le choisit parmi tous les vivants
pour offrir le sacrifice du Seigneur,
l'encens et le parfum en mémorial,
Lv **16** 1+ pour faire l'expiation pour le peuple.
21 17 Il lui a confié ses commandements,

*a)* On a déjà noté le goût de Ben Sira pour les cérémonies du culte et les vêtements liturgiques; cf. **35** 1-10; **50** 1-21.

*b)* Litt. « les sorts de vérité »; c'est à peu près ainsi que les LXX traduisent Urim et Tummim en Ex **28** 30. Mais l'hébr. : « l'éphod et la ceinture », semble meilleur, cf. stique suivant.

*c)* « tant que dureront les cieux » hébr.; « dans les jours du ciel » grec.

il lui a commis les prescriptions de la loi [a],
pour qu'il enseigne à Jacob ses témoignages
et qu'il éclaire Israël sur sa loi.
22 18 Des étrangers se liguèrent contre lui, Nb **16** 1-
ils le jalousèrent au désert, **17** 15
les gens de Datân et ceux d'Abiram,
et la bande de Coré, haineuse et violente.
23 19 Le Seigneur les vit et s'irrita,
ils furent exterminés dans l'ardeur de sa colère.
24 Pour eux il fit des prodiges,
les consumant par son feu de flammes.
25 20 Et il ajouta à la gloire d'Aaron,
il lui donna un patrimoine,
il lui attribua les offrandes des prémices, Nb **18** 12-13
26 en premier lieu du pain à satiété.
21 Aussi se nourrissent-ils des sacrifices du Seigneur Ex **29** 28, 31s
qu'il lui a attribués ainsi qu'à sa postérité. Lv **6** 9-11; **7** 9-10, 32-36
27 22 Mais dans le pays il n'a pas de patrimoine,
il n'a pas de part parmi le peuple, Nb **18** 20
« Car je suis moi-même ta part d'héritage ». Ps **16** 5+

**Pinhas.**

28 23 Quant à Pinhas, fils d'Éléazar, il est le troisième en gloire,
pour sa jalousie dans la crainte du Seigneur,
29 pour avoir tenu ferme devant le peuple révolté Nb **25** 7s
avec un noble courage;
c'est ainsi qu'il obtint le pardon d'Israël.
30 24 Aussi une alliance de paix fut-elle scellée avec lui, Nb **25** 11-13
qui le faisait chef du sanctuaire [b] et du peuple,
en sorte qu'à lui et à sa descendance
appartienne la dignité de grand prêtre pour des siècles.
31 25 Il y eut une alliance avec David,
fils de Jessé, de la tribu de Juda,
succession royale, du père à un seul de ses fils [c].
Mais celle d'Aaron passe à tous ses descendants.
26 Dieu vous mette au cœur la sagesse [d]
pour juger son peuple avec justice,
afin que les vertus des ancêtres ne dépérissent point
et que leur gloire passe à leurs descendants.

**Josué.**

**46** 1 Vaillant à la guerre, tel fut Josué fils de Nûn, Jos **1** 1+
successeur de Moïse [e] dans l'office prophétique,
lui qui, méritant bien son nom [f],
2 se montra grand pour sauver les élus,
pour châtier les ennemis révoltés
et installer Israël dans son territoire.
3 2 Qu'il était glorieux lorsque, les bras levés,

*a)* Litt. « les alliances du jugement ». Pour le traducteur, les alliances désignent toujours les « ordonnances ». Le grand prêtre avait donc un rôle de jurisconsulte. Cf. Lv **10** 11; Dt **33** 10.
*b)* « du sanctuaire » hébr.; « des saints » grec.
*c)* Texte difficile; litt. « succession du roi, du fils à partir du fils seulement », mais le vers suivant paraît imposer l'interprétation.
*d)* Souhait adressé aux actuels descendants d'Aaron. L'hébr. pour ce v. est très différent : « Et maintenant bénissez Yahvé qui est bon, qui vous couronne de gloire : qu'il vous donne la sagesse du cœur, afin que ne soient pas oubliés vos bontés et vos hauts faits pour les générations futures. »
*e)* « Josué fils de Nûn »; le grec porte « Jésus fils de Navé », conformément à la tradition des LXX, cf. Jos **1** 1. – « successeur »; hébr. : « serviteur », cf. Ex **33** 11.
*f)* *Josué* signifie « Yahvé sauve ». – L'hébr. porte : « qui fut formé pour être en son temps un grand salut pour ses élus ».

il brandissait l'épée contre les villes!
4 3 Quel homme avant lui avait eu sa fermeté?
Il a mené lui-même les combats du Seigneur [a].
Jos **10** 13 5 4 N'est-ce pas sur son ordre que le soleil s'arrêta
et qu'un seul jour en devint deux?
6 5 Il invoqua le Très-Haut [b], le Puissant,
alors qu'il pressait les ennemis de toutes parts,
et le Seigneur grand l'exauça
en lançant des grêlons d'une puissance inouïe.
7 6 Il fondit sur la nation ennemie [c]
Jos **10** 10-15 et dans la descente il anéantit les assaillants :
8 pour faire connaître aux nations la force de ses armes
et qu'il menait la guerre devant le Seigneur [d].

### Caleb.

7 Car il s'attacha au Tout-Puissant,
9 au temps de Moïse il manifesta sa piété,
Nb **14** 6-10 ainsi que Caleb, fils de Yephunné,
en s'opposant à la multitude,
en empêchant le peuple de pécher [e],
en faisant taire les murmures mauvais.
10 8 Eux deux furent seuls épargnés
**16** 10+ sur six cent mille hommes de pied,
pour être introduits dans l'héritage,
dans la terre où coulent le lait et le miel.
Jos **14** 10-11 11 9 Et le Seigneur accorda à Caleb la force
qui lui resta jusqu'à sa vieillesse,
Nb **14** 24 il lui fit gravir les hauteurs du pays
Jos **14** 12-15 que sa descendance garda en héritage,
12 10 afin que tout Israël voie
qu'il est bon de suivre le Seigneur.

### Les Juges.

13 11 Les Juges, chacun selon son appel,
tous hommes dont le cœur ne fut pas infidèle
et qui ne se détournèrent pas du Seigneur,
14 que leur souvenir soit en bénédiction!
12 Que leurs ossements refleurissent [f] dans la tombe,
15 que leurs noms, portés de nouveau,
conviennent aux fils de ces hommes illustres.

### Samuel.

16 13 Samuel fut le bien-aimé de son Seigneur;
prophète du Seigneur, il établit la royauté [g]
1 S **10** 1; **16** 13 et donna l'onction aux chefs établis sur son peuple.

*a)* « Il a mené... » grec 248 et hébr.; « car le Seigneur lui-même a livré les ennemis » texte reçu.
*b)* C'est la traduction de l'hébr. *Elyôn* ou *El Elyôn*, qui se trouve quatorze fois dans Si à partir du ch. **41**. Dans toute la première partie on trouve « Dieu » ou « Yahvé », en grec *Kyrios*.
*c)* Texte corr. d'après lat.; grec : « il déchaîna la guerre contre la nation ». – Allusion possible à la victoire sur les Amorites à Gabaôn, Jos **10** 10-15, cf. la « pente » ou la « descente » de Bet-Horôn, vv. 10-11.
*d)* Var. (Venetus) : « leur guerre (était contre le Seigneur) ». Lat. : « qu'il n'est pas facile de lutter contre le Seigneur ».
*e)* Hébr. : « en détournant de l'assemblée la colère ».
*f)* Litt. « repoussent », comme la souche d'un arbre qui donne un surgeon, cf. **49** 10; Is **66** 14. Plutôt qu'un témoignage explicite en faveur de la croyance à la résurrection, il semble qu'il faille voir ici un souhait : que les Juges aient à l'époque contemporaine de dignes descendants. Ben Sira écrit à la veille de la révolte maccabéenne.
*g)* Hébr. : « Aimé du peuple et agréable à son créateur fut celui qui fut offert dès le sein de sa mère, nazir de Yahvé dans la charge prophétique, Samuel, juge et prêtre; par la parole de Dieu il établit la royauté. »

17 14 Dans la loi du Seigneur il jugea l'assemblée
et le Seigneur visita Jacob.
18 15 Par sa fidélité il fut reconnu prophète,
par ses discours il se montra un voyant véridique.
16 Il invoqua le Seigneur tout-puissant, **46** 5; **47** 5
19 quand les ennemis le pressaient de toutes parts, 1 S **7** 9-10
en offrant un agneau de lait.
17 Et du ciel le Seigneur fit retentir son tonnerre,
20 à grand fracas il fit entendre sa voix;
18 il anéantit les chefs de l'ennemi [a] 1 S **7** 13
21 et tous les princes des Philistins.
19 Avant l'heure de son éternel repos,
22 il rendit témoignage devant le Seigneur et son oint : 1 S **12**
« De ses biens, pas même de ses sandales,
je n'ai dépouillé personne. »
Et personne ne l'accusa.
23 20 Après s'être endormi il prophétisa encore 1 S **28** 6-25
et annonça au roi sa fin;
du sein de la terre il éleva la voix pour prophétiser,
pour effacer l'iniquité du peuple.

**Natân.**

**47** 1 Après lui se leva Natân 2 S **7**; **12**
pour prophétiser au temps de David.

**David.**

2 Comme on prélève la graisse pour le sacrifice de communion, Lv **4** 8
ainsi David fut choisi parmi les Israélites.
3 Il se joua du lion comme du chevreau, 1 S **17** 34-37
de l'ours comme de l'agneau.
4 Jeune encore, n'a-t-il pas tué le géant 1 S **17**
et lavé la honte du peuple,
5 en lançant avec la fronde la pierre
qui abattit l'arrogance de Goliath?
6 5 Car il invoqua le Seigneur Très Haut,
qui accorda à sa droite la force
pour mettre à mort un puissant guerrier
et relever la vigueur [b] de son peuple.
7 6 Aussi lui a-t-on fait gloire de dix mille 1 S **18** 7
et l'a-t-on loué dans les bénédictions du Seigneur,
en lui offrant une couronne de gloire. 2 S **5** 1-3
7 Car il détruisit les ennemis alentour,
8 il anéantit les Philistins ses adversaires,
pour toujours il brisa leur vigueur [c].
9 8 Dans toutes ses œuvres il rendit hommage
au Saint Très-Haut dans des paroles de gloire [d]; 2 S **23** 1
10 de tout son cœur il chanta,
montrant son amour pour son Créateur.
11 9 Il établit devant l'autel des chantres, 1 Ch **16** 4s
pour émettre les chants les plus doux;

*a)* « de l'ennemi » hébr.; « de Tyr » grec (confusion entre *çar* et *çôr*).
*b)* Litt. « la corne », métaphore biblique courante (surtout dans les Ps) pour exprimer la force physique ou morale.
*c)* Hébr. : « 6 Aussi les filles lui répondirent et le surnommèrent du nom de " dix-mille ". Quand il eut ceint le diadème, il combattit 7 et tout alentour soumit l'ennemi. Il mit chez les Philistins des villes et jusqu'à ce jour il brisa leur corne. »
*d)* Les Psaumes, cf. 2 S **23** 1.

12 10 il donna aux fêtes la splendeur,
un éclat parfait aux solennités,
faisant louer le saint nom du Seigneur,
faisant retentir le sanctuaire dès le matin.
2 S **12** 13, 24-25 13 11 Le Seigneur a effacé ses fautes,
il a fait grandir sa vigueur pour toujours,
2 S **7** 1+ il lui a accordé une alliance royale [a],
un trône glorieux en Israël.

### Salomon.

14 12 Un fils savant lui succéda
qui, grâce à lui [b], vécut heureux.
15 13 Salomon régna dans un temps de paix
1 R **5** 17-19 et Dieu lui accorda la tranquillité alentour,
1 R **6** afin qu'il élevât une maison pour son nom
et préparât un sanctuaire éternel.
1 R **3** 4-28; **5** 9-14 14 Comme tu étais sage dans ta jeunesse,
16 rempli d'intelligence ainsi qu'un fleuve!
15 Ton esprit a couvert la terre,
17 tu l'as remplie de sentences obscures.
16 Ta renommée est parvenue jusqu'aux îles lointaines
et tu fus aimé dans ta paix [c].
18 17 Tes chants, tes proverbes, tes sentences
1 R **10** 1-10 et tes réponses [d] ont fait l'admiration du monde.
19 18 Au nom du Seigneur Dieu,
de celui qu'on appelle le Dieu d'Israël [e],
1 R **10** 11s, 27 20 tu as amassé l'or comme de l'étain
et comme le plomb tu as multiplié l'argent.
1 R **11** 1-13 21 19 Tu as livré ton corps aux femmes,
tu as été l'esclave de tes sens.
22 20 Tu as fait une tache à ta gloire,
tu as profané ta race,
au point de faire venir la colère contre tes enfants
et l'affliction pour ta folie [f] :
1 R **12** 23 21 il se dressa un double pouvoir,
il surgit d'Éphraïm un royaume révolté.
2 S **7** 1+ Ps **89** 31-38 24 22 Mais le Seigneur ne renonce jamais à sa miséricorde
et n'efface aucune de ses paroles,
il ne refuse pas à son élu une postérité
et n'extirpe point la race de celui qui l'a aimé.
Is **4** 3+ 25 Aussi a-t-il donné à Jacob un reste
et à David une racine issue de lui.

### Roboam.

1 R **12** 26 23 Et Salomon se reposa avec ses pères,
27 laissant après lui quelqu'un de sa race,
28 le plus fou du peuple, dénué d'intelligence :
Roboam, qui poussa le peuple à la révolte [g].

*a)* « royale » grec 248, hébr., lat.; « des rois » texte reçu.
*b)* L'idée n'est pas seulement profane : Salomon bénéficia des réalisations de son prédécesseur; mais elle est aussi religieuse : Dieu conserva à Salomon sa faveur à cause de David son père. Cf. vv. 20, 22; 1 R **11** 12.
*c)* Allusion au nom de Salomon (le « pacifique »); cf. v. 13.
*d)* « Tes chants » : le Cantique des Cantiques. Sur la sagesse et l'activité littéraire de Salomon, cf. 1 R **5** 9-14. Sur les « réponses », cf. 1 R **10** 1-10 (la reine de Saba).
*e)* L'hébr. : « tu étais appelé du nom glorieux invoqué sur Israël » fait peut-être allusion au premier nom de Salomon, Yedidya, « bien-aimé de Yahvé », 2 S **12** 25.
*f)* Hébr. : « l'affliction sur ta couche » (c'est-à-dire ta postérité).
*g)* Hébr. : « large de folie, court d'intelligence ». Il semble qu'il y ait un jeu de mots sur le nom de Roboam, interprété à partir de *rahab*, « large » et de *'am*, « peuple ». La leçon du grec et celle

**Jéroboam.**

29 24 Quant à Jéroboam, fils de Nebat, c'est lui qui fit pécher Israël 1 R **12** 26-33
et enseigna à Éphraïm la voie du mal.
Dès lors leurs fautes se multiplièrent tant 1 R **13** 33-34
30 qu'elles les firent exiler loin de leur pays. 2 R **17** 21-23
31 25 Car ils cherchaient toute sorte de mal,
jusqu'à encourir le châtiment.

**Élie.**

**48** 1 Alors le prophète Élie se leva comme un feu,
sa parole brûlait comme une torche.
2 C'est lui qui fit venir sur eux la famine 1 R **17** 1; **18** 2
et qui, dans son zèle, les décima. 1 R **19** 10, 14
3 Par la parole du Seigneur il ferma le ciel,
il fit aussi trois fois descendre le feu. 1 R **18** 36s 2 R **1** 10, 12
4 Comme tu étais glorieux, Élie, dans tes prodiges!
qui peut dans son orgueil se faire ton égal?
5 Toi qui as arraché un homme à la mort 1 R **17** 17-24
et au shéol, par la parole du Très-Haut.
6 Toi qui as mené des rois à la ruine, 1 R **21** 17-24
précipité des hommes glorieux de leur couche, 2 R **1** 16
7 qui entendis au Sinaï un reproche [a], 1 R **19** 9-18
à l'Horeb des décrets de vengeance,
8 qui oignis des rois comme vengeurs,
des prophètes pour te succéder,
9 qui fus emporté dans un tourbillon de feu, 2 R **2** 1-11
par un char aux chevaux de feu,
10 toi qui fus désigné dans des menaces futures
pour apaiser la colère avant qu'elle n'éclate,
*pour ramener le cœur des pères vers les fils* Ml **3** 24
et rétablir les tribus de Jacob.
11 Bienheureux ceux qui te verront 2 R **2** 10-12
et ceux qui se sont endormis dans l'amour, 1 Th **4** 5
12 car nous aussi nous posséderons la vie [b].

**Élisée.**

13 12 Tel fut Élie qui fut enveloppé dans un tourbillon.
Élisée fut rempli de son esprit; 2 R **2** 9s
pendant sa vie aucun chef ne put l'ébranler,
personne ne put le subjuguer.
14 13 Rien n'était trop grand pour lui
et jusque dans la mort son corps prophétisa [c].
15 14 Pendant sa vie il fit des prodiges
et dans sa mort ses œuvres furent merveilleuses.

**Infidélité et châtiment.**

16 15 Malgré tout, le peuple ne se convertit pas,
ne renonça pas à ses péchés,

de l'hébr. auraient gardé chacune un élément de cette étymologie.

*a)* Ce « reproche » est peut-être contenu symboliquement dans la vision de 1 R **19** 9-14.

*b)* V. difficile au texte incertain. L'auteur, après avoir fait l'éloge du prophète, affirme que les autres, ceux qui le verront lors de son retour aussi bien que ceux qui seront morts dans l'amour (de Dieu?), vivront éternellement. C'est une claire affirmation de l'espérance. Mais l'hébr., malheureusement mutilé (« heureux celui qui te voit »), fait peut-être simplement allusion à Élisée qui vit Élie disparaître, 2 R **2** 10, 12. On aurait alors ici une simple transition avec le développement suivant.

*c)* Après sa mort, le prophète ressuscita encore un mort, 2 R **13** 20-21. Mais le texte est embarrassé. Hébr. : « dessous lui son corps fut créé ».

jusqu'à ce qu'il fût déporté loin de son pays
et dispersé sur toute la terre;
17 16 il ne resta que le peuple le moins nombreux
et un chef de la maison de David.
18 Quelques-uns d'entre eux firent le bien,
d'autres multiplièrent les fautes.

**Ézéchias.**

2 R **20** 20+ 2 Ch **32** 5, 30 Is **22** 11
19 17 Ézéchias fortifia sa ville
et fit venir l'eau dans ses murs,
avec le fer il fora le rocher
et construisit des citernes.
2 R **18** 13 **19** 37 Is **36-37**
20 18 De son temps Sennachérib se mit en campagne
et envoya Rabsakès [a],
il leva la main contre Sion,
dans l'insolence de son orgueil.
21 19 Alors leur cœur et leurs mains tremblèrent,
ils souffrirent les douleurs de femmes en travail,
22 20 ils firent appel au Seigneur miséricordieux,
tendant les mains vers lui.
Du ciel, le Saint se hâta de les écouter
23 et les délivra par la main d'Isaïe,
24 21 il frappa le camp des Assyriens
et son Ange les extermina.

**Isaïe.**

25 22 Car Ézéchias fit ce qui plaît au Seigneur
et se montra fort [b] en suivant David son père,
comme le lui ordonna le prophète Isaïe,
le grand, le fidèle dans ses visions.
2 R **20** 4-11 Is **38** 4-8
26 23 De son temps le soleil recula;
il prolongea la vie du roi.
27 24 Dans la puissance de l'esprit il vit la fin des temps,
il consola les affligés de Sion,
28 25 il révéla l'avenir jusqu'à l'éternité
et les choses cachées avant qu'elles n'advinssent [c].

**Josias.**

**49** 1 Le souvenir de Josias est une mixture d'encens
préparée par les soins du parfumeur;
2 il est comme le miel doux à toutes les bouches,
comme une musique au milieu d'un banquet.
2 R **22-23**
3 2 Lui-même prit la bonne voie, celle de convertir le peuple [d],
il extirpa l'impiété abominable;
4 3 il dirigea son cœur vers le Seigneur,
en des temps impies il fit prévaloir la piété.

**Derniers rois et derniers prophètes.**

5 4 Hormis David, Ézéchias et Josias,
tous multiplièrent les transgressions,
6 ils abandonnèrent la loi du Très-Haut :
les rois de Juda disparurent.

*a)* Le traducteur de Ben Sira a fait de *rab shaqé*, « grand échanson », un nom propre. – Le grec ajoute ici : « et partit ».
*b)* Jeu de mots sur le nom d'Ézéchias : « Yahvé fortifie ».
*c)* On peut songer aux oracles sur la fin de l'Exil, Is **40-55**, ou aux ch. **24-27** ou au ch. **61**.
*d)* Hébr. : « il fut affligé de notre perversion ».

7 [5] Car ils livrèrent leur vigueur à d'autres,
leur gloire à une nation étrangère [a].
8 [6] Les ennemis brûlèrent la ville sainte élue, Lm **1** 4; **2** 3
rendirent désertes ses rues,
9 [7] selon la parole de Jérémie [b]. Car ils l'avaient maltraité,
lui, consacré prophète dès le sein de sa mère Jr **1** 5
*pour déraciner*, détruire *et ruiner*, Jr **1** 10
mais aussi *pour construire et pour planter*.
10 [8] C'est Ézéchiel qui vit une vision de gloire Ez **1-3**; **9-10**
que Dieu lui montra sur le char des Chérubins,
11 [9] car il fit mention des ennemis dans l'averse [c]
pour favoriser ceux qui suivent la voie droite.
[10] Quant aux douze prophètes [d],
que leurs os refleurissent dans la tombe, **46** 12+
12 car ils ont consolé Jacob,
ils l'ont racheté dans la foi et l'espérance.

**Zorobabel et Josué.**

13 [11] Comment faire l'éloge de Zorobabel?
il est comme un sceau dans la main droite; Ag **2** 23
14 [12] et de même Josué fils de Iosédek,
eux qui, de leur temps, construisirent le Temple
et firent monter vers le Seigneur un peuple saint,
destiné à une gloire éternelle.

**Néhémie.**

15 [13] De Néhémie le souvenir est grand,
lui qui releva pour nous les murs en ruine,
établit portes et verrous
et releva nos habitations.

**Récapitulation.**

16 [14] Personne sur terre ne fut créé l'égal d'Hénok, **44** 16
c'est lui qui fut enlevé de terre.
17 [15] On ne vit jamais non plus naître un homme comme Joseph,
chef de ses frères, soutien de son peuple;
18 ses os furent visités. Gn **50** 25-26
19 [16] Sem et Seth furent glorieux parmi les hommes,
mais au-dessus de toute créature vivante est Adam [e].

**Le prêtre Simon.**

**50** [1] C'est Simon fils d'Onias [f], le grand prêtre,
qui pendant sa vie répara le Temple
et durant ses jours fortifia le sanctuaire.
[2] C'est par lui que fut fondée la hauteur double,
le haut contrefort de l'enceinte du Temple [g].

*a)* Soit en s'appuyant sur des alliances étrangères, soit tout simplement en provoquant l'exil comme punition de leurs péchés, cf. l'hébr. : « Il (Dieu) livra », au lieu de « ils livrèrent ».
*b)* Litt. « par la main de Jérémie ».
*c)* C'est peut-être une allusion à la prophétie contre Gog, Ez **38-39** (cf. en particulier **38** 22), mais le texte n'est pas sûr et la mention des « ennemis » pourrait venir d'une confusion entre l'hébr. *'iyôb* (« Job ») et *'oyeb* (« ennemi »). Hébr. : « [8] Ézéchiel vit une vision, il révéla les aspects du char, [9] et même il mentionna Job qui accomplit toutes les voies droites », cf. Ez **14** 14, 20.
*d)* Les douze petits prophètes qui, selon l'ordre du canon hébreu, font suite aux trois grands. On voit que, pour les livres prophétiques, la Bible de Ben Sira était complète.
*e)* Après « vivante » on omet « dans la création ».
*f)* Il s'agit de Simon II, fils d'Onias II, 220-195 environ.
*g)* On ne peut préciser ce que sont la « hauteur double » et le « haut contrefort ». – Hébr. : « de son temps furent construits le mur et les angles d'habitation au palais du roi. » – Aucun autre texte biblique ne parle de ces travaux, mais on sait par Josèphe qu'Antiochus III (223-187) donna de l'argent pour l'entretien du Temple, ce qui confirmerait les dires de Ben Sira.

3 De son temps fut creusé [a] le réservoir des eaux,
un bassin grand comme la mer.
4 Soucieux d'éviter à son peuple la ruine,
il fortifia la ville pour le cas de siège.
5 Qu'il était magnifique, entouré de son peuple,
Lv **16** quand il sortait de derrière le voile [b],
Lv **16** 13 6 comme l'étoile du matin au milieu des nuages,
comme la lune en son plein [c],
7 comme le soleil rayonnant sur le Temple du Très-Haut [d],
8 comme l'arc-en-ciel brillant dans les nuages de gloire,
8 comme la rose au printemps [e],
comme un lis près d'une source,
comme un rameau de l'arbre à encens en été,
9 9 comme le feu et l'encens dans l'encensoir [f],
10 comme un vase d'or massif,
orné de toutes sortes de pierres précieuses,
11 10 comme un olivier chargé de fruits,
comme un cyprès s'élevant jusqu'aux nuages;
11 quand il prenait sa robe d'apparat
et se revêtait de ses superbes ornements,
12 quand il gravissait l'autel sacré
et remplissait de gloire l'enceinte du sanctuaire;
13 12 quand il recevait des mains des prêtres les portions du sacrifice,
lui-même debout près du foyer de l'autel,
entouré d'une couronne de frères,
comme de leur frondaison, les cèdres du Liban,
14 comme entouré de troncs de palmiers,
13 quand tous les fils d'Aaron dans leur splendeur,
15 ayant dans les mains les offrandes du Seigneur,
se tenaient devant toute l'assemblée d'Israël
14 tandis qu'il accomplissait le culte des autels,
présentant avec noblesse l'offrande au Très-Haut tout-puissant.
16 15 Il étendait la main sur la coupe [g],
faisait couler un peu du jus de la grappe
17 et le répandait au pied de l'autel,
parfum agréable au Très-Haut, roi du monde.
Nb **10** 2-10 18 16 Alors les fils d'Aaron poussaient des cris,
**45** 9 sonnaient de leurs trompettes de métal massif
et faisaient entendre un son puissant,
comme un mémorial devant le Très-Haut.
19 17 Alors, soudain, avec ensemble,
le peuple tombait la face contre terre :
ils adoraient leur Seigneur,
le Tout-Puissant, le Dieu Très-Haut.
20 18 Les chantres aussi faisaient entendre leurs louanges,
et tout ce bruit formait une douce mélodie.
21 19 Et le peuple suppliait le Seigneur Très-Haut,
adressait des prières au Miséricordieux,
jusqu'à ce que fût terminé le service [h] du Seigneur,

*a)* « fut creusé » hébr.; « fut diminué » grec.
*b)* Litt. « la maison du voile », c'est le Debir ou Saint des Saints, séparé du Hékal par un voile, Ex **36** 35-38. L'auteur décrit ici les rites de la fête de l'Expiation, Lv **16**.
*c)* Hébr. ajoute : « aux jours de fête ».
*d)* « sur le Temple du Très-Haut »; hébr. : « sur le palais royal ».
*e)* Hébr. : « comme la fleur sur les branches au temps de la fête ».
*f)* « dans l'encensoir »; var. hébr. : « pour l'oblation ».
*g)* Il s'agit d'une libation dont le rite n'est pas décrit au Lévitique. Cf. Ex **29** 12; Lv **8** 15, où il s'agit du sang.
*h)* « service » hébr.; « ornement » grec.

achevée la cérémonie.
22 20 Alors il descendait et élevait les mains Lv 9 22
vers toute l'assemblée des enfants d'Israël,
pour donner à haute voix la bénédiction du Seigneur Nb 6 23-27
et avoir l'honneur de prononcer son nom [a].
23 21 Alors, pour la deuxième fois, le peuple se prosternait
pour recevoir la bénédiction du Très-Haut.

**Exhortation.**

24 22 Et maintenant bénissez le Dieu de l'univers [b]
qui partout fait de grandes choses,
qui a exalté nos jours dès le sein maternel,
qui a agi envers nous selon sa miséricorde.
25 23 Qu'il nous donne un cœur joyeux,
qu'il accorde la paix à notre époque,
en Israël, dans les siècles des siècles.
26 24 Que ses grâces restent fidèlement avec nous
et qu'à notre époque il nous rachète [c].

**Proverbe numérique.** Pr 30 15+

27 25 Il y a deux nations que mon âme déteste,
la troisième n'est pas une nation :
28 26 les habitants de la montagne de Séïr [d], les Philistins,
et le peuple stupide qui demeure à Sichem [e].

**Conclusion.**

29 27 Une instruction de sagesse et de science,
voilà ce qu'a gravé dans ce livre
Jésus, fils de Sira, Éléazar, de Jérusalem [f],
qui a répandu comme une pluie la sagesse de son cœur.
30 28 Heureux qui y consacre son temps
et acquiert la sagesse en la plaçant sur son cœur.
31 29 S'il agit ainsi, il sera fort en toute circonstance
car la lumière du Seigneur est son sentier [g].

**Hymne d'action de grâces.**

**51** 1 Je vais te rendre grâces, Seigneur, Roi,
et te louer, Dieu mon sauveur.
2 Je rends grâces à ton nom.
2 Car tu as été pour moi un protecteur et un soutien
3 et tu as délivré mon corps de la ruine [h], Ex 15 2
du piège de la langue mauvaise Ps 120 2
et des lèvres qui fabriquent le mensonge;
en présence de ceux qui m'entourent,
tu as été mon soutien, et tu m'as délivré,
4 3 selon l'abondance de ta miséricorde et la gloire de ton nom, Ps 103 8
des morsures de ceux qui sont prêts à me dévorer, Ex 34 6

*a)* La fête de l'Expiation était l'unique circonstance où le nom ineffable était prononcé sur le peuple, en guise de bénédiction.
*b)* Hébr. : « Yahvé, Dieu d'Israël ».
*c)* Hébr. : « Que sa grâce reste fidèlement avec Simon, qu'il réalise en lui l'alliance de Pinhas, qu'elle ne soit retirée ni à lui ni à sa postérité, tant que durera le ciel. »
*d)* « de Séïr » hébr., lat.; « de Samarie » grec.
*e)* Les Samaritains. C'est donc qu'au v. précédent il faut lire « Séïr », c'est-à-dire les Édomites, et non « Samarie » qui ferait double emploi.
*f)* Hébr. : « Sage instruction et proverbes soignés de Siméon fils de Jésus, fils d'Eléazar, fils de Sira. »
*g)* Hébr. : « car la crainte de Yahvé, voilà la vie. » – Grec 248 ajoute : « et aux hommes pieux il donne la sagesse. Béni soit le Seigneur à jamais. Amen. Amen. »
*h)* Hébr. : « forteresse de ma vie, 2 car tu as délivré mon âme de la mort, tu as épargné à ma chair la fosse, et du shéol tu as sauvé mon pied, tu m'as protégé de la calomnie du peuple... »

Ps **35** 4 5 de la main de ceux qui en veulent à ma vie,
des innombrables épreuves que j'ai subies,
6 4 de la suffocation du feu qui m'entourait,
du milieu d'un feu que je n'avais pas allumé,
Nb **16** 33+ 5 des profondeurs des entrailles du shéol,
de la langue impure, de la parole menteuse,
– 6 calomnie d'une langue injuste auprès du roi.
8 Mon âme a été tout près de la mort,
9 ma vie était descendue aux portes du shéol.
10 7 On m'entourait de partout et nul ne me soutenait;
je cherchais du regard un homme secourable, et rien.
Ps **25** 6 11 8 Alors je me souvins de ta miséricorde, Seigneur,
et de tes œuvres, de toute éternité,
12 sachant que tu délivres ceux qui espèrent en toi,
que tu les sauves des mains de leurs ennemis.
13 9 Et je fis monter de la terre ma prière,
je suppliai d'être délivré de la mort [a].
14 10 J'invoquai le Seigneur, père de mon Seigneur [b] :
« Ne m'abandonne pas au jour de l'épreuve,
au temps des orgueilleux et de l'abandon.
15 Je louerai ton nom continuellement,
je le chanterai dans la reconnaissance. »
11 Et ma prière fut exaucée,
16 tu me sauvas de la ruine,
tu me délivras de l'époque du mal.
17 12 C'est pourquoi je te rendrai grâces et je te louerai,
et je bénirai le nom du Seigneur [c].

**Poème sur la recherche de la sagesse [d].**

**6** 18; **15** 2s; **34** 9-12 Sg **8** 2 18 13 Dans ma jeunesse, avant mes voyages,
je cherchai ouvertement la sagesse dans la prière;
19 14 à la porte du sanctuaire, je l'appréciais,
et jusqu'à mon dernier jour je la poursuivrai.
15 Dans sa fleur, comme un raisin qui mûrit,
20 mon cœur mettait sa joie en elle.
Ps **25** 5; **26** 3 Mon pied s'est avancé dans le droit chemin
et dès ma jeunesse je l'ai recherchée.
21 16 Si peu que j'aie tendu l'oreille, je l'ai reçue,
22 et j'ai trouvé beaucoup d'instruction.
17 Grâce à elle j'ai progressé,
23 je glorifierai celui qui m'a donné la sagesse [e].

*a)* Hébr. : « et des portes du shéol, je priai. »
*b)* Cette expression fait songer à une interprétation chrétienne introduite dans le texte grec. Mais ce n'est peut-être qu'une traduction fantaisiste d'un texte mal conservé. Cf. cependant Ps **2** 7; **110** 1 (LXX). – Hébr. : « Je proclamai : Yahvé, tu es mon père, car tu es le héros de mon salut. »
*c)* L'hébr. insère ici un psaume de louange, analogue au Ps **136** et aux *Shemoné esré* (dix-huit bénédictions en usage dans le Judaïsme), cf. aussi Si **36** 1-17 :
« Louez Yahvé car il est bon, car éternel est son amour.
Louez le Dieu des louanges, car éternel est son amour.
Louez le gardien d'Israël, car éternel est son amour.
Louez le créateur de l'univers, car éternel est son amour.
Louez celui qui rachète Israël, car éternel est son amour.
Louez celui qui rassemble les dispersés d'Israël, car éternel est son amour.
Louez celui qui bâtit sa ville et son Temple, car éternel est son amour.
Louez celui qui fait fleurir la corne de la maison de David, car éternel est son amour.
Louez celui qui a choisi comme prêtres les fils de Sadoq, car éternel est son amour.
Louez le bouclier d'Abraham, car éternel est son amour.
Louez le rocher d'Isaac, car éternel est son amour.
Louez le puissant de Jacob, car éternel est son amour.
Louez celui qui a choisi Sion, car éternel est son amour.
Louez le roi des rois des rois, car éternel est son amour.
Il élève la corne de son peuple et la louange de tous ses fidèles,
les fils d'Israël, le peuple qui est près de lui.
Alleluia. »
*d)* C'est un poème alphabétique, cf. Pr **31** 10+, dans l'hébr., dont malheureusement le texte est mal conservé.
*e)* Hébr. : « Son joug était pour moi un honneur, à celui qui m'instruit, je rendrai grâce. »

24 18 Car j'ai décidé de la mettre en pratique,
j'ai cherché ardemment le bien, je ne serai pas confondu [a].
25 19 Mon âme a combattu pour la posséder,
j'ai été attentif à observer la loi,
26 j'ai tendu les mains vers le ciel
et j'ai déploré mes ignorances [b].
27 20 J'ai dirigé mon âme vers elle
et dans la pureté je l'ai trouvée;
28 j'y ai appliqué mon cœur dès le commencement,
aussi ne serai-je pas abandonné [c].
29 21 Mes entrailles se sont émues pour la chercher,
aussi ai-je fait une bonne acquisition.
30 22 Le Seigneur m'a donné, en récompense, une langue
avec laquelle je le glorifierai.
31 23 Approchez-vous de moi, ignorants,
32 mettez-vous à l'école.
24 Pourquoi vous prétendre si dépourvus,
quand votre gorge en est si assoiffée? Am **8** 11
33 25 J'ai ouvert la bouche pour parler :
34 achetez-la sans argent, Is **55** 1
26 mettez votre cou sous le joug, Pr **4** 5, 7
que vos âmes reçoivent l'instruction,
35 elle est tout près, à votre portée [d]. Dt **30** 11-14
27 Voyez de vos yeux : comme j'ai eu peu de mal
36 pour me procurer beaucoup de repos.
28 Achetez l'instruction au prix de beaucoup d'argent [e], Pr **16** 16
grâce à elle vous acquerrez beaucoup d'or. Mt **13** 44-46
37 29 Que votre âme trouve sa joie dans la miséricorde du Seigneur,
ne rougissez pas de le louer.
38 30 Faites votre œuvre avant le temps fixé,
et au jour fixé il vous donnera votre récompense [f].

[*Souscription* [g] :] Sagesse de Jésus, fils de Sira.

*a)* Hébr. : « et je ne m'en écarterai pas quand je l'aurai trouvée. »
*b)* Hébr. : « Mon âme l'a étreinte et je n'en ai pas détourné mon visage. Ma main ouvrit ses portes, je ... et je l'ai regardée. »
*c)* Hébr. : « aussi je ne l'abandonnerai pas. »
*d)* Hébr. lit « le fardeau » au lieu de « l'instruction » et ajoute à la fin : « et qui s'y applique la trouvera ».
*e)* Ce v. semble en contradiction avec le v. 25. En outre, les anciens sages mettaient leur honneur à enseigner gratuitement. C'est-à-dire que le texte est probablement mal conservé. Malheureusement l'hébr., en très mauvais état, n'est d'aucun secours.
*f)* Hébr. ajoute : « Béni soit Yahvé à jamais et que son nom soit loué de génération en génération. »
*g)* Hébr. « Jusqu'ici : paroles de Siméon fils de Jésus, appelé Ben Sira. Sagesse de Siméon, fils de Jésus, fils d'Éléazar, fils de Sira. Que le nom de Yahvé soit béni dès maintenant et à jamais. »

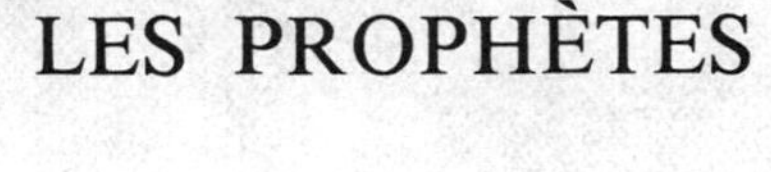

# LES PROPHÈTES

# LES PROPHÈTES

## Introduction

*La Bible hébraïque groupe les livres d'Isaïe, de Jérémie, d'Ézéchiel et celui des Douze Prophètes sous le titre de « Prophètes postérieurs » et les place à la suite de l'ensemble Josué-Rois, qu'elle appelle « Prophètes antérieurs ». La Bible grecque rejette les livres prophétiques après les Hagiographes, avec un ordre différent de l'hébreu et d'ailleurs instable, en y agrégeant les Lamentations et Daniel, que la Bible hébraïque rangeait dans la dernière partie de son canon, et en ajoutant des textes qui n'ont pas été écrits ou n'ont pas été conservés en hébreu : le livre de Baruch après Jérémie, la Lettre de Jérémie après les Lamentations, et les additions au livre de Daniel. Dans l'Église latine, la Vulgate a conservé l'essentiel de cet arrangement, mais elle est revenue à l'ordre hébreu en plaçant les douze « petits » Prophètes après les quatre « grands » et elle a joint la Lettre de Jérémie au livre de Baruch, mis à la suite des Lamentations.*

**Le prophétisme.**

*A des degrés divers et sous des formes variables, les grandes religions de l'Antiquité ont eu des inspirés qui prétendaient parler au nom de leur dieu. Spécialement, chez les peuples voisins d'Israël, un cas d'extase prophétique est rapporté à Byblos au XI^e^ siècle av. J.-C., des voyants et des prophètes sont attestés à Hama sur l'Oronte au VIII^e^ siècle, plusieurs fois à Mari sur l'Euphrate au XVIII^e^ siècle av. J.-C. Dans la forme et le contenu, leurs messages, adressés au roi, ressemblent à ceux des plus anciens prophètes d'Israël mentionnés dans la Bible. Celle-ci apporte elle-même son témoignage sur le voyant Balaam appelé d'Aram par le roi de Moab, Nb* **22-24**, *et les 450 prophètes de Baal appelés par Jézabel la Tyrienne et confondus par Élie sur le Carmel, 1 R* **18** 19-40. *On en rapproche aussitôt les 400 prophètes consultés par Achab, 1 R* **22** 5-12. *Ils sont, comme les premiers, un groupe nombreux d'extatiques turbulents, mais ils parlent au nom de Yahvé. Bien que, en l'occurence, leur prétention fût fausse, il est assuré que le Yahvisme ancien a reconnu comme légitime une telle institution. Des confréries d'inspirés apparaissent auprès de Samuel, 1 S* **10** 5; **19** 20, *et, à l'époque d'Élie, 1 R* **18** 4, *des groupes de « frères prophètes » sont en relations avec Élisée, 2 R* **2** 3-18; **4** 38*s;* **6** 1*s;* **9** 1, *et disparaissent ensuite, sauf une allusion en Am* **7** 14. *Excités par la musique, 1 S* **10** 5, *ces prophètes étaient pris de transes collectives, dont la contagion gagnait les assistants, 1 S* **10** 10; **10** 20-24, *ou bien ils mimaient des actions symboliques, 1 R* **22** 11.

*De même, il arrive une fois qu'Élisée ait recours à la musique avant de prophétiser, 2 R* **3** 15. *Les actions symboliques chez les prophètes sont plus nombreuses : Ahiyya de Silo, 1 R* **11** 29*s, mais aussi Isaïe, Is* **20** 2-4, *souvent Jérémie, Jr* **13** 1*s;* **19** 1*s;* **27** 2*s, surtout Ézéchiel,* **4** 1 - **5** 4; **12** 1-7, 18; **21** 23*s;* **37** 15*s. Au cours de ces actions ou en dehors, ils ont parfois des comportements étranges, ils peuvent passer par des états psychologiques anormaux, mais ces manifestations extraordinaires ne sont jamais l'essentiel chez les prophètes dont la Bible a retenu l'action et les paroles. Ceux-ci se distinguent nettement des exaltés des anciennes confréries.*

*Ils portent cependant le même nom,* nabî. *Il arrive sans doute que le verbe qui en dérive vienne à signifier « délirer »,* 1 *S* **18** 10 *et ailleurs, à cause de la manière d'être de certains « prophètes », mais cet emploi second ne préjuge pas du sens originel du substantif. Celui-ci, selon toute vraisemblance, se rattache à une racine qui signifie « appeler, annoncer ». Le* nabî *serait celui qui est appelé ou bien celui qui annonce, et par l'un et l'autre sens on atteint cette fois à l'essentiel du prophétisme israélite. Le prophète est un messager et un inter-*

*prête de la parole divine. Cela est exprimé nettement par les deux passages parallèles d'Ex* **4** 15-16 *: Aaron sera l'interprète de Moïse comme s'il était sa « bouche » et que Moïse fût « le dieu qui l'inspire », et* **7** 1 *: Moïse sera « un dieu pour Pharaon » et Aaron sera son « prophète »,* nabî*; à quoi fait écho le mot de Yahvé à Jérémie : « Je mets en ta bouche mes paroles », Jr* **1** 9. *Les prophètes ont conscience de l'origine divine de leur message, ils l'introduisent par « Ainsi parle Yahvé », ou « Parole de Yahvé », ou « Oracle de Yahvé ».*

*Cette parole qui leur est venue s'impose à eux et ils ne peuvent la taire : « Le Seigneur Yahvé parle, qui ne prophétiserait? » s'écrie Amos,* **3** 8, *et Jérémie lutte en vain contre cette emprise, Jr* **20** 7-9. *Un jour de leur vie, ils ont été appelés d'une manière irrésistible par Dieu, Am* **7** 15; *Is* **6**, *surtout Jr* **1** 4-10, *ils ont été choisis comme ses messagers, Is* **6** 8, *et le début de l'histoire de Jonas montrait ce qu'il en coûte de se dérober à cette mission. Ils ont été envoyés pour signifier la volonté de Dieu et pour être eux-mêmes des « signes ». Non seulement leurs paroles, mais leurs actions, mais leur vie, tout est prophétie. Le mariage réel et malheureux d'Osée est un symbole, Os* **1-3***; Isaïe doit se promener nu pour servir de présage, Is* **20** 3, *lui-même et ses enfants sont des « signes prodigieux », Is* **8** 18; *l'existence de Jérémie est un enseignement, Jr* **16**, *et quand Ézéchiel exécute les ordres étranges de Dieu, il est un « signe pour la maison d'Israël », Ez* **4** 3; **12** 6, 11; **24** 24.

*Le message divin peut parvenir au prophète de bien des manières, dans une vision comme celle d'Is* **6** *ou celles d'Ez* **1**, **2**, **8**, *etc., de Dn* **8-12**, *de Za* **1-6**, *rarement en vision nocturne, cf. Nb* **12** 6, *comme dans Dn* **7**; *Za* **1** 8*s, par audition mais le plus souvent par une inspiration intérieure (c'est ainsi qu'on peut généralement entendre les formules : « La parole de Yahvé me fut adressée », « Parole de Yahvé à... »), tantôt à l'improviste, tantôt à l'occasion d'une circonstance banale, la vue d'un rameau d'amandier, Jr* **1** 11, *ou de deux paniers de figues, Jr* **24**, *une visite chez le potier, Jr* **18** 1-4. *Le message reçu est transmis par le prophète sous des modes également variés, dans des morceaux lyriques ou des récits en prose, en parabole ou en clair, dans le style bref des oracles mais aussi en utilisant les formes littéraires de l'objurgation, de la diatribe, du sermon, des procès, des écrits de sagesse ou des psaumes cultuels, des chants d'amour, de la satire, de la lamentation funèbre...*

*Cette variété dans la réception et l'énoncé du message dépend en grande partie du tempérament personnel et des dons naturels de chaque prophète, mais elle recouvre une identité foncière : tout vrai prophète a vivement conscience qu'il n'est qu'un instrument, que les mots qu'il profère sont à la fois siens et non siens. Il a la conviction inébranlable qu'il a reçu une parole de Dieu et qu'il doit la communiquer. Cette conviction est fondée sur l'expérience mystérieuse, disons mystique, d'un contact immédiat avec Dieu. Il arrive, comme on l'a dit, que cette emprise divine provoque extérieurement des manifestations « anormales », mais ce n'est qu'un accident, comme chez les grands mystiques. Par contre, comme pour les mystiques encore, on doit affirmer que cette intervention de Dieu dans l'âme du prophète met celui-ci dans un état psychologique « supra-normal ». Le nier serait abaisser l'esprit prophétique au rang de l'inspiration du poète ou des illusions des pseudo-inspirés.*

*Le message prophétique s'adresse rarement à un individu, Is* **22** 15*s, ou il le fait dans un contexte plus large, Jr* **20** 6*; Am* **7** 17. *Il faut excepter le roi, qui est chef du peuple : Natân avec David, Élie avec Achab, Isaïe auprès d'Achaz et d'Ézéchias, Jérémie auprès de Sédécias, de même le grand prêtre, chef de la communauté au retour de l'Exil, Za* **3**. *Mais, ces exceptions mises à part, ce qui distingue les grands prophètes, dont nous avons conservé l'œuvre, de leurs prédécesseurs en Israël et de leurs analogues dans le milieu oriental, c'est que leur message s'adresse à tout le peuple. Dans tous les récits de vocation, c'est vers le peuple que le prophète est envoyé, Am* **7** 15*; Is* **6** 9*; Ez* **2** 3, *vers tous les peuples même dans le cas de Jérémie, Jr* **1** 10.

*Son message concerne le présent et le futur. Le prophète est envoyé auprès de ses contemporains, il leur transmet les volontés divines. Mais, dans la mesure où il est l'interprète de Dieu, il est au-dessus du temps, et ses « prédictions » viennent en confirmation et en prolongement de ses « prédications ». Il peut annoncer un événement prochain comme un signe dont la réalisation justifiera ses paroles et sa mission, 1 S* **10** 1*s; Is* **7** 14*; Jr* **28** 15*s;* **44** 29-30*; il prévoit le châtiment comme la punition des fautes contre lesquelles il tonne, le salut comme la récompense de la conversion qu'il demande. Chez les prophètes plus récents, le voile peut se lever jusqu'aux derniers temps, jusqu'au triomphe final de Dieu, mais il en ressort toujours un enseignement pour le présent. Cependant, comme le prophète n'est qu'un instrument, le message qu'il délivre peut dépasser les circonstances où il est prononcé et la conscience même du prophète, il reste entouré de mystère jusqu'à ce que l'avenir l'explicite en le réalisant.*

*Jérémie est envoyé « pour exterminer et démolir, pour bâtir et planter ». Le message prophétique a une double face, il est sévère et consolant. Et sans doute il est souvent dur, plein de menaces et de reproches, au point que cette sévérité peut apparaître comme un signe de la vraie prophétie, Jr* **28** 8-9, *cf. Jr* **26** 16-19*; 1 R* **22** 8. *C'est que le péché, obstacle aux desseins de Dieu, hante l'esprit du prophète. Mais les perspectives de salut n'ont jamais été fermées. Le livre de la Consolation, Is* **40-55**, *est l'un des sommets de la prophétie, et l'on n'est pas justifié à retrancher des prophètes plus anciens les annonces de joie, qu'on trouve déjà dans Am* **9** 8-15*; Os* **2** 16-25*;* **11** 8-11*;* **14** 2-9. *Dans la conduite de Dieu à l'égard de son peuple, grâce et châtiment sont complémentaires.*

*Le prophète est envoyé auprès du peuple d'Israël mais son horizon est plus vaste, comme la puissance de Dieu dont il annonce les œuvres. Les grands prophètes ont des groupes d'oracles contre les nations, Is* **13-23**, *Jr* **46-51**, *Ez* **25-32**. *Amos débute par des jugements contre les voisins d'Israël, Abdias donne un oracle sur Édom, de Nahum nous n'avons qu'un oracle contre Ninive, et c'est là que Jonas est envoyé prêcher.*

*Le prophète est assuré de parler au nom de Dieu, mais comment ses auditeurs reconnaîtront-ils qu'il est prophète authentique? Car il y a de faux prophètes, qui paraissent souvent dans la Bible. Ils peuvent être des sincères qui s'illusionnent ou ils peuvent être des simulateurs, mais leur comportement extérieur ne les distingue pas des vrais prophètes. Ils trompent le peuple et les vrais prophètes doivent polémiquer contre eux, Michée ben Yimla contre les prophètes d'Achab,* 1 *R* **22** 8*s*, *Jérémie contre Hananya, Jr* **28**, *ou contre les faux prophètes en général, Jr* **23**, *Ézéchiel contre prophètes et prophétesses, Ez* **13**. *Comment savoir que le message vient vraiment de Dieu? Comment distinguer la vraie prophétie? Il y a, d'après la Bible, deux critères : l'accomplissement de la prophétie, Jr* **28** 9*; Dt* **18** 22 *(et cf. les textes cités plus haut sur l'annonce d'événements prochains comme « signes » de la prophétie véritable), mais surtout la conformité de l'enseignement avec la doctrine yahviste, Jr* **23** 22*; Dt* **13** 2-6.

*Les textes cités du Deutéronome indiquent que la prophétie était une institution reconnue par la religion officielle. Parfois, les prophètes apparaissent à côté des prêtres, Jr* **8** 1*;* **23** 11*;* **26** 7*s, etc.; Za* **7** 3, *etc., et Jérémie nous apprend qu'il y avait, dans le Temple de Jérusalem, une « chambre de Ben-Yohanân, homme de Dieu », probablement un prophète. De ces faits et de la ressemblance de certaines de leurs prophéties avec des pièces liturgiques, on a récemment conclu que les prophètes, même les grands, avaient fait partie du personnel du sanctuaire et joué un rôle dans le culte. La théorie dépasse beaucoup les textes sur lesquels on la fonde et il suffit de reconnaître un certain lien entre les prophètes et les centres de la vie religieuse, et une influence de la liturgie sur la composition de certains de leurs oracles, surtout Habaquq, Zacharie et Joël.*

*L'idée fondamentale qui se dégage de la complexité des faits et des textes relatifs au prophétisme paraît être celle-ci : le prophète est un homme qui a une expérience immédiate de Dieu, qui a reçu la révélation de sa sainteté et de ses volontés, qui juge le présent et voit l'avenir à la lumière de Dieu et qui est envoyé par Dieu pour rappeler aux hommes ses exigences et les ramener dans la voie de son obéissance et de son amour. Ainsi compris, malgré les ressemblances qu'on peut relever avec des phénomènes religieux dans d'autres religions et chez les peuples voisins, le prophétisme est un phénomène propre à Israël, l'un des modes de la Providence divine dans la conduite du peuple élu.*

### Le mouvement prophétique.

*Si tels sont le caractère et le rôle du prophète, il n'est pas étonnant que la Bible place Moïse en tête de la lignée des prophètes, Dt* **18** 15,18, *et le considère comme le plus grand de tous, Nb* **12** 6-8*; Dt* **34** 10-12, *lui qui a connu Yahvé face à face, qui lui a parlé bouche à bouche et qui a transmis sa Loi au peuple. Les héritiers de ses dons n'ont jamais manqué en Israël, et déjà son successeur Josué « en qui demeure l'esprit », Nb* **27** 18, *cf.* **34** 9. *A l'époque des Juges, on connaît la prophétesse Débora, Jg* **4-5**, *et un prophète anonyme, Jg* **6** 8, *puis se lève la grande figure de Samuel, prophète et voyant,* 1 *S* **3** 20*;* **9** 9*; cf.* 2 *Ch* **35** 18. *Alors, l'esprit prophétique s'épanouit dans des groupes d'inspirés dont on a dit plus haut les étranges manières,* 1 *S* **10** 5*;* **19** 20, *puis on rencontre les communautés plus sages des « frères prophètes »,* 2 *R* **2**, *etc.; ces confréries disparaissent ensuite, mais jusqu'après le retour de l'Exil, la Bible mentionne des prophètes au pluriel, Za* **7** 3. *En dehors de ces communautés, dont l'influence sur la vie religieuse du peuple est indiscernable, apparaissent des personnalités marquantes : Gad prophète de David,* 1 *S* **22** 5*;* 2 *S* **24** 11, *Natân auprès du même roi,* 2 *S* **7** 2*s;* **12** 1*s;* 1 *R* **1** 11*s*, *Ahiyya sous Jéroboam,* 1 *R* **11** 29*s;* **14** 2*s*, *Jéhu fils de Hanani sous Basha,* 1 *R* **16** 7, *Élie et Élisée sous Achab et ses successeurs,* 1 *R* **17** *à* 2 *R* **13** passim, *Jonas sous Jéroboam II,* 2 *R* **14** 25, *la prophétesse Hulda sous Josias,* 2 *R* **22** 14*s*, *Uriyya sous Joiaqim, Jr* **26** 20. *A cette liste, les livres des Chroniques ajoutent Shemaya sous Roboam,* 2 *Ch* **12** 5*s*, *Iddo sous*

*Roboam et sous Abiyya,* 2 *Ch* **12** 15*;* **13** 22, *Azaryahu sous Asa,* 2 *Ch* **15** 1*s, Oded sous Achaz,* 2 *Ch* **28** 9*s, et quelques anonymes.*

*Nous ne connaissons la plupart de ces prophètes que par des allusions. Cependant quelques figures ressortent davantage. Natân annonce à David la permanence de sa dynastie en qui Dieu se complaît, c'est le premier chaînon des prophéties, qui iront en se précisant, sur le Messie fils de David,* 2 *S* **7** 1-17. *Mais c'est le même Natân qui fait à David un reproche véhément de sa faute avec Bethsabée et qui, devant son repentir, lui assure le pardon de Dieu,* 2 *S* **12** 1-25. *Nous sommes surtout renseignés sur Élie et sur Élisée par les récits des livres des Rois. A un moment où l'invasion des cultes étrangers mettait en danger la religion de Yahvé, Élie se dresse comme le champion du vrai Dieu et remporte au sommet du Carmel une victoire éclatante sur les prophètes de Baal,* 1 *R* **18**. *Sa rencontre avec Dieu à l'Horeb, où l'Alliance avait été conclue, le rattache directement à Moïse,* 1 *R* **19**. *Défenseur de la foi, Élie l'est aussi de la morale et il fulmine la condamnation divine contre Achab qui a assassiné Nabot pour prendre sa vigne,* 1 *R* **21**. *Sa fin mystérieuse,* 2 *R* **2** 1-18, *entoure d'un halo sa figure qui n'a cessé de grandir dans la tradition juive. Au contraire d'Élie le prophète solitaire, Élisée est très mêlé à la vie de son temps. Il intervient au cours de la guerre moabite,* 2 *R* **3**, *et des guerres araméennes,* 2 *R* **6–7**, *joue un rôle dans l'usurpation de Hazaël à Damas,* 2 *R* **8** 7-15, *et dans celle de Jéhu en Israël,* 2 *R* **9** 1-3, *il est consulté par les grands, par Joas d'Israël,* 2 *R* **13** 14-19, *par Ben-Hadad de Damas,* 2 *R* **8** 7-8, *par Naamân le Syrien,* 2 *R* **5**. *Il est aussi en rapports avec les groupes de « frères prophètes », qui racontaient sur lui des histoires merveilleuses,* 2 *R* **4** 1-7, 38-44*;* **6** 1-7.

*Nos meilleures informations concernent naturellement les prophètes canoniques, et chacun sera présenté à propos du livre qui porte son nom. Il suffit ici d'indiquer leur place dans le mouvement prophétique et de dire ce qui fait leur nouveauté par rapport à l'époque précédente. Ils interviennent dans les périodes de crise qui précèdent ou accompagnent les grands tournants de l'histoire nationale : la menace assyrienne et la ruine du royaume du Nord, la ruine du royaume de Juda et le départ en exil, la fin de l'exil et le retour. Ils ne s'adressent pas au roi mais au peuple et, parce que leur message a cette portée générale, il est conservé par écrit et continue d'agir. Le premier d'entre ces prophètes, Amos, exerce son ministère au milieu du VIII*[e] *siècle. environ cinquante ans après la mort d'Élisée, et le grand mouvement prophétique durera jusqu'à l'Exil, moins de deux siècles, qui sont dominés par les figures énormes d'Isaïe et de Jérémie, mais où se placent aussi Osée, Michée, Nahum, Sophonie, Habaquq. La fin du ministère de Jérémie est contemporaine des débuts d'Ézéchiel. Cependant, avec ce prophète de l'Exil, la tonalité change : moins de spontanéité et de feu, des visions grandioses mais compliquées, des descriptions minutieuses, la préoccupation grandissante des derniers temps, bref des traits qui annoncent la littérature apocalyptique. Pourtant, le grand courant isaïen se perpétue alors, avec des enrichissements, dans le livre de la Consolation, Is* **40-55**. *Les prophètes du Retour, Aggée et Zacharie, ont un horizon plus limité : leur intérêt se concentre sur la restauration du Temple. Après eux, Malachie souligne les tares de la communauté nouvelle. Puis, le petit livre de Jonas, préludant au genre midrashique, utilise les anciennes Écritures pour un enseignement nouveau. La veine apocalyptique, ouverte par Ézéchiel, jaillit à nouveau dans Joël et la seconde partie de Zacharie. Elle envahit le livre de Daniel, où les visions du passé et de l'avenir se conjuguent dans un tableau extra-temporel de la destruction du Mal et de l'avènement du royaume de Dieu. A ce moment, la grande inspiration prophétique apparaît tarie, on fait appel aux « prophètes d'antan », Dn* **9** 6, 10, *cf. déjà Za* **7** 7, 12, *et Za* **13** 2-6 *prévoit la disparition de l'institution prophétique compromise par les faux prophètes. Mais Jl* **3** 1-5 *annonce une effusion de l'Esprit aux temps messianiques. Elle se réalisera à la Pentecôte, d'après Ac* **2** 16*s. C'est en effet le début des temps nouveaux ouverts par la prédication de Jean-Baptiste, le dernier des prophètes de l'Ancienne Loi, « prophète et plus que prophète », Mt* **11** 9*; Lc* **7** 26.

### La doctrine des prophètes.

*Dans le développement religieux d'Israël, les prophètes ont joué un rôle considérable. Non seulement ils ont maintenu et guidé le peuple dans la voie du yahvisme authentique, mais ils ont été les organes principaux du progrès de la Révélation. Dans cette action multiforme, chacun a eu son rôle propre et chacun a apporté sa pierre à l'édifice doctrinal. Cependant leurs contributions se rejoignent et se combinent selon trois lignes maîtresses, précisément celles qui distinguent la religion de l'Ancien Testament : le monothéisme, le moralisme, l'attente du Salut.*

Le monothéisme. *Israël n'est arrivé que lentement à une définition philosophique du monothéisme : affirmation de l'existence d'un Dieu unique, négation de l'existence de tout autre dieu.*

*Pendant très longtemps, on a accepté l'idée que les autres peuples pouvaient avoir d'autres dieux, mais on ne s'en préoccupait pas : Israël ne reconnaissait que Yahvé, qui était le plus puissant des dieux et réclamait un culte exclusif. Le passage de cette conscience et de cette pratique monothéistes à une définition abstraite a été le fruit de la prédication des prophètes. Lorsque le plus ancien d'entre eux, Amos, présente Yahvé comme le Dieu qui commande aux forces de la nature et qui est le maître des hommes et des événements, il ne fait que rappeler des vérités anciennes, qui donnent tout leur poids aux menaces qu'il profère. Mais le contenu et les conséquences de cette foi ancienne s'affirment de plus en plus clairement. La révélation du Dieu du Sinaï avait été liée à l'élection du peuple et à la conclusion de l'Alliance, et par suite Yahvé apparaissait comme le Dieu propre à Israël, attaché à la terre et aux sanctuaires d'Israël. Tout en soulignant fortement les liens qui unissent Yahvé à son peuple, les prophètes montrent qu'il dirige aussi les destinées des autres peuples, Am* **9** 7. *Il juge les petits États et les grands Empires, Am* **1-2** *(et toutes les prophéties contre les nations), il leur donne et leur retire la puissance, Jr* **27** 5-8, *il les prend comme instruments de ses vengeances, Am* **6** 11; *Is* **7** 18-19; **10** 6; *Jr* **5** 15-17, *mais les arrête quand il veut, Is* **10** 12. *Tout en proclamant que la terre d'Israël est celle de Yahvé, Jr* **7** 7, *et que le Temple est sa demeure, Is* **6**; *Jr* **7** 10-11, *ils prédisent la destruction du sanctuaire, Mi* **3** 12; *Jr* **7** 12-14; **26**, *et Ézéchiel voit la gloire de Yahvé quitter Jérusalem, Ez* **10** 18-22; **11** 22-23.

*Yahvé, maître de toute la terre, ne laisse pas de place pour d'autres dieux. Luttant contre l'influence des cultes païens et les tentations du syncrétisme qui menaçait la foi d'Israël, les prophètes affirment l'impuissance des faux dieux et la vanité des idoles, Os* **2** 7-15; *Jr* **2** 5-13, 27-28; **5** 7; **16** 20. *Pendant l'Exil, au moment où l'écroulement des espérances nationales pouvait susciter des doutes sur la puissance de Yahvé, la polémique contre les idoles se fait plus incisive et plus rationnelle dans le Deutéro-Isaïe, Is* **40** 19-20; **41** 6-7, 21-24; **44** 9-20; **46** 1-7; *cf. Jr* **10** 1-16, *et plus tard la Lettre de Jérémie (= Ba* **6***) et Dn* **14**. *A cette critique s'oppose l'expression triomphante du monothéisme absolu, Is* **44** 6-8; **46** 1-7, 9.

*Ce Dieu est transcendant, et c'est cette transcendance que les prophètes expriment surtout en disant qu'il est « saint », un des thèmes favoris de la prédication d'Isaïe, Is* **6** *et souvent :* **1** 4; **5** 19, 24; **10** 17, 20, *etc., mais aussi Os* **11** 9; *Is* **40** 25; **41** 14, 16, 20, *etc.; Jr* **50** 29; **51** 5; *Ha* **1** 12; **3** 3. *Il est entouré de mystère, Is* **6**; *Ez* **1**, *infiniment au-dessus des « fils d'homme », expression qu'Ézéchiel répète à satiété pour souligner la distance qui sépare le prophète de son interlocuteur divin. Et cependant, il est proche par la bonté, la tendresse même qu'il témoigne à son peuple, surtout dans Osée et Jérémie, avec l'allégorie du mariage entre Yahvé et Israël, Os* **2**; *Jr* **2** 2-7; **3** 6-8, *longuement développée par Ézéchiel, Ez* **16** *et* **23**.

Le moralisme. *A la Sainteté de Dieu s'oppose la souillure de l'homme, Is* **6** 5, *et dans ce contraste les prophètes prennent une conscience aiguë du péché. Pas plus que le monothéisme, ce moralisme n'est une innovation, il était inscrit déjà dans le Décalogue, il motivait l'intervention de Natân auprès de David,* 2 *S* **12**, *celle d'Élie auprès d'Achab,* 1 *R* **21**. *Mais les prophètes canoniques y reviennent constamment : c'est le péché qui sépare l'homme de Dieu, Is* **59** 2. *Le péché est en effet une atteinte au Dieu de Justice (Amos), au Dieu d'Amour (Osée), au Dieu de Sainteté (Isaïe). Quant à Jérémie, on peut dire que le péché est au centre de sa vision; il s'étend à toute la nation, qui paraît définitivement corrompue, inconvertissable, Jr* **13** 23. *C'est ce débordement du mal qui appelle le châtiment de Dieu, le grand jugement du « Jour de Yahvé », Is* **2** 6-22; **5** 18-20; *Os* **5** 9-14; *Jl* **2** 1-2; *So* **1** 14-18, *et l'annonce du malheur est pour Jérémie un signe de la vraie prophétie, Jr* **28** 8-9. *Le péché, qui est celui de la masse, appelle cette sanction collective; cependant l'idée de la rétribution individuelle commence à apparaître dans Jr* **31** 29-30 *(cf. Dt* **24** 16*) et s'affirme dans Ez* **18**, *cf.* **33** 10-20.

*Mais ce qu'on appelle le « monothéisme éthique » des prophètes n'est pas un anti-légalisme. Leur moralisme est fondé sur le droit édicté par Dieu, qui est transgressé ou méconnu, voir, par exemple, le discours de Jr* **7** 5-10 *et ses rapports avec le Décalogue.*

*Parallèlement, la conception de la vie religieuse s'approfondit. Pour échapper au châtiment, il faut « chercher Dieu », Am* **5** 4; *Jr* **50** 4; *So* **2** 3, *c'est-à-dire, précise Sophonie, accomplir ses ordonnances, suivre le droit, vivre dans l'humilité, cf. Is* **1** 17; *Am* **5** 24; *Os* **10** 12; *Mi* **6** 8. *Ce que Dieu demande c'est une religion intérieure, dont Jérémie fait une condition de l'Alliance nouvelle, Jr* **31** 31-34. *Cet esprit doit animer toute la vie religieuse et les manifestations extérieures du culte, et les prophètes protestent contre un ritualisme étranger à tout souci moral, Is* **1** 11-17; *Jr* **6** 20; *Os* **6** 6; *Mi* **6** 6-8. *Mais il est faux de les présenter comme des adversaires du culte en lui-même; celui-ci et le*

*Temple seront des préoccupations majeures pour Ézéchiel, Aggée, Zacharie.*

L'attente du Salut. *Cependant, le châtiment n'est pas le dernier mot de Dieu, qui ne veut pas la ruine totale de son peuple mais qui, malgré toutes les apostasies, poursuit l'accomplissement de ses promesses. Il épargnera un « Reste », Is* **4** 3+. *La notion apparaît dans Amos,* **5** 15, *elle évolue et se précise chez ses successeurs. Dans la vision des prophètes, les deux plans du châtiment imminent et du jugement dernier de Dieu se superposent et le Reste est à la fois ce qui échappera au danger présent et ce qui bénéficiera du salut final. Les deux plans sont distingués par le développement de l'histoire; après chaque épreuve, le Reste est le groupe qui a survécu : les habitants laissés en Israël ou en Juda après la chute de Samarie ou l'invasion de Sennachérib, Am* **5** 15; *Is* **37** 31-32, *les exilés de Babylone après la ruine de Jérusalem, Jr* **24** 8, *la communauté revenue en Palestine après l'Exil, Za* **8** 6, 11, 12; *Esd* **9** 8, 13-15. *Mais ce groupe est en même temps, à chaque époque, le germe, la souche d'un peuple saint à qui l'avenir est promis, Is* **11** 10; **37** 31; *Mi* **4** 7; **5** 6-7; *Ez* **37** 12-14; Za **8** 11-13.

*Ce sera une ère de bonheur inouï; les dispersés d'Israël et de Juda, Is* **11** 12-13; *Jr* **30-31**, *reviendront dans la Terre Sainte, qui sera prodigieusement prospère, Is* **30** 23-26; **32** 15-17, *et le peuple de Dieu tirera vengeance de ses ennemis, Mi* **4** 11-13; **5** 6-8. *Mais ces perspectives de prospérité et de puissance matérielles ne sont pas l'essentiel, elles accompagnent l'avènement du Royaume de Dieu. Or celui-ci suppose tout un climat spirituel : justice et sainteté, Is* **29** 19-24, *conversion intérieure et pardon divin, Jr* **31** 31-34, *connaissance de Dieu, Is* **2** 3; **11** 9; *Jr* **31** 34, *paix et joie, Is* **2** 4; **9** 6; **11** 6-8; **29** 19

*Pour établir et gouverner son royaume sur la terre, le Roi Yahvé aura un représentant, que l'onction constituera son vassal : il sera l'« oint » de Yahvé, en hébreu son « messie ». C'est un prophète, Natân, qui, en promettant à David la permanence de sa dynastie, 2 S* **7**, *donne la première expression de ce messianisme royal dont on retrouve l'écho dans certains Psaumes, cf. p. 711. Cependant, les échecs et la mauvaise conduite de la plupart des successeurs de David parurent apporter un démenti à ce messianisme « dynastique », et l'espoir se concentra sur un roi particulier dont on attendait la venue dans un avenir proche ou lointain. C'est ce sauveur qu'entrevoient les prophètes, surtout Isaïe, mais aussi Michée et Jérémie. Le Messie (on peut maintenant employer la majuscule) sera de la lignée davidique, Is* **11** 1; *Jr* **23** 5= **33** 15, *il sortira comme elle de Bethléem-Éphrata, Mi* **5** 1. *Il recevra les titres les plus magnifiques, Is* **9** 5, *et l'Esprit de Yahvé reposera en lui avec tout le cortège de ses dons, Is* **11** 1-5. *Pour Isaïe, il est l'* Emmanuel, *« Dieu avec nous », Is* **7** 14, *pour Jérémie,* Yahvé çidqenu, *« Yahvé est notre justice », Jr* **23** 6, *deux noms qui résument le pur idéal messianique.*

*Cette espérance survécut à l'écroulement des rêves de domination terrestre et à la dure leçon de l'Exil, mais les perspectives changèrent. Malgré les espoirs attachés pour un moment au davidide Zorobabel par Aggée et Zacharie, le messianisme royal subit une éclipse : aucun descendant de David n'était plus sur le trône et Israël était soumis à une domination étrangère. Ézéchiel attend bien la venue d'un nouveau David, cependant il l'appelle « prince » et non « roi », et il le dépeint comme un médiateur et un pasteur plutôt que comme un souverain puissant, Ez* **34** 23-24; **37** 24-25; *Zacharie annoncera la venue d'un roi, mais il sera humble et pacifique, Za* **9** 9-10. *Pour le Second Isaïe, l'Oint de Yahvé n'est pas un roi davidique, c'est le roi de Perse, Cyrus, Is* **45** 1, *instrument de Dieu pour la libération de son peuple; mais le même prophète met en scène une autre figure de salut, le Serviteur de Yahvé, qui est le docteur de son peuple et la lumière des nations, prêchant en toute douceur le droit de Dieu; il sera sans apparence, rejeté par les siens, mais il procurera leur salut au prix de sa propre vie, Is* **42** 1-7; **49** 1-9; **50** 4-9, *et principalement* **52** 13-**53** 12. *Enfin, Daniel voit venir sur les nuées du ciel comme un Fils d'homme, qui reçoit de Dieu l'empire sur tous les peuples, un royaume qui ne passera pas, Dn* **7**. *Il y eut cependant une résurgence de l'ancien courant : à la veille de notre ère, l'attente d'un Messie royal était largement répandue, mais certains milieux attendaient aussi un Messie sacerdotal, d'autres un Messie transcendant*

*La première communauté chrétienne a rapporté à Jésus tous ces passages prophétiques, dont il accordait en lui-même le disparate. Il est Jésus, c'est-à-dire le Sauveur, le Christ, c'est-à-dire le Messie, descendant de David, né à Bethléem, le Roi pacifique de Zacharie et le Serviteur souffrant du Second Isaïe, l'enfant Emmanuel annoncé par Isaïe et aussi le Fils de l'homme d'origine céleste vu par Daniel. Mais ces références aux anciennes annonces ne doivent pas masquer l'originalité de ce messianisme chrétien, qui découle de la personne et de la vie de Jésus. S'il a accompli les prophéties, c'est en les dépassant, et il a répudié lui-même la notion politique traditionnelle du messianisme royal.*

**Les livres des prophètes.**

*On appelle communément « prophètes écrivains » ceux auxquels un livre est attribué dans le canon de la Bible. Ce qui a été dit du ministère prophétique montre que cette dénomination est inexacte : le prophète n'est pas un écrivain, il est éminemment un orateur, un prédicateur. Le message prophétique est d'abord parlé, mais il reste à expliquer comment, de cette parole prononcée, on est passé au livre écrit.*

*On rencontre dans ces livres trois sortes d'éléments :* 1° *des « dires prophétiques », qui sont des oracles où tantôt Dieu parle lui-même et tantôt le prophète au nom de Dieu, ou bien des pièces poétiques qui contiennent un enseignement, une annonce, une menace ou une promesse...;* 2° *des récits à la première personne, où le prophète relate son expérience, en particulier sa vocation;* 3° *des récits à la troisième personne, qui racontent des événements de la vie du prophète ou les circonstances de son ministère. Ces trois genres peuvent se combiner et il arrive fréquemment que les récits enchâssent des oracles ou des discours.*

*Les passages à la troisième personne indiquent un autre rédacteur que le prophète lui-même. Nous en avons un clair témoignage dans le livre de Jérémie. Le prophète a dicté à Baruch, Jr* **36** 4, *toutes les paroles qu'il avait prononcées au nom de Yahvé depuis vingt-trois ans, cf. Jr* **25** 3. *Le recueil ayant été brûlé par le roi Joiaqim, Jr* **36** 23, *un nouveau rouleau fut écrit par le même Baruch, Jr* **36** 32. *La relation de ces faits ne peut venir que de Baruch lui-même, à qui l'on attribuera aussi les récits biographiques qui suivent, Jr* **37-44**, *qui s'achèvent de fait par une parole de consolation adressée à Baruch par Jérémie, Jr* **45** 1-5. *On nous dit incidemment qu'au second rouleau de Baruch « beaucoup de paroles du même genre furent ajoutées » (par Baruch ou par d'autres), Jr* **36** 32.

*Des circonstances analogues peuvent expliquer la composition des autres livres. Il est vraisemblable que les prophètes eux-mêmes ont mis par écrit, ou dicté, une partie de leurs prophéties ou le récit de leurs expériences, cf. Is* **8** 1; **30** 8; *Jr* **30** 2; **51** 60; *Ez* **43** 11; *Ha* **2** 2. *Une partie de cet héritage a pu aussi être conservée fidèlement par la seule tradition orale de leur entourage ou de leurs disciples (les disciples d'Isaïe semblent attestés, Is* **8** 16*). Ces mêmes milieux conservaient des souvenirs sur la vie du prophète, et ces souvenirs aussi incluaient des oracles, ainsi les traditions sur Isaïe recueillies dans les livres des Rois* , 2 *R* **18-20**, *et passées de là dans le livre d'Isaïe, Is* **36-39**. *ou bien le récit du conflit entre Amos et Amasias, Am* **7** 10-17.

*A partir de ces éléments, des recueils ont été formés, réunissant les oracles de même ton ou les pièces traitant d'un même sujet (ainsi les livrets contre les nations chez Isaïe, Jérémie, Ézéchiel), ou bien balançant les annonces de malheur par des promesses de salut (ainsi Michée). Ces écrits ont été lus et médités, ils ont contribué à perpétuer les courants spirituels issus des prophètes : les contemporains de Jérémie citent une prophétie de Michée. Jr* **26** 17-18, *on se réfère souvent aux anciens prophètes, Jr* **28** 8, *et comme un refrain dans Jr* **7** 25; **25** 4; **26** 5, *etc., puis Za* **1** 4-6; **7** 7, 12; *Dn* **9** 6, 10; *Esd* **9** 11. *Dans les milieux fervents qui y nourrissaient leur foi et leur piété, les livres des prophètes restèrent chose vivante et, comme au rouleau de Baruch, Jr* **36** 32, *« des paroles du même genre y furent ajoutées » sous l'inspiration de Dieu, pour les adapter aux besoins présents du peuple ou pour les enrichir, et, dans certains cas, nous le verrons pour les livres d'Isaïe et de Zacharie, ces additions purent être étendues. Ce faisant, les héritiers des prophètes avaient la conviction de préserver et de faire fructifier le trésor qu'ils avaient reçu d'eux.*

*Les livres des quatre « grands » Prophètes sont rangés dans le canon selon leur ordre chronologique, que nous suivrons. L'arrangement des douze « petits » Prophètes est plus arbitraire. Nous essayerons, autant qu'il se peut, de les présenter dans leur suite temporelle.*

**Isaïe.**

*Le prophète Isaïe est né aux environs de 765 av. J.-C. L'année de la mort du roi Ozias, en 740, il reçut dans le Temple de Jérusalem sa vocation prophétique, la mission d'annoncer la ruine d'Israël et de Juda en punition des infidélités du peuple,* **6** 1-13. *Il exerça son ministère pendant quarante ans, qui furent dominés par la menace grandissante que l'Assyrie fit peser sur Israël et sur Juda. On distingue quatre périodes entre lesquelles on peut, avec plus ou moins d'assurance, répartir les oracles du prophète.* – 1° *Les premiers datent des quelques années qui séparèrent sa vocation de l'avènement d'Achaz en 736. Isaïe était alors préoccupé surtout de la corruption morale que la prospérité avait amenée en Juda,* **1-5** *en grande partie.* – 2° *Le roi de Damas, Raçôn, et le roi d'Israël, Péqah, voulurent entraîner le jeune Achaz dans une coalition contre Téglat Phalasar III, roi d'Assyrie. Sur son refus, ils attaquèrent Achaz et celui-ci fit appel à l'Assyrie. Isaïe intervint alors et essaya vainement de contrecarrer cette politique trop humaine. De cette époque datent le « livret de l'Emmanuel »,*

**7** 1 - **11** 9 *en grande partie, mais aussi* **5** 26-29 *(?);* **17** 1-6*;* **28** 1-4. *Après l'échec de sa mission auprès d'Achaz, Isaïe se retira de la scène publique, cf.* **8** 16-18. – 3° *Le recours d'Achaz à Téglat Phalasar mit Juda sous la tutelle de l'Assyrie et précipita la ruine du royaume du Nord. Après l'annexion d'une partie de son territoire en 734, la pression étrangère s'aggrava et, en 721, Samarie tomba au pouvoir des Assyriens. En Juda, Ézéchias succéda à Achaz. C'était un roi pieux, animé d'un esprit de réforme. Mais les intrigues politiques reprirent et l'on chercha, cette fois, l'appui de l'Égypte contre l'Assyrie. Isaïe, fidèle à ses principes, voulait qu'on refusât toute alliance militaire et qu'on se confiât en Dieu. On rapporte à ce début du règne d'Ézéchias* **14** 28-32*;* **18***;* **20; 28** 7-22*;* **29** 1-14*;* **30** 8-17. *Après la répression de la révolte et la prise d'Ashdod par Sargon,* **20**, *Isaïe retomba dans le silence.* – 4° *Il en sortit en 705 lorsque Ézéchias se laissa entraîner dans une révolte contre l'Assyrie. Sennachérib ravagea la Palestine en 701, mais le roi de Juda voulut défendre Jérusalem. Isaïe le soutint dans sa résistance et promit le secours de Dieu; la ville fut en effet délivrée. De cette dernière période datent au moins les oracles de* **1** 4-9 *(?);* **10** 5-15, $27^b$-32; **14** 24-27 *et les passages de* **28-32** *qui n'ont pas été rapportés à la période précédente. Nous ne savons plus rien de la carrière d'Isaïe après 700. D'après une tradition juive, il aurait été martyrisé sous Manassé.*

*Cette participation active aux affaires de son pays fait d'Isaïe un héros national. Il est aussi un poète de génie. L'éclat de son style, la nouveauté de ses images font de lui le grand « classique » de la Bible. Ses compositions ont une force concise, une majesté, une harmonie qui ne seront plus jamais atteintes. Mais sa grandeur est d'abord religieuse. Isaïe a été marqué pour toujours par la scène de sa vocation dans le Temple, où il a eu la révélation de la transcendance de Dieu et de l'indignité de l'homme. Son idée de Dieu a quelque chose de triomphal et d'effrayant aussi : Dieu est le Saint, le Fort, le Puissant, le Roi. L'homme est un être souillé par le péché, dont Dieu demande réparation. Car Dieu exige la justice dans les relations sociales et aussi la sincérité dans le culte qu'on lui rend. Il veut qu'on soit fidèle. Isaïe est le prophète de la foi et, dans les crises graves que traverse sa nation, il demande qu'on se confie en Dieu seul : c'est l'unique chance de salut. Il sait que l'épreuve sera sévère, mais il espère qu'un « reste » sera épargné, dont le Messie sera le roi. Isaïe est le plus grand des prophètes messianiques. Le Messie qu'il annonce est un descendant de David, qui fera régner sur terre la paix et la justice et répandra la connaissance de Dieu,* **2** 1-5*;* **7** 10-17*;* **9** 1-6*;* **11** 1-9*;* **28** 16-17.

*Un tel génie religieux a profondément marqué son époque et a fait école. On conserva ses paroles et on y ajouta. Le livre qui porte son nom est le résultat d'un long travail de composition dont il est impossible de restituer toutes les étapes. Le plan définitif rappelle celui de Jérémie (d'après le grec) et d'Ézéchiel :* **1-12**, *oracles contre Jérusalem et Juda;* **13-23**, *oracles contre les nations;* **24-35**, *promesses. Mais ce plan n'est pas rigide; d'autre part, l'analyse a montré que le livre ne suivait qu'imparfaitement l'ordre chronologique de la carrière d'Isaïe. Il a été formé à partir de plusieurs collections d'oracles. Certains groupements remontent au prophète lui-même, cf.* **8** 16*;* **30** 8. *Ses disciples, immédiats ou lointains, ont réuni d'autres ensembles, glosant parfois les paroles du maître ou y ajoutant. Les oracles contre les nations, groupés dans* **13-23**, *ont accueilli des pièces postérieures, en particulier* **13-14** *contre Babylone (exilique). Des additions plus étendues sont : « l'Apocalypse d'Isaïe »,* **24-27**, *que son genre littéraire et sa doctrine ne permettent pas de mettre plus haut que le* V^e^ *siècle av. J.-C.; une liturgie prophétique d'après l'Exil,* **33***; une « petite Apocalypse »,* **34-35**, *qui dépend du Second Isaïe. Enfin, on a mis en appendice le récit de l'action d'Isaïe lors de la campagne de Sennachérib,* **36-39**, *emprunté à 2 R* **18-19** *avec l'insertion d'un psaume post-exilique mis dans la bouche d'Ézéchias,* **38** 9-20.

*Le livre a reçu des additions encore plus considérables. Les ch.* **40-55** *ne peuvent pas être l'œuvre du prophète du VIII^e^ siècle. Non seulement son nom n'y est jamais mentionné mais le cadre historique est postérieur d'environ deux siècles : Jérusalem est prise, le peuple est captif en Babylonie, Cyrus est déjà en scène et il sera l'instrument de la délivrance. Certes, la toute-puissance divine pourrait transporter un prophète dans un avenir éloigné, le couper du présent et changer ses images et ses pensées. Mais cela suppose un dédoublement de sa personnalité et un oubli de ses contemporains – vers lesquels il a été envoyé – qui sont sans exemple dans la Bible et contraires à la notion même de la prophétie, qui ne fait intervenir l'avenir que comme un enseignement pour le présent. Ces chapitres contiennent la prédication d'un anonyme, un continuateur d'Isaïe et un grand prophète comme lui, que, faute de mieux, nous appelons le Deutéro-Isaïe ou le Second Isaïe. Il a prêché en Babylonie entre les premières victoires de Cyrus, en 550 av. J.-C., qui laissaient présager la ruine de l'empire babylonien, et l'édit libérateur de 538, qui permit* *les premiers retours. Le recueil, sans être réellement composé, offre plus d'unité que les ch.* **1-39**. *Il s'ouvre par l'équivalent d'un récit de vocation prophétique,* **40** 1-11, *et il s'achève par une conclusion,* **55** 6-13. *D'après ses premiers mots : « Consolez, consolez mon peuple »,* **40** 1, *on l'appelle le « livre de la Consolation d'Israël ».*

*C'est en effet son thème principal. Les oracles des ch.* **1-39** *étaient généralement menaçants et pleins d'allusions aux événements des règnes d'Achaz et d'Ézéchias; ceux des ch.* **40-55** *sont détachés de ce contexte historique et ils sont consolants. Le jugement a été accompli par la ruine de Jérusalem, le temps de la restauration est proche. Ce sera un complet renouveau et cet aspect est souligné par l'importance donnée au thème de Dieu créateur joint à celui de Dieu sauveur. Un nouvel Exode, plus merveilleux que le premier, ramènera le peuple à une nouvelle Jérusalem, plus belle que la première. Cette distinction entre deux temps, celui des « choses passées » et celui des « choses à venir » marque le début de l'eschatologie. Par rapport au premier Isaïe, la pensée est plus théologiquement construite. Le monothéisme est affirmé doctrinalement et la vanité des faux dieux est démontrée par leur impuissance. La sagesse et la providence insondables de Dieu sont mises en relief. L'universalisme religieux s'exprime clairement pour la première fois. Ces vérités sont dites sur un ton enflammé et avec un rythme bref, qui manifestent l'urgence du salut.*

*Dans le livre sont enclavées quatre pièces lyriques, les « chants du Serviteur »,* **42** 1-4 (5-9); **49** 1-6; **50** 4-9 (10-11); **52** 13 - **53** 12. *Ils présentent un parfait serviteur de Yahvé, rassembleur de son peuple et lumière des nations, qui prêche la vraie foi, qui expie par sa mort les péchés du peuple et est glorifié par Dieu. Ces passages sont parmi les plus étudiés de l'Ancien Testament et l'on ne s'accorde ni sur leur origine ni sur leur signification. L'attribution des trois premiers chants au Second Isaïe reste très vraisemblable; il est possible que le quatrième soit l'œuvre d'un de ses disciples. L'identification du Serviteur est très discutée. On y a souvent vu une figure de la communauté d'Israël, à laquelle d'autres passages du Second Isaïe donnent effectivement le titre de « serviteur ». Mais les traits individuels sont trop marqués et c'est pourquoi d'autres exégètes, qui forment actuellement la majorité, reconnaissent dans le Serviteur un personnage historique du passé ou du présent; dans cette perspective, l'opinion la plus attrayante est celle qui identifie le Serviteur avec le Second Isaïe lui-même; le quatrième chant aurait été ajouté après sa mort. On a combiné aussi les deux interprétations en considérant le Serviteur comme un individu incorporant les destinées de son peuple.*

*De toute manière, une interprétation qui se limiterait au passé ou au présent ne rend pas suffisamment compte des textes. Le Serviteur est le médiateur du salut à venir et cela justifie l'interprétation messianique qu'une partie de la tradition juive elle-même a donnée de ces passages, moins l'aspect de la souffrance. Ce sont au contraire les textes sur le Serviteur souffrant et son expiation vicaire que Jésus a retenus en les appliquant à lui-même et à sa mission, Lc* **22** 19-20, 37; *Mc* **10** 45, *et la première prédication chrétienne a reconnu en lui le Serviteur parfait annoncé par le Second Isaïe, Mt* **12** 17-21; *Jn* **1** 29.

*La dernière partie du livre, ch.* **56-66**, *a été considérée comme l'œuvre d'un autre prophète qu'on a appelé le « Trito-Isaïe », le Troisième Isaïe. On reconnaît généralement aujourd'hui que c'est un recueil composite. Le Psaume de* **63** 7 - **64** 11 *paraît antérieur à la fin de l'Exil; l'oracle de* **66** 1-4 *est contemporain de la reconstruction du Temple vers 520 av. J.-C. La pensée et le style des ch.* **60-62** *les apparentent de très près au Second Isaïe. Les ch.* **56-59**, *dans leur ensemble, peuvent dater du V*[e] *siècle av. J.-C. Les ch.* **65-66** *(sauf* **66** 1-4*), qui ont une forte saveur apocalyptique, ont été datés de l'époque grecque par certains exégètes, mais d'autres les placent au lendemain du retour de l'Exil. Prise en général, cette troisième partie du livre apparaît comme l'œuvre des continuateurs du Second Isaïe; c'est le dernier produit de la tradition isaïenne qui a prolongé l'action du grand prophète du VIII*[e] *siècle.*

*On a retrouvé dans une grotte du bord de la mer Morte un manuscrit complet d'Isaïe datant probablement du II*[e] *siècle avant notre ère. Il s'écarte du texte massorétique par une orthographe particulière et par des variantes dont certaines sont utiles pour l'établissement du texte. Elles sont indiquées dans les notes par le sigle 1QIs*[a].

**Jérémie.**

*Un peu plus d'un siècle après Isaïe, vers 650 av. J.-C., Jérémie naissait d'une famille sacerdotale installée aux environs de Jérusalem. Mieux que pour aucun autre prophète, sa vie et son caractère nous sont connus par les récits biographiques à la troisième personne qui parsèment son livre et dont voici la suite chronologique :* **19** 1 - **20** 6; **26**; **36**; **45**; **28-29**; **51** 59-64; **34** 8-22; **37-44**. *Les « Confessions de Jérémie »,* **11** 18 - **12** 6; **15** 10-21; **17** 4-18; **18** 18-23; **20** 7-18, *proviennent du prophète lui-même. Elles ne constituent pas une autobiogra-*

*phie, mais elles sont un témoignage émouvant des crises intérieures qu'il a traversées et qui sont décrites dans le style des Psaumes de lamentation. Appelé tout jeune par Dieu, en 626, la treizième année de Josias,* **1** 2, *il a vécu la période tragique où se prépara et s'accomplit la ruine du royaume de Juda. La réforme religieuse et la restauration nationale de Josias éveillèrent des espoirs qui furent anéantis par la mort du roi à Megiddo en 609 et par le bouleversement du monde oriental, la chute de Ninive en 612 et l'expansion de l'empire chaldéen. Dès 605, Nabuchodonosor a imposé sa domination à la Palestine, puis Juda s'est révolté à l'instigation de l'Égypte qui intriguera jusqu'à la fin et, en 597, Nabuchodonosor conquiert Jérusalem et déporte une partie de ses habitants. Une nouvelle révolte ramène les armées chaldéennes et, en 587, Jérusalem est prise, le Temple est incendié, une seconde déportation a lieu. Jérémie a traversé cette dramatique histoire, prêchant, menaçant, prédisant la ruine, avertissant en vain les rois incapables qui se succèdent sur le trône de David, accusé de défaitisme par les militaires, persécuté, incarcéré. Après la prise de Jérusalem, et bien qu'il vît dans les exilés l'espoir de l'avenir, Jérémie choisit de rester en Palestine auprès de Godolias, nommé gouverneur par les Chaldéens. Mais celui-ci fut assassiné et un groupe de Juifs, craignant les représailles, s'enfuit en Égypte, entraînant Jérémie. C'est probablement là qu'il mourut.*

*Le drame de cette vie n'est pas seulement dans les événements auxquels Jérémie fut mêlé, il est aussi dans le prophète lui-même. Il avait une âme tendre, faite pour aimer, et il a été envoyé « pour arracher et renverser, pour exterminer et démolir »,* **1** 10, *il a eu à prédire surtout le malheur,* **20** 8. *Il était désireux de paix et il a eu toujours à lutter, contre les siens, contre les rois, les prêtres, les faux prophètes, tout le peuple, « homme de querelle et de discorde pour tout le pays »,* **15** 10. *Il a été déchiré par la mission à laquelle il ne pouvait pas se soustraire,* **20** 9. *Ses dialogues intérieurs avec Dieu sont semés de cris de douleur : « Pourquoi ma souffrance est-elle continue? »* **15** 18, *et le passage poignant qui annonce Job : « Maudit soit le jour où je suis né... »,* **20** 14 *et la suite.*

*Mais cette souffrance a épuré son âme et l'a ouverte au commerce divin. Ce qui nous rend Jérémie si cher et si proche, c'est la religion intérieure et cordiale qu'il a pratiquée, avant de la formuler dans l'annonce de la Nouvelle Alliance,* **31** 31-34. *Cette religion personnelle l'a conduit à un approfondissement de l'enseignement traditionnel : Dieu scrute les reins et les cœurs,* **11** 20, *il rend à chacun selon ses actes,* **31** 29-30; *l'amitié avec Dieu,* **2** 2, *est rompue par le péché, qui sort du cœur mauvais,* **4** 4; **17** 9; **18** 12. *Ce côté affectif l'apparente à Osée dont il a subi l'influence; cette intériorisation de la Loi, ce rôle du cœur dans les rapports avec Dieu, ce souci de la personne individuelle le rapprochent du Deutéronome. Jérémie a certainement vu avec faveur la réforme de Josias qui s'inspirait de ce livre, mais il a été cruellement déçu par son inefficacité pour changer la vie morale et religieuse du peuple.*

*La mission de Jérémie a échoué de son vivant, mais sa figure n'a cessé de grandir après sa mort. Par sa doctrine d'une Alliance nouvelle, fondée sur la religion du cœur, il a été le père du Judaïsme dans sa ligne la plus pure, et l'on relève son influence dans Ézéchiel, la seconde partie d'Isaïe et plusieurs Psaumes. L'époque maccabéenne le compte parmi les protecteurs du peuple,* 2 M **2** 1-8; **15** 12-16. *En mettant les valeurs spirituelles au premier plan, en dévoilant les rapports intimes que l'âme doit avoir avec Dieu, il a préparé la Nouvelle Alliance chrétienne, et sa vie d'abnégation et de souffrance au service de Dieu, après avoir pu fournir des traits à l'image du Serviteur dans Is* **53**, *fait de Jérémie une figure du Christ.*

*Cette influence durable suppose que les enseignements de Jérémie ont été souvent lus, médités et commentés. Cette action de toute une lignée spirituelle se reflète dans la composition de son livre. Il ne se présente pas, loin de là, comme une œuvre d'un seul jet. En dehors des oracles poétiques et des récits biographiques, il contient des discours en prose dans un style proche de celui du Deutéronome. Leur authenticité a été contestée et on les a attribués à des rédacteurs « deutéronomistes » d'après l'Exil. En fait, leur style est celui de la prose judéenne du VII*ᵉ *et du début du VI*ᵉ *siècle av. J.-C., leur théologie est celle du courant religieux auquel appartiennent aussi bien Jérémie que le Deutéronome. Ils sont l'écho authentique de la prédication de Jérémie, recueillie par ses auditeurs. Toute cette tradition jérémienne ne s'est pas transmise sous une forme unique. La version grecque offre une recension qui est notablement plus courte (un huitième) que le texte massorétique et souvent différente dans le détail; les découvertes de Qumrân prouvent que les deux recensions existaient en hébreu. De plus, le grec met les oracles contre les nations après* **25** 13 *et dans un autre ordre que l'hébreu, qui les rejette à la fin du livre,* **46-51**. *Ces prophéties ont peut-être formé d'abord une collection particulière et elles ne proviennent pas toutes de Jérémie : au moins, les oracles contre Moab et Édom ont été fortement retravaillés et le long oracle contre Babylone,* **50-51**, *date de la fin de l'Exil.*

*Le ch.* **52** *se donne lui-même comme un appendice historique, qui est parallèle à* 2 *R* **24** 18 - **25** 30. *D'autres compléments de moindre étendue ont été insérés dans le cours du livre et témoignent de l'usage qu'en faisaient et de l'estime qu'en avaient les captifs de Babylone et la communauté renaissante après l'Exil. Il y a aussi une abondance de doublets, qui supposent un travail rédactionnel. Enfin, les indications chronologiques, qui sont nombreuses, ne se suivent pas. Le désordre actuel du livre est le résultat d'un long travail de composition, dont il est bien difficile de retracer toutes les étapes.*

*Le ch.* **36** *nous donne cependant des indications précieuses : en 605, Jérémie dicta à Baruch les oracles qu'il avait prononcés depuis le début de son ministère,* **36** 2, *c'est-à-dire depuis 626. Ce rouleau, brûlé par Joiaqim, fut récrit et complété,* **36** 32. *Sur le contenu de ce recueil, on ne peut faire que des hypothèses. Il semble avoir été introduit par* **25** 1-12 *et groupait les pièces antérieures à 605 qu'on trouve dans les ch.* **1-18**, *mais il contenait aussi, d'après* **36** 2, *des oracles anciens contre les nations, auxquels se réfère* **25** 13-38. *Les compléments qui y furent ajoutés ensuite sont, dans les mêmes sections, des pièces postérieures à 605 et d'autres oracles contre les nations. On y inséra les feuillets des « Confessions », dont le détail a été donné plus haut. On y joignit deux petits livrets, sur les rois,* **21** 11 - **23** 8, *et sur les prophètes,* **23** 9-40, *qui ont pu avoir existé d'abord à part.*

*On isole déjà ainsi deux parties dans le livre : l'une contient des menaces contre Juda et Jérusalem,* **1** 1 - **25** 13, *l'autre des prophéties contre les nations,* **25** 13-38 *et* **46-51**. *Une troisième partie est constituée par* **26-35**, *où l'on a rassemblé dans un ordre arbitraire des morceaux qui ont un ton plus optimiste. Ces pièces sont presque toutes en prose et proviennent en grande partie d'une biographie de Jérémie, qu'on attribue à Baruch. Il faut mettre à part les ch.* **30-31** *qui sont un livret poétique de consolation. La quatrième partie,* **36-44**, *en prose, continue la biographie de Jérémie et donne le récit de ses souffrances pendant et après le siège de Jérusalem. Elle se termine par* **45** 1-5, *qui est comme la signature de Baruch.*

**Les Lamentations.**

*La Bible hébraïque range ce petit livre avec les Hagiographes et le compte parmi les cinq « megillôt », les « rouleaux » qu'on lisait aux grandes fêtes. La Bible grecque et la Vulgate le placent à la suite de Jérémie, avec un titre qui en attribue la composition à ce prophète. La tradition se fondait sur* 2 *Ch* **35** 25 *et était appuyée par le contenu des poèmes, qui convient en effet à l'époque de Jérémie. Mais cette attribution ne peut être maintenue. Jérémie, tel que nous le connaissons par ses oracles authentiques, n'a pas pu dire que l'inspiration prophétique était tarie,* **2** 9, *ni louer Sédécias,* **4** 20, *ni espérer dans le secours égyptien,* **4** 17. *Son génie spontané se serait difficilement astreint au genre érudit de ces poèmes dont les quatre premiers sont alphabétiques, chaque strophe commençant par une des lettres de l'alphabet prises dans leur ordre, et dont le cinquième a juste 22 vers, le nombre des lettres de l'alphabet.*

*Les Lamentations* **1**, **2** *et* **4** *sont dans le genre littéraire des complaintes funèbres,* **3** *est une lamentation individuelle,* **5** *est une lamentation collective (dans le latin : Prière de Jérémie). Elles ont probablement été composées en Palestine après la ruine de Jérusalem en 587. Elles sont vraisemblablement l'œuvre d'un seul auteur qui décrit en termes poignants le deuil de la ville et de ses habitants mais, de ces plaintes douloureuses, jaillit un sentiment de confiance invincible en Dieu et de repentir profond qui fait la valeur permanente du livret. Les Juifs le récitent au grand jeûne commémoratif de la destruction du Temple et l'Église en fait usage, pendant la Semaine Sainte, pour rappeler le drame du Calvaire.*

**Baruch.**

*Le livre de Baruch est un des livres deutérocanoniques absents de la Bible hébraïque. Il est placé par la Bible grecque entre Jérémie et les Lamentations, par la Vulgate après les Lamentations. D'après l'introduction,* **1** 1-14, *il aurait été écrit par Baruch, le secrétaire de Jérémie, à Babylone après la déportation et envoyé à Jérusalem pour être lu dans les assemblées liturgiques. Il contient : une prière de confession et d'espoir,* **1** 15 - **3** 8, *un poème sapientiel,* **3** 9 - **4** 4, *où la Sagesse est identifiée à la Loi, une pièce prophétique,* **4** 5 - **5** 9, *où Jérusalem personnifiée s'adresse aux exilés et où le prophète l'encourage par le rappel des espoirs messianiques.*

*L'introduction a été écrite directement en grec; la prière de* **1** 15 - **3** 8, *qui développe celle de Dn* **9** 4-19, *remonte certainement à un original hébreu et la même conclusion est probable pour les deux autres pièces. La date de composition la plus vraisemblable est le milieu du I*[er] *siècle av. J.-C.*

*La Bible grecque garde à part la Lettre de Jérémie, que la Vulgate rattache au livre de Baruch, ch.* **6**, *avec un titre spécial. C'est une dissertation apologétique contre le culte des idoles, développant dans un style banal les thèmes déjà exploités par Jr* **10** 1-16; *Is* **44** 9-20. *L'idolâtrie ici visée est celle* *de Babylone à une basse époque. La Lettre, qui semble avoir été écrite en hébreu, date de la période grecque, sans qu'on puisse préciser davantage;* 2 *M* **2** 1-3 *paraît y faire allusion.*

*Un petit fragment du texte grec a été découvert dans l'une des grottes de Qumrân; la paléographie le date des environs de 100 av. J.-C.*

*L'intérêt du recueil composite qui porte le nom de Baruch est de nous introduire dans les communautés de la Dispersion et de nous montrer comment la vie religieuse y était maintenue par les rapports avec Jérusalem, la prière, le culte de la Loi, l'esprit de revanche et les rêves messianiques. Avec les Lamentations, il est aussi un témoin du grand souvenir laissé par Jérémie, puisqu'on rattacha les deux petits livres au prophète et à son disciple. Le souvenir de Baruch s'est perpétué; au IIe siècle de notre ère, on mit sous son nom deux Apocalypses qui nous ont été conservées, l'une en grec l'autre en syriaque (avec des fragments grecs).*

**Ézéchiel.**

*A la différence du livre de Jérémie, celui d'Ézéchiel se présente comme un tout bien ordonné. Après une introduction,* **1-3**, *où le prophète reçoit de Dieu sa mission, le corps du livre se divise clairement en quatre parties :* 1° *les ch.* **4-24** *contiennent presque uniquement des reproches et des menaces contre les Israélites avant le siège de Jérusalem;* 2° *les ch.* **25-32** *sont des oracles contre les nations, où le prophète étend la malédiction divine aux complices et aux provocateurs de la nation infidèle;* 3° *dans les ch.* **33-39**, *pendant et après le siège, le prophète console son peuple en lui promettant un avenir meilleur;* 4° *il prévoit enfin, ch.* **40-48**, *le statut politique et religieux de la communauté future, rétablie en Palestine.*

*Cependant, cette logique de la composition dissimule de sérieuses failles. Il y a de nombreux doublets, ainsi* **3** 17-21 = **33** 7-9; **18** 25-29 = **33** 17-20, *etc. Les indications sur le mutisme dont Ézéchiel est frappé par Dieu,* **3** 26; **24** 27; **33** 22, *sont séparées par de longs discours. La vision du char divin,* **1** 4 - **3** 15, *est interrompue par celle du livre,* **2** 1 - **3** 9. *De même, la description des péchés de Jérusalem,* **11** 1-21, *fait suite au ch.* **8** *et coupe manifestement le récit du départ du char divin qui, de* **10** 22, *se continue en* **11** 22. *Les dates données dans les ch.* **26-33** *ne se suivent pas. Ces maladresses sont difficilement imputables à un auteur écrivant son ouvrage d'un seul jet. Il est beaucoup plus vraisemblable qu'elles sont le fait de disciples travaillant sur des écrits ou des souvenirs, les combinant et les complétant. Le livre d'Ézéchiel a donc eu, dans une certaine mesure, le sort des autres livres prophétiques. Mais l'égalité de la forme et de la doctrine nous assure que ces disciples nous ont gardé fidèlement la pensée et, généralement, la parole même de leur maître. Leur travail rédactionnel est surtout sensible dans la dernière partie du livre,* **40-48**, *dont le noyau remonte cependant à Ézéchiel lui-même.*

*D'après l'état actuel, Ézéchiel a exercé toute son activité parmi les exilés de Babylonie entre 593 et 571, les dates extrêmes données par le texte,* **1** 2 *et* **29** 17. *On s'est étonné que, dans ces conditions, les oracles de la première partie paraissent adressés aux habitants de Jérusalem et que parfois Ézéchiel ait l'air d'être corporellement présent dans la ville, surtout* **11** 13. *On a donc émis l'hypothèse d'un double ministère d'Ézéchiel : il serait resté en Palestine et y aurait prêché jusqu'après la ruine de Jérusalem en 587. C'est seulement alors qu'il aurait rejoint les captifs de Babylonie. La vision du rouleau en* **2** 1 - **3** 9 *marquerait la vocation du prophète en Palestine, celle du char divin,* **1** 4-28 *et* **3** 10-15, *marquerait l'arrivée chez les exilés. Le transfert de cette vision au début du livre en aurait changé toute la perspective. Cette hypothèse sert à répondre à certaines difficultés, mais elle en soulève d'autres. Elle entraîne de sérieux remaniements du texte, elle doit admettre que, même pendant son ministère « palestinien », Ézéchiel vivait ordinairement en dehors de la ville, puisqu'il y est « transporté »,* **8** 3, *et il est curieux que, si Ézéchiel et Jérémie ont prêché ensemble à Jérusalem, ni l'un ni l'autre ne fasse allusion au ministère de son confrère. D'autre part, les difficultés de la thèse traditionnelle ne doivent pas être exagérées : les reproches adressés aux gens de Jérusalem servaient de leçon aux exilés et, lorsque Ézéchiel paraît être dans la Ville Sainte, le texte dit explicitement qu'il y est transporté « en vision »,* **8** 3, *comme il en est ramené « en vision »,* **11** 24. *L'hypothèse d'un double ministère ne garde que peu de partisans.*

*Quelle que soit la solution adoptée, la même grande figure se dégage du livre. Ézéchiel est un prêtre,* **1** 3. *Le Temple est sa préoccupation majeure, qu'il s'agisse du Temple présent qui est souillé par des rites impurs,* **8**, *et que quitte la Gloire de Yahvé,* **10**, *ou du Temple futur, dont il décrit minutieusement le plan,* **40-42**, *et où il voit revenir Dieu,* **43**. *Il a le culte de la Loi et, dans son histoire des infidélités d'Israël,* **20**, *le reproche d'avoir « profané les sabbats » revient comme un refrain. Il a horreur des impuretés légales,* **4** 14, *et un grand souci de séparer le sacré du profane,* **45** 1-6. *En qualité de prêtre, il réglait des cas de droit ou de morale, et son enseignement prend de ce fait un tour casuistique,* **18**. *Sa pensée et son vocabu-*

*laire s'apparentent à la Loi de Sainteté, Lv* **17-26.** *Cependant on ne peut démontrer ni qu'il s'en soit inspiré ni que la Loi de Sainteté dépende de lui, et les contacts les plus frappants se trouvent dans des passages rédactionnels. Il reste que les deux ensembles ont été transmis dans des milieux de pensée très voisins. L'œuvre d'Ézéchiel s'intègre au courant « sacerdotal » comme celle de Jérémie appartenait au courant « deutéronomiste ».*

*Mais ce prêtre est aussi un prophète d'action. Plus qu'aucun autre, il a multiplié les gestes symboliques. Il mime le siège de Jérusalem,* **4** 1 - **5** 4, *le départ des émigrants,* **12** 1-7, *le roi de Babylone à la croisée des chemins,* **21** 23*s, l'union de Juda et d'Israël,* **37** 15*s. Jusque dans les épreuves personnelles que Dieu lui envoie, il est un « signe » pour Israël,* **24** 24, *comme avaient été Osée, Isaïe et Jérémie. Mais la complexité de ses actions symboliques contraste avec la simplicité des gestes de ses prédécesseurs.*

*Ézéchiel est surtout un visionnaire. Son livre ne contient que quatre visions proprement dites, mais elles occupent une place considérable :* **1-3**; **8-11**; **37**; **40-48.** *Elles ouvrent un monde fantastique : les quatre animaux du char de Yahvé, la sarabande cultuelle du Temple avec son grouillement de bêtes et d'idoles, la plaine d'ossements qui s'animent, un Temple futur dessiné comme sur un plan d'architecte, d'où jaillit un fleuve de rêve dans une géographie utopique. Ce pouvoir d'imaginer s'étend aux tableaux allégoriques que trace le prophète : les deux sœurs Ohola et Oholiba,* **23**, *le Naufrage de Tyr,* **27**, *le Pharaon-Crocodile,* **29** *et* **32**, *l'Arbre Géant,* **31**, *la Descente aux Enfers,* **32**.

*En contraste avec cette puissance visuelle, peut-être comme sa rançon et comme si l'intensité des images étouffait l'expression, le style d'Ézéchiel est monotone et gris, froid et dilué, d'une indigence rare quand on le compare à celui des grands classiques, à la pureté vigoureuse d'Isaïe, à la chaleur émouvante de Jérémie. L'art d'Ézéchiel vaut par ses dimensions et son relief, qui créent comme une atmosphère d'horreur sacrée devant le mystère du divin.*

*On voit que, si par bien des traits Ézéchiel se relie à ses prédécesseurs, il ouvre néanmoins une voie nouvelle. Et cela est vrai aussi de sa doctrine. Ézéchiel rompt avec le passé de sa nation. Le souvenir des promesses faites aux Pères et de l'Alliance conclue au Sinaï apparaît sporadiquement mais, si Dieu a sauvé jusqu'ici son peuple souillé dès sa naissance,* **16** 3*s, ce n'est pas pour accomplir les promesses, c'est pour défendre l'honneur de son nom,* **20**; *s'il doit remplacer l'Alliance ancienne par une Alliance éternelle,* **16** 60; **37** 26*s, ce n'est pas en récompense d'un « retour » du peuple vers lui, c'est par une bienveillance pure, nous dirions une grâce prévenante, et le repentir viendra après,* **16** 62-63. *Le messianisme d'Ézéchiel, d'ailleurs peu exprimé, n'est plus royal et glorieux : il annonce bien un futur David mais celui-ci ne sera que le « berger » de son peuple,* **34** 23; **37** 24, *un « prince »,* **24** 24, *et non plus un roi, pour lequel il n'y a pas de place dans la vision théocratique de l'avenir,* **45** 7*s. Il rompt avec la tradition de la solidarité dans le châtiment et affirme le principe de la rétribution individuelle,* **18**; *cf.* **33**. *Solution théologique provisoire qui, trop souvent contredite par les faits, conduira lentement à l'idée d'une rétribution outre-tombe. Prêtre si attaché à son Temple, il rompt, comme avait déjà fait Jérémie, avec l'idée que Dieu est lié à son sanctuaire. En lui se marient l'esprit prophétique et l'esprit sacerdotal qui étaient restés souvent opposés : les rites – qui subsistent – sont valorisés par les sentiments qui les inspirent. Toute la doctrine d'Ézéchiel est centrée sur le renouvellement intérieur : il faut se faire un cœur nouveau et un esprit nouveau,* **18** 31, *ou plutôt Dieu lui-même donnera un « autre » cœur, un cœur « nouveau », et mettra dans l'homme un esprit « nouveau »,* **11** 19; **36** 26. *Comme pour la bienveillance divine qui prévient le repentir, on est ici au seuil de la théologie de la grâce, que développeront saint Jean et saint Paul.*

*Cette spiritualisation de toutes les données religieuses est le grand apport d'Ézéchiel. Quand on l'appelle le père du Judaïsme, on se réfère souvent à son souci de séparation du profane, de pureté légale, à ses minuties rituelles, et l'on pense aux Pharisiens. Cela est tout à fait injuste : Ézéchiel, comme Jérémie mais d'une autre manière, est à l'origine du courant spirituel très pur qui a traversé le Judaïsme et débouche dans le Nouveau Testament. Jésus est le Bon Pasteur qu'Ézéchiel avait annoncé et il a inauguré le culte en esprit que celui-ci avait appelé.*

*Par un autre de ses aspects, Ézéchiel est à l'origine du courant apocalyptique. Ses visions grandioses préludent à celles de Daniel et il n'est pas étonnant que dans l'Apocalypse de saint Jean on retrouve si souvent son influence.*

**Daniel.**

*A considérer son contenu, le livre de Daniel se divise en deux parties. Les ch.* **1-6** *sont des récits : Daniel et ses trois compagnons au service de Nabuchodonosor,* **1**; *le songe de Nabuchodonosor : la statue composite,* **2**; *l'adoration de la statue d'or et les trois compagnons de Daniel dans la fournaise,* **3**; *la folie de Nabuchodonosor,* **4**; *le fes-*

*tin de Balthazar,* **5***; Daniel dans la fosse aux lions,* **6***. Dans tous ces cas, Daniel ou ses compagnons sortent triomphants d'une épreuve d'où dépend leur vie, ou au moins leur réputation, et les païens glorifient Dieu qui les a sauvés. Les scènes se passent à Babylone sous les règnes de Nabuchodonosor, de son « fils » Balthazar et du successeur de celui-ci, « Darius le Mède ». Les ch.* **7-12** *sont des visions, dont Daniel est le bénéficiaire : les Quatre Bêtes,* **7***; le Bouc et le Bélier,* **8***; les soixante-dix Semaines,* **9***; la grande vision du Temps de la Colère et du Temps de la Fin,* **10-12***. Elles sont datées des règnes de Balthazar, de Darius le Mède et de Cyrus roi de Perse, et elles sont situées en Babylonie.*

*De cette division, on a parfois conclu à l'existence de deux écrits d'époques différentes combinés par un éditeur. Mais d'autres indices contredisent cette distinction. Les récits sont à la troisième personne et les visions sont racontées par Daniel lui-même, mais la première vision,* **7***, est encadrée par une introduction et une conclusion à la troisième personne. Le début du livre est en hébreu mais, en* **2** 4*, on passe brusquement à l'araméen, qui continue jusqu'à la fin de* **7***, enjambant ainsi la partie des visions; les derniers chapitres sont de nouveau en hébreu. On a proposé de cette dualité de langue plusieurs explications, dont aucune n'est convaincante. Ainsi la division d'après le style (1re ou 3e personne) et celle d'après la langue (hébreu ou araméen) ne correspondent pas à celle qui ressort du contenu (récits ou visions). D'autre part, le ch.* **7** *est commenté par le ch.* **8***, mais il est parallèle au ch.* **2***; son araméen est le même que celui des ch.* **2-4***, mais des traits de son style se retrouvent dans les ch.* **8-12***, bien qu'ils soient écrits en hébreu. Ce ch.* **7** *forme donc un lien entre les deux parties du livre et assure son unité. De plus, Balthazar et Darius le Mède apparaissent dans les deux parties du livre, soulevant les mêmes difficultés pour les historiens. Enfin, les procédés littéraires et les modes de pensée sont les mêmes d'un bout à l'autre du livre, et cette égalité est l'argument le plus fort pour l'unité de sa composition.*

*La date de celle-ci est fixée par le témoignage clair que donne le ch.* **11***. Les guerres entre Séleucides et Lagides et une partie du règne d'Antiochus Épiphane y sont racontées avec un grand luxe de détails insignifiants pour le propos de l'auteur. Ce récit ne ressemble à aucune prophétie de l'Ancien Testament et, malgré son style prophétique, relate des événements déjà accomplis. Mais, à partir de* **11** 40*, le ton change, le « Temps de la Fin » est annoncé dans une manière qui rappelle les autres prophètes. Le livre aurait donc été composé pendant la persécution d'Antiochus Épiphane et avant la mort de celui-ci, avant même la victoire de l'insurrection maccabéenne, c'est-à-dire entre 167 et 164.*

*Rien dans le reste du livre ne contredit à cette date. Les récits de la première partie sont situés à l'époque chaldéenne, mais certains indices montrent que l'auteur est assez loin des événements. Balthazar est le fils de Nabonide, et non pas de Nabuchodonosor comme dit le texte, et il n'a jamais eu le titre de roi. Darius le Mède est inconnu des historiens et il n'y a pas de place pour lui entre le dernier roi chaldéen et Cyrus le Perse, qui avait déjà vaincu les Mèdes. Le milieu néo-babylonien est décrit avec des mots d'origine perse; même, les instruments de l'orchestre de Nabuchodonosor portent des noms transcrits du grec. Les dates données dans le livre ne concordent pas entre elles ni avec l'histoire telle que nous la connaissons et elles semblent avoir été mises en tête des chapitres sans grand souci de la chronologie. L'auteur a utilisé des traditions, orales ou écrites, qui circulaient à son époque. Les manuscrits de la mer Morte contiennent des fragments d'un cycle de Daniel qui est apparenté au livre canonique, en particulier une prière de Nabonide qui rappelle Dn* **3** 31 - **4** 34*, où le nom de Nabuchodonosor a remplacé celui de Nabonide. L'auteur, ou ses sources, a nommé comme héros de ces histoires pieuses un Daniel ou Dan'el qu'Ez* **14** 14-20*;* **28** 3 *cite comme un juste et un sage des anciens temps et que connaissaient aussi les poèmes de Râs Shamra au XIVe siècle avant notre ère.*

*Cette jeunesse du livre explique sa place dans la Bible hébraïque. Il y a été admis après la fixation du canon des Prophètes et il a été rangé, entre Esther et Esdras, dans le groupe composite des « autres écrits », qui forment la dernière partie du canon hébreu. Les Bibles grecque et latine le replacent parmi les prophètes et lui ajoutent quelques parties deutérocanoniques : le Psaume d'Azarias et le Cantique des trois jeunes gens,* **3** 24-90*, l'histoire de Suzanne, où éclate la candeur clairvoyante de Daniel enfant,* **13***, les histoires de Bel et du serpent sacré, qui sont des satires de l'idolâtrie,* **14***. La traduction grecque de la Septante (LXX) diffère beaucoup de celle de Théodotion (Théod.), qui reste très proche du texte massorétique.*

*Le livre est destiné à soutenir la foi et l'espérance des Juifs persécutés par Antiochus Épiphane. Daniel et ses compagnons ont été soumis aux mêmes épreuves, abandon des prescriptions de la Loi,* **1***, tentations d'idolâtrie,* **3** *et* **6***; ils en sont sortis vainqueurs et les anciens persécuteurs ont dû reconnaître la puissance du vrai Dieu. Le persécuteur moderne est dépeint en traits plus noirs, mais,* *quand la Colère de Dieu sera satisfaite,* **8** 19; **11** 36, *viendra le temps de la Fin,* **8** 17; **11** 40, *où le persécuteur sera brisé,* **8** 25; **11** 45. *Ce sera la fin des malheurs et du péché et l'avènement du Royaume des Saints, gouverné par un « Fils d'homme », dont l'empire ne passera point,* **7**.

*Cette attente de la Fin, cette espérance du Royaume traverse tout le livre,* **2** 44; **3** 33 *(*100*);* **4** 31; **7** 14. *Dieu en procurera l'avènement dans un délai qu'il a fixé mais qui englobe en même temps toute la durée humaine. Les moments de l'histoire du monde deviennent des moments du dessein divin sur le plan éternel. Le passé, le présent, l'avenir, tout devient prophétie parce que tout est vu dans la lumière de Dieu « qui alterne périodes et temps »,* **2** 21. *Par cette vision à la fois temporelle et extra-temporelle, l'auteur révèle le sens prophétique de l'histoire. Ce secret de Dieu,* **2** 18, *etc.;* **4** 6, *est dévoilé par l'intermédiaire d'êtres mystérieux, qui sont les messagers et les agents du Très-Haut; la doctrine des anges s'affirme dans le livre de Daniel comme dans ceux d'Ézéchiel et surtout de Tobie. La révélation concerne le dessein caché de Dieu sur son peuple et sur les peuples. Il touche les nations comme les individus. Un texte important sur la résurrection annonce le réveil des morts pour une vie ou un opprobre éternels,* **12** 2. *Le Royaume qu'on attend s'étendra à tous les peuples,* **7** 14, *il sera sans fin, ce sera le Royaume des Saints,* **7** 18, *le Royaume de Dieu,* **3** 33 *(*100*);* **4** 31, *le Royaume du Fils d'homme, à qui fut conférée toute puissance,* **7** 13-14.

*Ce mystérieux Fils d'homme, que* **7** 18 *et* 21-27 *identifie avec la communauté des Saints, est aussi sa tête, le chef du royaume eschatologique, mais ce n'est pas le Messie davidique. Cette interprétation individuelle est devenue courante dans le Judaïsme et a été reprise par Jésus, qui s'est appliqué le titre de Fils de l'homme pour souligner le caractère transcendant et spirituel de son messianisme, Mt* **8** 20+.

*Le livre de Daniel ne représente plus le vrai courant prophétique. Il ne contient pas la prédication d'un prophète envoyé par Dieu en mission auprès de ses contemporains, il a été composé et immédiatement écrit par un auteur qui se cache derrière un pseudonyme, comme déjà le livret de Jonas. Les histoires édifiantes de la première partie s'apparentent à une classe d'écrits de sagesse dont on a un exemple ancien dans l'histoire de Joseph de la Genèse, un exemple récent dans le livre de Tobie, écrit peu avant Daniel. Les visions de la seconde partie apportent la révélation d'un secret divin, expliqué par les anges, pour les temps futurs, dans un style volontairement énigmatique; ce « livre scellé »,* **12** 4, *inaugure pleinement le genre apocalyptique qui avait été préparé par Ézéchiel et qui s'épanouira dans la littérature juive. L'Apocalypse de saint Jean lui correspond dans le Nouveau Testament, mais alors les sceaux du livre fermé sont brisés, Ap* **5**-**6**, *les paroles ne sont plus tenues secrètes, car « le temps est proche », Ap* **22** 10, *et l'on attend la venue du Seigneur, Ap* **22** 20, 1 *Co* **16** 22.

## Les Douze Prophètes.

*Le dernier livre du canon hébreu des Prophètes est appelé simplement « les Douze ». Il groupe en effet douze livrets attribués à différents prophètes. La Bible grecque l'intitule le* « Dodécaprophéton », *l'Église chrétienne le considère comme le recueil des douze* Petits Prophètes, *ce qui dénote la brièveté des livrets et non pas une valeur moindre que celle des « grands » prophètes. La collection était déjà constituée à l'époque de l'Ecclésiastique, Si* **49** 10. *La Bible hébraïque, suivie par la Vulgate, range ces petits livres d'après la succession historique que la tradition leur attribuait. Le classement est un peu différent dans la Bible grecque, qui les donne d'ailleurs avant les Grands Prophètes.*

*La traduction suit la disposition traditionnelle de la Vulgate (et de l'hébreu) mais les livres sont présentés ici selon l'ordre historique le plus vraisemblable.*

## Amos.

*Amos était berger à Teqoa, sur la lisière du désert de Juda,* **1** 1; *étranger aux confréries de prophètes, il a été pris par Yahvé de derrière son troupeau et envoyé pour prophétiser à Israël,* **7** 14. *Après un court ministère qui eut pour cadre principal le sanctuaire schismatique de Béthel,* **7** 10*s*, *et s'exerça probablement aussi à Samarie, cf.* **3** 9; **4** 1; **6** 1, *il fut expulsé d'Israël et revint à ses occupations premières.*

*Il prêche sous le règne de Jéroboam II, 783-743, époque humainement glorieuse, où le royaume du Nord s'étend et s'enrichit, mais où le luxe des grands insulte à la misère des opprimés et où la splendeur du culte masque l'absence d'une religion vraie. Avec la rudesse simple et fière et avec la richesse d'images d'un homme de la campagne, Amos condamne au nom de Dieu la vie corrompue des cités, les injustices sociales, la fausse assurance qu'on met en des rites où l'âme ne s'engage pas,* **5** 21-22. *Yahvé, souverain Seigneur du monde, qui punit toutes les nations,* **1**-**2**, *châtiera durement Israël, que son élection oblige à une plus grande justice morale,* **3** 2. *Le « Jour de Yahvé » (l'expression vient ici pour la première fois) sera ténèbres* *et non lumière,* **5** 18*s, la vengeance sera terrible,* **6** 8*s, exercée par un peuple que Dieu appelle,* **6** 14, *l'Assyrie qui n'est pas nommée mais qui occupe l'horizon du prophète. Toutefois Amos ouvre une petite espérance, la perspective d'un salut pour la maison de Jacob,* **9** 8, *pour le « reste » de Joseph,* **5** 15 *(premier emploi prophétique de ce terme). Cette profonde doctrine sur Dieu, maître universel et tout-puissant, défenseur de la justice, est exprimée avec une assurance absolue, sans que jamais le prophète ait l'air d'innover : sa nouveauté est dans la force avec laquelle il rappelle les exigences du pur Yahvisme.*

*Le livre nous est parvenu dans un certain désordre; en particulier, le récit en prose,* **7** 10-17, *qui sépare deux visions, se placerait mieux à la fin des oracles. On peut hésiter sur l'attribution à Amos lui-même de quelques courts passages. Les doxologies,* **4** 13*;* **5** 8-9*;* **9** 5-6, *ont peut-être été ajoutées pour la lecture liturgique. Les courts oracles contre Tyr, Édom,* **1** 9-12, *et Juda,* **2** 4-5, *semblent dater de l'Exil. La discussion porte davantage sur* **9** 8[b]-10 *et surtout sur* **9** 11-15. *Il n'y a pas de raison sérieuse de suspecter le premier de ces passages, mais il est vraisemblable que le second a été ajouté : on ne doit pas tirer argument des promesses de salut qu'il contient et qui, dès le début, furent un thème de la prédication des prophètes, ici* **5** 15 *et à la même époque chez Osée, mais ce qui est dit de la hutte branlante de David, de la vengeance contre Édom, d'un retour et d'un rétablissement d'Israël, suppose l'époque de l'Exil et peut être attribué, avec quelques autres retouches, à une édition deutéronomiste du livre.*

**Osée.**

*Originaire du royaume du Nord, Osée est le contemporain d'Amos, puisqu'il a commencé de prêcher sous Jéroboam II; son ministère s'est prolongé sous les successeurs de ce roi; mais il ne paraît pas qu'il ait vu la ruine de Samarie en 721. C'est en Israël une sombre période : conquêtes assyriennes de 734-732, révoltes intérieures – quatre rois sont assassinés en quinze ans – corruption religieuse et morale.*

*De la vie d'Osée pendant cette période troublée nous ne connaissons que son drame personnel,* **1-3**, *mais celui-ci fut décisif pour son action prophétique. Le sens de ces premiers chapitres est discuté. Voici l'interprétation la plus vraisemblable : Osée avait épousé une femme qu'il aimait et qui l'a quitté, mais il a continué de l'aimer et l'a reprise après l'avoir éprouvée. L'expérience douloureuse du prophète devient un symbole de la conduite de Yahvé envers son peuple et la conscience de ce symbolisme a pu modifier la présentation des faits. Le ch.* **2** *fait l'application et donne en même temps la clé de tout le livre : Israël a été épousée par Yahvé, elle s'est conduite comme une femme infidèle, comme une prostituée, et a provoqué la fureur et la jalousie de son époux divin. Celui-ci l'aime toujours, il la châtiera mais pour la ramener à lui et lui rendre les joies de leur premier amour.*

*Avec une audace qui étonne et une passion qui bouleverse, l'âme tendre et violente d'Osée a exprimé pour la première fois les rapports de Yahvé et d'Israël dans les termes d'un mariage. Tout son message a pour thème fondamental l'amour de Dieu méconnu par son peuple. Sauf une courte idylle au désert, Israël n'a répondu aux avances de Yahvé que par la trahison. Osée s'en prend surtout aux classes dirigeantes de la société. Les rois, choisis contre la volonté de Yahvé, ont, par leur politique séculière, dégradé le peuple élu au rang des autres peuples. Les prêtres, ignorants et rapaces, conduisent le peuple à sa perte. Comme Amos, Osée condamne les injustices et les violences, mais il s'appesantit plus que lui sur l'infidélité religieuse : Yahvé est à Béthel l'objet d'un culte idolâtrique, on l'associe à Baal et à Astarté dans le culte licencieux des hauts lieux. Osée proteste contre le titre de* baal, *au sens de « Seigneur », que l'on donnait à Yahvé,* **2** 18, *et il revendique pour le Dieu d'Israël l'action bienfaisante que l'on était tenté d'attribuer à Baal, dieu de la fertilité,* **2** 7, 10; *Yahvé est un Dieu jaloux, qui veut avoir sans partage le cœur de ses fidèles : « Ce que je veux, c'est l'amour, non les sacrifices, la connaissance de Dieu, non les holocaustes »,* **6** 6. *Le châtiment est donc inévitable : cependant, Dieu ne châtie que pour sauver. Israël dépouillé et humilié se souviendra du temps où il était fidèle, et Yahvé accueillera son peuple repentant, qui jouira du bonheur et de la paix.*

*Après avoir voulu retrancher du livre toute annonce de bonheur et tout ce qui concernait Juda, la critique revient à des jugements plus modérés. Ne faire d'Osée qu'un prophète de malheur serait fausser tout son message et il est naturel que son regard se soit étendu sur le royaume voisin de Juda. Il faut cependant admettre que la collection des oracles d'Osée, rassemblée en Israël, a été recueillie en Juda et y a été l'objet d'une ou de deux révisions. Les marques de ce travail d'édition se trouvent dans le titre,* **1** 1, *et dans certains passages, par exemple* **1** 7*;* **5** 5*;* **6** 11*;* **12** 3. *Le verset final,* **14** 10, *est la réflexion d'un sage de l'époque exilique ou postexilique sur l'enseignement principal du livre et sur sa profondeur. La difficulté de son interprétation est accrue pour nous par l'état déplorable* *du texte hébreu, qui est l'un des plus corrompus de tout l'Ancien Testament.*

*Le livre d'Osée a eu des résonances profondes dans l'Ancien Testament et on retrouve son écho dans les exhortations des prophètes suivants à une religion du cœur, inspirée par l'amour de Dieu. Jérémie a été profondément influencé par lui. Il n'est pas étonnant que le Nouveau Testament cite Osée ou s'en inspire assez souvent. L'image matrimoniale des relations entre Yahvé et son peuple a été reprise par Jérémie, Ézéchiel et la seconde partie d'Isaïe. Le Nouveau Testament et la communauté issue de lui l'ont appliquée aux rapports entre Jésus et son Église. Les mystiques chrétiens l'ont étendue à toutes les âmes fidèles.*

**Michée.**

*Le prophète Michée (qu'il ne faut pas confondre avec Michée Ben Yimla qui vécut sous le règne d'Achab,* 1 *R* **22***) était un Judéen, originaire de Moréshèt, à l'ouest d'Hébron. Il a exercé son action sous les rois Achaz et Ézéchias, c'est-à-dire avant et après la prise de Samarie en 721 et peut-être jusqu'à l'invasion de Sennachérib en 701. Il fut donc en partie le contemporain d'Osée et, plus longuement, d'Isaïe. Par son origine campagnarde, il s'apparente à Amos, dont il partage l'aversion pour les grandes cités, le langage concret et parfois brutal, le goût des images rapides et des jeux de mots.*

*Le livre se divise en quatre parties qui font alterner la menace et la promesse :* **1** 2 - **3** 12, *procès d'Israël;* **4** 1 - **5** 14, *promesses à Sion;* **6** 1 - **7** 7, *nouveau procès d'Israël;* **7** 8-20, *espérances. Les promesses à Sion contrastent trop violemment avec les menaces qui les encadrent et cette composition balancée est un arrangement des éditeurs du livre. Il est difficile de déterminer l'étendue des remaniements qu'il a subis dans le milieu spirituel où se gardait le souvenir du prophète. On s'accorde à reconnaître que* **7** 8-20 *se situe nettement à l'époque du retour de l'Exil. C'est dans ce temps aussi que se placeraient le mieux l'oracle de* **2** 12-13, *perdu parmi des menaces, et les annonces de* **4** 6-7; **5** 6-7. *D'autre part,* **4** 1-5 *se retrouve à peu près textuellement dans Is* **2** 2-5, *et ne semble être primitif dans aucun des deux contextes. Mais il ne faut pas s'autoriser de ces additions pour retrancher du message authentique de Michée toutes les promesses d'avenir. La collection d'oracles des ch.* **4-5** *a été constituée pendant ou après l'Exil, mais elle contient des pièces authentiques et, en particulier, il n'y a pas de raison décisive pour refuser à Michée l'annonce messianique de* **5** 1-5, *qui concorde avec ce qu'Isaïe faisait espérer à la même époque, Is* **9** 1*s;* **11** 1*s.*

*Nous ne savons rien de la vie de Michée ni comment il fut appelé par Dieu. Mais il avait une conscience aiguë de sa vocation prophétique et c'est pour cela que, se distinguant des faux inspirés, il annonce avec assurance le malheur* **2** 6-11; **3** 5-8. *Il porte la parole de Dieu et celle-ci est d'abord une condamnation. Yahvé fait le procès de son peuple,* **1** 2; **6** 1*s, et le trouve coupable : fautes religieuses sans doute, mais surtout fautes morales, et Michée fustige les riches accapareurs, les créanciers impitoyables, les commerçants fraudeurs, les familles divisées, les prêtres et les prophètes cupides, les chefs tyranniques, les juges vénaux. C'est le contraire de ce que Yahvé réclamait : « accomplir la justice, aimer avec tendresse, et marcher humblement avec Dieu »,* **6** 8, *formule admirable, qui résume les revendications spirituelles des prophètes et rappelle surtout Osée. Le châtiment est décidé : dans un bouleversement du monde,* **1** 3-4, *Yahvé viendra juger et punir son peuple, la ruine de Samarie est annoncée,* **1** 6-7, *celle des villes du Bas-Pays où vit Michée,* **1** 8-15, *celle même de Jérusalem, qui deviendra un monceau de décombres,* **3** 12.

*Cependant le prophète garde une espérance,* **7** 7. *Il reprend la doctrine du reste, ébauchée par Amos, et il annonce la naissance en Éphrata du Roi pacifique qui fera paître le troupeau de Yahvé,* **5** 1-5.

*L'influence de Michée fut durable : les contemporains de Jérémie connaissaient et citaient de lui un oracle contre Jérusalem, Jr* **26** 18. *Le Nouveau Testament a surtout retenu le texte sur l'origine du Messie en Éphrata-Bethléem, Mt* **2** 6*; Jn* **7** 42.

**Sophonie.**

*D'après le titre de son livre, Sophonie a prophétisé sous Josias, 640-609. Ses attaques contres les modes étrangères,* **1** 8, *et les cultes des faux dieux,* **1** 4-5, *ses reproches aux ministres,* **1** 8, *et son silence sur le roi indiquent qu'il prêcha avant la réforme religieuse et pendant la minorité de Josias, entre 640 et 630, donc juste avant que ne commence le ministère de Jérémie. Juda, amputé par Sennachérib d'une partie de son territoire, a vécu sous la domination assyrienne, et les règnes impies de Manassé et d'Amon ont favorisé le désordre religieux. Mais l'affaiblissement de l'Assyrie suscite maintenant l'espoir d'une restauration nationale, qui s'accompagnera d'une réforme religieuse.*

*Le livre se divise en quatre courtes sections : le Jour de Yahvé,* **1** 2 - **2** 3; *contre les nations,* **2** 4-15; *contre Jérusalem,* **3** 1-8; *promesses,* **3** 9-20. *Sans raison suffisante, on a voulu retrancher cer-*

*tains oracles contre les nations et toutes les promesses de la dernière section; comme tous les recueils prophétiques, celui de Sophonie a reçu des retouches et des additions, mais elles sont peu nombreuses : en particulier, les annonces de la conversion des païens,* **2** 11 *et* **3** 9-10, *étrangères au contexte, s'inspirent du Second Isaïe, l'authenticité des petits psaumes* **3** 14-15 *et* 16-18[a] *est très discutée et l'on s'accorde à dater du temps de l'Exil les derniers versets,* **3** 18[b]-20.

*Le message de Sophonie se résume en une annonce du Jour de Yahvé (voir Amos), une catastrophe qui atteindra les nations aussi bien que Juda. Celui-ci est condamné pour ses fautes religieuses et morales, qui sont inspirées par l'orgueil et la révolte,* **3** 1,11. *Sophonie a du péché une notion profonde, qui annonce celle de Jérémie : c'est une atteinte personnelle au Dieu vivant. Le châtiment des nations est un avertissement,* **3** 7, *qui devrait ramener le peuple à l'obéissance et à l'humilité,* **2** 3, *et le salut n'est promis qu'à un « reste » humble et modeste,* **3** 12-13. *Le messianisme de Sophonie se réduit à cet horizon, qui est sans doute limité mais qui découvre le contenu spirituel des promesses.*

*Le petit livre de Sophonie a eu une influence restreinte et il n'est utilisé qu'une fois dans le Nouveau Testament, Mt* **13** 41. *Mais la description du Jour de Yahvé,* **1** 14-18, *a inspiré celle de Joël et a fourni au moyen âge le début du* Dies irae.

## Nahum.

*Le livre de Nahum s'ouvre par un psaume sur la Colère de Yahvé contre les méchants et des sentences prophétiques qui opposent le châtiment d'Assur et le salut de Juda,* **1** 2 - **2** 3, *mais le sujet principal, indiqué par le titre, est la ruine de Ninive, annoncée et décrite avec une puissance d'évocation qui fait de Nahum l'un des grands poètes d'Israël,* **2** 4 - **3** 19. *Il n'y a pas de raison de lui retirer le psaume et les oracles du début, qui forment une bonne introduction à ce terrible tableau.*

*On a soutenu, mais sans preuves suffisantes, que cette introduction (ou tout le livre) avait une origine cultuelle ou, au moins, avait été utilisée dans la liturgie du Temple.*

*La prophétie est un peu antérieure à la prise de Ninive en 612. On y sent frémir toute la passion d'Israël contre l'ennemi héréditaire, le peuple d'Assur, on y entend chanter les espérances qu'éveille sa chute. Mais, à travers ce nationalisme violent qui ne soupçonne pas encore l'Évangile ni même l'universalisme de la seconde partie d'Isaïe, s'exprime un idéal de justice et de foi : la ruine de Ninive est un jugement de Dieu, qui punit l'ennemi du plan divin,* **1** 11; **2** 1, *l'oppresseur d'Israël,* **1** 12-13, *et de tous les peuples,* **3** 1-7.

*Le livret de Nahum a dû alimenter les espoirs humains d'Israël aux environs de 612, mais la joie fut de courte durée et la ruine de Jérusalem suivit de peu celle de Ninive. Le sens du message s'élargit et s'approfondit alors et Is* **52** 7 *reprend l'image de Na* **2** 1 *pour décrire l'avènement du salut. On a retrouvé à Qumrân les fragments d'un commentaire de Nahum, qui appliquait arbitrairement les dits du prophète aux ennemis de la communauté.*

## Habaquq.

*Le court livre d'Habaquq est très soigneusement composé. Il débute par un dialogue entre le prophète et son Dieu : à deux complaintes du prophète répondent deux oracles divins,* **1** 2 - **2** 4. *Le second oracle fulmine cinq imprécations contre l'oppresseur inique,* **2** 5-20. *Puis le prophète chante, dans un psaume, le triomphe final de Dieu,* **3**. *On a contesté l'authenticité de ce dernier chapitre, mais sans lui, la composition serait boiteuse. Les indications musicales qui l'encadrent et le ponctuent attestent seulement que ce psaume servit à la liturgie. Il est douteux qu'il faille étendre cet usage cultuel à tout le livre; son style s'explique suffisamment par l'imitation de pièces liturgiques. Cela ne suffit pas pour faire d'Habaquq un prophète cultuel, un membre du personnel du Temple. Le commentaire d'Habaquq qui provient de Qumrân ne s'étend pas au-delà du ch.* **2**, *mais cela ne signifie rien contre l'authenticité du ch.* **3**.

*On discute sur les circonstances de la prophétie et l'identification de l'oppresseur. On a pensé aux Assyriens ou aux Chaldéens, ou même au roi de Juda, Joiaqim. La dernière hypothèse n'est pas soutenable; les deux autres s'appuient sur de bons arguments. Si l'on accepte que les oppresseurs représentent les Assyriens, c'est contre eux que Dieu suscite les Chaldéens,* **1** 5-11, *et la prophétie se placerait avant la chute de Ninive en 612. On peut aussi admettre que les oppresseurs sont d'un bout à l'autre les Chaldéens, nommés à* **1** 6. *Ils ont été les instruments de Dieu pour châtier son peuple, mais ils seront châtiés à leur tour pour leur violence inique, car Yahvé s'est mis en campagne pour sauver son peuple, et le prophète attend cette intervention divine avec une angoisse qui fait enfin place à la joie. Si cette interprétation est valable, le livre se date entre la bataille de Karkémish en 605, qui a donné le Proche Orient à Nabuchodonosor, et le premier siège de Jérusalem en 597. Habaquq serait ainsi de peu postérieur à Nahum et, comme lui, contemporain de Jérémie.*

*Dans la doctrine des prophètes, Habaquq*

*apporte une note nouvelle : il ose demander à Dieu compte de son gouvernement du monde. Oui, Juda a péché, mais pourquoi Dieu, qui est saint,* **1** 12, *qui a des yeux trop purs pour voir le mal,* **1** 13, *choisit-il les Chaldéens barbares pour exercer sa vengeance, pourquoi fait-il punir le méchant par un plus méchant que lui, pourquoi a-t-il l'air d'aider au triomphe de la force injuste? C'est le problème du Mal posé sur le plan des nations et le scandale d'Habaquq est aussi celui de beaucoup d'âmes modernes. A lui et à elles vient la réponse divine : par des voies paradoxales, le Dieu tout-puissant prépare la victoire finale du droit, et « le juste vivra par sa fidélité »,* **2** 4, *perle de ce petit livre, que saint Paul enchâssera dans sa doctrine de la foi, Rm* **1** 17; *Ga* **3** 11; *He* **10** 38.

**Aggée.**

*Avec Aggée commence la dernière période prophétique, celle d'après l'Exil. Le changement est frappant. Avant l'Exil, le mot d'ordre des prophètes avait été Punition. Pendant l'Exil, il était devenu Consolation. Il est maintenant Restauration. Aggée arrive à un moment décisif dans la formation du Judaïsme : la naissance de la nouvelle communauté de Palestine. Ses brèves exhortations sont exactement datées de la fin d'août au milieu de décembre 520. Les premiers Juifs rentrés de Babylonie pour reconstruire le Temple se sont vite découragés. Mais les prophètes Aggée et Zacharie réveillèrent les énergies et poussèrent le gouverneur Zorobabel et le grand prêtre Josué à reprendre les travaux du Temple, ce qui se fit en septembre 520,* **1** 15, *cf. Esd* **5** 1.

*C'est tout l'objet des quatre petits discours qui composent le livre : parce que le Temple reste en ruines, Yahvé a frappé les produits de la terre, mais sa reconstruction amènera une ère de prospérité; malgré son apparence modeste, ce nouveau Temple éclipsera la gloire de l'ancien, et la puissance est promise à Zorobabel, le choisi de Dieu.*

*La construction du Temple est présentée comme la condition de la venue de Yahvé et de l'établissement de son règne; l'ère du salut eschatologique va s'ouvrir. Ainsi se cristallise autour du sanctuaire et du descendant de David l'espérance messianique que Zacharie va exprimer plus nettement.*

**Zacharie.**

*Le livre de Zacharie se compose de deux parties bien distinctes :* **1-8** *et* **9-14**. *Après une introduction, datée d'octobre-novembre 520, deux mois après la première prophétie d'Aggée, le livre rapporte huit visions du prophète datées de février 519,* **1** 7 - **6** 8, *suivies du couronnement symbolique de Zorobabel (les réviseurs ont substitué le nom du grand prêtre Josué lorsque se fut évanoui l'espoir qu'on avait mis en Zorobabel et que le sacerdoce détint tout le pouvoir),* **6** 9-14. *Le ch.* **7** *fait un retour sur le passé national et le ch.* **8** *ouvre des perspectives de salut messianique, l'un et l'autre à propos d'une question sur le jeûne, posée en novembre 518.*

*Cet ensemble bien daté et de pensée homogène est certainement authentique; il porte cependant les marques d'une révision, faite par le prophète lui-même ou par ses disciples. Par exemple, les annonces universalistes de* **8** 20-23 *ont été ajoutées après* **8** 18-19 *qui est une conclusion.*

*Comme Aggée, Zacharie se préoccupe de la reconstruction du Temple. Mais il fait une part plus large à la restauration nationale et à ses exigences de pureté et de moralité, et l'attente eschatologique est plus pressante. Cette restauration doit ouvrir une ère messianique où le sacerdoce représenté par Josué sera exalté,* **3** 1-7, *mais où la royauté sera exercée par le « Germe »,* **3** 8, *terme messianique que* **6** 12 *applique à Zorobabel. Les deux Oints,* **4** 14, *gouverneront en parfait accord,* **6** 13. *Ainsi Zacharie fait renaître la vieille idée du messianisme royal mais l'associe aux préoccupations sacerdotales d'Ézéchiel, dont l'influence se marque sur bien des points : rôle prépondérant des visions, tendance apocalyptique, souci de la pureté. Les mêmes traits et la part faite aux anges préludent à Daniel.*

*La deuxième partie,* **9-14**, *qui s'ouvre d'ailleurs par un nouveau titre,* **9** 1, *est toute différente. Les pièces sont sans date et anonymes. Il n'est plus question ni de Zacharie, ni de Josué, ni de Zorobabel, ni de la construction du Temple. Le style est différent et fait un fréquent usage des livres antérieurs, surtout Jr et Ez. L'horizon historique n'est plus le même; Assur et l'Égypte viennent comme les noms symboliques de tous les oppresseurs.*

*Ces chapitres ont très vraisemblablement été composés dans les dernières décennies du IV*[e] *siècle av. J.-C., après la conquête d'Alexandre. Malgré les efforts récemment renouvelés pour prouver leur unité, il faut admettre qu'ils sont disparates. On distingue deux sections introduites chacune par un titre,* **9-11** *et* **12-14**; *la première est presque entièrement en vers, la seconde est presque entièrement en prose. On parle d'un Deutéro-Zacharie et d'un Trito-Zacharie. En fait ce sont deux collections elles-mêmes composites. La première utilise peut-être d'anciens morceaux poétiques, préexiliques, et se réfère à des faits d'histoire qu'il est difficile de préciser (l'application de* **9** 1-8 *à la conquête d'Alexandre reste la plus vraisemblable). La seconde partie,* **12-14**, *décrit en termes d'apocalypse les* *épreuves et les gloires de la Jérusalem des derniers temps. Mais l'eschatologie n'est pas absente de la première partie et certains thèmes se retrouvent dans les deux sections, ainsi celui des « pasteurs » du peuple,* **10** 2-3; **11** 4-14; **13** 7-9.

*Cette partie du livre est importante surtout par sa doctrine messianique, d'ailleurs peu unifiée : relèvement de la maison de David,* **12** passim, *attente d'un Roi messie humble et pacifique,* **9** 9-10, *mais annonce mystérieuse du Transpercé,* **12** 10, *théocratie guerrière,* **10** 3 - **11** 3, *mais aussi cultuelle à la manière d'Ézéchiel,* **14**. *Ces traits s'harmoniseront dans la personne du Christ et le Nouveau Testament cite souvent ces chapitres de Zacharie ou au moins y fait allusion, ainsi Mt* **21** 4-5; **27** 9 *(combiné avec Jérémie);* **26** 31 = *Mc* **14** 27; *Jn* **19** 37.

**Malachie.**

*Le livre dit de « Malachie » était probablement anonyme, car ce nom signifie « mon messager » et paraît être tiré de* **3** 1. *Il se compose de six morceaux bâtis sur le même type : Yahvé, ou son prophète, lance une affirmation, qui est discutée par le peuple ou par les prêtres et qui est développée dans un discours où voisinent menaces et promesses de salut. Il y a deux grands thèmes : les fautes cultuelles des prêtres et aussi des fidèles,* **1** 6 - **2** 9 *et* **3** 6-12, *le scandale des mariages mixtes et des divorces,* **2** 10-16. *Le prophète annonce le Jour de Yahvé, qui purifiera les membres du sacerdoce, dévorera les méchants et assurera le triomphe des justes,* **3** 1-5, 13-21. *Le passage* **3** 22-24 *est ajouté, peut-être aussi* **2** 11[b]-13[a].

*Le contenu du livre permet de déterminer sa date : il est postérieur au rétablissement du culte dans le Temple rebâti,* 515, *et antérieur à l'interdiction des mariages mixtes sous Néhémie,* 445, *probablement assez proche de cette dernière date. L'élan qu'Aggée et Zacharie avaient donné est brisé et la communauté se laisse aller. En s'inspirant du Deutéronome, et aussi d'Ézéchiel, le prophète affirme qu'on ne se moque pas de Dieu, qui exige de son peuple religion intérieure et pureté. Il attend la venue de l'Ange de l'Alliance, préparée par un mystérieux envoyé,* **3** 1, *dans lequel Mt* **11** 10, *cf. Lc* **7** 27 *et Mc* **1** 2, *a reconnu Jean-Baptiste, le Précurseur. Cette ère messianique verra le rétablissement de l'ordre moral,* **3** 5, *et de l'ordre cultuel,* **3** 4, *culminant dans le sacrifice parfait offert à Dieu par toutes les nations,* **1** 11.

**Abdias.**

*C'est le plus court des « livres » prophétiques,* 21 *versets, et cependant il pose bien des questions aux exégètes qui discutent de son unité et de son genre littéraire et le promènent depuis le IXe siècle av. J.-C. jusqu'à l'époque grecque. La situation est compliquée du fait que presque la moitié, vv.* 2-9, *se retrouve équivalemment dans Jr* **49** 7-22, *mais dans un autre ordre et comme des additions à un oracle dont l'origine jérémienne est elle-même discutée. La prophétie d'Abdias se déroule sur deux plans : le châtiment d'Édom, annoncé dans plusieurs petits oracles,* 1[b]-14, *avec* 15[b] *comme conclusion; le Jour de Yahvé, où Israël prendra sa revanche sur Édom,* 15[a]+16-18, *avec la conclusion : « Yahvé a parlé ». Les promesses eschatologiques des vv.* 19-21 *sont additionnelles. Le morceau s'apparente aux malédictions contre Édom qu'on trouve à partir de 587 dans Ps* **137** 7; *Lm* **4** 21-22; *Ez* **25** 12*s*; **35** 1*s*; *Ml* **1** 2*s et Jr* **49** 7*s déjà cité : les Édomites avaient profité de la ruine de Jérusalem pour envahir la Judée méridionale. Le souvenir de ces événements est encore très vivant et la prophétie semble avoir été composée en Judée avant le retour de l'Exil. Il n'est pas nécessaire de rejeter plus tard et d'attribuer à un autre auteur le passage sur le Jour de Yahvé; seule l'addition des derniers versets serait postexilique.*

*C'est un cri passionné de vengeance, dont l'esprit nationaliste contraste avec l'universalisme de la seconde partie d'Isaïe, par exemple. Mais le morceau exalte aussi la justice terrible et la puissance de Yahvé, qui agit comme défenseur du droit, et il ne faut pas l'isoler de tout le mouvement prophétique dont il ne représente qu'un moment passager.*

**Joël.**

*Le livre de Joël se divise naturellement en deux parties. Dans la première, une invasion de sauterelles qui ravage Juda provoque une liturgie de deuil et de supplication; Yahvé répond en promettant la fin du fléau et le retour de l'abondance,* **1** 2 - **2** 27. *La seconde partie décrit dans un style apocalyptique le jugement des nations et la victoire définitive de Yahvé et d'Israël,* **3-4**. *L'unité entre les deux parties est assurée par la référence au Jour de Yahvé, qui est proprement le thème des ch.* **3-4** *mais qui paraît déjà dans* **1** 15; **2** 1-2, 10-11. *Les sauterelles sont l'armée de Yahvé, lancée pour exécuter son jugement, un Jour de Yahvé, dont on peut être sauvé par la pénitence et la prière; le fléau devient le type du grand jugement final, le Jour de Yahvé qui ouvrira les temps eschatologiques. Il n'y a pas lieu de distinguer deux auteurs ni deux époques de composition. On a encore défendu récemment une date à la fin de l'époque monarchique. La majorité des exégètes opte pour la période postexilique, avec les arguments suivants : l'absence de* *référence à un roi, les allusions à l'Exil mais aussi au Temple reconstruit, les rapports avec le Deutéronome et les prophètes postérieurs, Ézéchiel, Sophonie, Malachie, Abdias, cité à* **3** 5. *Le livre aurait été composé aux environs de 400 av. J.-C.*

*Ses attaches avec le culte sont évidentes. Les ch.* **1-2** *ont les caractères d'une liturgie pénitentielle, qui s'achève par la promesse prophétique du pardon divin. On a donc considéré Joël comme un prophète cultuel, attaché au service du Temple. Cependant, ces traits peuvent s'expliquer par l'imitation littéraire de formes liturgiques. Le livret n'est pas le compte rendu d'une prédication dans le Temple, il est une composition écrite, faite pour être lue. On est à la fin du courant prophétique.*

*L'effusion de l'esprit prophétique sur tout le peuple de Dieu à l'ère eschatologique,* **3** 1-5, *répond au souhait de Moïse dans Nb* **11** 29. *Le Nouveau Testament considère que l'annonce s'est réalisée lors de la venue de l'Esprit sur les Apôtres du Christ, et saint Pierre citera tout ce passage, Ac* **2** 16-21 *: Joël est le prophète de la Pentecôte. Il est aussi le prophète de la pénitence et ses invitations au jeûne et à la prière, empruntées des cérémonies du Temple ou rédigées sur leur modèle, entreront naturellement dans la liturgie chrétienne du Carême.*

**Jonas.**

*Ce petit livre diffère de tous les autres livres prophétiques. C'est uniquement un récit : il raconte l'histoire d'un prophète désobéissant qui veut d'abord se dérober à sa mission et qui ensuite se plaint à Dieu du succès inattendu de sa prédication. Le héros à qui est attribuée cette aventure un peu ridicule est un prophète contemporain de Jéroboam II, mentionné en 2 R* **14** 25. *Mais le livret ne se présente pas comme étant son œuvre et effectivement ne peut pas être de lui. La « grande ville » de Ninive, détruite en 612, n'est plus qu'un lointain souvenir, la pensée et l'expression empruntent aux livres de Jérémie et d'Ézéchiel, la langue est tardive. Tout invite à placer la composition après l'Exil, dans le courant du Ve siècle. Le psaume,* **2** 3-10, *qui est d'un genre littéraire différent et qui n'a aucun rapport avec la situation concrète de Jonas ni avec l'enseignement du livre, a été ajouté après coup.*

*Cette date basse doit déjà mettre en garde contre une interprétation historique. Celle-ci est écartée aussi par d'autres arguments : Dieu peut changer les cœurs, mais la subite conversion au Dieu d'Israël du roi de Ninive et de tout son peuple aurait laissé des traces dans les documents assyriens et dans la Bible. Dieu est aussi maître des lois de la nature, mais les prodiges sont ici accumulés comme autant de « bons tours » joués par Dieu au prophète : la tempête subite, Jonas désigné par le sort, le poisson monstrueux, le ricin qui pousse en une nuit et qui sèche en une heure, et le tout est raconté avec une ironie non déguisée, bien étrangère au style de l'histoire.*

*Le livre est destiné à plaire, et aussi à instruire : c'est un récit didactique, et son enseignement marque l'un des sommets de l'Ancien Testament. Brisant avec une interprétation étroite des prophéties, il affirme que les menaces, même les plus catégoriques, sont l'expression d'une volonté miséricordieuse de Dieu, qui n'attend que la manifestation du repentir pour accorder son pardon. Si l'oracle de Jonas ne se réalise pas, c'est qu'en effet les décrets de destruction sont toujours conditionnels. Ce que Dieu veut, c'est la conversion, et la mission du prophète est donc parfaitement réussie, cf. Jr* **18** 7-8.

*Brisant avec le particularisme dans lequel la communauté postexilique était tentée de s'enfermer, ce livre prêche un universalisme extraordinairement ouvert. Ici, tout le monde est sympathique, les marins païens du naufrage, le roi, les habitants et jusqu'aux animaux de Ninive, tout le monde sauf le seul Israélite qui soit en scène, et c'est un prophète, Jonas! Dieu sera indulgent pour son prophète rebelle, mais surtout, sa miséricorde s'étend même à l'ennemie la plus honnie d'Israël.*

*On est tout près du Nouveau Testament : Dieu n'est pas seulement le Dieu des Juifs, il est aussi le Dieu des païens, car il n'y a qu'un seul Dieu, Rm* **3** 29. *Dans Mt* **12** 41 *et Lc* **11** 29-32, *Notre Seigneur donnera en exemple la conversion des Ninivites, et Mt* **12** 40 *verra dans Jonas enfermé dans le ventre du monstre la figure du séjour du Christ au tombeau. Cet emploi de l'histoire de Jonas ne doit pas être invoqué comme une preuve de son historicité : Jésus utilise cet apologue de l'Ancien Testament comme les prédicateurs chrétiens utilisent les paraboles du Nouveau; c'est le même souci d'enseigner par des images familières aux auditeurs, sans qu'un jugement soit porté sur la réalité des faits.*

# ISAÏE

## I. Première partie du livre d'Isaïe

### 1. ORACLES ANTÉRIEURS A LA GUERRE SYRO-ÉPHRAÏMITE

**Titre [a].**

**1** 1 Vision d'Isaïe, fils d'Amoç, qu'il reçut au
sujet de Juda et de Jérusalem, au temps
Mi 1 1 d'Ozias, de Yotam, d'Achaz et d'Ézéchias, rois de
Juda.

**Contre un peuple ingrat.**

Dt 4 26; 2 Cieux écoutez, terre prête l'oreille, car Yahvé
32 1+ Mi 1 2 parle [b].
Dt 32 5-6, 10 J'ai élevé des enfants, je les ai fait grandir,
Ba 4 8 mais ils se sont révoltés contre moi.
Jr 8 7 3 Le bœuf connaît son possesseur,
et l'âne la crèche de son maître,
Israël ne connaît pas,
mon peuple ne comprend pas.
4 Malheur! nation pécheresse! peuple coupable!
30 9 race de malfaiteurs, fils pervertis!
Jr 2 13 Ils ont abandonné Yahvé, ils ont méprisé le Saint
Lv 17 1+ d'Israël [c],
ils se sont détournés de lui.

26 14-33 5 Où frapper encore, si vous persévérez dans la
Am 4 6-12 Jr 5 3 trahison?
Toute la tête est mal-en-point, tout le cœur est
malade,
6 de la plante des pieds à la tête, il ne reste rien
de sain [d].
Ce n'est que blessures, contusions, plaies ouvertes,
qui ne sont pas pansées ni bandées, ni soignées Jr 30 12-15
avec de l'huile. Lc 10 34
7 Votre pays est une désolation, vos villes sont la
proie du feu,
votre sol, sous vos yeux des étrangers le ravagent,
c'est la désolation comme une dévastation Gn 19 1+
d'étrangers [e].
8 Elle est restée, la fille de Sion [f], comme une hutte
dans une vigne,
comme un abri dans un champ de concombres,
comme une ville assiégée.
9 Si Yahvé Sabaot ne nous avait laissé quelques ↗ Rm 9 29
rares survivants, Is 4 3+ Gn 18 16-33;
nous serions comme Sodome, nous ressemble- 19 1-29
rions à Gomorrhe.

**Contre l'hypocrisie [g].** 29 13-14

10 Écoutez la parole de Yahvé, chefs de Sodome, Dt 32 32
prêtez l'oreille à l'enseignement de notre Dieu,
peuple de Gomorrhe!
11 Que m'importent vos innombrables sacrifices, dit Am 5 21+
Yahvé.

*a)* Ce titre donne le cadre chronologique de toute l'activité du prophète, mais il est difficile de décider s'il introduit tout le livre dans sa forme finale, ch. **1-66**, ou seulement les ch. **1-39**, ou même seulement les ch. **1-12**. En tout cas « Juda et Jérusalem » n'est pas à prendre au sens géographique; c'est une désignation du peuple élu pour l'instruction duquel sont prononcés tous les oracles, même ceux qui concernent le royaume du Nord et les peuples étrangers.

*b)* Le ciel et la terre sont pris à témoins dans le procès que Dieu a avec son peuple, cf. Dt **4** 26; **30** 19; **32** 1; Ps **50** 4. Le poème qui suit se rapporte à la dévastation du territoire et au siège de Jérusalem soit sous Sennachérib en 701, cf. **36** 1s; 2 R **18** 13s, soit lors de la guerre syro-éphraïmite en 735, cf. **7** 1-2 et 2 R **16** 5-9.

*c)* Expression favorite d'Isaïe pour désigner Yahvé, cf. **6** 3 et la note.

*d)* Ces vers qui, selon le sens littéral, visent le peuple de Juda. pécheur et châtié, ont été appliqués à la passion du Christ, comme les textes analogues sur le Serviteur souffrant, Is **53** 3s.

*e)* Ainsi l'hébreu, mais cela n'ajoute rien à ce qui précède et le terme hébreu traduit par « dévastation » désigne toujours le châtiment de Sodome et Gomorrhe qui sera rappelé aux vv. 9 et 10 et à **3** 9. C'est pourquoi on corrige généralement « étrangers », *zarîm*, en Sodome, *sedom*, mais cette correction n'est appuyée par aucune version.

*f)* Personnification de la ville de Jérusalem, **10** 32; **16** 1, etc.; ou de sa population, **37** 22; So **3** 14; Lm **4** 22. « Sion » était le nom de la citadelle des Jébuséens, devenue « Cité de David », cf. 2 S **5** 9+.

*g)* L'oracle date probablement de la première période du ministère d'Isaïe, avant 735. Comme Am **5** 21-27, le prophète s'en prend à un ritualisme auquel ne correspond pas un sentiment intérieur; il y reviendra à **29** 13-14 en des termes que Jésus appliquera aux Pharisiens, Mt **15** 8-9.

Je suis rassasié des holocaustes de béliers et de
la graisse des veaux;
au sang des taureaux, des agneaux et des boucs,
je ne prends pas plaisir.
12 Quand vous venez vous présenter devant moi,
qui vous a demandé de fouler mes parvis?
13 N'apportez plus d'oblation vaine :
c'est pour moi une fumée insupportable!
Néoménie, sabbat, assemblée,
je ne supporte pas fausseté et solennité.
14 Vos néoménies, vos réunions, mon âme les hait;
elles me sont un fardeau que je suis las de porter.
15 Quand vous étendez les mains, je détourne les
yeux;
Jr **14** 12 vous avez beau multiplier les prières, moi je
Mi **3** 4 n'écoute pas.
**59** 2-3 Vos mains sont pleines de sang [a] :
Jr **2** 34 16 lavez-vous, purifiez-vous!
Otez de ma vue vos actions perverses!
Am **5** 14-15 Cessez de faire le mal, 17 apprenez à faire le bien!
Recherchez le droit, redressez le violent!
Ex **22** 21-22+ Faites droit à l'orphelin, plaidez pour la veuve [b]!

**43** 26 18 Allons! Discutons! dit Yahvé.
Ps **32** 1+ Quand vos péchés seraient comme l'écarlate,
Ps **51** 9 comme neige ils blanchiront;
quand ils seraient rouges comme la pourpre,
comme laine ils deviendront [c].
Lv **26** 3-12 19 Si vous voulez bien obéir, vous mangerez les pro-
Dt **28** 1-14 duits du terroir.
Lv **26** 14-39 20 Mais si vous refusez et vous rebellez,
Dt **28** 15s c'est l'épée qui vous mangera!
= **40** 5; **58** 14 Car la bouche de Yahvé a parlé [d].

|| Mi **4** 4 **Lamentation sur Jérusalem [e].**

Jr **2** 20 21 Comment est-elle devenue une prostituée,
Ez **16**; **23** la cité fidèle?
Sion, pleine de droiture, où la justice habitait [f],
et maintenant des assassins!
22 Ton argent est changé en scories, ta boisson est Ez **22** 18
coupée d'eau. Jr **6** 29
23 Tes princes sont des rebelles, complices de brigands,
tous avides de présents, courant après les pots-
de-vin.
Ils ne font pas droit à l'orphelin, la cause de la
veuve ne leur parvient pas.

24 C'est pourquoi, oracle du Seigneur Yahvé
Sabaot, le Puissant d'Israël :
Malheur! j'aurai raison de mes adversaires,
je me vengerai de mes ennemis.
25 Je tournerai la main contre toi,
j'épurerai comme à la potasse tes scories,
j'ôterai tous tes déchets.
26 Je rendrai tes juges tels que jadis, tes conseillers
tels qu'autrefois.
Après quoi on t'appellera Ville-de-Justice, Cité **1** 21
fidèle [g]. Za **8** 3
27 Sion sera rachetée par la droiture,
et ceux qui reviendront, par la justice.
28 C'est la destruction des criminels et des
pécheurs, tous ensemble!
Ceux qui abandonnent Yahvé périront [h].

**Contre les arbres sacrés [i].**

29 Oui, on aura honte des térébinthes qui font vos
délices,
vous rougirez des jardins que vous avez choisis.
30 Car vous serez comme un térébinthe au feuillage
flétri,
et comme un jardin qui n'a plus d'eau.
31 Le colosse deviendra comme de l'étoupe, et son
œuvre sera l'étincelle :

*a)* Le sang des innocents mêlé à celui des victimes sacrifiées.
*b)* L'orphelin et la veuve sont parmi les personnes économiquement faibles que la loi protège, Ex **22** 21-22; Dt **10** 18; **14** 29; **27** 19, etc., et pour qui les prophètes intercèdent, Jr **7** 6; **22** 3. Cf. par contraste Is **1** 23; **9** 16; Jr **49** 10-11; Ez **22** 7.
*c)* Comme le jugement, Ps **9** 9, le pardon des péchés est œuvre divine, Ex **34** 6+; Os **11** 8-9. Dans sa miséricorde, Dieu met fin au péché de l'homme qui est ainsi rétabli dans sa véritable relation avec lui. Il n'est pas de faute qui épuise le pardon divin, Ps **130**. La condition que Dieu exige est l'aveu avec le repentir, **57** 15; Ps **19** 13; **25** 11, 18; **32** 5; **51** 19-20, etc., et le retournement intérieur qu'il suppose, Jr **3** 14; Ez **18** 30-32; **33** 1; cf. Is **31** 18; Lm **5** 21. Le pardon des fautes est aussi un des traits du royaume messianique, Jr **31** 31+, cf. Ez **36** 25-26, et Jésus l'exercera, Mc **2** 5-11p.
*d)* L'« épée », c'est-à-dire l'invasion avec tous ses maux, n'est encore qu'une menace qui peut être écartée par la soumission à Dieu, v. 19.
*e)* Ce poème adopte au début le rythme dissymétrique de la *qina* ou lamentation (3+2 ou 4+3 appuis rythmiques).
*f)* « Sion » grec, Vet Lat; omis par hébr. – Le thème de Jérusalem prostituée rappelle la prédication d'Osée et annonce les allégories de Jr **3** 6-13 et Ez **16** et **23**. Cette déchéance est en contraste avec la fidélité première de Jérusalem, qu'elle retrouvera après avoir été purifiée par le châtiment, v. 26.
*g)* Le nom propre définit l'être qui le porte et fixe sa destinée, cf. les noms de Jacob, Gn **25** 26; **27** 36, et de ses fils, Gn **29** 31 - **30** 24, etc. Un changement de nom signifie un changement de vocation, cf. Abraham, Gn **17** 5; Israël, Gn **32** 29, etc. Les noms que les prophètes donnent à des personnes sont des signes efficaces, chez Isaïe : **7** 3 (cf. **10** 21); **7** 14; **8** 1-3 (cf. **8** 18), et chez Osée : **1** 4, 6, 9; **2** 1-3, 25. La Jérusalem future recevra d'autres noms prophétiques, Is **60** 14; **62** 4, 12; Ez **48** 35. Ici les noms nouveaux de Jérusalem, reprenant le v. 21, sont « fidélité » et « justice ». Pour Isaïe, comme pour Amos, la justice est d'abord l'équité dans l'application du droit, mais, plus profondément, elle est une participation de la justice de Dieu, en quoi se révèle sa sainteté, cf. **5** 16+.
*h)* Ces deux vv., qui sont un commentaire assez prosaïque de ce qui précède, pourraient avoir été ajoutés par un disciple d'Isaïe.
*i)* Isaïe s'attaque rarement à des pratiques proprement païennes, cf. **2** 6-8. Ces arbres n'étaient pas directement un objet de culte, mais abritaient les pratiques religieuses empruntées aux Cananéens, cf. Dt **12** 2+, où les références citées indiquent que cet abus s'étendait au royaume de Juda aussi bien qu'à celui d'Israël.

ils flamberont tous deux ensemble, et personne pour éteindre.

## La paix perpétuelle.

**2** [1] Vision d'Isaïe [a], fils d'Amoç, au sujet de Juda et de Jérusalem [b].

|| Mi **4** 1-3 [2] Il arrivera dans la suite des temps
que la montagne de la maison de Yahvé
sera établie en tête des montagnes
et s'élèvera au-dessus des collines.
Za **8** 20s; Alors toutes les nations afflueront vers elle,
**14** 16 Is **56** 6-8; [3] alors viendront des peuples nombreux qui
**60** 11-14 diront :
« Venez, montons à la montagne de Yahvé,
à la maison du Dieu de Jacob,
qu'il nous enseigne ses voies
et que nous suivions ses sentiers. »
Jn **4** 22 Car de Sion vient la Loi
Lc **24** 47 et de Jérusalem la parole de Yahvé.
**9** 6; [4] Il [c] jugera entre les nations, il sera l'arbitre de peuples nombreux.
**11** 6-9+ Ils briseront leurs épées pour en faire des socs
Jl **4** 9-11 Za **9** 9-10 et leurs lances pour en faire des serpes.
Os **2** 20 On ne lèvera plus l'épée nation contre nation,
on n'apprendra plus à faire la guerre.
**60** 1-3 [5] Maison de Jacob, allons, marchons à la lumière de Yahvé.

## L'éclat de la majesté de Yahvé [d].

[6] Oui, tu as rejeté ton peuple, la maison de Jacob,
Dt **18** 14 car il regorge depuis longtemps de magiciens, comme les Philistins [e],
il surabonde d'enfants d'étrangers.
[7] Le pays s'est rempli d'argent et d'or, ses trésors sont sans limites;
t **17** 16-17 le pays s'est rempli de chevaux, ses chars sont
Ps **20** 8 sans nombre;
[8] le pays s'est rempli de faux dieux,
eux se prosternent devant l'œuvre de leurs mains,
devant ce qu'ont fabriqué leurs doigts.
= **5** 15 [9] Le mortel s'est humilié, l'homme s'est abaissé :
ne les relève pas!
[10] Va dans le rocher, terre-toi dans la poussière Os **10** 8
devant la Terreur de Yahvé, devant l'éclat de sa majesté, Ap **6** 16 ↗ 2 Th **1** 9
quand il se lèvera pour faire trembler la terre [f].
[11] L'orgueil humain baissera les yeux,
l'arrogance des hommes sera humiliée,
Yahvé sera exalté, lui seul, en ce jour-là.

[12] Oui, ce sera un jour de Yahvé Sabaot [g]
sur tout ce qui est orgueilleux et hautain,
sur tout ce qui est élevé, pour qu'il soit abaissé;
[13] sur tous les cèdres du Liban, hautains et élevés,
et sur tous les chênes de Basân;
[14] sur toutes les montagnes hautaines
et sur toutes les collines élevées;
[15] sur toute tour altière
et sur tout rempart escarpé;
[16] sur tous les vaisseaux de Tarsis Ps **48** 8+
et sur tout ce qui paraît précieux [h].
[17] L'orgueil humain sera humilié,
l'arrogance de l'homme sera abaissée,
et Yahvé sera exalté, lui seul, en ce jour-là.

[18] Les faux dieux, en masse, disparaîtront. Jr **10** 11, 15
[19] Pour eux, ils iront dans les cavernes des rochers **2** 10+
et dans les fissures du sol,
devant la Terreur de Yahvé, devant l'éclat de sa majesté,
quand il se lèvera pour faire trembler la terre.
[20] En ce jour-là, l'homme jettera aux taupes et aux **31** 7
chauves-souris ses faux dieux d'argent et ses faux dieux d'or, ceux qu'on lui a fabriqués pour qu'il les adore,
[21] il s'en ira dans les crevasses des rochers et dans les fentes des falaises,
devant la Terreur de Yahvé, devant l'éclat de sa majesté,
quand il se lèvera pour faire trembler la terre.

[22] Tenez-vous à l'écart de l'homme, qui n'a qu'un Jr **17** 5
souffle dans les narines! Gn **2** 7; **6** 3
A combien l'estimer [i]? Jb **34** 14

*a)* Cet oracle se retrouve, pour l'essentiel, dans Mi **4** 1-3. Son origine est discutée. L'opinion la plus probable est que Mi dépend ici d'Is; les arguments contre l'authenticité isaïenne du texte (en particulier son universalisme) ne sont pas décisifs.
*b)* Ce nouveau titre introduit la petite collection d'oracles des ch. **2-5**.
*c)* Yahvé.
*d)* Ce poème, dont l'unité est marquée par le retour des mêmes formules (vv. 9, 11, 17 et 10, 19, 21), date de la première période de l'activité d'Isaïe, alors que Juda achève une longue période de prospérité, sous Ozias et Yotam; mais il pourrait aussi viser Samarie qui n'était pas encore tombée dans l'anarchie et la décadence qu'elle allait bientôt connaître. Le prophète annonce une intervention fulgurante de Yahvé.
*e)* On corrige souvent « depuis longtemps », *miqqedem*, en « de devins » *qosemîm*, ou « de divination » *miqsam*. Cette correction n'a pas l'appui des versions; elle justifie cependant le « et » placé devant « magiciens », que notre traduction doit supprimer. – La divination a été très pratiquée dans l'Orient ancien et elle le fut aussi en Israël, 1 S **28** 3s; Is **8** 19, malgré les condamnations d'Ex **22** 17; Lv **19** 31; **20** 27; Dt **18** 10-11, 14. On ne sait rien sur la divination chez les Philistins, mais leurs devins sont mentionnés en 1 S **6** 2.
*f)* « quand il ... la terre » grec; omis par hébr. Tout le v. et les derniers mots, peut-être corrompus, du v. 9, manquent dans 1QIs[a]. Le v. est repris aux vv. 19 et 21.
*g)* Sur le « jour de Yahvé », cf. Am **5** 18+. Ici, l'intervention divine est décrite comme un tremblement de terre, vv. 10, 19, 21.
*h)* Texte incertain. On corrige souvent en « bateaux », qui donne un bon parallélisme.
*i)* Le v. 22, absent du grec et étranger au contexte, est probablement une glose.

**L'anarchie à Jérusalem** [a].

**3** 1 Oui, voici que le Seigneur Yahvé Sabaot
va ôter de Jérusalem et de Juda ressource et provision
– toute réserve de pain et toute réserve d'eau –,
2 héros et homme de guerre, juge et prophète, devin et vieillard,
3 capitaine et dignitaire, conseiller, architecte et enchanteur.
Qo **10** 16 4 Je leur donnerai comme princes des adolescents,
et des gamins [b] feront la loi chez eux.
5 Les gens se molesteront l'un l'autre, et entre voisins;
le jeune garçon s'en prendra au vieillard,
l'homme de peu au notable.
6 Oui, un homme saisira son frère dans la maison paternelle :
« Tu as un manteau, tu seras notre chef,
et cette chose branlante, qu'elle te soit confiée! »
7 Et l'autre, en ce jour-là, s'écriera :
« Je ne suis pas un guérisseur;
chez moi, il n'y a ni pain ni manteau,
ne me faites pas chef du peuple! »
8 Car Jérusalem a trébuché et Juda est tombé,
oui, leurs paroles et leurs actes s'adressent à Yahvé,
pour insulter ses regards glorieux.
9 Leur complaisance témoigne contre eux,
Gn **18** 20-21 ils étalent leur péché comme Sodome.
**19** 4-11 Ils n'ont pas dissimulé, malheur à eux!
car ils ont préparé leur propre ruine.
10 Dites : le juste, qu'il est heureux!
car il se nourrira du fruit de ses actes.
11 Malheur au méchant, malfaisant!
car il sera traité selon ses œuvres [c].

12 O mon peuple, ses oppresseurs le mettent au pillage,
et des exacteurs font la loi chez lui [d].
O mon peuple, tes guides t'égarent,
ils ont effacé les chemins que tu suis.

Mi **6** 1-5 13 Yahvé s'est levé pour accuser,
Os **4** 1-5 il est debout pour juger les peuples.
14 Yahvé entre en jugement,
avec les anciens et les princes de son peuple :

« C'est vous qui avez dévasté la vigne, **5** 1-7
la dépouille du malheureux est dans vos maisons.
15 De quel droit écraser mon peuple
et broyer le visage des malheureux? » Am **2** 7
Oracle du Seigneur Yahvé Sabaot.

**Les femmes de Jérusalem.**

16 Yahvé dit :
Parce qu'elles font les fières, les filles de Sion, **32** 9-14
qu'elles vont le cou tendu et les yeux provocants, Am **4** 1-3
qu'elles vont à pas menus, en faisant sonner les anneaux de leurs pieds,
17 le Seigneur rendra galeux le crâne des filles de Sion, Am **8** 10
Yahvé dénudera leur front.
18 Ce jour-là le Seigneur ôtera l'ornement de chaînettes, les médaillons et les croissants, 19 les pendentifs, les bracelets, les breloques, 20 les diadèmes et les chaînettes de chevilles, les parures, les boîtes à parfums et les amulettes, 21 les bagues et les anneaux de narines, 22 les vêtements de fête et les manteaux, les écharpes et les bourses, 23 les miroirs, les linges fins, les turbans et les mantilles [e].
24 Alors, au lieu de baume, ce sera la pourriture,
au lieu de ceinture, une corde,
au lieu de coiffure, la tête rase, Am **8** 10
au lieu d'une robe d'apparat, un pagne de grosse toile [f],
et la marque au fer rouge au lieu de beauté.

**La misère à Jérusalem.**

25 Tes hommes tomberont sous l'épée,
et tes braves dans le combat.
26 Ses portes gémiront et seront dans le deuil;
désertée, elle s'assiéra par terre.

**4** 1 Et sept femmes s'arracheront un homme, en ce jour-là, en disant : « Nous mangerons notre pain, nous mettrons notre propre manteau, laisse-nous seulement porter ton nom. Ote notre déshonneur [g]. »

*a)* On date ce poème du début du règne d'Achaz, vers 735. Avec un roi encore jeune et sous la menace d'une intervention étrangère, cf. 2 R **15** 37, le pays risque de sombrer dans l'anarchie. Ce texte paraît composé de deux pièces originairement indépendantes, vv. 1-9ᵃ et 12-15; les vv. 9ᵇ-11 sont une addition.
*b)* Ce pourrait être aussi un pluriel d'abstraction; il faudrait alors comprendre « le caprice ».
*c)* Les vv. 10-11, de contenu sapientiel, interrompent la description de l'anarchie; le v. 10 est très différent dans le grec.
*d)* « mettent au pillage » conj.; singulier hébr. – « des exacteurs » versions; « des femmes » hébr.

*e)* Ce catalogue de colifichets, vv. 18-23, est peut-être une addition. Le sens précis de beaucoup de ces termes est incertain.
*f)* En hébreu *saq*, toile grossière dont on faisait des « sacs », Gn **42** 25, etc., mais aussi un vêtement de pénitence ou de deuil, qu'on portait sur le corps nu, **20** 2; Gn **37** 34; 1 R **20** 31; **21** 27; Am **8** 10, etc.
*g)* Dans la ville décimée par la guerre, **3** 25-26, plusieurs femmes demanderont à un même homme de « porter son nom », c'est-à-dire qu'il soit leur maître, d'après le sens de l'expression en hébreu. Les orgueilleuses filles de Jérusalem deviendront des concubines.

### Le germe de Yahvé [a].

Jr 23 5-6 Za 3 8; 6 12 2 Ce jour-là, le germe de Yahvé deviendra parure et gloire,
52 1; 60 21 le fruit de la terre deviendra fierté et ornement
pour les survivants d'Israël.
3 Le reste laissé à Sion, ce qui survit à Jérusalem,
So 3 13 sera appelé saint,
Dn 12 1+ tout ce qui est inscrit pour la vie à Jérusalem [b].
4 Lorsque le Seigneur aura lavé la saleté des filles de Sion
et purifié Jérusalem du sang répandu,
au souffle du jugement et au souffle de l'incendie,
5 Yahvé créera partout sur la montagne de Sion et sur ceux qui s'y assemblent
Ex 13 21-22+ une nuée le jour,
et une fumée avec l'éclat d'un feu flamboyant, la nuit [c].
Ap 7 15-16; Car sur toute gloire il y aura un dais 6 et une hutte
25 4-5 pour faire ombre le jour contre la chaleur,
et servir de refuge et d'abri contre l'averse et la pluie.

### Le chant de la vigne [d].

Os 10 1 Jr 2 21; 5 10; 6 9; 12 10 Ez 15 1-8; 17 3-10; 19 10-14 Ps 80 9-19 Is 27 2-5 Mt 21 33 44+ Mt 21 18 19+ Jn 15 1-2+

**5** 1 Que je chante à mon bien-aimé
le chant de mon ami pour sa vigne.
Mon bien-aimé avait une vigne,
sur un coteau fertile.
2 Il la bêcha, il l'épierra, il y planta du raisin vermeil [e].
Au milieu il bâtit une tour, il y creusa même un pressoir.
Il attendait de beaux raisins : elle donna des raisins sauvages.
3 Et maintenant, habitants de Jérusalem et gens de Juda,
soyez juges entre moi et ma vigne. Mi 6 1-5
4 Que pouvais-je encore faire pour ma vigne que je n'aie fait? Jr 2 4-7
Pourquoi espérais-je avoir de beaux raisins,
et a-t-elle donné des raisins sauvages?
5 Et maintenant, que je vous apprenne ce que je vais faire à ma vigne!
en ôter la haie pour qu'on vienne la brouter,
en briser la clôture pour qu'on la piétine;
6 j'en ferai un maquis : elle ne sera ni taillée ni sarclée :
ronces et épines y croîtront, 32 13
j'interdirai aux nuages d'y faire tomber la pluie. 2 S 1 21
7 Eh bien! la vigne de Yahvé Sabaot, c'est la maison d'Israël,
et l'homme de Juda, c'est son plant de choix.
Il attendait le droit et voici l'iniquité, la justice et voici les cris.

### Malédictions [f].

Am 6 1-7 Mi 2 1-5 Jr 22 13-19 Ez 7 5-26 Ha 2 6-20 Lc 6 24-26 Mt 23

8 Malheur à ceux qui ajoutent maison à maison,
qui joignent champ à champ jusqu'à ne plus laisser de place
et rester seuls habitants au milieu du pays.
9 A mes oreilles, Yahvé Sabaot l'a juré :
Oui, nombre de maisons seront réduites en ruine,
grandes et belles, elles seront inhabitées.
10 Car dix arpents de vigne ne donneront qu'un tonnelet, 7 23
et un muid de semence ne produira qu'une mesure [g].
11 Malheur à ceux qui se lèvent tôt le matin pour courir à la boisson, 28 1, 7-8; 56 12; 22 13 Am 4 1 Mi 2 11 Jl 1 5 Sg 2 7-9

a) Le « germe » et le « fruit de la terre » désignent soit le Messie, Jr 23 5 = 33 15; Za 3 8; 6 12, soit le « reste » d'Israël (cf. n. suivante) comparé à un arbre renaissant sur le sol de Palestine Les vv. 2-6, ou seulement 4-6, sont généralement considérés comme une composition postexilique.
b) Israël infidèle sera châtié. Mais, parce que Dieu aime son peuple, un petit « Reste » échappera à l'épée des envahisseurs. Déjà connu d'Amos, 3 12; 5 15; 9 8-10, le thème est repris par Isaïe, 6 13; 7 3 et 10 19-21; 28 5-6; 37 4 (= 2 R 19 4); 37 31-32, cf. Mi 4 7; 5 2; So 2 7, 9; 3 12; Jr 3 14; 5 18; Ez 5 3; 9. Demeuré à Jérusalem, ce Reste, purifié et désormais fidèle, redeviendra une nation puissante. Après la catastrophe de 587, une idée nouvelle apparaît : le Reste se trouvera parmi les déportés, Ez 12 16; Ba 2 13, c'est en exil qu'il se convertira, Ez 6 8-10, cf. Dt 30 1-2, et Dieu alors le rassemblera pour la restauration messianique, Is 11 11, 16; Jr 23 3; 31 7; 50 20; Ez 20 37; Mi 2 12-13. Après le retour de l'exil, le Reste, de nouveau infidèle, sera encore décimé et purifié, Za 1 3; 8 11; Ag 1 12; Ab 17 = Jl 3 5; Za 13 8-9; 14 2. En fait, ce sera le Christ qui sera le véritable « Germe » de l'Israël nouveau et sanctifié, Is 11 1, 10, cf. 4 2; Jr 23 3-6. – A l'inverse d'Israël, les nations païennes n'auront pas de « reste », Is 14 22, 30; 15 9; 16 14; Ez 21 37; Am 1 8; Ab 18.
c) Évocation de la colonne de nuée ou de feu qui guida les Israélites à la sortie d'Égypte. Cette allusion à l'Exode confirme la date tardive du poème : cf. 10 26, qui est une addition, 11 15-16, qui est exilique, et la présentation du retour de l'Exil comme un nouvel Exode dans le Second Isaïe, 40 3+.
d) Poème composé par Isaïe au début de son ministère, peut-être à partir d'une chanson de vendanges. Le thème de la vigne Israël, choisie puis rejetée, déjà amorcé par Osée, 10 1, sera repris par Jérémie, 2 21; 5 10; 6 9; 12 10, et par Ézéchiel, 15 1-8; 17 3-10; 19 10-14. Cf. Ps 80 9-19; Is 27 2-5. Jésus le transposera dans la parabole des vignerons homicides, Mt 21 33-44p (cf. aussi le figuier stérile, Mt 21 18-19p). En Jn 15 1 2; il révélera le mystère de la « vraie » vigne. – Autres aspects du thème de la vigne en Dt 32 32-33 et Si 24 17.
e) En hébreu *soreq*, nom d'un plant de choix, 16 8; Jr 2 21, cf. Gn 49 11, désigné par la couleur de ses grappes.
f) Ces malédictions datent aussi du début du ministère d'Isaïe, mais elles n'ont peut-être pas été toutes prononcées à la même occasion. Aux six malédictions de 5 2-24, on propose d'en ajouter une septième, 10 1-4, qui aurait été déplacée par accident. La malédiction est l'un des genres de la prédication prophétique, cf. les réf. marginales. Ici, Isaïe est assez proche d'Amos.
g) Dix arpents, *semed*, correspondent à peu près à deux hectares et demi, un tonnelet, *bat*, à une quarantaine de litres; la mesure, *épha*, a la même contenance pour le grain, et le muid *omer*, vaut dix fois plus.

qui s'attardent le soir, ivres de vin.
12 Ce ne sont que harpes et cithares, tambourins et flûtes,
et du vin pour leurs beuveries.
Ps 28 5 Mais pour l'œuvre de Yahvé, pas un regard,
l'action de ses mains, ils ne la voient pas.
13 C'est pourquoi mon peuple est exilé, faute de connaissance;
sa noblesse : des gens affamés! ses foules séchant de soif!
14[a] C'est pourquoi le shéol dilate sa gorge et bée d'une gueule démesurée.
Ils y descendent, ses nobles, ses foules
et ses criards, et ils y exultent.

=2 9, 11 15 Le mortel a été humilié, l'homme a été abaissé
et les yeux des orgueilleux sont baissés.
16 Yahvé Sabaot fut exalté dans son jugement
1 26+; 6 3+ et le Dieu saint a révélé sa sainteté dans la justice [b].
7 25 17 Les agneaux paîtront comme dans leurs pâtures,
les pacages dévastés des bêtes grasses seront la nourriture des chevreaux [c].
18 Malheur à qui tire la faute avec les liens de la tromperie,
et le péché comme avec un trait de chariot;
2 P 3 4 19 à ceux qui disent : « Qu'il fasse vite, qu'il hâte son œuvre [d],
pour que nous la voyions;
que s'approche et se réalise le projet du Saint d'Israël,
que nous le reconnaissions. »
Pr 17 15 20 Malheur à ceux qui appellent le mal bien et le
Mt 23 13 bien mal,
qui font des ténèbres la lumière et de la lumière les ténèbres,
qui font de l'amer le doux et du doux l'amer.
Jn 9 40-41 21 Malheur à ceux qui sont sages à leurs propres
Rm 1 21-22 yeux
et s'estiment intelligents.
22 Malheur à ceux qui sont des héros pour boire du vin
et des champions pour mélanger la boisson,
23 qui acquittent le coupable pour un pot-de-vin,
et refusent au juste [e] la justice.

24 Oui, comme la flamme dévore la paille,
comme le foin s'enflamme et disparaît,
leur racine ressemblera à de la pourriture,
leur bourgeon sera emporté comme la poussière.
Car ils ont rejeté la loi de Yahvé Sabaot,
ils ont méprisé la parole du Saint d'Israël.

**La colère de Yahvé [f].**

25 C'est pourquoi la colère de Yahvé s'est enflammée contre son peuple;
il a levé la main contre lui pour le frapper,
les montagnes ont tremblé,
et les cadavres sont comme des ordures au milieu des rues.
Avec tout cela la colère de Yahvé ne s'est pas calmée,
sa main reste levée. 9 11, 16, 20;
10 4

**Appel aux envahisseurs [g].**

26 Il dresse un signal pour le peuple [h] lointain, Jr 5 15-17;
il le siffle des extrémités de la terre, 6 22-30
et voici qu'aussitôt il accourt, léger.
27 Chez lui nul n'est fatigué, nul ne trébuche,
nul ne dort ni ne sommeille,
nul ne dénoue la ceinture de ses reins,
nul n'a la courroie de ses sandales rompue.
28 Ses flèches sont aiguisées et tous ses arcs tendus,
les sabots de ses chevaux, on dirait du rocher,
et ses roues, un tourbillon.
29 Son rugissement est celui d'une lionne, Os 5 14
il rugit comme les lionceaux, Am 3 12
il gronde et saisit sa proie,
il l'emporte et nul ne le fait lâcher;
30 il gronde contre lui [i], en ce jour-là, comme gronde la mer.
Il regarde le pays : et voici les ténèbres, 8 20-22
l'angoisse,
et la lumière est obscurcie par les nuages [j].

*a)* Les vv. 14-16 paraissent hors de contexte et peuvent être rattachés au poème de **2** 6-22 dont le « refrain », vv. 9 et 11, se retrouve ici, v. 15.
*b)* La « sainteté » de Dieu, cf. **6** 3+, le « sépare » de toutes les créatures : au-dessus d'elles, il n'est pas souillé par elles. Mais cette sainteté transcendante de Dieu s'exprime dans ses rapports avec les hommes par sa « justice » qui en souligne le caractère moral : Dieu récompense le bien et punit le mal, lors de son « jugement ». A cette justice ne s'oppose pas la bonté miséricordieuse, car c'est encore sa « justice » qu'accomplit le Dieu fidèle à ses promesses en pardonnant à Israël ou au pécheur repentant, Mi **7** 9; Ps **51** 16. La justice sera par excellence la vertu du règne messianique, quand Dieu aura transmis à son peuple quelque chose de sa sainteté, Is **1** 26; **4** 3; cf. Mt **5** 48.
*c)* « chevreaux » grec; « étrangers » hébr.
*d)* C'est le « jour de Yahvé », que le prophète a annoncé, **2** 12, et que les sceptiques appellent sur eux par défi.
*e)* « au juste » grec; pluriel en hébr.
*f)* On rattache **5** 25-30 au poème de **9** 7-20, dont on retrouve ici le refrain.
*g)* On pourrait rattacher ce poème à l'une des grandes invasions assyriennes au temps d'Isaïe : celle de Téglat-Phalasar III en 735 ou 732, celle de Salmanasar en 722, celle de Sargon en 711 ou celle de Sennachérib en 701. Mais l'envahisseur n'est pas nommé et ce peut être l'expression d'un thème général : Dieu appelle une nation puissante comme instrument de sa vengeance, cf. Dt **28** 49-52 et ci-dessous, **10** 6+.
*h)* « le peuple » conj. d'après le contexte; hébr. a le pluriel.
*i)* Non l'envahisseur, mais le pays de Juda, cf. la suite du v.
*j)* Les ténèbres du « jour de Yahvé », Am **5** 18, 20.

## 2. LE LIVRE DE L'EMMANUEL

**Vocation d'Isaïe [a].**

**6** 1 L'année de la mort du roi Ozias [b], je vis le
Ap 4 2 Seigneur assis sur un trône grandiose et surélevé. Sa traîne emplissait le sanctuaire [c].
2 Des séraphins [d] se tenaient au-dessus de lui,
Ez 1 11; ayant chacun six ailes, deux pour se couvrir la
10 21 face [e], deux pour se couvrir les pieds [f], deux pour
voler.
3 Ils se criaient l'un à l'autre ces paroles :
↗ Ap 4 8 « Saint, saint, saint [g] est Yahvé Sabaot,
Nb 14 21 sa gloire emplit toute la terre. »
4 Les montants des portes vibrèrent au bruit de ces
Ex 19 16+; cris et le Temple était plein de fumée [h]. 5 Alors je
40 34-35 dis :
1 R 8 10-12
↗ Jn 12 41 « Malheur à moi, je suis perdu!
car je suis un homme aux lèvres impures,
j'habite au sein d'un peuple aux lèvres impures,
Ex 33 20+ et mes yeux ont vu le Roi, Yahvé Sabaot. »

6 L'un des séraphins vola vers moi, tenant dans sa
main une braise qu'il avait prise avec des pinces
Jr 1 9 sur l'autel. 7 Il m'en toucha la bouche et dit :
Dn 10 16 « Voici, ceci a touché tes lèvres [i],
ta faute est effacée,
ton péché est pardonné. »
8 Alors j'entendis la voix du Seigneur qui disait :
« Qui enverrai-je? Qui ira pour nous? »
Ex 4 10, 13 Et je dis : « Me voici, envoie-moi [j]. »
Jr 1 6

9 Il me dit :
« Va, et tu diras à ce peuple : ↗ Mt 13 14-15p
Écoutez, écoutez, et ne comprenez pas; ↗ Ac 28 26-27
regardez, regardez, et ne discernez pas.
10 Appesantis le cœur de ce peuple, ↗ Jn 12 40
rends-le dur d'oreille, englue-lui les yeux,
de peur que ses yeux ne voient, Jr 5 21
que ses oreilles n'entendent, Ez 12 2
que son cœur ne comprenne,
qu'il ne se convertisse et ne soit guéri [k]. »

11 Et je dis : « Jusques à quand, Seigneur [l]? »
Il me répondit : « Jusqu'à ce que les villes soient
détruites et dépeuplées, les maisons inhabitées; que
le sol soit dévasté, désolé; 12 que Yahvé en chasse
les gens, et qu'une grande détresse règne au milieu
du pays.
13 Et s'il en reste un dixième, de nouveau il sera
dépouillé, comme le térébinthe et comme le chêne
qui une fois émondés n'ont plus qu'un tronc; leur
tronc est une semence sainte [m]. »

**Première intervention d'Isaïe.**

**7** 1 Au temps d'Achaz, fils de Yotam, fils
d'Ozias, roi de Juda, Raçôn [n], roi d'Aram, 2 R 16 5-9
monta avec Peqah, fils de Remalyahu, roi d'Israël,
vers Jérusalem pour porter l'attaque contre elle,
mais il ne put l'attaquer [o]. 2 On annonça à la maison de David : « Aram a fait halte sur le territoire

*a)* Cette vision devrait normalement se trouver au début du livre, mais celui-ci a été composé à partir de collections indépendantes, cf. Introduction pp. 1078-1079, et cette vision trouve bien sa place en tête du *Livre de l'Emmanuel* qui groupe les oracles relatifs à la guerre syro-éphraïmite, où s'accomplissent les menaces des vv. 11-13.

*b)* Probablement en 740.

*c)* Le *Hékal*, salle qui précédait le *Debir* ou « Saint des Saints », cf. 1 R 6 1-38.

*d)* Étymologiquement : les « brûlants ». Ces êtres ailés n'ont de commun que le nom avec les serpents brûlants de Nb 21 6, cf. 8; Dt 8 15, ou volants d'Is 14 29; 30 6. Ce sont des figures humaines, mais munies de six ailes, qui rappellent les êtres mystérieux qui portent le char de Yahvé dans Ez 1, et qu'Ez 10 appelle « chérubins », comme les figures analogues attachées à l'arche, Ex 25 18+. La tradition postérieure a donné le nom de Séraphins et de Chérubins à deux classes des Anges.

*e)* Par peur de voir Yahvé, cf. Ex 33 20+.

*f)* Euphémisme pour désigner le sexe.

*g)* La sainteté de Dieu est un thème central de la prédication d'Isaïe qui appelle souvent Yahvé « le Saint d'Israël », 1 4; 5 19, 24; 10 17, 20; 41 14, 16, 20, etc. Cette sainteté de Dieu exige de l'homme qu'il soit lui-même sanctifié, c'est-à-dire séparé du profane, Lv 17 1+, purifié du péché, ici vv. 5-7, participant à la « justice » de Dieu, cf. 1 26+ et 5 16+.

*h)* Signe de la présence de Dieu au Sinaï, Ex 19 16+, dans la Tente du désert, Ex 40 34-35, et dans le Temple de Jérusalem, 1 R 8 10-12; Ez 10 4.

*i)* Le prophète est le messager de la parole de Dieu, il est sa « bouche », cf. Ex 4 16. De même, Yahvé touche la bouche de Jérémie, Jr 1 9, et Ézéchiel mange le rouleau qui contient la parole de Dieu, Ez 3 1-3. Le feu est purificateur, Jr 6 29, cf. Mt 3 11+, à plus forte raison le feu de l'autel.

*j)* La promptitude d'Isaïe rappelle la foi d'Abraham, Gn 12 1-4, et fait contraste avec les hésitations de Moïse, Ex 4 10-12, et surtout de Jérémie, Jr 1 6.

*k)* La prédication du prophète se heurtera à l'incompréhension de ses auditeurs. Les impératifs employés ici ne doivent pas faire illusion, ils sont l'équivalent d'indicatifs, cf. 29 9 : Dieu ne veut pas cette incompréhension, il la prévoit et elle sert ses desseins. Elle dévoile le péché du cœur et précipite le jugement; comp. l'endurcissement du pharaon, Ex 4 21; 7 3, etc. – Ce texte d'Isaïe sera plusieurs fois cité dans le NT, Mt 13 14-15p; Jn 12 40; Ac 28 26-27, avec une application spéciale aux paraboles, Mt 13 13.

*l)* Le prophète ne veut pas accepter que la condamnation soit définitive. Sans contredire cette espérance, la réponse de Dieu insiste sur la gravité des épreuves qui précéderont le salut.

*m)* Verset difficile. La dernière phrase manque dans le grec, mais doit être maintenue : de ce tronc dépouillé doit renaître un arbre nouveau, cf. 4 2-3 et la note.

*n)* « Raçôn » d'après le grec et les documents assyriens; « Reçîn » hébr.

*o)* C'est la guerre syro-éphraïmite : le roi d'Aram et le roi d'Israël voulaient entraîner Juda dans une coalition contre l'Assyrie. Malgré les avertissements d'Isaïe, Achaz demanda le secours de Téglat-Phalasar, qui attaqua Damas et Samarie mais réduisit Juda en vassalité. Achaz avait ouvert à l'Assyrie la porte de son pays, cf. 2 R 16 5-16.

d'Éphraïm. » Alors son cœur et le cœur de son peuple se mirent à chanceler comme chancellent les
arbres de la forêt sous le vent.
3 Et Yahvé dit à Isaïe : Sors au-devant d'Achaz,
toi et Shéar-Yashub[a] ton fils, vers l'extrémité du
2 R 20 20+ canal de la piscine supérieure, vers le chemin du
champ du foulon. 4 Tu lui diras : Prends garde et
calme-toi. Ne crains pas et que ton cœur ne défaille
pas devant ces deux bouts de tisons fumants, à
cause de l'ardente colère de Raçôn. d'Aram et du
fils de Remalyahu, 5 parce qu'Aram, Éphraïm et le
fils de Remalyahu ont tramé contre toi un mauvais
coup en disant : 6 « Montons contre Juda, détrui-
sons-le, brisons-le pour le ramener vers nous, et
nous y établirons comme roi le fils de Tabeel[b]. »
7 Ainsi parle le Seigneur Yahvé :
Cela ne tiendra pas, cela ne sera pas;
8 car la tête d'Aram c'est Damas, et la tête de
Damas c'est Raçôn;
encore soixante-cinq ans, et Éphraïm cessera
d'être un peuple.
9 La tête d'Éphraïm c'est Samarie, et la tête de
Samarie c'est le fils de Remalyahu.
28 16; 30 15 Si vous ne croyez pas, vous ne vous maintiendrez pas[c].

**Seconde intervention.**

10 Yahvé parla encore à Achaz en disant :
11 Demande un signe à Yahvé ton Dieu,
au fond, dans le shéol, ou vers les hauteurs,
au-dessus.
12 Et Achaz dit : Je ne demanderai rien, je ne tente- Dt 6 16
rai pas Yahvé.
13 Il dit alors :
Écoutez donc, maison de David!
est-ce trop peu pour vous de lasser les hommes,
que vous lassiez aussi mon Dieu?
14 C'est pourquoi le Seigneur lui-même vous donnera un signe[d] :
Voici, la jeune femme[e] est enceinte, ↗ Mt 1 23
elle va enfanter un fils Mi 5 2
et elle lui donnera le nom d'Emmanuel. 9 5+
15 Il mangera du lait caillé et du miel 7 22
jusqu'à ce qu'il sache rejeter le mal et choisir le
bien.
16 Car avant que l'enfant sache rejeter le mal et Dt 1 39
choisir le bien, 1 R 3 9
elle sera abandonnée, la terre dont les deux rois
te jettent dans l'épouvante[f].
17 Yahvé fera venir sur toi, sur ton peuple et sur la
maison de ton père
des jours tels qu'il n'en est pas venu
depuis la séparation d'Éphraïm et de Juda[g] (le
roi d'Assur).

**Annonce d'une invasion[h].**

18 Il arrivera, en ce jour-là,
que Yahvé sifflera les mouches qui sont à l'extré-

*a)* Ce nom prophétique, cf. **1** 26+, signifie « un reste reviendra », c'est-à-dire se convertira à Yahvé et échappera ainsi au châtiment, cf. **4** 3+; **10** 20-23.

*b)* Probablement un Araméen de la cour de Damas. Le nom signifie « Dieu est bon » mais l'hébreu massorétique l'a vocalisé *Tabal*, « bon à rien ».

*c)* Texte difficile. Certains proposent de transposer 8^b après 9^a et d'y corriger « 65 ans » en « 5 ou 6 ans » (en fait, Samarie tombera en 722). Tel qu'il se présente, le texte suppose une comparaison tacite entre Juda, dont la capitale est Jérusalem et dont le vrai « chef » est Yahvé, et ses ennemis qui n'ont pas les mêmes privilèges. En outre, le prophète annonce la disparition du royaume du Nord, mais il met comme condition un acte de foi en Dieu. La foi, chez les prophètes, est moins la croyance abstraite que Dieu existe et qu'il est unique, que la confiance en lui, fondée sur l'élection : Dieu a choisi Israël, il est *son* Dieu, Dt **7** 6+, et peut seul le sauver. Cette confiance absolue, gage du salut, Is **28** 16, exclut le recours à tout autre appui, des hommes ou à plus forte raison des faux dieux, cf. **30** 15; Jr **17** 5; Ps **52** 9.

*d)* Le signe que le roi Achaz a refusé de demander lui est cependant donné par Dieu. C'est la naissance d'un enfant dont le nom, Emmanuel, c'est-à-dire « Dieu avec nous », cf. **8** 8, 10, est prophétique, cf. **1** 26+, et annonce que Dieu va protéger et bénir Juda. En d'autres textes, **9** 1-6; **11** 1-9, Isaïe dévoilera avec plus de précision certains aspects du salut apporté par cet enfant. Ces prophéties sont une expression du messianisme royal, déjà esquissé par le prophète Natân, 2 S **7**, et qui sera repris plus tard par Mi **4** 14; Ez **34** 23; Ag **2** 23; cf. Ps **2**; **45**; **72**; **110**. C'est par un roi, successeur de David, que Dieu donnera le salut à son peuple; c'est sur la permanence de la lignée davidique que repose l'espérance des fidèles de Yahvé. Même si Isaïe a en vue immédiatement la naissance d'un fils d'Achaz, par exemple Ézéchias (ce qui paraît probable en dépit des incertitudes de la chronologie, et ce que semble avoir compris le grec en lisant, v. 14, « *tu* lui donneras le nom... ») on pressent, par la solennité donnée à l'oracle et par le sens fort du nom symbolique donné à l'enfant, qu'Isaïe entrevoit dans cette naissance royale, au-delà des circonstances présentes, une intervention de Dieu en vue du règne messianique définitif. La prophétie de l'Emmanuel dépasse ainsi sa réalisation immédiate, et c'est légitimement que les évangélistes (Mt **1** 23 citant Is **7** 14; Mt **4** 15-16 citant Is **8** 23 - **9** 1), puis toute la tradition chrétienne, y ont reconnu l'annonce de la naissance du Christ.

*e)* La traduction grecque porte « la vierge », précisant ainsi le terme hébreu *'almah* qui désigne soit une jeune fille, soit une jeune femme récemment mariée, sans expliciter davantage. Mais le texte des LXX est un témoin précieux de l'interprétation juive ancienne, qui sera consacrée par l'Évangile : Mt **1** 23 trouve ici l'annonce de la conception virginale du Christ.

*f)* C'est, comme dans l'oracle précédent (**7** 7-9), l'annonce des revers qui vont s'abattre sur les royaumes de Samarie et de Damas, revanche promise par Dieu au royaume de Juda actuellement menacé.

*g)* C'est-à-dire une époque de prospérité et de gloire comme Israël en a connu sous les règnes de David et de Salomon. C'est sur cette vision d'espoir que se termine le second épisode de l'oracle de l'Emmanuel. – « le roi d'Assur » est une glose fondée sur une interprétation erronée.

*h)* Dans le développement qui suit, il n'est plus question de la guerre syro-éphraïmite, mais de l'Égypte et d'Assur. Ce n'est plus un oracle de bénédiction, mais l'annonce d'une dévastation du pays par l'Assyrie. Nous avons là vraisemblablement un oracle postérieur, datant des dernières années de l'activité d'Isaïe, avant l'intervention de Sennachérib. Il aurait été inséré ici à cause de la mention du lait et du miel, v. 22, rapprochée du v. 15. Mais alors qu'au v. 15 c'était une nourriture de grâce, cf. Ex **3** 8, 17, etc.; Dt **6** 3; **11** 9, etc., c'est au v. 22 la seule nourriture d'un pays dévasté qui est revenu à une vie pastorale élémentaire.

mité des fleuves d'Égypte
et les abeilles qui sont au pays d'Assur.
19 Elles viendront et se poseront toutes
dans les torrents des ravins et dans les fentes des rochers,
sur tous les buissons et à tous les points d'eau.
20 En ce jour-là,
le Seigneur rasera avec un rasoir loué au-delà du fleuve.
(avec le roi d'Assur)
la tête et le poil des jambes,
et même la barbe, il l'enlèvera.
21 Il arrivera, en ce jour-là,
que chacun élèvera une génisse et deux têtes de petit bétail.
22 Et il arrivera qu'en raison de l'abondante production du lait,
(il mangera du lait caillé)
tout survivant au milieu du pays mangera du lait caillé et du miel.
23 Il arrivera, en ce jour-là,
5 10 que tout lieu où il y a mille pieds de vigne valant mille pièces d'argent
deviendra ronces et épines.
24 Avec flèches et arc on y pénétrera,
car tout le pays sera ronces et épines.
25 Sur toutes les montagnes qui sont cultivées à la houe, tu n'iras plus
par crainte des ronces et des épines,
5 17 et ce sera pacage de bœufs et terre piétinée par les moutons.

### Naissance d'un fils d'Isaïe [a].

8 1 Yahvé me dit : Prends une grande tablette et
écris dessus avec un stylet ordinaire : Maher-
Shalal Hash-Baz. 2 Et prends [b] des témoins dignes
2 R 16 10-16 de foi, le prêtre Uriyya et Zekaryahu fils de
18 2 Yebèrèkyahu.
3 Puis je m'approchai de la prophétesse, elle
conçut et enfanta un fils. Et Yahvé me dit : Donne-
lui le nom de Maher-Shalal Hash-Baz, 4 car avant
7 16 que le garçon ne sache dire « papa » et « maman »,
on enlèvera la richesse de Damas et le butin de
Samarie, en présence du roi d'Assur.

### Siloé et l'Euphrate [c].

5 Yahvé me parla encore en disant :
6 Puisque ce peuple a méprisé les eaux de Siloé Jn 9 7
qui coulent doucement, et a tremblé [d] devant 7 1-2
Raçôn et le fils de Remalyahu, 7 eh bien! voici que
le Seigneur fait monter contre lui les eaux du Ap 12 15+
Fleuve, puissantes et abondantes (le roi d'Assur et
toute sa gloire); il grossira dans toutes ses vallées
et franchira toutes ses rives; 8 il passera en Juda,
inondera et traversera; il atteindra jusqu'au cou, et
le déploiement de ses ailes couvrira toute l'étendue
de ton pays, Emmanuel [e]. 9 Sachez [f], peuples, et 7 14
soyez épouvantés; prêtez l'oreille, tous les pays
lointains.
Ceignez-vous et soyez épouvantés. Ceignez-vous
et soyez épouvantés.
10 Faites un projet : il sera anéanti,
prononcez une parole : elle ne tiendra pas,
car « Dieu est avec nous ». 7 14

### La mission d'Isaïe [g].

11 Oui, ainsi m'a parlé Yahvé lorsque sa main m'a saisi
et qu'il m'a appris à ne pas suivre le chemin de ce peuple, en disant :
12 « Vous n'appellerez pas complot tout ce que ce peuple appelle complot,
vous ne partagerez pas ses craintes et vous n'en serez pas terrifiés. ↗ 1 P 3 14
13 C'est Yahvé Sabaot que vous proclamerez saint,
c'est lui qui sera l'objet de votre crainte et de votre terreur.
14 Il sera un sanctuaire [h], un rocher qui fait tomber, ↗ Rm 9 33 1 P 2 8
une pierre d'achoppement pour les deux maisons d'Israël,
un filet et un piège pour les habitants de Jérusalem.
15 Beaucoup y achopperont, tomberont et se briseront,
ils seront pris au piège et capturés.

*a)* Malgré le parallélisme avec 7 16, ce petit oracle a une portée très différente de celui de l'Emmanuel : il ne s'agit plus de messianisme royal. Le nom prophétique du second fils d'Isaïe est un signe et un présage, cf. 1 26+; 7 3; 8 18, il signifie « Prompt-butin-proche-pillage » et annonce le sac imminent de Damas et de Samarie par les Assyriens. Cf. les noms symboliques des enfants d'Osée, Os 1 4, 6, 9.

*b)* « prends » grec; « que je prenne » hébr.

*c)* Les eaux de Siloé, v. 6, cf. 7 3, symbolisent la protection divine à laquelle le peuple a préféré l'aide de l'Assyrie (« le Fleuve », v. 7, c'est-à-dire l'Euphrate) qui se retournera contre lui, cf. 7 1+.

*d)* « a tremblé (litt. fondu) devant » conj.; l'hébr. « exultation » (?) est inintelligible, à moins qu'il ne faille chercher à rattacher ce mot au verbe de la même racine « se réjouir », et voir là une allusion à un parti pro-syrien qui se serait constitué en Juda. Les versions ont compris « choisi (pour roi) », qui est historiquement impossible.

*e)* Le rappel de ce nom prophétique, cf. 7 14, ici et, en clair, au v. 10, souligne l'unité de ce groupe d'oracles : les châtiments annoncés préparent l'accomplissement des promesses.

*f)* « sachez » grec; « alliez-vous » (?) hébr.

*g)* Isaïe semble exprimer ici, peut-être à l'intention de ses disciples, v. 16, des confidences sur les motifs de son attitude. C'est Yahvé lui-même qui lui a appris à s'opposer au peuple de Juda et à n'avoir confiance qu'en Dieu – attitude difficile, dans des circonstances parfois ambiguës, vv. 14, 15, destinée à faire apparaître la vraie fidélité.

*h)* Au lieu de « sanctuaire » *miqdash*, le Targ. a lu « piège » *moqesh*, comme à la fin du v. Le texte actuel paraît être une erreur ou une correction de scribe.

16 Enferme un témoignage, scelle une instruction
au cœur de mes disciples. »
17 J'espère en Yahvé qui cache sa face à la maison
de Jacob,
et je mets mon attente en lui.
7 3; **8** 3-4; 18 Voici que moi et les enfants que Yahvé m'a don-
**1** 26+ nés
↗ He **2** 13 nous devenons signes et présages en Israël,
de la part de Yahvé Sabaot qui habite sur la
montagne de Sion.
1 S **28** 3+ 19 Et si on vous dit : « Allez consulter les spectres
et les devins
qui murmurent et qui marmonnent »,
n'est-il pas vrai qu'un peuple consulte ses dieux,
et les morts pour les vivants?
20 Pour l'instruction et le témoignage,
sûrement on s'exprimera selon cette parole
d'après laquelle il n'y a pas d'aurore [a].

### La marche dans la nuit [b].

21 Et il passera dans le pays, opprimé et affamé;
il arrivera que lorsqu'il sera affamé, il s'irritera,
il maudira son roi et son Dieu, et se tournera
vers le ciel.
22 Puis il regardera vers la terre; et voici : angoisse,
obscurité, nuit de détresse, ténèbres dissolvantes.
23 Car n'est-ce pas la nuit pour le pays qui est dans
la détresse?

### La délivrance.

9 1 ↗ Mt **4** 13-16 Comme le passé a humilié le pays de Zabulon
et le pays de Nephtali, l'avenir glorifiera le chemin
de la mer, au-delà du Jourdain, le district des
nations [c].
**9** 1 Le peuple qui marchait dans les ténèbres a 3
Jn **8** 12+ vu une grande lumière,
sur les habitants du sombre pays, une lumière a
resplendi.

2 Tu as multiplié la nation, tu as fait croître sa joie; Ps 126
ils se réjouissent devant toi comme on se réjouit
à la moisson,
comme on exulte au partage du butin.
3 Car le joug qui pesait sur elle, la barre posée sur **10** 25-26;
ses épaules, **14** 25
le bâton de son oppresseur,
tu les as brisés comme au jour de Madiân. Jg **7** 15-25
4 Car toute chaussure qui résonne sur le sol [d], tout 5
manteau roulé dans le sang,
seront mis à brûler, dévorés par le feu.
5 Car un enfant nous est né, un fils nous a été 7 14+
donné, Gn **3** 15; **49** 10
il a reçu le pouvoir sur ses épaules et on lui a Nb **24** 17
donné ce nom : Mi **5** 1-3 Za **9** 9
Conseiller-merveilleux, Dieu-fort, 2 S **7** 12-16
Père-éternel, Prince-de-paix [e],
6 pour que s'étende le pouvoir dans une paix sans Lc **2** 14
fin
sur le trône de David et sur son royaume,
pour l'établir et pour l'affermir
dans le droit et la justice.
Dès maintenant et à jamais, Lc **1** 32-33
l'amour jaloux de Yahvé Sabaot fera cela [f].

### Les épreuves du royaume du Nord [g].

7 Le Seigneur a jeté une parole en Jacob, 55 10-11
elle est tombée en Israël.
8 Tout le peuple l'a su, Éphraïm et l'habitant de 9
Samarie
qui disent dans l'orgueil de leur cœur altier :
9 « Les briques sont tombées, nous construirons en 10
pierre de taille,
les sycomores ont été abattus, nous les remplace-
rons par des cèdres. »
10 Mais Yahvé a soutenu contre ce peuple son 11
adversaire Raçôn [h],
il a excité ses ennemis,

*a)* Les vv. 19-20, qui sont peut-être hors de leur contexte, sont très obscurs. Isaïe rapporte les paroles de ses adversaires, qui revendiquent pour le peuple le droit de pratiquer la divination, cf. **2** 6+. La réponse, v. 19[b], est peut-être ironique, et le prophète paraît conclure, v. 20, en constatant que de tels propos conduisent à une impasse. Mais tout cela repose sur un texte mal assuré.

*b)* Ici encore, il semble s'agir d'un fragment d'oracle déplacé. En gros, on devine la description d'un homme qui traverse le pays ravagé et qui exprime sa détresse. Mais on ne voit pas comment relier ce bref poème au contexte immédiat. Il faut peut-être le rapprocher de **5** 26-30 qu'il continuerait assez bien.

*c)* Ce v. qui oppose, pour les régions du nord de la Palestine, un avenir glorieux à un passé d'humiliations, paraît faire allusion aux campagnes de Téglat-Phalasar en Galilée et à la déportation de 732, cf. 2 R **15** 29. Dans l'oracle qui suit, Isaïe annonce un « jour de Yahvé » qui apportera la délivrance aux déportés; il annonce en même temps le règne pacifique d'un enfant de race royale, l'Emmanuel de **7** 14. L'apparition du Messie en Galilée donnera à cette prophétie sa pleine réalisation, cf. Mt **4** 13-16. Le « district des nations » (hébr. *gelîl ha-goyim*) désigne la Galilée.

*d)* Litt. « chaussure de fracas ». – La destruction de l'équipement guerrier annonce une époque de paix qui sera décrite symboliquement par la suite, **11** 6-9, cf. déjà **2** 4.

*e)* Ces titres sont comparables au protocole que l'on composait pour le pharaon lors de son couronnement. L'enfant de race royale aura la sagesse de Salomon, la bravoure et la piété de David, les grandes vertus de Moïse et des Patriarches, cf. **11** 2. La tradition chrétienne, qui s'exprime dans la liturgie de Noël, en donnant ces titres au Christ montre que celui-ci est l'Emmanuel véritable.

*f)* L'amour jaloux de Yahvé pour son peuple le pousse à la fois à châtier ses infidélités, cf. Ex **20** 5; Dt **4** 24, et à lui procurer le salut.

*g)* Ce poème, scandé par un refrain, vv. 11[b], 20[b]; **10** 4[b], fut prononcé contre le royaume du Nord, en un temps d'hostilité entre Israël et Juda, soit en 739, à l'époque où se préparait la guerre contre Achaz, 2 R **15** 37, soit en 734, après cette guerre, alors que le royaume du Nord devenait la proie de l'Assyrie, 2 R **15** 29.

*h)* « son adversaire, Raçôn » conj.; « les adversaires de Raçôn » hébr., qui ne donne aucun sens.

11 Aram à l'orient, les Philistins à l'occident :
Mi **3** 3 ils ont dévoré Israël à belles dents [a].
Jr **10** 25 Ha **1** 13 Avec tout cela sa colère ne s'est pas détournée,
Pr **30** 14 sa main reste levée.

5 25+ 12 Mais le peuple n'est pas revenu à celui qui le
Am **4** 6 11+ Os **7** 10-15 frappait,
Jr **5** 3-6 il n'a pas cherché Yahvé Sabaot.
13 Aussi Yahvé a retranché d'Israël tête et queue,
palme et jonc, en un jour [b].
15 14 (L'ancien et le dignitaire, c'est la tête,
le prophète qui enseigne le mensonge, c'est la
queue.)
16 15 Les guides de ce peuple l'ont égaré,
et ceux qu'ils guident se sont fourvoyés [c].
17 16 C'est pourquoi en ses jeunes gens le Seigneur ne
trouvera plus sa joie,
de ses orphelins et de ses veuves il n'aura plus
pitié,
car tous sont impies et malfaisants,
toute bouche profère l'insanité.
Avec tout cela sa colère ne s'est pas détournée,
sa main reste levée.
17 Oui, la méchanceté a brûlé comme le feu,
18 elle dévore ronces et épines,
elle a incendié les halliers de la forêt,
ils se sont élevés en tourbillons de fumée.
19 18 Par l'emportement de Yahvé Sabaot la terre a été
brûlée [d]
et le peuple est comme la proie du feu.
Nul n'a pitié de son frère,
20 19 on a coupé à droite et on a eu faim, on a mangé
à gauche et on n'a pas été rassasié.
Chacun dévore la chair de son bras,
20 Manassé dévore Éphraïm, et Éphraïm Manassé,
ensemble ils s'attaquent à Juda.
21 Avec tout cela sa colère ne s'est pas détournée,
sa main reste levée.

**10** 1 Malheur à ceux qui décrètent des décrets
d'iniquité,
qui écrivent des rescrits d'oppression
2 pour priver les faibles de justice
et frustrer de leur droit les humbles de mon peu- **1** 17, 23;
ple, **3** 14; **5** 23 Ex **22** 21+
pour faire des veuves leur butin
et dépouiller les orphelins.
3 Que ferez-vous au jour du châtiment, Jr **5** 31
quand le malheur viendra de loin?
Vers qui fuirez-vous pour demander secours
et où laisserez-vous vos richesses,
4 pour ne pas ramper parmi les prisonniers,
tomber parmi les tués?
Avec tout cela sa colère ne s'est pas détournée,
sa main reste levée.

### Contre le roi d'Assyrie [e].

5 Malheur à Assur, férule de ma colère; **14** 24-27
c'est un bâton dans leurs mains que ma fureur.
6 Contre une nation impie je l'envoyais, **47** 6
contre le peuple objet de mon emportement je le Za **1** 15
mandais,
pour se livrer au pillage et rafler le butin,
pour les piétiner comme la boue des rues.
7 Mais lui ne jugeait pas ainsi, et son cœur n'avait
pas cette pensée,
car il rêvait d'exterminer, d'extirper des nations
sans nombre.
8 Car il disait : **36** 18-20
« N'est-ce pas que tous mes chefs sont des rois?
9 N'est-ce pas que Kalno vaut bien Karkémish,
que Hamat vaut bien Arpad, et Samarie
Damas [f]?
10 Comme ma main a atteint les royaumes des faux
dieux [g],
où il y a plus d'idoles qu'à Jérusalem et à Samarie,
11 comme j'ai agi envers Samarie et ses faux dieux,
ne puis-je pas agir aussi envers Jérusalem et ses
statues? »
12 Mais lorsque le Seigneur achèvera toute son
œuvre sur la montagne de Sion et à Jérusalem, il
châtiera [h] le fruit du cœur orgueilleux du roi
d'Assur et la morgue de ses regards arrogants.
13 Car il a dit :

*a)* Cette hostilité conjuguée des Philistins et des Araméens contre Israël est possible, mais elle n'est attestée par aucun texte historique.
*b)* « tête et queue, palme et jonc » semble désigner les chefs et les sujets, cf. **19** 15; Dt **28** 13, 44. Le v. suivant serait une glose explicative.
*c)* C'est peut-être ici qu'il faudrait intercaler **5** 25, que l'on suppose séparé accidentellement.
*d)* « brûlée » grec; hébr. inintelligible.
*e)* Il s'agit vraisemblablement de Sennachérib et de l'invasion de 701. Comparer les vv. 8-11 avec **36** 18-20. Sans le savoir, le roi d'Assyrie est un instrument qui exécute les jugements de Dieu contre le peuple rebelle, cf. **13** 5; **5** 26; **7** 18; **8** 7. De même, pour Jérémie, Nabuchodonosor sera un fléau entre les mains de Yahvé, Jr **51** 20; **50** 23; il sera même son serviteur, Jr **25** 9; **27** 6; **43** 10. Mais cette mission dont l'envahisseur n'est pas conscient ne supprime pas sa responsabilité. Son orgueil et sa cruauté seront châtiés au jour choisi par Dieu, v. 12.
*f)* Isaïe cite les villes puissantes qui ont été ravagées par les Assyriens lors des campagnes précédentes : Kalno, en Syrie du nord, prise en 738 par Téglat-Phalasar; Karkémish, sur l'Euphrate, prise par Sargon en 717; Hamat, sur l'Oronte, prise par Sargon en 720; Arpad, près d'Alep, déjà assiégée et prise par Téglat-Phalasar avant la guerre syro-éphraïmite; Samarie, tombée en 721 et Damas, en 732.
*g)* Isaïe fait parler ce roi assyrien comme un bon yahviste pour lequel les dieux étrangers étaient des « rien-du-tout », *elilim*, désignation fréquente des idoles chez Isaïe.
*h)* « il châtiera » grec; « je châtierai » hébr. – Tout ce v. en prose est ajouté.

Dt 8 17+ « C'est par ma main puissante que j'ai fait cela,
par ma sagesse, car j'ai agi avec intelligence.
Je supprimais les frontières des peuples;
j'ai saccagé leurs trésors;
comme un puissant je soumettais les habitants.
14 Ma main a cueilli, comme au nid, les richesses
des peuples,
et comme on ramasse des œufs abandonnés, j'ai
ramassé toute la terre;
pas un n'a battu des ailes, ni ouvert le bec pour
pépier. »
45 9 15 Fanfaronne-t-elle, la hache, contre celui qui la
Rm 9 20-21 brandit?
Se glorifie-t-elle, la scie, aux dépens de celui qui
la manie?
Comme si le bâton faisait mouvoir ceux qui le
lèvent,
comme si le gourdin levait ce qui n'est pas de
bois!
16 C'est pourquoi le Seigneur Yahvé Sabaot enverra
contre ses hommes gras la maigreur,
et sous sa gloire un brasier s'embrasera, comme
s'embrase le feu.
17 La lumière d'Israël deviendra un feu et son Saint
une flamme,
37 36 elle brûlera et consumera ses épines et ses ronces
en un jour.
18 La luxuriance de sa forêt et de son verger, il
l'anéantira corps et âme,
et ce sera comme un malade qui s'éteint.
19 Le reste des arbres de sa forêt sera un petit nombre, un enfant l'écrirait [a].

**Le petit reste [b].**

20 Ce jour-là, le reste d'Israël et les survivants de
la maison de Jacob
cesseront de s'appuyer sur qui les frappe;
ils s'appuieront en vérité sur Yahvé, le Saint
d'Israël.
4 3+ 21 Un reste reviendra, le reste de Jacob, vers le Dieu
fort.
↗ Rm 9 27 22 Mais ton peuple serait-il comme le sable de la
mer, ô Israël,
ce n'est qu'un reste qui en reviendra :
destruction décidée, débordement de justice! Rm 5 20-21
23 Car c'est une destruction bien décidée
que le Seigneur Yahvé Sabaot exécute au milieu
de tout le pays.

**Confiance en Dieu [c].** 14 24-27;

24 C'est pourquoi, ainsi parle le Seigneur Yahvé 30 27-33; 31 4-9;
Sabaot : 37 22-29
O mon peuple qui habites en Sion, n'aie pas peur
d'Assur!
Il te frappe du bâton, il lève le gourdin contre toi
(sur le chemin d'Égypte) [d];
25 mais encore quelques instants et la fureur prendra fin,
et ma colère causera leur perte.
26 Yahvé Sabaot va brandir contre lui un fouet,
comme il frappa Madiân au rocher d'Oreb; 9 3
il va brandir son bâton contre la mer, Jg 7 25
comme il l'a levé sur le chemin d'Égypte [e]. Ex 14 16
27 Ce jour-là,
son fardeau glissera de ton épaule et son joug de
ta nuque,
et le joug sera détruit [f] (...)

**L'invasion [g].** Mi 1 10-15

28 Il est arrivé sur Ayyat, il a passé à Migrôn,
à Mikmas il a laissé ses bagages. 1 S 14 5
29 Ils ont passé par le défilé, Géba est pour nous 1 S 14 2, 16
une étape,
Rama a frémi, Gibéa de Saül a fui. 1 S 1 19
30 Fais retentir ta voix, Bat-Gallim, sois attentive, 1 S 15 34
Laïsha!
Réponds-lui, Anatot [h]! Jr 1 1
31 Madména s'est enfuie;
les habitants de Gébîm se sont mis à l'abri.
32 Aujourd'hui même, à Nob, lors d'une halte, 1 S 21 2
il agitera la main vers la montagne de la fille de
Sion,
la colline de Jérusalem.
33 Voici que le Seigneur Yahvé Sabaot émonde la
frondaison avec violence,
les plus hautes cimes sont coupées, les plus fières
sont abaissées.

*a)* Certains pensent que les vv. 16-19 ne visent plus le roi d'Assur mais Juda.
*b)* Ce bref oracle paraît être un commentaire du nom donné par Isaïe à son fils aîné Shéar-Yashub, « un reste reviendra », cf. 7 3. La théologie du « reste », chère à Isaïe, cf. 4 3 et la note, est ici résumée avec ses deux aspects : annonce d'un châtiment exemplaire qui ne laissera subsister qu'un petit reste, vv. 22-23, et promesse, pour ce reste, d'une conversion (*yashûb*, « il reviendra ») accompagnée d'un pardon et de nouvelles bénédictions, vv. 20-21.
*c)* Cet oracle semble avoir été prononcé au temps qui précéda l'attaque de Sennachérib en 701.
*d)* Glose tirée du v. 26.
*e)* Tout le v. est une addition qui interrompt le développement, et cf. 4 5+.
*f)* Les derniers mots du v. sont incompréhensibles (litt. « devant la graisse »). On a proposé de rattacher « sera détruit » à la phrase précédente et de lire ensuite en corrigeant : « il est monté en face de Samarie », qui serait le début du développement suivant.
*g)* Les vv. 28-32 décrivent la marche de l'envahisseur. S'il s'agit de l'attaque de Sennachérib, cf. 10 5, cette route n'est pas celle que son armée a suivie, cf. 2 R 18 17, mais la description idéale d'une invasion venant du Nord, cf. Is 14 31. Les villes ne sont pas toutes localisées; la dernière, Nob, est sur le mont Scopus d'où l'on domine Jérusalem.
*h)* « réponds-lui » syr.; « malheureuse » hébr.

[34] Ils seront coupés par le fer, les halliers de la forêt,
et sous les coups d'un Puissant, le Liban tombera.

42 1-12 **Le descendant de David** [a].

Ps 72
Jr 23 5+ **11** [1] Un rejeton sortira de la souche de Jessé [b],
↗ Rm 15 12 un surgeon poussera de ses racines.
↗ Ap 22 16
Mt 3 16+ [2] Sur lui reposera l'Esprit de Yahvé [c],
↗ 1 P 4 14 esprit de sagesse et d'intelligence,
9 5 esprit de conseil et de force,
esprit de connaissance et de crainte de Yahvé :
[3] son inspiration est dans la crainte de Yahvé [d].
Il jugera mais non sur l'apparence.
Il se prononcera mais non sur le ouï-dire.
↗ Ap 19 11 [4] Il jugera les faibles avec justice,
il rendra une sentence équitable pour les humbles du pays.
↗ Ap 19 15 Il frappera le pays de la férule de sa bouche,
↗ 2 Th 2 8 et du souffle de ses lèvres fera mourir le méchant.
[5] La justice sera la ceinture de ses reins,
et la fidélité la ceinture de ses hanches.
65 25 [6] Le loup habitera avec l'agneau [e],
la panthère se couchera avec le chevreau.
Le veau, le lionceau et la bête grasse iront ensemble,
conduits par un petit garçon.
[7] La vache et l'ourse paîtront,
ensemble se coucheront leurs petits.
Le lion comme le bœuf mangera de la paille.
Ps 91 13 [8] Le nourrisson jouera sur le repaire de l'aspic,
sur le trou de la vipère le jeune enfant mettra la main.

[9] On ne fera plus de mal ni de violence sur toute ma montagne sainte,
car le pays sera rempli de la connaissance de ↗ Ha 2 14
Yahvé, Jr 31 33-34
Is 40 5
comme les eaux couvrent le fond de la mer.

**Le retour des dispersés** [f].

[10] Ce jour-là, la racine de Jessé, qui se dresse ↗ Rm 15 12
comme un signal pour les peuples, ↗ Ap 22 16
sera recherchée par les nations, et sa demeure sera glorieuse.
[11] Ce jour-là, le Seigneur étendra la main une seconde fois,
pour racheter le reste de son peuple,
ce qui restera à Assur et en Égypte, à Patros, à Kush et en Élam,
à Shinéar, à Hamat et dans les îles de la mer [g].
[12] Il dressera un signal pour les nations 49 22
et rassemblera les bannis d'Israël.
Il regroupera les dispersés de Juda
des quatre coins de la terre.
[13] Alors cessera la jalousie d'Éphraïm, Jr 3 18+
et les ennemis de Juda seront retranchés.
Éphraïm ne jalousera plus Juda
et Juda ne sera plus hostile à Éphraïm [h].
[14] Ils fondront sur le dos des Philistins à l'Occident,
ensemble ils pilleront les fils de l'Orient.
Édom et Moab seront soumis à leur main
et les fils d'Ammon leur obéiront. Jr 49 2
[15] Yahvé asséchera [i] la baie de la mer d'Égypte,
il agitera la main contre le Fleuve,
dans la violence de son souffle.

*a)* Poème messianique, qui précise certains traits essentiels du Messie à venir : il est de souche davidique, v. 1, il sera rempli de l'esprit prophétique, v. 2, il fera régner entre les hommes la justice, reflet terrestre de la sainteté de Yahvé, vv. 3s, Cf. **1** 26+ et **5** 16+, il rétablira la paix paradisiaque, vv. 6-8, fruit de la connaissance de Yahvé, v. 9.

*b)* Père de David, 1 S **16** 1s, cf. Rt **4** 22, et ancêtre de tous les rois de Juda et du Messie, cf. Mt **1** 6-16.

*c)* L'« esprit de Yahvé », ou le « saint esprit de Yahvé », **42** 1; **61** 1s; **63** 10-13; Ps **51** 13; Sg **1** 5; **9** 17, son « souffle » (« souffle » et « esprit » traduisent le même mot *ruah*), agit à travers toute l'histoire biblique. Dès avant la création il repose sur le chaos, Gn **1** 2, il donne la vie à tous les êtres, Ps **104** 29-30; **33** 6; Gn **2** 7, cf. Ez **37** 5-6, 9-10. C'est lui qui suscite les Juges, Jg **3** 10; **6** 34; **11** 29, et Saül, 1 S **11** 6. C'est lui qui donne l'habileté aux artisans, Ex **31** 3; **35** 31, le discernement aux Juges, Nb **11** 17, la sagesse à Joseph, Gn **41** 38. Enfin et surtout il inspire les prophètes, Nb **11** 17 (Moïse), 25-26; **24** 2; 1 S **10** 6, 10; **19** 20; 2 S **23** 2 (David); 2 R **2** 9 (Élie); Mi **3** 8; Is **48** 16; **61** 1; Za **7** 12; 2 Ch **15** 1; **20** 14; **24** 20, tandis que les faux prophètes suivent leur propre esprit, Ez **13** 3, cf. encore Dn **4** 5,15; **5** 11-12, 14. Le présent texte enseigne que cet esprit des prophètes sera donné au Messie; Jl **3** 1-2 annoncera pour les temps messianiques son effusion universelle, cf. Ac **2** 16-18. Comme la doctrine de la Sagesse, cf. Pr **8** 22+; Sg **7** 22+, la doctrine de l'Esprit trouvera son expression définitive dans le Nouveau Testament, cf. Jn **1** 33+; **14** 16+ et 26+; Ac **1** 8+; 2+; Rm **5** 5+.

*d)* L'esprit prophétique confère au Messie les vertus éminentes de ses grands ancêtres : sagesse et intelligence de Salomon, prudence et bravoure de David, connaissance et crainte de Yahvé des Patriarches et des Prophètes, Moïse, Jacob et Abraham. Cf. **9** 5. L'énumeration de ces dons par les LXX et la Vulg. (qui ajoutent la « piété » par dédoublement de la « crainte de Yahvé ») est devenue notre liste des « sept dons du Saint-Esprit ».

*e)* La révolte de l'homme contre Dieu, Gn **3**, avait brisé l'harmonie entre l'homme et la nature, Gn **3** 17-19, entre l'homme et l'homme, Gn **4**. Les prophètes annoncent guerres et invasions comme le châtiment des infidélités d'Israël. A l'inverse, en apportant le pardon des péchés, la réconciliation avec Dieu, et le règne de la justice, l'ère messianique établit la paix qui en est la conséquence : fertilité du sol, Am **9** 13-14; Os **2** 20, 23-24; désarmement général, Is **2** 4; **9** 4; Mi **4** 3-4; **5** 9-10; Za **9** 10; paix perpétuelle, Is **9** 6; **32** 17; **60** 17-18; So **3** 13; Za **3** 10; Jl **4** 17. La Nouvelle Alliance est une alliance de paix, Ez **34** 25; **37** 26. Le royaume messianique est un royaume de paix, Za **9** 8-10; Ps **72** 3-7. Cette paix s'étend au règne animal, jusqu'au serpent, responsable de la première faute : l'ère messianique est ici décrite symboliquement comme un retour à la paix paradisiaque.

*f)* Ce poème, qui date de la fin de l'exil babylonien, a été rattaché à cet endroit du livre d'Isaïe à cause de la mention de la racine de Jessé, v. 10, cf. v. 1.

*g)* Énumération des pays où furent dispersés les Juifs vers le temps de l'Exil : Patros en Haute-Égypte, Kush c'est-à-dire l'Éthiopie, Élam la Perse, Shinéar le pays de Babylone, Hamat en Syrie; les îles désignent la Grèce et, en général, les rivages lointains.

*h)* Dans la perspective messianique, les prophètes annoncent fréquemment la fin du schisme et la réconciliation d'Israël et de Juda : Os **2** 2; Mi **2** 12; Jr **3** 18; **23** 5-6; **31** 1; Ez **37** 15-27; Za **9** 10.

*i)* « asséchera » versions: « vouera à l'anathème » hébr. – « le

Il le frappera pour en faire sept bras,
on y marchera en sandales.
35 8; 40 3; 43 19; 16 Et il y aura un chemin pour le reste de son peu-
49 11; 57 14; 62 10 ple, ce qui restera d'Assur,
Ba 5 7 comme il y en eut pour Israël, quand il monta
Ex 14 22 du pays d'Égypte [a].

**Psaume [b].**

**12** 1 Et tu diras, en ce jour-là :
Je te loue, Yahvé, car tu as été en colère
contre moi.
Puisse ta colère se détourner, puisses-tu me
consoler.
2 Voici le Dieu de mon salut :
j'aurai confiance et je ne tremblerai plus,
car ma force et mon chant c'est Yahvé [c], || Ex 15 2
il a été mon salut.
3 Dans l'allégresse vous puiserez de l'eau aux 55 1
sources du salut. Jn 4 1+
4 Et vous direz, en ce jour-là :
Louez Yahvé, invoquez son nom, || Ps 105 1
Annoncez aux peuples ses hauts faits,
rappelez que son nom est sublime.
5 Chantez Yahvé car il a fait de grandes choses,
qu'on le proclame sur toute la terre.
6 Pousse des cris de joie, des clameurs, habitante
de Sion,
car il est grand, au milieu de toi, le Saint d'Israël.

## 3. *ORACLES SUR LES PEUPLES ÉTRANGERS* [d]

21 1-10; **Contre Babylone [e].**
47 1-15
Jr 50-51
Ap 17-18
**13** 1 Oracle sur Babylone, vu par Isaïe, fils
d'Amoç.
2 Sur un mont chauve, levez un signal,
forcez la voix pour eux,
agitez la main pour qu'ils viennent
aux portes des Nobles.
3 Moi, j'ai donné des ordres à mes saints guerriers [f],
j'ai même appelé mes héros pour servir ma
colère,
mes fiers triomphateurs.
4 Bruit de foule sur les montagnes,
comme un peuple immense,
bruit d'un vacarme de royaumes,
de nations rassemblées :
c'est Yahvé Sabaot qui passe en revue
l'armée pour le combat.
5 Ils viennent d'un pays lointain,
des extrémités du ciel,
Yahvé et les instruments de sa colère,
pour ravager tout le pays.
↗ Jl 1 15 6 Hurlez car il est proche, le jour de Yahvé,
Ez 30 2-3 il arrive comme une dévastation de Shaddaï.
Am 5 18+ 7 C'est pourquoi toutes les mains sont débiles,
tous les hommes perdent cœur;
8 ils sont bouleversés,
pris de convulsions et de douleurs; Jr 4 31+
ils se tordent comme la femme qui accouche, Is 21 3;
ils se regardent avec stupeur, 26 17
le visage en feu.
9 Voici que vient le jour de Yahvé, implacable,
l'emportement et l'ardente colère,
pour réduire le pays en ruines,
et en exterminer les pécheurs.
10 Car au ciel, les étoiles et Orion
ne diffuseront plus leur lumière. Am 8 9+
Le soleil s'est obscurci dès son lever,
la lune ne fait plus rayonner sa lumière.
11 Je vais châtier l'univers de sa méchanceté
et les méchants de leur faute;
mettre fin à l'arrogance des superbes,
humilier l'orgueil des tyrans.
12 Je rendrai les hommes plus rares que l'or fin,
les mortels plus rares que l'or d'Ophir.
13 C'est pourquoi je ferai frémir les cieux,
et la terre tremblera sur ses bases,
sous l'emportement de Yahvé Sabaot,
le jour où s'allumera sa colère.
14 Alors comme une gazelle pourchassée,
comme des moutons que personne ne rassemble,
chacun s'en retournera vers son peuple,
chacun s'enfuira dans son pays.

Fleuve » est l'Euphrate, cf. v. 16.
*a)* Les miracles annoncés sont la répétition de ceux de Moïse et de Josué, passages de la mer et du Jourdain. Le retour des exilés est décrit comme un nouvel Exode, cf. **40** 3 et la note.
*b)* Ce psaume, de date et d'origine incertaines, a été inséré ici pour conclure le livre de l'Emmanuel. C'est un hymne de reconnaissance d'un affligé que Dieu a secouru et délivré. La deuxième partie, au ton plus lyrique, chante la gloire de Yahvé.
*c)* « ma force et mon chant c'est Yahvé » grec, 1QIs[a], cf. Ex **15** 2; « et le chant et Yah (c'est) Yahvé » TM.
*d)* Les ch. **13** à **23** sont des oracles contre les nations étrangères, groupés comme dans les livres de Jérémie, **46-51**, et d'Ézéchiel, **25-32**. La collection a accueilli des morceaux postérieurs à Isaïe, en particulier les oracles contre Babylone, dans **13-14**.
*e)* Ce poème date de la fin de l'Exil : Babylone, encore dans sa splendeur, v. 19, tombera sous les coups des Mèdes, v. 17, cf. v. 5. C'est une *qina* ou « lamentation », cf. **1** 21+.
*f)* Litt. « mes sanctifiés »; comparer Jr **51** 27, 28 (contre Babylone); Jr **6** 4; **22** 7; Jl **4** 9 (contre Jérusalem). Cette consécration des guerriers est un aspect de la guerre sainte, Jos **3** 5. Mais ces nouvelles guerres de Yahvé ne sont plus conduites en faveur d'Israël, elles peuvent même être dirigées contre lui.

Jr 51 20-23 [15] Tous ceux qu'on trouvera seront transpercés,
tous ceux qu'on prendra tomberont par l'épée.
Os 10 14+ [16] Leurs jeunes enfants seront écrasés sous leurs yeux,
leurs maisons saccagées, leurs femmes violées.
[17] Voici que je suscite contre eux les Mèdes [a]
qui ne font point cas de l'argent,
et qui n'apprécient pas l'or.
[18] Les arcs anéantiront leurs jeunes gens,
on n'aura pas pitié du fruit de leur sein,
leur œil sera sans compassion pour les enfants.
[19] Et Babylone, la perle des royaumes,
le superbe joyau des Chaldéens,
sera comme Sodome et Gomorrhe,
dévastées par Dieu.
34 10-17 [20] Elle ne sera plus jamais habitée
ni peuplée, de génération en génération.
L'Arabe n'y campera plus,
et les bergers n'y parqueront plus les troupeaux.
[21] Ce sera le repaire des bêtes du désert,
les hiboux empliront leurs maisons,
les autruches y habiteront,
Lv 17 7+ les boucs y danseront.
[22] Les hyènes hurleront dans ses tours [b],
les chacals dans ses palais d'agrément,
car son temps est proche
et ses jours ne tarderont pas.

### Fin de l'Exil [c].

**14** [1] Oui, Yahvé aura pitié de Jacob, il choisira
de nouveau Israël. Il les réinstallera sur leur
61 5 sol. L'étranger se joindra à eux pour s'associer à
la maison de Jacob. [2] Des peuples les prendront et
les ramèneront chez eux. La maison d'Israël les
assujettira sur le sol de Yahvé, pour en faire des
So 2 9 esclaves et des servantes. Ils asserviront ceux qui
Za 2 13 les avaient asservis, ils maîtriseront leurs oppresseurs.

### La mort du roi de Babylone [d].

[3] Et il arrivera qu'au jour où Yahvé te soulagera
de ta souffrance, de tes tourments et de la dure servitude à laquelle tu étais asservi, [4] tu entonneras
cette satire sur le roi de Babylone, et tu diras :

Comment a fini le tyran, a fini son arrogance [e]? Jr 50 23-24
[5] Yahvé a brisé le bâton des méchants, Ap 18 9-19
le sceptre des souverains,
[6] lui qui rouait de coups les peuples,
avec emportement et sans relâche,
qui maîtrisait avec colère les nations,
les pourchassant sans répit.
[7] Toute la terre repose dans le calme,
on pousse des cris de joie. Jr 51 48
[8] Les cyprès même se réjouissent à ton sujet, Ap 19 1-2; 18 20
et les cèdres du Liban :
« Depuis que tu t'es couché,
on ne monte plus pour nous abattre [f]! »
[9] En bas, le shéol a tressailli à ton sujet Ez 32 18-32
pour venir à ta rencontre, Nb 16 33+
il a réveillé pour toi les ombres,
tous les potentats de la terre,
il a fait lever de leur trône
tous les rois des nations.
[10] Tous prennent la parole pour te dire :
« Toi aussi, tu es déchu comme nous,
devenu semblable à nous.
[11] Ton faste a été précipité au shéol,
avec la musique de tes cithares.
Sous toi s'est formé un matelas de vermine,
les larves te recouvrent.
[12] Comment es-tu tombé du ciel, Lc 10 18
étoile du matin, fils de l'aurore [g]? Ap 8 10; 9 1; 12 9
As-tu été jeté à terre, Jn 12 31
vainqueur des nations?
[13] Toi qui avais dit dans ton cœur :
" J'escaladerai les cieux, 2 M 9 10 Lc 10 15
au-dessus des étoiles de Dieu j'élèverai mon trône,
je siégerai sur la montagne de l'Assemblée, Ps 48 3+
aux confins du septentrion.
[14] Je monterai au sommet des nuages, Ez 28 2
je m'égalerai au Très-Haut." Dn 11 3-6 2 Th 2 4
[15] Mais tu as été précipité au shéol, Dn 10 13+ Gn 3 5
dans les profondeurs de l'abîme. » Ez 31 16-18; 32 18-32

[16] Ceux qui t'aperçoivent te considèrent,
ils fixent leur regard sur toi.

*a)* Tribus guerrières indo-européennes, qui furent d'abord alliées avec Babylone contre l'Assyrie. Mais plus tard, unies aux Perses sous Cyrus, elles provoqueront la ruine de Babylone en 539.

*b)* « tours » Vulg.; « veuves » hébr.

*c)* Cette annonce du retour des exilés et de la conversion des nations n'est pas à sa place dans cette collection d'oracles contre les peuples étrangers. Elle est à rapprocher d'Is **49** 22; **66** 20; cf. **46** 14+.

*d)* Ce *mashal*, satire contre un tyran abattu, vise un roi de Babylone, sans doute Nabuchodonosor ou Nabonide, et se place donc dans le contexte des oracles de l'Exil. Mais on s'est demandé s'il ne s'agirait pas en fait d'un morceau plus ancien, dirigé contre un roi d'Assyrie, Sargon ou Sennachérib, et retouché plus tard pour l'adapter à l'époque de l'Exil.

*e)* « arrogance » versions, 1QIs[a]; TM corrompu.

*f)* Les rois d'Assyrie et de Babylonie exploitaient les forêts du Liban pour leurs constructions.

*g)* Les vv. 12-15 semblent s'inspirer d'un modèle phénicien. En tout cas ils présentent plusieurs points de contacts avec les poèmes de Râs-Shamra : l'Étoile du matin et l'Aurore sont deux figures divines; la montagne de l'Assemblée est celle où les dieux se réunissaient, comme sur l'Olympe des Grecs. Les Pères ont interprété la chute de l'Étoile du matin (Vulg. « Lucifer ») comme celle du prince des démons.

« Est-ce bien l'homme qui faisait trembler la terre,
qui ébranlait les royaumes?
17 Il a réduit le monde en désert,
rasé les villes,
il ne renvoyait pas chez eux les prisonniers.
18 Tous les rois des nations, tous, reposent avec honneur,
chacun chez soi.
19 Toi, on t'a jeté hors de ton sépulcre,
comme un rameau [a] dégoûtant,
au milieu de gens massacrés, transpercés par l'épée,
jetés sur les pierres de la fosse,
Jr 22 19 comme une charogne foulée aux pieds.
20 Tu ne leur seras pas uni dans la tombe,
car tu as ruiné ton pays, fait périr ton peuple.
Plus jamais on ne prononcera le nom
de la race des méchants.
21 Préparez le massacre de ses fils
pour la faute de leur père.
Qu'ils ne se lèvent plus pour conquérir la terre
et couvrir de villes la face du monde. »

22 Je me lèverai contre eux, oracle de Yahvé
Sabaot. et je retrancherai de Babylone le nom et le
4 3+ reste, descendance et postérité, oracle de Yahvé.
23 J'en ferai un repaire de hérissons, un marécage.
Je la balaierai avec le balai de la destruction. Oracle de Yahvé Sabaot [b].

10 24+ **Contre Assur** [c].

24 Yahvé Sabaot l'a juré :
Oui! Comme j'ai projeté, cela se fera,
comme j'ai décidé, cela se réalisera :

25 Je briserai Assur dans mon pays,
je le piétinerai sur mes montagnes.
9 3 Et son joug glissera de sur eux,
son fardeau glissera de son épaule.

26 Telle est la décision prise contre toute la terre,
telle est la main étendue sur toutes les nations.
27 Quand Yahvé Sabaot a décidé, qui l'arrêtera,
et sa main levée, qui la fera revenir?

**Contre les Philistins.**

28 L'année de la mort d'Achaz [d], cet oracle fut prononcé :
29 Ne te réjouis pas, Philistie tout entière,
de ce qu'est brisé le bâton qui te frappait.
Car de la souche du serpent sortira une vipère,
et son fruit sera un dragon volant.
30 Car les premiers-nés des pauvres auront leur pâture,
et les malheureux reposeront en sécurité,
tandis que je ferai mourir de faim ta souche,
et que je tuerai [e] ce qui reste de toi.
31 Hurle, porte! Crie, ville!
Chancelle, Philistie tout entière!
Car du nord [f] vient une fumée, 20 1
et personne ne déserte ses bataillons. Jr 1 13s
32 Que répondra-t-on aux messagers de cette nation [g]?
Que Yahvé a fondé Sion,
et que là se réfugieront les pauvres de son peuple.

**Sur Moab** [h]. || Jr 48

**15** 1 Oracle sur Moab. Ez 25 8-11 Am 2 1-3
Parce qu'une nuit elle a été dévastée [i],
Ar-Moab s'est tue;
parce qu'une nuit elle a été dévastée,
Qir-Moab s'est tue.
2 Elle est montée, la fille de Dibôn [j],
sur les hauts lieux pour pleurer.
Sur le Nébo et à Médba, Moab se lamente,
toutes les têtes sont rasées, || Jr 48
toute barbe coupée. 37-38
3 Dans ses rues on ceint le sac;
sur ses toits et sur ses places,

*a)* « rameau », en hébr. *neçer*, allusion au nom de Nabuchodonosor, en hébr. *Nebukadneççar*. — La privation de sépulture était la suprême malédiction, cf. 1 R **13** 21-22; Jr **22** 19.
*b)* Ces deux vv. en prose paraissent avoir été ajoutés au poème pour en souligner la conclusion.
*c)* Oracle d'Isaïe, prononcé probablement lors de l'invasion de Sennachérib en 701, cf. **10** 24-27; **30** 27-33; **31** 4-9; **37** 22-29.
*d)* Cet oracle peut dater des années qui précèdent l'invasion de Sennachérib. Ce « bâton qui frappait » la Philistie serait Sargon II qui y intervint plusieurs fois, en dernier lieu en 711, cf. **20** 1s. Sargon est mort en 705, mais son successeur, Sennachérib, « vipère » ou « dragon volant », sera un adversaire encore plus redoutable. Si cette interprétation est exacte, la référence à la mort d'Achaz, donnée par le titre, doit être une addition : on aurait reconnu dans la « vipère » et le « dragon volant » Ézéchias, fils d'Achaz, qui d'après 2 R **18** 18 dévasta la Philistie.
*e)* « je tuerai » Vulg.; 1QIs[a]; « il tuera » TM.
*f)* C'est du Nord que venaient les invasions assyriennes et babyloniennes, cf. Jr **1** 13; **4** 6; **6** 1, 22; Ez **26** 7.
*g)* Peut-être des messagers envoyés par les Philistins pour attirer Juda dans une coalition contre l'Assyrie; mais le texte n'est pas sûr. Quoi qu'il en soit, la réponse affirme l'inviolabilité de Sion, protégée par Yahvé.
*h)* L'origine isaïenne du long poème sur Moab des ch. **15-16** est débattue. Certains pensent à des oracles antérieurs à Isaïe, qui auraient été repris par lui et appliqués à son époque, cf. la conclusion en prose des vv. 13-14. D'autres datent ces poèmes, ou une partie d'entre eux, d'une époque postérieure à Isaïe. On y trouve de nombreux parallèles avec l'oracle sur Moab de Jr **48**.
*i)* La dévastation a atteint tout le pays de Moab dont les principales villes sont mentionnées aux vv. 1-4, en allant en gros du Sud au Nord, depuis Qir (Kerak) jusqu'à Heshbôn et Éléalé, au nord du Nébo et de Médba (Madaba). Les vv. 5-9 décrivent la fuite des habitants vers le Sud : Çoar (cf. Gn **19** 22) et le Torrent des Saules, frontières méridionales de Moab.
*j)* « Elle est montée, la fille de Dibôn » conj. d'après Targ. et Syr.; « Il monte au temple et à Dibôn » hébr.

tout le monde se lamente
et fond en larmes.
[4] Heshbôn et Éléalé ont crié,
|| Jr 48 34 Nb 21 23 jusqu'à Yahaç leur voix s'est fait entendre.
C'est pourquoi les guerriers de Moab frémissent,
son âme frémit en l'entendant.
|| Jr 48 36 [5] Son cœur crie en faveur de Moab :
|| Jr 48 34 Gn 19 22 car ses fuyards sont déjà à Çoar, vers Églat-
Shelishiyya [a].
La montée de Luhit, on la monte en pleurant,
sur le chemin de Horonayim, on pousse des cris
déchirants.
[6] Les eaux de Nimrim sont un lieu désolé :
l'herbe est desséchée, le gazon a péri,
plus de verdure.
[7] C'est pourquoi, ce qu'ils ont pu sauver et leurs
réserves,
ils les portent au-delà du torrent des Saules.
[8] Car ce cri a fait le tour du territoire de Moab,
jusqu'à Eglayim on entend son hurlement,
jusqu'à Beer-Élim on entend son hurlement.
[9] Car les eaux de Dimôn [b] sont pleines de sang,
et j'ajouterai sur Dimôn un surcroît de malheur :
un lion pour les survivants de Moab,
pour ceux qui restent sur son sol.

**La requête des Moabites.**

**16** [1] Envoyez l'agneau du maître du pays,
de Séla, située vers le désert,
à la montagne de la fille de Sion [c].
[2] Elles seront semblables à l'oiseau qui s'enfuit,
à une nichée dispersée,
les filles de Moab, aux gués de l'Arnon.
[3] « Tenez un conseil [d]; prenez une décision.
En plein midi, étends ton ombre comme celle de
la nuit,
cache les dispersés, ne trahis pas le fugitif;
[4] qu'ils demeurent chez toi, les dispersés de Moab,
sois pour eux un asile contre le dévastateur.
Quand l'oppression aura cessé [e],
que la dévastation aura pris fin,
que seront partis ceux qui foulent le pays,
[5] le trône sera affermi dans la piété,
et sur ce trône, dans la fidélité, sous la tente de
David,
siégera un juge, soucieux du droit et zélé pour
la justice. »

[6] Nous avons entendu parler de l'orgueil de Moab,
le très orgueilleux,
de son arrogance, de son orgueil et de sa rage,
de ses bavardages ineptes [f].

**Lamentation de Moab.** || Jr 48 29-33

[7] C'est pourquoi Moab se lamente sur Moab,
tout entier il se lamente.
Au sujet des gâteaux de raisin de Qir-Harésèt [g],
vous gémissez, tout consternés.
[8] Car les vignobles de Heshbôn dépérissent,
la vigne de Sibma,
dont les raisins vermeils terrassaient les maîtres
des nations.
Elle atteignait jusqu'à Yazèr
et s'infiltrait au désert,
ses rejetons se multipliaient,
ils franchissaient la mer.
[9] Aussi je pleure, comme pleure Yazèr,
la vigne de Sibma,
je t'arrose de mes larmes,
Heshbôn et toi, Éléalé,
parce que sur ta récolte et sur ta moisson
le cri s'est éteint [h].
[10] La joie et l'allégresse ont disparu des vergers,
dans les vignes, plus de liesse ni de cri joyeux;
le fouleur ne foule plus le vin dans les pressoirs,
le cri a cessé.
[11] C'est pourquoi mes entrailles, pour Moab,
frémissent comme une cithare,
et mon cœur pour Qir-Hérès.
[12] On verra Moab se fatiguer sur le haut lieu
et entrer dans son sanctuaire pour supplier,
mais il ne pourra rien.

*a)* « son cœur » grec. Targ; « mon cœur » hébr. – « ses fuyards » 1 QIs[a]; « ses verrous » hébr.
*b)* « Dimôn » est peut-être une variante dialectale de « Dibôn », cf. v. 2, choisie parce qu'elle évoque l'idée de sang, hébr. *dam*.
*c)* Texte difficile et diversement interprété. Il semble que les Moabites menacés par l'invasion, cherchent à se mettre sous la protection du roi de Juda ou à trouver chez lui un refuge. L'agneau envoyé serait un signe de soumission, cf. 2 R **3** 4. En traduisant : « Envoie, Seigneur, l'agneau souverain de la terre », S. Jérôme propose pour ce passage une interprétation messianique. – Séla (la Roche) a été parfois identifiée à l'actuelle Pétra, située au pays d'Édom, mais il devait y avoir d'autres « Roches » en Moab ou au désert environnant.
*d)* Les vv. 3-4[a] rapportent la supplique des réfugiés de Moab qui demandent aux Judéens de les accueillir. Pour appuyer leur requête, ils expriment dans les vv. qui suivent, 4[b]-5, leur confiance dans l'avenir d'Israël, notamment dans la stabilité du trône de David, fondée sur les promesses dont Isaïe s'est fait souvent le héraut.
*e)* On est tenté de comprendre « jusqu'à ce que l'oppression... » et de lier cette proposition à la précédente, mais aucun des témoins du texte ne favorise cette interprétation.
*f)* Ce v. semble rapporter la réponse des Judéens aux Moabites.
*g)* Qir-Harésèt, comme Qir-Hérès, v. 11, est à identifier avec Qir-Moab (Kérak), **15** 1, cf. 2 R **3** 25. – Les noms géographiques qui suivent, de Heshbôn à Éléalé, sont groupés dans la région nord de Moab, propice à la vigne.
*h)* Litt. « le cri est tombé ». Il s'agit du cri de joie des vendangeurs. D'autres comprennent : « le cri (de guerre) s'est abattu », mais le parallélisme avec les vv. suivants est favorable à la première interprétation.

13 Telle est la parole qu'a adressée Yahvé à
Moab jadis. 14 Et maintenant Yahvé a parlé en ces
termes : dans trois ans, comme des années de mercenaire, la gloire de Moab sera humiliée, malgré sa
4 3+ grande multitude. Elle sera réduite à rien, un reste
insignifiant [a].

Jr **49** 23-27 Am **1** 3-6 **Contre Damas et Israël.**

**17** 1 Oracle sur Damas [b].
Voici Damas qui cesse d'être une ville,
elle va devenir un tas de décombres;
2 abandonnées pour toujours,
ses villes [c] appartiendront aux troupeaux,
ils s'y coucheront sans qu'on les effraie.
3 Plus de place-forte en Éphraïm,
plus de royauté à Damas,
4 3+ et le reste d'Aram sera traité
comme la gloire des enfants d'Israël.
Oracle de Yahvé Sabaot.

4 Il arrivera, ce jour-là, que la gloire de Jacob faiblira,
et que son embonpoint deviendra maigreur;
5 ce sera comme lorsque le moissonneur [d] récolte
le blé,
que son bras moissonne les épis;
Jos **15** 8; **18** 16 ce sera comme lorsqu'on glane les épis au val des
Rephaïm;
6 il ne restera que des grapillons,
comme au gaulage de l'olivier :
deux, trois baies en haut de la cime,
quatre, cinq aux branches de l'arbre.
Oracle de Yahvé, Dieu d'Israël.

7 Ce jour-là, l'homme regardera vers son créateur, et ses yeux se tourneront vers le Saint d'Israël.
8 Il ne regardera plus vers les autels, œuvres de ses
mains, et ce qu'ont fait ses doigts, il ne le verra
Ex **34** 13+ plus, ni les pieux sacrés ni les brûle-parfums [e].

9 Ce jour-là, ses villes de refuge seront abandonnées,
comme le furent les bois et les maquis
devant les enfants d'Israël [f],
et ce sera la désolation.
10 Tu as oublié le Dieu de ton salut,
tu ne t'es pas souvenu du Rocher, ton refuge, **44** 8
c'est pourquoi tu plantes des plantations d'agré- Dt **32** 4
ment [g],
tu sèmes des semences étrangères;
11 le jour où tu les plantes, tu les vois pousser,
et dès le matin, tes semences fleurissent;
mais la récolte échappe au jour de la maladie,
du mal incurable.

12 Malheur! Rumeur de peuples immenses [h],
rumeur comme la rumeur des mers!
grondement de peuples, qui grondent comme
grondent les eaux puissantes!
13 (Des peuples qui grondent comme grondent les
grandes eaux.)
Il les menace, et elles s'enfuient au loin,
chassées comme la bale des montagnes par le
vent,
comme un tourbillon par l'ouragan.
14 Quand vient le soir c'est l'effroi,
au matin tout a disparu.
Tel est le partage de ceux qui nous pillent,
le sort de nos dévastateurs.

**Contre Kush** [i].

**18** 1 Malheur! pays du grillon ailé,
au-delà des fleuves de Kush,
2 toi qui envoies par mer des messagers,
dans des nacelles de jonc, sur les eaux.
Allez, messagers rapides [j], vers une nation élan-
cée et bronzée,
vers un peuple redouté ici comme au loin,
une nation puissante et dominatrice,
au pays sillonné de fleuves.
3 Vous tous, habitants du monde,
vous qui peuplez la terre,
quand on lèvera un signal sur les montagnes,
vous verrez,
quand on sonnera du cor, vous entendrez. || Jl **2** 1+

*a)* Cette addition en prose peut être la confirmation d'un oracle ancien dont on annonce le très proche accomplissement, cf. **15** 1+. Les « années de mercenaire » sont comptées strictement.
*b)* Malgré ce titre, Damas est visée seulement dans la première strophe, et encore en parallèle avec Israël qui sera le sujet des strophes suivantes. L'oracle peut dater des environs de 735, où Damas et Israël étaient alliées contre Juda, cf. **7** 1+. Damas sera prise par Téglat-Phalasar en 732, et Samarie par Sargon en 721.
*c)* On suit le grec. Au lieu d'« abandonnées pour toujours, ses villes... », hébr. a « abandonnées (seront) les villes d'Aroër »; mais on ne connaît que deux Aroër : l'un en Moab, sur l'Arnon, l'autre dans le territoire de Gad, donc fort loin de Damas.
*d)* « le moissonneur » conj.; « la moisson » hébr.
*e)* Les vv. 7-8, qui annoncent une conversion, paraissent être une addition à cet oracle de malheur.
*f)* Au lieu des bois et des maquis, le grec parle des Amorites et des Hivvites, vaincus par les Israélites lors de la conquête de Canaan. Il est possible que ce soit le texte primitif. En tout cas, l'invasion actuelle est mise en parallèle avec la glorieuse conquête du pays, sous Josué.
*g)* Allusion aux « jardins d'Adonis », plantations éphémères que l'on faisait pousser en l'honneur du dieu de la végétation, Adonis-Tammuz, cf. Ez **8** 14.
*h)* Les vv. 12-14 doivent se rapporter à l'invasion de Sennachérib et à la délivrance de Jérusalem en 701, comparer **29** 5-7 et **37** 36.
*i)* Kush, ancien nom de l'Éthiopie, désigne ici l'Égypte passée au temps d'Isaïe sous le gouvernement d'une dynastie éthiopienne.
*j)* Les messagers du pharaon, que le prophète invite à rentrer chez eux et à cesser d'intriguer en faveur d'une coalition contre l'Assyrie.

[4] Car ainsi m'a parlé Yahvé [a] :
je veux rester ici impassible et regarder,
comme la chaleur brûlante en pleine lumière,
comme un nuage de rosée au plus chaud de la
moisson.
[5] Car avant la moisson, quand prend fin la floraison,
quand la fleur devient grappe mûrissante,
Jn 15 2 on taille les pampres à la serpe,
on ôte les sarments, on élague.
[6] Tout est abandonné aux rapaces des montagnes
et aux bêtes du pays;
les rapaces s'y vautreront pendant l'été,
toutes les bêtes du pays pendant l'automne.

56 4-7 [7] Alors, on apportera une offrande à Yahvé
So 3 10 Sabaot de la part d'un peuple élancé et bronzé, de
Ac 8 27s la part d'un peuple redouté ici comme au loin,
d'une nation puissante et dominatrice, d'un pays
sillonné de fleuves; on l'apportera au lieu où réside
le nom de Yahvé, au mont Sion [b].

Jr 46 **Contre l'Égypte.**
Ez 29-32

**19** [1] Oracle sur l'Égypte [c].
Ps 68 5+ Voici que Yahvé, monté sur un nuage léger,
vient en Égypte.
Les faux dieux d'Égypte chancellent devant lui
et le cœur de l'Égypte défaille en elle.
[2] J'exciterai l'Égypte contre l'Égypte,
ils se battront, chacun contre son frère,
chacun contre son prochain,
ville contre ville, royaume contre royaume.
[3] L'esprit de l'Égypte s'évanouira en elle,
et je confondrai son conseil.
On consultera les faux dieux et les enchanteurs,
les spectres et les devins.
[4] Je livrerai l'Égypte
aux mains d'un maître impitoyable,
un roi cruel les dominera.
Oracle du Seigneur Yahvé Sabaot.

[5] Les eaux disparaîtront de la mer [d],
le fleuve tarira et se desséchera;
[6] les rivières deviendront infectes,
les fleuves d'Égypte baisseront et tariront,
le roseau et le jonc noirciront.
[7] Les herbes du Nil sur les bords du Nil,
toute la verdure du Nil,
sera desséchée, dispersée, anéantie.
[8] Les pêcheurs gémiront, ce sera le deuil
pour tous ceux qui lancent l'hameçon dans le
Nil,
ceux qui jettent le filet sur les eaux seront désolés.
[9] Ils seront déçus, ceux qui travaillent le lin cardé
et ceux qui tissent des étoffes blanches;
[10] ses tisserands seront consternés,
tous les salariés seront attristés.
[11] Oui, insensés sont les princes de Çoân [e],
les plus sages conseillers du pharaon forment un
conseil stupide.
Comment osez-vous dire à Pharaon :
« Je suis fils des sages, fils des rois de jadis? »
[12] Où sont-ils donc, tes sages?
Qu'ils t'annoncent et que l'on sache
ce qu'a décidé Yahvé Sabaot contre l'Égypte!
[13] Ils déraisonnent, les princes de Çoân,
ils s'abusent, les princes de Noph [f],
et l'élite de ses nomes a fait divaguer l'Égypte.
[14] Yahvé a répandu au milieu d'eux 29 10
un esprit de vertige; 1 R 22 19-23
1 S 16 14+
ils ont fait divaguer l'Égypte dans toutes ses
entreprises,
comme divague un ivrogne en vomissant.
[15] On ne fait plus rien pour l'Égypte
de ce que faisaient tête et queue, palme et jonc. 9 13

**Conversion de l'Égypte [g].**

[16] Ce jour-là, l'Égypte sera comme les femmes, Na 3 13
tremblante et terrorisée devant la menace de la Jr 51 30
main de Yahvé Sabaot, lorsqu'il la lèvera contre
elle. [17] Le territoire de Juda deviendra la honte de
l'Égypte : chaque fois qu'on le lui rappellera, elle
sera terrorisée à cause du dessein que Yahvé
Sabaot a formé contre elle. [18] Ce jour-là, il y aura
cinq villes au pays d'Égypte qui parleront la langue
de Canaan et prêteront serment à Yahvé Sabaot;
l'une d'elles sera dite « ville du soleil ». [19] Ce jour-
là, il y aura un autel dédié à Yahvé au milieu du
pays d'Égypte, et près de la frontière une stèle
dédiée à Yahvé. [20] Ce sera un signe et un témoin
de Yahvé Sabaot au pays d'Égypte. Quand ils crieront vers Yahvé par crainte des oppresseurs, il leur
enverra un sauveur et un défenseur qui les déli-

*a)* Le prophète annonce qu'une invasion va ravager l'Égypte. De fait, celle-ci sera envahie, pillée et soumise sous Asarhaddon et Assurbanipal, dans la première moitié du VIIe s.
*b)* Conclusion en prose annonçant la conversion de l'Éthiopie qui, frappée par ces événements, envoie ses présents au Temple de Jérusalem.
*c)* Isaïe est opposé à toute alliance avec l'Égypte, cf. **30** 1s; **31** 1s; il la décrit ici comme déchirée par l'anarchie qui peut conduire à une dictature ou à une domination étrangère (v. 4). On ne peut donc rien attendre d'elle.
*d)* Aux vv. 5-10, le prophète annonce une nouvelle « plaie d'Égypte » : l'assèchement du Nil qui fait la richesse du pays.
*e)* C'est-à-dire Tanis, ville du Delta.
*f)* Memphis, proche du Caire, capitale de la Basse-Égypte.
*g)* Ce morceau en prose est tardif; il suppose une installation juive en Égypte, vv. 18-19, cf. Jr **44** 1. Il annonce une conversion de l'Égypte et sa réconciliation avec Assur et Israël; les trois peuples seront bénis de Yahvé, et l'Égypte et Assur auront les mêmes privilèges qu'Israël. Ce large universalisme ne se retrouve pas avant le second Isaïe.

vrera. 21 Yahvé se fera connaître des Égyptiens, et
les Égyptiens connaîtront Yahvé, en ce jour-là. Ils
offriront sacrifices et oblations, ils feront des vœux
à Yahvé et les accompliront. 22 Et si Yahvé frappe
les Égyptiens, il frappera et guérira, ils se convertiront à Yahvé qui accueillera leurs demandes et les
guérira. 23 Ce jour-là, il y aura un chemin allant
d'Égypte à Assur. Assur viendra en Égypte et
l'Égypte en Assur. L'Égypte servira avec Assur.
24 Ce jour-là, Israël viendra en troisième avec
l'Égypte et Assur, bénédiction au milieu de la terre,
25 bénédiction que prononcera Yahvé Sabaot :
« Béni mon peuple l'Égypte, et Assur l'œuvre de
mes mains, et Israël mon héritage. »

**A propos de la prise d'Ashdod [a].**

2 R 18 17 **20** 1 L'année où le général en chef envoyé par
Sargon, roi d'Assur, vint à Ashdod pour
l'attaquer et s'en emparer, 2 en ce temps-là, Yahvé
parla par le ministère d'Isaïe fils d'Amoç; il dit :
« Va, dénoue le sac que tu as sur les reins, et ôte
les sandales de tes pieds. » Et il fit ainsi, allant nu
et déchaussé [b]. 3 Et Yahvé dit : « De même que mon
serviteur Isaïe a marché nu et déchaussé pendant
trois ans, pour être un signe et un présage contre
l'Égypte et contre Kush, 4 de même le roi d'Assur
emmènera les captifs d'Égypte et les déportés de
Kush, les jeunes et les vieux, nus, déchaussés et
2 S 10 4 fesses découvertes, à la honte de l'Égypte. 5 Ils
seront pris d'épouvante et de honte à cause de
30 3-7 Kush leur espérance et de l'Égypte leur fierté. 6 Et
l'habitant de ce rivage [c] dira en ce jour-là : " Voici
ce qu'est devenue notre espérance, ceux vers qui
nous avons fui pour chercher un secours, pour
échapper au roi d'Assur. Et nous, comment nous
sauverons-nous? " »

13-14; **La chute de Babylone [d].**

47 1-15
Jr 50-51
Ap 17-18 **21** 1 Oracle sur le désert de la mer [e].
Comme des ouragans qui passent dans le
Négeb,
il vient du désert, d'un pays redoutable.
↗ Ap 17 3 2 Une vision sinistre m'a été révélée :
« Le traître trahit et le dévastateur dévaste.
Monte, Élam, assiège, Mède [f]! »
J'ai fait cesser tous les gémissements.
3 C'est pourquoi mes reins sont remplis d'angoisse,
des convulsions m'ont saisi comme les convulsions de la femme qui enfante;
je suis trop bouleversé pour entendre, trop troublé pour voir.
4 Mon cœur s'égare, un frisson me terrifie;
le crépuscule auquel j'aspirais devient ma terreur.
5 On dresse la table, on met la nappe; on mange, Dn 5
on boit [g].
Debout, chefs! Graissez le bouclier!

6 Car ainsi m'a parlé le Seigneur :
« Va, place un guetteur! Qu'il annonce ce qu'il
voit!
7 Il verra de la cavalerie, des cavaliers deux par
deux,
des hommes montés sur des ânes, des hommes
montés sur des chameaux [h];
qu'il observe avec attention, avec grande attention. »
8 Et le guetteur [i] a crié :
« Sur la tour de guet, Seigneur, je me tiens tout
le long du jour,
à mon poste de garde, je suis debout toute la
nuit.
9 Et voici que vient la cavalerie. des cavaliers deux
par deux. »
Il a repris la parole et dit :
« Elle est tombée, Babylone, elle est tombée, ↗ Ap 14 8;
et toutes les images de ses dieux, il les a brisées 18 2
à terre. »
10 Toi que j'ai foulé, grain de mon aire [j],
ce que j'ai appris de Yahvé Sabaot, Dieu d'Israël,
je te l'annonce.

**Sur Édom [k].**

11 Oracle sur Duma.
Vers moi on crie depuis Séïr :

*a)* Ashdod, ville philistine, fut prise par Sargon II en 711. La ville s'était révoltée à l'instigation de l'Égypte, et cet événement aurait donné à Isaïe l'occasion d'annoncer une victoire assyrienne sur l'Égypte. Ce passage est une tradition sur Isaïe, comme les ch. **36-39**, mais on ne la retrouve pas dans le livre des Rois.
*b)* C'est la seule prophétie en action qui soit attribuée à Isaïe; au contraire, Jérémie et Ézéchiel emploient fréquemment ce mode de prédication, cf. l'Introd. p. 1072. – Sur le sac, vêtement de pénitence, cf. **3** 24+.
*c)* Les Philistins ou les Israélites, toujours tentés de s'appuyer sur l'Égypte et de nouer avec elle des coalitions contre l'Assyrie.
*d)* Comme ceux des ch. **13-14**, cet oracle annonce la ruine de Babylone, v. 9, par les Perses et les Mèdes de Cyrus en 539, cf. v. 2. Il reste possible qu'il reprenne, en le modifiant, un poème plus ancien dirigé contre Assur. Il pourrait s'agir alors de la chute de Ninive en 612, sous l'attaque conjuguée des Mèdes et des Babyloniens; ce poème ne serait donc pas d'Isaïe, même sous sa forme primitive.
*e)* L'expression traduit peut-être l'assyrien *mât tâmti*, « pays de la mer », qui désigne le sud de la Babylonie.
*f)* L'Élam est le pays situé à l'est de la Mésopotamie, d'où sortirent les Mèdes et les Perses qui, au VIe s., renversèrent l'Empire Babylonien.
*g)* D'après une tradition rapportée par Daniel (ch. **5**) et par Hérodote, c'est au cours d'une nuit d'orgie que Babylone tomba aux mains des Perses.
*h)* Non l'armée des envahisseurs, mais les messagers rapides puis les caravanes qui viennent annoncer la nouvelle, cf. v. 9.
*i)* « le guetteur », litt. « celui qui regarde », *haro'eh* 1QIsa; « le lion » *'aryeh* TM.
*j)* Litt. « mon écrasé, fils de mon aire ». Ces mots désignent les Israélites exilés à Babylone et dont la délivrance est proche.
*k)* Il est douteux que ce petit oracle sur Séïr=Édom soit d'Isaïe.

« Veilleur, où en est la nuit? Veilleur, où en est
la nuit? »
12 Le veilleur répond :
« Le matin vient, puis encore la nuit.
Si vous voulez interroger, interrogez!
Revenez! Venez! »

**Contre les Arabes.**

13 Oracle dans la steppe [a].
Dans les taillis, dans la steppe, vous passez la
nuit,
Jr **49** 8 caravanes de Dédanites.
Gn **10** 7; **25** 3 14 A la rencontre de l'assoiffé, apportez de l'eau!
Les habitants du pays de Téma sont allés
avec du pain au-devant du fugitif.
15 Car ils ont fui devant des épées,
devant l'épée nue et devant l'arc tendu,
devant l'acharnement du combat.

16 Car ainsi m'a parlé le Seigneur :
**16** 14 Encore une année comme des années de mercenaire, et c'en est fait de toute la gloire de Qédar.
17 Et du nombre des vaillants archers, des fils de
Jr **49** 28s Qédar, il ne restera presque rien, car Yahvé, Dieu
d'Israël, a parlé.

**Contre la joie à Jérusalem [b].**

**22** 1 Oracle sur la vallée de la Vision [c].
Qu'as-tu donc à monter tout entière aux terrasses,
2 pleine de tumulte, ville bruyante, cité joyeuse?
Tes tués ne sont pas victimes de l'épée,
ni morts à la guerre.
3 Tous tes chefs ensemble ont pris la fuite,
sans arc, ils ont été capturés,
tous ceux qu'on a trouvés ont été capturés
ensemble,
ils s'étaient enfuis au loin.
4 C'est pourquoi j'ai dit :
« Détournez-vous de moi, que je pleure amèrement;
n'essayez pas de me consoler Jr **31** 15
de la ruine de la fille de mon peuple. »

5 Car c'est un jour de déroute, de panique et de
confusion,
œuvre du Seigneur Yahvé Sabaot, dans la Vallée
de la Vision.
On sape la muraille, on lance des appels vers la
montagne.
6 Élam a pris le carquois,
avec chars montés et cavaliers,
et Qir a sorti son bouclier [d].
7 Dès lors, tes plus belles vallées sont remplies de
chars,
et les cavaliers ont pris position aux portes :
8 c'est ainsi qu'est tombée la protection de Juda.
Tu as tourné les yeux, ce jour-là,
vers les armes de la Maison de la Forêt; 1 R **7** 2-5
9 et les brèches de la cité de David, vous avez vu 2 S **5** 9+
comme elles sont nombreuses!
Vous avez collecté les eaux de la piscine infé- 2 R **20** 20+
rieure;
10 vous avez compté les maisons de Jérusalem,
vous avez démoli les maisons pour fortifier le
rempart.
11 Vous avez fait un réservoir entre les deux murs,
pour les eaux de l'ancienne piscine [e].
Mais vous n'avez pas eu un regard pour l'auteur
de ces choses,
celui qui en fit le dessein depuis longtemps, vous
ne l'avez pas vu.

12 Et le Seigneur Yahvé Sabaot vous a appelés, en
ce jour-là,
à pleurer et à vous lamenter,
à vous tondre et à ceindre le sac.
13 Mais voici la joie et l'allégresse,
on tue les bœufs et on égorge les moutons,
on mange de la viande et on boit du vin :
« Mangeons et buvons, car demain nous mour- ↗ 1 Co **15** 32
rons! » Sg **2** 7-9
Is **5** 11+

– A la question posée, aucune réponse claire n'est donnée; la fin peut être un appel à la conversion. La mention de Duma fait difficulté : c'est une oasis du nord de l'Arabie, en dehors d'Édom; le nom reparaît parmi ceux des fils d'Ismaël, Gn **25** 14. Mais le mot signifie aussi « silence » et peut être une allusion à l'obscurité de cet oracle, cf. les titres des oracles du même ch., vv. 1 et 13.

*a)* Le titre « dans la steppe » donné à cet oracle est simplement emprunté à son premier vers. Il s'agit de tribus arabes victimes d'une invasion qui ne peut venir que du Nord. Les habitants de Téma (l'actuelle Teima), Gn **25** 15; Jr **25** 23, sont invités à accueillir les fugitifs de Dédân (l'actuelle oasis d'El Ela), Gn **10** 17; Jr **49** 8; Ez **25** 13; **27** 20. Qédar est un nom plus vague pour les mêmes régions, Gn **25** 13; Jr **49** 28; Ez **27** 21. En 715, Sargon poussera jusque dans le nord-ouest de l'Arabie, à la suite de sa campagne en Transjordanie; Juda pouvait se sentir alors menacé.

*b)* Cet oracle se situe après la délivrance de Jérusalem en 701, qui mit fin à la campagne jusque-là victorieuse de Sennachérib, cf. 2 R **18** 13+; **19** 9+; Is **36** 1s; **37** 8s. Isaïe, qui avait annoncé cette délivrance, proteste contre la joie exagérée qu'elle a suscitée et rappelle que le châtiment reste menaçant.

*c)* Le titre est emprunté au v. 5, comparer **21** 11. On ne connaît aucune vallée de ce nom aux environs de Jérusalem. La corr. « vallée de Hinnom » (la Géhenne) a été proposée, mais elle n'a aucun appui dans les versions.

*d)* Les Élamites et les Araméens (? Qir, cf. Am **1** 5; **9** 7) sont peut-être mentionnés ici comme alliés ou mercenaires de Sennachérib.

*e)* Travaux d'Ézéchias en prévision de l'attaque de Sennachérib, ou entre ses deux campagnes si on accepte cette hypothèse. – Sur la « Maison de la Forêt », cf. 1 R **7** 2+; sur la réparation des remparts, cf. 2 R **20** 20; sur le réservoir, cf. 2 R **20** 20; Si **48** 17.

[14] Alors Yahvé Sabaot s'est révélé à mes oreilles :
« Jamais cette faute ne sera pardonnée, jusqu'à votre mort »,
dit le Seigneur Yahvé Sabaot.

36 3, 11, 22 2 R 18 18 26, 37 **Contre Shebna** [a].

[15] Ainsi parle le Seigneur Yahvé Sabaot :
Va trouver cet intendant,
Shebna, le maître du palais :
[16] « Que possèdes-tu ici, de qui te réclames-tu
pour t'y tailler un sépulcre? »
Il se taille un sépulcre surélevé,
il se creuse une chambre dans le roc.
[17] Voici que Yahvé va te rejeter, homme!
t'empoigner avec poigne.
[18] Il te roulera comme une boule,
une balle vers un vaste espace.
C'est là que tu mourras, avec tes chars splendides,
déshonneur de la maison de ton maître.
[19] Je vais te chasser de ton poste,
je vais t'arracher [b] de ta place.
[20] Et le même jour, j'appellerai mon serviteur
36 3, 11, 22 Élyaqim fils de Hilqiyyahu.
2 R 18 18, 26, 37 [21] Je le revêtirai de ta tunique,
je le ceindrai de ton écharpe,
je lui remettrai tes pouvoirs,
il sera un père pour l'habitant de Jérusalem
et pour la maison de Juda.
↗ Ap 3 7 Mt 16 19 [22] Je mettrai la clé de la maison de David sur son épaule,
s'il ouvre, personne ne fermera,
s'il ferme, personne n'ouvrira [c].
[23] Et je l'enfoncerai comme un clou en un lieu solide;
il deviendra un trône de gloire
pour la maison de son père.
[24] On y suspendra toute la gloire de la maison
paternelle, les descendants et les rejetons, et tous
les objets de petite taille, depuis les coupes
jusqu'aux jarres. [25] Ce jour-là, oracle de Yahvé
Sabaot, il cédera, le clou enfoncé dans un lieu
solide, il s'arrachera et tombera; alors se détachera
la charge qui pesait sur lui. Car Yahvé a parlé [d].

**Contre Tyr.** Ez 26-28 Am 1 9-10 Za 9 2-4

**23** [1] Oracle sur Tyr [e].
Hurlez, vaisseaux de Tarsis, car tout a été détruit : 2 16+ Ps 48 8+
plus de maison et plus d'entrée.
Du pays de Kittim [f], la nouvelle leur est parvenue.
[2] Soyez stupéfaits, habitants de la côte,
marchands de Sidon, toi dont les messagers [g] passent les mers,
[3] aux eaux immenses.
Le grain du Canal, la moisson du Nil, était sa richesse.
Elle était le marché des nations.
[4] Rougis de honte, Sidon (la citadelle des mers) [h],
car la mer a parlé en ces termes :
« Je n'ai pas souffert et je n'ai pas enfanté,
ni élevé de garçons, ni fait grandir de filles. »
[5] Quand la nouvelle parviendra en Égypte,
on tremblera en apprenant le sort de Tyr.
[6] Passez à Tarsis et hurlez, habitants de la côte.
[7] Est-ce là votre fière cité
dont l'origine remontait au lointain passé,
elle que ses pas conduisaient au loin
pour s'y établir?

[8] Qui a décidé cela contre Tyr qui distribuait des couronnes,
dont les marchands étaient des princes, ↗ Ap 18 23
et les trafiquants des grands de la terre?
[9] C'est Yahvé Sabaot qui l'a décidé,
pour flétrir l'orgueil de toute beauté,
pour abaisser tous les grands de la terre.
[10] Cultive [i] ton pays comme le Nil, fille de Tarsis,
car il n'y a plus de chantier maritime.

*a)* Seul oracle d'Isaïe concernant un particulier. Ce Shebna était un parvenu, peut-être un étranger, qui avait accédé à la plus haute charge, celle de maître du palais d'Ézéchias. Isaïe est seul à mentionner sa destitution et son remplacement par Élyaqim, mais le livre des Rois donne le résultat de cette mesure : Élyaqim est maître du palais et Shebna n'est plus que secrétaire, 2 R **18** 26, 37; **19** 2= Is **36** 3, 11, 22; **37** 2. Il est possible que sa tombe ait été retrouvée, dans l'une des nécropoles de Jérusalem, à Siloé.

*b)* « je t'arracherai » versions; « il t'arrachera » hébr.

*c)* L'ouverture et la fermeture des portes de la « maison du roi » était une fonction du vizir égyptien, dont le maître du palais est l'équivalent en Israël. Ce sera la fonction de Pierre dans l'Église, royaume de Dieu, Mt **16** 19. Ce texte sera cité par Ap **3** 7 et appliqué au Messie, comme le fait la liturgie dans l'antienne du Magnificat aux vêpres du 20 décembre : « O clavis David et sceptrum domus Israel ».

*d)* Cette addition en prose annonce la disgrâce d'Élyaqim lui-même, entraînant dans sa chute toute sa famille qui avait profité de son élévation.

*e)* Oracle difficile qui annonce la ruine inattendue et spectaculaire de la ville imprenable de Tyr, et décrit l'effet produit par cet événement. Tyr, construite sur une île à peu de distance du rivage, fut attaquée ou assiégée par de nombreux conquérants, Salmanasar, Sennachérib, Nabuchodonosor (siège de 13 ans!), cf. Ez **26-28**. Elle sera détruite par Alexandre en 322. Il est difficile de dire quel événement précis le prophète a en vue ici. – La mention de Sidon, vv. 2, 4, 12, ne signifie pas nécessairement que deux oracles aient été combinés; le nom de Sidon peut désigner la Phénicie en général, cf. 1 R **16** 31 et la note.

*f)* L'île de Chypre, où les Phéniciens avaient des colonies. – Sur Tarsis, cf. 1 R **10** 22+.

*g)* « dont les messagers » *mal'akayk* 1QIs[a]; « t'emplissaient » *mil'ûk* TM.

*h)* Glose destinée à Sidon et accidentellement déplacée dans l'hébr. après « la mer ».

*i)* « cultive » grec 1QIs[a]; « traverse » TM. – « Fille de Tarsis » est difficile à expliquer : on attendrait « fille de Tyr », en parallèle à « fille de Sidon » du v. 12.

11 Il a tendu la main contre la mer,
il a fait trembler les royaumes;
Yahvé a décrété pour Canaan de ruiner ses forteresses.
12 Il a dit : Cesse de faire la fière,
toi, la maltraitée, vierge fille de Sidon!
Lève-toi, passe à Kittim,
là non plus, pas de repos pour toi.
13 Voici le pays des Chaldéens, ce peuple qui n'existait pas;
Assur l'a constitué pour les bêtes du désert;
ils y ont dressé leurs tours,
ils ont démoli ses bastions,
ils l'ont réduit en ruine [a].
14 Hurlez, navires de Tarsis, car votre forteresse est détruite.
15 Et il arrivera, en ce jour-là, que Tyr sera oubliée,
soixante-dix ans, le temps de vie d'un roi. Mais au
bout de soixante-dix ans, il en sera de Tyr comme Jr 25 11-12
dans la chanson de la prostituée :

16 « Prends une cithare, parcours la ville,
prostituée délaissée!
Joue de ton mieux, répète ta chanson,
qu'on se souvienne de toi! »

17 Et il arrivera, au bout de soixante-dix ans, que
Yahvé visitera Tyr. Elle recevra de nouveau son
salaire, et se prostituera avec tous les royaumes du
monde, sur la face de la terre. 18 Mais son gain et
son salaire seront consacrés à Yahvé. Ils ne seront
ni amassés ni thésaurisés; mais c'est à ceux qui
habitent devant Yahvé qu'ira son gain, pour qu'ils
aient nourriture à satiété et vêtement magnifique [b].

## 4. *APOCALYPSE* [c]

**Le jugement de Yahvé.**

**24** 1 Voici que Yahvé dévaste la terre et la ravage,
il en bouleverse la face et en disperse les habitants.
2 Il en sera du prêtre comme du peuple,
du maître comme de l'esclave,
de la maîtresse comme de la servante,
du vendeur comme de l'acheteur,
du prêteur comme de l'emprunteur,
du débiteur comme du créancier.
3 Dévastée, dévastée sera la terre,
elle sera pillée, pillée,
car Yahvé a prononcé cette parole.
Os 4 3+ 4 La terre est en deuil, elle dépérit,
le monde s'étiole, il dépérit,
l'élite du peuple de la terre [d] s'étiole.
5 La terre est profanée sous les pieds de ses habitants,
car ils ont transgressé les lois,
violé le décret, rompu l'alliance éternelle [e]. Gn 9 16
6 C'est pourquoi la malédiction a dévoré la terre,
et ses habitants en subissent la peine;
c'est pourquoi les habitants de la terre ont été consumés,
il ne reste que peu d'hommes.

**Chant sur la ville détruite** [f].

7 Le vin nouveau est en deuil, la vigne s'étiole,
ils gémissent, ceux qui avaient le cœur en fête.
8 Le son allègre des tambourins s'est tu, Jr 7 34; 16 9; 25 10
les fêtes bruyantes ont pris fin, Ez 26 13
le son allègre du kinnor s'est tu. Ap 18 22
9 On ne boit plus de vin en chantant,
la boisson est amère à ceux qui la boivent.
10 Elle est en ruines, la cité du néant,
toute maison est fermée, on ne peut entrer.
11 On crie dans les rues pour avoir du vin,

*a)* Tout le v. paraît corrompu et sa traduction est très incertaine.
*b)* Ces vv. en prose (sauf la chanson citée au v. 16) sont une addition tardive, comparable à celles de **18** 7 et **19** 16-25. Tyr retrouvera sa prospérité; et le fruit de son commerce, de ses « prostitutions », offert jadis aux faux dieux sera désormais consacré à Yahvé.
*c)* Les ch. **24-27** visent, au-delà des événements proches, un jugement final de Dieu, dont ils donnent une description poétique entrecoupée de psaumes de supplication ou d'action de grâces. Ils annoncent déjà, bien qu'ils n'en présentent pas tous les caractères, la littérature apocalyptique qui s'exprimera dans Dn, Za **9-14** et le livre apocryphe d'Hénok. C'est sans doute une des parties les plus tardives du livre d'Isaïe : on ne peut la mettre avant le v<sup>e</sup> s.
*d)* Litt. « l'élévation du peuple de la terre »; grec : « les grands de la terre ».
*e)* Il semble qu'il s'agisse ici non de l'alliance avec Abraham ou de l'alliance mosaïque, mais d'une alliance universelle de Dieu avec l'humanité telle que fut, selon la tradition sacerdotale de la Genèse, l'alliance avec Noé, Gn **9** 9-17. Cette alliance rompue, le jugement survient contre toute la terre, v. 6.
*f)* La destruction de la « cité du néant », v. 10, constitue l'occasion de cette apocalypse, cf. **25** 2; **26** 5; **27** 10-11. C'est certainement une ville païenne opposée à Jérusalem, **26** 1-6, et dont la destruction devient le symbole du jugement divin. On l'a identifiée à Babylone, détruite par Xerxès I en 485, ou à Tyr, détruite par Alexandre en 332, ou bien à Samarie, détruite par Hyrcan en 110 av. J.-C. Cependant la mention explicite de Moab à **25** 10, la citation à **24** 17-18 de Jr **48** 43-44 sur Moab, ainsi que l'allusion aux vignobles, **24** 7-9, qui rappelle les vignes de Moab de **16** 7-10, tout cela laisse penser qu'il s'agit de la ruine d'une cité moabite, probablement la capitale, à une époque qu'on ne peut déterminer.

toute joie a disparu :
l'allégresse du pays a été bannie.
12 Dans la ville, ce n'est que décombres,
la porte s'est effondrée en ruines.
13 Car il en est au milieu de la terre, parmi les peuples,
17 6 comme au gaulage de l'olivier,
comme pour les grapillons quand est finie la vendange.
14 Mais ceux-ci élèvent la voix, ils crient de joie,
en l'honneur de Yahvé ils clament depuis l'occident.
15 « Oui, à l'orient, glorifiez Yahvé,
dans les îles de la mer, le nom de Yahvé, le Dieu d'Israël. »
16 Des confins de la terre nous avons entendu des psaumes,
« gloire au Juste ».

**Les derniers combats** [a].

Mais j'ai dit : « Quelle épreuve pour moi! quelle épreuve pour moi!
malheur à moi! »
Les traîtres ont trahi, les traîtres ont tramé la trahison!
Jr **48** 43-44 17 Frayeur, fosse, filet, pour toi, habitant de la terre.
18 Et celui qui fuira devant le cri de frayeur
tombera dans la fosse,
et celui qui remontera de la fosse
sera pris dans le filet.
2 10+ Oui, les vannes d'en haut se sont ouvertes,
Gn **7** 11 Am **8** 9+ les fondements de la terre ont tremblé.
19 Un brisement, la terre s'est brisée,
un sursaut, la terre a sursauté,
un vacillement, la terre a vacillé.
20 La terre va chanceler, chanceler comme l'ivrogne,
elle sera ébranlée comme une hutte,
son crime pèsera sur elle,
elle tombera et ne se relèvera plus.
21 Et il arrivera, en ce jour-là,
que Yahvé visitera l'armée d'en haut, en haut,
et les rois de la terre, sur la terre.
22 Ils seront rassemblés, troupe de prisonniers conduits à la fosse,
ils seront enfermés dans la prison;
après de nombreux jours, ils seront visités.
23 La lune sera confuse, le soleil aura honte,
car Yahvé Sabaot est roi sur la montagne de Sion et à Jérusalem, Ps **47** 1+
et la Gloire resplendit devant les anciens. Ex **24** 9-11 Ex **24** 16+ ↗ Ap **4** 4, 10-11

**Hymne d'action de grâces** [b].

**25** 1 Yahvé, tu es mon Dieu, Ps **31** 15
je t'exalterai, je louerai ton nom,
car tu as accompli des merveilles,
les desseins de jadis, fidèlement, fermement.
2 Car tu as fait de la ville un tas de pierres,
la cité fortifiée est une ruine,
la citadelle des étrangers n'est plus une ville,
jamais elle ne sera reconstruite.
3 C'est pourquoi un peuple fort te glorifie,
la cité des nations redoutables te craint.
4 Car tu as été un refuge pour le faible,
un refuge pour le malheureux plongé dans la détresse,
un abri contre la pluie, un ombrage contre la chaleur, 4 5-6 Ap **7** 15-16
car le souffle des violents est comme la pluie d'hiver [c].
5 Comme la chaleur sur une terre aride,
tu apaises le tumulte des étrangers :
la chaleur tiédit à l'ombre d'un nuage,
le chant des violents se tait.

**Le festin divin** [d]. Mt **8** 11

6 Yahvé Sabaot prépare pour tous les peuples, sur cette montagne,
un festin de viandes grasses, un festin de bons vins, Jn **6** 51, 54
de viandes moelleuses, de vins dépouillés.
7 Il a détruit sur cette montagne
le voile qui voilait tous les peuples
et le tissu tendu sur toutes les nations;
8 il a fait disparaître la mort à jamais. Os **13** 14 ↗ Ap **21** 4 1 Co **15** 26 ↗ Ap **7** 17 **35** 10
Le Seigneur Yahvé a essuyé les pleurs sur tous les visages,
il ôtera l'opprobre de son peuple sur toute la terre,
car Yahvé a parlé.
9 Et on dira, en ce jour-là :
Voyez, c'est notre Dieu,
en lui nous espérions pour qu'il nous sauve;
c'est Yahvé, nous espérions en lui.

*a)* Reprise de la description du Jugement, interrompue par le chant sur la ville détruite.
*b)* Ce cantique se réfère aux événements racontés précédemment, destruction de la ville, v. 2, cf. **24** 10, conversion des peuples lointains, v. 3, cf. **24** 15, victoire sur les orgueilleux, vv. 2, 4, cf. **24** 21, 22.
*c)* « d'hiver » *qor* conj.; « d'un mur » *qîr* hébr.
*d)* Reprenant et amplifiant des conceptions universalistes déjà répandues chez les prophètes antérieurs, Is **2** 2-3; **56** 6-8; **60** 11-14; Za **8** 20; **14** 16, etc., l'auteur décrit l'affluence des peuples à Jérusalem comme un immense festin. A partir de ce texte, l'idée d'un festin messianique est devenue courante dans le judaïsme et se retrouve dans le NT : Mt **22** 2-10; Lc **14** 14, 16-24.

Exultons, réjouissons-nous du salut qu'il nous a
donné.
10 Car la main de Yahvé reposera sur cette montagne
et Moab [a] sera foulé sur place,
comme on foule la paille dans la fosse à fumier.
11 Il étend les mains, au milieu de la montagne,
comme le nageur les étend pour nager.
Mais il rabaissera son orgueil,
malgré les efforts de ses mains.
12 Et la place forte inaccessible de tes remparts,
il l'a abattue, abaissée, renversée à terre, dans la
poussière.

**Hymne d'action de grâces.**

**26** 1 En ce jour-là, on chantera ce chant au pays
de Juda :
**60** 18 Nous avons une ville forte [b];
pour nous protéger, il a mis mur et avant-mur.
Ps **118** 19-20 2 Ouvrez les portes! Qu'elle entre, la nation juste
qui observe la fidélité.
3 C'est un dessein arrêté : tu assureras la paix,
la paix qui t'est confiée.
4 Confiez-vous en Yahvé à jamais!
Dt **32** 4 Car Yahvé est un rocher, éternellement.
5 C'est lui qui a précipité les habitants des hauteurs, la cité élevée;
il l'abaisse, il l'abaisse jusqu'à terre,
il lui fait mordre la poussière.
6 Elle sera foulée aux pieds,
par les pieds du malheureux, par les pas du
faible.

**Psaume [c].**

7 Le sentier du juste, c'est la droiture,
tu aplanis la droite trace du juste.
8 Oui, dans le sentier de tes jugements, nous
t'attendions, Yahvé,
à ton nom et à ta mémoire va le désir de l'âme.
Ps **42** 2 9 Mon âme t'a désiré pendant la nuit,
oui, au plus profond de moi, mon esprit te cherche,
car lorsque tu rends tes jugements pour la terre,
les habitants du monde apprennent la justice.
10 Si l'on fait grâce au méchant sans qu'il apprenne
la justice,
au pays de la droiture il fait le mal,
sans voir la majesté de Yahvé.
11 Yahvé, ta main est levée et ils ne voient pas!
Ils verront, pleins de confusion, ton amour
jaloux pour ce peuple,
oui, le feu préparé pour tes ennemis les dévorera.

12 Yahvé, tu nous assures la paix,
et même toutes nos œuvres, tu les accomplis
pour nous.
13 Yahvé notre Dieu, d'autres maîtres que toi ont
dominé sur nous,
mais, attachés à toi seul, nous invoquons ton
nom.
14 Les morts ne revivront pas, les ombres ne se relèveront pas,
car tu les as visités, exterminés,
tu as détruit jusqu'à leur souvenir.
15 Tu as fait de nous une nation, Yahvé,
tu as fait de nous une nation et tu as été glorifié.
Tu as fait reculer les limites du pays.

16 Yahvé, dans la détresse ils t'ont cherché,
ils se répandirent en prière [d]
car ton châtiment était sur eux.
17 Comme la femme enceinte à l'heure de l'enfante- **13** 8+
ment Os **13** 13
souffre et crie dans ses douleurs, Is **37** 3
ainsi étions-nous devant ta face, Yahvé.
18 Nous avons conçu, nous avons souffert,
mais c'était pour enfanter du vent :
nous n'avons pas donné le salut à la terre,
il ne naît pas d'habitants au monde.
19 Tes morts revivront, tes cadavres ressusciteront. Ez **37**+
Réveillez-vous et chantez, vous qui habitez la Os **13** 14
poussière, Ep **5** 14
car ta rosée est une rosée lumineuse,
et le pays va enfanter des ombres.

**Le passage du Seigneur [e].**

20 Va, mon peuple, entre dans tes chambres, ↗ Mt **6** 6
ferme tes portes sur toi;
cache-toi un tout petit instant, Jb **14** 13-15
jusqu'à ce qu'ait passé la fureur.
21 Car voici Yahvé qui sort de sa demeure Mi **1** 3
pour châtier la faute des habitants de la terre; ↗ Ap **3** 10;
et la terre dévoilera son sang, **6** 10
elle cessera de recouvrir ses cadavres.

*a)* Cf. la note sur **24** 7. Cependant la mention de Moab a étonné, car c'est le seul nom propre du poème qui a même évité « Moab » dans la citation de Jr **48** 43-44 en **24** 17-18. On a donc proposé de corriger en *'oyeb*, « ennemi », mais cette correction n'a aucun appui textuel.

*b)* Jérusalem, que Yahvé a fortifiée et qui sert de refuge aux justes, est opposée à la « cité élevée », v. 5, la ville détruite des ch. **24-25**, cf. **24** 7+.

*c)* Le jugement de Yahvé s'accomplit selon la justice, vv. 7-10, et assure la délivrance et la gloire de son peuple, vv. 11-15; les épreuves actuelles préparent la renaissance, vv. 16-19. Les douleurs de l'enfantement sont devenues l'image des tribulations qui devaient précéder la venue du Messie, cf. Mt **24** 8; Mc **13** 8; Jn **16** 20-22.

*d)* Sens incertain.

*e)* Le peuple est invité à se mettre à l'abri pendant que Yahvé exécutera son jugement contre les méchants.

**27** 1 Ce jour-là, Yahvé châtiera
avec son épée dure, grande et forte,
Jb 3 8+; Léviathan, le serpent fuyard,
40 25s Léviathan, le serpent tortueux;
il tuera le dragon qui habite la mer [a].

5 1-7+ **La vigne de Yahvé [b].**

2 Ce jour-là, la vigne magnifique [c], chantez-la!
3 Moi, Yahvé, j'en suis le gardien,
de temps en temps, je l'irrigue;
pour qu'on ne lui fasse pas de mal,
nuit et jour je la garde.

4 – Je n'ai plus de muraille.
Qui va me réduire en ronces et en épines [d]?

– Dans la guerre, je la foulerai, je la brûlerai en
même temps.
5 Ou bien que l'on fasse appel à ma protection,
que l'on fasse la paix avec moi,
la paix, qu'on la fasse avec moi.

**Grâce et châtiment [e].**

6 A l'avenir Jacob s'enracinera,
Israël bourgeonnera et fleurira,
la face du monde se couvrira de récolte.
7 L'a-t-il frappé comme avaient frappé ceux qui le
frappaient?
A-t-il assassiné comme avaient assassiné ses
assassins?
8 En la chassant, en l'excluant, tu as exercé un
jugement,
il l'a chassée de son souffle violent, tel le vent
d'orient.

9 Car ainsi sera pardonnée la faute de Jacob,
tel sera le fruit qu'il recueillera en renonçant à
son péché,
quand toutes les pierres de l'autel seront mises
en pièces
comme des pierres à chaux,
quand les Ashéras et les brûle-parfums ne seront 17 8
plus debout. Ex 34 13+
10 Car la ville fortifiée est devenue une solitude,
abandonnée, délaissée comme un désert,
où les veaux paissent, où ils se couchent
en détruisant les branchages.
11 Quand sèchent les branches on les brise,
des femmes viennent et y mettent le feu.
Or ce peuple n'est pas intelligent,
aussi son créateur n'aura pas pitié de lui,
celui qui l'a modelé ne lui fera pas grâce.

**Retour des Israélites [f].**

12 Et il arrivera qu'en ce jour-là, Yahvé fera le
battage,
depuis le cours du Fleuve jusqu'au torrent
d'Égypte,
et vous, vous serez glanés un à un, enfants
d'Israël.
13 Et il arrivera qu'en ce jour-là, on sonnera du Jl 2 1+
grand cor [g],
alors viendront ceux qui se meurent au pays
d'Assur,
et ceux qui sont bannis au pays d'Égypte,
ils adoreront Yahvé sur la montagne sainte, à
Jérusalem.

## 5. *POÈMES SUR ISRAËL ET JUDA*

**Contre Samarie [h].**

5 11-13+ **28** 1 Malheur à l'orgueilleuse couronne des ivrognes d'Éphraïm,
à la fleur fanée de sa superbe splendeur
sise au sommet de la grasse vallée, à ceux que
terrasse le vin.

2 Voici un homme fort et puissant au service du
Seigneur,
comme une tornade de grêle, une tempête dévastatrice,
comme d'énormes trombes d'eau qui se déversent,
de sa main il les jette à terre.

*a)* Sur Léviathan, cf. Jb **3** 8+. – Le texte est ici influencé par un poème de Râs-Shamra (XIVe s. av. J.-C.) où on lit : « Tu écraseras Léviathan, serpent fuyard, tu consumeras le serpent tortueux, le puissant aux sept têtes ».
*b)* Comme en **5** 1-7, Israël est représenté comme une vigne sur laquelle Dieu veille avec amour si l'on fait appel à lui.
*c)* « magnifique » *hemed* conj.; « moût » *hemer* hébr.
*d)* « muraille » *homah* conj.; « fureur » *hemah* hébr. – « qui... épines » conj. Le TM coupe différemment et se traduirait litt. : « qui me donnera ronces et épines dans (par?) la guerre? »; le texte est très incertain. On comprend ce v. comme une réponse de la vigne personnifiée.
*e)* L'interprétation de ce passage est entravée par le désordre apparent et l'état corrompu du texte. Il semble que les vv. 7-8, 10-11 concernent le châtiment des oppresseurs d'Israël, identifiés avec la « ville forte » de cette apocalypse, v. 10. Les vv. 6 et 9, qui sont une promesse à Israël dont la faute est expiée, pourraient préparer l'oracle de **12-13**.
*f)* Cet « oracle », placé ici comme une conclusion, annonce le retour à Jérusalem de tous les Israélites dispersés.
*g)* Le cor (*shofar*) qui a plusieurs emplois, cf. Jl **2** 1+, sonne ici le rassemblement du dernier jour. Il convenait que cette apocalypse s'achevât par une sonnerie de la trompette du jugement, cf. Mt **24** 31; 1 Co **15** 52; 1 Th **4** 16.
*h)* Oracle prononcé quelque temps avant la chute de Samarie (721). La ville de Samarie, édifiée sur une colline, est comparée à une couronne de fleurs dont s'ornait la tête des convives dans les festins antiques. D'autres prophètes, Os **7** 5-7; Am **3** 9, 15, etc., ont fait allusion à la richesse et à la corruption de Samarie.

3 Elles seront foulées aux pieds,
l'orgueilleuse couronne des ivrognes d'Éphraïm
4 et la fleur fanée de sa superbe splendeur
sise au sommet de la grasse vallée.
C'est comme une figue mûre avant l'été :
qui l'aperçoit aussitôt la saisit et l'avale.

5 Ce jour-là [a], c'est Yahvé Sabaot
qui deviendra une couronne de splendeur et un
superbe diadème
**4** 3+ pour le reste de son peuple,
**11** 2-4+ 6 un esprit de justice pour qui doit rendre la justice,
et la force de ceux qui repoussent l'assaut aux
portes.

**Contre les faux prophètes [b].**

**5** 11-13+ 7 Eux aussi, ils ont été troublés par le vin, ils ont
divagué sous l'effet de la boisson.
Prêtre et prophète, ils ont été troublés par la
boisson,
ils ont été pris de vin, ils ont divagué sous l'effet
de la boisson,
ils ont été troublés dans leurs visions, ils ont
divagué dans leurs sentences.
8 Oui, toutes les tables sont couvertes de vomissements abjects,
pas une place nette!
9 A qui enseigne-t-il la leçon? A qui explique-t-il
la doctrine?
A des enfants à peine sevrés, à peine éloignés de
la mamelle,
10 quand il dit : *çav laçav, çav laçav; qav laqav,
qav laqav;*
*ze 'êr sham, ze 'êr sham* [c].
Jr **5** 15 11 Oui, c'est par des lèvres bégayantes et dans une
1 Co **14** 21 langue étrangère
qu'il parlera à ce peuple.
12 Il leur avait dit : « Voici le repos! Donnez le
repos à l'accablé :
ceci est un endroit tranquille. » Mais ils n'ont pas
voulu écouter.
13 Aussi Yahvé va leur parler ainsi :
*çav laçav, çav laçav; qav laqav, qav laqav;*
*ze 'êr sham, ze 'êr sham,*
afin qu'en marchant ils tombent à la renverse,
qu'ils soient brisés, pris au piège, emprisonnés.

**Contre les mauvais conseillers.**

14 C'est pourquoi, écoutez la parole de Yahvé,
hommes insolents,
gouverneurs de ce peuple qui est à Jérusalem.
15 Vous avez dit : « Nous avons conclu une alliance
avec la mort,
avec le shéol nous avons fait un pacte. ↗ Sg **1** 16
Quant au fléau menaçant, il passera sans nous Si **14** 12
atteindre,
car nous avons fait du mensonge notre refuge, Jr **5** 12 Am **9** 10
et dans la fausseté nous nous sommes cachés [d]. »
16 C'est pourquoi, ainsi parle le Seigneur Yahvé [e] : Ps **118** 22-23
Voici que je vais poser en Sion une pierre, ↗ Mt **21** 42: **16** 18
une pierre de granit, pierre angulaire, précieuse, Ep **2** 20
pierre de fondation bien assise : 1 P **2** 6
celui qui s'y fie ne sera pas ébranlé. **7** 9+
17 Et je prendrai le droit comme mesure et la justice
comme niveau. **1** 26+

Mais la grêle balaiera le refuge de mensonge **28** 15
et les eaux inonderont la cachette;
18 votre alliance avec la mort sera rompue [f],
votre pacte avec le shéol ne tiendra pas.
Quant au fléau destructeur, lorsqu'il passera,
vous serez piétinés par lui.
19 Chaque fois qu'il passera, il vous saisira,
car chaque matin il passera, et le jour et la nuit,
et seule la terreur fera comprendre la révélation.
20 Car la couche sera trop courte pour s'y étendre,
et la couverture trop étroite pour s'en envelopper [g].

21 Oui, comme au mont de Peraçim, Yahvé se 2 S **5** 17-25
lèvera,
comme au val de Gabaôn, il frémira,
pour opérer son œuvre, son œuvre étrange,
pour accomplir sa tâche, sa tâche mystérieuse.
22 Et maintenant, cessez de vous moquer,
de peur que ne se resserrent vos liens,
car je l'ai entendu : c'est irrévocablement décidé
par le Seigneur Yahvé Sabaot, contre tout le
pays.

*a)* Les vv. 5-6 opposent à la couronne fanée de Samarie, la couronne de gloire que Yahvé lui-même sera pour le reste de son peuple. Cette mention du « reste » fait penser que ce passage est postérieur, cf. **4** 3+; la similitude des images l'aurait fait rapprocher de l'oracle précédent.

*b)* Les oracles des vv. 7-22 sont de peu antérieurs à la campagne de Sennachérib en 701, à un moment où Ézéchias songeait à participer à une coalition anti-assyrienne. Le premier vise des participants à des banquets religieux dans le Temple, qui traitent de bredouillage d'enfant les paroles d'Isaïe qu'ils ne comprennent pas. Mais ils ne comprendront pas plus le langage des soldats assyriens que Yahvé va lancer contre eux.

*c)* Litt. : « ordre sur ordre... mesure sur mesure... un peu ici, un peu là. » Mais il ne faut pas chercher à traduire ces mots qui sont choisis seulement pour leur sonorité.

*d)* L'alliance contre l'Assyrie que conseillaient les dirigeants du peuple est une alliance avec la mort et l'enfer.

*e)* Les vv. 16-17ª forment un bref oracle qui rompt le développement. L'architecte divin de la Jérusalem nouvelle pose sur le droit et la justice la pierre de fondation qui porte peut-être comme nom « Celui qui s'y fie ne sera pas ébranlé », équivalent des noms symboliques « ville justice, cité fidèle » de **1** 26. Dans le NT, l'image de la pierre de fondation ou de la pierre angulaire sera appliquée au Christ, Mt **21** 42; Ep **2** 20; 1 P **2** 4-8, ou à Pierre, Mt **16** 18.

*f)* « rompue » *tupar* Targ.; « couverte » *kuppar* hébr.

*g)* Le prophète doit citer un proverbe populaire.

**Parabole** [a].

23 Prêtez l'oreille et entendez ma voix;
soyez attentifs, entendez ma parole.
24 Le laboureur passe-t-il tout son temps à labourer pour semer,
à défoncer et herser son coin de terre?
25 Après avoir aplani la surface,
ne jette-t-il pas la nigelle, ne répand-il pas le cumin?
Puis il met le blé, le millet, l'orge (...) [b]
et l'épeautre en bordure.
26 Son Dieu lui a enseigné cette règle et l'a instruit.
27 On n'écrase pas la nigelle avec le traîneau [c],
on ne fait pas passer sur le cumin les roues du chariot.
C'est avec un bâton qu'on bat la nigelle,
et le cumin se bat au fléau.
28 Lorsqu'on foule le froment,
on ne s'attarde pas à l'écraser;
on met en marche la roue du chariot et son attelage,
on ne le broie pas.
29 Tout cela est un don de Yahvé Sabaot,
merveilleux conseil qui fait de grandes choses.

36 1-2; 37 33-37 **Sur Jérusalem** [d].

33 7 **29** 1 Malheur, Ariel, Ariel, cité où campa David!
ajoutez année sur année,
que les fêtes accomplissent leur cycle,
2 j'opprimerai Ariel; ce sera gémissements et sanglots,
et elle sera pour moi comme Ariel.
3 Je camperai en cercle contre toi,
j'entreprendrai contre toi un siège
↗ Lc 19 43 et je dresserai contre toi des retranchements.
4 Tu seras abaissée, ta voix s'élèvera de la terre,
de la poussière elle s'élèvera comme un murmure;
ta voix comme celle d'un esprit viendra de la terre,
comme venant de la poussière elle murmurera.
5 La horde de tes ennemis sera comme des grains de poussière,
la horde des guerriers, comme la bale qui s'envole.
Et soudain, en un instant,
6 tu seras visitée de Yahvé Sabaot Ex 13 22+; 19 16+
dans le fracas, le tremblement, le vacarme,
ouragan et tempête, flamme de feu dévorant.
7 Ce sera comme un rêve, une vision nocturne :
la horde de toutes les nations en guerre contre Ariel,
tous ceux qui le combattent, l'assiègent et l'oppriment.
8 Et ce sera comme le rêve de l'affamé :
le voici qui mange, puis il s'éveille, l'estomac creux;
ou comme le rêve de l'assoiffé :
le voici qui boit, puis il s'éveille épuisé, la gorge sèche.
Ainsi en sera-t-il de la horde de toutes les nations
en guerre contre la montagne de Sion.

9 Soyez stupides et stupéfaits [e],
devenez aveugles et sans vue;
soyez ivres, mais non de vin,
titubants, mais non de boisson,
10 car Yahvé a répandu sur vous un esprit de torpeur, 19 14 1 S 16 14+ ↗ Rm 11 8
il a fermé vos yeux (les prophètes),
il a voilé vos têtes (les voyants) [f].
11 Et toutes les visions sont devenues pour vous
comme les mots d'un livre scellé
que l'on remet à quelqu'un qui sait lire en disant : « Lis donc cela. »
Mais il répond : « Je ne puis, car il est scellé. »
12 Et on remet le livre à quelqu'un qui ne sait pas lire
en disant : « Lis donc cela. »
Mais il répond : « Je ne sais pas lire [g]. »

**Oracle** [h]. 1 10-20+ Am 5 21+

13 Le Seigneur a dit :
Parce que ce peuple est près de moi en paroles ↗ Mt 15 8
et me glorifie de ses lèvres,
mais que son cœur est loin de moi
et que sa crainte n'est qu'un commandement humain, une leçon apprise, ↗ Col 2 2

*a)* La sagesse du cultivateur qui plante ses semences et les bat selon leurs espèces est une image de la sagesse de Dieu dans la conduite de son peuple.
*b)* Après « l'orge », l'hébr. ajoute un mot inconnu, peut-être le nom d'une autre céréale.
*c)* Le traîneau muni de roues tranchantes ou de silex qui sert à dépiquer le blé.
*d)* Cet oracle paraît dater de la période précédant le siège de Jérusalem en 701. Le nom symbolique Ariel qui désigne Jérusalem, ici et à **33** 7 (corrigé), est expliqué de diverses façons. Le plus souvent, on en rapproche le nom *har'el ou 'ari'eyl,* donné par Ézéchiel à la partie supérieure de l'autel, le foyer, où l'on brûlait les victimes : cela exprimerait le caractère sacré de la ville. Cette interprétation paraît confirmée par la fin du v. 1 qui se réfère au culte régulier du Temple de Jérusalem.
*e)* La traduction cherche à rendre l'allitération de l'hébr., qui d'ailleurs sacrifie à cet effet littéraire le sens précis du premier verbe qui est « s'attarder ».
*f)* Les mots entre parenthèses sont des gloses qui éclairent les expressions figurées.
*g)* Les vv. 11-12 sont peut-être une addition voulant expliciter les vv. 9-10.
*h)* Oracle difficile à dater. Le prophète s'en prend au culte hypocrite, comme en **1** 10-20.

14 eh bien! voici que je vais continuer
à étonner ce peuple par des prodiges et des merveilles;
↗ 1 Co 1 19 la sagesse des sages se perdra
et l'intelligence des intelligents s'envolera.

**Le triomphe du droit** [a].

15 Malheur à ceux qui se terrent pour dissimuler à Yahvé leurs desseins,
qui trament dans les ténèbres leurs actions
Jb 22 13 et disent : « Qui nous voit? qui nous connaît? »
Ps 10 4 16 Quelle perversité!
45 9; 64 7 Le potier ressemble-t-il à l'argile
Jr 18 1-6; 19 1-13 pour qu'une œuvre ose dire à celui qui l'a faite :
Sg 12 12 « Il ne m'a pas faite »,
Si 33 13 ↗ Rm 9 20 21 et un pot à son potier : « Il ne sait pas travailler [b] »?
17 N'est-il pas vrai que dans peu de temps
le Liban redeviendra un verger,
et le verger fera penser à une forêt?
18 En ce jour-là, les sourds entendront les paroles du livre
et, délivrés de l'ombre et des ténèbres, les yeux des aveugles verront.
1 S 2 5s+ 19 Les malheureux trouveront toujours plus de joie en Yahvé,
6 3+ les plus pauvres des hommes exulteront à cause du Saint d''Israël.
20 Car le tyran ne sera plus, le moqueur aura disparu,
tous les veilleurs infâmes auront été retranchés :
21 ceux dont la parole porte condamnation,
ceux qui tendent un piège à celui qui juge à la porte,
et sans raison font débouter le juste.

22 C'est pourquoi, ainsi parle Yahvé, Dieu de la maison de Jacob,
41 8; 51 2 lui qui a racheté Abraham :
Désormais Jacob ne sera plus déçu,
désormais son visage ne blêmira plus,
23 car lorsqu'il verra ses enfants [c], l'œuvre de mes mains, chez lui,
il sanctifiera mon nom, il sanctifiera le Saint de Jacob,
il redoutera le Dieu d'Israël.
24 Les esprits égarés apprendront l'intelligence,
et ceux qui murmurent recevront l'instruction.

**Contre l'ambassade envoyée en Égypte** [d].

**30** 1 Malheur aux fils rebelles! oracle de Yahvé.
Ils font des projets qui ne viennent pas de moi,
ils trament des alliances que mon esprit n'inspire pas, Jr 2 18
accumulant péché sur péché.
2 Ils partent pour descendre en Égypte,
sans m'avoir consulté,
pour se mettre sous la protection du Pharaon
et s'abriter à l'ombre de l'Égypte.
3 Mais la protection du Pharaon tournera à votre honte, 36 5-9
l'abri de l'ombre de l'Égypte à votre confusion.
4 Car ses princes ont été à Çoân
et ses messagers ont atteint Hanès [e].
5 Tout le monde est déçu par un peuple qui ne peut secourir,
qui n'apporte ni aide ni profit,
mais déception et confusion.

**Autre oracle contre une ambassade** [f].

6 Oracle sur les bêtes du Négeb.
Au pays d'angoisse et de détresse, Dt 8 14-15
de la lionne et du lion rugissant [g], Nb 21 4-9
de la vipère et du dragon volant, 14 29
ils apportent sur l'échine des ânes leurs richesses,
sur la bosse des chameaux leurs trésors,
vers un peuple qui ne peut secourir :
7 l'Égypte dont l'aide est vanité et néant;
c'est pourquoi je lui ai donné ce nom : Rahab la déchue [h]

**Testament** [i].

8 Maintenant va, écris-le sur une tablette,
grave-le sur un document,

*a)* La clairvoyance de Yahvé perce les mauvais desseins, vv. 15-16. Il va délivrer les humbles de leurs ennemis et faire régner la justice, vv. 17-21. Les vv. 22-24 semblent être une addition. Ce n'est pas dans la manière d'Isaïe de parler de la « maison de Jacob » ni de se reporter à l'histoire du passé, ici Abraham.
*b)* Déjà le vieux récit de la création, Gn **2** 7, représentait Yahvé façonnant l'homme avec de la terre à la manière d'un potier. L'image sera fréquemment reprise par les prophètes, après Isaïe, et enfin par saint Paul, pour souligner la totale dépendance de l'homme et sa fragilité entre les mains de Dieu.
*c)* « ses enfants » : probablement une glose des mots suivants.
*d)* Oracle prononcé au départ d'une ambassade envoyée par Ézéchias au pharaon, vers 703-702, pour demander le secours de l'Égypte contre les Assyriens.
*e)* Çoân c'est Tanis, et Hanès, Anousis d'Hérodote (Heracleopolis magna des Romains), deux villes du Delta.
*f)* Probablement la même ambassade que celle visée par l'oracle précédent. Le titre s'inspire des premiers mots de l'oracle comme en **21** 13, cf. la note. Le prophète oppose les fatigues et les dangers du voyage à la vanité du résultat.
*g)* « rugissant » *nohem* conj.; « d'eux » *mehem* hébr.
*h)* « déchue » *hammoshbat* conj.; *hemshebet* hébr., inintell. – Rahab est, comme Léviathan, cf. **27** 1, un monstre du chaos primitif, **51** 9; Jb **2** 6; **12** 13, cf. **9** 13; Ps **89** 11. Ici et dans Ps **87** 4, c'est une désignation de l'Égypte. En gardant la même correction, on pourrait aussi traduire « Rahab la domptée » : le monstre a été rendu inoffensif, comparer Jb **40** 25-26 à propos de Léviathan, le crocodile d'Égypte.
*i)* Le poème des vv. 9-17 date du début du règne d'Ézéchias. Il est composé de trois oracles bien distincts, vv. 9-11; 12-14; 15-17, qui reprennent les griefs d'Isaïe contre ses contemporains. Ceux-ci ne l'ont pas écouté et le prophète met par écrit

que ce soit pour un jour à venir,
pour toujours et à jamais.
1 2-4 9 Car c'est un peuple révolté, des fils menteurs,
des fils qui refusent d'écouter la Loi de Yahvé,
10 qui ont dit aux voyants : « Vous ne verrez pas »,
Am **2** 12; et aux prophètes : « Vous ne percevrez pour nous
**7** 13 Jr **11** 21 rien de clair.
1 R **22** 8-27 Dites-nous des choses flatteuses, ayez des
visions trompeuses.
11 Éloignez-vous du chemin, écartez-vous du sentier,
ôtez de devant nous le Saint d'Israël. »
12 C'est pourquoi, ainsi parle le Saint d'Israël :
Parce que vous avez rejeté cette parole
Ps **62** 11 et que vous vous êtes fiés à la fraude et à la déloyauté
pour vous y appuyer,
13 à cause de cela, cette faute sera pour vous
comme une brèche qui se produit,
une saillie en haut d'un rempart
qui soudain, d'un seul coup, vient à s'écrouler.
14 Il va le briser comme on brise une jarre de potier,
mise en pièces sans pitié,
et l'on ne trouvera pas dans ses débris un tesson
pour racler le feu du foyer
ou pour puiser l'eau d'un bassin.

**6** 3+ 15 Car ainsi parle le Seigneur Yahvé, le Saint d'Israël :
Dans la conversion et le calme était votre salut,
**7** 9+ dans la sérénité et la confiance était votre force,
mais vous n'avez pas voulu [a]!
Os **1** 7+ 16 Vous avez dit : « Non, car nous fuirons à cheval! »
Eh bien! oui, vous fuirez.
Et encore : « Nous aurons des montures rapides! »
Eh bien! vos poursuivants seront rapides.
Dt **32** 30 17 Mille trembleront [b] devant la menace d'un seul,
devant la menace de cinq vous vous enfuirez,
jusqu'à ce qu'il reste de vous comme un mât en haut de la montagne,
comme un signal sur la colline.

**Dieu pardonnera** [c].

18 C'est pourquoi Yahvé attend l'heure de vous faire grâce,
c'est pourquoi il se lèvera pour vous prendre en pitié, **54** 8
car Yahvé est un Dieu de justice;
bienheureux tous ceux qui espèrent en lui. Ps **2** 12
19 Oui, peuple de Sion, qui habites Jérusalem,
tu n'auras plus à pleurer,
car il va te faire grâce à cause du cri que tu pousses,
dès qu'il l'entendra il te répondra.
20 Le Seigneur vous donnera le pain de l'angoisse et l'eau rationnée,
celui qui t'instruit ne se cachera plus,
et tes yeux verront celui qui t'instruit.
21 Tes oreilles entendront une parole prononcée derrière toi :
« Telle est la voie, suivez-la,
que vous alliez à droite ou à gauche. »
22 Tu jugeras impur le placage de tes idoles d'argent
et le revêtement de tes statues d'or;
tu les rejetteras comme un objet immonde :
« Hors d'ici! » diras-tu.
23 Et il donnera la pluie pour la semence que tu sèmeras en terre,
et le pain, produit du sol, sera riche et nourrissant.
Ton bétail paîtra, ce jour-là, sur de vastes pâtures.
24 Les bœufs et les ânes, qui travaillent le sol,
mangeront comme fourrage de l'oseille sauvage
que l'on étend à la pelle et à la fourche.
25 Sur toute haute montagne et sur toute colline élevée,
il y aura des ruisseaux et des cours d'eau au jour Jl **4** 18
du grand carnage,
quand s'écrouleront les forteresses.
26 Alors la lumière de la lune sera comme la lumière du soleil,
et la lumière du soleil sera sept fois plus forte,
comme la lumière de sept jours,
au jour où Yahvé pansera la blessure de son peuple
et guérira la trace des coups reçus.

**Contre Assur** [d].

27 Voici que le nom de Yahvé vient de loin,
ardente est sa colère, pesante sa menace.

ses menaces : l'avenir lui donnera raison, v. 8. Cela semble marquer le début d'une période de silence, dont le prophète sortira avant l'invasion de Sennachérib. Une autre période de silence était peut-être marquée par Is **8** 16-18, après la guerre syro-éphraïmite, cf. Introd. p. 1078.

*a)* Ce que Dieu exigeait c'était, comme déjà au temps de la guerre syro-éphraïmite, cf. **7** 9, la confiance en lui, cf. **28** 16, au lieu de la recherche d'une alliance étrangère, ici celle de l'Égypte.

*b)* « trembleront » *yeherad* conj.; « un » *ehad* hébr.

*c)* Morceau de rythme incertain. A la pauvreté de la forme correspond celle du contenu : c'est une compilation de thèmes qu'on retrouve dans la deuxième et la troisième partie d'Isaïe, cf. par exemple **44** 9; **60** 20; **65** 10. Cette composition est postérieure à l'Exil, et le v. 18 sert de lien avec les oracles authentiques qui précèdent.

*d)* Cet oracle a probablement été prononcé lorsque Sennachérib menaçait Jérusalem. Le caractère terrifiant de l'intervention de Yahvé est exprimé ici avec une force inégalée.

Ses lèvres débordent de fureur,
sa langue est comme un feu dévorant.
Sg 5 23 28 Son souffle est comme un torrent débordant
qui monte jusqu'au cou,
pour secouer les nations d'une secousse fatale,
mettre un mors d'égarement aux mâchoires des
peuples.
29 Le chant sera sur vos lèvres comme en une nuit
de fête,
et la joie sera dans vos cœurs
comme lorsqu'on marche au son de la flûte
pour aller à la montagne de Yahvé, le rocher
d'Israël.
Ex 12 16+ 30 Yahvé fera entendre la majesté de sa voix,
Ps 29 1+ il fera sentir le poids de son bras,
dans l'ardeur de sa colère accompagnée d'un feu
dévorant,
de la foudre, d'averses et de grêlons.
31 Car à la voix de Yahvé, Assur sera terrorisé,
il le frappera de sa baguette;
32 chaque fois qu'il passera, ce sera la férule du
châtiment [a]
que Yahvé lui infligera,
au son des tambourins et des kinnors,
et dans les combats qu'il livrera, la main levée,
contre lui.
33 Car depuis longtemps est préparé Tophèt [b],
– il sera aussi pour le roi –
profond et large son bûcher,
feu et bois y abondent;
le souffle de Yahvé, comme un torrent de soufre,
va y mettre le feu.

### Contre l'alliance égyptienne [c].

30 1-7 **31** 1 Malheur à ceux qui descendent en Égypte
pour y chercher du secours.
Ils comptent sur les chevaux,
Os 1 7+ ils mettent leur confiance dans les chars, car ils
sont nombreux,
et dans les cavaliers, car ils sont très forts.
6 3+ Ils ne se sont pas tournés vers le Saint d'Israël,
ils n'ont pas consulté Yahvé.
2 Pourtant il est sage, lui aussi, et peut faire venir
le malheur,
il n'a jamais manqué à sa parole.
Il se lèvera contre l'engeance des méchants,
contre la protection des malfaisants.
3 L'Égyptien est un homme et non un dieu, Ez 28 9
ses chevaux sont chair et non esprit;
Yahvé étendra la main : Ex 14 26
le protecteur trébuchera, le protégé tombera,
tous ensemble ils périront.

### Contre l'Assyrie [d].

4 Car ainsi m'a parlé Yahvé :
Comme gronde le lion, le lionceau après sa proie,
quand on fait appel contre lui à l'ensemble des
bergers,
sans qu'il se laisse terroriser par leurs cris
ni troubler par leur fracas,
ainsi descendra Yahvé Sabaot
pour guerroyer sur le mont Sion, sur sa colline [e].
5 Comme des oiseaux qui volent, Dt 32 11
ainsi Yahvé Sabaot protégera Jérusalem; Ps 36 8
par sa protection il la sauvera,
par son soutien il la délivrera.
6 Revenez à celui qu'ont si profondément trahi
les enfants d'Israël.
7 Car en ce jour-là, chacun rejettera 2 20
ses faux dieux d'argent et ses faux dieux d'or,
qu'ont fabriqués pour vous vos mains pécheresses.
8 Assur tombera par l'épée, non celle d'un homme,
il sera dévoré par l'épée, non celle d'un mortel.
Il s'enfuira devant l'épée,
et ses jeunes gens seront asservis.
9 Dans sa terreur il abandonnera son rocher,
et ses chefs apeurés déserteront l'étendard.
Oracle de Yahvé dont le feu est à Sion
et la fournaise à Jérusalem.

### Le roi juste [f].

**32** 1 Voici qu'un roi régnera avec justice 11 3-4
et des princes [g] gouverneront selon le droit. Jr 23 5-6
2 Chacun sera comme un abri contre le vent,
un refuge contre l'averse,
comme des ruisseaux sur une terre aride,
comme l'ombre d'une roche solide dans un pays
désolé.
3 Les yeux des voyants ne seront plus englués, 30 10+;
les oreilles des auditeurs seront attentives. 6 10

*a)* « châtiment » qques mss; « fondation » hébr. – La fin du v. est difficile. On peut traduire litt. « et dans des combats de main levée, il combattra contre lui ». Le mot traduit par « main levée » signifie ailleurs le geste de balancement des mains par lequel le prêtre consacre les offrandes, mais en Is **19** 16, c'est un geste de menace.
*b)* « Tophèt », qui peut signifier « brûloir », est l'endroit de la vallée de Ben-Hinnom où l'on sacrifiait des enfants par le feu à « Molek », cf. Lv **18** 21+, à quoi peut faire allusion le « roi » (*melek*) de la ligne suivante, s'il ne s'agit pas du roi d'Assyrie.
*c)* Oracle prononcé probablement dans les mêmes circonstances que ceux de **30** 1-5 et 6-7.
*d)* Probablement au temps de l'attaque de Sennachérib.
*e)* On peut traduire aussi « contre le mont Sion et contre sa colline »; il s'agirait alors d'un oracle indépendant contre Jérusalem. Mais la suite, cf. v. 5, est en faveur de la traduction adoptée.
*f)* C'est une description du gouvernement idéal, donnée en termes messianiques, cf. **29** 18; **35** 5, cependant moins accusés qu'en **9** 1-6 et **11** 1-9.
*g)* « des princes » conj.; « pour des princes » hébr.

4 Le cœur des inconstants s'appliquera à comprendre,
et la langue des bègues dira sans hésiter des paroles claires.
5 20 5 On ne donnera plus à l'insensé le titre de noble,
ni au fourbe celui de grand.

### L'insensé et le noble [a].

Ps **14** 1 6 Car l'insensé dit des insanités
Qo **10** 13 et son cœur s'adonne au mal,
en pratiquant l'impiété,
en tenant sur Yahvé des propos aberrants,
en laissant l'affamé sans nourriture;
il refuse la boisson à celui qui a soif.
7 Quant au fourbe, ses fourberies sont perverses,
il a ourdi des machinations
Ps **10** 2, 7-11 pour perdre le pauvre par des paroles mensongères,
alors que le malheureux a le droit pour lui.
8 Le noble, lui, n'a eu que de nobles desseins,
il se lève pour agir avec noblesse.

### Contre les femmes de Jérusalem [b].

3 16-24 9 Femmes altières, levez-vous, écoutez ma voix,
Am **4** 1-3 filles pleines de superbe, prêtez l'oreille à ma parole.
10 Dans un an et quelques jours, vous tremblerez, présomptueuses,
car c'en est fait de la vendange,
il n'y a plus de récolte.
11 Frémissez, vous qui êtes altières,
tremblez, vous qui êtes pleines de superbe;
dépouillez-vous, dénudez-vous, ceignez-vous les reins.
12 Frappez-vous les seins sur le sort des campagnes riantes,
des vignes chargées de fruits;
13 sur le terroir de mon peuple croîtra le buisson de ronces,
comme sur toute maison joyeuse de la cité délirante.
14 Car la citadelle est abandonnée,
la ville tapageuse est désertée,
Ophel et Donjon [c] seront dénudés à jamais,
délices des ânes sauvages, pacage de troupeaux,

### L'effusion de l'Esprit [d]. 11 2-9

15 jusqu'à ce que se répande sur nous l'Esprit d'en haut, Jl **3** 1
et que le désert devienne un verger,
un verger qui fait penser à une forêt.
16 Dans le désert s'établira le droit
et la justice habitera le verger.
17 Le fruit de la justice sera la paix, 11 6+
et l'effet de la justice repos et sécurité à jamais.
18 Mon peuple habitera dans un séjour de paix,
des demeures superbes, des résidences altières.
19 Et si la forêt est totalement détruite [e],
si la ville est gravement humiliée,
20 heureux serez-vous de semer partout où il y a de l'eau,
de laisser en liberté le bœuf et l'âne.

### Le salut attendu [f].

**33** 1 Malheur à toi qui détruis et n'es pas détruit,
qui es traître alors qu'on ne te trahit pas;
quand tu auras fini de détruire, tu seras détruit,
quand tu auras terminé [g] tes trahisons, on te trahira.
2 Yahvé, fais-nous grâce, en toi nous espérons. Ps **32** 10; **33** 22
Sois notre bras [h] chaque matin, et aussi notre salut au temps de la détresse. Ps **46** 2
3 Au bruit du tumulte les peuples s'enfuient,
lorsque tu te lèves les nations se dispersent. Nb **10** 35
4 On amasse chez vous le butin comme amasse le criquet, Ps **68** 2 Ps **46** 7; **48** 5-8
on se rue sur lui comme une ruée de sauterelles.
5 Yahvé est exalté car il trône là-haut, Ps **57** 6; **97** 9
il comble Sion de droit et de justice. Ps **83** 19
6 Et ce sera la sécurité pour tes jours :
sagesse et connaissance sont les richesses qui sauvent,
la crainte de Yahvé, tel est son trésor.
7 Voici qu'Ariel pousse des cris dans les rues [i], 29 1
les messagers de paix pleurent amèrement.

*a)* Cette description est dans le ton de certains passages du livre des Proverbes. Elle pourrait provenir de la plume d'un Sage, et avoir été introduite comme commentaire du v. 5 où sont mentionnés l'insensé et le noble.
*b)* Avertissement aux femmes dans le style de **3** 16-24, mais peut-être plus tardif. L'indication chronologique du v. 10 rappelle **29** 1; il faut peut-être, ici aussi, l'entendre de façon assez large.
*c)* L'Ophel est le site de l'ancienne Jérusalem, au sud du Temple, cf. 2 Ch **27** 3; Ne **3** 27. Le « Donjon » : traduction incertaine d'un mot unique; c'est probablement l'équivalent de la grande tour de Ne **3** 26-27.
*d)* Ce poème postexilique ajoute aux menaces de l'oracle précédent l'annonce d'une venue de l'Esprit, cf. Jl **3** 1-2. Une coïncidence de vocabulaire entre les vv. 9-11 et 18 a peut-être facilité son insertion ici.
*e)* « détruite » *weyarad* conj.; « il grêlera » *ûbarad* hébr.
*f)* Malgré de nombreuses références à des thèmes isaïens, le style et le vocabulaire de tout ce ch. ne permettent pas de l'attribuer au grand prophète. Les parallèles fréquents avec des Psaumes autorisent à y voir une liturgie prophétique postérieure à l'Exil. L'absence de noms propres et d'allusions claires empêche d'en préciser la date.
*g)* « aura terminé » 1QIs[a]; TM. inintelligible.
*h)* « notre bras » versions; « leur bras » hébr.
*i)* « Ariel » conj., cf. **29** 1; *'er 'ellam* hébr., inintelligible. – Le rappel des malheurs de Jérusalem est un thème habituel des psaumes de supplication.

8 Les routes sont désolées, plus de passants sur les chemins,
on a rompu l'alliance, méprisé les témoins [a],
on n'a tenu compte de personne.
Am 1 2 9 Endeuillée, la terre languit.
Couvert de honte, le Liban se dessèche,
35 2 Saron est devenue comme la steppe,
Bashân et le Carmel frémissent.
Ps 12 6 10 Maintenant je me lève, dit Yahvé,
maintenant je me dresse, maintenant je m'élève.
11 Vous concevez du foin, vous enfantez de la paille,
mon souffle [b], comme un feu, vous dévorera.
12 Les peuples seront consumés comme par la chaux,
épines coupées, ils seront brûlés au feu.

13 Écoutez, vous qui êtes loin, ce que j'ai fait,
sachez, vous qui êtes proches, quelle est ma puissance.
14 Les pécheurs ont été terrifiés à Sion,
un tremblement a saisi les impies.
Qui de nous tiendra devant un feu dévorant?
qui de nous tiendra devant des brasiers éternels?
Ps 15 15 Celui qui se conduit avec justice et parle loyalement,
qui refuse un gain extorqué et repousse de la main le pot-de-vin,
qui se bouche les oreilles pour ne pas entendre les propos sanguinaires,
et ferme les yeux pour ne pas voir le mal,
16 celui-là habitera dans les hauteurs,
les roches escarpées seront son refuge,
on lui donnera du pain, l'eau ne lui manquera pas [c].

**Le retour à Jérusalem.**

17 Tes yeux contempleront le roi dans sa beauté,
ils verront un pays qui s'étend au loin.
18 Ton cœur méditera ses frayeurs :
Co 1 20 « Où est celui qui comptait? où est celui qui pesait?
où est celui qui comptait les tours? »
19 Tu ne verras plus le peuple insolent,
28 11 le peuple au langage incompréhensible,
à la langue barbare et dénuée de sens.
20 Contemple Sion, cité de nos fêtes,
que tes yeux voient Jérusalem,
résidence sûre, tente qu'on ne déplacera pas, 54 2
dont on n'arrachera jamais les piquets,
dont les cordes ne seront jamais rompues.
21 Mais c'est là que Yahvé nous montre sa puissance,
comme un lieu de fleuves et de canaux très larges
où ne vogueront pas les bateaux à rame,
que ne traverseront pas les grands vaisseaux [d].
(22 Car Yahvé nous juge et Yahvé nous régente,
Yahvé est notre roi, c'est lui notre sauveur.)
23 Tes cordages ont lâché, ils ne maintiennent plus le mât,
ils ne hissent plus le signal.
Alors on s'est partagé un énorme butin,
les boiteux se sont livrés au pillage.
24 Aucun habitant ne dira plus : « Je suis malade »,
le peuple qui y demeure verra sa faute remise.

**Le jugement contre Édom [e].** 63 1-6 Jr 49 7-22

**34** 1 Approchez, nations, pour écouter,
peuples, soyez attentifs,
que la terre écoute, et ce qui l'emplit, Dt 32 1
le monde et tout son peuplement.
2 Car c'est une colère de Yahvé contre toutes les nations,
une fureur contre toute leur armée.
Il les a vouées à l'anathème,
livrées au carnage.
3 Leurs victimes sont jetées dehors,
la puanteur de leurs cadavres se répand,
les montagnes ruissellent de sang,
4 toute l'armée des cieux se disloque.
Les cieux s'enroulent comme un livre, ↗ Ap 6 14
toute leur armée se flétrit,
comme se flétrissent les feuilles qui tombent de la vigne,
comme se flétrissent celles qui tombent du figuier.

5 Car mon épée s'est abreuvée dans les cieux :
Voici qu'elle s'abat sur Édom [f],
sur le peuple voué à l'anathème, pour le punir.

*a)* « témoins » 1QIs[a]; « villes » TM.
*b)* « mon souffle » Targ.; « votre souffle » hébr.
*c)* Les vv. 14-16, avec leur interrogation à quoi répond l'énumération des vertus exigées pour s'approcher de Dieu, ont la forme d'une liturgie dialoguée, comparable à Ps **15** et **24** 3-5.
*d)* Certains comprennent que, pour Israël, Yahvé tiendra lieu de fleuves qui, en Égypte et en Assyrie, assurent la richesse et la défense du pays. On peut aussi comprendre que Yahvé donnera au pays d'Israël tout un réseau fluvial, source de bénédictions; mais ces cours d'eau ne porteront pas de navires ennemis. – L'imagerie du v. 21 se poursuit au v. 23; le v. 22 doit être une surcharge.
*e)* On donne parfois aux ch. **34-35** d'Isaïe le nom de Petite Apocalypse; ils contiennent en effet une description des derniers et terribles combats que Yahvé doit mener contre les nations en général, et contre Édom en particulier, ch. **34**, suivie de l'annonce du dernier jugement qui rétablira Jérusalem dans toute sa gloire. L'intention et le style de cet ensemble, qui dépend du Second Isaïe, sont comparables à ceux des ch. **24-27** (l'« Apocalypse d'Isaïe ») et appartiennent, comme ceux-ci, à la dernière étape de composition du livre.
*f)* Lors de la chute de Jérusalem en 587, les Édomites se montrèrent particulièrement hostiles au royaume de Juda et profitèrent de ses malheurs. Aussi les prophètes et les écrivains posté-

6 L'épée de Yahvé est pleine de sang,
gluante de graisse,
du sang des agneaux et des boucs,
de la graisse des rognons de béliers;
**63** 1 car il y a pour Yahvé un sacrifice à Boçra,
un grand carnage au pays d'Édom.
7 Les buffles tombent avec eux,
les veaux avec les bœufs gras,
leur terre est abreuvée de sang,
leur poussière engluée de graisse.
8 Car c'est un jour de vengeance pour Yahvé,
l'année de la rétribution, dans le procès de Sion.

9 Ses torrents se changent en poix,
Gn **19** 24-28 ↗ Ap **14** 10-11 sa poussière en soufre,
son pays devient de la poix brûlante.
10 Nuit et jour il ne s'éteint pas,
éternellement s'élève sa fumée,
d'âge en âge il sera desséché,
toujours et à jamais, personne n'y passera.
**13** 20-22 11 Ce sera le domaine du pélican et du hérisson,
la chouette et le corbeau l'habiteront;
2 R **21** 13 Yahvé y tendra le cordeau du chaos
Lm **2** 8 et le niveau du vide.

Ap **18** 2 12 De nobles, il n'y en a plus
pour proclamer la royauté,
c'en est fini de tous ses princes.
13 Dans ses bastions croîtront les ronces,
dans ses forteresses, l'ortie et l'épine;
ce sera une tanière de chacals,
un enclos pour les autruches.
14 Les chats sauvages rencontreront les hyènes,
**13** 21 le satyre appellera le satyre,
Lv **17** 7+ là encore se tapira Lilith [a],
elle trouvera le repos.
15 Là nichera le serpent, il pondra,
fera éclore ses œufs, groupera ses petits à l'ombre.
Mt **24** 28 Là encore se rassembleront les vautours,
les uns vers les autres.
16 Cherchez dans le livre de Yahvé [b] et lisez :
il n'en manque pas un,
pas un n'est privé de son compagnon.
C'est ainsi que sa bouche [c] l'a ordonné,
son esprit, lui, les rassemble.
17 Et c'est lui qui pour eux a jeté le sort,
sa main a fixé leur part au cordeau,
pour toujours ils la posséderont,
d'âge en âge ils y habiteront [d].

### Le triomphe de Jérusalem [e].

**35** 1 Que soient pleins d'allégresse désert et terre aride,
que la steppe exulte et fleurisse; **41** 19
comme l'asphodèle 2 qu'elle se couvre de fleurs,
qu'elle exulte de joie et pousse des cris,
la gloire du Liban lui a été donnée, **60** 13
la splendeur du Carmel et de Saron. **33** 9
C'est eux qui verront la gloire de Yahvé, **40** 5
la splendeur de notre Dieu.
3 Fortifiez les mains affaiblies, **40** 29-31
affermissez les genoux qui chancellent.
4 Dites aux cœurs défaillants :
« Soyez forts, ne craignez pas;
voici votre Dieu. **40** 10
C'est la vengeance qui vient,
la rétribution divine.
C'est lui qui vient vous sauver. »

5 Alors se dessilleront les yeux des aveugles, ↗ Mt **11** 5
et les oreilles des sourds s'ouvriront.
6 Alors le boiteux bondira comme un cerf, ↗ Ac **3** 8
et la langue du muet criera sa joie.
Parce qu'auront jailli les eaux dans le désert **41** 18; **43** 2
et les torrents dans la steppe. **48** 21
7 La terre brûlée deviendra un marécage, Jn **4** 1+
et le pays de la soif, des eaux jaillissantes;
dans les repaires où gîtaient les chacals
on verra des enclos de roseaux et de papyrus.

8 Il y aura là une chaussée et un chemin, **11** 16+
on l'appellera la voie sacrée;
l'impur n'y passera pas;
c'est Lui qui pour eux ira par ce chemin [f],
et les insensés ne s'y égareront pas.
9 Il n'y aura pas de lion
et la plus féroce des bêtes n'y montera pas,
on ne l'y rencontrera pas,
mais les rachetés y marcheront.

rieurs sont-ils généralement sévères contre Édom, cf. Ps **137** 7; Lm **4** 21-22; Ez **25** 12; **35** 15; Ab 10-16; Is **63** 1. Ici, la ruine d'Édom illustre le jugement général de Yahvé contre les nations. Comparer la « cité du néant » (ville de Moab) dans l'apocalypse des ch. **24-27**, cf. **24** 10+.

*a)* « satyres » ou « boucs sauvages », cf. **13** 21, mais le parallèle fait préférer ici des êtres mythologiques, cf. Lv **17** 7+. Lilith est un démon femelle qui hante les ruines.

*b)* On y a reconnu le livre authentique d'Isaïe, ou un recueil de prophéties qu'on lui attribuait; il est effectivement question des mêmes animaux sauvages en **13** 20-22. Mais on peut aussi y voir le livre des décrets de Yahvé concernant sa création, vv. 16[b]-17, cf. Ps **139** 16.

*c)* « sa bouche » 1QIs[a]; « ma bouche » TM.

*d)* Il s'agit toujours des bêtes sauvages des vv. 11s. Le territoire dévasté d'Édom, cf. v. 11, leur est réparti en héritage, comme la Terre Promise l'a été aux Israélites.

*e)* Au jugement prononcé contre Édom s'opposent les bénédictions réservées à Jérusalem. Les contacts avec le Second Isaïe sont ici particulièrement nombreux.

*f)* Il s'agit de Yahvé; mais certains considèrent ce vers comme une glose parce qu'il surcharge le rythme.

= **51** 11 10 Ceux qu'a libérés Yahvé reviendront,
Ps **126** ils arriveront à Sion criant de joie,
portant avec eux [a] une joie éternelle.
La joie et l'allégresse les accompagneront,
la douleur et les plaintes cesseront.

## *APPENDICES* [b]

|| 2 R **18** 13-37 || Is **37** 10s **L'invasion de Sennachérib.**

**36** 1 Il arriva qu'en la quatorzième année du roi
Ézéchias, Sennacherib, roi d'Assyrie, monta
contre toutes les villes fortes de Juda et s'en
empara. 2 De Lakish, le roi d'Assyrie envoya vers
le roi Ézéchias, à Jérusalem, le grand échanson
avec un important corps de troupes. Le grand
échanson se posta près du canal de la piscine supé-
7 3 rieure, sur le chemin du champ du Foulon. 3 Le
22 20s maître du palais Élyaqim, fils de Hilqiyyahu, le
secrétaire Shebna et le héraut Yoah, fils d'Asaph,
sortirent à sa rencontre. 4 Le grand échanson leur
dit : « Dites à Ézéchias : Ainsi parle le grand roi,
le roi d'Assyrie : Quelle est cette confiance sur
laquelle tu te reposes? 5 Tu t'imagines [c] que paroles
en l'air valent conseil et vaillance pour faire la
guerre. En quoi donc mets-tu ta confiance pour
30 3 t'être révolté contre moi? 6 Voici que tu te fies au
soutien de ce roseau brisé, l'Égypte, qui pénètre et
perce la main de qui s'appuie sur lui. Tel est Pharaon, roi d'Égypte, pour tous ceux qui se fient à lui.
7 Vous me direz peut-être : " C'est en Yahvé notre
Dieu que nous avons confiance ", mais n'est-ce pas
lui dont Ézéchias a supprimé les hauts lieux et les
autels en disant aux gens de Juda et de Jérusalem :
" C'est devant cet autel que vous vous prosternerez "? 8 Eh bien! fais un pari avec Monseigneur le roi d'Assyrie : je te donnerai deux mille
chevaux si tu peux trouver des cavaliers pour les
monter. 9 Comment ferais-tu reculer un seul [d] des
moindres serviteurs de mon maître? Mais tu t'es fié
à l'Égypte pour avoir chars et cavaliers! 10 Et puis,
est-ce sans la volonté de Yahvé que je suis monté
contre ce pays pour le dévaster? C'est Yahvé qui
m'a dit : " Monte contre ce pays et dévaste-le! " »
11 Élyaqim, Shebna et Yoah dirent au grand
échanson : « Je t'en prie, parle à tes serviteurs en
araméen, car nous l'entendons, ne nous parle pas
en judéen à portée des oreilles du peuple qui est sur
les remparts. » 12 Mais le grand échanson dit :
« Est-ce à toi ou à ton maître que Monseigneur m'a
envoyé dire ces choses? N'est-ce pas plutôt aux
gens assis sur le rempart et condamnés à manger
leurs excréments et à boire leur urine avec vous? »
13 Alors le grand échanson se tint debout, il cria
d'une voix forte, en langue judéenne, et dit :
« Écoutez les paroles du grand roi, le roi d'Assyrie!
14 Ainsi parle le roi : Qu'Ézéchias ne vous abuse
pas! Il ne pourra vous délivrer. 15 Qu'Ézéchias
n'entretienne pas votre confiance en Yahvé en
disant : " Sûrement Yahvé nous délivrera, cette
ville ne tombera pas entre les mains du roi
d'Assyrie. " 16 N'écoutez pas Ézéchias, car ainsi
parle le roi d'Assyrie : Faites la paix avec moi, rendez-vous à moi, et chacun de vous mangera le fruit
de sa vigne et de son figuier, chacun boira l'eau de
sa citerne, 17 jusqu'à ce que je vienne et que je vous
emmène vers un pays comme le vôtre, un pays de
froment et de moût, un pays de pain et de vignobles. 18 Qu'Ézéchias ne vous abuse pas en vous
disant : " Yahvé nous délivrera. " Les dieux des
nations ont-ils vraiment délivré chacun son pays
des mains du roi d'Assyrie? 19 Où sont les dieux de
Hamat et d'Arpad, où sont les dieux de Sephar- **10** 9
vayim, où sont les dieux du pays de Samarie [e]?
Ont-ils délivré Samarie de ma main? 20 Parmi tous
les dieux de ces pays, lesquels ont délivré leur pays
de ma main, pour que Yahvé délivre Jérusalem? »
21 Ils gardèrent le silence et ne lui répondirent
pas un mot, car tel était l'ordre du roi : « Vous ne
lui répondrez pas. » 22 Le maître du palais Élyaqim,
fils de Hilqiyyahu, le secrétaire Shebna et le héraut
Yoah, fils d'Asaph, vinrent auprès d'Ézéchias, les
vêtements déchirés, et ils lui rapportèrent les paroles du grand échanson.

*a)* Litt. « sur leur tête »; il faut comprendre qu'ils portent leur joie comme un bagage de voyageur.
*b)* Les ch. **36-39** reproduisent, à quelques variantes près, 2 R **18** (13) 17 - **20** 19 (voir les notes à 2 R). Ces ch. ont été empruntés au livre des Rois et placés à la fin de la première partie d'Isaïe, pour compléter le recueil des traditions relatives au prophète. Dans les ch. **36-37**, le rédacteur a combiné deux sources : **36** 1 - **37** 9[a], 37-38 provient, comme les ch. **38-39**, des cercles prophétiques, peut-être d'une biographie d'Isaïe; un récit parallèle, **37** 9[b]-36, insiste sur la piété d'Ézéchias et sur l'intervention d'Isaïe, auquel sont attribués plusieurs oracles qui, s'ils sont authentiques, ont au moins été retouchés par ses disciples, desquels semble provenir ce récit. Il s'achève par une touche de merveilleux, **37** 36.
*c)* « tu t'imagines » litt. « tu dis », 2 R **18** 20; « je dis » hébr.
*d)* « un seul » conj. « un seul gouverneur » hébr., glose ou ditt.
*e)* « où sont les dieux du pays de Samarie » conj. d'après 2 R **18** 34 grec et Vet. Lat., et cf. la suite.

|| 2 R **19** 1-7 **Recours au prophète Isaïe.**

**37** [1] A ce récit, le roi Ézéchias déchira ses vêtements, se couvrit d'un sac et se rendit au Temple de Yahvé. [2] Il envoya le maître du palais Élyaqim, le secrétaire Shebna et les anciens des prêtres, couverts de sacs, auprès du prophète Isaïe, fils d'Amoç. [3] Ceux-ci lui dirent : « Ainsi parle Ézéchias : Ce jour-ci est un jour d'angoisse, de châtiment et d'opprobre. Les enfants sont à terme et la
Os **13** 13+ force manque pour les enfanter. [4] Puisse Yahvé ton
Dieu entendre les paroles du grand échanson que le roi d'Assyrie, son maître, a envoyé insulter le Dieu vivant, et puisse Yahvé ton Dieu punir les paroles qu'il a entendues! Adresse une prière en
4 3 faveur du reste qui subsiste encore. »

[5] Lorsque les ministres du roi Ézéchias furent arrivés auprès d'Isaïe, [6] celui-ci leur dit : « Vous direz à votre maître : Ainsi parle Yahvé. N'aie pas peur des paroles que tu as entendues, des blasphèmes que les valets du roi d'Assyrie ont lancés contre moi. [7] Voici que je vais mettre en lui un esprit et, sur une nouvelle qu'il entendra, il retournera dans son pays et, dans son pays, je le ferai tomber sous l'épée. »

2 R **19** 8-9 **Départ du grand échanson.**

[8] Le grand échanson s'en retourna et retrouva le roi d'Assyrie en train de combattre contre Libna. Le grand échanson avait appris en effet que le roi avait décampé de Lakish, [9] car il avait reçu cette nouvelle au sujet de Tirhaqa, roi de Kush : « Il est parti en guerre contre toi. »

|| 2 R **19** 9-19 **Second récit de l'intervention de Sennachérib.**

De nouveau [a] Sennachérib envoya des messagers à Ézéchias pour lui dire : [10] « Vous parlerez ainsi à Ézéchias roi de Juda : Que ton Dieu en qui tu te confies ne t'abuse pas en disant : “ Jérusalem ne sera pas livrée aux mains du roi d'Assyrie. ” [11] Tu as appris ce que les rois d'Assyrie ont fait à tous les pays, les vouant à l'anathème, et toi, tu serais délivré! [12] Les ont-ils délivrées, les dieux des nations que mes pères ont dévastées, Gozân, Harân, Réçeph, et les Édénites qui étaient à Tell Basar [b]? [13] Où sont le roi de Hamat, le roi d'Arpad, le roi de Laïr [c], de Sepharvayim, de Héna, de Ivva? » [14] Ézéchias prit la lettre de la main des messagers et la lut. Puis il monta au temple de Yahvé et la déplia devant Yahvé. [15] Et Ézéchias fit cette prière en présence de Yahvé : [16] « Yahvé Sabaot, Dieu d'Israël, qui sièges sur les chérubins, c'est toi qui es seul Dieu de tous les royaumes de la terre, c'est toi qui as fait le ciel et la terre.

[17] Prête l'oreille, Yahvé, et entends,
ouvre les yeux, Yahvé, et vois.
Entends les paroles de Sennachérib
qui a envoyé dire des insultes au Dieu vivant.

[18] Il est vrai, Yahvé, les rois d'Assyrie ont exterminé toutes les nations (et leurs pays). [19] Ils ont jeté au feu leurs dieux, car ce n'étaient pas des dieux mais l'ouvrage de mains d'hommes, du bois et de la pierre, alors ils les ont anéantis. [20] Mais maintenant, Yahvé notre Dieu, sauve-nous de sa main, je t'en supplie, et que tous les royaumes de la terre sachent que toi seul es Dieu, Yahvé. »

**Intervention d'Isaïe.** || 2 R **19** 20-28

[21] Alors Isaïe fils d'Amoç envoya dire à Ézéchias : « Ainsi parle Yahvé, Dieu d'Israël, à propos de la prière que tu m'as adressée au sujet de Sennachérib, roi d'Assyrie. [22] Voici l'oracle que Yahvé a prononcé contre lui :

Elle te méprise, elle te raille,
la vierge, fille de Sion;
elle hoche la tête après toi,
la fille de Jérusalem.
[23] Qui donc as-tu insulté, blasphémé?
contre qui as-tu parlé haut
et levé ton regard altier?
Vers le Saint d'Israël!
[24] Par tes valets tu as insulté le Seigneur,
tu as dit : “ Avec mes nombreux chars
j'ai gravi les sommets des monts,
les dernières cimes du Liban.
J'ai coupé sa haute futaie de cèdres
et ses plus beaux cyprès.
J'ai atteint son ultime sommet,
son parc forestier.
[25] Moi, j'ai creusé et j'ai bu
des eaux étrangères [d];
j'ai asséché sous la plante de mes pieds
tous les fleuves de l'Égypte. ”
[26] Entends-tu bien? De longue date
j'ai préparé cela,
aux jours anciens j'en fis le dessein,
maintenant je le réalise.
Ton destin fut de réduire en tas de ruines
des villes fortifiées.
[27] Leurs habitants, les mains débiles,
épouvantés et confondus,
furent comme plantes des champs,
verdure de gazon,
herbe des toits et guérets,

*a)* « de nouveau » 2 R **19** 19 et 1QIs[a]; omis par TM.
*b)* « Tell Basar » conj. « Telassar » hébr., de même en 2 R.
*c)* Ou « un roi par ville », qui serait une glose.
*d)* « étrangères » 2 R **19** 24; omis par hébr.

sous le vent d'orient [a].
Ps 139 2 28 Quand tu te lèves et quand tu t'assieds,
quand tu sors ou tu entres, je le sais
(et que tu t'emportes contre moi) [b].
29 Parce que tu t'es emporté contre moi,
que ton insolence est montée à mes oreilles,
je passerai mon anneau à ta narine
et mon mors à tes lèvres,
je te ramènerai sur le chemin
par lequel tu es venu.

|| 2 R 19 29-31 **Le signe donné à Ézéchias.**

30 Ceci te servira de signe :
On mangera cette année du grain tombé
et l'an prochain du grain de jachère,
mais, le troisième an, semez et moissonnez,
plantez des vignes et mangez de leur fruit.
4 3+ 31 Le reste survivant de la maison de Juda
produira de nouvelles racines en bas et des fruits
en haut.
32 Car de Jérusalem sortira un reste
et des survivants du mont Sion.
L'amour jaloux de Yahvé Sabaot fera cela.

|| 2 R 19 32-34 **Oracle sur l'Assyrie.**

33 Voici donc ce que dit Yahvé sur le roi d'Assyrie :
Il n'entrera pas dans cette ville,
il n'y lancera pas une flèche,
il ne tendra pas de bouclier contre elle,
il n'y entassera pas de remblai.
34 Par la route qui l'amena, il s'en retournera,
il n'entrera pas dans cette ville, oracle de Yahvé.
35 Je protégerai cette ville et la sauverai
à cause de moi et de mon serviteur David. »

|| 2 R 19 35-37 **Châtiment de Sennachérib.**

36 Cette même nuit [c], l'Ange de Yahvé sortit et
frappa dans le camp assyrien cent quatre-vingt-
cinq mille hommes. Le matin, au réveil, ce
n'étaient plus que des cadavres.
37 Sennachérib leva le camp et partit. Il s'en
retourna et resta à Ninive. 38 Un jour qu'il était
prosterné dans le temple de Nisrok, son dieu, ses
fils Adrammélek et Saréçer le frappèrent de l'épée
et se sauvèrent au pays d'Ararat. Assarhaddon, son
fils, devint roi à sa place.

**Maladie et guérison d'Ézéchias.** || 2 R 20 1-11

**38** 1 En ces jours-là, Ézéchias fut atteint d'une
maladie mortelle. Le prophète Isaïe, fils
d'Amoç, vint lui dire : « Ainsi parle Yahvé. Mets
ordre à ta maison, car tu vas mourir, tu ne vivras
pas. » 2 Ézéchias se tourna vers le mur et fit cette
prière à Yahvé : 3 « Ah! Yahvé, souviens-toi, de
grâce, que je me suis conduit fidèlement et en toute
probité de cœur devant toi, et que j'ai fait ce qui
était bien à tes yeux. » Et Ézéchias versa d'abondantes larmes.
4 Alors la parole de Yahvé se fit entendre à
Isaïe : 5 « Va dire à Ézéchias : Ainsi parle Yahvé,
Dieu de ton ancêtre David. J'ai entendu ta prière,
j'ai vu tes larmes. Je vais te guérir; dans trois jours,
tu monteras au Temple de Yahvé [d]. J'ajouterai
quinze années à ta vie. 6 Je te délivrerai, toi et cette
ville, de la main du roi d'Assyrie, et je protégerai
cette ville. »
21e Isaïe dit : « Qu'on apporte un pain de figues,
qu'on l'applique sur l'ulcère, et il vivra. » 22 Ézéchias dit : « A quel signe connaîtrai-je que je monterai au Temple de Yahvé? » 7 Isaïe répondit [f] :
« Voici, de la part de Yahvé, le signe qu'il fera ce
qu'il a dit. 8 Voici que je vais faire reculer l'ombre
des degrés que le soleil [g] a descendus sur les degrés
de la chambre haute d'Achaz – dix degrés en
arrière. » Et le soleil recula de dix degrés, sur les
degrés qu'il avait descendus.

**Cantique d'Ézéchias [h].** Ps 116

9 Cantique [i] d'Ézéchias, roi de Juda, lors de la
maladie dont il fut guéri :

10 Je disais : Au midi de mes jours,
je m'en vais,
aux portes du shéol je serai gardé
pour le reste de mes ans.
11 Je disais : Je ne verrai pas Yahvé Ps 27 13
sur la terre des vivants,
je n'aurai plus un regard pour personne
parmi les habitants du monde [j].
12 Ma demeure est arrachée, jetée loin de moi, 2 Co 5 1-4
comme une tente de bergers [k]; 2 P 1 13-14
comme un tisserand j'ai enroulé ma vie, Jb 7 6
il m'a séparé de la chaîne.

*a)* « sous le vent d'Orient » 1QIs[a]; TM lit « avant la croissance » (?) et omet « Quand tu te lèves », au début du v. suivant.
*b)* Le dernier stique, omis par grec, est probablement un doublet de 29[a].
*c)* « Cette même nuit » 2 R **19** 35; omis par hébr.
*d)* « Je vais... Yahvé » 2 R **20** 5; omis par hébr.
*e)* Les vv. 21-22 ont été déplacés au moment de l'insertion du cantique d'Ézéchias. Le parallèle des Rois donne un récit plus complet et témoigne peut-être de l'existence de deux recensions.
*f)* « Isaïe répondit » 2 R **20** 9; omis par hébr.
*g)* « le soleil » versions, Targ.; hébr. lit « avec le soleil », déplacé après « degrés ». – « De la chambre haute d'Achaz » 1QIs[a]; « d'Achaz » TM.
*h)* Rien dans le texte ne rattache à Ézéchias ce cantique, absent du récit parallèle des Rois. Il s'agit d'un psaume postexilique exprimant la plainte d'un fidèle atteint d'une grave et soudaine maladie. Le texte est en mauvais état.
*i)* « cantique » conj.; « lettre » hébr.
*j)* « du monde » *haled* conj.; *hadel* hébr. inintelligible.
*k)* « de bergers » versions; « de mon berger » hébr.

Jb **4** 20 Du point du jour jusqu'à la nuit tu m'as achevé;
Ps **90** 5-6 13 j'ai crié [a] jusqu'au matin;
Jb **10** 16 comme un lion, c'est ainsi qu'il broie tous mes os,
du point du jour jusqu'à la nuit tu m'as achevé.
14 Comme l'hirondelle, je pépie,
Ps **69** 4 je gémis comme la colombe,
Ps **121** 1 mes yeux faiblissent à regarder en haut.
Seigneur je suis accablé, viens à mon aide.
15 Comment parlerai-je et que lui dirai-je [b]?
car c'est lui qui agit.
Je m'avancerai toutes mes années durant
dans l'amertume de mon âme.

16 Le Seigneur est sur eux, ils vivent
et tout ce qui est en eux est vie de son esprit [c].
Ps **103** 3-4 Tu me guériras, fais-moi vivre.
17 Voici que mon amertume se change en bien-être.
C'est toi qui as préservé mon âme
de la fosse du néant,
tu as jeté derrière toi tous mes péchés.
Ps **6** 6+ 18 Ce n'est pas le shéol qui te loue,
Ba **2** 17 Si **17** 27 ni la mort qui te célèbre.
Ils n'espèrent plus en ta fidélité,
ceux qui descendent dans la fosse.
19 Le vivant, le vivant lui seul te loue,
comme moi aujourd'hui.
Dt **4** 9 Le père à ses fils fait connaître
ta fidélité.
20 Yahvé, viens à mon aide,
et nous ferons résonner nos harpes
tous les jours de notre vie
dans le Temple de Yahvé.

**Ambassade babylonienne.** || 2 R **20**
12-19
**39** 1 En ce temps-là, Mérodak-Baladan, fils de
Baladan, roi de Babylone, envoya des lettres
et un présent à Ézéchias, car il avait appris sa
maladie et son rétablissement. 2 Ézéchias s'en
réjouit et il montra aux messagers sa chambre du
trésor, l'argent, l'or, les aromates, l'huile précieuse
ainsi que son arsenal et tout ce qui se trouvait dans
ses magasins. Il n'y eut rien qu'Ézéchias ne leur
montrât dans son palais et dans tout son domaine.
3 Alors le prophète Isaïe vint trouver le roi Ézéchias et lui demanda : « Qu'ont dit ces gens-là, et
d'où sont-ils venus chez toi? » Ézéchias répondit :
« Ils sont venus d'un pays lointain, de Babylone. »
4 Isaïe reprit : « Qu'ont-ils vu dans ton palais? »
Ézéchias répondit : « Ils ont vu tout ce qu'il y a
dans mon palais : il n'y a dans mes magasins rien
que je ne leur aie montré. »
5 Alors Isaïe dit à Ézéchias : « Écoute la parole
de Yahvé Sabaot! 6 Des jours viennent où tout ce
qui est dans ton palais, tout ce qu'ont amassé tes
pères jusqu'à ce jour, sera emporté à Babylone.
Rien ne sera laissé, dit Yahvé. 7 Parmi les fils issus
de toi, ceux que tu as engendrés, on en prendra
pour être eunuques dans le palais du roi de Babylone. » 8 Ézéchias dit à Isaïe : « C'est une parole
favorable de Yahvé que tu annonces. » Il pensait en
effet : « Il y aura paix et sûreté ma vie durant. »

## *II. Le livre de la consolation d'Israël* [d]

**Annonce de la délivrance** [e].

52 7-12 **40** 1 « Consolez, consolez mon peuple,
dit votre Dieu,
2 parlez au cœur de Jérusalem et criez-lui
que son service est accompli,
que sa faute est expiée,
qu'elle a reçu de la main de Yahvé
double punition pour tous ses péchés [f]. »
3 Une voix [g] crie : « Dans le désert, frayez ↗ Mt **3** 3p
le chemin de Yahvé; Ml **3** 1,
dans la steppe, aplanissez 23-24 Si **48** 10
une route pour notre Dieu [h]. ↗ Lc **1** 7 Is **45** 2
4 Que toute vallée soit comblée, ↗ Lc **3** 4 Ba **5** 7

*a)* « j'ai crié » *shiwa'tî* conj.; « j'ai apaisé » *shiwwîti* hébr.
*b)* « que lui dirai-je » Targ.; « que me dira-t-il » hébr.
*c)* « en eux » 1QIsᵃ; « en elles » TM. – « son esprit » 1QIsᵃ; « mon esprit » TM.
*d)* Tel est le titre que l'on donne à cette seconde partie du livre d'Isaïe, ch. **40-55**, en s'inspirant des premiers vv. La « consolation » est en effet le thème principal de ces ch., en contraste avec les oracles généralement menaçants des ch. **1-39**. Ce livre est attribué au « Second Isaïe », un prophète anonyme de la fin de l'Exil, cf. l'Introd., p. 1078.
*e)* Cette cantate à plusieurs voix sert d'ouverture au livre : la servitude du peuple est terminée et un nouvel Exode se prépare, sous la conduite de Dieu. Ce thème, qui traverse tout le livre, sera repris dans la conclusion de **55** 12-13.
*f)* Jérusalem a été astreinte au « service » d'un mercenaire ou d'un esclave; elle a payé sa faute au double, comme un voleur, cf. Ex **22**.
*g)* Le prophète laisse délibérément anonyme et mystérieuse cette voix qui obéit à l'ordre du v. 2. Les évangélistes, cf. Mt **3** 3; Jn **1** 23, citant ce texte d'après les LXX (« voix de celui qui crie dans le désert »), l'ont appliqué à Jean Baptiste annonçant la venue prochaine du Messie.
*h)* Des textes babyloniens parlent en termes analogues de voies processionnelles ou triomphales préparées pour le dieu ou pour le roi victorieux. C'est ici la route sur laquelle Yahvé conduira son peuple à travers le désert en un nouvel Exode. Déjà Is **10** 25-27 avait rappelé les prodiges de l'Exode comme gage de la protection divine. Les prophètes de l'Exil amplifient ce thème. Comme jadis, Dieu va venir sauver son peuple, Jr **16** 14-15; **31** 2; Is **46** 3-4 et **63** 9 (qui reprennent Ex **19** 4). Le premier

toute montagne et toute colline abaissées,
que les lieux accidentés se changent en plaine
et les escarpements en large vallée;
Ex **24** 16+ [5] alors la gloire de Yahvé se révélera
Is **35** 2; **58** 8; **60** 1 et toute chair, d'un coup, la verra,
Jn **1** 14 car la bouche de Yahvé a parlé. »
**1** 20; **58** 14

[6] Une voix dit : « Crie », et je dis : « Que crierai-
je [a]? »
– « Toute chair est de l'herbe
et toute sa grâce est comme la fleur des champs.
↗ Jc **1** 10-11 [7] L'herbe se dessèche, la fleur se fane,
↗ 1 P **1** 24-25 quand le souffle de Yahvé passe sur elles;
Is **51** 12 (oui, le peuple, c'est de l'herbe)
Jb **14** 2 Ps **37** 2; **90** 5+ [8] l'herbe se dessèche, la fleur se fane,
Ps **103** 15s
Ps **119** 89 mais la parole de notre Dieu subsiste à jamais. »
Mt **24** 35
Jn **1** 1+

[9] Monte sur une haute montagne,
messagère de Sion;
élève et force la voix,
messagère de Jérusalem;
élève la voix, ne crains pas, dis aux villes de
Juda :
« Voici votre Dieu! »
[10] Voici le Seigneur Yahvé qui vient avec puissance,
son bras assure son autorité;
= **62** 11 voici qu'il porte avec lui sa récompense,
et son salaire devant lui.
Ez **34** 1+ [11] Tel un berger il fait paître son troupeau [b],
de son bras il rassemble les agneaux,
Dt **32** 11+ il les porte sur son sein,
Lc **15** 5 il conduit doucement les brebis mères.

**La grandeur divine** [c].

Jb **28** 23-27; [12] Qui a mesuré dans le creux de sa main l'eau de
**38** 4-5 la mer [d],
Pr **30** 4
Sg **11** 20 évalué à l'empan les dimensions du ciel,
jaugé au boisseau la poussière de la terre,
pesé les montagnes à la balance
et les collines sur des plateaux?
Rm **11** 34 [13] Qui a dirigé l'esprit de Yahvé,
1 Co **2** 16
et, homme de conseil, a su l'instruire? Jb **15** 8; **21** 22; **36** 22-26
[14] Qui a-t-il consulté qui lui fasse comprendre, **38** 2-21
qui l'instruise dans les sentiers du jugement, Jr **23** 18
qui lui enseigne la connaissance Pr **8** 22-31
et lui fasse connaître la voie de l'intelligence?
[15] Voici! les nations sont comme une goutte d'eau Si **10** 16-17
au bord d'un seau,
on en tient compte comme d'une miette sur une
balance.
Voici! les îles [e] pèsent comme un grain de pous- Sg **11** 22
sière.
[16] Le Liban ne suffirait pas à entretenir le feu,
et sa faune ne suffirait pas pour l'holocauste.
[17] Toutes les nations sont comme rien devant lui, Dn **4** 32
il les tient pour néant [f] et vide. Ps **62** 10
[18] A qui comparer Dieu, **40** 18; **46** 5
et quelle image pourriez-vous en fournir [g]? Ac **17** 29
[19] Un artisan coule l'idole, **41** 6-7;
un orfèvre la recouvre d'or, **44** 9-20
il fond des chaînes d'argent. Jr **10** 1-16; **51** 15-19
[20] Celui qui fait une offrande de pauvre [h] Ps **115** 3-8
choisit un bois qui ne pourrit pas, Ba **6**
se met en quête d'un habile artisan Sg **13** 11-19
pour ériger une idole qui ne vacille pas.

[21] Ne le saviez-vous pas? Ne l'entendiez-vous pas
dire?
Ne vous l'avait-on pas annoncé dès l'origine?
N'avez-vous pas compris la fondation de la
terre?
[22] Il trône au-dessus du cercle de la terre
dont les habitants sont comme des sauterelles, Dn **4** 32
il tend les cieux comme une toile, **44** 24
les déploie comme une tente où l'on habite. Ps **104** 2
[23] Il réduit à rien les princes, Ps **2** 2-5
il fait les juges de la terre semblables au néant. Jb **34** 18-19
[24] A peine ont-ils été plantés, à peine semés, **17** 13-14
à peine leur tige s'est-elle enracinée en terre,
qu'il souffle sur eux, et ils se dessèchent,
la tempête les emporte comme la bale.

Exode, avec ses prodiges, Mi **7** 14-15, le passage de la mer Rouge, Is **11** 15-16+; **43** 16-21; **51** 10; **63** 11-13, l'eau miraculeuse, **48** 21, la nuée lumineuse, **52** 12, cf. **4** 5-6, la marche au désert, ici vv. 3s, cf. Ba **5** 7-9, devient à la fois le type et le gage du nouvel Exode, de Babylone à Jérusalem. – Sur ce thème de l'Exode, voir encore Os **2** 16+.

*a)* La voix céleste remplace les théophanies des vocations prophétiques; Is **6** 8-13; Jr **1** 4-10; Ez **1-2**, indice peut-être d'un sentiment plus vif de la transcendance divine. Ici, comme dans ces autres cas, le prophète demande et obtient des précisions sur la mission qui lui est confiée.

*b)* C'est le thème du bon pasteur, énoncé par Jr **23** 1-6, développé par Ez **34**, et repris par Jésus, Mt **18** 12-14p; Jn **10** 11-18.

*c)* L'exaltation de la grandeur divine comparée à la faiblesse de l'homme est un thème fréquent des écrits de sagesse : Jb **28**; **38-39**; Pr **8** 22s; **30** 4. Mais les livres sapientiaux attribuent plus explicitement à la sagesse divine toute cette activité créatrice et ordonnatrice : Jb **28** 23-27; Pr **8** 22-31; Si **1** 2-3.

*d)* « l'eau de la mer » 1QIs[a]; « les eaux » TM.

*e)* Les « îles », dont il est souvent question dans le livre de la Consolation, sont les archipels et les côtes lointaines de la Méditerranée, et c'est en ce sens que le mot est ici mis en parallèle avec « les nations ».

*f)* « pour néant » 1QIs[a]; « moins que néant » (?) TM.

*g)* Ce v. exprime l'incomparabilité du vrai Dieu, cf. **25** 1, qui fonde l'interdiction des images depuis le Décalogue. On a plus tard inséré les vv. 19-20, qui se continuent à **41** 6-7 et concernent la fabrication des idoles (cf. la longue add. de **44** 9-20). Par ailleurs, la polémique contre les dieux païens est un thème fréquent de la seconde partie d'Isaïe, cf. **41** 21+; **42** 8, 17; **45** 16, 20; **46** 5-7; voir aussi Jr **10** 1-6; **51** 15-19; Ba **6**; Ps **115** 3-8; Sg **13** 11-15.

*h)* Trad. incertaine. On comprend ce stique comme une opposition au v. précédent.

45 5 25 A qui me comparerez-vous, dont je sois l'égal?
6 3+ dit le Saint [a].
Gn 15 5 26 Levez les yeux là-haut et voyez :
Qui a créé ces astres [b]?
1 S 1 3+ Il déploie leur armée en bon ordre,
Ba 3 34-35 il les appelle tous par leur nom.
Ps 147 4 Sa vigueur est si grande et telle est sa force
que pas un ne manque.
49 14-16 27 Pourquoi dis-tu, Jacob, et répètes-tu, Israël :
« Ma voie est cachée à Yahvé,
et mon droit échappe à mon Dieu [c]? »
28 Ne le sais-tu pas? Ne l'as-tu pas entendu dire?
Gn 21 33 Yahvé est un Dieu éternel,
créateur des extrémités de la terre.
Il ne se fatigue ni ne se lasse,
↗ Rm 11 34 insondable est son intelligence.
29 Il donne la force à celui qui est fatigué,
à celui qui est sans vigueur il prodigue le
réconfort.
30 Les adolescents se fatiguent et s'épuisent,
les jeunes ne font que chanceler,
Ps 103 5 31 mais ceux qui espèrent en Yahvé renouvellent
leur force,
ils déploient leurs ailes comme des aigles,
ils courent sans s'épuiser,
ils marchent sans se fatiguer.

45 1-8 **Cyrus instrument de Yahvé [d].**

**41** 1 Iles, faites silence pour m'écouter,
que les peuples renouvellent leurs forces,
qu'ils s'avancent et qu'ils parlent,
ensemble comparaissons au jugement.
2 Qui a suscité de l'Orient
celui que la justice appelle à sa suite [e],
auquel Il livre les nations,
40 23 et assujettit les rois?
Son épée les réduit en poussière
et son arc en fait une paille qui s'envole.
3 Il les chasse et passe en sécurité
par un chemin que ses pieds ne font qu'effleurer [f].
4 Qui a agi et accompli?
Celui qui dès le commencement appelle les générations;
moi, Yahvé, je suis le premier, 44 6+
et avec les derniers je serai encore [g].
5 Les îles ont vu et prennent peur,
les extrémités de la terre frémissent,
ils sont tout près, ils arrivent.

6 Chacun aide son compagnon, 40 19-20
il dit à l'autre : « Courage! »
7 L'artisan donne courage à l'orfèvre,
et celui qui polit au marteau à celui qui bat l'enclume :
il dit de la soudure : « Elle est bonne »,
il la renforce avec des clous pour qu'elle ne
vacille pas [h].

**Israël choisi et protégé par Yahvé.** 43 1-7

8 Et toi, Israël, mon serviteur [i],
Jacob, que j'ai choisi, Dt 7 6+
race d'Abraham, mon ami, 2 Ch 20 7
9 toi que j'ai saisi aux extrémités de la terre, ↗ Jc 2 23
que j'ai appelé des contrées lointaines,
je t'ai dit : « Tu es mon serviteur,
je t'ai choisi, je ne t'ai pas rejeté. »
10 Ne crains pas car je suis avec toi, 8 10+
ne te laisse pas émouvoir car je suis ton Dieu;
je t'ai fortifié et je t'ai aidé, je t'ai soutenu de ma
droite justicière.
11 Voici qu'ils seront honteux et humiliés, 45 24
tous ceux qui s'enflammaient contre toi.
Ils seront réduits à rien et périront,
ceux qui te cherchaient querelle.
12 Tu les chercheras et tu ne les trouveras pas,
ceux qui te combattaient;
ils seront réduits à rien, anéantis,
ceux qui te faisaient la guerre.
13 Car moi, Yahvé, ton Dieu,
je te saisis la main droite,
je te dis : « Ne crains pas,

*a)* Le Second Isaïe reprend ce titre, cf. **41** 14, etc., qu'Isaïe donnait de préférence au Dieu d'Israël, cf. **6** 3+.
*b)* Litt. « ces choses », mais le sens est explicité par ce qui précède et suit immédiatement. Les astres forment « l'armée des cieux », cf. **34** 4; Dt **17** 3; 2 R **17** 16; Jr **8** 2, etc. Ils étaient divinisés à Babylone où cet oracle a été écrit.
*c)* Jacob-Israël représente le peuple élu, ici les exilés de Babylone qui se demandent si Yahvé a oublié son peuple, cf. déjà Ez **37** 11.
*d)* En réponse aux doutes du peuple, cf. **40** 27, ce grand poème annonce la venue d'un libérateur. Il s'agit de Cyrus, qui ne sera pas nommé avant **44** 28, mais qui, pour les contemporains du Second Isaïe, était clairement désigné ici, cf. vv. 2-3 et 25. Le poème a été composé au moment où l'avance foudroyante de Cyrus laisse prévoir la chute de Babylone. C'est Yahvé qui le suscite, non pour frapper, comme Sennachérib ou Nabuchodonosor, mais pour délivrer. – S. Jérôme, qui a traduit au v. 2 : « Qui a suscité de l'Orient le Juste », a appliqué ce texte au Messie, dont Cyrus, qui sera appelé « l'oint de Yahvé », **45** 1, est de quelque manière une figure.
*e)* Le mot hébr. traduit par « justice » implique un rétablissement de l'ordre voulu par Yahvé et peut ainsi prendre le sens de « victoire », cf. aussi v. 10; **54** 17.
*f)* « ne font qu'effleurer », litt. « il ne foule pas (*yabûs*) de ses pieds », conj.; « il ne vient pas (*yabo'*)... » hébr. – L'image évoque la rapidité de l'avance de Cyrus.
*g)* Cette expression de l'éternité de Yahvé sera reprise par Ap **1** 8, 17; **21** 6; **22** 13.
*h)* Les vv. 6-7 sont une interpolation qui se rattache à **40** 19-20, cf. la note.
*i)* Ici apparaît pour la première fois le thème du « serviteur », qui tient une grande place dans la prédication du Second Isaïe; ce thème est lié à celui de l'élection, cf. **43** 10, 20; **44** 1, 2; **45** 4, et celle-ci remonte à l'appel d'Abraham. Israël-Jacob, « race

c'est moi qui te viens en aide. »
14 Ne crains pas, vermisseau de Jacob,
et vous, pauvres gens d'Israël.
C'est moi qui te viens en aide, oracle de Yahvé,
40 25 celui qui te rachète [a], c'est le Saint d'Israël.
6 3+ 15 Voici que j'ai fait de toi un traîneau à battre,
28 27 tout neuf, à doubles dents.
Tu écraseras les montagnes, tu les pulvériseras,
les collines, tu en feras de la paille.
Mt 3 12 16 Tu les vanneras, le vent les emportera
et l'ouragan les dispersera;
pour toi, tu te réjouiras en Yahvé,
tu te glorifieras dans le Saint d'Israël.
17 Les miséreux et les pauvres cherchent de l'eau,
et rien!
Leur langue est desséchée par la soif.
Moi, Yahvé, je les exaucerai,
Dieu d'Israël, je ne les abandonnerai pas.
35 6-7; 18 Sur les monts chauves je ferai jaillir des fleuves [b],
43 20; 48 21 et des sources au milieu des vallées.
Ps 114 8 Je ferai du désert un marécage
et de la terre aride des eaux jaillissantes.
19 Je mettrai dans le désert le cèdre,
l'acacia, le myrte et l'olivier,
je placerai dans la steppe pêle-mêle
le cyprès, le platane et le buis,
20 afin que l'on voie et que l'on sache,
que l'on fasse attention et que l'on comprenne
que la main de Yahvé a fait cela,
que le Saint d'Israël l'a créé.

### Néant des idoles [c].

43 8-13 21 Présentez votre querelle, dit Yahvé,
44 7-11 produisez vos arguments, dit le roi de Jacob.
22 Qu'ils produisent et qu'ils nous montrent
les choses qui doivent arriver.
Les choses passées, que furent-elles?
montrez-le, que nous y réfléchissions
et que nous en connaissions la suite.
Ou bien faites-nous entendre les choses à venir,
23 annoncez ce qui doit venir ensuite,
et nous saurons que vous êtes des dieux.
Au moins, faites bien ou faites mal,
que nous éprouvions de l'émoi et de la crainte.
24 Voici, vous êtes moins que rien, et votre œuvre, 41 29
c'est moins que néant [d],
vous choisir est abominable.
25 Je l'ai suscité du Nord et il est venu,
depuis le Levant il est appelé par son nom [e].
Il piétine [f] les gouverneurs comme de la boue,
comme le potier pétrit l'argile.
26 Qui l'a annoncé dès le principe, pour que nous
sachions,
et dans le passé, pour que nous disions : C'est
juste?
Mais nul n'a annoncé, nul n'a fait entendre,
nul n'a entendu vos paroles.
27 Prémices de Sion, voici, les voici,
à Jérusalem j'envoie un messager [g],
28 et je regarde : personne!
Parmi eux, pas un qui donne un avis,
que je puisse interroger et qui réponde!
29 Voici, tous ensemble ils ne sont rien [h], 41 24
néant que leurs œuvres,
du vent et du vide leurs statues!

### Premier chant du Serviteur [i].

↗ Mt 12 18-21

42 1 Voici mon serviteur que je soutiens,
11 1-10 mon élu en qui mon âme se complaît.
Jn 1 32-34 Mt 3 16+ J'ai mis sur lui mon esprit [j],

d'Abraham », a été choisi pour être le témoin de Yahvé, **43** 10; bien qu'il ait été infidèle, **42** 19, Dieu lui pardonnera et le sauvera, **44** 1-5; **48** 20. Plus qu'une relation de maître à esclave, cette notion de « serviteur » implique une relation de confiance et d'amour. – Sur les « Chants du Serviteur », cf. l'Introduction p. 1079.

*a)* En hébr. *go'el* : c'est d'abord le proche parent, vengeur du sang, Nb **35** 19+, celui qui rachète le prisonnier pour dettes, celui qui doit défendre la veuve, Rt **2** 20+. Le mot désigne donc Dieu comme protecteur de l'opprimé et libérateur du peuple. En ce sens, il est très fréquent dans les Psaumes, cf. **19** 15+, et dans la seconde partie d'Isaïe, **43** 14; **44** 6, 24; **47** 4; **48** 17; **59** 20; cf. Jr **50** 34. Le NT et la théologie chrétienne reprendront l'idée pour l'appliquer à Jésus, qui est, lui aussi, le « rédempteur ».

*b)* De même que jadis Moïse avait fait jaillir l'eau du rocher pour abreuver son peuple, Ex **17** 1-7, lors du prochain retour les fleuves jailliront des montagnes et feront du désert une plaine fertile. A travers les merveilles du retour de l'Exil, le prophète entrevoit certains traits de l'ère messianique, cf. **11** 6; Ez **47** 1-12.

*c)* De même qu'il était entré en procès avec les nations, v. 1, Yahvé appelle ici les faux dieux à comparaître devant lui. Leur incapacité à prédire l'avenir et à agir sur le monde est la preuve de leur néant. C'est dans le Second Isaïe que s'exprime explicitement pour la première fois le monothéisme absolu, cf. **43** 8-13; **44** 6-8; **45** 5, préparé par le monothéisme pratique que représentait l'adoration exclusive de Yahvé, Dieu d'Israël, cf. **42** 8+ et Introduction pp. 1074-1075. Sur la polémique contre les idoles, cf. **40** 18+.

*d)* « néant » *'epes* conj.; *'apa'* hébr. inintelligible.

*e)* « il est appelé par son nom » conj. cf. **45** 3; « il appelle (ou proclame) mon nom » hébr. – cette formule signifie la désignation de quelqu'un pour une mission particulière, Ex **31** 2; Nb **1** 17, en même temps qu'elle exprime une relation privilégiée de Yahvé avec celui qu'il « appelle par son nom », cf. **43** 1; **45** 3-4.

*f)* « il piétine » *yabûs* conj.; « il marche » *yabo'* hébr.

*g)* Texte peut-être corrompu, traduit litt. On voit ici, comme au v. 25, une allusion à l'annonce que fait Yahvé de la délivrance par Cyrus, tandis que les faux dieux restent muets, v. 28.

*h)* « rien » 1QIs$^a$, Targ.; « malheur » TM.

*i)* Ceci est le premier des quatre « chants du Serviteur » (**42** 1-4 (5-9); **49** 1-6; **50** 4-9 (10-11); **52** 13 - **53** 12), sur lesquels voir l'Introduction p. 1079. Certains font terminer ce premier chant au v. 7, d'autres même au v. 4. Dans ce poème, le serviteur est présenté comme un prophète, objet d'une mission et d'une prédestination divine, v. 6, cf. v. 4; Jr **1** 5, animé par l'Esprit, v. 1, pour enseigner toute la terre, vv. 1 et 3, avec discrétion et fermeté, vv. 2-4, malgré les oppositions. Mais sa mission dépasse celle des autres prophètes, puisqu'il est lui-même alliance et lumière, v. 6, et qu'il accomplit une œuvre de libération et de salut, v.7.

*j)* L'élection du Serviteur est accompagnée d'une effusion de

il présentera aux nations le droit.
2 Il ne crie pas, il n'élève pas le ton,
il ne fait pas entendre sa voix dans la rue;
3 il ne brise pas le roseau froissé,
il n'éteint pas la mèche qui faiblit,
Jn **8** 45; fidèlement, il présente le droit;
**14** 6 4 il ne faiblira ni ne cédera [a]
jusqu'à ce qu'il établisse le droit sur la terre,
et les îles attendent son enseignement.
5 Ainsi parle Dieu, Yahvé,
qui a créé les cieux et les a déployés,
qui a affermi la terre et ce qu'elle produit,
qui a donné le souffle au peuple qui l'habite,
et l'esprit à ceux qui la parcourent.
6 « Moi, Yahvé, je t'ai appelé dans la justice,
je t'ai saisi par la main, et je t'ai modelé [b],
j'ai fait de toi l'alliance du peuple,
Jn **8** 12+ la lumière des nations,
Lc **7** 22 7 pour ouvrir les yeux des aveugles,
Jn **9** pour extraire du cachot le prisonnier,
Jn **8** 32 Ps **107** 10 et de la prison ceux qui habitent les ténèbres. »
Lc **1** 79 8 Je suis Yahvé [c], tel est mon nom!
Ma gloire, je ne la donnerai pas à un autre,
**48** 11 ni mon honneur aux idoles.
9 Les premières choses, voici qu'elles sont arrivées,
et je vous en annonce de nouvelles,
avant qu'elles ne paraissent,
je vais vous les faire connaître.

### Chant de victoire.

Ps **96** 1 10 Chantez à Yahvé un chant nouveau [d],
Ap **5** 9 que chantent sa louange, des extrémités de la
terre,
ceux qui vont sur la mer, et tout ce qui la peuple,
les îles et ceux qui les habitent.
11 Que se fassent entendre le désert et ses villes,
les campements où habite Qédar,
qu'ils crient de joie les habitants de la Roche [e],
au sommet des montagnes, qu'ils poussent des
clameurs.
12 Qu'on rende gloire à Yahvé,
qu'on proclame sa louange dans les îles.
13 Yahvé, comme un héros, s'avance, Jg **5** 4
comme un guerrier, il éveille son ardeur, Nb **10** 35
il pousse le cri de guerre, il vocifère, So **1** 14
contre ses ennemis il agit en héros.

14 « Longtemps j'ai gardé le silence,
je me taisais, je me contenais.
Comme la femme qui enfante, je gémissais,
je soupirais tout en haletant.
15 Je vais ravager montagnes et collines,
en flétrir toute la verdure;
je vais changer les torrents en terre ferme [f] **44** 27; **50** 2
et dessécher les marécages. Ps **107** 33
16 Je conduirai les aveugles par un chemin qu'ils ne **42** 19+
connaissent pas,
par des sentiers qu'ils ne connaissent pas je les
ferai cheminer,
devant eux je changerai l'obscurité en lumière
et les fondrières en surface unie.
Cela, je le ferai, je n'y manquerai pas.
17 Ils reculeront, ils rougiront de honte,
ceux qui se fient aux idoles,
qui disent à des statues : Vous êtes nos dieux. »

### L'aveuglement d'Israël [g]. **6** 9-10

18 Sourds, entendez! Aveugles, regardez et voyez!
19 Qui est aveugle si ce n'est mon serviteur? **41** 8+
qui est sourd comme le messager que j'envoie? Mt **13** 9-15
(Qui est aveugle comme celui dont j'avais fait
mon ami
et sourd comme le serviteur de Yahvé [h]?)
20 Tu as vu bien des choses, sans y faire attention.
Ouvrant les oreilles, tu n'entendais pas [i].
21 Yahvé a voulu, à cause de sa justice,

l'Esprit comme pour les chefs charismatiques de l'ancien temps, les Juges, cf. Jg **3** 10+, et les premiers rois, Saül, 1 S **9** 17, cf. **10** 9-10, et David, 1 S **16** 12-13; comparer Is **11** 1-2. – Le récit du baptême de Jésus, cf. Mt **3** 16-17p, associe à la descente de l'Esprit une citation qui combine ce v. et Ps **2** 7, et les vv. 1-4 sont appliqués à Jésus par Matthieu (**12** 17-21). – En précisant « *Jacob*, mon serviteur, ... *Israël*, mon élu », la version grecque témoigne, comme la glose de **49** 3, d'une tradition juive qui reconnaissait dans le Serviteur la communauté d'Israël, ainsi désignée dans d'autres textes du Second Isaïe, cf. **41** 8+.

*a)* « ne cédera » grec, Targ.; « ne courra » hébr.

*b)* Même terme que celui utilisé en Gn **2** 7 pour décrire comment Yahvé « modèle » le corps du premier homme.

*c)* C'est le nom révélé à Moïse, Ex **3** 14+, celui du seul Existant. Il n'est pas d'autre Dieu que lui, cf. Is **40** 25; **43** 10-12; **44** 6-8; **45** 3, 5-6, 14-15, 18, 20-22; **46** 5-7, 9; **48** 11; cf. **41** 21-29. Il est le créateur universel, **40** 12s, 21s, 28; **42** 5; **43** 1; **44** 24; **45** 9-12, 18; **48** 13; **51** 13; **54** 5, éternel, **41** 4; **44** 6; **48** 12. Il « ne cédera pas sa gloire à un autre », ici et **48** 11. Ce monothéisme triomphant du « livre de la Consolation » reprend ainsi en l'amplifiant par l'affirmation explicite de la transcendance divine le thème antérieur de la « jalousie » de Yahvé, Dt **4** 24+; cf. Ex **20** 3.

*d)* Ce « chant nouveau », v. 10, cf. Ps **96** 1; **98** 1; **149** 1, est une célébration lyrique de la victoire de Yahvé, à laquelle toute la terre est invitée à prendre part.

*e)* Qédar, tribu nomade, cf. **21** 16-17; La Roche (hébr. Séla, grec Pétra), ville du désert au pays d'Édom, cf. **16** 1; 2 R **14** 7.

*f)* Litt. « en îles ». – Le v. 15 est en parallélisme antithétique avec **41** 18, mais n'est pas une menace; c'est l'expression de la souveraineté absolue de Yahvé sur la nature.

*g)* Ce n'est pas Dieu qui, sourd et aveugle au sort d'Israël, attire sur lui le malheur, c'est Israël qui est sourd et aveugle : il ne comprend pas ce qui lui arrive ni pourquoi cela lui arrive. Cet oracle est parallèle aux directives données à Isaïe lors de sa vocation, cf. **6** 10+. – Les vv. 21 et 24[b] semblent être des additions.

*h)* « ami » : sens incertain; le mot hébr. signifie ailleurs « rétribué », mais on peut l'entendre dans le sens de « reçu en amitié ». – « sourd » Sym. et 2 mss; hébr. répète « aveugle ». – Toute cette répétition de 19[a] doit être une glose.

*i)* « tu n'entendais » conj.; « il n'entendait » hébr.

rendre la Loi grande et magnifique,
22 et voici un peuple pillé et dépouillé,
on les a tous enfermés dans des basses-fosses,
emprisonnés dans des cachots.
On les a mis au pillage, et personne pour les
secourir,
on les a dépouillés, et personne pour demander
réparation.
23 Qui, parmi vous, prête l'oreille à cela?
Qui fait attention et désormais écoute?
24 Qui donc a livré Jacob au spoliateur
et Israël aux pillards?
N'est-ce pas Yahvé contre qui nous avions
péché,
dont on n'avait pas voulu suivre les voies,
ni écouter la Loi?
25 Il a répandu sur lui l'ardeur de sa colère
et la fureur guerrière;
9 17-18 tout autour elle porta l'incendie, et lui n'a pas
Am 4 6+ compris,
elle l'a brûlé, et il n'y a pas pris garde.

**Dieu protecteur et libérateur d'Israël [a].**

**43** 1 Et maintenant, ainsi parle Yahvé,
44 2 celui qui t'a créé, Jacob, qui t'a modelé, Israël.
41 14+ Ne crains pas, car je t'ai racheté,
41 8 je t'ai appelé par ton nom : tu es à moi.
Ps 91 2 Si tu traverses les eaux je serai avec toi,
et les rivières, elles ne te submergeront pas.
↗ 1 Co 3 15 Si tu passes par le feu, tu ne souffriras pas,
et la flamme ne te brûlera pas.
3 Car je suis Yahvé, ton Dieu,
le Saint d'Israël, ton sauveur.
Pour ta rançon, j'ai donné l'Égypte,
1 R 10 1+ Kush et Séba à ta place [b].
4 Car tu comptes beaucoup à mes yeux,
tu as du prix et je t'aime.
Aussi je livre des hommes à ta place
et des peuples en rançon de ta vie.
8 10+ 5 Ne crains pas, car je suis avec toi,
du levant je vais faire revenir ta race,
et du couchant je te rassemblerai.
6 Je dirai au Nord : Donne!
et au Midi : Ne retiens pas!
Ramène mes fils de loin
et mes filles du bout de la terre,
7 quiconque se réclame de mon nom,
ceux que j'ai créés pour ma gloire,
que j'ai formés et que j'ai faits.

**Yahvé est seul Dieu [c].** 41 21-29; 44 7-11;

8 Fais sortir un peuple aveugle qui a des yeux, 42 18+
et des sourds qui ont des oreilles.
9 Que toutes les nations se rassemblent,
que tous les peuples s'unissent!
Qui parmi eux a proclamé cela
et nous a fait connaître les choses anciennes?
Qu'ils produisent leurs témoins et qu'ils se justifient,
qu'on les entende et qu'on dise : C'est la vérité!
10 C'est vous qui êtes mes témoins, oracle de Ac 1 8+
Yahvé,
vous êtes le serviteur que je me suis choisi, 41 8+
afin que vous le sachiez, que vous croyiez en moi Jn 15 16
et que vous compreniez que c'est moi : Jn 8 24, 28+
avant moi aucun dieu n'a été formé Is 44 6+
et après moi il n'y en aura pas.
11 Moi, c'est moi Yahvé, Os 13 4 Dt 32 39
et en dehors de moi il n'y a pas de sauveur. Ac 4 12
12 C'est moi qui ai révélé, sauvé et fait entendre,
ce n'est pas un étranger qui est parmi vous,
vous, vous êtes mes témoins, oracle de Yahvé,
et moi, je suis Dieu, 13 de toute éternité [d] je le 42 8+
suis; Dt 32 39
nul ne peut délivrer de ma main,
si j'agis, qui pourrait me faire renoncer?

**Contre Babylone.**

14 Ainsi parle Yahvé, votre rédempteur, le Saint 41 14+
d'Israël.
A cause de vous, j'ai envoyé quelqu'un à Babylone,
je vais faire tomber tous les verrous,
et les Chaldéens changeront leurs cris en lamentations [e].
15 Je suis Yahvé, votre Saint, Lv 17 1+
le créateur d'Israël, votre roi. Is 6 3+

**Les prodiges du nouvel Exode.** 40 3+

16 Ainsi parle Yahvé, celui qui traça dans la mer Ex 14 21-29
un chemin,
un sentier dans les eaux déchaînées,

***a)*** Oracle de salut, parallèle à celui de 41 8-20. Israël n'a rien à craindre, vv. 1 et 5, car son élection ancienne par Yahvé est un gage de la délivrance prochaine.
***b)*** Kush et Séba (distinct de Saba, en Arabie du Nord) sont deux régions d'Afrique, au sud de l'Égypte, cf. 45 14. Ce n'est pas une allusion historique précise, mais seulement l'évocation de peuples lointains, cf. v. 4. Yahvé est le maître suprême de toutes les nations et la délivrance prochaine d'Israël entre dans son dessein universel.
***c)*** Bien qu'il soit sourd et aveugle aux événements de son histoire, cf. 42 18+, Israël, par cette histoire même, sert de témoin à Yahvé contre les nations et leurs dieux. C'est à nouveau une démonstration du monothéisme par l'impuissance des faux dieux, cf. 41 21+.
***d)*** « de toute éternité » versions; « depuis ce jour » hébr. Ce court oracle peut être la suite de 43 1-7.
***e)*** « verrous » *berihîm* cf. Vulg.; « fugitifs » *barihîm* hébr. – « en lamentations » *ba 'aniyyot* conj.; « sur des bateaux » *ba 'oniyyot* hébr. Le texte de la fin du v. est incertain.

17 qui fit sortir char et cheval, armée et troupe d'élite ensemble;
ils se sont couchés pour ne plus se relever,
ils se sont éteints, comme une mèche ils se sont consumés.
18 Ne vous souvenez plus des événements anciens,
65 17 ne pensez plus aux choses passées [a],
↗ 2 Co 5 17 19 voici que je vais faire une chose nouvelle,
↗ Ap 21 5 déjà elle pointe, ne la reconnaissez-vous pas?
11 16+ Oui, je vais mettre dans le désert un chemin,
et dans la steppe, des fleuves.
20 Les bêtes sauvages m'honoreront,
les chacals et les autruches,
35 6-7 car j'ai mis dans le désert de l'eau
Ex 17 1-7 et des fleuves dans la steppe,
pour abreuver mon peuple, mon élu.
↗ 1 P 2 9 21 Le peuple que je me suis formé
publiera mes louanges.

### L'ingratitude d'Israël [b].

22 Tu ne m'as pas invoqué, Jacob,
oui, tu t'es lassé de moi, Israël.
23 Tu ne m'as pas apporté d'agneaux en holocauste,
et tu ne m'as pas honoré par tes sacrifices.
Je ne t'ai pas asservi à des oblations,
je ne t'ai pas lassé en exigeant de l'encens.
24 Pour moi, tu n'as pas acquis de roseau [c] à prix d'argent,
et tu ne m'as pas rassasié de la graisse de tes sacrifices.
Mais par tes péchés, tu as fait de moi un esclave,
tu m'as lassé par tes fautes.
25 C'est moi, moi, qui efface tes crimes par égard pour moi,
et je ne me souviendrai plus de tes fautes.
26 Fais-moi me souvenir, et nous jugerons ensemble,
fais toi-même le compte afin d'être justifié.
Gn 27 36 27 Ton premier père a péché [d],
Jr 9 3 tes interprètes se sont révoltés contre moi [e].
Os 12 4 28 Alors j'ai destitué les chefs du sanctuaire,
j'ai livré Jacob à l'anathème
et Israël aux outrages.

### Bénédiction sur Israël.

**44** 1 Et maintenant, écoute, Jacob mon serviteur, 41 8+
Israël que j'ai choisi.
2 Ainsi parle Yahvé, qui t'a fait, 43 1; 44 24
qui t'a modelé dès le sein maternel, qui te soutient. Ps 22 10
Sois sans crainte, Jacob mon serviteur,
Yeshurûn [f] que j'ai choisi. Dt 32 15;
3 Car je vais répandre de l'eau sur le sol assoiffé 33 5, 26
et des ruisseaux sur la terre desséchée; Jn 7 38-39
je répandrai mon esprit sur ta race 42 1+
et ma bénédiction sur tes descendants. 11 2+
4 Ils germeront comme parmi les herbages,
comme les saules au bord de l'eau.
5 Celui-ci dira : Je suis à Yahvé,
et cet autre se réclamera du nom de Jacob.
Celui-là écrira sur sa main : « à Yahvé [g] »,
et on lui donnera le nom d'Israël.

### Il n'y a qu'un seul Dieu. 42 8+

6 Ainsi parle Yahvé, roi d'Israël, 41 21-29; 43 8-13
Yahvé Sabaot, son rédempteur : 41 14+
Je suis le premier et je suis le dernier, 48 12; 41 4 ↗ Ap 1 8, 17;
à part moi, il n'y a pas de dieu. 21 6; 22 13
7 Qui est comme moi? qu'il crie, Is 43 10 Dt 32 39
qu'il le proclame et me l'expose; Dn 10 13+
depuis que j'ai constitué un peuple éternel,
ce qui se passe, qu'il le dise [h],
et ce qui doit arriver, qu'il le leur annonce.
8 Ne vous effrayez pas, soyez sans crainte,
dès longtemps ne vous l'ai-je pas annoncé et révélé?
Vous êtes mes témoins. 43 10, 12
Y aurait-il un dieu à part moi? 45 21
Il n'y a pas de Rocher, je n'en connais pas! Dt 32 4 Is 17 10

### Néant des idoles [i]. Jr 10 1-16; 2 26-28

9 Néant, tous ceux qui modèlent des idoles, leurs
meilleures œuvres ne servent à rien! Elles sont leurs
témoins, qui ne voient ni ne savent rien, en sorte
qu'ils seront couverts de honte. 10 Qui a façonné un
dieu et fondu une idole qui ne peuvent servir à rien?

*a)* Les prodiges du passé, traversée de la mer et destruction de l'armée égyptienne, seront éclipsés par les merveilles plus grandes encore que Dieu va accomplir lors du nouvel Exode.
*b)* Cet oracle de blâme, exceptionnel dans le Second Isaïe, joue sur les mots « lasser » et « asservir ». Alors que Dieu aurait pu lasser et asservir Israël par des obligations cultuelles, c'est Israël qui a asservi et lassé Dieu par ses péchés. Mais Dieu pardonnera si Israël reconnaît ses fautes, vv. 25-26.
*c)* Le roseau odoriférant, apprécié comme parfum dans l'usage profane et religieux, Ez **27** 19; Ct **4** 14.
*d)* Il s'agit certainement de Jacob, cf. v. 22, qui est jugé ici défavorablement, selon une tradition qui n'est pas celle de la Gn mais qui est représentée par Os **12** 3-4.
*e)* Il s'agit des prophètes. Cf. par exemple 1 R **13** 11-32; **19** 2-4, et les faux prophètes que le peuple a écoutés.

*f)* Ce nom poétique d'Israël, qui ne se retrouve que dans Dt **32** 15; **33** 5 et 26, et dans Si **37** 25 hébr., est de sens incertain : peut-être « loyal », de *yashar* « droit », « justice », par opposition à Jacob « celui qui supplante ».
*g)* Cela signifie l'appartenance à Yahvé, comme le nom de la Bête marqué sur ses adeptes dans Ap **13** 16-17+, ou comme les tatouages des cultes hellénistiques. Il s'agit des convertis au yahvisme qui sont intégrés à Jacob-Israël. – En **49** 16, Yahvé grave Sion sur les paumes de ses mains pour ne pas l'oublier.
*h)* « qu'il le dise » ajouté avec 1QIs[a]. Les deux derniers stiques sont incertains.
*i)* Cette satire contre les fabricants d'idoles, où ne sont nommés ni Yahvé ni Israël, est une addition de la même main que **42** 6-7. Comparer Jr **10** 1-16, qui est également inauthentique.

11 Voici que tous ses fidèles seront couverts de
honte, ainsi que ses artisans qui ne sont que des
hommes. Qu'ils se rassemblent tous, qu'ils compa-
raissent; qu'ils soient remplis à la fois d'épouvante
et de honte!
12 Le forgeron fabrique une hache sur des braises, il la façonne au marteau, il la travaille à la
force de son bras. Et puis il a faim et perd sa force,
n'ayant pas bu d'eau il est épuisé. 13 Le sculpteur
sur bois tend le cordeau, trace l'image à la craie,
l'exécute au ciseau et la dessine au compas, il l'exé
cute à l'image de l'homme, selon la beauté
humaine, pour qu'elle habite une maison. 14 Il a
coupé des cèdres, il a choisi un chêne et un térébinthe qu'il a laissés croître pour lui parmi les arbres
de la forêt. Il a planté un pin que la pluie a fait
Sg **13** 11-19 grandir. 15 Les hommes le destinent au feu : il en
a pris pour se chauffer, il l'a allumé et a cuit du
pain. Mais aussi il a fait un dieu pour l'adorer, il
a fabriqué une idole pour se prosterner devant elle.
16 Il en avait brûlé la moitié au feu, sur cette moitié
il fait rôtir de la viande, la mange [a] et se rassasie;
en même temps il se chauffe et dit : « Ah! je me suis
bien chauffé et j'ai vu la flamme. » 17 Avec le reste
il fait un dieu, son idole, et il se prosterne devant
lui, l'adore et le prie et dit : « Sauve-moi, car tu es
mon dieu [b]. »
18 Ils ne savent pas, ils ne comprennent pas, car
leurs yeux sont incapables de voir, et leur cœur de
réfléchir. 19 Pas un ne rentre en lui-même, pas un
n'a la connaissance et l'intelligence de se dire :
« J'en ai brûlé la moitié au feu et j'ai cuit du pain
sur ses braises, je rôtis de la viande et je la mange;
avec le reste je ferais une chose abominable, me
prosterner devant un bout de bois! » 20 Il est attaché
à de la cendre, son cœur abusé l'a égaré, il ne sauvera pas sa vie, il ne dira pas : « Ce que j'ai dans
la main, n'est-ce pas un leurre? »

**Fidélité à Yahvé [c].**

**46** 8 21 Souviens-toi de cela, Jacob,
**41** 8+ et toi Israël, car tu es mon serviteur.
Je t'ai modelé, tu es pour moi un serviteur,
Israël, je ne t'oublierai pas. **49** 14-16
22 J'ai dissipé tes crimes comme un nuage
et tes péchés comme une nuée;
reviens à moi, car je t'ai racheté.
23 Criez de joie, cieux, car Yahvé a agi,
hurlez, profondeurs de la terre,
poussez, montagnes, des cris de joie,
forêt, et tous les arbres qu'elle contient!
car Yahvé a racheté Jacob,
il s'est glorifié en Israël.

**Dieu créateur du monde et maître de l'histoire [d].**

24 Ainsi parle Yahvé, ton rédempteur,
celui qui t'a modelé dès le sein maternel, **4** 2
c'est moi, Yahvé, qui ai fait toutes choses,
qui seul ai déployé les cieux,
affermi la terre, sans personne avec moi;
25 qui réduis à néant les signes des augures
et fais délirer les devins, 1 Co **1** 20
qui fais reculer les sages
et tourne leur science en folie;
26 qui confirme la parole de mon serviteur
et fais réussir les desseins de mes envoyés;
qui dis à Jérusalem : « Tu seras habitée »,
et aux villes de Juda : « Vous serez rebâties
et je relèverai les ruines de Jérusalem »;
27 qui dis à l'abîme : « Dessèche-toi,
je vais tarir tes fleuves »; **42** 15
28 qui dis à Cyrus : « Mon berger. »
Il accomplira toute ma volonté,
en disant à Jérusalem : « Tu seras reconstruite »,
et au Temple : « Tu seras rétabli [e]. »

**Cyrus instrument de Dieu [f].** **41** 1-5

**45** 1 Ainsi parle Yahvé à son oint,
à Cyrus dont j'ai saisi la main droite,
pour faire plier devant lui les nations
et désarmer les rois [g],
pour ouvrir devant lui les vantaux,
pour que les portes ne soient plus fermées.

*a)* « il a fait rôtir la viande, la mange » grec, cf. v. 19; l'hébr. intervertit les deux verbes.
*b)* En plus de Sg **13** 11s, on cite le parallèle d'Horace, Sat. I, 8, 1s.
*c)* Les vv. 21-23 se rattachent à **44** 1-8 par-dessus l'insertion de **44** 9-20. Le v. 23 peut être la conclusion de la section qui commence à **42** 10.
*d)* Reprise du thème de la toute-puissance divine, qui se manifestera tout particulièrement dans la reconstruction de Jérusalem et le rôle de Cyrus, explicitement nommé pour la première fois au v. 28, cf. **41** 1-5, et auquel va s'adresser l'oracle de **45** 1-7.
*e)* La seconde partie du v. est peut-être une addition : elle reprend 26[b] et mentionne la reconstruction du Temple dont il n'est pas question ailleurs dans le Second Isaïe. Mais cette addition est ancienne et les versions se sont offusquées de l'attribution de ces paroles à Cyrus; elles ont traduit : « c'est moi qui dis », cf. v. 26.
*f)* C'est un oracle royal d'intronisation, comme ceux des Ps **2** et **110** : Cyrus est appelé « par son nom », vv. 3, 4, cf. **41** 25+, et il reçoit le titre de « Oint de Yahvé » qui était réservé aux rois d'Israël, et qui devint le titre du roi-sauveur attendu, cf. l'Introd. p. 1076. Le paradoxe est que ce titre est donné ici à un souverain étranger qui ne connaît pas Yahvé, vv. 4-5. Cet oracle est curieusement parallèle à un texte babylonien, le « cylindre de Cyrus », où Marduk, qui n'est pas un dieu perse, a « nommé le nom de Cyrus et l'a appelé à la domination sur toute la terre ». Ce texte, rédigé par les prêtres de Babylone, a été écrit, comme l'oracle du Second Isaïe, au moment de la marche victorieuse de Cyrus, en 538.
*g)* Litt. « je desserrerai les reins des rois »; comparer 1 R **20** 11, et la formule inverse « serrer ses reins » : « ceindre son glaive ».

40 4 2 C'est moi qui vais marcher devant toi, j'aplanirai
les hauteurs,
je briserai les vantaux de bronze,
Ps 107 16 je ferai céder les verrous de fer
3 et je te donnerai des trésors secrets,
des richesses cachées,
afin que tu saches que je suis Yahvé,
celui qui t'appelle par ton nom,
le Dieu d'Israël.
41 8+ 4 C'est à cause de mon serviteur Jacob et d'Israël
mon élu
que je t'ai appelé par ton nom,
je te donne un titre, sans que tu me connaisses.
2 S 7 22 5 Je suis Yahvé, il n'y en a pas d'autre,
Is 40 25; 44 6+ moi excepté, il n'y a pas de Dieu.
Je te ceins, sans que tu me connaisses,
6 afin que l'on sache du levant au couchant
qu'il n'y a personne sauf moi :
je suis Yahvé, il n'y en a pas d'autre.
Am 4 13 7 Je façonne la lumière et je crée les ténèbres,
Am 3 6 je fais le bonheur et je crée le malheur,
Jb 2 10 c'est moi, Yahvé, qui fais tout cela.
Si 11 14

**Prière [a].**

Ps 85 11-12 8 Cieux, épanchez-vous là-haut,
Dt 32 2 et que les nuages déversent la justice,
51 5; 56 1; que la terre s'ouvre et produise le salut,
61 11 qu'elle fasse germer en même temps la justice [b].
C'est moi, Yahvé, qui ai créé cela.

**Pouvoir souverain de Yahvé.**

29 16+ 9 Malheur à qui discute avec celui qui l'a modelé,
Rm 9 20 vase parmi les vases de terre!
L'argile dit-elle à son potier : « Que fais-tu?
ton œuvre n'a pas de mains [c]! »
10 Malheur à qui dit à un père : « Pourquoi engen-
dres-tu? »
et à une femme : « Pourquoi mets-tu au monde? »
11 Ainsi parle Yahvé,
le Saint d'Israël, son créateur :
On me demande des signes au sujet de mes
enfants [d],
au sujet de l'œuvre de mes mains, on me donne
des ordres.
12 C'est moi qui ai fait la terre
et créé l'homme qui l'habite,
c'est moi qui de mes mains ai déployé les cieux,
et qui ai donné des ordres à toute leur armée.
13 C'est moi qui l'ai suscité [e] dans la justice,
et qui vais aplanir toutes ses voies.
C'est lui qui reconstruira ma ville,
qui rapatriera mes déportés, sans rançon ni indemnité,
dit Yahvé Sabaot.

**Conversion des nations païennes [f].**

14 Ainsi parle Yahvé :
Les productions de l'Égypte, le commerce de
Kush
et les Sébaïtes, ces gens de haute taille, 1 R 10 1+
passeront chez toi et t'appartiendront.
Ils marcheront derrière toi, ils iront chargés de
chaînes,
ils se prosterneront devant toi, ils te prieront :
« Il n'y a de Dieu que chez toi!
il n'y en a pas d'autres, pas d'autre dieu. »
15 En vérité tu es un dieu qui se cache,
Dieu d'Israël, sauveur [g].
16 Ils sont honteux et humiliés, tous ensemble,
ils marchent dans l'humiliation, les fabricants
d'idoles..
17 Israël sera sauvé par Yahvé, sauvé pour toujours,
vous ne serez ni honteux ni humiliés,
pour toujours et à jamais.
18 Car ainsi parle Yahvé, le créateur des cieux :
C'est lui qui est Dieu, qui a modelé la terre et
l'a faite,
c'est lui qui l'a fondée;
il ne l'a pas créée vide,
il l'a modelée pour être habitée.
Je suis Yahvé, il n'y en a pas d'autre.
19 Je n'ai pas parlé en secret, en quelque coin d'un Jn 18 20
obscur pays, Ac 26 26
je n'ai pas dit à la race de Jacob : Dt 30 11-14
Cherchez-moi dans le chaos!
je suis Yahvé qui proclame la justice,
qui annonce des choses vraies.

*a)* Cette prière (latin : *Rorate cœli desuper...*) vise en premier lieu la délivrance et la « justice » que Cyrus va apporter prochainement, mais qui sont une création de Yahvé cf. **41** 2+. En substituant « juste » et « sauveur » aux termes abstraits de l'hébr., S. Jérôme fait apparaître la portée messianique de cet oracle.
*b)* Le Premier Isaïe comparait déjà le prince messianique à une « pousse » issue de la souche davidique, **4** 2; **6** 13; **11** 1; cf. Jr **23** 5 = **33** 15. Dans Za **3** 8, le mot « germe » devient un titre messianique.
*c)* C'est-à-dire peut-être : « n'est pas complète » ou « n'a pas d'utilité ». La comparaison du potier, inspirée d'Is **29** 16, cf. Jr **18** 1-12; **19** 1-11, a été reprise par S. Paul, Rm **9** 20.
*d)* « des signes » *'otôt* conj.; « les choses qui viennent » *'otiyyôt* hébr. – « son créateur », litt., « son modeleur », cf. Gn **2** 7, 8.
*e)* Il s'agit toujours de Cyrus, cf. **41** 2.
*f)* L'universalisme, qui voit dans l'avenir toutes les nations se rassembler autour de Jérusalem pour servir le Dieu d'Israël, se trouve également en Is **2** 2-4 (= Mi **4** 1-3); Jr **12** 15-16; **16** 19-21; So **3** 9-10. Il est l'un des thèmes majeurs du livre de la Consolation : Is **42** 1-4, 6; **45** 14-16, 20-25; **49** 6; **55** 3-5; cf. **60**. Il s'exprimera encore après l'Exil, Za **2** 15; **8** 20-23; **14** 9, 16; cf. aussi Ps **87** et le livre de Jonas.
*g)* Ce v. isolé tire une leçon théologique : Yahvé n'agit plus directement dans l'histoire comme autrefois, il se cache derrière ses instruments (Cyrus); mais il reste pour son peuple le sauveur dont la toute-puissance est rendue patente par son œuvre créatrice, vv. 18-19.

### Dieu, maître de tout l'univers [a].

20 Rassemblez-vous et venez! Approchez tous
ensemble,
survivants des nations!
Ils sont inconscients ceux qui transportent
leurs idoles de bois,
qui prient un dieu qui ne sauve pas.
21 Annoncez, produisez vos preuves,
que même ils se concertent!
43 9-12 Qui avait proclamé cela dans le passé,
41 22; 48 5 qui l'avait annoncé jadis,
Ps 18 32 n'est-ce pas moi, Yahvé?
Is 44 8 Il n'y a pas d'autre dieu que moi.
Un dieu juste et sauveur, il n'y en a pas excepté
moi.
22 Tournez-vous vers moi et vous serez sauvés,
tous les confins de la terre,
car je suis Dieu, il n'y en a pas d'autre.
23 Je le jure par moi-même,
ce qui sort de ma bouche est la vérité,
c'est une parole irrévocable :
↗ Rm 14 11 Oui, devant moi tout genou fléchira,
Ph 2 10-11 par moi jurera toute langue
24 en disant : En Yahvé seul [b]
sont la justice et la force.
41 11 Jusqu'à lui viendront, couverts de honte,
tous ceux qui s'enflammaient contre lui.
25 C'est en Yahvé qu'elle obtiendra le triomphe et
la gloire,
toute la race d'Israël.

### Chute de Babylone [c].

Jr 50 2 **46** 1 Bel s'est courbé, Nebo s'effondre,
leurs idoles sont confiées aux animaux et aux
bêtes de somme,
ces charges que vous souleviez, c'est un fardeau
pour la bête fourbue.
2 Elles se sont effondrées, courbées toutes ensemble,
on ne peut sauver ce fardeau,
elles sont allées elles-mêmes en captivité.
3 Écoutez-moi, maison de Jacob,
tout ce qui reste de la maison d'Israël,
vous que j'ai portés dès votre naissance, 63 9
soulevés depuis le berceau [d]. Ex 19 4
Ps 22 11
4 Jusqu'à la vieillesse je reste le même,
jusqu'aux cheveux blancs je vous porterai :
moi, je l'ai déjà fait, moi je vous soulèverai,
moi, je vous porterai et je vous sauverai.
5 A qui voulez-vous m'assimiler et m'identifier [e], 44 7
à qui me comparer, à qui suis-je semblable?
6 Certains déversent l'or de leur bourse,
et pèsent l'argent à la balance [f],
ils embauchent un orfèvre pour faire un dieu, 40 20+
ils s'inclinent et ils adorent.
7 Ils le mettent sur l'épaule et l'emportent,
ils le déposent à sa place pour qu'il s'y tienne,
pour qu'il n'en bouge pas.
On a beau l'invoquer, il ne répond pas,
de la détresse il ne sauve pas.
8 Souvenez-vous-en et soyez des hommes [g]; 44 21
révoltés, rentrez en vous-mêmes.
9 Souvenez-vous des choses passées depuis longtemps,
car je suis Dieu, il n'y en a pas d'autre,
Dieu, et personne n'est semblable à moi.
10 J'annonce dès l'origine ce qui doit arriver, 45 21+
d'avance, ce qui n'est pas encore accompli, 41 26-27
je dis : Mon projet se réalisera, Ps 33 11
j'accomplirai ce qui me plaît; Ep 1 11
11 j'appelle depuis l'Orient un rapace [h], Is 41 2. 5;
d'un pays lointain l'homme que j'ai prédestiné. 45 13
Ce que j'ai dit, je l'exécute,
mon dessein, je l'accomplis.
12 Écoutez-moi, hommes au cœur dur,
vous qui êtes loin de la justice,
13 j'ai fait venir ma justice, elle n'est pas loin,
mon salut ne tardera pas.
Je mettrai en Sion le salut,
je donnerai à Israël ma gloire.

### Lamentation sur Babylone [i]. 13+

**47** 1 Descends, assieds-toi dans la poussière,
Vierge, fille de Babylone [j],
assieds-toi à terre, sans trône,

*a)* La polémique contre les dieux païens, déjà rencontrée à plusieurs reprises dans le Second Isaïe (cf. **40** 12-31+), atteint ici à un universalisme qui ne s'était pas encore affirmé aussi clairement, cf. déjà v. 14.
*b)* « en disant en Yahvé seul » grec, Vulg.; « en Yahvé seul il m'a dit » hébr.
*c)* Le prophète entrevoit la prise de Babylone par Cyrus. Les dieux du panthéon assyro-babylonien, Bel, dieu du ciel, et Nebo, dieu de la sagesse, sont écrasés. Les Babyloniens s'enfuient, emportant leurs dieux, c'est-à-dire les idoles qui les représentent.
*d)* A l'inverse des idolâtres qui « portent » leurs dieux dans leur fuite, c'est Yahvé qui a « porté » Israël depuis les origines. – « Depuis votre naissance, ... depuis le berceau » : litt. « depuis les entrailles, ... depuis le sein ».
*e)* L'opposition entre les dieux babyloniens vaincus et Yahvé, Dieu d'Israël triomphant, amène le prophète à reprendre l'argument de la puissance incomparable du vrai Dieu, cf. **44** 7; **41** 21-29; **42** 8; **43** 8-13.
*f)* « balance » litt. « roseau », c'est-à-dire le fléau de la balance.
*g)* Sens incertain. On corrige parfois en « soyez confus », mais le grec « soyez ferme » semble appuyer la traduction proposée.
*h)* Cyrus, qui fond sur ses ennemis comme un oiseau de proie. Le terme n'est pas péjoratif.
*i)* Ce poème est une *qîna*, c'est-à-dire une lamentation au rythme dissymétrique. C'est le seul exemple chez le Second Isaïe d'un de ces oracles contre les nations qu'on trouve chez les autres prophètes; son style rappelle les oracles de châtiment contre Jérusalem.
*j)* Litt. « Vierge de la fille de Babylone », expression fréquente pour désigner une ville ou un pays personnifiés, cf. **37** 22; 2 R

fille des Chaldéens,
car jamais plus on ne t'appellera
douce et exquise.
2 Prends la meule et broie la farine;
dénoue ton voile,
relève ta robe, découvre tes jambes,
traverse les rivières.
Jr **13** 22 3 Que paraisse ta nudité
Os **2** 5+ et que ta honte soit visible;
j'exécute ma vengeance
et personne ne s'y opposera [a].

**41** 14+ 4 Notre rédempteur, Yahvé Sabaot est son nom,
le Saint d'Israël, a dit [b] :
5 Assieds-toi en silence, enfonce-toi dans l'ombre,
fille des Chaldéens,
car jamais plus on ne t'appellera
souveraine des royaumes.
**10** 6 6 J'étais irrité contre mon peuple,
Za **1** 15 j'avais rejeté mon héritage,
je l'avais livré entre tes mains.
Tu les as traités sans pitié,
sur le vieillard tu as fait durement peser ton joug.
7 Tu as dit : « A jamais je serai souveraine éternelle »,
Dt **32** 28-29 tu n'as pas réfléchi à cela dans ton cœur,
tu n'as pas songé à l'avenir.

8 Maintenant écoute ceci, voluptueuse!
↗ Ap **18** 7-8 toi qui es assise en sécurité et qui dis dans ton
|| So **2** 15 cœur :
« Moi, sans égale [c],
je ne resterai pas veuve,
je ne connaîtrai pas la privation d'enfants! »
9 Eh bien, ces deux malheurs fondront sur toi,
soudainement, en un jour,
privation d'enfants et veuvage,
tout à coup ils fondront sur toi,
en dépit de tous tes sortilèges,
de la puissance de tes incantations.
10 Tu as eu confiance dans ta méchanceté,
tu as dit : « Personne ne me voit. »
C'est ta sagesse et ta science qui t'ont pervertie,
et tu as dit dans ton cœur : « Moi, sans égale. »
11 Un malheur fondra sur toi,
tu ne sauras comment le conjurer;
un désastre fondra sur toi,
tu ne pourras t'en préserver;
soudain fondra sur toi
une calamité que tu ne connaîtras pas.
12 Reste donc avec tes incantations et tous tes sorti- ↗ Ap **18** 23
lèges
dans lesquels tu t'es fatiguée depuis ta jeunesse.
Peut-être pourras-tu en tirer profit,
peut-être sauras-tu faire trembler.
13 Tu t'es épuisée à force de consultations,
qu'ils se présentent donc et te sauvent
ceux qui détaillent le ciel,
qui observent les étoiles,
qui annoncent chaque mois ce qui va fondre sur toi.
14 Voici qu'ils sont comme fétus de paille,
le feu les brûlera,
ils ne sauveront pas leur vie de l'étreinte de la flamme;
et ce ne sera pas une braise pour se chauffer,
un foyer pour s'y asseoir!
15 Ainsi auront été pour toi tes devins [d],
pour lesquels tu t'es fatiguée depuis ta jeunesse :
ils ont erré, chacun devant soi,
et pas un ne t'a sauvée.

### Yahvé avait tout prédit [e].

**48** 1 Écoutez ceci, maison de Jacob,
vous que l'on appelle du nom d'Israël,
vous qui êtes issus des eaux de Juda [f],
qui jurez par le nom de Yahvé Jr **5** 2
et qui invoquez le Dieu d'Israël,
sans loyauté ni justice. Am **5** 21+
2 Car ils tirent leur nom de la ville sainte,
ils s'appuient sur le Dieu d'Israël,
Yahvé Sabaot est son nom.

3 Les choses anciennes, depuis longtemps je les avais annoncées,
elles étaient sorties de ma bouche, je les avais proclamées;
et soudain j'ai agi, elles sont arrivées.
4 Car je savais que tu es obstiné [g], Ex **32** 9+

**19** 21; Lm **2** 13 (Sion); Is **23** 12 (Sidon); Jr **46** 11 (l'Égypte); Lm **1** 15 (Juda); Jr **14** 17 (« mon peuple »).

*a)* « ne s'opposera » conj.; l'hébr. a la première personne.

*b)* Ce v., sans verbe dans l'hébr., peut être une glose; mais le grec, qu'on suit ici, ajoute « a dit ».

*c)* Babylone semble vouloir s'égaler à Yahvé, cf. **42** 8; **45** 14; **46** 9. Elle sera châtiée de son orgueil.

*d)* Le terme signifie habituellement « marchands » (étymologiquement : « ceux qui vont et viennent »?); mais en le rapprochant d'un mot identique en akkadien, on peut le comprendre au sens de « devin », « enchanteur », cf. vv. 9, 12-13.

*e)* Dieu avait prédit longtemps à l'avance à son peuple incrédule et révolté les « choses anciennes », v. 3, c'est-à-dire les événements passés de l'histoire du salut; il lui annonce maintenant les « choses nouvelles », v. 6, c'est-à-dire la délivrance qu'il est en train d'accomplir pour l'honneur de son nom. Le ton sévère de cet oracle est étonnant chez le prophète de la Consolation.

*f)* Image obscure. Le Targum comprend « de la semence de Juda ». Le grec a simplement « issus de Juda ».

*g)* Le thème de l'endurcissement d'Israël est fréquent chez les prophètes et dans les livres historiques. Israël a « raidi sa nuque » Ex **32** 9; Dt **9** 13; 2 R **17** 14; Jr **7** 26, etc., il s'est rendu aveugle et sourd, Is **6** 9-10; **42** 19-20; **43** 8, en refusant de servir Dieu, en brisant le joug de sa Loi, Jr **2** 20; **5** 5. Il est châtié et

de fer est le muscle de ton cou,
et ton front est d'airain.
[5] Aussi te l'ai-je annoncé depuis longtemps,
42 9 avant que cela n'arrive je l'avais proclamé,
de peur que tu ne dises : « Mon image a tout fait,
mon idole et ma statue ont tout ordonné. »
[6] Tu as entendu et vu tout cela,
et vous, ne l'annoncerez-vous pas?
Je t'ai fait entendre dès maintenant des choses
nouvelles,
secrètes et inconnues de toi.
[7] C'est maintenant qu'elles sont créées, et non
depuis longtemps,
et jusqu'à ce jour tu n'en avais pas entendu parler,
de peur que tu ne dises : « Oui, je les connaissais. »
[8] Eh bien non, tu n'entendais rien, tu ne savais
rien,
depuis longtemps ton oreille n'était pas attentive,
car je savais combien tu es perfide,
1 2+ et que dès le berceau on t'appelle révolté.
[9] A cause de mon nom, je vais différer ma colère,
pour mon honneur, je vais patienter avec toi,
pour ne pas t'exterminer.
[10] Voici que je t'ai acheté [a] mais non pour de
l'argent,
je t'ai choisi au creuset du malheur.
Ez 36 22 [11] C'est à cause de moi, de moi seul, que je vais agir,
comment mon nom [b] serait il profané?
42 8 Je ne donnerai pas ma gloire à un autre.

### Yahvé a choisi Cyrus.

[12] Écoute-moi, Jacob, Israël que j'ai appelé,
44 6+ c'est moi, moi qui suis le premier
et c'est moi aussi le dernier.
[13] Ma main a fondé la terre,
ma droite a tendu les cieux,
Rm 4 17 moi, je les appelle
et tous ensemble ils se présentent.
[14] Assemblez-vous, vous tous, et écoutez,
qui parmi eux a annoncé cela?
Yahvé l'aime; il accomplira son bon plaisir
sur Babylone et la race des Chaldéens [c] :
[15] c'est moi, c'est moi qui ai parlé et qui l'ai appelé,
je l'ai fait venir et son entreprise réussira.

### Le destin d'Israël.

[16] Approchez-vous de moi et écoutez ceci [d] :
dès le début je n'ai pas parlé en cachette, 45 19
lorsque c'est arrivé, j'étais là,
et maintenant le Seigneur Yahvé m'a envoyé
avec son esprit.
[17] Ainsi parle Yahvé ton rédempteur, le Saint 41 14+
d'Israël :
Je suis Yahvé ton Dieu, je t'instruis pour ton
bien,
je te conduis par le chemin où tu marches.
[18] Si seulement tu avais été attentif à mes commandements!
Ton bonheur serait comme un fleuve
et ta justice comme les flots de la mer.
[19] Ta race serait comme le sable, Gn 15 5;
et comme le grain, ceux qui sont issus de toi! 22 17
Son nom ne serait pas retranché ni effacé devant
moi.

### La fin de l'Exil [e].

[20] Sortez de Babylone, fuyez de chez les Chaldéens, Jr 50 8;
avec des cris de joie, annoncez, proclamez ceci, 51 6, 45
répandez-le jusqu'aux extrémités de la terre, Ap 18 4
dites : Yahvé a racheté son serviteur Jacob. 41 8+
[21] Ils n'ont pas eu soif quand il les menait dans les 40 3+
déserts, Ps 78 15-16
il a fait couler pour eux l'eau du rocher, Ex 17 1-7
il a fendu le rocher et l'eau a jailli.
[22] Point de bonheur, dit Yahvé, pour les méchants. 57 21

### Deuxième chant du Serviteur [f]. 42 1+

**49** [1] Iles, écoutez-moi, 41 1
soyez attentifs, peuples lointains!
Yahvé m'a appelé dès le sein maternel,

doit courber sa nuque sous le joug d'un peuple étranger, Dt **28** 48; cf. Jr **27** 8, 11, 28; **30** 8; Is **9** 3; **10** 27. Mais Yahvé n'a pas rejeté son peuple, vv. 9-11, et la révélation de son salut triomphera de l'aveuglement des rebelles, **42** 7, 16, 18; **43** 8-12.

*a)* « acheté » grec; « épuré » hébr. – Il serait tentant de lire : « je t'ai épuré... je t'ai éprouvé au creuset... » (avec 1QIs[a]), mais il faudrait alors corriger « non pour de l'argent » en « comme de l'argent », ce qui n'est appuyé par aucun témoin.

*b)* « mon nom » ajouté avec grec et latin; hébr. a seulement : « comment serait-il profané? », peut-être glose d'un lecteur.

*c)* « la race des Chaldéens » grec; « son bras (ce sont) les Chaldéens » hébr. – L'aimé de Yahvé est ou bien Israël, ou bien Cyrus dont il est certainement question au v. suivant. Mais le texte est peut-être corrompu.

*d)* Apparemment, c'est le prophète qui reprend la parole pour annoncer un nouvel oracle, vv. 17-19, méditation sur ce qu'aurait été le destin d'Israël s'il avait été fidèle. Les promesses sont celles que fit Yahvé à Abraham, Gn **13** 16; **15** 5+; **17** 6s; **22** 17, reprises tout au long de la Bible, en particulier dans le Dt et les oracles des prophètes, cf. 1 R **4** 20; Os **2** 1.

*e)* Le jour de la délivrance est arrivé. Ce chant de triomphe est la conclusion de tout l'ensemble **47-48**.

*f)* Tous les auteurs ne sont pas d'accord sur l'étendue de ce chant, que certains arrêtent au v. 6, tandis que d'autres y incluent encore les vv. 7-9. Ce deuxième chant reprend le thème du premier (**42**, 1-8) mais en insistant sur certains aspects de la mission du Serviteur, prédestination vv. 1, 5, mission étendue non seulement à Israël qu'il doit rassembler, v. 5, mais à l'égard des nations pour les éclairer, v. 6, prédication neuve et frappante, v. 2, apportant lumière et salut, v. 6. Il ajoute aussi la mention d'un insuccès, vv. 4, 7[a], de sa confiance en Dieu seul, vv. 4, 5, et d'un triomphe final, v. 7. Le troisième et le quatrième chants ajouteront de nouvelles précisions sur la personne et la mission du Serviteur.

Ps 2 7 dès les entrailles de ma mère il a prononcé mon
Jr 1 5 Ga 1 15 nom [a].
He 4 12 2 Il a fait de ma bouche une épée tranchante,
Ap 1 16; 19 15 il m'a abrité à l'ombre de sa main;
il a fait de moi une flèche acérée,
il m'a caché dans son carquois.
↗ Mt 3 17+ 3 Il m'a dit : « Tu es mon serviteur, Israël [b],
toi en qui je me glorifierai. »
53 10-12 4 Et moi, j'ai dit : « C'est en vain que j'ai peiné,
pour rien, pour du vent j'ai usé mes forces. »
Et pourtant mon droit était avec Yahvé
et mon salaire avec mon Dieu.
5 Et maintenant Yahvé a parlé,
lui qui m'a modelé dès le sein de ma mère pour
être son serviteur,
pour ramener vers lui Jacob,
et qu'Israël lui soit réuni [c],
Ph 2 8-11 – je serai glorifié aux yeux de Yahvé,
Jn 17 5 et mon Dieu a été ma force; –
6 il a dit : « C'est trop peu que tu sois pour moi
un serviteur
pour relever les tribus de Jacob et ramener les
survivants d'Israël.
↗ Ac 13 47 Je fais de toi la lumière des nations
↗ Lc 2 32 pour que mon salut atteigne aux extrémités de la
terre. »
41 14+ 7 Ainsi parle Yahvé, le rédempteur, le Saint
d'Israël [d],
à celui dont l'âme est méprisée, honnie de la
nation [e],
à l'esclave des tyrans :
60 10 des rois verront et se lèveront, des princes verront
et se prosterneront,
à cause de Yahvé qui est fidèle, du Saint d'Israël
qui t'a élu.

**La joie du retour.**

8 Ainsi parle Yahvé :
↗ 2 Co 6 2 Au temps de la faveur je t'ai exaucé,
au jour du salut je t'ai secouru.
= 42 6 Je t'ai façonné et j'ai fait de toi l'alliance d'un
peuple
pour relever le pays,
pour restituer les héritages dévastés,
42 7 9 pour dire aux captifs : « Sortez »,
à ceux qui sont dans les ténèbres : « Montrez-
vous. »
Ils paîtront le long des chemins,
sur tous les monts chauves ils auront un pâturage [f].
10 Ils n'auront plus faim ni soif, ↗ Ap 7 16
ils ne souffriront pas du vent brûlant ni du soleil, Is 4 5-6;
car celui qui les prend en pitié les conduira, 25 4-5
il les mènera vers les eaux jaillissantes. Jn 4 1+
11 De toutes mes montagnes je ferai un chemin 11 16+
et mes routes seront relevées. 40 3-4
12 Les voici, ils viennent de loin,
ceux-ci du Nord et de l'Occident,
et ceux-là du pays de Sinîm [g].

13 Cieux, criez de joie, terre exulte,
que les montagnes poussent des cris,
car Yahvé a consolé son peuple, 40 1
il prend en pitié ses affligés.
14 Sion avait dit : « Yahvé m'a abandonnée; 40 27; 54 8+
le Seigneur m'a oubliée. » Ps 22 2-3
15 Une femme oublie-t-elle son petit enfant, Os 11 8-9
est-elle sans pitié pour le fils de ses entrailles?
Même si les femmes oubliaient,
moi, je ne t'oublierai pas [h]. 44 21
16 Vois, je t'ai gravée sur les paumes de mes mains,
tes remparts sont devant moi sans cesse. 60 10
17 Tes bâtisseurs [i] se hâtent,
ceux qui te détruisent et te ravagent vont s'en
aller.

18 Lève les yeux aux alentours et regarde : = 60 4
tous sont rassemblés, ils viennent à toi.
Par ma vie, oracle de Yahvé,
ils sont tous comme une parure dont tu te couvriras,
comme fait une fiancée, tu te les attacheras.
19 Car tes ruines, tes décombres, ton pays désolé
sont désormais trop étroits pour tes habitants [j],
et ceux qui te dévoraient s'éloigneront.
20 Ils diront de nouveau à tes oreilles,
les fils dont tu étais privée :
« L'endroit est trop étroit pour moi, 54 1-3
fais-moi une place pour que je m'installe. »
21 Et tu diras dans ton cœur :

*a)* Le prophète a été prédestiné, comme Jérémie, cf. Jr **1** 5.
*b)* Ce mot est généralement considéré comme une glose inspirée de **44** 21 et incompatible avec les vv. 5-6 qui distinguent entre le Serviteur et Jacob/Israël. Cependant, le mot se trouve dans tous les témoins du texte. Il se justifie peut-être par l'ambivalence de la figure du Serviteur qui est tantôt Israël et tantôt son chef et sauveur.
*c)* « lui soit réuni » versions, 1QIs[a]; « ne soit pas réuni » TM.
*d)* Si ce v. fait encore partie du deuxième chant du Serviteur (cf. **49** 1+), il annonce déjà ses humiliations et sa glorification, qui seront décrites longuement au cours du 4e chant. Si au contraire, ce v. est à rattacher au morceau suivant, il s'agit d'Israël humilié par quarante ans d'exil et qui va être merveilleusement rétabli par Dieu.
*e)* « meprisée », « honnie », en lisant des participes passifs avec les versions et 1QIs[a]; TM a des participes actifs.
*f)* Les vv. 9-11 reprennent le thème de la route merveilleuse du Retour, cf. **35** 5-10; **41** 17-20; **43** 19-20.
*g)* Probablement Syène, Éléphantine des Grecs et Assouan des Arabes, au sud de l'Égypte, où des Israélites étaient établis.
*h)* Ces vers rappellent le message d'Osée, de Jérémie et du Deutéronome, cf. **54** 8+.
*i)* « tes bâtisseurs » 1QIs[a], versions; « tes fils » TM.
*j)* « sont trop étroits » versions; « tu es trop étroite » hébr. – Le peuple du Retour est beaucoup plus nombreux qu'auparavant, grossi encore par tous ceux qui se joignent à lui, vv. 22-23.

65 23 « Qui m'a enfanté ceux-ci?
Jr 31 27 J'étais privée d'enfants et stérile,
Za 2 8 exilée et rejetée,
et ceux-ci, qui les a élevés?
Pendant que moi j'étais laissée seule,
ceux-ci, où étaient-ils? »

22 Ainsi parle le Seigneur Yahvé :
Voici que je lève la main vers les nations,
11 12 que je dresse un signal pour les peuples :
60 4, 9 ils t'amèneront tes fils dans leurs bras [a],
Ba 5 6 et tes filles seront portées sur l'épaule.
23 Des rois seront tes pères adoptifs,
60 16 et leurs princesses, tes nourrices.
60 14 Face contre terre, ils se prosterneront devant toi,
ils lècheront la poussière de tes pieds.
Et tu sauras que je suis Yahvé,
30 18 ceux qui espèrent en moi ne seront pas déçus.
Ex 25 3 24 Au guerrier arrache-t-on sa prise?
Lc 11 21-22p Le prisonnier d'un tyran sera-t-il libéré [b]?
Jr 31 11 25 Mais ainsi parle Yahvé :
Eh bien, le prisonnier du guerrier lui sera arraché,
et la prise du tyran sera libérée.
Je vais moi-même chercher querelle à qui te
cherche querelle,
tes enfants, c'est moi qui les sauverai.
9 19 26 A tes oppresseurs je ferai manger leur propre
chair,
Ap 16 6 comme de vin nouveau ils s'enivreront de leur
sang.
60 16 Et toute chair saura que moi, Yahvé, je suis ton
sauveur,
41 14+ que ton rédempteur, c'est le Puissant de Jacob.

### La punition d'Israël [c].

50 1 Ainsi parle Yahvé :
Dt 21 1-4 Où est la lettre de divorce de votre mère
Os 2 4-9
Jr 3 6-8 par laquelle je l'ai répudiée?
Ou encore : Auquel de mes créanciers vous ai-je
Is 52 3 vendus [d]?
Ba 4 6 Oui, c'est pour vos fautes que vous avez été
vendus,
c'est pour vos crimes que j'ai répudié votre mère.
2 Pourquoi suis-je venu sans qu'il y ait personne? Ap 3 20
Pourquoi ai-je appelé sans que nul ne réponde? 65 12; 66 4
Serait-ce que ma main est trop courte pour Nb 11 23
racheter,
que je n'ai pas la force de délivrer?
Voici : par ma menace je dessèche la mer, Ps 106 9; 107 33
je change les fleuves en désert. Na 1 4
Les poissons s'y corrompent faute d'eau,
ils meurent de soif.
3 Je revêts les cieux de noirceur,
je leur mets un sac comme vêtement [e]. Ap 6 12

### Troisième chant du Serviteur [f].

42 1+
4 Le Seigneur Yahvé m'a donné une langue de dis- Jn 3 11+
ciple
pour que je sache apporter à l'épuisé une parole
de réconfort.
Il éveille chaque matin, il éveille mon oreille
pour que j'écoute comme un disciple.
5 Le Seigneur Yahvé m'a ouvert l'oreille,
et moi je n'ai pas résisté, 52 13 - 53 12
je ne me suis pas dérobé.
6 J'ai tendu le dos à ceux qui me frappaient,
et les joues à ceux qui m'arrachaient la barbe;
je n'ai pas soustrait ma face aux outrages et aux Mt 26 67;
crachats [g]. 27 30p
7 Le Seigneur Yahvé va me venir en aide,
c'est pourquoi je ne me suis pas laissé abattre,
c'est pourquoi j'ai rendu mon visage dur comme Ez 3 8-9
la pierre,
et je sais que je ne serai pas confondu. Ps 25 3
8 Il est proche, celui qui me justifie. ↗ Rm 8
Qui va plaider contre moi? Comparaissons 31-33
ensemble!
Qui est mon adversaire? Qu'il s'approche de
moi!
9 Voici que le Seigneur Yahvé va me venir en aide,
quel est celui qui me condamnerait?
Les voici tous qui s'effritent comme un vêtement, Jb 13 28
rongés par la teigne. Is 51 8
Os 5 12
10 Quiconque parmi vous craint Yahvé et écoute la Ex 23 20-21
voix de son serviteur, Jn 3 11+
quiconque a marché dans les ténèbres sans voir 42 16
aucune lueur,

a) Litt. « sur leur sein », attitude particulièrement tendre pour porter des enfants.
b) « d'un tyran » 1 QIs[a], syr., Vulg.; « d'un juste » hébr. – La libération parait impossible mais Dieu l'accomplira, v. suivant.
c) Poème difficile et peut-être incomplet. Il n'est pas sûr qu'il fasse suite au poème précédent mais il semble reprendre le thème de **49** 24-26 : c'est une réponse aux Israélites qui ne veulent pas croire à la délivrance prochaine.
d) Les deux questions appellent une réponse négative : on ne peut pas faire la preuve juridique que Dieu a répudié Israël, cf. Dt **24** 1-4 et les images d'Os **2** 4-9, et qu'il a vendu ses enfants, Ex **21** 7. Dieu reste fidèle. Les responsables sont les Israélites eux-mêmes, cf. la fin du v. C'est un usage particulier du thème de l'épouse infidèle, Os **2** 4-9; Jr **3** 1; Ez **16**.
e) La nature désolée, cf. **42** 15; **44** 27, et le ciel d'orage, cf. Ex **13** 22; **19** 16, annoncent la venue de Dieu pour le jugement.
f) Dans ce troisième chant, le Serviteur apparaît moins comme un prophète que comme un sage, disciple fidèle de Yahvé, vv. 4-5, chargé d'enseigner à son tour les « craignant Dieu », c'est-à-dire tous les Juifs pieux, v. 10, mais aussi les égarés ou les infidèles « qui marchent dans les ténèbres ». Grâce à son courage et au secours divin, vv. 7-9, il supportera les persécutions, vv. 5-6, jusqu'à ce que Dieu lui accorde un triomphe définitif, vv. 9-11. – Jusqu'au v. 9 inclus, c'est le Serviteur qui parle.
g) Cette description des souffrances du Serviteur sera reprise et développée dans le quatrième chant, **52** 13 - **53** 12. Elle évoque déjà Mt **26** 67; **27** 30p.

qu'il se confie dans le nom de Yahvé,
qu'il s'appuie sur son Dieu [a].
Ps 7 14 11 Mais vous tous qui allumez un feu,
qui vous armez [b] de flèches incendiaires,
allez aux flammes de votre feu,
aux flèches que vous enflammez.
C'est ma main qui vous a fait cela :
Vous vous coucherez dans les tourments.

### Élection et bénédiction d'Israël [c].

↗ Mt 5 6; **51** 1 Écoutez-moi, vous qui êtes en quête de jus-
6 33 tice,
vous qui cherchez Yahvé.
Regardez le rocher d'où l'on vous a taillés
et la fosse d'où l'on vous a tirés.
2 Regardez Abraham votre père
et Sara qui vous a enfantés.
Gn 12 1-3 Il était seul quand je l'ai appelé,
Ez 33 24 mais je l'ai béni et multiplié.
3 Oui, Yahvé a pitié de Sion,
il a pitié de toutes ses ruines;
Gn 2 8-17 il va faire de son désert un Éden
Ap 2 7; 22 1-2 et de sa steppe un jardin de Yahvé;
Ez 36 35 on y trouvera la joie et l'allégresse,
l'action de grâces et le son de la musique.

### Le règne de la justice de Dieu [d].

4 Écoute-moi bien, mon peuple,
ô ma nation, tends l'oreille vers moi.
Car une loi va sortir de moi,
et je ferai de mon droit la lumière des peuples.
5 Soudain ma justice approche, mon salut paraît,
mon bras va punir les peuples.
Les îles mettront en moi leur espoir
et compteront sur mon bras.
6 Levez les yeux vers le ciel,
regardez en bas vers la terre;
|| Ps 102 26-27 oui, les cieux se dissiperont comme la fumée,
Mt 24 35p la terre s'usera comme un vêtement
Ap 20 11 2 P 3 7-12 et ses habitants mourront comme de la vermine.
Mais mon salut sera éternel 56 1
et ma justice demeurera intacte.
7 Écoutez-moi, vous qui connaissez la justice,
peuple qui mets ma loi dans ton cœur.
Ne craignez pas les injures des hommes,
ne vous laissez pas effrayer par leurs outrages.
8 Car la teigne les rongera comme un vêtement, 50 9
et les mites les dévoreront comme de la laine. Jb 13 28
Mais ma justice subsistera éternellement
et mon salut de génération en génération.

### Éveil de Yahvé [e].

9 Éveille-toi, éveille-toi!
revêts-toi de force, bras de Yahvé.
Éveille-toi comme aux jours d'autrefois,
des générations de jadis.
N'est-ce pas toi qui as fendu Rahab, 30 7+
transpercé le Dragon? Jb 3 8+; 7 12+
10 N'est-ce pas toi qui as desséché la mer, Ex 14 5-31
les eaux du Grand Abîme [f]? Is 63 13; 40 3+
qui as fait du fond de la mer un chemin,
pour que passent les rachetés?
11 Ceux que Yahvé a libérés reviendront, 35 10
ils arriveront à Sion criant de joie,
portant avec eux une joie éternelle;
la joie et l'allégresse les accompagneront,
la douleur et les plaintes cesseront [g].

### Yahvé consolateur [h].

12 C'est moi, je suis celui qui vous console;
qui es-tu pour craindre l'homme mortel,
le fils d'homme voué au sort de l'herbe? 40 7+
13 Tu oublies Yahvé, ton créateur, Dt 32 5, 15
qui a tendu les cieux et fondé la terre,
et tu ne cesses de trembler tout le jour
devant la fureur de l'oppresseur,
lorsqu'il se met à détruire.
Où donc est la fureur de l'oppresseur?
14 Le désespéré va bientôt être libéré,
il ne mourra pas dans la basse-fosse,

*a)* Le prophète reprend ici la parole en invitant les Israélites et peut-être aussi les nations païennes (ceux qui « marchent dans les ténèbres »), cf. **49** 6, à mettre leur espoir en Dieu; puis il condamne ceux qui « allument un feu », v. 11, peut-être les semeurs de discorde.

*b)* Litt. « qui ceignez » : on fixait des brins d'étoupe à la tête des flèches incendiaires. L'interprétation est incertaine.

*c)* Ici commence un grand poème de la restauration de Sion, qui continue jusqu'en **52** 12. Il peut avoir été composé en une fois, il peut être l'assemblage de courts chants qu'unissent le même thème de salut et les mêmes exhortations à « écouter », **51** 1, 4, 7, et à « s'éveiller »; **51** 9, 17; **52** 1. – Le premier morceau est un rappel des bénédictions d'autrefois, notamment la bénédiction accordée à Abraham, Gn **12** 1-3; cf. Ez **33** 24, qui est à l'origine du don de la Terre .promise dans laquelle le peuple exilé va être prochainement rétabli, v. 5.

*d)* On ne peut pas s'empêcher de faire un rapprochement entre ce programme et l'œuvre attribuée au Serviteur, notamment dans les deux premiers chants. Le Serviteur aussi sera lumière des nations, v. 4, cf. **49** 6, il établira le droit et le salut, vv. 4, 5, 6, cf. **42** 1, 4; **49** 6, bref, c'est le Serviteur qui établira le Règne de Dieu sur le monde.

*e)* Yahvé est appelé à renouveler les merveilles du passé, sa victoire contre les puissances du chaos primordial et le passage de la Mer, pour ramener les exilés à Sion.

*f)* Les cosmologies orientales représentaient la création comme la victoire du dieu créateur sur les monstres du chaos, qui sont appelés Rahab, cf. Ps **89** 11; Jb **9** 15; **26** 12, ou le Dragon (Tannîn ou Léviathan), cf. Ps **74** 13; Jb **7** 12; Is **27** 1; Ez **29** 3, ou l'Abîme (Tehôm, cf. Tiamat de la cosmologie babylonienne), cf. Gn **1** 2; Ha **3** 10; Ps **104** 6-8, etc. A l'époque du Second Isaïe, ces noms mythologiques ne sont plus que des évocations poétiques.

*g)* Ce v. reproduit littéralement **35** 10, mais il est nécessaire ici, où il est préparé par les vv. 9-10.

*h)* Yahvé prend la parole pour réconforter Israël, cf. **40** 1. Celui-ci ne doit craindre aucun mortel, même s'il a la force pour lui, car Yahvé, maître de la création, protège son peuple.

il ne manquera plus de pain.
|| Jr 31 35 [15] Je suis Yahvé ton Dieu, qui brasse la mer pour faire mugir ses flots,
dont le nom est Yahvé Sabaot.
59 21+ [16] J'ai mis mes paroles en ta bouche,
à l'ombre de ma main je t'ai caché,
pour tendre [a] les cieux et pour fonder la terre,
pour dire à Sion : « Tu es mon peuple. »

**Réveil de Jérusalem** [b].

52 1 [17] Réveille-toi, réveille-toi,
debout! Jérusalem.
Toi qui as bu de la main de Yahvé
la coupe de sa colère.
C'est un calice, une coupe de vertige
que tu as bue, que tu as vidée.
[18] Personne ne la guide,
aucun des fils qu'elle a enfantés;
personne ne lui prend la main,
aucun des fils qu'elle a élevés.
[19] Ce double malheur qui t'est arrivé [c],
Jr 15 5 qui t'en plaindra?
Le pillage et la ruine, la famine et l'épée,
Na 3 7 qui t'en consolera [d]?
[20] Tes fils gisent sans force au coin de toutes les rues,
comme l'antilope prise au filet,
ivres de la fureur de Yahvé,
de la menace de ton Dieu.
[21] C'est pourquoi, écoute ceci, malheureuse,
ivre, mais non de vin :
[22] Ainsi parle ton Seigneur Yahvé,
ton Dieu, défenseur de ton peuple :
Voici que je te retire de la main la coupe de vertige,
le calice, la coupe de ma fureur.
Tu n'y boiras plus jamais.
[23] Je la mettrai dans la main de tes tortionnaires,
de ceux qui te disaient : A terre! que nous passions!
et tu faisais de ton dos un passage [e],
un chemin pour qu'ils y passent.

**Libération de Jérusalem** [f].

**52** [1] Éveille-toi, éveille-toi, 51 9
revêts ta force, Sion!
revêts tes habits les plus magnifiques,
Jérusalem, ville sainte,
car ils ne viendront plus jamais chez toi,
l'incirconcis et l'impur. ↗Ap 21 27
[2] Secoue ta poussière, lève-toi, Jérusalem captive [g]!
les chaînes sont tombées de ton cou, fille de Sion captive!
[3] Car ainsi parle Yahvé :
Vous avez été vendus pour rien,
vous serez rachetés sans argent. 45 13
[4] Car ainsi parle le Seigneur Yahvé :
C'est en Égypte qu'autrefois mon peuple est descendu pour y séjourner,
c'est Assur qui à la fin l'a opprimé.
[5] Mais maintenant, qu'ai-je à faire ici [h]?
– oracle de Yahvé –
car mon peuple a été enlevé pour rien,
ses maîtres poussent des cris de triomphe
– oracle de Yahvé –
sans cesse, tout le jour, mon nom est bafoué. Ez 36 20-22 ↗ Rm 2 24
[6] C'est pourquoi mon peuple connaîtra mon nom,
c'est pourquoi il saura, en ce jour-là,
que c'est moi qui dis : « Me voici. »

**Annonce du salut** [i].

[7] Qu'ils sont beaux, sur les montagnes, les pieds du messager qui annonce la paix, Na 2 1 ↗ Rm 10 15
du messager de bonnes nouvelles qui annonce le salut, Mc 16 15-16
qui dit à Sion : « Ton Dieu règne. »
[8] C'est la voix de tes guetteurs : ils élèvent la voix,
ensemble ils poussent des cris de joie,

*a)* « tendre » syr., cf. v. 13; « planter » hébr.
*b)* Jérusalem, prostrée dans la tristesse, est invitée à se relever, comme Babylone avait reçu l'ordre de s'asseoir dans la poussière, **47** 1. Mais le prophète rappelle d'abord à Jérusalem la profondeur de sa détresse. L'image de la « coupe de la colère » qui sera transmise aux persécuteurs, v. 22, se retrouve en Jr **13** 13; **25** 15-18; **48** 26; **49** 12; **51** 7; Ez **23** 32-34; Ha **2** 15-16; Ab 16; Za **12** 2; Ps **75** 9; Lm **4** 21.
*c)* Soit au sens de punition surabondante, soit les fléaux du vers suivant, comptés deux par deux.
*d)* « qui t'en consolera » versions, 1QIs[a]; « qui je te consolerai » (?) TM.
*e)* Litt. « comme la terre », sur laquelle on marche. Humiliation souvent imposée aux vaincus.
*f)* Les premiers mots reprennent ceux de **51** 9, mais le prophète s'adresse ici à Jérusalem dont la captivité va prendre fin. Les vv. 3-6 sont souvent considérés comme une addition en prose, mais la pensée est bien celle du Second Isaïe.
*g)* « (Jérusalem) captive », en lisant *shebiyah* au lieu de *shebî*, « captivité ». – « les chaînes sont tombées » hébr. ketib, 1QIs[a]; « fais tomber les chaînes » qeré, versions.
*h)* Ou, en suivant le ketib, « qui est pour moi ici? ». Dans les deux cas l'interprétation est difficile. Il semble que Dieu insiste sur la gratuité du salut qu'il apporte à son peuple. Celui-ci n'a pas tiré profit de son épreuve et ne s'est pas converti, aussi ses oppresseurs triomphent et le nom de Yahvé est déshonoré, v. 5, cf. **48** 11; Ez **20** 9, 14; **36** 25. Mais en accordant gratuitement le salut, Yahvé va amener Israël à se convertir et sauver l'honneur de son nom, v. 6.
*i)* Le livre de la Consolation est un « Évangile », il annonce la Bonne Nouvelle, cf. **40** 9. Les messagers qui accourent au pays et les guetteurs qui les aperçoivent annoncent la joie, c'est-à-dire l'inauguration du règne personnel de Yahvé en Sion. Ce règne, qui va remplacer celui des rois terrestres, a été annoncé depuis longtemps par les prophètes, cf. **43** 15; Jr **3** 17; **8** 19; Ez **20** 33; **34** 11-16; Mi **2** 13; **4** 7; So **3** 15. Il est célébré par les « psaumes du règne », Ps **47**; **93**; **96**; **97**; **98**; **99**; **145**; **146**.

Ex 33 20+ car ils ont vu de leurs propres yeux Yahvé qui
Ez 43 1-5 revient à Sion.
9 Ensemble poussez des cris, des cris de joie, ruines de Jérusalem!
car Yahvé a consolé son peuple, il a racheté Jérusalem.
10 Yahvé a découvert son bras de sainteté
aux yeux de toutes les nations,
et tous les confins de la terre
ont vu le salut de notre Dieu.
↗ 2 Co 6 17 Jr 51 45 Ap 18 4 11 Allez-vous-en, allez-vous-en, sortez d'ici,
ne touchez à rien d'impur,
sortez du milieu d'elle, purifiez-vous,
vous qui portez les objets de Yahvé.
Ex 12 31-34, 39 12 Car vous ne sortirez pas à la hâte,
vous ne vous en irez pas en fuyards,
Ex 13 21; 14 19 c'est Yahvé, en effet, qui marche à votre tête,
et votre arrière-garde, c'est le Dieu d'Israël [a].

42 1+ Ps 22 **Quatrième chant du Serviteur [b].**

Sg 2 12-24 13 Voici que mon serviteur prospérera,
Ph 2 9 il grandira, s'élèvera, sera placé très haut.
Ep 1 20-21 Jn 12 32+ 14 De même que des multitudes avaient été saisies d'épouvante à sa vue,
Mt 27 29-31 Jn 19 5 – car il n'avait plus figure humaine [c],
et son apparence n'était plus celle d'un homme –
15 de même des multitudes de nations seront dans la stupéfaction [d],
devant lui des rois resteront bouche close,
↗ Rm 15 21 pour avoir vu ce qui ne leur avait pas été raconté,
pour avoir appris ce qu'ils n'avaient pas entendu dire.

↗ Jn 12 38 ↗ Rm 10 16 **53** 1 Qui a cru ce que nous entendions dire,
et le bras de Yahvé, à qui s'est-il révélé [e]?
2 Comme un surgeon il a grandi devant lui,
comme une racine [f] en terre aride;
sans beauté ni éclat pour attirer nos regards,
et sans apparence qui nous eût séduits;
3 objet de mépris, abandonné des hommes, Ps 22 7-8
homme de douleur, familier de la souffrance,
comme quelqu'un devant qui on se voile la face,
méprisé, nous n'en faisions aucun cas.
4 Or ce sont nos souffrances qu'il portait ↗ Mt 8 17
et nos douleurs dont il était chargé.
Et nous, nous le considérions comme puni,
frappé par Dieu et humilié. He 2 10
5 Mais lui, il a été transpercé à cause de nos crimes, 2 Co 5 21 Ga 3 13 Rm 4 25
écrasé à cause de nos fautes.
Le châtiment qui nous rend la paix est sur lui,
et dans ses blessures nous trouvons la guérison. ↗ 1 P 2 24
6 Tous, comme des moutons, nous étions errants, Ez 34
chacun suivant son propre chemin, ↗ 1 P 2 25
et Yahvé a fait retomber sur lui 2 Co 5 21
nos fautes à tous.
7 Maltraité, il s'humiliait, il n'ouvrait pas la bouche, Mt 26 63 1 P 2 23
comme l'agneau qui se laisse mener à l'abattoir [g], ↗ Ac 8 32-33 Jn 1 29+ Jr 11 19
comme devant les tondeurs une brebis muette,
il n'ouvrait pas la bouche.
8 Par contrainte et jugement il a été saisi.
Parmi ses contemporains [h], qui s'est inquiété
qu'il ait été retranché de la terre des vivants,
qu'il ait été frappé [i] pour le crime de son peuple?
9 On lui a donné un sépulcre avec les impies ↗ Mt 27 38p
et sa tombe est avec le riche [j], ↗ Mt 27 60
bien qu'il n'ait pas commis de violence
et qu'il n'y ait pas eu de tromperie dans sa bouche. ↗ 1 P 2 22
10 Yahvé a voulu l'écraser par la souffrance;
s'il offre [k] sa vie en sacrifice expiatoire,

*a)* Le nouvel Exode se fait sous la protection de Dieu, comme le premier, Ex **14** 19. Mais ce ne sera plus une sortie hâtive, Ex **12** 11, une fuite, **14** 5. Ce sera une procession où l'on portera non plus les bijoux pris aux Égyptiens, mais les vases sacrés du Temple restitués par Cyrus.
*b)* Ce quatrième chant du Serviteur reprend le thème de la souffrance, cf. Ps **22**. Les persécutions que le Serviteur endurera avec une grande patience, **53** 7, sont un scandale pour les spectateurs, **52** 14-15; **53** 2-3, 7-9, mais elles sont en réalité une intercession et une expiation des péchés, **53** 4, 6, 8, 10-12. – Ce chant paraît dialogué : Yahvé prononce un oracle, vv. 13-15; les rois ou les peuples prennent ensuite la parole, **53** 1-10, pour décrire les souffrances du Serviteur et peut-être s'excuser de ne pas en avoir compris le sens; enfin Dieu proclame une conclusion en faveur du Serviteur, **53** 11-12.
*c)* Litt. « son apparence (était) défigurement (jusqu'à) n'être plus un homme ». L'expression est difficile, mais elle est garantie par le parallélisme. – « à sa vue » Targ., syr.; « à ta vue » hébr.
*d)* « seront dans la stupéfaction » grec; « il aspergera » (?) hébr.
*e)* C'est la communauté qui parle et qui annonce le destin du Serviteur, révélation nouvelle et presque incroyable. Mais la surprise et l'incompréhension première, vv. 3[b], 4[b], 6, 8, feront place à une meilleure intelligence : ces souffrances n'ont d'autre but que le salut de la multitude, vv. 11-12.
*f)* En Is **11** 1, 10, les images du surgeon et de la racine accompagnaient l'annonce joyeuse du Messie davidique. Elles n'évoquent ici que l'aspect humble et misérable du Serviteur.
*g)* C'est probablement à ce v., combiné avec le v. 4, que fait allusion Jean Baptiste quand il présente Jésus comme « l'agneau de Dieu qui enlève le péché du monde », Jn **1** 29. On a noté qu'en araméen le même mot *talya'* désigne l'agneau et le serviteur. Il est possible que le Précurseur ait employé intentionnellement ce mot, mais l'Évangéliste, écrivant en grec, a dû choisir.
*h)* Le mot hébreu signifie « génération » comme période d'une vie et, par extension, ceux qui vivent pendant cette période. Il ne signifie jamais la naissance ou l'origine, et le sens suggéré par le grec et le latin (« Qui racontera sa génération ») et appliqué par les Pères à la génération éternelle du Verbe ou à la conception miraculeuse de Jésus n'est pas une traduction exacte de l'hébreu. On a proposé de corriger le texte, mais celui-ci est soutenu par tous les témoins.
*i)* « son peuple » 1QIs[a]; « mon peuple » TM. – « il a été frappé » *nugga* ' conj.; « un coup » *nega* ' hébr.
*j)* « sa tombe » *bômatô* 1QIs[a]; « dans sa mort » *bemôtaw* TM. – La prédication chrétienne a vu ici une annonce du sépulcre de Joseph d'Arimathie, « homme riche », Mt **27** 57-60. Le texte reste difficile et beaucoup corrigent *'ashîr*, « riche », en *'ôsê ra'*, « malfaiteur ».
*k)* « s'il offre » Vulg.; « si tu offres » ou « si (son âme) offre (un sacrifice) » hébr.

il verra une postérité, il prolongera ses jours,
et par lui la volonté de Yahvé s'accomplira.
11 A la suite de l'épreuve endurée par son âme,
il verra la lumière et sera comblé [a].
Par sa connaissance, le juste, mon serviteur, jus-
Rm **3** 26 tifiera les multitudes
en s'accablant lui-même de leurs fautes.
Ps **2** 8 12 C'est pourquoi il aura sa part parmi les multi-
Col **2** 15 tudes,
et avec les puissants il partagera le butin,
parce qu'il s'est livré lui-même à la mort
↗ Mc **15** 28 et qu'il a été compté parmi les criminels,
↗ Lc **22** 37 alors qu'il portait le péché des multitudes
↗ 1 P **2** 24 et qu'il intercédait pour les criminels.
↗ Jn **1** 29+
Rm **4** 25

## La revanche de Jérusalem [b]

↗ Ga **4** 27 **54** 1 Crie de joie, stérile, toi qui n'as pas enfanté;
1 S **2** 5 pousse des cris de joie, des clameurs, toi qui
Ps **113** 9 n'as pas mis au monde,
Jr **10** 20 car plus nombreux sont les fils de la délaissée
que les fils de l'épouse, dit Yahvé.
**33** 20 2 Élargis l'espace de ta tente,
**49** 20 déploie [c] sans lésiner les toiles qui t'abritent,
**26** 15 allonge tes cordages, renforce tes piquets,
3 car à droite et à gauche tu vas éclater,
ta race va déposséder des nations
et repeupler les villes abandonnées.
4 N'aie pas peur, tu n'éprouveras plus de honte,
ne sois pas confondue, tu n'auras plus à rougir;
car tu vas oublier la honte de ta jeunesse,
tu ne te souviendras plus de l'infamie de ton
veuvage.
Os **1** 2+ 5 Ton créateur est ton époux,
Yahvé Sabaot est son nom,
le Saint d'Israël est ton rédempteur,
on l'appelle le Dieu de toute la terre.
**49** 14-15 6 Oui, comme une femme délaissée et accablée,
Yahvé t'a appelée,
comme la femme de sa jeunesse qui aurait été
répudiée,
dit ton Dieu.
7 Un court instant je t'avais délaissée,
ému d'une immense pitié, je vais t'unir à moi.
Ps **30** 6 8 Débordant de fureur, un instant,
je t'avais caché ma face.
Dans un amour éternel, j'ai eu pitié de toi [d], **60** 10
dit Yahvé, ton rédempteur. **41** 14+
9 Ce sera pour moi comme au temps de Noé,
quand j'ai juré que les eaux de Noé Gn **9** 11
ne se répandraient plus sur la terre.
Je jure de même de ne plus m'irriter contre toi,
de ne plus te menacer.
10 Car les montagnes peuvent s'écarter Jdt **16** 15
et les collines chanceler,
mon amour ne s'écartera pas de toi,
mon alliance de paix ne chancellera pas, Rm **11** 29
dit Yahvé qui te console.

## La Jérusalem nouvelle [e].

11 Malheureuse, battue par les vents, inconsolée,
voici que je vais poser tes pierres sur des escar- Ap **21** 2, 10-27
boucles, Is **60** 17-18
et tes fondations sur des saphirs; Tb **13** 17
12 je ferai tes créneaux de rubis,
tes portes d'escarboucle
et toute ton enceinte de pierres précieuses.
13 Tous tes enfants seront disciples de Yahvé, ↗ Jn **6** 45
et grand sera le bonheur de tes enfants. Jr **31** 33-34
14 Tu seras fondée dans la justice, **1** 26+
libre de l'oppression : tu n'auras rien à craindre,
libre de la frayeur : elle n'aura plus prise sur toi.
15 Voici : s'il se produit une attaque, ce ne sera pas
de mon fait;
quiconque t'aura attaquée tombera à cause de
toi.
16 Voici : c'est moi qui ai créé le forgeron
qui souffle sur les braises
et tire un outil à son usage;
c'est moi aussi qui ai créé le destructeur
pour anéantir.
17 Aucune arme forgée contre toi ne saurait être
efficace.
Toute langue qui t'accuserait en justice, tu la
confondras.
Tel est le lot des serviteurs de Yahvé,
la victoire que je leur assure.
Oracle de Yahvé.

*a)* « la lumière » grec, 1QIs[a]; omis par hébr. – C'est Yahvé qui reprend la parole pour expliquer le mystère de la souffrance du « juste Serviteur » : il ne souffre pas pour ses propres fautes mais il s'accable des crimes de la multitude et intercède pour elle.
*b)* Pour décrire les contrastes entre les épreuves passées de Jérusalem et son prochain rétablissement, le prophète emploie des images traditionnelles, celle de l'épouse stérile qui devient féconde, cf. 1 S **2** 5; Ps **113** 9, et celle de l'épouse répudiée puis rappelée, cf. Os **1** 16-17, mais il insiste sur la rentrée en grâce, alors que les anciens prophètes voyaient surtout le châtiment, cf. Os **1-3**; Jr **3** 1, 6-12; Ez **16**; **23**. Saint Paul, Ga **4** 27, applique ce premier v. à l'Église, Jérusalem nouvelle.
*c)* « déploie » versions; « qu'on déploie » hébr.

*d)* L'« amour éternel » de Dieu pour son peuple, cf. **43** 4; Dt **4** 37; **10** 15; Jr **31** 3; So **3** 17; Ml **1** 2, semblable à l'amour d'un père pour ses enfants, Is **1** 2; **49** 14-16; Jr **31** 20; Os **2** 25; **11** 1s, à la passion d'un homme pour une femme, Is **62** 4-5; Jr **2** 2; **31** 21-22; Ez **16** 8, 60; Os **2** 16-17, 21-22; **3** 1, s'exprime ici dans toute sa gratuité, cf. 1 Jn **4** 10, 19, sa fidélité indéfectible, cf. Rm **11** 29, et sa puissance créatrice, cf. 1 Jn **3** 1-2.
*e)* Il ne s'agit plus d'une description réaliste comme Ez **40-48**, mais d'une vision symbolique des splendeurs futures, thème qui sera repris avec des nuances dans la dernière partie du livre, Is **60**; **62**; **65** 16-25, et, avec une tout autre portée, dans l'Apocalypse de saint Jean, **21** 2, 10-27.

### Invitation finale [a].

Jn 4 1+ **55** [1] Ah! vous tous qui avez soif, venez vers l'eau,
même si vous n'avez pas d'argent, venez,
Ap 21 6; 22 17 achetez et mangez; venez, achetez sans argent,
sans payer, du vin et du lait.
[2] Pourquoi dépenser de l'argent pour autre chose que du pain,
et ce que vous avez gagné, pour ce qui ne rassasie pas?
Pr 9 3-6 Si 24 19-22 Jn 6 35 Écoutez, écoutez-moi et mangez ce qui est bon;
vous vous délecterez de mets succulents.
[3] Prêtez l'oreille et venez vers moi,
écoutez et vous vivrez.
Je conclurai avec vous une alliance éternelle,
2 S 7 1+ ↗ Ac 13 34 Ap 1 5+ réalisant les faveurs promises à David [b].
[4] Voici que j'ai fait de lui un témoin pour des peuples,
un chef et un législateur de peuples.
[5] Voici que tu appelleras une nation que tu ne connais pas,
une nation qui ne te connaît pas viendra vers toi,
à cause de Yahvé, ton Dieu, et pour le Saint d'Israël,
car il t'a glorifié.
Os 5 6+ [6] Cherchez Yahvé pendant qu'il se laisse trouver,
Ps 145 18 Dt 4 7 invoquez-le pendant qu'il est proche.
[7] Que le méchant abandonne sa voie
et l'homme criminel ses pensées,
Lc 15 20 Za 1 3 qu'il revienne à Yahvé qui aura pitié de lui,
à notre Dieu car il est riche en pardon.
[8] Car vos pensées ne sont pas mes pensées,
et mes voies ne sont pas vos voies,
oracle de Yahvé.
[9] Autant les cieux sont élevés au-dessus de la terre, Ps 103 11
autant sont élevées mes voies au-dessus de vos voies,
et mes pensées au-dessus de vos pensées.
[10] De même que la pluie et la neige descendent des cieux
et n'y retournent pas sans avoir arrosé la terre,
sans l'avoir fécondée et l'avoir fait germer
pour fournir la semence au semeur et le pain à manger, ↗ 2 Co 9 10
[11] ainsi en est-il de la parole qui sort de ma bouche, Jn 1 1+
elle ne revient pas vers moi sans effet, Sg 18 14-15
sans avoir accompli ce que j'ai voulu Za 1 5-6
et réalisé l'objet de sa mission [c]. Am 8 11

### Conclusion [d]

[12] Oui, vous partirez dans la joie et vous serez ramenés dans la paix.
Les montagnes et les collines pousseront devant vous des cris de joie,
et tous les arbres de la campagne battront des mains.
[13] Au lieu de l'épine croîtra le cyprès, 41 19
au lieu de l'ortie croîtra le myrte, 44 3-4
ce sera pour Yahvé un renom,
un signe éternel qui ne périra pas.

# III. Troisième partie du livre d'Isaïe [e]

### Promesse aux étrangers [f].

**56** [1] Ainsi parle Yahvé :
Observez le droit, pratiquez la justice,
46 13 51 6, 8 car mon salut est près d'arriver
et ma justice de se révéler.
[2] Heureux l'homme qui agit ainsi,
le fils d'homme qui s'y tient fermement,
58 13s Ex 20 8+ qui observe le sabbat sans le profaner
et s'abstient de toute action mauvaise.
[3] Que le fils de l'étranger, qui s'est attaché à Yahvé, ne dise pas : Ex 12 48+
« Sûrement Yahvé va m'exclure de son peuple. »
Que l'eunuque ne dise pas :
« Voici, je suis un arbre sec. »
[4] Car ainsi parle Yahvé aux eunuques qui observent mes sabbats Sg 3 14-15
et choisissent de faire ce qui m'est agréable,

*a)* Dernière exhortation à participer aux biens de la nouvelle alliance, vv. 1-5, et à se convertir pendant qu'il est encore temps, vv. 6-11. Les vv. 1-2 rappellent l'invitation au banquet de la Sagesse, Pr **9** 1-6.

*b)* Sur cette alliance éternelle, **59** 21; **61** 8, qui est aussi la Nouvelle Alliance, cf. Jr **31** 31+. Le rappel des promesses faites à David, 2 S **7** 5-16, est unique dans le Deutéro-Isaïe qui ne songe jamais à une restauration de la monarchie.

*c)* La parole de Yahvé est semblable à un messager qui ne revient qu'après avoir accompli sa mission. Elle est personnifiée, comme ailleurs la Sagesse, Pr **8** 22+; Sg **7** 22+, ou l'Esprit, Is **11** 2+.

*d)* Conclusion de tout le livre de la Consolation. C'est la reprise du thème du nouvel Exode : joie du retour et transformation du désert en terre fertile, cf. **43** 19; **44** 3-4, etc.

*e)* Voir l'Introd. p. 1079.

*f)* Oracle en prose rythmée, composé probablement après le retour d'Exil. Fidèle aux traditions de plusieurs grands prophètes, cf. **45** 14+, l'auteur annonce que l'on admettra bientôt dans le judaïsme des prosélytes étrangers, à condition qu'ils soient « fidèlement attachés à l'alliance », vv. 4, 6, ce qui doit inclure la circoncision, signe de l'alliance. Les restrictions prévues par Dt **23** 2-9 sont abolies, spécialement celle qui atteignait les eunuques, ici vv. 3-4.

fermement attachés à mon alliance :
5 Je leur donnerai dans ma maison et dans mes remparts
1 S 18 un monument et un nom meilleurs que des fils et des filles;
Ap 2 17; 3 5 je leur donnerai [a] un nom éternel qui jamais ne sera effacé.
18 7+ 6 Quant aux fils d'étrangers, attachés à Yahvé pour le servir,
pour aimer le nom de Yahvé, devenir ses serviteurs,
tous ceux qui observent le sabbat sans le profaner,
fermement attachés à mon alliance,
Ps 15 1 7 je les mènerai à ma sainte montagne,
1 R 8 41-43 je les comblerai de joie dans ma maison de prière.
Leurs holocaustes et leurs sacrifices seront agréés sur mon autel,
↗ Mt 21 13p car ma maison sera appelée maison de prière pour tous les peuples [b].

8 Oracle du Seigneur Yahvé qui rassemble les déportés d'Israël :
J'en rassemblerai encore d'autres avec ceux qui sont déjà rassemblés [c].
9 Bêtes des champs venez toutes vous repaître,
ainsi que vous, toutes les bêtes de la forêt.

**Indignité des chefs [d].**

3 12; 9 15 10 Ses guetteurs sont tous des aveugles, ils ne savent rien;
ce sont tous des chiens muets, incapables d'aboyer.
Ils rêvent, restent couchés, aiment dormir.
11 Les chiens sont voraces, insatiables,
Ez 34 2 / Jr 10 21; 2 10; 23 1-2 ce sont eux, les bergers incapables de comprendre.
Ils suivent tous leur propre chemin,
chacun, jusqu'au dernier, cherchant son intérêt :
12 « Venez, je vais chercher du vin, enivrons-nous de boisson, 5 11+ / 28 7s
demain sera comme aujourd'hui, un grand, un très grand jour! »

57 1 Le juste périt et personne ne s'en inquiète,
les hommes pieux sont moissonnés et nul n'y prend garde;
oui, à cause de la perversité Sg 4 11
le juste a été moissonné;
2 il entrera dans la paix,
et ceux qui suivent [e] le droit chemin
trouveront le repos sur leur couche.

**Contre l'idolâtrie [f].**

3 Quant à vous, approchez ici, fils de la magicienne,
race adultère qui t'es prostituée.
4 De qui vous moquez-vous?
A qui faites-vous des grimaces [g]
et tirez-vous la langue?
N'êtes-vous pas une engeance de révolte,
une race de mensonge?
5 Vous qui vous excitez près des térébinthes, Dt 12 2+
sous tout arbre verdoyant, Jr 2 20
qui immolez des enfants dans les torrents, Lv 18 21+
sous les fissures des rochers [h].
6 Les pierres polies du torrent, voilà ton partage,
ce sont elles, elles qui sont ton lot.
C'est pour elles que tu as répandu des libations,
que tu as présenté ton offrande.
Puis-je y trouver l'apaisement?
7 Sur une grande et haute montagne
tu as installé ta couche.
C'est là aussi que tu es montée
pour offrir le sacrifice [i]. Dt 23 19+
8 Derrière la porte et le montant
tu as fixé ton mémorial [j].
Oui, loin de moi tu t'es découverte, Ez 16 15s
tu es montée sur ta couche, tu en as profité largement.

*a)* « je leur donnerai » 1QIs[a], versions; « je lui donnerai » TM.
*b)* Cette parole, que Jésus cite en des circonstances graves de sa vie, Mt **21** 13p, annonce une double nouveauté : la prière prend le pas sur les sacrifices, même dans le Temple, et tous les peuples y sont invités.
*c)* Le petit oracle de ce v., avec son introduction particulière, est une confirmation de ce qui précède : les « autres » sont les prosélytes et les eunuques plutôt que les membres de la Diaspora en dehors de Babylone.
*d)* Le prophète semble opposer ici les chefs du peuple (les « bergers » qui sont comme des chiens paresseux) aux subalternes (les « chiens » qui sont comme de vrais bergers, mais voraces et égoïstes). – Cet oracle, peut-être antérieur à l'Exil, développe un thème que l'on retrouve également chez Jérémie, **2** 8, 26-27; **5** 4-5, 31; **10** 21; **23** 1-2, 11-12; cf. aussi Ez **8** 11-13; **34**, celui de l'indignité des chefs de Juda pendant les années qui ont précédé l'Exil.
*e)* « ceux qui suivent » conj.; l'hébr. a le singulier.
*f)* Cet oracle, comme le précédent, peut dater des derniers temps de la monarchie, où les pratiques idolâtriques étaient répandues à Jérusalem. Mais elles ont continué en Palestine pendant et après l'Exil, **66** 3-4, 17. Le poème est dans le style vigoureux des prophètes du VIIe VIe siècle (Jr **1** 16; **7** 8, etc.; cf. Ez **8**; Is **2** 6-8). Certaines allusions à des rites idolâtriques particuliers restent obscures pour nous.
*g)* Litt. « A qui ouvrez-vous grand la bouche? ». Le parallélisme fait songer à un signe de moquerie plutôt que de voracité.
*h)* Il n'est pas sûr que ces sacrifices d'enfants soient identiques aux sacrifices à Molèk, sur lesquels cf. Lv **18** 21+.
*i)* Allusion à la prostitution sacrée des cultes naturistes de Canaan, Nb **25**, dont la pratique s'introduisit parfois en Israël, 1 R **14** 24; **22** 47; 2 R **23** 7; Os **4** 14, en dépit des interdictions, Dt **23** 18-19. Mais dans leurs invectives contre l'idolâtrie, les prophètes utilisent le vocabulaire de la prostitution aussi bien pour évoquer symboliquement l'infidélité d'Israël à son Dieu que pour décrire avec réalisme des actes des cultes païens.
*j)* Ce « mémorial » ou « monument » (fin du v.) doit être un symbole cultuel, mais le sens de tout le v. reste obscur.

Tu as pactisé à ton profit
avec ceux dont tu aimes la couche,
tout en contemplant le monument.
9 Tu t'es approchée de Mèlèk [a] avec des présents
d'huile,
tu as prodigué les parfums;
tu as envoyé au loin tes messagers,
tu les as fait descendre jusqu'au shéol.
10 A faire tant de chemin tu t'es fatiguée,
mais tu n'as pas dit : « C'est décourageant! »
Tu as retrouvé la vigueur de ta main,
c'est pourquoi tu n'as pas faibli.
11 Qui as-tu craint et redouté,
pour mentir et ne plus te souvenir de moi,
pour ne plus te soucier de moi?
N'étais-je pas silencieux et depuis longtemps?
Aussi tu ne me craignais pas.
12 Mais je vais annoncer ta justice et tes œuvres,
dont tu ne tirais aucun profit.
13 Tu vas crier, qu'ils te délivrent,
ceux qui se serrent autour de toi!
Eux tous, le vent va les enlever, un souffle les
emporter,
Ps 37 9 mais quiconque se confie en moi héritera du
Is 56 7; 60 21; 65 9 pays,
il possédera ma montagne sainte.

**Le salut pour les faibles [b].**

11 16+ 14 Et l'on dira : Nivelez, nivelez, frayez un chemin,
Ps 68 5+ ôtez l'obstacle du chemin de mon peuple,
15 car ainsi parle celui qui est haut et élevé,
dont la demeure est éternelle
Lv 17 1+ et dont le nom est saint.
« Je suis haut et saint dans ma demeure,
Ps 51 19 mais je suis avec l'homme contrit et humilié,
pour ranimer les esprits humiliés,
pour ranimer les cœurs contrits.
Ps 130 3 16 Car je ne veux pas accuser sans cesse
ni toujours me montrer irrité,
car devant moi faiblirait l'esprit
et ces âmes que j'ai créées.
17 Contre sa criminelle cupidité j'ai été irrité,
54 8+ en me cachant [c] je l'ai frappé, dans mon irritation;
et il s'en est allé, rebelle, selon sa fantaisie.
Ex 15 26 18 J'ai vu sa conduite, mais je le guérirai,
je le conduirai, je lui prodiguerai le réconfort,
à lui et à ceux qui sont dans le deuil,
19 faisant naître la louange sur leurs lèvres :
« Paix! paix à qui est loin et à qui est proche [d], ↗ Ep 2 17
dit Yahvé,
et je le guérirai. »
20 Mais les méchants sont comme la mer agitée Jude 13
qui ne peut se calmer,
dont les eaux soulèvent la boue et la fange.
21 « Point de paix, dit Yahvé, pour les méchants. » 48 22

**Le jeûne agréable à Dieu [e].**

58 1 Crie à pleine gorge, ne te retiens pas,
comme le cor, élève la voix,
annonce à mon peuple ses crimes,
à la maison de Jacob ses péchés.
2 C'est moi qu'ils recherchent jour après jour,
ils désirent connaître mes voies,
comme une nation qui a pratiqué la justice,
qui n'a pas négligé le droit de son Dieu.
Ils s'informent près de moi des lois justes,
ils désirent être proches de Dieu.

3 « Pourquoi avons-nous jeûné sans que tu le Mt 6 18
voies [f], Ml 3 14
nous sommes-nous mortifiés sans que tu le
saches? »
C'est qu'au jour où vous jeûnez, vous traitez des
affaires,
et vous opprimez tous vos ouvriers.
4 C'est que vous jeûnez pour vous livrer aux querelles et aux disputes,
pour frapper du poing méchamment.
Vous ne jeûnerez pas comme aujourd'hui,
si vous voulez faire entendre votre voix là-haut!
5 Est-ce là le jeûne qui me plaît,
le jour où l'homme se mortifie?
Courber la tête comme un jonc,
se faire une couche de sac et de cendre,
est-ce là ce que tu appelles un jeûne,
un jour agréable à Yahvé?
6 N'est-ce pas plutôt ceci, le jeûne que je préfère : Am 5 21+
défaire les chaînes injustes, Mt 25 34-4
délier les liens du joug; Jr 34 8-9
renvoyer libres les opprimés,
et briser tous les jougs?
7 N'est-ce pas partager ton pain avec l'affamé,
héberger chez toi les pauvres sans abri,

*a)* « Le Roi », titre donné à de nombreuses divinités sémitiques. Ici, peut-être Melqart de Tyr, divinité du monde souterrain, cf. la fin du v.
*b)* Poème postérieur à l'Exil, qui montre Yahvé prenant soin des pauvres et des opprimés. Sur cette spiritualité des « pauvres de Yahvé », cf. So 2 3+.
*c)* C'est-à-dire, ou bien « en cachant ma face », expression de la disgrâce divine, ou bien « sans dévoiler mon intervention ».
*d)* Cf. Ep 2 17 où saint Paul applique ces paroles à Jésus et à la prédication de l'Évangile.
*e)* Oracle postexilique, qui réclame une intériorisation des pratiques religieuses selon l'esprit des grands prophètes, cf. Is 1 10+; Am 5 21+. Il est question ici du jeûne : les vv. 5-7 sont le centre de l'oracle.
*f)* Le jeûne n'était prescrit par la Loi que pour la fête de l'Expiation, Lv 23 26-32, mais à certaines époques on a multiplié les jours de jeûne, soit pour commémorer des anniversaires de deuil, Za 7 1-5; 8 18-19, soit pour implorer la miséricorde divine, Jr 36 6, 9; Jon 3 5; cf. 1 R 21 9, 12.

si tu vois un homme nu, le vêtir,
ne pas te dérober devant celui qui est ta propre chair?
8 Alors ta lumière éclatera comme l'aurore,
ta blessure se guérira rapidement,
52 12 ta justice marchera devant toi
et la gloire de Yahvé te suivra.
9 Alors tu crieras et Yahvé répondra,
tu appelleras, il dira : Me voici!
Si tu bannis de chez toi le joug,
le geste menaçant et les paroles méchantes,
10 si tu te prives pour l'affamé
et si tu rassasies l'opprimé [a],
Jn 8 12+ ta lumière se lèvera dans les ténèbres,
et l'obscurité sera pour toi comme le milieu du jour.
11 Yahvé sans cesse te conduira,
il te rassasiera dans les lieux arides,
il donnera la vigueur à tes os [b],
et tu seras comme un jardin arrosé,
Jn 4 14 comme une source jaillissante
dont les eaux ne tarissent pas.
61 4 12 On reconstruira, chez toi, les ruines antiques,
Ne 3s tu relèveras les fondations des générations passées,
on t'appellera Réparateur de brèches,
Restaurateur des chemins, pour qu'on puisse habiter [c].

### Le sabbat [d].

56 2+ 13 Et si tu t'abstiens de violer le sabbat,
de vaquer à tes affaires en mon jour saint,
si tu appelles le sabbat « délices »
et « vénérable » le jour saint de Yahvé,
si tu l'honores en t'abstenant de voyager,
de traiter tes affaires et de tenir des discours,
14 alors tu trouveras tes délices en Yahvé,
Dt 32 13 je te conduirai en triomphe sur les hauteurs du pays;
je te nourrirai de l'héritage de ton père Jacob,
1 20; 40 5 car la bouche de Yahvé a parlé.

### Psaume de pénitence [e].

50 2+ **59** 1 Non, la main de Yahvé n'est pas trop courte pour sauver,
ni son oreille trop dure pour entendre.
2 Mais ce sont vos fautes qui ont creusé un abîme
entre vous et votre Dieu.
Vos péchés ont fait qu'il vous cache sa face Dt 31 17
et refuse de vous entendre. 1 15
3 Car vos mains sont souillées par le sang
et vos doigts par le crime,
vos lèvres ont proféré le mensonge,
votre langue médite le mal.
4 Nul n'accuse à juste titre,
nul ne plaide de bonne foi.
On se confie au néant, on profère la fausseté,
on conçoit la peine, on enfante le mal. Ps 7 15
5 Ils ont fait éclore des œufs de vipère, Jb 15 35
ils tissent des toiles d'araignée. Mt 3 7+
Qui mange de leurs œufs en meurt;
écrasés, il en sort un serpent.
6 Leurs toiles ne feront pas un vêtement,
ils ne pourront se vêtir de leurs œuvres;
leurs œuvres sont des œuvres mauvaises,
les actes de violence sont dans leurs mains.
7 Leurs pieds courent au mal; ↗ Pr 1 16
ils ont hâte de verser le sang innocent. ↗ Rm 3
Leurs pensées sont des pensées mauvaises, 15-17
ravage et destruction sont sur leur chemin.
8 Ils n'ont pas connu la voie de la paix,
le droit ne suit pas leurs traces,
ils se font des sentiers tortueux,
quiconque les suit ignore la paix.

9 Aussi le droit reste loin de nous,
la justice ne nous atteint pas.
Nous attendions la lumière, et voici les ténèbres, Jn 8 12+
la clarté, et nous marchons dans l'obscurité [f]. Jr 8 15
10 Nous tâtonnons comme des aveugles cherchant un mur, Am 5 18-20
comme privés d'yeux nous tâtonnons.
Nous trébuchons en plein midi comme au crépuscule, Dt 28 29
parmi les bien-portants [g] nous sommes comme des morts.
11 Nous grognons tous comme des ours,
comme des colombes nous ne faisons que gémir;
nous attendons le jugement, et rien!
le salut, et il demeure loin de nous.

*a)* Litt. : « si tu donnes à l'affamé ton âme (grec : le pain de ton âme), et si tu rassasies l'âme de l'opprimé ». Mais le mot *nephesh* traduit généralement par « âme » désigne aussi « le désir », « l'appétit », si bien que diverses nuances sont possibles entre lesquelles il est difficile de choisir.
*b)* Sens incertain; le verbe *halaç* employé ici semble être apparenté au substantif *halûç*, « guerrier », mais il y a d'autres possibilités, sans parler des corrections proposées.
*c)* On est encore au début de la restauration, sûrement avant la reconstruction des murailles sous Néhémie, peut-être même avant la reconstruction du Temple qui n'est pas mentionné.
*d)* Cette légitimation du sabbat paraît avoir été ajoutée à l'oracle précédent. Sur le sabbat, cf. Ex **20** 8+.
*e)* Cette liturgie pénitentielle est dans la ligne du ch. précédent et doit dater de la même époque : le salut promis tarde à s'accomplir, la faute n'en est pas à Dieu mais aux péchés des hommes. C'est ce que disent les vv. 1-2 et que développe le reste du poème. Il commence par un acte d'accusation, vv. 3-8.
*f)* A la parole prophétique succède la confession de la communauté, qui s'explicite davantage à partir du v. 12 et jusqu'au v. 15[a].
*g)* Sens discuté. Le mot traduit par « bien portant » paraît dérivé du mot *shemen*, « graisse », mais beaucoup de traducteurs proposent des corrections. Le grec a omis ce mot.

Jr 14 7 12 Car nombreux sont nos crimes contre toi,
nos péchés témoignent contre nous.
Ps 51 5 Oui, nos crimes nous sont présents
et nous reconnaissons nos fautes :
13 nous révolter, renier Yahvé,
cesser de suivre notre Dieu;
proférer violence et révolte,
concevoir et méditer le mensonge.
14 On repousse le jugement,
on tient éloignée la justice,
car la vérité a trébuché sur la place publique,
et la droiture ne trouve point d'accès.
15 La vérité a disparu;
ceux qui s'abstiennent du mal sont dépouillés.

Yahvé l'a vu, il a jugé mauvais
qu'il n'y ait plus de jugement [a].
16 Il a vu qu'il n'y avait personne,
il s'est étonné que nul n'intervînt,
63 5 alors son bras devint son secours,
et sa justice, son appui.
↗ Sg 5 17-23 17 Il a revêtu comme cuirasse la justice,
↗ Ep 6 14-17 sur sa tête le casque du salut,
↗ 1 Th 5 8 il a revêtu comme tunique des habits de vengeance,
il s'est drapé de la jalousie comme d'un manteau.
18 Selon les œuvres il rétribue,
fureur pour les adversaires, châtiment pour les ennemis,
aux îles il paiera leur salaire.
19 Et l'on craindra, depuis l'Occident, le nom de Yahvé,
et depuis le Levant sa gloire,
car il viendra comme un torrent resserré,
chassé par le souffle de Yahvé.
↗ Rm 11 26 20 Alors un rédempteur viendra à Sion,
Is 41 14+ pour ceux qui se détournent de leur crime, en Jacob.
Oracle de Yahvé.

55 3+ **Oracle** [b].

Rm 11 27 21 Et moi, voici mon alliance avec eux, dit
51 16 Yahvé, mon esprit qui est sur toi et mes paroles que
2 S 23 2 Jr 1 9 j'ai mises dans ta bouche ne s'éloigneront pas de
ta bouche, ni de la bouche de ta descendance, ni
de la bouche de la descendance de ta descendance,
dit Yahvé, dès maintenant et à jamais.

**Splendeur de Jérusalem** [c]. Ap 21 9-27 Is 45 14+

**60** 1 Debout! Resplendis! car voici ta lumière,
et sur toi se lève la gloire de Yahvé.
2 Tandis que les ténèbres s'étendent sur la terre
et l'obscurité sur les peuples, 9 1+
sur toi se lève Yahvé,
et sa gloire sur toi paraît. Ex 24 16+
3 Les nations marcheront à ta lumière ↗ Ap 21 24
et les rois à ta clarté naissante.
4 Lève les yeux aux alentours et regarde : 49 18-22
tous sont rassemblés, ils viennent à toi. Ba 5 5-6
Tes fils viennent de loin,
et tes filles sont portées sur la hanche.
5 Alors, tu verras et seras radieuse,
ton cœur tressaillira et se dilatera,
car les richesses de la mer afflueront vers toi, Ps 72 10
et les trésors des nations viendront chez toi.
6 Des multitudes de chameaux te couvriront,
des jeunes bêtes de Madiân et d'Épha; Ex 2 15
tous viendront de Saba, 1 R 10 1+
apportant l'or et l'encens Mt 2 11
et proclamant les louanges de Yahvé [d].
7 Tous les troupeaux de Qédar se rassembleront chez toi,
les béliers de Nebayot seront à ton service [e], Gn 25 13
ils monteront à mon autel en sacrifice agréable,
et je glorifierai ma maison de splendeur.

8 Qu'est-ce que cela qui vole comme un nuage,
comme des colombes vers leurs colombiers?
9 C'est en moi que les îles espèrent [f] :
les bateaux de Tarsis ont pris la tête Ps 48 8+
pour ramener de loin tes fils,
avec leur argent et leur or,
à cause du nom de Yahvé ton Dieu, || 55 5
du Saint d'Israël qui t'a glorifiée.
10 Les fils de l'étranger rebâtiront tes remparts, 49 17
et leurs rois te serviront.
Car dans ma colère je t'avais frappée,
mais dans ma bienveillance j'ai eu pitié de toi. 54 8

*a)* C'est maintenant la venue de Yahvé comme juge et comme rédempteur, vv. 15b-20. On a rapproché ce passage de l'apocalypse d'Is **24-27**.

*b)* Cet oracle en prose annonce la pérennité de l'alliance de Yahvé avec Israël, marquée par l'effusion de l'Esprit et l'activité prophétique. Cf. **40** 7-8; **51** 16; **61** 1; Jr **1** 9. Venant après la formule de conclusion du v. 20, il est une addition.

*c)* Les ch. **60-62** sont unis par le style et par les idées et sont apparentés aux ch. **40-55**. S'ils ne sont pas du Second Isaïe, au moins sont-ils l'œuvre d'un disciple qui redit le message consolateur du Maître à la communauté du Retour, dont les espoirs et la foi ont besoin d'être soutenus.

*d)* Les trésors de la mer viennent de l'ouest, par les bateaux phéniciens ou grecs; les richesses de l'Orient et de l'Égypte viennent par des caravanes des déserts de Syrie et du Sinaï. Madiân, Épha et Saba sont des peuples de l'Arabie, cf. **45** 14; Gn **25** 1-4. – Les allusions aux trésors de l'Orient et la perspective universaliste de **60** 6 ont amené la liturgie à appliquer ce texte au mystère de l'Épiphanie.

*e)* Qédar, cf. **21** 16-17+. Nebayot, peuplade arabe, cf. Gn **25** 13; **28** 9; **36** 3.

*f)* Ou, avec une correction (*ciyyîm yiqqawû* au lieu de *'iyyîm yeqawû*) : « les navires s'assemblent », ce qui donnerait un meilleur parallélisme avec le vers suivant. Mais le grec lit aussi « les îles ».

↗ Ap **21** 25-26 11 Tes portes seront toujours ouvertes [a],
ni le jour ni la nuit on ne les fermera,
pour qu'on apporte chez toi les richesses des nations
et qu'on introduise leurs rois.

12 Car la nation et le royaume qui ne te servent pas périront,
et les nations seront exterminées [b].

**35** 2 13 La gloire du Liban [c] viendra chez toi,
le cyprès, le platane et le buis tous ensemble,
1 R **5** 19-20 pour glorifier le lieu de ton sanctuaire,
pour que j'honore le lieu où je me tiens.
**49** 23 14 Ils s'approcheront de toi, humblement, les fils de tes oppresseurs,
↗ Ap **3** 9 ils se prosterneront à tes pieds, tous ceux qui te méprisaient,
**1** 26+ et ils t'appelleront : « Ville de Yahvé »,
« Sion du Saint d'Israël » [d].
**62** 4, 12 15 Au lieu que tu sois délaissée et haïe,
sans personne qui passe,
je ferai de toi un objet d'éternelle fierté,
une source de joie, d'âge en âge.
**49** 23 16 Tu suceras le lait des nations,
tu suceras les richesses [e] des rois.
**49** 26 Et tu sauras que c'est moi, Yahvé, qui te sauve,
que ton rédempteur, c'est le Puissant de Jacob.
17 Au lieu de bronze, je ferai venir de l'or,
au lieu de fer, je ferai venir de l'argent,
au lieu de bois, du bronze,
au lieu de pierre, du fer;
**1** 26 comme magistrature j'instituerai la Paix
et comme gouvernants, la Justice.
18 On n'entendra plus parler de violence dans ton pays,
de ravages ni de ruines dans tes frontières.
Tu appelleras tes remparts « Salut »
et tes portes « Louange » [f].

p **21** 23; **22** 5 19 Tu n'auras plus le soleil comme lumière, le jour,
la clarté de la lune ne t'illuminera plus :
Yahvé sera pour toi une lumière éternelle,
et ton Dieu sera ta splendeur.
20 Ton soleil ne se couchera plus,
et ta lune ne disparaîtra plus,
car Yahvé sera pour toi une lumière éternelle,
et les jours de ton deuil seront accomplis.
21 Ton peuple, rien que des justes, possédera le pays **57** 13
à jamais,
rejeton de mes plantations [g], œuvre de mes mains, pour me glorifier.
22 Le plus petit deviendra un millier,
le plus chétif une nation puissante.
Moi, Yahvé, en temps voulu j'agirai vite.

**Vocation d'un prophète** [h].

**61** 1 L'esprit du Seigneur Yahvé est sur moi, ↗ Lc **4** 18-19
car Yahvé m'a donné l'onction; Is **42** 1; **11** 2
il m'a envoyé porter la nouvelle [i] aux pauvres, Mt **3** 16+ Lc **7** 22
panser les cœurs meurtris,
annoncer aux captifs la libération
et aux prisonniers la délivrance,
2 proclamer une année de grâce de la part de Yahvé Lv **25** 10+
et un jour de vengeance pour notre Dieu,
pour consoler tous les affligés, Mt **5** 5
3 (pour mettre aux affligés de Sion)
pour leur donner un diadème au lieu de cendre,
de l'huile de joie au lieu d'un vêtement de deuil,
un manteau de fête au lieu d'un esprit abattu;
et on les appellera térébinthes de justice,
plantation de Yahvé pour se glorifier [j].
4 Ils rebâtiront les ruines antiques, **58** 12
ils relèveront les restes désolés d'autrefois;
ils restaureront les villes en ruines,
les restes désolés des générations passées.
5 Des étrangers se présenteront pour paître vos troupeaux, **14** 2
des immigrants seront vos laboureurs et vos vignerons.
6 Mais vous, vous serez appelés prêtres de Yahvé, Ex **19** 6+ ↗ Ap **1** 6
on vous nommera ministres de notre Dieu.
Vous vous nourrirez des richesses des nations,

*a)* « seront ouvertes » versions; « ouvrez (tes portes) » hébr.
*b)* Ce v., qui rompt le contexte, est probablement une addition.
*c)* Ce sont les cèdres. On s'en servira pour bâtir la nouvelle Jérusalem, comme jadis le Temple de Salomon, 1 R **5** 15s.
*d)* C'est un nom nouveau comme celui qu'Isaïe donnait à Jérusalem, **1** 26+. De même plus loin les noms des remparts et des portes, **60** 18, ceux de Sion et de sa terre, **62** 4, ceux du peuple et de la ville, **62** 12.
*e)* Litt. « les mamelles ». Déjà le grec interprétait cette image audacieuse par « les richesses » : il n'est pas sûr qu'il ait lu un texte différent.
*f)* Les remparts et les portes de Jérusalem portaient des noms, cf. Ne **2** 13-15. Ceux-ci sont des noms symboliques, cf. v. 14 et **1** 26+. L'Apocalypse donnera des noms analogues aux portes et aux assises de la Jérusalem nouvelle, Ap **21** 12, 14.
*g)* « mes plantations » qeré, versions; « sa plantation » ketib; « les plantations de Yahvé » 1QIs[a].
*h)* Le prophète, très probablement l'auteur des ch. **60** et **62**, annonce qu'il a reçu de Dieu un message de consolation, vv. 1-3 : on reconstruira, v. 4; les étrangers assureront les besoins matériels d'Israël devenu un peuple de prêtres et comblé de gloire, vv. 5-7; Dieu prend la parole pour établir une alliance éternelle, vv. 8-9. Les vv. 10-11 sont une action de grâces du prophète parlant au nom de Sion. Ce poème fait écho aux chants du Serviteur, cf. **42** 1; **42** 7; **49** 9, et aussi **50** 4-11 où c'est le Serviteur qui parle, comme ici.
*i)* Bien que le mot employé ne l'indique pas expressément, il s'agit évidemment de la bonne nouvelle, c'est-à-dire de l'« Évangile ». Cf. **11** 2; **42** 1, et Lc **4** 18-19 où Jésus à Nazareth part de ce texte pour expliquer sa propre mission.
*j)* Ce vers, qui semble un doublet, doit avoir été introduit comme glose explicative.

vous leur succéderez dans leur gloire.
7 Au lieu de votre honte, vous aurez double part [a];
au lieu de l'humiliation, les cris de joie seront leur part;
aussi recevront-ils double héritage dans leur pays
et auront-ils une joie éternelle.
8 Car moi, Yahvé, qui aime le droit,
qui hais le vol et l'injustice [b],
je leur donnerai fidèlement leur récompense
55 3+ et je conclurai avec eux une alliance éternelle.
9 Leur race sera célèbre parmi les nations,
et leur descendance au milieu des peuples;
tous ceux qui les verront les reconnaîtront
Gn 12 3+ comme une race que Yahvé a bénie.

**Action de grâce.**

1 S 2 1 10 Je suis plein d'allégresse en Yahvé,
Lc 1 46s mon âme exulte en mon Dieu,
car il m'a revêtu de vêtements de salut,
il m'a drapé dans un manteau de justice,
comme l'époux qui se coiffe [c] d'un diadème,
Ap 21 2; comme la fiancée qui se pare de ses bijoux.
19 8 11 Car de même que la terre fait éclore ses germes
et qu'un jardin fait germer sa semence,
45 8 ainsi le Seigneur Yahvé fait germer la justice et la louange
devant toutes les nations.

**Splendeur de Jérusalem [d]**

**62** 1 A cause de Sion je ne me tairai pas,
à cause de Jérusalem je ne me tiendrai pas en repos,
jusqu'à ce que sa justice jaillisse comme une clarté,
et son salut comme une torche allumée.
2 Alors les nations verront ta justice,
et tous les rois ta gloire.
56 5+ Alors on t'appellera d'un nom nouveau
65 15 que la bouche de Yahvé désignera.
3 Tu seras une couronne de splendeur dans la main de Yahvé,
un turban royal dans la main de ton Dieu.
Os 2 25 4 On ne te dira plus « Délaissée »
Is 60 15+ et de ta terre on ne dira plus : « Désolation ».

Mais on t'appellera : « Mon plaisir est en elle » Is 1 26+
et ta terre : « Épousée » [e].
Car Yahvé trouvera en toi son plaisir,
et ta terre sera épousée.
5 Comme un jeune homme épouse une vierge,
ton bâtisseur t'épousera [f].
Et c'est la joie de l'époux au sujet de l'épouse 65 19
que ton Dieu éprouvera à ton sujet.

6 Sur tes remparts, Jérusalem, j'ai posté des veilleurs, 52 8
de jour et de nuit, jamais ils ne se tairont.
Vous qui vous rappelez au souvenir de Yahvé, pas de repos pour vous.
7 Ne lui accordez pas de repos qu'il n'ait établi Jérusalem
et fait d'elle une louange au milieu du pays.
8 Yahvé l'a juré par sa droite et par son bras puissant :
« Je ne donnerai plus ton blé en nourriture à tes ennemis, Dt 28 30-33
les étrangers ne boiront plus ton vin, le fruit de ton labeur,
9 mais les moissonneurs mangeront le blé et loueront Yahvé,
les vendangeurs boiront le vin, dans mes parvis sacrés. »

**Conclusion [g].**

10 Passez, passez par les portes, frayez le chemin de mon peuple, 11 16+
nivelez, nivelez la route, ôtez-en les pierres.
Élevez un signal pour les peuples. 49 22
11 Voici que Yahvé se fait entendre jusqu'à l'extrémité de la terre :
Dites à la fille de Sion : Voici que vient ton salut, ↗ Mt 21 5
voici avec lui sa récompense, et devant lui son salaire. = 40 10
12 On les appellera « Le peuple saint », 60 14+
« Les rachetés de Yahvé ». 1 26+
Quant à toi on t'appellera « Recherchée »,
« Ville non délaissée ».

**Le jugement des peuples [h].**

**63** 1 Quel est donc celui-ci qui vient d'Édom, 34 1-17
de Boçra en habits éclatants, Dt 2 5+
↗ Ap 19

*a)* Ou selon d'autres, une « double honte », à laquelle correspond un « double héritage » et qui rappelle la « double punition » de **40** 2. Mais le texte n'est pas sûr.
*b)* « injustice » versions; « holocauste » hébr. (simple changement de vocalisation).
*c)* « coiffe » *yakîn* conj.; « fait office de prêtre » *yekahen* hébr.
*d)* Nouveau poème à la gloire de Jerusalem, comme le ch. **60**. Mais ici, le thème des épousailles prend un plus grand relief : le triomphe de Jérusalem et du pays qui l'entoure, c'est de devenir l'épouse de Yahvé. Cf. **50** 1; **54** 6-7+.
*e)* « Délaissée » (*Azubah*), « Mon Plaisir est en elle » (*Hepçibah*) : ces noms donnés ici à Jérusalem et au pays de Juda à cause de leur signification sont des noms propres attestés ailleurs dans la Bible, cf. 1 R **22** 42; 2 R **21** 1. Dans cette attribution de noms propres, on reconnaît l'usage prophétique inauguré par Os **2** 25; Is **1** 26; cf. **60** 14; **62** 12.
*f)* « ton bâtisseur t'épousera » *yibʿalek bonek* conj. cf. **54** 5; « tes fils t'épouseront » *yibʿalûk banayk* hébr.
*g)* Ce court poème semble servir de conclusion à l'ensemble **60-62**. Il reprend plusieurs thèmes du livre de la Consolation, cf. **40** 3-5, 10; **49** 22; **57** 14.
*h)* Ce beau fragment de poème apocalyptique est conçu comme

magnifiquement drapé dans son manteau,
s'avançant [a] dans la plénitude de sa force?
« C'est moi qui parle avec justice,
qui suis puissant pour sauver. »
2 – Pourquoi ce rouge à ton manteau,
pourquoi es-tu vêtu comme celui qui foule au pressoir?
Jl **4** 13 3 – A la cuve j'ai foulé solitaire,
et des gens de mon peuple [b] pas un n'était avec moi.
↗ Ap **19** 15; **14** 19-20 Alors je les ai foulés dans ma colère,
je les ai piétinés dans ma fureur,
leur sang [c] a giclé sur mes habits,
et j'ai taché tous mes vêtements.
4 Car j'ai au cœur un jour de vengeance,
c'est l'année de ma rétribution qui vient.
5 Je regarde : personne pour m'aider!
Je montre mon angoisse : personne pour me soutenir!
**59** 16 Alors mon bras est venu à mon secours,
c'est ma fureur qui m'a soutenu.
6 J'ai écrasé les peuples dans ma colère,
je les ai brisés [d] dans ma fureur,
et j'ai fait ruisseler à terre leur sang. »

**Méditation sur l'histoire d'Israël [e].**

Ps **89** 2 7 Je vais célébrer les grâces de Yahvé,
les louanges de Yahvé,
pour tout ce que Yahvé a accompli pour nous,
pour sa grande bonté envers la maison d'Israël,
pour tout ce qu'il a accompli dans sa miséricorde,
pour l'abondance de ses grâces.

8 Car il dit : Certes, c'est mon peuple,
Dt **32** 5 des fils qui ne vont pas me tromper;
et il fut pour eux un sauveur.
9 Dans toutes leurs angoisses,
ce n'est pas un messager [f] ou un ange,
c'est sa face qui les a sauvés.
Dans son amour et sa pitié, c'est lui qui les a rachetés,
Ex **19** 4+ Is **46** 3s il s'est chargé d'eux et les a portés,

tous les jours du passé.
10 Mais eux, ils se sont révoltés Dt **32** 15
et ils ont irrité son Esprit saint. Ep **4** 30
C'est alors qu'il les a pris en aversion
et qu'il les a lui-même combattus.
11 Mais il s'est souvenu des jours d'autrefois,
de Moïse, son serviteur [g].
Où est-il, celui qui les sauva de la mer, Ex **2** 1-10
le pasteur de son troupeau?
Où est celui qui mettait au milieu d'eux Nb **11** 17
son Esprit saint? Ne **9** 20
12 Celui qui accompagna la droite de Moïse
de son bras glorieux,
qui fendit les eaux devant eux Ex **14** 5-31
pour se faire un renom éternel; Ps **135** 13
13 qui les fit passer par les abîmes, **51** 10
comme un cheval passe dans le désert;
ils ne trébuchèrent pas plus
14 qu'une bête qui descend dans la vallée;
l'Esprit de Yahvé les menait au repos.
Ainsi as-tu conduit ton peuple Ps **77** 21
pour te faire un nom glorieux [h].

15 Regarde du ciel et vois [i], **64** 7-11
depuis ta demeure sainte et glorieuse.
Où sont ta jalousie et ta puissance?
Le frémissement de tes entrailles Os **11** 8
et ta piété pour moi se sont-ils contenus?
16 Pourtant tu es notre père. Dt **1** 31+
Si Abraham ne nous a pas reconnus,
si Israël ne se souvient plus de nous,
toi, Yahvé, tu es notre père,
notre rédempteur, tel est ton nom depuis toujours. **41** 14+
17 Pourquoi, Yahvé, nous laisser errer loin de tes voies
et endurcir nos cœurs en refusant ta crainte?
Reviens, à cause de tes serviteurs
et des tribus de ton héritage. Dt **32** 9
18 Pour bien peu de temps ton peuple saint a joui de son héritage;
nos ennemis ont piétiné ton sanctuaire.
19 Nous sommes, depuis longtemps, des gens sur

un dialogue entre Yahvé et l'inspiré. Yahvé se présente comme un vendangeur dont les habits sont souillés par le jus des raisins. Mais ceux qu'il a foulés au pressoir, ce sont les peuples ennemis d'Israël, dont Édom, l'ennemi traditionnel, cf. **34** 1-7, est le type. On a tenté, en corrigeant les mots « Édom » et « Boçra », de traduire : « Qui arrive tout rouge, en habits éclatants comme un vendangeur », interprétation qui favoriserait l'application du texte au Messie souffrant.

*a)* « s'avançant » *ço'ed* conj.; « s'inclinant » *ço'eh* hébr.

*b)* « des gens de mon peuple » 1QIs[a]; « des peuples » TM.

*c)* Litt. « leur jus », c'est la métaphore de la vigne qui continue. Noter que par une image contraire, le jus est parfois appelé le « sang » du raisin.

*d)* « je les ai brisés » *we'ashabberam* mss hébr.; « je les ai enivrés » *we'ashakkeram* TM.

*e)* Le long poème **63** 7 - **64** 11 a la forme d'un psaume de supplication collective, cf. spécialement Ps **44** et **89** et les Lamentations. Les références de **63** 18 et **64** 9-10 à la ruine de Jérusalem et du Temple en 587 indiquent que le souvenir de la catastrophe est encore tout proche. Le poème date du début de l'Exil. Le rappel de l'histoire passée, **63** 7-14, est conforme à la théologie deutéronomiste : Dieu châtie son peuple révolté, puis il le sauve.

*f)* « messager » *çir* grec; « angoisse » *çar* hébr.

*g)* « son serviteur » mss, syr.; « son peuple » hébr.

*h)* Les vv. 11-14 rappellent le premier grand acte sauveur de Dieu, la délivrance d'Égypte, comme le gage du salut à venir.

*i)* Ici commence proprement la supplication, encadrée par les deux appels de **63** 15 et **64** 11 qui se correspondent. Entre les deux, les thèmes ordinaires aux supplications se succèdent sans plan défini. Noter l'insistance sur la paternité divine, **63** 16; **64** 7.

qui tu ne règnes plus
et qui ne portent plus ton nom.

**64** 1 Ah! si tu déchirais les cieux et descendais [a]
Ap **19** 11 2 – devant ta face les montagnes seraient ébran-
Ps **144** 5 lées;
Ps **18** 8s; **64** 1 comme le feu enflamme des brindilles,
**50** 3 comme le feu fait bouillir l'eau –
pour faire connaître ton nom à tes adversaires,
devant ta face les nations trembleraient
3 2 quand tu ferais des prodiges inattendus.
(Tu es descendu : devant ta face les montagnes
ont été ébranlées [b].)

↗ 1 Co **2** 9 4 3 Jamais on n'avait ouï dire,
on n'avait pas entendu, et l'œil n'avait pas vu [c]
un Dieu, toi excepté, agir ainsi
en faveur de qui a confiance en lui.
5 4 Tu as rencontré celui qui, plein d'allégresse,
pratique la justice;
en suivant tes voies, ils se souviendront de toi.
Voici que toi, tu t'es irrité, et nous avons péché.
Nous sommes à jamais dans tes voies et nous
serons sauvés [d].
6 5 Tous, nous étions comme des êtres impurs,
Lv **15** 19-24 et nos bonnes actions comme du linge souillé.
Tous, nous nous flétrissons [e] comme des feuilles
mortes,
et nos fautes nous emportent comme le vent.
7 6 Plus personne pour invoquer ton nom,
pour se réveiller en s'attachant à toi,
car tu nous as caché ta face
et tu nous as livrés [f] au pouvoir de nos fautes.
8 7 Et pourtant, Yahvé, tu es notre père,
nous sommes l'argile, tu es notre potier,
**29** 16+ nous sommes tous l'œuvre de tes mains.
9 8 Yahvé, ne t'irrite pas à l'excès,
ne garde pas à jamais le souvenir de la faute.
Vois donc, nous sommes tous ton peuple.
10 9 Tes villes saintes sont devenues un désert,
Sion est devenue un désert,
Jérusalem, un lieu désolé.

10 Notre temple saint et magnifique, 11
où nos ancêtres te louaient,
est devenu la proie du feu.
Tout ce que nous aimions est devenu ruine.
11 Peux-tu rester insensible à tout cela, Yahvé? 12
Te taire serait nous humilier à l'excès.

**Le jugement futur [g].**

**65** 1 Je me suis laissé approcher par qui ne me ↗ Rm **10** 20
questionnait pas,
je me suis laissé trouver par qui ne me cherchait
pas.
J'ai dit : « Me voici! me voici! »
à une nation qui n'invoquait pas mon nom [h].
2 J'ai tendu les mains, chaque jour, ↗ Rm **10** 21
vers un peuple rebelle,
des gens qui suivent une voie mauvaise,
au gré de leur fantaisie.
3 Un peuple qui me provoque sans cesse en face, Dt **32** 21
qui sacrifie dans les jardins,
qui brûle de l'encens sur des briques,
4 qui habite dans les tombeaux,
passe la nuit dans les recoins,
mange de la viande de porc
et met dans ses plats des morceaux impurs [i].
5 Ils disent : « Retire-toi,
ne me touche pas, je te sanctifierais [j]. »
Ces mots sont comme une fumée qui m'étouffe,
un feu toujours brûlant.
6 Voici, c'est écrit devant moi :
je ne me tairai pas que je n'aie réglé leur compte,
réglé à pleine mesure [k],
7 puni vos fautes et les fautes de vos pères, toutes
ensemble, dit Yahvé,
eux qui ont brûlé des parfums sur les montagnes
et m'ont outragé sur les collines;
je mesurerai à pleine mesure leurs œuvres
anciennes.

8 Ainsi parle Yahvé :
Quand on trouve du jus dans une grappe,
on dit : « Ne la détruisez pas,

*a)* La phrase se continue à **64** 1[b]. Cet appel à la venue de Yahvé est interrompu par l'évocation des traits ordinaires des théophanies, cf. Ps **18** 6-7; **144** 5, etc.
*b)* Glose qui répète **63** 19.
*c)* Saint Paul, 1 Co **2** 9, semble citer ce texte en une formule mieux rythmée : « l'œil n'a pas vu et l'oreille n'a pas entendu... » Il est difficile de dire s'il cite largement ou s'il possédait un texte d'Isaïe différent du nôtre.
*d)* Litt. : « en elles nous sommes à jamais... »; l'expression peut se rapporter aux « voies » du début du v., mais d'autres interprètent tout autrement : « Dans nos fautes nous sommes à jamais et nous serions sauvés! ». Ce serait alors un cri de découragement. On reste hésitant, et il est possible que le texte soit corrompu.
*e)* « nous flétrissons » grec; hébr. incertain.
*f)* « tu nous a livrés » versions; « tu nous as fait trembler » (?) hébr.
*g)* Les ch. **65-66** forment un recueil apocalyptique qui peut dater, dans son ensemble, de l'époque postexilique. Le rythme est parfois indécis et on a pu considérer que certains passages étaient écrits en prose.
*h)* « qui n'invoquait pas mon nom » versions; « qui n'était pas appelé par mon nom » hébr.
*i)* Litt. « des miettes (collectif) de mets impurs » ou, en lisant avec le qeré et 1QIs[a], « du jus de mets impurs ». – Comme à **66** 17 et cf. Ez **8** 7-13, il s'agit de rites païens qui se pratiquèrent en secret à Jérusalem pendant l'Exil et que la communauté eut à combattre à son retour. Ce ne sont pas encore les religions à mystères de l'époque hellénistique.
*j)* Paroles mises sur les lèvres des initiés, censés porteurs d'une « sainteté » que risquerait de transmettre un simple contact.
*k)* Litt. « sur leur sein », cf. Jr **32** 18; Ps 7 12. Les plis du manteau servaient de sac à provisions, comp. 2 R **4** 39; Rt **3** 15; Lc **6** 38. L'expression est répétée à la fin du v. 7.

car elle contient une bénédiction »
ainsi ferai-je en faveur de mes serviteurs,
4 3+ je ne détruirai pas tout.
9 Je ferai sortir de Jacob une race,
je ferai de Juda l'héritier de mes montagnes,
57 13 mes élus les posséderont,
mes serviteurs y habiteront.
10 Le pays de Saron deviendra un pâturage de brebis,
la vallée d'Akor un pacage de bœufs,
pour mon peuple qui m'aura cherché.
11 Quant à vous tous qui abandonnez Yahvé,
qui oubliez ma montagne sainte,
qui dressez à Gad une table,
qui versez à pleine coupe des mixtures pour
Meni [a],
12 je vous destinerai à l'épée,
tous, vous courberez l'échine pour être massacrés,
50 2; 66 4 car j'ai appelé et vous n'avez pas répondu,
Jr 7 13 j'ai parlé et vous n'avez pas écouté;
vous avez fait ce qui est mal à mes yeux,
vous avez choisi ce qui me déplaît.
13 C'est pourquoi, ainsi parle le Seigneur Yahvé :
Lc 6 20-26 Voici : mes serviteurs mangeront,
mais vous, vous aurez faim;
voici : mes serviteurs boiront,
mais vous, vous aurez soif;
voici : mes serviteurs seront dans la joie,
et vous, dans la honte;
14 voici : mes serviteurs crieront,
dans la joie de leur cœur,
et vous, vous pousserez des cris, dans la douleur
de votre cœur,
vous hurlerez dans l'accablement de votre esprit.
15 Et vous laisserez votre nom comme imprécation
pour mes élus :
« Que le Seigneur Yahvé te fasse mourir [b]! »
1 26+ mais à ses serviteurs il donnera un autre nom.
56 5; 62 2 16 Ceux qui se béniront sur terre se béniront par le
2 17; 3 12+ Dieu de vérité,
et ceux qui jureront sur terre jureront par le Dieu
de vérité;
on oubliera les angoisses anciennes,
elles auront disparu de mes yeux.
1 6; 66 22 17 Car voici que je vais créer des cieux nouveaux
↗ Ap 21 1 et une terre nouvelle [c],
on ne se souviendra plus du passé, 43 18
il ne reviendra plus à l'esprit.
18 Mais soyez pleins d'allégresse et exultez éternellement
de ce que moi, je vais créer :
car voici que je vais faire de Jérusalem une exul- 1 26+
tation 60 14+
et de mon peuple une allégresse.
19 J'exulterai en Jérusalem, 62 5
en mon peuple je serai plein d'allégresse.
et l'on n'y entendra plus retentir les pleurs et les ↗ Ap 21 4
cris.
20 Là, plus de nouveau-né qui ne vive que quelques
jours,
ni de vieillard qui n'accomplisse son temps; Za 8 4
car le plus jeune mourra à l'âge de cent ans,
c'est à cent ans que le pécheur sera maudit.
21 Ils bâtiront des maisons et les habiteront, 62 8
ils planteront des vignes et en mangeront les Dt 28 30-33 Jr 31 5
fruits. Am 9 14
22 Ils ne bâtiront plus pour qu'un autre habite,
ils ne planteront plus pour qu'un autre mange.
Car les jours de mon peuple égaleront les jours
des arbres,
et mes élus useront ce que leurs mains auront
fabriqué.
23 Ils ne peineront pas en vain, ils n'enfanteront
plus pour la terreur,
mais ils seront une race de bénis de Yahvé,
et leur descendance avec eux.
24 Ainsi, avant qu'ils n'appellent, moi je répondrai,
ils parleront encore que j'aurai déjà entendu.
25 Le loup et l'agnelet paîtront ensemble
*le lion comme le bœuf mangera de la paille,* 11 7
et le serpent se nourrira de poussière. Gn 3 14
*On ne fera plus de mal ni de violence sur toute* 11 9
*ma montagne sainte,*
dit Yahvé.

**Oracle sur le Temple [d].**

**66** 1 Ainsi parle Yahvé :
Le ciel est mon trône, et la terre l'escabeau de Mt 5 34s
mes pieds. ↗ Ac 7 49-55
Quelle maison pourriez-vous me bâtir, 1 R 8 27
et quel pourrait être le lieu de mon repos,
2 quand tout cela, c'est ma main qui l'a fait, Ps 24 1-2
quand tout cela est à moi [e], oracle de Yahvé!

*a)* Gad, dieu araméen de la fortune. Meni, dieu inconnu, peut-être une divinité du destin. L'hébr. semble faire un jeu de mots avec le premier mot du v. suivant, *mantî*, « je destinerai ».
*b)* Sous-entendu : « comme ces méchants ».
*c)* Chez les prophètes anciens, le bonheur messianique annoncé pour l'avenir était plus ou moins décrit comme un retour au paradis, cf. Is 11 6+. Mais dans les œuvres apocalyptiques, sans répudier absolument les anciennes représentations, cf. 65 25 citant Is 11 7, 9, le prophète envisage une rénovation totale. C'est un monde nouveau qui est annoncé et décrit à travers toute la littérature apocalyptique, cf. Ap 21 1; 2 P 3 13.
*d)* Cet oracle n'a pas de lien avec le contexte. Il condamne le Temple qu'on a entrepris de reconstruire au retour de l'Exil, comme avait fait Natân sous David, 2 S 7 5-7, comme fera Étienne, Ac 7 48s, citant ce passage d'Is. C'est le rejet d'une religion trop matérielle au bénéfice de la religion des « pauvres », v. 2b, cf. So 2 3+.
*e)* « est à moi » grec, syr.; « fut » hébr.

Mais celui sur qui je porte les yeux, c'est le pauvre et l'humilié,
celui qui tremble à ma parole.
3 On sacrifie le bœuf, on abat un homme [a];
on immole l'agneau, on assomme un chien;
on présente une offrande, c'est du sang de porc;
on fait un mémorial d'encens, une bénédiction
abominable;
tous ces gens ont choisi leurs voies,
et leur âme se complaît dans leurs horreurs.
4 Moi aussi, j'ai plaisir à me moquer d'eux [b],
j'amènerai sur eux ce qu'ils redoutent,
50 2; 65 12 parce que j'ai appelé et nul n'a répondu,
j'ai parlé et nul n'a entendu;
ils ont fait ce qui est mal à mes yeux,
ils ont pris plaisir à ce qui me déplaît.

**Jugement sur Jérusalem [c].**

5 Écoutez la parole de Yahvé,
vous qui tremblez à sa parole.
Ils ont dit, vos frères qui vous haïssent
et vous rejettent à cause de mon nom :
« Que Yahvé manifeste sa gloire [d],
et que nous soyons témoins de votre joie »,
mais c'est eux qui seront confondus!
6 Une voix, une rumeur qui vient de la ville,
↗ Ap 16 17 une voix qui vient du sanctuaire, la voix de
Yahvé
qui paie leur salaire à ses ennemis.
7 Avant d'être en travail elle a enfanté,
↗ Ap 12 5 avant que viennent les douleurs elle a accouché
d'un garçon [e].
8 Qui a jamais entendu rien de tel?
Qui a jamais vu chose pareille?
Peut-on mettre au monde un pays en un jour?
Enfante-t-on une nation en une fois?
A peine était-elle en travail que Sion a enfanté
ses fils.
9 Ouvrirais-je le sein pour ne pas faire naître? dit
Yahvé.
Si c'est moi qui fais naître, fermerai-je le sein?
dit ton Dieu.

10 Réjouissez-vous avec Jérusalem,
exultez en elle, vous tous qui l'aimez,
soyez avec elle dans l'allégresse, Jn 16 20
vous tous qui avez pris le deuil sur elle,
11 afin que vous soyez allaités et rassasiés
par son sein consolateur,
afin que vous suciez avec délices
sa mamelle plantureuse.
12 Car ainsi parle Yahvé :
Voici que je fais couler vers elle la paix comme
un fleuve,
et comme un torrent débordant, la gloire des
nations.
Vous serez allaités, on vous portera sur la hanche,
on vous caressera en vous tenant sur les genoux.
13 Comme celui que sa mère console,
moi aussi, je vous consolerai,
à Jérusalem vous serez consolés.

14 A cette vue votre cœur sera dans la joie, Jn 16 22
et vos membres reprendront vigueur comme
l'herbe;
la main de Yahvé se fera connaître à ses serviteurs
et sa colère à ses ennemis.

15 Car voici que Yahvé arrive dans le feu,
et ses chars sont comme l'ouragan,
pour assouvir avec ardeur sa colère
et sa menace par des flammes de feu.
16 Car par le feu, Yahvé se fait juge,
par son épée, sur toute chair;
nombreuses seront les victimes de Yahvé.
17 Ceux qui se sanctifient et se purifient pour entrer
dans les jardins [f],
derrière quelqu'un qui se tient au centre,
qui mangent de la chair de porc, des choses abominables et du rat,
d'un même coup finiront, oracle de Yahvé,
leurs actions et leurs pensées [g].

*a)* Ce texte met en parallèle quatre actions du culte légitime et quatre actions des cultes païens : sacrifices humains, abattage du chien, manducation du porc, salût aux idoles. Cela ne signifie pas que celui qui immole un bœuf ne vaut pas mieux que celui qui sacrifie un homme, etc., une condamnation aussi radicale du culte extérieur ne se trouve nulle part dans l'AT. Cela signifie que ceux qui accomplissent ces actes du culte légitime observent aussi des rites païens. C'est donc une condamnation du syncrétisme, que pratiquaient les mêmes cercles visés par **65** 3-5 et **66** 17.

*b)* Texte incertain. Le mot est le même qu'en **3** 4 (« des gamins », cf. la note). Le grec traduit par « moquerie », ce qui convient bien au contexte, mais certains traducteurs modernes préfèrent « mauvais traitement », « infortune », etc.

*c)* C'est apparemment la suite de l'apocalypse du ch. **65**, mais avec un thème nouveau exprimant les espoirs du peuple de Dieu.

*d)* « manifeste sa gloire » grec; « glorifie » hébr.

*e)* Image qui exprime le caractère soudain et prodigieux de l'avènement du monde nouveau. Cf. **26** 17-18 où l'on retrouve l'image de l'enfantement, avec une nuance un peu différente.

*f)* Ce v. est isolé dans ce contexte et pourrait être rattaché à **65** 3-5. Il fait allusion à des actes d'un culte secret, présidé par un prêtre (ou une prêtresse, si on lit le féminin avec qeré et 1QIs[a]), cf. Ez **8** 11. Ce parallèle indique que le texte peut s'expliquer sans recours aux mystères hellénistiques, plus tardifs.

*g)* « choses abominables », cf. Lv **7** 21; **11** 10-42. Inutile de corriger ce mot pour comprendre « reptiles » (*shereç* au lieu de *sheqeç*, cf. Gn **1** 20, etc.). – « Leurs actions et leurs pensées » est tiré du début du v. 18 où ces mots ne se rattachent à rien.

**Discours eschatologique [a].**

Ez **34** 13 18 Mais moi je viendrai rassembler toutes les
Mt **24** 31; **25** 32 nations et toutes les langues, et elles viendront voir
ma gloire. 19 Je mettrai chez elles un signe et
j'enverrai de leurs survivants [b] vers les nations :
vers Tarsis, Put, Lud, Méshek, Tubal et Yavân [c],
vers les îles éloignées qui n'ont pas entendu parler
de moi, et qui n'ont pas vu ma gloire. Ils feront
connaître ma gloire aux nations, 20 et de toutes les
nations ils ramèneront tous vos frères en offrande
à Yahvé, sur des chevaux, en char, en litière, sur
des mulets et des chameaux, à ma montagne sainte,
Jérusalem, dit Yahvé, comme les Israélites apportent les offrandes à la Maison de Yahvé dans
des vases purs. 21 Et de certains d'entre eux je me Ps **87** 7+
ferai des prêtres, des lévites, dit Yahvé [d].
22 Car, de même que les cieux nouveaux et la **65** 17
terre nouvelle que je fais subsistent devant moi,
oracle de Yahvé, ainsi subsistera votre race et votre
nom.

23 De nouvelle lune en nouvelle lune,
et de sabbat en sabbat,
toute chair viendra se prosterner
devant ma face, dit Yahvé.
24 Et on sortira pour voir
les cadavres des hommes révoltés contre moi,
car leur ver ne mourra pas ↗ Mc **9** 48
et leur feu ne s'éteindra pas, Jdt **16** 17
ils seront en horreur à toute chair [e]. Si **7** 17

*a)* Les vv. 18-24 ont probablement été ajoutés comme conclusion aux ch. **40-66** ou même au livre tout entier. Tout le passage devait être en vers et a dû être défiguré par l'insertion de la liste des nations au v. 19 et de celle des moyens de transports au v. 20. Toutes les nations seront converties et ramèneront les dispersés d'Israël à Jérusalem en offrande à Dieu, mais c'est Israël qui reçoit les promesses éternelles. Nulle part ailleurs dans l'AT l'universalisme et le particularisme ne sont à un tel point juxtaposés.

*b)* Les « survivants » des nations, cf. **45** 20-25, sont les convertis, et ils sont envoyés prêcher la foi jusqu'au bout du monde. Il est remarquable que ces premiers « missionnaires » dont il soit question soient des païens convertis.

*c)* Cette liste est une addition qui emprunte ses éléments à Ez **27** 10-13. Les identifications probables sont : Tarsis : l'Espagne; Put (ainsi le grec; Pul hébr.) : la Libye; Lud : la Lydie; Méshek (ainsi le grec; « les tireurs d'arc », *moshqê qeshet* hébr.) : la Phrygie; Tubal : la Cilicie; Yavân : les Ioniens, et plus généralement les Grecs.

*d)* Des païens convertis auront accès aux fonctions du culte. Même ouverture extraordinaire qu'au v. 19.

*e)* Au culte perpétuel que rendront les adorateurs de Yahvé, vv. 22-23, est opposé le châtiment sans fin qui frappera ses ennemis, v. 24. Pour ne pas achever la lecture du livre par ce terrible avertissement, l'usage de la Synagogue était de répéter ensuite la promesse du v. 23.

# JÉRÉMIE

Titre.

**1** 1 Paroles de Jérémie, fils de Hilqiyyahu, l'un
1 R 2 26-27 des prêtres résidant à Anatot[a], en territoire de
Benjamin. 2 A lui fut adressée la parole de Yahvé,
So 1 1 aux jours de Josias, fils d'Amon, roi de Juda, la
treizième année de son règne; 3 puis aux jours de
Joiaqim, fils de Josias, roi de Juda, jusqu'à la fin
de la onzième année de Sédécias, fils de Josias, roi
de Juda, jusqu'à la déportation de Jérusalem, au
cinquième mois[b].

# *I. Oracles contre Juda et Jérusalem*

## *1. AU TEMPS DE JOSIAS*

Vocation de Jérémie.

4 La parole de Yahvé me fut adressée en ces termes :

Is 49 1, 5 5 Avant même de te former au ventre maternel, je
Lc 1 15 t'ai connu;
↗ Ga 1 15 avant même que tu sois sorti du sein, je t'ai
Rm 8 29 consacré[c];
comme prophète des nations, je t'ai établi.

Ex 4 10 6 Et je dis : « Ah! Seigneur Yahvé, vraiment, je
Is 6 8+ ne sais pas parler, car je suis un enfant! »

7 Mais Yahvé répondit :
Ne dis pas : « Je suis un enfant! »
car vers tous ceux à qui je t'enverrai, tu iras,
et tout ce que je t'ordonnerai, tu le diras.
Ez 2 6 8 N'aie aucune crainte en leur présence
car je suis avec toi pour te délivrer,
oracle de Yahvé.

9 Alors Yahvé étendit la main et me toucha la Is 6 6-7
bouche; Ez 3 1-3
et Yahvé me dit :
Voici que j'ai placé mes paroles en ta bouche. 2 S 23 2
10 Vois! Aujourd'hui même je t'établis Is 59 21
sur les nations et sur les royaumes,
pour arracher et renverser, Os 6 5
pour exterminer et démolir, Jr 18 7;
pour bâtir et planter. 31 28;
45 4

11 La parole de Yahvé me fut adressée en ces termes : « Que vois-tu, Jérémie? » Je répondis : « Je
vois une branche de “ veilleur ”. » 12 Alors Yahvé
me dit : « Tu as bien vu, car je veille[d] sur ma Ez 12 28
parole pour l'accomplir. » Is 55 10-11
13 Une seconde fois, la parole de Yahvé me fut Dn 9 14
adressée en ces termes : « Que vois-tu? » Je répondis : « Je vois une marmite qui bouillonne : sa
gueule regarde depuis le Nord[e]. » 14 Alors Yahvé 4 5-31
me dit :

*a)* Aujourd'hui Anata, village à 6 km au nord-est de Jérusalem, où fut exilé par Salomon le prêtre Ébyatar, cf. 1 R 2 26.

*b)* Les vv. 2-3 nous conduisent de 626 environ à juillet 587. Ils ne couvrent donc pas les ch. **40** à **44**. (Voir en fin de volume la chronologie de l'époque.)

*c)* « Connaître », de la part du Seigneur, équivaut à choisir et prédestiner : Am **3** 2; Rm **8** 29. « Consacrer » indique moins une sanctification intérieure qu'une mise à part pour le ministère prophétique.

*d)* Le « veilleur » (*sheqed*) est l'amandier, qui guette le printemps pour fleurir le premier; il évoque ici le Vigilant (*shôqed*), le Dieu toujours en éveil.

*e)* Litt. « sa face, (à partir) du côté du nord ». On peut aussi comprendre : « son contenu (litt. « sa surface ») penche à partir du nord ».

4 6; 6 1, 22 C'est du Nord que va déborder le malheur
sur tous les habitants du pays;
15 car voici que j'appelle
toutes les familles des royaumes du Nord,
oracle de Yahvé.
Ils viendront et chacun placera son trône
à l'entrée des portes de Jérusalem,
contre ses remparts, tout autour,
et contre toutes les villes de Juda.
16 Je prononcerai contre eux mes jugements
à cause de toute leur méchanceté,
car ils m'ont abandonné,
ils ont encensé d'autres dieux,
ils se sont prosternés devant l'œuvre de leurs mains.

17 Quant à toi, tu te ceindras les reins,
1 7-8 tu te lèveras, tu leur diras
tout ce que je t'ordonnerai, moi.
Ne tremble point devant eux,
sinon je te ferai trembler devant eux.
15 20 18 Voici que moi, aujourd'hui même, je t'ai établi
comme ville fortifiée,
colonne de fer et rempart de bronze
devant tout le pays :
les rois de Juda, ses princes,
ses prêtres et le peuple du pays.
19 Ils lutteront contre toi,
mais ne pourront rien contre toi,
car je suis avec toi
– oracle de Yahvé –
pour te délivrer.

**Les plus anciennes prédications : l'apostasie d'Israël [a].**

**2** 1 La parole de Yahvé me fut adressée en ces termes :
2 Va crier ceci aux oreilles de Jérusalem.

Ainsi parle Yahvé :
Os 2 16-17+ Je me rappelle l'affection [b] de ta jeunesse,
Jr 11 15 l'amour de tes fiançailles,
Ap 14 4+
Ex 13 17+ alors que tu marchais derrière moi au désert,
dans une terre qui n'est pas ensemencée.
Ex 19 6+ 3 Israël était une part sainte pour Yahvé,
les prémices de sa récolte;
tous ceux qui en mangeaient étaient coupables,
le malheur fondait sur eux,
oracle de Yahvé.
4 Écoutez la parole de Yahvé, maison de Jacob Os 4 1-3
et toutes les familles de la maison d'Israël.
5 Ainsi parle Yahvé :
En quoi vos pères m'ont-ils trouvé injuste
pour s'être éloignés de moi, 2 R 17 15
pour marcher derrière la Vanité [c] Os 9 10
et devenir eux-mêmes vanité? Ps 115 8
6 Ils n'ont pas dit : « Où est Yahvé
qui nous fit monter du pays d'Égypte Dt 8 14-16;
et nous fit marcher dans le désert, 32 10-12
dans une terre aride et ravinée,
dans une terre desséchée et obscure,
terre que personne ne parcourt,
où nul homme ne se fixe? »
7 Pourtant je vous ai conduits au pays du verger [d] Dt 8 7-10
pour vous rassasier de ses fruits et de ses biens; Ex 3 8+
vous êtes entrés et vous avez souillé mon pays,
mon héritage, vous l'avez changé en abomination.
8 Les prêtres n'ont pas dit : « Où est Yahvé? »
Les dépositaires de la Loi ne m'ont pas connu; 8 8
les pasteurs se sont révoltés contre moi; Ez 34 1+
les prophètes ont prophétisé par Baal,
ils ont suivi des Impuissants [e].
9 Aussi vais-je encore plaider contre vous
– oracle de Yahvé –
et plaider contre les fils de vos fils :
10 Passez donc aux îles des Kittim et voyez,
envoyez enquêter à Qédar et examinez bien [f], 18 13-16
voyez si chose semblable s'est produite!
11 Une nation change-t-elle de dieux?
Or ce ne sont pas même des dieux!
Et mon peuple a échangé sa Gloire [g] Ex 24 16+
contre l'Impuissance! ↗ Rm 1 23
Ps 106 20
12 Cieux, soyez-en étonnés,
horrifiés, saisis d'une grande épouvante,
oracle de Yahvé.
13 Car mon peuple a commis deux crimes :
Ils m'ont abandonné, moi la source d'eau vive, Jn 4 1+
pour se creuser des citernes,
citernes lézardées qui ne tiennent pas l'eau.

*a)* Sauf exceptions rares, l'ensemble **2-6** représente la première activité de Jérémie, avant la réforme de Josias (621). Cet ensemble retrouvera son actualité sous Joiaqim, avec la rechute dans l'idolâtrie et la menace de Nabuchodonosor.
*b)* Le mot *hesed*, cf. Os **2** 21+, désigne ici, avec une coloration affective, la loyauté des rapports à l'intérieur de l'alliance entre la nation israélite et Dieu son Époux.
*c)* Ici, une idole, comme en **10** 15; **16** 19; **51** 18. Celui qui l'adore lui devient semblable, cf. Os **9** 10.
*d)* En hébreu *karmel* : le nom du mont Carmel.
*e)* Toujours les idoles, que suivent même les responsables de la nation, y compris les « pasteurs », guides politiques et religieux du peuple.
*f)* « Kittim », les habitants de Citium, à Chypre, Gn **10** 4; Nb **24** 24; ici, globalement, les insulaires de la Méditerranée occidentale. Le mot en viendra à désigner les Romains, cf. Dn **11** 30. – « Qédar », tribu nomade de Transjordanie, Gn **25** 13; Is **21** 16.
*g)* C'est-à-dire son Dieu, Yahvé. « *Sa* Gloire » est une correction des scribes (*tiqqun sopherîm*) pour « *ma* Gloire » qui devait sembler trop choquant.

14 Israël est-il un esclave?
Est-il un domestique
pour qu'on en fasse un butin?
15 Contre lui des lions ont rugi,
poussé leur hurlement.
Ils ont réduit sa terre en solitude,
ses villes incendiées n'ont plus d'habitants.
16 Même ceux de Noph et de Tahpanhès
Is **3** 17; **7** 20 t'ont rasé le crâne [a]!
Jr **4** 18; **6** 19 17 N'as-tu pas provoqué cela
pour avoir abandonné Yahvé ton Dieu,
alors qu'il te guidait sur ta route?
Is **30** 1-3 18 Et maintenant, à quoi bon partir en Égypte
pour boire l'eau du Nil?
A quoi bon partir en Assyrie
pour boire l'eau du Fleuve [b]?
19 Que ta méchanceté te châtie
et que tes infidélités te punissent!
Comprends et vois
comme il est mauvais et amer
d'abandonner Yahvé ton Dieu
et de ne plus trembler devant moi,
oracle du Seigneur Yahvé Sabaot.

Mt **11** 28-30 20 Oui, depuis longtemps tu as brisé ton joug,
rompu tes liens,
tu as dit : « Je ne servirai pas. »
Dt **12** 2+ Et pourtant, sur toute colline élevée
Ez **16** 16 et sous tout arbre vert,
1 R **14** 23+ Dt **23** 19+ tu t'es couchée comme une prostituée [c].
Is **5** 1+ 21 Moi, cependant, je t'avais plantée comme un cep
Jr **5** 10; **6** 9; **8** 13 de choix,
tout entier d'excellente semence.
Comment t'es-tu changée pour moi en sauvageons
d'une vigne étrangère?
22 Quand tu te lessiverais à la potasse,
en y mettant beaucoup de savon,
ton iniquité resterait marquée devant moi,
oracle du Seigneur Yahvé.
23 Comment oses-tu dire : « Je ne suis pas souillée,
après les Baals je n'ai pas couru »?
Regarde tes traces dans la Vallée [d],
reconnais ce que tu as fait.
Chamelle écervelée, courant en tous sens,
24 ânesse sauvage, habituée au désert,
dans l'ardeur de son désir, elle aspire le vent;
son rut, qui le freinera?
Quiconque veut la chercher n'a aucune peine :
il la trouve en son mois.
25 Prends garde! Ton pied va se déchausser
et ta gorge se dessécher.
Mais tu dis : « Non! Inutile!
car j'aime les Étrangers Am **2** 4
et je veux courir après eux. » Os **2** 7

26 Tel un voleur honteux d'être pris,
ainsi seront honteux les gens de la maison d'Israël :
eux, leurs rois, leurs princes,
leurs prêtres et leurs prophètes,
27 qui disent au bois : « Tu es mon père! »
et à la pierre : « Toi, tu m'as enfanté! »
Car ils tournent vers moi leur dos
et non leur face;
mais au temps de leur malheur ils crient :
« Lève-toi! Sauve-nous! »
28 Où sont-ils, les dieux que tu t'es fabriqués? Dt **32** 37-38
Qu'ils se lèvent s'ils peuvent te sauver
au temps de ton malheur!
Car aussi nombreux que tes villes = **11** 13
sont tes dieux, ô Juda [e]!
29 Pourquoi me faites-vous un procès?
Vous m'avez tous été infidèles,
oracle de Yahvé.
30 En vain j'ai frappé vos fils : Am **4** 6+
ils n'ont pas accueilli la leçon;
votre épée a dévoré vos prophètes, Mt **23** 37
comme un lion destructeur.
31 Et vous, de cette génération, voyez la parole de Yahvé :
Ai-je été un désert pour Israël,
ou une terre ténébreuse?
Pourquoi mon peuple dit-il :
« Nous vagabondons, **2** 23
nous n'irons plus à toi »?
32 Une vierge oublie-t-elle ses parures,
une fiancée sa ceinture?
Mais mon peuple m'a oublié
depuis des jours sans nombre.

33 Ah! comme tu t'es tracé un bon chemin
pour quêter l'amour!
Aussi, même avec le crime
tu as familiarisé tes voies.
34 Jusque sur les pans de ta robe on trouve

*a)* « t'ont rasé » *ye'arûk* conj.; « t'ont brouté » *yir'ûk* hébr. – Noph (ou Moph, Os **9** 6) est Memphis, capitale de la Basse-Égypte. Tahpanhès, ou Daphné, aujourd'hui Tell Défenneh, est une ville à l'est du Delta. – Allusion à l'intervention égyptienne de 608-605.

*b)* Le « Nil » : litt. le Shihor, un des bras du Nil. Le « Fleuve » est l'Euphrate. Ces métaphores désignent l'appel aux grandes puissances; les prophètes s'y sont constamment opposés.

*c)* Refusant le service de Dieu, Israël s'enfonce dans la servitude des idoles. La « prostitution » désigne l'idolâtrie, cf. Os **1** 2+, accompagnée ici effectivement de prostitution sacrée, cf. Dt **23** 19+.

*d)* Sans doute la vallée de Ben-Hinnom, ou Géhenne, où se trouvait Tophèt, cf. **7** 31; Lv **18** 21+.

*e)* Ici le grec et la Vet. Lat. ajoutent : « et autant Jérusalem a de rues, autant il y a d'autels pour Baal », **11** 13.

Is 1 15 le sang des pauvres,
des innocents que tu n'as pas surpris à forcer des portes [a]!
Et malgré tout cela,
[35] tu dis : « Je suis innocente,
que sa colère se détourne de moi! »
Me voici pour te juger
puisque tu dis : « Je n'ai pas péché. »

[36] Que tu mets de légèreté [b] à changer de voie!
Pourtant tu auras honte de l'Égypte
comme tu as eu honte de l'Assyrie.
[37] De là aussi tu devras sortir
les mains sur la tête,
car Yahvé a rejeté ceux auxquels tu te fies,
tu n'auras pas de chance avec eux!

**La conversion [c].**

**3** [1] Si un homme répudie sa femme,
et que celle-ci le quitte
et appartient à un autre,
Dt 24 1-4 a-t-il encore le droit de revenir à elle [d]?
N'est-elle pas totalement profanée,
cette terre-là?
Et toi qui t'es prostituée à de nombreux amants,
tu prétends revenir à moi!
Oracle de Yahvé.

2 20 [2] Lève les yeux vers les monts chauves et regarde.
Dt 12 2+ Où ne t'es-tu pas livrée?
Tu étais là, pour eux, le long des chemins,
comme l'Arabe au désert.
Tu as profané le pays
par tes prostitutions et tes forfaits;
5 24; 14 4 [3] aussi les pluies furent-elles retenues
Lv 26 19 et l'ondée tardive ne vint plus.

Mais tu conservais un front de prostituée,
refusant de rougir.
[4] Dès maintenant, ne me cries-tu pas : « Mon père!
L'ami de ma jeunesse, c'est toi!
[5] Gardera-t-il toujours sa rancune,
va-t-il éterniser son courroux? »
Tu parles ainsi en commettant tes crimes,
obstinée que tu es.

**Le royaume du Nord invité à la conversion [e].**

[6] Yahvé me dit au temps du roi Josias : As-tu ↗ Ez 23
vu ce qu'a fait Israël la rebelle? Elle se rendait sur
toute montagne élevée, sous tout arbre vert, et s'y Dt 12 2+
prostituait. [7] Je me disais : « Après avoir fait tout
cela, elle reviendra à moi »; mais elle ne revint pas.
Juda, sa sœur perfide, a vu cela. [8] Elle a vu [f] aussi
que j'ai répudié la rebelle Israël pour tous ses adul- Dt 24 1
tères et lui ai donné son acte de divorce. Or la
perfide Juda, sa sœur, n'a pas eu de crainte; elle est
allée, elle aussi, se prostituer. [9] Et avec sa prostitution éhontée, elle a profané le pays; elle a commis
l'adultère avec la pierre et le bois. [10] En plus de tout
cela, Juda, sa sœur perfide, n'est pas revenue à moi
de tout son cœur, mais avec imposture, oracle de
Yahvé.
[11] Et Yahvé me dit : Israël la rebelle est juste,
comparée à Juda la perfide. [12] Va donc crier ces
paroles du côté du Nord; tu diras :

Reviens, rebelle Israël,
oracle de Yahvé.
Je n'aurai plus pour vous un visage sévère,
car je suis miséricordieux – oracle de Yahvé –
je ne garde pas toujours ma rancune.
[13] Reconnais seulement ta faute :
tu t'es révoltée contre Yahvé ton Dieu,
tu as couru en tous sens vers les Étrangers [g],
sous tout arbre vert,
et vous n'avez pas écouté ma voix,
oracle de Yahvé.

**Le peuple messianique à Sion [h].**

[14] Revenez, fils rebelles – oracle de Yahvé – car
c'est moi votre Maître. Je vous prendrai, un d'une Is 4 3+
ville, deux d'une famille, pour vous amener à Sion.
[15] Je vous donnerai des pasteurs selon mon cœur, Ez 34 1+
qui vous paîtront avec intelligence et prudence. Jr 23 4
[16] Et quand vous vous serez multipliés et que vous
aurez fructifié dans le pays, en ces jours-là – oracle
de Yahvé – on ne dira plus : « Arche de l'alliance Ex 25 8+
de Yahvé »; on n'y pensera plus, on ne s'en souviendra plus, on ne s'en préoccupera plus, on n'en
construira plus d'autre [i]. [17] En ce temps-là, on
appellera Jérusalem « Trône de Yahvé »; toutes les Is 1 26+
Ez 48 35

*a)* La seule excuse de l'homicide était le flagrant délit d'effraction, Ex **22** 1.
*b)* En changeant légèrement la vocalisation, avec les versions. TM, litt. : « comme tu vas beaucoup (?) » que l'on pourrait à la rigueur comprendre : « Comment as-tu été si loin pour changer de voie? »
*c)* Ce poème, interrompu par les deux morceaux **3** 6-13 et **3** 14-18, se poursuit en **3** 19 - **4** 4. – Au début du v. 1, on supprime « en ces termes », avec grec et syr.
*d)* Dt **24** 1-4 interdit un tel remariage. Pour qu'Israël, épouse infidèle de Yahvé, se retourne vers lui et soit reprise, il faut un miracle de grâce, cf. vv. 19s; **31** 23; Os **1-3**.
*e)* Ce morceau date du règne de Josias et doit se situer après la réforme de 621. Il atteste l'espoir qu'a toujours gardé Jérémie à l'endroit du royaume du Nord, cf. **30** 1 - **31** 22. Il semble avoir inspiré Ez **23**.
*f)* Avec 1 ms hébr., des mss grecs et le syr.; « j'ai vu » hébr.
*g)* Toujours les faux dieux; allusion au syncrétisme religieux sous Manassé et Amon.
*h)* Ce passage suppose les événements de 587.
*i)* L'arche dut être brûlée en 587 par les Chaldéens. Mais la Jérusalem future sera tout entière le « trône de Yahvé », comme était l'arche, Ex **25** 10+; 2 S **6** 7.

Is 45 14+ nations convergeront vers elle, vers le nom de
Yahvé, à Jérusalem, et elles ne suivront plus l'obstination de leur cœur mauvais.
18 En ces jours-là, la maison de Juda ira vers la
maison d'Israël; ensemble elles viendront du pays
Gn 13 14-15 du Nord, vers le pays que j'ai donné en héritage à
vos pères [a].

**Suite du poème sur la conversion [b].**

19 Et moi qui m'étais dit :
Dt 1 31+ Comment te placerai-je au rang des fils?
Je te donnerai une terre de délices,
l'héritage le plus précieux d'entre les nations.
Ps 89 27 Je me disais : Vous m'appellerez « Mon Père »
et vous ne vous séparerez pas de moi.
20 Mais comme une femme qui trahit son compagnon,
ainsi m'avez-vous trahi, maison d'Israël,
oracle de Yahvé.

21 Sur les monts chauves, un cri s'est fait entendre [c] :
pleurs et supplications des enfants d'Israël;
car ils ont gauchi leur voie,
oublié Yahvé leur Dieu.
22 – Revenez, fils rebelles,
je veux guérir vos rébellions!

– Nous voici, nous venons à toi,
car tu es Yahvé notre Dieu.
Is 2 12-18 23 En vérité, les collines ne sont que duperie [d],
Ps 75 7; 121 1-2 ainsi que le tumulte des montagnes.
En vérité, c'est en Yahvé notre Dieu
qu'est le salut d'Israël.
24 La Honte [e] a dévoré le travail de nos pères
depuis notre jeunesse,
leur petit et leur gros bétail, leurs fils et leurs
filles.
25 Couchons-nous dans notre honte,
que nous couvre notre confusion!
Car contre Yahvé notre Dieu, nous avons péché,
nous et nos pères, depuis notre jeunesse jusqu'à
ce jour même,
et nous n'avons pas écouté la voix de Yahvé
notre Dieu.

4 1 – Si tu reviens, Israël,
oracle de Yahvé,
si tu reviens à moi,
si tu ôtes de devant moi tes Horreurs,
si tu ne vagabondes plus,
2 si tu jures par Yahvé vivant,
en vérité, droiture et justice,
alors les nations se béniront en lui, Gn 12 3+
en lui elles se glorifieront.
3 Car ainsi parle Yahvé
aux gens de Juda et à Jérusalem :
Défrichez pour vous ce qui est en friche, Os 10 12
ne semez rien parmi les épines. Mt 13 22 par.
4 Circoncisez-vous pour Yahvé [f], Dt 10 16
ôtez le prépuce de votre cœur,
gens de Juda et habitants de Jérusalem,
sinon ma colère jaillira comme un feu, = 21 12
elle brûlera sans personne pour éteindre,
à cause de la méchanceté de vos actions.

**L'invasion venant du Nord [g].** 1 13-15

5 Publiez-le dans Juda,
annoncez-le dans Jérusalem, dites-le!
Sonnez du cor dans le pays, Jl 2 1+
criez à pleine voix et dites :
Rassemblement! – 8 14
Gagnons les villes fortifiées!
6 Dressez un signal à Sion!
Fuyez! Pas d'arrêt!
Car c'est un malheur que j'amène du Nord,
un immense désastre.
7 Le lion est monté de son fourré,
le destructeur des nations s'est mis en marche,
il est sorti de sa demeure
pour transformer ton pays en solitude;
tes villes seront détruites et dépeuplées.
8 Aussi, revêtez-vous de sacs,
lamentez-vous, poussez des hurlements,
car elle ne s'est pas écartée de nous,
l'ardente colère de Yahvé.

*a)* Avec la restauration messianique, les prophètes annoncent l'unité future du Royaume, renouant la tradition de David et de Salomon, Jr **23** 5-6; **31** 1; Is **11** 13-14; Ez **37** 15-27; Os **2** 2; Mi **2** 12; Za **9** 10.

*b)* Suite des vv. 1-5. Ce qui était juridiquement impossible, v. 1, devient possible par grâce.

*c)* En contraste avec **3** 2.

*d)* On suit grec, syr. et Vulg.; hébr. corrompu, litt. : « pour la duperie d'au-delà des collines tumulte des montagnes ».

*e)* Désignation de Baal, cf. **11** 13; la suite vise les sacrifices qu'on lui offrait.

*f)* La circoncision, Gn **17** 10+, était en Israël le signe de l'Alliance. Pour Jérémie, ce signe n'est rien si ne lui correspond la fidélité intérieure, la « circoncision du cœur », cf. Dt **10** 16. Israël refuse d'écouter Yahvé, il a les « oreilles incirconcises », Jr **6** 10; il refuse de se convertir, il a le « cœur incirconcis », **9** 24-25; cf. Lv **26** 41. C'est Yahvé qui, convertissant Israël, circoncira son cœur, Dt **30** 6. Les étrangers, eux, sont incirconcis de cœur et de chair, Ez **44** 7. Le NT reprendra cette image, Ac **7** 51, et S. Paul enseignera que la vraie circoncision, celle qui fait le véritable Israël, est celle du cœur, Rm **2** 25-29; cf. 1 Co **7** 19; Ga **5** 6; **6** 15; Ph **3** 3; Col **2** 11; **3** 11.

*g)* Comme en **1** 15, l'ennemi du Nord n'est pas un peuple déterminé. Peut-être évoque-t-il à la fois les Scythes (parus sur les côtes de Syrie-Palestine entre 630 et 625) et l'armée assyrienne. L'oracle prendra en 605 une actualité terrifiante en s'appliquant aux Chaldéens.

[9] En ce jour-là – oracle de Yahvé –
le cœur manquera au roi,
il manquera aux chefs;
les prêtres seront frappés de stupeur
et les prophètes d'effroi.
[10] Et je dis : « Ah! Seigneur Yahvé,
tu as vraiment trompé ce peuple et Jérusalem
14 13 quand tu disais [a] : " Vous aurez la paix ",
alors que l'épée nous a frappés à mort! »
[11] En ce temps-là on dira
à ce peuple et à Jérusalem :
le vent brûlant des hauteurs, au désert,
arrive sur la fille de mon peuple.
51 2 – Ce n'est ni pour vanner ni pour épurer! –
[12] Un vent impétueux me vient de là-bas.
Maintenant c'est moi qui vais prononcer
sur eux le jugement!

[13] Voici qu'il s'avance comme les nuées,
ses chars sont comme l'ouragan,
ses chevaux vont plus vite que des aigles.
Malheur à nous! Nous sommes perdus!
[14] Purifie ton cœur du mal, Jérusalem,
afin d'être sauvée.
Jusques à quand abriteras-tu en ton sein
tes coupables pensées?
[15] Car une voix crie la nouvelle depuis Dan,
depuis la montagne d'Éphraïm elle annonce la
calamité [b].
[16] Faites savoir ceci aux nations,
proclamez-le contre Jérusalem :
les ennemis [c] arrivent d'un lointain pays
et poussent leur cri contre les villes de Juda;
[17] comme les gardiens d'un champ, ils l'entourent,
car elle s'est révoltée contre moi,
oracle de Yahvé.
[18] Ta conduite et tes actions t'ont valu cela :
Voilà ton malheur, comme il est amer!
comme il te frappe au cœur!

10 19 [19] Mes entrailles! Mes entrailles! Que je souffre [d]!
Parois de mon cœur!
Mon cœur s'agite en moi!
Je ne puis me taire
car j'ai entendu l'appel du cor,
le cri de guerre.
[20] On annonce désastre sur désastre :
tout le pays est dévasté,
10 20 d'un coup mes tentes sont détruites,
mes abris, en un clin d'œil.
[21] Jusques à quand verrai-je le signal,
entendrai-je l'appel du cor?

[22] – C'est que mon peuple [e] est stupide, Dt 32 6, 28
ils ne me connaissent pas,
ce sont des enfants sans réflexion,
ils n'ont pas d'intelligence;
ils sont sages pour faire le mal, Mi 7 3
mais ne savent pas faire le bien.

[23] J'ai regardé la terre : un chaos;
les cieux : leur lumière a disparu.
[24] J'ai regardé les montagnes : elles tremblent,
toutes les collines sont secouées.
[25] J'ai regardé : plus d'hommes;
tous les oiseaux du ciel ont fui.
[26] J'ai regardé : le verger est un désert,
toutes ses villes sont détruites
devant Yahvé,
devant l'ardeur de sa colère.
[27] Oui, ainsi parle Yahvé :
Tout le pays sera désolé,
mais je ne l'exterminerai pas totalement.

[28] A cause de cela, la terre sera en deuil Os 4 3+
et le ciel, là-haut, s'assombrira!
Car j'ai parlé, j'ai décidé,
je ne m'en repentirai ni n'en reviendrai.
[29] Devant la clameur du cavalier et de l'archer,
toute la ville est en fuite :
on s'enfonce dans les taillis,
on escalade les rochers;
toute ville [f] est abandonnée,
plus personne n'y habite.
[30] Et toi, la dévastée, que vas-tu faire?
Même si tu t'habilles de pourpre, Is 3 16-24
te pares de joyaux d'or Ez 23 40
et t'agrandis les yeux à force de fard,
c'est en vain que tu te fais belle!
Ceux qui étaient épris de toi te dédaignent, Ez 16 37
ils en veulent à ta vie. 23 22-29
[31] Oui, j'entends les cris comme d'une femme en
travail,
c'est comme l'angoisse de celle qui accouche; 6 24; 13
ce sont les cris de la fille de Sion qui s'essouffle 22 23; 5
et qui tend les mains : Is 13 8+
« Malheur à moi, je succombe Ps 48 7
sous les coups des meurtriers! »

*a)* Allusion aux promesses des faux prophètes, **14** 13 et **23** 17; cf. **28** 8-9.
*b)* Dan, aux frontières septentrionales de la Palestine; Gn **14** 14; Jos **19** 47; Jg **18** 29; **20** 1+, etc. Éphraïm désigne ici la partie montagneuse, de Sichem à Béthel, où s'étaient établis les descendants de la tribu d'Éphraïm, fils de Joseph : Jos **16** 1s; **17** 15; 1 S **1** 1.
*c)* « les ennemis » *çarîm* conj.; « les gardes » *noçrîm* hébr.
*d)* Plaintes de Jérémie, qui s'identifie à son pays.
*e)* Yahvé reprend la parole.
*f)* « toute ville » grec; hébr. répète « toute la ville ».

### Les raisons de l'invasion [a].

5 1 Parcourez les rues de Jérusalem,
regardez donc, renseignez-vous,
cherchez sur ses places
Mi **7** 2 si vous découvrez un homme,
Ps **14** 1-3 un qui pratique le droit,
qui recherche la vérité :
Gn **18** 16-33 alors je pardonnerai à cette ville,
Ez **14** 12+ dit Yahvé [b].
2 Mais s'ils disent : « Par Yahvé vivant »,
c'est pour un mensonge qu'ils jurent.
3 N'est-ce pas la vérité que tes yeux veulent voir,
Yahvé?
Am **4** 6+ Tu les as frappés : ils n'ont rien senti.
Tu les as exterminés : ils ont refusé la leçon.
Ils ont rendu leur visage plus dur que le roc,
Ap **16** 9, 11 ils ont refusé de se convertir.
4 Je me disais : « Ce ne sont que de pauvres gens,
ils agissent follement
parce qu'ils ne connaissent pas la voie de Yahvé
ni le droit de leur Dieu.
5 J'irai donc vers les grands
et je leur parlerai,
car ils connaissent, eux, la voie de Yahvé
et le droit de leur Dieu! »
2 20 Or eux aussi ont brisé le joug,
Mt **11** 28-30 rompu les liens!
6 Voilà pourquoi le lion de la forêt les attaque,
le loup des steppes les dévaste,
la panthère est aux aguets devant leurs villes :
quiconque en sort est mis en pièces.
C'est que leurs crimes sont nombreux,
multiples leurs rébellions.

7 Pourquoi te pardonnerais-je?
Tes fils m'ont abandonné,
jurant par des dieux qui n'en sont pas [c].
Dt **32** 15 Je les rassasiais et ils devenaient adultères;
ils se précipitaient à la maison de la prostituée.
8 Ce sont des chevaux repus et vagabonds,
chacun hennit après la femme du voisin.
5 29; **9** 8 9 Et je ne châtierais pas ces actions,
– oracle de Yahvé –
d'une nation comme celle-là
je ne tirerais pas vengeance?

10 Escaladez ses terrasses! Détruisez!
Mais ne l'exterminez pas complètement!
Arrachez ses sarments, 2 21+
car ils n'appartiennent pas à Yahvé!
11 Oui, elles m'ont vraiment trahi,
la maison d'Israël et la maison de Juda [d],
oracle de Yahvé.
12 Ils ont renié Yahvé,
ils ont dit : « Il n'est pas [e]! Ps **14** 1
Aucun malheur ne nous atteindra, So **1** 12
nous ne verrons ni épée ni famine! Is **28** 15 Am **9** 10
13 Quant aux prophètes, ils ne sont que du vent
et la parole n'est pas en eux;
que leur arrive tout cela! »
14 C'est pourquoi, ainsi parle Yahvé,
le Dieu Sabaot :
Puisque vous avez parlé ainsi,
moi je ferai de mes paroles **23** 29
un feu dans ta bouche, Os **6** 5
et de ce peuple du bois
que ce feu dévorera.
15 Moi, j'amènerai sur vous Dt **28** 49-52
de très loin une nation,
maison d'Israël – oracle de Yahvé.
C'est une nation durable,
c'est une nation très ancienne,
une nation dont tu ne sais pas la langue Is **28** 11
et ne comprends pas ce qu'elle dit.
16 Son carquois est un sépulcre béant;
c'est une nation de héros.
17 Elle dévorera ta moisson et ton pain,
elle dévorera tes fils et tes filles,
elle dévorera ton petit et ton gros bétail,
elle dévorera ta vigne et ton figuier;
par l'épée, elle viendra à bout de ces villes fortes
en lesquelles tu mets ta confiance [f].

### La pédagogie du châtiment.

18 Pourtant, même en ces jours-là – oracle de
Yahvé – je ne vous exterminerai pas complètement. Is **4** 3+
19 Et quand vous demanderez : « Pourquoi Dt **29** 23-24
Yahvé, notre Dieu, nous a-t-il fait tout cela? » tu Jr **16** 10s;
leur répondras : « De même que vous m'avez aban- **22** 8s
donné pour servir en votre pays des dieux étrangers, de même vous servirez des étrangers en un Dt **28** 47-48
pays qui n'est pas le vôtre. »

*a)* Au grief essentiel qu'est la contamination idolâtrique du culte de Yahvé, Jérémie ajoute l'athéisme pratique et l'indocilité (vv. 3, 12-13), la luxure (vv. 7-8), l'oppression sociale (vv. 26-29). Il dénonce la responsabilité des classes dirigeantes (vv. 4-5), des prêtres et des prophètes (v. 31).
*b)* « dit Yahvé » grec; omis par hébr.
*c)* Alors qu'ils disent du vrai Dieu : « Il n'est pas! » (v. 12).
*d)* Le nom de « maison d'Israël » désigne peut-être ici le royaume du Sud, cf. le ch **2**, et « maison de Juda » pourrait être une glose. Ce terme a connu plusieurs significations : il a d'abord désigné les douze tribus du peuple de l'Alliance, Jos **24**, puis, prenant un sens profane, il a servi à désigner le royaume du Nord, 2 S **5** 5. Cependant sa valeur religieuse n'a pas été oubliée et Isaïe parle des « deux maisons d'Israël », Is **8** 14, et après la chute du royaume de Samarie (721) ce nom est appliqué au royaume du Sud, cf. Is **5** 7; Mi **2** 1; Ez **4** 3; **5** 4.
*e)* Litt. « pas lui ». L'impie n'affirme pas un athéisme théorique, mais selon lui Yahvé n'agira pas; il n'existe pas, pratiquement, à ses yeux; cf. Ps **14** 1+. On peut encore comprendre : « (nous ne voulons) pas de lui ».
*f)* L'oracle va se poursuivre au v. 26.

8 18-23; 14 **A l'occasion d'une famine (?).**

20 Faites cette annonce dans la maison de Jacob,
proclamez-la dans Juda en ces termes :
21 Écoutez donc ceci,
peuple stupide et sans cervelle [a]!
Dt **29** 3+ Is **6** 10 Avec leurs yeux ils ne voient rien,
Ez **12** 2 avec leurs oreilles ils n'entendent rien.
Mt **13** 13+ 22 Moi, ne me craindrez-vous pas?
– oracle de Yahvé –
ne tremblerez-vous pas devant moi
qui ai posé le sable pour limite à la mer,
Jb **38** 8-11 barrière éternelle qu'elle ne franchira point :
Ps **104** 9 ses flots s'agitent, mais sont impuissants,
ils mugissent, mais ne la franchissent pas.
23 Mais ce peuple possède
un cœur dévoyé et rebelle;
ils se sont dévoyés et ils s'en sont allés!
24 Ils n'ont pas dit en leur cœur :
« Craignons donc Yahvé notre Dieu,
3 3 qui donne la pluie, celle de l'automne
Dt **11** 14 et celle du printemps, selon son temps,
et qui nous réserve
1 S **12** 17+ des semaines fixes pour la moisson. »
25 Vos fautes ont dérangé cet ordre,
vos péchés ont écarté de vous ces biens.

**Reprise du thème.**

26 Oui, il se trouve en mon peuple des malfaisants,
ils guettent comme des oiseleurs à l'affût [b];
ils posent des pièges
et ils attrapent des hommes.
27 Telle une cage pleine d'oiseaux,
ainsi leurs maisons sont-elles pleines de rapines;
de la sorte ils sont devenus importants et riches,
28 ils sont gras, ils sont reluisants,
ils ont même passé la mesure du mal :
ils ne respectent pas le droit,
le droit des orphelins, pourtant ils réussissent!
Ils n'ont pas rendu justice aux indigents,
= 5 9 29 et je ne châtierais pas ces actions
– oracle de Yahvé –
ou d'une nation comme celle-là
je ne tirerais pas vengeance?
30 Des choses horribles, abominables,
se passent dans ce pays :
31 les prophètes prophétisent le mensonge, **14** 14
les prêtres font du profit [c].
Et mon peuple aime cela!
Mais que ferez-vous quand viendra la fin? Is **10** 3

**Encore l'invasion.**

6 1 Fuyez, gens de Benjamin,
du milieu de Jérusalem!
A Téqoa sonnez du cor! Jl **2** 1+
Sur Bet-ha-Kérem dressez un signal [d]!
Car du Nord survient un malheur, **1** 13-15
un grand désastre.
2 La belle, la délicate,
je la détruis, la fille de Sion!
3 Vers elle arrivent des pasteurs **12** 10
avec leurs troupeaux!
Tout autour d'elle ils ont dressé des tentes,
chacun broute sa part.
4 Préparez contre elle le saint combat [e]!
Debout! Montons à l'assaut en plein midi!
Malheur à nous! déjà le jour décline,
les ombres du soir s'allongent.
5 Debout! Montons de nuit à l'assaut,
que nous détruisions ses palais!
6 Car ainsi parle Yahvé Sabaot :
Abattez des arbres,
devant Jérusalem construisez une levée :
c'est la ville qui va recevoir ma visite [f],
elle en qui il n'y a qu'oppression.
7 Comme un puits qui fait sourdre son eau,
ainsi fait-elle sourdre sa méchanceté.
Violence et dévastation, voilà ce qu'on y entend;
devant moi, constamment, maladies et blessures.
8 Corrige-toi, Jérusalem,
sinon mon âme se détournera de toi,
sinon je te réduirai en solitude,
en pays inhabité.
9 Ainsi parle Yahvé Sabaot :
On va grappiller, grappiller comme sur une
vigne, ce qui reste d'Israël [g]; **2** 21+

*a)* Litt. « sans cœur », cf. Os **7** 11; Gn **8** 21+.
*b)* Au pluriel d'après le contexte; l'hébr. porte le singulier. – « comme des oiseleurs à l'affût » trad. incertaine : le verbe signifie normalement « s'humilier » d'où peut-être « se baisser, s'accroupir » (pour l'affût).
*c)* Litt. « recueillent sur leurs mains », avec le verbe *radah* II employé en Jg **14** 9; plutôt que « gouvernent » (*radah* I) pour leurs mains, c'est-à-dire à leur profit.
*d)* Les Benjaminites installés au nord de Juda sont peut-être censés s'être réfugiés à Jérusalem. – Téqoa, patrie d'Amos, à 8 km au sud de Bethléem; Bet-ha-Kérem, cf. Ne **3** 14!, est de localisation incertaine; peut-être Ramat Rahel, à 5 km au sud de Jérusalem.
*e)* Litt. « sanctifiez contre elle la guerre », celle-ci ayant été jusque-là considérée comme un devoir sacré, cf. de même **22** 7. Mais, malgré le vocabulaire, on est à l'opposé de l'idéal de la guerre sainte dans laquelle Yahvé combat avec son peuple, cf. Dt **1** 30; **20** 4; Is **31** 4, ou au moins, contre ses ennemis, Is **13** 3. Pour Jérémie, la guerre n'est plus un acte religieux, car Yahvé a quitté le camp d'Israël qu'il a décidé de châtier, cf. **21** 5; **34** 22.
*f)* La « visite » de Dieu, soit pour délivrer, **15** 15; Ex **3** 16; Lc **1** 68; soit pour livrer au châtiment, **6** 15; **8** 12; **9** 24, cf. Is **10** 3, etc.
*g)* L'expression, ici comme en **8** 3, n'est pas encore technique. Elle le sera en **23** 3 et **31** 7, pour désigner le peuple fidèle, bénéficiaire du salut. Cf. Is **4** 3+.

repasse la main, comme le vendangeur
sur les pampres!
10 – A qui dois-je parler, devant qui témoigner [a]
pour qu'ils écoutent?
Voici : leur oreille est incirconcise,
ils ne peuvent pas être attentifs.
4 4+ Voici : la parole de Yahvé leur est un objet de raillerie,
ils n'y ont plus goût.
11 Je suis rempli de la colère de Yahvé,
je suis las de la contenir!
– Déverse-la donc sur l'enfant dans la rue,
et aussi sur les réunions des jeunes gens.
Ils seront pris, le mari comme la femme
et le vieillard, l'homme plein de jours.
= 8 10-12 12 Leurs maisons passeront à d'autres,
leurs champs et leurs femmes ensemble.
Oui, j'étendrai la main
sur les habitants de ce pays – oracle de Yahvé!
13 Car du plus petit au plus grand,
tous sont avides de rapine;
23 11 prophète comme prêtre,
tous ils pratiquent le mensonge.
14 Ils pansent à la légère la blessure de mon peuple
en disant : « Paix! Paix! »
alors qu'il n'y a point de paix [b].
15 Les voilà dans la honte pour leurs actes abominables,
mais déjà ils ne sentent plus la honte,
ils ne savent même plus rougir.
Aussi tomberont-ils parmi ceux qui tombent,
ils trébucheront quand je les visiterai,
dit Yahvé.

16 Ainsi parle Yahvé :
Arrêtez-vous sur les routes et voyez,
18 15 renseignez-vous sur les chemins de jadis [c] :
quelle était la voie du bien? Suivez-la
↗ Mt 11 29 et vous trouverez le repos pour vos âmes.
Mais ils ont dit : « Nous ne la suivrons pas! »
Os 9 8+ Ez 3 17 17 Je vous ai installé des guetteurs :
« Attention au signal du cor! »
Mais ils ont dit : « Nous n'y prêterons pas attention! »
18 Alors, nations, écoutez,
assemblée, connais ce qui va leur arriver!
19 Terre, écoute!
Voici que j'amène un malheur sur ce peuple-là :
c'est le fruit de leurs pensées, Pr 1 29-31
car ils n'ont pas fait attention à mes paroles
et ils ont méprisé ma loi.
20 Que m'importe l'encens importé de Sheba [d], 1 R 10 1+
le roseau odorant qui vient d'un lointain pays?
Vos holocaustes ne me plaisent pas, Am 5 21+
vos sacrifices ne m'agréent pas.
21 C'est pourquoi, ainsi parle Yahvé :
Voici, je vais dresser devant ce peuple
des obstacles où ils trébucheront.
Père et fils, tous ensemble,
voisin et ami, ils périront.

22 Ainsi parle Yahvé :
Voici qu'un peuple arrive du Nord, = 50 41-43
une grande nation se lève des confins de la terre;
23 ils tiennent fermement l'arc et le javelot,
ils sont barbares et impitoyables;
leur bruit est comme le mugissement de la mer;
ils montent des chevaux,
ils sont prêts à combattre comme un seul homme
contre toi, fille de Sion.
24 Nous avons appris la nouvelle,
nos mains ont défailli,
l'angoisse nous a pris,
une douleur comme pour celle qui enfante. 4 31+
25 Ne sortez pas dans la campagne,
ne vous risquez pas sur les routes,
car l'ennemi porte l'épée :
terreur de tous côtés! 20 10+
26 Fille de mon peuple, revêts le sac,
roule-toi dans la cendre,
fais un deuil comme pour un fils unique, Am 8 10
une lamentation amère, Za 12 10
car soudain il arrive
sur nous, le dévastateur.

27 Je t'ai établi comme celui qui éprouve mon peuple [e],
pour que tu connaisses et éprouves leur conduite.
28 Tous, ils sont totalement rebelles,
semeurs de calomnies,
durs comme bronze et fer [f],
ce sont tous des destructeurs.
29 Le soufflet est haletant, Is 1 22
pour que le plomb soit dévoré par le feu [g]. Jr 9 6 Ez 22 17-22 Ml 3 2-3

*a)* Jérémie, invité à recueillir les restes, déclare, aux vv. 10-11a, ne plus trouver d'auditeurs attentifs. Dieu lui répond.
*b)* Promesses mensongères des faux prophètes, cf. **4** 10, avec qui Jérémie entrera en conflit violent par ses annonces de malheur. Eux annoncent la « paix » (*shalôm*), mot qui exprime non seulement l'absence de danger extérieur (sens qui apparaît au premier plan à l'époque de Jérémie), mais tout un idéal de bonheur dans la prospérité individuelle et collective, dans les bons rapports avec Dieu et dans l'harmonie sociale. C'est l'idéal que doit réaliser la paix messianique, cf. Is **11** 6+.
*c)* Tantôt ceux des ancêtres pécheurs, Jb **22** 15, tantôt, comme ici, ceux des ancêtres fidèles, cf. **18** 15; Ps **139** 14.
*d)* Ou Saba, 1 R **10** 1+.
*e)* L'hébr. ajoute « (comme une) forteresse » : le mot de **1** 18.
*f)* Litt. « (ils sont) bronze et fer ».
*g)* Comparaison tirée du raffinage des métaux et ici spécialement du traitement de la galène, dont il faut extraire séparément plomb et argent. Mais Israël, pourtant mis au creuset de l'épreuve, ne se purifie pas.

Vainement le fondeur s'emploie à fondre,
les scories ne se détachent point.

30 « Argent de rebut », voilà comme on les nomme!
Oui, Yahvé les a mis au rebut!

## 2. ORACLES PRONONCÉS SURTOUT AU TEMPS DE JOIAQIM

26 1-19+ **Le culte véritable** [a].
**a) L'attaque contre le Temple** [b].

**7** 1 Parole qui fut adressée à Jérémie de la part
de Yahvé en ces termes :
2 Tiens-toi à la porte du Temple de Yahvé, procla-
mes-y cette parole et dis : Écoutez la parole de
Yahvé, vous tous les Judéens qui entrez par ces
portes pour vous prosterner devant Yahvé. 3 Ainsi
Is 1 16-17 parle Yahvé Sabaot, le Dieu d'Israël : Améliorez
vos voies et vos œuvres et je vous ferai demeurer
en ce lieu. 4 Ne vous fiez pas aux paroles mensongères : « C'est le sanctuaire de Yahvé, le sanctuaire
de Yahvé, le sanctuaire de Yahvé! » 5 Mais si vous
améliorez réellement vos voies et vos œuvres, si
22 3 vous avez un vrai souci du droit, chacun avec son
prochain, 6 si vous n'opprimez pas l'étranger, l'orphelin et la veuve, si vous ne répandez pas le sang
innocent en ce lieu et si vous n'allez pas, pour votre
Ex 20 2-3+ malheur, à la suite d'autres dieux, 7 alors je vous
ferai demeurer en ce lieu, dans le pays que j'ai
donné à vos pères depuis toujours et pour toujours.
8 Mais voici que vous vous fiez à des paroles mensongères, à ce qui est vain. 9 Quoi! Voler, tuer,
commettre l'adultère, se parjurer, encenser Baal,
suivre des dieux étrangers que vous ne connaissez
pas, 10 puis venir se présenter devant moi en ce
Temple qui porte mon nom, et dire : « Nous voilà
en sûreté! » pour continuer toutes ces abomina-
↗ Mt 21 tions! 11 A vos yeux, est-ce un repaire de brigands,
13+ ce Temple qui porte mon nom? Moi, en tout cas,
je vois clair, oracle de Yahvé!
1 S 1-3; 12 Allez donc au lieu qui fut le mien, à Silo [c] :
4 12-22 autrefois j'y fis habiter mon Nom; regardez ce que
Ps 78 59-69 j'en ai fait, à cause de la perversité de mon peuple
Israël. 13 Et maintenant, puisque vous avez commis
tous ces actes – oracle de Yahvé – puisque vous
n'avez pas écouté quand je vous parlais instamment et sans me lasser, et que vous n'avez pas Is 50 2;
répondu à mes appels, 14 je vais traiter ce Temple 65 12; 66 4
qui porte mon nom, et dans lequel vous placez
votre confiance, ce lieu que j'ai donné à vous et à
vos pères, comme j'ai traité Silo. 15 Je vous rejetterai de devant moi comme j'ai rejeté tous vos frères,
toute la race d'Éphraïm.

**b) Les dieux étrangers.**

16 Et toi, n'intercède pas pour ce peuple-là, 11 14; 14 11
n'élève en leur faveur ni plainte ni prière, n'insiste
pas auprès de moi, car je ne veux pas t'écouter.
17 Tu ne vois donc pas ce qu'ils font dans les villes
de Juda et dans les rues de Jérusalem? 18 Les fils
ramassent le bois, les pères allument le feu, les femmes pétrissent la pâte pour faire des gâteaux à la
Reine du Ciel [d]; et puis on verse des libations à des 44 17-19
dieux étrangers pour me blesser. 19 Est-ce bien moi
qu'ils blessent – oracle de Yahvé – n'est-ce pas plutôt eux-mêmes pour leur propre honte? 20 C'est
pourquoi, ainsi parle le Seigneur Yahvé : Voici, ma
colère, ma fureur va se déverser sur ce lieu, sur les
hommes et le bétail, sur les arbres de la campagne
et les fruits du sol; elle va brûler sans s'éteindre.

**c) Le culte sans la fidélité.** 11 1-14

21 Ainsi parle Yahvé Sabaot, le Dieu d'Israël :
Ajoutez vos holocaustes à vos sacrifices et mangez- 6 20
en la chair! 22 Car je n'ai rien dit ni prescrit à vos Am 5 21+
pères, quand je les fis sortir du pays d'Égypte,
concernant l'holocauste et le sacrifice [e]. 23 Mais
voici ce que je leur ai ordonné : Écoutez ma voix,

*a)* Les discours qui suivent, rapprochés les uns des autres par leur relation au culte, doivent être rapportés au règne de Joiaqim.
*b)* Le Temple, sanctifié par la présence de Yahvé, 1 R **8** 10s; cf. Dt **4** 7+, pouvait apparaître comme inviolable, et l'échec de Sennachérib en 701 sous les murs de Jérusalem avait illustré la protection de Yahvé sur la Ville sainte, 2 R **19** 32-34; Is **37** 33-35. On en tirait l'assurance trop facile que cette protection jouerait de nouveau à coup sûr. Jérémie va scandaliser le peuple, en affirmant, après Michée (**3** 12), qu'une telle confiance est illusoire : Dieu peut déserter son Temple. Ézéchiel verra de même la Gloire de Yahvé quitter le sanctuaire, cf. Ez **11** 23. Le ch. **26** raconte les incidents que provoquera cette diatribe qui date des débuts du règne de Joiaqim. vers 608.
*c)* Le sanctuaire de Silo, pourtant résidence de l'Arche, avait été détruit par les Philistins, 1 S **4**; on évitait de parler de ce deuil national; le Ps **78** 60 est le seul à le faire, après Jérémie. – Silo se trouve à une quarantaine de km au nord de Jérusalem.
*d)* Ishtar (Astarté), déesse de la fécondité dans le panthéon mésopotamien; on l'identifiait à la planète Vénus. – La forme du mot « reine » est anormale et ne se trouve qu'en Jr, cf. **44** 17-25.
*e)* Il est exact que le Décalogue, charte de l'Alliance, ne contient aucune prescription rituelle. Certes, il n'est pas question de condamner purement et simplement les sacrifices d'animaux, cf. **33** 11, mais Jérémie rejoint ici tout un courant prophétique pour qui le culte n'est pas l'élément essentiel de la religion, cf. Os **6** 6; Mi **6** 6-8; Am **5** 21+.

alors je serai votre Dieu et vous serez mon peuple.
Suivez en tout la voie que je vous prescris pour
votre bonheur. 24 Mais ils n'ont pas écouté ni prêté
l'oreille; ils ont marché selon leurs desseins, dans
9 13 l'obstination de leur cœur mauvais, tournés vers
l'arrière et non vers l'avant. 25 Depuis le jour où vos
pères sont sortis du pays d'Égypte jusqu'à
aujourd'hui, je vous ai envoyé tous mes serviteurs,
les prophètes; chaque jour [a] je les ai envoyés, sans
**25** 4; **26** 5; me lasser. 26 Mais ils ne m'ont pas écouté, ils n'ont
**29** 19; **44** 4 pas prêté l'oreille, ils ont raidi leur nuque, ils ont
2 Ch **36** 15 été pires que leurs pères. 27 Tu leur diras toutes ces
Ez **3** 4-7 paroles : ils ne t'écouteront pas. Tu les appelleras :
ils ne te répondront pas. 28 Tu leur diras : Voilà la
nation qui n'écoute pas la voix de Yahvé son Dieu
Is **7** 9+ et ne se laisse pas instruire. La fidélité n'est plus :
elle a disparu de leur bouche.

**19** 1-13 **d) A nouveau le culte illégitime; menace d'exil.**

29 Coupe tes longs cheveux, jette-les.
Entonne sur les monts chauves une complainte.
Car Yahvé a dédaigné et repoussé
la génération qui le met en fureur!

30 Oui, les fils de Juda ont fait ce qui me déplaît
= **32** 34 – oracle de Yahvé. Ils ont installé leurs Horreurs [b]
dans le Temple qui porte mon nom, pour le souil-
ler; 31 ils ont construit les hauts lieux de Tophèt [c]
Lv **18** 21+ dans la vallée de Ben-Hinnom, pour brûler leurs fils
et leurs filles, ce que je n'avais point ordonné, à
quoi je n'avais jamais songé. 32 Aussi voici venir
= **19** 6 des jours – oracle de Yahvé – où l'on ne dira plus
Tophèt ni vallée de Ben-Hinnom, mais vallée du
Carnage. On enterrera alors à Tophèt, faute de
**16** 4; **34** 20 place; 33 les cadavres de ce peuple serviront de
pâture aux oiseaux du ciel et aux bêtes de la terre,
**16** 9; **25** 10 que nul ne chassera. 34 Je ferai cesser dans les villes
↗ Ba **2** 23 de Juda et dans les rues de Jérusalem les cris de
joie et les cris d'allégresse, les appels du fiancé et
de la fiancée, car le pays ne sera plus qu'une ruine.

**8** 1 En ce temps-là – oracle de Yahvé – on tirera
de leurs tombes les ossements des rois de
Juda, les ossements de ses princes, les ossements
des prêtres, les ossements des prophètes et les osse-
Ez **6** 4-5 ments des habitants de Jérusalem. 2 On les étalera
devant le soleil, la lune et toute l'armée du ciel,
qu'ils ont aimés et servis, suivis et consultés, devant
lesquels ils se sont prosternés [d]. Ils ne seront ni
recueillis ni enterrés; ils resteront sur le sol en guise = **25** 33;
de fumier. 3 Et la mort vaudra mieux que la vie **16** 4 2 R **9** 37
pour tous ceux qui resteront de cette race perverse,
en tous lieux [e] où je les aurai chassés, oracle de
Yahvé Sabaot.

**Menaces, lamentations, instructions.**
**Égarement d'Israël [f].**

4 Tu leur diras : Ainsi parle Yahvé.
Fait-on une chute sans se relever?
Se détourne-t-on sans retour?
5 Pourquoi ce peuple-là est-il rebelle,
pourquoi Jérusalem est-elle continuellement
rebelle?
Ils tiennent fermement à la tromperie,
ils refusent de se convertir.
6 J'ai écouté attentivement :
ils ne parlent pas dans ce sens-là.
Nul ne déplore sa méchanceté
en disant : « Qu'ai-je fait? »
Tous retournent à leur course,
tel un cheval qui fonce au combat.
7 Même la cigogne dans le ciel Is **1** 3
connaît sa saison,
la tourterelle, l'hirondelle et la grue
observent le temps de leur migration.
Mais mon peuple ne connaît pas
le droit de Yahvé!

**La Loi aux mains des prêtres.**

8 Comment pouvez-vous dire : « Nous sommes **2** 8
sages ↗ Mt **23**
et la Loi de Yahvé est avec nous! »
Vraiment c'est en mensonge que l'a changée
le calame mensonger des scribes [g]!
9 Les sages seront honteux,
consternés et pris au piège.
Voilà qu'ils ont méprisé la parole de Yahvé!
Qu'est donc la sagesse pour eux?

**Reprise d'un fragment menaçant [h].**

10 Aussi donnerai-je leurs femmes à d'autres, = **6** 12-15
leurs champs à de nouveaux maîtres.
Car du plus petit au plus grand,

*a)* « Chaque jour » syr.; « jour » hébr.
*b)* Toujours les faux dieux.
*c)* Sur « Tophèt », le « brûloir » où étaient sacrifiés des enfants en l'honneur de Molek (**32** 35) cf. Lv **18** 21+; Is **30** 33+.
*d)* Les cultes astraux avaient été en grande faveur sous Manassé et Amon.
*e)* L'hébr. répète ici « qui resteront »; omis par grec et syr.
*f)* Cet ensemble **8** 4 - **10** 25 réunit des oracles prononcés au début du règne de Joiaqim, aux environs de 605. Les trois poèmes **8** 4-7; 13-17; **9** 1-8 poursuivent et élargissent les reproches à Israël. La lamentation **9** 9-21 se continue en **10** 17-22 et se conclut par une prière de Jérémie, **10** 23-24; on a enfin ajouté d'autres poèmes de Jérémie : **8** 8-9; 10-12; 18-23; **9** 22-23; 24-25. Le fragment **10** 1-16 semble être d'une autre main.
*g)* Ici les prêtres, gardiens de la tradition incorporée dans les textes. La « parole », au v. 9, désigne sans doute le message des prophètes et la loi, sous une forme orale et peut-être déjà partiellement écrite.
*h)* Ce fragment, doublet de **6** 12-15, n'est pas reproduit par le grec.

tous sont avides de rapines;
prophète comme prêtre,
tous ils pratiquent le mensonge.
11 Ils pansent à la légère
la blessure de la fille de mon peuple,
en disant : « Paix! Paix! »
alors qu'il n'y a point de paix.
12 Les voilà dans la honte par leurs actes abominables,
mais déjà ils ne sentent plus la honte,
ils ne savent plus rougir.
Aussi tomberont-ils parmi ceux qui tombent,
ils trébucheront quand je les visiterai,
dit Yahvé.

**Menaces à la Vigne-Juda.**

13 Je vais les supprimer – oracle de Yahvé –
Is 5 1+ plus de raisins à la vigne,
Lc 13 6-9 plus de figues au figuier,
Mt 21 18-22+ même le feuillage se flétrit :
je leur ai fourni des gens qui les piétinent!
14 – « Pourquoi restons-nous tranquilles?
= 4 5 Rassemblement [a]!
Gagnons nos villes fortifiées
pour y être réduits au silence [b],
puisque Yahvé notre Dieu nous réduit au silence
9 14 et nous abreuve d'eau empoisonnée,
parce que nous avons péché contre lui.
Is 59 9 15 Nous espérions la paix : rien de bon!
= Jr 14 19 le temps de la guérison : voici l'épouvante!
4 15 16 Depuis Dan on perçoit
le hennissement de ses chevaux;
au cri retentissant de ses étalons
toute la terre est ébranlée :
ils viennent dévorer le pays et ses biens,
la ville et ses habitants. »
Dt 32 24 17 – Oui, voici que j'envoie contre vous
Nb 21 6 des serpents venimeux,
contre lesquels il n'existe pas de charme,
Jn 3 14-15 et ils vous mordront,
oracle de Yahvé.

5 20-25; 14 **Lamentation du prophète pour une famine.**

18 Sans remède, la peine m'envahit [c],
le cœur me manque.
19 Voici l'appel au secours de la fille de mon peuple,
depuis une terre aux vastes étendues.
« Yahvé n'est donc plus en Sion?
Son Roi n'y est-il plus?
(Pourquoi m'ont-ils irrité par leurs idoles,
par ces vanités venues de l'étranger?)
20 La moisson est passée, l'été est fini,
et nous ne sommes pas sauvés! »
21 De la blessure de la fille de mon peuple je suis blessé,
je reste accablé, l'épouvante me tient.
22 N'y a-t-il plus de baume en Galaad [d]?
N'y a-t-il là aucun médecin?
Oui, pourquoi ne fait-elle aucun progrès,
la guérison de la fille de mon peuple?
23 Qui changera ma tête en fontaine 9 1
et mes yeux en source de larmes,
que je pleure jour et nuit
les tués de la fille de mon peuple!

**Corruption morale de Juda.**

9 1 Qui me fournira au désert 2
un gîte de voyageurs,
que je puisse quitter mon peuple
et loin d'eux m'en aller?
Car tous ils sont des adultères,
un ramassis de traîtres.
2 Ils bandent leur langue comme un arc; Ps 12 1-5
c'est le mensonge et non la vérité Ps 116 11
qui prévaut [e] en ce pays.
Oui, ils vont de crime en crime,
mais moi, ils ne me connaissent pas,
oracle de Yahvé!
3 Que chacun soit en garde contre son ami, Mi 7 5
méfiez-vous de tout frère; Jr 12 6
car tout frère ne pense qu'à supplanter [f], Gn 27 36
tout ami répand la calomnie. Os 12 4
4 Chacun dupe son ami, 5
ils ne disent pas la vérité,
ils ont habitué leur langue à mentir,
ils se fatiguent à mal agir.
5 Tu habites au milieu de la mauvaise foi! 6
C'est par mauvaise foi qu'ils refusent de me connaître,
oracle de Yahvé!
6 C'est pourquoi, ainsi parle Yahvé Sabaot : 7
Voici, je vais les épurer et les éprouver, 6 29+
rien d'autre à faire pour la fille de mon peuple!
7 Leur langue est une flèche meurtrière, 8
leurs paroles sont de mauvaise foi;
de bouche, on souhaite à son prochain la paix,

*a)* Le même verbe hébreu signifie « rassembler » et « supprimer », v. 13.
*b)* Il s'agit ici du silence de la mort.
*c)* « sans remède » grec; « ma gaieté (?) » hébr. – « (la peine) m'envahit », litt. « monte (sur moi) » *'alah* conj.; « sur (la peine, sur moi) » *'aley* hébr. On pourrait à la rigueur comprendre, avec seulement la deuxième correction : « une source de gaieté et pour moi peine »

*d)* Galaad, à l'est du Jourdain, au nord du Yabboq, pays des baumes et aromates, Gn **37** 25; **43** 11; cf. aussi Jr **46** 11.
*e)* « et non la vérité qui prévaut » grec; « et non pour la vérité, ils sont forts » hébr.
*f)* Litt. « supplantant, supplante », en hébr. : *'aqob ya'eqob*, qui fait jeu de mots avec *Ya'aqob*, Jacob, et allusion à son rôle de « supplanteur », Gn **25** 26+. On pourrait traduire : « tout frère joue le rôle de Jacob ».

mais de cœur on lui prépare un piège.
9 5 9 8 Et pour ces actions je ne les châtierais pas?
– oracle de Yahvé –
D'une pareille nation
je ne tirerais pas vengeance?

**Tristesse à Sion.**

10 9 Sur les montagnes, j'élève plaintes et lamentations,
sur les pacages du désert, une complainte.
Car ils sont incendiés [a], nul n'y passe,
on n'y entend plus les cris des troupeaux.
Os **4** 3+ Depuis les oiseaux du ciel jusqu'au bétail,
tout a fui, tout a disparu.
11 10 – Je vais faire de Jérusalem un tas de pierres,
un repaire de chacals;
des villes de Juda une solitude
**34** 22 où nul n'habite.

12 11 Quel est le sage qui comprendra ces événements?
A qui la bouche de Yahvé a-t-elle parlé pour qu'il l'annonce?
Pourquoi le pays est-il perdu,
incendié comme le désert où nul ne passe?

Ex **19** 5 12 Yahvé dit : C'est qu'ils ont abandonné ma Loi,
que je leur avais donnée; ils n'ont pas écouté ma
14 voix, ils ne l'ont pas suivie; 13 mais ils ont suivi
**7** 24 l'obstination de leur cœur, ils ont suivi les Baals
15 que leurs pères leur avaient fait connaître. 14 C'est
pourquoi, ainsi parle Yahvé Sabaot, le Dieu
= **23** 15 d'Israël : Voici, je vais lui donner, à ce peuple, de
**8** 14 l'absinthe à manger et de l'eau empoisonnée à
Ap **8** 11 boire. 15 Je les disperserai parmi les nations in-
Dt **4** 27; **28** 36, 64 connues d'eux comme de leurs pères; et j'enverrai
l'épée à leur poursuite, jusqu'à ce que je les aie
exterminés.

17 16 Ainsi parle Yahvé Sabaot :
Pensez à appeler les pleureuses, qu'elles viennent!
Envoyez chercher les plus habiles, qu'elles arrivent!
18 17 Vite, qu'elles entonnent sur nous une lamentation!
Que nos yeux versent des larmes,
que nos paupières laissent ruisseler de l'eau!
19 18 Oui, une lamentation se fait entendre de Sion :
« Ah! Nous sommes ruinés, couverts de honte!
car il nous faut quitter le pays,
on a démoli nos demeures. »
19 Femmes, écoutez donc la parole de Yahvé, 20
que votre oreille reçoive sa parole;
apprenez à vos filles cette lamentation,
enseignez-vous l'une à l'autre cette complainte :
20 « La mort a grimpé par nos fenêtres, 21
elle est entrée dans nos palais,
elle a fauché l'enfant dans la rue,
les jeunes gens sur les places.
21 Parle! Tel est l'oracle de Yahvé : 22
Les cadavres des hommes gisent
comme du fumier en plein champ, **8** 2
comme une gerbe derrière le moissonneur,
et personne pour la ramasser! »

**La vraie sagesse.**

22 Ainsi parle Yahvé : 23
Que le sage ne se glorifie pas de sa sagesse, ↗ 1 Co **1** 31
que le vaillant ne se glorifie pas de sa vaillance, ↗ 2 Co **10** 17
que le riche ne se glorifie pas de sa richesse! ↗ Jc **1** 9
23 Mais qui veut se glorifier, qu'il trouve sa gloire 24
en ceci :
avoir de l'intelligence et me connaître [b],
car je suis Yahvé qui exerce la bonté [c],
le droit et la justice sur la terre.
Oui, c'est en cela que je me complais,
oracle de Yahvé!

**La circoncision, fausse garantie.** **4** 4+

24 Voici venir des jours – oracle de Yahvé – où 25
je visiterai tout circoncis qui ne l'est que dans sa Rm **2** 25
chair : 25 l'Égypte, Juda, Édom, les fils d'Ammon,
Moab et tous les hommes aux tempes rasées [d] qui
habitent dans le désert. Car toutes ces nations-là [e],
et aussi toute la maison d'Israël, ont le cœur incirconcis!

**Idoles et vrai Dieu [f].** Is **40** 20+ Ps **115** 4-8

**10** 1 Écoutez la parole que Yahvé vous adresse,
maison d'Israël!
2 Ainsi parle Yahvé :
N'apprenez pas la voie des nations,
ne soyez pas terrifiés par les signes du ciel,
même si les nations en éprouvent de la terreur.
3 Oui, les coutumes [g] des peuples ne sont que
vanité;

*a)* Peut-être est-on en 605, à la première campagne de Nabuchodonosor, 2 R **24** 1. Jérusalem est menacée.
*b)* La « connaissance de Yahvé », en laquelle se résume la religion véritable, cf. Os **2** 22+, est un des grands thèmes de la prédication de Jérémie, cf. **2** 8; **22** 15-16; **24** 7; **31** 34.
*c)* La *hesed*, cf. Os **2** 21+.
*d)* Les Arabes.
*e)* « ces nations-là » *haggôyim ha'elleh* conj.; « ces nations (sont) des incirconcis » *haggôyim 'arelim* hébr., mais cf. v. 24.
*f)* Ce passage, qui ne semble pas être de la main du prophète, développe des thèmes proches de la seconde partie d'Isaïe : néant des faux dieux, cf. Is **40** 20+, exaltation de Yahvé Créateur, cf. Is **42** 8+. Le texte est surchargé. Les vv. 6-8 et 10 manquent dans le grec, dont l'ordre est différent. Le v. 11 est une glose araméenne du v. 12. Les vv. 12-16 sont repris en **51** 15-19.
*g)* Litt. « les décrets », ou « les lois », mais le mot est pris ici

ce n'est que du bois coupé dans une forêt,
travaillé par le sculpteur, ciseau en main,
4 puis enjolivé d'argent et d'or.
Avec des clous, à coups de marteau, on le fixe,
pour qu'il ne bouge pas.
5 Comme un épouvantail dans un champ de
concombres, ils ne parlent pas;
il faut les porter, car ils ne marchent pas!
N'en ayez pas peur : ils ne peuvent faire de mal,
et de bien, pas davantage.

Is **42** 8+; **40** 18 Ps **86** 8+ 6 Nul n'est comme toi, Yahvé,
tu es grand,
ton Nom est grand dans sa puissance.
↗ Ap **15** 4 7 Qui ne te craindrait, roi des nations?
C'est bien cela qui te convient!
Car parmi tous les sages des nations
et dans tous leurs royaumes,
nul n'est comme toi.

8 Tous tant qu'ils sont, ils sont bêtes, stupides :
l'instruction que donnent les Vanités, c'est du
bois!
9 c'est de l'argent en feuilles, importé de Tarsis,
c'est de l'or d'Ophir [a],
une œuvre de sculpteur ou d'orfèvre;
on les revêt de pourpre violette et écarlate,
ce sont tous œuvre d'artisan.
10 Mais Yahvé est le Dieu véritable,
il est le Dieu vivant et le Roi éternel.
Quand il s'irrite, la terre tremble,
les nations ne peuvent soutenir sa colère.
11 (Voici ce que vous direz d'eux : « Les dieux qui
n'ont pas fait le ciel et la terre seront exterminés
de la terre et de dessous le ciel. »)
= **51** 15-19 Ps **104** Jb **38** Pr **8** 27-31 12 Il a fait la terre par sa puissance,
établi le monde par sa sagesse
et par son intelligence étendu les cieux.
13 Quand il donne de la voix,
c'est un mugissement d'eaux dans le ciel;
|| Ps **135** 7 il fait monter les nuages du bout de la terre,
il produit les éclairs pour l'averse
et tire le vent de ses réservoirs.
14 Alors tout homme se tient stupide, sans
comprendre,
chaque orfèvre rougit de ses idoles;
ce qu'il a coulé n'est que mensonge,
en elles, pas de souffle!
15 Elles sont vanité, œuvre ridicule;
au temps de leur châtiment, elles disparaîtront.
16 La Part de Jacob n'est pas comme elles,
car il a façonné l'univers
et Israël est la tribu de son héritage.
Son nom est Yahvé Sabaot.

**Panique dans le pays!**

17 Ramasse à terre ton bagage, Ez **12** 3
toi l'assiégée [b]!
18 Car ainsi parle Yahvé :
Voici, je vais lancer au loin
les habitants du pays,
cette fois-ci,
et les mettre dans l'angoisse
pour qu'ils me trouvent [c].
19 – « Malheur à moi [d]! Quelle blessure! **4** 31
ma plaie est inguérissable.
Et moi qui disais :
Ce n'est que cela ma souffrance? Je la supporte-
rai!
20 Or ma tente est détruite, **4** 20
toutes mes cordes sont coupées.
Mes fils m'ont quitté : ils ne sont plus; Is **54** 1-2
plus personne pour remonter ma tente,
pour tendre mes toiles. »
21 – C'est que les pasteurs furent stupides : Ez **34** 1+
ils n'ont pas cherché Yahvé.
Aussi n'ont-ils point réussi
et tout le troupeau a été dispersé.
22 Un bruit se fait entendre! Le voici!
Un grand vacarme vient du pays du Nord
pour réduire les villes de Juda
en solitude, en repaire de chacals.
23 Je le sais, Yahvé,
la voie des humains n'est pas en leur pouvoir, Pr **20** 24
et il n'est pas donné à l'homme qui marche
de diriger ses pas!
24 Corrige-moi, Yahvé, mais dans une juste mesure, || Ps **6** 2; **38** 2
sans t'irriter, pour ne pas trop me réduire.

25 Déverse ta fureur sur les nations || Ps **79** 6
qui ne te connaissent pas,
et sur les familles
qui n'invoquent pas ton nom.
Car elles ont dévoré Jacob, Is **9** 11
elles l'ont dévoré et achevé, Jr **30** 16
elles ont dévasté son domaine.

en mauvaise part : ce sont les règles auxquelles obéissent les peuples païens, cf. 2 R **17** 8.

*a)* Hébr. « Ouphaz »; ce mot revient dans Dn **10** 5, mais il est sans doute une mauvaise graphie de Ophir, lu par syr. et Targ. Ophir, site incertain de la côte occidentale de l'Arabie, est le pays de l'or, Gn **10** 29; 1 R **9** 28, etc. Sur Tarsis qu'on a parfois voulu identifier à Tartessos, au sud de l'Espagne, cf. 1 R **10** 22+.

*b)* La nation israélite personnifiée est de nouveau interpellée. La menace semble plus proche qu'en **9** 9-21.

*c)* « me trouvent » conj.; « trouvent » hébr. Une correction dans la vocalisation permettrait de lire « pour qu'ils soient trouvés », c'est-à-dire atteints par leurs ennemis, mais le thème du retour à Dieu provoqué par la souffrance est courant chez les prophètes, cf. **29** 12-13; **31** 16-19; Is **17** 4-7; **30** 20; Ba **2** 30-32; Os **5** 14-15; Mi **4** 10-11; Za **10** 9, cf. aussi Dt **4** 29.

*d)* Lamentation de la nation personnifiée.

7 21-28 **Jérémie et les paroles de l'Alliance**[a].

**11** 1 Parole qui fut adressée à Jérémie de la part
de Yahvé : 2 Écoutez les paroles de cette
alliance; vous les direz aux hommes de Juda et aux
habitants de Jérusalem. 3 Tu leur diras : Ainsi parle
Dt 27 26 Yahvé, le Dieu d'Israël. Maudit soit l'homme qui
n'écoute pas les paroles de cette alliance 4 que j'ai
prescrite à vos pères le jour où je les fis sortir du
pays d'Égypte, de cette fournaise pour le fer. Je
leur dis : Écoutez ma voix et conformez-vous à
Dt 4 20 tout ce que je vous ordonne; alors vous serez mon
Dt 7 12-13; peuple et moi je serai votre Dieu, 5 pour accomplir
6 3; 11 9; le serment que j'ai fait à vos pères, de leur donner
10 15 une terre qui ruisselle de lait et de miel, comme c'est
le cas aujourd'hui même. Et je répondis : Amen,
Yahvé! 6 Et Yahvé me dit : Dans les villes de Juda
et les rues de Jérusalem, proclame toutes ces paroles en disant : Écoutez les paroles de cette alliance
et observez-les. 7 Car j'ai instamment averti vos
pères, quand je les fis monter du pays d'Égypte, et
jusqu'aujourd'hui même, sans me lasser je les ai
avertis en disant : Écoutez ma voix! 8 Or on n'a pas
écouté ni prêté l'oreille; chacun a suivi l'obstination de son cœur mauvais. Alors j'ai accompli
contre eux toutes les paroles de cette alliance, que
je leur avais ordonné d'observer et qu'ils n'ont pas
observées.
9 Yahvé me dit : On s'est vraiment donné le mot
chez les gens de Juda et chez les habitants de Jéru-
Nb 25 1-3 salem! 10 Ils sont retournés aux fautes de leurs
Os 9 10 pères qui refusèrent d'écouter mes paroles : les
voilà, eux aussi, à la suite d'autres dieux pour les
servir. La maison d'Israël et la maison de Juda ont
rompu mon alliance que j'avais conclue avec leurs
pères. 11 C'est pourquoi, ainsi parle Yahvé : Voici,
je vais leur amener un malheur auquel ils ne pour-
Mi 3 4 ront échapper; ils crieront vers moi et je ne les
Is 59 2 écouterai pas. 12 Alors les villes de Juda et les habi-
Ez 8 18
Pr 1 28 tants de Jérusalem iront crier vers les dieux qu'ils
Jg 10 14 encensent, mais ces dieux ne pourront absolument
pas les sauver au temps de leur malheur!

= 2 28 13 Car aussi nombreux que tes villes,
sont tes dieux, ô Juda!
Et autant Jérusalem a de rues,
autant vous avez érigé d'autels pour la Honte,
des autels qui fument pour Baal!

14 Quant à toi, n'intercède pas pour ce peuple-là, 7 16
n'élève en leur faveur ni plainte ni prière. Car je ne
veux pas écouter, quand ils crieront vers moi à
cause de leur malheur!

**Reproche aux habitués du Temple**[b]. 7 1-15, 21-28

15 Que vient faire en ma Maison ma bien-aimée? 2 2
Elle a accompli ses mauvais desseins.
Est-ce que les vœux et la viande sacrée
te débarrasseront de ton mal[c],
pour que tu puisses exulter?
16 « Olivier verdoyant orné de fruits superbes », Is 5 1+
ainsi Yahvé t'avait nommée.
Avec un bruit fracassant
il y a mis le feu,
ses rameaux sont atteints.

17 Et Yahvé Sabaot qui t'avait plantée a décrété
contre toi le malheur à cause du mal que se sont
fait la maison d'Israël et la maison de Juda en
m'irritant, en encensant Baal.

**Jérémie persécuté à Anatot**[d]. 15 10+

18 Yahvé me l'a fait savoir et je l'ai su; tu m'as
alors montré leurs agissements.
19 Et moi, comme un agneau confiant qu'on Is 53 7
mène à l'abattoir, j'ignorais qu'ils tramaient contre
moi des machinations : « Détruisons l'arbre dans
sa vigueur[e], arrachons-le de la terre des vivants, Ps 83 4
qu'on ne se souvienne plus de son nom! »

20 Yahvé Sabaot, qui juges avec justice, = 20 12
qui scrutes les reins et les cœurs, 17 10
1 R 8 39
je verrai ta vengeance contre eux, Ps 7 10;
44 22;
car c'est à toi que j'ai exposé ma cause. 139 13
Pr 15 11
Sg 1 6+
21 C'est pourquoi, ainsi parle Yahvé Sabaot ↗ Ac 1 24
contre les gens d'Anatot qui en veulent à ma vie[f] ↗ Ap 2 23
et qui me disent : « Tu ne prophétiseras pas au nom Is 30 10
de Yahvé, sinon tu mourras de notre main! » – Am 2 12
22 c'est pourquoi, ainsi parle Yahvé : Voici que je

*a)* En 622, le roi Josias entreprit une réforme religieuse, 2 R **22** 3 - **23** 27, appuyée par les partis sacerdotal et prophétique. Jérémie y prit, semble-t-il, une part active, dont ce passage conserve le souvenir. Il contient de nombreuses expressions propres au Deutéronome, dont la découverte, 2 R **22** 8, fut à la base de la réforme. Le noyau formé par les vv. 6, 8[b], 9-12 doit être attribué à Jérémie; le reste représente des adjonctions secondaires; les vv. 7-8 manquent dans le grec.

*b)* Oracle probablement prononcé au Temple, à la même époque que ceux du ch. **7**. Le v. 17 rejoint **11** 1-14.

*c)* « ma bien-aimée » grec; « mon bien-aimé » hébr. – « les vœux » grec; « les nombreux » hébr. – « te débarrasseront de ton mal » (litt. « feront passer ton mal de dessus toi ») grec; « passeront de dessus toi, car ton mal » hébr.

*d)* En se faisant le champion de la réforme qui entraînait la suppression du sanctuaire local, Dt **12** 5; cf. 2 R **23**, Jérémie s'était aliéné ses compatriotes.

*e)* « dans sa vigueur » *belehô* conj.; « dans son pain » *belahmô* hébr. Grec : « nous voulons mettre du bois (c'est-à-dire du poison, d'après Targ.) dans son pain ». – Ce v. a été appliqué par la liturgie chrétienne à la Passion du Christ.

*f)* « à ma vie » grec; « à ta vie » hébr. (peut-être, passage maladroit au style direct).

vais les visiter. Leurs jeunes gens mourront par
l'épée, leurs fils et leurs filles par la famine. 23 Il
n'en restera aucun quand j'amènerai le malheur sur
les gens d'Anatot, l'année de leur châtiment.

Jb 21 **Le bonheur des méchants [a].**
Ps 49; 73

**12** 1 Tu es trop juste, Yahvé,
pour que j'entre en contestation avec toi.
Cependant je parlerai avec toi de questions de droit :
Pourquoi la voie des méchants est-elle prospère?
Pourquoi tous les traîtres sont-ils en paix?
2 Tu les plantes, ils s'enracinent,
ils vont bien, ils portent du fruit.
Tu es près de leur bouche,
mais loin de leurs reins.
3 Mais toi, Yahvé, tu me connais, tu me vois,
tu éprouves mon cœur qui est avec toi.
11 19 Enlève-les comme des brebis pour l'abattoir,
Ps 5 11+ consacre-les pour le jour du massacre.
5 20-25 4 (Jusques à quand le pays sera-t-il en deuil et
8 18-23; 14 l'herbe de toute la campagne desséchée? C'est par
Os 4 3+ la perversité de ses habitants que périssent bêtes et
oiseaux.)

Car ils disent :
Dieu [b] ne voit pas notre destinée.

15 10+ 5 – Si la course avec des piétons t'épuise,
comment lutteras-tu avec des chevaux?
Dans un pays en paix tu te sens en sécurité,
mais que feras-tu dans les halliers [c] du Jourdain?
6 Car même tes frères et la maison de ton père,
même eux te trahiront! Même eux crieront après toi
à pleine voix. N'aie pas confiance en eux quand ils
te diront de bonnes paroles!

**Plaintes de Yahvé sur son héritage envahi.**

7 14 7 J'ai abandonné ma maison,
quitté mon héritage;
ce que je chérissais, je l'ai livré
aux mains de ses ennemis.
8 Mon héritage s'est comporté envers moi
comme un lion de la brousse,
il a poussé contre moi ses rugissements,
aussi l'ai-je pris en aversion.
9 Mon héritage serait-il un rapace bigarré,
que les rapaces l'encerclent de toutes parts [d]?
Allez! Rassemblez toutes les bêtes sauvages,
faites-les venir à la curée!
10 Des pasteurs en grand nombre ont saccagé ma vigne, 6 3
piétiné mon domaine,
réduit mon domaine préféré
en solitude désertique.
11 Ils en ont fait [e] une région désolée,
en deuil, désolée devant moi.
Tout le pays est désolé
et personne ne prend cela à cœur!
12 Sur tous les monts chauves du désert
sont arrivés des dévastateurs
(car Yahvé tient une épée dévorante) :
d'un bout du pays jusqu'à l'autre
il n'y a de paix pour aucune chair.
13 Ils ont semé du blé, ils moissonnent des épines :
ils se sont épuisés sans profit.
Ils ont honte de leurs récoltes [f],
à cause de l'ardente colère de Yahvé.

**Jugement et salut des peuples voisins.**

14 Ainsi parle Yahvé : C'est au sujet de tous mes
mauvais voisins, qui ont touché à l'héritage que
j'avais donné à mon peuple Israël; voici, je vais les
arracher de leur sol. (Mais la maison de Juda, je
l'arracherai du milieu d'eux.) 15 Mais, après les
avoir arrachés, à nouveau j'en aurai pitié et je les
ramènerai chacun en son héritage, chacun en son
pays. 16 Et s'ils apprennent avec soin les voies de
mon peuple, de façon à jurer par mon nom : « Par 4 2
Yahvé Vivant », comme ils ont appris à mon peuple Is 45 14+
à jurer par Baal, alors ils seront établis au milieu
de mon peuple. 17 Mais s'ils ne veulent pas écouter,
j'arracherai une telle nation et je l'exterminerai,
oracle de Yahvé.

**La ceinture bonne à rien [g].**

**13** 1 Ainsi me parla Yahvé : « Va t'acheter une
ceinture de lin et mets-la sur tes reins. Mais
ne la trempe pas dans l'eau. » 2 J'achetai une ceinture,
selon l'ordre de Yahvé, et je la mis sur mes
reins. 3 Une deuxième fois, la parole de Yahvé me
fut adressée : 4 « Prends la ceinture que tu as ache-

*a)* Ce problème est ici posé pour la première fois dans l'AT. Voir l'Introduction aux livres sapientiaux, p. 646.
*b)* « Dieu » grec; « il » hébr.
*c)* Litt. « la hauteur », c'est-à-dire les berges, recouvertes de végétation et dangereuses parce qu'elles servent de repaire à toutes sortes d'animaux. On peut aussi comprendre « la crue » (litt. « la montée »), mais cf. **49** 19; **50** 44. – Loin d'accorder la vengeance demandée, cette réponse de Yahvé annonce au prophète d'autres persécutions; au lieu de répondre à sa question, elle laisse dans son mystère la rétribution des bons et des méchants, cf. Jb **38** 1s; **40** 1-5; **42** 1-6.
*d)* Allusion aux incursions des Moabites, Ammonites et Édomites en Palestine après 602, cf. 2 R **24** 1-2.
*e)* « ils en ont fait » versions; « il en a fait » hébr.
*f)* « leurs récoltes » conj.; « vos récoltes » hébr.
*g)* Action symbolique, cf. **18** 1+; Is **20**; Ez **4**; **12**; **24** 15s, etc. Si elle n'est pas à interpréter comme une vision, elle doit se dérouler au wadi Fara, 6 km au nord d'Anatot (cf. la ville de Para, Jos **18** 23) dont le nom évoque celui de l'Euphrate (en hébreu *Perat*). Le sens en tout cas est clair : Israël, que Yahvé s'était attaché comme une ceinture aux reins (Ps **76** 11+), s'est détaché de lui et est allé pourrir au contact de l'idolâtrie babylonienne.

tée et que tu portes sur les reins. Lève-toi, va à l'Euphrate et cache-la dans la fente d'un rocher. »
5 J'allai donc la cacher vers l'Euphrate comme
Yahvé me l'avait ordonné. 6 Bien des jours s'étaient
écoulés, quand Yahvé me dit : « Lève-toi, va à l'Euphrate et reprends-y la ceinture que je t'avais
ordonné d'y cacher. » 7 J'allai à l'Euphrate, je cherchai et je retirai la ceinture du lieu où je l'avais
cachée. Et voici qu'elle était détruite, inutilisable.
8 Alors la parole de Yahvé me fut adressée en ces
termes : 9 « Ainsi parle Yahvé. C'est ainsi que je
détruirai l'orgueil de Juda, l'immense orgueil de
Jérusalem. 10 Ce peuple mauvais, ces gens qui refusent d'écouter mes paroles, qui suivent l'obstination de leur cœur et courent après d'autres dieux
pour les servir et se prosterner devant eux – ce peuple deviendra comme cette ceinture, inutilisable.
Ps **76** 11+ 11 Car, de même qu'une ceinture s'attache aux reins
Ps **109** 19 d'un homme, ainsi m'étais-je attaché toute la maison d'Israël, toute la maison de Juda – oracle de
Yahvé – pour qu'elles soient mon peuple, mon
renom, mon honneur et ma splendeur. Mais elles
n'ont pas écouté. »

**Les cruches de vin entrechoquées.**

12 Tu leur diras aussi cette parole : Ainsi parle
Yahvé, le Dieu d'Israël. « Toute cruche peut se
remplir de vin! » Et s'ils te répondent [a] : « Ne
savons-nous pas que toute cruche peut se remplir
de vin? » 13 tu leur diras : « Ainsi parle Yahvé.
Is **51** 17+ Voici que je vais remplir d'ivresse tous les habitants de ce pays, les rois qui occupent le trône de
David, les prêtres et les prophètes, et tous les habitants de Jérusalem. 14 Puis je les casserai l'un
contre l'autre, pères et fils pêle-mêle – oracle de
Yahvé. Sans pitié, sans merci, sans m'attendrir, je
les détruirai. »

**Perspectives d'exil.**

15 Écoutez, tendez l'oreille, plus d'orgueil :
c'est Yahvé qui parle!
16 Rendez gloire à Yahvé votre Dieu,
2 35-36 avant que ne viennent les ténèbres,
avant que vos pieds ne se heurtent
aux montagnes de la nuit.
Vous comptez sur la lumière,
Am 5 18 mais il la réduira en obscurité,
il la changera en ombre épaisse.
17 Si vous n'écoutez pas cet avertissement,
je pleurerai en secret pour votre orgueil;
mes yeux laisseront couler des larmes, ils verse-
ront des larmes,
car le troupeau de Yahvé part en captivité.

**Menaces à Joiakîn [b].**

18 Dis au roi et à la reine mère :
Asseyez-vous bien bas,
car elle est tombée de votre tête,
votre couronne de splendeur.
19 Les villes du Négeb sont bloquées [c] :
personne n'y donne accès!
Tout Juda est déporté,
déporté tout entier.

**Admonestations à Jérusalem inconvertissable.**

20 Lève les yeux et regarde [d]
ceux qui arrivent du Nord.
Où est-il le troupeau qui te fut confié,
les brebis qui faisaient ta splendeur?
21 Que diras-tu quand ils viendront te châtier, 4 30+
toi qui les avais formés?
Contre toi, en tête, viendront les familiers;
alors les douleurs ne vont-elles pas te saisir 4 31+
comme une femme en travail?
22 Et si tu dis en ton cœur :
Pourquoi de tels malheurs m'arrivent-ils? 5 19
C'est pour l'immensité de ta faute qu'on t'a
relevé les robes, Is **47** 2-3
qu'on t'a violentée [e]. Os **2** 5+
23 Un Éthiopien peut-il changer de peau?
une panthère de pelage?
Et vous, pouvez-vous bien agir, Mt **7** 16-19p
vous les habitués du mal?
24 Je vous [f] disperserai donc comme paille légère
au souffle du désert.
25 Tel est ton lot, la part qui t'est allouée.
Cela vient de moi – oracle de Yahvé –
puisque c'est moi que tu as oublié
en te confiant au Mensonge.
26 Moi-même je remonte tes robes jusqu'à ton
visage,
pour qu'on voie ton ignominie.
27 Oh! Tes adultères et tes cris de plaisir, 2 20+
ta honteuse prostitution!
Sur les collines et dans la campagne
j'ai vu tes Horreurs [g].
Malheur à toi, Jérusalem, qui restes impure!
Combien de temps encore?

*a)* « s'ils te répondent » grec; « ils te répondront » hébr.
*b)* Joiakîn ne régna que trois mois et fut déporté avec sa mère à Babylone en 598.
*c)* Sans doute par les Édomites, dont les razzias ont été pratiquement incessantes depuis 602.
*d)* Avec le grec, qui ajoute « Jérusalem ». Hébr. ketib : « lève vos yeux et regarde »; qeré : « levez vos yeux et regardez ».
*e)* Litt. « on a violenté tes talons » : euphémisme.
*f)* « vous » conj.; « les » hébr.
*g)* « Mensonge », v. 25, et « Horreurs » désignent toujours les faux dieux.

5 20-25; 8 18-23 Os 4 3+ **La grande sécheresse** [a].

**14** 1 Parole de Yahvé qui fut adressée à Jérémie
à l'occasion de la sécheresse.

2 Juda est dans le deuil
Lm 1 4 et ses villes [b] languissent :
elles s'abîment vers la terre,
le cri de Jérusalem s'élève.
3 Les riches envoient les petites gens chercher de l'eau :
Ils arrivent aux citernes,
Lv 26 18-20 ils ne trouvent point d'eau,
ils reviennent avec leurs cruches vides.
Ils sont honteux et humiliés et se voilent la tête.
4 Parce que le sol est tout crevassé,
Jr 3 3 car la pluie manque au pays,
les laboureurs, honteux, se voilent la tête.
5 Même la biche, dans la campagne,
a mis bas et abandonné son petit,
tant l'herbe fait défaut;
6 les onagres, dressés sur les hauteurs,
hument l'air comme des chacals :
leurs yeux s'obscurcissent
faute de verdure.

Is 59 12 7 Si nos fautes parlent contre nous,
agis, Yahvé, pour l'honneur de ton Nom!
Oui, nombreuses furent nos rébellions,
nous avons péché contre toi.
17 13 8 Espoir d'Israël, Yahvé [c],
son Sauveur en temps de détresse,
pourquoi es-tu comme un étranger en ce pays,
comme un voyageur qui fait un détour pour la nuit?
9 Pourquoi ressembles-tu à un homme hébété,
à un guerrier incapable de sauver?
Pourtant tu es au milieu de nous, Yahvé,
7 30; 15 16 Dt 28 10 et nous sommes appelés par ton nom.
Ne nous délaisse pas!

10 Ainsi parle Yahvé au sujet de ce peuple : Ils
aiment courir en tous sens, ils n'épargnent point
|| Os 8 13 leurs jambes! Mais Yahvé ne les agrée pas; mainte-
nant il va se souvenir de leur faute et châtier leur
péché.
7 16 11 Et Yahvé me dit : « N'intercède pas en faveur
de ce peuple, pour son bonheur. 12 Même s'ils jeûnent, je n'écouterai pas leur supplication; même
s'ils présentent holocaustes et oblations, je ne les
agréerai pas, mais par l'épée, la famine et la peste
je veux les exterminer. »
13 Et je répondis : « Ah! Seigneur Yahvé! Voici
que les prophètes leur disent : Vous ne verrez pas 23+
l'épée, la famine ne vous atteindra pas; mais je
vous octroierai une paix véritable en ce lieu. »
14 Alors Yahvé me dit : « C'est le mensonge que 5 31; 27 10;
ces prophètes prophétisent en mon nom; je ne les 29 9
ai pas envoyés, je ne leur ai rien ordonné, je ne leur
ai point parlé. Visions de mensonge, divinations
creuses, rêveries de leur cœur, voilà ce qu'ils vous
prophétisent. 15 C'est pourquoi, ainsi parle Yahvé :
Ces prophètes qui prophétisent en mon nom,
alors que je ne les ai pas envoyés, et qui racontent
qu'il n'y aura en ce pays ni épée ni famine, eh bien!
c'est par épée et famine qu'ils disparaîtront, ces
prophètes-là! 16 Quant aux gens à qui ils prophétisent, ils seront jetés dans les rues de Jérusalem, victimes de la famine et de l'épée; il n'y aura personne
pour les enterrer, ni eux, ni leurs femmes, ni leurs
fils, ni leurs filles. Je verserai sur eux leur méchanceté! »

17 Tu leur diras cette parole [d] :
Que mes yeux versent des larmes,
jour et nuit sans tarir,
car d'une grande blessure est blessée la vierge fille de mon peuple,
d'une plaie très grave.
18 Si je sors dans la campagne,
voici des victimes de l'épée;
si je rentre dans la ville,
voici des torturés par la faim;
tant le prophète que le prêtre
sillonnent le pays : ils ne comprennent plus!

19 – As-tu pour de bon rejeté Juda?
Ou es-tu dégoûté de Sion?
Pourquoi nous avoir frappés sans aucune guérison?
Nous attendions la paix : rien de bon! = 8 15
Le temps de la guérison : voici l'épouvante! 13 16 Am 5 18
20 Nous connaissons, Yahvé, notre impiété,
la faute de nos pères :
oui, nous avons péché contre toi.
21 Pour l'honneur de ton Nom, cesse de rejeter.
Ne déshonore point le trône de ta gloire [e].
Souviens-toi, ne romps pas ton alliance avec nous.

*a)* Sans doute sous Joiaqim. Le dialogue du prophète avec Yahvé emprunte des traits à une liturgie de lamentations (cf. Jl **1-2**; Ps **74** et **79**) : description du fléau, **14** 2-6; lamentation du peuple, 7-9; réponse de Yahvé, 10-12; plaidoyer de Jérémie, 13-16; nouvelle description du fléau, 17-18; nouvelle lamentation du peuple, 19-22; nouvelle réponse de Yahvé, **15** 1-4. Mais à la confession collective comme à l'intercession de Jérémie, Yahvé oppose une réponse négative et ajoute à la menace de la famine celle de l'invasion.

*b)* Litt. « ses portes », cf. Dt **12** 17; **16** 5, etc.

*c)* « Yahvé » 13 mss, grec, Vet. Lat.; omis par TM.

*d)* Raccord rédactionnel qui introduit maladroitement ce qui suit.

*e)* Sion.

[22] Parmi les Vanités des païens, en est-il qui fassent
pleuvoir?
Est-ce le ciel qui donne l'ondée?
N'est-ce pas toi, Yahvé, notre Dieu?
En toi nous espérons,
car c'est toi qui fais tout cela.

Ps **99** 6 **15** [1] Yahvé me dit : Même si Moïse et Samuel [a]
Ex **32** 11+ se tenaient devant moi, je n'aurais pas pitié de
ce peuple-là! Chasse-les loin de moi : qu'ils s'en aillent! [2] Et s'ils te disent : Où aller? tu leur répondras : Ainsi parle Yahvé :

= **43** 11 Qui est pour la peste, à la peste!
↗ Ap **13** 10 qui est pour l'épée, à l'épée!
qui est pour la famine, à la famine!
qui est pour la captivité, à la captivité!

[3] Je vais préposer sur eux quatre sortes de choses
– oracle de Yahvé – : l'épée pour tuer; les chiens
pour traîner; les oiseaux du ciel et les bêtes de la
terre pour dévorer et détruire. [4] Je ferai d'eux un
objet d'épouvante pour tous les royaumes de la
terre, à cause de Manassé [b], fils d'Ézéchias et roi
de Juda, pour ce qu'il a fait à Jérusalem.

### Les malheurs de la guerre [c].

[5] Qui donc a compassion de toi, Jérusalem?
Is **51** 19 Qui donc te plaint?
Qui donc fait un détour pour demander comment
tu vas?
[6] Toi-même m'as repoussé – oracle de Yahvé –
tu m'as tourné le dos.
Alors, j'ai étendu la main contre toi et t'ai
détruite :
Je suis fatigué de consoler!
[7] Avec un van je les ai vannés,
aux portes du pays.
J'ai dépeuplé, j'ai anéanti mon peuple;
de leurs voies ils ne se détournent pas.
[8] Leurs veuves sont devenues plus nombreuses
que le sable de la mer.
Sur la mère du jeune guerrier,
j'amène le dévastateur en plein midi,
je fais tomber sur elle, soudain,
terreur et épouvante.
[9] Elle languit la mère de sept fils,
elle défaille.
Son soleil s'est couché avant la fin du jour :
la voilà honteuse et consternée;
et ce qui reste d'eux, je le livrerai à l'épée,
face à leurs ennemis, oracle de Yahvé.

### La vocation renouvelée [d]. 1 4-10, 17-19

[10] Malheur à moi, ma mère, car tu m'as enfanté
homme de querelle et de discorde pour tout le Lc **2** 34
pays!
Jamais je ne prête ni n'emprunte,
pourtant tout le monde me maudit.
[11] En vérité, Yahvé, ne t'ai-je pas servi de mon
mieux?
Ne t'ai-je pas supplié
au temps du malheur et de la détresse [e]?
[12] [f] Le fer brisera-t-il le fer du Nord et le bronze?
[13] Ta richesse et tes trésors, je vais les livrer au pil- = **17** 3-4
lage, sans contrepartie,
à cause de tous les péchés, sur tout ton territoire.
[14] Je te rendrai esclave de tes ennemis [g]
dans un pays que tu ne connais pas,
car ma fureur a allumé un feu
qui va brûler sur vous.

[15] Toi, tu le sais, Yahvé!
Souviens-toi de moi, visite-moi
et venge-moi de mes persécuteurs.
Dans la lenteur de ta colère ne m'entraîne pas.
Reconnais que je subis l'opprobre pour ta cause. Ps **69** 8
[16] Quand tes paroles se présentaient, je les dévo-
rais :
ta parole était mon ravissement
et l'allégresse de mon cœur.
Car c'est ton Nom que je portais [h], **14** 9+

*a)* Les grands intercesseurs, cf. Ex **32** 11+; 1 S **7** 8-12; Ps **99** 6. La tradition postérieure leur adjoindra Jérémie lui-même, 2 M **15** 14+.
*b)* Le principal responsable de la contamination idolâtrique qui affecta le culte yahviste durant près de trois quarts de siècle, cf. 2 R **21**.
*c)* Ce poème a dû être prononcé juste avant le siège de 598.
*d)* Nouveau dialogue avec Dieu (cf. **11** 18 - **12** 5), qui atteste une crise intérieure au milieu du ministère du prophète. Ici, comme en **12** 5, Yahvé, loin d'apaiser la détresse de Jérémie, la condamne comme « vile » et exige du prophète une nouvelle « conversion », qu'il sanctionne en renouvelant, presque dans les mêmes termes, les ordres et les promesses de la vocation, vv. 19-20; cf. **1** 9, 17-19. Sur ces « confessions de Jérémie », **11** 18 - **12** 5; **15** 10-21; **17** 14-18; **18** 18-23; **20** 7-18, voir l'Introduction, p. 1079.
*e)* « En vérité » *'amen* grec; « (Yahvé) dit » *'amar* hébr. – « servi » *sherattika* conj.; « fortifié » *sharatika* hébr. ketib; « dégagé » *sherîtîka* qeré. – L'hébr. ajoute à la fin du v. « l'ennemi » qui peut être une glose expliquant le « temps du malheur ». – Ce v. est très obscur. En suivant le grec, on le met dans la bouche de Jérémie, ce qui s'accorde mieux avec le contexte. L'hébr. pourrait à la rigueur se traduire : « Yahvé dit : Ne t'ai-je pas délivré pour ton bien? N'ai-je pas fait que l'ennemi vienne t'implorer, au temps du malheur et de la détresse? » En ce cas, il faudrait sans doute comprendre le v. 12 non pas comme une menace contre Israël, en le liant à ce qui suit, mais comme une promesse de donner à Jérémie la solidité du bronze (cf. **1** 18; **15** 20), en le rattachant au v. 11.
*f)* Les vv. 12-14 (ou 13-14, cf. note précédente), en grande partie doublet de **17** 3-4, sont ici hors de leur contexte.
*g)* Avec plusieurs mss hébr., grec, syr. et Vet. Lat., et en accord avec **17** 4; hébr. : « je ferai passer tes ennemis ».
*h)* Expression employée à propos du Temple, **7** 10s; cf. 1 R **8** 43.

Yahvé, Dieu Sabaot.
16 8 [17] Jamais je ne m'asseyais dans une réunion de railleurs [a]
pour m'y divertir.
Sous l'emprise de ta main, je me suis tenu seul,
car tu m'avais empli de colère.
[18] Pourquoi ma souffrance est-elle continue,
ma blessure incurable, rebelle aux soins?
Vraiment tu es pour moi comme un ruisseau trompeur
aux eaux décevantes!

[19] Alors Yahvé répondit :
Si tu reviens, et que je te fais revenir [b],
tu te tiendras devant moi.
Si de ce qui est vil tu tires ce qui est noble,
1 9 tu seras comme ma bouche.
Eux reviendront vers toi,
mais toi, tu n'as pas à revenir vers eux!
1 18-19 [20] Je ferai de toi, pour ce peuple-là,
un rempart de bronze fortifié.
Ils lutteront contre toi
mais ne pourront rien contre toi,
car je suis avec toi
pour te sauver et te délivrer,
oracle de Yahvé.
[21] Je veux te délivrer de la main des méchants
et te racheter de la poigne des violents.

### La vie du prophète comme signe [c].

**16** [1] La parole de Yahvé me fut adressée en ces
termes : [2] Ne prends pas femme; tu n'auras en
ce lieu ni fils ni fille! [3] Car ainsi parle Yahvé à propos des fils et des filles qui vont naître en ce lieu,
des mères qui les enfanteront et des pères qui les
engendreront en ce pays : [4] Ils mourront de mala-
8 2 dies mortelles, sans être pleurés ni enterrés; ils serviront de fumier sur le sol; ils finiront par l'épée et
la famine, et leurs cadavres seront la pâture des
oiseaux du ciel et des bêtes sauvages [d].
[5] Oui, ainsi parle Yahvé : N'entre pas dans une
maison où l'on fait le deuil, ne va pas pleurer ni
plaindre les gens, car j'ai retiré ma paix de ce
peuple – oracle de Yahvé – ainsi que la pitié et la
miséricorde. [6] Grands et petits mourront en ce pays
sans être enterrés ni pleurés; pour eux, on ne se fera
ni incisions ni tonsure [e]. [7] On ne rompra pas le pain
pour qui est dans le deuil, pour le consoler au sujet
d'un mort; on ne lui offrira pas la coupe de consolation pour son père ou sa mère [f].
[8] N'entre pas non plus dans une maison où l'on
festoie, pour t'asseoir avec eux à manger et à boire.
[9] Car ainsi parle Yahvé Sabaot, le Dieu d'Israël :
Voici, je vais faire taire ici, sous vos yeux et de vos 7 34; 25 10
jours, les cris de joie et d'allégresse, les chants du
fiancé et de la fiancée.
[10] Quand tu auras annoncé à ce peuple toutes ces
paroles et qu'on te demandera : « Pourquoi Yahvé 5 19+
a-t-il proclamé contre nous tout cet immense malheur? Quelle est notre faute? Quel péché avons-
nous commis contre Yahvé notre Dieu? » [11] Alors
tu leur répondras : « C'est que vos pères m'ont Dt 29 24
abandonné – oracle de Yahvé – ils ont suivi d'autres dieux, les servant et se prosternant devant eux.
Et moi, ils m'ont abandonné, ils n'ont pas gardé ma
Loi! [12] Et vous, vous avez agi plus mal que vos
pères. Voici, chacun de vous se conduit selon l'obstination de son cœur mauvais, sans m'écouter. [13] Je
vous jetterai donc hors de ce pays, dans un pays
inconnu de vous et de vos pères; là vous servirez
d'autres dieux [g], jour et nuit, car je ne vous ferai
plus grâce. »

### Le retour des dispersés d'Israël. = 23 7-8

[14] Aussi, voici venir des jours – oracle de Yahvé
– où l'on ne dira plus : « Yahvé est vivant, qui a
fait monter les Israélites du pays d'Égypte! », Ex 20 2
[15] mais : « Yahvé est vivant, qui a fait monter les
Israélites du pays du Nord et de tous les pays où
il les avait dispersés! » Je les ramènerai sur la terre
que j'avais donnée à leurs pères!

### Annonce de l'invasion [h].

[16] Voici : Je vais envoyer quantité de pêcheurs –
oracle de Yahvé – qui les pêcheront; puis j'enverrai
quantité de chasseurs qui les chasseront de toute
montagne, de toute colline et des creux des rochers.
[17] Car mes yeux surveillent toutes leurs voies : elles

*a)* Railleurs, riches et orgueilleux vont de pair : c'est la catégorie maudite par les psaumes, les écrits sapientiaux et l'Évangile, Lc **6** 25; Mt **5** 3s.
*b)* Expression typique du style jérémien, cf. **17** 14; **20** 7. Le prophète souligne ainsi le lien très étroit entre action humaine et action divine. On peut également traduire : « Si tu reviens, je te ferai revenir », cf. de même **1** 17; c'est la même idée mais avec une insistance plus nette sur la bonne volonté de l'homme rendant possible l'action de Dieu sur lui. Inversement, l'homme doit reconnaître que si Dieu n'agit pas en lui, il ne peut rien, cf. **31** 18.
*c)* Non seulement des actions symboliques, cf. **18** 1+, soulignent la prédication des prophètes, mais parfois leur vie même devient symbole et signe, cf. Os **1** et **3**; Is **8** 18; Ez **24** 15-24.
*d)* L'absence de rites funéraires et de sépulture représente une terrible malédiction, **22** 18-19; 1 R **14** 11; Ez **29** 5.
*e)* Rites funèbres, interdits par la Loi, cf. Lv **19** 27-28; Dt **14** 1, mais pourtant pratiqués en Israël, Jr **7** 29; **41** 5.
*f)* « le pain » grec; « pour eux » hébr. – « pour qui est dans le deuil » Vulg.; « pour le deuil » hébr. – « lui (offrira) » grec; « leur » hébr. – Il s'agit du repas funèbre.
*g)* « Servir d'autres dieux » : vieille locution qui signifie parfois « être exilé » (1 S **26** 19; cf. 2 R **5** 17) hors de la Palestine considérée comme le seul territoire de Yahvé.
*h)* Prophétie prononcée avant 598.

ne m'échappent pas et leur faute ne se dérobe pas
↗ Ap 18 6 à mes regards. [18] Je paierai au double leur faute et
leur péché, parce qu'ils ont profané mon pays par
le cadavre de leurs Horreurs et rempli mon héritage
de leurs Abominations [a].

**La conversion des nations [b].**

[19] Yahvé, ma force et ma forteresse,
mon refuge au jour de détresse!
Is 45 14+ A toi viendront les nations
des extrémités de la terre. Elles diront :
Nos pères n'ont eu en héritage que Mensonge,
Vanité qui ne sert à rien.
Is 40 20+; [20] Un homme pourrait-il se fabriquer des dieux?
42 8+ Mais ce ne sont pas des dieux!
[21] Voici donc, je vais leur faire connaître,
cette fois-ci, je leur ferai connaître
ma main et ma puissance,
et ils sauront que mon Nom est Yahvé.

**Fautes cultuelles de Juda [c].**

Dn 7 10+ **17** [1] Le péché de Juda est écrit
avec un stylet de fer,
avec une pointe de diamant il est gravé
Jr 31 33 sur la tablette de leur cœur
Pr 3 3; 7 3 et aux cornes de leurs autels [d],
[2] car leurs fils se souviennent
Dt 12 2+ de leurs autels et de leurs pieux sacrés [e],
près des arbres verts, sur les collines élevées.
[3] O ma montagne dans la plaine,
= 15 13-14 ta richesse et tous tes trésors,
je vais les livrer au pillage
à cause du péché de tes hauts lieux [f]
sur tout ton territoire.
[4] Tu devras te dessaisir [g] de ton héritage
que je t'avais donné;
je te rendrai esclave de tes ennemis
dans un pays que tu ne connais pas.
Car le feu de ma colère que vous avez allumé
brûlera pour toujours [h].

**Sentences de sagesse.**

[5] Ainsi parle Yahvé :
Ps 146 3-4 Maudit l'homme qui se confie en l'homme,
qui fait de la chair son appui
et dont le cœur s'écarte de Yahvé!
[6] Il est comme un chardon dans la steppe :
il ne ressent rien [i] quand arrive le bonheur,
il se fixe aux lieux brûlés du désert,
terre salée où nul n'habite.

[7] Béni l'homme qui se confie en Yahvé || Ps 40 5
et dont Yahvé est la foi.
[8] Il ressemble à un arbre planté au bord des eaux, Ps 1 3
qui tend ses racines vers le courant : Ez 47 12
il ne redoute rien quand arrive la chaleur,
son feuillage reste vert;
dans une année de sécheresse
il est sans inquiétude
et ne cesse pas de porter du fruit.

[9] Le cœur est rusé plus que tout,
et pervers, qui peut le pénétrer? Mc 7 21
[10] Moi, Yahvé, je scrute le cœur, Pr 17 3
je sonde les reins, Jr 11 20+
pour rendre à chacun d'après sa conduite, 32 19
selon le fruit de ses œuvres. Ps 62 13
↗ Mt 16 27

[11] Une perdrix couve ce qu'elle n'a pas pondu.
Ainsi celui qui se fait des richesses injustes :
au milieu de ses jours elles l'abandonnent
et en fin de compte il n'est qu'un insensé.

**Confiance dans le Temple et en Yahvé [j].**

[12] Un trône glorieux, sublime dès l'origine,
tel est notre lieu saint.
[13] Espoir d'Israël, Yahvé, 14 8
tous ceux qui t'abandonnent seront honteux,
ceux qui se détournent de toi seront inscrits dans
la terre [k],
car ils ont abandonné la source d'eaux vives, 2 13+
Yahvé.

**Prière de vengeance.** 15 10+

[14] Guéris-moi, Yahvé, et je serai guéri, Ps 6 3-4
sauve-moi et je serai sauvé,
car tu es ma louange!
[15] Les voici qui me disent :
Où est-elle, la parole de Yahvé? Qu'elle s'accomplisse donc [l]!
[16] Pourtant je ne t'ai pas poussé au pire [m],
je n'ai pas désiré le jour fatal,

*a)* Horreurs et Abominations : les faux dieux, qui souillent la terre sainte comme autant de cadavres, cf. Lv **18** 25s; **26** 30.
*b)* Ce morceau, proche du Second Isaïe, n'est probablement pas du prophète Jérémie.
*c)* Les vv. 1-4 manquent dans le grec.
*d)* « leurs autels » Vulg.; « les autels » hébr.
*e)* Litt. « leurs ashéras », cf. Ex **34** 13+; Jg **2** 13+.
*f)* Cf. **15** 13. Nous transposons « à cause du péché de » avant « tes hauts lieux »; intervertis dans l'hébr.
*g)* « te dessaisir », litt. « relâcher ta main », *yadeka* conj.; « relâcher et par toi » *ûbeka* hébr.
*h)* Variante par rapport à **15** 14.
*i)* Litt. « il ne voit rien », verbe graphiquement très semblable à celui qui est employé dans le parallèle du v. 8, « il ne redoute rien », ce qui a entraîné pour ce dernier une erreur de vocalisation.
*j)* Ces deux vv. ne semblent pas être de Jérémie : cf. **7** 1-15.
*k)* « (Ceux qui se détournent) de toi » conj.; « de moi » hébr. – « inscrits dans la terre », c'est-à-dire au shéol, parmi les morts.
*l)* Les menaces de Jérémie ne se réalisent pas. On est donc avant 598.
*m)* « (je ne t'ai pas poussé) au pire » litt. « je ne me suis pas

toi, tu le sais;
ce qui sort de mes lèvres est à découvert devant
toi.
17 Ne sois pas pour moi une cause d'effroi,
toi, mon refuge au jour du malheur.
Ps 5 11+ 18 Qu'ils soient honteux, mes persécuteurs, et que je
ne sois pas honteux, moi!
Qu'ils soient effrayés, eux, et que je ne sois pas
effrayé, moi!
Fais venir sur eux le jour du malheur,
brise-les, brise-les deux fois!

Ex 20 8+ **L'observation du sabbat** [a].

19 Ainsi m'a parlé Yahvé : Va te poster à la porte
des Enfants du peuple, par où entrent et sortent les
rois de Juda, et à toutes les portes de Jérusalem.
20 Tu diras : Écoutez la parole de Yahvé, vous, rois
de Juda, et vous tous, Judéens et habitants de Jérusalem qui passez par ces portes. 21 Ainsi parle
Yahvé : Soyez bien sur vos gardes et ne transportez
pas de fardeau le jour du sabbat; n'en faites pas
entrer par les portes de Jérusalem. 22 Ne faites sortir aucun fardeau de vos maisons le jour du sabbat
et ne faites aucun travail. Sanctifiez le jour du sabbat comme je l'ai ordonné à vos pères. 23 Eux n'ont
Dt 9 13+ pas écouté, ils n'ont pas prêté l'oreille; ils ont raidi
Jr 7 26; leur nuque pour ne pas entendre et ne pas accueillir
19 15 l'instruction. 24 Si vous m'écoutez bien – oracle de
22 4-5 Yahvé – ne faites entrer, le jour du sabbat, aucun
fardeau par les portes de cette ville; si vous sanctifiez le jour du sabbat en n'y faisant aucun travail,
25 alors, par les portes de cette ville, des rois et des
Za 9 9+ princes, siégeant sur le trône de David, feront leur
entrée en équipage de chars et de chevaux, eux et
leurs princes, les gens de Juda et les habitants de
Ez 37 25 Jérusalem. Et cette ville restera habitée pour tou-
Jl 4 20 jours. 26 On viendra des villes de Juda et des environs de Jérusalem, du pays de Benjamin et du Bas-
Pays, de la Montagne et du Négeb, offrir holocaustes, sacrifices, oblations et encens, offrir des
actions de grâces dans le Temple de Yahvé. 27 Mais
si vous ne m'écoutez pas pour sanctifier le jour du
sabbat, pour ne porter aucun fardeau et ne pas
entrer par les portes de Jérusalem le jour du sabbat,
alors je mettrai le feu à ses portes : il dévorera les
palais de Jérusalem et ne s'éteindra plus.

**Jérémie chez le potier** [b].

18 1 Parole qui fut adressée à Jérémie par Yahvé
en ces termes : 2 « Debout! Descends chez le
potier et là, je te ferai entendre mes paroles. » 3 Je
descendis chez le potier et voici qu'il travaillait au
tour [c]. 4 Mais le vase qu'il fabriquait fut manqué,
comme cela arrive à l'argile [d] dans la main du
potier. Il recommença et fit un autre vase, ainsi
qu'il paraissait bon au potier. 5 Alors la parole de
Yahvé me fut adressée en ces termes : 6 Ne suis-je
pas capable d'agir envers vous comme ce potier, Is 29 16+
maison d'Israël? – oracle de Yahvé. Oui, comme
l'argile dans la main du potier, ainsi êtes-vous dans
ma main, maison d'Israël! 7 Tantôt je parle, à propos d'une nation ou d'un royaume, d'arracher, de 1 10
renverser et d'exterminer; 8 mais si cette nation,
contre laquelle j'ai parlé, se convertit de sa Ez 18 21-24
méchanceté, alors je me repens du mal que j'avais Jon 3 10
résolu de lui infliger. 9 Tantôt je parle, à propos
d'une nation ou d'un royaume, de bâtir et de plan- 1 10
ter, 10 mais si cette nation fait ce qui est mal à mes
yeux en refusant d'écouter ma voix, alors je me
repens du bien que j'entendais lui faire. 11 Maintenant, parle donc ainsi aux hommes de Juda et aux
habitants de Jérusalem : « Ainsi parle Yahvé.
Voyez, je prépare contre vous un malheur, contre
vous je médite un plan. Détournez-vous donc chacun de votre voie mauvaise, améliorez vos voies et
vos œuvres. » 12 Mais ils vont dire : « Inutile! Nous
suivrons nos propres plans; chacun agira selon 2 25
l'obstination de son cœur mauvais. »

pressé derrière toi pour le malheur » (*lera 'ah*) conj.; « je ne me suis pas pressé plus qu'un berger (*mero 'eh*) derrière toi » hébr.
*a)* L'importance donnée ici au sabbat, inhabituelle chez Jérémie, fait généralement rejeter l'authenticité de ce passage.
*b)* D'après le v. 12, cette parabole en action se situe avant l'arrivée du malheur, donc avant 598. – Déjà les anciens prophètes, ainsi Samuel, 1 S **15** 27-28, Ahiyya de Silo, 1 R **11** 29-33 (ou le faux prophète Sédécias, 1 R **22** 11-12), accompagnaient leur prophétie de gestes symboliques, non pas tant par un besoin d'expressivité que par l'exigence d'un réalisme religieux : un lien est établi entre le geste significatif et la réalité dont il est le signe, en sorte que la réalité annoncée est désormais aussi irrévocable que le geste accompli. Ce procédé se retrouve chez les grands prophètes : chez Osée dont toute la mission se confond avec une action symbolique qui est son drame personnel, Os **1-3**; plus rarement chez Isaïe, cf. pourtant Is **20** et les noms symboliques qu'il donne à ses enfants, Is **7** 3 (cf. **10** 21); **8** 1-4; **8** 18, cf. **1** 16+. Jérémie accomplit ou interprète beaucoup de gestes symboliques : déjà la branche d'amandier et la marmite, **1** 11-14; la ceinture cachée à l'Euphrate, **13** 1-11 (bien que cette action semble n'avoir été accomplie qu'en vision); le potier, **18** 1-12; la cruche, **19**; les figues, **24**; le joug, **27-28**; le champ acheté, **32**. On peut ajouter que sa vie même est un symbole, **16** 1-8, et que sa « passion » (bien qu'il ne le souligne pas) l'identifie par avance à la nation châtiée, faisant de lui comme une figure du Serviteur souffrant, cf. Is **42** 1+. Plus tard, Ézéchiel accomplira encore des gestes symboliques : la brique assiégée, Ez **4** 1-3; la nourriture rationnée, **4** 9-17; les cheveux, **5** ; le mime du déporté, **12** 1-20; la marmite, **24** 3-14; les deux bâtons, **37** 15-28, et, à la manière d'Osée, il interprétera comme des événements symboliques ses propres épreuves : la maladie, **4** 4-8, la mort de sa femme, **24** 15-24, le mutisme et sa guérison, **24** 27; **33** 22. Des actions symboliques se retrouvent encore dans le NT : le figuier maudit par le Seigneur, Mt **21** 18-19p, la prophétie d'Agabus, Ac **21** 10-14.
*c)* Litt. « aux deux roues » : le tour était formé de deux plateaux circulaires, montés sur un essieu vertical, et que l'artisan faisait mouvoir avec les pieds.
*d)* « comme (cela arrive à) l'argile » *kahomer*, d'après quelques mss; « avec l'argile » *bahomer* TM.

**Israël oublie Yahvé [a].**

13 C'est pourquoi, ainsi parle Yahvé :
2 10-12 Enquêtez donc chez les nations,
qui entendit rien de pareil?
Elle a commis trop d'horreurs,
la Vierge d'Israël.
14 La neige du Liban abandonne-t-elle
le rocher de la campagne?
Tarissent-elles, les eaux des pays étrangers,
les eaux fraîches et courantes [b]?
2 32 15 Or mon peuple m'a oublié!
Au Néant ils offrent l'encens;
on les fait trébucher dans leurs voies [c],
dans les sentiers de jadis,
pour prendre des chemins,
une route non tracée:
16 pour faire de leur pays un objet de stupeur,
19 8 une dérision perpétuelle.
Lm 2 15-16 Quiconque y passe est stupéfait
1 R 9 8 et hoche la tête.
17 Tel le vent d'Orient, je les disperserai
face à l'ennemi.
C'est mon dos et non ma face que je leur
montrerai [d]
au jour de leur ruine.

15 10+ **A l'occasion d'un attentat contre Jérémie.**

18 Ils ont dit : « Venez! Machinons un attentat
contre Jérémie, car la Loi ne périra pas faute de
prêtre, ni le conseil faute de sage, ni la parole faute
de prophète [e]. Venez! Dénigrons-le et ne prêtons
attention à aucune de ses paroles. »

19 Prête-moi attention, Yahvé,
et entends ce que disent mes adversaires.
Ps 35 7, 12 20 Rend-on le mal pour le bien?
Or ils creusent une fosse à mon intention.
Rappelle-toi comme je me suis tenu devant toi
pour te dire du bien d'eux,
pour détourner loin d'eux ta fureur.

21 Abandonne donc leurs fils à la famine, Ps 5 11+
livre-les à la merci de l'épée!
Que leurs femmes deviennent stériles et veuves!
Que leurs maris meurent de la peste!
Que leurs jeunes soient frappés de l'épée, au
combat!
22 Qu'on entende des cris sortir de leurs maisons,
quand, soudain, tu amèneras contre eux des ban- 12 9+
des armées. 2 R 24 2-4
Car ils ont creusé une fosse pour me prendre
et sous mes pas camouflé des pièges.
23 Mais toi, Yahvé, tu connais
tout leur dessein meurtrier contre moi.
Ne pardonne pas leur faute, Ne 3 37
n'efface pas leur péché de devant toi.
Qu'ils s'effondrent devant toi,
au temps de ta colère, agis contre eux!

**La cruche brisée et l'altercation avec Pashehur [f].**

**19** 1 Alors Yahvé dit à Jérémie : Va t'acheter une
cruche de potier. Prends avec toi [g] des anciens
du peuple et des anciens des prêtres. 2 Sors en
direction de la vallée de Ben-Hinnom qui est à l'entrée de la porte des Tessons [h]. Là, tu proclameras
les paroles que je te dirai. 3 Tu diras : Écoutez la
parole de Yahvé, rois de Juda et habitants de Jérusalem. Ainsi parle Yahvé Sabaot, le Dieu d'Israël :
Voici que j'amène un malheur sur ce lieu. Les oreilles en tinteront à quiconque l'apprendra! 4 Car ils 1 S 3 11
m'ont abandonné, ils ont rendu ce lieu méconnais- 2 R 21 12
sable, ils y ont offert l'encens à des dieux étrangers
que n'avaient connus ni eux, ni leurs pères, ni les
rois de Juda. Ils ont rempli ce lieu du sang des innocents. 5 Car ils ont construit des hauts lieux de 7 31-33
Baal, pour consumer au feu leurs fils, en holocauste Lv 18 21+
à Baal; cela je ne l'avais jamais ordonné, je n'en
avais jamais parlé, je n'y avais jamais songé!
6 Aussi voici venir des jours – oracle de Yahvé –
où l'on n'appellera plus ce lieu Tophèt ni vallée de
Ben-Hinnom, mais bien vallée du Carnage. 7 Je

*a)* Le rédacteur a inséré ici, en commentaire de **18** 12, ce développement caractéristique des débuts de Jérémie, cf. **2** 10-32, mais bien en situation sous Joiaqim, alors que l'idolâtrie a refleuri.

*b)* « tarissent-elles » *'im yinnashetû* conj.; « sont-elles arrachées » *'im yinnateshû* hébr. – Le texte de tout ce v. est incertain et on en a proposé diverses corrections; au lieu de « de la campagne » (*saday*), Aquila lit « du Tout-Puissant » (*Shadday*); à la place de « les eaux des pays étrangers (litt. « étrangères »), fraîches », on propose parfois de lire, avec une légère correction « les sources d'Égypte », mais ce n'est qu'une conjecture que n'appuie aucun témoin ancien du texte. – Ces eaux étrangères peuvent représenter les grands fleuves de Mésopotamie et d'Égypte.

*c)* Les chefs du peuple l'ont égaré – à moins qu'il ne faille lire avec le grec : « ils (les gens du peuple) ont trébuché ».

*d)* Litt. « je leur ferai voir », versions; « je les verrai » hébr.

*e)* L'activité normale des trois catégories de chefs spirituels, prêtres, sages et prophètes, ne sera pas arrêtée par la disparition d'un trublion.

*f)* Ce morceau ne semble pas d'une seule venue. Il comprend : 1° une action symbolique qui a lieu, devant quelques témoins, près de la porte des Tessons et qui est commentée ensuite au Temple, d'où les démêlés avec Pashehur : **19** 1, 2b–c, 10-11a, 14-15; **20** 1-6; l'événement doit se situer vers 605, avant les faits racontés au ch. **36**; 2° un discours prononcé à Tophèt et adressé aux rois de Juda et aux habitants de Jérusalem : **19** 2a, 3-9, 11b-13; il reprend de vieux thèmes jérémiens, redevenus actuels sous Joiaqim; il fait allusion, v. 7, au morceau précédent.

*g)* « Alors » grec; « Ainsi » hébr. – « à Jérémie » conj.; « à moi » grec; omis par hébr. – « Prends avec toi » syr.; Targ.; omis par hébr.

*h)* La porte des Tessons ou porte de la Poterie ne peut être située avec certitude. La direction donnée (Géhenne) fait penser qu'elle pouvait se trouver à l'est de la porte du Fumier, peut-être non loin du « jardin du roi », cf. **39** 4, mais on a parfois aussi voulu identifier ces deux portes.

viderai [a] de bon sens Juda et Jérusalem, à cause de
ce lieu; je les ferai tomber sous l'épée devant leurs
ennemis, par la main de ceux qui en veulent à leur
vie; je donnerai leurs cadavres en pâture aux
oiseaux du ciel et aux bêtes de la terre. 8 Je ferai
**18** 16 de cette ville un objet de stupeur et de dérision, tout
passant en restera stupéfait et sifflera devant tant
Dt **28** 53-57 de blessures. 9 Je leur ferai manger la chair de leurs
Ez **5** 10+ fils et celle de leurs filles : ils s'entre-dévoreront
dans l'angoisse et la détresse où les réduiront leurs
ennemis et ceux qui en veulent à leur vie.

10 Tu briseras cette cruche sous les yeux des gens
qui t'auront accompagné 11 et tu leur diras : Ainsi
parle Yahvé Sabaot : Je vais briser ce peuple et
cette ville comme on brise le vase du potier, qui ne
peut plus être réparé.

On enterrera à Tophèt faute de place pour enterrer. 12 Ainsi ferai-je pour ce lieu – oracle de Yahvé
– et pour ses habitants, en rendant cette ville semblable à Tophèt. 13 Les maisons de Jérusalem et
celles des rois de Juda seront impures [b], tel ce lieu
de Tophèt : toutes ces maisons sur le toit desquelles
ils ont offert de l'encens à toute l'armée du ciel et
versé des libations aux dieux étrangers!

14 Jérémie revint de Tophèt où Yahvé l'avait
envoyé prophétiser, il se posta dans le parvis du
Temple de Yahvé et dit à tout le peuple : 15 « Ainsi
parle Yahvé Sabaot, le Dieu d'Israël : Voici, je vais
amener sur cette ville, et toutes ses voisines, tous
Dt **9** 13 les malheurs dont je l'ai menacée, car ils ont raidi
Jr **7** 26 leur nuque pour ne pas écouter mes paroles. »

**20** 1 Or le prêtre Pashehur, fils d'Immer, qui était
le chef de la police dans le Temple de Yahvé,
entendit Jérémie qui proférait cet oracle. 2 Pashehur frappa le prophète Jérémie, puis le mit au
carcan, à la porte haute de Benjamin, celle qui
donne dans le Temple de Yahvé. 3 Le lendemain,
Pashehur fit tirer Jérémie du carcan. Alors Jérémie
lui dit : « Ce n'est plus Pashehur que Yahvé
t'appelle, mais " Terreur-de-tous-côtés ". 4 Car
ainsi parle Yahvé : Voici que je vais te livrer à la
terreur, toi et tous tes amis; ils tomberont sous
l'épée de leurs ennemis : tes yeux verront cela! De
même Juda tout entier, je le livrerai aux mains du
roi de Babylone qui déportera les gens à Babylone
et les frappera de l'épée. 5 Je livrerai encore toutes
les richesses de cette ville, toutes ses réserves, tout
ce qu'elle a de précieux, tous les trésors des rois de
Juda, je les livrerai aux mains de leurs ennemis qui
les pilleront, les enlèveront et les emporteront à
Babylone. 6 Et toi, Pashehur, ainsi que tous les
hôtes de ta maison, vous partirez en captivité; à
Babylone tu iras, là tu mourras, là tu seras enterré,
toi et tous tes amis à qui tu as prophétisé le mensonge. »

**Extraits divers des « Confessions ».** **15** 10+

7 Tu m'as séduit, Yahvé, et je me suis laissé
séduire;
tu m'as maîtrisé, tu as été le plus fort [c].
Je suis prétexte continuel à la moquerie,
la fable de tout le monde.
8 Chaque fois que j'ai à parler, je dois crier
et proclamer : « Violence et dévastation! »
La parole de Yahvé a été pour moi
source d'opprobre et de moquerie tout le jour.
9 Je me disais : " Je ne penserai plus à lui,
je ne parlerai plus en son Nom ";
mais c'était en mon cœur comme un feu **23** 29
dévorant,
enfermé dans mes os.
Je m'épuisais à le contenir, Jb **32** 19-20
mais je n'ai pas pu. Ps **39** 4
10 J'entendais les calomnies de beaucoup : || Ps **31** 14
« Terreur de tous côtés [d]!
Dénoncez! Dénonçons-le! »
Tous ceux qui étaient en paix avec moi
guettaient ma chute :
« Peut-être se laissera-t-il séduire?
Nous serons plus forts que lui
et tirerons vengeance de lui! »
11 Mais Yahvé est avec moi comme un héros puissant;
mes adversaires vont trébucher, vaincus :
les voilà tout confus de leur échec;
honte éternelle, inoubliable.
12 Yahvé Sabaot, qui scrutes le juste [e] = **11** 20+
et vois les reins et le cœur,
je verrai la vengeance que tu tireras d'eux,
car c'est à toi que j'ai exposé ma cause.
13 Chantez Yahvé,
louez Yahvé,
car il a délivré l'âme du malheureux [f]
de la main des malfaisants.

*a)* « Vider », *baqaq*, fait jeu de mots avec « cruche », *baqbuq*.

*b)* Impureté due aux cadavres, Lv **18** 25s; **26** 30.

*c)* Ces images de séduction et de lutte marquent l'emprise de Yahvé sur le prophète. Ce dernier semble ici se rebeller contre un Dieu qu'il tient pour responsable de son malheur. L'expression d'un tel désespoir est rare dans la Bible (cf. pourtant Jb **3** 1s; Ps **88**). Mais Jérémie garde la certitude que Yahvé est le Dieu de la Grâce, et, au cœur même de son angoisse, il pousse un cri d'espérance, vv. 11-13.

*d)* Expression chère à Jérémie, et que ses adversaires auront parodiée, cf. **6** 25; **20** 3; **46** 5; **49** 29.

*e)* Ou bien : « avec justice », si l'on suit 2 mss hébr., syr., arabe. Cf. **11** 20.

*f)* Le malheureux (*'ebiôn*), ou le pauvre (*'anaw*), cf. **22** 16, avec ici un sens religieux : éprouvé au milieu des hommes, confiant en Dieu. Les « pauvres de Yahvé », cf. So **2** 3+, seront la postérité spirituelle de Jérémie.

14 Maudit soit le jour où je suis né!
Le jour où ma mère m'enfanta, qu'il ne soit pas béni[a]!
↗ Jb 3 Jr 1 5; 15 10 15 Maudit soit l'homme qui annonça à mon père
cette nouvelle :
« Un fils, un garçon t'est né! »
et le combla de joie.
Gn 19 24-25 16 Que cet homme soit pareil aux villes
que Yahvé a renversées sans pitié;
qu'il entende le cri d'alarme au matin
et le cri de guerre en plein midi,
17 car il ne m'a pas fait mourir dès le sein,
pour que ma mère soit un tombeau
et que ses entrailles me portent à jamais.
18 Pourquoi donc suis-je sorti du sein?
Pour voir tourment et peine
et finir mes jours dans la honte.

## 3. ORACLES PRONONCÉS SURTOUT APRÈS JOIAQIM

### La réponse aux envoyés de Sédécias[b].

**21** 1 Parole qui fut adressée à Jérémie de la part de Yahvé, quand le roi Sédécias lui envoya Pashehur, fils de Malkiyya, et le prêtre Çephanya, fils de Maaséya, pour lui dire : 2 « Consulte donc Yahvé pour nous, car Nabuchodonosor, roi de Babylone, nous fait la guerre; peut-être Yahvé opérera-t-il en notre faveur tous ses miracles, si bien que l'ennemi devra s'éloigner de nous. » 3 Jérémie leur dit : « Vous porterez à Sédécias cette réponse : 4 Ainsi parle Yahvé, le Dieu d'Israël. Voici, je vais faire revenir les armes de guerre que vous tenez et avec lesquelles vous combattez le roi de Babylone et les Chaldéens, vos assaillants : de l'extérieur des murs, je vais les rassembler en plein milieu de cette ville. 5 Et je combattrai moi-même contre vous, à main étendue et à bras puissant, avec colère, fureur et grande indignation; 6 je frapperai les habitants de cette ville, hommes et bêtes; d'une affreuse peste ils mourront. 7 Après quoi – oracle de Yahvé – je livrerai Sédécias, roi de Juda, ses serviteurs, le peuple et ceux qui, de cette ville, seront rescapés de la peste, de l'épée et de la famine, aux mains de Nabuchodonosor, roi de Babylone, aux mains de leurs ennemis et aux mains de ceux qui en veulent à leur vie; il les passera au fil de l'épée, sans pitié pour eux, ni ménagement, ni compassion. »

8 Et à ce peuple tu diras : « Ainsi parle Yahvé.
Dt 30 15 Voici, je place devant vous le chemin de la vie et
= 38 2 le chemin de la mort. 9 Qui restera dans cette ville
mourra par l'épée, la famine et la peste; mais qui
en sortira et se rendra aux Chaldéens, vos assail-
18; 45 5 lants, vivra, il aura sa vie comme butin. 10 Car je
vais me tourner contre cette ville pour son malheur, non pour son bonheur – oracle de Yahvé. Elle sera livrée au roi de Babylone et il l'incendiera. »

### Adresse générale à la Maison royale.

11 A la Maison royale de Juda[c]. Écoutez la parole de Yahvé, 12 maison de David! Ainsi parle Yahvé :

Rendez chaque matin droite justice
et tirez l'exploité des mains de l'oppresseur.
Sinon ma fureur va jaillir comme un feu = 4 4
et brûler, sans personne pour l'éteindre,
à cause de la méchanceté de vos actions.
13 C'est à toi que j'en ai, toi qui habites la vallée,
Roc-dans-la-plaine[d],
– oracle de Yahvé –
ô vous qui dites : « Qui oserait fondre sur nous
et pénétrer en nos repaires? »
14 Je vous châtierai comme le méritent vos actions
– oracle de Yahvé.
Je mettrai le feu à sa forêt = 50 32
et il dévorera tous ses alentours!

**22** 1 Ainsi parle Yahvé : Descends[e] au palais du roi de Juda; là, tu prononceras cette parole : 2 Écoute la parole de Yahvé, ô roi de Juda qui sièges sur le trône de David, toi, ainsi que tes serviteurs et tes gens qui entrent par ces portes. 3 Ainsi parle Yahvé : Pratiquez le droit et la justice; tirez l'exploité des mains de l'oppresseur; l'étranger, l'orphelin et la veuve, ne les maltraitez pas, ne les outragez pas; le sang innocent, ne le versez pas en
ce lieu. 4 Car si vous vous appliquez à observer 17 24-25

*a)* Jérémie, appelé dès le sein de sa mère, **1** 5, maudit le jour de sa naissance. Cette malédiction, qui sera reprise par Jb **3**, marque le point extrême de la détresse intérieure du prophète.
*b)* C'est un épisode du siège de Jérusalem en 588. Il a pu être placé ici à cause du contraste entre le Pashehur du v. 1 et celui de **20** 1. Le grec présente plusieurs omissions.
*c)* Ce titre (cf. **23** 9) couvre la section **21** 11 - **23** 8 et indique un recueil qui a pu exister séparément.
*d)* Jérusalem est ici interpellée, avec sa vallée (Cédron ou Tyropéon), et le roc qui la domine, l'Ophel, socle du palais royal. L'image de la forêt (v. 14) est reprise en **22** 6s, où elle s'applique aux bois précieux du palais, cf. 1 R **7** 2.
*e)* Du Temple, qui dominait le palais, cf. **26** 10; **36** 12.

cette parole, alors, par les portes de ce palais, des
rois siégeant sur le trône de David feront leur
entrée, montés sur des chars et des chevaux, eux,
leurs serviteurs et leurs gens. 5 Mais si vous
n'écoutez pas ces paroles, je le jure par moi-même
– oracle de Yahvé – ce palais deviendra une ruine.

6 Oui, ainsi parle Yahvé au sujet du palais du roi
de Juda :

Tu es pour moi Galaad
22 23 et la cime du Liban.
Ez 17 3 Pourtant je vais te réduire en désert,
en villes inhabitées.
7 Je voue [a] contre toi des destructeurs,
chacun avec ses armes;
21 13+ ils abattront les plus beaux de tes cèdres
et les jetteront au feu.

8 Et quand des nations nombreuses passeront
5 19+ près de cette ville, les gens se diront entre eux :
1 R 9 7-9 « Pourquoi Yahvé a-t-il traité de la sorte cette
grande cité? » 9 On répondra : « C'est qu'ils ont
abandonné l'alliance de Yahvé leur Dieu, pour se
prosterner devant d'autres dieux et les servir. »

**Oracles contre différents rois.**
**Contre Joachaz.**

2 R 23 29-30 10 Ne pleurez pas celui qui est mort,
ne le plaignez pas.
Pleurez plutôt celui qui est parti,
car il ne reviendra plus,
2 R 23 34 il ne verra plus son pays natal [b].

11 Car ainsi a parlé Yahvé au sujet de Shallum,
fils de Josias, roi de Juda, qui régna à la place de
son père Josias et dut quitter ce lieu : il n'y reviendra plus, 12 mais dans le lieu où on l'emmena prisonnier, il mourra; et ce pays-ci, jamais il ne le
reverra.

**Contre Joiaqim.**

Am 6 8 13 Malheur à qui bâtit sa maison sans la justice
et ses chambres hautes sans le droit,
Dt 24 15 qui fait travailler son prochain pour rien
et ne lui verse pas de salaire,
14 qui se dit : « Je vais me bâtir un palais spacieux
avec de vastes chambres hautes »,
qui y perce des ouvertures,
le recouvre de cèdre et le peint en rouge.
15 Règnes-tu parce que tu as la passion du cèdre?
Ton père ne mangeait-il et ne buvait-il pas?
Mais il pratiquait le droit et la justice!
Alors, pour lui tout allait bien.
16 Il jugeait la cause du pauvre et du malheureux.
Alors, tout allait bien.
Me connaître, n'est-ce pas cela? 9 23+
– oracle de Yahvé –
17 Mais rien ne captive tes yeux et ton cœur
sinon ton intérêt propre,
le sang innocent à répandre,
oppression et violence à perpétrer.
18 C'est pourquoi, ainsi parle Yahvé
au sujet de Joiaqim, fils de Josias, roi de Juda.
Pour lui, point de lamentation :
« Hélas! mon frère! Hélas! ô sœur! » 34 5
Pour lui, point de lamentation : 1 R 13 30
« Hélas! Seigneur! Hélas! sa Majesté! »
19 Il sera enterré comme on enterre un âne! Is 14 18-19
Il sera traîné et jeté Jr 36 30
loin des portes de Jérusalem! 2 Ch 36 5-6

**Contre Joiakîn [c].**

20 Monte sur le Liban pour crier,
sur le Bashân donne de la voix,
crie du haut des Abarim [d],
car tous tes amants [e] sont écrasés!
21 Je t'ai parlé au temps de ta sécurité;
tu as dit : « Je n'écouterai pas! » 2 25, 31
Ce fut ton comportement depuis ta jeunesse 3 25; 7 23s;
de ne pas écouter ma voix. 11 7s
22 Tous tes pasteurs, le vent les enverra paître
et tes amants partiront en exil.
Oui, tu seras alors honteuse et rougissante
de toute ta perversité.
23 Toi qui as établi ta demeure sur le Liban, 21 13; 22 6
ton nid parmi les cèdres,
comme tu vas gémir [f] quand des douleurs te
viendront,
des affres, comme à celle qui accouche! 4 31+

24 Par ma vie – oracle de Yahvé – même si
Konias [g], fils de Joiaqim, roi de Juda, était un
anneau à ma main droite, je t'arracherais de là! Ag 2 23
25 Je vais te livrer aux mains de ceux qui en veulent
à ta vie, aux mains de ceux qui te font trembler,
aux mains de Nabuchodonosor, roi de Babylone,

*a)* Litt. « je sanctifie », cf. **6** 4+.
*b)* « celui qui est mort » : Josias, tué en 609, cf. 2 R **23** 29; « celui qui est parti » : Joachaz (appelé aussi Shallum, v. 11), déporté en Égypte la même année, cf. 2 R **24** 33-34.
*c)* Jérémie s'adresse d'abord à Jérusalem personnifiée, vv. 20-23, et interprète durement les événements de 598 sur lesquels elle se lamente.
*d)* Le Liban au nord; le Bashân, au nord-est, au-delà du Jourdain (cf. Dt **3** 10); les Abarim, à l'est, avec pour sommet le mont Nébo (Nb **33** 47).
*e)* Non point ici les faux dieux, cf. **3** 13, ni les alliés, cf. **4** 30, mais les rois et les chefs de Juda, cf. v. 22.
*f)* Avec grec, syr., Vulg. L'hébr. porte le passif, inusité, du verbe « faire grâce », qui pourrait à la rigueur se traduire « comme tu seras pitoyable ».
*g)* Autre nom de Joiakîn.

et aux mains des Chaldéens. 26 Je te jetterai, toi et
ta mère qui t'a enfantée, dans un autre pays : vous
n'y êtes pas nés mais vous y mourrez. 27 Et ce pays
où ils désirent ardemment revenir, ils n'y reviendront pas!

28 Est-ce un ustensile vil et cassé
cet homme, ce Konias,
est-ce un objet dont personne ne veut?
Pourquoi sont-ils chassés, lui et sa race,
jetés dans un pays qu'ils ne connaissaient point?
29 Terre! terre! terre!
écoute la parole de Yahvé.
30 Ainsi parle Yahvé :
Inscrivez [a] cet homme : « Sans enfants,
quelqu'un qui n'a pas réussi en son temps ».
Car nul de sa race ne réussira
à siéger sur le trône de David [b]
et à dominer en Juda.

**Oracles messianiques. Le roi de l'avenir.**

Ez **34** 1+ **23** 1 Malheur aux pasteurs qui perdent et dispersent les brebis de mon pâturage – oracle de
Yahvé! 2 C'est pourquoi ainsi parle Yahvé, le Dieu
d'Israël, contre les pasteurs qui ont à paître mon
peuple : vous avez dispersé mes brebis, vous les
avez chassées et ne vous en êtes pas occupés. Eh
bien! moi, je vais m'occuper de vous pour vos
**31** 10 méfaits, oracle de Yahvé! 3 Je rassemblerai moi-
Is **4** 3+ même le reste de mes brebis de tous les pays où
je les aurai dispersées, et je les ramènerai dans leur
prairie : elles seront fécondes et se multiplieront.
**3** 15 4 Je susciterai pour elles des pasteurs qui les feront
paître; elles n'auront plus crainte ni terreur; aucune
ne se perdra, oracle de Yahvé!

5 Voici venir des jours – oracle de Yahvé –
= **33** 15-16 où je susciterai à David un germe juste [c];
Is **4** 2 un roi régnera et sera intelligent,
a **3** 8; **6** 12 exerçant dans le pays droit et justice.
**3** 18+ 6 En ses jours, Juda sera sauvé
et Israël habitera en sécurité.
Voici le nom dont on l'appellera :
« Yahvé-notre-justice [d] ».

**16** 14-15 7 Aussi voici venir des jours – oracle de Yahvé
– où l'on ne dira plus : « Yahvé est vivant, qui a
fait monter les enfants d'Israël du pays d'Égypte »,
8 mais : « Yahvé est vivant, qui a fait monter et rentrer la race de la maison d'Israël du pays du Nord
et de tous les pays où il les avait dispersés [e], pour
qu'ils demeurent sur leur propre sol. »

**Livret contre les faux prophètes.** **14** 13-16 Dt **13** 2-6

9 Sur les prophètes [f].

Mon cœur en moi est brisé [g],
je tremble de tous mes membres.
Je suis comme un homme ivre,
comme quelqu'un que le vin a dompté,
à cause de Yahvé et de ses paroles saintes.

10 Car le pays est rempli d'adultères;
oui, à cause d'une malédiction, le pays est en
deuil
et les pacages du désert sont desséchés;
les hommes courent au mal,
ils dépensent leur force pour l'injustice.
11 Oui, même le prophète et le prêtre sont des **6** 13
impies,
jusqu'en ma Maison j'ai trouvé leur iniquité,
oracle de Yahvé.
12 Aussi leur voie va se changer pour eux
en fondrière;
engagés là, dans les ténèbres,
ils y culbuteront.
Car je vais amener sur eux un malheur,
l'année de leur châtiment,
oracle de Yahvé.

13 Chez les prophètes de Samarie,
j'ai vu l'insanité;
ils prophétisaient au nom de Baal **2** 8; **5** 31
et égaraient mon peuple Israël.
14 Mais chez les prophètes de Jérusalem,
j'ai vu l'horreur :
l'adultère, l'obstination dans le mensonge,
le soutien donné aux méchants
pour que nul ne revienne de sa méchanceté.
Ils sont tous pour moi comme Sodome Gn **19**
et ses habitants comme Gomorrhe!
15 C'est pourquoi, ainsi parle Yahvé Sabaot contre
les prophètes :
Voici, je vais leur faire manger de l'absinthe = **9** 14

*a)* Sur les registres généalogiques des rois, cf. Is **4** 3.
*b)* De fait Zorobabel, petit-fils de Joiakîn, ne fut que gouverneur de Juda au retour de l'Exil.
*c)* « Germe » sera un jour un nom propre, désignation du Messie, cf. Za **3** 8; **6** 12.
*d)* Ce nom symbolique donné au Messie, cf. Is **1** 26+, fait contraste avec celui de Sédécias, qui signifie « Yahvé-ma-justice ».
*e)* « il les avait » grec; « je les avais » hébr.

*f)* Titre (comme **21** 11) d'un livret composite et surchargé, vv. 9-40. Le premier morceau, vv. 9-12, où Jérémie semble découvrir la perversité des faux prophètes, pourrait dater du temps de Josias. Les morceaux suivants conviennent aussi bien au temps de Joiaqim qu'à celui de Sédécias. Sur cette polémique contre les faux prophètes, voir l'Introduction, p. 1073.
*g)* C'est ici Jérémie qui parle, mais aux vv. 10-12 la parole est à Yahvé lui-même.

et leur faire boire de l'eau empoisonnée,
car, venant des prophètes de Jérusalem,
l'impiété s'est répandue dans tout le pays.
16 Ainsi parle Yahvé Sabaot :
N'écoutez pas les paroles de ces prophètes qui
vous prophétisent;
ils vous dupent,
ils débitent les visions de leur cœur,
rien qui vienne de la bouche de Yahvé;
17 ils osent dire à ceux qui me méprisent :
« Yahvé a parlé; vous aurez la paix! »
et à tous ceux qui suivent l'obstination de leur
cœur :
« Aucun mal ne vous arrivera! »
1 Co **2** 16 18 Mais qui donc a assisté au conseil de Yahvé
pour voir et entendre sa parole? Qui a fait attention
à sa parole et l'a entendue[a]?
= **30** 23-24 19 Voici un ouragan de Yahvé, sa fureur qui éclate,
un ouragan se déchaîne,
sur la tête des impies, il fait irruption;
20 la colère de Yahvé ne se détournera pas
qu'il n'ait accompli et réalisé
les desseins de son cœur :
à la fin des jours, vous comprendrez cela clairement!
21 Je n'ai pas envoyé ces prophètes,
et ils courent!
Je ne leur ai rien dit,
et ils prophétisent!
22 S'ils avaient assisté à mon conseil,
**28** 9+ ils auraient fait entendre mes paroles à mon
peuple,
ils les auraient fait revenir de leur voie mauvaise
et de la perversité de leurs actions[b]!

23 Ne serais-je un Dieu que de près – oracle de
Yahvé –
de loin ne serais-je plus un Dieu?
Ps **139** 7-12 24 Un homme peut-il se terrer dans des lieux cachés
Am **9** 2-3 sans que je le voie? – oracle de Yahvé –
Si **16** 17 Est-ce que le ciel et la terre,
Sg **1** 7 je ne les remplis pas? oracle de Yahvé.

25 J'ai entendu comment parlent les prophètes
qui prophétisent en mon nom le mensonge en
disant : « J'ai eu un songe! J'ai eu un songe[c]! »
26 Jusqu'à quand y aura-t-il au sein des prophètes
des gens qui prophétisent le mensonge et annoncent
l'imposture de leur cœur? 27 Avec les songes qu'ils
se racontent l'un à l'autre, ils s'ingénient à faire
oublier mon Nom à mon peuple; ainsi leurs peres
ont-ils oublié mon Nom au profit de Baal! 28 Le
prophète qui a eu un songe, qu'il raconte un songe!
Et celui qui tient de moi une parole, qu'il délivre
fidèlement ma parole!

Qu'ont de commun la paille et le froment?
– oracle de Yahvé –
29 Ma parole n'est-elle pas comme un feu? 5 14; **20** 9
– oracle de Yahvé –
N'est-elle pas comme un marteau qui fracasse le
roc?

30 Aussi vais-je m'en prendre aux prophètes –
oracle de Yahvé – qui se dérobent mutuellement
mes paroles. 31 Je vais m'en prendre aux prophètes
– oracle de Yahvé – qui agitent la langue pour
émettre des oracles. 32 Je vais m'en prendre à ceux
qui prophétisent des songes mensongers – oracle de
Yahvé – qui les racontent et égarent mon peuple
par leurs mensonges et leur vantardise. Moi, je ne
les ai pas envoyés, je ne leur ai pas donné d'ordres,
et ils ne sont d'aucune utilité à ce peuple, oracle de
Yahvé.

33 Et quand ce peuple, ou un prophète, ou un prêtre, te demandera : « Quel est le fardeau de
Yahvé? » tu leur répondras : « C'est vous le fardeau, vous dont je vais me délester, oracle de
Yahvé[d]! »
34 Et le prophète, le prêtre ou celui du peuple qui
dira : « Fardeau de Yahvé », je le visiterai cet homme-là, ainsi que sa maison. 35 Ainsi parlerez-vous
entre vous, entre frères : « Qu'a répondu Yahvé? »
ou : « Qu'a dit Yahvé? » 36 mais vous ne mention-
nerez plus le « Fardeau de Yahvé », car le fardeau
est pour chacun sa propre parole. Et vous perver-
tissez les paroles du Dieu vivant, Yahvé Sabaot,
notre Dieu! 37 Tu parleras ainsi au prophète : « Que
t'a répondu Yahvé? » ou : « Qu'a dit Yahvé? »
38 Mais si vous dites « Fardeau de Yahvé », alors,
ainsi parle Yahvé : Puisque vous employez cette
expression « Fardeau de Yahvé » alors que je vous
ai fait avertir de ne plus dire « Fardeau de Yahvé »,
39 à cause de cela je vous soulèverai[e] et je vous jetterai loin de ma face, vous et la Ville que j'avais

*a)* Ce v. est peut-être une glose sur le v. 22, mal insérée.
*b)* Sur les critères du vrai prophétisme, voir l'Introduction, pp. 1072-1073.
*c)* Certes les songes peuvent être le moyen d'une communication divine, Nb **12** 6; mais il faut en discerner le contenu et l'origine.
*d)* « C'est vous le fardeau » grec; « Quel fardeau » hébr. (vocalisation et coupure des mots fautives). – Jérémie refuse le terme reçu *massa'*, « fardeau », « charge » et, au sens figuré, « oracle » (pesant sur quelqu'un), cf. Is **13** 1; **14** 28; **19** 1; Za **9** 1; **12** 1; Ml **1** 1.
*e)* Avec les versions et 5 mss hébr. ; ce verbe (en hébr. *nasa'*, d'où vient *massa'*) continue le jeu de mots avec fardeau. Le TM a le verbe *nasha'* « oublier » ou « prêter à gage ».

donnée à vous et à vos pères. 40 Et je mettrai sur
vous un opprobre éternel, une confusion éternelle
et inoubliable!

29 1-20 **Les deux corbeilles de figues** [a].
Mt 21 18-19p
**24** 1 Voilà que Yahvé me fit voir deux corbeilles
de figues disposées devant le sanctuaire de
2 R 24 12-16 Yahvé [b]. C'était après que Nabuchodonosor, roi de
Babylone, eut emmené captifs, loin de Jérusalem,
Jékonias, fils de Joiaqim, roi de Juda, ainsi que les
princes de Juda, les forgerons et les serruriers, et
qu'il les eut amenés à Babylone. 2 Une corbeille
contenait d'excellentes figues, comme sont les
figues précoces; l'autre contenait des figues gâtées,
si gâtées qu'elles en étaient immangeables. 3 Et
Yahvé me dit : « Que vois-tu, Jérémie? » Et je
répondis : « Des figues. Les bonnes sont excellentes. Les mauvaises sont gâtées, si gâtées qu'on ne
peut les manger. » 4 Alors la parole de Yahvé me
fut adressée en ces termes : 5 Ainsi parle Yahvé,
Ez 11 14-21 Dieu d'Israël. Comme à ces bonnes figues, ainsi je
veux m'intéresser pour leur bien aux exilés de Juda,
que j'ai envoyés de ce lieu au pays des Chaldéens.
6 Je veux fixer les yeux sur eux pour leur bien, les
faire revenir en ce pays, les reconstruire au lieu de 1 10
les démolir, les planter au lieu de les arracher. 7 Je
leur donnerai un cœur pour connaître que je suis 4 4+
Yahvé. Ils seront mon peuple et moi je serai leur 31 31+, 33-34; 32 39
Dieu, car ils reviendront à moi de tout leur cœur. ↗ 1 Jn 5 20
8 Mais comme on traite les mauvaises figues, si
gâtées qu'elles en sont immangeables – oui, ainsi
parle Yahvé – ainsi traiterai-je Sédécias, roi de
Juda, ses princes et le reste de Jérusalem : ceux qui
sont restés dans ce pays comme ceux qui habitent
au pays d'Égypte [c]. 9 J'en ferai un objet d'horreur, 15 4; 26 6;
une calamité pour tous les royaumes de la terre; un 29 18; 42 18;
opprobre, une fable, une risée, une malédiction en 44 12
tous lieux où je les chasserai. 10 Et j'enverrai contre
eux l'épée, la famine et la peste jusqu'à ce qu'ils
aient disparu du sol que j'avais donné à eux et à
leurs pères.

## 4. BABYLONE, FLÉAU DE YAHVÉ [d]

**25** 1 Parole concernant tout le peuple de Juda, qui
fut adressée à Jérémie la quatrième année de
Joiaqim, fils de Josias, roi de Juda (c'est-à-dire la
première année de Nabuchodonosor, roi de Babylone). 2 Le prophète Jérémie la prononça devant
tout le peuple de Juda et tous les habitants de Jérusalem.
3 Depuis la treizième année de Josias, fils
d'Amon, roi de Juda, jusqu'à aujourd'hui, voici
vingt-trois ans que la parole de Yahvé m'est adressée et que, sans me lasser, je vous parle (mais vous
7 25+ n'avez pas écouté. 4 De plus Yahvé, sans se lasser,
vous a envoyé tous ses serviteurs les prophètes,
mais vous n'avez pas écouté ni prêté l'oreille pour
entendre). 5 Cette parole était : Revenez donc chacun de votre voie mauvaise et de la perversité de
vos actions; alors vous habiterez sur le sol que
Yahvé vous a donné, à vous et à vos pères, depuis
toujours jusqu'à toujours. 6 (Et n'allez pas suivre
d'autres dieux pour les servir et vous prosterner
devant eux; ne m'irritez pas par les œuvres de vos
mains, et alors je ne vous ferai aucun mal.) 7 Mais
vous ne m'avez pas écouté (oracle de Yahvé! en
sorte que vous m'avez irrité par les œuvres de vos
mains pour votre malheur).
8 C'est pourquoi, ainsi parle Yahvé Sabaot :
Puisque vous n'avez pas écouté mes paroles, 9 voici
que j'envoie chercher toutes les familles du Nord
(oracle de Yahvé! autour de Nabuchodonosor roi
de Babylone, mon serviteur [e]) et je les amènerai
contre ce pays et ses habitants (et contre toutes ces
nations d'alentour); je les frapperai d'anathème et Jos 6 17+
en ferai un objet de stupeur, une risée, des ruines
pour toujours. 10 Je ferai disparaître chez eux les 7 34; 16 9
cris de joie et d'allégresse, les appels du fiancé et ↗ Ap 18 22
de la fiancée, le bruit des deux meules et la lumière Ez 26 13
de la lampe. 11 Tout ce pays sera réduit en ruine
et en désolation, et ces nations seront asservies au
roi de Babylone pendant soixante-dix-ans [f]. 29 10; 27 7
12 (Mais quand seront accomplis les soixante-dix ↗ Dn 9 2s 2 Ch 36 21-22 Is 23 15

*a)* La vision, cf. **13** 1+, rappelle celle d'Amos, **8** 1-2. On peut la dater d'environ 593, sous Sédécias. Au jugement de Jérémie, cf. encore **29** 1-23, correspond celui d'Ézéchiel **11** 14-21 : c'est parmi les exilés que Dieu va se refaire un peuple qui le cherche, cf. Is **4** 3+.

*b)* « disposées » grec; « désignées » hébr. – Les paysans apportaient au Temple les prémices de leurs récoltes.

*c)* Peut-être les compagnons de captivité de Joachaz, 2 R **23** 34, peut-être des Israélites réfugiés en Égypte.

*d)* Ce morceau récapitule le ministère prophétique de Jérémie depuis son appel, et annonce le danger chaldéen imminent, qui donne une actualité nouvelle à toutes les menaces antérieures. On peut le considérer comme le sommaire récapitulatif, cf. v. 13, du rouleau dicté à Baruch par Jérémie en 605, cf. **36** 2, puis récrit et complété, **36** 32, voir l'Introduction, p. 1081 – L'hébr. et le grec présentent ici de grandes différences. On suit l'hébr., sauf exception. Les parenthèses indiquent un texte qui ne semble pas primitif (souvent omis par le grec).

*e)* Selon la conception religieuse de l'histoire commune aux prophètes, les païens eux-mêmes sont au service de Dieu, cf. **42** 9; Is **10** 5+.

*f)* Chiffre rond pour la durée de l'Exil, repris en **29** 10 et sous une autre forme en **27** 7. Le thème se retrouve en 2 Ch **36** 21 et est à la base de Dn **9**.

ans, je visiterai le roi de Babylone et cette nation
– oracle de Yahvé – à cause de leur crime, ainsi
que le pays des Chaldéens, pour en faire une désolation éternelle.) 13 Je ferai s'accomplir contre ce
pays toutes les paroles que j'ai prononcées contre
lui, tout ce qui est écrit dans ce livre.

## II. *Introduction aux oracles contre les nations*

**La vision de la coupe** [a].

LXX : **32** 13-38 Ce qu'a prophétisé Jérémie contre toutes les
nations.
14 (Car elles aussi seront asservies [b] à des nations
puissantes et à de grands rois, et je leur rendrai
selon leurs actes et selon l'œuvre de leurs mains.)
15 Car Yahvé, Dieu d'Israël, me parla ainsi :
Is **51** 17+ Prends de ma main cette coupe de vin de colère et
Ap **16** fais-la boire à toutes les nations vers lesquelles je
vais t'envoyer; 16 elles boiront, chancelleront et
deviendront folles, à cause de l'épée que je vais
envoyer au milieu d'elles. 17 Je pris la coupe de la
main de Yahvé et la fis boire à toutes les nations
vers lesquelles Yahvé m'avait envoyé [c] : 18 (Jérusalem et les villes de Juda, ses rois et ses princes,
pour en faire une ruine, un objet de stupeur, une
risée et une malédiction, comme aujourd'hui même,
19 Pharaon, roi d'Égypte, avec ses serviteurs, ses
princes et tout son peuple, 20 ainsi que tout le
ramassis des étrangers (tous les rois du pays de
Uç [d]); tous les rois du pays des Philistins, Ashqelôn, Gaza, Éqrôn et ce qui reste encore d'Ashdod;
21 Édom, Moab et les fils d'Ammon; 22 (tous) les
rois de Tyr, (tous) les rois de Sidon, les rois de l'île
qui est au-delà de la mer [e]; 23 Dédân, Téma, Buz,
tous les hommes aux tempes rasées [f], 24 tous les
rois de l'Arabie (et tous les rois du ramassis des
étrangers) qui habitent le désert. 25 (Tous les rois de
Zimri) [g], tous les rois d'Élam et tous les rois de
Médie; 26 tous les rois du Nord, proches ou lointains, l'un après l'autre, et tous les royaumes qui
sont sur la terre. (Quant au roi de Shéshak [h], il
boira après eux.)
27 Tu leur diras : Ainsi parle Yahvé Sabaot, le
Dieu d'Israël : Buvez! Enivrez-vous! Vomissez!
Tombez sans pouvoir vous relever, devant l'épée
que je vais envoyer au milieu de vous. 28 Si jamais
ils refusent d'accepter de ta main la coupe à boire,
tu leur diras : Ainsi parle Yahvé Sabaot. Vous boi-
rez! 29 Car voici : c'est par la ville qui porte mon ↗ 1 P **4** 17
nom que j'inaugure le malheur, et vous seriez épargnés? Non! vous ne serez pas épargnés, car
j'appelle moi-même l'épée contre tous les habitants
de la terre, oracle de Yahvé Sabaot.

30 Et toi, tu leur annonceras toutes ces paroles,
tu leur diras :
Yahvé rugit d'en haut, Am **1** 2+
de sa demeure sainte il élève la voix,
il rugit avec vigueur contre son pacage,
il pousse le cri des fouleurs à la cuve Is **63** 3-6
contre tous les habitants de la terre.
31 Le tumulte en parvient jusqu'au bout de la terre.
Car Yahvé ouvre le procès des nations,
il institue le jugement de toute chair;
les impies, il les livre à l'épée,
oracle de Yahvé [i].
32 Ainsi parle Yahvé Sabaot.
Voici : le malheur s'étend
de nation en nation,
un grand ouragan s'élève
des extrémités de la terre.
33 Il y aura des victimes de Yahvé en ce jour-là,
d'un bout de la terre à l'autre; on ne les pleurera
pas, on ne les ramassera pas, on ne les enterrera = **8** 2
pas. Ils resteront sur le sol en guise de fumier.
34 Hurlez, pasteurs, criez,
roulez-vous à terre, chefs du troupeau,
car vos jours sont à point pour le massacre

*a)* C'est une sorte de préface aux oracles contre les nations, **46-51**, dont les plus anciens devaient faire partie du rouleau dicté en 605. Le grec donne ces oracles à la suite du ch. **25**, l'hébreu les relègue à la fin du livre. – Ici encore l'hébreu et le grec présentent des différences.

*b)* « seront asservies » conj.; « furent asservies » hébr.

*c)* La liste des peuples menacés comprend quatre groupes, nommés ici dans l'ordre où ils apparaissent en **46-51** : 1° l'Égypte; 2° à l'ouest, les Philistins; 3° à l'est, Édom, Moab, Ammon; 4° au sud-est, Dédân, Téma et Buz. On a surchargé les vv. 18-29 à mesure que le recueil des oracles contre les nations prenait sa figure actuelle, en ajoutant : les Phéniciens, cf. **47** 4; Élam, cf. **49** 34; Babylone, cf. **50-51**. – Ce qui ne semble pas primitif et se trouve omis par le grec est mis entre parenthèses.

*d)* Uç, entre l'Arabie du nord-ouest et le pays d'Édom, cf. Gn **36** 28; Jb **1** 1.

*e)* Chypre, mais les autres colonies phéniciennes sont peut-être sous-entendues.

*f)* Dédân, tribu nord-arabe, aux confins d'Édom, cf. **49** 8; Is **21** 13; Téma, clan apparenté, Is **21** 14; Buz, également au nord-ouest de la presqu'île arabique, est apparenté à Uç, Gn **22** 21; les « hommes aux tempes rasées » sont d'autres Arabes, cf. **9** 25.

*g)* Peut-être Zimki, qui en écriture cryptographique désignerait l'Élam (cette écriture étant postérieure à Jérémie, il s'agirait d'une glose). A moins qu'il ne faille lire Gimri, à rapprocher de Gomer fils de Japhet, **10** 2-3; il s'agirait alors des Cimmériens.

*h)* Sans doute écriture cryptographique pour Babel.

*i)* Les vv. 30-31, qui décrivent le jugement universel de Dieu, comme Is **66**, sont peut-être postexiliques.

et pour votre dispersion,
vous tomberez comme un vase de choix.
35 Plus de refuge pour les pasteurs,
ni d'évasion pour les chefs du troupeau.
36 Clameur des pasteurs,
hurlement des chefs du troupeau!
Car Yahvé a dévasté leur pacage,
37 les paisibles pâturages sont réduits au silence
à cause de l'ardente colère de Yahvé!
38 Le lion [a] a quitté son repaire
et leur pays est devenu un objet de stupeur,
à cause de l'ardeur dévastatrice,
à cause de l'ardeur de sa colère.

# *III. Les prophéties de bonheur*

## *1. INTRODUCTION*

## *JÉRÉMIE EST LE VRAI PROPHÈTE*

Mt **24**; **26** 59-66 **Arrestation et jugement de Jérémie** [b].
Lc **19** 41-44
LXX : **33** **26** 1 Au début du règne de Joiaqim, fils de Josias,
roi de Juda, cette parole fut adressée à Jéré-
mie [c] de la part de Yahvé : 2 Ainsi parle Yahvé.
7 1-15 Tiens-toi dans la cour du Temple de Yahvé. Contre
tous ceux des villes de Juda qui viennent se prosterner dans le Temple de Yahvé tu diras toutes les
paroles que je t'ai ordonné de leur dire; ne retranche pas un mot. 3 Peut-être écouteront-ils et se
Jon **3** 10 détourneront-ils chacun de sa voie perverse :
alors je me repentirai du malheur que je suis en
train de méditer contre eux pour la perversité de
Dt **28** 15 leurs actes. 4 Tu leur diras : Ainsi parle Yahvé. Si
Jr **44** 10, 23 vous ne m'écoutez pas pour suivre ma Loi que j'ai
placée devant vous, 5 pour être attentifs aux paro-
7 25-26; les de mes serviteurs les prophètes, que je vous
**11** 7-8 envoie sans me lasser mais que vous n'avez pas
7 12+ écoutés, 6 je traiterai ce Temple comme Silo et je
ferai de cette ville une malédiction pour toutes les
nations de la terre.
7 Prêtres, prophètes et peuple entier entendirent
Jérémie prononcer ces paroles dans le Temple de
Yahvé. 8 Et quand Jérémie eut fini de prononcer
tout ce que Yahvé lui avait ordonné de dire à tout
le peuple, prêtres, prophètes et peuple entier se saisirent de lui en disant : « Tu vas mourir! 9 Pourquoi
as-tu fait au nom de Yahvé cette prophétie : “ Ce
Temple deviendra comme Silo et cette ville sera
une ruine, inhabitée ”? » Et tout le peuple s'at-
troupa autour de Jérémie au Temple de Yahvé.
10 Apprenant ces événements, les princes de Juda
montèrent du palais royal au Temple de Yahvé et
siégèrent à l'entrée de la porte Neuve du Temple
de Yahvé [d].
11 Alors prêtres et prophètes dirent aux princes
et à tout le peuple : « C'est la mort que mérite cet Mt **26** 65-66p
homme, car il a prophétisé contre cette ville, ainsi
que vous l'avez entendu de vos oreilles! » 12 Mais
Jérémie répondit à tous les princes et à tout le peuple : C'est Yahvé qui m'a envoyé prophétiser
contre le Temple et contre cette ville en prononçant
toutes les paroles que vous avez entendues.
13 Maintenant donc, améliorez vos voies et vos
œuvres, soyez attentifs à l'appel de Yahvé votre
Dieu; alors il se repentira du malheur qu'il a prononcé contre vous. 14 Pour moi, me voici entre vos
mains. Faites de moi ce qui vous semble bon et
juste. 15 Mais sachez bien que si vous me faites
mourir, c'est du sang innocent que vous mettrez sur Mt **27** 24-25
vous, sur cette ville et sur ses habitants. Car Yahvé
m'a bel et bien envoyé vers vous, pour prononcer
à vos oreilles toutes ces paroles. »
16 Alors les princes et le peuple entier dirent aux
prêtres et aux prophètes : « Cet homme ne mérite
pas la mort puisqu'il nous a parlé au nom de Yahvé
notre Dieu. » 17 Et quelques-uns des anciens du
pays se levèrent pour dire à tout le peuple assemblé : 18 « Michée de Morèshèt, qui prophétisait aux
jours d'Ézéchias, roi de Juda, a bien dit à tout le
peuple de Juda : “ Ainsi parle Yahvé Sabaot :

*Sion sera une terre de labour,* Mi **3** 12
*Jérusalem un amoncellement de pierres*
*et la montagne du Temple une hauteur boi-*
*sée* [e]! ”

*a)* « Le lion » conj.; « Comme le lion » hébr. – Ce terme peut désigner Yahvé, cf. Is **31** 4, ou l'ennemi (Nabuchodonosor) prêt à ravager le pays, cf. **2** 15. A moins qu'il ne faille comprendre : « Comme un lion, on quitte son repaire, car leur pays... » mais le passage du singulier au pluriel n'est pas en faveur de cette interprétation.

*b)* Baruch, à qui l'on peut attribuer ces passages biographiques, a résumé ici le discours contre le Temple, **7** 1-15, dont il raconte les conséquences.

*c)* « à Jérémie » syr., Vet. Lat.; omis par hébr. et grec.

*d)* « la porte Neuve du Temple de Yahvé » mss, versions; « la porte de Yahvé » hébr. – Il s'agit d'un jugement régulier par des fonctionnaires royaux.

*e)* La prophétie de Michée était une menace conditionnelle. Elle a peut-être eu une influence sur la réforme tentée par Ézéchias, 2 R **18** 4s.

19 Est-ce que pour cela Ézéchias, roi de Juda, et
tout Juda l'ont fait mourir? N'ont-ils pas plutôt ressenti la crainte de Yahvé et ne l'ont-ils pas imploré,
de telle sorte que Yahvé se repentit du malheur
qu'il avait prononcé contre eux? Et nous, nous
nous chargerions d'un si grand crime! »
20 Il y eut encore un homme qui prophétisait au
nom de Yahvé; c'était Uriyyahu, fils de Shemayahu, originaire de Qiryat-Yéarim. Il prophétisa
contre cette ville et ce pays dans les mêmes termes
que Jérémie. 21 Alors le roi Joiaqim, avec tous ses
officiers et ses princes, ayant entendu ses paroles,
chercha à le faire mourir. A cette nouvelle
Uriyyahu eut peur, il prit la fuite et parvint en
Égypte. 22 Mais le roi Joiaqim envoya [a] en Égypte
Elnatân fils de Akbor, accompagné de quelques
gens. 23 Ils firent sortir Uriyyahu d'Égypte et le
conduisirent au roi Joiaqim qui le fit frapper de
l'épée et fit jeter son cadavre parmi les sépultures
des gens du peuple. 24 Jérémie, lui, fut protégé par
Ahiqam, fils de Shaphân [b], si bien qu'il ne tomba
pas aux mains du peuple pour être mis à mort.

## *2. LE LIVRET POUR LES EXILÉS* [c]

18 1+ **L'action symbolique du joug**
**et le message aux rois de l'Ouest.**

LXX : 34 **27** 1 (Au début du règne de Sédécias [d], fils de
Josias, roi de Juda, cette parole fut adressée
à Jérémie de la part de Yahvé.)
2 Yahvé me parla ainsi : Fais-toi des cordes et un
joug et mets-les sur ta nuque. 3 Puis envoie-les au
roi d'Édom, au roi de Moab, au roi des Ammonites, au roi de Tyr et au roi de Sidon, par l'entremise
de leurs envoyés qui sont venus à Jérusalem auprès
de Sédécias, roi de Juda [e]. 4 Charge-les pour leurs
maîtres de cette commission : « Ainsi parle Yahvé
Sabaot, le Dieu d'Israël. Parlez donc ainsi à vos
maîtres : 5 C'est moi qui ai fait, par ma grande
puissance et mon bras étendu, la terre, l'homme et
Lc 4 5-6 les bêtes qui sont sur la terre; et je les donne à qui
Ap 13 2, 4 bon me semble. 6 Or présentement, j'ai remis tous
Rm 13 1 ces pays aux mains de Nabuchodonosor, roi de
Jdt 11 7 Babylone, mon serviteur; j'ai mis à son service
Ba 3 16-17 même les bêtes des champs. 7 (Toutes les nations
le serviront ainsi que son fils et son petit-fils jusqu'à
ce que vienne aussi le temps marqué pour son pays;
alors de puissantes nations et de grands rois l'asserviront.) 8 La nation ou le royaume qui ne servira
pas Nabuchodonosor, roi de Babylone, et n'offrira
pas sa nuque au joug du roi de Babylone, c'est par
l'épée, la famine et la peste que je visiterai cette
nation – oracle de Yahvé – jusqu'à ce que je l'aie
achevée par sa main [f]. 9 Et vous, n'écoutez pas vos
14 14; 28 8-9 prophètes, devins, songe-creux [g], enchanteurs et
magiciens qui vous disent : " Vous ne serez pas
asservis au roi de Babylone! " 10 C'est le mensonge
qu'ils vous prophétisent; le résultat, c'est qu'ils
vous feront bannir de votre sol, que je vous chasserai et que vous périrez. 11 Mais la nation qui offrira
sa nuque au joug du roi de Babylone et se mettra
à son service, je lui accorderai du repos sur son sol
– oracle de Yahvé – elle le cultivera et y restera. »
12 Et à Sédécias, roi de Juda, je parlai exactement
de la même manière; je lui dis : « Offrez vos nuques
au joug du roi de Babylone; servez-le ainsi que son
peuple, et vous vivrez. 13 (Pourquoi tenez-vous à
mourir, toi et ton peuple, par l'épée, la famine et
la peste, comme Yahvé en a menacé la nation qui
ne servira pas le roi de Babylone?) 14 Et n'écoutez
pas les paroles que vous disent les prophètes :
" Vous ne serez pas asservis au roi de Babylone. "
C'est le mensonge qu'ils vous prophétisent. 15 Car
je ne les ai point envoyés – oracle de Yahvé – c'est
le mensonge qu'ils vous prophétisent en mon nom.
Le résultat c'est que je vous chasserai et que vous
périrez, vous et les prophètes qui vous prophétisent. »
16 Et aux prêtres et à tout ce peuple, je parlai en
ces termes : « Ainsi parle Yahvé. N'écoutez pas les
paroles de vos prophètes qui vous prophétisent
ainsi : " Voici, les ustensiles du Temple de Yahvé
vont être ramenés bientôt et rapidement de Babylone "; c'est le mensonge qu'ils vous prophétisent.
17 (Ne les écoutez pas. Servez le roi de Babylone
et vous vivrez. Pourquoi cette ville deviendrait-elle

*a)* Après « envoya », l'hébr. ajoute : « des gens en Égypte ».
*b)* La famille de Shaphân, scribe royal qui avait soutenu la réforme de Josias, 2 R **22** 8s, a toujours été amie de Jérémie. Le petit-fils de Shaphân, Godolias, le protégera encore, cf. **40** 5-6.
*c)* Des particularités linguistiques font des ch. **27-29** un ensemble bien caractérisé. Ces ch. ont peut-être fourni un recueil destiné aux exilés. – Le ch. **27**, notablement plus court dans la version grecque, a subi l'addition de nombreuses gloses.
*d)* « Sédécias » conj. d'après les vv. 3, 12 et **28** 1; « Joiaqim » hébr.
*e)* L'avènement de Psammétique II en Égypte amena une coalition contre Babylone (593-592) de tous ces petits États, auxquels se joignit Juda.
*f)* Formule inhabituelle; il faut peut-être corriger, avec syr. et Targ., pour lire « jusqu'à ce que je l'aie livrée en sa main ».
*g)* « songe-creux », litt. « songeurs », grec, Vulg.; « songes » hébr.

une ruine?) 18 S'ils sont prophètes, s'ils ont avec
eux la parole de Yahvé, qu'ils intercèdent auprès de
Yahvé Sabaot pour que ne s'en aille pas à Babylone ce qui reste d'ustensiles dans le Temple de
Yahvé, dans le palais royal de Juda et à Jérusalem!
1 R **7** 15s, 19 Car ainsi parle Yahvé au sujet (des colonnes, de
23s, 27s la Mer, des bases et) des autres ustensiles restés
dans cette ville, 20 ceux que n'a pas enlevés Nabu-
2 R **24** 8-17 chodonosor, roi de Babylone, quand il emmena en
captivité de Jérusalem à Babylone Jékonias, fils de
Joiaqim, roi de Juda (avec tous les notables de
Juda et de Jérusalem). 21 Oui, ainsi parle Yahvé
Sabaot, le Dieu d'Israël, au sujet des ustensiles qui
restent dans le Temple de Yahvé, dans le palais
royal de Juda et à Jérusalem : 22 ils seront emportés
à Babylone (où ils resteront jusqu'au jour où je les
visiterai), oracle de Yahvé. (Alors je les ferai
remonter et revenir en ce lieu!) »

**14** 13-16; **23** 9-40

**L'altercation avec le prophète Hananya** [a].

LXX : **35**
**28** 1 Cette même année, au début du règne de
Sédécias, roi de Juda, la quatrième année, au
cinquième mois, le prophète Hananya, fils de
Azzur, originaire de Gabaôn, parla ainsi à Jérémie [b] dans le Temple de Yahvé, en présence des
prêtres et de tout le peuple : 2 « Ainsi parle Yahvé
Sabaot, le Dieu d'Israël. J'ai brisé le joug du roi de
Babylone! 3 Encore juste deux ans, et je ferai revenir en ce lieu tous les ustensiles du Temple de
Yahvé que Nabuchodonosor, roi de Babylone, a
enlevés d'ici pour les emporter à Babylone. 4 De
même Jékonias, fils de Joiaqim, roi de Juda, avec
tous les déportés de Juda qui sont allés à Babylone,
je les ferai revenir ici – oracle de Yahvé – car je
vais briser le joug du roi de Babylone! »
5 Alors le prophète Jérémie répondit au prophète
Hananya, devant les prêtres et tout le peuple présents dans le Temple de Yahvé. 6 Le prophète Jérémie dit : « Amen! Qu'ainsi fasse Yahvé! Qu'il
accomplisse les paroles que tu viens de prophétiser
et fasse revenir de Babylone tous les ustensiles du
Temple de Yahvé ainsi que tous les déportés. 7 Cependant, écoute bien la parole que je vais prononcer à tes oreilles et à celles de tout le peuple : 8 Les
prophètes qui nous ont précédés, toi et moi, depuis
bien longtemps, ont prophétisé, pour beaucoup de
pays et pour des royaumes considérables, la guerre,
le malheur et la peste; 9 le prophète qui prophétise
21-22 la paix, c'est quand s'accomplit sa parole qu'on
**33** 33
le reconnaît pour un authentique envoyé de
Yahvé [c]! »
10 Alors le prophète Hananya enleva le joug de
la nuque du prophète Jérémie et le brisa. 11 Et
Hananya dit, devant tout le peuple : « Ainsi parle
Yahvé. C'est de cette façon que dans juste deux ans
je briserai le joug de Nabuchodonosor, roi de
Babylone, l'enlevant de la nuque de toutes les
nations. » Et le prophète Jérémie s'en alla.
12 Or après que le prophète Hananya eut brisé le
joug qu'il avait enlevé de la nuque du prophète
Jérémie, la parole de Yahvé fut adressée à Jérémie :
13 « Va dire à Hananya : Ainsi parle Yahvé. Tu brises les jougs de bois? Eh bien! Tu vas les remplacer
par des jougs de fer! 14 Car ainsi parle Yahvé
Sabaot, le Dieu d'Israël : C'est un joug de fer que
je mets sur la nuque de toutes ces nations, pour les
asservir à Nabuchodonosor, roi de Babylone.
(Elles lui seront asservies et je lui ai livré même les = **27** 6
bêtes des champs.) »
15 Et le prophète Jérémie dit au prophète Hananya : « Écoute bien, Hananya : Yahvé ne t'a
point envoyé et tu as fait que ce peuple se confie
au mensonge. 16 C'est pourquoi, ainsi parle Yahvé.
Voici que je te renvoie de la face de la terre : cette
année tu mourras (car tu as prêché la révolte Dt **13** 6
contre Yahvé). »
17 Et le prophète Hananya mourut cette année
même, au septième mois [d].

**La lettre aux exilés.**

**29** 1 Voici le texte de la lettre que le prophète LXX : **36**
Jérémie expédia de Jérusalem à ceux qui res-
taient des anciens en déportation, aux prêtres, aux
prophètes et à tout le peuple, que Nabuchodonosor
avait déportés de Jérusalem à Babylone. 2 C'était
après que le roi Jékonias eut quitté Jérusalem avec 2 R **24** 12-16
la reine-mère, les eunuques, les princes de Juda et
de Jérusalem, les forgerons et les serruriers. 3 Elle
fut portée par Éléasa, fils de Shaphân, et Gemarya,
fils de Hilqiyya, que Sédécias, roi de Juda, avait
envoyés à Babylone, auprès de Nabuchodonosor,
roi de Babylone [e]. La lettre disait :
4 « Ainsi parle Yahvé Sabaot, le Dieu d'Israël, à
tous les exilés, déportés de Jérusalem à Babylone :
5 Bâtissez des maisons et installez-vous; plantez
des jardins et mangez leurs fruits; 6 prenez femme
et engendrez des fils et des filles; choisissez des
femmes pour vos fils; donnez vos filles en mariage

*a)* Ce nouveau ch. biographique raconte des faits contemporains de ceux du ch. précédent. On est en 593.
*b)* « à Jérémie » conj. d'après le contexte; « à moi » hébr.
*c)* En affirmant que le vrai prophète annonce le malheur, Jérémie, implicitement, évoque le fait du péché, qui est la cause de ce malheur, et que dénoncèrent toujours les prophètes. Sur les critères du prophétisme, voir l'Introduction, p. 1073.
*d)* L'accomplissement d'une prophétie à brève échéance est un signe qui authentifie le message d'un prophète, cf. **20** 6; **29** 32; **44** 29-30; **45** 5; Dt **18** 21+.
*e)* C'est peut-être la même mission qu'en **51** 59.

et qu'elles enfantent des fils et des filles; multipliez-
vous là-bas, ne diminuez pas! 7 Recherchez la paix
pour la ville où je vous ai déportés; priez Yahvé
en sa faveur, car de sa paix dépend la vôtre. 8 Car
ainsi parle Yahvé Sabaot, le Dieu d'Israël : ne vous
laissez pas égarer par les prophètes qui sont parmi
vous, ni par vos devins, n'écoutez pas les songes
que vous faites, 9 car c'est pour le mensonge qu'ils
vous prophétisent en mon Nom. Je ne les ai point
envoyés – oracle de Yahvé. 10 Car ainsi parle
25 11+ Yahvé : Quand seront accomplis les soixante-dix
ans à Babylone, je vous visiterai et je réaliserai
pour vous ma promesse de bonheur en vous ramenant ici. 11 Car je sais, moi, les desseins que je
forme pour vous – oracle de Yahvé – desseins de
paix et non de malheur, pour vous donner un avenir et une espérance. 12 Vous m'invoquerez et vous
viendrez, vous me prierez et je vous écouterai.
Is 55 6-9 13 Vous me chercherez et vous me trouverez, car
2 Ch 15 2-4 vous me rechercherez de tout votre cœur; 14 je me
Sg 6 12-13
Dt 4 29-31+ laisserai trouver par vous (– oracle de Yahvé. Je
Am 5 4+ ramènerai vos captifs et vous rassemblerai de toutes les nations et de tous les lieux où je vous ai
chassés, oracle de Yahvé. Je vous ramènerai en ce
lieu d'où je vous ai exilés).

15 Puisque vous dites : " Yahvé nous a suscité
14 14+ des prophètes à Babylone " – 16 Ainsi parle
Yahvé [a] au sujet du roi qui trône sur le siège de
David et de tout le peuple habitant cette ville, vos
frères qui ne vous accompagnèrent pas en déportation. 17 Ainsi parle Yahvé Sabaot : Voici que je vais
leur envoyer l'épée, la famine et la peste; je les ren-
24 drai pareils à des figues pourries, si gâtées qu'on
ne peut les manger. 18 Je les poursuivrai par l'épée,
= 15 4 la famine et la peste. J'en ferai un objet d'épouvante
pour tous les royaumes de la terre, une exécration,
un objet de stupeur, de dérision et de raillerie pour
toutes les nations où je les aurai chassés. 19 C'est
qu'ils n'ont point écouté mes paroles – oracle de
7 25+ Yahvé – bien que je leur aie envoyé sans me lasser
mes serviteurs les prophètes, mais ils ne les ont pas
écoutés [b] – oracle de Yahvé. 20 Quant à vous, les
déportés, que j'ai envoyés de Jérusalem à Babylone, écoutez tous la parole de Yahvé! –

21 Ainsi parle Yahvé Sabaot, le Dieu d'Israël, au
sujet d'Ahab, fils de Qolaya, et de Çidqiyyahu, fils
de Maaséya, qui vous prophétisent en mon nom
des mensonges : Voici, je vais les livrer entre les
mains de Nabuchodonosor, roi de Babylone, qui
les frappera sous vos yeux. 22 Et l'on pourra tirer
de leur sort cette malédiction qui aura cours chez
tous les déportés judéens présents à Babylone :
" Que Yahvé te traite comme Çidqiyyahu et Ahab,
rôtis au feu par le roi de Babylone! " 23 C'est qu'ils
ont accompli une infamie en Israël, ils ont commis
l'adultère avec les femmes de leur prochain, ils ont
prononcé en mon nom des paroles de mensonge
sans que j'en aie donné l'ordre. Mais moi, je sais
et je témoigne, oracle de Yahvé. »

**Prophétie contre Shemayahu.**

24 Et à Shemayahu de Nahlam, tu parleras ainsi :
25 Ainsi parle Yahvé Sabaot, le Dieu d'Israël. Puisque toi, tu as envoyé de ton propre chef à tout le
peuple de Jérusalem et au prêtre Çephanya, fils de
Maaséya (et à tous les prêtres) une lettre disant :
26 « Yahvé t'a établi prêtre à la place du prêtre
Yehoyada, pour exercer la surveillance dans le
Temple de Yahvé, sur tout exalté qui joue au prophète; tu dois le mettre au carcan et aux fers.
27 Pourquoi alors n'avoir pas corrigé Jérémie
d'Anatot qui fait le prophète parmi vous? 28 C'est
ainsi qu'il a pu nous adresser à Babylone cette
recommandation : " Ce sera long! Bâtissez des
maisons et installez-vous; plantez des jardins et
mangez leurs fruits ". »... [c]
29 (Or le prêtre Çephanya avait lu la lettre au
prophète Jérémie.) 30 La parole de Yahvé fut donc
adressée à Jérémie en ces termes : 31 Envoie ce message à tous les déportés : « Ainsi parle Yahvé au
sujet de Shemayahu de Nahlam. Puisque Shemayahu vous a prophétisé, alors que je ne l'avais
pas envoyé, et qu'il vous a fait vous confier au mensonge, 32 eh bien! ainsi parle Yahvé : Je vais châtier
Shemayahu de Nahlam ainsi que sa descendance.
Aucun des siens n'habitera au milieu de ce peuple
pour jouir du bonheur que je veux accorder à mon
peuple (– oracle de Yahvé – car il a prêché la
révolte contre Yahvé). » = 28 16
Dt 13

*a)* Les vv. 16-20, qui manquent dans le grec, sont une addition, d'autant plus nette que la suite du v. 15 se trouve au v. 21.
*b)* « ils ne les ont pas écoutés » conj. d'après le contexte; « vous ne les avez pas écoutés » hébr.

*c)* La phrase qui commence, v. 25, par « Puisque » reste en suspens. Les vv. 24-25 paraissent altérés. Le grec, assez différent, semble avoir été embarrassé par ce texte et n'est pas plus satisfaisant.

## 3. *LE LIVRE DE LA CONSOLATION*

**Restauration promise à Israël** [a].

LXX : 37 **30** 1 Parole qui fut adressée à Jérémie de la part
de Yahvé en ces termes : 2 Ainsi parle Yahvé,
le Dieu d'Israël. Écris pour toi dans un livre toutes
les paroles que je t'ai adressées. 3 Car voici venir
des jours – oracle de Yahvé – où je ramènerai les
captifs de mon peuple Israël (et Juda), dit Yahvé,
je les ferai revenir au pays que j'ai donné à leurs
pères et ils en prendront possession.
4 Voici les paroles qu'a prononcées Yahvé à
l'adresse d'Israël (et de Juda) :

5 Ainsi parle Yahvé :
Nous avons perçu un cri d'effroi,
c'est la terreur, non la paix.
6 Interrogez donc et regardez.
Est-ce qu'un mâle enfante?
Pourquoi vois-je tout homme
4 31+ les mains sur les reins comme celle qui enfante?
Pourquoi tous les visages sont-ils devenus
livides?
7 Malheur! C'est le grand jour!
Il n'a pas son pareil!
Temps de détresse pour Jacob,
mais dont il sera sauvé.
8 (Ce jour-là – oracle de Yahvé Sabaot – je brise-
Is 9 3+ rai le joug qui pèse sur ta nuque et je romprai tes
5 19 chaînes. Alors les étrangers ne t'asserviront plus,
Os 3 5 9 mais Israël et Juda serviront Yahvé leur Dieu et
David leur roi que je vais leur susciter [b].)

46 27-28 10 Toi donc, ne crains pas, mon serviteur Jacob
Is 41 8+ – oracle de Yahvé –
ne sois pas terrifié, Israël.
Car voici que je vais te sauver des terres lointaines
et tes descendants du pays de leur captivité.
Jacob reviendra et sera paisible, Mi 4 4
tranquille, sans personne qui l'inquiète.
11 Car je suis avec toi pour te sauver
– oracle de Yahvé –
je vais en finir avec toutes les nations
où je t'ai dispersé;
avec toi je ne veux pas en finir,
mais te châtier selon le droit,
ne te laissant pas impuni.

12 Oui, ainsi parle Yahvé.
Incurable est ta blessure,
inguérissable ta plaie.
13 Personne pour plaider ta cause;
pour un ulcère, il y a des remèdes, Is 1 5-6
pour toi, pas de guérison.
14 Tous tes amants [c] t'ont oubliée, 4 30
ils ne te recherchent plus! Lm 1 2
Oui, je t'ai frappée comme frappe un ennemi,
d'un rude châtiment
(pour ta faute si grande, tes péchés si nombreux).
15 Pourquoi crier à cause de ta blessure?
incurable est ton mal!
C'est pour ta faute si grande, pour tes péchés si
nombreux,
que je t'ai ainsi traitée!
16 Mais [d] tous ceux qui te dévoraient seront dévorés,
tous tes adversaires, absolument tous, iront en
captivité,
ceux qui te dépouillaient seront dépouillés, Is 33 1
et tous ceux qui te pillaient seront livrés au
pillage.
17 Car je vais te porter remède, guérir tes plaies
– oracle de Yahvé –
toi qu'on appelait « la Répudiée », Is 62 4

*a)* La majeure partie du « livre de la consolation », **30** 1-**31** 22, a été écrite entre la réforme de 622 et la mort de Josias (609). La réforme deutéronomique, cf. 2 R **22** 3 - **23** 24, avait relevé en même temps la foi yahviste, en rompant avec le syncrétisme religieux inauguré par Manassé, et l'espérance nationale : le déclin de l'Assyrie avait permis à Josias d'entreprendre la reconquête de la Samarie et de la Galilée, 2 R **23** 15, 19; 2 Ch **35** 18. L'espoir naquit d'un retour des exilés de 721 dans le royaume de David restauré. Les poèmes qui suivent expriment cet espoir : Yahvé aime encore l'Israël du Nord, **31** 3, 15-20, cf. Os **11** 8-9; il ramènera ses exilés sur leurs terres, **30** 3; **31** 2-14, cf. Os **10** 11, dans l'unité religieuse retrouvée autour de Sion, **31** 6, cf. Is **11** 10-16. Cette annonce du retour fut ensuite étendue à Juda, à son tour conquis et déporté. Des oracles postérieurs, **30** 8-9; **31** 1, 23-26, 27-28, et des gloses en **30** 3, 4; **31** 31, associent Juda à Israël, donnant ainsi au « livre de la consolation » de Jérémie sa portée définitive et messianique : Israël et Juda seront rassemblés, cf. **3** 18+, pour servir sur leur terre « Yahvé leur Dieu et David leur roi », **30** 9. Ce rassemblement d'Israël dispersé deviendra l'un des thèmes majeurs des prophètes de l'Exil, Is **43** 5s; **49** 5-6, 12, 18-23, etc.; Ez **11** 17; **20** 34; **28** 25; **34** 12-13, etc., et d'après l'Exil, Za **10** 6-12, cf. encore Jn **11** 52.

*b)* « le joug » grec, Vet. Lat.; « son joug » hébr. – « t'asserviront » conj.; « l'asserviront » hébr.; « les asserviront » grec (qui lit : « leur nuque... leurs chaînes »). – « Israël et Juda » est suppléé; en hébr. le sujet est sous-entendu. – Ces deux vv. sont une addition qui, comme les mots « et Juda » des vv. 2 et 4, tend à étendre à tout le peuple les promesses messianiques (cf. la mention d'un nouveau David).

*c)* Ici, les nations sur lesquelles s'appuyait Israël, cf. Ez **16** et **23**.

*d)* « Mais » conj.; « c'est pourquoi » hébr.

« Sion dont nul ne prend soin [a] ».
18 Ainsi parle Yahvé :
Is **54** 1-3 Voici que je vais rétablir les tentes de Jacob,
je prendrai en pitié ses habitations;
la ville sera rebâtie sur son tell,
la maison forte restaurée à sa vraie place.
19 Il en sortira l'action de grâces et les cris de joie.
Je les multiplierai : ils ne diminueront plus.
Je les glorifierai : ils ne seront plus abaissés.
20 Ses fils seront comme jadis,
son assemblée devant moi sera stable,
je châtierai tous ses oppresseurs.
21 Son chef sera issu de lui,
son souverain sortira de ses rangs [b].
Je lui donnerai audience et il s'approchera de
moi;
Ex **19** 12+ qui donc en effet aurait l'audace
Ex **33** 20+ de s'approcher de moi? Oracle de Yahvé.

**31** 31+ 22 Vous serez mon peuple et moi, je serai votre
Ez **11** 20 Dieu [c].
= Jr **23** 23 Voici l'ouragan de Yahvé, sa fureur qui éclate,
19-20 c'est un ouragan qui gronde,
sur la tête des impies il fait irruption.
24 L'ardente colère de Yahvé ne se détournera pas
qu'il n'ait accompli et réalisé les desseins de son
cœur.
A la fin des jours, vous comprendrez cela.

LXX : **38** **31** 1 En ce temps-là – oracle de Yahvé – je serai
3 18+ le Dieu de toutes les familles d'Israël, et elles
seront mon peuple.
2 Ainsi parle Yahvé :
Os **2** 16-17 Il a trouvé grâce au désert [d],
le peuple échappé à l'épée.
Israël marche vers son repos.

3 De loin Yahvé m'est apparu :
Os **11** 1-9 D'un amour éternel je t'ai aimée,
Is **54** 8+ aussi t'ai-je maintenu ma faveur.
4 De nouveau je te bâtirai et tu seras rebâtie,
vierge d'Israël.
De nouveau tu te feras belle,
avec tes tambourins,
tu sortiras au milieu des danses joyeuses.
5 De nouveau tu seras plantée de vignes
sur les montagnes de Samarie
(ils planteront, les planteurs, et ils cueilleront). Is **65** 21-22
6 Oui, ce sera le jour où les veilleurs crieront Am **9** 14
sur la montagne d'Éphraïm :
« Debout! Montons à Sion,
vers Yahvé notre Dieu [e]! »

7 Car ainsi parle Yahvé :
Criez de joie pour Jacob,
acclamez la première des nations!
Faites-vous entendre! Louez! Proclamez :
« Yahvé a sauvé son peuple [f],
le reste d'Israël! » Is **4** 3+
8 Voici que moi je les ramène
du pays du Nord,
je les rassemble des extrémités du monde.
Parmi eux l'aveugle et le boiteux,
la femme enceinte et la femme qui enfante,
tous ensemble : c'est une grande assemblée qui
revient ici!
9 En larmes ils reviennent, Ps **126** 5-6
dans les supplications je les ramène [g]. Is **40** 3+
Je vais les conduire aux cours d'eau, Jn **4** 1+
par un chemin tout droit où ils ne trébucheront
pas.
Car je suis un père pour Israël Dt **1** 31+
et Éphraïm est mon premier-né. ↗ 2 Co **6**

10 Nations, écoutez la parole de Yahvé!
Annoncez-la dans les îles lointaines; dites :
« Celui qui dispersa Israël le rassemble, **23** 3
il le garde comme un pasteur son troupeau. » Ez **34** 1+
11 Car Yahvé a racheté Jacob, Jn **10** 16
il l'a délivré de la main d'un plus fort. Is **49** 25
12 Ils viendront, criant de joie, sur la hauteur de Lc **11** 21
Sion,
ils afflueront vers les biens de Yahvé :
le blé, le vin nouveau et l'huile,
les brebis et les bœufs;
ils seront comme un jardin bien arrosé,
ils ne languiront plus.
13 Alors la vierge prendra joie à la danse,
et, ensemble, les jeunes et les vieux;
je changerai leur deuil en allégresse, Ps **30**
je les consolerai, je les réjouirai après leurs **90** 15
peines. Jn **16** 2

*a)* Litt. « c'est Sion, celle dont nul ne prend soin »; il s'agit sans doute d'une relecture faisant de l'« Israël » de ce ch. l'ensemble du peuple de Dieu, et non simplement le royaume du Nord. Le grec : « votre butin », sans doute pour « notre butin », pourrait refléter le texte primitif (*çâdenû*, corrigé en *çîyôn*).
*b)* Par opposition à la période de vassalité assyrienne, où le gouverneur représentait le pouvoir étranger.
*c)* Ce v., qui est une addition, contient la formule de l'Alliance, cf. Dt **26** 17-18; **27** 9; **28** 9, etc. souvent rappelée par Jérémie, cf. **31** 31+.
*d)* Sur la conversion au désert, cf. Os **2** 16+. Le thème du nouvel Exode, qui ramènera Israël de l'exil, amorcé ici et vv. 8-9, 21, sera repris et développé dans la seconde partie d'Isaïe, cf. Is **40** 3+.
*e)* Unité religieuse retrouvée autour du sanctuaire de Sion.
*f)* « a sauvé son » grec, Targ.; « sauve ton » hébr.
*g)* Texte surprenant. On serait tenté de corriger comme l'a fait le grec pour lire : « en larmes ils étaient partis, dans les consolations je les ramène », cf. Ps **126** 5-6, mais il s'agit sans doute d'une correction de facilité. On peut comprendre qu'il s'agit de larmes de repentir.

14 Je fournirai aux prêtres abondance de graisse
et mon peuple sera rassasié de mes biens,
oracle de Yahvé.

15 Ainsi parle Yahvé :
↗ Mt 2 18 A Rama, une voix se fait entendre,
une plainte amère;
1 S 10 2+ c'est Rachel qui pleure ses fils [a].
Elle ne veut pas être consolée pour ses fils,
car ils ne sont plus [b].
16 Ainsi parle Yahvé :
Cesse ta plainte,
sèche tes yeux!
Car il est une compensation pour ta peine :
– oracle de Yahvé –
ils vont revenir du pays ennemi.
17 Il y a donc espoir pour ton avenir :
– oracle de Yahvé –
ils vont revenir, tes fils, sur leur territoire.
18 J'ai bien entendu le gémissement d'Éphraïm :
« Tu m'as corrigé, j'ai subi la correction,
Os 4 16 comme un jeune taureau non dressé.
Ps 80 4 Fais-moi revenir, que je revienne,
car tu es Yahvé, mon Dieu!
19 Car après m'être détourné je me suis repenti,
Ez 21 17; j'ai compris et je me suis frappé la poitrine [c].
36 31 J'étais plein de honte et je rougissais;
oui, je portais sur moi l'opprobre de ma jeunesse! »
20 – Éphraïm est-il donc pour moi un fils si cher,
Pr 3 12 un enfant tellement préféré,
Ap 3 19 que chaque fois que j'en parle
je veuille encore me souvenir de lui?
Is 49 14-16 C'est pour cela que mes entrailles s'émeuvent
Os 11 8-9 pour lui,
que pour lui déborde ma tendresse,
oracle de Yahvé.

Is 40 3+ 21 Dresse-toi des jalons,
mets en place des bornes;
remarque bien la route,
la voie où tu as marché.
3 12 Reviens, vierge d'Israël,
reviens vers ces villes qui sont tiennes!

22 Jusques à quand tourneras-tu de-ci, de-là,
fille rebelle?
Car Yahvé crée du nouveau sur la terre :
la Femme recherche son Mari [d]. Os 2 18-19

### Rétablissement promis à Juda [e].

23 Ainsi parle Yahvé Sabaot, le Dieu d'Israël. On
dira encore cette parole au pays de Juda et dans
ses villes quand je ramènerai leurs captifs :

Que Yahvé te bénisse,
toi, demeure de justice,
toi, sainte montagne! Is 11 9

24 Dans ce pays s'installeront Juda et toutes ses
villes ensemble, les laboureurs et ceux qui condui- Ps 23 2-3
sent le troupeau. 25 Car je donnerai l'abondance à
celui qui était épuisé et je rassasierai tout être qui
languit.

26 Sur ce, je me suis éveillé et je vis
que mon sommeil avait été agréable [f].

### Israël et Juda.

27 Voici venir des jours – oracle de Yahvé – où
j'ensemencerai la maison d'Israël et la maison de
Juda d'une semence d'hommes et d'une semence de Za 2 8
bétail. 28 Et de même que j'ai veillé sur eux pour Is 49 19-20
arracher, pour renverser, pour démolir, pour exter- 1 10
miner et pour affliger, de même je veillerai sur eux
pour bâtir et pour planter, oracle de Yahvé.

### La rétribution personnelle [g]. Dt 24 16+

29 En ces jours-là on ne dira plus :

Les pères ont mangé des raisins verts, || Ez 18 2
et les dents des fils sont agacées.

30 Mais chacun mourra pour sa propre faute.
Tout homme qui aura mangé des raisins verts, ses
propres dents seront agacées.

### La Nouvelle Alliance [h].

31 Voici venir des jours – oracle de Yahvé – où ↗ He 8 8-12
je conclurai avec la maison d'Israël (et la maison

*a)* Rachel, épouse de Jacob, mère de Joseph, qui engendra à son tour Éphraïm et Manassé, et de Benjamin. Sa tombe était à Rama, 1 S **10** 2, aujourd'hui er-Ram, à 9 km au nord de Jérusalem, non loin d'une Éphrata, cf. Gn **35** 19, dans les frontières de Benjamin, Jos **18** 25. Bethléem, possédant un clan d'Éphratéens, a été surnommée aussi Éphrata, Mi **5** 1, d'où la tradition qui a voulu situer près de Bethléem le tombeau de Rachel (cf. la glose sur Gn **35** 19), et qui a conduit S. Matthieu à appliquer au massacre des Innocents le texte de Jr **31** 15, cf. Mt **2** 17-18.

*b)* « ils ne sont plus » versions; « nous ne sommes plus », ou « il n'est plus » hébr.

*c)* Litt. « la cuisse »; geste de dépit, tristesse, douleur ou remords, cf. Ez **21** 17.

*d)* Reprise des relations d'amour entre Israël et son Époux Yahvé, cf. Os **1** 2+. Ce texte a la même portée messianique qu'Is **54** 5s.

*e)* Cet oracle et le suivant ont été prononcés vers 587. cf. **30** 1+.

*f)* Propos du prophète, qui s'exprime peut-être à l'aide d'un refrain connu.

*g)* Jérémie prend ici le contre-pied d'un dicton (auquel s'en prend également Ézéchiel, cf. **18** 2), qui exprimait le vieux principe de la responsabilité collective : ici, la solidarité dans la peine des membres d'une même famille. Il annonce pour l'avenir l'application d'un principe nouveau, qu'Ézéchiel revendiquera pour l'immédiat, celui du châtiment personnel du pécheur, cf. Ez **14** 12+; **18**.

*h)* Les vv. 31-34 sont le sommet spirituel du livre de Jérémie. Après l'échec de l'antique alliance, v. 32; Ez **16** 59, et la tentative avortée de Josias pour la restaurer, le dessein de Dieu apparaît sous un jour nouveau. Après une catastrophe qui ne laissera

Lc 22 20p de Juda) une alliance nouvelle. 32 Non pas comme
l'alliance que j'ai conclue avec leurs pères, le jour
où je les pris par la main pour les faire sortir du
Ex 19 1+ pays d'Égypte – mon alliance qu'eux-mêmes ont
rompue bien que je fusse leur Maître, oracle de
↗ He 10 16 Yahvé! 33 Mais voici l'alliance que je conclurai
avec la maison d'Israël après ces jours-là, oracle de
24 7; Yahvé. Je mettrai ma Loi au fond de leur être et
32 39-40 je l'écrirai sur leur cœur. Alors je serai leur Dieu
↗ 2 Co 3 3 et eux seront mon peuple. 34 Ils n'auront plus à instruire chacun son prochain, chacun son frère, en
disant : « Ayez la connaissance de Yahvé! » Car
Os 2 22+ tous me connaîtront, des plus petits jusqu'aux plus
1 Jn 2 27 grands – oracle de Yahvé – parce que je vais par-
↗ He 10 17 donner leur crime et ne plus me souvenir de leur
péché.

**Permanence d'Israël.**

35 Ainsi parle Yahvé,
Gn 1 14 lui qui établit le soleil pour éclairer le jour,
Ps 136 7s commande [a] à la lune et aux étoiles pour éclairer la nuit,
|| Is 51 15 qui brasse la mer et fait mugir ses flots.
lui dont le nom est Yahvé Sabaot :
36 Si jamais cet ordre venait à faillir Ps 89 34-38
devant moi – oracle de Yahvé – Jr 33 20-21
alors la race d'Israël cesserait aussi
d'être une nation devant moi pour toujours!
37 Ainsi parle Yahvé :
Qu'on parvienne à mesurer le ciel là-haut
et à sonder en bas les fondations de la terre,
alors moi aussi je rejetterai toute la race d'Israël
pour tout ce qu'ils ont fait, oracle de Yahvé.

**Reconstruction et grandeur de Jérusalem [b].**

38 Voici venir des jours – oracle de Yahvé – où
la Ville sera reconstruite pour Yahvé, depuis la
tour de Hananéel jusqu'à la porte de l'Angle.
39 Puis le cordeau à mesurer sera encore tendu tout Ez 41 13
droit sur la hauteur de Gareb, pour tourner vers Za 2 5
Goa. 40 Et toute la vallée, avec ses cadavres et sa
cendre, et tous les terrains attenant au ravin [c] du
Cédron jusqu'à l'angle de la porte des Chevaux,
vers l'est, seront consacrés à Yahvé. Il n'y aura Jos 6 17+
plus jamais de destruction ni de démolition. Za 14 11 ↗ Ap 22 3

## *4. ADDITIONS AU LIVRE DE LA CONSOLATION*

18 1+ **L'achat d'un champ, gage d'avenir heureux [d].**

LXX : 39 32 1 Parole qui fut adressée à Jérémie de la part
de Yahvé, dans la dixième année de Sédécias,
roi de Juda, c'est-à-dire la dix-huitième année de
Nabuchodonosor. 2 L'armée du roi de Babylone
assiégeait alors Jérusalem, et le prophète Jérémie se
trouvait enfermé dans la cour de garde, au palais
du roi de Juda, 3 où Sédécias, roi de Juda, l'avait
fait enfermer en lui disant : « Pourquoi prophétises-
tu en ces termes : Ainsi parle Yahvé. Voici, je vais
livrer cette ville aux mains du roi de Babylone pour
qu'il la prenne; 4 Sédécias, roi de Juda, n'échappera
pas au pouvoir des Chaldéens, mais sûrement il
sera livré aux mains du roi de Babylone et pourra
l'entretenir face à face et le regarder les yeux dans
les yeux; 5 à Babylone il emmènera Sédécias qui y
restera (jusqu'à ce que je le visite, oracle de Yahvé.
Si vous combattez les Chaldéens, vous ne réussirez
pas!). »
6 Or Jérémie dit : La parole de Yahvé m'a été
adressée en ces termes : 7 Voici, Hanaméel, fils de

subsister qu'un « Reste », Is 4 3+, une alliance éternelle sera à nouveau conclue, v. 31, comme aux jours de Noé, Is 54 9-10. Les anciennes perspectives demeurent : fidélité des hommes à la Loi, présence divine qui assure aux hommes la paix et la prospérité matérielle, Ez 36 29-30, cet idéal s'exprimant par la formule : « Je serai votre Dieu et vous serez mon peuple », v. 33, 7 23; 11 4; 30 22; 31 1; 32 38; Ez 11 20; 36 28; 37 27; Za 8 8; cf. Dt 7 6+. La nouveauté de l'alliance porte sur trois points : 1° l'initiative divine du pardon des péchés, v. 34; Ez 36 25, 29; Ps 51 3-4, 9; 2° la responsabilité et la rétribution personnelle, v. 29, cf. Ez 14 12+; 3° l'intériorisation de la religion : la Loi cessant de n'être qu'une charte extérieure pour devenir une inspiration affectant le « cœur » de l'homme, v. 33; 24 7; 32 39, sous l'influence de l'Esprit de Dieu qui donne à l'homme un cœur nouveau, Ez 36 26-27; Ps 51 12, cf. Jr 4 4+, capable de « connaître » Dieu, Os 2 22+. Cette alliance nouvelle et éternelle, proclamée de nouveau par Ézéchiel, Ez 36 25-28, par les derniers chapitres d'Isaïe, Is 55 3; 59 21; 61 8, cf. Ba 2 35, vécue dans le Ps 51, sera inaugurée par le sacrifice du Christ, Mt 26 28p, et les Apôtres en annonceront l'accomplissement, 2 Co 3 6; Rm 11 27; He 8 6-13; 9 15s; 1 Jn 5 20+.

*a)* « Commande » *hoqeq* conj.; « les lois de » *huqqot* hébr.
*b)* On relèvera les ruines laissées par les Babyloniens : la tour de Hananéel, au nord-est des remparts, Ne 3 1; la porte de l'Angle, au nord-ouest, 2 R 14 13; la porte des Chevaux au sud-est, Ne 3 28. Gareb est inconnu par ailleurs; Goa, qui n'apparaît également qu'ici, pourrait se trouver à la jonction des trois vallées Géhenne, Tyropéon et Cédron; la vallée des cadavres et des cendres (litt. de la « cendre grasse » des victimes, cf. Lv 1 16; 4 12; 6 3-4) est la Géhenne, Jr 7 31; 19 6, qui se trouve au sud-ouest de Jérusalem, tandis que le Cédron est à l'est. Cette présentation de Jérusalem reconstruite annonce Ézéchiel.
*c)* « attenant au ravin » *'al* conj.; « jusqu'au ravin » *'ad* hébr.
*d)* Cet épisode, qui reçoit une portée symbolique, cf. 18 1+, se situe en 587, après la reprise du siège, vv. 2, 24, annoncée en 34 21-22. L'achat du champ se rattache sans doute au partage pour lequel Jérémie avait voulu se rendre à Anatot, 37 12. Le texte primitif, autobiographique, vv. 6b-17a, 24-29a, 42-44, paraît avoir été développé par une introduction, vv. 1-6a, une prière, vv. 17b-23, qui rappelle Ne 9, et par un développement messianique, vv. 29b-41, qui reprend des thèmes jérémiens.

ton oncle Shallum, va venir te trouver pour te dire :
« Achète mon champ d'Anatot car tu as droit de
rachat pour l'acquérir ». 8 Mon cousin Hanaméel
vint me trouver selon la parole de Yahvé, dans la
cour de garde, et il me dit : « Achète donc mon
champ d'Anatot, au pays de Benjamin, car tu as
droit d'héritage et droit de rachat, achète-le. » Je
reconnus alors que c'était un ordre de Yahvé.
9 J'achetai donc ce champ à mon cousin Hanaméel
d'Anatot et lui pesai l'argent : dix-sept sicles
d'argent. 10 Je rédigeai l'acte et le scellai, je pris des
témoins et je pesai l'argent avec une balance.
11 Puis je pris l'acte d'acquisition, son exemplaire
scellé (avec les stipulations et les clauses) et son
exemplaire ouvert, 12 et je remis l'acte d'acquisition
à Baruch, fils de Nériyya, fils de Mahséya, en présence de mon cousin[a] Hanaméel et des témoins
signataires de l'acte d'acquisition, et en présence de
tous les Judéens qui se trouvaient dans la cour de
garde. 13 Devant eux, je donnai cet ordre à Baruch :
14 « Ainsi parle Yahvé Sabaot, le Dieu d'Israël.
Prends ces documents, cet acte d'acquisition,
l'exemplaire scellé comme la copie ouverte, et
mets-les dans un vase de terre de façon qu'ils se
conservent longtemps. 15 Car ainsi parle Yahvé
Sabaot, le Dieu d'Israël : On achètera encore des
maisons, des champs et des vignes en ce pays. »
16 Après avoir confié l'acte d'acquisition à
Baruch, fils de Nériyya, j'adressai cette prière à
Yahvé : 17 « Ah! Seigneur Yahvé, voici que tu as
fait le ciel et la terre par ta grande puissance et ton
bras étendu. A toi rien n'est impossible! 18 Tu fais
Ex 34 6-7+ grâce à des milliers, mais punis la faute des pères,
à pleine mesure[b], sur leurs fils après eux. O Dieu
grand et fort dont le nom est Yahvé Sabaot,
19 grand dans tes desseins, puissant dans tes hauts
Ps 33 13-15 faits, toi dont les yeux sont ouverts sur toutes les
voies des humains pour rendre à chacun selon sa
conduite et d'après le fruit de ses actes! 20 Toi qui
produisis signes et prodiges au pays d'Égypte, et
jusqu'aujourd'hui en Israël et parmi les hommes.
Tu t'es fait un nom, comme on le voit aujourd'hui.
Dt 4 34 21 Tu fis sortir ton peuple Israël du pays d'Égypte
par signes et prodiges, à main forte et à bras
étendu, et par une grande terreur. 22 Puis tu leur
donnas ce pays que tu avais promis par serment à
Ex 3 8+ leurs pères, pays qui ruisselle de lait et de miel.
23 Ils vinrent donc et en prirent possession, mais ils
26 4 n'écoutèrent pas ta voix et ne marchèrent pas selon
ta Loi : ils ne pratiquèrent rien de ce que tu leur
avais ordonné, alors tu fis venir sur eux tout ce
malheur. 24 Voici que les terrassements pour
l'assaut atteignent la ville; par l'épée, la famine et
la peste, elle est livrée aux mains des Chaldéens qui
l'attaquent. Ce que tu as dit arrive, et tu le vois.
25 Et c'est toi, Seigneur Yahvé, qui me dis :
" Achète ce champ à prix d'argent et prends des
témoins ", alors que la ville est livrée aux mains
des Chaldéens! »
26 Or la parole de Yahvé me fut adressée[c] en ces
termes : 27 Voici, je suis Yahvé, le Dieu de toute
chair; y a-t-il pour moi quelque chose d'impossi- 32 17
ble? Za 8 6
28 C'est pourquoi, ainsi parle Yahvé : Je vais Lc 1 37
livrer cette ville aux mains des Chaldéens et aux
mains de Nabuchodonosor, roi de Babylone, qui la
prendra; 29 les Chaldéens qui attaquent cette ville
entreront et y mettront le feu; ils brûleront les maisons sur le toit desquelles on a allumé l'encens pour
Baal et répandu des libations en l'honneur de dieux
étrangers pour m'irriter. 30 Car les enfants d'Israël
et ceux de Juda n'ont fait, depuis leur jeunesse, que
ce qui est mal à mes yeux (les enfants d'Israël, en
effet, n'ont fait que m'irriter par l'œuvre de leurs
mains – oracle de Yahvé). 31 Oui, cette ville a été
pour moi un sujet de colère et de fureur, depuis le
jour où on l'a bâtie jusqu'aujourd'hui; j'en viendrai
à l'ôter de devant ma face, 32 à cause de tout le mal
que les enfants d'Israël et les enfants de Juda ont
commis pour m'irriter, eux, leurs rois, leurs princes,
leurs prêtres, leurs prophètes, les hommes de Juda
et les habitants de Jérusalem. 33 Ils ont tourné vers
moi le dos, non la face, et quand je les instruisais[d]
avec constance et sans me lasser, aucun ne m'écoutait pour accueillir la leçon. 34 Ils ont installé leurs = 7 30-31
Horreurs dans le Temple qui porte mon nom pour
le souiller. 35 Ils ont construit les hauts lieux de
Baal dans la vallée de Ben-Hinnom pour faire pas-
ser par le feu leurs fils et leurs filles en l'honneur Lv 18 21+
de Molek – ce que je n'avais point ordonné, ce à
quoi je n'avais jamais songé : commettre une telle
abomination pour faire pécher Juda!
36 C'est pourquoi, maintenant, ainsi parle Yahvé,
le Dieu d'Israël, à propos de cette ville dont tu
viens de dire[e] : « Par l'épée, la famine et la peste,
elle est livrée au roi de Babylone. » 37 Moi, je vais
les rassembler de tous les pays où je les ai chassés
dans ma colère, ma fureur et ma grande indigna-

*a)* « mon cousin » (litt. « le fils de mon oncle ») mss, grec, syr., cf. vv. 7-9; « mon oncle » hébr. – Baruch est le secrétaire de Jérémie, cf. **36** 45.

*b)* Litt. « sur le sein »; il semble que cette expression soit à comprendre en tenant compte de l'habitude de transporter des provisions dans le repli du vêtement, 2 R **4** 39; Rt **3** 15; cf. Is **65** 6+. Autre traduction possible : « en plein cœur ».

*c)* « me fut adressée » grec, Vet. Lat., cf. v. 16; « fut adressée à Jérémie » hébr.

*d)* « je les instruisais » versions; « d'instruire » hébr.

*e)* « tu viens » grec; « vous venez » hébr. De même au v. 43.

tion; en ce lieu je les ramènerai et les ferai demeurer en sécurité. 38 Alors ils seront mon peuple et
24 7 moi, je serai leur Dieu. 39 Je leur donnerai un seul
cœur et une seule manière d'agir, de façon qu'ils me
craignent toujours, pour leur bien et celui de leurs
31 31+ enfants après eux. 40 Je conclurai avec eux une
alliance éternelle : je ne cesserai pas de les suivre
Dt 30 9 pour leur faire du bien et je mettrai ma crainte en
leur cœur pour qu'ils ne s'écartent plus de moi.
41 Je trouverai ma joie à leur faire du bien et je les
planterai solidement en ce pays, de tout mon cœur
et de toute mon âme. 42 Car ainsi parle Yahvé. De
même que j'ai amené sur ce peuple tout cet
immense malheur, de même je leur amènerai tout
le bien que je leur promets. 43 On achètera des
champs en ce pays dont tu dis : « C'est une solitude, sans hommes ni bêtes, il est livré aux mains
des Chaldéens. » 44 On achètera des champs à prix
d'argent, on rédigera un acte, on le scellera et on
prendra des témoins au pays de Benjamin, aux
alentours de Jérusalem, dans les villes de Juda,
dans celles de la Montagne, du Bas-Pays et du
Négeb. Car je ramènerai leurs captifs, oracle de
Yahvé.

**Autre promesse de restauration** [a].

LXX : 40 **33** 1 Pendant que Jérémie était encore enfermé
dans la cour de garde, la parole de Yahvé lui
fut adressée une seconde fois en ces termes : 2 Ainsi
parle Yahvé qui a fait la terre [b], lui donnant forme
29 12 et stabilité – son nom est Yahvé! – 3 Invoque-moi
et je te répondrai; je t'annoncerai des choses grandes et cachées dont tu ne sais rien. 4 Car ainsi parle
Yahvé, le Dieu d'Israël, au sujet des maisons de
cette ville et des maisons des rois de Juda, qui vont
être détruites grâce aux terrassements et à l'épée;
5 au sujet de ceux qui combattent contre les Chaldéens pour remplir la ville [c] de cadavres, eux que
j'ai frappés dans ma colère et dans ma fureur, eux
dont la méchanceté m'a fait me détourner de cette
ville. 6 Voici que moi, je leur porte [d] remède et guérison; je vais les guérir et leur révéler une ordonnance de paix et de fidélité. 7 Je ramènerai les captifs de Juda et les captifs d'Israël, et je les rétablirai
31 31+ comme avant. 8 Je les purifierai de toute faute par
Ez 36 25 laquelle ils m'ont offensé, je pardonnerai toutes les
fautes par lesquelles ils m'ont offensé et se sont
révoltés contre moi. 9 Jérusalem [e] deviendra pour
moi un nom plein d'allégresse, un honneur, une
splendeur devant toutes les nations du monde :
quand elles apprendront tout le bien que je vais
faire, elles seront prises de crainte et de tremblement, à cause de tout le bonheur et de toute la paix
que je vais lui accorder.
10 Ainsi parle Yahvé. En ce lieu dont vous dites :
« C'est une ruine, sans hommes ni bêtes », dans les
villes de Juda et les rues désolées de Jérusalem où
il n'y a ni hommes ni bêtes, on entendra de nouveau 11 les cris de joie et d'allégresse, les appels du 25 10
fiancé et de la fiancée, le chant de ceux qui diront,
en apportant au Temple de Yahvé les sacrifices
d'actions de grâces : « Rendez grâces à Yahvé 1 Ch 16 34
Sabaot car Yahvé est bon, car éternel est son Esd 3 11 Ps 106 1;
amour! » Car je ramènerai les captifs du pays 107 1
comme avant, dit Yahvé.
12 [f] Ainsi parle Yahvé Sabaot. Il y aura encore
dans ce lieu en ruines, privé d'hommes et de bêtes,
et dans toutes ses villes, des pâturages où les bergers feront reposer leurs brebis. 13 Dans les villes
de la Montagne, du Bas-Pays et du Négeb, au pays
de Benjamin, aux alentours de Jérusalem et dans
les villes de Juda, les brebis passeront sous la main
de celui qui les compte, dit Yahvé.

**Les institutions de l'avenir** [g].

14 Voici venir des jours – oracle de Yahvé – où
j'accomplirai la promesse de bonheur que j'ai prononcée sur la maison d'Israël et sur la maison de
Juda.

15 En ces jours-là, en ce temps-là, = 23 5-6
je ferai germer pour David un germe de justice Is 4 2+
qui exercera droit et justice dans le pays.
16 En ces jours-là, Juda sera sauvé
et Jérusalem habitera en sécurité.
Voici le nom dont on appellera la Ville :
« Yahvé-notre-Justice [h]. »

17 Car ainsi parle Yahvé : Jamais David ne man- 2 S 7 1+
quera d'un descendant qui prenne place sur le trône Lc 1 32-33
de la maison d'Israël. 18 Et jamais les prêtres lévites He 7 17
ne manqueront de descendants qui se tiennent 1 P 2 5-6
devant moi pour offrir l'holocauste, faire fumer Ap 1 6
l'oblation et offrir tous les jours le sacrifice. Za 4 14+
19 Puis la parole de Yahvé fut adressée à Jérémie
en ces termes : 20 Ainsi parle Yahvé. Si vous pou- 31 35-36
vez rompre mon alliance avec le jour et mon Ps 89 34-
alliance avec la nuit, de sorte que le jour et la nuit
n'arrivent plus au temps fixé, 21 mon alliance sera

*a)* Cette prophétie date de la même époque que celle du ch. **32**.
*b)* « qui a fait la terre » grec; « qui l'a faite; Yahvé » hébr.
*c)* « remplir la ville » d'après le grec (« pour la remplir »); « les remplir » hébr.
*d)* « leur porte » versions; « lui porte (à la ville) » hébr.
*e)* Litt. « elle ».
*f)* Les vv. 12-16 manquent dans le grec.
*g)* Ce passage, qui n'est pas de Jérémie, décrit les institutions du peuple messianique de la même manière que Za **4** 1-14; **6** 13. Au temps du salut, les pouvoirs royaux et sacerdotaux seront associés.
*h)* « le nom » Théod., Vulg.; omis par hébr. (sauf 5 mss). – Les vv. 15-16 reprennent **23** 4-6, mais la finale magnifie Jérusalem. Sur le nom messianique de Jérusalem, cf. Ez **48** 35; Is **1** 26+.

2 S 7 1+ aussi rompue avec David mon serviteur, de sorte
qu'il n'aura plus de fils régnant sur son trône, ainsi
qu'avec les lévites, les prêtres qui assurent mon ser-
Gn 15 5 vice. 22 Comme l'armée des cieux qui ne peut être
dénombrée, comme le sable de la mer qui ne peut
être compté, ainsi multiplierai-je la postérité de
David mon serviteur, et les lévites qui assurent
mon service.

23 La parole de Yahvé fut adressée à Jérémie en
ces termes : 24 N'as-tu pas remarqué ce que disent
ces gens : « Les deux familles qu'avait élues Yahvé,
il les a rejetées! » Aussi méprisent-ils mon peuple
qui ne leur apparaît plus comme une nation.
25 Ainsi parle Yahvé : Si je n'ai pas créé le jour [a]
et la nuit et établi les lois du ciel et de la terre,
26 alors je rejetterai la descendance de Jacob et de
David mon serviteur et cesserai de prendre parmi
ses descendants ceux qui gouverneront la postérité
d'Abraham, d'Isaac et de Jacob! Car je vais ramener leurs captifs et les prendre en pitié.

## 5. *DIVERS*

21 1-7; 32 1-5 **Le sort final de Sédécias** [b].

LXX : 41 **34** 1 Parole qui fut adressée à Jérémie de la part
de Yahvé, à l'époque où Nabuchodonosor, roi
de Babylone, et toute son armée, tous les royaumes
de la terre soumis à sa domination et tous les peuples étaient en lutte contre Jérusalem et contre toutes ses villes. 2 Ainsi parle Yahvé, le Dieu d'Israël :
Va! Tu parleras à Sédécias, roi de Juda, et tu lui
diras : Ainsi parle Yahvé. Voici que moi, je vais
livrer cette ville aux mains du roi de Babylone et
il l'incendiera. 3 Et toi, tu n'échapperas pas à sa
main, mais tu seras bel et bien capturé et remis
entre ses mains. Tu pourras regarder le roi de
Babylone les yeux dans les yeux et lui pourra te
parler face à face. Puis tu iras à Babylone. 4 Toutefois, écoute la parole de Yahvé, Sédécias, roi de
Juda! Ainsi parle Yahvé à ton sujet : tu ne mourras
pas par l'épée, 5 c'est en paix que tu mourras. Et
comme il y eut des parfums pour tes ancêtres, les
rois de jadis qui furent avant toi, de même on en
brûlera en ton honneur, et pour toi on récitera la
22 18 lamentation : « Hélas! Seigneur! » C'est moi qui le
déclare, oracle de Yahvé.

6 Le prophète Jérémie rapporta toutes ces paroles à Sédécias, roi de Juda, à Jérusalem; 7 l'armée
du roi de Babylone menait alors le combat contre
Jérusalem et contre toutes les villes de Juda qui
tenaient encore, à savoir Lakish et Azéqa, car
parmi les villes de Juda, celles-ci restaient des
places fortes [c].

**L'affaire de la libération des esclaves** [d].

8 Parole qui fut adressée à Jérémie de la part de
Yahvé, après que le roi Sédécias eut conclu avec
tout le peuple de Jérusalem une alliance [e] pour proclamer un affranchissement : 9 chacun devait renvoyer libres ses esclaves hébreux, hommes et femmes, personne ne devait plus tenir en servitude un
Judéen, son frère. 10 Tous les princes et tout le peuple qui avaient participé à cette alliance avaient
accepté de renvoyer libres chacun ses esclaves,
hommes et femmes, et de ne plus les tenir en servitude; ils avaient accepté et les avaient renvoyés.
11 Mais après cela, changeant d'avis, ils avaient
repris les esclaves, hommes et femmes, qu'ils
avaient libérés, et les avaient de nouveau réduits en
servitude. 12 Alors la parole de Yahvé fut adressée
à Jérémie [f] en ces termes : 13 Ainsi parle Yahvé, le
Dieu d'Israël. J'ai conclu avec vos pères, quand je
les fis sortir du pays d'Égypte, de la maison de servitude, une alliance en disant : 14 « Au bout de sept Dt 15 12-13
années, chacun de vous libérera son frère hébreu
qui se sera vendu à toi; six ans il sera ton esclave,
puis tu le renverras libre de chez toi. » Mais vos
pères ne m'ont pas écouté et n'ont pas prêté
l'oreille. 15 Or aujourd'hui vous vous étiez convertis, vous aviez fait ce qui est juste à mes yeux en
proclamant l'affranchissement de votre prochain;
vous aviez conclu une alliance devant moi, dans le
Temple qui porte mon nom. 16 Puis vous avez
changé d'avis et, profanant mon nom, vous avez

*a)* « créé le jour » *bara'tî yôm* conj.; « mon alliance de jour » *berîtî yômam* hébr.

*b)* Cet épisode doit dater du début du siège de 588-587, la guerre n'étant pas encore concentrée à Jérusalem, mais continuant au sud et au sud-ouest, v. 7. Sédécias pourrait donc encore conjurer la catastrophe en se soumettant, comme Joiaqim en 605.

*c)* Azéqa, localisée au Tell Zakariah, à une trentaine de km au sud-ouest de Jérusalem, et Lakish, Tell ed-Duweir à 20 km au sud-ouest d'Azéqa, furent en effet les deux villes fortifiées qui résistèrent le plus longtemps à Nabuchodonosor. Un ostracon de cette époque retrouvé à Tell ed-Duweir témoigne de cette résistance.

*d)* L'épisode se situe pendant l'interruption du siège, cf. vv. 21-22.

*e)* Ou plutôt un « pacte » ou un « traité », mais le même terme hébreu, *berît*, est employé pour un simple accord entre deux parties sur une question quelconque, cf. par exemple 2 R **11** 4; Jb **31** 1, et pour l'Alliance entre Dieu et son peuple, prise ici comme terme de comparaison, v. 13.

*f)* L'hébr. ajoute « de la part de Yahvé », omis par grec et syr.

repris chacun son esclave, homme ou femme, que
vous aviez renvoyés libres de leur personne, et les
avez forcés à redevenir vos esclaves.
[17] C'est pourquoi, ainsi parle Yahvé. Vous ne
m'avez pas obéi en rendant la liberté chacun à son
frère, chacun à son prochain. Eh bien, moi, je vais
rendre la liberté contre vous – oracle de Yahvé –
**29** 18 à l'épée, à la peste et à la famine, et faire de vous
un objet d'épouvante pour tous les royaumes de la
terre. [18] Et ces hommes qui ont trahi mon alliance,
qui n'ont pas observé les termes de l'alliance
conclue par eux en ma présence, je vais les rendre
pareils au veau qu'ils ont coupé en deux pour passer entre ses morceaux. [19] Les princes de Juda et
ceux de Jérusalem, les eunuques, les prêtres et tout
le peuple du pays, qui sont passés entre les morceaux du veau [a], [20] je les livrerai aux mains de leurs
ennemis et aux mains de ceux qui en veulent à leur
**7** 33 vie : leurs cadavres serviront de nourriture aux
oiseaux du ciel et aux bêtes de la terre. [21] Je livrerai
aussi Sédécias, roi de Juda, et ses princes aux
mains de leurs ennemis, aux mains de ceux qui en
veulent à leur vie et aux mains de l'armée du roi
de Babylone qui vient de se replier loin de vous.
[22] Voici, je vais donner un ordre – oracle de Yahvé
– et les ramener vers cette ville pour qu'ils l'attaquent, la prennent et l'incendient. Et je ferai des vil-
**9** 10 les de Juda une solitude où personne n'habite.

### L'exemple des Rékabites [b].

LXX : **42** **35** [1] Parole qui fut adressée à Jérémie de la part
de Yahvé, au temps de Joiaqim, fils de Josias,
roi de Juda : [2] « Va trouver le groupe des Rékabites, parle avec eux et amène-les au Temple de
Yahvé, dans l'une des salles, pour leur offrir du vin
à boire. » [3] Je pris donc Yaazanya, fils de Yirmeyahu, fils de Habaççinya, ainsi que ses frères et
tous ses fils, tout le groupe des Rékabites; [4] je les
amenai au Temple de Yahvé, dans la salle de Ben-
Yohanân [c], fils de Yigdalyahu, homme de Dieu,
celle qui est contiguë à la salle des princes, au-dessus de celle de Maaséyahu, fils de Shallum,
gardien du seuil; [5] devant les membres du groupe
rékabite, je mis des amphores pleines de vin ainsi
que des coupes et je leur dis : « Buvez du vin! »
[6] Mais ils répondirent : « Nous ne buvons pas de
2 R **10** 15 vin, car notre ancêtre Yonadab, fils de Rékab, nous
a donné cet ordre : " Vous ne boirez jamais de vin,
ni vous, ni vos fils; [7] de même vous ne devez pas
bâtir de maison, ni faire de semailles, ni planter de
vigne, ni posséder rien de tout cela; mais c'est sous
des tentes que vous habiterez toute votre vie, afin
de vivre de longs jours sur le sol où vous séjour-
nez. " [8] Nous avons obéi à tout ce que nous a
ordonné notre ancêtre Yonadab, fils de Rékab, ne
buvant jamais de vin, nous, nos femmes, nos fils et
nos filles, [9] ne bâtissant pas de maisons d'habitation, ne possédant ni vigne, ni champ, ni semailles,
[10] habitant sous la tente [d]. Nous avons obéi et fait
tout ce que nous a ordonné notre ancêtre Yonadab.
[11] Mais quand Nabuchodonosor, roi de Babylone,
est monté contre ce pays, nous nous sommes dit :
" Venez! Entrons à Jérusalem pour échapper à
l'armée des Chaldéens et à celle d'Aram! " Et nous
avons demeuré dans Jérusalem. »
[12] Alors la parole de Yahvé fut adressée à Jérémie en ces termes : [13] Ainsi parle Yahvé Sabaot, le
Dieu d'Israël. Va dire aux hommes de Juda et aux
habitants de Jérusalem : Ne saisirez-vous pas la
leçon, qui est d'obéir à mes paroles? – oracle de
Yahvé. [14] On a observé les paroles de Yonadab, fils
de Rékab; il a défendu à ses fils de boire du vin
et jusqu'aujourd'hui ils n'en ont pas bu, obéissant
à l'ordre de leur ancêtre. Et moi qui vous ai parlé
sans me lasser et avec insistance, vous ne m'avez
pas écouté. [15] Je vous ai envoyé sans me lasser et 7 13
à bien des reprises tous mes serviteurs les prophètes **25** 4-7
pour vous dire : Revenez chacun de votre voie
mauvaise, améliorez vos actions, ne suivez pas
d'autres dieux pour les servir, et vous demeurerez
sur le sol que j'ai donné à vous et à vos pères. Mais
vous n'avez pas prêté l'oreille, vous ne m'avez pas
écouté. [16] Ainsi les descendants de Yonadab, fils de
Rékab, ont observé l'ordre donné par leur ancêtre,
tandis que ce peuple ne m'a pas écouté! [17] C'est
pourquoi ainsi parle Yahvé, le Dieu Sabaot, le Dieu
d'Israël. Voici, je vais amener sur Juda et sur tous
les habitants de Jérusalem tout le malheur dont je
les ai menacés : c'est que je leur ai parlé sans qu'ils
m'écoutent et les ai appelés sans qu'ils répondent.
[18] Alors Jérémie dit au groupe rékabite : « Ainsi
parle Yahvé Sabaot, le Dieu d'Israël. Puisque vous
avez obéi à l'ordre de votre ancêtre Yonadab, que
vous avez observé tous ses ordres et pratiqué tout
ce qu'il vous a ordonné, [19] eh bien! ainsi parle
Yahvé Sabaot, le Dieu d'Israël : Yonadab, fils de
Rékab ne manquera jamais de quelqu'un qui se
tienne en ma présence [e], pour toujours. »

*a)* Sur ce vieux rite d'alliance, selon lequel les contractants passent entre les morceaux d'une victime, cf. Gn **15** 17+.
*b)* L'épisode se situe à la fin du règne de Joiaqim, et au moment où Jérusalem va être assiégée pour la première fois par les Babyloniens (598); depuis 602 environ, les incursions de bandes armées en Palestine ont été pratiquement incessantes, cf. 2 R **24** 2, si bien que beaucoup de gens abandonnent la campagne et se réfugient à Jérusalem, Jr **35** 11.
*c)* « de Ben-Yohanân » d'après 1 ms hébr., 1 ms grec, arabe et Targ.; « des fils de Hanân » hébr.
*d)* Le groupement rékabite représentait une réaction contre la civilisation urbaine et un rappel de la vieille religion du désert, cf. Os **2** 16+.
*e)* L'expression désigne ordinairement le service cultuel du

# IV. Les souffrances de Jérémie

**Le rouleau de 605-604** [a].

LXX : 43 **36** 1 La quatrième année de Joiaqim [b], fils de
Josias, roi de Juda, la parole que voici fut
adressée à Jérémie de la part de Yahvé : 2 Prends
un rouleau et écris dessus toutes les paroles que je
t'ai adressées touchant Israël, Juda et toutes les
nations, depuis le jour où je commençai à te parler
– au temps de Josias – jusqu'aujourd'hui. 3 Peut-
être qu'en entendant tout le mal que j'ai dessein de
leur faire, ceux de la maison de Juda reviendront
chacun de sa voie mauvaise; alors je pourrai pardonner leur iniquité et leur péché. 4 Jérémie appela
Baruch, fils de Nériyya, qui sous sa dictée écrivit
sur un rouleau toutes les paroles que Yahvé avait
adressées au prophète [c].
5 Alors Jérémie donna cet ordre à Baruch : « Je
20 1-2 suis empêché, je ne peux plus entrer au Temple de
Yahvé. 6 Mais tu iras, toi, lire au peuple, dans le
rouleau que tu as écrit sous ma dictée, toutes les
paroles de Yahvé, en son Temple, le jour du jeûne.
De même tu les liras à tous les Judéens venus de
leurs villes. 7 Peut-être leur supplication touchera-
t-elle Yahvé et se convertiront-ils chacun de sa
voie mauvaise; car grandes sont la colère et la
fureur dont Yahvé a menacé ce peuple. » 8 Baruch,
fils de Nériyya, observa ponctuellement l'ordre que
lui avait donné le prophète Jérémie, de lire dans le
livre les paroles de Yahvé, en son Temple. 9 La cinquième année de Joiaqim, fils de Josias, roi de
Juda, au neuvième mois [d], on convoqua pour un
jeûne devant Yahvé tout le peuple de Jérusalem et
tout le peuple qui pourrait y venir de toutes les villes de Juda. 10 Alors Baruch lut dans le livre les
paroles de Jérémie; on était au Temple de Yahvé,
26 24+ dans la salle de Gemaryahu, le fils du scribe Shaphân, dans la cour d'en haut, à l'entrée de la porte
Neuve du Temple de Yahvé : tout le peuple pouvait
entendre.
11 Or Mikayehu, fils de Gemaryahu, fils de Shaphân, ayant écouté les paroles de Yahvé tirées du
livre, 12 descendit au palais royal, à la salle du
scribe. Là, tous les princes tenaient séance : Élishama, le scribe; Delayahu, fils de Shemayahu;
Elnatân, fils de Akbor; Gemaryahu, fils de Shaphân; Çidqiyyahu, fils de Hananyahu, et tous les
autres princes. 13 Mikayehu leur rapporta toutes les
paroles qu'il avait entendues quand Baruch en faisait lecture aux oreilles du peuple. 14 Alors, à l'una-
nimité, les princes envoyèrent à Baruch Yehudi, fils
de Netanyahu, et Shélémyahu [e], fils de Kushi, pour
lui dire : « Ce rouleau dont tu as fait lecture au peuple, prends-le et viens! » Baruch, fils de Nériyya,
prit donc le rouleau et arriva près d'eux. 15 Ils lui
dirent : « Assieds-toi et donne-nous en lecture. » Et
Baruch leur en donna lecture. 16 Après avoir
entendu toutes les paroles, ils se tournèrent effrayés
l'un vers l'autre et dirent à Baruch : « Il nous faut
absolument informer le roi de tout cela. » 17 Et ils
interrogèrent Baruch : « Apprends-nous comment
tu as écrit toutes ces paroles [f]. » 18 Baruch leur
répondit : « Jérémie me les dictait toutes [g], et moi
je les écrivais avec de l'encre sur ce livre. » 19 Les
princes dirent alors à Baruch : « Va-t-en, cache-toi,
ainsi que Jérémie : que nul ne sache où vous êtes. »
20 Puis ils se rendirent chez le roi, à la cour du
palais, laissant le rouleau en dépôt dans la salle du
scribe Élishama. Et ils informèrent le roi de toute
cette affaire.
21 Le roi envoya Yehudi chercher le rouleau;
celui-ci l'apporta de la salle du scribe Élishama et
en fit lecture devant le roi et devant tous les princes,
debout autour du roi. 22 Le roi était assis dans ses
appartements d'hiver – on était au neuvième mois
– et le feu d'un brasero [h] brûlait devant lui.
23 Chaque fois que Yehudi avait lu trois ou quatre
colonnes, le roi les lacérait avec le canif du scribe
et les jetait au feu sur le brasero, jusqu'à ce que le
rouleau entier fût consumé dans le feu du brasero.
24 Mais ni le roi ni aucun de ses serviteurs, à entendre toutes ces paroles, ne furent effrayés ni ne
déchirèrent leurs vêtements; 25 et pourtant Elnatân,
Delayahu et Gemaryahu avaient insisté auprès du
roi pour qu'il ne brûlât pas le rouleau; mais il ne
les écouta pas. 26 Et il ordonna à Yerahméel, fils du
roi [i], à Serayahu, fils de Azriel, et à Shélémyahu,

prêtre, mais elle peut s'appliquer au simple fidèle. On se tient en la présence de Yahvé, quand on vit sur la terre.

*a)* Sur ce rouleau contenant les oracles que Jérémie avait dictés à son secrétaire, Baruch, cf. l'Introduction, p. 1081.

*b)* 605. Joiaqim vient de se soumettre à Nabuchodonosor et se sent en sécurité.

*c)* Certains critiques proposent de transposer ici le v. 9.

*d)* Décembre 604.

*e)* « et Shélémyahu » conj.; « fils de Shélémyahu » hébr.

*f)* L'hébr. ajoute « de sa bouche », omis par grec; il s'agit probablement d'une dittographie, cf. note sur le v. suivant.

*g)* Litt. « Il me les disait toutes de sa bouche ». – Ce sont à la fois les « paroles de Jérémie », v. 10, et les « paroles de Yahvé » vv. 6, 8, 11, cf. v. 4. Le prophète est vraiment la « bouche de Dieu », **1** 9; **15** 19. Cf. Ex **4** 15-16.

*h)* « le feu d'un brasero » versions; « et avec un brasero » hébr.

*i)* Le titre de « fils du roi », cf. **38** 6; 1 R **22** 26-27, indique une fonction à la cour, peut-être, d'après le contexte, celle d'officier de police.

fils de Abdéel, de saisir Baruch, le scribe, et Jérémie, le prophète. Mais Yahvé les avait cachés.

27 Alors la parole de Yahvé fut adressée à Jérémie, après que le roi eut brûlé le rouleau avec les paroles qu'avait écrites Baruch sous la dictée de Jérémie : 28 « Prends un autre rouleau; écris dessus toutes les paroles qui figuraient déjà dans le premier rouleau brûlé par Joiaqim, roi de Juda. 29 Et contre Joiaqim, roi de Juda, tu diras : Ainsi parle Yahvé. Toi, tu as brûlé ce rouleau en disant : “ Pourquoi y avoir écrit : Il est certain que le roi de Babylone viendra, saccagera ce pays et en fera disparaître hommes et bêtes? ” 30 C'est pourquoi, ainsi parle Yahvé contre Joiaqim, roi de Juda. Il n'aura plus personne pour siéger sur le trône de David, et son cadavre sera exposé à la chaleur du jour et au froid de la nuit. 31 Lui, sa descendance et ses serviteurs, je les châtierai de leurs fautes; j'amènerai sur eux, sur les habitants de Jérusalem et sur les gens de Juda tout le malheur dont je les ai menacés sans qu'ils m'écoutent. »

32 Jérémie prit un autre rouleau et le remit au scribe Baruch, fils de Nériyya, qui y écrivit, sous la dictée de Jérémie, toutes les paroles du livre qu'avait brûlé Joiaqim, roi de Juda. De plus, beaucoup de paroles du même genre y furent ajoutées.

2 R **24** 17-20 **Jugement d'ensemble sur Sédécias.**

LXX : **44** **37** 1 Le roi Sédécias, fils de Josias, devint roi à
**22** 20-30 la place de Konias, fils de Joiaqim : Nabucho-
**13** 18-19 donosor, roi de Babylone, l'avait établi roi au pays
de Juda. 2 Mais ni lui, ni ses serviteurs, ni le peuple du pays n'écoutèrent les paroles que Yahvé prononça par le ministère du prophète Jérémie.

**Sédécias consulte Jérémie pendant l'interruption du siège en 588.**

3 Le roi Sédécias envoya Yukal, fils de Shélémya, et le prêtre Çephanyahu, fils de Maaséya, vers le prophète Jérémie avec ce message : « Adresse donc une prière pour nous à Yahvé notre Dieu! » 4 Or Jérémie allait et venait parmi le peuple : on ne l'avait pas encore mis en prison. 5 Cependant l'armée de Pharaon était sortie d'Égypte; à cette nouvelle, les Chaldéens qui assiégeaient Jérusalem avaient dû lever le siège.

6 Alors la parole de Yahvé fut adressée au prophète Jérémie en ces termes : 7 Ainsi parle Yahvé, le Dieu d'Israël. Au roi de Juda qui vous a envoyés vers moi pour me consulter, vous donnerez cette réponse : L'armée de Pharaon [a] est sortie à votre secours? Elle va s'en retourner en son pays d'Égypte! 8 Les Chaldéens reviendront attaquer cette ville, la conquérir et y mettre le feu. 9 Ainsi parle Yahvé. Ne vous abusez pas vous-mêmes en disant : « Les Chaldéens s'en iront pour de bon de chez nous », car ils ne s'en iront pas! 10 Quand vous auriez taillé en pièces toute l'armée des Chaldéens en guerre contre vous et qu'il n'en restât que des blessés, ils se dresseraient chacun sous sa tente pour mettre le feu à cette ville.

**Arrestation de Jérémie. Amélioration de son sort.**

11 A l'époque où l'armée des Chaldéens dut lever le siège de Jérusalem à cause de l'armée de Pharaon, 12 Jérémie sortit de Jérusalem pour aller au 32 1+
pays de Benjamin y toucher sa part au milieu de la population [b]. 13 Comme il était à la porte de Benjamin, un nommé Yiréiyyaï, fils de Shélémya, fils de Hananya, chef du poste de garde, se trouvait là; il arrêta le prophète Jérémie en disant : « Tu passes aux Chaldéens! » 14 Jérémie répondit : « C'est faux! Je ne passe pas aux Chaldéens! » Mais sans écouter Jérémie, Yiréiyyaï l'arrêta et le conduisit aux princes. 15 Ceux-ci, furieux contre Jérémie, le frappèrent et le mirent au cachot, au domicile du scribe Yehonatân, qu'on avait transformé en prison. 16 Ainsi Jérémie fut mis dans un souterrain voûté et il y resta longtemps.

17 Le roi Sédécias l'envoya chercher. Et secrètement, dans son palais, le roi lui demanda : « Y a-t-il une parole de Yahvé? » Jérémie répondit : « Oui! » Et il ajouta : « Entre les mains du roi de Babylone, tu seras livré! » 18 Puis Jérémie dit au roi Sédécias : « En quoi ai-je péché contre toi, contre tes serviteurs ou contre ce peuple, que vous m'ayez mis en prison? 19 Où donc sont vos prophètes qui vous annonçaient : “ Il ne viendra pas contre vous, le roi de Babylone, ni contre ce pays ”? 20 Maintenant, Monseigneur le roi, daigne écouter, que ma supplication puisse te toucher : Ne me fais pas reconduire chez le scribe Yehonatân de peur que je n'y trouve la mort. » 21 Alors le roi Sédécias donna un ordre : on enferma Jérémie dans la cour de garde et on lui remit chaque jour une galette de pain, venant de la rue des boulangers, jusqu'à ce qu'il n'y eût plus de pain dans la ville. Ainsi Jérémie resta dans la cour de garde.

**Jérémie dans la citerne. Intervention d'Ébed-Mélek.**

**38** 1 Mais Shephatya, fils de Mattân, Gedalyahu, LXX : 4
fils de Pashehur, Yukal, fils de Shélémyahu, et Pashehur, fils de Malkiyya, entendirent les paroles que Jérémie adressait à tout le peuple : 2 « Ainsi

*a)* Hophra, cf. **44** 30, qui régna de 589 à 569.
*b)* C'est sans doute la même affaire que celle qui occupera Jérémie quelque temps plus tard, et qui se trouve rapportée au ch. **32**.

= 21 9 parle Yahvé. Qui restera dans cette ville mourra
par l'épée, la famine et la peste; mais qui sortira
39 18; et se rendra aux Chaldéens vivra, il aura sa vie
45 5 comme butin : il vivra! 3 Ainsi parle Yahvé : Pour
sûr, cette ville sera livrée aux mains de l'armée du
roi de Babylone qui s'en emparera! »

4 Alors les princes dirent au roi : « Que cet individu soit mis à mort! En vérité, il décourage les
combattants, qui sont restés dans cette ville, et tout
le peuple, en leur tenant semblables propos. Oui,
cet individu ne cherche nullement la paix pour ce
peuple, mais son malheur. » 5 Le roi Sédécias
répondit : « Voici, il est entre vos mains, car le roi
n'a aucun pouvoir en face de vous [a]! » 6 Ils se saisirent donc de Jérémie et le jetèrent dans la citerne
de Malkiyyahu, fils du roi, dans la cour de garde;
ils le descendirent à l'aide de cordes. Dans cette
citerne il n'y avait point d'eau, mais de la vase, et
Jérémie s'enfonça dans la vase.

7 Or le Kushite [b] Ébed-Mélek, un eunuque attaché au palais royal, apprit qu'on avait mis Jérémie
dans la citerne. Comme le roi s'était arrêté à la
porte de Benjamin, 8 Ébed-Mélek sortit du palais
royal et s'adressa au roi : 9 « Monseigneur le roi, ils
ont mal agi, ces gens-là, en traitant de la sorte le
prophète Jérémie; ils l'ont jeté dans la citerne : il
va mourir de faim sur place car il n'y a plus de pain
dans la ville. » 10 Alors le roi donna cet ordre au
Kushite Ébed-Mélek : « Prends ici trente hommes
avec toi, et remonte de la citerne le prophète Jérémie avant qu'il ne meure. » 11 Ébed-Mélek prit ces
hommes avec lui, entra au palais royal, au vestiaire [c] du Trésor; il s'y procura des bouts de tissus
déchirés et des bouts de tissus usés qu'il fit passer
à Jérémie, dans la citerne, au moyen de cordes.
12 Ébed-Mélek le Kushite dit à Jérémie : « Mets
donc ces bouts de tissus déchirés et usés sous tes
aisselles par-dessous les cordes. » Ce que fit Jérémie. 13 Alors ils soulevèrent Jérémie au moyen des
cordes et le remontèrent de la citerne. Et Jérémie
resta dans la cour de garde.

**Dernier entretien de Jérémie avec Sédécias.**

14 Le roi Sédécias envoya chercher le prophète
Jérémie à la troisième entrée du Temple de Yahvé.
Le roi dit à Jérémie : « Je veux te réclamer une
parole; ne me la cèle pas! » 15 Jérémie répondit à
Sédécias : « Si je te la proclame, tu me feras mourir, n'est-ce pas? Et si je te conseille, tu ne m'écouteras pas! » 16 Alors le roi Sédécias fit en secret ce
serment à Jérémie : « Par Yahvé vivant, qui nous
a donné cette vie, je ne te ferai pas mourir et ne
te livrerai pas aux mains de ces gens qui en veulent
à ta vie. » 17 Alors Jérémie dit à Sédécias : « Ainsi
parle Yahvé, le Dieu Sabaot, le Dieu d'Israël. Si tu
sors pour te rendre aux officiers du roi de Babylone, tu sauveras ta vie et cette ville ne sera pas incendiée; vous survivrez, toi et ta famille. 18 Mais si
tu ne sors pas pour te rendre aux officiers du roi
de Babylone, cette ville sera livrée aux mains des
Chaldéens qui l'incendieront; quant à toi, tu
n'échapperas pas à leurs mains. » 19 Alors le roi
Sédécias dit à Jérémie : « J'ai peur des Judéens qui
sont passés aux Chaldéens; ceux-ci pourraient me
livrer entre leurs mains et ils me maltraiteraient. »
20 Jérémie répondit : « On ne te livrera pas. Écoute
donc la voix de Yahvé, selon laquelle je t'ai parlé,
alors tu t'en trouveras bien et tu auras la vie sauve.
21 Mais si tu refuses de sortir, vois ce que Yahvé
m'a montré. 22 Voici : toutes les femmes qui demeurent encore au palais du roi de Juda seront menées
aux officiers du roi de Babylone; et elles diront :

Ils t'ont séduit, ils t'ont dupé,
tes bons amis [d]!
Tes pieds pataugent dans le bourbier,
eux sont partis!

23 Oui, toutes tes femmes et tes enfants, on les
mènera aux Chaldéens. Et toi, tu n'échapperas pas
à leurs mains, mais tu seras prisonnier, dans la poigne du roi de Babylone. Quant à cette ville, elle
sera incendiée [e]. »

24 Sédécias dit à Jérémie : « Que nul n'ait
connaissance de ces paroles, sinon tu mourrais.
25 Si les princes apprennent mon entretien avec toi
et viennent te dire : " Fais-nous connaître ce que tu
as dit au roi et ce que t'a dit le roi [f]; ne nous cache
rien, sinon nous te ferons mourir ", 26 tu leur répondras : " Je présentais cette requête devant le roi :
qu'il ne me renvoie pas chez Yehonatân pour y
mourir ". »

27 Tous les princes vinrent en effet trouver Jérémie et l'interroger. Il les renseigna exactement
comme le roi avait ordonné. Ils le laissèrent donc
tranquille, car l'entretien n'avait pas été entendu.
28 Et Jérémie resta dans la cour de garde, jusqu'à
ce que Jérusalem fût prise. Et il y était quand Jérusalem fut prise.

*a)* « en face de vous » *'ittekem* conj.; « (à savoir) vous » *'etkem* hébr.
*b)* C'est-à-dire Éthiopien.
*c)* « au vestiaire » *meltahat* conj., cf. 2 R **10** 22; « au-dessous » *tahat* hébr.
*d)* Litt. « les hommes de ta paix ». – Ces lignes doivent être empruntées à une chanson populaire.
*e)* « elle sera incendiée », quelques mss hébreux et grec; « tu incendieras » (masc.), ou « elle (la main de Nabuchodonosor) incendiera » hébr.
*f)* « et ce que t'a dit le roi » est rejeté par l'hébr. à la fin du v.; on suit le syr.

### Sort de Jérémie à la chute de Jérusalem [a].

LXX : 46 **39** 1 La neuvième année de Sédécias, roi de Juda,
|| 2 R **25** 1-21 le dixième mois [b], Nabuchodonosor, roi de
Babylone, vint attaquer Jérusalem avec toute son
armée et ils en firent le siège. 2 La onzième année
de Sédécias, au quatrième mois [c], le neuf du mois,
une brèche fut pratiquée dans la ville.
3 Tous les officiers du roi de Babylone, ayant fait
leur entrée, établirent leurs quartiers à la porte du
Milieu : Nergalsaréser, Samgar-Nebo, Sar-Sekim,
haut dignitaire, Nergalsaréser, grand mage, et tous
les autres officiers du roi de Babylone [d] –
4 Dès qu'ils les virent, Sédécias, roi de Juda, et
tous ses guerriers s'enfuirent et sortirent de la ville,
de nuit, vers le jardin du roi, par la porte entre les
deux murs; ils prirent le chemin de la Araba [e].
5 Mais les troupes chaldéennes les poursuivirent et
atteignirent Sédécias dans les plaines de Jéricho.
L'ayant fait prisonnier, on l'emmena à Ribla, au
pays de Hamat [f], auprès de Nabuchodonosor, roi
de Babylone, qui le fit passer en jugement. 6 Le roi
de Babylone fit égorger à Ribla les fils de Sédécias
sous ses yeux. De même, le roi de Babylone fit
égorger tous les notables de Juda. 7 Puis il creva les
yeux de Sédécias et le mit aux fers pour l'emmener
à Babylone. 8 Les Chaldéens incendièrent le palais
royal et les maisons des particuliers [g]; ils abattirent
les remparts de Jérusalem. 9 Nebuzaradân, commandant de la garde, déporta à Babylone le reste
de la population laissée dans la ville, les transfuges
qui s'étaient rendus à lui et le reste des artisans [h].
10 Au contraire, Nebuzaradân, commandant de la
garde, laissa au pays de Juda ceux du peuple qui
étaient pauvres et ne possédaient rien; en même
temps, il leur distribua des vignes et des champs.
11 Au sujet de Jérémie, Nabuchodonosor, roi de
Babylone, avait donné cet ordre à Nebuzaradân,
commandant de la garde : 12 « Prends-le, aie l'œil
sur lui, ne lui fais aucun mal, mais traite-le comme
il te le demandera. »
13 Il avait confié cette mission [i] à (Nebuzaradân,
commandant de la garde,) Nebushazbân, haut
dignitaire, Nergalsaréser, grand mage, et tous les
officiers du roi de Babylone.
14 – Ils envoyèrent des gens pour tirer Jérémie de
la cour de garde et le confièrent à Godolias, fils
d'Ahiqam, fils de Shaphân, pour le conduire à la
maison, et il demeura au milieu du peuple.

### Oracle de salut pour Ébed-Mélek [j]. **45** 1-5

15 Tandis que Jérémie était enfermé dans la cour
de garde, la parole de Yahvé lui avait été adressée
en ces termes : 16 Va-t'en dire au Kushite Ébed-Mélek : Ainsi parle Yahvé Sabaot, le Dieu d'Israël.
Voici, je vais accomplir contre cette ville mes paroles chargées de malheur et non de bonheur. Ce
jour-là, elles se réaliseront sous tes yeux. 17 Mais je
te délivrerai ce jour-là – oracle de Yahvé – et tu
ne seras pas livré aux mains des gens qui te font
trembler. 18 Oui, assurément je te ferai échapper :
tu ne tomberas pas sous l'épée, tu auras ta vie **21** 9; **38** 2
comme butin. car en moi tu as mis ta confiance,
oracle de Yahvé.

### Encore le sort de Jérémie.

**40** 1 Parole qui fut adressée à Jérémie de la part LXX : **47**
de Yahvé, après que Nebuzaradân, comman-
dant de la garde, l'eut renvoyé de Rama, l'ayant
pris alors qu'il se trouvait enchaîné au milieu de
tous les captifs de Jérusalem et de Juda qu'on
déportait à Babylone [k].
2 Le commandant de la garde prit donc Jérémie

*a)* Le texte de ce passage est formé d'éléments disparates mal raccordés entre eux. **38** 28b et **39** 4-13 manquent en grec. Il semble qu'à la biographie primitive de Jérémie, **38** 28b; **39** 3, 14, on ait ajouté d'abord **39** 1-2, récit du siège depuis le début jusqu'à l'ouverture de la brèche, qui reprend 2 R **25** 1-4a (Jr **52** 4-7a) et se trouve aussi dans le grec; puis **39** 4-10, qui raconte la fin du règne et ses conséquences en abrégeant 2 R **25** 4b, 7, 9-12 (Jr **52** 7b-16); et **39** 11-13, qui donne des détails sur la libération du prophète.

*b)* Décembre 589 - janvier 588, fin de la 9e année de Sédécias.

*c)* Juin - juillet 587.

*d)* V. difficile; le texte semble troublé; la répétition du nom de Nergalsaréser est suspecte, le « haut dignitaire » (litt. « grand eunuque », mais le terme a souvent le sens large de fonctionnaire de la cour) s'appelle Nebushazbân au v. 13. D'autre part, les noms de Samgar-Nebo et Sar-Sekim, qui n'apparaissent qu'ici, sont douteux. On a proposé de corriger *Samgar* en « prince de Sin-Magir » (d'après une liste babylonienne) et *Nebo* en « Nebushazbân », ainsi que de supprimer *Sar-Sekim* (qui pouvait être un titre, doublet de « haut fonctionnaire ») et l'une des mentions de Nergalsaréser. Mais ces corrections, qui donneraient plus de cohérence à tout ce passage, n'ont aucun appui textuel.

*e)* « Ils prirent » syr., Vulg., cf. **52** 7; l'hébr. a le sing. – Le jardin du roi est près de la piscine de Siloé, cf. Ne **3** 15; 2 R **25** 4+, au sud-est de Jérusalem. La Araba (litt. « steppe ») est la dépression du Jourdain au sud de la mer Morte, jusqu'au golfe d'Aqaba; ici, plus généralement, c'est la région, « steppe » ou « plaine », voisine de la mer Morte, cf. v. 5.

*f)* Aujourd'hui Rablé, à 75 km au sud de Hamat, aujourd'hui Hama, ville syrienne sur l'Oronte.

*g)* Litt. « les maisons du peuple » syr.; « la maison du peuple » hébr.; peut-être faudrait-il lire « la Maison (de Yahvé et les maisons) du peuple », en accord avec **52** 13 et 2 R **25** 9.

*h)* « des artisans » conj. d'après **52** 15; « du peuple » hébr., qui ajoute « qui avait été laissé ».

*i)* Trad. incertaine : litt. « il envoya », mais il faut peut-être comprendre « Nebuzaradân... Nebushazbân, etc. ... envoyèrent (des gens) ». Ce serait un raccord maladroit avec le v. 14 qui devait primitivement faire suite au v. 3. – Nebuzaradân n'entra en réalité à Jérusalem qu'un mois après la chute de la ville, cf. 2 R **25** 8.

*j)* Ce passage se rattache à **38** 13.

*k)* L'ensemble des récits sur le sort de Jérémie doit comporter des lacunes. Délivré à Jérusalem, **39** 14, on apprend ici qu'il s'est trouvé dans les rangs des captifs à Rama (cf. **31** 15+). Il faut rapprocher ce second récit de **39** 11-12.

et lui dit : « Yahvé, ton Dieu, avait prédit ce malheur pour ce pays 3 et il l'a amené. Yahvé a agi selon ses menaces. C'est que vous avez péché contre Yahvé sans écouter sa voix : alors ce malheur vous est arrivé. 4 Maintenant, vois, je te délivre aujourd'hui même des chaînes que tu as aux mains. S'il te plaît de m'accompagner à Babylone, viens, j'aurai les yeux sur toi. S'il te déplaît de m'y accompagner, abstiens-toi. Vois, tout le pays est devant toi; tu peux aller où cela te semble bon et juste d'aller. » 5 Et comme Jérémie ne s'en retournait pas encore, il ajouta : « Tu peux te tourner vers Godolias, fils d'Ahiqam, fils de Shaphân, que le roi de Babylone a nommé gouverneur des villes de Juda, et rester avec lui au milieu du peuple, ou bien aller partout où cela te semble bon. » Puis le commandant de la garde, lui ayant remis des vivres et un présent, le congédia. 6 Et Jérémie se rendit à Miçpa, auprès de Godolias[a], fils d'Ahiqam, et demeura avec lui, parmi ceux du peuple qui étaient restés dans le pays.

|| 2 R **25** 22-26

**Godolias gouverneur; son assassinat.**

7 Tous les officiers de l'armée qui, avec leurs hommes, étaient dans la campagne, apprirent que le roi de Babylone avait institué Godolias, fils d'Ahiqam, comme gouverneur du pays et lui avait confié hommes, femmes et enfants, et ceux du petit peuple qui n'avaient pas été déportés à Babylone. 8 Ils vinrent auprès de Godolias à Miçpa : Yishmaël, fils de Netanyahu, Yohanân et Yonatân, fils de Qaréah, Seraya, fils de Tanhumèt, les fils de Éphaï le Netophatite, Yizanyahu, fils du Maakatite, eux et leurs hommes. 9 Godolias, fils d'Ahiqam, fils de Shaphân, leur fit un serment, à eux et à leurs hommes : « Ne craignez pas de servir les Chaldéens, restez au pays, servez le roi de Babylone et vous vous en trouverez bien. 10 Pour moi, voici, je m'établis à Miçpa comme responsable en face des Chaldéens qui viennent chez nous. Mais vous, faites la récolte du vin, des fruits et de l'huile, remplissez vos jarres et demeurez en vos villes, que vous occupez. »

11 Pareillement, tous les Judéens qui se trouvaient en Moab, chez les Ammonites, en Édom et en tout autre pays, avaient appris que le roi de
Is **4** 3+ Babylone avait laissé un reste à Juda et avait préposé sur lui Godolias, fils d'Ahiqam, fils de Shaphân. 12 Tous ces Judéens revinrent donc de tous les lieux où ils s'étaient dispersés; rentrés au pays de Juda, près de Godolias, à Miçpa, ils firent une récolte très abondante de vin et de fruits.

13 Yohanân, fils de Qaréah, et tous les officiers de l'armée qui étaient dans la campagne vinrent trouver Godolias à Miçpa 14 et lui dirent : « Sais-tu que Baalis, roi des Ammonites, a donné mission à Yishmaël, fils de Netanya, d'attenter à ta vie[b]? » Mais Godolias, fils d'Ahiqam, ne les crut pas. 15 Yohanân, fils de Qaréah, dit même en secret à Godolias, à Miçpa : « J'irai tuer Yishmaël, fils de Netanya, sans que personne le sache. Pourquoi attenterait-il à ta vie, et pourquoi tous les Judéens rassemblés autour de toi seraient-ils dispersés? Pourquoi le reste de Juda périrait-il? » 16 Mais Godolias, fils d'Ahiqam, répondit à Yohanân, fils de Qaréah : « Ne fais pas cela, car ce que tu dis sur Yishmaël est faux! »

**41** 1 Or au septième mois, Yishmaël, fils de LXX : **48**
Netanya, fils d'Élishama, qui était de souche royale, vint avec des grands du roi et dix hommes trouver Godolias, fils d'Ahiqam, à Miçpa. Et tandis qu'ils prenaient ensemble leur repas, là, à Miçpa, 2 Yishmaël, fils de Netanya, se leva avec ses dix hommes et ils frappèrent de l'épée Godolias, fils d'Ahiqam, fils de Shaphân. Ainsi firent-ils mourir celui que le roi de Babylone avait préposé au pays. 3 De même, tous les Judéens qui étaient avec lui, Godolias, à Miçpa, et les Chaldéens qui se trouvaient là – c'étaient des hommes de guerre – Yishmaël les tua[c].

4 Le deuxième jour après le meurtre de Godolias, alors que personne encore n'était au courant, 5 arrivèrent des hommes de Sichem, Silo et Samarie, au nombre de quatre-vingts, avec la barbe rasée, les vêtements déchirés, et le corps marqué d'incisions; ils portaient des oblations et de l'encens qu'ils voulaient présenter au Temple de Yahvé[d]. 6 Yishmaël, fils de Netanya, sortit de Miçpa à leur rencontre, et il avançait en pleurant. Les ayant rejoints, il leur dit : « Venez chez Godolias, fils d'Ahiqam. » 7 Mais quand ils eurent pénétré en pleine ville, Yishmaël, fils de Netanya, les égorgea, aidé de ses hommes, et les fit jeter au fond d'une citerne[e]. 8 Toutefois, parmi ces gens, il s'en trouva dix qui dirent à Yish-

*a)* Miçpa (probablement l'actuel Tell en-Nasbeh), à 13 km au nord de Jérusalem, ancien sanctuaire d'Israël, cf. Jg **20** 1; 1 S **7** 5; **10** 17. – Godolias est d'une famille de hauts fonctionnaires judéens, amie de Jérémie, cf. **26** 24+.

*b)* Baalis résistait encore à Nabuchodonosor et la soumission de Godolias devait le gêner. – Yishmaël, officier d'ascendance davidique, cf. v. 8, ne pouvait que considérer Godolias comme un parvenu de la politique.

*c)* L'anniversaire de ce jour (septembre 587) fut célébré les années suivantes, cf. Za **7** 5; **8** 19.

*d)* Jérusalem était donc restée, ou redevenue depuis la réforme de Josias, 2 R **23** 19-20, le grand sanctuaire pour nombre d'Israélites du Nord. En dépit du désastre, un culte s'y continuait.

*e)* « les fit jeter » syr.; omis par hébr., mais cf. v. 9. – Le motif du meurtre n'apparait pas clairement : peut-être le vol, cf. v. 8, ou le désir de cacher les derniers événements.

maël : « Laisse-nous en vie, car nous avons dans les
champs des provisions cachées, froment, orge,
huile et miel. » Alors, les épargnant, il ne les fit pas
mourir avec leurs frères. 9 La citerne où Yishmaël
avait jeté tous les cadavres des gens qu'il avait tués
1 R **15** 16-22 était une grande citerne [a], celle que le roi Asa avait
aménagée contre Basha, roi d'Israël. C'est elle
que Yishmaël, fils de Netanya, emplit d'hommes
assassinés. 10 Puis Yishmaël fit prisonniers tout le
reste du peuple qui était à Miçpa, les filles du roi
et tout le peuple resté à Miçpa que Nebuzaradân,
commandant de la garde, avait confiés à Godolias,
fils d'Ahiqam; Yishmaël, fils de Netanya, les
emmena prisonniers et se mit en marche pour passer chez les Ammonites.

11 Quand Yohanân, fils de Qaréah, et tous les
officiers qui se trouvaient avec lui apprirent tous les
crimes de Yishmaël, fils de Netanya, 12 ils rassemblèrent tous leurs hommes et partirent attaquer
Yishmaël, fils de Netanya. Ils l'atteignirent au
grand étang de Gabaôn [b]. 13 A la vue de Yohanân,
fils de Qaréah, et de tous les officiers qui
l'accompagnaient, tout le peuple autour de Yishmaël éclata de joie. 14 Tous ces gens que Yishmaël
avait emmenés de Miçpa firent volte-face, ils se
retournèrent et s'en allèrent auprès de Yohanân, fils
de Qaréah. 15 Quant à Yishmaël, fils de Netanya,
il échappa à Yohanân, avec huit hommes, et s'en
fut chez les Ammonites. 16 Alors Yohanân, fils de
Qaréah, et tous les officiers qui l'accompagnaient
rassemblèrent tout le reste du peuple que Yishmaël,
fils de Netanya, avait emmené de Miçpa comme
prisonniers [c], après qu'il eut tué Godolias, fils
d'Ahiqam : hommes – gens de guerre –, femmes et
enfants, ainsi que les eunuques, ramenés par eux de
Gabaôn. 17 Ils se mirent en marche et firent étape
au Khan de Kimham, près de Bethléem, pour
2 R **25** 26 gagner ensuite l'Égypte, 18 loin des Chaldéens
qu'on redoutait, car Yishmaël, fils de Netanya,
avait tué Godolias, fils d'Ahiqam, que le roi de
Babylone avait préposé au pays.

**La fuite en Égypte.**

LXX : **49** **42** 1 Alors tous les officiers, notamment Yohanân, fils de Qaréah, et Azarya [d], fils de
Hoshaya, ainsi que tout le peuple, petits et grands,
vinrent 2 dire au prophète Jérémie : « Que notre
supplication puisse te toucher! Intercède [e] auprès
de Yahvé ton Dieu en notre faveur et en faveur de
tout ce reste – car nous sommes restés bien peu du
nombre que nous étions, comme tu le vois de tes
propres yeux – 3 pour que Yahvé ton Dieu nous indique quelle voie nous devons suivre et ce que nous
devons faire. » 4 Le prophète Jérémie leur répondit :
« J'entends. Je vais intercéder auprès de Yahvé
votre Dieu selon votre demande; et toute parole
que Yahvé vous répondra, je vous la ferai savoir,
sans vous en rien cacher. » 5 De leur côté, ils dirent
à Jérémie : « Que Yahvé soit témoin contre nous,
véridique et fidèle, si nous n'agissons pas exactement selon la parole que Yahvé ton Dieu t'aura
envoyée pour nous. 6 Que ce soit agréable ou désagréable, nous obéirons à la voix de Yahvé notre
Dieu, auprès de qui nous te députons : ainsi seronsnous heureux pour avoir obéi à la voix de Yahvé
notre Dieu. »

7 Au bout de dix jours, la parole de Yahvé fut
adressée à Jérémie. 8 Alors il convoqua Yohanân,
fils de Qaréah, et tous les officiers qui étaient
auprès de lui, ainsi que tout le peuple, petits et
grands. 9 Il leur dit : « Ainsi parle Yahvé, le Dieu
d'Israël, auprès de qui vous m'avez député pour lui
présenter votre supplication. 10 Si vraiment vous
restez [f] dans ce pays, je vous bâtirai et ne vous 1 10
démolirai plus, je vous planterai et ne vous arracherai plus. Car je me repentirai du mal que je vous
ai fait. 11 Ne craignez pas le roi de Babylone devant
qui vous êtes tout craintifs. Ne le craignez pas –
oracle de Yahvé – car je suis avec vous pour vous
sauver et vous délivrer de sa main. 12 Je vous ferai
prendre en pitié, pour qu'il vous prenne en pitié et
vous laisse revenir sur votre sol. 13 Mais si vous
dites : " Nous ne resterons pas dans ce pays ",
désobéissant ainsi à la voix de Yahvé votre Dieu,
14 si vous dites : " Non! C'est au pays d'Égypte que
nous irons; là nous ne verrons plus la guerre, nous
n'entendrons plus l'appel du cor et ne manquerons
plus de pain; c'est là que nous voulons demeurer ",
15 eh bien! en ce cas, reste de Juda, écoutez la
parole de Yahvé : Ainsi parle Yahvé Sabaot, le
Dieu d'Israël. Si vous êtes résolus à aller en Égypte
et que vous y entriez pour y séjourner, 16 l'épée que
vous redoutez, elle vous atteindra là, en terre
d'Égypte; et la famine qui vous inquiète, elle s'attachera à vos pas, là en Égypte : c'est là que vous
mourrez! 17 Et tous les hommes résolus à aller en
Égypte pour y séjourner y mourront par l'épée, la
famine et la peste : pas un seul survivant ni rescapé

*a)* « une grande citerne » grec; « par la main de Godolias » hébr.
*b)* Actuellement El-Djib, à une dizaine de km au nord-ouest de Jérusalem.
*c)* « que (Yishmaël) avait emmené prisonniers » *'asher shabah 'otam* conj., cf. v. 10s; « qu'il (Yohanân) avait ramené d'auprès (de Yishmaël) *'asher heshib me 'et* hébr.
*d)* « Azarya » grec et **43** 2; « Yezanya » hébr.; mais il faut peut-être l'identifier à Yizanyahu de **40** 8.
*e)* Jérémie reprend ici, cf. **15** 11, le rôle des grands intercesseurs, notamment de Moïse, Ex **32** 11+; cf. 2 M **15** 14.
*f)* Litt. « si (pour) rester vous restez » grec, Vulg., Targ.; « si de nouveau vous restez » hébr.

n'échappera au malheur que je vais leur amener.
[18] Oui, ainsi parle Yahvé Sabaot, le Dieu d'Israël.
Comme se sont déversées ma colère et ma fureur
sur les habitants de Jérusalem, ainsi ma fureur se
déversera sur vous, si vous vous rendez en Égypte.
**24** 9 Vous serez objet d'exécration, de stupéfaction, de
malédiction et de raillerie, et vous ne reverrez plus
ces lieux. [19] [a] Reste de Juda, Yahvé vous a déclaré :
" N'allez pas en Égypte! " Sachez bien qu'aujourd'hui, je vous ai avertis solennellement. [20] Vous
vous êtes égarés vous-mêmes quand vous m'avez
député auprès de Yahvé votre Dieu en disant :
" Intercède pour nous auprès de Yahvé notre Dieu,
et tout ce qu'aura ordonné Yahvé notre Dieu,
annonce-le nous pour que nous l'exécutions. " [21] Et
aujourd'hui, je vous l'annonce mais vous n'obéissez
à la voix de Yahvé votre Dieu en rien de ce qu'il
m'envoie vous dire. [22] Sachez donc bien que vous
mourrez par l'épée, la famine et la peste au lieu où
vous avez désiré vous rendre pour y séjourner. »

LXX : **50** **43** [1] Lorsque Jérémie eut achevé de dire à tout le
peuple toutes les paroles de Yahvé leur Dieu,
dont Yahvé leur Dieu l'avait chargé pour eux –
toutes les paroles rapportées – [2] Azarya, fils de
Hoshaya, Yohanân, fils de Qaréah, et tous ces
hommes insolents répondirent à Jérémie : « C'est
un mensonge que tu débites. Yahvé notre Dieu ne
t'a pas chargé de dire : " N'allez pas en Égypte
pour y séjourner. " [3] Mais c'est Baruch, fils de
Nériyya, qui t'excite contre nous, pour nous livrer
aux mains des Chaldéens qui nous mettront à mort
ou nous déporteront à Babylone.

[4] Aussi, ni Yohanân, fils de Qaréah, ni aucun des
officiers, ni personne du peuple n'obéit à la voix de
Yahvé en demeurant au pays de Juda. [5] Yohanân,
fils de Qaréah, et tous les chefs de l'armée emmenèrent tout le reste de Juda, ceux qui étaient revenus
de chez tous les peuples où ils étaient dispersés,
pour habiter au pays de Juda, [6] hommes, femmes
et enfants, ainsi que les filles du roi et toutes les
personnes que Nebuzaradân, commandant de la
garde, avait laissées avec Godolias, fils d'Ahiqam,
fils de Shaphân, notamment le prophète Jérémie et
Baruch, fils de Nériyya. [7] Ils se rendirent donc en
Égypte, puisqu'ils n'obéirent pas à la voix de
Yahvé, et parvinrent à Tahpanhès [b].

**Jérémie prédit l'invasion de l'Égypte par Nabuchodonosor.**

[8] Or la parole de Yahvé fut adressée à Jérémie,
à Tahpanhès, en ces termes : [9] Prends de grandes
pierres et, en présence des Judéens, enfouis-les dans
du ciment sur la terrasse qui se trouve à l'entrée du
palais de Pharaon, à Tahpanhès [c]. [10] Puis dis à ces
gens : « Ainsi parle Yahvé Sabaot, le Dieu d'Israël.
Voici, je vais envoyer chercher Nabuchodonosor,
roi de Babylone, mon serviteur; il installera [d] son **25** 9; **27** 6
trône sur ces pierres que j'ai enfouies, et il
déploiera sur elles son dais. [11] Il viendra et frappera
le pays d'Égypte :

Qui est pour la peste, à la peste! = **15** 2
Qui est pour la captivité, en captivité!
Qui est pour l'épée, à l'épée!

[12] Il mettra le feu [e] aux temples des dieux de
l'Égypte, il brûlera ces dieux ou les déportera, il
s'enveloppera du pays d'Égypte comme le berger
s'enveloppe de son manteau, puis il en sortira en
paix. [13] Il brisera les obélisques du temple du Soleil,
qui se trouve en Égypte [f], et incendiera les temples
des dieux de l'Égypte.

**Dernier ministère de Jérémie :**
**Les Judéens en Égypte et la Reine du Ciel.**

**44** [1] Parole qui fut adressée à Jérémie pour tous LXX : **51** 1-30
les Judéens installés au pays d'Égypte, en rési-
dence à Migdol, Tahpanhès, Noph, et au pays de
Patros [g].

[2] Ainsi parle Yahvé Sabaot, le Dieu d'Israël.
Vous avez vu tout le malheur que j'ai amené sur
Jérusalem et sur toutes les villes de Juda : les voilà
en ruines aujourd'hui, et sans habitants. [3] C'est à
cause des méfaits qu'ils ont commis pour m'irriter,
en allant encenser et servir des dieux étrangers que
n'avaient connus ni eux, ni vous, ni vos pères. [4] Je
vous ai envoyé sans me lasser tous mes serviteurs **7** 25+
les prophètes, je les ai envoyés dire : « Ne faites pas
cette abomination que je déteste! » [5] Mais ils n'ont
point écouté ni prêté l'oreille pour se convertir de
leur méchanceté et ne plus encenser d'autres dieux.
[6] Alors ma fureur et ma colère se sont déversées,
elles ont embrasé les villes de Juda et les rues de

*a)* Les vv. 19-22 sembleraient mieux à leur place après **43** 3 (en supposant une liaison « Jérémie répondit » et en traduisant, plus normalement, le premier mot du v. 4 par « mais ») cependant aucun témoin du texte n'est en faveur de cette transposition.
*b)* Ville frontière à l'est du Delta égyptien, cf. **2** 16+.
*c)* Jérémie pose symboliquement (cf. **18** 1+) le soubassement du trône de Nabuchodonosor.
*d)* « il installera » grec, syr; « j'installerai » hébr.
*e)* « il mettra le feu » versions; « je mettrai le feu » hébr. – Ce raid victorieux eut lieu en 588/587 sous le Pharaon Amasis.
*f)* Ici le grec porte « qui est à On » (Gn **41** 45, 50; **46** 20). On, nom égyptien, est en grec « Héliopolis », la « Ville-du-Soleil », non loin du Caire. Cette ville possédait effectivement un temple au dieu Soleil, Ra.
*g)* Migdol, à l'est de Tahpanhès, **43** 7+; Noph ou Memphis, **2** 16+; Patros traduit l'égyptien « la terre du sud » et désigne la Haute-Égypte. Cette introduction fait donc du discours de Jérémie une adresse à toute la Diaspora israélite en Égypte (Éléphantine, une des îles en face d'Assouan, avait déjà une colonie juive, cf. 2 M **1** 1+).

Jérusalem, qui furent réduites en ruines et en solitudes, comme c'est le cas aujourd'hui. 7 Et maintenant, ainsi parle Yahvé, le Dieu Sabaot, le Dieu
d'Israël : Pourquoi vous causer à vous-mêmes un
si grand mal? Vous allez faire exterminer du milieu
de Juda hommes et femmes, enfants et nourrissons,
Is 4 3+ sans qu'il vous subsiste un reste, 8 parce que vous
m'aurez irrité par l'œuvre de vos mains, encensant
d'autres dieux sur cette terre d'Égypte où vous êtes
42 18 venus séjourner, travaillant ainsi à votre extermination et devenant pour toutes les nations de la terre
un objet de malédiction et de raillerie. 9 Avez-vous
oublié les méfaits de vos pères, ceux des rois de
Juda et de vos princes [a], les vôtres et ceux de vos
femmes, commis au pays de Juda et dans les rues
de Jérusalem? 10 Ils n'ont ressenti jusqu'à ce jour
aucune contrition, aucune crainte, et n'ont point
marché selon ma Loi et mes prescriptions, que
j'avais placées devant vous et devant vos pères.
11 C'est pourquoi, ainsi parle Yahvé Sabaot, le
Dieu d'Israël. Voici, je vais me tourner contre vous
pour votre malheur, pour exterminer tout Juda.
12 J'enlèverai le reste de Juda qui s'est tourné vers
le pays d'Égypte pour y entrer et y séjourner : ils
périront tous en terre d'Égypte, ils tomberont sous
l'épée, ils périront de famine, petits et grands; par
l'épée et la famine ils mourront, et ils seront objet
d'exécration, de stupéfaction, de malédiction et de
raillerie. 13 Je visiterai ceux qui sont installés au
pays d'Égypte, comme j'ai visité Jérusalem : par
l'épée, la famine et la peste. 14 Dans ce reste de
Juda venu séjourner au pays d'Égypte, pas un seul
rescapé ni survivant n'échappera pour retourner au
pays de Juda, où ils désirent ardemment revenir et
demeurer. Car ils n'y reviendront pas, sauf quelques rescapés.

15 Alors tous les hommes qui savaient que leurs
femmes encensaient des dieux étrangers et toutes
les femmes présentes – une grande assemblée – (et
tout le peuple établi au pays d'Égypte et à Patros)
firent cette réponse à Jérémie : 16 « En ce qui
concerne la parole que tu nous as adressée au nom
de Yahvé, nous ne voulons pas t'écouter; 17 mais
nous continuerons à faire tout ce que nous avons
7 18+ promis : offrir de l'encens à la Reine du Ciel [b] et
lui verser des libations, comme nous le faisions,
nous et nos pères, nos rois et nos princes, dans les
villes de Juda et les rues de Jérusalem : alors nous
Os 2 7 avions du pain à satiété, nous étions heureux et
nous ne voyions point de malheur. 18 Mais depuis
que nous avons cessé d'offrir de l'encens à la Reine
du Ciel et de lui verser des libations, nous avons
manqué de tout et avons péri par l'épée et la
famine. 19 D'ailleurs [c], quand nous offrons de
l'encens à la Reine du Ciel et lui versons des libations, est-ce à l'insu de nos maris que nous lui faisons des gâteaux qui la représentent et lui versons
des libations? »

20 Mais Jérémie déclara à tout le peuple, aux
hommes et aux femmes, à tous ceux qui lui avaient
fait cette réponse : 21 « Cet encens que vous avez
offert dans les villes de Juda et dans les rues de
Jérusalem, vous et vos pères, vos rois et vos
princes, ainsi que le peuple du pays, n'est-ce pas
cela dont Yahvé s'est souvenu et qui lui est remonté
au cœur? 22 Yahvé n'a pu se contenir davantage
devant la méchanceté de vos actes, devant les choses abominables que vous avez faites : ainsi votre
pays est devenu une ruine, une épouvante et une
malédiction, sans habitants, comme c'est le cas
aujourd'hui. 23 C'est que vous avez offert de
l'encens et péché contre Yahvé, n'écoutant pas la 26 4
voix de Yahvé et ne marchant pas selon sa Loi, ses
prescriptions et ses ordonnances; voilà pourquoi ce
malheur vous a atteints, comme c'est le cas
aujourd'hui. »

24 Puis Jérémie s'adressa à tout le peuple, notamment à toutes les femmes : « Écoutez la parole de
Yahvé, vous tous, Judéens qui êtes au pays
d'Égypte : 25 Ainsi parle Yahvé Sabaot, le Dieu
d'Israël. Vous et vos femmes, de votre bouche vous
avez promis et de vos mains vous avez réalisé!
Vous avez dit : " Nous accomplirons exactement
les vœux que nous avons faits : offrir de l'encens
à la Reine du Ciel et lui verser des libations. " Eh
bien! Acquittez-vous de vos vœux, accomplissez
exactement vos vœux! 26 Toutefois, écoutez la
parole de Yahvé, vous tous, les Judéens installés au
pays d'Égypte : voici, je le jure par mon grand
Nom, dit Yahvé. Dans tout le pays d'Égypte, mon
Nom ne sera plus prononcé par la bouche d'aucun
homme de Juda; aucun ne dira : " Par la vie du Seigneur Yahvé [d]! " 27 Voici, je vais veiller sur eux
pour leur malheur, et non pour leur bonheur : tous
les hommes de Juda qui se trouvent au pays
d'Égypte périront par l'épée et la famine, jusqu'à
extinction totale. 28 Cependant des rescapés de
l'épée – en petit nombre – reviendront du pays
d'Égypte au pays de Juda. Alors tout le reste de
Juda venu au pays d'Égypte pour y séjourner
reconnaîtra quelle parole se réalise : la mienne ou
la leur!

*a)* « vos princes » grec; « ses femmes » hébr.
*b)* Ishtar (7 18+); les gâteaux pétris en son honneur, v. 19, représentaient la déesse nue.
*c)* Les femmes prennent ici la parole.
*d)* Les gens qui vénéraient Ishtar prétendaient invoquer aussi Yahvé.

29 « Et voici pour vous – oracle de Yahvé – le
signe que je vous visiterai en ce lieu : alors vous
reconnaîtrez que mes paroles de menace contre
vous se réaliseront. 30 Ainsi parle Yahvé. Voici, je
vais livrer le Pharaon Hophra [a], roi d'Égypte, aux
mains de ses ennemis et de ceux qui en veulent à
sa vie, de la même façon que j'ai livré Sédécias, roi
de Juda, aux mains de Nabuchodonosor, roi de
Babylone, son ennemi qui en voulait à sa vie.

**39** 15 18 **La parole de consolation pour Baruch [b].**

LXX : **51** 31-35 **45** 1 Parole qu'adressa le prophète Jérémie à
Baruch, fils de Nériyya, quand celui-ci écrivit
ces paroles dans un livre sous la dictée de Jérémie,
la quatrième année de Joiaqim [c], fils de Josias, roi
de Juda. 2 Ainsi parle Yahvé, le Dieu d'Israël, à ton
sujet, Baruch. 3 Tu as dit : « Malheur à moi, car
Yahvé accumule pour moi peines sur douleurs! Je
suis épuisé à force de gémir et ne trouve aucun
répit! » 4 Tu lui parleras en ces termes : Ainsi parle
Yahvé. Ce que j'avais bâti, je le démolis, ce que 1 10
j'avais planté, je l'arrache, et cela pour toute la
terre! 5 Et toi, tu réclames pour toi de grandes choses! Ne réclame pas, car voici que moi, j'amène le
malheur sur toute chair, oracle de Yahvé. Mais toi,
je t'accorde ta vie pour butin, partout où tu iras. 21 9; **38** 2; **39** 18

**46** 1 Parole de Yahvé qui fut adressée au prophète
Jérémie concernant les nations.

# *V. Oracles contre les nations [d]*

Is **19** **Oracles contre l'Égypte. La défaite de Karkémish.**

LXX : **26** 2 Sur l'Égypte.
Contre l'armée du Pharaon Néko, roi d'Égypte,
qui se trouvait près du fleuve Euphrate, vers Karkémish [e], quand Nabuchodonosor, roi de Babylone, la battit; c'était la quatrième année de Joiaqim, fils de Josias, roi de Juda.

3 Préparez petit et grand boucliers,
en avant pour la bataille!
4 Harnachez les chevaux,
en selle, cavaliers!
Alignez-vous, casque en tête,
affûtez les lances,
endossez vos cuirasses!
5 Pourquoi donc les ai-je vus
pris de panique,
lâchant pied?
Am **2** 14-16 Leurs braves, battus,
s'enfuient éperdument
sans se retourner.
C'est la terreur de tous côtés,
oracle de Yahvé.

6 Que le plus rapide ne s'échappe pas,
que le plus valeureux ne s'enfuie pas!
Vers le Nord, aux rives de l'Euphrate,
ils ont trébuché, ils sont tombés.

7 Qui donc montait, pareil au Nil, Is **8** 7-8
et comme des torrents bouillonnaient ses eaux?
8 C'est l'Égypte qui montait, pareille au Nil,
et comme des torrents bouillonnaient ses eaux.
Elle disait : « Je monterai submerger la terre,
détruire les villes et leurs habitants!
9 Chevaux, chargez!
Chars, foncez!
Que s'avancent les guerriers,
gens de Kush et de Put, porteurs de boucliers,
Ludiens qui bandez l'arc [f]! »
10 Or ce jour-là est pour le Seigneur Yahvé Sabaot
un jour de vengeance, pour se venger de ses
adversaires :
l'épée dévore, elle se rassasie,
elle s'enivre de leur sang.
Car c'est un sacrifice pour le Seigneur Yahvé
Sabaot,
au pays du Nord, sur le fleuve Euphrate.

*a)* En grec Apriès (589-569), cf. **37** 6; successeur de Néko, il sera tué par Amasis, prince de Libye. Ce meurtre prochain est donné par Jérémie comme signe, cf. **28** 17+, pour confirmer l'annonce de l'invasion ultérieure de Nabuchodonosor en 568-567; cf. **43** 12+.

*b)* Ce passage, en conservant le souvenir d'un oracle personnellement adressé à Baruch, est comme la signature du secrétaire du prophète, à qui il faut attribuer, semble-t-il, les fragments biographiques des ch. **26-44**.

*c)* En 605; cf. **36** 1.

*d)* Les oracles contre les nations, groupés par l'hébreu à la fin du livre, **46-51**, ont gardé dans la version grecque leur place primitive, à la suite de l'introduction que constitue le ch. **25**. Le recueil primitif de ces oracles paraît avoir été surchargé; cf. **25** 17+.

*e)* Actuellement la bourgade syrienne de Djerablus, au nord-est d'Alep, sur l'Euphrate. Sise sur un gué conduisant de Syrie en Mésopotamie, cette cité fut, en 605, le théâtre de la bataille entre Néko (609-594) venant au secours de l'empire assyrien agonisant (et qui, au passage, avait tué Josias à Megiddo, 2 Ch **35** 19-25; cf. Jr **22** 10), et Nabuchodonosor (605-562). La victoire de ce dernier lui livra la Syrie et la Palestine, cf. 2 R **24** 7+.

*f)* Avant « qui bandez » l'hébr. ajoute « qui portez », dittographie probable. – Kush est l'Éthiopie; Put, la Somalie; Lud, une peuplade africaine, citée généralement avec Put, cf. Is **66** 19; Ez **27** 10; **30** 5.

8 22 11 Monte en Galaad et prends du baume,
vierge, fille de l'Égypte!
En vain tu multiplies les remèdes :
point de guérison pour toi!
12 Les nations ont appris ton déshonneur;
de ta clameur la terre est remplie,
car le guerrier a trébuché contre le guerrier,
ils sont tombés tous les deux.

42 15-22; **L'invasion de l'Égypte** [a].
**43** 8-13

13 Parole que Yahvé adressa au prophète Jérémie
quand Nabuchodonosor, roi de Babylone, vint pour
frapper le pays d'Égypte.

**44** 1 14 Publiez-le en Égypte,
faites-le entendre à Migdol,
faites-le entendre à Noph et à Tahpanhès!
Dites : Dresse-toi, tiens-toi prête,
car l'épée dévore autour de toi.
Is **46** 1-2 15 Pourquoi Apis a-t-il fui?
Pourquoi ton Puissant n'a-t-il pas tenu [b]?
Oui, Yahvé l'a culbuté,
16 il en fait trébucher beaucoup!
Chacun tombe sur son compagnon;
ils disent : « Debout! Retournons à notre peuple
et à notre terre natale,
loin de l'épée dévastatrice. »
17 On a donné ce nom à Pharaon [c], le roi d'Égypte :
« Du-bruit!-mais-il-manque-l'occasion! »
18 Aussi vrai que je vis
– oracle du Roi dont le nom est Yahvé Sabaot –
il va venir, pareil au Tabor parmi les monts,
au Carmel surplombant la mer.

19 Prépare ton paquet d'exilée,
habitante, fille de l'Égypte;
Noph [d] se changera en désolation,
dévastée et vidée d'habitants.
20 L'Égypte était une génisse magnifique :
un taon venu du Nord s'est posé sur elle.
21 Ses mercenaires aussi, chez elle,
ressemblaient à des veaux à l'engrais :
eux aussi tournent les talons,
ils s'enfuient tous ensemble, ils ne peuvent tenir.
Car il arrive sur eux, le Jour de leur ruine,
le temps de leur châtiment.

22 Sa voix est comme le bruit du serpent qui siffle [e],
car ils viennent en masse
se jeter sur elle avec des haches,
tels des bûcherons;
23 ils abattent sa forêt – oracle de Yahvé –
alors qu'elle était impénétrable,
car ils sont plus nombreux que les sauterelles,
ils sont innombrables.
24 Elle est couverte de honte, la fille de l'Égypte,
livrée aux mains d'un peuple du Nord.

25 Yahvé Sabaot, le Dieu d'Israël, a dit : Voici
que je vais visiter Amon de No [f], le Pharaon,
l'Égypte, ses dieux et ses rois, Pharaon et ceux qui
se fient à lui. 26 Je les livrerai aux mains de ceux
qui en veulent à leur vie, aux mains de Nabuchodonosor, roi de Babylone, et aux mains de ses serviteurs. Mais plus tard l'Égypte sera de nouveau
habitée, comme aux jours d'autrefois, oracle de
Yahvé [g].

27 Mais toi, ne crains pas, mon serviteur Jacob, = **30** 10-11
ne sois pas terrifié, Israël [h]!
Car me voici pour te sauver des terres lointaines,
et tes descendants du pays de leur captivité.
Jacob reviendra et sera paisible,
il sera tranquille, sans personne qui l'inquiète.
28 Toi, sois sans crainte, mon serviteur Jacob
– oracle de Yahvé – car je suis avec toi :
Je ferai l'extermination de toutes les nations
où je t'ai dispersé;
avec toi je ne ferai pas d'extermination,
mais je te châtierai selon le droit,
ne te laissant pas impuni.

**Oracle contre les Philistins.**

**47** 1 Parole de Yahvé qui fut adressée au prophète LXX : **29**
Jérémie sur les Philistins, avant que Pharaon Jos **13** 2+
ne frappe Gaza [i] : 2 Ainsi parle Yahvé. Am **1** 6-8
So **2** 4-7
Ez **25** 15-17

Voici les eaux qui montent du Nord,
elles deviennent un fleuve débordant

*a)* Oracle postérieur au précédent. L'invasion annoncée eut lieu sous le Pharaon Amasis, en 568/567, cf. **43** 12+.
*b)* « Apis a-t-il fui » grec; « a-t-il été renversé » hébr. – « ton Puissant », au sing. avec 65 ms hébr., grec et Vulg.; le TM porte le pluriel. – Le taureau Apis, incarnation du dieu Ptah, était le protecteur de Memphis; vivant, il était nourri dans un temple; mort, il devenait un Osiris-Apis, ou Osar-Api, d'où le nom de Sérapeum, nécropole où il était embaumé et enseveli. En face de cette idole, le seul vrai Dieu est précisément le « Puissant de Jacob », cf. Gn **49** 24; Ps **132** 2, 5; Is **1** 24; **49** 26 et **60** 16.
*c)* Litt. « on a appelé de ce nom » grec et Vulg.; « on a appelé là » hébr. Le Pharaon est Hophra, qui, en 588, avait donné à Sédécias un faux espoir, cf. ch. **37**.
*d)* C'est Memphis, cf. **2** 16+; **44** 1.
*e)* « qui siffle » grec; « qui vient » (cf. stique suivant) hébr.
*f)* Amon, le dieu-bélier de Thèbes; c'est cette ville dont le nom égyptien est transcrit par No, cf. Na **3** 8; Ez **30** 14-16.
*g)* Même annonce d'une restauration future des peuples châtiés par Yahvé en **48** 47; **49** 6, 39; cf. Is **19** 21s.
*h)* Les vv. 27-28, qui forment comme la contrepartie en faveur d'Israël de l'annonce de la restauration de l'Égypte au v. 26, réutilisent **30** 10-11. Toutefois « Jacob » et « Israël » désignent non plus le royaume du Nord, mais tout le peuple de Yahvé, dans la perspective du Second Isaïe.
*i)* Soit le Pharaon Néko, selon Hérodote (Histoire II, 159, où Magdolos serait Megiddo et Kadytis Gaza); soit le Pharaon Hophra qui, toujours selon Hérodote (II, 161), combattit Tyr et Sidon et à cette occasion attaqua peut-être leurs alliés philistins.

qui submerge le pays avec ce qu'il contient,
les villes avec leurs habitants.
Les hommes crient, ils gémissent
tous les habitants du pays,
[3] au martèlement des sabots de ses chevaux,
au vacarme de ses chars, au fracas de ses roues.
Les pères ne regardent plus leurs enfants,
leurs mains défaillent,
[4] à cause du Jour qui est arrivé
où tous les Philistins seront anéantis,
où Tyr et Sidon verront abattre
jusqu'à leurs derniers alliés.
Oui, Yahvé anéantit les Philistins,
Jos 13 2+ le reste de l'île de Kaphtor [a].
[5] La tonsure a été infligée à Gaza,
Ashqelôn est réduite au silence.
Toi qui restes de leur vallée,
jusques à quand te feras-tu des incisions [b]?
[6] Hélas, épée de Yahvé,
jusques à quand seras-tu sans repos?
Rentre en ton fourreau,
arrête, calme-toi!
[7] – Comment se reposerait-elle [c]
quand Yahvé lui a donné des ordres?
Ashqelôn et le rivage de la mer,
voilà les buts fixés.

**Oracles contre Moab [d].**

LXX : 31 Nb 22 36+ || Is 15-16 Am 2 1-3 Ez 25 8-11 **48** [1] Sur Moab [e]. Ainsi parle Yahvé Sabaot, le
Dieu d'Israël.

Malheur au Nébo, car il est saccagé,
Qiryatayim a eu honte, elle est prise,
honte et terreur sur la citadelle :
[2] elle n'est plus, la fierté de Moab!
A Heshbôn on a machiné son malheur :
« Allons! Supprimons-la d'entre les nations! »
Toi aussi, Madmèn, tu seras réduite au silence,
l'épée te serre de près.
[3] Des clameurs viennent de Horonayim :
« Dévastation! Immense désastre! »
[4] Moab est terrassée,
ses petits font entendre un cri.
[5] Oui, la montée de Luhit, || Is 15 5
on la monte en pleurant [f].
Oui, à la descente de Horonayim,
on entend une clameur de désastre :
[6] « Fuyez, sauvez votre vie,
imitez l'onagre [g] dans le désert! »
[7] Oui, puisque tu t'es fiée à tes œuvres et à tes
trésors,
tu seras prise, toi aussi.
Kemosh [h] partira en captivité,
avec ses prêtres et ses princes tous ensemble.
[8] Un dévastateur va venir contre toute ville,
aucune ne réchappera :
la Vallée sera ravagée, le Plateau saccagé,
comme Yahvé l'a dit.
[9] Donnez des ailes [i] à Moab,
pour qu'elle puisse s'envoler!
Ses villes se changeront en désolation,
nul n'y habitant plus.
[10] (Maudit celui qui fait avec négligence le travail
de Yahvé!
Maudit qui prive de sang son épée!)
[11] Tranquille était Moab depuis sa jeunesse,
il reposait sur sa lie,
n'ayant jamais été transvasé,
n'étant jamais parti en exil;
aussi sa saveur lui était restée
et son parfum ne s'était pas altéré [j].
[12] C'est pourquoi, voici venir des jours – oracle
de Yahvé – où je lui enverrai des transvaseurs qui
le transvaseront; ils videront ses cruches et briseront ses amphores. [13] Alors Moab aura honte de
Kemosh, comme la Maison d'Israël a eu honte de
Béthel [k] en qui elle se confia. 1 R 12 29 Os 10 5 Am 5 5

*a)* La Crète; on considérait que les Philistins en étaient originaires, Dt **2** 23; Am **9** 7. Sur les villes philistines, voir **25** 20.
*b)* Au lieu de « de leur vallée » une légère correction permettrait de lire, comme le grec : « des Anaqim », cf. Jos **11** 22. – Tonsure et incisions sont des rites de deuil, cf. Lv **21** 5; Mi **1** 16, etc.
*c)* « se reposerait-elle » versions, cf. la suite du v.; « te reposerais-tu » hébr.
*d)* Il est difficile de discerner exactement le noyau primitif de cet oracle, dont le texte réutilise plusieurs passages bibliques : Is **15-16**; Nb **21** 27-30; **24** 17. Il a pu être prononcé après 605, cf. **25** 21; ou après 593, cf. **27** 3; ou après 587, cf. Ez **25** 8-11.
*e)* Moab est au sud d'Ammon, en Transjordanie; on reconnaît ici : le mont Nébo (Dt **34** 1); Qiryatayim, peut-être vers le Khirbet el-Quraiyat, au sud-ouest de Madaba; Heshbôn, aujourd'hui Hesbân, 12 km au nord de Madaba, et dont le nom fait ici jeu de mots avec *hashab*, « machiner »; Madmèn, aujourd'hui Khirbet Dimna, à 12 km au nord de Kérak, qui fait jeu de mots avec *damam*, « être réduit au silence »; Horonayim, vraisemblablement à l'est du pays, aux confins du désert; Luhit, mal localisé, est à situer plutôt à l'ouest; enfin si, avec le grec, on lit le v. 4[b] : « annoncez-le jusqu'à Çoar » (au sud de la mer Morte, cf. Gn **14** 2, 8), on se rend compte que l'effroi provoqué par l'invasion saisit le pays dans toute son étendue.
*f)* « (on) la (monte) » *bô* conj., cf. Is **15** 5; l'hébr. répète le mot « pleurs » *bekê*.
*g)* « l'onagre » (hébr. *arod*) grec; « Aroër » hébr.
*h)* Dieu national des Moabites : vv. 13 et 46; cf. Nb **21** 29; 1 R **11** 7 et 33.
*i)* Le mot hébr. (*çîc*) signifie normalement « fleur »; nous avons peut-être ici un sens inusité de ce mot, à moins qu'il ne faille corriger en *noçah* « plumage » « ailes », cf. Ez **17** 3; Jb **39** 13. Le grec a lu *çiyûn* « tombeau » et traduit : « donnez un tombeau à Moab, car elle est dévastée ».
*j)* Moab, pays de vignoble, cf. vv. 32-33, était renommé pour son vin.
*k)* C'est le nom d'un grand sanctuaire du Nord, qui devint après le schisme le rival de celui de Jérusalem, cf. 1 R **18** 29; Am **7** 13; mais c'est aussi un nom divin dans le culte hétérodoxe de la colonie juive d'Éléphantine.

14 Comment pouvez-vous dire : « Nous sommes des héros,
de vrais combattants »?
15 Moab est ravagé; on a escaladé ses villes,
l'élite de sa jeunesse descend à la boucherie,
oracle du Roi qui a pour nom Yahvé Sabaot.
16 La ruine de Moab est proche,
son malheur se précipite.
17 Plaignez-le, vous tous ses voisins,
vous tous qui connaissiez son nom.
22 18+ Dites : « Quoi! Il est brisé, ce bâton puissant,
ce sceptre magnifique! »

18 Descends de ta gloire, assieds-toi sur un sol assoiffé,
habitante, fille de Dibôn [a],
car le dévastateur de Moab est monté contre toi,
il a détruit tes forteresses.
19 Poste-toi sur la route et guette,
habitante d'Aroër,
interroge fuyard et rescapé.
Demande : « Qu'est-il arrivé [b]? »
20 – « Moab est honteux de sa destruction;
gémissez et criez!
Publiez sur l'Arnon que Moab est dévasté! »
Jos 13 17-19 21 Le jugement est venu contre le Plateau, contre
Nb 33 46 Holôn, Yahça, Méphaat, 22 Dibôn, Nébo, Bet-Di-
blatayim, 23 Qiryatayim, Bet-Gamul, Bet-Meôn,
24 Qeriyyot, Boçra et contre toutes les villes du
pays de Moab, les lointaines comme les proches [c].
25 « La force de Moab est abattue,
son bras est brisé, oracle de Yahvé. »
Is 51 17+ 26 Enivrez-le, car il s'est dressé contre Yahvé :
que Moab se roule dans sa vomissure et devienne,
Ez 25 8-11 lui aussi, une risée. 27 Israël n'était-il pas pour toi
une risée? A-t-il été surpris parmi les voleurs, que
tu hoches la tête chaque fois que tu parles de lui?

28 « Abandonnez les villes, installez-vous dans les rochers,
habitants de Moab!
Imitez le pigeon qui fait son nid
aux parois d'une gorge béante! »

29 Nous avons appris l'orgueil de Moab, || Is 16 6
son arrogance excessive :
quelle superbe! quel orgueil! quelle arrogance!
quel cœur altier!
30 – Je connais bien sa présomption – oracle de Yahvé –
son bavardage sans consistance,
ses actes sans consistance!
31 – Aussi je me lamente sur Moab, || Is 16 7
sur Moab tout entier, j'élève mon cri;
on gémit sur les gens de Qir-Hérès.
32 Plus que sur Yazèr, je pleure sur toi,
vignoble de Sibma [d].
Tes sarments s'étendaient au-delà de la mer,
ils atteignaient jusqu'à Yazèr.
Sur ta vendange et ta récolte
est tombé le dévastateur.
33 L'allégresse et la gaîté ont disparu Is 16 10
des vergers et de la terre de Moab.
J'ai tari le vin des cuves,
le fouleur ne foule plus,
le cri de joie ne résonne plus [e].

34 Les cris de Heshbôn et de Éléalé vont jusqu'à Is 15 4-5
Yahaç. On élève la voix de Çoar jusqu'à Horonayim et à Églat-Shelishiyya, car même les eaux
de Nimrim deviennent un lieu désolé [f].
35 Et je ferai disparaître en Moab – oracle de
Yahvé – celui qui fait une offrande sur le haut lieu
et celui qui encense ses dieux.
36 Aussi mon cœur hulule sur Moab à la manière Is 15 5
des flûtes; mon cœur hulule sur les gens de Qir-Hérès à la manière des flûtes; parce qu'il est perdu, le
trésor amassé! 37 Oui, toute tête est rasée, toute Is 15 2-3
barbe coupée, à toutes les mains il y a des incisions, Lv 21 5
sur tous les reins un sac! 38 Sur toutes les terrasses Jr 47 5
de Moab et sur toutes ses places, ce n'est qu'une
lamentation, parce que j'ai brisé Moab comme un
vase de rebut, oracle de Yahvé. 39 Comme il a été
détruit! Gémissez! Comme Moab, honteusement, a
tourné le dos! Moab est devenu un objet de risée
et d'épouvante pour tous ses voisins.

40 Car ainsi parle Yahvé :
(Voici comme un aigle qui plane = 49 22

*a)* Litt. « assieds-toi dans la soif ». – Dibôn, aujourd'hui Dibân, à 5 km environ au nord-ouest de Aroër (v. 19), aujourd'hui Araïr, sur l'Arnon. C'est à Dibân que fut découverte la stèle de Mésha, roi de Moab; 2 R 3 4+.
*b)* « rescapé » versions; « rescapée » hébr. – La réponse est donnée aux vv. 20, 25 (où « oracle de Yahvé », omis par le grec, est peut-être une addition) et 28; les morceaux en prose sont des commentaires.
*c)* La plupart des villes citées ici sont d'identification incertaine. Il s'agit d'ailleurs simplement, par cette longue énumération, d'exprimer l'ampleur du désastre.
*d)* Qir-Hérès, « mur de tessons », est ici un sobriquet pour Qir-Moab, ancienne capitale des Moabites, aujourd'hui Kérak. Yazèr, probablement Khirbet Jazzir, au nord du pays de Moab. Sibma, entre Heshbôn (v. 2) et le Nébo; la mer qu'est censé atteindre son vignoble est la mer Morte, à l'ouest.
*e)* « le fouleur » versions, cf. 1 S 16 10; « le cri de joie » hébr., dittographie; – « résonne » *herîm* ou *yehuddad*, en supposant une forme non attestée du mot « cri de joie » *hêdad*, que répète l'hébr.
*f)* « les cris » conj.; « à cause des cris » hébr. – « et de Éléalé » conj.; cf. 1 S 15 4; « jusqu'à Éléalé » hébr. – Seules Çoar, au sud, et Heshbôn et Éléalé à quelques km l'une de l'autre, au nord, cf. v. 1+, sont identifiées de manière certaine. Les « eaux de Nimrim » sont sans doute à chercher au nord de la mer Morte (mais on a proposé aussi le wadi Numeira, au sud-est).

et va déployer ses ailes sur Moab.)
41 Les villes sont prises,
les forteresses enlevées.
(Et le cœur des guerriers de Moab, en ce jour-là,
sera pareil au cœur d'une femme en travail.)
42 Moab, exterminé, cesse d'être un peuple,
pour s'être dressé contre Yahvé.
|| Is **24** 17-18 43 Frayeur, fosse, filet,
pour toi, habitant de Moab!
Oracle de Yahvé.
44 Qui fuira loin de la frayeur
tombera dans la fosse,
et qui remontera de la fosse
sera pris dans le filet.
Oui, je vais amener tout cela [a] sur Moab,
l'année de leur châtiment,
oracle de Yahvé.

45 A l'abri de Heshbôn ont fait halte
les fuyards à bout de force.
Nb **21** 28-29 Mais un feu est sorti de Heshbôn,
une flamme du palais de Sihôn [b],
Nb **24** 17 qui a dévoré les tempes de Moab
et le crâne d'une engeance de tumulte.
46 Malheur à toi, Moab!
Il est perdu, le peuple de Kemosh!
Car tes fils sont emmenés en exil
et tes filles en captivité.

**46** 26+ 47 Mais je ramènerai les captifs de Moab,
à la fin des jours, oracle de Yahvé.

Jusqu'ici le jugement de Moab [c].

**Oracle contre Ammon [d].**

LXX : **30** **49** 1 Aux fils d'Ammon.
Dt **2** 19+
Am **1** 13-15 Ainsi parle Yahvé :
Ez **25** 1-7 Israël n'a-t-il pas de fils,
So **2** 8-11 n'a-t-il pas d'héritier?
Pourquoi Milkom a-t-il hérité de Gad
et son peuple en occupe-t-il les villes [e]?
2 Eh bien! Voici venir des jours
– oracle de Yahvé –
où je ferai résonner pour Rabba des Ammonites
le cri de guerre.
Elle deviendra une ruine désolée,
ses filles [f] seront incendiées.
Alors Israël héritera de ses héritiers,
dit Yahvé.
3 Gémis, Heshbôn, parce que Ar a été dévastée [g]. Nb **20** 21+
Hurlez, filles de Rabba!
revêtez-vous de sacs, élevez la lamentation,
errez dans les enclos!
Car Milkom va partir en exil
avec ses prêtres et ses princes tous ensemble.
4 Comme tu te glorifiais de ta Vallée [h],
fille rebelle,
tu te fiais à tes réserves :
« Qui osera venir contre moi? »
5 Voici, je vais amener contre toi l'épouvante
– oracle du Seigneur Yahvé Sabaot –
de tous les alentours;
vous serez chassés, chacun devant soi,
et personne pour rassembler les fuyards.

6 (Mais ensuite je ramènerai les captifs des fils **46** 26+
d'Ammon, oracle de Yahvé.)

**Oracle contre Édom [i].** Dt **2** 1+

Ps **137** 7
7 A Édom. Am **1** 11-12
Ez **25** 12-14
|| Ab 1-9
Ainsi parle Yahvé Sabaot.
N'y a-t-il plus de sagesse dans Témân, Ba **3** 22
le conseil a-t-il disparu chez les gens intelligents [j],
leur sagesse s'est-elle évanouie?
8 Fuyez! Détournez-vous! Cachez-vous bien,
habitants de Dédân,
car j'amène sur Ésaü sa ruine [k], Ml **1** 2-5
le temps de son châtiment.
9 Si des vendangeurs viennent chez toi, || Ab 5-6
ils ne laisseront rien à grappiller;
si ce sont des voleurs nocturnes,
ils saccageront tout leur content.
10 Car c'est moi qui dénude Ésaü,
je mets à découvert ses cachettes :
il ne peut plus se dissimuler.

*a)* « tout cela » grec, syr.; « sur elle » hébr.
*b)* « du palais » *mibbêt* avec 3 mss hébr.; « du milieu » *mibbên* TM. – Sihôn est le roi des Amorites, qui avait pour capitale Heshbôn, Nb **21** 27-28; Dt **2** 26-37.
*c)* Note d'un scribe, cf. **51** 64.
*d)* Oracle authentique, sauf le v. 2 sans doute plus tardif.
*e)* Le territoire des Ammonites, en Transjordanie, au nord de Moab, avait pour capitale Rabba (v. 2) ou Rabbat-Ammon, aujourd'hui Amman. Lors de la conquête, ce territoire avait été attribué à la tribu de Gad, cf. Nb **32**; Jos **13** 24-28; en le prenant aux Israélites, après 734 puis de nouveau en 721, les Ammonites et avec eux Milkom, leur dieu national, avaient donc usurpé un droit. – Ici et au v. 3, on lit « Milkom », avec les versions et 1 R **11** 5, 7, 33; 2 R **23** 13, plutôt que *malkam*, « leur roi », de l'hébr.
*f)* Les villes qui dépendent de Rabba, leur métropole.
*g)* Heshbôn, cité moabite, cf. **48** 1, probablement conquise par les Ammonites. – « Ar » (en Transjordanie, cf. Nb **21** 28) conj.; l'hébr. porte « Aï », ville de Cisjordanie.
*h)* « de ta Vallée » conj.; « des vallées, ta vallée ruisselle » hébr. – La vallée principale du pays ammonite est celle du Yabboq.
*i)* Cet oracle doit être placé vers 605. Noter le parallèle avec Ab 1-9.
*j)* « intelligents » grec; « fils » hébr. (simple corr. vocalique). La sagesse édomite était célèbre, cf. 1 R **5** 10-11; Jb **2** 11; Ba **3** 22-23, etc.
*k)* Dédân : l'oasis d'El-Éla en Arabie; en Ez **25** 13 Témân (peut-être l'actuelle Tawilân, proche de Pétra) et Dédân semblent représenter les limites (nord et sud) d'Édom. – Sur Ésaü ou Édom, cf. Gn **36** 8.

Sa race est anéantie,
de même ses frères et ses voisins; il n'existe plus!
11 Laisse tes orphelins, je les ferai vivre,
et que tes veuves se confient en moi!

12 Car ainsi parle Yahvé : Vois, ceux qui n'au-
25 28-29 raient pas dû boire la coupe la boiront sûrement,
Is 51 17+ et toi, tu resterais impuni? Tu ne resteras pas
impuni, mais tu la boiras pour de bon! 13 Car j'en
ai fait le serment par moi-même – oracle de Yahvé
– Boçra [a] deviendra un objet de stupeur et de raillerie, une ruine et une malédiction; toutes ses villes
seront réduites en ruines perpétuelles.

|| Ab 1-4 14 J'ai reçu de Yahvé un message,
un héraut était dépêché parmi les nations :
« Rassemblez-vous! Marchez contre ce peuple!
Debout pour le combat! »
15 Car, vois, je te rends petit parmi les nations,
méprisé parmi les hommes.
16 Cela t'a égaré de répandre l'effroi,
de t'exalter en ton cœur,
toi qui habites au creux de la Roche [b]
et t'accroches au sommet de la hauteur!
51 53 Quand tu hausserais ton nid comme l'aigle,
Ha 2 9 je t'en précipiterais, oracle de Yahvé.

17 Édom deviendra un objet de stupeur; tous ceux
qui passeront près d'elle, stupéfaits, siffleront
devant toutes ses blessures. 18 Comme au boulever-
= 50 40 sement de Sodome, de Gomorrhe et des cités voisines, dit Yahvé, personne n'y habitera plus, aucun
humain n'y séjournera plus.

= 50 44-46 19 Voici que, tel un lion, il monte des halliers du
Jourdain
vers le pâturage toujours vert.
En un clin d'œil, je les en ferai déguerpir,
pour y établir celui que je choisirai.
Qui en effet est mon égal?
Jb 9 19 Qui pourrait m'assigner en justice?
Sg 12 12 Quel est donc le pasteur
qui tiendrait devant moi?
20 Aussi apprenez le dessein
que Yahvé a formé contre Édom,
et le plan qu'il a résolu
contre les habitants de Témân :
Certainement on les traînera comme les plus
petits du troupeau!
Certainement on va saccager leur prairie devant
eux!
21 Au bruit de leur chute, la terre tremble,
l'écho en retentit jusqu'à la mer des Roseaux [c].
22 Voici comme un aigle qui monte et plane
et va déployer ses ailes sur Boçra.
Le cœur des guerriers d'Édom, en ce jour-là,
sera pareil au cœur d'une femme en travail.

**Oracle contre des villes syriennes [d].**

23 A Damas. Is 17 1-3
Am 1 3-5

Hamat et Arpad sont honteuses
car elles ont reçu une mauvaise nouvelle.
Elles sont soulevées par l'inquiétude
comme la mer [e] qui ne peut se calmer.
24 Damas est découragée et s'apprête à la fuite,
un tremblement l'a saisie
(angoisse et douleurs l'ont prise comme une 4 31+
femme en couches).
25 Comment ne serait-elle pas abandonnée, la fière
cité,
la ville joyeuse [f]?
26 Aussi ses jeunes hommes tomberont sur ses
places et tous ses hommes de guerre périront, en
ce jour-là – oracle de Yahvé Sabaot.
27 J'allumerai le feu dans les remparts de Damas
et il dévorera les palais de Ben-Hadad [g].

**Oracle contre les tribus arabes.** 25 23-24

28 A Qédar et aux royaumes de Haçor [h], que Is 21 13-17
vainquit Nabuchodonosor, roi de Babylone. Ainsi
parle Yahvé.

Levez-vous, montez contre Qédar,
anéantissez les fils de l'Orient!
29 Leurs tentes et leurs moutons, qu'on les prenne,
leurs étoffes et tous leurs ustensiles;
qu'on s'empare de leurs chameaux
et qu'on crie sur eux : « Terreur de tous côtés! »
30 Fuyez, partez vite, cachez-vous bien,
habitants de Haçor – oracle de Yahvé –
car Nabuchodonosor, roi de Babylone, a médité
contre vous un projet,
formé contre vous un plan :
31 « Debout! Montez contre une nation tranquille

*a)* Distincte de la Boçra de Moab (**48** 24), Boçra, capitale d'Édom, est à identifier avec la Buseira actuelle, une quarantaine de km au sud de la mer Morte.
*b)* La « Roche » d'Édom, cf. 2 R **14** 7; Is **16** 1, longtemps identifiée avec la ville de Pétra, serait plutôt à chercher plus au nord, dans la région de Boçra.
*c)* L'hébr. répète ici « son bruit », omis par grec. – Il s'agit ici de la mer Rouge.
*d)* Cet oracle, qui n'est pas annoncé en **25** 13-26, peut se rapporter à la panique qui, en Syrie, alors possession égyptienne, aurait suivi la défaite de l'Égypte à Karkémish en 605; cf. **46** 2+.
*e)* « comme la mer » *kayyam* conj.; « dans la mer » *bayyam* hébr. – Hamat, cf. **39** 5. Arpad, actuellement Tell Erfad, au nord d'Alep.
*f)* « ville joyeuse » syr., Targ., Vulg.; « ville de ma joie » hébr.
*g)* Ben Hadad III, fils de Hazaël et roi à Damas vers 840, cf 2 R **13** 24; Am **1** 4.
*h)* Haçor, nom collectif désignant les Arabes semi-sédentaires par opposition aux Bédouins du désert.-« royaume » est à prendre ici au sens large de groupement sous l'autorité d'un chef de tribu.

qui demeure en sécurité – oracle de Yahvé –
qui n'a ni portes ni verrous,
qui habite à l'écart.
32 Leurs chameaux seront une proie,
leurs moutons innombrables un butin! »
Je vais les disperser à tout vent,
ces Tempes-rasées,
et de tous côtés je ferai venir leur ruine,
oracle de Yahvé.
33 Haçor deviendra un repaire de chacals,
une solitude pour toujours.
Personne n'y habitera plus,
aucun humain n'y séjournera plus.

**Oracle contre Élam** [a].

LXX : **25** 14-20 34 Parole de Yahvé qui fut adressée au prophète
Jérémie au sujet d'Élam, au commencement du
règne de Sédécias, roi de Juda.
35 Ainsi parle Yahvé Sabaot.

Voici, je vais briser l'arc d'Élam,
nerf de sa puissance.
36 J'amènerai sur Élam quatre vents,
des quatre extrémités du ciel,
et je disperserai les Élamites à tous ces vents;
il n'y aura pas de nation où n'arrivent des gens
chassés d'Élam.
37 Je ferai trembler les Élamites devant leurs ennemis,
devant ceux qui en veulent à leur vie.
J'amènerai sur eux le malheur,
ma colère ardente – oracle de Yahvé.
J'enverrai l'épée à leur poursuite,
jusqu'à ce que je les aie exterminés.
38 J'établirai mon trône en Élam,
j'en extirperai roi et princes,
oracle de Yahvé.

**46** 26+ 39 Mais à la fin des jours, je ramènerai les captifs
d'Élam, oracle de Yahvé.

**13; 14; 47** **Oracle contre Babylone** [b].
Ap **18**
LXX : **27**

50 1 Parole qu'a prononcée Yahvé contre Babylone, contre le pays des Chaldéens, par le
ministère du prophète Jérémie.

**Chute de Babylone, libération d'Israël.**

2 Annoncez-le parmi les nations, publiez-le,
hissez un signal et publiez-le,
ne cachez rien, proclamez :
Babylone est prise, Bel honteux, Mérodak Is **46** 1
écroulé [c].
(Ses idoles sont honteuses,
ses Saletés écroulées.)
3 Car du Nord monte contre elle une nation
qui fera de son pays une désolation;
nul n'y habitera plus,
hommes et bêtes ont fui et disparu.

4 En ces jours et en ce temps – oracle de Yahvé –
les enfants d'Israël reviendront
(eux et les enfants de Juda ensemble [d]),
ils feront route en pleurant
et chercheront Yahvé leur Dieu.
5 Ils réclameront Sion,
vers elle, ils tourneront leur face :
« Venez! Attachons-nous [e] à Yahvé
par une alliance éternelle que l'on n'oublie pas! »
6 Les gens de mon peuple étaient des brebis per- Mt **9** 36+
dues. Ez **34** 1+
Leurs bergers les égaraient, les montagnes les
dévoyaient;
de montagne en colline, ils allaient,
oubliant leur bercail.
7 Tous ceux qui les trouvaient les dévoraient,
leurs ennemis disaient : « Nous ne sommes pas
en faute
puisqu'ils ont péché contre Yahvé, la demeure de
justice,
et contre l'espoir de leurs pères – Yahvé! »

8 Fuyez du milieu de Babylone **51** 6, 45
et du pays des Chaldéens, sortez [f]! Is **48** 20;
Soyez comme des boucs en tête d'un troupeau. **52** 11
9 Car voici : je vais susciter et faire monter contre Ap **18** 4
Babylone
une coalition de grandes nations;
arrivant du pays du Nord, elles se rangeront
contre elle :
c'est par là qu'on doit la prendre;
les flèches sont celles d'un guerrier habile
qui ne revient jamais les mains vides.
10 La Chaldée sera mise au pillage,
tous ses pilleurs seront rassasiés, oracle de
Yahvé.

11 Ah! Réjouissez-vous! Triomphez,
vous, les ravageurs de mon héritage!

*a)* Élam est le nom des hauts plateaux situés à l'est de la Mésopotamie, d'où déferleront les invasions mèdes et perses. Jérémie a pu, dès 597, pressentir la conquête d'Élam par les Perses.
*b)* Dans les oracles qui suivent, reviennent surtout deux thèmes : la chute de Babylone et le retour de l'Exil. Jérémie attendait ces événements, mais non dans l'immédiat, cf. **27** 7; **29** 10, 28. Ici la perspective de la chute de Babylone (538) paraît proche, comme dans le Deuxième Isaïe.
*c)* Bel, « le Maître » (cf. Baal), nom usuel de Marduk (ou Mérodak), dieu principal de Babylone, cf. **51** 44; Is **46** 1; Ba **6** 40; Dn **14**.
*d)* Ici comme au v. 33 et à **51** 5, ce sont sans doute des glossateurs qui ont ajouté la mention de Juda à côté d'Israël, cf. de même **31** 3, 4, 31. En fait, ces gloses sont inutiles car « Israël » représente ici l'ensemble du peuple de Dieu.
*e)* « Attachons-nous » syr.; « et ils s'attacheront » hébr.
*f)* « Sortez » qeré, versions; « ils sortiront » ketib.

Bondissez comme une génisse dans l'herbe[a]!
Hennissez comme des étalons!
12 Votre mère est couverte de honte,
celle qui vous enfanta rougit de confusion.
Maintenant elle est la dernière des nations :
désert, aridité et steppe.
13 La colère de Yahvé fera qu'on n'y habite plus,
elle deviendra une solitude totale.
Quiconque passera près de Babylone en restera stupéfait
et sifflera devant toutes ses blessures.

14 Rangez-vous contre Babylone, encerclez-la,
vous tous qui bandez l'arc!
Tirez sur elle, ne ménagez pas les flèches,
car elle a péché contre Yahvé!
15 Poussez contre elle le cri de guerre, de tous côtés!
Elle tend la main, ses bastions croulent,
ses remparts sont renversés.
**51** 6 C'est la vengeance de Yahvé! Vengez-vous
Is **59** 18 d'elle!
Faites-lui ce qu'elle a fait!
16 Retranchez de Babylone celui qui sème
et celui qui tient la faucille
au temps de la moisson.
Loin de l'épée dévastatrice,
que chacun retourne à son peuple,
que chacun fuie vers son pays!

17 Israël était une brebis égarée
que pourchassaient des lions.

**51** 34 Le premier qui le dévora fut le roi d'Assur et
celui qui, le dernier, lui brisa les os, ce fut Nabuchodonosor, roi de Babylone. 18 C'est pourquoi
ainsi parle Yahvé Sabaot, le Dieu d'Israël : Me
voici pour visiter le roi de Babylone et son pays,
comme j'ai visité le roi d'Assur.

19 Et je vais ramener Israël à son pacage
pour qu'il paisse au Carmel et en Bashân:
sur la montagne d'Éphraïm et en Galaad[b],
il sera rassasié.
20 En ces jours et en ce temps – oracle de Yahvé –
on cherchera l'iniquité d'Israël : elle ne sera plus;
les péchés de Juda : on ne les trouvera plus;
Is **4** 3+ car je pardonnerai au reste que je laisse.

**Chute de Babylone annoncée à Jérusalem.**

21 « Monte au pays de Meratayim,
monte contre lui et contre les habitants de Peqod[c] :
massacre-les, extermine-les jusqu'au dernier[d]
– oracle de Yahvé.
Exécute tous mes ordres! »
22 Fracas de bataille dans le pays!
Désastre immense!

23 Comment a-t-il été brisé et mis en pièces, Is **14** 4-6
le marteau du monde entier? Jr **51** 8, 20
Comment est-elle devenue un objet d'épouvante, = **51** 41
Babylone parmi les nations?
24 Je t'ai tendu un piège et tu as été prise, Babylone,
sans t'en apercevoir.
Tu as été trouvée et maîtrisée,
car tu t'en prenais à Yahvé!

25 Yahvé a ouvert son arsenal
et sorti les armes de sa colère.
C'est qu'il y avait du travail pour le Seigneur Yahvé Sabaot
au pays des Chaldéens!
26 – « Venez-y de partout[e],
ouvrez ses greniers,
entassez-la comme gerbes, exterminez-la, Jos **6** 17+
que rien n'en reste!
27 Massacrez tous ses taureaux,
qu'ils descendent à l'abattoir!
Malheur à eux, il est arrivé, leur Jour,
le temps de leur châtiment. »
28 Écoutez! Fuyards et rescapés
du pays de Babylone
viennent annoncer dans Sion
la vengeance de Yahvé notre Dieu,
la vengeance de son Temple!

**Le péché d'insolence[f].**

29 Convoquez les archers contre Babylone,
tous ceux qui bandent l'arc!
Campez contre elle tout autour,
qu'on ne lui laisse pas d'issue.
Payez-la selon ses œuvres, Ex **21** 25-
tout ce qu'elle a fait, faites-le lui. Ap **18** 6
Car elle fut insolente contre Yahvé, Ps **28** 4
contre le Saint d'Israël. Is **14** 13-1

*a)* « dans l'herbe » *baddeshe'* cf. grec (« des veaux dans l'herbe »); « qui foule » *dashah* hébr.
*b)* Galaad et Bashân, en Transjordanie, étaient réputés pour leurs pâturages, cf. Nb **32**; Am **4** 1+; Mi **7** 14; le Carmel (dont le nom signifie « verger ») et les collines boisées d'Éphraïm (cf. Jos **17** 18) évoquent sans doute aussi, pour ces exilés, l'image d'un pays fertile et accueillant.
*c)* L'ordre est donné au peuple qui attaque les Babyloniens. Meratayim, équivalent du mot babylonien *marâtu*, « lagunes », désigne la région de l'embouchure du Tigre et de l'Euphrate. Peqod, cf. Ez **23** 23, est le nom d'une population de l'est de la Babylonie.
*d)* « jusqu'au dernier » (litt. « leur dernier ») *'aharîtam* Targ.; « derrière eux » *'aharêhem* hébr.
*e)* Sens incertain. Le mot signifie normalement « fin », « extrémité » mais peut parfois désigner un ensemble, une totalité (« sans exception », « de tous côtés »).
*f)* C'est le péché d'orgueil et de démesure (l'*hybris* en grec), cf. Gn **3**; **11** 1-9; Is **14** 12-13; Ez **28**; Am **4**.

30 Aussi ses jeunes gens tomberont sur ses places
et tous ses hommes de guerre périront, en ce jour-là, oracle de Yahvé!

31 C'est contre toi que j'en ai, « Insolence »
– oracle du Seigneur Yahvé Sabaot –
ton Jour est arrivé,
le temps où je te châtie.
32 « Insolence » va être culbutée, elle tombera,
nul ne la relèvera;
je mettrai le feu à ses villes,
il dévorera tous ses alentours.

**Yahvé rédempteur d'Israël.**

33 Ainsi parle Yahvé Sabaot :
Les enfants d'Israël sont opprimés
(et les enfants de Juda avec eux),
tous ceux qui les ont faits captifs les tiennent,
ils refusent de les lâcher.
Is **41** 14+ 34 Mais leur Rédempteur est puissant,
Yahvé Sabaot est son nom.
**51** 10, 36 Il va prendre en main leur cause
afin de donner du repos au pays,
mais de faire trembler les habitants de Babylone.

35 Épée contre les Chaldéens – oracle de Yahvé –
contre les habitants de Babylone,
contre ses princes et ses sages!
36 Épée contre ses devins : qu'ils déraisonnent!
Épée contre ses héros : qu'ils soient pris de panique!
37 Épée contre ses chevaux et ses chars,
et contre le ramassis qu'elle recèle : qu'ils soient
**51** 30 comme des femmes!
**51** 13 Épée contre ses trésors : qu'on les pille!
**51** 36 38 Sécheresse contre ses eaux : qu'elles tarissent!
Car c'est un pays d'idoles, ils se passionnent pour leurs Épouvantails!

↗ Ap **18** 2 39 Aussi des lynx y gîteront avec des chacals,
des autruches y auront leur demeure.
Elle ne sera plus habitée, à jamais,
d'âge en âge elle ne sera plus peuplée.
= **49** 18 40 Comme lorsque Dieu renversa Sodome,
Gomorrhe et les villes voisines
– oracle de Yahvé –
**51** 26, 37 personne n'y habitera plus,
aucun humain n'y séjournera plus.

**Le peuple du Nord et le lion du Jourdain [a].**

41 Voici qu'un peuple arrive du Nord, = **6** 22-23
une grande nation et des rois nombreux
se lèvent des confins de la terre.
42 Ils tiennent fermement l'arc et le javelot,
ils sont barbares et impitoyables;
leur bruit est comme le mugissement de la mer;
ils montent des chevaux,
ils sont prêts à combattre comme un seul homme
contre toi, fille de Babylone.
43 Le roi de Babylone a appris la nouvelle,
ses mains ont défailli,
l'angoisse l'a pris,
une douleur comme pour celle qui enfante.

44 Voici que, tel un lion, il monte des halliers du Jourdain = **49** 19-21
vers le pâturage toujours vert.
En un clin d'œil, je les ferai déguerpir de là,
pour y établir celui que je choisirai.
Qui en effet est mon égal?
Qui pourrait m'assigner en justice?
Quel est donc le pasteur qui tiendrait devant moi?
45 Aussi apprenez le dessein
que Yahvé a formé contre Babylone
et le plan qu'il a résolu
contre le pays des Chaldéens :
certainement on les traînera comme les plus petits du troupeau!
Certainement on va saccager leur prairie devant eux!
46 Au bruit de la prise de Babylone, la terre tremble,
un cri se fait entendre parmi les nations.

**Yahvé contre Babylone.**

**51** 1 Ainsi parle Yahvé : LXX : **28**
Je vais faire se lever contre Babylone et contre les habitants de Leb Qamaï [b]
un vent destructeur.
2 J'enverrai à Babylone des vanneurs [c] pour la vanner 4 11
et nettoyer son territoire,
car on va l'assiéger de tous côtés
au jour du malheur.
3 – Qu'aucun archer ne bande son arc!
Qu'on cesse de se pavaner dans sa cuirasse [d]!

*a)* Cet oracle reprend contre Babylone la menace d'un ennemi venant du Nord proférée contre Juda, **6** 22-24, et l'oracle contre Édom, **49** 19-21.
*b)* Anagramme de *Kasdîm* (Chaldéens) dans la même écriture cryptographique qu'en **25** 25-26.
*c)* « vanneurs » Aq., Sym., Vulg.; « étrangers » hébr.
*d)* Cette double interdiction (*'al ... 'al*), lue avec 15 mss hébr. et les versions, alors que le TM porte *'el ... 'el* : « vers ... vers », s'adresse aux assiégés. La suite interpelle au contraire leurs assiégeants. – L'hébr. (ketib) répète le mot « bande », dittographie omise par qeré et versions.

– Pas de quartier pour ses jeunes!
Jos 6 17+ Exterminez son armée entière!
4 Des victimes tomberont au pays des Chaldéens,
des transpercés dans les rues de Babylone.
5 Car Israël et Juda ne sont pas veuves
de leur Dieu, Yahvé Sabaot,
bien que leur pays soit plein de péché
contre le Saint d'Israël.

50 8 6 Fuyez du milieu de Babylone
↗ Ap 18 4 (et sauvez chacun votre vie);
ne périssez pas pour son crime
50 15 car c'est le temps de la vengeance pour Yahvé :
il va lui payer son dû!
25 15-29 7 Babylone était une coupe d'or aux mains de
Is 51 17+ Yahvé,
↗ Ap 18 3 elle enivrait la terre entière,
les nations s'abreuvaient de son vin
c'est pourquoi elles devenaient folles [a].
↗ Ap 18 2 8 Soudain Babylone est tombée, s'est brisée :
Jr 50 23 hululez sur elle!
Prenez du baume pour son mal :
peut-être va-t-elle guérir!
9 – « Nous voulions guérir Babylone, elle n'a pas
guéri;
50 16 Laissez-la! Allons-nous en, chacun dans son
pays. »
– Oui, le jugement qui la frappe atteint jusqu'au
ciel,
il s'élève jusqu'aux nues.
50 34 10 Yahvé a fait éclater notre justice.
Venez! Racontons dans Sion
l'œuvre de Yahvé notre Dieu.

11 Affûtez les flèches,
emplissez les carquois!
Is 13 17 Yahvé a excité l'esprit des rois des Mèdes [b], car
il a formé contre Babylone le projet de la détruire :
c'est la vengeance de Yahvé, la vengeance de son
Temple.
12 Contre les remparts de Babylone, levez l'étendard!
Renforcez la garde!
Postez des sentinelles!
Dressez des embuscades!
Car Yahvé a encore un projet, et il fait ce qu'il
a dit contre les habitants de Babylone.
↗ Ap 17 1, 15 13 Toi qui sièges au bord des grandes eaux,
Jr 50 37-38 toi, riche en trésors,
ta fin est arrivée,
le terme [c] de tes rapines.

14 Yahvé Sabaot l'a juré par lui-même :
Je te remplirai d'hommes comme de sauterelles,
et contre toi, ils pousseront un cri de triomphe.

15 Il a fait la terre par sa puissance, = 10 12-16
établi le monde par sa sagesse
et par son intelligence étendu les cieux.
16 Quand il donne de la voix,
c'est un mugissement d'eaux dans le ciel,
il fait monter les nuages du bout de la terre; || Ps 135 7
il produit les éclairs pour l'averse
et tire le vent de ses réservoirs.
17 Alors tout homme se tient stupide, sans
comprendre,
chaque orfèvre rougit de ses idoles.
Ce qu'il a coulé n'est que mensonge,
en elles, pas de souffle!
18 Elles sont vanité, œuvre ridicule,
au temps de leur châtiment, elles disparaîtront.
19 La « Part de Jacob » n'est pas comme elles,
car il a façonné l'univers
et Israël [d] est la tribu de son héritage.
Son nom est Yahvé Sabaot.

### Le marteau de Yahvé et le mont colossal.

20 Tu fus un marteau à mon usage, 50 23
une arme de guerre.
Avec toi j'ai martelé des nations,
avec toi j'ai détruit des royaumes.
21 avec toi j'ai martelé cheval et cavalier,
avec toi j'ai martelé char et charrier,
22 avec toi j'ai martelé homme et femme,
avec toi j'ai martelé vieillard et enfant,
avec toi j'ai martelé adolescent et vierge,
23 avec toi j'ai martelé berger et troupeau,
avec toi j'ai martelé laboureur et attelage,
avec toi j'ai martelé gouverneurs et magistrats,
24 mais je ferai payer à Babylone et à tous les habitants de la Chaldée tout le mal qu'ils ont fait à
Sion, sous vos yeux, oracle de Yahvé.
25 C'est à toi que j'en ai,
montagne de la destruction
– oracle de Yahvé –
la destructrice de l'univers!
Je vais étendre contre toi ma main,
te faire rouler du haut des rochers,
te changer en montagne embrasée.
26 On ne tirera plus de toi ni pierre d'angle
ni pierre de fondation,
car tu deviendras une désolation pour toujours, 50 40
oracle de Yahvé.

a) L'hébr. répète « les nations », omis par les versions.
b) Le poème parlait d'une ennemi du Nord, **50**, 3, 9, 41; **51** 48. Le glossateur précise : les Mèdes, identifiés aux Perses comme en Is **13** 17.
c) « le terme » (litt. « sont terminées ») *wetam* conj.; « la mesure » *'ammat* hébr.
d) « Israël » Vulg., Targ., cf. **10** 16; omis par hébr.

**Vers la fin!**

27 Levez l'étendard sur la terre,
sonnez du cor parmi les nations!
Vouez les nations contre elle,
convoquez contre elle des royaumes,
– Ararat, Minni et Ashkenaz [a] –
instituez contre elle l'officier d'enrôlement.
Faites donner la cavalerie, horde de sauterelles
hérissées.
28 Vouez des nations contre elle : les rois de Médie,
ses gouverneurs, tous ses magistrats et tout le pays
en sa possession.

29 La terre trembla et frémit.
C'est que s'exécutait contre Babylone le plan de
Yahvé :
changer le territoire de Babylone
en solitude sans habitants.

30 Les vaillants de Babylone ont cessé le combat,
ils se sont blottis dans les citadelles;
leur vaillance est à bout,
50 37 ils sont devenus des femmes.
Is 19 16 On a mis le feu à ses habitations,
Na 3 13 ses verrous sont en pièces.
31 Le courrier court à la rencontre du courrier,
le messager à la rencontre du messager,
pour annoncer au roi de Babylone
que sa ville est enlevée de tous côtés,
32 les passages occupés,
les redoutes incendiées
et les hommes de guerre pris de panique.
33 Car ainsi parle Yahvé Sabaot, le Dieu d'Israël :
La fille de Babylone est pareille à une aire
au temps où on la foule :
encore un peu, et ce sera pour elle
le temps de la moisson.

**La vengeance de Yahvé.**

50 17 34 Il m'a dévorée, consommée, Nabuchodonosor, le
roi de Babylone,
il m'a laissée comme un plat vide,
il m'a engloutie tel le Dragon,
il a empli son ventre de mes bons morceaux, il
m'a chassée [b].
35 « Sur Babylone la violence et les blessures que
j'ai subies [c]! »
dit l'habitante de Sion.
« Sur les habitants de Chaldée mon sang! »
dit Jérusalem.

36 C'est pourquoi ainsi parle Yahvé :
Voici, je prends en main ta cause 50 34
et j'assure ta vengeance.
Je vais assécher son fleuve
et tarir ses sources.
37 Babylone deviendra un tas de pierres,
un repaire de chacals, 50 39
un objet d'épouvante et de dérision,
sans plus d'habitants. 50 40
38 Tels des lions, ils rugissent ensemble,
ils grondent pareils à des lionceaux.
39 Ils ont chaud? Je leur apprête un breuvage,
je les ferai boire afin qu'ils soient en joie, = 51 57
qu'ils s'endorment d'un sommeil éternel Ps 76 6
et ne puissent plus s'éveiller
– oracle de Yahvé.
40 Je les ferai descendre comme des agneaux à
l'abattoir,
comme des béliers et des boucs.

**Élégie sur Babylone.**

41 Comment Shéshak a-t-elle été prise, 25 26
comment a-t-elle été conquise, la fierté du monde
entier?
Comment est-elle devenue une épouvante, = 50 23
Babylone parmi les nations?
42 Contre Babylone la mer est montée,
ses flots tumultueux l'ont submergée.
43 Ses villes sont changées en désolation,
en terre aride et en steppe,
terre où personne n'habite
et où ne passe plus un homme.

**La visite de Yahvé aux idoles.**

44 Je visiterai Bel dans Babylone 50 2+
et lui retirerai de la bouche ce qu'il a englouti.
Vers lui n'afflueront plus les nations, désormais.
Et même le rempart de Babylone tombera.
45 Sors de son enceinte, mon peuple! 50 8; 51 16
Que chacun de vous sauve sa vie
devant l'ardente colère de Yahvé!
46 Mais que votre cœur ne défaille point! Ne vous
effrayez pas de la nouvelle colportée dans le pays : Mt 24 6s
une année, tel bruit se répand, et puis l'année
d'après, tel autre; la violence triomphe sur la terre
et un tyran succède au tyran.

47 En effet, voici venir des jours
où je visiterai les idoles de Babylone.
Son territoire entier sera dans la honte
et tous ses tués gisant dans son sein.

*a)* Peuples du Nord, habitant la région arménienne et ses confins : Ararat ou Urartu; Minni, autour du lac de Van; Ashkenaz ou les Scythes.
*b)* « de mes bons morceaux » *ma'adannay* conj.; « hors de mes délices » *me'adanay* hébr. – On pourrait comprendre aussi « de mon Éden il m'a chassée » en changeant légèrement la vocalisation et la liaison des mots. – C'est Jérusalem qui parle.
*c)* Litt. « ma violence, ma chair sanglante ».

↗ Ap **18** 20; **19** 1-2 48 Alors pousseront des cris contre Babylone
le ciel et la terre et tout ce qu'ils renferment,
car du Nord arrivent contre elle
les dévastateurs, oracle de Yahvé!

49 Babylone à son tour doit tomber,
ô vous, tués d'Israël,
de même que par Babylone tombèrent
des tués de la terre entière.
50 Vous qui avez échappé à l'épée,
partez! Ne vous arrêtez pas!
Au loin, souvenez-vous de Yahvé
Ps **137** 5 et que Jérusalem soit présente à votre cœur!
51 – « Nous étions dans la honte, entendant l'insulte,
nous étions couverts de confusion,
car des étrangers étaient venus
dans les sanctuaires du Temple de Yahvé. »
52 – Eh bien! Voici venir des jours
– oracle de Yahvé –
où je visiterai ses idoles,
et dans tout son territoire gémiront ceux qu'on tue.

Is **14** 13 Jr **49** 16 53 Babylone escaladerait-elle le ciel,
renforcerait-elle sa citadelle inaccessible,
sur mon ordre lui viendront des dévastateurs
– oracle de Yahvé.
54 Bruit d'une clameur qui sort de Babylone,
d'un grand désastre, du pays des Chaldéens!
55 Car Yahvé dévaste Babylone,
il fait cesser son grand bruit,
celui des flots qui grondaient comme les grandes eaux
quand le tumulte de leur voix retentissait.
56 Car un dévastateur est venu contre elle,
contre Babylone,
ses héros sont faits captifs, leurs arcs sont brisés.
Oui, Yahvé est le Dieu des représailles :
il paie sûrement!

57 Je ferai boire ses princes et ses sages, = **51** 39
ses gouverneurs, ses magistrats et ses héros;
ils s'endormiront d'un sommeil éternel
et ne s'éveilleront plus,
oracle du Roi dont le nom est Yahvé Sabaot!

**Babylone rasée.**

58 Ainsi parle Yahvé Sabaot :
Les remparts de Babylone la grande
seront vraiment démantelés
et ses hautes portes brûlées.
Ainsi les peuples ont-ils peiné pour le néant, || Ha **2** 13
les nations se sont épuisées pour du feu.

**L'oracle jeté dans l'Euphrate** [a].

59 Voici l'ordre que donna le prophète Jérémie à
Seraya, fils de Nériyya, fils de Mahséya, quand
celui-ci partit pour Babylone avec Sédécias, roi de
Juda, en la quatrième année de son règne. Seraya
était grand chambellan. 60 Jérémie avait mis par
écrit dans un seul livre tout le malheur qui devait
survenir à Babylone, toutes ces paroles qui avaient
été écrites contre Babylone. 61 Jérémie dit donc à
Seraya : « Quand tu arriveras à Babylone, tu auras
soin de lire toutes ces paroles-là. 62 Et tu diras :
" Yahvé, toi-même as déclaré à propos de ce lieu
qu'il serait détruit, de sorte qu'il ne s'y trouve plus
d'habitant, homme ou bête, mais qu'il soit une **51** 26
désolation perpétuelle. " 63 Une fois achevée la lecture de ce livre, tu y attacheras une pierre et le lan-
ceras au milieu de l'Euphrate 64 en disant : Ainsi
doit s'abîmer Babylone pour ne plus se relever du ↗ Ap **18** 21
malheur que je fais venir sur elle. »

Jusqu'ici les paroles de Jérémie [b].

# *VI. Appendices* [c]

|| 2 R **24** 18-**25** 30 **La catastrophe de Jérusalem**
**et la faveur rendue à Joiakîn.**

**52** 1 Sédécias avait vingt et un ans à son avènement et il régna onze ans à Jérusalem. Sa mère
s'appelait Hamital, fille de Yirmeyahu, et était de
Libna [d]. 2 Il fit ce qui est mal aux yeux de Yahvé,
tout comme avait fait Joiaqim. 3 Cela arriva à Jérusalem et en Juda à cause de la colère de Yahvé, tant
qu'enfin il les rejeta de devant sa face.

*a)* Cette action symbolique, cf. **18** 1+, qui devait rester secrète, fut accomplie vers 593. Elle atteste la foi du prophète en l'irrévocabilité de la parole divine, et aussi sa parfaite lucidité : au moment même où Jérémie prêche la soumission à Babylone, il ne se dissimule pas pour autant les crimes des Babyloniens.

*b)* Cette phrase, omise par le grec, devait se trouver primitivement après le v. 58. Elle est précédée par le dernier mot de ce v. 58, « se sont épuisées », répété ici accidentellement.

*c)* Ce ch. reprend, avec quelques compléments, 2 R **24** 18 - **25** 30 (voir les notes), et correspond aussi à Jr **39** 1-10; une même source est à la base des trois passages. Il a été ajouté au livre de Jérémie, comme Is **36-39** au livre d'Isaïe. Il montre l'accomplissement des menaces du prophète et s'achève, comme 2 R, par des perpectives d'espoir, également entrevues par Jérémie.

*d)* Libna, ville de la tribu de Juda, Jos **15** 42, à localiser probablement au Tell es-Sâfi, au nord de la ville philistine de Gat.

Sédécias se révolta contre le roi de Babylone.
= Jr 39 1-10 4 En la neuvième année de son règne, au dixième
mois [a], le dix du mois, Nabuchodonosor, roi de
Babylone, vint attaquer Jérusalem avec toute son
armée, il campa devant la ville et la cerna d'un
retranchement. 5 La ville fut investie jusqu'à la
onzième année du roi Sédécias. 6 Au quatrième
mois [b], le neuf du mois, alors que la famine sévissait dans la ville et que la population n'avait plus
rien à manger, 7 une brèche fut faite au rempart de
la ville. Alors le roi [c] et tous les hommes de guerre
s'enfuirent de nuit et s'échappèrent de la ville par
la porte entre les deux murs, qui est près du jardin
du roi – les Chaldéens cernaient la ville – et ils pri-
39 4+ rent le chemin de la Araba. 8 Mais les troupes chaldéennes poursuivirent le roi et atteignirent Sédécias
dans les plaines de Jéricho, où tous ses soldats,
l'abandonnant, se débandèrent. 9 On fit prisonnier
le roi qu'on emmena à Ribla, au pays de Hamat,
auprès du roi de Babylone qui le fit passer en jugement. 10 Il égorgea les fils de Sédécias sous ses
yeux; de même tous les princes de Juda, il les égorgea à Ribla. 11 Puis il creva les yeux de Sédécias
et le lia avec des chaînes de bronze. Alors, le roi
de Babylone l'emmena à Babylone où il l'empri-
sonna jusqu'au jour de sa mort.

12 Au cinquième mois [d], le dix du mois – c'était en la dix-neuvième année du règne de Nabuchodonosor, roi de Babylone – Nebuzaradân, commandant de la garde, un de l'entourage immédiat du roi de Babylone, fit son entrée à Jérusalem. 13 Il incendia le Temple de Yahvé, le palais royal et toutes les maisons de Jérusalem [e]. 14 Les troupes chaldéennes qui étaient avec le commandant de la garde abattirent tous les remparts qui entouraient Jérusalem.

15 Nebuzaradân, commandant de la garde, déporta (une partie des pauvres du peuple et) [f] le reste de la population laissée dans la ville, les transfuges qui avaient passé au roi de Babylone et ce qui restait des artisans. 16 Mais Nebuzaradân, commandant de la garde, laissa une partie des pauvres du pays, comme vignerons et laboureurs.

17 Les Chaldéens brisèrent les colonnes de bronze du Temple de Yahvé, les bases roulantes et la Mer de bronze qui étaient dans le Temple de Yahvé; ils en emportèrent tout le bronze à Babylone. 18 Ils prirent aussi les vases à cendres, les pelles, les couteaux, les coupes d'aspersion, les navettes et tous les ustensiles de bronze qui servaient au culte. 19 Le commandant de la garde prit encore les coupes, les encensoirs, les coupes d'aspersion, les vases à cendres, les chandeliers, les bols et les patères, tout ce qui était en or et tout ce qui était en argent. 20 Quant aux deux colonnes, à la Mer unique, aux douze bœufs de bronze qui étaient sous la Mer [g] et aux bases roulantes, que le roi Salomon avait fabriqués pour le Temple de Yahvé, on ne pouvait évaluer ce que pesait le bronze de tous ces objets. 21 Quant aux colonnes, l'une avait dix-huit coudées de haut; un fil de douze coudées en mesurait le tour; épaisse de quatre doigts, elle était creuse à l'intérieur; 22 un chapiteau de bronze la surmontait, haut de cinq coudées, ayant tout autour un treillis et des grenades, le tout en bronze. De même pour la deuxième colonne [h]. 23 Il y avait quatre-vingt-seize grenades sur les côtés [i]. En tout, cela faisait cent grenades autour du treillis.

24 Le commandant de la garde fit prisonniers Seraya, le prêtre en chef, Çephanya, le prêtre en second, et les trois gardiens du seuil. 25 De la ville, il fit prisonniers un eunuque, préposé aux hommes de guerre, sept des familiers du roi qui furent trouvés dans la ville, le secrétaire du chef de l'armée, chargé de la conscription, ainsi que soixante hommes de condition qui furent trouvés dans la ville. 26 Nebuzaradân, commandant de la garde, les prit et les mena auprès du roi de Babylone, à Ribla, 27 et le roi de Babylone les fit mettre à mort à Ribla, au pays de Hamat. Ainsi Juda fut-il déporté loin de sa terre.

28 Voici le nombre des gens déportés par Nabuchodonosor [j]. La septième année : 3.023 Judéens; 29 la dix-huitième année de Nabuchodonosor, furent emmenées de Jérusalem 832 personnes; 30 la vingt-troisième année de Nabuchodonosor, Nebuzaradân, commandant de la garde, déporta 745 Judéens. En tout : 4 600 personnes [k].

31 Mais la trente-septième année de la déportation de Joiakîn, roi de Juda, au douzième mois, le

*a)* Fin décembre 589.
*b)* Juin-juillet 587.
*c)* « le roi » conj. d'après **39** 4 et v. 8; omis par hébr.
*d)* Juillet-août 587.
*e)* Une glose ajoute, ici et à 2 R **25** 9, « il incendia aussi toute maison de grand personnage ».
*f)* Les mots mis entre parenthèses, absents de 2 R **25** 11 et **39** 5, doivent provenir du v. 16.
*g)* Cette dernière mention manque en 2 R; ces bœufs de bronze avaient déjà été enlevés au temps d'Achaz, 2 R **16** 17.
*h)* L'hébr. ajoute ici « et les grenades ».
*i)* Sens incertain. Le mot est à rattacher à la racine qui signifie « vent », « souffle ». On peut comprendre aussi « qui pendaient librement » ou « en relief » (litt. « à l'air »), mais les « vents » désignent aussi les « côtés », Ez **42** 20 (cf. Ez **39** 7 où il s'agit de points cardinaux, les quatre « côtés » du monde).
*j)* Cette courte notice, vv. 28-30, propre à Jérémie, doit reproduire un document babylonien. Elle paraît ne tenir compte que des adultes. Les années du règne sont comptées selon le comput babylonien, qui néglige l'année incomplète de l'avènement.
*k)* Les dates de ces trois déportations sont donc : 598; 587 et enfin 582. La dernière eut peut-être lieu à l'occasion de la révolte ammonite-moabite, qui avait pu trouver des connivences en Juda.

vingt-cinq du mois, Évil-Mérodak, roi de Babylone,
en l'année de son avènement [a], fit grâce à Joiakîn,
roi de Juda, et le tira de prison. 32 Il lui parla avec
bonté et lui accorda un siège supérieur à ceux des
autres rois qui étaient avec lui à Babylone.
33 Joiakîn quitta ses vêtements de captif et mangea
toujours à la table du roi, sa vie durant. 34 Son
entretien fut assuré constamment par le roi de
Babylone, jour après jour, jusqu'au jour de sa mort,
sa vie durant [b].

*a)* En 562.
*b)* C'est sur la grâce faite à Joiakîn, symbole de la fin de la captivité, que se clôt le livre de Jérémie.

# LES LAMENTATIONS

## Première lamentation[a]

*Aleph.* **1** 1 Quoi! elle est assise à l'écart,
la Ville populeuse!
Elle est devenue comme une veuve, Ba **4** 12
la grande parmi les nations.
Princesse parmi les provinces,
elle est réduite à la corvée.

*Bèt.* 2 Elle passe des nuits à pleurer 2 18
et les larmes couvrent ses joues. Jr **9** 17
Pas un qui la console Ps **69** 21
parmi tous ses amants [b]. Jr **30** 14
Tous ses amis l'ont trahie, Jn **13** 18
devenus ses ennemis!

*Gimel.* 3 Juda est exilée [c], soumise à l'oppression,
à une dure servitude.
Elle demeure chez les nations
sans trouver de répit.
Tous ses poursuivants l'atteignent
en des lieux sans issue.

*Dalèt.* 4 Les chemins de Sion sont en deuil, Jr **14** 2
nul ne vient plus à ses fêtes.
Toutes ses portes sont désertes, Is **3** 26
ses prêtres gémissent,
ses vierges se désolent.
Elle est dans l'amertume!

*Hé.* 5 Ses oppresseurs ont le dessus, 2 17
ses ennemis sont heureux, Dt **28** 25
car Yahvé l'a affligée Ps **89** 43
pour ses nombreux crimes;

*a)* Le poète décrit l'état misérable de Jérusalem. Sion personnifiée prend la parole au v. 9, puis au v. 11, pour une plainte, vv. 12-16, puis pour une prière, v. 18s, qui est à la fois une confession, une espérance et une imprécation. – Grec et Vulg. insèrent ici cette introduction : « Il arriva, après la réduction d'Israël en captivité et de Jérusalem en désert, que le prophète Jérémie s'assit pleurant; il proféra cette lamentation sur Jérusalem et dit. »

*b)* Les anciens alliés de Juda, cf. Jr **4** 30; **30** 14; Ez **16** 37-40; **23** 22-29.

*c)* Contrairement à l'ordinaire, Juda est ici personnifié au féminin.

ses petits enfants sont partis captifs
devant l'oppresseur.

Ez **10** 18s; **11** 22s *Vav.* 6 De la fille de Sion s'est retirée
toute sa splendeur.
Ses princes étaient comme des cerfs
qui ne trouvent point de pâture;
ils cheminaient sans force
devant qui les chassait.

*Zaïn.* 7 Jérusalem se souvient
de ses jours de misère et de détresse [a],
quand son peuple succombait aux coups de l'adversaire
sans que nul la secourût.
Ses adversaires la voyaient,
il riaient de sa ruine.

*Hèt.* 8 Jérusalem a péché gravement,
aussi est-elle devenue chose impure.
Tous ceux qui l'honoraient la méprisent :
Ez **16** 37 ils ont vu sa nudité.
Is **47** 3 Elle, elle gémit
et se détourne.

*Tèt.* 9 Sa souillure colle aux pans de sa robe.
Elle ne songeait pas à cette fin;
elle est tombée si bas!
1 2 Personne pour la consoler.
« Vois, Yahvé, ma misère :
l'ennemi triomphe. »

*Yod.* 10 L'adversaire a étendu la main
2 R **24** 13 sur tous ses trésors [b] :
elle a vu les païens
Dt **23** 4 pénétrer dans son sanctuaire,
Ez **44** 7-9 auxquels tu avais interdit
Ac **21** 28 l'entrée de son assemblée.

*Kaph.* 11 Son peuple tout entier gémit,
Dt **28** 51s; en quête de pain;
on donne ses bijoux pour de la nourriture,
pour retrouver la vie.
« Vois, Yahvé, et regarde
combien je suis méprisée.

*Lamed.* 12 Vous [c] tous qui passez par le chemin,
regardez et voyez
Dn **9** 12; s'il est une douleur pareille
**12** 1 à la douleur qui me tourmente,
Mt **24** 21 dont Yahvé m'a affligée
au jour de sa brûlante colère.

*a)* L'hébreu ajoute : « de tous ses trésors qui existaient depuis les jours anciens », glose rompant le rythme.
*b)* Ceux du Temple, cf. Jos **6** 24; 1 R **14** 26; 2 R **24** 13, mais sans doute aussi les fonds privés qu'on y déposait, cf. 2 M **4** 3s.
*c)* « Vous » Vulg.; « Pas pour vous » hébr.

*Mem.* 13 D'en haut il a envoyé un feu
qu'il a fait descendre dans mes os.
Il a tendu un filet sous mes pas,
il m'a renversée,
il m'a rendue désolée,
malade tout le jour.

*Nun.* 14 Il a guetté mes crimes :
de sa main il m'enlace,
son joug est sur mon cou, Dt **28** 48
il fait fléchir ma force.
Le Seigneur m'a mise à leur merci,
je ne puis plus tenir [a]!

*Samek.* 15 Tous mes braves, le Seigneur les a rejetés
du milieu de moi.
Il a convoqué contre moi une assemblée
pour anéantir mon élite.
Le Seigneur a foulé au pressoir Is **63** 3 Jl **4** 13
la vierge, fille de Juda.

*Aïn.* 16 C'est pour cela que je pleure; **1** 2
mes yeux fondent en larmes [b],
car il est loin de moi, le consolateur
qui me rendrait la vie.
Mes fils sont bouleversés,
car l'ennemi est trop fort. »

*Phé.* 17 Sion tend les mains,
pas un qui la console.
Yahvé a mandé contre Jacob
ses oppresseurs de toutes parts;
Jérusalem est devenue **1** 8
chose impure parmi eux.

*Çadé.* 18 « Yahvé, lui, est juste,
car à ses ordres je fus rebelle.
Écoutez donc, tous les peuples,
et voyez ma douleur.
Mes vierges et mes jeunes gens
sont partis en captivité.

*Qoph.* 19 J'ai fait appel à mes amants :
ils m'ont trahie. **1** 2
Mes prêtres et mes anciens
expiraient dans la ville,
cherchant une nourriture **1** 11
qui leur rendît la vie.

*a)* Ce v. est corrigé d'après Vulg., grec luc. et syr. L'hébr., corrompu, se traduirait litt. « il est lié, le joug de mes crimes, dans sa main ils s'enlacent, ils sont montés sur mon cou, il fait fléchir ma force. Le Seigneur m'a mise à la merci de... je ne puis plus tenir ». – Ici et à plusieurs reprises dans la suite, « le Seigneur » représente la lecture massorétique du nom sacré « Yahvé » (prononcé *Adonaï*, litt. « mon Seigneur »), passée dans le texte écrit au lieu du nom lui-même. La graphie primitive, *YHWH*, a été conservée par quelques mss.

*b)* Litt. « mon œil, mon œil... »; la répétition pourrait être un effet de style, cf. **3** 20, mais peut aussi simplement exprimer le pluriel.

*Resh.* 20 Vois, Yahvé, quelle est mon angoisse!
Jr 4 19 Mes entrailles frémissent;
mon cœur en moi se retourne :
Ah! je n'ai fait qu'être rebelle!
Dt 32 25 Au dehors l'épée me prive d'enfants,
Jr 9 20 au dedans, c'est comme la mort.

*Shin.* 21 Entends-moi qui gémis :
pas un qui me console!
Tous mes ennemis ont appris mon mal,
ils se réjouissent de ce que tu as fait.
Am 5 18+ Fais venir le Jour que tu avais proclamé,
pour qu'ils soient comme moi [a]!

Jr 51 35 *Tav.* 22 Que toute leur méchanceté te soit présente
et traite-les
comme tu m'as traitée
pour tous mes crimes!
Car nombreux sont mes gémissements.
et mon cœur est malade. »

## *Deuxième lamentation* [b]

*Aleph.* 2 1 Quoi! Le Seigneur en sa colère a enténébré
la fille de Sion!
il a précipité du ciel sur la terre
la gloire d'Israël!
Ez 43 7 sans plus se souvenir de son marchepied [c],
au jour de sa colère!

*Bèt.* 2 Sans pitié le Seigneur a détruit
toutes les demeures de Jacob;
il a renversé, en sa fureur,
Dt 28 52 les forteresses de la fille de Juda;
il a jeté à terre, il a maudit
le royaume et ses princes.

*Gimel.* 3 Il a brisé dans l'ardeur de sa colère
Ps 75 5+ toute la vigueur d'Israël,
retiré en arrière sa droite
devant l'ennemi;
4 11 il a allumé en Jacob un feu flamboyant
qui dévore tout alentour.

*Dalèt.* 4 Il a bandé son arc, comme un ennemi [d],
Jr 21 5. 6 il a assuré sa droite,

*a)* « Entends » syr.; « ils ont entendu » hébr. – « Fais venir » syr.; « Tu as fait venir » hébr. – Le Jour de Yahvé, désastreux pour Israël dans l'optique préexilique, cf. Am **5** 18; So **1** 14, va devenir tel pour les nations, cf. Jl **3** 14.

*b)* Après avoir décrit le désastre et le sort des rois, des prêtres, des prophètes, des anciens, des enfants, vv. 1-12, le poète interpelle Sion, vv. 13-17, en lui rappelant le mensonge des faux prophètes, et l'invite à la lamentation, vv. 18-22.

*c)* Le Temple, cf. Ez **43** 7; Ps **99** 5; **132** 7.

*d)* Comme en Jr **12** 7; **30** 14, Yahvé est présenté tragiquement comme l'ennemi de son peuple.

il a égorgé, tel un adversaire
tous ceux qui charmaient les yeux;
sur la tente de la fille de Sion
il a déversé sa fureur comme un feu.

*Hé.*

5 Le Seigneur a été comme un ennemi;
il a détruit Israël,
il a détruit tous ses palais,
abattu ses forteresses
et multiplié pour la fille de Juda
gémissements et gémissements.

*Vav.*

6 Il a forcé comme un jardin son enclos [a],
abattu son lieu de réunion. 2 Ch **36** 19
Yahvé a fait oublier dans Sion Jr **52** 13
fêtes et sabbats; **1** 4 Os **2** 13
il a rejeté, dans l'ardeur de sa colère, Is **1** 13
roi et prêtre. So **3** 18

*Zaïn.*

7 Le Seigneur a pris en dégoût son autel,
en horreur son sanctuaire; Ez **24** 21
aux mains de l'ennemi il a livré
les remparts de ses palais;
clameurs dans le Temple de Yahvé
comme en un jour de fête [b]!

*Hèt.*

8 Yahvé a médité d'abattre Jr **5** 10
le rempart de la fille de Sion.
Il a étendu le cordeau, ne retirant pas sa main 2 R **21** 13
que tout ne soit englouti. Is **34** 11
Il a endeuillé mur et avant-mur :
ensemble ils se désolent.

*Tèt.*

9 Ses portes sont enfouies sous terre,
il en a détruit et brisé les barres;
son roi et ses princes sont chez les païens; Dt **28** 36 2 R **25** 7
plus de Loi! Dt **4** 6, 8
Ses prophètes même n'obtiennent plus Ez **7** 26
de vision de Yahvé. Ps **74** 9

*Yod.*

10 Ils sont assis à terre, en silence,
les anciens de la fille de Sion;
ils ont mis de la poussière sur leur tête, Jr **6** 26
ils ont revêtu des sacs.
Elles penchent la tête vers la terre,
les vierges de Jérusalem.

*Kaph.*

11 Mes yeux sont consumés de larmes,
mes entrailles frémissent,
mon foie s'épand à terre
pour le brisement de la fille de mon peuple,

*a)* Au lieu de « comme un jardin » *(gan)* la leçon primitive était peut-être « comme un voleur » *(gannab)*, corrigée par respect pour Dieu.
*b)* Mais c'était le cri de guerre de l'ennemi.

tandis que défaillent enfants et nourrissons
sur les places de la Cité.

*Lamed.* 12 Ils disent à leurs mères;
1 11 « Où y-a-t-il du pain [a]? »
tandis qu'ils défaillent comme des blessés
sur les places de la Ville,
et qu'ils versent leur âme
sur le sein de leur mère.

1 12 *Mem.* 13 A quoi te comparer? A quoi te dire semblable,
fille de Jérusalem?
Qui pourra te sauver et te consoler [b],
vierge, fille de Sion?
Car il est grand comme la mer, ton brisement;
Jr **30** 12 qui donc va te guérir?

Jr **5** 31; **29** 8 Ez **13** 10 *Nun.* 14 Tes prophètes ont eu pour toi des visions
d'illusion et de clinquant,
Ils n'ont pas révélé ta faute
pour changer ton sort.
Ils t'ont servi des oracles,
d'illusion et de séduction [c].

*Samek.* 15 Ils battent des mains à cause de toi
Jr **19** 8 Mt **27** 39p tous les passants sur le chemin;
ils sifflotent et hochent la tête
sur la fille de Jérusalem.
« Est-ce là la ville qu'on appelait toute belle,
la joie de toute la terre? »

*Phé.* 16 Contre toi, ils ouvrent la bouche,
tous tes ennemis;
ils sifflotent, grincent des dents,
disant : « Nous l'avons engloutie!
Am **5** 18 Voilà donc le Jour que nous espérions.
Nous le touchons, nous le voyons! »

*Aïn.* 17 Yahvé a accompli ce qu'il avait résolu,
exécuté sa parole
Dt **28** 15 décrétée depuis les jours anciens;
il a détruit sans pitié.
Il a réjoui l'ennemi à tes dépens,
exalté la vigueur de tes adversaires.

*Çadé.* 18 Crie donc [d] vers le Seigneur,
rempart de la fille de Sion;
1 2 laisse couler tes larmes comme un torrent

*a)* L'hébr. ajoute « et du vin ».
*b)* « A quoi te comparer » Vulg.; « Que témoignerai-je pour toi » hébr. – « Qui pourra... consoler » grec; « A quoi t'assimiler pour te consoler » hébr.
*c)* « clinquant », litt. « crépi, badigeon », allusion à Ez **13** 10. – « changer ton sort », expression fréquente chez Jérémie, qui signifie également « faire revenir les captifs ». – « Ils t'ont servi », litt. « Ils ont vu pour toi ».
*d)* « Crie donc » *ça'aqî lâk* conj.; « leur cœur crie » *ça'aq libbam* hébr. – L'image du rempart, dans la suite du v., ne semble pas très cohérente et on propose parfois de lire « gémis, fille de Sion » (*hemî* au lieu de *homat*) mais cette conj. est sans appui textuel.

jour et nuit;
ne t'accorde pas de relâche,
que tes yeux n'aient pas de repos!

*Qoph.*

19 Debout! Pousse un cri dans la nuit
au commencement des veilles;
répands ton cœur comme de l'eau
devant la face de Yahvé,
élève vers lui tes mains
pour la vie de tes petits enfants
(qui défaillent de faim
à l'entrée de toutes les rues [a])!

*Resh.*

20 « Vois, Yahvé, et regarde :
Qui as-tu jamais traité de la sorte?
Fallait-il que des femmes mangent leurs petits, **4** 10
les enfants qu'elles berçaient? Dt **28** 53 Jr **19** 9
Fallait-il qu'au sanctuaire du Seigneur fussent égorgés
prêtre et prophète?

*Shin.*

21 Sur le sol gisent dans les rues
enfants et vieillards,
mes vierges et mes jeunes gens
sont tombés sous l'épée;
tu as égorgé au jour de ta colère,
tu as immolé sans pitié.

*Tav.*

22 Tu as convoqué comme pour un jour de fête
les terreurs [b] de tous côtés; Jr **20** 10+
au jour de la colère de Yahvé, il n'y eut
rescapé ni survivant.
Ceux que j'avais bercés et élevés,
mon ennemi les a exterminés. »

# Troisième lamentation[c]

*Aleph.*

**3** 1 Je suis l'homme qui a connu la misère,
sous la verge de sa fureur.
2 C'est moi qu'il a conduit et fait marcher
dans la ténèbre et sans lumière. Jn **8** 12+
3 Contre moi seul, il tourne et retourne
sa main tout le jour.

*Bèt.*

4 Il a consumé ma chair et ma peau, Jb **30** 30
rompu mes os.
5 Il a élevé contre moi des constructions,
cerné ma tête de tourment [d].

*a)* Les deux derniers stiques qui rompent le rythme sont une addition inspirée du v. 11; elle se trouve également dans le grec.
*b)* « les terreurs » conj.; « mes terreurs » hébr.
*c)* Ce poème est analogue à plusieurs psaumes où une plainte individuelle s'élargit (ici vv. 40-47) en lamentation collective. Les considérations assez générales des vv. 22-39 reprennent un certain nombre de thèmes de la littérature de sagesse.
*d)* « ma tête de tourment » *rôshî tela'ah* conj.; « de fiel et de tourment » *rôsh ûtela'ah* hébr. – v. difficile. Après l'évocation de la maladie, il semble qu'on ait là l'image d'une ville contre laquelle on élève des machines de siège, mais le texte est incertain.

[6] Il m'a fait habiter dans les ténèbres,
comme ceux qui sont morts à jamais.

Jb 3 23; 19 8 *Gimel.*
[7] Il m'a emmuré, et je ne puis sortir;
il a rendu lourdes mes chaînes.
[8] Quand même je crie et j'appelle,
il arrête ma prière.
[9] Il a barré mes chemins avec des pierres de taille,
obstrué mes sentiers.

*Dalèt.*
[10] Il est pour moi un ours aux aguets,
Jb 10 16 un lion à l'affût.
[11] Faisant dévier mes chemins, il m'a déchiré,
il a fait de moi une horreur.
Jb 16 12-13 [12] Il a bandé son arc et m'a visé
comme une cible pour ses flèches.

*Hé.*
[13] Il a planté en mes reins,
les flèches de son carquois.
Dt 28 37, Ps 69 12s [14] Je suis devenu la risée de tout mon peuple [a],
Jr 20 7 leur chanson tout le jour.
Jb 30 9 [15] Il m'a saturé d'amertume,
Jr 23 15, Ps 69 22 il m'a enivré d'absinthe.

*Vav.*
[16] Il a brisé mes dents avec du gravier,
il m'a nourri de cendre [b].
Jr 16 5 [17] Mon âme est exclue [c] de la paix,
j'ai oublié le bonheur!
[18] J'ai dit : Mon existence est finie,
Jb 17 15 mon espérance qui venait de Yahvé.

*Zaïn.*
[19] Souviens-toi de ma misère et de mon angoisse :
c'est absinthe et fiel!
[20] Elle s'en souvient, elle s'en souvient, mon âme,
et elle s'effondre en moi.
[21] Voici ce qu'à mon cœur je rappellerai
pour reprendre espoir :

*Hèt.*
[22] Les faveurs de Yahvé ne sont pas finies,
Ex 34 6-7 ni ses compassions épuisées;
[23] elles se renouvellent chaque matin,
grande est sa fidélité [d]!
Ps 16 6; 73 26 [24] « Ma part, c'est Yahvé! dit mon âme,
c'est pourquoi j'espère en lui. »

*Tèt.*
[25] Yahvé est bon pour qui se fie à lui,
pour l'âme qui le cherche.
Is 30 18, Ps 40 2 [26] Il est bon d'attendre en silence
le salut de Yahvé.

*a)* Plusieurs mss hébr. et le syr. ont lu « la risée de tous les peuples », ce qui indique une relecture identifiant l'homme du v. 1 avec Israël.
*b)* « nourri de cendre » grec; « renversé dans la cendre » hébr.
*c)* « est exclue » syr., Vulg.; « tu as exclu » hébr.
*d)* « sa fidélité » conj.; « ta fidélité » hébr. – Les vv. 22-24 manquent dans le grec.

27 Il est bon pour l'homme de porter
le joug dès sa jeunesse,

*Yod.*

28 que solitaire et silencieux il s'asseye — Jr 15 17
quand le Seigneur l'impose sur lui,
29 qu'il mette sa bouche dans la poussière :
peut-être y-a-t-il de l'espoir!
30 qu'il tende la joue à qui le frappe, — Is 50 6
qu'il se rassasie d'opprobres! — Mt 5 39

*Kaph.*

31 Car le Seigneur ne rejette pas
les humains pour toujours :
32 s'il a affligé, il prend pitié — Is 54 8-9
selon sa grande bonté.
33 Car ce n'est pas de bon cœur qu'il humilie — Ez 33 11
et afflige les fils d'homme!

*Lamed.*

34 Quand on écrase et piétine
tous les prisonniers d'un pays,
35 quand on fausse le droit d'un homme
devant la face du Très Haut,
36 quand on fait tort à un homme dans un procès,
le Seigneur ne le voit-il pas?

*Mem.*

37 Qui donc n'a qu'à parler pour que les choses soient? — Gn 1
N'est-ce pas le Seigneur qui décide? — Ps 33 9
38 N'est-ce pas de la bouche du Très Haut
que sortent les maux et les biens? — Is 45 7
39 Pourquoi l'homme murmurerait-il?
Qu'il soit plutôt brave contre ses péchés [a]!

*Nun.*

40 Examinons notre voie, scrutons-la
et revenons à Yahvé. — Is 55 7
41 Élevons notre cœur et nos mains [b]
vers le Dieu qui est au ciel.
42 Nous, nous avons péché; nous, nous sommes rebelles :
Toi, tu n'as pas pardonné!

*Samek.*

43 Tu t'es enveloppé de colère et nous as pourchassés,
massacrant sans pitié.
44 Tu t'es enveloppé d'un nuage
pour que la prière ne passe pas. — 3 8
45 Tu as fait de nous des balayures, — Dt 28 37
un rebut parmi les peuples. — 1 Co 4 13

*Phé.*

46 Ils ont ouvert la bouche contre nous,
tous nos ennemis.
47 Frayeur et fosse furent notre lot,
fracas et désastre.
48 Mes yeux se fondent en ruisseaux
pour le désastre de la fille de mon peuple.

*a)* « Qu'il soit brave », litt. « qu'il soit un homme » en lisant *yehî (geber)* au lieu de *hây* (« vivant ») que l'hébreu rattache au premier stique.
*b)* « et nos mains » Vulg.; « vers nos mains » hébr.

*Aïn.* 49 Mes yeux pleurent et ne s'arrêtent pas,
il n'y a pas de répit,
Is **63** 15 50 jusqu'à ce que Yahvé regarde
et voie du haut du ciel.
51 Mes yeux me font mal,
pour toutes les filles de ma Cité.

*Çadé.* 52 Ils m'ont chassé, pourchassé comme un oiseau,
Ps **35** 19; **69** 5 ceux qui m'exècrent sans raison.
53 Dans une fosse, ils ont précipité ma vie,
ils m'ont jeté des pierres.
54 Les eaux ont submergé ma tête;
je disais : « Je suis perdu! »

*Qoph.* 55 J'ai invoqué ton Nom, Yahvé,
de la fosse profonde.
Ps **130** 2 56 Tu entendis mon cri, ne sois pas sourd
à ma prière [a], à mon appel.
57 Tu te fis proche, au jour où je t'ai appelé.
Tu as dit : « Ne crains pas! »

*Resh.* 58 Tu as défendu, Seigneur, la cause de mon âme,
tu as racheté ma vie [b].
59 Tu as vu, Yahvé, le tort qui m'était fait :
rends-moi justice.
60 Tu as vu toute leur rage,
tous leurs complots contre moi.

*Shin.* 61 Tu as entendu leurs outrages, Yahvé,
tous leurs complots contre moi,
62 les propos que chuchotaient mes adversaires
contre moi, tout le jour.
63 Qu'ils s'asseyent ou se lèvent, regarde :
**3** 14 je leur sers de chanson.

Jr **51** 56 *Tav.* 64 Rétribue-les, Yahvé,
selon l'œuvre de leurs mains.
65 Mets en leur cœur l'endurcissement,
ta malédiction sur eux.
66 Poursuis-les avec colère, extirpe-les
de dessous tes cieux [c]!

## *Quatrième lamentation*

Jr **6** 27-30 *Aleph.* **4** 1 Quoi! il s'est terni l'or, il s'est altéré,
l'or si fin!
Les pierres sacrées ont été semées
au coin de toutes les rues [d].

*a)* « à ma prière » grec (qui omet le mot suivant, glose probable); « à ma libération » hébr.
*b)* Dieu est le *go 'el* de son peuple, cf. Rt **2** 20+; Is **41** 20+.
*c)* « tes cieux » mss grecs, syr.; « les cieux de Yahvé » hébr.
*d)* L'or et les pierres sacrées symbolisent la population de Jérusalem.

*Bèt.* [2] Les fils de Sion, précieux
autant que l'or fin,
quoi! ils sont comptés pour des vases d'argile,
œuvre des mains d'un potier! Jr **19** 11

*Gimel.* [3] Même les chacals tendent leurs mamelles
et allaitent leurs petits;
la fille de mon peuple est devenue cruelle
comme les autruches au désert. Jb **39** 13-17

*Dalèt.* [4] De soif, la langue du nourrisson
s'attache à son palais;
les petits enfants réclament du pain : **2** 11-12
personne ne leur en partage.

*Hé.* [5] Ceux qui mangeaient des mets délicieux
expirent dans les rues;
ceux qui étaient élevés dans la pourpre
étreignent le fumier.

*Vav.* [6] La faute de la fille de mon peuple a surpassé
les péchés de Sodome,
qui fut renversée en un instant Gn **19**
sans qu'on s'y fatiguât les mains.

*Zaïn.* [7] Ses jeunes gens [a] étaient plus éclatants que neige,
plus blancs que lait;
plus vermeil que le corail était leur corps,
leur teint était de saphir.

*Hèt.* [8] Leur visage est plus sombre que la suie,
on ne les reconnaît plus dans les rues.
Leur peau est collée à leurs os,
sèche comme du bois.

*Tèt.* [9] Heureuses furent les victimes de l'épée
plus que celles de la faim,
qui succombent, épuisées [b],
privées des fruits des champs.

*Yod.* [10] De tendres femmes ont, de leurs mains, **2** 20
fait cuire leurs petits :
ils leur ont servi d'aliment
dans le désastre de la fille de mon peuple.

*Kaph.* [11] Yahvé a assouvi sa fureur,
déversé l'ardeur de sa colere,
il a allumé en Sion un feu **2** 3
qui a dévoré ses fondations.

*a)* « Ses jeunes gens » *ne'arêka* conj.; « Ses nazirs » *nezîrêka* hébr. – Au dernier stique, on traduit « leur teint » d'après la Syro-hexaplaire et Origène, le mot hébr. *gizerah* (d'une racine qui signifie « couper », « séparer ») reste ici inexpliqué.
*b)* Litt. « qui s'écoulent, transpercées », peut-être au sens de rendues comme transparentes par la famine.

*Lamed.* 12 Ils ne croyaient pas, les rois de la terre
et tous les habitants du monde,
que l'oppresseur et l'ennemi franchiraient
les portes de Jérusalem.

Jr **6** 13 *Mem.* 13 C'est à cause des péchés de ses prophètes,
des fautes de ses prêtres,
Ez **7** 23 qui en pleine ville avaient versé
le sang des justes!

*Nun.* 14 Ils erraient en aveugles dans les rues,
Nb **35** 32-33 souillés de sang;
alors on ne pouvait toucher
leurs vêtements.

Lv **13** 45 *Samek.* 15 « Arrière! Impur! » leur criait-on,
« Arrière! Arrière! Pas de contact! »
S'ils partaient et fuyaient chez les nations,
ils ne pouvaient y séjourner [a].

*Phé.* 16 La Face de Yahvé les dispersa,
il ne les regarda plus.
On ne marqua plus de respect aux prêtres,
d'égard aux anciens.

*Aïn.* 17 Toujours nos yeux se consumaient,
épiant un secours : illusion!
De nos tours nous guettions
Ez **29** 6 Jr **37** 7 une nation [b] qui ne peut sauver.

*Çadé.* 18 On observait nos pas,
pour nous interdire nos places.
Notre fin était proche, nos jours accomplis,
oui, notre fin était arrivée!

*Qoph.* 19 Nos pourchasseurs étaient rapides
plus que les aigles du ciel;
dans les montagnes ils nous traquaient,
nous dressaient des embûches au désert.

*Resh.* 20 Le souffle de nos narines, l'oint de Yahvé [c]
2 R **25** 5-6 fut pris dans leurs fosses,
lui dont nous disions : « A son ombre
nous vivrons chez les nations. »

*Shin.* 21 Réjouis-toi, exulte, fille d'Édom,
qui habites au pays de Uç [d]!
Jr **25** 16 Is **51** 17+ A toi aussi passera la coupe :
Gn **9** 21 Ha **2** 15s tu te soûleras et montreras ta nudité!

*a)* Les coupables sont traités comme des lépreux – Après « fuyaient », l'hébr. ajoute « on disait ». On peut aussi comprendre : « on disait chez les nations : ils ne pourront séjourner ».
*b)* L'Égypte, alliée de la dernière guerre.
*c)* Sédécias, cf. 2 R **25** 6. – « Le souffle de nos narines », c'est-à-dire notre vie elle-même.
*d)* Uç, cf. Gn **36** 28; Jb **1** 1; les peuples voisins, Moab, Ammon et surtout Édom, loin de soutenir Israël vaincu, profitèrent de sa défaite, cf. Is **34** 5+, d'où les anathèmes contre Édom fréquents dans la littérature prophétique postexilique, cf. Is **34**; Ez **25**.

Tav. [22] Ta faute est expiée, fille de Sion. Is **40** 2
Il ne te déportera plus!
Il va châtier ta faute, fille d'Édom. Ps **137** 7
Il va dévoiler tes péchés!

## *Cinquième lamentation*[a]

5 [1] Souviens-toi, Yahvé, de ce qui nous est arrivé,
regarde et vois notre opprobre!

[2] Notre héritage a passé à des étrangers,
nos maisons à des inconnus.

[3] Nous sommes orphelins, sans père;
nos mères sont comme des veuves.

[4] A prix d'argent nous buvons notre eau,
notre bois, il nous faut le payer.

[5] Le joug [b] est sur notre cou, nous sommes persécutés;
nous sommes à bout, et pour nous pas de répit.

[6] Nous tendons la main à l'Égypte, Jr **2** 18
à Assur pour nous rassasier de pain [c].

[7] Nos pères ont péché : ils ne sont plus;
et nous, nous portons leurs fautes [d]. Ez **18** 2

[8] Des esclaves [e] dominent sur nous,
nul ne nous délivre de leur main.

[9] Au péril de nos vies nous rapportons notre pain
en affrontant l'épée du désert.

[10] Notre peau comme un four est brûlante [f],
à cause des ardeurs de la faim.

[11] Ils ont violé des femmes dans Sion,
des vierges dans les villes de Juda.

[12] Des princes ont été pendus de leur main :
la face des vieillards n'a pas été respectée.

[13] Des adolescents ont porté la meule,
des garçons ont trébuché sous le bois.

[14] Les anciens ont déserté la porte;
les jeunes gens ont cessé leur musique.

*a)* Intitulée par la Vulg. « Prière de Jérémie ».
*b)* On restitue « le joug », *'ol,* tombé par haplographie devant « sur » *'al.*
*c)* Pour sa subsistance, Israël est désormais à la merci de ses ennemis traditionnels. – « Assur », expression stéréotypée, désigne en fait la Babylonie, cf. Jr **2** 18.
*d)* L'économie de la rétribution collective reste valable pour le présent, aux yeux de l'auteur, et ne le cède que pour l'avenir au principe de la rétribution individuelle, cf. Ez **14** 12+.
*e)* Les fonctionnaires chaldéens, désignés habituellement sous le nom de « serviteurs », pris ici au sens péjoratif.
*f)* « est brûlante » grec, Vulg.; « sont brûlantes » hébr.

[15] La joie a disparu de notre cœur,
notre danse s'est changée en deuil.

[16] La couronne de notre tête est tombée
Malheur à nous, car nous avons péché!

[17] Voilà pourquoi notre cœur est malade,
voilà pourquoi s'obscurcissent nos yeux :

[18] c'est que la montagne Sion est désolée,
Is **34** 13-15 des chacals y rôdent!

[19] Mais toi, Yahvé, tu demeures à jamais;
Ps **102** 13; **145** 13; **146** 10 ton trône subsiste d'âge en âge [a]!

[20] Pourquoi nous oublierais-tu pour toujours,
nous abandonnerais-tu jusqu'à la fin des jours?

Jr **31** 18 [21] Fais-nous revenir à toi, Yahvé, et nous reviendrons.
Renouvelle nos jours comme autrefois,

[22] si tu ne nous as tout à fait rejetés,
irrité contre nous sans mesure.

*a)* Malgré la ruine de son Temple terrestre, Yahvé, toujours glorieux et puissant, trône dans le ciel.

# LE LIVRE DE BARUCH

## *Introduction*

**Baruch et l'assemblée des Juifs à Babylone** [a].

1 [1] Voici les paroles du livre qu'écrivit à Baby-
Jr 32 12; 36 4 lone Baruch, fils de Nérias, fils de Maasias,
fils de Sédécias, fils d'Asadias, fils d'Helcias, [2] la
cinquième année, le septième jour du mois [b], à
l'époque où les Chaldéens s'étaient emparés de
Jérusalem et l'avaient incendiée.

[3] Or Baruch lut les paroles de ce livre devant
2 R 24 8-17 Jékonias [c], fils de Joiaqim, roi de Juda. et devant
Jr 22 24-30 tout le peuple venu pour cette lecture, [4] devant les
dignitaires et les fils de roi [d], devant les anciens,
bref devant le peuple entier, petits et grands, devant
tous ceux qui habitaient à Babylone, aux bords de
la rivière Soud. [5] On pleurait, on jeûnait et on
priait en présence du Seigneur; [6] on collecta aussi
de l'argent, selon les possibilités de chacun, [7] et on
l'envoya à Jérusalem au prêtre Joaqim [e], fils d'Helcias, fils de Salom, ainsi qu'aux autres prêtres et à
tout le peuple qui se trouvait avec lui à Jérusalem.
[8] C'était déjà Baruch qui avait récupéré, le dixième
jour de Sivân, les ustensiles de la maison du Seigneur, enlevés au Temple, pour les rapporter [f] au
pays de Juda, ustensiles d'argent qu'avait fait fabriquer Sédécias, fils de Josias, roi de Juda, [9] après
que Nabuchodonosor, roi de Babylone, eut déporté 2 R 24 14
de Jérusalem et mené à Babylone Jékonias, avec les
princes, les serruriers [g], les notables et le commun
peuple.

[10] On écrivit : Voici, nous vous envoyons de
l'argent; avec cet argent, achetez holocaustes, oblations pour le péché et encens; préparez des offrandes et portez-les sur l'autel du Seigneur notre Dieu.
[11] Priez pour la vie de Nabuchodonosor, roi de Jr 29 7
Babylone, et pour la vie de Balthazar son fils, que 1 Tm 2 1-2
leurs jours soient sur terre comme les jours du ciel;
[12] que le Seigneur nous donne force et illumine nos
yeux, pour que nous vivions à l'ombre de Nabuchodonosor, roi de Babylone, et à l'ombre de Balthazar son fils, les servions longtemps et trouvions Dn 5 2, 13
grâce en leur présence. [13] Priez aussi pour nous le
Seigneur notre Dieu, car nous l'avons offensé et
jusqu'aujourd'hui la fureur et la colère du Seigneur
ne se sont pas détournées de nous. [14] Lisez enfin ce
livre que nous vous adressons pour que vous en
fassiez la lecture publique, dans la maison du Seigneur, au jour de la Fête [h] et aux jours qui conviennent. [15] Vous direz :

## *I. Prière des exilés*

**La confession des péchés.**

=2 6 Au Seigneur notre Dieu la justice, mais pour
Dn 9 7-8 Jr 7 19 nous, la honte au visage, comme il en est
aujourd'hui, pour l'homme de Juda et les habitants
de Jérusalem, [16] pour nos rois et nos princes, pour
nos prêtres et nos prophètes, pour nos pères,
[17] parce que nous avons péché devant le Seigneur, Tb 3 3, 4 Dn 9 5-6

*a)* Sur les différents morceaux qui composent le livre de Baruch, voir l'Introduction pp. 1081-1082.
*b)* En 582, sans doute au cinquième mois, anniversaire de la chute de Jérusalem qu'on commémorait probablement en exil comme en Palestine, cf. Za **7** 3, d'où l'assemblée signalée aux vv. 3-4.
*c)* Ou Joiakîn.
*d)* C'est-à-dire des fonctionnaires, familiers de la cour, cf. Jr **36** 26; **38** 6.
*e)* Sans doute un prêtre en second, cf. 2 R **25** 18, demeuré dans le sanctuaire à demi ruiné de Jérusalem, où un culte est toujours attesté, Jr **41** 5. En effet, le grand prêtre Yehoçadaq avait été emmené en exil, 1 Ch **5** 41. La généalogie donnée à Joaqim est pourtant celle de la lignée des grands prêtres, 1 Ch **5** 39, mais un grand prêtre du nom de Joakim (ou Yoyakim) n'est attesté qu'environ un siècle plus tard, cf. Ne **12** 10, 12, 26.
*f)* Les livres historiques ne connaissent que le retour des vases sacrés sous Cyrus, Esd **1** 7-11.
*g)* « serruriers » d'après Jr **24** 1; « captifs » grec.
*h)* La fête des Tentes, cf. Ex **23** 14+, qui comportait deux assemblées, au premier et au huitième jour, cf. Lv **23** 35-36.

2 10 18 nous lui avons désobéi et n'avons point écouté la
voix du Seigneur notre Dieu, pour marcher selon
les ordres que le Seigneur avait mis devant nous.
Jr **7** 25-26 19 Dès le jour où le Seigneur tira nos pères du pays
d'Égypte jusqu'aujourd'hui, nous avons été indo-
ciles au Seigneur notre Dieu et nous nous sommes
rebellés [a] en n'écoutant pas sa voix. 20 Alors se sont
Lv **26** 14-39 attachés à nous les malheurs et la malédiction que
Dt **28** 15-68 le Seigneur dicta à son serviteur Moïse, le jour où
Dn **9** 11 il tira nos pères d'Égypte pour nous donner une
Ex **3** 8 terre qui ruisselle de lait et de miel, comme
aujourd'hui encore. 21 Nous n'avons pas écouté la
voix du Seigneur notre Dieu, selon toutes les paroles des prophètes qu'il nous envoya; 22 nous som-
Jr **7** 24 mes allés, chacun suivant l'inclination de son cœur
mauvais, servir d'autres dieux, faire ce qui déplaît
au Seigneur notre Dieu.

Dn **9** 12-13 **2** 1 Aussi le Seigneur a-t-il accompli la parole
qu'il avait prononcée contre nous, contre nos
juges qui gouvernèrent Israël, contre nos rois et nos
chefs, contre les gens d'Israël et de Juda; 2 sous
l'immensité du ciel ne se produisit jamais rien de
semblable à ce qu'il fit à Jérusalem, selon ce qui
était écrit dans la Loi de Moïse : 3 nous en arri-
Dt **28** 53-57+ vâmes à manger chacun la chair de son fils, chacun
la chair de sa fille. 4 De plus, il les a mis au pouvoir
de tous les royaumes qui nous entourent, pour être
Jr **29** 18 un opprobre et une exécration parmi tous les peu-
Dt **28** 37 ples d'alentour où le Seigneur les dispersa. 5 Ils
Dt **28** 13, 43 furent assujettis au lieu d'être maîtres, parce que
nous avions offensé le Seigneur notre Dieu, en
n'écoutant point sa voix.

= **1** 15 6 Au Seigneur notre Dieu la justice, mais pour
Dn **9** 7-8 nous et pour nos pères la honte au visage, comme
il en est aujourd'hui. 7 Tous ces malheurs que le
Seigneur avait énoncés contre nous sont venus sur
nous. 8 Nous n'avons pas supplié la face du Seigneur, chacun de nous se détournant des pensées
Jr **1** 12; de son cœur mauvais : 9 alors le Seigneur a veillé
**31** 28; **44** 27 sur ces malheurs et les a amenés sur nous; car le
Dn **9** 14 Seigneur est juste en toutes les œuvres qu'il nous
**1** 18 a commandées, 10 et nous n'avons pas écouté sa
voix en marchant selon les ordres que le Seigneur
avait mis devant nous.

**La supplication.**

11 Et maintenant, Seigneur, Dieu d'Israël, toi qui
Dn **9** 15-16 tiras ton peuple du pays d'Égypte à main forte, par
Jr **32** 20-21 signes et miracles, par grande puissance et bras
Dt **6** 21-22 étendu, te faisant de la sorte un nom comme il en
est aujourd'hui, 12 nous avons péché, nous avons
été impies, nous avons été injustes, Seigneur notre Ps **106** 6
Dieu, pour tous tes préceptes. 13 Que ta colère se
détourne de nous, puisque nous ne sommes plus
qu'un petit reste parmi les nations où tu nous dis- Am **3** 12+
persas. 14 Écoute, Seigneur, notre prière et notre
supplication : délivre-nous à cause de toi-même, et Ps **25** 11
fais-nous trouver grâce devant ceux qui nous ont
déportés, 15 afin que la terre entière sache que tu es
le Seigneur, notre Dieu, puisqu'Israël et sa race
portent ton Nom. 16 Seigneur, regarde de ta Jr **14** 9
demeure sainte, et pense à nous, tends l'oreille et Dn **9** 19
écoute, 17 ouvre les yeux, Seigneur, et vois; ce ne sont Dt **26** 15
pas les morts dans le shéol, ceux dont le souffle Is **38** 18
fut enlevé des entrailles, qui rendent gloire et
justice au Seigneur; 18 mais l'âme comblée d'affliction, celui qui chemine courbé et sans force, les Dt **28** 65-67
yeux défaillants et l'âme affamée [b], voilà ce qui te
rend gloire et justice, Seigneur!
19 Nous ne nous appuyons pas sur les mérites de Ez **36** 22
nos pères et de nos rois pour déposer notre suppli- Dn **9** 18
cation devant ta face, Seigneur notre Dieu. 20 Car
tu as envoyé sur nous ta colère et ta fureur, comme
tu l'avais proclamé par le ministère de tes serviteurs les prophètes, en ces termes : 21 « Ainsi parle Jr **27** 12
le Seigneur : *Inclinez votre nuque et servez le roi
de Babylone;* alors, vous resterez au pays que j'ai
donné à vos pères. 22 Mais si vous n'écoutez pas
l'invitation du Seigneur à servir le roi de Babylone,
23 *je ferai cesser, aux villes de Juda et à Jérusalem,* Jr **7** 34
*le chant de joie et le chant d'allégresse, le chant du
fiancé et le chant de la fiancée, et tout le pays
deviendra une désolation, sans habitants.* » 24 Mais
nous n'avons pas écouté ton invitation à servir le
roi de Babylone, alors tu as accompli les paroles
que tu avais prononcées par le ministère de tes serviteurs les prophètes : que les os de nos rois et les
os de nos pères seraient arrachés de leur lieu. Jr **8** 1-2
25 Voici qu'en effet ils furent *jetés dehors à la cha-* Jr **36** 30
*leur du jour et au froid de la nuit.* Et l'on mourut
au milieu de terribles misères, par la famine, l'épée Jr **14** 12
et la peste. 26 Et tu fis de cette maison, qui porte
ton Nom, ce qu'elle est aujourd'hui, à cause de la
méchanceté de la maison d'Israël et de la maison
de Juda.

27 Pourtant, tu as agi envers nous, Seigneur notre
Dieu, selon toute ton indulgence et ton immense
tendresse, 28 comme tu l'avais déclaré par le ministère de ton serviteur Moïse, le jour où tu lui
commandas d'écrire ta Loi en présence des Israe- Lv **26** 3
lites, en ces termes : 29 « Si vous n'écoutez pas
ma voix, cette immense et innombrable multitude

*a)* « nous nous sommes rebellés » : en restituant d'après Dn **9** 5 *maradnû*, qui a dû être corrompu en *miharnû*, « nous nous sommes hâtés », d'où le grec « nous avons agi précipitamment (ou légèrement) ».

*b)* Ce passage témoigne de la religion des « pauvres » à qui le salut est promis, cf. So **2** 3+.

Dt 9 13+ elle-même sera réduite à un petit nombre parmi les
Lv 26 44s nations où je les disperserai, 30 car je sais qu'ils ne
Za 10 9 m'écouteront point; c'est un peuple à la nuque
raide. Mais dans le pays de leur exil, ils rentreront
en eux-mêmes 31 et connaîtront que je suis le Sei-
Ez 36 26+ gneur leur Dieu. Je leur donnerai un cœur et des
Jr 4 4+ oreilles qui entendent. 32 Ils me loueront au pays de
leur exil, ils se souviendront de mon nom; 33 ils
Dt 30 1, 9s n'auront plus la nuque raide et se détourneront de
leurs mauvaises actions, se rappelant le destin de
leurs pères qui ont péché devant le Seigneur.
34 Alors je les ramènerai au pays que j'ai promis
par serment à leurs pères Abraham, Isaac et Jacob,
et ils y seront maîtres. Je les multiplierai et ils ne
seront plus diminués. 35 Pour eux, j'établirai une
Jr 31 31 alliance éternelle; je serai leur Dieu et ils seront
mon peuple. Et je ne repousserai plus mon peuple
Israël du pays que je leur ai donné. »

**3** 1 Seigneur tout-puissant, Dieu d'Israël, c'est
2 18 une âme angoissée, un esprit ébranlé, qui te
crie : 2 Écoute, Seigneur, aie pitié, car nous avons
péché devant toi. 3 Toi, tu trônes éternellement; Ps 29 10
nous autres, nous périssons pour toujours. 4 Sei- Lm 5 19
gneur tout-puissant, Dieu d'Israël, écoute donc la Ps 44 23
supplication des morts d'Israël [a], des fils de ceux
qui ont péché contre toi, qui n'ont pas écouté la
voix du Seigneur leur Dieu de sorte que les malheurs se sont attachés à nous. 5 Ne te souviens pas
des fautes de nos pères, mais en cette heure souviens-toi de ta main et de ton Nom. 6 Oui, tu es le
Seigneur notre Dieu, et nous voulons te louer, Seigneur. 7 Car tu as mis en nos cœurs ta crainte pour Jr 31 33
que nous invoquions ton Nom. Nous voulons te
louer en notre exil, puisque nous avons écarté de
notre cœur toute la méchanceté de nos pères qui
ont péché devant toi. 8 Nous voici, aujourd'hui
encore, en cet exil où tu nous as dispersés pour être 2 4
un opprobre, une malédiction, une condamnation,
après toutes les fautes de nos pères, qui s'étaient
éloignés du Seigneur notre Dieu.

## *II. La sagesse, prérogative d'Israël*

Pr 4 20-22 9 Écoute, Israël, les préceptes de vie,
tends l'oreille pour connaître la science.
10 Pourquoi, Israël, pourquoi es-tu au pays de tes ennemis,
vieillissant en terre étrangère,
11 te souillant [b] avec les morts,
compté parmi ceux qui vont au shéol?
Jr 2 13 12 C'est que tu abandonnas la Source de la Sagesse!
Si 1 5 13 Si tu avais marché dans la voie de Dieu,
Is 48 18 tu habiterais dans la paix pour toujours.
14 Apprends où est la science, où est la force,
où est l'intelligence, pour connaître aussi
où est la longueur de jours et la vie,
où est la lumière des yeux et la paix.
28 12, 20 15 Mais qui a découvert son lieu,
qui a pénétré en ses trésors [c]?
16 Où sont-ils les chefs des nations
Jr 27 6 et les dominateurs des bêtes de la terre,
17 ceux qui se jouent des oiseaux du ciel,
ceux qui accumulent l'argent et l'or
sur quoi les hommes s'appuient,
et dont les possessions n'ont pas de fin,
18 ceux qui travaillent l'argent avec grand soin
– mais leurs œuvres ne laissent pas de traces?
19 Ils ont disparu, descendus au shéol!
D'autres à leur place se sont levés,
20 de plus jeunes ont vu la lumière
et ont habité sur la terre :
mais la voie de la connaissance, ils ne l'ont pas connue,
21 ils n'ont pas compris ses sentiers.
Leurs fils non plus ne l'ont point saisie,
ils sont restés loin de sa voie [d].
22 On n'a rien su d'elle en Canaan, Ez 28 4-5
on ne l'a pas aperçue à Témân; Za 9 2
Jb 2 11+
23 les fils d'Agar en quête d'intelligence ici-bas, Gn 25 12
les marchands de Madiân [e] et de Téma, Ex 2 15+
les diseurs de paraboles et les chercheurs d'intelligence
n'ont pas connu la voie de la sagesse,
ne se sont pas rappelé ses sentiers.
24 Qu'elle est grande, Israël, la demeure de Dieu [f],
qu'il est étendu le lieu de son domaine,
25 grand et sans borne,
haut et immense!
26 Là naquirent les géants, fameux dès l'origine, Gn 6 4
Dt 1 28+

*a)* Les Israélites, proches de la mort, cf. Is 59 10; Lm 3 6; Ez 37 11s.

*b)* Le traducteur grec a peut-être lu par erreur *nitmeta*, « tu t'es souillée », au lieu de *nidmeta*, « tu es semblable ».

*c)* A cette question, comme en Jb 28 13-28, il est donné d'abord une réponse négative : aucun effort humain ne conquiert la sagesse, 3 16-31, puis la réponse positive : Dieu la possède et il l'a donnée à Israël avec la Loi, 3 24 - 4 4.

*d)* « sa voie » mss grecs. syr.; « leur voie » grec.

*e)* « Madiân » conj.; « Merrân » grec.

*f)* L'univers.

hauts de stature, experts à la guerre;
1 S 16 7 27 de ceux-là Dieu ne fit pas choix,
il ne leur montra pas la voie de la connaissance;
28 ils périrent, car ils n'avaient pas la science,
ils périrent par leur folie.
Dt 30 11+ 29 Qui monta au ciel pour la saisir
Si 24 4
Sg 9 4 et la faire descendre des nuées?
30 Qui passa la mer pour la découvrir
et la rapporter au prix d'un or très pur?
Jb 28 13-14 31 Nul ne connaît sa voie,
nul ne comprend son sentier.
Jb 28 23 32 Mais Celui qui sait tout la connaît,
il l'a scrutée par son intelligence,
lui qui pour l'éternité a disposé la terre
et l'a emplie de bétail,
33 lui qui envoie la lumière, et elle part,
qui la rappelle, et elle obéit en tremblant;
34 les étoiles brillent à leur poste, joyeuses :
Is 40 26 35 les appelle-t-il, elles répondent : Nous voici!
Jb 38 35
Ps 147 4

elles brillent avec joie pour leur Créateur.
36 C'est lui qui est notre Dieu :
aucun autre ne lui est comparable.
37 Il a creusé la voie entière de la connaissance
et l'a montrée à Jacob, son serviteur, Ps 147 19
à Israël, son bien-aimé; Si 24 8, 10s
38 puis elle est apparue sur terre Pr 8 31
et elle a vécu parmi les hommes [a]. Sg 9 10
Jn 1 14

4 1 Elle est le Livre des préceptes de Dieu,
la Loi qui subsiste éternellement : Si 24 23
quiconque la garde vivra, Pr 1 32-33;
quiconque l'abandonne mourra. 8 35-36
2 Reviens, Jacob, saisis-la,
marche vers la splendeur, à sa lumière : Pr 6 23
3 ne cède pas à autrui ta gloire,
à un peuple étranger tes privilèges.
4 Heureux, sommes-nous, Israël : Dt 4 8, 32-37
ce qui plaît à Dieu nous fut révélé! Sg 9 18

## III. *Plaintes et espoirs de Jérusalem* [b]

5 Courage, mon peuple,
mémorial d'Israël [c]!
Is 50 1; 52 3 6 Vous avez été vendus aux nations,
mais non pour l'anéantissement.
Ayant excité la colère de Dieu,
vous avez été livrés à vos ennemis.
7 Car vous aviez irrité votre Créateur
Dt 32 17 en sacrifiant à des démons et non à Dieu.
Dt 32 5, 8 Vous aviez oublié le Dieu éternel, votre nour-
10, 15 ricier!
Is 1 2
Vous avez aussi attristé Jérusalem, votre nour-
ricière;
9 elle a vu fondre sur vous
la colère venue de Dieu
et elle a dit :

Écoutez, voisines de Sion :
Dieu m'a envoyé grande tristesse.
10 J'ai vu la captivité de mes fils et filles,
que l'Éternel leur amena.
11 Je les avais nourris avec joie;
avec pleurs et tristesse je les vis partir.
12 Que nul ne se réjouisse sur moi,
Lm 1 1-2 veuve et délaissée d'un grand nombre;
je subis la solitude pour les péchés de mes
enfants,

car ils se sont détournés de la Loi de Dieu,
13 ils n'ont point connu ses préceptes,
ni marché par les voies de ses préceptes,
ni suivi les sentiers de discipline selon sa justice.
14 Qu'elles arrivent, les voisines de Sion!
Rappelez-vous la captivité de mes fils et filles,
que l'Éternel leur amena!
15 Car il amena sur eux une nation lointaine, Jr 5 15;
une nation effrontée, à la langue barbare, 6 22, 23
sans respect pour le vieillard, Dt 28 49-5
sans pitié pour le petit enfant;
16 on emmena les fils chéris de la veuve,
on la laissa toute seule, privée de ses filles.
17 Moi, comment pourrais-je vous aider?
18 Celui qui vous amena ces malheurs,
c'est lui qui vous arrachera aux mains de vos
ennemis.
19 Allez, mes enfants, allez votre chemin!
Moi, je reste délaissée, solitaire;
20 j'ai quitté la robe de paix
et revêtu le sac de ma supplication;
je veux crier vers l'Éternel tant que je vivrai.
21 Courage, mes enfants, criez vers Dieu :
il vous arrachera à la violence et à la main de
vos ennemis;
22 car j'attends de l'Éternel votre salut,

*a)* En s'incarnant dans la Loi juive : ce n'est pas une pensée universaliste.

*b)* Après un préambule, vv. 5-9ᵃ, Jérusalem personnifiée s'adresse aux villes voisines et à ses enfants dispersés, vv. 9ᵇ-29 : le poète lui répond en lui annonçant la restauration messianique, 4 30 - 5 9.

*c)* Ceux qui maintiennent le nom d'Israël.

une joie m'est venue du Saint,
pour la miséricorde qui bientôt vous arrivera
de l'Éternel, votre Sauveur.
23 Car avec tristesse et pleurs je vous ai vus partir,
Jr **31** 12-13 mais Dieu vous rendra à moi pour toujours dans
la joie et la jubilation.
24 Comme les voisines de Sion voient maintenant
votre captivité,
ainsi verront-elles bientôt votre salut de par
Dieu,
Is **60** 1-3 qui vous surviendra avec grande gloire et éclat
de l'Éternel.
25 Mes enfants, supportez la colère qui de Dieu
vous est venue.
Ton ennemi t'a persécuté,
mais bientôt tu verras sa ruine
Is **51** 23 et sur sa nuque tu poseras ton pied.
Lm **2** 22; **4** 5 26 Mes enfants choyés ont marché par de rudes chemins,
enlevés, tel un troupeau razzié par l'ennemi.
Is **29** 1 27 Courage, mes enfants, criez vers Dieu :
Celui qui vous amena cela se souviendra de
vous.
28 Comme votre pensée fut d'égarement loin de
Dieu,
revenus à lui, recherchez-le dix fois plus fort.
29 Car Celui qui vous amena ces malheurs
vous ramènera, en vous sauvant, la joie éternelle.
30 Courage, Jérusalem :
il te consolera, Celui qui t'a donné un nom [a].
31 Malheur à ceux qui t'ont maltraitée
et se sont réjouis de ta chute!
32 Malheur aux cités dont furent esclaves tes
enfants,
malheur à celle qui reçut tes fils!
33 Car de même qu'elle se réjouit de ta chute
et fut heureuse de ta ruine,
ainsi sera-t-elle affligée pour sa propre dévastation.
34 Je lui ôterai son allégresse de ville bien peuplée,
son insolence se changera en tristesse,
35 un feu lui surviendra de l'Éternel pour de longs Is **34** 9-10, 14
jours,
elle sera la demeure de démons pour longtemps. Lv **16** 8+; **17** 7+
36 Jérusalem, regarde vers l'Orient, Is **60** 4-5
vois la joie qui te vient de Dieu.
37 Voici : ils reviennent, les fils que tu vis partir,
ils reviennent, rassemblés du levant au couchant,
sur l'ordre du Saint, jubilants de la gloire de
Dieu.

**5** 1 Jérusalem, quitte ta robe de tristesse et de
misère,
revêts pour toujours la beauté de la gloire de Is **52** 1
Dieu,
2 prends la tunique de la justice de Dieu, Is **61** 10
mets sur ta tête le diadème de gloire de l'Éternel;
3 car Dieu veut montrer ta splendeur partout sous
le ciel,
4 et ton nom sera de par Dieu pour toujours :
« Paix de la justice et gloire de la piété [b]. »
5 Jérusalem, lève-toi, tiens-toi sur la hauteur,
et regarde vers l'Orient :
vois tes enfants du couchant au levant rassemblés
sur l'ordre du Saint, jubilants, car Dieu s'est souvenu.
6 Car ils t'avaient quittée à pied,
sous escorte d'ennemis,
mais Dieu te les ramène Is **49** 22;
portés glorieusement, comme un trône royal [c]. **60** 4
7 Car Dieu a décidé que soient abaissées Is **40** 3-4
toute haute montagne et les collines éternelles,
et comblées les vallées pour aplanir la terre,
pour qu'Israël chemine en sécurité dans la gloire Is **40** 5
de Dieu. Is **42** 16
8 Et les forêts, et tous arbres de senteur feront de Is **41** 19
l'ombre
pour Israël, sur l'ordre de Dieu;
9 car Dieu guidera Israël dans la joie, à la lumière
de sa gloire,
avec la miséricorde et la justice qui viennent de
lui.

## *IV. Lettre de Jérémie*

Jr **29** 1 Copie de la lettre qu'envoya Jérémie à ceux qui
allaient être emmenés captifs à Babylone par le roi
des Babyloniens, pour leur faire savoir ce qui lui
avait été ordonné par Dieu.

**6** 1 Pour les péchés que vous avez commis
devant Dieu, vous allez être emmenés captifs
à Babylone par Nabuchodonosor, roi des Babyloniens. 2 Une fois arrivés à Babylone, vous y reste-

*a)* Pour en faire sa propre cité, Ps **46** 5; Is **60** 14.
*b)* Cf. les autres noms messianiques de Jérusalem, Is **1** 26+; **60** 14+; Jr **33** 16; Ez **48** 35.
*c)* C'est le thème du nouvel Exode, cf. Is **40** 3+.

rez bien des années et pour longtemps, jusqu'à sept
générations; après quoi, je vous en ferai sortir en
paix. 3 Or, vous allez voir à Babylone des dieux
d'argent, d'or et de bois, qu'on porte sur les épaules [a] et qui inspirent crainte aux païens. 4 Soyez sur
vos gardes! Ne vous assimilez pas aux étrangers et
que la crainte ne vous saisisse pas devant ces dieux,
5 quand vous verrez, devant et derrière eux, la foule
Ex 23 20+ qui les adore. Dites plutôt en votre cœur : « C'est
toi qu'il faut adorer, Maître. » 6 Car mon ange est
avec vous : c'est lui qui prendra soin de vos vies.
Ps 115 4-5 7 Car leur langue fut poncée par un artisan, ils
ont été dorés et argentés : ils ne sont que déception
et ne peuvent parler. 8 Comme pour une vierge
aimant la parure, on prend de l'or et l'on fabrique
des couronnes pour les têtes de leurs dieux.
9 Parfois même les prêtres dérobent à leurs dieux
or et argent pour leurs propres dépenses; ils en donnent même aux prostituées de la terrasse [b]. 10 Ils
parent de vêtements, comme des humains, ces
dieux d'argent, d'or et de bois; mais eux ne se
défendent ni de la rouille ni des vers; 11 quand on
les a revêtus d'un habit de pourpre, on époussète
leur figure, à cause de la poussière du temple qui
s'épaissit sur eux. 12 Tel tient un sceptre comme un
gouverneur de province, mais ne saurait tuer qui
l'offense; 13 tel tient en sa droite épée et hache, mais
ne saurait se défendre de la guerre et des voleurs.
14 Par là, il est clair que ce ne sont pas des dieux :
ne les craignez pas!
15 Comme un vase dont un homme se sert
devient sans usage une fois brisé, ainsi en est-il de
leurs dieux qu'on installe dans les temples. 16 Leurs
yeux sont pleins de la poussière soulevée par les
pieds de ceux qui entrent. 17 De même que les portes sont closes de tous côtés sur un homme qui a
offensé le roi et qui va être conduit à la mort, ainsi
les prêtres renforcent les temples de ces dieux avec
portes, verrous et barres, par crainte d'un pillage
de voleurs. 18 Ils allument des lampes, et en plus
grand nombre que pour eux-mêmes : ces dieux sont
incapables d'en voir une seule. 19 Il en est d'eux
comme d'une des poutres du temple dont on
raconte que l'intérieur est rongé; les vers qui sortent de terre les dévorent, ainsi que leurs habits, et
ils ne le sentent pas. 20 Leur figure est noircie par
la fumée qui monte du temple. 21 Sur leur corps et
sur leur tête volettent chauves-souris, hirondelles et
autres volatiles; il y a là aussi des chats. 22 A cela
vous reconnaîtrez que ce ne sont pas des dieux : ne
les craignez pas!
23 L'or dont on les revêt doit les faire beaux;
mais si quelqu'un n'en nettoie pas la ternissure, ce
n'est pas eux qui le rendront brillant, car même
quand on les fondait, ils ne sentaient rien. 24 A
n'importe quel prix on acheta ces dieux, et il n'y
a point en eux souffle de vie. 25 N'ayant pas de Is 46 7
pieds, ils sont portés sur des épaules, exhibant aux
hommes leur honte. Leurs serviteurs aussi sont
confondus, car c'est par leur assistance que les
dieux se relèvent s'ils tombent par terre. 26 Les met- Sg 13 16
on debout, ils ne peuvent d'eux-mêmes se mou-
voir: penchent-ils, ils ne peuvent se redresser; mais
c'est comme devant des morts qu'on leur présente
des offrandes. 27 Ce qui leur est sacrifié, leurs prêtres le revendent et en tirent profit; pareillement,
leurs femmes en salent une partie, sans rien distribuer au pauvre et à l'impotent. Ce qui est sacrifié
à ces dieux, la femme en état d'impureté et la Lv 12 4;
femme en couches osent le toucher. 28 Sachant 15 19s;
donc par tout cela que ce ne sont pas des dieux, 20 18
ne les craignez pas!
29 Comment en effet les appeler des dieux? Ce
sont des femmes [c] qui présentent des offrandes
devant ces dieux d'argent, d'or et de bois. 30 En
leurs temples, les prêtres se tiennent assis, tunique
déchirée, tête et barbe rasées, chef découvert; 31 ils
rugissent et vocifèrent devant leurs dieux, comme
on fait aux festins funèbres [d]. 32 Les prêtres prennent les vêtements des dieux pour en habiller leurs
femmes et leurs enfants. 33 Quelqu'un leur fait-il du
mal, ou du bien, ils sont incapables de le rendre;
incapables aussi de faire ou de défaire un roi;
34 incapables encore de donner richesse ou argent.
Quelqu'un fait-il un vœu qu'il ne tient pas, ils ne
peuvent en demander compte. 35 Ils ne peuvent sauver un homme de la mort, ni arracher le faible au Ps 68 6;
puissant, 36 ni restaurer la vue d'un aveugle, ni déli- 146 7-8
vrer un homme en détresse, 37 ni avoir compassion
d'une veuve, ni être bienfaisants à un orphelin:
38 Ils sont semblables aux pierres extraites des
montagnes, ces morceaux de bois recouverts d'or
et d'argent. Leurs serviteurs seront confondus!
39 Comment alors peut-on penser ou dire que ce
sont des dieux!
40 Les Chaldéens eux-mêmes les déshonorent
quand, voyant un muet qui ne peut parler, ils le
présentent à Bel et réclament que cet homme parle,
comme si le dieu pouvait entendre; 41 et ils sont incapables de réfléchir à cela et d'abandonner ces
dieux, tant le bon sens leur manque! 42 Les femmes,
ceintes de cordes, s'assoient sur les chemins pour
brûler du son comme un encens; 43 quand l'une,
racolée par quelque passant, a couché avec lui, elle

*a)* Ici et au v. 5, allusion aux processions babyloniennes, où les statues divines étaient sorties de leurs temples.
*b)* Les prostituées sacrées des temples babyloniens.
*c)* Ce que la Loi juive ne leur permettait pas.
*d)* Allusion à des cultes célébrant la mort et la résurrection annuelles de certaines divinités.

reproche à sa voisine de n'avoir pas été jugée digne comme elle-même et de n'avoir pas eu sa corde brisée[a]. 44 Tout ce qui se fait pour eux est mensonge; comment alors peut-on penser ou dire que ce sont des dieux?

45 Fabriqués par des menuisiers et des orfèvres, ils ne sont rien d'autre que ce que ces ouvriers veulent qu'ils soient. 46 Ces fabricants-là n'ont pas longtemps à vivre; comment leurs fabrications seraient-elles des dieux? 47 Car ils n'auront laissé que mensonge et déshonneur à leurs descendants. 48 Que leur surviennent une guerre ou des malheurs, les prêtres se consultent pour savoir où se cacher avec ces dieux; 49 comment ne pas saisir qu'ils ne sont pas des dieux, ceux qui ne se sauvent pas eux-mêmes de la guerre ou des malheurs? 50 Ces morceaux de bois dorés et argentés, on reconnaîtra plus tard qu'ils ne sont que mensonge : il sera évident pour tous, peuples et rois, qu'ils ne sont pas des dieux, mais ouvrages de mains humaines, et qu'il n'y a chez eux aucune opération divine. 51 Pour qui donc n'est-il pas clair que ce ne sont pas des dieux?

52 Car ils ne peuvent établir un roi dans un pays, ni donner la pluie aux hommes, 53 ni juger leurs propres affaires, ni délivrer un opprimé; ils sont impuissants comme les corneilles entre ciel et terre. 54 Que le feu tombe sur le temple de ces dieux de bois dorés et argentés, leurs prêtres vont fuir et échapper, mais eux, comme des poutres, resteront là à brûler. 55 Ils ne peuvent résister à un roi ni à des ennemis. 56 Comment alors admettre ou penser que ce sont des dieux?

57 Ils ne peuvent échapper aux voleurs et aux brigands, ces dieux de bois dorés et argentés, des plus puissants vont leur arracher or et argent et partir avec les habits qui les couvrent; eux sont incapables de se porter secours. 58 Aussi vaut-il mieux être un roi déployant son courage, ou dans une maison un vase utile, dont se serve son propriétaire, que d'être ces faux dieux; ou encore dans une maison une porte qui protège ce qui s'y trouve, que d'être ces faux dieux; ou un pilier de bois dans un palais, que d'être ces faux dieux. 59 Le soleil, la lune et les étoiles, qui brillent et sont commis à un office, sont obéissants; 60 pareillement, l'éclair qui éclate est beau à voir; de même en tout pays le vent souffle, 61 les nuages exécutent l'ordre que Dieu leur donne de parcourir toute la terre, et le feu, envoyé d'en haut pour consumer monts et forêts, fait ce qui est commandé. 62 Or, ni en beauté ni en puissance, ceux-là ne leur sont comparables. 63 Aussi ne peut-on penser ni dire que ce sont des dieux, puisqu'ils sont impuissants à rendre la justice et à faire du bien aux hommes. 64 Sachant donc que ce ne sont pas des dieux, ne les craignez pas!

65 Car ils ne peuvent ni maudire ni bénir les rois, 66 ni montrer parmi les peuples des signes dans le ciel; ils ne brillent pas comme le soleil et n'éclairent pas comme la lune. 67 Les bêtes valent mieux qu'eux, elles peuvent fuir dans un abri et se secourir elles-mêmes. 68 D'aucune manière il ne nous est manifeste que ce sont des dieux, aussi ne les craignez pas!

69 Comme un épouvantail dans un champ de concombres, qui ne protège rien, ainsi en est-il de leurs dieux de bois dorés et argentés. 70 Ou encore, leurs dieux de bois dorés et argentés ressemblent à un buisson d'épines dans un jardin, sur lequel se posent toutes sortes d'oiseaux, ou à un mort jeté dans le noir. 71 Par la pourpre et le lin[b] qui pourrissent sur eux, vous reconnaîtrez qu'ils ne sont pas des dieux. Finalement, ils seront dévorés et deviendront un déshonneur dans le pays. 72 Mieux vaut l'homme juste, qui n'a pas d'idoles; c'est lui qui échappe à l'opprobre!

*a)* Coutume en rapport avec la prostitution sacrée. – Les fumigations de son paraissent être un procédé magique à but aphrodisiaque.

*b)* Grec : « marbre », mais ce mot peut traduire l'hébr. *shesh*, qui signifie normalement « lin » mais aussi « albâtre ». Vulg. : « écarlate ».

# ÉZÉCHIEL

## *Introduction*

1 1 La trentième année, au quatrième mois, le
cinq du mois, alors que je me trouvais parmi
les déportés au bord du fleuve Kebar, le ciel s'ouvrit et je fus témoin de visions divines. 2 Le cinq
du mois – c'était la cinquième année d'exil du roi
Joiakîn – 3 la parole de Yahvé fut adressée au prêtre Ézéchiel, fils de Buzi, au pays des Chaldéens,
au bord du fleuve Kebar [a]. C'est là que la main de
Yahvé fut sur lui [b].

**10** Ap **4** **Vision du « char de Yahvé »** [c].

4 Je regardai : c'était un vent de tempête souf-
flant du nord, un gros nuage, un feu jaillissant,
avec une lueur autour, et au centre comme l'éclat
**10** 8-22 du vermeil au milieu du feu. 5 Au centre, je discer-
Ex **25** 18+ nai quelque chose qui ressemblait à quatre ani-
Ap **4** 6-8 maux dont voici l'aspect : ils avaient une forme
humaine. 6 Ils avaient chacun quatre faces et chacun quatre ailes. 7 Leurs jambes étaient droites et
leurs sabots étaient comme des sabots de bœuf,
étincelants comme l'éclat de l'airain poli. 8 Sous
leurs ailes, il y avait des mains humaines tournées
vers les quatre directions, de même que leurs faces
Is **6** 2 et leurs ailes à eux quatre. 9 Leurs ailes étaient jointes l'une à l'autre; ils ne se tournaient pas en marchant : ils allaient chacun devant soi. 10 Quant à la
forme de leurs faces, ils avaient une face d'homme,
et tous les quatre avaient une face de lion à droite,
et tous les quatre avaient une face de taureau à gauche, et tous les quatre avaient une face d'aigle [d].
11 Leurs ailes [e] étaient déployées vers le haut; chacun avait deux ailes se joignant et deux ailes lui
couvrant le corps; 12 et ils allaient chacun devant
soi; ils allaient là où l'esprit les poussait, ils ne se
tournaient pas en marchant.

13 Au milieu des animaux, il y avait quelque
chose comme [f] des charbons ardents ayant l'aspect
de torches, allant et venant entre les animaux; le
feu jetait une lueur, et du feu sortaient des éclairs. Ex **19** 18
14 Les animaux allaient et venaient, semblables à
l'éclair [g]. Ps **104** 4

15 Je regardai les animaux; et voici qu'il y avait
une roue à terre, à côté des animaux aux quatre **10** 9-13
faces. 16 L'aspect de ces roues et leur structure
avait l'éclat de la chrysolite. Toutes les quatre
avaient même forme; quant à leur aspect et leur
structure : c'était comme si une roue se trouvait au
milieu de l'autre. 17 Elles avançaient dans les quatre
directions [h] et ne se tournaient pas en marchant.
18 Leur circonférence était de grande taille et
effrayante, et leur circonférence, à toutes les quatre,

*a)* Les vv. 1-3 paraissent juxtaposer deux introductions distinctes. L'une, vv. 2-3a, impersonnelle, annonce l'ensemble du livre d'Ézéchiel et date la première vision du prophète, de la 5e année de l'exil de Joiakîn, soit 593-592. L'autre, v. 1, était peut-être rattachée à la vision du char de Yahvé lorsque celle-ci n'avait pas encore trouvé sa place actuelle, cf. Introduction, p. 1082. Mais alors la date (30e année) est difficile à interpréter, à moins qu'on ne la corrige en « 13e année » (de l'exil de Joiakîn), soit l'été de 585.

*b)* Expression fréquente chez Ézéchiel pour désigner l'extase, cf. **3** 22; **8** 1; **33** 22; **37** 1; **40** 1. – Les versions lisent « sur moi » au lieu de « sur lui »; il faut alors rattacher 3b à 4.

*c)* Cette vision est certainement destinée aux exilés. Certains détails en sont obscurs, mais le sens général est clair : c'est la « mobilité » spirituelle de Yahvé, qui n'est pas attaché au Temple de Jérusalem mais peut suivre ses fidèles jusque dans leur exil.

*d)* Ces animaux étranges rappellent les *Kâribu* assyriens (dont le nom correspond à celui des Chérubins de l'arche, cf. Ex **25** 18+), êtres à tête humaine, corps de lion, pattes de taureau et ailes d'aigle, dont les statues gardaient les palais de Babylone. Ces serviteurs des dieux païens sont ici attelés au char du Dieu d'Israël : expression frappante de la transcendance de Yahvé. Les « quatre Vivants » de l'Apocalypse, Ap **4** 7-8, etc., reprennent les traits des quatre animaux d'Ézéchiel. La tradition chrétienne en a fait les symboles des quatre évangélistes.

*e)* « Leurs ailes » grec; « Leurs faces et leurs ailes » hébr.

*f)* « Au milieu » versions; « Et la forme de » hébr. – « quelque chose comme », litt. « une apparence de » grec; « leur apparence » hébr.

*g)* « allaient » Vulg.; « courir » (?) hébr. – Ce v., absent du grec, est peut-être une glose.

*h)* Texte incertain. Litt. : « vers les quatre côtés de ceux-ci, en marchant, elles avançaient ».

Za 4 10 était pleine de reflets[a] tout autour. 19 Lorsque les
↗ Ap 4 8 animaux avançaient, les roues avançaient à côté
d'eux, et lorsque les animaux s'élevaient de terre,
les roues s'élevaient. 20 Là où l'esprit les poussait,
les roues allaient[b], et elles s'élevaient également,
car l'esprit de l'animal était dans les roues.
10 16 21 Quand ils avançaient, elles avançaient, quand ils
s'arrêtaient, elles s'arrêtaient, et quand ils s'élevaient de terre, les roues s'élevaient également, car
l'esprit de l'animal était dans les roues. 22 Il y avait
sur les têtes de l'animal quelque chose qui ressem-
10 1 blait à une voûte, éclatante comme le cristal[c], ten-
↗ Ap 4 6 Ex 24 10 due sur leurs têtes[d], au-dessus, 23 et sous la voûte,
leurs ailes étaient dressées l'une vers l'autre; cha-
cun en avait deux lui couvrant le corps[e].
10 5 24 Et j'entendis le bruit de leurs ailes, comme un
bruit d'eaux abondantes, comme la voix de
Gn 17 1+ Shaddaï; lorsqu'ils marchaient, c'était un bruit de
tempête, comme un bruit de camp; lorsqu'ils s'arrêtaient, ils repliaient leurs ailes. 25 Et il se produisit
un bruit[f].
26 Au-dessus de la voûte qui était sur leurs têtes,
il y avait quelque chose qui avait l'aspect d'une
↗ Ap 4 2-3 pierre de saphir en forme de trône, et sur cette
forme de trône, dessus, tout en haut, un être ayant
apparence humaine.
27 Et je vis comme l'éclat du vermeil, quelque
8 2 chose comme du feu près de lui, tout autour, depuis
ce qui paraissait être ses reins et au-dessus; et
depuis ce qui paraissait être ses reins et au-dessous,
je vis quelque chose comme du feu et une lueur tout
autour; 28 l'aspect de cette lueur, tout autour, était
Gn 9 13-15 comme l'aspect de l'arc qui apparaît dans les nuages, les jours de pluie. C'était quelque chose qui
8 4 ressemblait à la gloire de Yahvé[g]. Je regardai, et
Ex 24 16+ ↗ Ap 1 17 je tombai la face contre terre; et j'entendis la voix
Dn 8 17 de quelqu'un qui me parlait.

**Vision du livre[h].**

**2** 1 Il me dit : « Fils d'homme[i], tiens-toi debout, Dn 10 11
je vais te parler. » 2 L'esprit entra en moi Ez 3 24
comme il m'avait été dit, il me fit tenir debout et
j'entendis celui qui me parlait. 3 Il me dit : « Fils
d'homme, je t'envoie vers les Israélites, vers les
rebelles[j] qui se sont rebellés contre moi. Eux et Dt 9 7, 24
leurs pères se sont révoltés contre moi jusqu'à ce
jour. 4 Les fils ont la tête dure et le cœur obstiné[k];
je t'envoie vers eux pour leur dire : “ Ainsi parle le
Seigneur Yahvé. ” 5 Qu'ils écoutent ou qu'ils
n'écoutent pas, c'est une engeance de rebelles, ils 12 2; 33 33
sauront qu'il y a un prophète parmi eux. 6 Pour toi,
fils d'homme, n'aie pas peur d'eux, n'aie pas peur Jr 1 8, 17
de leurs paroles s'ils te contredisent et te méprisent
et si tu es assis sur des scorpions. N'aie pas peur
de leurs paroles, ne crains pas leurs regards, car
c'est une engeance de rebelles. 7 Tu leur porteras
mes paroles, qu'ils écoutent ou qu'ils n'écoutent
pas, car c'est une engeance de rebelles[l].
8 Et toi, fils d'homme, écoute ce que je vais te
dire, ne sois pas rebelle comme cette engeance de
rebelles. Ouvre la bouche et mange ce que je vais
te donner. » 9 Je regardai, et voici qu'une main était
tendue vers moi, tenant un volume roulé. 10 Il le ↗ Ap 5 1;
déploya devant moi : il était écrit au recto et au 10 2
verso; il y était écrit[m] : « Lamentations, gémissements et plaintes. »

**3** 1 Il me dit : « Fils d'homme, ce qui t'est présenté, mange-le; mange ce volume et va parler ↗ Ap 10
à la maison d'Israël. » 2 J'ouvris la bouche et il me 8-11
fit manger ce volume, 3 puis il me dit : « Fils
d'homme, nourris-toi et rassasie-toi de ce volume
que je te donne. » Je le mangeai et, dans ma bouche, il fut doux comme du miel[n].
4 Alors il me dit : « Fils d'homme, va-t'en vers la

*a)* « de reflets », litt. « d'yeux »; mais il faut interpréter ce mot d'après son usage figuré où il a le sens d'« éclat », cf. vv. 4, 7, 16, 22, 27; **8** 2; **10** 9. – Ici, cette mention des « reflets » est peut-être une glose inspirée de **10** 12.

*b)* Après « allaient », hébr. ajoute : « à l'esprit pour avancer », omis par mss, grec et syr.

*c)* Après « cristal », hébr. ajoute « effrayant »; omis par grec.

*d)* Ainsi les animaux portent le trône de Yahvé plutôt qu'ils ne le traînent. Comparer l'arche d'alliance, Ex **25** 10+, où « Yahvé siège sur les Chérubins », 1 S **4** 4, etc.

*e)* L'hébr. répète : « chacun en avait deux le couvrant », dittographie omise par mss et grec.

*f)* L'hébr. ajoute : « au-dessus de la voûte qui était sur leurs têtes, quand ils s'arrêtaient ils repliaient leurs ailes », dittographie.

*g)* Les Israélites craignaient de voir la face de Yahvé, aussi le plus souvent Dieu leur montrait sa « gloire », c'est-à-dire les signes extérieurs qui environnent et révèlent sa personne, cf. Ex **33** 18, 22, etc. La gloire de Yahvé est donc le signe de sa présence. Habituellement elle a l'apparence d'une nuée lumineuse, Ex **16** 10; Ez **43** 1-5; ici la nuée est accompagnée d'une sorte de silhouette humaine brillante et rayonnante.

*h)* La vision du char de Yahvé se continue plus loin, **3** 12. Elle est interrompue ici par la vision du livre, qui est vraisemblablement la première vision d'Ézéchiel, en 593, celle de sa vocation, cf. l'Introd., p. 1082.

*i)* L'expression « fils d'homme », appliquée par Dieu à son prophète, est propre à Ézéchiel (sauf Dn **8** 17). Elle souligne la distance entre Dieu et l'homme. La même expression, en Dn **7** 13, deviendra un titre messianique que reprendra Jésus, cf. Mt **8** 20+.

*j)* « vers les rebelles » grec; « vers les nations, les rebelles » hébr.

*k)* Toute une série de formules sert, en hébreu, à exprimer l'obstination; litt. « nuque », « visage » ou « cœur raide »; « front » ou « cœur dur ». Mais l'expression « cœur dur » en français évoque l'égoïsme et non la révolte ou l'entêtement; on traduira donc par « cœur obstiné », bien que le même terme soit rendu ailleurs par « raide », « dur » ou « endurci ».

*l)* « c'est une engeance de rebelles » grec, syr. et mss; « ils sont rebelles » hébr.

*m)* « y (était écrit) » *'alêha* conj.; « vers lui » *'elêha* hébr.

*n)* Un séraphin avait touché la bouche d'Isaïe, Is **6** 5-7, Yahvé lui-même celle de Jérémie, et « mis ses paroles dans la bouche » du prophète, Jr **1** 9. Ézéchiel exprime cette dernière idée avec plus de réalisme encore.

Jr 7 27 maison d'Israël et tu leur porteras mes paroles.
Is 28 9-13 5 Ce n'est pas vers un peuple au parler obscur et
33 19 à la langue difficile que tu es envoyé, c'est vers la
maison d'Israël. 6 Ce n'est pas vers des peuples
nombreux, au parler obscur et à la langue difficile,
dont tu n'entendrais pas les paroles – si je
Jon 3 t'envoyais vers eux, ils t'écouteraient – 7 mais la
Mt 12 38-42; maison d'Israël ne veut pas t'écouter, car elle ne
11 21-24 veut pas m'écouter. Toute la maison d'Israël n'est
que fronts endurcis et cœurs obstinés. 8 Voici que
je rends ton visage aussi dur que leur visage, et ton
Is 50 7 front aussi dur que leur front; 9 je rends ton front
dur comme le diamant, qui est plus dur que le roc.
N'aie pas peur d'eux, sois sans crainte devant eux,
car c'est une engeance de rebelles. »

10 Puis il me dit : « Fils d'homme, toutes les paroles que je te dirai, reçois-les dans ton cœur, écoute de toutes tes oreilles, 11 et va-t'en vers les exilés, vers les enfants de ton peuple, pour leur parler. Tu leur diras : " Ainsi parle le Seigneur Yahvé ", qu'ils écoutent ou qu'ils n'écoutent pas. »

1 R 18 12+ 12 L'esprit m'enleva et j'entendis derrière moi le
Lc 2 13-14 bruit d'un grand tremblement : « Bénie soit la gloire
de Yahvé au lieu de son séjour! » 13 C'était le bruit que faisaient les ailes des animaux, battant l'une contre l'autre, et le bruit des roues à côté d'eux, et le bruit d'un grand tremblement. 14 Et l'esprit m'enleva et me prit; j'allai amer, l'esprit enfiévré, et la main de Yahvé pesait fortement sur moi. 15 J'arrivai à Tell Abib, chez les exilés installés près du fleuve Kebar; c'est là qu'ils habitaient, et j'y restai sept jours, frappé de stupeur, au milieu d'eux.

**Le prophète comme guetteur [a].**

16 Or, au bout de sept jours, la parole de Yahvé
me fut adressée en ces termes : 17 « Fils d'homme,
je t'ai fait guetteur pour la maison d'Israël. Lorsque 33 1-9
tu entendras une parole de ma bouche, tu les averti- Is 21 6, 8, 11
ras de ma part. 18 Si je dis au méchant : " Tu vas mourir ", et que tu ne l'avertis pas, si tu ne parles pas pour avertir le méchant d'abandonner sa conduite mauvaise afin qu'il vive, le méchant, lui, mourra de sa faute, mais c'est à toi que je demanderai compte de son sang. 19 Si au contraire tu as averti le méchant et qu'il ne s'est pas converti de sa méchanceté et de sa mauvaise conduite, il mourra, lui, de sa faute, mais toi, tu auras sauvé ta vie.

20 Lorsque le juste se détournera de sa justice 18 24;
pour commettre le mal et que je mettrai un piège 33 12-13
devant lui, c'est lui qui mourra; parce que tu ne 2 P 2 21
l'auras pas averti, il mourra de son péché et on ne se souviendra plus de la justice qu'il a pratiquée, mais je te demanderai compte de son sang. 21 Si au contraire tu as averti le juste de ne pas pécher et qu'il n'a pas péché, il vivra parce qu'il aura été averti, et toi, tu auras sauvé ta vie. »

# I. Avant le siège de Jérusalem

**Ézéchiel privé de la parole.**

22 C'est là que la main de Yahvé fut sur moi; il
me dit : « Lève-toi, sors dans la vallée, et là, je vais
te parler. » 23 Je me levai et je sortis dans la vallée,
1 28 et voilà que la gloire de Yahvé y était arrêtée, semblable à la gloire que j'avais vue au bord du fleuve
Kebar, et je tombai la face contre terre. 24 Alors
2 2 l'esprit entra en moi, il me fit tenir debout et me
parla. Il me dit : « Va t'enfermer dans ta maison. 25 Toi, fils d'homme, voici qu'on va te mettre des liens [b], on t'en ligotera et tu ne sortiras plus au milieu d'eux. 26 Je ferai coller ta langue à ton palais, tu seras muet, et tu ne seras plus pour eux celui qui réprimande, car c'est une engeance de
rebelles. 27 Et lorsque je te parlerai, je t'ouvrirai la 24 27; 29 21;
bouche et tu leur diras : Ainsi parle le Seigneur 33 22
Yahvé : Quiconque veut écouter, qu'il écoute, et quiconque ne le veut pas, qu'il n'écoute pas, car c'est une engeance de rebelles. »

**Annonce du siège de Jérusalem.** Jr 18 1+

4 1 Quant à toi, fils d'homme, prends une brique et mets-la devant toi : tu y graveras une ville, Jérusalem. 2 Puis tu entreprendras contre elle un siège [c] : tu construiras contre elle des retranchements, tu élèveras contre elle un remblai, tu établiras contre elle des camps et tu installeras contre

*a)* En **33** 1-9 le même thème est développé de façon plus cohérente; il a pu être reproduit ici, à peine modifié, parce qu'il exprime le programme même de l'activité prophétique. Il souligne la responsabilité personnelle de chaque auditeur, cf. **14** 12+.
*b)* Ces « liens » ont parfois été interprétés comme une sorte de paralysie, cf. **4** 4s, cette épreuve physique recevant par révélation une signification symbolique qui l'incorpore au message prophétique, cf. Jr **18** 1+.
*c)* Le prophète reçoit l'ordre de préfigurer par une mimique expressive (la brique assiégée, l'immobilité du prophète, la nourriture misérable et rationnée, les cheveux brûlés et dispersés) le prochain siège de Jérusalem. Sur ces gestes symboliques, particulièrement développés chez Ézéchiel, cf. Jr **18** 1+.

elle des béliers, tout autour. 3 Alors, prends une
poêle de fer que tu installeras comme une muraille
de fer entre toi et la ville. Puis tu fixeras sur elle
ton regard et elle sera assiégée : tu vas en faire le
siège. C'est un signe pour la maison d'Israël.
4 Couche-toi sur le côté gauche et prends sur toi [a]
la faute de la maison d'Israël. Autant de jours que
tu seras ainsi couché, tu porteras leur faute. 5 C'est
moi qui t'ai fixé les années de leur faute à une durée
de trois cent quatre-vingt-dix jours pendant
lesquels tu porteras la faute de la maison d'Israël.
6 Et quand tu les auras terminés, tu te coucheras
de nouveau, sur le côté droit, et tu porteras la faute
de la maison de Juda, quarante jours. Je t'en ai fixé
la durée à un jour pour une année [b]. 7 Puis tu
fixeras ton regard sur le siège de Jérusalem, tu lèveras ton bras nu et tu prophétiseras contre elle.
3 25 8 Voici que j'ai mis sur toi des liens et tu ne te tour-
neras pas d'un côté sur l'autre jusqu'à ce que soient
accomplis les jours de ta réclusion.
9 Prends donc du froment, de l'orge, des fèves,
des lentilles, du millet et de l'épeautre : mets-les
dans un même vase et fais-t'en du pain. Tu en mangeras autant de jours que tu seras couché sur le
côté – trois cent quatre-vingt-dix jours. 10 Et cette
nourriture que tu mangeras, tu en pèseras vingt
sicles par jour que tu mangeras d'un jour à l'autre.
11 Tu boiras aussi de l'eau avec mesure, tu en boiras un sixième de setier d'un jour à l'autre [c]. 12 Tu
mangeras cette nourriture sous la forme d'une
galette d'orge qui aura été cuite sur des excréments
humains, à leurs yeux. 13 Et Yahvé dit : « C'est
ainsi que les Israélites mangeront leur nourriture
impure, au milieu des nations où je les chasserai. »
Ac **10** 14 14 Alors je dis : « Ah! Seigneur Yahvé, mon âme
Ex **22** 30 Lv **17** 15 n'est pas impure. Depuis mon enfance jusqu'à pré-
Dt **14** 3-21 sent, jamais je n'ai mangé de bête crevée ou déchirée, et aucune viande avariée ne m'est entrée dans
la bouche. » 15 Il me dit : « Eh bien! je t'accorde de
la bouse de bœuf [d] au lieu d'excréments humains;
tu feras ton pain dessus. » 16 Puis il me dit : « Fils
Lv **26** 26 Ps **105** 16 d'homme, voici que je vais détruire la réserve de
Ez **12** 18-19 pain [e] à Jérusalem : on mangera dans l'angoisse du
pain pesé, on boira avec effroi de l'eau mesurée,
17 parce que le pain et l'eau manqueront; ils seront
frappés de stupeur et dépériront à cause de leur Lv **26** 39
faute. »

**5** 1 Fils d'homme, prends une lame tranchante,
prends-la comme rasoir de barbier et fais-la
passer sur ta tête et ta barbe. Puis tu prendras une
balance et tu partageras les poils que tu auras coupés. 2 A un tiers tu mettras le feu au milieu de la
ville pendant que s'accompliront les jours du siège.
Tu prendras l'autre tiers que tu frapperas de l'épée **21**
tout autour de la ville. Tu en répandras au vent le
dernier tiers et je tirerai l'épée derrière eux [f]. 3 Puis
tu en prendras une petite quantité [g] que tu recueilleras dans le pan de ton manteau 4 et de ceux-ci, tu
en prendras encore, que tu jetteras au milieu du feu
et que tu brûleras. C'est de là que sortira le feu [h]
vers toute la maison d'Israël.
5 Ainsi parle le Seigneur Yahvé : C'est Jérusalem
que j'ai placée au milieu des nations, environnée de **38** 12
pays étrangers. 6 Elle s'est rebellée avec perversité
contre mes coutumes plus que les nations, et
contre mes lois plus que les pays qui l'entourent.
Car ils rejettent mes coutumes, et mes lois, ils ne
les pratiquent pas.
7 C'est pourquoi, ainsi parle le Seigneur Yahvé :
Parce que votre tumulte est pire que celui des
nations qui vous entourent, parce que vous ne pratiquez pas mes lois et que vous n'observez pas mes
coutumes, et que vous n'observez pas non plus les
coutumes des nations qui vous entourent, 8 eh bien!
ainsi parle le Seigneur Yahvé : Moi aussi je me
déclare contre toi et, aux yeux des nations, j'exécuterai mes jugements [i] au milieu de toi. 9 J'agirai Jr **1** 16
chez toi comme jamais je n'ai agi et comme je
n'agirai plus jamais, à cause de toutes tes abominations. 10 C'est pourquoi des pères dévoreront leurs Dt **28** 53+
enfants, au milieu de toi, et des enfants dévoreront
leurs pères. Je ferai justice de toi et je disperserai Lv **26** 33
à tous les vents tout ce qui reste de toi. 11 C'est
pourquoi, par ma vie, oracle du Seigneur Yahvé,
aussi vrai que tu as souillé mon sanctuaire par toutes tes horreurs et toutes tes abominations, moi
aussi je rejetterai [j] sans un regard de pitié, moi non 7 4; **8** 18
plus je n'épargnerai pas. 12 Un tiers de tes habitants **9** 10; **24**
mourra de la peste et périra par la famine au milieu
de toi, un tiers tombera par l'épée autour de toi, et

*a)* « sur toi » conj.; « sur lui » hébr.
*b)* On a vainement tenté d'interpréter strictement ces chiffres comme annonçant la durée respective de l'exil d'Israël et de Juda. Il n'y faut sans doute chercher que l'annonce d'un siège, dont la durée n'est pas dévoilée, en châtiment de l'apostasie prolongée des deux royaumes.
*c)* Soit environ 200 gr. de pain et un litre d'eau.
*d)* La bouse séchée est utilisée comme combustible en Orient.
*e)* Litt. « le bâton à pain » : les pains mis en réserve étaient enfilés sur un bâton; cf. **5** 16; **14** 13; Lv **26** 26; Ps **105** 16.
*f)* Le prophète mime en une allégorie transparente les massacres qui marqueront la fin du siège.
*g)* Le « reste » épargné et, après une nouvelle épreuve, sauvé, cf. Is **4** 3+.
*h)* Cette dernière phrase reste mystérieuse. C'est peut-être une glose inspirée de **19** 14.
*i)* On corrige souvent « j'exécuterai mes jugements » (*'asîtî mishpatîm* en « je ferai justice » *'asîtî shepatîm*), formule très fréquente dans Ez. Mais le mot hébreu signifie aussi « coutumes » et apparaît en ce sens au v. précédent. On peut donc voir ici un jeu de mots : Vous n'avez pas observé mes *coutumes* (litt. exécuté mes *mishpatîm*), eh bien moi, je vais exécuter mes *jugements* contre vous.
*j)* « je rejetterai » versions; « je raserai » hébr.

j'en disperserai un tiers à tous les vents, en tirant
l'épée derrière eux [a]. [13] Ma colère sera satisfaite,
j'assouvirai sur eux ma fureur et je me vengerai;
alors ils sauront que moi, Yahvé, j'ai parlé dans ma
jalousie, quand je satisferai ma colère sur eux. [14] Je
ferai de toi une ruine, un objet de raillerie parmi
les nations qui t'entourent, aux yeux de tous les
passants. [15] Tu seras un objet de raillerie et d'ou-
Lv **26** 32 trages, un exemple, un objet de stupeur pour les
nations qui t'entourent, lorsque de toi je ferai justice avec colère et fureur, avec des châtiments
furieux. Moi, Yahvé, j'ai dit. [16] En envoyant contre
eux les flèches redoutables de la famine, qui seront
votre perte – car je les enverrai pour vous perdre
**4** 16 et j'ajouterai contre vous la famine – je détruirai
votre réserve de pain. [17] J'enverrai contre vous la
famine et les bêtes féroces qui te priveront de tes
enfants; la peste et le sang passeront chez toi, et
je ferai venir l'épée contre toi. Moi, Yahvé, j'ai dit.

**Contre les montagnes d'Israël.**

**6** [1] La parole de Yahvé me fut adressée en ces
termes : [2] Fils d'homme, tourne-toi vers les
montagnes d'Israël et prophétise contre elles [b]. [3] Tu
diras : Montagnes d'Israël, écoutez la parole du
Seigneur Yahvé. Ainsi parle le Seigneur Yahvé aux
montagnes, aux collines, aux ravins, aux vallées.
Voici que je vais faire venir contre vous l'épée, et
Lv **26** 30-31 je vais détruire vos hauts lieux. [4] Vos autels seront
dévastés, vos brasiers à encens seront brisés, je
ferai tomber vos habitants, percés de coups, devant
vos ordures [c], [5] je mettrai les cadavres des Israélites
Jr **8** 1-2 devant leurs ordures, et je disperserai leurs ossements tout autour de vos autels. [6] Partout où vous
habitez, les villes seront détruites et les hauts lieux
dévastés, afin que vos autels soient détruits et qu'ils
Mi **1** 7 soient dévastés [d], que vos ordures soient brisées et
Is **2** 18 qu'elles disparaissent, que vos brasiers à encens
r **10** 14-15 soient mis en pièces et vos œuvres anéanties. [7] On
tombera percé de coups au milieu de vous, et vous
saurez que je suis Yahvé [e].
Is **4** 3+ [8] Mais j'en épargnerai qui seront pour vous des
survivants de l'épée parmi les nations, quand vous
serez dispersés parmi les nations; [9] alors vos survivants se souviendront de moi, parmi les nations où Lv **26** 40-41
ils seront captifs, eux dont j'aurai brisé [f] le cœur Dt **30** 1-2
prostitué qui m'a abandonné, et les yeux qui se pro- **16**; **23**
stituent après leurs ordures. Ils éprouveront du
dégoût pour eux-mêmes à cause de tout le mal
qu'ils ont fait par leurs abominations. [10] Et ils sauront que je suis Yahvé : j'ai dit, et non pas en vain,
que je leur infligerai ces maux.

**Les péchés d'Israël.**

[11] Ainsi parle le Seigneur Yahvé : Bats des **25** 6
mains, frappe du pied et dis : « Hélas! » sur toutes
les abominations de la maison d'Israël qui va tomber par l'épée, par la famine et par la peste. [12] Au
loin, on mourra par la peste, auprès, on tombera
par l'épée; ce qui aura été préservé et épargné
mourra de faim, car j'assouvirai ma fureur contre
eux. [13] Vous saurez que je suis Yahvé quand, percés
de coups, ils seront parmi leurs ordures, tout
autour de leurs autels, sur toute colline élevée, au Dt **12** 2+
sommet de toutes les montagnes, sous tout arbre
verdoyant, sous tout chêne touffu, là où ils offrent
un parfum d'apaisement à toutes leurs idoles. Ex **29** 18+
[14] J'étendrai la main contre eux et je ferai du pays
une solitude désolée depuis le désert jusqu'à
Ribla [g], partout où ils habitent, et ils sauront que 2 R **23** 33; **25** 6
je suis Yahvé.

**La fin prochaine.** Am **5** 18+

**7** [1] La parole de Yahvé me fut adressée en ces
termes. [2] Fils d'homme, dis [h] : Ainsi parle le
Seigneur Yahvé à la terre d'Israël : Fini! La fin
vient sur les quatre coins du pays. [3] C'est maintenant la fin pour toi; je vais lâcher ma colère contre = **7** 8-9
toi pour te juger selon ta conduite et te demander
compte de toutes tes abominations. [4] Je n'aurai pas
pour toi un regard de pitié, je ne t'épargnerai pas, **5** 11+
mais je ferai retomber sur toi ta conduite, tes abominations resteront au milieu de toi, et vous saurez
que je suis Yahvé.
[5] Ainsi parle le Seigneur Yahvé : Voici que vient
un malheur, un seul malheur. [6] La fin approche, la ↗ Ap **8** 13;
fin approche, elle s'éveille en ta direction, la voici **9** 12; **11** 14
qui vient. [7] C'est ton tour [i], à toi qui habites le

*a)* Cette énumération des fléaux, épée, famine et peste, très fréquente chez Jérémie (**14** 12; **21** 7, 9; **24** 10; **27** 8, 13; **29** 17, 18; **32** 24, 36; **34** 17; **38** 2; **42** 17, 22; **44** 13) se retrouve plusieurs fois, avec quelques variantes, chez Ézéchiel, **6** 11-12; **7** 15; **12** 16; **14** 21, cf. **33** 27.

*b)* « contre » *'al* conj.; « vers » *'el* hébr., mais l'emploi de ces prépositions est assez lâche dans Ez. C'est peut-être la trace d'un dialecte populaire.

*c)* En hébreu *gillûlîm.* Le mot semble avoir été forgé par Ézéchiel (qui l'utilise 38 fois), peut-être à l'analogie de *shiqquçîm* « horreurs », déjà employé par Jérémie, et influencé par *'elilim* « faux dieux », « néants », utilisé par Isaïe. Il est apparenté à la racine *galal* « rouler » et au substantif *gelal* « immondice », « crotte », et devait exprimer le caractère dégoûtant des idoles.

*d)* « dévastés » versions; « coupables » hébr.

*e)* « Vous saurez que je suis Yahvé » : expression fréquente chez Ézéchiel. Les œuvres de Yahvé obligeront les hommes, bien disposés ou non, à reconnaître sa toute-puissance, cf. Is **42** 8+.

*f)* « j'aurai brisé » versions; « j'aurai été brisé » hébr.

*g)* « le désert jusqu'à Ribla » mss; « le désert de Diblata » hébr. – Ribla, cf. 2 R **23** 33; **25** 6s, désigne ici le point le plus septentrional de la Palestine, et « le désert », sa frontière méridionale, cf. Jg **20** 1+.

*h)* « dis » grec, syr.; omis par hébr.

*i)* Traduction incertaine. Litt. « la couronne vient vers toi », de même au v. 10.

pays. Le temps vient, le jour est proche [a], c'est le
trouble et non plus la joie pour les montagnes.
= 7 3-4 8 Maintenant, je vais bientôt déverser ma fureur sur
toi et assouvir ma colère contre toi; je vais te juger
selon ta conduite et te demander compte de toutes
tes abominations. 9 Je n'aurai pas un regard de pitié
et je n'épargnerai pas, mais je te traiterai selon ta
conduite, tes abominations resteront au milieu de
toi, et vous saurez que je suis Yahvé, qui frappe.
10 Voici le jour, voici que vient ton tour, il est
venu, il est sorti, le sceptre a fleuri [b], l'orgueil s'est
épanoui. 11 La violence s'est levée pour devenir un
fléau de méchanceté [c]... 12 Le temps vient, le jour
est proche. Que l'acheteur ne se réjouisse pas, que
le vendeur ne se désole pas, car la fureur est contre
tout le monde [d]. 13 Le vendeur ne reviendra pas à
ce qu'il a vendu [e]; chacun vit dans son péché : ils
ne seront pas fortifiés. 14 On sonne de la trompette,
tout est prêt et personne ne marche au combat, car
ma fureur est contre tout le monde.

## Les péchés d'Israël.

15 C'est l'épée au dehors, la peste et la famine au
↗ Mt 24 dedans. Quiconque sera dans la campagne mourra
16-18 par l'épée, et quiconque sera dans la ville, la famine
et la peste le dévoreront. 16 Ils auront des survivants qui iront vers les montagnes comme les
colombes des vallées, et je les ferai tous mourir [f],
21 12 chacun pour sa faute. 17 Toutes les mains faibliront, tous les genoux s'en iront en eau. 18 Ils se
revêtiront de sacs, un frisson les enveloppera. Tous
Am 8 10 les visages seront honteux, toutes les têtes rasées [g].
19 Ils jetteront leur argent dans les rues, et leur or
leur sera une souillure; leur argent ni leur or ne
pourront les sauver au jour de la fureur de Yahvé.
Ils ne se rassasieront plus, ils ne rempliront plus
leur ventre, car c'était là l'occasion de leurs fautes.
20 Dans la beauté de leurs bijoux, ils mettaient leur
orgueil : ils en ont fait leurs images abominables,
leurs horreurs, c'est pourquoi j'en ferai pour eux
une souillure. 21 Je vais les livrer aux mains des
étrangers en pillage, à la pègre du pays en butin.
Ils le profaneront. 22 Je détournerai d'eux ma face,
on profanera mon trésor [h], des barbares y pénétreront et le profaneront.
23 Fabrique une chaîne [i], car le pays est rempli
d'exécutions sanglantes, la ville est pleine de violences. 24 Je ferai venir les nations les plus cruelles
qui s'empareront de leurs maisons. Je ferai cesser
l'orgueil des puissants et leurs sanctuaires seront
profanés. 25 La terreur vient; ils chercheront la paix
et il n'y en aura pas. 26 Il arrivera désastre sur
désastre, il y aura nouvelle sur nouvelle; on réclamera une vision au prophète, la loi fera défaut au Mi 3 6
prêtre, le conseil aux anciens. 27 Le roi sera dans Lm 2 9
le deuil [j], le prince sera plongé dans la désolation, Is 29 14
les mains des gens du pays trembleront. J'agirai
selon leur conduite, je les jugerai selon leurs jugements, et ils sauront que je suis Yahvé.

## Vision des péchés de Jérusalem.

**8** 1 La sixième année, au sixième mois [k], le cinq
du mois, j'étais assis chez moi et les anciens 14 1; 20 1
de Juda étaient assis devant moi; c'est là que la
main du Seigneur Yahvé s'abattit sur moi. 1 3+
2 Je regardai : il y avait un être qui avait l'appa- 1 26-28
rence d'un homme [l]. Depuis ce qui paraissait être
ses reins et au-dessous, c'était du feu, et depuis ses
reins et au-dessus, c'était quelque chose comme une
lueur, comme l'éclat du vermeil [m]. 3 Il étendit une
forme de main et me prit par une mèche de che- Dn 14 36
veux; l'esprit m'enleva entre ciel et terre et Ez 3 12
m'emmena à Jérusalem, en des visions divines [n], à
l'entrée du porche intérieur qui regarde le nord, là
où se trouve le siège de l'idole de la jalousie, qui Dt 32 21
provoque la jalousie [o]. 4 Or voici que la gloire du 1 28; 3 22
Dieu d'Israël était là; elle avait l'aspect de ce que Ex 24 16+
j'avais vu dans la vallée. 5 Il me dit : « Fils
d'homme, lève les yeux vers le nord. » Je levai les
yeux vers le nord, et voici qu'au nord du porche
de l'autel il y avait cette idole de la jalousie, à l'entrée. 6 Il me dit : « Fils d'homme, vois-tu ce qu'ils

*a)* Le « jour de Yahvé », cf. Am **5** 18+.
*b)* Texte très obscur. On a tenté de donner une traduction conforme au v. 7. L'hébreu donnerait litt. : « la couronne est venue, est sortie, le bâton a fleuri ».
*c)* La fin du v. est incompréhensible. Litt. : « (ne venant) pas d'eux, ni de leur multitude ni de leur tumulte, et ils n'ont pas de valeur ». Le grec interprète tout le v. : « Il brisera le soutien de l'impie, sans tumulte ni hâte ».
*d)* Litt. « contre toute sa multitude (de Jérusalem?) ». De même au v. 14.
*e)* Hébr. ajoute : « même si leur vivant est encore en vie, car la vision destinée à toute sa multitude ne sera pas révoquée » (?); omis par grec.
*f)* « je les ferai tous mourir » grec; « tous gémissants » hébr.
*g)* Signe de déshonneur.
*h)* Peut-être la ville de Jérusalem.
*i)* Allusion possible à la future déportation. Mais le texte est douteux.
*j)* Ces mots, absents du grec, pourraient être une addition tardive : il n'est jamais question du roi dans Ézéchiel; Dieu seul règne sur Israël, cf. **20** 23, et le souverain, qui n'est que son délégué, est appelé « prince ».
*k)* Septembre-octobre 592.
*l)* « d'un homme » grec; « du feu » hébr.
*m)* Comme en **1** 26-28, c'est Yahvé lui-même qui apparaît au prophète. Au v. 4 ce n'est plus que « la gloire de Yahvé », cf. encore **1** 28.
*n)* Elles vont montrer au prophète la culpabilité de Jérusalem, mais non pour des péchés passés ou en vertu d'une solidarité juridique avec des pécheurs : ce sont ses propres péchés et ses péchés présents qui provoquent le châtiment imminent, cf. **14** 12+.
*o)* La jalousie de Yahvé, irrité par toute pratique idolâtrique. Cette « idole de la jalousie » est peut-être la statue d'Astarté que Manassé avait introduite dans le Temple, 2 R **21** 7.

font? toutes les abominations affreuses que la maison d'Israël pratique ici pour m'éloigner de mon
sanctuaire? Et tu verras encore d'autres abominations affreuses. »
[7] Il me conduisit à l'entrée du parvis. Je regardai : il y avait un trou dans le mur. [8] Il me dit :
« Fils d'homme, fais un trou dans le mur. » Je fis
un trou dans le mur et il y eut une ouverture. [9] Il
me dit : « Entre et regarde les misérables abominations qu'ils pratiquent ici. » [10] J'entrai et je regardai : c'étaient toutes sortes d'images de reptiles et
de bêtes répugnantes, et toutes les ordures de la
maison d'Israël gravées sur le mur, tout autour.
[11] Soixante-dix hommes, des anciens de la maison
d'Israël, étaient debout devant les idoles – et
Yaazanyahu fils de Shaphân était debout parmi eux
– ayant chacun son encensoir à la main; et le parfum du nuage d'encens montait. [12] Il me dit :
« As-tu vu, fils d'homme, ce que font dans l'obscurité les anciens de la maison d'Israël, chacun dans
Lv **26** 1 sa chambre ornée de peintures? Ils disent : " Yahvé
9 9 ne nous voit pas, Yahvé a quitté le pays ". » [13] Et
Is **29** 15 il me dit : « Tu verras encore d'autres abominations
affreuses qu'ils pratiquent. »
[14] Il m'emmena à l'entrée du porche du Temple
de Yahvé qui regarde vers le nord, et voici que les
femmes y étaient assises, pleurant Tammuz [a]. [15] Il
me dit : « As-tu vu, fils d'homme? Tu verras encore
d'autres abominations plus affreuses que celles-ci. »
[16] Il m'emmena vers le parvis intérieur du Temple de Yahvé. Et voici qu'à l'entrée du sanctuaire
de Yahvé, entre le vestibule et l'autel, il y avait
environ vingt-cinq hommes, tournant le dos au
sanctuaire de Yahvé, regardant vers l'orient. Ils se
prosternaient vers l'orient, devant le soleil. [17] Et il
me dit : « As-tu vu, fils d'homme? N'est-ce pas
assez pour la maison de Juda de pratiquer les abominations auxquelles ils se livrent ici? Or ils
emplissent le pays de violence, ils provoquent
encore ma colère : les voici qui approchent le
rameau de leur nez [b]. [18] Moi aussi, j'agirai avec
5 11+ fureur; je n'aurai pas un regard de pitié et je n'épar-
Jr **11** 11+ gnerai pas. Ils auront beau crier d'une voix forte
à mes oreilles, je ne les écouterai pas. »

### Le châtiment [c].

**9** [1] C'est alors que d'une voix forte il cria à mes
oreilles : « Ils approchent, les fléaux de la ville,
chacun son instrument de destruction à la main. »
[2] Et voici que six hommes s'avancèrent, venant du Tb 5 4+
porche supérieur qui regarde le nord, chacun son
instrument pour frapper à la main. Au milieu
d'eux, il y avait un homme vêtu de lin, qui portait
à la ceinture une écritoire de scribe. Ils entrèrent
et s'arrêtèrent devant l'autel de bronze. [3] La gloire **1** 28+
du Dieu d'Israël s'éleva de sur le chérubin sur Ex **25** 18+
lequel elle était, vers le seuil du Temple, et il appela
l'homme vêtu de lin qui avait une écritoire de
scribe à la ceinture; [4] et Yahvé lui dit : « Parcours
la ville, parcours Jérusalem et marque d'une croix [d] ↗ Ap **7** 2-3
au front les hommes qui gémissent et qui pleurent Ex **12** 7, 13
sur toutes les abominations qui se pratiquent au
milieu d'elle. » [5] Je l'entendis dire aux autres :
« Parcourez la ville à sa suite et frappez. N'ayez
pas un regard de pitié, n'épargnez pas; [6] vieillards, Ex **32** 27
jeunes gens, vierges, enfants, femmes, tuez et exter- Nb **25** 5, 8
minez tout le monde. Mais quiconque portera la ↗ Ap **9** 4
croix au front, ne le touchez pas. Commencez à
partir de mon sanctuaire. » Ils commencèrent donc
par les vieillards qui étaient dans le Temple. [7] Et
il leur dit : « Souillez le Temple, emplissez les parvis de victimes, sortez. » Ils sortirent et frappèrent
à travers la ville.
[8] Or pendant qu'ils frappaient, je fus laissé seul
et je tombai face contre terre. Je criai : « Ah! Sei- **11** 13
gneur Yahvé, vas-tu exterminer tout ce qui reste Am **7** 2, 5 Is **6** 11
d'Israël en déversant ta fureur contre Jérusalem? » Is **4** 3+
[9] Il me dit : « La faute de la maison d'Israël et de
Juda est immense, le pays est plein de sang, la ville **24** 9
pleine de perversité. Car ils disent : " Yahvé a
quitté le pays, Yahvé ne voit pas. " [10] Eh bien! moi **8** 12
non plus je n'aurai pas un regard de pitié, je n'épar- Ps **10** 11+
gnerai pas. Je leur demande compte de leur
conduite. » [11] C'est alors que l'homme vêtu de lin,
portant une écritoire à la ceinture, vint rendre
compte en ces termes : « J'ai exécuté ce que tu m'as
ordonné. »

**10** [1] Je regardai [e] : voici que sur la voûte qui était **1** 22
sur la tête des chérubins, au-dessus d'eux,
apparut comme une pierre de saphir dont l'aspect **1** 26
était semblable à un trône. [2] Et il dit à l'homme ↗ Ap **4** 3
vêtu de lin : « Va au milieu du char, sous le chérubin, prends à pleines mains des charbons du milieu Gn **19** 24
des chérubins et répands-les sur la ville. » Et il y ↗ Ap **8** 5
alla sous mes yeux.
[3] Les chérubins se tenaient à droite du Temple
lorsque l'homme entra, et la nuée emplissait le parvis intérieur. [4] La gloire de Yahvé s'éleva de dessus **1** 28+

*a)* Divinité assyro-babylonienne d'origine populaire, célèbre, sous le nom sémitique d'Adonis (« Mon Seigneur »), dans la mythologie méditerranéenne. Chaque année, au mois de Tammuz (juin-juillet), à l'occasion du séjour du dieu aux enfers, on célébrait son deuil.

*b)* On ne peut définir avec certitude le rite auquel il est fait allusion ici.

*c)* La vision va montrer que le châtiment ne frappera pas tout le monde indistinctement. Il épargnera les innocents, cf. **14** 12+.

*d)* Litt. « d'un *tav* », comme traduit la Vulg. Cette lettre avait, dans l'alphabet ancien, exactement la forme d'une croix.

*e)* Après l'extermination des habitants, l'anéantissement de la cité.

Ex 40 34-35 le chérubin vers le seuil du Temple, le Temple fut
1 R 8 10 11 rempli de la nuée et le parvis fut rempli de la lueur
Ez 1 24 de la gloire de Yahvé. 5 Et le bruit des ailes des ché-
Ps 29 30 Ex 19 19 rubins s'entendit jusqu'au parvis extérieur, comme
la voix du Dieu tout-puissant lorsqu'il parle.
6 Lorsqu'il donna cet ordre à l'homme vêtu de
lin : « Prends du feu au milieu du char, du milieu
des chérubins », l'homme vint et se tint près de la
roue. 7 Le chérubin étendit la main d'entre les chérubins, vers le feu qui était au milieu des chérubins;
il le prit et le mit dans la main de l'homme vêtu
de lin. Celui-ci le saisit et sortit. 8 Alors apparut
une forme de main humaine sous les ailes des ché-
1 5-21 rubins. 9 Je regardai : il y avait quatre roues à côté
des chérubins, chaque roue à côté de chaque chérubin, et l'aspect des roues était comme l'éclat de la
chrysolithe. 10 Elles semblaient avoir le même
aspect toutes les quatre, comme si une roue était
au milieu de l'autre. 11 Elles avançaient vers les
quatre directions et ne se tournaient pas en marchant, car elles avançaient du côté où était dirigée
la tête et ne se tournaient pas en marchant. 12 Et
tout leur corps, leur dos, leurs mains et leurs ailes,
ainsi que les roues, étaient pleins de reflets tout
autour (leurs roues à tous les quatre). 13 A ces roues
on donna – je l'entendis – le nom de « galgal [a] ».
14 Chacun avait quatre faces : la première était la
face du chérubin, la seconde une face humaine [b], la
troisième une face de lion et la quatrième une face
d'aigle. 15 Les chérubins s'élevèrent : c'était
l'animal que j'avais vu sur le fleuve Kebar. 16 Lorsque les chérubins avançaient, les roues avançaient
à côté d'eux; lorsque les chérubins levaient les ailes
pour s'élever de terre, les roues ne se tournaient pas
non plus à côté d'eux. 17 Lorsqu'ils s'arrêtaient,
elles s'arrêtaient, et lorsqu'ils s'élevaient, elles s'élevaient avec eux, car l'esprit de l'animal était en
elles.

1 28+ **La gloire de Yahvé quitte le Temple.**

Ex 24 16+ 18 La gloire de Yahvé sortit de sur le seuil du
Temple et s'arrêta sur les chérubins. 19 Les chérubins levèrent leurs ailes et s'élevèrent de terre à mes
yeux, en sortant, les roues avec eux. Ils s'arrêtèrent
à l'entrée du porche oriental [c] du Temple de Yahvé,
et la gloire du Dieu d'Israël était sur eux, au-dessus. 20 C'était l'animal que j'avais vu sous le Dieu
d'Israël au fleuve Kebar, et je sus que c'étaient des
chérubins. 21 Chacun avait quatre faces et chacun
quatre ailes, avec des formes de mains humaines
sous leurs ailes. 22 Leurs faces étaient semblables
aux faces que j'avais vues près du fleuve Kebar [d].
Chacun allait droit devant soi.

**Suite des péchés de Jérusalem [e].**

11 1 L'esprit m'enleva et m'emmena au porche 3 12
oriental du Temple de Yahvé, celui qui
regarde l'orient. Et voici qu'à l'entrée du porche, il
y avait vingt-cinq hommes, parmi lesquels je vis 8 16
Yaazanya fils de Azzur et Pelatyahu fils de
Benayahu, chefs du peuple. 2 Il [f] me dit : Fils
d'homme, ce sont les hommes qui méditent le mal,
qui répandent de mauvais conseils dans cette ville.
3 Ils disent : « On n'est pas près de bâtir des maisons! Voici la marmite et nous sommes la 24 1-14
viande [g]. » 4 C'est pourquoi, prophétise contre eux,
prophétise, fils d'homme! 5 L'esprit de Yahvé fondit
sur moi et il me dit : Parle! Ainsi parle Yahvé :
C'est ainsi que vous avez parlé, maison d'Israël, et
je connais votre insolence. 6 Vous avez multiplié
vos victimes dans cette ville; vous avez jonché ses
rues de victimes. 7 C'est pourquoi, ainsi parle le
Seigneur Yahvé. Vos victimes, que vous avez mises
au milieu d'elle, c'est la viande, et elle, c'est la marmite, mais je vous en ferai [h] sortir. 8 Vous craignez
l'épée, j'amènerai l'épée contre vous, oracle du Seigneur Yahvé. 9 Je vous en ferai sortir, je vous livrerai aux mains des étrangers, et de vous, je ferai justice. 10 Vous tomberez par l'épée sur le territoire
d'Israël, je vous jugerai et vous saurez que je suis
Yahvé. 11 Cette ville ne sera pas pour vous une
marmite, vous ne serez pas la viande au milieu
d'elle : c'est sur le territoire d'Israël que je vous
jugerai, 12 et vous saurez que je suis Yahvé dont

*a)* Signification incertaine; peut-être « char » (cf. **10** 2, 6), ou « tourbillon ».
*b)* « la première », « la seconde » syr.; « la face du premier », « la face du second » hébr.
*c)* « ils s'arrêtèrent » versions; « il s'arrêta » hébr. – Le porche de l'orient est celui qui donne sur la vallée du Cédron et le mont des Oliviers, cf. **11** 23.
*d)* Hébr. ajoute ici « leur apparence et eux » (?), omis par grec.
*e)* Ce passage, **11** 1-21, doit être rattaché au ch. **8** (avant l'anéantissement de la ville), à moins qu'il ne soit un doublet de **8** 7s. La vision du départ de Yahvé, **10** 18-22, se continue normalement par **11** 22-23.
*f)* Yahvé, comme le précisent grec et syr.
*g)* V. d'interprétation difficile. Si l'on suit le grec en lisant la première phrase comme une interrogation, on peut comprendre qu'Ézéchiel dénonce la fausse sécurité de ceux qui croient avoir échappé au désastre et songent à s'installer. L'image de la viande dans la marmite, reprise et développée à **24** 1-4 représenterait, elle aussi, la sécurité trompeuse de ceux qui se croient maintenant à l'abri, comme la viande protégée des flammes. En gardant le TM, on voit au contraire la dénonciation par Ézéchiel d'un défaitisme outrancier. Le développement par le prophète de l'image de la marmite, aux vv. suivants, renchérirait alors sur ce pessimisme en annonçant tous les malheurs qu'entraînera un tel manque de confiance, cf. v. 8. Il peut enfin s'agir de la réaction égoïste de ceux qui pensent profiter de la situation créée par la première déportation : inutile de bâtir des maisons, il suffit d'occuper celles qui ont été abandonnées; inutile de s'inquiéter désormais, le malheur ne frappera plus ceux qui ont pu rester à Jérusalem. Quoi qu'il en soit, Ézéchiel rappelle que le danger n'est pas écarté.
*h)* « je vous en ferai » versions; « il vous en fera » hébr.

vous n'avez pas suivi les lois ni observé les coutu-
Dt **12** 29-30 mes – mais vous avez agi selon la coutume des
peuples qui vous entourent.
[13] Or, comme je prophétisais, Pelatyahu fils de
Benayah mourut. Je tombai la face contre terre et
**9** 8+ m'écriai d'une voix forte : « Ah! Seigneur Yahvé,
vas-tu anéantir ce qui reste d'Israël? »

Jr **24** **La nouvelle alliance promise aux exilés.**

[14] Alors la parole de Yahvé me fut adressée en
ces termes : [15] Fils d'homme, c'est à chacun de tes
frères, à tes parents et à la maison d'Israël tout
entière que les habitants de Jérusalem disent :
« Restez loin de Yahvé, c'est à nous que le pays fut
**33** 24 donné en patrimoine [a] ». [16] C'est pourquoi, dis :
Ainsi parle le Seigneur Yahvé. Oui, je les ai éloi-
**36** 19 gnés parmi les nations, je les ai dispersés dans les
pays étrangers et j'ai été pour eux un sanctuaire,
quelque temps, dans le pays où ils sont venus.
[17] C'est pourquoi, dis : Ainsi parle le Seigneur
Dt **30** 3-5 Yahvé. Je vous rassemblerai du milieu des peuples,
Ez **36** 24-25 je vous réunirai de tous les pays où vous avez été
dispersés et je vous donnerai la terre d'Israël. [18] Ils
y viendront et en extirperont toutes les horreurs et
**18** 31; **36** 26 les abominations. [19] Je leur donnerai un seul cœur
Ps **51** 12-14 et je mettrai en eux [b] un esprit nouveau : j'extirpe-
Jr **4** 4+ rai de leur chair le cœur de pierre et je leur donne-
Dt **30** 6-8 rai un cœur de chair, [20] afin qu'ils marchent selon
Ez **44** 7; **36** 27 mes lois, qu'ils observent mes coutumes et qu'ils les
Jr **31** 31+ mettent en pratique. Alors ils seront mon peuple et
moi je serai leur Dieu. [21] Quant à ceux dont le
cœur [c] est attaché à leurs horreurs et à leurs abomi-
nations, je leur demanderai compte de leur
conduite, oracle du Seigneur Yahvé.

**1** 28+ Ex **24** 16+ **La gloire de Yahvé quitte Jérusalem.**

[22] Alors les chérubins levèrent leurs ailes, et les
roues allaient avec eux, tandis que la gloire du
Dieu d'Israël était sur eux, au-dessus. [23] La gloire
de Yahvé s'éleva du milieu de la ville et s'arrêta sur
la montagne qui se trouve à l'orient de la ville.
**3** 12 [24] L'esprit m'enleva et m'emmena chez les Chaldéens, vers les exilés, en vision, dans l'esprit de
Dieu, et la vision dont j'avais été le témoin
s'éloigna de moi. [25] Je racontai aux exilés [d] tout ce
que Yahvé m'avait fait voir.

**Le mime de l'émigrant [e].** Jr **18** 1+

**12** [1] La parole de Yahvé me fut adressée en ces
termes : [2] Fils d'homme, tu habites au milieu
d'une engeance de rebelles qui ont des yeux pour **2** 5-7
voir et ne voient point, des oreilles pour entendre Is **6** 10
et n'entendent point, car c'est une engeance de Jr **5** 21
rebelles. [3] Et toi, fils d'homme, fais-toi un bagage
d'exilé et pars en exil sous leurs yeux. Tu partiras
du lieu où tu te trouves vers un autre lieu, à leurs
yeux. Peut-être reconnaîtront-ils qu'ils sont une
engeance de rebelles. [4] Tu arrangeras tes affaires
comme un bagage d'exilé, de jour, à leurs yeux. Et
toi, tu sortiras le soir, à leurs yeux, comme sortent
les exilés. [5] A leurs yeux, fais un trou dans le mur,
par où tu sortiras [f]. [6] A leurs yeux, tu chargeras ton
ballot sur l'épaule et tu sortiras dans l'obscurité; tu
te couvriras le visage pour ne pas voir le pays, car
j'ai fait de toi un présage pour la maison d'Israël. Is **8** 18+ Jr **18** 1+
[7] J'agis donc selon l'ordre que j'avais reçu;
j'arrangeai mes affaires comme un bagage d'exilé,
de jour, et le soir je fis un trou dans le mur avec
la main; puis je sortis [g] dans l'obscurité et je char-
geai mon ballot sur l'épaule, à leurs yeux.
[8] Alors la parole de Yahvé me fut adressée, le
matin, en ces termes : [9] Fils d'homme, la maison
d'Israël, cette engeance de rebelles, ne t'a-t-elle pas
dit : « Que fais-tu là? » [10] Dis-leur : Ainsi parle le
Seigneur Yahvé. Cet oracle [h] est prononcé à Jérusalem et dans toute la maison d'Israël où ils résident. [11] Dis : Je suis votre présage; comme j'ai fait,
il leur sera fait; ils iront en déportation, en exil.
[12] Le prince qui est parmi eux chargera son bagage
sur ses épaules, dans l'obscurité, et sortira par le
mur qu'on percera pour faire une sortie; il se couvrira le visage pour ne pas voir de ses yeux le
pays [i]. [13] J'étendrai mon filet sur lui et il sera pris = **17** 20
dans mon rets; je le mènerai à Babylone, au pays
des Chaldéens, mais il ne le verra pas et il y
mourra. [14] Tout ce qui forme son entourage, sa
garde et toutes ses troupes, je les disperserai à tous Lv **26** 33
les vents et je tirerai l'épée derrière eux. [15] Et ils

*a)* Les habitants de Jérusalem, épargnés par la déportation, se croyaient l'élite du peuple. Déjà Jérémie combattait cette présomption en annonçant, Jr **24**, que les déportés seraient préférés par Yahvé. Ézéchiel ajoute que la possession du Temple importe peu, car Yahvé peut être pour les exilés « un sanctuaire » en terre étrangère, cf. **1** 3+.
*b)* « en eux » versions; « en vous » hébr. – « un seul cœur », ou peut-être « un autre cœur » (grec) ou « un cœur neuf » (syr.); cf. **18** 31; Jr **4** 4+.
*c)* « ceux dont le cœur » Vulg., Targ.; « et vers le cœur qui » hébr.
*d)* Les vv. 24-25 correspondent à **8** 3 : le prophète, qui avait été transporté à Jérusalem pour y avoir les visions des ch. **8-11**, est ramené par l'esprit à son lieu d'exil.
*e)* Cette nouvelle action symbolique, jouée en silence, annonce une prochaine déportation du peuple de Jérusalem.
*f)* « tu sortiras » versions; « tu emporteras » hébr.; de même au v. 6.
*g)* « je sortis » versions; « j'emportai » hébr.
*h)* Avant « Cet oracle » (*hammassa'*), on omet « le prince » (*hannasî*), dittographie.
*i)* Il y a peut-être ici à la fois l'annonce de la sortie qui sera tentée par Sédécias et son armée à travers une brèche du rempart, 2 R **25** 4s, et celle de la captivité du roi, à qui on crèvera les yeux avant de l'emmener à Babylone, 2 R **25** 7.

sauront que je suis Yahvé lorsque je les disséminerai parmi les nations et que je les disperserai dans
Is 4 3+ les pays étrangers. [16] Mais je laisserai quelques-uns
d'entre eux qui échapperont à l'épée, à la famine
et à la peste pour raconter toutes leurs abominations parmi les nations où ils se rendront, afin
qu'elles sachent que je suis Yahvé.

[17] La parole de Yahvé me fut adressée en ces ter-
4 16 mes : [18] Fils d'homme, tu mangeras ton pain en
tremblant et tu boiras ton eau dans l'inquiétude et
l'angoisse [a]; [19] et tu diras au peuple du pays : Ainsi
parle le Seigneur Yahvé aux habitants de Jérusalem
dispersés sur le sol d'Israël : ils mangeront leur
pain dans l'angoisse, ils boiront leur eau avec
effroi, afin que le pays et ceux qui s'y trouvent
soient débarrassés [b] de la violence de tous ses habitants. [20] Les villes peuplées seront détruites, le pays
deviendra une désolation, et vous saurez que je suis
Yahvé.

**Proverbes populaires.**

[21] La parole de Yahvé me fut adressée en ces termes : [22] Fils d'homme, que voulez-vous dire par ce
proverbe prononcé sur la terre d'Israël :
2 P 3 3-4 Les jours s'ajoutent aux jours et toute vision
s'évanouit [c]? [23] Eh bien! dis-leur : Ainsi parle le
Seigneur Yahvé. Je ferai taire ce proverbe, on ne
le répétera plus en Israël. Mais dis-leur :
Les jours approchent où toute vision
s'accomplit, [24] car il n'y aura plus ni vision vaine
ni présage trompeur au milieu de la maison
d'Israël, [25] car c'est moi, Yahvé, qui parlerai. Ce
que je dis est dit et s'accomplira sans délai; car
c'est de votre temps, engeance de rebelles, que je
prononcerai une parole et que je la réaliserai, oracle du Seigneur Yahvé.

[26] La parole de Yahvé me fut adressée en ces termes : [27] Fils d'homme, voici que la maison d'Israël
dit : « La vision que celui-là voit est pour une époque lointaine; il prophétise pour un avenir éloigné. » [28] Eh bien! Dis-leur : Ainsi parle le Seigneur
↗ Ap 10 6 Yahvé. Il n'y a plus de délai pour toutes mes paro-
Jr 1 11-12 les. Ce que je dis est dit et se réalisera, oracle du
Seigneur Yahvé.

Jr 14 13-16; **Contre les faux prophètes.**

23 9-40; 27 9-10, 16-18; 28 **13** [1] La parole de Yahvé me fut adressée en ces
termes : [2] Fils d'homme, prophétise contre les
prophètes d'Israël; prophétise [d] et dis à ceux qui
prophétisent de leur propre chef : Écoutez la parole
de Yahvé. [3] Ainsi parle le Seigneur Yahvé : Malheur aux prophètes insensés qui suivent leur propre
esprit sans rien voir! [4] Comme des chacals dans les
ruines, tels furent tes prophètes, Israël.

[5] Vous n'êtes pas montés aux brèches, vous
n'avez pas construit une enceinte pour la maison
d'Israël, pour tenir ferme dans le combat, au jour Am 5 18+
de Yahvé. [6] Ils ont des visions vaines, un présage
mensonger, ceux qui disent : « Oracle de Yahvé »,
sans que Yahvé les ait envoyés; et ils attendent la
confirmation de leur parole. [7] N'est-il pas vrai que
vous n'avez que visions vaines et n'annoncez que
présages mensongers quand vous dites : « Oracle
de Yahvé », alors que moi, je n'ai pas parlé?

[8] Eh bien! ainsi parle le Seigneur Yahvé : A
cause de vos paroles vaines et de vos visions mensongères, oui, je me déclare contre vous, oracle du
Seigneur Yahvé. [9] J'étendrai la main sur les prophètes aux visions vaines et à la prédiction mensongère : ils ne seront pas admis au conseil de mon
peuple, ils ne seront pas inscrits au livre de la maison d'Israël, ils ne pénétreront pas sur le sol
d'Israël, et vous saurez que je suis le Seigneur
Yahvé. [10] C'est qu'en effet, ils égarent mon peuple
en disant : « Paix [e]! » alors qu'il n'y a pas de paix. Jr 6 14+
Tandis qu'il bâtit une muraille, les voici qui la couvrent de crépi [f]. [11] Dis à ceux qui la couvrent de 22 28
crépi [g] : Qu'il y ait une pluie torrentielle, qu'il
tombe des grêlons [h], qu'un vent de tempête soit
déchaîné, [12] et voilà le mur abattu! Ne vous dira-
t-on pas : « Où est le crépi dont vous l'avez recouvert? » [13] Eh bien! ainsi parle le Seigneur Yahvé :
Je vais déchaîner un vent de tempête dans ma
fureur, il y aura une pluie torrentielle dans ma
colère, des grêlons dans ma rage de destruction.
[14] J'abattrai le mur que vous aurez couvert de crépi,
je le jetterai à terre, et ses fondations seront mises
à nu. Il tombera et vous périrez sous lui, et vous
saurez que je suis Yahvé.

[15] Quand j'aurai assouvi ma fureur contre le mur
et contre ceux qui le couvrent de crépi, je vous
dirai : Le mur n'est plus, ni ceux qui le crépissaient,
[16] les prophètes d'Israël qui prophétisent sur Jérusalem et qui ont pour elle une vision de paix alors
qu'il n'y a pas de paix, oracle du Seigneur Yahvé.

*a)* Peut-être une nouvelle action symbolique : mimer, en mangeant, le tremblement et l'effroi.
*b)* « le pays et ceux qui s'y trouvent (litt. ce qui l'emplit) soient débarrassés » grec; « le pays soit débarrassé de ce qui l'emplit » hébr
*c)* On écoutait donc les oracles menaçants d'Ézéchiel avec scepticisme. Ézéchiel va retourner le proverbe : le châtiment est imminent.
*d)* « prophétise » grec; « qui prophétisaient » hébr.
*e)* La « paix » n'est pas seulement l'absence de menaces extérieures, mais la prospérité et la concorde dans la société, cf. Jr **6** 14+.
*f)* Ézéchiel reproche aux faux prophètes leur optimisme fallacieux. Jérusalem est comme une maison menacée par les éléments déchaînés; alors qu'il faudrait réparer sérieusement l'édifice, certains se contenteraient de masquer les lézardes par un simple crépi.
*g)* L'hébr. ajoute « et il tombera », dittographie.
*h)* Après « qu'il tombe », hébr. ajoute « j'envoyai » (?).

### Les fausses prophétesses.

[17] Et toi, fils d'homme, tourne-toi vers les filles
de ton peuple qui prophétisent de leur propre chef,
et prophétise contre elles [a]. [18] Tu diras : Ainsi parle
le Seigneur Yahvé. Malheur à celles qui cousent
des rubans sur tous les poignets [b], qui fabriquent
des voiles pour la tête de gens de toutes tailles, afin
de prendre au piège les âmes! Vous prenez au piège
les âmes des gens de mon peuple et vous épargne-
riez vos propres âmes? [19] Vous me déshonorez
1 S 9 7+ devant mon peuple pour quelques poignées d'orge
et quelques morceaux de pain, en faisant mourir
des gens qui ne doivent pas mourir, en épargnant
ceux qui ne doivent pas vivre, et en mentant à mon
peuple qui écoute le mensonge.

[20] Eh bien! ainsi parle le Seigneur Yahvé : Voici
que je vais m'en prendre à vos rubans, avec
lesquels vous prenez au piège les âmes comme des
oiseaux. Je les déchirerai sur vos bras et je libérerai
les âmes que vous essayez de prendre au piège
comme des oiseaux [c]. [21] Je déchirerai vos voiles et
je délivrerai mon peuple de votre main, pour qu'il
ne soit plus un gibier dans votre main. Et vous saurez que je suis Yahvé.

[22] Pour avoir intimidé le cœur du juste par des
mensonges, alors que je ne l'avais pas affligé, et
avoir fortifié les mains du méchant pour qu'il ne
renonce pas à sa mauvaise conduite afin de retrouver la vie, [23] eh bien! vous n'aurez plus de vaines
visions et ne prononcerez plus de prédictions. Je
délivrerai mon peuple de votre main, et vous saurez
que je suis Yahvé.

### Contre l'idolâtrie.

20 1-4 **14** [1] Quelques anciens d'Israël vinrent chez moi
et s'assirent devant moi. [2] La parole de Yahvé
me fut adressée en ces termes : [3] Fils d'homme, ces
gens-là ont mis leurs ordures dans leur cœur, ils ont
placé devant eux l'occasion de leurs crimes, faut-il
me laisser consulter par eux? [4] Eh bien! parle-leur
et dis-leur : Ainsi parle le Seigneur Yahvé. Tout
homme de la maison d'Israël qui met ses ordures
dans son cœur, ou qui place devant lui l'occasion
de ses crimes, et qui vient trouver le prophète, c'est
moi, Yahvé, qui lui répondrai moi-même à cause
de la multitude de ses ordures, [5] afin de ressaisir le
cœur de la maison d'Israël, eux qui se sont éloignés
de moi à cause de toutes leurs ordures.

[6] Eh bien! dis à la maison d'Israël : Ainsi parle
le Seigneur Yahvé. Revenez, détournez-vous de vos
ordures, détournez votre face de toutes vos abominations, [7] car à tout homme de la maison d'Israël,
à tout étranger établi en Israël [d], s'il s'éloigne de
moi pour mettre ses ordures dans son cœur, s'il
place devant lui l'occasion de ses crimes et s'il
vient trouver le prophète pour me consulter par lui,
c'est moi, Yahvé, qui répondrai moi-même [e]. [8] Je
tournerai ma face contre cet homme, j'en ferai un
exemple et une fable, je le retrancherai de mon peuple, et vous saurez que je suis Yahvé. [9] Et si le prophète se laisse séduire et prononce une parole, c'est
que moi, Yahvé, j'aurai séduit ce prophète [f]; j'étendrai la main contre lui et je le supprimerai du
milieu de mon peuple Israël. [10] Ils porteront le
poids de leur faute. Telle la faute de celui qui
consulte, telle sera la faute du prophète. [11] Ainsi la
maison d'Israël ne s'égarera plus loin de moi et ne
se souillera plus de tous ses crimes. Ils seront mon
peuple et je serai leur Dieu, oracle du Seigneur
Yahvé.

### Responsabilité personnelle [g]. 18;

[12] La parole de Yahvé me fut adressée en ces ter- 33 10-20
mes : [13] Fils d'homme, si un pays péchait contre
moi en m'étant infidèle et que j'étende la main
contre lui, détruisant sa réserve de pain et lui
envoyant la famine pour en retrancher bêtes et

*a)* Aux reproches déjà faits aux faux prophètes s'ajoutent ici des allusions, pour nous obscures, à des pratiques sans doute magiques ou idolâtriques.
*b)* « tous les poignets » versions; « tous mes poignets » hébr.
*c)* Le mot hébreu *leporehot*, répété à la fin du v., est très difficile. L'idée de « bourgeon », « bourgeonner », évoquée par la racine *parah*, ne donne aucun sens. L'idée de « voler », « volatile », suggérée par l'araméen et appelée par le verbe, est plus satisfaisante. Il doit s'agir encore ici de pratiques plus ou moins magiques qui nous échappent. Dans le grec, ce mot qui manque la première fois est traduit, à la fin du v., « pour la dispersion. » – Avant le deuxième « comme des oiseaux » on omet « les âmes » (sous une forme anormale), dittographie probable.
*d)* L'étranger établi en Israël, cf. Ex **12** 48+, est juridiquement assimilé à l'Israélite, d'après la législation d'Ézéchiel, **47** 22.
*e)* Yahvé refuse de répondre par son prophète aux consultations des Israélites infidèles. Il leur répondra « lui-même » : en les châtiant.
*f)* C'est-à-dire : si ce prophète se laisse séduire, c'est que moi je l'ai laissé succomber à la séduction, parce que j'avais résolu sa perte.
*g)* Ce texte, avec **18** et **33** 10-20, marque un progrès décisif dans le développement de la doctrine morale de l'AT. Les anciens textes considéraient surtout l'individu comme intégré dans la famille, la tribu, plus tard la nation. Noé, Gn **6** 18, est sauvé avec les siens. Abraham, appelé par Dieu, Gn **12**, entraîne avec lui en Canaan tout son clan. Cette conception s'appliquait aussi à la responsabilité et à la rétribution. Si Abraham, Gn **18** 22-23, intercède pour Sodome, ce n'est pas pour que les justes soient séparés et épargnés, c'est pour que, la solidarité jouant en sens contraire, ils évitent même aux méchants le châtiment mérité. Il paraissait normal qu'une ville ou une nation fût châtiée en bloc, les justes avec les pécheurs, et que le sort des enfants répondît à la conduite de leurs pères, Ex **20** 5; Dt **5** 9; **7** 10, cf. Jr **31** 29 = Ez **18** 2. Mais la prédication des prophètes devait mettre l'accent sur l'individuel et apporter ainsi un correctif aux anciens principes. Si Jérémie n'entrevoit que dans l'avenir le dépassement de la solidarité des générations dans la faute et dans la sanction, Jr **31** 29-30, déjà le Deutéronome proteste contre le châtiment des fils pour les pères, Dt **24** 16, cf. 2 R **14** 6. Enfin Ézéchiel (ayant reçu, dans la vision des ch. **8-10**, la certitude que le châtiment imminent de

gens, 14 et qu'il y ait dans ce pays ces trois hom-
Gn **18** 22-33 mes, Noé, Danel et Job [a], ces hommes sauveraient
leur vie grâce à leur justice, oracle du Seigneur
Yahvé. 15 Si je lâchais les bêtes féroces dans ce
pays pour le priver de ses enfants et en faire une
solitude que nul ne peut franchir à cause des bêtes,
16 et qu'il y ait ces trois hommes dans ce pays : par
ma vie, oracle du Seigneur Yahvé, ils ne pourraient
sauver ni fils ni filles, eux seuls seraient sauvés et
le pays deviendrait une solitude. 17 Si je faisais
venir l'épée contre ce pays, si je disais : « Que
l'épée passe dans ce pays et j'en frapperai bêtes et
gens », 18 et que ces trois hommes soient dans ce
pays : par ma vie, oracle du Seigneur Yahvé, ils ne
pourraient sauver ni fils ni filles, eux seuls seraient
sauvés. 19 Si j'envoyais la peste dans ce pays et que
je déverse dans le sang ma colère contre eux, en
retranchant bêtes et gens, 20 et que Noé, Danel et
Job soient dans ce pays : par ma vie, oracle du Seigneur Yahvé, ils ne sauveraient ni fils ni fille, mais
ils sauveraient leur vie grâce à leur justice.
21 Ainsi parle le Seigneur Yahvé : Bien que
j'envoie mes quatre fléaux terribles, épée, famine,
bêtes féroces et peste, vers Jérusalem pour en
retrancher bêtes et gens, 22 voici qu'il s'y trouve un
reste de survivants que l'on a fait sortir, fils et filles:
les voici qui sortent vers vous pour que vous voyiez
leur conduite et leurs œuvres, et que vous vous
consoliez du mal que j'aurai fait venir contre Jérusalem, de tout ce que j'aurai fait venir contre
elle. 23 Ils vous consoleront quand vous verrez leur
conduite et leurs œuvres, et vous saurez que ce
n'est pas en vain que j'ai fait tout ce que j'ai fait
en elle, oracle du Seigneur Yahvé.

Is **5** 1+ **Parabole de la vigne.**

**15** 1 La parole de Yahvé me fut adressée en ces
termes :

2 Fils d'homme, pourquoi le bois de la vigne vaudrait-il mieux
que le bois de toute branche sur les arbres de la
forêt?
3 En tire-t-on du bois pour en faire quelque chose?
En tire-t-on une cheville pour y pendre un objet?
4 Voilà qu'on le jette au feu pour le consumer. Le
feu consume les deux bouts;
le milieu est brûlé, est-il bon à quelque chose [b]?
5 Déjà, lorsqu'il était intact, on ne pouvait rien en
faire;
alors, quand le feu l'a consumé et brûlé, peut-on
encore en faire quelque chose?
6 C'est pourquoi, ainsi parle le Seigneur Yahvé.
Tout comme le bois de la vigne parmi les arbres
de la forêt,
que j'ai jeté au feu pour le consumer,
ainsi ai-je traité les habitants de Jérusalem.
7 J'ai tourné ma face contre eux.
Ils ont échappé au feu, mais le feu les dévorera,
et vous saurez que je suis Yahvé, lorsque je me
tournerai contre eux.
8 Je ferai du pays une solitude, parce qu'ils ont été
infidèles,
oracle du Seigneur Yahvé.

**Histoire symbolique de Jérusalem** [c]. **23**

**16** 1 La parole de Yahvé me fut adressée en ces Os **1**-3
termes : 2 Fils d'homme, fais connaître à Jéru- Is **1** 21
salem ses abominations. 3 Tu diras : Ainsi parle le Jr **2** 2; **3** 6s
Seigneur Yahvé à Jérusalem. Par ton origine et par Mt **28** 2-14;
ta naissance, tu es du pays de Canaan. Ton père **25** 1-13
était amorite et ta mère hittite. 4 A ta naissance, Jn **3** 29
au jour où tu vins au monde, on ne te coupa pas Ep **5** 25-33
le cordon, on ne te lava pas dans l'eau pour te net- Ap **17**
toyer, on ne te frotta pas de sel, on ne t'enveloppa
pas de langes. 5 Nul n'a tourné vers toi un regard
de pitié, pour te rendre un de ces devoirs par
compassion pour toi. Tu fus jetée en pleine campagne, par dégoût de toi, au jour de ta naissance.
6 Je passai près de toi et je te vis, te débattant
dans ton sang. Je te dis, quand tu étais dans ton

Jérusalem répond à ses péchés présents) se fait le champion et comme le théoricien de la responsabilité personnelle. Le salut d'un homme ou sa perte ne dépendent ni de ses ancêtres ni de ses proches, ni même de son propre passé. Les dispositions actuelles du cœur entrent seules en ligne de compte devant Yahvé. Ces affirmations radicalement individualistes seront à leur tour corrigées par le principe de solidarité qu'exprime le 4e chant du Serviteur, Is **52** 13 - **53** 12, cf. Is **42** 1+. D'autre part, appliquées avec rigueur dans une perspective purement temporelle, elles devaient être contredites par l'expérience quotidienne (cf. Job), et cette contradiction appelle un progrès nouveau qu'apportera la révélation d'une rétribution outre-tombe (cf. l'Introduction aux livres sapientiaux, p. 646). Enfin, le NT (en particulier saint Paul), en fondant l'espérance du chrétien sur la solidarité par la foi avec le Christ ressuscité, satisfera à la fois la revendication individualiste d'Ézéchiel et la loi de la solidarité, dans le péché et dans la rédemption, de l'humanité créée et sauvée par Dieu.

*a)* Trois héros populaires que la tradition israélite connaissait bien : Noé, dont le souvenir est conservé par les récits de Gn **6-9**; Job, dont la légende devait inspirer un des plus beaux poèmes bibliques; enfin Danel, inconnu de la Bible (sauf Ez **28** 3), mais dont la sagesse et la justice étaient célébrées par les poèmes de Ras-Shamra.

*b)* Si l'on veut presser la comparaison : Israël a été amputé du territoire de Samarie en 720 et de celui de Juda en 597. Jérusalem elle-même (le « milieu ») n'est plus intacte puisqu'elle a déjà subi un siège et une déportation.

*c)* Israël, épouse infidèle de Yahvé, « prostituée » aux dieux étrangers : image courante depuis Osée dans la littérature prophétique, cf. Os **1** 2+. Ézéchiel la développe en une longue allégorie (reprise au ch. **23** sous une autre forme), qui reproduit toute l'histoire d'Israël (le ch. **20**, cf. **22**, raconte en clair les mêmes événements). Elle s'achève, vv. 60-63, comme en Osée, par le pardon gratuit de l'époux qui fonde une nouvelle alliance. Ainsi s'annoncent les noces messianiques dont le NT reprendra l'image.

sang : « Vis [a]! » 7 et je te fis croître comme l'herbe
des champs. Tu te développas, tu grandis et tu parvins à l'âge nubile [b]. Tes seins s'affermirent, ta che-
Os **2** 5 velure devint abondante; mais tu étais toute nue.
8 Alors je passai près de toi et je te vis. C'était ton
Dt **23** 1+ temps, le temps des amours. J'étendis sur toi le pan
de mon manteau et je couvris ta nudité; je m'enga-
Ex **19** 1+ geai par serment, je fis un pacte avec toi – oracle
du Seigneur Yahvé – et tu fus à moi. 9 Je te baignai
dans l'eau, je lavai le sang qui te couvrait, je t'oignis d'huile; 10 je te donnai des vêtements brodés,
des chaussures de cuir fin, un bandeau de lin et un
manteau de soie. 11 Je te parai de bijoux, je mis des
bracelets à tes poignets et un collier à ton cou. 12 Je
mis un anneau à ton nez, des boucles à tes oreilles,
et sur ta tête un splendide diadème. 13 Tu étais
parée d'or et d'argent, vêtue de lin, de soie et de
Dt **32** 13 broderies. La fleur de farine, le miel et l'huile
étaient ta nourriture. Tu devins de plus en plus
belle et tu parvins à la royauté. 14 Tu fus renommée
parmi les nations pour ta beauté, car elle était parfaite, grâce à la splendeur dont je t'avais revêtue,
oracle du Seigneur Yahvé.

15 Mais tu t'es infatuée de ta beauté, tu as profité
Dt **31** 16; de ta renommée pour te prostituer, tu as prodigué
**32** 15 tes débauches à tout venant [c]. 16 Tu as pris de tes
Is **57** 8 vêtements pour t'en faire des hauts lieux aux riches
couleurs [d], et tu t'y es prostituée [e]. 17 Tu as pris tes
Os **2** 10 parures d'or et d'argent que je t'avais données et
Ex **32** 2s tu t'es fait des images d'hommes pour servir à tes
prostitutions. 18 Tu as pris tes vêtements brodés et
tu les en as couvertes, et c'est mon huile et mon
encens que tu as offerts devant elles. 19 C'est le pain
que je t'avais donné, la fleur de farine, l'huile et le
miel dont je te nourrissais que tu as offerts devant
elles en parfum d'apaisement.

Et il est arrivé – oracle du Seigneur Yahvé –
Lv **18** 21+ 20 que tu as pris tes fils et tes filles que tu m'avais
enfantés, et que tu les leur as sacrifiés pour qu'elles
s'en nourrissent. Était-ce donc trop peu que ta
prostitution? 21 Tu as égorgé mes fils et tu les as
livrés pour les faire passer par le feu en leur honneur. 22 Et dans toutes tes abominations et tes
prostitutions, tu ne t'es pas souvenue des jours de
ta jeunesse, quand tu étais toute nue, te débattant
dans ton sang.

23 Et pour comble de méchanceté, – malheur,
malheur à toi! oracle du Seigneur Yahvé – 24 tu t'es
bâti un tertre, tu t'es fait une hauteur sur toutes les Dt **12** 2+
places. 25 A l'entrée de chaque chemin, tu t'es bâti
une hauteur pour y souiller ta beauté et livrer ton
corps à tout venant; tu as multiplié tes prosti-
tutions. 26 Tu t'es prostituée chez les Égyptiens, tes Is **30**; **31**
voisins au corps puissant, tu as multiplié tes prostitutions pour m'irriter. 27 Et voici que j'ai levé la
main contre toi; j'ai rationné ta nourriture, je t'ai
livrée à la merci de tes ennemies, les filles des Philistins [f], rougissant de l'infamie de ta conduite.
28 Faute d'être rassasiée, tu t'es prostituée chez les 2 R **21** 1-18
Assyriens. Tu t'es prostituée sans pourtant te rassa- 2 Ch **33** 1-10
sier [g]. 29 Tu as multiplié tes prostitutions au pays
des marchands, chez les Chaldéens, et cette fois
non plus, tu ne t'es pas rassasiée.

30 Comme ton cœur [h] était faible – oracle du Seigneur Yahvé – en commettant toutes ces actions
dignes d'une véritable prostituée! 31 Lorsque tu te
bâtissais [i] un tertre à l'entrée de chaque chemin,
que tu te faisais une hauteur sur toutes les places,
en méprisant le salaire, tu n'étais pas comme la
prostituée. 32 La femme adultère, au lieu de son
mari, accueille les étrangers. 33 A toutes les prostituées, on donne un cadeau. Mais c'est toi qui donnais des cadeaux à tous tes amants et qui leur as Os **8** 9+
offert des présents, pour que, de tous côtés, ils viennent à toi dans tes prostitutions. 34 Pour toi, ce fut
le contraire des autres femmes dans tes prostitutions : nul ne courait après toi, c'est toi qui payais
et l'on ne te payait pas; tu faisais le contraire.

35 Eh bien, prostituée, écoute la parole de Yahvé!
36 Ainsi parle le Seigneur Yahvé. Pour avoir dilapidé ton argent [j], découvert ta nudité au cours de
tes prostitutions avec tes amants et avec tes ordures
abominables, pour le sang [k] de tes fils que tu leur ↗ Ap **17** 5-6
as donnés, 37 pour cela, je vais rassembler tous les

*a)* L'hébr. répète par dittographie « et je te dis... : Vis! » – L'enfant reste souillée de sang et grandit comme un sauvageon, jusqu'à l'alliance du Sinaï, décrite sous la figure d'un mariage, vv. 8s.

*b)* « Je te fis croître », litt. : « je fis de toi une multitude ». – « à l'âge nubile » *be'et 'iddîm* conj. : « avec les plus beaux bijoux » *ba'adî 'adayîm* hébr.

*c)* L'hébr. ajoute ici : « il a été à lui » (?), omis par une partie du grec et le syr.

*d)* Peut-être faut-il comprendre : « des tentes sur les hauts lieux ».

*e)* On omet ici quatre mots inintelligibles, litt. : « elles ne viennent pas et il ne sera pas ».

*f)* Les cités de la côte philistine ont profité des revers de Juda pour s'agrandir à ses dépens, sous Achaz d'après 2 Ch **28** 18, sous Ézéchias d'après les Annales de Sennachérib, et peut-être après la première déportation, cf. Jr **13** 19 et ici, **25** 15-17.

*g)* Spécialement sous le règne de Manassé, où les alliances étrangères entraînent un développement de l'idolâtrie.

*h)* Texte incertain. Le mot hébreu *libbah*, dans lequel on voit une forme de *leb* ou *lebab*, « cœur », pourrait se comprendre d'après l'assyro-babylonien au sens de « colère ». Il faudrait alors traduire (en corrigeant la vocalisation) : « Je suis rempli de colère contre toi ».

*i)* « lorsque tu te bâtissais » *(bibenôtek)* versions; « en tes filles » (*bibenôtayik*) hébr.

*j)* « dilapidé ton argent » litt. : « répandu ton bronze »; allusion aux présents qui viennent d'être mentionnés. Mais beaucoup de commentateurs considèrent ce texte comme corrompu.

*k)* « pour le sang » versions; « comme le sang » hébr.

amants à qui tu as plu, tous ceux que tu as aimés
et tous ceux que tu as haïs, je vais les rassembler
↗ Ap **17** 16 d'alentour contre toi, et je vais découvrir ta nudité
Os **2** 12 devant eux, pour qu'ils voient toute ta nudité. 38 Je
vais t'infliger le châtiment des femmes adultères et
sanguinaires : je te livrerai à la fureur [a] et à la
jalousie, 39 je te livrerai entre leurs mains; ils nivelleront
ton tertre et démoliront tes hauteurs, ils
t'arracheront tes vêtements et te prendront tes
Os **2** 5+ parures, ils te laisseront toute nue. 40 Puis ils exciteront
la foule contre toi, ils te lapideront et te perceront
à coups d'épée, 41 ils mettront le feu à tes maisons
et feront justice de toi, sous les yeux d'une
multitude de femmes; je mettrai fin à tes prostitutions
et tu ne donneras plus de salaire. 42 J'assouvirai
ma fureur contre toi, puis ma jalousie se retirera
de toi, je m'apaiserai et ne me mettrai plus en
colère. 43 Puisque tu ne t'es pas souvenue des jours
de ta jeunesse et qu'en tout cela tu m'as provoqué,
voici qu'à mon tour je vais faire retomber ta
conduite sur ta tête, oracle du Seigneur Yahvé.
N'as-tu pas commis l'infamie avec toutes tes pratiques
abominables?

44 Voici que tous les faiseurs de proverbes en
diront un à ton sujet :
« Telle mère, telle fille. »

45 Tu es bien la fille de ta mère qui détestait son
mari et ses enfants; tu es bien la sœur de tes sœurs [b]
qui ont détesté leur mari et leurs enfants. Votre
**16** 3 mère était hittite et votre père amorite.

46 Ta sœur aînée, c'est Samarie, qui habite à ta
gauche avec ses filles. Ta sœur cadette, qui habite
à ta droite [c], c'est Sodome, avec ses filles. 47 Tu n'as
pas manqué d'imiter leur conduite ni de commettre
leurs abominations [d]. Tu t'es montrée plus corrompue
qu'elles dans toute ta conduite. 48 Par ma vie,
oracle du Seigneur Yahvé, Sodome, ta sœur, et ses
filles n'ont pas agi comme vous avez agi, toi et tes
filles. 49 Voici quelle fut la faute de Sodome ta
sœur : orgueil, voracité, insouciance tranquille, telles
furent ses fautes et celles de ses filles; elles n'ont
pas secouru le pauvre et le malheureux, 50 elles se
sont enorgueillies et ont commis l'abomination
Gn **19** devant moi, aussi les ai-je fait disparaître, comme
tu l'as vu [e]. 51 Quant à Samarie, elle n'a pas
commis la moitié de tes péchés.

Tu as multiplié bien plus qu'elle tes abominations.
En commettant autant d'abominations, tu as
justifié tes sœurs. 52 Mais toi, porte le déshonneur
dont tu as innocenté tes sœurs : à cause des péchés
par lesquels tu t'es rendue bien plus odieuse
qu'elles, elles sont plus justes que toi. Toi donc,
sois dans la honte et porte ton déshonneur, tout en
justifiant tes sœurs [f].

53 Je les rétablirai. Je rétablirai Sodome et ses
filles, je rétablirai Samarie et ses filles, puis je te
rétablirai au milieu d'elles, 54 afin que tu portes ton
déshonneur et que tu rougisses de tout ce que tu
as fait, pour leur consolation. 55 Tes sœurs, Sodome
et ses filles, seront rétablies en leur état ancien;
Samarie et ses filles seront rétablies en leur état
ancien. Toi et tes filles, vous serez rétablies en votre
état ancien. 56 De Sodome, ta sœur, n'as-tu pas fait
des gorges chaudes, au jour de ton orgueil, 57 avant
que ne fût découverte ta nudité? Comme elle, tu es
maintenant l'objet de la raillerie des filles d'Édom [g]
et de toutes celles d'alentour, des filles des Philistins,
qui t'accablent de leur mépris, tout autour de
toi. 58 Ton infamie et tes abominations, c'est toi qui
t'en es chargée, oracle de Yahvé.

59 Car ainsi parle le Seigneur Yahvé. J'agirai
envers toi comme tu as agi, toi qui as méprisé le
serment jusqu'à violer une alliance. 60 Mais moi, je
me souviendrai de mon alliance avec toi au temps Os **2** 16-25
de ta jeunesse et j'établirai en ta faveur une alliance Jr **31** 3, 31-34
éternelle. 61 Et toi, tu te souviendras de ta conduite Ez **36** 31
et tu en rougiras, quand tu accueilleras tes sœurs,
les aînées avec les cadettes, et que je te les donnerai
pour filles, sans que j'y sois tenu par mon alliance
avec toi. 62 Car c'est moi qui rétablirai mon
alliance avec toi [h], et tu sauras que je suis Yahvé,
63 afin que tu te souviennes et que tu sois saisie de
honte et que, dans ta confusion, tu sois réduite au
silence, quand je te pardonnerai tout ce que tu as
fait, oracle du Seigneur Yahvé.

### Allégorie de l'aigle.

**17** 1 La parole de Yahvé me fut adressée en ces
termes : 2 Fils d'homme, propose une énigme
et présente une parabole à la maison d'Israël. 3 Tu
diras : Ainsi parle le Seigneur Yahvé.

Le grand aigle [i], aux grandes ailes,
à l'envergure immense,
couvert de plumes multicolores,
vint au Liban
et prit la cime du cèdre;

*a)* « je te livrerai à la fureur » conj., cf. **23** 25; « je te livrerai le sang de la fureur » hébr.
*b)* « de tes sœurs » versions; « de ta sœur » hébr.
*c)* La gauche et la droite sont celles du spectateur tourné vers l'est.
*d)* Traduction conjecturale d'un texte qui semble corrompu.
*e)* « tu l'as vu » versions; « je l'ai vu » hébr.
*f)* « tes sœurs » (bis) versions; « ta sœur » hébr.
*g)* « ta nudité » 3mss, cf. v. 37; « ta méchanceté » hébr. – « Comme elle » grec; « comme le temps » hébr. – « Édom » mss, syr.; « Aram » hébr.
*h)* L'insistance d'Ézéchiel sur la gratuité des bienfaits de Dieu, accordés à Israël non pas en raison de son repentir (qui viendra après l'alliance nouvelle), mais par pure bienveillance, prépare la révélation du NT, cf. 1 Jn **4** 10, etc.
*i)* Nabuchodonosor qui, en 597, plaça sur le trône de Jérusalem

4 il cueillit le plus haut de ses rameaux,
16 29 l'emporta au pays des marchands
et le déposa dans une ville de trafiquants.
5 Puis il prit une des semences du pays
et la mit dans un champ préparé;
au bord d'un cours d'eau abondant [a],
il la mit comme un saule.
6 Elle poussa et devint une vigne féconde,
de taille modeste,
qui tourna ses branches vers l'aigle,
alors que ses racines étaient sous elle.
Elle devint une vigne,
donna des tiges et poussa des sarments.
7 Il y eut un autre grand aigle [b],
aux grandes ailes, aux plumes abondantes.
Et voici que cette vigne tendit ses racines vers lui
et dirigea vers lui ses branches,
pour qu'il l'arrosât,
depuis le parterre où elle était plantée.
8 Dans un champ fertile,
au bord d'un cours d'eau abondant,
elle était plantée,
pour pousser des branchages et porter du fruit,
pour devenir une vigne magnifique.
9 Dis : Ainsi parle le Seigneur Yahvé.
Réussira-t-elle [c]?
L'aigle ne va-t-il pas arracher ses racines,
ôter ses fruits,
en sorte que sèchent toutes les feuilles nouvelles qu'elle poussera,
sans qu'il soit besoin d'un bras puissant et d'un peuple nombreux
pour l'enlever de ses racines?
10 La voici plantée, réussira-t-elle?
Au souffle du vent d'est, ne va-t-elle pas sécher?
Sur les parterres où elle a poussé, elle séchera!

11 La parole de Yahvé me fut adressée en ces termes :
12 Parle à l'engeance de rebelles. Ne savez-vous
pas ce que cela signifie? Dis : Voici que le roi de
24 10-17 Babylone est venu à Jérusalem; il en a enlevé le roi
et les princes et les a emmenés chez lui, à Babylone. 13 Il a pris un rejeton royal et a conclu
alliance avec lui, il lui a fait prêter serment, après
avoir enlevé les grands du pays, 14 pour que le
royaume demeure modeste et sans ambition, et
pour qu'il garde son alliance et la maintienne.
R 24 20 15 Mais ce prince s'est révolté contre lui, en
envoyant des messagers en Égypte pour se faire
donner des chevaux et des gens en grand nombre.
Réussira-t-il? S'en tirera-t-il, celui qui a fait cela?
Il a rompu l'alliance et il s'en tirerait? 16 Par ma
vie, oracle du Seigneur Yahvé, je le jure : c'est
dans le pays du roi qui l'a fait régner, lui dont il
a méprisé le serment et rompu l'alliance, c'est en
plein milieu de Babylone qu'il mourra. 17 Avec sa
grande armée et ses troupes nombreuses, le Pharaon ne le sauvera [d] pas par la guerre, lorsqu'on
élèvera un remblai et qu'on construira des retranchements, pour détruire tant de vies humaines. 18 Il
a méprisé le serment en rompant l'alliance, alors
qu'il s'était engagé et avait fait tout cela : il ne s'en
tirera pas.
19 C'est pourquoi, ainsi parle le Seigneur Yahvé.
Par ma vie, je le jure : mon serment qu'il a méprisé,
mon alliance qu'il a rompue, je les ferai retomber
sur sa tête. 20 J'étendrai mon filet sur lui, il sera pris = 12 13
dans mon rets, je le mènerai à Babylone et je l'y
punirai de l'infidélité qu'il a commise envers moi.
21 Quant à toute son élite [e], parmi toutes ses troupes, elle tombera par l'épée, et les survivants seront
éparpillés à tous les vents. Et vous saurez que moi,
Yahvé, j'ai parlé.

22 Ainsi parle le Seigneur Yahvé [f] :
Moi, je prendrai à la cime du grand cèdre [g],
au plus haut de ses rameaux je cueillerai une jeune pousse
et je la planterai moi-même sur une montagne elevée et altière.
23 Sur la haute montagne d'Israël je la planterai. 20 40
Elle poussera des branchages,
elle produira du fruit et deviendra un cèdre magnifique.
Toutes sortes d'oiseaux habiteront sous lui, 31 6
toutes sortes de volatiles reposeront à l'ombre de ses branches. ↗ Mt 13 32
24 Et tous les arbres de la campagne sauront que c'est moi, Yahvé,
qui abaisse l'arbre élevé et qui élève l'arbre Ps 113 7-9
abaissé. Lc 1 51-53
qui fais sécher l'arbre vert et fleurir l'arbre sec. 21 3
Moi. Yahvé, j'ai dit et je fais. Lc 23 31

**La responsabilité personnelle.** 14 12+

# 18

1 La parole de Yahvé me fut adressée en ces 33 10-20
termes : 2 Qu'avez-vous à répéter ce proverbe
au pays d'Israël :
Les pères ont mangé des raisins verts, || Jr 31 29+

Sédécias, après avoir déporté Joiakîn, cf. vv. 12s.
*a)* Avant « au bord » hébr. ajoute « prends »; omis par les versions.
*b)* « un autre » versions; « un seul » hébr. – C'est l'Égypte, sur laquelle Sédécias eut toujours la tentation de s'appuyer contre Babylone, cf. v. 15.
*c)* « Réussira-t-elle » mss, versions; « elle réussira » hébr.
*d)* « sauvera » *yoshîa'* conj.; « fera » *ya'aseh* hébr.
*e)* « son élite » *mibeharayw* d'après mss, Targ. et syr.; « ses fuyards » *miberahayw* hébr.
*f)* Après l'explication en prose, le poème reprend pour annoncer le rétablissement futur, présenté comme une ère messianique.
*g)* L'hébr. ajoute « et je donnerai », omis par versions et plusieurs mss.

et les dents des fils ont été agacées?
3 Par ma vie, oracle du Seigneur Yahvé, vous
n'aurez plus à répéter ce proverbe en Israël.
4 Voici : toutes les vies sont à moi, aussi bien la vie
= 18 20 du père que celle du fils, elles sont à moi. Celui qui
Dt 24 16 a péché, c'est lui qui mourra.
Ps 15 2-5; 5 Quiconque est juste [a], pratique le droit et la jus-
24 3-6 tice, 6 ne mange pas sur les montagnes [b] et ne lève
pas les yeux vers les ordures de la maison d'Israël,
ne souille pas la femme de son prochain, ne s'approche pas d'une femme en son impureté, 7 n'opprime personne, rend le gage d'une dette, ne
Mt 25 35s commet pas de rapines, donne son pain à qui a
faim et couvre d'un vêtement celui qui est nu, 8 ne
Lv 25 35-37 prête pas avec usure, ne prend pas d'intérêts,
détourne sa main du mal, rend un jugement véridique entre les hommes, 9 se conduit selon mes lois
et observe mes coutumes en agissant selon la vérité,
un tel homme est juste, il vivra, oracle du Seigneur
Yahvé.
10 Mais s'il engendre un fils violent et sanguinaire
qui commet une de ces fautes [c], 11 alors que lui n'en
a commis aucune, un fils qui va jusqu'à manger sur
les montagnes et souiller la femme de son prochain,
12 qui opprime le pauvre et le malheureux, commet
des rapines, ne rend pas le gage, lève les yeux vers
les ordures, commet l'abomination, 13 prête avec
usure et prend des intérêts, celui-ci ne vivra pas [d]
après avoir commis tous ces crimes abominables,
il mourra et son sang sera sur lui.
14 Mais si celui-ci engendre un fils qui voit tous
les péchés qu'a commis son père, qui les voit sans
les imiter, 15 qui ne mange pas sur les montagnes,
ne lève pas les yeux vers les ordures de la maison
d'Israël, ne souille pas la femme de son prochain,
16 n'opprime personne, ne prend pas de gages, ne
commet pas de rapines, donne son pain à qui a
faim, couvre d'un vêtement celui qui est nu,
17 détourne sa main de l'injustice [e], ne pratique pas
l'usure et ne prend pas d'intérêts, pratique mes coutumes et se conduit selon mes lois, celui-ci ne
mourra pas à cause des fautes de son père, il vivra.
18 Mais son père, puisqu'il a été violent, a commis
des rapines [f] et n'a pas bien agi au milieu de son
peuple. voici qu'il mourra à cause de sa faute. 19 Et
vous dites : « Pourquoi le fils ne porte-t-il pas la
faute de son père? » Mais le fils a pratiqué le droit
et la justice, a observé mes lois et les a pratiquées,
il doit vivre. 20 Celui qui a péché, c'est lui qui = 18 4
mourra! Un fils ne portera pas la faute de son père Dt 24 16
ni un père la faute de son fils : au juste sera imputée
sa justice et au méchant sa méchanceté.
21 Quant au méchant, s'il renonce à tous les Rm 2 6+
péchés qu'il a commis, observe toutes mes lois et
pratique le droit et la justice, il vivra, il ne mourra
pas [g]. 22 On ne se souviendra plus de tous les crimes = 33 16
qu'il a commis, il vivra à cause de la justice qu'il
a pratiquée. 23 Prendrais-je donc plaisir à la mort 33 11
du méchant – oracle du Seigneur Yahvé – et non Sg 11 26
pas plutôt à le voir renoncer à sa conduite et vivre? Lc 15 7, 10, 32
24 Mais si le juste renonce à sa justice et commet Jn 8 11
le mal, imitant toutes les abominations que commet Rm 11 32
le méchant, vivra-t-il? On ne se souviendra plus de 2 P 3 9
toute la justice qu'il a pratiquée, mais à cause de 3 20;
l'infidélité dont il s'est rendu coupable et du péché 33 12-13
qu'il a commis, il mourra. 25 Et vous dites : « La
manière d'agir du Seigneur n'est pas juste. » Écoutez donc, maison d'Israël : est-ce ma manière d'agir
qui n'est pas juste? N'est-ce pas votre manière
d'agir qui n'est pas juste? 26 Si le juste se détourne
de sa justice pour commettre le mal et meurt [h], c'est
à cause du mal qu'il a commis qu'il meurt. 27 Et si
le pécheur se détourne du péché qu'il a commis,
pour pratiquer le droit et la justice, il assure sa vie.
28 Il a choisi de se détourner de tous les crimes qu'il
avait commis, il vivra, il ne mourra pas. 29 Et pourtant la maison d'Israël dit : « La manière d'agir du = 33 20
Seigneur n'est pas juste. » Est-ce ma manière d'agir
qui n'est pas juste, maison d'Israël? N'est-ce pas
votre manière d'agir qui n'est pas juste? 30 C'est
pourquoi je vous jugerai chacun selon sa manière Mt 16 27
d'agir, maison d'Israël, oracle du Seigneur Yahvé.
Convertissez-vous et détournez-vous de tous vos
crimes, qu'il n'y ait plus pour vous d'occasion de
mal. 31 Débarrassez-vous de tous les crimes que
vous avez commis et faites-vous un cœur nouveau 11 19+
et un esprit nouveau. Pourquoi mourir, maison Jr 4 4+
d'Israël? 32 Je ne prends pas plaisir à la mort de qui 33 11; 18
que ce soit, oracle du Seigneur Yahvé. Convertis- Sg 1 13
sez-vous et vivez! Mt 3 2+

### Complainte sur les princes d'Israël [i].

**19** 1 Et toi, prononce une complainte sur les
princes d'Israël. 2 Tu diras :

*a)* L'énumération qui suit rappelle les confessions ou « professions » qui devaient être associées à certaines solennités liturgiques.
*b)* Manger (le repas sacré) sur les hauts lieux était une pratique des cultes idolâtriques.
*c)* « une de ces (fautes) » syr., Vulg.; « un frère d'une de ces (fautes) » hébr.
*d)* « ne vivra pas », litt. : « pour vivre, il ne vivra pas » (tournure fréquente) grec; « et vivant, il ne vivra pas » hébr.
*e)* « de l'injustice » grec, cf. v. 8; « du malheureux » hébr.
*f)* « des rapines » conj., cf. vv. 7, 12, 16; « les rapines de son frère » (?) hébr.
*g)* Non seulement l'homme n'est pas accablé par les crimes de ses ancêtres, mais il peut se soustraire au poids de son propre passé. La notion de conversion (et aussi de perversion), non collective mais strictement personnelle, se trouve mise en valeur. L'attitude présente de l'âme détermine seule le jugement de Dieu, cf. **14** 12+ et Mt **3** 2+.
*h)* L'hébr. ajoute : « à cause d'eux » omis par grec et syr.
*i)* Ce poème est une *qina*, c'est-à-dire une lamentation, au

Qu'était ta mère? une lionne
parmi des lions;
couchée parmi les lionceaux,
elle nourrissait ses petits [a].
3 Elle éleva un de ses petits,
il devint un jeune lion,
il apprit à déchirer sa proie,
il dévora des hommes.
4 Les nations en entendirent parler,
il fut pris dans leur fosse;
2 R **23** on l'emmena avec des crocs
33-34 au pays d'Égypte [b].
5 Elle vit que son attente était déçue,
déçue son espérance.
Elle prit un autre de ses petits,
en fit un jeune lion.
6 Il rôda parmi les lions,
il devint un jeune lion;
il apprit à déchirer sa proie,
il dévora des hommes.
7 Il démolit leurs palais [c],
il détruisit leurs villes;
le pays et ses habitants furent consternés
au bruit de son rugissement.
8 On dressa contre lui les nations,
les provinces environnantes;
elles étendirent sur lui leur filet,
il fut pris dans leur fosse.
9 Avec des crocs ils le mirent en cage,
2 R **24** 8-17 ils le menèrent au roi de Babylone,
ils le menèrent dans des lieux escarpés,
pour qu'on n'entendît plus sa voix
sur les montagnes d'Israël [d].

Is **5** 1+ 10 Ta mère était semblable à une vigne [e],
Ez **17** 6 10 plantée au bord de l'eau.
Ps **1** 3 Elle était féconde et feuillue,
Ez **47** 12+ grâce à l'abondance de l'eau.
Ap **22** 1-2 11 Elle eut des ceps puissants
qui devinrent des sceptres royaux;
sa taille s'éleva
jusqu'au milieu des nuages;
on l'admira pour sa hauteur
et la quantité de ses branches.
12 Mais elle a été arrachée avec fureur
et jetée à terre;
le vent d'est a desséché son fruit,
elle a été brisée,
son cep puissant a séché [f], Jn **15** 6
le feu l'a dévoré.
13 La voici plantée au désert,
au pays sec et aride,
14 et le feu est sorti de son cep, **5** 4
il a dévoré ses tiges et son fruit.
Elle n'aura plus son sceptre puissant,
son sceptre royal.

C'est une complainte; elle servit de complainte.

**Histoire des infidélités d'Israël.** **16** 1+

20 1 La septième année, au cinquième mois, le dix
du mois [g], quelques-uns des anciens d'Israël **14** 1-5
vinrent consulter Yahvé et s'assirent devant moi.
2 La parole de Yahvé me fut adressée en ces termes : 3 Fils d'homme, parle aux anciens d'Israël.
Tu leur diras : Ainsi parle le Seigneur Yahvé. Est-
ce pour me consulter que vous venez? Par ma vie!
Je ne me laisserai pas consulter par vous, oracle du
Seigneur Yahvé. 4 Vas-tu les juger? Vas-tu juger, **22** 2; **23** 36
fils d'homme? Fais-leur connaître les abominations
de leurs pères. 5 Tu leur diras : Ainsi parle le Seigneur Yahvé. Le jour où j'ai choisi Israël, où j'ai Dt **7** 6+
levé la main vers la race de la maison de Jacob,
je me suis fait connaître à eux au pays d'Égypte,
et j'ai levé la main vers eux [h] en disant : « Je suis
Yahvé votre Dieu ». 6 Ce jour-là, j'ai levé la main Ex **3** 14+
vers eux en jurant de les faire sortir du pays
d'Égypte vers un pays que j'avais exploré pour eux
et qui ruisselle de lait et de miel : c'est le plus beau Ex **3** 8+
de tous les pays. 7 Et je leur ai dit : Rejetez chacun = Ez **20** 15
les horreurs qui attirent vos yeux, ne vous souillez
pas avec les ordures de l'Égypte, je suis Yahvé Lv **18** 3
votre Dieu. 8 Mais ils se rebellèrent contre moi et
ne voulurent pas m'écouter. Aucun ne rejeta les
horreurs qui attiraient ses yeux; ils n'abandonnèrent pas les ordures de l'Égypte. J'eus la pensée
de déverser ma fureur sur eux et d'assouvir sur eux
ma colère, au milieu du pays d'Égypte. 9 Mais j'eus
égard à mon nom, et je fis en sorte qu'il ne fût pas = **20** 14
profané devant les nations au milieu desquelles ils **36** 22
étaient [i], et aux yeux desquelles je me suis fait
connaître à eux pour les faire sortir du pays

rythme caractéristique, chaque vers se composant de deux stiques inégaux. Cf. Ez **26** 17-18; **27** 3-9, 25-36. Sa forme est allégorique, mais il n'est pas aisé d'en interpréter tous les éléments.

*a)* La lionne est la nation israélite, dont les rois sont les fils.

*b)* Allusion à Joachaz, déposé et emmené en Égypte par Néko en 609.

*c)* « démolit leurs palais » *wayyaroa' 'armenôtayw* d'après les versions; « connut leurs veuves » *wayyeda' 'almenôtayw* hébr.

*d)* « dans des lieux escarpés » grec, Vulg.; « dans des pièges » (?) hébr. – Il s'agit, semble-t-il, de Joiakîn, emmené à Babylone en 597. Le prophète ne mentionne pas le règne de Joiaqim, qui, mort de mort naturelle, ne présente pas une leçon pour Sédécias et ses contemporains.

*e)* « semblable à » Targ.; hébr. inintelligible (litt. « dans ton sang »). – Nouvelle allégorie : la vigne est la nation qui fut un temps prospère et qui va être détruite.

*f)* « elle a été brisée », « a séché » grec; « ils ont été brisés », « ils ont séché » hébr.

*g)* Juillet-août 591.

*h)* Dans un geste de serment.

*i)* Ici la longanimité de Yahvé pour son peuple, en dépit de ses péchés, est expliquée par le seul motif de l'honneur du nom

d'Égypte. 10 Aussi je les fis sortir du pays d'Égypte
et je les menai au désert. 11 Je leur donnai mes lois
Lv **18** 5+ et je leur fis connaître mes coutumes, que l'homme
doit pratiquer pour en vivre. 12 Et j'allai jusqu'à
Ex **20** 8+ leur donner mes sabbats comme signe entre moi et
Ex **31** 13 eux, afin qu'ils sachent que c'est moi, Yahvé, qui
Ex **14** 11+ les sanctifie. 13 Mais la maison d'Israël se rebella
contre moi au désert; ils ne se conduisirent pas
selon mes lois, ils rejetèrent mes coutumes, que
l'homme doit pratiquer pour en vivre, et ils ne firent
que profaner mes sabbats. Alors j'eus la pensée de
déverser ma fureur sur eux au désert, pour les
= **20** 9 exterminer. 14 Mais j'eus égard à mon nom et je fis
Ex **32** 12+ en sorte qu'il ne fût pas profané devant les nations,
aux yeux desquelles je les avais fait sortir.
Nb **14** 28-30 15 Encore une fois je levai la main vers eux, au
Dt **1** 34-35 Ps **95** 11 désert, pour jurer que je ne les mènerais pas au
= **20** 6+ pays que je leur avais donné, qui ruisselle de lait
et de miel : c'est le plus beau de tous les pays.
16 Car ils avaient rejeté mes coutumes, ne s'étaient
pas conduits selon mes lois et avaient profané mes
sabbats, car leur cœur suivait les ordures. 17 Mais
j'eus pour eux un regard de pitié, pour ne pas les
exterminer, et je ne les anéantis pas.

18 Et je dis à leurs enfants au désert : Ne vous
conduisez pas selon les lois de vos pères,
n'observez pas leurs coutumes, ne vous souillez pas
avec leurs ordures. 19 Je suis Yahvé, votre Dieu.
Conduisez-vous selon mes lois, observez mes coutumes et pratiquez-les. 20 Sanctifiez mes sabbats;
qu'ils soient un signe entre moi et vous pour qu'on
sache que je suis Yahvé votre Dieu. 21 Mais les fils
se rebellèrent contre moi, ne se conduisirent pas
selon mes lois, n'observèrent pas et ne pratiquèrent
Lv **18** 5 pas mes coutumes, que l'homme doit pratiquer
pour en vivre, et ils profanèrent mes sabbats. Alors
j'eus la pensée de déverser ma fureur sur eux et
d'assouvir contre eux ma colère, au désert. 22 Mais
**20** 14 je retirai ma main et j'eus égard à mon nom, et je
fis en sorte qu'il ne fût pas profané devant les
nations aux yeux desquelles je les avais fait sortir.
23 Mais encore une fois, je levai la main vers eux,
au désert, pour jurer de les disséminer parmi les
nations et de les disperser dans les pays étrangers.
24 Car ils n'avaient pas pratiqué mes coutumes, ils
avaient rejeté mes lois, profané mes sabbats, et
leurs regards s'étaient attachés aux ordures de leurs
pères. 25 Et j'allai jusqu'à leur donner des lois qui
n'étaient pas bonnes et des coutumes dont ils ne
pouvaient pas vivre [a]. 26 et je les souillai par leurs
offrandes, en leur faisant sacrifier tout premier-né, Lv **18** 21+
pour les frapper d'horreur, afin qu'ils sachent que
je suis Yahvé.

27 C'est pourquoi, parle à la maison d'Israël, fils
d'homme. Tu leur diras : Ainsi parle le Seigneur
Yahvé. En cela encore vos pères m'ont outragé en
m'étant infidèles. 28 Et pourtant je les ai menés au
pays que j'avais juré solennellement de leur donner.
Ils y ont vu toutes sortes de collines élevées, toutes Dt **12** 2+
sortes d'arbres touffus, et ils y ont offert leurs
sacrifices et présenté leurs offrandes provocantes;
ils y ont déposé leurs parfums d'apaisement et
versé leurs libations. 29 Et je leur ai dit : Qu'est-ce
que le haut lieu où vous allez? et ils l'ont appelé
du nom de Bama [b] jusqu'à ce jour. 30 Eh bien! dis
à la maison d'Israël : Ainsi parle le Seigneur
Yahvé. Est-il vrai que vous vous souillez en vous
conduisant comme vos pères, en vous prostituant
en suivant leurs horreurs, 31 en présentant vos
offrandes et en faisant passer vos enfants par le
feu? que vous vous souillez avec toutes vos ordures
jusqu'à ce jour? Et moi, je me laisserais consulter
par vous, maison d'Israël? Par ma vie! oracle du
Seigneur Yahvé, je ne me laisserai pas consulter
par vous. 32 Quant au rêve qui hante votre esprit,
il ne se réalisera jamais; quand vous dites : « Nous
serons comme les nations, comme les tribus des
pays étrangers, en servant le bois et la pierre. »
33 Par ma vie! oracle du Seigneur Yahvé, je le jure :
c'est moi qui régnerai sur vous, à main forte et à
bras étendu, en déversant ma fureur. 34 Je vous
ferai sortir du milieu des peuples et je vous rassemblerai des pays étrangers où vous avez été dispersés, à main forte et à bras étendu, en déversant ma
fureur; 35 je vous mènerai au désert des peuples [c] et
je vous y jugerai face à face. 36 Comme j'ai jugé vos
pères au désert du pays d'Égypte, ainsi je vous
jugerai, oracle du Seigneur Yahvé. 37 Je vous ferai
passer sous la houlette [d] et je vous amènerai à respecter l'alliance; 38 je séparerai de vous les rebelles,
ceux qui se sont révoltés contre moi, je les ferai sortir du pays où ils séjournent, mais ils n'entreront
pas au pays d'Israël, et vous saurez que je suis
Yahvé. 39 Et vous, maison d'Israël, ainsi parle le
Seigneur Yahvé : Que chacun aille servir ses ordu- **16** 59-63
res, mais ensuite, on verra si vous ne m'écoutez **36** 20; 43
pas! Et vous ne profanerez plus mon saint nom par Lv **17** 1+
vos offrandes et vos ordures. 40 Car c'est sur ma

divin.
*a)* La théologie primitive attribue à Yahvé les institutions et les déformations dont les hommes sont en réalité responsables. Ézéchiel semble viser ici le commandement d'offrir les nouveau-nés (Ex **22** 28-29), dont les Israélites donnèrent souvent une interprétation d'un matérialisme scandaleux. cf. Lv **18** 21+.

*b)* Jeu de mots. Yahvé demande : « Qu'est-ce que le haut lieu (*habbamah*) où vous allez (*habba 'îm*)? » D'où le nom de *Bama*.
*c)* L'expression désigne le désert de Syrie.
*d)* Comme le berger fait passer devant lui ses brebis pour les compter, cf. Lv **27** 32; Ez **34** 1+.

17 23 montagne sainte, sur la haute montagne d'Israël –
oracle du Seigneur Yahvé – que me servira toute
la maison d'Israël, toute entière dans le pays. C'est
là que j'accueillerai et que je rechercherai vos
offrandes, le meilleur de vos dons et toutes vos choses saintes. [41] Comme un parfum d'apaisement, je
vous accueillerai, quand je vous ferai sortir du
milieu des peuples; je vous rassemblerai des pays
où vous êtes dispersés, je serai sanctifié par vous
aux yeux des nations, [42] et vous saurez que je suis
Yahvé, lorsque je vous ramènerai sur le sol d'Israël,
au pays que j'ai juré solennellement de donner à
vos pères. [43] C'est là que vous vous souviendrez de
votre conduite et de toutes les actions par lesquelles
vous vous êtes souillés, et vous éprouverez du
dégoût pour vous-mêmes, à cause de tous les
méfaits que vous avez commis. [44] Et vous saurez
20 14 que je suis Yahvé, quand j'agirai envers vous par
égard pour mon nom, et non pas d'après votre
mauvaise conduite et vos actions corrompues, maison d'Israël, oracle du Seigneur Yahvé.

**L'épée de Yahvé.**

45 **21** [1] La parole de Yahvé me fut adressée en ces
46 termes : [2]Fils d'homme, tourne-toi à droite,
16 46+ profère ta parole vers le sud, prophétise contre la
forêt de la région du Négeb. [3] Tu diras à la forêt
du Négeb : Écoute la parole de Yahvé. Ainsi parle
Is 9 17; 10 17-19 le Seigneur Yahvé. Voici que je vais allumer en toi
Jr 21 14 un feu pour y consumer tout arbre vert et tout arbre
Ps 83 15 sec; c'est une flambée qui ne s'éteindra pas et tous
Ez 17 24 les visages en seront brûlés, depuis le Négeb
Lc 23 31
48 jusqu'au Nord. [4] Toute chair verra que c'est moi,
49 Yahvé, qui l'ai allumée, et elle ne s'éteindra pas.
[5] – Et je dis : Ah! Seigneur Yahvé, ils disent de
moi : « Ne voilà-t-il pas qu'il débite des parabo-
21 1 les? » – [6] Alors la parole de Yahvé me fut adressée
2 en ces termes : [7] Fils d'homme, tourne-toi vers
Jérusalem, profère ta parole vers leur sanctuaire [a]
3 et prophétise contre le pays d'Israël. [8] Tu diras au
pays d'Israël : Ainsi parle Yahvé. Me voici contre
toi; je vais tirer mon épée du fourreau et retrancher
de chez toi le juste et l'impie [b]. [9] C'est pour retran-
4 cher le juste et l'impie que mon épée va sortir de
son fourreau, contre toute chair, du Négeb jusqu'au
5 Nord. [10] Et toute chair saura que c'est moi, Yahvé,
qui ai tiré mon épée du fourreau, et elle n'y rentrera
plus.

[11] Quant à toi, fils d'homme, pousse des gémisse- 6
ments, le cœur brisé; rempli d'amertume, tu pous-
seras des gémissements, sous leurs yeux. [12] Et s'ils 7
te disent : « Pourquoi ces gémissements? » tu
diras : « A cause de la nouvelle qui va venir, tous
les cœurs vont défaillir, les mains vont faiblir, les
esprits seront abattus, les genoux s'en iront en eau. 7 17
Voici qu'elle vient; c'est fait, oracle du Seigneur
Yahvé. »

[13] La parole de Yahvé me fut adressée en ces ter- 8
mes : [14] Fils d'homme, prophétise. 9
Tu diras : Ainsi parle le Seigneur! Dis [c] :

L'épée, l'épée!
Elle est affûtée, elle est fourbie.
[15] Pour accomplir le massacre, elle est affûtée, 10
pour jeter des éclairs, elle est fourbie [d]...
[16] Il l'a donnée à fourbir pour la saisir à pleine
main,
elle est affûtée, l'épée, et fourbie, pour mettre 11
dans la main du tueur.
[17] Crie, hurle, fils d'homme, 12
car elle est destinée à mon peuple,
à tous les princes d'Israël
voués à l'épée avec mon peuple.
Aussi frappe-toi la poitrine [e], [18] car c'est une Jr 31 19
épreuve [f]...
Oracle du Seigneur Yahvé.
[19] Et toi, fils d'homme, prophétise et bats des mains.
Que l'épée repasse trois fois,
l'épée qui transperce des victimes,
l'épée qui transperce une grande victime [g],
celle qui les menace tout autour!
[20] Afin que le cœur défaille, que les occasions de 15
chute soient nombreuses,
à toutes les portes, j'ai placé le massacre par
l'épée
faite pour jeter des éclairs, fourbie pour le massacre [h].
[21] Sois affûtée [i] à droite, place-toi à gauche, là où 16
ton tranchant est requis!
[22] Moi aussi, je vais battre des mains, 17
je vais assouvir ma fureur.
Moi, Yahvé, j'ai parlé!

*a)* « leur sanctuaire » grec, syr.; «les sanctuaires » hébr.
*b)* Ézéchiel exprime encore ici l'ancien principe de la solidarité dans le châtiment, auquel il oppose ailleurs, **14** 12+, celui de la responsabilité personnelle.
*c)* Ce poème chante, sur un rythme haletant, l'épée de Yahvé, qu'il remet aux mains du « tueur », c'est-à-dire des Babyloniens, pour exécuter ses jugements. Mais le poème est mal conservé. Les détails sont souvent d'une interprétation difficile.
*d)* La fin du v. est inintelligible et les versions ne sont d'aucun secours. Hébr. : « ou bien nous nous réjouirons. Le sceptre de mon fils méprise tout bois ». Grec : « prête pour libérer (?) égorge, méprise, rejette tout bois ». Vulg. : « toi qui manies le sceptre de mon fils, tu as coupé tout bois ».
*e)* En hébreu, litt. « frappe-toi la cuisse », mais on rend par son équivalent français cette expression de deuil et de douleur.
*f)* La suite est inintelligible. Litt. : « et qu'arriverait-il s'il n'y avait aussi un sceptre méprisant? ». La mention d'un « sceptre méprisant » indique très probablement une allusion à la fin du v. 15, également incompréhensible.
*g)* Traduction conjecturale d'un texte peut-être corrompu. La « grande victime » doit faire allusion à Sédécias.
*h)* « le massacre par l'épée » grec; hébr. corrompu. – « fourbie » *(merutah)* Targ.; *me 'uttah* hébr. n'a pas de sens.
*i)* « sois affûtée » grec; « sois unique » hébr.

### Le roi de Babylone à la croisée des chemins.

18 [23] La parole de Yahvé me fut adressée en ces ter-
19 mes : [24] Et toi, fils d'homme, trace deux chemins
pour que vienne l'épée du roi de Babylone, partant
tous les deux du même pays. Puis place un signe,
20 place-le au départ du chemin de la ville, [25] trace le
chemin pour que l'épée vienne vers Rabba des
Ammonites et vers Juda, à la forteresse de Jérusa-
21 lem. [26] Car le roi de Babylone s'est arrêté au carrefour, au départ des deux chemins, pour interroger
le sort. Il a secoué les flèches, interrogé les téra-
22 phim, observé le foie. [27] Dans sa main droite, le
sort est tombé sur Jérusalem : pour y placer des
4 2-3 béliers, donner l'ordre de la tuerie, pousser le cri
de guerre, placer des béliers contre les portes, élever un remblai et construire des retranchements [a].
23 [28] Ce n'est à leurs yeux que vain présage. On leur
avait prêté serment, mais lui, il rappelle leur faute
24 qui provoquera leur capture. [29] C'est pourquoi,
ainsi parle le Seigneur Yahvé : Parce que vous rappelez vos fautes en découvrant vos forfaits et en faisant apparaître vos péchés dans toutes vos actions,
pour le souvenir qu'on a de vous, vous serez captu-
25 rés. [30] Quant à toi, vil criminel, prince d'Israël dont
26 le jour approche avec le dernier des crimes, [31] ainsi
parle le Seigneur Yahvé : On ôtera la tiare, on enlè-
Is 40 4 vera la couronne, tout sera transformé, ce qui est
Mt 23 12 bas sera élevé, ce qui est élevé sera abaissé.
27 [32] Ruine, ruine, ruine, voilà ce que j'en ferai,
Gn 49 10 comme il n'y en eut pas avant que vienne celui à
qui appartient le jugement et à qui je le remettrai [b].

### Châtiment d'Ammon [c].

28 [33] Et toi, fils d'homme, prophétise. Tu diras :
Ainsi parle le Seigneur Yahvé. Aux Ammonites et
à leur raillerie, tu diras : L'épée, l'épée est tirée
pour le massacre, fourbie pour dévorer, pour jeter
29 des éclairs – [34] pendant que tu as des visions vaines, que tu consultes des présages menteurs – pour
égorger [d] les vils criminels dont le jour approche
30 avec le dernier de leurs crimes. [35] Remets-la au
fourreau. C'est au lieu où tu as été créé, au pays
31 de ton origine que je te jugerai; [36] je déverserai sur
toi ma fureur, je soufflerai contre toi le feu de mon
emportement, et je te livrerai entre les mains
d'hommes barbares, artisans de destruction. [37] Tu 32
seras la pâture du feu, ton sang coulera au milieu
du pays, tu ne laisseras aucun souvenir, car moi,
Yahvé, j'ai parlé.

### Les crimes de Jérusalem [e].

22 [1] La parole de Yahvé me fut adressée en ces
termes : [2] Et toi, fils d'homme, jugeras-tu? 20 4; 23 36
Jugeras-tu la ville sanguinaire? Fais-lui connaître
toutes ses abominations. [3] Tu diras : Ainsi parle le
Seigneur Yahvé. Ville qui répands le sang au
milieu de toi pour faire venir ton heure, qui as
fabriqué des ordures sur ton sol pour te souiller,
[4] par le sang que tu as répandu tu t'es rendue coupable, par les ordures que tu as fabriquées tu t'es
souillée, tu as fait avancer ton heure, tu es arrivée
au terme de tes années. C'est pourquoi j'ai fait de
toi un objet de raillerie pour les nations et de 5 14
moquerie pour tous les pays. [5] Proches ou lointains, ils se moqueront de toi, ville au nom souillé,
pleine de désordres. [6] Voici, chez toi tous les 18 5-9
princes d'Israël ont été occupés, chacun pour son
compte [f], à répandre le sang. [7] Chez toi on a
méprisé son père et sa mère, on a maltraité Dt 27 16
l'étranger qui était chez toi; chez toi on a opprimé Lv 19 3
l'orphelin et la veuve. [8] Tu as été sans respect pour Ex 22 21-22
mes sanctuaires, tu as profané mes sabbats. [9] Il y Lv 19 30
avait chez toi des dénonciateurs pour faire verser Lv 19 16
le sang. Chez toi on a mangé sur les montagnes et Dt 12 2+
on a commis l'infamie au milieu de toi. [10] Chez toi
on a découvert la nudité de son père, chez toi on Lv 18 7
a fait violence à la femme en état d'impureté. Lv 18 19
[11] L'un a commis l'abomination avec la femme du Lv 18 20
prochain, l'autre s'est souillé de manière infâme
avec sa belle-fille, un autre a fait violence à sa Lv 18 15
sœur, à la fille de son père, chez toi. [12] On a reçu Lv 18 9
des présents, chez toi, pour répandre le sang; tu as Dt 27 25
pris usure et intérêts, tu as dépouillé ton prochain Lv 25 35-3
par la violence, et moi, tu m'as oublié, oracle du
Seigneur Yahvé.
[13] Mais voici que je vais battre des mains à cause 6 11
des brigandages que tu as commis et du sang qui
coule au milieu de toi. [14] Ton cœur pourra-t-il résister et tes mains rester fermes, le jour où je m'en
prendrai à toi? Moi, Yahvé, j'ai dit et je fais. [15] Je
te disséminerai parmi les nations, je te disperserai Lv 26 33

*a)* La première mention des béliers est probablement fautive, mais elle se trouve également dans les versions. – En marchant contre Jérusalem plutôt que contre Rabba (capitale des Ammonites, aujourd'hui Amman), Nabuchodonosor n'a pas obéi à un « vain présage », mais il témoigne de la faute commise par Israël qui s'est révolté contre lui et a fait appel à l'Égypte, cf. v. 28.

*b)* « comme il n'y en eut pas », litt. : « même celle-ci ne fut pas ». – Les derniers mots du v. rappellent ceux de la prophétie de Jacob sur Juda, Gn **49** 10, que certains corrigent de façon à lire : « (le sceptre ne s'éloignera pas de Juda, ni le bâton de commandement d'entre ses pieds) jusqu'à ce que vienne celui à qui il appartient »; mais ce texte est corrompu et reste très obscur.

*c)* Le sort étant tombé sur Jérusalem, v. 27, les Ammonites peuvent croire qu'ils ont échappé au péril. Mais eux aussi auront leur châtiment.

*d)* « pour égorger », litt. « pour mettre sur la gorge », conj.; « pour te mettre sur la gorge » hébr. Les deux mots suivants sont grammaticalement incorrects.

*e)* Le thème rappelle les ch. **16**, **20**, **23**. Mais ici le prophète parle sans parabole. En outre, il a en vue les fautes présentes, détaillées aux vv. 1-12, plutôt que les fautes des générations passées.

*f)* Litt. : « chacun selon son bras ».

dans les pays étrangers, j'effacerai l'impureté de
chez toi; 16 tu seras profanée par ta faute[a], aux
yeux des nations, et tu sauras que je suis Yahvé.

17 La parole de Yahvé me fut adressée en ces termes : 18 Fils d'homme, la maison d'Israël est deve-
Is **1** 22, 25 nue pour moi un métal impur; ils sont tous du cui-
Jr **6** 28-30 vre, de l'étain, du fer et du plomb dans une
fournaise[b] : c'est un métal impur. 19 C'est pourquoi, ainsi parle le Seigneur Yahvé : Puisque vous
êtes tous du métal impur, eh bien! je vais vous rassembler au milieu de Jérusalem[c]. 20 Comme on
rassemble argent, cuivre, fer, plomb et étain dans
une fournaise pour attiser le feu dessus et les faire
Ml **3** 2-3 fondre, ainsi je vous rassemblerai dans ma colère
et ma fureur et je vous ferai fondre; 21 je vous
amasserai et j'attiserai contre vous le feu de mon
emportement, et je vous ferai fondre au milieu de
la ville. 22 Comme on fond l'argent au milieu de la
fournaise, ainsi serez-vous fondus au milieu d'elle,
et vous saurez que c'est moi, Yahvé, qui ai déversé
ma fureur sur vous.

23 La parole de Yahvé me fut adressée en ces
termes[d] : 24 Fils d'homme, dis-lui : Tu es une terre
qui n'a reçu ni pluie[e] ni averse au jour de la colère,
So **3** 3-4 25 les princes[f] qui t'habitent sont comme un lion
Ex **20** 13, 15 rugissant qui déchire sa proie. Ils ont dévoré les
gens, pris les richesses et les bijoux, multiplié les
veuves au milieu d'elle. 26 Ses prêtres ont violé ma
Lv **19** 30 loi et profané mes sanctuaires; entre le saint et le
Lv **17-22** profane, ils n'ont pas fait de différence et ils n'ont
Lv **11-16** pas enseigné à distinguer l'impur et le pur. Ils ont
Lv **23** 3 détourné les yeux de mes sabbats et j'ai été désho-
Ex **20** 8-11 noré parmi eux. 27 Ses chefs, au milieu d'elle, sont
comme des loups qui déchirent leur proie et versent
le sang, faisant périr les gens pour voler leurs biens.
**13** 10-16 28 Ses prophètes ont masqué[g] cela sous leurs
visions vaines et leurs présages menteurs, disant :
« Ainsi parle le Seigneur Yahvé », alors que Yahvé
n'avait pas parlé. 29 Le peuple du pays a multiplié
violence et brigandage, il a opprimé le pauvre et le
malheureux, et fait violence à l'étranger sans aucun
droit. 30 J'ai cherché parmi eux quelqu'un qui
Ps **106** 23 construise une enceinte et qui se tienne debout sur
la brèche, devant moi, pour défendre le pays et
s **59** 15-16 m'empêcher de le détruire, et je n'ai trouvé personne. 31 Alors j'ai déversé sur eux ma fureur; dans
le feu de mon emportement, je les ai exterminés.
J'ai fait retomber leur conduite sur leur tête, oracle
du Seigneur Yahvé.

### Histoire symbolique de Jérusalem et de Samarie[h]. **16** 1+ Jr **3** 6-13

**23** 1 La parole de Yahvé me fut adressée en ces
termes : 2 Fils d'homme, il était une fois deux
femmes, filles d'une même mère. 3 Elles se prostituèrent en Égypte; dès leur jeunesse, elles se prosti- **20** 7-8
tuèrent. C'est là qu'on a porté la main sur leur poitrine, là qu'on a caressé leur sein virginal. 4 Voici
leurs noms : Ohola l'aînée, Oholiba sa sœur[i]. Elles
furent à moi et elles enfantèrent des fils et des filles.
Leurs noms : Ohola, c'est Samarie, Oholiba, c'est
Jérusalem. 5 Or Ohola se prostitua alors qu'elle
m'appartenait. Elle s'éprit de ses amants, les Assy
riens, ses voisins, 6 vêtus de pourpre, gouverneurs
et magistrats, tous jeunes et séduisants, habiles
cavaliers. 7 Elle leur accorda ses faveurs – c'était
toute l'élite des Assyriens – et chez tous ceux dont
elle s'éprit, elle se souilla au contact de toutes leurs
ordures. 8 Elle n'a pas renié ses prostitutions
commencées en Égypte, quand ils avaient couché
avec elle dès sa jeunesse, caressé son sein virginal
en lui prodiguant leurs débauches. 9 Aussi l'ai-je
livrée aux mains de ses amants, aux mains des
Assyriens dont elle s'était éprise : 10 ce sont eux qui
ont dévoilé sa nudité, qui ont pris ses fils et ses
filles, et elle-même, ils l'ont fait périr par l'épée.
Elle fut célèbre parmi les femmes, car on en avait
fait justice.

11 Sa sœur Oholiba en fut témoin, mais elle
éprouva une passion plus scandaleuse encore, et
ses prostitutions furent pires que les prostitutions
de sa sœur. 12 Elle s'éprit des Assyriens, gouverneurs et magistrats, ses voisins, vêtus magnifiquement, habiles cavaliers, tous jeunes et séduisants.
13 Et je vis qu'elle s'était souillée, que toutes les
deux avaient eu la même conduite. 14 Elle ajouta à
ses prostitutions : ayant vu des hommes gravés sur
le mur, images de Chaldéens colorées au vermillon,
15 portant des ceinturons autour des reins et de larges turbans sur la tête, ayant tous la prestance d'un
écuyer, représentant les Babyloniens originaires de
Chaldée, 16 elle s'éprit d'eux au premier regard et

*a)* « par ta faute », litt. « par toi ». On a proposé de corriger en « je serai profané (ou déshonoré) par toi », d'après le grec, mais celui-ci n'a pas bien compris et a fait venir le verbe *halal* (« profaner ») de la racine *nahal* (« hériter », « posséder »).
*b)* L'hébr. ajoute « de l'argent », mot peut-être déplacé accidentellement, cf. v. 20. – Cette image, déjà utilisée par Isaïe (**1** 21, 25) et par Jérémie (**6** 28s), est ici plus développée. Elle caractérise l'invasion et le siège de Jérusalem.
*c)* L'oracle a pu être prononcé quand le peuple de Juda affluait à Jérusalem pour y chercher refuge, c'est-à-dire peu avant le siège de 589-587.
*d)* Cette troisième partie de l'oracle a peut-être été écrite après la prise de la ville.
*e)* « qui n'a pas reçu de pluie » grec; « qui n'a pas été purifiée » hébr.
*f)* « les princes » grec; « la conspiration de ses prophètes » hébr.
*g)* Litt. « couvert de crépi », cf. **13** 10-16.
*h)* L'histoire symbolique d'Israël, cf. **16** 1+, est ici reprise, et développée par un parallèle entre Samarie et Jérusalem.
*i)* *Ohola* : « sa tente » (à elle). *Oholiba* : « ma tente (est) en elle ». Cette étymologie paraît opposer le culte schismatique de Samarie au culte authentique de Jérusalem. Mais il faut peut-être voir là des allusions à des faits ou des coutumes que nous ignorons. On peut songer aux tentes qui se dressaient sur les hauts lieux.

2 R 20 12-19 leur envoya des messagers en Chaldée[a]. 17 Et les
Babyloniens vinrent à elle pour partager le lit nuptial et la souiller de leurs prostitutions. Et quand
elle eut été souillée par eux, elle se détourna d'eux.
18 Mais elle s'afficha dans ses prostitutions, elle
dévoila sa nudité; alors je me suis détourné d'elle
comme je m'étais détourné de sa sœur. 19 Elle a
multiplié ses prostitutions en souvenir de sa jeunesse, lorsqu'elle se prostituait au pays d'Égypte,
20 qu'elle s'y éprenait de ses débauchés dont la
vigueur est comme celle des ânes et le rut comme
celui des étalons.

21 Tu recherchais l'inconduite de ta jeunesse, du
temps où, en Égypte, on caressait ton sein en portant la main sur ta poitrine juvénile[b]. 22 Eh bien!
Oholiba, ainsi parle le Seigneur Yahvé. Voici que
je vais dresser contre toi tes amants dont tu t'es
détournée; je vais les ramener contre toi de tous
côtés, 23 les Babyloniens et tous les Chaldéens,
ceux de Peqod, de Shoa et de Qoa[c], et tous les
Assyriens avec eux, jeunes et séduisants, tous gouverneurs et magistrats, tous écuyers renommés et
habiles cavaliers. 24 Du nord[d] viendront contre toi
chars et chariots, avec un rassemblement de peuples. De tous côtés, ils t'opposeront le bouclier,
l'écu et le casque. Je les chargerai de ton jugement,
et ils te jugeront selon leur droit. 25 Je dirigerai ma
jalousie contre toi, ils te traiteront avec fureur, ils
t'arracheront le nez et les oreilles, et ce qui restera
des tiens tombera par l'épée; ils prendront eux-mêmes tes fils et tes filles et ce qui restera de toi sera
dévoré par le feu. 26 Ils te dépouilleront de tes vêtements et s'empareront de tes ornements. 27 Je mettrai fin à ton inconduite et à tes prostitutions
commencées en Égypte; tu ne lèveras plus les yeux
Ex 16 3; vers eux et tu ne te souviendras plus de l'Égypte.
17 3 28 Car ainsi parle le Seigneur Yahvé. Voici que je
te livre aux mains de ceux que tu détestes, aux
mains de ceux dont tu t'es détournée. 29 Ils te traiteront haineusement, ils s'empareront de tout le fruit
de ton travail et te laisseront toute nue. Ainsi sera
dévoilée la honte de tes prostitutions, de tes impu-
dicités et de ton inconduite. 30 Ils te feront cela
parce que tu t'es prostituée avec les nations en te
souillant avec leurs ordures. 31 Tu as imité la
conduite de ta sœur, je mettrai sa coupe dans ta
main. 32 Ainsi parle le Seigneur Yahvé :

Tu boiras la coupe de ta sœur[e], Jr 25 15-18
coupe profonde et large, Is 51 17+
qui fera rire et se moquer Ps 75 9+
tant sa contenance est grande.
33 Tu seras remplie d'ivresse et de douleur.
Coupe de désolation et de dévastation,
la coupe de ta sœur Samarie!
34 Tu la boiras, tu la videras,
puis tu en mordras les morceaux
et tu te déchireras le sein.
Car moi j'ai parlé, oracle du Seigneur Yahvé.

35 C'est pourquoi, ainsi parle le Seigneur Yahvé.
Parce que tu m'as oublié et que tu m'as rejeté
derrière toi, porte, toi aussi, le poids de ton infamie
et de tes prostitutions. 36 Et Yahvé me dit : Fils
d'homme, veux-tu juger Ohola et Oholiba et leur 20 4; 22 2
reprocher leurs abominations? 37 Elles ont été adultères, leurs mains sont ensanglantées, elles ont
commis l'adultère avec leurs ordures. Quant aux
enfants qu'elles m'avaient enfantés, elles les ont fait
passer par le feu pour les consumer[f]. 38 Elles m'ont Lv 18 21+
encore fait ceci : elles ont souillé mon sanctuaire
en ce jour, et profané mes sabbats. 39 Et tout en
immolant leurs enfants à leurs ordures, elles sont
allées, le même jour, à mon sanctuaire pour le pro- Lv 19 30
faner. Voilà ce qu'elles ont fait dans ma propre
maison.

40 Bien plus[g], elles ont fait appeler des hommes
venant de loin, invités par un messager, et ils sont
venus. Pour eux tu t'es baignée, tu t'es fardé les
yeux, tu as mis tes bijoux, 41 tu t'es assise sur un
lit d'apparat, devant lequel une table était dressée
où on avait mis mon encens et mon huile. 42 On y
entendait la voix d'une foule insouciante, à cause
de la multitude d'hommes, de buveurs amenés du
désert[h]; ils ont mis des bracelets aux mains des
femmes et une couronne splendide sur leur tête.
43 Et je me disais : cette femme usée par les adultères, maintenant on use de ses prostitutions à elle
aussi[i], 44 et on vient chez elle comme chez une prostituée. C'est ainsi qu'on est venu chez Ohola et

*a)* Peut-être allusion aux relations entre Ézéchias et Mérodak-Baladan, cf. Is **39**.
*b)* « on caressait » *be 'assôt* conj., cf. v. 3; « on faisait » *ba 'asôt* hébr. – « en Égypte » versions; « d'Égypte » hébr. – « en portant la main » *uma 'ek*, cf. v. 3; « afin de » *lema 'an* hébr.
*c)* Peqod, déjà mentionné par Jr **50** 21, est une tribu araméenne à l'est de la Babylonie, connue par les inscriptions cunéiformes. On a identifié Shoa et Qoa avec les Sutu et les Qutu, autres tribus de la même région, mais l'identification est incertaine.
*d)* « du nord » grec; hébr. a un mot inconnu.
*e)* Ce petit poème est peut-être une chanson ou une épigramme qu'Ézéchiel appliquerait à Jérusalem. L'image de la coupe est courante depuis Jérémie.
*f)* « par le feu » grec, syr.; « pour elles » hébr. – Sur ces sacrifices d'enfants, cf. déjà **20** 25-26; Jr **7** 31; **19** 5; **32** 35. Voir Lv **18** 21+.
*g)* Maintenant le prophète s'adresse directement à ses contemporains et leur reproche leurs fautes récentes, d'où l'usage de la seconde personne. Le passage doit contenir nombre d'allusions à des événements politiques précis et récents; mais le texte est corrompu et difficilement intelligible.
*h)* Traduction incertaine d'un texte corrompu. – Après « insouciante » on omet « et vers des hommes ».
*i)* Texte incertain.

Oholiba, ces femmes dépravées. 45 Mais il y a des
Lv **20** 10 hommes justes qui les jugeront comme on juge les
Dt **22** 21-22 adultères et comme on juge celles qui répandent le
sang, car elles sont adultères et leurs mains sont
ensanglantées.

46 Ainsi parle le Seigneur Yahvé. Que l'on convoque contre elles une assemblée et qu'on les livre à la terreur et au pillage; 47 l'assemblée les lapidera et les frappera de l'épée, on tuera leurs fils et leurs filles et on mettra le feu à leurs maisons. 48 Je purgerai le pays de l'infamie; toutes les femmes seront ainsi averties et n'imiteront plus votre infamie. 49 On fera retomber sur vous votre infamie, vous porterez le poids des péchés commis avec vos ordures et vous saurez que je suis le Seigneur Yahvé.

**Annonce du siège de Jérusalem.**

**24** 1 La neuvième année, au dixième mois, le dix du mois[a], la parole de Yahvé me fut adressée en ces termes : 2 Fils d'homme, mets par écrit la date d'aujourd'hui, d'aujourd'hui même, car le roi de Babylone s'est jeté[b] sur Jérusalem aujourd'hui même. 3 Prononce donc une parabole pour l'engeance de rebelles. Tu leur diras : Ainsi parle le Seigneur Yahvé.

**11** 3-12 Mets au feu la marmite,
mets-la, verses-y de l'eau[c].
4 Rassembles-y des morceaux,
tout ce qu'il y a de bons morceaux, gigot, épaule;
remplis-la des meilleurs os,
5 prends le meilleur du troupeau.
Puis entasse du bois[d] dessous,
fais bouillir à gros bouillons,
que soient cuits même les os qu'elle contient.

6 Car ainsi parle le Seigneur Yahvé :

Malheur à la ville sanguinaire,
marmite toute rouillée,
dont la rouille ne peut être ôtée!
Vide-la morceau par morceau, sans qu'on tire au sort.
7 Car son sang est au milieu d'elle,
elle l'a mis sur le roc nu,
elle ne l'a pas répandu sur le sol pour le recouvrir de poussière.
8 Pour faire monter la fureur, pour tirer vengeance,
j'ai mis son sang sur le roc nu, sans le recouvrir. Jb **16** 18+

9 Eh bien! ainsi parle le Seigneur Yahvé :

Malheur à la ville sanguinaire!
Moi aussi, je vais faire un grand bûcher.
10 Amoncelle du bois, allume le feu,
cuis la viande, prépare les épices,
que les os brûlent.
11 Mets la marmite vide sur les charbons,
afin qu'elle chauffe,
que le bronze rougisse
et que fonde la souillure qui s'y trouve,
que soit consumée sa rouille.

12 [e] Mais la masse de rouille ne s'en va pas au feu.
13 Ta souillure[f] est une infamie, car j'ai voulu te
purifier, mais tu ne t'es pas laissé purifier de ta
souillure. Tu ne seras donc plus purifiée jusqu'à ce
que j'aie assouvi ma colère contre toi. 14 Moi,
Yahvé, j'ai parlé et cela se réalise, j'agirai sans me
reprendre, je n'aurai ni pitié ni compassion. C'est 5 11+
selon ta conduite et selon tes œuvres qu'on te
jugera, oracle du Seigneur Yahvé.

**Épreuves du prophète.** Jr **18** 1+

15 La parole de Yahvé me fut adressée en ces termes : 16 Fils d'homme, voici que je vais t'enlever
subitement la joie de tes yeux[g]. Mais tu ne te Si **36** 22
lamenteras pas, tu ne pleureras pas, tu ne laisseras
pas couler de larmes. 17 Gémis en silence, ne prends
pas le deuil des morts, noue ton turban sur ta tête,
mets tes sandales à tes pieds, ne te couvre pas la
barbe, ne mange pas de pain ordinaire[h]. 18 Je parlai
au peuple le matin, et ma femme mourut le soir,
et je fis le lendemain matin comme j'en avais reçu
l'ordre. 19 Alors le peuple me dit : « Ne nous expliqueras-tu pas quel sens a pour nous ce que tu
fais? » 20 Je leur dis : « La parole de Yahvé m'a été
adressée en ces termes : 21 Dis à la maison
d'Israël : Ainsi parle le Seigneur Yahvé. Voici que

*a)* Décembre 589-janvier 588.
*b)* D'après les données de 2 R **25** 1; Jr **52** 4 (cf. **39** 1), il s'agit du commencement du siège de Jérusalem. Si le prophète est alors en Babylonie, cette date qu'il met par écrit doit servir plus tard à vérifier l'exactitude de ses révélations.
*c)* Action symbolique. Le prophète met en action ironiquement le dicton qui vantait la sécurité de Jérusalem, **11** 3. Il est difficile d'interpréter tous les détails mais le sens général est clair : la ville est tellement corrompue que rien ne peut la sauver, pas même une épreuve passagère. Elle sera détruite. Ses habitants ne seront pas protégés par ses murs. On les expulsera pour les répandre au dehors.
*d)* « du bois » *ha'eçim* conj., cf. v. 10; « des os » *ha'açamîn* hébr.
*e)* L'hébr. ajoute au début : « elle m'a fatigué (de) ses labeurs » (?), omis par grec. – A la fin du v., on omet le mot « rouille », accidentellement répété.
*f)* « ta souillure » conj.; « dans ta souillure » hébr.
*g)* Terme de tendresse qui désigne ici l'épouse du prophète, v. 18.
*h)* Ce sont des cérémonies de deuil. Le « pain ordinaire » (litt. « pain des hommes ») fait allusion à une coutume qui nous échappe.

Jr 7 1-15 Lm 2 7 je vais profaner mon sanctuaire, l'orgueil de votre
force, la joie de vos yeux, la passion de vos âmes.
Vos fils et vos filles, que vous avez abandonnés,
tomberont par l'épée. [22] Et vous ferez comme j'ai
fait [a] : vous ne vous couvrirez pas la barbe, vous
ne mangerez pas de pain ordinaire, [23] vous garderez vos turbans sur la tête et vos sandales aux
pieds, vous ne vous lamenterez pas et vous ne pleurerez pas. Vous dépérirez à cause de vos crimes et
vous gémirez les uns avec les autres. [24] Ézéchiel
12 6+ sera pour vous un présage; vous ferez exactement
ce qu'il a fait. Et, quand cela arrivera, vous saurez
que je suis le Seigneur Yahvé.
[25] Et toi, fils d'homme, n'est-il pas vrai que le
jour où je leur aurai pris ce qui fait leur force, leur
parure de liesse, la joie de leurs yeux, la passion
de leur âme, leurs fils et leurs filles, [26] ce jour-là,
arrivera vers toi le survivant qui apportera la nou-
velle. [27] Ce jour-là, ta bouche s'ouvrira pour parler 3 26; **33** 22
au survivant : tu parleras et tu ne seras plus muet;
tu seras pour eux un présage et ils sauront que je
suis Yahvé.

## II. *Oracles contre les nations* [b]

Dt **2** 19+ **Contre les Ammonites** [c].
Ez **21** 33-37 Am **1** 13-15
**25** [1] La parole de Yahvé me fut adressée en ces
Jr **49** 1-6 termes : [2] Fils d'homme, tourne-toi vers les
Ammonites et prophétise contre eux. [3] Tu diras
aux Ammonites : Écoutez la parole du Seigneur
Yahvé. Ainsi parle le Seigneur Yahvé.
Parce que tu as dit [d] : « Ha! Ha! » sur mon sanctuaire lorsqu'il a été profané, sur la terre d'Israël
lorsqu'elle a été dévastée et sur la maison de Juda
lorsqu'elle est partie pour l'exil, [4] eh bien! voici que
Nb **24** 21+ je te livre en possession aux fils de l'Orient [e]; ils
établiront chez toi leurs campements, ils feront
chez toi leur demeure. Ce sont eux qui mangeront
tes fruits, ce sont eux qui boiront ton lait. [5] Je ferai
de Rabba un parc à chameaux et des villes [f]
d'Ammon un bercail de brebis. Et vous saurez que
je suis Yahvé.
[6] Ainsi parle le Seigneur Yahvé.
**6** 11 Parce que tu as battu des mains et frappé du
pied, et que tu t'es réjoui, l'âme pleine de dédain,
au sujet du pays d'Israël, [7] eh bien! voici que
j'étends la main contre toi; je vais te livrer au pillage des nations, te retrancher d'entre les peuples
et t'exterminer d'entre les pays. Je t'anéantirai, et
tu sauras que je suis Yahvé.

**Contre Moab.** Nb **22** 36+
[8] Ainsi parle le Seigneur Yahvé. Am **2** 1-3 Jr **48**
Parce que Moab et Séïr [g] ont dit : « Voici que la So **2** 8-11
maison de Juda est semblable à toutes les nations »,
[9] eh bien! je vais ouvrir les hauteurs de Moab, ses
villes ne seront plus des villes, sur toute son étendue – les joyaux du pays : Bet-ha-Yeshimot, Baal-
Meôn et jusqu'à Qiryatayim [h]. [10] C'est aux fils de
l'Orient que je les donne en possession, en plus des
Ammonites, afin qu'on ne s'en souvienne plus
parmi les nations. [11] De Moab, je ferai justice, et
on saura que je suis Yahvé.

**Contre Édom.** Dt **2** 1+
[12] Ainsi parle le Seigneur Yahvé. Ez **35** Am **1** 11-
Parce qu'Édom a exercé sa vengeance contre la Jr **49** 7-2
maison de Juda, parce qu'il s'est rendu gravement Is **34**
coupable en se vengeant d'elle, [13] eh bien! ainsi Ps **137** 7
parle le Seigneur Yahvé : Je vais étendre la main
contre Édom et je vais en retrancher bêtes et gens.
J'en ferai une désolation, de Témân à Dédân [i] on Is **21** 13
périra par l'épée. [14] Je mettrai ma vengeance contre
Édom dans la main de mon peuple Israël. Il traitera Édom selon ma colère et ma fureur et l'on
connaîtra ma vengeance, oracle du Seigneur
Yahvé.

*a)* Ézéchiel n'interdit pas aux habitants de Jérusalem de se lamenter et de pleurer leur faute. Mais les événements seront si soudains et si brutaux qu'ils n'en auront pas la possibilité.
*b)* Comme dans Am **1-2**; Is **13-23**; Jr **47-51,** les oracles d'Ézéchiel contre les nations sont groupés dans les ch. **25-32**. Les ch. **25-28** concernent les voisins immédiats d'Israël, Ammon, Moab, Édom et les Philistins, **25**, Tyr et Sidon, **26-28**, puis l'Égypte contre laquelle sont dirigés les oracles des ch. **29-32**. Les dates précisées en **26** 1; **29** 1; **30** 20; **31** 1; **32** 1, 17 s'étagent de 587 à 585 av. J.-C., pendant et après le siège de Jérusalem; c'est le même arrière-plan historique que dans les ch. **24** et **33** qui encadrent ces oracles. Le petit oracle contre Tyr de **29** 17-21, daté de 571, a été ajouté au recueil.
*c)* Les Ammonites, Dt **2** 19+, avaient participé aux divers soulèvements contre Nabuchodonosor. Puis ils abandonnèrent leurs alliés et tirèrent profit des malheurs de Jérusalem.
*d)* Cet oracle s'adresse à Ammon personnifié.
*e)* Les Arabes nomades, cf. Is **11** 14; Jr **49** 28; Nb **24** 21+.
*f)* « villes » conj.; « fils » hébr.
*g)* Séïr désigne le plateau montagneux situé au sud-est de la mer Morte, en territoire édomite (mais cf. Dt **2** 1+); le terme est souvent employé comme synonyme d'Édom, cf. Gn **32** 4; Jg **5** 4; Nb **24** 18; Ez **35** 2, etc. On est surpris de le trouver mentionné ici puisqu'un oracle sera consacré à Édom. Le mot, absent du grec, est peut-être une glose tardive.
*h)* « ses villes » conj.; » plus ses villes » (ou depuis ses villes ») hébr. – Tout ce v. est obscur et la traduction en est incertaine.
*i)* Témân est une région septentrionale d'Édom, mais les deux termes sont souvent employés simplement comme synonymes, cf. Jr **49** 20; Dédân, l'actuelle oasis d'El Ela, est un pays arabe situé au sud-est d'Édom, cf. Is **21** 13; Jr **49** 8.

Jos 13 2+ **Contre les Philistins.**
So 2 4-7 15 Ainsi parle le Seigneur Yahvé.
Parce que les Philistins ont exercé leur vengeance et se sont vengés, l'âme pleine de dédain,
en cherchant à détruire avec une haine éternelle,
16 eh bien! ainsi parle le Seigneur Yahvé. Voici que
j'étends la main contre les Philistins, je vais retrancher les Kérétiens [a], détruire ce qui reste des habitants de la côte. 17 J'exercerai contre eux de terribles vengeances, des châtiments furieux, et ils
sauront que je suis Yahvé quand je leur imposerai
ma vengeance.

Is 23 **Contre Tyr [b].**

26 1 La onzième année, le premier du mois [c], la
parole de Yahvé me fut adressée en ces termes :
2 Fils d'homme, parce que Tyr a dit contre Jérusalem :
25 3 « Ha! Ha! la voilà brisée, la porte des peuples;
elle s'est tournée vers moi, sa richesse est
détruite [d] »,
3 eh bien! ainsi parle le Seigneur Yahvé :
Voici que je me déclare contre toi, Tyr.
Je vais faire monter contre toi des nations nombreuses,
comme la mer fait monter ses flots.
4 Elles détruiront les remparts de Tyr,
elles abattront ses tours,
j'en balaierai la poussière
et j'en ferai un rocher nu [e].

5 Elle sera, au milieu de la mer, un séchoir pour
les filets,
car moi, j'ai parlé, oracle du Seigneur Yahvé.
Elle sera la proie des nations,
6 quant à ses filles qui sont dans la campagne,
elles seront tuées par l'épée,
et l'on saura que je suis Yahvé.
7 Car ainsi parle le Seigneur Yahvé :
29 17-21 Voici que j'amène à Tyr, venant du Nord,
Nabuchodonosor, roi de Babylone, roi des rois,
avec chevaux, chars et cavaliers,
une troupe et un peuple nombreux [f].
8 Tes filles qui sont dans la campagne,
il les tuera par l'épée.
4 1-3 Il placera contre toi des retranchements,
il élèvera contre toi un remblai,
il dressera contre toi un bouclier,
9 il dirigera les coups de son bélier contre tes remparts,
il démolira tes tours avec ses machines.
10 Si nombreux sont ses chevaux que leur poussière
te couvrira.
Au bruit de sa cavalerie, de ses chariots, de ses
chars,
les remparts trembleront, quand il franchira tes
portes
comme on pénètre dans une ville par une brèche.
11 Des sabots de ses chevaux, il foulera toutes tes
rues,
il tuera ton peuple par l'épée,
il jettera à terre tes stèles colossales.
12 On prendra tes richesses comme butin, on pillera
tes marchandises,
on abattra tes remparts, on démolira tes maisons
luxueuses,
on jettera à l'eau tes pierres, ton bois et ta poussière.
13 Je ferai cesser la rumeur de tes chants, Is 24 8-9 Jr 25 10
on n'entendra plus le son de tes cithares. Ap 18 22
14 Je ferai de toi un rocher nu,
tu deviendras un séchoir à filets
et tu ne seras plus rebâtie,
car moi, Yahvé, j'ai parlé, oracle du Seigneur
Yahvé.

**Complainte sur Tyr.**

15 Ainsi parle le Seigneur Yahvé à Tyr : Au bruit
de ta chute, quand gémiront les blessés, quand
sévira le carnage dans tes murs, les îles [g] ne trem
bleront-elles pas? 16 Tous les princes de la mer descendront de leur trône, ils ôteront leurs manteaux, Jon 3 6
quitteront leurs vêtements brodés. Ils se revêtiront
d'effroi, ils s'assiéront par terre, ils tressailliront à
tout instant et seront frappés de stupeur à cause de
toi.
17 Ils prononceront une complainte [h] et te Ap 18 9-19
diront :

Quoi! la voilà détruite, disparue des mers,
la ville célèbre
qui fut puissante sur la mer,
elle et ses habitants

*a)* Peuple voisin des Philistins, cf. Jos **13** 2+, et apparenté à eux, cf. 2 S **8** 18+. Ici, les deux noms sont pratiquement synonymes.
*b)* Tyr était, au début du VIe siècle, une puissante cité commerciale. Elle prit une grande part à toutes les tentatives anti-babyloniennes qui précédèrent les événements de 587, mais elle abandonna Jérusalem son alliée et se réjouit de sa chute.
*c)* L'an 587-586. Le grec lit « douzième année » et « premier mois », c'est-à-dire avril 586.
*d)* « sa richesse », litt. : « ce qui l'emplit », conj.; « je me remplirai » hébr.
*e)* Tyr, *Çor*, était construite sur un rocher, *çûr*, à quelque distance de la côte.
*f)* Le siège de Tyr, entrepris par Nabuchodonosor en 585, dura treize ans et s'acheva sans grand profit pour le vainqueur, **29** 17-21. La destruction radicale qui est annoncée ici ne sera accomplie que plus tard, par Alexandre le Grand.
*g)* Les « îles » désignent tous les rivages lointains.
*h)* Une *qîna*, cf. **19** 1+.

qui répandaient la terreur
sur tout le continent [a].
[18] Maintenant les îles tressaillent
au jour de ta chute,
les îles de la mer sont épouvantées de ta fin.
[19] Car ainsi parle le Seigneur Yahvé :
Quand je ferai de toi une ville détruite comme
les villes dépeuplées, quand je ferai monter contre
toi l'abîme et que les eaux abondantes te recouvri-
**32** 18-32 ront, [20] je te précipiterai avec ceux qui descendent
dans la fosse, vers le peuple d'autrefois, je te ferai
habiter dans le pays souterrain, semblable aux ruines d'autrefois, avec ceux qui descendent dans la
fosse, afin que tu ne reviennes pas pour être rétablie
au pays des vivants [b]. [21] Je ferai de toi un objet d'ef-
Ap **18** 21 froi et tu ne seras plus. On te cherchera et on ne
te trouvera plus jamais, oracle du Seigneur Yahvé.

**Deuxième complainte sur la chute de Tyr [c].**

**27** [1] La parole de Yahvé me fut adressée en ces
termes : [2] Et toi, fils d'homme, prononce sur
Tyr une complainte. [3] Tu diras à Tyr, la ville installée au débouché de la mer, le courtier des peuples vers des îles nombreuses : Ainsi parle le Seigneur Yahvé.

Tyr, c'est toi qui disais : « Je suis un navire [d]
d'une parfaite beauté ».
[4] En pleine mer s'étendaient tes frontières,
tes constructeurs ont parfait ta beauté.
[5] En cyprès de Senir [e] ils ont construit
tous tes bordages.
Ils ont pris un cèdre du Liban
pour t'ériger un mât.
[6] De chênes du Bashân
ils t'ont fait des rames.
Ils t'ont fait un pont d'ivoire incrusté dans du cèdre
des îles de Kittim [f].
[7] Le lin brodé d'Égypte fut ta voilure
pour te servir de pavillon.
La pourpre et l'écarlate des îles d'Élisha
te recouvraient.
[8] Les habitants de Sidon et d'Arvad [g]
étaient tes rameurs.
Et tes sages, ô Tyr, étaient à bord
comme matelots.
[9] Les anciens de Gebal [h] et ses artisans étaient là
pour réparer tes avaries.

Tous les navires [i] de la mer et leurs marins
étaient chez toi pour faire du commerce. [10] Ceux de
Perse, de Lud et de Put servaient dans ton armée Jr **46** 9+
comme gens de guerre; ils suspendaient chez toi le
bouclier et le casque, ils faisaient ta splendeur.
[11] Les fils d'Arvad et leur armée garnissaient tes
remparts, tout autour, et les Gemmadiens tes bastions. Ils suspendaient leurs écus à tes remparts,
tout autour, et contribuaient à parfaire ta beauté.
[12] Tarsis était ton client, grâce à l'abondance de Is **23** 1+
toute sorte de biens. Contre de l'argent, du fer, de
l'étain et du plomb, ils échangeaient tes marchandises. [13] Yavân, Tubal et Méshek [j] faisaient du **38** 2
commerce avec toi. Contre des hommes et des objets de bronze, ils échangeaient tes denrées. [14] De
Bet-Togarma [k], on te livrait comme marchandise **38** 6
des chevaux, des coursiers et des mulets. [15] Les fils
de Dedân faisaient du commerce avec toi; des îles **25** 13
nombreuses étaient tes clientes et t'apportaient en
paiement les défenses d'ivoire et l'ébène. [16] Édom [l]
était ton client, grâce à l'abondance de tes produits;
il te donnait des escarboucles, de la pourpre, des
broderies, du byssus, du corail et des rubis contre
tes marchandises. [17] Juda et le pays d'Israël eux-
mêmes faisaient du commerce avec toi; ils t'apportaient en échange du grain de Minnit, du pannag, Jg **11** 33
du miel, de l'huile et du baume [m]. [18] Damas était
ton client, grâce à l'abondance de tes produits, à
l'abondance de toute sorte de biens; il te fournissait Os **14** 8
du vin de Helbôn et de la laine de Çahar [n]. [19] Dan
et Yavân, depuis Uzal [o], te livraient en échange de Gn **10** 27

*a)* « la voilà » conj.; « te voilà » hébr. – « disparue » versions; « habitée » hébr. (simple différence de vocalisation). – « le continent » *hayyabasha* d'après syr.; « ses habitants » *yoshebêha* hébr.
*b)* La « fosse », synonyme de « shéol », ne représente pas la tombe mais le lieu souterrain où sont réunies les âmes des morts, cf. Nb **16** 33+. – « tu ne reviennes » *tashubî* conj.; « tu n'habites » *teshebî* hébr. – « pour être rétablie » versions; « pour que je donne une parure » hébr.
*c)* Cette description symbolique d'un naufrage use d'un vocabulaire technique dont la traduction est parfois incertaine.
*d)* « Je suis un navire » *'oniyyah 'anî* conj.; « je suis » *'anî* hébr.
*e)* Nom amorite de l'Hermon, cf. Dt **3** 9.
*f)* « dans du cèdre » *bite 'ashurîm* Targ.; « fille des Assyriens » *bat 'ashurîm* hébr. – Kittim désigne ici non seulement les habitants de Chypre, mais aussi ceux des autres îles et rivages de la Méditerranée.
*g)* Ces deux villes de la côte phénicienne reconnaissaient plus ou moins la suprématie économique de Tyr.
*h)* C'est Byblos, autre ville phénicienne.
*i)* Le poème est interrompu ici par une énumération détaillée des relations commerciales de Tyr, qui ne fait pas partie de l'oracle primitif.
*j)* Yavân, c'est-à-dire l'Ionie, désigne les Grecs, ou même les Occidentaux en général. Sur Tubal et Méshek, cf. **38** 2+.
*k)* Probablement l'Arménie, cf. **38** 6.
*l)* « Édom » versions; « Aram » hébr.
*m)* « pannag » : mot inconnu, peut-être une sorte de gâteau. Selon d'autres, du millet (d'après syr.) ou du baume (Vulg.). – Minnit est une localité du pays d'Ammon.
*n)* Le vin de Helbôn, au nord de Damas, était réputé; il est cité par des documents assyriens. – Çahar est inconnu, et n'est peut-être pas un nom de lieu : on a proposé de comprendre « laine écrue ».
*o)* Tribu arabe, comme Shéba et Rama, vv. 22-23, cf. Gn **10** 27; 1 R **10** 1+, mais dont le nom semble ici représenter une région. – Dan et Yavân surprennent ici : Yavân a déjà été cité, v. 13,

25 13 tes marchandises du fer forgé, de la casse et du
roseau. 20 Dedân faisait commerce avec toi de couvertures de cheval. 21 L'Arabie et tous les princes
de Qédar eux-mêmes étaient tes clients; ils payaient
en agneaux, béliers et boucs. 22 Les marchands de
1 R **10** 1+ Sheba et de Rama faisaient du commerce avec toi;
Gn **10** 7 ils te livraient les plus fins aromates, toutes sortes
de pierres précieuses et de l'or comme marchandi-
Gn **11** 31; ses. 23 Harân, Kanné et Éden, les marchands de
**12** 5 Sheba, d'Assur et de Kilmad[a] faisaient du
commerce avec toi. 24 Ils faisaient commerce de
riches vêtements, de manteaux de pourpre et de
broderies, d'étoffes bigarrées et de solides cordes
tressées, sur tes marchés.

25 Les bateaux de Tarsis naviguaient pour ton
commerce.

Tu étais comblée et alourdie[b]
au cœur des mers.
26 En haute mer tu fus conduite
par tes rameurs.
Le vent d'Orient t'a brisée
au cœur des mers.
27 Tes richesses, tes marchandises et ton fret,
tes marins et tes matelots,
les radoubeurs, les courtiers de ton commerce
et tous les hommes de guerre
que tu portes, et tous les passagers
qui sont à ton bord,
vont couler au cœur des mers,
au jour de ton naufrage.
28 En entendant le cri de tes matelots,
les rivages trembleront.
29 Alors descendront de leurs bateaux
tous les rameurs.
Les marins, tous les gens de mer
resteront à terre.
Ap **18** 19 30 Ils feront entendre leur voix à ton sujet,
ils crieront amèrement.
Ils se jetteront de la poussière sur la tête,
ils se rouleront dans la cendre.
31 Ils se raseront le crâne à cause de toi,
ils se ceindront de sacs.
Ils exhaleront sur toi, dans leur amertume,
une plainte amère.
32 Ils prononceront sur toi, dans leur lamentation,
une complainte,
ils se lamenteront sur toi :
« Qui était comparable à Tyr[c] ↗ Ap **18** 18
au milieu de la mer?
33 Lorsque tu débarquais tes marchandises
pour rassasier tant de peuples,
par l'abondance de tes richesses et de tes denrées ↗ Ap **18** 19
tu as enrichi les rois de la terre.
34 Maintenant te voilà brisée par les flots
au plus profond des eaux.
Ta cargaison et tous tes passagers
ont coulé avec toi.
35 Tous les habitants des îles
ont été frappés de stupeur à cause de toi.
Leurs rois ont frémi d'horreur,
leur visage bouleversé.
36 Les trafiquants des peuples
ont sifflé sur toi,
car tu es devenue un objet d'effroi,
c'en est fait de toi à jamais! »

### Contre le roi de Tyr.

**28** 1 La parole de Yahvé me fut adressée en ces
termes : 2 Fils d'homme, dis au prince de Tyr :
Ainsi parle le Seigneur Yahvé.

Parce que ton cœur s'est enorgueilli,
tu as dit : « Je suis un dieu, Gn **3** 5
j'habite une demeure divine, Is **14** 13
au cœur de la mer. »
Alors que tu es un homme et non un dieu,
tu te fais un cœur semblable au cœur de Dieu.
3 Voilà que tu es plus sage que Danel; **14** 14
pas un sage[d] n'est semblable à toi.
4 Par ta sagesse et ton intelligence,
tu t'es fait une fortune,
tu as mis or et argent
dans tes trésors.
5 Si grande est ton habileté dans le commerce!
tu as multiplié ta fortune,
et ton cœur s'est enorgueilli de ta fortune.
6 C'est pourquoi, ainsi parle le Seigneur Yahvé.
Parce que tu t'es fait un cœur semblable au cœur
de Dieu,
7 eh bien! voici que je fais venir contre toi des
étrangers,
les plus barbares des nations.
Ils tireront l'épée contre ta belle sagesse,
ils profaneront ta splendeur.

et Dan, tribu d'Israël, n'a aucune raison de l'être, cf. v. 17. Il s'agit peut-être de tribus arabes (inconnues par ailleurs) proches d'Uzal. Cependant le texte est peut-être corrompu et certains proposent de lire, en supprimant « Dan » (qui manque dans le grec) et en corrigeant *Yavân* en *yayin* : « (ils te fournissaient...) du vin de Uzal ».

*a)* Harân est sur le haut Euphrate. Kanné et Éden semblent correspondre à Kannu et Bit Adini des textes assyriens, villes du moyen Euphrate. Sheba, cf. 1 R **10** 1+. Kilmad est une ville inconnue, probablement proche d'Assur.

*b)* On peut aussi comprendre « riche et glorieuse », mais il semble que le prophète cherche à suggérer en même temps l'abondance du chargement de ce splendide navire et son prochain naufrage.

*c)* « comparable (à Tyr) » versions; « (comme Tyr) la silencieuse » (?) hébr.

*d)* « pas un sage » grec; « pas un secret » hébr.

8 Ils te feront choir dans la fosse
et tu mourras de mort violente
au cœur des mers.
9 Diras-tu encore : « Je suis un dieu »,
en face de tes meurtriers?
Is **31** 3 Car tu es un homme et non un dieu,
entre les mains de ceux qui te transpercent.
10 Tu mourras de la mort des incirconcis,
par la main des étrangers,
car moi j'ai parlé, oracle de Yahvé.

**La chute du roi de Tyr** [a].

11 La parole de Yahvé me fut adressée en ces termes : 12 Fils d'homme, prononce une complainte [b]
contre le roi de Tyr. Tu lui diras : Ainsi parle le
Seigneur Yahvé.

Tu étais un modèle de perfection [c],
plein de sagesse,
merveilleux de beauté,
13 tu étais en Éden, au jardin de Dieu.
Toute sorte de pierres précieuses formaient ton manteau :
sardoine, topaze, diamant, chrysolite, onyx,
jaspe, saphir, escarboucle, émeraude,
d'or étaient travaillées tes pendeloques et tes paillettes [d];
tout cela fut préparé au jour de ta création.
Gn **3** 24 14 Toi, j'avais fait de toi un chérubin protecteur aux ailes déployées,
Is **14** 13 tu étais sur la sainte montagne de Dieu,
Ez **10** 2 tu marchais au milieu des charbons ardents [e].

15 Ta conduite fut exemplaire depuis le jour de ta création
jusqu'à ce que fût trouvée en toi l'injustice.
16 Par l'activité de ton commerce,
tu t'es rempli de violence et de péchés.
Je t'ai précipité de la montagne de Dieu
**10** 2, 7 et je t'ai fait périr, chérubin protecteur, du milieu des charbons.
17 Ton cœur s'est enorgueilli à cause de ta beauté.
Tu as corrompu ta sagesse à cause de ton éclat.
Je t'ai jeté à terre,
je t'ai offert en spectacle aux rois.
18 Par la multitude de tes fautes,
par la malhonnêteté de ton commerce,
tu as profané tes sanctuaires.
J'ai fait sortir de toi un feu pour te dévorer;
je t'ai réduit en cendres sur la terre,
aux yeux de tous ceux qui te regardaient.
19 Quiconque te connaît parmi les peuples
est frappé de stupeur à ton sujet.
Tu es devenu un objet d'effroi,
c'en est fait de toi à jamais.

**Contre Sidon** [f].

20 La parole de Yahvé me fut adressée en ces termes : 21 Fils d'homme, tourne-toi vers Sidon et prophétise contre elle. 22 Tu diras : Ainsi parle le Seigneur Yahvé.

Je me déclare contre toi, Sidon,
je vais être glorifié au milieu de toi.
On saura que je suis Yahvé
lorsque d'elle, je ferai justice
et que je manifesterai en elle ma sainteté.
23 Je lui enverrai la peste, il y aura du sang dans ses rues,
des morts tomberont au milieu d'elle
sous les coups de l'épée levée contre elle de tous côtés,
et l'on saura que je suis Yahvé.

**Israël délivré des nations.**

24 Il n'y aura plus, pour la maison d'Israël, ni
épine qui blesse ni ronce qui déchire parmi tous
ceux d'alentour qui la méprisent, et l'on saura que
je suis Yahvé.
25 Ainsi parle le Seigneur Yahvé : Lorsque je rassemblerai la maison d'Israël du milieu des peuples
où elle est dispersée, je manifesterai en elle ma
sainteté aux yeux des nations. Elle habitera sur le
sol que j'ai donné à mon serviteur Jacob. 26 Ils y = **37** 25
habiteront en sécurité, ils bâtiront des maisons et Gn **28** 13
planteront des vignes; ils habiteront en sécurité.
Lorsque je ferai justice de tous ceux d'alentour qui
les méprisent, on saura que je suis Yahvé leur Dieu.

*a)* C'était alors Ittobaal II. Mais le poème s'adresse moins à un personnage historique qu'à une personnification de la puissance de la ville. Par une accommodation spontanée, la tradition chrétienne a souvent appliqué ce poème à la chute de Lucifer, cf. **28** 2; Is **14** 13.

*b)* Encore une *qîna*, cf. **19** 1+, mais ce morceau ne présente pas le rythme propre de la *qîna*. Le mot doit être employé en un sens large.

*c)* « un modèle de perfection », litt. « un sceau de perfection » grec; « scellant le modèle » hébr.

*d)* « pendeloques » et « paillettes » : traduction conjecturale. Le premier terme désigne normalement un tambourin; le second, de forme inhabituelle (seul exemple d'un substantif formé sur cette racine qui signifie normalement « creuser », « percer ») doit être un terme technique de l'orfèvrerie.

*e)* L'expression « aux ailes déployées » est la traduction que donne S. Jérôme d'un mot par ailleurs inconnu. – Ces vv. semblent s'inspirer, non seulement des souvenirs bibliques du paradis terrestre, mais de divers éléments de la mythologie orientale : montagne des dieux, localisée à l'extrême nord, cf. Ps **48** 2-3; Is **14** 13, allusion au Kerub protecteur, cf. Gn **3** 24, et aux charbons ardents, Ez **10** 2, chute et anéantissement, v. 16; mais certains détails restent obscurs pour nous.

*f)* Sidon, ville phénicienne importante, mais inférieure à Tyr avant l'époque perse. D'après Jr **27** 3, Sidon a participé à la politique qui a conduit Juda à la ruine, ce qui explique l'attaque d'Ézéchiel.

Is **19** **Contre l'Égypte.**
Jr **46**

**29** 1 La dixième année, au dixième mois, le douze
du mois [a], la parole de Yahvé me fut adressée
en ces termes : 2 Fils d'homme, tourne-toi vers Pharaon, roi d'Égypte [b], et prophétise contre lui et
contre l'Égypte toute entière. 3 Parle et dis-lui :
Ainsi parle le Seigneur Yahvé.

Je me déclare contre toi, Pharaon, roi d'Égypte,
*32* grand crocodile étendu au milieu de ses Nils,
Jb **40** 25-**41** 26 qui as dit : « Mon Nil est à moi, c'est moi qui
l'ai fait [c]. »
4 Je vais mettre des crocs à tes mâchoires,
coller à tes écailles les poissons de tes Nils
et te tirer du milieu de tes Nils,
avec tous les poissons de tes Nils collés à tes
écailles.
5 Je te jetterai dans le désert, avec tous les poissons
de tes Nils.
Tu retomberas en plein champ,
Jr **25** 33 tu ne seras ni ramassé ni enterré [d].
Aux bêtes de la terre et aux oiseaux du ciel,
je te donnerai en pâture,
6 et tous les habitants de l'Égypte sauront que je
suis Yahvé.
Is **36** 6 Car ils ont été un appui de roseau pour la mai-
2 R **18** 21 son d'Israël.
7 Quand ils te saisissaient, tu te rompais dans leur
main,
et tu leur déchirais toute la main.
Quand ils s'appuyaient sur toi, tu te brisais,
tu faisais chanceler tous les reins [e].
8 C'est pourquoi, ainsi parle le Seigneur Yahvé.
Voici que j'envoie contre toi l'épée, pour retrancher
de toi hommes et bêtes. 9 Le pays d'Égypte deviendra désolation et ruine, et l'on saura que je suis
Yahvé. Car il a dit : « Le Nil est à moi, c'est moi
qui l'ai fait. » 10 Eh bien! je me déclare contre toi
et contre tes Nils. Je ferai du pays d'Égypte une
ruine et une désolation, de Migdol à Syène et
jusqu'à la frontière d'Éthiopie [f]. 11 Le pied de
l'homme n'y passera pas, le pied des animaux n'y
passera pas, il restera inhabité quarante ans. 12 Je
ferai du pays d'Égypte une désolation au milieu de
pays dévastés; ses villes seront une désolation au
milieu de villes détruites, pendant quarante ans. Et
je disséminerai les Égyptiens parmi les nations, je
les disperserai parmi les pays. 13 Car ainsi parle le
Seigneur Yahvé. Au bout de quarante ans, je rassemblerai les Égyptiens des nations où ils avaient
été dispersés [g]. 14 Je ramènerai les captifs égyptiens
et je les réinstallerai au pays de Patros [h], dans leur
pays d'origine. Ils y formeront un modeste
royaume. 15 L'Égypte sera le plus modeste des
royaumes et elle ne s'élèvera plus sur les nations;
je la diminuerai pour qu'elle ne s'impose plus aux
nations. 16 Elle ne sera plus pour la maison d'Israël
un sujet de confiance, car elle rappellera la faute
qui consistait à se tourner vers elle. Et l'on saura
que je suis le Seigneur Yahvé.

17 La vingt-septième année, au premier mois, le
premier du mois [i], la parole de Yahvé me fut adressée en ces termes :

18 Fils d'homme, Nabuchodonosor, roi de Babylone, a engagé son armée dans une entreprise grandiose contre Tyr. Toutes les têtes sont pelées et toutes les épaules écorchées, mais, ni pour lui ni pour
son armée, il n'a retiré aucun profit de l'entreprise
qu'il avait engagée contre Tyr. 19 C'est pourquoi,
ainsi parle le Seigneur Yahvé : Voici que je livre à
Nabuchodonosor, roi de Babylone, le pays **30** 10, 24;
d'Égypte. Il en emportera les richesses, il s'empa- **32** 11s
rera de ses dépouilles, il la mettra au pillage, tel
sera le salaire de son armée. 20 Comme salaire pour
la peine qu'il a prise, je lui livre le pays d'Égypte Jr **43** 10;
(car ils ont travaillé pour moi), oracle du Seigneur **44** 30; **46** 26
Yahvé.

21 Ce jour-là, je susciterai une lignée [j] à la maison d'Israël, et je te permettrai d'ouvrir la bouche
au milieu d'eux [k]. Alors ils sauront que je suis
Yahvé.

**Le jour de Yahvé contre l'Égypte.**

**30** 1 La parole de Yahvé me fut adressée en ces
termes [l] : 2Fils d'homme, prophétise et dis :

*a)* Décembre 588 – janvier 587.
*b)* Hophra (Apriès), 588-570, auprès de qui Juda intrigua pour obtenir des secours.
*c)* « qui l'ai fait » syr.; « qui me suis fait » hébr.
*d)* « enterré » *tiqqaber* Targ.; « rassemblé » *tiqqabeç* hébr.
*e)* « la main » grec, syr.; « l'épaule » hébr. – « tu faisais chanceler » syr.; « tu affermissais » hébr. (interversion de deux lettres).
*f)* « une ruine » versions; « des ruines de destruction » hébr. – Migdol, forteresse du nord de l'Égypte. Syène, aujourd'hui Assouan, ville de l'extrême sud, près de la frontière éthiopienne.
*g)* Les exilés égyptiens reçoivent ainsi la même promesse de retour qui a été faite à Israël, cf. **11** 16-17, etc. Mais ils ne sont pas ici associés au peuple élu dans le culte renouvelé de Yahvé, comme dans la seconde partie d'Isaïe, cf. Is **45** 14+.
*h)* Patros, le « pays du sud », c'est-à-dire la Haute-Égypte.
*i)* Mars-avril 571. C'est le dernier en date des oracles d'Ézéchiel, qui complète ou retouche ses oracles antérieurs : en compensation de son demi-échec contre Tyr, v. 18, cf. **26** 7+, Nabuchodonosor reçoit licence de dépouiller l'Égypte (il ne l'envahira qu'en 568, cf. Jr **43** 12). Exécuteur des châtiments divins, il mérite son salaire.
*j)* Litt. « je ferai germer une corne »; ce symbole de la force a parfois une portée messianique, cf. Ps **132** 17.
*k)* Il est question plusieurs fois dans le livre d'Ézéchiel de périodes de mutisme et d'autorisations d'ouvrir la bouche pour parler au nom de Yahvé, cf. **3** 26; **24** 26-27; **33** 21-22. Ici, on a l'impression que le prophète, réduit au silence par sa confusion, cf. **16** 63, pourra enfin exprimer sa reconnaissance.
*l)* Cet oracle est un complément, peut-être tardif, à l'oracle du ch. **29**.

Ainsi parle le Seigneur Yahvé. Poussez des cris :
Am **5** 18+ « Ah! Quel jour! » 3 Car le jour est proche, il est
proche le jour de Yahvé; ce sera un jour chargé de
nuages, ce sera le temps des nations.
4 L'épée viendra en Égypte, l'angoisse au pays de
Kush, quand les morts tomberont en Égypte,
quand on emportera ses richesses et que ses fonde-
Jr **46** 9+ ments seront renversés. 5 Kush, Put et Lud, toute
l'Arabie, Kub [a] et les fils du pays de l'Alliance tomberont avec eux par l'épée.
6 Ainsi parle Yahvé.
Ils tomberont, les appuis de l'Égypte; il croulera,
**29** 10 l'orgueil de sa force : de Migdol à Syène, on y tombera par l'épée, oracle du Seigneur Yahvé.
7 Ils seront dévastés au milieu de pays dévastés,
ses villes seront au milieu de villes détruites. 8 Et
ils sauront que je suis Yahvé, quand je mettrai le
feu à l'Égypte et que se briseront tous ses soutiens.
9 Ce jour-là, les messagers que j'enverrai partiront sur des bateaux pour troubler Kush dans sa
sécurité. L'angoisse se répandra chez ses habitants,
au jour de l'Égypte – oui! la voici qui vient!
10 Ainsi parle le Seigneur Yahvé : J'anéantirai la
multitude de l'Égypte, par la main de Nabuchodonosor, roi de Babylone. 11 Lui et son peuple avec
lui, la plus barbare des nations, seront amenés pour
**29** 11-12 ravager le pays. Ils tireront l'épée contre l'Égypte
et rempliront le pays de cadavres. 12 Je mettrai les
Nils à sec, je vendrai le pays à des méchants. Je
dévasterai le pays et ce qu'il renferme par la main
d'étrangers. Moi, Yahvé, j'ai parlé.
13 Ainsi parle le Seigneur Yahvé : J'anéantirai les
ordures, j'ôterai de Noph [b] les faux dieux. Il n'y
aura plus de prince au pays d'Égypte. Je répandrai
**29** 14+ la crainte au pays d'Égypte. 14 Je dévasterai Patros,
je mettrai le feu à Çoân, je ferai justice de No. 15 Je
déverserai ma fureur sur Sîn, la forteresse de
l'Égypte; j'exterminerai la multitude de No. 16 Je
mettrai le feu à l'Égypte, Sîn sera pris de convulsions, à No, on ouvrira une brèche et les eaux se
répandront [c]. 17 Les jeunes gens de On et de Pi-
Bésèt tomberont par l'épée et les villes elles-mêmes
iront en captivité. 18 A Tahpanhès, le jour deviendra ténèbres quand j'y briserai les sceptres de
l'Égypte et que l'orgueil de sa force prendra fin.
Quant à elle, un nuage la couvrira et ses filles iront
en captivité. 19 C'est ainsi que je ferai justice de
l'Égypte, et l'on saura que je suis Yahvé.
20 La onzième année, au premier mois, le sept du
mois [d], la parole de Yahvé me fut adressée en ces
termes : 21 Fils d'homme, j'ai brisé le bras de Pharaon, roi d'Égypte, et voici que nul n'a pansé sa
blessure en y appliquant des remèdes, en y mettant
un bandage et en le pansant pour qu'il retrouve la
force de manier l'épée [e]. 22 C'est pourquoi, ainsi
parle le Seigneur Yahvé. Voici que je me déclare
contre Pharaon, roi d'Égypte; je lui briserai les
bras, celui qui est valide et celui qui est brisé, et
je ferai tomber l'épée de sa main [f]. 23 Je disséminerai l'Égypte parmi les nations, je la disperserai
dans les pays. 24 Je fortifierai les bras du roi de
Babylone et je mettrai mon épée dans sa main. Je
briserai les bras de Pharaon et celui-ci poussera
devant son ennemi des gémissements de mourant.
25 Je fortifierai les bras du roi de Babylone, mais
les bras de Pharaon tomberont. Et l'on saura que
je suis Yahvé, quand je mettrai mon épée dans les
mains du roi de Babylone et qu'il la brandira
contre le pays d'Égypte. 26 Je disséminerai les
Égyptiens parmi les nations, je les disperserai dans
les pays, et l'on saura que je suis Yahvé.

**Le cèdre.**

31 1 La onzième année, au troisième mois, le premier du mois [g], la parole de Yahvé me fut
adressée en ces termes : 2 Fils d'homme, dis à Pharaon, roi d'Égypte, et à la multitude de ses sujets [h] :

A quoi te comparer dans ta grandeur?
3 Voici : à un cèdre sur le Liban [i]
au branchage magnifique, au feuillage touffu, à
la taille élevée.
Parmi les nuages émerge sa cime.
4 Les eaux l'ont fait croître, l'abîme l'a fait grandir,
faisant couler ses fleuves autour de sa plantation,
envoyant ses ruisseaux à tous les arbres de la
campagne.
5 C'est pourquoi sa taille était plus élevée que tous
les arbres de la campagne,
ses surgeons s'étaient multipliés,

*a)* « l'Arabie », en lisant *ha 'arab* (avec Sym. et Théod.) au lieu de *ha 'ereb*, « l'union ». – Kub est inconnu, et il faut peut-être lire Lub (avec grec), c'est-à-dire la Libye.

*b)* Noph est Memphis, en Basse-Égypte. Patros : cf. **29** 14+. Çoân est Tanis, ville du Delta. No est Thèbes, capitale de la Haute-Égypte, cf. Jr **46** 25+. Sîn est une forteresse du Delta. On est Héliopolis, Pi-Bésèt est Bubaste, deux villes de Basse-Égypte. Tahpanhès est une ville frontière à l'est du Delta.

*c)* « et les eaux se répandront » grec; « et Noph, les ennemis du jour » (?) hébr.

*d)* Mars-avril 587.

*e)* L'Égypte tenta d'intervenir pour faire lever le siège de Jérusalem, mais elle échoua, cf. Jr **37** 5-8.

*f)* Annonce d'une nouvelle défaite, qui détruira le reste des forces de l'Égypte.

*g)* Mai-juin 587.

*h)* L'allégorie du ch. **17** utilise les mêmes images, avec une signification différente. Il s'agit ici d'une description de la splendeur de l'Égypte qui sera soudain détruite par le châtiment divin.

*i)* « à un cèdre » *te 'ashshûr* conj.; « Assur est un cèdre » *'ashshûr 'erez* hébr. Le mot rare *te 'ashshûr*, cf. **27** 6; Is **41** 19; **60** 13, semble avoir été glosé par le terme habituel *'erez*, puis transformé en un mot plus courant (mais dénué de sens dans ce contexte) par un copiste qui sans doute ne le comprenait plus.

ses rameaux s'étendaient,
à cause des eaux abondantes qui le faisaient croître [a].
17 23 6 Dans ses branches nichaient tous les oiseaux du ciel,
sous ses rameaux mettaient bas toutes les bêtes sauvages,
à son ombre s'asseyaient un grand nombre de gens.
7 Il était beau dans sa grandeur, dans le déploiement de ses branches,
car ses racines se tendaient vers des eaux abondantes.
8 Les cèdres ne l'égalaient pas au jardin de Dieu,
les cyprès n'étaient pas comparables à ses branches,
les platanes n'étaient pas semblables à ses rameaux,
aucun arbre, au jardin de Dieu, ne l'égalait en beauté.
9 Je l'avais embelli d'une riche ramure,
Gn **2** 8 il était envié de tous les arbres d'Éden, ceux du jardin de Dieu.

10 Eh bien! ainsi parle le Seigneur Yahvé :

Parce qu'il s'est dressé de toute sa taille, qu'il a
porté sa cime jusqu'au milieu des nuages, que son
cœur s'est enorgueilli de sa hauteur, 11 je l'ai livré
aux mains du prince des nations [b], pour qu'il le
traite selon sa méchanceté; je l'ai rejeté. 12 Des
étrangers, les plus barbares des nations, l'ont coupé
et abandonné. Sur les montagnes et dans toutes les
vallées gisent ses branches; ses rameaux se sont
brisés dans tous les ravins du pays; tous les gens
du pays se sont enfuis [c] de son ombre et l'ont abandonné.
13 Sur ses débris se sont posés tous les
oiseaux du ciel, vers ses rameaux sont venues toutes
les bêtes sauvages.
14 Ainsi, que jamais ne se dresse de toute sa taille
aucun arbre situé près des eaux, qu'aucun ne porte
sa cime jusqu'au milieu des nuages, qu'aucun arbre
arrosé ne se dresse vers eux de toute sa hauteur!
Car tous sont voués à la mort, aux pays souterrains,
au milieu du commun des hommes, avec
ceux qui descendent dans la fosse.
15 Ainsi parle le Seigneur Yahvé : Le jour où il
Nb **16** 33+ est descendu au shéol, j'ai fait observer un deuil,
j'ai fermé sur lui l'abîme, j'ai arrêté ses fleuves et
les eaux abondantes ont tari. J'ai assombri le Liban
à cause de lui et tous les arbres de la campagne ont
séché à cause de lui. 16 Au bruit de sa chute, j'ai
fait trembler les nations, quand je l'ai précipité au
shéol avec ceux qui descendent dans la fosse. Dans **32** 18-31
les pays souterrains, ont été consolés tous les Is **14** 15
arbres d'Éden, le choix des plus beaux arbres du
Liban, tous arrosés par les eaux. 17 Et sa descendance [d]
qui habitait sous son ombre, parmi les
nations, elle aussi est descendue au shéol, vers les
victimes de l'épée [e].
18 A qui donc comparer ta gloire et ta grandeur
parmi les arbres d'Éden? Pourtant tu fus précipité
avec les arbres d'Éden vers le pays souterrain, au
milieu des incirconcis, et te voilà couché avec les
victimes de l'épée. Tel est Pharaon et toute sa multitude,
oracle du Seigneur Yahvé.

**Le crocodile.**

**32** 1 La douzième année, au douzième mois, le
premier du mois [f], la parole de Yahvé me fut
adressée en ces termes : 2 Fils d'homme, prononce
une complainte sur Pharaon, roi d'Égypte. Tu lui
diras :

Lionceau des nations, te voilà anéanti!
Tu étais comme un crocodile dans les mers, **29** 3-5
tu bondissais dans tes fleuves, Jb **40** 25-
tu troublais l'eau avec tes pattes, **41** 26
tu en agitais les flots.

3 Ainsi parle le Seigneur Yahvé : **31** 12-16

J'étendrai sur toi mon filet au milieu d'un grand concours de peuples,
et ils te tireront dans mon filet.
4 Je t'abandonnerai sur la terre, je te jetterai à la surface des champs,
je ferai reposer sur toi tous les oiseaux du ciel,
je rassasierai de toi toutes les bêtes de la terre.
5 Je placerai ta chair sur les montagnes,
je remplirai les vallées de tes déchets;
6 j'arroserai le pays de ce qui coulera de toi,
de ton sang, sur les montagnes,
et tu rempliras les ravins.
7 Quand tu t'éteindras, je couvrirai les cieux Am **8** 9+
et j'obscurcirai les étoiles; Mt **24** 29
je couvrirai le soleil de nuages
et la lune ne donnera plus sa clarté.
8 J'obscurcirai tous les astres du ciel à cause de toi,

*a)* « qui le faisaient croître » : traduction conjecturale. Le verbe signifie normalement « tendre », « étendre », d'où « pousser », « croître », mais la forme grammaticale est anormale ici (litt. : « dans le fait de croître pour lui »), et on pourrait aussi comprendre : « à cause des eaux qui s'étendaient vers lui ».
*b)* Nabuchodonosor, cf. **29** 19; Jr **43** 12+, qui envahira l'Égypte en 568. Il n'est pas nécessaire de penser à la conquête de l'Égypte par Cambyse en 525.
*c)* « enfuis » *yiddedû* conj.; « descendus » *yiredû* hébr.
*d)* « sa descendance » *zare'ô* conj.; « son bras » *zero'ô* hébr.
*e)* Pharaon étant le cèdre, les autres rois sont comme les autres arbres du paradis terrestre, cf. vv. 7-9. Tous ces « arbres », descendus au shéol, vont se consoler à l'arrivée de Pharaon, **32** 17s.
*f)* Février-mars 585.

je répandrai les ténèbres sur ton pays,
oracle du Seigneur Yahvé.

9 J'affligerai le cœur de beaucoup de peuples quand je provoquerai ta ruine parmi les nations, dans des pays que tu ne connais pas [a].

10 Je frapperai de stupeur à ton sujet des peuples nombreux, et leurs rois frémiront d'horreur à cause de toi, quand je brandirai mon épée devant eux. Ils trembleront à tout instant, chacun pour sa vie, au jour de ta chute. 11 Car ainsi parle le Seigneur Yahvé : L'épée du roi de Babylone te poursuivra. 12 Par l'épée des guerriers, je ferai tomber la multitude de tes sujets. Ce sont les plus barbares des nations; elles anéantiront l'orgueil de l'Égypte, et toute sa multitude sera détruite. 13 Je ferai périr tout son bétail, au bord des eaux abondantes. Le pied de l'homme ne les troublera plus, le sabot du bétail ne les troublera plus. 14 Alors je calmerai leurs eaux, je ferai couler leurs fleuves comme de l'huile, oracle du Seigneur Yahvé.

15 Quand je ferai du pays d'Égypte une désolation, et que le pays sera dépouillé de ce qu'il contient, quand je frapperai tous ceux qui l'habitent, ils sauront que je suis Yahvé.

16 Telle est la complainte que crieront les filles des nations. Elles la crieront sur l'Égypte et sur toute sa multitude. Elles crieront cette complainte, oracle du Seigneur Yahvé.

31 16-18 **Descente du Pharaon au shéol.**
Is 14 9-11, 15

17 La douzième année, au premier mois, le quinze du mois [b], la parole de Yahvé me fut adressée en ces termes : 18 Fils d'homme, lamente-toi sur la multitude de l'Égypte et fais-la descendre avec les filles des nations, majestueuses, vers le pays souterrain, avec ceux qui descendent dans la fosse [c].

19 [d] Qui surpasses-tu en beauté? Descends, couche-toi avec les incirconcis. 20 Au milieu des victimes de l'épée, ils sont tombés (l'épée a été donnée, on l'a tirée), lui et toutes ses multitudes [e]. 21 Du milieu du shéol, les plus puissants héros, ses alliés, lui diront : « Ils sont descendus, ils se sont couchés, les incirconcis, victimes de l'épée [f]! »

22 Voilà Assur et toutes ses troupes, avec leurs tombeaux tout autour de lui; ils sont tous tombés victimes de l'épée, 23 on a mis leurs tombeaux dans les profondeurs de la fosse et ses troupes entourent son tombeau; ils sont tous tombés victimes de l'épée, eux qui répandaient la terreur au pays des vivants.

24 Voilà Élam et toute sa multitude autour de son tombeau, tous tombés victimes de l'épée; ils sont descendus, incirconcis, au pays souterrain, eux qui répandaient la terreur au pays des vivants. Ils ont porté leur déshonneur avec ceux qui descendent dans la fosse. 25 On lui a fait une couche au milieu des victimes, parmi toute sa multitude, avec leurs tombeaux autour de lui; ils sont tous des incirconcis, victimes de l'épée pour avoir répandu la terreur au pays des vivants. Ils ont porté leur déshonneur avec ceux qui descendent dans la fosse; on les a placés au milieu de ces victimes.

26 Voilà Méshek, Tubal et toute sa multitude, 27 13;
avec ses tombeaux autour de lui; ils sont tous in- 38 2, 3; 39 1
circoncis, victimes de l'épée pour avoir répandu la Is 66 19 LXX
terreur au pays des vivants. 27 Ils ne sont pas couchés avec les héros tombés autrefois, ceux qui descendirent au shéol les armes à la main, à qui on a mis leur épée sous la tête et leur bouclier [g] sous leurs ossements, car la terreur des héros régnait au pays des vivants. 28 Mais toi, c'est au milieu des incirconcis que tu seras brisé et que tu te coucheras, parmi les victimes de l'épée.

29 Voilà Édom, ses rois et tous ses princes, qui ont été placés, malgré leur vaillance, parmi les victimes de l'épée. Ils sont couchés avec les incirconcis, avec ceux qui descendent dans la fosse.

30 Voilà tous les princes du Nord, tous les Sidoniens, qui sont descendus avec les victimes, à cause de la terreur qu'inspirait leur force. Honteux, ils se sont couchés, incirconcis, parmi les victimes de l'épée, et ils ont porté leur déshonneur avec ceux qui descendent dans la fosse.

31 Pharaon les verra et il se consolera à la vue de toute cette multitude victime de l'épée – Pharaon et toute son armée – oracle du Seigneur Yahvé. 32 Parce qu'il avait répandu [h] la terreur au pays des vivants, on l'étendra parmi les incirconcis, parmi les victimes de l'épée – Pharaon et toute son armée – oracle du Seigneur Yahvé.

*a)* La suite, vv. 10-15, semble être une addition tardive, où il ne s'agit plus tant du pharaon que de ses sujets et alliés. La conclusion, v. 16, devait primitivement faire suite au v. 9.
*b)* « au premier mois » grec; omis par hébr. – La date indiquée est mars-avril 586, donc antérieurement à l'oracle précédent, si ces dates sont bien conservées.
*c)* « fais-la descendre... majestueuses » conj.; l'hébr., corrompu, est grammaticalement incorrect.
*d)* Le texte des trois vv. qui suivent est en très mauvais état. – Peut-être ce v. 19 doit-il être transposé, en suivant le grec, après 21ᵃ, et le v. 21ᵇ, sauf les deux derniers mots, pourrait être une répétition accidentelle de 19ᵇ.
*e)* Traduction incertaine d'un texte très obscur; au lieu de « lui et (toutes) ses (multitudes) », l'hébr. a deux féminins qui ne correspondent à rien. Certains suppriment « l'épée » en suivant les versions, et comprennent : « Elle (l'Égypte) a été livrée; on l'entraînera avec toute sa multitude ».
*f)* Pharaon est accueilli au shéol par tous les princes barbares tombés avant lui dans les batailles.
*g)* « autrefois » versions; « parmi les incirconcis » hébr. – « leurs boucliers » *çinnôtam* conj.; « leurs fautes » *'awônotam* hébr.
*h)* « il avait répandu » Targ.; « j'ai répandu » hébr.

# III. Pendant et après le siège de Jérusalem[a]

3 17-21 **Le prophète comme guetteur.**

**33** 1 La parole de Yahvé me fut adressée en ces
termes[b] : 2 Fils d'homme, parle aux fils de
ton peuple. Tu leur diras : Quand je fais venir
l'épée contre un pays, les gens de ce pays prennent
parmi eux un homme et le placent comme guetteur;
3 s'il voit l'épée venir contre le pays, il sonne du cor
Jl 2 1+ pour avertir le peuple. 4 Si quelqu'un entend le son
du cor mais n'en tient pas compte, et que l'épée survient et le fait périr, le sang de cet homme retombera sur sa propre tête. 5 Il a entendu le son du cor
sans en tenir compte : son sang retombera sur lui.
Mais celui qui en a tenu compte, sa vie est sauve.
6 Mais si le guetteur a vu venir l'épée et n'a pas
sonné du cor, si bien que le peuple n'a pas été
averti, et que l'épée survienne et fasse chez eux une
victime, celle-ci périra victime de sa faute, mais je
demanderai compte de son sang au guetteur.
= 3 17-19 7 Toi aussi, fils d'homme, je t'ai fait guetteur
pour la maison d'Israël. Lorsque tu entendras une
parole de ma bouche, tu les avertiras de ma part.
8 Si je dis au méchant : « Méchant, tu vas mourir »,
et que tu ne parles pas pour avertir le méchant
d'abandonner sa conduite, lui, le méchant, mourra
de sa faute, mais c'est à toi que je demanderai
compte de son sang. 9 Si au contraire tu as averti
le méchant d'abandonner sa conduite pour se
convertir et qu'il ne s'est pas converti, il mourra,
lui, à cause de son péché, mais toi, tu auras sauvé
ta vie.

14 12-20+ **Conversion et perversion.**
18 21-30+

10 Et toi, fils d'homme, dis à la maison d'Israël :
Vous répétez ces paroles : « Nos crimes et nos
péchés pèsent sur nous; c'est à cause d'eux que
nous dépérissons. Comment pourrions-nous
vivre[c]? » 11 Dis-leur : « Par ma vie, oracle du Sei-
18 23 gneur Yahvé, je ne prends pas plaisir à la mort du
Lc 15 7, 10, 32 méchant, mais à la conversion du méchant qui
change de conduite pour avoir la vie. Convertissez-
vous, revenez de votre voie mauvaise. Pourquoi
mourir, maison d'Israël? »
12 Et toi, fils d'homme, dis aux fils de ton
peuple : La justice du juste ne le sauvera pas au
jour de son crime, et la méchanceté du méchant ne
le fera pas succomber au jour où il reviendra de sa
méchanceté. Le juste ne peut pas vivre en vertu de
sa justice au jour de son péché. 13 Si je dis au juste :
« Tu vivras »[d], mais que lui, se confiant dans sa
justice, commette le mal, on ne se souviendra plus
de toute sa justice, mais c'est de tout le mal qu'il
a commis qu'il mourra. 14 Mais si je dis au
méchant : « Tu mourras », et qu'il revienne de ses
péchés et pratique le droit et la justice, 15 s'il[e] rend
le gage, restitue ce qu'il a volé, observe les lois qui Ne 9 29
donnent la vie sans plus faire le mal : il vivra, il
ne mourra pas. 16 On ne se souviendra plus de tous = 18 22
les péchés qu'il a commis : il a observé le droit et
la justice, il vivra.
17 Les fils de ton peuple disent : « La manière = 18 29
d'agir du Seigneur n'est pas juste. » C'est votre
manière d'agir qui n'est pas juste. 18 Lorsque le
juste se détourne de sa justice pour commettre le
mal, il meurt pour cela. 19 Et lorsque le méchant se
détourne de sa méchanceté et pratique le droit et
la justice, c'est à cause de cela qu'il vit. 20 Et vous
dites : « La manière d'agir du Seigneur n'est pas
juste! » Je vous jugerai chacun selon votre = 18 30
conduite, maison d'Israël!

**La prise de la ville.**

21 La douzième année, le cinq du dixième mois
de notre captivité[f], le rescapé arriva vers moi de 24 26-27
Jérusalem et m'annonça : « La ville est prise. »
22 Or la main de Yahvé avait été sur moi, la veille
au soir, avant que n'arrivât le rescapé, et il m'ouvrit 3 26-27
la bouche quand celui-ci arriva vers moi, le matin;
ma bouche s'ouvrit et je ne fus plus muet[g].

*a)* La troisième partie du livre contient les oracles prononcés depuis l'invasion de la Palestine par Nabuchodonosor, à l'exception des poèmes contre les nations, réunis dans la seconde partie.
*b)* Au début d'une nouvelle période de son ministère, le prophète reçoit, dans des termes presque identiques, la même mission qu'il avait reçue après sa vision inaugurale, 3 17-21.
*c)* Le peuple, découragé, se déclare écrasé par le poids de ses péchés et incapable d'y échapper. Ézéchiel affirme en réponse la possibilité d'une conversion. Ce développement, vv. 10-20, est la reprise du thème déjà traité en **18** 21-31.
*d)* « tu vivras » versions; « il vivra » hébr.
*e)* L'hébr. ajoute « le méchant », omis par les versions.
*f)* Décembre 586-janvier 585, mais cette date est suspecte : la prise de la ville a eu lieu au quatrième mois de la onzième année de Sédécias, 2 R **25** 3; Jr **39** 2. La nouvelle aurait donc mis dix-sept mois pour parvenir à Ézéchiel; or il fallait environ quatre mois à une caravane pour faire ce trajet, cf. Esd **7** 9; **9** 31. La bonne leçon a peut-être été conservée par quelques mss hébr. et grec et par syr. qui lisent : « le onzième mois ».
*g)* Ézéchiel avait donc été privé, par « la main de Yahvé », de l'usage de la parole, cf. **3** 24-27; **24** 27.

### La dévastation du pays.

23 Alors la parole de Yahvé me fut adressée en
ces termes : 24 Fils d'homme, ceux qui habitent ces
ruines, sur le sol d'Israël, parlent ainsi : « Abraham
était seul lorsqu'il a été mis en possession de ce
pays. Nous qui sommes nombreux, c'est à nous que
11 15 le pays est donné en patrimoine [a]. »
25 Eh bien! dis-leur : Ainsi parle le Seigneur
Lv 17 10-14; Yahvé. Vous mangez le sang [b], vous levez les yeux
1 5+ vers vos ordures, vous répandez le sang, et vous
posséderiez le pays?
26 Vous vous appuyez sur vos épées, vous
Lv 18 20 commettez l'abomination, chacun souille la femme
de son prochain, et vous posséderiez le pays? 27 Tu
leur diras ceci : Ainsi parle le Seigneur Yahvé : Par
ma vie, je le jure, ceux qui sont dans les ruines tomberont par l'épée, celui qui est en rase campagne,
je le livrerai aux bêtes pour en être dévoré, et ceux
qui sont dans les lieux escarpés et dans les cavernes
mourront de la peste. 28 Je ferai du pays une solitude désolée, et l'orgueil de sa force prendra fin.
Les montagnes d'Israël seront dévastées et nul n'y
passera plus. 29 Et l'on saura que je suis Yahvé,
quand je ferai du pays une solitude désolée à cause
de toutes les abominations qu'ils ont commises.

### Résultats de la prédication.

30 Et toi, fils d'homme, les fils de ton peuple
s'entretiennent de toi le long des murs et aux portes
des maisons. Ils se disent l'un à l'autre, chacun à
son voisin : « Venez donc écouter quelle parole
arrive de la part de Yahvé. » 31 Et ils viennent vers
toi en foule, mon peuple s'assied devant toi, écoute
Mt 7 26 tes paroles, mais ne les met pas en pratique. Ce
Lc 8 21 qu'ils mettent en pratique, c'est le mensonge [c] qui
est dans leur bouche, et leur cœur s'attache au gain
malhonnête. 32 Voici, tu es pour eux comme
↗ Lc 7 32 un chant d'amour, agréablement chanté, bien
accompagné de musique. Ils écoutent tes paroles,
mais nul ne les met en pratique. 33 Lorsque cela
arrivera – et voici que cela arrive – ils sauront qu'il Dt 18 21+
y avait un prophète parmi eux. Ez 2 5

### Les pasteurs d'Israël [d].

Jr 23 1-6; 31 10
Za 11 4-17
34 1 La parole de Yahvé me fut adressée en ces ↗ Mt 18 12-14
termes : 2 Fils d'homme, prophétise contre les ↗ Lc 15 4-7
pasteurs d'Israël, prophétise. Tu leur diras : Pas- ↗ Jn 10 1-18+
teurs [e], ainsi parle le Seigneur Yahvé. Malheur aux
pasteurs d'Israël qui se paissent eux-mêmes. Les
pasteurs ne doivent-ils pas paître le troupeau?
3 Vous vous êtes nourris de lait [f], vous vous êtes
vêtus de laine, vous avez sacrifié les brebis les plus
grasses, mais vous n'avez pas fait paître le trou- 1 P 5 2-4
peau. 4 Vous n'avez pas fortifié les brebis chétives,
soigné celle qui était malade, pansé celle qui était
blessée. Vous n'avez pas ramené celle qui s'égarait, Mt 18 12-14
cherché celle qui était perdue. Mais vous les avez Lc 15 4-7
régies avec violence et dureté. 5 Elles se sont dispersées, faute de pasteur, pour devenir la proie de Mt 9 36
toute bête sauvage; elles se sont dispersées. 6 Mon Za 10 2
troupeau erre sur toutes les montagnes et sur toutes Is 56 9-12
les collines élevées [g], mon troupeau est dispersé sur
toute la surface du pays, nul ne s'en occupe et nul
ne se met à sa recherche.
7 Eh bien! pasteurs, écoutez la parole de Yahvé.
8 Par ma vie, oracle du Seigneur Yahvé, je le jure :
parce que mon troupeau est mis au pillage et
devient la proie de toutes les bêtes sauvages, faute
de pasteur, parce que mes pasteurs ne s'occupent
pas de mon troupeau, parce que mes pasteurs se
paissent eux-mêmes sans paître mon troupeau, 9 eh
bien! pasteurs, écoutez la parole de Yahvé. 10 Ainsi
parle le Seigneur Yahvé. Voici, je me déclare contre
les pasteurs. Je leur reprendrai mon troupeau et
désormais, je les empêcherai de paître mon troupeau. Ainsi les pasteurs ne se paîtront plus eux-mêmes. J'arracherai mes brebis de leur bouche et elles
ne seront plus pour eux une proie.
11 Car ainsi parle le Seigneur Yahvé : Voici que
j'aurai soin moi-même de mon troupeau et je m'en

*a)* Réflexion qui montre l'attachement du peuple à son pays, mais aussi une confiance présomptueuse en l'avenir, même après la catastrophe de 587.

*b)* Traduction incertaine, litt. : « vous mangez sur le sang ». Peut-être, en corrigeant : « vous mangez sur les montagnes », cf. **18** 6.

*c)* « en foule », litt. « comme une irruption de peuple ». – « le mensonge » *kezabîm* conj.; « la passion » *'agabîm* hébr. (terme employé au v. suivant au sens de [chant] d'amour »).

*d)* L'image du roi-berger est ancienne dans le patrimoine littéraire de l'Orient. Jérémie l'a appliquée aux rois d'Israël, pour leur reprocher d'avoir mal accompli leurs fonctions, Jr **2** 8; **10** 21; **23** 1-3, et pour annoncer que Dieu donnera à son peuple de nouveaux pasteurs, qui le paîtront dans la justice, Jr **3** 15; **23** 4, et parmi ces pasteurs un « germe », Jr **23** 5-6, le Messie. Ézéchiel reprend le thème de Jr **23** 1-6, qui sera encore repris plus tard par Za **11** 4-17; **13** 7. Il reproche aux pasteurs, ici les rois et chefs laïcs du peuple, leurs crimes, vv. 1-10. Yahvé leur reprendra le troupeau qu'ils malmènent et se fera lui-même le pasteur de son peuple (cf. Gn **48** 15; **49** 24; Is **40** 11; Ps **80** 2; **95** 7 et Ps **23**); c'est l'annonce d'une théocratie, vv. 11-16 : de fait, au retour de l'Exil, la royauté ne sera pas rétablie. C'est plus tard que Yahvé donnera à son peuple (cf. **17** 22; **21** 32) un pasteur de son choix, vv. 23-24, un « prince » (cf. **45** 7-8, 17; **46** 8-10, 16-18), nouveau David. La description du règne de ce prince, vv. 25-31, et le nom de David qui lui est donné (voir 2 S **7** 1+; cf. Is **11** 1+; Jr **23** 5) suggèrent une ère messianique, où Dieu lui-même, par son Messie, régnera sur son peuple dans la justice et dans la paix. On trouve dans ce texte d'Ézéchiel l'esquisse de la parabole de la brebis perdue, Mt **18** 12-14; Lc **15** 4-7, et surtout de l'allégorie du bon Pasteur, Jn **10** 11-18, qui, rapprochée d'Ézéchiel, apparaît comme une revendication messianique de Jésus. Le bon Pasteur sera l'un des thèmes iconographiques les plus anciens du christianisme.

*e)* « Pasteurs » syr., cf. v. 9; « Aux pasteurs » hébr.

*f)* « lait » grec, Vulg.; « graisse » hébr. (simple différence de vocalisation).

*g)* Allusion probable au culte des hauts lieux.

occuperai. [12] Comme un pasteur s'occupe de son
troupeau, quand il est au milieu de ses brebis épar-
pillées, je m'occuperai de mes brebis. Je les retirerai
de tous les lieux où elles furent dispersées, au jour
de nuées et de ténèbres. [13] Je leur ferai quitter les
Is **66** 18-19 peuples où elles sont, je les rassemblerai des pays
Mt **24** 31; **25** 32 étrangers et je les ramènerai sur leur sol. Je les ferai
paître sur les montagnes d'Israël, dans les ravins et
dans tous les lieux habités du pays. [14] Dans un bon
pâturage je les ferai paître, et sur les plus hautes
montagnes d'Israël sera leur pacage. C'est là
qu'elles se reposeront dans un bon pacage; elles
brouteront de gras pâturages sur les montagnes
d'Israël. [15] C'est moi qui ferai paître mes brebis et
c'est moi qui les ferai reposer, oracle du Seigneur
Is **40** 11 Yahvé. [16] Je chercherai celle qui est perdue, je
Lc **15** 4-7 ramènerai celle qui est égarée, je panserai celle qui
est blessée, je fortifierai celle qui est malade. Celle
qui est grasse et bien portante, je veillerai [a] sur elle.
Je les ferai paître avec justice.

[17] Quant à vous, mes brebis, ainsi parle le Sei-
↗ Mt **25** gneur Yahvé. Voici que je vais juger entre brebis
32-34 et brebis, entre béliers et boucs. [18] Non contents de
paître dans de bons pâturages, vous foulez aux
pieds le reste de votre pâturage; non contents de
boire une eau limpide, vous troublez le reste avec
vos pieds. [19] Et mes brebis doivent brouter ce que
vos pieds ont foulé et boire ce que vos pieds ont
troublé. [20] Eh bien! ainsi leur parle le Seigneur
Yahvé : Me voici, je vais juger entre la brebis
grasse et la brebis maigre. [21] Parce que vous avez
frappé des reins et de l'épaule et donné des coups
de cornes à toutes les brebis souffreteuses jusqu'à
les disperser au dehors, [22] je vais venir sauver mes
brebis pour qu'elles ne soient plus au pillage, je
vais juger entre brebis et brebis.

[23] Je susciterai pour le mettre à leur tête un pasteur qui les fera paître, mon serviteur David : c'est
lui qui les fera paître et sera pour eux un pasteur.
[24] Moi, Yahvé, je serai pour eux un Dieu, et mon
serviteur David sera prince au milieu d'eux. Moi,
Yahvé, j'ai parlé. [25] Je conclurai avec eux une
s **11** 6-9+ alliance de paix, je ferai disparaître du pays les
Jr **23** 5-6 bêtes féroces. Ils habiteront en sécurité dans le
Os **2** 20 désert, ils dormiront dans les bois. [26] Je les mettrai
aux alentours de ma colline [b], je ferai tomber la
pluie en son temps et ce sera une pluie de bénédictions. [27] L'arbre des champs donnera son fruit et la
terre donnera ses produits; ils seront en sécurité sur
leur sol. Et l'on saura que je suis Yahvé quand je
briserai les barres de leur joug et que je les délivrerai de la main de ceux qui les asservissent. [28] Ils ne
seront plus un butin pour les nations, et les bêtes
du pays ne les dévoreront plus. Ils habiteront en
sécurité, sans qu'on les trouble. [29] Je ferai pousser
pour eux une plantation célèbre; il n'y aura plus de
victimes de la famine dans le pays, et ils n'auront
plus à subir l'insulte des nations. [30] Alors on saura
que c'est moi leur Dieu, qui suis avec eux, et
qu'eux, la maison d'Israël, ils sont mon peuple, oracle du Seigneur Yahvé. [31] Et vous, mes brebis, vous
êtes le troupeau humain que je fais paître, et moi,
je suis votre Dieu, oracle du Seigneur Yahvé.

### Contre les montagnes d'Édom [c]. 25 12-14+

35 [1] La parole de Yahvé me fut adressée en ces Dt **2** 1+
termes : [2] Fils d'homme, tourne-toi vers la
montagne de Séïr et prophétise contre elle. [3] Tu lui
diras : Ainsi parle le Seigneur Yahvé. Voici que je
me déclare contre toi, montagne de Séïr, et j'étends
la main contre toi; je te transformerai en solitude
désolée; [4] je réduirai tes villes en ruines. Tu deviendras une solitude et tu sauras que je suis Yahvé.
[5] Parce que tu nourrissais une haine éternelle et que
tu as livré à l'épée les enfants d'Israël, au jour de
leur détresse, au jour du crime final, [6] eh bien! par
ma vie, oracle du Seigneur Yahvé, je vais t'ensan-
glanter et le sang te poursuivra. Je le jure, tu t'es
rendue coupable en versant le sang [d], le sang te ↗ Ap **16** 6
poursuivra. [7] Je ferai de la montagne de Séïr une
solitude désolée, et j'en retrancherai quiconque parcourt le pays. [8] J'emplirai ses montagnes de victimes; sur tes collines, dans tes vallées et dans tous
tes ravins, ils tomberont victimes de l'épée. [9] Je
ferai de toi des solitudes éternelles, tes villes ne
seront plus habitées, et vous saurez que je suis
Yahvé.

[10] Parce que tu as dit : « Les deux nations et les
deux pays seront à moi, nous allons en prendre
possession », alors que Yahvé y était [e], [11] eh bien!
par ma vie, oracle du Seigneur Yahvé, j'agirai selon
la colère et la jalousie avec lesquelles tu as agi dans
ta haine contre eux. Je me ferai connaître, à cause
d'eux, lorsque je te châtierai, [12] et tu sauras que
moi, Yahvé, j'ai entendu toutes les insolences que
tu as prononcées contre les montagnes d'Israël en
disant : « Elles sont dévastées, elles nous ont été
données pour les dévorer. » [13] Grande fut votre

*a)* « je veillerai » versions; « je ferai périr » hébr.
*b)* D'après grec; hébr. : « je ferai d'elle et des alentours de ma colline une bénédiction ». – La colline est celle de Sion.
*c)* Cet oracle contre la « montagne de Séïr », c'est-à-dire Édom, aurait trouvé sa place naturelle parmi les oracles contre les nations. Mais il fait ici pendant à l'oracle qui suit, adressé aux montagnes d'Israël.
*d)* « tu t'es rendue coupable en versant le sang » grec, cf. **22** 4; « tu as haï le sang » hébr.
*e)* Après 587, Édom n'a occupé que le sud de la Palestine (l'Idumée) et, sauf peut-être quelques raids épisodiques, n'a jamais tenté d'envahir tout Juda et Israël, les « deux pays », cf. **37** 22. Mais les exilés ont interprété la nouvelle de l'invasion édomite comme une menace contre toute la terre de Yahvé.

insolence à mon égard, nombreux vos discours
contre moi, et j'ai tout entendu. 14 Ainsi parle le
Seigneur Yahvé : A la joie de tout le pays je ferai
de toi une désolation. 15 Comme tu as éprouvé de
la joie parce que l'héritage de la maison d'Israël
avait été dévasté, je te traiterai de la même manière.
Tu seras changée en désolation, montagne de Séïr,
ainsi qu'Édom tout entier, et on saura que je suis
Yahvé.

**Oracle sur les montagnes d'Israël** [a].

**36** 1 Et toi, fils d'homme, adresse une prophétie
aux montagnes d'Israël. Tu diras : Montagnes
d'Israël, écoutez la parole de Yahvé. 2 Ainsi parle
le Seigneur Yahvé. Parce que l'ennemi a prononcé
contre vous ces paroles : « Ha! Ha! Ces hauteurs
éternelles sont devenues notre patrimoine », 3 eh
bien! prophétise. Tu diras : Ainsi parle le Seigneur
Yahvé. Parce qu'on vous a dévastées et prises de
toute part, si bien que vous êtes devenues la propriété du reste des nations, prétexte au bavardage
et au commérage des gens, 4 eh bien! montagnes
d'Israël, écoutez la parole du Seigneur Yahvé.
Ainsi parle le Seigneur Yahvé aux montagnes, aux
collines, aux ravins et aux vallées, aux ruines
dévastées et aux villes abandonnées qui sont mises
au pillage et deviennent la risée du reste des nations
d'alentour. 5 Eh bien! ainsi parle le Seigneur Yahvé.
Je le jure dans l'ardeur de ma jalousie, je m'adresse
au reste des nations, à Édom tout entier, qui, la joie
au cœur et le mépris dans l'âme, se sont attribué
mon pays en propriété pour piller son pâturage.

6 A cause de cela, prophétise au sujet de la terre
d'Israël. Tu diras aux montagnes et aux collines,
aux ravins et aux vallées : Ainsi parle le Seigneur
Yahvé. Voici que je parle dans ma jalousie et ma
fureur : puisque vous subissez l'insulte des nations,
7 eh bien! ainsi parle le Seigneur Yahvé : je lève la
main, je le jure, les nations qui vous entourent subiront elles-mêmes leur insulte.

8 Et vous, montagnes d'Israël, vous allez donner
vos branches et porter vos fruits pour mon peuple
Israël, car il est près de revenir [b]. 9 Me voici, je
viens vers vous, je me tourne vers vous, vous allez
être cultivées et ensemencées. 10 Je vais multiplier
sur vous les hommes, la maison d'Israël tout
entière. Les villes seront habitées et les ruines rebâties. 11 Je multiplierai sur vous hommes et bêtes, ils
seront nombreux et féconds. Je ferai que vous serez
habitées comme auparavant, je vous ferai plus de
bien qu'autrefois et vous saurez que je suis Yahvé.
12 Je ferai fouler votre sol par des hommes, mon
peuple Israël; tu seras sa propriété et son héritage
et tu ne les priveras plus de leurs enfants.

13 Ainsi parle le Seigneur Yahvé. Parce qu'on a
dit de toi : « Tu es une mangeuse d'hommes, tu as
privé ta nation de ses enfants » [c], 14 eh bien! tu ne
dévoreras plus d'hommes, tu ne priveras plus ta
nation de ses enfants [d], oracle du Seigneur Yahvé.
15 Je ne te ferai plus entendre l'insulte des nations,
tu n'auras plus à subir la raillerie des peuples, tu
ne priveras plus ta nation de ses enfants. Oracle du
Seigneur Yahvé.

16 La parole de Yahvé me fut adressée en ces termes : 17 Fils d'homme, les gens de la maison
d'Israël habitaient sur leur territoire, et ils l'ont
souillé par leur conduite et par leurs œuvres;
comme la souillure d'une femme impure, telle fut Lv **15** 19-27
leur conduite devant moi. 18 Alors j'ai déversé ma
fureur sur eux, à cause du sang qu'ils ont versé
dans le pays et des ordures dont ils l'ont souillé.
19 Je les ai disséminés parmi les nations et ils ont
été dispersés dans les pays étrangers. Je les ai jugés
selon leur conduite et selon leurs œuvres. 20 [e] Et
parmi les nations où ils sont venus, ils ont profané ↗ Rm **2** 24
mon saint nom, faisant dire à leur sujet : « C'est le Ez **20** 39+
peuple de Yahvé, ils sont sortis de son pays. »
21 Mais j'ai eu égard à mon saint nom que la maison d'Israël a profané parmi les nations où elle est
venue. 22 Eh bien! dis à la maison d'Israël : Ainsi
parle le Seigneur Yahvé. Ce n'est pas à cause de **16** 60-63
vous que j'agis de la sorte, maison d'Israël, mais Is **48** 11 Ps **115** 1
c'est pour mon saint nom, que vous avez profané
parmi les nations où vous êtes venus. 23 Je sanc-
tifierai mon grand nom qui a été profané parmi les
nations au milieu desquelles vous l'avez profané. Et
les nations sauront que je suis Yahvé – oracle du
Seigneur Yahvé – quand je ferai éclater ma sainteté, à votre sujet, sous leurs yeux. 24 Alors je vous
prendrai parmi les nations, je vous rassemblerai de
tous les pays étrangers et je vous ramènerai vers
votre sol. 25 Je répandrai sur vous une eau pure et Jn **3** 5; **4**
vous serez purifiés; de toutes vos souillures et de
toutes vos ordures je vous purifierai. 26 Et je vous
donnerai un cœur nouveau, je mettrai en vous un **11** 19+
esprit nouveau, j'ôterai de votre chair le cœur de Jr **4** 4+

*a)* Cet oracle annonce la revanche des montagnes d'Israël sur la montagne d'Édom, objet du précédent oracle. Il doit avoir été prononcé peu après 587, lors des incursions en Palestine des peuples voisins, cf. v. 6.

*b)* Cette foi en un retour prochain est frappante, en une époque de stupeur et de découragement. Cf. **37**; Is **40-55**.

*c)* L'expression peut s'expliquer, soit par la pauvreté du sol palestinien, qui sera changée, v. 30, en une merveilleuse fécondité, soit par la pratique des sacrifices d'enfants, Lv **18** 21+. Le prophète peut avoir en vue simultanément les deux applications.

*d)* « tu ne priveras plus (ta nation) de ses enfants » *lo' teshakkelî* mss, versions; « (et ta nation) tu ne trébucheras plus » *lo' tekashshelî* hébr. On fait la même correction, par conjecture, au v. suivant.

*e)* Au début du v., on omet « il est venu ».

pierre et je vous donnerai un cœur de chair. [27] Je
Jr 31 31+ 1 Jn 3 23-24 Ga 5 22-25 mettrai mon esprit en vous et je ferai que vous mar-
chiez selon mes lois et que vous observiez et prati-
quiez mes coutumes [a]. [28] Vous habiterez le pays
que j'ai donné à vos pères. Vous serez mon peuple
et moi je serai votre Dieu. [29] Je vous sauverai de
toutes vos souillures. J'appellerai le blé et le multiplierai, et je ne vous imposerai plus de famine. [30] Je
multiplierai les fruits des arbres et les produits des
champs, afin que vous ne subissiez plus l'opprobre
de la famine parmi les nations. [31] Alors vous vous
16 61-63 souviendrez de votre mauvaise conduite et de
vos actions qui n'étaient pas bonnes. Vous vous
prendrez vous-mêmes en dégoût à cause de vos fautes et de vos abominations. [32] Ce n'est pas à cause
de vous que j'agis – oracle du Seigneur Yahvé –
sachez-le bien. Ayez honte et rougissez de votre
conduite, maison d'Israël.

[33] Ainsi parle le Seigneur Yahvé : Au jour où je
vous purifierai de toutes vos fautes, je ferai que les
villes soient habitées et les ruines rebâties; [34] la
terre dévastée sera cultivée, après avoir été dévastée, aux yeux de tous les passants. [35] Et l'on dira :
Is 51 3 « Cette terre, naguère dévastée, est comme un jardin d'Éden, et les villes en ruines, dévastées et
démolies, on en a fait des forteresses habitées. »
[36] Et les nations qui survivront autour de vous sauront que c'est moi, Yahvé, qui ai rebâti ce qui était
démoli et qui ai replanté ce qui était dévasté. Moi,
Yahvé, j'ai dit et je fais.

[37] Ainsi parle le Seigneur Yahvé : Pour leur
accorder ceci encore, je me laisserai chercher par
la maison d'Israël; je les multiplierai comme un
troupeau humain, [38] comme un troupeau de bêtes
consacrées, comme le troupeau réuni à Jérusalem
lors de ses assemblées. C'est ainsi que vos villes en
ruines se rempliront d'un troupeau humain, et l'on
saura que je suis Yahvé.

**Les ossements desséchés.**

3 12 **37** [1] La main de Yahvé fut sur moi, il m'emmena
par l'esprit de Yahvé, et il me déposa au
milieu de la vallée [b], une vallée pleine d'ossements.
[2] Il me la fit parcourir, parmi eux, en tous sens. Or
les ossements étaient très nombreux sur le sol de
la vallée, et ils étaient complètement desséchés. [3] Il
me dit : « Fils d'homme, ces ossements vivront-
ils? » Je dis : « Seigneur Yahvé, c'est toi qui le
sais. » [4] Il me dit : « Prophétise sur ces ossements.
Tu leur diras : Ossements desséchés, écoutez la
parole de Yahvé. [5] Ainsi parle le Seigneur Yahvé
à ces ossements. Voici que je vais faire entrer en
vous l'esprit [c] et vous vivrez. [6] Je mettrai sur vous
des nerfs, je ferai pousser sur vous de la chair, je
tendrai sur vous de la peau, je vous donnerai un
esprit et vous vivrez, et vous saurez que je suis
Yahvé. » [7] Je prophétisai, comme j'en avais reçu
l'ordre. Or il se fit un bruit au moment où je prophétisais; il y eut un frémissement et les os se rapprochèrent [d] les uns des autres. [8] Je regardai : ils
étaient recouverts de nerfs, la chair avait poussé et
la peau s'était tendue par-dessus, mais il n'y avait
pas d'esprit en eux. [9] Il me dit : « Prophétise à l'esprit, prophétise, fils d'homme. Tu diras à l'esprit :
ainsi parle le Seigneur Yahvé. Viens des quatre
vents, esprit, souffle sur ces morts, et qu'ils
vivent. » [10] Je prophétisai comme il m'en avait
donné l'ordre, et l'esprit vint en eux, ils reprirent Gn 2 7 Ps 104 30 ↗ Ap 11 11; 20 4+ Rm 8 11
vie et se mirent debout sur leurs pieds : grande,
immense armée [e].

[11] Alors il me dit : Fils d'homme, ces ossements,
c'est toute la maison d'Israël. Les voilà qui disent :
« Nos os sont desséchés, notre espérance est
détruite, c'en est fait de nous [f]. » [12] C'est pourquoi,
prophétise. Tu leur diras : Ainsi parle le Seigneur
Yahvé. Voici que j'ouvre vos tombeaux; je vais
vous faire remonter de vos tombeaux, mon peuple,
et je vous ramènerai sur le sol d'Israël. [13] Vous
saurez que je suis Yahvé, lorsque j'ouvrirai vos
tombeaux et que je vous ferai remonter de vos tombeaux, mon peuple. [14] Je mettrai mon esprit en vous
et vous vivrez, et je vous installerai sur votre sol,
et vous saurez que moi, Yahvé, j'ai parlé et je fais,
oracle de Yahvé.

*a)* L'Esprit (souffle) de Dieu qui crée et anime les êtres, Gn **1** 2; **2** 7+; **6** 17+, s'empare des hommes pour les doter d'un pouvoir surhumain, Gn **41** 38; Ex **31** 3; 1 S **16** 13, spécialement des prophètes, Jg **3** 10+. Les temps messianiques seront caractérisés par une effusion extraordinaire de l'Esprit, Za **4** 6; **6** 8, atteignant tous les hommes pour leur communiquer des charismes spéciaux, Nb **11** 29; Jl **3** 1-2; Ac **2** 16-21+. Mais, plus mystérieusement, l'Esprit sera, pour chacun, principe d'un renouvellement intérieur qui le rendra apte à observer fidèlement la Loi divine, Ez **11** 19; **36** 26-27; **37** 14; Ps **51** 12s; Is **32** 15-19; Za **12** 10; il sera ainsi le principe de la Nouvelle Alliance, Jr **31** 31+; cf. 2 Co **3** 6+; comme une eau fécondante, il fera germer des fruits de justice et de sainteté, Is **44** 3; Jn **4** 1+, qui garantiront aux hommes la faveur et la protection de Dieu, Ez **39** 24, 29. Cette effusion de l'Esprit s'effectuera par l'intermédiaire du Messie, qui en sera le premier bénéficiaire en vue d'accomplir son œuvre de salut, Is **11** 1-3; **42** 1; **61** 1; cf. Mt **3** 16+.

*b)* La vallée déjà citée à **3** 22-23 et **8** 4.

*c)* En hébreu le même mot *ruah* signifie « esprit », « souffle » et « vent ».

*d)* « les os se rapprochèrent » grec; « vous vous rapprochâtes les os » hébr.

*e)* Comme en Os **6** 2; **13** 14 et Is **26** 19, Dieu annonce ici, cf. vv. 11-14, la restauration messianique d'Israël, après les souffrances de l'Exil (cf. Ap **20** 4+). Mais, par les symboles utilisés, il orientait déjà les esprits vers l'idée d'une résurrection individuelle de la chair, entrevue en Jb **19** 25+, explicitement affirmée en Dn **12** 2; 2 M **7** 9-14, 23-36; **12** 43-46; cf. 2 M **7** 9+. Pour le NT, voir Mt **22** 29-32 et surtout 1 Co **15**.

*f)* Cette réflexion nous permet de situer la vision à Babylone, au milieu des déportés découragés.

**Juda et Israël en un seul royaume.**

[15] La parole de Yahvé me fut adressée en ces termes : [16] Et toi, fils d'homme, prends un morceau de
bois et écris dessus : « Juda et les Israélites [a] qui
sont avec lui. » Prends un morceau de bois et écris
dessus : « Joseph (bois d'Éphraïm) et toute la maison d'Israël qui est avec lui [b]. » [17] Rapproche-les
l'un de l'autre pour faire un seul morceau de bois;
qu'ils ne fassent qu'un dans ta main. [18] Et lorsque
les enfants de ton peuple te diront : « Ne nous expliqueras-tu pas ce que tu veux dire? » [19] dis-leur :
Ainsi parle le Seigneur Yahvé : Voici que je vais
prendre le bois de Joseph (qui est dans la main d'É-
phraïm) et les tribus d'Israël qui sont avec lui, je
vais les mettre contre le bois de Juda, j'en ferai un
Za **11** 7, 14 seul morceau de bois et ils ne seront qu'un dans ma
main.

[20] Quand les morceaux de bois sur lesquels tu
auras écrit seront dans ta main, à leurs yeux,
[21] dis-leur : Ainsi parle le Seigneur Yahvé. Voici
que je vais prendre les enfants d'Israël parmi les
nations où ils sont allés. Je vais les rassembler de
tous côtés et les ramener sur leur sol. [22] J'en ferai
une seule nation dans le pays, dans les montagnes
d'Israël, et un seul roi sera leur roi à eux tous; ils
Jr **3** 18+ ne formeront plus deux nations, ils ne seront plus
divisés en deux royaumes. [23] Ils ne se souilleront
plus avec leurs ordures, leurs horreurs et tous leurs
crimes. Je les sauverai des infidélités [c] qu'ils ont
commises et je les purifierai, ils seront mon peuple
et je serai leur Dieu. [24] Mon serviteur David
**34** 23 régnera sur eux; il n'y aura qu'un seul pasteur pour
↗ Jn **10** 16 eux tous; ils obéiront à mes coutumes, ils observeront mes lois et les mettront en pratique. [25] Ils habi-
= **28** 26 teront le pays que j'ai donné à mon serviteur Jacob,
Jr **17** 25 celui qu'ont habité vos pères. Ils l'habiteront, eux,
Jl **4** 20 leurs enfants et les enfants de leurs enfants, à
jamais. David mon serviteur sera leur prince à
jamais. [26] Je conclurai avec eux une alliance de
paix, ce sera avec eux une alliance éternelle. Je les Jr **31** 31+
établirai, je les multiplierai et j'établirai mon sanctuaire au milieu d'eux à jamais. [27] Je ferai ma
demeure au-dessus d'eux, je serai leur Dieu et ils
seront mon peuple. [28] Et les nations sauront que je
suis Yahvé qui sanctifie Israël, lorsque mon sanctuaire sera au milieu d'eux à jamais.

**Contre Gog, roi de Magog [d].** ↗ Ap **20**

**38** [1] La parole de Yahvé me fut adressée en ces 7-10
termes : [2] Fils d'homme, tourne-toi vers Gog,
au pays de Magog, prince, chef de Méshek et de Gn **10** 2
Tubal [e], et prophétise contre lui. [3] Tu diras : Ainsi
parle le Seigneur Yahvé. Je me déclare contre toi,
Gog, prince, chef de Méshek et de Tubal. [4] Je te **27** 13
ferai faire demi-tour, je mettrai des crocs à tes mâ- **29** 4
choires [f] et je te ferai sortir avec toute ton armée,
chevaux et cavaliers, tous parfaitement équipés,
troupe nombreuse, tous portant écus et boucliers et
sachant manier l'épée. [5] La Perse, Kush et Put sont **27** 10+
avec eux, tous avec le bouclier et le casque.
[6] Gomer et toutes ses troupes, Bet-Togarma, à l'extrême nord, et toutes ses troupes [g], des peuples innombrables sont avec toi. [7] Sois prêt, prépare-toi
bien, toi et toutes tes troupes ainsi que ceux qui se
sont groupés autour de toi, et mets-toi à mon service [h].

[8] Après bien des jours, tu recevras des ordres.
Après bien des années, tu viendras vers le pays
dont les habitants ont échappé à l'épée et ont été
rassemblés, parmi une multitude de peuples, sur les
montagnes d'Israël qui furent longtemps une
ruine [i]. Depuis qu'ils ont été séparés des autres peuples, ils habitent tous en sécurité. [9] Tu monteras, tu
avanceras comme une tempête, tu seras comme une
nuée qui couvrira le pays, toi, toutes tes troupes et
des peuples nombreux avec toi.

[10] Ainsi parle le Seigneur Yahvé : Ce jour-là, des
pensées naîtront dans ton cœur et tu formeras de
mauvais desseins [j]. [11] Tu diras : « Je vais monter

*a)* Le terme ne s'oppose pas ici à « Judéens », il désigne toute la population du royaume du Sud.
*b)* C'est-à-dire tout le royaume du Nord disparu depuis la prise de Samarie et la déportation de 721.
*c)* « infidélités » *meshûbôt* mss, Sym.; « habitations » *môshebôt* hébr.
*d)* Sans être purement une apocalypse, ce poème présente déjà nombre de traits apocalyptiques. Tandis que les anciennes prophéties étaient surtout des prédications morales concernant le présent, auxquelles se mêlait, ici ou là, la perspective d'un avenir meilleur, l'apocalypse est le plus souvent un écrit ou un discours de *consolation,* où un prophète raconte les visions dont il a été le témoin. Ces visions dévoilent un avenir qui fera oublier les souffrances présentes. Elles dévoilent souvent aussi les triomphes du jugement et ouvrent des perspectives eschatologiques, en même temps qu'elles révèlent les mystères de l'au-delà. Si ce genre littéraire se développa surtout dans le judaïsme tardif, il était depuis longtemps préparé et représenté dans la Bible, cf. l'Introd., pp. 1074, 1085. Ez **38-39** en marque la première approche. On le retrouve dans Is **24-27**; Dn **7-12**; Za **9-14**. Il se développa surtout au IIe siècle av. J.-C. (livre d'Énok, etc.). Il est représenté dans le NT par l'Apocalypse de saint Jean.
*e)* Méshek et Tubal sont des pays d'Asie Mineure, cf. **27** 13; Is **66** 21+. Le « pays de Magog », ici et **39** 6 seulement, est une création artificielle : le nom lui-même signifie « pays de Gog ». Quant à Gog, il semble vain de tenter de l'identifier. Empruntant peut-être des traits à plusieurs personnages contemporains, il est présenté ici comme le type du conquérant barbare qui, dans un avenir lointain et imprécis, doit apporter les dernières épreuves à Israël.
*f)* Yahvé prend possession de Gog, et va le forcer à l'obéissance.
*g)* Probablement les Cimmériens, encore des hordes venant du nord.
*h)* « à mon service » grec; « à leur service » hébr.
*i)* Donc longtemps après le retour en Palestine.
*j)* Gog ne sait pas qu'il est l'instrument de Yahvé : il croit agir de lui-même; cf. Is **10** 4+.

contre un pays sans défense, marcher contre des
hommes tranquilles, qui habitent en sécurité. Ils
habitent tous des villes sans remparts, ils n'ont ni
verrous ni portes. » 12 Tu iras piller et faire du
butin, porter la main contre des ruines habitées et
contre un peuple rassemblé d'entre les nations,
adonné à l'élevage et au commerce, qui habite sur
1 R **10** 1+ le nombril de la terre[a]. 13 Sheba, Dedân, les
Ez **25** 13+ trafiquants de Tarsis et tous ses jeunes lions te
diront : « Est-ce pour piller que tu es venu? Est-ce
pour faire du butin que tu as réuni tes troupes? Est-
ce pour enlever l'or et l'argent, pour saisir troupeaux et marchandises, pour emporter un immense
butin? »

14 C'est pourquoi, prophétise, fils d'homme. Tu
diras à Gog : Ainsi parle le Seigneur Yahvé.
N'est-il pas vrai que ce jour-là, quand mon peuple
Israël habitera en sécurité, tu te mettras en route[b]?
15 Tu quitteras ta résidence à l'extrême nord, toi et
des peuples nombreux avec toi, tous montés sur des
chevaux, troupe énorme, armée innombrable. 16 Tu
monteras contre Israël mon peuple, tu seras comme
une nuée qui recouvre la terre. Ce sera à la fin des
jours que je t'amènerai contre mon pays, pour que
Ex **14** 4 les nations me connaissent, quand je manifesterai
ma sainteté à leurs yeux, par ton intermédiaire,
Gog.

17 Ainsi parle le Seigneur Yahvé : C'est toi[c] dont
j'ai parlé au temps jadis, par mes serviteurs les prophètes d'Israël qui ont prophétisé en ce temps-là,
annonçant ta venue contre eux[d]. 18 En ce jour-là,
au jour où Gog s'avancera contre le territoire
d'Israël – oracle du Seigneur Yahvé – mon courroux montera[e]. Dans ma colère, 19 dans ma jalousie, dans l'ardeur de ma fureur, je le dis : ce jour-là,
je le jure, il y aura un grand tumulte sur le territoire
d'Israël. 20 Alors trembleront devant moi les poissons de la mer et les oiseaux du ciel, les bêtes sauvages, tous les reptiles qui rampent sur le sol et
tous les hommes qui sont sur la surface du sol. Les
Am **8** 9+ montagnes s'écrouleront, les parois des rochers
trembleront, toutes les murailles tomberont par
terre. 21 J'appellerai contre lui toute sorte d'épée[f],
oracle du Seigneur Yahvé, et ils tourneront l'épée
l'un contre l'autre. 22 Je le châtierai par la peste et
le sang, je ferai tomber la pluie torrentielle, des grêlons, du feu et du soufre, sur lui, sur ses troupes
et sur les peuples nombreux qui sont avec lui. 23 Je
manifesterai ma grandeur et ma sainteté, je me
ferai connaître aux yeux des nations nombreuses,
et ils sauront que je suis Yahvé. Ex **14** 4

39[g] 1 Et toi, fils d'homme, prophétise contre Gog.
Tu diras : Ainsi parle le Seigneur Yahvé. Je
me déclare contre toi, Gog, prince, chef de Méshek **38** 3-4
et Tubal. 2 Je te ferai faire demi-tour, je te conduirai, je te ferai monter de l'extrême nord et je t'amènerai contre les montagnes d'Israël. 3 Je briserai
ton arc dans ta main gauche et je ferai tomber tes
flèches de ta main droite. 4 Tu tomberas sur les
montagnes d'Israël, toi, toutes tes troupes et les
peuples qui sont avec toi. Je te donne en pâture aux
oiseaux de proie de toute espèce et aux bêtes sauvages : 5 tu tomberas en plein champ, car moi, j'ai
parlé, oracle du Seigneur Yahvé. 6 J'enverrai le feu
dans Magog et sur ceux qui habitent des îles, en
sécurité, et ils sauront que je suis Yahvé. 7 Je ferai **38** 23
connaître mon saint nom au milieu de mon peuple
Israël, je ne laisserai plus profaner mon saint nom,
et les nations sauront que je suis Yahvé, saint en
Israël[h].

8 Voici que cela vient, c'est fait – oracle du Seigneur Yahvé – c'est le jour que j'ai annoncé.
9 Alors les habitants des villes d'Israël s'en iront
brûler et livrer au feu les armes, écus et boucliers,
arcs et flèches, javelots et lances. Ils en feront du
feu pendant sept ans. 10 On n'ira plus chercher de
bois dans la campagne, on n'en coupera plus dans
les forêts, car c'est avec les armes qu'on fera du feu.
Ils pilleront ceux qui les pillaient, ils prendront du
butin à ceux qui leur en prenaient, oracle du Seigneur Yahvé.

11 Ce jour-là, je donnerai à Gog pour sa sépulture en Israël un lieu célèbre, la vallée des Oberim,
à l'est de la mer, la vallée qui arrête les passants[i];
on y enterrera Gog et toute sa multitude, et on
l'appellera : Vallée de Hamôn-Gog[j]. 12 La maison
d'Israël les enterrera afin de purifier le pays pendant sept mois. 13 Tous les gens du pays travailleront à les enterrer, et cela leur vaudra la renommée
au jour où je manifesterai ma gloire, oracle du Sei-

*a)* Jérusalem, centre du monde.
*b)* « tu te mettras en route » grec; « tu le sauras » hébr.
*c)* « C'est toi » versions; « Est-ce toi? » hébr.
*d)* Après « en ce temps-là » hébr. ajoute « des années », omis par grec. – On trouve chez les anciens prophètes des allusions à une invasion future, voir par ex. Jr **3-6**. Mais Ézéchiel semble songer ici à des prophètes plus anciens que Jérémie.
*e)* Jusque-là, Gog a été l'instrument de Yahvé. Mais Yahvé se retourne contre lui pour lui infliger une défaite terrifiante.
*f)* « toute sorte d'épée » *lekol hereb* conj.; « toutes mes montagnes, l'épée » *lekol haray hereb* hébr.
*g)* Plutôt qu'un doublet du ch. **38**, le ch. **39** est le développement des derniers vv. du ch. précédent : le récit détaillé de la défaite de Gog et de ses suites.
*h)* Ou peut-être, avec les versions et quelques mss hébr. : « le Saint d'Israël », formule très fréquente chez Isaïe, mais par là même suspecte ici.
*i)* « célèbre » versions; « là » hébr. – Au lieu de « vallée des Oberim » ou « vallée des Passants », il faut peut-être lire avec le copte : « vallée des Abarim », le jeu de mot avec la suite du v. ayant pu entraîner cette erreur de vocalisation. On connaît des monts Abarim, au pays de Moab, cf. Nb **27** 12; la vallée « qui arrête les passants » pourrait être celle de l'Arnon, profonde et escarpée.
*j)* C'est-à-dire « la vallée de la Horde de Gog ».

gneur Yahvé. 14 On mettra à part des hommes dont
la fonction permanente sera de parcourir le pays et
d'enterrer ceux qui sont restés sur le sol, pour le
purifier. Ils entreprendront leur recherche au bout
de sept mois [a]. 15 Quand ces gens-là parcourront le
pays, si l'un d'eux voit des ossements humains, il
dressera à côté une borne, jusqu'à ce que les fos-
Dt **21** 23 soyeurs les enterrent dans la vallée de Hamôn-Gog
Nb **19** 16 16 (et Hamona est aussi le nom d'une ville [b]), et
qu'ils aient purifié le pays.

17 Et toi, fils d'homme, ainsi parle le Seigneur
Yahvé. Dis aux oiseaux de toute espèce et à toutes
Ap **19** 17-18 les bêtes sauvages : Rassemblez-vous, venez, réu-
nissez-vous de partout alentour pour le sacrifice
que je vous offre, un grand sacrifice sur les montagnes d'Israël, et vous mangerez de la chair et vous
boirez du sang. 18 Vous mangerez la chair des
héros, vous boirez le sang des princes de la terre.
Ce sont tous des béliers, des agneaux, des boucs,
des taureaux gras du Bashân. 19 Vous mangerez de
la graisse jusqu'à satiété et vous boirez du sang
jusqu'à l'ivresse, en ce sacrifice que je vous offre.
20 Vous vous rassasierez à ma table, de chevaux et
de coursiers, de héros et de tout homme de guerre,
oracle du Seigneur Yahvé.

**Conclusion [c].**

Ex **14** 4 21 Je manifesterai ma gloire aux nations, et toutes
les nations verront mon jugement quand je l'exécuterai, et ma main quand je l'abattrai sur elles. 22 Et
la maison d'Israël saura que je suis Yahvé son
Dieu, à partir de ce jour et désormais. 23 Les
nations aussi le sauront : c'est pour sa faute envers
moi que la maison d'Israël a été exilée, c'est parce
qu'elle m'a été infidèle que je lui ai caché ma face,
que je l'ai livrée aux mains de ses ennemis et que
tous sont tombés par l'épée. 24 Je les ai traités
comme le méritaient leurs souillures et leurs transgressions, et je leur ai caché ma face. 25 C'est pourquoi, ainsi parle le Seigneur Yahvé : Maintenant, je
vais ramener les captifs de Jacob, je vais prendre
en pitié toute la maison d'Israël, et je me montrerai
jaloux de mon saint nom.

26 Ils oublieront leur déshonneur et toutes les infidélités qu'ils ont commises envers moi, quand ils
habitaient dans leur pays en sécurité, sans que personne les inquiète. 27 Quand je les ramènerai
d'entre les peuples et que je les rassemblerai des
pays de leurs ennemis, quand je manifesterai ma
sainteté en eux aux yeux des nations nombreuses,
28 ils sauront que je suis Yahvé leur Dieu – quand
je les aurai emmenés captifs parmi les nations et
que je les réunirai sur leur sol, sans laisser aucun
d'eux là-bas. 29 Et je ne leur cacherai plus ma face,
car je répandrai mon Esprit sur la maison d'Israël, 37 14
oracle du Seigneur Yahvé. **11** 19+

# *IV. La « Torah » d'Ézéchiel* [d]

**Le Temple futur.**

**40** 1 La vingt-cinquième année de notre captivité,
au commencement de l'année, le dix du mois,
quatorze ans après que la ville eut été prise [e], en
8 3 ce jour même, la main de Yahvé fut sur moi. Il
37 1 m'emmena là-bas : 2 par des visions divines, il
1 1-3
m'emmena au pays d'Israël et me déposa sur une ↗ Ap **21** 10
très haute montagne, sur laquelle semblait
construite une ville, au midi [f]. 3 Il m'y amena, et
voici qu'il y avait un homme [g] dont l'aspect était
comme celui de l'airain. Il avait dans la main un
cordeau de lin et une canne à mesurer, et il se tenait ↗ Ap **11** 1;
dans le porche. 4 L'homme me dit : « Fils d'homme, **21** 15

*a)* Après « enterrer », hébr. ajoute « les passants », omis par grec. – Il y a tant de morts qu'il faudra sept mois pour les enterrer, v. 12, et ce n'est qu'au bout de ces sept mois qu'on désignera des émissaires pour aller s'assurer qu'il ne reste plus de cadavres à enterrer, car un seul suffirait à souiller le pays.

*b)* Glose sur Hamôn, mais on ne connait pas de ville de ce nom, et le texte n'est pas sûr.

*c)* Cette conclusion n'est pas celle de l'oracle contre Gog, mais de toute la section; c'est un résumé de l'enseignement d'Ézéchiel, déjà exprimé à **5** 8, 10; **28** 26; **34** 30, etc.

*d)* La dernière partie du livre d'Ézéchiel, **40-48**, présente un plan détaillé de reconstruction religieuse et politique de la nation israélite en Palestine. Le prophète s'inspire du passé qu'il a bien connu, mais il s'efforce d'adapter la législation ancienne aux conditions nouvelles, et de profiter des expériences récentes pour éviter à Israël les tentations et les abus qui l'ont conduit à la ruine. Ézéchiel apparaît désormais comme l'organisateur qui veut donner corps aux réformes depuis longtemps entrevues et désirées. Ses promesses précédentes de restauration et d'alliance spirituelle postulaient une organisation nouvelle de la communauté. Ayant vécu à une époque où tout en Israël était à reconstruire, il peut doter le Judaïsme naissant d'une charte de fondation qui servira de base à tous les efforts et à toutes les espérances futures, depuis Esdras jusqu'à la Jérusalem céleste de l'Apocalypse. Le lecteur chrétien aimera à entendre tout cela de l'idéal de sainteté, **44** 23; **43** 7, et de présence de Dieu, **48** 35, qui est celui de l'Église.

*e)* Donc en septembre-octobre 573 : l'année religieuse commençait au printemps, mais le début de l'année civile coïncidait avec le premier mois d'automne.

*f)* Évidemment Jérusalem, mais une Jérusalem agrandie et idéalisée.

*g)* Cet « homme » est évidemment un ange, qui explique au prophète sa vision. Ce rôle d'interprète, dévolu aux anges, est un trait du prophétisme tardif, cf. Dn **8** 16; **9** 21s; **10** 5s; Za **1** 8s; **2** 2; Ap **1** 1; **10** 1-11, etc.

regarde bien, écoute de toutes tes oreilles et fais
Ex 25 9, 40 bien attention à tout ce que je vais te montrer, car c'est pour que je te le montre que tu as été amené ici. Fais connaître à la maison d'Israël tout ce que tu vas voir. »

### Le mur extérieur.

Ex 27 9-19; 38 9-20 5 Or voici que le Temple était entouré de tous côtés par un mur extérieur. L'homme tenait dans la main une canne à mesurer, de six coudées d'une
2 Ch 3 3; 4 5 coudée plus un palme [a]. Il mesura l'épaisseur de la construction : une canne, et sa hauteur : une canne.

### Le porche oriental [b]

6 Il vint vers le porche qui fait face à l'orient, il en gravit les marches et mesura le seuil du porche : une canne de profondeur [c]. 7 La loge : une canne de longueur sur une canne de largeur, le pilastre [d] entre les loges : cinq coudées, et le seuil du porche, du côté du vestibule du porche, vers l'intérieur : une canne [e]. 9 Il mesura le vestibule du porche : huit coudées; son pilastre : deux coudées; le vestibule du porche était situé vers l'intérieur. 10 Les loges du porche oriental étaient au nombre de trois de chaque côté, toutes trois de mêmes dimensions; les pilastres étaient de mêmes dimensions de chaque côté. 11 Il mesura la largeur de l'entrée du porche : dix coudées, et la longueur du porche : treize coudées. 12 Il y avait un parapet devant les loges, chaque parapet avait une coudée de part et d'autre et la loge avait six coudées de chaque côté. 13 Il mesura le porche depuis le fond d'une loge jusqu'au fond de l'autre [f], largeur : vingt-cinq coudées, les ouvertures étant en face l'une de l'autre. 14 Il mesura le vestibule : vingt coudées; le parvis entourait le porche de tous côtés [g]. 15 De la façade du porche, à l'entrée, jusqu'au fond du vestibule intérieur du porche : cinquante coudées. 16 Il y avait des fenêtres à treillis [h] sur les loges et sur leurs pilastres, vers l'intérieur du porche, tout autour; et de même pour le vestibule, il y avait des fenêtres tout autour, et sur les pilastres, des palmiers [i].

### Le parvis extérieur.

17 Il m'emmena vers le parvis extérieur, et voici qu'on avait aménagé des chambres et un dallage entourant le parvis; trente chambres sur ce dallage. 18 Le dallage se trouvait de chaque côté des porches, correspondant à la profondeur des porches : c'était le dallage inférieur. 19 Il mesura la largeur du parvis [j], depuis la façade du porche inférieur jusqu'à la façade du parvis intérieur, en dehors : cent coudées (à l'orient et au nord).

### Le porche septentrional.

20 Quant au porche qui regarde vers le nord, sur le parvis extérieur, il en mesura la longueur et la largeur. 21 Ses loges étaient au nombre de trois de chaque côté, ses pilastres et son vestibule étaient de mêmes dimensions que ceux du premier porche : cinquante coudées de long et vingt-cinq de large. 22 Ses fenêtres, son vestibule et ses palmiers avaient les mêmes dimensions que ceux du porche qui ouvre sur l'orient. On y montait par sept marches et son vestibule était situé vers l'intérieur [k]. 23 Il y avait un porche au parvis intérieur, face au porche septentrional, comme pour le porche oriental [l]. Il mesura la distance d'un porche à l'autre : cent coudées.

### Le porche méridional.

24 Il me conduisit du côté du midi : il y avait un porche vers le midi; il en mesura les loges [m], les pilastres et le vestibule : ils avaient les mêmes dimensions. 25 Le porche avait, ainsi que son vestibule, des fenêtres tout autour, semblables aux autres fenêtres; il avait cinquante coudées de long et vingt-cinq de large, 26 et son escalier avait sept marches; son vestibule était situé vers l'intérieur, et il avait des palmiers, un de chaque côté, sur ses pilastres. 27 Il y avait un porche au parvis intérieur, vers le midi; il mesura la distance d'un porche à l'autre, vers le midi : cent coudées.

*a)* Il existait, semble-t-il, deux valeurs pour la coudée : la coudée ordinaire de 6 palmes et la « grande coudée » plus ancienne, de 7. Ézéchiel précise qu'il se sert de celle-ci qui vaut « une coudée (ordinaire) et un palme ». Voir la table des mesures à la fin du volume.
*b)* Les trois porches du parvis extérieur sont semblables, seul le porche oriental sera décrit minutieusement. Mais certains détails nous échappent, le texte étant souvent corrompu et la description assez embrouillée. Cependant le plan de ces porches est celui des portes fortifiées de Megiddo, Haçor, Gézer, construites à partir de Salomon. Il y a ici un souvenir visuel de la Jérusalem préexilique.
*c)* L'hébr. répète : « et le seuil, une canne de profondeur », dittographie omise par le grec.
*d)* « le pilastre » grec; omis par hébr.
*e)* On omet le v. 8 : « Il mesura le vestibule du porche, à l'intérieur, une canne », qui est une dittographie absente des versions.
*f)* « depuis le fond d'une loge jusqu'au fond de l'autre » *miggaw ... legaw* conj.; « depuis le toit d'une loge jusqu'à son toit » *miggag ... legaggô* hébr.
*g)* Ce v. est inintelligible dans l'hébr. Au début, on conjecture « il mesura » (*wayyammad*) au lieu de « il fit » (*wayya'as*); la suite est traduite d'après le grec.
*h)* Traduction incertaine; litt. : « des fenêtres bouchées ».
*i)* Ces porches compliqués, seules ouvertures dans l'enceinte, doivent permettre une stricte surveillance des entrées. Pour Ézéchiel, le Temple doit être gardé pur des étrangers et des impies.
*j)* « du parvis » grec; omis par hébr.
*k)* « vers l'intérieur » grec; « devant eux » hébr.; de même au v. 26.
*l)* « comme pour le porche oriental » grec; « et à l'oriental » hébr.
*m)* « les loges » grec; omis par hébr.

**Le parvis intérieur. Porche méridional.**

28 Puis il m'emmena au parvis intérieur, par le porche méridional; il mesura le porche méridional, qui avait les mêmes dimensions; 29 ses loges, ses pilastres et son vestibule avaient les mêmes dimensions. Le porche avait, ainsi que son vestibule, des fenêtres tout autour; il avait cinquante coudées de long et vingt-cinq de large[a]. 31 Son vestibule donnait sur le parvis extérieur. Il avait des palmiers à ses pilastres et son escalier avait huit marches.

**Le porche oriental.**

32 Il m'emmena, au parvis intérieur, vers l'orient[b] et mesura le porche; il avait les mêmes dimensions; 33 ses loges, ses pilastres et son vestibule avaient les mêmes dimensions. Le porche avait, ainsi que son vestibule, des fenêtres tout autour; il avait cinquante coudées de long et vingt-cinq de large. 34 Son vestibule donnait sur le parvis extérieur. Il y avait des palmiers à ses pilastres, de chaque côté, et son escalier avait huit marches.

**Le porche septentrional.**

35 Puis il m'emmena vers le porche septentrional et le mesura; il avait les mêmes dimensions; 36 ses loges, ses pilastres[c], son vestibule avaient les mêmes dimensions. Le porche avait des fenêtres tout autour; il avait cinquante coudées de long et vingt-cinq de large. 37 Son vestibule donnait sur le parvis extérieur. Il y avait des palmiers à ses pilastres, de chaque côté, et son escalier avait huit marches[d].

**Annexes des porches.**

38 Il y avait une chambre dont l'entrée était dans
Lv 1 9 le vestibule du porche[e]. C'est là qu'on lavait l'holo-
2 Ch 4 6 causte. 39 Et dans le vestibule du porche, il y avait, de chaque côté, deux tables pour y égorger les holocaustes, les sacrifices pour le péché et les sacrifices de réparation. 40 Du côté extérieur, pour qui montait à l'entrée du porche, vers le nord, il y avait deux tables, et de l'autre côté, vers le vestibule, deux tables. 41 Il y avait quatre tables d'un côté et quatre tables de l'autre côté du porche, soit huit tables sur lesquelles on immolait. 42 En outre, il y avait quatre tables en pierre de taille, pour les holocaustes, longues d'une coudée et demie, larges d'une coudée et demie et hautes d'une coudée, sur lesquelles on déposait les instruments avec lesquels on immolait l'holocauste et le sacrifice. 43 Des rigoles, d'un palme de large, étaient aménagées à l'intérieur, tout autour. C'est sur ces tables qu'on mettait la viande des offrandes.

44 Puis il m'emmena au parvis intérieur; il y avait deux chambres dans le parvis intérieur, l'une sur le côté du porche septentrional faisant face au midi, l'autre sur le côté du porche méridional faisant face au nord[f]. 45 Il me dit : « Cette chambre faisant face
au midi est destinée aux prêtres qui assurent le ser- Nb 3 27-32
vice du Temple. 46 Et la chambre qui fait face au nord est destinée aux prêtres qui assurent le service
de l'autel. Ce sont les fils de Sadoq, ceux, parmi les 44 15+
fils de Lévi, qui s'approchent de Yahvé pour le servir. »

**Le parvis intérieur.**

47 Il mesura le parvis, il avait cent coudées de long et cent coudées de large, il était donc carré, et l'autel était devant le Temple.

**Le Temple[g]. Le Ulam.** 1 R 6 3

2 Ch 3 4

48 Il m'emmena au Ulam du Temple et mesura les pilastres du Ulam[h] : cinq coudées de chaque côté, et la largeur du porche était de trois coudées de chaque côté. 49 La longueur du Ulam était de vingt coudées et sa largeur de douze coudées. Il y avait dix marches pour y monter[i], et il y avait des
colonnes près des pilastres, une de chaque côté. 1 R 7 21

2 Ch 3 15-1

**Le Hékal.** 1 R 6 3

2 Ch 3 5-7

**41** 1 Il m'emmena vers le Hékal et en mesura les pilastres : six coudées de large d'un côté et six coudées de large de l'autre[j]. 2 La largeur de l'entrée était de dix coudées, et les épaulements[k] de l'entrée

*a)* On omet le v. 30 avec grec. Litt. : « et ses vestibules tout autour, vingt cinq coudées de long et cinq de large ».
*b)* Il faut peut-être lire avec le grec : « il m'emmena vers le porche donnant à l'orient »; de toutes façons, le sens général est clair.
*c)* Pluriel avec qeré et grec; singulier hébr. ketib.
*d)* « son vestibule » grec; « son pilastre » hébr. – Le v. 37 se continue au v. 47. Entre les deux, le texte a reçu des additions : vv. 38-43, les installations pour la préparation des victimes, près du porche septentrional qui vient d'être décrit, vv 35-37; puis, vv. 44-46, les deux sacristies des porches nord et sud.
*e)* « dans le vestibule du porche » grec; « dans les pilastres, les porches » hébr.
*f)* « Il m'emmena ... chambres » grec; « A l'extérieur du parvis intérieur, il y avait des chambres de chantres » hébr. – « l'une » grec; « qui (est) » hébr. – « méridional » grec; « oriental » hébr.
*g)* Le Temple proprement dit, avec ses trois parties, *Ulam* ou Vestibule, *Hékal* ou Salle (le « Saint »), *Debir* ou Sanctuaire (le « Saint des Saints »), est la reproduction presque exacte du Temple de Salomon, 1 R **6**. C'est pourquoi Ézéchiel s'y attarde moins qu'aux autres parties, dont l'agencement représente une véritable réforme.
*h)* « les pilastres du Ulam » *'elê ha'ulam* conj., cf. grec; « vers le Ulam » *'el 'ulam* hébr.
*i)* « dix marches (pour y monter) » grec; « les marches qui (y montent) » hébr.
*j)* L'hébr. ajoute : « largeur de la tente », glose omise par quelques mss et le grec.
*k)* « les épaulements » grec; « la largeur » hébr.

étaient de cinq coudées d'un côté et de cinq coudées de l'autre. Il en mesura la longueur : quarante coudées, et la largeur, vingt coudées.

1 R **6** 20 2 Ch **3** 8-9 **Le Debir.**

3 Il pénétra à l'intérieur et mesura le pilastre de l'entrée : deux coudées; puis l'entrée : six coudées, et les épaulements de l'entrée : sept coudées. 4 Il mesura sa longueur : vingt coudées, et sa largeur : vingt coudées du côté du Hékal; et il me dit : « C'est ici le Saint des Saints. »

1 R **6** 5-6 **Les cellules latérales [a].**

5 Puis il mesura le mur du Temple : six coudées. La largeur du bâtiment latéral était de quatre coudées, tout autour du Temple. 6 Les cellules étaient superposées, en trois étages de trente cellules chacun [b]. Les cellules s'enfonçaient dans le mur, celui du bâtiment des cellules, tout autour, formant des retraits; mais il n'y avait pas de retraits dans le mur du Temple. 7 La largeur des cellules augmentait d'un étage à l'autre, selon l'augmentation prise sur le mur, d'un étage à l'autre, tout autour du Temple [c].

8 Et je vis que le Temple avait, tout autour, un talus; c'était la base des cellules latérales, d'une canne entière de six coudées [d]. 9 L'épaisseur du mur extérieur des cellules latérales était de cinq coudées. Il y avait un passage entre les cellules du Temple 10 et les chambres, d'une largeur de vingt coudées, tout autour du Temple. 11 Comme entrée des cellules latérales sur le passage, il y avait une entrée vers le nord et une entrée vers le midi. La largeur du passage était de cinq coudées tout autour.

**L'édifice occidental [e].**

12 L'édifice qui bordait la cour du côté de l'occident était d'une largeur de soixante-dix coudées, le mur de l'édifice avait une épaisseur de cinq coudées, tout autour, et sa longueur était de quatre-vingt-dix coudées. 13 Il mesura le Temple, longueur : cent coudées. La cour plus l'édifice et ses murs, longueur : cent coudées. 14 Largeur de la façade du Temple plus la cour vers l'orient : cent coudées. 15 Il mesura la longueur de l'édifice, le long de la cour, par derrière, et sa galerie de chaque côté : cent coudées.

**Ornementation intérieure.** 1 R **6** 15-18

L'intérieur du Hékal et les vestibules du parvis, 16 les seuils, les fenêtres à treillis, les galeries sur trois côtés, face au seuil, étaient revêtus de bois tout autour, du sol jusqu'aux fenêtres [f], et les fenêtres étaient garnies d'un treillis. 17 Depuis l'entrée jusqu'à l'intérieur du Temple, ainsi qu'au dehors, et sur le mur tout autour, à l'intérieur et à l'extérieur [g],
18 étaient sculptés des chérubins et des palmiers, un 1 R **6** 29-30
palmier entre deux chérubins; chaque chérubin avait deux faces : 19 une face d'homme vers le palmier d'un côté, et une face de lion vers le palmier de l'autre côté, sur tout le Temple, tout autour. 20 Les chérubins et les palmiers étaient sculptés sur le mur [h] depuis le sol jusqu'au dessus de l'entrée. 21 Les montants de porte du Hékal étaient carrés.

**L'autel de bois.** 1 R **6** 20-21 Ex **30** 1-3

Devant le sanctuaire, il y avait quelque chose comme 22 un autel de bois de trois coudées de haut, dont la longueur était de deux coudées et la largeur de deux coudées [i]. Il avait des angles, une base et des côtés de bois. Il me dit : « Ceci est la table qui est devant Yahvé. »

**Les portes.** 1 R **6** 31-35

23 Le Hékal avait une double porte, et le sanctuaire 24 une double porte. C'étaient des portes à deux vantaux mobiles : deux vantaux à une porte et deux vantaux à l'autre. 25 On avait sculpté dessus (sur les portes du Hékal), des chérubins et des palmiers comme ceux qui étaient sculptés sur les murs. Il y avait un auvent de bois sur le devant du Ulam, à l'extérieur, 26 et des fenêtres à treillis, avec des palmiers de part et d'autre, sur les côtés du Ulam, les cellules annexes du Temple et les auvents [j];

*a)* Ces cellules existaient également dans le Temple de Salomon, 1 R **6** 5-6. Leur agencement nous semble ici obscur et leur destination n'est pas indiquée. On les considère quelquefois comme le « trésor » du Temple. – La différence de style a fait considérer les vv. 5-15[a] comme une addition; ils semblent cependant avoir leur place nécessaire dans la description du Temple.

*b)* L'hébr. est très obscur; litt. : « les cellules, cellules sur cellules, trois et trente fois ». On traduit en s'aidant des versions.

*c)* « augmentait » *nôsepah* conj.; « tournait » *nasebah* hébr. – « selon l'augmentation prise sur le mur » d'après grec; « car elles entouraient le Temple » hébr., qui ajoute, litt. : « c'est pourquoi la largeur du Temple vers le haut, et ainsi, le bas montait vers le haut par le milieu (?) ». Il faut renoncer à traduire ce texte, mais on peut en saisir l'idée générale : le mur extérieur de ce bâtiment des cellules devait diminuer d'épaisseur d'un étage à l'autre, en escalier, vers l'intérieur, la largeur des cellules augmentant proportionnellement.

*d)* L'hébr. ajoute un mot inintelligible.

*e)* Cet « édifice », sans doute un vaste hall non couvert, dont la destination nous échappe, n'existait pas, semble-t-il, dans le Temple de Salomon. Cf. cependant 2 R **23** 11 et 1 Ch **26** 18.

*f)* « sur trois côtés », traduction incertaine; litt. « à eux trois ». – « du sol » conj.; « et le sol » hébr.

*g)* L'hébr. ajoute un mot inintelligible.

*h)* « sur le mur » conj., cf. v. 25; « et le mur du Hékal » hébr. ketib; « Hekal » est exponctué (marqué de points pour qu'on n'en tienne pas compte à la lecture).

*i)* « et la largeur de deux coudées » grec; omis par hébr.

*j)* On s'aide du grec pour tout ce passage qui est très difficile : le style est elliptique et le texte probablement corrompu.

### Dépendances du Temple [a].

42 1 Il me fit sortir vers le parvis extérieur, vers
le nord, et m'emmena à la chambre située en
face de la cour, c'est-à-dire en face de l'édifice, vers
le nord [b]. 2 Sur la façade, elle avait une longueur
de cent coudées vers le nord, et une largeur de cinquante coudées. 3 En face des porches [c] du parvis
intérieur et en face du dallage du parvis extérieur,
il y avait une galerie devant la galerie triple 4 et,
devant les chambres, une allée, large de dix coudées vers l'intérieur, et longue de cent coudées [d];
leurs portes donnaient au nord. 5 Les chambres
supérieures étaient étroites, car les galeries étaient
prises dessus, plus étroites que celles du bas et du
milieu de l'édifice; 6 en effet, elles étaient divisées
en trois étages, et n'avaient pas de colonnes comme
le parvis. Aussi étaient-elles plus étroites que celles
du bas et du milieu de l'édifice (à partir du sol).
7 L'enceinte extérieure, parallèle aux chambres,
vers le parvis extérieur, en face des chambres, était
longue de cinquante coudées. 8 Car la longueur des
chambres du parvis extérieur était de cinquante
coudées, et celles qui étaient devant la salle du
Temple avaient cent coudées. 9 En dessous des
chambres, il y avait une entrée venant de l'orient,
donnant accès depuis le parvis extérieur.
10 Sur la largeur de l'enceinte du parvis, vers le
midi [e], devant la cour et devant l'édifice, il y avait
des chambres. 11 Une allée passait devant elles,
comme pour les chambres situées au nord; elles
avaient même longueur et même largeur, mêmes
issues, même ordonnance et mêmes entrées. 12 En
dessous des [f] chambres du midi, il y avait une
entrée, au départ de chaque allée, en face du mur
correspondant, vers l'orient, à leur entrée. 13 Il me
dit : « Les chambres du nord et les chambres du
midi qui sont devant la cour, ce sont les chambres
du sanctuaire, là où les prêtres qui s'approchent de
Lv 2 3+ Yahvé mangeront les choses très saintes. C'est là
qu'on déposera les choses très saintes, l'oblation,
l'offrande pour le péché et l'offrande de réparation,
car c'est un lieu saint. 14 Et quand les prêtres viendront, ils ne sortiront pas du lieu saint vers le parvis extérieur, mais ils déposeront là leurs vêtements
liturgiques, car ces vêtements sont saints, et ils Lv 17 1+
revêtiront d'autres vêtements pour s'approcher des
endroits destinés au peuple. »

### Dimensions du parvis. 45 2

15 Ayant achevé de mesurer le Temple à l'intérieur, il me fit sortir vers le porche qui regarde
l'orient, et mesura le parvis tout autour. 16 Il
mesura le côté oriental avec sa canne à mesurer :
cinq cents coudées [g], avec la canne à mesurer, tout
autour. 17 Puis il mesura le côté septentrional : cinq
cents coudées, avec la canne à mesurer, tout
autour. 18 Ensuite il mesura le côté méridional :
cinq cents coudées, avec la canne à mesurer, 19 tout
autour. Et du côté occidental, il mesura cinq cents
coudées avec la canne à mesurer. 20 Sur les quatre
côtés, il mesura le mur d'enceinte, tout autour : longueur, cinq cents, et largeur, cinq cents, pour séparer le sacré du profane.

### Retour de Yahvé [h].

43 1 Il me conduisit vers le porche, le porche qui
fait face à l'orient, 2 et voici que la gloire du
Dieu d'Israël arrivait du côté de l'orient. Un bruit
l'accompagnait, semblable au bruit des eaux abondantes, et la terre resplendissait de sa gloire. 3 Cette
vision était semblable à la vision que j'avais eue 10 18-19
lorsque j'étais venu pour la destruction de la ville, 11 22-23
et aussi à la vision que j'avais eue sur le fleuve 1
Kebar. Alors je tombai la face contre terre.
4 La gloire de Yahvé arriva au Temple par le
porche qui fait face à l'orient. 5 L'esprit m'enleva
et me fit entrer dans le parvis intérieur, et voici que
la gloire de Yahvé emplissait le Temple. 1 R 8 10-11
6 J'entendis quelqu'un me parler depuis le Temple [i],
tandis que l'homme se tenait près de moi. 7 On me
dit : Fils d'homme, c'est ici le lieu de mon trône, Ez 25 8+
le lieu où je pose la plante de mes pieds. J'y habite- Ez 37 26-27 Ap 21 3
rai au milieu des enfants d'Israël, à jamais; et la
maison d'Israël, eux et leurs rois [j], ne souilleront
plus mon saint nom par leurs prostitutions et par
les cadavres de leurs rois, 8 en mettant leur seuil
près de mon seuil et leurs montants près de mes
montants, en établissant un mur commun entre eux Ex 19 12+
et moi [k]. Ils souillaient mon saint nom par les abo-

*a)* Les vv. 1-14 rassemblent des éléments disparates et proviennent des milieux sacerdotaux de l'Exil, qui ont complété la description d'Ézéchiel. Le texte est en mauvais état et certains versets restent difficilement intelligibles. – Les vv. 15-20 sont la conclusion de l'arpentage du Temple, commencé au ch. **40**.
*b)* « vers le nord » grec; « la porte septentrionale » hébr.
*c)* « des porches » grec; « des vingt » hébr.
*d)* « longue de cent coudées » versions; « un chemin d'une coudée » hébr.
*e)* « le midi » grec; « l'orient » hébr., mais cf. vv. 12-13.
*f)* « en dessous des » conj.; « les mêmes que » hébr., dittographie. – La suite du v. est très obscure et les versions ne sont pas d'un grand secours.
*g)* « cinq cents coudées » versions; « cinq coudées de cannes » hébr.
*h)* La vision du retour de Yahvé correspond étroitement à celle de son départ, **10** 18-19; **11** 22-23.
*i)* Yahvé lui-même, et non l'ange qui accompagne le prophète.
*j)* L'hébr. ajoute : « leurs hauts lieux ». Grec : « au milieu d'eux ».
*k)* L'ancien Temple était contigu au palais de David, 1 R **7** 8. Ézéchiel relègue le palais dans un autre quartier, et réserve au seul Temple la colline orientale de Jérusalem.

minations auxquelles ils se livraient, c'est pourquoi
je les ai dévorés dans ma colère. 9 Désormais ils
éloigneront de moi leurs prostitutions et les cadavres de leurs rois, et j'habiterai au milieu d'eux, à
jamais.
10 Et toi, fils d'homme, décris ce Temple à la
maison d'Israël, afin qu'ils rougissent de leurs abominations. (Qu'ils en mesurent le plan.) 11 Et s'ils
rougissent de toute leur conduite, enseigne-leur la
forme du Temple et son plan, ses issues et ses
entrées, sa forme et toutes ses dispositions, toute sa
forme et toutes ses lois. Mets tout cela par écrit
devant leurs yeux, afin qu'ils observent sa forme et
toutes ses dispositions et qu'ils les réalisent.
12 Voici la charte du Temple : au sommet de la
montagne, tout le territoire qui l'entoure est un
espace très saint. (Telle est la charte du Temple.)

Ex **27** 1-8 **L'autel** [a].
1 R **8** 64
2 Ch **4** 1; **7** 7 13 Voici les dimensions de l'autel en coudées
d'une coudée plus un palme : la base, une coudée
sur une coudée de large; l'espace près de la rigole,
tout autour, un empan; c'est le bord de l'autel.
14 Depuis la base reposant par terre jusqu'au socle
inférieur, deux coudées sur une coudée de large;
depuis le petit socle jusqu'au grand socle, quatre
coudées sur une coudée de large. 15 Le foyer avait
quatre coudées, et au-dessus du foyer, il y avait
quatre cornes. 16 Le foyer mesurait douze coudées
de long sur douze de large, il était carré sur les quatre côtés. 17 Le socle : quatorze coudées de long sur
quatorze coudées de large, il était carré. Le rebord
tout autour : une demi-coudée, et la base : une coudée tout autour. Les marches étaient tournées vers
l'ouest.

Ex **29** 36-37 **Consécration de l'autel.**
Lv **8** 10-16
1 M **4** 52-56 18 Il me dit : Fils d'homme, ainsi parle le Seigneur Yahvé. Voici les dispositions concernant
l'autel, lorsqu'on l'aura dressé pour y sacrifier l'holocauste et pour y répandre le sang. 19 Tu donneras
**44** 15+ aux prêtres lévites – ceux de la race de Sadoq qui
s'approchent de moi pour me servir, oracle du Seigneur Yahvé – un jeune taureau, en sacrifice pour
le péché. 20 Tu prendras de son sang, tu en mettras
sur les quatre cornes, sur les quatre angles du socle
et sur le rebord tout autour. C'est ainsi que tu en
ôteras le péché et feras sur lui l'expiation. 21 Puis
tu prendras le taureau du sacrifice pour le péché :
on le brûlera dans l'endroit retiré du Temple, hors
du sanctuaire. 22 Le deuxième jour, tu offriras un
bouc sans défaut en sacrifice pour le péché et on
ôtera le péché de l'autel comme on avait fait avec
le taureau. 23 Après avoir achevé d'ôter le péché, tu
offriras un jeune taureau sans défaut et un bélier
du troupeau, sans défaut. 24 Tu les présenteras
devant Yahvé, et les prêtres jetteront sur eux du sel
et les offriront en holocauste à Yahvé. 25 Pendant Lv **8** 33-35
sept jours, tu offriras en sacrifice un bouc, en
sacrifice pour le péché, chaque jour, et on offrira
un taureau et un bélier du troupeau, sans défaut,
26 pendant sept jours. C'est ainsi qu'on fera l'expiation pour l'autel, qu'on le purifiera et qu'on l'inaugurera. 27 Passé cette période, le huitième jour et les
jours suivants, les prêtres offriront sur l'autel vos
holocaustes et vos sacrifices de communion. Et je
vous serai favorable, oracle du Seigneur Yahvé.

**Usage du porche oriental.**

**44** 1 Il me ramena vers le porche extérieur du
sanctuaire, face à l'orient. Il était fermé.
2 Yahvé me dit : Ce porche sera fermé. On ne l'ouvrira pas, on n'y passera pas, car Yahvé, le Dieu
d'Israël, y est passé. Aussi sera-t-il fermé. 3 Mais
le prince, lui, s'y assiéra pour y prendre son repas
en présence de Yahvé [b]. C'est par le vestibule du
porche qu'il entrera et c'est par là qu'il sortira.

**Règles d'admission au Temple.** **43** 6-11

4 Il m'emmena par le porche septentrional,
devant le Temple. Je regardai, et voici que la gloire
de Yahvé emplissait le Temple de Yahvé, alors je
tombai la face contre terre. 5 Yahvé me dit : Fils
d'homme, fais attention, regarde bien et écoute de
toutes tes oreilles ce que je vais t'expliquer : ce sont
toutes les dispositions du Temple de Yahvé et toutes ses lois. Tu feras bien attention à l'admission
dans le Temple et à ceux qui sont exclus du sanctuaire [c]. 6 Et tu diras aux rebelles de la maison
d'Israël : Ainsi parle le Seigneur Yahvé. C'en est
trop de toutes vos abominations, maison d'Israël [d],
7 lorsque vous avez introduit des étrangers incirconcis de cœur et incirconcis de corps pour Jr **4** 4+
s'installer dans mon sanctuaire et pour profaner Gn **17** 10+
mon Temple, lorsque vous avez offert ma nourri- **22** 26
ture, la graisse et le sang, et que vous avez rompu

*a)* Les vv. 13-27 sont deux additions faites successivement, qui concernent l'autel et sa dédicace. Elles n'exigent pas que l'autel de Zorobabel ait déjà été rétabli.

*b)* Cf. **46** 1-2. Il s'agit évidemment d'un repas cultuel, sans doute celui qui accompagne les sacrifices de communion, Lv **7** 15; Dt **12** 7, 18.

*c)* Traduction incertaine; litt. : « à l'entrée du Temple et à toutes les sorties du sanctuaire ».

*d)* Les vv. 6-31 sur le clergé du Temple sont une addition, mais celle-ci peut être encore antérieure à la fin de l'Exil : elle rend institutionnelle la distinction de fait qui s'était établie depuis la réforme deutéronomiste entre les anciens lévites des sanctuaires de province, réduits à un statut inférieur, et les prêtres fils de Sadoq, qui formaient le clergé de Jérusalem. Cela explique que les lévites, ainsi distingués des prêtres, aient été peu disposés à revenir de l'Exil, Esd **2** 40; **8** 18-19.

mon alliance[a]. Par toutes vos abominations! 8 Au
lieu d'assurer le service de mes choses saintes, vous
avez chargé quelqu'un d'assurer le service dans
Ac 21 28-29 mon sanctuaire à votre place[b]. 9 Ainsi parle le Seigneur Yahvé : Aucun étranger incirconcis de cœur
et incirconcis de corps n'entrera dans mon sanctuaire, aucun des étrangers qui sont au milieu des
Israélites[c].

**Les lévites.**

10 Quant aux lévites, qui se sont éloignés de moi
au temps où Israël s'égarait loin de moi en suivant
ses idoles[d], ils porteront le poids de leur faute.
11 Ils seront dans mon sanctuaire des serviteurs
chargés de la garde des portes du Temple et faisant
le service du Temple. Ce sont eux qui égorgeront
l'holocauste et le sacrifice pour le peuple, eux qui
se tiendront devant le peuple pour le service.
12 Parce qu'ils se sont mis à son service devant ses
idoles et qu'ils ont été pour la maison d'Israël une
occasion de faute, à cause de cela, je lève la main
contre eux – oracle du Seigneur Yahvé – ils porteront le poids de leur faute. 13 Ils ne s'approcheront
plus de moi pour exercer devant moi le sacerdoce,
Lv 2 3+ ni toucher à mes choses saintes ni aux choses très
saintes : ils porteront le déshonneur de leurs abominations. 14 Je les chargerai d'assurer le service du
Temple, je leur confierai tout son service et tout ce
qui s'y fait.

Nb 18 1-19 **Les prêtres.**

15 Quant aux prêtres lévites, fils de Sadoq[e], qui
ont assuré le service de mon sanctuaire quand les
Israélites s'égaraient loin de moi, ce sont eux qui
s'approcheront de moi pour me servir, ils se tiendront devant moi pour m'offrir la graisse et le sang,
oracle du Seigneur Yahvé. 16 Ce sont eux qui entreront dans mon sanctuaire et qui s'approcheront de
ma table pour me servir; ils assureront mon service. 17 Lorsqu'ils franchiront les portes du parvis
intérieur, ils revêtiront des habits de lin; ils ne porteront pas de laine quand ils serviront aux porches
du parvis intérieur et au Temple. 18 Ils auront des
calottes de lin sur la tête et des caleçons de lin aux Lv 6 3-4
reins, ils ne se ceindront de rien qui fasse transpi-
rer[f]. 19 Lorsqu'ils sortiront dans le parvis extérieur[g], du côté du peuple, ils ôteront les vêtements
avec lesquels ils auront officié et les déposeront
dans les chambres du Saint, et ils revêtiront d'autres vêtements pour ne pas consacrer le peuple avec
leurs vêtements[h]. 20 Ils ne se raseront pas la tête, Lv 21 5
ni ne laisseront croître librement leur chevelure[i],
mais ils se tailleront soigneusement les cheveux.
21 Aucun prêtre ne boira de vin le jour où il entrera Lv 10 9
dans le parvis intérieur. 22 Ils ne prendront pas pour
femme une veuve, ni une femme répudiée, mais une Lv 21 7, 14
vierge de la race d'Israël; toutefois ils pourront
prendre une veuve si c'est la veuve d'un prêtre.
23 Ils enseigneront à mon peuple la distinction entre
le sacré et le profane et lui feront connaître la distinction entre le pur et l'impur. 24 Dans les procès,
ils seront juges; ils jugeront d'après mon droit. Ils
observeront dans toutes mes fêtes mes lois et mes 20 11-12, 16,
dispositions, et ils sanctifieront mes sabbats. 25 Ils 19-20
n'approcheront pas[j] d'un mort, de peur de se ren- Lv 21 1-5
dre impurs, mais ils pourront se rendre impurs
pour un père, une mère, une fille, un fils, un frère
ou une sœur non mariée. 26 Après que l'un d'eux se
sera purifié, on comptera sept jours, 27 puis, le jour
où il entrera dans le Saint, dans le parvis intérieur
pour servir dans le Saint, il offrira son sacrifice
pour le péché, oracle du Seigneur Yahvé. 28 Ils
n'auront pas d'héritage[k], c'est moi qui serai leur Nb 18 20-24
héritage. Vous ne leur donnerez pas de patrimoine Dt 18 1-2
en Israël, c'est moi qui serai leur patrimoine. 29 Ce Jos 13 14+
sont eux qui se nourriront de l'oblation, du sacrifice
pour le péché et du sacrifice de réparation. Tout ce
qui est dévoué par anathème en Israël sera pour Lv 27 28+
eux. 30 Le meilleur de toutes vos prémices et de toutes les redevances, de tout ce que vous offrirez,
reviendra aux prêtres; et le meilleur de votre pâte,
vous le donnerez aux prêtres pour faire reposer la
bénédiction sur votre maison. 31 Les prêtres ne

*a)* « vous avez rompu » versions; « ils ont rompu » hébr.

*b)* Allusion au fait que l'on a utilisé, pour le service même du Temple de Jérusalem, des étrangers plus ou moins assimilés, Jos **9** 27; Dt **29** 10.

*c)* On lisait encore dans le Temple d'Hérode au temps de Jésus cette inscription gravée en grec, dont on a retrouvé deux exemplaires : « Qu'aucun étranger ne pénètre à l'intérieur de la balustrade et de l'enceinte qui entourent le sanctuaire. Celui qui serait pris ne devrait accuser que lui-même de la mort qui serait son châtiment ».

*d)* Les lévites étaient fréquemment attachés aux sanctuaires des hauts lieux. Lorsque ces sanctuaires furent abolis par le Deutéronome et la réforme de Josias, ils n'eurent plus de situation sociale et durent soit vivre de la charité, Dt **12** 12, 18, etc., soit se rattacher au sanctuaire de Jérusalem, Dt **18** 6-8. Ézéchiel ratifie cette dernière solution, mais en leur assignant une situation inférieure : ils remplaceront au service du Temple les étrangers qui viennent d'être exclus.

*e)* Les prêtres lévites, cf. Dt **18** 1-5, sont ceux qui restèrent attachés au sanctuaire de Jérusalem. Ils se rattachent à la descendance de Sadoq, le prêtre désigné par Salomon après la destitution d'Ébyatar, 1 R **2** 27-35.

*f)* Litt. « ils ne se ceindront pas de sueur ». La transpiration devait être considérée comme impure, à moins que le mot n'ait ici une autre signification qui nous échappe.

*g)* L'hébr. répète « dans le parvis extérieur », omis par les versions.

*h)* Le contact des choses consacrées est interdit aux profanes. Il risquerait de les « sanctifier », Lv **17** 1+.

*i)* La chevelure abondante et négligée était le signe soit d'un vœu, Nb **6** 5, soit d'un deuil, cf. **24** 17, 23.

*j)* « ils n'approcheront pas » versions; singulier hébr.

*k)* « ils n'auront pas d'héritage » Vulg.; « elle sera pour eux un héritage » hébr.

mangeront la chair d'aucune bête crevée ou déchirée, oiseau ou autre animal [a].

48 8-20 **Partage du pays [b]. Part de Yahvé.**

45 1 Lorsque vous tirerez au sort pour faire
échoir le pays en héritage, vous prélèverez
pour Yahvé une part sacrée du pays, de vingt-cinq
mille coudées de long sur vingt mille de large. Ce
territoire sera sacré dans toute son étendue. 2 Sur
42 15-20 sa superficie, il y aura pour le sanctuaire un carré
de cinq cents coudées sur cinq cents, avec une
marge de cinquante coudées tout autour [c]. 3 Sur sa
superficie, tu mesureras également une longueur de
vingt-cinq mille coudées sur une largeur de dix
mille, là où sera le sanctuaire, le Saint des Saints.
4 Ce sera la portion sacrée du pays appartenant aux
prêtres qui font le service du sanctuaire et qui s'approchent de Yahvé pour le servir. C'est là qu'ils
pourront avoir leurs maisons et qu'ils auront un
territoire consacré au sanctuaire. 5 Une portion de
vingt-cinq mille coudées de long sur dix mille de
large sera réservée aux lévites, serviteurs du Temple, en propriété, avec des villes pour y habiter [d].
6 Vous donnerez en propriété à la ville un territoire
de cinq mille coudées de large sur vingt-cinq mille
de long, près de la part du sanctuaire, elle sera pour
toute la maison d'Israël.

**Part du prince.**

7 Au prince reviendra un territoire de chaque
côté de la part sacrée et de la propriété de la ville,
le long de la part sacrée et le long de la propriété
de la ville, du côté de l'occident vers l'occident, et
du côté de l'orient vers l'orient, un territoire d'une
longueur égale à l'une des parts, depuis la frontière
occidentale jusqu'à la frontière orientale 8 du pays.
Ce sera sa propriété en Israël. Ainsi mes princes
n'opprimeront plus mon peuple; ils laisseront le
pays à la maison d'Israël, à ses tribus.
Jr 22 3-5 9 Ainsi parle le Seigneur Yahvé : C'en est trop,
princes d'Israël! Cessez vos violences et vos rapines, pratiquez le droit et la justice, n'accablez plus
mon peuple d'exactions, oracle du Seigneur Yahvé.
19 35-36 10 Ayez des balances justes, un boisseau juste, une
mesure juste. 11 Que le boisseau et la mesure soient
égaux, que la mesure contienne un dixième de
muid, et le boisseau un dixième de muid. C'est à
partir du muid que les mesures seront fixées [e]. 12 Le
sicle sera de vingt géras. Vingt sicles, vingt-cinq
sicles et quinze sicles feront une mine.

**Offrandes pour le culte.** Ex 30 13-16 Mt 23 23

13 Voici l'offrande que vous prélèverez : un
sixième de boisseau par muid de froment et un
sixième de boisseau par muid d'orge. 14 La redevance d'huile : une mesure d'huile par dix mesures,
c'est-à-dire par feuillette de dix mesures ou d'un
muid, car dix mesures font un muid. 15 On prélèvera une brebis sur un troupeau de deux cents des
prairies d'Israël, pour l'oblation, l'holocauste et le Lv 1 1+;
sacrifice de communion. Ce sera votre expiation, 2 1+; 3 1+
oracle du Seigneur Yahvé. 16 Que tout le peuple du
pays soit astreint à cette redevance pour le prince
d'Israël. 17 Le prince se chargera des holocaustes,
de l'oblation et de la libation pendant les fêtes, les Ex 23 14+
néoménies [f], les sabbats et toutes les assemblées de Lv 23 24+
la maison d'Israël. C'est lui qui pourvoira au
sacrifice pour le péché, à l'oblation, à l'holocauste
et aux sacrifices de communion pour l'expiation de
la maison d'Israël.

**Fête de la Pâque.** Ex 12 1+

18 Ainsi parle le Seigneur Yahvé : Au premier
mois, le premier du mois, tu prendras un jeune taureau sans défaut, pour ôter le péché du sanctuaire.
19 Le prêtre prendra du sang de la victime pour le
péché et le mettra sur les montants de la porte du
Temple, sur les quatre angles du socle de l'autel et
sur les montants des porches [g] du parvis intérieur.
20 Ainsi feras-tu le sept du mois, en faveur de
quiconque a péché par inadvertance ou irréflexion.
C'est ainsi que vous ferez l'expiation pour le Temple. 21 Au premier mois, le quatorzième jour du
mois, ce sera pour vous la fête de la Pâque. Pendant sept jours on mangera des pains sans levain.
22 Ce jour-là, le prince offrira pour lui-même et
pour tout le peuple du pays un taureau en sacrifice
pour le péché. 23 Pendant les sept jours de la fête,
il offrira en holocauste à Yahvé sept taureaux et
sept béliers sans défaut, chacun des sept jours, et,

*a)* D'après Lv **7** 24, cette interdiction concerne tous les Israélites.

*b)* Les ch. **45-46** appartiennent à la dernière rédaction du livre. Ils sont composés d'une suite d'additions qui se sont attirées l'une l'autre; la première, vv. 1-8, sur les parts du territoire qui sont réservées à Yahvé et au prince, anticipe **48** 8-22; elle a été appelée par la mention, avec le même terme hébreu, de la part de redevances réservée aux prêtres dans **44** 30.

*c)* Ce sont les dimensions du Temple, cf. **42** 16-20.

*d)* « avec des villes pour y habiter » grec; « vingt chambres » hébr.

*e)* Voir la table des mesures à la fin du volume. Ici les deux mesures égales, *épha* et *bat*, l'une pour les solides, l'autre pour les liquides, ont été rendues par « boisseau » et « mesure ». Le *omer* et le *kor*, de valeur égale, ont été traduits « muid » et « feuillette » (v. 14).

*f)* Fête de la nouvelle lune, cf. Nb **28** 8-14.

*g)* « montants » (bis) versions; singulier hébr. – « porches » conj.; singulier hébr.

en sacrifice pour le péché, un bouc chaque jour;
24 et, en oblation, il offrira une mesure par taureau
et une mesure par bélier, ainsi que de l'huile, un
setier par mesure.

Ex 23 14+ **Fête des Tentes.**

25 Au septième mois, le quinze du mois, à l'occasion de la fête, il fera de même pendant sept jours,
offrant le sacrifice pour le péché, l'holocauste,
l'oblation et l'huile.

**Règlements divers** [a].

**46** 1 Ainsi parle le Seigneur Yahvé. Le porche du
parvis intérieur, qui fait face à l'orient, sera
Ex 20 8+ fermé les six jours ouvrables, mais le jour du sab-
Nb 28 9-14 bat, on l'ouvrira, ainsi que le jour de la néoménie,
Ez 45 17 2 et le prince entrera par le vestibule du porche
extérieur et se tiendra debout contre les montants
du porche. Alors les prêtres offriront son holocauste et son sacrifice de communion. Il se prosternera sur le seuil du porche et il sortira, et on ne
refermera pas le porche jusqu'au soir. 3 Le peuple
du pays se prosternera à l'entrée de ce porche, les
sabbats et les jours de néoménie, en face de Yahvé.
4 L'holocauste que le prince offrira à Yahvé au jour
du sabbat, sera de six agneaux sans défaut et d'un
bélier sans défaut, 5 avec une oblation d'une mesure
par bélier et, pour les agneaux, une offrande laissée
à sa discrétion, ainsi que de l'huile, un setier par
mesure. 6 Au jour de la néoménie, ce sera un jeune
taureau sans défaut, six agneaux et un bélier sans
défaut. 7 Il fera oblation d'une mesure pour le taureau et d'une mesure pour le bélier, et, pour les
agneaux, ce qu'il voudra, ainsi que de l'huile, un
setier par mesure.
8 Lorsque le prince entrera, c'est par le vestibule
du porche qu'il entrera, et c'est par là qu'il sortira.
9 Lorsque le peuple du pays viendra devant
Ex 23 14-17 Yahvé aux assemblées, ceux qui sont entrés par le
porche septentrional, pour se prosterner, sortiront
par le porche méridional, et ceux qui sont entrés
par le porche méridional sortiront par le porche
septentrional. Nul ne s'en retournera par le porche
par lequel il est entré : il sortira en face. 10 Le
prince se tiendra au milieu d'eux; il entrera comme
eux et sortira comme eux.
11 Aux jours de fête et d'assemblée, l'oblation
sera d'une mesure par taureau, d'une mesure par
bélier, pour les agneaux, à sa discrétion, et de
l'huile, un setier par mesure. 12 Lorsque le prince
offrira un holocauste volontaire ou un sacrifice de
communion volontaire à Yahvé, on lui ouvrira le
porche qui fait face à l'orient, et il offrira son holocauste et son sacrifice de communion comme il le
fait au jour du sabbat, puis il sortira et on fermera
le porche dès qu'il sera sorti. 13 Il offrira [b] chaque
jour en holocauste à Yahvé un agneau d'un an, Ex 29 39s
sans défaut : il l'offrira chaque matin. 14 Il offrira
aussi, chaque matin, en oblation, un sixième de
mesure et de l'huile, un tiers de setier, pour pétrir
la farine. C'est l'oblation à Yahvé, décret perpétuel,
fixé pour toujours. 15 On offrira l'agneau, l'oblation
et l'huile, chaque matin, à perpétuité [c].
16 Ainsi parle le Seigneur Yahvé. Si le prince fait
à l'un de ses fils un don sur son héritage, ce don
appartiendra à ses fils, ce sera leur propriété héréditaire. 17 Mais s'il fait un don sur son héritage à l'un
de ses serviteurs, il appartiendra à celui-ci jusqu'à
l'année de son affranchissement, puis il reviendra
au prince [d]. C'est à ses fils seulement que restera
son héritage. 18 Le prince ne prendra rien sur l'héritage du peuple, le dépouillant de ce qui lui appartient; c'est avec ce qui lui appartient à lui qu'il
constituera l'héritage de ses fils, afin que nul de
mon peuple ne soit privé de ce qui lui appartient.
19 Il m'emmena [e], par l'entrée qui est à côté du
porche, aux chambres du Saint réservées aux prê- 42 1-9
tres, face au nord. Et voici qu'il y avait là un
espace, au fond, vers l'occident. 20 Il me dit :
« Voici l'endroit où les prêtres feront cuire les victi- Lv 4-5
mes des sacrifices pour le péché et des sacrifices de
réparation, où ils feront cuire l'oblation, sans qu'ils Lv 2
aient à les porter vers le parvis extérieur, au risque 44 19
de sanctifier le peuple. » 21 Puis il m'emmena au
parvis extérieur et me fit passer près des quatre
angles du parvis; il y avait une cour à chaque angle
du parvis, 22 soit, aux quatre angles du parvis, quatre petites cours longues de quarante coudées, larges de trente, ayant toutes les quatre les mêmes
dimensions [f]. 23 Un mur les entourait toutes les
quatre, et des foyers étaient construits en bas du
mur, tout autour. 24 Il me dit : « Ce sont les fours
où les serviteurs du Temple feront cuire les
sacrifices du peuple. »

*a)* Le ch. est composite. Il comprend : 1-12, règles sur l'utilisation des porches par le prince et le peuple et sur les sacrifices du prince, avec un appendice, 13-15, sur le sacrifice perpétuel; une addition sur le caractère inaliénable des biens du prince, 16-18; un supplément sur les cuisines du Temple, 19-24.

*b)* « il offrira » mss, versions; « tu offriras » hébr.; même corr. au v. suivant.

*c)* Le sacrifice quotidien fut en effet repris avec ferveur par le judaïsme postexilique. Il ne cessa qu'après 70 ap. J.-C., aux derniers jours du siège de Jérusalem.

*d)* « il reviendra » grec; « il cessera » hébr. – « L'année de l'affranchissement » est probablement l'année jubilaire, qui revient tous les cinquante ans, cf. Lv **25** 1+.

*e)* Ce passage se rattache logiquement à **42** 12.

*f)* « petites cours » grec; « cours à encens » (?) hébr. – A la fin, hébr. ketib ajoute « des angles » (?), omis par les versions et exponctué.

↗ Ap 22 1s **La source du Temple** [a].
Jn 4 1+
Jl 4 18
Za 13 1; 14 8 **47** 1 Il me ramena à l'entrée du Temple, et voici
Ps 46 5 que de l'eau sortait de dessous le seuil du
Temple, vers l'orient, car le Temple était tourné
Jn 19 34 vers l'orient. L'eau descendait de dessous le côté
droit du Temple, au sud de l'autel. 2 Il me fit sortir
par le porche septentrional et me fit faire le tour
extérieur, jusqu'au porche extérieur qui regarde
l'orient, et voici que l'eau coulait du côté droit.
3 L'homme s'éloigna vers l'orient, avec le cordeau
qu'il avait en main, et mesura mille coudées; alors
il me fit traverser le cours d'eau : j'avais de l'eau
jusqu'aux chevilles. 4 Il en mesura encore mille et
me fit traverser le cours d'eau : j'avais de l'eau
jusqu'aux genoux. Il en mesura encore mille et me
fit traverser le cours d'eau : j'avais de l'eau
jusqu'aux reins. 5 Il en mesura encore mille, et
c'était un torrent que je ne pus traverser, car l'eau
avait grossi pour devenir une eau profonde, un
fleuve infranchissable. 6 Alors il me dit : « As-tu vu,
fils d'homme? » Il me conduisit puis me ramena au
bord du torrent. 7 Et lorsque je revins, voici qu'au
↗ Ap 22 2 bord du torrent il y avait une quantité d'arbres de
chaque côté. 8 Il me dit : « Cette eau s'en va vers
Za 14 8 le district oriental, elle descend dans la Araba [b] et
se dirige vers la mer; elle se déverse dans la mer
Ex 15 25 en sorte que ses eaux deviennent saines. 9 Partout
où passera le torrent [c], tout être vivant qui y fourmille vivra. Le poisson sera très abondant, car là
où cette eau pénètre, elle assainit, et la vie se développe partout où va le torrent. 10 Sur le rivage, il
y aura des pêcheurs. Depuis En-Gaddi jusqu'à
En-Églayim des filets seront tendus. Les poissons
seront de même espèce que les poissons de la
Grande mer [d], et très nombreux. 11 Mais ses marais
et ses lagunes ne seront pas assainis, ils seront
abandonnés au sel. 12 Au bord du torrent, sur cha-
Ps 1 3 cune de ses rives, croîtront toutes sortes d'arbres
Jr 17 8 Is 44 4 fruitiers dont le feuillage ne se flétrira pas et dont
z 19 10-11 les fruits ne cesseront pas : ils produiront chaque
mois des fruits nouveaux, car cette eau vient du ↗ Ap 22 2
sanctuaire. Les fruits seront une nourriture et les
feuilles un remède. »

**Limites du pays** [e]. Jg 20 1+
Nb 34 1-12
13 Ainsi parle le Seigneur Yahvé. Voici le terri- Jos 1; 4;
toire que vous partagerez entre les douze tribus 13 1-6
d'Israël, en donnant à Joseph deux parts [f]. 14 Vous
aurez tous équitablement votre part, car j'ai juré à
vos pères de la leur donner et ce pays doit vous
échoir en héritage. 15 Voici la frontière du pays. Du
côté du nord, depuis la Grande mer : la route de
Hètlôn jusqu'à l'Entrée de Hamat [g], Çedad,
16 Bérota, Sibrayim qui est entre le territoire de
Damas et celui de Hamat, Haçer-ha-Tikôn vers le
territoire du Haurân; 17 la frontière s'étendra
depuis la mer jusqu'à Haçar-Énân, ayant au nord
le territoire de Damas et le territoire de Hamat.
C'est [h] la limite septentrionale. 18 Du côté de l'est,
entre le Haurân et Damas, entre Galaad et le pays
d'Israël, le Jourdain servira de frontière jusqu'à la
mer orientale vers Tamar [i]. C'est la limite orientale. 19 Du côté du midi, vers le sud, depuis Tamar Nb 34 3-5
jusqu'aux eaux de Mériba de Qadesh, vers le tor- Jos 15 1-4
rent jusqu'à la Grande mer. C'est la limite méridionale. 20 Et du côté de l'ouest : la Grande mer servira de frontière jusqu'en face de l'Entrée de
Hamat. C'est la limite occidentale. 21 Vous partagerez ce pays entre vous, entre les tribus d'Israël.
22 Vous vous le partagerez en héritage, pour vous
et pour les étrangers qui séjournent au milieu de Ex 12 48+
vous et qui ont engendré des enfants parmi vous,
car vous les traiterez comme le citoyen israélite. Lv 19 34
Avec vous ils tireront au sort l'héritage, au milieu
des tribus d'Israël. 23 Dans la tribu où il habite,
c'est là que vous donnerez à l'étranger son héritage,
oracle du Seigneur Yahvé.

**Partage du pays** [j].

**48** 1 Voici les noms des tribus. A l'extrême nord,
dans la direction de Hètlôn, vers l'Entrée de

*a)* Les vv. 1-12 doivent être rapprochés de **43** 1s : ce fleuve merveilleux manifeste la bénédiction qu'apporte au pays l'habitation renouvelée de Dieu au milieu de son peuple. L'image sera reprise par Ap **22** 1-2.

*b)* Le terme désigne ici la basse vallée du Jourdain. La mer est la mer Morte, dont les eaux vont être assainies.

*c)* « le torrent » versions; « les deux torrents » hébr.

*d)* La Méditerranée.

*e)* Cette description de la Terre Promise vient de la même tradition que celle de Nb **34** 1-12, cf. **34** 1+. Certains noms géographiques sont difficiles à localiser, mais la frontière septentrionale paraît passer au nord de Tripoli et inclure le territoire de Damas, vv. 15-16; **48** 1, ce qui représente une frontière purement idéale. Le Jourdain marque la frontière orientale, v. 18.

*f)* « Voici » (*zeh*) versions; hébr. (*geh*) corrompu. – « en donnant à Joseph deux parts » Targ., Vulg.; « Joseph, des parts » hébr. – Les deux parts sont pour Éphraïm et Manassé, les fils de Joseph, comptés parmi les douze tribus d'Israël, tandis que la tribu de Lévi est mise à part.

*g)* « de Hamat » transposé du v. 16 avec grec.

*h)* « C'est » syr.; « et » hébr., de même au v. 18.

*i)* « vers Tamar » syr., cf. v. 19; hébr. corrompu. – La « mer orientale » est la mer Morte.

*j)* C'est la partie la plus utopique du plan d'Ézéchiel. Il partage le pays en bandes parallèles allant de la frontière orientale à la Méditerranée, sans tenir compte des réalités géographiques ni démographiques. Conformément aux limites données à la Terre Promise au ch. **47**, les tribus de Transjordanie sont ramenées à l'ouest du Jourdain. Il y a sept tribus au nord et cinq tribus au sud du territoire sacré qui est la part de Yahvé et où se trouve Jérusalem. Cette part réservée est répartie entre les prêtres (avec le Temple) et les lévites, et ce qui reste est laissé pour la ville et ses pâturages; le territoire du prince s'étend à l'est et à l'ouest de cette part sacrée, vv. 9-22 réutilisés dans **45** 1-8.

Hamat et Haçar-Enân, le territoire de Damas étant
au nord, le long de Hamat, depuis la limite orientale jusqu'à la limite occidentale[a] : Dan, un lot.
2 Sur la frontière de Dan, depuis la limite orientale
jusqu'à la limite occidentale : Asher, un lot. 3 Sur
la frontière d'Asher, depuis la limite orientale
jusqu'à la limite occidentale : Nephtali, un lot
4 Sur la frontière de Nephtali, depuis la limite
orientale jusqu'à la limite occidentale : Manassé,
un lot. 5 Sur la frontière de Manassé, depuis la
limite orientale jusqu'à la limite occidentale :
Éphraïm, un lot. 6 Sur la frontière d'Éphraïm, depuis la limite orientale jusqu'à la limite occidentale : Ruben, un lot. 7 Sur la frontière de Ruben,
depuis la limite orientale jusqu'à la limite occidentale : Juda, un lot. 8 Sur la frontière de Juda, depuis
la limite orientale jusqu'à la limite occidentale, il
y aura la part que vous réserverez, large de vingt-
cinq mille coudées et aussi longue que chacune des
autres parts, depuis la limite orientale jusqu'à la
limite occidentale. Le sanctuaire sera au milieu.
45 1-6 9 La part que vous y prélèverez pour Yahvé sera
longue de vingt-cinq mille coudées et large de dix
mille. 10 C'est à ceux-ci, aux prêtres, qu'appartiendra la part sacrée : au nord, vingt-cinq mille coudées et à l'ouest une largeur de dix mille coudées,
à l'est une largeur de dix mille coudées et au sud
une longueur de vingt-cinq mille coudées; le sanctuaire de Yahvé sera au milieu. 11 Cela sera pour
44 15-16 les prêtres consacrés, à ceux des fils de Sadoq qui
ont assuré mon service, qui ne se sont pas égarés
dans l'égarement des Israélites, comme se sont égarés les lévites. 12 Ainsi leur appartiendra une part
prise sur la part très sainte du pays, près du terri-
Nb 35 toire des lévites. 13 Quant aux lévites, leur territoire,
tout comme le territoire des prêtres, aura vingt-cinq
mille coudées de long et dix mille de large -- longueur totale vingt-cinq mille et largeur dix mille.
14 Ils n'en pourront rien vendre ni échanger et le
fonds de la terre ne pourra être aliéné, car il est
consacré à Yahvé. 15 Quant aux cinq mille coudées
qui restent, en largeur, sur vingt-cinq mille, on en
fera un territoire banal pour la ville, pour les habitations et les pâturages. Au milieu, il y aura la ville.
↗ Ap 21 15-17 16 Voici ses dimensions : du côté du nord, quatre
mille cinq cents coudées; du côté du sud, quatre
mille cinq cents coudées; du côté de l'est, quatre
mille cinq cents coudées; du côté de l'ouest, quatre
mille cinq cents coudées. 17 Le pâturage de la ville
aura vers le nord deux cent cinquante coudées, vers
le sud deux cent cinquante, vers l'est deux cent cinquante et vers l'ouest deux cent cinquante. 18 Il restera, le long de la part consacrée, une longueur de
dix mille coudées vers l'orient et de dix mille vers
l'occident, le long de la part consacrée : cela for-
mera un revenu pour nourrir les travailleurs de la
ville. 19 Et les travailleurs de la ville, pris dans toutes les tribus d'Israël, la cultiveront. 20 Au total, la
part aura vingt-cinq mille coudées sur vingt-cinq
mille. Vous prélèverez un carré sur la part sacrée
pour constituer la ville. 21 Et ce qui restera sera
pour le prince, de part et d'autre de la part sacrée
et de la propriété de la ville, le long des vingt-cinq
mille coudées à l'est[b], jusqu'à la frontière orientale,
et à l'ouest, le long des vingt-cinq mille coudées,
jusqu'à la frontière occidentale – pour le prince,
parallèlement aux autres parts. Et au milieu, il y
aura la part sacrée et le sanctuaire du Temple.
22 Ainsi, depuis la propriété des lévites et la propriété de la ville, qui sont au milieu de ce qui
revient au prince, entre le territoire de Juda et le
territoire de Benjamin, ce sera au prince.
23 Et voici le reste des tribus. Depuis la limite
orientale jusqu'à la limite occidentale : Benjamin,
un lot. 24 Sur la frontière de Benjamin, depuis la
limite orientale jusqu'à la limite occidentale :
Siméon, un lot. 25 Sur la frontière de Siméon,
depuis la limite orientale jusqu'à la limite occidentale : Issachar, un lot. 26 Sur la frontière d'Issachar,
depuis la limite orientale jusqu'à la limite occidentale : Zabulon, un lot. 27 Sur la frontière de Zabulon, depuis la limite orientale jusqu'à la limite occidentale : Gad, un lot. 28 Et sur la frontière de Gad,
du côté méridional, au midi, la frontière ira de
Tamar aux eaux de Mériba de Qadesh, le torrent,
jusqu'à la Grande mer. 29 Tel est le pays que vous
ferez échoir en héritage aux tribus d'Israël, telles
seront leurs parts, oracle du Seigneur Yahvé.

**Les portes de Jérusalem[c].**

30 Et voici les sorties de la ville : du côté du nord,
on mesurera quatre mille cinq cents coudées. 31 Les
portes de la ville recevront les noms des tribus
d'Israël. Trois portes au nord : la porte de Ruben, ↗ Ap 21 12-13
une; la porte de Juda, une; la porte de Lévi, une.
32 Du côté de l'orient, il y aura quatre mille cinq
cents coudées et trois portes : la porte de Joseph,
une; la porte de Benjamin, une; la porte de Dan,
une. 33 Du côté du midi, on mesurera quatre mille
cinq cents coudées et il y aura trois portes : la porte

*a)* Après « le long de Hamat », on omet « ils seront à lui ». – « depuis la limite orientale jusqu'à la limite occidentale » grec, cf. v. 3s; « du côté oriental, la mer » (?) hébr.

*b)* « à l'est » *qedîmah* conj.; « prélèvement » *terumah* hébr.; omis par grec.

*c)* Les vv. 30-35, qui donnent leur attention à la ville et non plus au Temple, sont une addition au livre.

de Siméon, une; la porte d'Issachar, une; la porte
de Zabulon, une. 34 Du côté de l'occident, il y aura
quatre mille cinq cents coudées et trois portes : la
porte de Gad, une; la porte d'Asher, une; la porte
de Nephtali, une. 35 Périmètre total : dix-huit mille
coudées.

Et le nom de la ville sera désormais : « Yahvé est Is 1 26+
là [a]. »

*a)* En hébreu *Yahvé-sham*, mot dont l'assonance rappelle peut-être celle de Jérusalem, mais dont la signification est comme le résumé de toute l'œuvre religieuse et cultuelle d'Ézéchiel.

# DANIEL

## *Les enfants hébreux à la cour de Nabuchodonosor*

2 R **24** 1s **1** [1] En l'an III du règne de Joiaqim, roi de Juda,
2 Ch **36** 5-7 Nabuchodonosor, roi de Babylone, s'en vint à
Jérusalem et l'investit. [2] Le Seigneur livra entre ses
mains Joiaqim, roi de Juda, ainsi qu'une partie des
objets du Temple de Dieu. Il les emmena au pays
Gn **10** 10 de Shinéar [a] et déposa les objets dans le trésor de
ses dieux.
[3] Le roi dit à Ashpenaz, chef de ses eunuques, de
prendre d'entre les gens d'Israël quelques enfants
de race royale ou de grande famille : [4] ils devaient
être sans tare, de belle apparence, instruits en toute
sagesse, savants en science et subtils en savoir [b],
aptes à se tenir à la cour du roi; Ashpenaz leur
enseignerait les lettres et la langue des Chaldéens.
R **25** 29-30 [5] Le roi leur assignait une portion journalière des
mets du roi et du vin de sa table. Ils seraient édu-
qués pendant trois ans; après quoi, ils auraient à
se tenir devant le roi. [6] Parmi eux se trouvaient
Daniel, Ananias, Misaël et Azarias, qui étaient des
Judéens. [7] Le chef des eunuques leur imposa des
noms : Daniel s'appellerait Baltassar, Ananias
Shudrak, Misaël Meshak, et Azarias Abed Nego [c].
Jdt **12** 2 [8] Daniel, ayant à cœur de ne pas se souiller en prenant part aux mets du roi et au vin de sa table, supplia le chef des eunuques de lui épargner cette
n **39** 4, 21 souillure [d]. [9] Dieu accorda à Daniel de trouver
Est **2** 9 auprès du chef des eunuques grâce et miséricorde.
[10] Mais le chef des eunuques dit à Daniel : « Je
redoute Monseigneur le roi; il vous a assigné chère
et boisson et, s'il vous voit le visage émacié plus
que les enfants de votre âge, c'est moi qui, à cause
de vous, serai coupable aux yeux du roi. » [11] Daniel
dit alors au garde que le chef des eunuques avait
assigné à Daniel, Ananias, Misaël et Azarias :
[12] « Je t'en prie, mets tes serviteurs à l'épreuve pen- ↗ Ap **2** 10
dant dix jours : qu'on nous donne des légumes à
manger et de l'eau à boire. [13] Tu verras notre mine
et la mine des enfants qui mangent des mets du roi,
et tu feras de tes serviteurs selon ce que tu auras
vu. » [14] Il consentit à ce qu'ils lui demandaient et
les mit à l'épreuve pendant dix jours. [15] Au bout de
dix jours, ils avaient bonne mine et ils avaient
grossi plus que tous les enfants qui mangeaient des
mets du roi. [16] Dès lors, le garde supprima leurs
mets et la portion de vin qu'ils avaient à boire et
leur donna des légumes. [17] A ces quatre enfants
Dieu donna savoir et instruction en matière de let-
tres et en sagesse. Daniel, lui, possédait le discerne- Gn **41** 12
ment des visions et des songes. [18] Au terme fixé par
le roi pour qu'on les lui amenât, le chef des eunuques les conduisit devant Nabuchodonosor. [19] Le
roi s'entretint avec eux, et dans le nombre il ne s'en
trouva pas tels que Daniel, Ananias, Misaël et
Azarias. Ils se tinrent donc devant le roi [20] et, sur 1 R **10** 3-4
quelque point de sagesse ou de prudence qu'il les
interrogeât, le roi les trouvait dix fois supérieurs à
tous les magiciens et devins de son royaume tout
entier. [21] Daniel demeura là jusqu'en l'an I du roi
Cyrus.

*a)* Après « au pays de Shinéar » (grec : « en Babylonie », cf. Jos **7** 21), hébr. ajoute : « au temple de ses dieux ».
*b)* Dans les cours orientales on formait dès l'enfance ceux que l'on destinait à la carrière des « lettres » : scribes, traducteurs, chroniqueurs, savants, devins de toute espèce. Il ne s'agissait donc pas de former des pages.
*c)* Le copiste a probablement déformé délibérément le nom païen d'Abed Nebo « serviteur de Nabu » (le nom de ce dieu se retrouve dans celui de Nabuchodonosor). Cf. le même traitement du nom de Baal dans des prénoms comme Ishbaal, Meribbal, devenus Ishboshet, Mephibboshet, 2 S **2** 8; **4** 4.
*d)* Aux temps de l'hellénisation forcée, sous Antiochus Épiphane, la rupture des interdits alimentaires de la Loi équivalait à l'apostasie, cf. 2 M **6** 18 - **7** 42.

# *Le songe de Nabuchodonosor : la statue composite*

7 **Le roi interroge ses devins.**

**2** [1] En l'an II du règne de Nabuchodonosor,
Nabuchodonosor eut des songes [a]; son esprit
en fut troublé, le sommeil le quitta. [2] Le roi
ordonna d'appeler magiciens et devins, enchanteurs
et chaldéens [b] pour dire au roi quels avaient été ses
songes. Ils vinrent donc et se tinrent devant le roi.
[3] Le roi leur dit : « J'ai fait un songe et mon esprit
s'est troublé du désir de comprendre ce rêve. » [4] Les
chaldéens répondirent au roi : (Araméen)
(araméen) « O roi, vis à jamais [c]! Raconte le songe à tes serviteurs et nous t'en découvrirons l'interprétation. »
[5] Le roi répondit et dit aux chaldéens : « Que mon
propos vous soit connu : si vous ne me faites pas
connaître le songe et son interprétation, on vous
mettra en pièces et vos maisons seront changées en
5 17 bourbiers. [6] Mais si vous me découvrez mon songe
et son interprétation, vous recevrez de moi présents
et cadeaux et grands honneurs. Ainsi donc décou-
vrez-moi mon songe et son interprétation. » [7] Ils
reprirent : « Que le roi dise le songe à ses serviteurs
et nous lui en découvrirons l'interprétation. »
[8] Mais le roi répondit : « Je vois bien que vous voulez gagner du temps, sachant que mon propos est
proclamé. [9] Si vous ne me faites pas connaître mon
songe, une même sentence vous sera appliquée;
vous vous êtes entendus pour forger des discours
mensongers et pervers devant moi pendant que le
temps passe. Aussi, rapportez-moi mon songe et je
saurai que vous pouvez m'en découvrir le sens. »
[10] Les chaldéens répondirent au roi : « Il n'est personne sur terre pour découvrir la chose du roi. Et
aussi bien, il n'est roi, gouverneur ou chef pour
poser pareille question à magicien, devin ou chal-
Gn 41 16 déen. [11] La question que pose le roi est difficile et
nul ne peut la découvrir devant le roi, sinon les
dieux dont la demeure n'est point parmi les êtres
de chair. » [12] Alors le roi s'emporta furieusement et
ordonna de faire périr tous les sages de Babylone.
[13] Quand le décret de tuer les sages fut promulgué,
on chercha Daniel et ses compagnons pour les tuer.

**Intervention de Daniel.**

[14] Mais Daniel s'adressa en paroles prudentes et
avisées à Aryok, chef des bourreaux du roi, en
route pour tuer les sages de Babylone. [15] Il dit à
Aryok, officier du roi : « Pourquoi le roi a-t-il
rendu si pressant décret? » Aryok raconta la chose
à Daniel, [16] et Daniel s'en alla demander au roi de
lui accorder un délai pour lui permettre de découvrir au roi son interprétation. [17] Daniel rentra dans
sa maison et fit part de la chose à Ananias, Misaël
et Azarias, ses compagnons, [18] les engageant à
implorer la miséricorde du Dieu du Ciel [d] au sujet Gn 24 7
de ce mystère [e], pour qu'il soit épargné à Daniel et
à ses compagnons de périr avec les autres sages de
Babylone. [19] Alors le mystère fut révélé à Daniel
dans une vision nocturne. Et Daniel fit bénédiction [f] au Dieu du Ciel. [20] Daniel prit la parole
et dit :

« Que soit le Nom de Dieu Ps 41 14
béni de siècle en siècle, Ne 9 5
car à lui la sagesse et la force. Jb 12 13
[21] C'est lui qui fait alterner périodes et temps, Ap 5 12
qui fait tomber les rois, qui établit les rois, ↗ Ac 1 7+
qui donne aux sages la sagesse Rm 13 1
et la science à ceux qui savent discerner. Pr 2 6+
[22] Lui qui révèle profondeurs et secrets Jb 12 22
connaît ce qui est dans les ténèbres, Ps 139 11
et la lumière réside auprès de lui [g].
[23] A toi, Dieu de mes pères, je rends grâces et je
te loue
de m'avoir accordé sagesse et force :

*a)* Les songes surnaturels servent aux communications de Dieu à l'homme, cf. les ch. **4** et **7**. Comparer les songes d'Abraham, Gn **15** 12, Abimélek, Gn **20** 3, Jacob, Gn **28** 10-22 etc. Mais cf. Gn **37** 5+; Mt **1** 20+.

*b)* Le terme « chaldéen » désigne ici tout devin qui pratique l'art que l'on croit originaire de Chaldée. Les divers termes employés dans les énumérations de Dn **1** 20; **2** 2, 10, 27, **4** 4; **5** 7, 11, 15, n'ont d'ailleurs pas de sens technique précis.

*c)* Formule de salutation fréquente dans les textes accadiens et qu'on retrouve à la cour de Perse jusqu'à l'époque islamique.

*d)* Expression qui désigne généralement le Dieu des Juifs dans la bouche ou à l'adresse d'un non-Juif. Cf. **2** 37, 44; Jdt **5** 8; Esd **5** 11; **6** 9, 10, etc.; Ne **1** 4; **2** 4, 20; Tb **7** 12; de même les expressions « Seigneur du Ciel », **5** 23; Tb **7** 11; « le Roi du Ciel », **4** 34; « le Grand Dieu » **2** 45; Esd **5** 8.

*e) Raz :* ce mot d'origine perse, propre à Dn dans la Bible, se retrouve dans les textes de Qumrân : il désigne avant tout le « secret », mais semble amorcer déjà le sens si riche du grec *mysterion* dans saint Paul, cf. Rm **16** 25+.

*f)* La « bénédiction » juive se compose d'une invocation à Dieu ou à son Nom, suivie d'une commémoration de ses bienfaits; dans la liturgie, on termine en répétant l'eulogie où l'on inclut, sous forme abrégée, la mention du bienfait particulier.

*g)* L'AT parle de Dieu entouré de lumière, Ex **24** 17; Ez **1** 27; Ha **3** 4, et lui-même lumière, Is **60** 19-20; Sg **7** 26, comme le fera, plus explicitement encore, le NT. Cf. par exemple 1 Jn **1** 5-7; 1 Tm **6** 16; Jc **1** 17, cf. Jn **8** 12+. D'anciens commentateurs juifs invoquent ce verset pour établir qu'un des noms du Messie est « Lumière ».

voici que tu m'as fait connaître ce que nous
t'avons demandé;
les choses du roi, tu nous les as fait connaître. »

24 Daniel s'en fut donc chez Aryok que le roi
avait chargé de faire périr les sages de Babylone.
Il entra et lui dit : « Ne fais pas périr les sages de
Babylone. Fais-moi pénétrer devant le roi et je
révélerai au roi l'interprétation. » 25 Aryok s'em-
pressa de faire paraître Daniel devant le roi et lui
dit : « J'ai trouvé parmi les gens de la déportation
de Juda un homme qui fera connaître au roi son
interprétation. » 26 Le roi dit à Daniel (surnommé
Baltassar) : « Es-tu capable de me faire connaître
le songe que j'ai eu et son interprétation? »
27 Daniel répondit devant le roi : « Le mystère que
poursuit le roi, sages, devins, magiciens et exorcistes n'ont pu le découvrir au roi; 28 mais il y a un
1 Co 2 10-11 Dieu dans le ciel, qui révèle les mystères et qui a
↗ Ap 1 1, fait connaître au roi Nabuchodonosor ce qui doit
19; 4 1 arriver à la fin des jours. Ton songe et les visions
de ta tête sur ta couche, les voici [a] :
29 « O roi, sur ta couche, tes pensées s'élevèrent
concernant ce qui doit arriver plus tard, et le révélateur des mystères t'a fait connaître ce qui doit
arriver. 30 A moi, sans que j'aie plus de sagesse que
quiconque, ce mystère a été révélé, à seule fin de
faire savoir au roi son sens, et pour que tu connaisses les pensées de ton cœur.
31 « Tu as eu, ô roi, une vision. Voici : une statue,
une grande statue, extrêmement brillante, se dressait devant toi, terrible à voir. 32 Cette statue, sa
tête était d'or fin, sa poitrine et ses bras étaient
d'argent, son ventre et ses cuisses de bronze, 33 ses
jambes de fer, ses pieds partie fer et partie argile.
34 Tu regardais : soudain une pierre se détacha,
sans que main l'eût touchée [b], et vint frapper la statue, ses pieds de fer et d'argile, et les brisa. 35 Alors
se brisèrent, tout à la fois, fer et argile, bronze,
Ps 1 4 argent et or, devenus semblables à la bale sur l'aire
en été; le vent les emporta sans laisser de traces.
Et la pierre qui avait frappé la statue devint une
grande montagne qui remplit toute la terre. 36 Tel
fut le songe; et son interprétation, nous la dirons
devant le roi. 37 C'est toi, ô roi, roi des rois, à qui
le Dieu du Ciel a donné royaume, pouvoir, puissance et honneur [c] – 38 les enfants des hommes, les
bêtes des champs, les oiseaux du ciel, en quelque Jr 27 6
lieu qu'ils demeurent, il les a remis entre tes mains Jdt 11 7
et t'a fait souverain sur eux tous –, la tête d'or, c'est
toi. 39 Et après toi se dressera un autre royaume,
inférieur à toi, et un troisième royaume ensuite, de
bronze, qui dominera la terre entière. 40 Et il y aura
un quatrième royaume, dur comme le fer, comme 7 7; 8 5,
le fer qui réduit tout en poudre et écrase tout; 21; 11 3
comme le fer qui brise, il réduira en poudre et brisera tous ceux-là. 41 Ces pieds [d] que tu as vus, partie terre cuite et partie fer, c'est un royaume qui
sera divisé; il aura part à la force du fer, selon que
tu as vu le fer mêlé à l'argile de la terre cuite. 42 Les
pieds, partie fer et partie argile de potier : le
royaume sera partie fort et partie fragile. 43 Selon
que tu as vu le fer mêlé à l'argile de la terre cuite,
ils se mêleront en semence d'homme [e], mais ils ne
tiendront pas ensemble, de même que le fer ne se
mêle pas à l'argile. 44 Au temps de ces rois, le Dieu
du Ciel dressera un royaume qui jamais ne sera 3 33 (100);
détruit, et ce royaume ne passera pas à un autre 4 31; 7 14
peuple. Il écrasera et anéantira tous ces royaumes,
et lui-même subsistera à jamais : 45 de même, tu as 2 S 7 16
vu une pierre se détacher de la montagne, sans que Lc 1 33
main l'eût touchée, et réduire en poussière fer, Mt 21
bronze, terre cuite, argent et or. Le Grand Dieu a 42-44p
fait connaître au roi ce qui doit arriver. Tel est véritablement le songe, et sûre en est l'interprétation. »

**Profession de foi du roi.**

46 Alors le roi Nabuchodonosor tomba face
contre terre et se prosterna devant Daniel. Il
ordonna qu'on lui offrît oblation et sacrifice Lv 2 1
d'agréable odeur. 47 Et le roi dit à Daniel : « En Lv 6 8
vérité votre dieu est le Dieu des dieux et le maître Dn 3 90;
des rois, le révélateur des mystères, puisque tu as 11 36
pu révéler ce mystère. » 48 Alors le roi conféra à Dt 10 17
Daniel un rang élevé et lui donna nombre de
magnifiques présents. Il le fit gouverneur de toute
la province de Babylone et supérieur de tous les
sages de Babylone. 49 Daniel demanda au roi
d'assigner aux affaires de la province de Babylone
Shadrak, Meshak et Abed Nego, Daniel lui-même
demeurant à la cour du roi.

*a)* C'est l'annonce de la première des allégories de Dn, qui décrivent mystérieusement la succession des grands empires historiques (Néobabyloniens, Mèdes et Perses, Grecs héritiers du royaume asiatique d'Alexandre), ici figurés, selon les anciennes spéculations sur les âges du monde, par des métaux de valeur décroissante, et enfin l'avènement du royaume messianique. Tous les empires terrestres s'écrouleront, pour laisser la place à un règne nouveau, éternel parce que fondé sur Dieu : le Royaume des Cieux, cf. Mt **4** 17+. Jésus, qui se désignera lui-même comme le Fils de l'homme, cf. Dn **7** 13+ et Mt **8** 20+, s'appliquera aussi, cf. Mt **21** 42-44; Lc **20** 17-18, l'image de la pierre d'angle, d'abord rejetée, du Ps **118** 22, et de la pierre de fondation d'Is **28** 16, avec une allusion nette à la pierre détachée du roc et qui écrase celui sur qui elle tombe, ici vv. 34, 44-45.

*b)* Litt. : « sans les mains »; cf. Is **31** 8.

*c)* La puissance de Nabuchodonosor lui vient de Dieu, et non du caractère divin auquel il prétend, cf. **3**; Jdt **3** 8; **6** 2; **11** 7.

*d)* Aram. ajoute : « et les orteils ». De même au v. suivant on corrige « les doigts des pieds » en « les pieds ».

*e)* Allusion probable aux mariages entre Séleucides et Ptolémées, qui ne réussirent guère à consolider l'unité entre les successeurs d'Alexandre.

# *L'adoration de la statue d'or*

**Nabuchodonosor élève une statue d'or.**

3 1 Le roi Nabuchodonosor fit une statue d'or [a]
haute de soixante coudées et large de six, qu'il
dressa dans la plaine de Dura, dans la province de
Babylone. 2 Le roi Nabuchodonosor manda aux
satrapes, magistrats, gouverneurs, conseillers, trésoriers, juges et juristes, et à toutes les autorités de
la province, de s'assembler et de se rendre à la dédicace de la statue élevée par le roi Nabuchodonosor.
3 Lors s'assemblèrent satrapes, magistrats, gouverneurs, conseillers, trésoriers, juges et juristes et toutes les autorités de la province pour la dédicace de
la statue qu'avait élevée le roi Nabuchodonosor, et
ils se tinrent devant la statue qu'avait élevée le roi
Nabuchodonosor. 4 Le héraut proclama avec
↗ Ap 5 9; force : « A vous, peuples, nations et langues, voici
7 9; 13 7; ce qui a été commandé : 5 à l'instant où vous enten-
14 6; 17 15 drez sonner trompe, pipeau, cithare, sambuque,
psaltérion, cornemuse et toute espèce de musique [b],
↗ Ap 13 vous vous prosternerez et ferez adoration à la
14-15 statue d'or qu'a élevée le roi Nabuchodonosor.
6 Quant à celui qui ne se prosternera ni ne fera ado-
Jr 29 21-22 ration, il sera incontinent jeté dans la fournaise de
feu ardent. » 7 Sur quoi, dès que tous les peuples
eurent entendu sonner trompe, pipeau, cithare,
sambuque, psaltérion, cornemuse et toute espèce de
musique, se prosternèrent tous les peuples, nations
et langues, faisant adoration à la statue d'or
qu'avait élevée le roi Nabuchodonosor.

**Dénonciation et condamnation des Juifs.**

8 Cependant certains Chaldéens s'en vinrent
dénoncer les Juifs. 9 Ils dirent au roi Nabuchodonosor : « O roi, vis à jamais! 10 O roi, tu as promulgué
un décret prescrivant à tout homme qui entendrait
sonner trompe, pipeau, cithare, sambuque, psaltérion, cornemuse et toute espèce de musique, de se
prosterner et de faire adoration à la statue d'or,
11 et arrêtant que ceux qui ne se prosterneraient ni
ne feraient adoration seraient jetés dans la fournaise de feu ardent. 12 Or voici des Juifs que tu as
assignés aux affaires de la province de Babylone :
Shadrak, Meshak et Abed Nego; ces gens n'ont pas
tenu compte de tes ordres, ô roi; ils ne servent pas
ton dieu et ils n'ont pas fait adoration à la statue
d'or que tu as élevée. » 13 Alors, frémissant de
colère, Nabuchodonosor manda Shadrak, Meshak
et Abed Nego. Aussitôt on amena ces gens devant
le roi. 14 Et Nabuchodonosor leur dit : « Est-il vrai,
Shadrak, Meshak et Abed Nego, que vous ne ser-
viez point mes dieux et ne fassiez pas adoration à
la statue d'or que j'ai élevée? 15 Êtes-vous disposés,
quand vous entendrez sonner trompe, pipeau,
cithare, sambuque, psaltérion, cornemuse et toute
espèce de musique, à vous prosterner et à faire adoration à la statue que j'ai faite? Si vous ne lui faites
pas adoration, vous serez incontinent jetés dans la
fournaise de feu ardent; et quel est le dieu qui vous
délivrerait de ma main? » 16 Shadrak, Meshak et
Abed Nego répondirent au roi Nabuchodonosor :
« Point n'est besoin pour nous de te donner réponse
à ce sujet : 17 si notre Dieu, celui que nous servons,
est capable de nous délivrer de la fournaise de feu
ardent, et de ta main, ô roi, il nous délivrera; 18 et Ps 37 39-40
s'il ne le fait pas, sache ô roi, que nous ne servirons
pas ton dieu, ni n'adorerons la statue d'or que tu
as élevée. » 19 Alors le roi Nabuchodonosor fut
rempli de colère et l'expression de son visage changea à l'égard de Shadrak, Meshak et Abed Nego.
Il donna ordre de chauffer la fournaise sept fois
plus que d'ordinaire 20 et à des hommes forts de son
armée de lier Shadrak, Meshak et Abed Nego et de
les jeter dans la fournaise de feu ardent. 21 Ceux-ci
furent donc liés, avec leur manteau, leurs chausses,
leur chapeau, tous leurs vêtements, et jetés dans la
fournaise de feu ardent. 22 L'ordre du roi était
péremptoire; la fournaise étant excessivement brûlante, les hommes qui y portèrent Shadrak, Meshak
et Abed Nego furent brûlés à mort par la flamme
du feu. 23 Quant aux trois hommes Shadrak, Meshak et Abed Nego, ils tombèrent tout liés dans la
fournaise de feu ardent.

**Cantique d'Azarias dans la fournaise [c].** 9 3-19+

24 *Et ils marchaient au milieu de la flamme,* Esd 9 6
*louant Dieu et bénissant le Seigneur.* 25 *Azarias,*
*debout, priait ainsi, ouvrant la bouche, au milieu*
*du feu, il dit :*

*a)* LXX et Théod. ajoutent : « en sa dix-huitième année » et LXX : « après avoir soumis villes, provinces et tous les habitants de la terre, de l'Inde à l'Éthiopie », cf. Est 1 1; 8 9.
*b)* La sambuque était un triangle à quatre cordes, et le psaltérion une sorte de guitare.

*c)* La longue addition qui suit, vv. 24-90 (en italiques), conservée seulement en traductions grecque et syriaque, a sûrement eu un original hébreu ou araméen. Nous suivons Théodotion; les LXX présentent quelques variantes ou interversions. Le v. 24 de l'araméen coïncide avec le v. 91 du grec.

1 Ch 29 10, 20 26 *Béni sois-tu, Seigneur, Dieu de nos pères, et*
Dn 4 34 *vénéré,*
*et que ton nom soit glorifié éternellement.*
Tb 3 2-6 27 *Car tu es juste en toutes les choses que tu as fai-*
Ne 9 33 *tes pour nous*
Ap 16 7; *toutes tes œuvres sont vérité*
19 2 *toutes tes voies droites,*
*tous tes jugements vérité.*
28 *Tu as porté une sentence de vérité*
*en toutes les choses que tu as fait venir sur nous*
*et sur la ville sainte de nos pères, Jérusalem.*
*Car c'est dans la vérité et dans le droit que tu*
*nous as traités*
*à cause de nos péchés.*
9 5-8 29 *Oui, nous avons péché et commis l'iniquité en te*
*désertant,*
*oui, nous avons grandement péché;*
Ba 1 17s *tes commandements, nous ne les avons pas écou-*
Is 59 12-13 *tés,*
Ne 1 7 30 *nous ne les avons pas observés,*
*nous n'avons pas accompli ce qui nous était*
*commandé pour notre bien.*
Dt 28 15, 63s 31 *Oui, tout ce que tu as fait venir sur nous,*
Lv 26 14, 38 *tout ce que tu nous as fait,*
*en jugement de vérité, tu l'as fait.*
32 *Tu nous as livrés aux mains de nos ennemis,*
*gens sans loi, et les pires des impies,*
*à un roi injuste, au plus mauvais qui soit sur*
*toute la terre,*
33 *et aujourd'hui nous ne pouvons ouvrir la bouche,*
*la honte et l'opprobre sont la part de ceux qui*
*te servent et qui t'adorent.*
Ex 32 11s+ 34 *Oh! ne nous abandonne pas pour toujours, à*
*cause de ton nom,*
*ne répudie pas ton alliance,*
35 *ne nous retire pas ta grâce,*
Is 41 8 *pour l'amour d'Abraham ton ami* [a]
2 Ch 20 7 *et d'Isaac ton serviteur*
↗ Jc 2 23 *et d'Israël ton saint,*
Gn 15 5; 36 *à qui tu as promis une postérité nombreuse*
22 17 *comme les étoiles du ciel*
*et comme le sable sur le rivage de la mer.*
Dt 28 62 37 *Seigneur, nous voici plus petits que toutes les*
Jr 42 2 *nations,*
*nous voici humiliés par toute la terre,*
*aujourd'hui,*
*à cause de nos péchés.*
Os 3 4 38 *Il n'est plus, en ce temps, chef, prophète ni*
Lm 2 9 *prince,*
*holocauste, sacrifice, oblation ni encens,*
*lieu où te faire des offrandes*
39 *et trouver grâce auprès de toi.*

*Mais qu'une âme brisée et un esprit humilié* Mi 6 7-8
*soient agréés de toi,* Os 6 6
40 *comme des holocaustes de béliers et de taureaux,* Ps 51 19
*comme des milliers d'agneaux gras;*
*que tel soit notre sacrifice aujourd'hui devant toi,*
*et qu'il te plaise que pleinement nous te suivions,*
*car il n'est point de confusion pour ceux qui* Ps 25 3
*espèrent en toi.*
41 *Et maintenant nous mettons tout notre cœur à te*
*suivre,*
*à te craindre et à rechercher ta face.*
42 *Ne nous laisse pas dans la honte,*
*mais agis avec nous selon ta mansuétude*
*et selon la grandeur de ta grâce.*
43 *Délivre-nous selon tes œuvres merveilleuses,*
*fais qu'à ton nom, Seigneur, gloire soit rendue.*
44 *Qu'ils soient confondus, tous ceux qui font du*
*mal à tes serviteurs :*
*qu'ils soient couverts de honte,* Ps 35 26;
*privés de toute leur puissance,* 40 15
*et que leur force soit brisée.*
45 *Qu'ils sachent que tu es seul Dieu et Seigneur,* Ps 83 19
*en gloire sur toute la terre. »*

46 *Les serviteurs du roi qui les avaient jetés dans*
*la fournaise ne cessaient d'alimenter le feu de*
*naphte, de poix, d'étoupe et de sarments,* 47 *si bien*
*que la flamme s'élevait de quarante-neuf coudées*
*au-dessus de la fournaise.* 48 *En s'étendant, elle*
*brûla les Chaldéens qui se trouvaient autour de la*
*fournaise.* 49 *Mais l'ange du Seigneur descendit* Tb 5 4+
*dans la fournaise auprès d'Azarias et de ses*
*compagnons; il repoussa au dehors la flamme du*
*feu* 50 *et il leur souffla, au milieu de la fournaise,*
*comme une fraîcheur de brise et de rosée, si bien*
*que le feu ne les toucha aucunement et ne leur*
*causa douleur ni angoisse.*

**Cantique des trois jeunes gens.**

51 *Alors tous trois, d'une seule voix, se mirent à*
*chanter, glorifiant et bénissant Dieu dans la four-*
*naise, et disant :*

52 *« Béni sois-tu, Seigneur, Dieu de nos pères,* 3 26
*loué sois-tu, exalté éternellement.*
*Béni soit ton nom de gloire et de sainteté,*
*loué soit-il, exalté éternellement.*
53 *Béni sois-tu dans le temple de ta sainte gloire,* Is 6 1
*chanté, glorifié par-dessus tout éternellement.* Ps 150 1
54 *Béni sois-tu sur le trône de ton royaume,*
*chanté par-dessus tout, exalté éternellement.*
55 *Béni sois-tu, toi qui sondes les abîmes, qui sièges*

a) C'est le plus beau titre d'Abraham, celui qu'il a conservé dans les traditions arabe et musulmane.

Ex **25** 18+ 2 S **6** 2 *sur les chérubins* [a],
*loué, chanté par-dessus tout éternellement.*
*56 Béni sois-tu dans le firmament du ciel,*
*chanté, glorifié éternellement.*

Ps **103** 22; **145** 10 *57 Vous toutes, œuvres du Seigneur, bénissez le Seigneur :*
*chantez-le, exaltez-le éternellement!*

Ps **148** 2; **103** 20 *58 Anges du Seigneur, bénissez le Seigneur :*
*chantez-le, exaltez-le éternellement!*

Ps **148** 4 *59 O cieux, bénissez le Seigneur :*
*chantez-le, exaltez-le éternellement!*

*60 O vous, toutes les eaux au-dessus du ciel, bénissez le Seigneur :*
*chantez-le, exaltez-le éternellement!*

Ps **103** 21 *61 O vous, toutes les puissances, bénissez le Seigneur :*
*chantez-le, exaltez-le éternellement!*

Ps **148** 3 *62 O vous, soleil et lune, bénissez le Seigneur :*
*chantez-le, exaltez-le éternellement!*

*63 O vous, astres du ciel, bénissez le Seigneur :*
*chantez-le, exaltez-le éternellement!*

*64 O vous toutes, pluies et rosées, bénissez le Seigneur :*
*chantez-le, exaltez-le éternellement!*

Ps **148** 8 *65 O vous tous, vents, bénissez le Seigneur :*
*chantez-le, exaltez-le éternellement!*

*66 O vous, feu et ardeur, bénissez le Seigneur :*
*chantez-le, exaltez-le éternellement!*

*67* [b] *O vous, froidure et ardeur, bénissez le Seigneur :*
*chantez-le, exaltez-le éternellement!*

*68 O vous, rosées et giboulées, bénissez le Seigneur :*
*chantez-le, exaltez-le éternellement!*

*69 O vous, gel et froidure, bénissez le Seigneur :*
*chantez-le, exaltez-le éternellement!*

*70 O vous, glaces et neiges, bénissez le Seigneur :*
*chantez-le, exaltez-le éternellement!*

*71 O vous, nuits et jours, bénissez le Seigneur :*
*chantez-le, exaltez-le éternellement!*

*72 O vous, lumière et ténèbre, bénissez le Seigneur :*
*chantez-le, exaltez-le éternellement!*

*73 O vous, éclairs et nuées, bénissez le Seigneur :*
*chantez-le, exaltez-le éternellement!*

*74 Que la terre bénisse le Seigneur :*
*qu'elle le chante et l'exalte éternellement!*

Ps **148** 9 *75 O vous, montagnes et collines, bénissez le Seigneur :*
*chantez-le, exaltez-le éternellement!*

*76 O vous, toutes choses germant sur la terre, bénissez le Seigneur :*
*chantez-le, exaltez-le éternellement!*

*77 O vous, sources, bénissez le Seigneur :*
*chantez-le, exaltez-le éternellement!*

*78 O vous, mers et rivières, bénissez le Seigneur :*
*chantez-le, exaltez-le éternellement!*

*79 O vous, baleines et tout ce qui se meut dans les eaux, bénissez le Seigneur :*
*chantez-le, exaltez-le éternellement!*

*80 O vous tous, oiseaux du ciel, bénissez le Seigneur :*
*chantez-le, exaltez-le éternellement!*

*81 O vous tous, bêtes et bestiaux, bénissez le Seigneur :* Ps **148** 10
*chantez-le, exaltez-le éternellement!*

*82 O vous, enfants des hommes, bénissez le Seigneur :*
*chantez-le, exaltez-le éternellement!*

*83 O Israël, bénis le Seigneur :* Ps **135** 19
*chantez-le, exaltez-le éternellement!*

*84 O vous, prêtres, bénissez le Seigneur :*
*chantez-le, exaltez-le éternellement!*

*85 O vous, ses serviteurs, bénissez le Seigneur :* Ps **134** 1
*chantez-le, exaltez-le éternellement!*

*86 O vous, esprits et âmes des justes, bénissez le Seigneur :*
*chantez-le, exaltez-le éternellement!*

*87 O vous, saints et humbles de cœur, bénissez le Seigneur :* So **2** 3+
*chantez-le, exaltez-le éternellement!*

*88 Ananias, Azarias, Misaël, bénissez le Seigneur :*
*chantez-le, exaltez-le éternellement!*
*Car il nous a délivrés des enfers,*
*il nous a sauvés de la main de la mort,*
*il nous a arrachés à la fournaise de flamme ardente,*
*il nous a tirés du milieu de la flamme.*

*89 Rendez grâces au Seigneur, car il est bon,* Ps **106** 1; **136** 1-2
*car son amour est éternel.*

*90 Vous tous qui le craignez, bénissez le Seigneur Dieu des dieux,*
*chantez-le, rendez-lui grâces,*
*car son amour est éternel. »*

**Reconnaissance du miracle.**

24 Alors le roi Nabuchodonosor s'émut et se leva 91
en toute hâte. Il interrogea ses intimes : « N'avons-
nous pas jeté ces trois hommes tout liés dans le
feu? » Ils répondirent : « Assurément, ô roi. » 25 Il 92
dit : « Mais je vois quatre hommes en liberté qui se
promènent dans le feu sans qu'il leur arrive de mal,
et le quatrième a l'aspect d'un fils des dieux [c]. »
26 Nabuchodonosor s'approcha de l'ouverture de la 93
fournaise de feu ardent et dit : « Shadrak, Meshak

*a)* C'est une des façons d'invoquer Yahvé à l'arche de l'alliance, cf. 1 S **4** 4. Sur les chérubins du Temple de Jérusalem, cf. Ex **25** 18+; 1 R **6** 22-28; 2 Ch **3** 10-13.

*b)* Les vv. 67-68 ne se trouvent que dans les LXX et un seul ms de Théod.

*c)* Il s'agit d'un ange protecteur, cf. v. 28 (95).

et Abed Nego, serviteurs du Dieu Très Haut [a], sortez et venez ici. » Alors du milieu du feu sortirent
94 Shadrak, Meshak et Abed Nego. 27 S'assemblèrent
satrapes, magistrats, gouverneurs et intimes du roi
pour voir ces hommes : le feu n'avait pas eu de
pouvoir sur leur corps, les cheveux de leur tête
n'avaient pas été consumés, leur manteau n'avait
pas été altéré, nulle odeur de feu ne s'attachait à
95 eux. 28 Nabuchodonosor dit : « Béni soit le Dieu de
Shadrak, Meshak et Abed Nego, qui a envoyé son
ange et délivré ses serviteurs, eux qui, se confiant
en lui, ont désobéi à l'ordre du roi et ont livré leur
corps [b] plutôt que de servir ou d'adorer tout autre
dieu que leur Dieu. 29 Voici le décret que je porte : 6 27
Peuples, nations et langues, que tous ceux d'entre
vous qui parleraient légèrement du Dieu de Shadrak, Meshak et Abed Nego soient mis en pièces,
et que leurs maisons soient changées en bourbiers,
car il n'est pas d'autre dieu qui puisse délivrer de
la sorte. » 30 Alors le roi fit prospérer Shadrak, 97
Meshak et Abed Nego dans la province de Babylone.

# *Le songe prémonitoire et la folie de Nabuchodonosor*

98 31 Nabuchodonosor, Roi, à tous les peuples,
nations et langues qui habitent sur toute la terre :
99 Abondance de paix sur vous! 32 Il m'a semblé bon
de faire connaître les signes et merveilles qu'a faits
pour moi le Dieu Très Haut.

100 33 Si grands, ses signes!
Si puissantes, ses merveilles!
2 44; 4 31 Son royaume est un royaume éternel!
Son empire, de génération en génération!

**Nabuchodonosor raconte son rêve.**

**4** 1 Moi, Nabuchodonosor [c], je me tenais sans
souci dans ma maison, et florissant dans mon
palais. 2 J'ai eu un songe : il m'a épouvanté; des
angoisses, sur ma couche, et les visions de ma tête
m'ont tourmenté. 3 Je décrétai : qu'on m'amène
tous les sages de Babylone pour qu'ils me fassent
connaître l'interprétation du rêve. 4 Magiciens,
devins, chaldéens et exorcistes sont venus : je leur
dis mon rêve, ils ne m'en donnèrent pas l'interprétation. 5 Puis se présenta devant moi Daniel, surnommé Baltassar, selon le nom de mon dieu [d], et
5 11, 14; en qui réside l'esprit des dieux saints [e]. Je lui dis
13 45 mon songe :
6 « Baltassar, chef des magiciens, je sais qu'en toi
réside l'esprit des dieux saints et qu'aucun secret ne
t'embarrasse : voici [f] le songe que j'ai eu; donne-
m'en l'interprétation.
7 « Sur ma couche, j'ai contemplé les visions de
ma tête :

« Voici : un arbre [g] Ex 31 3-14
au centre de la terre,
très grand de taille.
8 L'arbre grandit, devint puissant,
sa hauteur atteignait le ciel,
sa vue, les confins de toute la terre.
9 Son feuillage était beau, abondant son fruit; Ez 17 23
en lui chacun trouvait sa nourriture,
il donnait l'ombre aux bêtes des champs,
dans ses branches nichaient les oiseaux du ciel ↗ Mt 13
et toute chair se nourrissait de lui. 31-32
10 Je contemplai les visions de ma tête, sur ma couche.

Voici : un Vigilant [h], un saint descend du ciel.
11 A pleine voix, il crie :
" Abattez l'arbre, brisez ses branches,
arrachez son feuillage, jetez son fruit,
que les bêtes fuient son abri
et les oiseaux ses branches.

*a)* L'expression se retrouve dans les Ps; ailleurs, elle est toujours mise dans la bouche d'un non-juif, cf. Gn **14** 18; Nb **24** 16; Is **14** 14.
*b)* Théod. ajoute : « au feu », leçon qui a inspiré saint Paul, 1 Co **13** 3.
*c)* Le grec précise : « En l'an dix-huit de son règne, Nabuchodonosor dit ». – Malgré des omissions, ce ch. est dans les LXX plus long d'un quart que le texte massorétique.
*d)* Le nom du dieu Bel, comme pour Balthazar, cf. **5** 1+.
*e)* C'est-à-dire l'inspiration divine que Pharaon, par exemple, discerne en Joseph à la sagesse de ses conseils, Gn **41** 38; cf. Is **11** 2+; **63** 10-11+. – Il ne faut pas corriger le pluriel de l'araméen en un singulier (ainsi Théod.) : Nabuchodonosor parle comme un païen qu'il est encore; voir au contraire **4** 34. De même Balthazar à **5** 11, 14.
*f)* « voici » *hazî* conj.; « les visions de (mon songe) » *hezwê* aram.
*g)* Pour le symbolisme de l'arbre représentant la puissance croissante d'une nation, comparer Ez **17** 1-10 et 22-24 et surtout **31** 3-14; Is **10** 33 - **11** 1.
*h)* C'est-à-dire un ange, toujours en éveil au service de Dieu. Comparer les roues « pleines d'yeux (ou de « reflets ») tout autour », Ez **1** 18; les anges « yeux du Seigneur », Za **4** 10b. Le terme « Vigilant », propre à Dn dans la Bible, est très fréquent dans les Apocryphes, notamment le *livre d'Hénok*, les *Jubilés* et les *Testaments des Patriarches*, et le « Document de Damas » : il désigne les archanges, souvent les archanges déchus. Dans la tradition postérieure, les Vigilants sont les anges gardiens.

12 Mais que restent en terre souche et racines
dans des liens de fer et de bronze,
dans l'herbe des champs.
Qu'il soit baigné de la rosée du ciel
et que l'herbe de la terre soit sa part avec les bêtes des champs.
13 Son cœur se détournera des hommes [a],
un cœur de bête lui sera donné
et sept temps [b] passeront sur lui!
14 C'est la sentence que prononcent les Vigilants,
la question tranchée par les saints [c],
afin que sache tout vivant
2 28+ Jr **27** 5 Jb **36** 7 que le Très Haut a domaine sur le royaume des hommes :
il le donne à qui lui plaît
et élève le plus bas d'entre les hommes! "

15 Tel est le songe que j'ai eu, moi Nabuchodonosor, roi. Toi, Baltassar, donne-m'en l'interprétation,
car aucun des sages de mon royaume n'a pu m'en
faire connaître l'interprétation; mais toi tu le peux,
puisque en toi réside l'esprit des dieux saints. »

**Daniel interprète le rêve.**

16 Alors Daniel, surnommé Baltassar, fut un instant confondu et troublé dans ses pensées. Le roi
dit : « Baltassar, ne sois pas troublé par ce songe
et son interprétation. » Baltassar répondit : « Monseigneur, ce songe soit pour ceux qui te haïssent,
et son interprétation pour tes adversaires! 17 Cet
arbre que tu as vu, grand et fort et élevé, atteignant
au ciel et visible par toute la terre, 18 au beau feuillage, au fruit abondant, portant nourriture pour
tous, sous lequel demeurent les bêtes des champs
– et dans ses branches nichent les oiseaux du ciel –,
19 c'est toi, ô roi, qui es devenu grand et puissant,
et ta grandeur a augmenté et a atteint jusqu'au ciel,
et ton empire jusqu'aux confins de la terre.
20 « Quant à ce qu'a vu le roi : un Vigilant, un
saint, descendu du ciel, qui disait : " Abattez
l'arbre, détruisez-le, mais la souche et ses racines
laissez-les en terre, dans des liens de fer et de
bronze, dans l'herbe des champs, et qu'il soit baigné de la rosée du ciel et que sa part soit avec les
bêtes des champs jusqu'à ce que sept temps soient
passés sur lui " – 21 voici quelle en est l'interprétation, ô roi, et la décision du Très-Haut qui est
venue sur mon Seigneur le roi :
22 « Tu seras chassé d'entre les hommes
et avec les bêtes des champs sera ta demeure,
tu te nourriras d'herbe, comme les bœufs,
tu seras baigné de la rosée du ciel,
sept temps passeront sur toi,
jusqu'à ce que tu aies appris
que le Très Haut a domaine sur le royaume des hommes
et qu'il le donne à qui lui plaît.

23 « Et cette parole : " Laissez la souche et les
racines de l'arbre ", c'est que ton royaume sera préservé pour toi jusqu'à ce que tu aies appris que les
Cieux ont tout domaine. 24 C'est pourquoi, ô roi,
agrée mon conseil : romps tes péchés par les Tb **12** 9
œuvres de justice, et tes iniquités en faisant miséri- Si **3** 30
corde aux pauvres, afin d'avoir longue sécurité [d]. »

**Le rêve se réalise.**

25 Tout cela advint au roi Nabuchodonosor.
26 Douze mois plus tard, se promenant sur la terrasse du palais royal de Babylone, 27 le roi disait :
« N'est-ce pas là cette grande Babylone [e] que j'ai
bâtie, pour en faire ma résidence royale, par la
force de ma puissance et pour la majesté de ma
gloire? » 28 Ces paroles étaient encore dans sa bouche, quand une voix tomba du ciel :

« C'est à toi qu'il est parlé, ô roi Nabuchodonosor!
La royauté s'est retirée de toi,
29 d'entre les hommes tu seras chassé,
avec les bêtes des champs sera ta demeure,
d'herbe, comme les bœufs, tu te nourriras,
et sept temps passeront sur toi,
jusqu'à ce que tu aies appris
que le Très Haut a domaine sur le royaume des hommes
et qu'il le donne à qui lui plaît. »

30 Et aussitôt, la parole s'accomplit en Nabuchodonosor : il fut chassé d'entre les hommes; comme

*a)* Ou peut-être : « Son cœur cessera d'être un cœur d'homme ».
*b)* Les « temps », ailleurs périodes mal déterminées, sont ici très probablement des années.
*c)* Les Vigilants, les saints, ne font que transmettre la sentence divine.
*d)* Le verbe traduit par « rompre » a donné un substantif araméen signifiant « salut, rédemption » : on pourrait traduire « rachète tes péchés ». Les « œuvres de justice » répondent à tout l'ensemble des « justes » rapports entre Dieu et les hommes, qui comprend et dépasse infiniment la justice légale ou les justices purement humaines. Au sens étroit, le terme désigne les œuvres pies, notamment l'aumône, comme dans Tb **12** 9; **14** 11.
*e)* Babylone fut une des merveilles du monde ancien. Le nom de la ville va devenir le symbole des choses humaines magnifiques mais fragiles et, au delà, le symbole de l'orgueil humain et démoniaque, l'antithèse de la Jérusalem céleste qui est la cité de Dieu. Cf. Ap **14** 8; **16** 19; **17** 5; **18** 2, 10, 21, qui reprend le thème des Prophètes, Is **21** 9, etc. Tout notre ch. veut montrer l'humiliation de cet orgueil : Nabuchodonosor ne retrouve son état normal qu'en se convertissant au vrai Dieu.

les bœufs, il mangea de l'herbe, son corps fut baigné de la rosée du ciel, et ses cheveux poussèrent
comme des plumes d'aigle et ses ongles comme des
griffes d'oiseau.
31 « Au temps fixé [a], moi, Nabuchodonosor, je
levai les yeux vers le ciel : l'intelligence me revint;
alors je bénis le Très Haut,
12 7 louant et glorifiant Celui qui vit à jamais :
Si 18 1 son empire est un empire éternel,
2 44+ son royaume, pour toutes les générations.
2 28+ 32 Tous les habitants de la terre, c'est comme s'ils
Is 40 22-24 ne comptaient pas,
Mt 6 10 selon son bon plaisir, il agit avec l'armée du ciel
et avec les habitants de la terre.

Nul ne peut arrêter sa main
ou lui dire : " Qu'as-tu fait là? " Jb 9 12 Is 45 9 Qo 8 4

33 A cet instant, l'intelligence me revint, et pour
l'honneur de ma royauté me revinrent gloire et
splendeur; mes conseillers et mes grands me réclamèrent, je fus rétabli dans ma royauté, et ma grandeur fut accrue. 34 A présent, moi, Nabuchodonosor,
je loue, exalte et glorifie le Roi du Ciel,
dont toutes les œuvres sont vérité,
toutes les voies justice, Dt 32 4
et qui sait abaisser ceux qui marchent dans Dn 3 27
l'orgueil. »

# *Le festin de Balthazar*

5 1 Le roi Balthazar [b] donna un grand festin
pour ses seigneurs, qui étaient au nombre de
mille, et devant ces mille il but du vin. 2 Ayant
goûté le vin, Balthazar ordonna d'apporter les
1 2 vases d'or et d'argent que son père Nabuchodonosor avait pris au sanctuaire de Jérusalem, pour
y faire boire le roi, ses seigneurs, ses concubines et
ses chanteuses. 3 On apporta donc les vases d'or et
d'argent pris au sanctuaire du Temple de Dieu à
Jérusalem, et y burent le roi et ses seigneurs, ses
concubines et ses chanteuses. 4 Ils burent du vin et
↗ Ap 9 20 firent louange aux dieux d'or et d'argent [c], de
bronze et de fer, de bois et de pierre. 5 Soudain
apparurent des doigts de main humaine qui se
mirent à écrire, derrière le lampadaire, sur le plâtre
du mur du palais royal, et le roi vit la paume de
la main qui écrivait. 6 Alors le roi changea de couleur, ses pensées se troublèrent, les jointures de ses
hanches se relâchèrent et ses genoux se mirent à
s'entrechoquer. 7 Il manda en criant devins, chaldéens et exorcistes. Et le roi dit aux sages de Babylone : « Quiconque lira cette écriture et m'en découvrira l'interprétation, on le vêtira de pourpre, on lui
Est 8 15 mettra une chaîne d'or autour du cou et il gouver-
5 16, 29 nera en troisième dans le royaume [d]. » 8 Alors,
accoururent tous les sages du roi; mais ils ne
purent ni lire l'écriture ni en faire connaître l'interprétation au roi. 9 Le roi Balthazar en fut très troublé, il changea de couleur et ses seigneurs demeurèrent perplexes. 10 S'en vint dans la salle du festin
la reine, alertée par les paroles du roi et des seigneurs. Et la reine dit : « O roi, vis à jamais! Que
tes pensées ne se troublent pas et que ton éclat ne
se ternisse point. 11 Il est un homme dans ton
royaume en qui réside l'esprit des dieux saints. Du 4 5
temps de ton père, il se trouva en lui lumière, intelligence et sagesse pareille à la sagesse des dieux.
Le roi Nabuchodonosor, ton père, le nomma chef
des magiciens, devins, chaldéens et exorcistes [e].
12 Et puisqu'il s'est trouvé en ce Daniel, que le roi
avait surnommé Baltassar, un esprit extraordinaire,
connaissance, intelligence, art d'interpréter les songes, de résoudre les énigmes et de défaire les
nœuds, fais donc mander Daniel et il te fera
connaître l'interprétation. »
13 On fit venir Daniel devant le roi, et le roi dit
à Daniel : « Est-ce toi qui es Daniel, des gens de
la déportation de Juda, amenés de Juda par le roi
mon père? 14 J'ai entendu dire que l'esprit des dieux
réside en toi et qu'il se trouve en toi lumière, intelligence et sagesse extraordinaire. 15 On m'a amené
les sages et les devins pour lire cette écriture et
m'en faire connaître l'interprétation, mais ils sont
incapables de m'en découvrir l'interprétation.
16 J'ai entendu dire que tu es capable de donner des
interprétations et de défaire des nœuds. Si donc tu
es capable de lire cette écriture et de m'en faire
connaître l'interprétation, tu seras revêtu de pourpre et tu porteras une chaîne d'or autour du cou
et tu seras en troisième dans le royaume. »

*a)* Dans les LXX, la guérison du roi est due à sa contrition et à sa prière : un ange lui apparaît en songe pour lui annoncer que son royaume lui sera rendu.
*b)* Le nom babylonien est *Bel-shar-uçur* « Bel protège le roi ». Le personnage historique qui porte ce nom est le fils, non de Nabuchodonosor, mais de Nabonide; il ne porta pas le titre de roi. Cf. l'Introd., p. 1084.
*c)* « et d'argent » Théod. et Vulg.; omis par aram.
*d)* Le titre de « second » du roi existait bien à Babylone, mais il n'est jamais question d'un troisième. La locution, obscure en araméen, doit signifier, ici comme en 5 29 et 6 3, que Daniel fait partie d'un triumvirat ministériel, et non qu'il occupe le troisième rang par rapport au roi.
*e)* Aram. ajoute : « ton père, ô roi » omis par les versions.

[17] Daniel prit la parole et dit devant le roi : « Que
2 6 tes dons te soient retournés, et donne à d'autres tes
cadeaux! Pour moi, je lirai au roi cette écriture et
je lui en ferai connaître l'interprétation. [18] O roi, le
Dieu Très Haut a donné royaume, grandeur,
majesté et gloire à Nabuchodonosor ton père.
[19] [a] La grandeur qu'il lui avait donnée faisait trembler de crainte devant lui peuples, nations et langues : il tuait qui il voulait, laissait vivre qui il voulait, élevait qui il voulait, abaissait qui il voulait.
[20] Mais son cœur s'étant élevé et son esprit durci jusqu'à l'arrogance, il fut rejeté du trône de sa royauté et la gloire lui fut ôtée. [21] Il fut retranché d'entre les hommes, et par le cœur il devint semblable aux bêtes; sa demeure fut avec les onagres; comme les bœufs il se nourrit d'herbe; son corps fut baigné de la rosée du ciel, jusqu'à ce qu'il eût appris que le Dieu Très Haut a domaine sur le royaume des hommes et met à sa tête qui lui plaît.
[22] Mais toi, Balthazar, son fils, tu n'as pas humilié ton cœur, bien que tu aies su tout cela : [23] tu t'es exalté contre le Seigneur du Ciel, tu t'es fait apporter les vases de son Temple, et toi, tes seigneurs,
tes concubines et tes chanteuses, vous y avez bu 5 4
du vin, et avez fait louange aux dieux d'or et
d'argent, de bronze et de fer, de bois et de pierre,
qui ne voient, n'entendent ni ne comprennent, et tu
n'as pas glorifié le Dieu qui tient ton souffle entre
ses mains et de qui relèvent toutes tes voies. [24] Il Ps 135 15-17
a donc envoyé cette main qui, toute seule, a tracé Is 40 20+
cette écriture. [25] L'écriture tracée, c'est : *Mené,* Jb 12 10
*Mené, Teqel* et *Parsîn* [b]. [26] Voici l'interprétation de ces mots : *Mené :* Dieu a *mesuré* ton royaume et l'a livré; [27] *Teqel :* tu as été *pesé* dans la balance et ton poids se trouve en défaut; [28] *Parsîn :* ton royaume a été *divisé* et donné aux Mèdes et aux *Perses.* »

[29] Alors Balthazar ordonna de revêtir Daniel de pourpre, de lui mettre au cou une chaîne d'or et de proclamer qu'il gouvernerait en troisième dans le royaume.

[30] Cette nuit-là, le roi chaldéen Balthazar fut assassiné

**6** [1] et Darius le Mède reçut le royaume, étant 31
âgé déjà de soixante-deux ans [c].

# Daniel dans la fosse aux lions

**Jalousie des satrapes.**

6[1] [2] Il plut à Darius d'établir sur son royaume cent
2 vingt satrapes pour tout le royaume, [3] sous la prési-
5 7, 16, 29 dence de trois chefs – Daniel en était un – auxquels
les satrapes auraient à rendre compte. Ceci afin
3 d'empêcher qu'un tort fût fait au roi. [4] Ce même
Daniel l'emportait si bien sur les chefs et les satrapes parce qu'il avait en lui un esprit extraordinaire, que le roi se proposait de le placer à la tête du
4 royaume tout entier. [5] Alors les chefs et les satrapes
se mirent en quête d'une affaire d'État qui pût faire du tort à Daniel; mais ils ne purent trouver d'affaire ou de manquement tant il était fidèle, et on ne trouvait à lui reprocher ni négligence ni man-
5 quement. [6] Ces hommes se dirent donc : « Faute
d'affaire au préjudice de ce Daniel, trouvons-en une contre lui à propos de la religion de son Dieu. »
6 [7] Chefs et satrapes s'en vinrent donc en nombre
auprès du roi et lui parlèrent ainsi : « O roi Darius,
vis à jamais! [8] Chefs du royaume, magistrats, 7
satrapes, ministres et gouverneurs, nous sommes tous d'avis que le roi devrait rendre un édit pour donner vigueur à l'interdit suivant : tout homme qui, au cours des trente jours à venir, adressera une prière à quiconque, dieu ou homme, autre que toi,
ô roi, sera jeté à la fosse aux lions. [9] O roi, donne 8
à présent force de loi à cet interdit en signant cet acte, en sorte qu'on n'y change rien, selon la loi
des Mèdes et des Perses, laquelle ne passe point. » Est 1 19+
[10] En raison de quoi, le roi Darius signa l'acte 9
d'interdit.

**Prière de Daniel.**

[11] Apprenant que l'acte avait été signé, Daniel 10
monta dans sa maison. Les fenêtres de sa chambre
haute étaient orientées vers Jérusalem [d], et trois fois 1 R 8 44
par jour il se mettait à genoux, priant et confessant Ps 5 8; 28 2; 13
Ps 55 18

*a)* Daniel va résumer l'épisode raconté au ch. **4**.
*b)* Le texte aram. répète *Mené* (contre LXX, Théod., Vulg., Josèphe et les vv. 26-28 qui semblent supposer trois termes et non quatre) et a *Parsîn*, au lieu de *Pharès* (contre les mêmes). On retrouve sous ces mots mystérieux les noms de trois poids ou monnaies orientales : une mine, un shéqel et une demi-mine (*paras*), et les termes prêteraient à la série de jeux de mots des vv. 26-28, *mené* suggérant le verbe *mana* (mesurer), *teqel*, le verbe *shaqal* (peser), et *paras*, à la fois le verbe *paraç* (diviser) et le nom des Perses. L'accord n'est pas fait sur le sens de la séquence : allusion à la valeur décroissante des trois empires qui se succèdent (Babyloniens, « Mèdes », Perses), ou des trois rois : Nabuchodonosor, Évil-Merodak et Balthazar (ou encore Nabuchodonosor, Balthazar et les rois des « Mèdes et Perses »), ou dicton ancien dont la pointe nous échappe.
*c)* « Darius le Mède » est inconnu des historiens, et Cyrus le Perse avait déjà conquis les Mèdes lorsqu'il prit Babylone. Voir l'Introd., p. 1084.
*d)* La coutume de prier dans la direction de Jérusalem est connue au moins depuis l'Exil.

11 Dieu; c'est ainsi qu'il avait toujours fait. 12 Ces
hommes s'en vinrent en nombre et trouvèrent
12 Daniel qui suppliait et implorait Dieu. 13 Alors ils
s'introduisirent auprès du roi et lui rappelèrent
l'interdit royal : « N'as-tu pas signé l'interdit selon
lequel tout homme qui, dans les trente jours, adres-
serait une prière à quiconque, dieu ou homme,
autre que toi, ô roi, serait jeté dans la fosse aux
lions? » Le roi répondit : « La chose est tranchée
définitivement, selon la loi des Mèdes et des Perses,
13 laquelle ne passe point. » 14 Sur quoi, ils dirent au
roi : « Daniel, cet homme d'entre les gens de la
déportation de Juda, n'a cure de toi, ô roi, ni de
l'interdit que tu as signé : trois fois par jour il
14 s'acquitte de sa prière. » 15 En entendant ces mots,
le roi éprouva une grande douleur et résolut de sauver Daniel. Jusqu'au coucher du soleil, il s'ingénia
15 à lui trouver une échappatoire. 16 Mais ces hommes
s'empressèrent auprès du roi en disant : « Sache, ô
roi, que selon la loi des Mèdes et des Perses aucun
interdit ou édit porté par le roi ne peut être révoqué. »

**Daniel jeté aux lions.**

16 17 Alors, le roi donna ordre de faire venir Daniel
et de le jeter dans la fosse aux lions. Le roi dit à
Daniel : « Ton Dieu, que tu as servi avec persévé-
17 rance, c'est lui qui te sauvera. » 18 On apporta une
pierre qu'on posa sur l'entrée de la fosse, et le roi
y apposa son sceau et celui de ses seigneurs, en
sorte que rien ne pût être modifié de ce qui concer-
18 nait Daniel. 19 Le roi rentra dans son palais, passa
la nuit à jeûner et ne se laissa pas amener de concu-
19 bines [a]. Le sommeil le fuit 20 et dès l'aube, au petit
jour, le roi se leva et se rendit en hâte à la fosse
aux lions. 21 S'approchant de la fosse, il cria à 20
Daniel d'une voix angoissée : « Daniel, serviteur du
Dieu vivant, ce Dieu que tu sers avec persévérance
a-t-il pu te faire échapper aux lions? » 22 Daniel 21
répondit au roi : « O roi, vis à jamais! 23 Mon Dieu 22
a envoyé son ange, il a fermé la gueule des lions 3 49
et ils ne m'ont pas fait de mal, parce que j'ai été Tb 5 4+
trouvé innocent devant lui. Et devant toi aussi, ô
roi, je suis sans faute. » 24 Le roi éprouva une 23
grande joie et ordonna de faire sortir Daniel de la
fosse. On fit sortir Daniel de la fosse et on le trouva
indemne, parce qu'il avait eu foi en son Dieu. 25 Le 24
roi manda ces hommes qui avaient calomnié
Daniel et les fit jeter dans la fosse aux lions, eux,
leurs enfants et leurs femmes : et avant même qu'ils
eussent atteint le fond de la fosse, les lions s'étaient
emparés d'eux et leur avaient broyé les os.

**Profession de foi du roi.**

26 Et le roi Darius écrivit à tous peuples, nations 25
et langues qui habitent sur toute la terre : « Abondance de paix sur vous! 27 Voici le décret que je 26
porte : dans tout le domaine de mon royaume, que
les gens tremblent et frémissent devant le Dieu de 3 29 (96)
Daniel :

il est le Dieu vivant, il perdure à jamais, 4 31
– son royaume ne sera point détruit
et son empire n'aura point de fin –
28 il sauve et délivre, opère signes et merveilles 3 32s (99s)
aux cieux et sur la terre;
il a sauvé Daniel du pouvoir des lions. »

29 Ce même Daniel fleurit sous le règne de 28
Darius et sous le règne de Cyrus le Perse [b].

# *Songe de Daniel : les quatre bêtes*

2 **La vision des Bêtes** [c].
↗ Ap 13

**7** 1 En l'an I de Balthazar, roi de Babylone,
Daniel vit un songe et des visions de sa tête,
sur sa couche. Il rédigea le rêve par écrit. Début
du récit : 2 Daniel dit : J'ai contemplé des visions
dans la nuit. Voici : les quatre vents du ciel soule-
vaient la grande mer; 3 quatre bêtes énormes sortirent de la mer, toutes différentes entre elles. 4 La
première [d] était pareille à un lion avec des ailes
d'aigle. Tandis que je la regardais, ses ailes lui
furent arrachées, elle fut soulevée de terre et dressée
sur ses pattes comme un homme, et un cœur
d'homme lui fut donné. 5 Voici : une deuxième
bête [e], tout autre, semblable à un ours, dressée d'un
côté, trois côtes dans la gueule, entre les dents. Il

*a)* Traduction conjecturale; d'autres comprennent « instruments de musique ».

*b)* « fleurit » aram.; « fut placé sur le royaume » LXX. – Dans les LXX, le ch. se termine sur la mort de Darius et l'avènement de Cyrus le Perse.

*c)* La vision est parallèle au rêve de Nabuchodonosor, 2. Les quatre royaumes qui disparaîtront devant le Fils d'homme correspondent aux quatre métaux de la statue renversée par la pierre mystérieuse, cf. **2** 28+. Le sens eschatologique profond de cette vision historique est indiqué plus nettement encore par l'usage qu'en fait Ap **13**.

*d)* L'empire de Babylone.

*e)* Le royaume des Mèdes : selon les vues historiques du livre, les Mèdes succèdent immédiatement aux Babyloniens. Cf. **6** 1+.

lui fut dit : « Lève-toi, dévore quantité de chair. »
6 Ensuite, je regardai et voici : une autre bête[a]
pareille à un léopard, portant sur les flancs quatre
ailes d'oiseau; elle avait quatre têtes, et la domination lui fut donnée. 7 Ensuite je contemplai une
vision dans les visions de la nuit. Voici : une quatrième bête[b], terrible, effrayante et forte extrêmement; elle avait des dents de fer énormes : elle mangeait, broyait, et foulait aux pieds ce qui restait.
Elle était différente des premières bêtes et portait
dix cornes.

8 Tandis que je considérais ses cornes, voici :
parmi elles poussa une autre corne, petite[c]; trois
des premières cornes furent arrachées de devant
elle, et voici qu'à cette corne, il y avait des yeux
comme des yeux d'homme, et une bouche qui disait
↗ Ap 13 5 de grandes choses[d]!

### Vision de l'Ancien et du Fils d'homme.

9 Tandis que je contemplais :
↗ Ap 20 4 Des trônes furent placés[e]
et un Ancien s'assit.
Son vêtement, blanc comme la neige;
↗ Ap 1 14 les cheveux de sa tête, purs comme la laine.
Son trône était flammes de feu,
aux roues de feu ardent.
Ps 50 3 10 Un fleuve de feu coulait,
issu de devant lui.
↗ Ap 5 11 Mille milliers le servaient,
myriade de myriades, debout devant lui.
Jn 5 22 Le tribunal était assis,
↗ Ap 20 12 les livres étaient ouverts[f].

11 Je regardais; alors, à cause du bruit des grandes choses que disait la corne, tandis que je regar-
↗ Ap 19 20 dais, la bête fut tuée, son corps détruit et livré à
la flamme de feu. 12 Aux autres bêtes la domination
fut ôtée, mais elles reçurent un délai de vie[g], pour
un temps et une époque.

13 Je contemplais, dans les visions de la nuit :
Voici, venant sur les nuées du ciel, ↗ Mt 24 30; 26 64p
comme un Fils d'homme[h]. ↗ Ap 1 7; 14 14
Il s'avança jusqu'à l'Ancien
et fut conduit en sa présence. Mt 8 20+
14 A lui fut conféré empire,
honneur et royaume,
et tous peuples, nations et langues le servirent.
Son empire est un empire éternel 2 44+
qui ne passera point, 2 28+
et son royaume ne sera point détruit. Mt 4 17+

### Interprétation de la vision.

15 Moi, Daniel, mon esprit en fut écrasé et les
visions de ma tête me troublèrent[i]. 16 Je m'approchai de l'un de ceux qui se tenaient là et lui demandai de me dire la vérité concernant tout cela. Il me
répondit et me fit connaître l'interprétation de ces
choses : 17 « Ces bêtes énormes au nombre de quatre sont quatre rois qui se lèveront de la terre.
18 Ceux qui recevront le royaume sont les saints[j] Ac 9 13+
du Très Haut, et ils posséderont le royaume pour
l'éternité, et d'éternité en éternité. » 19 Puis je
demandai à connaître la vérité concernant la quatrième bête, qui était différente de toutes les autres,
terrible extrêmement, aux dents de fer et aux griffes
de bronze, qui mangeait et broyait, et foulait aux
pieds ce qui restait; 20 et concernant les dix cornes
qui étaient sur sa tête – et l'autre corne poussa et
les trois premières tombèrent, et cette corne avait
des yeux et une bouche qui disait de grandes choses, et elle avait plus grand air que les autres cornes. 21 Je contemplais cette corne qui faisait la
guerre aux saints et l'emportait sur eux, 22 jusqu'à ↗ Ap 11 7; 13 7

*a)* Le royaume des Perses.
*b)* Le royaume d'Alexandre (mort en 323) et de ses successeurs. Cf. **2** 40; **8** 5; **11** 3. Les dix cornes sont des rois de la dynastie séleucide. La « corne » est fréquemment employée comme symbole de force et de puissance, cf. Ps **75** 5; **89** 18; **92** 11; Dt **33** 17; 1 R **22** 11, etc.
*c)* Antiochus IV Épiphane (175-163), qui n'acquit d'importance qu'en se débarrassant d'un certain nombre de ses concurrents.
*d)* Indique à la fois l'éloquence habile et l'arrogance blasphématoire d'Antiochus, cf. v. 25; **11** 36; 1 M **1** 21, 24, 45 et Ap **13** 5.
*e)* Les trônes des juges : les saints de Dieu sont appelés à juger avec lui, déjà selon la tradition juive (Hénok) et plus clairement selon les promesses de Jésus, Mt **19** 28; Lc **22** 30; Ap **3** 21 et **20** 4. Le trône de Dieu avec ses roues, ardent et éblouissant, rappelle le char divin d'Ez **1**.
*f)* Le livre où s'inscrivent tous les actes humains bons et mauvais. Cf. Jr **17** 1; Ml **3** 16; Ps **40** 8; **56** 9; Lc **10** 20; Ap **20** 12+. L'image est reprise dans le *Dies irae.* Sur le Livre de Vie, cf. **12** 1+.
*g)* La survivance des autres empires, d'une durée indéterminée, n'offre plus de danger direct pour la foi, du moment que le Peuple de Dieu ne leur est plus soumis.
*h)* L'araméen *bar nasha'*, comme l'hébreu *ben 'adam*, équivaut d'abord à « homme », cf. Ps **8** 5. En Ézéchiel c'est ainsi que Dieu appelle le prophète. Mais l'expression a ici un sens particulier, éminent, dans lequel elle désigne un homme dépassant mystérieusement la condition humaine. Sens personnel, ainsi qu'en font foi les anciens textes juifs apocryphes inspirés de notre passage : *Hénok* et *IV Esdras,* comme aussi l'interprétation rabbinique la plus constante, et surtout l'usage qu'en fait Jésus en se l'appliquant à lui-même, cf. Mt **8** 20+. Mais aussi sens collectif, fondé sur le v. 18 (et le v. 22) où le Fils d'homme s'identifie en quelque façon aux saints du Très-Haut : mais le sens collectif (également messianique) prolonge le sens personnel, le Fils d'homme étant à la fois le chef, le représentant et le modèle du peuple des saints. C'est ainsi que saint Éphrem pensait que la prophétie vise en premier les Juifs (les Maccabées) puis au-delà et d'une manière parfaite, Jésus.
*i)* Après « Daniel », on supprime avec LXX et Vulg. deux mots araméens incompréhensibles.
*j)* « les saints » pour « le peuple saint », comme en **8** 24; Ps **34** 10; Is **4** 3; Nb **16** 3; cf. Ex **19** 6+.

↗ Ap **20** 4 la venue de l'Ancien qui rendit jugement en faveur
Mc **1** 15 des saints [a] du Très Haut, et le temps vint et les
saints possédèrent le royaume. [23] Il dit :

« La quatrième bête
sera un quatrième royaume sur la terre,
différent de tous les royaumes.
Elle mangera toute la terre,
la foulera aux pieds et l'écrasera.
↗ Ap **17** 12 [24] Et les dix cornes : de ce royaume,
dix rois se lèveront et un autre se lèvera après eux;
il sera différent des premiers
et abattra les trois rois;
**11** 36 [25] il proférera des paroles contre le Très Haut
et mettra à l'épreuve les saints du Très Haut.
Il méditera de changer les temps et le droit [b],
et les saints seront livrés entre ses mains
pour un temps et des temps et un demi-temps [c]. **8** 14; **12** 7
[26] Mais le tribunal siégera et la domination lui sera ôtée, ↗ Ap **12** 14
détruite et réduite à néant jusqu'à la fin.
[27] Et le royaume et l'empire
et les grandeurs des royaumes sous tous les cieux
seront donnés au peuple des saints du Très Haut.
Son empire est un empire éternel
et tous les empires le serviront et lui obéiront. »

[28] Ici finit le récit.
Moi, Daniel, je fus grandement troublé dans mes
pensées, ma mine changea et je gardai ces choses
dans mon cœur.

# *Vision de Daniel : le bélier et le bouc*

**La vision.**

(hébreu) **8** [1] En l'an III du règne du roi Balthazar [d], une
vision m'apparut, à moi Daniel, après celle
qui m'était apparue en premier [e]. [2] Je contemplais
la vision, et tandis que je contemplais, je me trouvais à Suse [f], la place forte qui est dans la province
d'Élam; et, contemplant la vision, je me trouvais à
la porte de l'Ulaï [g]. [3] Je levai les yeux pour voir.
Voici : un bélier [h] se tenait devant la porte. Il avait
deux cornes; les deux cornes étaient hautes, mais
l'une plus que l'autre, et la plus haute qui se dressa
fut la seconde [i]. [4] Je vis le bélier donner de la corne
vers l'ouest, vers le nord et vers le sud. Nulle bête
ne pouvait lui résister, rien ne pouvait lui échapper.
Il faisait ce qui lui plaisait et devint puissant.
[5] Voici ce que je discernai : un bouc [j] vint de
l'occident, ayant parcouru la terre entière mais
sans toucher le sol, et le bouc avait une corne « magnifique [k] » entre les yeux. [6] Il s'approcha du bélier
aux deux cornes que j'avais vu se tenir devant la
porte, et courut vers lui dans l'ardeur de sa force.
[7] Je le vis atteindre et affronter le bélier : il était en
rage contre lui et frappa le bélier, lui brisant les
deux cornes, sans que le bélier eût la force de lui
résister; il le jeta à terre et le foula aux pieds; personne n'était là pour délivrer le bélier. [8] Le bouc
devint très puissant, mais, en pleine force, la grande
corne se brisa et à sa place se dressèrent quatre
« magnifiques » à l'encontre des quatre vents du
ciel [l].
[9] De l'une d'elles, de la petite, sortit une corne,
mais qui grandit beaucoup dans la direction du sud
et de l'orient et du Pays de Splendeur [m]. [10] Elle **11** 16, 41
grandit jusqu'aux armées du ciel, précipita à terre Ez **20** 6, 15
des armées et des étoiles [n] et les foula aux pieds. Za **7** 14
Dn **12** 3
↗ Ap **12** 4

*a)* On pourrait aussi traduire : « le jugement fut remis aux saints ».
*b)* Allusion à la politique d'hellénisation d'Antiochus Épiphane, et notamment à son interdiction du sabbat et des fêtes, cf. 1 M **1** 41-52.
*c)* Selon **4** 13, il faut entendre ici par « temps » une année. Trois ans et demi, la demi-semaine d'années de **9** 27, correspondent à peu près à la durée de la persécution d'Antiochus. Ce chiffre exprimé équivalemment par quarante-deux mois (de trente jours) ou 1 260 jours, est repris, dans un sens typique, en Ap **11** 2-3; **12** 14; **13** 5 (et cf. Lc **4** 25 et Jc **5** 17) : il exprime alors, et dans une perspective constamment présente dans Dn, une période de calamités permises par Dieu et dont la durée sera limitée pour la consolation des affligés.
*d)* Sur ce personnage, voir **5** 1+.
*e)* La vision du ch. **7**, que celle-ci reprend d'une manière plus explicite.
*f)* Une des résidences royales sous les Achéménides. On ne sait s'il faut entendre que Daniel était réellement à Suse, ou si cela fait partie de la vision.
*g)* L'Ulaï est la rivière qui traverse Suse. – « porte » est la traduction conjecturale, appuyée par les versions, d'un mot qui n'apparaît qu'ici et vv. 3 et 6. D'autres comprennent « rivage » ou « torrent ».
*h)* Sur le symbolisme des béliers et des boucs, cf. Ez **34** 17s et Za **10** 3.
*i)* La plus haute des deux cornes est la puissance perse, qui l'emporte sur la puissance mède (v. 20) à laquelle elle succède tout en la ralliant.
*j)* Alexandre. Cf. v. 21 et **2** 40; **7** 7; **11** 3.
*k)* Traduction conjecturale; peut-être simplement « protubérance ».
*l)* Mort d'Alexandre et partage de son empire : en **7** 7 l'auteur passe tout de suite à la lignée des Séleucides, mais en spécifiant les prédécesseurs d'Antiochus Épiphane dont il va être question ici immédiatement au v. 9.
*m)* La Palestine.
*n)* Les étoiles sont le peuple de Dieu, d'après **12** 3 (et Mt **13** 43).

[11] Elle s'exalta même contre le Prince [a] de l'armée,
abolit le sacrifice perpétuel et renversa le fonde-
11 31 ment de son sanctuaire [12] et l'armée; sur le sacrifice
elle posa l'iniquité [b] et renversa à terre la vérité; elle
agit et réussit.
[13] J'entendis un saint [c] qui parlait, et un autre
12 6 saint dit à celui qui parlait [d] : « Jusques à quand la
↗ Ap 6 10 vision : le sacrifice perpétuel [e], désolation de l'iniquité, sanctuaire et légion foulés aux pieds? » [14] Il
lui [f] dit : « Encore deux mille trois cents soirs et
matins [g], alors le sanctuaire sera revendiqué [h]. »

**L'ange Gabriel explique la vision.**

[15] Moi, Daniel, contemplant cette vision, j'en
cherchai l'intelligence. Voici, se tenant devant moi,
quelqu'un qui avait l'aspect d'un homme.
[16] J'entendis une voix d'homme, sur [i] l'Ulaï, criant :
9 21-23 « Gabriel, donne-lui l'intelligence de cette vision! »
Lc 1 19, 26 [17] Il s'avança vers le lieu où je me tenais, et, comme
10 15-19 il approchait, je fus saisi de terreur et tombai face
Ez 2 1 Ap 1 17 contre terre. Il me dit : « Fils d'homme,
comprends : c'est le temps de la Fin que révèle la
vision. » [18] Il parlait encore que je m'évanouis, la
face contre terre. Il me toucha et me releva. [19] Il
dit : « Voici, je vais te faire connaître ce qui viendra
Am 5 18+ à la fin de la Colère [j], pour la Fin assignée. [20] Le
11 2+ bélier que tu as vu, ses deux cornes, ce sont les rois
des Mèdes et des Perses. [21] Le bouc velu est le roi
de Yavân, la grande corne qui est entre ses yeux,
c'est le premier roi. [22] La corne brisée et les quatre
cornes qui ont poussé à sa place, sont quatre
royaumes issus de sa nation mais qui n'auront pas
sa force.

[23] « Et au terme de leur règne, au temps de la plénitude de leurs péchés [k],
se lèvera un roi au visage fier, sachant pénétrer
les énigmes.
[24] Sa puissance croîtra en force,
– mais non par sa propre puissance [l] –
il tramera [m] des choses inouïes,
il prospérera dans ses entreprises,
il détruira des puissants
et le peuple des saints. 7 18
[25] Et, par son intelligence,
la trahison réussira entre ses mains.
Il s'exaltera dans son cœur
et détruira un grand nombre par surprise.
Il s'opposera au Prince des Princes,
mais – sans acte de main [n] – il sera brisé. 2 34
[26] Elle est vraie, la vision des soirs et des matins ↗ Ap 19 9;
qui a été dite, 21 5; 22 6
mais, toi, garde silence sur la vision, car il doit 12 4, 9-13
s'écouler bien des jours [o]. » ↗ Ap 10 4
[27] Alors, moi Daniel, je défaillis et je fus malade
plusieurs jours. Puis je me levai, pour accomplir
mon office auprès du roi, gardant silence sur la
vision, et demeurant sans la comprendre.

# La prophétie des soixante-dix semaines

3 25-45 Ba 1-2 Ne 1 5-11; 9 **Prière de Daniel.**

**9** [1] En l'an I de Darius, de la race des Mèdes, fils
d'Artaxerxès, qui régna sur le royaume de
Chaldée [p], [2] en l'an I de son règne, moi, Daniel, je
scrutai les Écritures, computant le nombre des
années – tel qu'il fut révélé par Yahvé au prophète
Jérémie – qui doivent s'accomplir pour les ruines Jr 25 11-12
de Jérusalem, à savoir soixante-dix ans. [3] Je tournai 29 10
ma face vers le Seigneur Dieu pour implorer un
délai de prière et de supplications dans le jeûne, le
sac et la poussière. [4] Je suppliai Yahvé mon Dieu,
faisant confession [q] : Lv 26 40
« Ah! mon Seigneur, Dieu grand et redoutable, Dt 7 21

*a)* Dieu lui-même.
*b)* Traduction approximative : on peut comprendre que l'iniquité (c'est-à-dire « l'abomination de la désolation ») a été substituée dans le sanctuaire au sacrifice; ou encore que le persécuteur a voulu que le sacrifice soit considéré comme une iniquité.
*c)* Probablement un ange, cf. **4** 10.
*d)* Litt. « à un tel qui parlait ». Cette présentation d'une révélation dans un dialogue mystérieux dont les questions sont celles-là mêmes que se pose le voyant, se retrouve en Za **1** 8-17.
*e)* LXX ajoute : « aboli ».
*f)* « lui » versions; « me » hébr.
*g)* Donc soit 2 300 jours, soit 1 150 jours, si l'expression vise les deux sacrifices quotidiens suspendus pendant le temps de la persécution. L'un et l'autre chiffres s'éloignent notablement des trois ans et demi (1 260 jours) de **7** 25, et le sens reste obscur.
*h)* « Revendiqué », c'est-à-dire réintégré dans son droit : le terme implique un sens messianique par delà le sens historique.
*i)* Hébr. : « entre », ce qui s'entend peut-être des battants de la porte, cf. v. 2.
*j)* Vu sous l'angle de la prescience et de la volonté divines, le temps du malheur est celui de la Colère de Dieu, cf. **11** 36; Is **10** 25; **26** 20; 1 M **1** 64.
*k)* Litt. « comme à l'accomplissement de leurs péchés », c'est-à-dire : lorsque la mesure sera comble.
*l)* Le Persécuteur est l'instrument de la Colère de Dieu.
*m)* « tramera » conj.; « détruira » hébr.
*n)* Il y a peut-être ici à la fois une allusion à la fin non violente d'Antiochus, qui mourut de langueur, 1 M **6** 8-16; 2 M **9**, et l'idée que la mort des Persécuteurs, comme leurs succès, v. 24, est entre les mains de Dieu seul; cf. **2** 34.
*o)* A la différence des deux prophéties de Ez **12** 21-28 accomplies presque immédiatement, les visions de Daniel s'accompliront après un délai révélé de manière obscure, cf. **12** 4, 9-13.
*p)* Voir **7** 5+ et **6** 1+.
*q)* La prière qui suit incorpore nombre de réminiscences bibli-

Dt 7 9 qui gardes l'Alliance et la grâce pour ceux qui t'ai-
Ne 1 5 Ex 34 6+ ment et observent tes commandements. 5 Nous
avons péché, nous avons commis l'iniquité, nous
1 R 8 47 Ba 1 17 avons fait le mal, nous avons trahi et nous nous
sommes détournés de tes commandements et déci-
Jr 7 25-26+ sions. 6 Nous n'avons pas écouté tes serviteurs, les
Ne 9 34 prophètes qui parlaient en ton nom à nos rois, à
Jr 44 21 nos princes, à nos pères, à tout le peuple du pays.
Ba 1 15-16 7 A toi, Seigneur, la justice, à nous la honte au
visage, comme en ce jour, à nous, gens de Juda,
Is 57 19 habitants de Jérusalem, tout Israël, proches et loin-
Dt 28 64 tains, dans tous les pays où tu nous as chassés à
cause des infidélités commises à ton égard.
8 Yahvé, à nous la honte au visage, à nos rois, à
nos princes, à nos pères, parce que nous avons
péché contre toi. 9 Au Seigneur notre Dieu, les
Ne 9 17 miséricordes et les pardons, car nous l'avons trahi,
Dt 28 15 10 et nous n'avons pas écouté la voix de Yahvé
Jr 26 4+ notre Dieu pour marcher selon les lois qu'il nous
avait données par ses serviteurs les prophètes.
11 Tout Israël a transgressé ta loi, a déserté sans
écouter ta voix, et se sont répandues sur nous la
Lv 26 14-39 malédiction et l'imprécation inscrites dans la loi de
Dt 28 15-68 Moïse, le serviteur de Dieu – car nous avons péché
Ba 1 19 - 2 3 contre lui. 12 Et il a mis à exécution les paroles qu'il
avait dites contre nous et contre les princes qui
nous gouvernaient [a] : il ferait venir à nous calamité
si grande qu'il n'en sera pas sous le ciel de plus
grande qu'à Jérusalem. 13 Ainsi qu'il est écrit dans
la loi de Moïse, toute cette calamité est venue sur
nous, mais nous n'avons pas rasséréné la face de
Yahvé, notre Dieu, en revenant de nos iniquités, en
Jn 8 32 apprenant à connaître ta vérité. 14 Yahvé a veillé [b]
1 Jn 3 19+ à la calamité, il l'a fait venir sur nous. Car juste
Ne 9 33 est Yahvé notre Dieu, dans toutes les œuvres qu'il
a faites, mais nous, nous n'avons pas écouté sa
Ba 2 11-13 voix. 15 Et maintenant, Seigneur notre Dieu, qui par
Dt 6 21 ta main puissante as fait sortir ton peuple du pays
32 20-21 d'Egypte – et ton renom en perdure jusqu'à ce
jour –, nous avons péché, nous avons commis le
mal. 16 Seigneur, par toutes tes justices [c], détourne
ta colère et ta fureur de Jérusalem, ta ville, ta montagne sainte, car à cause de nos péchés et des fautes
de nos pères, Jérusalem et ton peuple sont en
opprobre à tous ceux qui nous environnent. 17 Et Ps 44 14
maintenant, écoute, ô notre Dieu, la prière de ton Ba 2 14
serviteur et ses supplications [d]. Que ta face illumine Ps 4 7+
ton sanctuaire désolé, par toi-même [e], Seigneur!
18 Prête l'oreille, mon Dieu, et écoute! Ouvre les 2 R 19 16
yeux et vois nos désolations et la ville sur laquelle Is 37 17
on invoque ton nom! Ce n'est pas en raison de nos Lm 5 18
œuvres justes que nous répandons devant toi nos Ba 2 19
supplications mais en raison de tes grandes miséricordes. 19 Seigneur, écoute! Seigneur, pardonne!
Seigneur, veille et agis! Ne tarde point! – par toi- Ne 9 19, 21, 27
même, mon Dieu! car ton nom est invoqué sur ta Ps 40 18
ville et ton peuple. »

**L'ange Gabriel explique la prophétie.**

20 Je parlais encore, proférant ma prière, confessant mes péchés et les péchés de mon peuple Israël,
et répandant ma supplication devant Yahvé mon
Dieu, pour la sainte montagne de mon Dieu; 21 je 8 15-18;
parlais encore en prière, quand Gabriel, l'être que 10 9-11
j'avais vu en vision au début, fondit sur moi en
plein vol [f], à l'heure de l'oblation du soir. 22 Il Ex 29 39
vint [g], me parla et me dit : « Daniel, me voici : je
suis sorti pour venir t'instruire dans l'intelligence.
23 Dès le début de ta supplication une parole a été
émise et je suis venu te l'annoncer. Tu es l'homme 10 11, 19
des prédilections [h]. Pénètre la parole, comprends la
vision [i] :
24 « Sont assignées septante semaines [j]
pour ton peuple et ta ville sainte
pour mettre un terme à la transgression,
pour apposer les scellés aux péchés,
pour expier l'iniquité,
pour introduire éternelle justice, Is 53 11
pour sceller [k] vision et prophétie, Rm 3 24-26
pour oindre le saint des saints [l]. 1 Ch 23 13 Ac 10 38 Mt 3 16+

ques. Elle est à rapprocher de la prière d'Azarias, en **3** 25-45, et elle a servi de modèle à Ba **1** et **2**.

*a)* Litt. « aux juges qui nous jugeaient ».

*b)* En Jr **1** 11-12, cf. **31** 28; **44** 27, le symbole de l'amandier (*sheqed*) évoque l'oracle de Yahvé qui veille (*shôqed*) sur l'accomplissement de sa Parole, pour le bien comme pour le malheur.

*c)* C'est-à-dire : au nom de la justice manifestée dans les actes par lesquels tu as « revendiqué » ton peuple.

*d)* Cf. 1 R **8** 28; Ne **1** 6, 11; Ps **130** 2.

*e)* « toi-même » d'après Théod. et v. 19; « à cause de mon Seigneur » hébr.

*f)* Litt. « volant de vol, me toucha ».

*g)* « Il vint » LXX. syr.; « Il me fit comprendre » hébr.

*h)* « homme » est ici sous-entendu. Cf. **10** 11, 19. La Vulg. traduit « l'homme de désirs », mais il s'agit bien des complaisances divines pour Daniel, non des désirs de son âme.

*i)* La prophétie qui suit, parallèle à celles des ch. voisins, vise les événements de la persécution d'Antiochus, mais dans un style littéraire allusif et mystérieux (absence de noms propres, chiffres conventionnellement arrondis) qui signale que le texte a une portée plus haute. Comme l'annonce du royaume messianique, **2** 28+; **7** 13+, elle aura sa réalisation définitive au temps du Christ et de l'Église. L'ère de plénitude décrite au v. 24 dépasse infiniment un quelconque retour à la paix. Mais le détail des vv. 25-27, qui décrivent les périodes précédentes, reste obscur.

*j)* Il s'agit d'un nombre parfait de semaines d'années. Le point de départ du comput est la date de la révélation faite à Jérémie, cf. v. 25. Le terme envisagé est la restauration de Jérusalem et le retour des captifs, que 2 Ch **36** 22-23 (= Esd **1** 1-3) voit réalisés par le décret libérateur de Cyrus en 538.

*k)* « sceller » signifie tantôt « mettre fin à », tantôt « garantir », et a ici le sens plénier d'« accomplir ».

*l)* Soit l'autel ou le Temple, soit le grand prêtre, cf. 1 Ch **23** 13 : la restauration du sacerdoce saint coïncide avec celle de l'autel et du Temple, elle est envisagée dans une même perspective prophétique.

25 Prends-en connaissance et intelligence :
Depuis l'instant que sortit cette parole
Esd **3** 1-3 “ Qu'on revienne et qu'on rebâtisse Jérusalem ”
jusqu'à un Prince Messie [a], sept semaines
et soixante-deux semaines,
restaurés, rebâtis places et remparts [b],
mais dans l'angoisse des temps.
26 Et après les soixante-deux semaines,
un messie [c] supprimé, et il n'y a pas pour lui [d]...
la ville et le sanctuaire détruits
par un prince qui viendra.
Sa fin sera dans le cataclysme
et, jusqu'à la fin, la guerre
et les désastres décrétés [e].
27 Et il consolidera une alliance avec un grand
nombre [f]
le temps d'une semaine;
et le temps d'une demi-semaine
il fera cesser le sacrifice et l'oblation [g], 1 M **1** 45
et sur l'aile du Temple [h] sera l'abomination de la **11** 31; **12** 11
désolation [i] 1 M **1** 54 ↗ Mt **24** 15p.
jusqu'à la fin, jusqu'au terme assigné pour le Dn **11** 36
désolateur. »

# *La grande vision*

## *LE TEMPS DE LA COLÈRE*

### Vision de l'homme vêtu de lin.

**10** 1 En l'an III de Cyrus, roi de Perse, une parole
fut révélée à Daniel, surnommé Baltassar :
parole sûre; haute lutte [j]. Il pénétra la parole,
**9** 23 l'intelligence lui en fut donnée en vision.
2 En ces temps-là, moi, Daniel, je faisais une
**9** 3 pénitence de trois semaines : 3 je ne mangeais point
de nourriture désirable; viande ni vin n'approchaient de ma bouche, et je ne m'oignais point,
jusqu'au terme de ces trois semaines. 4 Le vingt-
quatrième jour du premier mois, étant au bord du
**8** 2 grand fleuve, le Tigre, 5 je levai les yeux pour regarder. Voici :

↗ Ap **1** 13-15 Un homme vêtu de lin, les reins ceints d'or pur,
Ez **1** 6 son corps avait l'apparence de la chrysolite,
son visage, l'aspect de l'éclair,
ses yeux comme des lampes de feu,
ses bras et ses jambes comme l'éclat du bronze
poli,
Ez **1** 24 le son de ses paroles comme la rumeur d'une
multitude.

7 Seul, moi Daniel, je contemplais cette apparition; les hommes qui étaient avec moi ne voyaient Ac **9** 7
pas la vision, mais un grand tremblement s'abattit
sur eux et ils s'enfuirent pour se cacher. 8 Je demeurai seul, contemplant cette grande vision; j'étais
sans force, mon visage changea, défiguré, ma force
m'abandonna.

### Apparition de l'ange.

9 J'entendis le son de ses paroles, et au son de ses
paroles je défaillis et tombai face contre terre. **8** 16-18
10 Voici : une main me toucha, faisant frémir mes **9** 21-23
genoux et les paumes de mes mains. 11 Il me dit : ↗ Ap **1** 17
« Daniel, homme des prédilections, comprends les **9** 23; **10** 19
paroles que je vais te dire; lève-toi; me voici,
envoyé à toi. » Il dit ces mots et je me relevai en
tremblant. 12 Il me dit : « Ne crains point, Daniel,
car du premier jour où, pour comprendre, tu as
résolu de te mortifier devant ton Dieu, tes paroles
ont été entendues, et c'est à cause de tes paroles que
je suis venu. 13 Le Prince du royaume de Perse m'a
résisté pendant vingt et un jours, mais Michel [k], Jude **9**
l'un des Premiers Princes, est venu à mon aide. Je Ap **12** 7

*a)* Messie ou « oint », cf. Ex **30** 22+; 1 S **9** 26+; Is **45** 1. Les plus anciens Pères de l'Église ne sont pas d'accord sur l'identité de ce Prince Messie, pas plus que pour affirmer que le v. 26 vise la mort de Jésus. Certains renvoyaient la dernière semaine à la fin des temps.

*b)* C'est la période de reconstruction sous le régime perse.

*c)* On peut, avec Théodotion, identifier cet Oint avec le grand prêtre Onias III, cf. 2 M **4** 30-38, déposé vers 175 et assassiné par les gens d'Antiochus Épiphane : ce serait aussi le Prince de l'Alliance de **11** 22.

*d)* Un mot a dû tomber du texte. Théod. supplée « de faute ». On a proposé « de successeur ».

*e)* Décrétés par Dieu, cf. **8** 25+.

*f)* Ce passage s'éclaire peut-être à la lumière de **11** 30-32 : l'« alliance » désignant ici le ralliement des impies autour du tyran qui les a attirés à trahir l'Alliance sainte. Cf. 1 M **1** 21, 43, 52; 2 M **4** 10s.

*g)* L'abolition du sacrifice ancien ne signifie pas ici son remplacement par le sacrifice de la nouvelle alliance; les passages parallèles montrent qu'elle est l'œuvre des impies.

*h)* « du Temple » n'est pas précisé dans l'hébr. mais le sens est évident.

*i)* Litt. « l'abomination horrifique » ou « désolatrice ». Cette expression (*shiqqûçîm meshomem),* dont nous avons gardé la traduction consacrée par l'usage, doit évoquer d'une part les antiques baals, objets de l'idolâtrie jadis reprochée à Israël par ses prophètes (*shiqqûç* étant un équivalent méprisant de *Baal*, et *shomem* jouant sur le titre de ces baals phéniciens « rois des cieux », *baal shamem*); et d'autre part le Zeus Olympios auquel on consacra le Temple de Jérusalem, cf. 2 M **6** 2.

*j)* Litt. « grande légion (ou : armée) ». Il s'agit sans doute de la guerre menée par les anges, décrite aux vv. 12-21.

*k)* L'ange de Yahvé qui, en Za **3** 1-2, s'oppose à Satan, reçoit le nom de Michel (« Qui est comme Dieu? ») en Jude 9; il remet

l'ai laissé [a] affrontant les rois de Perse, 14 et je suis
Gn **49** 1 venu te faire comprendre ce qui adviendra à ton
peuple, à la fin des jours. Car voici pour ces jours
une nouvelle vision. »
15 Lorsqu'il m'eut dit ces choses, je me prosternai
7 13 à terre sans rien dire; 16 et voici : une semblance de
Jr **1** 9 fils d'homme me toucha les lèvres. J'ouvris la bou-
Is **6** 7 che pour parler, et je dis à celui qui se tenait devant
moi : « Mon Seigneur, à cette apparition, l'angoisse
revient sur moi et je n'ai plus de forces. 17 Et
comment le serviteur de mon Seigneur que voici,
pourra-t-il parler avec mon Seigneur, alors que déjà
il n'est plus de force en moi et que le souffle
m'abandonne? » 18 De nouveau l'apparence humaine me toucha et me réconforta. 19 Il dit : « Ne
crains point, homme des prédilections; paix à toi,
prends force et courage! » Et tandis qu'il me parlait, je me sentais fortifié et je dis : « Que mon Seigneur parle, car tu m'as réconforté. »

**L'Annonce prophétique** [b].

20a Alors il dit : « Sais-tu pourquoi je suis venu
à toi? 21a Mais je vais t'annoncer ce qui est inscrit
dans le Livre de Vérité. 20b Je dois retourner
combattre le Prince de Perse : quand j'en aurai fini
voici que viendra le Prince de Yavân [c]. 21b Nul ne
me prête main-forte pour ces choses, sinon Michel,
votre Prince,

**11** 1 mon appui pour me prêter main-forte et me
soutenir. 2 A présent, je vais t'annoncer la
vérité.

**Premières guerres entre Séleucides et Lagides.**

« Voici : trois rois [d] encore se lèveront pour la
Perse; le quatrième aura plus de richesses qu'eux
tous, et lorsque sa richesse l'aura rendu puissant,
il se lèvera contre tous les royaumes de Yavân.
3 Un roi vaillant se lèvera et gouvernera un vaste
empire et fera ce qu'il lui plaît. 4 Tandis qu'il s'élèvera, son royaume sera brisé et partagé aux quatre
vents du ciel, mais non pas au profit de sa descendance [e]; il ne sera pas gouverné comme il l'avait
gouverné, car son royaume sera extirpé et livré à
d'autres qu'elle.
5 Le roi du Midi deviendra fort; un de ses princes
l'emportera sur lui et son empire sera plus grand
que le sien [f]. 6 Quelques années plus tard ils
contracteront une alliance [g] et la fille du roi du
Midi s'en viendra auprès du roi du Nord pour exécuter les accords. Mais la force de son bras ne tiendra pas, ni sa descendance ne subsistera : elle sera
livrée, elle et ceux qui l'ont amenée, et son enfant [h],
et celui qui a eu pouvoir sur elle [i]. En son temps,
7 un rejeton de ses racines se lèvera à sa place, qui
s'en viendra vers les remparts et pénétrera dans la
forteresse du roi du Nord, et il les traitera en vainqueur [j]. 8 Leurs dieux mêmes, leurs statues et leurs
vases précieux d'argent et d'or seront le butin qu'il
emportera en Égypte [k]. Pendant quelques années il
se tiendra à distance du roi du Nord. 9 Il se rendra
vers le royaume du roi du Midi puis s'en retournera
dans son pays. 10 Ses fils [l] se lèveront et réuniront
une multitude de forces puissantes, et il [m] s'avancera, déferlera, passera et se lèvera de nouveau
jusqu'à sa forteresse. 11 Et le roi du Midi se mettra
en fureur et partira en guerre contre le roi du Nord
qui ralliera une grande multitude; mais la multitude sera livrée entre ses mains. 12 La multitude
sera anéantie; son cœur s'exaltera, il abattra des
myriades, mais il n'aura point de force. 13 Le roi du

à Dieu le soin de réprimer le démon. Le même combat est décrit en Ap **12** 7-12. Michel est l'ange protecteur du peuple de Dieu (v. 21 et **12** 1), cf. Ex **23** 20+. Le Prince de Perse apparaît comme l'un des Anges protecteurs des Nations ennemies d'Israël. Ce mystérieux conflit entre les anges souligne que le destin des nations reste un secret suspendu, même pour les anges, à une Révélation de Dieu.

*a)* « Je l'ai laissé » grec; « J'ai été laissé » hébr. forme insolite.

*b)* L'ordre des vv. qui suivent est douteux. On supprime en **11** 1ª : « et moi, en l'an I de Darius le Mède » hébr.

*c)* « Yavân » (l'Ionie) désigne la Grèce.

*d)* Sans doute trois rois perses, « Darius le Mède » étant exclu. Le « quatrième » n'est sans doute pas le dernier Achéménide, Darius III Codoman (336-331), vaincu par Alexandre, mais plutôt Xerxès le Grand (486-465), qui entreprit l'expédition de Grèce en 480.

*e)* L'empire d'Alexandre fut partagé, à sa mort, non entre ses fils, mais entre ses généraux, les diadoques (« successeurs »), cf. **2** 40s. **7** 7; **8** 8.

*f)* « que le sien », litt. « que son empire » conj., « son empire » hébr. – Le « roi du midi » est Ptolémée I Soter (306-285), le premier souverain de la dynastie hellénistique d'Égypte. Le « prince » est Séleucus I Nicator (301-281), qui s'attacha d'abord à Ptolémée I pour vaincre Antigone (bataille de Gaza en 312, marquant le début de l'ère des Séleucides) et se tailla ensuite en Asie un immense empire.

*g)* Vers 252 Antiochus II Théos (261-246), ayant conclu une alliance avec Ptolémée II Philadelphe (285-247), épousa sa fille Bérénice; sa première femme (et demi-sœur) Laodice commença par se retirer, puis, ayant été reprise par son mari, le fit empoisonner, ainsi que Bérénice, le fils que celle-ci avait eu d'Antiochus et les gens de son entourage. Le fils de Laodice, Séleucus II Callinice (246-226), fut bientôt attaqué par Ptolémée III Évergète (247-221) qui ramena en Égypte un butin considérable mais n'exploita pas jusqu'au bout son éclatante victoire. Le v. 9 fait allusion à une contre-offensive de Séleucus, mal attestée par les historiens.

*h)* « sa descendance » Théod., Symmaque, Vulg.; « son bras » hébr. – « son enfant » *hayyaledah* conj.; « son progéniteur » *hayyoledah* hébr.; « ses enfants » syr. et Vulg.

*i)* Son mari.

*j)* Litt. « et il agira avec eux et l'emportera ».

*k)* Première mention explicite dans l'hébr. de ce qui a été désigné jusqu'ici par « le Midi ». Les LXX remplacent partout « le Midi » par « l'Égypte ».

*l)* Séleucus III Ceraunus (227-223) et Antiochus III le Grand (223-187).

*m)* Les vv. qui suivent relatent les succès d'Antiochus le Grand, « le roi du Nord ». Dès 220 il entreprit la conquête de la Palestine; Ptolémée IV Philopator (221-203) leva aussitôt des troupes de mercenaires et d'Égyptiens et, s'avançant vers la frontière, infligea à Antiochus des pertes immenses (bataille de Raphia,

Nord reviendra ayant levé des multitudes plus
nombreuses que les premières, et après des années
il s'avancera avec une grande armée et un abondant équipement. 14 En ces temps un grand nombre
se dresseront contre le roi du Midi et les violents
parmi ceux de ton peuple se lèveront pour
accomplir la vision, mais ils trébucheront.
15 Viendra le roi du Nord qui construira des retranchements pour assiéger une ville fortifiée. Les bras
du Midi ne résisteront pas; l'élite du peuple n'aura
pas la force de résister. 16 Celui qui s'avance contre
lui le traitera selon son bon plaisir, personne ne lui
8 9+ résistera : il se tiendra dans le Pays de Splendeur,
la destruction entre les mains. 17 Il aura en tête de
conquérir son royaume tout entier; puis il fera un
pacte avec lui en lui donnant une fille des femmes [a]
afin de le détruire [b], mais cela ne tiendra pas et ne
sera pas à lui. 18 Il se tournera vers les îles [c] et en
prendra un grand nombre; mais un magistrat fera
cesser son outrage sans qu'il puisse lui revaloir son
outrage.
19 Il tournera sa face vers les bastions de son
pays, mais il trébuchera, tombera, on ne le trouvera
plus [d]. 20 A sa place en viendra un [e] qui fera passer
un exacteur portant atteinte à la splendeur royale :
en quelques jours il sera brisé, mais non au vu de
tous ou à la guerre [f].

### Antiochus Épiphane.

21 « A sa place se lèvera un misérable [g] : on ne
lui donnera pas les honneurs de la royauté. Il s'en
viendra à son aise et s'emparera du royaume par
des intrigues. 22 Les forces seront en débâcle devant
lui et seront brisées – même le Prince d'une
alliance [h]. 23 Par ses complicités il agira en traître
et ira en se fortifiant, bien qu'avec peu de monde.
24 A son aise, il envahira les grasses provinces,
agissant comme n'avaient agi ni ses pères ni les
pères de ses pères, dispersant parmi eux [i] butin,
profits et richesses, tendant ses stratagèmes contre
les forteresses, pour un temps.
25 Il excitera sa force et son cœur contre le roi
du Midi [j], avec une grande armée. Le roi du Midi
se lèvera pour la guerre avec une armée très grande
et très puissante, mais il ne tiendra pas, car des
stratagèmes seront tendus contre lui. 26 Et ceux qui
mangeaient de ses mets le mettront en pièces; son
armée sera débordée, et nombreux tomberont les
morts.
27 Les deux rois, leur cœur tourné vers le mal,
assis à la même table, diront des mensonges; mais
ils n'aboutiront point, car le temps fixé est encore
à venir. 28 Il rentrera dans son pays avec de grandes
richesses, le cœur contre l'Alliance sainte; il agira,
puis il rentrera dans son pays. 29 Le moment venu,
il retournera vers le Midi [k], mais il n'en sera pas
de la fin comme du commencement. 30 Les vaisseaux des Kittim [l] viendront contre lui et il sera
découragé. Il reviendra et sévira furieusement 2 M 5 11
contre l'Alliance sainte, et de nouveau, il aura en
considération ceux qui abandonnent l'Alliance
sainte [m].
31 Des forces viendront de sa part profaner le
sanctuaire-citadelle [n], ils aboliront le sacrifice per- 8 11
pétuel, et y mettront l'abomination de la désola- 9 27+
tion. 32 Ceux qui transgressent l'Alliance, il les
pervertira [o] par ses paroles douces, mais les gens
qui connaissent leur Dieu s'affermiront et agiront.

v. 11); victoire sans lendemain, v. 12 : durant huit ans Antiochus bataille sans cesse pour regagner son empire asiatique. Lors de l'accession de Ptolémée V Épiphane (205-181), il revint en force, v. 13, soutenu par l'alliance de Philippe V de Macédoine et aidé par les révoltes intestines qui avaient éclaté en Égypte. Le v. 15 fait allusion au long siège de Gaza. Une contre-offensive égyptienne en Judée retarda à peine l'entrée d'Antiochus à Jérusalem, vv. 15-16.

*a)* « il fera un pacte avec lui » conj., hébr. corrompu. – Pressentant une intervention romaine, Antiochus résolut de s'entendre avec le Ptolémée en le fiançant à sa fille Cléopâtre; le mariage eut lieu à Raphia en 194.

*b)* L'objet est au féminin mais on ne saurait l'entendre de Cléopâtre; de même les deux verbes qui suivent. La fin de ce v. obscur doit faire allusion à la reprise des hostilités due à la juste méfiance des Égyptiens.

*c)* Les villes maritimes : Antiochus, profitant de la trêve avec l'Égypte, se retourna vers l'Asie Mineure, s'empara de villes grecques et égyptiennes au mépris des avertissements des Romains, jusqu'au jour où en 190, à Magnésie du Sipyle, il fut battu sans revanche possible par le consul Lucius Cornelius Scipion (ici : le « magistrat »).

*d)* Taxé d'une énorme dette de guerre, Antiochus avait entrepris de piller le trésor d'un temple de Bel en Élymaïde : il trouva la mort dans cette expédition (187).

*e)* C'est Séleucus IV Philopator (187-175), fils d'Antiochus le Grand, qui manda à son ministre Héliodore de saisir le trésor du Temple de Jérusalem, ce dont il fut empêché par une apparition surnaturelle, cf. 2 M **3**. – La suite de la phrase est difficile et la traduction en est conjecturale.

*f)* Il mourut assassiné à l'instigation d'Héliodore.

*g)* Antiochus IV Épiphane (175-165) qui s'empara du trône en supplantant le jeune Démétrius, fils de son frère Séleucus IV.

*h)* Peut-être le grand prêtre Onias III, cf. **9** 26+.

*i)* Sans doute les amis d'Antiochus, bénéficiaires de sa cupidité.

*j)* Il s'agit de la première campagne d'Antiochus contre Philométor d'Égypte (fils de sa sœur Cléopâtre) qui, mal conseillé, tomba aux mains de son agresseur : celui-ci le traita avec une feinte amitié et mit l'Égypte au pillage. C'est à son retour qu'il sévit contre les Juifs, v. 28.

*k)* La deuxième campagne d'Égypte devait se terminer par un échec humiliant. Venant à la rencontre d'Antiochus aux environs d'Alexandrie, le consul Gaius Popilius Laenas lui notifia de la part du Sénat romain d'avoir à se retirer.

*l)* La Vulg. rend le mot par « Romains ». Il désigne, à l'origine, Chypre, mais aussi dans la Bible les régions maritimes, notamment d'Occident. Cf. Gn **10** 4; Nb **24** 24; Is **23** 1, 12; Jr **2** 10; Ez **27** 6 (Vulg. : « Italia »). Il s'agit sûrement ici des Romains.

*m)* Les Juifs infidèles à leurs pratiques religieuses et conquis par les attraits de la vie hellénistique; cf. 1 M **1** 11-15, 43, 52.

*n)* Cf. la « citadelle du Temple » en Ne **2** 8, et voir le plan à la fin du volume. Cf. 1 M **1** 31, 33.

*o)* Litt. « rendra hypocrites ».

12 3 [33] Les doctes d'entre le peuple enseigneront la multitude; ils trébucheront [a] par l'épée et la flamme, et
la captivité et la spoliation – durant des jours.
[34] Qu'ils trébuchent, peu de gens leur viendront en
aide; nombreux seront ceux qui s'associeront à eux
par des intrigues [b]. [35] Parmi les doctes, certains trébucheront, en sorte que dans le nombre il y en ait
12 10 qui soient purifiés, lavés et blanchis – jusqu'au
temps de la Fin, car le temps fixé est encore à venir.
[36] Le roi agira selon son bon plaisir, s'enorgueil-
↗ 2 Th 2 4 lissant et s'exaltant par-dessus tous les dieux [c],
Dn 2 47 contre le Dieu des dieux il dira des choses inouïes
Ap 13 5 Dn 8 19 et il prospérera jusqu'à ce que soit comble la colère
– car ce qui est déterminé s'accomplira. [37] Sans
égards pour les dieux de ses pères, sans égards pour
le favori des femmes ou pour tout autre dieu, c'est
lui-même qu'il exaltera au-dessus de tout [d]. [38] A
leur place il vénérera le dieu des forteresses, il vénérera un dieu que ses pères n'ont point connu, par
l'or et l'argent, pierres précieuses et choses de prix.
[39] Il prendra comme défenseurs des forteresses le
peuple d'un dieu étranger [e]; à ceux qu'il reconnaîtra, il fera grands honneurs en leur donnant autorité sur la multitude, et en partageant la terre pour
un rendement [f].

## *LE TEMPS DE LA FIN*

**Fin du persécuteur.**

[40] « Au temps de la Fin, le roi du Midi s'affron-
tera avec lui; le roi du Nord déferlera sur lui avec
ses chars, ses cavaliers et ses nombreux navires. Il
viendra dans les pays, qu'il envahira et traversera.
8 9+ [41] Il viendra dans le Pays de Splendeur, et il en
tombera un grand nombre, mais ceux-ci échapperont de ses mains : Édom et Moab et les restes [g] des
fils d'Ammon.
[42] Il étendra sa main sur les pays : le pays
d'Égypte n'y échappera point. [43] Il aura en son
pouvoir les trésors d'or et d'argent et toutes les choses précieuses d'Égypte. Libyens et Kushites [h]
seront à ses pieds. [44] Mais des rumeurs viendront
le troubler de l'Orient et du Nord; il s'en ira en
grande fureur détruire et exterminer une multitude.
[45] Il dressera les tentes de ses quartiers entre la mer
et les monts de la Sainte Splendeur. Il s'en ira
jusqu'à son terme [i] : pour lui aucun secours.
10 13+ **12** [1] « En ce temps se lèvera Michel, le grand
Prince qui se tient auprès des enfants de ton
↗ Mt 24 peuple. Ce sera un temps d'angoisse tel qu'il n'y en
21p aura pas eu jusqu'alors depuis que nation existe.
Jr 30 7 Jl 2 2
En ce temps-là, ton peuple échappera : tous ceux
qui se trouveront inscrits dans le Livre [j].

**La Résurrection et la Rétribution.**

[2] « Un grand nombre de ceux qui dorment au ↗ Jn 5 28-29
pays de la poussière s'éveilleront, les uns pour la 2 M 7 9+ Ez 37 10+
vie éternelle, les autres pour l'opprobre, pour l'hor- Is 66 24
reur éternelle [k]. [3] Les doctes resplendiront comme
la splendeur du firmament, et ceux qui ont enseigné ↗ Mt 13 43
la justice [l] à un grand nombre, comme les étoiles, 1 Co 15 41-42
pour toute l'éternité.
[4] Toi, Daniel, serre ces paroles et scelle le livre 8 26
jusqu'au temps de la Fin. Beaucoup erreront [m] ↗ Ap 10 4
de-ci de-là, et l'iniquité [n] grandira. »

**La prophétie scellée.**

[5] Je regardai, moi Daniel, et voici : deux autres
se tenaient debout, de part et d'autre du fleuve.
[6] L'un dit à l'homme vêtu de lin, qui était en amont 10 5
du fleuve : « Jusques à quand, le temps des choses
inouïes? » [7] J'entendis l'homme vêtu de lin, qui se
tenait en amont du fleuve : il leva la main droite ↗ Ap 10 5-6
et la main gauche vers le ciel et attesta par l'Éternel Dn 4 31
Vivant : « Pour un temps, des temps et un demi- Si 18 1
Dn 7 25; 8 14

*a)* Jeu de mots dans l'hébr. entre « trébucher » et « docteurs »; de même au v. 35.
*b)* Allusion possible aux premiers succès de Judas Maccabée ralliant autour de lui des éléments de résistance.
*c)* Comme Alexandre en **8** 4 et **11** 3, et Antiochus le Grand en **11** 16, mais contrairement aux Achéménides, qui, dans leurs inscriptions, attribuent constamment leur fortune à la volonté d'Ahura Mazdah. Dans sa vieillesse, Antiochus s'est fait représenter sur ses monnaies sous les traits de Zeus Olympios.
*d)* Les successeurs de Séleucus I honoraient surtout Apollon; Antiochus Épiphane fut davantage dévot à Zeus Olympios, cf. v. 36, identifié à Jupiter Capitolin, v. 38. Le « favori des femmes » est Adonis-Tammuz, cf. Ez **8** 14.
*e)* Allusion à la garnison de Syriens et de Jsifs renégats que le roi avait installée dans la nouvelle citadelle ou Acra, cf. 1 M **1** 33-34.
*f)* Litt. « pour un prix »; on peut penser à une institution du régime agraire et fiscal imposé par les Séleucides aux territoires conquis.
*g)* « restes » *she'erît* conj.; « débuts » ou « chefs » *re'shît* hébr.
*h)* Les peuples situés à l'ouest et au sud de l'Égypte.
*i)* La mort d'Antiochus. Cf. **8** 25.
*j)* Le Livre des Prédestinés ou Livre de Vie, cf. Ex **32** 32-33; Ps **69** 29; **139** 16; Is **4** 3; Lc **10** 20; Ap **20** 12+. Voir aussi Dn **7** 10+.
*k)* C'est ici un des grands textes de l'AT sur la résurrection de la chair, cf. 2 M **7** 9+.
*l)* Litt. « ceux qui ont rendu justes » et donc « les maîtres de justice ». Le v. précédent donne à penser qu'il ne s'agit pas ici seulement du renom posthume des saints, comme en Sg **3** 7 (cf. Is **1** 31), mais d'une transfiguration eschatologique qui affecte leur corps, désormais « glorieux ».
*m)* Sans doute en quête de la vérité, cf. Am **8** 12.
*n)* « l'iniquité » LXX; « le savoir » hébr.

temps, et toutes ces choses s'achèveront quand
sera achevé l'écrasement de la force du Peuple
saint. » 8 J'écoutai sans comprendre. Puis je dis :
« Mon Seigneur, quel sera cet achèvement? » 9 Il
dit : « Va, Daniel; ces paroles sont closes et scellées
11 35 jusqu'au temps de la Fin. 10 Beaucoup seront lavés,
↗ Ap 22 11 blanchis et purifiés; les méchants feront le mal, les
méchants ne comprendront point; les doctes
comprendront. 11 A compter du moment où sera
aboli le sacrifice perpétuel et posée l'abomination
de la désolation : mille deux cent quatre-vingt-dix
jours. 12 Heureux celui qui tiendra et qui atteindra
mille trois cent trente-cinq jours [a]. 13 Pour toi, va, 7 25+
prends ton repos; et tu te lèveras pour ta part à la
fin des jours [b]. »

## *Suzanne et le jugement de Daniel* [c]

**13** 1 A Babylone vivait un homme du nom de
Ioakim. 2 Il avait épousé une femme du nom
de Suzanne, fille d'Helcias; elle était d'une grande
beauté et craignait Dieu, 3 car ses parents étaient
des justes et avaient élevé leur fille dans la loi de
Moïse. 4 Ioakim était fort riche, un jardin était proche de sa maison, et les Juifs se rendaient chez lui
en grand nombre, car on l'estimait plus que tout
autre. 5 Cette année-là, on avait choisi dans le peuple deux vieillards qu'on avait désignés comme
juges. C'est eux que vise la parole du Seigneur [d] :
« L'iniquité est venue en Babylone des vieillards et
des juges qui se donnaient pour guides du peuple. »
6 Ces gens fréquentaient la maison de Ioakim et
tous ceux qui avaient quelque procès s'adressaient
à eux. 7 Lorsque tout le monde s'était retiré, vers
midi, Suzanne venait se promener dans le jardin de
son époux. 8 Les deux vieillards qui la voyaient
tous les jours entrer pour sa promenade se mirent
à la désirer. 9 Ils en perdirent le sens, négligeant de
regarder vers le Ciel et oubliant ses justes jugements. 10 Tous deux blessés de cette passion, ils se
cachaient l'un l'autre leur tourment. 11 Honteux
d'avouer le désir qui les pressait de coucher avec
elle, 12 ils n'en rusaient pas moins chaque jour pour
la voir. 13 Un jour, s'étant quittés sur ces mots :
« Rentrons chez nous, c'est l'heure du déjeuner », et
chacun s'en étant allé de son côté, 14 chacun aussi
revint sur ses pas et ils se retrouvèrent face à face.
Forcés alors de s'expliquer, ils s'avouèrent leur
passion et convinrent de chercher le moment où ils
pourraient surprendre Suzanne seule. 15 Ils attendaient donc l'occasion favorable. Un jour, Suzanne
vint, comme les jours précédents, accompagnée
seulement de deux petites servantes, et, comme il
faisait chaud, elle voulut se baigner au jardin. 16 Il
n'y avait personne : seuls les deux vieillards,
cachés, étaient aux aguets. 17 Elle dit aux servantes : « Apportez-moi de l'huile et du baume, et fermez la porte du jardin, afin que je puisse me baigner. » 18 Elles obéirent, fermèrent la porte du
jardin, et rentrèrent dans la maison par une porte
latérale pour y chercher ce que Suzanne avait
demandé, sans rien savoir des vieillards qui se
tenaient cachés.
19 A peine les servantes étaient-elles parties,
qu'ils furent debout et lui dirent, en se jetant sur
elle : 20 « La porte du jardin est close, personne ne
nous voit. Nous te désirons, cède et couche avec
nous! 21 Si tu refuses, nous nous porterons témoins
en disant qu'un jeune homme était avec toi et que
tu avais éloigné tes servantes pour cette raison. »
22 Suzanne gémit : « Me voici traquée de toutes
parts : si je cède, c'est pour moi la mort [e], si je Lv 20 10
résiste, je ne vous échapperai pas. 23 Mais mieux Dt 22 22
vaut pour moi tomber innocente entre vos mains Jn 8 4-5
que de pécher à la face du Seigneur. » 24 Suzanne
appela alors à grands cris. Les deux vieillards se
mirent aussi à crier contre elle, 25 et l'un d'eux courut ouvrir la porte du jardin. 26 Quand les gens de
la maison entendirent ces cris dans le jardin, ils s'y
précipitèrent par la porte latérale pour voir ce qui
arrivait, 27 et quand les vieillards eurent conté leur
histoire, les serviteurs se sentirent tout confus, car
jamais rien de semblable n'avait été dit de Suzanne.
28 Le lendemain, on se rassembla chez Ioakim,
son mari. Les vieillards y vinrent, iniques et ne songeant qu'à procurer sa mort. 29 Ils s'adressèrent à
l'assemblée : « Qu'on fasse comparaître Suzanne, Nb 5 18-
fille d'Helcias, femme de Ioakim. » On la manda :
30 elle parut donc, accompagnée de ses parents, de
ses enfants et de tous ses proches. 31 Or Suzanne

*a)* La différence entre les chiffres de **8** 14 (1 150), de **12** 11 (1 290) et **12** 12 (1 335) reste sans explication.
*b)* Après « va » hébr. ajoute : « vers la fin », omis par grec. – Il s'agit de la récompense finale, Mi **2** 5. Cf. Ps **1** 5.
*c)* Ici commencent les additions grecques, voir l'Introduction, p. 1084.
*d)* On ne sait quel texte scripturaire est ici visé.
*e)* La peine de mort était prescrite pour l'adultère, Lv **20** 10; Dt **22** 22; cf. Jn **8** 4-5.

était très délicate et fort belle à voir. [32] Comme elle
était voilée, ces misérables lui firent ôter son voile
pour se rassasier de sa beauté. [33] Tous les siens
pleuraient, ainsi que tous ceux qui la voyaient.
[34] Les deux vieillards se levèrent au milieu de
Lv **24** 14 l'assemblée et lui posèrent les mains sur la tête [a].
[35] Elle pleurait, le visage tourné vers le ciel, son
cœur sûr de Dieu. [36] Les vieillards parlèrent :
« Tandis que nous nous promenions seuls dans le
jardin, cette femme y est entrée avec deux servantes.
Elle a fermé la porte puis elle a renvoyé les servantes.
[37] Un jeune homme qui était caché s'est
approché d'elle et ils ont couché ensemble. [38] Nous
étions au bout du jardin et, voyant cette iniquité,
nous nous sommes précipités vers eux. [39] Nous les
avons bien vus ensemble, mais nous n'avons pu
nous emparer du jeune homme : il était plus fort
que nous, il a ouvert la porte et a pris la fuite.
[40] Quant à elle, nous l'avons saisie et nous lui
avons demandé qui c'était. [41] Elle n'a pas voulu
nous le dire. Voilà notre témoignage. »

L'assemblée les crut : c'étaient des anciens du
peuple, des juges. Suzanne fut donc condamnée à
mort. [42] Elle cria très haut : « Dieu éternel, toi qui
He **4** 13 connais les secrets, toi qui connais toute chose
Ps **33** 13-15 Pr **15** 11 avant qu'elle n'arrive, [43] tu sais qu'ils ont porté sur
moi un faux témoignage. Et voici que je meurs, innocente
de tout ce que leur malice a forgé contre
moi. »

[44] Le Seigneur l'entendit [45] et, comme on l'emmenait
5; **5** 11, 14 nait à la mort, il suscita l'esprit saint d'un jeune
enfant, Daniel, [46] qui se mit à crier : « Je suis pur
du sang de cette femme! » [47] Tout le monde
se retourna vers lui et on lui demanda : « Que
signifient les paroles que tu as dites? » [48] Debout au
milieu de l'assemblée, il répondit : « Vous êtes donc
assez fous, enfants d'Israël, pour condamner sans
enquête et sans évidence une fille d'Israël? [49] Retournez
au lieu du jugement, car ces gens ont porté
contre elle un faux témoignage. »

[50] Tout le monde se hâta d'y retourner et les
anciens dirent à Daniel : « Viens siéger au milieu
de nous et dis-nous ta pensée, puisque Dieu t'a
donné la dignité de l'âge. » [51] Daniel leur dit alors : Sg **4** 8-9
« Séparez-les bien l'un de l'autre et je les interrogerai. »
[52] On les sépara, puis Daniel fit venir l'un
d'eux et lui dit : « Tu as vieilli dans l'iniquité et
voici, pour t'accabler, les fautes de ta vie passée,
[53] porteur d'injustes jugements, qui condamnais les
innocents et acquittais les coupables, alors que le
Seigneur dit : " Tu ne feras pas mourir l'innocent Ex **23** 7
et le juste! " [54] Allons, si tu l'as si bien vue, dis-nous
sous quel arbre tu les as vus ensemble. » Il
répondit : « Sous un acacia [b]. » – [55] « En vérité, dit
Daniel, ton mensonge te retombe sur la tête : déjà
l'ange de Dieu a reçu de lui ta sentence et vient te
fracasser par le milieu. » [56] Il le renvoya, fit venir
l'autre et lui dit : « Race de Canaan, et non pas de
Juda, la beauté t'a égaré, le désir a perverti ton
cœur! [57] Ainsi agissiez-vous avec les filles d'Israël,
et la peur les faisait consentir à votre commerce.
Mais voici qu'une fille de Juda n'a pu supporter
votre iniquité! [58] Allons, dis-moi sous quel arbre tu
les as surpris ensemble. » Il répondit : « Sous un
tremble. » – [59] « En vérité, dit Daniel, toi aussi, ton
mensonge te retombe sur la tête : voici l'ange de
Dieu qui attend, l'épée à la main, de te trancher par
le milieu, pour en finir avec vous. »

[60] Alors l'assemblée entière poussa de grands
cris, bénissant Dieu qui sauve ceux qui espèrent en
lui. [61] Puis elle se retourna contre les deux vieillards
que Daniel, de leur propre bouche, avait
convaincus de faux témoignage. [62] Selon la loi de Dt **19** 16-21
Moïse, on leur fit subir la peine qu'ils avaient voulu
faire subir à leur prochain. On les mit à mort, et
ce jour-là fut préservé un sang innocent. [63] Helcias
et sa femme rendirent grâce à Dieu, pour leur fille
Suzanne, ainsi que Ioakim son mari et tous ses proches,
de ce que rien d'indigne ne s'était trouvé en
elle.

[64] Et de ce jour, Daniel fut grand aux yeux du
peuple.

*a)* La lapidation, précédée de l'imposition des mains, devait être le fait de la communauté tout entière.

*b)* Ici et aux vv. 58-59 on a essayé de rendre par des assonances le texte grec qui joue avec les mots désignant l'arbre et le châtiment : *schinos* et *schisei*; *prinos* et *kataprisê*.

# *Bel et le serpent* [a]

### Daniel et les prêtres de Bel.

**14** 1 [b] Le roi Astyage rejoignit ses pères, et Cyrus de Perse lui succéda. 2 Daniel vivait auprès du roi, qui l'honorait plus que tout autre [c] de ses amis. 3 Or il y avait à Babylone une idole nommée Bel [d] à qui l'on faisait offrande tous les jours de douze artabes de fleur de farine, de quarante brebis et de six mesures de vin. 4 Le roi vénérait l'idole et allait tous les jours l'adorer. Daniel, lui, adorait son Dieu. 5 Aussi le roi lui dit-il : « Pourquoi n'adores-tu pas Bel? » Il répondit : « Je n'adore point d'idoles faites de main d'homme, mais seulement le Dieu vivant qui a fait le ciel et la terre et qui a puissance sur toute chair. » 6 Alors le roi : « Tu crois donc que Bel n'est pas un dieu vivant? Tu ne vois donc pas tout ce qu'il mange et boit tous les jours? » 7 Daniel se mit à rire : « Ne t'y trompe pas, dit-il, ô roi; au dedans c'est de l'argile, au dehors du cuivre, et ça n'a jamais rien mangé ni bu. » 8 Le roi se mit en colère; il fit venir ses prêtres et leur dit : « Si vous ne me dites pas qui consomme cette nourriture, vous mourrez; mais si vous prouvez que c'est bien Bel, Daniel mourra pour l'avoir blasphémé. » 9 Daniel dit au roi : « Qu'il soit fait selon ta parole [e]! » Ces prêtres étaient au nombre de soixante-dix, sans compter les femmes et les enfants. 10 Le roi se rendit donc avec Daniel au temple de Bel [f], 11 et les prêtres de Bel lui dirent : « Nous, nous allons sortir d'ici; et toi, ô roi, tu vas faire servir le repas et offrir le vin mêlé; fais ensuite fermer la porte et scelle-la de ton sceau; quand tu viendras demain matin, si tu ne constates pas que tout a été mangé par Bel, la mort sera notre peine; autrement, ce sera celle de ce calomniateur de Daniel. » 12 Ils pensaient, dans leur impudence, à un passage secret qu'ils avaient fait faire sous la table et par où ils venaient tous les jours emporter les offrandes. 13 Quand ils furent sortis et que le roi eut fait servir Bel, 14 Daniel fit apporter de la cendre par ses serviteurs qui en couvrirent tout le sol du temple, sans autre témoin que le roi. Puis ils sortirent, fermèrent la porte, la scellèrent du sceau royal et s'en allèrent. 15 Les prêtres vinrent la nuit, comme d'habitude, avec leurs femmes et leurs enfants : ils mangèrent et burent tout. 16 Le roi se leva très tôt; Daniel aussi. 17 Le roi lui demanda : « Daniel, les sceaux sont-ils intacts? » – « Ils sont intacts, ô roi », répondit-il. 18 A peine eut-il ouvert la porte que le roi regarda la table et s'écria : « Tu es grand, ô Bel, et en toi nulle tromperie! » 19 Daniel se mit à rire et empêcha le roi d'entrer plus avant : « Regarde donc le sol, lui dit-il, examine de qui sont ces traces de pas. » – 20 « Je vois des pas d'hommes, de femmes et d'enfants », dit le roi; 21 et, furieux, il fit arrêter les prêtres avec leurs femmes et leurs enfants. Ils lui montrèrent alors la porte secrète par où ils venaient faire disparaître ce qui était sur la table. 22 Le roi les fit mettre à mort et livra Bel à Daniel, qui renversa l'idole et son temple.

### Daniel tue le serpent.

23 Il y avait à Babylone un grand serpent qui était aussi vénéré [g]. 24 Le roi dit à Daniel : « Vas-tu dire que c'est de l'airain? Regarde! il vit, il mange, il boit : tu ne diras pas que ce n'est pas là un dieu vivant; adore-le donc. » 25 Daniel répondit : « C'est le Seigneur mon Dieu que j'adore; c'est lui le Dieu vivant. O roi, si tu le permets, je tuerai ce serpent sans épée ni bâton. » 26 Le roi le lui permit. 27 Daniel prit alors de la poix, de la graisse et du crin, fit cuire le tout, en fit des boulettes, et les jeta dans la gueule du serpent qui les avala et en creva. Et Daniel dit : « Voyez ce que vous vénérez! » 28 Quand les Babyloniens l'apprirent, au comble de la rage, ils se révoltèrent contre le roi. Ils disaient : « Le roi s'est fait Juif : Bel, il l'a laissé renverser, le serpent, il l'a laissé tuer, et les prêtres, il les a fait mourir. » 29 Ils allèrent donc dire au roi : « Livre-nous Daniel, sinon nous te ferons mourir, toi et ta maison. » 30 Devant cette violence, le roi se vit contraint de leur livrer Daniel.

*a)* Les récits qui suivent sont des apologues dirigés contre le culte des idoles, dans l'esprit de Sg **15** et **16**. Nous indiquons les variantes les plus notables du texte, tout à fait indépendant, des LXX.

*b)* LXX a pour titre : « De la prophétie d'Habaquq, fils de Josué, de la tribu de Lévi ». Cf. v. 33.

*c)* LXX : « Il y avait un homme qui était prêtre, du nom de Daniel, fils d'Abal, ami du roi de Babylone ».

*d)* Bel est un des noms de Marduk, patron divin de Babylone. Cf. Is **46** 1; Jr **50** 2; **51** 44.

*e)* LXX : Daniel propose lui-même son châtiment.

*f)* LXX abrège ce qui suit.

*g)* On ne connaît pas à Babylone de culte d'un serpent divinisé. Le récit du serpent étouffé par la nourriture que lui prépare Daniel est connu d'anciens auteurs juifs qui le rapportent en commentant Jr **51** 44.

**Daniel dans la fosse aux lions** [a].

[31] Ils le jetèrent dans la fosse aux lions, et il y resta six jours. [32] Dans la fosse, il y avait sept lions à qui on donnait tous les jours deux cadavres et deux moutons; alors on ne leur donna rien, afin que Daniel fût bien dévoré.

[33] Or le prophète Habaquq était en Judée : il venait de faire une bouillie et de mettre du pain en petits morceaux dans une corbeille, et il allait aux champs porter leur repas aux moissonneurs. [34] L'ange du Seigneur lui dit : « Porte le repas que tu as là à Babylone, à Daniel, dans la fosse aux lions. » – [35] « Seigneur, répondit Habaquq, je n'ai jamais vu Babylone, et je ne connais pas cette fosse. » [36] L'ange du Seigneur lui saisit la tête et l'emporta par les cheveux jusqu'à Babylone où il le posa sur le bord de la fosse, dans l'impétuosité de son souffle. [37] Habaquq cria : « Daniel, Daniel, prends le repas que Dieu t'a envoyé. » [38] Et Daniel dit : « Tu t'es souvenu de moi, ô mon Dieu, et tu n'as pas abandonné ceux qui t'aiment. » [39] Il se leva et mangea, tandis que l'ange de Dieu remettait aussitôt Habaquq en son pays.

[40] Le septième jour, le roi vint pleurer Daniel; il vint à la fosse et y regarda, et voici que Daniel y était assis tranquillement. [41] Alors il s'écria : « Tu es grand, Seigneur, Dieu de Daniel, et il n'est d'autre Dieu que toi! » [42] Puis il fit sortir Daniel de la fosse et y fit jeter ceux qui avaient voulu le perdre, lesquels furent aussitôt dévorés devant lui.

*a)* Nous avons là une sorte de doublet de l'épisode du ch. **6**. L'intervention d'Habaquq « enlevé par les cheveux » pourrait être inspirée par Ez **8** 3.

# OSÉE

**Titre.**

**1** [1] Parole de Yahvé qui fut adressée à Osée, fils de Beéri, au temps d'Ozias, de Yotam, d'Achaz et d'Ézéchias, rois de Juda, et au temps de Jéroboam, fils de Joas, roi d'Israël [a].

## *I. Le mariage d'Osée et sa valeur symbolique* [b]

**Mariage et enfants d'Osée.**

[2] Commencement de ce que Yahvé a dit par Osée. Yahvé dit à Osée : « Va, prends une femme se livrant à la prostitution [c] et des enfants de prostitution [d], car le pays ne fait que se prostituer en se détournant de Yahvé. »

[3] Il alla donc prendre Gomer, fille de Diblayim, qui conçut et lui enfanta un fils. [4] Yahvé lui dit :

« Appelle-le [e] du nom de Yizréel [f], car encore un peu de temps, et je châtierai la maison de Jéhu pour le sang versé à Yizréel, et je mettrai fin à la royauté de la maison d'Israël. [5] Il adviendra, en ce jour-là, que je briserai l'arc d'Israël dans la vallée de Yizréel [g]. »

1 R **18** 45+ ; 2 R **9** 1-10; **10** 1-17; **17** 2-6

[6] Elle conçut encore et enfanta une fille. Yahvé lui dit : « Appelle-la du nom de Lo-Ruhamah, car désormais je n'aurai plus pitié de la maison d'Israël

*a)* Et également au temps de ses successeurs jusqu'à la fin du royaume du Nord.

*b)* Dans la ligne des actions symboliques des prophètes, Jr **18** 1+, c'est ici la vie même d'Osée qui révèle le mystère du dessein de Dieu. Osée a aimé et aime encore une femme qui n'a répondu à cet amour que par la trahison. Ainsi Yahvé aime toujours Israël, épouse infidèle, et après l'avoir éprouvée lui rendra les joies du premier amour et rendra l'amour de son épouse inébranlable et indéfectible (**1-3**). Déjà sans doute avant Osée, on qualifiait de prostitution le culte que les Cananéens rendaient à leurs idoles, à cause des pratiques de prostitution sacrée qui y étaient associées (Ex **34** 15). En imitant leur idolâtrie, Israël se prostitue également (Ex **34** 16). Par opposition, Osée est le premier à représenter sous l'image de l'union conjugale les rapports de Yahvé avec son peuple depuis l'alliance du Sinaï, et à qualifier la trahison idolâtrique d'Israël non seulement de prostitution, mais d'adultère. Après lui le thème sera repris par les prophètes : Is **1** 21; Jr **2** 2; **3** 1; **3** 6-12. Ézéchiel développe le thème en deux grandes allégories, **16** et **23**. La seconde partie d'Isaïe présentera la restauration d'Israël comme la réconciliation d'une épouse infidèle, Is **50** 1; **54** 6-7, cf. Is **62** 4-5. Il faut peut-être aussi voir les relations de Yahvé et d'Israël sous les images nuptiales du Cantique des Cantiques et du Ps **45**. Enfin, dans le NT, Jésus en représentant l'ère messianique comme des noces, Mt **22** 1-14; **25** 1-13, et surtout en se manifestant lui-même comme l'époux, Mt **9** 15, cf. Jn **3** 29, montre que l'alliance nuptiale entre Yahvé et son peuple se réalise en plénitude en sa personne. S. Paul utilisera également ce thème : 2 Co **11** 2; Ep **5** 25-33; cf. 1 Co **6** 15-17, qui sera finalement repris par l'Apocalypse **21** 2. – Les ch. **1-3** forment dans le livre d'Osée une unité nettement définie. On peut les diviser en 3 sections comprenant chacune une partie relative au temps présent, où Dieu reproche à Israël son péché, et une partie annonçant le salut futur, **1** 2-9; **2** 1-3. – **2** 4-15; **2** 16-25. – **3** 1-4; **3** 5.

*c)* Litt. « une femme de prostitutions », cf. **4** 12; **5** 4, soit que Gomer ait été dès l'abord connue comme telle, soit plutôt qu'elle se soit révélée telle plus tard.

*d)* Non qu'ils doivent naître de l'adultère, mais parce que leur mère leur transmet sa nature : telle mère, tels enfants, Ez **16** 44; Si **41** 5.

*e)* Les noms qu'Osée reçoit l'ordre de donner à ses enfants sont des noms prophétiques, cf. Is **1** 26+.

*f)* Yizréel (« Dieu sème », cf. **2** 24-26) est aussi le nom d'une résidence des rois d'Israël. C'est là que Jéhu massacra la femme et les descendants d'Achab (2 R **9** 15 - **10** 14). A la différence de 2 R **10** 30, Osée condamne cette action.

*g)* La vallée de Yizréel, et en particulier Megiddo, au débouché du passage venant du littoral, empruntée par la voie normale de communication entre l'Égypte et l'Assyrie, constitue le champ de bataille classique de la Terre Sainte : cf. Jg **4** 12-16; **6** 33; 1 S **28** 4; 2 R **23** 29. Elle figure le lieu du combat eschatologique : Za **12** 11; Ap **16** 16. Mais en même temps sa fertilité, indiquée par son nom même (« Dieu sème »), évoque les promesses de la naissance d'un peuple nouveau, **2** 24-25. Ce sera le « jour de Yizréel », **2** 2.

pour lui pardonner encore [a]. 7 Mais de la maison de
Juda j'aurai pitié et je les sauverai par Yahvé leur
14 4 Dieu. Je ne les sauverai ni par l'arc, ni par l'épée,
Ps 20 8 Pr 21 31 ni par la guerre, ni par les chevaux, ni par les cava-
Mi 5 9 liers [b]. »
Is 30 16; 31 1 8 Elle sevra Lo-Ruhamah, conçut encore et
Za 4 6 enfanta un fils. 9 Yahvé dit : « Appelle-le du nom de
Lo-Ammi [c], car vous n'êtes pas mon peuple, et moi
je n'existe pas pour vous [d]. »

**Perspectives d'avenir.**

1 10 **2** 1 Le nombre des enfants d'Israël sera comme
Gn 22 17; le sable de la mer [e], qu'on ne peut ni mesurer
32 13 ↗ Rm 9 27 ni compter;
↗ Rm 9 26 au lieu même [f] où on leur disait : « Vous n'êtes
pas mon peuple »,
Jn 1 12 on leur dira : « Fils du Dieu vivant. »
11 2 Les enfants de Juda et les enfants d'Israël se réu-
Jr 3 18+ niront,
ils se donneront un chef unique
et ils déborderont hors du pays [g];
1 5+ car il sera grand le jour de Yizréel.
2 1 3 Dites à vos frères : « Mon Peuple »,
2 24-25+ et à vos sœurs : « Celle dont on a pitié » [h].

**Yahvé et son épouse infidèle [i].**

2 4 Intentez procès à votre mère, intentez-lui
procès [j]!
Car elle n'est pas ma femme,
et moi je ne suis pas son mari [k].
Qu'elle écarte de sa face ses prostitutions,
et d'entre ses seins ses adultères [l].
3 5 Sinon je la déshabillerai toute nue [m]
et la mettrai comme au jour de sa naissance;
Jr 6 8; 9 11 je la rendrai pareille au désert [n],
je la réduirai en terre aride,
je la ferai mourir de soif,
6 et de ses enfants je n'aurai pas pitié, 4
car ce sont des enfants de prostitution. 1 2+
7 Oui, leur mère s'est prostituée, 5
celle qui les conçut s'est déshonorée;
car elle a dit : Je veux courir après mes amants [o], Jr 2 25; 3 13
qui me donnent mon pain et mon eau, Am 2 4
ma laine et mon lin, mon huile et ma boisson. Jr 44 17
8 C'est pourquoi je vais obstruer son chemin [p] 6
avec des ronces,
je l'entourerai d'une barrière pour qu'elle ne
trouve plus ses sentiers; Jr 2 23
9 elle poursuivra ses amants et ne les atteindra pas, 7
elle les cherchera et ne les trouvera pas.
Alors elle dira : Je veux retourner vers mon pre- Jr 3 22
mier mari, Os 6 1-3
car j'étais plus heureuse alors que maintenant. Lc 15 17-18
10 Elle n'a pas reconnu que c'est moi 8
qui lui donnais le froment, le vin nouveau et Dt 7 13;
l'huile fraîche, 8 11-18
qui lui prodiguais cet argent et cet or Ps 144 12s
qu'ils ont employés pour Baal [q]!

11 C'est pourquoi je reprendrai mon froment en son 9
temps
et mon vin nouveau en sa saison;
je retirerai ma laine et mon lin
qui devaient couvrir sa nudité.
12 Puis je dévoilerai son infamie aux yeux de ses Ez 16 37
amants
et personne ne la délivrera de ma main. Jn 10 29
13 Je ferai cesser toutes ses réjouissances, Am 5 21-2
ses fêtes, ses néoménies, ses sabbats Is 1 13-14
et toutes ses solennités. Jr 7 34

*a)* Ou : je n'aurai plus de pitié pour la maison d'Israël; je la lui retirerai complètement. – Le nom de Lo-Ruhamah signifie « Non-Aimée » ou « Celle dont on n'a pas pitié ».

*b)* Ce verset est très probablement une addition des disciples d'Osée réfugiés en Juda après la chute de Samarie, actualisant pour le royaume du Sud le message adressé au royaume du Nord.

*c)* Le nom signifie : « Pas-Mon-Peuple ». Les noms des trois enfants indiquent une sévérité croissante de Yahvé. Cette fois, la rupture est complète.

*d)* Litt. : « Et moi, pas "Je suis" pour vous ». Allusion à la révélation de la signification du nom de Yahvé, Ex **3** 14 : « Je suis celui qui est ». On voit que pour Osée cette formule a le sens d'une présence protectrice et salutaire du Dieu de l'Alliance (*Je suis* correspond à *mon peuple*). Quelques mss grecs ont : « Je ne suis pas votre Dieu », leçon facilitante.

*e)* Reprise de l'antique promesse attestée par la tradition yahviste (Gn **32** 13) et élohiste (Gn **22** 17).

*f)* Yizréel, lieu symbolique du Jour de Yahvé, cf. Am **5** 18+, appelé ici à dessein jour de Yizréel (v.2). Cf. **1** 5.

*g)* Traduction incertaine. D'autres comprennent : « ils s'empareront du pays »; « ils submergeront le pays »; « ils reviendront de leur pays » (d'exil).

*h)* Nouveaux noms symboliques opposés à ceux de **1** 6 et **1** 9. Il n'y a pas de nom prenant le contre-pied de Yizréel, le premier fils d'Osée, dont la signification est double, signe à la fois de malheur et de bonheur, cf. **1**, 5+.

*i)* Yahvé parle ici à Israël le langage de l'amour bafoué qui ne se résigne pas à haïr, mais qui, par une série de châtiments, tente de ramener l'infidèle, y réussit, l'éprouve, la reprend avec la ferveur des fiançailles et la comble de biens.

*j)* Le procès est une forme littéraire fréquente chez les prophètes, cf. **4**, 1; Is **3** 13; Mi **6** 1; Jr **2** 9, etc. Mais dans ces textes, c'est Dieu qui fait un procès à son peuple infidèle. L'invitation adressée aux enfants, aussi coupables que leur mère (**1** 2), à plaider contre elle est une invitation à se désolidariser d'elle.

*k)* Ces expressions sont attestées en Mésopotamie comme formule juridique du divorce. Il en était probablement de même en Israël.

*l)* Par « prostitutions » et « adultères », il faut probablement entendre ici des amulettes, tatouages et autres signes distinctifs de la prostituée, cf. Pr **7** 10; Gn **38** 15.

*m)* L'usage juridique de dépouiller de ses vêtements l'épouse coupable est également attesté dans le Proche-Orient. Cf. Ez **16** 37-39; Is **47** 2-3; Jr **13** 22; Na **3** 5; Ap **17** 16.

*n)* On passe de l'épouse à la terre, dont elle est le symbole. Les richesses de Canaan, qui ont été la cause du péché d'Israël, **10** 1; **13** 6, doivent disparaître, **4** 3; **5** 7; **9** 6; **13** 15.

*o)* « courir après », litt. « aller derrière, suivre » au sens de s'attacher à. – Les « amants » sont les divinités cananéennes.

*p)* « son chemin » grec et syr.; « ton chemin » hébr.

*q)* Pour en faire des objets destinés au culte de Baal.

12 [14] Je dévasterai sa vigne et son figuier [a],
dont elle disait :
Ils sont le salaire que m'ont donné mes amants;
Ps 80 13-14 j'en ferai un hallier
Is 5 5-6 et la bête sauvage les dévorera.
13 [15] Je la châtierai pour les jours [b] des Baals
auxquels elle brûlait de l'encens,
quand elle se parait de son anneau et de son
collier
et qu'elle courait après ses amants;
Jr 2 32 et moi, elle m'oubliait!
Oracle de Yahvé.

14 [16] C'est pourquoi je vais la séduire [c],
je la conduirai au désert [d]
et je parlerai à son cœur.
15 [17] Là, je lui rendrai ses vignobles,
Is 65 10 et je ferai du val d'Akor une porte d'espérance [e].
Jos 7 24-26 Là, elle répondra comme aux jours de sa jeu-
Jr 2 2 nesse,
Ex 13 17+ comme au jour où elle montait du pays d'Égypte.

[18] Il adviendra, en ce jour-là – oracle de Yahvé – 16
que tu m'appelleras « Mon mari »,
et tu ne m'appelleras plus « Mon Baal » [f].
[19] J'écarterai de sa bouche les noms des Baals, 17
et ils ne seront plus mentionnés par leur nom.
[20] Je conclurai pour eux une alliance, en ce jour-là, Gn 9 8s
avec les bêtes des champs, avec les oiseaux du Ez 34 25
ciel et les reptiles du sol; Jb 5 23
l'arc, l'épée, la guerre, je les briserai et les banni- 1 7
rai du pays, Is 2 4
et eux, je les ferai reposer en sécurité [g].
[21] Je te fiancerai [h] à moi pour toujours; 19
je te fiancerai dans la justice et dans le droit,
dans la tendresse [i] et la miséricorde;
[22] je te fiancerai à moi dans la fidélité, 20
et tu connaîtras Yahvé [j].

[23] Il adviendra, en ce jour-là, 21
que je répondrai – oracle de Yahvé –
je répondrai aux cieux et eux répondront à la
terre;

*a)* « Vigne et figuier » : expression traditionnelle de la paix, de la tranquillité et de l'aisance qui a régné au temps de Salomon (1 R **5** 5) et qui existera à nouveau aux temps messianiques (Mi **4** 4; Za **3** 10). Ici, il s'agit de la prospérité qui détourne le peuple de Yahvé, cf. Dt **8** 11-20, et pousse au culte des idoles auxquels cette prospérité est attribuée, vv. 7-14.
*b)* Jours de fête cultuelle, cf. **9** 5; Ps **118** 24; Ne **8** 9.
*c)* Il faut entendre le mot en un sens fort : c'est l'attitude de quelqu'un qui détourne son partenaire du chemin qu'il aurait dû suivre, cf. Jg **14** 15. La même expression est employée à propos de l'homme qui séduit une vierge, Ex **22** 15. Cf. aussi Jr **20** 1.
*d)* La vie au désert, durant l'Exode, apparaît comme un idéal perdu (déjà Am **5** 25; Os **12** 10); Israël encore enfant, Os **11** 1-4, ne connaissait pas les dieux étrangers et suivait fidèlement Yahvé, présent dans la nuée, Os **2** 16-17; Jr **2** 2-3. Sur l'utilisation prophétique du thème de l'Exode, voir encore Is **40** 3+.
*e)* Le val d'Akor (une des vallées des environs de Jéricho, qui donnent accès à l'intérieur du pays) a été le lieu d'un acte d'infidélité durement puni par Yahvé, Jos **7** 24-26. Son nom signifie vallée de malheur, d'après Jg **7** 26+. Il deviendra porte d'espérance, en donnant accès à une Terre Sainte rénovée.
*f)* Le nom de *baal* (« maître ») était donné au mari. Ce nom entrait jadis en composition dans de nombreux noms de personne, cf. 1 S **14** 49+; 2 S **2** 8, etc.; 1 Ch **8** 33; **9** 39-40, etc., sans que cela impliquât idolâtrie : c'est Yahvé qui était le « maître » à qui le nom vouait son porteur. Mais à une époque plus récente, le mot *baal* fut considéré comme impie, par sa référence aux Baals cananéens (cf. Jg **2** 13+). C'est ainsi qu'Osée en proscrit l'usage, v. 19. Le passage de « mon maître » à « mon mari » insinue que l'accent est désormais mis sur l'intimité du lien conjugal plus que sur la subordination de l'épouse à l'époux. cf. Jn **15** 15.
*g)* La restauration messianique s'effectuera dans la justice et la sainteté, vv. 21-22. Dieu reviendra dès lors habiter au milieu de son peuple pour le combler de ses bienfaits, cf. Lv **26** 3-13; Dt **28** 1-14. Le ciel donnera la pluie en son temps et la terre ses produits en abondance, Os **2** 23-24; **14** 8-9; Am **9** 13; Jr **31** 12, 14; Ez **34** 26-27, 29; **36** 29-30; Is **30** 23-26; **49** 10; Jl **2** 19, 22-24; **4** 18; Za **8** 12. On ne craindra plus que d'autres viennent s'en emparer, Am **9** 15; Is **65** 21-23, cf. Dt **28** 30-33, car Israël ne subira plus l'invasion étrangère, Mi **5** 4; Is **32** 17-18; Jl **2** 20; Jr **46** 27; cf. Is **4** 5-6 (expliqué par **25** 4-5); Dieu fera pour lui un pacte avec les bêtes féroces, Os **2** 20; Ez **34** 25, 28. La paix s'étendra à tous les peuples, Is **2** 4 = Mi **4** 3; cf. Is **11** 6-8+; **65** 25, sous l'égide du Roi-Messie, Is **9** 5-6; Za **9** 10. La mort elle-même disparaîtra, Is **25** 7-8, et la joie remplacera la souffrance et les larmes, Is **65** 18-19; Jr **31** 13; Ba **4** 23, 29, cf. Ap **21** 4.
*h)* Ce verbe est utilisé dans la Bible uniquement à propos d'une jeune fille vierge. Dieu abolit ainsi totalement le passé adultère d'Israël, qui est comme une créature nouvelle. Dans l'expression « je te fiancerai dans (la justice) », ce qui suit la préposition « dans » désigne la dot que le fiancé offre à sa fiancée (même construction en 2 S **3** 14). Ce que Dieu donne à Israël dans ces noces nouvelles ce ne sont plus les biens matériels de l'alliance ancienne, **2** 10, mais les dispositions intérieures requises pour que le peuple soit désormais fidèle à l'alliance. Nous avons déjà ici en germe tout ce qui sera développé par Jérémie et Ézéchiel : l'alliance nouvelle et eternelle (« pour toujours », v. 21), la loi inscrite dans le cœur, le cœur nouveau, l'Esprit nouveau, Jr **31** 31-34; Ez **36** 26-27. Cf Ez **36** 27+.
*i)* Le mot *(hesed)* exprime d'abord l'idée d'un lien, d'un engagement. Dans le domaine profane il en vient à désigner l'amitié, la solidarité, la loyauté, surtout lorsque ces vertus procèdent d'un pacte. En Dieu, ce terme exprime la fidélité à son alliance, et la bonté qui en découle à l'égard du peuple choisi (la « grâce » en Ex **34** 6), autrement dit (et ce mot convient à partir d'Osée, par référence à la comparaison de l'union conjugale) l'*amour* de Dieu pour son peuple, Ps **136** 1-26; Jr **31** 3, etc., et les bienfaits qui en découlent, Ex **20** 6; Dt **5** 10; 2 S **22** 51; Jr **32** 18; Ps **18** 51. Mais cette *hesed* de Dieu appelle en l'homme aussi la *hesed*, c'est à dire le don de l'âme, l'amitié confiante, l'abandon, la tendresse, la « piété », en un mot l'amour qui se traduit par une soumission joyeuse à la volonté de Dieu et par la charité pour le prochain, Os **4** 2; **6** 6. Cet idéal, qu'expriment de nombreux Psaumes, sera celui des *Hasidim* ou « Assidéens », 1 M **2** 42+.
*j)* Chez Osée la « connaissance de Yahvé » accompagne la *hesed*, ici vv. 21-22 et **4** 2; **6** 6. Il ne s'agit donc pas d'une simple connaissance intellectuelle. De même que Dieu « se fait connaître » à l'homme en se liant à lui par une alliance, en lui manifestant par ses bienfaits son amour *(hesed)*, de même l'homme « connaît Dieu » par une attitude qui implique la fidélité à son alliance, la reconnaissance de ses bienfaits, l'amour. Cf. Jb **21** 14; Pr **2** 5; Is **11** 2; **58** 2. Dans la littérature de sagesse, la « connaissance » est à peu près synonyme de « sagesse ».

22 24 la terre répondra au froment, au vin nouveau et
1 4-9 à l'huile fraîche, et eux répondront [a] à Yizréel.

23 25 Je la sèmerai [b] dans le pays,
j'aurai pitié de Lo-Ruhamah,
↗ Rm 9 25 je dirai à Lo-Ammi : « Tu es mon peuple »
↗ 1 P 2 10 et lui dira : « Mon Dieu! [c] »

**Osée reprend l'épouse infidèle et l'éprouve. Explication du symbole.**

3 1 Yahvé me dit : « Va de nouveau, aime une
femme qui en aime [d] un autre et commet
l'adultère, comme Yahvé aime les enfants d'Israël,
alors qu'ils se tournent vers d'autres dieux et qu'ils
aiment les gâteaux de raisin [e]. » 2 Je l'achetai donc Jr 7 18
pour quinze sicles d'argent et un muid et demi
d'orge [f], 3 et je lui dis : « Pendant de longs jours tu
me resteras là [g], sans te prostituer et sans appartenir à un homme, et j'agirai de même à ton égard. »
4 Car, pendant de longs jours les enfants d'Israël
resteront sans roi et sans chef, sans sacrifice et sans
stèle, sans éphod et sans téraphim. 5 Ensuite les Ex 23 24+
enfants d'Israël reviendront; ils chercheront Yahvé 28 6+
leur Dieu, et David leur roi [h]; ils accourront en 1 S 15 22+
tremblant vers Yahvé et vers ses biens, dans la suite Os 2 9; 6 1; 14 2
des jours. Jr 30 9

## II. *Crimes et châtiment d'Israël*

**Corruption générale.**

4 1 Écoutez la parole de Yahvé, enfants d'Israël,
Os 2 4+ car Yahvé est en procès avec les habitants du
Is 3 13-15 pays :
Mi 6 1-5
2 21-22+ il n'y a ni fidélité ni amour,
ni connaissance de Dieu dans le pays,
Jr 7 9 2 mais parjure et mensonge, assassinat et vol,
adultère et violence,
et le sang versé succède au sang versé.
Jr 4 28 3 Voilà pourquoi le pays est en deuil et tous ses
habitants dépérissent,
So 1 3 jusqu'aux bêtes des champs et aux oiseaux du
ciel,
et même les poissons de la mer disparaîtront [i].

**Contre les prêtres.**

4 Pourtant que nul n'intente procès, que nul ne
réprimande!
C'est avec toi, prêtre, que je suis en procès [j].
5 Tu trébucheras en plein jour,
le prophète aussi trébuchera, la nuit, avec toi,
et je ferai périr ta mère [k].
6 Mon peuple périt, faute de connaissance. Jr 5 4
Puisque toi, tu as rejeté la connaissance [l],
je te rejetterai de mon sacerdoce; Ml 2 1-9
puisque tu as oublié l'enseignement de ton Dieu,
à mon tour, j'oublierai tes fils.
7 Tous tant qu'ils sont, ils ont péché contre moi,
ils ont échangé leur Gloire contre l'Ignominie [m]. Jr 2 11+
8 Du péché de mon peuple, ils se nourrissent,
de sa faute, ils sont avides [n]
9 Mais il en sera du prêtre comme du peuple :
je lui ferai expier sa conduite,
je lui revaudrai ses œuvres.
10 Ils mangeront, mais sans se rassasier, Mi 6 14
ils se prostitueront [o], mais sans s'accroître,
car ils ont abandonné Yahvé
pour se livrer 11 à la prostitution.

*a)* Noter la répétition du verbe répondre : Dieu répondra à l'attente de sa création, et la création répondra à ce que les hommes attendent d'elle en conformité avec le dessein divin. C'est le contraire de l'état actuel de désordre dû au péché, cf. **4** 3; Gn **3** 17s; Is **11** 6+; Rm **8** 19+.
*b)* C'est la signification du nom de Yizréel, cf. **1** 4+; **1** 5+.
*c)* L'amour de Dieu pour son peuple va contredire les noms de malheur (« Non-Aimée », « Pas-Mon-Peuple »), qui disparaissent avec la malédiction dont ils étaient le présage. En **2** 1, 3, ils sont remplacés par leurs contraires.
*d)* « qui aime » grec, syr.; « aimée » hébr. Il s'agit sans doute toujours de Gomer, qu'Osée a aimée et aime encore, mais qui l'a trahi et continue à le trahir. La magnanimité du prophète envers l'infidèle est le symbole de l'amour persévérant de Yahvé pour son peuple.
*e)* Ou : « vers d'autres dieux qui aiment les gâteaux de raisin », cf. Dn **14** 5-8.
*f)* Osée rachète Gomer à son actuel maître, ou au sanctuaire dont elle s'est faite hiérodule. Le prix total est à peu près celui du rachat d'une esclave, Ex **21** 32; Lv **27** 4.
*g)* Un temps d'épreuve, comme va l'expliquer le v. 4, cf. **2** 8, 9, 16, précédera la reprise de l'alliance entre Yahvé et Israël.
*h)* Cf. Jr **30** 9; Ez **34** 23 – « et David leur roi » est sans doute une relecture judéenne, cf. **1** 7+.
*i)* Osée décrit la situation actuelle en prenant le contre-pied de la situation idéale qui sera celle du peuple rénové, **2** 21-25; ni sincérité, ni amour, ni connaissance de Dieu, v.1, cf. **2** 21s; au lieu de l'harmonie entre l'homme et la création, **2** 20, 23s, le dépérissement et la mort des animaux, **4** 3. Cf. **2** 24+.
*j)* Stique corrigé; hébr. : « Ton peuple est comme ceux qui auraient un procès avec le prêtre ». – Il s'agit ici de toute la corporation sacerdotale, coupable d'ignorance et de négligence, d'avidité et même de brigandage, **6** 9. Autres attaques contre le sacerdoce : Jr **2** 8; **6** 13; Mi **3** 11; So **3** 4; surtout Ml **1** 6 - **2** 9.
*k)* Le principe de la responsabilité individuelle ne sera dégagé qu'un siècle plus tard, cf. Gn **18** 24+; Ez **14** 12+. – Sur les prophètes indignes, cf. Jr **23** 13-32; Mi **3** 5, 11, etc.
*l)* La Loi, dont les prêtres devaient instruire le peuple, Dt **33** 10; Ml **2** 5-8.
*m)* « ils ont échangé leur Gloire contre l'Ignominie » (c'est-à-dire Yahvé contre les Baals) Targ. et syr.; « je changerai leur gloire en honte » hébr.
*n)* Le prêtre, ayant une part importante des sacrifices pour le péché, Lv **6** 19-22, et des sacrifices de réparation, Lv **7** 7, tire avantage des péchés du peuple. Cf. 1 S **2** 12-17.
*o)* Il s'agit sans doute de la prostitution sacrée des cultes cananéens de fertilité.

**Le culte d'Israël n'est qu'idolâtrie et débauche.**

Le vin et le moût font perdre le sens [a].
Jr 2 27 12 Mon peuple consulte son morceau de bois,
c'est son bâton qui le renseigne [b];
1 2; 2 6 car un esprit de prostitution les égare,
et ils se prostituent, s'éloignant de leur Dieu.
Dt 12 2+ 13 Sur le sommet des montagnes, ils sacrifient,
sur les collines, ils brûlent de l'encens,
sous le chêne, le peuplier et le térébinthe,
car leur ombrage est bon.
Voilà pourquoi, si vos filles se prostituent,
si vos brus commettent l'adultère,
14 je ne châtierai pas vos filles pour leurs prostitutions,
ni vos brus pour leurs adultères [c];
Dt 23 19+ car eux-mêmes vont à l'écart avec les prostituées,
ils sacrifient avec les hiérodules,
et le peuple, sans discernement, va à sa perte!

**Avertissement à Juda et à Israël.**

15 Si toi, tu te prostitues, Israël,
que Juda ne se rende pas coupable!
Jos 4 19+ N'allez pas à Gilgal,
Am 4 4+; 5 8 ne montez pas à Bet-Aven [d],
Jos 7 2+ et ne jurez pas « par la vie de Yahvé ».
Am 8 14 16 Car tel une vache rétive,
Jr 31 18 Israël a été rétif;
et maintenant Yahvé le ferait paître
comme un agneau dans un vaste pacage?
14 9 17 Éphraïm est l'allié des idoles, laisse-le!
Am 2 8; 18 Leur beuverie terminée,
6 4-6 ils ne font que se prostituer;
4 7 ils préfèrent l'Ignominie à leur Orgueil [e].
Jr 4 11-13 19 Le vent les emportera de ses ailes,
Am 1 14 et ils auront honte de leurs sacrifices.

**Prêtres, grands et rois**
**conduisent le peuple à sa perte.**

**5** 1 Écoutez ceci, prêtres,
sois attentive, maison d'Israël,
maison du roi, prête l'oreille!
Car c'est vous que concerne le droit,
mais vous avez été un piège à Miçpa [f],
et un filet tendu sur le Tabor.
2 Ils ont approfondi la fosse de Shittim [g],
eh bien, moi, je vais les punir tous.
3 Moi, je connais Éphraïm,
Israël ne m'est point caché.
Oui, tu t'es prostitué, Éphraïm,
Israël s'est souillé.
4 Leurs œuvres ne leur permettent pas de revenir Jr 13 23+
vers leur Dieu,
car un esprit de prostitution est en leur sein 1 2
et ils ne connaissent pas Yahvé.
5 L'orgueil d'Israël témoigne contre lui; Am 6 8
Israël et Éphraïm trébuchent à cause de leur 14 2
faute,
Juda aussi trébuche avec eux.
6 Avec leurs brebis et leurs bœufs, ils iront cher- Am 5 4+;
cher Yahvé, 8 11-12
mais ils ne le trouveront pas : Pr 1 28
il s'est retiré d'eux! Jn 7 34; 8 21 Is 55 6
7 Ils ont trahi Yahvé,
ils ont engendré des bâtards; Os 2 6
maintenant la néoménie [h] va les dévorer, eux et
leurs champs.

**La guerre fratricide [i].**

8 Sonnez du cor à Gibéa, Jl 2 1+
de la trompette à Rama,
donnez l'alarme à Bet-Aven, 4 15+
on te talonne [j] Benjamin.
9 Éphraïm deviendra une désolation, au jour du
châtiment,
sur les tribus d'Israël, j'annonce une chose cer
taine [k].
10 Les chefs de Juda sont comme des déplaceurs de Dt 19 14;
bornes [l]; 27 17
sur eux je répandrai ma fureur comme de l'eau.

*a)* Non pas constatation banale sur les effets du vin, mais reproche à Israël d'avoir une attitude religieuse insensée provoquée par le désir d'avoir une bonne récolte de vin, cf. **7** 14.
*b)* Il s'agit de pratiques divinatoires à l'aide d'objets sacrés en bois.
*c)* Leur faute est moins grave, parce qu'elles sont entraînées par l'exemple de leurs maris et de leurs pères.
*d) Bet-Aven* (« maison de péché »), sobriquet méprisant de Béthel (*Bet-El* : « maison de Dieu »).
*e)* « leur Orgueil » *migge'onam* conj., cf. v. 7; « ses boucliers » *maginnêha* hébr.
*f)* Plusieurs localités de ce nom sont mentionnées dans la Bible. Il est difficile de dire laquelle est visée ici. Comme pour le Tabor, il s'agit sans doute d'un lieu de culte dont les desservants ont égaré le peuple en l'incitant à l'idolâtrie. – On pourrait aussi comprendre : « C'est contre vous qu'est la sentence parce que vous avez été... », mais cf. le parallèle de Mi **3** 1.
*g)* Texte incertain. Sur Shittim, cf. Jos **2** 1+. Il y a peut-être ici une allusion à l'épisode de Baal-Péor, **9** 10; cf. Nb **25**.
*h)* Soit que le jour de fête devienne un jour de châtiment, soit qu'on veuille en marquer l'imminence (à la prochaine nouvelle lune).
*i)* Tout ce morceau – et probablement les suivants jusqu'à **6** 6 – semble se rapporter à la guerre syro-éphraïmite (735-734), cf. 2 R **16** 5+.
*j)* « on te talonne », litt. « derrière toi » : incertain. Il faut peut-être corriger ce mot d'après le contexte et lire « alertez ».
*k)* C'est-à-dire les malheurs qui vont suivre : déportation, démembrement, 2 R **15** 29, chute de Samarie et ruine du royaume d'Israël, 2 R **17** 5-6.
*l)* Allusion à l'avance de l'armée de Juda en territoire d'Israël, peut-être aussi aux anciens empiétements du royaume du Sud, 1 R **15** 16-22. – Le Code deutéronomique, Dt **19** 14; cf. **27** 17, condamne ceux qui déplacent les bornes « posées par les ancêtres », car la répartition des territoires de la Terre Promise est faite selon les ordres de Dieu, cf. Jos **13** 6.

11 Éphraïm est opprimé, écrasé par le jugement [a],
car il s'est plu à courir après le Mensonge [b].
Is 50 9+ 12 Eh bien, moi, je serai comme la teigne pour
Éphraïm,
comme la carie pour la maison de Juda.

**Vanité des alliances avec l'étranger.**

7 11; 8 9; 12 2 13 Éphraïm a vu sa maladie
2 R 15 19; 16 7-9 et Juda son ulcère;
Éphraïm alors est allé vers Assur,
il a envoyé des messagers au grand roi [c];
mais lui ne pourra vous guérir
ni porter remède à votre ulcère.
Os 13 7 14 Car moi, je suis comme un lion pour Éphraïm,
Am 3 12 comme un lionceau pour la maison de Juda;
Is 5 29 moi, moi, je déchirerai et je m'en irai,
2 12 j'emporterai ma proie, et personne pour délivrer.
15 Oui, je vais regagner ma demeure,
Dt 4 29-31+ jusqu'à ce qu'ils s'avouent coupables [d] et cher-
Jr 29 13 Am 5 4+ chent ma face;
6 1 dans leur détresse, ils me rechercheront.

**Retour éphémère à Yahvé [e].**

6 1 « Venez, retournons vers Yahvé.
Il a déchiré, il nous guérira;
2 il a frappé, il pansera nos plaies;
3 2 après deux jours il nous fera revivre,
Ez 37 le troisième jour il nous relèvera [f]
et nous vivrons en sa présence.
3 Connaissons, appliquons-nous à connaître Yahvé;
sa venue est certaine comme l'aurore;
Ps 72 6; 63 2; 143 6 il viendra pour nous comme l'ondée,
Dt 11 14 comme la pluie de printemps qui arrose la
terre. »
4 – Que te ferai-je, Éphraïm?
Que te ferai-je, Juda?
= 13 3 Car votre amour est comme la nuée du matin,
comme la rosée qui tôt se dissipe.
5 C'est pourquoi je les ai taillés en pièces par les Jr 1 10; 5 14
prophètes [g], Os 12 11
je les ai tués par les paroles de ma bouche,
et mon jugement surgira comme la lumière [h].
6 Car c'est l'amour qui me plaît et non les ↗ Mt 9 13; 12 7
sacrifices, Am 5 21+
la connaissance de Dieu plutôt que les holo- Os 2 21-22+
caustes [i].

**Les crimes passés et présents d'Israël.**

7 Mais eux, à Adam, ont transgressé l'alliance [j], 8 1
là, ils m'ont trahi.
8 Galaad [k] est une cité de malfaiteurs
qui porte des traces de sang.
9 Comme des brigands en embuscade,
une bande de prêtres assassine sur la route de
Sichem;
oui, ils commettent l'infamie!
10 A Béthel [l] j'ai vu une chose horrible;
c'est là que se prostitue Éphraïm,
que se souille Israël.
11 A toi aussi, Juda, est destinée une moisson,
quand je rétablirai mon peuple [m].

7 1 Alors que je veux guérir Israël,
se dévoilent la faute d'Éphraïm
et les méchancetés de Samarie;
car ils pratiquent le mensonge,
le voleur entre dans la maison [n],
une bande sévit au dehors.
2 Et ils ne disent pas en leur cœur
que je me souviens de toute leur méchanceté!
Maintenant leurs œuvres les enserrent,
elles sont devant ma face. Ps 90 8
3 Par leur méchanceté ils égaient le roi, Ml 3 16
et par leurs mensonges, les chefs [o].
4 Tous sont adultères,

*a)* On suit l'hébr., mais il faut peut-être lire avec le grec : « Éphraïm est un oppresseur, il viole le droit », en pensant à son alliance avec Damas et à son invasion du royaume frère (guerre syro-éphraïmite).
*b)* « le Mensonge » *shawe'* conj.; hébr. *çaw* incertain.
*c)* « au grand roi » *'el melek rab* conj.; « au roi Yareb » ou « au roi vengeur » *el melek yareb* hébr. – Allusion au tribut payé par Menahem à Téglat-Phalasar III en 738, cf. 2 R **15** 19, et à l'appel lancé par Achaz au même Téglat-Phalasar en 735, cf. 2 R **16** 7-9.
*d)* Ou : « qu'ils aient expié ».
*e)* Le prophète imagine une liturgie de pénitence, dont il emprunte peut-être les termes à quelque cérémonie expiatoire, 1 R **8** 31-53; Jr **3** 21-25; Jl **1-2**; Ps **85** : le peuple, effrayé par l'annonce du châtiment et de l'abandon de Yahvé, **5** 14-15, s'exhorte à revenir à lui, vv. 1-3. Mais ce retour est éphémère, sans conversion intérieure, vv. 4-6.
*f)* L'expression « après deux jours », « le troisième jour » (cf. Am **1** 3 : « pour trois crimes de Damas et pour quatre ») désigne un court laps de temps. Depuis Tertullien la tradition chrétienne a appliqué ce texte à la résurrection du Christ le troisième jour. Mais il n'est jamais cité dans le NT où, sur ce sujet, est évoqué le séjour de Jonas dans le ventre du poisson (Jon **2** 1 = Mt **12** 40). Cependant il est possible que la mention de la résurrection le troisième jour « selon les Ecritures » (1 Co **15** 4, cf Lc **24** 46) du kérygme primitif et des symboles de foi se rapporte à notre texte interprété selon les règles exégétiques du temps.
*g)* La parole de Dieu transmise par les prophètes est efficace : elle réalise ce qu'elle annonce (ici, le châtiment).
*h)* Texte légèrement corrigé en changeant seulement la vocalisation. TM : « tes jugements, une lumière sort ».
*i)* Cf. **2** 21+; **2** 22+; Am **5** 21+; 1 S **15** 22. En **14** 3, Osée ira jusqu'à dire que le seul sacrifice valable est la conversion sincère.
*j)* « à Adam » conj.; « comme un homme » ou « comme Adam » hébr. – Allusion énigmatique. Peut-être à Adam (près de l'embouchure du Yabbok) y avait-il un sanctuaire idolâtrique. Peut-être le texte signifie-t-il simplement que l'infidélité d'Israël remonte aux origines mêmes de l'établissement en Palestine, cf. Jos **3** 16. Pour cette idée, cf. **9** 10. – L'alliance est celle du Sinaï.
*k)* Galaad, sur le plateau du même nom, en Transjordanie, cf. Gn **31** 46-48.
*l)* « A Béthel », conj.; « Dans la maison d'Israël » (*bebêt yisra'el*) hébr.
*m)* Ce verset est une addition postérieure, cf. **1** 7+.
*n)* « dans la maison » d'après grec; omis par hébr.
*o)* Des origines du royaume du Nord jusqu'en 737 (meurtre de Peqahya), sept rois furent assassinés. Ici le prophète évoque une

ils sont comme un four brûlant
que le boulanger cesse d'attiser
depuis qu'il a pétri la pâte jusqu'à ce qu'elle soit levée.
5 Au jour de notre roi [a],
les chefs se rendent malades par la chaleur du vin,
et lui tend la main aux moqueurs 6 quand ils s'approchent.
Dans leur complot, leur cœur est semblable à un four;
toute la nuit leur colère sommeille,
au matin elle brûle comme un feu flamboyant [b];
7 tous sont échauffés comme un four,
ils dévorent leurs juges.
Tous leurs rois sont tombés.
Pas un d'entre eux qui crie vers moi!

**Israël ruiné par l'appel à l'étranger.**

8 Éphraïm se mêle aux peuples,
Éphraïm est une galette qu'on n'a pas retournée [c].
9 Des étrangers dévorent sa vigueur,
et lui ne le sait pas!
5 12 Même des cheveux blancs parsèment sa tête,
Ap 3 17 et lui ne le sait pas!
10 (L'orgueil d'Israël témoigne contre lui;
Am 4 6- et ils ne reviennent pas vers Yahvé leur Dieu,
11+ avec tout cela, ils ne le cherchent pas!)
11 Éphraïm est une colombe naïve [d], sans cervelle;
5 13+ ils appellent l'Égypte, ils vont en Assur,
12 où qu'ils aillent [e], je déploierai sur eux mon filet,
comme l'oiseau du ciel je les ferai tomber,
je les punirai à cause de leur méchanceté [f].

**Ingratitude et châtiment d'Israël.**

13 Malheur à eux, parce qu'ils ont fui loin de moi!
Ruine sur eux, parce qu'ils m'ont été infidèles!
Et moi, je devrais les libérer,
quand eux profèrent contre moi des mensonges? 7 1
14 Ils ne crient pas vers moi du fond du cœur
quand ils se lamentent sur leurs couches [g];
pour du blé et du vin nouveau, ils se lacèrent,
mais ils se rebellent contre moi [h].
15 Et moi, j'avais [i] fortifié leur bras,
mais contre moi ils méditent le mal.
16 Ils se tournent vers ce qui n'est rien [j],
ils sont comme un arc trompeur. Ps 78 57
Leurs chefs tomberont sous l'épée
à cause de la fureur de leur langue,
et l'on se moquera bien d'eux au pays d'Égypte...

**Alarme.**

**8** 1 Embouche la trompette! 5 8
Comme un aigle, le malheur fond sur la maison de Yahvé [k]. Jl 2 1+
Car ils ont transgressé mon alliance 6 7
et ont été infidèles à ma Loi [l].
2 Ils ont beau me crier : « Mon Dieu, nous te 6 1-3
connaissons, nous Israël. » Jr 14 8-9
3 Israël a rejeté le bien,
l'ennemi [m] le poursuivra.

**Anarchie politique et idolâtrie.**

4 Ils ont fait des rois, mais sans mon aveu [n], 1 S 8 1+;
ils ont fait des chefs, mais à mon insu. 11 12+
De leur argent et de leur or ils se sont fait des idoles,
afin qu'elles soient supprimées.
5 Ton veau, Samarie, je le repousse [o]! 1 R 12 28, 32
– ma colère s'est enflammée contre eux.
Jusques à quand ne pourront-ils recouvrer l'innocence? –
6 Car il vient d'Israël,
c'est un artisan qui l'a fabriqué, lui, Ex 20 4;
il n'est pas Dieu, lui [p]. 34 17
Oui, le veau de Samarie tombera en miettes.

conspiration : les conjurés dissimulent leur dessein, puis, après une nuit d'orgie, ils massacrent roi et chefs écrasés par le vin. Ainsi mourut Éla, 1 R **16** 9-10.
*a)* Sans doute un jour de fête en l'honneur du roi.
*b)* On rattache le début du v. 6 au v. précédent pour tenter de donner un sens à ce passage extrêmement difficile, dont le texte semble corrompu. – « leur colère » *'appehem* conj.; « leur boulanger » *'opehem* hébr.
*c)* Brûlé d'un côté, à peine cuit de l'autre, ce gâteau ne vaut rien.
*d)* Qui se laisse égarer (même mot qu'en **2** 16), c'est-à-dire, ici, qui cède aux séductions des alliances étrangères, croyant ainsi échapper au châtiment que le prophète représente comme le filet du chasseur manié par Dieu.
*e)* Ou : « autant de fois qu'ils iront », ou encore : « de même qu'ils y vont ».
*f)* « à cause de leur méchanceté » *lera'atam* d'après le grec; « selon leur assemblée » *le'adatam* hébr. Avant ce mot, on supprime « comme on l'a entendu » (*keshema'*). On peut peut-être comprendre : « quand j'entends leur rassemblement », la comparaison avec les oiseaux se poursuivant jusqu'à la fin du v. Il s'agirait alors sans doute d'une glose car le mot *'edah* est tardif.
*g)* Soit leur couche proprement dite, soit les tapis ou manteaux sur lesquels on se prosternait pour prier, cf. Ps **4** 5; **149** 5.
*h)* « ils se lacèrent » *yitgodadû* conj.; « ils résident en hôtes » *yitgorarû* hébr. – Sur ces lacérations rituelles, cf. 1 R **18** 28; Jr **16** 6; **41** 5. – « ils se rebellent » *yasôrû* conj.; « ils se détournent » *yasûrû* hébr.
*i)* L'hébr. ajoute : « dirigé », omis par grec.
*j)* « vers ce qui n'est rien » grec; « pas en haut » hébr.
*k)* On supplée : « le malheur fond » pour préciser le sens de la phrase. Sur l'aigle, image du malheur, cf. Jr **48** 40; **49** 22. – La maison de Yahvé désigne non un temple, mais la Terre Sainte, propriété de Yahvé, cf. **9** 15.
*l)* Ce parallélisme étroit, synonymique, entre alliance et Loi se retrouve dans la tradition élohiste (Ex **24** 8), deutéronomiste (Dt **4** 13) et sacerdotale (Lv **26** 15). Le milieu auquel appartient Osée est celui de la tradition deutéronomiste.
*m)* Assur.
*n)* Osée ne condamne, semble-t-il, ni l'institution royale ni la royauté de Samarie opposée à la dynastie davidique légitime de Jérusalem. Il condamne les coups d'État successifs inspirés par des préoccupations tout autres que celle de la fidélité à Yahvé.
*o)* « je le repousse » conj.; « il repousse » hébr.
*p)* Cette attaque contre les idoles sera suivie de beaucoup d'autres dans la littérature prophétique, cf. Is **40** 20+; **41** 21+.

10 13 Jb 4 8 Pr 22 8 Ga 6 7 7 Puisqu'ils sèment le vent, ils moissonneront la tempête :
tige qui n'a pas d'épi,
qui ne donne pas de farine;
et si elle en donne, des étrangers l'engloutiront.

**Israël perdu par l'appel à l'étranger [a].**

8 Israël est englouti.
Maintenant ils sont parmi les nations
comme un objet dont personne ne veut;
5 13+ 9 car ils sont montés vers Assur,
onagre qui vit à l'écart;
Ez 16 32-34 Éphraïm s'est acheté des amants [b].
10 Qu'il s'en achète parmi les nations,
maintenant je vais les rassembler [c]
et ils souffriront bientôt sous le fardeau du roi des princes [d].

**Contre le culte purement extérieur.**

11 Quand Éphraïm a multiplié les autels [e],
ces autels ne lui ont servi qu'à pécher.
12 Que pour lui j'écrive les mille préceptes de ma loi,
on les tient pour une chose étrangère.
13 Les sacrifices qu'ils m'offrent,
ils les sacrifient, ils en mangent la viande [f],
6 6 mais Yahvé ne les agrée pas.
Am 5 22 Maintenant, il va se souvenir de leur faute
= 9 9 et châtier leurs péchés :
9 3; 11 5 ils retourneront, eux, en Égypte.
Dt 28 68+ Dt 32 15, 18+ 14 Israël a oublié son auteur
et il a bâti des palais;
Juda a multiplié les villes fortes.
Am 2 5 Mais j'enverrai le feu dans ses villes,
et il en dévorera les citadelles.

**Tristesses de l'exil [g].**

9 1 Ne te réjouis pas, Israël;
ne jubile pas comme les peuples [h];
Car tu as abandonné ton Dieu pour la prostitution,
dont tu as aimé le salaire sur toutes les aires à blé [i].
2 L'aire et la cuve ne les nourriront pas,
le vin nouveau les décevra [j]. 2 11
3 Ils n'habiteront pas au pays de Yahvé,
Éphraïm retournera en Égypte, 8 13+
et en Assur, ils mangeront des mets impurs [k].
4 Ils ne feront pas à Yahvé de libations de vin
et leurs sacrifices ne lui seront pas agréables :
ce sera pour eux comme un pain de deuil, Dt 26 14
tous ceux qui en mangeront deviendront impurs [l];
car leur pain sera pour eux-mêmes,
mais il n'entrera pas dans la Maison de Yahvé [m].
5 Que ferez-vous au jour de solennité,
au jour de la fête de Yahvé [n]?
6 Car voilà qu'ils sont partis devant la dévastation;
L'Égypte les rassemblera, Memphis les ensevelira,
leurs objets précieux, l'ortie en héritera,
et l'épine envahira leurs tentes.

**L'annonce du châtiment vaut la persécution au prophète.**

7 Ils sont venus, les jours du châtiment, Am 3 2+
ils sont venus, les jours de la rétribution,
qu'Israël le sache!
– « Le prophète est fou, l'inspiré délire! » Jn 10 20
– A cause de la grandeur de ta faute,
grande sera l'hostilité.
8 Le guetteur d'Éphraïm est avec mon Dieu – c'est le prophète,
à qui on tend un piège sur tous les chemins
et dans la maison de son Dieu, c'est l'hostilité [o]. Am 7 10-17
9 Ils se sont profondément corrompus, Jr 20 1-6
comme aux jours de Gibéa : Jg 19
il se souviendra de leur faute, = 8 13
il châtiera leurs péchés.

*a)* Ce passage doit être postérieur à la déportation qui suivit la guerre syro-éphraïmite (734), 2 R **15** 29.
*b)* Allusion au tribut versé au roi d'Assyrie, **5** 13; **7** 11, et peut-être aussi aux cadeaux envoyés à l'Égypte. Ici, les amants ne sont plus les divinités cananéennes comme en **1-3** mais les puissances étrangères. Mais c'est toujours en référence à l'alliance avec Yahvé que les liens avec les puissances païennes sont considérés comme un adultère, à la fois parce qu'ils favorisaient le culte des dieux de ces peuples, et parce qu'ils étaient un manque de confiance en Yahvé seul sauveur d'Israël, cf. Is **30** 1-5; **31** 1-3.
*c)* Pour la déportation.
*d)* Le roi d'Assyrie.
*e)* L'hébr. ajoute « pour pécher ».
*f)* Traduction incertaine d'un texte difficile, peut-être corrompu.
*g)* Oracle prononcé peut-être lors de quelque fête agricole.
*h)* « ne jubile pas » grec; « vers la jubilation » hébr.
*i)* Les biens de la terre sont considérés comme le salaire des prostitutions d'Israël parce que le peuple les considère comme le résultat de son culte rendu aux Baals avec ses pratiques immorales, cf. **2** 7.
*j)* La suite explique pourquoi : ils ne seront plus là pour en profiter, car ils seront déportés. D'autres les mangeront, **8** 7. – « les décevra », grec, syr., Vulg., Targ.; « le décevra » hébr.
*k)* Tout pays étranger est impur, souillé qu'il est par la présence des idoles, cf. Am **7** 17; 1 S **26** 19. Et en exil on n'aura pas la possibilité de s'abstenir d'aliments impurs.
*l)* La présence d'un mort rendait impurs les aliments préparés dans la maison mortuaire.
*m)* L'exil rendra impossible l'offrande des prémices au Temple, Dt **26** 2.
*n)* Il s'agit sans doute de la fête des Tentes qu'on ne peut célébrer en exil, puisqu'il faut se présenter devant Yahvé, Ex **23** 16s.
*o)* Texte très obscur, probablement corrompu, mais les diverses corrections proposées ne sont pas satisfaisantes.

### Châtiment du crime de Baal-Péor.

2 16+ 10 Comme des raisins dans le désert, je trouvai
Dt **32** 10 Israël,
comme un fruit sur un figuier en la prime saison,
je vis vos pères;
Nb **25** 1-5 mais arrivés à Baal-Péor [a], ils se vouèrent à la
Honte [b]
Jr 2 5+ et devinrent des horreurs, comme l'objet de leur
amour.
11 Éphraïm, comme l'oiseau s'envolera sa gloire :
Dt **28** 18 plus d'enfantement, plus de grossesse, plus de
conception.
Dt **32** 25 12 Même s'ils élèvent leurs fils, je les en priverai
avant qu'ils soient hommes;
oui, malheur à eux quand je m'éloignerai d'eux!
13 Éphraïm, je le voyais comme Tyr, plantée dans
une prairie [c],
mais Éphraïm devra mener ses fils à l'égorgeur.
14 Donne-leur, Yahvé... Que donneras-tu?
Lc **23** 29 Donne-leur des entrailles stériles et des seins desséchés.

### Châtiment du crime de Gilgal.

4 15 15 Toute leur méchanceté a paru à Gilgal [d],
c'est là que je les ai pris en haine.
A cause de la méchanceté de leurs actions,
8 1+ je les chasserai de ma maison,
1 6 je ne les aimerai plus,
tous leurs chefs sont des rebelles.
16 Éphraïm est frappé,
Am 2 9 leur racine est desséchée,
Mt **21** 19p ils ne donneront pas de fruit.
9 12 Même s'il leur naît des enfants,
je ferai mourir les délices de leur sein.
Dt **28** 64-65 17 Mon Dieu les rejettera parce qu'ils ne l'ont pas
écouté,
Gn 4 14 et ils seront errants parmi les nations.

### Destruction des emblèmes idolâtriques d'Israël.

Is 5 1+ **10** 1 Israël était une vigne luxuriante,
qui donnait bien son fruit.
Plus son fruit se multipliait, Dt **32** 15
plus il a multiplié les autels; 2 7, 14; 4 10s
plus son pays devenait riche,
plus riches il a fait les stèles. Ex **23** 24+
2 Leur cœur est double [e],
maintenant ils vont expier;
lui-même renversera leurs autels,
il dévastera leurs stèles.
3 Alors ils diront :
« Nous n'avons pas de roi [f],
car nous n'avons pas craint Yahvé,
mais le roi, que pourrait-il faire pour nous? »
4 On tient des discours, on jure en vain, on conclut
des alliances;
et le droit prospère comme la plante vénéneuse [g] Am 6 12
sur le sillon des champs!
5 Pour le veau [h] de Bet-Aven 8 5; 4 15+
les habitants de Samarie tremblent;
oui, sur lui son peuple mène le deuil,
ainsi que sa prêtraille :
Qu'ils exultent sur sa gloire
maintenant qu'elle est déportée, loin de nous! Ap **18** 14
6 Lui-même, on le transportera en Assur
comme tribut pour le grand roi [i].
Éphraïm recueillera la honte,
et Israël rougira de son dessein.
7 C'en est fait de Samarie!
Son roi est comme un fétu à la surface de l'eau.
8 Ils seront détruits les hauts lieux d'Aven, 4 13
ce péché d'Israël; 2 R **23** 15s
épines et chardons grimperont sur leurs autels.
Ils diront alors aux montagnes : « Couvrez- Is 2 10
nous! » ↗ Lc **23** 30
et aux collines : « Tombez sur nous [j]! » ↗ Ap 6 16
9 Depuis les jours de Gibéa, tu as péché, Israël! 9 9+
ils s'en sont tenus là,
et la guerre n'atteindrait pas les criminels à
Gibéa [k]?
10 Je vais venir [l] les punir!
Des peuples s'assembleront contre eux
quand ils seront punis pour leurs deux fautes [m].

*a)* L'épisode, raconté en Nb **25**, se situe dans la plaine à l'est du Jourdain, cf. Nb **25** 1; Jos 2 1+. L'infidélité d'Israël s'est donc déjà manifestée aux portes de la Terre promise et a pesé sur toute son histoire.
*b)* Hébr. *boshet*, désignation méprisante des Baals, cf. 2 S **4** 4+.
*c)* V. très difficile, probablement corrompu; litt. : « Éphraïm, comme je vois pour Tyr, plantée dans une prairie ». Le prophète veut peut-être comparer la splendeur d'Éphraïm à celle de Tyr, cf. Is **23** 7s; Ez **27**, mais le mot est incertain. Le grec a lu *çaïd*, « du gibier », au lieu de *çôr*, « Tyr ».
*d)* Il s'agit sans doute des désobéissances de Saül à Gilgal, 1 S **13** 7-14; **15** 12-33, continuées actuellement par la rébellion des chefs (fin du v.)
*e)* Il feint d'être attaché à Yahvé alors qu'en fait il est avec les Baals.
*f)* L'instabilité du pouvoir et la tutelle assyrienne ôtent toute efficacité à l'institution royale.
*g)* Ironique : ce qui prospère, c'est la perversion du droit devenu une plante vénéneuse, cf. Am **6** 12.
*h)* « le veau » grec et syr.; « les veaux » hébr.
*i)* « grand roi » conj.; « roi Yareb » ou « roi vengeur » hébr., cf. 5 13+.
*j)* Devant l'ampleur de la catastrophe qui leur enlève toutes leurs raisons de vivre, ils souhaiteront la fin du monde. C'est dans le même sens que Jésus cite cette parole, Lc **23** 30, cf. Ap **6** 16.
*k)* Pour le prophète, il y a continuité entre le crime de Gibéa (Jg **19**) et les crimes actuels. Et il y a de même continuité dans le châtiment.
*l)* « Je vais venir » d'après le grec; « dans mon désir, et je punirai » hébr.
*m)* Obscur. Peut-être s'agit-il de la royauté (proclamée à Miçpa près de Gibéa, 1 S **10** 23-24) et du crime de Jg **19**; peut-être du seul crime de Gibéa, considéré comme « double » (énorme).

**Israël a déçu l'attente de Yahvé [a].**

4 16 11 Éphraïm est une génisse bien dressée,
aimant à fouler l'aire;
Mt 11 29-30 et moi j'ai fait passer le joug sur son cou
Jr 2 20; 5 5 superbe!
j'attellerai Éphraïm,
Juda labourera,
Jacob traînera la herse.
12 Faites-vous des semailles selon la justice [b],
2 21+ moissonnez à proportion de l'amour;
Mi 6 8 défrichez-vous des terres en friche :
Jr 4 3 il est temps de rechercher Yahvé,
jusqu'à ce qu'il vienne faire pleuvoir sur vous la
justice.
13 Vous avez labouré la méchanceté,
vous avez moissonné l'injustice,
vous avez mangé le fruit du mensonge.
Is 31 1 Parce que tu t'es confié dans tes chars [c], dans la
multitude de tes guerriers,
14 un grondement s'élèvera parmi ton peuple
et toutes tes forteresses seront dévastées,
comme Shalmân [d] dévasta Bet-Arbel,
au jour du combat,
14 1 quand la mère était écrasée sur ses enfants [e].
15 Voilà ce que vous a fait Béthel,
pour votre méchanceté sans nom;
11 1 à l'aurore, oui, c'en sera fait du roi d'Israël [f]!

**Yahvé va venger son amour méconnu [g].**

Jr 2 1-9 **11** 1 Quand Israël était jeune, je l'aimai,
↗ Mt 2 15 et d'Égypte j'appelai mon fils [h].
2 Mais plus je les appelais, plus ils s'écartaient de
moi [i];
aux Baals ils sacrifiaient,
aux idoles ils brûlaient de l'encens.
3 Et moi j'avais appris à marcher à Éphraïm, Dt 1 31+
je le prenais par les bras,
et ils n'ont pas compris que je prenais soin d'eux!
4 Je les menais avec des attaches humaines,
avec des liens d'amour;
j'étais pour eux comme ceux qui soulèvent un
nourrisson
tout contre leur joue [j],
je m'inclinais vers lui et le faisais manger [k] Dt 8 16
5 Il ne reviendra pas au pays d'Égypte [l], 8 13+
mais Assur sera son roi.
Puisqu'il a refusé de revenir à moi,
6 l'épée sévira dans ses villes,
elle anéantira ses verrous,
elle dévorera à cause de leurs desseins.

**Mais Yahvé pardonne.**

7 Mon peuple est cramponné à son infidélité.
On les appelle en haut,
pas un qui se relève [m]!
8 Comment t'abandonnerais-je, Éphraïm,
te livrerais-je, Israël?
Comment te traiterais-je comme Adma,
te rendrais-je semblable à Çeboyim [n]?
Mon cœur en moi est bouleversé [o], Dt 32 36
toutes mes entrailles frémissent. Jr 31 20
Is 54 8
9 Je ne donnerai pas cours à l'ardeur de ma colère,
je ne détruirai pas à nouveau Éphraïm,
car je suis Dieu et non pas homme, Nb 23 19+
au milieu de toi je suis le Saint [p],
et je ne viendrai pas avec fureur.

*a)* Les vv. 11-12 indiquent le dessein que Yahvé avait formé pour Éphraïm : une mission lui est confiée, décrite à l'aide de la métaphore du labour et des semailles, v. 11, mais qui est en réalité d'un autre ordre : faire régner la justice et l'amour, rechercher Yahvé, v. 12. Or il a fait le contraire, v. 13.

*b)* « justice » au sens religieux de conformité à la volonté divine exprimée par sa Loi, **8** 12.

*c)* « tes chars » grec; « ta voie » hébr.

*d)* Probablement le roi moabite Salamanu, contemporain de Téglat-Phalasar III (745-727), lors d'une incursion en Galaad, où se trouvait Bet-Arbel ou Irbid.

*e)* Ou « avec ses enfants ». De telles horreurs accompagnaient alors la prise des villes, cf. **14** 1; 2 R **8** 12; Is **13** 16; Na **3** 10; Ps **137** 9.

*f)* L'aurore est souvent le moment où commence le combat : Jg **9** 34-37; Ps **46** 6; Is **17** 14, et donc où Dieu accorde le salut ou punit par la défaite.

*g)* Ce chapitre est étroitement parallèle à **1-3**. Après l'analogie de l'amour conjugal bafoué, voici celle de l'amour paternel méconnu. On notera cependant que dans les trois premiers chapitres du livre les enfants étaient déjà étroitement associés à la mère, **2** 1, 4. Déjà tout au début, **1** 2, les deux perspectives sont unies.

*h)* On a ici la première attestation du thème de l'amour de Dieu comme *cause* de l'élection d'Israël, doctrine qui sera abondamment développée par le Deutéronome : Dt **4** 37; **7** 7-9; **10** 15, etc. Pour Osée, la véritable histoire d'Israël commence avec la sortie d'Égypte. Tout ce passage décrit l'âge d'or du désert, cf. **2** 16+. De la geste des Patriarches, Osée ne semble avoir connu – ou retenu – que des traits défavorables, **12** 4-5, 13.

*i)* « plus je les appelais, plus ils s'écartaient de moi » grec; « On les appelait et ainsi ils se sont détournés d'eux » hébr.

*j)* « nourrisson » *'ûl* conj.; « joug » *ol* hébr. – « le faisais manger » conj. : « le » (*lô*) peut être tombé par haplographie devant *lo'*, premier mot du v. 5

*k)* Tout ce passage (vv. 3-4) montre Yahvé faisant l'éducation d'Israël enfant : thème de la pédagogie divine reprise par le Deutéronome : Dt **8** 5-6.

*l)* Au lieu d'être captifs en Égypte ils le seront en Assyrie. Mais la situation sera identique. La contradiction avec **8** 13 n'est qu'apparente.

*m)* Traduction incertaine d'un texte corrompu.

*n)* Adma et Çeboyim, deux des cinq villes de la Pentapole, Gn **10** 19; **14** 2, 8; Dt **29** 22, qui tenaient sans doute dans la tradition « élohiste » la place de Sodome et Gomorrhe dans la tradition « yahviste », Is **1** 9-10.

*o)* Le mot est très fort; précisément celui qui est employé à propos de la destruction des cités coupables, Gn **19** 25; Dt **29** 22. Osée laisse entendre que le châtiment envisagé est comme vécu d'avance dans le cœur de Dieu. Cf. le cri de David à la mort d'Absalom, 2 S **19** 1.

*p)* La transcendance de Dieu est soulignée avec force. Mais contrairement à d'autres textes plus anciens (Ex **19** 2+; 2 S **6** 6-8, etc.) ou plus récents que celui-ci (Is **6** 3+), elle est ici dépouillée de tout caractère terrifiant et elle s'exprime en termes d'amour. La sainteté divine se manifeste par la miséricorde qui pardonne, alors que l'homme, habituellement, laisse libre cours à la colère.

**Le retour de l'exil** [a].

10 Derrière Yahvé ils marcheront,
Am 1 2+ comme un lion il rugira;
Jr 25 30 et quand il rugira,
les fils viendront, tremblants, de l'Occident;
11 comme un passereau ils viendront en tremblant de l'Égypte,
comme une colombe, du pays d'Assur,
et je les ferai habiter dans leurs maisons,
oracle de Yahvé.

**Perversion religieuse et politique d'Israël.**

12 **12** [b] 1 Éphraïm m'entoure de mensonge
et la maison d'Israël de tromperie.
(Mais Juda est encore auprès de Dieu,
au Saint il reste fidèle [c].)
12 1 2 Éphraïm se repaît de vent,
tout le jour il poursuit le vent d'est [d],
il multiplie mensonge et fausseté :
5 13+ on conclut alliance avec Assur,
Is 30 1s; 31 1s on porte de l'huile à l'Égypte.

**Contre Jacob et Éphraïm.**

4 1 3 Yahvé est en procès avec Juda [e],
il va sévir contre Jacob selon sa conduite,
et lui rendre selon ses actions.
3
Is 43 27+ 4 Dès le sein maternel il supplanta son frère,
Gn 25 26+ dans sa vigueur il fut fort contre Dieu [f].
Gn 32 24-28 5 Il fut fort contre l'Ange et l'emporta,
il pleura et l'implora [g].
Gn 28 10-22 A Béthel il le rencontra.
C'est là qu'il parla avec nous [h].
Am 4 13+ 6 Oui, Yahvé, le Dieu Sabaot, Yahvé est son titre.
6 7 Pour toi, grâce à ton Dieu, tu reviendras.
Garde l'amour et le droit
7 et espère en ton Dieu toujours [i].
Dt 25 13+ 8 Canaan a en main des balances trompeuses,
il aime à exploiter [j].

9 Éphraïm a dit : « Oui, je me suis enrichi, Lc 12 16-21
je me suis acquis une fortune »; ↗ Ap 3 17-18
mais de tous ses gains, rien ne lui restera,
à cause de la faute dont il s'est rendu coupable [k].

**Perspectives de réconciliation.**

10 Je suis Yahvé, ton Dieu, depuis le pays d'Égypte. = 13 4
Je te ferai encore habiter sous les tentes Ex 20 2
comme aux jours du Rendez-vous [l]. 2 16+
11 Je parlerai aux prophètes, 10
moi, je multiplierai les visions [m]
et par le ministère des prophètes 6 5
je parlerai en paraboles.

**Nouvelles menaces.**

12 Si Galaad n'est qu'iniquité, 6 8
eux ne sont que fausseté;
à Gilgal ils sacrifient aux taureaux [n], 4 15; 9 15
c'est pourquoi leurs autels seront comme des monceaux de pierres
sur les sillons des champs.
13 Jacob s'enfuit aux campagnes d'Aram, 12
Israël servit pour une femme, Gn 29
pour une femme, il garda les troupeaux.
14 Mais par un prophète, Yahvé fit monter Israël d'Égypte, Ex 3 7-10 Dt 18 15, 18 Os 11 1+
et par un prophète il fut gardé.
15 Éphraïm l'a offensé amèrement : 14
Yahvé rejettera sur lui le sang versé,
son Seigneur lui revaudra ses outrages.

**Châtiment de l'idolâtrie.**

**13** 1 Quand Éphraïm parlait, c'était la terreur,
il était grand en Israël [o],
mais il se rendit coupable avec Baal et mourut.
2 Et maintenant ils continuent à pécher,
ils se font des images de métal fondu,
avec leur argent, des idoles de leur invention;
œuvre d'artisan que tout cela!

*a)* Les vv. 10-11 sont probablement une relecture plus tardive datant de l'époque de l'exil à Babylone; ils développent dans cette perspective les idées des vv. 8-9.
*b)* Ch. difficile où s'entremêlent l'énoncé de faits contemporains et le rappel de certains épisodes de la vie des patriarches. Pour le prophète et pour ses contemporains l'ensemble des générations successives issues des patriarches était considéré comme une seule personne. Le patriarche continuait en quelque sorte à vivre dans ses descendants et ceux-ci étaient déjà présents en lui, cf. He 7 9s.
*c)* Relecture postérieure, cf. 1 7+. – Après « encore », on supprime un mot inintelligible. Il faut peut-être suivre grec qui lit : « Mais Juda est encore connu de Dieu ».
*d)* Vent brûlant, ici symbole de l'invasion assyrienne, cf. 13 15; Jr 18 17; Ez 17 10.
*e)* A la place de « Juda » il y avait sans doute primitivement « Israël ». Ce changement s'explique par le désir d'actualiser la prophétie d'Osée dans le royaume du Sud, cf. 1 7+.
*f)* Présomption et orgueil. Pécheur dès le sein de sa mère, Jacob continue à pécher à l'âge d'homme. Les épisodes de la vie de Jacob sont, ici et vv. 13-14, repris par Osée en mauvaise part.
*g)* Gn 32 24-28 ne dit rien de ces pleurs et supplications de Jacob, où Osée ne voit probablement qu'une ruse.
*h)* Certains corrigent le texte d'après Gn 35 15 et lisent « parla avec lui », mais cette correction est inutile : Osée applique à tout le peuple d'Israël ce qui est dit de Jacob, cf. v. 7.
*i)* Toujours la même perspective : ces paroles de Yahvé à Jacob s'adressent en même temps au peuple issu de lui.
*j)* Israël est assimilé à Canaan maudit par Yahvé (Gn 9 25), et dont le nom est synonyme de trafiquant, Ez 17 4; Is 23 8; Za 14 21, etc.
*k)* Traduit d'après le grec; hébr. inintelligible; litt. : « tous mes gains, on ne trouvera pas en moi une faute qui (soit) péché. »
*l)* Allusion probable à la « tente du Rendez-vous » (Ex 33 7, etc.) et au séjour au Sinaï où Dieu avait fixé un rendez-vous à son peuple, Ex 3 12, etc.
*m)* Prophètes et visions sont un signe de la faveur de Yahvé, Dt 18 9-22; Ps 74 9; Lm 2 9; Nb 12 2-8; Ex 33 11.
*n)* « aux taureaux » conj.; « des taureaux » hébr.
*o)* Sur l'ancienne importance politique d'Éphraïm, voir Jos 24 30; Jg 8 1-3; 12 1-6.

1 R 12 27, 32 Ils disent : « Offrez-leur des sacrifices »[a].
1 R 19 18 A des veaux, des hommes donnent des baisers[b]!
3 C'est pourquoi ils seront comme la nuée du matin,
= 6 4 comme la rosée qui tôt se dissipe,
So 2 2 comme la bale emportée loin de l'aire,
Is 17 13; 41 16 comme la fumée qui s'échappe de la fenêtre.

### Châtiment de l'ingratitude.

= 12 10 Ex 20 2s Dt 5 6s Is 43 11+ 4 Pourtant moi je suis Yahvé, ton Dieu, depuis le pays d'Égypte[c],
de Dieu, excepté moi, tu n'en connais pas,
et de sauveur, il n'en est pas en dehors de moi.
5 Moi, je t'ai connu au désert,
au pays de l'aridité.
6 Je les ai fait paître[d], ils se sont rassasiés;
rassasiés, leur cœur s'est élevé;
Dt 32 15+ voilà pourquoi ils m'ont oublié.
5 14+ 7 J'ai donc été pour eux comme un lion,
comme un léopard, près du chemin, je me tenais aux aguets;
2 S 17 8 8 j'ai fondu sur eux comme une ourse privée de ses petits,
j'ai déchiré l'enveloppe de leur cœur;
là, je les ai dévorés comme une lionne,
la bête sauvage les a déchirés.

### Fin de la royauté.

9 Te voilà détruit, Israël,
c'est en moi qu'est ton secours[e].
10 Où donc est-il ton roi, pour qu'il te sauve[f]?
et dans toutes tes villes, tes juges?
ceux-là dont tu disais :
« Donne-moi un roi et des chefs. » 1 S 8 5
11 Un roi, je te le donne dans ma colère, 1 S 8 7, 22
et je le reprends dans ma fureur. Os 10 15

### La ruine inévitable.

12 La faute d'Éphraïm est mise en réserve, Dt 32 34-35
son péché tenu en lieu sûr.
13 Les douleurs de l'enfantement surviennent pour lui, Is 26 17-18
mais c'est un enfant stupide;
il est à terme et ne quitte pas le sein maternel[g]! Is 37 3
14 Et je les libérerais du pouvoir du Shéol?
De la mort je les rachèterais? 6 2
Où est ta peste, ô Mort? Ez 37 1-14+ ↗ 1 Co 15 55
Où est ta contagion, ô Shéol[h]? Is 25 8+
La compassion se dérobe à mes yeux.
15 Éphraïm[i] a beau fructifier parmi ses frères,
le vent d'est viendra, 12 2+
le souffle de Yahvé montera du désert,
et sa source sera tarie, sa fontaine desséchée.
C'est lui[j] qui pillera le trésor
de tous les objets précieux.

**14** 1 Samarie expiera
car elle s'est rebellée contre son Dieu. 7 1
Ils tomberont sous l'épée,
leurs petits enfants seront écrasés,
leurs femmes enceintes éventrées. 10 14+ Am 1 13+

## III. Conversion et rentrée en grâce d'Israël[k]

### Retour sincère d'Israël à Yahvé.

2 Reviens, Israël, à Yahvé ton Dieu,
5 5 car c'est ta faute qui t'a fait trébucher.
3 Munissez-vous de paroles[l]
et revenez à Yahvé.
Dites-lui : « Enlève toute faute Ps 32 1+
et prends ce qui est bon.

*a)* « Offrez-leur des sacrifices » conj.; « ceux qui offrent des sacrifices » hébr.
*b)* En signe d'adoration, cf. 1 R **19** 18.
*c)* Le grec porte pour ce stique : « Je suis le Seigneur ton Dieu, qui affermit le ciel et fonde la terre; mes mains ont créé toute l'armée du ciel, et je ne te l'ai pas montrée pour que tu marches à sa suite. C'est moi qui t'ai fait monter du pays d'Égypte. » – Lors de l'installation des veaux de Dan et de Béthel, Jéroboam avait dit au peuple : « Voici ton Dieu, qui t'a fait monter du pays d'Égypte », 1 R **12** 28.
*d)* « Je les ai fait paître » conj.; « Selon leur pâture » hébr.
*e)* Traduction incertaine; litt. : « Ta destruction, Israël; car (ou : mais) en moi pour ton secours. »
*f)* Peut-être allusion ironique au roi Osée (732-724), dont le nom signifie « Yahvé sauve ».
*g)* Première attestation de la métaphore utilisant les douleurs de l'enfantement pour décrire la calamité qui menace le peuple, cf. Jr **6** 24; **22** 23; Is **26** 17; **66** 6-7, etc. Ici la comparaison suggère que la calamité est destinée, dans le dessein de Dieu, à provoquer la conversion qui serait la source d'une nouvelle vie (= la naissance de l'enfant). Mais Éphraïm, en refusant de naître, se condamne.
*h)* Le contexte exige d'interpréter ce v. 14 comme une menace. Les deux premières questions appellent une réponse négative, les deux suivantes sont un appel invitant la mort et le shéol à envoyer ses fléaux sur le peuple rebelle. S. Paul cite ce texte pour annoncer que la mort est vaincue, 1 Co **15** 55; mais il l'interprète selon les usages de son temps où l'on ne craignait pas d'isoler une phrase de son contexte.
*i)* « Éphraïm » n'est pas dans le texte qui a simplement : « il ». Mais il est évoqué par « fructifier » (*yapherî*') correspondant à l'explication du nom d'Éphraïm donnée en Gn **41** 52.
*j)* « lui » : le vent d'est qui représente l'Assyrie.
*k)* Les menaces ne sont pas le dernier mot du prophète, cf. déjà **2** 16-25; **3** 5; **11** 8-11; **12** 10. Dans une liturgie de vraie pénitence qui fait pendant à **6** 1-6, il annonce définitivement le salut.
*l)* De paroles de repentir sincère (à la différence de **6** 1-3), et non de sacrifices, **6** 6.

Au lieu de taureaux nous te vouerons nos lèvres.
7 11; 12 2 Is 31 1 [4] Assur ne nous sauvera pas,
nous ne monterons plus sur des chevaux,
2 18-19 et nous ne dirons plus " Notre Dieu! " à l'œuvre de nos mains [a],
car c'est auprès de toi que l'orphelin trouve compassion. »
[5] – Je les guérirai de leur infidélité,
1 6; 9 15 2 16-25 je les aimerai de bon cœur;
puisque ma colère s'est détournée de lui,
Is 26 19 [6] je serai comme la rosée pour Israël,
il fleurira comme le lis,
il enfoncera ses racines comme le chêne du Liban [b]:
Is 27 6 [7] ses rejetons s'étendront,
il aura la splendeur de l'olivier
et le parfum du Liban.
[8] Ils reviendront s'asseoir à mon ombre [c];
ils feront revivre le froment,
ils feront fleurir la vigne
qui aura la renommée du vin du Liban.
[9] Éphraïm, qu'a-t-il [d] encore à faire avec les idoles? 4 17 2 Co 6 16
Moi je l'exauce et le regarde.
Je suis comme un cyprès verdoyant,
c'est de moi que vient ton fruit [e].

### Avertissement final [f].

[10] Qui est sage pour comprendre ces choses, Ps 107 43 Pr 4 7
intelligent pour les connaître?
Droites sont les voies de Yahvé, Dt 32 4
les justes y marcheront,
mais les infidèles y trébucheront.

*a)* Le rejet des idoles impliquera le refus de ces formes d'idolâtrie que constitue la confiance dans les alliances étrangères (Assur) et dans la puissance militaire (les chevaux, c'est-à-dire la charrerie) qui étaient substituées à la confiance en Yahvé, seul sauveur, cf. **8** 9+; Is **30** 1-5; **31** 1-3.
*b)* Litt. « comme le Liban ».
*c)* « à mon ombre » corr.; « Ils reviendront s'asseoir à son ombre » grec; « Ceux qui sont assis à son ombre reviendront » hébr.
*d)* « qu'a-t-il » conj.; « quoi pour moi » hébr.
*e)* Le « fruit » fait de nouveau allusion à l'étymologie d'Éphraïm, cf. **13** 15+. – Le cyprès verdoyant symbolise la vie, dont la source est Yahvé seul. Après avoir condamné les cultes idolâtres sous les arbres sacrés (**4** 13), Yahvé laisse entendre qu'il est, lui, la réalité, dont les cultes de la fertilité ne sont qu'une caricature.
*f)* Addition en style de sagesse.

# JOËL

Titre.

**1** 1 Parole de Yahvé, qui fut adressée à Joël, fils de Petuel.

## *I. Le fléau des sauterelles*

### *1. LITURGIE DE DEUIL ET DE SUPPLICATION*

**Complainte sur la désolation du pays.**

2 Écoutez ceci, les anciens,
prêtez l'oreille, tous les habitants du pays!
Est-il de votre temps survenu rien de tel,
ou du temps de vos pères?
3 Racontez-le à vos fils,
et vos fils à leurs fils,
et leurs fils à la génération qui suivra!

Dt **28** 38 4 Ce qu'a laissé le *gazam,* la sauterelle l'a dévoré!
m **4** 9; **7** Is Ce qu'a laissé la sauterelle, le *yeleq* l'a dévoré!
Ml **3** 11
**105** 34-35 Ce qu'a laissé le *yeleq,* le *hasîl* l'a dévoré[a]!

Is **5** 11+ 5 Réveillez-vous, ivrognes, et pleurez!
Tous les buveurs de vin, lamentez-vous
Dt **28** 39 sur le vin nouveau : il vous est retiré de la bouche!
6 Car un peuple est monté contre mon pays,
Jr **46** 23 puissant et innombrable;
↗ Ap **9** 8 ses dents sont dents de lion,
il a des crocs de lionne.
Is **5** 1+ 7 Il a fait de ma vigne un désert,
Na **2** 3
réduit en miettes mon figuier;
il les a tout pelés, abattus[b],
leurs rameaux sont devenus blancs!

8 Gémis[c], comme sur le fiancé de sa jeunesse Jr **3** 4
la vierge revêtue du sac[d]!
9 Oblation et libation ont disparu[e]
de la maison de Yahvé.
Ils sont en deuil, les prêtres
serviteurs de Yahvé.
10 La campagne est ravagée, Os **4** 3+
la terre est en deuil.
Car les blés sont ravagés,
le vin fait défaut,
l'huile fraîche tarit.

11 Soyez consternés, laboureurs,
lamentez-vous, vignerons,
sur le froment et sur l'orge,
car elle est perdue la moisson des champs.
12 La vigne est étiolée
et le figuier flétri;
grenadiers, palmiers et pommiers,

*a)* Il s'agit d'une invasion de sauterelles. Quatre termes les désignent ici, dont le plus utilisé pour la « sauterelle » en général est *arbeh,* le « destructeur ». Le sens des trois autres est discuté. Ils désignent, soit des espèces différentes de sauterelles, soit plutôt les phases successives du développement de l'insecte : larve (*yeleq,* le « sauteur »), nymphe (*hasîl,* le « décortiqueur ») et l'insecte jeune (*gazam,* le « rogneur »).

*b)* Texte corrigé; hébr. : « certainement il le pèlera et il abattra ».
*c)* Le prophète s'adresse à la communauté.
*d)* Vêtement de deuil et de pénitence.
*e)* L'oblation, cf. Lv **2**, et la libation quotidiennes consistaient en produits de la terre : farine, vin, huile, cf. Ex **29** 38-42; Nb **28** 3-8.

Am **4** 7-9 tous les arbres des champs ont séché.
Is **16** 10 Oui, la gaieté s'est tarie
Jr **25** 10 parmi les humains.

**Appel à la pénitence et à la prière.**

1 8+ 13 Prêtres, revêtez-vous du sac! Poussez des cris de deuil!
Lamentez-vous, serviteurs de l'autel!
Venez [a], passez la nuit vêtus du sac,
serviteurs de mon Dieu!
Car la maison de votre Dieu est privée
d'oblation et de libation.
2 15 14 Prescrivez [b] un jeûne,
publiez une solennité,
réunissez, anciens,
tous les habitants du pays
à la maison de Yahvé votre Dieu.
Criez vers Yahvé :
Ez **30** 2-3 15 Ah! Quel jour!
Is **13** 6 Car il est proche, le jour de Yahvé,
il arrive comme une dévastation venant de Shaddaï [c].

16 Les aliments n'ont-ils pas disparu
sous nos yeux,
la joie et l'allégresse
de la maison de notre Dieu?
17 Les grains se sont racornis
sous leurs mottes [d];
les granges sont dévastées,
les greniers en ruines,
car le blé fait défaut.
18 Comme le bétail gémit!
Les troupeaux de bœufs errent affolés,
car ils n'ont plus de pâtures.
Os **4** 3+ Même les troupeaux de brebis subissent le châtiment.

19 Yahvé, je crie vers toi!
car le feu [e] a dévoré les pacages des landes,
la flamme a consumé tous les arbres des champs.
20 Même les bêtes des champs languissent après toi,
car les cours d'eau sont à sec,
le feu a dévoré les pacages des landes.

**Alarme au Jour de Yahvé [f].** Am **5** 18+

**2** 1 Sonnez du cor [g] à Sion,
donnez l'alarme sur ma montagne sainte!
Que tous les habitants du pays tremblent,
car il vient, le jour de Yahvé,
car il est proche! **1** 15

2 Jour d'obscurité et de sombres nuages, || So **1** 15
jour de nuées et de ténèbres [h]! Jn **8** 12+
Comme l'aurore, se déploie sur les montagnes
un peuple nombreux et fort [i], **1** 6
tel que jamais il n'y en eut,
tel qu'il n'en sera plus après lui,
de génération en génération.

**L'invasion de sauterelles.**

3 Devant lui, le feu dévore, **1** 19
derrière lui, la flamme consume.
Le pays est comme un jardin d'Éden devant lui, Gn **2** 8
derrière lui, c'est une lande désolée!
Aussi rien ne lui échappe.
4 Son aspect est celui des chevaux; ↗ Ap **9** 7, 9
comme des coursiers, tels ils s'élancent [j].
5 On dirait un fracas de chars
bondissant sur les sommets des monts,
le crépitement de la flamme ardente
qui dévore le chaume,
un peuple fort rangé en bataille.

6 A sa vue, les peuples sont dans les transes, Is **13** 8
tous les visages perdent leur couleur. Na **2** 11
7 Ils s'élancent comme des braves,
tels des guerriers, ils escaladent les murailles.
Chacun va droit sa route,
sans s'écarter [k] de sa voie.

*a)* Dans le Temple, cf. **2** 17.
*b)* Litt. « Sanctifiez ». Mêmes appels à la pénitence et à la prière en **2** 12-13, 15-17; cf. Jon **3** 5-9. L'intérêt que porte Joël à ces manifestations religieuses comme aux éléments du culte, **1** 9, 13, 16; **2** 14, est en vif contraste avec l'attitude d'Amos, d'Osée, de Michée, de Jérémie, cf. Am **5** 21+. Joël pense d'ailleurs à la conversion du cœur, **2** 13.
*c)* Jeu de mots entre « dévastation » (*shôd*) et le nom divin *Shaddaï*, cf. Gn **17** 1+. Le fléau des sauterelles est annonciateur du « Jour de Yahvé », jour terrible, cf. **2** 1-2, 11; Am **5** 18+, même si dans le contexte de Jl **3-4**, cf. Ab 15, il apporte le triomphe final d'Israël.
*d)* Sens incertain : trois des quatre mots hébreux de cette phrase n'apparaissent qu'ici.
*e)* Le feu, cf. **2** 3, et la flamme : images de la sécheresse, cf. Am **7** 4.
*f)* Les vv. 1-11 reprennent, en fonction du Jour de Yahvé, **1** 15, la description de l'invasion des sauterelles, sous l'image d'une armée dont l'attaque est irrésistible.
*g)* Avertissement de l'imminence d'un danger, Am **3** 6; Os **5** 8; Ez **33** 3, 6, la sonnerie de la trompette ou du cor annonce le châtiment d'Israël, Is **18** 3; Os **8** 1; Jr **4** 5; **6** 1, et la venue du Jour de la Colère, Jl **2** 1; So **1** 16, cf. Ap **8** 6 - **9** 21. Elle sert aussi à convoquer les assemblées religieuses, Nb **10** 2-10; Jl **2** 15; elle donnera donc le signal du grand rassemblement des élus, au dernier jour, Is **27** 13; 1 Th **4** 16-17; 1 Co **15** 52.
*h)* Ces images conviennent à l'approche des nuées de sauterelles qui obscurcissent le ciel, cf. Ap **9** 2. L'aurore, v. 2^c^, évoque soit la rapidité de l'invasion, soit les reflets jaunâtres des nuées de sauterelles sous le soleil.
*i)* « comme l'aurore, se déploie... un peuple » grec; « comme est déployée l'aurore » hébr.
*j)* La comparaison des sauterelles avec les chevaux est courante. Elle se développe ici, vv. 4-9, en une description de l'avance des sauterelles sous les traits d'une invasion armée, cf. Na **2** 4-7, 11; **3** 2-3, 15-17, dans un contexte apocalyptique.
*k)* « s'écarter » grec, Vulg.; « entrelacer » hébr.

8 Nul ne bouscule son voisin,
chacun va son chemin;
à travers les traits ils foncent
sans rompre leurs rangs.
9 Ils se ruent sur la ville,
s'élancent sur les murailles,
escaladent les maisons,
pénètrent par les fenêtres
comme des voleurs.

**Vision du jour de Yahvé.**

4 15-16 10 Devant lui la terre frémit,
les cieux tremblent!
=4 15 Le soleil et la lune s'assombrissent,
les étoiles perdent leur éclat[a]!
11 Yahvé fait entendre sa voix[b] à la tête de ses troupes!
Car ses bataillons sont sans nombre,
car il est puissant, l'exécuteur de ses ordres,
3 4 car il est grand, le jour de Yahvé,
Ml 3 2, 23 Na 1 6 ↗ Ap 6 17 très redoutable – et qui peut l'affronter?

**Appel à la pénitence.**

12 « Mais encore à présent – oracle de Yahvé –
Dt 4 29-30 revenez à moi de tout votre cœur,
dans le jeûne, les pleurs et les cris de deuil. »
Am 5 21+ Is 58 5-7 13 Déchirez votre cœur, et non vos vêtements,
revenez à Yahvé, votre Dieu,
car il est tendresse et pitié, Ex 34 6-7+
lent à la colère, riche en grâce,
et il a regret du mal.
14 Qui sait? S'il revenait? S'il regrettait? Am 5 14s Jon 3 9
S'il laissait après lui une bénédiction,
oblation et libation
pour Yahvé, votre Dieu[c]?

15 Sonnez du cor à Sion! 2 1+
Prescrivez un jeûne, 1 14
publiez une solennité,
16 réunissez le peuple,
convoquez[d] la communauté,
rassemblez les vieillards,
réunissez les petits enfants,
ceux qu'on allaite au sein!
Que le jeune époux quitte sa chambre Dt 24 5
et l'épousée son alcôve!
17 Qu'entre l'autel et le portique[e] pleurent 1 M 7 36-38
les prêtres, serviteurs de Yahvé!
Qu'ils disent :
« Pitié, Yahvé, pour ton peuple! Ex 32 11-12+
Ne livre pas ton héritage à l'opprobre,
au persiflage des nations!
Pourquoi dirait-on parmi les peuples : Ps 42 4, 11; 79 10
Où est leur Dieu? » Mi 7 10 Ml 2 17

## *2. RÉPONSE DE YAHVÉ*

Dt 4 24+ 18 Or Yahvé s'émut de jalousie pour son pays,
il épargna son peuple.

**Fin du fléau et libération.**

19 Yahvé répondit et dit à son peuple :
« Voici que je vous envoie
Dt 11 14 le blé, le vin, l'huile fraîche.
Vous en aurez à satiété.
Et jamais plus je ne ferai de vous
l'opprobre des nations.
20 Celui qui vient du Nord[f], je l'éloignerai de chez vous,
je le repousserai vers une terre aride et désolée,
son avant-garde vers la mer orientale,
son arrière-garde vers la mer occidentale.
Il en montera une puanteur,
il en montera une infection! » Am 4 10 Is 34 3
(Car il a fait grand!)

**Vision d'abondance.**

21 Terre, ne crains plus,
jubile et sois dans l'allégresse,
car Yahvé a fait grand!

22 Ne craignez plus, bêtes des champs!
les pacages des landes ont reverdi,
les arbres portent leurs fruits,
la vigne et le figuier donnent leurs richesses.
23 Fils de Sion, jubilez,
réjouissez-vous en Yahvé votre Dieu!
Car il vous a donné

*a)* De tels phénomènes cosmiques marquent le Jour de Yahvé, cf. Am 8 9+.
*b)* Le tonnerre, cf. 4 16; Ex 19 16+; Am 1 2; Ps 18 14; 29 3-9; Jb 37 4, 5. Les troupes sont les sauterelles.
*c)* Renouveau de la prospérité agricole, cf. Dt 7 13-14; 16 10, 15, 17, etc.; cf. Ag 2 15-19, qui permettra la reprise du culte, cf. 1 9.
*d)* « Prescrivez » et « convoquez » : litt. « Sanctifiez », cf. 1 14.
*e)* C'est-à-dire dans la cour à l'est du sanctuaire, cf. 1 R 6 3; Ez 40 48-49, entre le portique (*Ulam*) et le grand autel des holocaustes, 1 R 8 64; 2 Ch 8 12. Les prêtres prient tournés vers le sanctuaire.
*f)* L'armée des sauterelles, vv. 1-11, assimilée ici à l'ennemi qui « vient du Nord » pour exécuter les jugements de Yahvé, image classique dans la littérature prophétique, cf. Jr 1 13-15+; Ez 26 7, etc.

la pluie d'automne selon la justice [a],
il a fait tomber pour vous l'ondée,
Dt 11 14 celle d'automne et celle de printemps, comme
jadis [b].
24 Les aires se rempliront de froment,
les cuves regorgeront de vin et d'huile fraîche.

25 « Je vous revaudrai les années
1 4+ qu'ont dévorées la sauterelle et le *yeleq,*
le *hasîl* et le *gazam,*
ma grande armée
que j'avais envoyée contre vous. »

26 Vous mangerez tout votre soûl, à satiété,
et vous louerez le nom de Yahvé votre Dieu,
qui aura accompli pour vous des merveilles.
(Mon peuple ne connaîtra plus la honte, jamais!)

27 « Et vous saurez que je suis au milieu d'Israël,
moi,
que je suis Yahvé, votre Dieu, et sans égal! Is 42 8+
Mon peuple ne connaîtra plus la honte, jamais! » 44 6+

# II. L'ère nouvelle et le jour de Yahvé

## 1. L'EFFUSION DE L'ESPRIT [c]

28 **3** 1 « Après cela
↗ Ac 2 17-21 je répandrai mon Esprit sur toute chair.
Nb 11 25-30 Vos fils et vos filles prophétiseront,
Is 32 15 vos anciens auront des songes,
vos jeunes gens, des visions.
29 2 Même sur les esclaves, hommes et femmes,
en ces jours-là, je répandrai mon Esprit [d].
30 3 Je produirai des signes [e] dans le ciel et sur la
terre,
sang, feu. colonnes de fumée! »

4 Le soleil se changera en ténèbres, 31
la lune en sang, ↗ Ap 6 12
avant que ne vienne le jour de Yahvé, Jl 2 11
grand et redoutable!
5 Tous ceux qui invoqueront le nom de Yahvé ↗ Rm 10 13
seront sauvés,
car *sur le mont Sion il y aura des rescapés,* Ab 17
comme l'a dit Yahvé, Ap 14 1
et à Jérusalem des survivants que Yahvé
appelle [f].

## 2. LE JUGEMENT DES PEUPLES [g]

**Thèmes généraux.**

Vulg. 3 **4** 1 « Car en ces jours-là, en ce temps-là,
Za 12 quand je rétablirai Juda et Jérusalem [h],
↗ Ap 16 13-16 2 je rassemblerai toutes les nations,
je les ferai descendre à la Vallée de Josaphat [i];
là j'entrerai en jugement avec elles
au sujet d'Israël [j], mon peuple et mon héritage.
Car ils l'ont dispersé parmi les nations
et ils ont partagé mon pays [k].

*a)* Stique incertain. – « selon la justice », litt. « pour la justice », peut-être glose : au peuple repenti, Yahvé donne la pluie « selon sa justice », c'est-à-dire sa loyauté envers le peuple, en vertu de l'Alliance; ou bien « en juste mesure », ou encore « en vue de la justice », comme signe de la rentrée en grâce du peuple. La Vulg. a donné à ce texte un sens messianique en traduisant : « le maître de Justice », le docteur qui enseigne la justice, cf. Os **10** 12 hébr. et Jr **23** 6; **33** 15. Cette appellation se retrouve, pour désigner le personnage principal de la secte de l'Alliance, dans les textes de Qumrân.

*b)* « comme jadis » grec et Vulg.; « au premier (mois?) » hébr.

*c)* L'oracle des vv. 1-3, dont les vv. 4-5 situent l'accomplissement au Jour de Yahvé, annonce pour ce jour l'effusion universelle de l'Esprit, cf. Ez **36** 27+. Le discours de Pierre, Ac **2** 16-21+, fait voir dans le miracle de la Pentecôte les prémices de ce don de l'Esprit.

*d)* L'Esprit de Dieu est répandu sur tous, sans distinction de classe, selon le vœu de Moïse, Nb **11** 29. C'est à la fois l'esprit de prophétie, caractérisé ici par les songes et les visions, cf. Nb **12** 6, et la cause d'un renouvellement intérieur, cf. Ez **11** 19-20; **36** 26-27.

*e)* Annonciateurs du jugement final, au Jour de Yahvé, cf. **1** 15; **2** 1-2, 10; Am **8** 9+.

*f)* « à Jérusalem » est transposé du 2e stique. – « des survivants » conj.; « parmi les survivants » hébr.

*g)* La restauration d'Israël implique le châtiment des peuples qui lui ont fait tort, cf. Ab 15-21. Le Jour de Yahvé concerne maintenant les nations ennemies. Comme les ch. précédents, celui-ci entremêle les paroles de Yahvé, 1-8, 12-13, 17, (21[a]?) et celles du prophète, 9-11, 14-16, 18-20, 21[b].

*h)* On peut aussi comprendre : « quand je ferai revenir les captifs de Juda et de Jérusalem ».

*i)* *Josaphat* « Yahvé juge », cf. v. 12, est le nom symbolique du lieu où Yahvé entre en jugement avec les nations, cf. Jr **25** 31; Is **66** 16, nommé au v. 14 la « Vallée de la Décision ». Le v. 16 (cf. v. 11) invite à le situer près de Jérusalem, sans qu'il faille l'identifier avec l'actuelle « vallée de Josaphat » (la vallée du Cédron, au sud-est du Temple) dont l'appellation n'apparaît qu'au IVe siècle ap. J.-C.

*j)* Non pas le royaume du Nord, mais tout le peuple de Yahvé, d'après **2** 23, 27; **4** 1.

*k)* Allusions à l'exil de 597 et 586 et au traitement de Jérusalem et du pays par les Chaldéens et certains peuples voisins de Juda, Ez **21** 23-37; **25**; Ab 11-14; cf. Na **3** 10.

3 Ils ont tiré mon peuple au sort;
ils ont troqué les garçons contre des prostituées,
pour du vin ils ont vendu les filles, et ils ont bu! »

Am **1** 6-10 **Griefs contre les Phéniciens et les Philistins [a].**

4 « Et vous aussi, Tyr et Sidon, que me voulez-vous?
Et vous tous, districts de Philistie?
Vous vengeriez vous sur moi?
Mais si vous exerciez sur moi votre vengeance,
bien vite je ferais retomber la vengeance sur vos têtes [b]!
5 Vous qui avez pris mon argent et mon or,
qui avez emporté dans vos temples mes trésors précieux,
Ez **27** 13 6 vous qui avez vendu aux fils de Yavân [c]
les fils de Juda et de Jérusalem,
pour les éloigner de leur territoire!
7 Eh bien! Je vais les appeler du lieu où vous les avez vendus,
et je ferai retomber vos actes sur vos têtes!
8 Je vendrai vos fils et vos filles,
je les livrerai aux fils de Juda;
ils les vendront aux Sabéens [d],
à une nation éloignée,
Is **22** 25 Ab 18 car Yahvé a parlé! »

Za **14** 2 Ez **38-39** **Convocation des peuples [e].**

9 Publiez ceci parmi les nations :
Préparez [f] la guerre!
Appelez les braves!
Qu'ils s'avancent, qu'ils montent,
tous les hommes de guerre!
Is **2** 4 Mi **4** 3 10 De vos socs, forgez des épées,
de vos serpes, des lances [g],
que l'infirme dise : « Je suis un brave! »
11 Hâtez-vous et venez,
toutes les nations d'alentour,
et rassemblez-vous là!
(Yahvé, fais descendre tes braves [h].)

12 « Que les nations s'ébranlent et qu'elles montent
à la Vallée de Josaphat!
Car là je siégerai pour juger
toutes les nations à la ronde.
13 Lancez la faucille : ↗ Mc **4** 29 ↗ Ap **14** 14-20 Is **17** 5; **63** 1-6
la moisson est mûre;
venez, foulez :
le pressoir est comble;
les cuves débordent,
tant leur méchanceté est grande! »

14 Foules sur foules Is **17** 12
dans la Vallée de la Décision [i]! Jl **4** 2+
Car il est proche le jour de Yahvé
dans la Vallée de la Décision!

**Le Jour de Yahvé.**

15 Le soleil et la lune s'assombrissent, = **2** 10
les étoiles perdent leur éclat.
16 Yahvé rugit de Sion, || Am **1** 2+ Jr **25** 30
de Jérusalem il fait entendre sa voix;
les cieux et la terre tremblent!

Mais Yahvé sera pour son peuple un refuge, Ps **46** 2-3
une forteresse pour les enfants d'Israël!

17 « Vous saurez alors que je suis Yahvé, votre Dieu, **2** 27 Ez **38** 23
qui habite à Sion, ma montagne sainte!
Jérusalem sera un lieu saint [j],
les étrangers n'y passeront plus! » Ap **21** 27

## *3. ÈRE PARADISIAQUE DE LA RESTAURATION D'ISRAËL*

18 Ce jour-là,
Am **9** 13 les montagnes dégoutteront de vin nouveau,
les collines ruisselleront de lait,
et dans tous les torrents de Juda
les eaux ruisselleront.
Une source jaillira de la maison de Yahvé Is **30** 25 Ez **47** 1+ Za **14** 8 Jn **4** 1+

*a)* Ces deux peuples sont cette fois nommément accusés de pillage, v. 5, et du trafic d'esclaves juifs (peut-être à l'occasion des événements de 597 et 586).
*b)* Selon la loi du talion, Ex **21** 25+, qui va être appliquée vv. 5-8, cf. Ab 15; Ps **7** 15-17.
*c)* Yavân, c'est-à-dire l'Ionie, désigne les Grecs.
*d)* Population commerçante du sud de l'Arabie, Jr **6** 20; Jb **6** 19, cf. 1 R **10** 1+.
*e)* Reprise du thème du jugement, vv. 1-3. Que les peuples déclarent la guerre à Yahvé et marchent contre Sion, cf. Za **14** 2; **12** 3-4; là, dans la vallée de la Décision, vv. 11-14, ils subiront leur jugement et leur défaite finale, vv. 15-17.
*f)* Litt. « Sanctifiez » : la guerre est une opération sainte, cf. **2** 16; Is **13** 3; Jr **6** 4; **22** 7.
*g)* Renversement des perspectives paradisiaques, Is **2** 4; **11** 6+, qui reparaîtront après le jugement, vv. 18, 21.
*h)* « Hâtez-vous » *hûshû* conj.; hébr. *'ûshû*, inconnu. – « rassemblez-vous » grec, Vulg.; « elles se rassembleront » hébr. – Le dernier stique est probablement une glose. – Les « braves » ou « héros » de l'armée céleste sont les anges (les « saints » en Za **14** 5).
*i)* Le terme peut signifier le traîneau armé de pointes qui sert à dépiquer le blé, cf. Is **28** 27; **41** 15; Am **1** 3; l'image est appelée par la moisson du v. 13; on traduirait alors « Vallée de la Herse »; le même mot signifie aussi le verdict, la Décision, qui tranche une question.
*j)* Inviolable, cf. Is **51** 23; **52** 1; Jr **31** 40; Na **2** 1; Ab 17; Za **9** 8; **14** 21.

et arrosera le ravin des Acacias [a].
19 L'Égypte deviendra une désolation,
Édom une lande désolée,
à cause des violences exercées contre les fils de Juda
dont ils ont versé le sang innocent dans leur pays.

20 Mais Juda sera habité à jamais Jr 17 25
et Jérusalem d'âge en âge. Ez 37 25
21 « Je vengerai leur sang, je n'accorderai pas l'impunité [b] »,
et Yahvé aura sa demeure à Sion.

*a)* Localisation incertaine, dans ce contexte apocalyptique où la Terre Sainte est renouvelée.
*b)* On suit grec et syr.; hébr. : « Je laisserai leur sang impuni, je n'ai pas laissé impuni. » – Ce stique doit être une glose sur la fin du v. 19.

# AMOS

### Titre.

1 [1] Paroles d'Amos, qui fut l'un des bergers de
Téqoa [a]. Ce qu'il vit sur Israël au temps
d'Ozias, roi de Juda, et au temps de Jéroboam [b],
8 8; 9 5 fils de Joas, roi d'Israël, deux ans avant le tremble-
Za 14 5 ment de terre [c].

### Exorde.

[2] Il dit :
De Sion [d], Yahvé rugit, || Jl 4 16
et de Jérusalem, il donne de la voix; || Jr 25 30
les pacages des bergers sont en deuil Am 11 10
et le sommet du Carmel se dessèche. Is 33 9
Na 1 4

## I. Jugement des nations voisines d'Israël et d'Israël lui-même [e]

Is 17 1-3 ### Damas.
Jr 49 23-27

[3] Ainsi parle Yahvé :
Pour trois crimes de Damas et pour quatre [f],
je l'ai décidé sans retour [g]!
2 R 8 12; Parce qu'ils ont foulé Galaad avec des traîneaux
10 32-33; de fer [h],
13 3, 7 [4] j'enverrai le feu dans la maison d'Hazaël
et il dévorera les palais de Ben-Hadad [i];
[5] je briserai le verrou de Damas,
de Biqeat-Aven je supprimerai l'habitant,
de Bet-Éden [j], celui qui tient le sceptre,
et le peuple d'Aram sera déporté à Qir [k], 2 R 16 9
dit Yahvé.

### Gaza et la Philistie. Jos 13 2+
Jr 47
[6] Ainsi parle Yahvé : So 2 4-7
Pour trois crimes de Gaza et pour quatre,

*a)* Il s'agit plus précisément d'un éleveur de bétail, cf. 2 R **3** 4, et non d'un simple gardien de troupeau. – Téqoa est un village de Juda, à 9 km au sud-est de Bethléem.
*b)* Jérobam II, roi d'Israël.
*c)* Ce tremblement de terre est peut-être attesté par les fouilles archéologiques de Haçor en Haute-Galilée; il se situerait au milieu du VIIIe siècle av. J.-C. D'après Za **14** 5 (LXX), à la suite de ce séisme, des vallées furent obstruées. Il ne s'agit pas d'un simple repère chronologique : les éditeurs du livre, responsables de cette notice, y ont sans doute vu une manifestation divine confirmant le message d'Amos, cf. **9** 5; Ps **75** 4; Mi **1** 4, etc.
*d)* Qu'il provienne d'Amos lui-même ou qu'il soit une relecture judéenne, cf. Os **1** 7+, ce texte manifeste que, malgré le schisme, c'est Jérusalem, où Yahvé réside, qui est le centre unificateur du peuple de Dieu.
*e)* Cette section résume les oracles prononcés en des temps divers contre sept nations (plus l'oracle contre Juda, sans doute postérieur). Les oracles sont de structure identique et reprennent les mêmes formules stéréotypées. Ils soulignent la justice de Yahvé, qui châtie, chez tous les peuples, toute injustice. Israël vient en dernier, pour marquer que le châtiment, auquel il s'attend si peu, le frappera comme les autres et sera la manifestation suprême de la justice divine.
*f)* Les deux chiffres consécutifs désignent une quantité indéterminée, petite ou grande selon le contexte, cf. **4** 8; Is **17** 6; Jr **36** 23 et les « proverbes numériques », Pr **30** 15+.
*g)* Litt. : « je ne le retirerai pas », le pronom « le » désignant le décret de châtiment.
*h)* Instrument utilisé pour dépiquer le blé sur l'aire. L'image est souvent employée pour décrire l'anéantissement du vaincu : Is **21** 10; **41** 15; Mi **4** 12s; cf. l'annonce prophétique d'Élisée, 2 R **8** 12.
*i)* Hazaël et Ben-Hadad III, son fils, rois araméens qui furent les ennemis acharnés d'Israël.
*j)* Biqeat-Aven et Bet-Éden, difficiles à identifier, ne sont peut-être que des noms symboliques donnés à Damas (« val d'iniquité » et « maison du plaisir »).
*k)* D'où il est originaire selon **9** 7. D'après 2 R **16** 9, la prophétie a été réalisée à la suite de la campagne de Téglat-Phalasar en 733-732. Qir est peut-être du côté de l'Élam, cf. Is **22** 6.

je l'ai décidé sans retour!
2 Ch **21** 16-17 Parce qu'ils ont déporté des populations entières
pour les livrer à Édom,
7 j'enverrai le feu dans le rempart de Gaza
et il dévorera ses palais;
2 Ch **26** 6 8 d'Ashdod je supprimerai l'habitant,
et d'Ashqelôn, celui qui tient le sceptre;
je tournerai ma main contre Eqrôn [a]
et ce qui reste [b] des Philistins périra,
dit le Seigneur Yahvé.

Is 23 / Ez **26-28**

**Tyr et la Phénicie.**

9 Ainsi parle Yahvé :
Pour trois crimes de Tyr et pour quatre,
je l'ai décidé sans retour!
Parce qu'ils ont livré à Édom des populations
entières de captifs,
1 R **5** 26; sans se souvenir d'une alliance entre frères [c],
**9** 11-14 10 j'enverrai le feu dans le rempart de Tyr
et il dévorera ses palais.

Dt **2** 1+ / Is **34** / Jr **49** 7-22 / Ez **25** 12-14; **35**

**Édom.**

11 Ainsi parle Yahvé :
Pour trois crimes d'Édom et pour quatre,
je l'ai décidé sans retour!
Gn **27** 41 Parce qu'il a poursuivi son frère [d] avec l'épée,
Nb **20** 14-21 étouffant toute pitié,
parce qu'il garde à jamais sa colère [e]
et conserve sans fin sa fureur,
12 j'enverrai le feu dans Témân [f]
et il dévorera les palais de Boçra.

Dt **2** 19+ / Jr **49** 1-6 / Ez **25** 1-7 / So **2** 8-11

**Ammon.**

13 Ainsi parle Yahvé :
Pour trois crimes des fils d'Ammon et pour quatre,
je l'ai décidé sans retour!
2 R **8** 12; Parce qu'ils ont éventré les femmes enceintes du
**15** 16 Galaad
Os **14** 1 afin d'élargir leur territoire,
14 je mettrai le feu au rempart de Rabba [g]
et il dévorera ses palais,
dans la clameur, en un jour de bataille,
dans la tempête, en un jour d'ouragan; Is **28** 2
15 et leur roi s'en ira en déportation,
lui, et ses princes avec lui,
dit Yahvé.

**Moab.** Nb **22** 36+ / Is **15-16** / Jr **48** / Ez **25** 8-11 / So **2** 8-11

2 1 Ainsi parle Yahvé :
Pour trois crimes de Moab et pour quatre,
je l'ai décidé sans retour!
Parce qu'il a brûlé les os du roi d'Édom [h] jusqu'à
les calciner,
2 j'enverrai le feu dans Moab,
il dévorera les palais de Qeriyyot,
et Moab mourra dans le tumulte,
dans la clameur, au son du cor;
3 je supprimerai le juge de chez lui,
et tous ses princes, je les tuerai avec lui,
dit Yahvé [i].

**Juda [j].**

4 Ainsi parle Yahvé :
Pour trois crimes de Juda et pour quatre,
je l'ai décidé sans retour!
Parce qu'ils ont rejeté la loi de Yahvé Is **5** 24
et n'ont pas observé ses décrets, Jr **7** 28
parce que leurs Mensonges [k] les ont égarés, Lv **26** 14-15
ceux que leurs pères avaient suivis,
5 j'enverrai le feu dans Juda, Os **8** 14
et il dévorera les palais de Jérusalem.

**Israël [l].**

6 Ainsi parle Yahvé :
Pour trois crimes d'Israël et pour quatre,
je l'ai décidé sans retour!
Parce qu'ils vendent le juste à prix d'argent
et le pauvre pour une paire de sandales [m]; = **8** 6
7 parce qu'ils écrasent la tête des faibles sur la Is **3** 15
poussière de la terre [n]
et qu'ils font dévier la route des humbles;

*a)* Gat, la cinquième ville philistine, n'est pas nommée. Ruinée par Hazaël, 2 R **12** 18, elle ne comptait plus, cf. Am **6** 2.
*b)* Ce mot qui aura par la suite un sens théologique très fort, cf. Is **4** 3+, est utilisé ici dans son acception première : ce qui subsiste d'un groupe décimé par une catastrophe.
*c)* Il s'agit sans doute des bonnes relations qui existaient depuis Salomon entre Tyr et Israël (1 R **5** 26 et **9** 13 où Hiram de Tyr appelle Salomon son « frère ») et qui avaient été renforcées par le mariage d'Achab avec Jézabel (1 R **16** 31), fille d'Ittobaal qui régna sur Tyr et Sidon.
*d)* Israël, « frère » d'Édom, Gn **25** 21-24, 29-30.
*e)* « garde à jamais sa colère » syr., Vulg.; « sa colère déchire à jamais » hébr.
*f)* Désignation poétique d'Édom, cf. Jr **49** 7, 20; Ab 9.
*g)* Ville principale du pays, aujourd'hui Amman. Cf 2 S **11-12**.
*h)* L'incinération, qui devait rendre l'âme malheureuse dans l'au-delà, était pour les Sémites un crime abominable.
*i)* Yahvé reproche à Moab sa conduite à l'égard d'un païen. Israël n'est aucunement mêlé à ce crime. On peut en déduire que dans les autres oracles, le comportement criminel est condamné en lui-même et non parce que Israël en est la victime. Pour Amos, la même loi morale s'impose à tous les hommes.
*j)* Cet oracle de style deutéronomique est probablement une relecture judéenne, cf. Os **1** 7+. Beaucoup pensent qu'il en est de même des oracles contre Tyr et Édom.
*k)* C'est-à-dire leurs idoles.
*l)* Les oracles contre les nations sont un élément habituel de la prédication prophétique, Is **13-23**; Jr **46-51**, Ez **25-32**. En y incluant Israël, Amos devait cependant provoquer la stupéfaction et la colère de ses auditeurs, indignés d'être assimilés aux païens.
*m)* Les prophètes protestent souvent contre la vénalité de la justice, cf. **5** 7; **6** 12; Is **1** 23; Mi **3** 1-3, 9-11; **7** 1-3, etc.
*n)* Texte difficile. « ils écrasent » : en prenant la racine *sha'ap* comme une forme (d'ailleurs bien attestée) de la racine *shûp*, et non comme la racine plus courante *sha'ap* « aspirer à », « être

Dt 27 20; 23 19 parce que fils et père vont à la même fille
afin de profaner mon saint nom [a];
Dt 24 12-13 8 parce qu'ils s'étendent sur des vêtements pris en gage,
à côté de tous les autels,
et qu'ils boivent dans la maison de leur dieu [b]
le vin de ceux qui sont frappés d'amende.
Dt 7 1+; 9 1-2 9 Et moi, j'avais anéanti devant eux l'Amorite,
lui dont la taille égalait celle des cèdres,
lui qui était fort comme les chênes!
Os 9 16 J'avais anéanti son fruit, en haut,
Jb 18 16 et ses racines, en bas [c]!
10 Et moi, je vous avais fait monter du pays d'Égypte,
Dt 2 7 et pendant quarante ans, menés dans le désert,
pour que vous possédiez le pays de l'Amorite!
Dt 18 18+ 11 J'avais suscité parmi vos fils des prophètes,
Nb 6 1+ et parmi vos jeunes gens des nazirs!
N'en est-il pas ainsi, enfants d'Israël?
Oracle de Yahvé.

12 Mais vous avez fait boire du vin aux nazirs,
aux prophètes, vous avez donné cet ordre : 7 12-13
« Ne prophétisez pas [d]! » Is 30 10 Jr 11 21
13 Eh bien! moi, je vais vous broyer sur place 1 R 22 8, 27
comme broie le chariot plein de gerbes; Am 1 3+
14 la fuite manquera à l'homme agile,
l'homme fort ne déploiera pas sa vigueur
et le brave ne sauvera pas sa vie; 9 1
15 celui qui manie l'arc ne tiendra pas,
l'homme aux pieds agiles n'échappera pas, Jr 46 5
celui qui monte à cheval ne sauvera pas sa vie,
16 et le plus courageux d'entre les braves
s'enfuira nu, en ce jour-là, Mc 14 52
oracle de Yahvé. 5 18+

# II. Avertissements et menaces à Israël

**Élection et châtiment.**

3 1 Écoutez cette parole que Yahvé prononce
contre vous, enfants d'Israël, contre toute la
famille que j'ai fait monter du pays d'Égypte [e] :
Dt 7 6+ 2 Je n'ai connu [f] que vous de toutes les familles de
la terre,
t 11 20-24p c'est pourquoi je vous châtierai pour toutes vos
fautes.

**La vocation prophétique est irrésistible [g].**

3 Deux hommes vont-ils ensemble
sans s'être concertés [h]?
4 Le lion rugit-il dans la forêt
sans avoir une proie?
Le lionceau donne-t-il de la voix, de sa tanière,
sans qu'il ait rien pris?
5 Le passereau tombe-t-il dans le filet, à terre,
sans qu'il y ait de piège [i]?
Le filet se soulève-t-il du sol
sans rien attraper?
6 Sonne-t-on du cor dans une ville Jl 2 1+
sans que le peuple soit effrayé?
Arrive-t-il un malheur dans une ville
sans que Yahvé en soit l'auteur? Is 45 7
7 Mais le Seigneur Yahvé ne fait rien
qu'il n'en ait révélé le secret à ses serviteurs les Gn 18 17
prophètes [j]. Jr 7 25
8 Le lion a rugi : qui ne craindrait? Ap 10 3
Le Seigneur Yahvé a parlé : qui ne prophéti- 7 14-15
serait? Jr 20 7-9

**Samarie, corrompue, périra.**

9 Proclamez-le sur les palais d'Assur

avide de ». – Avant « la tête », on omet « par » ou « avec ». – « sur la poussière de la terre », omis par le grec, est parfois considéré comme une addition. – L'avidité des Grands : autre thème prophétique, Am **8** 5-6; Is **1** 17, 23; **3** 14; Mi **2** 1-2, 8-11; **3** 9-11; **6** 9-12; So **1** 9; Jr **2** 34; Ez **22** 29.

*a)* Il ne s'agit sans doute pas d'une prostituée sacrée, mais plutôt d'une esclave de la maison prise comme objet de plaisir par le père et le fils. Ce qui est condamné, c'est moins l'apparence d'inceste que la dégradation infligée à un être humain. Ce qui atteint la dignité de l'homme atteint Dieu.

*b)* Lors des repas sacrés qui suivent les sacrifices. – « leur dieu » : il s'agit bien de Yahvé, mais il est ravalé au rang d'une idole lorsqu'on l'honore en festoyant avec les biens enlevés aux malheureux sous une apparence de légalité : amende ou confiscation des biens d'un débiteur insolvable, cf. Si **34** 20.

*c)* Image indiquant une destruction totale.

*d)* Dans tout cet oracle sur Israël, la faute du peuple est présentée non seulement comme une infraction à des lois, mais aussi et surtout comme un refus opposé à un appel et à une sollicitude divine.

*e)* Dans la dernière partie du verset, le prophète semble s'adresser aux douze tribus. Peut-être est-ce une relecture judéenne destinée, après la disparition du royaume du Nord, à appliquer la parole d'Amos au royaume de Juda, cf, **2** 4s+.

*f)* Au sens biblique de choisir, discerner, aimer : Gn **18** 19; Dt **9** 24; Sg **10** 5; Jr **1** 5; Os **13** 4. Aux yeux d'Amos l'élection d'Israël n'est pas un privilège, **9** 7, mais représente pour le peuple une exigence de fidélité et de justice, une responsabilité.

*g)* Tout le passage justifie l'intervention du prophète. Pas d'effet sans cause, vv. 3-5[b], ni de cause sans effet, vv. 5[c]-6, 8[a]. Si le prophète prophétise, c'est que Yahvé a parlé, et si Dieu parle, le prophète ne peut pas ne pas prophétiser, vv. 7-8[b]. Le choix des comparaisons laisse pressentir un message de malheur.

*h)* Ou : « sans s'être rencontrés ». Grec : « sans se connaître ».

*i)* Ou : « d'appât », ou : « une arme de jet ».

*j)* Ce v. pourrait être une glose.

et sur les palais du pays d'Égypte [a];
So 3 8 dites : rassemblez-vous sur les monts de Samarie,
et voyez, que de désordres au milieu d'elle
2 6-8 et que d'oppression en son sein!
10 Ils ne savent pas agir avec droiture,
– oracle de Yahvé –
eux qui entassent violence et rapine en leurs palais.
11 C'est pourquoi, ainsi parle le Seigneur Yahvé :
2 R 17 3-6 L'ennemi investira le pays [b],
il abattra ta puissance
et tes palais seront pillés.

12 Ainsi parle Yahvé :
Ex 22 12 Comme le berger sauve de la gueule du lion
Gn 31 39 deux pattes ou un bout d'oreille,
ainsi seront sauvés les enfants d'Israël [c]
qui sont assis dans Samarie,
au coin d'un lit et sur un divan de Damas [d].

**Contre Béthel et les demeures luxueuses.**

13 Écoutez et témoignez contre la maison de Jacob :
– oracle du Seigneur Yahvé, Dieu Sabaot –
1 S 1 3+ 14 le jour où je châtierai Israël pour ses crimes,
1 R 12 29-30+; je sévirai contre les autels de Béthel [e];
13 1-5 les cornes de l'autel seront abattues
Ex 27 2+ et tomberont à terre.
15 Je frapperai la maison d'hiver avec la maison d'été,
1 R 22 39 les maisons d'ivoire [f] seront détruites,
bien des maisons disparaîtront,
oracle de Yahvé.

Is 3 16-24; 32 9-14 **Contre les femmes de Samarie.**

4 1 Écoutez cette parole, vaches du Bashân [g]
qui êtes sur la montagne de Samarie,
qui exploitez les faibles, qui maltraitez les pauvres,
qui dites à vos maris : « Apporte et buvons! » Is 5 11-12+
2 Le Seigneur l'a juré par sa sainteté : Lv 17 1+
voici que des jours viennent sur vous Ps 89 36
où l'on vous enlèvera avec des crocs,
et jusqu'aux dernières, avec des harpons de pêche;
3 vous sortirez par des brèches, chacune droit devant soi,
et vous serez repoussées vers l'Hermon [h],
oracle de Yahvé.

**Illusions, impénitence, châtiment d'Israël.**

4 Allez à Béthel et péchez!
A Gilgal, péchez de plus belle [i]! 2 R 2 1+
Apportez le matin vos sacrifices,
tous les trois jours vos dîmes [j];
5 faites brûler du levain en sacrifice de louange, Lv 7 11+
criez vos offrandes volontaires, annoncez-les, Mt 6 2;
puisque c'est cela que vous aimez, enfants d'Israël [k]! 23 5p
Oracle du Seigneur Yahvé.

6 Aussi [l], moi je vous ai fait les dents nettes [m] en toutes vos villes, Lv 26 14-39 Sg 12 2, 10
je vous ai privés de pain dans tous vos villages;
et vous n'êtes pas revenus à moi!
Oracle de Yahvé.

7 Aussi, moi je vous ai refusé la pluie, Jr 14 1-6
juste trois mois avant la moisson;
j'ai fait pleuvoir sur une ville
et sur une autre ville je ne faisais pas pleuvoir;
un champ recevait de la pluie,
et un champ, faute de pluie, se desséchait;
8 deux, trois villes allaient en titubant vers une autre pour boire de l'eau

*a)* « Assur » grec; « Ashdod » hébr. – Les deux grands voisins et ennemis d'Israël sont pris à témoin de ses désordres, comme les cieux et la terre en Is **1** 2, cf. Dt **30** 19.
*b)* L'Assyrien, qui n'est jamais nommé, mais dont la menace plane sur toute la prophétie d'Amos. – « investira » *yesobeb* conj.; « tout autour » *ûsebîb* hébr.
*c)* Il n'est pas question ici d'un petit reste de sauvés, mais au contraire, Amos annonce ironiquement qu'en fait de salut, tout ce qui restera du troupeau, ce seront des « morceaux » qui témoigneront de l'innocence du berger, c'est-à-dire Yahvé et son prophète, cf. Ex **22** 12.
*d)* Litt. : « sur le Damas d'un divan ». Le mot « Damas » évoquait peut-être déjà une étoffe luxueuse, comme actuellement en français.
*e)* Sur Béthel, cf. **4** 4+.
*f)* Il s'agit de maisons dont le mobilier ou les murs étaient incrustés d'ivoire. De tels ornements ont été trouvés au cours des fouilles de Samarie.
*g)* Le Bashân, en Transjordanie, était célèbre par ses pâturages et ses troupeaux. Dans Ps **22** 13, les taureaux du Bashân sont le symbole de la force violente; les vaches le sont ici de l'esprit jouisseur des femmes de Samarie.
*h)* « vous serez repoussées » grec; « vous repousserez » hébr.
*i)* Le péché ne consiste pas à fréquenter des sanctuaires où le culte est corrompu par des pratiques idolâtriques, mais à allier au refus d'obéir à la volonté divine l'empressement à le célébrer dans le culte, **5** 21+. Sur Béthel, cf. Gn **12** 8; 1 R **12** 28 - **13** 10; Sur Gilgal, cf. Jos **4** 19+.
*j)* Le prophète semble ironiser sur la surabondance des actes de culte. Autre traduction : « le troisième jour » (sans doute après l'arrivée). L'offrande de la dîme, Dt **14** 22+, est une très ancienne coutume religieuse dont, à Béthel, on faisait remonter l'origine à Jacob, Gn **28** 22.
*k)* L'insistance du prophète : « vos » sacrifices, « vos » dîmes, « vos » offrandes, « c'est cela que vous aimez », est destinée à marquer que les pèlerins du sanctuaire réalisent leurs propres désirs et non la volonté de Yahvé.
*l)* Le morceau qui suit, vv. 6-12, est un petit poème à refrain qui met en relief la pédagogie divine. Comme un père châtie son enfant, Dt **8** 5+, Dieu, par une série de sept fléaux présentés dans un ordre de sévérité croissante, Am **4** 6-11; Lv **26** 14-39; Dt **28** 15-68, a entrepris de ramener son peuple à lui, mais en vain, Is **9** 12; **42** 25; Jr **2** 30; **5** 3; Os **7** 10; So **3** 2, 7; Ag **2** 17, cf. Ap **9** 20, 21; **16** 9, 11; Ex **7-11**. Israël s'est endurci dans son péché, Dieu va le frapper.
*m)* Par la famine.

sans pouvoir se désaltérer;
et vous n'êtes pas revenus à moi!
Oracle de Yahvé.

1 R **8** 37 9 Je vous ai frappés par la rouille et la nielle,
Dt **28** 22 j'ai desséché [a] vos jardins et vos vignes;
vos figuiers et vos oliviers, la sauterelle les a
dévorés;
et vous n'êtes par revenus à moi!
Oracle de Yahvé.

Ex **9** 1-7 10 J'ai envoyé parmi vous une peste, comme la
Dt **7** 15 peste d'Égypte;
j'ai tué vos jeunes gens par l'épée,
tandis que vos chevaux étaient capturés;
Is **34** 2-3 j'ai fait monter à vos narines la puanteur de vos
camps;
et vous n'êtes pas revenus a moi!
Oracle de Yahvé.

Gn **19** 1+ 11 Je vous ai bouleversés comme Dieu bouleversa
Sodome et Gomorrhe [b],
Za **3** 2 et vous avez été comme un tison sauvé de
l'incendie;
et vous n'êtes pas revenus à moi!
Oracle de Yahvé.

12 C'est pourquoi, voici comment je vais te traiter,
Israël!
Parce que je vais te traiter ainsi,
Ml **3** 1-2 prépare-toi à rencontrer ton Dieu, Israël [c]!

**Doxologie [d].**

13 Car c'est lui qui forme les montagnes et qui crée
le vent,
3 7 qui révèle à l'homme ses pensées [e],
qui change l'aurore en ténèbres [f],
et qui marche sur les hauteurs de la terre [g] :
Yahvé, Dieu Sabaot, est son nom. **5** 8, 27; **9** 6
Os **12** 6
Jr **32** 18

**Lamentation sur Israël.**

5 1 Écoutez cette parole que je profère contre
vous,
une lamentation, maison d'Israël :
2 Elle est tombée, elle ne se relèvera plus,
la vierge d'Israël [h]!
Elle est étendue sur son sol,
personne pour la relever!
3 Car ainsi parle le Seigneur Yahvé :
la ville qui mettait en campagne mille hommes
n'en aura plus que cent,
et celle qui en mettait cent
n'en aura plus que dix [i], pour la maison d'Israël.

**Sans conversion, point de salut.**

4 Car ainsi parle Yahvé à la maison d'Israël :
Cherchez-moi et vous vivrez [j]! Os **5** 6+;
5 Mais ne cherchez pas Béthel, **10** 12
n'allez pas à Gilgal, **4** 4+; **8** 14
ne passez pas à Bersabée [k]; Os **4** 15
car Gilgal ira en déportation
et Béthel deviendra néant [l].
6 Cherchez Yahvé et vous vivrez,
de peur qu'il ne fonde comme le feu sur la maison de Joseph,
qu'il ne dévore, et personne à Béthel pour éteindre!
7 Ils changent le droit en absinthe
et jettent à terre la justice [m].

**Doxologie.** **4** 13+

8 C'est lui qui fait les Pléiades et Orion, Jb **9** 9; **38** 31

*a)* « J'ai desséché » *heherabetî* conj.; « multiplier » *harebbôt* hébr.
*b)* Allusion probable à un tremblement de terre, cf. **1** 1.
*c)* Annonce mystérieuse du châtiment définitif. « Parce que je vais te traiter ainsi » est peut-être une glose.
*d)* Cette doxologie, cf. **5** 8-9; **9** 5-6, a pu être ajoutée pour l'usage liturgique. Dans le contexte présent, elle donne plus de force à la menace.
*e)* Ou : « qui révèle la pensée de l'homme », cf. 2 R **5** 25-26; Jr **11** 20; Ps **94** 11, etc.
*f)* Allusion aux éclipses ou aux orages matinaux, à moins qu'il ne faille lire avec le grec : « qui fait l'aurore et les ténèbres ».
*g)* Allusion à l'orage, Ps **18** 8-16, ou mieux, expression symbolique de la toute-puissance de Yahvé, Dt **32** 13; Jb **9** 8; Ps **18** 34; Is **58** 14; Mi **1** 3-6.
*h)* La nation est comparée à une vierge, emportée par la mort en pleine jeunesse sans avoir pu réaliser sa vocation de femme : le mariage et la maternité, cf. Jg **11** 39.
*i)* Le désastre sera grand. Si un « reste » subsiste, il indique ici l'ampleur de la catastrophe, cf. **1** 8+; **3** 12+, plutôt que l'espérance d'un salut, cf. Is **4** 3+, qui n'est pas envisagé ici, cf. **5** 2.
*j)* Fréquenter les sanctuaires peut bien s'appeler « chercher Dieu » cf. **5** 5; Dt **12** 5; 2 Ch **1** 5. Mais Amos proclame que la seule authentique recherche de Dieu est celle qui cherche le bien et fuit le mal, **5** 14. C'est elle qui conduit à la vie, **5** 3, 6. – Dans d'autres textes de l'AT on « cherche » Dieu, on le « consulte » (verbe *darash*) en l'interrogeant, cf. 1 S **14** 41+, par un homme de Dieu, Gn **25** 22; Ex **18** 15; 1 S **9** 9; 1 R **22** 8, ou encore en « cherchant la parole », 1 R **22** 5; cf. **14** 5, soit dans un livre, Is **34** 16, soit par l'intermédiaire d'un prophète, 1 R **22** 7. Une autre expression (habituellement verbe *biqqesh*) indique plutôt que l'on cherche « la face », c'est-à-dire la présence de Yahvé, Os **5** 15; 2 S **21** 1; 1 Ch **16** 11 (= Ps **105** 4); Ps **24** 6; **27** 8, ct, probablement dans le même sens, So **1** 6; Os **3** 5; **5** 6; Ex **33** 7+, etc. Mais les deux expressions sont voisines : si l'on cherche « la face » de Yahvé, c'est pour connaître sa volonté, et sa présence se manifeste souvent par ses oracles. Cette « recherche de Yahvé » est une démarche religieuse essentielle dans l'AT. Dans le NT, il faut équivalemment « chercher le Royaume », Mt **6** 33.
*k)* Célèbre comme lieu de culte des Patriarches, Gn **21** 31-33; **26** 23-25.
*l)* Il y a une allitération entre le nom de Gilgal et la définition du sort qui l'attend (« ira en exil » *galoh yigeleh*), et un jeu de mot sur le nom de Béthel, « maison de Dieu », devenue « maison du néant » (*awen*, cf. Os **4** 15).
*m)* Il faut peut-être corriger le texte et lire au lieu de « Ils changent » : « Malheur à ceux qui changent », cf. **5** 18 et **6** 1. En tout cas la doxologie des vv. 8-9 (qui a été ajoutée plus tard, peut-

qui change en matin les ténèbres épaisses
et obscurcit le jour comme la nuit;
= **9** 6 lui qui appelle les eaux de la mer
et les répand sur la face de la terre [a];
Yahvé est son nom.
[9] Il déchaîne la dévastation sur celui qui est fort,
et la dévastation arrive sur la citadelle [b].

**Menaces.**

**6** 12 [10] Ils haïssent quiconque réprimande à la Porte,
ils abhorrent celui qui parle avec intégrité.
[11] Eh bien! puisque vous piétinez le faible
et que vous prélevez sur lui un tribut de froment,
Dt **28** 30-33+ ces maisons en pierres de taille que vous avez
Za **5** 3-4 bâties,
vous n'y habiterez pas;
Mi **6** 15 ces vignes délicieuses que vous avez plantées,
So **1** 13 vous n'en boirez pas le vin.
[12] Car je sais combien nombreux sont vos crimes,
énormes vos péchés,
oppresseurs du juste, extorqueurs de rançons,
vous qui, à la Porte, déboutez les pauvres.
[13] Voilà pourquoi l'homme avisé se tait en ce
temps-ci [c],
|| Mi **2** 3 car c'est un temps de malheur.

**Exhortations.**

**5** 4+ [14] Recherchez le bien et non le mal,
Ps **34** 13-15; afin que vous viviez,
**37** 27 et qu'ainsi Yahvé, Dieu Sabaot, soit avec vous,
comme vous le dites [d].
[15] Haïssez le mal, aimez le bien,
et faites régner le droit à la Porte;
peut-être Yahvé, Dieu Sabaot, prendra-t-il en Jl **2** 14
pitié Jn **3** 9
le reste de Joseph [e]! Is **4** 3+

**Imminence du châtiment.**

[16] C'est pourquoi, ainsi parle Yahvé,
le Dieu Sabaot, le Seigneur :
Sur toutes les places il y aura des lamentations,
et dans toutes les rues, on dira « Hélas! Hélas! »
On convoquera le laboureur au deuil
et aux lamentations ceux qui savent gémir [f];
[17] dans toutes les vignes il y aura des lamentations,
car je vais passer au milieu de toi, **4** 12
dit Yahvé. Ex **12** 12
Ml **3** 1-2

**Le Jour de Yahvé.**

[18] Malheur à ceux qui soupirent après le jour de
Yahvé [g]!
Que sera-t-il pour vous, le jour de Yahvé? Jl **2** 1-2; So **1**
Il sera ténèbres, et non lumière. Jr **13** 16; **14** 1
[19] Tel l'homme qui fuit devant un lion Jn **8** 12+
et tombe sur un ours!
Il entre à la maison, appuie sa main au mur,
et un serpent le mord!
[20] N'est-il pas ténèbres, le jour de Yahvé, et non
lumière?
Il est obscur et sans clarté!

**Contre le culte extérieur [h].**

[21] Je hais, je méprise vos fêtes **4** 4-5
et je ne puis sentir vos réunions solennelles.
[22] Quand vous m'offrez des holocaustes... [i] Ps **50** 9-13;
vos oblations, je ne les agrée pas, Os **8** 13
Is **1** 11+

être dans un but liturgique, et qui est un fragment d'hymne comme **4** 13 et **9** 5-6) sépare malencontreusement les versets 7 et 10 qui se suivaient primitivement.

*a)* Soit pour inonder la terre, Jb **12** 15, et la ramener à l'état primitif, Ps **104** 5-9, soit pour lui distribuer la pluie fécondante, Jb **36** 27-28.

*b)* Le texte de ce v. est incertain, mais on y reconnaît le thème de l'abaissement des puissants, cf. 1 S **2** 4, 7; Lc **1** 51-52;

*c)* Pour ne pas être persécuté par les dirigeants sans scrupules. Ce v. est peut-être une glose.

*d)* Israël croit que son élection lui assure la protection inconditionnée de Yahvé, **5** 18; **9** 10; Mi **3** 11.

*e)* C'est-à-dire le royaume du Nord amoindri par tous les châtiments dont Yahvé l'a frappé, **4** 6-11, et va le frapper encore, **5** 3. Premier emploi prophétique de la doctrine du reste sauvé. Cf. Is **4** 3+. Mais alors que pour Isaïe ce salut est certain, ici il reste très hypothétique et Amos parle de ce salut avec scepticisme. Il sera plus affirmatif en **9** 8-9.

*f)* On restitue l'ordre des mots troublé dans l'hébr. (litt. « les lamentations à ceux qui savent gémir ».)

*g)* Israël, confiant en sa prérogative de peuple choisi, Dt **7** 6+, attend une intervention de Dieu qui ne peut être que favorable. Le prophète oppose, à ce Jour de Yahvé attendu, la conception prophétique du Jour de Yahvé, jour de colère, So **1** 15; Ez **22** 24; Lm **2** 22, contre Israël endurci dans son péché : ténèbres, pleurs, massacres, épouvante, Am **5** 18-20; **2** 16; **8** 9-10,13; Is **2** 6-21; Jr **30** 5-7; So **1** 14-18, cf. Jl **1** 15-20; **2** 1-11. Tous ces textes font entendre la menace d'une invasion dévastatrice (Assyriens, Chaldéens). Pendant l'Exil, le Jour de Yahvé devient objet d'espérance; la colère de Dieu se retourne contre tous les oppresseurs d'Israël, Ab 15 : Babylone, Is **13** 6, 9; Jr **50** 27; **51** 2; Lm **1** 21, l'Égypte, Is **19** 16; Jr **46** 10, 21; Ez **30** 2, la Philistie, Jr **47** 4, Édom, Is **34** 8; **63** 4; ce jour marque donc la restauration d'Israël, déjà **9** 11, aussi Is **11** 11; **12** 1; **30** 26; cf. Jl **3** 4; **4** 1. Après l'Exil, le Jour de Yahvé tend à devenir un « jugement » assurant le triomphe des justes et la ruine des pécheurs, Ml **3** 19-23; Jb **21** 30; Pr **11** 4, dans une perspective nettement universaliste, Is **26** 20 - **27** 1; **33** 10-16. Voir enfin Mt **24** 1+. – Sur les signes cosmiques qui accompagnent le Jour de Yahvé, cf. Am **8** 9+.

*h)* Les prophètes se sont souvent insurgés contre l'hypocrisie religieuse : on se croit en règle avec Dieu parce qu'on a accompli certains rites cultuels (sacrifices, jeûnes) en méprisant les préceptes les plus élémentaires de justice sociale et d'amour du prochain, 1 S **15** 22; Is **1** 10-16; **29** 13-14; **58** 1-8; Os **6** 6; Mi **6** 5-8; Jr **6** 20; Jl **2** 13; Za **7** 4-6; cf. Ps **40** 7-9; **50** 5-15; **51** 18-19. Les Psalmistes, en mettant l'accent sur les sentiments intérieurs qui doivent inspirer le sacrifice, obéissance, action de grâces, contrition, et le Chroniste, en insistant sur le rôle du chant liturgique, expression des dispositions de l'âme, dans le culte sacrificiel, réagiront aussi contre le formalisme du culte. Le NT donnera les formules définitives : Lc **11** 41-42; Mt **7** 21; Jn **4** 21-24.

*i)* Ou il manque un stique, ou le début du v. 22 est une glose inachevée.

Lv 3 1 le sacrifice de vos bêtes grasses, je ne le regarde
pas.
23 Écarte de moi le bruit de tes cantiques,
que je n'entende pas la musique de tes harpes [a]!
24 Mais que le droit coule comme de l'eau,
et la justice, comme un torrent qui ne tarit pas.
↗ Ac **7** 42-43 25 Des sacrifices et des oblations, m'en avez-vous
présentés au désert,
pendant quarante ans, maison d'Israël [b]?
26 Vous emporterez Sakkut, votre roi,
et l'étoile de votre dieu, Kevân,
ces images que vous vous êtes fabriquées [c];
27 et je vous déporterai par-delà Damas [d],
**4** 13+ dit Yahvé – Dieu Sabaot est son nom.

**Contre la fausse sécurité des grands.**

Lc **6** 24 **6** 1 Malheur à ceux qui sont tranquilles en
Jr **5** 12-13 Sion [e],
à ceux qui sont confiants sur la montagne de
Samarie,
ces notables des prémices des nations,
à qui va la maison d'Israël [f].
2 Passez à Kalné et voyez,
de là, allez à Hamat la grande,
puis descendez à Gat des Philistins :
valent-elles mieux que ces royaumes-ci?
leur territoire est-il plus grand que le vôtre [g]?
3 Vous pensez reculer le jour du malheur
et vous hâtez le règne de la violence [h]!
**3** 15 4 Couchés sur des lits d'ivoire,
vautrés sur leurs divans,
ils mangent les agneaux du troupeau
et les veaux pris à l'étable.
1 Ch **23** 5 5 Ils braillent [i] au son de la harpe,
Ne **12** 36
comme David, ils inventent des instruments de
musique;
6 ils boivent le vin dans de larges coupes,
ils se frottent des meilleures huiles,
mais ils ne s'affligent pas de la ruine de Joseph [j]!
7 C'est pourquoi ils seront maintenant déportés, en
tête des déportés,
c'en est fait de l'orgie des vautrés! Ap **18** 14

**Le châtiment sera terrible.**

8 Le Seigneur Yahvé l'a juré par lui-même : **4** 2
– oracle de Yahvé, Dieu Sabaot –
J'abhorre l'orgueil de Jacob, Is **28** 1
je hais ses palais,
et je livrerai la ville [k] et tout ce qui la remplit.
9 S'il reste dix hommes dans une seule maison, ils **2** 14-16
mourront.
10 Il n'y aura qu'un petit nombre de rescapés [l]
pour sortir les ossements de la maison;
et si l'on dit à celui qui est au fond de la maison :
« En reste-t-il avec toi? »
il dira : « Plus personne » et il dira : « Silence! So **1** 7
il ne faut pas prononcer le nom de Yahvé [m]! » Za **2** 17
11 Car voici que Yahvé commande, Ha **2** 20
sous ses coups la grande maison se crevasse
et la petite se lézarde.

12 Les chevaux courent-ils sur le roc,
laboure-t-on la mer [n] avec des bœufs,
que vous changiez le droit en poison
et le fruit de la justice en absinthe? **5** 7
13 Vous vous réjouissez à propos de Lo-Debar [o],
vous dites : « N'est-ce point par notre force que Dt **8** 17+
nous avons pris Qarnayim? »

*a)* Les cérémonies religieuses comportaient chants et musique, 1 S **10** 5; 2 S **6** 5,15.

*b)* Amos, comme Osée, **2** 16-17; **9** 10, et Jérémie, **2** 2-3, voit donc dans les temps du désert l'époque idéale des relations de Yahvé et de son peuple, cf. Os **2** 16+. Les conditions de la vie nomade et la législation rudimentaire ne laissaient alors au culte qu'une faible importance, cf. Jr **7** 22. On pouvait donc plaire à Yahvé avec un culte pauvre, mais sincère.

*c)* « Sakkut » et « Kevân » conj.; « Sikkut » et « Kiyyûn » hébr., qui place « l'étoile de votre dieu » après « ces images ». Ce pourrait être une glose mal introduite. – Les habitants du royaume d'Israël emmèneront en exil les images des faux dieux qu'ils ont vénérés, comme les païens, cf. Is **46** 1; Jr **48** 7; **49** 3. Sakkut et Kevân semblent être des divinités babyloniennes. Comme leur culte ne paraît pas attesté en Israël au VIIIe s. et que, par ailleurs, Amos n'accuse jamais ses auditeurs d'idolâtrie, ce texte est peut-être une addition identifiant sarcastiquement le culte des Israélites contemporains d'Amos avec celui des populations païennes installées à leur place en Samarie après 721, cf. 2 R **17** 29-31.

*d)* C'est-à-dire en Assyrie.

*e)* « à ceux qui sont tranquilles en Sion » est peut-être une relecture judéenne, cf. **3** 1+; Os **1** 7+.

*f)* Pour leur rendre hommage, chercher conseil et demander justice.

*g)* On comprend ce v. comme une apostrophe des notables de Samarie à ceux qui viennent les consulter : vous êtes plus puissants que ces royaumes, vous n'avez rien à craindre. Mais le texte est incertain et en corrigeant le dernier stique on peut comprendre : « valez-vous mieux que ces royaumes-là, votre territoire est-il plus grand que le leur? » le déclin de ces cités servant alors de signe à Israël. Mais Kalné, cf. Is **10** 9, au nord d'Alep, ne sera prise par les Assyriens qu'en 738, Hamat sur l'Oronte en 720, et Gat en Philistie en 711.

*h)* Celle de l'occupation ennemie.

*i)* Sens incertain.

*j)* La fin imminente du royaume d'Israël.

*k)* Soit Samarie, soit n'importe quelle ville du royaume du Nord.

*l)* On suit le grec; hébr. inintelligible.

*m)* Par respect religieux, ou peut-être par crainte devant le malheur dont Yahvé est l'auteur. Le passage est obscur mais le sens général est clair : il décrit la catastrophe qui s'abat sur la ville et les morts qui remplissent les maisons, ainsi que la terreur qui s'empare du petit groupe des rescapés à qui revient le soin de s'occuper des cadavres.

*n)* Texte légèrement corrigé (en séparant différemment les mots et en changeant les voyelles). TM : « est-ce qu'on laboure avec des bœufs? » (pluriel au lieu du singulier collectif).

*o)* Jeu de mots sur Lo-Debar qui signifie « rien ». Lo-Debar, 2 S **9** 4, et Qarnayim, 1 M **5** 26, en Transjordanie, faisaient sans doute partie des villes reconquises par Jéroboam II et son père Joas, cf. 2 R **13** 25 et **14** 25.

14 Or voici que je suscite contre vous, maison d'Israël
– oracle de Yahvé, Dieu Sabaot –
une nation [a] qui vous opprimera
depuis l'entrée de Hamat jusqu'au torrent de la Araba [b].

# *III. Les visions*

**Première vision : les sauterelles.**

**7** 1 Voici ce que me fit voir le Seigneur Yahvé :
Jl **1** 4-7; C'était une éclosion de sauterelles,
**2** 3-9 au temps où le regain commence à monter,
Dt **28** 38 de sauterelles adultes, après la coupe du roi [c].
2 Et comme elles achevaient de dévorer l'herbe du pays,
je dis : « Seigneur Yahvé, pardonne [d], je t'en prie!
Comment Jacob tiendra-t-il? Il est si petit! »
3 Yahvé en eut du repentir [e] :
« Cela ne sera pas », dit Yahvé.

**Deuxième vision : la sécheresse.**

4 Voici ce que me fit voir le Seigneur Yahvé :
Le Seigneur Yahvé appelait le feu pour châtier [f]:
celui-ci dévora le grand Abîme [g],
puis il dévora la campagne.
5 Je dis : « Seigneur Yahvé, cesse, je t'en prie!
Comment Jacob tiendra-t-il? Il est si petit! »
6 Yahvé en eut du repentir :
« Cela non plus ne sera pas », dit le Seigneur Yahvé.

**Troisième vision : le fil à plomb.**

7 Voici ce qu'il me fit voir :
Le Seigneur se tenait près d'un mur,
un fil à plomb dans la main [h].
8 Yahvé me dit : « Que vois-tu, Amos? »
Je dis : « Un fil à plomb. »
Le Seigneur dit : « Voici que je vais mettre un fil à plomb
au milieu de mon peuple, Israël,
désormais je ne lui pardonnerai plus [i].
9 Les hauts lieux d'Isaac seront dévastés, Dt **12** 2+
les sanctuaires d'Israël détruits,
et je me lèverai contre la maison de Jéroboam 2 R **15** 8-10
avec l'épée. »

**Conflit avec Amasias. Amos expulsé de Béthel [j].**

10 Alors Amasias, le prêtre de Béthel, envoya
dire à Jéroboam, roi d'Israël : « Amos conspire
contre toi, au sein de la maison d'Israël; le pays ne
peut tolérer ses discours. 11 Car ainsi parle Amos :
" Jéroboam périra par l'épée et Israël sera déporté 7 9
loin de sa terre ". » 12 Et Amasias dit à Amos : 5 27; 6 7; 9 4
« Voyant [k], va-t-en; fuis au pays de Juda; mange
ton pain là-bas, et là-bas prophétise. 13 Mais à
Béthel, cesse désormais de prophétiser, car c'est un 2 12+
sanctuaire royal, un temple du royaume [l]. » 1 R **12** 29
14 Amos répondit et dit à Amasias : « Je ne suis pas
prophète, je ne suis pas frère prophète; je suis bou- **3** 3-8+
vier et pinceur de sycomores [m]. 15 Mais Yahvé m'a 2 S 7 8 Ps **78** 70-7

*a)* L'Assyrie.
*b)* Le torrent de la Araba n'est pas identique au torrent d'Égypte qui désigne avec l'Entrée de Hamat les limites sud et nord de la Terre promise, 1 R **8** 65. Il s'agit d'un des wadis qui se jettent dans la vallée inférieure du Jourdain (la « Araba ») près de la mer Morte. Le territoire ainsi délimité est celui du royaume du Nord après les conquêtes de Jéroboam II, cf. 2 R **14** 25.
*c)* « C'était une éclosion » grec; « Il formait » hébr. – « de sauterelles adultes » grec; « et voici le regain » hébr. – Le roi prélevait sans doute pour sa cavalerie une partie de la première coupe.
*d)* L'intercession est une des fonctions propres du ministère prophétique, Gn **20** 7. Cf. aussi 2 M **15** 14; Jr **15** 1, 11; **18** 20; Ez **9** 8; Dn **9** 15-19; sur l'intercession de Moïse, cf. Ex **32** 11+. Mais quand le peuple s'obstine dans le péché, Dieu n'accepte plus l'intercession du prophète, cf. Jr **14** 7-11. Ici Amos n'intervient que dans les deux premières visions, il se tait dans les trois dernières.
*e)* C'est-à-dire : renonça à exécuter son dessein.
*f)* « appelait le feu pour châtier » conj.; « appelait (ou : venait) pour châtier par le feu » hébr. – Le « feu » est la sécheresse, **1** 2; **4** 6-8, qui dévore tout, cf. Jl **1** 19-20; **2** 3. D'autres traduisent : « Il proclamait le jugement par le feu », c'est-à-dire le feu céleste, celui qui détruisit Sodome et Gomorrhe, Gn **19** 24-25, 28.
*g)* L'océan souterrain, d'où proviennent les eaux.
*h)* « un mur » conj.; « un mur de fil à plomb » hébr. – Le mot *anak* traduit par fil à plomb ne se trouve qu'ici dans la Bible et son sens est incertain; le mot de même racine en akkadien, syriaque et arabe signifie étain ou plomb. Le fil à plomb permet de mettre en place un objet vertical ou (avec une équerre) horizontal. C'est cette dernière opération qui semble envisagée ici. Yahvé va tout détruire jusqu'au ras du sol, cf. 2 R **21** 13; Is **34** 11; Lm **2** 8. Mais la signification de la vision demeure incertaine.
*i)* Litt. « je ne passerai plus » (sous-entendu : sur sa faute, cf. Mi **7** 18). – C'est le nouveau refrain, cf. **8** 2, qui remplace celui des deux premières visions **7** 3, 6. Il suppose un endurcissement dans le péché qui n'est pas explicitement indiqué.
*j)* Ce récit en prose, qui provient du groupe des disciples d'Amos, est intercalé entre la troisième et la quatrième vision. Il suit immédiatement la prophétie contre la maison royale, **8** 9, et décrit les réactions que cette annonce a suscitées.
*k)* Le terme comporte peut-être ici une nuance de mépris (« visionnaire »).
*l)* Amasias assimile Amos aux prophètes de carrière qui vivent de leur profession, cf. 1 S **9** 7+, mais il ne l'accuse pas d'être un faux prophète; au contraire, par son intervention et son accusation de conspiration (v. 10), il montre qu'il redoute les conséquences de la prédication du prophète : la parole d'Amos, efficace, est considérée comme la cause directe des malheurs qu'elle annonce.
*m)* « frère prophète », litt. « fils de prophète », sémitisme indi-

pris de derrière le troupeau et Yahvé m'a dit : “ Va,
prophétise à mon peuple Israël. ” 16 Et maintenant,
écoute la parole de Yahvé : Tu dis :
2 12+ “ Tu ne prophétiseras pas contre Israël,
tu ne vaticineras pas contre la maison d'Isaac. ”
17 C'est pourquoi, ainsi parle Yahvé :
“ Ta femme se prostituera dans la ville,
tes fils et tes filles tomberont sous l'épée,
2 R **17** 24 ta terre sera partagée au cordeau,
Dt **28** 30-33 et toi, tu mourras sur une terre impure [a],
Os **9** 3 et Israël sera déporté loin de sa terre ”. »

**Quatrième vision [b] : la corbeille de fruits mûrs.**

7 7-9 **8** 1 Voici ce que me fit voir le Seigneur Yahvé :
C'était une corbeille de fruits mûrs.
2 Il dit : « Que vois-tu, Amos? »
Je dis : « Une corbeille de fruits mûrs. »
Yahvé me dit :
Ap **14** 15-18 « Mon peuple Israël est mûr pour sa fin [c],
désormais je ne lui pardonnerai plus.
3 Les chants du palais seront des hurlements en ce
jour-là
– oracle du Seigneur Yahvé –
Nombreux seront les cadavres,
6 10+ on les jettera en tous lieux. Silence [d]! »

2 6-8; **4** 1 **Contre les fraudeurs et les exploiteurs [e].**

4 Écoutez ceci, vous qui écrasez le pauvre
et voudriez faire disparaître les humbles du pays,
5 vous qui dites : « Quand donc sera passée la néoménie [f]
pour que nous vendions du grain,
et le sabbat, que nous écoulions le froment?
Dt **25** 13+ Nous diminuerons la mesure, nous augmente-
Mi **6** 10-11 rons le sicle,
Os **12** 8 nous fausserons les balances pour tromper.
6 Nous achèterons les faibles à prix d'argent
et le pauvre pour une paire de sandales; = 2 6
et nous vendrons les déchets du froment. »
7 Yahvé l'a juré par l'orgueil de Jacob [g] :
Jamais je n'oublierai aucune de leurs actions.
8 A cause de cela la terre ne tremble-t-elle pas? 1 1
Tous ceux qui l'habitent ne sont-ils pas en deuil? = 9 5
Elle monte, comme le Nil, tout entière,
elle gonfle et puis retombe, comme le Nil
d'Égypte [h].

**Annonce du châtiment : obscurité et deuil.**

9 Il adviendra en ce jour-là – oracle du Seigneur
Yahvé –
que je ferai coucher le soleil en plein midi
et que j'obscurcirai la terre en un jour de
lumière [i].
10 Je changerai vos fêtes en deuil ↗ Tb **2** 6
et tous vos chants en lamentations; Os **2** 13
je mettrai le sac sur tous les reins 1 M **9** 41
et la tonsure sur toutes les têtes [j]. Is **3** 24
J'en ferai comme un deuil de fils unique, Jr 26
sa fin sera comme un jour d'amertume. Za **12** 10

**Faim et soif de la parole de Dieu.**

11 Voici venir des jours – oracle de Yahvé – 4 2
où j'enverrai la faim dans le pays,
non pas une faim de pain, non pas une soif d'eau, Mt **5** 6
mais d'entendre la parole de Yahvé [k]. Dt **8** 3+
12 On ira titubant d'une mer à l'autre mer,
du nord au levant, on errera
pour chercher la parole de Yahvé Os **5** 6+
et on ne la trouvera pas!

**Nouvelle annonce du châtiment.**

13 En ce jour-là s'étioleront de soif
les belles jeunes filles et les jeunes gens. Za **9** 17
14 Ceux qui jurent par le péché [l] de Samarie,

quant l'appartenance à un groupe, cf. 2 R **2** 3+. – « bouvier », litt. « qui s'occupe du bétail », avec un terme qui désigne normalement le gros bétail. Cf. **1** 1+ (où il y a un terme différent). – En pinçant la tige des fruits du sycomore, qui servent de fourrage, on en hâte la maturation.

*a)* Toute terre étrangère, souillée par la présence des idoles, est impure, Os **9** 3-4; la terre d'Israël, qu'habite Yahvé, Os **8** 1; Za **9** 8; Jr **12** 7, est pure, 2 R **5** 17, et « sainte », Ex **19** 12+; Za **2** 16; 2 M **1** 7.

*b)* Par-delà l'épisode de Béthel, **7** 10-17, cette quatrième vision se relie à la troisième, **7** 7-9, à laquelle l'apparentent des similitudes de structure et de pensée.

*c)* Litt. : « La fin est venue pour mon peuple Israël ». La traduction s'efforce de rendre le jeu de mots entre « fin » (*qeç*) et « fruits mûrs » (litt. « fruits d'été » *qayiç*).

*d)* Le texte de la fin du v. est incertain.

*e)* Les oracles qui suivent s'intercalent entre la quatrième et la cinquième vision. Ils ont été placés à cet endroit parce qu'ils précisent, justifient et développent l'annonce de la fin contenue dans la quatrième vision.

*f)* La nouvelle lune, Lv **23** 24+, comme le sabbat, Ex **20** 8+, interrompait les transactions commerciales.

*g)* L'« orgueil de Jacob » peut désigner, soit un attribut de Yahvé, 1 S **15** 29, soit, comme en **6** 8, l'arrogance d'Israël, si ferme qu'elle peut servir de base à un serment, soit encore la terre de Yahvé, la Palestine, Ps **47** 5.

*h)* Le prophète compare le tremblement de terre, cf. **1** 1+, aux crues et décrues du Nil. Il y a dans cette comparaison et cette description plus d'imagination poétique que d'observation. – « comme le Nil » versions; « comme une lumière » hébr. – « retombe » qeré; « sera bue » ketib, cf. **9** 5.

*i)* Le Jour de Yahvé, **5** 18+, s'accompagne de signes cosmiques : tremblements de terre, **8** 8; Is **2** 10; Jr **4** 24, éclipses de soleil, **8** 9; Jr **4** 23; les prophètes postérieurs amplifient la description en se servant d'images stéréotypées qu'il ne faut pas prendre à la lettre, So **1** 15; Is **13** 10, 13; **34** 4; Ez **32** 7, 8; Ha **3** 6; Jl **2** 10, 11; **3** 3, 4; **4** 15, 16; cf. Mt **24** 29; Ap **6** 12-14 et voir Mt **24** 1+.

*j)* Signe d'affliction et de deuil chez les peuples voisins, Is **15** 2, comme en Israël Jr **7** 29; Mi **1** 16.

*k)* « la parole » grec; « les paroles » hébr. – Le prophète n'annonce pas une conversion, caractérisée par une faim d'entendre la parole de Dieu afin de lui obéir, mais un châtiment. Las de parler sans être écouté, Dieu se tait. Il ne suscite plus de prophètes.

*l)* Il s'agit soit d'une déesse, *Ashima*, cf. 2 R **17** 30, dont le pro-

ceux qui disent : « Vive ton dieu, Dan [a]! »
et : « Vive le chemin [b] de Bersabée! »
ceux-là tomberont pour ne plus se relever.

### Cinquième vision : chute du sanctuaire [c].

**9** 1 Je vis le Seigneur debout près de l'autel [d],
et il dit : « Frappe le chapiteau et que les seuils s'ébranlent;
brise-les sur leur tête à tous [e],
et ce qui restera d'eux, je les tuerai par l'épée;
2 13-16; il ne s'enfuira point parmi eux de fuyard,
6 9-10 il ne se sauvera point parmi eux de rescapé.
Ps 139 7-12 2 S'ils forcent l'entrée du Shéol,
Jr 23 23-24 de là ma main les prendra;
et s'ils montent aux cieux,
de là je les ferai descendre;
3 s'ils se cachent au sommet du Carmel,
là j'irai les chercher et les prendre;
Ps 135 6 s'ils se dérobent à mes yeux au fond de la mer,
Jb 3 8+; là [f] je commanderai au Serpent de les mordre;
7 12+ 4 s'ils s'en vont captifs devant leurs ennemis,
là je commanderai à l'épée de les tuer,
je fixerai les yeux sur eux,
pour leur malheur et non pour leur bonheur. »

### 4 13; 5 8 Doxologie [g].

5 Et le Seigneur Yahvé Sabaot...
Il touche la terre et elle se dissout,
=8 8 et tous ses habitants sont en deuil;
elle monte comme le Nil, tout entière,
et puis retombe comme le Nil d'Égypte.
6 Il bâtit dans le ciel ses chambres hautes [h], Ps 104 3
il a fondé sa voûte sur la terre;
il appelle les eaux de la mer =5 8
et les répand sur la face de la terre;
Yahvé est son nom. 4 13+

### Tous les pécheurs périront.

7 N'êtes-vous pas pour moi comme des Kushites [i],
enfants d'Israël? – oracle de Yahvé –
N'ai-je pas fait monter Israël du pays d'Égypte,
et les Philistins de Kaphtor et les Araméens de Jos 13 2+
Qir [j]?
8 Voici, les yeux du Seigneur Yahvé sont sur le royaume pécheur.
Je vais l'exterminer de la surface du sol,
toutefois je n'exterminerai pas complètement 3 12+
la maison de Jacob – oracle de Yahvé [k]. Is 4 3+
9 Car voici que je vais commander
et je secouerai la maison d'Israël parmi toutes les nations [l],
comme on secoue avec le crible, Lc 22 31
et pas un grain ne tombe à terre [m].
10 Tous les pécheurs de mon peuple périront par l'épée [n],
eux qui disent : 6 1-6
« Le malheur n'avancera pas, Is 28 15
il ne nous atteindra pas [o]. » Jr 5 12

phète écorche volontairement le nom en *ashema*, « péché », soit plutôt d'une désignation méprisante d'un sanctuaire de Samarie. Cf. Dt **9** 21 où Aaron appelle le veau d'or « votre péché ».

*a)* Où se trouvait un des deux veaux d'or de Jéroboam, 1 R **12** 30.

*b)* C est-à-dire le pèlerinage.

*c)* Il s'agit sans doute du sanctuaire de Béthel, mais l'absence d'une localisation précise montre qu'Amos vise à travers lui tous les sanctuaires du royaume.

*d)* Ou : « sur l'autel ».

*e)* L'ordre s'adresse peut-être à un ange.

*f)* « là » conj.; « de là » hébr.

*g)* Fragment d'hymne inséré ultérieurement, sans doute dans un but liturgique, cf. **4** 13+. Le début du v. (« Et le Seigneur Yahvé Sabaot ») est sans doute une glose explicitant le sujet de la phrase.

*h)* « chambres hautes » *'aliyyataw* conj.; « son escalier » *ma'alôtô* hébr. ketib; « ses escaliers » *ma'alôtaw* qerè.

*i)* C'est-à-dire un peuple perdu aux extrémités du monde (le Soudan actuel). Israël a donc tort de se croire le « premier des peuples », **6** 1.

*j)* Les Israélites n'ont pas à se prévaloir de leur élection, cf. Dt **7** 6+. Elle n'est pas un privilège mais une exigence, **3** 2+, et Dieu exerce sa sollicitude également sur les autres peuples, cf. Is **19** 22-25.

*k)* Le salut d'un « reste », cf. Is **4** 3+, est ici clairement affirmé, après avoir été entrevu en **5** 15.

*l)* Cet oracle date peut-être de la première déportation israélite (734). Cf. 2 R **15** 29.

*m)* Le crible retient les grains (les justes) tandis que la poussière de paille est éliminée. A moins qu'il s'agisse du crible qui retient la pierraille (les pécheurs) et laisse passer le grain (les justes).

*n)* Amos affirme avec assurance que les pécheurs seront châtiés et les justes sauvés. Il se représente cette rétribution sous la forme d'une catastrophe qui frapperait seulement les pécheurs, ce que l'avenir démentira. Cette certitude et ce démenti seront utilisés par l'Esprit pour faire naître, six siècles plus tard, la foi en une rétribution après la mort, cf. Dn **12** 2-3.

*o)* On suit le grec. Hébr. : « Tu ne feras pas avancer le malheur et tu ne le feras pas nous atteindre ».

# *IV. Perspectives de restauration et de fécondité paradisiaque*[a]

↗ Ac **15** 16-17 11 En ces jours-là, je relèverai la hutte branlante de
David,
je réparerai ses brèches, je relèverai ses ruines[b],
je la rebâtirai comme aux jours d'autrefois,
Nb **24** 18 Gn **22** 17 Ab **19** 12 afin qu'ils possèdent le reste d'Édom
et toutes les nations qui furent appelées de mon
nom[c],
oracle de Yahvé qui a fait cela.

13 Voici venir des jours – oracle de Yahvé –
5 11 où se suivront de près laboureur et moissonneur,
Lv **26** 5 celui qui foule les raisins et celui qui répand la
semence.
Les montagnes suinteront de jus de raisin,
toutes les collines deviendront liquides. ↗ Jl **4** 18
14 Je rétablirai mon peuple Israël[d];
ils rebâtiront les villes dévastées et les habiteront, Os **14** 8
ils planteront des vignes et en boiront le vin, Jr **31** 5 Is **65** 21-22
ils cultiveront des jardins et en mangeront les Am **5** 11
fruits.
15 Je les planterai sur leur terre
et ils ne seront plus arrachés de dessus la terre
que je leur ai donnée,
dit Yahvé ton Dieu.

*a)* Les promesses d'avenir comprennent : la restauration du royaume davidique, vv. 11-12; la prospérité matérielle, vv. 13-14; l'occupation sans fin de la patrie recouvrée, v. 15. Sur ce bonheur messianique, cf. Os **2** 20+. – Ce passage paraît être plus tardif, voir l'Introduction p. 1086.

*b)* « ses brèches », « ses ruines » grec; « leurs (fém.) brèches », « ses (masc.) ruines » hébr.

*c)* Litt. « sur lesquelles mon nom a été prononcé », cf. 2 S **12** 28. Il s'agit sans doute des nations vassales de David, 2 S **8**. La LXX a interprété ce texte dans une perspective beaucoup plus universaliste, et cette relecture a été adoptée par Ac **15** 16-17.

*d)* Ou : « Je ferai revenir les captifs de mon peuple Israël ».

# ABDIAS

**Titre.**

Dt 2 1+ 1 Vision d'Abdias. Sur Édom [a].

**Prologue.**

|| Jr 49 14 1c J'ai reçu de Yahvé un message [b],
un héraut était dépêché parmi les nations [c] :
« Debout! Marchons contre ce peuple!
Au combat! »

**La sentence contre Édom [d].**

1b Ainsi parle le Seigneur Yahvé :
Jr 49 15-16 2 Vois, je te rends petit parmi les peuples,
tu es au plus bas du mépris!

Is 14 13s 3 L'arrogance de ton cœur t'a égaré,
toi qui habites au creux du rocher [e],
toi qui fais des hauteurs [f] ta demeure,
toi qui dis en ton cœur :
« Qui me fera descendre à terre? »

4 Quand tu t'élèverais comme l'aigle,
quand tu placerais [g] ton nid parmi les étoiles,
je t'en précipiterais! oracle de Yahvé.

**L'anéantissement d'Édom.**

5 Si des voleurs venaient chez toi
(ou des pillards de nuit),
ne déroberaient-ils pas ce qui leur suffit?
Si des vendangeurs venaient chez toi, || Jr 49 9
ne laisseraient-ils rien à grappiller?

Comme tu as été ravagé [h]!
6 Comme Ésaü a été fouillé, || Jr 49 10
ses trésors cachés, explorés!
7 Ils t'ont chassé jusqu'aux frontières,
ils se sont joué de toi, tous tes alliés! Jr 38 22
Ils t'ont dupé, tes bons amis!
Ceux qui mangeaient ton pain tendent des pièges Ps 41 10
sous tes pas :
« Il n'a plus sa raison [i]! »

8 Est-ce qu'en ce jour-là [j] – oracle de Yahvé –
je ne supprimerai pas d'Édom les sages Jr 49 7
et l'intelligence de la montagne d'Ésaü [k]! Is 19 11-15; 29 14 Jr 8 8-9

9 Témân [l], tes guerriers seront figés de terreur, || Jr 49 22
afin que soit retranché tout homme
de la montagne d'Ésaü.

*a)* Le v. 1b est transposé devant le v. 2, où commencent les paroles de Yahvé.
*b)* Litt. « J'ai entendu (avec grec et Jr **49** 14; « Nous avons entendu » hébr.) ce qui est entendu ».
*c)* Description symbolique d'une ligue qui se forme contre Édom. Cf. Jr **4** 5; **50** 2.
*d)* Édom sera méprisé à son tour, 2, 10, pour s'être moqué d'Israël, 12 : sa ruine châtie son arrogance. Sur cette doctrine, voir Pr **16** 18; **29** 23, et pour les peuples : Is **14**; Jr **50-51**; Ez **26-28**; **29-32**; Za **10** 11.
*e)* Peut-être le « rocher » (*sela*) où Édom se retranche veut-il évoquer le nom de la capitale édomite *Ha-Sela*, « La Roche », cf. 2 R **14** 7, dont l'appellation grecque *Pétra* a gardé le sens.
*f)* « des hauteurs » versions; « de la hauteur » hébr.
*g)* « tu placerais » grec; « placé » ou « placer » hébr.
*h)* Les vv. 6-7 expliquent celui-ci : Édom a été dévasté comme il ne l'aurait pas été par des voleurs ordinaires, qui laisseraient quelque chose derrière eux, ou par des « vendangeurs », qui laisseraient du raisin à grappiller, cf. Dt **24** 21. – Le dernier stique est placé dans l'hébr. après « ou des pillards de nuit », glose qui veut harmoniser ce v. avec Jr **49** 9.
*i)* Réflexion ironique des faux amis d'Édom. – « Ceux qui mangeaient », omis par hébr., est restitué d'après Ps **41** 10. – « pièges » : traduction incertaine du mot *mazor* qui n'apparaît qu'ici. Certains corrigent en *maçod*, « filet (de chasseur) ».
*j)* Le jour du jugement d'Édom, en corrélation avec le Jour de Yahvé, 15, cf. Am **5** 18+, où Dieu châtie Édom et les autres nations, 16-17, mais restaure et sauve Israël, 17-21.
*k)* Ici et en 9, 19, 21, désignation du pays montagneux d'Édom (appelé aussi « mont Séïr »), cf. Gn **32** 4; **33** 14,16; **36** 8-9; Dt **2** 4, 5, 12. C'est la Transjordanie méridionale. Sur la réputation de sagesse qu'avait Édom cf. Jb **2** 11+.
*l)* District nord d'Édom, mais ici et ailleurs, ce nom désigne tout le pays.

**La faute d'Édom [a].**

Am **1** 11-12 Pour le carnage, 10 pour la violence
Jl **4** 19 exercée contre Jacob ton frère [b],
la honte te couvrira
et tu disparaîtras à jamais!

11 Quand tu te tenais à l'écart,
le jour [c] où des étrangers emmenaient ses richesses,
où des barbares franchissaient sa porte
et jetaient le sort sur Jérusalem,
Ps **137** 7 toi tu étais comme l'un d'eux!
12 Ne te délecte pas à la vue de ton frère [d]
au jour de son malheur!
Ne fais pas des enfants de Juda le sujet de ta joie
au jour de leur ruine!
Ne tiens pas des propos insolents
au jour de l'angoisse!

13 Ne franchis pas la porte de mon peuple
au jour de sa détresse!
Ne te délecte pas, toi aussi, de la vue de ses maux
au jour de sa détresse!
Ne porte pas la main sur ses richesses
au jour de sa détresse!

14 Ne te poste pas aux carrefours
pour exterminer ses fuyards!
Ne livre point ses survivants
au jour de l'angoisse!

15 Car il est proche, le jour de Yahvé,
contre tous les peuples!
Comme tu as fait, il te sera fait :
tes actes te retomberont sur la tête [e]!

**Au jour de Yahvé, revanche d'Israël sur Édom [f].**

16 Oui, comme vous avez bu sur ma montagne sainte,
tous les peuples boiront sans trêve [g]; Lm **4** 21
ils boiront et se gorgeront,
et ils seront comme s'ils n'avaient jamais été!

17 Mais sur le mont Sion il y aura des rescapés [h] ↗ Jl **3** 5
– ce sera un lieu saint –
et la maison de Jacob
rentrera dans ses possessions!

18 La maison de Jacob sera du feu,
la maison de Joseph [i], une flamme,
la maison d'Ésaü, du chaume!
Elles l'embraseront et la dévoreront,
et nul ne survivra de la maison d'Ésaü :
Yahvé a parlé!

**L'Israël nouveau.**

19 Ceux du Négeb posséderont la montagne d'Ésaü, Am **9** 12
ceux du Bas-Pays, la terre des Philistins [j],
il posséderont le territoire d'Éphraïm et le territoire de Samarie,
et Benjamin possédera Galaad.

20 Les exilés de cette armée, les enfants d'Israël,
posséderont la terre des Cananéens [k] jusqu'à Sarepta,
et les exilés de Jérusalem qui sont à Sepharad
posséderont les villes du Négeb.

21 Ils graviront, victorieux [l], la montagne de Sion Mi **4** 7
pour juger la montagne d'Ésaü,
et à Yahvé sera l'empire [m]! || Ps **22** 29

*a)* La conduite d'Édom lors de la chute de Jérusalem lui est reprochée dans la tradition biblique : Ez **25** 12-14; **35**; Lm **4** 21-22; Ps **137** 7. D'après Ez **35** 5-12 et **36** 2, 5, il semble qu'Édom ait alors occupé Juda, au moins en partie. Reproches analogues aux Ammonites, Ez **25** 1-7, cf. **21** 23-27, et aux Philistins, Ez **25** 15-17.

*b)* Sur la parenté et les discordes d'Édom et d'Israël, cf. Gn **25** 22-28; **27** 27-29; **32** 4 - **33** 16; Dt **23** 8; Nb **20** 23+. « Jacob » désigne ici le pays de Juda, cf. 18; Jl **4** 19, par opposition à « Joseph ».

*c)* Le « jour de Jérusalem », Ps **137** 7 : celui où les Chaldéens pénétrèrent dans la ville, 2 R **25** 3-4; ou celui de l'incendie du Temple, 2 R **25** 8-9, en 586.

*d)* « de ton frère » conj.; « du jour de ton frère » hébr.

*e)* C'est la loi du talion, Ex **21** 25+, qui s'applique à Édom. Même peine appelée sur Babylone, Jr **50** 15, 29, cf. Ap **18** 6-7, sur les ennemis de Jérusalem, Lm **3** 64, sur Tyr, Sidon et les Philistins, Jl **4** 4,7.

*f)* La perspective s'élargit : au « Jour » de Yahvé qui juge toutes les nations, cf. Am **5** 18+, Sion opprimée devient le lieu du salut et le pouvoir passe entre ses mains. Ses ennemis sont défaits (les nations païennes) et parmi eux Édom est ruiné à jamais. – Le prophète s'adresse désormais aux Israélites.

*g)* A la coupe de la colère divine, cf. Is **51** 17+. – « se gorgeront » : sens incertain; certains corrigent pour lire « chancelleront », cf. Is **24** 20; **29** 9.

*h)* Texte cité en Jl **3** 5 comme parole de Dieu. Au « Reste » sauvé de Juda, cf. Is **4** 3, le Jour de Yahvé n'apporte plus de terreurs, mais la sécurité du salut sur le mont Sion, sanctuaire inviolable où « les étrangers ne passeront plus », Jl **4** 17.

*i)* La « maison de Jacob », cf. 9, est Juda, la « maison de Joseph » le royaume du Nord, cf. Am **5** 6; Za **10** 6, associé à Juda lors du salut final, cf. Jr **3** 18+. Les deux royaumes reconquièrent, 19-20, les frontières idéales de l'empire de David, cf. 1 R **8** 65; 2 R **14** 25.

*j)* Traduction appuyée par grec et Vulg.; l'hébr. pourrait aussi se comprendre : « Ils posséderont le Négeb, la montagne d'Ésaü et le Bas-Pays, terre des Philistins ».

*k)* « posséderont » *yireshû* conj., cf. la suite du v.; « qui » *'asher* hébr. – « la terre des Cananéens », litt. « les Cananéens »; c'est la Phénicie. Sarepta, entre Tyr et Sidon, marque la limite septentrionale du nouveau royaume. Sepharad est inconnu.

*l)* « victorieux », litt. « les sauvés » conj.; « les sauveurs » hébr. – « juger », c'est-à-dire dominer, gouverner.

*m)* Cri de triomphe de l'eschatologie israélite, Ps **22** 29; **103** 19; **145** 11-13; cf. Ps **10** 16; **47** 9; **93** 1; **97** 1; **99** 1. Le règne d'Israël, c'est le règne de Yahvé, consommation de l'histoire.

# JONAS

**Jonas rebelle à sa mission.**

**1** [1] La parole de Yahvé fut adressée à Jonas, fils
d'Amitaï : [2] « Lève-toi, lui dit-il, va à Ninive,
la grande ville, et annonce-leur que leur méchanceté est montée jusqu'à moi. » [3] Jonas se mit en
Ps 139 7s route pour fuir à Tarsis, loin de Yahvé. Il descendit
à Joppé et trouva un vaisseau à destination de Tarsis [a], il paya son passage et s'embarqua pour se
rendre avec eux à Tarsis, loin de Yahvé. [4] Mais
s 107 23-30 Yahvé lança sur la mer un vent violent, et il y eut
grande tempête sur la mer, au point que le vaisseau
menaçait de se briser. [5] Les matelots prirent peur;
ils crièrent chacun vers son dieu [b], et pour s'alléger,
Ac 27 18 jetèrent à la mer la cargaison. Jonas cependant
t 8 24-25p était descendu au fond du bateau; il s'était couché
et dormait profondément. [6] Le chef de l'équipage
s'approcha de lui et lui dit : « Qu'as-tu à dormir?
Lève-toi, crie vers ton Dieu! Peut-être Dieu songe-
ra-t-il à nous et nous ne périrons pas. » [7] Puis ils
se dirent les uns aux autres : « Tirons donc au sort,
pour savoir de qui nous vient ce mal. » Ils jetèrent
les sorts et le sort tomba sur Jonas [c]. [8] Ils lui dirent
alors : « Dis-nous donc quelle est ton affaire [d], d'où
tu viens, quel est ton pays et à quel peuple tu
appartiens. » [9] Il leur répondit : « Je suis Hébreu, et
c'est Yahvé que j'adore, le Dieu du ciel qui a fait
la mer et la terre. » [10] Les hommes furent saisis
d'une grande crainte et ils lui dirent : « Qu'as-tu fait
là! » Ils savaient en effet qu'il fuyait loin de Yahvé, 1 3
car il le leur avait raconté. [11] Ils lui dirent : « Que
te ferons-nous pour que la mer s'apaise pour
nous? » Car la mer se soulevait de plus en plus. [12] Il
leur répondit : « Prenez-moi et jetez-moi à la mer,
et la mer s'apaisera pour vous. Car, je le sais, c'est
à cause de moi que cette violente tempête vous
assaille. » [13] Les hommes ramèrent pour gagner le
rivage, mais en vain, car la mer se soulevait de plus
en plus contre eux. [14] Alors ils implorèrent Yahvé
et dirent : « Ah! Yahvé, puissions-nous ne pas périr
à cause de la vie de cet homme, et puisses-tu ne pas
nous charger d'un sang innocent, car c'est toi, Jr 26 15
Yahvé, qui as agi selon ton bon plaisir. » [15] Et,
s'emparant de Jonas, ils le jetèrent à la mer, et la
mer apaisa sa fureur. [16] Les hommes furent saisis
d'une grande crainte de Yahvé; ils offrirent un
sacrifice à Yahvé et firent des vœux [e].

**Jonas sauvé.**

**2** [1] Yahvé fit qu'il y eut un grand poisson pour
engloutir Jonas. Jonas demeura dans les ↗ Mt 12 40
entrailles du poisson trois jours et trois nuits [f].
[2] Des entrailles du poisson, il pria Yahvé, son Dieu.
Il dit [g] :

*a)* « Tarsis », cf. 1 R **10** 1+; Ps **48** 8+, représentant aux yeux des Hébreux le bout du monde. Jonas veut se soustraire à sa mission en fuyant le plus loin possible.

*b)* Les matelots sont de nationalités diverses; chacun a son dieu, mais croit à la puissance des autres dieux.

*c)* On retrouve ailleurs dans l'antiquité cette idée que la présence d'un coupable sur un navire est un danger pour tous.

*d)* Après « Dis-nous donc », l'hébr. ajoute : « à cause de qui nous vient ce mal », glose tirée du v. précédent et omise par le grec. – « ton affaire », c'est-à-dire « ta profession » ou « le but de ton voyage ».

*e)* L'auteur insiste sur la droiture des matelots païens : ils se sont scandalisés de la rébellion de Jonas envers Yahvé, v. 10; ils ont craint d'offenser Yahvé en sacrifiant Jonas, v. 14; enfin, ayant reconnu sa puissance, ils lui rendent un culte.

*f)* Sur ce poisson, et plus généralement sur les prodiges accumulés par l'auteur de Jonas, voir l'Introduction, p. 1091.

*g)* Ce cantique, mosaïque d'emprunts à divers psaumes, a la structure habituelle des psaumes d'action de grâces : rappel des angoisses passées, récit de la délivrance. Les psalmistes assimilent les grands dangers à la mort, et la libération à une résurrection; de même ici : cf. vv. 6, 7, 8. La mer, ennemie de Dieu à l'origine, cf. Jb **7** 12+, est regardée, soit comme le Royaume de la mort, soit du moins comme le chemin qui y conduit. On comprend donc les expressions si fortes de ce cantique, et aussi que l'aventure de Jonas ait été présentée par Jésus, Mt **12** 40;

Ps 120 1; 130 1 3 De la détresse où j'étais, j'ai crié vers Yahvé,
et il m'a répondu;
Lm 3 55 du sein du shéol, j'ai appelé,
tu as entendu ma voix.
4 Tu m'avais jeté dans les profondeurs, au cœur de la mer,
et le flot m'environnait.
|| Ps 42 8 Toutes tes vagues et tes lames
ont passé sur moi.
Ps 31 23 5 Et moi je disais : Je suis rejeté
de devant tes yeux.
Ps 5 8 Comment contemplerai-je [a] encore
ton saint Temple?
Ps 69 2 6 Les eaux m'avaient environné jusqu'à la gorge,
l'abîme me cernait.
L'algue était enroulée autour de ma tête.
7 A la racine des montagnes j'étais descendu [b],
en un pays dont les verrous étaient tirés sur moi pour toujours.
Ps 30 4; 16 10 Mais de la fosse tu as fait remonter ma vie,
Yahvé, mon Dieu.
8 Tandis qu'en moi mon âme défaillait,
je me suis souvenu de Yahvé,
et ma prière est allée jusqu'à toi
en ton saint Temple.
9 Ceux qui servent des vanités trompeuses,
c'est leur grâce qu'ils abandonnent.

10 Moi, aux accents de la louange,
je t'offrirai des sacrifices.
Ps 22 26 Le vœu que j'ai fait, je l'accomplirai.
|| Ps 3 9 De Yahvé vient le salut.

11 Yahvé commanda au poisson, qui vomit Jonas sur le rivage.

## Conversion de Ninive et pardon divin.

**3** 1 La parole de Yahvé fut adressée pour la
seconde fois à Jonas : 2 « Lève-toi, lui dit-il, va
à Ninive, la grande ville, et annonce-leur ce que je
te dirai. » 3 Jonas se leva et alla à Ninive selon la
parole de Yahvé. Or Ninive était une ville divinement grande [c] : il fallait trois jours pour la traverser. 4 Jonas pénétra dans la ville; il y fit une journée
de marche. Il prêcha en ces termes : « Encore quarante jours [d], et Ninive sera détruite. » 5 Les gens de
Ninive crurent en Dieu; ils publièrent un jeûne et ↗ Lc 11 30, 32
se revêtirent de sacs, depuis le plus grand jusqu'au ↗ Mt 12 41
plus petit [e]. 6 La nouvelle parvint au roi de Ninive;
il se leva de son trône, quitta son manteau, se cou- Ez 26 16
vrit d'un sac et s'assit sur la cendre [f]. 7 Puis l'on
cria dans Ninive, et l'on fit, par décret du roi et des
grands, cette proclamation : « Hommes et bêtes,
gros et petit bétail ne goûteront rien, ne mangeront
pas et ne boiront pas d'eau. 8 On se couvrira de Ez 27 30-31
sacs [g], on criera vers Dieu avec force, et chacun se Jdt 4 10
détournera de sa mauvaise conduite et de l'iniquité
que commettent ses mains. 9 Qui sait si Dieu ne se Jl 2 14
ravisera pas et ne se repentira pas, s'il ne reviendra Am 5 15
pas de l'ardeur de sa colère, en sorte que nous ne
périssions point? » 10 Dieu vit ce qu'ils faisaient
pour se détourner de leur conduite mauvaise. Aussi
Dieu se repentit du mal dont il les avait menacés, Gn 6 6+
il ne le réalisa pas. Jr 26 3

## Dépit du prophète et réponse divine.

**4** 1 Jonas en eut un grand dépit, et il se fâcha. Lc 15 28
2 Il fit une prière à Yahvé : « Ah! Yahvé, dit-il,
n'est-ce point là ce que je disais lorsque j'étais
encore dans mon pays? C'est pourquoi je m'étais 1 3
d'abord enfui à Tarsis; je savais en effet que tu es
un Dieu de pitié et de tendresse, lent à la colère, Ex 34 6-7+
riche en grâce et te repentant du mal. 3 Maintenant,
Yahvé, prends donc ma vie, car mieux vaut pour 1 R 19 4
moi mourir que vivre. » 4 Yahvé répondit : « As-tu
raison de te fâcher? » 5 Jonas sortit de la ville et
s'assit à l'orient de la ville; il se fit là une hutte et
s'assit dessous, à l'ombre, pour voir ce qui arrive-
rait dans la ville. 6 Alors Yahvé Dieu fit qu'il y eut
un ricin qui grandit au-dessus de Jonas, afin de
donner de l'ombre à sa tête et de le délivrer ainsi
de son mal. Jonas éprouva une grande joie à cause
du ricin. 7 Mais, à la pointe de l'aube, le lendemain,
Dieu fit qu'il y eut un ver qui piqua le ricin; celui-ci
sécha. 8 Puis, quand le soleil se leva, Dieu fit qu'il
y eut un vent d'est brûlant [h]; le soleil darda ses
rayons sur la tête de Jonas qui fut accablé. Il
demanda la mort et dit : « Mieux vaut pour moi

Lc 11 30, comme la figure de son propre séjour « dans le cœur de la terre » (le shéol plutôt que le tombeau, cf. Jon 2 2-3). Le Royaume de la mort apparaît alors comme un monstre vorace, qui ne peut retenir Jésus et le rejette lors de sa résurrection. L'analogie entre le baptême du chrétien et la résurrection du Christ a conduit à utiliser dans le même sens la figure de Jonas dans la typologie baptismale.

*a)* « Comment contemplerai-je » conj.; « Pourtant je contemplerai » hébr.

*b)* « la racine des montagnes » désigne sans doute le fond de la mer (sur laquelle était censée reposer la terre).

*c)* Litt. « grande devant Dieu », l'expression la plus forte du superlatif en hébreu. Les « trois journées de marche » sont une autre hyperbole, pour évoquer les dimensions fabuleuses de la cité.

*d)* Les « quarante jours » rappellent les quarante jours du déluge ou les quarante ans de l'Exode; cf. aussi 1 R 19 8. Le grec lit : « Encore trois jours », cf. 2 1.

*e)* La conversion exemplaire des Ninivites sera rappelée par Jésus, Mt 12 41; Lc 11 32. Ici comme dans l'Évangile, elle souligne par contraste l'incrédulité des Juifs.

*f)* Toute cette scène de pénitence et de conversion est l'antithèse de Jr 36 (cf. l'Introd. p. 1091); elle est en outre remplie d'expressions chères à Jérémie.

*g)* On omet ici « hommes et bêtes », répété par erreur du v. précédent.

*h)* « brûlant » grec; l'hébr. a un mot incompréhensible.

mourir que vivre. » 9 Dieu dit à Jonas : « As-tu raison de te fâcher pour ce ricin? » Il répondit : « Oui,
j'ai bien raison d'être fâché à mort. » 10 Yahvé
repartit : « Toi, tu as de la peine pour ce ricin, qui
ne t'a coûté aucun travail et que tu n'as pas fait
grandir, qui a poussé en une nuit et en une nuit a
péri. 11 Et moi, je ne serais pas en peine pour
Ninive, la grande ville, où il y a plus de cent vingt
mille êtres humains qui ne distinguent pas leur
droite de leur gauche, ainsi qu'une foule d'animaux [a]! »

*a)* Ce dernier ch. achève de mettre en relief l'universelle miséricorde divine. Dieu a eu pitié de son prophète englouti, **2** 7, de Ninive repentante; il a encore pitié de Jonas affligé dans son égoïsme. Et sa réponse, **4** 10-11, est pleine d'une douce et bienveillante ironie; la sollicitude divine s'étend jusqu'aux animaux; à plus forte raison s'inquiète-t-elle des hommes, y compris les enfants en bas âge, « qui ne distinguent pas leur droite de leur gauche ». Tout le livre prépare ainsi la révélation évangélique de Dieu-Amour.

# MICHÉE

1 [1] Parole de Yahvé qui fut adressée à Michée de Moréshèt, au temps de Yotam, d'Achaz et d'Ézé-
Is 1 1 chias, rois de Juda. Ses visions sur Samarie et Jérusalem.

## I. *Le procès d'Israël*

### *MENACES ET CONDAMNATIONS*

Is 28 1-4 **Le jugement de Samarie [a].**

Is 1 2 [2] Écoutez, tous les peuples!
Ps 49 2 Sois attentive, terre, et tout ce qui t'emplit!
Yahvé [b] va témoigner contre vous,
le Seigneur, au sortir de son palais sacré!
Is 26 21 [3] Car voici Yahvé qui sort de son lieu saint :
Am 4 13 il descend, il foule les sommets de la terre.
Za 14 4 [4] Les montagnes fondent sous ses pas,
Ps 97 5 les vallées s'effondrent,
comme la cire devant le feu,
comme l'eau répandue sur la pente.

[5] Tout cela, à cause du crime de Jacob,
du péché de la maison d'Israël.
Quel est le crime de Jacob?
N'est-ce pas Samarie?
Quel est le péché de la maison de Juda [c]?
N'est-ce pas Jérusalem?
3 12 [6] « Je vais faire de Samarie une ruine dans la campagne,
une terre à vignes.
Je ferai rouler ses pierres à la vallée,
je mettrai à nu ses fondations.
[7] Toutes ses statues seront brisées,
tous ses salaires [d] dévorés par le feu,
toutes ses idoles, je les livrerai à la solitude,
car elles ont été amassées [e] avec le salaire des prostituées
et elles redeviendront salaire de prostituées. »

**Complainte sur les cités du Bas-Pays [f].**

[8] Pour cela, je vais gémir et me lamenter,
je vais aller déchaussé et nu, 2 S 15 30
je pousserai des gémissements comme les chacals, Is 20 2-4 Ez 24 17-23
des plaintes comme les autruches.
[9] Car il n'y a pas de remède au coup de Yahvé [g];
il atteint jusqu'à Juda,
il frappe jusqu'à la porte de mon peuple,
jusqu'à Jérusalem!

*a)* Cet oracle contre Samarie, antérieur à la ruine de la ville en 721, a été appliqué ensuite à Jérusalem.
*b)* « Yahvé » mss grecs; « le Seigneur Yahvé » hébr.
*c)* « le péché de la maison de Juda » grec, Targ.; « les hauts lieux de Juda » hébr.
*d)* Le salaire des prostituées sacrées attachées au culte de Samarie, Am **2** 7-8; Os **4** 14; cf. Dt **23** 19+; Samarie tout entière est pour Michée une prostituée, comme Israël pour Osée, Jérémie, Ezéchiel, cf. Os **1** 2+.
*e)* « elles ont été amassées » grec, syr., Vulg.; « elle a amassé » hébr.
*f)* Cette complainte annonce le malheur à douze cités, dont sept sont connues, au sud-ouest de Juda : Gat, Moréshèt-Gat, Çaanân, Lakish, Akzib, Maresha, Adullam, cf. Jos **15** 35-44; le nom d'une cité a disparu, v. 10; les quatre dernières doivent être cherchées dans la même région. Le sens général est clair : une invasion, qui atteint le pays natal du prophète, sert ici d'avertissement pour Jérusalem. Il doit s'agir du raid de Sennachérib contre la Philistie et Juda en 701.
*g)* « au coup de Yahvé » conj.; « à ses coups » hébr.

2 S 1 20 10 *A Gat, ne le publiez pas*[a],
à... ne versez pas vos pleurs!
A Bet-Léaphra,
Jr 25 34 roulez-vous dans la poussière!
11 Sonne du cor,
toi qui demeures à Shaphir!
Elle n'est pas sortie de sa cité,
Jos 15 37 celle qui demeure à Çaanân!
Bet-ha-Éçel est arrachée de ses fondations,
de la base de son assise[b]!
12 Pourrait-elle donc espérer le bonheur[c],
Rt 1 20 celle qui demeure à Marôt?
Car le malheur est descendu de chez Yahvé
à la porte de Jérusalem.
13 Attelle au char le coursier,
Jos 15 39 toi qui demeures à Lakish!
2 R 14 19 (Ce fut le début du péché pour la fille de Sion,
car c'est en toi que l'on trouve les forfaits
d'Israël.)
14 Aussi tu devras verser une dot
pour Moréshèt-Gat.
Jos 15 44 Bet-Akzib[d] sera une déception
pour les rois d'Israël.
15 Le pillard te reviendra[e] encore,
Jos 15 44 toi qui demeures à Maresha!
1 S 22 1 Jusqu'à Adullam s'en ira
2 S 23 13 la gloire d'Israël[f].

Jr 7 29 16 Arrache tes cheveux, rase-les,
pour les fils qui faisaient ta joie!
Is 22 12 Rends-toi chauve comme le vautour,
car ils sont exilés loin de toi!

### Contre les accapareurs.

**2** 1 Malheur à ceux qui projettent le méfait
Ps 36 5 et qui trament le mal sur leur couche!
Dès que luit le matin, ils l'exécutent,
car c'est au pouvoir de leurs mains.
2 S'ils convoitent des champs, ils s'en emparent; Is 5 8
des maisons, ils les prennent;
ils saisissent le maître avec sa maison,
l'homme avec son héritage[g].
3 C'est pourquoi ainsi parle Yahvé :
Voici que je projette
contre cette engeance un malheur
tel que vous n'en pourrez retirer votre cou;
et vous ne pourrez marcher la tête haute,
car ce sera un temps de malheur. || Am 5 13
4 Ce jour-là, on fera sur vous une satire!
on chantera une complainte, et l'on dira :
« Nous sommes dépouillés de tout; Dt 28 30-33
la part de mon peuple est mesurée au cordeau,
personne ne la lui rend;
nos champs sont attribués à celui qui nous
pille[h]. »

5 Aussi il n'y aura pour vous personne
qui jette le cordeau sur un lot
dans l'assemblée de Yahvé[i].

### Le prophète de malheur[j].

6 Ne vaticinez pas, vaticinent-ils, Am 2 12
qu'on ne vaticine pas ainsi! Is 30 10
L'opprobre ne nous atteindra pas[k].
7 La maison de Jacob serait-elle maudite?
Yahvé a-t-il perdu patience?
Est-ce là sa manière d'agir?
Ses paroles ne sont-elles pas bienveillantes
pour son peuple Israël[l]?
8 C'est vous qui vous dressez en ennemis
contre mon peuple.
A qui est sans reproche vous arrachez son Dt 24 12-
manteau;
à qui se croit en sécurité vous infligez les

*a)* Comme en Is **20** 28-32, le texte joue sur les noms des douze villes. Allitération entre *Gat* et *taggîdû* « publiez », entre *Bet-Léaphra* et ʻ*aphar* « poussière » (peut-être entre *Shaphir* et *shophar* « cor »), entre *Çaanân* et *yaçea* « elle est sortie », entre *Bet-ha-Éçel* et ʼ*açal* « enlever, déraciner », entre *Lakish* et *rekesh* « coursier ». *Marôt* signifie « amertume ». Le nom de *Moréshèt* (la patrie du prophète, **1** 1) évoque la fiancée, *me ʼorasha* : il faut livrer la ville à son nouveau maître avec les présents du mariage. *Akzib* joue avec *akzab* « déception ». *Maresha* est rapproché de *yoresh* « celui qui s'empare ». – Le deuxième stique est corrompu et il ne reste qu'une lettre du nom de la ville qui devait y être mentionnée.
*b)* « sonne du cor » *shophar he*ʻ*ebirû* conj. (on ajoute *shophar* qui fait allitération avec Shaphir); « passe pour vous » (?) ʻ*ibri lakem* hébr. – « de sa cité » *me*ʻ*irah* conj., cf. grec; « nudité, honte » ʻ*eryah* boshet hébr. – « est arrachée » grec, Targ.; « il arrachera » hébr. – « de ses fondations » *misôdô* conj.; « deuil » *mispad* hébr. – « de la base » *mimmekôn* conj.; « de vous » *mikkem* hébr.
*c)* « Pourrait-elle espérer » *kî yihaleh* conj., cf. Targ.; « car elle s'est tordue de désir » *kî halah* hébr.
*d)* « Bet-Akzib » conj.; « les maisons d'Akzib » *battê Akzib* hébr.
*e)* « reviendra » *yabo*ʼ conj.; « j'amènerai » (?) ʼ*abî* hébr.
*f)* Adullam fut le repaire de David fugitif. Une correction permettrait de lire : « Pour toujours, d'Adullam, s'en ira la gloire d'Israël » : Yahvé va abandonner le lieu-même où la dynastie a commencé ses exploits.
*g)* Il s'agit de la saisie pour dettes, dont les créanciers profitent pour agrandir leurs domaines.
*h)* V. corrompu, on suit le grec. – Le châtiment, œuvre d'un envahisseur étranger, tombe sur tout le peuple. – Assonance entre « nos champs » (*sadênû*), « celui qui nous pille (*shobênû*) et « nous sommes dépouillés » (*neshaddunû*).
*i)* « pour vous » conj.; « pour toi » hébr. – Les accapareurs seront exclus du nouveau partage des terres, dans le royaume restauré.
*j)* Les auditeurs du prophète protestent, au nom de l'Alliance, contre ses menaces, vv. 6-7. Michée répond, vv. 8-10, que cette alliance a été rompue par l'injustice de ces faux dévots, qui ne veulent entendre de leurs prophètes que des promesses toutes matérielles, v. 11.
*k)* Le verbe traduit ici « vaticiner », et « prophétiser » au v. 11, signifie littéralement « faire couler, baver », et il est pris en général dans un sens péjoratif. – « L'opprobre ne nous atteindra pas » conj.; « les insultes ne reculera pas » hébr.
*l)* « maudite » ʼ*arûr* conj.; « dite » ʼ*amûr* hébr. – « Ses paroles » grec; « Mes paroles » hébr. – « son peuple Israël » ʻ*ammô yis-*

désastres de la guerre[a].
9 Les femmes de mon peuple, vous les chassez
des maisons qu'elles aimaient;
à leurs enfants, vous enlevez pour toujours
2 R **4** 1 l'honneur que je leur ai donné[b] :
10 « Debout, en avant! ce n'est pas la pause! »
Pour un rien vous extorquez
Ex **22** 25 un gage écrasant[c].
Jr **5** 31 11 S'il pouvait y avoir un inspiré qui forge ce mensonge :
« Je te prophétise vin et boisson »,
il serait le prophète de ce peuple-là[d].

**Promesses de restauration[e].**

Jr **3** 18+ 12 Oui, je veux rassembler Jacob tout entier[f],
Is **4** 3+ je veux réunir le reste d'Israël!
Ez **34** 1+; Je les regrouperai comme des moutons dans l'en-
**37** 15-28 clos;
comme un troupeau au milieu de son pâturage,
ils feront du bruit loin des hommes.
13 Celui qui fait la brèche devant eux montera;
ils feront la brèche, ils passeront la porte, ils sortiront par elle;
Jn **10** 4 leur roi passera devant eux
et Yahvé à leur tête.

**Contre les chefs qui oppriment le peuple.**

**3** 1 Puis je dis :
Écoutez donc, chefs de la maison de Jacob[g]
et commandants de la maison d'Israël!
N'est-ce pas à vous de connaître le droit,
Is **5** 20, 23 2 vous qui haïssez le bien et aimez le mal,
(qui leur arrachez la peau, et la chair de sur leurs
os)!
3 Ceux qui ont dévoré la chair de mon peuple,
et lui ont arraché la peau
et brisé les os,
qui l'ont déchiré comme chair[h] dans la marmite
et comme viande en plein chaudron,
Jr **11** 11+ 4 alors, ils crieront vers Yahvé,
mais il ne leur répondra pas.

Il leur cachera sa face en ce temps-là, Dt **31** 17
à cause des crimes qu'ils ont commis.

**Contre les prophètes mercenaires[i].**

5 Ainsi parle Yahvé contre les prophètes
qui égarent mon peuple :
S'ils ont quelque chose entre les dents,
ils proclament : « Paix! »
Mais à qui ne leur met rien dans la bouche
ils déclarent la guerre.
6 C'est pourquoi la nuit pour vous sera sans
vision,
les ténèbres pour vous sans divination.
Le soleil va se coucher pour les prophètes
et le jour s'obscurcir pour eux.
7 Alors les voyants seront couverts de honte
et les devins de confusion;
tous, ils se couvriront les lèvres,
car il n'y aura pas de réponse de Dieu.
8 Moi, au contraire, je suis plein de force
(et du souffle de Yahvé),
de justice et de courage,
pour proclamer à Jacob son crime,
à Israël son péché.

**Aux responsables : annonce de la ruine de Sion.**

9 Écoutez donc ceci, chefs de la maison de Jacob
et commandants de la maison d'Israël,
vous qui exécrez la justice
et qui tordez[j] tout ce qui est droit, Am **5** 7
10 vous qui construisez Sion avec le sang Ha **2** 12
et Jérusalem avec le crime[k]!
11 Ses chefs jugent pour des présents, Is **1** 23
ses prêtres décident[l] pour un salaire, 1 S **9** 7+
ses prophètes vaticinent à prix d'argent.
Et c'est sur Yahvé qu'ils s'appuient! Ils disent :
« Yahvé n'est-il pas au milieu de nous?
le malheur ne tombera pas sur nous. » Jr **7** 3-4
12 C'est pourquoi, par votre faute,
Sion deviendra une terre de labour, ↗ Jr **26** 18
Jérusalem un monceau de décombres, Mi **1** 6
et la montagne du Temple une hauteur boisée.

*ra'el* conj.; « avec le juste qui marche » *'im hayyashar hôlek* hébr.

*a)* On propose ici une restitution fondée sur le grec; hébr. : « et hier, mon peuple se dressait en ennemi; d'en face vous enleviez le vêtement de prix à ceux qui passent avec confiance, revenus du combat. »

*b)* L'honneur de la condition libre en Israël. – « elles », « leurs » grec; l'hébr. a le singulier.

*c)* « un rien » *meumah* conj.; « l'impureté » *tameah* hébr. – « vous extorquez un gage » *tahbelû habol* conj.; « tu détruis et douleur » *tehabbel wehebel* hébr.

*d)* « qui forge » conj.; « il a forgé » hébr. – L'oracle du prophète menteur joue sur le double sens du verbe : « prophétiser » et « faire couler », cf. **2** 6+.

*e)* L'attribution à Michée de ces promesses de réunion et de retour est discutée. Elles semblent dater de l'Exil et auraient été placées ici pour compenser les terribles oracles qui les encadrent.

*f)* « tout entier » grec; « tout toi » hébr.

*g)* « la maison de Jacob » grec et v. 9; « Jacob » hébr.

*h)* « comme chair » grec, syr.; « comme » hébr.

*i)* Sur les cadeaux aux prophètes, cf. 1 S **9** 7-8; 1 R **14** 3; 2 R **4** 42; **5** 15, 22; **8** 8-9; Am **7** 12. – Michée ne conteste pas l'inspiration de ces prophètes, mais les accuse d'être intéressés.

*j)* « qui tordez » conj.; « ils tordent » hébr.

*k)* « vous qui construisez » versions; « construis » hébr. – Devant les grandes constructions de la capitale, Michée pense d'abord à l'injustice au prix de laquelle elles ont été édifiées (ainsi Am **3** 10,15; **5** 11; **6** 8; Jr **22** 13-15).

*l)* Il s'agit des décisions sacerdotales (*tôrôt*), cf. Ex **22** 8; Dt **17** 8-13; Jr **18** 18; Ez **7** 26; Ag **2** 11-14; Ml **2** 7.

# II. Promesses à Sion

**Le règne futur de Yahvé à Sion [a].**

|| Is 2 2-4+ **4** 1 Or il adviendra dans la suite des temps
que la montagne du Temple de Yahvé
sera établie en tête des montagnes
et s'élèvera au-dessus des collines.
Alors des peuples afflueront vers elle,
2 alors viendront des nations nombreuses qui
diront :
« Venez, montons à la montagne de Yahvé,
au Temple du Dieu de Jacob,
qu'il nous enseigne ses voies
et que nous suivions ses sentiers.
Car de Sion vient la Loi
et de Jérusalem la parole de Yahvé. »
3 Il jugera entre des peuples nombreux
et sera l'arbitre de nations puissantes [b].
Ils briseront leurs épées pour en faire des socs
et leurs lances pour en faire des serpes.
On ne lèvera plus l'épée nation contre nation,
on n'apprendra plus à faire la guerre.
4 Mais chacun restera assis sous sa vigne et sous
son figuier,
sans personne pour l'inquiéter.
|| Is 1 20 La bouche de Yahvé Sabaot a parlé.

5 Car tous les peuples marchent chacun au nom de
son dieu;
Is 2 5 mais nous, nous marcherons au nom de Yahvé
notre Dieu,
pour toujours et à jamais [c].

**Le rassemblement à Sion du troupeau dispersé [d].**

6 En ce jour-là – oracle de Yahvé –
Ez 34 1+ So 3 19 je veux rassembler les éclopées,
rallier les égarées
et celles que j'ai maltraitées.
Is 4 3+ 7 Des éclopées je ferai un reste,
des éloignées une nation puissante.
Alors Yahvé régnera sur eux
à la montagne de Sion,
dès maintenant et à jamais.

8 Et toi, Tour du Troupeau,
Ophel de la fille de Sion [e],
à toi va revenir la souveraineté d'antan,
la royauté de la fille de Jérusalem.

**Siège, exil et libération de Sion [f].**

9 Maintenant pourquoi pousses-tu des clameurs?
N'y a-t-il pas un roi chez toi?
Tes conseillers sont-ils perdus,
que la douleur t'ait saisie comme la femme qui
enfante?
10 Tords-toi de douleur et crie [g],
fille de Sion, comme la femme qui enfante,
car tu vas maintenant sortir de la cité
et demeurer en rase campagne.
Tu iras jusqu'à Babel,
c'est là que tu seras délivrée;
c'est là que Yahvé te rachètera
de la main de tes ennemis.

**Les nations broyées sur l'aire [h].**

11 Maintenant, des nations nombreuses
se sont assemblées contre toi.
Elles disent : « Qu'on la profane
et que nos yeux se repaissent de Sion! »
12 C'est qu'elles ne connaissent pas les plans de Is 55 8-9
Yahvé
et qu'elles n'ont pas compris son dessein :
il les a rassemblées comme les gerbes sur l'aire.
13 Debout! foule le grain, fille de Sion!
car je rendrai tes cornes de fer,
de bronze tes sabots,
et tu broieras des peuples nombreux.

*a)* L'origine de cet oracle qui se retrouve en Is **2** 2-4 est incertaine. Comme Is **60**, il décrit la venue à Sion des païens convertis, cf. Is **45** 14+. Ce thème est étranger à la pensée de Michée, si du moins on en juge d'après ses oracles incontestés.
*b)* L'hébr. ajoute « jusqu'au loin », absent d'Is **2** 4.
*c)* Addition liturgique (comme Is **2** 5).
*d)* Sous l'image du bon Pasteur, cf. Ez **34** 1+, promesse de restauration d'Israël à Sion, par delà le châtiment. Les vv. 6-7 sont très proches de **2** 12-13 et ont probablement la même origine.
*e)* « Tour du Troupeau », en hébreu *Migdal-Eder*; cet antique nom de lieu, cf. Gn **35** 21, désigne ici Jérusalem comme une bergerie. L'Ophel est le quartier de la résidence royale, Is **32** 14; 2 Ch **27** 3.
*f)* Cet oracle annonce la déportation. La mention de Babel au v. 10 vise l'exil de 587.
*g)* « et crie » *wehegî* conj.; « et jaillis » *wagohî* hébr.
*h)* A la différence du précédent, cet oracle décrit une libération accomplie à Sion même, assiégée par les peuples. A la même époque que Michée, Isaïe présentait des prédictions semblables, Is **10** 24-27, 32-34; **14** 24-27; **29** 1-8; **30** 27-33; **31** 4-9. Il s'agit probablement en tous ces oracles de l'invasion de Sennachérib en 701 et de son mystérieux échec. Plus tard, l'attaque de Jérusalem par les nations (et l'écrasement de celles-ci) deviendra un thème eschatologique important, Ez **38-39**; Jl **4**; Za **14**.

Tu voueras à Yahvé leurs rapines,
Jos 3 11 et leurs richesses au Seigneur de toute la terre.
Za 4 14; 6 5

**Détresse et gloire de la dynastie de David [a].**

5 1 14 Maintenant, fortifie-toi, Forteresse [b]!
Ils ont dressé un retranchement contre nous;
à coups de verge ils frappent à la joue
le juge d'Israël.
↗ Mt 2 6 **5** 1 Et toi, (Bethléem) Éphrata,
↗ Jn 7 42 le moindre [c] des clans de Juda,
c'est de toi que me naîtra
celui qui doit régner sur Israël;
ses origines remontent au temps jadis,
aux jours antiques [d].
3 2 C'est pourquoi il [e] les abandonnera
s 7 14 jusqu'au temps où aura enfanté celle qui doit
enfanter [f].
Alors le reste de ses frères reviendra
aux enfants d'Israël.
4 3 Il se dressera, il fera paître son troupeau
par la puissance de Yahvé,
par la majesté du nom de son Dieu.
Ils s'établiront, car alors il sera grand
jusqu'aux extrémités du pays.

**Le vainqueur futur d'Assur [g].**

Jg 6 24 4 Celui-ci sera paix!
Assur, s'il envahit notre pays,
s'il foule notre sol [h],
Am 1 3+ nous dresserons contre lui sept pasteurs,
huit chefs d'hommes;
2 9 (LXX) 5 ils feront paître le pays d'Assur avec l'épée,
le pays de Nemrod avec le glaive [i].
Il nous délivrera d'Assur s'il envahit notre pays,
s'il foule notre territoire.

**Rôle futur du Reste parmi les nations [j].**

6 Alors, le reste de Jacob sera, Is 4 3+
au milieu des peuples nombreux,
comme une rosée venant de Yahvé, Os 14 6
comme des gouttes de pluie sur l'herbe,
qui n'espère point en l'homme
ni n'attend rien des humains.
7 Alors, le reste de Jacob sera [k], 8
au milieu des peuples nombreux,
comme un lion parmi les bêtes de la forêt,
comme un lionceau parmi les troupeaux de moutons :
chaque fois qu'il passe, il piétine,
il déchire, et personne ne lui arrache sa proie.

**Yahvé supprimera toutes les tentations [l].**

8 Que ta main se lève sur tes adversaires 9
et tous tes ennemis seront retranchés!
9 Voici ce qui arrivera ce jour-là, 10
oracle de Yahvé!
Je retrancherai de ton sein tes chevaux, Os 14 4
je ferai disparaître tes chars; Za 9 10
10 je retrancherai les cités de ton pays, 11
je détruirai toutes tes villes fortes;
11 je retrancherai de ta main les sortilèges, 12
et tu n'auras plus de devins;
12 je retrancherai de ton sein 13
tes statues et tes stèles
et tu ne pourras plus te prosterner désormais
devant l'ouvrage de tes mains,
13 j'arracherai de ton sein tes pieux sacrés, Ex 23 24+;
et j'anéantirai tes cités. 34 13+
14 Avec colère, avec fureur, je tirerai vengeance 15
des nations qui n'ont pas obéi.

*a)* L'oracle oppose le roi « juge d'Israël » actuellement humilié (par Sennachérib, 2 R **18** 13-16) et le roi-messie dont la naissance inaugure l'ère nouvelle de gloire et de paix (comme en Is **9** 5). Michée se représente ce messie à la façon traditionnelle des prophètes de Juda, comme un roi triomphant à Sion, ainsi Gn **49** 10-12; Nb **24** 15-19; Ps **110**; Is **9** 1-6; **11** 1-9; **32** 1.
*b)* « fortifie-toi, Forteresse » d'après grec; « fais-toi des incisions, fille de troupe » hébr. – « Forteresse », en hébr. *Bet-Gader*, litt. « maison du rempart », est un nom donné à Sion comme « Tour du Troupeau » au v. 8. Le prophète oppose l'orgueil de la capitale fortifiée à l'humble condition d'Éphrata d'où viendra le salut.
*c)* « le moindre » grec; « petit » hébr.; hébr. et grec ajoutent « pour être », terme inutile provenant de 1c (« celui qui doit »).
*d)* Éphrata (auquel Michée semble attacher le sens étymologique de « féconde » en rapport avec la naissance du Messie) a désigné d'abord un clan allié à Caleb, 1 Ch **2** 19, 24, 50, et installé dans la région de Bethléem, 1 S **17** 12; Rt **1** 2. Le nom a passé ensuite à la cité, Gn **35** 19; **48** 7; Jos **15** 59; Rt **4** 11, d'où la glose du texte. – Michée pense aux origines anciennes de la dynastie de David, 1 S **17** 12s; Rt **4** 11, 17, 18-22. Les évangélistes reconnaîtront en « Bethléem Éphrata » la désignation du lieu de naissance du Messie.
*e)* Il s'agit de Yahvé.
*f)* Il s'agit de la mère du Messie. Peut-être Michée pense-t-il au célèbre oracle de la '*alma*, Is **7** 14+, prononcé par Isaïe une trentaine d'années plus tôt.
*g)* Ce fragment annonce une victoire future sur Assur. Il l'attribue au fils de David (début du v. 4, fin du v. 5) et aux chefs de Juda (vv. 4b-5a, élément primitif réemployé).
*h)* « notre sol » grec, syr.; « nos palais » hébr.
*i)* « avec le glaive » un ms grec, lat.; « dans ses portes » hébr.
*j)* Cet oracle, en deux strophes symétriques, annonce le rôle du « reste » dans le salut des nations (cf. **5** 1-4; **7** 12) et dans leur châtiment (**4** 13; **5** 8,14). Le premier thème, qui n'apparaît qu'à la fin de l'Exil, suggère une date postérieure à Michée.
*k)* L'hébr. ajoute « parmi les nations ».
*l)* L'oracle des vv. 9-13 annonce que Yahvé va « retrancher » de son peuple tous les faux appuis humains (cf. Os **3** 4; **8** 14; Is **2** 7-8; **30** 1-3, 15-16; **31** 1-3) : force guerrière, matériel de la divination et du culte des hauts lieux. Cette menace comporte la promesse d'une ère de paix et de foi. Les vv. 8 et 14 appliquent cet oracle aux peuples païens ennemis de Yahvé; c'est un remaniement du texte original.

# III. Nouveau procès d'Israël

## REPROCHES ET MENACES

**Yahvé fait le procès de son peuple [a].**

6 1 Écoutez donc ce que dit Yahvé :
Is 3 13-15; « Debout! Entre en procès devant les monta-
5 3-4
Os 4 1-5 gnes
et que les collines entendent ta voix [b]! »
2 Écoutez, montagnes, le procès de Yahvé,
prêtez l'oreille [c], fondements de la terre,
car Yahvé est en procès avec son peuple,
il plaide contre Israël :
3 « Mon peuple, que t'ai-je fait?
en quoi t'ai-je fatigué? Réponds-moi.
Dt 5 6; 7 8 4 Car je t'ai fait monter du pays d'Égypte [d],
je t'ai racheté de la maison de servitude;
1 S 12 6 j'ai envoyé devant toi Moïse,
Aaron et Miryam.
5 Mon peuple, souviens-toi donc :
quel était le projet de Balaq, roi de Moab?
Nb 22-24 Que lui répondit Balaam, fils de Béor?
...de Shittim à Gilgal,
pour que tu connaisses les justes œuvres de
Yahvé [e]. »
6 – « Avec quoi me présenterai-je devant Yahvé,
me prosternerai-je devant le Dieu de là-haut?
Me présenterai-je avec des holocaustes,
avec des veaux d'un an?
7 Prendra-t-il plaisir à des milliers de béliers,
à des libations d'huile par torrents?
Lv 18 21+ Faudra-t-il que j'offre mon aîné pour prix de
mon crime,
le fruit de mes entrailles pour mon propre
péché [f]? »
8 – « On t'a fait savoir [g], homme, ce qui est bien, Am 5 21+
ce que Yahvé réclame de toi :
rien d'autre que d'accomplir la justice, Am 5 24
d'aimer la bonté Os 2 21+
et de marcher humblement avec ton Dieu. » Is 7 9; 30 15

**Contre les fraudeurs dans la cité.**

9 C'est la voix de Yahvé! Il crie à la cité :
Écoutez, tribu et assemblée de la cité [h]!
10 Puis-je supporter une mesure fausse [i] Am 8 5+
et un boisseau diminué, abominable?
11 Puis-je tenir pour pur [j] qui se sert de balances
fausses,
d'une bourse de poids truqués?
12 [k] Elle dont les riches sont pleins de violence
et dont les habitants profèrent le mensonge!
13 Aussi, moi-même, j'ai commencé [l] à te frapper,
à te dévaster pour tes péchés.
14 Tu mangeras, mais tu ne pourras te rassasier [m]; Os 4 10
tu mettras de côté, mais tu ne pourras rien
garder;
et si tu peux garder quelque chose, je le livrerai
à l'épée.
15 Tu sèmeras, mais tu ne pourras faire la moisson; Dt 28 30-33
tu presseras l'olive, mais tu ne pourras t'oindre Am 5 11
d'huile,
le moût, mais tu ne pourras boire de vin.

**L'exemple de Samarie.**

16 Tu observes les lois d'Omri,
toutes les pratiques de la maison d'Achab;

*a)* Au réquisitoire de Yahvé rappelant ses bienfaits, vv. 3-5, font suite une interrogation du fidèle repentant sur les exigences de son Dieu, vv. 6-7, et une réponse du prophète, v. 8.
*b)* Les montagnes, lieux par excellence des rencontres de Dieu etc.) son peuple (Sinaï, Nébo, Ébal et Garizim, Sion, Carmel, etc.) et témoins immuables, sont fréquemment personnifiées, Gn **49** 26; 2 S **1** 21; Ez **35-36**; Ps **68** 16-17, etc.
*c)* « prêtez l'oreille » *weha'azînû* conj.; « et vous les solides » *weha'etanîm* hébr.
*d)* Assonance entre « je t'ai fatigué » (*hele'etîka*) et « je t'ai fait monter » (*he'elitîka*) – Au peuple qui se plaint d'être abandonné par Dieu, Yahvé va rappeler ses bienfaits passés. Ce texte a été repris dans les « Impropères » du Vendredi saint.
*e)* L'hébr. a une lacune. Il s'agit du passage du Jourdain. – « tu connaisses » vers.; « connaissance de » hébr. – Les « justes œuvres » de Yahvé sont les hauts faits de l'Histoire Sainte, par lesquels Yahvé a tenu ses engagements d'allié. Comme l'Alliance elle-même vient de l'initiative divine, cette « justice » est pure grâce.
*f)* A la plainte de Yahvé à son peuple, c'est le fidèle qui répond, ce qui marque bien l'aspect personnel de la religion pour le prophète. Le fidèle propose des sacrifices, légitimes ou non; le prophète va les refuser, v. 8, pour leur substituer une religion spirituelle, marquée par les exigences que déjà « on a fait savoir » à l'homme : la justice (Amos), la bonté (Osée), l'humilité devant Dieu (Isaïe).
*g)* « On t'a fait savoir » grec; « Il t'a fait savoir » hébr.; « je te ferai savoir » syr., Vulg.
*h)* Avant « Écoutez », l'hébr. ajoute trois mots inintelligibles, litt. : « succès verra ton nom » (?). – « assemblée de la cité » d'après grec et Targ.; « et qui l'a déterminé » (?) hébr.
*i)* « Puis-je supporter une mesure fausse » *ha'essah bat rasha'* conj.; « Y a-t-il (?) la maison du méchant, des trésors de méchanceté » *ha'ish bêt rasha' 'oçerôt resha'* hébr.
*j)* « Puis-je tenir pour pur » Vulg.; « Serai-je pur » hébr.
*k)* Plusieurs auteurs transposent ce v. à la suite du v. 9, pour assurer une meilleure continuité du texte. – La fin du v. semble être une glose tirée du Ps **120** 2-3.
*l)* « commencé » versions; « rendu malade » hébr.
*m)* L'hébr. ajoute deux mots dont le premier est inconnu. Peut-être « et la faim (ou : et ta saleté) sera en ton sein ».

tu te conduis selon leurs principes,
pour que je fasse de toi un objet de stupeur,
de tes habitants une dérision,
et que vous portiez l'opprobre des peuples [a].

**L'injustice universelle.**

**7** [1] Malheur à moi! je suis devenu
comme un moissonneur en été,
comme un grappilleur aux vendanges :
plus une grappe à manger [b],
plus une figue précoce que je désire!
Ps **14** 1-3 [2] Les fidèles ont disparu du pays :
Jr **5** 1 pas un juste parmi les gens!
Tous sont aux aguets pour verser le sang
ils traquent chacun son frère au filet.
Jr **4** 22 [3] Pour faire le mal leurs mains sont habiles [c] :
le prince réclame
le juge juge pour un cadeau,
le grand prononce suivant son bon plaisir [d].
[4] Parmi eux le meilleur est comme une ronce,
le plus juste comme une haie d'épines [e].
Aujourd'hui arrive du Nord leur épreuve [f];
c'est l'instant de leur confusion.
[5] Ne vous fiez pas au prochain, Jr **9** 3;
n'ayez point confiance en l'ami; **12** 6
devant celle qui partage ta couche,
garde-toi d'ouvrir la bouche.
[6] Car le fils insulte le père, ↗ Mt **10** 35-36p
la fille se dresse contre sa mère,
la belle-fille contre sa belle-mère,
chacun a pour ennemis les gens de sa maison.

[7] Mais moi, je regarde vers Yahvé,
j'espère dans le Dieu qui me sauvera;
mon Dieu m'entendra [g].

# *IV. Espérances*

**Sion sous les insultes de l'ennemie [h].**

[8] Ne te réjouis pas à mon sujet, ô mon ennemie :
si je suis tombée, je me relèverai;
Jn **8** 12+ si je demeure dans les ténèbres,
Yahvé est ma lumière.
[9] Je dois porter la colère de Yahvé,
puisque j'ai péché contre lui,
jusqu'à ce qu'il juge ma cause
et me fasse justice;
il me fera sortir à la lumière,
**6** 5+ et je contemplerai ses justes œuvres.
[10] Quand mon ennemie le verra,
elle sera couverte de honte,
Ps **42** 4, 11 elle qui me disait : « Où est-il, Yahvé ton Dieu? »
Jl **2** 17 Mes yeux la contempleront,
tandis qu'elle sera piétinée
comme la boue des rues.

**Oracle de restauration [i].**

[11] Le jour de rebâtir tes remparts!
Ce jour-là s'étendront tes frontières;
[12] ce jour-là, on viendra jusqu'à toi
depuis l'Assyrie jusqu'à l'Égypte,
depuis Tyr jusqu'au Fleuve,
de la mer à la mer, de la montagne à la montagne [j].
[13] La terre deviendra une solitude
à cause de ses habitants, pour prix de leur conduite [k].

**Prière pour la confusion des nations.**

[14] Fais paître ton peuple sous ta houlette, Ez **34** 1+
le troupeau de ton héritage, Ps **95** 7; **23** 1-2, 4
qui demeure isolé dans les broussailles,
au milieu des vergers [l].

*a)* « Tu observes » versions; « il se garde » hébr. – « tu te conduis » conj.; pluriel hébr. – « tes (habitants) » conj.; « ses » hébr. – « des peuples » grec; « de mon peuple » hébr. – Les « pratiques » et les « principes » que dénonce le prophète sont peut-être le culte de Baal, mais plus probablement le luxe des grands et l'injustice sociale.
*b)* « un moissonneur » grec; « la récolte » hébr. – « un grappilleur » conj.; « des grappillages » hébr. – Assonance entre « grappe » (*'eshkol*) et « manger » (*'ekol*).
*c)* Restitué d'après grec; hébr. : « contre le mal, des mains pour réussir ».
*d)* « le juge juge » conj.; « le juge » hébr. – A la fin, l'hébr. ajoute : « lui, et ils la tordront ».
*e)* « le plus juste comme une haie » Symmaque, Vulg.; « un juste hors d'une haie » hébr. – Assonance entre « une haie d'épines » (*mesûkah*) et « confusion » (*mebûkah*).
*f)* Texte corr.; « le jour de tes guetteurs ton épreuve arrive » hébr. – Le Nord est la voie traditionnelle des invasions, cf. Jr **1** 13-14, etc. – L'« épreuve », litt. la « visite », cf. Is **10** 3+.
*g)* Ce v., où le prophète proclame sa foi au salut, a pu servir de conclusion à son livre; il a offert un point d'attache pour l'addition des poèmes d'espérance qui suivent, et qui datent probablement de l'Exil.
*h)* Cette ennemie semble être, plutôt que Babel, Édom, cf. Ez **25** 12-14; **35**; Ab 10-15; Ps **137** 7; Is **34** 5-8, etc.
*i)* Cet oracle, qu'on peut dater de l'époque perse (à partir de 538), annonce la restauration des remparts de Jérusalem et l'élargissement des frontières pour accueillir une foule : soit les Israélites dispersés, soit les païens convertis.
*j)* Le texte de tout ce v. est corrompu; on suit le grec.
*k)* Ce v., isolé, a pu être une menace contre Juda. Dans le contexte actuel, cette menace vise les peuples païens, sans doute d'abord les « gens du pays », voisins immédiats des Juifs, hostiles à la communauté revenue de l'Exil.
*l)* Le peuple est isolé sur un territoire pauvre. C'est la situation des Juifs au retour de l'Exil, dans le district de Jérusalem.

Puisse-t-il paître en Bashân et en Galaad
comme aux jours antiques!
Is 40 3+ [15] Comme aux jours où tu sortis du pays d'Égypte,
fais-nous voir des merveilles [a]!
Is 26 11 [16] Les nations verront et seront confondues
malgré toute leur puissance;
elle se mettront la main sur la bouche,
elles en auront les oreilles assourdies.
[17] Elles lécheront la poussière comme le serpent,
comme les bêtes qui rampent sur la terre.
Elles sortiront tremblantes de leurs repaires [b],
terrifiées et craintives devant toi.

**Appel au pardon divin [c].**

[18] Quel est le dieu comme toi, qui enlève la faute, Jr 50 20
qui pardonne le crime [d],
qui n'exaspère pas pour toujours sa colère, Ps 103 9
mais qui prend plaisir à faire grâce? Ex 34 6-7
[19] Une fois de plus, aie pitié de nous!
foule aux pieds nos fautes,
jette au fond de la mer tous nos péchés [e]!
[20] Accorde à Jacob ta fidélité, Is 38 17
à Abraham ta grâce,
que tu as jurées à nos pères ↗ Lc 1 73
dès les jours d'antan [f]. Gn 22 16-18; 28 13-15

*a)* « fais-nous voir » conj.; « je lui ferai voir » hébr.
*b)* L'hébr. ajoute : « vers Yahvé notre Dieu ».
*c)* Cette prière est un psaume comme on en trouve dans les recueils prophétiques (Is **12**; **25** 1-5; **26** 1-6, 7-15, 16-19; **63** 7 - **64** 11, etc.).
*d)* L'hébr. ajoute : « pour le reste de ton héritage », surcharge qui restreint la portée du pardon divin.
*e)* Dans l'hébr., les deux premiers verbes sont à la 3ᵉ personne. – « nos péchés » versions; « leurs péchés » hébr.
*f)* Le salut d'Israël est l'accomplissement de l'Alliance et de la Promesse, fondements de toute espérance, objet premier de la foi du Peuple de Dieu.

# NAHUM

**1** 1 Oracle sur Ninive. Livre de la vision de Nahum, d'Elqosh.

## *Prélude*

**Psaume. La Colère de Yahvé [a].**

*Aleph.* Dt **4** 24+ Ex **20** 5-6 2 C'est un Dieu jaloux et vengeur que Yahvé!
Il se venge, Yahvé, il est riche en colère!
Il se venge, Yahvé, de ses adversaires,
il garde rancune à ses ennemis.
Ex **34** 6-7+ 3 Yahvé est lent à la colère, mais grand par sa puissance.
L'impunité, jamais il ne l'accorde, Yahvé [b].
*Bèt.* Dans l'ouragan, dans la tempête il fait sa route,
les nuées sont la poussière que soulèvent ses pas.
*Gimel.* Is **50** 2 4 Il menace la mer, il la met à sec,
Ps **106** 9 il fait tarir tous les fleuves.
*(Dalèt.)* ... flétris sont Bashân et le Carmel [c],
flétrie la verdure du Liban!
*Hé.* Jr **4** 24 5 Les montagnes tremblent à cause de lui,
les collines chancellent,
*Vav.* la terre s'effondre devant lui,
le monde et tous ceux qui l'habitent [d].
*Zaïn.* 6 Son courroux! qui pourrait le soutenir?
↗ Ap **6** 17 Qui tiendrait devant son ardente colère?
*Hèt.* Sa fureur se déverse comme le feu
et les rochers se brisent devant lui.
7 Yahvé est bon; il est une citadelle *Tèt.*
au jour de la détresse.
Il connaît ceux qui se confient en lui, *Yod.*
8 même quand survient l'inondation [e]. Gn **6** 7s; **8** 1
Il réduira à néant ceux qui se dressent contre lui [f], *Kaph.*
il poursuivra ses ennemis jusque dans les ténèbres.

**Sentences prophétiques, à Juda et à Ninive.**

*(à Juda)*
9 Que méditez-vous sur Yahvé [g]?
C'est lui qui réduit à néant; 1 S 2 6
l'oppression ne se lèvera pas deux fois.
10 Comme un fourré d'épines enchevêtrées [h] ils seront dévorés,
comme la paille sèche, entièrement.
*(à Assur)*
11 C'est de toi qu'est sorti
celui qui médite contre Yahvé,
l'homme aux desseins de Bélial [i]. Dt **13** 14+ Ps **18** 5

*a)* Ce psaume alphabétique, cf. Pr **31** 10+ (mais la série alphabétique est incomplète), développe le thème traditionnel de la colère de Yahvé (Nb **11** 33; 2 S **6** 7; **21** 14; Ps **2** 12; **60** 3; **79** 5; **110** 5, etc.) et forme ainsi un prélude à l'oracle contre Ninive.
*b)* Les quatre derniers stiques, qui ne font pas partie de la série alphabétique, semblent être un commentaire ultérieur du v. 2[a], en vue d'expliquer le sens de la colère divine.
*c)* Le début du vers manque (*dalèt*).
*d)* « s'effondre » *wattasah* conj.; « se lève » *wattissa'* hébr. – Pour décrire la colère de Dieu, le poète utilise à la fois les thèmes des cosmogonies antiques (la création, victoire divine sur les eaux, Jb **7** 12+), et ceux de l'histoire sainte (mer Rouge et Sinaï, Ps **114** 3-8; Is **51** 10, etc.).
*e)* Allusion probable au déluge (Noé était, comme Nahum, un « consolateur », d'après Gn **5** 29). La colère divine a un sens, vv. 7-8 : elle n'est pas un déchaînement aveugle mais un jugement qui discerne les croyants des impies.
*f)* « ceux qui se dressent contre lui » grec; « son lieu » hébr.
*g)* On pourrait aussi traduire : « Quelle idée vous faites-vous de Yahvé? », ou « Comme vous devez compter sur Yahvé! ».
*h)* « Comme un fourré » *keya'ar* conj.; « Car jusqu'à » *kî 'ad* hébr. L'hébr. ajoute ici : « et comme ivres de leur boisson » (?), qui peut être la répétition déformée des deux mots précédents.
*i)* Ce personnage impie, sorti d'Assur, pourrait être Sennachérib, cf. 2 R **18-19**.

*(à Juda : oracle)*
12 Ainsi parle Yavé.
2 R **19** 35-36 Si intacts, si nombreux soient-ils,
ils seront fauchés et ils passeront.
Si je t'ai humiliée,
je ne t'humilierai plus désormais.
Is **9** 3 13 Et maintenant, je vais briser son joug qui pèse
sur toi,
rompre tes chaînes.

*(au roi de Ninive : oracle)*
14 Pour toi, voici l'ordre de Yahvé :
Il n'y aura plus de race qui porte ton nom;
du temple de tes dieux j'enlèverai
images sculptées et coulées;
je dévasterai [a] ta tombe car tu es maudit. Is **14** 19-21 Jr **8** 1-2

*(à Juda)*
**2** 1 Voici sur les montagnes les pas du messager; 15 Is **52** 7-10
il annonce : « La Paix! »
Célèbre tes fêtes, Juda,
accomplis tes vœux,
car Bélial désormais ne passera plus chez toi, 1 11+
il est entièrement anéanti.

# *La ruine de Ninive*

**L'assaut.**

Is **5** 26-30 Jr **5** 15-17; **6** 22-30 2 Un destructeur s'avance contre toi.
Monte la garde au rempart,
surveille la route, ceins-toi les reins,
rassemble toutes tes forces.
2[2] 3 [b] (Oui, Yahvé rétablit la vigne de Jacob
Is **5** 1+ et la vigne d'Israël [c].
Les pillards les avaient pillées,
ils en avaient brisé les sarments).
3 4 Le bouclier de ses preux rougeoie,
ses braves sont vêtus d'écarlate;
les chars flamboient de tous leurs aciers
au jour de leur mise en ligne;
les cavaliers s'agitent [d];
4 5 dans les rues les chars font rage,
ils foncent à travers les places;
à les voir on dirait des flammes;
comme la foudre, ils courent çà et là.
5 6 On appelle [e] les puissants;
ils trébuchent dans leur marche;
ils se hâtent vers le rempart.
Et l'abri est en place [f].
6 7 Les portes qui donnent sur le Fleuve s'ouvrent
et le palais s'agite en tous sens.
7 8 La Beauté est emmenée en exil, enlevée [g],
ses servantes poussent des gémissements
comme la plainte des colombes;
8 9 elles se frappent le cœur.
Ninive est comme un bassin d'eau
dont les eaux s'échappent [h].
« Arrêtez, arrêtez! »
Mais nul ne se retourne.
10 « Pillez l'argent! Pillez l'or! » 9
Il n'y a pas de fin au trésor,
une masse de tous objets précieux!
11 Pillage, saccage, ravage [i]! 10
Le cœur se fond, les genoux fléchissent, Is **13** 7-8
le frisson est dans tous les reins, Jr **30** 6; **4** 31
tous les visages perdent leur couleur.

**Sentence sur le lion d'Assur.**

12 Où est la tanière des lions, Os **5** 14
la caverne [j] des lionceaux? Mi **5** 7
Lorsque partait le lion, la lionne y restait, Jr **4** 7
et les petits du lion; nul ne les inquiétait.
13 Le lion déchirait pour ses petits, 12
il étranglait pour ses lionnes;
il remplissait ses antres de rapine,
ses tanières de proie.
14 Me voici! A toi! oracle de Yahvé Sabaot. 13 = **3** 5
Je vais réduire en fumée tes chars;
l'épée dévorera tes lionceaux.
Je vais faire disparaître de la terre tes rapines
et l'on n'entendra plus la voix de tes messagers.

**Sentence sur Ninive la prostituée [k].**

**3** 1 Malheur à la ville sanguinaire,
toute en mensonges,
pleine de butin,

*a)* « je dévasterai » *'ashshîm* conj.; « je mettrai » *'asîm* hébr.
*b)* Ce v. interrompt la suite normale entre les vv. 2 et 4, aussi plusieurs critiques le placent-ils à la suite du v. 1 qu'il commente heureusement. Il fait allusion au poème d'Is **5** 1-7.
*c)* « vigne » (bis) *gephen* conj.; « magnificence » *ge'ôn* hébr.
*d)* « cavaliers » grec, syr.; « cyprès » hébr.
*e)* « On appelle » d'après grec; « il se rappelle » hébr.
*f)* Sans doute une machine de guerre destinée à protéger les assiégeants qui attaquent le rempart.
*g)* « La Beauté » *haççebî* conj.; « est placée » *wehuççab* hébr. – « La Beauté » est probablement la statue de la déesse Ishtar, souvent désignée par ce titre dans les textes assyriens; elle est « servie » par les prostituées sacrées.
*h)* « dont les eaux » d'après grec; « depuis les jours de celle-ci; et eux » hébr.
*i)* Assonance : *buqah, umebuqqah, umebullaqah.*
*j)* « la caverne » *me'arah* conj.; « le pâturage » *mire'eh* hébr.
*k)* Nouveau tableau de la ruine de Ninive, accompagné d'un

où ne cesse pas la rapine!
2 Claquement des fouets,
fracas des roues,
chevaux au galop,
chars qui bondissent,
3 cavaliers à la charge,
flammes des épées
éclairs des lances,
foule des blessés,
Ez **39** 11-16 masse des morts,
sans fin des cadavres,
on bute sur leurs cadavres!
Ap **17-18** 4 C'est à cause des prostitutions sans nombre de
la prostituée,
la beauté gracieuse, l'habile enchanteresse
qui réduisait en esclavage les nations [a] par ses
débauches,
les peuples par ses enchantements.
= **2** 14 5 Me voici! A toi! oracle de Yahvé Sabaot.
Je vais relever jusqu'à ton visage les pans de ta
robe,
Os **2** 5+ montrer aux nations ta nudité,
aux royaumes ton ignominie.
6 Je vais jeter sur toi des ordures,
te déshonorer, t'exposer au pilori [b].
7 Alors, quiconque te verra
se détournera de toi. Il dira :
« Ninive! quelle désolation! »
Jr **15** 5 Qui la prendrait en pitié?
Is **51** 19 Où pourrais-je te chercher des consolateurs?

**L'exemple de Thèbes.**

8 Valais-tu mieux que No-Amon [c]
assise sur les Fleuves?
(les eaux l'entouraient)
Pour avant-mur, elle avait la mer,
pour rempart, les eaux [d].
9 Sa puissance, c'était l'Éthiopie
et l'Égypte, sans fin.
Jr **46** 9+ Put et les Libyens étaient ses auxiliaires [e].
10 Elle aussi est allée en exil,
en captivité;
ses petits enfants aussi ont été écrasés Os **10** 14+
à tous les carrefours;
ses nobles, on les a tirés au sort, Jl **4** 3
tous ses grands ont été liés avec des chaînes.
11 Toi aussi, tu seras enivrée,
tu seras celle qui se cache;
toi aussi, tu devras chercher
un refuge contre l'ennemi.

**Inutilité des préparatifs de Ninive [f].**

12 Tes places fortes sont toutes des figuiers
aux figues précoces :
on les secoue, elles tombent
dans la bouche de qui les mange.
13 Regarde ton peuple :
ce sont des femmes qu'il y a chez toi; Is **3** 12; **19** 16
les portes de ton pays Jr **50** 37; **51** 30
s'ouvrent toutes grandes à l'ennemi;
le feu a dévoré tes verrous.
14 Puise de l'eau pour le siège,
consolide tes places fortes,
marche dans la boue, foule l'argile,
prends le moule à briques.
15 Alors le feu te dévorera
et l'épée t'exterminera [g].

**L'envoi des sauterelles [h].**

Amoncelle-toi comme les criquets,
amoncelle-toi comme les sauterelles;
16a multiplie tes courtiers
plus que les étoiles du ciel [i],
17a tes garnisons comme les sauterelles,
tes scribes comme un essaim d'insectes.
Ils campent sur les murs
au jour du froid.
Le soleil paraît :

16b les criquets déploient leurs élytres, ils s'envolent,
17b ils sont partis, nul ne sait où.

jugement sur les péchés qui ont entraîné ce châtiment. En représentant Ninive comme une prostituée, Nahum vise moins son idolâtrie (Ninive n'est pas comme Israël l'épouse de Yahvé) et sa prostitution sacrée, que l'avidité et l'habileté avec lesquelles elle a établi son pouvoir sur tous les peuples, pour les dépouiller.

*a)* Litt. « qui vendait les nations ». L'image évoque l'asservissement des peuples, à l'inverse du « rachat » qui signifie leur libération.

*b)* Le châtiment de Ninive est celui des adultères, cf. Os **2** 5; Ez **16** 36-43; **23** 25-30.

*c)* Sans doute Thèbes en Haute-Égypte, la « ville d'Amon »; elle fut saccagée en 663 par les armées d'Assurbanipal qui l'avaient peut-être atteinte déjà en 667.

*d)* « Pour avant mur elle avait », litt. « son avant-mur », 4Qp Nahum (commentaire de Nahum découvert à Qumrân); « avant-mur » TM. – « les eaux » *mayim* 4Qp Nahum; « de la mer » *miyyam* TM. – Cette description poétique a été glosée par l'expression beaucoup plus plate : « les eaux l'entouraient ».

*e)* « ses auxiliaires » grec, syr.; « tes auxiliaires » hébr.

*f)* Cet oracle semble faire allusion à des revers déjà subis par les armées assyriennes (prise de Tarbis et d'Assur en 614?).

*g)* L'hébr. ajoute : « il te dévorera comme le criquet », glose inspirée par la suite.

*h)* L'invasion des Assyriens dans les pays occupés (commerçants, soldats, fonctionnaires) est comparée à celle d'une nuée de sauterelles. La même image sert à annoncer leur disparition subite et totale.

*i)* « multiplie » conj.; « tu es multiplié » hébr. – le v. 16[b] est transposé au milieu du v. 17.

**Lamentation funèbre.**

Malheur [a]! Comment 18 se sont endormis tes bergers,
roi d'Assur?
Tes puissants sommeillent [b],
1 R 22 17 ton peuple est dispersé sur les montagnes,
nul ne pourra plus les rassembler.
19 A ta blessure, pas de remède!
Ta plaie est incurable.
Tous ceux qui entendent ce qu'on dit de toi
battent des mains sur toi;
sur qui donc n'est pas passée
sans trêve, ta méchanceté?

*a)* « Malheur! Comment? » *'oy mah* conj. d'après grec; « Où sont-ils? » *'ayyam* hébr.
*b)* « sommeillent » grec; « demeurent » hébr.

# HABAQUQ

Titre.

**1** [1] L'oracle [a] que reçut en vision Habaquq le prophète.

## *I. Dialogue entre le prophète et son Dieu*

**Première plainte du prophète : la déroute de la justice [b].**

[2] Jusques à quand, Yahvé, appellerai-je au secours
sans que tu écoutes,
Jb **19** 7 crierai-je vers toi : « A la violence! »
Jr **14** 9 Ps **18** 42 sans que tu sauves?

[3] Pourquoi me fais-tu voir l'iniquité
Am **3** 9-10 et regardes-tu l'oppression?
Jr **6** 7; **9** 2s Je ne vois que rapine et violence,
Ps **55** 10-12 c'est la dispute, et la discorde sévit!

[4] Aussi la loi se meurt,
plus jamais le droit ne paraît!
Mi **7** 2-3 Oui, l'impie traque le juste,
Is **59** 14 aussi ne paraît plus qu'un droit fléchi!

**Premier oracle. Les Chaldéens fléau de Dieu [c].**

Ac **13** 41 [5] Regardez parmi les peuples, voyez,
soyez stupides et stupéfaits! Is **29** 9
Car j'accomplis de vos jours une œuvre [d]
que vous ne croiriez pas si on la racontait.

[6] Oui! voici que je suscite les Chaldéens,
ce peuple farouche et fougueux [e],
celui qui parcourt de vastes étendues de pays
pour s'emparer des demeures d'autrui.

[7] Il est terrible et redoutable,
sa force fait [f] son droit, sa grandeur!

[8] Ses chevaux sont plus rapides que panthères,
plus mordants que loups du soir; So **3** 3
ses cavaliers bondissent,
ses cavaliers arrivent de loin,
ils volent comme l'aigle qui fond pour dévorer.

[9] Tous arrivent pour le pillage,
la face ardente comme un vent d'est [g];
ils ramassent les captifs comme du sable!

*a)* Litt. « charge », « fardeau », cf. Is **13** 1, etc., et Jr **23** 33-40.

*b)* Au nom de son peuple, cf. Jr **10** 23-25; **14** 2-9, 19-22; Is **59** 9-14, le prophète se plaint à Yahvé des malheurs publics. Ce texte, proche des complaintes du Psautier et de Jérémie, pourrait, considéré isolément, être rapporté aux désordres intérieurs d'une société; mais, dans le contexte des vv. 12-17, il vise sans aucun doute l'oppression chaldéenne. Pourquoi la justice et la bonté de Yahvé (et sa sainteté, v. 13) tolèrent-elles le triomphe de l'impie? Car c'est un païen qui domine, et Juda, même pécheur, demeure un « juste », connaissant le vrai Dieu. A Yahvé de répondre, cf. **2** 1.

*c)* Première réponse. C'est Yahvé lui-même qui suscite le fléau chaldéen. Ces païens sont l'instrument de sa justice, pour un temps. Cf . Am **3** 11; Is **10** 5-27; Jr **5** 14-19; **25** 1-13; **27** 6-22; **51** 20-23; Dt **28** 47s; 2 R **24** 2-4. Cf. Nabuchodonosor, « mon serviteur », Jr **25** 9; **27** 6; **43** 10.

*d)* Avec grec; l'hébr. peut aussi se comprendre : « (une œuvre) s'accomplit ».

*e)* Les images qui vont composer une description épique de l'invasion se retrouvent maintes fois chez les prophètes, cf. Is **5** 26-29; **13** 17-18; Jr **4** 5-7, 13, 16-17; **5** 15-17; **6** 22-24; Na **3** 2-3; Ez **23** 22-26; **28** 7-10

*f)* Litt. « de lui-même sortent ». Ce peuple ne reconnaît ni Dieu ni maître et n'attribue qu'à lui-même ses succès. Cf. v. 11[b].

*g)* Texte incertain. – « la face ardente » conj.; « l'ardeur (ou : la convoitise) de leurs faces » hébr. – « un vent d'est » avec 1 Qp

10 Ce peuple se moque des rois,
il tourne les princes en dérision.
Il se rit de toutes forteresses :
il entasse de la terre [a] et les prend!

11 Puis le vent a tourné et s'en est allé [b]...
1 7 Is 10 13 Criminel qui fait de sa force son Dieu!

**Seconde plainte du prophète :**
**les exactions de l'oppresseur [c].**

Dt 33 27 Ps 90 1-2 Lv 17 1+ 12 Dès les temps lointains [d] n'es-tu pas Yahvé,
mon Dieu, mon Saint, qui ne meurs pas [e]?
Tu l'avais établi, Yahvé, pour exercer le droit,
tel un rocher [f], pour châtier, tu l'avais affermi [g]!

1 3 Ps 5 5-6 13 Tes yeux sont trop purs pour voir le mal,
tu ne peux regarder l'oppression.
Pourquoi regardes-tu les gens perfides,
Ps 35 22s gardes-tu le silence quand l'impie engloutit un
plus juste que lui?
Jr 16 16 14 Tu traites les humains comme les poissons de la
Ez 12 13; mer,
17 20; 29 4s; 32 3 comme la gent qui frétille, sans maître!
15 Il [h] les prend tous à l'hameçon,
les tire avec son filet,
il les ramasse avec son épervier,
et le voilà dans la joie, dans l'allégresse!

16 Aussi sacrifie-t-il à son filet,
fait-il fumer des offrandes devant son épervier,
car ils lui procurent de grasses portions
et des mets plantureux [i].

17 Videra-t-il donc sans trêve [j] son filet,
massacrant les peuples sans pitié?

**Second oracle. Le juste vivra par sa fidélité.**

**2** 1 Je vais me tenir à mon poste de garde, Nb 23 1-6
je vais rester debout sur mon rempart;
je guetterai pour voir ce qu'il me dira,
ce qu'il va répondre à ma doléance [k].

2 Alors Yahvé me répondit et dit :
« Écris la vision, Is 8 1
grave-la sur les tablettes Jr 30 2 Ap 1 19
pour qu'on la lise facilement.
3 Car c'est une vision qui n'est que pour son
temps [l] ;
elle aspire [m] à son terme, sans décevoir;
si elle tarde, attends-la : 2 P 3 4-10
elle viendra sûrement, sans faillir! Nb 23 19

4 « Voici qu'il succombe, celui dont l'âme n'est pas
droite [n],
mais le juste vivra par sa fidélité [o]. » ↗ Rm 1 17 ↗ Ga 3 11 ↗ He 10 38

Hab (ce sigle désigne le commentaire d'Habaquq découvert à Qumrân en 1947) et Vulg.; « vers l'est » TM. – Le « vent d'est », vent desséchant du désert, est parfois le symbole des invasions venues de l'est, cf. Os **12** 2; **13** 15; Jr **18** 17; Ez **17** 10s. 10s.

*a)* Remblais ou levées de terre utilisés pour les sièges.

*b)* Comme l'ouragan, l'invasion passe puis s'en va, ne laissant que ruines sur son passage. – D'autres comprennent : « Alors l'esprit est passé et s'en est allé » (une phase de l'inspiration prophétique est achevée); ou bien : « Alors il (l'envahisseur) a changé d'esprit et a transgressé (sa mission?) ».

*c)* Cette nouvelle plainte reprend la première, vv. 2-4 : puisque le triomphe des Chaldéens a pour cause ultime la volonté de Yahvé, vv. 5-6, c'est donc Yahvé qu'il faut interroger. Comment, juste et saint, gardien du droit, vv. $12^{a-b}$, 13, peut-il ainsi traiter les nations et le peuple élu, v. 14? Laissera-t-il l'impie engloutir le juste, v. 13, cf. vv. 4 et 15-17?

*d)* Ceux de l'Exode, que rappellera le ch. **3**. Là demeure pour Habaquq le motif de l'espérance.

*e)* « qui ne meurs pas » *lo' tamût* conj.; « nous ne mourrons pas » *lo' namût* hébr., mais c'est là le résultat d'une correction de scribe et la traduction rétablit ce qui devait être le texte primitif.

*f)* Litt. « et un rocher ». Ou bien : « ô Rocher », cf. Dt **32** 4.

*g)* Le peuple chaldéen, suscité pour une mission de justice qu'il ne doit pas outrepasser, cf. **1** 5+. Pour d'autres, il s'agit d'Israël, qui devait être l'arbitre des peuples, ou du roi de Juda, Joiaqim, infidèle à sa mission : **1** 2-4, 12-17 et **2** 6-19 seraient dirigés contre lui.

*h)* L'envahisseur chaldéen.

*i)* « plantureux », en lisant un masculin au lieu du féminin hébr.

*j)* « sans trêve » 1 Qp Hab; « et sans trêve massacrant » TM.

*k)* « mon rempart » 1 Qp Hab; « le rempart » TM. – « Il va répondre » *yashîb* conj.; cf. la Peshitta; « je répondrai » *'ashîb* hébr. – Le prophète veille sur son peuple comme la sentinelle aux remparts, cf Os **9** 8+; Is **21** 6-12; Jr **6** 17; Ez **3** 17; **33** 1-9; Ps **5** 4

*l)* D'où l'ordre d'écrire. La révélation s'accomplira « au temps fixé », cf. Dn **8** 19, 26; **10** 14; **11** 27, 35, et le document écrit engage pour ce temps la parole de Yahvé, cf. 2 P **3** 2, dont il prouvera plus tard la véracité. Cf. Is **8** 1, 3; **30** 8.

*m)* La vision est douée d'une énergie propre, exprimant une parole de Dieu qui tend à sa réalisation, cf. Is **55** 10-11. La liturgie de l'Avent utilise ce v., d'après la trad. grecque divergente, pour exprimer l'attente du Messie. Voir aussi He **10** 37.

*n)* « il succombe celui (*'ullap zû*) dont l'âme n'est pas droite » conj.; « elle est enflée (*'uppelah*), elle n'est pas droite, son âme en lui » hébr. Vulg. : « Celui qui est incrédule, son âme ne sera pas droite en lui ». Grec : « S'il fait défection, mon âme ne se complaît pas en lui; mais le juste vivra de la foi en moi. »

*o)* Cette sentence, formulée en termes universels, cf. Is **3** 10-11, exprime le contenu de la vision. La « fidélité » ( cf Os **2** 22; Jr **5** 1,3; **7** 28; **9** 2, etc.) à Dieu, c'est-à-dire à sa parole et à sa volonté, caractérise le « juste » et lui assure ici-bas sécurité et vie (cf. Is **33** 6; Ps **37** 3; Pr **10** 25, etc.). L'impie, qui manque de cette « droiture », va à sa perte. Dans ce contexte (**1** 2-4, 12-17; **2** 5-18) il s'agit ici respectivement du Chaldéen et de Juda : le juste Juda vivra, l'oppresseur périra. Dans le texte des LXX où « fidélité » devient « foi », saint Paul lira la doctrine de la justification par la foi.

# II. Les malédictions contre l'oppresseur

**Prélude.**

5 Assurément la richesse trahit [a]!
Il perd le sens et ne subsiste pas,
Is 5 14 celui qui dilate sa gorge comme le shéol,
Pr 27 20 celui qui comme la mort est insatiable,
qui rassemble pour lui toutes les nations
et réunit pour lui tous les peuples!
Is 14 4 6 Tous alors n'entonneront-ils pas une satire
Mi 2 4 contre lui?
Ne tourneront-ils pas d'épigrammes [b] à son adresse?
Ils diront :

**Les cinq imprécations.**

I

Ap 8 13+ Malheur [c] à qui amasse le bien d'autrui
Is 5 8+ (jusques à quand?)
Lc 6 24-26 et qui se charge d'un fardeau de gages!

7 Ne surgiront-ils pas soudain, tes créanciers,
ne se réveilleront-ils pas, tes exacteurs?
Tu vas être leur proie!
Is 33 1 8 Parce que tu as pillé de nombreuses nations,
tout ce qui reste de peuples te pillera,
= 2 17 car tu as versé le sang humain, violenté le pays,
la cité et tous ceux qui l'habitent!

II

Jr 22 13-17 9 Malheur [d] à qui commet pour sa maison des
rapines injustes,
Jr 49 16 afin d'établir bien haut son repaire,
Is 14 13+ afin d'esquiver l'étreinte du malheur!
Ab 4

10 C'est la honte de ta maison que tu as résolue :
en abattant [e] de nombreux peuples 1 17
tu as travaillé contre toi-même. Is 14 20

11 Car des murailles mêmes la pierre crie, Lc 19 40
de la charpente la poutre lui répond [f].

III

12 Malheur [g] à qui bâtit une ville dans le sang Jr 22 13
et fonde une cité sur l'injustice! Mi 3 10

13 N'est-ce point [h] la volonté de Yahvé Sabaot
que les peuples peinent pour le feu, || Jr 51 58
que les nations s'épuisent pour le néant? Si 14 19

14 *Car la terre sera remplie de la connaissance de* Is 11 9
*la gloire de Yahvé* Nb 14 21+
*comme les eaux couvrent le fond de la mer!*

IV

15 Malheur [i] à qui fait boire ses voisins, Gn 9 20-25
à qui verse son poison [j] jusqu'à les enivrer,
pour regarder leur nudité!
16 Tu t'es saturé d'ignominie, non de gloire!

Bois à ton tour et montre ton prépuce [k]! Lm 4 21
Elle passe pour toi, la coupe de la droite de Is 51 17+
Yahvé, Ps 75 9+
et l'infamie va recouvrir ta gloire!

17 Car la violence faite au Liban [l] te submergera,

*a)* « la richesse trahit » 1 Qp Hab; « le vin (est) traître » TM.

*b)* « Ne tourneront-ils pas d'épigrammes » *ûmeliçah yahûdû* conj.; « et une épigramme, des énigmes « *ûmeliçah hidôt* hébr. – « ils diront » 1 Qp Hab et grec; « il dira » TM. – La satire, *mashal*, est un couplet moqueur qui use de la métaphore. L'épigramme, *meliçah*, est une énigme, qui doit être interprétée. Ces termes caractérisent le genre littéraire des cinq imprécations : en forme solennelle de prophéties, ce sont des menaces proférées en termes voilés.

*c)* Contre l'avidité du conquérant. La pensée a la subtilité des discours paraboliques. Le Chaldéen qui s'empare des biens d'autrui en devient débiteur. A ce titre, il sera à son tour la proie des peuples spoliés, devenus ses créanciers. C'est la loi du talion, Ex 21 25+.

*d)* Le Chaldéen aura le sort de l'homme qui s'est enrichi par des gains illicites : rien ne lui en restera.

*e)* « en abattant » versions; « abattre » hébr.

*f)* « maison » bâtie de biens mal acquis : pierre et bois crient vengeance contre l'injuste possesseur.

*g)* Contre la politique de violence.

*h)* « N'est-ce point » versions; « Voici » hébr.; formule de citation, cf. 2 Ch 25 26, qui introduit une parole de Yahvé aux stiques suivants.

*i)* Cynisme du conquérant, comme d'un homme qui dans une orgie fait boire ses voisins pour les avilir; leur ignominie sera la sienne. Sur ce rôle attribué à Babylone, cf. Jr 51 7; à Ninive, cf. Na 3 4-7.

*j)* « ses voisins » 1 Qp Hab; « son voisin » TM. – « verse » sens incertain. – « son poison » (cf. Dt 32 24, 33; Ps 58 5; 140 4; ou « sa colère ») 1 Qp Hab, Symmaque et Vulg.; « ton poison » TM.

*k)* Débauche et honte du Chaldéen incirconcis, enivré à son tour.

*l)* Le Liban ravagé, cf. Is 37 24, et dont Nabuchodonosor exploita les cèdres pour ses constructions, cf. Is 14 8, peut être aussi symbole d'Israël, cf. Is 33 9; Jr 21 14; 22 6-7, 20-23.

ainsi que le massacre d'animaux frappés d'épouvante,
=2 8 car tu as versé le sang humain, violenté le pays,
la cité et tous ceux qui l'habitent [a]!

V

Is 40 20+ 19 Malheur [b] à qui dit au morceau de bois : « Réveille-toi! »
à la pierre silencieuse : « Sors de ton sommeil! »
(C'est cela l'oracle [c]!)
Placage d'or et d'argent, certes,
mais sans un souffle de vie qui l'anime!

18 A quoi sert une sculpture pour que la sculpte son artiste?
une image de métal, un oracle menteur, Os 3 4
pour qu'en eux se confie celui qui les façonne Ez 21 26 Za 10 2
en vue de fabriquer des idoles muettes?

20 Mais Yahvé réside dans son temple saint [d] : So 1 7
silence devant lui, terre entière [e]! Za 2 17 Ap 8 1

# III. Appel à l'intervention de Yahvé

**Titre.**

**3** 1 Prière [f]. De Habaquq le prophète [g]; sur le ton des lamentations.

**Prélude. Supplication.**

Dt 2 25 2 Yahvé, j'ai appris ton renom [h],
Ps 8 2, 10; 76 2 Yahvé, j'ai redouté ton œuvre [i]!
En notre temps, fais-la revivre!
Is 51 9 En notre temps, fais-la connaître [j]!
Is 54 8 Dans la colère, souviens-toi d'avoir pitié!

**Théophanie. L'arrivée de Yahvé.**

3 Éloah vient de Témân
Dt 33 2 Jg 5 4 et le Saint du mont Parân [k]. *Pause.*
Sa majesté voile les cieux,
Nb 14 21+ Ps 72 19 la terre est pleine de sa gloire.

4 Son éclat est pareil au jour,
des rayons jaillissent de ses mains [l],
c'est là que se cache sa force.

5 Devant lui s'avance la peste, Ap 6 8
la fièvre [m] marche sur ses pas.

6 Il se dresse et fait trembler la terre, Ps 104 32
il regarde et fait frémir les nations. Ex 15 14-16
Alors les monts éternels se disloquent,
les collines antiques s'effondrent,
ses routes de toujours [n].

7 J'ai vu les tentes de Kushan frappées d'épouvante,
les pavillons du pays de Madiân [o] sont pris de tremblements.

*a)* Le v. 18 est reporté après le v. 19, comme semble l'exiger le sens.
*b)* Contre l'idolâtrie insensée du Chaldéen.
*c)* Glose provenant peut-être de 18b.
*d)* Le Temple de Jérusalem, mais surtout le palais céleste d'où Yahvé va sortir, cf. **3** 3s.
*e)* Ce silence prépare la théophanie de **3** 3-15. Cf. Is **41** 1; Ps **76** 9-10.
*f)* Cette prière, comme de nombreux psaumes, joint à la supplication un hymne à la puissance divine. Le titre, la présence de « pauses » et l'indication du v. 19d signalent une utilisation liturgique. – Tout ce ch. est absent du commentaire d'Ha retrouvé à Qumrân, cf. l'Introd. p. 1088.
*g)* Comme dans les Ps, cette mention peut indiquer non l'origine littéraire, mais simplement l'appartenance à un recueil, ici au livre d'Habaquq.
*h)* Litt. « ce que tu fais entendre ».
*i)* L'ensemble des interventions de Yahvé pour son peuple aux temps mosaïques (cf. **1** 12). Cf. Ps **44** 2-9; **77** 12-13; **95** 9; Jg **2** 7; Dt **11** 7.
*j)* « En notre temps », litt. : « au milieu des années ». – Pour ces deux derniers stiques, le grec porte : « Au milieu de deux animaux tu te manifesteras; quand seront proches les années tu seras connu; quand sera venu le temps tu apparaîtras », texte qui, avec Is **1** 3, est à l'origine de la tradition sur les deux animaux de la crèche de Bethléem.
*k)* « Éloah » : nom divin archaïque. Témân : district nord du pays d'Édom ou Séïr. Parân : montagne à situer en Édom. – Ici commence la théophanie, cf. Ex **19** 16+, comprenant l'arrivée, vv. 3-7, et le combat, vv. 8-15, de Yahvé. Cette vision épique évoque par plusieurs traits la marche triomphale de Yahvé à la tête de son peuple lors de l'Exode, type, cf. Is **40** 3+, de la délivrance future. Yahvé (« le Saint », cf. Dt **33** 3; Is **6** 3+) s'avance depuis le Sinaï, cf Ex **24** 9-11, vers Canaan, cf. Nb **20** 14s, par le sud-est de la Palestine, région d'où viennent aussi les orages. Son approche est décrite, vv. 3s, sous l'aspect d'un nuage orageux, cf. Ps **18** 8s; **29**. Les expressions désignent tantôt la nuée, tantôt Yahvé qui s'y manifeste.
*l)* « Son éclat » versions; « l'éclat » hébr. – « des rayons », litt. : « des cornes », mais cf. Ex **34** 29-30, 35.
*m)* Le même mot *resheph*, dérivé du nom du dieu phénicien de l'éclair, désigne la foudre, la grêle, la calamité et, ici (par parallélisme avec « la peste » et cf. Dt **32** 24), la fièvre brûlante.
*n)* Les expressions « monts éternels », « collines antiques », prennent ici un sens cosmique, cf. Ps **90** 2; Pr **8** 25; Jb **15** 7; elles désignent les lieux de séjour des Patriarches dans Gn **49** 26; Dt **33** 15.
*o)* Madiân, cf. Ex **2** 15+. Kushân est sans doute une désignation archaïque de cette même région.

**Le combat de Yahvé.**

8 Est-ce contre les fleuves, Yahvé [a], que flambe ta
colère,
ou contre la mer ta fureur [b],
Dt **33** 26+ pour que tu montes sur tes chevaux,
sur tes chars de salut?

9 Tu mets à nu ton arc,
de flèches tu rassasies sa corde [c]. *Pause.*

De torrents tu crevasses le sol [d];
10 les montagnes te voient, elles sont dans les
transes;
une trombe d'eau passe,
l'abîme fait entendre sa voix,
en haut il tend les mains [e].

11 Le soleil et la lune restent dans leur demeure;
ils fuient devant l'éclat de tes flèches,
sous la lueur des éclairs de ta lance.

12 Avec rage tu arpentes la terre,
avec colère tu écrases les nations.

13 Tu t'es mis en campagne pour sauver ton peuple,
pour sauver ton oint [f],
**2** 9-11 tu as abattu la maison de l'impie,
mis à nu le fondement jusqu'au rocher. *Pause.*
14 Tu as percé de tes épieux le chef de ses guerriers
qui se ruaient pour nous disperser [g], avec des cris
de joie
comme s'ils allaient, dans leur repaire, dévorer Ps **10** 7-9;
un malheureux. **17** 12

15 Tu as foulé la mer avec tes chevaux Ps **77** 20
le bouillonnement des grandes eaux! Is **43** 16-17

**Conclusion : Crainte humaine et foi en Dieu.**

16 J'ai entendu [h]! Mon sein frémit. Jr **4** 19
A ce bruit mes lèvres tremblent,
la carie pénètre mes os,
sous moi chancellent mes pas [i].

J'attends en paix ce jour d'angoisse
qui se lève contre le peuple qui nous assaille!

17 (Car le figuier ne bourgeonnera plus; Jr **5** 17
plus rien à récolter dans les vignes. Os **9** 2
Le produit de l'olivier décevra,
les champs ne donneront plus à manger,
les brebis disparaîtront du bercail;
plus de bœufs dans les étables [j].)

18 Mais moi je me réjouirai en Yahvé,
j'exulterai en Dieu mon Sauveur! ↗ Lc **1** 47

19 Yahvé mon Seigneur est ma force,
il rend mes pieds pareils à ceux des biches, Ps **18** 34
sur les cimes [k] il porte mes pas. Dt **32** 13
Is **58** 14

Du maître de chant. Sur instruments à cordes [l].

*a)* L'hébr. ajoute ici : « ou contre les fleuves ».
*b)* Comme en Jg **5** 4-5; Ps **77** 17-20; **114** 3-7, l'intervention de Yahvé s'accompagne de commotions cosmiques, cf. Am **8** 9+. Il y a peut-être là l'utilisation poétique d'anciennes traditions sur la création, conçue comme une lutte de Dieu contre les éléments révoltés (l'Abîme, la Mer, le Fleuve, etc.), cf. Jb **7** 12+. Ici le combat aboutit à la défaite de l'« impie », c'est-à-dire du Chaldéen, vv. 13-15.
*c)* Texte corrigé d'après un ms grec; l'hébr. est inintelligible (litt. : « les serments sont les flèches de la parole »). – Les flèches sont les éclairs, cf. v. 4 et Ps **29** 7; **77** 18. Yahvé comparé à l'archer : cf. Dt **32** 23; Ez **5** 16, etc. L'arc symbole de force : cf. Gn **49** 24; Jb **29** 20, etc.
*d)* Pluie diluvienne de l'orage, cf. Ps **77** 17-19; Jg **5** 4.
*e)* L'abîme souterrain, l'océan primordial, qui joint ses eaux à la pluie du ciel. Ses « mains » sont les vagues.
*f)* Ici plutôt le peuple, cf. Ps **28** 8; Ex **19** 6, que le roi. – « pour sauver » grec; « le secours » hébr. – La suite du v. est très difficile et sa traduction incertaine; on s'aide de la Vulg. et on lit « jusqu'au rocher » *'ad çûr* au lieu de « jusqu'au cou » *'ad çawwa'r.*
*g)* Texte très incertain; « tes épieux » conj.; « ses épieux » hébr. – « ses guerriers » Vulg.; « ses souverains » grec; l'hébr. a un mot inconnu. – « nous disperser » conj.; « me disperser » hébr.
*h)* Cf. v. 2 et Is **21** 3-4; Jr **23** 9; Dn **8** 18, 27; **10** 8. La terreur religieuse et l'angoisse du prophète devant le combat de Yahvé et les maux qui l'accompagnent, vv. 16-17, cèdent à la joie du salut et de la sécurité en Yahvé, vv. 18-19, cf. 16e.
*i)* « chancellent mes pas » *yirgezû 'ashurî* conj. d'après le grec; « je chancelle qui » *'ergaz 'asher* hébr. – La fin du v. est incertaine; d'autres traduisent : « pour monter contre un peuple qui l'assaille » ou « quand on monte contre un peuple pour l'assaillir ».
*j)* Ce tableau de misère agricole, dans le contexte d'un combat cosmique, peut être une glose (renforçant la leçon d'espérance en Yahvé), à moins qu'il ne veuille décrire les dégats causés en Juda par la guerre.
*k)* « les cimes » grec; « mes cimes » hébr.
*l)* « Sur instruments » conj.; « mes instruments » hébr. – Ces indications figurent d'ordinaire en tête de Psaumes.

# SOPHONIE

**1** 1 Parole de Yahvé qui fut adressée à Sophonie, fils de Kushi, fils de Gedalya, fils d'Amarya, fils
de Hizqiyya, au temps de Josias, fils d'Ammon, roi de Juda. Jr 1 2

## *I. Le Jour de Yahvé en Juda*

**Prélude cosmique.**

2 Oui, je vais tout supprimer
de la face de la terre,
oracle de Yahvé.
3 Je supprimerai hommes et bêtes,
Os 4 3+ je supprimerai oiseaux du ciel et poissons de la mer,
je ferai trébucher [a] les méchants,
je retrancherai les hommes de la face de la terre,
oracle de Yahvé.

**Contre le culte des dieux étrangers.**

4 Je vais lever la main contre Juda
et contre tous les habitants de Jérusalem,
2 R 23 4s, 12 et je retrancherai de ce lieu le reste de Baal
et le nom de ses desservants [b],
Dt 4 19 5 ceux qui se prosternent sur les toits
2 R 21 3-5 devant l'armée des cieux,
ceux qui se prosternent devant Yahvé [c]
R 11 7. 33 et qui jurent par Milkom [d],
2 R 23 13 6 ceux qui se détournent de Yahvé,
qui ne consultent pas Yahvé
et ne le cherchent pas.
7 Silence devant le Seigneur Yahvé, Ha 2 20
car le jour de Yahvé est proche! Za 2 17
Oui, Yahvé a préparé un sacrifice, Ap 8 1
il a consacré ses invités [e].

**Contre les hauts dignitaires de la cour [f].**

8 Il arrivera, au jour du sacrifice de Yahvé,
que je visiterai les ministres, Ex 3 16+
les princes royaux
et tous ceux qui revêtent
des vêtements étrangers.
9 Je visiterai en ce jour
tous ceux qui montent au Degré,
eux qui remplissent le palais de leur seigneur
de violence et de fraude [g].

**Contre les commerçants de Jérusalem.**

10 Ce jour-là – oracle de Yahvé –
une clameur s'élèvera de la porte des Poissons, Ne 3 3
de la ville neuve, des hurlements,

*a)* « je ferai trébucher » *wehikshaltî* conj.; « les scandales » *wehammakshelôt* hébr.
*b)* Le terme est propre au sacerdoce des idoles. L'hébr. ajoute : « avec les prêtres », glose.
*c)* L'hébr. ajoute : « et qui jurent », dittographie.
*d)* « Milkom » mss grecs, syr. et Vulg.; « leur roi » hébr. – Avec les survivances cananéennes, v. 4, Sophonie dénonce le culte astral d'Assur, puis le culte des dieux voisins (Milkom, dieu ammonite) mêlé au culte de Yahvé.
*e)* Ce v. s'ouvre par un appel liturgique. Il présente le Jour de Yahvé comme un sacrifice (Is **34** 6; Jr **46** 10; Ez **39** 17), dont les victimes seront les Judéens. Les invités sont « consacrés » pour l'immolation, comme en Jr **12** 3.
*f)* Ces gens de cour, asservis à l'Assyrie, exercent la régence pendant la minorité de Josias. « Ceux qui montent au Degré » (sans doute ici l'estrade du trône), v. 9, sont les personnages qui approchent le roi.
*g)* La « visite » de Yahvé est toute intervention spéciale, favorable ou défavorable; ici pour le châtiment.

des hauteurs, un grand fracas!
11 Hurlez, habitants du Mortier,
car tout le peuple de Canaan est anéanti,
tous les peseurs d'argent sont retranchés [a].

**Contre les incrédules.**

12 En ce temps-là,
je fouillerai Jérusalem aux flambeaux,
je visiterai les hommes
Jr **48** 1 qui croupissent sur leur lie [b],
ceux qui disent dans leur cœur :
Jr **5** 12+ « Yahvé ne peut faire
Ps **10** 4; **14** 1 ni bien ni mal. »
13 Alors, leur richesse sera livrée au pillage,
leurs maisons à la dévastation;
Dt **28** 30-33+ ils ont bâti des maisons et ne les habiteront pas;
Mi **6** 15 ils ont planté des vignes et n'en boiront pas le vin.

Am **5** 18+ **Le Jour de Yahvé [c].**

14 Il est proche, le jour de Yahvé, formidable!
Il est proche, il vient en toute hâte!
O clameur amère du jour de Yahvé :
Is **42** 13 c'est maintenant un preux qui pousse le cri de
Nb **10** 35 guerre [d]!
15 Jour de fureur, ce jour-là!
jour de détresse et de tribulation,
jour de désolation et de dévastation,
|| Jl **2** 2 jour d'obscurité et de sombres nuages,
jour de nuées et de ténèbres,
Jl **2** 1+ 16 jour de sonneries de cor et de cris de guerre
contre les villes fortes
et les hautes tours d'angle.
17 Je livrerai les hommes à la détresse
et ils iront comme des aveugles
(parce qu'ils ont péché contre Yahvé);
leur sang sera répandu comme de la poussière,
leurs cadavres jetés comme des ordures. Jr **9** 21
18 Ni leur argent, ni leur or Ez **7** 19
ne pourront les sauver.

Au jour de la colère de Yahvé,
au feu de sa jalousie, Dt **4** 24+
toute la terre sera dévorée.
Car il va détruire, oui, exterminer
tous les habitants de la terre.

**Conclusion : appel à la conversion [e].**

**2** 1 Amoncelez-vous, amoncelez-vous [f],
ô nation sans honte,
2 avant que vous ne soyez chassés
comme la bale qui disparaît en un jour [g], Os **13** 3
avant que ne vienne sur vous
l'ardente colère de Yahvé
(avant que ne vienne sur vous
le jour de la colère de Yahvé).
3 Cherchez Yahvé, Am **5** 4+
vous tous les humbles de la terre [h],
qui accomplissez ses ordonnances.
Cherchez la justice,
cherchez l'humilité : Is **57** 15
peut-être serez-vous à l'abri
au jour de la colère de Yahvé.

*a)* Le « Mortier » (« la cuvette ») est un quartier de Jérusalem (centre? sud?) – « Cananéen » désigne souvent les marchands, cf. Os **12** 8; Is **23** 8; Pr **31** 24, etc.
*b)* Litt. « s'épaississent », comme du vin qui n'est pas soutiré.
*c)* Comme chez Amos, **5** 18-20, et Isaïe, **2** 6-22, le « Jour » est une manifestation redoutable de la puissance de Yahvé; Dieu paraît en guerrier, cf. Ex **15** 3; 2 S **5** 24; Ps **18** 8-15, etc., mais c'est contre son peuple pécheur qu'il tourne ses armes. Ce poème a inspiré Joël, **2** 1-11, et l'auteur médiéval du *Dies irae*.
*d)* Ou bien : « le brave lui-même pousse des cris d'effroi ».
*e)* La menace du Jour de Yahvé laisse subsister l'espoir de la conversion. Le salut est promis aux « humbles » (ou « pauvres »), v. 3.
*f)* Verbe rare, diversement interprété : « Rassemblez-vous », « Rentrez en vous-mêmes », « Courbez-vous ». La ressemblance avec le mot signifiant « brin de paille » invite à voir ici l'image de l'entassement de la paille sur l'aire, pour le battage, cf. v. 2.
*g)* « vous ne soyez chassés » *lo' tiddahqû* conj.; « la naissance du décret » *ledet hoq* hébr. – « la bale » grec; « la fleur » hébr.
*h)* « humbles » ou « pauvres », en hébreu *'anawîm*. Les pauvres tiennent une grande place dans la Bible. Si la littérature de sagesse considère parfois la pauvreté, *rêsh*, comme la conséquence de la paresse, Pr **10** 4 (mais cf. Pr **14** 21; **18** 12), les prophètes savent que les pauvres sont avant tout les opprimés, *'aniyyîm*; ils réclament justice pour les faibles et les petits, *dallîm*, et les indigents, *'ebyônîm,* Am **2** 6s; Is **10** 2; cf. Jb **34** 28s; Si **4** 1s; Jc **2** 2s. Le Deutéronome, à la suite d'Ex **22** 20-26; **23** 6, leur fait écho par sa législation humanitaire, Dt **24** 10s. Avec Sophonie, le vocabulaire de pauvreté prend une coloration morale et eschatologique, **3** 11s; cf. Is **49** 13; **57** 14-21; **66** 2; Ps **22** 27; **34** 3s; **37** 11s; **69** 34; **74** 19; **149** 4; voir aussi Mt **5** 3+; Lc **1** 52; **6** 20; **7** 22. Les *'anawîm* sont en somme les Israélites soumis à la volonté divine. A l'époque des Septante, le terme *'anaw* (ou *'anî*) exprime de plus en plus une idée d'altruisme, Za **9** 9; cf. Si **1** 27. C'est aux « pauvres » que sera envoyé le Messie, Is **61** 1; cf. **11** 4; Ps **72** 12s; Lc **4** 18. Lui-même sera humble et doux, Za **9** 9; cf. Mt **11** 29; **21** 5, et sera même opprimé, Is **53** 4; Ps **22** 25.

# II. Contre les nations

Jos **13** 2+ **Ennemi à l'occident : les Philistins** [a].
Am **1** 6-8
Is **14** 28-32
Jr **47** 4 Oui, Gaza va être abandonnée,
Ez **25** 15-17 Ashqelôn sera une solitude.
Ashdod, en plein midi on la chassera;
Éqrôn sera déracinée.
5 Malheur aux habitants de la ligue de la mer,
Am **9** 7 à la nation des Kérétiens!
Dt **2** 23 Voici la parole de Yahvé contre vous :
Jr **47** 4 « Canaan, terre des Philistins,
je vais te faire périr faute d'habitants! »
6 La ligue de la mer sera réduite en pâtures,
en pacages pour les bergers
et en enclos pour les moutons.
7 Et la ligue appartiendra
au reste de la maison de Juda;
ils y mèneront paître;
le soir, ils se reposeront au milieu des maisons d'Ashqelôn;
car Yahvé leur Dieu les visitera
et il accomplira leur restauration.

Nb **22** 36+ **Ennemis à l'orient : Moab et Ammon.**
Dt **2** 19+
Am **1** 13 - **2** 3
Is **15-16** 8 J'ai entendu l'insulte de Moab
Jr **48** 1 - **49** 6 et les sarcasmes des fils d'Ammon,
Ez **25** 1-11 lorsqu'ils insultaient mon peuple
et se glorifiaient de leur territoire.
9 C'est pourquoi, par ma vie! – oracle de Yahvé Sabaot,
Dieu d'Israël :
Gn **19** 1+ « Moab deviendra comme Sodome
et les fils d'Ammon comme Gomorrhe [b] :
un domaine de chardons, un monceau de sel,
une solitude à jamais.
Is **14** 2 Le reste de mon peuple les pillera,
Za **2** 13 ce qui subsistera de ma nation en recevra l'héritage. »
10 Ce sera le prix de leur orgueil,
puisqu'ils ont proféré des insultes et des paroles hautaines
contre le peuple de Yahvé Sabaot.
11 Terrible sera Yahvé pour eux.
Quand il aura supprimé tous les dieux de la terre,
elles se prosterneront devant lui,
chacune sur son propre sol,
toutes les îles des nations [c].

**Ennemi au sud : l'Éthiopie** [d]. Is **18-20**
12 Vous aussi, Éthiopiens : Jr **46**
« Ils seront transpercés de mon épée. » Ez **29-32**

**Ennemi au nord : Assur** [e].

13 Il lèvera la main contre le Nord
et réduira Assur en ruines;
il fera de Ninive une solitude,
terre aride comme le désert.
14 Au milieu d'elle se reposeront les troupeaux;
toutes sortes de bêtes :
même le choucas, même le hérisson
gîteront la nuit parmi ses sculptures;
le hibou poussera son cri à la fenêtre
et le corbeau sur le seuil,
car le cèdre a été arraché [f].
15 C'est la cité joyeuse
qui trônait avec assurance,
celle qui disait en son cœur :
« Moi, sans égale! » || Is **47** 8. 10
Comment est-elle devenue un objet de stupeur,
un repaire pour les bêtes?
Quiconque passe auprès d'elle
siffle et agite la main. Jr **18** 16; **19** 8; **49** 17

*a)* Sophonie énumère (sauf Gat, peut-être déjà ruinée) les cités philistines confédérées, la « ligue de la mer ». Reprenant le procédé de Is **10** 29-31 et de Mi **1** 10-15, il tire, par des jeux de mots, du nom de Gaza et d'Éqrôn des présages de malheur.
*b)* D'après Gn **19** 30-38, Ammon et Moab sont issus de Lot, échappé de Sodome.
*c)* Cette promesse de conversion des « îles », qui dépasse Moab et Ammon, est sans doute une addition qui semble dépendre d'Is **41** 1, 5; **42** 4, 10, 12; **49** 1; **51** 5.
*d)* L'Éthiopie désigne ici l'Égypte, sur laquelle ont régné des pharaons éthiopiens peu de temps avant Sophonie (de 715 à 663 : XXVe dynastie). L'oracle paraît incomplet.
*e)* L'ennemi par excellence, qui écrasait Juda depuis près d'un siècle.
*f)* « le hibou » *kôs* conj.; « une voix » *qôl* hébr. – « le corbeau » grec; « la ruine » hébr. – « le cèdre a été arraché » conj.; « il a arraché le cèdre » hébr.

# III. Contre Jérusalem

### Contre les dirigeants de la nation.

**3** 1 Malheur à la rebelle, la souillée,
à la ville tyrannique!
2 Elle n'a pas écouté l'appel,
Am 4 6s elle n'a pas accepté la leçon;
à Yahvé, elle ne s'est pas confiée,
de son Dieu, elle ne s'est pas approchée.
Ez 22 25-26 3 Ses princes au milieu d'elle
sont des lions rugissants;
ses juges, des loups de la steppe
qui ne gardent rien pour le matin;
4 ses prophètes sont des vantards,
des imposteurs;
ses prêtres profanent les choses saintes,
ils violent la Loi.

Dt 32 4 5 Au milieu d'elle, Yahvé est juste;
il ne commet rien d'inique;
Ps 101 8+ matin après matin, il promulgue son droit,
à l'aube il ne fait pas défaut.
(Mais l'inique ne connaît pas la honte).

### La leçon des nations.

6 J'ai retranché les nations,
leurs tours d'angle ont été détruites;
j'ai rendu leurs rues désertes :
plus de passants!
leurs cités ont été saccagées :
plus d'hommes, plus d'habitants!
7 Je disais : « Au moins tu me craindras.
tu accepteras la leçon; Am 4 6s
à ses yeux [a] ne peuvent s'effacer
tant de venues dont je l'ai visitée. »
Mais non! ils se sont hâtés de pervertir
toutes leurs actions!

8 C'est pourquoi, attendez-moi – oracle de Yahvé -
au jour où je me lèverai en accusateur;
car j'ai décrété de réunir les nations,
de rassembler les royaumes,
pour déverser sur vous ma fureur,
toute l'ardeur de ma colère.
(Car du feu de ma jalousie
toute la terre sera dévorée [b].)

# IV. Les promesses

### Conversion des peuples.

9 Oui, je ferai alors aux peuples
des lèvres pures,
Ml 1 11 pour qu'ils puissent tous invoquer le nom de
Yahvé
et le servir sous un même joug [c].
Is 18 7 10 De l'autre rive des fleuves d'Éthiopie, mes suppliants
m'apporteront mon offrande [d].

### 2 3+ L'humble Reste d'Israël [e].

11 Ce jour-là
tu n'auras plus honte de tous les méfaits
que tu as commis contre moi,
car j'écarterai de ton sein
tes orgueilleux triomphants;
et tu cesseras de te pavaner
sur ma montagne sainte.
12 Je ne laisserai subsister en ton sein
qu'un peuple humble et modeste,
et c'est dans le nom de Yahvé que cherchera
refuge
13 le reste d'Israël.
Ils ne commettront plus d'iniquité,
ils ne diront plus de mensonge; Is 53 9
on ne trouvera plus dans leur bouche ↗ Ap 14
de langue trompeuse.
Mais ils pourront paître et se reposer
sans que personne les inquiète.

*a)* « à ses yeux » grec, syr.; « sa demeure » hébr.
*b)* « en accusateur » grec, syr.; « pour le pillage » (ou « pour toujours ») hébr. – « sur vous » conj.; « sur eux » hébr. – Le texte primitif devait conclure les vv. 6-7 en annonçant le châtiment de Juda devant les païens, comme Am **3** 9-11. Remanié, le texte hébreu actuel annonce le châtiment des nations. La fin du v. 8 semble une reprise de **1** 18 pour introduire les vv. 9-20.
*c)* Ainsi grec et syr.; hébr. litt. : « d'une seule épaule ».
*d)* Après « mes suppliants » hébr. ajoute « ma dispersion ». – Cette promesse de conversion des Éthiopiens, cf. Is **18** 7; **19** 18-25; **45** 14, n'est probablement pas authentique; tout comme celle de **2** 11, elle pourrait être postexilique; la glose de l'hébr. la transforme en promesse aux Juifs dispersés.
*e)* Cet oracle annonce la réalisation de l'idéal proposé en **2** 3, et donne l'une des plus parfaites descriptions de l'« esprit de pauvreté » dans l'AT.

**Psaumes d'allégresse à Sion [a].**

Is 12 6; 54 1 [14] Pousse des cris de joie, fille de Sion!
Za 2 14 une clameur d'allégresse, Israël!
Réjouis-toi, triomphe de tout ton cœur,
fille de Jérusalem!
Is 40 2 [15] Yahvé a levé la sentence qui pesait sur toi;
il a détourné ton ennemi.
Yahvé est roi d'Israël au milieu de toi.
Tu n'as plus de malheur à craindre.

[16] Ce jour-là, on dira à Jérusalem :
Sois sans crainte, Sion!
que tes mains ne défaillent pas!
[17] Yahvé ton Dieu est au milieu de toi,
héros sauveur!
Jr 32 41 Il exultera pour toi de joie,
Is 62 5 il te renouvellera [b] par son amour;
il dansera pour toi avec des cris de joie,
Lm 2 6 [18] comme aux jours de fête [c].

**Le Retour des dispersés [d].**

J'ai écarté de toi le malheur,
pour que tu ne portes plus l'opprobre [e].
[19] Me voici à l'œuvre
avec tous tes oppresseurs.
En ce temps-là, je sauverai les éclopées,
je rallierai les égarées,
et je leur attirerai louange et renommée
par toute la terre,
quand j'accomplirai leur restauration [f].

[20] En ce temps-là, je vous guiderai,
au temps où je vous rassemblerai; Mi 4 6
alors je vous donnerai louange et renommée
parmi tous les peuples de la terre,
quand j'accomplirai votre restauration sous vos yeux,
dit Yahvé.

*a)* Ces deux psaumes, ou du moins le second, ont été ajoutés pour former la conclusion du recueil.
*b)* « il te renouvellera grec, syr.; « il se taira » hébr.
*c)* « comme aux jours de fête » grec, syr.; « affligés hors de la fête » hébr.
*d)* Le v. 20 est une variante du v. 19; celui-ci dépend de Mi **4** 6. Ces oracles datent probablement de l'Exil.
*e)* « le malheur » *hawwah* conj.; « ils furent » *hayû* hébr. – « pour que tu ne portes plus » d'après grec, syr., Targ.; « fardeau sur elle » hébr.
*f)* « quand j'accomplirai leur restauration » (ou « quand je ramènerai leurs captifs » *beshûb 'et shebûtêhem* conj., cf. v. 20; « leur honte » *boshetam* hébr.

# AGGÉE

**La reconstruction du Temple.**

**1** 1 La deuxième année du roi Darius, le sixième
mois, le premier jour du mois [a], la parole de
Yahvé fut adressée par le ministère du prophète
Za 4 6-10 Aggée à Zorobabel, fils de Shéaltiel, gouverneur de
Za 3 1-9 Juda, et à Josué, fils de Yehoçadaq, le grand prêtre,
en ces termes : 2 Ainsi parle Yahvé Sabaot. Ce peuple dit : « Il n'est pas encore arrivé [b], le moment de
rebâtir le Temple de Yahvé! » 3 (Et la parole de
Yahvé fut adressée par le ministère du prophète en
ces termes :) 4 Est-ce donc pour vous le moment de
2 S 7 2 rester dans vos maisons lambrissées, quand cette
Maison-là est dévastée? 5 Maintenant donc, ainsi
parle Yahvé Sabaot. Réfléchissez en votre cœur au
chemin que vous avez pris! 6 Vous avez semé beau-
Os 4 3+ coup mais peu engrangé; vous avez mangé, mais
pas à votre faim; vous avez bu, mais pas votre
saoul; vous vous êtes vêtus, mais non réchauffés.
Le salarié a gagné son salaire pour le mettre dans
une bourse percée! 7 Ainsi parle Yahvé Sabaot.
Réfléchissez en votre cœur au chemin que vous
avez pris [c]! 8 Montez à la montagne [d], rapportez du
bois et réédifiez la Maison; j'y mettrai ma complaisance et j'y manifesterai ma gloire – dit Yahvé.
9 Vous attendiez l'abondance et ce fut maigre.
Quand vous avez engrangé, j'ai soufflé dessus.
Pourquoi donc? Oracle de Yahvé Sabaot. A cause
de ma Maison qui est détruite, tandis que vous
vous empressez chacun pour votre maison. 10 C'est
26 19-20 pourquoi les cieux ont retenu la pluie [e] et la terre
a retenu ses produits. 11 J'ai appelé la sécheresse
sur la terre, sur les montagnes, sur le blé, sur le vin
nouveau, sur l'huile fraîche et sur tout ce que produit le sol, sur les hommes et sur le bétail, et sur
tout le labeur de vos mains.
12 Or Zorobabel, fils de Shéaltiel, Josué, fils de
Yehoçadaq, le grand prêtre, et tout le reste du peuple [f] écoutèrent la voix de Yahvé leur Dieu et les
paroles du prophète Aggée, selon la mission dont
Yahvé leur Dieu l'avait chargé. Et le peuple
éprouva de la crainte devant Yahvé. 13 Aggée, le
messager de Yahvé, parla en ces termes au peuple,
selon le message de Yahvé : « Je suis avec vous,
oracle de Yahvé. » 14 Et Yahvé excita l'esprit de Esd 1 5
Zorobabel, fils de Shéaltiel, gouverneur de Juda,
l'esprit de Josué, fils de Yehoçadaq, le grand prêtre,
et l'esprit de tout le reste du peuple : ils vinrent et
se mirent à l'ouvrage dans le Temple de Yahvé
Sabaot leur Dieu. 15 C'était le vingt-quatrième jour
du sixième mois.

**La gloire du Temple.**

La deuxième année du roi Darius,
**2** 1 au septième mois, le vingt et unième jour du
mois [g], la parole de Yahvé fut adressée par le
ministère du prophète Aggée en ces termes : 2 Parle
donc ainsi à Zorobabel, fils de Shéaltiel, gouverneur de Juda, à Josué, fils de Yehoçadaq, le grand
prêtre, et au reste du peuple. 3 Quel est parmi vous
le survivant qui a vu ce Temple dans sa gloire pas- Esd 3 10-13
sée? Et comment le voyez-vous maintenant? A vos
yeux, n'est-il pas pareil à un rien? 4 Mais à présent,
courage, Zorobabel! oracle de Yahvé. Courage,

*a)* Août 520.
*b)* « Il n'est pas encore arrivé » versions; hébr. corrompu.
*c)* Ce v. ne semble pas à sa place ici. Les vv. 1-11 pourraient réunir deux ensembles distincts, tous deux authentiques : vv. 1-6, 8 et vv. 7, 9-11.
*d)* Sans doute la montagne de Juda.
*e)* « la pluie » Targ.; « la rosée » hébr., qui ajoute « sur vous ».
*f)* L'expression « reste du peuple » désigne chez Aggée et Zacharie le peuple fidèle, groupé autour de Jérusalem, cf. Is **4** 3+.
*g)* Octobre 520, au dernier jour de la fête des Tentes.

Josué, fils de Yehoçadaq, grand prêtre! Courage,
tout le peuple du pays! oracle de Yahvé. Au travail! Car je suis avec vous – oracle de Yahvé
Sabaot – 5 [a] et mon Esprit demeure au milieu de
vous. Ne craignez pas! 6 Car ainsi parle Yahvé
↗ He 12 26 Sabaot. Encore un très court délai et j'ébranlerai le
ciel et la terre, la mer et le sol ferme [b]. 7 J'ébranlerai
Is 60 7-11 toute les nations, alors afflueront les trésors de toutes les nations [c] et j'emplirai de gloire ce Temple,
dit Yahvé Sabaot. 8 A moi l'argent! à moi l'or! oracle de Yahvé Sabaot. 9 La gloire à venir de ce Temple dépassera l'ancienne, dit Yahvé Sabaot, et dans
ce lieu je donnerai la paix, oracle de Yahvé
Sabaot [d].

**Consultation auprès des prêtres.**

10 Le vingt-quatrième jour du neuvième mois, la
deuxième année de Darius [e], la parole de Yahvé fut
adressée au prophète Aggée en ces termes : 11 Ainsi
parle Yahvé Sabaot. Demande donc aux prêtres
une décision, en ces termes : 12 « Si quelqu'un porte
de la viande sacrifiée dans le pan de son vêtement
et touche avec son vêtement du pain, un mets, du
vin, de l'huile et toute sorte d'aliment, cela deviendra-t-il saint? » Les prêtres répondirent et dirent :
« Non! » 13 Et Aggée dit : « Si quelqu'un, rendu
Lv 22 4-7 impur par un cadavre, touche à tout cela, cela
deviendra-t-il impur? » Les prêtres répondirent et
dirent : « Cela deviendra impur [f]! » 14 Alors Aggée
prit la parole en ces termes : « Ainsi en est-il de ce
peuple! Ainsi de cette nation devant ma face! oracle de Yahvé. Ainsi en est-il de tout le travail de
leurs mains [g], et ce qu'ils offrent ici est impur [h] ».

**Promesse de prospérité agricole [i].**

15 Et maintenant réfléchissez bien en votre cœur,
à partir d'aujourd'hui et pour l'avenir. Avant qu'on
plaçât pierre sur pierre dans le sanctuaire de
Yahvé, 16 quelle était votre condition [j]? On venait
à un tas de vingt mesures, mais il n'y en avait que Os 4 3+
dix; on venait à une cuve puiser cinquante mesures,
mais il n'y en avait que vingt. 17 J'ai frappé [k] par
la rouille, la nielle et la grêle tout le travail de vos
mains, et vous n'êtes pas revenus à moi, oracle de
Yahvé! 18 Réfléchissez donc en votre cœur, à partir
d'aujourd'hui et pour l'avenir, (depuis le vingt-quatrième jour du neuvième mois, depuis le jour où
l'on posa la fondation du sanctuaire de Yahvé,
considérez attentivement) [l] 19 si le grain manque
encore au grenier et si encore vigne, figuier, grenadier et olivier ne produisent pas de fruit [m]! A partir
d'aujourd'hui, je bénirai!

**Promesse à Zorobabel**

20 La parole de Yahvé fut adressée une deuxième
fois à Aggée, le vingt-quatrième jour du mois, en
ces termes : 21 Parle ainsi à Zorobabel, le gouverneur de Juda. Je vais ébranler cieux et terre. 22 Je
vais renverser les trônes des royaumes et détruire
la puissance des rois [n] des nations. Je renverserai
la charrerie et ses équipages; les chevaux et leurs
cavaliers seront abattus, chacun sous l'épée de son
frère. 23 En ce jour-là – oracle de Yahvé Sabaot –
je te prendrai [o], Zorobabel, fils de Shéaltiel, mon Za 6 12-13
serviteur – oracle de Yahvé – et je ferai de toi
comme un anneau à cachet [p]. Car c'est toi que j'ai
choisi. oracle de Yahvé Sabaot.

*a)* L'hébr. insère une glose, omise par le grec : « C'est là l'alliance (en lisant *berit* au lieu de *dabar*, « parole ») que j'ai conclue avec vous à votre sortie d'Égypte. »
*b)* Aux yeux d'Aggée, Dieu seul mène l'histoire. Au moment où le prophète annonce la catastrophe, cf. Am 5 18+; 8 9+, qui doit inaugurer l'ère nouvelle, le monde est en paix sous le règne de Darius. L'ébranlement mondial tout proche et la reconstruction du Temple seront les préludes de l'ère messianique.
*c)* « trésors », litt. « ce qui est précieux », « ce qu'on désire » (singulier à sens collectif). La Vulg. a vu ici une allusion au Messie et a traduit : « Et veniet Desideratus cunctis gentibus ».
*d)* Le Temple, cf. 2 S 7 13+, est devenu, avec Ézéchiel, un thème messianique central. En fait, c'est dans ce second Temple, restauré par Hérode, que le Christ paraîtra. – Grec ajoute : « et la paix de l'âme, pour préserver tous ceux qui auront posé les fondations pour ériger ce Temple ».
*e)* Décembre 520.
*f)* L'« impureté » semble plus contagieuse que la « sainteté » : le point de vue est rituel.
*g)* C'est-à-dire les récoltes, cf. Dt 24 10; 28 12; 30 9.
*h)* Le culte continuait sur l'emplacement du Temple, où l'autel des holocaustes avait été rétabli dès 538. Aggée tire la leçon de la décision donnée au v. 13. Le peuple est impur, et impures ses offrandes sacrificielles. Cette admonestation, dont la dureté contraste avec 2 1-9, vise peut-être les Samaritains, cf. Esd 4 1-5.– Le grec ajoute : « en raison de leurs profits précoces, ils souffriront de leurs labeurs, et vous haïssiez aux portes de ceux qui blâmaient. »
*i)* Ce morceau, qui complète 1 1-15, doit peut-être se lire après 1 15ª.
*j)* « quelle était votre condition » grec; « de votre être » hébr. – « on verrait » conj.; « il verrait » hébr. – Après « cinquante mesures », hébr. ajoute « pressoir », glose sur « cuve », absente du grec.
*k)* « j'ai frappé » conj.; « je vous ai frappés » hébr. (cf. Am 4 6).
*l)* Glose en partie inexacte, cf. 1 15+.
*m)* « manque » conj.; omis par l'hébr. – « et si encore » grec; « et jusqu'à » hébr. – « des fruits » grec; omis par hébr.
*n)* « rois » grec; « royaumes » hébr.
*o)* L'expression implique un choix divin pour une mission important à l'histoire du salut. Ainsi Yahvé a pris Abraham, Jos 24 3, les Lévites, Nb 3 12, David, 2 S 7 8. Zorobabel, successeur de David, renoue avec le vieux messianisme royal, cf. 2 S 7 1+; Is 7 14+, et cristallise autour de sa personne l'attente de la Loi. Cf. Za 6 12.
*p)* L'anneau à cachet, qui servait à signer les lettres et documents, 1 R 21 8, était gardé précieusement, au cou, Gn 38 18, ou au doigt, Jr 22 24.

# ZACHARIE

## *Première partie*

### Exhortation à la conversion.

**1** 1 La deuxième année de Darius, au huitième
mois [a], la parole de Yahvé fut adressée au prophète Zacharie, (fils de Bérékya) [b], fils de Iddo, en
ces termes : 2 Yahvé s'est grandement irrité contre
vos pères. 3 Tu leur diras : Ainsi parle Yahvé
|| Ml 3 7 Sabaot. Revenez à moi – oracle de Yahvé Sabaot
– et je reviendrai vers vous, dit Yahvé Sabaot. 4 Ne
soyez pas comme vos pères à qui les prophètes du
passé lancèrent cet appel : Ainsi parle Yahvé
Is 55 7 Sabaot. Revenez donc de vos voies mauvaises et de
Lc 15 20 vos actions mauvaises. Mais eux n'écoutèrent pas
et ne me prêtèrent pas attention – oracle de Yahvé.
5 Vos pères, où sont-ils? Et les prophètes, sont-ils
toujours en vie? 6 Mais mes ordres et mes décrets,
7 7-14 ceux que j'avais donnés à mes serviteurs les prophètes, n'ont-ils pas atteint vos pères [c]? Alors ils se
sont convertis et ont dit : « Yahvé Sabaot nous a
traités comme il avait résolu de le faire, selon nos
voies et nos actions. »

### 6 1-7 Première vision : les cavaliers.

Ap 6 1-9 7 Le vingt-quatrième jour du onzième mois (le
mois de Shebat), la deuxième année de Darius [d],
la parole de Yahvé fut adressée au prophète Zacharie, (fils de Bérékya), fils de Iddo, en ces termes.
8 J'eus une vision pendant la nuit. Voici : Un
homme montant un cheval roux se tenait parmi les
myrtes qui ont leurs racines dans la profondeur;
derrière lui, des chevaux roux, alezans, et blancs [e].
9 Je dis : « Qui sont ceux-là, mon Seigneur? » Et
l'ange qui me parlait me dit : « Je te ferai voir qui
ils sont. » 10 L'homme qui se tenait parmi les myrtes répondit : « Ce sont ceux que Yahvé a envoyés ↗ Ap 5 6
parcourir la terre. » 11 Or ils s'adressèrent à l'ange
de Yahvé [f] qui se tenait parmi les myrtes, et ils
dirent : « Nous venons de parcourir la terre, et voici
que toute la terre est en repos et tranquillité [g]. »
12 Alors l'ange de Yahvé prit la parole et dit :
« Yahvé Sabaot, jusques à quand tarderas-tu à Ap 6 10
prendre en pitié Jérusalem et les villes de Juda auxquelles tu as fait sentir ta colère depuis soixante-dix
ans? » 13 A l'ange qui me parlait, Yahvé répondit
par des paroles de bonté, des paroles de consolation. 14 Alors l'ange qui me parlait me dit : « Fais
cette proclamation : Ainsi parle Yahvé Sabaot.
J'éprouve un amour très jaloux pour Jérusalem et 8 2
pour Sion, 15 mais une très grande irritation contre Is 47 6
les nations tranquilles [h]; car moi, je n'étais que peu
irrité, mais elles, elles ont concouru au mal.
16 C'est pourquoi, ainsi parle Yahvé : Je me tourne
de nouveau vers Jérusalem avec compassion; mon Is 54 6-10
Temple y sera rebâti – oracle de Yahvé Sabaot –
et le cordeau sera tendu sur Jérusalem. 17 Fais 2 5-9
encore cette proclamation : Ainsi parle Yahvé
Sabaot. Mes villes abonderont encore de biens.
Yahvé consolera encore Sion, il fera encore choix
de Jérusalem. » 13 9; 2 15

*a)* Octobre-novembre 520, deux mois après la première prophétie d'Aggée.
*b)* Glose d'après Is **8** 2. D'après Esd **5** 1; **6** 14; Ne **12** 16, Zacharie est fils de Iddo.
*c)* L'homme est mortel, mais la parole de Dieu (personnifiée comme en Ps **147** 15; Is **55** 11; Sg **18** 14-15) demeure. Cf. Is **40** 7-8.
*d)* Mi-février 519.
*e)* La vision utilise, dans une perspective monothéiste, des éléments qui semblent d'origine mythologique. Les myrtes semblent ici enracinés dans la profondeur de l'abîme. L'homme debout est l'ange de Yahvé, v. 11. Les chevaux, désignation symbolique des anges inspecteurs du monde, forment probablement quatre groupes, cf. **6** 2s (il faut peut-être, comme le grec, ajouter « noirs » à la liste des chevaux), en relation avec les quatre points cardinaux ou les quatre vents; d'après le v. 11, ils ont des conducteurs.
*f)* L'« ange de Yahvé » n'est plus comme dans les textes anciens, cf. Gn **16** 7+, la forme visible de Yahvé, mais un personnage autonome : hommes et anges sont censés n'avoir accès à Dieu que par lui.
*g)* En février 519, l'univers est en paix sous le règne de Darius. Ce calme inquiète Israël, qui attend, cf. Ag **2** 6+, l'ébranlement annonciateur des temps nouveaux.
*h)* Il s'agit surtout des voisins de Juda.

### Deuxième vision : cornes et forgerons.

2 1 Puis je levai les yeux et j'eus une vision.
Voici : il y avait quatre cornes[a]. 2 Je dis à
Dt 33 17 l'ange qui me parlait : « Que sont ces cornes? » Il
Dn 7 8 me dit : « Ce sont les cornes qui ont dispersé Juda
(Israël) et Jérusalem[b]. » 3 Puis Yahvé me fit voir
quatre forgerons[c]. 4 Et je dis : « Que viennent faire
ceux-ci? » Il me dit : « (Celles-là sont les cornes qui
ont dispersé Juda, au point que personne n'osait
redresser la tête; mais) ceux-ci sont venus pour les
Jr 48 25 effrayer, pour abattre les cornes des nations qui élevaient la corne contre le pays de Juda afin de le disperser. »

### Troisième vision : le mesureur.

2 1 5 Puis je levai les yeux et j'eus une vision. Voici :
Jr 31 38-39 il y avait un homme, et dans sa main, un cordeau
Ez 41 13 Ap 11 1; pour mesurer. 6 Je lui dis : « Où vas-tu? » Il me dit :
21 15 « Mesurer Jérusalem, pour voir quelle est sa largeur
3 et quelle est sa longueur[d]. » 7 Et voici : l'ange qui
me parlait s'avança et un autre ange s'avança au
4 devant de lui. 8 Il lui dit : « Cours, parle à ce jeune
Jr 31 27 homme[e] et dis-lui : Jérusalem doit rester ouverte,
Is 49 19-20; 54 2-3 à cause de la quantité d'hommes et de bétail qui
5 s'y trouve. 9 Quant à moi, je serai pour elle – oracle
de Yahvé – une muraille de feu tout autour, et je
Ap 21 23; 22 3 serai sa Gloire[f].

### Deux appels aux exilés.

Is 48 20 10 Holà! Holà! Fuyez du pays du Nord
Jr 50 8; 51 6 – oracle de Yahvé –
6 5 car aux quatre vents des cieux je vous ai dispersés, oracle de Yahvé!
7 11 Holà! Sion[g], sauve-toi,
toi qui habites chez la fille de Babylone.
8 12 Car ainsi parle Yahvé Sabaot,
après que la Gloire m'eut envoyé,
à propos des nations qui vous dépouillèrent :
Dt 32 10 « Qui vous touche, touche à la prunelle de mon
Ps 17 8 œil[h].
9 13 Voici que je lève la main sur elles,
pour qu'elles soient le butin de leurs esclaves. » Is 14 2
Alors vous saurez que Yahvé Sabaot m'a So 2 9
envoyé!
14 Chante, réjouis-toi, fille de Sion, So 3 14
car voici que je viens
pour demeurer au milieu de toi,
oracle de Yahvé!
15 Des nations nombreuses s'attacheront Is 45 22
à Yahvé, en ce jour-là :
elles seront pour lui un peuple[i].
Elles habiteront au milieu de toi
et tu sauras que Yahvé Sabaot m'a envoyé vers
toi.
16 Mais Yahvé possédera Juda 1 17
comme sa part sur la Terre Sainte[j]
et choisira encore Jérusalem.
17 Silence! toute chair, devant Yahvé, So 1 7
car il se réveille en sa sainte Demeure. Ha 2 20

### Quatrième vision : la vêture de Josué.

3 1 Il[k] me fit voir Josué, le grand prêtre, qui se
tenait devant l'ange de Yahvé, tandis que le
Satan était debout à sa droite pour l'accuser[l]. Jb 1 6+
2 L'ange de Yahvé[m] dit au Satan : « Que Yahvé te
réprime, Satan; que Yahvé te réprime, lui qui a fait ↗ Jude 9
choix de Jérusalem. Celui-ci n'est-il pas un tison Am 4 11
tiré du feu[n]? » 3 Or Josué était vêtu d'habits sales[o]
lorsqu'il se tenait devant l'ange. 4a Prenant la
parole, celui-ci parla en ces termes à ceux qui se
tenaient devant lui : « Enlevez-lui ses habits sales
4c et revêtez-le[p] d'habits somptueux; 5 mettez sur Ap 19 8
sa tête une tiare propre. On mit sur sa tête une tiare Lc 15 22
propre et on le revêtit d'habits propres[q]. L'ange de
Yahvé se tenait debout 4b et lui dit : « Vois, j'ai
enlevé de dessus toi ton iniquité. » 6 Puis l'ange de Is 6 7
Yahvé fit cette déclaration à Josué : 7 « Ainsi parle Jr 31 34
Yahvé Sabaot. Si tu marches dans mes voies et gar- Ez 36 33
des mes observances, tu gouverneras ma maison, tu
garderas mes parvis et je te donnerai accès parmi Ml 2 7
ceux qui se tiennent ici[r]. 9a Car voici la pierre que

*a)* Les cornes, symboles de puissance, Ps **75** 5+, sont les nations ennemies de Juda. Le nombre 4 signifie leur universalité.
*b)* « Israël » semble être une addition, cf. v. 4.
*c)* Symboles de puissances angéliques.
*d)* Comme en Ez **41** 13, la mesure est faite en vue d'une restauration. Le mesureur est un ange.
*e)* L'ange mesureur.
*f)* La Jérusalem messianique sera défendue par Yahvé lui-même, revenu dans son Temple, cf. Ez **43** 1s.
*g)* Sion désigne les exilés, comme en Is **51** 16.
*h)* L'hébr. porte « son œil », mais c'est une correction de scribe pour éliminer l'anthropomorphisme du texte primitif que restitue la traduction.
*i)* « pour lui » grec; « pour moi » hébr. – « Elles habiteront » grec; « J'habiterai » hébr. – L'alliance est ici étendue à tous les peuples : Jérusalem sera la métropole religieuse de l'univers, cf. Is **45** 14+.
*j)* L'expression apparaît ici pour la première fois dans la littérature biblique, cf. 2 M **1** 7.
*k)* Yahvé.
*l)* A l'entrée du ciel, l'ange de Yahvé préside une cour de justice. A la droite du grand prêtre Josué, se tient un ange malfaisant, « le Satan » (« l'Accusateur »), ennemi de l'homme, cf. Jb **1** 6+.
*m)* « l'ange de Yahvé » syr.; « Yahvé » hébr.
*n)* Josué représente le peuple juif.
*o)* Signe de deuil, soit pour un mort, soit à l'occasion d'une catastrophe nationale : le deuil implique alors la reconnaissance d'un péché, cf. v. 4b.
*p)* « revêtez-le » grec; « je te revêtirai » hébr. – Tout ce passage est troublé; on restitue l'ordre logique.
*q)* Au début du v. on omet avec grec « et je te dis ». – « mettez » grec; « qu'on mette » hébr. – « d'habits propres » syr.; « d'habits » hébr. – Le deuil national qui dure depuis 587 est terminé.
*r)* Josué ne représente plus ici le peuple juif. On s'adresse à Josué lui-même, ainsi qu'au sacerdoce à venir qu'il annonce, cf.

je place devant Josué; sur cette unique pierre, il y
↗ Ap 5 6 a sept yeux; voici que je vais graver moi-même son
inscription, oracle de Yahvé Sabaot [a]. »

### La venue du « Germe ».

8 Écoute donc, Josué, grand prêtre, toi et tes
compagnons qui siègent devant toi – car ils sont
Is 8 18 des hommes de présage – : Voici que je vais intro-
Za 6 12 duire mon serviteur « Germe » [b], 9b et j'écarterai
Jr 23 5+ l'iniquité de ce pays, en un seul jour. 10 Ce jour-là
– oracle de Yahvé Sabaot – vous vous inviterez
l'un l'autre sous la vigne et sous le figuier.

### Cinquième vision : le lampadaire et les oliviers.

**4** 1 L'ange qui me parlait revint et me réveilla
comme un homme qui est tiré de son sommeil.
2 Et il me dit : « Que vois-tu? » Je répondis : « Je
Ex 25 31-40 regarde, et voici : il y a un lampadaire tout en or,
avec un réservoir à son sommet; sept lampes sont
sur le lampadaire ainsi que sept becs pour les lampes qui sont dessus [c]. 3 Près de lui sont deux oliviers, l'un à sa droite [d], l'autre à sa gauche. »
4 Prenant la parole, je dis à l'ange qui me parlait :
« Que signifient ces choses, mon Seigneur? »
5 L'ange qui me parlait me répondit : « Ne sais-tu
pas ce que signifient ces choses? » Je dis : « Non,
mon Seigneur. » 6a Alors il me répondit en ces ter-
3 9 mes [e] : 10b « Ces sept-là sont les yeux de Yahvé [f], ils
↗ Ap 5 6 vont par toute la terre. » 11 Je pris alors la parole
et lui dis : « Que signifient ces deux oliviers, à
droite du chandelier et à sa gauche? » 12 (Je repris
la parole et lui dis : « Que signifient les deux branches d'olivier qui, par les deux tuyaux d'or, dispen-
sent l'huile [g]? ») 13 Il me répondit : « Ne sais-tu pas
ce que signifient ces choses? » Je dis : « Non, mon
↗ Ap 11 4 Seigneur ». 14 Il dit : « Ce sont les deux Oints qui
Za 6 5 se tiennent devant le Seigneur de toute la terre [h]. »
Jos 3 11
Mi 4 13

### Trois paroles touchant Zorobabel.

6b Voici la parole de Yahvé touchant Zorobabel :
Ce n'est pas par la puissance, ni par la force, mais Os 1 7+
par mon Esprit – dit Yahvé Sabaot.
7 Qu'es-tu, grande montagne [i]? Devant Zorobabel, deviens une plaine! Il arrachera la pierre de
faîte, tandis qu'on criera : « Bravo, bravo pour
elle! »
8 La parole de Yahvé me fut adressée en ces termes : 9 Les mains de Zorobabel ont fondé ce Temple : ses mains l'achèveront. (Et vous saurez que
Yahvé Sabaot m'a envoyé vers vous.) 10a Car qui
donc méprisait ce jour d'événements minimes [j]? On
se réjouira en voyant la pierre choisie [k] en la main
de Zorobabel.

### Sixième vision : le livre qui vole.

**5** 1 Je levai à nouveau les yeux et j'eus une
vision. Voici : il y avait un livre qui volait.
2 L'ange qui me parlait me dit [l] : « Qu'est-ce que tu
vois? » Je répondis : « Je vois un livre qui vole; sa Ez 2 9-10
longueur est de vingt coudées, sa largeur de dix [m]. » Ap 10 9-11
3 Alors il me dit : « Ceci est la Malédiction qui se
répand sur la face de tout le pays. Car, d'après elle,
tout voleur sera chassé d'ici, et d'après elle, tout Ex 20 15
homme qui jure faussement par mon nom sera Ex 20 7
chassé d'ici [n]. 4 Je la déchaînerai [o] – oracle de
Yahvé Sabaot – pour qu'elle entre chez le voleur
et chez celui qui jure faussement par mon nom,
qu'elle s'établisse au milieu de sa maison et la
consume, avec ses poutres et ses pierres. »

### Septième vision : la femme dans le boisseau.

5 L'ange qui me parlait s'avança et me dit :
« Lève les yeux et regarde ce qu'est cette chose qui
s'avance. » 6 Et je dis : « Qu'est-elle? » Il dit :
« C'est un boisseau [p] qui s'avance. » Il ajouta :

**3** 8. Ce sacerdoce va participer à la fonction médiatrice des anges, cf. Ml **2** 7. – Le v. 8 est reporté entre 9a et 9b.

*a)* Cette pierre unique désigne sans doute le Temple. Les sept yeux symbolisent la présence vigilante de Yahvé, **4** 10. L'inscription (« consacré à Yahvé »?) n'est pas encore gravée : la construction n'est pas terminée.

*b)* Ce nom messianique, cf. Jr **23** 5+, ne semble pas encore appliqué à Zorobabel, comme en **6** 12. – Au lieu de « Germe », le grec a « Soleil levant », cf. Lc **1** 78.

*c)* « je répondis » grec et qeré; « il répondit » ketib. – « dessus » conj.; « à son sommet » hébr.

*d)* « à sa droite » conj.; « à la droite du réservoir » hébr.

*e)* Les vv. 6b-10a sont transposés après le v. 14.

*f)* Symbole de l'omniscience et de la vigilance divines.

*g)* « l'huile » conj. ; « l'or » hébr.

*h)* L'homme est souvent comparé à un arbre, Jr **11** 19; Ps **1** 3; Jb **29** 19; Ez **31**. Les deux Oints (littéralement : « fils de l'huile ») sont Josué, qui représente le pouvoir spirituel, et Zorobabel, le pouvoir temporel. Le premier a l'onction sacerdotale, Lv **4** 3, 5, 16; le second recevra, espère-t-on, l'onction royale. Ainsi s'accomplira Jr **33** 14-18 : les deux pouvoirs sont associés aux temps du salut.

*i)* Peut-être la montagne de décombres d'où l'on va extraire la vieille pierre de couronnement du Temple, cf. vv. 9-10

*j)* Celui de la re-fondation du Temple par Zorobabel, Ag **2** 3. Ce même Zorobabel achèvera le Temple en posant la pierre du v. 7.

*k)* « choisie » (litt. « séparée ») *hammabedîl* conj.; « le plomb » *habedîl* hébr. Certains voient là une désignation du fil à plomb.

*l)* « L'ange qui me parlait » conj., cf. **4** 1, 5; **5** 5; omis par hébr.

*m)* Le livre est un énorme rouleau. Ses dimensions sont celles du portique du Temple salomonien, 1 R **6** 3.

*n)* « faussement par mon nom » ajouté d'après le v. 4. – La malédiction est conçue comme efficace. Elle atteint tous les pécheurs, dont la Terre Sainte, à l'époque du salut, sera débarrassée.

*o)* « déchaînerai » grec; « déchaînai » hébr.

*p)* Litt. « un *épha* », cf. la table des mesures à la fin du volume. Mais l'*épha* n'a pas ici sa valeur ordinaire.

« C'est leur iniquité [a], dans tout le pays. » 7 Et voici
qu'un disque de plomb se souleva : et il y avait une
Femme installée à l'intérieur du boisseau. 8 Il dit :
« C'est la Malice. » Et il la repoussa à l'intérieur du
boisseau et jeta sur l'orifice la masse de plomb.
9 Levant les yeux, j'eus une vision : Voici que deux
femmes parurent. Le vent soufflait dans leurs ailes;
elles avaient des ailes comme celles d'une cigogne;
elles enlevèrent le boisseau entre terre et ciel. 10 Je
dis alors à l'ange qui me parlait : « Où celles-ci
emportent-elles le boisseau? » 11 Il me répondit :
« Elles vont lui bâtir un temple dans la terre de
Shinéar, et lui préparer un socle, où elles la
placeront [b]. »

↗ Ap 6 2-8 **Huitième vision : les chars.**

**6** 1 Je levai à nouveau les yeux et j'eus une
vision. Voici : quatre chars sortaient d'entre
les deux montagnes; et les montagnes étaient des
montagnes d'airain [c]. 2 Au premier char, il y avait
des chevaux roux; au deuxième char, des chevaux
noirs; 3 au troisième char, des chevaux blancs et au
quatrième char, des chevaux pie vigoureux.
4 Prenant la parole, je dis à l'ange qui me parlait :
« Que signifient ceux-ci, mon Seigneur? » 5 L'ange
1 8+ me répondit : « Ces quatre vents du ciel s'avancent
4 14+ après s'être tenus devant le Seigneur de toute la
terre. 6 Là où sont les chevaux noirs, ils s'avancent
vers le pays du nord; les blancs s'avancent derrière
eux, et les pie s'avancent vers le pays du midi [d]. »
7 Vigoureux, ils avançaient, impatients de parcourir
la terre. Il leur dit : « Allez parcourir la terre. » Et
ils parcoururent la terre. 8 Il m'appela et me dit :
« Vois, ceux qui s'avancent vers le pays du nord
vont faire descendre mon esprit [e] dans le pays du
nord [f]. »

**La couronne ex-voto.**

9 La parole de Yahvé me fut adressée en ces termes : 10 Fais une collecte auprès des exilés, de
Heldaï, de Tobiyya et de Yedaya, puis (tu iras, toi,
en ce jour-là) tu iras chez Yoshiyya, fils de
Çephanya, qui est arrivé de Babylone [g]. 11 Tu
prendras l'argent et l'or, tu feras une couronne et
tu la mettras sur la tête de Josué, fils de Yehoçadaq,
le grand prêtre [h]. 12 Puis tu lui parleras en ces termes : Ainsi parle Yahvé Sabaot. Voici un homme
dont le nom est Germe; là où il est, quelque chose 3 8+
va germer [i] (et il reconstruira le sanctuaire de Jr 23 5+
Yahvé). 13 C'est lui qui reconstruira le sanctuaire
de Yahvé, c'est lui qui portera les insignes royaux.
Il siégera sur son trône en dominateur, et il y aura
un prêtre à sa droite [j]. Une paix parfaite régnera
entre eux deux. 14 Quant à la couronne, elle sera 4 14+
pour Heldaï, Tobiyya, Yedaya et pour le fils de
Çephanya, en mémorial de grâce dans le sanctuaire
de Yahvé [k]. 15 Alors ceux qui sont au loin viendront
reconstruire le sanctuaire de Yahvé, et vous saurez
que Yahvé Sabaot m'a envoyé vers vous. Cela se
produira si vous écoutez parfaitement la voix de Dt 28 1
Yahvé votre Dieu.

**Question sur le jeûne.**

**7** 1 La quatrième année du roi Darius, la parole
de Yahvé fut adressée à Zacharie, le quatrième jour du neuvième mois, le mois de Kisleu [l].
2 Béthel envoya Sareéçer [m] avec ses gens pour
implorer la face de Yahvé 3 et dire aux prêtres de
Yahvé Sabaot ainsi qu'aux prophètes : « Dois-je
pleurer au cinquième mois en faisant des absti-
nences comme j'ai fait déjà tant d'années [n]? »

**Retour sur le passé national [o].**

4 Alors la parole de Yahvé Sabaot me fut adressée en ces termes : 5 Dis à tout le peuple du pays
et aux prêtres : « Quand vous avez jeûné et gémi
aux cinquième et septième mois, depuis déjà
soixante-dix ans, est-ce pour l'amour de moi que Am 5 21+

*a)* « leur iniquité » grec; « leurs yeux » hébr.

*b)* « et lui préparer... placeront » d'après le grec; « et il sera prêt, et elle sera placée là sur son socle » hébr. – La Terre Sainte, à l'époque du salut, sera débarrassée de la Malice (le mépris de Dieu personnifié). La Malice devient une fausse divinité à qui un temple est élevé à Shinéar (Babylone), centre symbolique du monde païen.

*c)* Dans la mythologie babylonienne, ces montagnes marquaient l'entrée du séjour des dieux. C'est ici une simple image.

*d)* Il serait tentant de lire « vers le pays d'occident » au lieu de « derrière eux », et d'ajouter « les chevaux roux s'avancent vers le pays d'orient » pour retrouver la direction des « quatre vents du ciel », mais aucun témoin n'appuie cette conjecture.

*e)* C'est maintenant Yahvé lui-même qui parle.

*f)* Où sont les exilés. Poussés par l'esprit de Yahvé, ils reviendront et rebâtiront le Temple, cf. v. 15 que certains traducteurs transposent ici, ce qui donne peut-être un sens plus satisfaisant.

*g)* « qui est arrivé » grec; « qui sont arrivés » hébr. – Ces personnages sont inconnus par ailleurs.

*h)* « une couronne » conj.; « des couronnes » hébr., mais la suite est au singulier comme au v. 14. – D'après ce qui est dit aux vv. 12-13, le texte devait porter ici primitivement le nom de Zorobabel, remplacé plus tard par le nom du grand prêtre Josué, en raison de la promotion du sacerdoce à Jérusalem.

*i)* Jeu de mots. Zorobabel aura des descendants. Le prophète entrevoit ici l'avenir de la Royauté et sans doute aussi celui du Temple. « Germe » est un titre messianique, Jr **23** 5+; Zorobabel renoue avec le messianisme royal de 2 S **7**, cf. Ag **2** 23+.

*j)* « à sa droite » grec; « sur son trône » hébr.

*k)* « la couronne » grec; « les couronnes » hébr. – « Heldaï » syr., cf. v. 10; « Helem » hébr. – « pour le fils de Çephanya, en mémorial de grâce » conj.; « pour la grâce du fils (ou : pour Hen, fils) de Çephanya, en mémorial » hébr.

*l)* Novembre 518.

*m)* Après « Sareéçer », on omet « et Regem-melek » qui pourrait indiquer le titre de l'envoyé.

*n)* Ce jeûne de juillet commémorait la destruction de Jérusalem et du Temple en 587. Depuis qu'on a commencé à rebâtir, il semble hors de saison. D'où la question posée à l'autorité de Jérusalem. La réponse paraît n'être donnée qu'en **8** 18-19.

*o)* Cet oracle a été rattaché artificiellement à l'épisode de l'ambassade de Béthel, à cause de la mention des jeûnes, v. 5.

vous avez multiplié vos jeûnes? 6 Et quand vous
mangiez et buviez, n'étaient-ce pas vous les mangeurs et les buveurs [a]? 7 Ne connaissez-vous pas les
paroles que Yahvé proclamait par le ministère des
prophètes du passé, quand Jérusalem était habitée
et tranquille, avec ses villes alentour, et que le
Négeb et le Bas-Pays étaient peuplés? 8 (La parole
de Yahvé fut adressée à Zacharie en ces termes :
9 Ainsi parle Yahvé Sabaot.) Il disait : Rendez une
Is **1** 17 justice vraie et pratiquez bonté et compassion cha-
Ex **22** cun envers son frère. 10 N'opprimez point la veuve
20-21+ et l'orphelin, l'étranger et le pauvre, et ne méditez
Mi **2** 1 pas en votre cœur du mal l'un envers l'autre.
11 Mais ils ne voulurent pas être attentifs : ils me
Ex **32** 9+ présentèrent une épaule rebelle; ils endurcirent
Is **48** 4 leurs oreilles pour ne pas entendre ; 12 ils firent de
Ez **11** 19 leur cœur un diamant, de peur d'écouter l'instruction et les paroles que Yahvé Sabaot avait envoyées
– par son esprit– par le ministère des prophètes du
passé. Alors il y eut une grande colère de la part
de Yahvé Sabaot. 13 Et il se passa ceci : puisqu'il
lançait des appels, et qu'eux n'entendaient pas, de
même ils lanceront des appels et je n'entendrai pas,
Dt **4** 27 dit Yahvé Sabaot, 14 je les ai dispersés chez toutes
les nations qu'ils ne connaissaient pas; de la sorte,
le pays fut dévasté derrière eux; plus personne
n'allait et venait. D'une terre de délices, ils firent
un désert! »

**Perspectives de salut messianique.**

**8** [b] 1 La parole de Yahvé Sabaot arriva en ces termes :

2 Ainsi parle Yahvé Sabaot.
1 14 J'éprouve pour Sion une ardente jalousie
et en sa faveur une grande colère.

3 Ainsi parle Yahvé.
Je reviens à Sion
et veux habiter au milieu de Jérusalem.
Is **1** 26+ Jérusalem sera appelée Ville-de-Fidélité,
et la montagne de Yahvé Sabaot, Montagne-Sainte.

4 Ainsi parle Yahvé Sabaot.
Is **65** 20 Des vieux et des vieilles s'assiéront encore
Dt **4** 40 sur les places de Jérusalem :
chacun aura son bâton à la main,
à cause du nombre de ses jours.
5 Et les places de la ville seront remplies
de petits garçons et de petites filles
qui joueront sur les places.

6 Ainsi parle Yahvé Sabaot.
Si c'est un miracle
aux yeux du reste de ce peuple (en ces jours-là),
en serait-ce un à mes yeux? Jr **32** 27
oracle de Yahvé Sabaot.

7 Ainsi parle Yahvé Sabaot.
Voici que je sauve mon peuple
des pays d'orient
et des pays du soleil couchant.
8 Je les ramènerai
pour qu'ils habitent au milieu de Jérusalem.
Ils seront mon peuple Jr **31** 31+
et moi je serai leur Dieu, Za **13** 9
dans la fidélité et la justice [c]

9 Ainsi parle Yahvé Sabaot. Que vos mains se
fortifient, vous qui entendez en ces jours ces paroles de la bouche des prophètes, qui prophétisent
depuis le jour [d] où furent jetées les fondations du
Temple de Yahvé Sabaot pour la reconstruction du Ag **1** 15
Sanctuaire. 10 Car, avant ces jours, le salaire des
hommes n'était pas payé et le salaire des bêtes était
nul; pour qui se livrait à ses occupations, aucune
tranquillité, à cause de l'ennemi; j'avais lâché [e] tous
les hommes les uns contre les autres. 11 Mais maintenant, à l'égard du reste de ce peuple, je ne suis
pas comme aux jours passés, oracle de Yahvé
Sabaot. 12 Car sa semence sera en paix : la vigne
donnera son fruit, la terre donnera ses produits et
le ciel donnera sa rosée. J'accorderai tout cela au
reste de ce peuple. 13 De même que vous étiez une
malédiction parmi les nations, maison de Juda et
maison d'Israël, de même je vous sauverai pour que
vous deveniez une bénédiction. Ne craignez point : Gn **12** 3+
que vos mains se fortifient! Ps **72** 17
14 Car ainsi parle Yahvé Sabaot. De même que
j'avais résolu de vous faire du mal, lorsque vos
pères m'avaient irrité – dit Yahvé Sabaot – et que
je n'ai pas fléchi, 15 de même, me ravisant, je me
propose, en ces jours, de faire du bien à Jérusalem
et à la maison de Juda. Ne craignez point!
16 Voici les choses que vous devez pratiquer :

Le jeûne de septembre commémorait l'assassinat de Godolias, 2 R **25** 25; Jr **41** 1s.

*a)* Qu'ils jeûnent ou qu'ils festoient, c'est toujours leur intérêt qu'ils cherchent.

*b)* Ce ch. groupe de petits oracles indépendants; sauf **8** 16-17, qui est une instruction, ils ont tous trait au salut messianique, dépeint comme une ère de bonheur simple et tranquille, sous la bénédiction de Yahvé présent à Sion. Les perspectives deviennent universalistes aux vv. 20s.

*c)* Non pas seulement, comme en **2** 10s, les captifs de Babylone, mais tous les Juifs dispersés. Leur retour sera suivi de la rénovation de l'Alliance, cf. Jr **31** 31+.

*d)* « depuis le jour » grec; « au jour » hébr.

*e)* « j'avais lâché » conj. ; « je lâcherai » hébr.

Ep 4 25 que chacun dise la vérité à son prochain; à vos por-
Mt 5 9 tes rendez une justice qui engendre la paix; 17 ne
méditez pas en vos cœurs du mal l'un contre l'autre; n'aimez pas le faux serment. Car c'est tout cela que je hais, oracle de Yahvé.

7 1-3 **Réponse à la question du jeûne.**

18 La parole de Yahvé Sabaot me fut adressée en ces termes :

19 « Ainsi parle Yahvé Sabaot. Le jeûne du quatrième mois, le jeûne du cinquième, le jeûne du sep-
Jr 31 13 Is 35 10 tième et le jeûne du dixième deviendront pour la
Mt 9 14-15 maison de Juda allégresse, joie, gais jours de fête [a].
Mais aimez la vérité et la paix! »

**Perspectives de salut messianique.**

20 Ainsi parle Yahvé Sabaot. Il viendra encore des peuples, et des habitants de grandes villes. 21 Et les habitants d'une ville iront vers l'autre en disant : « Allons donc implorer la face de Yahvé et chercher Yahvé Sabaot; pour ma part, j'y vais. » 22 Et de nombreux peuples et des nations puissantes viendront chercher Yahvé Sabaot à Jérusalem et implorer la face de Yahvé.

23 Ainsi parle Yahvé Sabaot. En ces jours-là, dix hommes de toutes les langues des nations saisiront un Juif par le pan de son vêtement en disant : « Nous voulons aller avec vous, car nous avons appris que Dieu est avec vous. »

# *Deuxième partie*

## 9 1 Proclamation

**La nouvelle Terre [b].**

La parole de Yahvé est au pays de Hadrak,
à Damas elle fait halte.
Car à Yahvé appartient la source d'Aram [c]
et toutes les tribus d'Israël.
2 Hamat aussi, qui en est la frontière,
(Tyr) et Sidon, dont la sagesse est grande.
3 Tyr s'est construit une forteresse,
amoncelant l'argent comme de la poussière
et l'or comme la boue des rues.
4 Voici que le Seigneur en prendra possession,
en mer il défera sa puissance,
elle-même sera dévorée par le feu.
5 Ashqelôn verra et prendra peur,
Gaza aussi, qui se tordra de douleur,
et Éqrôn, car son esprit est confondu.
Le roi disparaîtra de Gaza,
dans Ashqelôn, plus d'habitants,
6 et un bâtard [d] habitera Ashdod.
Je détruirai l'orgueil du Philistin,
7 j'ôterai son sang de sa bouche,
ses abominations d'entre ses dents [e].
Lui aussi sera un reste pour notre Dieu, Is 4 3+
il sera comme un familier dans Juda,
Eqrôn sera comme un Jébuséen [f].
8 Je camperai pour ma maison en avant-poste [g]
contre ceux qui vont et qui viennent,
plus d'oppresseur pour passer sur eux,
car maintenant mes yeux sont ouverts.

**Le Messie.**

9 Exulte avec force, fille de Sion!
Crie de joie, fille de Jérusalem!
Voici que ton roi vient à toi : ↗ Mt 21 5
il est juste [h] et victorieux,
humble, monté sur un âne, Mt 11 29
sur un ânon, le petit d'une ânesse [i].
10 Il retranchera d'Éphraïm [j] la charrerie Mi 5 9
et de Jérusalem les chevaux;
l'arc de guerre sera retranché. Os 2 20 Is 11 6+

*a)* Aux jeûnes des cinquième et septième mois, cf. 7 3 et 7 5, sont ajoutés les jeûnes du quatrième et du dixième mois, qui commémoraient la brèche faite aux remparts de Jérusalem, et le début du siège, 2 R **25** 1, 4.

*b)* La Terre Promise comprendra, en plus du territoire d'Israël, cf. Jg **20** 1+, les villes araméennes, phéniciennes et philistines. L'oracle fait allusion à une marche guerrière conquérante, interprétée comme une action de Yahvé et qui préludera à l'ère messianique. C'est vraisemblablement l'action d'Alexandre après Issus (333) qui est à l'origine de ce morceau.

*c)* « la source d'Aram » *'ên 'aram* conj.; « l'œil de l'homme » *'ên 'adam* hébr. – On pourrait peut-être comprendre : « Yahvé a l'œil sur les hommes », cf. v. 8 et **12** 4.

*d)* La population mêlée résultant de la colonisation.

*e)* Allusion aux pratiques païennes de manger la chair avec le sang, cf. Lv **1** 5+, et de manger des viandes interdites, comme le porc, cf. Is **65** 4; **66** 17.

*f)* Qui fut incorporé au vieil Israël.

*g)* La « maison » de Yahvé désigne ici le pays, cf. Os **8** 1; **9** 15; Jr **12** 7s. – « en avant poste », litt. « comme un poste » *maçcabah* conj.; « devant une armée » *miçcabah* hébr.

*h)* Non pas en ce sens qu'il rend la justice, cf. Is **11** 3-5, mais en ce sens qu'il sera l'objet de la « justice » de Yahvé, c'est-à-dire de sa protection puissante, cf. Is **45** 21-25.

*i)* Le Messie sera « humble » (*'anî*), qualité que So **3** 12 attribuait au peuple de l'avenir, cf. So **2** 3+. Renonçant à l'attirail des rois historiques, Jr **17** 25; **22** 4, le roi messianique aura l'ancienne monture des princes, Gn **49** 11; Jg **5** 10; **10** 4; **12** 14. Comparer aussi 1 R **1** 38 à 1 R **1** 5. Notre Seigneur a accompli cette prophétie au jour des Rameaux.

*j)* « il retranchera » grec; « je retrancherai » hébr. – Le royaume messianique a retrouvé l'unité antique : les tribus du Nord en font partie.

Il annoncera la paix aux nations.
Ps 72 8 Son empire ira de la mer à la mer
et du Fleuve aux extrémités de la terre [a].

**Le rétablissement d'Israël.**

Ex 24 4-8 Mt 26 28 11 Toi aussi, pour le sang de ton alliance [b],
j'ai renvoyé tes captifs de la fosse
où il n'y a pas d'eau [c].
12 Revenez vers la place forte,
captifs pleins d'espoir.
Aujourd'hui même, je le déclare,
c'est le double que je vais te rendre.
13 Car j'ai tendu pour moi Juda,
j'ai garni l'arc avec Éphraïm;
je vais exciter tes fils, Sion,
contre tes fils, Yavân [d],
et je ferai de toi comme l'épée d'un vaillant.
Ps 18 15 Dt 33 2 Ha 3 4 14 Alors Yahvé apparaîtra au-dessus d'eux
et sa flèche jaillira comme l'éclair.
(Le Seigneur) Yahvé sonnera de la trompe,
il s'avancera dans les ouragans du sud.
15 Yahvé Sabaot sera leur protection,
ils dévoreront, ils piétineront les pierres de fronde,
ils boiront le sang comme si c'était du vin [e],
ils en seront gorgés comme un vase à aspersions,
Ex 27 2+ comme les angles de l'autel.
16 Et il les sauvera, Yahvé leur Dieu, en ce jour-là,
Ez 34 1+ comme les brebis qui sont son peuple;
oui, les pierres d'un diadème
scintilleront sur sa terre [f].
17 Qu'il sera beau! Qu'il sera splendide!
r 31 12-13 Le blé fera s'épanouir les jeunes gens
et le vin doux, les vierges.

**Fidélité à Yahvé.**

Dt 11 14 **10** 1 Demandez à Yahvé la pluie
à la saison des ondées tardives.
Ps 135 7 C'est Yahvé qui fait les nuées d'orages.
Il leur donnera la pluie d'averse,
à chacun, l'herbe dans son champ.
S 15 22+ 2 Parce que les téraphim prédisent la fausseté,
que les devins voient du mensonge [g],
que les songes ont débité l'illusion,
donné de vaines consolations,
voilà pourquoi ils sont partis comme des brebis Ez 34 5
en piteux état, faute de pasteur. Mt 9 36

**Libération et retour d'Israël [h].**

3 Contre les pasteurs a brûlé ma colère, Ez 34 2
contre les boucs, je vais sévir [i].
Quand Yahvé Sabaot visitera son troupeau,
la maison de Juda,
il en fera comme son cheval d'honneur dans le combat.
4 De lui sortira l'angle, de lui le piquet [j];
de lui l'arc de combat,
de lui tout gouverneur.
Ensemble 5 ils seront comme des vaillants
qui piétinent la boue des rues dans le combat.
Ils combattront, car Yahvé est avec eux,
et ceux qui montent des chevaux seront confondus.
6 Je rendrai vaillante la maison de Juda 10 12; 12 5
et victorieuse la maison de Joseph.
Je les ramènerai car ils me font pitié
et ils seront comme si je ne les avais pas rejetés,
car je suis Yahvé leur Dieu et je les exaucerai. Is 41 17
7 Éphraïm sera comme un vaillant
et leur cœur se réjouira comme sous l'effet du vin; Ps 104 15
leurs fils regarderont et se réjouiront,
leur cœur exultera en Yahvé.
8 Je vais siffler pour les rassembler
car je les ai rachetés :
ils seront nombreux comme ils l'étaient.
9 Je les sèmerai parmi les peuples,
mais au loin ils se souviendront de moi,
ils instruiront [k] leurs fils et ils reviendront. Dt 30 1-3
10 Je les ramènerai de la terre d'Égypte Ba 2 30-32
et d'Assur je les rassemblerai; Lc 15 17
dans la terre de Galaad [l] et du Liban je les ferai entrer
et cela ne leur suffira pas.

*a)* C'est-à-dire : de la Méditerranée à la mer Morte et de l'Euphrate à l'extrême sud. La Pentecôte donnera son sens plein à l'expression.
*b)* Allusion, soit à la cérémonie du Sinaï, Ex **24** 5s, soit aux offrandes sacrificielles du Temple.
*c)* Une citerne sert de geôle : c'est le symbole de Babylone.
*d)* Les Grecs. L'Empire perse s'écroule alors sous les coups d'Alexandre.
*e)* « le sang » *dam* mss grecs; « ils feront du bruit » *hamû* hébr. On peut aussi comprendre : « ils boiront, ils feront du bruit comme (sous l'effet) du vin », ce qui évoquerait la rumeur du troupeau, cf. Mi **2** 12; Ez **34** 36-38.
*f)* Passage très obscur; litt. : « oui, car des pierres de diadème scintillantes sur son sol ».
*g)* La rencontre des devins et des téraphim se trouve aussi en 1 S **15** 23. Les téraphim sont ici des moyens de divination : cf. Ez **21** 26. L'activité des devins est attestée, après l'Exil, par Ml **3** 5, cf. Lv **19** 31; **20** 6.
*h)* Ce difficile passage, qu'unifie ce titre, entremêle curieusement des morceaux où Yahvé parle ($3^a$, 6, 8-11) et d'autres où il est parlé de lui à la troisième personne ($3^b$-5, 7, 12; **11** 1-3).
*i)* Ou « visiter » (*paqad* comme au stique suivant) : visite punitive contre les monarques étrangers qui dominent le peuple saint. Le terme de « pasteur » leur est appliqué en Jr **25** 34s; Na **3** 18 (et cf. Is **44** 28); pareillement celui de « bouc » en Dn **8** 5s. La seconde « visite » au troupeau est au contraire favorable.
*j)* Les chefs qui vont enfin sortir du peuple.
*k)* « instruiront » *wehawwû* conj.; « vivront (avec) » *wehayû* hébr.; « ils élèveront » *wehiyyû* grec.
*l)* Assur et l'Égypte désignent ici les pays oppresseurs en général. – Galaad fut le premier territoire conquis après l'Exode, cf. Is **40** 3+.

[11] Ils traverseront la mer d'Égypte [a]
(et il frappera les flots dans la mer),
toutes les profondeurs du Nil seront asséchées,
l'orgueil d'Assur sera abattu
et enlevé le sceptre de l'Égypte.
10 6; 12 5 [12] Je les rendrai vaillants en Yahvé,
c'est en son nom qu'ils marcheront,
oracle de Yahvé.

**11** [1] Ouvre tes portes, Liban,
et que le feu dévore tes cèdres [b]!
[2] Gémis, genévrier, car le cèdre est tombé,
car les majestueux sont ravagés.
Gémissez, chênes de Bashân,
car elle est abattue la forêt inaccessible.
[3] On entend le gémissement des pasteurs
car leur majesté est ravagée.
On entend les rugissements des lionceaux
car l'orgueil du Jourdain est ravagé.

Ez **34** 1+ **Les deux pasteurs [c].**

Jr **12** 3 [4] Ainsi parle Yahvé mon Dieu : « Fais paître les
brebis d'abattoir, [5] celles que leurs acheteurs abattent sans être châtiés, dont leurs vendeurs disent :
" Béni soit Yahvé, me voilà riche ", et que les pasteurs n'épargnent point [d]. [6] Car je n'épargnerai plus
les habitants du pays – oracle de Yahvé! – Mais
voici que moi, je vais livrer les hommes chacun aux
mains de son prochain, aux mains de son roi. Ils
écraseront le pays et je ne les délivrerai pas de leurs
mains [e]. » [7] Alors je fis paître les brebis d'abattoir
qui appartiennent aux marchands [f] de brebis. Je
pris pour moi deux bâtons, j'appelai l'un
" Faveur " et l'autre " Liens " et je fis paître les
brebis. [8] Je fis disparaître les trois pasteurs en un
seul mois [g]. Mais je perdis patience avec eux, et
quant à eux, ils furent avares envers moi. [9] Alors
je dis : « Je ne vous ferai plus paître. Que celle qui
doit mourir meure; que celle qui doit disparaître
disparaisse, et que celles qui restent s'entre-dévo-
rent. » [10] Puis je pris mon bâton " Faveur " et le
mis en morceaux pour rompre mon alliance, celle
que j'avais conclue avec tous les peuples. [11] Elle fut
donc rompue en ce jour-là, et les marchands de brebis qui m'observaient surent que c'était là une
parole de Yahvé. [12] Je leur dis alors : « Si cela vous
semble bon, donnez-moi mon salaire, sinon n'en
faites rien. » Ils pesèrent mon salaire : trente sicles Mt **27** 3-10
d'argent [h]. [13] Yahvé me dit : « Jette-le au fondeur,
ce prix splendide auquel ils m'ont apprécié! » Je
pris donc les trente sicles d'argent et les jetai à la
Maison de Yahvé, pour le fondeur. [14] Puis je mis 2 R **12** 11;
en morceaux mon deuxième bâton " Liens ", pour **22** 4
rompre la fraternité entre Juda et Israël [i].

[15] Yahvé me dit alors : « Prends encore l'équipement d'un pasteur insensé, [16] car voici que moi je Ez **34** 2-4
vais susciter un pasteur dans le pays; celle qui a
disparu, il n'en aura cure, celle qui chevrote, il ne Is **42** 3
la recherchera pas, celle qui est blessée, il ne la soi- Mt **12** 20
gnera pas, celle qui est enflée, il ne la soutiendra
pas [j]; mais il dévorera la chair des bêtes grasses et
arrachera même leurs sabots.

[17] Malheur au pasteur inexistant ↗ Jn **10**
qui délaisse son troupeau! 12-13
Que l'épée s'attaque à son bras
et à son œil droit!
Que son bras soit tout desséché,
que son œil droit soit aveuglé! »

**Délivrance et renouvellement de Jérusalem.**

**12** [1] Proclamation.
Parole de Yahvé sur Israël ([2b] et aussi sur

*a)* « ils traverseront » grec; « il traversera » hébr. – « d'Égypte » *miçrayim* conj. d'après la suite du v.; « de la détresse » ou « étroite » (grec) *çarah* hébr.
*b)* Symboles des grandes puissances, cf. Is **10** 33s; Ez **31**, ou de leurs rois.
*c)* Le livret des pasteurs, cf. Ez **34** 1+, s'achèvera, Za **13** 7-9, en prophétie messianique. Ici , les vv. 4-14 sont un retour allégorique sur les événements récents, qui constitue une sorte d'apologie de la Providence. Le prophète tient le rôle de Yahvé, dont il a revêtu, pour ainsi dire, le Pastorat éminent. Mais Israël n'a pas compris le bien que lui voulait son Dieu. Aussi Yahvé va-t-il susciter un mauvais pasteur que le prophète est chargé de mimer, vv. 15-17, figurant le retour aux anciens errements.
*d)* « disent », « n'épargnent » conj.; l'hébr. a le singulier. – Acheteurs et vendeurs sont les classes dirigeantes juives; leurs intrigues et leur argent en font les maîtres des pasteurs du peuple.
*e)* On considère souvent ce v. comme une glose, attirée par le mot « épargner » mais étrangère à la perspective du morceau. On peut cependant y voir une allusion aux événements rapportés en 1 R **12** 19 et 24. Tout ce passage pourrait faire allusion aux débuts de la royauté, les trois pasteurs rejetés, v. 8, représentant alors Salomon, coupable d'idolâtrie, Roboam, qui provoqua le schisme, et Jéroboam qui inaugura un culte hétérodoxe. Mais cf. v. 8+.
*f)* « les marchands » (litt. « les Cananéens ») grec; « les plus pauvres » hébr., de même au v. 11.
*g)* S'il ne s'agit pas des rois coupables, cf. v. 6+, ce peut être une allusion à la suite des grands prêtres dont Yahvé, représenté symboliquement par son prophète, amena l'éviction. On sait qu'après l'Exil, les prêtres furent les chefs de la communauté juive. – Le « mois » symbolise le temps du salut dont ne voulut pas profiter le peuple.
*h)* Un gouverneur a droit à une rétribution, cf. Ne **5** 15. Ici, celle qui est donnée allégoriquement par les classes dirigeantes au prophète (figurant Yahvé) est dérisoire, le prix d'un esclave, Ex **21** 32. Bref, on se moque de Yahvé! – Mt **27** 3-10 a appliqué les vv. 12-13 au Christ, dont le prophète, tenant la place de Yahvé méprisé, apparaît comme le type.
*i)* Ce passage pourrait constituer la plus ancienne attestation du schisme samaritain. C'est vers 328, au témoignage de Josèphe, que les Samaritains auraient construit au Garizim un temple rival de celui de Jérusalem. Ainsi la rupture des deux bâtons symbolise l'oppression étrangère renaissante (v. 10) et le schisme intérieur consommé.
*j)* « celle qui chevrote » sens incertain; on rapproche ce mot (souvent compris « celle qui est errante ») de Jr **51** 38 (« gronder ») – « enflée » en faisant venir le mot de la racine *çabah*, cf. Nb **5** 22, 27. On peut aussi comprendre : « celle qui va bien (litt. qui se tient droite, racine *naçab*), il ne s'en occupera pas. »

Is 42 5 Juda [a]). Oracle de Yahvé qui a tendu les cieux et
Gn 2 7 fondé la terre, qui a formé l'esprit de l'homme
au-dedans de lui [b].
Is 51 17+ 2a Voici que moi je fais de Jérusalem une coupe
de vertige pour tous les peuples alentour. (Cela sera
lors du siège contre Jérusalem.)
3 Il arrivera en ce jour-là que je ferai de Jérusalem une pierre à soulever pour tous les peuples, et
tous ceux qui la soulèveront se blesseront griève-
ment. Et contre elle se rassembleront toutes les
nations de la terre. 4 En ce jour-là – oracle de
Yahvé – je frapperai tous les chevaux de confusion,
et leurs cavaliers de folie. Et je frapperai de cécité
tous les peuples. (Mais sur la maison de Juda j'ouvrirai les yeux [c].) 5 Alors les chefs de Juda diront
10 6, 12 en leur cœur : « La force pour les habitants [d] de
Jérusalem est en Yahvé Sabaot, leur Dieu. » 6 En ce
jour-là, je ferai des chefs de Juda comme un brasier
allumé dans un tas de bois, comme une torche allumée dans une gerbe. Ils dévoreront à droite et à
gauche tous les peuples alentour. Et Jérusalem sera
= 14 10 encore habitée en son lieu (à Jérusalem). 7 Yahvé
sauvera tout d'abord les tentes de Juda pour que la
fierté de la maison de David et celle de l'habitant
de Jérusalem ne s'exaltent aux dépens de Juda. 8 En
ce jour-là, Yahvé protégera l'habitant de Jérusalem;
celui d'entre eux qui chancelle sera comme David
en ce jour-là, et la maison de David sera comme
Dieu, comme l'Ange de Yahvé devant eux [e].
9 Il arrivera en ce jour-là que je chercherai à
14 3 détruire toutes les nations qui viendront contre
Jérusalem. 10 Mais je répandrai sur la maison de
David et sur l'habitant de Jérusalem un esprit de
Jn 19 37 grâce et de supplication, et ils regarderont vers moi.
↗ Ap 1 7 Jn 3 14+ Celui qu'ils ont transpercé [f], ils se lamenteront sur
Am 8 10 Jn 3 16 lui comme on se lamente sur un fils unique; ils le
1 1 15, 18 pleureront comme on pleure un premier-né. 11 En ce
jour-là grandira la lamentation dans Jérusalem,
comme la lamentation de Hadad Rimmôn, dans la
plaine de Megiddôn. 12 Et il se lamentera, le pays,
clan par clan.

Le clan de la maison de David à part,
avec leurs femmes à part.
Le clan de la maison de Natân à part [g],
avec leurs femmes à part.
13 Le clan de la maison de Lévi à part,
avec leurs femmes à part.
Le clan de la maison de Shiméï à part [h],
avec leurs femmes à part.
14 Et tous les clans, ceux qui restent, clan par clan
à part,
avec leurs femmes à part.

13 1 En ce jour-là, il y aura une fontaine ouverte Jn 7 38s;
pour David et pour les habitants de Jérusa- 19 34 Ez 47 1+;
lem, pour laver péché et souillure [i]. 2 Il arrivera en 36 25
ce jour-là – oracle du Seigneur – que je retrancherai du pays les noms des idoles : on n'en fera plus
mémoire. De même les prophètes et l'esprit d'impureté, je les chasserai du pays [j]. 3 Si quelqu'un veut
encore prophétiser, son père et sa mère qui l'ont
engendré lui diront : « Tu ne vivras pas, car ce sont
des mensonges que tu prononces au nom de
Yahvé », et pendant qu'il prophétisera, son père et
sa mère qui l'ont engendré le transperceront. 4 Il
arrivera, en ce jour-là, que les prophètes rougiront
de leur vision quand ils prophétiseront. Ils ne revêtiront plus le manteau de poil avec le dessein de 2 R 1 8+
mentir. 5 Mais ils diront : « Je ne suis pas prophète, Mt 3 4
moi, je suis un homme qui travaille la terre, car la
terre est mon bien depuis ma jeunesse [k]. » 6 Et si on
lui dit : « Que sont ces blessures sur ta poitrine? » 1 R 18 28
Il dira : « Celles que j'ai reçues chez mes amis [l] ».

**Prosopopée de l'épée : le nouveau peuple [m].**

7 Épée, éveille-toi contre mon pasteur Ez 34 1+
et contre l'homme qui m'est proche,
oracle de Yahvé Sabaot.
Frappe le pasteur, que soient dispersées les ↗ Mt 26 31
brebis, Ez 34 1+
et je tournerai la main contre les petits.

*a)* Glose qu'il faut sans doute lire ici plutôt qu'après « tous les peuples alentour », où elle s'est trouvée accidentellement placée et ne donne pas de sens satisfaisant. – La fin du v. 2 est très probablement aussi une glose.

*b)* Titre ressemblant à Ml **1** 1 et se développant à l'imitation d'Is **42** 5.

*c)* On intervertit les deux dernières phrases, comme le sens semble l'exiger, et on omet « les chevaux » avant « les peuples ». – La dernière phrase doit être une glose.

*d)* « pour les habitants » conj.; « pour moi, les habitants » hébr.

*e)* A l'époque du salut, la maison de David sera rétablie.

*f)* On conserve la lecture du TM en marquant plus nettement la coupure après « vers moi ». Théodotion a compris : « vers celui qu'ils ont transpercé », et cette lecture est reprise par Jean. La mort du Transpercé se situe dans un contexte eschatologique : levée du siège de Jérusalem, deuil national et ouverture d'une source salutaire. Il y aura donc une souffrance et une mort mystérieuses qui prendront place dans l'accomplissement du salut. C'est un parallèle, mais nationalisé et rétréci, à la figure du Serviteur d'Is **52** 13-**53** 12; cf. aussi Ps **69** 27; Ez **37**. Jn **19** 37 y a vu une prophétie de la Passion du Christ.

*g)* Il s'agit de Natân, fils de David, 2 S **5** 14s.

*h)* Shiméï, descendant de Gershom, fils de Lévi, Nb **3** 21.

*i)* Litt. : « pour le péché et la souillure ». – Sur la fontaine ou la source qui arrosera la Jérusalem de l'ère messianique, cf. Is **12** 3; Ez **47** 1. Ici, à la différence de **14** 8, elle sert à la purification du peuple, cf. Ez **36** 25.

*j)* Disparition de l'institution prophétique, condamnée par les abus des faux prophètes, cf. Jr **23** 9s; Ez **13**.

*k)* « la terre est mon bien » *'adamah qinyanî* conj.; « un homme m'a acquis » *'adam hiqnanî* hébr.

*l)* « sur ta poitrine », litt. : « entre tes mains ». – Les anciens prophètes se faisaient des incisions sur le corps, cf. 1 R **18** 28, etc. L'homme qui porte de telles cicatrices est accusé d'être prophète; il se défend en alléguant une rixe avec des camarades.

*m)* Texte messianique peut-être indépendant. Le « pasteur » est

8 Alors il arrivera dans tout le pays
– oracle de Yahvé –
que deux tiers en seront retranchés (périront)
et que l'autre tiers y sera laissé.
9 Je ferai entrer ce tiers dans le feu;
Is 1 25; je les épurerai comme on épure l'argent,
48 10 je les éprouverai comme on éprouve l'or.
Ps 91 15 Lui , il invoquera mon nom,
Is 65 24 et moi je lui répondrai;
Jr 31 31+ je dirai [a] : « Il est mon peuple! »
Za 8 8 et lui dira « Yahvé est mon Dieu! »

**Le combat eschatologique;**
**splendeur de Jérusalem** [b].

**14** 1 Voici qu'il vient le jour de Yahvé, quand on
partagera tes dépouilles au milieu de toi.
Jl 4 2, 12 2 J'assemblerai toutes les nations vers Jérusalem
pour le combat; la ville sera prise, les maisons pillées, les femmes violées; la moitié de la ville partira
en exil, mais le reste du peuple ne sera pas retran-
Is 31 4 ché de la ville. 3 Alors Yahvé sortira pour combattre les nations, comme lorsqu'il combat au jour de
la guerre. 4 En ce jour-là, ses pieds se poseront sur
le mont des Oliviers qui fait face à Jérusalem vers
l'Orient. Et le mont des Oliviers se fendra par le
milieu, d'est en ouest, en une immense vallée, une
moitié du mont reculera vers le nord, et l'autre vers
le sud. 5 La vallée des Monts sera comblée, oui, elle
sera obstruée jusqu'à Yasol, elle sera comblée
Am 1 1 comme elle le fut [c] par suite du séisme, au temps
Dt 33 2-3, 5 d'Ozias roi de Juda. Et Yahvé mon Dieu viendra,
Mt 16 27p tous les saints avec lui [d].
6 Il arrivera, en ce jour-là, qu'il n'y aura plus de
lumière mais du froid et du gel [e]. 7 Et il y aura un
jour unique – Yahvé le connaît – plus de jour ni
de nuit, mais au temps du soir, il y aura de la
Ap 21 23 lumière. 8 Il arrivera, en ce jour-là , que des eaux
Ez 47 1+ vives sortiront de Jérusalem, moitié vers la mer
Jn 4 1+ orientale, moitié vers la mer occidentale : il y en
aura été comme hiver. 9 Alors Yahvé sera roi sur Ap 11 15
toute la terre; en ce jour-là, Yahvé sera unique, et Dt 33 26+
son nom unique [f]. 10 Tout le pays retournera en
plaine, depuis Géba jusqu'à Rimmôn du Négeb.
Jérusalem sera exhaussée et habitée en son lieu, = 12 6
depuis la porte de Benjamin jusqu'à l'emplacement
de l'ancienne porte, jusqu'à la porte des Angles, et
de la tour de Hananéel jusqu'aux pressoirs du roi [g].
11 On y habitera, il n'y aura plus d'anathème et Jr 31 40
Jérusalem sera habitée en sécurité. ↗ Ap 22 3 Dt 33 28
12 Et voici la plaie dont Yahvé frappera tous les
peuples qui auront combattu contre Jérusalem : il
fera pourrir leur chair alors qu'ils se tiendront Is 66 24+
debout, leurs yeux pourriront dans leurs orbites et
leur langue pourrira dans leur bouche [h]. 15 Pareille
sera la plaie des chevaux, des mulets, des chameaux, des ânes et de toutes les bêtes qui se trouvent dans les camps : une plaie semblable à celle-
là. 13 Il arrivera, en ce jour-là, qu'il y aura de par
Yahvé une grande panique parmi eux. Chacun saisira la main de son compagnon et ils lèveront la Ez 38 21
main l'un contre l'autre. 14 Juda lui aussi combattra
à Jérusalem. Les richesses de toutes les nations
alentour seront rassemblées, or, argent, vêtements
en énorme quantité.
16 Il arrivera que tous les survivants de toutes les
nations qui auront marché contre Jérusalem monteront année après année se prosterner devant le roi
Yahvé Sabaot et célébrer la fête des Tentes [i].
17 Celle des familles de la terre qui ne montera pas Ex 23 14+
se prosterner à Jérusalem, devant le roi Yahvé
Sabaot, il n'y aura pas de pluie pour elle. 18 Si la
famille d'Égypte ne monte pas et ne vient pas, il
y aura [j] sur elle la plaie dont Yahvé frappe les
nations qui ne monteront pas célébrer la fête des
Tentes. 19 Telle sera la punition de l'Égypte et la
punition de toutes les nations qui ne monteront pas
célébrer la fête des Tentes.
20 En ce jour-là, il y aura sur les grelots des che-

ici, non plus le bon pasteur de **11** 4-14, ni le mauvais, **11** 15-16, mais sans précisions le chef du peuple, lieutenant de Yahvé. L'épée qui va le frapper livrera le peuple tout entier à l'épreuve dernière, qui doit précéder le temps du salut. Cette épreuve est décrite sous les images classiques des brebis sans pasteur, Ez **34** 5, du reste, Is **4** 3+, du tiers, Ez **5** 1-4, du feu qui épure, Jr **6** 29-30. Alors le peuple sera prêt pour la Nouvelle Alliance, cf. Jr **31** 31+.

*a)* « je dirai » grec; « j'ai dit » hébr.

*b)* Le ch. **14** annonce comment le monothéisme aura une répercussion jusque dans le cosmos, en unifiant les temps (jour unique), en transformant les lieux (nivellement de Jérusalem), en faisant disparaître les occasions et même les souvenirs d'idolâtrie et de divination (astres et saisons, Géhenne et Tophèt, mont du Scandale, etc.), et aussi en unifiant le culte et ses participants, païens et Israélites : Dieu sera tout en tous. Les développements sur le combat eschatologique (vv. 1-5, 12-15) sont interrompus ou complétés par des descriptions du nouvel état de choses qui lui succèdera.

*c)* On suit le grec; hébr. corrompu; litt. : « Vous fuirez la vallée de ma montagne, car la vallée de ma montagne atteindra Asel; vous fuirez comme vous avez fui ». – Yasol est à chercher vers le wadi Yasoul, affluent du Cédron. Am **1** 1 se réfère aussi au séisme du temps d'Ozias (que mentionne Flavius Josèphe).

*d)* « avec lui » grec; « avec moi » hébr.

*e)* « du froid et du gel » versions; hébr. inintelligible.

*f)* Répétition solennelle : Le « Nom » de Yahvé, c'est encore Yahvé lui-même. L'extension du monothéisme à toute la terre est un des traits de l'ère messianique, cf. Ml **1** 11.

*g)* « jusqu'à Rimmôn du Négeb. Jérusalem sera exhaussée » conj.; « jusqu'à Rimmôn, au Négeb (sud) de Jérusalem. Elle sera exhaussée » hébr. – « et de la tour » conj.; « et la tour » hébr. – Géba se trouve à la frontière nord du royaume de Juda, sur le territoire de Benjamin. Rimmôn doit être Umm er-Rammamin, à 15 km au nord-est de Bersabée.

*h)* On lit ici le v. 15, comme le sens semble l'exiger.

*i)* La fête des Tentes est sans doute choisie ici parce qu'on y célébrait la royauté de Yahvé.

*j)* « il y aura » grec; « il n'y aura pas » hébr.

vaux : « consacré à Yahvé », et les marmites de la
maison de Yahvé seront comme des coupes à
aspersion devant l'autel. 21 Toute marmite, à Jérusalem et en Juda, sera consacrée à Yahvé Sabaot,
tous ceux qui offrent un sacrifice viendront en prendre et cuisineront dedans, et il n'y aura plus de
marchand dans la maison de Yahvé Sabaot, en ce Jn 2 16
jour-là [a].

*a)* L'auteur, se souvenant d'Ézéchiel, entrevoit pour les temps messianiques une sacralisation de toutes choses au pays d'Israël.

# MALACHIE

**1** 1 Oracle.
Parole de Yahvé à Israël, par le ministère de
Malachie [a].

### L'amour de Yahvé pour Israël.

Os **11** 1 2 Je vous ai aimés! dit Yahvé. – Cependant vous
Dt **7** 7s; **4** 37 dites : En quoi nous as-tu aimés? – Ésaü [b] n'était-il
Ez **16** pas le frère de Jacob? oracle de Yahvé; or j'ai aimé
↗ Rm **9** 13 Jacob 3 mais j'ai haï Ésaü. Je fis de ses montagnes
Gn **25** 23 une solitude et de son héritage des pâturages de
désert. 4 Si Édom dit : « Nous avons été détruits,
mais nous relèverons nos ruines », ainsi parle
Yahvé Sabaot : Qu'ils bâtissent, moi je démolirai!
On les surnommera « Territoire d'impiété » et « Le
peuple contre qui Yahvé est courroucé à jamais ».
5 Vos yeux le verront et vous direz : Yahvé est
grand par-delà le territoire d'Israël!

### Réquisitoire contre les prêtres.

Ex **20** 12 6 Un fils honore son père; un serviteur craint son
Dt **1** 31; maître [c]. Mais si je suis père, où donc est l'honneur
**32** 6 qui m'est dû? Si je suis maître, où donc est ma
crainte? dit Yahvé Sabaot, à vous les prêtres, qui
Is **29** 13 méprisez mon Nom. – Mais vous dites : En quoi
avons-nous méprisé ton Nom? – 7 C'est que vous
offrez sur mon autel des aliments souillés. –
Mais vous dites : En quoi t'avons-nous souillé? –
En disant : La table de Yahvé est méprisable.
Lv **22** 18-25 8 Quand vous amenez des bêtes aveugles pour le
sacrifice, n'est-ce pas mal? et quand vous en amenez des boiteuses ou des malades, n'est-ce pas mal?
Présente-les donc à ton gouverneur : en sera-t-il
content [d]? Te recevra-t-il bien? dit Yahvé Sabaot.
9 Et maintenant implorez donc Dieu pour qu'il
nous prenne en pitié (c'est de vos mains que cela
vient) : vous recevra-t-il? dit Yahvé Sabaot. 10 Oh!
qui d'entre vous fermera les portes pour que vous
n'embrasiez pas inutilement mon autel? Je ne
prends nul plaisir en vous, dit Yahvé Sabaot, et
n'agrée point les offrandes de vos mains. 11 Mais, Am **5** 21+
du levant au couchant, mon Nom est grand chez Jr **6** 20
les nations, et en tout lieu un sacrifice d'encens est So **3** 9
présenté à mon Nom ainsi qu'une offrande pure [e].
Car grand est mon Nom chez les nations! dit
Yahvé Sabaot. 12 Tandis que vous, vous le profanez [f], en disant : La table du Seigneur est souillée,
et ses aliments méprisables. 13 Vous dites : Voyez,
que de souci! et vous me dédaignez, dit Yahvé
Sabaot. Vous amenez l'animal dérobé, le boiteux et
le malade, et vous l'amenez en offrande [g]. Puis-je Lv **22** 18-25
l'agréer de votre main? dit Yahvé Sabaot.
14 Maudit soit le tricheur qui possède dans son
troupeau un mâle qu'il voue, et qui me sacrifie une
bête tarée [h]. Car je suis un Grand Roi, dit Yahvé
Sabaot, et mon Nom est redoutable chez les
nations.

**2** 1 Et maintenant, à vous ce commandement, Ps **102** 16
prêtres! 2 Si vous n'écoutez pas, si vous ne
prenez pas à cœur de donner gloire à mon Nom,
dit Yahvé Sabaot, j'enverrai sur vous la malédic- Dt **28** 15
tion et je maudirai votre bénédiction [i]. En effet, je
la maudirai, car il n'est personne parmi vous qui

*a)* « Malachie » signifie « mon messager », et c'est ainsi qu'a traduit le grec en ajoutant : « mettez donc (cela) sur votre cœur ». Targ. : « mon messager dont le nom est Esdras, le scribe ».
*b)* Ésaü est l'éponyme d'Édom. cf. Gn **36** 1; Dt **2** 1, 5+.
*c)* « craint » grec; omis par hébr.
*d)* « en sera-t-il content » grec; « sera-t-il content de toi » hébr.
*e)* Plutôt qu'au culte, répandu dans l'Empire perse, cf. Esd **1** 2+, du « Dieu du ciel », Ne **1** 4s; **2** 4, 20; Esd **1** 2; **5** 11s; **6** 9s; **7** 12, 21, 23; Dn **2** 18; **4** 34; **5** 23, culte que le prophète considérerait comme adressé à Yahvé, c'est au sacrifice parfait de l'ère messianique que Malachie songe ici; le Concile de Trente a adopté cette interprétation.
*f)* Au lieu de « vous le profanez », le texte primitif devait porter « vous me profanez », que les scribes ont corrigé par respect pour la grandeur divine. De même au v. suivant où l'on rétablit « vous me dédaignez », au lieu de l'hébr. « vous le dédaignez ». Autre exemple de ces corrections de scribes (*tiqqun sopherîm*) en Za **2** 12. – Avant « méprisable » on omet « et son fruit ».
*g)* « l'amenez en offrande » conj.; « amenez l'offrande » hébr. – « Sabaot » grec; omis par hébr.
*h)* « qui me sacrifie » conj.; « qui sacrifie au Seigneur » hébr.
*i)* « votre bénédiction » grec, cf. la suite du v.; « vos bénédictions » hébr. – Il s'agit, au sens concret, des biens matériels départis aux lévites.

prenne cela à cœur. 3 Voici que je vais vous briser
le bras et vous jeter des ordures à la figure – les
ordures de vos solennités – et vous enlever avec
elles [a]. 4 Et vous saurez que c'est moi qui vous ai
Dt **18** 1-18; adressé ce commandement pour que subsiste mon
**33** 8-11 alliance avec Lévi, dit Yahvé Sabaot. 5 Mon
Nb **25** 12s alliance était avec lui, c'était vie et paix, et je les
lui accordais, crainte, et il me craignait, et devant
mon Nom il avait révérence. 6 L'enseignement de
vérité était dans sa bouche et l'iniquité ne se trouvait pas sur ses lèvres; dans l'intégrité et la droiture
il marchait avec moi; il en faisait revenir beaucoup
Dt **21** 5 de l'iniquité. 7 Car c'est aux lèvres du prêtre de gar-
Mt **23** 13, 15 der le savoir et c'est de sa bouche qu'on recherche
l'enseignement : il est messager de Yahvé Sabaot.
8 Mais vous vous êtes écartés de la voie; vous en
avez fait trébucher un grand nombre par l'enseignement; vous avez détruit l'alliance de Lévi! dit
Yahvé Sabaot. 9 Et moi je vous ai rendus méprisables et vils pour tout le peuple, dans la mesure où
vous n'avez pas gardé mes voies mais avez fait
acception de personnes en votre enseignement.

**Mariages mixtes et divorces.**

Dt **1** 31+ 10 N'avons-nous pas tous un Père unique? N'est-ce
Ep **4** 6 pas un seul Dieu qui nous a créés? Pourquoi donc
sommes-nous perfides l'un envers l'autre, en profanant l'alliance de nos pères? 11 Juda a agi en traître : une abomination a été perpétrée en Israël et
à Jérusalem. Car Juda a profané le sanctuaire cher
à Yahvé [b]. Il a épousé la fille d'un dieu étranger [c].
12 Que Yahvé retranche, pour l'homme qui agit
ainsi, le témoin et le défenseur, des tentes de Jacob
et du groupe de ceux qui présentent l'offrande à
Yahvé Sabaot [d]! 13 Voici une seconde chose que
vous faites : vous couvrez de larmes l'autel de
Yahvé, avec lamentations et gémissements, parce
qu'il se refuse à se pencher sur l'offrande et à
l'agréer de vos mains. 14 Et vous dites : Pourquoi?
– C'est que Yahvé est témoin entre toi et la femme
de ta jeunesse que tu as trahie, bien qu'elle fût ta
compagne et la femme de ton alliance. 15 N'a-t-il
pas fait un seul être, qui a chair et souffle de vie? Gn **2** 24
Et cet être unique, que cherche-t-il? Une postérité Mt **5** 31-32p
donnée par Dieu! Respect donc à votre vie, et la Ep **5** 24-32
femme de ta jeunesse, ne la trahis point [e]! 16 Car je
hais la répudiation, dit Yahvé le Dieu d'Israël, et
qu'on recouvre l'injustice de son vêtement, dit
Yahvé Sabaot [f]. Respect donc à votre vie, et ne
commettez pas cette trahison!

**Le Jour de Yahvé.**

17 Vous fatiguez Yahvé avec vos discours! –
Vous dites : En quoi le fatiguons-nous? – C'est
quand vous dites : Quiconque fait le mal est bon Jb **21** 7-8
aux yeux de Yahvé, en ces gens-là il met sa
complaisance; ou encore : Où donc est le Dieu de
la justice [g]?

**3** 1 Voici que je vais envoyer mon messager, ↗ Mt **11**
pour qu'il fraye un chemin devant moi [h]. Et 10+
soudain il entrera dans son sanctuaire, le Seigneur
que vous cherchez; et l'Ange de l'alliance [i] que
vous désirez, le voici qui vient! dit Yahvé Sabaot. Ac **13** 24-25
2 Qui soutiendra le jour de son arrivée? qui restera Lc **1** 17-76
droit quand il apparaîtra? Car il est comme le feu Na **1** 6
du fondeur et comme la lessive des blanchisseurs. Jl **2** 11
3 Il siégera comme fondeur et nettoyeur [j]. Il Jr **6** 29+
purifiera les fils de Lévi et les affinera comme or
et argent, et ils deviendront pour Yahvé ceux qui
présentent l'offrande selon la justice. 4 Alors l'offrande de Juda et de Jérusalem sera agréée de
Yahvé, comme aux jours anciens, comme aux premières années. 5 Je m'approcherai de vous pour le
jugement et je serai un témoin prompt contre les
devins, les adultères et les parjures, contre ceux qui
oppriment le salarié, la veuve et l'orphelin, et qui Lv **19** 13
violent le droit de l'étranger, sans me craindre, dit Ex **22** 20-
Yahvé Sabaot. 21+

**Les dîmes pour le Temple [k].**

6 Oui, moi, Yahvé, je ne varie pas, et vous, les Nb **23** 19+
fils de Jacob, vous ne cessez pas [l]! 7 Depuis les
jours de vos pères, vous vous écartez de mes
décrets et ne les gardez pas. Revenez à moi et je ‖ Za **1** 3

*a)* « vous briser le bras » grec; « réprimander (menacer) vos semences » hébr. – «(je vais) vous enlever avec elles » syr.; « il vous enlèvera vers lui » hébr.
*b)* Les fautes du peuple souillent le Temple.
*c)* « Juda », d'abord pris collectivement, est maintenant pris au sens distributif : celui qui fait partie de Juda épouse la « fille » d'un dieu étranger, une idolâtre.
*d)* « témoin » *'ed* conj.; *'er* hébr. n'a pas de sens. – « défenseur » litt. « répondant ». – « du groupe de ceux qui présentent » grec; « celui qui présente » hébr.
*e)* « N'a-t-il pas fait » Vulg.; « Il n'a pas fait » hébr. – « chair et souffle » *she'er werûah* conj.; « un reste de souffle » *she'ar rûah* hébr. – « Ne la trahis point » Vulg.; « qu'il ne la trahisse point » hébr.
*f)* « je hais » conj.; « il hait » hébr. – « qu'on recouvre l'injustice de son vêtement » conj.; « il a recouvert d'injustice son vêtement » hébr.
*g)* Sur le scandale que donnait la prospérité des méchants, dans la perspective de la rétribution terrestre, voir Job, les Ps **37** et **73**, et l'Introduction aux livres sapientiaux, p. 646.
*h)* Le précurseur de Yahvé, cf. déjà Is **40** 3, sera identifié à Élie, Ml **3** 23. Mt **11** 10 applique ce texte à Jean-Baptiste, nouvel Élie, Mt **11** 14+; Mc **1** 2; Lc **1** 17, 76.
*i)* L'Ange de la nouvelle alliance n'est pas le précurseur dont il est parlé ci-dessus, car son arrivée au Temple est simultanée à celle de Yahvé. C'est sans doute une désignation mystérieuse de Yahvé lui-même, par référence implicite à Ex **3** 2; **23** 20, cf. Gn **16** 7+. Mt **11** 10 invite à l'interpréter du Christ.
*j)* On omet « d'argent », glose probable.
*k)* Il faut peut-être lier ce passage à **1** 2-5 : il donnerait ainsi la réponse aux sceptiques qui s'expriment en **1** 2.
*l)* Sous-entendu : d'être le fils de celui qui supplanta et trompa son frère, cf. vv. 8-9.

reviendrai à vous! dit Yahvé Sabaot. – Vous dites :
Comment reviendrons-nous? – [8] Un homme peut-il
tromper Dieu? Or vous me trompez! – Vous dites :
En quoi t'avons-nous trompé [a]? – Quant à la dîme
Dt **28** 15 et aux redevances [b]. [9] La malédiction vous atteint :
c'est que vous me trompez, vous la nation dans son
Pr **3** 9-10 entier. [10] Apportez intégralement la dîme au trésor,
pour qu'il y ait de la nourriture chez moi. Et mettez-moi ainsi à l'épreuve, dit Yahvé Sabaot, pour
Dt **28** 8, 12 voir si je n'ouvrirai pas en votre faveur les écluses
du ciel et ne répandrai pas en votre faveur la bénédiction en surabondance. [11] En votre faveur, je tan-
cerai le criquet pour qu'il ne vous détruise pas les
fruits du sol, et que pour vous la vigne ne soit pas
stérile dans la campagne, dit Yahvé Sabaot.
Is **61** 9 [12] Toutes les nations vous déclareront heureux, car
vous serez une terre de délices, dit Yahvé Sabaot.

**Triomphe des justes au Jour de Yahvé.**

[13] Vos paroles sont dures à mon égard, dit
Yahvé. Pourtant vous dites : Que nous sommes-
Jb **21** 14-15 nous dit contre toi? – [14] Vous dites : C'est vanité
Is **58** 3 de servir Dieu, et que gagnons-nous à avoir gardé
ses observances et marché dans le deuil devant
Yahvé Sabaot? [15] Maintenant nous en sommes à
déclarer heureux les arrogants : ils prospèrent, ceux
qui font le mal; ils mettent Dieu à l'épreuve et ils
s'en tirent! [16] Alors ceux qui craignent Yahvé se
parlèrent l'un à l'autre. Yahvé prêta attention et
entendit : un livre aide-mémoire fut écrit devant lui Dn **7** 10+
en faveur de ceux qui craignent Yahvé et qui pen-
sent à son Nom. [17] Au Jour que je prépare, ils
seront mon bien propre, dit Yahvé Sabaot. J'aurai Ex **19** 5
compassion d'eux comme un homme a compassion Ps **103** 13
de son fils qui le sert. [18] Alors vous verrez la différence entre un juste et un méchant, entre qui sert 4 1
Dieu et qui ne le sert pas. [19] Car voici : le Jour Am **5** 18+
vient, brûlant comme un four. Ils seront de la
paille, tous les arrogants et malfaisants; le Jour qui
arrive les embrasera – dit Yahvé Sabaot – au point
qu'il ne leur laissera ni racine ni rameau [c]. [20] Mais 2
pour vous qui craignez mon Nom, le soleil de jus- ↗ Lc **1** 78
tice [d] brillera, avec la guérison dans ses rayons [e]; Jn **8** 12+
vous sortirez en bondissant comme des veaux à
l'engrais. [21] Vous piétinerez les méchants, car ils 3
seront de la cendre sous la plante de vos pieds, au
Jour que je prépare, dit Yahvé Sabaot.

**Appendices.**

[22] Rappelez-vous la Loi de Moïse, mon serviteur 4
à qui j'ai prescrit, à l'Horeb, pour tout Israël, des
lois et des coutumes.

[23] Voici que je vais vous envoyer Élie le pro- Mt **17** 10-13p
phète, avant que n'arrive le Jour de Yahvé, grand
et redoutable. [24] Il ramènera le cœur des pères vers ↗ Si **48** 10
leurs fils et le cœur des fils vers leurs pères, de peur ↗ Lc **1** 17
que je ne vienne frapper le pays d'anathème [f]. Jos **6** 17+

*a)* « tromper » (les 3 fois) '*aqab* grec; « voler » *qaba'* hébr., mais il s'agit encore d'une correction de scribe, pour éliminer une allusion à Jacob « le trompeur ». De même au v. 9.

*b)* Sur la dîme, cf. Dt **14** 22+. D'après les écrits sacerdotaux, Lv **27** 30s; Nb **18** 21-31, c'est un impôt pour la subsistance du clergé, centralisé à l'unique sanctuaire; voir aussi Ne **10** 36s; **12** 44.

*c)* Sur le feu au Jour de Yahvé, cf. Is **10** 16s; **30** 27; So **1** 18; **3** 8; Jr **21** 14.

*d)* « justice » implique ici puissance et victoire, comme en Is **41** 2+. Le titre de « Soleil de Justice », appliqué au Christ, a joué un rôle dans la formation des fêtes liturgiques de Noël et de l'Épiphanie.

*e)* Litt. « dans ses ailes ».

*f)* Élie, emporté au ciel 2 R **2** 11-13, reviendra. Ce retour, annoncé ici, restera un trait important de l'eschatologie juive, cf. le *livre d'Hénok*. Jésus a expliqué qu'Élie est venu en la personne de Jean-Baptiste, Mt **11** 14; **17** 10-13+; Mc **9** 11-13.

# LE NOUVEAU TESTAMENT

# LES ÉVANGILES SYNOPTIQUES

# LES ÉVANGILES SYNOPTIQUES

## *Introduction*

*Des quatre livres canoniques qui racontent la « Bonne Nouvelle » (sens du mot « Évangile ») apportée par Jésus Christ, les trois premiers présentent entre eux de telles ressemblances qu'ils peuvent souvent être mis en colonnes parallèles et embrassés « d'un même coup d'œil » : d'où leur nom de « Synoptiques ».*

*La Tradition ecclésiastique, attestée dès le II^e siècle, les attribue respectivement à saint Matthieu, saint Marc et saint Luc. D'après elle, Matthieu le publicain, du collège des douze apôtres, Mt* **9** *9;* **10** *3, écrivit le premier, en Palestine, pour les chrétiens convertis du judaïsme; et son ouvrage, composé en « langue hébraïque », c'est-à-dire en araméen, fut par la suite traduit en grec. Jean-Marc, un disciple de Jérusalem, Ac* **12** *12, qui servit Paul dans l'apostolat, Ac* **12** *25;* **13** *5,13; Phm 24; 2 Tm* **4** *11, Barnabé, Ac* **15** *37,39, son cousin, Col* **4** *10, et Pierre, 1 P* **5** *13, dont il était « l'interprète », rédigea à Rome la catéchèse orale de ce dernier. Un autre disciple, Luc, médecin, Col* **4** *14, d'origine païenne à la différence de Matthieu et de Marc, Col* **4** *10-14, né à Antioche d'après certains, compagnon de Paul dans ses deuxième (Ac* **16** *10s) et troisième (Ac* **20** *5s) voyages apostoliques, ainsi que dans ses deux captivités romaines, Ac* **27** *1s; 2 Tm* **4** *11, fut le troisième à écrire un évangile, qui pouvait donc se recommander de Paul, cf. peut-être 2 Co* **8** *18, comme celui de Marc se recommandait de Pierre; il écrivit aussi un second ouvrage, les « Actes des Apôtres ». La langue originale des deuxième et troisième évangiles est le grec.*

*Ces données de la Tradition sont confirmées et précisées par l'examen interne de ces trois livres; mais, avant de le montrer, il convient de discuter le problème de leurs relations littéraires, ce qu'on appelle la Question Synoptique.*

*Diverses solutions de ce problème ont été proposées, qui sont insuffisantes si on les prend isolément, mais contiennent toutes quelque part de vérité et peuvent servir à composer une explication d'ensemble. Une tradition orale commune, que les trois synoptiques auraient mise par écrit de façon indépendante et donc forcément variée, est de soi vraisemblable, pour ne pas dire certaine, mais elle ne saurait à elle seule rendre compte des ressemblances si nombreuses et si frappantes, dans le détail des textes comme dans l'ordre des péricopes, qui dépassent les possibilités de la mémoire, même ancienne et orientale. Une tradition écrite, unique ou multiple, justifierait déjà mieux ces ressemblances; mais si l'on maintient que les trois évangélistes y ont pulsé de façon parallèle et indépendante, on n'explique pas que leurs ressemblances, et aussi leurs divergences, trahissent qu'ils se connaissent, se suivent ou se corrigent l'un l'autre. Aussi faut-il admettre entre eux des interdépendances directes. Mais s'il est clair que Luc dépend de Marc, il l'est beaucoup moins que Marc dépende de Matthieu, ainsi qu'on l'a longtemps admis, car de nombreux indices suggèrent le contraire. Pour Matthieu et Luc une dépendance directe, dans un sens ou dans l'autre, semble peu probable, et leurs parallélismes en dehors de Marc doivent s'expliquer plutôt par une ou plusieurs sources communes, distinctes du deuxième évangile.*

*C'est à partir de ces observations que la critique moderne a édifié la théorie des Deux Sources : l'une d'elles serait Marc, dont Matthieu et Luc dépendraient dans leurs Récits; pour ce qui est des Paroles ou discours (les « Logia »), très réduits chez Marc, le premier et le troisième évangile auraient puisé dans une autre source, inconnue mais postulée, que l'on appelle Q (initiale du mot allemand « Quelle »). En dépit de sa simplicité, ou plutôt à cause d'elle, cette théorie n'est pas entièrement satisfaisante. Elle ne rend pas suffisamment compte de toutes les données du problème. Ni Mc dans son état actuel, ni Q telle qu'on la restitue, ne peuvent jouer efficacement le rôle de sources qu'on leur attribue.*

*Sans doute Mc apparaît-il souvent plus primitif que Mt et Lc, mais l'inverse est également vrai : il arrive qu'il présente des traits tardifs, tels que des paulinismes ou encore une adaptation aux lecteurs du monde gréco-romain, tandis que Mt ou Lc gardent des notes archaïques, d'expression sémitique ou d'ambiance palestinienne. Ne serait-ce pas qu'ils ont utilisé, et reflètent encore, Mc dans un état plus ancien que son état actuel?*

*Cette hypothèse est d'ailleurs confirmée par une autre considération. Mt et Lc présentent entre eux des accords contre Mc qui semblent s'opposer à leur dépendance commune de cet évangile. Ces accords sont nombreux, et parfois frappants. On a essayé de les expliquer sans compromettre la théorie de base, soit par des harmonisations de copistes dont devrait triompher la critique textuelle, soit par les corrections des évangélistes eux-mêmes qui auraient, spontanément et sans se connaître, remanié de même façon le texte de Mc qu'ils jugeaient maladroit. Mais ces explications, valables dans certains des cas, ne sauraient rendre compte de leur totalité. Tout compte fait, une explication meilleure est celle que nous avons déjà entrevue plus haut, à savoir que Mt et Lc auront connu et utilisé un état différent, antérieur, de l'évangile de Mc. Celui-ci a dû subir une dernière rédaction, postérieure à l'usage qu'ils ont fait de lui. D'où ces traits nouveaux où il apparaît plus tardif, d'où aussi ces cas où Mt et Lc sont d'accord contre lui parce qu'ils reflètent tous deux un état plus ancien de son texte.*

*Le postulat d'une source Q n'est pas non plus satisfaisant, du moins de la façon dont on la présente. Le document qu'on prétend ainsi restituer reçoit des divers chercheurs des formes trop différentes pour avoir une identité définie, ou même simplement vraisemblable. Le principe même de son unité est douteux. En effet, les logia qu'on y accumule se retrouvent chez Mt et chez Lc d'une manière qui suggère deux collections plutôt qu'une : d'une part ceux de la section médiane de Luc, dite parfois « péréenne » (***9** 51 - **18** 14*), d'autre part ceux du reste de son évangile. Les uns et les autres ont le plus souvent leurs correspondants chez Mt, mais, tandis que ceux de la deuxième catégorie se rencontrent dans les deux évangiles en des suites largement parallèles, ceux de la première, groupés chez Lc, sont dispersés chez Mt. Tout se passe comme si Mt et Lc avaient puisé ces logia à deux sources différentes : d'une part dans un Recueil que l'on peut appeler S(ource) avec Vaganay, que Lc a repris substantiellement dans sa section médiane, ou « péréenne », tandis que Mt le morcelait pour en saupoudrer ses discours, d'autre part dans un état ancien de l'évangile de Matthieu.*

*Car il semble bien qu'il faille envisager aussi pour Mt, et même pour Lc, comme nous venons de le faire pour Mc, des états archaïques, antérieurs à leur état actuel. Des analyses qu'il est impossible de reproduire ici conduisent à admettre trois états successifs, au moins pour Mc et Mt : un document de base, une première rédaction, et une rédaction finale, celle que nous possédons. Entre ces divers états se sont produites des interactions qui ont joué en des sens divers, entraînant les relations littéraires, de ressemblance ou de différence, que nous constatons entre les évangiles dans leur état actuel. C'est ainsi, par exemple, que la première rédaction de Mc aura subi l'influence du document source de Mt, d'où des ressemblances où il est dépendant, mais aura influencé à son tour l'ultime rédaction du premier évangile, qui en devient alors dépendant. Enchevêtrement d'influences qui peut paraître complexe, qui l'est en effet, mais qui doit l'être pour expliquer une situation complexe. Prétendre donner au problème synoptique une solution simple est une illusion.*

*A l'aide de ces observations littéraires, on peut esquisser un exposé d'ensemble, sinon assuré du moins vraisemblable, de la genèse des trois premiers évangiles.*

*Au principe il y eut la prédication orale des apôtres, centrée autour du « Kérygme » annonçant la mort rédemptrice et la résurrection du Seigneur. Cette prédication, dont les discours de Pierre dans les Actes des Apôtres fournissent des résumés typiques, s'accompagnait normalement de récits plus détaillés : d'abord celui de la Passion, qui a dû prendre très tôt une forme stéréotypée, comme l'atteste le parallélisme des quatre récits évangéliques; puis des anecdotes prises de la vie du Maître et illustrant sa personne, sa mission, sa puissance, son enseignement par quelque épisode ou parole mémorable, miracle, sentence, parabole, etc. Outre les apôtres, des narrateurs spécialisés comme les « évangélistes » (catégorie de « charismatiques » qui ne saurait se limiter aux quatre auteurs de nos évangiles; cf. Ac* **21** 8; *Ep* **4** 11; 2 *Tm* **4** 5*) racontaient ces souvenirs évangéliques, sous une forme qui tendait à se fixer par la répétition. Bientôt, et surtout à partir du moment où les témoins de la première heure commencèrent à disparaître, on se soucia de mettre par écrit cette tradition. Les épisodes rapportés au début de manière isolée et indépendante tendirent de ce fait à se grouper, tantôt de façon chronologique (la journée de Capharnaüm, Mc* **1** 16-39*), tantôt de façon logique (cinq controverses, Mc* **2** 1 - **3** 6*), d'abord en petites sec-*

*tions, puis en plus vastes ensembles. Un auteur, en qui rien n'empêche de reconnaître avec la Tradition l'apôtre Matthieu, composa alors un premier « évangile » qui rassemblait les faits et les paroles de Jésus en un récit continu couvrant tout son ministère terrestre, du Baptême à la Résurrection. Un recueil S, dont nous ignorons l'auteur, vint ensuite s'adjoindre à ce premier évangile pour rassembler d'autres paroles du Seigneur, ou les mêmes sous d'autres formes. Ces deux ouvrages, composés en araméen, furent bientôt traduits en grec, et de diverses façons. Le souci d'adaptation aux frères d'origine païenne aura produit une nouvelle forme du premier « évangile » que nous avons proposé d'attribuer à Matthieu, forme nouvelle qui constituait un nouveau document et qui allait servir de base à la tradition marcienne. Si, à ces deux formes primitives de l'évangile émané de Matthieu et du Recueil S, on ajoute un autre évangile archaïque que l'on pressent à la source des récits de la Passion et de la Résurrection chez Lc et chez Jn, on obtient quatre documents de base pour cette première des trois étapes que nous avons annoncées plus haut.*

*Dans une deuxième étape, ces documents ont été repris et combinés de diverses façons. La tradition marcienne a tiré de l'évangile matthéen primitif et de ses diverses adaptations, notamment de celle qui s'adressait aux chrétiens d'origine païenne, une rédaction plus complète, plus organisée, mais qui n'était pas encore la rédaction finale que nous connaissons aujourd'hui. C'est cette forme intermédiaire de Mc que Mt et Lc ont connue et qui les a influencés. De son côté, la tradition matthéenne a produit une rédaction nouvelle, en combinant l'évangile primitif de Matthieu avec le Recueil S. Le rédacteur qui a mené à bien cette combinaison l'a fait avec beaucoup de finesse, dissociant les logia groupés dans le Recueil S pour les répartir dans tout son évangile et construire ainsi de grands ensembles. Peu après, Luc commençait son œuvre. Ayant recherché avec diligence tout ce qui avait été élaboré avant lui (Lc* **1,** 1-4*), il a utilisé, dans une première étape de son travail qu'on peut appeler un Proto-Luc, d'une part le document de tendance pagano-chrétienne qui avait servi de base à Mc, et d'autre part l'évangile de Mt déjà combiné avec S; mais il a connu aussi directement ce Recueil S et a préféré en insérer les logia par grands blocs dans sa section médiane, au lieu de les combiner en détail comme l'avait fait Mt. Enfin il s'est servi, surtout dans les récits de la Passion et de la Résurrection, d'un document archaïque qu'a utilisé aussi le quatrième évangile, d'où les contacts nombreux de Lc et Jn contre Mt et Mc dans cette partie de l'évangile. Le Proto-Luc ne connaissait pas encore l'évangile de Mc, pas même dans sa forme intermédiaire; c'est plus tard seulement qu'il en a tiré parti pour compléter son évangile, et ceci nous amène à la troisième étape.*

*Dans cette étape, que l'on peut appeler finale, l'évangile de la tradition matthéenne a été profondément remanié à l'aide de Mc, non sous la forme actuelle de ce dernier, rappelons-le, mais sous la forme plus ancienne que nous avons assignée à la deuxième étape de l'évolution. Par un curieux chassé-croisé, l'évangile de Mc a été lui-même revisé en tenant compte de la forme intermédiaire de Mt, peut-être aussi du Proto-Lc, et non sans subir des influences pauliniennes. Quant à Lc, il a trouvé sa forme définitive en utilisant Mc, sous sa forme intermédiaire comme l'avait fait Mt. Dans la trame de sa première rédaction (le Proto-Lc) il a inséré trois « sections marciennes » (***4** 31 - **6** 19; **8** 4 - **9** 50; **18** 15 - **21** 38*). Que ces insertions représentent une étape plus tardive dans son œuvre, cela est prouvé par le fait qu'il omet de reproduire les éléments de Mc quand il les a déjà reçus, sous une forme littéraire différente, des sources Mt ou S qu'il a utilisées d'abord. Il faut encore noter que Lc a eu recours, comme Mt mais plus que lui, à des sources particulières trouvées par sa diligente enquête,* **1** 3*, et auxquelles il doit, non seulement son évangile de l'Enfance, mais encore beaucoup des perles qui rendent son ouvrage indispensable à côté des deux autres (le Bon Samaritain, Marthe et Marie, l'enfant prodigue, le pharisien et le publicain, etc.).*

*La genèse littéraire qui vient d'être esquissée respecte et utilise en les précisant les données de la Tradition. Elle ne permet pas cependant d'assigner à chacun des trois synoptiques une date précise, pas plus d'ailleurs que la Tradition ne fournit de renseignement ferme sur ce point. En laissant le temps voulu pour le développement de la tradition orale, on peut conjecturer que la rédaction de l'évangile primitif, et ensuite du Recueil complémentaire, a dû se produire entre les années 40 et 50; cette date ancienne serait même assez garantie, s'il était prouvé que les épîtres de Paul aux* Thessaloniciens, *écrites vers 51/52, ont utilisé le discours apocalyptique du premier évangile. Si Marc a écrit vers la fin de la vie de saint Pierre (Clément d'Alexandrie) ou peu après sa mort (Irénée), son évangile doit se placer aux environs de l'an 64, en tout cas avant 70 car il ne paraît pas supposer que la ruine de Jérusalem soit déjà consommée. Les ouvrages de Matthieu grec et de Luc lui sont postérieurs, mais leur date exacte est difficile à préciser.*

*Celui de Luc est supposé par le livre des* Actes, *Ac* **1** 1, *mais la date de ce dernier est également incertaine (cf. l'Introduction aux* Actes*) et ne fournit pas un repère assuré. Par ailleurs, ni Matthieu grec ni Luc ne supposent que la ruine de Jérusalem est un fait accompli (pas même Lc* **19** 42-44; **21** 20-24 *qui utilise des clichés prophétiques pour décrire cet événement aisé à prévoir); ce peut être par souci d'archaïsme et respect consciencieux de leurs sources, auquel cas il serait permis de reporter leur rédaction après cette ruine, vers 80 par exemple; ce peut être aussi parce qu'ils n'ont réellement pas connu cette ruine, et alors on devra les maintenir avant 70.*

*De toute façon l'origine apostolique, directe ou indirecte, et la genèse littéraire des trois synoptiques justifient leur valeur historique, tout en permettant d'apprécier comment il faut l'entendre. Dérivés d'une prédication orale qui remonte aux débuts de la communauté primitive, ils ont à leur base la garantie de témoins oculaires. Assurément ni les apôtres ni les autres prédicateurs et narrateurs évangéliques n'ont cherché à faire de l'« histoire », au sens technique de ce mot; leur propos était moins profane et plus théologique, ils ont parlé pour convertir et édifier, inculquer et éclairer la foi, la défendre contre les adversaires. Mais ils l'ont fait à l'aide de témoignages véridiques et contrôlables, exigés tant par la probité de leur conscience que par le souci de ne pas donner prise aux réfutations hostiles. Les rédacteurs évangéliques qui ont ensuite consigné et rassemblé leurs témoignages l'ont fait avec le même soin d'honnête objectivité qui respecte les sources, comme le prouvent bien la simplicité et l'archaïsme de leurs compositions, où se mêlent si peu des élaborations théologiques postérieures, d'un saint Paul par exemple, pour ne pas parler des créations légendaires et invraisemblables dont fourmilleront les évangiles apocryphes. Si les trois synoptiques ne sont pas des « livres d'histoire », ils n'en prétendent pas moins ne fournir que de l'historique.*

*Ce n'est pas à dire cependant que chacun des faits ou des dits qu'ils rapportent peut être pris pour une reproduction rigoureusement exacte de ce qui s'est passé dans la réalité. Les lois inévitables de tout témoignage humain et de sa transmission dissuadent d'attendre une telle exactitude matérielle, et les faits contribuent à cette mise en garde, puisque nous voyons le même récit ou la même parole transmis de façon différente par les différents évangiles. Ceci, qui vaut pour le contenu des divers épisodes, vaut à plus forte raison pour l'ordre dans lequel ils se trouvent organisés entre eux. Cet ordre varie selon les évangiles, et c'est ce qu'on devait attendre de leur genèse complexe, selon laquelle des éléments transmis d'abord isolément se sont peu à peu amalgamés et groupés, rapprochés ou dissociés, pour des motifs plus logiques et systématiques que chronologiques. Il faut reconnaître que bien des faits ou des mots évangéliques ont perdu leur attache première dans le temps ou le lieu, et l'on aurait tort souvent de prendre en rigueur des connexions rédactionnelles telles que « alors », « ensuite », « ce jour-là », « en ce temps-là », etc.*

*Mais ces constatations ne portent aucun préjudice pour la foi des chrétiens à l'autorité de ces livres inspirés. Si l'Esprit Saint n'a pas donné à ses interprètes d'atteindre une parfaite uniformité dans le détail, c'est qu'il n'accordait pas à la précision matérielle d'importance pour la foi. Bien plus, c'est qu'il voulait cette diversité dans le témoignage. « Mieux vaut accord tacite que manifeste », a dit Héraclite. Un fait qui nous est attesté par des traditions diverses et même discordantes (que l'on songe aux apparitions après la résurrection) revêt dans sa substance profonde une richesse et une solidité qu'une attestation parfaitement cohérente, mais ne rendant qu'un son, ne saurait lui donner. Et même quand la diversité des témoignages ne vient pas seulement des accidents inévitables de leur transmission, mais résulte de corrections intentionnelles, ceci encore est un gain. Il n'est pas douteux que dans bien des cas les rédacteurs évangéliques ont voulu consciemment présenter les choses de façons différentes; et, avant eux, la tradition orale dont ils sont les héritiers n'a pas transmis les souvenirs évangéliques sans les interpréter et les adapter de diverses manières aux besoins de la foi vivante dont ils étaient porteurs. Mais cette intervention de la communauté dans la formation de la tradition s'est faite sous la direction de ses responsables; et, loin de nous inquiéter, elle doit nous profiter, car cette communauté était l'Église, dont ces responsables représentaient le premier magistère. L'Esprit Saint qui devait inspirer les auteurs évangéliques présidait déjà à tout ce travail d'élaboration préalable et le guidait dans l'épanouissement de la foi, garantissant ses résultats de cette véritable inerrance qui ne porte pas tant sur la matérialité des faits que sur le message spirituel dont ils sont chargés. L'Esprit préparait ainsi une nourriture assimilable aux fidèles; et c'est lui qui a donné particulièrement aux trois évangélistes de présenter chacun le message commun d'une façon qui lui est propre.*

**L'évangile selon saint Marc.**

*Le plan de saint Marc est le moins systématique.*

*Après le prélude que constituent la prédication de Jean-Baptiste, le baptême de Jésus et la tentation au désert,* **1** 1-13, *quelques rares jalons nous aident à discerner une période de ministère galiléen,* **1** 14 - **7** 23, *puis les voyages de Jésus avec ses apôtres au pays de Tyr et de Sidon, en Décapole, dans la région de Césarée de Philippe, avec retour en Galilée,* **7** 24 - **9** 50, *enfin une dernière montée à travers la Pérée et Jéricho vers Jérusalem pour la Passion et la Résurrection,* **10** 1 - **16** 8. *Sans parler de la séquence des faits dans le détail, même ce cadre général est assez conventionnel, puisqu'il paraît certain, d'après les vraisemblances et le témoignage du quatrième évangile, que Jésus est monté plusieurs fois à Jérusalem avant la Pâque de la Passion. Cependant ses grandes lignes dessinent une évolution qui mérite d'être retenue pour sa vérité historique et sa portée théologique : Jésus est d'abord reçu par les foules avec faveur; puis son messianisme humble et spirituel déçoit leur attente et l'enthousiasme se refroidit; alors Jésus s'éloigne de Galilée pour se consacrer à la formation du petit groupe de disciples fidèles, dont il obtient l'adhésion inconditionnée lors de la confession de Césarée; c'est là un tournant décisif à partir duquel tout s'oriente vers Jérusalem, où se consomme, à la suite d'une opposition de plus en plus vive, le drame de la Passion, que couronne enfin la réponse victorieuse de Dieu : la Résurrection.*

*Aussi bien est-ce le paradoxe de Jésus, incompris et rejeté par les hommes mais envoyé et triomphant par Dieu, qui intéresse au premier chef le deuxième évangile. Il se préoccupe moins de développer l'enseignement du Maître et rapporte peu de ses paroles. Son thème essentiel est la manifestation du Messie crucifié. D'une part il montre en Jésus le Fils de Dieu, reconnu comme tel par le Père,* **1** 11; **9** 7, *par les démons,* **1** 24; **3** 11; **5** 7, *et même par les hommes,* **15** 39, *le Messie qui revendique un rang divin,* **14** 62, *supérieur aux Anges,* **13** 32, *s'attribue le pouvoir de pardonner les péchés,* **2** 10, *prouve sa puissance et sa mission par des miracles,* **1** 31; **4** 41, *etc., et des exorcismes,* **1** 27; **3** 23*s*, *etc. Mais d'autre part il souligne fortement son échec apparent auprès des hommes : raillerie ou scandale des foules,* **5** 40; **6** 2*s*, *hostilité des chefs juifs,* **2** 1 - **3** 6, *etc., incompréhension même des disciples,* **4** 13+, *toutes oppositions qui mènent à l'ignominie de la croix. C'est ce scandale qu'il a à cœur d'expliquer, non seulement en lui opposant le triomphe final de la résurrection, mais en montrant qu'il devait en être ainsi selon les desseins mystérieux de Dieu. Il fallait que le Christ souffrît pour racheter les hommes,* **10** 45; **14** 24 : *c'était annoncé par les Écritures,* **9** 12; **14** 21, 49, *et Jésus lui-même a proclamé cette voie d'humilité et de souffrances, pour lui,* **8** 31; **9** 31; **10** 33*s*, *et pour les siens,* **8** 34*s*; **9** 35; **10** 15, 24*s*, 29*s*, 39; **13** 9-13. *Cependant l'attente juive d'un Messie guerrier et victorieux était peu prête à recevoir cette solution de douleur et d'abnégation; c'est pourquoi, afin d'éviter un enthousiasme intempestif et illusoire, Jésus a entouré de silence ses miracles,* **5** 43, *etc., et sa personne,* **7** 24; **9** 30; *au titre de « Messie »,* **8** 29*s*, *trop chargé de gloire humaine, il a préféré celui, plus humble et plus mystérieux, de « Fils de l'homme »,* **2** 10, *etc.; cf. Mt* **8** 20+. *C'est ce qu'on a appelé le « secret messianique », Mc* **1** 34+; *mais s'il est vrai que Marc en fait une thèse essentielle de son évangile, il ne l'est pas qu'il l'ait inventé après coup : c'est la réalité profonde de la carrière douloureuse de Jésus qu'il comprend et nous expose dans la lumière de la foi définitivement affermie par le triomphe de Pâques.*

**L'évangile selon saint Matthieu.**

*Cette lumière et ces grandes lignes de la vie de Jésus se retrouvent évidemment dans l'évangile de saint Matthieu, mais l'accent est mis de façon différente. Le plan d'abord est autre, beaucoup plus construit. Cinq livrets se succèdent, composés chacun d'un Discours introduit par des faits habilement choisis pour le préparer, ce qui, joint aux récits de l'Enfance et à la Passion-Résurrection, constitue un ensemble harmonieux de sept parties. Il se peut que les linéaments de cette construction remontent à l'évangile araméen et se devinent encore dans l'abrégé de Marc; ils sont en tout cas très apparents dans le Matthieu grec, et nous avons vu comment il a librement exploité ses sources pour obtenir cet ensemble systématique et d'une puissante pédagogie. Comme par ailleurs il reproduit beaucoup plus complètement l'enseignement de Jésus et insiste sur le thème du « Royaume des Cieux »,* **4** 17+, *on peut caractériser son évangile comme un drame en sept actes sur la venue du Royaume des Cieux : 1º ses préparations dans la personne du Messie enfant,* **1-2**; *2º la promulgation de son programme, devant les disciples et la foule, dans le Discours sur la montagne,* **3-7**, *3º sa prédication par des missionnaires, dont les miracles de Jésus annoncent les « signes » qui accréditeront leur parole, et auxquels le Discours de mission donne des consignes,* **8-10**; *4º les obstacles qu'il doit rencontrer de la part des hommes, selon l'économie humble et cachée, voulue de Dieu, qu'illustre le Discours des paraboles,* **11** 1 - **13** 52; *5º ses débuts dans un groupe de disciples, avec Pierre pour chef, prémices de l'Église dont les règles de vie sont esquissées par le Discours communautaire,* **13** 53

- **18** 35; *6º la crise qui prépare son avènement définitif, suscitée par l'opposition croissante des chefs juifs et annoncée par le Discours eschatologique,* **19-25**; *7º enfin cet avènement lui-même, dans la souffrance et le triomphe, par la Passion et la Résurrection,* **26-28**.

*Ce Royaume de Dieu (= des Cieux), qui doit rétablir parmi les hommes l'autorité souveraine de Dieu comme Roi enfin reconnu, servi et aimé, avait été préparé et annoncé par l'Ancienne Alliance. Aussi Matthieu, écrivant parmi les Juifs et pour les Juifs, s'attache-t-il particulièrement à montrer dans la personne et l'œuvre de Jésus l'accomplissement des Écritures. A chaque tournant de son œuvre il se réfère à l'AT pour prouver comment la Loi et les Prophètes sont « accomplis », c'est-à-dire non seulement réalisés dans leur attente, mais encore menés à une perfection qui les couronne et les dépasse. Il le fait pour la personne de Jésus, confirmant de textes scripturaires sa race davidique,* **1** 1-17, *sa naissance d'une vierge,* **1** 23, *à Bethléem,* **2** 6, *son séjour en Égypte, son établissement à Capharnaüm,* **4** 14-16, *son entrée messianique à Jérusalem,* **21** 5, 16; *il le fait pour son œuvre, de guérisons miraculeuses,* **11** 4-5, *d'enseignement qui « accomplit » la Loi,* **5** 17, *en la sublimant,* **5** 21-48; **19** 3-9, 16-21. *Et il ne souligne pas moins fortement comment l'humilité de cette personne et l'échec apparent de cette œuvre se trouvent aussi accomplir les Écritures : le massacre des Innocents,* **2** 17*s*, *l'enfance cachée à Nazareth,* **2** 23, *la mansuétude compatissante du « Serviteur »,* **12** 17-21; *cf.* **8** 17; **11** 29; **12** 7, *l'abandon des disciples,* **26** 31, *le prix dérisoire de la trahison,* **27** 9-10, *l'arrestation,* **26** 54, *l'ensevelissement durant trois jours,* **12** 40, *tout cela était le dessein de Dieu annoncé par l'Écriture. Et, de même l'incrédulité des Juifs,* **13** 13-15, *attachés à leurs traditions humaines,* **15** 7-9, *et auxquels ne peut être donné qu'un enseignement mystérieux en paraboles,* **13** 14-15, 35, *ceci encore était annoncé par les Écritures. Sans doute les autres synoptiques utilisent-ils aussi cet argument scripturaire; mais, outre qu'ils le doivent sans doute au Matthieu araméen, Matthieu grec le renforce notablement au point d'en faire un trait marquant de son évangile. Ceci, joint à la construction systématique de son exposé, fait de son ouvrage la charte de l'économie nouvelle qui accomplit les desseins de Dieu dans le Christ : Jésus est le Fils de Dieu, il y insiste plus que Marc,* **14** 33; **16** 16; **22** 2; **27** 40, 43; *son enseignement représente la Loi nouvelle qui accomplit l'ancienne; l'Église qu'il fonde sur Pierre,* **16** 18, *et dont il est lui-même la pierre de faîte rejetée par les bâtisseurs,* **21** 42, *est la communauté messianique qui prolonge celle de l'Ancienne Alliance en lui donnant une extension universelle, puisque Dieu a permis le refus des premiers appelés,* **23** 34-38; *cf.* **10** 5-6, 23; **15** 24, *pour ouvrir l'accès du salut à toutes les nations,* **8** 11-12; **21** 33-46; **22** 1-10; *cf.* **12** 18, 21; **28** 19. *On comprend que cet évangile si complet et si bien organisé, rédigé dans une langue moins savoureuse mais plus correcte que celui de Marc, ait été reçu et utilisé par l'Église naissante avec une faveur marquée.*

**L'évangile selon saint Luc.**

*Le mérite particulier du troisième évangile lui vient de la personnalité très attachante de son auteur, qui y transparaît sans cesse. Saint Luc est un écrivain de grand talent et une âme délicate. Il a mené son œuvre d'une façon originale, avec un souci d'information et d'ordre,* **1** 3. *Ce n'est pas à dire qu'il ait pu donner aux matériaux reçus de la tradition un arrangement plus « historique » que Matthieu et Marc; son respect des sources et sa façon de les juxtaposer ne le lui permettaient pas. Son plan reprend les grandes lignes de celui de Marc avec quelques transpositions ou omissions. Des épisodes sont déplacés,* **3** 19-20; **4** 16-30; **5** 1-11; **6** 12-19; **22** 31-34, *etc., tantôt par souci de clarté et de logique, tantôt par influence d'autres traditions, parmi lesquelles il faut noter celle qui se reflète également dans le quatrième évangile. D'autres épisodes sont omis, soit comme moins intéressants pour les lecteurs païens, Mc* **9** 11-13, *soit parce que déjà représentés dans le Recueil, Mc* **12** 28-34; *cf. Lc* **10** 25-28, *soit enfin et surtout, pour la grande omission de Mc* **6** 45 - **8** 26, *parce que Luc n'aura pas trouvé cette section dans son exemplaire de Marc ou bien que, la connaissant, il aura estimé qu'elle y faisait doublet. La différence la plus notable par rapport au deuxième évangile vient de la grande addition* **9** 51 - **18** 14, *où nous avons reconnu que Luc utilise un Recueil de Logia en le combinant avec des informations personnelles. Cette section médiane est présentée sous la forme d'une montée vers Jérusalem à l'aide de notations répétées,* **9** 51; **13** 22; **17** 11, *qui exploitent une donnée de Marc,* **10** 1, *et où l'on verra moins le souvenir réel de différents voyages que l'insistance voulue sur une idée théologique chère à Luc : la Ville sainte est le lieu où doit s'accomplir le salut* **9** 31; **13** 33; **18** 31; **19** 11, *c'est là que l'Évangile a commencé,* **1** 5*s*, *et c'est là qu'il doit finir,* **24** 52*s – par des apparitions et des entretiens qui n'ont pas lieu en Galilée,* **24** 13-51; *et comp.* **24** 6 *avec Mc* **16** 7; *Mt* **28** 7, 16-20 *– car c'est de là que doit partir l'évangélisation du monde,* **24** 47; *Ac* **1** 8.

*Si l'on poursuit dans le détail la comparaison de Luc avec ses sources, soit avec celle qui nous est la mieux connue, Marc, soit avec celles que reflètent également les passages parallèles de Matthieu, on observe sur le vif l'activité toujours en éveil d'un écrivain qui, par de menues retouches, omissions ou additions, excelle à présenter les choses d'une façon qui lui est propre, évitant ou atténuant ce qui peut froisser sa sensibilité ou celle de ses lecteurs (***8** 43 *comp. Mc* **5** 26*; om. Mc* **9** 43-48; **13** 32*; etc.), ou bien leur être peu compréhensible (om. Mt* **5** 21*s,* 33*s; Mc* **15** 34*; etc.), ménageant les personnes des apôtres (om. Mc* **4** 13; **8** 32*s;* **9** 28*s;* **14** 50*) ou les excusant (Lc* **9** 45; **18** 34; **22** 45*), interprétant les termes obscurs (***6** 15*) ou précisant la géographie (***4** 31; **19** 28*s,* 37; **23** 51*), etc. Par ces nombreuses et fines touches, et surtout par le riche apport dû à son enquête personnelle, Luc nous livre les réactions et les tendances de son âme; ou plutôt, par le moyen de cet instrument de choix, l'Esprit Saint nous présente le message évangélique d'une façon originale, riche de doctrine. Il s'agit moins d'ailleurs de grandes thèses théologiques (les idées maîtresses sont les mêmes que chez Marc et Matthieu) que d'une psychologie religieuse où l'on trouve, mêlées à une influence très discrète de son maître Paul, les inclinations propres au tempérament de Luc. En vrai « scriba mansuetudinis Christi » (Dante), il aime à souligner la miséricorde de son Maître pour les pécheurs,* **15** 1*s,* 7, 10, *et à raconter des scènes de pardon,* **7** 36-50; **15** 11-32; **19** 1-10; **23** 34, 39-43. *Il insiste volontiers sur la tendresse de Jésus pour les humbles et les pauvres, tandis que les orgueilleux et les riches jouisseurs sont sévèrement traités,* **1** 51-53, **6** 20-26; **12** 13-21; **14** 7-11; **16** 15, 19-31; **18** 9-14. *Cependant même la juste condamnation ne se fera qu'après les délais patients de la miséricorde,* **13** 6-9*; comp. Mc* **11** 12-14. *Il faut seulement qu'on se repente, qu'on se renonce, et ici la générosité virile de Luc tient à répéter l'exigence d'un détachement décidé et absolu,* **14** 25-34, *notamment par l'abandon des richesses,* **6** 34*s;* **12** 33; **14** 12-14; **16** 9-13. *On notera encore les passages propres au troisième évangile sur la nécessité de la prière,* **11** 5-8; **18** 1-8, *et sur l'exemple qu'en a donné Jésus,* **3** 21; **5** 16; **6** 12; **9** 28. *Enfin, comme chez saint Paul et dans les Actes, l'Esprit Saint occupe une place de premier plan que Luc seul souligne en* **1** 15, 35, 41, 67; **2** 25-27; **4** 1, 14, 18; **10** 21; **11** 13; **24** 49. *Ceci, avec l'atmosphère de reconnaissance pour les bienfaits divins et d'allégresse spirituelle, qui enveloppe tout le troisième évangile,* **2** 14; **5** 26; **10** 17; **13** 17; **18** 43; **19** 37; **24** 51*s, achève de donner à l'œuvre de Luc cette ferveur qui touche et réchauffe le cœur.*

*Le style de saint Marc est rugueux, pénétré d'aramaïsmes et souvent incorrect, mais primesautier et d'une vivacité populaire qui est pleine de charme. Celui de saint Matthieu est encore araméisant mais mieux poli, moins pittoresque mais plus correct. Celui de saint Luc est complexe : d'une excellente qualité quand il ne relève que de lui-même, il accepte d'être moins bon par respect pour ses sources, dont il garde certaines imperfections tout en les améliorant; enfin, il imite volontairement et à merveille le style biblique des Septante. Notre traduction s'est efforcée de respecter ces nuances dans la mesure du possible, comme aussi elle s'est appliquée à refléter dans le français le détail des ressemblances et des différences où se trahissent, dans les originaux grecs, les relations littéraires qu'ont entre eux les trois évangiles synoptiques.*

# L'ÉVANGILE SELON SAINT MATTHIEU

## *I. Naissance et enfance de Jésus*

|| Lc 3 23-38 **Ascendance de Jésus.**

Gn 2 4; 5 1 Mt 9 27+ Ga 3 16+ **1** [1] Livre de la genèse de Jésus Christ, fils de David, fils d'Abraham [a] :

[2] Abraham engendra Isaac,
Isaac engendra Jacob,
Jacob engendra Juda et ses frères,
[3] Juda engendra Pharès et Zara, de Thamar,
Pharès engendra Esrom,
Esrom engendra Aram,
[4] Aram engendra Aminadab,
Aminadab engendra Naasson,
Naasson engendra Salmon,
[5] Salmon engendra Booz, de Rahab,
Booz engendra Jobed, de Ruth,
Jobed engendra Jessé,
[6] Jessé engendra le roi David.

David engendra Salomon, de la femme d'Urie,
[7] Salomon engendra Roboam,
Roboam engendra Abia,
Abia engendra Asa [b]
[8] Asa engendra Josaphat,
Josaphat engendra Joram,
Joram engendra Ozias,
[9] Ozias engendra Joatham,
Joatham engendra Achaz,
Achaz engendra Ézéchias,
[10] Ézéchias engendra Manassé,
Manassé engendra Amon [c],
Amon engendra Josias,
[11] Josias engendra Jéchonias et ses frères;
ce fut alors la déportation à Babylone.

[12] Après la déportation à Babylone,
Jéchonias engendra Salathiel,
Salathiel engendra Zorobabel,
[13] Zorobabel engendra Abioud,
Abioud engendra Éliakim,
Éliakim engendra Azor,
[14] Azor engendra Sadok,
Sadok engendra Akhim,
Akhim engendra Élioud,
[15] Élioud engendra Éléazar,
Éléazar engendra Matthan,
Matthan engendra Jacob,
[16] Jacob engendra Joseph, l'époux de Marie,
de laquelle naquit Jésus [d], que l'on appelle Christ.

[17] Le total des générations est donc : d'Abraham à David, quatorze générations; de David à la déportation de Babylone, quatorze générations; de la déportation de Babylone au Christ, quatorze générations.

*a)* La généalogie de Mt, tout en soulignant des influences étrangères du côté des femmes, vv. 3, 5, 6, se restreint à l'ascendance israélite du Christ. Elle vise à le rattacher aux principaux dépositaires des promesses messianiques, Abraham et David, et aux descendants royaux de ce dernier, 2 S 7 1+; Is 7 14+. La généalogie de Lc, plus universaliste, remonte à Adam, chef de toute l'humanité. De David à Joseph, les deux listes n'ont en commun que deux noms. Cette divergence peut s'expliquer, soit par le fait que Mt a préféré la succession dynastique à la descendance naturelle, soit par l'équivalence mise entre la descendance légale (loi du lévirat, Dt 25 5+) et la descendance naturelle. Le caractère systématique de la généalogie est d'ailleurs souligné, chez Mt, par la répartition des ancêtres du Christ en trois séries de deux fois sept noms, cf. 6 9+, ce qui oblige à omettre trois rois entre Joram et Ozias, et à compter Jéchonias, vv. 11-12, pour deux (ce même nom grec pouvant traduire les deux noms hébreux voisins de Joiaqim et Joiakîn). Les deux listes aboutissent à Joseph, qui n'est que le père légal de Jésus : c'est qu'aux yeux des anciens la paternité légale (par adoption, lévirat, etc.) suffisait à conférer tous les droits héréditaires, ici ceux de la lignée davidique. Cela n'exclut pas que Marie elle-même ait appartenu à cette lignée, encore que les évangélistes ne le disent pas.

*b)* Var. : « Asaph ».

*c)* Var. : « Amos ».

*d)* Plusieurs témoins grecs et latins ont précisé : « Joseph, auquel fut fiancée la Vierge Marie qui engendra Jésus »; c'est sans doute de cette leçon mal comprise que résulte la syr. sin. : « Joseph, auquel était fiancée la Vierge Marie, engendra Jésus. »

**Joseph assume la paternité légale de Jésus.**

18 Or telle fut la genèse de Jésus Christ. Marie,
Lc **1** 27; **2** 5 sa mère, était fiancée à Joseph [a] : or, avant qu'ils
eussent mené vie commune, elle se trouva enceinte
par le fait de l'Esprit Saint. 19 Joseph, son mari, qui
était un homme juste et ne voulait pas la dénoncer
publiquement, résolut de la répudier sans bruit [b].
20 Alors qu'il avait formé ce dessein, voici que
Gn **16** 7+ l'Ange du Seigneur [c] lui apparut en songe [d] et lui
Ac **7** 38+ dit : « Joseph, fils de David, ne crains pas de prendre chez toi Marie, ta femme : car ce qui a été
Lc **1** 35 engendré en elle vient de l'Esprit Saint; 21 elle
Lc **1** 31 enfantera un fils, et tu l'appelleras du nom de
Ps **130** 8 Jésus : car c'est lui qui sauvera [e] son peuple de ses
Si **46** 1 Ac **3** 16+; **4** 12 péchés. » 22 Or tout ceci advint pour que
s'accomplît cet oracle prophétique du Seigneur [f] :
Is **7** 14 23 *Voici que la vierge concevra et enfantera un fils,*
*et on l'appellera du nom d'Emmanuel,*

ce qui se traduit : « Dieu avec nous ». 24 Une fois
réveillé, Joseph fit comme l'Ange du Seigneur lui
avait prescrit : il prit chez lui sa femme; 25 et il ne
Lc **2** 7 la connut pas jusqu'au jour où elle enfanta un fils [g],
et il l'appela du nom de Jésus.

**La visite des Mages.**

Lc **2** 1-7 **2** 1 [h] Jésus étant né à Bethléem de Judée, au
temps du roi Hérode [i], voici que des mages
venus d'Orient [j] arrivèrent à Jérusalem 2 en disant :
« Où est le roi des Juifs qui vient de naître? Nous
avons vu, en effet, son astre à son lever [k] et sommes Nb **24** 17
venus lui rendre hommage. » 3 L'ayant appris, le roi
Hérode s'émut, et tout Jérusalem avec lui. 4 Il
assembla tous les grands prêtres avec les scribes du
peuple [l], et il s'enquérait auprès d'eux du lieu où
devait naître le Christ. 5 « A Bethléem de Judée, lui Jn 7 42
dirent-ils; ainsi, en effet, est-il écrit par le prophète :

6 *Et toi, Bethléem, terre de Juda,* Mi **5** 1
*tu n'es nullement le moindre des clans de Juda;*
*car de toi sortira un chef*
*qui sera pasteur de mon peuple Israël.* »

7 Alors Hérode manda secrètement les mages, se fit
préciser par eux le temps de l'apparition de l'astre,
8 et les envoya à Bethléem en disant : « Allez vous
renseigner exactement sur l'enfant; et quand vous
l'aurez trouvé, avisez-moi, afin que j'aille, moi
aussi, lui rendre hommage. » 9 Sur ces paroles du
roi, ils se mirent en route; et voici que l'astre, qu'ils
avaient vu à son lever, les précédait jusqu'à ce qu'il
vînt s'arrêter au-dessus de l'endroit où était
l'enfant [m]. 10 A la vue de l'astre ils se réjouirent
d'une très grande joie. 11 Entrant alors dans le
logis, ils virent l'enfant avec Marie sa mère, et, se
prosternant, ils lui rendirent hommage; puis, Is **49** 23;
ouvrant leurs cassettes, ils lui offrirent en présents **60** 5s Ps **72** 10-11.
de l'or, de l'encens et de la myrrhe [n]. 12 Après quoi,
avertis en songe de ne point retourner chez Hérode,

*a)* Les fiançailles juives étaient un engagement si réel que le fiancé était déjà appelé « mari » et ne pouvait se dégager que par une « répudiation » (v. 19).

*b)* La justice de Joseph consiste sans doute en ce qu'il ne veut pas couvrir de son nom un enfant dont il ignore le père, mais aussi en ce que, convaincu de la vertu de Marie, il refuse de livrer à la procédure rigoureuse de la Loi, Dt **22** 20s, ce mystère qu'il ne comprend pas.

*c)* L'« Ange du Seigneur », dans les textes anciens, Gn **16** 7+, représentait primitivement Yahvé lui-même. Distingué davantage de Dieu par les progrès de l'angélologie, cf. Tb **5** 4+, il reste le type du messager céleste et apparaît souvent à ce titre dans les Évangiles de l'Enfance : Mt **1** 20, 24; **2** 13, 19; Lc **1** 11; **2** 9; cf. encore Mt **28** 2; Jn **5** 4; Ac **5** 19; **8** 26; **12** 7, 23.

*d)* Comme dans l'AT, Si **34** 1+, il arrive que Dieu fasse connaître son dessein par un songe : Mt **2** 12, 13, 19, 22; **27** 19; cf. Ac **16** 9; **18** 9; **23** 11; **27** 23; et les visions parallèles de Ac **9** 10s; **10** 3s, 11s.

*e)* « Jésus » (hébreu *Yehoshû 'a*) veut dire « Yahvé sauve ».

*f)* Cette formule et d'autres qui en sont voisines seront fréquentes chez Mt : **2** 15, 17, 23; **8** 17; **12** 17; **13** 35; **21** 4; **26** 54, 56; **27** 9; cf. **3** 3; **11** 10; **13** 14, etc. Mais Mt n'est pas le seul à penser que les Écritures s'accomplissent en Jésus. Jésus lui-même déclare qu'elles parlent de lui, Mt **11** 4-6; Lc **4** 21; **18** 31+; **24** 44; Jn **5** 39+; **8** 56; **17** 12; etc. Déjà dans l'AT la réalisation des paroles des prophètes était l'un des critères de leur mission, Dt **18** 20-22+. Aux yeux de Jésus et de ses disciples, Dieu a annoncé ses desseins, soit par des paroles soit par des faits, et la foi des chrétiens découvre que l'accomplissement littéral des textes dans la personne de Jésus Christ ou dans la vie de l'Église manifeste l'accomplissement réel des vues de Dieu, Jn **2** 22; **20** 9; Ac **2** 23+; **2** 31, 34-35; **3** 24+; Rm **15** 4; 1 Co **10** 11; **15** 3-4; 2 Co **1** 20; **3** 14-16.

*g)* Le texte n'envisage pas la période ultérieure, et de soi n'affirme pas la virginité perpétuelle de Marie, mais le reste de l'Évangile ainsi que la tradition de l'Église la supposent. Sur les « frères » de Jésus, cf. **12** 46+.

*h)* Après avoir présenté au ch. **1** la personne de Jésus, fils de David et fils de Dieu, Mt caractérise au ch. **2** sa mission de salut offert aux païens, dont il attire les sages à sa lumière, vv. 1-12, et de souffrance dans son propre peuple, dont il revit les expériences douloureuses : le premier exil en Égypte, 13-15, la deuxième captivité, 16-18, le retour humilié du petit « Reste », *naçur*, 19-23 (cf. v. 23+). Ces récits de caractère haggadique enseignent à l'aide d'événements ce que Lc **2** 30-34 enseigne par les paroles prophétiques de Syméon, cf. Lc **2** 34+.

*i)* Vers l'an 5 ou 4 avant l'ère chrétienne, celle-ci commençant par erreur quelques années après la naissance du Christ, cf. Lc **2** 2+; **3** 1+. Hérode régna de 37 à 4 avant notre ère. Son royaume en vint à comprendre la Judée, l'Idumée, la Samarie, la Galilée, la Pérée, et d'autres régions du côté du Hauran.

*j)* Un tel récit demande qu'on laisse à ce terme le vague d'une désignation très générale : la région par excellence des sages astrologues que sont les « mages ».

*k)* Autre traduction (Vulg.) : « à l'orient ». De même au v. 9.

*l)* Appelés aussi « docteurs de la Loi », Lc **5** 17; Ac **5** 34, ou « légistes », Lc **7** 30; **10** 25, etc., les « scribes » avaient pour fonction d'interpréter les Écritures, et en particulier la Loi mosaïque, pour en tirer les règles de conduite de la vie juive; cf. Esd **7** 6+, 11; Si **39** 2+. Ce rôle leur valait prestige et influence parmi le peuple. Ils se recrutaient surtout, mais non exclusivement, parmi les Pharisiens, **3** 7+. Ils étaient membres du Grand Sanhédrin, avec les grands prêtres et les anciens.

*m)* L'évangéliste songe manifestement à un astre miraculeux, dont il est vain de chercher une explication naturelle.

*n)* Richesses et parfums d'Arabie, Jr **6** 20; Ez **27** 22. Les Pères y ont vu symbolisées la Royauté (or), la Divinité (encens) et la Passion (myrrhe) du Christ. L'adoration des Mages accomplit les oracles messianiques sur l'hommage des nations au Dieu d'Israël, cf. Nb **24** 17; Is **49** 23; **60** 5s; Ps **72** 10-15.

1 R 13 9s ils prirent une autre route pour rentrer dans leur
pays.

**Fuite en Égypte et massacre des Innocents.**

1 20+ 13 Après leur départ, voici que l'Ange du Seigneur apparaît en songe à Joseph et lui dit : « Lè-
1 R 11 17, 40 ve-toi, prends avec toi l'enfant et sa mère, et fuis
2 R 25 26 en Égypte; et restes-y jusqu'à ce que je te dise. Car
Jr 26 21; 43 Hérode va rechercher l'enfant pour le faire périr. »
14 Il se leva, prit avec lui l'enfant et sa mère, de
nuit, et se retira en Égypte; 15 et il resta là jusqu'à
la mort d'Hérode, pour que s'accomplît cet oracle
prophétique du Seigneur :
Os 11 1 *D'Égypte j'ai appelé mon fils* [a].

16 Alors Hérode, voyant qu'il avait été joué par les
mages [b], fut pris d'une violente fureur et envoya
mettre à mort, dans Bethléem et tout son territoire,
tous les enfants de moins de deux ans, d'après le
temps qu'il s'était fait préciser par les mages.
17 Alors s'accomplit l'oracle du prophète Jérémie [c] :

18 *Une voix dans Rama s'est fait entendre,* Jr 31 15
*pleur et longue plainte :*
*c'est Rachel pleurant ses enfants;*
*et elle ne veut pas qu'on la console,*
*car ils ne sont plus.*

**Retour d'Égypte et établissement à Nazareth.**

19 Quand Hérode eut cessé de vivre, voici que
l'Ange du Seigneur apparaît en songe à Joseph, en 1 20+
Égypte, 20 et lui dit : « Lève-toi, prends avec toi
l'enfant et sa mère, et mets-toi en route pour la terre
d'Israël; car ils sont morts, ceux qui en voulaient Ex 4 19-20
à la vie de l'enfant. » 21 Il se leva, prit avec lui
l'enfant et sa mère, et rentra dans la terre d'Israël.
22 Mais, apprenant qu'Archélaüs [d] régnait sur la
Judée à la place d'Hérode son père, il craignit de
s'y rendre; averti en songe, il se retira dans la
région de Galilée [e] 23 et vint s'établir dans une ville
appelée Nazareth; pour que s'accomplît l'oracle
des prophètes :
*Il sera appelé Nazôréen* [f].

# *II. La promulgation du Royaume des Cieux*

## *1. SECTION NARRATIVE*

|| Mc 1 1-8
|| Lc 3 1-18 **Prédication de Jean-Baptiste.**

**3** 1 En ces jours-là [g] arrive Jean le Baptiste, prêchant dans le désert de Judée [h] 2 et disant :
Ac 2 38+ « Repentez-vous [i], car le Royaume des Cieux [j] est
Mt 4 17+; tout proche. » 3 C'est bien lui dont a parlé Isaïe le
10 7 prophète :

*Voix de celui qui crie dans le désert :* Is 40 3+
*Préparez le chemin du Seigneur,* Jn 1 23
*rendez droits ses sentiers.*

4 Ce Jean avait son vêtement fait de poils de cha- 11 8-9
meau et un pagne de peau autour de ses reins; sa 2 R 1 8+
nourriture était de sauterelles et de miel sauvage.

*a)* Israël, le « fils » du texte prophétique, était donc une figure du Messie.
*b)* Ce récit a un parallèle, qui est un précédent, dans l'enfance de Moïse racontée par les traditions rabbiniques : après que la naissance de l'enfant a été annoncée, soit par des visions, soit par des magiciens, le Pharaon fait massacrer des enfants nouveau-nés.
*c)* Au sens premier de ce texte, ce sont les hommes d'Éphraïm, Manassé et Benjamin, massacrés ou déportés par les Assyriens, que pleure Rachel leur aïeule. L'application que fait Matthieu a pu lui être suggérée par une tradition qui plaçait le tombeau de Rachel dans le territoire de Bethléem, Gn **35** 19s.
*d)* Ce fils d'Hérode par Malthaké (de même que Hérode Antipas) fut ethnarque de Judée de 4 av. J.-C. à 6 ap. J.-C.
*e)* Domaine d'Hérode Antipas, cf. Lc **3** 1+.
*f)* « Nazôréen » (*Nazôraios*, forme adoptée par Mt, Jn et Ac) et son synonyme « Nazarénien » (*Nazarenos*, forme adoptée par Mc; Lc a les deux formes) sont deux transcriptions courantes d'un adjectif araméen (*nasraya*), lui-même dérivé du nom de ville « Nazareth » (*Nasrath*). Appliqué à Jésus, dont il caractérisait l'origine, **26** 69, 71, puis à ses sectateurs, Ac **24** 5, ce terme s'est maintenu dans le monde sémitique pour désigner les disciples de Jésus, tandis que le nom de « chrétien », Ac **11** 26, a prévalu dans le monde gréco-romain. – On ne voit pas clairement à quels oracles prophétiques Mt fait ici allusion; on peut songer au *nazîr* de Jg **13** 5, 7, ou au *neçer* « rejeton » de Is **11** 1, ou mieux encore à *naçar* « garder » d'Is **42** 6; **49** 8, d'où *naçur* = le Reste.
*g)* Expression stéréotypée, qui n'a qu'une valeur de transition.
*h)* Région montagneuse et désolée qui s'étend entre la chaîne centrale de la Palestine et la dépression du Jourdain et de la mer Morte.
*i)* La *metanoia*, étym. changement de sentiments, désigne un renoncement au péché, un « repentir ». Ce regret, qui regarde vers le passé, s'accompagne normalement d'une « conversion » (verbe grec *epistrephein*), par laquelle l'homme se retourne vers Dieu et s'engage dans une vie nouvelle. Ces deux aspects complémentaires d'un même mouvement de l'âme ne se distinguent pas toujours dans le vocabulaire. Cf. Ac **2** 38+; **3** 19+. Repentir et conversion sont la condition nécessaire pour recevoir le salut qu'apporte le Règne de Dieu. L'appel au repentir lancé par Jean-Baptiste, cf. encore Ac **13** 24; **19** 4, sera repris par Jésus, Mt **4** 17p; Lc **5** 32; **13** 3, 5, par ses disciples, Mc **6** 12; Lc **24** 47, et par Paul, Ac **20** 21; **26** 20.
*j)* Pour « Royaume de Dieu », cf. **4** 17+ : tournure propre à Mt, répondant à la préoccupation juive de remplacer le Nom redoutable par une métaphore.

11 7 5 Alors s'en allaient vers lui Jérusalem, et toute la
Judée, et toute la région du Jourdain, 6 et ils se faisaient baptiser par lui dans les eaux du Jourdain,
en confessant leurs péchés[a]. 7 Comme il voyait
21 25, 32 Jn 5 35 beaucoup de Pharisiens[b] et de Sadducéens[c] venir
23 33; 12 34 au baptême, il leur dit : « Engeance de vipères, qui
Am 5 18+ vous a suggéré d'échapper à la Colère prochaine[d]?
8 Produisez donc un fruit digne du repentir 9 et ne
Jn 8 33-40 vous avisez pas de dire en vous-mêmes : " Nous
Rm 9 7-8 avons pour père Abraham. " Car je vous le dis,
Ga 4 21-31 Dieu peut, des pierres que voici, faire surgir des
enfants à Abraham. 10 Déjà la cognée se trouve à
= 7 19p la racine des arbres; tout arbre donc qui ne produit
pas de bon fruit va être coupé et jeté au feu. 11 Pour
Jn 1 26. 33 moi, je vous baptise dans de l'eau en vue du repen-
tir; mais celui qui vient derrière moi est plus fort
Jn 1 27, 33 que moi, dont je ne suis pas digne d'enlever les san-
Ac 1 5+ dales; lui vous baptisera dans l'Esprit Saint et le
Is 41 16 feu[e]. 12 Il tient en sa main la pelle à vanner et va
Jr 15 7 Sg 5 14, 23 nettoyer son aire; il recueillera son blé dans le gre-
13 42, 50 nier; quant aux bales, il les consumera au feu qui
ne s'éteint pas[f]. »

**Baptême de Jésus.** || Mc 1 9-11 || Lc 3 21-22

13 Alors Jésus arrive de la Galilée au Jourdain, 2 R 5 1-14
vers Jean, pour être baptisé par lui. 14 Celui-ci l'en
détournait, en disant : « C'est moi qui ai besoin Jn 13 6
d'être baptisé par toi, et toi, tu viens à moi! »
15 Mais Jésus lui répondit : « Laisse faire pour l'instant : car c'est ainsi qu'il nous convient
d'accomplir toute justice[g]. » Alors il le laisse
faire[h].

16 Ayant été baptisé, Jésus aussitôt remonta de
l'eau; et voici que les cieux s'ouvrirent[i] : il vit l'Es- Jn 1 32-34
prit de Dieu descendre comme une colombe et
venir sur lui[j]. 17 Et voici qu'une voix venue des
cieux disait : « Celui-ci est mon Fils bien-aimé, qui Is 42 1
a toute ma faveur[k]. » Mt 12 18; 17 5

**Tentation au désert[l].** || Mc 1 12-13

4 1 Alors Jésus fut emmené au désert par l'Es- || Lc 4 1-13 Dt 8 2
prit[m], pour être tenté par le diable[n]. 2 Il jeûna He 2 18
durant quarante jours et quarante nuits, après quoi Ex 34 28; 24 18
il eut faim. 3 Et, s'approchant, le tentateur lui dit : 1 R 19 8

*a)* Le rite d'immersion, symbole de purification ou de renouveau, était connu des religions anciennes et du judaïsme (Baptême des Prosélytes, Esséniens). Tout en s'inspirant de ces précédents, le baptême de Jean s'en distingue par trois traits principaux : il vise une purification non plus rituelle mais morale, **3** 2, 6, 8, 11; Lc **3** 10-14; il ne se répète pas et revêt de ce fait l'aspect d'une initiation; il a une valeur eschatologique, introduisant dans le groupe de ceux qui professent une attente active du Messie prochain et constituent par avance sa communauté, **3** 2, 11; Jn **1** 19-34. Son efficacité est réelle mais non sacramentelle, dépendante qu'elle est du Jugement de Dieu encore à venir en la personne du Messie, dont le feu purifiera ou consumera selon que l'on sera bien ou mal disposé, et qui seul baptisera « dans l'Esprit Saint », **3** 7, 10-12; Jn **1** 33+. Ce baptême de Jean sera encore pratiqué par les disciples du Christ, Jn **4** 1-2, jusqu'au jour où il sera absorbé dans le rite nouveau institué par Jésus, Mt **28** 19; Ac **1** 5+; Rm **6** 4+.

*b)* Secte de Juifs, observateurs zélés de la Loi, mais dont l'attachement excessif à la tradition orale de leurs docteurs aboutissait à une casuistique pleine de surenchère et d'affectation. La liberté de Jésus à l'égard de la Loi et sa fréquentation des pécheurs ne pouvaient que susciter chez eux une opposition dont les Évangiles, surtout Mt, ont gardé maints échos; cf. Mt **9** 11p; **12** 2p, 14p, 24; **15** 1p; **16** 1p, 6p; **19** 3p; **21** 45; **22** 15p, 34, 41; **23** p; Lc **5** 21; **6** 7; **15** 2; **16** 14s; **18** 10s; Jn **7** 32; **8** 13; **9** 13s; **11** 47s. Jésus a eu cependant des relations amicales avec certains d'entre eux, Lc **7** 36+; Jn **3** 1+, et les disciples ont trouvé en eux des alliés contre les Sadducéens, Ac **23** 6-10. On ne peut nier leur zèle, cf. Rm **10** 2, voire leur droiture, Ac **5** 34s. Paul lui-même se vante de son passé pharisien, Ac **23** 6; **26** 5; Ph **3** 5.

*c)* Ceux-ci, par réaction contre les Pharisiens, rejetaient toute tradition autre que la Loi écrite, cf. Ac **23** 8+. Moins pieux et plus préoccupés de politique, ils se recrutaient surtout parmi les grandes familles sacerdotales; ils se sont aussi heurtés à Jésus, Mt **16** 1, 6; **22** 23p, et à ses disciples, Ac **4** 1+; **5** 17.

*d)* La colère, Nb **11** 1+, du Jour de Yahvé, Am **5** 18+, qui devait inaugurer l'ère messianique.

*e)* Le feu, moyen de purification moins matériel et plus efficace que l'eau, symbolise déjà dans l'AT, cf. Is **1** 25; Za **13** 9; Ml **3** 2-3; Si **2** 5, etc., l'intervention souveraine de Dieu et de son Esprit purifiant les consciences.

*f)* Le feu de la Géhenne, **18** 9+, qui consume à jamais ce qui n'a pu être purifié, Is **66** 24; Jdt **16** 17; Si **7** 17; So **1** 18; Ps **21** 10, etc.

*g)* Bien que sans péché, Jn **8** 46, Jésus veut se soumettre au baptême de Jean où il reconnaît une démarche voulue de Dieu, cf. Lc **7** 29-30, préparation ultime de l'ère messianique, cf. Mt **3** 6+, et satisfaire ainsi à la « justice » salvifique de Dieu qui préside au plan du salut. Par-delà cet acte du baptême, Matthieu songe sans doute à la « justice » nouvelle par laquelle Jésus va accomplir et parfaire celle de l'ancienne Loi, cf. **5** 17, 20.

*h)* Une légende apocryphe s'est glissée ici dans deux mss de la Vet. Lat. : « Et tandis qu'il était baptisé, une lumière intense se répandit hors de l'eau, au point que tous les assistants furent saisis de crainte. »

*i)* Add. : « pour lui », c'est-à-dire à ses yeux.

*j)* L'Esprit qui planait sur les eaux de la première création, Gn **1** 2, apparaît ici au prélude de la nouvelle création. D'une part il oint Jésus pour sa mission messianique, Ac, **10** 38, qu'il va désormais diriger, Mt **4** 1p; Lc **4** 14, 18; **10** 21; Mt **12** 18, 28; d'autre part, comme l'ont compris les Pères, il sanctifie l'eau et prépare le baptême chrétien, cf. Ac **1** 5+.

*k)* Cette parole désigne d'abord Jésus comme le vrai Serviteur annoncé par Isaïe. Toutefois, le terme de « Fils » substitué à celui de « Serviteur » (grâce au double sens du terme grec *pais*) souligne le caractère messianique et proprement filial de sa relation avec le Père, cf. **4** 3+.

*l)* Jésus est conduit au désert pour y être tenté durant quarante jours, comme jadis Israël durant quarante ans, Dt **8** 2, 4; cf. Nb **14** 34. Il y connaît trois tentations analogues, que soulignent les citations : chercher sa nourriture en dehors de Dieu, Dt **8** 3; cf. Ex **16**, le tenter pour se satisfaire, Dt, **6** 16; cf. Ex **17** 1-7, le renier pour suivre les faux dieux qui procurent la puissance de ce monde, Dt **6** 13; cf. Dt **6** 10-15; Ex **23** 23-33. Comme Moïse, Jésus lutte par un jeûne de quarante jours et quarante nuits, Dt **9** 18; cf. Ex **34** 28; Dt **9** 9; comme lui, il contemple « toute la terre » du haut d'une montagne élevée, Dt **34** 1-4. Dieu l'assiste de ses anges, v. 11, comme il l'a promis au Juste, Ps **91** 11-12, et, selon Mc **1** 13, le garde des bêtes sauvages, comme le Juste, Ps **91** 13, et jadis Israël, Dt **8** 15. Grâce à ces réminiscences bibliques, Jésus apparaît comme le nouveau Moïse (voir déjà **2** 16+, 20 et Ex **4** 19), qui conduit le nouvel Exode, cf. He **3** 1 - **4** 11; c'est-à-dire comme le Messie, ainsi que le soupçonne le diable à la suite du Baptême (« si tu es le Fils de Dieu... »), qui ouvre la vraie voie du salut, non de confiance en soi et de facilité mais d'obéissance à Dieu et d'abnégation. La présentation scripturaire n'empêche pas l'épisode d'être historique. Bien qu'exempt de péché, Jésus a pu connaître des séductions extérieures, cf. Mt **16** 23, et il fallait qu'il fût tenté pour devenir

« Si tu es Fils de Dieu [a], dis que ces pierres deviennent des pains. » 4 Mais il répondit : « Il est écrit :
Dt **8** 3 *Ce n'est pas de pain seul que vivra l'homme,*
*mais de toute parole qui sort de la bouche de*
*Dieu* »
5 Alors le diable le prend avec lui dans la Ville
Sainte, et il le plaça sur le pinacle du Temple 6 et
lui dit : « Si tu es Fils de Dieu, jette-toi en bas; car
il est écrit :
Ps **91** 11-12 *Il donnera pour toi des ordres à ses anges,*
*et sur leurs mains ils te porteront,*
*de peur que tu ne heurtes du pied quelque*
*pierre.* »
7 Jésus lui dit : « Il est encore écrit :
Dt **6** 16 *Tu ne tenteras pas le Seigneur, ton Dieu.* »
8 De nouveau le diable le prend avec lui sur une
Dt **34** 1-4 très haute montagne, lui montre tous les royaumes
du monde avec leur gloire 9 et lui dit : « Tout cela,
je te le donnerai, si, te prosternant, tu me rends
**16** 23 hommage. » 10 Alors Jésus lui dit : « Retire-toi,
Satan! Car il est écrit :
Dt **6** 13 *C'est le Seigneur ton Dieu que tu adoreras,*
*et à Lui seul tu rendras un culte.* »
11 Alors le diable le quitte. Et voici que des anges
s'approchèrent, et ils le servaient.

**Retour en Galilée.** || Mc **1** 14-15 || Lc **4** 14

12 Ayant appris que Jean avait été livré, il se
retira en Galilée 13 et, laissant Nazara [b], vint s'éta- **13** 53s
blir à Capharnaüm, au bord de la mer, sur les
confins de Zabulon et de Nephtali, 14 pour que
s'accomplît l'oracle d'Isaïe le prophète :
15 *Terre de Zabulon et terre de Nephtali,* Is **8** 23 - **9** 1
*Route de la mer, Pays de Transjordane,*
*Galilée des nations!*
16 *Le peuple qui demeurait dans les ténèbres* Jn **8** 12+
*a vu une grande lumière;*
*sur ceux qui demeuraient dans la région sombre*
*de la mort,*
*une lumière s'est levée.*
17 Dès lors Jésus se mit à prêcher et à dire : « Re- **3** 2+
pentez-vous, car le Royaume des Cieux [c] est tout
proche. »

**Appel des quatre premiers disciples.** || Mc **1** 16-20 || Lc **5** 1-11

18 Comme il cheminait sur le bord de la mer de
Galilée, il vit deux frères, Simon, appelé Pierre, et Jn **1** 35-42
André son frère, qui jetaient l'épervier dans la mer;
car c'étaient des pêcheurs. 19 Et il leur dit : « Venez Jn **21** 3
à ma suite, et je vous ferai pêcheurs d'hommes. » **13** 47-50
20 Eux, aussitôt, laissant les filets, le suivirent. **8** 19-22; **19** 27
21 Et avançant plus loin, il vit deux autres frères,
Jacques, fils de Zébédée, et Jean son frère, dans

notre chef, cf. Mt **26** 36-46p; He **2** 10, 17-18; **4** 15; **5** 2, 7-9. Il a dû envisager un messianisme politique et glorieux, pour lui préférer un messianisme spirituel dans la soumission totale à Dieu, cf. He **12** 2.

*m)* L'Esprit Saint. « Souffle » et énergie créatrice de Dieu, qui dirigeait les prophètes, Is **11** 2+; Jg **3** 10+, il va diriger Jésus lui-même dans l'accomplissement de sa mission, cf. **3** 16+; Lc **4** 1+, comme plus tard il dirigera les débuts et l'essor de l'Église, Ac **1** 8+.

*n)* Ce nom, qui veut dire Accusateur, Calomniateur, a parfois traduit l'hébreu *Satan* (Adversaire), Jb **1** 6+; cf. Sg **2** 24+. Le personnage qui le porte, parce qu'il s'applique à mettre les hommes en faute, est tenu pour responsable de tout ce qui contrecarre l'œuvre de Dieu et du Christ : **13** 39p; Jn **8** 44; **13** 2; Ac **10** 38; Ep **6** 11; 1 Jn **3**-8; etc. Sa défaite signalera la victoire ultime de Dieu, Mt **25** 41; He **2** 14; Ap **12** 9, 12; **20** 2, 10.

*a)* Le titre biblique de « Fils de Dieu » n'exprime pas nécessairement une filiation de nature, mais peut comporter simplement une filiation adoptive, résultant d'un choix divin qui établit entre Dieu et sa créature des relations d'une intimité particulière. C'est ainsi que ce titre est attribué aux anges, Jb **1** 6, au Peuple élu, Ex **4** 22; Sg **18** 13; aux Israélites, Dt **14** 1; Os **2** 1; cf. Mt **5** 9, 45, etc., à leurs chefs, Ps **82** 6. Quand donc il est dit du Roi-Messie, 1 Ch **17** 13; Ps **2** 7; **89** 27, il n'exige pas que celui-ci soit plus qu'humain; et il n'est pas requis de supposer davantage dans la pensée de Satan, Mt **4** 3, 6, des démoniaques, Mc **3** 11; **5** 7; Lc **4** 41, a fortiori du centurion, Mc **15** 39, cf. Lc **23** 47. Même la parole du Baptême, Mt **3** 17, et de la Transfiguration, **17** 5, n'impliquerait pas de soi plus que la faveur spéciale accordée au Messie-Serviteur; et la question du grand prêtre, **26** 63, ne dépassait sans doute guère cette signification messianique. Mais le titre de « Fils de Dieu » reste par ailleurs ouvert à la valeur plus haute d'une filiation proprement dite, et Jésus l'a clairement suggérée en se désignant comme « le Fils », **21** 37, supérieur aux anges, **24** 36, ayant Dieu pour « Père » à un titre tout spécial, Jn **20** 17 et cf. « mon Père », Mt **7** 21, etc., parce qu'il entretient avec lui des relations uniques de connaissance et d'amour, Mt **11** 27. Ces déclarations, appuyées par d'autres sur le rang divin du Messie, **22** 42-46, et sur l'origine céleste du « Fils de l'homme », **8** 20+, confirmées enfin par le triomphe de la Résurrection, ont donné à l'expression « Fils de Dieu » le sens proprement divin qui se retrouvera, par exemple, chez saint Paul, Rm **9** 5+. Si les disciples n'en ont pas pris clairement conscience dès le vivant de Jésus (Mt **14** 33 et **16** 16, en ajoutant cette expression au texte plus primitif de Mc, reflètent sans doute une foi plus évoluée), la foi qu'ils ont définitivement acquise après Pâques, avec l'aide du Saint-Esprit, ne s'en appuie pas moins réellement sur les paroles historiques du Maître, qui a exprimé autant que pouvaient le porter ses contemporains sa conscience d'être le propre Fils du Père.

*b)* « Nazara », forme très rare, attestée par d'excellentes autorités : B Z Origène k, cf. Lc **4** 16 : la masse des témoins est revenue à la forme commune « Nazareth ».

*c)* La Royauté de Dieu sur le peuple élu, et par lui sur le monde, est au centre de la prédication de Jésus, comme elle l'était de l'idéal théocratique de l'AT. Elle comporte un Royaume de « saints » dont Dieu sera vraiment le Roi parce que son règne sera reconnu d'eux dans la connaissance et l'amour. Compromise par la révolte du péché, cette Royauté doit être rétablie par une intervention souveraine de Dieu et de son Messie, Dn **2** 28+. C'est cette intervention que Jésus, après Jean-Baptiste, **3** 2, annonce comme imminente, **4** 17, 23; Lc **4** 43, et qu'il réalise, non par un triomphe guerrier et nationaliste comme l'attendaient les foules, Mc **11** 10; Lc **19** 11; Ac **1** 6, mais d'une façon toute spirituelle, Mc **1** 34+; Jn **18** 36, comme « Fils de l'homme », Mt **8** 20+, et « Serviteur », Mt **8** 17+; **20** 28+; **26** 28+, par son œuvre de rédemption qui arrache les hommes au règne adverse de Satan, **4** 8; **8** 29+; **12** 25-26. Avant sa réalisation eschatologique définitive, où les élus vivront près du Père dans la joie du festin céleste, **8** 11+; **13** 43; **26** 29, le Royaume appa-

leur barque, avec Zébédée leur père, en train
d'arranger leurs filets; et il les appela. 22 Eux, aussitôt, laissant la barque et leur père, le suivirent.

|| Mc 1 39; 3 7-8 || Lc 4 14-15, 44; 6 17-18 = Mt 9 35

**Jésus enseigne et guérit.**

23 Il parcourait toute la Galilée, enseignant dans
leurs synagogues, proclamant la Bonne Nouvelle
du Royaume et guérissant toute maladie et toute
langueur parmi le peuple [a]. 24 Sa renommée gagna
toute la Syrie [b], et on lui présenta tous les malades
atteints de divers maux et tourments, des démoniaques, des lunatiques [c], des paralytiques, et il les
guérit. 25 Des foules nombreuses se mirent à le suivre, de la Galilée, de la Décapole [d], de Jérusalem,
de la Judée et de la Transjordane.

## 2. *DISCOURS ÉVANGÉLIQUE* [e]

|| Lc 6 20-23

**Les Béatitudes.**

**5** 1 Voyant les foules, il gravit la montagne [f], et
quand il fut assis, ses disciples s'approchèrent
de lui. 2 Et prenant la parole, il les enseignait en
disant :

3 « Heureux [g] ceux qui ont une âme de pauvre [h],
car le Royaume des Cieux est à eux.
Ps 37 11 4 Heureux *les doux* [i],
Gn 13 15 car *ils posséderont la terre.*
Ps 126 5 Is 61 2-3 5 Heureux les affligés,
car ils seront consolés.
Is 51 1 Am 8 11-12 6 Heureux les affamés et assoiffés de la justice,
car ils seront rassasiés. Pr 9 5 Si 24 21
7 Heureux les miséricordieux,
car ils obtiendront miséricorde.
8 Heureux les cœurs purs, Ps 24 3-4; 11 7 Ex 33 20+ He 12 14 Pr 12 20
car ils verront Dieu.
9 Heureux les artisans de paix,
car ils seront appelés fils de Dieu.
10 Heureux les persécutés pour la justice, ↗ 1 P 3 14
car le Royaume des Cieux est à eux.
11 Heureux êtes-vous quand on vous insultera, Ac 5 41 Ph 1 29 Col 1 24 He 10 34 Jc 1 2
qu'on vous persécutera, et qu'on dira faussement
contre vous toute sorte d'infamie à cause de moi.
12 Soyez dans la joie et l'allégresse, car votre

raît avec des débuts humbles, **13** 31-33, mystérieux, **13** 11, et contredits, **13** 24-30, comme une réalité déjà commencée, **12** 28; Lc **17** 20-21, et qui se développe lentement sur la terre, Mc **4** 26-29, par l'Église, Mt **16** 18+. Instauré avec puissance comme Règne du Christ par le jugement de Dieu sur Jérusalem, Mt **16** 28; Lc **21** 31, et prêché dans l'univers par la mission apostolique, Mt **10** 7; **24** 14; Ac **1** 3+, il sera définitivement établi et remis au Père, 1 Co **15** 24, par le retour glorieux du Christ, Mt **16** 27; **25** 31, lors du Jugement dernier, **13** 37-43, 47-50; **25** 31-46. En attendant, il se présente comme une pure grâce, **20** 1-16; **22** 9-10; Lc **12** 32, acceptée par les humbles, Mt **5** 3; **18** 3-4; **19** 14, 23-24, et les renoncés, **13** 44-46; **19** 12; Mc **9** 47; Lc **9** 62; **18** 29s, rejetée par les superbes et les égoïstes, **21** 31-32, 43; **22** 2-8; **23** 13. On n'y entre qu'avec la robe nuptiale, **22** 11-13, de la vie nouvelle, Jn **3** 3, 5; il y a des exclus, Mt **8** 12; 1 Co **6** 9-10; Ga **5** 21. Il faut veiller pour être prêt quand il viendra à l'improviste, Mt **25** 1-13. Sur la façon dont Mt a construit son plan autour de ce thème, voir l'Introduction, p. 1411.

*a)* Les guérisons miraculeuses sont le signe privilégié de l'avènement messianique, cf. **10** 1, 7s; **11** 4s.

*b)* Ce terme, employé ici de façon vague, désigne pratiquement la Galilée et ses alentours, cf. Mc **1** 28.

*c)* Nous disons aujourd'hui des « épileptiques », cf. **17** 15.

*d)* La Décapole était un groupement de dix villes libres avec leur territoire, disséminées surtout à l'est et au nord-est du Jourdain jusqu'à inclure Damas.

*e)* Jésus a exposé l'esprit nouveau du Royaume de Dieu, **4** 17+, dans un discours inaugural, que Mc a omis, Mc **3** 19+, et dont Mt et Lc (**6** 20-49) présentent deux rédactions différentes. Luc en a supprimé, comme moins intéressant pour ses lecteurs, ce qui concernait les lois ou pratiques juives, Mt **5** 17 - **6** 18; Mt au contraire y a inséré des paroles prononcées en d'autres occasions (voir leurs parallèles dans Lc), afin d'obtenir un programme plus complet. Dans le discours composite ainsi obtenu, cinq sujets principaux sont traités : 1° quel esprit doit animer les fils du Royaume, **5** 3-48; 2° en quel esprit ils doivent « parfaire » les lois et les pratiques du judaïsme, **6** 1-18; 3° le détachement des richesses, **6** 19-34; 4° les relations avec le prochain, **7** 1-12; 5° entrer dans le Royaume par une option décidée et qui se traduise en actes, **7** 13-27.

*f)* Une des collines proches de Capharnaüm.

*g)* L'AT. employait parfois des formules de félicitations comme celles-ci, à propos de piété, de sagesse, de prospérité, Ps **1** 1-2; **33** 12; **127** 5-6; Pr **3** 3; Si **31** 8; etc. Jésus rappelle, dans l'esprit des prophètes, que les pauvres aussi ont part à ces « bénédictions » : les trois premières « béatitudes », Mt **5** 3-5, Lc **6** 20-21+, déclarent que des hommes considérés d'ordinaire comme malheureux et maudits sont heureux, puisqu'ils sont aptes à recevoir la bénédiction du Royaume. Les béatitudes suivantes intéressent plus directement l'attitude morale de l'homme. Autres béatitudes de Jésus, Mt **11** 6; **13** 16, **16** 17; **24** 46; Lc **11** 27-28; etc. Voir aussi Lc **1** 45; Ap **1** 3; **14** 13; etc.

*h)* Litt. « les pauvres en esprit ». Le Christ reprend le mot « pauvre » avec la nuance morale déjà perceptible chez Sophonie, cf. So **2** 3+, explicitée ici par l'expression « en esprit », absente de Lc **6** 20. Démunis et opprimés, les « pauvres » ou les « humbles » sont disponibles pour le Royaume des Cieux, tel est le thème des Béatitudes, cf. Lc **4** 18; **7** 22 = Mt **11** 5; Lc **14** 13; Jc **2** 5. La « pauvreté » va de pair avec l'« enfance spirituelle » nécessaire pour entrer dans le Royaume, Mt **18** 1s = Mc **9** 33s, cf. Lc **9** 46; Mt **19** 13sp; **11** 25sp (le mystère révélé aux « petits » *nèpioi*, cf. Lc **12** 32; 1 Co **1** 26s). Aux « pauvres », *ptôchoi*, correspondent encore les « humbles », *tapeinoi*, Lc **1** 48, 52; **14** 11; **18** 14; Mt **23** 12; **18** 4, les « derniers » opposés aux « premiers », Mc **9** 35, les « petits » opposés aux « grands », Lc **9** 48; cf. Mt **19** 30p; **20** 26p (cf. Lc **17** 10). Bien que la formule de Mt **5** 3 souligne l'*esprit* de pauvreté, chez le riche comme chez le pauvre, ce que le Christ envisage généralement est une pauvreté effective, en particulier pour ses disciples, Mt **6** 19s, cf. Lc **12** 33s; Mt **6** 25p; **4** 18sp (cf. Lc **5** 1s); **9** 9p; **19** 21p; **19** 27 (cf. Mc **10** 28p); cf. Ac **2** 44s; **4** 32s. Lui-même donne l'exemple de la pauvreté, Lc **2** 7; Mt **8** 20p, et de l'humilité, Mt **11** 29; **20** 28p; Mt **21** 5; Jn **13** 12s; cf. 2 Co **8** 9; Ph **2** 7s. Il s'identifie aux petits et aux malheureux, Mt **25** 45, cf. **18** 5sp.

*i)* Ou : « les humbles ». Repris du Ps selon le grec. Le v. 4 pourrait n'être qu'une glose du v. 3; son omission ramènerait le nombre des béatitudes à sept, cf. **6** 9+.

Si **2** 8 récompense sera grande dans les cieux : c'est bien
**23** 34 ainsi qu'on a persécuté les prophètes, vos devanciers [a].

**Sel de la terre et lumière du monde.**

|| Mc **9** 50 13 « Vous êtes le sel de la terre. Mais si le sel vient
|| Lc **14** 34-35 à s'affadir, avec quoi le salera-t-on? Il n'est plus
Col **4** 6 Lv **2** 13 bon à rien qu'à être jeté dehors et foulé aux pieds
Nb **18** 19 par les gens.
Jn **8** 12+ 14 « Vous êtes la lumière du monde. Une ville ne
se peut cacher, qui est sise au sommet d'un mont.
|| Lc **8** 16; 15 Et l'on n'allume pas une lampe pour la mettre
**11** 33 sous le boisseau [b], mais bien sur le lampadaire, où
|| Mc **4** 21 elle brille pour tous ceux qui sont dans la maison.
16 Ainsi votre lumière doit-elle briller devant les
Jn **3** 21; hommes afin qu'ils voient vos bonnes œuvres et
**15** 8 1 Co **10** 31 glorifient votre Père qui est dans les cieux.

**L'accomplissement de la Loi.**

17 « N'allez pas croire que je sois venu abolir la
Rm **3** 31; Loi ou les Prophètes : je ne suis pas venu abolir,
**10** 4; **13** 8-10 mais accomplir [c]. 18 Car je vous le dis, en vérité [d] :
|| Lc **16** 17 avant que ne passent le ciel et la terre, pas un i,
pas un point sur l'i [e], ne passera de la Loi, que tout
ne soit réalisé. 19 Celui donc qui violera l'un de ces
Jc **2** 10 moindres préceptes, et enseignera aux autres à faire
de même, sera tenu pour le moindre dans le
Royaume des Cieux; au contraire, celui qui les exécutera et les enseignera, celui-là sera tenu pour
grand dans le Royaume des Cieux.

**La justice nouvelle supérieure à l'ancienne.**

Lv **19** 15s 20 « Car je vous le dis : si votre justice ne sur-
Rm **10** 3 passe pas celle des scribes et des Pharisiens, vous
Ph **3** 9 n'entrerez pas dans le Royaume des Cieux.
21 « Vous avez entendu [f] qu'il a été dit aux ancê-
Ex **20** 13 tres : *Tu ne tueras point;* et si quelqu'un tue, il en
répondra au tribunal. 22 Eh bien! moi je vous dis :
Ep **4** 26 Quiconque se fâche contre son frère en répondra au
Jc **1** 19-20 tribunal; mais s'il dit à son frère : " Crétin [g]! ", il
en répondra au Sanhédrin [h]; et s'il lui dit :
" Renégat [i]! ", il en répondra dans la géhenne de 3 12+
feu. 23 Quand donc tu présentes ton offrande à Mc **11** 25
l'autel, si là tu te souviens que ton frère a quelque
chose contre toi, 24 laisse là ton offrande, devant
l'autel, et va d'abord te réconcilier avec ton frère;
puis reviens, et alors présente ton offrande.
25 Hâte-toi de t'accorder avec ton adversaire, tant || Lc **12** 58-59
que tu es encore avec lui sur le chemin, de peur que
l'adversaire ne te livre au juge, et le juge au garde,
et qu'on ne te jette en prison. 26 En vérité, je te le
dis : tu ne sortiras pas de là, que tu n'aies rendu
jusqu'au dernier sou.
27 « Vous avez entendu qu'il a été dit : *Tu ne* Ex **20** 14
*commettras pas l'adultère.* 28 Eh bien! moi je vous
dis : Quiconque regarde une femme pour la désirer
a déjà commis, dans son cœur, l'adultère avec elle.
29 Que si ton œil droit est pour toi une occasion de = **18** 8-9
péché, arrache-le et jette-le loin de toi : car mieux
vaut pour toi que périsse un seul de tes membres
et que tout ton corps ne soit pas jeté dans la
géhenne. 30 Et si ta main droite est pour toi une
occasion de péché, coupe-la et jette-la loin de toi :
car mieux vaut pour toi que périsse un seul de tes
membres et que tout ton corps ne s'en aille pas
dans la géhenne.
31 « Il a été dit d'autre part : *Quiconque répu-* Dt **24** 1
*diera sa femme, qu'il lui remette un acte de divorce.* Ml **2** 14-16
32 Eh bien! moi je vous dis : Tout homme qui répu- = **19** 9+
die sa femme, hormis le cas de " prostitution ", || Mc **10** 11-12
l'expose à l'adultère; et quiconque épouse une répu- || Lc **16** 18
diée, commet un adultère. 1 Co **7** 10-11
33 « Vous avez encore entendu qu'il a été dit aux
ancêtres : *Tu ne te parjureras pas, mais tu t'acquit-* Ex **20** 7
*teras envers le Seigneur de tes serments.* 34 Eh bien! Nb **30** 3 Dt **23** 22
moi je vous dis de ne pas jurer du tout : ni par *le* Jc 5 12
*Ciel,* car c'est *le trône de Dieu;* 35 ni par *la Terre,* Is **66** 1
car c'est *l'escabeau de ses pieds;* ni par *Jérusalem,*
car c'est *la Ville du grand Roi.* 36 Ne jure pas non Ps **48** 3
plus par ta tête, car tu ne peux en rendre un seul
cheveu blanc ou noir. 37 Que votre langage soit :

*a)* Les disciples sont les successeurs des prophètes, cf. **10** 41; **13** 17; **23** 34.
*b)* Dans l'Antiquité, le boisseau était un petit meuble à trois ou quatre pieds. Il ne serait donc question ici que de cacher la lampe sous ce meuble, un peu comme sous le lit de Mc **4** 21p, non de l'éteindre en la couvrant d'un boisseau moderne.
*c)* Jésus ne vient ni détruire la Loi, Dt **4** 8+ (et toute l'économie ancienne) ni la consacrer comme intangible, mais lui donner par son enseignement et son comportement une forme nouvelle et définitive, où se réalise enfin en plénitude ce vers quoi la Loi acheminait, cf. Mt **1** 22+; Mc **1** 15+. C'est vrai en particulier de la « Justice », v. 20, cf. **3** 15; Lv **19** 15; Rm **1** 16+, justice « parfaite », v. 42, dont les sentences antithétiques des vv. 21-48 donnent plusieurs exemples marquants. Le précepte ancien devient intérieur et porte jusqu'au désir et au motif secrets, cf. **12** 34; **23** 25-28. Aucun détail de la Loi ne doit donc être omis à moins d'avoir été ainsi conduit à son achèvement, vv. 18-19; cf. **13** 52. Il s'agit moins d'allègement que d'approfondissement, **11** 28. L'amour, où déjà se résumait la Loi ancienne, **7** 12; **22** 34-40p, devient le commandement nouveau de Jésus, Jn **13** 34, et accomplit toute la Loi, Rm **13** 8-10; Ga **5** 14; cf. Col **3** 14+.
*d)* En introduisant par *Amen,* Ps **41** 14+; Rm **1** 25+, certaines de ses paroles, Jésus en marque l'autorité : **6** 2, 5, 16, etc.; Jn **1** 51, etc.
*e)* Litt. « pas un iota, pas un menu trait ».
*f)* L'enseignement traditionnel était donné oralement, surtout dans les synagogues.
*g)* Le mot *Raqa,* traduit de l'araméen, signifie : tête vide, sans cervelle.
*h)* Ici le Grand Sanhédrin, qui siégeait à Jérusalem, par opposition aux simples « tribunaux », vv. 21-22, répandus dans le pays.
*i)* Au sens premier du terme grec : « insensé », l'usage juif ajoutait une nuance beaucoup plus grave d'impiété religieuse.

2 Co 1 17-19 “ Oui? oui ”, “ Non? non ” [a] : ce qu'on dit de plus
Jc 5 12 vient du Mauvais.
Ex 21 24+ 38 « Vous avez entendu qu'il a été dit : *Œil pour*
*œil et dent pour dent.* 39 Eh bien! moi je vous dis
de ne pas tenir tête au méchant [b] : au contraire,
|| Lc 6 29 quelqu'un te donne-t-il un soufflet sur la joue
droite, tends-lui encore l'autre; 40 veut-il te faire un
Rm 12 19. 21 procès et prendre ta tunique [c], laisse-lui même ton
manteau; 41 te requiert-il pour une course d'un
Lc 6 30 mille, fais-en deux avec lui. 42 A qui te demande,
donne; à qui veut t'emprunter, ne tourne pas le dos.
Lv 19 18 43 « Vous avez entendu qu'il a été dit : *Tu aime-*
*ras ton prochain* et tu haïras ton ennemi [d]. 44 Eh
|| Lc 6 27-36 bien! moi je vous dis : Aimez vos ennemis [e], et
Rm 12 20 priez pour vos persécuteurs [f], 45 afin de devenir fils
Lc 23 34 Ac 7 60 de votre Père qui est aux cieux, car il fait lever son
Si 4 10 soleil sur les méchants et sur les bons, et tomber
la pluie sur les justes et sur les injustes. 46 Car si
vous aimez ceux qui vous aiment, quelle
récompense aurez-vous? Les publicains [g] eux-mêmes n'en font-ils pas autant? 47 Et si vous réservez
vos saluts à vos frères, que faites-vous d'extraordinaire? Les païens eux-mêmes n'en font-ils pas
Lv 19 2+; 11 44 autant? 48 Vous donc, vous serez parfaits comme
1 P 1 16 Jc 1 4 votre Père céleste est parfait.

### Faire l'aumône en secret.

**6** 1 « Gardez-vous de pratiquer votre justice [h]
23 5 devant les hommes, pour vous faire remarquer
Lc 16 14-15 Jn 5 44; d'eux; sinon, vous n'aurez pas de récompense
12 43 auprès de votre Père qui est dans les cieux. 2 Quand
Am 4 5 donc tu fais l'aumône, ne va pas le claironner
devant toi; ainsi font les hypocrites [i], dans les syna- Mt 15 7; 22 18;
gogues et les rues, afin d'être glorifiés par les hom- 23 13-15
mes; en vérité je vous le dis, ils tiennent déjà leur
récompense. 3 Pour toi, quand tu fais l'aumône, que
ta main gauche ignore ce que fait ta main droite,
4 afin que ton aumône soit secrète; et ton Père, qui
voit dans le secret, te le rendra. Ps 139 2-3

### Prier en secret.

5 « Et quand vous priez [j], ne soyez pas comme les
hypocrites : ils aiment, pour faire leurs prières, à se
camper dans les synagogues et les carrefours, afin
qu'on les voie. En vérité je vous le dis, ils tiennent
déjà leur récompense. 6 Pour toi, quand tu pries, Is 26 20
*retire-toi dans ta chambre, ferme sur toi la porte,* 2 R 4 33
*et prie* ton Père qui est là, dans le secret; et ton Dn 6 11
Père, qui voit dans le secret, te le rendra.

### La vraie prière. Le Pater.

7 « Dans vos prières, ne rabâchez pas comme les Qo 5 1
païens : ils s'imaginent qu'en parlant beaucoup ils Si 7 14
se feront mieux écouter. 8 N'allez pas faire comme
eux; car votre Père sait bien ce qu'il vous faut,
avant que vous le lui demandiez.
9 « Vous donc, priez ainsi [k] : || Lc 11 2-4

Notre Père qui es dans les cieux,
que ton Nom soit sanctifié, Ez 36 23
10 que ton Règne vienne, Jn 17 6. 26
que ta volonté soit faite Mt 26 39.
sur la terre comme au ciel. 42p; Dn 4 32
11 Donne-nous aujourd'hui notre pain quotidien [l]. Pr 30 8-9 Jn 6 32. 35

*a)* Cette formule apparemment bien connue, cf. 2 Co **1** 17; Jc **5** 12, peut s'expliquer de diverses façons : 1° Véracité : si c'est oui, dites oui; si c'est non, dites non. 2° Sincérité : que le oui (ou le non) de la bouche corresponde au oui (ou au non) du cœur. 3° Solennité : la répétition du oui ou du non serait une forme solennelle d'affirmation ou de négation qui doit suffire et dispenser de recourir à un serment engageant la divinité.
*b)* Il s'agit (voir les exemples des vv. 39-40) du mal par lequel on est soi-même lesé : il est défendu d'y résister par mode de vengeance, en rendant le mal pour le mal (selon la règle juive du talion, v. 38, cf. Ex **21** 25+; Ps **5** 11+). Jésus n'interdit, ni de s'opposer dignement aux attaques injustes, cf. Jn **18** 22s, ni, encore moins, de combattre le mal dans le monde.
*c)* A titre de gage, cf. Ex **22** 25s; Dt **24** 12s. Le tour volontairement paradoxal de la pensée est manifeste; cf. **19** 24.
*d)* La deuxième partie de ce commandement ne se trouve pas telle quelle dans la Loi, et ne saurait s'y trouver. Cette expression forcée d'une langue pauvre en nuances (l'original araméen) équivaut à : « Tu n'as pas à aimer ton ennemi. » Comparer Lc **14** 26 et son parallèle Mt **10** 37. On trouve toutefois en Si **12** 4-7 et dans les écrits de Qumrân (1QS **1** 10, etc.) une détestation des pécheurs qui n'est pas loin de la haine, et à laquelle Jésus a pu songer.
*e)* Add. : « faites du bien à ceux qui vous haïssent ».
*f)* Add. : « et pour ceux qui vous maltraitent », cf. Lc **6** 27s.
*g)* Percepteurs d'impôts, que leur profession, exercée avec rapine, vouait au mépris public; cf. **9** 10; **18** 17+.
*h)* Litt. « faire votre justice » (var. : « faire l'aumône »), c'est-à-dire pratiquer les bonnes œuvres qui rendent un homme juste devant Dieu. Les principales étaient, aux yeux des Juifs, l'aumône, vv. 2-4, la prière, vv. 5-6, et le jeûne, vv. 16-18.
*i)* Cette épithète, qui vise tous les faux dévots de piété affectée et tapageuse, s'applique spécialement, dans l'esprit de Jésus, à la secte des Pharisiens : voir **15** 7; **22** 18; **23** 13-15.
*j)* Par son exemple, Mt **14** 23, comme par ses instructions, Jésus a enseigné à ses disciples le devoir et la façon de prier. La prière doit être humble devant Dieu, Lc **18** 10-14, et devant les hommes, Mt **6** 5-6; Mc **12** 40p, du cœur plus que des lèvres, Mt **6** 7, confiante en la bonté du Père, Mt **6** 8; **7** 7-11p, et insistante jusqu'à l'importunité, Lc **11** 5 8; **18** 1-8. Elle est exaucée si elle est faite avec foi, Mt **21** 22p, au nom de Jésus, Mt **18** 19-20; Jn **14** 13-14; **15** 7, 16; **16** 23-27, et demande de bonnes choses, Mt **7** 11, telles que l'Esprit Saint, Lc **11** 13, le pardon, Mc **11** 25, le bien des persécuteurs Mt **5** 44p; cf. Lc **23** 34, surtout l'avènement du Règne de Dieu et la préservation lors de l'épreuve eschatologique, Mt **24** 20p; **26** 41p; Lc **21** 36; cf. Lc **22** 31-32 : c'est toute la substance de la Prière modèle enseignée par Jésus lui-même, Mt **6** 9-15p.
*k)* Dans la rédaction de Mt, le *Pater* contient *sept* demandes. Ce chiffre est cher à Mt : deux fois sept générations dans la Généalogie, **1** 17; sept béatitudes, **5** 3+; sept paraboles, **13** 3+; pardonner non sept fois mais soixante-dix-sept fois, **18** 22; sept malédictions des Pharisiens, **23** 13+; sept parties de l'Évangile (cf. l'Introd., p. 1411.) C'est peut-être pour obtenir ce chiffre de sept que Mt a ajouté au texte de base (Lc **11** 2-4) les troisième, cf. **7** 21; **21** 31; **26** 42, et septième, cf. le « Mauvais » **13** 19, 38, demandes.
*l)* Traduction traditionnelle et probable d'un mot difficile. On a pu proposer aussi : « nécessaire à la subsistance » et « de demain ». De toute façon la pensée est qu'il faut demander à

18 21-35 12 Remets-nous nos dettes
Ep 4 32 comme nous-mêmes avons remis à nos débiteurs.
26 41p 13 Et ne nous soumets pas à la tentation;
Jn 17 11, 15 mais délivre-nous du Mauvais [a].
1 Jn 2 14+
2 Th 3 3

|| Mc 11 25 14 « Oui, si vous remettez aux hommes leurs
Si 28 1-5 manquements, votre Père céleste vous remettra
Mt 5 7 aussi; 15 mais si vous ne remettez pas aux hommes,
Ep 4 32 votre Père non plus ne vous remettra pas vos man-
Col 3 13 quements.
Jc 2 13

**Jeûner en secret.**

16 « Quand vous jeûnez, ne vous donnez pas un
air sombre comme font les hypocrites : ils prennent
une mine défaite, pour que les hommes voient bien
qu'ils jeûnent. En vérité je vous le dis, ils tiennent
déjà leur récompense. 17 Pour toi, quand tu jeûnes,
Jdt 10 3 parfume ta tête et lave ton visage, 18 pour que ton
Is 58 3 jeûne soit connu, non des hommes, mais de ton
Père qui est là, dans le secret; et ton Père, qui voit
dans le secret, te le rendra.

|| Lc 12 33-34 **Le vrai trésor.**
Jb 22 24-26
Jc 5 2-3 19 « Ne vous amassez point de trésors sur la terre,
Mt 19 21 où la mite et le ver consument, où les voleurs percent et cambriolent. 20 Mais amassez-vous des trésors dans le ciel : là, point de mite ni de ver qui
consument, point de voleurs qui perforent et cambriolent. 21 Car où est ton trésor, là sera aussi ton
cœur.

Lc 11 34-35 **L'œil lampe du corps.**

22 « La lampe du corps, c'est l'œil. Si donc ton
œil est sain, ton corps tout entier sera lumineux.
23 Mais si ton œil est malade, ton corps tout entier
sera ténébreux. Si donc la lumière qui est en toi est
ténèbres, quelles ténèbres [b]!

|| Lc 16 13 **Dieu et l'argent.**
Mt 5 3-4;
19 21-26 24 « Nul ne peut servir deux maîtres : ou il haïra
l'un et aimera l'autre, ou il s'attachera à l'un et
méprisera l'autre. Vous ne pouvez servir Dieu et
l'Argent.

|| Lc 12 22-31 **S'abandonner à la Providence.**
Ps 127
25 « Voilà pourquoi je vous dis : Ne vous inquiétez pas pour votre vie de ce que vous mangerez, ni
pour votre corps de quoi vous le vêtirez. La vie
n'est-elle pas plus que la nourriture, et le corps plus
que le vêtement? 26 Regardez les oiseaux du ciel :
ils ne sèment ni ne moissonnent ni ne recueillent en
des greniers, et votre Père céleste les nourrit! Ne
valez-vous pas plus qu'eux? 27 Qui d'entre vous
d'ailleurs peut, en s'en inquiétant, ajouter une seule
coudée à la longueur de sa vie? 28 Et du vêtement,
pourquoi vous inquiéter? Observez les lis des
champs, comme ils poussent : ils ne peinent ni ne
filent. 29 Or je vous dis que Salomon lui-même,
dans toute sa gloire, n'a pas été vêtu comme l'un 1 R 10 1-29
d'eux. 30 Que si Dieu habille de la sorte l'herbe des
champs, qui est aujourd'hui et demain sera jetée au
four, ne fera-t-il pas bien plus pour vous, gens de
peu de foi! 31 Ne vous inquiétez donc pas en
disant : Qu'allons-nous manger? qu'allons-nous
boire? de quoi allons-nous nous vêtir? 32 Ce sont
là toutes choses dont les païens sont en quête. Or
votre Père céleste sait que vous avez besoin de tout
cela. 33 Cherchez d'abord son Royaume et sa jus- Is 51 1
tice, et tout cela vous sera donné par surcroît. 34 Ne
vous inquiétez donc pas du lendemain : demain Jc 4 13-14
s'inquiétera de lui-même. A chaque jour suffit sa
peine.

**Ne pas juger.** || Lc 6 37-42
Rm 2 1-2
1 Co 4 5
7 1 « Ne jugez pas, afin de n'être pas jugés [c];
2 car, du jugement dont vous jugez on vous
jugera, et de la mesure dont vous mesurez on mesu- || Mc 4 24
rera pour vous. 3 Qu'as-tu à regarder la paille qui
est dans l'œil de ton frère? Et la poutre qui est dans Jn 8 7
ton œil à toi, tu ne la remarques pas! 4 Ou bien
comment vas-tu dire à ton frère : " Laisse-moi ôter
la paille de ton œil ", et voilà que la poutre est dans
ton œil! 5 Hypocrite, ôte d'abord la poutre de ton
œil, et alors tu verras clair pour ôter la paille de
l'œil de ton frère.

**Ne pas profaner les choses saintes.**

6 « Ne donnez pas aux chiens ce qui est sacré [d], Pr 23 9
ne jetez pas vos perles devant les porcs, de crainte Si 22 9-10
qu'ils ne les piétinent, puis se retournent contre
vous pour vous déchirer.

Dieu le soutien indispensable de la vie matérielle, mais rien que cela, non la richesse ni l'opulence. – Les Pères ont appliqué ce texte à la nourriture de la foi, le pain de la parole de Dieu et le pain eucharistique : cf. Jn 6 22+.

*a)* Ou : « du mal ». – Add. : « Car à toi appartiennent le Royaume et la puissance et la gloire pour les siècles. Amen » (influence liturgique).

*b)* A la lumière matérielle, dont l'œil, sain ou malade, dispense ou refuse le bienfait au corps, est comparée la lumière spirituelle qui rayonne de l'âme : si elle-même se trouve obscurcie, l'aveuglement sera bien pire que celui de la cécité physique.

*c)* Ne jugez pas *les autres*, pour n'être pas jugés *par Dieu*. De même au v. suivant; cf. Jc 4 12.

*d)* Les viandes sacrées, aliments sanctifiés pour avoir été offerts au Temple, cf. Ex 22 30; Lv 22 14. – De même, il ne faut pas proposer une doctrine précieuse et sainte à des gens incapables de la bien recevoir et qui pourraient en abuser. Le texte ne précise pas qui sont ces gens : les Juifs hostiles? ou les païens (cf. 15 26)?

|| Lc 11 9-13; Dt 4 29+; Mt 18 19; Mc 11 24; Lc 18 1-8; Jn 14 13; Jc 1 5+

**Efficacité de la prière.**

7 « Demandez et l'on vous donnera; cherchez et vous trouverez; frappez et l'on vous ouvrira. 8 Car quiconque demande reçoit; qui cherche trouve; et à qui frappe on ouvrira. 9 Quel est d'entre vous l'homme auquel son fils demandera du pain, et qui lui remettra une pierre? 10 ou encore, s'il lui demande un poisson, lui remettra-t-il un serpent? 11 Si donc vous, qui êtes mauvais, vous savez donner de bonnes choses à vos enfants, combien plus votre Père qui est dans les cieux en donnera-t-il de bonnes à ceux qui l'en prient!

Jc 1 5. 17; 1 Jn 5 14-15; 3 22

|| Lc 6 31

**La Règle d'or [a].**

12 « Ainsi, tout ce que vous voulez que les hommes fassent pour vous, faites-le vous-mêmes pour eux : voilà la Loi et les Prophètes.

Tb 4 15; Rm 13 8-10

|| Lc 13 24; Dt 30 15+; Ps 1 1+

**Les deux voies [b].**

13 « Entrez par la porte étroite. Large, en effet, et spacieux est le chemin [c] qui mène à la perdition, et il en est beaucoup qui s'y engagent; 14 mais étroite est la porte et resserré le chemin qui mène à la Vie, et il en est peu qui le trouvent.

Jn 10 9-10; Mt 19 24p

Ap 13 11; 19 20; 2 P 2 1-3; Dt 13 2-6; 18 9-22; || Lc 6 43-44; Jc 3 12; Si 27 6

**Les faux prophètes.**

15 « Méfiez-vous des faux prophètes [d], qui viennent à vous déguisés en brebis, mais au-dedans sont des loups rapaces. 16 C'est à leurs fruits que vous les reconnaîtrez. Cueille-t-on des raisins sur des épines? ou des figues sur des chardons? 17 Ainsi tout arbre bon produit de bons fruits, tandis que l'arbre gâté produit de mauvais fruits. 18 Un bon arbre ne peut porter de mauvais fruits, ni un arbre gâté porter de bons fruits. 19 Tout arbre qui ne donne pas un bon fruit, on le coupe et on le jette au feu. 20 Ainsi donc, c'est à leurs fruits que vous les reconnaîtrez.

= 12 33; Ga 5 19-24; = 3 10 p; Jn 15 6

|| Lc 6 46; Is 29 13; Am 5 21+

**Les vrais disciples.**

21 « Ce n'est pas en me disant : " Seigneur, Seigneur ", qu'on entrera dans le Royaume des Cieux, mais c'est en faisant la volonté de mon Père qui est dans les cieux. 22 Beaucoup me diront en ce jour-là [e] : " Seigneur, Seigneur, n'est-ce pas en ton nom que nous avons prophétisé? en ton nom que nous avons chassé les démons? en ton nom que nous avons fait bien des miracles? " 23 Alors je leur dirai en face : " Jamais je ne vous ai connus; *écartez-vous de moi, vous qui commettez l'iniquité* ".

|| Lc 13 26-27; Mt 25 11-12; Ps 6 9

24 « Ainsi, quiconque écoute ces paroles que je viens de dire et les met en pratique, peut se comparer à un homme avisé qui a bâti sa maison sur le roc. 25 La pluie est tombée, les torrents sont venus, les vents ont soufflé et se sont déchaînés contre cette maison, et elle n'a pas croulé : c'est qu'elle avait été fondée sur le roc. 26 Et quiconque entend ces paroles que je viens de dire et ne les met pas en pratique, peut se comparer à un homme insensé qui a bâti sa maison sur le sable. 27 La pluie est tombée, les torrents sont venus, les vents ont soufflé et se sont rués sur cette maison, et elle s'est écroulée. Et grande a été sa ruine! »

|| Lc 6 47-49; Pr 10 25; 12 3. 7; 1 Jn 2 17; Ez 13 10-14; Jb 8 15

**Étonnement de la foule.**

28 Et il advint, quand Jésus eut achevé ces discours, que les foules étaient frappées de son enseignement : 29 car il les enseignait en homme qui a autorité, et non pas comme leurs scribes [f].

|| Lc 7 1; || Mc 1 22; || Lc 4 32

# *III. La prédication du Royaume des Cieux*

## *1. SECTION NARRATIVE : DIX MIRACLES*

|| Mc 1 40-45; || Lc 5 12-16

**Guérison d'un lépreux.**

**8** 1 Quand il fut descendu de la montagne, des foules nombreuses se mirent à le suivre. 2 Or voici qu'un lépreux s'approcha et se prosterna devant lui en disant : « Seigneur, si tu le veux, tu peux me purifier. » 3 Il étendit la main et le toucha, en disant : « Je le veux, sois purifié. » Et aussitôt sa

*a)* Cette maxime de conduite était bien connue de l'Antiquité, notamment dans le Judaïsme : cf. Tb **4** 15; lettre d'Aristée, Targum de Lv **19** 18, Hillel, Philon, etc., mais sous forme négative : ne pas faire à autrui ce qu'on ne voudrait pas qu'il nous fasse. Jésus, et après lui les écrits chrétiens, donnent à cette maxime un tour positif, qui est bien plus exigeant.

*b)* La doctrine des deux voies, du bien et du mal, entre lesquelles l'homme doit choisir, est un thème ancien et répandu dans le Judaïsme, cf. Dt **30** 15-20; Ps **1**; Pr **4** 18-19; **12** 28; **15** 24; Si **15** 17; **33** 14. Il s'est exprimé dans un petit traité de morale qui nous est parvenu à travers la *Didachè* et sa traduction latine *Doctrina Apostolorum.* On croit sentir son influence en Mt **5** 14-18; **7** 12-14; **19** 16-26; **22** 34-40 et en Rm **12** 16-21; **13** 8-12.

*c)* Var. : « large est la porte, et spacieux le chemin ».

*d)* Docteurs de mensonge qui séduisent le peuple par des faux-semblants de piété tout en poursuivant des fins intéressées; cf. **24** 4s, 24.

*e)* Au jour du jugement dernier.

*f)* Qui abritaient tous leurs enseignements derrière la « Tradition » des anciens, cf. **15** 2. – Add. « et les Pharisiens ».

lèpre fut purifiée [a]. 4 Et Jésus lui dit : « Garde-toi
Mc 1 34+ d'en parler à personne, mais va te montrer au prê-
Lv 14 1-32 tre et offre le don qu'a prescrit Moïse : ce leur sera
une attestation. »

|| Lc 7 1-10 || Jn 4 46-53 **Guérison de l'enfant d'un centurion.**

5 Comme il était entré dans Capharnaüm, un
centurion s'approcha de lui en le suppliant : 6 « Seigneur, dit-il, mon enfant gît dans ma maison,
atteint de paralysie et souffrant atrocement. » 7 Il
lui dit : « Je vais aller le guérir. » – 8 « Seigneur,
Lc 5 8 reprit le centurion, je ne mérite pas que tu entres
Ps 33 9: sous mon toit; mais dis seulement un mot et mon
107 20 enfant sera guéri. 9 Car moi, qui ne suis qu'un
Ba 3 33-35 subalterne, j'ai sous moi des soldats, et je dis à
l'un : Va! et il va, et à un autre : Viens! et il vient,
et à mon serviteur : Fais ceci! et il le fait. »
10 Entendant cela, Jésus fut dans l'admiration et dit
à ceux qui le suivaient : « En vérité, je vous le dis,
chez personne je n'ai trouvé une telle foi [b] en Israël.
Lc 13 28-29 11 Eh bien! je vous dis que beaucoup viendront du
Rm 11 11 levant et du couchant prendre place au festin [c] avec
Abraham, Isaac et Jacob dans le Royaume des
Cieux, 12 tandis que les fils du Royaume [d] seront
Jn 8 12+ jetés dans les ténèbres extérieures : là seront les
13 42. 50 pleurs et les grincements de dents [e]. » 13 Puis il dit
2 13: 24 51; 25 30
au centurion : « Va! Qu'il t'advienne selon ta foi! »
Et l'enfant fut guéri sur l'heure.

**Guérison de la belle-mère de Pierre.** || Mc 1 29-31 || Lc 4 38-39

14 Étant venu dans la maison de Pierre, Jésus vit
sa belle-mère alitée, avec la fièvre. 15 Il lui toucha 9 25p
la main, la fièvre la quitta, elle se leva et elle le ser- Mc 9 27 Ac 3 7
vait.

**Guérisons multiples.** || Mc 1 32-34 || Lc 4 40-41

16 Le soir venu, on lui présenta beaucoup de
démoniaques; il chassa les esprits d'un mot, et il
guérit tous les malades, 17 afin que s'accomplît
l'oracle d'Isaïe le prophète :
*Il a pris nos infirmités et s'est chargé de nos ma-* Is 53 4
*ladies* [f]. Jn 1 29

**Exigences de la vocation apostolique.** || Lc 9 57-60

18 Se voyant entouré de foules nombreuses, Jésus
donna l'ordre de s'en aller sur l'autre rive [g]. 19 Et
un scribe s'approchant lui dit : « Maître, je te suivrai où que tu ailles. » 20 Jésus lui dit : « Les
renards ont des tanières et les oiseaux du ciel ont
des nids; le Fils de l'homme [h], lui, n'a pas où repo- Ps 84 4
ser la tête. » 2 Co 8 9
21 Un autre des disciples lui dit : « Seigneur, permets-moi de m'en aller d'abord enterrer mon père. » Gn 50 5
Tb 4 3

*a)* Par ses miracles Jésus manifeste son pouvoir sur la nature, **8** 23-27; **14** 22-23p, particulièrement sur la maladie, **8** 1-4, 5-13, 14-15; **9** 1-8, 20 22, 27-31; **14** 34-36; **15** 30; **20** 29-34 et p; Mc **7** 32-37; **8** 22-26; Lc **14** 1-6; **17** 11-19; Jn **5** 1-16; **9** 1-41; sur la mort, Mt **9** 23-26p; Lc **7** 11-17; Jn **11** 1-44, et sur les démons, Mt **8** 29+. Différents par leur simplicité des prodiges merveilleux de l'hellénisme et du judaïsme rabbinique, les miracles de Jésus s'en distinguent surtout par leur signification spirituelle et symbolique : ils annoncent les châtiments, **21** 18-22p, et les dons de l'ère messianique, **11** 5+; **14** 13-21; **15** 32-39p; Lc **5** 4 11; Jn **2** 1-11; **21** 4-14, et inaugurent le triomphe de l'Esprit sur l'empire de Satan, **8** 29+, et les forces du Mal, péchés, **9** 2+, et maladies, **8** 17+. Accomplis parfois par pitié, **20** 34; Mc **1** 41; Lc **7** 13, ils sont destinés surtout à confirmer la foi, **8** 10+; Jn **2** 11+. Aussi Jésus ne les opère-t-il qu'à bon escient, réclamant le secret pour ceux qu'il veut bien consentir, Mc **1** 34+, et se réservant de fournir plus tard le miracle décisif de sa propre Résurrection, **12** 39-40. Ce pouvoir de guérison, Jésus l'a communiqué à ses apôtres en les envoyant prêcher le Royaume, **10** 1, 8p; c'est pourquoi Mt a fait précéder les consignes de la mission, **10**, par une série de dix miracles, **8 - 9**, comme signes du missionnaire, Mc **16** 17s; Ac **2** 22; cf. Ac **1** 8+.

*b)* Cette foi que Jésus requiert dès le début de son activité, Mc **1** 15, et qu'il requerra sans cesse, est un mouvement de confiance et d'abandon par lequel l'homme renonce à compter sur ses pensées et sur ses forces, pour s'en remettre à la parole et à la puissance de Celui en qui il croit, Lc **1** 20, 45; Mt **21** 25p, 32. Jésus la demande en particulier à l'occasion de ses miracles, **8** 13; **9** 2p, 22p, 28-29; **15** 28; Mc **5** 36p; **10** 52p; Lc **17** 19, qui sont moins des actes de miséricorde que des signes de sa mission et du Royaume, **8** 3+, cf. Jn **2** 11+; aussi ne peut-il en accomplir s'il ne trouve pas cette foi qui doit leur donner leur vrai sens, **12** 38-39; **13** 58p; **16** 1-4. Exigeant un sacrifice de l'esprit et de tout l'être, la foi est un geste difficile d'humilité, **18** 6p, que beaucoup refusent de faire, particulièrement en Israël, **8** 10p; **15** 28; **27** 42p; Lc **18** 8, ou ne font qu'à moitié, Mc **9** 24; Lc **8** 13. Les disciples eux-mêmes sont lents à croire, **8** 26p; **14** 31; **16** 8; **17** 20p, même après la Résurrection, **28** 17; Mc **16** 11-14; Lc **24** 11, 25, 41. La foi la plus sincère de leur chef, le « Roc », **16** 16-18, sera ébranlée par le scandale de la Passion, **26** 69-75p, mais elle en triomphera, Lc **22** 32. Quand elle est forte, la foi opère des merveilles, **17** 20p; **21** 21p; Mc **16** 17, obtient tout, **21** 22p; Mc **9** 23, en particulier la rémission des péchés, **9** 2p; Lc **7** 50, et le salut, dont elle est la condition indispensable, Lc **8** 12; Mc **16** 16, cf. Ac **3** 16+.

*c)* A la suite de Is **25** 6; **55** 1-2; Ps **22** 27, etc., le judaïsme a souvent représenté les joies de l'ère messianique sous l'image d'un festin : cf. **22** 2-14; **26** 29p; Lc **14** 15; Ap **3** 20; **19** 9.

*d)* C'est à dire les Juifs, héritiers naturels des promesses. Ceux d'entre eux qui n'auront pas cru au Christ verront des païens prendre leurs places.

*e)* Image biblique de la colère et du dépit des impies à l'égard des justes : cf. Ps **35** 16; **37** 12; **112** 10; Jb **16** 9. Elle décrit chez Mt la damnation.

*f)* Pour Isaïe, le Serviteur a « pris » sur lui-même nos douleurs par sa propre souffrance expiatrice. Mt entend que Jésus les a « prises » en les enlevant par ses guérisons miraculeuses. Cette interprétation, apparemment forcée, est en réalité d'une profonde vérité théologique; c'est parce que Jésus, le « Serviteur », est venu prendre sur lui l'expiation des péchés, qu'il a pu soulager les hommes des maux corporels, qui sont la suite et la peine du péché.

*g)* La rive orientale du lac de Tibériade.

*h)* Ce titre, qui n'apparaît que dans les Évangiles, cf. Jn **3** 14+, sauf Ac **7** 56; Ap **1** 13; **14** 14, Jésus se l'est certainement donné lui-même et avec prédilection, tantôt pour décrire ses abaissements, **8** 20; **11** 19; **20** 28, notamment ceux de la Passion, **17** 22, etc., tantôt pour annoncer son triomphe eschatologique de résurrection, **17** 9, de retour glorieux, **24** 30, et de jugement, **25** 31. Car ce titre de saveur araméenne, qui signifie primitivement « homme », Ez **2** 1+, attirait l'attention, par son tour singulier, sur l'humilité de sa condition humaine; mais en même temps, appliqué par Dn **7** 13+ et à sa suite par l'apocalyptique juive (Hénok) au personnage transcendant, d'origine céleste, qui recevrait de Dieu le royaume eschatologique, il suggérait, de façon mystérieuse mais suffisamment claire, cf. Mc **1** 34+; Mt **13** 13+, le vrai caractère de son messianisme. La déclaration explicite devant le Sanhédrin, **26** 64+, devait d'ailleurs dissiper

Mt 4 20. 22; 10 37p 22 Mais Jésus lui dit : « Suis-moi, et laisse les morts
enterrer leurs morts. »

|| Mc 4 35-41 || Lc 8 22-25

## La tempête apaisée.

23 Puis il monta dans la barque, suivi de ses dis-
Jon 1 4s ciples. 24 Et voici qu'une grande agitation se fit
dans la mer, au point que la barque était couverte
par les vagues. Lui cependant dormait. 25 S'étant
approchés, ils le réveillèrent en disant : « Au
secours, Seigneur, nous périssons! » 26 Il leur dit :
6 30; 8 10+ « Pourquoi avez-vous peur, gens de peu de foi? »
Alors, s'étant levé, il menaça les vents et la mer,
Ps 65 8+ et il se fit un grand calme. 27 Saisis d'étonnement,
les hommes se dirent alors : « Quel est celui-ci, que
même les vents et la mer lui obéissent? »

|| Mc 5 1-20 || Lc 8 26-39

## Les démoniaques gadaréniens.

28 Quand il fut arrivé sur l'autre rive, au pays des
Gadaréniens [a], deux démoniaques [b], sortant des
tombeaux, vinrent à sa rencontre, des êtres si sauvages que nul ne se sentait de force à passer par
ce chemin. 29 Les voilà qui se mirent à crier : « Que
4 3+ nous veux-tu, Fils de Dieu? Es-tu venu ici pour
nous tourmenter avant le temps [c]? » 30 Or il y avait,
à une certaine distance, un gros troupeau de porcs
en train de paître. 31 Et les démons suppliaient
Jésus : « Si tu nous expulses, envoie-nous dans ce
troupeau de porcs. » – 32 « Allez », leur dit-il. Sortant alors, ils s'en allèrent dans les porcs, et voilà
que tout le troupeau se précipita du haut de l'escarpement dans la mer et périt dans les eaux. 33 Les
gardiens prirent la fuite et s'en furent à la ville tout
rapporter, avec l'affaire des démoniaques. 34 Et
voilà que toute la ville sortit au-devant de Jésus;
et, dès qu'ils le virent, ils le prièrent de quitter leur
territoire.

## Guérison d'un paralytique. || Mc 2 1-12 || Lc 5 17-26

9 1 S'étant embarqué, il traversa et vint dans sa
ville [d]. 2 Et voici qu'on lui apportait un paralytique étendu sur un lit. Jésus, voyant leur foi, dit 8 10+
au paralytique : « Aie confiance, mon enfant, tes
péchés sont remis [e]. » 3 Et voici que quelques scri- Lc 7 48
bes se dirent par-devers eux : « Celui-là blas- Jn 10 33-36
phème. » 4 Et Jésus, connaissant leurs sentiments, Jn 1 48+
dit : « Pourquoi ces mauvais sentiments dans vos
cœurs? 5 Quel est donc le plus facile, de dire : Tes
péchés sont remis, ou de dire : Lève-toi et mar-
che [f]? 6 Eh bien! pour que vous sachiez que le Fils Dn 7 14 Jn 5 27
de l'homme a le pouvoir sur la terre de remettre les
péchés, lève-toi, dit-il alors au paralytique, prends Jn 5 8
ton lit et va-t-en chez toi. » 7 Et se levant, il s'en alla
chez lui. 8 A cette vue, les foules furent saisies de 8 3+
crainte et glorifièrent Dieu d'avoir donné un tel
pouvoir aux hommes [g].

## Appel de Matthieu. || Mc 2 13-14 Lc 5 27-28

9 Étant sorti, Jésus vit, en passant, un homme
assis au bureau de la douane, appelé Matthieu [h], et
il lui dit : « Suis-moi! » Et, se levant, il le suivit. 4 19

## Repas avec des pécheurs. || Mc 2 15-1 || Lc 5 29-32

10 Comme il était à table dans la maison, voici
que beaucoup de publicains et de pécheurs [i] vinrent Lc 15 1-2 19 1-10
se mettre à table avec Jésus et ses disciples. 11 Ce
qu'ayant vu, les Pharisiens disaient à ses disciples : 3 7+
« Pourquoi votre maître mange-t-il avec les publicains et les pécheurs? » 12 Mais lui, qui avait 1 Tm 1 15
entendu, dit : « Ce ne sont pas les gens bien portants qui ont besoin de médecin, mais les malades.
13 Allez donc apprendre ce que signifie : *C'est la* = 12 7
*miséricorde que je veux, et non le sacrifice* [j]. En Os 6 6

toute équivoque.

*a)* Ainsi nommés d'après la ville de Gadara, sise au sud-est du lac. La var. « Géraséniens » (Mc, Lc et Vulg. de Mt) dérive du nom d'une autre ville, Gérasa ou peut-être Chorsia; la var. « Gergéséniens » provient d'une conjecture d'Origène.

*b)* Deux démoniaques, au lieu d'un chez Mc et Lc; de même deux aveugles à Jéricho, **20** 30, et deux aveugles à Bethsaïde, **9** 27, miracle qui est un démarquage du précédent. Ce dédoublement des personnages peut être un procédé de style de Mt.

*c)* En attendant le jour du Jugement, les démons jouissent d'une certaine liberté d'exercer leurs sévices sur la terre, Ap **9** 5, ce qu'ils font de préférence en possédant les hommes, **12** 43-45+. Cette possession s'accompagne souvent d'une maladie, celle-ci étant, à titre de suite du péché, **9** 2+, une autre manifestation de l'emprise de Satan, Lc **13** 16. Aussi les exorcismes de l'Évangile, qui apparaissent parfois comme ici à l'état pur, cf. **15** 21-28p; Mc **1** 23-28p; Lc **8** 2, se font-ils souvent par mode de guérison, **9** 32-34; **12** 22-24p; **17** 14-18p; Lc **13** 10 17. Par son pouvoir sur les démons, Jésus détruit l'empire de Satan, **12** 28p; Lc **10** 17-19; cf. Lc **4** 6; Jn **12** 31+, et inaugure le règne messianique dont l'Esprit Saint est la promesse caractéristique, Is **11** 2+; Jl **3** 1s. Si les hommes refusent de le comprendre, **12** 24-32, les démons, eux, le savent bien, ici et Mc **1** 24p; **3** 11p; Lc **4** 41; Ac **16** 17; **19** 15. Ce pouvoir d'exorcisme, Jésus le communique à ses disciples en même temps que le pouvoir des guérisons miraculeuses, **10** 1,8p, qui lui est connexe, **8** 3+; **4** 24; **8** 16p; Lc **13** 32.

*d)* Capharnaüm, cf. **4** 13.

*e)* Jésus envisage la guérison de l'âme avant celle du corps, et n'opère celle-ci qu'en vue de celle-là. Mais déjà cette parole enfermait une promesse de guérison, les infirmités étant considérées comme la conséquence d'un péché commis par le patient ou par ses parents, cf. **8** 29+; Jn **5** 14; **9** 2.

*f)* Remettre les péchés de l'âme est en soi plus difficile que de guérir le corps; mais c'est plus facile à *dire*, parce que cela ne peut se vérifier extérieurement.

*g)* Noter le pluriel : Mt songe sans doute aux ministres de l'Église, qui ont reçu ce pouvoir du Christ, **18** 18.

*h)* Le même qui est appelé Lévi par Mc et Lc.

*i)* Gens que leurs mœurs personnelles ou leur profession mal famée, cf. **5** 46+, rendaient « impurs » et à ne pas fréquenter. Ils étaient particulièrement suspects de ne pas observer les nombreuses lois concernant l'alimentation, d'où des problèmes de commensalité, Mc **7** 3-4, 14-23p; Ac **10** 15+; **15** 20+; Ga **2** 12; cf. 1 Co **8-9**; Rm **14**.

*j)* A la pratique rigoriste et extérieure de la Loi, Dieu préfère les sentiments intérieurs d'un cœur sincère et compatissant. C'est là un thème fréquent des prophètes, Am **5** 21+.

Lc 19 10 effet, je ne suis pas venu appeler les justes, mais les pécheurs. »

### Discussion sur le jeûne.
|| Mc 2 18-22 || Lc 5 33-39

[14] Alors les disciples de Jean [a] s'approchent de
lui en disant : « Pourquoi nous et les Pharisiens jeûnons-nous, et tes disciples ne jeûnent-ils pas? »
Jn 3 29+ [15] Et Jésus leur dit : « Les compagnons de l'époux
peuvent-ils mener le deuil tant que l'époux [b] est avec eux? Mais viendront des jours où l'époux leur
sera enlevé [c]; et alors ils jeûneront. [16] Personne ne
2 Co 5 17 Ga 1 6; 4 9 Jn 1 17 rajoute une pièce de drap non foulé à un vieux vêtement; car le morceau rapporté tire sur le vêtement
et la déchirure s'aggrave. [17] On ne met pas non plus
du vin nouveau dans des outres vieilles; autrement,
Jb 32 19 les outres éclatent, le vin se répand et les outres sont perdues. Mais on met du vin nouveau dans des outres neuves, et l'un et l'autre se conservent [d]. »

### Guérison d'une hémorroïsse et résurrection de la fille d'un chef.
|| Mc 5 21-43 || Lc 8 40-56

[18] Tandis qu'il leur parlait, voici qu'un chef [e]
s'approche, et il se prosternait devant lui en disant : « Ma fille est morte à l'instant; mais viens lui imposer ta main et elle vivra. » [19] Et, se levant, Jésus le
1 Tm 4 14+ suivait ainsi que ses disciples.
[20] Or voici qu'une femme, hémorroïsse depuis douze années, s'approcha par derrière et toucha la
23 5+ frange de son manteau. [21] Car elle se disait en elle-
14 36 même : « Si seulement je touche son manteau, je
Ac 19 12 serai sauvée. » [22] Jésus se retournant la vit et lui
Mt 8 10+ dit : « Aie confiance, ma fille, ta foi t'a sauvée. » Et de ce moment la femme fut sauvée.
[23] Arrivé à la maison du chef et voyant les joueurs de flûte et la foule en tumulte [f], Jésus dit :
11 11-13 [24] « Retirez-vous; car elle n'est pas morte, la fillette,
mais elle dort. » Et ils se moquaient de lui. [25] Mais,
quand on eut mis la foule dehors, il entra, prit la 8 15+
main de la fillette et celle-ci se dressa. [26] Le bruit 8 3+
s'en répandit dans toute cette contrée.

### Guérison de deux aveugles.
20 29-34

[27] Comme Jésus s'en allait de là, deux aveugles
le suivirent, qui criaient et disaient : « Aie pitié de nous, Fils de David [g]! » [28] Étant arrivé à la maison,
les aveugles s'approchèrent de lui et Jésus leur dit :
« Croyez-vous que je puis faire cela? » – « Oui, Sei- 8 10+
gneur », lui disent-ils. [29] Alors il leur toucha les
yeux en disant : « Qu'il vous advienne selon votre
foi. » [30] Et leurs yeux s'ouvrirent. Jésus alors les
rudoya : « Prenez garde! dit-il. Que personne ne le Mc 1 34+
sache! » [31] Mais eux, étant sortis, répandirent sa
renommée dans toute cette contrée.

### Guérison d'un démoniaque muet.
= 12 22-24 || Lc 11 14-15

[32] Comme ils sortaient, voilà qu'on lui présenta
un démoniaque muet. [33] Le démon fut expulsé et le 8 29+
muet parla. Les foules émerveillées disaient :
« Jamais pareille chose n'a paru en Israël! » [34] Mais Mc 7 37
les Pharisiens disaient : « C'est par le Prince des
démons qu'il expulse les démons [h]. »

### Misère des foules.

[35] Jésus parcourait toutes les villes et les villages, = 4 23
enseignant dans leurs synagogues, proclamant la
Bonne Nouvelle du Royaume et guérissant toute Mc 1 1+
maladie et toute langueur.
[36] A la vue des foules il en eut pitié, car ces gens || Mc 6 34
étaient las et prostrés comme des brebis qui n'ont
pas de berger [i]. [37] Alors il dit à ses disciples : « La
moisson est abondante, mais les ouvriers peu nom- || Lc 10 2
breux; [38] priez donc le Maître de la moisson
d'envoyer des ouvriers à sa moisson. » Jn 4 35-38

*a)* Jean-Baptiste. Ses disciples, comme les Pharisiens, pratiquaient des jeûnes surérogatoires pour hâter par leur piété la venue du Royaume. Cf. Lc **18** 12.
*b)* L'époux est Jésus, dont les compagnons, c'est-à-dire les « garçons d'honneur », ne peuvent jeûner parce qu'avec lui les temps messianiques sont déjà commencés.
*c)* Claire annonce de la mort de Jésus.
*d)* Le vieux vêtement, les vieilles outres sont le Judaïsme en ce qu'il a de caduc dans l'économie du salut; le drap non foulé, le vin nouveau représentent l'esprit nouveau du Royaume de Dieu. La piété de surcroît des Johannites et des Pharisiens ne fait que compromettre l'ancien régime en prétendant le rajeunir. Refusant surcharges et rapiéçage, Jésus veut faire de l'entièrement neuf, en sublimant l'esprit même de la Loi, cf. **5** 17s.
*e)* Chef de synagogue, et qui s'appelait Jaïre d'après Mc et Lc.
*f)* Manifestations bruyantes du deuil oriental.
*g)* Titre messianique, 2 S **7** 1+; cf. Lc **1** 32; Ac **2** 30; Rm **1** 3, communément reçu dans le Judaïsme, Mc **12** 35; Jn **7** 42, et dont Mt a particulièrement souligné l'application à Jésus, **1** 1; **12** 23; **15** 22; **20** 30p; **21** 9,15. Jésus ne l'a pourtant accepté qu'avec réserve, parce qu'engageant une conception trop purement humaine du Messie, Mt **22** 41-46; cf. Mc **1** 34+, et lui a préféré le titre mystérieux de Fils de l'homme, **8** 20+.
*h)* V. omis par des témoins du texte « occidental ».
*i)* Image biblique : Nb **27** 17; 1 R **22** 17; Jdt **11** 19; Ez **34** 5.

## 2. DISCOURS APOSTOLIQUE

**Mission des Douze.**

|| Mc 3 14-15; 6 7 **10** 1 Ayant appelé à lui ses douze disciples [a],
|| Lc 9 1 Jésus leur donna pouvoir sur les esprits
Mt 8 29+ impurs, de façon à les expulser et à guérir toute maladie et toute langueur.
|| Mc 3 16-19 2 Les noms des douze apôtres [b] sont les sui-
|| Lc 6 13-16 vants : le premier, Simon appelé Pierre, et André
Ac 1 13 son frère; puis Jacques, le fils de Zébédée, et Jean
son frère; 3 Philippe et Barthélemy; Thomas et
Matthieu le publicain; Jacques, le fils d'Alphée, et
Thaddée; 4 Simon le Zélé et Judas l'Iscariote, celui-
là même qui l'a livré. 5 Ces douze, Jésus les
envoya en mission avec les prescriptions suivan-
tes :
« Ne prenez pas le chemin des païens et n'entrez
Lc 9 52-53 pas dans une ville de Samaritains; 6 allez plutôt
Jn 4 9, 40 vers les brebis perdues de la maison d'Israël [c].
3 2+; 4 17+ 7 Chemin faisant, proclamez que le Royaume des
Lc 10 9, 11 Cieux est tout proche. 8 Guérissez les malades, res-
suscitez les morts, purifiez les lépreux, expulsez les
Is 55 1 démons. Vous avez reçu gratuitement, donnez gra-
Ac 8 20 tuitement. 9 Ne vous procurez ni or, ni argent, ni
|| Mc 6 8-9 menue monnaie pour vos ceintures, 10 ni besace
|| Lc 9 3; 10 4 pour la route, ni deux tuniques, ni sandales, ni
|| Lc 10 7 bâton : car l'ouvrier mérite sa nourriture.
↗ 1 Co 9 14 11 « En quelque ville ou village que vous entriez,
|| Mc 6 10-11 faites-vous indiquer quelqu'un d'honorable et
|| Lc 9 4-5; 10 5-12 demeurez-y jusqu'à ce que vous partiez. 12 En
entrant dans la maison, saluez-la [d] : 13 si cette maison en est digne, que votre paix vienne sur elle; si
elle ne l'est pas, que votre paix vous soit retournée.
14 Et si quelqu'un ne vous accueille pas et n'écoute
pas vos paroles, sortez de cette maison ou de cette Ac 13 51;
ville et secouez la poussière de vos pieds [e]. 15 En 18 6
vérité je vous le dis : au Jour du Jugement, il y aura
moins de rigueur pour le pays de Sodome et de = 11 24
Gomorrhe que pour cette ville-là. 16 Voici que je Gn 13 13; 18 16 - 19 29
vous envoie comme des brebis au milieu des loups; || Lc 10 3
montrez-vous donc prudents comme les serpents et 7 15
candides comme les colombes. 1 Co 14 20

**Les missionnaires seront persécutés [f].** || Mc 13 9-13

17 « Méfiez-vous des hommes : ils vous livreront || Lc 21 12-19
aux sanhédrins [g] et vous flagelleront dans leurs
synagogues; 18 vous serez traduits devant des gou- Jn 16 1-4
verneurs et des rois, à cause de moi, pour rendre Jn 15 27
témoignage en face d'eux et des païens. 19 Mais,
lorsqu'on vous livrera, ne cherchez pas avec inquié- || Lc 12 11-12
tude comment parler ou que dire : ce que vous
aurez à dire vous sera donné sur le moment, 20 car Ex 4 10-12
ce n'est pas vous qui parlerez, mais l'Esprit de Jr 1 6-10
votre Père qui parlera en vous. Jn 15 26
Ac 4 8, 31
21 « Le frère livrera son frère à la mort, et le père
son enfant; les enfants se dresseront contre leurs
parents et les feront mourir. 22 Et vous serez haïs = 24 9
de tous à cause de mon nom, mais celui qui aura Jn 15 18-19
tenu bon jusqu'au bout, celui-là sera sauvé. 25
= 24 13
23 « Si l'on vous pourchasse dans telle ville, fuyez
dans telle autre, et si l'on vous pourchasse dans celle-là, fuyez dans une troisième [h]; en vérité je vous
le dis, vous n'achèverez pas le tour des villes 16 28; 24
d'Israël avant que ne vienne le Fils de l'homme [i]. 24 30; 26

*a)* Mt suppose connu le choix des Douze, que Mc et Lc mentionnent explicitement en le distinguant de la mission.

*b)* Le catalogue des douze apôtres, cf. Mc **3** 14+ et Lc **6** 13+, nous est parvenu sous quatre formes, selon Mt, Mc, Lc et Ac. Il se divise en trois groupes de quatre noms, dont le premier est le même dans toutes les formes : Pierre, Philippe et Jacques d'Alphée. Mais l'ordre peut changer à l'intérieur de chaque groupe. Dans le premier groupe, celui des disciples les plus proches de Jésus, Mt et Lc rapprochent les frères Pierre et André, Jacques et Jean; mais chez Mc Ac, André est reporté au quatrième rang pour céder la place aux deux fils de Zébédée, devenus avec Pierre les trois intimes du Seigneur, cf. Mc **5** 37+. Plus tard encore, dans Ac, Jacques de Zébédée passera après son frère plus jeune, Jean, devenu plus important, cf. Ac **1** 13; **12** 2+, et déjà Lc **8** 51+; **9** 28. Dans le deuxième groupe, qui semble avoir eu des affinités spéciales avec les non-Juifs, Matthieu passe au dernier rang dans les listes de Mt et de Ac; et dans Mt seul il est appelé « le publicain ». Quant au troisième groupe, le plus judaïsant, si Thaddée (var. Lebbée) de Mt Mc est le même que Judas (fils) de Jacques de Lc Ac, il descend chez ces derniers du deuxième au troisième rang. Simon le Zélote de Lc Ac n'est que la traduction grecque de l'araméen Simon *Qan'ana* de Mt Mc Judas Iscariote, le traître, figure toujours en dernier lieu. Son nom est souvent interprété comme « homme de Qerioth », cf. Jos **15** 25, mais il pourrait aussi venir de l'araméen *sheqarya* « le menteur, l'hypocrite ».

*c)* Hébraïsme biblique : le peuple d'Israël. – Comme héritiers de l'élection et des promesses, les Juifs doivent recevoir les premiers l'offre du salut messianique : mais cf. Ac **8** 5; **13** 5+.

*d)* Le salut oriental consiste à souhaiter la paix. Ce souhait est conçu, v. 13, comme quelque chose de très concret, qui ne peut rester vain et revient, s'il ne peut s'accomplir, à celui qui l'a émis.

*e)* Locution d'origine judaïque. Est regardée comme impure la poussière de tout pays qui n'est pas la Terre Sainte, ici de tout pays qui n'accueille pas la Parole.

*f)* Les enseignements des vv. 17-39 dépassent manifestement l'horizon de cette première mission des Douze et ont dû être prononcés plus tard (voir leur place en Mc et Lc). Mt les a groupés ici pour composer un bréviaire complet du missionnaire.

*g)* Les petits sanhédrins de province, et le Grand Sanhédrin de Jérusalem; cf. **5** 21-22.

*h)* Om. : « et si... une troisième ».

*i)* L'avènement ici annoncé concerne, non le monde en général, mais Israël en particulier : il eut lieu quand Dieu vint « visiter » son peuple devenu infidèle et mit fin au régime de l'ancienne Alliance par la ruine de Jérusalem et de son Temple, en 70 ap. J.-C., cf. **24** 1+.

|| Lc 6 40 24 « Le disciple n'est pas au-dessus du maître, ni
|| Jn 13 16; le serviteur au-dessus de son patron. 25 Il suffit pour
15 20 le disciple qu'il devienne comme son maître, et le
serviteur comme son patron. Du moment qu'ils ont
9 34; 12 24 traité de Béelzéboul le maître de maison, que ne
diront-ils pas de sa maisonnée!

|| Lc 12 2-9 **Parler ouvertement et sans crainte.**

26 « N'allez donc pas les craindre! Rien, en effet,
|| Mc 4 22 n'est voilé qui ne sera révélé, rien de caché qui ne
Lc 8 17 sera connu. 27 Ce que je vous dis dans les ténèbres,
dites-le au grand jour; et ce que vous entendez dans
le creux de l'oreille, proclamez-le sur les toits [a].
1 P 3 14 28 « Ne craignez rien de ceux qui tuent le corps,
Ap 2 10 mais ne peuvent tuer l'âme; craignez plutôt Celui
qui peut perdre dans la géhenne à la fois l'âme et
le corps. 29 Ne vend-on pas deux passereaux pour
un as? Et pas un d'entre eux ne tombera au sol à
Ac 27 34 l'insu de votre Père! 30 Et vous donc! vos cheveux
Lc 21 18 même sont tous comptés! 31 Soyez donc sans
crainte; vous valez mieux, vous, qu'une multitude
de passereaux.
|| Lc 12 8-9 32 « Quiconque se déclarera pour moi devant les
Ap 3 5 hommes, moi aussi je me déclarerai pour lui devant
mon Père qui est dans les cieux [b]; 33 mais celui qui
|| Mc 8 38 m'aura renié devant les hommes, à mon tour je le
|| Lc 9 26 renierai devant mon Père qui est dans les cieux.
2 Tm 2 12

**Jésus cause de dissensions [c].** || Lc 12

34 « N'allez pas croire que je sois venu apporter 51-53
la paix sur la terre; je ne suis pas venu apporter Lc 2 34;
la paix, mais le glaive. 35 Car je suis venu opposer 22 36
*l'homme à son père, la fille à sa mère et la bru à* Mi 7 6
*sa belle-mère : 36 on aura pour ennemis les gens de*
*sa famille.*

**Se renoncer pour suivre Jésus.**

37 « Qui aime son père ou sa mère plus que moi || Lc 14 26-27
n'est pas digne de moi. Qui aime son fils ou sa fille Dt 33 9
plus que moi n'est pas digne de moi. 38 Qui ne
prend pas sa croix et ne suit pas derrière moi n'est = 16 24-25
pas digne de moi. 39 Qui aura trouvé sa vie la per- || Mc 8 34-35
dra et qui aura perdu sa vie à cause de moi la trou- || Lc 9 23-24 || Lc 17 33
vera [d]. || Jn 12 25

**Conclusion du discours apostolique.**

40 « Qui vous accueille m'accueille, et qui = 18 5
m'accueille accueille Celui qui m'a envoyé. || Mc 9 37 || Lc 9 48
41 « Qui accueille un prophète en tant que pro- || Lc 10 16
phète recevra une récompense de prophète, et qui || Jn 12 44-45; 13 20
accueille un juste en tant que juste recevra une Mt 25 40. 45
récompense de juste [e].
42 « Quiconque donnera à boire à l'un de ces || Mc 9 41
petits [f] rien qu'un verre d'eau fraîche, en tant qu'il
est un disciple, en vérité je vous le dis, il ne perdra
pas sa récompense. »

# *IV. Le mystère du Royaume des Cieux*

## *1. SECTION NARRATIVE*

**11** 1 Et il advint, quand Jésus eut achevé de donner ces consignes à ses douze disciples, qu'il
partit de là pour enseigner et prêcher dans leurs villes [g].

c 7 18-28 **Question de Jean-Baptiste**
**et témoignage que lui rend Jésus.**

2 Or Jean, dans sa prison, avait entendu parler
des œuvres du Christ. Il lui envoya de ses disci-
ples [h] pour lui dire : 3 « Es-tu celui qui doit venir ou Dt 18 15
devons-nous en attendre un autre [i]? » 4 Jésus leur Jn 1 21+
répondit : « Allez rapporter à Jean ce que vous
entendez et voyez : 5 les aveugles voient et les boi- Is 26 19;
teux marchent, les lépreux sont purifiés et les 29 18s; 35 5s; 61 1
sourds entendent, les morts ressuscitent et la Bonne Mt 8 3+
Nouvelle est annoncée aux pauvres [j]; 6 et heureux
celui qui ne trébuchera pas à cause de moi! » 13 57
7 Tandis que ceux-là s'en allaient, Jésus se mit à Jn 6 61

*a)* Jésus n'a pu délivrer son message que de façon voilée, parce que ses auditeurs ne pouvaient le comprendre, Mc **1** 34+, et que lui-même n'avait pas encore accompli son œuvre en mourant et ressuscitant. Plus tard ses disciples pourront et devront tout proclamer sans aucune crainte. Le sens des mêmes paroles dans Lc est tout différent : que les disciples n'imitent pas l'hypocrisie des Pharisiens; tout ce qu'ils prétendraient cacher finirait bien par être connu; qu'ils parlent donc ouvertement.

*b)* Lors du Jugement dernier, quand le Fils remettra les élus à son Père, cf. **25** 34.

*c)* Jésus est un « signe de contradiction », Lc **2** 34, qui, sans vouloir les discordes, les provoque nécessairement par les exigences du choix qu'il requiert.

*d)* Dans cette parole, de forme plus archaïque qu'en Mc et Lc, « trouver » est à entendre avec la nuance de « gagner, obtenir, se procurer », cf. Gn **26** 12; Os **12** 9; Pr **3** 13; **21** 21. Voir **16** 25+.

*e)* « Prophète » et « juste », termes bibliques accouplés encore en **13** 17 et **23** 29, désignent ici pratiquement le missionnaire et le chrétien.

*f)* Les apôtres que Jésus envoie en mission, cf. Mc **9** 41 et Mt **18** 1-6,10,14.

*g)* Les villes des Juifs.

*h)* Var. : « deux de ses disciples », cf. Lc **7** 18.

*i)* Sans douter absolument de Jésus, Jean-Baptiste s'étonne de le voir réaliser un type du Messie si différent de celui qu'il attendait, cf. **3** 10-12.

*j)* Litt. : « les pauvres sont évangélisés », cf. Mt **4** 23+; Lc **1** 19+.

dire aux foules au sujet de Jean : « Qu'êtes-vous
3 1, 5-6 allés contempler au désert? Un roseau agité par le
vent? 8 Alors qu'êtes-vous allés voir? Un homme
vêtu de façon délicate? Mais ceux qui portent des
habits délicats se trouvent dans les demeures des
16 14+ rois. 9 Alors qu'êtes-vous allés faire? Voir un pro-
Lc 1 76-79 phète? Oui, je vous le dis, et plus qu'un prophète.
10 C'est celui dont il est écrit :

Ml 3 1 *Voici que moi j'envoie mon messager en avant*
Ac 13 24-25 *de toi*
*pour préparer ta route devant toi.*

11 « En vérité je vous le dis, parmi les enfants des
femmes, il n'en a pas surgi de plus grand que Jean
le Baptiste; et cependant le plus petit dans le
Royaume des Cieux est plus grand que lui [a].
|| Lc 16 16 12 Depuis les jours de Jean le Baptiste jusqu'à pré-
sent le Royaume des Cieux souffre violence [b], et
des violents s'en emparent. 13 Tous les prophètes en
effet, ainsi que la Loi, ont mené leurs prophéties
Ml 3 23 jusqu'à Jean. 14 Et lui, si vous voulez m'en croire,
Mt 17 11-13 il est cet Élie qui doit revenir [c]. 15 Que celui qui a
des oreilles entende!

|| Lc 7 31-35 **Jugement de Jésus sur sa génération.**

16 « Mais à qui vais-je comparer cette génération? Elle ressemble à des gamins qui, assis sur les
places, en interpellent d'autres, 17 en disant :

" Nous vous avons joué de la flûte,
et vous n'avez pas dansé!
Nous avons entonné un chant funèbre,
et vous ne vous êtes pas frappé la poitrine! "

Mt 3 4 18 Jean vient en effet, ne mangeant ni ne buvant,
Lc 1 15

et l'on dit : " Il est possédé! " 19 Vient le Fils de 8 20+
l'homme, mangeant et buvant, et l'on dit : " Voilà 9 10-11
un glouton et un ivrogne, un ami des publicains et
des pécheurs! " Et justice a été rendue à la Sagesse Jn 6 35+
par ses œuvres [d]. »

**Malheur aux villes des bords du lac.** || Lc 10 13-15

20 Alors il se mit à invectiver contre les villes qui
avaient vu ses plus nombreux miracles mais Jn 15 24;
n'avaient pas fait pénitence. 12 37
Mt 13 58
21 « Malheur à toi, Chorazeïn! Malheur à toi,
Bethsaïde! Car si les miracles qui ont eu lieu chez
vous avaient eu lieu à Tyr et à Sidon [e], il y a longtemps que, sous le sac et dans la cendre, elles se Dn 9 3
seraient repenties. 22 Aussi bien, je vous le dis, pour Jon 3 6
Tyr et Sidon, au Jour du Jugement, il y aura moins
de rigueur que pour vous. 23 Et toi, Capharnaüm,
crois-tu que tu seras élevée jusqu'au ciel? *Jusqu'à*
*l'Hadès tu descendras.* Car si les miracles qui ont
eu lieu chez toi avaient eu lieu à Sodome, elle sub- Is 14 13, 15
sisterait encore aujourd'hui. 24 Aussi bien, je vous
le dis, pour le pays de Sodome il y aura moins de = 10 15
rigueur, au Jour du Jugement, que pour toi. »

**L'Évangile révélé aux simples. Le Père et le Fils.** || Lc 10 21-2

25 En ce temps-là Jésus prit la parole et dit : « Je
te bénis, Père, Seigneur du ciel et de la terre,
d'avoir caché cela [f] aux sages et aux intelligents et 13 11
de l'avoir révélé aux tout-petits. 26 Oui, Père, car tel Jn 7 48-49
a été ton bon plaisir. 27 Tout m'a été remis par mon 1 Co 1 26-2
Père, et nul ne connaît le Fils si ce n'est le Père, 4 3+; 16 17
et nul ne connaît le Père si ce n'est le Fils, et celui Jn 3 35+;
à qui le Fils veut bien le révéler [g]. 10 15; 1 18
Jn 3 11+
Sg 2 13

Par cette allusion aux oracles d'Isaïe, Jésus montre à Jean que ses œuvres inaugurent bien l'ère messianique, mais par mode de bienfaits et de salut, non de violence et de châtiment. Cf. Lc **4** 17-21.

*a)* Par ce seul fait qu'il appartient au Royaume, tandis que Jean, en tant que Précurseur est resté à la porte. Cette parole oppose deux époques de l'œuvre divine, deux « économies », sans déprécier en rien la personne de Jean : les temps du Royaume transcendent totalement ceux qui les ont précédés et préparés.

*b)* Expression diversement interprétée. Il peut s'agir : 1° de la sainte violence de ceux qui s'emparent du royaume au prix des plus durs renoncements; 2° de la mauvaise violence de ceux qui veulent établir le Royaume par les armes (les Zélotes); 3° de la tyrannie des Puissances démoniaques, ou de leurs suppôts terrestres, qui prétendent garder l'empire de ce monde et entraver l'essor du Royaume de Dieu. Enfin certains traduisent : « le Royaume des Cieux se fraie sa voie avec violence », c'est-à-dire s'établit avec puissance en dépit de tous les obstacles.

*c)* Jean est venu clore l'économie de l'ancienne Alliance en prenant la succession du dernier des prophètes, Malachie, dont il accomplit la dernière prédiction, Ml **3** 23.

*d)* Var. : « par ses enfants », cf. Lc **7** 35. – A la façon d'enfants boudeurs qui repoussent tous les jeux qu'on leur offre (ici jeux de mariage et d'enterrement), les Juifs rejettent toutes les avances de Dieu, aussi bien la pénitence de Jean que la condescendance de Jésus. L'une et l'autre se légitiment pourtant par les situations différentes de Jean-Baptiste et de Jésus par rapport à l'ère messianique : cf. **9** 14-15; **11** 11-13. – En dépit de la mauvaise volonté des hommes, le sage dessein de Dieu se réalise et se justifie lui-même par la conduite qu'il inspire à Jean-Baptiste et à Jésus. Les « œuvres » de ce dernier, en particulier, c'est-à-dire ses miracles, v. 2, sont le témoignage qui convainc ou condamne, vv. 6 et 20-24. Jésus est encore rapproché de la Sagesse en **11** 28-30; **12** 42; **23** 34p; Jn **6** 35+; 1 Co **1** 24. – Une autre exégèse ne voit ici qu'un proverbe dont l'application aux incrédules annonce que leur fausse sagesse, cf. v. 25, récoltera ses justes fruits, à savoir les châtiments divins, vv. 20-24.

*e)* Villes dont les menaces des prophètes avaient fait des types d'impiété : Am **1** 9-10; Is **23**; Ez **26-28**; Za **9** 2-4.

*f)* Ce passage, vv. 25-27, étant sans connexion étroite avec le contexte où Mt l'a inséré (cf. sa place différente en Lc), « cela » ne se rapporte pas à ce qui précède, mais doit s'entendre absolument des « mystères du Royaume », **13** 11, découverts aux « tout-petits », les disciples, cf. **10** 42, mais cachés aux « sages », les Pharisiens et leurs docteurs.

*g)* La profession de relations intimes avec Dieu, vv. 26-27, et l'appel à se faire disciple, vv. 28-30, évoquent maints passages des livres sapientiaux, Pr **8** 22-36; Si **24** 3-9 et 19-20; Sg **8** 3-4; **9** 9-18, etc. Jésus s'attribue ainsi le rôle de la Sagesse, cf. Mt **11** 19+, mais d'une façon éminente, non plus comme une personnification mais comme une personne, « le Fils » par excellence du « Père », cf. **4** 3+. Ce passage de ton johannique, cf. Jn **1** 18; **3** 11,35; **6** 46; **10** 15, etc., exprime, dans le fond le plus primitif de la tradition synoptique comme chez Jn, la conscience claire que Jésus avait de sa filiation divine.

**Jésus maître au fardeau léger.**

Si **24** 19: 28 « Venez à moi, vous tous qui peinez et ployez
**51** 23-30 sous le fardeau [a], et moi je vous soulagerai.
Os **10** 11 29 Chargez-vous de mon joug et mettez-vous à mon
Jr **6** 16 école, car je suis doux et humble de cœur [b], *et vous*
Pr **3** 17 Ps **34** 19 *trouverez soulagement pour vos âmes.* 30 Oui, mon
Ga **5** 1 joug est aisé et mon fardeau léger. »
Ac **15** 10

|| Mc **2** 23-28 **Les épis arrachés.**
|| Lc **6** 1-5

**12** 1 En ce temps-là Jésus vint à passer, un jour
Ex **20** 8+ de sabbat, à travers les moissons. Ses disciples
eurent faim et se mirent à arracher des épis et à les
manger. 2 Ce que voyant, les Pharisiens lui dirent :
« Voilà tes disciples qui font ce qu'il n'est pas permis de faire pendant le sabbat [c]! » 3 Mais il leur
1 S **21** 2-7 dit : « N'avez-vous pas lu ce que fit David lorsqu'il
eut faim, lui et ses compagnons? 4 Comment il
entra dans la demeure de Dieu et comment ils
Ex **25** 23+ mangèrent les pains d'oblation, qu'il ne lui
était pas permis de manger, ni à ses compagnons,
mais aux prêtres seuls? 5 Ou n'avez-vous pas lu
Nb **28** 9 dans la Loi que, le jour du sabbat, les prêtres dans
le Temple violent le sabbat sans être en faute [d]?
**12** 41 6 Or, je vous le dis, il y a ici plus grand que le Tem-
= **9** 13 ple. 7 Et si vous aviez compris ce que signifie :
Os **6** 6 *C'est la miséricorde que je veux, et non le sacrifice,*
1 S 15 22 vous n'auriez pas condamné des gens qui sont sans
Jn **5** 16-17 faute. 8 Car le Fils de l'homme est maître du
sabbat [e]. »

|| Mc **3** 1-6 **Guérison d'un homme à la main sèche.**
|| Lc **6** 6-11

9 Parti de là, il vint dans leur synagogue. 10 Et
voici un homme qui avait une main sèche, et ils lui
posèrent cette question : « Est-il permis de guérir le
Lc **20** 20 jour du sabbat? » afin de l'accuser. 11 Mais il leur
Jn **8** 6 dit : « Quel sera d'entre vous l'homme qui aura une
|| Lc **14** 5 seule brebis, et si elle tombe dans un trou, le jour
du sabbat, n'ira la prendre et la relever? 12 Or,
Qo **3** 19 combien un homme vaut plus qu'une brebis! Par

conséquent il est permis de faire une bonne action Ex **20** 8+
le jour du sabbat. » 13 Alors il dit à l'homme :
« Étends ta main. » Il l'étendit et elle fut remise en
état, saine comme l'autre. 14 Étant sortis, les Phari- Jn **11** 53;
siens tinrent conseil contre lui, en vue de le perdre. **5** 18

**Jésus est le « Serviteur de Yahvé ».**

15 L'ayant su, Jésus se retira de là. Beaucoup le Mc **3** 7
suivirent et il les guérit tous 16 et il leur enjoignit
de ne pas le faire connaître, 17 pour que s'ac- || Mc **3** 12
complît [f] l'oracle d'Isaïe le prophète : Mc **1** 34+

18 *Voici mon Serviteur que j'ai choisi,* Is **42** 1-4
*mon Bien-aimé qui a toute ma faveur.*
*Je placerai sur lui mon Esprit* **3** 16+
*et il annoncera le Droit* [g] *aux nations.*
19 *Il ne fera point de querelles ni de cris*
*et nul n'entendra sa voix sur les grands chemins.*
20 *Le roseau froissé, il ne le brisera pas,*
*et la mèche fumante, il ne l'éteindra pas,*
*jusqu'à ce qu'il ait mené le Droit au triomphe :*
21 *en son nom les nations mettront leur espérance.*

**Jésus et Béelzéboul.**

22 Alors on lui présenta un démoniaque aveugle || Lc **11** 14-15
et muet; et il le guérit, si bien que le muet pouvait = Mt **9** 32-34
parler et voir. 23 Frappées de stupeur, toutes les **8** 29+
foules disaient : « Celui-là n'est-il pas le Fils de **9** 27+
David? » 24 Mais les Pharisiens, entendant cela,
dirent : « Celui-là n'expulse les démons que par
Béelzéboul [h], le prince des démons. »
25 Connaissant leurs sentiments, il leur dit : || Mc **3** 23-30
« Tout royaume divisé contre lui-même court à la || Lc **11** 17-23
ruine; et nulle ville, nulle maison, divisée contre
elle-même, ne saurait se maintenir. 26 Or, si Satan Jb **1** 6+
expulse Satan, il s'est divisé contre lui-même : dès
lors, comment son royaume se maintiendra-t-il?
27 Et si moi, c'est par Béelzéboul que j'expulse les

*a)* Le fardeau de la Loi, et des observances pharisaïques qui la surchargent encore, **23** 4; cf. **5** 17+. Le « joug de la Loi » est une métaphore fréquente chez les rabbins, voir déjà : So **3** 9 (LXX); Lm **3** 27; Jr **2** 20; **5** 5; cf. Is **14** 25. Si **6** 24-30; **51** 26-27 l'exploite déjà dans un contexte de sagesse, avec l'idée de labeur facile et reposant.

*b)* Épithètes classiques des « Pauvres » de l'AT, cf. So **2** 3+; Dn **3** 87. Jésus revendique leur attitude religieuse et s'en autorise pour se faire leur maître de sagesse, comme c'était annoncé du « Serviteur », Is **61** 1-2 et Lc **4** 18; voir encore Mt **12** 18-21; **21** 5. De fait c'est pour eux qu'il a prononcé les Béatitudes, Mt **5** 3+, et mainte autre instruction de sa Bonne Nouvelle.

*c)* On ne reproche pas aux disciples de cueillir en passant des épis dans le champ d'autrui (Dt **23** 26 le permettait), mais de le faire le jour du sabbat. Les casuistes voyaient là un « travail », interdit par la Loi, Ex **34** 21.

*d)* Le sabbat ne supprimait pas, mais aggravait plutôt les activités des ministres du culte.

*e)* En cette occasion et lors de guérisons qu'il opère le jour du sabbat, Mt **12** 9-14p; Lc **13** 10-17; **14** 1-6; Jn **5** 1-18 et **7** 19-24; **9**, Jésus affirme que même une institution divine comme celle du repos sabbatique n'a pas une valeur absolue, qu'elle doit céder à la nécessité ou à la charité, et que lui-même a le pouvoir d'interpréter avec autorité la Loi mosaïque, cf. **5** 17+; **15** 1-7p; **19** 1 9p. Il l'a en tant que « Fils de l'homme », chef du Royaume messianique, **8** 20+, et chargé dès ici-bas, **9** 6, d'en établir l'économie nouvelle, **9** 17+, supérieure à l'ancienne car « il y a ici plus grand que le Temple ». – Les rabbins admettaient des dispenses de la loi du sabbat, mais leurs scrupules les restreignaient le plus possible.

*f)* Par la discrétion dont Jésus entoure son activité bienfaisante.

*g)* Le « Droit » divin, qui règle les rapports de Dieu avec les hommes et s'exprime essentiellement par la Révélation et la vraie Religion qui en découle.

*h)* Divinité cananéenne dont le nom signifie « Baal le Prince » (et non « Baal du fumier » comme on l'a souvent dit), ce qui explique que l'orthodoxie monothéiste en ait fait le « Prince des démons ». La forme « Béelzéboub » (syr. et Vulg.) est un jeu de mots méprisant (cf. déjà 2 R **1** 2s) qui transforme ce titre en « Baal des mouches ».

démons, par qui vos adeptes[a] les expulsent-ils?
Aussi seront-ils eux-mêmes vos juges. 28 Mais si
3 16+ c'est par l'Esprit de Dieu que j'expulse les démons,
8 29+ c'est donc que le Royaume de Dieu est arrivé
jusqu'à vous.

Is 49 25 29 « Ou encore, comment quelqu'un peut-il péné-
Jn 12 31 trer dans la maison d'un homme fort et s'emparer
Tb 8 3 de ses affaires, s'il n'a d'abord ligoté cet homme
fort? Et alors il pillera sa maison.

Mc 9 40 30 « Qui n'est pas avec moi est contre moi, et qui
n'amasse pas avec moi dissipe. 31 Aussi je vous le
1 Jn 5 16 dis, tout péché et blasphème sera remis aux hommes, mais le blasphème contre l'Esprit ne sera pas
|| Lc 12 10 remis. 32 Et quiconque aura dit une parole contre
le Fils de l'homme, cela lui sera remis; mais
quiconque aura parlé contre l'Esprit Saint, cela ne
lui sera remis ni en ce monde ni dans l'autre[b].

= 7 16-20
|| Lc 6 43-45

**Les paroles font juger du cœur.**

33 « Prenez un arbre bon : son fruit sera bon; prenez un arbre gâté : son fruit sera gâté. Car c'est au
3 7; 23 33 fruit qu'on reconnaît l'arbre. 34 Engeance de vipè-
Si 27 6 res, comment pourriez-vous tenir un bon langage,
15 11, 18 alors que vous êtes mauvais? Car c'est du trop-
plein du cœur que la bouche parle. 35 L'homme
Pr 10 14 bon, de son bon trésor tire de bonnes choses; et
l'homme mauvais, de son mauvais trésor en tire de
Jc 3 1-6 mauvaises. 36 Or je vous le dis : de toute parole
sans fondement[c] que les hommes auront proférée,
ils rendront compte au Jour du Jugement. 37 Car
c'est d'après tes paroles que tu seras justifié et c'est
d'après tes paroles que tu seras condamné. »

|| Lc 11 29-32
|| Mc 8 11-12

**Le signe de Jonas.**

38 Alors quelques-uns des scribes et des Pharisiens prirent la parole et lui dirent : « Maître, nous
= Mt 16 1-4 désirons que tu nous fasses voir un signe[d]. » 39 Il
1 Co 1 22
leur répondit : « Génération mauvaise et adultère[e]!
elle réclame un signe, et de signe, il ne lui sera
donné que le signe du prophète Jonas[f]. 40 De
même, en effet, que Jonas *fut dans le ventre du* Jon 2 1
*monstre marin durant trois jours et trois nuits*, de
même le Fils de l'homme sera dans le sein de la
terre durant trois jours et trois nuits[g]. 41 Les hommes de Ninive se dresseront lors du Jugement avec Ez 3 6-7
cette génération et ils la condamneront, car ils se
repentirent à la proclamation de Jonas, et il y a ici Jon 3
plus que Jonas! 42 La reine du Midi se lèvera lors
du Jugement avec cette génération et elle la
condamnera, car elle vint des extrémités de la terre 1 R 10 1-10
pour écouter la sagesse de Salomon, et il y a ici Jn 6 35+
plus que Salomon!

**Retour offensif de l'esprit impur.** || Lc 11 24-2

43 « Lorsque l'esprit impur est sorti de l'homme, Mt 8 29+
il erre par des lieux arides en quête de repos[h], et
il n'en trouve pas. 44 Alors il dit : " Je vais retourner dans ma demeure, d'où je suis sorti. " Étant
venu, il la trouve libre, balayée, bien en ordre.
45 Alors il s'en va prendre avec lui sept autres Mc 5 9
esprits plus mauvais que lui; ils reviennent et y Lc 8 2
habitent. Et l'état final de cet homme devient pire Jn 5 14
que le premier. Ainsi en sera-t-il également de cette 2 P 2 20
génération mauvaise. »

**La vraie parenté de Jésus.** || Mc 3 31-

46 Comme il parlait encore aux foules, voici que || Lc 8 19-2
sa mère et ses frères[i] se tenaient dehors, cherchant Dt 33 9
à lui parler [47][j]. 48 A celui qui l'en informait Jésus Jn 7 3s
répondit : « Qui est ma mère et qui sont mes frè- Lc 2 49-5
res? » 49 Et tendant sa main vers ses disciples, il
dit : « Voici ma mère et mes frères. 50 Car
quiconque fait la volonté de mon Père qui est aux
cieux, celui-là m'est un frère et une sœur et une
mère[k]. »

*a)* Litt. « vos fils », tournure sémitique.
*b)* L'homme est excusable de se méprendre sur la dignité divine de Jésus, voilée par ses humbles apparences de « Fils de l'homme », **8** 20+; il ne l'est pas de fermer ses yeux et son cœur aux œuvres éclatantes de l'Esprit. En les niant, il rejette l'avance suprême que lui fait Dieu, et se met hors du salut, cf. He **6** 4-6; **10** 26-31.
*c)* Il ne s'agit pas simplement de parole « oiseuse », mais de parole mauvaise, en somme de calomnie.
*d)* Un prodige qui exprime et justifie l'autorité que revendique Jésus, cf. Is **7** 11s; Lc **1** 18+; Jn **2** 11+. Jésus refuse de donner un autre signe que celui de sa résurrection, qui sera le signe décisif et dont il fait ici l'annonce voilée.
*e)* Image tirée de la Bible, cf. Os **1** 2+.
*f)* En **16** 4 Mt ne précise pas, comme ici au v. 40, le sens du « signe de Jonas », et Lc **11** 29s l'entend de la prédication de Jésus, qui est un signe pour ses contemporains comme Jonas le fut pour les Ninivites. Cette deuxième interprétation est d'ailleurs sous-jacente ici au v. 41. Or elle est moins vraisemblable. Non seulement la prédication déjà actuelle de Jésus ne peut être annoncée comme future, mais encore, et surtout, dans la tradition juive Jonas était célèbre pour sa délivrance miraculeuse, bien plus que pour sa prédication aux païens, qui déplaisait plutôt. Même si son explicitation du v. 40 est tardive, l'interprétation de Mt doit donc mieux refléter que celle de Lc la pensée de Jésus : il annonce de façon voilée son triomphe final. Quant à Mc, il aura supprimé toute allusion à Jonas, qu'il jugeait trop difficile pour ses lecteurs, cf. Mc **8** 12+.
*g)* Cette expression toute faite, tirée telle quelle de Jon **2** 1+, ne s'applique que de façon approximative à l'intervalle entre la mort et la résurrection du Christ.
*h)* Les anciens considéraient les lieux déserts comme peuplés de démons, cf. Lv **16** 8+; **17** 7+; Is **13** 21; **34** 14; Ba **4** 35; Ap **18** 2; Mt **8** 28. Toutefois ceux-ci préfèrent encore habiter des hommes, Mt **8** 29+.
*i)* Non des fils de Marie, mais des proches parents, comme par exemple des cousins, que l'hébreu et l'araméen appelaient aussi « frères », cf. Gn **13** 8; **14** 16; **29** 15; Lv **10** 4; 1 Ch **23** 22s. Voir encore **13** 55p; Jn **7** 3s; Ac **1** 14; 1 Co **9** 5; Ga **1** 19.
*j)* Le v. 47 : « Quelqu'un lui dit : Voici ta mère et tes frères qui se tiennent dehors et cherchent à te parler », omis par de bons témoins, semble n'être qu'une reprise du v. 46, imitée de Mc et Lc.
*k)* Les liens de la parenté charnelle passent après ceux de la parenté spirituelle, cf. **8** 21s; **10** 37; **19** 29.

## 2. DISCOURS PARABOLIQUE

|| Mc 4 1-2 || Lc 8 4 **Introduction.**

13 1 En ce jour-là[a], Jésus sortit de la maison et
s'assit au bord de la mer. 2 Et des foules nombreuses s'assemblèrent auprès de lui, si bien qu'il
monta dans une barque et s'assit; et toute la foule
se tenait sur le rivage. 3 Et il leur parla de beaucoup
de choses en paraboles[b].

|| Mc 4 3-9 || Lc 8 5-8 **Parabole du semeur.**

Il disait : « Voici que le semeur est sorti pour
semer. 4 Et comme il semait, des grains sont tombés au bord du chemin, et les oiseaux sont venus
tout manger. 5 D'autres sont tombés sur les
endroits rocheux où ils n'avaient pas beaucoup de
terre, et aussitôt ils ont levé, parce qu'ils n'avaient
pas de profondeur de terre; 6 mais une fois le soleil
levé, ils ont été brûlés et, faute de racine, se sont
desséchés. 7 D'autres sont tombés sur les épines, et
les épines ont monté et les ont étouffés. 8 D'autres
Jn 15 8, 16 sont tombés sur la bonne terre et ont donné du
fruit, l'un cent, l'autre soixante, l'autre trente.
9 Entende qui a des oreilles[c]! »

|| Mc 4 10-12, 25 || Lc 8 9-10, 18 **Pourquoi Jésus parle en paraboles.**

10 Les disciples s'approchant lui dirent :
« Pourquoi leur parles-tu en paraboles? » –
11 25 11 « C'est que, répondit-il, à vous il a été donné de
connaître les mystères du Royaume des Cieux, tandis qu'à ces gens-là cela n'a pas été donné. 12 Car
= 23 29 celui qui a, on lui donnera et il aura du surplus,
mais celui qui n'a pas, même ce qu'il a lui sera
enlevé[d]. 13 C'est pour cela que je leur parle en
paraboles : parce qu'ils voient sans voir et entendent sans entendre ni comprendre[e]. 14 Ainsi
s'accomplit pour eux la prophétie d'Isaïe qui
disait :

Is 6 9-10+ Jn 12 40 Ac 28 26s *Vous aurez beau entendre, vous ne comprendrez
pas;*
*vous aurez beau regarder, vous ne verrez pas.*
15 *C'est que l'esprit de ce peuple s'est épaissi :*
*ils se sont bouché les oreilles, ils ont fermé les
yeux,*
*de peur que leurs yeux ne voient,*
*que leurs oreilles n'entendent,*
*que leur esprit ne comprenne,*
*qu'ils ne se convertissent,*
*et que je ne les guérisse.*

16 « Quant à vous, heureux vos yeux parce qu'ils || Lc 10 23-24
voient; heureuses vos oreilles parce qu'elles entendent. 17 En vérité je vous le dis, beaucoup de pro- Jn 8 56
phètes et de justes[f] ont souhaité voir ce que vous Ep 3 5 1 P 1 10-12
voyez et ne l'ont pas vu, entendre ce que vous Lc 17 22
entendez et ne l'ont pas entendu!

**Explication de la parabole du semeur.** || Mc 4 13-20 || Lc 8 11-15

18 « Écoutez donc, vous, la parabole du semeur.
19 Quelqu'un entend-il la Parole du Royaume sans Dt 30 14
la comprendre, arrive le Mauvais qui s'empare de
ce qui a été semé dans le cœur de cet homme : tel
est celui qui a été semé[g] au bord du chemin.
20 Celui qui a été semé sur les endroits rocheux,
c'est l'homme qui, entendant la Parole, l'accueille 1 Th 1 6
aussitôt avec joie; 21 mais il n'a pas de racine en
lui-même, il est l'homme d'un moment : survienne
une tribulation ou une persécution à cause de la
Parole, aussitôt il succombe. 22 Celui qui a été semé
dans les épines, c'est celui qui entend la Parole, Jr 4 3-4
mais le souci du monde et la séduction de la
richesse étouffent cette Parole, qui demeure sans
fruit. 23 Et celui qui a été semé dans la bonne terre,
c'est celui qui entend la Parole et la comprend :
celui-là porte du fruit et produit tantôt cent, tantôt Jn 15 8, 16 Ga 5 22
soixante, tantôt trente. »

**Parabole de l'ivraie.**

24 Il leur proposa une autre parabole : « Il en va

*a)* Cette expression stéréotypée est une simple transition, sans valeur chronologique.
*b)* Aux deux paraboles qu'il a en commun avec Mc, Mt en ajoute cinq autres, ce qui fait sept, cf. **6** 9+.
*c)* Add. : « pour entendre ». De même en **11** 15 et **13** 43.
*d)* Pour les âmes bien disposées, on ajoutera à l'acquis de l'ancienne Alliance le perfectionnement de la nouvelle, cf. **5** 17, 20; aux âmes mal disposées, on ôtera même ce qu'elles ont, c'est-à-dire cette Loi juive qui, laissée à elle-même, va devenir caduque.
*e)* Endurcissement volontaire et coupable qui entraîne et explique le retrait de la grâce. Tous les récits qui précèdent ont préparé le discours parabolique en illustrant cet endurcissement, **11** 16-19, 20-24; **12** 7, 14, 24-32, 34, 39, 45. A ces esprits obscurcis, que la pleine lumière sur le caractère humble et caché du vrai messianisme ne ferait qu'aveugler davantage, Mc **1** 34+, Jésus ne pourra donner qu'une lumière tamisée par les symboles : demi-lumière qui sera encore une grâce, un appel à demander mieux et à recevoir plus.
*f)* Ceux de l'ancienne Alliance, **23** 29; cf. **10** 41. Saint Paul a insisté sur les longs silences dont a été entouré le « Mystère » : Rm **16** 25; Ep **3** 4-5; Col **1** 26. Cf. aussi 1 P **1** 11-12.
*g)* Cette tournure étrange vient d'une certaine confusion dans l'interprétation de la parabole, qui identifie les hommes, tantôt avec les divers terrains qui reçoivent plus ou moins bien la Parole, tantôt avec la semence elle-même, de plus ou moins bonne qualité, qui produit soit trente, soit soixante, soit cent.

du Royaume des Cieux comme d'un homme qui a
semé du bon grain dans son champ. 25 Or, pendant
que les gens dormaient, son ennemi est venu, il a
semé à son tour de l'ivraie, au beau milieu du blé,
et il s'en est allé. 26 Quand le blé est monté en
herbe, puis en épis, alors l'ivraie est apparue aussi.
27 S'approchant, les serviteurs du propriétaire lui
dirent : " Maître, n'est-ce pas du bon grain que tu
as semé dans ton champ? D'où vient donc qu'il s'y
trouve de l'ivraie? " 28 Il leur dit : " C'est quelque
ennemi qui a fait cela. " Les serviteurs lui disent :
" Veux-tu donc que nous allions la ramasser? "
29 " Non, dit-il, vous risqueriez, en ramassant
l'ivraie, d'arracher en même temps le blé. 30 Laissez
l'un et l'autre croître ensemble jusqu'à la moisson;
et au moment de la moisson je dirai aux moisson-
Jn **15** 6 neurs : Ramassez d'abord l'ivraie et liez-la en bot-
Mt **3** 12 tes que l'on fera brûler; quant au blé, recueillez-le
dans mon grenier ". »

|| Mc **4** 30-32 || Lc **13** 18-19

**Parabole du grain de sénevé.**

31 Il leur proposa une autre parabole : « Le
Royaume des Cieux est semblable à un grain de
sénevé qu'un homme a pris et semé dans son
champ. 32 C'est bien la plus petite de toutes les
graines, mais, quand il a poussé, c'est la plus
grande des plantes potagères, qui devient même un
Dn **4** 9, 18 arbre, au point que les oiseaux du ciel viennent
Ez **17** 23 s'abriter dans ses branches. »

|| Lc **13** 20-21

**Parabole du levain.**

33 Il leur dit une autre parabole : « Le Royaume
des Cieux est semblable à du levain qu'une femme
a pris et enfoui dans trois mesures de farine,
jusqu'à ce que le tout ait levé [a]. »

|| Mc **4** 33-34

**Les foules n'entendent que des paraboles.**

34 Tout cela, Jésus le dit aux foules en paraboles,
et il ne leur disait rien sans parabole; 35 pour que
s'accomplît l'oracle du prophète :

Ps **78** 2 *J'ouvrirai la bouche pour dire des paraboles,*
*je clamerai des choses cachées depuis la fonda-*
*tion du monde* [b].

**Explication de la parabole de l'ivraie.**

36 Alors, laissant les foules, il vint à la maison;
et ses disciples s'approchant lui dirent : « Explique-
nous la parabole de l'ivraie dans le champ. » 37 En
réponse il leur dit : « Celui qui sème le bon grain,
c'est le Fils de l'homme; 38 le champ, c'est le
monde; le bon grain, ce sont les sujets du
Royaume; l'ivraie, ce sont les sujets du Mauvais [c]; 1 Jn **3** 10
39 l'ennemi qui la sème, c'est le Diable; la moisson, Mt **4** 1+
c'est la fin du monde; et les moissonneurs, ce sont Jl **4** 13
les anges. 40 De même donc qu'on enlève l'ivraie et Ap **14** 15-16
qu'on la consume au feu, de même en sera-t-il à la
fin du monde : 41 le Fils de l'homme enverra ses
anges, qui ramasseront de son Royaume tous les
scandales et tous les fauteurs d'iniquité, 42 et les jet- So **1** 3
teront dans la fournaise ardente : là seront les Ap **21** 8
pleurs et les grincements de dents. 43 Alors les jus- **8** 12+
tes resplendiront comme le soleil dans le Royaume Dn **12** 3
de leur Père [d]. Entende, qui a des oreilles!

**Paraboles du trésor et de la perle** [e].

44 « Le Royaume des Cieux est semblable à un
trésor qui était caché dans un champ et qu'un
homme vient à trouver : il le recache, s'en va ravi
de joie vendre tout ce qu'il possède, et achète ce Pr **4** 7
champ. Mt **19** 21
45 « Le Royaume des Cieux est encore semblable
à un négociant en quête de perles fines : 46 en ayant
trouvé une de grand prix, il s'en est allé vendre tout
ce qu'il possédait et il l'a achetée.

**Parabole du filet.**

47 « Le Royaume des Cieux est encore semblable
à un filet qu'on jette en mer et qui ramène toutes
sortes de choses. 48 Quand il est plein, les pêcheurs
le tirent sur le rivage, puis ils s'asseyent, recueillent
dans des paniers ce qu'il y a de bon, et rejettent ce
qui ne vaut rien. 49 Ainsi en sera-t-il à la fin du
monde : les anges se présenteront et sépareront les
méchants d'entre les justes 50 pour les jeter dans la
fournaise ardente : là seront les pleurs et les grince- **8** 12+
ments de dents.

**Conclusion.**

51 « Avez-vous compris tout cela? » – « Oui », lui Mc **4** 13+
disent-ils. 52 Et il leur dit : « Ainsi donc tout scribe
devenu disciple du Royaume des Cieux est semblable à un propriétaire qui tire de son trésor du neuf
et du vieux [f]. »

*a)* Comme le grain de sénevé et le levain, le Royaume a des débuts modestes, mais un grand développement.
*b)* Plusieurs témoins omettent : « du monde ».
*c)* Litt. « les fils du Royaume » et « les fils du Mauvais », sémitismes.
*d)* Au Royaume du Fils (règne messianique) du v. 41 succède le Royaume du Père auquel le Fils remet les élus qu'il a sauvés. Cf. Mt **25** 34; 1 Co **15** 24.
*e)* Qui trouve le Royaume des Cieux doit tout quitter pour y entrer, cf. **19** 21; Lc **9** 57-62.
*f)* Le docteur juif devenu disciple du Christ possède et administre toute la richesse de l'ancienne Alliance augmentée par les perfectionnements de la nouvelle, v. 12. Cet éloge du « scribe chrétien » résume tout l'idéal de l'évangéliste Matthieu et paraît bien être sa signature discrète.

# *V. L'Église, prémices du Royaume des Cieux*

## *1. SECTION NARRATIVE*

|| Mc **6** 1-6 || Lc **4** 16-24 **Visite à Nazareth.**

[53] Et il advint, quand Jésus eut achevé ces paraboles, qu'il partit de là; [54] et s'étant rendu dans sa
**2** 23 patrie [a], il enseignait les gens dans leur synagogue,
de telle façon qu'ils étaient frappés et disaient :
« D'où lui viennent cette sagesse et ces miracles?
Jn **6** 42 [55] Celui-là n'est-il pas le fils du charpentier? N'a-
Lc **3** 23 t-il pas pour mère la nommée Marie, et pour frères
**27** 56 Jacques, Joseph, Simon et Jude? [56] Et ses sœurs ne
**12** 46+ sont-elles pas toutes chez nous? D'où lui vient
donc tout cela? » [57] Et ils étaient choqués à son
**16** 14+ sujet. Mais Jésus leur dit : « Un prophète n'est
|| Jn **4** 44 méprisé que dans sa patrie et dans sa maison. »
[58] Et il ne fit pas là beaucoup de miracles, à cause
**8** 10+ de leur manque de foi.

Mc **6** 14-16 || Lc **9** 7-9 **Hérode et Jésus.**

**14** [1] En ce temps-là, la renommée de Jésus par-
Lc **3** 1+ vint aux oreilles d'Hérode le tétrarque, [2] qui
Lc **23** 8-12 dit à ses serviteurs : « Celui-là est Jean le Baptiste!
Mt **16** 14+ Le voilà ressuscité des morts : d'où les pouvoirs
miraculeux qui se déploient en sa personne! »

Mc **6** 17-29 Lc **3** 19-20 **Exécution de Jean le Baptiste.**

[3] C'est qu'en effet Hérode avait fait arrêter,
enchaîner et emprisonner Jean, à cause d'Hérodiade, la femme de Philippe son frère [b]. [4] Car Jean
Lv **18** 16; lui disait : « Il ne t'est pas permis de l'avoir. » [5] Il
**20** 21 avait même voulu le tuer, mais avait craint la foule,
**21** 26 parce qu'on le tenait pour un prophète. [6] Or,
comme Hérode célébrait son anniversaire de naissance, la fille d'Hérodiade [c] dansa en public et plut
à Hérode [7] au point qu'il s'engagea par serment à
lui donner ce qu'elle demanderait. [8] Endoctrinée
par sa mère, elle lui dit : « Donne-moi ici, sur un
plat, la tête de Jean le Baptiste. » [9] Le roi fut
contristé, mais, à cause de ses serments et des
convives, il commanda de la lui donner [10] et
envoya décapiter Jean dans la prison. [11] Sa tête fut
apportée sur un plat et donnée à la jeune fille, qui
la porta à sa mère. [12] Les disciples de Jean vinrent
prendre le cadavre et l'enterrèrent; puis ils allèrent
informer Jésus.

**Première multiplication des pains [d].** || Mc **6** 31-44 || Lc **9** 10-17

[13] L'ayant appris, Jésus se retira en barque dans || Jn **6** 1-13
un lieu désert, à l'écart [e]; ce qu'apprenant, les fou- Mt **15** 32-38p 2 R **4** 42-44
les partirent à sa suite, venant à pied [f] des villes.
[14] En débarquant, il vit une foule nombreuse et il **9** 36; **15** 32
en eut pitié; et il guérit leurs infirmes. **8** 3+
[15] Le soir venu, les disciples s'approchèrent et lui
dirent : « L'endroit est désert et l'heure est déjà passée; renvoie donc les foules afin qu'elles aillent
dans les villages s'acheter de la nourriture. »
[16] Mais Jésus leur dit : « Il n'est pas besoin qu'elles
y aillent; donnez-leur vous-mêmes à manger. » — 2 R **4** 42 LXX
[17] « Mais, lui disent-ils, nous n'avons ici que cinq
pains et deux poissons. » Il dit : [18] « Apportez-les-
moi ici. » [19] Et, ayant donné l'ordre de faire étendre
les foules sur l'herbe, il prit les cinq pains et les
deux poissons, leva les yeux au ciel, bénit, puis, Jn **11** 41;
rompant les pains, il les donna aux disciples, qui **17** 1
les donnèrent aux foules. [20] Tous mangèrent et Ps **78** 29
furent rassasiés, et l'on emporta le reste des morceaux : douze pleins couffins! [21] Or ceux qui man-

*a)* Nazareth, la ville de son enfance, cf. **2** 23.
*b)* Om. (Vulg.) : « Philippe »; ce nom faisait difficulté. Ce personnage n'est pas le tétrarque d'Iturée et de Trachonitide, Lc **3** 1; cf. Mt **16** 13, mais un autre fils d'Hérode le Grand par Mariamne II, donc demi-frère d'Antipas, et que Josèphe appelle lui-même Hérode. Sa situation de simple particulier n'avait pu satisfaire l'ambition de sa femme Hérodiade, elle-même petite-fille d'Hérode le Grand par son père Aristobule et donc nièce d'Antipas, qui préféra à cet oncle trop modeste l'oncle tétrarque de Galilée. – Le crime d'Antipas consistait moins à avoir épousé sa nièce qu'à l'avoir prise à son frère encore vivant, non d'ailleurs sans répudier lui-même sa première femme.
*c)* Elle s'appelait Salomé, d'après Josèphe.
*d)* Alors que Lc **9** 10-17 et Jn **6** 1-13 ne racontent qu'une seule multiplication des pains, Mt **14** 13-21; **15** 32-39 et Mc **6** 30-44; **8** 1-10 en rapportent deux. Sans doute s'agit-il d'un doublet, assurément très ancien, cf. **16** 9s, qui présente le même événement selon deux traditions différentes. La première, plus archaïque, d'origine palestinienne, semble placer l'événement sur la rive occidentale du lac (voir la note suivante) et parle de douze couffins, chiffre des tribus d'Israël et des apôtres, Mc **3** 14+. La deuxième, qui viendrait de milieux chrétiens d'origine païenne, situe l'événement sur la rive orientale, païenne, du lac, cf. Mc **7** 31, et parle de sept corbeilles, chiffre des nations de Canaan, Ac **13** 19, et des diacres hellénistes, Ac **6** 5; **21** 8. Les deux traditions dépeignent l'événement à la lumière de précédents vétéro-testamentaires, en particulier la multiplication d'huile et de pain par Élisée, 2 R **4** 1-7, 42-44, et l'épisode de la manne et des cailles, Ex **16**; Nb **11**. Reprenant avec une puissance encore supérieure ces gratifications de nourritures célestes, le geste de Jésus a été voulu par lui-même et compris dès la plus ancienne tradition comme une préparation de la nourriture eschatologique par excellence, l'Eucharistie. C'est ce que soulignent la présentation littéraire des Synoptiques, comp. Mt **14** 19; **15** 36 et **26** 26, et le discours sur le pain de vie de Jn **6**.
*e)* Rien n'oblige à penser à la rive orientale du lac. Jésus a pu traverser du nord au sud et du sud au nord en longeant la côte occidentale, et atteindre ainsi « l'autre rive », v. 22, de l'anse que trace cette côte.
*f)* En suivant sur le rivage la barque qui navigue au large.

gèrent étaient environ cinq mille hommes, sans
compter les femmes et les enfants.

|| Mc 6 45-52 **Jésus marche sur les eaux, et Pierre avec lui.**

|| Jn 6 16-21 22 Et aussitôt il obligea les disciples à monter
dans la barque et à le devancer sur l'autre rive, pendant qu'il renverrait les foules. 23 Et quand il eut
Jn 6 15 renvoyé les foules, il gravit la montagne, à l'écart,
Mc 1 35+ pour prier [a]. Le soir venu, il était là, seul. 24 La barque, elle, se trouvait déjà éloignée de la terre de plusieurs stades [b], harcelée par les vagues, car le vent
était contraire. 25 A la quatrième veille de la nuit [c],
il vint vers eux en marchant sur la mer. 26 Les disciples, le voyant marcher sur la mer, furent troublés :
« C'est un fantôme », disaient-ils, et pris de peur ils
se mirent à crier. 27 Mais aussitôt Jésus leur parla
en disant : « Ayez confiance, c'est moi, soyez sans
crainte. » 28 Sur quoi, Pierre [d] lui répondit : « Seigneur, si c'est bien toi, donne-moi l'ordre de venir
à toi sur les eaux. » – 29 « Viens », dit Jésus. Et
Pierre, descendant de la barque, se mit à marcher
sur les eaux et vint vers Jésus. 30 Mais, voyant le
vent, il prit peur et, commençant à couler, il
8 25-26 s'écria : « Seigneur, sauve-moi! » 31 Aussitôt Jésus
tendit la main et le saisit, en lui disant : « Homme
8 10+ de peu de foi, pourquoi as-tu douté? » 32 Et quand
ils furent montés dans la barque, le vent tomba.
33 Ceux qui étaient dans la barque se prosternèrent
devant lui, en disant : « Vraiment, tu es Fils de
4 3+ Dieu! »
16 16+

|| Mc 6 53-56 **Guérisons au pays de Gennésaret.**

34 Ayant achevé la traversée, ils touchèrent terre
à Gennésaret. 35 Les gens de l'endroit, l'ayant
reconnu, mandèrent la nouvelle à tout le voisinage,
et on lui présenta tous les malades : 36 on le priait
9 20-22 de les laisser simplement toucher la frange de son
8 3+ manteau, et tous ceux qui touchèrent furent sauvés.

**Discussion sur les traditions pharisaïques.** || Mc 7 1-13

15 1 Alors des Pharisiens et des scribes de Jérusalem s'approchent de Jésus et lui disent :
2 « Pourquoi tes disciples transgressent-ils la tradi- Ga 1 14
tion des anciens [e]? En effet, ils ne se lavent pas les Col 2 8
mains au moment de prendre leur repas [f]. » – 3 « Et Lc 11 38
vous, répliqua-t-il, pourquoi transgressez-vous le
commandement de Dieu au nom de votre tradi-
tion? 4 En effet, Dieu a dit : *Honore* [g] *ton père et* Ex 20 12
*ta mère*, et *Que celui qui maudit son père ou sa* Dt 5 16
*mère soit puni de mort*. 5 Mais vous, vous dites : Ex 21 17 Lv 20 9
Quiconque dira à son père ou à sa mère : “ Les Mt 19 19 Lc 18 20
biens dont j'aurais pu t'assister, je les consacre [h] ”,
6 celui-là sera quitte de ses devoirs envers son père
ou sa mère [i]. Et vous avez annulé la parole de Dieu
au nom de votre tradition. 7 Hypocrites! Isaïe a 23 13s
bien prophétisé de vous, quand il a dit :

8 *Ce peuple m'honore des lèvres,* Is 29 13
*mais leur cœur est loin de moi.* Ps 78 36s
9 *Vain est le culte qu'ils me rendent :*
*les doctrines qu'ils enseignent ne sont que pré-*
*ceptes humains.* »

**Enseignement sur le pur et l'impur** [j]. || Mc 7 14-2

10 Et ayant appelé la foule près de lui, il leur dit :
« Écoutez et comprenez! 11 Ce n'est pas ce qui entre
dans la bouche qui souille l'homme; mais ce qui
sort de sa bouche, voilà ce qui souille l'homme. » 12 34
12 Alors s'approchant, les disciples lui disent :
« Sais-tu que les Pharisiens se sont choqués de
t'entendre parler ainsi? » 13 Il répondit : « Tout
plant que n'a point planté mon Père céleste sera Ac 5 38
arraché. 14 Laissez-les : ce sont des aveugles qui 23 16. 19
guident des aveugles! Or si un aveugle guide un || Lc 6 39
aveugle, tous les deux tomberont dans un trou. »
15 Pierre, prenant la parole, lui dit : « Explique-
nous la parabole. » 16 Il dit : « Vous aussi, mainte-

*a)* Les évangélistes, surtout Luc, notent souvent que Jésus prie, dans la solitude ou la nuit, Mt **14** 23p; Mc **1** 35; Lc **5** 16, au moment des repas, **14** 19p; **15** 36p; **26** 26-27p, et lors d'événements importants : au Baptême, Lc **3** 21, avant le choix des Douze, Lc **6** 12, l'enseignement du Pater, Lc **11** 1; cf. Mt **6** 5+, et la confession de Césarée, Lc **9** 18, à la Transfiguration, Lc **9** 28-29, à Gethsémani, Mt **26** 36-44, sur la croix, Mt **27** 46p; Lc **23** 46. Il prie pour ses bourreaux, Lc **23** 34, pour Pierre, Lc **22** 32, pour ses disciples et ceux qui les suivront, Jn **17** 9-24. Il prie aussi pour lui-même, Mt **26** 39p; cf. Jn **17** 1-5; He **5** 7. Ces prières manifestent un commerce permanent avec le Père, Mt **11** 25-27p, qui ne le laisse jamais seul, Jn **8** 29 et l'exauce toujours, Jn **11** 22, 42; cf. Mt **26** 53. Par cet exemple comme par son enseignement, Jésus a inculqué à ses disciples la nécessité et la façon de prier, Mt **6** 5+. A présent dans la gloire, il continue d'intercéder pour les siens, Rm **8** 34; He **7** 25; 1 Jn **2** 1, comme il l'a promis, Jn **14** 16.

*b)* Cf. Jn **6** 19; var. : « au milieu de la mer », cf. Mc **6** 47.

*c)* De trois à six heures du matin.

*d)* Trois épisodes concernant Pierre, celui-ci, **16** 16-20 et **17** 24-27, jalonnent intentionnellement la partie historique du livre « ecclésiastique » de Mt.

*e)* Tradition orale qui, sous prétexte de faire observer la Loi écrite, renchérissait sur elle. Les rabbins la faisaient remonter, par les « anciens », à Moïse.

*f)* Litt. « manger du pain ».

*g)* « Honore », mais par des bons offices et des services réels.

*h)* Vulg. a compris : « Tout don que je fais (à Dieu) t'est utile. »

*i)* Parce que les biens ainsi voués (*korbân*) ont revêtu un caractère « sacré » qui interdit désormais aux parents d'y prétendre en rien. Ce vœu, qui restait d'ailleurs fictif et n'entraînait aucune donation véritable, était un moyen odieux de s'affranchir d'un devoir sacré. Les rabbins, tout en reconnaissant son caractère immoral, tenaient un tel vœu pour valable.

*j)* A propos de l'impureté des mains, objectée par les Pharisiens, v. 2, Jésus envisage la question plus générale de l'impureté attribuée par la Loi à certains aliments, Lv **11**, et il enseigne à faire passer l'impureté légale après l'impureté morale, la seule qui importe vraiment, cf. Ac **10** 9-16, 28; Rm **14** 14s.

Mc **4** 13+ nant encore, vous êtes sans intelligence? [17] Ne
comprenez-vous pas que tout ce qui pénètre dans
la bouche passe dans le ventre, puis s'évacue aux
lieux d'aisance, [18] tandis que ce qui sort de la bouche procède du cœur, et c'est cela qui souille
l'homme? [19] Du cœur en effet procèdent mauvais
desseins, meurtres, adultères, débauches, vols, faux
témoignages, diffamations. [20] Voilà les choses qui
souillent l'homme; mais manger sans s'être lavé les
mains, cela ne souille pas l'homme. »

|| Mc **7** 24-30 **Guérison de la fille d'une Cananéenne.**

[21] En sortant de là, Jésus se retira dans la région
de Tyr et de Sidon. [22] Et voici qu'une femme cananéenne, étant sortie de ce territoire [a], criait en
**9** 27+ disant : « Aie pitié de moi, Seigneur, fils de David :
**8** 29+ ma fille est fort malmenée par un démon. » [23] Mais
il ne lui répondit pas un mot. Ses disciples, s'appro-
Lc **11** 8 chant, le priaient : « Fais-lui grâce [b], car elle nous
poursuit de ses cris. » [24] A quoi il répondit : « Je
**10** 6 n'ai été envoyé qu'aux brebis perdues de la maison
d'Israël. » [25] Mais la femme était arrivée et se tenait
prosternée devant lui en disant : « Seigneur, viens
à mon secours! » [26] Il lui répondit : « Il ne sied pas
de prendre le pain des enfants et de le jeter aux
petits chiens [c]. » – [27] « Oui, Seigneur! dit-elle, et justement les petits chiens mangent des miettes qui
tombent de la table de leurs maîtres! » [28] Alors
**8** 10+ Jésus lui répondit : « O femme, grande est ta foi!
Qu'il t'advienne selon ton désir! » Et de ce moment
sa fille fut guérie.

**Nombreuses guérisons près du lac.**

Mc **7** 31 [29] Étant parti de là, Jésus vint au bord de la mer
de Galilée. Il gravit la montagne, et là il s'assit.
[30] Et des foules nombreuses s'approchèrent de lui,
ayant avec elles des boiteux, des estropiés, des
aveugles, des muets et bien d'autres encore, qu'ils
**8** 3+ déposèrent à ses pieds; et il les guérit. [31] Et les fou-
Mc **7** 37 les de s'émerveiller en voyant ces muets qui parlaient, ces estropiés qui redevenaient valides [d], ces
boiteux qui marchaient et ces aveugles qui recouvraient la vue; et ils rendirent gloire au Dieu
d'Israël.

|| Mc **8** 1-10 **Seconde multiplication des pains.**

**4** 13-21p; **8** 3+ [32] Jésus, cependant, appela à lui ses disciples et
leur dit : « J'ai pitié de la foule, car voilà déjà trois
jours qu'ils restent auprès de moi et ils n'ont pas
de quoi manger. Les renvoyer à jeun, je ne le veux
pas : ils pourraient défaillir en route. » [33] Les disciples lui disent : « Où prendrons-nous, dans un 2 R **4** 43
désert, assez de pains pour rassasier une telle
foule? » [34] Jésus leur dit : « Combien de pains avez-
vous? » – « Sept, dirent-ils, et quelques petits poissons. » [35] Alors il ordonna à la foule de s'étendre
à terre; [36] puis il prit les sept pains et les poissons,
rendit grâces, les rompit et il les donnait à ses disciples, qui les donnaient à la foule. [37] Tous mangèrent et furent rassasiés, et des morceaux qui res- Ps **78** 29
taient on ramassa sept pleines corbeilles! [38] Or
ceux qui mangèrent étaient quatre mille hommes,
sans compter les femmes et les enfants. [39] Après
avoir renvoyé les foules, Jésus monta dans la barque et s'en vint dans le territoire de Magadan.

**On demande à Jésus un signe dans le ciel.** || Mc **8** 11-13 || Lc **11** 16, 29 = Mt **12** 38-39

**16** [1] Les Pharisiens et les Sadducéens s'approchèrent alors et lui demandèrent, pour le mettre
à l'épreuve, de leur faire voir un signe venant du Jn **6** 30-31
ciel. [2] Il leur répondit : « Au crépuscule vous dites : || Lc **12** 54-56
Il va faire beau temps, car le ciel est rouge feu; [3] et
à l'aurore : Mauvais temps aujourd'hui, car le ciel
est d'un rouge sombre. Ainsi, le visage du ciel, vous
savez l'interpréter, et pour les signes des temps [e] Lc **19** 44
vous n'en êtes pas capables [f]! [4] Génération mauvaise et adultère! elle réclame un signe, et de signe, **12** 39+
il ne lui sera donné que le signe de Jonas. » Et les **8** 10+
laissant, il s'en alla.

**Le levain des Pharisiens et des Sadducéens.** || Mc **8** 14-21 || Lc **12** 1

[5] Comme ils passaient sur l'autre rive, les disciples avaient oublié de prendre des pains. [6] Or Jésus
leur dit : « Ouvrez l'œil et méfiez-vous du levain des
Pharisiens et des Sadducéens! » [7] Et eux de faire en
eux-mêmes cette réflexion : « C'est que nous
n'avons pas pris de pains. » [8] Le sachant, Jésus dit :
« Gens de peu de foi, pourquoi faire en vous-mêmes **8** 10+
cette réflexion, que vous n'avez pas de pains?
[9] Vous ne comprenez pas encore? Vous ne vous Mc **4** 13+
rappelez pas les cinq pains pour les cinq mille hom- **14** 21
mes, et le nombre de couffins que vous en avez reti-
rés? [10] ni les sept pains pour les quatre mille hom **15** 38
mes, et le nombre de corbeilles que vous en avez
retirées? [11] Comment ne comprenez-vous pas que
ma parole ne visait pas des pains? Méfiez-vous,
dis-je, du levain des Pharisiens et des Saddu-

*a)* La grâce finalement accordée par Jésus à cette païenne le sera tout de même en terre d'Israël.

*b)* Les disciples demandent au Maître de lui *donner congé en l'exauçant*; même terme grec en **18** 27; **27** 15.

*c)* Jésus doit s'employer au salut des Juifs, « enfants » de Dieu et des promesses, avant de s'occuper des païens, qui n'étaient, aux yeux des Juifs, que des « chiens ». Le caractère traditionnel de cette image et la forme diminutive employée atténuent dans la bouche de Jésus ce que l'épithète aurait de méprisant.

*d)* Om. : « ces estropiés qui redevenaient valides ».

*e)* Des temps messianiques. Ces signes sont les miracles qu'opère Jésus : cf. **11** 3-5; **12** 28.

*f)* Om. : « Au crépuscule... pas capables ».

céens! » 12 Alors ils comprirent qu'il avait dit de se
méfier, non du levain dont on fait le pain, mais de
l'enseignement des Pharisiens et des Sadducéens [a].

|| Mc **8** 27-30 || Lc **9** 18-21 **Profession de foi et primauté de Pierre.**

13 Arrivé dans la région de Césarée de Philippe,
Jésus posa à ses disciples cette question : « Au dire
**8** 20+ des gens, qu'est le Fils de l'homme? » 14 Ils dirent :
**14** 2 « Pour les uns, Jean le Baptiste; pour d'autres, Élie;
pour d'autres encore, Jérémie ou quelqu'un des
Jn **6** 69 prophètes [b]. » – 15 « Mais pour vous, leur dit-il, qui
**14** 28+ suis-je? » 16 Simon-Pierre répondit : « Tu es le
**4** 3+ Christ, le Fils du Dieu vivant [c]. » 17 En réponse,
Jésus lui dit : « Tu es heureux, Simon fils de Jonas,
Rm **7** 5+ car cette révélation t'est venue, non de la chair et
du sang [d], mais de mon Père qui est dans les cieux.
18 Eh bien! moi je te dis : Tu es Pierre [e], et sur cette
pierre je bâtirai mon Église [f], et les Portes de
l'Hadès [g] ne tiendront pas contre elle. 19 Je te don-
Is **22** 22 nerai les clefs du Royaume des Cieux : quoi que tu
Ap **3** 7 = **18** 18 lies sur la terre, ce sera tenu dans les cieux pour
lié, et quoi que tu délies sur la terre, ce sera tenu
dans les cieux pour délié [h]. » 20 Alors il ordonna
aux disciples de ne dire à personne qu'il était le Mc **1** 34+
Christ [i].

**Première annonce de la Passion.** || Mc **8** 31-33 || Lc **9** 22

21 A dater de ce jour [j], Jésus commença de mon-
trer à ses disciples qu'il lui fallait s'en aller à Jéru- Mt **17** 12.
salem, y souffrir beaucoup de la part des anciens, 22-23;
des grands prêtres et des scribes, être tué et, le troi- **20** 17-19 Lc **13** 33;
sième jour, ressusciter. 22 Pierre, le tirant à lui, se **2** 38+
mit à le morigéner en disant : « Dieu t'en préserve, Ac **10** 40+
Seigneur! Non, cela ne t'arrivera point! » 23 Mais
lui, se retournant, dit à Pierre : « Passe derrière **4** 10
moi, Satan! tu me fais obstacle [k], car tes pensées Mc **4** 13+
ne sont pas celles de Dieu, mais celles des hom-
mes! »

**Conditions pour suivre Jésus.** || Mc **8** 34-**9** 1

24 Alors Jésus dit à ses disciples : « Si quelqu'un || Lc **9** 23-27
veut venir à ma suite, qu'il se renie lui-même, qu'il = **10** 38-39 || Lc **14** 27

*a)* Comme le levain fait fermenter la masse, **13** 33, mais aussi peut la corrompre, cf. 1 Co **5** 6; Ga **5** 9, la doctrine faussée des chefs juifs menace de pervertir tout le peuple qu'ils dirigent, cf. **15** 14.

*b)* Ce titre de « prophète » que Jésus n'a revendiqué que de façon indirecte et voilée, Mt **13** 57p; Lc **13** 33, mais que les foules lui ont clairement donné, Mt **16** 14p; **21** 11, 46; Mc **6** 15p; Lc **7** 16, 39; **24** 19; Jn **4** 19; **9** 17, avait une valeur messianique. Car l'esprit de prophétie, éteint depuis Malachie, devait, selon l'attente du Judaïsme, revenir comme signe de l'ère messianique, soit dans la personne d'Élie, Mt **17** 10-11p, soit sous forme d'une effusion générale de l'Esprit, Ac **2** 17-18, 33. En fait, il s'est présenté, du temps de Jésus, bien des (faux) prophètes, Mt **24** 11, 24p, etc. Jean-Baptiste, lui, fut vraiment un prophète, Mt **11** 9p; **14** 5; **21** 26p; Lc **1** 76, mais à titre de Précurseur venu avec l'esprit d'Élie, Mt **11** 10p, 14; **17** 12p; et il a nié (Jn **1** 21+) être « le Prophète » qu'avait annoncé Moïse, Dt **18** 15. C'est en Jésus seul que la foi chrétienne a reconnu ce Prophète, Ac **3** 22-26+; Jn **6** 14; **7** 40. Toutefois, le charisme de prophétie s'étant répandu dans l'Église primitive à la suite de la Pentecôte, Ac **11** 27+, ce titre de Jésus s'est effacé bientôt devant d'autres titres plus spécifiques de la christologie.

*c)* A la confession de la messianité de Jésus, rapportée par Mc et Lc, Mt ajoute celle de la filiation divine. Cf. déjà **14** 33 comparé à Mc **6** 51s. Cf. Mt **4** 3+.

*d)* Cette expression désigne l'homme, en soulignant le côté matériel et borné de sa nature, par opposition au monde des esprits, Si **14** 18; Rm **7** 5+; 1 Co **15** 50; Ga **1** 16; Ep **6** 12; He **2** 14; cf. Jn **1** 13.

*e)* Ni le mot grec *Petros*, ni même, semble-t-il, son correspondant araméen *Képha* (« rocher »), ne servaient comme nom d'homme avant que Jésus eût appelé ainsi le chef des apôtres pour symboliser son rôle dans la fondation de l'Église. Ce changement de nom a pu se produire plus tôt, cf. Jn **1** 42; Mc **3** 16; Lc **6** 14.

*f)* Le terme sémitique que traduit *ekklèsia* signifie « assemblée » et se rencontre souvent dans l'AT pour désigner la communauté du peuple élu, notamment dans le désert, cf. Dt **4** 10, etc.; Ac **7** 38. Des cercles juifs se considérant comme le Reste d'Israël (Is **4** 3+) des derniers temps, tels les Esséniens de Qumrân, ont ainsi nommé leur groupement. En reprenant ce terme, Jésus désigne la communauté messianique dont il va fonder la nouvelle Alliance par l'effusion de son sang, Mt **26** 28+; Ep **5** 25; en l'employant parallèlement à celui de « Royaume des Cieux », Mt **4** 17+, il marque que cette communauté eschatologique commencera déjà sur la terre par une société organisée dont il institue le chef. Cf. Ac **5** 11+; 1 Co **1** 2+.

*g)* Sur l'*Hadès* (en hébreu le *Sheol*), désignation du séjour des morts, cf. Nb **16** 33+. Ici, ses « Portes » personnifiées évoquent les puissances du Mal qui, après avoir entraîné les hommes dans la mort du péché, les enchaînent définitivement dans la mort éternelle. A la suite de son Maître, mort, « descendu aux Enfers », 1 P **3** 19+, et ressuscité, Ac **2** 27, 31, l'Église aura pour mission d'arracher les élus à l'empire de la mort, temporelle et surtout éternelle, pour les faire entrer dans le Royaume des Cieux, cf. Col **1** 3; 1 Co **15** 26; Ap **6** 8; **20** 13.

*h)* Tout comme la Cité de la Mort, la Cité de Dieu a des portes, qui ne laissent entrer que ceux qui en sont dignes; comparer Mt **23** 13p. Pierre en reçoit les clefs. Il lui appartiendra donc d'ouvrir ou de fermer l'accès du Royaume des Cieux, par l'intermédiaire de l'Église. – « Lier » et « délier » sont deux termes techniques du langage rabbinique qui s'appliquent premièrement au domaine disciplinaire de l'excommunication dont on « condamne » (lier) ou « absout » (délier) quelqu'un, et ultérieurement aux décisions doctrinales ou juridiques, avec le sens de « défendre » (lier) ou « permettre » (délier). Pierre, en tant que majordome (dont les clefs sont l'insigne, cf. Is **22** 22) de la Maison de Dieu, exercera le pouvoir disciplinaire d'y admettre ou d'en exclure qui il jugera bon, et il administrera la communauté par toutes les décisions opportunes en matière de doctrine et de morale. Sentences et décisions seront ratifiées par Dieu du haut du ciel. – L'exégèse catholique tient que ces promesses éternelles valent, non seulement pour la personne de Pierre, mais aussi pour ses successeurs; bien que cette conséquence ne soit pas explicitement indiquée dans le texte, elle est cependant légitime en raison de l'intention manifeste qu'a Jésus de pourvoir à l'avenir de son Église par une institution que la mort de Pierre ne saurait rendre caduque. – Deux autres textes, Lc **22** 31s et Jn **21** 15s, souligneront que la primauté de Pierre doit s'exercer en particulier dans l'ordre de la foi et qu'elle le rend chef, non seulement de l'Église future, mais déjà des autres apôtres.

*i)* Vulg. : « Jésus Christ ».

*j)* En ce moment crucial où il vient d'obtenir de ses disciples la première profession de foi expresse en sa messianité, Jésus fait la première annonce de sa Passion : au rôle glorieux du Messie il joint le rôle douloureux du Serviteur souffrant. Par cette pédagogie, que renforcera quelques jours plus tard la Transfiguration suivie d'une consigne de silence et d'une annonce analogues, **17** 1-12, il prépare leur foi à la crise prochaine de sa mort et de sa Résurrection.

*k)* Pierre, en prétendant se mettre en travers de la voie que doit suivre le Messie, lui fait « obstacle » (sens premier du grec *skandalon*) et devient le suppôt, inconscient certes, de Satan lui-même, cf. **4** 1-10.

se charge de sa croix, et qu'il me suive. 25 Qui veut
|| Lc 17 33 en effet sauver sa vie la perdra, mais qui perdra sa
|| Jn 12 25-26 vie à cause de moi la trouvera [a]. 26 Que servira-t-il
donc à l'homme de gagner le monde entier, s'il
ruine sa propre vie? Ou que pourra donner
l'homme en échange de sa propre vie?
25 31s 27 « C'est qu'en effet le Fils de l'homme doit venir
2 Th 1 7 dans la gloire de son Père, avec ses anges, et alors
Ps 62 13+ il rendra à chacun selon sa conduite [b]. 28 En vérité
Ez 18 21-32+ je vous le dis : il en est d'ici présents qui ne goûte-
10 23; 24 30, 34; 26 64 ront pas la mort avant d'avoir vu le Fils de
l'homme venant avec son Royaume [c].

|| Mc 9 2-8 **La Transfiguration [d].**

|| Lc 9 28-36 2 P 1 16-18 17 1 Six jours après, Jésus prend avec lui Pierre,
Jacques, et Jean son frère, et les emmène, à
l'écart, sur une haute montagne [e]. 2 Et il fut trans-
28 3 figuré devant eux : son visage resplendit comme le
soleil, et ses vêtements devinrent blancs comme la
lumière [f]. 3 Et voici que leur apparurent Moïse et
Élie, qui s'entretenaient avec lui. 4 Pierre alors, prenant la parole, dit à Jésus : « Seigneur, il est heureux que nous soyons ici [g]; si tu le veux, je vais
faire [h] ici trois tentes, une pour toi, une pour Moïse
et une pour Élie. » 5 Comme il parlait encore, voici
Ex 13 22+; qu'une nuée lumineuse les prit sous son ombre, et
19 16+ voici qu'une voix disait de la nuée : « Celui-ci est
Mt 24 30+ 3 17 mon Fils bien-aimé, qui a toute ma faveur, écoutez-
Is 42 1 le. » 6 A cette voix, les disciples tombèrent sur
Dt 18 15, 19 leurs faces, tout effrayés. 7 Mais Jésus, s'approchant, les toucha et leur dit : « Relevez-vous, et
n'ayez pas peur. » 8 Et eux, levant les yeux, ne
virent plus personne que lui, Jésus, seul.

|| Mc 9 9-13 **Question au sujet d'Élie.**

9 Comme ils descendaient de la montagne, Jésus
Mc 1 34+ leur donna cet ordre : « Ne parlez à personne de
8 20+ cette vision, avant que le Fils de l'homme ne ressuscite d'entre les morts. » 10 Et les disciples lui
posèrent cette question : « Que disent donc les scribes, qu'Élie doit venir d'abord [i]? » 11 Il répondit : Ml 3 23-24
« Oui, Élie doit venir et tout remettre en ordre; Si 48 10
12 or, je vous le dis, Élie est déjà venu, et ils ne l'ont Mt 16 14+
pas reconnu, mais l'ont traité à leur guise. De
même le Fils de l'homme aura lui aussi à souffrir 16 21;
d'eux. » 13 Alors les disciples comprirent que ses 17 22-23; 20 17-19
paroles visaient Jean le Baptiste. 11 10-14

**Le démoniaque épileptique.** || Mc 9 14-29 || Lc 9 37-42

14 Comme ils rejoignaient la foule, un homme
s'approcha de lui et, s'agenouillant, lui dit : 15 « Seigneur, aie pitié de mon fils, qui est lunatique et va
très mal : souvent il tombe dans le feu, et souvent
dans l'eau. 16 Je l'ai présenté à tes disciples, et ils
n'ont pas pu le guérir. » – 17 « Engeance incrédule Dt 32 5
et pervertie, répondit Jésus, jusques à quand serai- Ac 2 40
je avec vous? Jusques à quand ai-je à vous suppor- Ph 2 15
ter? Apportez-le-moi ici. » 18 Et Jésus le menaça, et
le démon sortit de l'enfant qui, de ce moment, fut 8 29+
guéri.

19 Alors les disciples, s'approchant de Jésus,
dans le privé, lui demandèrent : « Pourquoi nous
autres, n'avons-nous pu l'expulser? » – 20 « Parce
que vous avez peu de foi [j], leur dit-il. Car, je vous 8 10+
le dis en vérité, si vous avez de la foi comme un || Lc 17 6
grain de sénevé, vous direz à cette montagne : || Mc 11
Déplace-toi d'ici à là, et elle se déplacera, et rien 22-23
ne vous sera impossible [k]. » [21] = 21 21

**Deuxième annonce de la Passion.** || Mc 9 30-32 || Lc 9 44-45

22 Comme ils se trouvaient réunis en Galilée,
Jésus leur dit : « Le Fils de l'homme va être livré 8 20+
aux mains des hommes, 23 et ils le tueront, et, le 16 21; 17 12;
troisième jour, il ressuscitera. » Et ils en furent tout 20 17-19
consternés. Ac 10 40

**La redevance du Temple**
**acquittée par Jésus et Pierre.**

24 Comme ils étaient venus à Capharnaüm, les
collecteurs du didrachme [l] s'approchèrent de Pierre 14 28+

*a)* Ce *logion* à forme paradoxale et ceux qui le suivent jouent sur deux étapes de la vie humaine : présente et future. Le grec *psychè*, équivalent ici de l'hébreu *nephesh*, combine les trois sens de vie, âme, personne. Voir Gn 2 7+.

*b)* « sa conduite »; var. : « ses œuvres ».

*c)* Les vv. 27-28 rapprochent, pour leur analogie, deux paroles de Jésus sur deux avènements différents du Règne de Dieu : le Règne du Père instauré par le Jugement final, v. 27, le Règne du Christ qui se manifeste avec la ruine de Jérusalem, cf. 24 1+.

*d)* Selon la présentation de Mt, différente de celles de Mc 9 2+ et de Lc 9 28+, Jésus transfiguré apparaît surtout comme le nouveau Moïse, cf. 4 1+, rencontrant Dieu sur un nouveau Sinaï dans la nuée, v. 5; Ex 24 15-18, le visage lumineux, v. 2; Ex 34 29-35; cf. 2 Co 3 7 - 4 6, assisté des deux personnages de l'AT qui ont bénéficié de révélations sur le Sinaï, Ex 19; 33-34; 1 R 19 9-13, et personnifient la Loi et les Prophètes que Jésus vient accomplir, Mt 5 17. La voix céleste ordonne de l'écouter comme le nouveau Moïse, Dt 18 15; cf. Ac 3 20-26, et les disciples se prosternent en révérence du Maître, cf. Mt 28 17. Quand l'apparition se termine, il reste seul, « lui », v. 8, car il suffit comme docteur de la Loi parfaite et définitive. Sa gloire n'est d'ailleurs que transitoire, car il est aussi le « Serviteur », v. 5 : Is 42 1; cf. Mt 3 16s+, qui doit souffrir et mourir, 16 21; 17 22-23, tout comme son Précurseur, vv. 9-13, avant d'entrer définitivement dans la gloire par la Résurrection.

*e)* Le Tabor, d'après l'opinion traditionnelle. Certains pensent au grand Hermon.

*f)* Var. : « comme la neige », cf. 28 3.

*g)* Autre traduction : « il nous est bon d'être ici ».

*h)* Vulg. : « faisons », cf. Mc et Lc.

*i)* Ayant vu le Messie déjà venu, 16 16, et dans sa gloire, 17 1-7, les disciples s'étonnent qu'Élie n'ait pas joué le rôle de Précurseur que lui assignait Malachie. Il l'a joué, répond Jésus, mais en la personne de Jean-Baptiste, que l'on n'a pas reconnu. Voir Lc 1 17+.

*j)* Var. : « pas de foi ».

*k)* Add. v. 21 : « Quant à cette espèce (de démons), on ne la fait sortir que par la prière et par le jeûne », cf. Mc 9 29.

*l)* Taxe annuelle et personnelle pour les besoins du Temple.

et lui dirent : « Est-ce que votre maître ne paie pas
le didrachme? » – 25 « Mais si », dit-il. Quand il fut
arrivé à la maison, Jésus devança ses paroles en lui
disant : « Qu'en penses-tu, Simon? Les rois de la
terre, de qui perçoivent-ils taxes ou impôts? De
leurs fils [a] ou des étrangers? » 26 Et comme il répondait : « Des étrangers », Jésus lui dit : « Par conséquent, les fils sont exempts. 27 Cependant, pour ne
pas les scandaliser, va à la mer, jette l'hameçon,
saisis le premier poisson qui montera, et ouvre-
lui la bouche : tu y trouveras un statère;
prends-le et donne-le leur, pour moi et pour toi. »

## 2. *DISCOURS ECCLÉSIASTIQUE*

|| Mc 9 33-36
|| Lc 9 46-47
**Qui est le plus grand?**

18 1 A ce moment les disciples s'approchèrent de
Jésus et dirent : « Qui donc est le plus grand
dans le Royaume des Cieux? » 2 Il appela à lui un
petit enfant, le plaça au milieu d'eux 3 et dit : « En
|| Mc 10 15 vérité je vous le dis, si vous ne retournez à l'état
|| Lc 18 17 des enfants, vous n'entrerez pas dans le Royaume
Jn 3 5
23 12 des Cieux. 4 Qui donc se fera petit comme ce petit
enfant-là, celui-là est le plus grand dans le
Royaume des Cieux.

**Le scandale.**

|| Mc 9 37 5 « Quiconque accueille un petit enfant tel que
|| Lc 9 48 lui [b] à cause de mon nom, c'est moi qu'il accueille.
= Mt 10 40 6 Mais si quelqu'un doit scandaliser l'un de ces
|| Mc 9 42
|| Lc 17 1-2 petits qui croient en moi, il serait préférable pour
lui de se voir suspendre autour du cou une de ces
meules que tournent les ânes et d'être englouti en
pleine mer. 7 Malheur au monde à cause des scandales! Il est fatal, certes, qu'il arrive des scandales,
mais malheur à l'homme par qui le scandale arrive!
|| Mc 9 43-47 8 « Si ta main ou ton pied sont pour toi une occa-
= Mt 5 29-30 sion de péché [c], coupe-les et jette-les loin de toi :
mieux vaut pour toi entrer dans la Vie [d] manchot
ou estropié que d'être jeté avec tes deux mains ou
tes deux pieds dans le feu éternel. 9 Et si ton œil
est pour toi une occasion de péché, arrache-le et
jette-le loin de toi : mieux vaut pour toi entrer borgne dans la Vie que d'être jeté avec tes deux yeux
dans la géhenne de feu [e].

10 « Gardez-vous de mépriser aucun de ces
petits : car, je vous le dis, leurs anges aux cieux
voient constamment la face [f] de mon Père qui est
aux cieux [11][g].

**La brebis égarée.** || Lc 15 3-7
Ez 34 1+

12 « A votre avis, si un homme possède cent brebis et qu'une d'elles vienne à s'égarer, ne va-t-il pas
laisser les quatre-vingt-dix-neuf autres sur les montagnes pour s'en aller à la recherche de l'égarée? Ez 34 4. 16
13 Et s'il parvient à la retrouver, en vérité je vous
le dis, il tire plus de joie d'elle que des quatre-vingt-
dix-neuf qui ne se sont pas égarées. 14 Ainsi on ne
veut pas, chez votre Père qui est aux cieux, qu'un
seul de ces petits se perde.

**Correction fraternelle.** || Lc 17 3

15 « Si ton frère vient à pécher [h], va le trouver et
reprends-le, seul à seul. S'il t'écoute, tu auras gagné Lv 19 17
ton frère. 16 S'il n'écoute pas, prends encore avec
toi un ou deux autres, pour que *toute affaire soit* Dt 19 15
*décidée sur la parole de deux ou trois témoins.*
17 Que s'il refuse de les écouter, dis-le à la communauté [i]. Et s'il refuse d'écouter même la communauté, qu'il soit pour toi comme le païen et le publi- Rm 16 17
cain [j]. 1 Co 5 11
18 « En vérité je vous le dis : tout ce que vous lie- 16 19+
rez sur la terre sera tenu au ciel pour lié, et tout Jn 20 23
ce que vous délierez sur la terre sera tenu au ciel
pour délié [k].

*a)* C'est-à-dire « de leurs sujets », cf. **13** 38. Mais Jésus joue sur la métaphore sémitique de « fils » pour se désigner, lui le Fils, cf. **3** 17; **17** 5 et **10** 32s; **11** 25-27, etc., et avec lui les disciples qui sont ses frères, **12** 50, et les fils du même Père, **5** 45, etc. Cf. Mt **4** 3+.

*b)* C'est-à-dire un homme redevenu enfant par la simplicité, cf. v. 4

*c)* Litt. « un scandale », selon l'acception première du terme grec (« occasion de chute », cf. **16** 23+) que n'évoque plus directement le terme français. – C'est par association verbale fondée sur ce mot que les vv. 8-9 (déjà utilisés en **5** 29-30) sont venus s'insérer ici, non sans rompre le contexte.

*d)* La vie éternelle.

*e)* Hébr. *Gê-Hinnom*, nom d'une vallée de Jérusalem souillée jadis par des sacrifices d'enfants, Lv **18** 21+, désigna plus tard le lieu maudit, réservé au châtiment des méchants, notre « enfer ».

*f)* Expression biblique qui désigne la présence des courtisans devant leur souverain, cf. 2 S **14** 24; 2 R **25** 19; Tb **12** 15. Ici donc, l'accent est moins sur la contemplation des anges, cf. Ps **11** 7+, que sur l'assiduité et la familiarité de leur commerce avec Dieu.

*g)* Add. v. 11 : « Car le Fils de l'homme est venu sauver ce qui était perdu », cf. Lc **19** 10.

*h)* La précision « contre toi », ajoutée par de nombreux témoins, semble à rejeter. Il s'agit d'une faute grave et publique qui n'est pas nécessairement contre celui qui la corrige. Le cas du v. 21 est différent.

*i)* L'*ekklèsia*, c'est-à-dire l'assemblée des frères. Cf. **16** 18+.

*j)* Gens « impurs » avec lesquels les Juifs pieux ne pouvaient frayer, cf. **5** 46+ et **9** 10+. Voir l'excommunication de 1 Co **5** 11+.

*k)* Extension aux ministres de l'Église (auxquels s'adresse d'abord tout ce discours) d'un des pouvoirs conférés à Pierre.

**Prière en commun.**

19 « De même, je vous le dis en vérité, si deux
d'entre vous, sur la terre, unissent leurs voix pour
Jn 15 7, 16 demander quoi que ce soit, cela leur sera accordé
par mon Père qui est aux cieux. 20 Que deux ou
28 20 trois, en effet, soient réunis en mon nom, je suis là
au milieu d'eux. »

|| Lc 17 4 **Pardon des offenses [a].**

Mt 6 12 21 Alors Pierre, s'avançant, lui dit : « Seigneur,
combien de fois mon frère pourra-t-il pécher contre
Lc 23 34 moi et devrai-je lui pardonner? Irai-je jusqu'à sept
Gn 4 24 fois? » 22 Jésus lui dit : « Je ne te dis pas jusqu'à
sept fois, mais jusqu'à soixante-dix-sept fois [b].

**Parabole du débiteur impitoyable.**

23 « A ce propos, il en va du Royaume des Cieux
25 19 comme d'un roi qui voulut régler ses comptes avec
ses serviteurs. 24 L'opération commencée, on lui en
amena un qui devait dix mille talents [c]. 25 Cet
homme n'ayant pas de quoi rendre, le maître donna
l'ordre de le vendre, avec sa femme, ses enfants et
tous ses biens, et d'éteindre ainsi la dette. 26 Le serviteur alors se jeta à ses pieds et il s'y tenait
prosterné en disant : " Consens-moi un délai, et je
te rendrai tout. " 27 Apitoyé, le maître de ce serviteur le relâcha et lui fit remise de sa dette. 28 En sortant, ce serviteur rencontra un de ses compagnons,
qui lui devait cent deniers [d]; il le prit à la gorge et
le serrait à l'étrangler, en lui disant : " Rends tout
ce que tu dois. " 29 Son compagnon alors se jeta à
ses pieds et il le suppliait en disant : " Consens-moi
un délai, et je te rendrai. " 30 Mais l'autre n'y
consentit pas; au contraire, il s'en alla le faire jeter
en prison, en attendant qu'il eût remboursé son dû.
31 Voyant ce qui s'était passé, ses compagnons en
furent navrés, et ils allèrent raconter toute l'affaire
à leur maître. 32 Alors celui-ci le fit venir et lui dit :
" Serviteur méchant, toute cette somme que tu me
devais, je t'en ai fait remise, parce que tu m'as supplié; 33 ne devais-tu pas, toi aussi, avoir pitié de ton
compagnon comme moi j'ai eu pitié de toi? " 34 Et
dans son courroux son maître le livra aux tortionnaires, jusqu'à ce qu'il eût remboursé tout son dû.
35 C'est ainsi que vous traitera aussi mon Père
céleste, si chacun de vous ne pardonne pas à son 6 12
frère du fond du cœur. » Lc 23 34

# *VI. L'avènement prochain du Royaume des Cieux*

## *1. SECTION NARRATIVE*

Mc 10 1-12 **Question sur le divorce.**

19 1 Et il advint, quand Jésus eut achevé ces dis-
Lc 9 51 cours, qu'il quitta la Galilée et vint dans le ter-
ritoire de la Judée au-delà du Jourdain. 2 Des foules
nombreuses le suivirent, et là il les guérit. 3 Des
Pharisiens s'approchèrent de lui et lui dirent, pour
16 1 le mettre à l'épreuve : « Est-il permis de répudier sa
Lc 11 54 femme pour n'importe quel motif? » 4 Il répondit :
Jn 8 6 « N'avez-vous pas lu que le Créateur, dès l'origine,
Gn 1 27 *les fit homme et femme,* 5 et qu'il a dit : *Ainsi donc*
Gn 2 24 *l'homme quittera son père et sa mère pour s'atta-*
Ep 5 31
*cher à sa femme, et les deux ne feront qu'une seule* 1 Co 6 16;
*chair?* 6 Ainsi ils ne sont plus deux, mais une seule 7 10
chair. Eh bien! ce que Dieu a uni, l'homme ne doit
point le séparer [e]. » – 7 « Pourquoi donc, lui disent-
ils, Moïse a-t-il prescrit de donner un acte de Dt 24 1
divorce quand on répudie? » – 8 « C'est, leur dit-il,
en raison de votre dureté de cœur que Moïse vous
a permis de répudier vos femmes; mais dès l'origine
il n'en fut pas ainsi. 9 Or je vous le dis : quiconque
répudie sa femme – pas pour « prostitution » [f] – et = 5 32
en épouse une autre, commet un adultère. » || Lc 16 18

*a)* A l'exemple de Dieu et de Jésus, Lc **23** 34+, et comme le faisaient déjà entre eux les Israélites, Lv **19** 18-19; cf. Ex **21** 25+, les chrétiens doivent se pardonner mutuellement, **5** 39; **6** 12 p (cf. **7** 2); 2 Co **2** 7; Ep **4** 32; Col **3** 13, mais « le prochain » s'étend à tout homme, y compris ceux à qui il faut rendre le bien pour le mal, **5** 44-45; Rm **12** 17-21; 1 Th **5** 15; 1 P **3** 9; cf. Ex **21** 25+; Ps **5** 11+. Ainsi l'amour couvre une multitude de péchés, Pr **10** 12 cité par Jc **5** 20; 1 P **4** 8.

*b)* D'autres entendent : « soixante-dix fois sept fois », cf. **6** 9+.

*c)* Près de soixante millions de francs-or : somme choisie à dessein comme exorbitante.

*d)* Moins de cent francs-or.

*e)* Affirmation catégorique de l'indissolubilité du lien conjugal.

*f)* Étant donné la forme absolue des parallèles Mc **10** 11s; Lc **16** 18 et 1 Co **7** 10s, il est peu vraisemblable que tous trois aient supprimé une clause restrictive de Jésus, et plus probable qu'un des derniers rédacteurs du premier évangile l'ait ajoutée pour répondre à une certaine problématique rabbinique (discussion entre Hillel et Shammaï sur les motifs légitimant le divorce), évoquée d'ailleurs par son contexte, v. 3, qui pouvait préoccuper le milieu judéo-chrétien pour lequel il écrivait. On aurait donc ici une décision ecclésiastique de portée locale et temporaire, comme fut celle du Décret de Jérusalem concernant la région d'Antioche, Ac **15** 23-29. Le sens de *porneia* oriente la recherche dans la même direction. Certains veulent y voir la fornication dans le mariage, c'est-à-dire l'adultère, et trouvent ici la permission de divorcer en pareil cas; ainsi les Églises orthodoxes et protestantes. Mais en ce sens on aurait attendu un autre terme, *moicheia.* Au contraire *porneia,* dans le contexte, paraît avoir le sens technique de la *zenût* ou « prostitu-

### La continence volontaire.

10 Les disciples lui disent : « Si telle est la condition de l'homme envers la femme, il n'est pas expédient de se marier. » 11 Il leur dit : « Tous ne
comprennent pas ce langage, mais ceux-là à qui
c'est donné. 12 Il y a, en effet, des eunuques qui sont
nés ainsi du sein de leur mère, il y a des eunuques
qui le sont devenus par l'action des hommes, et il
1 Co 7 1, y a des eunuques qui se sont eux-mêmes rendus tels
7-8, 32-34 à cause du Royaume des Cieux. Qui peut comprendre, qu'il comprenne [a]! »

|| Mc 10 13-16 **Jésus et les petits enfants.**
|| Lc 18 15-17

Lc 9 47 13 Alors des petits enfants lui furent présentés,
1 Tm 4 14+ pour qu'il leur imposât les mains en priant; mais
les disciples les rabrouèrent. 14 Jésus dit alors :
« Laissez les petits enfants et ne les empêchez pas
18 3-4 de venir à moi; car c'est à leurs pareils qu'appar-
1 P 2 1-2 tient le Royaume des Cieux. » 15 Puis il leur imposa
les mains et poursuivit sa route.

|| Mc 10 17-22 **Le jeune homme riche.**
|| Lc 18 18-23

16 Et voici qu'un homme s'approcha et lui dit :
« Maître [b], que dois-je faire de bon pour obtenir la
Lc 10 25-28 vie éternelle? » 17 Il lui dit : « Qu'as-tu à m'interroger sur ce qui est bon? Un seul est le Bon [c]. Que
si tu veux entrer dans la vie, observe les commandements. » – 18 « Lesquels? » lui dit-il. Jésus reprit :
Ex 20 12-16 « *Tu ne tueras pas, tu ne commettras pas d'adul-*
Dt 5 16-20 *tère, tu ne voleras pas, tu ne porteras pas de faux*
15 4+ *témoignage,* 19 *honore ton père et ta mère,* et *tu*
Lv 19 18 *aimeras ton prochain comme toi-même.* » 20 « Tout
cela, lui dit le jeune homme, je l'ai observé [d]; que
me manque-t-il encore? » – 21 Jésus lui déclara :
5 3+ « Si tu veux être parfait [e], va, vends ce que tu possè-
6 19-21 des et donne-le aux pauvres, et tu auras un trésor
13 44-46 dans les cieux; puis viens, suis-moi. » 22 Entendant
cette parole, le jeune homme s'en alla contristé, car
il avait de grands biens.

**Le danger des richesses.** || Mc 10 23-27

23 Jésus dit alors à ses disciples : « En vérité, je || Lc 18 24-27
vous le dis, il sera difficile à un riche d'entrer dans
le Royaume des Cieux. 24 Oui, je vous le répète, il 1 Co 1 26
est plus facile à un chameau de passer par un trou
d'aiguille qu'à un riche d'entrer dans le Royaume
des Cieux. » 25 Entendant cela, les disciples restèrent tout interdits : « Qui donc peut être sauvé? »
disaient-ils. 26 Fixant son regard, Jésus leur dit :
« Pour les hommes c'est impossible, mais pour Gn 18 14
Dieu tout est possible. » Lc 1 37

**Récompense promise au détachement.** || Mc 10 28-31

27 Alors, prenant la parole, Pierre lui dit : « Voici || Lc 18 28-30
que nous, nous avons tout laissé et nous t'avons
suivi, quelle sera donc notre part? » 28 Jésus leur 4 20, 22
dit : « En vérité je vous le dis, à vous qui m'avez
suivi : dans la régénération [f], quand le Fils de
l'homme siégera sur son trône de gloire, vous siége- || Lc 22 30
rez vous aussi sur douze trônes, pour juger [g] les Dn 7 22
douze tribus d'Israël. 29 Et quiconque aura laissé Ap 20 4; 3 21
maisons, frères, sœurs, père, mère, enfants [h] ou 1 Co 6 2
champs, à cause de mon nom, recevra bien davantage et aura en héritage la vie éternelle.
30 « Beaucoup de premiers seront derniers, et de || Lc 13 30
derniers seront premiers. » Mt 20 16; 5 3+

**Parabole des ouvriers envoyés à la vigne [i].**

20 1 « Car il en va du Royaume des Cieux comme
d'un propriétaire qui sortit au point du jour
afin d'embaucher des ouvriers pour sa vigne. 2 Il
convint avec les ouvriers d'un denier pour la journée et les envoya à sa vigne. 3 Sorti vers la troisième heure, il en vit d'autres qui se tenaient,
désœuvrés, sur la place, 4 et à ceux-là il dit :
" Allez, vous aussi, à la vigne, et je vous donnerai

tion » des écrits rabbiniques, dite de toute union rendue incestueuse par un degré de parenté interdit selon la Loi, Lv 18. De telles unions, contractées légalement entre païens ou tolérées par les Juifs eux-mêmes chez les prosélytes, ont dû faire difficulté quand ces gens se convertissaient, dans des milieux judéo-chrétiens légalistes comme celui de Mt : d'où la consigne de rompre de telles unions irrégulières qui n'étaient en somme que de faux mariages. – Une autre solution envisage que la licence accordée par la clause restrictive ne soit pas celle du divorce, mais de la « séparation » sans remariage. Une telle institution était inconnue du Judaïsme, mais les exigences de Jésus ont entraîné plus d'une solution nouvelle, et celle-ci est déjà clairement supposée par Paul en 1 Co 7 11.

*a)* Jésus invite à la continence perpétuelle ceux qui veulent se consacrer exclusivement au Royaume des Cieux.

*b)* Var. : « Bon Maître », cf. Mc et Lc.

*c)* C'est-à-dire Dieu, comme le précisent Mc et Lc, et ici Vulg. – Autre leçon, empruntée à Mc et Lc : « Pourquoi m'appelles-tu bon? Nul n'est bon que Dieu seul ».

*d)* Add. : « dès ma jeunesse », cf. Mc et Lc.

*e)* Jésus n'institue pas ici une catégorie de « parfaits », supérieurs aux chrétiens ordinaires. La « perfection » envisagée est celle de l'économie nouvelle, qui surpasse l'ancienne en l'accomplissant, cf. 5 17+. Tous y sont également appelés, cf. 5 48. Mais, pour établir le Royaume, Jésus a besoin de collaborateurs spécialement disponibles; c'est à eux qu'il demande de renoncer radicalement aux soucis de la famille, 18 12, et des richesses, 8 19-20.

*f)* Il s'agit du renouveau messianique qui se manifestera à la fin du monde, mais qui sera déjà commencé, sur un mode spirituel, par la Résurrection du Christ et son règne dans l'Église. Cf. Ac 3 21+.

*g)* Au sens biblique : pour « gouverner ». Les « douze tribus » désignent l'Israël nouveau, l'Église.

*h)* Add. : « femme ».

*i)* En embauchant jusqu'au soir des ouvriers sans travail et en leur donnant à tous plein salaire, le maître de la vigne fait preuve d'une bonté qui va plus loin que la justice, sans d'ailleurs léser celle-ci. Tel est Dieu, qui introduit dans son Royaume des tard-venus comme les pécheurs et les païens. Les appelés de la première heure (les Juifs bénéficiaires de l'Alliance depuis Abraham) ne doivent pas s'en scandaliser.

un salaire équitable. ” 5 Et ils y allèrent. Sorti de
nouveau vers la sixième heure, puis vers la neuvième heure, il fit de même. 6 Vers la onzième
heure, il sortit encore, en trouva d'autres qui se
tenaient là et leur dit : “ Pourquoi restez-vous ici
tout le jour sans travailler? ” – 7 “ C'est que, lui
disent-ils, personne ne nous a embauchés. ” Il leur
Lv 19 13 dit : “ Allez, vous aussi, à la vigne. ” 8 Le soir venu,
Dt 24 14-15 le maître de la vigne dit à son intendant : “ Appelle
les ouvriers et remets à chacun son salaire, en
remontant des derniers aux premiers. ” 9 Ceux de
la onzième heure vinrent donc et touchèrent un
denier chacun. 10 Les premiers, venant à leur tour,
pensèrent qu'ils allaient toucher davantage; mais
c'est un denier chacun qu'ils touchèrent, eux aussi.
11 Tout en le recevant, ils murmuraient contre le
propriétaire : 12 “ Ces derniers venus n'ont fait
qu'une heure, et tu les as traités comme nous, qui
avons porté le fardeau de la journée, avec sa
chaleur. ” 13 Alors il répliqua en disant à l'un
d'eux : “ Mon ami, je ne te lèse en rien : n'est-ce
pas d'un denier que nous sommes convenus?
14 Prends ce qui te revient et va-t'en. Il me plaît de
donner à ce dernier venu autant qu'à toi : 15 n'ai-je
Rm 9 19-21 pas le droit de disposer de mes biens comme il me
plaît? ou faut-il que tu sois jaloux parce que je suis
19 30 bon? ” 16 Voilà comment les derniers seront premiers, et les premiers seront derniers[a]. »

c 10 32-34
: 18 31-33

## Troisième annonce de la Passion.

17 Devant monter à Jérusalem, Jésus prit avec lui
les Douze en particulier et leur dit pendant la
route : 18 « Voici que nous montons à Jérusalem, et
16 21; 17 le Fils de l'homme sera livré aux grands prêtres et
12, 22-23 aux scribes; ils le condamneront à mort 19 et le
livreront aux païens pour être bafoué, flagellé et
c 10 40+ mis en croix; et le troisième jour, il ressuscitera. »

10 35-40

## Demande de la mère des fils de Zébédée.

20 Alors la mère des fils de Zébédée s'approcha
de lui, avec ses fils, et se prosterna pour lui demander quelque chose. 21 « Que veux-tu? » lui dit-il. Elle
lui dit : « Ordonne que mes deux fils que voici siègent, l'un à ta droite et l'autre à ta gauche, dans 19 28
ton Royaume[b]. » 22 Jésus répondit : « Vous ne
savez pas ce que vous demandez. Pouvez-vous Mc 4 13+
boire la coupe[c] que je vais boire? » Ils lui disent : Mt 26 39
« Nous le pouvons. » – 23 « Soit, leur dit-il, vous Jn 18 11
boirez ma coupe[d]; quant à siéger à ma droite et à
ma gauche, il ne m'appartient pas d'accorder cela,
mais c'est pour ceux à qui mon Père l'a destiné[e]. »

## Les chefs doivent servir.

|| Mc 10 41-45
|| Lc 22 24-27

24 Les dix autres, qui avaient entendu, s'indignèrent contre les deux frères. 25 Les ayant appelés
près de lui, Jésus dit : « Vous savez que les chefs
des nations dominent sur elles en maîtres et que les
grands leur font sentir leur pouvoir. 26 Il n'en doit
pas être ainsi parmi vous : au contraire, celui qui
voudra devenir grand parmi vous, sera votre servi- Mc 9 35
teur, 27 et celui qui voudra être le premier d'entre Jn 13 4-15
vous, sera votre esclave. 28 C'est ainsi que le Fils 8 20+
de l'homme n'est pas venu pour être servi, mais
pour servir et donner sa vie en rançon[f] pour une 26 28
multitude[g]. » 1 Tm 2 6
Rm 5 6-21

## Les deux aveugles de Jéricho.

|| Mc 10 46-52
|| Lc 18 35 43

29 Comme ils sortaient de Jéricho, une foule
nombreuse le suivit. 30 Et voici que deux aveugles
étaient assis au bord du chemin; quand ils apprirent que Jésus passait, ils s'écrièrent : « Seigneur!
aie pitié de nous, fils de David! » 31 La foule les 9 27+
rabroua pour leur imposer silence; mais ils redoublèrent leurs cris : « Seigneur! aie pitié de nous, fils
de David! » 32 Jésus, s'arrêtant, les appela et dit :
« Que voulez-vous que je fasse pour vous? » Ils lui
disent : 33 « Seigneur, que nos yeux s'ouvrent! »
34 Pris de pitié, Jésus leur toucha les yeux et aussitôt ils recouvrèrent la vue. Et ils se mirent à sa 8 3+
suite.

*a)* Add. : « Car beaucoup sont appelés, mais peu élus », sans doute par emprunt à **22** 14.

*b)* Les apôtres attendent pour le Royaume du Christ une manifestation immédiate et glorieuse qui sera en fait reportée à son second avènement, cf. Mt **4** 17+; Ac **1** 6+.

*c)* Métaphore biblique, cf. Is **51** 17+, qui désigne ici la Passion prochaine.

*d)* Jacques, fils de Zébédée, fut mis à mort par Hérode Agrippa, vers 44, Ac **12** 2. S'il n'a pas lui-même subi le martyre, Jean son frère n'en fut pas moins étroitement associé aux souffrances du Maître.

*e)* La mission du Christ sur terre n'est pas de distribuer aux hommes des récompenses, mais de souffrir pour les sauver, cf. Jn **3** 17; **12** 47.

*f)* Les péchés des hommes entraînent une dette à l'égard de la Justice divine, la peine de mort exigée par la Loi, cf. 1 Co **15** 56; 2 Co **3** 7, 9; Ga **3** 13; Rm **8** 3-4 (et les notes). Pour les affranchir de cet esclavage du péché et de la mort, Rm **3** 24+, Jésus paiera la rançon et acquittera la dette en versant le prix de son sang, 1 Co **6** 20; **7** 23; Ga **3** 13; **4** 5 (et les notes), c'est-à-dire en mourant à la place des coupables, ainsi qu'il était annoncé du « Serviteur de Yahvé », Is **53**. Le terme sémitique que traduit « une multitude », Is **53** 11s, oppose le grand nombre des rachetés à l'unique Rédempteur, sans impliquer que ce nombre soit limité, Rm **5** 6-21. Cf. **26** 28+.

*g)* Des témoins ajoutent ici un passage qui provient sans doute de quelque évangile apocryphe : « Mais vous, vous cherchez de petits à devenir grands, et de grands vous vous rendez petits. Lorsque vous venez à un banquet auquel on vous a invités, ne prenez pas les places d'honneur, de peur que survienne un plus digne que toi et que le maître du banquet vienne te dire : “ Recule vers le bas ”, et tu seras couvert de confusion. Mais si tu prends la place inférieure, et que survienne un moins digne que toi, le maître du banquet te dira : “ Avance vers le haut ”, et cela te sera avantageux ». Cf. Lc **14** 8-10.

|| Mc 11 1-11 || Lc 19 28-38 || Jn 12 12-16 **Entrée messianique à Jérusalem.**

**21** 1 Quand ils approchèrent de Jérusalem et arrivèrent en vue de Bethphagé, au mont des Oliviers, alors Jésus envoya deux disciples 2 en leur
disant : « Rendez-vous au village qui est en face de
vous; et aussitôt vous trouverez, à l'attache, une
ânesse avec son ânon près d'elle; détachez-la et
amenez-les-moi. 3 Et si quelqu'un vous dit quelque
chose, vous direz : " Le Seigneur en a besoin, mais
aussitôt il les renverra ". » 4 Ceci advint pour que
s'accomplît l'oracle du prophète :

Is 62 11 5 *Dites à la fille de Sion :*
Za 9 9+ *Voici que ton Roi vient à toi;*
Mt 11 29 *modeste, il monte une ânesse,*
Gn 49 11 *et un ânon, petit d'une bête de somme* [a].

6 Les disciples allèrent donc et, faisant comme leur
avait ordonné Jésus, 7 ils amenèrent l'ânesse et
l'ânon. Puis ils disposèrent sur eux leurs manteaux
1 R 1 33 et Jésus s'assit dessus. 8 Alors les gens, en très
2 R 9 13 nombreuse foule, étendirent leurs manteaux sur le
chemin; d'autres coupaient des branches aux
arbres et en jonchaient le chemin. 9 Les foules qui
marchaient devant lui et celles qui suivaient
criaient :

9 27+ *« Hosanna* [b] au fils de David!
Ps 118 25-26 *Béni soit celui qui vient au nom du Seigneur!*
Ac 2 33+ *Hosanna* au plus haut des cieux! »

10 Quand il entra dans Jérusalem, toute la ville fut
agitée. « Qui est-ce? » disait-on, 11 et les foules
16 14+ disaient : « C'est le prophète Jésus, de Nazareth en
Galilée. »

|| Mc 11 11, 15-17 || Lc 19 45-46 || Jn 2 14-16 **Les vendeurs chassés du Temple.**

12 Puis Jésus entra dans le Temple et chassa tous
les vendeurs et acheteurs qui s'y trouvaient : il
Ne 13 7s culbuta les tables des changeurs, ainsi que les sièges des marchands de colombes [c]. 13 Et il leur dit :
Is 56 7 « Il est écrit : *Ma maison sera appelée une maison*
Jr 7 11 *de prière*. Mais vous, vous en faites *un repaire de*
*brigands!* » 14 Il y eut aussi des aveugles et des boi-
2 S 5 8 (LXX) teux qui s'approchèrent de lui dans le Temple, et
il les guérit. 15 Voyant les prodiges qu'il venait
d'accomplir et ces enfants qui criaient dans le Temple : « Hosanna au fils de David! », les grands prê-
Jn 12 19 tres et les scribes furent indignés 16 et ils lui dirent :
« Tu entends ce qu'ils disent, ceux-là? » – « Parfaitement, leur dit Jésus; n'avez-vous jamais lu ce
texte :
*De la bouche des tout-petits et des nourrissons,* Ps 8 3 (LXX)
*tu t'es ménagé une louange?* »

17 Et les laissant, il sortit de la ville pour aller à Lc 21 37
Béthanie, où il passa la nuit.

**Le figuier stérile et desséché. Foi et prière.** || Mc 11 12-14, 20-24

18 Comme il rentrait en ville de bon matin, il eut
faim. 19 Voyant un figuier près du chemin, il s'en Lc 13 6-9
approcha, mais n'y trouva rien que des feuilles. Il
lui dit alors : « Jamais plus tu ne porteras de fruit! » Os 9 16
Et à l'instant même le figuier devint sec [d]. 20 A cette 8 3+
vue, les disciples dirent tout étonnés : « Comment,
en un instant, le figuier est-il devenu sec? » 21 Jésus
leur répondit : « En vérité je vous le dis, si vous = 17 20
avez une foi qui n'hésite point, non seulement vous || Lc 17 6 Mt 8 10+
ferez ce que je viens de faire au figuier, mais même Jc 1 6
si vous dites à cette montagne : " Soulève-toi et jette-toi dans la mer ", cela se fera. 22 Et tout ce que
vous demanderez dans une prière pleine de foi, 7 7-11
vous l'obtiendrez. »

**Question des Juifs sur l'autorité de Jésus.** || Mc 11 27-33

23 Il était entré dans le Temple et il enseignait, || Lc 20 1-8
quand les grands prêtres et les anciens du peuple
s'approchèrent et lui dirent : « Par quelle autorité Jn 2 18
fais-tu cela [e]? Et qui t'a donné cette autorité? » Mt 28 18
24 Jésus leur répondit : « De mon côté, je vais vous
poser une question, une seule; si vous m'y répon-
dez, moi aussi je vous dirai par quelle autorité je
fais cela. 25 Le baptême de Jean, d'où était-il? Du
Ciel ou des hommes? » Mais ils se faisaient en eux- Jn 3 27
mêmes ce raisonnement : « Si nous disons : " Du
Ciel ", il nous dira : " Pourquoi donc n'avez-vous 21 32
pas cru en lui? " 26 Et si nous disons : " Des
hommes ", nous avons à craindre la foule, car tous
tiennent Jean pour un prophète. » 27 Et ils firent à 14 5; 16
Jésus cette réponse : « Nous ne savons pas. » De
son côté il répliqua : « Moi non plus, je ne vous dis
pas par quelle autorité je fais cela. »

**Parabole des deux enfants.**

28 « Mais dites-moi votre avis. Un homme avait
deux enfants. S'adressant au premier, il dit : " Mon
enfant, va-t'en aujourd'hui travailler à la vigne. " –
29 " Je ne veux pas ", répondit-il; ensuite pris de

*a)* Dans la pensée du prophète, cet attirail modeste du Roi messianique devait manifester le caractère humble et pacifique de son règne. En exécutant ce geste, Jésus s'est volontairement appliqué cette prophétie et son enseignement.
*b)* Terme hébraïque (au sens premier : « Sauve donc ») devenu une acclamation, cf. Ps 118 26+.
*c)* Ils fournissaient aux pèlerins la monnaie et les victimes requises pour les offrandes. Mais cet usage légitime donnait lieu à des abus.
*d)* « Ce n'était pas la saison des figues », dit Mc. Mais Jésus a voulu faire un geste symbolique, cf. Jr 18 1+, où le figuier représente Israël stérile et châtié.
*e)* Les actes insolites que Jésus vient de se permettre dans le Temple même : triomphe messianique, expulsion des trafiquants, guérisons miraculeuses.

remords, il y alla. 30 S'adressant au second, il dit
la même chose; l'autre répondit : “ Entendu,
Seigneur ”, et il n'y alla point. 31 Lequel des deux
a fait la volonté du père? » – « Le premier », disent-
Lc **18** 9-14 ils. Jésus leur dit : « En vérité je vous le dis, les
|| Lc **7** 29-30 publicains et les prostituées arrivent avant vous au
Royaume de Dieu. 32 En effet, Jean est venu à vous
dans la voie de la justice [a], et vous n'avez pas cru
Lc **7** 37-50; en lui; les publicains, eux, et les prostituées ont cru
**19** 1-10 en lui; et vous, devant cet exemple, vous n'avez
Mt **8** 10+ même pas eu un remords tardif qui vous fît croire
en lui. »

|| Mc **12** 1-12 **Parabole des vignerons homicides** [b].

|| Lc **20** 9-19 33 « Écoutez une autre parabole. Un homme était
Is **5** 1+ propriétaire, et il planta une vigne; il l'entoura
d'une clôture, y creusa un pressoir et y bâtit une
tour; puis il la loua à des vignerons et partit en
voyage. 34 Quand approcha le moment des fruits,
22 3 il envoya ses serviteurs aux vignerons pour en recevoir les fruits. 35 Mais les vignerons se saisirent de
22 6 ses serviteurs, battirent l'un, tuèrent l'autre, en lapidèrent un troisième. 36 De nouveau il envoya d'autres serviteurs, plus nombreux que les premiers, et
ils les traitèrent de même. 37 Finalement il leur
Jn **3** 16-17 envoya son fils, en se disant : “ Ils respecteront
1 Jn **4** 9 mon fils. ” 38 Mais les vignerons, en voyant le fils,
Ga **3** 16; se dirent par-devers eux : “ Celui-ci est l'héritier :
**4** 7 venez! tuons-le, que nous ayons son héritage. ”
He **1** 2
He **13** 12 39 Et, le saisissant, ils le jetèrent hors de la vigne
et le tuèrent. 40 Lors donc que viendra le maître de
la vigne, que fera-t-il à ces vignerons-là? » 41 Ils lui
disent : « Il fera misérablement périr ces misérables, et il louera la vigne à d'autres vignerons, qui
lui en livreront les fruits en leur temps. » 42 Jésus
leur dit : « N'avez-vous jamais lu dans les Écritures :

**118** 22-23 *La pierre qu'avaient rejetée les bâtisseurs*
Ac **2** 33+ *c'est elle qui est devenue pierre de faîte;*
Is **28** 16 *c'est là l'œuvre du Seigneur*
1 P **2** 4-8 *et elle est admirable à nos yeux?*

43 « Aussi, je vous le dis : le Royaume de Dieu
vous sera retiré pour être confié à un peuple qui lui Ac **13** 5+
fera produire ses fruits » [44] [c]. Rm **11** 11
45 Les grands prêtres et les Pharisiens, en entendant ses paraboles, comprirent bien qu'il les visait.
46 Mais, tout en cherchant à l'arrêter, ils eurent
peur des foules, car elles le tenaient pour un pro- **16** 14+
phète.

**Parabole du festin nuptial** [d]. || Lc **14** 16-24

**22** 1 Et Jésus se remit à leur parler en paraboles : Mt **8** 11+
2 « Il en va du Royaume des Cieux comme Pr **9** 1-6
d'un roi qui fit un festin de noces pour son fils. 3 Il
envoya ses serviteurs convier les invités aux noces, **21** 34
mais eux ne voulaient pas venir. 4 De nouveau il
envoya d'autres serviteurs avec ces mots : « Dites
aux invités : “ Voici, j'ai apprêté mon banquet, mes
taureaux et mes bêtes grasses ont été égorgés, tout
est prêt, venez aux noces. ” 5 Mais eux, n'en ayant
cure, s'en allèrent, qui à son champ, qui à son
commerce; 6 et les autres, s'emparant des serviteurs, les maltraitèrent et les tuèrent. 7 Le roi fut **21** 35
pris de colère et envoya ses troupes qui firent périr
ces meurtriers et incendièrent leur ville. 8 Alors il
dit à ses serviteurs : “ La noce est prête, mais les
invités n'en étaient pas dignes. 9 Allez donc aux
départs des chemins, et conviez aux noces tous Ap **19** 7
ceux que vous pourrez trouver. ” 10 Ces serviteurs
s'en allèrent par les chemins, ramassèrent tous ceux
qu'ils trouvèrent, les mauvais comme les bons, et **13** 38, 47s
la salle de noces fut remplie de convives.
11 « Le roi entra alors pour examiner les convives, et il aperçut là un homme qui ne portait pas
la tenue de noces. 12 “ Mon ami, lui dit-il, comment
es-tu entré ici sans avoir une tenue de noces? ” Ap **19** 8
L'autre resta muet. 13 Alors le roi dit aux valets :
“ Jetez-le, pieds et poings liés, dehors, dans les
ténèbres : là seront les pleurs et les grincements de **8** 12+
dents. ” 14 Car beaucoup sont appelés, mais peu
sont élus [e].

**L'impôt dû à César.** || Mc **12** 13-17

|| Lc **20** 20-26
15 Alors les Pharisiens allèrent se concerter en
vue de le surprendre en parole; 16 et ils lui envoient Lc **11** 54

*a)* Expression biblique : Jean pratiquait et prêchait cette conformité à la volonté de Dieu qui rend l'homme « juste ».

*b)* On dirait mieux une « allégorie », car chaque trait du récit a sa signification : le propriétaire est Dieu; la vigne, le peuple élu, Israël, cf. Is **5** 1+; les serviteurs, les prophètes; le fils, Jésus, tué hors des murs de Jérusalem; les vignerons homicides, les Juifs infidèles; l'autre peuple à qui sera confiée la vigne, les païens.

*c)* Add. v. 44 : « Celui qui tombera sur cette pierre s'y fracassera et celui sur qui elle tombera, elle l'écrasera », sans doute glose reprenant Lc **20** 18.

*d)* Parabole parsemée de traits allégoriques comme la précédente, et qui comporte la même leçon : le roi est Dieu, le festin de noces est la félicité messianique, le fils du roi étant le Messie; les envoyés sont les prophètes et les apôtres; les invités qui les négligent ou les outragent sont les Juifs; ceux qu'on appelle de la rue sont les pécheurs et les païens; l'incendie de la ville, c'est la ruine de Jérusalem. – A partir du v. 11, la scène change et il s'agit alors du Jugement dernier. Il semble que Mt a combiné deux paraboles, l'une analogue à celle de Lc **14** 16-24, l'autre dont on trouve vv. 11s la conclusion : l'homme qui répond à l'invitation doit porter la tenue de noces; les œuvres de justice doivent accompagner la foi, cf. **3** 8; **5** 20; **7** 21s; **13** 47s; **21** 28s.

*e)* Cette sentence semble se rapporter à la première partie de la parabole plutôt qu'à la seconde. Ce n'est pas des élus en général qu'il s'agit, mais des Juifs, les premiers invités. La parabole ne dit pas, mais n'exclut pas non plus, que quelque « peu » d'entre eux ont répondu et sont élus, cf. **24** 22+.

leurs disciples, accompagnés des Hérodiens [a], pour
lui dire : « Maître, nous savons que tu es véridique
et que tu enseignes la voie de Dieu en vérité sans
te préoccuper de qui que ce soit, car tu ne regardes
pas au rang des personnes. 17 Dis-nous donc ton
avis : Est-il permis ou non de payer l'impôt à
César? » 18 Mais Jésus, connaissant leur perversité,
riposta : « Hypocrites! pourquoi me tendez-vous un
piège? 19 Faites-moi voir l'argent de l'impôt. » Ils
lui présentèrent un denier 20 et il leur dit : « De qui
est l'effigie que voici? et l'inscription? » Ils disent :
Rm **13** 7 21 « De César. » Alors il leur dit : « Rendez donc à
César ce qui est à César, et à Dieu ce qui est à
Dieu [b]. » 22 A ces mots ils furent tout surpris et, le
laissant, ils s'en allèrent.

|| Mc **12** 18-27
|| Lc **20** 27-40 **La résurrection des morts.**

23 Ce jour-là, des Sadducéens, gens qui disent
qu'il n'y a pas de résurrection [c], s'approchèrent de
lui et l'interrogèrent en disant : 24 « Maître, Moïse
Dt **25** 5+ a dit : Si quelqu'un meurt sans avoir d'enfants, son
Gn **38** 8 frère épousera la femme, sa belle-sœur, et suscitera
une postérité à son frère. 25 Or il y avait chez nous
sept frères. Le premier se maria, puis mourut sans
postérité, laissant sa femme à son frère. 26 Pareillement le deuxième, puis le troisième, jusqu'au septième. 27 Finalement, après eux tous, la femme
mourut. 28 A la résurrection, duquel des sept sera-
t-elle donc la femme? Car tous l'auront eue. »
29 Jésus leur répondit : « Vous êtes dans l'erreur, en
ne connaissant ni les Écritures ni la puissance de
Dieu. 30 A la résurrection, en effet, on ne prend ni
Sg **5** 5 femme ni mari, mais on est comme des anges dans
Col **1** 12+ le ciel. 31 Quant à ce qui est de la résurrection des
morts, n'avez-vous pas lu l'oracle dans lequel Dieu
Ex **3** 6 vous dit : 32 *Je suis le Dieu d'Abraham, le Dieu
d'Isaac et le Dieu de Jacob?* Ce n'est pas de morts
mais de vivants qu'il est le Dieu [d]! » 33 Et les foules,
qui avaient entendu, étaient frappées de son enseignement.

**Le plus grand commandement.** || Mc **12** 28-31
|| Lc **10** 25-28
34 Apprenant qu'il avait fermé la bouche aux Jn **13** 34-35+
Sadducéens, les Pharisiens se réunirent en groupe,
35 et l'un d'eux [e] lui demanda pour l'embarrasser :
36 « Maître, quel est le plus grand commandement
de la Loi? » 37 Jésus lui dit : « *Tu aimeras le Sei-* Dt **6** 5
*gneur ton Dieu de tout ton cœur, de toute ton âme
et de tout ton esprit* : 38 voilà le plus grand et le premier commandement. 39 Le second lui est sembla-
ble : *Tu aimeras ton prochain comme toi-même* [f]. Lv **19** 18
40 A ces deux commandements se rattache toute la Rm **13** 8-10
Loi, ainsi que les Prophètes. » Ga **5** 14

**Le Christ, fils et Seigneur de David.** || Mc **12**
35-37
41 Comme les Pharisiens se trouvaient réunis, || Lc **20** 41-44
Jésus leur posa cette question : 42 « Quelle est votre
opinion au sujet du Christ? De qui est-il fils? » Ils
lui disent : « De David. » – 43 « Comment donc, dit- 2 S **7** 1+
il, David parlant sous l'inspiration l'appelle-t-il Mt **9** 27+
Seigneur quand il dit :

44 *Le Seigneur a dit à mon Seigneur :* Ps **110** 1
*Siège à ma droite,* Mt **26** 64p
*jusqu'à ce que j'aie mis tes ennemis* Ac **2** 33+, 34s
*dessous tes pieds?* He **1** 13

45 « Si donc David l'appelle Seigneur, comment
est-il son fils? » 46 Nul ne fut capable de lui répon-
dre un mot [g]. Et à partir de ce jour personne n'osa || Mc **12** 34
plus l'interroger. || Lc **20** 40

**Hypocrisie et vanité des scribes et des Pharisiens.**

**23** 1 Alors Jésus s'adressa aux foules et à ses disciples en disant : 2 « Sur la chaire de Moïse se
sont assis les scribes et les Pharisiens : 3 faites donc
et observez tout ce qu'ils pourront vous dire [h], mais Dt **17** 10
ne vous réglez pas sur leurs actes : car ils disent
et ne font pas. 4 Ils lient de pesants fardeaux et les Rm **2** 17-2
imposent aux épaules des gens, mais eux-mêmes se || Lc **11** 4
Mt **11** 28

*a)* Partisans de la dynastie des Hérodes, Mc **3** 6+, tout désignés pour aller déférer à l'autorité romaine le mot hostile à César qu'on espérait faire dire à Jésus.

*b)* Puisqu'ils acceptent pratiquement l'autorité et les bienfaits du pouvoir romain, dont cette monnaie est le symbole, ils peuvent et même doivent lui rendre l'hommage de leur obéissance et de leurs biens, sans préjudice de ce qu'ils doivent par ailleurs à l'autorité supérieure de Dieu.

*c)* Cette secte, **3** 7+, s'en tenait strictement à la tradition *écrite*, surtout du Pentateuque, et assurait n'y pas trouver la doctrine de la résurrection de la chair, cf. 2 M **7** 9+. Les Pharisiens s'opposaient à eux sur ce point. Cf. Ac **4** 1+; **23** 8+.

*d)* Quand Dieu accorde sa protection à un individu ou à un peuple au point de devenir « son Dieu », ce ne peut être d'une manière imparfaite et éphémère qui le laisse retourner au néant. Cette exigence d'éternité de la part de l'amour divin ne fut pas clairement perçue aux débuts de la révélation biblique, d'où cette croyance à un « shéol » sans résurrection (Is **38** 10-20; Ps **6** 6; **88** 11-13), à laquelle le traditionalisme conservateur des Sadducéens, Ac **23** 8+, prétendait rester fidèle. Mais le progrès de la Révélation a peu à peu compris et satisfait cette exigence, Ps **16** 10-11; **49** 16; **73** 24, en annonçant le retour à la vie, Sg **3** 1-9, de tout l'homme, sauvé jusque dans son corps, Dn **12** 2-3; 2 M **7** 9s; **12** 43-46; **14** 46. C'est cette révélation ultime que Jésus sanctionne en montrant qu'elle était déjà sous-jacente, selon l'intention divine, à la vieille formule de Ex **3** 6.

*e)* Add. : « un légiste », sans doute emprunté à Lc **10** 25.

*f)* Ces deux préceptes de l'amour, de Dieu et du prochain, se trouvent également associés dans la *Didachè* **1** 2, qui pourrait reprendre ici un traité juif des Deux Voies, cf. **7** 13+.

*g)* La juste réponse eût été que, tout en descendant de David par ses origines humaines, cf. **1** 1-17, le Messie avait aussi un caractère divin qui le rendait supérieur à David et que celui-ci avait prophétisé.

*h)* En tant qu'ils transmettent la doctrine traditionnelle reçue de Moïse. Ceci n'engage pas leurs interprétations personnelles, dont Jésus a montré par ailleurs ce qu'il faut penser, cf. **15** 1-20; **16** 6; **19** 3-9.

refusent à les remuer du doigt. [5] En tout ils agissent
6 1-18 pour se faire remarquer des hommes. C'est ainsi
Am 4 5 qu'ils font bien larges leurs phylactères et bien lon-
|| Mc 12 gues leurs franges [a]. [6] Ils aiment à occuper le pre-
38-39 || Lc 20 46; mier divan dans les festins et les premiers sièges
11 43 dans les synagogues, [7] à recevoir les salutations sur
Lc 14 7 les places publiques et à s'entendre appeler
" Rabbi [b] " par les gens.
Jn 13 13 [8] « Pour vous [c], ne vous faites pas appeler
" Rabbi " : car vous n'avez qu'un Maître, et tous
vous êtes des frères. [9] N'appelez personne votre
" Père [d] " sur la terre : car vous n'en avez qu'un,
le Père céleste. [10] Ne vous faites pas non plus appeler " Directeurs [e] " : car vous n'avez qu'un Direc-
= 20 26 teur, le Christ. [11] Le plus grand parmi vous sera
|| Lc 14 11; votre serviteur. [12] Quiconque s'élèvera sera abaissé,
18 14 Mt 18 4 Lc 1 52-53 et quiconque s'abaissera sera élevé.

6 9+ **Sept malédictions aux scribes et aux Pharisiens.**

c 11 39-48, 52 Is 5 8-25 [13] « Malheur à vous, scribes et Pharisiens hypo-
Jr 8 8 crites, qui fermez aux hommes le Royaume des
Ml 2 8 Cieux! Vous n'entrez certes pas vous-mêmes, et
vous ne laissez même pas entrer [f] ceux qui le voudraient ![[14]] [g].
[15] « Malheur à vous, scribes et Pharisiens hypocrites, qui parcourez mers et continents pour
gagner un prosélyte [h], et, quand vous l'avez gagné,
18 9+ vous le rendez digne de la géhenne deux fois plus
que vous!
15 14 [16] « Malheur à vous, guides aveugles, qui dites [i] :
Jn 9 38-41 Rm 2 19 " Si l'on jure par le sanctuaire, cela ne compte pas;
mais si l'on jure par l'or du sanctuaire, on est
tenu. " [17] Insensés et aveugles! quel est donc le plus
digne, l'or ou le sanctuaire qui a rendu cet or
sacré? [18] Vous dites encore : " Si l'on jure par
l'autel, cela ne compte pas; mais si l'on jure par
l'offrande qui est dessus, on est tenu. " [19] Aveugles!
quel est donc le plus digne, l'offrande ou l'autel qui
5 33-37 rend cette offrande sacrée? [20] Aussi bien, jurer par
l'autel, c'est jurer par lui et par tout ce qui est dessus; [21] jurer par le sanctuaire, c'est jurer par lui et
par Celui qui l'habite; [22] jurer par le ciel, c'est jurer
par le trône de Dieu et par Celui qui y siège.
[23] « Malheur à vous, scribes et Pharisiens hypocrites, qui acquittez la dîme de la menthe, du Dt 14 22+
fenouil et du cumin [j], après avoir négligé les points Am 5 21+
les plus graves de la Loi, la justice, la miséricorde
et la bonne foi; c'est ceci qu'il fallait pratiquer, sans
négliger cela. [24] Guides aveugles, qui arrêtez au
filtre le moustique et engloutissez le chameau.
[25] « Malheur à vous, scribes et Pharisiens hypocrites, qui purifiez l'extérieur de la coupe et de Mc 7 4
l'écuelle, quand l'intérieur en est rempli par
rapine [k] et intempérance! [26] Pharisien aveugle!
purifie d'abord l'intérieur de la coupe et de
l'écuelle, afin que l'extérieur aussi devienne pur.
[27] « Malheur à vous, scribes et Pharisiens hypocrites, qui ressemblez à des sépulcres blanchis : Ac 23 3
au-dehors ils ont belle apparence, mais au-dedans
ils sont pleins d'ossements de morts et de toute
pourriture; [28] vous de même, au-dehors vous offrez
aux yeux des hommes l'apparence de justes, mais Lc 16 15
au-dedans vous êtes pleins d'hypocrisie et d'iniquité.
[29] « Malheur à vous, scribes et Pharisiens hypocrites, qui bâtissez les sépulcres des prophètes et
décorez les tombeaux des justes, [30] tout en disant :
" Si nous avions vécu du temps de nos pères, nous 13 17
ne nous serions pas joints à eux pour verser le sang
des prophètes. " [31] Ainsi, vous en témoignez contre
vous-mêmes, vous êtes les fils de ceux qui ont Ac 7 52
assassiné les prophètes! [32] Eh bien! vous, comblez
la mesure de vos pères [l]!

**Crimes et châtiments prochains.**

[33] « Serpents, engeance de vipères! comment 3 7; 12 34
pourrez-vous échapper à la condamnation de la
géhenne? [34] C'est pourquoi, voici que j'envoie vers || Lc 11 49-51
vous des prophètes, des sages et des scribes [m] : 1 Th 2 14-16 Mt 5 12
vous en tuerez et mettrez en croix, vous en flagelle-
rez dans vos synagogues et pourchasserez de ville
en ville, [35] pour que retombe sur vous tout le sang 27 25 Ap 16 6; 18 24

*a)* Phylactères : petites boîtes renfermant les paroles essentielles de la Loi, que les Juifs attachaient à leur bras ou à leur front, en exécution matérielle de Ex **13** 9, 16; Dt **6** 8; **11** 18. Franges : houppes attachées aux coins du manteau, cf. Nb **15** 38+; Mt **9** 20.
*b)* Mot hébreu signifiant « mon maître », titre habituel des docteurs Juifs. Jésus lui-même était ainsi appelé par ses disciples, **26** 25, 49.
*c)* Les vv. 8-12, adressés aux seuls disciples, n'appartenaient sans doute pas primitivement au même discours.
*d)* En araméen *Abba*, autre titre honorifique.
*e)* Jésus fait peut-être allusion au chef religieux de la communauté de Qumrân, le « Directeur juste », appelé communément « Maître de justice ».
*f)* Les exigences de la casuistique rabbinique rendaient impossible l'observation de la Loi.
*g)* Add. v. 14 : « Malheur à vous, scribes et Pharisiens hypocrites, qui dévorez les biens des veuves, tout en affectant de faire de longues prières : vous subirez de ce fait une condamnation plus sévère », interpolation empruntée à Mc **12** 40; Lc **20** 47, et qui porte à huit le chiffre intentionnel de *sept* malédictions, cf. **6** 9+.
*h)* Païen converti au Judaïsme. La propagande juive dans le monde gréco-romain était très active. Cf. Ac **2** 11+.
*i)* Il s'agit ici des vœux. Pour en dégager ceux qui les avaient imprudemment contractés, les rabbins recouraient à de subtiles arguties.
*j)* Le précepte mosaïque de la dîme à prélever sur les produits de la terre était appliqué par les rabbins avec exagération aux plantes les plus insignifiantes.
*k)* Var.; « à l'intérieur vous êtes remplis ». – « intempérance »; var. : « iniquité », « impureté », « cupidité ».
*l)* Allusion à la mort prochaine de Jésus lui-même, cf. **21** 38s.
*m)* Termes d'origine juive, mais appliqués ici aux missionnaires chrétiens, cf. **10** 41; **13** 52.

innocent répandu sur la terre, depuis le sang de
l'innocent Abel jusqu'au sang de Zacharie, fils de
Barachie [a], que vous avez assassiné entre le sanctuaire et l'autel! 36 En vérité, je vous le dis, tout cela
va retomber sur cette génération!

|| Lc 13 34-35 **Apostrophe à Jérusalem.**

21 35; 22 6 37 « Jérusalem, Jérusalem, toi qui tues les prophètes [b] et lapides ceux qui te sont envoyés, combien
de fois [c] ai-je voulu rassembler tes enfants à la
manière dont une poule rassemble ses poussins
sous ses ailes..., et vous n'avez pas voulu! 38 Voici
que votre maison va vous être laissée déserte [d]. 39 Je Jr 7 14; 12 7; 26 4-6
vous le dis, en effet, désormais vous ne me verrez Ez 11 23
plus, jusqu'à ce que vous disiez : Jn 2 19-21+
*Béni soit celui qui vient au nom du Seigneur* [e]! » Ps 118 26 Ac 2 33+

## 2. DISCOURS ESCHATOLOGIQUE [f]

|| Mc 13 || Lc 21 5-33

|| Mc 13 1-4 || Lc 21 5-7 **Introduction.**

24 1 Comme Jésus sortait du Temple et s'en
allait, ses disciples s'approchèrent pour lui
faire voir les constructions du Temple. 2 Mais il
leur répondit : « Vous voyez tout cela, n'est-ce pas?
En vérité je vous le dis, il ne restera pas ici pierre
sur pierre qui ne soit jetée bas. » 3 Et, comme il était
assis sur le mont des Oliviers, les disciples s'approchèrent de lui, en particulier, et demandèrent :
« Dis-nous quand cela aura lieu, et quel sera le
13 39 signe de ton avènement [g] et de la fin du monde. »

|| Mc 13 5-13 || Lc 21 8-19 **Le commencement des douleurs.**

4 Et Jésus leur répondit : « Prenez garde qu'on ne
vous abuse. 5 Car il en viendra beaucoup sous mon
nom, qui diront : " C'est moi le Christ [h] ", et ils
abuseront bien des gens. 6 Vous aurez aussi à
entendre parler de guerres et de rumeurs de guerres; voyez, ne vous alarmez pas : car il faut que
cela arrive, mais ce n'est pas encore la fin. 7 On se Dn 2 28
dressera, en effet, nation contre nation et royaume 2 Ch 15 6-7
contre royaume. Il y aura par endroits des fami-
nes [i] et des tremblements de terre [j]. 8 Et tout cela Jn 16 21
ne fera que commencer les douleurs de l'enfante- Rm 8 22 1 Th 5 3
ment [k]. Ap 12 2
9 « Alors on vous livrera aux tourments et on
vous tuera; vous serez haïs de toutes les nations à = 10 22
cause de mon nom. 10 Et alors beaucoup suc-
comberont; ce seront des trahisons et des haines in- 10 21, 35-36
testines. 11 Des faux prophètes surgiront nombreux
et abuseront bien des gens. 12 Par suite de l'iniquité 2 Th 2 3
croissante, l'amour se refroidira chez le grand nom- Lc 18 8
bre. 13 Mais celui qui aura tenu bon jusqu'au bout, = 10 22
celui-là sera sauvé.
14 « Cette Bonne Nouvelle du Royaume sera pro- 26 13
clamée dans le monde entier [l], en témoignage à la Rm 10 18

*a)* Il s'agit vraisemblablement du Zacharie de 2 Ch **24** 20-22. Son meurtre est le dernier raconté dans la Bible (2 Ch étant le dernier livre du Canon juif), tandis que celui d'Abel, Gn **4** 8, est le premier. « Fils de Barachie » vient peut-être de la confusion avec un autre Zacharie, cf. Is **8** 2 (LXX); Za **1** 1. Ou bien ces mots sont une glose de copiste.

*b)* Voir 1 R **19** 10, 14; Jr **26** 20-23; 2 Ch **24** 20-22; 1 Th **2** 15; Ac **7** 52; He **11** 37, et les légendes juives apocryphes.

*c)* Allusion à des visites réitérées à Jérusalem, dont les Synoptiques ne disent rien, mais que rapporte Jn.

*d)* Om. : « déserte ». – Jésus va disparaître, rejeté par son peuple; et Dieu lui-même abandonnera Jérusalem et son Temple.

*e)* Ces paroles, que Lc **13** 35 semble rapporter à l'entrée du jour des Rameaux, se réfèrent sans doute, dans le contexte actuel de Mt, à un retour ultérieur du Christ, peut-être celui de la fin des temps. Les Juifs salueront ce retour, parce qu'ils se seront convertis, cf. Rm **11** 25s.

*f)* Le discours eschatologique de Mt combine l'annonce de la ruine de Jérusalem avec celle de la fin du monde. Pour cela le discours de Mc, qui ne concernait que le premier événement, est complété d'une triple façon : 1° addition des vv. 26-28, 37-41, pris d'un discours sur le Jour du Fils de l'homme, que Luc utilise de son côté, Lc **17** 22-37; 2° retouches qui introduisent les thèmes de la « Parousie », vv. 3, 27, 37, 39 (jamais ailleurs dans les Évangiles, cf. Mt **24** 3+; 1 Co **15** 23+), de la « Fin du monde », v. 3; cf. **13** 39, 40, 49, et du « signe du Fils de l'homme » qui touche toutes les races de la terre, v. 30; 3° addition, en fin du discours, de plusieurs paraboles sur la vigilance, **24** 42 – **25** 30, qui préparent le retour de Jésus et le grand Jugement eschatologique, **25** 31-46. Cette combinaison de la ruine de Jérusalem et de la fin du monde exprime d'ailleurs une vérité théologique. Car si les deux événements sont chronologiquement distincts, ils ont entre eux un lien essentiel, le premier étant le prodrome et la préfiguration du second. La ruine de Jérusalem marque la fin de l'ancienne Alliance, par un retour du Christ venant inaugurer son règne dans l'Église. Cet événement décisif dans l'histoire du salut ne se renouvellera qu'à la fin des temps, quand Dieu exercera sur tout le genre humain, désormais élu dans le Christ, le même jugement qu'il exerça alors sur le premier peuple élu. Cf. 1 Co **1** 8+.

*g)* Le mot grec *(Parousie)*, qui signifie « Présence », désignait dans le monde gréco-romain la visite officielle et solennelle d'un prince en quelque lieu. Les chrétiens l'ont adopté comme terme technique pour signifier la venue glorieuse du Christ, cf. 1 Co **15** 23+. Il n'est pas lié nécessairement à son *dernier* avènement et peut désigner aussi la manifestation puissante par laquelle il viendra établir son règne messianique (l'Église) sur les ruines du Judaïsme; cf. **16** 27-28. En ce passage, Mt nous avertit clairement qu'il joint les deux thèmes.

*h)* Avant 70, des aventuriers se firent passer pour le Messie.

*i)* Add. : « pestes », cf. Lc **21** 11.

*j)* Cf. Is **8** 21; **13** 13; **19** 2; Jr **21** 9; **34** 17; Ez **5** 12; Am **4** 6-11; **8** 8; 2 Ch **15** 6.

*k)* Cf.Is **13** 8; **26** 17; **66** 7; Jr **6** 24; **13** 21; Os **13** 13; Mi **4** 9-10. L'image fut appliquée par le Judaïsme à la période de grande angoisse qui devait précéder la venue du règne messianique.

*l)* Le « monde habité » *(oikoumenê)*, c'est-à-dire le monde gréco-romain. Il faut, avant le châtiment d'Israël, que tous les Juifs de l'Empire aient entendu la Bonne Nouvelle, cf. Ac **1** 8+; Rm **10** 18; le « témoignage » porté devant les peuples vaudra

face de toutes les nations. Et alors viendra la fin [a].

|| Mc 13 14-23 **La grande tribulation de Jérusalem.**
|| Lc 21 20-24

Dn 9 27; 15 « Lors donc que vous verrez *l'abomination de*
11 31; 12 11 *la désolation,* dont a parlé le prophète Daniel, ins-
1 M 1 54
2 Th 2 3-4 tallée dans le saint lieu [b] (que le lecteur
comprenne!), 16 alors que ceux qui seront en Judée
s'enfuient dans les montagnes, 17 que celui qui sera
Lc 17 31 sur la terrasse ne descende pas dans sa maison
pour prendre ses affaires, 18 et que celui qui sera
aux champs ne retourne pas en arrière pour prendre son manteau! 19 Malheur à celles qui seront
enceintes et à celles qui allaiteront en ces jours-là!
20 Priez pour que votre fuite ne tombe pas en hiver,
Dn 12 1 ni un sabbat. 21 Car il y aura alors une grande
Ap 7 14 *tribulation, telle qu'il n'y en a pas eu depuis* le
commencement du monde *jusqu'à ce jour,* et qu'il
n'y en aura jamais plus [c]. 22 Et si ces jours-là
n'avaient été abrégés, nul n'aurait eu la vie sauve;
mais à cause des élus [d], ils seront abrégés, ces
jours-là.
23 « Alors si quelqu'un vous dit : " Voici : le
Christ est ici! " ou bien : " Il est là! ", n'en croyez
Dt 13 2s rien. 24 Il surgira, en effet, des faux Christs et des
2 Th 2 3-4, 9 faux prophètes, qui produiront de grands signes et
Ap 13 des prodiges, au point d'abuser, s'il était possible,
même les élus. 25 Voici que je vous ai prévenus.

|| Lc 17 **L'avènement du Fils de l'homme sera manifeste.**
23-24

26 « Si donc on vous dit : " Le voici au désert ",
n'y allez pas; " Le voici dans les retraites ", n'en
Jn 7 27 croyez rien. 27 Comme l'éclair, en effet, part du
levant et brille jusqu'au couchant, ainsi en sera-t-il
|| Lc 17 37 de l'avènement du Fils de l'homme [e]. 28 Où que soit
Is 34 15 le cadavre, là se rassembleront les vautours [f].
Jb 39 30
Mt 25 32

**Ampleur cosmique de cet avènement.** || Mc 13 24-27
|| Lc 21 25-27

29 « Aussitôt après la tribulation de ces jours-là [g], Am 8 9+
le soleil s'obscurcira, la lune ne donnera plus sa Is 13 9-10;
lumière, les étoiles tomberont du ciel, et les puis- 34 4
sances des cieux seront ébranlées [h]. 30 Et alors
apparaîtra dans le ciel le signe du Fils de Za 12 10-12
l'homme [i]; et alors toutes les races de la terre se Ap 1 7
frapperont la poitrine; et l'on verra le Fils de 8 20+
l'homme venant sur les nuées du ciel avec puis- Dn 7 13-14
sance et grande gloire [j]. 31 Et il enverra ses anges Mt 26 64
avec une trompette [k] sonore, pour rassembler ses 1 Th 4 16
élus des quatre vents, des extrémités des cieux à Dt 30 3s
leurs extrémités [l].

**Parabole du figuier.** || Mc 13
28-32

32 « Du figuier apprenez cette parabole. Dès que || Lc 21 29-33
sa ramure devient flexible et que ses feuilles poussent, vous comprenez que l'été est proche. 33 Ainsi
vous, lorsque vous verrez tout cela, comprenez
qu'Il [m] est proche, aux portes. 34 En vérité je vous
le dis, cette génération ne passera pas que tout cela 10 23; 16 28
ne soit arrivé [n]. 35 Le ciel et la terre passeront, mais Is 51 6
mes paroles ne passeront point. 36 Quant à la date
de ce jour, et à l'heure, personne ne les connaît, ni Ac 1 7
les anges des cieux, ni le Fils [o], personne que le
Père, seul.

**Veiller pour ne pas être surpris.** || Lc 17 26-
27, 34-35

37 « Comme les jours de Noé, ainsi sera l'avène
ment du Fils de l'homme. 38 En ces jours qui précédèrent le déluge, on mangeait et on buvait, on prenait femme et mari, jusqu'au jour où Noé entra Gn 7 11-23
dans l'arche, 39 et les gens ne se doutèrent de rien
jusqu'à l'arrivée du déluge, qui les emporta tous.
Tel sera aussi l'avènement du Fils de l'homme. 1 Th 5 3
40 Alors deux hommes seront aux champs : l'un est

d'abord contre le Judaïsme infidèle, cf. déjà Mt **10** 18. L'Évangile atteignit effectivement toutes les parties vitales de l'Empire romain dès avant 70, cf. 1 Th **1** 8; Rm **1** 5, 8; Col **1** 6, 23.

*a)* C'est-à-dire la chute de Jérusalem.

*b)* Daniel désignait par là, semble-t-il, un autel païen qu'Antiochus Épiphane dressa dans le Temple de Jérusalem (en 168; cf. 1 M **1** 54). L'application évangélique se réalisa quand la Ville Sainte et son Temple furent investis, puis occupés, par les armées païennes de Rome, cf. Lc **21** 20.

*c)* Cf. Ex **10** 14; **11** 6; Jr **30** 7; Ba **2** 2; Jl **2** 2; Dn **12** 1; 1 M **9** 27; Ap **16** 18.

*d)* Ceux qui, parmi les Juifs, sont appelés à entrer dans le Royaume de Dieu : le « petit Reste », cf. Is **4** 2+; Rm **11** 5-7.

*e)* La venue du Messie sera évidente comme l'éclair. – L'éclair est un accompagnement classique des jugements divins, cf. Is **29** 6; **30** 30; Za **9** 14; Ps **97** 4; etc.

*f)* Peut-être un proverbe exprimant la même idée de manifestation patente : un cadavre, même caché dans le désert, est aussitôt signalé par le tournoiement des vautours.

*g)* A rattacher au v. 25, par-dessus la digression des vv. 26-28.

*h)* Cf. Jr **4** 23-26; Ez **32** 7s; Am **8** 9; Mi **1** 3-4; Jl **2** 10; **3** 4; **4** 15 et surtout Is **13** 9-10; **34** 4, dont notre texte reprend les expressions. Les « puissances des cieux » sont les astres et les forces célestes en général.

*i)* Les Pères ont vu dans ce signe la Croix du Christ. Il pourrait s'agir du Christ lui-même, manifestant par son triomphe dans l'Église qu'il est vraiment ressuscité et glorieux (vision d'ordre spirituel).

*j)* Daniel annonçait ainsi l'établissement du règne messianique par un Fils d'homme venant sur les nuées. – La nuée est le décor ordinaire des théophanies, dans l'AT, Ex **13** 22+; **19** 16+; **34** 5; Lv **16** 2; 1 R **8** 10-11; Ps **18** 12; **97** 2; **104** 3; Is **19** 1; Jr **4** 13; Ez **1** 4; **10** 3s; 2 M **2** 8, comme dans le NT, Mt **17** 5; Ac **1** 9, 11; 1 Th **4** 17; Ap **1** 7; **14** 14.

*k)* Add. : « et une voix ».

*l)* Formule combinée à l'aide de Za **2** 10 et de Dt **30** 4, textes où il s'agit de réunir les dispersés d'Israël, cf. Ez **37** 9 et Ne **1** 9. Voir aussi Is **27** 13. Les « élus » sont donc ici, comme aux vv. 22 et 24, ceux des Juifs que Yahvé sauvera du désastre de leur peuple pour les admettre dans son Royaume, avec les païens, v. 30.

*m)* Le Fils de l'homme, venant instaurer son règne.

*n)* Cette affirmation concerne la ruine de Jérusalem et non la fin du monde. Dans sa prédication, Jésus avait sans doute mieux distingué les perspectives, cf. **24** 1+ et **16** 28+.

*o)* Om. (Vulg.) : « ni le Fils », sans doute par scrupule théologique. En tant qu'homme, le Christ a reçu du Père la connaissance de tout ce qui intéressait sa mission, mais il a pu ignorer certains points du plan divin, ainsi qu'il l'affirme ici formellement.

pris, l'autre laissé; 41 deux femmes en train de moudre : l'une est prise, l'autre laissée.
25 13 42 « Veillez donc, parce que vous ne savez pas
1 Th 5 1+ quel jour [a] va venir votre Maître. 43 Comprenez-le
|| Lc 12 39-40 bien : si le maître de maison avait su à quelle heure
1 Th 5 2-6 de la nuit le voleur devait venir, il aurait veillé et
n'aurait pas permis qu'on perçât le mur de sa
demeure. 44 Ainsi donc, vous aussi, tenez-vous
prêts, car c'est à l'heure que vous ne pensez pas que
le Fils de l'homme va venir.

|| Lc 12 42-46 **Parabole du majordome [b].**

45 « Quel est donc le serviteur fidèle et avisé que
Ps 105 21 le maître a établi sur les gens de sa maison pour
Ps 104 27 leur donner la nourriture en temps voulu?
46 Heureux ce serviteur que son maître en arrivant
trouvera occupé de la sorte! 47 En vérité je vous le
19 28; 25 21 dis, il l'établira sur tous ses biens. 48 Mais si ce
mauvais serviteur dit en son cœur : “ Mon maître
tarde ” 49 et qu'il se mette à frapper ses compagnons, à manger et à boire en compagnie des ivrognes, 50 le maître de ce serviteur arrivera au jour
qu'il n'attend pas et à l'heure qu'il ne connaît pas;
51 il le retranchera [c] et lui assignera sa part parmi
8 12+ les hypocrites : là seront les pleurs et les grincements de dents.

Lc 12 35-38 **Parabole des dix vierges [d].**

25 1 « Alors il en sera du Royaume des Cieux
comme de dix vierges qui s'en allèrent, munies
de leurs lampes, à la rencontre de l'époux [e]. 2 Or
cinq d'entre elles étaient sottes et cinq étaient sensées. 3 Les sottes, en effet, prirent leurs lampes,
mais sans se munir d'huile; 4 tandis que les sensées,
en même temps que leurs lampes, prirent de l'huile
dans les fioles. 5 Comme l'époux se faisait attendre,
elles s'assoupirent toutes et s'endormirent. 6 Mais à
minuit un cri retentit : “ Voici l'époux! sortez à sa
rencontre! ” 7 Alors toutes ces vierges se réveillèrent et apprêtèrent leurs lampes. 8 Et les sottes de
dire aux sensées : “ Donnez-nous de votre huile,
car nos lampes s'éteignent. ” 9 Mais celles-ci leur
répondirent : “ Il n'y en aurait sans doute pas assez
pour nous et pour vous; allez plutôt chez les marchands et achetez-en pour vous. ” 10 Elles étaient
parties en acheter quand arriva l'époux : celles qui
étaient prêtes entrèrent avec lui dans la salle des
noces, et la porte se referma. 11 Finalement les Lc 13 25
autres vierges arrivèrent aussi et dirent : “ Seigneur, Seigneur, ouvre-nous! ” 12 Mais il répondit :
“ En vérité je vous le dis, je ne vous connais pas! ”
13 Veillez donc, car vous ne savez ni le jour ni 24 42
l'heure. Mc 13 33

**Parabole des talents [f].** Lc 19 12-27

14 « C'est comme un homme qui, partant en Mc 13 34
voyage, appela ses serviteurs et leur remit sa fortune. 15 A l'un il donna cinq talents, deux à un
autre, un seul à un troisième, à chacun selon ses
capacités, et puis il partit. Aussitôt 16 celui qui
avait reçu les cinq talents alla les faire produire et
en gagna cinq autres. 17 De même celui qui en avait
reçu deux en gagna deux autres. 18 Mais celui qui
n'en avait reçu qu'un s'en alla faire un trou en terre
et enfouit l'argent de son maître. 19 Après un long
temps, le maître de ces serviteurs arrive et il règle
ses comptes avec eux. 20 Celui qui avait reçu les
cinq talents s'avança et présenta cinq autres
talents : “ Seigneur, dit-il, tu m'as remis cinq
talents : voici cinq autres talents que j'ai gagnés. ”
– 21 “ C'est bien, serviteur bon et fidèle, lui dit son
maître, en peu de choses tu as été fidèle, sur beaucoup je t'établirai; entre dans la joie de ton seigneur [g] ”. 22 Vint ensuite celui qui avait reçu deux
talents : “ Seigneur, dit-il, tu m'as remis deux
talents : voici deux autres talents que j'ai gagnés. ”
– 23 “ C'est bien, serviteur bon et fidèle, lui dit son
maître, en peu de choses tu as été fidèle, sur beaucoup je t'établirai; entre dans la joie de ton 19 28; 24 47
seigneur ”. 24 Vint enfin celui qui détenait un seul Lc 16 10
talent : “ Seigneur, dit-il, j'ai appris à te connaître
pour un homme âpre au gain : tu moissonnes où
tu n'as point semé, et tu ramasses où tu n'as rien
répandu. 25 Aussi, pris de peur, je suis allé enfouir
ton talent dans la terre : le voici, tu as ton bien. ” Jn 15 11;
26 Mais son maître lui répondit : “ Serviteur mau- 17 24
vais et paresseux! tu savais que je moissonne où je
n'ai pas semé, et que je ramasse où je n'ai rien
répandu? 27 Eh bien! tu aurais dû placer mon
argent chez les banquiers, et à mon retour j'aurais

a) Vulg. : « à quelle heure ». – Veiller, ce qui est proprement s'abstenir de sommeil, est l'attitude que Jésus recommande à ceux qui attendent sa venue, **25** 13; Mc **13** 33-37; Lc **12** 35-40; **21** 34-36. La vigilance, en cet état d'alerte, suppose une espérance ferme et exige une présence d'esprit sans relâche qui prend le nom de « sobriété », 1 Th **5** 6-8; 1 P **5** 8; cf. 1 P **1** 13; **4** 7.

b) Au discours qui annonce la ruine de Jérusalem et l'avènement ultime du Christ à la fin du monde, Mt joint trois paraboles qui concernent les fins dernières des individus. – La première met en scène un serviteur du Christ chargé d'une fonction dans l'Église, comme furent les apôtres, et jugé sur la façon dont il a rempli sa mission.

c) Mot obscur à prendre sans doute au sens métaphorique : « il s'en séparera » par une sorte d'excommunication, cf. **18** 17.

d) Les vierges représentent les âmes chrétiennes dans l'attente de leur époux, le Christ. Même s'il tarde, la lampe de leur vigilance doit rester prête.

e) Add. : « et de l'épouse ».

f) Les chrétiens sont les serviteurs auxquels leur maître, Jésus, laisse le soin de faire fructifier ses dons pour le développement de son règne, et qui devront lui rendre compte de leur gestion. – La parabole des mines, Lc **19** 12-27, présente des analogies de forme, mais comporte une leçon assez différente.

g) Cette joie est celle du banquet céleste, Mt **8** 11+. – « sur beaucoup je t'établirai » désigne la participation active au règne du Christ.

recouvré mon bien avec un intérêt. 28 Enlevez-lui
donc son talent et donnez-le à celui qui a les dix
= **13** 12+ talents. 29 Car à tout homme qui a, l'on donnera et
il aura du surplus; mais à celui qui n'a pas, on enlèvera ce qu'il a. 30 Et ce propre à rien de serviteur,
**8** 12+ jetez-le dehors, dans les ténèbres : là seront les
pleurs et les grincements de dents. »

**Le Jugement dernier.**

**8** 20+ 31 « Quand le Fils de l'homme viendra dans sa
gloire, escorté de tous les anges, alors il prendra
place sur son trône de gloire [a]. 32 Devant lui seront
rassemblées toutes les nations [b], et il séparera les
Ez **34** 17 gens les uns des autres, tout comme le berger
sépare les brebis des boucs. 33 Il placera les brebis
à sa droite, et les boucs à sa gauche. 34 Alors le Roi
dira à ceux de droite : « Venez, les bénis de mon
Rm **8** 17 Père, recevez en héritage le Royaume qui vous a
Ep **1** 4 été préparé depuis la fondation du monde [c]. 35 Car
Is **58** 6-8 j'ai eu faim et vous m'avez donné à manger, j'ai eu
Jb **31** 32 soif et vous m'avez donné à boire, j'étais un étranger et vous m'avez accueilli, 36 nu et vous m'avez
vêtu, malade et vous m'avez visité, prisonnier et
vous êtes venus me voir [d]. » 37 Alors les justes lui
répondront : « Seigneur, quand nous est-il arrivé de
te voir affamé et de te nourrir, assoiffé et de te
désaltérer, 38 étranger et de t'accueillir, nu et de te
vêtir, 39 malade ou prisonnier et de venir te voir? »
40 Et le Roi leur fera cette réponse : « En vérité je
vous le dis, dans la mesure où vous l'avez fait à Ac **9** 5
l'un de ces plus petits de mes frères, c'est à moi que Mt **10** 40; **18** 5 Lc **10** 16
vous l'avez fait. » 41 Alors il dira encore à ceux de Jn **13** 33-35
gauche : « Allez loin de moi, maudits, dans le feu
éternel qui a été préparé pour le diable et ses
anges. 42 Car j'ai eu faim et vous ne m'avez pas Jb **22** 6-9
donné à manger, j'ai eu soif et vous ne m'avez pas
donné à boire, 43 j'étais un étranger et vous ne
m'avez pas accueilli, nu et vous ne m'avez pas vêtu,
malade et prisonnier et vous ne m'avez pas visité. »
44 Alors ceux-ci lui demanderont à leur tour : « Seigneur, quand nous est-il arrivé de te voir affamé ou
assoiffé, étranger ou nu, malade ou prisonnier, et
de ne te point secourir? » 45 Alors il leur répondra :
« En vérité je vous le dis, dans la mesure où vous
ne l'avez pas fait à l'un de ces plus petits, à moi
non plus vous ne l'avez pas fait. » 46 Et ils s'en
iront, ceux-ci à une peine éternelle, et les justes à Dn **12** 2
une vie éternelle. » Jn **5** 29

# *VII. Passion et résurrection*

|| Mc **14** 1-2 || Lc **22** 1-2 **Complot contre Jésus.**

**26** 1 Et il advint, quand Jésus eut achevé tous ces
discours, qu'il dit à ses disciples : 2 « La
Pâque, vous le savez, tombe dans deux jours, et le
Fils de l'homme va être livré pour être crucifié. »
Jn **11** 47-53 3 Alors les grands prêtres et les anciens du peu-
Ps **2** 1-2 ple s'assemblèrent dans le palais du Grand Prêtre,
Ac **4** 25-27 qui s'appelait Caïphe, 4 et se concertèrent en vue
Ps **31** 14 d'arrêter Jésus par ruse et de le tuer. 5 Ils disaient
toutefois : « Pas en pleine fête; il faut éviter un
tumulte parmi le peuple. »

| Mc **14** 3-9 || Jn **12** 1-8 **L'onction à Béthanie [e].**

6 Comme Jésus se trouvait à Béthanie, chez
Simon le lépreux, 7 une femme s'approcha de lui,
avec un flacon d'albâtre contenant un parfum très
précieux, et elle le versa sur sa tête, tandis qu'il
était à table. 8 A cette vue les disciples furent indignés : « A quoi bon ce gaspillage? dirent-ils; 9 cela
pouvait être vendu bien cher et donné à des pauvres. » 10 Jésus s'en aperçut et leur dit : « Pourquoi
tracassez-vous cette femme? C'est vraiment une
« bonne œuvre [f] » qu'elle a accomplie pour moi.
11 Les pauvres, en effet, vous les aurez toujours Dt **15** 11
avec vous, mais moi, vous ne m'aurez pas toujours.
12 Si elle a répandu ce parfum sur mon corps, c'est
pour m'ensevelir qu'elle l'a fait. 13 En vérité je vous
le dis, partout où sera proclamé cet Évangile, dans
le monde entier, on redira aussi, à sa mémoire, ce
qu'elle vient de faire. »

**La trahison de Judas.** || Mc **14** 10-11 || Lc **22** 3-6

14 Alors l'un des Douze, appelé Judas Iscariote,

*a)* Il s'agit cette fois du dernier avènement du Christ, à la fin du monde.
*b)* Tous les hommes de tous les temps. La résurrection des morts n'est pas mentionnée, mais doit être supposée, cf. **10** 15; **11** 22-24; **12** 41s.
*c)* Le Christ, Roi-Messie, fait passer les élus de son Royaume à celui de son Père, **13** 43+.
*d)* Les hommes sont jugés sur les œuvres de miséricorde (décrites de façon biblique, cf. Is **58** 7; Jb **22** 6s; Si **7** 32s, etc.), non sur leurs actions exceptionnelles, cf. **7** 22s. En **10** 32s intervient la confession de la foi.
*e)* La femme est Marie, comme le précise Jn. L'épisode raconté en Lc 7 36-50 est différent.
*f)* Les Juifs divisaient les « bonnes œuvres » en « aumônes » et « actions charitables »; ces dernières étaient jugées supérieures et comprenaient, entre autres choses, l'ensevelissement des morts. La femme a donc fait une « œuvre » plus excellente que l'aumône, en pourvoyant à la sépulture du Christ. Jésus semble admettre, v. 12, que, dans l'instinct de son cœur, elle a pressenti la portée de son geste.

se rendit auprès des grands prêtres [15] et leur dit :
« Que voulez-vous me donner, et moi je vous le
Za **11** 12 livrerai? » Ceux-ci lui versèrent trente pièces
Mt **27** 3s d'argent [a]. [16] Et de ce moment il cherchait une
Gn **37** 28 occasion favorable pour le livrer.

|| Mc **14** **Préparatifs du repas pascal.**
12-16
Lc **22** 7-13 [17] Le premier jour des Azymes [b], les disciples
s'approchèrent de Jésus et lui dirent : « Où veux-tu
que nous te préparions de quoi manger la Pâque? »
[18] Il dit : « Allez à la ville, chez un tel, et dites-lui :
Jn **2** 4+ " Le Maître te fait dire : Mon temps est proche,
c'est chez toi que je vais faire la Pâque avec mes
disciples ". » [19] Les disciples firent comme Jésus
leur avait ordonné et préparèrent la Pâque.

|| Mc **14** 17-21 **Annonce de la trahison de Judas.**
|| Lc **22** 14,
21-23 [20] Le soir venu, il était à table avec les Douze.
|| Jn **13** 21-30 [21] Et tandis qu'ils mangeaient [c], il dit : « En vérité
je vous le dis, l'un de vous me livrera. » [22] Fort
attristés, ils se mirent chacun à lui dire : « Serait-ce
moi, Seigneur? » [23] Il répondit : « Quelqu'un qui a
Ps **41** 10 plongé avec moi la main dans le plat, voilà celui
Jn **13** 18 qui va me livrer! [24] Le Fils de l'homme s'en va
Jn **17** 12 selon qu'il est écrit de lui; mais malheur à cet homme-là par qui le Fils de l'homme est livré! Mieux
eût valu pour cet homme-là de ne pas naître! » [25] A
son tour, Judas, celui qui allait le livrer, lui
demanda : « Serait-ce moi, Rabbi? » – « Tu l'as
dit », répond Jésus.

|| Mc **14** **Institution de l'Eucharistie.**
22-25
|| Lc **22** 19-20 [26] Or, tandis qu'ils mangeaient [d], Jésus prit du
|| 1 Co **11** pain, le bénit, le rompit et le donna aux disciples
23-25
Jn **6** 51-58
en disant : « Prenez , mangez, ceci est mon corps. »
[27] Puis, prenant une coupe, il rendit grâces [e] et la 1 Co **10** 16
leur donna en disant : « Buvez-en tous; [28] car ceci
est mon sang, le sang de l'alliance [f], qui va être Ex **24** 8
répandu pour une multitude en rémission des 20 28+
péchés [g]. [29] Je vous le dis, je ne boirai plus désor- Is **53** 12
mais de ce produit de la vigne jusqu'au jour où je
le boirai avec vous, nouveau, dans le Royaume de **8** 11+
mon Père [h]. »

**Prédiction du reniement de Pierre.** || Mc **14** 26-31

[30] Après le chant des psaumes [i], ils partirent pour || Lc **22** 39, 31-34
le mont des Oliviers. [31] Alors Jésus leur dit : « Vous || Jn **13** 36-38;
tous, vous allez succomber [j] à cause de moi, cette **16** 32
nuit même. Il est écrit en effet : *Je frapperai le pas-* Za **13** 7
*teur, et les brebis du troupeau seront dispersées.*
[32] Mais après ma résurrection je vous précéderai en **28** 7
Galilée. » [33] Prenant la parole, Pierre lui dit : « Si
tous succombent à cause de toi, moi je ne
succomberai jamais. » [34] Jésus lui répliqua : « En
vérité je te le dis : cette nuit même, avant que le coq
chante, tu m'auras renié trois fois. » [35] Pierre lui **26** 69-75
dit : « Dussé-je mourir avec toi, non, je ne te renierai pas. » Et tous les disciples en dirent autant.

**A Gethsémani.** || Mc **14** 32-42
|| Lc **22** 40-46
[36] Alors Jésus parvient avec eux à un domaine || Jn **18** 1
appelé Gethsémani [k], et il dit aux disciples : Jn **12** 27-30
« Restez ici, tandis que je m'en irai prier là-bas. » He **5** 7-10
[37] Et prenant avec lui Pierre et les deux fils de Zébédée, il commença à ressentir tristesse et angoisse.
[38] Alors il leur dit : « Mon âme est triste à en mourir [l], demeurez ici et veillez avec moi. » [39] Étant allé
un peu plus loin, il tomba face contre terre en faisant cette prière : « Mon Père, s'il est possible, que

*a)* Trente sicles (et non trente deniers, comme on dit souvent). C'était le prix fixé par la Loi pour la vie d'un esclave, Ex **21** 32.
*b)* Le « premier jour » de la semaine, où l'on mangeait des pains sans levain (azymes), cf. Ex **12** 1+; **23** 14+, était normalement celui qui suivait le repas pascal; en nommant ainsi le jour précédent, les Synoptiques font preuve d'un usage plus large. Par ailleurs, il semble bien, d'après Jn **18** 28 et d'autres détails de la Passion, que le repas pascal fut célébré cette année-là au soir du vendredi (ou « Parascève », Mt **27** 62; cf. Jn **19** 14, 31, 42). La Cène de Jésus que les Synoptiques placent un jour plus tôt, au soir du jeudi, doit dès lors s'expliquer, soit par l'anticipation du rite dans une partie du peuple juif, soit plutôt par une anticipation voulue par Jésus lui-même : ne pouvant célébrer la Pâque le lendemain, sinon en sa propre personne sur la Croix, Jn **19** 36; 1 Co **5** 7, Jésus aura institué son rite nouveau au cours d'un repas qui aura reçu par contrecoup les traits de la Pâque ancienne. L'opinion récente qui place la Cène au soir du mardi, selon le calendrier essénien, ne semble pas devoir être retenue. – Le 14 Nisan (jour du repas pascal) étant tombé un vendredi en 30 et en 33 ap. J.-C., les exégètes choisissent l'une ou l'autre de ces deux années pour celle de la mort du Christ, selon qu'ils placent son baptême en 28 ou en 29 et qu'ils assignent à son ministère une durée plus ou moins longue.
*c)* Il s'agit du premier service, qui précédait le repas pascal proprement dit.
*d)* On est arrivé au centre du repas pascal. C'est sur des gestes précis et solennels du rituel juif (bénédictions à Yahvé prononcées sur le pain et le vin) que Jésus greffe les rites sacramentels du culte nouveau qu'il instaure.
*e)* « Rendre grâces » traduit ici le verbe grec *eucharistô*, dont le substantif *eucharistia*, « action de grâces », a été adopté par le langage chrétien pour désigner la Sainte Cène.
*f)* Add. (Vulg.) : « nouvelle », cf. Lc **22** 20; 1 Co **11** 25.
*g)* Comme jadis, au Sinaï, le sang des victimes scella l'alliance de Yahvé avec son peuple, Ex **24** 4-8+; cf. Gn **15** 1+, de même sur la Croix le sang de la victime parfaite, Jésus, va sceller entre Dieu et les hommes l'alliance « nouvelle », cf. Lc **22** 20, qu'ont annoncée les prophètes, Jr **31** 31+. Jésus s'attribue la mission de rédemption universelle assignée par Isaïe au « Serviteur de Yahvé », Is **42** 6; **49** 6; **53** 12, cf. **42** 1+. Cf. He **8** 8; **9** 15; **12** 24. L'idée de nouvelle alliance intervient aussi chez Paul, outre 1 Co **11** 25, en divers contextes qui en révèlent la grande importance, 2 Co **3** 4-6; Ga **3** 15-20; **4** 24.
*h)* Allusion au banquet eschatologique, cf. **8** 11; **22** 1s. C'en est fini des repas terrestres de Jésus avec ses disciples.
*i)* Les psaumes du *Hallel*, Ps **113-118**, dont la récitation clôturait le repas pascal.
*j)* Scandale religieux de voir succomber sans résistance celui qu'ils tiennent pour le Messie, **16** 16, et dont ils attendent le triomphe prochain, **20** 21s. Les disciples y perdront pour un moment leur courage et même leur foi, cf. Lc **22** 31-32; Jn **16** 1.
*k)* Le nom signifie « pressoir à huile ». Lieu situé dans la vallée du Cédron, au pied du mont des Oliviers.
*l)* Expression dont la forme littéraire évoque Ps **42** 6 et Jon **4** 9.

cette coupe passe loin de moi! Cependant, non pas
**6** 10 comme je veux, mais comme tu veux [a]. » [40] Il vient
Jn **4** 34; **6** 38 vers les disciples et les trouve en train de dormir;
Rm **5** 19 et il dit à Pierre : « Ainsi, vous n'avez pas eu la
Ph **2** 8 force de veiller une heure avec moi! [41] Veillez et
**6** 13 priez pour ne pas entrer en tentation : l'esprit est
Rm **7** 5+ ardent, mais la chair est faible. » [42] A nouveau,
pour la deuxième fois, il s'en alla prier : « Mon
Père, dit-il, si cette coupe ne peut passer sans que
**6** 10 je la boive, que ta volonté soit faite! » [43] Puis il vint
et les trouva à nouveau en train de dormir; car
leurs yeux étaient appesantis. [44] Il les laissa et s'en
alla de nouveau prier une troisième fois, répétant
les mêmes paroles. [45] Alors il vient vers les disciples et leur dit : « Désormais vous pouvez dormir
et vous reposer [b] : voici toute proche l'heure où le
Jn **14** 30-31 Fils de l'homme va être livré aux mains des
pécheurs. [46] Levez-vous! Allons! Voici tout proche
celui qui me livre. »

Mc **14** 43-52 || Lc **22** 47-53 || Jn **18** 2-11

**L'arrestation de Jésus.**

[47] Comme il parlait encore, voici Judas, l'un des
Douze, et avec lui une bande nombreuse armée de
glaives et de bâtons, envoyée par les grands prêtres
et les anciens du peuple. [48] Or le traître leur avait
donné ce signe : « Celui à qui je donnerai un baiser,
c'est lui; arrêtez-le. » [49] Et aussitôt il s'approcha de
Jésus en disant : « Salut, Rabbi! », et il lui donna
**26** 23 un baiser. [50] Mais Jésus lui dit : « Ami, fais ta besogne [c]. » Alors, s'avançant, ils mirent la main sur
Jésus et l'arrêtèrent. [51] Et voilà qu'un des compagnons de Jésus, portant la main à son glaive, le
dégaina, frappa le serviteur du Grand Prêtre et lui
enleva l'oreille. [52] Alors Jésus lui dit : « Rengaine
ton glaive; car tous ceux qui prennent le glaive
Jn **18** 36 périront par le glaive. [53] Penses-tu donc que je ne
puisse faire appel à mon Père, qui me fournirait
sur-le-champ plus de douze légions d'anges?
Lc **24** 26-27 [54] Comment alors s'accompliraient les Écritures
d'après lesquelles il doit en être ainsi? » [55] A ce
moment-là Jésus dit aux foules : « Suis-je un brigand, que vous vous soyez mis en campagne avec
des glaives et des bâtons pour me saisir? Chaque
jour j'étais assis dans le Temple, à enseigner [d], et Jn **18** 20
vous ne m'avez pas arrêté. » [56] Or tout ceci advint
pour que s'accomplissent les Écritures des prophètes. Alors les disciples l'abandonnèrent tous et prirent la fuite.

**Jésus devant le Sanhédrin** [e]**.** || Mc **14** 53-65 || Lc **22** 54-55, 66-71 || Jn **18** 24

[57] Ceux qui avaient arrêté Jésus l'emmenèrent
chez Caïphe le Grand Prêtre, où se réunirent les
scribes et les anciens. [58] Quant à Pierre, il le suivait || Jn **18** 15-16, 18
de loin, jusqu'au palais du Grand Prêtre; il pénétra
à l'intérieur et s'assit avec les valets, pour voir le
dénouement.
[59] Or, les grands prêtres et le Sanhédrin tout
entier cherchaient un faux témoignage contre Jésus,
en vue de le faire mourir; [60] et ils n'en trouvèrent
pas, bien que des faux témoins se fussent présentés
en grand nombre. Finalement il s'en présenta deux,
[61] qui déclarèrent : « Cet homme a dit : Je puis
détruire le Sanctuaire de Dieu et le rebâtir en trois Jn **2** 19
jours [f]. » [62] Se levant alors, le Grand Prêtre lui dit : Ac **6** 14
« Tu ne réponds rien? Qu'est-ce que ces gens attes-
tent contre toi [g]? » [63] Mais Jésus se taisait. Le Is **53** 7
Grand Prêtre lui dit : « Je t'adjure par le Dieu
Vivant de nous dire si tu es le Christ, le Fils de **4** 3+
Dieu. » [64] « Tu l'as dit, lui dit Jésus. D'ailleurs je
vous le déclare : dorénavant, vous verrez *le Fils de* **8** 20+
*l'homme siégeant à droite de la Puissance et venant* Ac **2** 33+ Ps **110** 1
*sur les nuées du ciel* [h]. » [65] Alors le Grand Prêtre Dn **7** 13
déchira ses vêtements en disant : « Il a blasphémé [i]! Mt **24** 30
qu'avons-nous encore besoin de témoins? Là, vous Jr **26** 11
venez d'entendre le blasphème! [66] Qu'en pensez-
vous? » Ils répondirent : « Il est passible de mort. »
[67] Alors ils lui crachèrent au visage et le giflè- || Lc **22** 63-65
rent; d'autres lui donnèrent des coups [68] en disant : Is **52** 14; **50** 6

*a)* Jésus ressent dans toute sa force l'effroi que la mort inspire à l'homme; il éprouve et exprime le désir naturel d'y échapper, tout en le réprimant par l'acceptation de la volonté du Père. Cf. **4** 1+.
*b)* Blâme revêtu d'une douce ironie : L'heure est passée, où vous auriez dû veiller avec moi. Le moment de l'épreuve est arrivé et Jésus y entrera seul : les disciples peuvent dormir, s'ils le veulent...
*c)* Litt. « Ami, ce pour quoi tu es ici ». Plutôt qu'une question (« Pourquoi es-tu ici? ») ou un reproche (« Que fais-tu là! »), on peut reconnaître ici une expression stéréotypée, qui veut dire : « (fais) ce pour quoi tu es ici », « sois à ton affaire ». Jésus coupe court à des compliments hypocrites : c'est l'heure de passer aux actes, Cf. Jn **13** 27.
*d)* Var. (Vulg.) : « j'étais assis parmi vous dans le Temple », cf. Mc **14** 49.
*e)* On peut, à l'aide de Lc et de Jn, distinguer une première comparution devant Anne, durant la nuit, et une séance solennelle du Sanhédrin, au matin, Mt **27** 1. Mt et Mc ont raconté la scène de la nuit avec les traits de celle du matin, qui fut la seule session formelle et décisive.
*f)* En fait Jésus a annoncé la destruction du Temple et du culte juif qu'il symbolise, **24**, et la substitution d'un Temple nouveau : d'abord son propre corps, ressuscité après trois jours, **16** 21; **17** 23; **20** 19; Jn **2** 19-22, et ultérieurement l'Église, **16** 18.
*g)* Vulg. ne voit ici qu'une seule question : « Tu ne réponds rien à ce que ces gens attestent contre toi? »
*h)* « La Puissance » est un équivalent de « Yahvé ». Jésus, renonçant en cet instant suprême à sa consigne du « secret messianique », cf. Mc **1** 34+, reconnaît catégoriquement qu'il est le Messie, ainsi qu'il l'avait déjà fait confesser à ses intimes, Mt **16** 16; mais il se dévoile davantage en se donnant, non comme le Messie humain traditionnel, mais comme le « Seigneur » du Ps **110**, cf. Mt **22** 41s, et le personnage mystérieux, d'origine céleste, entrevu par Daniel, cf. Mt **8** 20+. Les Juifs ne le verront plus désormais que dans sa gloire, d'abord par le triomphe de la Résurrection, ensuite par celui de l'Église. Cf. **23** 39 et **24** 30.
*i)* Le « blasphème » de Jésus consistait, non à se donner comme le Messie, mais à revendiquer la dignité du rang divin.

« Fais le prophète, Christ, dis-nous qui t'a
frappé [a]. »

|| Mc 14 66-72 || Lc 22 55-62 || Jn 18 17, 25-27 **Reniements de Pierre.**

69 Cependant Pierre était assis dehors, dans la
cour. Une servante s'approcha de lui en disant :
« Toi aussi, tu étais avec Jésus le Galiléen. »
8 10+ 70 Mais lui nia devant tout le monde en disant : « Je
ne sais pas ce que tu dis. » 71 Comme il s'était retiré
vers le porche, une autre le vit et dit à ceux qui
2 23+ étaient là : « Celui-là était avec Jésus le Nazôréen [b]. » 72 Et de nouveau il nia avec serment : « Je
ne connais pas cet homme. » 73 Peu après, ceux qui
se tenaient là s'approchèrent et dirent à Pierre :
« Sûrement, toi aussi, tu en es : et d'ailleurs ton langage [c] te trahit. » 74 Alors il se mit à jurer avec
force imprécations : « Je ne connais pas cet
homme. » Et aussitôt un coq chanta. 75 Et Pierre se
26 34 souvint de la parole que Jésus avait dite : « Avant
que le coq chante, tu m'auras renié trois fois. » Et,
sortant dehors, il pleura amèrement.

|| Mc 15 1 **Jésus conduit devant Pilate.**

|| Lc 22 66; 23 1 27 1 Le matin étant arrivé, tous les grands prêtres
Mt 26 57+ et les anciens du peuple tinrent un conseil
contre Jésus, en sorte de le faire mourir. 2 Et, après
Jn 18 28 l'avoir ligoté, ils l'emmenèrent et le livrèrent à
Lc 3 1+ Pilate [d] le gouverneur.

Ac 1 18-19 **Mort de Judas.**

3 Alors Judas, qui l'avait livré, voyant qu'il avait
été condamné, fut pris de remords et rapporta les
26 15 trente pièces d'argent aux grands prêtres et aux
anciens : 4 « J'ai péché, dit-il, en livrant un sang innocent [e]. » Mais ils dirent : « Que nous importe? A
toi de voir. » 5 Jetant alors les pièces dans le sanctuaire, il se retira et s'en alla se pendre. 6 Ayant
ramassé l'argent, les grands prêtres dirent : « Il
n'est pas permis de le verser au trésor, puisque c'est
le prix du sang. » 7 Après délibération, ils achetèrent avec cet argent le « champ du potier » comme
lieu de sépulture pour les étrangers. 8 Voilà pourquoi ce champ-là s'est appelé jusqu'à ce jour le
« Champ du Sang [f] ». 9 Alors s'accomplit l'oracle
de Jérémie [g] le prophète : *Et ils prirent les trente* Za 11 12-13
*pièces d'argent, le prix du Précieux qu'ont apprécié*
*des fils d'Israël,* 10 *et ils les donnèrent pour le*
*champ du potier, ainsi que me l'a ordonné le Sei-*
*gneur* [h].

**Jésus devant Pilate.** || Mc 15 2-15

11 Jésus fut amené en présence du gouverneur et || Lc 23 2-5, 13-25
le gouverneur l'interrogea en disant : « Tu es le Roi || Jn 18 28 - 19 19 4-16
des Juifs? » Jésus répliqua : « Tu le dis [i]. » 12 Puis,
tandis qu'il était accusé par les grands prêtres et les
anciens, il ne répondit rien. 13 Alors Pilate lui dit :
« N'entends-tu pas tout ce qu'ils attestent contre
toi? » 14 Et il ne lui répondit sur aucun point, si bien Is 53 7
que le gouverneur était fort étonné. Mt 26 63
15 A chaque Fête, le gouverneur avait coutume Jn 18 39
de relâcher à la foule un prisonnier, celui qu'elle
voulait. 16 On avait [j] alors un prisonnier fameux,
nommé Barabbas [k]. 17 Pilate dit donc aux gens qui
se trouvaient rassemblés : « Lequel voulez-vous que
je vous relâche, Barabbas, ou Jésus que l'on appelle
Christ? » 18 Il savait bien que c'était par jalousie
qu'on l'avait livré.
19 Or, tandis qu'il siégeait au tribunal, sa femme
lui fit dire : « Ne te mêle point de l'affaire de ce
juste; car aujourd'hui j'ai été très affectée dans un
songe à cause de lui. »
20 Cependant, les grands prêtres et les anciens
persuadèrent aux foules de réclamer Barabbas et de
perdre Jésus. 21 Prenant la parole, le gouverneur
leur dit : « Lequel des deux voulez-vous que je vous
relâche? » Ils dirent : « Barabbas. » 22 Pilate leur
dit : « Que ferai-je donc de Jésus que l'on appelle
Christ? » Ils disent tous : « Qu'il soit crucifié! » 23 Il
reprit : « Quel mal a-t-il donc fait? » Mais ils
criaient plus fort : « Qu'il soit crucifié! » 24 Voyant

*a)* La rédaction de Mt est maladroite car, n'étant pas voilé comme en Lc 22 63, Jésus peut désigner sans difficulté qui l'a frappé. L'important est qu'il est moqué comme « prophète », à cause de sa parole sur le Temple, et peut-être plus précisément comme « Messie-Prophète » (cette interpellation de Jésus par le vocatif « Christ » est unique dans les évangiles), c'est-à-dire comme prétendu Grand Prêtre eschatologique qui veut établir un nouveau Temple.

*b)* Var. (Vulg.) : « Nazarénien ».

*c)* Le dialecte galiléen.

*d)* Var. : « Ponce Pilate ». – Cf. Lc 3 1+. Rome s'étant réservé, en Judée comme dans toutes les provinces de l'Empire, le droit de mettre à mort, les Juifs devaient recourir à ce gouverneur pour obtenir confirmation et exécution de leur propre sentence.

*e)* Var. : « sang juste », cf. 23 35.

*f)* En araméen *Haqeldama* (cf. Ac 1 19 et ici Vulg.). Une tradition très ancienne et probablement authentique place ce lieu dans la vallée de Hinnom.

*g)* Om. : « Jérémie ». Il s'agit en fait d'une citation libre de Za 11 12-13, combinée avec l'idée de l'achat d'un champ suggérée par Jr 32 6-15. Ceci, joint au fait que Jérémie parle des potiers, 18 2s, qui se trouvaient dans la région de Haqeldama, 19 1s, explique que tout le texte ait pu lui être attribué par approximation.

*h)* Yahvé se plaignait de n'avoir reçu des Israélites, en la personne de son prophète Zacharie, qu'un salaire dérisoire; la vente de Jésus pour le même prix de misère paraît à Mt réaliser cet oracle prophétique.

*i)* Par ces mots Jésus reconnaît comme exact, du moins en un certain sens, ce qu'il n'aurait cependant pas dit lui-même. Voir déjà 26 25, 64; et cf. Jn 18 33-37+.

*j)* Vulg. : « Il avait ».

*k)* Ici et au v. 17, var. : « Jésus Barabbas », ce qui donne à la question de Pilate un tour frappant, mais cette précision semble venir d'une tradition apocryphe.

alors qu'il n'aboutissait à rien, mais qu'il s'ensui-
vait plutôt du tumulte, Pilate prit de l'eau et se lava
les mains [a] en présence de la foule, en disant : « Je
ne suis pas responsable de ce sang [b]; à vous de
voir! » 25 Et tout le peuple répondit : « Que son
Jr **26** 15 sang soit sur nous et sur nos enfants [c]! » 26 Alors
Ac **5** 28 il leur relâcha Barabbas; quant à Jésus, après
l'avoir fait flageller [d], il le livra pour être crucifié.

|| Mc **15** 16-20 **Le couronnement d'épines.**

|| Jn **19** 2-3 27 Alors les soldats du gouverneur prirent avec
eux Jésus dans le Prétoire [e] et ameutèrent sur lui
toute la cohorte. 28 L'ayant dévêtu, ils lui mirent
une chlamyde écarlate [f], 29 puis, ayant tressé une
couronne avec des épines, ils la placèrent sur sa
tête, avec un roseau dans sa main droite. Et, s'agenouillant devant lui, ils se moquèrent de lui en
**27** 11 disant : « Salut, roi des Juifs [g]! » 30 et, crachant sur
lui, ils prenaient le roseau et en frappaient sa tête.
31 Puis, quand ils se furent moqués de lui, ils lui
ôtèrent la chlamyde, lui remirent ses vêtements et
l'emmenèrent pour le crucifier.

Mc **15** 21-27 **Le crucifiement.**

**23** 26-34, 38
|| Jn **19** 17-24 32 En sortant, ils trouvèrent un homme de
Cyrène, nommé Simon, et le requirent pour porter
sa croix. 33 Arrivés à un lieu dit Golgotha [h], c'est-
Ps **69** 22 à-dire lieu dit du Crâne, 34 ils lui donnèrent à boire
Pr **31** 6-7 du vin mêlé de fiel [i]; il en goûta et n'en voulut point
Ps **22** 19 boire. 35 Quand ils l'eurent crucifié, ils se partagèrent ses vêtements en tirant au sort [j]. 36 Puis, s'étant
assis, ils restaient là à le garder.
37 Ils placèrent aussi au-dessus de sa tête le motif
de sa condamnation ainsi libellé : « Celui-ci est
Jésus, le roi des Juifs. » 38 Alors sont crucifiés avec
lui deux brigands, l'un à droite et l'autre à gauche. Is **53** 12, 9 Lc **22** 37

**Jésus en croix raillé et outragé.** || Mc **15** 29-32 || Lc **23** 35-37

39 Les passants l'injuriaient en hochant la tête Jr **18** 16
40 et disant : « Toi qui détruis le Sanctuaire et en Si **12** 18+; **13** 7
trois jours le rebâtis, sauve-toi toi-même, si tu es **26** 61
fils de Dieu, et descends de la croix! » 41 Pareillement les grands prêtres se gaussaient et disaient
avec les scribes et les anciens : 42 « Il en a sauvé
d'autres et il ne peut se sauver lui-même! Il est roi
d'Israël : qu'il descende maintenant de la croix et
nous croirons en lui! 43 Il a compté sur Dieu; que Ps **22** 9
Dieu le délivre maintenant, s'il s'intéresse à lui! Il Sg **2** 18-20
a bien dit : Je suis fils de Dieu! » 44 Même les bri- **4** 3+
gands crucifiés avec lui l'outrageaient de la sorte. Lc **23** 39-43

**La mort de Jésus.** || Mc **15** 33-41 || Lc **23** 44-49

45 A partir de la sixième heure, l'obscurité se fit
sur toute la terre, jusqu'à la neuvième heure [k]. 46 Et
vers la neuvième heure Jésus clama en un grand
cri : « *Éli, Éli, lema sabachtani?* », c'est-à-dire : Ps **22** 2
« *Mon Dieu, mon Dieu, pourquoi m'as-tu aban-
donné* [l]? » 47 Certains de ceux qui se tenaient là
disaient en l'entendant : « Il appelle Élie, celui-
ci [m]! » 48 Et aussitôt l'un d'eux courut prendre une || Lc **23** 36 || Jn **19** 29
éponge qu'il imbiba de vinaigre [n] et, l'ayant mise Ps **69** 22
au bout d'un roseau, il lui donnait à boire. 49 Mais
les autres lui dirent : « Laisse! que nous voyions si
Élie va venir le sauver! » 50 Or Jésus, poussant de
nouveau un grand cri, rendit l'esprit.
51 Et voilà que le voile du Sanctuaire [o] se déchira
en deux, du haut en bas; la terre trembla, les
rochers se fendirent [p], 52 les tombeaux s'ouvrirent et

*a)* Geste expressif, et que les Juifs durent bien comprendre, cf. Dt **21** 6s; Ps **26** 6; **73** 13.
*b)* Var. : « du sang de ce juste ».
*c)* Expression biblique traditionnelle, 2 S **1** 16; **3** 29; Ac **5** 28; **18** 6, par laquelle le peuple accepte la responsabilité de la condamnation qu'il réclame.
*d)* Prélude normal à la crucifixion chez les Romains.
*e)* Le Prétoire, c'est-à-dire la résidence du Préteur, doit être l'ancien palais du roi Hérode le Grand, où s'installait régulièrement le procurateur quand il montait de Césarée à Jérusalem. Ce palais, sis à l'ouest de la ville, était distinct de la résidence familiale des Asmonéens, qui était proche du Temple et où Hérode Antipas reçut Jésus envoyé chez lui par Pilate, Lc **23** 7-12. Certains cherchent le Prétoire dans la forteresse Antonia, au nord du Temple. Mais cette localisation ne s'accorde ni avec les habitudes des procurateurs, telles que nous les font connaître les anciens textes, ni avec l'usage du mot « prétoire », qui ne peut se déplacer ainsi, ni avec les mouvements de Pilate et de la foule juive dans les récits évangéliques de la Passion, surtout celui de saint Jean.
*f)* Manteau de soldat romain *(sagum)*. Sa couleur rouge va évoquer par dérision la pourpre royale.
*g)* Les Juifs s'étaient moqués de Jésus comme « Prophète », **26** 68p+, les Romains se moquent de lui comme « Roi » : ces deux scènes reflètent bien les deux aspects, religieux et politique, du procès de Jésus.
*h)* Transcription du mot araméen *Goulgoltha*, « lieu du Crâne », en latin *Calvaria* (d'où « Calvaire »).
*i)* Breuvage enivrant que des femmes juives compatissantes, cf. Lc **23** 27s, avaient coutume d'offrir aux suppliciés pour atténuer leurs souffrances. En fait ce vin était plutot mêlé de « myrrhe », cf. Mc **15** 23, le « fiel » étant dû chez Mt à une réminiscence du Ps **69** 22 (de même que la corr. de « vin » en « vinaigre » de la recension antiochienne). Jésus refuse ce stupéfiant.
*j)* Add. : « pour que s'accomplît l'oracle du prophète : « Ils se sont partagé mes vêtements, et ma robe, ils l'ont tirée au sort » (Ps **22** 19), glose empruntée à Jn **19** 24.
*k)* De midi à trois heures après midi.
*l)* Cri de réelle détresse mais non de désespoir : cette plainte empruntée à l'Écriture est une prière à Dieu et elle est suivie dans le Ps par l'assurance joyeuse du triomphe final.
*m)* Méchant jeu de mots, fondé sur l'attente d'Élie comme précurseur du Messie, cf. **17** 10-13+, ou sur la croyance juive qu'il venait au secours des justes dans le besoin.
*n)* Boisson acidulée dont usaient les soldats romains. Le geste fut sans doute compatissant, cf. Jn **19** 28s; les Synoptiques l'ont tenu pour malveillant, Lc **23** 36, et l'ont décrit en des termes qui évoquent Ps **69** 22.
*o)* Soit la tenture qui fermait le Saint, soit plutôt celle qui séparait le Saint et le Saint des Saints, cf. Ex **26** 31s. A la suite de He **9** 12; **10** 20, la tradition chrétienne a vu dans cette déchirure du voile la suppression de l'ancien culte mosaïque et l'accès ouvert par le Christ au sanctuaire eschatologique.
*p)* Ces manifestations extraordinaires, comme déjà les ténèbres du v. 45, étaient annoncées par les prophètes comme des signes caractéristiques du « Jour de Yahvé », cf. Am **8** 9+.

1 P 3 19+ de nombreux corps de saints trépassés ressuscitè-
rent : 53 ils sortirent des tombeaux après sa résurrection, entrèrent dans la Ville sainte et se firent
voir à bien des gens[a]. 54 Quant au centurion et aux
hommes qui avec lui gardaient Jésus, à la vue du
séisme et de ce qui se passait, ils furent saisis d'une
Mc 15 39+ grande frayeur et dirent : « Vraiment celui-ci était
Mt 4 3+ fils de Dieu! »
55 Il y avait là de nombreuses femmes qui regardaient à distance, celles-là même qui avaient suivi
Jésus depuis la Galilée et le servaient, 56 entre
13 55 autres Marie de Magdala, Marie, mère de Jacques
et de Joseph, et la mère des fils de Zébédée.

|| Mc 15 42-47 || Lc 23 50-55 || Jn 19 38-42 **L'ensevelissement.**

57 Le soir venu, il vint un homme riche d'Arimathie, du nom de Joseph, qui s'était fait, lui aussi,
disciple de Jésus. 58 Il alla trouver Pilate et réclama
le corps de Jésus. Alors Pilate ordonna qu'on le lui
remît. 59 Joseph prit donc le corps, le roula dans un
Is 53 9+ linceul propre 60 et le mit dans le tombeau neuf[b]
qu'il s'était fait tailler dans le roc; puis il roula une
grande pierre à l'entrée du tombeau et s'en alla.
61 Or il y avait là Marie de Magdala et l'autre
Marie, assises en face du sépulcre.

**La garde du tombeau.**

62 Le lendemain, c'est-à-dire après la Préparation[c], les grands prêtres et les Pharisiens se rendirent en corps chez Pilate 63 et lui dirent : « Seigneur, nous nous sommes souvenus que cet
16 21 imposteur a dit, de son vivant : " Après trois jours
Ac 10 40+ je ressusciterai! " 64 Commande donc que le sépulcre soit tenu en sûreté jusqu'au troisième jour, pour
éviter que ses disciples ne viennent le dérober et ne
disent au peuple : " Il est ressuscité des morts! "
Cette dernière imposture serait pire que la première. » 65 Pilate leur répondit : « Vous avez une
garde[d]; allez et prenez vos sûretés comme vous
l'entendez. » 66 Ils allèrent donc et s'assurèrent du
sépulcre, en scellant la pierre et en postant une
garde.

**Le tombeau vide. Message de l'Ange.** || Mc 16 1-8 || Lc 24 1-10

28 1 Après le jour du sabbat[e], comme le premier
jour de la semaine commençait à poindre, Jn 20 1
Marie de Magdala et l'autre Marie[f] vinrent visiter[g]
le sépulcre. 2 Et voilà qu'il se fit un grand tremblement de terre : l'Ange du Seigneur descendit du ciel 27 51+
et vint rouler la pierre, sur laquelle il s'assit. 3 Il 1 20+
avait l'aspect de l'éclair, et sa robe était blanche 17 2
comme neige. 4 A sa vue, les gardes tressaillirent
d'effroi et devinrent comme morts. 5 Mais l'ange
prit la parole et dit aux femmes : « Ne craignez
point, vous : je sais bien que vous cherchez Jésus,
le Crucifié. 6 Il n'est pas ici, car il est ressuscité
comme il l'avait dit. Venez voir le lieu où il[h] gisait,
7 et vite allez dire à ses disciples : " Il est ressuscité
d'entre les morts, et voilà qu'il vous précède en 26 32
Galilée; c'est là que vous le verrez. " Voilà, je vous
l'ai dit. » 8 Quittant vite le tombeau[i], tout émues et
pleines de joie, elles coururent porter la nouvelle à
ses disciples.

**L'apparition aux saintes femmes.** Jn 20 14s

9 Et voici que Jésus vint à leur rencontre : « Je
vous salue », dit-il. Et elles de s'approcher et
d'étreindre ses pieds en se prosternant devant lui.
10 Alors Jésus leur dit : « Ne craignez point; allez
annoncer à mes frères qu'ils doivent partir pour la
Galilée, et là ils me verront[j]. »

**Supercherie des chefs juifs.**

11 Tandis qu'elles s'en allaient, voici que quelques hommes de la garde vinrent en ville rapporter
aux grands prêtres tout ce qui s'était passé.
12 Ceux-ci tinrent une réunion avec les anciens et,
après avoir délibéré, ils donnèrent aux soldats une
forte somme d'argent, 13 avec cette consigne :
« Vous direz ceci : " Ses disciples sont venus de
nuit et l'ont dérobé tandis que nous dormions. "

*a)* Cette résurrection de justes de l'AT est un signe de l'ère eschatologique (Is **26** 19; Ez **37**; Dn **12** 2). Libérés de l'Hadès par la mort du Christ, cf. Mt **16** 18+, ils attendent sa résurrection pour entrer avec lui dans la Ville sainte, c'est-à-dire la Jérusalem céleste (Ap **21** 2, 10; **22** 19), ainsi que l'ont déjà compris d'anciens Pères. On a ici une des premières expressions de la foi à la délivrance des morts par la descente du Christ aux enfers, cf. 1 P **3** 19+.

*b)* Linceul « propre » et tombeau « neuf » soulignent la piété de l'ensevelissement; le deuxième trait explique aussi qu'il ait été possible, car le cadavre d'un supplicié ne pouvait être déposé dans un tombeau déjà occupé, où il aurait souillé des ossements de justes.

*c)* En grec « Parascève ». Ce terme s'appliquait au vendredi, jour où se faisaient les préparatifs du sabbat. Cf. Jn **19** 14+. Sur le problème de la chronologie, voir Mt **26** 17+.

*d)* Ou bien : « Utilisez vos gardes », cf. Lc **22** 4+; ou bien : « Je mets une garde à votre disposition », cf. Jn **18** 3.

*e)* Et non « Au soir du Sabbat » (Vulg.). – Le sabbat étant le jour du repos, le « premier jour de la semaine » juive correspond à notre « dimanche », Ap **1** 10, c'est-à-dire « jour du Seigneur », ainsi nommé en mémoire de la Résurrection. Cf. Ac **20** 7+; 1 Co **16** 2.

*f)* C'est-à-dire « Marie de Jacques », Mc **16** 1; Lc **24** 10; cf. Mt **27** 56 et 61.

*g)* Le tombeau étant scellé et gardé, les femmes ne songent pas à oindre le corps de Jésus, comme chez Mc et Lc, mais veulent seulement « visiter » le tombeau.

*h)* « il »; var. : « le Seigneur ».

*i)* Var. : « Sortant vite du tombeau », cf. Mc **16** 8.

*j)* S'ils sont d'accord pour rapporter l'apparition initiale de l'Ange (ou des Anges) aux femmes, Mt **28** 5-7; Mc **16** 5-7; Lc **24** 4-7; Jn **20** 13, les quatre évangiles divergent en ce qui concerne les apparitions de Jésus lui-même. Mc mis à part, dont la conclusion abrupte pose un problème spécial, cf. Mc **16** 8+, et dont la finale longue récapitule les données des autres

14 Que si l'affaire vient aux oreilles du gouverneur, nous nous chargeons de l'amadouer et de vous épargner tout ennui. » 15 Les soldats, ayant pris l'argent, exécutèrent la consigne, et cette histoire s'est colportée parmi les Juifs jusqu'à ce jour.

**Apparition en Galilée et mission universelle.**

16 Quant aux onze disciples, ils se rendirent en
Galilée, à la montagne où Jésus leur avait donné
rendez-vous. 17 Et quand ils le virent, ils se prosternèrent; d'aucuns cependant doutèrent [a]. 18 S'avan- **8** 10+
çant, Jésus leur dit ces paroles [b] : « Tout pouvoir Jn **3** 35+
m'a été donné au ciel et sur la terre. 19 Allez donc, Dn **7** 14
de toutes les nations faites des disciples, les bapti- Mc **16** 15-16
sant au nom du Père et du Fils et du Saint Esprit [c], Lc **24** 47 Ac **2** 38+;
20 et leur apprenant à observer tout ce que je vous **1** 8+
ai prescrit. Et voici que je suis avec vous pour tou- Jn **14** 18-21
jours jusqu'à la fin du monde. »

évangiles, on observe chez tous une distinction littérairement et doctrinalement marquée entre : 1° des apparitions privées servant à prouver la Résurrection : à Marie-Magdeleine, seule, Jn **20** 14-17; cf. Mc **16** 9, ou accompagnée, Mt **28** 9-10; aux disciples d'Emmaüs, Lc **24** 13-32; cf. Mc **16** 12, à Simon, Lc **24** 34, à Thomas, Jn **20** 26-29;2° une apparition collective avec mission apostolique, Mt **28** 16-20; Lc **24** 36-49; Jn **20** 19-23; cf. Mc **16** 14-18. On remarque d'autre part deux traditions dans la localisation : en Galilée seulement, Mc **16** 7; Mt **28** 10, 16-20; en Judée seulement, Lc et Jn **20**; Jn **21** ajoute, par mode d'appendice, une apparition en Galilée qui, tout en portant un caractère privé (surtout à Pierre et Jean), s'accompagne d'une mission (à Pierre). Le kérygme ancien que Paul récite en 1 Co **15** 3-7 énumère cinq apparitions (auxquelles s'ajoute l'apparition à Paul lui-même), qui ne se laissent pas facilement harmoniser avec les récits évangéliques; il mentionne en particulier une apparition à Jacques qui est également racontée par l'*évangile aux Hébreux*. On sent là des traditions différentes, dues à des groupes divers qu'il est difficile de préciser. Mais leurs divergences mêmes attestent mieux qu'une uniformité artificiellement construite le caractère ancien et historique de ces multiples manifestations du Christ ressuscité.

*a)* Autre traduction, moins autorisée par la grammaire : « eux qui avaient douté ». – Sur ces doutes que Mt doit mentionner ici, faute d'avoir raconté une autre apparition aux disciples, cf. Mc **16** 11, 14; Lc **24** 11, 41; Jn **20** 24-29.

*b)* En ces dernières instructions de Jésus, avec la promesse qui les suit, se trouve condensée la mission de l'Église apostolique. Le Christ glorifié exerce aussi bien sur la terre qu'au ciel, **6** 10; cf. Jn **17** 2; Ph **2** 10; Ap **12** 10, le pouvoir sans limites, Mt **7** 29; **9** 6; **21** 23; etc., qu'il a reçu de son Père, cf. Jn **3** 35+. Ses disciples exerceront « donc » ce pouvoir en son nom par le baptême et la formation des chrétiens. Leur mission est universelle : après avoir été annoncé d'abord au peuple d'Israël, **10** 5s+; **15** 24, comme le comportait le plan divin, le salut doit être désormais offert à toutes les nations, **8** 11; **21** 41; **22** 8-10; **24** 14, 30s; **25** 32; **26** 13; cf. Ac **1** 8+; **13** 5+; Rm **1** 16+. Dans cette œuvre de conversion universelle, si longue et laborieuse qu'elle puisse être, le Ressuscité sera vivant et agissant avec les siens.

*c)* Il est possible que cette formule se ressente, dans sa précision, de l'usage liturgique établi plus tard dans la communauté primitive. On sait que les Actes parlent de baptiser « au nom de Jésus », cf. Ac **1** 5+, **2** 38+. Plus tard on aura explicité le rattachement du baptisé aux trois personnes de la Trinité. Quoi qu'il en soit de ces variations possibles, la réalité profonde reste la même. Le baptême rattache à la personne de Jésus Sauveur; or toute son œuvre de salut procède de l'amour du Père et s'achève dans l'effusion de l'Esprit.

# L'ÉVANGILE SELON SAINT MARC

## *I. La préparation du ministère de Jésus*

|| Mt 3 1-12 **Prédication de Jean-Baptiste.**
|| Lc 3 3-18

**1** 1 Commencement de l'Évangile[a] de Jésus
Christ, Fils de Dieu[b]. 2 Selon qu'il est écrit
dans Isaïe le prophète :

Ml 3 1 *Voici que j'envoie mon messager en avant de toi*
*pour préparer ta route.*
Is 40 3 3 *Voix de celui qui crie dans le désert :*
Jn 1 23 *Préparez le chemin du Seigneur,*
*rendez droits ses sentiers,*

4 Jean le Baptiste fut dans le désert, proclamant un
Mt 3 6+ baptême de repentir pour la rémission des péchés.
5 Et s'en allaient vers lui tout le pays de Judée et
tous les habitants de Jérusalem, et ils se faisaient
baptiser par lui dans les eaux du Jourdain, en
confessant leurs péchés.
6 Jean était vêtu d'une peau de chameau[c] et
mangeait des sauterelles et du miel sauvage. 7 Et il
Jn 1 27 proclamait : « Vient derrière moi celui qui est plus
fort que moi, dont je ne suis pas digne, en me courbant, de délier la courroie de ses sandales. 8 Moi, Jn 1 26, 33
je vous ai baptisés avec de l'eau, mais lui vous bap- Ac 1 5; 11 16
tisera avec l'Esprit Saint. »

**Baptême de Jésus.** || Mt 3 13-17 || Lc 3 21-22

9 Et il advint qu'en ces jours-là Jésus vint de
Nazareth de Galilée, et il fut baptisé dans le Jourdain par Jean. 10 Et aussitôt, remontant de l'eau, il
vit les cieux se déchirer et l'Esprit comme une Is 63 11, 19
colombe descendre vers lui, 11 et une voix vint des Jn 1 32-34
cieux : « Tu es mon Fils bien-aimé, tu as toute ma Is 42 1
faveur. » Mc 9 7

**Tentation au désert**[d]. || Mt 4 1-11 || Lc 4 1-13

12 Et aussitôt, l'Esprit le pousse au désert. 13 Et
il était dans le désert durant quarante jours, tenté
par Satan. Et il était avec les bêtes sauvages, et les Jb 1 6+
anges le servaient.

## *II. Le ministère de Jésus en Galilée*

|| Mt 4 12-17 **Jésus inaugure sa prédication.**
|| Lc 4 14-15

14 Après que Jean eut été livré, Jésus vint en
Rm 1 1 Galilée, proclamant l'Évangile de Dieu et disant :
15 « Le temps est accompli[e] et le Royaume de Dieu Dn 7 22
est tout proche : repentez-vous et croyez à l'Évan- Mt 3 2+;
gile. » 8 10+

*a)* La « Bonne Nouvelle », que signifie le mot grec « Évangile », est la venue du Règne de Dieu, cf. Mt **4** 17+. Déjà préparée dans l'Ancien Testament, Is **40** 9; **52** 7; **61** 1, elle est annoncée par Jésus qui « proclame » l'Évangile, Mt **4** 23; **9** 35; Mc **1** 14p, « évangélise » le Règne, Lc **4** 43; **8** 1; cf. **16** 15, et demande d'y croire, Mc **1** 15; cf. Mt **8** 10+; Rm **1** 16+. Ce Règne est arrivé en sa personne, Mt **11** 5p; Lc **4** 18 et 21. Après lui, ses disciples porteront l'Évangile au monde entier, Mt **24** 14p; **26** 13p; Mc **16** 15; Ac **5** 42+; Ga **2** 7. D'abord prêchée, puis peu à peu écrite, cette Bonne Nouvelle s'est fixée dans nos quatre évangiles canoniques; cf. Introd. – Le substantif, qui n'apparaît jamais chez Lc, revêt toujours chez Mc (et en Mt **26** 13) la valeur d'un terme technique, employé absolument, qui se traduit mieux par « Évangile ». Ailleurs en Mt, et toujours en Lc qui n'emploie que le verbe dérivé, cf. Lc **1** 19+, la traduction (annoncer la) « Bonne Nouvelle » paraît préférable.

*b)* Om. : « Fils de Dieu ».

*c)* Var. : « Jean était vêtu de poils de chameau et se ceignait les reins d'un pagne de peau », cf. Mt **3** 4.

*d)* Mc omet ou ignore le détail des trois tentations, que Mt et Lc doivent à quelque autre source. La mention des bêtes sauvages évoque l'idéal messianique, annoncé par les prophètes, d'un retour à la paix paradisiaque, cf. Is **11** 6-9+, associé au thème de la retraite au désert, cf. Os **2** 16+. Le service des anges exprime la protection divine, cf. Ps **91** 11-13, texte utilisé ici-même par Mt **4** 6p.

*e)* Parler d'accomplissement suppose qu'une continuité relie les étapes du dessein de Dieu, 1 R **8** 24; Sg **8** 8; Ac **1** 7+; etc., et

|| Mt **4** 18-22 || Lc **5** 1-11 **Appel des quatre premiers disciples.**

16 Comme il passait sur le bord de la mer de
Galilée, il vit Simon et André, le frère de Simon,
qui jetaient l'épervier dans la mer; car c'étaient des
pêcheurs. 17 Et Jésus leur dit : « Venez à ma suite [a]
et je vous ferai devenir pêcheurs d'hommes. » 18 Et
aussitôt, laissant les filets, ils le suivirent.
19 Et avançant un peu, il vit Jacques, fils de Zébédée, et Jean son frère, eux aussi dans leur barque
en train d'arranger les filets; 20 et aussitôt il les
appela. Et laissant leur père Zébédée dans la barque avec ses employés, ils partirent à sa suite.

|| Lc **4** 31-37 **Jésus enseigne à Capharnaüm
et guérit un démoniaque.**

21 Ils pénètrent à Capharnaüm. Et aussitôt, le
jour du sabbat, étant entré dans la synagogue, il
Mt 7 28s enseignait. 22 Et ils étaient frappés de son enseignement, car il les enseignait comme ayant autorité, et
non pas comme les scribes.
23 Et aussitôt il y avait dans leur synagogue un
Mt **8** 29+ homme possédé d'un esprit impur [b], qui cria 24 en
Mt **2** 23+ disant : « Que nous veux-tu [c], Jésus le Nazarénien?
Es-tu venu [d] pour nous perdre? Je sais qui tu es :
Ac **3** 14+ le Saint de Dieu [e]. » 25 Et Jésus le menaça en
Mc **1** 34+ disant : « Tais-toi et sors de lui. » 26 Et le secouant
violemment, l'esprit impur cria d'une voix forte et
sortit de lui. 27 Et ils furent tous effrayés, de sorte
qu'ils se demandaient entre eux : « Qu'est cela? Un
enseignement nouveau, donné d'autorité! Même
Mt **8** 29+ aux esprits impurs [f], il commande et ils lui obéis-
Mc **4** 41 sent! » 28 Et sa renommée se répandit aussitôt partout, dans toute la région de Galilée.

**Guérison de la belle-mère de Simon.** || Mt **8** 14-15 || Lc **4** 38-39

29 Et aussitôt, sortant de la synagogue, il vint [g]
dans la maison de Simon et d'André, avec Jacques 13 3
et Jean. 30 Or la belle-mère de Simon était au lit
avec la fièvre, et aussitôt ils lui parlent à son sujet.
31 S'approchant, il la fit se lever en la prenant par 5 41
la main. Et la fièvre la quitta, et elle les servait.

**Guérisons multiples.** || Mt **8** 16 || Lc **4** 40-41

32 Le soir venu, quand fut couché le soleil, on lui
apportait tous les malades et les démoniaques, 33 et
la ville entière était rassemblée devant la porte.
34 Et il guérit beaucoup de malades atteints de
divers maux, et il chassa beaucoup de démons. Et
il ne laissait pas parler les démons, parce qu'ils 3 12
savaient qui il était [h].

**Jésus quitte secrètement Capharnaüm
et parcourt la Galilée.** || Lc **4** 42-44

35 Le matin, bien avant le jour, il se leva, sortit
et s'en alla dans un lieu désert, et là il priait. Mt **14** 23p;
36 Simon et ses compagnons le poursuivirent 37 et, **26** 36p
l'ayant trouvé, ils lui disent : « Tout le monde te Lc **3** 21+
cherche. » 38 Il leur dit : « Allons ailleurs, dans les
bourgs voisins, afin que j'y prêche aussi, car c'est
pour cela que je suis sorti [i]. » 39 Et il s'en alla à tra- Jn **18** 37
vers toute la Galilée, prêchant dans leurs synago-
gues et chassant les démons.

**Guérison d'un lépreux.** || Mt **8** 2-4 || Lc **5** 12-1

40 Un lépreux vient à lui, le supplie et, s'agenouillant, lui dit : « Si tu le veux, tu peux me purifier. »
41 Ému de compassion, il étendit la main, le toucha 5 30+

que les hommes en ont connaissance. Quand s'inaugure la dernière de ces étapes, Rm **3** 26+, He **1** 2+, etc., les temps sont « accomplis », Ga **4** 4+; cf. 1 Co **10** 11 : non seulement les Écritures, Mt **1** 22+, et la Loi, Mt **5** 17+, mais toute l'économie de l'Alliance ancienne menée par Dieu à sa plénitude, Mt **9**,17; **26** 28+; Rm **10** 4; 2 Co **3** 14-15; He **10** 1, 14; etc. A la fin de cette dernière période de l'histoire, 1 Co **10** 11; 1 Tm **4** 1; 1 P **1** 5, 20; 1 Jn **2** 18, qui est « la fin des temps », He **9** 26, surviendra une autre fin, celle « du temps », Mt **13** 40, 49; **24** 3; **28** 20, c'est-à-dire le Jour, 1 Co **1** 8+; cf. Am **5** 18+, de la venue du Christ, 1 Co **15** 23+, de sa Révélation, 1 Co **1** 7+, et du Jugement, Rm **2** 6+; cf. Ps **9** 5+.

*a)* Litt. « venez après moi ». Ceux que Jésus appelle à le suivre, **1** 20; **2** 14p; Mt **19** 21p, 27-28; Lc **9** 57-62; cf. déjà Dt **13** 3, 5; 1 R **14** 8; **19** 20; etc., doivent, pour partager son destin, tout quitter, **10** 21, 28p., être prêts à la souffrance et à la croix, Mt **10** 38p; **16** 24p; cf. Jn **12** 24-26. Des pensées voisines s'exprimeront, pour les disciples qui n'auront pas connu Jésus sur terre, en termes de communion, Ph **3** 10; 1 Jn **1** 3+, etc., ou d'imitation, 2 Th **3** 7+.

*b)* Le judaïsme, cf. Za **13** 2, appelait ainsi les démons, étrangers et même hostiles à la pureté religieuse et morale qu'exige le service de Dieu; voir encore **3** 11, 30; etc.; Mt **10** 1; **12** 43; Lc **4** 33, 36; etc.

*c)* Litt. « Qu'y a-t-il à nous et à toi? » cf. Jn **2** 4+.

*d)* Ou bien : « Tu es venu ».

*e)* Dieu étant le « Saint » par excellence, tout ce qui se rattache à lui est saint, Lv **11** 44s; **19** 2; etc.; Is **6** 3, et en tout premier lieu Jésus, qui lui appartient par sa filiation divine et son élection messianique, **1** 10s. Cf. Lc **1** 35; Jn **6** 69+; Ac **2** 27; **3** 14; **4** 27, 30; Ap **3** 7.

*f)* Autre ponctuation : « Voilà un enseignement nouveau; c'est avec autorité qu'il commande même aux esprits impurs. »

*g)* Var. : « ils vinrent ».

*h)* Aux démons, **1** 25, 34; **3** 12, comme aux miraculés, **1** 44; **5** 43; **7** 36; **8** 26, et même aux apôtres, **8** 30; **9** 9, Jésus impose sur son identité messianique une consigne de silence qui ne sera levée qu'après sa mort, Mt **10** 27+. Le vulgaire se faisant alors du Messie une idée nationaliste et guerrière fort différente de celle que voulait incarner Jésus, il lui fallait user de beaucoup de prudence, du moins en terre d'Israël, cf. **5** 19, pour éviter des méprises fâcheuses sur sa mission, cf. Jn **6** 15; Mt **13** 13+. Cette consigne du « secret messianique » n'est pas une thèse artificielle inventée après coup par Marc, ainsi que certains l'ont prétendu; elle répond à une attitude historique de Jésus, encore que Marc en ait fait un thème sur lequel il aime à insister. A part Mt **9** 30, Mt et Lc n'ont cette consigne qu'en parallèle à Mc; souvent même, ils l'omettent.

*i)* Sorti de Capharnaüm, v. 35, tel est le sens premier. Mais un autre sens plus profond pourrait viser la sortie de Jésus d'auprès de Dieu, Jn **8** 42; **13** 3; **16** 27s, 30. Cf. Lc **4** 43.

et lui dit : « Je le veux, sois purifié. » 42 Et aussitôt
la lèpre le quitta et il fut purifié. 43 Et le rudoyant,
il le chassa aussitôt, 44 et lui dit : « Garde-toi de
1 34+ rien dire à personne; mais va te montrer au prêtre
Lv **14** 1-32 et offre pour ta purification ce qu'a prescrit Moïse :
ce leur sera une attestation. » 45 Mais lui, une fois
parti, se mit à proclamer hautement et à divulguer
la nouvelle, de sorte que Jésus ne pouvait plus
entrer ouvertement dans une ville, mais il se tenait
dehors, dans des lieux déserts; et l'on venait à lui
de toutes parts.

|| Mt **9** 1-8
|| Lc **5** 17-26

### Guérison d'un paralytique.

**2** 1 Comme il était entré de nouveau à Capharnaüm, après quelque temps on apprit qu'il
3 20 était à la maison. 2 Et beaucoup se rassemblèrent,
en sorte qu'il n'y avait plus de place, même devant
la porte, et il leur annonçait la Parole. 3 On vient
lui apporter un paralytique, soulevé par quatre
hommes. 4 Et comme ils ne pouvaient pas le lui
présenter à cause de la foule, ils découvrirent la terrasse au-dessus de l'endroit où il se trouvait et,
ayant creusé un trou, ils font descendre le grabat
Mt **8** 10+ où gisait le paralytique. 5 Jésus, voyant leur foi, dit
au paralytique : « Mon enfant, tes péchés sont
remis [a]. » 6 Or, il y avait là, dans l'assistance, quelques scribes qui pensaient dans leurs cœurs :
7 « Comment celui-là parle-t-il ainsi? Il blasphème!
Qui peut remettre les péchés, sinon Dieu seul? »
8 Et aussitôt, percevant par son esprit qu'ils pensaient ainsi en eux-mêmes, Jésus leur dit :
« Pourquoi de telles pensées dans vos cœurs?
9 Quel est le plus facile, de dire au paralytique : Tes
péchés sont remis, ou de dire : Lève-toi, prends ton
grabat et marche? 10 Eh bien! pour que vous
sachiez que le Fils de l'homme a le pouvoir de
remettre les péchés sur la terre, 11 je te l'ordonne,
dit-il au paralytique, lève-toi, prends ton grabat et
va-t'en chez toi. » 12 Il se leva et aussitôt, prenant
son grabat, il sortit devant tout le monde, de sorte
que tous étaient stupéfaits et glorifiaient Dieu en
Mt **9** 33 disant : « Jamais nous n'avons rien vu de pareil. »

|| Mt **9** 9
**5** 27-28

### Appel de Lévi.

13 Il sortit de nouveau au bord de la mer [b], et
toute la foule venait à lui et il les enseignait. 14 En
passant, il vit Lévi, le fils d'Alphée, assis au bureau
de la douane, et il lui dit : « Suis-moi. » Et, se
levant, il le suivit.

### Repas avec les pécheurs.

|| Mt **9** 10-13
|| Lc **5** 29-32

15 Alors qu'il était à table dans sa maison, beaucoup de publicains et de pécheurs se trouvaient à
table avec Jésus et ses disciples : car il y en avait
beaucoup qui le suivaient. 16 Les scribes des Pharisiens, le voyant manger avec les pécheurs et les
publicains, disaient à ses disciples : « Quoi? Il
mange avec les publicains et les pécheurs? »
17 Jésus, qui avait entendu, leur dit : « Ce ne sont
pas les gens bien portants qui ont besoin de médecin, mais les malades. Je ne suis pas venu appeler
les justes, mais les pécheurs. »

### Discussion sur le jeûne.

|| Mt **9** 14-17
|| Lc **5** 33-39

18 Les disciples de Jean et les Pharisiens étaient
en train de jeûner, et on vient lui dire : « Pourquoi
les disciples de Jean et les disciples des Pharisiens
jeûnent-ils, et tes disciples ne jeûnent-ils pas? »
19 Jésus leur dit : « Les compagnons de l'époux peuvent-ils jeûner pendant que l'époux est avec eux?
Tant qu'ils ont l'époux avec eux, ils ne peuvent pas
jeûner. 20 Mais viendront des jours où l'époux leur
sera enlevé; et alors ils jeûneront en ce jour-là.
21 Personne ne coud une pièce de drap non foulé à
un vieux vêtement; autrement, la pièce neuve tire
sur le vieux vêtement et la déchirure s'aggrave.
22 Personne non plus ne met du vin nouveau dans
des outres vieilles; autrement, le vin fera éclater les
outres, et le vin est perdu aussi bien que les outres.
Mais du vin nouveau dans des outres neuves! »

### Les épis arrachés.

|| Mt **12** 1-8
|| Lc **6** 1-5

23 Et il advint qu'un jour de sabbat il passait à
travers les moissons et ses disciples se mirent à se
frayer un chemin en arrachant les épis [c]. 24 Et les
Pharisiens lui disaient : « Vois! Pourquoi font-ils le
jour du sabbat ce qui n'est pas permis? » 25 Il leur
dit : « N'avez-vous jamais lu ce que fit David, lorsqu'il fut dans le besoin et qu'il eut faim, lui et ses
compagnons, 26 comment il entra dans la demeure
de Dieu, au temps du grand prêtre Abiathar [d], et 1 S **21** 2-7

*a)* Le pouvoir divin de pardonner les péchés, Is **1** 18+, est ici revendiqué par Jésus qui l'exercera souvent durant son ministère. C'est le sens de son nom, Mt **1** 21. Il mettra lui-même ce pouvoir en relation avec sa mort, Mt **20** 28+, et avec le sang de l'alliance, Mt **26** 28p+. Les communautés chrétiennes à leur tour attribueront cette œuvre divine au Christ mort et ressuscité, par exemple Ac **2** 38; **3** 19; **10** 43; **13** 38; Rm **3** 21-26+; **5** 6-9; Ep **1** 7; **4** 32; Col **1** 14; **3** 13; 1 Jn **1** 7; **2** 12; He **9** 26; Ap **1** 5. D'autre part Jésus a confié ce pouvoir à ses disciples, engageant Dieu à ratifier leurs décisions, Mt **16** 19; **18** 18; Jn **20** 23.

*b)* La mer de Galilée ou lac de Tibériade.

*c)* Chez Mc le délit des disciples n'est pas, comme chez Mt Lc, de cueillir des épis pour apaiser leur faim, mais de les arracher pour se frayer un chemin. En présentant les choses ainsi, Mc aura voulu rendre le délit plus compréhensible pour des lecteurs peu avertis de la casuistique juive : autant il était peu évident que cueillir quelques épis fût « moissonner », autant il était clair qu'on ne devait pas saccager un champ pour le traverser! Cette nouvelle présentation s'accorde mal avec le reste du récit, que Mc a laissé tel quel.

*d)* Le grand prêtre de 1 S **21** 2-7 était en réalité Ahimélek. Ou bien son fils Abiathar (Ébyathar) est ici nommé parce que plus

Ex 25 23+ mangea les pains d'oblation qu'il n'est permis de
manger qu'aux prêtres, et en donna aussi à ses
compagnons? »
[27] Et il leur disait : « Le sabbat a été fait pour
l'homme, et non l'homme pour le sabbat [a]; [28] en
sorte que le Fils de l'homme est maître même du
sabbat. »

|| Mt 12 9-14 **Guérison d'un homme à la main sèche.**

|| Lc 6 6-11
3 [1] Il entra de nouveau dans une synagogue, et
il y avait là un homme qui avait la main desséchée. [2] Et ils l'épiaient pour voir s'il allait le guérir, le jour du sabbat, afin de l'accuser. [3] Il dit à
l'homme qui avait la main sèche : « Lève-toi, là, au
milieu. » [4] Et il leur dit : « Est-il permis, le jour du
sabbat, de faire du bien plutôt que de faire du mal,
de sauver une vie plutôt que de la tuer? » Mais eux
Lc 14 4 se taisaient. [5] Promenant alors sur eux un regard de
Ep 4 18 colère, navré de l'endurcissement de leur cœur, il
dit à l'homme : « Étends la main. » Il l'étendit et sa
main fut remise en état. [6] Étant sortis, les Pharisiens tenaient aussitôt conseil avec les Hérodiens [b]
contre lui, en vue de le perdre.

|| Mt 12 15-16 **Les foules à la suite de Jésus.**

[7] Jésus avec ses disciples se retira vers la mer et
|| Lc 6 17-19 une grande multitude le suivit de la Galilée; et de
|| Mt 4 25 la Judée [c], [8] de Jérusalem, de l'Idumée, de la Trans-
jordane, des environs de Tyr et de Sidon, une
grande multitude, ayant entendu tout ce qu'il faisait, vint à lui. [9] Et il dit à ses disciples qu'une
petite barque fût tenue à sa disposition, à cause de
la foule, pour qu'ils ne l'écrasent pas. [10] Car il en
guérit beaucoup, si bien que tous ceux qui avaient
5 30+ des infirmités se jetaient sur lui pour le toucher.
Mt 8 29+ [11] Et les esprits impurs, lorsqu'ils le voyaient, se
|| Lc 4 41 jetaient à ses pieds et criaient en disant : « Tu es
le Fils de Dieu! » [12] Et il leur enjoignait avec force
1 34+ de ne pas le faire connaître.

|| Mt 10 1-4 **Institution des Douze.**

|| Lc 6 12-16
[13] Puis il gravit la montagne et il appelle à lui
ceux qu'il voulait. Ils vinrent à lui, [14] et il en institua Douze [d] pour être ses compagnons et pour les
=6 7 envoyer prêcher, [15] avec pouvoir de chasser les
démons. [16] Il institua donc les Douze, et il donna
à Simon le nom de Pierre, [17] puis Jacques, le fils Mt 16 18+
de Zébédée, et Jean, le frère de Jacques, auxquels Jn 1 42
il donna le nom de Boanergès, c'est-à-dire fils du
tonnerre, [18] puis André, Philippe, Barthélemy, Mat- Lc 9 54
thieu, Thomas, Jacques, le fils d'Alphée, Thaddée,
Simon le Zélé, [19] et Judas Iscarioth, celui-là même
qui le livra [e].

**Démarche des parents de Jésus.**

[20] Il vient à la maison et de nouveau la foule se 2 2
rassemble, au point qu'ils ne pouvaient pas même 6 31
manger de pain. [21] Et les siens, l'ayant appris, par- Jn 7 5
tirent pour se saisir de lui, car ils disaient [f] : « Il a
perdu le sens. » Jn 10 20

**Calomnies des scribes.** || Mt 12 24-3

[22] Et les scribes qui étaient descendus de Jérusa- || Lc 11 15-2
lem disaient : « Il est possédé de Béelzéboul », et 12 10
encore : « C'est par le prince des démons qu'il
expulse les démons. » [23] Les ayant appelés près de
lui, il leur disait en paraboles : « Comment Satan
peut-il expulser Satan? [24] Si un royaume est divisé
contre lui-même, ce royaume-là ne peut subsister.
[25] Et si une maison est divisée contre elle-même,
cette maison-là ne pourra se maintenir. [26] Or, si
Satan s'est dressé contre lui-même et s'est divisé,
il ne peut pas tenir, il est fini. [27] Mais nul ne peut
pénétrer dans la maison d'un homme fort et piller
ses affaires s'il n'a d'abord ligoté cet homme fort,
et alors il pillera sa maison.
[28] « En vérité, je vous le dis, tout sera remis aux
enfants des hommes, les péchés et les blasphèmes
tant qu'ils en auront proféré; [29] mais quiconque
aura blasphémé contre l'Esprit Saint n'aura jamais
de rémission : il est coupable d'une faute éternelle. » [30] C'est qu'ils disaient : « Il est possédé d'un
esprit impur [g]. »

**La vraie parenté de Jésus.** || Mt 12 4

[31] Sa mère et ses frères arrivent et, se tenant || Lc 8 19
dehors, ils le firent appeler. [32] Il y avait une foule
assise autour de lui et on lui dit : « Voilà que ta
mère et tes frères et tes sœurs sont là dehors qui
te cherchent. » [33] Il leur répond : « Qui est ma
mère? et mes frères? » [34] Et, promenant son regard

célèbre comme grand prêtre du temps de David, 2 S 20 25, ou bien Mc suit une tradition divergente qui faisait d'Abiathar le père d'Ahimélek (2 S 8 17 hébr.).

*a)* Ce verset, qui manque dans Mt Lc, aura été ajouté par Mc à une époque où l'esprit nouveau du christianisme avait définitivement relativisé l'obligation du sabbat; cf. Lc 5 39+.

*b)* Il faut voir dans les Hérodiens, plutôt que des fonctionnaires proprement dits, des Juifs politiques zélés pour la maison d'Hérode Antipas, tétrarque de Galilée, cf. Lc 3 1+, et influents auprès de lui, cf. Mt 22 16+.

*c)* Ponctuation incertaine. On peut lier « et de la Judée... et de Sidon » à ce qui précède ou à ce qui suit.

*d)* Les nouveaux chefs du peuple élu doivent être au nombre de douze comme jadis les tribus d'Israël. Ce chiffre sera rétabli après la défection de Judas, Ac 1 26, pour être conservé éternellement dans le ciel, Mt 19 28p; Ap 21 12-14+.

*e)* Mc omet ici le discours que rapportent Mt 5-7 et Lc 6 20-49, sans doute comme moins nécessaire aux destinataires de son évangile, plus soucieux de l'œuvre et de la personne du Christ que du détail de son enseignement sur la Loi juive.

*f)* On traduit aussi : « car on (leur) disait ».

*g)* Attribuer au démon ce qui est l'œuvre de l'Esprit Saint, c'est se refuser à la lumière de la grâce divine et au pardon qui en découle. Une telle attitude met par sa nature même hors du salut. Mais la grâce peut changer cette attitude, et alors un retour au salut est possible. Cf. note sur 1 23.

sur ceux qui étaient assis en rond autour de lui, il
dit : « Voici ma mère et mes frères. 35 Quiconque
fait la volonté de Dieu, celui-là m'est un frère et
une sœur et une mère. »

|| Mt **13** 1-9 **Parabole du semeur.**
|| Lc **8** 4-8

**4** 1 Il se mit de nouveau à enseigner au bord de
2 13 la mer et une foule très nombreuse s'assemble
auprès de lui, si bien qu'il monte dans une barque
et s'y assied, en mer; et toute la foule était à terre,
près de la mer. 2 Il leur enseignait beaucoup de choses en paraboles et il leur disait dans son enseignement : 3 « Écoutez! Voici que le semeur est sorti
pour semer. 4 Et il advint, comme il semait, qu'une
partie du grain est tombée au bord du chemin, et
les oiseaux sont venus et ont tout mangé. 5 Une
autre est tombée sur le terrain rocheux où elle
n'avait pas beaucoup de terre, et aussitôt elle a
levé, parce qu'elle n'avait pas de profondeur de
terre; 6 et lorsque le soleil s'est levé, elle a été brûlée
et, faute de racine, s'est desséchée. 7 Une autre est
tombée dans les épines, et les épines ont monté et
l'ont étouffée, et elle n'a pas donné de fruit.
8 D'autres sont tombés dans la bonne terre, et ils
ont donné du fruit en montant et en se développant [a], et ils ont produit l'un trente, l'autre soixante,
l'autre cent. » 9 Et il disait : « Entende, qui a des
oreilles pour entendre! »

|| Mt **13** **Pourquoi Jésus parle en paraboles.**
10-15
Lc **8** 9-10 10 Quand il fut à l'écart, ceux de son entourage
avec les Douze l'interrogeaient sur les paraboles.
m **16** 25+ 11 Et il leur disait : « A vous le mystère du
Col **4** 3 Royaume de Dieu a été donné; mais à ceux-là qui
Col **4** 5 sont dehors tout arrive en paraboles, 12 afin [b] qu'*ils*
s **6** 9-10+ *aient beau regarder et ils ne voient pas, qu'ils aient*
*beau entendre et ils ne comprennent pas, de peur*
*qu'ils ne se convertissent et qu'il ne leur soit par-*
*donné* . »

**3** 18-23 **Explication de la parabole du semeur.**
**8** 11-15 13 Et il leur dit : « Vous ne saisissez pas cette
parabole? Et comment comprendrez-vous toutes
les paraboles [c]? 14 Le semeur, c'est la Parole qu'il
sème. 15 Ceux qui sont au bord du chemin où la
Parole est semée, sont ceux qui ne l'ont pas plus
tôt entendue que Satan arrive et enlève la Parole
semée en eux. 16 Et de même ceux qui sont semés
sur les endroits rocheux, sont ceux qui, quand ils
ont entendu la Parole, l'accueillent aussitôt avec
joie, 17 mais ils n'ont pas de racine en eux-mêmes
et sont les hommes d'un moment : survienne
ensuite une tribulation ou une persécution à cause
de la Parole, aussitôt ils succombent. 18 Et il y en
a d'autres qui sont semés dans les épines : ce sont Jr **4** 3-4
ceux qui ont entendu la Parole, 19 mais les soucis
du monde, la séduction de la richesse et les autres
convoitises les pénètrent et étouffent la Parole, qui
demeure sans fruit. 20 Et il y a ceux qui ont été
semés dans la bonne terre : ceux-là écoutent la
Parole, l'accueillent et portent du fruit, l'un trente,
l'autre soixante, l'autre cent. »

**Comment recevoir et transmettre**
**l'enseignement de Jésus** [d].

21 Et il leur disait : « Est-ce que la lampe vient || Lc **8** 16
pour qu'on la mette sous le boisseau ou sous le lit? = **11** 33
N'est-ce pas pour qu'on la mette sur le lampadaire? || Mt **5** 15
22 Car il n'y a rien de caché qui ne doive être mani- || Lc **8** 17
festé et rien n'est demeuré secret que pour venir au = **12** 2
grand jour. 23 Si quelqu'un a des oreilles pour || Mt **10** 26
entendre, qu'il entende! »
24 Et il leur disait : « Prenez garde à ce que vous || Lc **8** 18a
entendez! De la mesure dont vous mesurez, on || Lc **6** 38
mesurera pour vous, et on vous donnera encore || Mt **7** 2
plus. 25 Car celui qui a, on lui donnera, et celui qui || Lc **8** 18b
n'a pas, même ce qu'il a lui sera enlevé. » = **19** 26
|| Mt **25** 29

**Parabole du grain qui pousse tout seul.**

26 Et il disait : « Il en est du Royaume de Dieu
comme d'un homme qui aurait jeté du grain en Jc **5** 7
terre : 27 qu'il dorme et qu'il se lève, nuit et jour,
la semence germe et pousse, il ne sait comment.
28 D'elle-même, la terre produit d'abord l'herbe,
puis l'épi, puis plein de blé dans l'épi. 29 Et quand
le fruit s'y prête, aussitôt il y met la faucille, parce Jl **4** 13
que la moisson est à point [e]. » Ap **14** 15-16

**Parabole du grain de sénevé.** || Mt **13** 31-32
30 Et il disait : « Comment allons-nous comparer || Lc **13** 18-19
le Royaume de Dieu? ou par quelle parabole
allons-nous le figurer? 31 C'est comme un grain de

*a)* Var. (Vulg.) : « ils ont donné du fruit qui a monté et s'est développé ».
*b)* Cette conjonction (évitée par Mt) exprime une « finalité scripturaire » : « afin que s'accomplisse l'Écriture qui dit... ».
*c)* Ce thème des apôtres ne comprenant pas les paroles ou les actes de Jésus a été particulièrement souligné par Mc **6** 52; **7** 18; **8** 17-18, 21, 33; **9** 10, 32; **10** 38. A part quelques parallèles (Mt **15** 16; **16** 9, 23; **20** 22; Lc **9** 45) et Lc **18** 34; **24** 25, 45, Mt et Lc l'ont le plus souvent omis, ou même corrigé : comparer Mt **14** 33 à Mc **6** 51-52, et voir Mt **13** 51. Cf. Jn **14** 26+.
*d)* Mc, suivi par Lc, a groupé ici, vv. 21-25, quatre petites paraboles du genre *mashal*, qui sont susceptibles de diverses interprétations suivant les contextes où on les utilise. Voir les applications qu'en ont faites ailleurs les doublets de Lc et leurs parallèles en Mt. Dans le présent contexte, elles peuvent toutes être entendues de l'enseignement de Jésus, lumière qu'il faut faire briller, et dont les bénéficiaires sont en quelque sorte responsables.
*e)* Le Royaume de Dieu porte en lui-même un principe de développement, une force secrète qui l'amènera à son complet achèvement.

sénevé qui, lorsqu'on le sème sur la terre, est la plus
petite de toutes les graines qui sont sur la terre;
32 mais une fois semé, il monte et devient la plus
grande de toutes les plantes potagères, et il pousse
Dn 4 9, 18 de grandes branches, au point que les oiseaux du
ciel peuvent s'abriter sous son ombre. »

|| Mt 13 34-35

### Conclusion sur les paraboles.

33 C'est par un grand nombre de paraboles de ce
genre qu'il leur annonçait la Parole selon qu'ils
pouvaient l'entendre; 34 et il ne leur parlait pas sans
parabole, mais, en particulier, il expliquait tout à
ses disciples.

|| Mt 8 18, 23-27

### La tempête apaisée.

|| Lc 8 22-25 35 Ce jour-là, le soir venu, il leur dit : « Passons
sur l'autre rive. » 36 Et laissant la foule, ils l'emmènent, comme il était, dans la barque; et il y avait
d'autres barques avec lui. 37 Survient alors une
forte bourrasque, et les vagues se jetaient dans la
barque, de sorte que déjà elle se remplissait. 38 Et
lui était à la poupe, dormant sur le coussin. Ils le
réveillent et lui disent : « Maître, tu ne te soucies
pas de ce que nous périssons? » 39 S'étant réveillé,
il menaça le vent et dit à la mer : « Silence! Tais-
toi! » Et le vent tomba et il se fit un grand calme.
40 Puis il leur dit : « Pourquoi avez-vous peur ainsi?
Mt 8 10+ N'avez-vous pas encore de foi [a]? » 41 Alors ils
furent saisis d'une grande crainte et ils se disaient
les uns aux autres : « Qui est-il donc celui-là, que
1 27 même le vent et la mer lui obéissent? »

|| Mt 8 28-34
|| Lc 8 26-39

### Le démoniaque gérasénien.

5 1 Ils arrivèrent sur l'autre rive de la mer, au
pays des Géraséniens [b]. 2 Et aussitôt que Jésus
eut débarqué, vint à sa rencontre, des tombeaux, un
homme possédé d'un esprit impur : 3 il avait sa
demeure dans les tombes et personne ne pouvait
plus le lier, même avec une chaîne, 4 car souvent
on l'avait lié avec des entraves et avec des chaînes,
mais il avait rompu les chaînes et brisé les entraves,
et personne ne parvenait à le dompter. 5 Et sans
cesse, nuit et jour, il était dans les tombes et dans
les montagnes, poussant des cris et se tailladant
avec des pierres. 6 Voyant Jésus de loin, il accourut, se prosterna devant lui 7 et cria d'une voix
forte : « Que me veux-tu, Jésus, fils du Dieu Très
Haut? Je t'adjure par Dieu, ne me tourmente pas! »
8 Il lui disait en effet : « Sors de cet homme, esprit
impur! » 9 Et il l'interrogeait : « Quel est ton nom? »
Lc 8 2; 11 26 Il dit : « Légion est mon nom, car nous sommes
beaucoup. » 10 Et il le suppliait instamment de ne
pas les expulser hors du pays. 11 Or il y avait là,
sur la montagne, un grand troupeau de porcs en
train de paître. 12 Et les esprits impurs supplièrent
Jésus en disant : « Envoie-nous vers les porcs, que
nous y entrions. » 13 Et il le leur permit. Sortant
alors, les esprits impurs entrèrent dans les porcs et
le troupeau se précipita du haut de l'escarpement
dans la mer, au nombre d'environ deux mille, et ils
se noyaient dans la mer. 14 Leurs gardiens prirent
la fuite et rapportèrent la nouvelle à la ville et dans
les fermes; et les gens vinrent pour voir qu'est-ce
qui s'était passé. 15 Ils arrivent auprès de Jésus et
ils voient le démoniaque assis, vêtu et dans son
bon sens, lui qui avait eu la Légion, et ils furent
pris de peur. 16 Les témoins leur racontèrent
comment cela s'était passé pour le possédé et ce qui
était arrivé aux porcs. 17 Alors ils se mirent à prier
Jésus de s'éloigner de leur territoire.
18 Comme il montait dans la barque, l'homme
qui avait été possédé le priait pour rester en sa
compagnie. 19 Il ne le lui accorda pas, mais il lui
dit : « Va chez toi, auprès des tiens, et rapporte-leur 1 34+
tout ce que le Seigneur a fait pour toi dans sa miséricorde. » 20 Il s'en alla donc et se mit à proclamer
dans la Décapole tout ce que Jésus avait fait pour Mt 4 25+
lui, et tout le monde était dans l'étonnement.

### Guérison d'une hémorroïsse et résurrection de la fille de Jaïre.

|| Mt 9 18-
|| Lc 8 40-

21 Lorsque Jésus eut traversé à nouveau en barque vers l'autre rive, une foule nombreuse se rassembla autour de lui, et il se tenait au bord de la 2 13
mer. 22 Arrive alors un des chefs de synagogue,
nommé Jaïre, qui, le voyant, tombe à ses pieds 23 et
le prie avec instance : « Ma petite fille est à toute
extrémité, viens lui imposer les mains pour qu'elle
soit sauvée et qu'elle vive. » 24 Il partit avec lui, et
une foule nombreuse le suivait, qui le pressait de
tous côtés.
25 Or, une femme atteinte d'un flux de sang
depuis douze années, 26 qui avait beaucoup souffert
du fait de nombreux médecins et avait dépensé tout
son avoir sans aucun profit, mais allait plutôt de Tb 2 10
mal en pis, 27 avait entendu parler de Jésus; venant
par derrière dans la foule, elle toucha son manteau.
28 Car elle se disait : « Si je touche au moins ses
vêtements, je serai sauvée. » 29 Et aussitôt la source
d'où elle perdait le sang fut tarie, et elle sentit dans
son corps qu'elle était guérie de son infirmité. 30 Et
aussitôt Jésus eut conscience de la force qui était
sortie de lui [c], et s'étant retourné dans la foule, il

*a)* Var : « Comment n'avez-vous pas de foi? »
*b)* Var : « Gadaréniens », cf. Mt, ou « Gergéséniens ».
*c)* Cette force est conçue comme un effluve physique qui opère les guérisons, cf. Lc **6** 19, par le moyen d'un contact : cf. **1** 41; **3** 10; **6** 56; **8** 22.

disait « Qui a touché mes vêtements? » 31 Ses disciples lui disaient : « Tu vois la foule qui te presse
de tous côtés, et tu dis : Qui m'a touché? » 32 Et il
regardait autour de lui pour voir celle qui avait fait
cela. 33 Alors la femme, craintive et tremblante [a],
sachant bien ce qui lui était arrivé, vint se jeter à
ses pieds et lui dit toute la vérité. 34 Et il lui dit :
Mt **8** 10+ « Ma fille, ta foi t'a sauvée; va en paix et sois guérie
de ton infirmité. »

35 Tandis qu'il parlait encore, arrivent de chez le
chef de synagogue des gens qui disent : « Ta fille
est morte; pourquoi déranges-tu encore le Maître? » 36 Mais Jésus, qui avait surpris la parole
qu'on venait de prononcer, dit au chef de synago-
Mt **8** 10+ gue : « Sois sans crainte; aie seulement la foi. »
37 Et il ne laissa personne l'accompagner, si ce n'est
Pierre, Jacques et Jean, le frère de Jacques [b]. 38 Ils
arrivent à la maison du chef de synagogue et il
aperçoit du tumulte, des gens qui pleuraient et
poussaient de grandes clameurs. 39 Étant entré, il
leur dit : « Pourquoi ce tumulte et ces pleurs?
L'enfant n'est pas morte, mais elle dort. » 40 Et ils
Ac **9** 40 se moquaient de lui. Mais les ayant tous mis
dehors, il prend avec lui le père et la mère de
l'enfant, ainsi que ceux qui l'accompagnaient, et il
**9** 27 pénètre là ou était l'enfant. 41 Et prenant la main
de l'enfant, il lui dit : « Talitha koum [c] », ce qui se
traduit : « Fillette, je te le dis, lève-toi! » 42 Aussitôt
la fillette se leva et elle marchait, car elle avait
douze ans. Et ils furent saisis aussitôt d'une grande
stupeur. 43 Et il leur recommanda vivement que
**1** 34+ personne ne le sût et il dit de lui donner à manger.

|| Mt **13** 53-58 || Lc **4** 16-30

**Visite à Nazareth.**

**6** 1 Étant sorti de là, il se rend dans sa patrie,
et ses disciples le suivent. 2 Le sabbat venu, il
se mit à enseigner dans la synagogue, et le grand
nombre en l'entendant étaient frappés et disaient :
« D'où cela lui vient-il? Et qu'est-ce que cette
sagesse qui lui a été donnée et ces grands miracles
qui se font par ses mains? 3 Celui-là n'est-il pas le
Mt **12** 46+ charpentier [d], le fils de Marie, le frère de Jacques,
de Joset [e], de Jude et de Simon? Et ses sœurs ne
sont-elles pas ici chez nous? » Et ils étaient choqués à son sujet. 4 Et Jésus leur disait : « Un prophète n'est méprisé que dans sa patrie, dans sa
parenté et dans sa maison. » 5 Et il ne pouvait faire
là aucun miracle, si ce n'est qu'il guérit quelques
infirmes en leur imposant les mains. 6 Et il s'étonna 7 32 1 Tm **4** 14+
de leur manque de foi. Mt **8** 10+

**Mission des Douze.** || Mt **10** 1, 9-14 || Lc **9** 1-6

Il parcourait les villages à la ronde en enseignant. 7 Il appelle à lui les Douze et il se mit à les
envoyer en mission deux à deux, en leur donnant = **3** 14s
pouvoir sur les esprits impurs. 8 Et il leur prescrivit
de ne rien prendre pour la route qu'un bâton seulement [f], ni pain, ni besace, ni menue monnaie pour
la ceinture, 9 mais : « Allez chaussés de sandales et
ne mettez pas deux tuniques. » 10 Et il leur disait :
« Où que vous entriez dans une maison, demeurez-y jusqu'à ce que vous partiez de là. 11 Et si un
endroit ne vous accueille pas et qu'on ne vous
écoute pas, sortez de là et secouez la poussière qui
est sous vos pieds, en témoignage contre eux. »
12 Étant partis, ils prêchèrent qu'on se repentît; 13 et
ils chassaient beaucoup de démons et faisaient des
onctions d'huile à de nombreux infirmes et les gué- Jc **5** 14s
rissaient.

**Hérode et Jésus.** || Mt **14** 1-2 || Lc **9** 7-9

14 Le roi Hérode entendit parler de lui, car son
nom était devenu célèbre, et l'on disait [g] : « Jean le
Baptiste est ressuscité d'entre les morts; d'où les
pouvoirs miraculeux qui se déploient en sa personne. » 15 D'autres disaient : « C'est Élie. » Et
d'autres disaient : « C'est un prophète comme les Mt **16** 14+
autres prophètes. » 16 Hérode donc, en ayant
entendu parler, disait : « C'est Jean que j'ai fait
décapiter, qui est ressuscité! »

**Exécution de Jean-Baptiste.** || Mt **14** 3-12 Lc **3** 19-20

17 En effet, c'était lui Hérode qui avait envoyé
arrêter Jean et l'enchaîner en prison, à cause d'Hérodiade, la femme de Philippe son frère qu'il avait
épousée. 18 Car Jean disait à Hérode : « Il ne t'est
pas permis d'avoir la femme de ton frère. » 19 Quant
à Hérodiade, elle était acharnée contre lui et voulait le tuer, mais elle ne le pouvait pas, 20 parce
qu'Hérode craignait Jean, sachant que c'était un
homme juste et saint, et il le protégeait; quand il
l'avait entendu, il était fort perplexe [h], et c'était
avec plaisir qu'il l'écoutait.
21 Or vint un jour propice, quand Hérode, à
l'anniversaire de sa naissance, fit un banquet pour
les grands de sa cour, les officiers et les principaux
personnages de la Galilée : 22 la fille de ladite

*a)* Outre son caractère humiliant, cette infirmité mettait la femme en état d'impureté légale, Lv **15** 25.
*b)* Les mêmes qui seront les témoins privilégiés de la Transfiguration, **9** 2, et de l'Agonie, **14** 33; cf. **1** 29; **13** 3.
*c)* Ces mots sont de l'araméen, langue que parlait Jésus.
*d)* Et non « le fils du charpentier », Mt **13** 55; l'expression de Mc ménage mieux la naissance virginale de Jésus.
*e)* Var. : « José » ou « Joseph ».
*f)* Selon Mt et Lc, même pas un bâton. Mais la pensée reste la même : détachement complet du missionnaire.
*g)* Var. : « il disait ».
*h)* Var. : (Vulg.) : « il faisait beaucoup de choses ». – Autre traduction (moins probable) de toute la phrase : « ... le protégeait; il l'écoutait, lui posait toutes sortes de questions et aimait à l'entendre ».

Hérodiade entra et dansa, et elle plut à Hérode et
aux convives. Alors le roi dit à la jeune fille : « De-
mande-moi ce que tu voudras, je te le donnerai. »
23 Et il lui fit un serment : « Tout ce que tu me
Est 5 3+ demanderas, je te le donnerai, jusqu'à la moitié de
mon royaume! » 24 Elle sortit et dit à sa mère :
« Que vais-je demander? » – « La tête de Jean le
Baptiste », dit celle-ci. 25 Rentrant aussitôt en hâte
auprès du roi, elle lui fit cette demande : « Je veux
que tout de suite tu me donnes sur un plat la tête
de Jean le Baptiste. » 26 Le roi fut très contristé,
mais à cause de ses serments et des convives, il ne
voulut pas lui manquer de parole. 27 Et aussitôt le
roi envoya un garde en lui ordonnant d'apporter la
tête de Jean. 28 Le garde s'en alla et le décapita
dans la prison; puis il apporta sa tête sur un plat
et la donna à la jeune fille, et la jeune fille la donna
à sa mère. 29 Les disciples de Jean, l'ayant appris,
vinrent prendre son cadavre et le mirent dans un
tombeau.

|| Mt 14 13-21 **Première multiplication des pains.**

|| Lc 9 10-17 || Jn 6 1-13 30 Les apôtres se réunissent auprès de Jésus, et
Mc 8 1-10 ils lui rapportèrent tout ce qu'ils avaient fait et tout
ce qu'ils avaient enseigné. 31 Et il leur dit : « Venez
vous-mêmes à l'écart, dans un lieu désert, et repo-
sez-vous un peu. » De fait, les arrivants et les par-
2 2 tants étaient si nombreux que les apôtres n'avaient
3 20 pas même le temps de manger. 32 Ils partirent donc
dans la barque vers un lieu désert, à l'écart. 33 Les
voyant s'éloigner, beaucoup comprirent, et de toutes les villes on accourut là-bas, à pied, et on les
devança. 34 En débarquant, il vit une foule nom-
Mt 9 36 breuse et il en eut pitié, parce qu'ils étaient comme
des brebis qui n'ont pas de berger, et il se mit à les
enseigner longuement. 35 L'heure étant déjà très
avancée, ses disciples s'approchèrent et lui dirent :
« L'endroit est désert et l'heure est déjà très avancée; 36 renvoie-les afin qu'ils aillent dans les fermes
et les villages d'alentour s'acheter de quoi manger. » 37 Il leur répondit : « Donnez-leur vous-mêmes à manger. » Ils lui disent : « Faudra-t-il que
nous allions acheter des pains pour deux cents
deniers, afin de leur donner à manger? » 38 Il leur
dit : « Combien de pains avez-vous? Allez voir. »
S'en étant informés, ils disent : « Cinq, et deux
poissons. » 39 Alors il leur ordonna de les faire tous
s'étendre par groupes de convives sur l'herbe verte.
40 Et ils s'allongèrent à terre par carrés de cent et
de cinquante. 41 Prenant alors les cinq pains et les
deux poissons, il leva les yeux au ciel, il bénit et
rompit les pains, et il les donnait à ses disciples
pour les leur servir. Il partagea aussi les deux poissons entre tous. 42 Tous mangèrent et furent rassasiés; 43 et l'on emporta les morceaux, plein douze
couffins avec les restes des poissons. 44 Et ceux qui
avaient mangé les pains étaient cinq mille hommes.

**Jésus marche sur les eaux.** || Mt 14 22-33

45 Et aussitôt il obligea ses disciples à monter || Jn 6 16-21
dans la barque et à prendre les devants vers Bethsaïde [a], pendant que lui-même renverrait la foule.
46 Et quand il les eut congédiés, il s'en alla dans la
montagne pour prier. 47 Le soir venu, la barque
était au milieu de la mer, et lui, seul, à terre. 48 Les
voyant s'épuiser à ramer, car le vent leur était
contraire, vers la quatrième veille de la nuit il vient
vers eux en marchant sur la mer, et il allait les
dépasser. 49 Ceux-ci, le voyant marcher sur la mer,
crurent que c'était un fantôme et poussèrent des
cris; 50 car tous le virent et furent troublés. Mais lui
aussitôt leur parla et leur dit : « Ayez confiance,
c'est moi, soyez sans crainte. » 51 Puis il monta
auprès d'eux dans la barque et le vent tomba. Et
ils étaient intérieurement au comble de la stupeur,
52 car ils n'avaient pas compris le miracle des 4 13+
pains, mais leur esprit était bouché.

**Guérisons au pays de Gennésaret.** || Mt 14 34-36

53 Ayant achevé la traversée, ils touchèrent terre
à Gennésaret et accostèrent. 54 Quand ils furent
sortis de la barque, aussitôt des gens qui l'avaient
reconnu 55 parcoururent toute cette région et se
mirent à transporter les malades sur leurs grabats,
là où l'on apprenait qu'il était. 56 Et en tout lieu où
il pénétrait, villages, villes ou fermes, on mettait les
malades sur les places et on le priait de les laisser 5 27-28
toucher ne fût-ce que la frange de son manteau, et
tous ceux qui le touchaient étaient sauvés.

**Discussion sur les traditions pharisaïques.** || Mt 15 1

7 1 Les Pharisiens et quelques scribes venus de
Jérusalem se rassemblent auprès de lui, 2 et
voyant quelques-uns de ses disciples prendre leur
repas avec des mains impures, c'est-à-dire non Lc 11 38
lavées – 3 les Pharisiens, en effet, et tous les Juifs
ne mangent pas sans s'être lavé les bras jusqu'au
coude [b], conformément à la tradition des anciens,
4 et ils ne mangent pas au retour de la place publique avant de s'être aspergés d'eau [c], et il y a beaucoup d'autres pratiques qu'ils observent par tradition : lavages de coupes, de cruches et de plats
d'airain –, 5 donc les Pharisiens et les scribes

*a)* Add. : « de l'autre côté », cf. Mt **14** 22.
*b)* Traduction incertaine. Litt. : « avec le poing ».
*c)* Var. : « baignés ». – Autre traduction : « ils ne mangent pas ce qui vient du marché avant de l'avoir aspergé ».

l'interrogent : « Pourquoi tes disciples ne se
comportent-ils pas suivant la tradition des
anciens [a], mais prennent-ils leur repas avec des
mains impures? » 6 Il leur dit : « Isaïe a bien prophétisé de vous, hypocrites, ainsi qu'il est écrit :

Is 29 13 *Ce peuple m'honore des lèvres;*
*mais leur cœur est loin de moi.*
7 *Vain est le culte qu'ils me rendent,*
*les doctrines qu'ils enseignent ne sont que pré-*
*ceptes humains.*

8 Vous mettez de côté le commandement de Dieu
pour vous attacher à la tradition des hommes. »
9 Et il leur disait : « Vous annulez bel et bien le
commandement de Dieu pour observer votre tradi-
Ex 20 12 tion. 10 En effet, Moïse a dit : *Honore ton père et*
Dt 5 16 *ta mère*, et : *Que celui qui maudit son père ou sa*
Ex 21 17 *mère soit puni de mort.* 11 Mais vous, vous dites :
Lv 20 9 Si un homme dit à son père ou à sa mère : Je
déclare korbân [b] (c'est-à-dire offrande sacrée) les
biens dont j'aurais pu t'assister, 12 vous ne le laissez
plus rien faire pour son père ou pour sa mère 13 et
vous annulez ainsi la parole de Dieu par la tradition que vous vous êtes transmise. Et vous faites
bien d'autres choses du même genre. »

**Enseignement sur le pur et l'impur.** || Mt 15 10-20

14 Et ayant appelé de nouveau la foule près de
lui, il leur disait : « Écoutez-moi tous et comprenez!
15 Il n'est rien d'extérieur à l'homme qui, pénétrant
en lui, puisse le souiller, mais ce qui sort de
l'homme, voilà ce qui souille l'homme. 16 Si quelqu'un a des oreilles pour entendre, qu'il entende [c]! »
17 Quand il fut entré dans la maison, à l'écart de
la foule, ses disciples l'interrogaient sur la para- 4 10
bole [d]. 18 Et il leur dit : « Vous aussi, vous êtes à
ce point sans intelligence? Ne comprenez-vous pas 4 13+
que rien de ce qui pénètre du dehors dans l'homme
ne peut le souiller, 19 parce que cela ne pénètre pas
dans le cœur, mais dans le ventre, puis s'en va aux
lieux d'aisance » (ainsi il déclarait purs tous les ali- Ac 10 9-16
ments [e]). 20 Il disait : « Ce qui sort de l'homme, Rm 14 Col 2 16, 21-22
voilà ce qui souille l'homme. 21 Car c'est du
dedans, du cœur des hommes, que sortent les desseins pervers : débauches, vols, meurtres, 22 adultè- Rm 1 29+
res, cupidités, méchancetés, ruse, impudicité, envie,
diffamation, orgueil, déraison. 23 Toutes ces mauvaises choses sortent du dedans et souillent
l'homme. »

# III. Voyages de Jésus hors de Galilée

Mt 15 21-28 **Guérison de la fille d'une Syrophénicienne.**

24 Partant de là, il s'en alla dans le territoire de
33; 10 10; Tyr [f]. Étant entré dans une maison, il ne voulait
1 29; 2 15 pas que personne le sût, mais il ne put rester ignoré.
25 Car aussitôt une femme, dont la petite fille avait
un esprit impur, entendit parler de lui et vint se
jeter à ses pieds. 26 Cette femme était grecque [g],
syrophénicienne de naissance, et elle le priait
Mt 8 29+ d'expulser le démon hors de sa fille. 27 Et il lui
disait : « Laisse d'abord les enfants se rassasier, car
il ne sied pas de prendre le pain des enfants et de
le jeter aux petits chiens. » 28 Mais elle de répliquer
et de lui dire : « Oui, Seigneur! et les petits chiens
sous la table mangent les miettes des enfants! »
29 Alors il lui dit : « A cause de cette parole, va, le
démon est sorti de ta fille. » 30 Elle retourna dans
sa maison et trouva l'enfant étendue sur son lit et
le démon parti.

**Guérison d'un sourd-bègue.**

31 S'en retournant du territoire de Tyr, il vint par
Sidon vers la mer de Galilée, à travers le territoire
de la Décapole. 32 Et on lui amène un sourd, qui 5 20
de plus parlait difficilement, et on le prie de lui
imposer la main. 33 Le prenant hors de la foule, à 6 5
part, il lui mit ses doigts dans les oreilles et avec 1 Tm 4 14+
sa salive lui toucha la langue. 34 Puis, levant les
yeux au ciel, il poussa un gémissement et lui dit :
« *Ephphatha* », c'est-à-dire : « Ouvre-toi! » 35 Et ses
oreilles s'ouvrirent et aussitôt le lien de sa langue Mt 8 3+
se dénoua et il parlait correctement. 36 Et Jésus leur
recommanda de ne dire la chose à personne; mais 1 34+
plus il le leur recommandait, de plus belle ils la
proclamaient. 37 Ils étaient frappés au-delà de toute
mesure et disaient : « Il a bien fait toutes choses :
il fait entendre les sourds et parler les muets. » 9 25

*a)* La tradition des anciens comprend ces préceptes et pratiques que les rabbins avaient ajoutés à la Loi de Moïse, tout en prétendant qu'ils venaient par voie orale du grand législateur.
*b)* *Korbân*, mot araméen qui signifie offrande et spécialement offrande faite à Dieu. Voir Mt **15** 6+.
*c)* Om. v. 16.
*d)* Parabole au sens du *mashal* hébraïque, qui peut n'être qu'une sentence lapidaire et énigmatique.
*e)* Litt. « purifiant tous les aliments »; membre de phrase obscur (peut-être glose) et diversement interprété.
*f)* Add. : « et de Sidon », cf. Mt **15** 21.
*g)* « Grecque », non de race puisqu'elle était syrophénicienne, mais de culture, c'est-à-dire ici païenne; cf. Jn **7** 35; Ac **16** 1.

|| Mt 15 32-39 **Seconde multiplication des pains.**

8 1 En ces jours-là, comme il y avait de nouveau
6 30-44 une foule nombreuse et qu'ils n'avaient pas de
quoi manger, il appela à lui ses disciples et leur
dit : 2 « J'ai pitié de la foule, car voilà déjà trois
jours qu'ils restent auprès de moi et ils n'ont pas
de quoi manger. 3 Si je les renvoie à jeun chez eux,
ils vont défaillir en route, et il y en a parmi eux qui
sont venus de loin. » 4 Ses disciples lui répondirent :
« Où prendre de quoi rassasier de pains ces gens,
ici, dans un désert? » 5 Et il leur demandait :
« Combien avez-vous de pains? » – « Sept », dirent-
ils. 6 Et il ordonne à la foule de s'étendre à terre;
et, prenant les sept pains, il rendit grâces, les rompit et il les donnait à ses disciples pour les servir,
et ils les servirent à la foule. 7 Ils avaient encore
quelques petits poissons; après les avoirs bénis, il
dit de les servir aussi. 8 Ils mangèrent et furent rassasiés, et l'on emporta les restes des morceaux :
sept corbeilles! 9 Or ils étaient environ quatre mille.
Et il les renvoya; 10 et aussitôt, montant dans la
barque avec ses disciples, il vint dans la région de
Dalmanoutha [a].

|| Mt 16 1-4 **Les Pharisiens demandent un signe dans le ciel.**

11 Les Pharisiens sortirent et se mirent à discuter
avec lui; ils demandaient de lui un signe venant du
ciel, pour le mettre à l'épreuve. 12 Gémissant en son
esprit, il dit : « Qu'a cette génération à demander
un signe? En vérité, je vous le dis, il ne sera pas
donné de signe [b] à cette génération. » 13 Et les laissant là, il s'embarqua de nouveau et partit pour
l'autre rive.

|| Mt 16 5-12 **Le levain des Pharisiens et d'Hérode.**

14 Ils avaient oublié de prendre des pains et ils
n'avaient qu'un pain avec eux dans la barque. 15 Or
il leur faisait cette recommandation : « Ouvrez l'œil
et gardez-vous du levain des Pharisiens et du levain
d'Hérode. » 16 Et eux de faire entre eux cette
réflexion, qu'ils n'ont pas de pains. 17 Le sachant,
il leur dit : « Pourquoi faire cette réflexion, que
vous n'avez pas de pains? Vous ne comprenez pas
4 13+ encore et vous ne saisissez pas? Avez-vous donc
l'esprit bouché, 18 *des yeux pour ne point voir et*
Jr 5 21 *des oreilles pour ne point entendre?* Et ne vous rap-
Ez 12 2 pelez-vous pas, 19 quand j'ai rompu les cinq pains
pour les cinq mille hommes, combien de couffins
6 43-44 pleins de morceaux vous avez emportés? » Ils lui
disent : « Douze. » – 20 « Et lors des sept pour les
quatre mille hommes, combien de corbeilles pleines
de morceaux avez-vous emportées? » Et ils disent :
« Sept. » 21 Alors il leur dit : « Ne comprenez-vous 4 13+
pas encore [c]? »

**Guérison d'un aveugle à Bethsaïde.**

22 Ils arrivent à Bethsaïde et on lui amène un
aveugle, en le priant de le toucher. 23 Prenant 5 30+
l'aveugle par la main, il le fit sortir hors du village.
Après lui avoir mis de la salive sur les yeux et lui 7 33
avoir imposé les mains, il lui demandait : « Aper- Jn 9 6
çois-tu quelque chose? » 24 Et l'autre, qui commen- 1 Tm 4 14+
çait à voir [d], de répondre : « J'aperçois les gens,
c'est comme si c'était des arbres que je les vois
marcher. » 25 Après cela, il mit de nouveau ses
mains sur les yeux de l'aveugle, et celui-ci vit clair
et fut rétabli, et il voyait tout nettement, de loin. Mt 8 3+
26 Et Jésus le renvoya chez lui, en lui disant :
« N'entre même pas dans le village. » 1 34+

**Profession de foi de Pierre.** || Mt 16 13-

27 Jésus s'en alla avec ses disciples vers les villa- || Lc 9 18-2
ges de Césarée de Philippe, et en chemin il posait
à ses disciples cette question : « Qui suis-je, au dire
des gens? » 28 Ils lui dirent : « Jean le Baptiste; pour
d'autres, Élie; pour d'autres, un des prophètes. » –
29 « Mais pour vous, leur demandait-il, qui suis-
je? » Pierre lui répond : « Tu es le Christ. » 30 Alors
il leur enjoignit de ne parler de lui à personne. 1 34+

**Première annonce de la Passion.** || Mt 16 21

31 Et il commença de leur enseigner : « Le Fils de || Lc 9 22
l'homme doit beaucoup souffrir, être rejeté par les Mt 21 42
anciens, les grands prêtres et les scribes, être tué et, 9 9-10, 31-
après trois jours, ressusciter; 32 et c'est ouvertement 10 32-34
qu'il disait ces choses. Pierre, le tirant à lui, se mit
à le morigéner. 33 Mais lui, se retournant et voyant
ses disciples, admonesta Pierre et dit : « Passe derrière moi, Satan! car tes pensées ne sont pas celles 4 13+
de Dieu, mais celles des hommes! »

**Conditions pour suivre Jésus.** || Mt 16 2

34 Appelant à lui la foule en même temps que ses || Lc 9 23
disciples, il leur dit : « Si quelqu'un veut venir à ma
suite, qu'il se renie lui-même, qu'il se charge de sa
croix, et qu'il me suive. 35 Qui veut en effet sauver
sa vie la perdra, mais qui perdra sa vie à cause de
moi et de l'Évangile la sauvera. 36 Que sert donc à

*a)* Nom d'une localité inconnue, comme « Magadan » de Mt **15** 39; ou peut-être transcription d'une expression araméenne mal identifiée.
*b)* Le refus de tout signe, en Mc, est souvent considéré comme plus primitif que la promesse du « signe de Jonas » en Mt et Lc. Il se pourrait cependant que Mc ait omis une évocation biblique qui risquait d'échapper à ses lecteurs, et que Jésus ait réellement promis ce signe, pour annoncer le triomphe de sa délivrance finale, ainsi que Mt l'a bien explicité, cf. Mt **12** 39+.
*c)* C'est une invitation aux disciples à dépasser leurs préoccupations matérielles pour réfléchir à la mission de Jésus éclairée par ses miracles.
*d)* On traduit aussi : « levant les yeux ».

l'homme de gagner le monde entier, s'il ruine sa
propre vie? 37 Et que peut donner l'homme en
échange de sa propre vie? 38 Car celui qui aura
Mt 10 33 rougi de moi et de mes paroles dans cette génération adultère et pécheresse, le Fils de l'homme aussi
rougira de lui, quand il viendra dans la gloire de
son Père avec les saints anges. »

**9** 1 Et il leur disait : « En vérité je vous le dis,
il en est d'ici présents qui ne goûteront pas la
mort avant d'avoir vu le Royaume de Dieu venu
Rm 1 4 avec puissance. »

|| Mt 17 1-8
|| Lc 9 28-36

### La Transfiguration [a].

2 Six jours après, Jésus prend avec lui Pierre,
5 37+ Jacques et Jean et les emmène seuls, à l'écart, sur
une haute montagne. Et il fut transfiguré devant
eux 3 et ses vêtements devinrent resplendissants,
16 5 d'une telle blancheur qu'aucun foulon sur terre ne
peut blanchir de la sorte. 4 Élie leur apparut avec
Moïse et ils s'entretenaient avec Jésus. 5 Alors
Pierre, prenant la parole, dit à Jésus : « Rabbi, il
est heureux que nous soyons ici; faisons donc trois
tentes, une pour toi, une pour Moïse et une pour
14 40 Élie. » 6 C'est qu'il ne savait que répondre, car ils
étaient saisis de frayeur. 7 Et une nuée survint qui
les prit sous son ombre, et une voix partit de la
nuée : « Celui-ci est mon Fils bien-aimé; écoutez-
le. » 8 Soudain, regardant autour d'eux, ils ne
virent plus personne, que Jésus seul avec eux.

|| Mt 17 9-13

### Question au sujet d'Élie.

9 Comme ils descendaient de la montagne, il leur
1 34+ ordonna de ne raconter à personne ce qu'ils avaient
vu, si ce n'est quand le Fils de l'homme serait ressuscité d'entre les morts. 10 Ils gardèrent la
4 13+ recommandation, tout en se demandant entre eux
ce que signifiait « ressusciter d'entre les morts ».
11 Et il lui posaient cette question : « Pourquoi les
scribes disent-ils qu'Élie doit venir d'abord? » 12 Il
Ml 3 23-24 leur dit : « Oui, Élie doit venir d'abord et tout
remettre en ordre. Et comment est-il écrit du Fils
de l'homme qu'il doit beaucoup souffrir et être
méprisé? 13 Mais je vous le dis : Élie est bien déjà
R 19 2, 10 venu et ils l'ont traité à leur guise, comme il est
écrit de lui. »

Mt 17 14-21
Lc 9 37-42

### Le démoniaque épileptique.

14 En rejoignant les disciples, ils virent [b] une
foule nombreuse qui les entourait et des scribes qui
discutaient avec eux. 15 Et aussitôt qu'elle l'aperçut,
toute la foule fut très surprise et ils accoururent
pour le saluer. 16 Et il leur demanda : « De quoi dis-
putez-vous avec eux? » 17 Quelqu'un de la foule lui
dit : « Maître, je t'ai apporté mon fils qui a un
esprit muet. 18 Quand il le saisit, il le jette à terre, Mt 8 29+
et il écume, grince des dents et devient raide. Et j'ai
dit à tes disciples de l'expulser et ils n'en ont pas
été capables. » – 19 « Engeance incrédule, leur
répond-il, jusques à quand serai-je auprès de vous?
Jusques à quand vous supporterai-je? Apportez-le-
moi. » 20 Et ils le lui apportèrent. Sitôt qu'il vit
Jésus, l'esprit secoua violemment l'enfant qui
tomba à terre et il s'y roulait en écumant. 21 Et
Jésus demanda au père : « Combien de temps y
a-t-il que cela lui arrive? » – « Depuis son enfance,
dit-il; 22 et souvent il l'a jeté soit dans le feu soit
dans l'eau pour le faire périr. Mais si tu peux quelque chose, viens à notre aide, par pitié pour nous. »
– 23 « Si tu peux!... reprit Jésus; tout est possible
à celui qui croit. » 24 Aussitôt le père de l'enfant de Mt 8 10+
s'écrier : « Je crois! Viens en aide à mon peu de
foi! » 25 Jésus, voyant qu'une foule affluait, menaça
l'esprit impur en lui disant : « Esprit muet et sourd, 7 37
je te l'ordonne, sors de lui et n'y rentre plus. »
26 Après avoir crié et l'avoir violemment secoué, il
sortit, et l'enfant devint comme mort, si bien que
la plupart disaient : « Il a trépassé! » 27 Mais Jésus,
le prenant par la main, le releva et il se tint debout. 8 23
28 Quand il fut rentré à la maison, ses disciples lui Mt 8 15+
demandaient dans le privé : « Pourquoi nous
autres, n'avons-nous pu l'expulser? » 29 Il leur dit :
« Cette espèce-là ne peut sortir que par la prière [c]. »

### Deuxième annonce de la Passion.

|| Mt 17 22-23
|| Lc 9 43-45
Jn 7 1

30 Étant partis de là, ils faisaient route à travers
la Galilée et il ne voulait pas qu'on le sût. 31 Car 1 34+
il instruisait ses disciples et il leur disait : « Le Fils
de l'homme est livré aux mains des hommes et ils 8 31+
le tueront, et quand il aura été tué, après trois jours
il ressuscitera. » 32 Mais ils ne comprenaient pas 4 13+
cette parole et ils craignaient de l'interroger.

### Qui est le plus grand?

|| Mt 18 1-5
|| Lc 9 46-48

33 Ils vinrent à Capharnaüm; et une fois à la maison, il leur demandait : « De quoi discutiez-vous en 7 24+
chemin? » 34 Eux se taisaient, car en chemin ils
avaient discuté entre eux qui était le plus grand.
35 Alors, s'étant assis, il appela les Douze, et leur
dit : « Si quelqu'un veut être le premier, il sera le
dernier de tous et le serviteur de tous. » 36 Puis, pre-

*a)* Alors que Mt fait de la Transfiguration une proclamation de Jésus nouveau Moïse, cf. Mt **17** 1+, et que Lc y insiste sur la préparation de la Passion prochaine, cf. Lc **9** 28+, Mc y voit surtout une épiphanie glorieuse du Messie caché, conformément au thème dominant de son évangile : pour éphémère qu'elle soit, cette scène de gloire manifeste ce qu'est réellement et ce que sera bientôt définitivement Celui qui doit connaître pour un temps les abaissements du Serviteur souffrant.

*b)* Var. : « il vit ».

*c)* Var. : « par la prière et par le jeûne ».

nant un petit enfant, il le plaça au milieu d'eux et,
l'ayant embrassé, il leur dit : 37 « Quiconque
accueille un des petits enfants tels que lui à cause
de mon nom, c'est moi qu'il accueille; et quiconque
Mt 10 40+ m'accueille, ce n'est pas moi qu'il accueille, mais
Celui qui m'a envoyé. »

‖ Lc 9 49-50
### Usage du nom de Jésus.

38 Jean lui dit : « Maître, nous avons vu quel-
qu'un expulser des démons en ton nom, quelqu'un
Nb 11 28 qui ne nous suit pas, et nous voulions l'empêcher,
parce qu'il ne nous suivait pas. » 39 Mais Jésus dit :
« Ne l'en empêchez pas, car il n'est personne qui
Ac 3 16+ puisse faire un miracle en invoquant mon nom et
1 Co 12 3 sitôt après parler mal de moi. 40 Qui n'est pas
Mt 12 30p contre nous est pour nous.

‖ Mt 10 42
### Charité envers les disciples.

41 « Quiconque vous donnera à boire un verre
1 Co 3 23+ d'eau pour ce motif que vous êtes au Christ, en
vérité, je vous le dis, il ne perdra pas sa
récompense.

‖ Mt 18 6-9
‖ Lc 17 1-2
### Le scandale.

42 « Mais si quelqu'un doit scandaliser l'un de ces
petits qui croient [a], il serait mieux pour lui de se
voir passer autour du cou une de ces meules que
tournent les ânes et d'être jeté à la mer. 43 Et si ta
‖ Mt 18 8-9 main est pour toi une occasion de péché, coupe-la :
mieux vaut pour toi entrer manchot dans la Vie que
de t'en aller avec tes deux mains dans la géhenne,
dans le feu qui ne s'éteint pas [44] [b]. 45 Et si ton pied
est pour toi une occasion de péché, coupe-le :
mieux vaut pour toi entrer estropié dans la Vie que
d'être jeté avec tes deux pieds dans la géhenne [46].
47 Et si ton œil est pour toi une occasion de péché,
arrache-le : mieux vaut pour toi entrer borgne dans
le Royaume de Dieu que d'être jeté avec tes deux
Is 66 24+ yeux dans la géhenne 48 où *leur ver ne meurt point*
*et* où *le feu ne s'éteint point.* 49 Car tous seront
Lv 2 13+ salés par le feu [c]. 50 C'est une bonne chose que le
‖ Mt 5 13 sel; mais si le sel devient insipide, avec quoi l'assai-
‖ Lc 14 34 sonnerez-vous? Ayez du sel en vous-mêmes et
Col 4 6
Rm 12 18 vivez en paix les uns avec les autres. »

‖ Mt 19 1-9
### Question sur le divorce.

**10** 1 Partant de là, il vient dans le territoire de la
Judée et au-delà du Jourdain, et de nouveau
les foules se rassemblent auprès de lui et, selon sa
coutume, de nouveau il les enseignait. 2 S'approchant, des Pharisiens lui demandaient : « Est-il permis à un mari de répudier sa femme? » C'était pour
le mettre à l'épreuve. 3 Il leur répondit : « Qu'est-ce
que Moïse vous a prescrit? » – 4 « Moïse, dirent-ils, Dt 24 1
a permis de rédiger un acte de divorce et de répudier. » 5 Alors Jésus leur dit : « C'est en raison de
votre dureté de cœur qu'il a écrit pour vous cette
prescription. 6 Mais dès l'origine de la création *Il*
*les fit homme et femme.* 7 *Ainsi donc l'homme quit-* Gn 1 27;
*tera son père et sa mère* [d], 8 *et les deux ne feront* 2 24
*qu'une seule chair.* Ainsi ils ne sont plus deux, mais
une seule chair. 9 Eh bien! ce que Dieu a uni,
l'homme ne doit point le séparer. » 10 Rentrés à la
maison, les disciples l'interrogaient de nouveau sur
ce point. 11 Et il leur dit : « Quiconque répudie sa 7 24+
femme et en épouse une autre, commet un adultère ‖ Mt 5 32
à son égard; 12 et si une femme répudie son mari [e] ‖ Lc 16 18
et en épouse un autre, elle commet un adultère. »

### Jésus et les petits enfants. ‖ Mt 19 13-15

13 On lui présentait des petits enfants pour qu'il ‖ Lc 18 15-17
les touchât, mais les disciples les rabrouèrent. 14 Ce Lc 9 47
que voyant, Jésus se fâcha et leur dit : « Laissez les
petits enfants venir à moi; ne les empêchez pas, car
c'est à leurs pareils qu'appartient le Royaume de
Dieu. 15 En vérité je vous le dis : quiconque
n'accueille pas le Royaume de Dieu en petit enfant,
n'y entrera pas. » 16 Puis il les embrassa et les bénit
en leur imposant les mains.

### L'homme riche. ‖ Mt 19 16-2

17 Il se mettait en route quand un homme accou- ‖ Lc 18 18-2
rut et, s'agenouillant devant lui, il l'interrogeait :
« Bon maître, que dois-je faire pour avoir en héritage la vie éternelle? » 18 Jésus lui dit : « Pourquoi
m'appelles-tu bon? Nul n'est bon que Dieu seul.
19 Tu connais les commandements : *Ne tue pas, ne* Ex 20 12-16
*commets pas d'adultère, ne vole pas, ne porte pas* Dt 5 16-20;
*de faux témoignage,* ne fais pas de tort, *honore ton* 24 14
*père et ta mère.* » 20 – « Maître, lui dit-il, tout cela,
je l'ai observé dès ma jeunesse. » 21 Alors Jésus fixa
sur lui son regard et l'aima. Et il lui dit : « Une
seule chose te manque : va, ce que tu as, vends-le
et donne-le aux pauvres, et tu auras un trésor dans
le ciel; puis, viens, suis-moi. » 22 Mais lui, à ces
mots, s'assombrit et il s'en alla contristé, car il
avait de grands biens.

*a)* Add. : « en moi ».
*b)* Les vv. 44 et 46 (Vulg.), simples répétitions du v. 48, sont à omettre avec les meilleurs mss.
*c)* Le feu qui sale s'entend, soit du châtiment qui punit les pécheurs en les conservant, soit plutôt du feu qui purifie les fidèles (épreuve, jugement de Dieu) pour en faire des victimes agréables à Dieu, cf. Lv 2 13 (à quoi fait allusion une add. : « et toute victime sera salée avec du sel »). Le v. 50, cf. Mt 5 13, semble avoir été amené ici par le simple rapprochement du mot « sel ».
*d)* Add. : « pour s'attacher à sa femme », cf. Gn 2 24 et Mt 19 5.
*e)* Cette clause reflète le droit romain, car le droit juif n'accordait le droit de répudiation qu'à l'homme et non à la femme.

|| Mt **19** 23-26 **Le danger des richesses.**
|| Lc **18** 24-27 [23] Alors Jésus, regardant autour de lui, dit à ses
disciples : « Comme il sera difficile à ceux qui ont
des richesses d'entrer dans le Royaume de Dieu! »
[24] Les disciples étaient stupéfaits de ces paroles [a].
Mais Jésus reprit et leur dit : « Mes enfants, comme
il est difficile d'entrer dans le Royaume de Dieu!
[25] Il est plus facile à un chameau de passer par le
trou de l'aiguille qu'à un riche d'entrer dans le
Royaume de Dieu! » [26] Ils restèrent interdits à
l'excès et se disaient les uns aux autres : « Et qui
Za **8** 6-7 peut être sauvé? » [27] Fixant sur eux son regard,
Jésus dit : « Pour les hommes, impossible, mais non
pour Dieu : car tout est possible pour Dieu. »

|| Mt **19** 27-30 **Récompense promise au détachement.**
|| Lc **18** 28-30 [28] Pierre se mit à lui dire : « Voici que nous, nous
avons tout laissé et nous t'avons suivi. » [29] Jésus
déclara : « En vérité, je vous le dis, nul n'aura laissé
maison, frères, sœurs, mère, père, enfants ou
1 1+ champs à cause de moi et à cause de l'Évangile,
[30] qui ne reçoive le centuple dès maintenant, au
temps présent, en maisons, frères, sœurs, mères,
enfants et champs, avec des persécutions, et, dans
le monde à venir, la vie éternelle. [31] Beaucoup de
premiers seront derniers et les derniers seront premiers. »

|| Mt **20** 17-19 **Troisième annonce de la Passion.**
|| Lc **18** 31-33 [32] Ils étaient en route, montant à Jérusalem; et
Jésus marchait devant eux, et ils étaient dans la stupeur, et ceux qui suivaient étaient effrayés. Prenant
de nouveau les Douze avec lui, il se mit à leur dire
ce qui allait lui arriver : [33] « Voici que nous montons à Jérusalem, et le Fils de l'homme sera livré
**8** 31+ aux grands prêtres et aux scribes; ils le condamneront à mort et le livreront aux païens, [34] ils le
bafoueront, cracheront sur lui, le flagelleront et le
tueront, et après trois jours il ressuscitera. »

|| Mt **20** 20-23 **La demande des fils de Zébédée.**
[35] Jacques et Jean, les fils de Zébédée, avancent
vers lui et lui disent : « Maître, nous voulons que
tu fasses pour nous ce que nous allons te demander. » [36] Il leur dit : « Que voulez-vous que je fasse
pour vous? » – [37] « Accorde-nous, lui dirent-ils, de
siéger, l'un à ta droite et l'autre à ta gauche, dans
ta gloire [b]. » [38] Jésus leur dit : « Vous ne savez pas **4** 13+
ce que vous demandez. Pouvez-vous boire la coupe
que je vais boire et être baptisés du baptême dont
je vais être baptisé [c]? » [39] Ils lui dirent : « Nous le
pouvons. » Jésus leur dit : « La coupe que je vais
boire, vous la boirez, et le baptême dont je vais être
baptisé, vous en serez baptisés; [40] quant à siéger à
ma droite ou à ma gauche, il ne m'appartient pas
de l'accorder, mais c'est pour ceux à qui cela a été
destiné. »

**Les chefs doivent servir.** || Mt **20** 24-28
[41] Les dix autres, qui avaient entendu, se mirent || Lc **22** 24-27
à s'indigner contre Jacques et Jean. [42] Les ayant
appelés près de lui, Jésus leur dit : « Vous savez que
ceux qu'on regarde comme les chefs des nations
dominent sur elles en maîtres et que les grands leur
font sentir leur pouvoir. [43] Il ne doit pas en être
ainsi parmi vous : au contraire, celui qui voudra
devenir grand parmi vous, sera votre serviteur, [44] et
celui qui voudra être le premier parmi vous, sera
l'esclave de tous. [45] Aussi bien, le Fils de l'homme
lui-même n'est pas venu pour être servi, mais pour
servir et donner sa vie en rançon pour une multitude. »

**L'aveugle de la sortie de Jéricho.** || Mt **20** 29-34
[46] Ils arrivent à Jéricho. Et comme il sortait de || Lc **18** 35-43
Jéricho avec ses disciples et une foule considérable,
le fils de Timée (Bartimée), un mendiant aveugle,
était assis au bord du chemin. [47] Quand il apprit
que c'était Jésus le Nazarénien, il se mit à crier :
« Fils de David, Jésus, aie pitié de moi! » [48] Et
beaucoup le rabrouaient pour lui imposer silence,
mais lui criait de plus belle : « Fils de David, aie
pitié de moi! » [49] Jésus s'arrêta et dit : « Appelez-
le. » On appelle l'aveugle en lui disant : « Aie
confiance! lève-toi, il t'appelle. » [50] Et lui, rejetant
son manteau, bondit et vint à Jésus. [51] Alors Jésus
lui adressa la parole : « Que veux-tu que je fasse
pour toi? » L'aveugle lui répondit : « Rabbouni [d], Jn **20** 16
que je recouvre la vue! » [52] Jésus lui dit : « Va, ta Mt **8** 10+
foi t'a sauvé. » Et aussitôt il recouvra la vue et il
cheminait à sa suite.

*a)* Richesse et prospérité passaient pour des signes de la bénédiction divine, cf. l'Introd. aux livres sapientiaux, p. 646.
*b)* Quand tu triompheras comme Roi messianique.
*c)* Comme la coupe à boire, cf. **14** 36, le baptême à recevoir est une image de la Passion prochaine : selon la force première du terme grec « baptiser », Jésus sera « plongé » dans un abime de souffrances.
*d)* En araméen : « Mon maître » ou « Maître »; cf. Jn **20** 16.

# *IV. Le ministère de Jésus à Jérusalem*

|| Mt **21** 1-11 **Entrée messianique à Jérusalem.**
|| Lc **19** 28-38
|| Jn **12** 12-16
**11** 1 Quand ils approchent de Jérusalem, en vue
de Bethphagé et de Béthanie, près du mont des
Oliviers, il envoie deux de ses disciples, 2 en leur
disant : « Allez au village qui est en face de vous,
et aussitôt, en y pénétrant, vous trouverez, à
l'attache, un ânon que personne au monde n'a
encore monté. Détachez-le et amenez-le. 3 Et si
quelqu'un vous dit : " Que faites-vous là? " dites :
" Le Seigneur en a besoin et aussitôt il va le renvoyer ici. " » 4 Ils partirent et trouvèrent un ânon
à l'attache près d'une porte, dehors, sur la rue, et
ils le détachent. 5 Quelques-uns de ceux qui se
tenaient là leur dirent : « Qu'avez-vous à détacher
cet ânon? » 6 Ils dirent comme Jésus leur avait dit,
et on les laissa faire. 7 Ils amènent l'ânon à Jésus
et ils mettent sur lui leurs manteaux et il s'assit dessus. 8 Et beaucoup de gens étendirent leurs manteaux sur le chemin; d'autres, des jonchées de verdure qu'ils coupaient dans les champs. 9 Et ceux
qui marchaient devant et ceux qui suivaient
criaient : « *Hosanna! Béni soit celui qui vient au*
Ps **118** 25-26 *nom du Seigneur!* 10 Béni soit le Royaume qui
2 S **7** 16 vient, de notre père David! *Hosanna* au plus haut
des cieux! » 11 Il entra à Jérusalem dans le Temple
et, après avoir tout regardé autour de lui, comme
il était déjà tard, il sortit pour aller à Béthanie avec
les Douze.

|| Mt **21** 18-19 **Le figuier stérile** [a].

12 Le lendemain, comme ils étaient sortis de
Béthanie, il eut faim. 13 Voyant de loin un figuier
qui avait des feuilles, il alla voir s'il y trouverait
quelque fruit, mais s'en étant approché, il ne trouva
rien que des feuilles : car ce n'était pas la saison
des figues. 14 S'adressant au figuier, il lui dit : « Que
jamais plus personne ne mange de tes fruits! » Et
ses disciples l'entendaient.

|| Mt **21** 12-13, 17 **Les vendeurs chassés du Temple.**
|| Lc **19** 45-48
|| Jn **2** 14-16
15 Ils arrivent à Jérusalem. Étant entré dans le
Temple, il se mit à chasser les vendeurs et les acheteurs qui s'y trouvaient : il culbuta les tables des
changeurs et les sièges des marchands de colombes,
16 et il ne laissait personne transporter d'objet à travers le Temple. 17 Et il les enseignait et leur disait :
« N'est-il pas écrit : *Ma maison sera appelée une* Is **56** 7
*maison de prière pour toutes les nations* [b]? Mais
vous, vous en avez fait *un repaire de brigands!* » Jr **7** 11
18 Cela vint aux oreilles des grands prêtres et des
scribes et ils cherchaient comment le faire périr;
car ils le craignaient, parce que tout le peuple était
ravi de son enseignement. 19 Le soir venu, il s'en
allait hors de la ville.

**Le figuier desséché. Foi et prière.** || Mt **21** 20-22

20 Passant au matin, ils virent le figuier desséché
jusqu'aux racines. 21 Et Pierre, se ressouvenant, lui
dit : « Rabbi, regarde : le figuier que tu as maudit
est desséché. » 22 En réponse, Jésus leur dit : « Ayez
foi en Dieu. 23 En vérité je vous le dis, si quelqu'un Mt **8** 10+
dit à cette montagne : " Soulève-toi et jette-toi dans
la mer ", et s'il n'hésite pas dans son cœur, mais
croit que ce qu'il dit va arriver, cela lui sera Jn **11** 22
accordé. 24 C'est pourquoi je vous dis : tout ce que
vous demandez en priant, croyez que vous l'avez Mt **5** 23-24
déjà reçu, et cela vous sera accordé. 25 Et quand
vous êtes debout en prière, si vous avez quelque
chose contre quelqu'un, remettez-lui, afin que votre Mt **6** 14-15
Père qui est aux cieux vous remette aussi vos offenses [26] [c].

**Questions des Juifs sur l'autorité de Jésus.** || Mt **21** 23-27
|| Lc **20** 1-8
27 Ils viennent de nouveau à Jérusalem. Et tandis
qu'il circule dans le Temple, les grands prêtres, les
scribes et les anciens viennent à lui 28 et ils lui
disaient : « Par quelle autorité fais-tu cela? ou qui Jn **2** 18
t'a donné cette autorité pour le faire? » 29 Jésus leur
dit : « Je vous poserai une seule question. Répondez-moi et je vous dirai par quelle autorité je fais
cela. 30 Le baptême de Jean était-il du Ciel ou des
hommes? Répondez-moi. » 31 Or ils se faisaient
par-devers eux ce raisonnement : « Si nous disons :

*a)* Les évangiles synoptiques présentent ici un ordre différent, qui doit s'expliquer par l'évolution littéraire de la tradition. D'une part, l'entrée à Jérusalem et l'expulsion des vendeurs du Temple, que Mt et Lc placent au même jour, sont réparties par Mc sur deux jours, et séparées entre elles par l'épisode du figuier maudit. D'autre part, le figuier desséché (et aussi sa malédiction, chez Mt) est inséré par Mc entre l'expulsion des vendeurs du Temple et la discussion sur l'autorité de Jésus, deux péricopes qui devaient primitivement se suivre sans interruption, cf. Jn **2** 14-22. Ces divergences s'expliquent si l'épisode du figuier a été introduit après coup dans une trame primitive (noter qu'il manque dans Lc), et cela en deux étapes : d'abord la malédiction, puis le dessèchement, addition postérieure qui a voulu dégager de la malédiction ainsi réalisée une leçon sur l'efficacité de la prière faite avec foi. Chez Mc seul, cette leçon a entraîné en outre, par association verbale, un *logion* sur le pardon des offenses, que Mt utilise à l'occasion du Pater, Mt **6** 14.

*b)* Mc, seul des Synoptiques, cite, et sans doute à dessein, les derniers mots du texte d'Isaïe, qui annoncent l'extension universelle du culte messianique.

*c)* Add. v. 26 : « Mais si vous ne pardonnez pas, votre Père qui est dans les cieux ne vous pardonnera pas non plus vos offenses », cf. Mt **6** 15.

" Du Ciel ", il dira : " Pourquoi donc n'avez-vous
pas cru en lui? " [32] Mais allons-nous dire : " Des
hommes "? » Ils craignaient la foule car tous
Mt **16** 14+ tenaient que Jean avait été réellement un prophète.
[33] Et ils font à Jésus cette réponse : « Nous ne
savons pas. » Et Jésus leur dit : « Moi non plus, je
ne vous dis pas par quelle autorité je fais cela. »

|| Mt **21** 33-46 **Parabole des vignerons homicides.**
|| Lc **20** 9-19

**12** [1] Il se mit à leur parler en paraboles : « Un
Is **5** 1+ homme planta une vigne, l'entoura d'une clôture, y creusa un pressoir et y bâtit une tour; puis
il la loua à des vignerons et partit en voyage. [2] Il
envoya un serviteur aux vignerons, le moment
venu, pour recevoir d'eux une part des fruits de la
vigne. [3] Mais ils se saisirent de lui, le battirent et
le renvoyèrent les mains vides. [4] De nouveau, il leur
envoya un autre serviteur : celui-là aussi, ils le
frappèrent à la tête et le couvrirent d'outrages. [5] Et
il en envoya un autre : celui-là, ils le tuèrent; puis
beaucoup d'autres : ils battirent les uns, tuèrent les
autres. [6] Il lui restait encore quelqu'un, un fils bien-
aimé; il le leur envoya le dernier, en se disant :
" Ils respecteront mon fils. " [7] Mais ces vignerons
se dirent entre eux : " Celui-ci est l'héritier; venez,
tuons-le, et l'héritage sera à nous. " [8] Et le saisissant, ils le tuèrent et le jetèrent hors de la vigne.
[9] Que fera le maître de la vigne? Il viendra, fera
périr les vignerons et donnera la vigne à d'autres.
[10] Et n'avez-vous pas lu cette Écriture :

**118** 22-23 *La pierre qu'avaient rejetée les bâtisseurs,*
*c'est elle qui est devenue pierre de faîte;*
[11] *c'est là l'œuvre du Seigneur*
*et elle est admirable à nos yeux?* »

[12] Ils cherchaient à l'arrêter, mais ils eurent peur
de la foule. Ils avaient bien compris, en effet, que
c'était pour eux qu'il avait dit la parabole. Et le
laissant, ils s'en allèrent.

**22** 15-22 **L'impôt dû à César.**
**20** 20-26

[13] Ils lui envoient alors quelques-uns des Phari-
Mc **3** 6+ siens et des Hérodiens pour le prendre au piège
dans sa parole. [14] Ils viennent et lui disent :
« Maître, nous savons que tu es véridique et que tu
ne te préoccupes pas de qui que ce soit; car tu ne
regardes pas au rang des personnes, mais tu enseignes en toute vérité la voie de Dieu. Est-il permis
ou non de payer l'impôt à César? Devons-nous
payer, oui ou non? » [15] Mais lui, sachant leur hypocrisie, leur dit : « Pourquoi me tendez-vous un
piège? Apportez-moi un denier, que je le voie. »
[16] Ils en apportèrent un et il leur dit : « De qui est
l'effigie que voici? Et l'inscription? » Ils lui dirent :
« De César. » [17] Alors Jésus leur dit : « Rendez à
César ce qui est à César et à Dieu ce qui est à
Dieu. » Et ils étaient fort surpris à son sujet.

**La résurrection des morts.** || Mt **22** 23-33
[18] Alors viennent à lui des Sadducéens – de ces || Lc **20** 27-40
gens qui disent qu'il n'y a pas de résurrection – et
ils l'interrogeaient en disant : [19] « Maître, Moïse a
écrit pour nous : " Si quelqu'un a un frère qui Dt **25** 5+
meurt en laissant une femme sans enfant, que ce
frère prenne la femme et suscite une postérité à son
frère. " [20] Il y avait sept frères. Le premier prit
femme et mourut sans laisser de postérité. [21] Le
second prit la femme et mourut aussi sans laisser
de postérité, et de même le troisième; [22] et aucun
des sept ne laissa de postérité. Après eux tous, la
femme aussi mourut. [23] A la résurrection, quand ils
ressusciteront, duquel d'entre eux sera-t-elle la
femme? Car les sept l'auront eue pour femme. »
[24] Jésus leur dit : « N'êtes-vous pas dans l'erreur,
en ne connaissant ni les Écritures ni la puissance
de Dieu? [25] Car, lorsqu'on ressuscite d'entre les
morts, on ne prend ni femme ni mari, mais on est
comme des anges dans les cieux. [26] Quant au fait
que les morts ressuscitent, n'avez-vous pas lu dans
le Livre de Moïse, au passage du Buisson [a],
comment Dieu lui a dit : *Je suis le Dieu* Ex **3** 6
*d'Abraham, le Dieu d'Isaac et le Dieu de Jacob?*
[27] Il n'est pas un Dieu de morts, mais de vivants.
Vous êtes grandement dans l'erreur! »

**Le premier commandement.** || Mt **22** 34-40
|| Lc **10** 25-28
[28] Un scribe qui les avait entendus discuter,
voyant qu'il leur avait bien répondu, s'avança et lui
demanda : « Quel est le premier de tous les
commandements? » [29] Jésus répondit : « Le premier
c'est : *Écoute, Israël, le Seigneur notre Dieu est* Dt **6** 4-5
*l'unique Seigneur* [b], [30] *et tu aimeras le Seigneur ton*
*Dieu de tout ton cœur, de toute ton âme,* de tout
ton esprit *et de toute ta force.* [31] Voici le second :
*Tu aimeras ton prochain comme toi-même.* Il n'y Lv **19** 18
a pas de commandement plus grand que ceux-là. »
[32] Le scribe lui dit [c] : « Fort bien, Maître, tu as eu

*a)* Là où est raconté l'épisode du buisson ardent.
*b)* Le monothéisme est aussi intransigeant dans le NT que dans le Judaïsme. Il s'appuie ici, dans la bouche de Jésus, sur le *Shema,* Dt **6** 4-5+. Paul exhortera les païens à « se convertir » au seul Dieu vivant, Ac **14** 15+; 1 Th **1** 9+; cf. 1 Co **8** 4-6; 1 Tm **2** 5. A ses yeux toute l'œuvre du Christ Jésus vient de Dieu et y aboutit, car il la fait tourner à sa propre gloire, Rm **8** 28-30; **16** 27; 1 Co **1** 30; **15** 28, 57; Ep **1** 3-12; **3** 11; Ph **2** 11; **4** 19-20; 1 Tm **2** 3-5; **6** 15-16; cf. He **1** 1-13; **13** 20-21; etc. L'évangile de Jn exprime la chose autrement : Jésus vient du Père, **3** 17+, 31; **6** 46, etc., et va au Père, **7** 33; **13** 3; **14** 6+.
*c)* Vv. 32-34 : ce complément inattendu, où le scribe se voit féli-

Dt 6 4; 4 35 raison de dire qu'*il est unique et qu'il n'y en a pas*
*d'autre que Lui :* [33] *l'aimer de tout son cœur, de*
*toute son intelligence et de toute sa force,* et *aimer*
Am 5 21+ *le prochain comme soi-même,* vaut mieux que tous
1 S 15 22 les holocaustes et tous les sacrifices. » [34] Jésus,
Ps 40 7-9 voyant qu'il avait fait une remarque pleine de sens,
lui dit : « Tu n'es pas loin du Royaume de Dieu. »
|| Mt 22 46 Et nul n'osait plus l'interroger.
|| Lc 20 40

|| Mt 22 41-46
|| Lc 20 41-44
### Le Christ, fils et Seigneur de David.

[35] Prenant la parole, Jésus disait en enseignant
dans le Temple : « Comment les scribes peuvent-ils
Mt 9 27+ dire que le Christ est fils de David? [36] C'est David
lui-même qui a dit par l'Esprit Saint :

Ps 110 1 *Le Seigneur a dit à mon Seigneur :*
*Siège à ma droite,*
*jusqu'à ce que j'aie mis tes ennemis*
*dessous tes pieds.*

[37] David en personne l'appelle Seigneur; comment
alors peut-il être son fils? » Et la foule nombreuse
l'écoutait avec plaisir.

|| Mt 23 6-7
|| Lc 20 45-
47; 11 43
### Les scribes jugés par Jésus.

[38] Il disait encore dans son enseignement : « Gardez-vous des scribes qui se plaisent à circuler en
longues robes, à recevoir les salutations sur les
places publiques, [39] à occuper les premiers sièges
dans les synagogues et les premiers divans dans les
festins, [40] qui dévorent les biens des veuves, et
affectent de faire de longues prières. Ils subiront,
ceux-là, une condamnation plus sévère. »

|| Lc 21 1-4
### L'obole de la veuve.

[41] S'étant assis face au Trésor, il regardait la
foule mettre de la petite monnaie dans le Trésor [a],
et beaucoup de riches en mettaient abondamment.
[42] Survint une veuve pauvre qui y mit deux piécettes, soit un quart d'as. [43] Alors il appela à lui ses
disciples et leur dit : « En vérité, je vous le dis, cette
veuve, qui est pauvre, a mis plus que tous ceux qui
mettent dans le Trésor. [44] Car tous ont mis de leur
superflu, mais elle, de son indigence, a mis tout ce
qu'elle possédait, tout ce qu'elle avait pour vivre. »

|| Mt 24 1-3
|| Lc 21 5-7
### Discours eschatologique [b]. Introduction.

**13** [1] Comme il s'en allait hors du Temple, un de
ses disciples lui dit : « Maître, regarde, quelles
pierres! quelles constructions! » [2] Et Jésus lui dit :
« Tu vois ces grandes constructions? Il n'en restera
pas pierre sur pierre qui ne soit jetée bas. »
[3] Et comme il était assis sur le mont des Oliviers
en face du Temple, Pierre, Jacques, Jean et André 1 29
l'interrogeaient en particulier : [4] « Dis-nous quand 5 37+
cela aura lieu et quel sera le signe que tout cela va
finir? »

### Le commencement des douleurs.
|| Mt 24 4-14
|| Lc 21 8-19

[5] Alors Jésus se mit à leur dire : « Prenez garde
qu'on ne vous abuse. [6] Il en viendra beaucoup sous
mon nom, qui diront : " C'est moi ", et ils abuseront bien des gens. [7] Lorsque vous entendrez parler
de guerres et de rumeurs de guerres, ne vous alarmez pas : il faut que cela arrive, mais ce ne sera Dn 2 28
pas encore la fin. [8] On se dressera, en effet, nation
contre nation et royaume contre royaume. Il y aura
par endroits des tremblements de terre, il y aura
des famines. Ce sera le commencement des douleurs de l'enfantement.
[9] « Soyez sur vos gardes. On vous livrera aux || Mt 10 17-2
sanhédrins, vous serez battus de verges dans les
synagogues et vous comparaîtrez devant des gouverneurs et des rois, à cause de moi, pour rendre
témoignage en face d'eux. [10] Il faut d'abord que
l'Évangile soit proclamé à toutes les nations.
[11] « Et quand on vous emmènera pour vous
livrer, ne vous préoccupez pas de ce que vous direz,
mais dites ce qui vous sera donné sur le moment :
car ce n'est pas vous qui parlerez, mais l'Esprit
Saint. [12] Le frère livrera son frère à la mort, et le Mt 10 36
père son enfant; les enfants se dresseront contre
leurs parents et les feront mourir. [13] Et vous serez
haïs de tous à cause de mon nom, mais celui qui
aura tenu bon jusqu'au bout, celui-là sera sauvé.

### La grande tribulation de Jérusalem.
|| Mt 24
|| Lc 21 2

[14] « Lorsque vous verrez *l'abomination de la* Dn 9 27;
*désolation* installée là où elle ne doit pas être (que 11 31; 1
le lecteur comprenne!), alors que ceux qui seront 1 M 1 5
en Judée s'enfuient dans les montagnes, [15] que celui
qui sera sur la terrasse ne descende pas pour rentrer dans sa maison et prendre ses affaires; [16] et que
celui qui sera aux champs ne retourne pas en
arrière pour prendre son manteau! [17] Malheur à
celles qui seront enceintes et à celles qui allaiteront
en ces jours-là! [18] Priez pour que cela ne tombe pas

cité pour avoir simplement répété les paroles de Jésus, est une addition tirée d'une tradition parallèle aux vv. 28-31, et dont la forme littéraire rappelle davantage Lc **10** 25-28.

*a)* La salle du Trésor, dans l'enceinte du Temple, avait donc un tronc extérieur pour recevoir les offrandes.

*b)* A la différence du discours de Mt, qui ajoute à la perspective de la ruine de Jérusalem et du Temple celle de la fin du monde, cf. Mt **24** 1+, le discours de Mc a davantage conservé l'orientation primitive, qui ne concerne que la ruine de Jérusalem. De nombreux critiques croient y reconnaître une petite apocalypse juive inspirée de Daniel, vv. 7-8, 14-20, 24-27, complétée par des paroles de Jésus, vv. 5-6, 9-13, 21-23, 28-37. Rien dans ces paroles, ni dans la petite apocalypse juive de base, n'annonce autre chose que la crise messianique imminente et la délivrance

en hiver. [19] Car en ces jours-là il y aura *une tribula-*
Dn **12** 1 *tion telle qu'il n'y en a pas eu* de pareille depuis
le commencement de la création qu'a créée Dieu
*jusqu'à ce jour*, et qu'il n'y en aura jamais plus.
[20] Et si le Seigneur n'avait abrégé ces jours, nul
n'aurait eu la vie sauve; mais à cause des élus qu'il
a choisis, il a abrégé ces jours. [21] Alors si quelqu'un
vous dit : " Voici : le Christ est ici! ", " Voici : il
est là! ", n'en croyez rien. [22] Il surgira, en effet, des
faux Christs et des faux prophètes qui opéreront
des signes et des prodiges pour abuser, s'il était
possible, les élus. [23] Pour vous, soyez en garde : je
vous ai prévenus de tout.

|| Mt **24** 29-31
|| Lc **12** 25-27 **Manifestation glorieuse du Fils de l'homme** [a].

[24] Mais en ces jours-là, après cette tribulation, le
soleil s'obscurcira, la lune ne donnera plus sa
lumière, [25] les étoiles se mettront à tomber du ciel
et les puissances qui sont dans les cieux seront
Dn **7** 13-14 ébranlées. [26] Et alors on verra le Fils de l'homme
Mt **8** 20+ venant dans des nuées avec grande puissance et
gloire. [27] Et alors il enverra les anges pour rassem-
Dt **30** 3-4 bler ses élus, des quatre vents, de l'extrémité de la
Za **2** 10-17 terre à l'extrémité du ciel.

**Parabole du figuier.** || Mt **24** 32-36
|| Lc **21** 29-33

[28] « Du figuier apprenez cette parabole. Dès que
sa ramure devient flexible et que ses feuilles poussent, vous comprenez que l'été est proche. [29] Ainsi
vous, lorsque vous verrez cela arriver, comprenez
qu'Il est proche, aux portes. [30] En vérité je vous le
dis, cette génération ne passera pas que tout cela
ne soit arrivé. [31] Le ciel et la terre passeront, mais
mes paroles ne passeront point.

[32] « Quant à la date de ce jour, ou à l'heure, personne ne les connaît, ni les anges dans le ciel, ni
le Fils, personne que le Père.

**Veiller pour ne pas être surpris.** || Mt **24** 42; **25** 13-15
|| Lc **19** 12-13; **12** 38, 40

[33] « Soyez sur vos gardes, veillez, car vous ne
savez pas quand ce sera le moment. [34] Il en sera
comme d'un homme parti en voyage : il a quitté sa
maison, donné pouvoir à ses serviteurs, à chacun
sa tâche, et au portier il a recommandé de veiller.
[35] Veillez donc, car vous ne savez pas quand le
maître de la maison va venir, le soir, à minuit, au
chant du coq ou le matin [b], [36] de peur que, venant
à l'improviste, il ne vous trouve endormis. [37] Et ce
que je vous dis à vous, je le dis à tous : veillez! »

# *V. La passion et la résurrection de Jésus*

Mt **26** 2-5
Lc **22** 1-2 **Complot contre Jésus.**

Mt **26** 17+ **14** [1] La Pâque et les Azymes allaient avoir lieu
dans deux jours, et les grands prêtres et les
scribes cherchaient comment arrêter Jésus par ruse
pour le tuer. [2] Car ils se disaient : « Pas en pleine
fête, de peur qu'il n'y ait du tumulte parmi le peuple. »

t **26** 6-13
Jn **12** 1-8 **L'onction à Béthanie.**

[3] Comme il se trouvait à Béthanie, chez Simon
le lépreux, alors qu'il était à table, une femme vint,
avec un flacon d'albâtre contenant un nard pur [c],
de grand prix. Brisant le flacon, elle le lui versa sur
la tête. [4] Or il y en eut qui s'indignèrent entre eux :
« A quoi bon ce gaspillage de parfum? [5] Ce parfum
pouvait être vendu plus de trois cents deniers et
donné aux pauvres. » Et ils la rudoyaient. [6] Mais
Jésus dit : « Laissez-la; pourquoi la tracassez-
vous? C'est une bonne œuvre qu'elle a accomplie
sur moi. [7] Les pauvres, en effet, vous les aurez toujours avec vous et, quand vous le voudrez, vous Dt **15** 11
pourrez leur faire du bien, mais moi, vous ne
m'aurez pas toujours. [8] Elle a fait ce qui était en
son pouvoir : d'avance elle a parfumé mon corps
pour l'ensevelissement. [9] En vérité, je vous le dis,
partout où sera proclamé l'Évangile, au monde
entier, on redira aussi, à sa mémoire, ce qu'elle
vient de faire. »

**La trahison de Judas.** || Mt **26** 14-16
|| Lc **22** 3-6

[10] Judas Iscarioth, l'un des Douze, s'en alla
auprès des grands prêtres pour le leur livrer. [11] A
cette nouvelle ils se réjouirent et ils promirent de
lui donner de l'argent. Et il cherchait une occasion
favorable pour le livrer.

attendue du peuple élu, qui s'est produite en fait par la ruine de Jérusalem, la résurrection du Christ et son avènement dans l'Église.

*a)* Les prodiges cosmiques servent dans le langage traditionnel des prophètes (voir les références marginales, ici et sur Mt **24** 29-31) à décrire les interventions puissantes de Dieu dans l'histoire, ici la crise messianique suivie du triomphe final du peuple des saints et de son chef le Fils de l'homme. Rien n'impose de les appliquer à la fin du monde, comme on le fait souvent à cause du contexte que leur a donné Mt, cf. Mt **24** 1+.

*b)* Ces quatre veilles divisaient la nuit, chacune étant de trois heures.

*c)* Mc précise, avec Jn **12** 3, la qualité du parfum : du nard, extrait d'une plante aromatique de l'Inde, et il note seul que la femme brise le flacon pour verser plus abondamment et plus vite, geste d'une touchante prodigalité.

|| Mt **26** 17-19 **Préparatifs du repas pascal** [a].
|| Lc **22** 7-13
12 Le premier jour des Azymes, où l'on immolait
la Pâque, ses disciples lui disent : « Où veux-tu que
nous allions faire les préparatifs pour que tu man-
ges la Pâque? » 13 Il envoie alors deux de ses disci-
1 S **10** 2-5 ples, en leur disant : « Allez à la ville; vous
rencontrerez un homme portant une cruche d'eau.
Suivez-le, 14 et là où il entrera, dites au propriétaire : " Le Maître te fait dire : Où est ma salle, où
je pourrai manger la Pâque avec mes disciples? "
15 Et il vous montrera, à l'étage, une grande pièce
garnie de coussins, toute prête; faites-y pour nous
les préparatifs. » 16 Les disciples partirent et vinrent
à la ville, et ils trouvèrent comme il leur avait dit,
et ils préparèrent la Pâque.

|| Mt **26** 20-25 **Annonce de la trahison de Judas.**
|| Lc **22** 14, 21-23
|| Jn **13** 21-30
17 Le soir venu, il arrive avec les Douze. 18 Et
tandis qu'ils étaient à table et qu'ils mangeaient,
Jésus dit : « En vérité, je vous le dis, l'un de vous
me livrera, un *qui mange avec moi.* » 19 Ils devinrent tout tristes et se mirent à lui dire l'un après
l'autre : « Serait-ce moi? » 20 Il leur dit : « C'est l'un
des Douze, qui plonge avec moi la main dans le
même plat. 21 Oui, le Fils de l'homme s'en va selon
qu'il est écrit de lui; mais malheur à cet homme-là
par qui le Fils de l'homme est livré! Mieux eût valu
pour cet homme-là de ne pas naître! »

|| Mt **26** 26-29 **Institution de l'Eucharistie.**
|| Lc **22** 15-20
|| 1 Co **11** 23-25
22 Et tandis qu'ils mangeaient, il prit du pain, le
bénit, le rompit et le leur donna en disant :
« Prenez, ceci est mon corps. » 23 Puis, prenant une
coupe, il rendit grâces et la leur donna, et ils en
burent tous. 24 Et il leur dit : « Ceci est mon sang,
le sang de l'alliance, qui va être répandu pour une
Mt **8** 11+ multitude. 25 En vérité, je vous le dis, je ne boirai
plus du produit de la vigne jusqu'au jour où je boirai le vin nouveau dans le Royaume de Dieu. »

|| Mt **26** 30-35 **Prédiction du reniement de Pierre.**
|| Lc **22** 39, 31-34
|| Jn **13** 36-38
26 Après le chant des psaumes, ils partirent pour
le mont des Oliviers. 27 Et Jésus leur dit : « Tous
Za **13** 7 vous allez succomber, car il est écrit : *Je frapperai
le pasteur et les brebis seront dispersées.* 28 Mais
après ma résurrection, je vous précéderai en Galilée. » 29 Pierre lui dit : « Même si tous succombent,
du moins pas moi! » 30 Jésus lui dit : « En vérité, je
te le dis : toi, aujourd'hui, cette nuit même, avant
que le coq chante deux fois, tu m'auras renié trois **14** 72
fois. » 31 Mais lui reprenait de plus belle : « Dussé-je mourir avec toi, non, je ne te renierai pas. »
Et tous disaient de même.

**A Gethsémani.** || Mt **26** 36-46
|| Lc **22** 40-46
32 Ils parviennent à un domaine du nom de Gethsémani, et il dit à ses disciples : « Restez ici tandis
que je prierai. » 33 Puis il prend avec lui Pierre, Jac- 5 37+
ques et Jean, et il commença à ressentir effroi et
angoisse. 34 Et il leur dit : « Mon âme est triste à
en mourir; demeurez ici et veillez. » 35 Étant allé un
peu plus loin, il tombait à terre, et il priait pour
que, s'il était possible, cette heure passât loin de lui.
36 Et il disait : « Abba [b] (Père)! tout t'est possible :
éloigne de moi cette coupe; pourtant, pas ce que je
veux, mais ce que tu veux! » 37 Il vient et les trouve
en train de dormir; et il dit à Pierre : « Simon, tu
dors? Tu n'as pas eu la force de veiller une heure?
38 Veillez et priez pour ne pas entrer en tentation :
l'esprit est ardent, mais la chair est faible. » 39 Puis Rm **7** 5+
il s'en alla de nouveau et pria, en disant les mêmes
paroles. 40 De nouveau il vint et les trouva endormis, car leurs yeux étaient alourdis; et ils ne
savaient que lui répondre. 41 Une troisième fois il **9** 6
vient et leur dit : « Désormais vous pouvez dormir
et vous reposer. C'en est fait. L'heure est venue :
voici que le Fils de l'homme va être livré aux mains
des pécheurs. 42 Levez-vous! Allons! Voici que Jn **14** 31-3
celui qui me livre est tout proche. »

**L'arrestation de Jésus.** Mt **26** 47-
|| Lc **22** 47
|| Jn **18** 2-
43 Et aussitôt, comme il parlait encore, survient
Judas, l'un des Douze, et avec lui une bande armée
de glaives et de bâtons, venant de la part des
grands prêtres, des scribes et des anciens. 44 Or, le
traître leur avait donné ce signe convenu : « Celui
à qui je donnerai un baiser, c'est lui; arrêtez-le et
emmenez-le sous bonne garde. » 45 Et aussitôt
arrivé, il s'approcha de lui en disant : « Rabbi », et
il lui donna un baiser. 46 Les autres mirent la main
sur lui et l'arrêtèrent. 47 Alors l'un des assistants,
dégainant son glaive, frappa le serviteur du Grand
Prêtre et lui enleva l'oreille.

48 S'adressant à eux, Jésus leur dit : « Suis-je un
brigand, que vous vous soyez mis en campagne
avec des glaives et des bâtons pour me saisir!
49 Chaque jour j'étais auprès de vous dans le Tem-

*a)* Selon Mt, Jésus faisait connaître sa décision à l'habitant de Jérusalem chez qui il s'invitait; selon Mc, un signe conduira les deux disciples délégués à une salle qu'ils trouveront toute prête. Bien que signe et préparation puissent avoir été convenus par avance, leur présentation littéraire, inspirée de 1 S **10** 2-5, donne à la scène un halo de prescience surnaturelle. On remarquera par ailleurs que la structure de l'épisode ressemble étroitement à la préparation de l'entrée messianique, Mc **11** 1-6.

*b) Abba* est un nom araméen qui, sur les lèvres de Jésus, exprime la familiarité du Fils avec le Père, cf. Mt **11** 25-26p; Jn **3** 35; **5** 19-20; **8** 28-29, etc. Il sera mis ainsi dans la bouche des chrétiens, Rm **8** 15; Ga **4** 6, dont l'Esprit, Rm **5** 5+, fait des fils de Dieu, Mt **6** 9; **17** 25+; Lc **11** 2, etc.

ple, à enseigner, et vous ne m'avez pas arrêté. Mais
c'est pour que les Écritures s'accomplissent. » 50 Et,
l'abandonnant, ils prirent tous la fuite. 51 Un jeune
homme le suivait, n'ayant pour tout vêtement qu'un
drap, et on le saisit; 52 mais lui, lâchant le drap,
Am **2** 16 s'enfuit tout nu [a].

|| Mt **26** 57-68 **Jésus devant le Sanhédrin.**

|| Lc **22** 54, 63-71 53 Ils emmenèrent Jésus chez le Grand Prêtre, et
tous les grands prêtres, les anciens et les scribes se
|| Jn **18** 15-16, 18 rassemblent. 54 Pierre l'avait suivi de loin jusqu'à
l'intérieur du palais du Grand Prêtre et, assis avec
les valets, il se chauffait à la flambée.

55 Or, les grands prêtres et tout le Sanhédrin
cherchaient un témoignage contre Jésus pour le
faire mourir et ils n'en trouvaient pas. 56 Car plusieurs déposaient faussement contre lui et leurs
témoignages ne concordaient pas. 57 Quelques-uns
se levèrent pour porter contre lui ce faux témoignage : 58 « Nous l'avons entendu qui disait : Je
détruirai ce Sanctuaire fait de main d'homme et en
2 Co **5** 1 trois jours j'en rebâtirai un autre qui ne sera pas
fait de main d'homme. » 59 Et sur cela même leurs
dépositions n'étaient pas d'accord.

60 Se levant alors au milieu, le Grand Prêtre interrogea Jésus : « Tu ne réponds rien? Qu'est-ce
que ces gens attestent contre toi [b]? » 61 Mais lui se
taisait et ne répondit rien. De nouveau le Grand
Prêtre l'interrogeait, et il lui dit : « Tu es le Christ,
le Fils du Béni [c]? » – 62 « Je le suis, dit Jésus, et
**13** 26+ vous verrez *le Fils de l'homme siégeant à la droite*
Ps **110** 1 *de la Puissance et venant avec les nuées du ciel.* »
63 Alors le Grand Prêtre déchira ses tuniques et
dit : « Qu'avons-nous encore besoin de témoins?
64 Vous avez entendu le blasphème; que vous en
semble? » Tous prononcèrent qu'il était passible de
mort.

65 Et quelques-uns se mirent à lui cracher au
visage, à le gifler et à lui dire : « Fais le prophète [d]! » Et les valets le bourrèrent de coups.

**26** 69-75 **Reniements de Pierre.**

**22** 55-62 66 Comme Pierre était en bas dans la cour, arrive
**18** 15-18, 25-27 une des servantes du Grand Prêtre. 67 Voyant
Pierre qui se chauffait, elle le dévisagea et dit :
« Toi aussi, tu étais avec le Nazarénien Jésus. » Mt **2** 23+
68 Mais lui nia en disant : « Je ne sais pas, je ne
comprends pas ce que tu dis. » Puis il se retira
dehors vers le vestibule et un coq chanta [e]. 69 La
servante, l'ayant vu, recommença à dire aux assistants : « Celui-là en est! » 70 Mais de nouveau il
niait. Peu après, à leur tour, les assistants disaient
à Pierre : « Vraiment tu en es; et d'ailleurs tu es
Galiléen. » 71 Mais il se mit à jurer avec force
imprécations : « Je ne connais pas cet homme dont
vous parlez. » 72 Et aussitôt, pour la seconde fois,
un coq chanta. Et Pierre se ressouvint de la parole
que Jésus lui avait dite : « Avant que le coq chante
deux fois, tu m'auras renié trois fois. » Et il éclata
en sanglots.

**Jésus devant Pilate.** || Mt **27** 1-2, 11-26

**15** 1 Et aussitôt, le matin, les grands prêtres pré- || Lc **22** 66;
parèrent un conseil avec les anciens, les scri- **23** 1-5, 13-25
bes, et tout le Sanhédrin; puis, après avoir ligoté || Jn **18** 28 - **19** 1; **19** 4-16
Jésus, ils l'emmenèrent et le livrèrent à Pilate. Mt **26** 57+
2 Pilate l'interrogea : « Tu es le roi des Juifs? »
Jésus lui répond : « Tu le dis. » 3 Et les grands prêtres multipliaient contre lui les accusations. 4 Et
Pilate de l'interroger à nouveau : « Tu ne réponds
rien? Vois tout ce dont ils t'accusent! » 5 Mais
Jésus ne répondit plus rien, si bien que Pilate était
étonné.

6 A chaque Fête, il leur relâchait un prisonnier,
celui qu'ils demandaient. 7 Or, il y avait en prison
le nommé Barabbas, arrêté avec les émeutiers qui
avaient commis un meurtre dans la sédition. 8 La
foule étant montée [f] se mit à demander la grâce
accoutumée. 9 Pilate leur répondit : « Voulez-vous
que je vous relâche le roi des Juifs [g]? » 10 Il se rendait bien compte que c'était par jalousie que les
grands prêtres l'avaient livré. 11 Cependant, les
grands prêtres excitèrent la foule à demander qu'il
leur relâchât plutôt Barabbas. 12 Pilate, prenant de
nouveau la parole, leur disait : « Que ferai-je donc
de celui que vous appelez le roi des Juifs? 13 Mais
eux crièrent de nouveau : « Crucifie-le! » 14 Et
Pilate de leur dire : « Qu'a-t-il donc fait de mal? »

*a)* Détail propre à Mc. Beaucoup de commentateurs ont vu dans ce jeune homme l'évangéliste lui-même.
*b)* Comme en Mt **26** 62, on traduit aussi : « Tu ne réponds rien à ce que ces gens attestent contre toi? »
*c)* Qualificatif remplaçant le nom de Yahvé, que les Juifs évitaient de prononcer. De même « la Puissance » au v. 62.
*d)* « Lui cracher au visage » D Vet Lat (a f), Texte césaréen, Peshitta; « lui cracher dessus et à lui couvrir d'un voile le visage » la masse, par harmonisation avec Lc **22** 64. – Add. « qui est-ce qui t'a frappé? » témoins de valeur secondaire, harmonisation avec Mt **26** 68 et Lc **22** 64. – Si Mc ne mentionne ni le voile ni la question, la scène n'a pas de caractère divinatoire et illustre seulement les outrages au prophète annoncés par Is **50** 6.
*e)* Ce premier chant du coq qui n'émeut pas Pierre, et la fausse sortie qui l'accompagne, sont étranges et font pressentir un récit primitif qui ne contenait qu'un reniement, avec chant du coq et sortie. Sa combinaison avec deux récits parallèles, venant d'autres traditions, a produit le chiffre traditionnel de trois reniements : **14** 30p, 72p; cf. Jn **13** 38; **21** 15-17. La combinaison des textes, sensible chez Mc, a été estompée chez Mt et Lc, qui ont supprimé le premier chant du coq et atténué (ou éliminé, Lc) la première fausse sortie; elle reste suggérée par la séparation chez Jn du premier reniement, **18** 17, et des deux autres, **18** 25-27.
*f)* Cette notation suppose que le prétoire se trouvait en un lieu élevé, ce qui se vérifie mieux de la colline occidentale, où était l'ancien palais d'Hérode le Grand.
*g)* Chez Mc, la foule vient au prétoire pour demander la grâce

Mais il n'en crièrent que plus fort : « Crucifie-le! »
15 Pilate alors, voulant contenter la foule, leur relâcha Barabbas et, après avoir fait flageller Jésus, il
le livra pour être crucifié.

|| Mt 27 27-31 || Jn 19 1-3

**Le couronnement d'épines.**

16 Les soldats l'emmenèrent à l'intérieur du
palais, qui est le Prétoire, et ils convoquent toute
la cohorte. 17 Ils le revêtent de pourpre, puis, ayant
tressé une couronne d'épines, ils la lui mettent. 18 Et
ils se mirent à le saluer : « Salut, roi des Juifs! »
19 Et ils lui frappaient la tête avec un roseau et ils
lui crachaient dessus, et ils ployaient le genou
devant lui pour lui rendre hommage. 20 Puis, quand
ils se furent moqués de lui, ils lui ôtèrent la pourpre
et lui remirent ses vêtements.

|| Mt 27 32-33 || Lc 23 26 || Jn 19 17

**Le chemin de croix.**

Ils le mènent dehors afin de le crucifier. 21 Et ils
requièrent, pour porter sa croix, Simon de Cyrène,
le père d'Alexandre et de Rufus [a], qui passait par
là, revenant des champs. 22 Et ils amènent Jésus au
lieu dit Golgotha, ce qui se traduit lieu du Crâne.

|| Mt 27 34-38 || Lc 23 33-34 || Jn 19 18-24

**Le crucifiement.**

23 Et ils lui donnaient du vin parfumé de myrrhe,
mais il n'en prit pas. 24 Puis ils le crucifient et se
Ps 22 19 partagent ses vêtements en tirant au sort ce qui
reviendrait à chacun. 25 C'était la troisième heure [b]
quand ils le crucifièrent. 26 L'inscription qui indi-
quait le motif de sa condamnation était libellée :
Is 53 12 « Le roi des Juifs. » 27 Et avec lui ils crucifient deux
Lc 22 37 brigands, l'un à sa droite, l'autre à sa gauche [28] [c].

|| Mt 27 39-44 || Lc 23 35-37

**Jésus en croix raillé et outragé.**

29 Les passants l'injuriaient en hochant la tête et
Mc 14 58 disant : « Hé! toi qui détruis le Sanctuaire et le
rebâtis en trois jours, 30 sauve-toi toi-même en descendant de la croix! » 31 Pareillement les grands
prêtres se gaussaient entre eux avec les scribes et
disaient : « Il en a sauvé d'autres et il ne peut se
sauver lui-même! 32 Que le Christ, le Roi d'Israël,
Jn 6 30 descende maintenant de la croix, pour que nous
voyions et que nous croyions! » Même ceux qui Lc 23 39-43
étaient crucifiés avec lui l'outrageaient.

|| Mt 27 45-54 || Lc 23 44-47 || Jn 19 28-30

**La mort de Jésus.**

33 Quand il fut la sixième heure, l'obscurité se fit
sur la terre entière jusqu'à la neuvième heure. 34 Et
à la neuvième heure Jésus clama en un grand cri :
« *Élôï, Élôï* [d], *lema sabachthani* », ce qui se traduit : Ps 22 2
« *Mon Dieu, mon Dieu, pourquoi m'as-tu aban-
donné?* » 35 Certains des assistants disaient en
l'entendant : « Voilà qu'il appelle Élie! »
36 Quelqu'un courut tremper une éponge dans du
vinaigre et, l'ayant mise au bout d'un roseau, il lui
donnait à boire en disant : « Laissez! que nous
voyions si Élie va venir le descendre! » 37 Or Jésus,
jetant un grand cri, expira. 38 Et le voile du Sanctuaire se déchira en deux, du haut en bas. 39 Voyant
qu'il avait ainsi expiré, le centurion, qui se tenait
en face de lui, s'écria : « Vraiment cet homme était
fils de Dieu [e]! » Mt 4 3+

|| Mt 27 55-56 || Lc 23 49 || Jn 19 25

**Les saintes femmes au Calvaire.**

40 Il y avait aussi des femmes qui regardaient à
distance, entre autres Marie de Magdala, Marie
mère de Jacques le petit et de Joset, et Salomé [f], 6 3
41 qui le suivaient et le servaient lorsqu'il était en
Galilée; beaucoup d'autres encore qui étaient montées avec lui à Jérusalem.

|| Mt 27 57 || Lc 23 50 || Jn 19 38

**L'ensevelissement.**

42 Déjà le soir était venu et comme c'était la Préparation, c'est-à-dire la veille du sabbat, 43 Joseph Mt 27 62+
d'Arimathie, membre notable du Conseil [g], qui
attendait lui aussi le Royaume de Dieu, s'en vint
hardiment trouver Pilate et réclama le corps de
Jésus. 44 Pilate s'étonna qu'il fût déjà mort et, ayant
fait appeler le centurion, il lui demanda s'il était
mort depuis longtemps [h]. 45 Informé par le centurion, il octroya le corps à Joseph. 46 Celui-ci, ayant
acheté un linceul, descendit Jésus, l'enveloppa dans
le linceul et le déposa dans une tombe qui avait été
taillée dans le roc; puis il roula une pierre à l'entrée
du tombeau. 47 Or, Marie de Magdala et Marie,
mère de Joset, regardaient où on l'avait mis.

d'un prisonnier, sans songer au cas de Jésus. C'est Pilate qui met à profit cette demande pour proposer la grâce de Jésus et se tirer ainsi d'un cas embarrassant; mais sa manœuvre est déjouée par les grands prêtres qui lui opposent le nom de Barabbas. Mt **27** 17, a perdu ces nuances en prêtant à Pilate la maladresse de proposer lui-même le choix entre Barabbas et Jésus.

*a)* Alexandre et Rufus étaient sans doute connus de la communauté romaine où Marc écrivit son évangile. Cf. Rm **16** 13.

*b)* Neuf heures du matin ou, plus largement, le temps entre neuf heures du matin et midi.

*c)* Add. v. 28 : « Et cette Écriture fut accomplie, qui dit : Et il a été mis au rang des malfaiteurs (Is **53** 12). » Cf. Lc **22** 37.

*d)* Forme araméenne, *Élahî*, transcrite *Élôï*, peut-être sous l'influence de l'hébreu *Élohim*. La forme *Éli* rapportée par Mt est hébraïque; elle est celle du texte original du psaume et elle explique mieux le jeu de mot des soldats.

*e)* Bien que l'officier romain n'ait pu mettre dans cette confession tout le sens que nous lui donnons, Marc y voit certainement l'aveu par un païen de la personnalité surhumaine de Jésus.

*f)* Probablement la même que Mt **27** 56 appelle mère des fils de Zébédée.

*g)* C'est-à-dire du Sanhédrin.

*h)* Var. : « s'il était déjà mort ».

|| Mt **28** 1-8 || Lc **24** 1-10 || Jn **20** 1-10

### Le tombeau vide. Message de l'Ange.

**16** 1 Quand le sabbat fut passé, Marie de Magdala, Marie, mère de Jacques, et Salomé
achetèrent des aromates pour aller oindre le
corps [a]. 2 Et de grand matin, le premier jour de la
semaine, elles vont à la tombe, le soleil s'étant
levé [b].
3 Elles se disaient entre elles : « Qui nous roulera
la pierre hors de la porte du tombeau? » 4 Et ayant
levé les yeux, elles virent que la pierre avait été roulée de côté : or elle était fort grande. 5 Étant entrées
dans le tombeau, elles virent un jeune homme assis
9 3 à droite, vêtu d'une robe blanche, et elles furent saisies de stupeur. 6 Mais il leur dit : « Ne vous
Mt 2 23+ effrayez pas. C'est Jésus le Nazarénien que vous
cherchez, le Crucifié : il est ressuscité, il n'est pas
ici. Voici le lieu où on l'avait mis. 7 Mais allez dire
à ses disciples et à Pierre qu'il vous précède en
Galilée : c'est là que vous le verrez, comme il vous
l'a dit. » 8 Elles sortirent et s'enfuirent du tombeau,
parce qu'elles étaient toutes tremblantes et hors
d'elles-mêmes. Et elles ne dirent rien à personne [c],
car elles avaient peur...

Mt **28** 10+

### Apparitions de Jésus ressuscité [d].

9 Ressuscité le matin, le premier jour de la
Jn **20** 11-18 semaine, il apparut d'abord à Marie de Magdala
Lc **8** 2 dont il avait chassé sept démons. 10 Celle-ci alla le
rapporter à ceux qui avaient été ses compagnons Jn **20** 18
et qui étaient dans le deuil et les larmes. 11 Et ceux- Lc **24** 10-11
là, l'entendant dire qu'il vivait et qu'elle l'avait vu,
ne la crurent pas. Mt **8** 10+
12 Après cela, il se manifesta sous d'autres traits || Lc **24** 13-35
à deux d'entre eux qui étaient en chemin et s'en
allaient à la campagne. 13 Et ceux-là revinrent
l'annoncer aux autres, mais on ne les crut pas non
plus.
14 Enfin il se manifesta aux Onze eux-mêmes || Lc **24** 36-49
pendant qu'ils étaient à table, et il leur reprocha || Jn **20** 19-23
leur incrédulité et leur obstination à ne pas ajouter 1 Co **15** 5
foi à ceux qui l'avaient vu ressuscité. 15 Et il leur
dit : « Allez dans le monde entier, proclamez || Mt **28** 18-20
l'Évangile à toute la création. 16 Celui qui croira et Mc **13** 10
sera baptisé, sera sauvé; celui qui ne croira pas, Col **1** 23
sera condamné. 17 Et voici les signes qui accompa- Ac **1** 8+
gneront ceux qui auront cru : en mon nom ils chas- Mt **10** 1p
seront les démons, ils parleront en langues nouvelles, 18 ils saisiront des serpents, et s'ils boivent Lc **10** 19
quelque poison mortel, il ne leur fera pas de mal; Ac **28** 3-6
ils imposeront les mains aux infirmes et ceux-ci 1 Tm **4** 14+
seront guéris. »
19 Or le Seigneur Jésus, après leur avoir parlé, fut || Lc **24** 50-53
enlevé au ciel et il s'assit à la droite de Dieu. || Ac **1** 3-14
20 Pour eux, ils s'en allèrent prêcher en tout lieu, le Ac **2** 33+
Seigneur agissant avec eux et confirmant la Parole
par les signes qui l'accompagnaient.

*a)* Le but de la démarche des femmes, chez Mc suivi par Lc, est moins vraisemblable qu'une pieuse « visite » supposée par Mt **28** 1 et Jn **20** 1. Quoi qu'il en soit de la garde du tombeau mentionnée par Mt seul, il eût été peu naturel d'ouvrir la tombe après un ensevelissement d'un jour et demi, et le projet d'oindre le corps de Jésus s'accorde mal avec ce que Jn **19** 39s dit des soins apportés par Joseph d'Arimathie et Nicodème. Mais Mt **26** 12p; Jn **12** 7 témoignent à leur façon que le mode de l'ensevelissement de Jésus a préoccupé la première communauté et s'est vu expliquer de diverses manières.

*b)* Var. : « comme le soleil se levait ».

*c)* D'après Mt **28** 8; Lc **24** 10, 22s; Jn **20** 18, elles ont cependant parlé. Si l'on n'imagine pas que Marc le disait lui-même dans une suite de son évangile qui serait perdue pour nous (cf. la note suivante), il faut admettre qu'il aura choisi de taire ce fait pour ne pas engager un récit des apparitions qu'il avait décidé de ne pas joindre à son évangile.

*d)* La « finale de Marc », vv. 9-20, fait partie des Écritures inspirées; elle est tenue pour canonique. Cela ne signifie pas nécessairement qu'elle ait été rédigée par Marc. En fait, son appartenance à la rédaction du second évangile est mise en question. – Les difficultés proviennent d'abord de la tradition manuscrite. Plusieurs mss, dont Vat. et Sin., omettent la finale actuelle. Au lieu de la finale ordinaire, un ms donne une finale plus courte qui continue le v. 8 : « Elles racontèrent brièvement aux compagnons de Pierre ce qui leur avait été annoncé. Ensuite Jésus lui-même fit porter par eux, de l'orient jusqu'au couchant, le message sacré et incorruptible du salut éternel. » Quatre mss donnent à la suite les deux finales, la courte et la longue. Enfin, un des mss qui donnent la finale longue intercale entre le v. 14 et le v. 15 le morceau suivant : « Et ceux-ci alléguèrent pour leur défense : " Ce siècle d'iniquité et d'incrédulité est sous la domination de Satan, qui ne permet pas que ce qui est sous le joug des esprits impurs conçoive la vérité et la puissance de Dieu; révèle donc dès maintenant ta justice ". C'est ce qu'ils disaient au Christ et le Christ leur répondit : " Le terme des années du pouvoir de Satan est comble; et cependant d'autres choses terribles sont proches. Et j'ai été livré à la mort pour ceux qui ont péché, afin qu'ils se convertissent à la vérité et qu'ils ne pèchent plus, afin qu'ils héritent de la gloire de justice spirituelle et incorruptible qui est dans le ciel... ". » La tradition patristique témoigne de même d'un certain flottement. – Ajoutons qu'entre le v. 8 et le v. 9 il y a dans le récit solution de continuité. Par ailleurs on a peine à admettre que le second évangile dans sa première rédaction s'arrêtait brusquement au v. 8. D'où la supposition que la finale primitive a disparu pour une cause inconnue de nous et que la finale actuelle a été rédigée pour combler la lacune. Elle se présente comme un résumé sommaire des apparitions du Christ ressuscité, dont la rédaction est sensiblement différente de la manière habituelle de Marc, concrète et pittoresque. Toutefois, la finale actuelle a été connue dès le IIe siècle par Tatien et saint Irénée et elle a trouvé place dans l'immense majorité des mss grecs et autres. Si l'on ne peut prouver qu'elle a eu Marc pour auteur, il reste qu'elle constitue, selon le mot de Swete, « une authentique relique de la première génération chrétienne ».

# L'ÉVANGILE SELON SAINT LUC

**Prologue** [a].

**1** 1 Puisque beaucoup [b] ont entrepris de composer un récit des événements qui se sont
accomplis parmi nous, 2 d'après ce que nous ont
Jn **15** 27 Ac **1** 8+ transmis ceux qui furent dès le début témoins oculaires et serviteurs de la Parole, 3 j'ai décidé, moi Ep 3 7
aussi, après m'être informé exactement de tout
depuis les origines, d'en écrire pour toi l'exposé
suivi, excellent Théophile, 4 pour que tu te rendes Ac **1** 1
bien compte de la sûreté des enseignements que tu
as reçus [c].

## *I. Naissance et vie cachée de Jean-Baptiste et de Jésus* [d]

**Annonce de la naissance de Jean-Baptiste.**

5 Il y eut aux jours d'Hérode, roi de Judée, un
1 Ch **24** 10 prêtre du nom de Zacharie, de la classe d'Abia, et
il avait pour femme une descendante d'Aaron, dont
le nom était Élisabeth. 6 Tous deux étaient justes
devant Dieu, et ils suivaient, irréprochables, tous
les commandements et observances du Seigneur.
Gn **18** 11 Jg **13** 2-5 1 S **1** 5-6 7 Mais ils n'avaient pas d'enfant, parce qu'Élisabeth était stérile et que tous deux étaient avancés
en âge.
8 Or il advint, comme il remplissait devant Dieu
les fonctions sacerdotales au tour de sa classe [e],
9 qu'il fut, suivant la coutume sacerdotale, désigné
par le sort pour entrer dans le sanctuaire du Seigneur et y brûler l'encens [f]. 10 Et toute la multitude
du peuple était en prière, dehors, à l'heure de
l'encens.
11 Alors lui apparut l'Ange du Seigneur, debout Mt **1** 20+
à droite de l'autel de l'encens. 12 A cette vue,
Zacharie fut troublé et la crainte fondit sur lui [g].
13 Mais l'ange lui dit : « Sois sans crainte, Zacharie,
car ta supplication a été exaucée; ta femme Élisabeth t'enfantera un fils, et tu l'appelleras du nom
de Jean [h]. 14 Tu auras joie et allégresse, et beaucoup
se réjouiront [i] de sa naissance. 15 Car il sera grand
devant le Seigneur; il ne boira ni vin ni boisson Nb **6** 2-3
forte [j]; il sera rempli d'Esprit Saint [k] dès le sein de Lc **1** 41 Jr **1** 5

*a)* Ce prologue, de vocabulaire choisi et de style périodique, ressemble à ceux des historiens de l'époque hellénistique.
*b)* Emphatique : il faut entendre « plusieurs ». Sur ces récits connus de Luc et utilisés par lui, voir l'Introd. p. 1412.
*c)* Ou, peut-être, « des renseignements qui te sont parvenus ». Dans ce cas, Théophile ne serait pas un chrétien que l'on veut confirmer dans sa foi, mais un haut fonctionnaire qu'il s'agit de renseigner.
*d)* Jusqu'au ch. 3, Luc adopte le grec sémitisant des Septante. Les allusions et réminiscences bibliques sont nombreuses. L'ensemble est de couleur archaïque. Luc restitue l'atmosphère du milieu des « pauvres », cf. So **2** 3+, où vivaient ses personnages et où il a sans doute puisé l'essentiel de son information.
*e)* Chaque « classe » assurait le service durant une semaine, cf. 1 Ch **24** 19; 2 Ch **23** 8.
*f)* Cet office consistait à renouveler la braise et les parfums sur l'autel de l'encens qui se trouvait devant le Saint des Saints, cf. Ex **30** 6-8. L'encensement avait lieu avant le sacrifice du matin et après celui du soir.
*g)* Luc note volontiers les manifestations de crainte religieuse : **1** 29-30, 65; **2** 9-10; **4** 36; **5** 8-10, 26; **7** 16; **8** 25, 35-37, 56; **9** 34, 43; **24** 37; Ac **2** 43; **3** 10; **5** 5, 11; **10** 4; **19** 17. Cf. Ex **20** 20+; Dt **6** 2+; Pr **1** 7+.
*h)* Ce nom signifie : « Yahvé est favorable ».
*i)* Les ch. **1-2** baignent dans une atmosphère de joie : **1** 28, 46, 58; **2** 10. Cf. **10** 17, 20s; **13** 17; **15** 7, 32; **19** 6, 37; **24** 41, 52; Ac **2** 46+; Ph **1** 4+.
*j)* Ces paroles s'inspirent de plusieurs textes de l'AT, en particulier du statut du *nazir*, cf. Nb **6** 1+.
*k)* Chez Luc cette expression ne signifie pas une plénitude de

sa mère [16] et il ramènera de nombreux fils d'Israël
au Seigneur, leur Dieu. [17] Il marchera devant lui
Mt 17 10-13+ avec l'esprit et la puissance d'Élie [a], *pour ramener*
Ml 3 23-24 *le cœur des pères vers les enfants* et les rebelles à
Si 48 10-11 la prudence des justes, préparant au Seigneur un
peuple bien disposé. » [18] Zacharie dit à l'ange : « *A*
Gn 15 8 *quoi connaîtrai-je cela* [b]? car moi je suis un vieil-
lard et ma femme est avancée en âge. » [19] Et l'ange
Dn 8 16; 9 21 lui répondit : « Moi je suis Gabriel, qui me tiens
Tb 12 15 devant Dieu, et j'ai été envoyé pour te parler et
Mc 1 1+ t'annoncer [c] cette bonne nouvelle. [20] Et voici que tu
vas être réduit au silence et sans pouvoir parler
jusqu'au jour où ces choses arriveront, parce que
Mt 8 10+ tu n'as pas cru à mes paroles, lesquelles
s'accompliront en leur temps. » [21] Le peuple cependant attendait Zacharie et s'étonnait qu'il s'attardât
dans le sanctuaire. [22] Mais quand il sortit, il ne
pouvait leur parler [d], et ils comprirent qu'il avait eu
une vision dans le sanctuaire. Pour lui, il leur faisait des signes et demeurait muet.
[23] Et il advint, quand ses jours de service furent
accomplis, qu'il s'en retourna chez lui. [24] Quelque
temps après, sa femme Élisabeth conçut, et elle se
tenait cachée cinq mois durant. [25] « Voilà donc,
disait-elle, ce qu'a fait pour moi le Seigneur, au
temps où il lui a plu d'enlever mon opprobre [e]
parmi les hommes! »

### L'Annonciation [f].

[26] Le sixième mois [g], l'ange Gabriel fut envoyé
par Dieu dans une ville de Galilée, du nom de
Mt 1 18 Nazareth, [27] à une vierge fiancée à un homme du
nom de Joseph, de la maison de David; et le nom
de la vierge était Marie. [28] Il entra et lui dit : « Ré-
So 3 14-15 jouis-toi, comblée de grâce [h], le Seigneur est avec
Za 2 14 Rt 2 4 toi. » [29] A cette parole elle fut toute troublée, et elle
se demandait ce que signifiait cette salutation. [30] Et
l'ange lui dit : « Sois sans crainte, Marie; car tu as
trouvé grâce auprès de Dieu. [31] Voici que tu conce- Is 7 14+
vras dans ton sein et enfanteras un fils, et tu l'appelleras du nom de Jésus. [32] Il sera grand, et sera Mt 1 21+
appelé Fils du Très-Haut. Le Seigneur Dieu lui
donnera le trône de David, son père; [33] il régnera 2 S 7 1+
sur la maison de Jacob pour les siècles et son règne Is 9 6 Mt 9 27+
n'aura pas de fin [i]. » [34] Mais Marie dit à l'ange : Dn 7 14
« Comment cela sera-t-il, puisque je ne connais pas
d'homme [j]? » [35] L'ange lui répondit : « L'Esprit
Saint viendra sur toi, et la puissance du Très-Haut Mt 1 20
te prendra sous son ombre [k]; c'est pourquoi l'être
saint qui naîtra sera appelé Fils de Dieu. [36] Et voici Mc 1 24+
qu'Élisabeth, ta parente, vient, elle aussi, de conce- Ac 3 14+ Mt 4 3+
voir un fils dans sa vieillesse, et elle en est à son
sixième mois, elle qu'on appelait la stérile; [37] *car*
*rien n'est impossible à Dieu.* » [38] Marie dit alors : Gn 18 14:
« Je suis la servante du Seigneur; qu'il m'advienne Jr 32 27
selon ta parole! » Et l'ange la quitta.

### La Visitation.

[39] En ces jours-là, Marie partit et se rendit en hâte
vers la région montagneuse, dans une ville de
Juda [l]. [40] Elle entra chez Zacharie et salua Élisabeth. [41] Et il advint, dès qu'Élisabeth eut entendu
la salutation de Marie, que l'enfant tressaillit dans
son sein et Élisabeth fut remplie d'Esprit Saint. 1 15
[42] Alors elle poussa un grand cri et dit : « Bénie Jg 5 24
es-tu entre les femmes, et béni le fruit de ton sein! Jdt 13 10
[43] Et comment m'est-il donné que vienne à moi la
mère de mon Seigneur [m]? [44] Car, vois-tu, dès l'instant où ta salutation a frappé mes oreilles, l'enfant
a tressailli d'allégresse en mon sein. [45] Oui, bienheureuse celle qui a cru en l'accomplissement de ce Jn 20 29
qui lui a été dit de la part du Seigneur [n]! »

grâce sanctifiante, mais un don de prophétie qui fait parler de façon inspirée : **1** 41, 67; Ac **2** 4; **4** 8, 31; **7** 55; **9** 17; **13** 9. Ce don se manifestera chez Jean dès le sein de sa mère, par un tressaillement prophétique, **1** 44.

*a)* D'après Ml **3** 23, on pensait que le retour d'Élie devait précéder et préparer l'ère messianique. Jean-Baptiste sera « l'Élie qui doit venir », cf. Mt **17** 10-13; Lc **9** 30.

*b)* Zacharie demande un « signe », cf. Gn **15** 8; Jg **6** 17; Is **7** 11; **38** 7. Mais il reste sceptique.

*c)* Première apparition d'un verbe cher à Luc : dix fois dans l'évangile, quinze fois dans les Actes, le plus souvent à propos de la Bonne Nouvelle ou « Évangile » du Royaume; voir Mc **1** 1+; Ac **5** 42+; Ga **1** 6+.

*d)* Pour prononcer la bénédiction d'usage.

*e)* La stérilité était tenue pour un déshonneur, Gn **30** 23; 1 S **1** 5-8, et même pour un châtiment, 2 S **6** 23; Os **9** 11.

*f)* Lc dispose en diptyque les récits concernant la naissance et l'enfance de Jean et celle de Jésus. Il raconte celles-ci du point de vue de Marie, tandis que Mt les racontait du point de vue de Joseph.

*g)* A dater de la conception de Jean.

*h)* « Réjouis-toi » plutôt que « Salut ». Appel à la joie messianique, écho de celui des prophètes à la Fille de Sion, et motivé comme lui par la venue de Dieu parmi son peuple; cf. Is **12** 6; So **3** 14-15; Jl **2** 21-27; Za **2** 14; **9** 9. – « comblée de grâce », litt. « toi qui as été et demeures remplie de la faveur divine ». – Add. « Tu es bénie entre les femmes », par influence de **1** 42.

*i)* Les paroles de l'ange s'inspirent de plusieurs passages messianiques de l'AT.

*j)* La « vierge » Marie n'est que « fiancée » (v. 27) et n'a pas de relations conjugales (sens sémitique de « connaître », cf. Gn **4** 1, etc.). Ce fait, qui semble s'opposer à l'annonce des vv. 31-33, amène l'explication du v. 35. Rien dans le texte n'impose l'idée d'un vœu de virginité.

*k)* L'expression évoque, soit la nuée lumineuse, signe de la présence de Yahvé, cf. Ex **13** 22+; **19** 16+; **24** 16+, soit les ailes de l'oiseau qui symbolise la puissance protectrice, Ps **17** 8; **57** 2; **140** 8, et créatrice, Gn **1** 2, de Dieu. Comparer Lc **9** 34p. Dans la conception de Jésus tout vient de la puissance de l'Esprit Saint.

*l)* Aujourd'hui identifiée de préférence avec Aïn Karim, à 6 km à l'ouest de Jérusalem.

*m)* Titre divin de Jésus ressuscité, Ac **2** 36+, Ph **2** 11+, que Luc lui accorde dès sa vie terrestre, plus souvent que Mt Mc : **7** 13; **10** 1, 39, 41; **11** 39, etc.

*n)* De Dieu. – Ou : « Et bienheureuse toi qui as cru, car il y aura accomplissement de ce qui t'a été promis de la part du Seigneur. »

1 S **2** 1-10 **Le Magnificat.**
Is **29** 19 46 Marie [a] dit alors :
« Mon âme exalte le Seigneur,
1 S 2 1; Is **61** 10 47 et mon esprit *tressaille de joie en Dieu mon Sau-*
Ha **3** 18 *veur,*
1 S **1** 11 48 parce qu'*il a jeté les yeux sur l'abaissement de*
*sa servante.*
**11** 27 Oui, désormais toutes les générations me diront
Gn **30** 13 bienheureuse,
49 car le Tout-Puissant a fait pour moi de grandes
choses.
Ps **111** 9 *Saint est son nom,*
Ps **103** 17 50 et *sa miséricorde s'étend d'âge en âge sur ceux*
*qui le craignent.*
Ps **89** 11 51 Il a déployé la force de son bras,
il a dispersé les hommes au cœur superbe.
Jb **12** 19; 52 *Il a renversé les potentats* de leurs trônes *et élevé*
**5** 11 *les humbles,*
Ps **107** 9 53 *Il a comblé de biens les affamés* et renvoyé les
riches les mains vides.
Is **41** 8-9 54 *Il est venu en aide à Israël,* son *serviteur,*
Ps **98** 3 *se souvenant de sa miséricorde,*
Gn **12** 3; **13** 55 – selon qu'il l'avait annoncé à nos pères –
15; **22** 18 en faveur d'Abraham et de sa postérité à
jamais! »
56 Marie demeura avec elle environ trois mois,
puis elle s'en retourna chez elle [b].

**Naissance de Jean-Baptiste et visite des voisins.**

57 Quant à Élisabeth, le temps fut accompli où
elle devait enfanter, et elle mit au monde un fils.
58 Ses voisins et ses proches apprirent que le Seigneur avait fait éclater sa miséricorde à son égard,
**1** 14+ et ils s'en réjouissaient avec elle.

**Circoncision de Jean-Baptiste.**

Gn **17** 10+ 59 Et il advint, le huitième jour, qu'ils vinrent
Lv **12** 3 pour circoncire l'enfant. On voulait l'appeler [c]
Zacharie, du nom de son père; 60 mais, prenant la
parole, sa mère dit : « Non, il s'appellera Jean. »
61 Et on lui dit : « Il n'y a personne de ta parenté
qui porte ce nom! » 62 Et l'on demandait par signes
au père comment il voulait qu'on l'appelât [d].
63 Celui-ci demanda une tablette et écrivit : « Jean **1** 13
est son nom »; et ils en furent tous étonnés. 64 A
l'instant même, sa bouche s'ouvrit et sa langue se
délia, et il parlait et bénissait Dieu. 65 La crainte **2** 20+
s'empara de tous leurs voisins, et dans la montagne **1** 12+
de Judée tout entière on racontait toutes ces choses.
66 Tous ceux qui en entendirent parler les mirent
dans leur cœur, en disant : « Que sera donc cet
enfant? » Et, de fait, la main du Seigneur était avec **1** 80+
lui [e].

**Le Benedictus** [f].

67 Et Zacharie, son père, fut rempli d'Esprit Saint
et se mit à prophétiser [g] :

68 « *Béni soit le Seigneur, le Dieu d'Israël,* Ps **41** 14; **72**
de ce qu'il a visité [h] et *délivré son peuple,* 18; **106** 48
69 et nous a suscité une puissance [i] de salut Ps **111** 9
dans la maison de David, son serviteur,
70 selon qu'il l'avait annoncé
par la bouche de ses saints prophètes des temps
anciens,
71 pour nous sauver de nos *ennemis*
et *de la main de* tous *ceux qui nous haïssent.*
72 Ainsi fait-il *miséricorde* à *nos pères,*
ainsi *se souvient-il de son alliance* sainte, Lv **26** 42; Ps **105** 8 9;
73 du serment qu'il a juré **106** 45
Jr **11** 5
à Abraham, notre père, Mi **7** 20
de nous accorder 74 que, sans crainte,
délivrés de la main de nos ennemis, Gn **22** 16-18
nous le servions 75 en sainteté et justice
devant lui, tout au long de nos jours.
76 Et toi, petit enfant,
tu seras appelé prophète du Très-Haut; Mt **16** 14+
car tu marcheras devant *le Seigneur,* Lc **1** 16-17
pour lui *préparer les voies* [j], Ml **3** 1
77 pour donner à son peuple la connaissance du Is **40** 3
salut
par la rémission de ses péchés [k];

*a)* « Marie » et non « Élisabeth », var. sans appui suffisant. – Le cantique de Marie s'inspire du cantique d'Anne, 1 S **2** 1-10, et de beaucoup d'autres passages de l'AT. Outre les principaux rapprochements littéraires soulignés par les références marginales, on remarquera les deux grands thèmes : 1° des pauvres et petits secourus au détriment des riches et puissants, So **2** 3+, cf. Mt **5** 3+; 2° d'Israël objet de la faveur de Dieu, cf. Dt **7** 6+, etc., depuis la promesse faite à Abraham, Gn **15** 1+; **17** 1+. Luc a dû trouver ce cantique dans le milieu des « pauvres », où il était peut-être attribué à la Fille de Sion; il a jugé convenable de le mettre sur les lèvres de Marie, en l'insérant dans son récit en prose.

*b)* Marie demeura probablement auprès d'Élisabeth jusqu'à la naissance et la circoncision de Jean. Luc épuise son sujet avant de passer à un autre. Cf. **1** 64-67; **3** 19-20; **8** 37-38.

*c)* C'est à la circoncision que l'enfant recevait ordinairement son nom, cf. **2** 21.

*d)* La surdité s'associe souvent à la mutité, et le même mot grec *kôphos* peut signifier « sourd », **7** 22, ou « muet », **11** 14.

*e)* C'est-à-dire le protégeait : expression biblique, 1 Ch **4** 10; Ac **11** 21.

*f)* Comme le Magnificat, ce cantique est un morceau poétique que Luc a emprunté et placé sur les lèvres de Zacharie, en ajoutant les vv. 76-77 pour l'adapter à la situation. Il l'a inséré, non dans le récit en prose, v. 64, mais à sa suite.

*g)* Au sens plein du mot; car si la première partie, vv. 68-75, est un hymne d'action de grâces, la seconde, vv. 76-79, est une vision d'avenir.

*h)* Comme souvent dans l'AT, Ex **3** 16+, la visite de Dieu dans le NT s'entend en un sens favorable, **1** 78; **7** 16; **19** 44; 1 P **2** 12.

*i)* Litt. « une corne », cf. Ps **75** 5+.

*j)* C'est-à-dire Dieu, comme en **1** 16-17, non le Messie.

*k)* Luc dépeint le rôle du Précurseur à l'aide des textes qui lui étaient traditionnellement appliqués, cf. **3** 4p; **7** 27p, et son mes-

78 grâce aux sentiments de miséricorde de notre
Dieu,
Ml **3** 20+ dans lesquels nous a visités [a] l'Astre [b] d'en haut,
Za **3** 8 Is **9** 1; **42** 7 79 pour illuminer *ceux qui demeurent*
Jn **8** 12+ *dans les ténèbres et l'ombre de la mort,*
afin de guider nos pas
Jr **6** 14+ Is **11** 6+ dans le *chemin de la paix.* »

### Vie cachée de Jean-Baptiste.

80 Cependant l'enfant grandissait, et son esprit se
fortifiait [c]. Et il demeurait dans les déserts jusqu'au
**3** 1-18 jour de sa manifestation à Israël;

### Naissance de Jésus et visite des bergers.

**2** 1 Or, il advint, en ces jours-là, que parut un
édit de César Auguste [d], ordonnant le recensement de tout le monde habité. 2 Ce recensement, le
premier [e], eut lieu pendant que Quirinius était gouverneur de Syrie. 3 Et tous allaient se faire recenser,
chacun dans sa ville. 4 Joseph aussi monta de Galilée, de la ville de Nazareth, en Judée, à la ville de
1 S **16** 1-13 David, qui s'appelle Bethléem, – parce qu'il était
Jn **7** 42 de la maison et de la lignée de David – 5 afin de
se faire recenser avec Marie, sa fiancée, qui était
enceinte. 6 Or il advint, comme ils étaient là, que
les jours furent accomplis où elle devait enfanter.
Mt **1** 25 7 Elle enfanta son fils premier-né [f], l'enveloppa de
langes et le coucha dans une crèche, parce qu'ils
manquaient de place dans la salle [g].
8 Il y avait dans la même région des bergers qui
vivaient aux champs et gardaient leurs troupeaux
Mt **1** 20+ durant les veilles de la nuit. 9 L'Ange du Seigneur
Tb **5** 4+ Ex **24** 16+ se tint près d'eux et la gloire du Seigneur les enveloppa de sa clarté; et ils furent saisis d'une grande
crainte. 10 Mais l'ange leur dit : « Soyez sans **1** 12+
crainte, car voici que je vous annonce une grande
joie, qui sera celle de tout le peuple : 11 aujourd'hui **1** 14+
vous est né un Sauveur, qui est le Christ Seigneur [h], Mt **1** 21
dans la ville de David. 12 Et ceci vous servira de
signe : vous trouverez un nouveau-né enveloppé de **1** 18+
langes et couché dans une crèche. » 13 Et soudain Is **9** 5+
se joignit à l'ange une troupe nombreuse de l'armée
céleste, qui louait Dieu, en disant :
14 « Gloire à Dieu au plus haut des cieux Ez **3** 12
et sur la terre paix aux hommes objets de sa **19** 38
complaisance [i]! »
15 Et il advint, quand les anges les eurent quittés
pour le ciel, que les bergers se dirent entre eux :
« Allons jusqu'à Bethléem et voyons ce qui est
arrivé et que le Seigneur nous a fait connaître. »
16 Ils vinrent donc en hâte et trouvèrent Marie,
Joseph et le nouveau-né couché dans la crèche. Is **1** 3
17 Ayant vu, ils firent connaître ce qui leur avait été
dit de cet enfant; 18 et tous ceux qui les entendirent
furent étonnés de ce que leur disaient les bergers.
19 Quant à Marie, elle conservait avec soin toutes **2** 51
ces choses, les méditant en son cœur. 20 Puis les
bergers s'en retournèrent, glorifiant et louant Dieu [j]
pour tout ce qu'ils avaient entendu et vu, suivant
ce qui leur avait été annoncé.

### Circoncision de Jésus. **1** 59+

21 Et lorsque furent accomplis les huit jours pour
sa circoncision, il fut appelé du nom de Jésus, nom **1** 31
indiqué par l'ange avant sa conception. Mt **1** 21+

### Présentation de Jésus au Temple.

22 Et lorsque furent accomplis les jours pour leur
purification, selon la Loi de Moïse [k], ils l'emmenè- Lv **12** 2-4

sage d'après celui des apôtres dans les Actes, cf. Ac **2** 38; **5** 31; **10** 43; **13** 38; **26** 18.

*a)* « sentiments de miséricorde », litt. « entrailles de miséricorde », cf. Col **3** 12. – « a visités », var. « visitera ».

*b)* *Anatolè* : titre du Messie, Astre qui apporte la lumière, cf. Nb **24** 17; Ml **3** 20; Is **60** 1, et Germe qui surgit du tronc de David, cf. Jr **23** 5; **33** 15; Za **3** 8; **6** 12.

*c)* Sorte de refrain : **2** 40, 52; cf. **1** 66 et comparer Ac **2** 41+; **6** 7+.

*d)* Empereur romain de 30 av. J.-C. à 14 ap. J.-C.

*e)* Ainsi désigné parce que d'autres suivirent. La traduction parfois proposée : « Ce recensement fut antérieur à celui qui eut lieu, Quirinius étant gouverneur de Syrie », est grammaticalement peu soutenable. Les circonstances historiques sont obscures. La plupart des critiques placent le recensement de Quirinius en 6 ap. J.-C., mais sur la seule autorité de Josèphe, ici très sujette à caution, cf. Ac **5** 37+. Le plus vraisemblable est que ce recensement (fait en vue de la répartition de l'impôt) eut lieu vers 8-6 av. J.-C., en relation avec un recensement général de l'empire, et qu'il fut organisé en Palestine par Quirinius chargé pour cela d'une mission spéciale. Ce personnage ayant été sans doute gouverneur de Syrie entre 4 et 1 av. J.-C., l'expression de Luc s'explique comme une approximation suffisante. Jésus est né certainement avant la mort d'Hérode (4 av. J.-C.), peut-être dès l'an 8-6. L'« ère chrétienne », établie par Denys le Petit (VIᵉs.) résulte d'un faux calcul; voir **3** 1+.

*f)* En grec biblique, le terme n'implique pas nécessairement des frères puînés, mais souligne la dignité et les droits de l'enfant.

*g)* Plutôt qu'une hôtellerie (*pandocheion*, Lc **10** 34), le mot grec *kataluma* peut désigner une salle, 1 S **1** 18; **9** 22; Lc **22** 11p, où logeait la famille de Joseph. Si celui-ci avait son domicile à Bethléem, on s'explique mieux qu'il y soit retourné pour le recensement, et aussi qu'il y ait amené sa jeune femme enceinte. La crèche, mangeoire des animaux, était sans doute aménagée dans un mur du pauvre logis, et celui-ci était si occupé qu'on ne put trouver meilleure place pour coucher l'enfant. Une pieuse légende a garni cette crèche de deux animaux, cf. Ha **3** 2+; Is **1** 3.

*h)* C'est donc le Messie attendu; mais il sera « Seigneur » : titre que l'AT réservait jalousement à Dieu. Une ère nouvelle va commencer. Cf. **1** 43+.

*i)* La traduction courante : « paix aux hommes de bonne volonté », fondée sur la Vulg., ne rend pas le sens usuel du terme grec. – Autre leçon moins sûre : « paix sur la terre et chez les hommes bienveillance divine ».

*j)* Thème cher à Luc : **1** 64; **2** 28, 38; **5** 25-26; **7** 16; **13** 13; **17** 15, 18; **18** 43; **19** 37; **23** 47; **24** 53. Cf. Ac **2** 47+.

*k)* La purification ne s'imposait qu'à la mère; mais l'enfant devait être racheté. Luc note avec soin que les parents de Jésus, comme ceux de Jean, accomplissent toutes les observances de la Loi. La présentation de l'enfant au sanctuaire n'était pas prescrite, mais elle était possible, Nb **18** 15, et devait paraître

rent à Jérusalem pour le présenter au Seigneur,
23 selon qu'il est écrit dans la Loi du Seigneur :
Ex 13 2; *Tout garçon premier-né sera consacré au Seigneur,*
13 11+ 24 et pour offrir en sacrifice, suivant ce qui est dit
dans la Loi du Seigneur, *un couple de tourterelles*
Lv 5 7; 12 8 *ou deux jeunes colombes* [a]. 25 Et voici qu'il y avait
à Jérusalem un homme du nom de Syméon. Cet
homme était juste et pieux; il attendait la consola-
Is 40 1+ tion d'Israël et l'Esprit Saint reposait sur lui. 26 Et
Is 42 1 il avait été divinement averti par l'Esprit Saint qu'il
Ex 30 22+ ne verrait pas la mort avant d'avoir vu le Christ
du Seigneur [b]. 27 Il vint donc au Temple, poussé par
l'Esprit, et quand les parents apportèrent le petit
enfant Jésus pour accomplir les prescriptions de la
Loi à son égard, 28 il le reçut dans ses bras, bénit
2 20+ Dieu et dit :

**Le Nunc Dimittis [c].**

29 « Maintenant, Souverain Maître, tu peux, selon
ta parole,
laisser ton serviteur s'en aller en paix;
Is 52 10; 30 car mes yeux ont vu ton salut,
46 13 31 que tu as préparé à la face de tous les peuples,
Is 42 6; 49 6 32 lumière pour éclairer les nations
Jn 8 12+ et gloire de ton peuple Israël. »

**Prophétie de Syméon.**

33 Son père et sa mère étaient dans l'étonnement
de ce qui se disait de lui. 34 Syméon les bénit et dit
à Marie, sa mère : « Vois! cet enfant doit amener
7 23; 12 la chute et le relèvement d'un grand nombre en
51-53 Israël; il doit être un signe en butte à la contra-
Jr 15 10 diction [d], – 35 et toi-même, une épée te transpercera
Jn 19 25-27 l'âme! – afin que se révèlent les pensées intimes de
Jn 3 19; 9 39 bien des cœurs [e]. »

**Prophétie d'Anne.**

36 Il y avait aussi une prophétesse [f], Anne, fille
de Phanouel, de la tribu d'Aser. Elle était fort avancée en âge. Après avoir, depuis sa virginité, vécu
sept ans avec son mari, 37 elle était restée veuve; Jdt 8 4-5
parvenue à l'âge de quatre-vingt-quatre ans, elle ne 1 Tm 5 5
quittait pas le Temple, servant Dieu nuit et jour
dans le jeûne et la prière. 38 Survenant à cette heure
même, elle louait Dieu et parlait de l'enfant à tous 2 20+
ceux qui attendaient la délivrance de Jérusalem [g].

**Vie cachée de Jésus à Nazareth.**

39 Et quand ils eurent accompli tout ce qui était
conforme à la Loi du Seigneur, ils retournèrent en
Galilée, à Nazareth, leur ville. 40 Cependant Mt 2 23
l'enfant grandissait, se fortifiait et se remplissait de 1 80+
sagesse. Et la grâce de Dieu était sur lui.

**Jésus parmi les docteurs.**

41 Ses parents se rendaient chaque année à Jérusalem pour la fête de la Pâque. 42 Et lorsqu'il eut Dt 16 16
douze ans, ils y montèrent, comme c'était la cou- Ex 12 1+
tume pour la fête. 43 Une fois les jours écoulés,
alors qu'ils s'en retournaient, l'enfant Jésus resta à
Jérusalem à l'insu de ses parents. 44 Le croyant
dans la caravane, ils firent une journée de chemin,
puis ils se mirent à le rechercher parmi leurs
parents et connaissances. 45 Ne l'ayant pas trouvé,
ils revinrent, toujours à sa recherche, à Jérusalem.
46 Et il advint, au bout de trois jours [h], qu'ils le
trouvèrent dans le Temple, assis au milieu des docteurs, les écoutant et les interrogeant; 47 et tous
ceux qui l'entendaient étaient stupéfaits de son in- 4 22
telligence et de ses réponses. 48 A sa vue, ils furent Jn 7 15, 46
saisis d'émotion, et sa mère lui dit : « Mon enfant,
pourquoi nous as-tu fait cela? Vois! ton père et
moi, nous te cherchons, angoissés. » 49 Et il leur
dit : « Pourquoi donc me cherchiez-vous? Ne
saviez-vous pas que je dois être dans la maison de
mon Père [i]? » 50 Mais eux ne comprirent pas la
parole qu'il venait de leur dire.

convenable aux gens pieux, cf. 1 S **1** 24-28. Luc centre son récit sur ce premier acte cultuel de Jésus, dans la Ville sainte à laquelle il attache grande importance comme lieu de l'événement pascal et point de départ de la mission chrétienne. Cf. **2** 38+; Ac **1** 4+.

*a)* C'était l'offrande des pauvres.

*b)* « Le Christ du Seigneur » est celui que le Seigneur a oint, cf. Ex **30** 22+, c'est-à-dire consacré pour une mission de salut : ainsi le roi d'Israël, un prince choisi par Yahvé; enfin, à titre éminent, le Messie qui instaurera le règne de Dieu.

*c)* A la différence du Magnificat et du Benedictus, ce cantique semble avoir été composé par Luc lui-même, en particulier à l'aide de textes d'Isaïe. Après un premier tristique qui concerne Syméon et sa mort prochaine, un deuxième définit le salut universel apporté par le Messie Jésus : une illumination du monde païen qui, partie du peuple élu, tournera à sa gloire.

*d)* La mission de lumière dans le monde païen s'accompagnera pour Jésus d'hostilité et de persécutions de la part de son propre peuple. Cf. Mt **2** 1+.

*e)* Vraie Fille de Sion, Marie portera en sa propre vie la destinée douloureuse de son peuple. Avec son Fils, elle sera au centre de cette contradiction où les cœurs devront se découvrir, pour ou contre Jésus. Le symbole de l'épée peut s'inspirer d'Ez **14** 17, ou selon d'autres de Za **12** 10.

*f)* Femme consacrée à Dieu et interprète de ses desseins. Cf. Ex **15** 20; Jg **4** 4; 2 R **22** 14.

*g)* La délivrance messianique du peuple élu, **1** 68; **24** 21, intéressait au premier chef sa capitale; cf. Is **40** 2; **52** 9 (et voir 2 S **5** 9+). Jérusalem est pour Luc le centre prédestiné de l'œuvre du salut : **9** 31, 51, 53; **13** 22, 23; **17** 11; **18** 31; **19** 11; **24** 47-49, 52; Ac **1** 8+.

*h)* Jésus « retrouvé » « au bout de trois jours » « dans la maison de son Père », autant de traits qui préfigurent l'événement de Pâques.

*i)* D'autres traduisent : « aux affaires de mon Père ». De toute manière, Jésus affirme, en présence de Joseph, v. 48, avoir Dieu pour Père, cf. **10** 22; **22** 29; Jn **20** 17, et revendique avec lui des relations qui passent avant celles de la famille humaine, cf. Jn **2** 4. Première manifestation de sa conscience d'être « le Fils », cf. Mt **4** 3+.

**Encore la vie cachée à Nazareth.**

51 Il redescendit alors avec eux et revint à Naza-
2 19 reth; et il leur était soumis. Et sa mère gardait fidèlement toutes ces choses en son cœur. 52 Quant à
Jésus, il croissait en sagesse, en taille et en grâce 1 80+
devant Dieu et devant les hommes. 1 S 2 26; Pr 3 4

# II. *Préparation du ministère de Jésus*

|| Mt 3 1-12 || Mc 1 1-8 **Prédication de Jean-Baptiste.**

**3** 1 L'an quinze du principat de Tibère César [a],
Ponce Pilate [b] étant gouverneur de Judée,
Hérode [c] tétrarque de Galilée, Philippe [d] son frère
tétrarque du pays d'Iturée et de Trachonitide,
Lysanias [e] tétrarque d'Abilène, 2 sous le pontificat
Jr 1 2 d'Anne et Caïphe [f], la parole de Dieu fut adressée
Os 1 1
Lc 1 80 à Jean, fils de Zacharie, dans le désert. 3 Et il vint
dans toute la région du Jourdain, proclamant un
Mt 3 2+ baptême de repentir pour la rémission des péchés,
4 comme il est écrit au livre des paroles d'Isaïe le
prophète :

Is 40 3-5 *Voix de celui qui crie dans le désert :*
= Jn 1 23 *Préparez le chemin du Seigneur,*
*rendez droits ses sentiers;*
5 *tout ravin sera comblé,*
*et toute montagne ou colline sera abaissée;*
*les passages tortueux deviendront droits*
*et les chemins raboteux seront nivelés.*
6 *Et toute chair verra le salut de Dieu* [g].

7 Il disait donc aux foules qui s'en venaient se
faire baptiser par lui : « Engeance de vipères, qui
vous a suggéré d'échapper à la Colère prochaine?
8 Produisez donc des fruits dignes du repentir, et
n'allez pas dire en vous-mêmes : "Nous avons pour
père Abraham." Car je vous dis que Dieu peut, des
pierres que voici, faire surgir des enfants à Abraham. 9 Déjà même la cognée se trouve à la racine
des arbres; tout arbre donc qui ne produit pas de
bon fruit va être coupé et jeté au feu. »

10 [h] Et les foules l'interrogeaient, en disant : Ac 2 37
« Que nous faut-il donc faire? » 11 Il leur répondait :
« Que celui qui a deux tuniques partage avec celui 12 33+
qui n'en a pas, et que celui qui a de quoi manger Is 58 7
fasse de même. » 12 Des publicains aussi vinrent se Mt 5 46+
faire baptiser et lui dirent : « Maître, que nous faut-
il faire? » 13 Il leur dit : « N'exigez rien au-delà de
ce qui vous est prescrit. » 14 Des soldats aussi
l'interrogeaient, en disant : « Et nous, que nous
faut-il faire? » Il leur dit : « Ne molestez personne,
n'extorquez rien, et contentez-vous de votre solde. »

15 Comme le peuple était dans l'attente et que
tous se demandaient en leur cœur, au sujet de Jean, Jn 1 19-20; 3 28
s'il n'était pas le Christ, 16 Jean prit la parole et leur Ac 13 25
dit à tous : « Pour moi, je vous baptise avec de Jn 1 26, 27, 3
l'eau, mais vient le plus fort que moi, et je ne suis
pas digne de délier la courroie de ses sandales; lui
vous baptisera dans l'Esprit Saint et le feu. 17 Il
tient en sa main la pelle à vanner pour nettoyer son
aire et recueillir le blé dans son grenier; quant aux
bales, il les consumera au feu qui ne s'éteint pas. »
18 Et par bien d'autres exhortations encore il
annonçait au peuple la Bonne Nouvelle.

**Emprisonnement de Jean-Baptiste.** Mt 14 3-12 Mc 6 17-29

19 Cependant Hérode le tétrarque, qu'il reprenait
au sujet d'Hérodiade, la femme de son frère, et
pour tous les méfaits qu'il avait commis, 20 ajouta
encore celui-ci à tous les autres : il fit enfermer
Jean en prison [i].

*a)* Comme en **1** 5 et **2** 1-3, Luc établit un synchronisme entre l'histoire profane et l'histoire du salut. Tibère a succédé à Auguste, **2** 1, le 19 août de l'an 14 ap. J.-C. La quinzième année va donc du 19 août 28 au 18 août 29, ou, selon la manière de calculer les années de règne en usage en Syrie, de septembre-octobre 27 à septembre-octobre 28. Jésus est alors âgé d'au moins trente-trois ans, peut-être même trente-cinq ou trente-six. L'indication du v. 23 est approximative et souligne peut-être seulement que Jésus avait l'âge requis pour exercer une mission publique. L'« ère chrétienne » (fixée par Denys le Petit, au VIe siècle) vient de ce qu'on a pris le chiffre de trente ans avec rigueur : les 29 ans accomplis de Jésus, retranchés de l'an 782 de Rome (15e année de Tibère), ont donné 753 comme début de notre ère.

*b)* Procurateur de Judée (et d'Idumée et de Samarie) de 26 à 36 ap. J.-C.

*c)* Hérode-Antipas, fils d'Hérode le Grand et de Malthaké, tétrarque de Galilée (et de Pérée) de 4 av. J.-C. à 39 ap. J.-C.

*d)* Fils d'Hérode le Grand et de Cléopâtre, tétrarque de 4 av. J.-C. à 34 ap. J.-C.

*e)* Connu par deux inscriptions. L'Abilène était située dans l'Antiliban.

*f)* Le grand prêtre en fonction était Joseph, dit Caïphe, qui exerça le pontificat de 18 à 36, et joua un rôle prépondérant dans le complot contre Jésus, cf. Mt **26** 3; Jn **11** 49; **18** 14. Anne, son beau-père, qui avait été grand prêtre de 6 (?) à 15, lui est associé et même figure en premier, cf. Ac **4** 6 et Jn **18** 13, 24 comme jouissant d'un tel prestige qu'il était grand prêtre de fait.

*g)* Luc prolonge plus que Mt et Mc la citation d'Isaïe pour la mener jusqu'à l'annonce d'un salut universel.

*h)* Les vv. 10-14, propres à Lc, insistent sur l'élément positif et humain du message de Jean. Aucune profession n'exclut du salut; mais il faut pratiquer la justice et la charité.

*i)* Luc termine ce qui concerne le ministère de Jean avant de passer à Jésus, cf. **1** 56+. Il ne fera plus qu'une brève allusion à la mort du Précurseur, **9** 7-9.

|| Mt 3 13-17 **Baptême de Jésus.**
|| Mc 1 9-11 21 Or il advint, une fois que tout le peuple eut été
baptisé et au moment où Jésus, baptisé lui aussi,
Jn 1 32-34 se trouvait en prière [a], que le ciel s'ouvrit, 22 et l'Esprit Saint descendit sur lui sous une forme corpo-
relle, comme une colombe. Et une voix partit du
Ps 2 7 ciel : « *Tu es mon fils* [b]*; moi, aujourd'hui, je t'ai
engendré.* »

|| Mt 1 1-17 **Généalogie de Jésus** [c].

23 Et Jésus, lors de ses débuts, avait environ
trente ans, et il était, à ce qu'on croyait, fils de
Joseph, fils d'Héli, 24 fils de Matthat, fils de Lévi,
fils de Melchi, fils de Jannaï, fils de Joseph, 25 fils
de Mattathias, fils d'Amos, fils de Naoum, fils
d'Esli, fils de Naggaï, 26 fils de Maath, fils de Mattathias, fils de Séméin, fils de Josech, fils de Joda,
27 fils de Joanan, fils de Résa, fils de Zorobabel, fils
de Salathiel,

fils de Néri, 28 fils de Melchi, fils d'Addi, fils de
Kosam, fils d'Elmadam, fils d'Er, 29 fils de Jésus,
fils d'Éliézer, fils de Jorim, fils de Matthat, fils de
Lévi, 30 fils de Syméon, fils de Juda, fils de Joseph,
fils de Jonam, fils d'Éliakim, 31 fils de Méléa, fils de
Menna, fils de Mattatha, fils de Nathan, fils de
David,

32 fils de Jessé, fils de Jobed, fils de Booz, fils de
Sala, fils de Naasson, 33 fils d'Aminadab, fils
d'Admin, fils d'Arni, fils de Hesron, fils de Pharès,
fils de Juda, 34 fils de Jacob, fils d'Isaac, fils
d'Abraham,

fils de Thara, fils de Nachor, 35 fils de Sérouch,
fils de Ragau, fils de Phalec, fils d'Éber, fils de Sala,
36 fils de Kaïnam, fils d'Arphaxad, fils de Sem, fils
de Noé, fils de Lamech, 37 fils de Mathousala, fils
de Hénoch, fils de Iaret, fils de Maleléel, fils de
Kaïnam, 38 fils d'Énos, fils de Seth, fils d'Adam, fils
de Dieu.

**Tentation au désert** [d]. || Mt 4 1-11 || Mc 1 12-13

**4** 1 Jésus, rempli d'Esprit Saint [e], revint du Jourdain, et il était mené par l'Esprit à travers le
désert 2 durant quarante jours, tenté par le diable.
Il ne mangea rien en ces jours-là et, quand ils furent
écoulés, il eut faim. 3 Le diable lui dit : « Si tu es
Fils de Dieu, dis à cette pierre qu'elle devienne du
pain. » 4 Et Jésus lui répondit : « Il est écrit : *Ce
n'est pas de pain seul que vivra l'homme.* » Dt 8 3

5 L'emmenant plus haut, le diable lui montra en
un instant tous les royaumes de l'univers 6 et lui
dit : « Je te donnerai tout ce pouvoir et la gloire de Ap 13 2, 4
ces royaumes, car elle m'a été livrée, et je la donne
à qui je veux [f]. 7 Toi donc, si tu te prosternes devant Jr 27 5
moi, elle t'appartiendra tout entière. » 8 Et Jésus lui
dit : « Il est écrit : *Tu adoreras le Seigneur ton* Dt 6 13
*Dieu, et à lui seul tu rendras un culte.* »

9 Puis il le mena à Jérusalem, le plaça sur le
pinacle du Temple et lui dit : « Si tu es Fils de Dieu,
jette-toi d'ici en bas; 10 car il est écrit :
*Il donnera pour toi des ordres à ses anges,* Ps 91 11-12
*afin qu'ils te gardent.*
11 Et encore :
*Sur leurs mains, ils te porteront,*
*de peur que tu ne heurtes du pied quelque
pierre.* »
12 Mais Jésus lui répondit : « Il est dit :
*Tu ne tenteras pas le Seigneur, ton Dieu.* » Dt 6 16

13 Ayant ainsi épuisé toute tentation, le diable 22 3, 53
s'éloigna de lui jusqu'au moment favorable. Jn 13 2, 27

*a)* La prière de Jésus est un thème cher à Luc, cf. **5** 16; **6** 12; **9** 18, 28-29; **11** 1; **22** 41. Cf. Mt **14** 23+.

*b)* Var. : « Tu es mon Fils bien-aimé, tu as toute ma faveur », suspecte d'harmonisation avec Mt Mc. La teneur probablement originale de la voix céleste chez Luc ne fait pas référence à Is **42** comme chez Mt Mc, mais au Ps **2** 7 : plutôt que de reconnaître en Jésus le « Serviteur », elle le présente comme le Roi-Messie du Psaume, intronisé au Baptême pour établir le Règne de Dieu dans le monde.

*c)* En remontant, au-delà d'Abraham, jusqu'à Adam, la généalogie de Luc revêt un caractère plus universaliste que celle de Mt. Descendant d'Adam, et comme lui sans père terrestre, **1** 35, Jésus inaugure une nouvelle race humaine; peut-être Luc, disciple de Paul, pense-t-il au Nouvel Adam, Rm **5** 12+. Sur les relations avec la généalogie de Mt, cf. Mt **1** 1+.

*d)* Lc unit dans son récit les données de Mc (quarante jours de tentation) et celles de Mt (trois tentations au terme d'un jeûne de quarante jours). Il modifie l'ordre de Mt de manière à terminer par Jérusalem; cf. Lc **2** 38+. Sur la nature de cette tentation, cf. Mt **4** 1+.

*e)* L'intérêt particulier de Luc pour l'Esprit Saint se manifeste non seulement dans ses deux premiers chapitres, **1** 15, 35, 41, 67, 80; **2** 25, 26, 27, mais encore dans le reste de son évangile où il ajoute sa mention plusieurs fois par rapport aux autres synoptiques, **4** 1, 14, 18; **10** 21; **11** 13. Il en parle aussi très souvent dans les Actes, Ac **1** 8+. Cf. Mt **4** 1+.

*f)* En introduisant dans le monde le péché et sa suite, la mort, Sg **2** 24+; Rm **5** 12+, Satan a rendu l'homme captif de sa tyrannie, Mt **8** 29+; Ga **4** 3+; Col **2** 8+; il a étendu sur le monde, dont il est devenu le « Prince », Jn **12** 31+, une domination que Jésus est venu supprimer par la « rédemption », Mt **20** 28+; Rm **3** 24+; **6** 15+; Col **1** 13-14; **2** 15+. Voir encore Ep **2** 1-6; **6** 12+; Jn **3** 35+; 1 Jn **2** 14; Ap **13** 1-18; **19** 19-21.

# III. Ministère de Jésus en Galilée

|| Mt 4 12-17, 23 || Mc 1 14-15, 39 Mt 3 16+ **Jésus inaugure sa prédication.**

14 Jésus retourna en Galilée, avec la puissance de
l'Esprit, et une rumeur se répandit par toute la
= Lc 4 44 région [a] à son sujet. 15 Il enseignait dans leurs synagogues, glorifié par tous [b].

|| Mt 13 53-58 || Mc 6 1-6 Lc 2 39, 51 **Jésus à Nazareth [c].**

16 Il vint à Nazara [d] où il avait été élevé, entra,
selon sa coutume le jour du sabbat, dans la synagogue, et se leva pour faire la lecture [e]. 17 On lui remit
le livre du prophète Isaïe et, déroulant le livre, il
trouva le passage où il était écrit :

Is 61 1-2 18 *L'Esprit du Seigneur est sur moi,*
Mt 3 16+ *parce qu'il m'a consacré par l'onction,*
So 2 3+ *pour porter la bonne nouvelle aux pauvres* [f] *;*
*Il m'a envoyé annoncer aux captifs la délivrance*
*et aux aveugles le retour à la vue,*
*renvoyer en liberté les opprimés,*
19 *proclamer une année de grâce du Seigneur.*

20 Il replia le livre, le rendit au servant et s'assit.
Ac 6 15 Tous dans la synagogue tenaient les yeux fixés sur
lui. 21 Alors il se mit à leur dire : « Aujourd'hui
s'accomplit à vos oreilles ce passage de l'Écriture. »
22 Et tous lui rendaient témoignage et étaient en
2 47; 4 15+ admiration devant les paroles pleines de grâce qui
Jn 7 46 sortaient de sa bouche.

Et ils disaient : « N'est-il pas le fils de Joseph,
celui-là? » 23 Et il leur dit : « A coup sûr, vous allez
me citer ce dicton : Médecin, guéris-toi toi-même.
Tout ce qu'on nous a dit être arrivé à Capharnaüm [g], fais-le de même ici dans ta patrie. » 24 Et
Jn 4 44 il dit : « En vérité, je vous le dis, aucun prophète
n'est bien reçu dans sa patrie.

25 « Assurément, je vous le dis, il y avait beau-
1 R 17 1; 18 1 coup de veuves en Israël aux jours d'Élie, lorsque
Jc 5 17 le ciel fut fermé pour trois ans et six mois, quand
survint une grande famine sur tout le pays; 26 et ce
n'est à aucune d'elles que fut envoyé Élie, mais bien
*à une veuve de Sarepta, au pays de Sidon.* 27 Il y 1 R 17 9
avait aussi beaucoup de lépreux en Israël au temps
du prophète Élisée; et aucun d'eux ne fut purifié,
mais bien Naaman, le Syrien. » 2 R 5 14

28 Entendant cela, tous dans la synagogue furent
remplis de fureur. 29 Et, se levant, ils le poussèrent Ac 7 57s
hors de la ville et le menèrent jusqu'à un escarpement de la colline sur laquelle leur ville était bâtie,
pour l'en précipiter. 30 Mais lui, passant au milieu Jn 8 59
d'eux, allait son chemin...

**Jésus enseigne à Capharnaüm et guérit un démoniaque.** || Mc 1 21-28

31 Il descendit à Capharnaüm, ville de Galilée, et
il les enseignait le jour du sabbat. 32 Et ils étaient
frappés de son enseignement, car il parlait avec || Mt 7 28-29
autorité.

33 Dans la synagogue il y avait un homme ayant
un esprit de démon impur, et il cria d'une voix Mt 8 29+
forte : 34 « Ah! que nous veux-tu, Jésus le Nazaré- Mt 2 23+
nien? Es-tu venu pour nous perdre? Je sais qui tu
es : le Saint de Dieu. » 35 Et Jésus le menaça en Mc 1 24+
disant : « Tais-toi, et sors de lui. » Et le précipitant Jn 6 69 Ac 3 14+
au milieu, le démon sortit de lui sans lui faire
aucun mal. 36 La frayeur les saisit tous, et ils se 1 12+
disaient les uns aux autres : « Quelle est cette
parole? Il commande avec autorité et puissance Mt 8 29+
aux esprits impurs et ils sortent! » 37 Et un bruit se 4 14+
propageait à son sujet en tout lieu de la région. »

**Guérison de la belle-mère de Simon.** || Mt 8 14-1[5] || Mc 1 29-3[1]

38 Partant de la synagogue, il entra dans la maison de Simon. La belle-mère de Simon était en
proie à une forte fièvre, et ils le prièrent à son sujet.
39 Se penchant sur elle, il menaça la fièvre, et elle
la quitta; à l'instant même, se levant elle les servait.

*a)* Refrain de Luc : **4** 37; **5** 15; **7** 17; cf. les refrains analogues de Ac **2** 41+; **6** 7; Lc **1** 80+.
*b)* Jésus admiré et loué par les foules, autre thème cher à Luc : **4** 22; **8** 25; **9** 43; **11** 27; **13** 17; **19** 48, connexe du refrain précédent, **4** 14+, et des thèmes de la louange à Dieu, **2** 20+, et de la crainte religieuse, **1** 12+.
*c)* Ce récit étonne par le revirement inexpliqué de la foule, qui passe de l'admiration, v. 22a, à l'animosité, vv. 22b, 28s. Cette anomalie est sans doute le résultat d'une évolution littéraire. Un premier récit racontait une visite de synagogue avec prédication couronnée de succès, au début du ministère, cf. Mc **1** 21s, à Nazareth, cf. Mt **4** 13 avec Nazara comme Lc **4** 16. Ce récit a été ensuite repris, surchargé et placé plus tard dans la vie de Jésus, Mt **13** 53-58; Mc **6** 1-6, pour consigner l'incompréhension et le refus qui ont fait suite à la première faveur du peuple. De ce texte complexe, Luc a su tirer une page admirable, qu'il a maintenue au début du ministère, comme une scène inaugurale, et où il dépeint, en un raccourci symbolique, la mission de grâce de Jésus et le refus de son peuple.
*d)* Forme rare du nom de Nazareth. Cf. Mt **4** 13.
*e)* Tout Juif adulte était admis, avec autorisation du chef de synagogue, à faire la lecture publique du texte sacré.
*f)* Add. : « guérir ceux qui ont le cœur brisé », cf. LXX.
*g)* Ces miracles ne seront racontés, en fait, qu'après la visite à Nazareth, v. 33, etc. Voir la note sur **4** 16.

|| Mt 8 16-17 || Mc 1 32-34
**Guérisons multiples.**

40 Au coucher du soleil, tous ceux qui avaient des
malades atteints de maux divers les lui amenèrent,
13 13 et lui, imposant les mains à chacun d'eux, il les
1 Tm 4 14+ guérissait. 41 D'un grand nombre aussi sortaient
Mt 8 29+ des démons, qui vociféraient en disant : « Tu es le
Mt 4 3+ Fils de Dieu! » Mais, les menaçant, il ne leur per-
Mc 1 34+ mettait pas de parler, parce qu'ils savaient qu'il
était le Christ.

|| Mc 1 35-39
**Jésus quitte secrètement Capharnaüm et parcourt la Judée.**

42 Le jour venu, il sortit et se rendit dans un lieu
désert. Les foules le cherchaient et, l'ayant rejoint,
elles voulaient le retenir et l'empêcher de les quitter. 43 Mais il leur dit : « Aux autres villes aussi il
me faut annoncer la Bonne Nouvelle du Royaume
Mc 1 38+ de Dieu, car c'est pour cela que j'ai été envoyé. »
44 Et il prêchait dans les synagogues de la Judée [a].

|| Mt 4 18-22 | Mc 1 16-20
**Appel des quatre premiers disciples [b].**

Mc 4 1 **5** 1 Or il advint, comme la foule le serrait de
près et écoutait la parole de Dieu, tandis que
lui se tenait sur le bord du lac de Gennésaret, 2 qu'il
Mc 1 16, 19 vit deux petites barques arrêtées sur le bord du lac;
les pêcheurs en étaient descendus et lavaient leurs
Mc 4 1-2 filets. 3 Il monta dans l'une des barques, qui était
à Simon, et pria celui-ci de s'éloigner un peu de la
terre; puis, s'étant assis, de la barque il enseignait
les foules.
Jn 21 1-6 4 Quand il eut cessé de parler, il dit à Simon :
« Avance en eau profonde, et lâchez vos filets pour
la pêche. » 5 Simon répondit : « Maître, nous avons
peiné toute une nuit sans rien prendre, mais sur ta
Mt 8 10+ parole je vais lâcher les filets. » 6 Et l'ayant fait, ils
Mt 8 3+ capturèrent une grande multitude de poissons, et
leurs filets se rompaient. 7 Ils firent signe alors à
leurs associés qui étaient dans l'autre barque de
venir à leur aide. Ils vinrent, et l'on remplit les deux
barques, au point qu'elles enfonçaient.
8 A cette vue, Simon-Pierre [c] se jeta aux genoux
x 33 20+ de Jésus, en disant : « Éloigne-toi de moi, Seigneur,
Lc 1 12+ car je suis un homme pécheur! » 9 La frayeur en
effet l'avait envahi, lui et tous ceux qui étaient avec
lui, à cause du coup de filet qu'ils venaient de faire;
10 pareillement Jacques et Jean, fils de Zébédée, les
compagnons de Simon [d]. Mais Jésus dit à Simon :
« Sois sans crainte; désormais ce sont des hommes Mc 1 17, 20
que tu prendras. » 11 Et ramenant les barques à Jn 21 15-17, 19
terre, laissant tout, ils le suivirent. 12 33+

**Guérison d'un lépreux.** || Mt 8 1-4 || Mc 1 40-45

12 Et il advint, comme il était dans une ville, qu'il
y avait un homme plein de lèpre. A la vue de Jésus,
il tomba sur la face et le pria en disant : « Seigneur,
si tu le veux, tu peux me purifier. » 13 Il étendit la
main et le toucha, en disant : « Je le veux, sois
purifié. » Et aussitôt la lèpre le quitta. 14 Et il lui
enjoignit de n'en parler à personne : « Mais va-t'en Mc 1 34+
te montrer au prêtre, et offre pour ta purification
selon ce qu'a prescrit Moïse : ce leur sera une attes- Lv 14 1-32
tation. »
15 Or, la nouvelle se répandait de plus en plus à 4 14+
son sujet, et des foules nombreuses s'assemblaient
pour l'entendre et se faire guérir de leurs maladies.
16 Mais lui se tenait retiré dans les déserts et priait. 3 21+

**Guérison d'un paralytique.** || Mt 9 1-8 || Mc 2 1-12

17 Et il advint, un jour qu'il était en train d'enseigner, qu'il y avait, assis, des Pharisiens et des docteurs de la Loi venus de tous les villages de Galilée,
de Judée, et de Jérusalem; et la puissance du Seigneur [e] lui faisait opérer des guérisons. 18 Et voici
des gens portant sur un lit un homme qui était
paralysé, et ils cherchaient à l'introduire et à le placer devant lui. 19 Et comme ils ne savaient par où
l'introduire à cause de la foule, ils montèrent sur
le toit et, à travers les tuiles [f], ils le descendirent
avec sa civière, au milieu, devant Jésus. 20 Voyant
leur foi, il dit : « Homme, tes péchés te sont remis. » Mt 8 10+
21 Les scribes et les Pharisiens se mirent à pen- Mt 2 4+; 3 7+
ser : « Qui est-il celui-là, qui profère des blasphèmes? Qui peut remettre les péchés, sinon Dieu
seul? » 22 Mais, percevant leurs pensées, Jésus prit
la parole et leur dit : « Pourquoi ces pensées dans
vos cœurs? 23 Quel est le plus facile, de dire : Tes
péchés te sont remis, ou de dire : Lève-toi et marche? 24 Eh bien! pour que vous sachiez que le Fils
de l'homme a le pouvoir sur la terre de remettre les
péchés, je te l'ordonne, dit-il au paralysé, lève-toi
et, prenant ta civière, va chez toi. » 25 Et, à l'instant

*a)* Mc a « Galilée ». Lc prend « Judée » au sens très large : tout le pays d'Israël. De même **7** 17; **23** 5 (?); Ac **10** 37; **28** 21.
*b)* Lc a groupé dans ce récit : 1° une description des lieux et une prédication de Jésus, vv. 1-3, qui rappellent Mc **4** 1-2 et **1** 16, 19; 2° l'histoire d'une pêche miraculeuse, vv. 4-10[a], qui ressemble à Jn **21** 4-11; 3° l'appel de Simon, vv. 10[b]-11, apparenté à Mc **1** 17, 20. En racontant la vocation des premiers disciples après une période d'enseignements et de miracles, Lc a voulu rendre plus vraisemblable leur réponse immédiate à l'appel.
*c)* En fait, Jésus ne donnera à Simon le surnom de Pierre que plus tard, **6** 14. C'est donc une anticipation littéraire, et de caractère johannique (comme la pêche miraculeuse?), car l'expression « Simon-Pierre », sauf ce cas de Lc et Mt **16** 16, ne se rencontre que chez Jn : 17 fois, **1** 40; **6** 8, 68, etc.; **21** 2, 3, 7, 11.
*d)* Les « associés » du v. 7. Si André n'est pas nommé, c'est qu'il est dans la barque de Simon (voir les pluriels des vv. 5, 6, 7), lequel retient toute l'attention de Luc.
*e)* C'est-à-dire de Dieu. Cf. Ac **2** 22; **10** 38.
*f)* La terrasse palestinienne de Mc **2** 4 devient chez Luc un toit de maison gréco-romaine.

même, se levant devant eux, et prenant ce sur quoi
il gisait, il s'en alla chez lui en glorifiant Dieu.
2 20+ 26 Tous furent alors saisis de stupeur et ils glo-
1 12+ rifiaient Dieu. Ils furent remplis de crainte et ils
disaient : « Nous avons vu d'étranges choses
aujourd'hui! »

|| Mt 9 9
|| Mc 2 13-14

### Appel de Lévi.

27 Après cela il sortit, remarqua un publicain du
nom de Lévi assis au bureau de la douane, et il lui
12 33+ dit : « Suis-moi. » 28 Et, quittant tout et se levant, il
le suivait.

|| Mt 9 10-12
|| Mc 2 15-17

### Repas avec les pécheurs chez Lévi.

29 Lévi lui fit un grand festin dans sa maison, et
Mt 5 46+ il y avait une foule nombreuse de publicains et
d'autres gens qui se trouvaient à table avec eux.
Mt 3 7+; 2 4+ 30 Les Pharisiens et leurs scribes murmuraient et
Mt 9 10+ disaient à ses disciples : « Pourquoi mangez-vous et
buvez-vous avec les publicains et les pécheurs? »
31 Et, prenant la parole, Jésus leur dit : « Ce ne sont
pas les gens en bonne santé qui ont besoin de médecin, mais les malades; 32 je ne suis pas venu appeler
les justes, mais les pécheurs, au repentir. »

|| Mt 9 14-17
|| Mc 2 18-22

### Discussion sur le jeûne.

33 Mais eux lui dirent : « Les disciples de Jean
jeûnent fréquemment et font des prières, ceux des
Pharisiens pareillement, et les tiens mangent et boivent! » 34 Jésus leur dit : « Pouvez-vous faire jeûner
les compagnons de l'époux pendant que l'époux est
avec eux? 35 Mais viendront des jours... et quand
l'époux leur aura été enlevé, alors ils jeûneront en
ces jours-là. »
36 Il leur disait encore une parabole : « Personne
ne déchire une pièce d'un vêtement neuf pour la
rajouter à un vieux vêtement; autrement, on aura
déchiré le neuf, et la pièce prise au neuf jurera avec
le vieux.
37 « Personne non plus ne met du vin nouveau
dans des outres vieilles; autrement, le vin nouveau
fera éclater les outres, et il se répandra et les outres
seront perdues. 38 Mais du vin nouveau, il le faut
mettre en des outres neuves. 39 Et personne, après
Jn 3 19 avoir bu du vin vieux, n'en veut du nouveau. On
Jn 2 10 dit en effet : C'est le vieux qui est bon [a]. »

### Les épis arrachés. || Mt 12 1-8
|| Mc 2 23-28

6 1 Or il advint, un sabbat, qu'il traversait des
moissons, et ses disciples arrachaient et mangeaient des épis en les froissant de leurs mains.
2 Mais quelques Pharisiens dirent : « Pourquoi faites-vous ce qui n'est pas permis le jour du sabbat? »
3 Jésus leur répondit : « Vous n'avez donc pas lu
ce que fit David, lorsqu'il eut faim, lui et ses
compagnons, 4 comment il entra dans la demeure
de Dieu, prit les pains d'oblation, en mangea Ex 25 23+
et en donna à ses compagnons, ces pains qu'il n'est
permis de manger qu'aux seuls prêtres? » 5 Et il
leur disait : « Le Fils de l'homme est maître du sabbat [b]. »

### Guérison d'un homme à la main sèche. || Mt 12 9-14

6 Or il advint, un autre sabbat, qu'il entra dans || Mc 3 1-6
la synagogue, et il enseignait. Il y avait là un Lc 13 10-17;
homme dont la main droite était sèche. 7 Les scri- 14 1-6
bes et les Pharisiens l'épiaient pour voir s'il allait
guérir, le sabbat, afin de trouver à l'accuser. 8 Mais
lui connaissait leurs pensées. Il dit donc à l'homme Jn 1 48+
qui avait la main sèche : « Lève-toi et tiens-toi
debout au milieu. » Il se leva et se tint debout.
9 Puis Jésus leur dit : « Je vous le demande : est-il
permis, le sabbat, de faire le bien plutôt que de faire
le mal, de sauver une vie plutôt que de la perdre? »
10 Promenant alors son regard sur eux tous, il lui
dit : « Étends ta main. » L'autre le fit, et sa main
fut remise en état. 11 Mais eux furent remplis de
rage, et ils se concertaient sur ce qu'ils pourraient 11 53+
bien faire à Jésus.

### Le choix des Douze. || Mt 10 1-

12 Or il advint, en ces jours-là, qu'il s'en alla dans || Mc 3 13
la montagne pour prier, et il passait toute la nuit
à prier Dieu. 13 Lorsqu'il fit jour, il appela ses disci- 3 21+
ples et il en choisit douze, qu'il nomma apôtres [c] :
14 Simon, qu'il nomma Pierre, André son frère, Jac- || Ac 1 13
ques, Jean, Philippe, Barthélemy, 15 Matthieu, Thomas, Jacques fils d'Alphée, Simon appelé le Zélote,
16 Judas fils de Jacques [d], et Judas Iscarioth, qui
devint un traître.

*a)* Le vin nouveau qu'offre Jésus n'est pas du goût de ceux qui ont bu le vin vieux de la Loi. Ce dernier propos, propre à Luc, reflète peut-être l'expérience de Luc, disciple de Paul, qui connaît les difficultés de la mission auprès des Juifs, cf. Ac **13** 5+.

*b)* Un ms ajoute ici un propos intéressant, bien que probablement inauthentique : « Le même jour, voyant quelqu'un travailler le jour du sabbat, il lui dit : Mon ami, si tu sais ce que tu fais, tu es bienheureux, mais si tu ne le sais pas, tu es un maudit et un transgresseur de la Loi. » Cf. Mc **2** 27+.

*c)* Apôtre signifie « envoyé ». Déjà connu dans le monde grec et dans le monde juif (*sheliah*), ce terme en est venu dans le christianisme à désigner les missionnaires « envoyés », cf. Ac **22** 21+, comme témoins du Christ, de sa vie, de sa mort et de sa résurrection, Ac **1** 8+, d'abord les Douze, Mc **3** 14+ (ce terme leur est réservé dans les Actes), mais aussi un cercle plus large de disciples, cf. Rm **1** 1+, qui figurent en premier lieu dans les listes de charismes, cf. 1 Co **12** 28; Ep **4** 11. – Il se pourrait que le *nom* d'apôtre n'ait été donné aux missionnaires que par la première communauté; mais il reste vrai que Jésus lui-même a envoyé ses disciples en mission, d'abord vers les villages de Galilée, **9** 6, et, après sa résurrection, vers le monde entier, **24** 47; Ac **1** 8; cf. Jn **3** 11+; **4** 34+.

*d)* Litt. « Judas de Jacques », qu'on pourrait aussi entendre : « frère de Jacques ». Cf. Mt **10** 2+.

|| Mt 4 24-25 **Les foules à la suite de Jésus.**
|| Mc 3 7-12 17 Descendant alors avec eux, il se tint sur un
plateau. Il y avait là une foule nombreuse de ses
disciples et une grande multitude de gens qui, de
toute la Judée et de Jérusalem et du littoral de Tyr
et de Sidon, 18 étaient venus pour l'entendre et se
faire guérir de leurs maladies. Ceux que tourmen-
taient des esprits impurs étaient guéris, 19 et toute
5 17; 8 46 la foule cherchait à le toucher, parce qu'une force
Mc 5 30+ sortait de lui et les guérissait tous.

Is 65 13-14 **Discours inaugural [a]. Les Béatitudes [b].**

|| Mt 5 1 20 Et lui, levant les yeux sur ses disciples, disait :
|| Mt 5 3 « Heureux, vous les pauvres, car le Royaume de
Dieu est à vous.
|| Mt 5 6 21 Heureux, vous qui avez faim maintenant, car
vous serez rassasiés.
|| Mt 5 5 Heureux, vous qui pleurez maintenant, car vous
rirez.
|| Mt 5 11-12 22 Heureux êtes-vous, quand les hommes vous
haïront, quand ils vous frapperont d'exclusion et
qu'ils insulteront et proscriront votre nom comme
infâme, à cause du Fils de l'homme. 23 Réjouissez-
vous ce jour-là et tressaillez d'allégresse, car voici
que votre récompense sera grande dans le ciel.
C'est de cette manière, en effet, que leurs pères traitaient les prophètes. »

**Les malédictions.**

Is 5 8-25 24 « Mais malheur à vous, les riches! car vous
Ha 2 6s avez votre consolation.
25 Malheur à vous, qui êtes repus maintenant!
car vous aurez faim.
Malheur, vous qui riez maintenant! car vous
connaîtrez le deuil et les larmes.
26 Malheur, lorsque tous les hommes diront du
bien de vous! C'est de cette manière, en effet, que
leurs pères traitaient les faux prophètes. »

**L'amour des ennemis.**

27 « Mais je vous le dis, à vous qui m'écoutez :
Mt 5 44 Aimez vos ennemis, faites du bien à ceux qui vous
haïssent, 28 bénissez ceux qui vous maudissent,
priez pour ceux qui vous diffament. 29 A qui te
5 39-40 frappe sur une joue, présente encore l'autre; à qui
t'enlève ton manteau, ne refuse pas ta tunique. 30 A
Mt 5 42 quiconque te demande, donne, et à qui t'enlève ton
12 33+
bien, ne le réclame pas. 31 Ce que vous voulez que
les hommes fassent pour vous, faites-le pour eux || Mt 7 12; Tb 4 15
pareillement. 32 Que si vous aimez ceux qui vous || Mt 5 46
aiment, quel gré vous en saura-t-on? Car même les
pécheurs aiment ceux qui les aiment. 33 Et si vous
faites du bien à ceux qui vous en font, quel gré vous 14 12-14
en saura-t-on? Même les pécheurs en font autant.
34 Et si vous prêtez à ceux dont vous espérez recevoir, quel gré vous en saura-t-on? Même des
pécheurs prêtent à des pécheurs afin de recevoir
l'équivalent. 35 Au contraire, aimez vos ennemis,
faites du bien et prêtez sans rien attendre en
retour [c]. Votre récompense alors sera grande, et
vous serez les fils du Très-Haut, car il est bon, Lui, || Mt 5 45; Si 4 11
pour les ingrats et les méchants.

**Miséricorde et bienfaisance.**

36 « Montrez-vous compatissants, comme votre
Père est compatissant. 37 Ne jugez pas, et vous ne Ex 34 6-7
serez pas jugés; ne condamnez pas, et vous ne serez || Mt 7 1
pas condamnés; remettez, et il vous sera remis.
38 Donnez, et l'on vous donnera; c'est une bonne
mesure, tassée, secouée, débordante, qu'on versera
dans votre sein [d]; car de la mesure dont vous mesu- || Mt 7 2
rez on mesurera pour vous en retour. » || Mc 4 24

**Conditions du zèle.**

39 Il leur dit encore une parabole : « Un aveugle || Mt 15 14
peut-il guider un aveugle? Ne tomberont-ils pas
tous les deux dans un trou [e]? 40 Le disciple n'est pas || Mt 10 24-25
au-dessus du maître; tout disciple accompli sera || Jn 13 16;
comme son maître. 41 Qu'as-tu à regarder la paille 15 20
qui est dans l'œil de ton frère? Et la poutre qui est
dans ton œil à toi, tu ne la remarques pas!
42 Comment peux-tu dire à ton frère : "Frère, laisse-moi ôter la paille qui est dans ton œil", toi qui
ne vois pas la poutre qui est dans ton œil? Hypocrite, ôte d'abord la poutre de ton œil; et alors tu
verras clair pour ôter [f] la paille qui est dans l'œil
de ton frère.
43 « Il n'y a pas de bon arbre qui produise un fruit || Mt 12 33-35
gâté, ni inversement d'arbre gâté qui produise un
bon fruit. 44 Chaque arbre en effet se reconnaît à || Mt 7 16-18
son propre fruit; on ne cueille pas de figues sur des
épines, on ne vendange pas non plus de raisin sur
des ronces. 45 L'homme bon, du bon trésor de son

*a)* La forme de ce discours est plus brève que chez Mt, parce que Lc n'y a pas pratiqué les mêmes additions que Mt, et en a même retranché ce qui était trop judaïque pour intéresser ses lecteurs, cf. Mt 5 1+.

*b)* Mt a huit béatitudes, Lc quatre béatitudes et quatre malédictions. Celles de Mt, Mt 5 3-12+, tracent un programme de vie vertueuse avec promesse de récompense céleste; celles de Lc annoncent le renversement des situations, de cette vie à la vie future, cf. 16 25. Dans Mt Jésus use de la 3ᵉ personne, dans Lc il apostrophe l'auditoire.

*c)* Texte difficile et traduction conjecturale. Var. : « ne désespérant personne (ou : de personne) », « ne désespérant en rien ».

*d)* Dans les plis de la tunique ou du manteau, remonté au-dessus de la ceinture, qui servaient de poche ou de sac à provisions; cf. Rt 3 15.

*e)* Lc applique aux disciples ce que Mt 15 14 disait des Pharisiens. Même remarque pour les vv. 43-45.

*f)* Ou : « et alors tu verras à ôter ».

cœur, tire ce qui est bon, et celui qui est mauvais,
de son mauvais fond, tire ce qui est mauvais; car
c'est du trop-plein du cœur que parle sa bouche.

**Nécessité de la pratique.**

|| Mt 7 21 46 « Pourquoi m'appelez-vous " Seigneur, Sei-
gneur ", et ne faites-vous pas ce que je dis?
|| Mt 7 24-27 47 « Quiconque vient à moi [a], écoute mes paroles
et les met en pratique, je vais vous montrer à qui
il est comparable. 48 Il est comparable à un homme
qui, bâtissant une maison, a creusé, creusé profond
et posé les fondations sur le roc. La crue survenant,
le torrent s'est rué sur cette maison, mais il n'a pu
l'ébranler, parce qu'elle était bien bâtie. 49 Mais
celui au contraire qui a écouté et n'a pas mis en
pratique est comparable à un homme qui aurait
bâti sa maison à même le sol, sans fondations. Le
torrent s'est rué sur elle, et aussitôt elle s'est écroulée; et le désastre survenu à cette maison a été
grand! »

|| Mt 8 5-10, 13 || Jn 4 46-54? **Guérison du serviteur d'un centurion.**

7 1 Après qu'il eut fini de faire entendre au peuple toutes ses paroles, il entra dans Capharnaüm. 2 Or un centurion avait, malade et sur le
point de mourir, un esclave qui lui était cher.
3 Ayant entendu parler de Jésus, il envoya vers lui
quelques-uns des anciens [b] des Juifs, pour le prier
de venir sauver son esclave.
4 Arrivés auprès de Jésus, ils le suppliaient instamment : « Il est digne, disaient-ils, que tu lui
accordes cela; 5 il aime en effet notre nation [c], et
12 33+ c'est lui qui nous a bâti la synagogue. » 6 Jésus faisait route avec eux, et déjà il n'était plus loin de
la maison, quand le centurion envoya des amis
pour lui dire : « Seigneur, ne te dérange pas davantage, car je ne mérite pas que tu entres sous mon
toit; 7 aussi bien ne me suis-je pas jugé digne de
venir te trouver. Mais dis un mot et que mon enfant
soit guéri [d]. 8 Car moi, qui n'ai rang que de subalterne, j'ai sous moi des soldats, et je dis à l'un : Va!
et il va, et à un autre : Viens! et il vient, et à mon
esclave : Fais ceci! et il le fait. » 9 En entendant ces
paroles, Jésus l'admira et, se retournant, il dit à la
foule qui le suivait : « Je vous le dis : pas même en
Mt 8 10+ Israël je n'ai trouvé une telle foi. » 10 Et, de retour
à la maison, les envoyés trouvèrent l'esclave en
parfaite santé.

**Résurrection du fils de la veuve de Naïn [e].**

11 Et il advint ensuite qu'il se rendit dans une
ville appelée Naïn. Ses disciples et une foule nombreuse faisaient route avec lui. 12 Quand il fut près
de la porte de la ville, voilà qu'on portait en terre
un mort, un fils unique dont la mère était veuve;
et il y avait avec elle une foule considérable de la
ville. 13 En la voyant, le Seigneur eut pitié d'elle et 1 43+
lui dit : « Ne pleure pas. » 14 Puis, s'approchant, il
toucha le cercueil, et les porteurs s'arrêtèrent. Et il
dit : « Jeune homme, je te le dis, lève-toi. » 15 Et le
mort se dressa sur son séant et se mit à parler. Et Mt 8 3+
il *le remit à sa mère.* 16 Tous furent saisis de 1 R 17 23
crainte, et ils glorifiaient Dieu en disant : « Un 1 12+; 2 20+
grand prophète s'est levé parmi nous et Dieu a Mt 16 14+
visité son peuple. » 17 Et ce propos se répandit à son Lc 1 68+; 4 1
sujet dans la Judée entière et tout le pays d'alen- 4 44+
tour.

**Question de Jean-Baptiste et témoignage que lui rend Jésus.** || Mt 11 2-15

18 Les disciples de Jean l'informèrent de tout
cela. Appelant à lui deux de ses disciples, Jean
19 les envoya dire au Seigneur : « Es-tu celui qui
doit venir ou devons-nous en attendre un autre? »
20 Arrivés auprès de lui, ces hommes dirent : « Jean
le Baptiste nous envoie te dire : Es-tu celui qui doit
venir ou devons-nous en attendre un autre? » 21 A
cette heure-là, il guérit beaucoup de gens affligés de
maladies, d'infirmités, d'esprits mauvais, et rendit
la vue à beaucoup d'aveugles. 22 Puis il répondit
aux envoyés : « Allez rapporter à Jean ce que vous
avez vu et entendu : les aveugles voient, les boiteux Is 35 5-6;
marchent, les lépreux sont purifiés et les sourds 26 19; 61
entendent, les morts ressuscitent, la Bonne Nouvelle est annoncée aux pauvres; 23 et heureux celui
qui ne trébuchera pas à cause de moi! » 2 34+
24 Quand les envoyés de Jean furent partis, il se
mit à dire aux foules au sujet de Jean : « Qu'êtes-
vous allés contempler au désert? Un roseau agité
par le vent? 25 Alors qu'êtes-vous allés voir? Un
homme vêtu d'habits délicats? Mais ceux qui ont
des habits magnifiques et vivent dans les délices
sont dans les palais royaux. 26 Alors qu'êtes-vous
allés voir? Un prophète? Oui, je vous le dis, et plus
qu'un prophète. 27 C'est celui dont il est écrit :
*Voici que j'envoie mon messager en avant de toi* Ml 3 1
*pour préparer ta route devant toi.*
28 « Je vous le dis : de plus grand que Jean parmi
les enfants des femmes, il n'y en a pas; et cependant
le plus petit dans le Royaume de Dieu est plus
grand que lui. 29 Tout le peuple qui a écouté, et

*a)* Expression johannisante, cf. Jn 6 35+.
*b)* Notables de la localité, à ne pas confondre avec les anciens de Jérusalem, membres du Sanhédrin.
*c)* C'était sans doute, comme Corneille, Ac 10 1-2+, un païen sympathisant au Judaïsme.
*d)* Var : « et mon enfant sera guéri ».
*e)* Récit propre à Lc, qui prépare la réponse de Jésus aux envoyés de Jean, 7 22.

|| Mt 21 31-32 même les publicains, ont justifié Dieu en se faisant
baptiser du baptême de Jean; 30 mais les Pharisiens
et les légistes ont annulé pour eux le dessein de
Dieu en ne se faisant pas baptiser par lui.

|| Mt 11 16-19 **Jugement de Jésus sur sa génération.**

31 « A qui donc vais-je comparer les hommes de
cette génération? A qui ressemblent-ils? 32 Ils ressemblent à ces gamins qui sont assis sur une place
et s'interpellent les uns les autres, en disant :
"Nous vous avons joué de la flûte,
et vous n'avez pas dansé!
Nous avons entonné un chant funèbre,
et vous n'avez pas pleuré!"
33 « Jean le Baptiste est venu en effet, ne mangeant pas de pain ni ne buvant de vin, et vous
dites : "Il est possédé!" 34 Le Fils de l'homme est
venu, mangeant et buvant, et vous dites : "Voilà un
glouton et un ivrogne, un ami des publicains et des
Jn 6 35+ pécheurs!" 35 Et la Sagesse a été justifiée par tous
ses enfants [a]. »

**La pécheresse pardonnée et aimante [b].**

11 37; 14 1 36 Un Pharisien l'invita à manger avec lui; il
entra dans la maison du Pharisien et se mit à table.
37 Et voici une femme, qui dans la ville était une
pécheresse. Ayant appris qu'il était à table dans la
maison du Pharisien, elle avait apporté un vase de
parfum. 38 Et se plaçant par derrière, à ses pieds,
tout en pleurs, elle se mit à lui arroser les pieds de
ses larmes; et elle les essuyait avec ses cheveux, les
couvrait de baisers, les oignait de parfum.
39 A cette vue, le Pharisien qui l'avait convié se
Mt 16 14+ dit en lui-même : « Si cet homme était prophète, il
Jn 4 18-19 saurait qui est cette femme qui le touche, et ce
qu'elle est : une pécheresse! » 40 Mais, prenant la
parole, Jésus lui dit : « Simon, j'ai quelque chose à
te dire. » – « Parle, maître », répond-il. – 41 « Un
créancier avait deux débiteurs; l'un devait cinq
cents deniers, l'autre cinquante. 42 Comme ils
n'avaient pas de quoi rembourser, il fit grâce à tous
deux. Lequel des deux l'en aimera le plus? »
43 Simon répondit : « Celui-là, je pense, auquel il a
fait grâce de plus. » Il lui dit : « Tu as bien jugé. »
44 Et, se tournant vers la femme : « Tu vois cette
femme? dit-il à Simon. Je suis entré dans ta maison, et tu ne m'as pas versé d'eau sur les pieds; elle,
au contraire, m'a arrosé les pieds de ses larmes et
les a essuyés avec ses cheveux. 45 Tu ne m'as pas
donné de baiser; elle, au contraire, depuis que je
suis entré [c], n'a cessé de me couvrir les pieds de
baisers. 46 Tu n'as pas répandu d'huile sur ma tête;
elle, au contraire, a répandu du parfum sur mes
pieds. 47 A cause de cela, je te le dis, ses péchés,
ses nombreux péchés, lui sont remis parce qu'elle
a montré beaucoup d'amour [d]. Mais celui à qui on Mt 21 31
remet peu montre peu d'amour. » 48 Puis il dit à la
femme : « Tes péchés sont remis. » 49 Et ceux qui
étaient à table avec lui se mirent à dire en eux-mêmes : « Qui est-il celui-là qui va jusqu'à remettre les
péchés? » 50 Mais il dit à la femme : « Ta foi t'a sau- Mt 8 10+
vée; va en paix. »

**L'entourage féminin de Jésus.**

**8** 1 Et il advint ensuite qu'il cheminait à travers || Mt 4 23; 9 35
villes et villages, prêchant et annonçant la || Mc 1 39
Bonne Nouvelle du Royaume de Dieu. Les Douze Lc 4 43-44
étaient avec lui, 2 ainsi que quelques femmes qui
avaient été guéries d'esprits mauvais et de mala- Mt 8 29+
dies : Marie, appelée la Magdaléenne, de laquelle
étaient sortis sept démons, 3 Jeanne, femme de Mt 27 55-56
Chouza, intendant d'Hérode, Suzanne et plusieurs Mc 15 40-41
autres, qui les assistaient de leurs biens. Lc 23 49; 24 10
Jn 19 25

**Parabole du semeur.** || Mt 13 1-9
|| Mc 4 1-9

4 Comme une foule nombreuse se rassemblait et
que de toutes les villes on s'acheminait vers lui, il
dit par parabole :
5 « Le semeur est sorti pour semer sa semence. Et
comme il semait, une partie du grain est tombée au
bord du chemin; elle a été foulée aux pieds et les
oiseaux du ciel ont tout mangé. 6 Une autre est
tombée sur le roc et, après avoir poussé, elle s'est
desséchée faute d'humidité. 7 Une autre est tombée
au milieu des épines et, poussant avec elle, les épi- Jr 4 3-4
nes l'ont étouffée. 8 Une autre est tombée dans la
bonne terre, a poussé et produit du fruit au centuple. » Et, ce disant, il s'écriait : « Entende, qui a des
oreilles pour entendre! »

**Pourquoi Jésus parle en paraboles.** || Mt 13 10-11, 13
|| Mc 4 10-12

9 Ses disciples lui demandaient ce que pouvait
bien signifier cette parole. 10 Il dit : « A vous il a
été donné de connaître les mystères du Royaume
de Dieu; mais pour les autres, c'est en paraboles,
afin qu'
*ils voient sans voir* Is 6 9
*et entendent sans comprendre*.

*a)* Var. : « par ses propres œuvres », cf. Mt **11** 19+. – Les enfants de la Sagesse, c'est-à-dire de Dieu souverainement sage, cf. Pr **8** 22+, reconnaissent et accueillent les œuvres de Dieu.
*b)* Épisode propre à Lc, différent de l'onction de Béthanie, Mt **26** 6-13p. La pécheresse de cet épisode ne doit être identifiée, ni avec Marie de Béthanie, sœur de Marthe, **10** 39; cf. Jn **11** 1s; **12** 2s, ni non plus avec Marie de Magdala, **8** 2.
*c)* Var. : « depuis qu'elle est entrée ».
*d)* Dans la première partie de ce verset, l'amour apparaît comme cause du pardon; dans la deuxième, il en est l'effet. Cette antinomie vient de ce que le texte de la péricope est composite. En 37-38, 44-46, les gestes de la femme témoignent

|| Mt **13** 18-23 **Explication de la parabole du semeur.**

|| Mc **4** 14-20 11 « Voici donc ce que signifie la parabole : La
semence, c'est la parole de Dieu. 12 Ceux qui sont
au bord du chemin sont ceux qui ont entendu, puis
vient le diable qui enlève la Parole de leur cœur,
Mt **8** 10+ de peur qu'ils ne croient et soient sauvés. 13 Ceux
qui sont sur le roc sont ceux qui accueillent la
Parole avec joie quand ils l'ont entendue, mais
ceux-là n'ont pas de racine, ils ne croient que pour
un moment, et au moment de l'épreuve ils font
défection. 14 Ce qui est tombé dans les épines, ce
sont ceux qui ont entendu, mais en cours de route
**21** 34 les soucis, la richesse et les plaisirs de la vie les
étouffent, et ils n'arrivent pas à maturité. 15 Et ce
qui est dans la bonne terre, ce sont ceux qui, ayant
entendu la Parole avec un cœur noble et généreux,
la retiennent et portent du fruit par leur constance.

|| Mc **4** 21-22 **Comment recevoir et transmettre l'enseignement de Jésus.**

|| Mt **5** 15 16 « Personne, après avoir allumé une lampe, ne
= Lc **11** 33 Jn **8** 12+ la recouvre d'un vase ou ne la met sous un lit; on
la met au contraire sur un lampadaire, pour que
ceux qui pénètrent voient la lumière. 17 Car rien
|| Mt **10** 26 n'est caché qui ne deviendra manifeste, rien non
= Lc **12** 2 plus n'est secret qui ne doive être connu et venir
|| Mc **4** 24-25 || Mt **13** 12; **25** 29 au grand jour. 18 Prenez donc garde à la manière
= Lc **19** 26 dont vous écoutez! Car celui qui a, on lui donnera,
et celui qui n'a pas, même ce qu'il croit avoir lui
sera enlevé. »

|| Mt **12** 46-50 || Mc **3** 31-35 **La vraie parenté de Jésus** [a].

19 Sa mère et ses frères vinrent alors le trouver,
mais ils ne pouvaient l'aborder à cause de la foule.
20 On l'en informa : « Ta mère et tes frères se tiennent dehors et veulent te voir. » 21 Mais il leur
**11** 27-28 répondit : « Ma mère et mes frères, ce sont ceux qui
écoutent la parole de Dieu et la mettent en pratique. »

|| Mt **8** 18, 23-27 || Mc **4** 35-41 **La tempête apaisée.**

22 Or il advint, un jour, qu'il monta en barque
ainsi que ses disciples, et il leur dit : « Passons sur
l'autre rive du lac. » Et ils gagnèrent le large.
23 Tandis qu'ils naviguaient, il s'endormit. Et une
bourrasque s'abattit sur le lac; ils faisaient eau et
se trouvaient en danger. 24 S'étant donc approchés,
ils le réveillèrent en disant : « Maître, maître, nous
périssons! » Et lui, s'étant réveillé, menaça le vent
et le tumulte des flots. Ils s'apaisèrent et le calme
se fit. 25 Puis il leur dit : « Où est votre foi? » Ils Mt **8** 10+
furent saisis de crainte et d'étonnement, et ils se Lc **1** 12+; **4** 15+
disaient les uns aux autres : « Qui est-il donc celui-
là, qu'il commande même aux vents et aux flots,
et ils lui obéissent? »

**Le démoniaque gérasénien.** || Mt **8** 28-34 || Mc **5** 1-20

26 Ils abordèrent au pays des Géraséniens [b],
lequel fait face à la Galilée. 27 Comme il mettait
pied à terre, vint à sa rencontre un homme de la
ville, possédé de démons. Depuis un temps considérable il n'avait pas mis de vêtement; et il ne demeurait pas dans une maison, mais dans les tombes.
28 Voyant Jésus, il poussa des cris, se jeta à ses
pieds et, d'une voix forte, il dit : « Que me veux-tu, **4** 34
Jésus, fils du Dieu Très Haut? Je t'en prie, ne me Mt **4** 3+
tourmente pas. » 29 Il prescrivait en effet à l'esprit
impur de sortir de cet homme. Car, à maintes reprises, l'esprit s'était emparé de lui; on le liait alors,
pour le garder, avec des chaînes et des entraves,
mais il brisait ses liens et le démon l'entraînait vers
les déserts. 30 Jésus l'interrogea : « Quel est ton
nom? » Il dit : « Légion », car beaucoup de démons
étaient entrés en lui. 31 Et ils le suppliaient de ne
pas leur commander de s'en aller dans l'abîme [c].
32 Or il y avait là un troupeau considérable de
porcs en train de paître dans la montagne. Les
démons supplièrent Jésus de leur permettre d'entrer
dans les porcs. Et il le leur permit. 33 Sortant alors
de l'homme, les démons entrèrent dans les porcs et
le troupeau se précipita du haut de l'escarpement
dans le lac et se noya.
34 Voyant ce qui s'était passé, les gardiens prirent
la fuite et rapportèrent la nouvelle à la ville et dans
les fermes. 35 Les gens sortirent donc pour voir ce
qui s'était passé. Ils arrivèrent auprès de Jésus et
trouvèrent l'homme dont étaient sortis les démons,
assis, vêtu et dans son bon sens, aux pieds de
Jésus [d]; et ils furent pris de peur. 36 Les témoins
leur rapportèrent comment avait été sauvé celui qui
était démoniaque. 37 Et toute la population de la
région des Géraséniens pria Jésus de s'éloigner
d'eux, car ils étaient en proie à une grande peur. **1** 12+
Et lui, étant monté en barque, s'en retourna.
38 L'homme dont les démons étaient sortis le

d'un grand amour qui lui mérite le pardon de ses fautes : d'où la conclusion 47a. Mais en 40-43 une parabole a été insérée, dont la leçon est inverse : un plus grand pardon entraîne un plus grand amour : d'où la conclusion 47b.

*a)* Lc a placé ici cette péricope que Mc **3** 31-35 place plus haut, parce qu'il l'a jugée propre à conclure son petit ensemble sur l'enseignement parabolique de Jésus; comparer les vv. 15 et 21.

*b)* Var. : « Gergéséniens », « Gadaréniens ».

*c)* Au lieu de : « les expulser hors du pays », Mc **5** 10. Les démons demandent à Jésus de ne pas les renvoyer dans les profondeurs de la terre, leur séjour normal et définitif, Ap **9** 1, 2, 11; **11** 7; **17** 8; **20** 1, 3.

*d)* Dans l'attitude du disciple, **8** 38; cf. **10** 39; Ac **22** 3. Trait ajouté par Luc.

priait de le garder avec lui, mais il le renvoya, en
disant : 39 « Retourne chez toi, et raconte tout ce
que Dieu a fait pour toi. » Il s'en alla donc, proclamant par la ville entière tout ce que Jésus avait fait
pour lui.

|| Mt 9 18-26 **Guérison d'une hémorroïsse**
|| Mc 5 21-43 **et résurrection de la fille de Jaïre.**

40 A son retour, Jésus fut accueilli par la foule,
car tous étaient à l'attendre. 41 Et voici qu'arriva un
homme du nom de Jaïre, qui était chef de la synagogue. Tombant aux pieds de Jésus, il le priait de
venir chez lui, 42 parce qu'il avait une fille unique,
âgée d'environ douze ans, qui se mourait. Et
comme il s'y rendait, les foules le serraient à
l'étouffer.
43 Or une femme, atteinte d'un flux de sang
depuis douze années, et que nul n'avait pu guérir [a],
44 s'approcha par derrière et toucha la frange de
son manteau; et à l'instant même son flux de sang
s'arrêta. 45 Mais Jésus dit : « Qui est-ce qui m'a touché? » Comme tous s'en défendaient, Pierre dit :
« Maître, ce sont les foules qui te serrent et te
pressent. » 46 Mais Jésus dit : « Quelqu'un m'a tou-
6 19+ ché; car j'ai senti qu'une force était sortie de moi. »
47 Se voyant alors découverte, la femme vint toute
tremblante et, se jetant à ses pieds, raconta devant
tout le peuple pour quel motif elle l'avait touché,
et comment elle avait été guérie à l'instant même.
48 Et il lui dit : « Ma fille, ta foi t'a sauvée; va en
paix. »
49 Tandis qu'il parlait encore, arrive de chez le
chef de synagogue quelqu'un qui dit : « Ta fille est
morte à présent; ne dérange plus le Maître. »
50 Mais Jésus, qui avait entendu, lui répondit :
Mt 8 10+ « Sois sans crainte, crois seulement, et elle sera sauvée. » 51 Arrivé à la maison, il ne laissa personne
entrer avec lui, si ce n'est Pierre, Jean et Jacques [b],
ainsi que le père et la mère de l'enfant. 52 Tous pleuraient et se frappaient la poitrine à cause d'elle.
Mais il dit : « Ne pleurez pas, elle n'est pas morte,
mais elle dort. » 53 Et ils se moquaient de lui,
sachant bien qu'elle était morte. 54 Mais lui, prenant sa main, l'appela en disant : « Enfant, lève-
toi. » 55 Son esprit revint, et elle se leva à l'instant
même. Et il ordonna de lui donner à manger. 56 Ses
parents furent saisis de stupeur, mais il leur prescri- 1 12+
vit de ne dire à personne ce qui s'était passé. Mc 1 34+

**Mission des Douze.** || Mt 10 1, 5, 8, 9-14

9 1 Ayant convoqué les Douze [c], il leur donna || Mc 6 7-13
puissance et pouvoir sur tous les démons, et Mt 8 3+;
sur les maladies pour les guérir. 2 Et il les envoya 8 29+
proclamer le Royaume de Dieu et faire des guérisons. 3 Il leur dit : « Ne prenez rien pour la route,
ni bâton, ni besace, ni pain, ni argent; n'ayez pas
non plus chacun deux tuniques. 4 En quelque maison que vous entriez, demeurez-y, et partez de là. 10 7
5 Quant à ceux qui ne vous accueilleront pas, sortez Ac 9 43; 16
de cette ville et secouez la poussière de vos pieds, 15; 17 7; 18 3
en témoignage contre eux. » 6 Étant partis, ils pas- Ac 13 51
saient de village en village, annonçant la Bonne
Nouvelle et faisant partout des guérisons.

**Hérode et Jésus [d].** || Mt 14 1-2

7 Hérode, le tétrarque, apprit tout ce qui se pas- || Mc 6 14-16
sait, et il était fort perplexe, car certains disaient :
« C'est Jean qui est ressuscité d'entre les morts »; 9 19
8 certains : « C'est Élie qui est reparu »; d'autres :
« C'est un des anciens prophètes qui est ressuscité ». 9 Mais Hérode dit : « Jean! moi je l'ai fait
décapiter. Quel est-il donc, celui dont j'entends dire 23 8-12
de telles choses? » Et il cherchait à le voir.

**Retour des Apôtres et multiplication des pains [e].** || Mt 14 13-21

10 A leur retour, les apôtres lui racontèrent tout || Mc 6 30-44 || Jn 6 1-13
ce qu'ils avaient fait. Les prenant alors avec lui, il
se retira à l'écart, vers une ville appelée Bethsaïde. Mc 6 45
11 Mais les foules, ayant compris, partirent à sa
suite. Il leur fit bon accueil, leur parla du Royaume
de Dieu et rendit la santé à ceux qui avaient besoin
de guérison.
12 Le jour commença à baisser. S'approchant, les
Douze lui dirent : « Renvoie la foule, afin qu'ils aillent dans les villages et fermes d'alentour pour y
trouver logis et provisions, car nous sommes ici
dans un endroit désert. » 13 Mais il leur dit : « Donnez-leur vous-mêmes à manger. » Ils dirent :
« Nous n'avons pas plus de cinq pains et de deux

*a)* Var. : « une femme qui, ayant dépensé tout son avoir en médecins, n'avait pu être guérie par personne », cf. Mc **5** 26.
*b)* Cf. Mc **5** 37+. Mais, ici comme en **9** 28; Ac **1** 13, Jean figure immédiatement après Pierre. Cette façon d'associer Pierre et Jean est commune à Lc **22** 8; Ac **3** 1, 3, 11; **4** 13, 19; **8** 14, et au quatrième évangile, Jn **13** 23-26; **18** 15-16; **20** 3-9; **21** 7, 20-23.
*c)* Add. : « apôtres ».
*d)* Au lieu de raconter le meurtre de Jean-Baptiste, Luc prépare (« il cherchait à le voir », v. 9) la future rencontre d'Hérode et de Jésus, **23** 8-12.
*e)* Lc ne rapporte qu'une seule multiplication des pains, comme Jean, tandis que Mt et Mc en racontent deux. Ce peut être qu'il a omis, ou ignoré, toute la section de Mc **6** 45 - **8** 26, où se rencontre la deuxième multiplication. Mais ce peut être aussi, et plutôt, qu'il évite ainsi un doublet de Mc et Mt, où les deux récits de multiplication des pains semblent bien être deux traditions parallèles d'un même événement, l'une issue du milieu palestinien (rive occidentale du lac, cf. Mt **14** 13+; douze couffins comme les douze tribus d'Israël), l'autre venant d'un milieu chrétien issu du paganisme (rive orientale, cf. Mc **7** 31; sept corbeilles comme les sept nations païennes de Canaan avant la conquête, Dt **7** 1; Ac **13** 19). Cf. Mt **14** 13+.

poissons. A moins peut-être d'aller nous-mêmes
acheter de la nourriture pour tout ce peuple. »
14 Car il y avait bien cinq mille hommes. Mais il
dit à ses disciples : « Faites-les s'étendre par groupes d'une cinquantaine. » 15 Ils agirent ainsi et les
firent tous s'étendre. 16 Prenant alors les cinq pains
et les deux poissons, il leva les yeux au ciel, les
bénit, les rompit et il les donnait aux disciples pour
les servir à la foule. 17 Ils mangèrent et furent tous
rassasiés, et ce qu'ils avaient eu de reste fut
emporté : douze couffins de morceaux!

|| Mt 16 13-20 || Mc 8 27-30 Lc 3 21+ **Profession de foi de Pierre [a].**

18 Et il advint, comme il était à prier, seul,
n'ayant avec lui que les disciples, qu'il les interrogea en disant : « Qui suis-je, au dire des foules? »
9 7-8 19 Ils répondirent : « Jean le Baptiste; pour d'autres,
Élie; pour d'autres, un des anciens prophètes est
ressuscité. » – 20 « Mais pour vous, leur dit-il, qui
2 26+; suis-je? » Pierre répondit : « Le Christ de Dieu. »
23 35 21 Mais lui leur enjoignit et prescrivit de ne le dire
Mc 1 34+ à personne.

|| Mt 16 21 **Première annonce de la Passion [b].**

|| Mc 8 31 22 « Le Fils de l'homme, dit-il, doit souffrir beau-
coup, être rejeté par les anciens, les grands prêtres
et les scribes, être tué et, le troisième jour, ressusciter. »

|| Mt 16 24-27 || Mc 8 34-38 **Conditions pour suivre Jésus.**

|| Mt 10 38 23 Et il disait à tous : « Si quelqu'un veut venir
= Lc 14 27 à ma suite, qu'il se renie lui-même, qu'il se charge
Jn 12 26 de sa croix chaque jour, et qu'il me suive. 24 Qui
|| Mt 10 39 veut en effet sauver sa vie la perdra, mais qui per-
= Lc 17 33 dra sa vie à cause de moi, celui-là la sauvera.
|| Jn 12 25 25 Que sert donc à l'homme de gagner le monde
entier, s'il se perd ou se ruine lui-même? 26 Car
|| Mt 10 33 celui qui aura rougi de moi et de mes paroles, de
= Lc 12 9 celui-là le Fils de l'homme rougira, lorsqu'il vien-
dra dans sa gloire et dans celle du Père et des saints
anges.

**La venue prochaine du Royaume.** || Mt 16 28+

27 « Je vous le dis vraiment, il en est de présents || Mc 9 1
ici même qui ne goûteront pas la mort, avant
d'avoir vu le Royaume de Dieu. »

**La Transfiguration [c].** || Mt 17 1-9

28 Or il advint, environ huit jours après ces paro- || Mc 9 2-10
les, que, prenant avec lui Pierre, Jean et Jacques, 8 51;
il gravit la montagne pour prier. 29 Et il advint, 3 21+
comme il priait, que l'aspect de son visage devint 24 16+
autre, et son vêtement, d'une blancheur fulgurante.
30 Et voici que deux hommes s'entretenaient avec 24 4; Ac 1 10
lui : c'étaient Moïse et Élie [d] 31 qui, apparus en
gloire, parlaient de son départ, qu'il allait Jn 13 1+
accomplir à Jérusalem. 32 Pierre et ses compagnons 2 38+
étaient accablés de sommeil. S'étant bien réveil- 22 45
lés [e], ils virent sa gloire et les deux hommes qui Jn 1 14+
se tenaient avec lui. 33 Et il advint, comme ceux-ci
se séparaient de lui, que Pierre dit à Jésus :
« Maître, il est heureux que nous soyons ici; faisons
donc trois tentes, une pour toi, une pour Moïse et
une pour Élie » : il ne savait ce qu'il disait. 34 Et
pendant qu'il disait cela, survint une nuée qui les
prenait sous son ombre et ils furent saisis de peur 1 35+
en entrant dans la nuée. 35 Et une voix partit de la 1 12+
nuée, qui disait : « Celui-ci est mon Fils, l'Élu [f], Jn 1 34
écoutez-le. » 36 Et quand la voix eut retenti, Jésus
se trouva seul. Pour eux, ils gardèrent le silence et 9 21
ne rapportèrent rien à personne, en ces jours-là, de
ce qu'ils avaient vu.

**Le démoniaque épileptique.** || Mt 17 14-

37 Or il advint, le jour suivant, à leur descente de || Mc 9 14-
la montagne, qu'une foule nombreuse vint au-de-
vant de lui. 38 Et voici qu'un homme de la foule
s'écria : « Maître, je te prie de jeter les yeux sur
mon fils, car c'est mon unique enfant. 39 Et voilà
qu'un esprit s'en empare, et soudain il crie, le
secoue avec violence et le fait écumer; et ce n'est
qu'à grand-peine qu'il s'en éloigne, le laissant tout

*a)* Même sans l'addition matthéenne « Fils de Dieu », cf. Mt **16** 16+, cette confession de Pierre, parlant au nom du groupe apostolique, est de grande importance et marque un tournant décisif dans la carrière terrestre de Jésus. Alors que la foule s'égare dans ses pensées sur son compte et s'écarte de plus en plus de lui, ses disciples reconnaissent pour la première fois, de façon explicite, qu'il est le Messie, cf. **2** 26+. Désormais Jésus va consacrer ses efforts à former ce petit noyau des premiers croyants et à purifier leur foi.

*b)* Cette annonce sera suivie de plusieurs autres, **9** 44; **12** 50; **17** 25; **18** 31-33. Cf. **24** 7, 25-27. – Lc omet l'intervention de Pierre et la semonce de Jésus, Mc **8** 32s.

*c)* De nombreux traits originaux trahissent chez Lc une autre source que Mc. De l'ensemble se dégage une présentation de la Transfiguration différente de celles de Mt et de Mc. Alors que Mt met en valeur la manifestation de Jésus comme nouveau Moïse, cf. Mt **17** 1+, et que Mc décrit une épiphanie du Messie caché, cf. Mc **9** 2+, Lc, ou du moins la source qu'il combine avec Mc, songe davantage à une expérience personnelle de Jésus qui, au cours d'une prière ardente et transformante, est éclairé par le ciel sur le « départ » (litt. exode), c'est-à-dire la mort, cf. Sg **3** 2; **7** 6; 2 P **1** 15, qu'il doit accomplir à Jérusalem, la ville qui tue les prophètes, cf. **13** 33-34.

*d)* Moïse et Élie n'étant nommés que pour identifier les « deux hommes » mentionnés d'abord, on peut penser que, dans la source combinée par Lc avec Mc, ceux-ci étaient deux anges, cf. **24** 4; Ac **1** 10, qui instruisaient et confortaient Jésus, cf. **22** 43. Sur la signification de Moïse et Élie dans la tradition de Mt, cf. Mt **17** 1+.

*e)* Ou bien : « Demeurés quand même éveillés ». Ce sommeil accablant des disciples, propre à Lc, rappelle celui de Gethsémani, **22** 45, où il est plus naturel et d'où il pourrait provenir.

*f)* Var. : « mon Fils bien-aimé », cf. Mt et Mc. – Le titre d'« Élu », cf. **23** 35; Is **42** 1, alterne avec celui de « Fils de l'homme » dans les *Paraboles d'Hénok*.

brisé. 40 J'ai prié tes disciples de l'expulser, mais ils
Ac 2 40 ne l'ont pu. » – 41 « Engeance incrédule et pervertie,
répondit Jésus, jusques à quand serai-je auprès de
vous et vous supporterai-je? Amène ici ton fils. »
42 Celui-ci ne faisait qu'approcher, quand le démon
le jeta à terre et le secoua violemment. Mais Jésus
7 15 menaça l'esprit impur, guérit l'enfant et le remit à
4 15+ son père. 43 Et tous étaient frappés de la grandeur
de Dieu.

|| Mt **17** 22 || Mc **9** 30-32 **Deuxième annonce de la Passion.**

Comme tous étaient étonnés de tout ce qu'il fai-
4 15+ sait, il dit à ses disciples : 44 « Vous, mettez-vous
9 22+ bien dans les oreilles les paroles que voici : le Fils
de l'homme va être livré aux mains des hommes. »
Mc **4** 13+ 45 Mais ils ne comprenaient pas cette parole; elle
leur demeurait voilée pour qu'ils n'en saisissent pas
le sens, et ils craignaient de l'interroger sur cette
parole.

**Qui est le plus grand [a].** || Mt **18** 1-5
46 Une pensée leur vint à l'esprit : qui pouvait || Mc **9** 33-37 = Lc **22** 24
bien être le plus grand d'entre eux? 47 Mais Jésus,
sachant ce qui se discutait dans leur cœur, prit un
petit enfant, le plaça près de lui, 48 et leur dit :
« Quiconque accueille ce petit enfant à cause de || Mt **10** 40
mon nom, c'est moi qu'il accueille, et quiconque = Lc **10** 16
m'accueille accueille Celui qui m'a envoyé; car || Jn **13** 20
celui qui est le plus petit parmi vous tous, c'est Lc **22** 26;
celui-là qui est grand. » **14** 11

**Usage du nom de Jésus.** || Mc **9** 38-40

49 Jean prit la parole et dit : « Maître, nous avons
vu quelqu'un expulser des démons en ton nom, et Ac **3** 16+
nous voulions l'empêcher [b], parce qu'il ne te suit
pas avec nous. » 50 Mais Jésus lui dit : « Ne l'en
empêchez pas; car qui n'est pas contre vous est
pour vous. »

# *IV. La montée vers Jérusalem* [c]

**Mauvais accueil d'un bourg de Samarie.**

51 Or il advint, comme s'accomplissait le temps
Mt **19** 1 où il devait être enlevé [d], qu'il prit résolument le
Mc **10** 1 chemin de Jérusalem 52 et envoya des messagers en
Lc **2** 38+ **22** 8 avant de lui. S'étant mis en route, ils entrèrent dans
un village samaritain pour tout lui préparer.
53 Mais on ne le reçut pas, parce qu'il faisait route
vers Jérusalem [e]. 54 Ce que voyant, les disciples
Jacques et Jean dirent : « Seigneur, veux-tu que
2 R **1** 10 nous ordonnions au feu de descendre du ciel et de
les consumer [f]? » 55 Mais, se retournant, il les répri-
manda [g]. 56 Et ils se mirent en route pour un autre
village.

Mt **8** 18-22 **Exigences de la vocation apostolique.**

57 Et tandis qu'ils faisaient route, quelqu'un lui
dit en chemin : « Je te suivrai où que tu ailles. »
58 Jésus lui dit : « Les renards ont des tanières et les
oiseaux du ciel ont des nids; le Fils de l'homme,
lui, n'a pas où reposer la tête. »
59 Il dit à un autre : « Suis-moi. » Celui-ci dit [h] : **14** 26, 33
« Permets-moi de m'en aller d'abord enterrer mon
père. » 60 Mais il lui dit : « Laisse les morts enterrer
leurs morts [i]; pour toi, va-t'en annoncer le
Royaume de Dieu. »
61 Un autre encore dit : « Je te suivrai, Seigneur, 1 R **19** 19-21
mais d'abord permets-moi de prendre congé des
miens. » 62 Mais Jésus lui dit : « Quiconque a mis
la main à la charrue et regarde en arrière est impro- Ph **3** 13
pre au Royaume de Dieu. »

**Mission des soixante-douze disciples [j].** **9** 1-2

**10** 1 Après cela, le Seigneur désigna soixante-
douze autres et les envoya deux par deux en

*a)* La réponse topique à cette question est donnée au v. 48b, et sous une forme plus primitive qu'en Mt **18** 3-4 ou Mc **9** 35. Le logion du v. 48a, cf. Mt **18** 5; Mc **9** 37, est pris d'un autre contexte, cf. Mt **10** 40.
*b)* Var. : « nous l'en avons empêché ».
*c)* De **9** 51 à **18** 14 Lc s'écarte de Mc et rassemble, dans le cadre littéraire, fourni par Mc **10** 1, d'une montée vers Jérusalem, **9** 53, 57; **10** 1; **13** 22, 33; **17** 11; cf. **2** 38+, des matériaux qu'il a puisés dans un Recueil également utilisé par Mt et dans d'autres traditions qui lui sont propres. Tandis que Mt a dépecé ce Recueil pour en répartir les fragments dans tout son évangile, Lc a préféré le reproduire en bloc, précisément dans cette section **9** 51 - **18** 14, dont il fournit l'apport principal.
*d)* L'« enlèvement » ou « assomption » de Jésus, cf. 2 R **2** 9-11; Mc **16** 19; Ac **1** 2, 10-11; 1 Tm **3** 16, comprend les derniers jours de sa destinée souffrante et les premiers de sa destinée glorieuse (passion, mort, résurrection et ascension). Pour le même ensemble, Jn emploiera le terme plus théologique « glorifier », Jn **7** 39; **12** 16, 23; **13** 31s; la crucifixion sera pour lui une « élévation », Jn **12** 32+.
*e)* Les Samaritains, toujours très mal disposés pour les Juifs, Jn **4** 9+, devaient se montrer particulièrement hostiles vis-à-vis des pèlerins de Jérusalem. Aussi évitait-on généralement leur territoire, cf. Mt **10** 5. Luc et Jean (**4** 1-42) sont seuls à mentionner le passage de Jésus en terre schismatique, cf. **17** 11, 16. De très bonne heure, la primitive Église imitera le Maître, Ac **8** 5-25.
*f)* Add. : « comme fit Élie ». – Allusion à 2 R **1** 10-12. Jacques et Jean se montrent de vrais « fils du tonnerre », Mc **3** 17.
*g)* Add. : « Vous ne savez pas de quel esprit vous êtes. Car le Fils de l'homme n'est pas venu perdre les âmes des hommes, mais les sauver. » Leçon suspecte d'origine marcionite.
*h)* Add. : « Seigneur », cf. Mt **8** 21.
*i)* Le *logion* joue sur le double sens, physique et spirituel, du mot « mort ».
*j)* Le recueil de *logia* utilisé par Mt et Lc contenait un discours

avant de lui [a] dans toute ville et tout endroit où lui-
même devait aller. 2 Et il leur disait :
|| Mt 9 37-38 « La moisson est abondante, mais les ouvriers
peu nombreux; priez donc le Maître de la moisson
d'envoyer des ouvriers à sa moisson. 3 Allez! Voici
|| Mt 10 16 que je vous envoie comme des agneaux au milieu
Mt 10 9-15 de loups. 4 N'emportez pas de bourse, pas de
|| Mc 6 8-11 besace, pas de sandales, et ne saluez personne en
= Lc 9 3-5 chemin. 5 En quelque maison que vous entriez,
dites d'abord : "Paix à cette maison!" 6 Et s'il y a
là un fils de paix [b], votre paix ira reposer sur lui;
sinon, elle vous reviendra. 7 Demeurez dans cette
maison-là, mangeant et buvant ce qu'il y aura chez
1 Tm 5 18 eux; car l'ouvrier mérite son salaire. Ne passez pas
de maison en maison. 8 Et en toute ville où vous
entrez et où l'on vous accueille, mangez ce qu'on
vous sert; 9 guérissez ses malades et dites aux
|| Mt 10 7s gens : "Le Royaume de Dieu est tout proche de
Mt 3 2+ vous." 10 Mais en quelque ville que vous entriez, si
l'on ne vous accueille pas, sortez sur ses places et
dites : 11 "Même la poussière de votre ville qui s'est
collée à nos pieds, nous l'essuyons pour vous la
laisser. Pourtant, sachez-le, le Royaume de Dieu
est tout proche." 12 Je vous dis que pour Sodome,
en ce Jour-là, il y aura moins de rigueur que pour
cette ville-là.
|| Mt 11 13 « Malheur à toi, Chorazeïn! Malheur à toi,
21-24 Bethsaïde! Car, si les miracles qui ont eu lieu chez
vous avaient eu lieu à Tyr et à Sidon, il y a longtemps que, sous le sac et assises dans la cendre,
elles se seraient repenties. 14 Aussi bien, pour Tyr
et Sidon il y aura moins de rigueur, lors du Jugement, que pour vous. 15 Et toi, Capharnaüm, crois-
Is 14 13-15 tu que *tu seras élevée jusqu'au ciel? Jusqu'à
l'Hadès tu descendras!*
|| Mt 10 40 16 « Qui vous écoute m'écoute, qui vous rejette
|| Mc 9 37 me rejette, et qui me rejette rejette Celui qui m'a
= Lc 9 48 envoyé. »
|| Jn 13 20

**Ce dont les apôtres doivent se réjouir.**

1 14+ 17 Les soixante-douze revinrent tout joyeux,
disant : « Seigneur, même les démons nous sont
Ac 3 16+ soumis en ton nom! » 18 Il leur dit : « Je voyais
Mt 8 29+ Satan tomber du ciel comme l'éclair! 19 Voici que
Jn 12 31-32 Ap 12 9 je vous ai donné le pouvoir de fouler aux pieds ser-
Ps 91 13 pents, scorpions, et toute la puissance de l'Ennemi,
Mc 16 18 et rien ne pourra vous nuire. 20 Cependant ne vous
réjouissez pas de ce que les esprits vous sont sou-
mis; mais réjouissez-vous de ce que vos noms se
trouvent inscrits dans les cieux. » Ap 20 12+

**L'Évangile révélé aux simples. Le Père et le Fils.** || Mt 11 25-27

21 A cette heure même, il tressaillit de joie sous 1 14+
l'action de l'Esprit Saint et il dit : « Je te bénis, 4 1+
Père, Seigneur du ciel et de la terre, d'avoir caché
cela aux sages et aux intelligents et de l'avoir révélé 8 10
aux tout-petits. Oui, Père, car tel a été ton bon plaisir. 22 [c] Tout m'a été remis par mon Père, et nul ne
sait qui est le Fils si ce n'est le Père, ni qui est le
Père si ce n'est le Fils, et celui à qui le Fils veut
bien le révéler. »

**Le privilège des disciples.** || Mt 13 16-17

23 Puis, se tournant vers ses disciples, il leur dit
en particulier : « Heureux les yeux qui voient ce
que vous voyez! 24 Car je vous dis que beaucoup
de prophètes et de rois ont voulu voir ce que vous
voyez et ne l'ont pas vu, entendre ce que vous
entendez et ne l'ont pas entendu [d]! »

**Le grand commandement.** || Mt 22 34-4 || Mc 12 28-3

25 Et voici qu'un légiste se leva, et lui dit pour
l'éprouver : « Maître, que dois-je faire pour
avoir en héritage la vie éternelle? » 26 Il lui dit :
« Dans la Loi, qu'y-a-t-il d'écrit? Comment lis-
tu? » 27 Celui-ci répondit : « *Tu aimeras le Sei-* Dt 6 5
*gneur, ton Dieu, de tout ton cœur, de toute ton
âme, de toute ta force* et de tout ton esprit; *et ton
prochain comme toi-même.* » – 28 « Tu as bien Lv 19 18
répondu, lui dit Jésus; fais cela et tu vivras. » Lv 18 5

**Parabole du bon Samaritain.**

29 Mais lui, voulant se justifier [e], dit à Jésus : « Et
qui est mon prochain? » 30 Jésus reprit : « Un
homme descendait de Jérusalem à Jéricho, et il
tomba au milieu de brigands qui, après l'avoir
dépouillé et roué de coups, s'en allèrent, le laissant
à demi mort. 31 Un prêtre vint à descendre par ce
chemin-là; il le vit et passa outre. 32 Pareillement
un lévite, survenant en ce lieu, le vit et passa outre.
33 Mais un Samaritain [f], qui était en voyage, arriva
près de lui, le vit et fut pris de pitié. 34 Il s'approcha, banda ses plaies, y versant de l'huile et du vin,
puis le chargea sur sa propre monture, le mena à 2 Ch 28 1

de mission parallèle à celui de Mc **6** 8-11. Tandis que Mt a combiné ces deux versions en un seul discours, **10** 7-16, Lc les a maintenues distinctes en deux discours adressés, l'un aux Douze, chiffre d'Israël, l'autre à soixante-douze (ou soixante-dix) disciples, chiffre traditionnel des nations païennes. Comparer le cas des deux multiplications des pains, cf. Mt **14** 13+.

*a)* Non pas, comme **9** 52, pour préparer logis et nourriture, mais pour lui servir de précurseurs spirituels.

*b)* Hébraïsme : quelqu'un qui est digne de la « paix », c'est-à-dire de l'ensemble des biens temporels et spirituels souhaités par ce salut. Cf. Jn **14** 27.

*c)* Add. : « Et se retournant vers les disciples, il dit ».

*d)* Saint Paul a insisté fortement sur les longs silences dont a été entouré le « Mystère » : Rm **16** 25+. Voir aussi 1 P **1** 11-12.

*e)* D'avoir posé sa question.

*f)* D'un côté ce qu'il y a en Israël de plus tenu à observer la loi de charité, de l'autre l'étranger et l'hérétique, Jn **8** 48; cf. Lc **9** 53+, dont on n'attendrait normalement que de la haine.

l'hôtellerie et prit soin de lui. 35 Le lendemain, il
tira deux deniers et les donna à l'hôtelier, en
disant : "Prends soin de lui, et ce que tu auras
dépensé en plus, je te le rembourserai, moi, à mon
retour." 36 Lequel de ces trois, à ton avis, s'est
montré le prochain de l'homme tombé aux mains
des brigands? » 37 Il dit : « Celui-là qui a exercé la
miséricorde envers lui. » Et Jésus lui dit : « Va, et
toi aussi, fais de même. »

### Marthe et Marie [a].

38 Comme ils faisaient route, il entra dans un village, et une femme, nommée Marthe, le reçut dans
sa maison. 39 Celle-ci avait une sœur appelée
**8** 35+ Marie, qui, s'étant assise aux pieds du Seigneur,
1 Co **7** 35 écoutait sa parole. 40 Marthe, elle, était absorbée
par les multiples soins du service. Intervenant, elle
dit : « Seigneur, cela ne te fait rien que ma sœur me
**8** 3+ laisse servir toute seule? Dis-lui donc de m'aider. »
41 Mais le Seigneur lui répondit : « Marthe, Marthe,
tu te soucies et t'agites pour beaucoup de choses;
Mt **6** 33 42 pourtant il en faut peu, une seule même [b]. C'est
Jn **6** 27 Marie qui a choisi la meilleure part; elle ne lui sera
pas enlevée. »

### Le Pater.

**11** 1 Et il advint, comme il était quelque part à
**3** 21+ prier, quand il eut cessé, qu'un de ses disciples
lui dit : « Seigneur, apprends-nous à prier, comme
Jean l'a appris à ses disciples. » 2 Il leur dit : « Lorsque vous priez, dites [c] :

|| Mt **6** 9-13 Père, que ton Nom soit sanctifié;
que ton règne vienne;
3 donne-nous chaque jour notre pain quotidien [d];
4 et remets-nous nos péchés [e],
car nous-mêmes remettons à quiconque nous
doit;
et ne nous soumets pas à la tentation. »

**18** 1-8 ### L'ami importun.

5 Il leur dit encore : « Si l'un de vous, ayant un
ami, s'en va le trouver au milieu de la nuit, pour
lui dire : " Mon ami, prête-moi trois pains, 6 parce
qu'un de mes amis m'est arrivé de voyage et je n'ai
rien à lui servir ", 7 et que de l'intérieur l'autre
réponde : " Ne me cause pas de tracas; maintenant
la porte est fermée, et mes enfants et moi sommes
au lit; je ne puis me lever pour t'en donner "; 8 je
vous le dis, même s'il ne se lève pas pour les lui
donner en qualité d'ami, il se lèvera du moins à
cause de son impudence et lui donnera tout ce dont
il a besoin.

### Efficacité de la prière. || Mt **7** 7-11

9 « Et moi, je vous dis : demandez et l'on vous Jn **14** 13-14+
donnera; cherchez et vous trouverez; frappez et
l'on vous ouvrira. 10 Car quiconque demande
reçoit; qui cherche trouve; et à qui frappe on
ouvrira. 11 Quel est d'entre vous le père auquel son
fils demandera un poisson, et qui à la place du poisson lui remettra un serpent [f]? 12 Ou encore s'il
demande un œuf, lui remettra-t-il un scorpion? 13 Si
donc vous, qui êtes mauvais, vous savez donner de
bonnes choses à vos enfants, combien plus le Père
du ciel donnera-t-il l'Esprit Saint [g] à ceux qui l'en Jn **14** 13-16
prient! » || Mt **12** 22-29 || Mc **3** 22-27

### Jésus et Béelzéboul.

14 Il expulsait un démon, qui était muet. Or il
advint que, le démon étant sorti, le muet parla, et
les foules furent dans l'admiration. 15 Mais certains
d'entre eux dirent : « C'est par Béelzéboul, le prince
des démons, qu'il expulse les démons. » 16 D'autres,
pour le mettre à l'épreuve, réclamaient de lui un || Mt **16** 1
signe venant du ciel. 17 Mais lui, connaissant leurs || Mc **8** 11
pensées, leur dit : « Tout royaume divisé contre lui- = Lc **11** 29
même est dévasté, et maison sur maison s'écroule.
18 Si donc Satan s'est, lui aussi, divisé contre lui-
même, comment son royaume se maintiendra-
t-il?... puisque vous dites que c'est par Béelzéboul [h] que j'expulse les démons. 19 Mais si, moi,
c'est par Béelzéboul que j'expulse les démons, vos
fils, par qui les expulsent-ils? Aussi seront-ils eux-
mêmes vos juges. 20 Mais si c'est par le doigt de Ex **8** 15
Dieu [i] que j'expulse les démons, c'est donc que le Mt **12** 28 Mt **8** 29+
Royaume de Dieu est arrivé jusqu'à vous. 21 Lors- Mt **4** 17+
qu'un homme fort et bien armé garde son palais, Lc **17** 21
ses biens sont en sûreté; 22 mais qu'un plus fort que
lui survienne et le batte, il lui enlève l'armure en Is **49** 25; **53** 12
laquelle il se confiait et il distribue ses dépouilles.

*a)* On retrouve les deux sœurs avec les mêmes traits de caractère dans le récit de la résurrection de Lazare, Jn **11** 1-44.
*b)* Var. : « il n'en faut pourtant qu'une », « il n'en faut pourtant que peu », leçons qui mutilent le texte et altèrent le sens. – Jésus passe de la perspective du repas (« il en faut peu ») à celle de l'unique nécessaire.
*c)* Le texte de Mt contient sept demandes, celui de Lc cinq seulement. Cf. Mt **6** 9+.
*d)* Var. (qui tire peut-être son origine de la liturgie baptismale) : « que ton Esprit Saint vienne sur nous et nous purifie ».
*e)* Lc interprète justement les « dettes » de Mt, tout en conservant au stique suivant (« quiconque nous doit ») l'aspect juridique de Mt.
*f)* Add. « du pain, et qui lui remettra une pierre? » Harmonisation avec Mt **7** 9.
*g)* Au lieu des « bonnes choses » de Mt **7** 11. L'Esprit Saint est la « bonne chose » par excellence.
*h)* Var. : « Béézéboul » et « Béelzéboub ».
*i)* Sur l'expression, cf. Ex **8** 15 et Ps **8** 4. C'est la comparaison de ce passage avec le parallèle Mt **12** 28, qui a fait donner à l'Esprit Saint l'appellation de « Digitus paternae dexterae ».

|| Mt 12 30 **Intransigeance de Jésus.**

Lc 9 50 23 « Qui n'est pas avec moi est contre moi, et qui
n'amasse pas avec moi dissipe.

|| Mt 12 43-45 **Retour offensif de l'esprit impur.**

24 « Lorsque l'esprit impur est sorti de l'homme,
il erre par des lieux arides en quête de repos. N'en
trouvant pas, il dit : “ Je vais retourner dans ma
demeure, d'où je suis sorti. ” 25 Étant venu, il la
trouve balayée, bien en ordre. 26 Alors il s'en va
prendre sept autres esprits plus mauvais que lui; ils
reviennent et y habitent. Et l'état final de cet
homme devient pire que le premier. »

**La vraie béatitude.**

27 Or il advint, comme il parlait ainsi, qu'une
femme éleva la voix du milieu de la foule et lui dit :
4 15+ « Heureuses les entrailles qui t'ont porté et les
Lc 8 21; Dt 30 14 seins que tu as sucés! » 28 Mais il dit : « Heureux
Jn 13 17; 14 23 Jc 1 25; Ap 1 3 plutôt ceux qui écoutent la parole de Dieu et
l'observent! »

|| Mt 12 38-42 **Le signe de Jonas.**

29 Comme les foules se pressaient en masse, il se
mit à dire : « Cette génération est une génération
Jn 6 30-31 mauvaise; elle demande un signe[a], et de signe, il
ne lui sera donné que le signe de Jonas. 30 Car, tout
comme Jonas devint un signe pour les Ninivites, de
même le Fils de l'homme en sera un pour cette
1 R 10 1-10 génération[b]. 31 La reine du Midi se lèvera lors du
Jugement avec les hommes de cette génération et
elle les condamnera, car elle vint des extrémités de
la terre pour écouter la sagesse de Salomon, et il
Jn 6 35+ y a ici plus que Salomon! 32 Les hommes de Ninive
se dresseront lors du Jugement avec cette généra-
Jon 3 tion et ils la condamneront, car ils se repentirent
à la proclamation de Jonas, et il y a ici plus que
Jonas!

**Deux logia sur la lampe.**

|| Mt 5 15 33 « Personne, après avoir allumé une lampe, ne
|| Mc 4 21 la met en quelque endroit caché ou sous le bois-
= Lc 8 16 seau, mais bien sur le lampadaire, pour que ceux
|| Mt 6 22-23 qui pénètrent voient la clarté. 34 La lampe du corps,
c'est ton œil. Lorsque ton œil est sain, ton corps
tout entier est aussi lumineux; mais dès qu'il est
malade, ton corps aussi est ténébreux. 35 Vois donc
si la lumière qui est en toi n'est pas ténèbres! 36 Si
donc ton corps tout entier est lumineux, sans
aucune partie ténébreuse, il sera lumineux tout
entier, comme lorsque la lampe t'illumine de son
éclat[c]. »

**Contre les Pharisiens et les légistes.**

37 Tandis qu'il parlait, un Pharisien l'invite à 7 36; 14 1
déjeuner chez lui. Il entra et se mit à table. 38 Ce
que voyant, le Pharisien s'étonna de ce qu'il n'eût
pas fait d'abord les ablutions avant le déjeuner. Mt 15 2
39 Mais le Seigneur lui dit[d] : « Vous voilà bien, Mc 7 2, 5
vous, les Pharisiens! L'extérieur de la coupe et du || Mt 23 25-26
plat, vous le purifiez, alors que votre intérieur à
vous est plein de rapine et de méchanceté!
40 Insensés! Celui qui a fait l'extérieur n'a-t-il pas
fait aussi l'intérieur? 41 Donnez plutôt en aumône 12 33+
ce que vous avez[e], et alors tout sera pur pour vous.
42 Mais malheur à vous, les Pharisiens, qui acquit- || Mt 23 23
tez la dîme de la menthe, de la rue et de toute
plante potagère, et qui délaissez la justice et
l'amour de Dieu! Il fallait pratiquer ceci, sans
omettre cela. 43 Malheur à vous, les Pharisiens, qui || Mt 23 6-7
aimez le premier siège dans les synagogues et les || Mc 12 38-39
salutations sur les places publiques! 44 Malheur à = Lc 20 46
vous, qui êtes comme les tombeaux que rien ne || Mt 23 27
signale et sur lesquels on marche sans le savoir[f]! »
45 Prenant alors la parole, un des légistes lui dit :
« Maître, en parlant ainsi, tu nous outrages, nous
aussi! » 46 Alors il dit : « A vous aussi, les légistes,
malheur, parce que vous chargez les gens de far- || Mt 23 4
deaux impossibles à porter et vous-mêmes ne tou- Mt 11 28
chez pas à ces fardeaux d'un seul de vos doigts!
47 « Malheur à vous, parce que vous bâtissez les || Mt 23 29
tombeaux des prophètes, et ce sont vos pères qui
les ont tués! 48 Vous êtes donc des témoins et vous
approuvez les actes de vos pères; eux ont tué, et
vous, vous bâtissez[g]!
49 « Et voilà pourquoi la Sagesse de Dieu[h] a dit :
Je leur enverrai des prophètes et des apôtres; ils en || Mt 23 34
tueront et pourchasseront, 50 afin qu'il soit- demandé compte à cette génération du sang de tous

a) C'est-à-dire un miracle qui exprime et justifie l'autorité de Jésus, cf. Jn 2 11+; Lc 1 18+. Voir Mt 8 3+.
b) Cette interprétation du « signe de Jonas » est moins vraisemblable que celle de Mt 12 40, cf. Mt 12 39+. Elle ne résulte d'ailleurs que de l'association factice de *logia* primitivement distincts : Lc 11 29p; Mt 12 38-39 et Lc 11 30-32p; Mt 12 41-42.
c) Le texte des vv. 35-36, de transmission troublée, est sans doute corrompu. Le sens de l'ensemble du *logion* est pourtant clair : le message, que Jésus adresse à tous, peut être compris de tous; il suffit pour cela d'avoir l'intelligence saine, c'est-à-dire dégagée de tout préjugé égoïste, cf. Jn 3 19-21.
d) Luc, qui dépend ici d'une source commune avec Mt, reviendra sur le même sujet, 20 45-47, en dépendance de Mc. Mt a combiné les deux sources en un seul discours (23). Cf. Lc 10 1+; 17 22+.
e) Texte d'interprétation difficile. On traduit aussi : « ce qui est dedans ».
f) Contractant ainsi une impureté rituelle, Nb 19 16.
g) Ironique. En bâtissant des tombeaux aux prophètes, les légistes croient réparer les fautes de leurs pères. Mais ils ont les mêmes dispositions qu'eux.
h) Il s'agit ici des décrets divins interprétés par Jésus.

les prophètes qui a été répandu depuis la fondation
du monde, 51 depuis le sang d'Abel jusqu'au sang
de Zacharie, qui périt entre l'autel et le Temple.
Oui, je vous le dis, il en sera demandé compte à
cette génération.
|| Mt **23** 13 52 « Malheur à vous, les légistes, parce que vous
avez enlevé la clef de la science! Vous-mêmes
n'êtes pas entrés, et ceux qui voulaient entrer, vous
les en avez empêchés! »
53 Quand il fut sorti de là, les scribes et les Pharisiens se mirent à lui en vouloir terriblement [a] et à
le faire parler sur une foule de choses, 54 lui tendant
des pièges pour surprendre de sa bouche quelque
parole.

**Parler ouvertement et sans crainte.**

**12** 1 Sur ces entrefaites, la foule s'étant rassemblée par milliers, au point qu'on s'écrasait les
uns les autres, il se mit à dire, et d'abord à ses disci-
|| Mt **16** 6, 12 ples [b] : « Méfiez-vous du levain – c'est-à-dire de
|| Mc **8** 15 l'hypocrisie – des Pharisiens. 2 Rien, en effet, n'est
|| Mt **10** voilé qui ne sera révélé, rien de caché qui ne sera
26-27 connu. 3 C'est pourquoi tout ce que vous aurez dit
|| Mc **4** 22 dans les ténèbres sera entendu au grand jour, et ce
= Lc **8** 17 que vous aurez dit à l'oreille dans les pièces les plus
retirées sera proclamé sur les toits.
Jn **15** 15 4 « Je vous le dis à vous, mes amis : Ne craignez
|| Mt **10** 28- rien de ceux qui tuent le corps et après cela ne peu-
31 vent rien faire de plus. 5 Je vais vous montrer qui
Jc **4** 12 vous devez craindre : craignez Celui qui, après
Mt **3** 12+; avoir tué, a le pouvoir de jeter dans la géhenne; oui,
**18** 9+ je vous le dis, Celui-là, craignez-le. 6 Ne vend-on
pas cinq passereaux pour deux as? Et pas un
d'entre eux n'est en oubli devant Dieu! 7 Bien plus,
Mt **10** 32+ vos cheveux même sont tous comptés. Soyez sans
crainte; vous valez mieux qu'une multitude de
passereaux.
t **10** 32-33 8 « Je vous le dis, quiconque se sera déclaré pour
moi devant les hommes, le Fils de l'homme aussi
se déclarera pour lui devant les anges de Dieu;
|| Mc **8** 38 9 mais celui qui m'aura renié à la face des hommes
= Lc **9** 26 sera renié à la face des anges de Dieu.
Mt **12** 32 10 « Et quiconque dira une parole contre le Fils
| Mc **3** 29 de l'homme, cela lui sera remis, mais à qui aura
blasphémé contre le Saint Esprit, cela ne sera pas
remis.
|| Mt **10** 11 « Lorsqu'on vous conduira devant les synago-
17-20 gues, les magistrats et les autorités, ne cherchez pas
Mc **13** 11 avec inquiétude comment vous défendre ou que
= Lc **21** 12-15 dire, 12 car le Saint Esprit vous enseignera à cette
n **14** 26+ heure même ce qu'il faut dire. »

**Ne pas thésauriser.**

13 Quelqu'un de la foule lui dit : « Maître, dis à
mon frère de partager avec moi notre héritage. »
14 Il lui dit : « Homme, qui m'a établi pour être
votre juge ou régler vos partages? » 15 Puis il leur
dit : « Attention! gardez-vous de toute cupidité, car,
au sein même de l'abondance, la vie d'un homme
n'est pas assurée par ses biens. »
16 Il leur dit alors une parabole : « Il y avait un
homme riche dont les terres avaient beaucoup rap
porté. 17 Et il se demandait en lui-même : " Que
vais-je faire? car je n'ai pas où recueillir ma
récolte." 18 Puis il se dit : "Voici ce que je vais
faire : j'abattrai mes greniers, j'en construirai de
plus grands, j'y recueillerai tout mon blé et mes
biens, 19 et je dirai à mon âme : Mon âme, tu as Jc **4** 13-15; Pr **27** 1
quantité de biens en réserve pour de nombreuses
années; repose-toi, mange, bois, fais la fête." Si **11** 19
20 Mais Dieu lui dit : "Insensé, cette nuit même, on 1 Co **15** 32
va te redemander ton âme. Et ce que tu as amassé, Qo **2** 17-23; **5** 17-**6** 2
qui l'aura?" 21 Ainsi en est-il de celui qui thésaurise Mt **6** 19-21
pour lui-même, au lieu de s'enrichir en vue de Ap **3** 17-18
Dieu. »

**S'abandonner à la Providence.** || Mt **6** 25-34

22 Puis il dit à ses disciples : « Voilà pourquoi je
vous dis : Ne vous inquiétez pas pour votre vie de
ce que vous mangerez, ni pour votre corps de quoi
vous le vêtirez. 23 Car la vie [c] est plus que la nourriture, et le corps plus que le vêtement. 24 Considérez
les corbeaux : ils ne sèment ni ne moissonnent, ils
n'ont ni cellier ni grenier, et Dieu les nourrit.
Combien plus valez-vous que les oiseaux! 25 Qui
d'entre vous d'ailleurs peut, en s'en inquiétant,
ajouter une coudée à la longueur de sa vie? 26 Si
donc la plus petite chose même passe votre pouvoir, pourquoi vous inquiéter des autres? 27 Considérez les lis, comme ils ne filent ni ne tissent [d]. Or,
je vous le dis, Salomon lui-même, dans toute sa
gloire, n'a pas été vêtu comme l'un d'eux. 28 Que
si, dans les champs, Dieu habille de la sorte l'herbe
qui est aujourd'hui, et demain sera jetée au four,
combien plus le fera-t-il pour vous, gens de peu de
foi! 29 Vous non plus, ne cherchez pas ce que vous
mangerez et ce que vous boirez; ne vous tourmen-
tez pas. 30 Car ce sont là toutes choses dont les
païens de ce monde sont en quête; mais votre Père
sait que vous en avez besoin. 31 Aussi bien, cherchez son Royaume, et cela vous sera donné par
surcroît.

*a)* L'opposition des ennemis de Jésus va grandissant : Lc, mieux que Mc, en a marqué les étapes, **6** 11; **11** 53-54; **19** 48; **20** 19-20; **22** 2.
*b)* Ou bien : « se mit à dire à ses disciples : En premier lieu, méfiez-vous... ».
*c)* Litt. « l'âme » au sens biblique, comme au v. 19.
*d)* Var. : « ils ne peinent ni ne filent », cf. Mt **6** 28.

Jn 10; 32 « Sois sans crainte, petit troupeau, car votre
21 15-17 Père s'est complu à vous donner le Royaume.

**Vendre ses biens et faire l'aumône [a].**

Ac 4 34; Pr 13 7 33 « Vendez vos biens, et donnez-les en aumône.
|| Mt 6 20-21 Faites-vous des bourses qui ne s'usent pas, un tré-
sor inépuisable dans les cieux, où ni voleur n'approche ni mite ne détruit. 34 Car où est votre trésor,
là aussi sera votre cœur.

**Se tenir prêt pour le retour du Maître.**

1 P 1 13 35 « Que vos reins soient ceints et vos lampes
Ep 6 14 allumées. 36 Soyez semblables, vous, à des gens qui
Mt 25 1-13 attendent leur maître à son retour de noces, pour
lui ouvrir dès qu'il viendra et frappera. 37 Heureux
ces serviteurs que le maître en arrivant trouvera
en train de veiller! En vérité, je vous le dis, il se
22 27 ceindra, les fera mettre à table et, passant de l'un
Jn 13 4-5 à l'autre, il les servira. 38 Qu'il vienne à la deuxième
|| Mc 13 35 ou à la troisième veille, s'il trouve les choses ainsi,
|| Mt 24 heureux seront-ils! 39 Comprenez bien ceci : si le
43-44 maître de maison avait su à quelle heure le voleur
devait venir, il n'aurait pas laissé percer le mur de
sa maison. 40 Vous aussi, tenez-vous prêts, car c'est
à l'heure que vous ne pensez pas que le Fils de
l'homme va venir. »
41 Pierre dit alors : « Seigneur, est-ce pour nous
que tu dis cette parabole, ou bien pour tout le
monde? » 42 Et le Seigneur dit : « Quel est donc
|| Mt 24 45-51 l'intendant [b] fidèle, avisé, que le maître établira sur
1 Co 4 1s ses gens pour leur donner en temps voulu leur
ration de blé? 43 Heureux ce serviteur, que son maître en arrivant trouvera occupé de la sorte!
44 Vraiment, je vous le dis, il l'établira sur tous ses
biens. 45 Mais si ce serviteur dit en son cœur :
" Mon maître tarde à venir ", et qu'il se mette à
frapper les serviteurs et les servantes, à manger,
boire et s'enivrer, 46 le maître de ce serviteur arrivera au jour qu'il n'attend pas et à l'heure qu'il ne
connaît pas; il le retranchera et lui assignera sa
part parmi les infidèles.
47 « Le serviteur qui, connaissant la volonté de
son maître, n'aura rien préparé ou fait selon sa
volonté, recevra un grand nombre de coups.
48 Quant à celui qui, sans la connaître, aura par sa
conduite mérité des coups, il n'en recevra qu'un
petit nombre. A qui on aura donné beaucoup il sera
beaucoup demandé, et à qui on aura confié beaucoup on réclamera davantage.

**Jésus devant sa Passion.**

49 « Je suis venu jeter un feu [c] sur la terre, et Mt 3 11+
comme je voudrais que déjà il fût allumé! 50 Je dois
être baptisé d'un baptême, et quelle n'est pas mon Mc 10 38+;
angoisse jusqu'à ce qu'il soit consommé! Lc 9 22+

**Jésus cause de dissension.** || Mt 10 34-36

51 « Pensez-vous que je sois apparu pour établir
la paix sur la terre? Non, je vous le dis, mais bien
la division. 52 Désormais en effet, dans une maison 2 34
de cinq personnes, on sera divisé, trois contre deux
et deux contre trois : 53 on sera divisé, père contre Mi 7 6
fils et fils contre père, mère contre sa fille et fille
contre sa mère, belle-mère contre sa bru et bru
contre sa belle-mère. »

**Savoir interpréter les signes des temps [d].**

54 Il disait encore aux foules : « Lorsque vous || Mt 16 2-3
voyez un nuage se lever au couchant, aussitôt vous
dites que la pluie vient, et ainsi arrive-t-il. 55 Et
lorsque c'est le vent du midi qui souffle, vous dites
qu'il va faire chaud, et c'est ce qui arrive. 56 Hypocrites, vous savez discerner le visage de la terre et
du ciel; et ce temps-ci alors, comment ne le discer-
nez-vous pas?
57 « Mais pourquoi ne jugez-vous pas par vous-
mêmes de ce qui est juste? 58 Ainsi, quand tu vas Mt 5 25-26
avec ton adversaire devant le magistrat, tâche, en
chemin, d'en finir avec lui, de peur qu'il ne te traîne
devant le juge, que le juge ne te livre à l'exécuteur,
et que l'exécuteur ne te jette en prison. 59 Je te le
dis, tu ne sortiras pas de là que tu n'aies rendu
même jusqu'au dernier sou [e]. »

**Invitations providentielles à la pénitence.**

**13** 1 En ce même temps survinrent des gens qui
lui rapportèrent ce qui était arrivé aux Galiléens, dont Pilate avait mêlé le sang à celui de leurs
victimes [f]. 2 Prenant la parole, il leur dit : « Pensez-
vous que, pour avoir subi pareil sort, ces Galiléens

*a)* Le danger des richesses, avec le conseil de s'en défaire et de pratiquer l'aumône, est un trait caractéristique de la religion de Luc : cf. **3** 11; **5** 11, 28; **6** 30; **7** 5; **11** 41; **12** 33-34; **14** 13, 33; **16** 9; **18** 22; **19** 8; Ac **9** 36; **10** 2, 4, 31.

*b)* Il s'agit donc d'un serviteur constitué en autorité sur les autres serviteurs, ce qui répond bien à la question de Pierre, où « nous » se rapporte aux apôtres.

*c)* Ce feu, évidemment symbolique, peut revêtir des significations différentes suivant les contextes : l'Esprit Saint, ou encore le feu qui purifiera et embrasera les cœurs et qui doit s'allumer sur la croix. Le v. 50 favoriserait cette dernière interprétation, mais les vv. 51-53 suggéreraient plutôt l'état de guerre spirituelle que suscite l'apparition de Jésus.

*d)* Les temps messianiques sont là, et il est grand temps de le comprendre, car le jugement est proche, vv. 57-59.

*e)* Litt. « lepte », monnaie grecque de valeur infime. – En Mt **5** 25-26 le *logion* recevait du contexte une application sociale : comment les frères de la communauté doivent se réconcilier et régler leurs différends. En Lc il revêt une portée eschatologique : le jugement de Dieu est proche, il faut se hâter de se mettre en règle.

*f)* Épisode inconnu par ailleurs, de même que l'accident mentionné au v. 4. L'enseignement en est clair : pas de relation directe et précise entre faute et calamité (rapprocher Jn **9** 3);

Jn **9** 3 fussent de plus grands pécheurs que tous les autres
Galiléens? 3 Non, je vous le dis, mais si vous ne
vous repentez pas, vous périrez tous pareillement.
4 Ou ces dix-huit personnes que la tour de Siloé a
tuées dans sa chute, pensez-vous que leur dette fût
plus grande que celle de tous les hommes qui habitent Jérusalem? 5 Non, je vous le dis; mais si vous
Jn **8** 24 ne voulez pas vous repentir, vous périrez tous de
même. »

**Parabole du figuier stérile [a].**

6 Il disait encore la parabole que voici : « Un
Mt **21** 19s homme avait un figuier planté dans sa vigne. Il vint
y chercher des fruits et n'en trouva pas. 7 Il dit
alors au vigneron : " Voilà trois ans [b] que je viens
chercher des fruits sur ce figuier, et je n'en trouve
pas. Coupe-le; pourquoi donc use-t-il la terre pour
rien? " 8 L'autre lui répondit : " Maître, laisse-le
cette année encore, le temps que je creuse tout
autour et que je mette du fumier. 9 Peut-être donnera-t-il des fruits à l'avenir... Sinon tu le couperas ". »

6 6-11; **14** 1-6 **Guérison de la femme courbée, un jour de sabbat.**

10 Or il enseignait dans une synagogue le jour du
sabbat. 11 Et voici qu'il y avait là une femme ayant
Mt **8** 29+ depuis dix-huit ans un esprit qui la rendait infirme;
elle était toute courbée et ne pouvait absolument
pas se redresser [c]. 12 La voyant, Jésus l'interpella et
lui dit : « Femme, te voilà délivrée de ton in-
4 40+ firmité »; 13 puis il lui imposa les mains. Et, à l'ins-
2 20+ tant même, elle se redressa, et elle glorifiait Dieu.
14 Mais le chef de la synagogue, indigné de ce
que Jésus eût fait une guérison le sabbat [d], prit la
parole et dit à la foule : « Il y a six jours pendant
lesquels on doit travailler; venez donc ces jours-là
vous faire guérir, et non le jour du sabbat! » 15 Mais
Mt **12** 11 le Seigneur lui répondit : « Hypocrites! chacun de
Lc **14** 5 vous, le sabbat, ne délie-t-il pas de la crèche son
bœuf ou son âne pour le mener boire? 16 Et cette
Mt **8** 29+ fille d'Abraham, que Satan a liée voici dix-huit
ans, il n'eût pas fallu la délier de ce lien le jour du
sabbat! » 17 Comme il disait cela, tous ses adversaires étaient remplis de confusion, tandis que toute
1 14+ la foule était dans la joie de toutes les choses
4 15+ magnifiques qui arrivaient par lui.

**Parabole du grain de sénevé.** || Mt **13** 31-32

18 Il disait donc : « A quoi le Royaume de Dieu || Mc **4** 30-32
est-il semblable et à quoi vais-je le comparer? 19 Il
est semblable à un grain de sénevé qu'un homme
a pris et jeté dans son jardin; il croît et devient un Dn **4** 9, 18
arbre, et les oiseaux du ciel s'abritent dans ses Ez **17** 23
branches. »

**Parabole du levain.** || Mt **13** 33

20 Il dit encore : « A quoi vais-je comparer le
Royaume de Dieu? 21 Il est semblable à du levain
qu'une femme a pris et enfoui dans trois mesures
de farine, jusqu'à ce que le tout ait levé. »

**La porte étroite, le rejet des Juifs infidèles et l'appel des païens [e].**

22 Et il cheminait par villes et villages, enseignant
et faisant route vers Jérusalem. 23 Quelqu'un lui 9 51+
dit : « Seigneur, est-ce le petit nombre qui sera 2 38+
sauvé? » Il leur dit : 24 « Luttez pour entrer par la || Mt **7** 13-14
porte étroite, car beaucoup, je vous le dis, cherche-
ront à entrer et ne pourront pas.
25 « Dès que le maître de maison se sera levé et
aura fermé la porte, et que, restés dehors, vous vous || Mt **25** 10-12
serez mis à frapper à la porte en disant : " Sei-
gneur, ouvre-nous ", il vous répondra : " Je ne sais
d'où vous êtes. " 26 Alors vous vous mettrez à dire : || Mt **7** 22-23
" Nous avons mangé et bu devant toi, tu as ensei-
gné sur nos places." 27 Mais il vous répondra : " Je
ne sais d'où vous êtes; *éloignez-vous de moi, vous* Ps **6** 9
*tous qui commettez l'injustice.* "
28 « Là seront les pleurs et les grincements de || Mt **8** 12+
dents, lorsque vous verrez Abraham, Isaac, Jacob
et tous les prophètes dans le Royaume de Dieu, et
vous, jetés dehors. 29 Et l'on viendra du levant et
du couchant, du nord et du midi, prendre place au
festin dans le Royaume de Dieu.
30 « Oui, il y a des derniers qui seront premiers, || Mt **19** 30+; **20** 16
et il y a des premiers qui seront derniers. » || Mc **10** 31

**Le renard Hérode.**

31 A cette heure même s'approchèrent quelques
Pharisiens, qui lui dirent : « Pars et va-t'en d'ici;
car Hérode [f] veut te tuer. » 32 Il leur dit : « Allez
dire à ce renard : Voici que je chasse des démons
et accomplis des guérisons aujourd'hui et demain,

mais ces malheurs publics sont une invitation providentielle à la pénitence.

*a)* L'épisode du figuier desséché, Mt **21** 18-22p, est un acte de sévérité; Luc lui a préféré cette parabole de la patience.

*b)* Peut-être allusion à la durée du ministère de Jésus, telle qu'elle ressort du quatrième évangile.

*c)* Ou : « ne pouvait pas lever la tête complètement ».

*d)* Il voit dans cette guérison un « travail » interdit par la Loi.

*e)* La source utilisée par Lc et Mt a groupé ici des *logia* que Mt a répartis ailleurs dans son évangile, cf. **9** 51+. L'idée maîtresse de ce groupement, respecté par Lc, paraît avoir été le rejet d'Israël et l'appel des païens au salut. Aux premiers les liens de race avec Jésus ne serviront de rien pour éviter l'exclusion méritée par leur conduite, vv. 25-27; cf. **3** 7-9p; Jn **8** 33s. Aussi beaucoup ne pourront-ils trouver l'entrée du salut, vv. 23-24, de premiers deviendront derniers, v. 30; cf. Mt **20** 16, et verront les païens prendre leur place au festin messianique, vv. 28-29.

*f)* Hérode-Antipas, cf. Lc **3** 1+. Peut-être a-t-il voulu par cette menace se débarrasser de Jésus; c'est à cette manœuvre que ferait allusion l'épithète de « renard ».

et le troisième jour[a] je suis consommé[b]! 33 Mais
aujourd'hui, demain et le jour suivant, je dois poursuivre ma route, car il ne convient pas qu'un pro-
Mt **16** 14+ Lc **2** 38+ phète périsse hors de Jérusalem[c].

|| Mt **23** 37-39 **19** 41-44 **Apostrophe à Jérusalem.**

34 « Jérusalem, Jérusalem, toi qui tues les prophètes et lapides ceux qui te sont envoyés, combien de
fois j'ai voulu rassembler tes enfants à la manière
dont une poule rassemble sa couvée sous ses
ailes..., et vous n'avez pas voulu! 35 Voici que votre
maison va vous être laissée. Oui, je vous le dis,
Mt **23** 39+ vous ne me verrez plus, jusqu'à ce qu'arrive le jour
où vous direz :

Ps **118** 26 *Béni soit celui qui vient au nom du Seigneur!* »

**6** 6-11; **13** 10-17 **7** 36; **11** 37 **Guérison d'un hydropique un jour de sabbat.**

**14** 1 Et il advint, comme il était venu un sabbat
chez l'un des chefs des Pharisiens pour prendre un repas, qu'eux étaient à l'observer. 2 Et voici
qu'un hydropique se trouvait devant lui. 3 Prenant
la parole, Jésus dit aux légistes et aux Pharisiens :
« Est-il permis le sabbat de guérir, ou non? » 4 Et
Mc **3** 4 Mt **8** 3+ eux se tinrent cois. Prenant alors le malade, il le
|| Mt **12** 11 guérit et le renvoya. 5 Puis il leur dit : « Lequel
Lc **13** 15 d'entre vous, si son fils[d] ou son bœuf vient à tomber dans un puits, ne l'en tirera aussitôt, le jour du
sabbat? » 6 Et ils ne purent rien répondre à cela.

**Sur le choix des places.**

7 Il disait ensuite une parabole à l'adresse des invités, remarquant comment ils choisissaient les premiers divans; il leur disait : 8 « Lorsque quelqu'un
t'invite à un repas de noces, ne va pas t'étendre sur
Pr **25** 6-7 le premier divan, de peur qu'un plus digne que toi
n'ait été invité par ton hôte, 9 et que celui qui vous
a invités, toi et lui, ne vienne te dire : " Cède-lui la
place. " Et alors tu devrais, plein de confusion,
aller occuper la dernière place. 10 Au contraire,
lorsque tu es invité, va te mettre à la dernière place,
de façon qu'à son arrivée celui qui t'a invité te
dise : " Mon ami, monte plus haut. " Alors il y
aura pour toi de l'honneur devant tous les autres
convives. 11 Car quiconque s'élève sera abaissé, et || Mt **23** 12 = Lc **18** 14
celui qui s'abaisse sera élevé. »

**Sur le choix des invités.**

12 Puis il disait à celui qui l'avait invité : « Lorsque tu donnes un déjeuner ou un dîner, ne convie
ni tes amis, ni tes frères, ni tes parents, ni de riches
voisins, de peur qu'eux aussi ne t'invitent à leur
tour et qu'on ne te rende la pareille[e]. 13 Mais lors- **12** 33+
que tu donnes un festin, invite des pauvres, des
estropiés, des boiteux, des aveugles; 14 heureux
seras-tu alors de ce qu'ils n'ont pas de quoi te le **6** 35
rendre! Car cela te sera rendu lors de la résurrection des justes. »

**Sur les invités qui se dérobent.**

15 A ces mots, l'un des convives lui dit :
« Heureux celui qui prendra son repas dans le Mt **8** 11+
Royaume de Dieu! » 16 Il lui dit : « Un homme fai-
sait un grand dîner, auquel il invita beaucoup de || Mt **22** 2-10
monde. 17 A l'heure du dîner, il envoya son servi-
teur dire aux invités : " Venez; maintenant tout est
prêt. " 18 Et tous, comme de concert, se mirent à
s'excuser. Le premier lui dit : " J'ai acheté un
champ et il me faut aller le voir; je t'en prie, tiens-
moi pour excusé. " 19 Un autre dit : " J'ai acheté
cinq paires de bœufs et je pars les essayer; je t'en
prie, tiens-moi pour excusé. " 20 Un autre dit : " Je
viens de me marier, et c'est pourquoi je ne puis
venir. "

21 « A son retour, le serviteur rapporta cela à son
maître. Alors, pris de colère, le maître de maison
dit à son serviteur : " Va-t'en vite par les places et
les rues de la ville, et introduis ici les pauvres, les
estropiés, les aveugles et les boiteux[f]. " –
22 " Maître, dit le serviteur, tes ordres sont exécutés, et il y a encore de la place. " 23 Et le maître
dit au serviteur : " Va-t'en par les chemins et le
long des clôtures[g], et fais entrer les gens de force,
afin que ma maison se remplisse. 24 Car, je vous le
dis, aucun de ces hommes qui avaient été invités
ne goûtera de mon dîner. " »

**Renoncer à tout ce qu'on a de cher.**

25 Des foules nombreuses faisaient route avec lui,
et se retournant il leur dit :

*a)* L'expression indique un laps de temps assez court.
*b)* Mot riche de sens, qui inclut tout ensemble la fin et l'achèvement de Jésus, rendu « parfait » par ses souffrances et sa mort : He **2** 10; **5** 9. Cf. Jn **19** 30.
*c)* C'est-à-dire, semble-t-il : Ma tâche sera bientôt terminée, mais elle ne l'est pas. J'ai encore à chasser des démons et à guérir, et cela sur le chemin de Jérusalem, où doit s'accomplir mon destin, cf. **2** 38+. De même en Jn **7** 30; **8** 20 (cf. **8** 59; **10** 39; **11** 54), les ennemis de Jésus ne peuvent attenter à sa vie tant que « son heure n'est pas venue ».
*d)* « son fils »; var. : « son âne ».
*e)* Ou : « et que ce soit là ta récompense ».
*f)* Dans les écrits de Qumrân ces infirmes étaient exclus du combat eschatologique et du banquet qui le suivrait.
*g)* Après « les places et les rues de la ville » du v. 21, « les chemins et le long des clôtures » du v. 23 semblent être hors de la ville : on pressent là deux catégories différentes, d'une part les pauvres et les « impurs » en Israël, d'autre part les païens. La « force » employée à introduire ces miséreux veut seulement exprimer le triomphe de la grâce sur leur impréparation, non une violation de leur conscience. On sait l'abus qui a été fait au cours de l'histoire de ce *compelle intrare*.

Mt 10 37; 26 « Si quelqu'un vient à moi sans haïr [a] son père,
19 29 sa mère, sa femme [b], ses enfants, ses frères, ses
|| Mt 10 38; sœurs, et jusqu'à sa propre vie, il ne peut être mon
16 24 disciple. 27 Quiconque ne porte pas sa croix et ne
|| Mc 8 34 = Lc 9 23 vient pas derrière moi ne peut être mon disciple.
Jn 12 26

**Renoncer en particulier à tous ses biens.**

28 « Qui de vous en effet, s'il veut bâtir une tour,
ne commence par s'asseoir pour calculer la dépense
et voir s'il a de quoi aller jusqu'au bout? 29 De peur
que, s'il pose les fondations et ne peut achever, tous
ceux qui le verront ne se mettent à se moquer de
lui, en disant : 30 " Voilà un homme qui a
commencé de bâtir et il n'a pu achever! " 31 Ou
encore quel est le roi qui, partant faire la guerre à
un autre roi, ne commencera par s'asseoir pour
examiner s'il est capable, avec dix mille hommes,
de se porter à la rencontre de celui qui marche
contre lui avec vingt mille? 32 Sinon, alors que
l'autre est encore loin, il lui envoie une ambassade
pour demander la paix. 33 Ainsi donc, quiconque
12 33+ parmi vous ne renonce pas à tous ses biens ne peut
être mon disciple [c].

|| Mt 5 13 **Ne pas s'affadir.**
|| Mc 9 50

34 « C'est donc une bonne chose que le sel. Mais
si même le sel vient à s'affadir, avec quoi l'assai-
sonnera-t-on? 35 Il n'est bon ni pour la terre ni pour
le fumier : on le jette dehors. Celui qui a des oreilles pour entendre, qu'il entende! »

Ex 34 6+ **Les trois paraboles de la miséricorde.**
)s 11 8-9
Os 2 21+ **15** 1 Cependant tous les publicains et les pécheurs
Lc 6 36 s'approchaient de lui pour l'entendre. 2 Et les
Pharisiens et les scribes de murmurer : « Cet
homme, disaient-ils, fait bon accueil aux pécheurs
9 10-13 et mange avec eux! » 3 Il leur dit alors cette parabole :

8 12-14 **La brebis perdue.**
z 34 1+

4 « Lequel d'entre vous, s'il a cent brebis et vient
à en perdre une, n'abandonne les quatre-vingt-dix-
34 4, 16 neuf autres dans le désert pour s'en aller après
celle qui est perdue, jusqu'à ce qu'il l'ait retrouvée?
5 Et, quand il l'a retrouvée, il la met, tout joyeux,
sur ses épaules 6 et, de retour chez lui, il assemble
amis et voisins et leur dit : " Réjouissez-vous avec
19 10 moi, car je l'ai retrouvée, ma brebis qui était perdue! " 7 C'est ainsi, je vous le dis, qu'il y aura plus
1 14+ de joie dans le ciel pour un seul pécheur qui se
repent que pour quatre-vingt-dix-neuf justes, qui
n'ont pas besoin de repentir.

**La drachme perdue.**

8 « Ou bien, quelle est la femme qui, si elle a dix
drachmes et vient à en perdre une, n'allume une
lampe, ne balaie la maison et ne cherche avec soin,
jusqu'à ce qu'elle l'ait retrouvée? 9 Et, quand elle
l'a retrouvée, elle assemble amies et voisines et leur
dit : " Réjouissez-vous avec moi, car je l'ai retrouvée, la drachme que j'avais perdue! " 10 C'est ainsi,
je vous le dis, qu'il naît de la joie devant les anges
de Dieu pour un seul pécheur qui se repent. »

**Le fils perdu et le fils fidèle : « l'enfant prodigue ».**

11 Il dit encore : « Un homme avait deux fils.
12 Le plus jeune dit à son père : " Père, donne-moi
la part de fortune qui me revient. " Et le père leur
partagea son bien. 13 Peu de jours après, rassem-
blant tout son avoir, le plus jeune fils partit pour
un pays lointain et y dissipa son bien en vivant
dans l'inconduite.
14 « Quand il eut tout dépensé, une famine sévère
survint en cette contrée et il commença à sentir la
privation. 15 Il alla se mettre au service d'un des
habitants de cette contrée, qui l'envoya dans ses
champs garder les cochons. 16 Il aurait bien voulu
se remplir le ventre des caroubes que mangeaient
les cochons, mais personne ne lui en donnait.
17 Rentrant alors en lui-même, il se dit : " Combien
de mercenaires de mon père ont du pain en surabondance, et moi je suis ici à périr de faim! 18 Je
veux partir, aller vers mon père et lui dire : Père,
j'ai péché contre le Ciel et envers toi; 19 je ne mérite
plus d'être appelé ton fils, traite-moi comme l'un de
tes mercenaires. " 20 Il partit donc et s'en alla vers Is 55 7
son père. Jr 3 12s
« Tandis qu'il était encore loin, son père l'aperçut Is 49 14-16
et fut pris de pitié; il courut se jeter à son cou et Jr 31 20
l'embrassa tendrement. 21 Le fils alors lui dit :
" Père, j'ai péché contre le Ciel et envers toi, je ne
mérite plus d'être appelé ton fils [d]. " 22 Mais le père
dit à ses serviteurs : " Vite, apportez la plus belle Za 3 4
robe et l'en revêtez, mettez-lui un anneau au doigt
et des chaussures aux pieds. 23 Amenez le veau
gras, tuez-le, mangeons et festoyons, 24 car mon fils
que voilà était mort et il est revenu à la vie; il était
perdu et il est retrouvé! " Et ils se mirent à festoyer.
25 « Son fils aîné [e] était aux champs. Quand, à

a) Hébraïsme, Jésus ne demande pas la haine, mais le détachement complet et immédiat, cf. 9 57-62.
b) « sa femme » propre à Luc, qui exprime ainsi sa tendance ascétique, cf. 1 Co 7. De même 18 29.
c) Luc ne semble pas établir de distinction entre les disciples. L'avertissement vaut pour tous. Cf. Mc 1 17+.
d) Add. : « traite-moi comme l'un de tes journaliers », cf. v. 19.
e) A l'attitude miséricordieuse du père, qui symbolise la miséricorde divine, s'oppose dans le fils aîné l'attitude des Pharisiens et des scribes qui se flattent d'être « justes » parce que ne transgressant aucun commandement de la Loi, v. 29; cf. 18 9s.

son retour, il fut près de la maison, il entendit de
la musique et des danses. 26 Appelant un des serviteurs, il s'enquérait de ce que cela pouvait bien être.
27 Celui-ci lui dit : " C'est ton frère qui est arrivé,
et ton père a tué le veau gras, parce qu'il l'a recouvré en bonne santé. " 28 Il se mit alors en colère,
et il refusait d'entrer. Son père sortit l'en prier.
29 Mais il répondit à son père : " Voilà tant
d'années que je te sers, sans avoir jamais transgressé un seul de tes ordres, et jamais tu ne m'as
donné un chevreau, à moi, pour festoyer avec mes
amis; 30 et puis ton fils que voici revient-il, après
avoir dévoré ton bien avec des prostituées, tu fais
tuer pour lui le veau gras! "

31 « Mais le père lui dit : " Toi, mon enfant, tu es
Jn 17 10 toujours avec moi, et tout ce qui est à moi est à
1 14+ toi. 32 Mais il fallait bien festoyer et se réjouir, puisque ton frère que voilà était mort et il est revenu
à la vie; il était perdu et il est retrouvé! " »

**L'intendant infidèle.**

16 [a] 1 Il disait encore à ses disciples : « Il était un
homme riche qui avait un intendant, et celui-ci
lui fut dénoncé comme dilapidant ses biens. 2 Il le
fit appeler et lui dit : " Qu'est-ce que j'entends dire
de toi? Rends compte de ta gestion, car tu ne peux
plus gérer mes biens désormais. " 3 L'intendant se
dit en lui-même : " Que vais-je faire, puisque mon
maître me retire la gérance? Piocher? je n'en ai pas
la force; mendier? j'aurais honte... 4 Ah! je sais ce
que je vais faire, pour qu'une fois relevé de ma
gérance, il y en ait qui m'accueillent chez eux. "

5 « Et, faisant venir un à un les débiteurs de son
maître, il dit au premier : " Combien dois-tu à mon
maître? " – 6 " Cent barils d'huile ", lui dit-il. Il lui
dit : " Prends ton billet, assieds-toi et écris vite
cinquante. " 7 Puis il dit à un autre : " Et toi,
combien dois-tu? " – " Cent mesures de blé ", dit-
il. Il lui dit : " Prends ton billet, et écris
quatre-vingts. "

8 « Et le maître loua cet intendant malhonnête
d'avoir agi de façon avisée [b]. Car les fils de ce
monde-ci sont plus avisés envers leurs propres
Jn 8 12+ congénères que les fils de la lumière.

**Le bon emploi de l'argent.**

9 « Eh bien! moi je vous dis : faites-vous des amis
avec le malhonnête Argent [c], afin qu'au jour où il 12 33+; 6 24
viendra à manquer, ceux-ci vous accueillent dans Tb 4 9-10
les tentes éternelles. 10 Qui est fidèle en très peu de || Mt 25 21
chose est fidèle aussi en beaucoup, et qui est mal- || Lc 19 17
honnête en très peu est malhonnête aussi en beaucoup. 11 Si donc vous ne vous êtes pas montrés
fidèles pour le malhonnête Argent, qui vous
confiera le vrai bien? 12 Et si vous ne vous êtes pas
montrés fidèles pour le bien étranger [d], qui vous
donnera le vôtre [e]?

13 « Nul serviteur ne peut servir deux maîtres : ou || Mt 6 24
il haïra l'un et aimera l'autre, ou il s'attachera à
l'un et méprisera l'autre. Vous ne pouvez servir
Dieu et l'Argent. »

**Contre les Pharisiens, amis de l'argent.**

14 Les Pharisiens, qui sont amis de l'argent,
entendaient tout cela et ils se moquaient de lui. 15 Il
leur dit : « Vous êtes, vous, ceux qui se donnent Mt 6 1; 23
pour justes devant les hommes, mais Dieu connaît Lc 18 9
vos cœurs; car ce qui est élevé pour les hommes Jr 11 20+
est objet de dégoût devant Dieu.

**A l'assaut du Royaume.** || Mt 11 1

16 « Jusqu'à Jean ce furent la Loi et les Prophètes; depuis lors le Royaume de Dieu est annoncé,
et tous s'efforcent d'y entrer par violence.

**Pérennité de la Loi.** || Mt 5 1

17 « Il est plus facile que le ciel et la terre passent
que ne tombe un seul menu trait de la Loi.

**Indissolubilité du mariage.** || Mt 5 3 19 9

18 « Tout homme qui répudie sa femme et en
épouse une autre commet un adultère, et celui qui
épouse une femme répudiée par son mari commet
un adultère.

**Le mauvais riche et le pauvre Lazare [f].**

19 « Il y avait un homme riche qui se revêtait de
pourpre et de lin fin et faisait chaque jour brillante

a) Ce ch. rassemble deux paraboles et plusieurs *logia* de Jésus, concernant le bon et le mauvais emploi de l'argent. Les vv. 16-18, qui se rapportent à trois sujets différents, en troublent la composition.

b) Selon la coutume alors tolérée en Palestine, l'intendant avait le droit de consentir des prêts sur les biens de son maître et, comme il n'était pas rémunéré, de se payer en forçant sur la quittance le montant du prêt, afin que, lors du remboursement, il profitât de la différence comme d'un surplus qui représentait son intérêt. Dans le cas présent, il n'avait sans doute prêté en réalité que cinquante barils d'huile et quatre-vingts mesures de blé : en ramenant la quittance à ce montant réel, il ne fait que se priver du bénéfice, à vrai dire usuraire, qu'il avait escompté. Sa « malhonnêteté », v. 8, ne réside donc pas dans la réduction de quittances, qui n'est qu'un sacrifice de ses intérêts immédiats, manœuvre habile que son maître peut louer, mais plutôt dans les malversations antérieures qui ont motivé son renvoi, v. 1.

c) Le vôtre évidemment. L'argent est dit « malhonnête », non seulement parce que celui qui le possède l'a mal acquis, mais encore d'une manière plus générale parce qu'à l'origine de presque toutes les fortunes il y a quelque malhonnêteté.

d) C'est-à-dire un bien extérieur à l'homme : la richesse.

e) « le vôtre »; var. : « le nôtre ». – Il s'agit des biens spirituels qui, ceux-là, peuvent appartenir l'homme.

f) Histoire-parabole, sans aucune attache historique.

chère. 20 Et un pauvre, nommé Lazare, gisait près
de son portail, tout couvert d'ulcères. 21 Il aurait
bien voulu se rassasier de ce qui tombait de la table
du riche [a]... Bien plus, les chiens eux-mêmes
venaient lécher ses ulcères. 22 Or il advint que le
pauvre mourut et fut emporté par les anges dans
le sein d'Abraham [b]. Le riche aussi mourut, et on
l'ensevelit [c].

23 « Dans l'Hadès, en proie à des tortures, il lève
les yeux et voit de loin Abraham, et Lazare en son
sein. 24 Alors il s'écria : " Père Abraham, aie pitié
de moi et envoie Lazare tremper dans l'eau le bout
de son doigt pour me rafraîchir la langue, car je
suis tourmenté dans cette flamme. " 25 Mais Abra-
6 24-25 ham dit : " Mon enfant, souviens-toi que tu as reçu
tes biens pendant ta vie, et Lazare pareillement ses
maux; maintenant ici il est consolé, et toi, tu es
tourmenté. 26 Ce n'est pas tout : entre nous et vous
un grand abîme [d] a été fixé, afin que ceux qui voudraient passer d'ici chez vous ne le puissent, et
qu'on ne traverse pas non plus de là-bas chez
nous. "

27 « Il dit alors : " Je te prie donc, père, d'envoyer
Lazare dans la maison de mon père, 28 car j'ai cinq
frères; qu'il leur porte son témoignage, de peur
qu'ils ne viennent, eux aussi, dans ce lieu de la
24 44 torture. " 29 Et Abraham de dire : " Ils ont Moïse
et les Prophètes; qu'ils les écoutent. " – 30 " Non,
père Abraham, dit-il, mais si quelqu'un de chez les
morts va les trouver, ils se repentiront. " 31 Mais il
n 5 46-47 lui dit : " Du moment qu'ils n'écoutent pas Moïse
et les Prophètes, même si quelqu'un ressuscite
d'entre les morts, ils ne seront pas convaincus. " »

Mt **18** 6-7 **Le scandale.**

Mc **9** 42

**17** 1 Puis il dit à ses disciples : « Il est impossible
que les scandales n'arrivent pas, mais malheur
à celui par qui ils arrivent! 2 Mieux vaudrait pour
lui se voir passer autour du cou une pierre à moudre et être jeté à la mer que de scandaliser un seul
de ces petits. 3 Prenez garde à vous!

t **18** 15, **Correction fraternelle [e].**

21-22

« Si ton frère vient à pécher, réprimande-le et, s'il
se repent, remets-lui. 4 Et si sept fois le jour il pèche
contre toi et que sept fois il revienne à toi, en
disant : " Je me repens ", tu lui remettras. »

**Puissance de la foi.** Mt **8** 10+

5 Les apôtres dirent au Seigneur : « Augmente en
nous la foi. » 6 Le Seigneur dit : « Si vous aviez de || Mt **17** 20;
la foi comme un grain de sénevé, vous auriez dit **21** 21
au mûrier que voilà : " Déracine-toi et va te planter || Mc **11** 23
dans la mer ", et il vous aurait obéi!

**Servir avec humilité.**

7 « Qui d'entre vous, s'il a un serviteur qui
laboure ou garde les bêtes, lui dira à son retour des
champs : " Vite, viens te mettre à table "? 8 Ne lui
dira-t-il pas au contraire : " Prépare-moi de quoi
dîner, ceins-toi pour me servir, jusqu'à ce que j'aie
mangé et bu; après quoi, tu mangeras et boiras à
ton tour " [f]? 9 Sait-il gré à ce serviteur d'avoir fait
ce qui lui a été prescrit? 10 Ainsi de vous; lorsque
vous aurez fait tout ce qui vous a été prescrit,
dites : Nous sommes des serviteurs inutiles [g]; nous Jb **22** 3;
avons fait ce que nous devions faire. » **35** 7

**Les dix lépreux.**

11 Et il advint, comme il faisait route vers Jérusa- **9** 51+
lem, qu'il passa aux confins de la Samarie et de la
Galilée [h]. 12 A son entrée dans un village, dix
lépreux vinrent à sa rencontre et s'arrêtèrent à distance; 13 ils élevèrent la voix et dirent : « Jésus, Lv **13** 45-46
Maître, aie pitié de nous. » 14 A cette vue, il leur
dit : « Allez vous montrer aux prêtres. » Et il Mt **8** 4
advint, comme ils y allaient, qu'ils furent purifiés. Mc **1** 44 Lc **5** 14
15 L'un d'entre eux, voyant qu'il avait été purifié, Lv **14** 1-32
revint sur ses pas en glorifiant Dieu à haute voix **2** 20+
16 et tomba sur la face aux pieds de Jésus, en le
remerciant. Et c'était un Samaritain. 17 Prenant la **9** 53+;
parole, Jésus dit : « Est-ce que les dix n'ont pas été **10** 33+
purifiés? Les neuf autres, où sont-ils? 18 Il ne s'est
trouvé, pour revenir rendre gloire à Dieu, que cet
étranger! » 19 Et il lui dit : « Relève-toi, va; ta foi Mt **8** 10+
t'a sauvé. »

**La venue du Royaume de Dieu.**

20 Les Pharisiens lui ayant demandé quand vien- Mt **4** 17+
drait le Royaume de Dieu, il leur répondit : « La
venue du Royaume de Dieu ne se laisse pas observer, 21 et l'on ne dira pas : " Voici : il est ici! ou

*a)* Add. : « mais personne ne lui en donnait », cf. **15** 16.
*b)* Expression judaïque qui répond à l'ancienne locution biblique « être réuni à ses pères », c'est-à-dire aux Patriarches, Jg **2** 10; cf. Gn **15** 15; **47** 30; Dt **31** 16. L'image exprime l'intimité, Jn **1** 18, et la proximité avec Abraham dans le banquet messianique, cf. Jn **13** 23; Mt **8** 11+.
*c)* Vulg. : « on l'enterra dans l'enfer ».
*d)* L'abîme symbolise l'impossibilité pour les élus comme pour les damnés de changer leur destin.
*e)* Il semble que Luc ait en vue une offense entre deux frères, alors que dans Mt il s'agit d'une faute plus générale. Luc omet le recours à la communauté.
*f)* Comparer à cette règle humaine le paradoxe évangélique, **12** 37; **22** 27; Jn **13** 1-16.
*g)* Ce qualificatif semble assez mal adapté au contexte, l'insistance portant sur l'état même de serviteur, cf. la fin du v.; mais c'est la traduction littérale (et traditionnelle) du terme grec.
*h)* Pour gagner la vallée du Jourdain et descendre jusqu'à Jéricho, **18** 35, d'où il montera à Jérusalem.

Mt 3 2 bien : il est là! " Car voici que le Royaume de Dieu
est au milieu de vous [a]. »

**Le Jour du Fils de l'homme [b].**

22 Il dit encore aux disciples : « Viendront des
Mt 13 17+ jours où vous désirerez voir un seul des jours du
Mt 8 20+ Fils de l'homme [c], et vous ne le verrez pas. 23 On
|| Mc 13 21 vous dira : " Le voilà! " " Le voici! " N'y allez pas,
|| Mt 24 23 26-27 n'y courez pas. 24 Comme l'éclair en effet, jaillis-
sant d'un point du ciel, resplendit jusqu'à l'autre,
ainsi en sera-t-il du Fils de l'homme lors de son
9 22+ Jour. 25 Mais il faut d'abord qu'il souffre beaucoup
et qu'il soit rejeté par cette génération.
|| Mt 24 37-39 26 « Et comme il advint aux jours de Noé, ainsi
Gn 6-8 en sera-t-il encore aux jours du Fils de l'homme [d].
27 On mangeait, on buvait, on prenait femme ou
mari, jusqu'au jour où Noé entra dans l'arche; et
vint le déluge, qui les fit tous périr. 28 De même,
Gn 19 1-29 comme il advint aux jours de Lot : on mangeait,
on buvait, on achetait, on vendait, on plantait, on
bâtissait; 29 mais le jour où Lot sortit de Sodome,
Dieu fit pleuvoir du ciel du feu et du soufre, et il
les fit tous périr. 30 De même en sera-t-il, le Jour
où le Fils de l'homme doit se révéler.
|| Mt 24 31 « En ce Jour-là, que celui qui sera sur la ter-
17-18 rasse et aura ses affaires dans la maison, ne des-
|| Mc 13 15-16 cende pas les prendre et, pareillement, que celui qui
Lc 21 21 sera aux champs ne retourne pas en arrière. 32 Rap-
Gn 19 26 pelez-vous la femme de Lot. 33 Qui cherchera à
|| Mt 10 39 épargner sa vie la perdra, et qui la perdra la sauve-
|| Jn 12 25 Lc 9 24 gardera. 34 Je vous le dis : en cette nuit-là, deux
|| Mt 24 40-41 seront sur un même lit : l'un sera pris et l'autre
laissé; 35 deux femmes seront à moudre ensemble :
l'une sera prise et l'autre laissée [e]. [36] 37 Prenant
alors la parole, ils lui disent : « Où, Seigneur? » Il
|| Mt 24 28 leur dit : « Où sera le corps, là aussi les vautours
se rassembleront. »

**Le juge inique et la veuve importune.**

**18** 1 Et il leur disait une parabole sur ce qu'il leur
11 9+; 1 Th 5 17+ fallait prier sans cesse et ne pas se décourager
11 5-8 ger [f]. 2 « Il y avait dans une ville un juge qui ne
craignait pas Dieu et n'avait de considération pour
personne. 3 Il y avait aussi dans cette ville une
veuve qui venait le trouver, en disant : " Rends-moi
justice contre mon adversaire! " 4 Il s'y refusa longtemps. Après quoi il se dit : " J'ai beau ne pas
craindre Dieu et n'avoir de considération pour personne, 5 néanmoins, comme cette veuve m'importune, je vais lui rendre justice, pour qu'elle ne
vienne pas sans fin me rompre la tête ". »
6 Et le Seigneur dit : « Écoutez ce que dit ce juge
inique. 7 Et Dieu ne ferait pas justice à ses élus qui Ap 6 9-11
crient vers lui jour et nuit, tandis qu'il patiente à Si 35 19
leur sujet [g]! 8 Je vous dis qu'il leur fera prompte
justice. Mais le Fils de l'homme, quand il viendra,
trouvera-t-il la foi sur la terre? » Mt 24 12; 8

**Le Pharisien et le publicain.**

9 Il dit encore, à l'adresse de certains qui se flat- 16 15
taient d'être des justes et n'avaient que mépris pour Mt 6 1; 23 2
les autres, la parabole que voici : 10 « Deux hom-
mes montèrent au Temple pour prier; l'un était
Pharisien et l'autre publicain. 11 Le Pharisien,
debout, priait ainsi en lui-même : " Mon Dieu, je
te rends grâces de ce que je ne suis pas comme le
reste des hommes, qui sont rapaces, injustes, adultères, ou bien encore comme ce publicain; 12 je
jeûne deux fois la semaine, je donne la dîme de tout
ce que j'acquiers. " 13 Le publicain, se tenant à distance, n'osait même pas lever les yeux au ciel, mais
il se frappait la poitrine, en disant : " Mon Dieu,
aie pitié du pécheur que je suis! " 14 Je vous le dis :
ce dernier descendit chez lui justifié, l'autre non.
Car tout homme qui s'élève sera abaissé, mais celui || Mt 23 1
qui s'abaisse sera élevé. » = Lc 14 1

**Jésus et les petits enfants [h].** || Mt 19 || Mc 10

15 On lui présentait aussi les tout-petits pour qu'il Lc 9 47
les touchât; ce que voyant, les disciples les
rabrouaient. 16 Mais Jésus appela à lui ces enfants,
en disant : « Laissez les petits enfants venir à moi,
ne les empêchez pas; car c'est à leurs pareils
qu'appartient le Royaume de Dieu. 17 En vérité je
vous le dis : quiconque n'accueille pas le Royaume
de Dieu en petit enfant n'y entrera pas. »

*a)* Comme une réalité déjà agissante. On traduit aussi : « au-dedans de vous », ce qui ne semble pas directement indiqué par le contexte.
*b)* Ce discours est propre à Lc, qui a nettement distingué dans les prédictions de Jésus ce qui concerne la ruine de Jérusalem, **21** 6-24, et ce qui se rapporte au retour glorieux de Jésus à la fin des temps, **17** 22-37. – Certains passages de ce discours se rencontrent dans le grand discours eschatologique de Mt **24** 5-41, qui a combiné ici comme ailleurs, cf. Lc **10** 1+; **11** 39+, deux sources laissées distinctes par Lc; cf. Mt **24** 1+. – « Jour » est plus biblique (« Jour de Yahvé » cf. Am **5** 18+) que le terme de Mt **24** 3, « Parousie » (Avènement), lequel est emprunté au vocabulaire hellénistique. Cf. 1 Co **1** 8+.
*c)* Les disciples souhaiteront non pas de revoir un des jours de son existence terrestre ou de contempler le premier jour de sa manifestation glorieuse, mais de jouir d'un seul des jours qui la suivront.
*d)* A l'époque de sa manifestation glorieuse.
*e)* Add. v. 36 : « Deux seront dans un champ : l'un sera pris, l'autre laissé », cf. Mt **24** 40.
*f)* Pensée et vocabulaire pauliniens : cf. Rm **1** 10 : **12** 12; 1 Th **5** 17+.
*g)* En Si **35** 18-19, dont ce verset semble s'inspirer, il est dit que Dieu ne patientera pas ni ne tardera à rendre justice aux pauvres opprimés; ici il est dit qu'il prend patience. Peut-être cette adaptation reflète-t-elle le souci d'expliquer le retard de la Parousie. Comparer une attitude analogue en 2 P **3** 9; Ap **6** 9-11.
*h)* Ici Lc reprend le récit de Mc, qu'il a quitté en **9** 50. Cf. **9** 51+.

|| Mt **19** 16-22 **Le riche notable.**

|| Mc **10** 17-22 18 Un notable l'interrogea en disant : « Bon
maître, que me faut-il faire pour avoir en héritage
Lc **10** 25-28 la vie éternelle? » 19 Jésus lui dit : « Pourquoi
m'appelles-tu bon? Nul n'est bon que Dieu seul.
Ex **20** 12-16 20 Tu connais les commandements : *Ne commets*
Dt **5** 16-20 *pas d'adultère, ne tue pas, ne vole pas, ne porte pas*
*de faux témoignage; honore ton père et ta mère.* »
21 – « Tout cela, dit-il, je l'ai observé dès ma jeunesse. » 22 Entendant cela, Jésus lui dit : « Une
**12** 33+ chose encore te fait défaut : Tout ce que tu as,
vends-le et distribue-le aux pauvres, et tu auras
un trésor dans les cieux; puis viens, suis-moi. »
23 Mais lui, entendant cela, devint tout triste, car il
était fort riche.

|| Mt **19** 23-26 **Le danger des richesses.**

|| Mc **10** 23-27 24 En le voyant, Jésus dit : « Comme il est
difficile à ceux qui ont des richesses de pénétrer
dans le Royaume de Dieu! 25 Oui, il est plus facile
à un chameau de passer par un trou d'aiguille qu'à
un riche d'entrer dans le Royaume de Dieu! »
26 Ceux qui entendaient dirent : « Et qui peut être
sauvé? » 27 Il dit : « Ce qui est impossible pour les
hommes est possible pour Dieu. »

|| Mt **19** 27-29 **Récompense promise au détachement.**

|| Mc **10** 28-30 28 Pierre dit alors : « Voici que nous, laissant nos
biens, nous t'avons suivi! » 29 Il leur dit : « En
**14** 26+ vérité, je vous le dis : nul n'aura laissé maison,
femme, frères, parents ou enfants, à cause du
Royaume de Dieu, 30 qui ne reçoive [a] bien davantage en ce temps-ci, et dans le monde à venir la vie
éternelle. »

|| Mt **20** 17-19 **Troisième annonce de la Passion.**

|| Mc **10** 32-34 31 Prenant avec lui les Douze, il leur dit : « Voici
que nous montons à Jérusalem et que s'accomplira
**9** 51+ tout ce qui a été écrit par les Prophètes [b] pour le
**2** 38+ Fils de l'homme. 32 Il sera en effet livré aux païens,
**9** 22+ bafoué, outragé, couvert de crachats; 33 après
l'avoir flagellé, ils le tueront et, le troisième jour,
Mc **4** 13+ il ressuscitera. » 34 Mais eux ne saisirent rien de
tout cela; cette parole leur demeurait cachée, et ils
ne comprenaient pas ce qu'il disait.

**L'aveugle de l'entrée de Jéricho.** || Mt **20** 29-34

35 Or il advint, comme il approchait de Jéricho, || Mc **10** 46-52
qu'un aveugle était assis au bord du chemin et men-
diait. 36 Entendant une foule marcher, il s'enquérait
de ce que cela pouvait être. 37 On lui annonça que
c'était Jésus le Nazôréen qui passait. 38 Alors il Mt **2** 23+
s'écria : « Jésus, Fils de David, aie pitié de moi! »
39 Ceux qui marchaient en tête le rabrouaient pour
le faire taire, mais lui criait de plus belle : « Fils de
David, aie pitié de moi! » 40 Jésus s'arrêta et Mt **9** 27+
ordonna de le lui amener. Quand il fut près, il lui
demanda : 41 « Que veux-tu que je fasse pour toi? »
– « Seigneur, dit-il, que je recouvre la vue! »
42 Jésus lui dit : « Recouvre la vue; ta foi t'a Mt **8** 10+
sauvé. » 43 Et à l'instant même il recouvra la vue,
et il le suivait en glorifiant Dieu. Et tout le peuple, **2** 20+
voyant cela, célébra les louanges de Dieu.

**Zachée.**

**19** 1 Entré dans Jéricho, il traversait la ville. 2 Et
voici un homme appelé du nom de Zachée;
c'était un chef de publicains, et qui était riche. 3 Et Mt **5** 46+
il cherchait à voir qui était Jésus, mais il ne le pouvait à cause de la foule, car il était petit de taille.
4 Il courut donc en avant et monta sur un sycomore
pour voir Jésus, qui devait passer par là. 5 Arrivé
en cet endroit, Jésus leva les yeux et lui dit :
« Zachée, descends vite, car il me faut aujourd'hui
demeurer chez toi. » 6 Et vite il descendit et le reçut
avec joie. 7 Ce que voyant, tous murmuraient et **1** 14+
disaient : « Il est allé loger chez un homme **5** 30; **15** 2
pécheur! » 8 Mais Zachée, debout, dit au Seigneur :
« Voici, Seigneur, je vais donner la moitié de mes **12** 33+
biens aux pauvres, et si j'ai extorqué quelque chose
à quelqu'un, je lui rends le quadruple [c]. » 9 Et Jésus 2 S **12** 6
lui dit : « Aujourd'hui le salut est arrivé pour cette Mt **21** 31
maison, parce que lui aussi est un fils d'Abraham [d].
10 Car le Fils de l'homme est venu chercher et sauver ce qui était perdu. » **15** 6, 9, 24, 32

**Parabole des mines [e].** || Mt **25** 14-30

11 Comme les gens écoutaient cela, il dit encore
une parabole, parce qu'il était près de Jérusalem, **2** 38+
et qu'on pensait que le Royaume de Dieu allait
apparaître à l'instant même. 12 Il dit donc : « Un

*a)* Add. : « en retour ».
*b)* Luc affirme à maintes reprises que la Passion a été prédite par les Prophètes : Lc **24** 25, 27, 44; Ac **2** 23+; **3** 18, 24+; **8** 32-35; **13** 27; **26** 22s.
*c)* La loi juive, Ex **21** 37, ne prévoyait que pour un cas la restitution au quadruple; la loi romaine l'imposait pour tous les *furta manifesta.* Zachée étend pour lui cette obligation à tous les torts qu'il aurait pu causer.
*d)* Malgré la profession méprisée qu'il exerce. Aucun état n'est incompatible avec le « salut », cf. **3** 12-14. – C'est la qualité de « fils d'Abraham » qui conférait aux Juifs tous leurs privilèges, cf. **3** 8; Rm **4** 11s; Ga **3** 7s.
*e)* Malgré les divergences considérables qui séparent la parabole des mines de celle des talents, Mt **25** 14-30, la plupart des exégètes concluent à l'identité, chaque évangéliste ayant librement modifié et développé le thème initial. Il semble en outre qu'il faille distinguer dans Luc deux paraboles fondues en une seule, celle des mines, vv. 12-13, 15-26, et celle du prétendant à la royauté, vv. 12, 14, 17, 19, 27.

Mc 13 34 homme de haute naissance se rendit dans un pays
lointain pour recevoir la dignité royale et revenir
ensuite [a]. 13 Appelant dix de ses serviteurs, il leur
remit dix mines et leur dit : “ Faites-les valoir
jusqu'à ce que je vienne. ” 14 Mais ses concitoyens
le haïssaient et ils dépêchèrent à sa suite une
Ps 2 2s ambassade chargée de dire : “ Nous ne voulons pas
Jn 19 15, 21 que celui-là règne sur nous. ”
15 « Et il advint qu'une fois de retour, après avoir
reçu la dignité royale, il fit appeler ces serviteurs
auxquels il avait remis l'argent, pour savoir ce que
chacun lui avait fait produire. 16 Le premier se présenta et dit : “ Seigneur, ta mine a rapporté dix
mines. ” – 17 “ C'est bien, bon serviteur, lui dit-il;
puisque tu t'es montré fidèle en très peu de chose,
reçois autorité sur dix villes. ” 18 Le second vint et
dit : “ Ta mine, Seigneur, a produit cinq mines. ”
19 A celui-là encore il dit : “ Toi aussi, sois à la tête
de cinq villes. ”

20 « L'autre aussi vint et dit : “ Seigneur, voici ta
mine, que je gardais déposée dans un linge. 21 Car
j'avais peur de toi, qui es un homme sévère, qui
prends ce que tu n'as pas mis en dépôt et moissonnes ce que tu n'as pas semé. ” – 22 “ Je te juge, lui
dit-il, sur tes propres paroles, mauvais serviteur. Tu
savais que je suis un homme sévère, prenant ce que
je n'ai pas mis en dépôt et moissonnant ce que je
n'ai pas semé. 23 Pourquoi donc n'as-tu pas confié
mon argent à la banque? A mon retour, je l'aurais
retiré avec un intérêt. ” 24 Et il dit à ceux qui se
tenaient là : “ Enlevez-lui sa mine, et donnez-la à 20 16
celui qui a les dix mines. ” – 25 “ Seigneur, lui
dirent-ils, il a dix mines! ”... – 26 “ Je vous le dis :
à tout homme qui a l'on donnera; mais à qui n'a || Mt 13 12
pas on enlèvera même ce qu'il a. ” || Mc 4 25
= Lc 8 18
27 « “ Quant à mes ennemis, ceux qui n'ont pas
voulu que je règne sur eux, amenez-les ici, et égor- Ps 2 9
gez-les en ma présence. ” » Lc 20 16

# V. Ministère de Jésus à Jérusalem

|| Mt 21 1-11 **Entrée messianique à Jérusalem.**
|| Mc 11 1-11
|| Jn 12 12-16
Lc 9 51;
2 38+ 28 Ayant dit cela, il partait en tête, montant à
Jérusalem. 29 Et il advint qu'en approchant de
Bethphagé et de Béthanie, près du mont dit des Oliviers, il envoya deux des disciples, en disant :
30 « Allez au village qui est en face et, en y pénétrant, vous trouverez, à l'attache, un ânon que personne au monde n'a jamais monté; détachez-le et
amenez-le. 31 Et si quelqu'un vous demande :
“ Pourquoi le détachez-vous? ” vous direz ceci :
“ C'est que le Seigneur en a besoin ”. » 32 Étant
donc partis, les envoyés trouvèrent les choses
comme il leur avait dit. 33 Et tandis qu'ils détachaient l'ânon, ses maîtres leur dirent : « Pourquoi
détachez-vous cet ânon? » 34 Ils dirent : « C'est que
le Seigneur en a besoin. »
35 Ils l'amenèrent donc à Jésus et, jetant leurs
manteaux sur l'ânon, ils firent monter Jésus. 36 Et,
tandis qu'il avançait, les gens étendaient leurs manteaux sur le chemin. 37 Déjà il approchait de la des-
1 14+ cente du mont des Oliviers quand, dans sa joie,
2 20+ toute la multitude des disciples se mit à louer Dieu
4 15+ d'une voix forte pour tous les miracles qu'ils
Jn 12 18 avaient vus. 38 Ils disaient :

*« Béni soit celui qui vient,* Ps 118 26
le Roi, *au nom du Seigneur!*
Paix dans le ciel 2 14
et gloire au plus haut des cieux! »

**Jésus approuve les acclamations de ses disciples.**

39 Quelques Pharisiens de la foule lui dirent : Mt 21 14-16
« Maître, réprimande tes disciples. » 40 Mais il
répondit : « Je vous le dis, si eux se taisent, les Ha 2 11
pierres crieront. »

**Lamentation sur Jérusalem.**

41 Quand il fut proche, à la vue de la ville, il 13 34-35
pleura sur elle, 42 en disant : « Ah! si en ce jour tu
avais compris, toi aussi, le message de paix [b]! Mais
non, il est demeuré caché à tes yeux. 43 Oui, des
jours viendront sur toi, où tes ennemis t'environne-
ront de retranchements, t'investiront, te presseront
de toute part. 44 Ils t'écraseront sur le sol, toi et tes
enfants au milieu de toi, et ils ne laisseront pas en
toi pierre sur pierre, parce que tu n'as pas reconnu 12 54-56
le temps où tu fus visitée [c]! » 1 68

**Les vendeurs chassés du Temple.** || Mt 21
|| Mc 11
45 Puis, entré dans le Temple, il se mit à chasser || Jn 2 1

*a)* Allusion probable au voyage que fit Archélaüs à Rome en 4 av. J.-C., pour faire confirmer en sa faveur le testament d'Hérode le Grand. Des Juifs l'y avaient suivi pour faire échouer sa démarche, cf. v. 14.

*b)* Il s'agit de la paix messianique, cf. Is **11** 6+; Os **2** 20+.

*c)* Cet oracle entièrement tissé de réminiscences bibliques (sensibles surtout dans le texte grec, v. 43 : cf. Is **29** 3; **37** 33; Jr **52** 4-5; Ez **4** 1-3; **21** 27 (22); v. 44 : Os **10** 14; **14** 1; Na **3** 10; Ps **137** 9) évoque la ruine de Jérusalem en 587 av. J.-C. autant et plus que celle de 70 ap. J.-C., dont il ne décrit aucun des traits caractéristiques. On ne peut donc conclure de ce texte que celle-ci s'est déjà produite. Cf. **17** 22+; **21** 20+.

Is 56 7 les vendeurs, 46 en leur disant : « Il est écrit : *Ma
*maison sera une maison de prière.* Mais vous, vous
Jr 7 11 en avez fait *un repaire de brigands!* »

**Enseignement dans le Temple.**

21 37; 22 53 Jn 18 20 || Mc 11 18 Lc 11 53+ 47 Il était journellement à enseigner dans le Tem-
ple, et les grands prêtres et les scribes cherchaient
à le faire périr, les notables du peuple aussi. 48 Mais
ils ne trouvaient pas ce qu'ils pourraient faire, car
4 15+ tout le peuple l'écoutait, suspendu à ses lèvres.

|| Mt 21 23-27 || Mc 11 27-33 **Question des Juifs sur l'autorité de Jésus.**

**20** [a] 1 Et il advint, un jour qu'il enseignait le peuple
dans le Temple, et annonçait la Bonne Nou-
velle, que les grands prêtres et les scribes survinrent
avec les anciens, 2 et lui parlèrent en ces termes :
« Dis-nous par quelle autorité tu fais cela, ou quel
est celui qui t'a donné cette autorité? » 3 Il leur
répondit : « Moi aussi, je vais vous poser une question. Dites-moi donc : 4 le baptême de Jean était-il
du Ciel ou des hommes? » 5 Mais ils firent par-devers eux ce calcul : « Si nous disons : " Du Ciel ",
il dira : " Pourquoi n'avez-vous pas cru en lui? "
6 Et si nous disons : " Des hommes ", tout le peuple
nous lapidera, car il est persuadé que Jean est un
prophète. » 7 Et ils répondirent ne pas savoir d'où
il était. 8 Et Jésus leur dit : « Moi non plus, je ne
vous dis pas par quelle autorité je fais cela. »

|| Mt 21 33-46 || Mc 12 1-12 **Parabole des vignerons homicides.**

9 Il se mit alors à dire au peuple la parabole que
Is 5 1+ voici : « Un homme planta une vigne, puis il la loua
à des vignerons et partit en voyage pour un temps
assez long.
10 « Le moment venu, il envoya un serviteur aux
vignerons pour qu'ils lui donnent une part du fruit
de la vigne; mais les vignerons le renvoyèrent les
mains vides, après l'avoir battu. 11 Il recommença,
envoyant un autre serviteur; et celui-là aussi, ils le
battirent, le couvrirent d'outrages et le renvoyèrent
les mains vides. 12 Il recommença, envoyant un
troisième; et celui-là aussi, ils le blessèrent et le
jetèrent dehors. 13 Le maître de la vigne se dit
alors : " Que faire? Je vais envoyer mon fils bien-
aimé; peut-être respecteront-ils celui-là. " 14 Mais,
à sa vue, les vignerons faisaient entre eux ce raisonnement : " Celui-ci est l'héritier; tuons-le, pour que
l'héritage soit à nous. " 15 Et, le jetant hors de la
vigne, ils le tuèrent.
« Que leur fera donc le maître de la vigne? 16 Il
viendra, fera périr ces vignerons et donnera la
vigne à d'autres. » A ces mots, ils dirent : « A Dieu
ne plaise! » 17 Mais, fixant sur eux son regard, il
dit : « Que signifie donc ceci qui est écrit :
*La pierre qu'avaient rejetée les bâtisseurs,* Ps 118 22
*c'est elle qui est devenue pierre de faîte?*
18 Quiconque tombera sur cette pierre s'y fracassera, et celui sur qui elle tombera, elle l'écrasera. »
19 Les scribes et les grands prêtres cherchèrent à
porter les mains sur lui à cette heure même, mais 11 53+
ils eurent peur du peuple. Ils avaient bien compris,
en effet, que c'était pour eux qu'il avait dit cette
parabole.

**Le tribut dû à César.** || Mt 22 15-22 || Mc 12 13-17

20 Ils se mirent alors aux aguets et lui envoyèrent
des espions, qui jouèrent les justes pour le prendre
en défaut sur quelque parole, de manière à le livrer
à l'autorité et au pouvoir du gouverneur. 21 Ils
l'interrogèrent donc en disant : « Maître, nous
savons que tu parles et enseignes avec droiture et
que tu ne tiens pas compte des personnes, mais que
tu enseignes en toute vérité la voie de Dieu. 22 Nous
est-il permis ou non de payer le tribut à César? »
23 Mais, pénétrant leur astuce, il leur dit : 24 « Montrez-moi un denier. De qui porte-t-il l'effigie et l'inscription? » Ils dirent : « De César ». 25 Alors il leur
dit : « Eh bien! rendez à César ce qui est à César,
et à Dieu ce qui est à Dieu. »
26 Et ils ne purent le prendre en défaut sur quelque propos devant le peuple et, tout étonnés de sa
réponse, ils gardèrent le silence.

**La résurrection des morts.** || Mt 22 23-33 || Mc 12 18-27

27 S'approchant alors, quelques Sadducéens –
ceux qui nient qu'il y ait une résurrection – l'interrogèrent 28 en disant : « Maître, Moïse a écrit pour
nous : Si quelqu'un a un frère marié qui meurt sans Dt 25 5+
avoir d'enfant, que son frère prenne la femme et
suscite une postérité à son frère. 29 Il y avait donc
sept frères. Le premier, ayant pris femme, mourut
sans enfant. 30 Le second aussi, 31 puis le troisième
prirent la femme. Et les sept moururent de même,
sans laisser d'enfant après eux. 32 Finalement, la
femme aussi mourut. 33 Eh bien! cette femme, à la
résurrection, duquel d'entre eux va-t-elle devenir la
femme? Car les sept l'auront eue pour femme. »
34 Et Jésus leur dit : « Les fils de ce monde-ci [b]
prennent femme ou mari; 35 mais ceux qui auront
été jugés dignes d'avoir part à ce monde-là et à la
résurrection d'entre les morts [c] ne prennent ni Ph 3 11

*a)* De **20** 1 à **21** 5, Lc suit de très près Mc. Il omet l'action symbolique du figuier desséché, Mc **11** 12-14, 20-25, qu'il a remplacée par la parabole du figuier stérile, Lc **13** 6-9; il omet aussi la discussion sur le premier commandement, Mc **12** 28-34, qu'il a déjà prise d'une autre source, Lc **10** 25-28.

*b)* Sémitisme : ceux qui appartiennent à ce monde-ci.

*c)* Il n'est question ici que de la résurrection des justes.

femme ni mari; 36 aussi bien ne peuvent-ils[a] plus
mourir, car ils sont pareils aux anges, et ils sont
fils de Dieu, étant fils de la résurrection[b]. 37 Et que
les morts ressuscitent, Moïse aussi l'a donné à
entendre dans le passage du Buisson quand il
Ex **3** 6 appelle le Seigneur *le Dieu d'Abraham, le Dieu*
*d'Isaac et le Dieu de Jacob.* 38 Or il n'est pas un
Rm **6** 10-11 Dieu de morts, mais de vivants; tous en effet vivent
Ga **2** 19 pour lui. »
39 Prenant alors la parole, quelques scribes[c]
dirent : « Maître, tu as bien parlé. » 40 Car ils
|| Mt **22** 46 n'osaient plus l'interroger sur rien.
|| Mc **12** 34

|| Mt **22** 41-45 **Le Christ, fils et Seigneur de David.**
|| Mc **12** 35-37

41 Il leur dit : « Comment peut-on dire que le
Christ est fils de David? 42 C'est David lui-même
en effet qui dit, au livre des Psaumes :
Ps **110** 1 *Le Seigneur a dit à mon Seigneur :*
*Siège à ma droite,*
43 *jusqu'à ce que j'aie fait de tes ennemis*
*un escabeau pour tes pieds.*
44 David donc l'appelle Seigneur; comment alors
est-il son fils? »

|| Mt **23** 6-7 **Les scribes jugés par Jésus.**
|| Mc **12** 38-40

45 Comme tout le peuple écoutait, il dit aux disciples : 46 « Méfiez-vous des scribes qui se plaisent à
= Lc **11** 43 circuler en longues robes, qui aiment les salutations
sur les places publiques, et les premiers sièges dans
les synagogues et les premiers divans dans les festins, 47 qui dévorent les biens des veuves, et affectent de faire de longues prières. Ils subiront, ceux-
là, une condamnation plus sévère! »

|| Mc **12** 41-44 **L'obole de la veuve.**

**21** 1 Levant les yeux, il vit les riches qui mettaient
leurs offrandes dans le Trésor. 2 Il vit aussi
une veuve indigente qui y mettait deux piécettes,
3 et il dit : « Vraiment, je vous le dis, cette veuve
qui est pauvre a mis plus qu'eux tous. 4 Car tous
ceux-là ont mis de leur superflu dans les offrandes,
mais elle, de son dénuement, a mis tout ce qu'elle
avait pour vivre. »

|| Mt **24** 1-3 **Discours sur la ruine de Jérusalem[d].**
|| Mc **13** 1-4 **Introduction.**

5 Comme certains disaient du Temple qu'il était
orné de belles pierres et d'offrandes votives, il dit :
6 « De ce que vous contemplez, viendront des jours
où il ne restera pas pierre sur pierre : tout sera jeté
bas. » 7 Ils l'interrogèrent alors en disant : « Maître,
quand donc cela aura-t-il lieu, et quel sera le signe
que cela est sur le point d'arriver? »

**Les signes précurseurs.** || Mt **24** 4-14
|| Mc **13** 5-13

8 Il dit : « Prenez garde de vous laisser abuser,
car il en viendra beaucoup sous mon nom, qui
diront : " C'est moi! " et " Le temps est tout
proche ". N'allez pas à leur suite. 9 Lorsque vous
entendrez parler de guerres et de désordres, ne vous
effrayez pas; car il faut que cela arrive d'abord, Dn **2** 28
mais ce ne sera pas de sitôt la fin. » 10 Alors il leur
disait : « On se dressera nation contre nation et Is **19** 2
royaume contre royaume. 11 Il y aura de grands 2 Ch **15** 6
tremblements de terre et, par endroits, des pestes et
des famines; il y aura aussi des phénomènes terribles et, venant du ciel, de grands signes.
12 « Mais, avant tout cela, on portera les mains || Mt **10** 17-2
sur vous, on vous persécutera, on vous livrera aux Jn **15** 20; **16** 1-2
synagogues et aux prisons, on vous traduira devant
des rois et des gouverneurs à cause de mon Nom,
13 et cela aboutira pour vous au témoignage.
14 Mettez-vous donc bien dans l'esprit que vous **12** 11s
n'avez pas à préparer d'avance votre défense :
15 car moi[e] je vous donnerai un langage et une
sagesse, à quoi nul de vos adversaires ne pourra Ac **6** 10
résister ni contredire. 16 Vous serez livrés même par
vos père et mère, vos frères, vos proches et vos
amis; on fera mourir plusieurs d'entre vous, 17 et
vous serez haïs de tous à cause de mon nom.
18 Mais pas un cheveu de votre tête ne se perdra. **12** 7
19 C'est par votre constance que vous sauverez vos Mt **10** 30
vies! He **10** 36,

**L'investissement.** || Mt **24** 1,
|| Mc **13** 1

20 « Mais lorsque vous verrez Jérusalem investie
par des armées[f], alors comprenez que sa dévastation est toute proche. 21 Alors, que ceux qui seront
en Judée s'enfuient dans les montagnes, que ceux
qui seront à l'intérieur de la ville s'en éloignent, et
que ceux qui seront dans les campagnes n'y entrent
pas; 22 car ce seront des jours de vengeance, où Os **9** 7
devra s'accomplir tout ce qui a été écrit[g].
23 Malheur à celles qui seront enceintes et à celles
qui allaiteront en ces jours-là!

*a)* Var. : « ne doivent-ils ».
*b)* Sémitisme : ressuscités.
*c)* Les scribes, pour la plupart Pharisiens, croyaient à la résurrection des morts, cf. Ac **23** 6-9.
*d)* En **17** 22-37, Luc, suivant une de ses sources, avait traité du retour glorieux de Jésus à la fin des temps. Ici, comme Mc qu'il suit et combine avec une autre source, il traite de la ruine de Jérusalem, sans y mêler la fin du monde comme fait Mt, cf. Mt **24** 1+; Lc **19** 44+.
*e)* Lc attribue ici à Jésus l'initiative que Mt **10** 20; Mc **13** 11; Lc **12** 12 réservent à l'Esprit du Père (Mt) ou à l'Esprit Saint (Mc et Lc). Cf. Ac **6** 10; Jn **16** 13-15.
*f)* Comme en **19** 43-44, les expressions sont bibliques et n'ont rien d'une description faite après l'événement.
*g)* Peut-être allusion à Dn **9** 26s.

|| Mt 24 21 **La catastrophe et les temps des païens.**

|| Mc 13 19 « Car il y aura grande détresse sur la terre et
Rm 1 18+ colère contre ce peuple. 24 Ils tomberont sous le
Dt 28 64 tranchant du glaive et ils seront emmenés captifs
Ap 11 2 dans toutes les nations, et *Jérusalem* sera *foulée*
Dn 12 17 *aux pieds par des païens* jusqu'à ce que soient
accomplis les temps des païens [a].

|| Mt 24 **Les catastrophes cosmiques**
29-30 **et la Manifestation glorieuse du Fils de l'homme.**
|| Mc 13
24-26 25 « Et il y aura des signes dans le soleil, la lune
et les étoiles. Sur la terre, les nations seront dans
Ps 65 8s l'angoisse, inquiètes du fracas de la mer et des
flots; 26 des hommes défailleront de frayeur, dans
l'attente de ce qui menace le monde habité, car les
puissances des cieux seront ébranlées. 27 Et alors
Dn 7 13-14 on verra le Fils de l'homme venant dans une nuée
avec puissance et grande gloire. 28 Quand cela
commencera d'arriver, redressez-vous et relevez la
He 10 37 tête, parce que votre délivrance [b] est proche. »

Mt 24 32-35 **Parabole du figuier.**
Mc 13 28-31
29 Et il leur dit une parabole : « Voyez le figuier
et les autres arbres. 30 Dès qu'ils bourgeonnent,
vous comprenez de vous-mêmes, en les regardant,
que désormais l'été est proche. 31 Ainsi vous, lorsque vous verrez cela arriver, comprenez que le
Royaume de Dieu [c] est proche. 32 En vérité, je vous
le dis, cette génération ne passera pas que tout ne Mt 16 28
soit arrivé. 33 Le ciel et la terre passeront, mais mes Mc 9 1
paroles ne passeront point. Lc 9 27

**Veiller pour ne pas être surpris.**

34 « Tenez-vous sur vos gardes, de peur que vos
cœurs ne s'appesantissent dans la débauche, l'ivro- 17 26-30
gnerie, les soucis de la vie, et que ce Jour-là ne 8 14
fonde soudain sur vous 35 comme un filet; car il 1 Th 5 3
s'abattra [d] sur tous ceux qui habitent la surface de Qo 9 12
toute la terre. 36 Veillez donc et priez en tout temps, Is 24 17s
afin d'avoir la force d'échapper à tout ce qui doit Ep 6 18
arriver, et de vous tenir debout devant le Fils de Ap 6 17
l'homme. »

**Les dernières journées de Jésus.**

37 Pendant le jour, il était dans le Temple à ensei- 19 47+
gner; mais la nuit, il s'en allait la passer en plein Mt 21 17
air sur le mont dit des Oliviers. 38 Et, dès l'aurore, Mc 11 11, 19
tout le peuple venait à lui dans le Temple pour Jn 18 2
l'écouter [e].

# *VI. La passion* [f]

|| Mt 26 2-5 **Complot contre Jésus et trahison de Judas.**
|| Mc 14 1-2
Jn 11 47-53
22 1 La fête des Azymes, appelée la Pâque,
approchait. 2 Et les grands prêtres et les
11 53+ scribes cherchaient comment le tuer, car ils avaient
peur du peuple [g].
13; Jn 13 2, 3 Or Satan entra dans Judas, appelé Iscariote,
27; Ac 5 3 qui était du nombre des Douze. 4 Il s'en alla confé-
|| Mt 26 rer avec les grands prêtres et les chefs des gardes [h]
14-16 sur le moyen de le leur livrer. 5 Ils se réjouirent et
|| Mc 14 convinrent de lui donner de l'argent. 6 Il acquiesça,
10-11 et il cherchait une occasion favorable pour le leur
livrer à l'insu de la foule.

**Préparatifs du repas pascal.** || Mt 26 17-19
|| Mc 14 12-16

7 Vint le jour des Azymes, où devait être immolée la pâque, 8 et il envoya Pierre et Jean en disant : 8 51+
« Allez nous préparer la pâque, que nous la mangions. » 9 Ils lui dirent : « Où veux-tu que nous préparions? » 10 Il leur dit : « Voici qu'en entrant dans
la ville, vous rencontrerez un homme portant une
cruche d'eau. Suivez-le dans la maison où il pénétrera, 11 et vous direz au propriétaire de la maison :
" Le Maître te fait dire : Où est la salle où je pourrai manger la pâque avec mes disciples? " 12 Et
celui-ci vous montrera, à l'étage, une grande pièce

*a)* Voir les soixante-dix ans de Jr **25** 11; **29** 10; 2 Ch **36** 20-21; Dn **9** 1-2, repris dans la prophétie des soixante-dix semaines d'années de Dn **9** 24-27, chiffres symboliques et mystérieux du temps accordé par Dieu aux nations païennes pour châtier Israël coupable, après quoi celui-ci verra sa délivrance.

*b)* Ou : « rédemption », terme paulinien, cf. Rm **3** 24+.

*c)* Non dans son stade initial, déjà inauguré, **17** 21, mais dans son stade de développement et de conquête, qu'inaugurera la ruine de Jérusalem. Cf. **9** 27p.

*d)* Var. : « car il s'abattra comme un filet ».

*e)* Le contact littéraire avec Jn **8** 1-2 est évident. La péricope de la femme adultère, Jn **7** 53 - **8** 11, que tant de raisons invitent à attribuer à Luc, trouverait ici un excellent contexte.

*f)* Dans tout le récit de la Passion, Lc dépend beaucoup moins que précédemment de Mc. En revanche il a de nombreux points de contact avec Jn; sans doute disposent-ils d'une source commune.

*g)* Luc ne raconte pas l'onction de Béthanie; en **7** 36-50, il a déjà présenté un fait de même genre.

*h)* Officiers de la police du Temple. Tous étaient Juifs et se recrutaient parmi les Lévites. Cf. Ac **4** 1.

garnie de coussins; faites-y les préparatifs. » 13 S'en
étant donc allés, ils trouvèrent comme il leur avait
dit, et ils préparèrent la pâque.

**Le repas pascal.**

14 Lorsque l'heure fut venue, il se mit à table, et
les apôtres avec lui. 15 Et il leur dit[a] : « J'ai ardemment désiré manger cette pâque avec vous avant de
12 50+ souffrir; 16 car je vous le dis, jamais plus je ne la
Mt 8 11+ mangerai jusqu'à ce qu'elle s'accomplisse[b] dans le
Royaume de Dieu. »

17 Puis, ayant reçu une coupe[c], il rendit grâces
et dit : « Prenez ceci et partagez entre vous; 18 car,
|| Mt 26 29 je vous le dis, je ne boirai plus désormais du pro-
|| Mc 14 25 duit de la vigne jusqu'à ce que le Royaume de Dieu
soit venu. »

|| Mt 26 26-28 **Institution de l'Eucharistie[d].**
|| Mc 14 22-24
|| 1 Co 11 23-25

19 Puis, prenant du pain, il rendit grâces, le rompit et le leur donna, en disant : « Ceci est mon
corps, donné pour vous; faites cela en mémoire de
moi. » 20 Il fit de même pour la coupe après le
repas, disant : « Cette coupe est la nouvelle
Mt 26 28+ Alliance en mon sang, versé pour vous[e].

|| Mt 26 20-25 **Annonce de la trahison de Judas.**
|| Mc 14 17-21
Jn 13 21-30

21 « Cependant, voici que la main de celui qui me
livre est avec moi sur la table. 22 Le Fils de
Ac 2 23+ l'homme, certes, va son chemin selon ce qui a été
arrêté, mais malheur à cet homme-là par qui il est
livré! » 23 Et eux se mirent à se demander entre eux
quel était donc parmi eux celui qui allait faire cela.

**Qui est le plus grand[f]?**

= 9 46 24 Il s'éleva aussi entre eux une contestation :
lequel d'entre eux pouvait être tenu pour le plus
|| Mt 20 25-27 grand? 25 Il leur dit : « Les rois des nations domi-
|| Mc 10 42-45 nent sur elles, et ceux qui exercent le pouvoir sur
elles se font appeler Bienfaiteurs. 26 Mais pour vous,
il n'en va pas ainsi. Au contraire, que le plus grand
parmi vous se comporte comme le plus jeune, et
celui qui gouverne comme celui qui sert. 27 Quel est
en effet le plus grand, celui qui est à table ou celui
qui sert? N'est-ce pas celui qui est à table? Et moi,
je suis au milieu de vous comme celui qui sert! Jn 13 4-15

**Récompense promise aux apôtres.**

28 « Vous êtes, vous, ceux qui sont demeurés Jn 15 27;
constamment avec moi dans mes épreuves; 29 et 6 66-68
moi je dispose pour vous du Royaume, comme Ap 2 26-28
mon Père en a disposé pour moi : 30 vous mangerez Ap 3 20-21
et boirez à ma table en mon Royaume, et vous sié-
gerez sur des trônes pour juger les douze tribus || Mt 19 28
d'Israël.

**Annonce du retour et du reniement de Pierre.**

31 [g] « Simon, Simon, voici que Satan vous a Jb 1 6+
réclamés pour vous cribler comme le froment; Am 9 9
32 mais moi j'ai prié pour toi, afin que ta foi ne Mt 8 10+
défaille pas. Toi donc, quand tu seras revenu, affer- Mt 16 19+
mis tes frères[h]. » 33 Celui-ci lui dit : « Seigneur, je Jn 21 15-17
suis prêt à aller avec toi et en prison et à la mort. » Ac 21 13
34 Mais il dit : « Je te le dis, Pierre, le coq ne chan- 2 S 15 20-21
tera pas aujourd'hui que tu n'aies, par trois fois, nié || Mt 26 31-35
me connaître. » || Mc 14 27-31
|| Jn 13 36-38

**L'heure du combat décisif.**

35 Puis il leur dit : « Quand je vous ai envoyés 10 4
sans bourse, ni besace, ni sandales, avez-vous manqué de quelque chose? » – « De rien », dirent-ils.
36 Et il leur dit : « Mais maintenant, que celui qui
a une bourse la prenne, de même celui qui a une
besace, et que celui qui n'en a pas vende son manteau pour acheter un glaive[i]. 37 Car, je vous le dis, Mt 10 34
il faut que s'accomplisse en moi ceci qui est écrit : Lc 12 51
*Il a été compté parmi les scélérats*. Aussi bien, ce Is 53 12
qui me concerne touche à sa fin. » – 38 « Seigneur, Lc 23 32
dirent-ils, il y a justement ici deux glaives. » Il leur
répondit : « C'est bien assez[j]! »

*a)* Les paroles prononcées par Jésus à la Cène tiennent chez Lc une place plus importante que chez Mt et Mc; les entretiens de Jn **13** 31 – **17** seront encore plus développés. Luc semble avoir conçu ces discours à la lumière des assemblées eucharistiques primitives.

*b)* Elle *s'accomplira* d'une manière initiale par l'institution de l'Eucharistie, centre de la vie spirituelle du Royaume fondé par Jésus, d'une manière totale et sans voile à la fin des temps.

*c)* Luc a distingué la pâque et la coupe des vv. 15-18 du Pain et de la Coupe des vv. 19-20, pour mettre en parallèle le rite ancien de la Pâque juive et le rite nouveau de l'Eucharistie chrétienne. Ne comprenant pas cette construction théologique et s'étonnant de trouver deux coupes, des témoins anciens ont omis le v. 20 ou même la fin du v. 19 (à partir de « qui va être donné pour vous »).

*d)* On remarquera la parenté du texte de Luc avec celui de Paul.

*e)* On peut comprendre : « qui va être donné/versé » ou « qui doit être donné/versé ».

*f)* Luc transpose ici, sous une forme d'ailleurs assez différente, des paroles que Mt Mc placent après la demande des fils de Zébédée, Mt **20** 25-28; Mc **10** 42-45. Dans leur nouveau contexte, ces enseignements de Jésus éclairent les questions de préséance et de service des tables qui devaient se poser dans les assemblées liturgiques primitives, cf. Ac **6** 1; 1 Co **11** 17-19; Jc **2** 2-4.

*g)* Add. : « Et le Seigneur dit. »

*h)* Cette parole confère à Pierre, à l'égard des autres apôtres, un rôle de direction dans la foi. Sa primauté au sein même du collège apostolique y est plus clairement affirmée qu'en Mt **16** 17-19, où il pouvait passer simplement pour le porte-parole et le représentant des Douze. Voir aussi Jn **21** 15-17, où les « agneaux » ou « brebis » qu'il doit paître semblent bien inclure « ceux-ci », ses compagnons apostoliques qu'il dépasse en amour.

*i)* Une bourse pour acheter des vivres, un glaive pour s'en procurer par la force : expressions symboliques pour dépeindre l'hostilité universelle. Cf. **12** 51.

*j)* Les apôtres n'ont pas compris les paroles du Maître, entendant ses propos au sens matériel. Jésus coupe court.

|| Mt **26** 30, 36-46 **Au mont des Oliviers.**

|| Mc **14** 26, 32-42 39 Il sortit et se rendit, comme de coutume, au
mont des Oliviers, et les disciples aussi le suivirent.
Lc **21** 37 Jn **18** 2 40 Parvenu en ce lieu, il leur dit : « Priez, pour ne
pas entrer en tentation. »
41 Puis il s'éloigna d'eux d'environ un jet de
**3** 21+ pierre et, fléchissant les genoux [a], il priait en
Jn **12** 27-29 disant : 42 « Père, si tu veux, éloigne de moi cette
coupe! Cependant, que ce ne soit pas ma volonté,
mais la tienne qui se fasse! » 43 Alors lui apparut,
venant du ciel, un ange qui le réconfortait. 44 Entré
en agonie, il priait de façon plus instante, et sa
sueur devint comme de grosses gouttes de sang qui
tombaient à terre [b].
45 Se relevant de sa prière, il vint vers les disciples qu'il trouva endormis de tristesse, 46 et il leur
dit : « Qu'avez-vous à dormir? Relevez-vous et
priez, pour ne pas entrer en tentation. »

|| Mt **26** 47-56 **L'arrestation de Jésus.**

|| Mc **14** 43-52 47 Tandis qu'il parlait encore, voici une foule, et
|| Jn **18** 3-11 à sa tête marchait le nommé Judas, l'un des Douze,
Ac **1** 16 qui s'approcha de Jésus pour lui donner un baiser.
48 Mais Jésus lui dit : « Judas, c'est par un baiser
que tu livres le Fils de l'homme! » 49 Voyant ce qui
allait arriver, ses compagnons lui dirent : « Seigneur, faut-il frapper du glaive? » 50 Et l'un d'eux
frappa le serviteur du grand prêtre et lui enleva
l'oreille droite. 51 Mais Jésus prit la parole et dit :
« Restez-en là. » Et, lui touchant l'oreille, il le
guérit.
52 Puis Jésus dit à ceux qui s'étaient portés contre
lui, grands prêtres, chefs des gardes du Temple et
anciens : « Suis-je un brigand, que vous vous soyez
mis en campagne avec des glaives et des bâtons?
**19** 47; **21** 37 53 Alors que chaque jour j'étais avec vous dans le
Temple, vous n'avez pas porté les mains sur moi.
**4** 13+ Jn **8** 12+ Mais c'est votre heure et le pouvoir des Ténèbres. »

**Reniements de Pierre.** || Mt **26** 69-75 || Mc **14** 66-72

54 L'ayant donc saisi [c], ils l'emmenèrent et l'in- || Jn **18** 15-18, 25-27
troduisirent dans la maison du grand prêtre. Quant
à Pierre, il suivait de loin. 55 Comme ils avaient
allumé du feu au milieu de la cour et s'étaient assis
autour, Pierre s'assit au milieu d'eux. 56 Une servante le vit assis près de la flambée et, fixant les
yeux sur lui, elle dit : « Celui-là aussi était avec
lui! » 57 Mais lui nia en disant : « Femme, je ne le
connais pas. » 58 Peu après, un autre, l'ayant vu,
déclara : « Toi aussi, tu en es! » Mais Pierre
déclara : « Homme, je n'en suis pas. » 59 Environ
une heure plus tard, un autre soutenait avec insistance : « Sûrement, celui-là aussi était avec lui, et
d'ailleurs il est Galiléen! » Mais Pierre dit :
60 « Homme, je ne sais ce que tu dis. » Et à l'instant
même, comme il parlait encore, un coq chanta, 61 et
le Seigneur, se retournant, fixa son regard sur
Pierre. Et Pierre se ressouvint de la parole du Seigneur, qui lui avait dit : « Avant que le coq ait **22** 34
chanté aujourd'hui, tu m'auras renié trois fois. »
62 Et, sortant dehors, il pleura amèrement.

**Premiers outrages [d].** || Mt **26** 67-68 || Mc **14** 65

63 Les hommes qui le gardaient le bafouaient et
le battaient; 64 ils lui voilaient le visage et l'interrogeaient en disant : « Fais le prophète! Qui est-ce
qui t'a frappé? » 65 Et ils proféraient contre lui
beaucoup d'autres injures.

**Jésus devant le Sanhédrin [e].** || Mt **26** 57-66; **27** 2 || Mc **14** 53-64; **15** 1

66 Et quand il fit jour, le conseil des Anciens du
peuple [f] s'assembla, grands prêtres et scribes. Ils
l'amenèrent dans leur Sanhédrin [g] 67 et dirent : « Si
tu es le Christ, dis-le-nous. » Il leur dit : « Si je vous Jn **10** 24-25
le dis, vous ne croirez pas, 68 et si je vous interroge,
vous ne répondrez pas. 69 Mais désormais le Fils de
l'homme *siégera à la droite* [h] de la Puissance *de* Ps **110** 1

*a)* La prière se faisait normalement debout, cf. 1 R **8** 22; Mt **6** 5; Lc **18** 11, mais aussi à genoux quand elle devenait plus intense ou plus humble, cf. Ps **95** 6; Is **45** 23; Dn **6** 11; Ac **7** 60; **9** 40; **20** 36; **21** 5.

*b)* Bien qu'omis par quelques bons témoins, les vv. 43-44 sont à maintenir. Attestés dès le IIe siècle par de nombreux témoins, ils présentent le style et la manière de Luc. Leur omission s'explique par le souci d'éviter un abaissement de Jésus jugé trop humain.

*c)* Dans Mt, la troupe met la main sur Jésus dès que Judas l'a embrassé; suit l'épisode de l'oreille coupée; le discours de Jésus vient en dernier lieu. De même dans Mc. L'ordre de Lc, où l'arrestation suit le discours de Jésus, souligne la maîtrise de Jésus sur l'événement. Cf. en ce sens Jn **10** 18+; **18** 4-6.

*d)* Se plaçant durant l'attente de la nuit, avant la séance du Sanhédrin et non après elle comme chez Mt Mc, les outrages chez Lc sont le fait, non des sanhédrites, mais de la valetaille. De plus, à la différence encore de Mt **26** 68; Mc **14** 65 (voir les notes), Jésus a le visage voilé, si bien que les outrages deviennent chez Lc un jeu de devinette, bien connu dans le monde ancien et même en tous les temps.

*e)* Au lieu des deux comparutions de Mt et Mc, Lc n'en a qu'une, au matin et sans doute dans le bâtiment du « Tribunal », près du Temple. Cf. Mt **26** 57+.

*f)* « Anciens » ne désigne pas ici l'un des trois éléments du Sanhédrin (les anciens), mais le Sanhédrin tout entier, dont Lc indique les deux éléments les plus importants (grands prêtres et scribes).

*g)* Plutôt que les personnes qui composaient le Sanhédrin, ce terme doit désigner ici le local officiel de leurs réunions. Ce local se trouvait, au moins en partie, sur l'esplanade du Temple, dans sa région sud-ouest. Il n'ouvrait ses portes qu'au petit matin, comme le suppose le v. 66.

*h)* Lc évite le « vous verrez » de Mt et de Mc, ainsi que l'allusion à Dn. Peut-être a-t-il voulu éviter l'attente d'une Parousie prochaine, à laquelle pouvait prêter cette parole mal comprise.

Mt 4 3+ *Dieu*! » 70 Tous dirent alors : « Tu es donc le Fils
Jn 10 30-33 de Dieu [a]! » Il leur déclara : « Vous le dites : je le
suis. » 71 Et ils dirent : « Qu'avons-nous encore
besoin de témoignage? Car nous-mêmes l'avons
entendu de sa bouche [b]! »
Mt 27 1-2 **23** 1 Puis toute l'assemblée se leva, et ils l'amenè-
Jn 18 28 rent devant Pilate.

|| Mt 27 11-14 **Jésus devant Pilate [c].**
|| Mc 15 2-5
|| Jn 18 29-38a 2 Ils se mirent alors à l'accuser, en disant :
« Nous avons trouvé cet homme mettant le trouble
20 20-26 dans notre nation, empêchant de payer les impôts
à César et se disant Christ Roi. » 3 Pilate l'interrogea en disant : « Tu es le roi des Juifs? » – « Tu le
dis », lui répondit-il. 4 Pilate dit alors aux grands
prêtres et aux foules : « Je ne trouve en cet homme
aucun motif de condamnation. » 5 Mais eux
d'insister en disant : « Il soulève le peuple, ensei-
4 44+ gnant par toute la Judée, depuis la Galilée, où il
a commencé, jusqu'ici. » 6 A ces mots, Pilate
demanda si l'homme était Galiléen. 7 Et s'étant
assuré qu'il était de la juridiction d'Hérode, il le
renvoya à Hérode qui se trouvait, lui aussi, à Jérusalem en ces jours-là.

**Jésus devant Hérode [d]**

8 Hérode, en voyant Jésus, fut tout joyeux; car
9 9 depuis assez longtemps il désirait le voir, pour ce
qu'il entendait dire de lui; et il espérait lui voir faire
quelque miracle. 9 Il l'interrogea donc avec force
paroles, mais il ne lui répondit rien. 10 Cependant
les grands prêtres et les scribes se tenaient là,
l'accusant avec véhémence. 11 Après l'avoir, ainsi
que ses gardes, traité avec mépris et bafoué,
Hérode le revêtit d'un habit splendide [e] et le ren-
Ac 4 27+ voya à Pilate. 12 Et, ce même jour, Hérode et Pilate
devinrent deux amis, d'ennemis qu'ils étaient auparavant.

|| Mt 27 15-26 **Jésus à nouveau devant Pilate.**
|| Mc 15 6-15
|| Jn 18 38b- 13 Ayant convoqué les grands prêtres, les chefs
19 16 et le peuple, Pilate 14 leur dit : « Vous m'avez présenté cet homme comme détournant le peuple, et
voici que moi je l'ai interrogé devant vous, et je n'ai
trouvé en cet homme aucun motif de condamnation
pour ce dont vous l'accusez. 15 Hérode non plus
d'ailleurs, puisqu'il l'a renvoyé devant nous. Vous
le voyez; cet homme n'a rien fait qui mérite la
mort. 16 Je le relâcherai donc, après l'avoir châtié [f]. » [17] 18 Mais eux se mirent à pousser des cris Ac 21 35
tous ensemble : « A mort cet homme! Et relâche-
nous Barabbas. » 19 Ce dernier avait été jeté en prison pour une sédition survenue dans la ville et pour
meurtre.
20 De nouveau Pilate, qui voulait relâcher Jésus,
leur adressa la parole. 21 Mais eux répondaient en
criant : « Crucifie-le! crucifie-le! » 22 Pour la troisième fois [g], il leur dit : « Quel mal a donc fait cet
homme? Je n'ai trouvé en lui aucun motif de
condamnation à mort; je le relâcherai donc, après
l'avoir châtié [h]. » 23 Mais eux insistaient à grands
cris, demandant qu'il fût crucifié; et leurs clameurs
gagnaient en violence.
24 Et Pilate prononça qu'il fût fait droit à leur
demande. 25 Il relâcha celui qui avait été jeté en prison pour sédition et meurtre, celui qu'ils réclamaient. Quant à Jésus, il le livra à leur bon plaisir.

**Sur le chemin du Calvaire.** || Mt 27 31b
|| Mc 15 20b
26 Quand ils l'emmenèrent, ils mirent la main sur || Jn 19 17
un certain Simon de Cyrène qui revenait des
champs, et le chargèrent de la croix pour la porter 14 27
derrière Jésus. 27 Une grande masse du peuple le
suivait, ainsi que des femmes [i] qui se frappaient la
poitrine et se lamentaient sur lui. 28 Mais, se retournant vers elles, Jésus dit : « Filles de Jérusalem, ne
pleurez pas sur moi! pleurez plutôt sur vous-mêmes
et sur vos enfants! 29 Car voici venir des jours où
l'on dira : Heureuses les femmes stériles, les
entrailles qui n'ont pas enfanté, et les seins qui 11 27
n'ont pas nourri! 30 Alors on se mettra à *dire aux* Os 9 14
*montagnes : Tombez sur nous! et aux collines :* Os 10 8
*Couvrez-nous!* 31 Car si l'on traite ainsi le bois
vert, qu'adviendra-t-il du sec [j]? » 32 On emmenait Ez 21 3, 8
encore deux malfaiteurs pour être exécutés avec lui. Is 53 12
Lc 22 37

*a)* Lc distingue mieux que Mt Mc les deux titres de « Christ », v. 67, et « Fils de Dieu », v. 70; comparer Jn **10** 24-39.
*b)* Lc n'a ni faux témoignages (mais cf. Ac **6** 11-14), ni sentence de mort explicite. Il semble bien dépendre d'une autre source que Mc Mt.
*c)* Le récit de Lc, plus circonstancié, plus dramatique que Mc et Mt, prélude à la longue scène de Jn.
*d)* Propre à Luc, qui a pu s'informer auprès de Manaën, « ami d'enfance d'Hérode le tétrarque », Ac **13** 1. Une telle consultation d'une tierce personne par un magistrat romain n'a rien d'invraisemblable. La scène n'a pu être inventée à partir de Ps **2** 1-2, comme le prétendent certains critiques; ce texte est trop vague; c'est bien plutôt son application accommodatrice, en Ac **4** 27, qui exige un fait réel.
*e)* Costume de parade, comme en portaient les princes. Hérode entend se moquer des prétentions de Jésus à la royauté, v. 3.
*f)* Add. v. 17 : « Mais il devait, pour la fête, leur relâcher quelqu'un », qui semble être une glose explicative, cf. Mt **27** 15p.
*g)* Luc, comme Jn, insiste sur le « désir (de Pilate) de relâcher Jésus », et il mentionne par trois fois la déclaration d'innocence de Jésus faite par le procurateur, cf. Jn **18** 38; **19** 4, 6.
*h)* Cf. v. 16. Lc ne décrit pas ce châtiment, qui répond à la flagellation de Mt **27** 27-31p. A la différence de Mt et de Mc, il y voit, comme Jn, un châtiment préventif, antérieur à la sentence et ayant pour but de l'éviter.
*i)* Selon un usage mentionné par le Talmud, des femmes distinguées de Jérusalem préparaient des breuvages apaisants et les apportaient aux condamnés.
*j)* Si on brûle le *bois vert*, qui ne devrait pas être brûlé (allusion au supplice de Jésus), que ne fera-t-on pas du *bois sec* (les vrais coupables)?

|| Mt **27** 35-38 **Le crucifiement [a].**
|| Mc **15** 24-28 33 Lorsqu'ils furent arrivés au lieu appelé Crâne,
|| Jn **19** 17-24 ils l'y crucifièrent ainsi que les malfaiteurs, l'un à
droite et l'autre à gauche. 34 [b] Et Jésus disait :
Mt **18** 21s, 35 « Père, pardonne-leur : ils ne savent ce qu'ils
Ps **22** 19 font [c]. » Puis, se partageant ses vêtements, ils tirèrent au sort.

|| Mt **27** 39-43 **Jésus en croix raillé et outragé.**
|| Mc **15** 29-32a 35 Le peuple se tenait là, à regarder. Les chefs,
eux, se moquaient : « Il en a sauvé d'autres,
disaient-ils; qu'il se sauve lui-même, s'il est le
**2** 26+ Christ de Dieu, l'Élu! » 36 Les soldats aussi se gaus-
**9** 35+ sèrent de lui : s'approchant pour lui présenter du
vinaigre, 37 ils disaient : « Si tu es le roi des Juifs,
sauve-toi toi-même! » 38 Il y avait aussi une inscription au-dessus de lui :
« Celui-ci est le roi des Juifs. »

**Le « bon larron ».**
Mt **27** 44 39 L'un des malfaiteurs suspendus à la croix
Mc **15** 32b l'injuriait : « N'es-tu pas le Christ [d]? Sauve-toi toi-
même, et nous aussi. » 40 Mais l'autre, le reprenant,
déclara : « Tu n'as même pas crainte de Dieu, alors
que tu subis la même peine! 41 Pour nous, c'est justice, nous payons nos actes; mais lui n'a rien fait
de mal. » 42 Et il disait : « Jésus, souviens-toi de
moi, lorsque tu viendras avec ton royaume [e]. » 43 Et
il lui dit : « En vérité, je te le dis, aujourd'hui tu
seras avec moi dans le Paradis. »

Mt **27** 45-50 **La mort de Jésus.**
Mc **15** 33-37
Jn **19** 25-30 44 C'était déjà environ la sixième heure quand, le
soleil s'éclipsant, l'obscurité se fit sur la terre
entière, jusqu'à la neuvième heure [f]. 45 Le voile du
Sanctuaire se déchira par le milieu, 46 et, jetant un
grand cri, Jésus dit : « Père, *en tes mains je remets* Ps **31** 6
*mon esprit.* » Ayant dit cela, il expira.

**Après la mort de Jésus.** Mt **27** 51-56
|| Mc **15** 38-41
47 Voyant ce qui était arrivé, le centenier glo- || Jn **19** 31-37
rifiait Dieu, en disant : « Sûrement, cet homme était
un juste! » 48 Et toutes les foules qui s'étaient ras- Ac **3** 14+
semblées pour ce spectacle, voyant ce qui était
arrivé, s'en retournaient en se frappant la poitrine.
49 Tous ses amis se tenaient à distance, ainsi que
les femmes qui l'accompagnaient depuis la Galilée, **8** 2-3; **24** 10
et qui regardaient cela.

**L'ensevelissement.** || Mt **27** 57-61
|| Mc **15** 42-47
50 Et voici un homme nommé Joseph, membre du || Jn **19** 38-42
Conseil, homme droit et juste. 51 Celui-là n'avait
pas donné son assentiment au dessein ni à l'acte
des autres. Il était d'Arimathie, ville juive, et il
attendait le Royaume de Dieu. 52 Il alla trouver
Pilate et réclama le corps de Jésus. 53 Il le descendit, le roula dans un linceul et le mit dans une
tombe taillée dans le roc, où personne encore
n'avait été placé. 54 C'était le jour de la Préparation, et le sabbat commençait à poindre [g].
55 Cependant les femmes qui étaient venues avec
lui de Galilée avaient suivi Joseph; elles regardèrent le tombeau et comment son corps avait été
mis.
56 Puis elles s'en retournèrent et préparèrent aro- Mc **16** 1
mates et parfums. Et le sabbat, elles se tinrent en
repos, selon le précepte.

Mt **28** 10+

# *VII. Après la résurrection*

Mt **28** 1-8 **Le tombeau vide. Message de l'Ange.**
Mc **16** 1-8
|| Jn **20** 1-2 **24** 1 Le premier jour de la semaine, à la pointe de
l'aurore, elles allèrent à la tombe, portant les
aromates qu'elles avaient préparés. 2 Elles trouvèrent la pierre roulée de devant le tombeau, 3 mais,
étant entrées, elles ne trouvèrent pas le corps du
Seigneur Jésus. 4 Et il advint, comme elles en
demeuraient perplexes, que deux hommes se tinrent **9** 30+
devant elles, en habit éblouissant. 5 Et tandis que,

*a)* La comparaison avec Mc et Mt montre comment Luc a su faire passer sur le Calvaire une brise de douceur : sa foule, vv. 27, 35, 48, est plus curieuse qu'hostile et finalement repentante, v. 48; Jésus ne prononce pas les paroles d'apparent désespoir : « Mon Dieu, mon Dieu, pourquoi m'as-tu abandonné? »; il continue jusqu'au bout à exercer son ministère de pardon, vv. 34, 39-43; il expire en « remettant son esprit entre les mains » du « Père ».

*b)* Ce v. est à maintenir, malgré son omission par de bons témoins.

*c)* Ces mots de Jésus rappellent Is **53** 12. La même appréciation des causes de sa mort reviendra Ac **3** 17; **13** 27; 1 Co **2** 8. Le diacre Étienne priera dans le même esprit, Ac **7** 60, suivant l'exemple laissé par le Maître à tous ses disciples, 1 P **2** 23; cf. Mt **18** 21-22+.

*d)* Le mauvais larron interpelle Jésus comme « Christ », v. 39; le bon larron le reconnaît comme « Roi », v. 42 : ce sont les deux titres, religieux et politique, autour desquels a tourné tout le procès de Jésus, devant les Juifs d'abord, puis devant Pilate.

*e)* « Avec (c'est-à-dire en possession de) ton royaume ». – Var. : « quand tu viendras dans ton règne », c'est-à-dire pour l'inaugurer.

*f)* Prodiges cosmiques caractéristiques du « Jour de Yahvé », cf. Mt **27** 51+.

*g)* Ou, peut-être, « brillait ». Dans ce cas, il y aurait une allusion à la coutume juive d'allumer des lampes au commencement du sabbat (à la nuit tombante).

saisies d'effroi, elles tenaient leur visage incliné
vers le sol, ils leur dirent : « Pourquoi cherchez-
vous le Vivant parmi les morts? 6 Il n'est pas ici;
mais il est ressuscité. Rappelez-vous comment il
vous a parlé, quand il était encore en Galilée [a] : 7 Il
9 22+ faut, disait-il, que le Fils de l'homme soit livré aux
mains des pécheurs, qu'il soit crucifié, et qu'il ressuscite le troisième jour. » 8 Et elles se rappelèrent
ses paroles.

|| Mt **28** 10, 17 **Les apôtres refusent d'ajouter foi**
|| Mc **16** 10-11, 14 **aux dires des femmes.**
|| Jn **20** 18, 25, 29

9 A leur retour du tombeau, elles rapportèrent
tout cela aux Onze et à tous les autres. 10 C'étaient
8 2-3 Marie la Magdaléenne, Jeanne et Marie, mère de
Jacques. Les autres femmes qui étaient avec elles
le dirent aussi aux apôtres; 11 mais ces propos leur
Mt **8** 10+ semblèrent du radotage, et ils ne les crurent pas.

|| Jn **20** 3-10 **Pierre au tombeau.**

24 24 12 [b] Pierre cependant partit et courut au tombeau.
Mais, se penchant, il ne voit que les linges. Et il
s'en alla chez lui, tout surpris de ce qui était arrivé.

|| Mc **16** 12-13 **Les deux disciples d'Emmaüs.**

13 Et voici que, ce même jour, deux d'entre eux
faisaient route vers un village du nom d'Emmaüs,
distant de Jérusalem de soixante stades [c], 14 et ils
conversaient entre eux de tout ce qui était arrivé.
15 Et il advint, comme ils conversaient et discutaient ensemble, que Jésus en personne s'approcha,
et il faisait route avec eux; 16 mais leurs yeux
étaient empêchés de le reconnaître [d]. 17 Il leur dit :
« Quels sont donc ces propos que vous échangez en
marchant? » Et ils s'arrêtèrent, le visage sombre [e].
18 Prenant la parole, l'un d'eux, nommé Cléophas, lui dit : « Tu es bien le seul habitant de Jérusalem à ignorer ce qui y est arrivé ces jours-ci! »
– 19 « Quoi donc? » leur dit-il. Ils lui dirent : « Ce
Mt **2** 23+ qui concerne Jésus le Nazarénien [f], qui s'est montré
Mt **16** 14+ un prophète puissant en œuvres et en paroles
Ac **7** 22 devant Dieu et devant tout le peuple, 20 comment
nos grands prêtres et nos chefs l'ont livré pour être
condamné à mort et l'ont crucifié. 21 Nous espé-
rions, nous, que c'était lui qui allait délivrer Israël; **1** 54, 68;
mais avec tout cela, voilà le troisième jour depuis **2** 38
que ces choses sont arrivées! 22 Quelques femmes
qui sont des nôtres nous ont, il est vrai, stupéfiés.
S'étant rendues de grand matin au tombeau 23 et
n'ayant pas trouvé son corps, elles sont revenues **24** 9s
nous dire qu'elles ont même eu la vision d'anges
qui le disent vivant. 24 Quelques-uns des nôtres [g]
sont allés au tombeau et ont trouvé les choses tout
comme les femmes avaient dit; mais lui, ils ne l'ont
pas vu! »
25 Alors il leur dit : « O cœurs sans intelligence, Mc **4** 13+
lents à croire à tout ce qu'ont annoncé les Pro- Mt **8** 10+
phètes! 26 Ne fallait-il pas que le Christ endurât ces Ac **3** 24+
souffrances pour entrer dans sa gloire? » 27 Et, Lc **18** 31+
commençant par Moïse et parcourant tous les Pro- Lc **9** 22+
phètes, il leur interpréta dans toutes les Écritures 1 P **1** 11
ce qui le concernait. **16** 29, 31
28 Quand ils furent près du village où ils se rendaient, il fit semblant d'aller plus loin. 29 Mais ils
le pressèrent en disant : « Reste avec nous, car le
soir tombe et le jour déjà touche à son terme. » Il
entra donc pour rester avec eux. 30 Et il advint,
comme il était à table avec eux, qu'il prit le pain,
dit la bénédiction, puis le rompit et le leur donna.
31 Leurs yeux s'ouvrirent et ils le reconnurent... **24** 16+
mais il avait disparu de devant eux. 32 Et ils se
dirent l'un à l'autre : « Notre cœur n'était-il pas
tout brûlant au-dedans de nous, quand il nous parlait en chemin, quand il nous expliquait les Écritures? »
33 A cette heure même, ils partirent et s'en retournèrent à Jérusalem. Ils trouvèrent réunis les Onze
et leurs compagnons, 34 qui dirent : « C'est bien
vrai! le Seigneur est ressuscité et il est apparu à
Simon! » 35 Et eux de raconter ce qui s'était passé 1 Co **15** 5
en chemin, et comment ils l'avaient reconnu à la **24** 16+
fraction du pain [h].

**Jésus apparaît aux apôtres.** Jn **20** 19-2

36 Tandis qu'ils disaient cela, lui se tint au milieu
d'eux et leur dit : « Paix à vous! » 37 Saisis de
frayeur et de crainte, ils pensaient voir un esprit. **1** 12+;
38 Mais il leur dit : « Pourquoi tout ce trouble, et **24** 16+

*a)* Ne voulant pas parler d'apparitions en Galilée, Luc modifie Mc **16** 7, comme il avait omis Mc **14** 28.
*b)* Malgré son omission par quelques témoins, ce verset est à maintenir. De style lucanien en même temps que johannique, il représente une tradition commune au troisième et au quatrième évangile. Lc **24** 24 lui fait écho, et laisse entendre que Pierre ne fut pas seul dans cette course.
*c)* Var. moins appuyée : « cent soixante ». – L'identification de ce village est discutée.
*d)* Dans les apparitions racontées par Lc et Jn, les disciples ne reconnaissent pas le Seigneur au premier abord, mais seulement sur une parole ou sur un signe, Lc **24** 30s et 35, 37 et 39-43; Jn **20** 14 et 16, 20; **21** 4 et 6-7; comp. Mt **28** 17. C'est que, tout en restant identique à lui-même, le corps du Ressuscité se trouve dans un état nouveau qui modifie sa forme extérieure, Mc **16** 12, et l'affranchit des conditions sensibles de ce monde, Jn **20** 19. Sur l'état des corps glorieux, cf. 1 Co **15** 44+.
*e)* Var. : « De quoi vous entretenez-vous ainsi en cheminant, que vous ayez le visage sombre? »
*f)* Var. : « le Nazaréen ».
*g)* Ou bien pluriel de généralisation, v. 12, ou bien allusion à la visite faite ensemble par Pierre et Jean et contée par Jn **20** 3-10.
*h)* En employant ici le terme technique qu'il reprendra dans les Actes, Ac **2** 42+, Luc songe sans doute à l'Eucharistie.

pourquoi des doutes montent-ils en votre cœur?
[39] Voyez mes mains et mes pieds; c'est bien moi!
Palpez-moi et rendez-vous compte qu'un esprit n'a
ni chair ni os, comme vous voyez que j'en ai. »
[40] [a] Ayant dit cela, il leur montra ses mains et ses
**1** 14+ pieds [b]. [41] Et comme, dans leur joie, ils ne croyaient
Mt **8** 10+ pas encore et demeuraient saisis d'étonnement, il
Jn **21** 5 leur dit : « Avez-vous ici quelque chose à manger? » [42] Ils lui présentèrent un morceau de poisson
Jn **21** 9-10. 13 grillé. [43] Il le prit et le mangea devant eux.

**Dernières instructions aux apôtres.**

[44] Puis [c] il leur dit : « Telles sont bien les paroles
que je vous ai dites quand j'étais encore avec vous :
**9** 22+ il faut que s'accomplisse tout ce qui est écrit de moi
**24** 25-27 dans la Loi de Moïse, les Prophètes et les Psau-
Mc **4** 13+ mes. » [45] Alors il leur ouvrit l'esprit à l'intelligence
Ac **2** 23+ des Écritures, [46] et il leur dit : « Ainsi est-il écrit que
le Christ souffrirait et ressusciterait d'entre les
morts le troisième jour, [47] et qu'en son Nom le Ac **10** 40+
repentir en vue de la rémission des péchés serait Mt **3** 2+
proclamé à toutes les nations, à commencer par Mt **28** 19-20 Mc **16** 15-16
Jérusalem. [48] De cela vous êtes témoins. Lc **2** 38+

[49] « Et voici que moi, je vais envoyer sur vous ce || Ac **1** 8+ || Ac **1** 4
que mon Père a promis [d]. Vous donc, demeurez Ac **2** 33+
dans la ville jusqu'à ce que vous soyez revêtus de Ga **3** 14 Ep **1** 13
la force d'en-haut. »

**L'Ascension.** || Mc **16** 19 || Ac **1** 9. 12

[50] Puis il les emmena jusque vers Béthanie et,
levant les mains, il les bénit. [51] Et il advint, comme Lv **9** 22
il les bénissait, qu'il se sépara d'eux et fut emporté Si **50** 20 **9** 51+
au ciel [e]. [52] Pour eux, s'étant prosternés devant lui [f],
ils retournèrent à Jérusalem en grande joie, [53] et ils **1** 14+
étaient constamment dans le Temple à louer Dieu [g]. **2** 20+

*a)* Ce v. est à retenir malgré son om. par de bons témoins.
*b)* Luc, écrivant pour des Grecs, qui considéraient l'idée de résurrection comme une absurdité, insiste sur la réalité physique du corps de Jésus ressuscité, cf. v. 43.
*c)* Tout *semble* se passer le même jour, celui de la Résurrection. Ac **1** 1-8 suppose au contraire une période de quarante jours.
*d)* C'est-à-dire l'Esprit Saint, cf. Ac **1** 4s; **2** 33, 39; Ga **3** 14, 22; **4** 6; Ep **1** 13; **Jn 1** 33+.
*e)* Om. : « et fut emporté au ciel ». Cette omission veut éviter une Ascension au jour même de la Résurrection, qui paraît contredire celle de Ac **1** 3, 9, quarante jours plus tard.
*f)* Om. : « s'étant prosternés devant lui ».
*g)* L'évangile de Luc se termine au Temple où il a commencé, dans la joie et la louange divine.

# L'ÉVANGILE SELON SAINT JEAN

# L'ÉVANGILE SELON SAINT JEAN

## *Introduction à l'évangile et aux épîtres johanniques*

**L'évangile.**

*La première finale de l'évangile johannique,* **20** 31, *le définit et le situe littérairement. Comme la plus ancienne prédication de l'Église, c'est encore un « Évangile » : une proclamation de la messianité et de la filiation divine de Jésus, à partir des « signes », pour développer la foi au Christ, en vue d'obtenir la vie. Malgré les traits qui témoignent d'une composition plus tardive, le quatrième évangile s'apparente donc à la prédication ou « Kérygme » des tout premiers âges chrétiens, dont il reproduit la structure et les points essentiels : désignation de Jésus-Messie par la descente du Saint Esprit, selon le témoignage du Baptiste,* **1** 31-34; *manifestation de la « gloire » de Jésus par ses œuvres et ses paroles,* **1** 35 - **12** 50; *récit de la mort, de la résurrection et de quelques-unes des apparitions du Christ,* **13** 1 - **20** 20; *mission confiée aux apôtres avec le don de l'Esprit et le pouvoir de remettre les péchés,* **20** 21-29. *Bien mieux, il se présente avec la garantie d'un témoin anonyme, « le disciple que Jésus aimait », qui participa au drame de la Passion,* **13** 23; **19** 26, 35; *cf.* **18** 15*s, vit le tombeau vide,* **20** 2*s, et le Christ ressuscité,* **21** 7, 20-24, *et fut peut-être l'un des deux premiers à suivre Jésus comme disciple,* **1** 35*s; ce sont les conditions requises, d'après le livre des Actes,* **1** 8+, *pour que ce témoignage puisse s'appeler « apostolique ».*

*Cependant, l'œuvre johannique présente des traits qui lui sont propres et la distinguent nettement des évangiles synoptiques. Son auteur semble avoir assez fortement subi l'influence d'un courant de pensée largement répandu dans certains cercles du Judaïsme, et dont on a récemment retrouvé l'expression dans les documents esséniens de Qumrân. Une importance particulière y était donnée à la connaissance, conférant au vocabulaire une couleur annonçant celle de la gnose; un certain dualisme s'y exprimait au moyen des antinomies : lumière-ténèbres, vérité-mensonge, ange de lumière-ange de ténèbres (Béliar); spécialement à Qumrân, on insistait, dans une perspective eschatologique, sur la mystique de l'unité et sur la nécessité de l'amour fraternel. Tous ces thèmes se retrouvent dans l'évangile johannique et caractérisent bien le milieu judéo-chrétien dans lequel il a dû prendre naissance.*

*Mais il y a plus. Mieux que les synoptiques, le quatrième évangile veut mettre en lumière le sens de la vie, des gestes et des paroles de Jésus. Les événements de la vie de Jésus sont des « signes » dont le sens n'a pas apparu tout d'abord et ne fut compris qu'après la glorification du Christ,* **2** 22; **12** 16; **13** 7; *bien des paroles de Jésus revêtaient une signification spirituelle qui ne fut perçue que plus tard, cf.* **2** 19+; *il appartiendrait à l'Esprit Saint, parlant au nom du Ressuscité, rappelant et enseignant aux disciples ce que Jésus leur avait dit, de « mener à la vérité tout entière », cf.* **14** 26+. *C'est ce stade de révélation que reflète l'évangile johannique. D'autre part, beaucoup plus que les synoptiques, il porte une empreinte cultuelle et sacramentaire. C'est dans le cadre de la vie liturgique juive que se déroule la vie de Jésus; c'est en liaison avec les principales fêtes et souvent dans le Temple qu'il opère ses miracles, tient ses principaux discours; d'ailleurs Jésus lui-même enseigne qu'il est le centre d'une religion renouvelée, « en esprit et en vérité »,* **4** 24, *s'exprimant et s'actualisant par le moyen des sacrements. L'entretien avec Nicodème contient tous les éléments d'une catéchèse baptismale,* **3** 1-21, *et l'idée du baptême comme illumination,* **9** 1-39, *ou comme résurrection,* **5** 1-14; **7** 21-24, *semble présente aux récits de la guérison de l'aveugle-né et du paralytique. Toute une somme d'enseignements eucharistiques se trouve rassemblée au ch.* **6**. *Le mystère pascal chré-*

*tien, substitué à la Pâque ancienne, pénètre tout l'évangile,* **1** 29, 36*;* **2** 13*;* **6** 4*;* **19** 36. *Les rites juifs de purification,* **2** 6*;* **3** 25, *y font place à la purification des âmes par la Parole,* **15** 3, *et l'Esprit,* **20** 22*s. La vie de Jésus est donc conçue en référence au mystère chrétien, vécu dans le culte et dans les sacrements.*

*On le voit, le quatrième évangile est une œuvre complexe : apparenté à la forme la plus primitive de la prédication chrétienne, il est aussi le point d'aboutissement d'un effort, poursuivi sous la direction de l'Esprit Saint, en vue d'une intelligence plus profonde et plus lumineuse du mystère de Jésus.*

*Chaque évangéliste a son point de vue dominant sur Jésus et sur sa mission. Pour saint Jean, Jésus est le Verbe fait chair, venant donner la vie aux hommes,* **1** 14. *Le mystère de l'Incarnation commande toute sa pensée. Cette théologie de l'Incarnation s'exprime dans le langage de la mission et du témoignage. Jésus est la Parole (le Verbe) envoyée par Dieu sur la terre et qui doit faire retour à Dieu une fois sa mission accomplie, cf.* **1** 1+*; or cette mission consiste à annoncer aux hommes les mystères divins : Jésus est le témoin de ce qu'il a vu et entendu auprès du Père, cf.* **3** 11+. *Pour accréditer sa mission, Dieu lui a donné d'accomplir un certain nombre d'œuvres, de « signes », qui dépassent les possibilités humaines et prouvent qu'il a bien été envoyé par ce Dieu qui agit en lui, cf.* **2** 11+*; elles sont la manifestation encore discrète de sa gloire, en attendant la pleine manifestation au jour de la résurrection, cf.* **1** 14+. *Car, selon la prophétie d'Is* **52** 13 *(LXX), le Fils de l'homme doit être « élevé », et, par la Croix, retourner au Père, cf.* **12** 32+, *et retrouver cette gloire, présente à Dieu « avant que le monde fût »,* **17** 5+, 24, *dont les Prophètes avaient eu révélation, cf.* **5** 39, 46*;* **12** 41*;* **19** 37 *et les notes. Sa manifestation est la théophanie qui achève et éclipse toutes les précédentes, celle de la création,* **1** 1, *celles dont furent gratifiés Abraham,* **8** 56, *Jacob,* **1** 51, *Moïse,* **1** 17, *les prophètes. La gloire du « Jour de Yahvé », cf. Am* **5** 18+, *s'accomplit dans le « Jour » de Jésus,* **8** 56, *et singulièrement dans son « Heure »,* **2** 4+, *l'Heure de son « élévation » et de sa « glorification »; alors se révèle la transcendante grandeur de « l'envoyé », cf.* **8** 24+*;* **10** 30+, *venu dans le monde pour donner la vie, cf.* **3** 35+, *à ceux qui reçoivent, par la foi, le message de salut qu'il apporte, cf.* **3** 11+. *Et c'est précisément parce que toute cette « mission » du Fils est ordonnée à une œuvre de salut qu'elle est en définitive manifestation suprême de l'amour du Père pour le monde, cf.* **17** 6+.

*Dans les évangiles synoptiques, la manifestation de la gloire du Christ est avant tout liée à son retour eschatologique, cf. Mt* **16** 27*s; dans saint Jean, on retrouve aussi les principaux éléments de l'eschatologie traditionnelle : l'attente du « dernier jour »,* **6** 39*s;* **11** 24*;* **12** 48, *de la « venue » de Jésus,* **14** 3*;* **21** 22*s, de la résurrection des morts,* **5** 28*s;* **11** 24, *et du jugement final,* **5** 29, 45*;* **3** 36. *Toutefois, on remarque facilement une double tendance : à actualiser et à intérioriser l'eschatologie. La « venue » du Fils de l'homme est surtout conçue comme la venue de Jésus en ce monde par l'Incarnation, son élévation sur la croix et son retour vers les siens par l'Esprit Saint; le « Jugement » s'opère dès maintenant dans l'intime des cœurs; la vie éternelle (répondant johannique du « Royaume » des synoptiques) est possédée dès maintenant dans la foi. C'est que le drame qui s'est joué en Palestine est au centre même du drame eschatologique. Par-delà les Juifs qui repoussent Jésus, apparaît en effet une réalité plus vaste : le « monde », cf.* **1** 9-10+, *ou les « ténèbres », cf.* **8** 12+, *dominé par Satan, le « Prince de ce monde », cf.* 1 *Jn* **2** 13*s, qui agit contre Dieu et son Christ. Dans ce grand drame spirituel, tout homme est engagé; devant le Verbe fait chair s'accomplit le « jugement du monde »,* **12** 31-32, *sa condamnation et sa défaite,* **16** 7-11, 33. *Si le Christ donne sa vie de son plein gré, cf.* **10** 18+, *s'il est « élevé » sur la croix, c'est pour entrer en possession de sa gloire, cf.* **12** 32+, *qui se trouve dès lors manifestée aux yeux de tous pour la confusion du monde incrédule et la défaite définitive de Satan. Le triomphe de Dieu sur le mal, le salut du monde sont accomplis par la résurrection glorieuse, et le retour du Christ au dernier Jour ne sera qu'un achèvement.*

*Il est assez malaisé de découvrir le* plan *précis selon lequel saint Jean a voulu exposer ce mystère du Christ. Notons d'abord que l'ordre dans lequel l'évangile se présente offre un certain nombre de difficultés : succession difficile des ch.* **4, 5, 6, 7** 1-24*; anomalie des ch.* **15-17** *venant après l'adieu de* **14** 31*; situation hors de contexte de fragments tels que* **3** 31-36 *et* **12** 44-50. *Il est possible que ces anomalies proviennent de la façon dont l'évangile a été composé et édité : il serait en fait le résultat d'une lente élaboration, comportant des éléments d'époques différentes, des retouches, des additions, des rédactions diverses d'un même enseignement, le tout ayant été définitivement publié, non par Jean lui-même, mais, après sa mort, par ses disciples,* **21** 24*; ainsi, dans la trame primitive de l'évangile, ceux-ci auraient inséré des fragments johanniques qu'ils ne voulaient pas laisser perdre et dont la* *place n'était pas rigoureusement déterminée.*

*On a proposé de nombreuses manières de diviser l'évangile, qui toutes contiennent une part de vrai, mais pèchent souvent par excès de systématisation. Le mieux est de se laisser guider par les indications les plus nettes données par l'évangéliste lui-même. D'une part, il est clair qu'il insiste sur l'importance des fêtes liturgiques juives, comme jalons de son récit : trois Pâques,* **2** 13; **6** 4; **11** 55, *une fête non précisée,* **5** 1, *une fête des Tentes,* **7** 2, *une fête de la Dédicace,* **10** 22. *D'autre part, en plusieurs circonstances, il note soigneusement le comput des jours pour diviser la vie du Christ en périodes déterminées. Ainsi : la première semaine du ministère du Christ,* **1** 19 - **2** 11, *la semaine de la fête des Tentes,* **7** 2, 14, 37, *la semaine de la Passion,* **12** 1, 12; **19** 31, 42, *incluse entre l'ensevelissement symbolique,* **12** 7, *et sa réalisation,* **19** 38*s; on notera également le rappel de la première Pâque, en* **4** 45, *qui forme* inclusio *avec* **2** 13-25. *En tenant compte de ces deux faits, on pourrait proposer la division suivante :*

– *Prologue,* **1** 1-18 *: « Au commencement... ».*

– *Le ministère de Jésus :*

*1. L'annonce de la nouvelle économie,* **1** 19 - **4** 54 *: la semaine inaugurale; les événements qui gravitent autour de la première Pâque.*

*2. Deuxième fête, un jour de sabbat, à Jérusalem : première opposition à la révélation,* **5** 1-47.

*3. En Galilée, deuxième Pâque : nouvelle opposition à la révélation,* **6** 1-71.

*4. La fête des Tentes : la grande révélation messianique; le grand refus,* **7** 1 - **10** 21.

*5. La fête de la Dédicace : décision de tuer Jésus,* **10** 22 - **11** 54.

*6. Fin du ministère public de Jésus et préliminaires de la dernière Pâque,* **11** 55 - **12** 50.

– *L'Heure de Jésus. La Pâque de l'Agneau de Dieu* (**13** 1 - **20** 31)*:*

*1. Le dernier repas de Jésus avec ses disciples,* **13** 1 - **17** 26.

*2. La passion,* **18-19**.

*3. Les récits de la résurrection et la béatitude de la foi,* **20** 1-29.

*4. Première conclusion de l'évangile,* **20** 30*s.*

– *Épilogue* (**21** 1-25)*: l'annonce de la vie de l'Église et l'attente du retour de Jésus.*

*Une idée se dégage de ce plan : Jésus met fin aux institutions juives en les accomplissant.*

*Le quatrième évangile représente-t-il, par rapport aux trois premiers, une source indépendante et originale, ayant valeur propre d'information? Et, dans l'affirmative, quelle est sa valeur historique?*

*Sur le premier point, on pourrait proposer, avec réserves, les conclusions suivantes. Beaucoup d'indices révèlent chez Jean la connaissance de la tradition synoptique, en particulier certaines omissions qui seraient chez lui incompréhensibles s'il ne supposait pas les faits connus par ailleurs; et d'autre part, le souci de préciser ou de compléter à l'occasion la tradition synoptique. Toutefois, les travaux modernes mettent de plus en plus en évidence l'originalité et l'indépendance de la tradition johannique; même lorsqu'il raconte des épisodes connus des synoptiques, saint Jean reste si personnel qu'il faut exclure toute dépendance littéraire : l'auteur du quatrième évangile connaissait les faits par une autre voie, et il doit toujours être considéré comme une source autonome, un témoin original de la tradition primitive. En ce qui concerne les rapports entre Luc et Jean, beaucoup plus étroits, on pourrait même aller plus loin et admettre que Luc, en rédigeant son évangile, a connu et utilisé, sinon l'évangile johannique dans sa teneur actuelle, du moins des traditions johanniques (spécialement dans les récits de la Passion et de la Résurrection), très anciennement constituées. Inversement, il est possible que l'évangile de Jean, pour son ultime rédaction, ait subi l'influence de celui de Luc.*

*A mesure que les critiques en sont venus à reconnaître l'indépendance de la tradition johannique, ils en ont aussi reconnu l'importance historique. En ce qui concerne le déroulement de la vie de Jésus, sur bien des points Jean précise les données synoptiques; ainsi de la durée réelle du ministère de Jésus et de la chronologie de la Passion, plus exacte, semble-t-il, que celle des synoptiques. A propos de la purification du Temple, le quatrième évangile contient une des données chronologiques les plus précises des évangiles,* **2** 20, *et qui correspond à la donnée de Luc,* **3** 1. *La topographie johannique est également beaucoup plus riche que celle des synoptiques, et les fouilles modernes ont à plusieurs reprises confirmé les indications qu'il donnait (cf. la piscine à cinq portiques de* **5** 2*). Tout l'évangile est rempli de détails concrets, prouvant que son auteur était parfaitement au courant des coutumes religieuses juives, de même que de la mentalité rabbinique ou de la casuistique en usage chez les Docteurs de la Loi. Enfin, la personne même du Christ, malgré sa transcendance soulignée par l'évangéliste, demeure profondément humaine et vraie, touchante d'humilité et de simplicité même dans les scènes les plus « glorieuses » où le Ressuscité se manifeste aux disciples. Du reste, l'œuvre de Jean demeurerait incompréhensible si l'on voulait nier qu'il ait eu la conviction de la réalité historique des faits qu'il racontait.*

*Mais que l'on ne s'y trompe pas; la conception de l'histoire que suppose le quatrième évangile diffère profondément de l'idée que s'en fait l'historien moderne. Ce qui importe avant tout à l'évangéliste, c'est de mettre en lumière le sens d'une histoire, qui est divine autant qu'humaine, histoire mais aussi théologie, qui se déroule dans le temps mais plonge dans l'éternité; il veut raconter fidèlement et proposer à la foi des hommes l'événement spirituel qui s'est accompli dans le monde par la venue de Jésus Christ : l'Incarnation du Verbe pour le salut des hommes. Pour cela, l'évangéliste a fait un choix, et il a retenu spécialement les faits qui pouvaient présenter à ses yeux une valeur symbolique, leur donnant par là une profondeur et des résonances nouvelles. Les miracles racontés sont des « signes » qui révèlent la gloire du Christ et symbolisent les dons qu'il apporte au monde (purification nouvelle, pain vivant, lumière, vie). En dehors des miracles, l'auteur a le don de saisir la signification spirituelle des faits et d'y découvrir des mystères divins (cf.* **2** 19-21*;* **9** 7*;* **11** 51*s;* **13** 30*;* **19** 31-37 *et les notes); il voit les faits matériels, historiques, dans leur dimension spirituelle : Jésus est la lumière qui vient dans le monde, son combat est celui de la lumière contre les ténèbres; sa mort est le jugement du monde; toute sa vie est en définitive l'accomplissement des grandes figures messianiques de l'Ancien Testament : il est l'Agneau de Dieu,* **1** 29, *le temple nouveau,* **2** 21, *le serpent sauveur élevé dans le désert,* **3** 14, *le pain de vie qui remplace la manne,* **6** 35, *le bon Pasteur,* **10** 11, *le vrai cep,* **15** 1, *etc. Ce portrait, à la fois hiératique et plein de vérité humaine, donne à la figure historique du Christ toute sa dimension de Sauveur du monde. A propos de Jean, il ne faut donc pas opposer symbolisme et histoire : le symbolisme est celui des faits eux-mêmes, il jaillit de l'histoire, il s'y enracine, il en exprime le sens et n'a de valeur, pour le témoin privilégié du Verbe fait chair, qu'à cette condition.*

*Une dernière question reste à poser : quel est l'auteur de cet évangile si riche et si complexe? Presque unanimement, la tradition répond : Jean l'apôtre, le fils de Zébédée. Dès la première moitié du IIe siècle, nous voyons que le quatrième évangile est connu et utilisé par nombre d'auteurs : saint Ignace d'Antioche, l'auteur des Odes de Salomon, Papias, saint Justin, et même peut-être saint Clément de Rome – preuve qu'il possédait déjà une autorité apostolique. Le premier témoignage explicite est celui de saint Irénée, vers 180 : « Ensuite Jean, le disciple du Seigneur, le même qui reposa sur sa poitrine, a publié lui aussi l'évangile pendant son séjour à Éphèse. » Presque à la même époque, Clément d'Alexandrie, Tertullien, le canon de Muratori attribuent eux aussi formellement le quatrième évangile à Jean l'apôtre. Si, aux confins des IIe-IIIe siècles, on peut relever une opinion opposée, c'est celle de gens en réaction contre les « spirituels » montanistes qui utilisaient l'évangile de Jean à des fins tendancieuses. Mais cette opposition se réduit à peu de chose, et, fondée sur des raisons théologiques, elle n'a aucune racine dans la tradition.*

*Rien, dans l'évangile lui-même, ne vient d'ailleurs démentir cette tradition, bien au contraire. On l'a vu, l'évangile se présente sous la garantie d'un disciple aimé du Seigneur, témoin oculaire des faits qu'il raconte. Sa langue et son style dénotent une origine manifestement sémitique; on le voit parfaitement au courant des coutumes juives comme de la topographie palestinienne au temps du Christ. Il semble lié d'une amitié spéciale avec Pierre,* **13** 23*s;* **18** 15*;* **20** 3-10*;* **21** 20-23*; et Luc nous apprend que c'était effectivement le cas de Jean l'apôtre, Lc* **22** 8*; Ac* **3** 1-4, 11*;* **4** 13, 19*;* **8** 14. *Enfin comment expliquer le silence incompréhensible du quatrième évangile sur les deux fils de Zébédée, sinon justement parce qu'il aurait été écrit par l'un d'eux? Le « disciple que Jésus aimait... qui a écrit ces choses »,* **21** 24, *est bien celui que, avec Pierre et Jacques, Jésus tenait en particulière estime, Mc* **5** 37*;* **9** 2*;* **13** 3*;* **14** 33. *On a voulu objecter le fait que, d'après certains témoignages, Jean l'apôtre serait mort martyr à une date relativement ancienne, et donc qu'il n'aurait pu écrire l'évangile qui porte son nom. De fait, il est difficile de nier qu'il y ait eu effectivement une tradition ancienne en faveur de ce martyre, mais a-t-elle plus de garanties d'authenticité que la tradition faisant vivre saint Jean à Éphèse jusqu'à un âge avancé? Et si oui, on pourra noter qu'elle demeure muette sur la date de ce martyre. D'autre part, l'ensemble des traditions johanniques, on l'a vu, fut certainement constitué à une date fort ancienne, même si l'évangile ne fut définitivement rédigé et édité que plus tard, probablement par les disciples de Jean. Dès lors, la paternité johannique du quatrième évangile ne serait pas inconciliable avec l'hypothèse d'un martyre de l'Apôtre.*

**Les épîtres.**

*En plus de l'évangile, trois épîtres nous ont été conservées par la tradition sous le nom de Jean. Elles offrent avec l'évangile une telle parenté littéraire et doctrinale qu'il est difficile de ne pas les attribuer au même auteur, à Jean l'apôtre. La deuxième et la troisième épître, il est vrai, ont donné lieu à certaines hésitations dont on trouve l'écho chez Origène, Eusèbe de Césarée, Jérôme; pendant longtemps, elles ne furent pas reçues dans l'Église d'Antioche et les Églises syriennes. Mais, simples billets de circonstance sans importance doctrinale, on ne voit pas comment elles auraient réussi à s'imposer si elles n'avaient été réellement l'œuvre de saint Jean.*

*La troisième épître est vraisemblablement la première en date; elle tend à régler un conflit d'autorité qui avait surgi dans une des églises relevant de l'autorité de l'Apôtre. La deuxième épître met en garde une autre Église particulière contre la propagande de faux docteurs niant la réalité de l'Incarnation. Quant à la première épître, de beaucoup la plus importante, elle se présente plutôt comme une lettre encyclique destinée aux communautés d'Asie menacées par les déchirements des premières hérésies. Jean y a condensé l'essentiel de son expérience religieuse; partant de thèmes parallèles successifs (lumière,* **1** 5*s, justice,* **2** 29*s, amour,* **4** 7-8*s, vérité,* **5** 6*s), il veut montrer le lien intime qui existe nécessairement entre notre état d'enfants de Dieu et la rectitude de notre vie morale, considérée comme fidélité au double commandement de la foi en Jésus Christ, Fils de Dieu, et de l'amour fraternel (cf. notes en* **1** 3, 7*). Par son style et sa doctrine, cette lettre est celle qui se rapproche le plus de l'évangile; elle doit donc en être contemporaine, mais il est impossible de préciser si elle l'a suivi ou précédé.*

# L'ÉVANGILE SELON SAINT JEAN

## *Prologue*

Gn **1** 1-5 Jn **8** 24+ **1** [1] Au commencement était le Verbe [a]
1 Jn **1** 1-2 et le Verbe était avec Dieu
Jn **10** 30+ et le Verbe était Dieu.
[2] Il était au commencement avec Dieu.
Col **1** 15-20 [3] Tout fut par lui,
He **1** 1-3 et sans lui rien ne fut.
**3** 35+ [4] Ce qui fut en lui [b] était la vie [c],
**3** 11+ et la vie était la lumière des hommes.
**8** 12+ [5] et la lumière luit dans les ténèbres
1 Jn **2** 8 et les ténèbres ne l'ont pas saisie [d].

[6] Il y eut un homme envoyé de Dieu.
son nom était Jean [e].
**1** 19-34 [7] Il vint pour témoigner,
pour rendre témoignage à la lumière,
afin que tous crussent par lui.
[8] Celui-là n'était pas la lumière,
mais il avait à rendre témoignage à la lumière.
[9] Le Verbe était la lumière véritable, **3** 19: **8** 12+; **12** 46
qui éclaire tout homme;
il venait dans le monde [f].
[10] Il était dans le monde,
et le monde fut par lui,
et le monde ne l'a pas reconnu [g].
[11] Il est venu chez lui,
et les siens [h] ne l'ont pas accueilli.
[12] Mais à tous ceux qui l'ont accueilli, **3** 11+; **10** 35
il a donné pouvoir de devenir [i] enfants de Dieu, Jc **1** 18, 21 1 Jn **3** 2
à ceux qui croient en son nom [j], 1 Jn **5** 13
[13] lui qui ne fut engendré ni du sang,
ni d'un vouloir de chair,
ni d'un vouloir d'homme,
mais de Dieu [k]. 1 Jn **5** 18

*a)* L'A.T. connaissait le thème de la Parole de Dieu et celui de la Sagesse, existant avant le monde, en Dieu, cf. Pr **8** 22+; Sg **7** 22+; par qui tout fut créé; envoyée sur la terre pour y révéler les secrets de la volonté divine; faisant retour à Dieu, sa mission terminée : Is **55** 10-11; Pr **8** 22-36+; Si **24** 3-32; Sg **9** 9-12. Cf. aussi, sur le rôle créateur : Gn **1** 3, 6, etc.; Is **40** 8, 26; **44** 24-28; **48** 13; Ps **33** 6; Jdt **16** 14; Si **42** 15; sur la mission : Sg **18** 14-16+; Ps **107** 20; **147** 15-18. De même pour saint Jean, **13** 3; **16** 28, le Verbe était en Dieu, préexistant, **1** 1, 2; **8** 24+; **10** 30+; il est venu dans le monde, **1** 9-14; **3** 19; **9** 39; **12** 46, cf. Mc **1** 38+, envoyé par le Père, **3** 17, 34; **5** 36, 43; **6** 29; **7** 29; **8** 42; **9** 7; **10** 36; **11** 42; **17** 3, 25, cf. Lc **4** 43, pour y remplir une mission, **4** 34+, à savoir : transmettre au monde un message de salut, **3** 11+; **1** 33+; sa mission achevée, il retourne vers le Père, **1** 18; **7** 33; **8** 21; **12** 35; **13** 3; **16** 5; **17** 11, 13; **20** 17. Dans le NT il appartenait à Jean, grâce au fait de l'Incarnation, **1** 14+, de dégager pleinement la nature personnelle de cette Parole (Sagesse) subsistante et éternelle, mais cette personnification était déjà préparée par d'autres passages, tels que He **1** 1-2; Ap **19** 13; 1 Jn **1** 1-2.

*b)* On peut aussi rapporter ces mots à ce qui précède : « et sans lui rien ne fut de ce qui existe ».

*c)* Var. : « il est la vie ».

*d)* La Lumière (le Bien, le Verbe) échappe aux prises des Ténèbres (le Mal, les puissances de mal), cf. **7** 33s; **8** 12+; **8** 21; **12** 31, 32; **14** 30; 1 Jn **2** 8, 14; **4** 4; **5** 18. – D'autres traduisent : « et les ténèbres ne l'ont pas comprise ».

*e)* Parenthèse, vv. 6-8, sur la mission de Jean le Baptiste. De même **1** 15. Cf. Mt **3** 1p, etc.

*f)* Autres traductions possibles : « La lumière véritable, qui éclaire tout homme, venait dans le monde », ou : « Il (le Verbe) était la lumière véritable qui éclaire tout homme venant en ce monde. »

*g)* Le « monde » désigne tantôt l'univers ou la terre, tantôt le genre humain, tantôt l'ensemble des hommes qui se refusent à Dieu et poursuivent le Christ et ses disciples de leur haine, **7** 7; **15** 18, 19; **17** 14. En ce dernier sens, saint Jean rejoint l'opposition, courante dans le Judaïsme, entre « ce monde-ci », **8** 23 et *passim*, soumis au pouvoir de Satan, **12** 31; **14** 30; **16** 11; 1 Jn **5** 19, et au mal, et « le monde à venir », qu'il désigne peut-être sous le nom de « vie éternelle », **12** 25. Pour l'instant, les disciples doivent demeurer dans le monde, bien que n'étant pas du monde, **17** 11, 14s. Cf. le sens péjoratif de « terre » en Ap **6** 15; **13** 3, 8; **14** 3; **17** 2, 5, 8. Cf. aussi Rm **8** 16+.

*h)* Probablement le peuple juif.

*i)* Var. : « d'être appelés ».

*j)* « à ceux qui croient en son nom » omis par de nombreux Pères. Ceux qui croient au Fils de Dieu, **3** 15+, deviennent eux-mêmes enfants de Dieu, Mt **5** 9; **6** 9; etc.; Rm **8** 14; Ga **3** 26+; **4** 5+; Jc **1** 27+; 1 Jn **3** 1.

*k)* Allusion à la génération éternelle du Verbe, mais sans doute aussi à la naissance virginale de Jésus, cf. Mt **1** 16, 18-23 et Lc **1** 26-38. – « ni du sang... ni d'un vouloir d'homme »; la leçon originale est peut-être le texte court : « ni du sang ni de la chair ». – La var. « eux », qui n'a pas été adoptée ici, est la leçon courante.

14 Et le Verbe s'est fait chair [a]
Ex 25 8+ et il a habité parmi nous [b],
Dt 4 7+ et nous avons contemplé sa gloire [c],
1 Jn 1 1-3 gloire qu'il tient de son Père comme Fils unique,
Jn 17 5+; Is 40 5 plein de grâce et de vérité [d].
Ex 34 6+ Os 2 22 15 Jean lui rend témoignage et il clame :
= 1 30 « C'est de lui que j'ai dit :
celui qui vient derrière moi
le voilà passé devant moi,
parce qu'avant moi il était. »
16 Oui, de sa plénitude nous avons tous reçu, Col 2 9-10
et grâce pour grâce [e].
17 Car la Loi fut donnée par Moïse; 1 21+
la grâce et la vérité sont venues par Jésus Christ.
18 Nul n'a jamais vu Dieu; Ex 33 20+; Si 43 31
le Fils unique [f], Jn 6 46
qui est tourné vers le sein du Père, 1 Jn 4 12
lui, l'a fait connaître. Jn 3 11+; 17 6+ Col 1 15

# *Le ministère de Jésus*

## *1. L'ANNONCE DE LA NOUVELLE ÉCONOMIE*

### A. LA SEMAINE INAUGURALE

1 7-8, 15 **Le témoignage de Jean.**

19 Et voici quel fut le témoignage de Jean, quand
5 33 les Juifs [g] lui envoyèrent de Jérusalem des prêtres
et des lévites pour lui demander : « Qui es-tu? » 20 Il
Ac 13 25 confessa, il ne nia pas, il confessa : « Je ne suis pas
Lc 3 15 le Christ. » – 21 « Qu'es-tu donc? lui demandèrent-
Mt 17 10-13+ ils. Es-tu Élie [h]? » Il dit : « Je ne le suis pas. » –
Mt 16 14+ « Es-tu le prophète [i]? » Il répondit : « Non. » 22 Ils
lui dirent alors : « Qui es-tu, que nous donnions
réponse à ceux qui nous ont envoyés? Que dis-tu
de toi-même? » – 23 Il déclara : « Je suis

Is 40 3 *la voix de celui qui crie dans le désert :*
|| Mt 3 3+ *Rendez droit le chemin du Seigneur,*

comme a dit Isaïe, le prophète. » 24 On avait envoyé
des Pharisiens. 25 Ils lui demandèrent : « Pourquoi
donc baptises-tu, si tu n'es ni le Christ, ni Élie, ni
le prophète? » 26 Jean leur répondit : « Moi, je bap- Mt 3 6+
tise dans l'eau. Au milieu de vous se tient quel- 7 27+
qu'un que vous ne connaissez pas, 27 celui qui vient Mc 1 7p
derrière moi, dont je ne suis pas digne de dénouer
la courroie de sandale. » 28 Cela se passait à Béthanie au delà du Jourdain [j], où Jean baptisait. 10 40

29 Le lendemain, il voit Jésus venir vers lui et il
dit : « Voici l'agneau de Dieu [k], qui enlève le péché Ex 12 1+
du monde. 30 C'est de lui que j'ai dit : Is 53 7, 12 Jn 4 42+

Derrière moi vient un homme
qui est passé devant moi
parce qu'avant moi il était. 8 58; 1 1+

31 Et moi, je ne le connaissais pas; mais c'est
pour qu'il fût manifesté à Israël que je suis venu
baptisant dans l'eau. » 32 Et Jean rendit témoignage

*a)* La « chair » désigne l'homme dans sa condition de faiblesse et de mortalité, cf. **3** 6; **17** 2; Gn **6** 3; Ps **56** 5; Is **40** 6. – L'emploi de ce terme, voir Rm **7** 5+, souligne le réalisme de la venue du Fils dans l'humanité, que Jean ne cesse de mettre en valeur. Plus tard on parlera d'« incarnation ». Cf. 1 Jn **4** 2; 2 Jn 7; et chez Paul, Rm **1** 3; Ga **4** 4; Ph **2** 7; Col **1** 19.

*b)* A la présence invisible et redoutable de Dieu dans la Tente ou le Temple de l'ancienne alliance, Ex **25** 8+; cf. Nb **35** 34, à la présence spirituelle de la Sagesse en Israël par la Loi mosaïque, Si **24** 7-22; Ba **3** 36 - **4** 4, succède, par l'Incarnation du Verbe, la présence personnelle et sensible de Dieu parmi les hommes.

*c)* La Gloire était la manifestation de la présence de Dieu, Ex **24** 16+. Son éclat redoutable, que nul vivant ne pouvait voir, Ex **33** 20+, était voilé jadis par la nuée, il l'est maintenant par l'humanité du Verbe Incarné; elle transparait toutefois, soit à l'occasion de scènes comme la Transfiguration, cf. Lc **9** 32, 35 (allusion ici?), soit par des miracles, « signes » que Dieu demeure et agit dans le Christ, **2** 11+; **11** 40; cf. Ex **14** 24-27 et **15** 7; **16** 7s, en attendant la pleine manifestation de la résurrection, **17** 5+.

*d)* « Grâce et vérité », **1** 17, correspondent à « grâce (ou : amour) et fidélité » dans la définition que Dieu donne de lui-même à Moïse, Ex **34** 6+, cf. Os **2** 16-22.

*e)* C'est-à-dire « une grâce correspondant à la grâce (qui est dans le Fils unique) », ou : « une grâce (celle de la nouvelle alliance) à la place d'une (autre) grâce (celle de l'ancienne alliance) ». Autre traduction : « grâce sur grâce ».

*f)* Var. : « un Dieu Fils unique ». Jésus est le Fils unique, **1** 14, 18; **3** 16-18, aimé du Père, **15** 9; **17** 23, en intimité parfaitement réciproque avec lui, **10** 30-38+; **14** 10-11; **17** 21, dans la connaissance et l'amour, **5** 20, 30; **10** 15; **14** 31; cf. Mt **11** 27p.

*g)* Dans Jn, ce terme désigne souvent les autorités religieuses juives, hostiles à Jésus, cf. **2** 18; **5** 10; **7** 13; **9** 22; **18** 12; **19** 38; **20** 19, parfois aussi les Juifs en général.

*h)* Sur le retour attendu d'Élie, voir Ml **3** 22-23 et Mt **17** 10-13.

*i)* Sur la base de Dt **18** 15 (voir la note), les Juifs attendaient le Messie comme un nouveau Moïse (le Prophète par excellence, cf. Nb **12** 7+), qui renouvellerait au centuple les prodiges de l'Exode. Cf. Jn **3** 14; **6** 14, 30-31, 58; **7** 40, 52; **13** 1+; Ac **3** 22-23; **7** 20-44; He **3** 1-11. Voir aussi Mt **16** 14+.

*j)* Distincte de Béthanie près de Jérusalem, **11** 18.

*k)* Un des symboles majeurs de la christologie johannique, cf. Ap **5** 6, 12, etc. Il fond en une seule réalité l'image du « Serviteur » d'Is **53** qui porte le péché des hommes et s'offre en « agneau expiatoire » (Lv **14**) et le rite de l'agneau pascal (Ex **12** 1+; cf. Jn **19** 36), symbole de la rédemption d'Israël. Cf. Ac **8** 31-35; 1 Co **5** 7; 1 P **1** 18-20.

Is **11** 2; **61** 1 en disant : « J'ai vu l'Esprit descendre, tel une
Jn **3** 34 colombe[a] venant du ciel, et demeurer sur lui. 33 Et
Mt **3** 16p moi, je ne le connaissais pas, mais celui qui m'a
1 S **9** 17 envoyé baptiser dans l'eau, celui-là m'avait dit :
" Celui sur qui tu verras l'Esprit descendre et
Mt **3** 11+ demeurer, c'est lui qui baptise dans l'Esprit
Jn **3** 5 Saint[b]. " 34 Et moi, j'ai vu et je témoigne que celui-
Is **42** 1 ci est l'Élu de Dieu[c]. »
Lc **9** 35; **23** 35

Mt **4** 18-20p **Les premiers disciples.**

35 Le lendemain, Jean se tenait là, de nouveau,
avec deux de ses disciples. 36 Regardant Jésus qui
passait, il dit : « Voici l'agneau de Dieu. » 37 Les
deux disciples entendirent ses paroles et suivirent
Jésus. 38 Jésus se retourna et, voyant qu'ils le suivaient, leur dit : « Que cherchez-vous? » Ils lui
dirent : « Rabbi – ce qui veut dire Maître –, où
demeures-tu? » 39 Il leur dit : « Venez et voyez. » Ils
vinrent donc et virent où il demeurait, et ils demeurèrent auprès de lui ce jour-là. C'était environ la
dixième heure[d].

40 André, le frère de Simon-Pierre, était l'un des
deux qui avaient entendu les paroles de Jean et
suivi Jésus. 41 Il rencontre en premier lieu[e] son
frère Simon et lui dit : « Nous avons trouvé le Messie » – ce qui veut dire Christ. 42 Il l'amena à Jésus.
Mt **16** 18-19+ Jésus le regarda et dit : « Tu es Simon, le fils de
Mc **3** 16 Jean; tu t'appelleras Céphas » – ce qui veut dire
Pierre.

43 Le lendemain, Jésus résolut de partir pour
la Galilée; il rencontre Philippe et lui dit :
Mt **9** 9 « Suis-moi! » 44 Philippe était de Bethsaïde, la ville
Jn **12** 21 d'André et de Pierre.

45 Philippe rencontre Nathanaël[f] et lui dit :
39+; **1** 21+ « Celui dont Moïse a écrit dans la Loi, ainsi que
Ac **26** 22+ les prophètes, nous l'avons trouvé : Jésus, le fils de
Dt **18** 18+
Joseph, de Nazareth. » 46 Nathanaël lui dit : « De Mt **13** 54s
Nazareth, peut-il sortir quelque chose de bon? » Jn **7** 41, 42, 52
Philippe lui dit : « Viens et vois. » 47 Jésus vit
Nathanaël venir vers lui et il dit de lui[g] : « Voici
vraiment un Israélite sans détour. » 48 Nathanaël Rm **2** 29
lui dit : « D'où me connais-tu? » Jésus lui répondit :
« Avant que Philippe t'appelât, quand tu étais sous
le figuier, je t'ai vu[h]. » 49 Nathanaël reprit :
« Rabbi, tu es le Fils de Dieu[i], tu es le roi **6** 15; **12** 13
d'Israël. » 50 Jésus lui répondit : « Parce que je t'ai
dit : " Je t'ai vu sous le figuier ", tu crois! Tu verras
mieux encore. » 51 Et il lui dit : « En vérité, en
vérité, je vous le dis, vous verrez le ciel ouvert et Gn **28** 10-17
les anges de Dieu monter et descendre au-dessus du
Fils de l'homme[j]. » Mt **8** 20+

**Les noces de Cana.** **21** 2

2 1 Le troisième jour[k], il y eut des noces à Cana
de Galilée, et la mère de Jésus y était[l]. 2 Jésus
aussi fut invité à ces noces, ainsi que ses disciples.
3 Or il n'y avait plus de vin, car le vin des noces
était épuisé. La mère de Jésus lui dit : « Ils n'ont
pas de vin. » 4 Jésus lui dit : « Que me veux-tu[m],
femme[n]? Mon heure[o] n'est pas encore arrivée. »
5 Sa mère dit aux servants : « *Tout ce qu'il vous* Gn **41** 55
*dira, faites-le.* »
6 Or il y avait là six jarres de pierre, destinées
aux purifications des Juifs, et contenant chacune Mc **7** 3-4
deux ou trois mesures. 7 Jésus leur dit : « Remplissez d'eau ces jarres. » Ils les remplirent jusqu'au
bord. 8 Il leur dit : « Puisez maintenant et portez-en
au maître du repas. » Ils lui en portèrent. 9 Lorsque
le maître du repas eut goûté l'eau changée en vin
– et il ne savait pas d'où il venait, tandis que les
servants le savaient, eux qui avaient puisé l'eau –
le maître du repas appelle le marié 10 et lui dit :

*a)* Om. : « tel une colombe ».
*b)* Cette expression définit l'œuvre essentielle du Messie, cf. **1** 1+, annoncée dès l'AT, cf. Ac **2** 33+ : régénérer l'humanité dans l'Esprit Saint. Parce que l'Esprit repose sur lui, Is **11** 2; **42** 1, le Messie pourra le donner aux hommes (baptême dans l'Esprit, cf. ici et Ac **1** 5+), mais après sa résurrection seulement, **7** 39; **14** 26+; **16** 7, 8; **20** 22+; Lc **24** 49; Ac **2**. Ce n'est en effet qu'une fois « élevé » et passé au Père que Jésus « venu dans la chair », **1** 14+, sera pleinement investi dans son corps glorifié du pouvoir divin de vivifier : alors, de ce corps comme d'une source, l'Esprit se répandra sur le monde : **7** 37-39; **19** 34; cf. Rm **5** 5+; voir le symbolisme de l'eau, **4** 1+.
*c)* Var. : « le Fils de Dieu ».
*d)* Environ quatre heures du soir. Ce détail confère à tout ce récit le caractère d'un témoignage personnel.
*e)* Var. : « au lever du jour ».
*f)* Vraisemblablement le Barthélemy des Synoptiques, Mt **10** 3p. Cf. Jn **21** 2.
*g)* « de lui »; var. : « de Nathanaël » ou : « lui (dit) ».
*h)* La connaissance surnaturelle des hommes et des événements est une des caractéristiques du Christ johannique, cf. **2** 24s; **4** 17-19, 29; **6** 61, 64, 71; **13** 1, 11, 27, 28; **16** 19, 30; **18** 4; **21** 17.
*i)* Ici simple titre messianique, comme « roi d'Israël ». Cf. Mt **4** 3+.
*j)* Ce songe de Jacob, Gn **28** 10-17, se réalisera quand le Fils de l'homme sera « élevé », **3** 14+.
*k)* Trois jours après la rencontre avec Philippe et Nathanaël; l'évangile s'ouvre ainsi par une semaine complète comptée presque jour par jour, et aboutissant à la manifestation de la gloire de Jésus.
*l)* Marie est présente au premier miracle qui révèle la gloire de Jésus, et de nouveau à la croix, **19** 25-27. Par une intention manifeste, plusieurs traits se répondent dans les deux scènes.
*m)* Litt. « Quoi à moi et à toi? », sémitisme assez fréquent dans l'AT, Jg **11** 12; 2 S **16** 10; **19** 23; 1 R **17** 18, etc., et dans le NT, Mt **8** 29; Mc **1** 24; **5** 7; Lc **4** 34; **8** 28. On l'emploie pour repousser une intervention jugée inopportune ou même pour signifier à quelqu'un qu'on ne veut avoir aucun rapport avec lui. Le contexte seul permet de préciser la nuance exacte. Ici, Jésus objecte à sa mère le fait que « son heure n'est pas encore arrivée ».
*n)* Cette appellation, insolite d'un fils à sa mère, sera reprise en **19** 26, où sa signification s'éclaire comme un rappel de Gn **3** 15, 20 : Marie est la nouvelle Ève, « la mère des vivants ».
*o)* L'« heure » de Jésus est l'heure de sa glorification, de son retour à la droite du Père. L'évangile en marque l'approche, **7** 30; **8** 20; **12** 23, 27; **13** 1; **17** 1. Fixée par le Père, elle ne saurait être avancée. Le miracle obtenu par l'intervention de Marie en sera cependant l'annonce symbolique.

« Tout homme sert d'abord le bon vin et, quand les
Lc 5 37-39p gens sont ivres, le moins bon. Toi, tu as gardé le
Mt 26 29p bon vin jusqu'à présent! » 11 Tel fut le premier des
Jn 4 54 signes [a] de Jésus, il l'accomplit à Cana de Galilée
Ex 4 30-31 et il manifesta sa gloire et ses disciples crurent en
Jn 1 14+ lui. 12 Après quoi, il descendit à Capharnaüm, lui, Mt 4 13
ainsi que sa mère et ses frères et ses disciples, et Mt 12 46+;
ils n'y demeurèrent que peu de jours. Jn 20 27
Ac 1 15+

## B. LA PREMIÈRE PAQUE

|| Mt 21 12-13 **La purification du Temple.**
|| Mc 11 11, 15-17
|| Lc 19 45-46 13 La Pâque des Juifs était proche et Jésus monta
Ne 13 7s à Jérusalem. 14 Il trouva dans le Temple les vendeurs de bœufs, de brebis et de colombes et les
changeurs assis. 15 Se faisant un fouet de cordes, il
Ml 3 1-4 les chassa tous du Temple, et les brebis et les
bœufs; il répandit la monnaie des changeurs et renversa leurs tables, 16 et aux vendeurs de colombes
Za 14 21 il dit : « Enlevez cela d'ici. Ne faites pas de la maison de mon Père une maison de commerce. » 17 Ses
disciples se rappelèrent qu'il est écrit :
Ps 69 10 « *Le zèle pour ta maison me dévorera.* »
18 Alors les Juifs prirent la parole et lui dirent :
6 30; 4 48 « Quel signe nous montres-tu pour agir ainsi? »
Mt 26 61+ 19 Jésus leur répondit : « Détruisez ce sanctuaire et
en trois jours je le relèverai [b]. » 20 Les Juifs lui
Mt 12 6+, dirent alors : « Il a fallu quarante-six ans pour bâtir
38-40+ ce sanctuaire [c], et toi, en trois jours tu le relève-
1 14+ ras? » 21 Mais lui parlait du sanctuaire de son
corps [d]. 22 Aussi, quand il ressuscita d'entre les
14 26+ morts, ses disciples se rappelèrent qu'il avait dit
5 39+ cela, et ils crurent à l'Écriture et à la parole qu'il
avait dite.

**Séjour à Jérusalem.**

23 Comme il était à Jérusalem durant la fête de
la Pâque, beaucoup crurent en son nom, à la vue
des signes qu'il faisait. 24 Mais Jésus, lui, ne se fiait
1 48+ pas à eux, parce qu'il les connaissait tous 25 et qu'il
n'avait pas besoin d'un témoignage sur l'homme :
car lui-même connaissait ce qu'il y avait dans
l'homme.

**L'entretien avec Nicodème.**

3 1 Or il y avait parmi les Pharisiens un homme 7 48, 50-52;
du nom de Nicodème, un notable des Juifs. 2 Il 12 42-43; 19 39
vint de nuit trouver Jésus et lui dit : « Rabbi, nous
le savons, tu viens de la part de Dieu comme un
Maître : personne ne peut faire les signes que tu 2 11+
fais, si Dieu n'est pas avec lui. » 3 Jésus lui répondit :

« En vérité, en vérité, je te le dis,
à moins de naître d'en haut [e], 1 P 1 23; Jc 1
nul ne peut voir le Royaume de Dieu [f]. » Mt 18 3

4 Nicodème lui dit : « Comment un homme peut-
il naître, étant vieux? Peut-il une seconde fois 2 19+
entrer dans le sein de sa mère et naître? » 5 Jésus
répondit :

« En vérité, en vérité, je te le dis,
à moins de naître [g] d'eau et d'Esprit, 1 33+
nul ne peut entrer dans le Royaume de Dieu. Mt 3 5
6 Ce qui est né de la chair est chair, Gn 6 3
ce qui est né de l'Esprit est esprit. Jn 6 63
7 Ne t'étonne pas, si je t'ai dit : 1 Co 15 44-5
Il vous faut naître d'en haut.
8 Le vent [h] souffle où il veut
et tu entends sa voix,
mais tu ne sais pas d'où il vient ni où il va.
Ainsi en est-il de quiconque est né de l'Esprit. »

9 Nicodème lui répondit : « Comment cela peut-il
se faire? » 10 Jésus lui répondit : « Tu es Maître en
Israël, et ces choses-là, tu ne les saisis pas?

*a)* Tout prophète devait prouver l'authenticité de sa mission par des « signes », des prodiges accomplis au nom de Dieu, Is **7** 11, etc.; cf. Jn **3** 2; **6** 29, 30; **7** 3, 31; **9** 16, 33; on attendait spécialement du Messie qu'il renouvelât les prodiges de Moïse, **1** 21+. Jésus accomplit donc des « signes » pour inciter les hommes à croire en sa mission divine, **2** 11, 23; **4** 48-54; **11** 15, 42; **12** 37; cf. **3** 11+, car ces « œuvres » témoignent que Dieu l'a envoyé, **5** 36; **10** 25, 37, que le Père est en lui, **10** 30+, avec la puissance de sa gloire, **1** 14+; le Père accomplit lui-même ces œuvres, **10** 38; **14** 10. Beaucoup cependant refusent de croire, **3** 12; **5** 38-47; **6** 36, 64; **7** 5; **8** 45; **10** 25; **12** 37. Leur péché demeure, **9** 41; **15** 24. Cf. Mt **8** 3+.

*b)* Le Christ johannique aime à se servir de mots qui, outre leur sens naturel (seul compris des interlocuteurs), sont susceptibles d'en revêtir un autre, surnaturel ou figuré; cf. **2** 21+ (Temple); **3** 4+ (renaissance); **4** 15+ (eau vive); **6** 34+ (pain vivant); **7** 35+ (partir); **8** 33+ (servitude); **11** 11s (réveiller); **12** 34+ (élever); **13** 9+ (laver); **13** 36s (partir); **14** 22+ (se manifester). D'où une méprise, qui donne au Christ l'occasion de développer son enseignement, cf. **3** 11+.

*c)* La reconstruction du Temple avait été entreprise en 19 avant notre ère. Ce qui situe la scène à la Pâque de l'an 28.

*d)* Le corps du Christ ressuscité sera le centre du culte en esprit et vérité, **4** 21s, le lieu de la présence divine, **1** 14, le temple spirituel d'où jaillit la source d'eau vive, **7** 37-39; **19** 34. C'est là un des grands symboles johanniques. Cf. Ap **21** 22. Comp. saint Paul, 1 Co **12** 12+.

*e)* Plutôt que : « à nouveau ».

*f)* Seul exemple en Jn, avec le v. 5, de cette expression fréquente dans les Synoptiques, Mt **4** 17+. Au Royaume correspond chez Jn la « vie » ou la « vie éternelle ».

*g)* Allusion au baptême et à sa nécessité absolue, cf. Rm **6** 4+.

*h)* En grec comme en hébreu, le même mot désigne le vent et l'Esprit.

11 En vérité, en vérité, je te le dis,
3 32 nous parlons de ce que nous savons [a]
et nous attestons ce que nous avons vu;
mais vous n'accueillez pas notre témoignage [b].
6 60-62 12 Si vous ne croyez pas
Sg 9 16-17 quand je vous dis les choses de la terre
Ph 3 19s comment croirez-vous
quand je vous dirai les choses du ciel [c]?
20 17+ Pr 30 4 13 Nul n'est monté au ciel [d],
Rm 10 6 hormis celui qui est descendu du ciel,
Ep 4 8-9 le Fils de l'homme.
Jn 1 18 Nb 21 4-9 14 Comme Moïse éleva le serpent dans le désert,
Sg 16 5-7 ainsi faut-il que soit élevé le Fils de l'homme [e],
Jn 1 21+; 12 32+ 15 afin que quiconque croit
ait par lui la vie éternelle [f].
16 Car Dieu a tant aimé le monde
Gn 22 qu'il a donné son Fils unique,
Rm 8 32 afin que quiconque croit en lui ne se perde pas,
Mt 21 37p 1 Jn 4 9 mais ait la vie éternelle.
1 1+ 17 Car Dieu n'a pas envoyé son Fils dans le monde
pour juger le monde,
2 Co 5 19 mais pour que le monde soit sauvé par lui.
Jn 4 42+; 12 47 18 Qui croit en lui n'est pas jugé;
Ac 4 12 qui ne croit pas est déjà jugé,
parce qu'il n'a pas cru
au Nom [g] du Fils unique de Dieu.
19 Et tel est le jugement :
la lumière est venue dans le monde 8 12+
et les hommes ont mieux aimé
les ténèbres que la lumière,
car leurs œuvres étaient mauvaises.
20 Quiconque, en effet, commet le mal Jb 24 13-17
hait la lumière et ne vient pas à la lumière,
de peur que ses œuvres ne soient démontrées Ep 5 13
coupables,
21 mais celui qui fait la vérité [h]
vient à la lumière,
afin que soit manifesté Mt 5 14-16
que ses œuvres sont faites en Dieu. »

**Ministère de Jésus en Judée.**
**Ultime témoignage de Jean.**

22 Après cela, Jésus vint avec ses disciples au
pays de Judée et il y séjourna avec eux, et il bapti- 4 1-2
sait [i]. 23 Jean aussi baptisait, à Aenon [j], près de
Salim, car les eaux y abondaient, et les gens se présentaient et se faisaient baptiser. 24 Jean, en effet, Mt 3 6+
n'avait pas encore été jeté en prison. Lc 3 20
25 Il s'éleva alors une discussion entre les disciples de Jean et un Juif à propos de purification [k] :
26 ils vinrent trouver Jean et lui dirent : « Rabbi,
celui qui était avec toi de l'autre côté du Jourdain,
celui à qui tu as rendu témoignage, le voilà qui baptise et tous viennent à lui! » 27 Jean répondit :

*a)* Le Christ ne parle pas de son propre chef, **7** 17-18, il dit ce qu'il a vu auprès du Père, **1** 18; **3** 11; **8** 38; cf. **8** 24+, il transmet les paroles et l'enseignement du Père, **3** 34; **8** 28; **12** 49, 50; **14** 24; **17** 8, 14, il *est* la Parole, **1** 1, 14. Parole efficace : par elle tout fut tiré du néant, **1** 1+, les morts sortent vivants du tombeau, **11** 43, 44; **5** 28-29, les hommes sont vivifiés, **5** 24; **6** 63; **8** 51, purifiés, **15** 3; l'homme devient enfant de Dieu, **10** 35; **1** 12, par le don de l'Esprit, principe d'immortalité, **1** 33+; **20** 22. Une seule condition pour l'homme : croire en la Parole, **1** 12, demeurer en elle, **8** 31; **15** 7(cf. Col. **3** 16), la garder, **8** 37; **8** 55; **12** 47; **14** 23; **15** 20; **17** 6, suivre son commandement d'amour, **13** 34+. Mais la Parole est mystérieuse, **2** 20+, dure à entendre, **6** 60; **7** 36; en l'entendant, les hommes sont divisés, **7** 43; **10** 19 : les uns croient, **4** 41; **7** 40s, 46; **8** 30, les autres se retirent, déçus, **6** 66, malgré les « signes », **2** 11+; cette Parole qu'ils ont rejetée les condamnera au dernier jour, **12** 48.

*b)* Le recours constant au témoignage donne à l'évangile de Jean le mouvement d'un immense procès. Annoncé par le témoignage de Jean le Baptiste, **1** 7-8, 15, 19; **3** 26; **5** 33, **10** 41, Jésus rend témoignage à la vérité, **18** 37, contre le monde, **7** 7, au Père et à lui-même comme envoyé du Père, **3** 11, 31-32; **5** 36; **10** 25; cf. Ap **1** 5; **3** 14; 1 Tm **6** 13. Le Père à son tour témoigne en faveur du Fils, **5** 31-37; **8** 18, et également l'Esprit, **15** 26; cf. **14** 26; 1 Jn **5** 6-12; Rm **8** 16. A ce faisceau de témoignages les apôtres, cf. **17** 20, joindront le leur, **15** 27; **19** 35; Ac **1** 8+, etc.

*c)* La foi, cf. Mt **8** 10+; Rm **1** 16+, consiste chez Jean à « recevoir » Jésus, **1** 12; **5** 43, à le « connaître », et le Père avec lui, **10** 38; **14** 7, à reconnaître en lui l'envoyé et le Fils, **3** 16-18; **14** 1, 10; **17** 8, 21-25; **20** 31, à venir à lui, **6** 35, à le « voir », **6** 36, 40; **11** 40; **20** 8, 29. Provoquée par des signes, **2** 11+; **4** 53; etc.; **20** 31, et appuyée sur des témoignages, **3** 11+; **10** 25; etc., elle introduit à la vie éternelle, **3** 15+; **5** 25; **10** 26-28+. Elle s'exerce dans l'amour qui garde la parole et les commandements. C'est d'après cette attitude fondamentale envers lui que Jésus juge les hommes, **3** 17-18, 36; **5** 29, 44-47.

*d)* Allusion à l'Ascension, qui manifestera l'origine céleste de Jésus et l'intronisera dans la gloire du Fils de l'homme.

*e)* Le Fils de l'homme, cf. Dn **7** 13+; Mt **8** 20+; **12** 32; **24** 30, doit être « élevé », à la fois dressé sur la croix et réintroduit dans la gloire du Père, **1** 51; **8** 28; **12** 32-34+; **13** 31-32. Pour être sauvé, il faudra « regarder » le Christ « élevé » sur la croix, Nb **21** 8; Za **12** 10+; Jn **19** 37+, c'est-à-dire croire qu'il est le Fils unique, **3** 18; Za **12** 10. On sera alors purifié par l'eau de son côté transpercé, Jn **19** 34; Za **13** 1. Le titre, chez Jn, dénote une insistance sur l'humanité de Jésus, bien que son origine divine, fortement marquée, **3** 13; **6** 62, motive les actes où il anticipe sur les prérogatives eschatologiques, **5** 26-29; **6** 27, 53; **9** 35.

*f)* Var. : « afin que quiconque croit en lui ait la vie éternelle ». – Dieu, maître absolu de la vie, Gn **9** 4-5; Dt **32** 39; Ps **36** 10, a transmis sa maîtrise au Fils, **5** 21; **10** 18+; **17** 2. Le Fils est lui-même la vie, **11** 25; **14** 6. Il a la vie en lui et la donne, **5** 26, à ceux qui croient en lui, **1** 4, 12; **4** 14; **5** 24; **6** 35; **20** 31. Cette vie est symbolisée par l'eau, **4** 1+, et nourrie par la parole, **6** 35+. Elle est souvent qualifiée d'éternelle, mot qui dénote une qualité proprement divine par laquelle la vie est au-delà de ce qui est corporel et du temps, de la durée mesurable, cf. Gn **21** 33; Is **40** 28; Ps **90** 2; Sg **5** 15-16; etc. Elle est promise aux croyants, cf. 2 Co **4** 18, mais elle leur est déjà donnée, **3** 36; **5** 24; **6** 40, 68; 1 Jn **2** 25; elle s'achèvera dans la résurrection, **6** 39-40, 54; **11** 25-26. Cf. aussi Mt **7** 14; **18** 8; **19** 16.

*g)* Sémitisme : le nom représente la personne.

*h)* « fait la vérité » : trad. littérale, cf. 1 Jn **3** 19+.

*i)* Baptême analogue encore à celui que donnait Jean-Baptiste; le baptême « dans l'Esprit » ne sera donné qu'après la résurrection-glorification du Christ, cf. **1** 33+.

*j)* Aenon (« les Sources ») se trouverait, suivant une tradition, dans la vallée du Jourdain à quelques km au sud de Scythopolis. On pense aussi à Aïn Farah.

*k)* Probablement à propos du baptême. – « Un Juif »; var. : « des Juifs ». Texte peut-être altéré. Peut-être lisait-on : « Jésus » ou : « les disciples de Jésus ».

19 11; 1 Co 4 7 « Un homme ne peut rien recevoir,
Jc 1 17 si cela ne lui a été donné du ciel.
1 19-27 28 Vous-mêmes, vous m'êtes témoins que j'ai dit :
Ml 3 1 “ Je ne suis pas le Christ, mais je suis envoyé
devant lui. ”
Mt 9 15+ 29 Qui a l'épouse est l'époux [a];
mais l'ami de l'époux
qui se tient là et qui l'entend,
est ravi de joie à la voix de l'époux.
Telle est ma joie, et elle est complète.
30 Il faut que lui grandisse
et que moi je décroisse.
8 23 31 Celui qui vient d'en haut
est au-dessus de tous [b];
celui qui est de la terre
1 Jn 4 5 est terrestre et parle en terrestre.
Celui qui vient du ciel [c]
3 11 32 témoigne de ce qu'il a vu et entendu,
et son témoignage, nul ne l'accueille.
1 Jn 5 10 33 Qui accueille son témoignage
Jn 7 28; 8 26 certifie que Dieu est véridique;
1 1+ 34 en effet, celui que Dieu a envoyé
3 11+ prononce les paroles de Dieu,
1 32 car il donne l'Esprit sans mesure [d].
35 Le Père aime le Fils
et a tout remis dans sa main [e].
36 Qui croit au Fils a la vie éternelle;
qui refuse de croire au Fils ne verra pas la vie;
Mt 3 7+ mais la colère de Dieu demeure sur lui. »

### Jésus chez les Samaritains [f].

**4** 1 Quand Jésus [g] apprit que les Pharisiens
avaient entendu dire qu'il faisait plus de disci-
Mt 3 6+ ples et en baptisait plus que Jean – 2 bien qu'à vrai
dire Jésus lui-même ne baptisât pas, mais ses disciples –, 3 il quitta la Judée et s'en retourna en Gali-
Lc 9 52-55 lée. 4 Or il lui fallait traverser la Samarie. 5 Il arrive
donc à une ville de Samarie appelée Sychar [h], près
Gn 33 18-20; 48 21-22+ de la terre que Jacob avait donnée à son fils Joseph.
Jos 24 32 6 Là se trouvait le puits de Jacob. Jésus, fatigué par
la marche, se tenait donc assis près du puits.
C'était environ la sixième heure [i].
7 Une femme de Samarie vient pour puiser de
l'eau. Jésus lui dit : « Donne-moi à boire. » 8 Ses 19 28
disciples en effet s'en étaient allés à la ville pour
acheter de quoi manger. 9 La femme samaritaine Lc 10 29-37;
lui dit : « Comment! toi qui es Juif, tu me demandes 17 11-19
à boire à moi qui suis une femme samaritaine? »
(Les Juifs en effet n'ont pas de relations avec les
Samaritains [j].) 10 Jésus lui répondit :

« Si tu savais le don de Dieu 3 16
et qui est celui qui te dit : Ac 8 20+
Donne-moi à boire,
c'est toi qui l'aurais prié
et il t'aurait donné de l'eau vive. »

11 Elle lui dit : « Seigneur, tu n'as rien pour puiser, et le puits est profond. D'où l'as-tu donc, l'eau
vive? 12 Serais-tu plus grand que notre père Jacob, 6 31-32;
qui nous a donné ce puits et y a bu lui-même, ainsi 8 53
que ses fils et ses bêtes? » 13 Jésus lui répondit :

« Quiconque boit de cette eau
aura soif à nouveau;
14 mais qui boira de l'eau que je lui donnerai 6 35;
n'aura plus jamais soif; 7 37-39
l'eau que je lui donnerai
deviendra en lui source Is 58 11
d'eau jaillissant en vie éternelle. »

15 La femme lui dit : « Seigneur, donne-moi cette 6 34
eau, afin que je n'aie plus soif et ne vienne plus ici 2 19+
pour puiser. » 16 Il lui dit : « Va, appelle ton mari
et reviens ici. » 17 La femme lui répondit : « Je n'ai
pas de mari. » Jésus lui dit : « Tu as bien fait de 1 48+
dire : “ Je n'ai pas de mari ”, 18 car tu as eu cinq
maris et celui que tu as maintenant n'est pas ton
mari; en cela tu dis vrai. » 19 La femme lui dit :
« Seigneur, je vois que tu es un prophète... 20 Nos Mt 16 14+
pères ont adoré sur cette montagne [k] et vous, vous

*a)* L'image nuptiale est appliquée dans l'AT aux rapports de Dieu et d'Israël, Os 1 2+. Jésus se l'est appropriée, Mt **9** 15p; **22** 1s; **25** 1s. Paul l'a reprise, Ep **5** 22s; 2 Co **11** 2. Les noces de l'Agneau, Ap **19** 7; **21** 2, sont déjà inaugurées dans la joie messianique, ici v. 29, cf. **2** 1-11.

*b)* Ou encore : « de tout ».

*c)* Add. : « est au-dessus de tous » (ou : « de tout »).

*d)* Ou : « qui lui donne l'Esprit sans mesure ».

*e)* Par la volonté du Père, tout est « en la main », en la puissance du Fils, **3** 35; **10** 28, 29; **13** 3; **17** 2; cf. **6** 37-39; Mt **11** 27; **28** 18; c'est là le fondement de sa royauté, **12** 13-15; **18** 36-37, qu'il inaugurera au jour de son « exaltation », **12** 32+; **19** 19; Ac **2** 33; Ep **4** 8, tandis que le règne du Prince de ce monde prendra fin, **12** 31.

*f)* La rencontre près du puits est un thème de la littérature patriarcale : Gn **24** 10s; **29** 1s; Ex **2** 15s. Les puits eux-mêmes et les points d'eau jalonnent l'itinéraire terrestre et spirituel des Patriarches et du peuple de l'Exode : Gn **26** 14-22; Ex **15** 22-27; **17** 1-7, etc. L'eau de source devient dans l'AT le symbole de la vie que Dieu donne, plus particulièrement aux temps messianiques : Is **12** 3; **55** 1; Jr **2** 13; Ez **47** 1s (cf. Ps **46** 5 et Za **14** 8); Ps **36** 9-10 (et dans le NT : Ap **7** 16-17; **22** 17), ou encore de la Sagesse et de la Loi qui donnent la vie, Pr **13** 14; Si **15** 3; **24** 23-29. Ces thèmes se retrouvent transposés dans la scène évangélique, où l'eau vive devient le symbole de l'Esprit, cf. Jn **7** 37-39 et **1** 33+.

*g)* Var. : « le Seigneur ».

*h)* Soit l'ancienne Sichem (en araméen Sichara), soit l'actuel village d'Askar, au pied du mont Ébal, à quelque mille mètres du « puits de Jacob ». Ce puits n'est pas mentionné dans Gn.

*i)* Midi.

*j)* Om. de la parenthèse. – Les Juifs haïssaient les Samaritains, Si **50** 25-26; Jn **8** 48; Lc **9** 52-55, cf. Mt **10** 5; Lc **10** 33; **17** 16, et expliquaient leur origine, 2 R **17** 24-41, par l'immigration forcée de cinq peuplades païennes, restées en partie fidèles à leurs dieux, que symbolisent les « cinq maris » du v. 18.

*k)* Le mont Garizim, où les Samaritains avaient bâti un temple, rival de celui de Jérusalem. Jean Hyrcan l'avait détruit en 129.

Dt 12 5+ dites : C'est à Jérusalem qu'est le lieu où il faut
adorer [a]. » 21 Jésus lui dit :
« Crois-moi, femme, l'heure vient
où ce n'est ni sur cette montagne ni à Jérusalem
que vous adorerez le Père.
2 R 17 27-33 22 Vous, vous adorez ce que vous ne connaissez
pas;
nous, nous adorons ce que nous connaissons,
Rm 9 4-5 car le salut vient des Juifs.
23 Mais l'heure vient – et c'est maintenant –
où les véritables adorateurs adoreront le Père
2 21+ dans l'esprit et la vérité [b],
car tels sont les adorateurs
que cherche le Père.
24 Dieu est esprit,
et ceux qui adorent [c],
c'est dans l'esprit et la vérité qu'ils doivent adorer. »
Dt 18 18-22 25 La femme lui dit : « Je sais que le Messie doit
venir, celui qu'on appelle Christ. Quand il viendra,
il nous expliquera tout. » 26 Jésus lui dit : « Je
9 37; 8 24+ suis, moi qui te parle. »
Is 52 6 27 Là-dessus arrivèrent ses disciples, et ils s'étonnaient qu'il parlât à une femme. Pourtant pas un
ne dit : « Que cherches-tu? » ou : « De quoi lui parles-tu? » 28 La femme alors laissa là sa cruche, courut [d] à la ville et dit aux gens : 29 « Venez voir un
homme qui m'a dit tout ce que j'ai fait. Ne serait-il
pas le Christ? » 30 Ils sortirent de la ville et ils se
dirigeaient vers lui.
31 Entre-temps, les disciples le priaient, en
disant : « Rabbi, mange. » 32 Mais il leur dit : « J'ai
à manger un aliment que vous ne connaissez pas. »
33 Les disciples se disaient entre eux : « Quelqu'un
lui aurait-il apporté à manger? » 34 Jésus leur dit :
Dt 8 3+ « Ma nourriture
1+; 6 38-40 est de faire la volonté de celui qui m'a envoyé [e]
17 4; 19 30 et de mener son œuvre à bonne fin.
35 Ne dites-vous pas :
Encore quatre mois et vient la moisson?
Eh bien! je vous dis :
Levez les yeux et regardez les champs,
ils sont blancs pour la moisson [f]. Mt 9 37-38
Déjà 36 le moissonneur reçoit son salaire Lc 10 2
et récolte du fruit pour la vie éternelle,
en sorte que le semeur se réjouit avec le moisson- Ps 126 5-6
neur.
37 Car ici se vérifie le dicton :
autre est le semeur, autre le moissonneur;
38 je vous ai envoyés moissonner 17 18; 20 21
là où vous ne vous êtes pas fatigués; Ac 8 14-17
d'autres se sont fatigués
et vous, vous héritez de leurs fatigues [g]. »
39 Un bon nombre de Samaritains de cette ville
crurent en lui à cause de la parole de la femme, qui
attestait : « Il m'a dit tout ce que j'ai fait. »
40 Quand donc ils furent arrivés près de lui, les
Samaritains le prièrent de demeurer chez eux. Il y
demeura deux jours 41 et ils furent bien plus nombreux à croire, à cause de sa parole, 42 et ils
disaient à la femme : « Ce n'est plus sur tes dires
que nous croyons; nous l'avons nous-mêmes
entendu et nous savons que c'est vraiment lui le
sauveur du monde [h]. » 1 9-10+

### Jésus en Galilée.

43 Après ces deux jours, il partit de là pour la
Galilée. 44 Jésus avait en effet témoigné lui-même
qu'un prophète n'est pas honoré dans sa propre Mt 16 14+;
patrie. 45 Quand donc il vint en Galilée, les Gali- 13 57p
léens l'accueillirent, ayant vu tout ce qu'il avait fait Jn 2 23
à Jérusalem lors de la fête; car eux aussi étaient
venus à la fête.

### Second signe à Cana : guérison du fils d'un fonctionnaire royal.

|| Mt 8 5-13? || Lc 7 1-10?

46 Il retourna alors à Cana de Galilée, où il avait
changé l'eau en vin. Et il y avait un fonctionnaire 2 1-11
royal, dont le fils était malade à Capharnaüm.
47 Apprenant que Jésus était arrivé de Judée en
Galilée, il s'en vint le trouver et il le priait de descendre guérir son fils, car il allait mourir. 48 Jésus
lui dit : « Si vous ne voyez des signes et des prodi- Mt 12 38sp
ges, vous ne croirez pas! » 49 Le fonctionnaire royal Jn 20 29
lui dit : « Seigneur, descends avant que ne meure

a) Var. : « qu'on doit adorer ».
b) L'Esprit, 14 26+, principe de la nouvelle naissance, 3 5, est aussi principe du culte nouveau, culte spirituel, cf. 2 20-21+ et Rm 1 9+. Ce culte est « dans la vérité », parce que seul il répond à la révélation que Dieu en fait par Jésus.
c) Var. : « ceux qui l'adorent », cf. 12 20.
d) Var. : « s'en alla ».
e) Déjà Paul, Rm 8 3; Ga 4 4, et les évangiles synoptiques regardaient Jésus comme envoyé par le Père, mais Jn ne cesse d'y insister, 3 17; 5 24, 36-38; 8 42; 9 7; 11 42; 17 8, 21-25. Le Christ vient du Père, 3 31; 6 46; 7 29; 8 42; etc., descend du Père, 3 13; 6 38, 42. Il dit les paroles du Père, 3 34; 7 16; 8 26-28; 12 49-50; 14 24; 17 8, 14, il fait le vouloir du Père, ici, les œuvres du Père, 9 4; 10 32, 37; 14 10. La foi, 3 12+, consiste à reconnaître en lui celui que le Père a envoyé, 7 28-29; 17 21, 25; 19 9+. Les apôtres seront plus tard associés à la mission du Fils, 13 20; 17 18; 20 21, cf. 17 20+; Ac 1 26+; 22 21+; Rm 1 1+.
f) La moisson spirituelle, dont les Samaritains qui approchent, v. 30, sont les prémices.
g) Le moissonneur désigne les apôtres, le semeur leurs prédécesseurs, surtout Jésus lui-même.
h) Et non plus seulement le « roi d'Israël », 1 49. L'universalisme est un des traits caractéristiques des écrits johanniques, cf. 1 29; 3 16; 11 52; 1 Jn 2 2. Toutefois « le salut vient des Juifs », 4 22.

mon petit enfant. » 50 Jésus lui dit : « Va, ton fils
Mt 8 10+ vit. » L'homme crut à la parole que Jésus lui avait
dite et il se mit en route. 51 Déjà il descendait,
quand ses serviteurs, venant à sa rencontre, lui
dirent que son enfant était vivant. 52 Il s'informa
auprès d'eux de l'heure à laquelle il s'était trouvé
mieux. Ils lui dirent : « C'est hier, à la septième
heure, que la fièvre l'a quitté. » 53 Le père reconnut
que c'était l'heure où Jésus lui avait dit : « Ton fils
vit », et il crut, lui avec sa maison tout entière.
54 Ce nouveau signe, le second, Jésus le fit à son 2 11+
retour de Judée en Galilée.

## *2. DEUXIÈME FÊTE A JÉRUSALEM (PREMIÈRE OPPOSITION A LA RÉVÉLATION)*

### Guérison d'un infirme à la piscine de Bethesda.

5 1 Après cela, il y eut une fête [a] des Juifs et
Jésus monta à Jérusalem. 2 Or il existe à Jérusalem, près de la Probatique, une piscine qui
s'appelle en hébreu Bethesda et qui a cinq portiques [b]. 3 Sous ces portiques gisaient une multitude
d'infirmes, aveugles, boiteux, impotents, qui atten-
Mt 1 20+ daient le bouillonnement de l'eau [c]. 4 Car l'ange du
Seigneur descendait par moments dans la piscine
et agitait l'eau; le premier alors à y entrer, après
que l'eau avait été agitée, se trouvait guéri, quel que
fût son mal. 5 Il y avait là un homme qui était in-
Dt 2 14 firme depuis trente-huit ans. 6 Jésus, le voyant
étendu et apprenant qu'il était dans cet état depuis
longtemps déjà, lui dit : « Veux-tu guérir? »
7 L'infirme lui répondit : « Seigneur, je n'ai personne pour me jeter dans la piscine, quand l'eau
vient à être agitée; et, le temps que j'y aille, un
autre descend avant moi. » 8 Jésus lui dit : « Lè-
Mt 9 6 ve-toi, prends ton grabat et marche. » 9 Et aussitôt
l'homme fut guéri; il prit son grabat et il marchait.
9 14 Or c'était le sabbat, ce jour-là. 10 Les Juifs dirent
Ex 20 8+ Jr 17 21-27 donc à celui qui venait d'être guéri : « C'est le sabbat. Il ne t'est pas permis de porter ton grabat. »
11 Il leur répondit : « Celui qui m'a guéri m'a dit :
Prends ton grabat et marche. » 12 Ils lui demandèrent : « Quel est l'homme qui t'a dit : Prends ton
grabat et marche? » 13 Mais celui qui avait été guéri
ne savait pas qui c'était; Jésus en effet avait disparu, car il y avait foule en ce lieu. 14 Après cela,
Jésus le rencontre dans le Temple et lui dit : « Te
voilà guéri; ne pèche plus, de peur qu'il ne t'arrive Mt 9 2+
pire encore [d]. » 15 L'homme s'en fut révéler aux
Juifs que c'était Jésus qui l'avait guéri. 16 C'est
pourquoi les Juifs persécutaient Jésus : parce qu'il
faisait ces choses-là le jour du sabbat [e]. 17 Mais il 7 23; 9 4
leur répondit : « Mon Père est à l'œuvre jusqu'à
présent et j'œuvre moi aussi [f] » 18 Aussi les Juifs 7 1, 19, 25;
n'en cherchaient que davantage à le tuer, puisque, 11 53
non content de violer le sabbat, il appelait encore 2 16; Sg 2 16
Dieu son propre Père, se faisant égal à Dieu. 10 33; Ph 2 6

### Discours sur l'œuvre du Fils [g].

19 Jésus reprit donc la parole et leur dit :
« En vérité, en vérité, je vous le dis,
le Fils ne peut rien faire de lui-même, 8 28-29
qu'il ne le voie faire au Père;
ce que fait celui-ci,
le Fils le fait pareillement.
20 Car le Père aime le Fils, 3 35
et lui montre tout ce qu'il fait;
et il lui montrera des œuvres plus grandes que
celles-ci,
à vous en stupéfier.
21 Comme le Père en effet ressuscite les morts Dt 32 39
et leur redonne vie, 1 S 2 6 2 R 5 7
ainsi le Fils donne vie à qui il veut. Jn 3 35+

*a)* Var. : « fête ». Peut-être la Pentecôte.

*b)* « Bethesda » : « maison de miséricorde ». Var. : « Bézatha », « Bethsaïda », « Belsetha ». – Le cinquième portique coupait le quadrilatère en deux bassins où se rassemblaient les eaux, utilisées ensuite au Temple. Mais il se trouvait à côté de ces deux réservoirs d'autres bassins plus petits rattachés à un sanctuaire païen de guérison.

*c)* Quelle que soit la cause de ce bouillonnement (afflux intermittent de l'eau?), Jésus va s'appuyer sur les circonstances pour se révéler comme le vrai guérisseur, celui qui donne et restitue la vie du corps et de l'âme, v. 14; **3** 15+; cf. Sg **16** 6-13. – De nombreux témoins omettent : « qui attendaient le bouillonnement de l'eau » et tout le v. 4.

*d)* Jésus ne dit pas que l'infirmité ait été la conséquence du péché, cf. **9** 2s. Il avertit l'infirme que la grâce de sa guérison l'engage à se convertir, cf. Mt **9** 2-8, et qu'à l'oublier il risquerait pire que son infirmité passée. Le miracle est donc le « signe » d'une résurrection spirituelle, v. 24.

*e)* La conclusion de cet épisode se lira en **7** 19-24.

*f)* La pensée juive peinait à concilier le repos de Dieu après la création, repos dont le sabbat est l'image, Gn **2** 2s, avec son activité constante dans le gouvernement du monde. On distinguait l'activité du Créateur, qui a pris fin, et l'activité du Juge, qui ne cesse jamais. Jésus identifie sa propre activité à celle du souverain Juge. De là l'indignation des Juifs et le discours par lequel Jésus justifie sa prétention. Cf. Lc **6** 5; et surtout Mt **12** 1-8; etc.

*g)* Le discours qui suit comporte deux thèmes : 1° le Père a remis au Fils le pouvoir de donner la vie, vv. 19-30; 2° le Père a rendu témoignage au Fils : a) par Jean-Baptiste; b) par les œuvres qu'il accomplit en lui; c) par l'Écriture (Moïse), vv. 31-47.

22 Car le Père ne juge [a] personne;
5 27; Ac **10** 42+ il a donné au Fils le jugement tout entier [b],
23 afin que tous honorent le Fils
comme ils honorent le Père.
Qui n'honore pas le Fils
**17** 6+ n'honore pas le Père qui l'a envoyé.
24 En vérité, en vérité, je vous le dis,
**10** 27; **18** 37; celui qui écoute ma parole
**3** 11+ et croit à celui qui m'a envoyé
**3** 18 a la vie éternelle
et ne vient pas en jugement,
1 Jn **3** 14 mais il est passé de la mort à la vie.
25 En vérité, en vérité, je vous le dis,
l'heure vient – et c'est maintenant –
**11** 25-26 où les morts [c] entendront la voix du Fils de Dieu,
et ceux qui l'auront entendue vivront.
26 Comme le Père en effet a la vie en lui-même,
**3** 35+ de même a-t-il donné au Fils d'avoir aussi la vie
en lui-même
27 et il lui a donné pouvoir d'exercer le jugement
Dn **7** 13, 22 parce qu'il est Fils d'homme.
Mt **8** 20+ 28 N'en soyez pas étonnés,
car elle vient, l'heure
où tous ceux qui sont dans les tombeaux
**11** 43-44; entendront sa voix
**3** 11+ 29 et sortiront [d] :
ceux qui auront fait le bien,
Dn **12** 2 pour une résurrection de vie,
Ac **24** 15 ceux qui auront fait le mal,
**6** 27; **25** 46 pour une résurrection de jugement.
30 Je ne puis rien faire de moi-même.
Je juge selon ce que j'entends [e] :
et mon jugement est juste,
**4** 34; **6** 38 parce que je ne cherche pas ma volonté,
mais la volonté de celui qui m'a envoyé.
**8** 13-14 31 Si je me rends témoignage à moi-même,
mon témoignage n'est pas valable.
32 Un autre [f] témoigne de moi,
et je sais qu'il est valable [g]
le témoignage qu'il me rend.
**1** 19-28 33 Vous avez envoyé trouver Jean
**11** 7-11p et il a rendu témoignage à la vérité.
Jn **8** 18 34 Non que je relève du témoignage d'un homme;
si j'en parle, c'est pour votre salut.

35 Celui-là était la lampe qui brûle et qui luit, **1** 8; Si **48** 1
et vous avez voulu vous réjouir une heure à sa
lumière.
36 Mais j'ai plus grand que le témoignage de Jean :
les œuvres que le Père m'a donné
à mener à bonne fin,
ces œuvres mêmes que je fais
me rendent témoignage que le Père m'envoie. **1** 1+
37 Et le Père qui m'a envoyé,
lui, me rend témoignage. **2** 11+
Vous n'avez jamais entendu sa voix, **6** 44-45
vous n'avez jamais vu sa face,
38 et sa parole, vous ne l'avez pas à demeure en 1 Jn **2** 14
vous, Jn **8** 37
puisque vous ne croyez pas
celui qu'il a envoyé.

39 Vous scrutez [h] les Écritures,
parce que vous pensez avoir en elles la vie
éternelle [i],
et ce sont elles qui me rendent témoignage [j],
40 et vous ne voulez pas venir à moi
pour avoir la vie!

41 De la gloire, je n'en reçois pas qui vienne des **1** 14
hommes;
42 mais je vous connais :
vous n'avez pas en vous l'amour de Dieu; 1 Jn **2** 15
43 je viens au nom de mon Père
et vous ne m'accueillez pas;
qu'un autre vienne en son propre nom, Mt **24** 5, 24+
celui-là, vous l'accueillerez.
44 Comment pouvez-vous croire,
vous qui recevez votre gloire les uns des autres, **12** 43
et ne cherchez pas Rm **2** 29
la gloire qui vient du Dieu unique [k]. 1 Co **4** 5
45 Ne pensez pas que je vous accuserai auprès du
Père.
Votre accusateur, c'est Moïse, Dt **31** 26
en qui vous avez mis votre espoir.
46 Car si vous croyiez Moïse, Mt **8** 10+
vous me croiriez aussi, Jn **5** 39+
car c'est de moi qu'il a écrit. Dt **18** 15
47 Mais si vous ne croyez pas à ses écrits,
comment croirez-vous à mes paroles? »

*a)* Le pouvoir sur la vie et la mort est aussi l'expression du suprême pouvoir judiciaire.

*b)* Jésus sera le juge suprême au dernier jour, **5** 26-30; **12** 48; cf. Mt **25** 31-46; Rm **2** 6+. Ce jugement révélera l'issue du procès, cf. **3** 11+, inauguré dès la venue du Fils, **5** 25; **12** 31. Les hommes seront jugés selon la foi, **3** 12+, qu'ils auront accordée ou refusée à Jésus, **3** 18-21; **16** 8-11, sauveur de tous ceux qui ne le repoussent pas, **3** 18; **8** 15; **12** 47. - En fait, les textes sur le « jugement » appartiennent à des couches rédactionnelles différentes : jugement eschatologique, au dernier jour, et jugement déjà réalisé...

*c)* Les morts spirituels.

*d)* Il s'agit cette fois de la résurrection des morts au dernier jour, cf. Mt **22** 29-32.

*e)* Jésus entend le Père.

*f)* Le Père.

*g)* La var. « vous le savez » rapporte à tort ces paroles au témoignage de Jean, v. 33.

*h)* Autre traduction possible : « Scrutez ».

*i)* Les « Écritures » sont source de vie parce qu'elles nous transmettent la parole de Dieu, cf. Dt **4** 1; **8** 1, 3; **30** 15-20; **32** 46s; Ba **4** 1; Ps **119**; etc.

*j)* Jésus est le centre et la fin des Écritures, cf. **1** 45; **2** 22; **5** 39, 46; **12** 16, 41; **19** 28, 36; **20** 9.

*k)* Var. : « de l'Unique ».

## *3. LA PÂQUE DU PAIN DE VIE (NOUVELLE OPPOSITION A LA RÉVÉLATION)*

|| Mt **14** 13-21 **La multiplication des pains.**
|| Mc **6** 32-44
|| Lc **9** 10-17

**6** 1 Après cela, Jésus s'en alla de l'autre côté de
la mer de Galilée ou de Tibériade. 2 Une
grande foule le suivait, à la vue des signes qu'il opérait sur les malades. 3 Jésus gravit la montagne et
là, il s'assit avec ses disciples. 4 Or la Pâque, la fête
des Juifs, était proche [a].
5 Levant alors les yeux et voyant qu'une grande
Nb **11** 13 foule venait à lui, Jésus dit à Philippe : « Où achète-
rons-nous des pains pour que mangent ces gens? »
6 Il disait cela pour le mettre à l'épreuve, car lui-
même savait ce qu'il allait faire. 7 Philippe lui
Nb **11** 22 répondit : « Deux cents deniers de pain ne suffisent
pas pour que chacun en reçoive un petit morceau. »
8 Un de ses disciples, André, le frère de Simon-
2 R **4** 42-44 Pierre, lui dit : 9 « Il y a ici un enfant, qui a cinq
pains d'orge et deux poissons; mais qu'est-ce que
cela pour tant de monde? » 10 Jésus leur dit :
« Faites s'étendre les gens. » Il y avait beaucoup
d'herbe en ce lieu. Ils s'étendirent donc, au nombre
d'environ cinq mille hommes. 11 Alors Jésus prit les
pains et, ayant rendu grâces, il les distribua aux
convives, de même aussi pour les poissons, autant
qu'ils en voulaient. 12 Quand ils furent repus, il dit
à ses disciples : « Rassemblez les morceaux en surplus, afin que rien ne soit perdu. » 13 Ils les rassemblèrent donc et remplirent douze couffins avec les
morceaux des cinq pains d'orge restés en surplus
à ceux qui avaient mangé. 14 A la vue du signe qu'il
venait de faire, les gens disaient : « C'est vraiment
1 21+ lui le prophète qui doit venir dans le monde. »
15 Alors Jésus, se rendant compte qu'ils allaient
**18** 36 venir s'emparer de lui pour le faire roi, s'enfuit [b] à
Mc **1** 34+ nouveau dans la montagne, tout seul.

|| Mt **14** 22-33 **Jésus vient vers ses disciples**
|| Mc **6** 45-52 **en marchant sur la mer.**

16 Quand le soir fut venu, ses disciples descendirent à la mer, 17 et, montant en bateau, ils se rendaient de l'autre côté de la mer, à Capharnaüm. Il
faisait déjà nuit; Jésus n'était pas encore venu les
rejoindre; 18 et la mer, comme soufflait un grand
vent, se soulevait. 19 Ils avaient ramé environ vingt-
cinq ou trente stades, quand ils voient Jésus marcher sur la mer et s'approcher du bateau. Ils eurent
peur. 20 Mais il leur dit : « C'est moi. N'ayez pas
peur [c]. » 21 Ils étaient disposés à le prendre dans le
bateau, mais aussitôt le bateau toucha terre là où
ils se rendaient.

**Discours dans la synagogue de Capharnaüm [d].**

22 Le lendemain, la foule qui se tenait de l'autre
côté de la mer vit qu'il n'y avait eu là qu'une barque et que Jésus n'était pas monté dans le bateau
avec ses disciples, mais que seuls ses disciples s'en
étaient allés. 23 Cependant, de Tibériade des
bateaux vinrent près du lieu où l'on avait mangé
le pain [e]. 24 Quand donc la foule vit que Jésus
n'était pas là, ni ses disciples non plus, les gens
s'embarquèrent et vinrent à Capharnaüm à la
recherche de Jésus. 25 L'ayant trouvé de l'autre côté
de la mer, ils lui dirent : « Rabbi, quand es-tu arrivé
ici? » 26 Jésus leur répondit :

« En vérité, en vérité, je vous le dis,
vous me cherchez,
non pas parce que vous avez vu des signes, 2 11+
mais parce que vous avez mangé du pain et avez
été rassasiés.
27 Travaillez non pour la nourriture qui se perd, Ex **16** 20
mais pour la nourriture qui demeure en vie éter- Is **55** 2
nelle,
celle que vous donnera [f] le Fils de l'homme, Mt **8** 20+
car c'est lui que le Père, Dieu, a marqué de son
sceau [g]. »

28 Ils lui dirent alors : « Que devons-nous faire
pour travailler aux œuvres de Dieu? » 29 Jésus leur
répondit : « L'œuvre de Dieu [h], c'est que vous

*a)* Le pain donné par Jésus sera la Pâque nouvelle.
*b)* Var. : « se retira ».
*c)* Om. : « N'ayez pas peur ».
*d)* Selon certains, un discours eucharistique, **6** 51-58 : Jésus, vraie nourriture par son corps et par son sang, cf. **6** 51+, a été inséré dans le récit-discours suivant : aux Juifs réclamant un « signe » analogue à celui de la manne, vv. 30-31; cf. **1** 21+, Jésus répond : Par l'enseignement du Père que je transmets aux hommes, cf. **3** 11+, je suis le vrai pain, assimilable par la foi, vv. 32s. Les Juifs ne comprennent pas, vv. 60-66, à l'exception de Pierre et des disciples, vv. 67-71. Pour comprendre ce thème, cf. Dt **8** 3; Pr **8** 22-24 et **9** 1-6; Si **24** 3 et **24** 17-21; Lc **11** 29-32.
*e)* Add. : « après que le Seigneur eût rendu grâces ».
*f)* Var. : « donne ».
*g)* Le sceau de l'Esprit reçu au baptême, Mt **3** 16+; cf. Rm **4** 11+, puissance de Dieu pour effectuer les « signes ». Cf. Mt **12** 28; Ac **10** 38; Ep **1** 13; **4** 30; 2 Co **1** 22.
*h)* Aux « œuvres » des Juifs, Jésus oppose la foi à l'envoyé de Dieu.

Mt 8 10+ croyiez en celui qu'il a envoyé. » 30 Ils lui dirent
Mt 16 1-4; alors : « Quel signe fais-tu donc, pour qu'à sa vue
Mc 15 32 nous te croyions? Quelle œuvre accomplis-tu?
Lc 11 29-32 Jn 1 21+; 2 11+ 31 Nos pères ont mangé la manne [a] dans le désert,
Ex 16 4s+ selon ce qui est écrit :

Ps 78 24 *Il leur a donné à manger du pain venu du ciel.* »

32 Jésus leur répondit :

« En vérité, en vérité, je vous le dis,
non, ce n'est pas Moïse qui vous a donné le pain qui vient du ciel;
mais c'est mon Père qui vous le donne, le pain qui vient du ciel, le vrai;
33 car le pain de Dieu,
c'est celui qui descend du ciel
et donne la vie au monde. »

34 Ils lui dirent alors : « Seigneur, donne-nous
2 19+ toujours ce pain-là. » 35 Jésus leur dit :

Pr 9 1-6 « Je suis [b] le pain de vie.
Si 24 19-22 Qui vient à moi n'aura jamais faim;
Is 55 1-3 Jn 4 14; 4 10+ qui croit en moi n'aura jamais soif [c].
36 Mais je vous l'ai dit :
2 11+ vous me voyez et vous ne croyez pas.
37 Tout ce que me donne le Père viendra à moi,
et celui qui vient à moi [d],
je ne le jetterai pas dehors;
38 car je suis descendu du ciel
4 34; 5 30; pour faire non pas ma volonté,
4 31; 12 27+ mais la volonté de celui qui m'a envoyé.
3 35+; 39 Or c'est la volonté de celui qui m'a envoyé
10 28-29; que je ne perde rien
17 12 de tout ce qu'il m'a donné,
mais que je le ressuscite au dernier jour.
40 Oui, telle est la volonté de mon Père,
que quiconque voit le Fils [e] et croit en lui
ait la vie éternelle,
et je le ressusciterai au dernier jour. »

41 Les Juifs alors se mirent à murmurer à son
sujet [f], parce qu'il avait dit : « Je suis le pain descendu du ciel. » 42 Ils disaient : « Celui-là n'est-il Mt 13 54-57
pas Jésus, le fils de Joseph, dont nous connaissons Mc 6 1-6
le père et la mère? Comment peut-il dire maintenant : Je suis descendu du ciel? » 43 Jésus leur
répondit :

« Ne murmurez pas entre vous.
44 Nul ne peut venir à moi
si le Père qui m'a envoyé ne l'attire; Mt 16 17
et moi, je le ressusciterai au dernier jour.
45 Il est écrit dans les prophètes :
*Ils seront tous enseignés par Dieu.* Is 54 13
Quiconque s'est mis à l'écoute du Père Jr 31 33s
et à son école 1 Jn 2 20, 27
vient à moi.
46 Non que personne ait vu le Père, Ex 33 20+
sinon celui qui vient d'auprès de Dieu : Jn 1 18 1 Jn 4 12
celui-là a vu le Père. Jn 7 29
47 En vérité, en vérité, je vous le dis,
celui qui croit a la vie éternelle.
48 Je suis le pain de vie.
49 Vos pères, dans le désert, ont mangé la manne et sont morts;
50 ce pain est celui qui descend du ciel
pour qu'on le mange et ne meure pas.
51 Je suis le pain vivant, descendu du ciel.
Qui mangera ce pain vivra à jamais.
Et même, le pain que je donnerai, Lc 22 19p
c'est ma chair [g] pour la vie du monde. » 1 Co 11 24

52 Les Juifs alors se mirent à discuter fort entre
eux; ils disaient : « Comment celui-là peut-il nous
donner sa chair à manger? » 53 Alors Jésus leur
dit :

« En vérité, en vérité, je vous le dis,
si vous ne mangez la chair du Fils de l'homme 1 14+; Mt 8 20+
et ne buvez son sang,
vous n'aurez pas la vie en vous.
54 Qui mange ma chair et boit mon sang
a la vie éternelle [h]

*a)* La manne d'Ex 16 1+ était regardée comme la nourriture du peuple messianique, Ps 78 23-24; 105 40; Sg 16 20-22+. Les chrétiens y ont vu une image du repas eucharistique, 1 Co 10 3-4+. Jésus l'évoque ici comme une figure de l'aliment véritable de la foi, 6 35-50, qui est sa chair et son sang, source de vie éternelle, 6 51-58. Cf. Mt 4 4; 14 13-21.

*b)* L'expression grecque *egô eimi* évoque le nom divin révélé à Moïse, Ex 3 14+, cf. Jn 8 24+; mais ici et dans maint autre passage, elle introduit en outre l'explication d'une parabole en geste ou en parole. Ici Jésus se désigne comme le pain véritable que figuraient la manne et le pain hier multiplié. Voir 6 41, 48, 51; 8 12; 10 7-11; 11 25; 15 1.

*c)* Comme la Sagesse, Pr 9 1s, Jésus invite les hommes à son repas. Pour Jean, Jésus est cette Sagesse de Dieu que la Révélation biblique tendait à personnifier, cf. 1 1+. Cette conviction s'appuie sur l'enseignement du Christ, perceptible déjà dans les Synoptiques, Mt 11 19; Lc 11 31p, mais beaucoup plus accentué ici : d'origine mystérieuse, Jn 7 27-29; 8 14, 19; cf. Jb 28 20-28, Jésus seul connaît les mystères de Dieu et les révèle aux hommes, 3 11-12, 31-32; cf. Mt 11 25-27p; Sg 9 13-18; Ba 3 29-38, pain vivant qui apaise la faim, 6 35; cf. Pr 9 1-6; Si 24 19-22; Mt 4 4p (cf. Dt 8 3).

*d)* « Venir à Jésus » équivaut à croire.

*e)* « Voir » le Fils, c'est discerner et reconnaître qu'il est réellement le Fils envoyé par le Père, cf. 12 45; 14 9; 17 6+.

*f)* Comme les Hébreux au désert, cf. Ex 16 2s; 17 3; Nb 11 1; 14 27; 1 Co 10 10.

*g)* Sous-entendu : « donnée » ou « livrée » (comme le précisent beaucoup de mss). Cette tournure concise rappelle 1 Co 11 24 : « Ceci est mon corps qui est pour vous », cf. Lc 22 19. Allusion à la Passion.

*h)* Jésus est le vrai pain, et comme Parole de Dieu, vv. 32s, et comme victime offerte en sacrifice, par son corps et son sang, pour la vie du monde, vv. 51-58, cf. 6 22+. Le mot « chair » suggère le rapport entre l'Eucharistie et l'Incarnation : l'homme se nourrit du Verbe fait chair, 1 14.

et je le ressusciterai au dernier jour.
[55] Car ma chair est vraiment une nourriture
et mon sang vraiment une boisson.
[56] Qui mange ma chair et boit mon sang
15 4-5 demeure en moi
et moi en lui [a].
[57] De même que le Père, qui est vivant, m'a envoyé
et que je vis par le Père,
de même celui qui me mange,
5 26 lui aussi vivra par moi [b].
[58] Voici le pain descendu du ciel;
il n'est pas comme celui qu'ont mangé les pères [c]
et ils sont morts;
qui mange ce pain vivra à jamais. »

[59] Tel fut l'enseignement qu'il donna dans une synagogue à Capharnaüm.

[60] Après l'avoir entendu, beaucoup de ses disci-
3 11+ ples dirent : « Elle est dure, cette parole! Qui peut
1 48+ l'écouter? » [61] Mais, sachant en lui-même que ses
disciples murmuraient à ce propos, Jésus leur dit :
« Cela vous scandalise? [62] Et quand vous verrez le
Mt 8 20+ Jn 12 32+ Fils de l'homme monter là où il était auparavant?...

[63] C'est l'esprit qui vivifie, 1 33+
la chair ne sert de rien.
Les paroles que je vous ai dites sont esprit 3 11+ 12 49-50
et elles sont vie [d].

[64] Mais il en est parmi vous qui ne croient pas. »
Jésus savait en effet dès le commencement qui 1 48+
étaient ceux qui ne croyaient pas et qui était celui
qui le livrerait. [65] Et il disait : « Voilà pourquoi je
vous ai dit que nul ne peut venir à moi, si cela ne
lui est donné par le Père. » [66] Dès lors, beaucoup
de ses disciples se retirèrent, et ils n'allaient plus
avec lui.

**La confession de Pierre.** || Mt 16 16p

[67] Jésus dit alors aux Douze : « Voulez-vous partir, vous aussi? » [68] Simon-Pierre lui répondit :
« Seigneur, à qui irons-nous? Tu as les paroles de 1 21+; Ac 7 38
la vie éternelle. [69] Nous, nous croyons, et nous Dt 8 3
avons reconnu que tu es le Saint de Dieu [e]. » Ac 3 14+
[70] Jésus leur répondit : « N'est-ce pas moi qui vous
ai choisis, vous, les Douze? Et l'un d'entre vous est 13 18
un démon. » [71] Il parlait de Judas, fils de Simon
Iscariote; c'est lui en effet qui devait le livrer, lui, 13 2, 27
l'un des Douze.

## 4. LA FÊTE DES TENTES (LA GRANDE RÉVÉLATION MESSIANIQUE. LE GRAND REFUS)

**Jésus monte à Jérusalem pour la fête et enseigne.**

Mc 9 30p **7** [1] Après cela, Jésus parcourait la Galilée; il
n'avait pas pouvoir [f] de circuler en Judée,
parce que les Juifs cherchaient à le tuer.
Ex 23 14+ [2] Or la fête juive des Tentes était proche. [3] Ses
Za 14 16-19 frères [g] lui dirent donc : « Passe d'ici en Judée, que
Mt 5 15 tes disciples [h] aussi voient les œuvres que tu fais :
Jn 2 11+ [4] on n'agit pas en secret, quand on veut être en vue.
14 22 Puisque tu fais ces choses-là, manifeste-toi au
monde. » [5] Pas même ses frères en effet ne
croyaient en lui. [6] Jésus leur dit alors : « Mon
2 4+; Dn 7 22 temps [i] n'est pas encore venu, tandis que le vôtre
1 10+ est toujours prêt. [7] Le monde ne peut pas vous haïr;
mais moi, il me hait, parce que je témoigne que ses
œuvres sont mauvaises. [8] Vous, montez à la fête; 3 19; 8 12+
moi, je ne monte pas [j] à cette fête, parce que mon
temps n'est pas encore accompli. » [9] Cela dit, il
resta en Galilée. [10] Mais quand ses frères furent
montés à la fête, alors il monta lui aussi, pas au
grand jour, mais en secret. [11] Les Juifs le cherchaient donc pendant la fête et disaient : « Où est-
il? » [12] On chuchotait beaucoup [k] sur son compte
dans les foules. Les uns disaient : « C'est un
homme de bien. » D'autres disaient : « Non, il égare Mt 27 63
la foule. » [13] Pourtant personne ne s'exprimait
ouvertement à son sujet par peur des Juifs. 9 22; 12 4[illegible] 19 38
[14] On était déjà au milieu de la fête, lorsque Jésus

*a)* « Etre dans », et plus encore « demeurer dans », c'est, avec bien des variantes dans les sujets et compléments, l'un des traits propres du langage johannique. La relation de présence intérieure qui s'exprime ainsi est évidemment déterminée par la nature des réalités ou des personnes en cause : l'une est toujours plus grande que l'autre, et surtout s'il s'agit d'une personne divine. La chose est à observer en particulier si la relation est réciproque, comme ici, 10 38; 14 10, 20; 15 4-7; 17 21-23, 26; 1 Jn 2 24; 3 24; 4 12-16.

*b)* L'Eucharistie communique aux fidèles la vie que le Fils tient du Père.

*c)* Add. : « la manne » ou : « dans le désert ».

*d)* Les paroles de Jésus sur le pain céleste révèlent une réalité divine dont seul l'Esprit, cf. 1 33+, peut donner l'intelligence, cf. 14 26+, et qui est source de vie pour l'homme.

*e)* C'est-à-dire : l'envoyé et l'élu de Dieu, consacré et uni à lui de façon éminente, le Messie, cf. 10 36; 17 19; Mc 1 24+. – Var. : « Tu es le Christ, le Fils de Dieu » ou : « le Fils du Dieu vivant », cf. Mt 16 16.

*f)* Var. : « il ne voulait pas ».

*g)* Au sens large de cousins, parents, cf. Mt 12 46+.

*h)* Ceux de Jérusalem et de Judée, cf. 2 23; 3 26; 4 1.

*i)* C'est-à-dire « mon heure », cf. 2 4+.

*j)* Var. : « pas encore ».

*k)* Om. : « beaucoup ».

monta au Temple et se mit à enseigner [a]. 15 Les
Mt 7 28; Juifs, étonnés, disaient : « Comment connaît-il les
13 54-57 lettres sans avoir étudié? » 16 Jésus leur répondit :
Ac 4 13

3 11+ « Ma doctrine n'est pas de moi,
mais de celui qui m'a envoyé.
17 Si quelqu'un veut faire sa volonté,
il reconnaîtra si ma doctrine est de Dieu
ou si je parle de moi-même.
18 Celui qui parle de lui-même
8 50 cherche sa propre gloire;
mais celui qui cherche la gloire de celui qui l'a
envoyé,
Ps 92 16 celui-là est véridique et il n'y a pas en lui
d'imposture.
Rm 2 17-23 19 Moïse ne vous a-t-il pas donné la Loi?
Jn 8 37-41 Et aucun de vous ne la pratique, la Loi!

Pourquoi cherchez-vous à me tuer? » 20 La foule
8 48, 52; répondit : « Tu as un démon. Qui cherche à te
10 20
Mt 12 24-27p tuer? » 21 Jésus leur répondit : « Pour une seule
5 1-9 œuvre que j'ai faite, vous voilà tous étonnés.
Gn 17 10+ 22 Moïse vous a donné la circoncision – non qu'elle
Ac 7 8
Rm 4 11 vienne de Moïse mais des patriarches – et, le jour
Mt 12 1-5, du sabbat, vous la pratiquez sur un homme.
11-12
Lc 13 15s; 23 Alors, un homme reçoit la circoncision, le jour
14 5 du Sabbat, pour que ne soit pas enfreinte la Loi de
Moïse, et vous vous indignez contre moi parce que
j'ai guéri un homme tout entier le jour du Sabbat [b]?
1 3; Za 7 9 24 Cessez de jugez sur l'apparence; jugez selon la
justice. »

**Discussions du peuple sur l'origine du Christ.**

25 Certains, des gens de Jérusalem, disaient :
« N'est-ce pas lui qu'il cherchent à tuer? 26 Et le
voilà qui parle ouvertement sans qu'ils lui disent
rien! Est-ce que vraiment les autorités [c] auraient
reconnu qu'il est le Christ? 27 Mais lui, nous savons
d'où il est, tandis que le Christ, à sa venue, personne ne saura d'où il est [d]. » 28 Alors Jésus, enseignant dans le Temple, s'écria :

9; 19 9+ « Vous me connaissez
Mt 11 27 et vous savez d'où je suis;
et pourtant ce n'est pas de moi-même que je suis
venu,
mais il m'envoie vraiment [e], celui qui m'a 8 26
envoyé.
Vous, vous ne le connaissez pas. 8 55; 6 46
29 Moi, je le connais,
parce que je viens d'auprès de lui [f] 1 1+
et c'est lui qui m'a envoyé. »

30 Ils cherchaient alors à le saisir, mais personne 7 44
ne porta la main sur lui, parce que son heure n'était Lc 4 29s
pas encore venue. 8 20; 2 4+

**Jésus annonce son prochain départ.**

31 Dans la foule, beaucoup crurent en lui et
disaient : « Le Christ, quand il viendra, fera-t-il
plus de signes que n'en a fait celui-ci? 32 Ces 2 11+
rumeurs de la foule à son sujet parvinrent aux oreilles des Pharisiens. Ils [g] envoyèrent des gardes pour
le saisir. 33 Jésus dit alors :

« Pour un peu de temps encore je suis avec vous,
et je m'en vais vers celui qui m'a envoyé. 1 1+
34 Vous me chercherez, et ne me trouverez pas [h]; 8 21
et où je suis, Dt 4 29; Is 55 6
vous ne pouvez pas venir. » Os 5 6+; Pr 1 28

35 Les Juifs se dirent entre eux : « Où va-t-il aller,
que nous ne le trouverons pas? Va-t-il rejoindre
ceux qui sont dispersés chez les Grecs et enseigner
les Grecs? 36 Que signifie cette parole qu'il a dite :
" Vous me chercherez et ne me trouverez pas; 2 19+
et où je suis,
vous ne pouvez pas venir "? »

**La promesse de l'eau vive.**

37 Le dernier jour de la fête [i], le grand jour, Jésus,
debout, s'écria : Pr 1 20

« Si quelqu'un a soif, qu'il vienne à moi [j], Is 55 1, 3
et qu'il boive, 38 celui qui croit en moi! » Jn 4 1+

selon le mot de l'Écriture :

*a)* 7 14-52 est composé de morceaux différents, liés par un thème commun : il y a équivoque sur l'origine de Jésus. 1° Son origine humaine voile son origine divine : comment sait-il, n'ayant pas été à l'école des Rabbins? vv. 14-18; on connaît son enfance, il ne peut être le Christ, vv. 25-30. 2° On le croit né à Nazareth, il ne peut être le Christ, vv. 40-52. – Le thème du « départ » de Jésus, vv. 33-36, cf. **8** 21-23, se relie à celui de l'origine divine : le Christ homme s'en va là où il a toujours été (par sa divinité, cf. vv. 29 et 34). – Les vv. 19-24, conclusion de **5** 1-16, sont hors de contexte.
*b)* Jésus raisonne à la mode rabbinique : on considérait la circoncision comme la « guérison » d'un membre particulier; s'il était permis de guérir (circoncire) un membre le jour du sabbat, combien plus devait-il être permis de guérir l'homme tout entier.
*c)* Var. : « les grands prêtres » ou : « les anciens » ou : « ils ».
*d)* On savait bien qu'il devait naître à Bethléem, cf. v. 42; Mt **2** 5s, mais la croyance commune était qu'il devait demeurer caché en un lieu inconnu, cf. Mt **24** 26, (certains disaient : au ciel) jusqu'au jour de son avènement. Par son origine céleste, Jésus répond à cette croyance, mais à l'insu de ses interlocuteurs.
*e)* Litt. : « il est véritable (var. : véridique), celui qui m'envoie ».
*f)* Var. : « parce que je suis près de lui ».
*g)* Var. : « Pharisiens et grands prêtres », « Eux et les grands prêtres », « Grands prêtres et Pharisiens ».
*h)* Comme Dieu lui-même, Jésus doit être cherché « pendant qu'on peut le trouver ». En fait, les Juifs laisseront passer le « temps » et les païens (les Grecs) recevront le salut à leur place. Cf. **12** 20-21; **12** 35+; **19** 37+.
*i)* Le septième ou peut-être le huitième, jour de la fête de clôture.
*j)* Om. : « à moi ». – Jésus appelle à lui comme le fait la Sagesse, cf. **6** 35+.

2 21+; De son sein [a] couleront des fleuves d'eau vive [b].
19 34 1 Co 10 4+ 39 Il parlait de l'Esprit que devaient recevoir ceux
Is 44 3 qui avaient cru en lui; car il n'y avait pas encore
1 33+ d'Esprit [c], parce que Jésus n'avait pas encore été
glorifié.

**Nouvelles discussions sur l'origine du Christ.**

40 Dans la foule, plusieurs, qui avaient entendu
1 21+ ces paroles, disaient : « C'est vraiment lui le prophète! » 41 D'autres disaient : « C'est le Christ! »
Mais d'autres disaient : « Est-ce de la Galilée que
2 S 7 12+ le Christ doit venir? 42 L'Écriture n'a-t-elle pas dit
Mt 9 27+ que c'est de la descendance de David et de Beth-
Rm 1 3 Mt 2 5s léem [d], le village où était David, que doit venir le
3 11+ Christ? » 43 Une scission se produisit donc dans la
foule, à cause de lui. 44 Certains d'entre eux vou-
7 30 laient le saisir, mais personne ne porta la main sur
lui.

45 Les gardes revinrent donc trouver les grands
prêtres et les Pharisiens. Ceux-ci leur dirent :
« Pourquoi ne l'avez-vous pas amené? » 46 Les gar-
Mt 13 54-56 des répondirent : « Jamais homme n'a parlé comme
cela! » 47 Les Pharisiens répliquèrent : « Vous aussi,
vous êtes-vous laissé égarer? 48 Est-il un des notables qui ait cru en lui? ou un des Pharisiens?
49 Mais cette foule qui ne connaît pas la Loi, ce
3 1+ sont des maudits! » 50 Nicodème, l'un d'entre eux,
celui qui était venu trouver Jésus précédemment,
Dt 1 16s; 17 4 leur dit : 51 « Notre Loi juge-t-elle un homme sans
Ac 5 35 d'abord l'entendre et savoir ce qu'il fait! » 52 Ils lui
Jn 5 39 répondirent : « Es-tu de la Galilée, toi aussi? Étu-
1 46 die! Tu verras que ce n'est pas de la Galilée que
Mt 16 14+ surgit le prophète. »

**La femme adultère [e].**

53 Et ils s'en allèrent chacun chez soi.
**8** 1 Quant à Jésus, il alla au mont des Oliviers.
2 Mais, dès l'aurore, de nouveau il fut là dans Lc 21 37-38
le Temple, et tout le peuple venait à lui, et s'étant
assis il les enseignait. 3 Or les scribes et les Pharisiens amènent une femme surprise en adultère et, Lc 7 37-50
la plaçant au milieu, 4 ils disent à Jésus : « Maître,
cette femme a été surprise en flagrant délit d'adul- Lv 20 10
tère. 5 Or, dans la Loi, Moïse nous a prescrit de Dt 22 22-24
lapider ces femmes-là. Toi donc, que dis-tu? » 6 Ils
disaient cela pour le mettre à l'épreuve, afin d'avoir
matière à l'accuser. Mais Jésus, se baissant, se mit Mt 12 10
à écrire avec son doigt sur le sol [f]. 7 Comme ils per- Lc 20 20
sistaient à l'interroger, il se redressa et leur dit :
« Que celui d'entre vous qui est sans péché lui jette Dt 17 7
le premier une pierre! » 8 Et se baissant de nouveau, Mt 7 1-5
il écrivait sur le sol. 9 Mais eux, entendant cela, s'en
allèrent un à un, à commencer par les plus vieux;
et il fut laissé seul, avec la femme toujours là au
milieu. 10 Alors, se redressant, Jésus lui dit :
« Femme, où sont-ils? Personne ne t'a condamnée? » 11 Elle dit : « Personne, Seigneur. » Alors
Jésus dit : « Moi non plus, je ne te condamne pas. Ez 33 11; 1
Va, désormais ne pèche plus. » Ps 103 8, 13 Jn 5 14

**Jésus lumière du monde [g].** Ex 13 21

Ps 27 1; 36 89 16; Sg 7
12 De nouveau Jésus leur adressa la parole et dit : Is 9 1; 60 1
« Je suis la lumière du monde. 1 Jn 1 5
Qui me suit ne marchera pas dans les ténèbres,
mais aura la lumière de la vie. »

**Discussion du témoignage de Jésus sur lui-même.**

13 Les Pharisiens lui dirent alors : « Tu te rends
témoignage à toi-même; ton témoignage n'est pas
valable. » 14 Jésus leur répondit :

« Bien que je me rende témoignage à moi-même, 3 11+
mon témoignage est valable, 5 31
parce que je sais

a) Du sein de Jésus, selon la tradition la plus ancienne. Une autre tradition rattache « celui qui croit en moi » à ce qui suit : du sein du croyant couleront les fleuves d'eau vive.
b) Promesse qu'il faut rattacher à la liturgie de la fête des Tentes, laquelle comportait des prières pour la pluie, des rites commémorant le miracle de l'eau, Ex **17** 1-7; cf. 1 Co **10** 4, des lectures de prophéties annonçant la source qui devait régénérer Sion, Za **14** 8; Ez **47** Is. Cf. Jn **4** 1+.
c) Var. : « l'Esprit n'avait pas encore été donné ».
d) La naissance de Jésus à Bethléem était ignorée hors du cercle des intimes.
e) Cette péricope, **7** 53-**8** 11, omise par les plus anciens témoins (mss, versions et Pères), déplacée par d'autres, au style de couleur synoptique, ne peut être de saint Jean lui-même. Elle pourrait être attribuée à saint Luc, cf. Lc **21** 38+. Sa canonicité, son caractère inspiré et sa valeur historique n'en sont pas moins hors de conteste.
f) Le sens de ce geste reste obscur.
g) Dans le NT, le thème de la lumière se développe selon trois lignes principales, plus ou moins distinctes. 1° Comme le soleil illumine une route, ainsi est « lumière » tout ce qui éclaire le chemin vers Dieu : jadis, la Loi, la Sagesse et la Parole de Dieu, Qo **2** 13; Pr **4** 18-19; **6** 23; Ps **119** 105; maintenant, le Christ, Jn **1** 9; **9** 1-39; **12** 35; 1 Jn **2** 8-11; cf. Mt. **17** 2; 2 Co **4** 6, comparable à la Nuée lumineuse de l'Exode, Jn **8** 12; cf. Ex **13** 21s; Sg **18** 3s; tout chrétien enfin, qui manifeste Dieu aux yeux du monde, Mt **5** 14-16; Lc **8** 16; Rm **2** 19; Ph **2** 15; Ap **21** 24. 2° La lumière est symbole de vie, de bonheur et de joie; les ténèbres, symbole de mort, de malheur et de larmes, Jb **30** 26; Is **45** 7; cf. Ps **17** 15+; aux ténèbres de la captivité s'oppose donc la lumière de la délivrance et du salut messianique, Is **8** 22 – **9** 1; Mt **4** 16; Lc **1** 79; Rm **13** 11-12, atteignant même les Nations païennes, Lc **2** 32; Ac **13** 47, par le Christ-Lumière, Jn (cf. textes cités supra); Ep **5** 14, pour se consommer dans le Royaume des Cieux, Mt **8** 12; **22** 13; **25** 30; Ap **22** 5; cf. **21** 3-4. 3° Le dualisme « lumière-ténèbres » en vient à caractériser les deux mondes opposés du Bien et du Mal (cf. les textes esséniens de Qumrân). Dans le NT apparaissent ainsi deux « empires », sous la domination respective du Christ et de Satan, 2 Co **6** 14-15; Col **1** 12-13; Ac **26** 18; 1 P **2** 9, l'un s'efforçant de vaincre l'autre, Lc **22** 53; Jn **13** 27-30. Les hommes se séparent en « fils de lumière » et « fils de ténèbres », Lc **16** 8; 1 Th **5** 4-5; Ep **5** 7-8; Jn **12** 36, selon qu'ils vivent sous l'influence de la lumière (le Christ) ou des ténèbres (Satan), Mt

14 28 d'où je suis venu et où je vais;
mais vous, vous ne savez pas
d'où je viens ni où je vais [a].
7 24; Rm 7 5 15 Vous, vous jugez selon la chair [b];
12 47 moi, je ne juge [c] personne;
16 et s'il m'arrive de juger, moi,
5 30; 8 29 mon jugement est selon la vérité,
parce que je ne suis pas seul;
10 30+ mais il y a moi et celui qui m'a envoyé;
Dt 17 6; 19 15 17 et il est écrit dans votre Loi
Nb 35 30 que le témoignage de deux personnes est valable.
18 Je suis à moi-même mon propre témoin,
5 32, 37 et pour moi témoigne le Père qui m'a envoyé. »

14 9 19 Ils lui disaient donc : « Où est ton Père? »
Jésus répondit :

12 45 « Vous ne connaissez ni moi ni mon Père;
= 14 7 si vous me connaissiez, vous connaîtriez aussi
mon Père. »

Mc 12 41+ 20 Il prononça ces paroles au Trésor, alors qu'il
7 30 enseignait dans le Temple. Personne ne se saisit de
2 4+ lui, parce que son heure n'était pas encore venue.
21 Jésus leur dit encore :

7 34+ « Je m'en vais et vous me chercherez et vous
Dt 24 16 mourrez dans votre péché [d].
Ez 18 20; Où je vais,
33 12-20
Jn 13 33, 36 vous ne pouvez venir. »
22 Les Juifs disaient donc : « Va-t-il se donner la
mort, qu'il dise : “ Où je vais, vous ne pouvez
venir ”? » 23 Et il leur disait :

« Vous, vous êtes d'en bas;
moi, je suis d'en haut.
1 10+ Vous, vous êtes de ce monde;
31; 17 14 moi, je ne suis pas de ce monde.

24 Je vous ai donc dit que vous mourrez dans vos
péchés.
Car si vous ne croyez pas que Je Suis [e], 1 1+
vous mourrez dans vos péchés. » Ex 3 14+ Is 43 11

25 Il lui disaient donc : « Qui es-tu? » Jésus leur
dit :

« Dès le commencement ce que je vous dis [f].
26 J'ai sur vous beaucoup à dire
et à juger;
mais celui qui m'a envoyé est véridique 7 28
et je dis au monde ce que j'ai entendu de lui. » 12 48-50

27 Ils ne comprirent pas qu'il leur parlait du Père.
28 Jésus leur dit donc :

« Quand vous aurez élevé le Fils de l'homme, 12 32+; Mt 8 20+
alors vous saurez que Je Suis [g] 8 24+
et que je ne fais rien de moi-même,
mais je dis ce que le Père m'a enseigné, 3 11+
29 et celui qui m'a envoyé est avec moi; 10 30+
il ne m'a pas laissé seul, 16 32
parce que je fais toujours ce qui lui plaît. »

30 Comme il disait cela, beaucoup crurent en lui.

**Jésus et Abraham.**

31 Jésus dit alors aux Juifs qui l'avaient cru :

« Si vous demeurez dans ma parole, 3 11+
vous êtes vraiment mes disciples,
32 et vous connaîtrez la vérité [h]
et la vérité vous libérera.

33 Ils lui répondirent : « Nous sommes la descendance d'Abraham et jamais nous n'avons été esclaves de personne. Comment peux-tu dire : Vous
deviendrez libres? » 34 Jésus leur répondit :

6 23; 1 Th 5 4s; 1 Jn 1 6-7; 2 9-10, et se reconnaissent à leurs œuvres, Rm 13 12-14; Ep 5 8-11. Cette séparation (jugement) entre les hommes s'est manifestée par la venue de la Lumière, obligeant chacun à se prononcer pour ou contre elle. Jn 3 19-21; 7 7; 9 39; 12 46; cf. Ep. 5 12-13. La perspective reste optimiste : les ténèbres devront un jour s'effacer devant la lumière, Jn 1 5; 1 Jn 2 8; Rm 13 12.

*a)* Le Fils est à lui-même son véritable témoin, parce que seul il connaît le mystère céleste de son être, cf. Mt 11 27p.

*b)* Les Juifs jugent Jésus sur l'apparence, qui est celle d'un homme ordinaire, « dans la chair ils ne voient pas resplendir la gloire du Fils de Dieu » (S. Augustin).

*c)* C'est-à-dire « condamne », suivant l'usage sémitique du mot.

*d)* En repoussant Jésus, les Juifs se perdent sans espoir; ils pèchent contre la vérité, vv. 40, 45s. C'est le péché contre l'Esprit, Mt 12 31p. Cf. Jn 7 34+.

*e)* « Je Suis » est le nom divin révélé à Moïse, Ex 3 14+, et signifie que le Dieu d'Israël est le seul et vrai Dieu, Dt 32 39. En s'appliquant ce nom, Jésus se donne comme le seul et unique Sauveur, vers qui tendaient toute la foi et l'espérance d'Israël. Cf. 8 28, 58; 13 19 et aussi 6 35; 18 5,8.

*f)* Texte très difficile, diversement traduit : « D'abord pourquoi vous parlé-je? »; « Pourquoi vous parlerais-je? »; « D'abord ce que je vous dis »; « Absolument ce que je vous dis ». Notre traduction garde la nuance temporelle, qui prépare le second « alors » du v. 28 : les Juifs ont maintenant l'occasion de connaître Jésus par sa parole; quand ils le connaîtront « élevé », il sera trop tard. – La traduction de la Vulg. : « (Je suis) le Principe, moi qui vous parle » est grammaticalement insoutenable.

*g)* Dans l'AT, la formule : « vous saurez que je suis » ou : « que je suis Yahvé » affirme la puissance divine, cf. 8 24+, ou annonce une intervention éclatante de Yahvé, cf. Ex 10 2; Ez 6 7, 10, 13s, etc.; Is 43 10 (qui se rapproche étonnamment de saint Jean). Ici est annoncée la glorification de Jésus par son « élévation » sur la croix, 12 32+, qui répondra à la question des Juifs, v. 25, mais par la condamnation de leur incrédulité. Cf. 19 37; Ap 1 7; Mt 26 64p; 1 Co 2 8.

*h)* Jésus est la Vérité, la totale réalité du don du Père et de son dessein sauveur, 14 6; 17 17; cf. Ap 3 7; 19 11. En lui sont devenues présentes les réalités annoncées par la Loi, 1 17. Il proclame les paroles qu'il tient du Père qui l'a envoyé, 3 11+; 8 26, 40; etc., il nous fait ainsi connaître celui qu'il connaît, 1 18, et nous invite à lui donner notre foi, 3 12+; 8 45-47. Il est la vraie lumière, 1 9, il peut dire : « Je suis le vrai pain », etc., 6 35+. Après sa glorification, 12 32+, l'Esprit de vérité, 14 17+, guidera les croyants vers la vérité totale, 16 13. Le croyant qui « est de la vérité », 18 37; 1 Jn 3 19+; cf. 2 Th 2 10-12, est sanctifié par elle, 17 17-19, il y demeure, 8 31, il y marche, 2 Jn 4; 3 Jn 4, il la fait, 3 21, il y coopère, 3 Jn 8. Il adore le Père en esprit et en vérité, 4 23-24. Il est tiré du mensonge, 8 44+.

« En vérité, en vérité, je vous le dis,
Rm 6 17-19 quiconque commet le péché est esclave [a].
Jn 2 19+ 35 Or l'esclave ne demeure pas à jamais dans la
Gn 21 10 Jr 2 14s maison,
Jn 14 2-3 le fils y demeure à jamais.
Ga 4 30s 36 Si donc le Fils vous libère,
He 3 5-6 vous serez réellement libres.
Mt 21 33-46 37 Je sais, vous êtes la descendance d'Abraham;
mais vous cherchez à me tuer,
5 38 parce que ma parole ne pénètre pas en vous.
3 11+ 38 Je dis
ce que j'ai vu chez mon Père;
et vous, vous faites
ce que vous avez entendu auprès de votre père. »

39 Ils lui répondirent : « Notre père, c'est Abraham ». Jésus leur dit :

« Si vous êtes enfants d'Abraham,
faites les œuvres d'Abraham [b].
40 Or maintenant vous cherchez à me tuer,
moi, un homme qui vous ai dit la vérité,
que j'ai entendue de Dieu.
Gn 15 6; 17 1s Cela, Abraham ne l'a pas fait!
41 Vous faites les œuvres de votre père. »

Ils lui dirent : « Nous ne sommes pas nés de la
Ex 4 22; Dt 32 6 prostitution [c]; nous n'avons qu'un seul Père :
Dieu. » 42 Jésus leur dit :

1 Jn 5 1 « Si Dieu était votre Pere, vous m'aimeriez,
Mc 1 38+ car c'est de Dieu que je suis sorti et que je viens;
je ne viens pas de moi-même;
1 1+ mais lui m'a envoyé.
43 Pourquoi ne reconnaissez-vous pas mon langage?
C'est que vous ne pouvez pas entendre ma
parole [d].
1 Jn 3 8-15 44 Vous êtes du diable, votre père,
Mt 4 1+ et ce sont les désirs de votre père
que vous voulez accomplir.
Gn 2 17; 3 1s Il était homicide dès le commencement
Sg 1 13; 2 24 et n'était pas établi [e] dans la vérité,
Rm 5 12 parce qu'il n'y a pas de vérité en lui :
quand il profère le mensonge,
il parle de son propre fonds,
parce qu'il est menteur et père du mensonge [f].

45 Mais parce que je dis la vérité,
vous ne me croyez pas.
46 Qui d'entre vous me convaincra de péché [g]? 1 Jn 3 5
Si je dis la vérité, 1 P 1 19
pourquoi ne me croyez-vous pas? He 9 14-28
47 Qui est de Dieu
entend les paroles de Dieu;
si vous n'entendez pas,
c'est que vous n'êtes pas de Dieu. » 10 26+

48 Les Juifs lui répondirent : « N'avons-nous pas 1 Jn 4 6
raison de dire que tu es un Samaritain et que tu as 4 9+
un démon? » 49 Jésus répondit : 7 20+

« Je n'ai pas un démon
mais j'honore mon Père,
et vous cherchez à me déshonorer.
50 Je ne cherche pas ma gloire; 7 18
il est quelqu'un qui la cherche et qui juge.
51 En vérité, en vérité, je vous le dis,
si quelqu'un garde ma parole, 3 11+
il ne verra jamais la mort. » 11 25; 5 25-28

52 Les Juifs lui dirent : « Maintenant nous savons
que tu as un démon. Abraham est mort, les prophè- 7 20+
tes aussi, et tu dis :
" Si quelqu'un garde ma parole,
il ne goûtera jamais de la mort. "
53 Es-tu donc plus grand qu'Abraham, notre 4 12
père, qui est mort? Les prophètes aussi sont morts.
Qui prétends-tu être? » 54 Jésus répondit :

« Si je me glorifie moi-même,
ma gloire n'est rien;
c'est mon Père qui me glorifie,
lui dont vous dites : " Il est notre Dieu ",
55 et vous ne le connaissez pas;
mais moi, je le connais; 7 29
et si je disais : " Je ne le connais pas ",
je serais semblable à vous, un menteur.
Mais je le connais et je garde sa parole.
56 Abraham, votre père, exulta 5 39+
à la pensée qu'il verrait mon Jour [h]. Gn 17 1
Il l'a vu et fut dans la joie [i]. » Mt 13 1 Lc 17 22

57 Les Juifs lui dirent alors : « Tu n'as pas cinquante ans et tu as vu Abraham! » 58 Jésus leur dit :

*a)* Add. : « du péché ».
*b)* Var. : « Si vous étiez... vous feriez ». Les Juifs ne sont pas « enfants » d'Abraham (comme Isaac), puisqu'ils ne croient pas; ils sont seulement de la « race » d'Abraham (comme Ismaël, le fils de la servante, qui fut chassé, cf. vv. 34-35). Sur cette discussion, cf. Ga **4** 30s. Ils ne sont pas davantage enfants de Dieu, puisqu'ils ne croient pas en Jésus, **1** 12+; **3** 7-9; etc.
*c)* La prostitution désigne chez les prophètes l'infidélité religieuse, cf. Os **1** 2+. Les Juifs protestent donc ici de leur fidélité au Dieu de l'alliance.
*d)* Étant sous la dépendance du diable, l'ennemi de la vérité. Cf. **18** 37.
*e)* Var. : « il ne s'est pas maintenu ».
*f)* Ou : « père du menteur ». – Le mensonge, contrepied de la parole, **1** 1+, et de la vérité, **8** 31+, est lié au néant et au mal, cf. Rm **1** 25; 2 Th **2** 9-12; etc. Les Juifs qui refusent la vérité de Jésus, v. 40; cf. 1 P **2** 22, sont soumis au chef de tous les ennemis de cette vérité, cf. **12** 31+; **13** 2+; 1 Jn **2** 14.
*g)* C'est-à-dire d'infidélité à Dieu dans la mission reçue de lui.
*h)* L'Avènement de Jésus. Jésus s'approprie ici encore une expression réservée à Dieu dans l'AT : le « Jour de Yahvé », cf. Am **5** 18+.
*i)* Abraham a vu le « Jour » de Jésus (comme Isaïe a « vu sa gloire », **12** 41) « de loin », cf. He **11** 13; Nb **24** 17, dans un événement prophétique : la naissance d'Isaac, qui provoqua le « rire » d'Abraham, Gn **17** 17+. Jésus se donne comme vérita-

« En vérité, en vérité, je vous le dis,
1 1+ avant qu'Abraham existât,
8 24+ Je Suis. »

10 31, 39 59 Ils ramassèrent alors des pierres pour les lui
Lc 4 29s jeter [a]; mais Jésus se déroba et sortit du Temple.

**Guérison d'un aveugle-né.**

9 1 En passant, il vit un homme aveugle de
naissance. 2 Ses disciples lui demandèrent :
5 14+ « Rabbi, qui a péché, lui ou ses parents, pour qu'il
Lc 13 2 soit né aveugle? » 3 Jésus répondit : « Ni lui ni ses
parents n'ont péché, mais c'est afin que soient
manifestées en lui les œuvres de Dieu [b].

11 9-10; 4 Tant qu'il fait jour,
12 35-36; il nous faut [c] travailler aux œuvres de celui qui
4 34 m'a envoyé;
la nuit vient,
où nul ne peut travailler [d].
5 Tant que je suis dans le monde,
8 12+ je suis la lumière du monde [e]. »

6 Ayant dit cela, il cracha à terre, fit de la boue
avec sa salive, enduisit avec cette boue les yeux de
l'aveugle 7 et lui dit : « Va te laver à la piscine de
Is 8 6 Siloé [f] » – ce qui veut dire : Envoyé. L'aveugle s'en
alla donc, il se lava et revint en voyant clair.
8 Les voisins et ceux qui étaient habitués à le voir
auparavant, car c'était un mendiant, dirent alors :
« N'est-ce pas celui qui se tenait assis à mendier? »
9 Les uns disaient : « C'est lui. » D'autres disaient :
« Non, mais il lui ressemble. » Lui disait : « C'est
moi. » 10 Ils lui dirent alors : « Comment donc
tes yeux se sont-ils ouverts? » 11 Il répondit :
« L'homme qu'on appelle Jésus a fait de la boue,
il m'en a enduit les yeux et m'a dit : " Va-t'en à
Siloé et lave-toi. " Alors je suis parti, je me suis
lavé et j'ai recouvré la vue. » 12 Ils lui dirent : « Où
est-il? » Il dit : « Je ne sais pas. »
13 On le conduit aux Pharisiens, l'ancien aveugle.
12 10sp 14 Or c'était sabbat, le jour où Jésus avait fait de
0s; 14 1s la boue [g], et lui avait ouvert les yeux. 15 A leur tour
les Pharisiens lui demandèrent comment il avait
recouvré la vue. Il leur dit : « Il m'a appliqué de la
boue sur les yeux, je me suis lavé et je vois. »
16 Certains des Pharisiens disaient : « Il ne vient
pas de Dieu, cet homme-là, puisqu'il n'observe pas
le sabbat »; d'autres disaient : « Comment un
homme pécheur peut-il faire de tels signes? » Et il 3 2
y eut scission parmi eux. 17 Alors ils dirent encore
à l'aveugle : « Toi, que dis-tu de lui, de ce qu'il t'a
ouvert les yeux? » Il dit : « C'est un prophète. » Mt 16 14+
18 Les Juifs ne crurent pas qu'il eût été aveugle
tant qu'ils n'eurent pas appelé les parents de celui
qui avait recouvré la vue [h]. 19 Ils leur demandèrent :
« Celui-ci est-il votre fils dont vous dites qu'il est
né aveugle? Comment donc y voit-il à présent? »
20 Ses parents répondirent : « Nous savons que c'est
notre fils et qu'il est né aveugle. 21 Mais comment
il y voit maintenant, nous ne le savons pas; ou bien
qui lui a ouvert les yeux, nous, nous ne le savons
pas. Interrogez-le [i], il a l'âge; lui-même s'expliquera
sur son propre compte. » 22 Ses parents dirent cela
parce qu'ils avaient peur des Juifs; car déjà les Juifs 7 13+
étaient convenus que, si quelqu'un reconnaissait
Jésus pour le Christ, il serait exclu de la synagogue. 16 2
23 C'est pour cela que ses parents dirent : « Il a
l'âge; interrogez-le. »
24 Les Juifs appelèrent donc une seconde fois
l'homme qui avait été aveugle et lui dirent :
« Rends gloire à Dieu [j]! Nous savons, nous, que cet
homme est un pécheur. » 25 Lui répondit : « Si c'est
un pécheur, je ne sais pas; je ne sais qu'une chose :
j'étais aveugle et à présent j'y vois. » 26 Ils lui dirent
alors : « Que t'a-t-il fait? Comment t'a-t-il ouvert
les yeux? » 27 Il leur répondit : « Je vous l'ai déjà
dit et vous n'avez pas écouté. Pourquoi voulez-
vous l'entendre à nouveau? Est-ce que, vous aussi,
vous voudriez devenir ses disciples? » 28 Ils l'inju-
rièrent et lui dirent : « C'est toi qui es son disciple;
mais nous, c'est de Moïse que nous sommes disciples. 29 Nous savons, nous, que Dieu a parlé à
Moïse; mais celui-là, nous ne savons pas d'où il
est. » 30 L'homme leur répondit : « C'est bien là
l'étonnant : que vous ne sachiez pas d'où il est, et
qu'il m'ait ouvert les yeux. 31 Nous savons que
Dieu n'écoute pas les pécheurs, mais si quelqu'un Is 1 15
est religieux et fait sa volonté, celui-là il l'écoute. Pr 15 29
32 Jamais on n'a ouï dire que quelqu'un ait ouvert
les yeux d'un aveugle-né [k]. 33 Si cet homme ne

ble objet de la promesse faite à Abraham, la vraie cause de sa joie, l'Isaac spirituel. Cf. Gn 12 1+.

*a)* La prétention de Jésus à un mode divin d'existence est aux yeux des Juifs un blasphème, passible de lapidation, Lv 24 16.

*b)* Les « signes », cf. 2 11+.

*c)* Var. : « il me faut ».

*d)* La vie de Jésus est comme une journée de travail, 5 17, terminée par la nuit de la mort. Cf. Lc 13 32.

*e)* Cette déclaration donne d'avance le sens du miracle, cf. 9 37.

*f)* On y puisait l'eau, symbole des bénédictions messianiques, durant la fête des Tentes. Les bénédictions viennent désormais par Jésus. – « Envoyé » : un des titres de Jésus caractéristiques de Jn, cf. 4 34+.

*g)* Travail défendu le jour du sabbat.

*h)* Var. : « que cet homme eût été aveugle et qu'il eût recouvré la vue ».

*i)* Om. : « Interrogez-le ».

*j)* Formule biblique pour adjurer quelqu'un de dire la vérité et de réparer une offense faite à la majesté divine, cf. Jos 7 19; 1 S 6 5.

*k)* Le miracle de l'aveugle-né est probablement pour l'évangéliste un symbole du baptême, nouvelle naissance par l'eau et l'Esprit, 3 3-7. Les analogies entre 3 1-21 et 9 sont nombreuses.

3 2 venait pas de Dieu, il ne pourrait rien faire. » 34 Ils
7 49 lui répondirent : « De naissance tu n'es que péché
et tu nous fais la leçon! » Et ils le jetèrent dehors.
35 Jésus apprit qu'ils l'avaient jeté dehors. Le
Mt 8 20+ rencontrant, il lui dit : « Crois-tu au Fils de
l'homme? » 36 Il répondit : « Et qui est-il, Seigneur,
9 5+ que je croie en lui? » 37 Jésus lui dit : « Tu le vois;
4 26 celui qui te parle, c'est lui. » 38 [a] Alors il déclara :
Mt 8 10+ « Je crois, Seigneur », et il se prosterna devant lui.
39 Jésus dit alors :
8 12+ « C'est pour un discernement
1 1+ que je suis venu en ce monde :
Mt 13 13 pour que ceux qui ne voient pas voient
et que ceux qui voient [b] deviennent aveugles. »
40 Des Pharisiens, qui se trouvaient avec lui,
entendirent ces paroles et lui dirent : « Est-ce que
Mt 15 14p nous aussi, nous sommes aveugles? » 41 Jésus leur
dit :
« Si vous étiez aveugles,
vous n'auriez pas de péché;
mais vous dites : Nous voyons!
3 36; 12 48 Mt 23 16s Votre péché demeure. »

Ez 34 1s+ Jr 23 1-3

### Le bon Pasteur.

**10** 1 « En vérité, en vérité, je vous le dis, celui qui
n'entre pas par la porte dans l'enclos des brebis, mais en fait l'escalade par une autre voie, celui-
là est un voleur et un brigand; 2 celui qui entre par
la porte est le pasteur des brebis. 3 Le portier lui
ouvre et les brebis écoutent sa voix, et ses brebis
21 16 à lui, il les appelle une à une [c] et il les mène dehors.
4 Quand il a fait sortir toutes celles qui sont à lui,
Mi 2 13 il marche devant elles et les brebis le suivent, parce
qu'elles connaissent sa voix. 5 Elles ne suivront pas
un étranger; elles le fuiront au contraire, parce
qu'elles ne connaissent pas la voix des étrangers. »
6 Jésus leur [d] tint ce discours mystérieux, mais eux
ne comprirent pas ce dont il leur parlait.
7 Alors Jésus dit à nouveau :
« En vérité, en vérité, je vous le dis,
je suis la porte des brebis [e].

8 Tous ceux qui sont venus avant moi [f]
sont des voleurs et des brigands;
mais les brebis ne les ont pas écoutés.
9 Je suis la porte.
Si quelqu'un entre par moi, il sera sauvé; 3 17
il entrera et sortira, Ps 23 1-3 Is 49 9-10
et trouvera un pâturage. Ez 34 14
10 Le voleur ne vient
que pour voler, égorger et faire périr.
Moi, je suis venu
pour qu'on ait la vie [g]
et qu'on l'ait surabondante.
11 Je suis le bon pasteur [h]; Ez 34 1+
le bon pasteur donne sa vie pour ses brebis.
12 Le mercenaire, qui n'est pas le pasteur
et à qui n'appartiennent pas les brebis,
voit-il venir le loup,
il laisse les brebis et s'enfuit, Jr 23 1s
et le loup s'en empare et les disperse. Ez 34 3-8 Za 11 17
13 C'est qu'il est mercenaire
et ne se soucie pas des brebis.
14 Je suis le bon pasteur;
je connais mes brebis
et mes brebis me connaissent [i],
15 comme le Père me connaît Mt 11 25-27
et que je connais le Père, Jn 15 9
et je donne ma vie pour mes brebis.
16 J'ai encore d'autres brebis Jr 23 3; 31
qui ne sont pas de cet enclos; Ep 2 14s; 4
celles-là aussi, il faut que je les mène [j]; Jn 5 25; 18 37; 11 5
elles écouteront ma voix; Ez 34 23;
et il y aura un seul troupeau [k], 37 22; Mi 2
un seul pasteur;
17 c'est pour cela que le Père m'aime,
parce que je donne ma vie, Jn 3 35;
pour la reprendre. 8 29
18 Personne ne me l'enlève;
mais je la donne de moi-même [l].
J'ai pouvoir de la donner
et j'ai pouvoir de la reprendre;
tel est le commandement que j'ai reçu de mon
Père. »

*a)* Om. de tout le v. 38 et du début du v. 39.
*b)* Les suffisants, qui se fient à leurs propres lumières, cf. vv. 24, 29, 34, par opposition aux humbles, dont l'aveugle est le type. Cf. Dt **29** 3; Is **6** 9s; Jr **5** 21; Ez **12** 2.
*c)* Ou bien : « chacune par son nom ».
*d)* Aux Pharisiens aveuglés, **9** 40. Ils ne comprennent pas que la parabole les vise.
*e)* Qui donne accès auprès des brebis. Pour régir légitimement le troupeau, il faut passer par Jésus, **21** 15-17.
*f)* Om. : « avant moi ». – Il s'agit probablement des Pharisiens, cf. Mt **23** 1-36; Lc **11** 39-52 et Mt **9** 36; Mc **6** 34.
*g)* La vie éternelle, Jésus la donne, **3** 16, 36; **5** 40; **6** 33, 35, 48, 51; **14** 6; **20** 31, avec magnificence, cf. Ap **7** 17; Mt **25** 29; Lc **6** 38.
*h)* Dieu, lui-même pasteur de son peuple, devait lui donner, aux temps messianiques, un pasteur de son choix, cf. Ez **34** 1+. En se déclarant le bon pasteur, Jésus pose une revendication messianique.
*i)* Dans la Bible, cf. Os **2** 22+, la « connaissance » procède, non d'une démarche purement intellectuelle, mais d'une « expérience », d'une présence (comparer Jn **10** 14-15 et **14** 20; **17** 21-22; cf. **14** 17; **17** 3; **2** Jn 1-2); elle s'épanouit nécessairement en amour, cf. Os **6** 6+ et 1 Jn **1** 3+.
*j)* Non pas les amener au bercail juif, mais les agréger au troupeau que Jésus « mène » à la vie éternelle.
*k)* Var. : « un bercail ».
*l)* Le Christ a la vie en lui-même, **3** 35+, et nul ne peut la lui ôter, **7** 30, 44; **8** 20; **10** 39 : il la donne librement, **10** 18; **14** 30; **19** 11; d'où cette majesté sereine, cette pleine liberté devant la mort, **12** 27; **13** 1-3; **17** 19; **18** 4-6; **19** 28.

19 Il y eut de nouveau [a] scission parmi les Juifs
3 11+ à cause de ces paroles. 20 Beaucoup d'entre eux
7 20+ disaient : « Il a un démon; il délire. Pourquoi
l'écoutez-vous? » 21 D'autres disaient : « Ces paroles ne sont pas d'un démoniaque. Est-ce qu'un 9 30-33
démon peut ouvrir les yeux d'un aveugle? » 3 2

## 5. LA FÊTE DE LA DÉDICACE (LA DÉCISION DE TUER JÉSUS)

**Jésus se déclare Fils de Dieu.**

1 M 4 36+ 22 Il y eut alors la fête de la Dédicace à Jéru-
salem. C'était l'hiver. 23 Jésus allait et venait dans
Ac 3 11+ le Temple sous le portique de Salomon. 24 Les Juifs
Jn 8 25 firent cercle autour de lui et lui dirent : « Jusqu'à
Lc 22 67 quand vas-tu nous tenir en haleine? Si tu es le
Christ, dis-le-nous ouvertement [b]. » 25 Jésus leur
répondit :

« Je vous l'ai dit [c], et vous ne croyez pas.
2 11+; 5 36 Les œuvres que je fais au nom de mon Père
témoignent de moi;
26 mais vous ne croyez pas,
Pr 28 5 parce que vous n'êtes pas de mes brebis [d].
1 Co 2 14 27 Mes brebis écoutent ma voix,
n 10 3-4, 14 je les connais et elles me suivent;
10 10 28 je leur donne la vie éternelle;
Rm 8 33-39 elles ne périront jamais
Jr 23 4 et nul ne les arrachera de ma main.
3 35+ 29 Mon Père, quant à ce qu'il m'a donné, est plus
grand que tous [e].
32 39; 33 3 Nul ne peut rien arracher [f] de la main du Père.
3 13; 51 16 30 Moi et le Père nous sommes un [g]. »
Sg 3 1
Jn 1 1 31 Les Juifs apportèrent de nouveau des pierres
8 59 pour le lapider. 32 Jésus leur dit alors : « Je vous ai
montré quantité de bonnes œuvres, venant du Père;
pour laquelle de ces œuvres me lapidez-vous? »
33 Les Juifs lui répondirent : « Ce n'est pas pour une
bonne œuvre que nous te lapidons, mais pour un
22 70-71 blasphème et parce que toi, n'étant qu'un homme,
5 18 tu te fais Dieu. » 34 Jésus leur répondit :

« N'est-il pas écrit dans votre Loi : Rm 3 19+
*J'ai dit : vous êtes des dieux* [h]*?* Ps 82 6
35 Alors qu'elle a appelé dieux
ceux à qui la parole de Dieu fut adressée Jn 1 12-13
– et l'Écriture ne peut être récusée –
36 à celui que le Père a consacré et envoyé dans le monde 1 1+; Jr 1 5
vous dites : " Tu blasphèmes ",
parce que j'ai dit : " Je suis Fils de Dieu "!
37 Si je ne fais pas les œuvres de mon Père,
ne me croyez pas;
38 mais si je les fais,
quand bien même vous ne me croiriez pas,
croyez en ces œuvres, 2 11+
afin de reconnaître une bonne fois
que le Père est en moi et moi dans le Père. » 14 11; 17 21

39 Ils cherchaient donc de nouveau [i] à le saisir, 8 59
mais il leur échappa des mains.

**Jésus se retire au-delà du Jourdain.**

40 De nouveau il s'en alla au-delà du Jourdain, 1 28
au lieu où Jean avait d'abord baptisé, et il y Mt 19 1
demeura. 41 Beaucoup vinrent à lui et disaient : Mc 10 1
« Jean n'a fait aucun signe; mais tout ce que Jean
a dit de celui-ci était vrai. » 42 Et là, beaucoup crurent en lui.

**Résurrection de Lazare.**

11 1 Il y avait un malade, Lazare, de Béthanie, le
village de Marie et de sa sœur Marthe. 2 Marie Lc 10 38s
était celle qui oignit le Seigneur de parfum et lui Jn 12 1-8

*a)* Om. : « de nouveau ».
*b)* Et non plus dans le langage énigmatique de la parabole, cf. v. 6; **16** 25, 29. Plus pressants qu'en **2** 18; **5** 16; **6** 30; **8** 25, les Juifs posent à Jésus la question messianique que, dans les évangiles synoptiques, le grand prêtre pose avant la Passion, Mt **26** 63p.
*c)* Les déclarations antérieures de Jésus le désignaient assez clairement comme l'envoyé de Dieu, cf. **2** 19; **5** 17s, 39; **6** 32s; **8** 24, 28s, 56s; **9** 37.
*d)* Pour croire à Jésus, il faut lui être accordé intérieurement : être « d'en haut », **8** 23, « de Dieu », **8** 47, « de la vérité », **18** 37, être de ses brebis, **10** 14. La foi suppose une affinité spirituelle avec la vérité, **3** 17-21. Cf. Ac **13** 48+: Rm **8** 29s.
*e)* Var. : « Mon Père, ce qu'il m'a donné est plus grand que tout » ou « Mon Père qui me les a donnés est plus grand que tous ».
*f)* Var. : « les arracher ».
*g)* D'après le contexte, cette affirmation vise en premier lieu la commune puissance de Jésus et du Père; mais, indéterminée à dessein, elle laisse entrevoir un mystère d'unité plus large et plus profond. Les Juifs ne s'y trompent pas, qui y voient la prétention d'être Dieu, v. 33. Cf. **1** 1; **8** 16, 29; **10** 38; **14** 9-10; **17** 11, 21 et **2** 11+.
*h)* Cette parole s'adresse aux juges, appelés « dieux » par métaphore en raison de leur charge, car « le jugement est de Dieu », Dt **1** 17; **19** 17; Ex **21** 6; Ps **58**. Par un argument a fortiori de type rabbinique, Jésus va en conclure qu'il est étrange de crier au blasphème, quand le Saint et l'Envoyé de Dieu se dit Fils de Dieu. – Autour de ce titre de « Fils de Dieu », v. 36, cf. **5** 25; **11** 4, 27; **20** 17, 31, va maintenant se jouer le sort de Jésus, cf. **19** 7. Voir Mt **4** 3+.
*i)* Om. : « de nouveau ».

essuya les pieds avec ses cheveux [a]; c'était son frère
Lazare qui était malade. 3 Les deux sœurs envoyèrent donc dire à Jésus : « Seigneur, celui que tu
aimes est malade. » 4 A cette nouvelle, Jésus dit :
2 11 « Cette maladie ne mène pas à la mort, elle est pour
1 14+ la gloire de Dieu : afin que le Fils de Dieu soit glo-
10 34+ rifié par elle [b]. »
5 Or Jésus aimait Marthe et sa sœur et Lazare.
6 Quand il apprit que celui-ci était malade, il
demeura deux jours encore dans le lieu où il se
trouvait; 7 alors seulement, il dit aux disciples :
« Allons de nouveau [c] en Judée. » 8 Ses disciples lui
dirent : « Rabbi, tout récemment les Juifs cher-
8 59; 10 31 chaient à te lapider, et tu retournes là-bas! » 9 Jésus
répondit :

« N'y a-t-il pas douze heures de jour?
Si quelqu'un marche le jour, il ne bute pas,
8 12+ parce qu'il voit la lumière de ce monde;
10 mais s'il marche la nuit, il bute,
parce que la lumière n'est pas en lui. »

11 Il dit cela, et ensuite : « Notre ami Lazare
2 19+ repose, leur dit-il; mais je vais aller le réveiller. »
12 Les disciples lui dirent : « Seigneur, s'il repose, il
Mt 9 24p sera sauvé. » 13 Jésus avait parlé de sa mort, mais
eux pensèrent qu'il parlait du repos du sommeil.
14 Alors Jésus leur dit ouvertement : « Lazare est
mort, 15 et je me réjouis pour vous de n'avoir pas
2 11+ été là-bas, afin que vous croyiez [d]. Mais allons
14 5; 20 24-29 auprès de lui! » 16 Alors Thomas, appelé Didyme,
Mc 10 32 dit aux autres disciples : « Allons, nous aussi, pour
mourir avec lui! »
17 A son arrivée, Jésus trouva Lazare dans le
tombeau depuis quatre jours déjà. 18 Béthanie était
près de Jérusalem, distant d'environ quinze stades,
11 45; 12 9-11, 19 et beaucoup d'entre les Juifs étaient venus auprès
17-19 de Marthe et de Marie pour les consoler au sujet
de leur frère. 20 Quand Marthe apprit que Jésus
Lc 10 39s arrivait, elle alla à sa rencontre, tandis que Marie
restait assise à la maison. 21 Marthe dit à Jésus :
11 32 « Seigneur [e], si tu avais été ici, mon frère ne serait
pas mort. 22 Mais maintenant encore, je sais que
Mc 11 24p tout ce que tu demanderas à Dieu, Dieu te l'accor-
2 19+ dera [f]. » 23 Jésus lui dit : « Ton frère ressuscitera. »
– 24 Je sais, dit Marthe, qu'il ressuscitera à la résurrection, au dernier jour. » 25 Jésus lui dit :

Mt 22 23+ « Je suis la résurrection [g].
Jn 3 35+ Qui croit en moi, même s'il meurt,
vivra [h];
26 et quiconque vit et croit en moi 5 24
ne mourra jamais. 1 Jn 3 14
Le crois-tu? »

27 Elle lui dit : « Oui, Seigneur, je crois que tu es
le Christ, le Fils de Dieu, qui vient dans le monde. » 10 34+;
28 Ayant dit cela, elle s'en alla appeler sa sœur 1 9-10+
Marie, lui disant en secret : « Le Maître est là et il
t'appelle. » 29 Celle-ci, à cette nouvelle, se leva bien
vite et alla vers lui. 30 Jésus n'était pas encore arrivé
au village, mais il se trouvait toujours à l'endroit
où Marthe était venue à sa rencontre. 31 Quand les
Juifs qui étaient avec Marie dans la maison et la
consolaient la virent se lever bien vite et sortir, ils
la suivirent, pensant qu'elle allait au tombeau pour
y pleurer.
32 Arrivée là où était Jésus, Marie, en le voyant,
tomba à ses pieds et lui dit : « Seigneur, si tu avais 11 21
été ici, mon frère ne serait pas mort! » 33 Lorsqu'il
la vit pleurer, et pleurer aussi les Juifs qui l'avaient
accompagnée, Jésus frémit en son esprit et se trou- 11 38; 13 21
bla. 34 Il dit : « Où l'avez-vous mis? » Ils lui dirent :
« Seigneur, viens et vois. » 35 Jésus pleura. 36 Les
Juifs dirent alors : « Voyez comme il l'aimait! »
37 Mais quelques-uns d'entre eux dirent : « Ne pou-
vait-il pas, lui qui a ouvert les yeux de l'aveugle,
faire aussi que celui-ci ne mourût pas? » 38 Alors
Jésus, frémissant à nouveau en lui-même, se rend
au tombeau. C'était une grotte, avec une pierre placée par-dessus. 39 Jésus dit : « Enlevez la pierre! »
Marthe, la sœur du mort [i], lui dit : « Seigneur, il
sent déjà : c'est le quatrième jour. » 40 Jésus lui dit :
« Ne t'ai-je pas dit que si tu crois, tu verras la gloire 2 11+; 1 1
de Dieu? » 41 On enleva donc la pierre. Jésus leva 17 1
les yeux en haut [j] et dit : Mt 14 19p

« Père, je te rends grâces de m'avoir écouté.
42 Je savais que tu m'écoutes toujours;
mais c'est à cause de la foule qui m'entoure 12 30
que j'ai parlé,
afin qu'ils croient que tu m'as envoyé. » 1 1+

43 Cela dit, il s'écria d'une voix forte : « Lazare, 5 27-29
viens dehors! » 44 Le mort sortit, les pieds et les Is 49 9
mains liés de bandelettes, et son visage était enve- 19 40; 2
loppé d'un suaire. Jésus leur dit : « Déliez-le et laissez-le aller. »

a) Selon toute probabilité, ce n'est pas la pécheresse de Lc 7 37.
b) Expression à double sens : Jésus sera glorifié par le miracle lui-même, cf. 1 14+; mais ce miracle entraînera, 11 46-54, sa propre mort, qui sera aussi sa glorification, 12 32+.
c) Om. : « de nouveau ».
d) La mort de Lazare est l'occasion du miracle, qui fortifiera leur foi.
e) Om. : « Seigneur ».
f) Marthe a foi en Jésus; mais elle s'arrête, comme au seuil d'une impossible prière.
g) Add. : « et la vie ».
h) Le croyant a pour toujours triomphé de la mort, victoire dont la résurrection de Lazare est le signe, cf. 3 11+.
i) Om. : « la sœur du mort ».
j) Ou. : « au ciel », « en haut au ciel ».

**Les chefs juifs décident la mort de Jésus.**

45 Beaucoup d'entre les Juifs qui étaient venus
auprès de Marie et avaient vu ce qu'il avait fait,
crurent en lui. 46 Mais certains s'en furent trouver
les Pharisiens et leur dirent ce qu'avait fait Jésus.
Mt **26** 3-5p 47 Les grands prêtres et les Pharisiens réunirent
alors un conseil : « Que faisons-nous? disaient-ils,
cet homme fait beaucoup de signes. 48 Si nous le
laissons ainsi tous croiront en lui, et les Romains
viendront et ils supprimeront notre Lieu Saint [a] et
Lc **3** 2+ notre nation. » 49 Mais l'un d'entre eux, Caïphe,
Jn **18** 13 étant grand prêtre cette année-là, leur dit : « Vous
n'y entendez rien. 50 Vous ne songez même pas
qu'il est de votre intérêt [b] qu'un seul homme meure
pour le peuple et que la nation ne périsse pas tout
entière. » 51 Or cela, il ne le dit pas de lui-même;
mais, étant grand prêtre cette année-là [c], il prophétisa que Jésus allait mourir pour la nation [d] – 52 et
non pas pour la nation seulement, mais encore afin
de rassembler dans l'unité les enfants de Dieu dis- **4** 42+; **10** 16
persés. 53 Dès ce jour-là donc, ils résolurent de [e] le Dt **30** 3
tuer. 54 Aussi Jésus cessa de circuler en public **5** 18+ Mt **12** 14p
parmi les Juifs; il se retira dans la région voisine **7** 1
du désert, dans une ville appelée Éphraïm, et il y
séjournait avec ses disciples.

## *6. FIN DU MINISTÈRE PUBLIC ET PRÉLIMINAIRES DE LA DERNIÈRE PAQUE*

**L'approche de la Pâque.**

**2** 13; **6** 4 55 Or la Pâque des Juifs était proche [f] et beaucoup de gens montèrent de la campagne à Jérusa-
Nb **9** 6-13 lem, avant la Pâque [g], pour se purifier. 56 Ils cherchaient Jésus et se disaient les uns aux autres, en
se tenant dans le Temple : « Qu'en pensez-vous?
qu'il ne viendra pas à la fête? » 57 Les grands prêtres et les Pharisiens avaient donné des ordres : si
quelqu'un savait où il était, il devait l'indiquer, afin
qu'on le saisît.

|| Mt **26** 6-13 || Mc **14** 3-9 **L'onction de Béthanie.**

**12** 1 Six jours avant la Pâque [h], Jésus vint à
Béthanie, où était Lazare, que Jésus avait ressuscité d'entre les morts. 2 On lui fit là un repas.
Marthe servait. Lazare était l'un des convives.
**11** 2+ 3 Alors Marie, prenant une livre d'un parfum de
nard pur, de grand prix, oignit les pieds de Jésus
et les essuya avec ses cheveux; et la maison s'emplit de la senteur du parfum. 4 Mais Judas l'Iscariote, l'un de ses disciples, celui qui allait le livrer,
dit : 5 « Pourquoi ce parfum n'a-t-il pas été vendu
trois cents deniers qu'on aurait donnés à des pauvres? » 6 Mais il dit cela non par souci des pauvres,
mais parce qu'il était voleur et que, tenant la **13** 29
bourse, il dérobait ce qu'on y mettait. 7 Jésus dit
alors : « Laisse-la : c'est pour le jour de ma sépulture qu'elle devait garder ce parfum [i]. 8 Les pauvres, en effet, vous les aurez toujours avec vous;
mais moi, vous ne m'aurez pas toujours. »

9 La grande foule des Juifs apprit qu'il était là et
ils vinrent, pas seulement pour Jésus, mais aussi
pour voir Lazare, qu'il avait ressuscité d'entre les
morts. 10 Les grands prêtres décidèrent de tuer
aussi Lazare, 11 parce que beaucoup de Juifs, à **11** 45
cause de lui, s'en allaient et croyaient en Jésus.

**Entrée messianique de Jésus à Jérusalem.** || Mt **21** 1-9 || Mc **11** 1-10 || Lc **19** 28-38

12 Le lendemain, la foule nombreuse venue pour
la fête apprit que Jésus venait à Jérusalem; 13 ils
prirent les rameaux des palmiers et sortirent à sa 1 M **13** 51
rencontre et ils criaient : Ap **7** 9

« *Hosanna!* Ps **118** 25s
*Béni soit celui qui vient au nom du Seigneur*
et le roi d'Israël [j]! » Jn **1** 49; **6** 15

14 Jésus, trouvant un petit âne, s'assit dessus
selon qu'il est écrit :

15 *Sois sans crainte, fille de Sion :* Za **9** 9s

*a)* Litt. « notre Lieu » : soit Jérusalem, soit tout le pays juif, soit plus probablement le Lieu Saint par excellence, le Temple, Mt **24** 15. Cf. Is **60** 13; 2 M **1** 29; **2** 18; Ac **6** 13.
*b)* Var. : « qu'il vaut mieux ».
*c)* Om. : « cette année-là ».
*d)* Pour Caïphe, il fallait sacrifier Jésus afin de préserver la nation du prétendu danger politique qu'il lui faisait courir; dans la pensée divine, Jésus devait mourir pour le salut des hommes. Cf. **1** 29+.
*e)* Var. : « se concertèrent pour ».
*f)* Jn ne cessera de souligner la relation de la mort de Jésus avec la Pâque, **13** 1; **18** 28; **19** 14, 42.
*g)* Om. : « avant la Pâque ».
*h)* Dernière semaine de la vie publique de Jésus, aussi soigneusement jalonnée, **12** 12; **13** 1; **18** 28; **19** 31, que la première, **2** 1+. Cf. Intr. p. 1525. L'une et l'autre s'achèvent par la manifestation de la gloire de Jésus. Mais on n'est plus comme à Cana au temps des « signes », **2** 4, 11; « l'heure est venue où le Fils de l'Homme doit être glorifié », **12** 23; **13** 31s; **17** 1, 5.
*i)* Jésus voit dans le geste de Marie un hommage anticipé rendu à son cadavre. A ce geste symbolique correspondra, **19** 38s, l'ensevelissement effectif de Jésus.
*j)* Le roi messianique.

*voici que ton roi vient,*
*monté sur un petit d'ânesse.*
Mc 4 13+ 16 Cela, ses disciples ne le comprirent pas tout
Jn 14 26+ d'abord; mais quand Jésus eut été glorifié, alors ils
5 39+ se souvinrent que cela était écrit de lui et que c'était
ce qu'on lui avait fait. 17 La foule qui était avec lui,
quand il avait appelé Lazare hors du tombeau et
l'avait ressuscité d'entre les morts, rendait témoignage. 18 C'est aussi pourquoi la foule vint à sa
rencontre : parce qu'ils avaient entendu dire qu'il
Lc 19 37 avait fait ce signe. 19 Alors les Pharisiens se dirent
entre eux : « Vous voyez que vous ne gagnez rien;
11 47-48 voilà le monde parti après lui! »

**Jésus annonce sa glorification par sa mort.**

Ac 8 26s 20 Il y avait là quelques Grecs, de ceux qui montaient pour adorer pendant la fête [a]. 21 Ils s'avancèrent vers Philippe, qui était de Bethsaïde en Galilée,
1 44 et ils lui firent cette demande : « Seigneur, nous
7 34+ voulons voir Jésus. » 22 Philippe vient le dire à
12 32+ André; André et Philippe viennent le dire à Jésus.
23 Jésus leur répond :
2 4+ « Voici venue l'heure
3 14+, Mt 8 20+ où doit être glorifié le Fils de l'homme.
24 En vérité, en vérité, je vous le dis,
1 Co 15 36 si le grain de blé tombé en terre ne meurt pas,
il demeure seul;
Is 53 10-12 mais s'il meurt,
il porte beaucoup de fruit.
|| Mt 16 25 25 Qui aime sa vie la perd;
|| Mc 8 35; || Lc 9 24 et qui hait sa vie en ce monde
Ap 12 11 1 10+ la conservera en vie éternelle.
Mt 16 24 26 Si quelqu'un me sert, qu'il me suive,
Jn 7 34; et où je suis [b], là aussi sera mon serviteur.
14 3; 17 24 Si quelqu'un me sert, mon Père l'honorera.
11 33; 13 21 27 Maintenant mon âme est troublée [c]
He 5 7-8 Et que dire?
Lc 22 40-46p Père, sauve-moi de cette heure!
Ps 22 20-24 Jn 18 11 Mais c'est pour cela que je suis venu à cette
heure.
28 Père, glorifie ton nom [d]! »

Du ciel vint alors une voix :
« Je l'ai glorifié et de nouveau je le glorifierai. » 2 11+; 1 14+ 17 5+
29 La foule qui se tenait là et qui avait entendu,
disait qu'il y avait eu un coup de tonnerre; d'autres
disaient : « Un ange lui a parlé. » 30 Jésus reprit :
« Ce n'est pas pour moi qu'il y a eu cette voix, mais 11 42
pour vous [e].
31 C'est maintenant le jugement de ce monde; 3 19; 1 10+
maintenant le Prince de ce monde va être jeté Lc 10 18
dehors [f]; Ap 12 9;
32 et moi, une fois élevé de terre [g], 20 1-6
j'attirerai tous les hommes [h] à moi [i]. » 3 35+
33 Il signifiait par là de quelle mort il allait mourir.
34 La foule alors lui répondit : « Nous avons Rm 3 19+
appris de la Loi que le Christ demeure à jamais. 2 S 7 16
Comment peux-tu dire : “ Il faut que soit élevé le Ps 110 4; Is 9 6 2 19+
Fils de l'homme ”? Qui est ce Fils de l'homme? » Mt 8 20+
35 Jésus leur dit :
« Pour peu de temps encore la lumière est parmi 8 12+
vous.
Marchez [j] tant que vous avez la lumière,
de peur que les ténèbres ne vous saisissent :
celui qui marche dans les ténèbres ne sait pas où
il va.
36 Tant que vous avez la lumière, Jr 13 16
croyez en la lumière,
afin de devenir des fils de lumière. »
Ainsi parla Jésus, et s'en allant il se déroba à
leur vue.

**Conclusion : l'incrédulité des Juifs.**

37 Bien qu'il eût fait tant de signes devant eux, ils 2 11+
ne croyaient pas en lui, 38 afin que s'accomplit la Dt 29 1-3
parole dite par Isaïe le prophète :
*Seigneur, qui a cru à notre parole?* Is 53 1
*et le bras du Seigneur, à qui a-t-il été révélé?* Rm 10 16
39 Aussi bien ne pouvaient-ils croire, car Isaïe a Mt 13 13+
dit encore :
40 *Il a aveuglé leurs yeux* Is 6 9s+

*a)* Des non-Juifs, gagnés au monothéisme d'Israël et, dans une certaine mesure, aux observances mosaïques : les « craignant-Dieu » de Ac **10** 2+.
*b)* Dans la gloire du Père, cf. **14** 3; **17** 24.
*c)* Scène qui par bien des traits évoque Gethsémani : angoisse devant l'Heure qui approche, appel à la pitié du Père, acceptation du sacrifice, réconfort venu du Ciel (cf. Lc). Noter toutefois les différences : le Christ demeure debout, son appel à la pitié reste à l'état de débat intérieur (Jn); il « fléchit les genoux » (Lc); il « tombe la face contre terre » (Mt, Mc). Cf. Jn **18** 4-6; **10** 18+.
*d)* « ton nom » (var. : « ton Fils ») désigne la personne même du Père. Jésus s'offre à mourir pour l'accomplissement de l'œuvre qui glorifiera le Père en manifestant son amour pour le monde, **17** 6+.
*e)* L'événement est comme un sceau divin mis par avance sur la mort de Jésus.
*f)* Var. : « jeté bas ». – Satan (cf. **8** 12+; **14** 30; **16** 11; 2 Co **4** 4; Ep **2** 2; **6** 12) dominait le monde, 1 Jn **5** 19; la mort de Jésus affranchit les hommes de sa tyrannie. Cf. Jn **3** 35+; Mt **4** 1+; **8** 29+; Lc **8** 31+; Rm **8** 3; Col **1** 12-13.
*g)* Om. : « de terre ». – Allusion à l'« élévation » du Christ sur la croix (v. 33) en même temps qu'à son « élévaion » au ciel, **3** 13, 14+; **8** 28, cf. **6** 62, au jour de la résurrection, **20** 17+, les deux événements étant deux aspects du même mystère, **13** 1+. Exalté à la droite du Père, dans la gloire, **12** 23; **17** 5+, le Christ enverra l'Esprit, **7** 39, et par lui étendra sa domination sur le monde, **16** 14; cf. **3** 35+.
*h)* Var. : « tout homme » ou « tout ».
*i)* Élevé sur la croix, Jésus apparaîtra aux yeux de tous comme le Sauveur du monde, cf. **19** 37. C'est la réponse aux Grecs pieux qui cherchent à « le voir », cf. **6** 40+.
*j)* Jésus exhorte les Juifs à croire en lui avant qu'il soit trop tard, cf. **7** 34+.

*et il a endurci leur cœur,*
*pour que leurs yeux ne voient pas,*
*que leur cœur ne comprenne pas,*
*qu'ils ne se convertissent pas*
*et que je ne les guérisse pas.*
41 Isaïe a dit cela, parce qu'il eut la vision de sa
**5** 39+ gloire [a] et qu'il parla de lui.
42 Toutefois, il est vrai, même parmi les notables,
**7** 13 un bon nombre crurent en lui, mais à cause des
Pharisiens ils ne se déclaraient pas, de peur d'être
**9** 22 exclus de la synagogue, 43 car ils aimèrent la gloire
**5** 44 des hommes plus que la gloire de Dieu.
44 Jésus a dit, il l'a clamé :
« Qui croit en moi,
ce n'est pas en moi qu'il croit,
**13** 20 mais en celui qui m'a envoyé,
**14** 7-9 45 et qui me voit
voit celui qui m'a envoyé.
**8** 12+; **1** 1+ 46 Moi, lumière, je suis venu dans le monde,
pour que quiconque croit en moi
ne demeure pas dans les ténèbres.
47 Si quelqu'un entend mes paroles et ne les garde **3** 11+
pas, Lc **8** 21p; **11** 28
je ne le juge pas, Mt **13** 18-23p
car je ne suis pas venu pour juger le monde,
mais pour sauver le monde. **3** 17
48 Qui me rejette et n'accueille pas mes paroles Lc **20** 16
a son juge : Dt **31** 26-29
la parole que j'ai fait entendre, Jn **8** 37, 47; He **4** 12s
c'est elle qui le jugera au dernier jour;
49 car ce n'est pas de moi-même que j'ai parlé, Dt **18** 18-19
mais le Père qui m'a envoyé m'a lui-même **1** 1+
commandé
ce que j'avais à dire et à faire connaître; **3** 11+
50 et je sais que son commandement est vie éter- **6** 63
nelle.
Ainsi donc ce que je dis,
tel que le Père me l'a dit
je le dis. »

# *L'Heure de Jésus*
# *La Pâque de l'agneau de Dieu*

## *1. LE DERNIER REPAS DE JÉSUS AVEC SES DISCIPLES*

**Le lavement des pieds.**

Mt **26** 17+; Jn **1** 48+ **13** 1 Avant la fête de la Pâque, Jésus, sachant que
son heure était venue de passer de ce monde
**3** 4+; **10** 18+; Jn **1** 10+ vers le Père [b], ayant aimé les siens [c] qui étaient
dans le monde, les aima jusqu'à la fin [d].
Mt **26** 20p 2 Au cours d'un repas [e], alors que déjà le diable
Mt **4** 1+ avait mis au cœur [f] de Judas Iscariote, fils de
Simon, le dessein de le livrer, 3 sachant que le Père
**3** 35+ lui avait tout remis entre les mains et qu'il était
**1** 1+ venu de Dieu et qu'il s'en allait vers Dieu, 4 il se
lève de table, dépose ses vêtements, et prenant un
Lc **12** 37; **17** 7-10 linge, il s'en ceignit. 5 Puis il met de l'eau dans un
bassin et il commença à laver les pieds des disci-
ples [g] et à les essuyer avec le linge dont il était
ceint.
6 Il vient donc à Simon-Pierre, qui lui dit : « Seigneur, toi, me laver les pieds? » 7 Jésus lui répon- Mt **3** 14
dit : « Ce que je fais, tu ne le sais pas à présent;
par la suite tu comprendras. » 8 Pierre lui dit : **14** 26+
« Non, tu ne me laveras pas les pieds, jamais! »
Jésus lui répondit : « Si je ne te lave pas, tu n'as **2** 19+
pas de part avec moi [h]. » 9 Simon-Pierre lui dit :
« Seigneur, pas seulement les pieds, mais aussi les
mains et la tête! » 10 Jésus lui dit : « Qui s'est baigné
n'a pas besoin de se laver [i]; il est pur tout entier [j]. **15** 3

*a)* « parce qu'il eut »; var. : « quand il eut ». – Allusion à la vision d'Isaïe dans le Temple, Is **6** 1-4+, interprétée comme une vision prophétique de la gloire du Christ, cf. **8** 56+.
*b)* Une tradition juive interprétait le mot « Pâque » (cf. Ex **12** 11+) au sens de « Passage », avec référence au passage de la mer Rouge, Ex **14**. Le Christ (et nous avec lui) va « passer » de ce monde, captif du péché, vers le Père, la Terre Promise. Cf. **1** 21+; **11** 55+.
*c)* Pour la première fois, Jn met explicitement la vie et la mort de Jésus sous le signe de son amour pour les siens. C'est comme un secret dont la pleine révélation est réservée pour les derniers instants, **13** 34; **15** 9, 13; **17** 23; 1 Jn **3** 16; Rm **8** 35; Ga **2** 20; Ep **3** 19; **5** 2, 25.
*d)* Jusqu'à l'extrême de l'amour.
*e)* Var. : « Un repas ayant eu lieu ».
*f)* Var. : « le diable ayant déjà mis dans le (son?) cœur que Judas Iscariote le livrerait », ou : « s'étant mis dans le cœur... », ou : « Satan étant entré dans le cœur de Judas pour qu'il le livrât ». – La Passion est un drame où se trouve engagé le monde invisible : derrière les hommes est à l'œuvre la puissance diabolique. Cf. **6** 70s; **8** 44; **12** 31; **13** 27; **16** 11; Ap **12** 4, 17; **13** 2; Lc **22** 3; 1 Co **2** 8.
*g)* Tenue et fonction caractéristiques de l'esclave, cf. 1 S **25** 41.
*h)* Sémitisme : faute de comprendre l'esprit de son Maître, Pierre s'exclut de toute communication avec lui, de toute participation à son œuvre et à sa gloire.
*i)* Add : « sinon les pieds ».
*j)* Pierre a compris la réponse de Jésus, v. 8, en un sens matériel, comme si Jésus inaugurait un rite de purification. Jésus réplique que cette purification est acquise, grâce à son sacrifice, cf. **15** 2-3; 1 Jn **1** 7; He **10** 22. Il donnera le sens de son geste présent aux vv. 12-15

Vous aussi, vous êtes purs [a]; mais pas tous. » 11 Il
1 48+ connaissait en effet celui qui le livrait; voilà pourquoi il dit : « Vous n'êtes pas tous purs. »
12 Quand il leur eut lavé les pieds, qu'il eut repris
ses vêtements et se fut remis à table, il leur dit :
« Comprenez-vous ce que je vous ai fait? 13 Vous
Mt 23 8-12 m'appelez Maître et Seigneur, et vous dites bien,
car je le suis. 14 Si donc je vous ai lavé les pieds,
moi le Seigneur et le Maître, vous aussi vous devez
vous laver les pieds les uns aux autres [b]. 15 Car c'est
Lc 22 24-30 un exemple que je vous ai donné, pour que vous
Jn 13 34; 15 12 Ph 2 5, 8 fassiez, vous aussi, comme moi j'ai fait pour vous.

Ep 5 2 16 En vérité, en vérité, je vous le dis,
Mt 10 24 le serviteur n'est pas plus grand que son maître,
Lc 6 40 ni l'envoyé plus grand que celui qui l'a envoyé.

Is 56 2 17 Sachant cela, heureux êtes-vous, si vous le fai-
Jc 1 25 tes. 18 Ce n'est pas de vous tous que je parle; je
6 70 connais ceux que j'ai choisis; mais il faut que
l'Écriture s'accomplisse :
Ps 41 10 *Celui qui mange mon pain*
*a levé contre moi son talon.*

14 29; 16 4 19 Je vous le dis, dès à présent,
avant que la chose n'arrive,
pour qu'une fois celle-ci arrivée,
8 24+ vous croyiez que Je Suis [c].
20 En vérité, en vérité, je vous le dis,
|| Mt 10 40 || Mc 9 37 qui accueille celui que j'aurai envoyé m'ac-
|| Lc 9 48 cueille;
et qui m'accueille, accueille celui qui m'a
envoyé. »

|| Mt 26 21-25 **L'annonce de la trahison de Judas.**

|| Mc 14 18-21 || Lc 22 21-23 21 Ayant dit cela, Jésus fut troublé en son esprit
et il attesta :
« En vérité, en vérité, je vous le dis,
l'un de vous me livrera. »

22 Les disciples se regardaient les uns les autres,
19 26; 20 2; ne sachant de qui il parlait. 23 Un de ses disciples,
21 7, 20 celui que Jésus aimait, se trouvait à table tout
contre Jésus. 24 Simon-Pierre lui fait signe et lui Lc 8 51+
dit : « Demande quel est celui dont il parle. »
25 Celui-ci, se penchant alors vers la poitrine de
Jésus, lui dit : « Seigneur, qui est-ce? » 26 Jésus
répond : « C'est celui à qui je donnerai la bouchée [d]
que je vais tremper. » Trempant alors la bouchée,
il la prend et la donne à Judas, fils de Simon Iscariote. 27 Après la bouchée, alors Satan entra en lui. 13 2+; Lc 22 3
Jésus lui dit donc : « Ce que tu fais, fais-le vite. » 1 48+
28 Mais cela, aucun parmi les convives ne comprit
pourquoi il le lui disait. 29 Comme Judas tenait la 12 6
bourse, certains pensaient que Jésus voulait lui
dire : « Achète ce dont nous avons besoin pour la
fête », ou qu'il donnât quelque chose aux pauvres.
30 Aussitôt la bouchée prise, il sortit; il faisait nuit. 8 12+

**Les adieux [e].**

31 Quand il fut sorti, Jésus dit :
« Maintenant [f] le Fils de l'homme a été glorifié Mt 8 20+
et Dieu a été glorifié en lui.
32 Si Dieu a été glorifié en lui [g],
Dieu aussi le glorifiera en lui-même [h] 1 14+
et c'est aussitôt qu'il le glorifiera.

33 Petits enfants,
c'est pour peu de temps que je suis encore avec
vous.
Vous me chercherez, 8 21
et comme je l'ai dit aux Juifs [i] :
où je vais, 1 1+
vous ne pouvez venir [j],
à vous aussi je le dis à présent.
34 Je vous donne un commandement nouveau [k] : 1 Jn 2 8
vous aimer les uns les autres; 15 12, 17
comme je vous ai aimés, Lv 19 18;
aimez-vous les uns les autres. Mt 19 19; 22 39
Lc 10 26s
35 A ceci tous reconnaîtront que vous êtes mes dis- Dt 28 9-10
ciples : Ac 4 32
si vous avez de l'amour les uns pour les autres. »

36 Simon-Pierre lui dit : « Seigneur, où vas-tu? » 2 19+

*a)* Le même mot signifie en grec : propre et pur.
*b)* Vous rendre les services d'une humble charité.
*c)* La trahison de Judas et la mort de Jésus devront affermir la foi des disciples, en manifestant la science divine de Jésus et la vérité des Écritures.
*d)* Il ne s'agit pas ici de l'Eucharistie. Pourtant, la comparaison entre **13** 2, 18 et **6** 64, 70 semble indiquer un rapport entre son institution et la trahison de Judas. Cf. Lc **22** 21.
*e)* L'épisode du lavement des pieds et les propos qui l'accompagnent forment un prélude à de longs entretiens de Jésus avec ses disciples. Sous leur forme actuelle, les ch. **13-17** regroupent sans doute les enseignements donnés en d'autres occasions. Le ch. **16** assez complexe ne donnerait-il pas une nouvelle version des paroles de Jésus du ch. **14**. En les consignant ici, Jean entend montrer le sens profond de toute la vie de Jésus au moment où il passe de son existence terrestre à son existence céleste.
*f)* La Passion est déjà commencée, puisque Judas, poussé par Satan, vient de sortir; Jésus célèbre déjà son triomphe comme accompli, cf. **16** 33.
*g)* Om. : « Si Dieu a été glorifié en lui ».
*h)* « lui-même » désigne Dieu, le Père. Il glorifiera le Fils de l'homme en le prenant avec lui dans la gloire. Cf. **17** 5, 22, 24.
*i)* La glorification de Jésus est liée à son départ. Pour les Juifs, la séparation sera définitive, **8** 21; pour les disciples, momentanée, **14** 2-3.
*j)* Sinon par la mort, cf. v. 36; **21** 19, 22s.
*k)* Cf. Mt **25** 31-46. A l'idée du « départ » du Christ, v. 33, qui prépare l'annonce du reniement de Pierre, vv. 36-38, l'évangéliste rattache le précepte de l'amour, vv. 34-35, testament du Christ. Ce précepte, déjà présent dans la Loi mosaïque, est « nouveau » par la perfection à laquelle Jésus le porte, et parce qu'il constitue comme la marque distinctive des temps nouveaux, inaugurés et révélés par la mort de Jésus.

8 21 Jésus lui répondit : « Où je vais, tu ne peux pas me
21 18-19 suivre maintenant; mais tu me suivras plus tard [a]. »
|| Lc 22 31-34 [37] Pierre lui dit [b] : « Pourquoi ne puis-je pas te sui-
vre à présent? Je donnerai ma vie pour toi. »
|| Mt 26 33-35 [38] Jésus répond : « Tu donneras ta vie pour moi?
|| Mc 14 29-31 En vérité, en vérité, je te le dis, le coq ne chantera
pas que tu ne m'aies renié trois fois.

14 27; Dt 1 21 **14** [1] « Que votre cœur ne se trouble pas [c]!
10 28-30 vous croyez en Dieu, croyez aussi en moi.
16 33; [2] Dans la maison de mon Père, il y a de nombreuses demeures,
sinon, je vous l'aurais dit [d];
8 35; Dt 1 33 je vais vous préparer une place.
He 6 19-20 [3] Et quand je serai allé et que je vous aurai préparé
une place,
à nouveau je viendrai et je vous prendrai près de
moi [e],
7 34; 12 26; afin que, là où je suis,
17 24 vous aussi, vous soyez.
[4] Et du lieu où je vais, vous savez le chemin. »
16; 20 24-29 [5] Thomas lui dit : « Seigneur, nous ne savons pas
13 36 où tu vas. Comment saurions-nous le chemin? »
[6] Jésus lui dit :
He 10 19-20 « Je suis le Chemin, la Vérité et la Vie [f].
Jn 1 4 Nul ne vient au Père que par moi.
8 19; 12 45 [7] Si vous me connaissez [g] vous connaîtrez aussi
2 Co 4 4 mon Père;
dès à présent vous le connaissez et vous l'avez
vu. »
Ex 33 18+ [8] Philippe lui dit : « Seigneur, montre-nous le
Père et cela nous suffit. »
[9] Jésus lui dit : « Voilà si longtemps que je suis
avec vous, et tu ne me connais pas, Philippe?
18; 12 45 Qui m'a vu a vu le Père.
17 6+ Comment peux-tu dire : " Montre-nous le
Père! "?
[10] Ne crois-tu pas [h]
que je suis dans le Père et que le Père est en moi? 10 30+
Les paroles que je vous dis, je ne les dis pas de 1 1+
moi-même : 12 49
mais le Père demeurant en moi fait ses œuvres. 2 11+
[11] Croyez-m'en!
je suis dans le Père et le Père est en moi.
Croyez du moins à cause des œuvres mêmes.
[12] En vérité, en vérité, je vous le dis,
celui qui croit en moi Mt 8 10+
fera, lui aussi, les œuvres que je fais;
et il en fera même de plus grandes, Mt 21 21
parce que je vais vers le Père [i].
[13] Et tout ce que vous demanderez en mon nom, 15 16;
je le ferai, 16 24, 26
afin que le Père soit glorifié dans le Fils. Mt 7 7-11
[14] Si vous me demandez quelque chose en mon
nom, Ac 3 16+
je le ferai.
[15] Si vous m'aimez, vous garderez mes commande- 1 Jn 5 3
ments [j]; Dt 6 4-9; 7 11; 11 1
[16] et je prierai le Père Sg 6 18
et il vous donnera un autre Paraclet [k], 1 Jn 2 3
pour qu'il soit avec vous à jamais,
[17] l'Esprit de Vérité [l], 14 26+
que le monde ne peut pas recevoir, 1 10+
parce qu'il ne le voit pas ni ne le reconnaît.
Vous, vous le connaissez,
parce qu'il demeure auprès de vous [m]. 2 Jn 1-2
[18] Je ne vous laisserai pas orphelins.
Je viendrai vers vous.
[19] Encore un peu de temps et le monde ne me verra 7 34; 8 21
plus.
Mais vous, vous verrez que je vis 16 16
et vous aussi, vous vivrez [n]. 6 57
[20] Ce jour-là [o],
vous reconnaîtrez que je suis en mon Père 10 30+
et vous en moi et moi en vous [p]. 17 11, 21-22
[21] Celui qui a mes commandements et qui les
garde, Sg 6 12, 18
c'est celui-là qui m'aime; Pr 8 17

*a)* Annonce voilée du martyre de Pierre.
*b)* Add. : « Seigneur ».
*c)* L'annonce de la trahison de Judas, du départ de Jésus, du reniement de Pierre, a troublé les Apôtres. Jésus veut les affermir dans la foi : c'est l'idée directrice de tout ce chapitre.
*d)* Autre traduction : « sinon, vous aurais-je dit (que je vais...) ».
*e)* Toute l'attente de l'Église s'appuie sur cette promesse. Cf. 1 Th **4** 16s; 1 Co **4** 5; **11** 26; **16** 22; Ap **22** 17, 20; 1 Jn **2** 28.
*f)* Jésus est le Chemin, en tant qu'il révèle le Père, **12** 45; **14** 9; il nous fait connaître le chemin, Ac **9** 2+, vers le Père; il est lui-même l'unique accès au Père, **1** 18; **14** 4-7 : il vient du Père et va au Père, **7** 29, 33; **13** 3; **16** 28; etc., et pourtant ne fait qu'un avec lui, **10** 30; **12** 45; **14** 9; **17** 22. Il est la Vérité, **8** 32+, la Vie, **3** 15+.
*g)* Var. : « Si vous me connaissiez, vous connaîtriez ».
*h)* Seule la foi discerne la présence du Fils dans le Père et du Père dans le Fils. Philippe s'égare en réclamant une manifestation éclatante du Père.
*i)* Le ministère de révélation et de salut, dont les miracles ont été les signes, **2** 11+, se prolongera dans les œuvres des disciples. L'Esprit, principe des charismes dont ils bénéficieront, sera envoyé par le Christ glorifié à la droite du Père, **7** 39; **16** 7.
*j)* Var. : « gardez mes commandements ». Jésus affirme comme Dieu lui-même son droit à être aimé et obéi.
*k)* La personnalité de l'Esprit est fortement soulignée par ce parallèle entre son action auprès des fidèles et celle du Christ, cf. **14** 26+; 1 Jn **2** 1.
*l)* Révélateur et principe de la religion véritable, **4** 23s, par opposition au Prince de ce monde, qui est « père du mensonge », **8** 44; **15** 26; **16** 13; 1 Jn **4** 5s.
*m)* Var. : « il est en vous ».
*n)* Pour le monde, c'en sera fini de Jésus, cf. **7** 34; **8** 21. Les disciples au contraire le verront vivant, ressuscité, d'une vision qui ne sera pas seulement sensible, mais spirituelle et intérieure, par la foi, **20** 29.
*o)* Les prophètes désignaient ainsi le temps des grandes interventions divines, cf. Is **2** 17; **4** 1s, etc. Le « jour » peut désigner ici tout le temps qui suivra la résurrection de Jésus.
*p)* Les rapports entre Jésus et ses disciples sont analogues à ceux qui l'unissent au Père, **6** 57; **10** 14-15; **15** 9; etc.

16 27; 17 26 or celui qui m'aime sera aimé de mon Père;
Si 4 14 et je l'aimerai et je me manifesterai à lui [a]. »
22 Judas [b] – pas l'Iscariote – lui dit : « Seigneur,
2 19+; 7 4 et qu'est-il advenu, que tu doives te manifester à
nous et non pas au monde? » 23 Jésus lui répondit :

« Si quelqu'un m'aime,
3 11+ il gardera ma parole [c],
et mon Père l'aimera
Ap 3 20 et nous viendrons vers lui
et nous nous ferons une demeure chez lui.
24 Celui qui ne m'aime pas ne garde pas mes paroles;
3 11+ et la parole que vous entendez [d] n'est pas de moi,
1 1+ mais du Père qui m'a envoyé.
25 Je vous ai dit cela
tandis que je demeurais près de vous.
16 13-15 26 Mais le Paraclet, l'Esprit Saint,
que le Père enverra en mon nom,
lui, vous enseignera tout
et vous rappellera tout ce que je vous ai dit [e].
2 Th 3 16 27 Je vous laisse la paix [f];
Rm 5 1 c'est ma paix que je vous donne;
Ep 2 14-18 je ne vous la donne pas comme le monde la
donne.
14 1-3 Que votre cœur ne se trouble ni ne s'effraie.
28 Vous avez entendu que je vous ai dit :
Je m'en vais et je reviendrai vers vous.
Si vous m'aimiez, vous vous réjouiriez
de ce que je vais vers le Père,
parce que le Père est plus grand que moi [g].
13 19; 16 4 29 Je vous le dis maintenant avant que cela n'arrive,
pour qu'au moment où cela arrivera,
vous croyiez.
30 Je ne m'entretiendrai plus beaucoup avec vous [h],
1 10+; 12 31+; car il vient, le Prince de ce monde;
13 2+; 10 18+ sur moi il n'a aucun pouvoir,
31 mais il faut que le monde reconnaisse que j'aime
le Père
6 38+ et que je fais comme le Père m'a commandé.
Mt 26 46p Levez-vous! Partons d'ici!

### La vigne véritable.

15 1 « Je suis la vigne véritable [i] Is 5 1+
et mon Père est le vigneron.
2 Tout sarment en moi qui ne porte pas de fruit [j],
il l'enlève, Mt 15 13
et tout sarment qui porte du fruit,
il l'émonde, Is 18 5
pour qu'il porte encore plus de fruit.
3 Déjà vous êtes purs [k] 13 10
grâce à la parole que je vous ai fait entendre. 3 11+
4 Demeurez en moi, comme moi en vous. 6 56-57
De même que le sarment ne peut de lui-même
porter du fruit
s'il ne demeure pas sur la vigne,
ainsi vous non plus, si vous ne demeurez pas en
moi.
5 Je suis la vigne;
vous, les sarments.
Celui qui demeure en moi, et moi en lui,
celui-là porte beaucoup de fruit; 15 16
car hors de moi vous ne pouvez rien faire. 1 3
6 Si quelqu'un ne demeure pas en moi,
il est jeté dehors comme le sarment
et il se dessèche;
on les ramasse et on les jette au feu Ez 15 1-8
et ils brûlent. Mt 3 10p;
7 Si vous demeurez en moi 13 30, 40
et que mes paroles demeurent en vous,
demandez ce que vous voudrez, 14 13+
et vous l'aurez. 1 Jn 5 14
8 C'est la gloire de mon Père
que vous portiez beaucoup de fruit Mt 5 16
et deveniez mes disciples [l]. Rm 7 4
9 Comme le Père m'a aimé, Jn 3 35+;
moi aussi je vous ai aimés. 10 14-15+;
Demeurez en mon amour. 17 23; 13 1
10 Si vous gardez mes commandements,
vous demeurerez en mon amour,
comme moi j'ai gardé les commandements de 8 29; 6 38
mon Père

*a)* En venant demeurer en lui, avec le Père.
*b)* Le Jude, frère de Jacques, de Lc **6** 16 et Ac **1** 13; le Thaddée de Mt **10** 3 et Mc **3** 18.
*c)* Ce qui n'est pas le cas du monde : **8** 37, 43, 47.
*d)* Var. : « ma parole ».
*e)* Après le départ du Christ, c'est l'Esprit qui le remplace auprès des fidèles, **14** 16, 17; **16** 7; cf. **1** 33+. Il est le « Paraclet », l'avocat qui intercède auprès du Père, cf. 1 Jn **2** 1, ou qui plaide devant les tribunaux humains, **15** 26, 27; cf. Lc **12** 11-12; Mt **10** 19-20p; Ac **5** 32; il est l'Esprit de vérité, **8** 32+, qui mène à la vérité tout entière, **16** 13, faisant comprendre la personnalité mystérieuse du Christ : comment il accomplit les Écritures, **5** 39+, quel était le sens de ses paroles, **2** 19+, de ses actes, de ses « signes », **14** 16; **16** 13; 1 Jn **2** 20s, 27; Rm **8** 16, toutes choses que les disciples n'avaient pas comprises auparavant, **2** 22; **12** 16; **13** 7; **20** 9. Par là, l'Esprit rendra témoignage au Christ, **15** 26; 1 Jn **5** 6-7, et confondra l'incrédulité du monde, **16** 8-11. Cf. Lc **24** 49+; Rm **5** 5+.
*f)* Salut et adieu ordinaire des Juifs, cf. Lc **10** 5p; il signifie l'intégrité du corps, puis le bonheur parfait et la délivrance apportés par le Messie. Tout cela est donné par Jésus.
*g)* Égal au Père, **10** 30+; **8** 24+, le Fils a sa gloire présentement voilée, **1** 14+; son retour au Père la manifestera à nouveau **17** 5+. Cf. Ph **2** 6-9; He **1** 3.
*h)* Var. : « Je ne vous parlerai plus beaucoup ».
*i)* Sur l'image de la vigne, cf. Jr **2** 21; Is **5** 1+. Dans les Synoptiques, Jésus l'emploie comme parabole du Royaume des Cieux, Mt **20** 1-8; **21** 28-31, 33-41 et p, et il fait du « fruit de la vigne » l'Eucharistie de la nouvelle Alliance, Mt **26** 29p. Ici, il se proclame lui-même la vigne véritable, dont le fruit, le véritable Israël, ne décevra pas l'attente divine.
*j)* Le fruit est la sainteté d'une vie fidèle aux commandements, spécialement à celui de l'amour, vv. 12-17. Cf. Is **5** 7; Jr **2** 21.
*k)* Ou : « émondés ». La même racine désigne en grec l'émondage et la pureté, cf. **13** 10.
*l)* Var. : « et vous serez alors mes disciples ». – Le Père est alors

et je demeure en son amour.
11 Je vous dis cela
3 29; 16 21, 22; 17 13 1 Jn 1 4 pour que ma joie [a] soit en vous
et que votre joie soit complète.
12 Voici quel est mon commandement :
13 34 vous aimer les uns les autres
comme je vous ai aimés.
1 Jn 3 16 13 Nul n'a plus grand amour que celui-ci :
Rm 5 6-8 donner sa vie pour ses amis.
14 Vous êtes mes amis,
si vous faites ce que je vous commande.
15 Je ne vous appelle plus serviteurs,
car le serviteur ne sait pas
ce que fait son maître;
Lc 12 4 mais je vous appelle amis,
Ex 33 11 parce que tout ce que j'ai entendu de mon Père,
je vous l'ai fait connaître.
16 Ce n'est pas vous qui m'avez choisi;
Dt 7 6+ mais c'est moi qui vous ai choisis
1 Jn 4 10 et vous ai établis
Rm 6 20-23 pour que vous alliez et portiez du fruit
Jn 15 2+ et que votre fruit demeure,
14 13+ afin que tout ce que vous demanderez au Père en
mon nom,
il vous le donne.
17 Ce que je vous commande,
13 34 c'est de vous aimer les uns les autres.

**Les disciples et le monde** [b].

Mt 10 22 18 Si le monde vous hait,
Jn 3 12-13 sachez que moi, il m'a pris en haine avant vous.
19 Si vous étiez du monde,
le monde aimerait son bien;
17 14-16 mais parce que vous n'êtes pas du monde,
1 10+ puisque mon choix vous a tirés du monde,
pour cette raison, le monde vous hait.
20 Rappelez-vous la parole que je vous ai dite :
Mt 10 24 Le serviteur n'est pas plus grand que son maître.
Mt 10 23 S'ils m'ont persécuté,
Th 2 14+ vous aussi ils vous persécuteront;
s'ils ont gardé ma parole,
la vôtre aussi ils la garderont.
Ac 5 41 21 Mais tout cela, ils le feront contre vous à cause
de mon nom,
8 19 parce qu'ils ne connaissent pas celui qui m'a
envoyé.
22 Si je n'étais pas venu
et ne leur avais pas parlé,
ils n'auraient pas de péché;
mais maintenant ils n'ont pas d'excuse à leur 8 21-24+; 16 9
péché.
23 Qui me hait, hait aussi mon Père. 10 30+
24 Si je n'avais pas fait parmi eux les œuvres
que nul autre n'a faites, Mt 10 25; 12 24-28
ils n'auraient pas de péché;
mais maintenant ils ont vu et ils nous haïssent, 6 36; 2 11+
et moi et mon Père.
25 Mais c'est pour que s'accomplisse la parole
écrite dans leur Loi : Rm 3 19+
*Ils m'ont haï sans raison.* Ps 35 19; 69 5
26 Lorsque viendra le Paraclet,
que je vous enverrai d'auprès du Père [c],
l'Esprit de vérité, qui vient du Père, 14 26+; Ac 2 33+
il me rendra témoignage. Mt 10 19-20 Ac 5 32
27 Mais vous aussi, vous témoignerez, Mt 10 18
parce que vous êtes avec moi depuis le commen- Ac 1 8+; Lc 1 2
cement.

**16** 1 Je vous ai dit cela
pour vous éviter le scandale [d].
2 On vous exclura des synagogues. 9 22; Mt 10 17
Bien plus, l'heure vient
où quiconque vous tuera pensera rendre un culte Ac 26 9-11
à Dieu.
3 Et cela, ils le feront
pour n'avoir reconnu ni le Père ni moi. 8 29; 15 21
4 Mais je vous ai dit cela, 13 19; 14 29 Mc 13 23
pour qu'une fois leur heure venue,
vous vous rappeliez que je vous l'ai dit.

**La venue du Paraclet.**

« Je ne vous ai pas dit cela dès le commencement,
parce que j'étais avec vous. 17 12
5 Mais maintenant je m'en vais vers celui qui m'a 1 1+
envoyé
et aucun de vous ne me demande : " Où 13 36; 14 5
vas-tu? "
6 Mais parce que je vous ai dit cela,
la tristesse remplit vos cœurs. 14 1
7 Cependant je vous dis la vérité :
c'est votre intérêt que je parte;
car si je ne pars pas,
le Paraclet ne viendra pas vers vous;
mais si je pars, 1 33+
je vous l'enverrai. 14 26+
8 Et lui, une fois venu,
il établira la culpabilité du monde [e] 1 10+

« glorifié dans son Fils », **14** 13. Cf. **21** 19.
*a)* La grande joie messianique, celle du Fils de Dieu.
*b)* A l'amour mutuel des disciples, Jésus oppose la haine que leur vouera le monde. Leur sort sera identique à celui du Maître, et c'est Jésus lui-même que le monde persécutera en eux. Cf. Ac **9** 5; Col **1** 24.
*c)* La « mission » de l'Esprit dans le monde, plutôt que sa « procession » du Père au sein de la Trinité.
*d)* Au sens littéral du mot : pierre qui fait trébucher, Mt **16** 22+. Jésus prévient les Apôtres des épreuves qui les attendent, pour que leur foi n'en soit pas ébranlée, cf. **13** 19.
*e)* L'Esprit Saint qu'enverra Jésus glorifié joindra son témoignage à celui de Jésus, **3** 11+, pour que la justice de la cause du Sauveur éclate aux yeux des croyants.

en fait de péché,
en fait de justice
et en fait de jugement :
8 21-24; 9 de péché,
15 22 parce qu'ils ne croient pas en moi [a];
10 de justice,
13 33 parce que je vais vers le Père
et que vous ne me verrez plus [b];
11 de jugement,
12 31+ parce que le Prince de ce monde est jugé [c].
12 J'ai encore beaucoup à vous dire,
mais vous ne pouvez pas le porter à présent.
14 26+ 13 Mais quand il viendra, lui, l'Esprit de vérité,
Ps 25 5; 86 11 il vous introduira dans la vérité tout entière;
car il ne parlera pas de lui-même,
mais ce qu'il entendra, il le dira
et il vous dévoilera les choses à venir [d].
14 Lui me glorifiera,
car c'est de mon bien qu'il recevra
et il vous le dévoilera.
17 10 15 Tout ce qu'a le Père est à moi.
Lc 15 31 Voilà pourquoi j'ai dit
que c'est de mon bien qu'il reçoit
et qu'il vous le dévoilera [e].

**L'annonce d'un prompt retour.**

7 33; 14 19 16 « Encore un peu et vous ne me verrez plus et
puis un peu encore et vous me verrez [f]. »
17 Quelques-uns de ses disciples se dirent entre
eux : « Qu'est-ce qu'il nous dit là : " Encore un peu
et vous ne me verrez plus et puis un peu encore et
vous me verrez ", et : " Je vais vers le Père "? »
18 Ils disaient : « Qu'est-ce que ce : " un peu " [g]?
Nous ne savons pas ce qu'il veut dire. » 19 Jésus
1 48+ comprit qu'ils voulaient le questionner et il leur
dit : « Vous vous interrogez entre vous sur ce que
j'ai dit :

" Encore un peu et vous ne me verrez plus
et puis un peu encore et vous me verrez ".

20 En vérité, en vérité, je vous le dis,
Lc 6 21 vous pleurerez et vous vous lamenterez,
Ap 11 10 et le monde se réjouira;
vous serez tristes,
mais votre tristesse se changera en joie [h].
21 La femme, sur le point d'accoucher, s'attriste Is 26 17-18;
parce que son heure est venue; 66 7-14
mais lorsqu'elle a donné le jour à l'enfant, elle Mi 4 9-10
ne se souvient plus des douleurs [i],
dans la joie qu'un homme soit venu au monde.
22 Vous aussi, maintenant vous voilà tristes;
mais je vous verrai de nouveau et votre cœur 14 19;
sera dans la joie, 15 11; 20 20
et votre joie, nul ne vous l'enlèvera. Is 66 14
23 Ce jour-là,
vous ne me poserez aucune question.
En vérité, en vérité, je vous le dis,
ce que vous demanderez au Père, 14 13+
il vous le donnera en mon nom.
24 Jusqu'à présent vous n'avez rien demandé en
mon nom [j];
demandez et vous recevrez,
pour que votre joie soit complète.
25 Tout cela, je vous l'ai dit en figures. Mt 13 34-35
L'heure vient
où je ne vous parlerai plus en figures,
mais je vous entretiendrai du Père en toute
clarté [k].
26 Ce jour-là,
vous demanderez en mon nom
et je ne vous dis pas que j'interviendrai pour
vous auprès du Père [l],
27 car le Père lui-même vous aime, 14 23
parce que vous m'aimez
et que vous croyez que je suis sorti d'auprès de
Dieu.
28 Je suis sorti d'auprès du Père et venu dans le 1 1+
monde.
De nouveau je quitte le monde et je vais vers le
Père. »

29 Ses disciples lui disent : « Voilà que maintenant tu parles en clair et sans figures! 30 Nous
savons maintenant que tu sais tout et n'as pas 1 48+
besoin qu'on te questionne. A cela nous croyons 16 19
que tu es sorti de Dieu. » 31 Jésus leur répondit :
« Vous croyez à présent?

*a)* Le péché du monde est son incrédulité, **8** 21, 24, 46; **15** 22. Le Paraclet mettra ce péché en pleine lumière.
*b)* Le Paraclet manifestera le droit qu'avait Jésus à se dire le « Fils de Dieu », cf. **10** 33; **19** 7. La preuve en sera le « passage » de Jésus au Père, **13** 1; **20** 17, qui démontrera son origine et son être céleste, **6** 62.
*c)* Le Paraclet manifestera le sens de la mort de Jésus, défaite et condamnation du Prince de ce monde.
*d)* Le nouvel ordre de choses, issu de la mort et de la résurrection du Christ.
*e)* L'Esprit glorifiera Jésus en manifestant les richesses de son mystère. Jésus lui-même glorifie le Père, **14** 13; **17** 4. La révélation est donc parfaitement une; prenant sa source dans le Père et s'opérant par le Fils, elle s'achève dans l'Esprit, à la gloire du Fils et du Père.
*f)* Annonce voilée de sa mort et de sa résurrection. – Add. : « parce que je vais au Père ».
*g)* Add. : « dont il parle ».
*h)* Tristesse de la Passion, joie de revoir le Christ ressuscité, cf. **20** 20.
*i)* Image biblique traditionnelle pour signifier le douloureux avènement du monde nouveau, messianique. Cf. Mt **24** 8+.
*j)* Parce que Jésus n'était pas encore glorifié. Cf. **14** 13s.
*k)* Avec la Résurrection et la venue de l'Esprit commencera l'initiation parfaite, qui s'achèvera dans la vision de Dieu « tel qu'il est », 1 Jn **3** 2.
*l)* Var. : « et je ne prierai pas le Père ». – Jésus demeure bien l'unique médiateur, cf. **10** 9; **14** 6; **15** 5; He **8** 6, mais les disciples, ne faisant qu'un avec lui par la foi et l'amour, seront aimés du Père : la médiation de Jésus aura atteint son plein effet.

32 Voici venir l'heure – et elle est venue –
Za **13** 7 où vous serez dispersés chacun de votre côté
Mt **26** 31p et me laisserez seul.
**8** 29 Mais je ne suis pas seul :
le Père est avec moi.
33 Je vous ai dit ces choses,
**14** 27+ pour que vous ayez la paix en moi.
**1** 10+ Dans le monde vous aurez à souffrir.
Mais gardez courage!
**12** 31; **14** 30 J'ai vaincu le monde. »
1 Jn **2** 14+

**La prière de Jésus** [a].

**11** 41 **17** 1 Ainsi parla Jésus, et levant les yeux au ciel,
il dit :
**2** 4+ « Père, l'heure est venue :
glorifie ton Fils,
afin que ton Fils te glorifie [b]
**3** 35+ 2 et que, selon le pouvoir que tu lui as donné sur
toute chair [c],
il donne la vie éternelle à tous ceux que tu lui
as donnés!
Sg **15** 3 3 Or, la vie éternelle,
Jr **24** 7; c'est qu'ils te connaissent [d],
**31** 31-34 Ez **36** 25-28 toi, le seul véritable Dieu,
Jn **14** 7-9 1 Jn **5** 20-21 et celui que tu as envoyé, Jésus-Christ [e].
**1** 1+ 4 Je t'ai glorifié sur la terre,
en menant à bonne fin l'œuvre
**4** 34+ que tu m'as donné de faire.
Ph **2** 6-11 5 Et maintenant, Père, glorifie-moi auprès de toi
Jn **1** 14+; de la gloire que j'avais auprès de toi [f],
**17** 24 avant que fût le monde [g].
**17** 26 6 J'ai manifesté ton nom [h] aux hommes,
Ex **3** 13 que tu as tirés du monde pour me les donner.
**3** 35+ Ils étaient à toi et tu me les as donnés
**3** 11+ et ils ont gardé ta parole.
7 Maintenant ils ont reconnu
que tout ce que tu m'as donné vient de toi;
**3** 11+ 8 car les paroles que tu m'as données,
Dt **18** 18 je les leur ai données,
et ils les ont accueillies
et ils ont vraiment reconnu [i] que je suis sorti
d'auprès de toi,
et ils ont cru que tu m'as envoyé.
9 C'est pour eux que je prie;
je ne prie pas pour le monde , **1** 10+
mais pour ceux que tu m'as donnés,
car ils sont à toi,
10 et tout ce qui est à moi est à toi, **16** 15; Lc **15** 31
et tout ce qui est à toi est à moi,
et je suis glorifié en eux. 2 Th **1** 10
11 Je ne suis plus dans le monde; Jn **1** 10+
eux sont dans le monde,
et moi, je viens vers toi. **1** 1+
Père saint,
garde-les dans ton nom que tu m'as donné [j], Nb **6** 24; Jn **3** 35+
pour qu'ils soient un comme nous.
12 Quand j'étais avec eux,
je les gardais dans ton nom que tu m'as donné.
J'ai veillé et aucun d'eux ne s'est perdu, **6** 39; **10** 28
sauf le fils de perdition, **13** 18-19+
afin que l'Écriture fût accomplie. Ac **1** 16, 20 Ps **41** 10
13 Mais maintenant je viens vers toi
et je parle ainsi dans le monde,
afin qu'ils aient en eux-mêmes ma joie complète. **15** 11+
14 Je leur ai donné ta parole **3** 11+
et le monde les a haïs, **15** 19
parce qu'ils ne sont pas du monde,
comme moi je ne suis pas du monde.
15 Je ne te prie pas de les enlever du monde,
mais de les garder du Mauvais [k]. 1 Jn **2** 14+
16 Ils ne sont pas du monde, **8** 23
comme moi je ne suis pas du monde.
17 Sanctifie-les [l] dans la vérité : 1 P **1** 22
ta parole est vérité. Ac **9** 13+ Lv **17** 1+
18 Comme tu m'as envoyé dans le monde, Jn **10** 36
moi aussi, je les ai envoyés dans le monde.
19 Pour eux je me sanctifie moi-même, **10** 18+
afin qu'ils soient, eux aussi, sanctifiés dans la Ex **28** 36, 38 He **10** 10-14
vérité [m]. Jn **4** 23+
20 Je ne prie pas pour eux seulement,
mais aussi pour ceux qui, grâce à leur parole,
croiront en moi [n],
21 afin que tous soient un.
Comme toi, Père, tu es en moi et moi en toi, **10** 30+

*a)* C'est la grande prière d'oblation et d'intercession du Sauveur à l'heure de son sacrifice.
*b)* Si Jésus demande sa propre glorification, ce n'est pas qu'il cherche sa propre gloire, cf. **7** 18; **8** 50; mais sa gloire et la gloire du Père ne font qu'un, cf. **12** 28; **13** 31.
*c)* Tout homme, cf. **1** 14.
*d)* Connaissance au sens biblique, cf. **10** 14+.
*e)* La révélation, liée jusque-là à la Loi mosaïque, vient maintenant aux hommes par le Christ.
*f)* Var. : « la gloire qui fut près de toi » ou : « la gloire dont je fus » ou : « la gloire près de toi ».
*g)* Soit la gloire que Jésus possédait dans sa préexistence divine, soit la gloire que, de toute éternité, le Père lui réserve, **1** 14+.
*h)* Le Christ fut envoyé pour révéler aux hommes le « nom », c'est-à-dire la personne du Père, **17** 3-6, 26; **12** 28+; **14** 7-11; cf. **3** 11+; mais le propre du Père, c'est d'aimer, 1 Jn **4** 8, 16, et il prouve son amour en livrant pour nous son Fils unique, **3** 16-18; 1 Jn **4** 9, 10, 14, 16; cf. Rm **8** 32; croire que Jésus est le Fils, **3** 18, est donc nécessaire à cette reconnaissance de l'amour, cf. 1 Jn **2** 23; Jn **20** 31.
*i)* On traduit aussi : « ils les ont vraiment accueillies parce que je suis sorti de toi ».
*j)* Var. : « garde en ton nom ceux que tu m'as donnés ». De même au v. 12.
*k)* Ou : « de les préserver du mal », cf. Mt **6** 13.
*l)* Le verbe signifie litt. : mettre à part pour Dieu, vouer à Dieu (au sens premier de ce terme), cf. Ac **9** 13+.
*m)* Jésus se sanctifie en se présentant devant le Père pour être un avec lui, et devant les hommes comme la révélation parfaite. Il demande que ses disciples vivent dans la vérité de Dieu, sanctifiés par la foi au Père qu'il leur a révélé.
*n)* Jésus prie finalement, vv. 20-26, pour l'Église des croyants

qu'eux aussi soient en nous,
afin que le monde croie que tu m'as envoyé.
17 5+ 22 Je leur ai donné la gloire que tu m'as donnée,
1 14 pour qu'ils soient un comme nous sommes un :
23 moi en eux et toi en moi,
afin qu'ils soient parfaits dans l'unité,
et que le monde reconnaisse que tu m'as envoyé
15 9 et que tu les as aimés [a] comme tu m'as aimé.

24 Père,
ceux que tu m'as donnés,
14 3 je veux que là où je suis,
eux aussi soient avec moi,
afin qu'ils contemplent ma gloire, 17 5+
que tu m'as donnée
parce que tu m'as aimé
avant la fondation du monde. Ep 1 4
25 Père juste,
le monde ne t'a pas connu, 1 10+
mais moi je t'ai connu
et ceux-ci ont reconnu
que tu m'as envoyé. 1 1+
26 Je leur ai fait connaître ton nom 17 6+
et je le leur ferai connaître, Ex 3 13
pour que l'amour dont tu m'as aimé soit en eux
et moi en eux. »

## 2. LA PASSION

### L'arrestation de Jésus.

|| Mt 26 30, 36 18 1 Ayant dit cela, Jésus s'en alla avec ses disci-
|| Mc 14 26, 32 ples de l'autre côté du torrent du Cédron. Il
|| Lc 22 39 y avait là un jardin dans lequel il entra, ainsi que
ses disciples. 2 Or Judas, qui le livrait, connaissait
aussi ce lieu, parce que bien des fois Jésus et ses
|| Mt 26 47-56 disciples s'y étaient réunis. 3 Judas donc, menant la
|| Mc 14 43-52 cohorte [b] et des gardes détachés par les grands prê-
|| Lc 22 47-53 tres et les Pharisiens, vient là avec des lanternes,
1 48+ des torches et des armes. 4 Alors Jésus, sachant
12 27+ tout ce qui allait lui advenir, sortit et leur dit : « Qui
cherchez-vous? » 5 Ils lui répondirent : « Jésus le
8 24+ Nazôréen. » Il leur dit : « C'est moi. » Or Judas, qui
le livrait, se tenait là, lui aussi, avec eux. 6 Quand
Ps 35 4; 27 2 Jésus leur eut dit : « C'est moi », ils reculèrent et
tombèrent à terre. 7 De nouveau il leur demanda :
« Qui cherchez-vous? » Ils dirent : « Jésus le Nazôréen. » 8 Jésus répondit : « Je vous ai dit que c'est
moi. Si donc c'est moi que vous cherchez, laissez
ceux-là s'en aller », 9 afin que s'accomplît la parole
qu'il avait dite :
17 12 « Ceux que tu m'as donnés, je n'en ai pas perdu
6 39; 10 28 un seul. »
10 Alors Simon-Pierre, qui portait un glaive, le
tira, frappa le serviteur du grand prêtre et lui trancha l'oreille droite. Ce serviteur avait nom Mal-
chus. 11 Jésus dit à Pierre : « Rentre le glaive dans
Mt 26 39p le fourreau. La coupe que m'a donnée le Père, ne
la boirai-je pas? »

### Jésus devant Anne et Caïphe. Reniements de Pierre.

12 Alors la cohorte, le tribun et les gardes des
Juifs saisirent Jésus et le lièrent. 13 Ils le menèrent
d'abord chez Anne; c'était en effet le beau-père de Lc 3 2
Caïphe, qui était grand prêtre cette année-là. 14 Or
Caïphe était celui qui avait donné ce conseil aux
Juifs : « Il y a intérêt à ce qu'un seul homme meure 11 50
pour le peuple. »
15 Or Simon-Pierre suivait Jésus, ainsi qu'un || Mt 26 58, 6
autre disciple [c]. Ce disciple était connu du grand || Mc 14 54, 6
prêtre et entra avec Jésus dans la cour du grand || Lc 22 54-62
prêtre, 16 tandis que Pierre se tenait près de la
porte, dehors. L'autre disciple, celui qui était connu
du grand prêtre, sortit donc et dit un mot à la portière et il fit entrer Pierre. 17 La servante, celle qui
gardait la porte, dit alors à Pierre : « N'es-tu pas,
toi aussi, des disciples de cet homme? » Lui dit :
« Je n'en suis pas. » 18 Les serviteurs et les gardes,
qui avaient fait un feu de braise, parce que le temps
était froid, se tenaient là et se chauffaient. Pierre
aussi se tenait là avec eux et se chauffait. 19 Le
grand prêtre interrogea Jésus sur ses disciples et
sur sa doctrine. 20 Jésus lui répondit : « C'est au
grand jour que j'ai parlé au monde, j'ai toujours Is 45 19; 4
enseigné à la synagogue et dans le Temple où tous Lc 22 53
les Juifs s'assemblent et je n'ai rien dit en secret.
21 Pourquoi m'interroges-tu? Demande à ceux qui
ont entendu ce que je leur ai enseigné; eux, ils
savent ce que j'ai dit. » 22 A ces mots, l'un des gardes, qui se tenait là, donna une gifle à Jésus en Ac 23 2
disant : « C'est ainsi que tu réponds au grand prêtre? » 23 Jésus lui répondit :
« Si j'ai mal parlé, témoigne de ce qui est mal;
mais si j'ai bien parlé, pourquoi me frappes-tu? »
24 Anne l'envoya alors, toujours lié, au grand prêtre, Caïphe [d].

assemblés par le témoignage des apôtres, **3** 11+, **15** 27; cf. Rm **1** 1+, afin que leur unité suscite la foi en la mission de Jésus : cf. 1 Jn **1** 1-3; **2** 24.
*a)* Var. : « que je les ai aimés ».
*b)* Un détachement de la garnison romaine de Jérusalem.
*c)* Sans doute le même qu'en **20** 2s, « le disciple que Jésus aimait », l'évangéliste lui-même.
*d)* Jn n'en dit pas plus sur le procès juif, parce que ce procès

[25] Or Simon-Pierre se tenait là et se chauffait.
Ils lui dirent : « N'es-tu pas, toi aussi, de ses disciples? » Lui le nia et dit : « Je n'en suis pas. » [26] Un
des serviteurs du grand prêtre, un parent de celui
à qui Pierre avait tranché l'oreille, dit : « Ne t'ai-je
pas vu dans le jardin avec lui? » [27] De nouveau
Pierre nia, et aussitôt un coq chanta.

Mt **27** 2, 11-26 **Jésus devant Pilate.**

|| Mc **15** 1-15

c **23** 1-7, 13-25 [28] Alors ils mènent Jésus de chez Caïphe au prétoire [a]. C'était le matin. Eux-mêmes n'entrèrent pas
dans le prétoire, pour ne pas se souiller [b], mais
55; Mt **26** 17+ pour pouvoir manger la Pâque. [29] Pilate sortit donc
au-dehors, vers eux, et il dit : « Quelle accusation
portez-vous contre cet homme? » [30] Ils lui répondirent : « Si ce n'était pas un malfaiteur, nous ne te
l'aurions pas livré. » [31] Pilate leur dit : « Prenez-le,
Ac **18** 15 vous, et jugez-le selon votre Loi. » Les Juifs lui
dirent : « Il ne nous est pas permis de mettre quelqu'un à mort [c] », [32] afin que s'accomplît la parole
**3** 14+ qu'avait dite Jésus, signifiant de quelle mort il
devait mourir.
[33] Alors Pilate entra de nouveau dans le prétoire;
**9** 14s, 19-22 il appela Jésus et dit : « Tu es le roi des Juifs? »
[34] Jésus répondit : « Dis-tu cela de toi-même ou
d'autres te l'ont-ils dit de moi? » [35] Pilate répondit :
« Est-ce que je suis Juif, moi? Ta nation et les
grands prêtres t'ont livré à moi. Qu'as-tu fait? »
[36] Jésus répondit :

**1** 10+ « Mon royaume n'est pas de ce monde.
**6** 15+ Si mon royaume était de ce monde,
**3** 23; **12** 32; mes gens auraient combattu
**18** 10-11 pour que je ne sois pas livré aux Juifs.
Mais mon royaume n'est pas d'ici. »

**3** 35+ [37] Pilate lui dit : « Donc tu es roi? » Jésus répondit : « Tu le dis : je suis roi.

Je ne suis né,
et je ne suis venu dans le monde,
**3** 11+ que pour rendre témoignage à la vérité.
**10** 26+ Quiconque est de la vérité écoute ma voix. »

Jn **3** 19+ [38] Pilate lui dit : « Qu'est-ce que la vérité? » Et,
sur ce mot, il sortit de nouveau et alla vers les Juifs.
c **23** 22 Et il leur dit : « Je ne trouve en lui aucun motif de
condamnation [d]. [39] Mais c'est pour vous une coutume que je vous relâche quelqu'un à la Pâque.
Voulez-vous que je vous relâche le roi des Juifs? »
[40] Alors ils vociférèrent de nouveau, disant : « Pas
lui, mais Barabbas! » Or Barabbas était un brigand.

**19** [1] Pilate prit alors Jésus et le fit flageller. [2] Les || Mt **27** 26-31
soldats, tressant une couronne avec des épi- || Mc **15** 15-20
nes, la lui posèrent sur la tête, et ils le revêtirent
d'un manteau de pourpre; [3] et ils s'avançaient vers
lui et disaient : « Salut, roi des Juifs! » Et ils lui
donnaient des coups.
[4] De nouveau, Pilate sortit dehors et leur dit :
« Voyez, je vous l'amène dehors, pour que vous
sachiez que je ne trouve en lui aucun motif de
condamnation. » [5] Jésus sortit donc dehors, portant
la couronne d'épines et le manteau de pourpre; et
Pilate leur dit : « Voici l'homme! » [6] Lorsqu'ils le **1** 29, 36
virent, les grands prêtres et les gardes vociférèrent,
disant : « Crucifie-le! Crucifie-le! » Pilate leur dit :
« Prenez-le, vous, et crucifiez-le; car moi, je ne
trouve pas en lui de motif de condamnation. » [7] Les
Juifs lui répliquèrent : « Nous avons une Loi et
d'après cette Loi il doit mourir, parce qu'il s'est fait Lv **24** 16
Fils de Dieu. » Jn **10** 33-36
[8] Lorsque Pilate entendit cette parole, il fut
encore plus effrayé. [9] Il entra de nouveau dans le
prétoire et dit à Jésus : « D'où es-tu [e]? » Mais Jésus
ne lui donna pas de réponse. [10] Pilate lui dit donc :
« Tu ne me parles pas? Ne sais-tu pas que j'ai pouvoir de te relâcher et que j'ai pouvoir de te crucifier? » [11] Jésus lui répondit : « Tu n'aurais aucun
pouvoir sur moi, si cela ne t'avait été donné d'en **10** 18+; **3** 27
haut; c'est pourquoi celui qui m'a livré à toi a un Sg **6** 3
plus grand péché [f]. » **8** 21, 44

**La condamnation à mort.**

[12] Dès lors Pilate cherchait à le relâcher. Mais
les Juifs vociféraient, disant : « Si tu le relâches, tu
n'es pas ami de César : quiconque se fait roi,
s'oppose à César. » [13] Pilate, entendant ces paroles,
amena Jésus dehors et le fit asseoir au tribunal, en
un lieu dit le Dallage, en hébreu Gabbatha [g]. [14] Or
c'était la Préparation de la Pâque [h]; c'était vers la Mt **26** 17+
sixième heure [i]. Il dit aux Juifs : « Voici votre roi. »

remplit en fait tout son évangile, depuis l'interrogatoire de Jean, **1** 19, jusqu'à la décision de tuer Jésus, **11** 49-53.

*a)* Tribunal du procurateur romain.

*b)* Pénétrer dans la maison d'un païen constituait une impureté légale, cf. Ac **11** 2s.

*c)* Les Romains avaient retiré au Sanhédrin le droit de vie et de mort. De la main des Juifs, Jésus aurait été lapidé, cf. **8** 59; **10** 31, et non pas crucifié (« élevé »).

*d)* Om. : « en lui ». Var. : « contre lui ».

*e)* C'est-à-dire non pas : « de quel pays es-tu? » mais : « quelle est ta mystérieuse origine? qui es-tu? » Après les gens de Cana, **2** 9, la Samaritaine, **4** 11, les apôtres, la foule, **6** 5, les chefs juifs, **7** 27s; **8** 14; **9** 29s, Pilate se trouve face au mystère de Jésus, **16** 28; **17** 25, sujet de tout l'évangile, **1** 13.

*f)* Les chefs juifs et spécialement Caïphe, **11** 51s; **18** 14, mais aussi Judas qui l'a « livré » à ceux-ci, **6** 71; **13** 2, 11, 21; **18** 2, 5.

*g)* C'est-à-dire, semble-t-il : hauteur, éminence.

*h)* Durant ce jour, on préparait le repas pascal, qui devait avoir lieu après le coucher du soleil, cf. Ex **12** 6+, et tout ce qui était nécessaire pour passer la fête dans le repos prescrit par la Loi.

*i)* Environ midi, l'heure où tout ce qui était fermenté devait disparaître des maisons pour faire place aux azymes de la Pâque,

15 Eux vociférèrent[a] : « A mort! A mort! Crucifie-le! » Pilate leur dit : « Crucifierai-je votre
roi? » Les grands prêtres répondirent : « Nous
n'avons de roi que César! » 16 Alors il le leur livra
pour être crucifié.

|| Mt 27 31, 33, 37-38 **Le crucifiement.**

|| Mc 15 20, 22, 25-27 Ils prirent donc Jésus[b]. 17 Et il sortit, portant sa
|| Lc 23 33, 38 croix, et vint au lieu dit du Crâne – ce qui se dit
Gn 22 6 en hébreu Golgotha – 18 où ils le crucifièrent et
Is 53 12 avec lui deux autres : un de chaque côté et, au
milieu, Jésus. 19 Pilate rédigea aussi un écriteau et
le fit placer sur la croix. Il y était écrit : « Jésus le
3 35+ Nazôréen, le roi des Juifs ». 20 Cet écriteau, beaucoup de Juifs le lurent, car le lieu où Jésus fut mis
en croix était proche de la ville, et c'était écrit en
hébreu, en latin et en grec. 21 Les grands prêtres des
Juifs dirent à Pilate : « N'écris pas : " Le roi des
Juifs ", mais : " Cet homme a dit : Je suis le roi des
Juifs. " » 22 Pilate répondit : « Ce que j'ai écrit, je
l'ai écrit. »

|| Mt 27 35 || Mc 15 24 || Lc 23 34 **Le partage des vêtements.**

23 Lorsque les soldats eurent crucifié Jésus, ils
prirent ses vêtements et firent quatre parts, une part
pour chaque soldat, et la tunique. Or la tunique
était sans couture[c], tissée d'une pièce à partir du
haut; 24 ils se dirent donc entre eux : « Ne la déchi-
rons pas, mais tirons au sort qui l'aura » : afin que
l'Écriture fût accomplie :

Ps 22 19 *Ils se sont partagé mes habits,*
*et mon vêtement, ils l'ont tiré au sort.*

Voilà ce que firent les soldats.

|| Mt 27 55-56 || Mc 15 40-41 || Lc 23 49 **Jésus et sa mère.**

25 Or près de la croix de Jésus se tenaient sa
mère[d] et la sœur de sa mère[e], Marie, femme de
Clopas, et Marie de Magdala. 26 Jésus donc voyant
sa mère et, se tenant près d'elle, le disciple qu'il
aimait, dit à sa mère : « Femme, voici ton fils. » 2 4+
27 Puis il dit au disciple : « Voici ta mère[f]. » Dès
cette heure-là, le disciple l'accueillit chez lui.

**La mort de Jésus.** || Mt 27 48-50 || Mc 15 36-37 || Lc 23 46

28 Après quoi, sachant que désormais tout était
achevé pour que l'Écriture fût parfaitement Jn 5 39+
accomplie, Jésus dit : Ps 69 22; 22 16
« *J'ai soif.* »

29 Un vase était là, rempli de vinaigre. On mit
autour d'une branche d'hysope[g] une éponge imbi-
bée de vinaigre et on l'approcha de sa bouche.
30 Quand il eut pris le vinaigre, Jésus dit : « C'est
achevé[h] » et, inclinant la tête, il remit l'esprit[i]. 17 4; 4 34+ 10 18+ Mt 8 20p

**Le coup de lance.**

31 Comme c'était la Préparation, les Juifs, pour 19 14
éviter que les corps restent sur la croix durant le Dt 21 23
sabbat – car ce sabbat était un grand jour –, Ga 3 13
demandèrent à Pilate qu'on leur brisât les jambes[j]
et qu'on les enlevât. 32 Les soldats vinrent donc et
brisèrent les jambes du premier, puis de l'autre qui
avait été crucifié avec lui. 33 Venus à Jésus, quand
ils virent[k] qu'il était déjà mort, ils ne lui brisèrent
pas les jambes, 34 mais l'un des soldats, de sa lance,
lui perça le côté et il sortit aussitôt du sang et de 1 33+; Ez 47
l'eau[l]. 35 Celui qui a vu[m] rend témoignage – son Jn 7 37-39
témoignage est véritable, et celui-là[n] sait qu'il dit 1 Jn 5 6-8
vrai – pour que vous aussi vous croyiez. 36 Car cela
est arrivé afin que l'Écriture fût accomplie :

*Pas un os ne lui sera brisé[o].* Ex 12 46 Ps 34 21

37 Et une autre Écriture dit encore :

*Ils regarderont celui qu'ils ont transpercé[p].* Za 12 10

cf. Ex 12 15s. C'est peut-être cette coïncidence que veut souligner l'évangéliste; cf. 1 Co 5 7.

*a)* Var. : « disaient ».

*b)* Add. : « et l'emmenèrent ».

*c)* Allusion possible au sacerdoce du Christ en croix : la robe du grand prêtre devait être sans couture.

*d)* Jean seul mentionne sa présence. Cf. 2 1+.

*e)* Soit Salomé, mère des fils de Zébédée (cf. Mt 27 56p), soit, en rapportant cette désignation à ce qui suit, « Marie, femme de Clopas ».

*f)* Le contexte scripturaire (vv. 24, 28, 36, 37) et le caractère singulier de l'appellation « Femme » semblent indiquer que l'évangéliste voit ici un acte qui dépasse la simple piété filiale : la proclamation de la maternité spirituelle de Marie, nouvelle Ève, à l'égard des croyants représentés par le disciple bien-aimé, cf. 15 10-15.

*g)* Conj. : « à un javelot ».

*h)* L'œuvre du Père, telle qu'elle était annoncée par l'Écriture : le salut du monde par le sacrifice du Christ. Jn ne rapporte pas le cri de déréliction de Mt 27 46 et Mc 15 34; il n'a voulu retenir que la majesté sereine de cette mort. Cf. Lc 23 46; Jn 12 27+.

*i)* Le dernier soupir de Jésus prélude à l'effusion de l'Esprit, 1 33+; 20 22.

*j)* En vue d'accélérer la mort.

*k)* Var. : « ils le trouvèrent ».

*l)* Var. : « de l'eau et du sang ». – Le sens de cet événement sera précisé par deux textes de l'Écriture, vv. 36s. Le sang, Lv 1 5+; Ex 24 8+, atteste la réalité du sacrifice de l'agneau offert pour le salut du monde, 6 51, et l'eau, symbole de l'Esprit, sa fécondité spirituelle. Non sans fondement, de nombreux Pères ont vu dans l'eau le symbole du baptême, dans le sang celui de l'eucharistie et dans ces deux sacrements, le signe de l'Église, nouvelle Ève naissant du nouvel Adam. Cf. Ep 5 23-32.

*m)* Le disciple du v. 26, sans doute l'évangéliste lui-même.

*n)* Soit le témoin, soit Dieu (ou le Christ) à qui le témoin en appellerait.

*o)* Fusion d'un v. de psaume décrivant la protection divine sur le juste persécuté (cf. Sg 2 18-20), dont le type est le « Serviteur de Yahvé » d'Is 53, et d'une prescription rituelle concernant l'agneau pascal. Cf. 1 29+ et 1 Co 5 7.

*p)* « Ils regarderont », au sens johannique de « voir, comprendre », cf. 3 14+. Par delà la personne du soldat romain, Jn annonce l'adhésion des païens à la foi, cf. 12 20-21, 32 et les notes. Même idée en Mt 27 54+ et Mc 15 39+. Cf. encore Lc 23 47, 48; Mt 24 30; Ap 1 7.

|| Mt **27** 57-60 **L'ensevelissement.**
|| Mc **15** 42-46
|| Lc **23** 50-54 38 Après ces événements, Joseph d'Arimathie,
7 13+ qui était disciple de Jésus, mais en secret par peur
des Juifs, demanda à Pilate de pouvoir enlever le
corps de Jésus. Pilate le permit. Ils vinrent donc et
3 1; 7 50 enlevèrent son corps [a]. 39 Nicodème – celui qui précédemment était venu, de nuit, trouver Jésus – vint
aussi, apportant un mélange de myrrhe et d'aloès,
d'environ cent livres. 40 Ils prirent donc le corps de
Jésus et le lièrent de linges, avec les aromates, selon 11 44
le mode de sépulture en usage chez les Juifs. 41 Or
il y avait un jardin au lieu où il avait été crucifié,
et, dans ce jardin, un tombeau neuf, dans lequel
personne n'avait encore été mis. 42 A cause de la
Préparation des Juifs, comme le tombeau était proche, c'est là qu'ils déposèrent Jésus.

## *3. LE JOUR DE LA RÉSURRECTION*

**Le tombeau trouvé vide.**

|| Mt **28** 1-8 **20** 1 Le premier jour de la semaine [b], Marie de
|| Mc **16** 1-8 Magdala vient de bonne heure au tombeau,
|| Lc **24** 1-11 comme il faisait encore sombre, et elle aperçoit la
Mt **28** 10+ pierre enlevée du tombeau. 2 Elle court alors et
**18** 15 vient trouver Simon-Pierre, ainsi que l'autre disciple, celui que Jésus aimait, et elle leur dit : « On a
enlevé le Seigneur du tombeau et nous ne savons
pas où on l'a mis. »
3 Pierre sortit donc, ainsi que l'autre disciple, et
ils se rendirent au tombeau. 4 Ils couraient tous les
deux ensemble. L'autre disciple, plus rapide que
Pierre, le devança à la course et arriva le premier
au tombeau. 5 Se penchant, il aperçoit les linges,
gisant à terre; pourtant il n'entra pas [c]. 6 Alors
arrive aussi Simon-Pierre, qui le suivait; il entra
Lc **24** 12 dans le tombeau; et il voit les linges, gisant à terre,
Jn **11** 44; 7 ainsi que le suaire qui avait recouvert sa tête; non
**19** 40 pas avec les linges, mais roulé à part dans un
endroit. 8 Alors entra aussi l'autre disciple, arrivé
le premier au tombeau. Il vit et il crut. 9 En effet,
5 39+ ils ne savaient pas encore que, d'après l'Écriture [d],
**14** 26+ il devait ressusciter d'entre les morts. 10 Les disci-
1 Co **15** 4 ples s'en retournèrent alors chez eux.

Mt **28** 9-10 **L'apparition à Marie de Magdala.**
Mc **16** 9-11
11 Marie se tenait près du tombeau, au-dehors,
tout en pleurs. Or, tout en pleurant, elle se pencha
vers l'intérieur du tombeau 12 et elle voit deux
anges, en vêtements blancs, assis là où avait reposé
le corps de Jésus, l'un à la tête et l'autre aux pieds.
13 Ceux-ci lui disent : « Femme, pourquoi pleures-
tu? » Elle leur dit : « Parce qu'on a enlevé mon Seigneur, et je ne sais pas où on l'a mis. » 14 Ayant dit Ct **3** 1-3
cela, elle se retourna, et elle voit Jésus qui se tenait
là, mais elle ne savait pas que c'était Jésus. 15 Jésus Lc **24** 16+
lui dit : « Femme, pourquoi pleures-tu? Qui cher-
ches-tu? » Le prenant pour le jardinier, elle lui dit :
« Seigneur, si c'est toi qui l'as emporté, dis-moi où
tu l'as mis, et je l'enlèverai. » 16 Jésus lui dit : Jn **10** 3-4
« Marie! » Se retournant [e], elle lui dit en hébreu :
« Rabbouni [f]! » – ce qui veut dire : « Maître ». Mc **10** 51
17 Jésus lui dit : « Ne me touche pas [g], car je ne suis Ct **3** 4
pas encore monté vers le Père. Mais va trouver mes
frères [h] et dis-leur : je monte vers mon Père [i] et **1** 1+; **12** 32+
votre Père, vers mon Dieu et votre Dieu. » 18 Marie Ps **89** 27
de Magdala vient annoncer aux disciples qu'elle a
vu le Seigneur et qu'il lui a dit cela.

**Apparitions aux disciples.** || Mc **16** 14-18
|| Lc **24** 36-49
19 Le soir, ce même jour, le premier de la
semaine, et les portes étant closes, là où se trouvaient les disciples [j], par peur des Juifs, Jésus vint
et se tint au milieu et il leur dit : « Paix à vous! » **16** 16; **14** 27
20 Ayant dit cela, il leur montra ses mains et son Lc **24** 16
côté. Les disciples furent remplis de joie à la vue **15** 11; **16** 22
du Seigneur. 21 Il leur dit alors, de nouveau : « Paix
à vous!

Comme le Père m'a envoyé, **17** 18; Mt **28** 19
moi aussi je vous envoie. » Mc **16** 15

*a)* Var. : « Il vint ».
*b)* Devenu le « Jour du Seigneur », le dimanche chrétien; cf. Ap **1** 10.
*c)* Le disciple reconnaît à Pierre une certaine prééminence. Cf. **21** 15-17.
*d)* L'évangéliste ne cite aucun texte. Il veut souligner l'état d'impréparation des disciples à l'égard de la révélation pascale, en dépit de l'Écriture. Cf. Lc **24** 27, 32, 44-45.
*e)* Var. : « Elle le reconnut ».
*f)* Appellation plus solennelle que *rabbi* et souvent employée quand on s'adresse à Dieu. Elle se rapproche donc de la profession de foi de Thomas, v. 28.
*g)* Marie s'est jetée aux pieds de Jésus pour les tenir embrassés. Cf. Mt **28** 9.
*h)* Var. : « les frères ».
*i)* Cette affirmation ne contredit pas le récit de Ac **1** 3s. La « montée » du Christ auprès du Père, son entrée corporelle dans la gloire, Jn **3** 13; **6** 62; Ep **4** 10; 1 Tm **3** 16; He **4** 14; **6** 19s; **9** 24; 1 P **3** 22; cf. Ac **2** 33+, 36+, se réalisent au jour même de la résurrection, Jn **20** 17; Lc **24** 51. La scène de l'Ascension, quarante jours plus tard, Ac **1** 2s, 9-11, signifiera que la période des entretiens familiers avec le Christ est terminée, que Jésus « siège » maintenant à la droite de Dieu et ne reviendra plus avant la Parousie.
*j)* Add. : « assemblés ».

Lc 24 47s Ac 1 8+ Jn 1 33+ 22 Ayant dit cela, il souffla sur eux [a] et leur dit :
« Recevez l'Esprit Saint.
Mt 16 19+; 18 18+ 23 Ceux à qui vous remettrez les péchés,
ils leur seront remis;
ceux à qui vous les retiendrez,
ils leur seront retenus. »
11 16; 14 5 24 Or Thomas, l'un des Douze, appelé Didyme,
n'était pas avec eux, lorsque vint Jésus. 25 Les
autres disciples [b] lui dirent donc : « Nous avons vu
le Seigneur! » Mais il leur dit : « Si je ne vois pas
dans ses mains la marque des clous, si je ne mets
pas mon doigt dans la marque des clous, et si je
ne mets pas ma main dans son côté, je ne croirai
pas. » 26 Huit jours après, ses disciples étaient de
nouveau à l'intérieur et Thomas avec eux. Jésus
vient, les portes étant closes, et il se tint au milieu
et dit : « Paix à vous. 27 Puis il dit à Thomas : 14 27
« Porte ton doigt ici : voici mes mains; avance ta
main et mets-la dans mon côté [c], et ne deviens pas 19 34+
incrédule, mais croyant. » 28 Thomas lui répondit :
« Mon Seigneur et mon Dieu! » 29 Jésus lui dit :
« Parce que tu me vois, tu crois.
Heureux ceux qui n'ont pas vu et qui ont cru [d]. » 4 48 Lc 1 45

## 4. PREMIÈRE CONCLUSION

12 37 Dt 34 10-12 30 Jésus a fait sous les yeux de ses disciples
encore beaucoup d'autres signes, qui ne sont pas
écrits dans ce livre. 31 Ceux-là ont été mis par écrit,
pour que vous croyiez que Jésus est le Christ, le
Fils de Dieu, et pour qu'en croyant vous ayez la
vie en son nom. Ac 3 16+

## ÉPILOGUE [e]

### Mt 26 32p; 28 7 Apparition au bord du lac de Tibériade.

21 1 Après cela, Jésus se manifesta de nouveau
aux disciples sur le bord de la mer de Tibé-
11 16; 14 5 riade. Il se manifesta ainsi. 2 Simon-Pierre, Thomas, appelé Didyme, Nathanaël, de Cana en Gali-
lée, les fils de Zébédée et deux autres de ses
disciples se trouvaient ensemble. 3 Simon-Pierre
Lc 5 4-10 leur dit : « Je m'en vais pêcher. » Ils lui dirent :
« Nous venons nous aussi avec toi. » Ils sortirent,
montèrent dans le bateau et, cette nuit-là, ils ne prirent rien.
4 Or, le matin déjà venu, Jésus se tint sur le
Lc 24 16+ rivage; pourtant les disciples ne savaient pas que
c'était Jésus. 5 Jésus leur dit : « Les enfants, vous
n'avez pas du poisson? » Ils lui répondirent :
« Non! » 6 Il leur dit : « Jetez le filet à droite du
bateau et vous trouverez. » Ils le jetèrent donc et ils
n'avaient plus la force de le tirer, tant il était plein
20 8 de poissons [f]. 7 Le disciple que Jésus aimait dit
alors à Pierre : « C'est le Seigneur! » A ces mots :
« C'est le Seigneur! » Simon-Pierre mit son vêtement – car il était nu – et il se jeta à l'eau. 8 Les
autres disciples, qui n'étaient pas loin de la terre,
mais à environ deux cents coudées, vinrent avec la
barque, traînant le filet de poissons.
9 Une fois descendus à terre, ils aperçoivent, dis- Lc 24 41-43
posé là, un feu de braise, avec du poisson dessus,
et du pain. 10 Jésus leur dit : « Apportez de ces poissons que vous venez de prendre. » 11 Alors Simon-
Pierre monta dans le bateau et tira à terre le filet [g],
plein de gros poissons : cent cinquante trois; et
quoiqu'il y en eût tant, le filet ne se déchira pas.
12 Jésus leur dit : « Venez déjeuner. » Aucun des
disciples n'osait lui demander : « Qui es-tu? », 4 27
sachant que c'était le Seigneur. 13 Jésus vient, il
prend le pain et il le leur donne; et de même le pois- 6 11
son. 14 Ce fut là la troisième fois que Jésus se mani- 20 19-23, 26-29
festa aux disciples, une fois ressuscité d'entre les
morts.
15 Quand ils eurent déjeuné, Jésus dit à Simon-
Pierre : « Simon, fils de Jean, m'aimes-tu plus que
ceux-ci? » Il lui répondit : « Oui, Seigneur, tu sais
que je t'aime. » Jésus lui dit : « Pais mes agneaux. »
16 Il lui dit à nouveau, une deuxième fois : « Simon,
fils de Jean, m'aimes-tu? » – « Oui, Seigneur, lui

*a)* Le souffle de Jésus symbolise l'Esprit (en hébreu : souffle) qu'il envoie, principe de la nouvelle création, Gn 1 2; 2 7; Ez 37 9; Sg 15 11. Voir Jn 1 33+; 14 26+; 19 30+; et Mt 3 16+.
*b)* Om. : « autres ».
*c)* Jean, à la fin de son évangile, tourne encore une fois le regard du croyant vers la plaie du côté, cf. 19 34+.
*d)* Sur le témoignage des apôtres, cf. Ac 1 8+.
*e)* Ajouté, soit par l'évangéliste lui-même, soit par un de ses disciples.
*f)* Surabondance qui rappelle Cana, 2 6, la multiplication des pains, 6 11s, l'eau vive, 4 14; 7 37s, la vie donnée par le bon pasteur, 10 10, la plénitude de l'Esprit donnée par Jésus, 3 34.
*g)* La pêche au filet représente dans les Synoptiques l'avènement du Royaume des Cieux, Mt 13 47s, ou la mission des apôtres, Mt 4 19p. Elle doit représenter ici encore la mission apostolique, dirigée par Pierre. Cf. 21 15-17.

dit-il, tu sais que je t'aime. » Jésus lui dit : « Pais
mes brebis. » 17 Il lui dit pour la troisième fois :
**13** 37-38; « Simon, fils de Jean, m'aimes-tu? » Pierre fut
**18** 17, 25-27 peiné [a] de ce qu'il lui eût dit pour la troisième fois :
1 48+ « M'aimes-tu? », et il lui dit : « Seigneur, tu sais
Mt **16** 17-19 tout, tu sais bien que je t'aime [b]. » Jésus lui dit :
Jn **6** 68s Lc **22** 31-32 « Pais mes brebis [c].

18 En vérité, en vérité, je te le dis,
quand tu étais jeune,
tu mettais toi-même ta ceinture,
et tu allais où tu voulais;
quand tu auras vieilli,
tu étendras les mains,
et un autre te ceindra
et te mènera où tu ne voudrais pas. »

**12** 33 19 Il signifiait, en parlant ainsi, le genre de mort [d]
**13** 31; **17** 1 par lequel Pierre devait glorifier Dieu. Ayant dit
**13** 36 cela, il lui dit : « Suis-moi [e]. »
20 Se retournant, Pierre aperçoit, marchant à leur
suite, le disciple que Jésus aimait, celui-là même
qui, durant le repas, s'était penché sur sa poitrine **13** 25
et avait dit : « Seigneur, qui est-ce qui te livre? »
21 Le voyant donc, Pierre dit à Jésus : « Seigneur,
et lui? » 22 Jésus lui dit : « Si je veux qu'il demeure
jusqu'à ce que je vienne [f], que t'importe? Toi, suis-
moi. » 23 Le bruit se répandit alors chez les frères
que ce disciple ne mourrait pas. Or Jésus n'avait
pas dit à Pierre : « Il ne mourra pas », mais : « Si
je veux qu'il demeure jusqu'à ce que je vienne [g]. »

**Conclusion.**

24 C'est ce disciple qui témoigne de ces faits et
qui les a écrits, et nous savons [h] que son témoignage est véridique.

25 Il y a encore bien d'autres choses qu'a faites
Jésus. Si on les mettait par écrit une à une, je pense
que le monde lui-même ne suffirait pas à contenir
les livres qu'on en écrirait.

*a)* Il y voit un rappel de son triple reniement, **13** 38; **18** 17, 25-27.
*b)* « Aimer » est exprimé dans le texte par deux verbes différents, qui correspondent respectivement à aimer, et à avoir de l'amitié ou chérir. Il n'est pas certain cependant que cette alternance soit autre chose ici qu'un effet de style, de même que l'alternance « agneaux » – « brebis ».
*c)* A la triple profession d'attachement de Pierre, Jésus répond par une triple investiture. Il confie à Pierre le soin de régir en son nom le troupeau, cf. Mt **16** 18; Lc **22** 31s. Il se peut que la triple répétition soit le signe d'un engagement, un contrat, en bonne et due forme, selon l'usage sémitique, cf. Gn **23** 7-23.
*d)* Le martyre.
*e)* Reprise de la parole de Jésus à Pierre après la scène du lavement des pieds, **13** 36.
*f)* C'est-à-dire jusqu'à la Parousie, cf. **1** Co **11** 26; **16** 22; Ap **1** 7; **22** 7, 12, 17, 20.
*g)* Add. : « que t'importe? ».
*h)* C'est peut-être un groupe de disciples qui parle ici.

# LES ACTES DES APÔTRES

# LES ACTES DES APÔTRES

## Introduction

*Le troisième évangile et le livre des Actes ne devaient former primitivement qu'un seul ouvrage, que nous intitulerions aujourd'hui une « Histoire des origines chrétiennes ». Ils furent séparés lorsque les chrétiens désirèrent posséder les quatre évangiles dans un même codex. Ce fut très tôt, avant 150. Peut-être le titre « Actes des Apôtres » ou « Actes d'Apôtres » fut-il ajouté à ce moment selon la mode de la littérature hellénistique qui connaissait les « Actes » d'Annibal, les « Actes » d'Alexandre, etc. La relation originelle de ces deux livres du N.T. est indiquée par leurs Prologues et par leur parenté littéraire. Le Prologue des Actes, qui s'adresse comme celui du troisième évangile, Lc* **1** 1-4, *à un certain Théophile, Ac* **1** 1, *renvoie à cet évangile comme à un « premier livre », dont il résume l'objet et reprend les derniers événements (apparitions du Ressuscité et Ascension) pour leur enchaîner la suite du récit. La langue est un autre lien qui rattache étroitement les deux livres l'un à l'autre. Non seulement ses caractéristiques (de vocabulaire, de grammaire et de style) se retrouvent tout au long des Actes, établissant l'unité littéraire de cet ouvrage, mais encore elles se reconnaissent dans le troisième évangile, ce qui ne permet guère de douter qu'un même auteur est à l'œuvre, ici et là.*

*Cet* auteur, *la tradition de l'Église s'accorde à le reconnaître en saint Luc. Ni dans l'antiquité ni de nos jours, on n'a jamais avancé sérieusement un autre nom. Déjà vers 175 l'ensemble des Églises juge ainsi, comme le montre l'accord du document romain qu'on appelle le Canon de Muratori, du Prologue antimarcionite, de saint Irénée, des Alexandrins et de Tertullien. De fait, ce jugement est confirmé par les vraisemblances internes. D'après ses écrits, l'auteur doit être un chrétien de la génération apostolique, Juif très hellénisé ou mieux Grec de bonne éducation connaissant à fond les choses juives et la Bible grecque, ayant des compétences médicales, enfin et surtout compagnon de voyage de Paul comme le montrent ces récits de la deuxième partie des Actes où il s'exprime à la première personne du pluriel. Or parmi les compagnons de Paul nul ne convient mieux que Luc : Syrien d'Antioche d'après une vieille tradition, « médecin » et d'origine païenne, Col* **4** 10-14, *il est présenté par l'Apôtre comme un compagnon très cher qui est à ses côtés durant les deux captivités romaines, Col* **4** 14; *Phm* 24; 2 *Tm* **4** 11. *Sans doute l'accompagne-t-il depuis les deuxième (Ac* **16** 10*s) et troisième voyages (Ac* **20** 6*s; cf. peut-être* 2 *Co* **8** 18*); s'il ne figure pas dans des énumérations telles que Ac* **20** 4, *ce doit être parce qu'alors lui-même tient la plume.*

*Pour fixer la* date *et le* lieu *où il écrit, nous ne trouvons rien de ferme dans l'ancienne tradition (en Achaïe après la mort de Paul? à Rome avant la fin du procès?) et devons juger d'après le contenu du livre. Il se termine sur la captivité romaine de Paul, en 61-63. La durée de deux ans qu'il mentionne à ce propos,* **28** 30+, *correspondant au délai légal après lequel une accusation non confirmée était annulée, ces lignes peuvent être écrites après la libération de l'Apôtre. Or cela semble requis par la date probable, autour de 64, assignée à l'évangile de Marc, auquel celui de Luc et a fortiori les Actes doivent être postérieurs. Des critiques sont allés jusqu'à envisager les années 80 à 100. La chose n'est pas impossible. Nous avons remarqué cependant qu'aucun indice certain n'oblige à reporter le troisième évangile après 70, et la même chose doit être dite des Actes.*

*Au reste, la fixation précise d'une date est d'importance secondaire, dès lors que la valeur exceptionnelle du livre est fondée, d'une part sur le* témoignage oculaire *de l'auteur pour toute une partie des faits, d'autre part sur les* sources *abondantes auxquelles il recourt pour rapporter ce qu'il n'a pas vu lui-même. Luc s'est procuré une documentation riche, variée, très étendue et très circonstanciée. Déjà le Prologue général de son œuvre, Lc* **1** 1-4, *le laissait attendre; l'examen du livre confirme cette attente. En dépit d'une activité littéraire toujours vigilante, qui a mis partout sa griffe et assure l'unité du livre, l'utilisation de documents divers est aisément discernable. Sans parler du fond doctrinal, qui se nuance selon les situations et présente parfois un archaïsme frappant, la langue même varie : d'un grec excellent lorsque Luc ne dépend que de lui-même et puise dans son carnet de voyage, elle devient sémitisante, pénible ou même incorrecte, quand il raconte les débuts de la communauté palestinienne, soit qu'il imite volontairement le style sacré des Septante, soit plus souvent qu'il respecte et corrige le moins possible des informations d'origine araméenne. Ce qu'on peut observer dans le troisième évangile, en le comparant avec ses sources, s'observe également ici, avec cette circonstance désavantageuse que cette fois de tels points de comparaison font défaut. On s'est efforcé cependant de reconstituer les sources des Actes. Certains ont imaginé à la base de toute la première moitié,* **1-15** 35, *un texte araméen continu; l'hypothèse est certainement trop rigide et ne rend pas compte des activités rédactionnelles de Luc manifestes dans ces chapitres. Ses documents étaient plus restreints et plus variés, et il n'est même pas sûr qu'il les ait reçus sous forme écrite, encore que ce soit vraisemblable en certains cas. Quoi qu'il en soit des discernements de détail, difficiles et toujours incertains, on dégage sans peine quelques courants principaux dans les traditions recueillies par Luc. D'abord celles qui concernent la* communauté primitive de Jérusalem, **1-5**. *Puis celles qui relatent l'activité de personnages particuliers comme* Pierre, **9** 32 - **11** 18; **12**, *et* Philippe, **8** 4-40, *ces dernières ayant pu être fournies par l'intéressé, que Luc a rencontré à Césarée,* **21** 8. *La* communauté d'Antioche *est sans doute à l'origine des récits qui racontent ses préparations et sa fondation par le mouvement des Juifs hellénistes,* **6** 1 - **8** 3; **11** 19-30; **13** 1-3. Paul *lui-même a dû informer Luc sur sa conversion et sur ses voyages de mission,* **9** 1-30; **13** 4 - **14** 28; **15** 36*s. Pour la fin de ceux-ci Luc disposait d'ailleurs de ses* notes personnelles, *et il est probable qu'il les transcrit dans ces sections où il dit « nous » et où l'on retrouve précisément concentrées au plus haut degré les particularités de sa langue,* **11** 28; **16** 10-17; **20** 5 - **21** 18; **27** 1 - **28** 16. *Cette riche matière qu'il avait rassemblée, Luc l'a habilement organisée en un tout, sériant pour le mieux les divers éléments et les reliant entre eux à l'aide de refrains rédactionnels, par ex.* **6** 7; **9** 31; **12** 24, *etc.*

*La fraîcheur de cette documentation et le soin avec lequel Luc la traite sont de bonnes garanties de la* valeur historique *du livre. Sans doute la difficile besogne de combiner les sources a-t-elle pu occasionner parfois des anticipations, des dédoublements, voire des concentrations : c'est ainsi que le ch.* **12** *doit être antérieur à la visite de Barnabé et Saul à Jérusalem mentionnée en* **11** 30; **12** 25, *à moins encore que celle-ci ne soit à identifier avec celle du ch.* **15**; *et il n'est pas impossible que le « concile de Jérusalem »* (**15**) *bloque en un deux débats distincts (cf. les notes). Mais ces légers aménagements ne compromettent pas la solidité de l'ensemble. Il est remarquable par exemple que, sans avoir utilisé les épîtres de Paul, Luc donne de l'activité missionnaire de l'Apôtre un tableau qui concorde bien avec elles, même avec l'épître aux Galates si l'on tient compte des réserves faites ci-dessus. Pour les événements antérieurs nous ne disposons pas d'un tel terme de comparaison, mais la vraisemblance interne des faits racontés et le respect manifeste de Luc pour ses sources inspirent la confiance. Même à nouveau rédigés par lui, les récits présentent des traits concrets et vécus qui répondent parfaitement aux circonstances. On s'est inquiété surtout des discours et l'on a soutenu qu'ils étaient de libres compositions de Luc, mises par lui dans la bouche de ses personnages selon la manière des anciens historiens. Mais, quelque génie qu'on lui prête, il est difficile d'admettre qu'il ait pu, avec sa culture grecque et après quelque quarante ans, reconstituer des morceaux d'inspiration aussi archaïque et sémitisante que, par exemple, les discours de Pierre ou celui d'Étienne. Il devait disposer de documents et cela n'a rien de surprenant si l'on songe que la prédication primitive se nourrissait de quelques thèmes essentiels appuyés d'arguments devenus traditionnels et coulés dans des formules mémorisées : florilèges de textes scripturaires pour les Juifs, réflexions de philosophie commune pour les Grecs, et pour tous l'annonce essentielle (Kérygme) du Christ mort et ressuscité, avec l'appel à la conversion et au baptême. Luc aura connu, d'abord par tradition et ensuite par expérience, ces schémas de la première propagande chrétienne et c'est ce qui lui a permis, avec son sens psychologique très fin, de mettre dans ces discours un enseignement de valeur authentique et d'importance capitale.*

*L'objectivité du livre des Actes a été attaquée par un autre biais, qui pose la question de son* but. *L'école de F. Ch. Baur a voulu y voir un écrit de compromis rédigé au IIe siècle pour concilier les tendances adverses du pétrinisme et du paulinisme; outre qu'il suppose une date beaucoup trop basse, ce système relève d'une philosophie de l'histoire (Hegel) plus que de l'exégèse, et sous sa forme radicale il n'a plus aujourd'hui d'adhérents. En revanche il arrive encore fréquemment qu'on dénonce dans cet ouvrage un plaidoyer, avec tout ce que cela peut comporter de déformation des faits. Luc y ferait une apologie de Paul destinée à convaincre les autorités romaines qu'il n'était coupable d'aucun délit politique. C'est là ne retenir qu'un aspect du livre des Actes et traiter comme thèse tendancieuse ce qui a pu être une conviction sincère et réellement fondée. Que Luc souligne le caractère purement religieux du conflit qui oppose les Juifs à Paul, et le loyalisme de ce dernier à l'égard du pouvoir romain, cela est incontestable. Mais cela répond aussi à la vérité historique et Luc avait parfaitement le droit de tirer cette leçon des faits. D'ailleurs, encore une fois, ce propos particulier est loin d'épuiser les intentions de l'ouvrage. Celui-ci est tout autre chose qu'un placet à présenter au tribunal de Rome. Il ne vise à rien de moins qu'à raconter, pour elle-même, l'histoire des origines chrétiennes.*

*Il suffit, pour s'en convaincre, d'examiner son* plan. *On y voit mise en œuvre la parole initiale du Christ : « Vous serez mes témoins à Jérusalem, dans toute la Judée et la Samarie, et jusqu'aux extrémités de la terre », Ac* **1** 8. *La foi s'implante d'abord solidement à Jérusalem, où la première communauté s'accroît en grâce et en nombre,* **1-5**. *Bientôt, l'expansion commence, préparée par la tendance universaliste des convertis du judaïsme hellénistique et par leur expulsion à la suite du martyre d'Étienne,* **6** 1 - **8** 3*: la Samarie est atteinte,* **8** 4-25, *ainsi que la région au sud et à l'ouest de Jérusalem jusqu'à la côte et Césarée,* **8** 26-40*;* **9** 32 - **11** 18, *cependant que la conversion de Paul nous apprend qu'il y a déjà des chrétiens à Damas et présage l'évangélisation de la Cilicie,* **9** 1-30. *Des refrains comme* **9** 31 *(qui ajoute la Galilée) soulignent bien la diffusion de la foi. Ensuite c'est Antioche qui reçoit le message de Jésus,* **11** 19-26, *et qui va devenir un centre de rayonnement, non sans garder avec Jérusalem des relations où l'on se concerte sur les principaux problèmes missionnaires,* **11** 27-30*;* **15** 1-35. *En effet, il s'agit maintenant pour l'Évangile de passer chez les païens. Après la conversion de Corneille et l'incarcération à Jérusalem, Pierre est parti pour une destination inconnue,* **12** 17*; et c'est Paul qui va désormais, dans le récit de Luc, être en vedette. Après un premier voyage en Chypre et en Asie Mineure, avant le concile de Jérusalem,* **13-14**, *deux autres voyages le mèneront jusqu'en Macédoine et en Grèce,* **15** 36 - **18** 22*;* **18** 23 - **21** 17. *Toujours il revient à Jérusalem, et son arrestation dans cette ville puis sa captivité à Césarée,* **21** 18 - **26** 32, *lui donneront de se faire conduire, prisonnier mais toujours missionnaire, jusqu'à Rome où, dans les chaînes, il annonce le Christ,* **27-28**. *Vue de Jérusalem, cette capitale de l'empire représente bien les « extrémités de la terre » et Luc peut arrêter là son livre.*

*On regrettera peut-être qu'il n'ait rien dit de l'activité des autres apôtres, ni de la fondation de certaines Églises comme celle d'Alexandrie, ou même celle de Rome où la foi chrétienne fut certainement implantée avant l'arrivée de l'Apôtre (voir l'épître aux Romains écrite durant le troisième voyage). Même de l'apostolat de Pierre hors de la Palestine il ne dit rien, et il est certain que la personne de Paul occupe dans son œuvre une place prépondérante, jusqu'à en remplir seule toute la deuxième moitié. Mais ses silences et ses omissions sont la meilleure garantie de ce qu'il apporte; il ne raconte que ce qu'il connaît, par lui-même ou par des sources dont il a contrôlé la valeur. D'ailleurs, plus qu'une histoire matériellement complète, c'est un exposé de la force d'expansion spirituelle du christianisme qu'il a voulu donner; et l'enseignement théologique qu'il a su tirer des faits dont il disposait possède une valeur universelle, et irremplaçable, qui fait tout le prix de son œuvre.*

*Cet* apport doctrinal *est multiple et l'on ne peut qu'en évoquer les chefs principaux. La foi au Christ, base du kérygme apostolique, y est exposée avec les justes nuances d'une précision croissante, d'abord tout occupée du triomphe de l'homme Jésus comme Kyrios par la résurrection,* **2** 22-36, *puis affirmant, sur les lèvres de Paul, son titre de Fils de Dieu,* **9** 20. *Nous connaissons, par les discours, les principaux textes scripturaires qui servirent, sous la conduite de l'Esprit, à la formulation de la christologie et à l'argumentation auprès des Juifs; on remarquera particulièrement les thèmes du Serviteur,* **3** 13, 26; **4** 27, 30; **8** 32-33, *et de Jésus nouveau Moïse,* **3** 22*s;* **7** 20*s. La résurrection est prouvée par le Ps* **16** 8-11 *(Ac* **2** 24-32; **13** 34-37*). L'histoire du peuple élu doit mettre les Juifs en garde contre la résistance à la grâce,* **7** 2-53; **13** 16-41. *Pour les païens, on invoque des arguments d'une théodicée plus générale,* **14** 15-17; **17** 22-31. *Mais les apôtres sont surtout des « témoins »,* **1** 8+, *et Luc nous résume leur « kérygme »,* **2** 22+, *comme il nous raconte leurs « signes » thau-*

*maturgiques. Le problème crucial de l'Église naissante devait être l'accès des païens au salut, et le livre des Actes nous apporte sur ce point des lumières de premier ordre : les frères de Jérusalem, groupés autour de Jacques, restent fidèles à la Loi juive,* **15** 1, 5; **21** 20*s; mais les « hellénistes », dont Étienne est le porte-parole, sentent le besoin de rompre avec le culte du Temple; et Pierre, puis surtout Paul font triompher au concile de Jérusalem le principe du salut par la foi au Christ, qui dispense les païens de la circoncision et des observances mosaïques. Il n'en reste pas moins que le salut vient d'Israël, et Luc nous montre Paul commençant toujours par s'adresser aux Juifs, pour se tourner ensuite vers les païens quand il est rejeté par ses frères de race,* **13** 5+. *Sur la vie des premières communautés il nous offre aussi des informations infiniment précieuses : vie de prière et partage des biens dans la jeune Église de Jérusalem; administration du baptême d'eau et du baptême d'Esprit,* **1** 5+; *célébration de l'Eucharistie,* **2** 42+; *ébauches d'organisation ecclésiastique dans les « prophètes » et les « docteurs »,* **13** 1+, *ou encore dans les « presbytres » qui président à l'Église de Jérusalem,* **11** 30+, *et que Paul établit dans les Églises qu'il fonde,* **14** 23. *Le tout baigné, dirigé, emporté par un souffle invincible de l'Esprit Saint. Cet Esprit, sur lequel Luc avait déjà insisté dans son évangile, Lc* **4** 1+, *il le montre sans cesse à l'œuvre dans l'expansion de l'Église, Ac* **1** 8+, *au point qu'on a pu appeler les Actes « l'évangile du Saint Esprit ». C'est ce qui donne à cet ouvrage ce parfum d'allégresse spirituelle, de merveilleux surnaturel dont ne s'étonneront que ceux qui ne comprennent pas ce phénomène unique au monde que fut la naissance du christianisme. Si l'on ajoute à toutes ces richesses théologiques le précieux apport de tant de détails concrets qui autrement nous eussent été inconnus, si l'on sait goûter les portraits d'une fine psychologie où Luc excelle, des morceaux piquants et habiles comme le discours devant Agrippa,* **26**, *des pages émouvantes comme l'adieu aux anciens d'Éphèse,* **20** 17-38, *on conviendra que ce livre unique en son genre dans le NT représente un trésor dont l'absence eût appauvri singulièrement notre connaissance des origines chrétiennes.*

*Le texte des Actes, comme celui du reste du NT, nous est parvenu avec bien des variantes de détail. Mais plus qu'ailleurs, celles qui relèvent du texte dit « occidental » (codex Bezae, anciennes versions latine et syriaque, anciens écrivains ecclésiastiques) méritent de retenir l'attention. A côté de maintes corruptions, qui s'expliquent dans ce texte populaire moins châtié que la recension alexandrine, elles représentent souvent des additions concrètes et pittoresques qui ont chance d'être originales. Les plus importantes ont été signalées en note, ou même adoptées dans le texte traduit.*

# LES ACTES DES APÔTRES

**Prologue.**

Lc 1 1-4 **1** 1 J'ai consacré mon premier livre[a], ô Théo-
phile, à tout ce que Jésus a fait et enseigné,
Ac 1 22 depuis le commencement 2 jusqu'au jour où, après
Lc 24 49 avoir donné ses instructions aux apôtres qu'il avait
Mt 28 19-20 Lc 24 51 choisis sous l'action de l'Esprit Saint[b], il fut enlevé
1 Tm 3 16 au ciel[c]. 3 C'est encore à eux qu'avec de nombreu-
Ac 10 40-41; ses preuves il s'était présenté vivant après sa pas-
13 31 sion; pendant quarante jours, il leur était apparu et
Mt 28 10 les avait entretenus du Royaume de Dieu[d]. 4 Alors,
Lc 24 42-43 au cours d'un repas qu'il partageait avec eux, il leur
enjoignit de ne pas s'éloigner de Jérusalem[e], mais
|| Lc 24 49 Ac 2 33+ Ga 3 14 Ep 1 13 d'y attendre ce que le Père avait promis, « ce que,
dit-il, vous avez entendu de ma bouche : 5 Jean, lui,
a baptisé avec de l'eau, mais vous, c'est dans l'Es- 11 16 Lc 3 16p
prit Saint que vous serez baptisés[f] sous peu de
jours ».

**L'Ascension.**

6 Étant donc réunis[g], ils l'interrogeaient ainsi :
« Seigneur, est-ce maintenant, le temps où tu vas
restaurer la royauté en Israël[h]? » 7 Il leur répondit :
« Il ne vous appartient pas de connaître les temps Dn 2 21
et moments[i] que le Père a fixés de sa seule autorité. Mt 24 36p 1 Th 5 1-2
8 Mais vous allez recevoir une force, celle de l'Es-
prit Saint qui descendra sur vous[j]. Vous serez Is 32 15
alors mes témoins[k] à Jérusalem, dans toute la || Lc 24 47-48 Mt 28 19

*a)* L'évangile de Luc.
*b)* L'action de l'Esprit est soulignée dans les débuts de la mission des Apôtres, vv. 5, 8 et ch. **2**, comme dans les débuts du ministère de Jésus, Mt **4** 1+; Lc **4** 1+.
*c)* Le texte occ. ne fait pas mention de l'Ascension ici.
*d)* Le Royaume de Dieu, Mt **4** 17+, restera le grand thème de la prédication des Apôtres, cf. **8** 12; **19** 8; **20** 25; **28** 23, 31, comme il avait été celui de la prédication de Jésus, cf. Mt **3** 2+, Mc **1** 1+.
*e)* Pour Luc, Jérusalem est le centre prédestiné de l'œuvre du salut, Lc **2** 22+, 38+, le point d'achèvement de la mission terrestre de Jésus, Lc **24** 33s, et le point de départ de la mission universelle des apôtres, Lc **24** 47; Ac **1** 8, 12; **6** 7; **8** 1; **11** 19; **15** 30, 36; etc.
*f)* Le baptême d'Esprit, déjà annoncé par Jean-Baptiste, Mt **3** 11p, et ici promis par Jésus, sera inauguré par l'effusion de la Pentecôte, **2** 1-4. Ensuite, selon l'ordre du Christ, Mt **28** 19, les apôtres continueront à administrer le baptême d'eau, Ac **2** 41; **8** 12, 38; **9** 18; **10** 48; **16** 15, 33; **18** 8; **19** 5, comme rite d'initiation au royaume messianique, cf. Mt **3** 6+, mais ils le conféreront « au nom de Jésus », Ac **2** 38+, et, par la foi en l'œuvre accomplie par le Christ, cf. Rm **6** 4+, il aura désormais le pouvoir efficace de pardonner les péchés et de donner le Saint Esprit, Ac **2** 38. On voit par ailleurs apparaître, en connexion avec ce Baptême d'eau chrétien, un autre rite, d'imposition des mains, 1 Tm **4** 14+, ordonné à une communication visible et charismatique de l'Esprit, analogue à celle de la Pentecôte, **8** 16-19; **9** 17-18; **19** 5-6 (mais cf. **10** 44-48), rite qui est à l'origine du sacrement de confirmation. A côté de ces sacrements chrétiens, le baptême de Jean a continué d'être pratiqué quelque temps par certains fidèles imparfaitement instruits, **19** 3.
*g)* Ac **1** 6 reprend le fil du récit interrompu en Lc **24** 49.
*h)* L'établissement du royaume messianique apparaît encore aux apôtres comme une restauration temporelle de la royauté davidique. Cf. Mt **4** 17+.
*i)* Insérant son plan de salut dans l'histoire humaine, Dieu en a disposé de toute éternité (Rm **16** 25+; 1 Co **2** 7; Ep **1** 4; **3** 9, 11; Col **1** 26; 2 Tm **1** 9; cf. Mt **25** 34) « les temps et moments », cf. Dn **2** 21; 1 Th **5** 1 : 1° d'abord le temps de la préparation, He **1** 2; **9** 9; 1 P **1** 11, et de la patience, Rm **3** 26; Ac **17** 30; puis 2° à la « plénitude des temps », Ga **4** 4+, le moment choisi pour la venue du Christ, inaugurant l'ère du salut, Rm **3** 26+; ensuite 3° le temps qui s'écoule jusqu'à la Parousie, 2 Co **6** 2+; enfin 4°, précédé des « derniers jours », 1 Tm **4** 1+, le « Jour » eschatologique, 1 Co **1** 8+, et le Jugement dernier, Rm **2** 6+.
*j)* L'Esprit, thème spécialement cher à saint Luc (Lc **4** 1+), apparaît avant tout comme une Puissance, Lc **1** 35; **24** 49; Ac **1** 8; **10** 38; Rm **15** 13, 19; 1 Co **2** 4-5; 1 Th **1** 5; He **2** 4, envoyée d'auprès de Dieu par le Christ, Ac **2** 33, pour la diffusion de la Bonne Nouvelle. L'Esprit accorde les charismes, 1 Co **12** 4s, qui authentifient la prédication : dons des langues, Ac **2** 4+, des miracles, **10** 38, de prophétie, **11** 27+; **20** 23; **21** 11, de sagesse, **6** 3, 5, 10; il donne la force d'annoncer Jésus Christ, malgré les persécutions, **4** 8, 31; **5** 32; **6** 10; cf. Ph **1** 19, et de lui rendre témoignage, Mt **10** 20p; Jn **15** 26; Ac **1** 8; 2 Tm **1** 7s, cf. note suivante; il intervient enfin pour les décisions capitales : admission des païens dans l'Église, **8** 29, 39; **10** 19, 44-47; **11** 12-16; **15** 8, rejet pour eux des observances légales, **15** 28, mission de Paul à travers le monde païen, **13** 2s; **16** 6-7; **19** 1 (T. occ.), cf. Mt **3** 16+. Mais les Actes connaissent aussi le don de l'Esprit reçu au baptême et accordant la rémission des péchés, **2** 38; cf. Rm **5** 5+.
*k)* Les Apôtres ont pour mission essentielle de rendre témoignage de la résurrection de Jésus, Lc **24** 48; Ac **2** 32; **3** 15; **4** 33; **5** 32; **13** 31; **22** 15 , et même de toute sa vie publique, Lc **1** 2; Jn **15** 27; Ac **1** 22; **10** 39s. Cf. Rm **1** 1+.

Judée et la Samarie, et jusqu'aux extrémités de la
terre [a]. »
|| Lc 24 50-51 9 A ces mots, sous leurs regards, il s'éleva, et une
Mc 16 19 Jn 20 17+ nuée [b] le déroba à leurs yeux. 10 Et comme ils
Rm 10 6 Ep 4 8-10 étaient là, les yeux fixés au ciel pendant qu'il s'en
1 P 3 22 2 R 2 11 allait, voici que deux hommes vêtus de blanc se
Lc 24 4 trouvèrent à leurs côtés; 11 ils leur dirent :
« Hommes de Galilée, pourquoi restez-vous ainsi à
regarder le ciel? Celui qui vous a été enlevé, ce
même Jésus [c], viendra comme cela [d], de la même 3 20
manière dont vous l'avez vu s'en aller vers le ciel. » Za 14 4

# I. L'Église de Jérusalem

**Le groupe des apôtres.**

12 Alors, du mont des Oliviers, ils s'en retournèrent à Jérusalem; la distance n'est pas grande :
celle d'un chemin de sabbat. 13 Rentrés en ville, ils
montèrent à la chambre haute où ils se tenaient
|| Lc 6 14-16p habituellement. C'étaient Pierre, Jean, Jacques,
André, Philippe et Thomas, Barthélemy et Mat-
thieu, Jacques fils d'Alphée et Simon le zélote, et
Jude fils de Jacques [e]. 14 Tous d'un même cœur
2 42, 46; 6 4 Rm 12 12 étaient assidus à la prière [f] avec quelques femmes,
Lc 23 49 dont Marie mère de Jésus, et avec ses frères [g].

**Le remplacement de Judas.**

15 En ces jours-là, Pierre se leva au milieu des
frères [h], – ils étaient réunis au nombre d'environ
cent vingt personnes, – et il dit : 16 « Frères, il fal-
1 20 lait que s'accomplît l'Écriture où, par la bouche de
David, l'Esprit Saint avait parlé d'avance de Judas,
Lc 22 47 qui s'est fait le guide de ceux qui ont arrêté Jésus.
17 Il avait rang parmi nous et s'était vu attribuer
une part dans notre ministère. 18 Et voilà que,
|| Mt 27 3-10 s'étant acquis un domaine avec le salaire de son
forfait, cet homme est tombé la tête la première et Sg 4 19
a éclaté par le milieu, et toutes ses entrailles se sont
répandues. 19 La chose fut si connue de tous les
habitants de Jérusalem que ce domaine fut appelé
dans leur langue Hakeldama, c'est-à-dire " Domaine du sang " [i]. 20 Or il est écrit au Livre des
Psaumes :

*Que son enclos devienne désert* Ps 69 26
*et qu'il ne se trouve personne pour y habiter.*

« Et encore :

*Qu'un autre reçoive sa charge.* Ps 109 8

21 « Il faut donc que, de ces hommes qui nous ont
accompagnés tout le temps que le Seigneur Jésus
a vécu au milieu de nous, 22 en commençant au
baptême de Jean jusqu'au jour où il nous fut enlevé,
il y en ait un qui devienne avec nous témoin de sa 1 8+
résurrection. »
23 On [j] en présenta deux, Joseph dit Barsabbas,
surnommé Justus, et Matthias. 24 Alors ils firent 13 9+
cette prière : « Toi, Seigneur, qui connais le cœur 15 8
de tous les hommes, montre-nous lequel de ces Lc 16 15 Jr 11 20+
deux tu as choisi 25 pour occuper, dans le ministère Ap 2 23
de l'apostolat, la place qu'a délaissée Judas pour

*a)* La mission des apôtres s'étend à l'univers, Is **45** 14+. Les étapes ici marquées dessinent en gros le schéma géographique des Actes : Jérusalem, qui était le point d'arrivée de l'évangile, est maintenant le point de départ; cf. Lc **2** 38+.

*b)* La nuée fait partie du cadre des théophanies de l'AT, Ex **13** 22+, et du NT, Lc **9** 34-35p. Elle caractérise, Dn **7** 13, la parousie du Fils de l'homme, Mt **24** 30+; ici v. 11; cf. 1 Th **4** 17; Ap **1** 7; **14** 14-16.

*c)* Avec texte occ.; texte reçu : « ce Jésus qui, d'auprès de vous, vient d'être enlevé au ciel ».

*d)* L'avènement glorieux de la parousie, cf. Mt **16** 27p; **24** 30p+; **25** 31; 1 Th **4** 16; 2 Th **1** 7s.

*e)* On supplée « fils » (d'Alphée, de Jacques). – L'apôtre Jude est distinct de Jude frère de Jésus, cf. Mt **13** 55; Mc **6** 3, et frère de Jacques (Jude 1). On ne doit pas non plus, semble-t-il, identifier l'apôtre Jacques fils d'Alphée avec Jacques frère du Seigneur, Ac **12** 17; **15** 13, etc.

*f)* Les Actes contiennent de nombreux exemples de la prière assidue recommandée, Mt **6** 5+, et pratiquée, Mt **14** 23+, par Jésus. Prière commune présidée par les Apôtres, **4** 24-30; **6** 4, et centrée sur la fraction du pain, **2** 42, 46; **20** 7-11. Prière dans les occasions importantes : élections et ordinations à des charges dans l'Église, **1** 24; **6** 6; **13** 3; **14** 23, confirmation des Samaritains, **8** 15, période de persécutions, **4** 24-31; **12** 5, 12. On voit aussi des individus prier; Étienne pour soi-même et ses bourreaux, **7** 59-60, Paul après sa vision du Christ, **9** 11, Pierre et Paul avant les miracles, **9** 40; **28** 8, Pierre quand Dieu l'appelle vers Corneille, **10** 9; **11** 5, lui-même homme de prière, **10** 2, 4, 30-31, Paul et Silas dans la prison, **16** 25, Paul quittant ses amis à Milet, **20** 36, et à Tyr, **21** 5. Prière de demande dans la plupart de ces occasions, aussi en **8** 22-24 pour obtenir le pardon; prière de louange, **16** 25, et d'action de grâces, **28** 15; enfin témoignage de foi : « invoquer le nom de Jésus Christ » est la caractéristique du chrétien, **2** 21 et 38; **9** 14, 21; **22** 16.

*g)* C'est-à-dire les cousins de Jésus, cf. Mt **12** 46+.

*h)* A côté du sens strict le mot de frère prend souvent dans la Bible des sens élargis, visant le parent plus ou moins éloigné, Gn **9** 25; **13** 8, le compatriote, Gn **16** 12; Ex **2** 11; Dt **2** 4; **15** 2; Ps **22** 23. De là il passe à une parenté plus profonde par la communion dans l'alliance. Dans le NT il désigne très souvent les chrétiens, disciples du Christ, Mt **28** 10; Jn **20** 17; Ac **6** 3; **9** 30; **11** 1; **12** 17; Rm **1** 13, etc., qui font comme lui la volonté du Père, Mt **12** 50p; fils du Père dont il est le Premier-né, Mt **25** 40; Rm **8** 29; He **2** 11, 17, et entre qui règne l'amour fraternel, Rm **12** 10; 1 Th **4** 9; 1 P **1** 22; 1 Jn **3** 14, etc.

*i)* Cette présentation de la mort de Judas diffère de celle de Mt **27** 3-10. Il ne meurt plus par pendaison comme Ahitophel, 2 S **17** 23, mais par chute (?) comme les impies de Sg **4** 19 et effusion d'entrailles comme maints criminels des légendes folkloriques. Le sang du champ n'est plus celui de Jésus, mais celui de Judas. A travers ces divergences de traditions populaires, on pressent le fait réel d'une mort soudaine et ignominieuse du traître, rattachée tant bien que mal à un lieu mal famé et connu de Jérusalem, le Hakeldama.

*j)* Var. : « il en présenta deux », v. 23, et « il fit cette prière », v. 24 : pour mettre en relief le rôle de Pierre.

s'en aller à sa place à lui. » [26] Alors on tira au sort [a]
Ex 33 7+ et le sort tomba sur Matthias, qui fut mis au nom-
1 S 14 41+ bre des douze apôtres [b].

### La Pentecôte.

Ex 23 14+ **2** [1] Le jour de la Pentecôte étant arrivé [c], ils se
trouvaient tous ensemble dans un même lieu [d],
4 31 [2] quand, tout à coup, vint du ciel un bruit tel que
Jn 3 8+ Ps 104 30; celui d'un violent coup de vent [e], qui remplit toute
33 6 la maison où ils se tenaient. [3] Ils virent apparaître
Jn 20 22 des langues qu'on eût dites de feu [f]; elles se partageaient, et il s'en posa une sur chacun d'eux. [4] Tous
1 5+ furent alors remplis de l'Esprit Saint et commencè-
Lc 1 15+ rent à parler en d'autres langues, selon que l'Esprit
1 8+ leur donnait de s'exprimer [g].
[5] Or il y avait, demeurant à Jérusalem, des hom-
Lc 24 47 mes dévots [h] de toutes les nations qui sont sous le
Mt 28 19 Col 1 23 ciel. [6] Au bruit qui se produisit, la multitude se rassembla et fut confondue : chacun les entendait par-
Gn 11 1-9+ ler en son propre idiome [i]. [7] Ils étaient stupéfaits,
et, tout étonnés, ils disaient : « Ces hommes qui
parlent, ne sont-ils pas tous Galiléens? [8] Comment
se fait-il alors que chacun de nous les entende dans
son propre idiome maternel? [9] Parthes, Mèdes et
Élamites, habitants de Mésopotamie, de Judée et de
Cappadoce, du Pont et d'Asie, [10] de Phrygie et de
Pamphilie, d'Égypte et de cette partie de la Libye
qui est proche de Cyrène, Romains en résidence,
[11] tant Juifs que prosélytes [j], Crétois et Arabes [k],
nous les entendons publier dans notre langue les
merveilles de Dieu! » [12] Tous étaient stupéfaits et
se disaient, perplexes, l'un à l'autre : « Que peut 1 Co 14 23
bien être cela? » [13] D'autres encore disaient en se
moquant : « Ils sont pleins de vin doux! »

### Discours de Pierre à la foule.

[14] Pierre alors, debout avec les Onze [l], éleva la
voix et leur adressa ces mots : « Hommes de Judée
et vous tous qui résidez à Jérusalem, apprenez ceci,
prêtez l'oreille à mes paroles. [15] Non, ces gens ne
sont pas ivres, comme vous le supposez; ce n'est
d'ailleurs que la troisième heure du jour [m]. [16] Mais
c'est bien ce qu'a dit le prophète [n] : 2 33+
[17] *Il se fera* dans les derniers jours [o], dit le Seigneur, Jl 3 1-5 Is 2 2
*que je répandrai de mon Esprit sur toute chair.* Rm 7 5+
*Alors vos fils et vos filles prophétiseront,* Ac 11 27+
*vos jeunes gens auront des visions*
*et vos vieillards des songes.*
[18] *Et moi, sur mes serviteurs et sur mes servantes*
*je répandrai de mon Esprit.*
[19] *Et je ferai paraître des prodiges* là-haut *dans le ciel*
*et* des signes ici-bas *sur la terre.* 5 12
[20] *Le soleil se changera en ténèbres et la lune en sang,* Mt 24 29p
*avant que vienne le Jour du Seigneur, ce grand Jour* [p].
[21] *Et quiconque alors invoquera le nom du Seigneur sera sauvé* [q]. Rm 10 9-13
[22] « Hommes d'Israël, écoutez ces paroles [r]. Jésus

*a)* Ce mode archaïque d'élection, Ex **33** 7+; 1 S **14** 41+; Lc **1** 9, fera bientôt place dans la communauté primitive à un procédé moins mécanique, cf. **6** 3-6; **13** 2-3.

*b)* « fut mis au nombre des douze apôtres » texte occ.; cf. Mc **3** 14+.

*c)* C'est-à-dire la période de cinquante jours entre Pâque et Pentecôte étant terminée. D'abord fête de la moisson, Ex **23** 14+, la Pentecôte était aussi devenue la fête du renouvellement de l'Alliance, cf. 2 Ch **15** 10-13; Jubilés **6** 20; Qumrân. Cette nouvelle valeur liturgique a pu inspirer la mise en scène de Luc, qui évoque le don de la Loi au Sinaï.

*d)* Non pas l'assemblée des cent vingt de **1** 15-26, mais le groupe apostolique présenté à **1** 13-14.

*e)* Il y a une affinité entre l'Esprit et le vent : le même mot signifie « esprit » et « souffle », cf. Jn **3** 8+.

*f)* La forme des flammes (Is **5** 24; cf. Is **6** 6-7) est mise ici en relation avec le don des langues.

*g)* Suivant un de ses aspects, vv. 4, 11, 13, le miracle de la Pentecôte s'apparente au charisme de glossolalie fréquent dans les débuts de l'Église : voir **10** 46; **11** 15; **19** 6; 1 Co **12** - **14**; cf. Mc **16** 17. On en trouve les antécédents dans l'ancien prophétisme israélite, cf. Nb **11** 25-29; 1 S **10** 5-6, 10-13; **19** 20-24; 1 R **22** 10. Cf. Joël **3** 1-5, citée par Pierre, vv. 17s.

*h)* « des hommes dévots » Sin. Le texte occ. : « Or les Juifs qui résidaient à Jérusalem étaient des hommes venus de toutes les nations qui sont sous le ciel. » Les autres textes combinent « hommes dévots » et « Juifs ».

*i)* La glossolalie utilisait des mots en langues étrangères pour chanter les louanges de Dieu, v. 11; cf. 1 Co **14** 2+. Luc voit dans ce parler en toutes langues du monde la restauration de l'unité perdue à Babel, cf. Gn **11** 1-9, symbole et anticipation merveilleuse de la mission universelle des apôtres.

*j)* Les « prosélytes » sont ceux qui, non juifs d'origine, ont embrassé la religion juive et accepté la circoncision, et sont ainsi devenus membres du peuple élu; voir encore **6** 5; **13** 43; Mt **23** 15. Ils ne se confondent pas avec les « craignant Dieu », **10** 2+, qui sympathisent avec le judaïsme et fréquentent les synagogues, mais ne vont pas jusqu'à la circoncision et à la pratique rituelle de la Loi. « Juifs » et « prosélytes » ne sont donc pas de nouvelles dénominations de peuples : ces mots qualifient ceux qu'on vient d'énumérer.

*k)* Cette énumération des peuples du monde méditerranéen, qui va en gros de l'est à l'ouest et du nord au sud, s'inspire sans doute d'un ancien calendrier astrologique, connu par ailleurs, où les peuples étaient rattachés aux signes du zodiaque et énumérés selon leur ordre. Luc l'aura adopté comme une description commode de l'*oikoumenè* d'alors. La mention de la Judée s'explique mal et a suscité dès l'antiquité plusieurs essais de correction.

*l)* Pierre agit en chef du groupe apostolique et apparaît au premier plan, cf. **1** 15; **2** 37; **3** 4, 6, 12; **4** 8, 13; **5** 3, 8, 9, 15, 29; **10** - **11**. Voir Mt **16** 19+; Lc **22** 32+. Jean lui est souvent associé, mais un peu comme une doublure, Ac **3** 1, 3, 4, 11; **4** 13, 19; **8** 14; cf. Lc **22** 8.

*m)* Environ neuf heures du matin.

*n)* Add. : « Joël ». – Pour la citation des vv. 17-21, texte occ.; le texte alexandrin tend à revenir aux LXX.

*o)* Les temps messianiques.

*p)* Le jour de l'avènement glorieux du Seigneur, le « Jour de Yahvé », Am **5** 18+. Dans la prédication évangélique, ce jour est celui du retour de Jésus, Mt **24** 1+; 1 Co **1** 8+.

*q)* Les chrétiens se désignent eux-mêmes comme « ceux qui invoquent le nom du Seigneur », **9** 14, 21; **22** 16; 1 Co **1** 2; 2 Tm **2** 22; le nom de « Seigneur » s'applique non plus à Yahvé, mais à Jésus, cf. Ph **2** 11; Ac **3** 16+. Au jour du jugement, on sera sauvé ou condamné suivant qu'on aura ou non invoqué ce nom, reconnu Jésus comme Seigneur : voir Ac **4** 12 et Rm **10** 9.

*r)* Le contenu de la prédication apostolique primitive (*ké-*

Mt **2** 23+ le Nazôréen, cet homme que Dieu a accrédité
Lc **24** 19 auprès de vous par les miracles, prodiges et signes
Ac **10** 38 Lc **5** 17 qu'il a opérés par lui au milieu de vous, ainsi que
vous le savez vous-mêmes, 23 cet homme qui avait
été livré selon le dessein bien arrêté [a] et la prescience de Dieu, vous l'avez pris et fait mourir en
le clouant à la croix par la main des impies [b],
Ps **18** 6 24 mais Dieu l'a ressuscité, le délivrant des affres de
l'Hadès [c]. Aussi bien n'était-il pas possible qu'il fût
**13** 34-37 retenu en son pouvoir; 25 car David dit à son
sujet [d] :
Ps **16** 8-11 *Je voyais sans cesse le Seigneur devant moi,*
*car il est à ma droite, pour que je ne vacille pas.*
26 *Aussi mon cœur s'est-il réjoui*
*et ma langue a-t-elle jubilé;*
*ma chair elle-même reposera dans l'espérance*
27 *que tu n'abandonneras pas mon âme à l'Hadès*
*et ne laisseras pas ton saint voir la corruption.*
28 *Tu m'as fait connaître des chemins de vie,*
*tu me rempliras de joie en ta présence.*
29 « Frères, il est permis de vous le dire en toute
assurance : le patriarche David est mort et a été
enseveli, et son tombeau est encore aujourd'hui
parmi nous [e]. 30 Mais comme il était prophète et
Ps **132** 11 savait que Dieu *lui avait juré* par serment *de faire*
2 S **7** 12 Mt **9** 27+ *asseoir sur son trône un descendant de son sang,*
31 il a vu d'avance et annoncé la résurrection du
Christ qui, en effet, *n'a pas été abandonné à*
*l'Hadès*, et dont la chair *n'a pas vu la corruption* :
32 Dieu l'a ressuscité, ce Jésus; nous en sommes
tous témoins. 33 Et maintenant, exalté par la droite **1** 8+
de Dieu [f], il a reçu du Père l'Esprit Saint, objet de Ez **36** 27+
la promesse [g], et l'a répandu. C'est là ce que vous Ac **1** 4-5+ Jn **15** 26
voyez et entendez. 34 Car David, lui, n'est pas Ep **4** 8-11
monté aux cieux [h]; or il dit lui-même :
*Le Seigneur a dit à mon Seigneur :* Ps **110** 1
*Siège à ma droite,*
35 *jusqu'à ce que j'aie fait de tes ennemis*
*un escabeau pour tes pieds.*
36 « Que toute la maison d'Israël le sache donc avec
certitude : Dieu l'a fait Seigneur et Christ [i], ce Ph **2** 11+
Jésus que vous, vous avez crucifié. » Ac **2** 23+

**Les premières conversions.**

37 D'entendre cela, ils eurent le cœur transpercé,
et ils dirent à Pierre et aux apôtres : « Frères, que **16** 30; Lc **3** 1
devons-nous faire? » 38 Pierre leur répondit : » Repentez-vous [j], et que chacun de vous se fasse bapti- Mt **3** 2+
ser au nom de Jésus Christ [k] pour la rémission de Ac **1** 5+
ses péchés, et vous recevrez alors le don du Saint
Esprit. 39 Car c'est pour vous qu'est la promesse [l], **2** 33+
ainsi que pour vos enfants et *pour* tous *ceux qui*

*rygme*), dont on a ici un premier exposé, nous a été schématiquement transmis dans cinq discours de Pierre, Ac **2** 14-39; **3** 12-26; **4** 9-12; **5** 29-32; **10** 34-43, et un de Paul, **13** 16-41. Au centre, un témoignage, **1** 8+, portant sur la mort, la résurrection du Christ, **2** 24+, et son exaltation, **2** 33+; **2** 36+. Puis des détails sur sa mission, annoncée par Jean-Baptiste, **10** 37; **13** 24, préparée par son enseignement et ses miracles, **2** 22; **10** 38, achevée par les apparitions du Ressuscité, **10** 40, 41; **13** 31, et l'effusion de l'Esprit, **2** 33; **5** 32. Enfin, des perspectives plus larges, plongeant dans le passé par les prophéties de l'AT, **2** 23+; **2** 25+, et regardant l'avenir : avènement des temps messianiques et appel des Juifs et des païens à la pénitence, **2** 38+, pour hâter le Retour glorieux du Christ, **3** 20-21. C'est le schéma que suivent les évangiles, développements de la prédication primitive.

*a)* Les prophéties de l'AT prouvent ce dessein de Dieu; Ac **3** 18; **4** 28; **13** 29, cf. **8** 32-35; **9** 22; **10** 43; **17** 2-3; **18** 5, 28; **26** 22-23, 27; **28** 23; Lc **18** 31+; **22** 22; **24** 25-27, 44.

*b)* Ici les Romains. La prédication primitive, v. 22+, contient des accusations analogues contre les Juifs, auxquels on oppose l'intervention de Dieu ressuscitant Jésus, **2** 32, 36; **3** 13-17; **4** 10; **5** 30-31; **7** 52; **10** 39-40; **13** 27-30; **17** 31; cf. Rm **1** 4+; 1 Th **2** 14+.

*c)* « de l'Hadès » texte occ.; « de la mort » texte reçu. Cf. vv. 27 et 31. – L'« Hadès » dans les LXX correspond au *shéol*, Nb **16** 33+; Sg **2** 1+; Mt **16** 18+.

*d)* Cité d'après les LXX. Le texte hébreu n'exprimait que le souhait d'échapper à une mort menaçante : « Tu ne laisseras pas ton fidèle voir la fosse. » L'argument suppose l'emploi de la version grecque, qui introduit une autre idée en traduisant « fosse » (= tombeau) par « corruption ».

*e)* Sur l'ancienne colline de Sion, en contrebas du Temple, 1 R **2** 10. Une interprétation abusive de ce verset a donné naissance à la légende du tombeau de David que l'on vénère aujourd'hui à l'emplacement traditionnel du Cénacle, sur la colline occidentale qui, dès les premiers siècles chrétiens, a reçu le nom de Sion.

*f)* Mots inspirés du Ps **118** (v. 16 LXX : « La droite du Seigneur m'a exalté »), que la prédication apostolique utilise, le considérant comme messianique : Ac **4** 11; 1 P **2** 7; Mt **21** 9p, 42p; **23** 39; Lc **13** 35; Jn **12** 13; He **13** 6. – Mais on pourrait aussi traduire : « Ayant été exalté à la droite de Dieu », et voir là l'introduction de la citation (v. 34) du Ps **110** 1, autre thème de la prédication apostolique : Mt **22** 44p; **26** 64p; Mc **16** 19; Ac **7** 55, 56; Rm **8** 34; 1 Co **15** 25; Ep **1** 20; Col **3** 1; He **1** 3,13; **8** 1; **10** 12; **12** 2; 1 P **3** 22.

*g)* Le don de l'Esprit était annoncé par les prophètes pour les temps messianiques, Ez **36** 27+. C'est par cet Esprit, « répandu », selon l'annonce de Jl **3** 1-2, par le Christ ressuscité, que Pierre explique le miracle dont ses auditeurs sont témoins.

*h)* Le raisonnement paraît être celui-ci : David, déposé au tombeau, n'est pas monté au ciel; ce n'est donc pas à lui que s'adresse l'invitation divine, mais à celui qui est sorti du tombeau. Une var. : « lui-même dit en effet », au lieu de : « or il dit lui-même », ramène le raisonnement à celui de Mt **22** 43-45.

*i)* Conclusion de l'argumentation scripturaire : c'est par sa résurrection que Jésus a été fait le « Seigneur » dont parle le Ps **110** et le « Messie » (Christ) à qui se rapporte le Ps **16**. Argumentation analogue à partir du Ps **2** 7 (Fils de Dieu) en Ac **13** 33+; He **1** 5; **5** 5; Rm **1** 4+. Cf. aussi Ac **5** 31 (Chef et Sauveur); **10** 42+ et Rm **14** 9 (Juge et Seigneur des vivants et des morts); Ph **2** 9-11 (Seigneur en gloire). Par sa résurrection Jésus est entré dans la jouissance de ces prérogatives divines, qu'il possédait de droit dès sa naissance.

*j)* Chaque grand discours apostolique se termine par un appel au repentir (cf. Mt **3** 2+), pour obtenir le pardon des péchés : Ac **3** 19, 26; **5** 31; **10** 43; **13** 38; cf. **17** 30; **26** 20; Lc **1** 77; **3** 8; **5** 32; **13** 3.

*k)* Le baptême est donné « au nom de Jésus Christ » (cf. **1** 5+), on le reçoit « en invoquant le nom du Seigneur Jésus » (cf. **2** 21+; **3** 16+) : **8** 16; **10** 48; **19** 5; **22** 16; 1 Co **1** 13, 15; **6** 11; **10** 2; Ga **3** 27; Rm **6** 3, cf. Jc **2** 7. Cette manière de parler ne vise peut-être pas tant la formule rituelle du baptême, cf. Mt **28** 19, que la signification du rite lui-même : profession de foi au Christ, prise de possession par le Christ de ceux qui désormais lui seront consacrés.

*l)* La promesse concerne d'abord les Juifs, **3** 25-26; **13** 46; Rm **1** 16+; **9** 4+.

Is 57 19 *sont au loin* [a], en aussi grand nombre *que le Sei-*
Jl 3 5 *gneur* notre Dieu *les appellera.* » 40 Par beaucoup
d'autres paroles encore, il les adjurait [b] et les exhor-
Lc 9 41 tait : « Sauvez-vous, disait-il, de cette génération
Dt 32 5 Mt 17 17 dévoyée. » 41 Eux donc, accueillant sa parole, se
Ph 2 15 firent baptiser. Il s'adjoignit ce jour-là environ trois
Ac 1 5+ mille âmes [c].

4 32-35; 5 12-16 **La première communauté chrétienne [d].**

42 Ils se montraient assidus à l'enseignement des
apôtres [e], fidèles à la communion [f] fraternelle, à la
fraction du pain [g] et aux prières [h].
= 5 11-12a 43 La crainte s'emparait de tous les esprits : nom-
Lc 1 12+ breux étaient les prodiges et signes accomplis par
les apôtres [i].
= 4 32, 34-35 44 Tous les croyants ensemble mettaient tout en
commun; 45 ils vendaient leurs propriétés et leurs
biens et en partageaient le prix entre tous selon les
6 1 besoins de chacun.
Lc 24 53 46 Jour après jour, d'un seul cœur, ils fréquen-
Ac 5 12 taient assidûment le Temple et rompaient le pain
dans leurs maisons, prenant leur nourriture avec
4 21, 33; 5 13 allégresse [j] et simplicité de cœur. 47 Ils louaient
Dieu [k] et avaient la faveur de tout le peuple. Et cha-
2 41+ que jour, le Seigneur adjoignait à la communauté
ceux qui seraient sauvés [l].

14 8-10 **La guérison d'un impotent.**

Lc 8 51+ 3 1 Pierre et Jean montaient au Temple pour la
prière de la neuvième heure [m]. 2 Or on apportait un impotent de naissance qu'on déposait tous
les jours à la porte du Temple appelée la Belle [n],
pour demander l'aumône à ceux qui y entraient.
3 Voyant Pierre et Jean sur le point de pénétrer
dans le Temple, il leur demanda l'aumône. 4 Alors
Pierre fixa les yeux sur lui, ainsi que Jean, et dit : 2 14+
« Regarde-nous. » 5 Il tenait son regard attaché sur
eux, s'attendant à en recevoir quelque chose. 6 Mais
Pierre dit : « De l'argent et de l'or, je n'en ai pas,
mais ce que j'ai, je te le donne : au nom de Jésus 3 16+
Christ le Nazôréen, marche [o]! » 7 Et le saisissant Mt 2 23+
par la main droite, il le releva. A l'instant ses pieds 9 41 Mt 8 15+
et ses chevilles s'affermirent; 8 d'un bond il fut Is 35 6
debout, et le voilà qui marchait. Il entra avec eux Lc 7 22p
dans le Temple, marchant, gambadant et louant 2 47+
Dieu. 9 Tout le peuple le vit marcher et louer Dieu;
10 on le reconnaissait : c'était bien lui qui demandait l'aumône, assis à la Belle Porte du Temple. Et
l'on fut rempli d'effroi et de stupeur au sujet de ce Lc 1 12+
qui lui était arrivé.

**Discours de Pierre au peuple.** 2 22+

11 Comme il ne lâchait pas Pierre et Jean, tous,
hors d'eux-mêmes, accoururent vers eux au porti-
que dit de Salomon [p]. 12 A cette vue, Pierre Jn 10 23 Ac 5 12
s'adressa au peuple : « Hommes d'Israël, pourquoi
vous étonner de cela? Qu'avez-vous à nous regarder, comme si c'était par notre propre puissance ou
grâce à notre piété que nous avons fait marcher cet
homme? 13 *Le Dieu d'Abraham, d'Isaac et de* Ex 3 6, 15
*Jacob, le Dieu de nos pères a glorifié son serviteur* [q] Is 52 13
Jésus que vous, vous avez livré [r] et que vous avez Ac 2 23+
renié [s] devant Pilate, alors qu'il était décidé à le Lc 23 22+
relâcher. 14 Mais vous, vous avez chargé [t] le Saint [u] Lc 23 2, 5
et le Juste [v]; vous avez réclamé la grâce d'un assas- Lc 23 19, 25
sin, 15 tandis que vous faisiez mourir le prince de

*a)* C'est-à-dire les païens, par allusion à Is **57** 19, cité et expliqué, Ep **2** 13-17; cf. aussi Ac **22** 21.
*b)* Ou : « il rendait son témoignage », cf. **8** 25; **28** 23.
*c)* Luc a le souci constant de marquer l'accroissement numérique de l'Église : v. 47; **4** 4; **5** 14; **6** 1,7; **9** 31; **11** 21, 24; **16** 5; cf. **12** 24; **13** 48-49; **19** 20.
*d)* A comparer à **4** 32-35 et **5** 12-16. Ces trois « sommaires », de rédaction composite, décrivent en traits analogues la vie de la première communauté chrétienne.
*e)* Instructions aux nouveaux convertis, où l'on expliquait les Écritures à la lumière des faits chrétiens, et non plus proclamation de la Bonne Nouvelle aux non-chrétiens, Cf. **15** 35.
*f)* « Communion », 1 Co **1** 9+, est employé ici sans complément, cf. Ga **2** 9. Il faut y entendre certainement la mise en commun des biens, v. 44; **4** 32-35, qui exprime et renforce l'union des cœurs, v. 46; **4** 32, résultant du partage de l'Évangile et de tous les biens reçus de Dieu par Jésus Christ dans la communauté apostolique. Le sens ne se limite pas à une entraide sociale, ni à une idéologie commune ou à un sentiment de solidarité.
*g)* Voir v. 46; **20** 7, 11; **27** 35; Lc **24** 30, 35. Prise en elle-même, l'expression évoque un repas juif, où celui qui préside prononce une bénédiction avant de partager le pain. Mais dans la langue chrétienne, elle vise le rite eucharistique, 1 Co **10** 16; **11** 24; Lc **22** 19p; **24** 35+. Celui-ci, v. 46, était célébré non au Temple, mais dans quelque maison; il n'était pas séparé d'un véritable repas, cf. 1 Co **11** 20-34.
*h)* Les prières en commun, présidées par les apôtres, **6** 4. Un exemple : **4** 24-30. Cf. **1** 14+, 24; **12** 5.
*i)* Add. : « à Jérusalem, et une grande crainte pesait sur tous ».
*j)* La joie qui suit la foi : **8** 8, 39; **13** 48, 52; **16** 34, cf. **5** 41; Lc **1** 14+; Rm **15** 13; Ph **1** 4+.
*k)* Cf. **3** 8, 9; **4** 21; **21** 20; Lc **2** 20+.
*l)* Le salut lors du Jugement est assuré pour les membres de la communauté chrétienne, **2** 21+; cf. **13** 48 et les épîtres pauliniennes. L'Église s'identifie ainsi avec le « Reste d'Israël », Is **4** 3+ Cf. Rm **9** 27.
*m)* C'était l'heure du sacrifice du soir, cf. Ex **29** 39-42; Lc **1** 8-10+; Si **50** 5-21; Ac **10** 3, 30.
*n)* Probablement la porte dite « Corinthienne » qui, à l'est du sanctuaire, donnait accès de la cour extérieure, ou parvis des Gentils, à la première cour intérieure, ou parvis des femmes.
*o)* Var. : « lève-toi et marche », cf. Lc **5** 23 24, etc.
*p)* Colonnade qui se développait sur tout le côté oriental de l'esplanade du Temple.
*q)* En Jésus, les chrétiens reconnaissent le mystérieux « Serviteur » d'Is **52** 13 - **53** 12 (cité partiellement Ac **8** 32-33), cf. Is **42** 1+. Voir *infra* v. 26; **4** 27, 30. La glorification que Dieu lui a accordée, c'est sa résurrection, v. 15. Cf. Jn **17** 5+.
*r)* Cf. Is **53** 12. Même allusion au Chant du Serviteur : Rm **4** 25; **8** 32; Ga **2** 20; Ep **5** 2, 25; Ac **7** 52.
*s)* Comme Moïse, **7** 35, lui aussi figure du Christ rejeté par ses compatriotes.
*t)* Var. : « vous avez renié ».
*u)* Comparer à Ac **4** 27, 30 : Jésus est « le saint serviteur » de Dieu. Il est également « le Saint de Dieu » et « le Saint » par excellence : Ac **2** 27; Lc **1** 35; **4** 34; Mc **1** 24+; Jn **6** 69; Ap **3** 7.
*v)* Cf. Is **53** 11; Ac **7** 52; **22** 14; voir également Mt **27** 19; Lc **23** 47; 1 P **3** 18; 1 Jn **2** 1.

**2** 23+ la vie [a]. Dieu l'a ressuscité des morts : nous en
**1** 8+ sommes témoins. [16] Et par la foi en son nom, à cet
homme que vous voyez et connaissez, ce nom
même a rendu la force, et c'est la foi en lui qui,
devant vous tous, l'a rétabli en pleine santé [b].
**13** 27 [17] « Cependant, frères, je sais que c'est par igno-
1 Tm **1** 13 rance que vous avez agi [c], ainsi d'ailleurs que vos
1 Co **2** 8 chefs. [18] Dieu, lui, a ainsi accompli ce qu'il avait
Lc **18** 31 annoncé d'avance par la bouche de tous les prophè-
Mt **3** 2+ tes, que son Christ souffrirait. [19] Repentez-vous
Ac **2** 38+ donc et convertissez-vous [d], afin que vos péchés
soient effacés, [20] et qu'ainsi le Seigneur fasse venir
2 P **3** 11-13 le temps du répit [e]. Il enverra alors le Christ qui
vous a été destiné [f], Jésus, [21] celui que le ciel doit
Ml **3** 23-24 garder jusqu'aux temps de la restauration univer-
Mt **17** 11 selle [g] dont Dieu a parlé par la bouche de ses saints
prophètes [h]. [22] Moïse, d'abord, a dit : *Le Seigneur*
Dt **18** 15, 19 *Dieu vous suscitera d'entre vos frères un prophète*
Ac **7** 37 Mt **16** 14+ *semblable à moi; vous l'écouterez en tout ce qu'il*
Jn **1** 21+ *vous dira.* [23] *Quiconque n'écoutera pas ce prophète*
Mt **17** 5p *sera exterminé du sein du peuple.* [24] Tous les pro-
Lv **23** 29 phètes, ensuite, qui ont parlé depuis Samuel et ses
successeurs, ont pareillement annoncé ces jours-
ci [i].
Rm **9** 4 [25] « Vous êtes, vous, les fils des prophètes et de
l'alliance que Dieu a conclue avec nos pères quand
Gn **12** 3+; il a dit à Abraham : *Et en ta postérité seront bénies*
**22** 18 *toutes les familles de la terre.* [26] C'est pour vous
Ga **3** 8-29 d'abord que Dieu a ressuscité [j] son Serviteur et l'a
Ac **2** 39+ envoyé vous bénir [k], du moment que chacun de
vous se détourne de ses perversités [l]. »

**Pierre et Jean devant le Sanhédrin.**

**4** [1] Ils parlaient encore au peuple quand survinrent les prêtres, le commandant du Temple et Lc **22** 4+
les Sadducéens [m], [2] contrariés de les voir enseigner
le peuple et annoncer en la personne de Jésus la
résurrection des morts. [3] Ils mirent la main sur eux **23** 6-8;
et les emprisonnèrent jusqu'au lendemain, car déjà **24** 15, 21
le soir tombait. [4] Cependant beaucoup de ceux qui 1 Co **15** 20-23
avaient entendu la parole embrassèrent la foi, et le
nombre des fidèles, en ne comptant que les hom- **2** 41+
mes, fut d'environ cinq mille.
[5] Le lendemain les chefs des Juifs, les anciens et Lc **22** 66+
les scribes se rassemblèrent à Jérusalem [n]. [6] Il y
avait là Anne le grand prêtre, Caïphe, Jonathan [o], Lc **3** 2+
Alexandre et tous les membres des familles pon-
tificales. [7] Ils firent comparaître les apôtres et se
mirent à les questionner : « Par quel pouvoir ou par Lc **20** 2
quel nom [p] avez-vous fait cela, vous autres? »
[8] Alors Pierre, rempli de l'Esprit Saint, leur dit : **2** 14+
« Chefs du peuple et anciens, [9] puisqu'aujourd'hui **1** 8+; Lc **1** 15
nous avons à répondre en justice du bien fait à un Ac **2** 22+
infirme et du moyen par lequel il a été guéri, [10] sachez-le bien, vous tous, ainsi que tout le peuple
d'Israël : c'est par le nom de Jésus Christ le Nazô- **3** 6, 16+
réen, celui que vous, vous avez crucifié, et que Dieu
a ressuscité des morts, c'est par son nom et par nul **2** 23-24+
autre que cet homme se présente guéri devant vous.
[11] C'est lui *la pierre que* vous, *les bâtisseurs,* avez Ps **118** 22
*dédaignée, et qui est devenue la pierre d'angle.* Mt **21** 42p
[12] Car il n'y a pas sous le ciel d'autre nom donné 1 P **2** 4, 7

*a)* Le chef qui conduit les siens à la vie, qui leur communique la vie qui lui appartient. La Séquence de la messe de Pâques reprend l'expression : *Dux vitae mortuus regnat vivus.* Le même titre de « chef » est donné, **7** 27, 35, à Moïse, figure du Christ. Cf. **5** 31+; He **2** 10.
*b)* Dans la conception antique, le nom est inséparable de la personne et participe à ses prérogatives, voir Ex **3** 14+. Ainsi l'invocation du nom de Jésus, **2** 21+, 38+, évoque la puissance de Jésus : **3** 6; **4** 7, 10, 30; **10** 43; **16** 18; **19** 13; Lc **9** 49; **10** 17; voir aussi Jn **14** 13, 14; **15** 16; **16** 24, 26; **20** 31. Mais pour être efficace, cette invocation requiert la foi chez celui qui y recourt, cf. **19** 13-17; Mt **8** 10+.
*c)* Semble faire allusion à Lc **23** 24; cf. Ac **7** 60.
*d)* Par la « conversion », l'homme « se retourne » spirituellement, cf. Mt **3** 2+. Les païens doivent revenir à Dieu, en abandonnant les idoles : voir 1 Th **1** 9; Ga **4** 9; 1 Co **10** 7, 14; Ac **14** 15; **15** 19; **26** 18, 20; les Juifs doivent se convertir au Seigneur, en reconnaissant Jésus pour Seigneur : cf. 2 Co **3** 16; Ac **9** 35. Les termes sont intervertis dans Lc **1** 16; Ac **11** 21; cf. 1 P **2** 25. Voir également Is **6** 10 cité dans Ac **28** 27; Mt **13** 15; Mc **4** 12; cf. Jn **12** 40.
*e)* Ce temps coïncide avec celui de la venue du Christ et de la restauration universelle, cf. **1** 7+; Rm **2** 6+; c'était aussi dans la pensée des apôtres le temps de la restauration de la royauté en Israël, **1** 6-7. La repentance et la conversion hâtent sa venue, cf. 2 P **3** 12.
*f)* Ou : « Jésus, qui a été constitué Christ pour vous », cf. **2** 36+.
*g)* Le retour des Israélites captifs et dispersés a été annoncé par les prophètes comme un prélude à l'ère messianique, Jr **16** 15; **23** 8; Os **11** 10-11, etc., où régneront paix et bonheur sans fin, Is **11** 1-9+; **65** 17-25; Os **2** 20+; Mi **5** 6-8. De même, quand le temps sera venu, Dieu enverra Jésus, institué roi messianique depuis sa résurrection, **2** 36+, qui inaugurera son règne définitif et le renouvellement de toute la création, cf. Rm **8** 19+; 1 Co **15** 24-25.
*h)* Add. : « depuis les temps anciens ».
*i)* La prédication primitive aime à montrer comment Jésus réalisa les prophéties de l'AT par sa descendance davidique, **2** 30; **13** 34, sa mission de « prophète », successeur de Moïse, **3** 22s, cf. Mt **16** 14+; Jn **1** 21+, ses souffrances, **2** 23+, son rôle de pierre rejetée par les bâtisseurs (les Juifs) et devenue la pierre angulaire, **4** 11; sa résurrection, **2** 25-31; **13** 33-37, son exaltation céleste à la droite de Dieu, **2** 34s.
*j)* Réalisant ainsi la promesse rappelée au v. 22, le même verbe grec signifiant à la fois « susciter » et « ressusciter ». Par la résurrection du Christ, Dieu a accompli les promesses faites aux pères, **13** 32-34; **24** 14-15; **26** 6-8.
*k)* Cf. **26** 23; 2 Tm **1** 10; Ga **3** 14. Par sa résurrection, le Christ a apporté au monde la bénédiction promise à Abraham, v. 25.
*l)* Autre traduction : « pourvu que chacun de vous se détourne de ses perversités ».
*m)* Le parti de l'aristocratie sacerdotale, opposé au parti religieux et populaire des Pharisiens, voir Mt **3** 7+. Les Sadducéens sont constamment présentés comme les adversaires de la doctrine de la résurrection, Ac **23** 6-8; Lc **20** 27-38p. L'antagonisme des Pharisiens et des Sadducéens fera plus d'une fois des premiers les alliés des chrétiens, cf. Ac **5** 34; **23** 8-9; **26** 5-8; Lc **20** 39.
*n)* Le Grand Sanhédrin de Jérusalem, tribunal suprême d'Israël.
*o)* Var. : « Jean ».
*p)* Aux vv. 10-12, on suit le vieux texte occ.

Ac **2** 21+ Jl **3** 5 aux hommes, par lequel nous devions être sauvés [a]. »
Lc **12** 11-12p; 13 Considérant l'assurance de Pierre et de Jean et
**21** 12-15p se rendant compte que c'étaient des gens sans ins-
Jn **7** 15 truction ni culture, les sanhédrites étaient dans
l'étonnement. Ils reconnaissaient bien en eux ceux
qui étaient avec Jésus; 14 en même temps ils
voyaient, debout auprès d'eux, l'homme qui avait
été guéri; aussi n'avaient-ils rien à répliquer. 15 Ils
les firent alors sortir du Sanhédrin et se mirent à
Jn **11** 47-48 délibérer entre eux. 16 Ils disaient : « Qu'allons-
nous faire à ces gens-là? Qu'un signe notoire ait
été opéré par eux, c'est trop clair pour tous les
habitants de Jérusalem, et nous ne pouvons le nier.
17 Mais pour que cela ne se répande pas davantage
dans le peuple, empêchons-les par des menaces de
parler désormais à qui que ce soit en ce nom-là. »
18 Ils les rappelèrent donc et leur défendirent [b] de
souffler mot et d'enseigner au nom de Jésus.
19 Mais Pierre et Jean de leur rétorquer : « S'il est
**5** 29 juste aux yeux de Dieu de vous obéir plutôt qu'à
Dieu, à vous d'en juger. 20 Nous ne pouvons pas,
**1** 8+ quant à nous, ne pas publier ce que nous avons vu
Jr **20** 9 1 Co **9** 16 et entendu. » 21 Cependant, après de nouvelles
2 Co **13** 8 menaces, ils les relâchèrent, ne voyant pas
2 Tm **1** 7-8 comment les punir, à cause du peuple : car tout le
**2** 47+ monde glorifiait Dieu de ce qui s'était passé.
22 L'homme guéri miraculeusement avait en effet
plus de quarante ans.

**Prière des apôtres dans la persécution.**

23 Une fois relâchés, ils se rendirent auprès des
leurs et rapportèrent tout ce que les grands prêtres
et les anciens leur avaient dit. 24 A ce récit, d'un
seul élan, ils élevèrent la voix vers Dieu et dirent :
**14** 15+ « Maître, c'est toi qui as fait le ciel, la terre, la mer
et tout ce qui s'y trouve; 25 c'est toi qui as dit par
l'Esprit Saint et par la bouche de notre père David,
ton serviteur [c] :
Ps **2** 1-2 *Pourquoi cette arrogance chez les nations,*
*ces vains projets chez les peuples?*
26 *Les rois de la terre se sont mis en campagne*
*et les magistrats se sont rassemblés de concert*
*contre le Seigneur et contre son Oint* [d].
27 Oui vraiment, ils *se sont rassemblés* dans cette
ville contre ton saint serviteur Jésus, que tu as **3** 13+
*oint* [e], Hérode et Ponce-Pilate [f] avec *les nations* **10** 38
païennes et *les peuples* d'Israël, 28 pour accomplir
tout ce que, dans ta puissance et ta sagesse [g], tu
avais déterminé par avance. 29 A présent donc, Sei- **2** 23+
gneur, considère leurs menaces et, afin de permettre
à tes serviteurs d'annoncer ta parole en toute assu- **18** 9-10;
rance, 30 étends la main pour opérer des guérisons, **28** 31 Ep **6** 19
signes et prodiges par le nom de ton saint serviteur **3** 16+
Jésus. » 31 Tandis qu'ils priaient, l'endroit où ils se
trouvaient réunis trembla; tous furent alors remplis
du Saint Esprit et se mirent à annoncer la parole **1** 8+
de Dieu avec assurance [h].

**La première communauté chrétienne** [i]. **2** 42-47; **5** 12-16

32 La multitude des croyants n'avait qu'un cœur Ph **1** 27
et qu'une âme. Nul ne disait sien ce qui lui apparte- Jn **17** 11, 21
nait, mais entre eux tout était commun. = **2** 44-45
33 Avec beaucoup de puissance [j], les apôtres ren- **4** 30
daient témoignage à la résurrection du Seigneur **1** 8+
Jésus, et ils jouissaient tous d'une grande faveur [k].
34 Aussi parmi eux nul n'était dans le besoin; car Dt **15** 4
tous ceux qui possédaient des terres ou des maisons
les vendaient, apportaient le prix de la vente 35 et Lc **12** 33
le déposaient aux pieds des apôtres. On distribuait
alors à chacun suivant ses besoins.

**La générosité de Barnabé.**

36 Joseph, surnommé par les apôtres Barnabé (ce
qui veut dire fils d'encouragement [l]), lévite originaire de Chypre, 37 possédait un champ; il le vendit, apporta l'argent et le déposa aux pieds des
apôtres.

**La fraude d'Ananie et de Saphire.** Jos **7**

5 1 Un certain Ananie, d'accord avec Saphire sa
femme, vendit une propriété; 2 il détourna une
partie du prix, de connivence avec sa femme, et

*a)* Le nom de Jésus signifie « Dieu sauve », Mt **1** 21.
*b)* Défense qui paraît être une monition légale. Dans une affaire comme celle-ci, on ne pouvait incarcérer les contrevenants (sauf s'ils étaient rabbins) qu'en cas de récidive. Ce sera le cas au ch. suivant, cf. **5** 28.
*c)* Texte altéré et traduction incertaine. – Le psautier est globalement attribué à David.
*d)* « Oint » : le mot grec est « Christ », qui est expliqué ici, v. 27, dans son sens étymologique.
*e)* Par l'onction qui a fait de lui le Souverain messianique, le « Christ », cf. Mt **3** 16+.
*f)* Représentant respectivement les « rois » et les « magistrats » du psaume. Pour « Hérode », cf. Lc **23** 6-16.
*g)* Litt. « ta main et ton conseil ».
*h)* Une petite Pentecôte, à comparer à la première, **2** 1s.
*i)* Sommaire analogue à celui de **2** 42-47. Le thème est ici celui de la mise en commun des biens; il introduit les deux exemples qui suivent : Barnabé, Ananie et Saphire. L'insistance sur le dépouillement effectif des richesses caractérise la religion de Luc, cf. **12** 33+.
*j)* Une puissance qui se traduisait dans les miracles. Cf. **2** 22; **3** 12; **4** 7; **6** 8; **8** 13; **10** 38; 1 Th **1** 5; 1 Co **2** 4-5.
*k)* Auprès du peuple : cf. **2** 47; **4** 21; **5** 13.
*l)* Le mot grec veut dire à la fois consolation et exhortation. Cf. **11** 23. – « fils de », sémitisme ayant ici le sens de : « habile à ». – Sur Barnabé, voir **9** 27; **11** 22-30; **12** 25; **13-15**; 1 Co **9** 6; Ga **2**; Col **4** 10.

apportant le reste, il le déposa aux pieds des apôtres. 3 « Ananie, lui dit alors Pierre, pourquoi Satan
Lc 22 3 a-t-il rempli ton cœur, que tu mentes à l'Esprit
Jn 13 2, 27 Saint et détournes une partie du prix du champ?
Dt 23 22-24 4 Quand tu avais ton bien, n'étais-tu pas libre de le
garder, et quand tu l'as vendu, ne pouvais-tu disposer du prix à ton gré? Comment donc cette décision
a-t-elle pu naître dans ton cœur? Ce n'est pas à des
hommes que tu as menti, mais à Dieu. » 5 En entendant ces paroles, Ananie tomba et expira. Une
Lc 1 12+ grande crainte s'empara alors de tous ceux qui l'apprirent. 6 Les jeunes gens vinrent envelopper le
corps et l'emportèrent pour l'enterrer.
7 Au bout d'un intervalle d'environ trois heures,
sa femme, qui ne savait pas ce qui était arrivé,
2 14+ entra. 8 Pierre l'interpella : « Dis-moi, le champ que
vous avez vendu, c'était tant? » Elle dit : « Oui,
tant. » 9 Alors Pierre : « Comment donc avez-vous
15 10+ pu vous concerter pour mettre l'Esprit du Seigneur
1 Co 10 9; 11 30-32 à l'épreuve? Eh bien! voici à la porte les pas de
ceux qui ont enterré ton mari : ils vont aussi
t'emporter. » 10 A l'instant même elle tomba à ses
pieds et expira. Les jeunes gens qui entraient la
trouvèrent morte; ils l'emportèrent et l'enterrèrent
Lc 1 12+ auprès de son mari [a]. 11 Une grande crainte
s'empara alors de l'Église [b] entière et de tous ceux
qui apprirent ces choses.

2 42-47; 4 32-35 **Tableau d'ensemble [c].**

12 Par les mains des apôtres il se faisait de nom-
2 19 breux signes et prodiges parmi le peuple...
=2 46 Ils se tenaient tous [d] d'un commun accord sous
3 11 le portique de Salomon, 13 et personne d'autre
n'osait se joindre à eux, mais le peuple célébrait
=2 47 leurs louanges. 14 Des croyants de plus en plus
2 41+ nombreux s'adjoignaient au Seigneur [e], une multitude d'hommes et de femmes.
15 ... à tel point qu'on allait jusqu'à transporter
Mc 6 56 les malades dans les rues et les déposer là sur des
lits et des grabats, afin que tout au moins l'ombre
19 12 de Pierre, à son passage, couvrît l'un d'eux. 16 La
multitude accourait même des villes voisines de
Jérusalem, apportant des malades et des gens pos- Lc 4 40-41
sédés par des esprits impurs, et tous étaient guéris. Ac 8 6-8

**Arrestation et délivrance miraculeuse des apôtres.**

17 Alors intervint le grand prêtre [f], avec tous ceux 4 6
de son entourage, le parti des Sadducéens. Pleins 4 1+
d'animosité, 18 ils mirent la main sur les apôtres et
les jetèrent dans la prison publique.
19 Mais pendant la nuit l'Ange du Seigneur Mt 1 20+
ouvrit les portes de la prison et, après les avoir Ac 12 7-10
conduits dehors, leur dit : 20 « Allez annoncer har- 16 25-26
diment au peuple dans le Temple tout ce qui 13 46+
concerne cette Vie-là [g]. » 21 Dociles à ces paroles,
ils entrèrent au Temple dès le point du jour et se
mirent à enseigner.

**Comparution devant le Sanhédrin.**

Cependant le grand prêtre arriva avec ceux de
son entourage. On convoqua le Sanhédrin et tout
le Sénat [h] des Israélites et on fit chercher les
apôtres à la prison. 22 Mais les satellites, rendus sur
place, ne les trouvèrent pas dans la prison. Ils
revinrent donc annoncer : 23 « Nous avons trouvé la
prison soigneusement fermée et les gardes en faction aux portes. Mais quand nous avons ouvert,
nous n'avons trouvé personne à l'intérieur. » 24 A
cette nouvelle, le commandant du Temple et les 4 1+
grands prêtres, tout perplexes à leur sujet, se
demandaient ce que cela pouvait bien signifier.
25 Survint alors quelqu'un qui leur annonça : « Les
hommes que vous avez mis en prison, les voilà qui
se tiennent dans le Temple et enseignent le peuple. »
26 Alors le commandant du Temple partit avec ses
hommes et ramena les apôtres, mais sans violence,
car ils craignaient le peuple, qui aurait pu les lapi- Lc 20 19p;
der. 22 2p
27 Les ayant donc amenés, ils les firent comparaître devant le Sanhédrin. Le grand prêtre les interrogea : 28 « Nous vous avions formellement interdit 4 18+
d'enseigner en ce nom-là [i]. Or voici que vous avez
rempli Jérusalem de votre doctrine! Vous voulez
ainsi faire retomber sur nous le sang de cet homme- Mt 27 25

*a)* La faute d'Ananie et de Saphire est d'avoir, par amour de l'argent, voulu tromper les apôtres, et à travers eux l'Esprit Saint, présent parmi les frères et auquel ils ont menti.
*b)* Ce terme repris de l'ancienne alliance, cf. Ac **7** 38, pour désigner la communauté messianique, Mt **16** 18+, a reçu du développement du christianisme une extension de plus en plus vaste : d'abord, l'Église mère de Jérusalem, Ac **8** 1; **11** 22, etc.; puis les Églises particulières de la Judée, Ga **1** 22; 1 Th **2** 14; cf. Ac **9** 31, et de la Gentilité, Ac **13** 1; **14** 23; **15** 41; **16** 5; Rm **16** 1, 4; 1 Co **1** 2+, etc.; Jc **5** 14; 3 Jn 9; Ap **1** 4; **2** 1, etc., leurs « assemblées », 1 Co **11** 18; **14** 23, 34, etc., cf. Ac **19** 32, et leurs locaux, Rm **16** 5; Col **4** 15; Phm 2; enfin l'Église dans son unité théologique, Ac **20** 28; 1 Co **10** 32; **12** 28, etc., sa personnalité de Corps et d'Épouse du Christ, Col **1** 18+; Ep **5** 23-32, et sa plénitude cosmique, Ep **1** 23+.
*c)* Ce troisième « sommaire » développe le thème du pouvoir miraculeux des apôtres, cf. **2** 43; **4** 33. Les vv. 12^b-14 interrompent le développement.
*d)* Non plus, semble-t-il, les apôtres, mais tous les croyants.
*e)* Plutôt que : « De plus en plus nombreux s'adjoignaient (à la communauté) ceux qui croyaient au Seigneur. » Cf. **11** 24.
*f)* Var. : « Anne le grand prêtre », cf. **4** 6.
*g)* Litt. « toutes les paroles (cf. v. 32; **10** 37) de cette Vie-là ». Il est question dans le même sens du « message de ce Salut », **13** 26. La prédication chrétienne a pour objet le « salut », cf. **4** 12; **11** 14; **15** 11; **16** 17, 30-31, et la « vie », cf. **3** 15; **11** 18; **13** 46, 48, promis à « ceux qui invoquent le nom du Seigneur », **2** 21, 40, 47; **4** 12.
*h)* « Sanhédrin » et « Sénat » désignent la même assemblée : le Grand Sanhédrin de Jérusalem, cf. Lc **22** 66+.
*i)* T. occ. : « Ne vous avions-nous pas expressément interdit d'enseigner en ce nom-là? Or voici... Pierre lui répondit alors : A qui doit-on obéir, à Dieu ou aux hommes? Il dit : A Dieu. Et alors Pierre dit : Le Dieu de nos pères... »

Ac 2 14+, 22+ là! » 29 Pierre répondit alors, avec les apôtres : « Il
4 19 faut obéir à Dieu plutôt qu'aux hommes. 30 Le Dieu
2 23+ de nos pères a ressuscité ce Jésus que vous, vous
aviez fait mourir en le suspendant au gibet [a].
Ps 118 16 Ac 2 33+ 31 C'est lui que Dieu a exalté par sa droite, le fai-
Ac 4 12+ sant Chef et Sauveur [b], afin d'accorder par lui à
Ac 2 38+ Israël la repentance et la rémission des péchés.
Jn 15 26-27 32 Nous sommes témoins de ces choses, nous et
Ac 1 8+ l'Esprit Saint [c] que Dieu a donné à ceux qui lui
Jn 7 39 obéissent. » 33 En entendant cela, ils frémissaient de
rage et projetaient de les faire mourir.

**L'intervention de Gamaliel.**

34 Alors un Pharisien nommé Gamaliel se leva
au milieu du Sanhédrin; c'était un docteur de la Loi
respecté de tout le peuple [d]. Il donna l'ordre de faire
sortir ces hommes un instant. 35 Puis il dit aux san-
23 9 hédrites : « Hommes d'Israël, prenez bien garde à
Jn 7 50s ce que vous allez faire à l'égard de ces gens-là. 36 Il
y a quelque temps déjà se leva Theudas, qui se
disait quelqu'un et qui rallia environ quatre cents
hommes. Il fut tué, et tous ceux qui l'avaient suivi
se débandèrent, et il n'en resta rien. 37 Après lui, à
l'époque du recensement, se leva Judas le Galiléen, Lc 2 2+
qui entraîna du monde à sa suite; il périt, lui aussi,
et ceux qui l'avaient suivi furent dispersés [e]. 38 A
présent donc, je vous le dis, ne vous occupez pas
de ces gens-là, laissez-les. Car si leur propos ou Lc 20 4
leur œuvre vient des hommes, il se détruira de lui- Mt 15 13
même; 39 mais si vraiment il vient de Dieu, vous
n'arriverez pas à les détruire. Ne risquez pas de
vous trouver en guerre contre Dieu [f]. » On adopta 2 Ch 13 12 2 M 7 19
son avis.
40 Ils rappelèrent alors les apôtres. Après les
avoir fait battre de verges, ils leur interdirent de 22 19
parler au nom de Jésus, puis les relâchèrent. Mt 10 17 4 18
41 Pour eux, ils s'en allèrent du Sanhédrin, tout
joyeux d'avoir été jugés dignes de subir des outra- Mt 5 10-11+ 1 Co 4 9s
ges pour le Nom [g].
42 Et chaque jour, au Temple et dans les maisons,
ils ne cessaient d'enseigner et d'annoncer la Bonne
Nouvelle du Christ Jésus [h]. 18 5+

# II. Les premières missions

**L'institution des Sept.**

2 41+ **6** 1 En ces jours-là, comme le nombre des disciples [i] augmentait, il y eut des murmures chez
les Hellénistes contre les Hébreux [j]. Dans le service
quotidien, disaient-ils, on négligeait leurs veuves.
2 Les Douze convoquèrent alors l'assemblée des
disciples et leur dirent : « Il ne sied pas que nous
délaissions la parole de Dieu pour servir aux
tables. 3 Cherchez plutôt [k] parmi vous, frères, sept [l] Ex 18 17-23
hommes de bonne réputation, remplis de l'Esprit et Nb 27 16-18 1 Tm 3 8-10
de sagesse, et nous les préposerons à cet office; Is 11 2+
4 quant à nous, nous resterons assidus à la prière Ac 1 8+
et au service de la parole [m]. » 5 La proposition plut 1 14; 2 42
à toute l'assemblée, et l'on choisit Étienne, homme
rempli de foi et de l'Esprit Saint, Philippe, Pro-

*a)* Expression reprise en **10** 39 (cf. **13** 29). Elle rappelle Dt **21** 23, cité en Ga **3** 13, cf. 1 P **2** 24.
*b)* L'expression correspond à « Prince de la vie », **3** 15+; elle correspond également à « Chef et Rédempteur », dit de Moïse comme figure du Christ, **7** 35 (cf. **7** 25). Voir également He **2** 10; **12** 2. Il y a un parallélisme latent entre Jésus et Moïse.
*c)* Cf. Mt **10** 20; Lc **12** 12; Jn **15** 26-27; Ac **1** 8.
*d)* Gamaliel 1er, le maître de saint Paul, **22** 3, était l'héritier de la pensée de Hillel et le représentant le plus en vue de la tendance large et plus humaine dans l'interprétation de la Loi. Son intervention correspond à l'attitude générale du parti pharisien, cf. **4** 1+.
*e)* Les insurrections de Theudas et de Judas le Galiléen sont mentionnées par Josèphe, mais les dates qu'il donne sont peu sûres. Les deux faits doivent remonter à l'époque de la naissance de Jésus.
*f)* Une var. insiste sur le souci de pureté rituelle : « ... laissez-les et ne vous souillez pas les mains. Car si leur entreprise ... les détruire, ni vous, ni les rois, ni les tyrans. Gardez-vous donc de toucher à ces gens-là, de peur que vous ne vous trouviez faire la guerre à Dieu. »
*g)* Ce Nom pour lequel les apôtres souffrent, cf. **21** 13; 1 P **4** 14; 3 Jn 7, qu'ils prêchent, **4** 10, 12, 17-18; **5** 28, 40; cf. **3** 6, 16; **8** 12, 16; **9** 15, 16, 27, 28, que les chrétiens invoquent, **2** 21; **4** 12; **9** 14, 21; **22** 16, c'est toujours le nom de Jésus, inséparable de sa personne, **3** 16+, et qu'il a reçu à la résurrection, **2** 36+, à savoir « le Nom au-dessus de tout nom » : le nom de « Seigneur » jusqu'alors réservé à Dieu, Ph **2** 9-11+.
*h)* La Bonne Nouvelle du Royaume, Mc **1** 1+, prêchée par les disciples, c'est-à-dire la Parole qu'ils « évangélisent », **8** 4, 25, 40; **14** 7, 15, 21; **16** 10, ou « l'Évangile », **15** 7; **20** 24, se concrétise pour le christianisme primitif en la personne de Jésus, **8** 35, ressuscité par Dieu, **13** 32s; **17** 18; cf. **2** 23+; **9** 20, et devenu Fils de Dieu avec puissance, cf. Rm **1** 1+, Christ, **5** 42; **8** 12; cf. **9** 22, et Seigneur, **10** 36; **11** 20; **15** 35; cf. **2** 36+.
*i)* « Les disciples » : nouvelle manière, en certaines sections des Actes (pas avant **6** 1 et pas après **21** 16 : indice de sources utilisées par Luc), de désigner les chrétiens, ainsi assimilés au petit groupe des fidèles qui s'étaient attachés à Jésus et que les évangiles désignent de ce nom.
*j)* Les « Hellénistes » : des Juifs qui avaient vécu hors de Palestine, avaient reçu une certaine culture grecque, et disposaient à Jérusalem de synagogues particulières, où la Bible se lisait en grec. Les « Hébreux » étaient les Juifs autochtones; ils parlaient l'araméen, mais lisaient la Bible en hébreu dans leurs synagogues. Cette division s'est transportée à l'intérieur de l'Église primitive. L'initiative des missions partira du groupe helléniste.
*k)* Var. : « Nous allons plutôt chercher ».
*l)* Douze était le chiffre des tribus d'Israël, Mc **3** 14+. Sept est celui des nations païennes qui habitaient Canaan, **13** 19.
*m)* La double fonction des apôtres aux réunions liturgiques de la communauté : prononcer les prières et faire la catéchèse.

chore, Nicanor, Timon, Parménas et Nicolas, pro-
13 3 sélyte d'Antioche [a]. 6 On les présenta aux apôtres
1 Tm 4 14+ et, après avoir prié, ils leur imposèrent les mains [b].
7 Et la parole du Seigneur croissait [c]; le nombre
2 41+ des disciples augmentait considérablement à Jéru-
Rm 1 5+ salem, et une multitude de prêtres obéissaient à la
foi.

**L'arrestation d'Étienne.**

8 Étienne, rempli de grâce et de puissance, opérait de grands prodiges et signes parmi le peuple.
9 Alors intervinrent des gens de la synagogue dite
des Affranchis [d], des Cyrénéens, des Alexandrins et
d'autres de Cilicie et d'Asie. Ils se mirent à discuter
avec Étienne, 10 mais ils n'étaient pas de force à
Lc 21 15 Ac 1 8+ tenir tête à la sagesse et à l'Esprit qui le faisaient
parler. 11 Ils soudoyèrent alors des hommes pour
dire : « Nous l'avons entendu prononcer des paroles blasphématoires contre Moïse et contre Dieu. »
12 Ils ameutèrent ainsi le peuple, les anciens et les
scribes, puis, survenant à l'improviste, ils s'empare-
rent de lui et l'emmenèrent devant le Sanhédrin.
13 Là ils produisirent des faux témoins qui déclarèrent : « Cet individu ne cesse pas de tenir des propos contre ce saint Lieu et contre la Loi. 14 Nous
Mt 2 23+ l'avons entendu dire que Jésus, ce Nazôréen,
Mt 26 59-61p détruira ce Lieu-ci et changera les usages que
Moïse nous a légués [e]. » 15 Or, tous ceux qui sié-
Lc 4 20 geaient au Sanhédrin avaient les yeux fixés sur lui,
et son visage leur apparut semblable à celui d'un
ange [f].

**Le discours d'Étienne.**

**7** 1 Le grand prêtre demanda : « En est-il bien
ainsi? » 2 Il répondit [g] :
Ps 29 3 « Frères et pères, écoutez. Le Dieu de la gloire
apparut à notre père Abraham, encore en Mésopotamie avant de s'établir à Harân [h], 3 *et lui dit :*
*Quitte ton pays et ta parenté, et va dans le pays* Gn 12 1
*que je te montrerai.* 4 Il quitta alors le pays des
Chaldéens pour s'établir à Harân. C'est de là, après
la mort de son père, que Dieu le fit passer dans ce
pays où vous habitez maintenant. 5 Il ne lui donna
aucune propriété dans ce pays, pas même de quoi
poser le pied, mais il promit de *lui en donner la* Gn 12 7+
*possession, ainsi qu'à sa postérité après lui* quoiqu'il n'eût *pas d'enfant.* 6 Et Dieu lui déclara que Gn 15 2
*sa postérité séjournerait en terre étrangère, qu'on la* Gn 15 13
*réduirait en servitude et qu'on la maltraiterait*
*durant quatre cents ans.* – 7 *Mais la nation dont ils*
*auront été les esclaves, je la jugerai, moi,* dit Dieu. Gn 15 14
*Après quoi, ils s'en iront et me rendront leur culte* Ex 3 12
*en ce* lieu [i] *même.* 8 Il lui donna ensuite *l'alliance*
*de la circoncision*; c'est ainsi qu'étant devenu père Gn 17 10+
d'Isaac, *Abraham le circoncit le huitième jour.* Et Gn 21 4
Isaac fit de même pour Jacob, et Jacob pour les
douze patriarches.
9 « Les patriarches, *jaloux de Joseph, le vendirent* Gn 37 11, 28
*pour être emmené en Égypte.* Mais *Dieu était avec* Gn 39 2, 3, 21
*lui* : 10 il le tira de toutes ses tribulations et *lui*
*donna grâce* et sagesse devant Pharaon, roi
d'Égypte, qui *l'établit gouverneur de l'Égypte et de* Gn 41 40-41
*toute sa maison.* 11 *Survinrent alors dans toute* Ps 105 21
*l'Égypte et en Canaan famine* et grande détresse; Gn 41 54-55;
nos pères ne trouvaient rien à manger. 12 *Apprenant*
*qu'il y avait des vivres en Égypte,* Jacob y envoya Gn 42 2
nos pères une première fois; 13 la deuxième fois,
*Joseph se fit reconnaître de ses frères,* et son origine Gn 45 1
fut révélée à Pharaon. 14 Joseph envoya chercher
alors son père Jacob et toute sa parenté, qui
comptait *soixante-quinze personnes.* 15 Jacob des- Gn 46 27+
cendit donc en Égypte, et il y mourut, ainsi que nos
pères. 16 Leurs corps furent transportés à Sichem et Gn 50 13
déposés dans le tombeau qu'Abraham avait acheté

*a)* Luc ne donne pas le nom de « diacres » aux sept élus, mais le mot « service » *(diakonia)* est répété, cf. Ph **1** 1+; Tt **1** 5+. – Tous les élus portent un nom grec; le dernier est un prosélyte, cf. **2** 11+. Ainsi, le groupe des chrétiens hellénistes reçoit une organisation à part du groupe hébreu.
*b)* Soit la communauté, cf. **13** 1-3, soit plutôt (v. 3) les apôtres.
*c)* Un nouveau refrain, voir **12** 24; **19** 20; cf. Lc **1** 80+, ajouté à l'ancien refrain, voir **2** 41+.
*d)* Probablement les descendants de Juifs emmenés à Rome par Pompée en 63 av. J.-C., vendus comme esclaves et ensuite affranchis.
*e)* Lors du procès de Jésus, des « faux témoins » l'ont également accusé d'avoir dit qu'il « détruirait » le Temple. L'issue du procès d'Étienne, Ac **7** 56-57, fait également écho au procès de Jésus, Mt **26** 62-66. – Les accusations relatives aux usages de Moïse seront portées aussi contre Paul, Ac **15** 1, 5; **21** 21, 28; **25** 8; **28** 17.
*f)* L'aspect d'un ange provoque un effroi sacré, cf. Jg **13** 6. Le visage de Moïse descendant du Sinaï reflétait l'éclat de la gloire de Dieu et provoquait le même effroi, Ex **34** 29-35; 2 Co **3** 7-18. De même le visage de Jésus transfiguré, Mt **17** 2; Lc **9** 29. Les sanhédrites assistent aussi à une transfiguration d'Étienne, qui voit la gloire de Dieu, **7** 55-56. – Le récit, interrompu par l'insertion du discours d'Étienne, **7** 1-54, reprend à **7** 55. Sur les théophanies, cf. Ex **13** 22; **19** 16; **33** 20; Mt **17** 1; **24** 26-31 et les notes.
*g)* Le discours résume d'abord l'histoire d'Abraham et de Joseph, vv. 2-16; il développe davantage l'histoire de Moïse, vv. 17-43 (cf. l'accusation portée contre Étienne, **6** 11). Étienne oppose à la haute mission de salut dont Dieu chargea Moïse l'attitude des Israélites : rejet, refus d'obéir, infidélité. Les thèmes sont traditionnels (cf. Dt), mais développés ici en fonction du fait chrétien : en parlant de Moïse, Étienne songe au Christ dont il est la figure; l'attitude des Israélites à son égard reste celle des Juifs à l'égard du Christ. Dans l'histoire d'Israël, Étienne souligne ce qui va contre l'attachement à un pays particulier, vv. 2-6, contre les sacrifices, vv. 39-43, et contre la construction d'un Temple matériel, vv. 44-50; cf. l'accusation de **6** 13. On sent l'esprit du judaïsme hellénisé de la Diaspora. Le discours s'achève par une invective passionnée, vv. 51-53, qui reprend un thème primitif de la prédication chrétienne, cf. **2** 23+.
*h)* D'après Gn **11** 31 cette apparition eut lieu à Harân. Étienne dépend ici d'une tradition extra-biblique.
*i)* Au mont Horeb, Étienne substitue « ce lieu » : le Temple de Jérusalem.

à prix d'argent aux fils d'Emmor, père de Sichem [a].
17 « Comme approchait le temps où devait
s'accomplir la promesse que Dieu avait faite solen-
Ex 1 7, 8 nellement à Abraham, le peuple *s'accrut et se mul-*
*tiplia* en Égypte, 18 jusqu'à *l'avènement d'un nou-*
*veau roi qui ne* se souvint *pas de Joseph.* 19 *Usant*
Ex 1 10, 11 *d'astuce* envers notre race, ce roi *maltraita* nos
Ex 1 22 pères, jusqu'à leur faire exposer leurs nouveau-nés
*pour qu'ils ne puissent pas vivre.* 20 C'est à ce
Ex 2 2 moment que naquit Moïse, *qui était beau* devant
He 11 23s Dieu. Il fut nourri *trois mois* dans la maison de son
père; 21 puis, comme il avait été exposé, *la fille de*
Ex 2 5, 10 *Pharaon* le *recueillit* et l'éleva *comme son propre*
*fils.* 22 Ainsi Moïse fut-il instruit dans toute la
Lc 24 19 sagesse des Égyptiens, et il était puissant en paroles
et en œuvres.
23 « Comme il atteignait la quarantaine [b], la pen-
Ex 2 11 sée lui vint de visiter *ses frères, les Israélites.*
24 Voyant maltraiter l'un d'eux, il prit sa défense et
Ex 2 12 vengea l'opprimé *en tuant l'Égyptien.* 25 Ses frères,
supposait-il, comprendraient que c'était Dieu qui,
par sa main, leur apportait le salut; mais ils ne le
comprirent pas. 26 Le lendemain, il en aperçut qui
se battaient, et il voulut les remettre d'accord.
" Mes amis, leur dit-il, vous êtes frères : pourquoi
Ex 2 13 vous maltraiter l'un l'autre? " 27 Alors *celui qui*
*maltraitait son compagnon* le repoussa en disant :
Ex 2 14 " *Qui t'a établi chef et juge sur nous* [c]? 28 *Voudrais-*
*tu me tuer comme hier tu as tué l'Égyptien?* " 29 A
Ex 2 15 ces mots [d], Moïse s'enfuit et *alla se réfugier au pays*
*de Madian*, où il eut deux fils.
Ex 3 1-2 30 « Au bout de quarante ans, *un ange lui apparut*
Ac 5 11 *au désert du mont* Sinaï, *dans la flamme d'un buis-*
*son* en feu. 31 Moïse était étonné à la vue de cette
Ex 3 4, 6 apparition. *Comme il s'avançait pour mieux voir,*
*la voix du Seigneur se fit entendre :* 32 " *Je suis le*
*Dieu de tes pères, le Dieu d'Abraham, d'Isaac et*
*de Jacob.* " Tout tremblant, Moïse *n'osait regarder.*
Ex 3 5 33 Alors le Seigneur lui dit : " *Ote les sandales de*
*tes pieds, car l'endroit où tu te tiens est une terre*
*sainte.* 34 *Oui, j'ai vu l'affliction de mon peuple en* Ex 3 7-8
*Égypte, j'ai entendu son gémissement et je suis des-*
*cendu pour le délivrer. Viens donc, que je t'envoie* Ex 3 10
*en Égypte.* "
35 « Ce Moïse qu'ils avaient renié [e] en disant : *Qui*
*t'a établi chef et juge?* voici que Dieu le leur Ex 2 14
envoyait comme chef et rédempteur, par l'entremise de l'ange qui lui était apparu dans le buisson.
36 C'est lui qui les fit sortir, en opérant *prodiges et* Ex 7 3
*signes au pays d'Égypte*, à la mer Rouge et *au*
*désert pendant quarante ans.* 37 C'est lui, Moïse, Nb 14 33
qui dit aux Israélites : *Dieu vous suscitera* Am 5 25
*d'entre vos frères un prophète comme moi* [f]. Dt 18 15
38 C'est lui qui, lors de *l'assemblée* [g] au désert, était Dt 4 10;
avec l'ange qui lui parlait sur le mont Sinaï, tout 9 10; 9 10; 18 16
en restant avec nos pères [h]; lui qui reçut les paroles Ga 3 19+
de vie [i] pour nous les donner. 39 Voilà celui à qui Jn 1 17
nos pères refusèrent d'obéir. Bien plus, ils le
repoussèrent et, *retournant* de cœur *en Égypte* [j], Nb 14 3
40 *ils dirent à Aaron :* " *Fais-nous des dieux qui* Ex 32 1, 23
*marchent devant nous; car ce Moïse qui nous a fait*
*sortir du pays d'Égypte, nous ne savons ce qui lui*
*est arrivé.* " 41 *Ils fabriquèrent un veau* en ces jours- Ex 32 4, 6
là et *offrirent un sacrifice* à l'idole, et ils célébraient joyeusement l'œuvre de leurs mains.
42 Alors Dieu se détourna d'eux et les livra au culte
de l'armée du ciel [k], ainsi qu'il est écrit au livre des
Prophètes :

*M'avez-vous donc offert victimes et sacrifices,* Am 5 25-27 LXX
*pendant quarante ans au désert, maison d'Israël?*
43 *Mais vous avez porté la tente de Moloch*
*et l'étoile du dieu Rephân,*
*les figures que vous aviez faites* pour les adorer;
*aussi vous déporterai-je par-delà* Babylone.

44 « Nos pères au désert avaient la Tente du
Témoignage, ainsi qu'en avait disposé Celui qui
parlait à Moïse, lui enjoignant de *la faire suivant* Ex 25 40
*le modèle* qu'il avait vu. 45 Après l'avoir reçue, nos He 8 5

*a)* « père de Sichem » : explicité d'après Gn **33** 19. – Var. : « aux fils de Hémor, fils de Sichem », « aux fils d'Emmor à Sichem », « aux fils d'Emmor (habitants) de Sichem ». – Le v. 16 suit une tradition non conforme à la Bible; d'où les corrections tentées par diverses variantes.

*b)* Selon les traditions juives.

*c)* Dieu, en ressuscitant Jésus, l'a établi « chef », cf. **5** 31, et « juge », cf. **10** 42; **17** 31.

*d)* D'après Ex **2** 15, Moïse s'enfuit par crainte de Pharaon; ici, parce qu'il est rejeté par les siens.

*e)* La Bible n'emploie pas ce verbe à propos de Moïse, mais on le trouve en Ac **3** 13-14 à propos de Jésus. De même le titre de « rédempteur » n'est pas donné par la Bible à Moïse. L'image du Christ, dont il est la figure, se projette sur celle de Moïse.

*f)* Texte messianique déjà cité à **3** 22. Un autre – le Messie – devait donc avoir un rôle analogue à celui de Moïse, Mt **16** 14+; Jn **1** 21+.

*g)* Le grec *ekklèsia* est devenu notre mot « église », cf. **5** 11+; Mt **16** 18+. Il désignait en Dt **4** 10+ l'assemblée du peuple saint au désert. Cf. la « convocation sainte », Ex **12** 16; Lv **23** 3; Nb **29** 1. L'Église, nouveau peuple des saints, **9** 13+, hérite du peuple ancien.

*h)* Moïse faisait office de médiateur entre « l'ange » et le peuple. Dans les textes anciens, « l'Ange de Yahvé » n'est autre que Yahvé lui-même se manifestant, Gn **16** 7+, cf. Mt **1** 20+. A une époque plus récente, on a souligné la transcendance divine en distinguant de Yahvé son ange. Ainsi Moïse n'aurait pas été en relation immédiate avec Dieu, mais avec un ou plusieurs anges. Traces de cette conception en Ga **3** 19; He **2** 2.

*i)* L'observance de la Loi procure la vie, Dt **4** 1; **8** 1, 3; **30** 15-16, 19-20; **32** 46-47; Lv **18** 5, cité en Ga **3** 12; Rm **10** 5; on parlait donc de la Loi comme de « préceptes de vie », Ez **33** 15; Ba **3** 9. Pour les chrétiens, c'est la prédication évangélique qui sera la « parole de vie », Ph **2** 16; cf. Ac **5** 20, c'est-à-dire la « parole du salut », Ac **13** 26. Source de vie, la parole de Dieu est elle-même « vivante » : cf. He **4** 12; 1 P **1** 23. Enfin, Jésus Christ est lui-même la « Parole de vie » : 1 Jn **1** 1.

*j)* Cf. Nb **14** 3 et Ex **16** 3. Comp. Ez **20** 8-14.

*k)* Désignation biblique des astres, souvent divinisés, cf. Dt. **4** 19; **17** 3; 2 R **21** 3-5; Jr **8** 2; **19** 13; So **1** 5.

pères l'introduisirent, sous la conduite de Josué,
dans le pays conquis sur les nations que Dieu
chassa devant eux; ainsi en fut-il jusqu'aux jours
de David. 46 Celui-ci trouva grâce devant Dieu et
Ps **132** 5 sollicita la faveur de *trouver une résidence pour* la
maison [a] *de Jacob.* 47 Ce fut *Salomon* toutefois qui
1 R **6** 2 *lui bâtit une maison.* 48 Mais le Très-Haut n'habite
**17** 24 pas dans des demeures faites de main d'homme;
He **9** 11, 24 ainsi le dit le prophète :
Is **66** 1-2 49 *Le ciel est mon trône*
*et la terre l'escabeau de mes pieds :*
*quelle maison me bâtirez-vous, dit le Seigneur,*
*et quel sera le lieu de mon repos?*
50 *N'est-ce pas ma main qui a fait tout cela?*
Dt **9** 13+ 51 «Nuques raides, oreilles et cœurs incirconcis,
Jr **4** 4+ Is **63** 10 toujours vous résistez à l'Esprit Saint [b]! Tels furent
2 Ch **30** 7-8; **36** 14-16 vos pères, tels vous êtes! 52 Lequel des prophètes
Mt **23** 34-35 vos pères n'ont-ils point persécuté? Ils ont tué ceux
Ac **3** 14+; **2** 23+ qui prédisaient la venue du Juste, celui-là même
que maintenant vous venez de trahir et d'assassi-
ner, 53 vous qui avez reçu la Loi par le ministère
**7** 38+; **13** 38s des anges et ne l'avez pas observée. »
**15** 10; Ga **6** 13 54 A ces mots, leurs cœurs frémissaient de rage,
et ils grinçaient des dents contre Étienne.

**Lapidation d'Étienne. Saul persécuteur.**

Lc **1** 15+ 55 Tout rempli de l'Esprit Saint, il fixa son regard
Ex **24** 16+ vers le ciel; il vit alors la gloire de Dieu et Jésus
Ac **2** 33+ debout à la droite de Dieu. 56 « Ah! dit-il, je vois
Mt **26** 64p+ les cieux ouverts et le Fils de l'homme debout [c] à
Dn **7** 13 la droite de Dieu [d]. » 57 Jetant alors de grands cris,
Mt **8** 20+ ils se bouchèrent les oreilles et, comme un seul
homme, se précipitèrent sur lui, 58 le poussèrent
He **13** 12+ hors de la ville et se mirent à le lapider [e]. Les
témoins [f] avaient déposé leurs vêtements aux pieds
**22** 20; **26** 10 d'un jeune homme appelé Saul [g]. 59 Et tandis qu'on
Ga **1** 13+ le lapidait, Étienne faisait cette invocation [h] : « Sei-
Ps **31** 6 Lc **23** 46 gneur Jésus, reçois mon esprit. » 60 Puis il fléchit les
genoux et dit, dans un grand cri : « Seigneur, ne
leur impute pas ce péché. » Et en disant cela, il Lc **23** 34
s'endormit.

**8** 1 [i] Saul, lui, approuvait ce meurtre. **22** 20; **7** 58
En ce jour-là, une violente persécution se Jn **16** 2
déchaîna contre l'Église de Jérusalem. Tous [j], à
l'exception des apôtres, se dispersèrent dans les
campagnes de Judée et de Samarie [k].
2 Cependant des hommes dévots ensevelirent
Étienne et firent sur lui de grandes lamentations.
3 Quant à Saul, il ravageait l'Église; allant de **9** 1-2; **22** 4;
maison en maison, il en arrachait hommes et **26** 10-11 Ga **1** 13
femmes et les jetait en prison. 1 Co **15** 9 Ph **3** 6 1 Tm **1** 13

**Philippe en Samarie.**

4 Ceux-là donc qui avaient été dispersés s'en allè- = **11** 19
rent de lieu en lieu en annonçant la parole de la
Bonne Nouvelle. 5 C'est ainsi que Philippe, qui **6** 5; **21** 8
était descendu dans une ville de la Samarie [l], y proclamait le Christ [m]. 6 Les foules unanimes s'atta- **18** 5+
chaient à ses enseignements, car tous entendaient
parler des signes qu'il opérait, ou les voyaient. 7 De
beaucoup de possédés, en effet, les esprits impurs Mt **8** 29+
sortaient en poussant de grands cris. Nombre de
paralytiques et d'impotents furent également guéris. 8 Et la joie fut vive en cette ville. **2** 46+

**Simon le Magicien.**

9 Or il y avait déjà auparavant dans la ville un
homme appelé Simon, qui exerçait la magie et
jetait le peuple de Samarie dans l'émerveillement.
Il se disait quelqu'ún de grand, 10 et tous, du plus
petit au plus grand, s'attachaient à lui. « Cet
homme, disait-on, est la Puissance de Dieu, celle
qu'on appelle la Grande [n]. » 11 Ils s'attachaient
donc à lui, parce qu'il y avait longtemps qu'il les
tenait émerveillés par ses sortilèges. 12 Mais quand

*a)* Var. : « pour le Dieu ».
*b)* Qui parlait par Moïse et par les prophètes.
*c)* Debout et non pas assis comme en Lc **22** 69p; peut-être en qualité de témoin du martyr.
*d)* La vision d'Étienne doit se rattacher à sa transfiguration, **6** 15+.
*e)* Au lieu d'un jugement en règle rendu par le Sanhédrin, on assiste à un lynchage populaire. Peut-être est-ce la réalité historique, que Luc aura présentée comme un procès régulier, pour assimiler la mort du premier martyr à celle de Jésus.
*f)* Les faux témoins mentionnés, **6** 13-14. Il revenait aux témoins de l'accusation d'exécuter les premiers la sentence, Dt **17** 7.
*g)* Le futur apôtre Paul, **13** 9+.
*h)* Bel exemple de « l'invocation du nom du Seigneur », **2** 21+. Luc souligne de deux traits, vv. 59-60, la ressemblance entre Étienne mourant et Jésus dans sa passion.
*i)* Les vv. 1-4 sont constitués par une série de brèves notices : les funérailles d'Étienne (v. 2), conclusion naturelle de l'épisode précédent; l'activité de Saul persécuteur (vv. 1a et 3), reliant au récit de la lapidation d'Étienne, cf. **7** 58b, celui de la conversion de Saul, **9** 1-30, qui semble lui faire suite; enfin une notice sur la persécution et la dispersion de l'Église (vv. 1b-4), qui introduit le récit des missions évangéliques de Philippe, **8** 5-40, et de Pierre, **9** 32 - **11** 18; le v. 4 sera répété en **11** 19. On trouve donc amorcés ici les divers thèmes développés jusqu'au ch. **12**.
*j)* « Tous » : simplification littéraire. La persécution paraît viser directement les Hellénistes, cf. **6** 1, 5; c'est leur groupe qui, dispersé par la persécution, fournit à l'Église ses premiers missionnaires, v. 4; **11** 19-20.
*k)* Deuxième étape de l'expansion de l'Église, cf. **1** 8. La troisième commencera avec la fondation de l'Église d'Antioche, **11** 20.
*l)* Var. : « la ville de Samarie », « la ville de Césarée ». – Ce n'est sans doute pas la ville même de Samarie, devenue une ville hellénistique (Sébaste). Il s'agit ici d'une évangélisation des « Samaritains » au sens juif du mot : des frères de race et de religion, mais séparés de la communauté d'Israël et tombés dans l'hérésie, cf. Jn **4** 9+; Mt **10** 5-6+.
*m)* Le Messie, que les Samaritains attendaient également, cf. Jn **4** 25.
*n)* Ou, moins bien : « la Puissance de Dieu, celle qu'on appelle *Megallé* » (c'est-à-dire, en araméen, « Révélatrice »). On supposait donc qu'une émanation du Dieu suprême habitait Simon, qui lui devait ses pouvoirs surnaturels.

**5** 42+ ils eurent cru à Philippe qui leur annonçait la
Bonne Nouvelle du Royaume de Dieu et du nom
**1** 5+ de Jésus Christ, ils se firent baptiser, hommes et
femmes. 13 Simon lui-même crut à son tour; ayant
reçu le baptême, il ne lâchait plus Philippe, et il
était dans l'émerveillement à la vue des signes et
des grands miracles qui s'opéraient sous ses yeux.
**11** 1, 22 14 Apprenant que la Samarie avait accueilli la
parole de Dieu, les apôtres qui étaient à Jérusalem
Lc **8** 51+ y envoyèrent Pierre et Jean. 15 Ceux-ci descendirent
donc chez les Samaritains et prièrent pour eux, afin
**1** 5+; **10** 44 que l'Esprit Saint leur fût donné. 16 Car il n'était
encore tombé sur aucun d'eux; ils avaient seule-
**2** 38+; **1** 5+ ment été baptisés au nom du Seigneur Jésus.
1 Tm **4** 14+ 17 Alors Pierre et Jean se mirent à leur imposer les
mains, et ils recevaient l'Esprit Saint.
18 Mais quand Simon vit que l'Esprit Saint était
donné par l'imposition des mains des apôtres, il
leur offrit de l'argent. 19 « Donnez-moi, dit-il, ce
pouvoir à moi aussi : que celui à qui j'imposerai les
mains reçoive l'Esprit Saint. » 20 Mais Pierre lui
répliqua : « Périsse ton argent, et toi avec lui, puis-
Is **55** 1 que tu as cru acheter le don de Dieu [a] à prix
Mt **10** 8 d'argent! 21 Dans cette affaire il n'y a pour toi ni
part ni héritage, car ton cœur n'est pas droit devant
Dieu. 22 Repens-toi donc de ton mauvais dessein et
prie le Seigneur : peut-être cette pensée de ton cœur
Dt **29** 17 te sera-t-elle pardonnée; 23 car tu es, je le vois, dans
Jr **4** 18 Pr **5** 22 l'amertume du fiel et les liens de l'iniquité [b]. »
24 Simon répondit : « Intercédez vous-mêmes pour
moi auprès du Seigneur, afin que rien ne m'arrive
de ce que vous venez de dire [c]. »
**1** 8+ 25 Pour eux, après avoir rendu témoignage et
annoncé la parole du Seigneur, ils retournèrent à
Jérusalem en évangélisant de nombreux villages
samaritains.

**Philippe baptise un eunuque.**

Mt **1** 20+ 26 L'Ange [d] du Seigneur s'adressa à Philippe et
lui dit : « Pars et va-t'en, à l'heure de midi [e], sur la
route qui descend de Jérusalem à Gaza; elle est
déserte. » 27 Il partit donc et s'y rendit. Justement
un Éthiopien [f], un eunuque, haut fonctionnaire de Ps **68** 32 Is **56** 3-7
Candace, reine d'Éthiopie, et surintendant de tous
ses trésors, qui était venu en pèlerinage à Jérusa- Is **18** 7+ Jn **12** 20
lem, 28 s'en retournait, assis sur son char, en lisant
le prophète Isaïe. 29 L'Esprit dit à Philippe : **1** 8+
« Avance et rattrape ce char. » 30 Philippe y courut,
et il entendit que l'eunuque lisait le prophète Isaïe.
Il lui demanda : « Comprends-tu donc ce que tu
lis? » – 31 « Et comment le pourrais-je, dit-il, si per- Rm **10** 14
sonne ne me guide? » Et il invita Philippe à monter
et à s'asseoir près de lui. 32 Le passage de l'Écriture
qu'il lisait était le suivant [g] :
*Comme une brebis il a été conduit à la bou-* Is **53** 7-8 Lc **18** 31+
*cherie;*
*comme un agneau muet devant celui qui le tond,*
*ainsi il n'ouvre pas la bouche.*
33 *Dans son abaissement la justice lui a été déniée.*
*Sa postérité, qui la racontera?*
*Car sa vie est retranchée de la terre.*
34 S'adressant à Philippe, l'eunuque lui dit : « Je
t'en prie, de qui le prophète dit-il cela? De lui-
même ou de quelqu'un d'autre? » 35 Philippe prit
alors la parole et, partant de ce texte de l'Écriture, Lc **24** 27
lui annonça la Bonne Nouvelle de Jésus. Ac **5** 42+
36 Chemin faisant, ils arrivèrent à un point d'eau,
et l'eunuque dit : « Voici de l'eau. Qu'est-ce qui
empêche que je sois baptisé [h]? » 38 Et il fit arrêter
le char. Ils descendirent tous deux dans l'eau, Philippe avec l'eunuque, et il le baptisa. 39 Mais, quand **1** 5+
ils furent remontés de l'eau, l'Esprit du Seigneur
enleva Philippe [i], et l'eunuque ne le vit plus. Et il 1 R **18** 12+
poursuivit son chemin tout joyeux. 40 Quant à Phi- Lc **24** 31-32
lippe, il se trouva à Azot; continuant sa route, il **2** 46+
annonçait la Bonne Nouvelle dans toutes les villes
qu'il traversait, jusqu'à ce qu'il arrivât à Césarée. **21** 8

**La vocation de Saul [j].** = **22** 5-16 = **26** 9-18

**9** 1 Cependant Saul, ne respirant toujours que Ga **1** 12-17 Ac **8** 3
menaces et carnage à l'égard des disciples du
Seigneur, alla trouver le grand prêtre 2 et lui
demanda des lettres pour les synagogues de
Damas, afin que, s'il y trouvait quelques adeptes de

*a)* L'Esprit Saint est par excellence le Don de Dieu, cf. **2** 38; **10** 45; **11** 17; Lc **11** 9, 13 : thème repris dans l'hymne *Veni Creator*.
*b)* De cette anecdote vient le terme de « simonie » pour désigner le trafic des choses saintes.
*c)* Add. occ. : « et il ne cessait de pleurer abondamment ».
*d)* Les anges, cf. Tb **5** 4+; Ep **1** 21+, que les évangiles montrent au service de Jésus et de sa mission, Mt **4** 11p+; **26** 53; Jn **1** 51; etc., sont plusieurs fois, dans les Actes, au service de la communauté chrétienne, **1** 10; **5** 19; **10** 3; **12** 7-10, 23; **27** 23. Ici, la suite du récit parle de l'« Esprit », vv. 29 et 39.
*e)* Ou : « du côté du midi ».
*f)* L'« Éthiopie » commençait au-delà de la première cataracte du Nil : Nubie ou Soudan égyptien. Le pouvoir y était exercé par une reine, désignée sous le titre de « Candace ».
*g)* Cité d'après la LXX, traduction peu claire d'un texte hébreu obscur et sans doute altéré. Sur l'emploi d'Is **53** dans la prédication chrétienne primitive, voir **3** 13+ et Lc **4** 17-21p.
*h)* Le v. 37 est une glose très ancienne conservée dans le texte occ. et qui s'inspire de la liturgie baptismale : « Philippe dit : Si tu crois de tout ton cœur, c'est permis. Celui-ci répondit : Je crois que Jésus Christ est le Fils de Dieu. »
*i)* Var. occ. : « l'Esprit Saint tomba sur l'eunuque et l'Ange du Seigneur enleva Philippe. »
*j)* De cet événement capital pour l'histoire de l'Église, Luc donne trois relations, dont les divergences de détail s'expliquent par la différence des genres littéraires : les deux autres relations font partie de discours de Paul. Voir aussi Ga **1** 12-17. L'événement s'est produit vraisemblablement en 36, environ douze ans (quatorze ans selon la manière de compter des anciens) avant le « Concile de Jérusalem », Ga **2** 1s; cf. Ac **15**, qui s'est tenu en 49.

la Voie [a], hommes ou femmes, il les amenât enchaînés à Jérusalem [b].
3 Il faisait route et approchait de Damas, quand
Ez **1** 28 soudain une lumière venue du ciel l'enveloppa de
Dn **8** 17 sa clarté. 4 Tombant à terre, il entendit une voix qui
lui disait : « Saoul, Saoul [c], pourquoi me persécutes-tu? » – 5 « Qui es-tu, Seigneur? » demanda-t-il.
Et lui : « Je suis Jésus que tu persécutes [d]. 6 Mais
relève-toi, entre dans la ville, et l'on te dira ce que
tu dois faire. » 7 Ses compagnons de route s'étaient
arrêtés, muets de stupeur : ils entendaient bien la
Dn **10** 7 voix, mais sans voir personne. 8 Saul se releva de
terre, mais, quoiqu'il eût les yeux ouverts, il ne
voyait rien. On le conduisit par la main pour le
faire entrer à Damas. 9 Trois jours durant, il resta
sans voir, ne mangeant et ne buvant rien.
10 Il y avait à Damas un disciple du nom
Gn **22** 1+ d'Ananie. Le Seigneur l'appela dans une vision :
« Ananie! » – « Me voici, Seigneur », répondit-il. –
1 S **9** 15-17 11 « Pars, reprit le Seigneur, va dans la rue Droite
et demande, dans la maison de Judas, un nommé
Saul de Tarse. Car le voilà qui prie 12 et qui a vu [e]
**9** 17; **28** 8 un homme du nom d'Ananie entrer et lui imposer
1 Tm **4** 14+ les mains pour lui rendre la vue. » 13 Ananie répondit : « Seigneur, j'ai entendu beaucoup de monde
parler de cet homme et dire tout le mal qu'il a fait
à tes saints [f] à Jérusalem. 14 Et il est ici avec pleins
pouvoirs des grands prêtres pour enchaîner tous
**2** 21+ ceux qui invoquent ton nom. » 15 Mais le Seigneur
lui dit : « Va, car cet homme m'est un instrument
**22** 21 de choix pour porter mon nom devant les nations
païennes, les rois et les Israélites [g]. 16 Moi-même,
en effet, je lui montrerai tout ce qu'il lui faudra **15** 26; **21** 13
souffrir pour mon nom. » 17 Alors Ananie partit, 1 Co **4** 9-13+ Mt **10** 22+
entra dans la maison, imposa les mains à Saul et
lui dit : « Saoul, mon frère, celui qui m'envoie, c'est
le Seigneur, ce Jésus qui t'est apparu sur le chemin **22** 14; **26** 16
par où tu venais; et c'est afin que tu recouvres la 1 Co **9** 1; **15** 8
vue et sois rempli de l'Esprit Saint [h]. » 18 Aussitôt
il lui tomba des yeux comme des écailles, et il
recouvra la vue. Sur-le-champ il fut baptisé; 19 puis **1** 5+
il prit de la nourriture, et les forces lui revinrent.

**Prédication de Saul à Damas.**

Il passa quelques jours avec les disciples à Ga **1** 16-17
Damas, 20 et aussitôt il se mit à prêcher Jésus dans
les synagogues, proclamant qu'il est le Fils de
Dieu [i]. 21 Tous ceux qui l'entendaient étaient stupéfaits et disaient : « N'est-ce pas là celui qui, à Jérusalem, s'acharnait sur ceux qui invoquent ce nom,
et n'est-il pas venu ici tout exprès pour les amener
enchaînés aux grands prêtres? » 22 Mais Saul **9** 2
gagnait toujours en force et confondait les Juifs de
Damas en démontrant que Jésus est bien le Christ. **18** 5, 28 **2** 36+
23 Au bout d'un certain temps [j], les Juifs se
concertèrent pour le faire périr. 24 Mais Saul eut
vent de leur complot. On gardait même les portes
de la ville jour et nuit, afin de le faire périr. 25 Alors 2 Co **11** 32-3
les disciples [k] le prirent de nuit et le descendirent
dans une corbeille le long de la muraille.

**Visite de Saul à Jérusalem [l].**

26 Arrivé à Jérusalem, il essayait de se joindre Ga **1** 18-19

*a)* La « Voie » désigne la conduite de l'homme ou, comme ici, de la communauté des croyants. L'usage de l'AT, Ps **119** 1+, prend une valeur nouvelle de conformité au Christ, Mt **7** 13-14+; **22** 16; 1 Co **4** 17; **12** 31; He **9** 8; **10** 19-22; 2 P **2** 2. Jésus lui-même s'est nommé la Voie, Jn **14** 6+. L'usage absolu du terme est propre aux Actes, ici, **18** 25, 26; **19** 9, 23; **22** 4; **24** 14, 22.

*b)* Les autorités romaines laissaient au grand prêtre une juridiction sur tous les membres des communautés juives, même hors de Palestine, et, d'après 1 M **15** 21, comportant même un droit d'extradition.

*c)* Forme araméenne (« hébraïque »), **26** 14, du nom de Saul.

*d)* Tout ce qu'on fait aux disciples à cause du Nom de Jésus, c'est à Jésus qu'on le fait, Mt **10** 40+.

*e)* Var. : « et qui dans une vision a vu ». Deux révélations parallèles, à Paul et à Ananie; comp. **10** 11s et 30s.

*f)* Dieu étant le Saint par excellence, Is **6** 3, ceux qui se consacrent à son service sont appelés « saints », Lv **17** 1+. Appliqué d'abord au peuple d'Israël, Ex **19** 6+, et particulièrement à la communauté des temps messianiques, Dn **7** 18+, ce terme vaut éminemment pour les chrétiens qui sont le nouveau « peuple saint », 1 P **2** 5, 9, appelés, Rm **1** 7; 1 Co **1** 2; Ep **1** 4; 2 Tm **1** 9; Mt **3** 1, par la consécration du baptême, Ep **5** 26s, à une vie pure, 1 Co **7** 34; Ep **1** 4; **5** 3; Col **1** 22, qui les rend saints comme Dieu, 1 P **1** 15s, cf. 1 Jn **3** 3, et comme Jésus, « le Saint de Dieu », Mc **1** 24+, car la sainteté est l'œuvre de Dieu, 1 Th **4** 3+; **5** 23. Aussi est-il devenu dans la communauté primitive la désignation ordinaire des chrétiens, d'abord en Palestine, Ac **9** 13, 32, 41; Rm **15** 26, 31; 1 Co **16** 1, 15; 2 Co **8** 4; **9** 1, 12, et ensuite dans toutes les Églises, Rm **8** 27; **12** 13; **16** 2, 15; 1 Co **6** 1s; **14** 33; 2 Co **13** 12; Ep **1** 15; **3** 18; **4** 12; **6** 18; Ph **4** 21s; Col **1** 4; 1 Tm **5** 10; Phm 5, 7; He **6** 10; **13** 24; Jude 3 (et dans les adresses des épîtres, 2 Co **1** 1, etc.). En Ap **5** 8; **8** 3, etc., le terme désigne plus spécialement les martyrs. Il se peut qu'il soit parfois restreint aux chefs, « apôtres et prophètes », Ep **3** 5 et Col **1** 26; Ep **3** 8; **4** 12; Ap **18** 20. Enfin, comme dans l'AT, Jb **5** 1+, le terme peut s'appliquer aux anges, Mc **8** 38; Lc **9** 26; Ac **10** 22; Jude 14; Ap **14** 10, et il est malaisé de savoir si certains textes parlent de ceux-ci ou des hommes parvenus à la gloire, Ep **1** 18; Col **1** 12+; 1 Th **3** 13; 2 Th **1** 10.

*g)* Cf. Jr **1** 10. La mission de Paul concerne « tous les hommes », Ac **22** 15, les nations païennes, **26** 17, ce qui correspond à ce que Paul écrit lui-même en Ga **1** 16, cf. Rm **1** 5; **11** 13; **15** 16-18; Ga **2** 2, 8, 9; Ep **3** 8; Col **1** 27; 1 Tm **2** 7. Sur les « rois », cf. **26** 2+.

*h)* Expression typique de saint Luc, Lc **1** 15+, 41, 67; Ac **2** 4; **4** 8, 31; **7** 55; **13** 9. Cf. Lc **4** 1+.

*i)* « Fils de Dieu » correspond à « Christ » du v. 22. Cf. Mt **4** 3+. Le titre de « Fils de Dieu » ne reparaît dans les Actes qu'en **13** 33. Il caractérise la christologie paulinienne, Ga **1** 16; **2** 20; **4** 4, 6; Rm **1** 3 - **4** 9; 1 Th **1** 10; cf. Rm **9** 5+.

*j)* Ga **1** 17-18 précise : trois ans; pendant ce temps, Paul a fait un séjour en Arabie. Luc simplifie les faits.

*k)* Var. : « ses disciples ».

*l)* Paul raconte cette visite, Ga **1** 18-19. Il remarque qu'à ce moment les Églises de Judée ne le connaissaient pas encore de vue, mais ne dit rien de l'intervention de Barnabé. Il déclare n'avoir vu, en fait d'apôtres, que Pierre, et aussi Jacques, le frère du Seigneur; Ac schématise en parlant des apôtres en général.

aux disciples, mais tous en avaient peur, ne croyant
4 36-37 pas qu'il fût vraiment disciple. [27] Alors Barnabé le
prit avec lui, l'amena aux apôtres et leur raconta
comment, sur le chemin, Saul avait vu le Seigneur,
13 46+ qui lui avait parlé, et avec quelle assurance il avait
prêché à Damas au nom de Jésus. [28] Dès lors il
allait et venait avec eux dans Jérusalem, prêchant
5 41+ avec assurance au nom du Seigneur. [29] Il s'adressait aussi aux Hellénistes [a] et discutait avec eux;
= 22 17-21 mais ceux-ci machinaient sa perte. [30] L'ayant su,
les frères le ramenèrent à Césarée, d'où ils le firent
partir pour Tarse [b].

**Période de tranquillité.**

[31] Cependant les Églises [c] jouissaient de la paix
dans toute la Judée, la Galilée et la Samarie; elles
1 Co 8 1 s'édifiaient et vivaient dans la crainte du Seigneur,
Ac 2 41+ et elles étaient comblées de la consolation du Saint
Esprit [d].

**Pierre guérit un paralytique à Lydda.**

[32] Pierre, qui passait partout, descendit également chez les saints qui habitaient Lydda. [33] Il y
trouva un homme du nom d'Énée, qui gisait sur un
grabat depuis huit ans; c'était un paralytique.
[34] Pierre lui dit : « Énée, Jésus Christ te guérit.
Lève-toi et fais toi-même ton lit. » Et il se leva aussitôt [e]. [35] Tous les habitants de Lydda et de la
plaine de Saron le virent, et ils se convertirent au
Seigneur.

**Pierre ressuscite une femme à Joppé.**

[36] Il y avait à Joppé parmi les disciples une
13 9+ femme du nom de Tabitha, en grec Dorcas [f]. Elle
Lc 12 33+ était riche des bonnes œuvres et des aumônes
qu'elle faisait. [37] Or il se fit qu'elle tomba malade
en ces jours-là et mourut. Après l'avoir lavée, on
1 R 17 19 la déposa dans la chambre haute. [38] Comme Lydda
n'est pas loin de Joppé, les disciples, apprenant que
Pierre s'y trouvait, lui dépêchèrent deux hommes
pour lui adresser cette prière : « Viens chez nous
sans tarder. »
[39] Pierre partit tout de suite avec eux. Aussitôt
arrivé, on le fit monter à la chambre haute, où toutes les veuves en pleurs s'empressèrent autour de
lui, lui montrant les tuniques et les manteaux que
faisait Dorcas lorsqu'elle était avec elles. [40] Pierre
mit tout le monde dehors, puis, à genoux, pria. Se Mc 5 40-41
tournant ensuite vers le corps, il dit : « Tabitha,
lève-toi. » Elle ouvrit les yeux et, voyant Pierre, se
mit sur son séant. [41] Lui prenant la main, Pierre la Lc 7 15
fit lever. Appelant alors les saints et les veuves, il Ac 3 7
la leur présenta vivante. [42] Tout Joppé sut la chose, 9 13+
et beaucoup crurent au Seigneur.
[43] Pierre demeura un certain temps à Joppé chez
un corroyeur appelé Simon.

**Pierre se rend chez un centurion romain [g].**

**10** [1] Il y avait à Césarée un homme du nom de
Corneille, centurion de la cohorte Italique. Lc 7 2, 4-5
[2] Pieux et craignant Dieu [h], ainsi que toute sa mai- Ac 2 11+
son, il faisait de larges aumônes au peuple juif et Lc 12 33+
priait Dieu sans cesse. Lc 18 1
[3] Il eut une vision. Vers la neuvième heure du Ac 3 1+
jour, l'Ange de Dieu – il le voyait clairement – Mt 1 20+
entrait chez lui et l'appelait : « Corneille! » [4] Il le Ac 9 10+
regarda et fut pris de frayeur. « Qu'y a-t-il, Sei- Lc 1 12+
gneur? » demanda-t-il. – « Tes prières et tes aumônes, lui répondit l'Ange, sont montées devant Dieu,
et il s'est souvenu de toi [i]. [5] Maintenant donc,
envoie des hommes à Joppé et fais venir Simon,
surnommé Pierre. [6] Il loge chez un certain Simon, 2 14+
un corroyeur, dont la maison se trouve au bord de
la mer. » [7] Quand l'ange qui lui parlait fut parti,
Corneille appela deux de ses domestiques ainsi
qu'un soldat pieux, de ceux qui lui étaient attachés,
[8] et après leur avoir tout expliqué, il les envoya à
Joppé.
[9] Le lendemain, tandis qu'ils faisaient route et
approchaient de la ville, Pierre monta sur la ter- Jdt 8 5
Dn 6 11

*a)* Var : « aux Grecs » (c'est-à-dire aux païens); même var. en **11** 20. – De même que, dans l'Église, les Hellénistes (cf. **6** 1+) sont les plus entreprenants, de même, dans le judaïsme, ce sont eux qui réagissent le plus violemment contre la propagande chrétienne, **6** 9s; **7** 58; **9** 1; **21** 27; **24** 19.
*b)* Où Barnabé ira le chercher, **11** 25. Comparer à Ga **1** 18-21 et à Ac **22** 17-21.
*c)* « les Églises » texte occ. et antiochien; « l'Église » texte alex.
*d)* C'est la joie de la foi, **2** 46+. D'autres traduisent : « elles croissaient par la consolation (ou : par l'assistance; ou : grâce aux encouragements) du Saint-Esprit ».
*e)* Miracles analogues : Lc **5** 18-26p; **13** 11-13; Jn **5** 1-14; Ac **3** 1-10 (et **4** 22); **14** 8-10.
*f)* Litt. « ce qui se traduit Dorcas » : le nom signifie « gazelle ».
*g)* Aux yeux de Luc, la conversion, cf. Ac **3** 19+, de Corneille n'est pas un simple cas individuel. Sa portée universelle ressort du récit lui-même et de son insistance sur les visions de Pierre et de Corneille, et surtout du lien mis par l'auteur entre cet événement et les décisions du « Concile de Jérusalem », cf. **15** 7-11, 14. Deux leçons distinctes semblent se dégager : 1° Dieu lui-même a montré que les païens devaient être reçus dans l'Église sans qu'on les astreigne aux prescriptions de la Loi, cf. **10** 34-35, 44-48[a]; **11** 1,15-18; **15** 7-11, 14; et Ga **2** 1-10; 2° Dieu lui-même a montré à Pierre qu'il devait accepter l'hospitalité d'un incirconcis : on sent ici le problème des rapports entre chrétiens issus du judaïsme et chrétiens issus du paganisme, cf. **10** 10-16, 28-29; **11** 2-14; et Ga **2** 11-21.
*h)* Les expressions « craignant Dieu », **10** 2, 22, 35; **13** 16, 26, et « adorant Dieu », **13** 43, 50; **16** 14; **17** 4,17; **18** 7, sont techniques : elles désignent ceux qui sympathisent avec le judaïsme sans aller jusqu'à s'intégrer au peuple juif par la circoncision, cf. **2** 11+.
*i)* Litt. « sont montées en mémorial devant Dieu ». L'expression évoque le sacrifice de « mémorial », cf. Lv **2** 2,9,16, auquel Tb **12** 12 assimile la prière.

rasse, vers la sixième heure, pour prier. 10 Il sentit
la faim et voulut prendre quelque chose. Or, pendant qu'on lui préparait à manger, il tomba en
extase. 11 Il voit le ciel ouvert et un objet, semblable
à une grande nappe nouée aux quatre coins, en descendre vers la terre [a]. 12 Et dedans il y avait tous
les quadrupèdes et les reptiles, et tous les oiseaux
du ciel. 13 Une voix lui dit alors : « Allons, Pierre,
immole et mange. » 14 Mais Pierre répondit : « Oh
Ez **4** 14 non! Seigneur, car je n'ai jamais rien mangé de
Lv **11** souillé ni d'impur! » 15 De nouveau, une seconde
Gn **1** 31+ fois, la voix lui parle : « Ce que Dieu a purifié, toi,
ne le dis pas souillé [b]. » 16 Cela se répéta par trois
fois, et aussitôt l'objet fut remporté au ciel.
17 Tout perplexe, Pierre était à se demander en
lui-même ce que pouvait bien signifier la vision
qu'il venait d'avoir, quand justement les hommes
envoyés par Corneille, s'étant enquis de la maison
de Simon, se présentèrent au portail. 18 Ils appelèrent et s'informèrent si c'était bien là que logeait
Simon surnommé Pierre. 19 Comme Pierre était
1 8+ toujours à réfléchir sur sa vision, l'Esprit [c] lui dit :
« Voilà des hommes [d] qui te cherchent. 20 Va donc,
descends et pars avec eux sans hésiter, car c'est
moi qui les ai envoyés. » 21 Pierre descendit auprès
de ces hommes et leur dit : « Me voici. Je suis celui
que vous cherchez. Quel est le motif qui vous
amène? » 22 Ils répondirent : « Le centurion Corneille, homme juste et craignant Dieu, à qui toute
Lc **7** 4-5 la nation juive rend bon témoignage, a reçu d'un
ange saint l'avis de te faire venir chez lui et d'entendre les paroles que tu as à dire. » 23 Pierre les fit
alors entrer et leur donna l'hospitalité.
Le lendemain, il se mit en route et partit avec
eux; quelques-uns des frères de Joppé l'accompagnèrent. 24 Il entra dans Césarée le jour suivant.
Corneille les attendait et avait réuni ses parents et
ses amis intimes. 25 Au moment où Pierre entrait,
Corneille vint à sa rencontre et, tombant à ses
pieds, se prosterna. 26 Mais Pierre le releva en
3 12; **14** 15 disant : « Relève-toi. Je ne suis qu'un homme, moi
Ap **19** 10 aussi. » 27 Et tout en s'entretenant avec lui, il entra.

Il trouve alors les gens qui s'étaient réunis en grand
nombre, 28 et il leur dit : « Vous le savez, il est
absolument interdit à un Juif de frayer avec un **15** 9
étranger ou d'entrer chez lui. Mais Dieu vient de Ga **2** 12, 15-16
me montrer, à moi, qu'il ne faut appeler aucun
homme souillé ou impur. 29 Aussi n'ai-je fait
aucune difficulté pour me rendre à votre appel. Je
vous le demande donc, pour quelle raison m'avez-
vous fait venir? » 30 Corneille répondit : « Il y a
maintenant trois jours, j'étais en prière [e] chez moi
à la neuvième heure et voici qu'un homme surgit 3 1+
devant moi, en vêtements resplendissants. 31 Il me
dit : " Corneille, ta prière a été exaucée, et de tes Lc **1** 13
aumônes on s'est souvenu auprès de Dieu [f].
32 Envoie donc quérir à Joppé Simon, surnommé
Pierre. Il loge dans la maison du corroyeur Simon,
au bord de la mer. " 33 Aussitôt je t'ai donc fait
chercher, et toi, tu as bien fait de venir. Nous voici
donc tous devant toi pour entendre ce qui t'a été
prescrit par Dieu. »

**Discours de Pierre chez Corneille.**

34 Alors Pierre prit la parole et dit : « Je constate 2 22+
en vérité que Dieu ne fait pas acception des person- Dt **10** 17+
nes, 35 mais qu'en toute nation celui qui le craint Ga **2** 6
et pratique la justice lui est agréable [g]. Rm **2** 11 1 P **1** 17
36 « Il a envoyé sa parole [h] aux Israélites, leur
*annonçant la bonne nouvelle de la paix* par Is **52** 7
Jésus Christ : c'est lui le Seigneur de tous. 37 Vous Na **2** 1
savez ce qui s'est passé dans toute la Judée [i] : Jésus Rm **10** 12
de Nazareth, ses débuts [j] en Galilée, après le bap- Lc **4** 44+
tême proclamé par Jean; 38 comment *Dieu l'a oint*
*de l'Esprit Saint* et de puissance, lui qui a passé en Is **61** 1
faisant le bien et en guérissant tous ceux qui étaient Mt **3** 16+
tombés au pouvoir du diable; car Dieu était avec Ac **1** 8+; **4** 2 Ac 2 22
lui. 39 Et nous, nous sommes témoins de tout ce Mt **4** 1+; **8**
qu'il a fait dans le pays des Juifs et à Jérusalem. Ac **1** 8+, 22
Lui qu'ils sont allés jusqu'à faire mourir en le suspendant au gibet, 40 Dieu l'a ressuscité le troisième 2 23+
jour [k] et lui a donné de se manifester, 41 non à tout
le peuple, mais aux témoins que Dieu avait choisis 1 3-4
d'avance, à nous qui avons mangé et bu avec lui [l] Jn **14** 22
Lc **24** 41-

*a)* On a suivi le texte occ.
*b)* Pierre est invité à s'affranchir de ses scrupules touchant la pureté légale, **11** 9. Cf. Mt **15** 1-20p; Rm **14** 14, 17. L'application est faite en **15** 9 : par la foi, Dieu a purifié le cœur des païens, bien que leur corps, n'ayant pas été circoncis, reste rituellement impur. Conséquence pratique : Pierre ne doit plus craindre de frayer avec des incirconcis, **10** 27-28.
*c)* Le rôle de l'Esprit est parallèle à celui de l'Ange du Seigneur, cf. **8** 26, 29.
*d)* Var. : « trois hommes », cf. **11** 11.
*e)* Var. : « je jeûnais et j'étais en prière ».
*f)* Cette tournure impersonnelle, respectueuse de la majesté divine, évoque en même temps le ministère des anges; cf. Mt **18** 11, 14; Ap **5** 8; **8** 3; Tb **12** 12.
*g)* Terminologie cultuelle (cf. v. 4). Est agréable à Dieu un sacrifice irréprochable ou celui qui l'offre, Lv **1** 3; **19** 5; **22** 19-27. Isaïe (**56** 7) avait annoncé qu'à la fin des temps les sacrifices des païens seraient agréables à Yahvé; voir Ml **1** 10-11. Cf. Rm **15** 16; Ph **4** 18; 1 P **2** 5.
*h)* Var. : « La parole qu'il a envoyée ».
*i)* Les vv. 37-42 forment un résumé de l'histoire évangélique, cf. **1** 21-22; **2** 22+, soulignant les points que Luc lui-même met en relief dans son évangile.
*j)* Var. : « le début ».
*k)* « Ressuscité le troisième jour » : la formule classique de la prédication et de la foi chrétiennes. Elle apparaît déjà dans le *Credo* embryonnaire de 1 Co **15** 4, avec la précision : « selon les Écritures ». La formule fait écho à Jon **2** 1 (cf. Mt **12** 40); voir aussi Os **6** 2. On la retrouve dans Mt **16** 21; **17** 23; **20** 19; **27** 64; Lc **9** 22; **18** 33; **24** 7, 46.
*l)* Add. occ. : « et avons vécu familièrement en sa compagnie pendant quarante jours après sa résurrection d'entre les morts ».

13 31 après sa résurrection d'entre les morts; [42] et il nous
a enjoint de proclamer au Peuple [a] et d'attester
2 36+ qu'il est, lui, le juge établi par Dieu pour les vivants
et les morts [aa]. [43] C'est de lui que tous les prophètes
rendent ce témoignage que quiconque croit en lui
3 16+ recevra, par son nom, la rémission de ses péchés. »
2 38+

**Le baptême des premiers païens.**

1 8+ [44] Pierre parlait encore quand l'Esprit Saint
8 16 tomba [b] sur tous ceux qui écoutaient la parole. [45] Et
tous les croyants circoncis qui étaient venus avec
2 33 Pierre furent stupéfaits de voir que le don du Saint
Esprit avait été répandu aussi sur les païens. [46] Ils
2 4+, 11 les entendaient en effet parler en langues et
magnifier Dieu. Alors Pierre déclara : [47] « Peut-on
11 17; 8 36 refuser l'eau du baptême à ceux qui ont reçu l'Esprit Saint aussi bien que nous? » [48] Et il ordonna [c]
1 5+; 2 38+ de les baptiser au nom de Jésus Christ. Alors ils
le prièrent de rester quelques jours avec eux [d].

**A Jérusalem, Pierre justifie sa conduite.**

1 15+ **11** [1] Cependant les apôtres et les frères de Judée
8 14; 15 7 apprirent que les païens, eux aussi, avaient
accueilli la parole de Dieu. [2] Quand donc Pierre
monta à Jérusalem, les circoncis le prirent à par-
10 28, 48+ tie [e] : [3] « Pourquoi, lui demandèrent-ils, es-tu entré
chez des incirconcis et as-tu mangé avec eux? »
10 10-48 [4] Pierre alors se mit à leur exposer toute l'affaire
point par point : [5] « J'étais, dit-il, en prière dans la
ville de Joppé quand, en extase, j'eus une vision :
du ciel un objet descendait, semblable à une grande
nappe qui s'abaissait, tenue aux quatre coins, et elle
vint jusqu'à moi. [6] Je regardais, ne la quittant pas
des yeux, et j'y vis les quadrupèdes de la terre, les
bêtes sauvages, les reptiles ainsi que les oiseaux du
ciel. [7] J'entendis alors une voix me dire : " Allons,
Pierre, immole et mange. " [8] Je répondis : " Oh
non! Seigneur, car rien de souillé ni d'impur n'entra
jamais dans ma bouche! " [9] Une seconde fois, la
voix reprit du ciel : " Ce que Dieu a purifié, toi, ne
le dis pas souillé. " [10] Cela se répéta par trois fois,
puis tout fut de nouveau retiré dans le ciel.
[11] « Juste au même moment, trois hommes se présentèrent devant la maison où nous étions; ils
m'étaient envoyés de Césarée. [12] L'Esprit me dit de 1 8+
les accompagner sans scrupule. Les six frères que
voici vinrent également avec moi et nous entrâmes
chez l'homme en question. [13] Il nous raconta
comment il avait vu un ange se présenter chez lui
et lui dire : " Envoie quérir à Joppé Simon, surnommé Pierre. [14] Il te dira des paroles qui t'apporteront le salut, à toi et à toute ta famille. " 2 47+; 16 15+
[15] « Or, à peine avais-je commencé à parler que
l'Esprit Saint tomba sur eux, tout comme sur nous 10 44+
au début. [16] Je me suis alors rappelé cette parole du
Seigneur : *Jean*, disait-il, *a baptisé avec de l'eau,*
*mais vous, vous serez baptisés dans l'Esprit Saint.* 1 5+
[17] Si donc Dieu [f] leur a accordé le même don qu'à 15 8-9
nous, pour avoir cru au Seigneur Jésus Christ, qui
étais-je, moi, pour faire obstacle à Dieu [g]. » 10 47 Mt 16 23+
[18] Ces paroles les apaisèrent, et ils glorifièrent 2 47+
Dieu en disant : « Ainsi donc aux païens aussi Dieu 13 46s; 14 27;
a donné la repentance qui conduit à la vie! » 17 30; 26 20

**Fondation de l'Église d'Antioche.**

[19] Ceux-là donc [h] qui avaient été dispersés lors 8 1, 4
de la tribulation survenue à l'occasion d'Étienne
poussèrent jusqu'en Phénicie, à Chypre et à Antioche [i], mais sans prêcher la parole à d'autres qu'aux
Juifs. [20] Il y avait toutefois parmi eux quelques
Chypriotes et Cyrénéens qui, venus à Antioche,
s'adressaient aussi aux Grecs [j], leur annonçant la
Bonne Nouvelle du Seigneur Jésus [k]. [21] La main du

*a)* Le « Peuple » par excellence, c'est le peuple d'Israël, **10** 2; **21** 28.
*aa)* Les vivants : ceux qui seront en vie au moment de la parousie; les morts : ceux qui, déjà morts, ressusciteront alors pour le jugement. Voir 1 Th **4** 13 - **5** 10. – En ressuscitant Jésus, Dieu l'a établi dans sa dignité de souverain Juge, Ac **17** 31; Jn **5** 22, 27; 2 Tm **4** 1; 1 P **4** 5; l'annonce de la Résurrection est donc en même temps pour les hommes une invitation au repentir, cf. **17** 30-31.
*b)* C'est « la Pentecôte des païens », analogue à la première Pentecôte, ainsi que Pierre le constate, v. 47; **11** 15; **15** 8.
*c)* Les apôtres n'administraient généralement pas le baptême eux-mêmes, cf. **19** 5; 1 Co **1** 14, 17.
*d)* D'après **11** 2-3 (cf. **10** 28), c'est ce séjour de Pierre chez des incirconcis, plus encore que l'autorisation de les baptiser, qui a semblé insolite et illégitime aux « Hébreux » de Jérusalem. Le même problème donna occasion à l'affaire d'Antioche, Ga **2** 11s.
*e)* Texte occ. : « Pierre donc, au bout d'un temps assez long, voulut se mettre en route pour Jérusalem. Après avoir parlé aux frères et les avoir affermis, il s'en alla, faisant par les campagnes d'abondants discours et instruisant les gens. Lorsqu'il arriva chez eux et leur annonça la grâce accordée par Dieu, les frères circoncis le prirent à partie . »
*f)* « Dieu » omis par occ. (c'est le Christ qui donne l'Esprit).
*g)* Pierre s'explique sur le baptême accordé à un païen; il ne répond pas au grief d'avoir accepté l'hospitalité d'un incirconcis, cf. v. 3, voir **10** 1+. D'après Luc, c'est Pierre qui, au moins idéalement, a le premier agrégé des païens à l'Église, cela quelle que soit la portée du baptême de l'eunuque éthiopien, **8** 26-39, et quelle que soit la chronologie de l'évangélisation d'Antioche, dont le récit est réservé pour la suite vv. 19s. Dans cette perspective, le Concile de Jérusalem, **15** 5-29, apparaîtra un peu comme la suite ou la reprise des délibérations de **11** 1-18.
*h)* Le v. 19, reprenant **8** 1 et **8** 4, introduit l'épisode de la fondation de l'Église d'Antioche comme la suite directe du martyre d'Étienne, dont il a été séparé par l'insertion des Actes de Philippe, **8** 5-40, et de Pierre, **9** 31 - **11** 18. Le récit suppose toutefois l'histoire de la vocation de Saul, **9** 1-30, elle-même liée au martyre d'Étienne.
*i)* Antioche sur l'Oronte, capitale de la province romaine de Syrie, troisième ville de l'Empire après Rome et Alexandrie.
*j)* Var. : « Hellénistes », cf. **9** 29. – « Grecs », par opposition à « Juifs », v. 19, désigne les incirconcis en général.
*k)* Plutôt que le titre de « Christ », qui répondait à l'attente par-

Lc 1 66 Seigneur les secondait, et grand fut le nombre de
Ac 2 41+ ceux qui embrassèrent la foi et se convertirent au
3 19+ Seigneur.
22 La nouvelle en vint aux oreilles de l'Église de
4 36+ Jérusalem [a], et l'on députa Barnabé à Antioche.
23 Lorsqu'il arriva et qu'il vit la grâce accordée par
13 43; 14 22 Dieu, il s'en réjouit et les encouragea [b] tous à
demeurer, d'un cœur ferme, fidèles au Seigneur [c];
6 5 24 car c'était un homme de bien, rempli de l'Esprit
2 41+ Saint et de foi. Une foule considérable s'adjoignit
ainsi au Seigneur.
9 30 25 Barnabé partit alors chercher Saul à Tarse.
26 L'ayant trouvé, il l'amena à Antioche. Toute une
année durant ils vécurent ensemble dans l'Église [d]
et y instruisirent une foule considérable. C'est à
Antioche que, pour la première fois, les disciples
reçurent le nom de « chrétiens » [e].

**Barnabé et Saul délégués à Jérusalem.**

Mt 16 14+ 27 En ces jours-là, des prophètes [f] descendirent de
Jérusalem à Antioche [g]. 28 L'un d'eux, nommé Aga-
21 10; 1 8+ bus, se leva et, sous l'action de l'Esprit, se mit à
annoncer qu'il y aurait une grande famine dans
tout l'univers. C'est celle qui se produisit sous
Claude [h]. 29 Les disciples décidèrent alors d'envoyer, chacun selon ses moyens, des secours aux
frères de Judée; 30 ce qu'ils firent, en les envoyant
aux anciens [i] par l'entremise de Barnabé et de Tt 1 5+
Saul [j].

**L'arrestation de Pierre
et sa délivrance miraculeuse [k].**

12 1 Vers ce temps-là, le roi Hérode mit la main
sur quelques membres de l'Église pour les
maltraiter. 2 Il fit périr par le glaive Jacques, frère Mt 20 22-23
de Jean. 3 Voyant que c'était agréable aux Juifs, il
fit encore arrêter Pierre. C'étaient les jours des
Azymes. 4 Il le fit saisir et jeter en prison, le don- Ex 12 1+
nant à garder à quatre escouades de quatre soldats;
il voulait le faire comparaître devant le peuple
après la Pâque. 5 Tandis que Pierre était ainsi gardé
en prison, la prière de l'Église s'élevait pour lui vers
Dieu sans relâche.
6 Or la nuit même avant le jour où Hérode devait 5 18-24;
le faire comparaître, Pierre était endormi entre 16 25-40
deux soldats; deux chaînes le liaient [l] et, devant la
porte, des sentinelles gardaient la prison. 7 Soudain,
l'ange du Seigneur survint, et le cachot fut inondé Mt 1 20+
de lumière. L'ange frappa Pierre au côté et le fit
lever : « Debout! Vite! » dit-il. Et les chaînes lui 1 R 19 5-7

ticulière des Juifs, la prédication aux païens donne à Jésus le titre de « Seigneur », cf. **25** 26+. Jésus est « Seigneur » : devenu, par son exaltation à la droite de Dieu, le Souverain du Royaume de la fin des temps, cf. **2** 21, 36; **7** 59-60; **10** 36; 1 Th **4** 15-17; 2 Th **1** 7-12; Rm **10** 9-13.

*a)* Cette Église use d'un droit de regard sur les autres Églises, cf. **8** 14; **11** 1, et voir Ga **2** 2.

*b)* Jeu de mots, semble-t-il, sur le nom de Barnabé, « fils de l'encouragement », **4** 36.

*c)* Var. : « dans le Seigneur ».

*d)* Sens incertain. On pourrait entendre : « ils agirent de concert », ou : « ils furent reçus (par l'Église) », c'est-à-dire furent les hôtes de l'Église.

*e)* C'est-à-dire partisans ou sectateurs de Christus (ou Chrestus). En créant ce sobriquet, les païens d'Antioche ont pris le titre de « Christ » (oint) pour un nom propre.

*f)* Comme les prophètes de l'AT, Dt **18** 18+; 2 P **1** 21; Mt **5** 12, ceux du NT sont des charismatiques, 1 Co **12** 1+, qui parlent au nom de Dieu sous l'inspiration de son Esprit. Il y a même dans la nouvelle Alliance une effusion plus large de ce charisme, Ac **2** 17-18, et tous les fidèles en bénéficient à l'occasion, Ac **19** 6; 1 Co **11** 4-5; **14** 26, 29-33, 37. Cependant certains personnages en sont spécialement doués au point de mériter le titre habituel de « prophètes », Ac **11** 27; **13** 1; **15** 32; **21** 9, 10. Dans la hiérarchie des charismes ils viennent normalement en deuxième lieu, après les « apôtres », 1 Co **12** 28-29; Ep **4** 11; mais cf. 1 Co **12** 10; Rm **12** 6; Lc **11** 49; c'est qu'ils sont les témoins attitrés de l'Esprit, Ap **1** 3 et **2** 7, etc.; 1 Th **5** 19-20, et transmettent ses « révélations », 1 Co **14** 6, 26, 30; Ep **3** 5; Ap **1** 1, comme les « apôtres » sont les témoins du Christ ressuscité, Rm **1** 1+; Ac **1** 8+, et proclament le « kérygme », Ac **2** 22+. Leur rôle ne se borne pas à prédire l'avenir, Ac **11** 28; **21** 11, ou à lire dans les cœurs, 1 Co **14** 24-25; cf. 1 Tm **1** 18; **4** 14, et s'ils « édifient, exhortent, consolent », 1 Co **14** 3; cf. Ac **4** 36; **11** 23-24, c'est par des révélations pneumatiques qui les rapprochent des glossolales, Ac **2** 4+; **19** 6, tout en les plaçant au-dessus de ceux-ci parce que leur parole est intelligible, 1 Co **14**. Leur fonction principale a dû être d'expliquer, sous la lumière de l'Esprit, les oracles des Écritures, en particulier des anciens prophètes, 1 P **1** 10-12, et ainsi de découvrir le « mystère » du plan divin, 1 Co **13** 2; Ep **3** 5; Rm **16** 25+. C'est pourquoi ils sont associés aux apôtres comme fondement de l'Église, Ep **2** 20+. L'Apocalypse de saint Jean est un cas typique de cette prophétie du NT, Ap **1** 3; **10** 11; **19** 10; **22** 7-10, 18-19. Si élevé qu'il soit, le charisme de prophétie ne donne qu'une connaissance imparfaite et provisoire, en relation avec la foi, Rm **12** 6, qui devra disparaître devant la vision béatifique, 1 Co **13** 8-12.

*g)* Le texte occ. ajoute : « et il y avait une grande allégresse. Tandis que nous étions réunis, l'un d'eux... ». On aurait alors ici le premier passage où Luc emploie le « nous », cf. **16** 10.

*h)* Sous le règne de Claude (41-54), l'empire eut à souffrir d'une grande famine vers 49-50, plus tôt en Grèce, plus tard à Rome. Josèphe situe l'événement au temps du procurateur Tibère Alexandre (46-48).

*i)* Les apôtres, qui ne sont pas nommés ici avant les « anciens », **15** 2, etc., avaient dû quitter Jérusalem.

*j)* D'après les Actes, **9** 26; **11** 29s; **15** 2, Paul aurait fait trois voyages à Jérusalem avant de visiter par deux fois la Galatie, **16** 6; **18** 23; mais Paul lui-même, en Ga **1** 18; **2** 1s; cf. **4** 13, n'en mentionne que deux. La présentation différente des Actes résulte peut-être de la façon dont Luc a combiné ses sources. Il se pourrait que ce voyage de **11** 29 soit identique à celui de **15** 2. Les « secours » qui en sont l'objet restent sans doute à distinguer de ceux que Paul apporte plus tard, Ac **24** 17, au terme de la grande collecte faite sur la demande de l'Église de Jérusalem, Ga **2** 10; cf. 1 Co **16** 1+; 2 Co **8** 4; **9** 1, 12, 13; Rm **15** 31.

*k)* Cette histoire, qui d'après **11** 30 et **12** 25 semblerait coïncider avec la visite de Barnabé et Saul à Jérusalem, doit lui être antérieure : Hérode-Agrippa Ier, appelé « roi » pour le distinguer de son oncle Hérode-Antipas le tétrarque (celui de la Passion), décoré du titre royal par Caligula en 37, ne fut réellement roi de Judée et de Samarie qu'en 41, et mourut en 44. Les événements ici racontés se situent donc entre 41 et 44. – Littérairement, le récit tranche sur son contexte actuel et rappelle la manière de Marc.

*l)* Aux deux soldats qui étaient à ses côtés.

tombèrent des mains. 8 L'ange lui dit alors : « Mets
Ex **12** 11 ta ceinture et chausse tes sandales »; ce qu'il fit. Il
lui dit encore : « Jette ton manteau sur tes épaules
et suis-moi. » 9 Pierre sortit, et il le suivait; il ne se
rendait pas compte que c'était vrai, ce qui se faisait
par l'ange, mais il se figurait avoir une vision. 10 Ils
franchirent ainsi un premier poste de garde, puis un
second, et parvinrent à la porte de fer qui donne
sur la ville. D'elle-même, elle s'ouvrit devant eux.
Ils sortirent [a], allèrent jusqu'au bout d'une rue, puis
brusquement l'ange le quitta. 11 Alors Pierre, revenant à lui, dit : « Maintenant je sais réellement que
Dn **3** 28 (95) le Seigneur a envoyé son ange et m'a arraché aux
mains d'Hérode et à tout ce qu'attendait le peuple
des Juifs. »
12 Et s'étant reconnu, il se rendit à la maison de
**13** 9+ Marie, mère de Jean, surnommé Marc [b], où une
assemblée assez nombreuse s'était réunie et priait.
13 Il heurta le battant du portail, et une servante,
nommée Rhodé, vint aux écoutes. 14 Elle reconnut
Lc **24** 41 la voix de Pierre et, dans sa joie, au lieu d'ouvrir
la porte, elle courut à l'intérieur annoncer que
Pierre était là, devant le portail. 15 On lui dit : « Tu
es folle! » mais elle soutenait qu'il en était bien
ainsi. « C'est son ange [c]! » dirent-ils alors. 16 Pierre
cependant continuait à frapper. Quand ils eurent
ouvert, ils virent que c'était bien lui et furent saisis
**13** 16 de stupeur. 17 Mais il leur fit de la main signe de
se taire et leur raconta comment le Seigneur l'avait
tiré de la prison. Il ajouta : « Annoncez-le à Jac-
ques [d] et aux frères. » Puis il sortit et s'en alla dans **1** 15+
un autre endroit.
18 Au lever du jour, ce fut grand émoi chez les
soldats : qu'était donc devenu Pierre? 19 Hérode
l'ayant envoyé chercher sans qu'on le trouvât,
ordonna, après interrogatoire des gardes, de les
exécuter [e]. Puis de Judée il descendit à Césarée, où
il demeura.

**La mort du persécuteur.** 2 M **9** 5-28

20 Hérode était en conflit aigu avec les gens de
Tyr et de Sidon. D'un commun accord ceux-ci se
présentèrent devant lui et, après avoir gagné Blas-
tus, le chambellan du roi, ils sollicitaient la paix.
Leur pays, en effet, tirait sa subsistance de celui du
roi. 21 Au jour fixé, Hérode, vêtu de ses habits
royaux, prit place sur la tribune et, tandis qu'il les
haranguait, 22 le peuple se mit à crier : « C'est un
dieu qui parle, ce n'est pas un homme! » 23 Mais à
l'instant même, l'Ange du Seigneur le frappa, parce Mt **1** 20+
qu'il n'avait pas rendu gloire à Dieu; et rongé de
vers [f], il rendit l'âme.

**Barnabé et Saul rentrent à Antioche.**

24 Cependant la parole de Dieu croissait et se **6** 7+
multipliait.
25 Quant à Barnabé et Saul, après avoir accompli **11** 29-30
leur ministère à Jérusalem [g], ils revinrent, ramenant
avec eux Jean, surnommé Marc. **12** 12+

# *III. La mission de Barnabé et de Paul. Le Concile de Jérusalem*

**L'envoi en mission.**

**13** 1 Il y avait dans l'Église établie à Antioche des
+; **4** 36+ prophètes et des docteurs [h] : Barnabé, Syméon
appelé Niger, Lucius de Cyrène, Manaën, ami **13** 9+
d'enfance d'Hérode le tétrarque, et Saul. 2 Or un
jour, tandis qu'ils célébraient le culte [i] du Seigneur
et jeûnaient, l'Esprit Saint dit : « Mettez-moi donc **1** 8+

*a)* Add. : « descendirent les sept degrés ».
*b)* On retrouve Jean-Marc en **12** 25; **13** 5, 13; **15** 37-39; il était le cousin de Barnabé, Col **4** 10. Il sera auprès de Paul durant sa première captivité romaine, Col **4** 10; Phm 24, et Paul réclamera encore ses services peu avant de mourir, 2 Tm **4** 11. Il fut également le disciple de Pierre, 1 P **5** 13, et la tradition reconnaît en lui l'auteur du deuxième évangile.
*c)* Écho d'une croyance populaire aux anges gardiens, considérés comme une sorte de « double » spirituel de leur protégé.
*d)* « Jacques », sans autre spécification, désigne le « frère du Seigneur ». Dès l'époque de la première visite de Paul à Jérusalem, Ga **1** 19 (ce serait en 36, cf. Ac **9** 1+), Jacques est le chef du groupe « hébreu » des chrétiens de Jérusalem. Il gouvernera l'Église mère après le départ de Pierre. Voir Ac **15** 13; **21** 18; 1 Co **15** 7. L'Épître de Jacques se présente comme son œuvre.
*e)* Responsables de leurs prisonniers, les soldats devaient subir la peine de ceux qu'ils avaient laissé échapper, cf. **16** 27; **27** 42.
*f)* Var. : « étant descendu de la tribune, il devint, encore vivant, la pâture des vers, et ainsi rendit l'âme ».
*g)* Var. : « à Jérusalem ». Cette leçon mieux attestée peut s'entendre si l'on rapporte ces mots au verbe « accomplir »; la var. « de Jérusalem » suppose qu'on rattache l'expression au verbe « revinrent », mais elle semble être une correction facilitante.
*h)* Sur les prophètes, voir **11** 27+. Le charisme propre du docteur, ou didascale, le rend apte à donner à ses frères un enseignement moral et doctrinal, normalement fondé sur l'Écriture. Cf. 1 Co **12-14**+. – Les cinq prophètes et docteurs énumérés représentent le gouvernement de l'Église d'Antioche; comp. la liste des Douze, **1** 13, et celle des Sept, **6** 5. Comme ces derniers, il semble que les Cinq d'Antioche soient des Juifs hellénistes.
*i)* L'usage de ce terme assimile les prières communes des chrétiens au culte sacrificiel de l'ancienne Loi, cf. Rm **1** 9+.

à part Barnabé et Saul en vue de l'œuvre à laquelle
je les ai appelés. » 3 Alors, après avoir jeûné et prié,
ils leur imposèrent les mains [a] et les laissèrent à
leur mission.

### A Chypre. Le magicien Élymas.

4 Eux donc, envoyés en mission par le Saint
Esprit, descendirent à Séleucie, d'où ils firent voile
pour Chypre [b]. 5 Arrivés à Salamine, ils se mirent
à annoncer la parole de Dieu dans les synagogues
**12** 12+ des Juifs [c]. Ils avaient avec eux Jean comme auxiliaire.
6 Ayant traversé toute l'île jusqu'à Paphos, ils
trouvèrent là un magicien, faux prophète juif,
nommé Bar-Jésus, 7 qui était de l'entourage du proconsul Sergius Paulus, homme avisé. Ce dernier fit
appeler Barnabé et Saul, désireux d'entendre la
parole de Dieu. 8 Mais Élymas le magicien – ainsi
se traduit son nom – leur faisait opposition, cherchant à détourner le proconsul de la foi. 9 Alors
Saul – appelé aussi Paul [d] –, rempli de l'Esprit
**8** 20-23 Saint, le fixa du regard 10 et lui dit : « Être rempli
de toutes les astuces et de toutes les scélératesses,
Jn **8** 44 fils du diable, ennemi de toute justice, ne cesseras-
tu donc pas de rendre tortueuses les voies du Seigneur qui sont droites? 11 Voici à présent que la
main du Seigneur est sur toi. Tu vas devenir aveugle, et pour un temps tu ne verras plus le soleil. »
A l'instant même, obscurité et ténèbres s'abattirent
sur lui, et il tournait de tous côtés, cherchant quelqu'un pour le conduire. 12 Alors, voyant ce qui
s'était passé, le proconsul embrassa la foi, vivement
Lc **4** 32 Mt **22** 33 frappé par la doctrine du Seigneur.

### Arrivée à Antioche de Pisidie.

13 De Paphos, où ils s'embarquèrent, Paul et ses
compagnons gagnèrent Pergé, en Pamphylie. Mais
Jean les quitta pour retourner à Jérusalem. **15** 38
14 Quant à eux, poussant au-delà de Pergé, ils arrivèrent à Antioche de Pisidie. Le jour du sabbat, ils
entrèrent à la synagogue et s'assirent. 15 Après la **13** 5+
lecture de la Loi et des Prophètes, les chefs de la
synagogue leur envoyèrent dire : « Frères, si vous
avez quelque parole d'encouragement [e] à dire au
peuple, parlez. » 16 Paul alors se leva, fit signe de
la main [f] et dit :

### La prédication de Paul devant les Juifs [g].

« Hommes d'Israël, et vous qui craignez Dieu [h], **2** 22+; **10** 2+
écoutez. 17 Le Dieu de ce peuple, le Dieu d'Israël [i]
élut nos pères et fit grandir ce peuple durant son Is **1** 2; Ex **1** 7
exil en terre d'Égypte. Puis, en déployant la force Ex **3-15**
de son bras, il les en fit sortir 18 et, durant quarante
ans environ, *il les entoura de soins* [j] *au désert.* Dt **1** 31
19 Ensuite, *après avoir exterminé sept nations dans* Dt **7** 1+
*la terre de Canaan, il les mit en possession* de leur
pays : 20 quatre cent cinquante ans environ [k]. Après Gn **15** 13
quoi, il leur donna des juges, jusqu'au prophète Ex **12** 40-41
Samuel. 21 Par la suite, ils demandèrent un roi, et 1 S **8-10**
Dieu leur donna Saül, fils de Cis, de la tribu de
Benjamin [l] : quarante ans. 22 Après l'avoir écarté,
Dieu suscita pour eux David comme roi. C'est à
lui qu'il a rendu ce témoignage : *J'ai trouvé David,* Ps **89** 21
fils de Jessé, *un homme selon mon cœur, qui* 1 S **13** 14
*accomplira toutes mes volontés.* 23 C'est de sa des- Is **44** 28
cendance que, suivant sa promesse, Dieu a sus-
cité [m] pour Israël Jésus comme Sauveur. 24 Jean, le

*a)* D'après **14** 26 (cf. **15** 40), ce geste de la communauté paraît recommander à la grâce de Dieu les nouveaux missionnaires, choisis, v. 2, et envoyés, v. 4, par l'Esprit Saint. Le rite n'a donc pas tout à fait la même portée que dans **6** 6, où les Sept reçoivent des apôtres leur mandat. Cf. 1 Tm **4** 14+.

*b)* Patrie de Barnabé, **4** 36.

*c)* La tactique constante de Paul, **17** 2, est de s'adresser d'abord aux Juifs, cf. **13** 14; **14** 1; **16** 13; **17** 10, 17; **18** 4, 19; **19** 8; **28** 17, 23. Elle correspond à un principe : la priorité revient aux Juifs, voir **3** 26; **13** 46; Rm **1** 16; **2** 9-10; Mc **7** 27. Ce n'est qu'après leur refus qu'on se tourne vers les païens, cf. **13** 46; **18** 6; **28** 28.

*d)* Les Juifs, et les Orientaux en général, prenaient ainsi un nom à l'usage du monde gréco-romain : Jean portait le nom de Marc, **12** 12, Joseph-Barsabbas celui de Justus, **1** 23, Siméon celui de Niger, **13** 1, Tabitha celui de Dorcas, **9** 36, etc. Pour la première fois, Luc donne ici à Paul son nom romain, qui lui restera seul dans toute la suite. Il fait aussi passer Paul au premier plan : non plus un second de Barnabé, mais le véritable chef de la mission, v. 13.

*e)* Il s'agit d'exhortations prenant leur point de départ dans l'Écriture, cf. Rm **15** 4. L'usage des synagogues tel qu'il apparaît ici se retrouve dans les réunions liturgiques chrétiennes, où ces discours d'encouragement sont tenus par les « prophètes » ou docteurs : cf. 1 Co **14** 3, 31; 1 Tm **4** 13; He **13** 22; Ac **11** 23; **14** 22; **15** 32; **16** 40; **20** 1, 2.

*f)* Geste habituel de l'orateur antique, pour appeler l'attention des auditeurs : il étendait la main droite, dont les deux petits doigts étaient repliés, les trois autres demeurant droits. Cf. **19** 33; **21** 40; **26** 1.

*g)* Le grand discours inaugural de saint Paul, où Luc veut donner le reflet de la prédication de l'Apôtre aux Juifs. Deux parties : d'abord, vv. 16-25, un résumé d'histoire sainte (comp. le discours d'Étienne, **7**), augmenté d'un rappel du témoignage de Jean-Baptiste; ensuite, vv. 26-39 : Jésus, mort et ressuscité, est bien le Messie attendu (prédication étroitement apparentée aux discours de Pierre, sauf la finale qui évoque la doctrine paulinienne de la justification par la foi). Le discours se termine, vv. 40-41, sur un grave avertissement tiré de l'Écriture, cf. **28** 26-27.

*h)* Les deux catégories d'auditeurs : Juifs de naissance et « craignant Dieu », **10** 2+.

*i)* Litt. « le Dieu de ce peuple Israël ».

*j)* Var. : « soutint » (ou : « supporta »).

*k)* Texte occ. (et antiochien) : « Pendant quatre cent cinquante ans environ, il leur donna des juges. » Le texte reste obscur.

*l)* Dont Paul, lui aussi de la tribu de Benjamin, Rm **11** 1; Ph **3** 5, portait le nom.

*m)* Ou « ressuscité ». Le verbe grec est amphibologique, et l'argumentation exploite cette amphibologie comme en **3** 20-26 : la « promesse » s'est réalisée par la résurrection de Jésus, vv. 32-33; voir aussi **26** 6-8; c'est aussi par sa résurrection que Jésus a été constitué Sauveur, cf. **5** 31; voir aussi **2** 21; **4** 12; Rm **5** 9-10; Ph **3** 20, etc. Ainsi le verbe, qui au v. 22 signifie « susciter », signifie indubitablement « ressusciter » à partir du v. 30. Au v. 23, il fait transition et est équivoque.

Ml **3** 1-2 précurseur, avait préparé son arrivée en procla-
Lc **1** 76 mant à l'adresse de tout le peuple d'Israël un baptême de repentance. 25 Au moment de terminer sa
Mt **3** 11p+ course, Jean disait : “ Celui que [a] vous croyez que
Jn **1** 20-27 je suis, je ne le suis pas; mais voici venir après moi
celui dont je ne suis pas digne de délier la
sandale. ”
26 « Frères, vous les enfants de la race
d'Abraham, et vous ici présents qui craignez Dieu,
5 20+ c'est à vous [b] que ce message de salut a été envoyé.
27 En effet, les habitants de Jérusalem et leurs chefs
2 23; 3 17+ ont accompli sans le savoir les paroles des prophè-
Lc **18** 31+ tes qu'on lit chaque sabbat [c]. 28 Sans trouver en lui
Ac **13** 14s; aucun motif de mort [d], ils l'ont condamné et ont
**15** 21 demandé à Pilate de le faire périr [e]. 29 Et lorsqu'ils
eurent accompli tout ce qui était écrit de lui, ils le
5 30 descendirent du gibet et le mirent au tombeau [f].
30 Mais Dieu l'a ressuscité; 31 pendant de nombreux
1 3 jours, il est apparu à ceux qui étaient montés avec
lui de Galilée à Jérusalem, ceux-là mêmes qui sont
1 8+ maintenant ses témoins auprès du peuple [g].
32 « Et nous, nous vous annonçons la Bonne
2 24-31; Nouvelle : la promesse faite à nos pères, 33 Dieu l'a
**13** 23 accomplie en notre faveur à nous, leurs enfants [h] :
il a ressuscité Jésus. Ainsi est-il écrit dans les
Ps **2** 7 psaumes [i] : *Tu es mon fils, moi-même aujourd'hui*
Ac **2** 36+ *je t'ai engendré* [j]. 34 Que Dieu l'ait ressuscité des
**9** 20+ morts et qu'il ne doive plus retourner à la corruption, c'est bien ce qu'il avait déclaré : *Je vous don-*
Is **55** 3 *nerai les choses saintes de David, celles qui sont*
Ps **16** 10 *dignes de foi* [k]. 35 C'est pourquoi il dit ailleurs
encore : *Tu ne laisseras pas ton saint voir la*
*corruption.* 36 Or David, après avoir en son
temps servi les desseins de Dieu, est mort, a été
réuni à ses pères et a *vu la corruption.* 37 Celui
que Dieu a ressuscité, lui, *n'a pas vu la corruption.*

38 « Sachez-le donc, frères, c'est par lui que la
rémission des péchés vous est annoncée. L'entière 2 38+
justification que vous n'avez pu obtenir par la Loi Rm **3** 20+; **1** 16+
de Moïse, 39 c'est par lui que quiconque croit Ac **15** 11
l'obtient.
40 « Prenez donc garde que n'arrive ce qui est dit
dans les Prophètes : **28** 26-27
41 *Regardez, contempteurs,* Ha **1** 5
*soyez dans la stupeur et disparaissez!*
*Parce que de vos jours je vais accomplir une*
*œuvre*
*que vous ne croiriez pas si on vous la*
*racontait* [l]. »
42 Et, à leur sortie, on les invitait à [m] parler
encore du même sujet le sabbat suivant. 43 Après
que l'assemblée se fut séparée, nombre de Juifs et **10** 2+; **17** 4
de prosélytes [n] qui adoraient Dieu suivirent Paul et
Barnabé [o], et ceux-ci, dans leurs entretiens, les **11** 23; **14** 22
engageaient à rester fidèles à la grâce de Dieu [p].

**Paul et Barnabé s'adressent aux païens.**

44 Le sabbat suivant, presque toute la ville
s'assembla pour entendre la parole de Dieu [q]. 45 A
la vue de cette foule, les Juifs furent remplis de 5 17; **17** 5
jalousie, et ils répliquaient par des blasphèmes aux 1 Th **2** 14+
paroles de Paul. 46 S'enhardissant [r] alors, Paul et
Barnabé déclarèrent : « C'était à vous d'abord qu'il **13** 5+
fallait annoncer la parole de Dieu. Puisque vous la
repoussez et ne vous jugez pas dignes de la vie éternelle, eh bien! nous nous tournons vers les païens.
47 Car ainsi nous l'a ordonné le Seigneur : 1 8
*Je t'ai établi lumière des nations,* Is **49** 6
*pour que tu portes le salut jusqu'aux extrémités* Jn **8** 12+
*de la terre* [s]. »
48 Tout joyeux à ces mots, les païens se mirent 2 46+

*a)* Var. : « Ce que ».
*b)* Var. : « à nous ».
*c)* Avec texte occ. Texte courant : « En effet, les habitants de Jérusalem l'ont méconnu, lui, ainsi que les paroles des prophètes qu'on lit chaque sabbat : ils les ont accomplies en le condamnant. »
*d)* Un des thèmes de l'apologétique chrétienne : Jésus innocent et condamné injustement, cf. **3** 13-14; Lc **23** 14, 22, 47; Mt **27** 3-10, 19, 23-24.
*e)* « ont demandé à Pilate de le faire périr », soit : « que (lui) le fasse périr », soit : « que (eux puissent) le faire périr », selon les témoins. Var. : « l'eût livré à Pilate pour qu'il périsse ».
*f)* Texte occ. : « ... écrit de lui, ils demandèrent à Pilate de pouvoir, après l'avoir crucifié, le descendre du gibet, et ayant obtenu l'autorisation, ils le descendirent et le mirent au tombeau. »
*g)* Cet appel au témoignage des apôtres galiléens surprend un peu dans la bouche de Paul qui ne séparait pas son propre témoignage du leur, 1 Co **15** 3-11.
*h)* Var. : « en faveur de nos enfants ».
*i)* « dans les psaumes »; var. : « au psaume premier » leçon occ. (selon l'ancien usage d'unir les Ps **1** et **2**); autre var. : « au psaume deuxième » (suivant l'usage qui a fini par prévaloir).
*j)* La résurrection du Christ a été son intronisation messianique; son humanité est entrée alors dans la jouissance des privilèges du Fils de Dieu. Cf. Rm **1** 4+.
*k)* Promesse de la sainteté comme d'un don réservé aux temps messianiques, qui découlera du nouveau David, le Christ ressuscité.
*l)* L'incrédulité et le rejet des Juifs (cf. Mt **21** 33+; **22** 1+) sont un thème cher à Luc, cf. Ac **13** 5+; il reviendra en conclusion du livre des Actes, **28** 26-27.
*m)* Var. : « A leur sortie, ils jugeaient convenable de ».
*n)* « Prosélytes », ici au sens large, équivaut à « craignant Dieu » et « adorant Dieu », cf. **10** 2+.
*o)* Add. : « jugeant convenable de se faire baptiser ».
*p)* Add. occ. : « Et de la sorte la parole de Dieu se répandait dans toute la ville. »
*q)* Var. : « la parole du Seigneur », ou : « Paul, qui discourut longuement au sujet du Seigneur ».
*r)* Cette idée de « hardiesse », ou d'« assurance », déjà soulignée à propos des apôtres, **4** 13, 29, 31, revient de façon insistante quand il s'agit de Paul, **9** 27-28; **14** 3; **19** 8; **26** 26; **28** 31; même insistance chez Paul lui-même, 1 Th **2** 2; 2 Co **3** 12; **7** 4; Ph **1** 20; Ep **3** 12; **6** 19-20.
*s)* Citation libre d'après les LXX. Le texte peut s'entendre, soit de Paul lui-même (cf. **26** 17-18), apôtre et docteur des païens (cf. Rm **11** 13; 1 Tm **2** 7; Ep **3** 8, etc.), soit du Christ ressuscité (voir **26** 23, qui paraît également dépendre d'Is **49** 6, et Lc **2**

**2** 47+ à glorifier la parole du Seigneur [a], et tous ceux-là
**3** 15+ embrassèrent la foi, qui étaient destinés à la vie
**6** 7+ éternelle [b]. 49 Ainsi la parole du Seigneur se répandait dans toute la région.
50 Mais les Juifs montèrent la tête aux dames de
**10** 2+ condition qui adoraient Dieu ainsi qu'aux notables
de la ville; ils suscitèrent de la sorte une persécution contre Paul et Barnabé et les chassèrent de
Lc **9** 5; leur territoire. 51 Ceux-ci, secouant contre eux la
**10** 11p Ac **18** 6 poussière de leurs pieds, se rendirent à Iconium.
**2** 46+ 52 Quant aux disciples, ils étaient remplis de joie et
de l'Esprit Saint.

## Évangélisation d'Iconium.

**14** 1 A Iconium, ils entrèrent de même [c] dans la
**13** 5+ synagogue des Juifs et parlèrent de telle façon
qu'une grande foule de Juifs et de Grecs embrassèrent la foi [d].
1 Th **2** 14+ 2 Mais les Juifs restés incrédules excitèrent les
païens et les indisposèrent contre les frères [e].
3 Paul et Barnabé prolongèrent donc leur séjour
**4** 29-30; assez longtemps, pleins d'assurance dans le Sei-
**13** 46+ gneur, qui rendait témoignage à la prédication de
**20** 24, 32 sa grâce en opérant signes et prodiges par leurs
Mc **16** 17-20 mains.
4 La population de la ville se partagea [f]. Les uns
étaient pour les Juifs, les autres pour les apôtres.
5 Chez les païens et les Juifs, leurs chefs en tête, on
2 Tm **3** 11 se préparait à les maltraiter et à les lapider. 6 Mais
s'en étant rendu compte, ils allèrent chercher refuge
dans les villes de la Lycaonie, Lystres, Derbé et
leurs environs [g], 7 où ils se mirent à annoncer la
Bonne Nouvelle.

## **3** 1-10 Guérison d'un impotent.

8 Il y avait là [h], assis, un homme perclus des
pieds; impotent de naissance, il n'avait jamais marché. 9 Il écouta Paul discourir. Celui-ci, arrêtant
sur lui son regard et voyant qu'il avait la foi pour
être guéri [i], 10 dit d'une voix forte : « Lève-toi, tiens-
toi droit sur tes pieds! » Il se dressa d'un bond :
il marchait.
11 A la vue de ce que Paul venait de faire, la foule
s'écria, en lycaonien : « Les dieux, sous forme **28** 6
humaine, sont descendus parmi nous! » 12 Ils appelaient Barnabé Zeus et Paul Hermès, puisque
c'était lui qui portait la parole [j]. 13 Les prêtres du
Zeus-de-devant-la-ville [k] amenèrent au portail des
taureaux ornés de guirlandes, et ils se disposaient,
de concert avec la foule, à offrir un sacrifice.
14 Informés de la chose, les apôtres Barnabé et Paul
déchirèrent leurs vêtements [l] et se précipitèrent vers
la foule en criant : 15 « Amis, que faites-vous là?
Nous aussi, nous sommes des hommes, soumis au **3** 12; **10** 26
même sort que vous, des hommes qui vous annon-
cent d'abandonner toutes ces vaines idoles pour **3** 19+; **2** 38+
vous tourner vers le Dieu vivant [m] qui a fait le ciel, 1 Th **1** 9
la terre, la mer et tout ce qui s'y trouve [n]. 16 Dans Ac **17** 22-30
les générations passées, il a laissé toutes les nations Dt **5** 26
suivre leurs voies; 17 il n'a pas manqué pour autant
de se rendre témoignage par ses bienfaits, vous dispensant du ciel pluies et saisons fertiles, rassasiant Jr **5** 24
vos cœurs de nourriture et de félicité... » 18 C'est à
peine s'ils réussirent par ces paroles à empêcher la
foule de leur offrir un sacrifice.

## Fin de la mission.

19 Survinrent alors d'Antioche et d'Iconium des
Juifs qui gagnèrent les foules. On lapida Paul et on 1 Th **2** 14+
le traîna hors de la ville, le croyant mort. 20 Mais, 2 Co **11** 25 2 Tm **3** 11
comme les disciples faisaient cercle autour de lui,
il se releva et rentra dans la ville. Et le lendemain,
avec Barnabé, il partit pour Derbé.
21 Après avoir évangélisé cette ville et y avoir fait
bon nombre de disciples, ils retournèrent à Lystres,
Iconium et Antioche. 22 Ils affermissaient le cœur **15** 32, 41;
des disciples [o], les encourageant à persévérer dans **18** 23
la foi, « car, disaient-ils, il nous faut passer par bien **11** 23; **13**
des tribulations pour entrer dans le Royaume de Mt **10** 22
Rm **5** 3-4 2 Th **1** 4s 2 Tm **2** 1 He **10** 36

32, tributaire d'Is **49** 6,9) : il est la lumière des nations, mais ne les éclairera effectivement que grâce au témoignage des apôtres, cf. Ac **1** 8+; aussi la prophétie est-elle un ordre pour l'Apôtre qui doit en assurer l'accomplissement.

*a)* Var. : « la parole de Dieu ».

*b)* « La vie éternelle », cf. v. 46, c'est-à-dire la vie du siècle futur, cf. **3** 15+; n'y parviendront que ceux dont les noms « sont écrits dans le ciel », Lc **10** 20, dans « le livre de la vie », Ph **4** 3; Ap **20** 12+. « Destinés à la vie du monde futur », expression courante chez les rabbins. Dans la doctrine chrétienne, cette prédestination à la gloire implique d'abord la foi au Christ. Voir Jn **10** 26+; Rm **8** 28-30; et déjà Ac **2** 39.

*c)* Ou : « entrèrent ensemble ».

*d)* Le v. 1 se continue par le v. 3.

*e)* Le refus de croire dégénère aussitôt en opposition violente, cf. **19** 9; **28** 24, et **9** 23; **13** 45, 50; **14** 19; **17** 5-8,13; **18** 6,13.

*f)* Suite du v. 2.

*g)* Lystres, colonie romaine, patrie de Timothée, cf. **16** 1-2. Les événements des vv. 8-19 se passent à Lystres; Paul n'arrivera à Derbé qu'au v. 20.

*h)* Tous les mss ont précisé : « à Lystres »; ce doit être une addition, cf. v. 20[b].

*i)* Autre traduction : « pour être sauvé ». La foi est la condition du miracle, cf. Mt **8** 10+.

*j)* Hermès (Mercure chez les Latins) était le porte-parole des dieux.

*k)* Son temple était en dehors des remparts.

*l)* En signe d'indignation, cf. Mt **26** 25.

*m)* Prédication monothéiste, où l'on oppose traditionnellement le Dieu véritable aux faux dieux, le Dieu vivant aux idoles inertes, avec appel à la conversion. Voir résumé de la prédication de Paul aux païens dans 1 Th **1** 9-10 et Ga **4** 9; cf. Ac **15** 19; **26** 18, 20.

*n)* Le vrai Dieu s'est montré vivant en produisant l'univers : formulation qu'on retrouve dans les confessions de foi du judaïsme. Cf. Ex **20** 11; Ne **9** 6; Ps **146** 6; Ac **4** 24; **17** 24; Ap **10** 6; **14** 7.

*o)* Cf. Rm **1** 11; 1 Th **3** 2,13; Lc **22** 32.

Dieu ». 23 Ils leur désignèrent des anciens [a] dans
13 3 chaque Église, et, après avoir fait des prières
accompagnées de jeûne, ils les confièrent au Seigneur en qui ils avaient mis leur foi.
24 Traversant alors la Pisidie, ils gagnèrent la
Pamphylie. 25 Puis, après avoir annoncé la parole [b]
à Pergé, ils descendirent à Attalie; 26 de là ils firent
voile vers Antioche, d'où ils étaient partis,
13 2-3 recommandés à la grâce de Dieu pour l'œuvre
qu'ils venaient d'accomplir.
27 A leur arrivée, ils réunirent l'Église et se
**15** 4, 12; mirent à rapporter tout ce que Dieu avait fait avec
**21** 19 eux, et comment il avait ouvert aux païens la porte
de la foi [c]. 28 Ils demeurèrent ensuite assez longtemps avec les disciples.

**Ga 2** 11-14 **Controverse à Antioche.**

**15** [d] 1 Cependant certaines gens descendus de
**15** 5, 24 Judée [e] enseignaient aux frères : « Si vous ne
Gn **17** 10+ vous faites pas circoncire suivant l'usage qui vient
de Moïse, vous ne pouvez être sauvés. » 2 Après
bien de l'agitation et une discussion assez vive
engagée avec eux par Paul et Barnabé, il fut décidé
que Paul, Barnabé et quelques autres des leurs [f]
Ga **2** 1-2 monteraient à Jérusalem auprès des apôtres [g] et des
anciens pour traiter de ce litige.
**20** 38; **21** 5 3 Eux donc, après avoir été escortés [h] par
l'Église, traversèrent la Phénicie et la Samarie,
racontant la conversion des païens, et ils causaient
une grande joie à tous les frères. 4 Arrivés à Jérusalem, ils furent accueillis par l'Église, les apôtres
et les anciens, et ils rapportèrent tout ce que Dieu **14** 27+
avait fait avec eux.

**Controverse à Jérusalem.** Ga **2** 1-9

5 Mais certaines gens du parti des Pharisiens qui **2** 14+
étaient devenus croyants intervinrent [i] pour déclarer qu'il fallait circoncire les païens et leur enjoindre d'observer la Loi de Moïse [j]. 6 Alors les apôtres
et les anciens [k] se réunirent pour examiner cette
question. 7 Après une longue discussion, Pierre se
leva [l] et dit :

**Le discours de Pierre.** **10** 1 - **11** 18+

« Frères, vous le savez : dès les premiers jours,
Dieu m'a choisi parmi vous pour que les païens
entendent de ma bouche la parole de la Bonne
Nouvelle et embrassent la foi. 8 Et Dieu, qui
connaît les cœurs, a témoigné en leur faveur, en **1** 24
leur donnant l'Esprit Saint tout comme à nous. 9 Et **10** 44-47; **11** 15-17
il n'a fait aucune distinction entre eux et nous, puis-
qu'il a purifié leur cœur par la foi [m]. 10 Pourquoi **11** 12+; **10** 34+
donc maintenant tentez-vous Dieu [n] en voulant
imposer aux disciples un joug que ni nos pères ni Ga **5** 1
nous-mêmes n'avons eu la force de porter? 11 D'ail- Mt **23** 4
leurs, c'est par la grâce du Seigneur Jésus que nous Ga **3** 10-12
croyons être sauvés, exactement comme eux [o]. » Rm **7**
12 Alors toute l'assemblée fit silence [p]. On écoutait Barnabé et Paul exposer tout ce que Dieu avait **14** 27
accompli par eux de signes et prodiges parmi les
païens.

*a)* Les anciens, cf. **11** 30+, sont ici choisis non par la communauté, mais par les apôtres, de même Tt **1** 5.
*b)* Add. : « du Seigneur » ou « de Dieu ».
*c)* Métaphore analogue chez saint Paul, 1 Co **16** 9; 2 Co **2** 12; Col **4** 3.
*d)* Les événements de ce ch. soulèvent plusieurs difficultés : 1° les vv. 5-7ª reprennent les vv. 1-2ª comme si l'auteur rapportait deux origines différentes de la controverse, sans mettre de lien entre elles; 2° au v. 6, on a l'impression d'une réunion séparée des dirigeants de la communauté, mais, aux vv. 12, 22, les débats se font devant l'assemblée chrétienne tout entière; 3° l'assemblée porte et remet à Paul un décret sur les observances de pureté rituelle imposées aux chrétiens issus du paganisme, vv. 22s; mais plus tard, Jacques semble notifier ce même décret à l'Apôtre, sans supposer qu'il le connaisse, **21** 25. Paul luimême ne parle de ce décret ni en Ga **2** 6 (où il parle de l'assemblée de Jérusalem) ni en 1 Co **8-10**; Rm **14** (où il traite de problèmes analogues); 4° le décret de Ac **15** 29 fut porté pour les Églises de Syrie et de Cilicie, **15** 23; pourtant, Luc ne dit pas que Paul l'ait publié en traversant ces régions, **15** 41, mais il en parle à propos des villes de Lycaonie, **16** 4, et les termes de **15** 19-21; **21** 25 semblent en fait donner au décret une portée universelle. On expliquerait ces difficultés en admettant que Luc a bloqué deux controverses distinctes et les solutions différentes qui leur furent données (Paul a mieux distingué en Ga **2**) : une controverse à laquelle prirent part Pierre et Paul, sur l'obligation de la Loi juive pour les païens convertis, cf. Ga **2** 1-10; une autre, postérieure, suscitée par l'incident d'Antioche, Ga **2** 11-14, et où Jacques joua un rôle prépondérant en l'absence de Pierre et de Paul, sur les rapports entre chrétiens issus du judaïsme et du paganisme dans leurs relations sociales; tout contact avec un païen entraînait pour le juif une impureté légale : cf. **15** 20+.
*e)* Ga **2** 12 les désigne comme « certaines gens de l'entourage de Jacques ».
*f)* Ga **2** 1-3 nomme Tite, qui était originaire de la gentilité.
*g)* Les apôtres, dont il n'est question ni en **11** 30 ni en **21** 18, sont mentionnés ici conjointement au collège des anciens; cela s'accorde avec Ga **2** 2-9, où Pierre et Jean sont cités comme autorités de l'Église de Jérusalem, à côté de Jacques, frère du Seigneur.
*h)* Autre traduction : « après avoir été pourvus du nécessaire pour le voyage », cf. 1 Co **16** 11; Tt **3** 13.
*i)* Dans le texte ordinaire, les Pharisiens ont l'air d'intervenir à Jérusalem indépendamment de ce qui s'est passé à Antioche. Le texte occ. s'applique à faire le raccord : « Mais ceux qui leur avaient enjoint de monter vers les anciens se levèrent alors... »
*j)* D'après Ga **2** 3-5 ces exigences auraient visé plus directement Tite, qui avait accompagné Paul à Jérusalem.
*k)* Add. occ. : « et l'assemblée », cf. v. 12.
*l)* Add. occ. : « sous l'inspiration de l'Esprit ».
*m)* Interprétation de la parole céleste entendue par Pierre, **10** 15; **11** 9, cf. **10** 28; Si **38** 10.
*n)* Tenter (cf. 1 Co **10** 13+) Dieu, c'est le mettre en demeure de faire ses preuves, en exigeant une intervention ou un signe, **5** 9; Ex **17** 2,7; Nb **14** 22; Dt **6** 16; Jdt **8** 12-17; Ps **95** 9; Is **7** 11-12; Mt **4** 7p; Ac **5** 8-10; 1 Co **10** 9.
*o)* Réponse directe à l'affirmation du v. 1. La doctrine est celle de Ga **2** 15-21; **3** 22-26; Rm **11** 32; Ep **2** 1-10; etc. A ce point de vue, aucun avantage pour le Juif : cf. **13** 38; Ga **5** 6; **6** 15.
*p)* Texte occ. : « Comme les anciens donnaient leur assentiment à ce que Pierre avait dit, toute l'assemblée... »

**Le discours de Jacques.**

12 17+ 13 Quand ils eurent cessé de parler, Jacques [a] prit
la parole et dit : « Frères, écoutez-moi. 14 Syméon [b]
a exposé comment, dès le début, Dieu a pris soin
18 10 de tirer d'entre les païens un peuple réservé à son
Rm 9 26 Ac 13 47 Nom. 15 Ce qui concorde avec les paroles des Pro-
Rm 15 9-12; 16 26 phètes, puisqu'il est écrit [c] :
16 *Après cela je reviendrai*
Am 9 11-12 *et je relèverai la tente de David qui était tombée;*
*je relèverai ses ruines*
*et je la redresserai,*
17 *afin que le reste des hommes cherchent le Sei-*
*gneur,*
*ainsi que toutes les nations*
*qui ont été consacrées à mon Nom* [d],
*dit le Seigneur qui fait* 18 connaître *ces choses*
depuis des siècles [e].

19 « C'est pourquoi je juge, moi [f], qu'il ne faut pas
3 19+ tracasser ceux des païens qui se convertissent à
Dieu. 20 Qu'on leur mande seulement de s'abstenir
de ce qui a été souillé par les idoles [g], des unions
illégitimes [h], des chairs étouffées et du sang [i].
21 Car depuis les temps anciens Moïse a dans cha-
13 27 que ville ses prédicateurs, qui le lisent dans les
synagogues tous les jours de sabbat. »

**La lettre apostolique.**

22 Alors les apôtres et les anciens, d'accord avec
l'Église tout entière, décidèrent de choisir quelques-
uns d'entre eux et de les envoyer à Antioche avec
Paul et Barnabé. Ce furent Jude, surnommé Barsabbas [j], et Silas [k], hommes considérés parmi les
frères. 23 Ils leur remirent la lettre suivante :
« Les apôtres et les anciens, vos frères, aux frères
de la gentilité qui sont à Antioche, en Syrie et en
Cilicie, salut! 24 Ayant appris que, sans mandat de
notre part, certaines gens venus de chez nous ont, Ga 2 12
par leurs propos, jeté le trouble parmi vous et bou- Ac 15 1
leversé vos esprits, 25 nous avons décidé d'un
commun accord de choisir des délégués et de vous
les envoyer avec nos bien-aimés Barnabé et Paul,
26 ces hommes qui ont voué leur vie au nom de
notre Seigneur Jésus Christ. 27 Nous vous avons
donc envoyé Jude et Silas, qui vous transmettront
de vive voix le même message. 28 L'Esprit Saint et 5 32; 1 8+
nous-mêmes avons décidé de ne pas vous imposer
d'autres charges que celles-ci, qui sont indispensa-
bles : 29 vous abstenir des viandes immolées aux
idoles, du sang, des chairs étouffées et des unions
illégitimes. Vous ferez bien de vous en garder [l].
Adieu. »

**Les délégués à Antioche.**

30 Prenant congé donc, les délégués descendirent
à Antioche, où ils réunirent l'assemblée et remirent
la lettre. 31 Lecture en fut faite, et l'on se réjouit de
l'encouragement qu'elle apportait. 32 Jude et Silas,
qui étaient eux-mêmes prophètes, exhortèrent les 11 27+
frères et les affermirent par un long discours. 33 Au
bout de quelque temps, les frères les renvoyèrent
avec des souhaits de paix vers ceux qui les avaient
députés [m]. 35 Paul et Barnabé toutefois demeurèrent 14 28
à Antioche où, avec beaucoup d'autres, ils enseignaient et annonçaient la Bonne Nouvelle, la 2 42+; 5 42
parole du Seigneur.

*a)* Ga **2** 9 atteste l'importance de son rôle en cette affaire, spécialement dans le débat concernant les problèmes locaux de relations sociales, cf. **15** 1+ et 20+.
*b)* Nom sémitique de Simon-Pierre, cf. 2 P **1** 1.
*c)* Le texte est cité d'après la LXX et l'argumentation repose sur des variantes propres à la version grecque. Elle provient sans doute des milieux « hellénistes », bien qu'elle soit mise ici sur les lèvres du chef du parti « hébreu ».
*d)* Litt. « sur lesquelles mon Nom a été invoqué (ou : prononcé) ». Invoquer le nom de Yahvé sur un peuple, cf. 2 Ch **7** 14, ou sur un lieu, cf. 2 Ch **6** 34, c'est le consacrer à Yahvé.
*e)* Var. : « dit le Seigneur qui fait ces choses. Depuis des siècles le Seigneur connaît son œuvre. »
*f)* Jacques dirime le débat, et la lettre apostolique ne fera que reprendre les termes de sa déclaration. Ga **2** 9 donne la même impression : dans l'Église de Jérusalem, à cette date, c'est Jacques qui occupe la première place, cf. Ac **12** 17+. – Une var. diminue son importance : « C'est pourquoi, pour ce qui est de moi... »
*g)* La viande des animaux immolés dans les sacrifices païens, cf. v. 29 et **21** 25. Voir 1 Co **8-10**.
*h)* Le mot paraît désigner toutes les unions irrégulières énumérées en Lv **18**.
*i)* Le texte occ. supprime « chairs étouffées » et ajoute à la fin : « et ne pas faire aux autres ce qu'on ne voudrait pas être fait à soi-même » (de même au v. 29). Autre om. : « l'impudicité ». – Les réserves de Jacques montrent la nature exacte du litige. Elles ont un caractère strictement rituel et répondent à la question posée en Ac **11** 3 et Ga **2** 12-14 : que faut-il exiger de la part des helléno-chrétiens pour que les judéo-chrétiens puissent les fréquenter sans souillure légale? De toutes les lois de pureté, Jacques n'a voulu retenir que celles dont la signification religieuse paraît universelle : la manducation des viandes offertes aux idoles comportait une certaine participation à un culte sacrilège, cf. 1 Co **8-10**. Le sang concrétise la vie, qui appartient à Dieu seul, et l'interdit de la Loi qui le concernait, Lv **1** 5+, avait un tel caractère qu'on s'explique la répugnance du Juif à en dispenser les païens. Le cas des chairs étouffées est analogue à celui du sang. Les unions irrégulières figurent dans ce contexte non pas pour leur qualification morale, mais en tant que principe de souillure légale.
*j)* Inconnu par ailleurs; cf. **1** 23.
*k)* Silas, compagnon de mission de Paul, **15** 40 - **18** 5, est identique au Silvain que mentionnent 1 Th **1** 1; 2 Th **1** 1; 2 Co **1** 19; 1 P **5** 12.
*l)* Add. occ. : « sous la conduite du Saint Esprit ».
*m)* Le texte occ. ajoute le v. 34 : « Mais Silas décida de rester là. » Plusieurs mss ajoutent en outre : « Jude partit seul. »

# *IV. Les missions de Paul*

**Paul se sépare de Barnabé et s'adjoint Silas.**

36 Quelque temps après, Paul dit à Barnabé :
« Retournons donc visiter les frères dans toutes les
villes où nous avons annoncé la parole du Seigneur, pour voir où ils en sont. » 37 Mais Barnabé
12 12+ voulait emmener aussi Jean, surnommé Marc;
38 Paul, lui, n'était pas d'avis d'emmener celui qui
13 13 les avait abandonnés en Pamphylie et n'avait pas
été à l'œuvre avec eux. 39 On s'échauffa, et l'on finit
par se séparer. Barnabé prit Marc avec lui et
s'embarqua pour Chypre. 40 De son côté, Paul fit
15 22+ choix de Silas et partit, après avoir été confié par
13 3 les frères à la grâce de Dieu [a].

**En Lycaonie. Paul s'adjoint Timothée.**

14 22+ 41 Il traversa la Syrie et la Cilicie, où il affermit
les Églises [b].
**16** 1 Il gagna ensuite Derbé, puis Lystres. Il y
Tm 1 5; 3 15 avait là un disciple nommé Timothée [c], fils
Mc 7 26 d'une juive devenue croyante, mais d'un père grec.
2 Les frères de Lystres et d'Iconium lui rendaient
un bon témoignage. 3 Paul décida de l'emmener
avec lui. Il le prit donc et le circoncit, à cause des
Juifs qui se trouvaient dans ces parages [d]; car tout
le monde savait que son père était grec.
4 Dans les villes où ils passaient, ils transmettaient, en recommandant de les observer, les
15 23-29 décrets portés par les apôtres et les anciens de Jérusalem [e].
14 22+ 5 Ainsi les Églises s'affermissaient dans la foi et
2 41+ croissaient en nombre de jour en jour.

**Traversée de l'Asie Mineure.**

Ga 4 13-15 6 Ils parcoururent la Phrygie et le territoire
galate [f], le Saint Esprit les ayant empêchés
d'annoncer la parole en Asie. 7 Parvenus aux
confins de la Mysie, ils tentèrent d'entrer en Bithy-
nie, mais l'Esprit de Jésus [g] ne le leur permit pas. Ph 1 19 Rm 8 9
8 Ils traversèrent [h] donc la Mysie et descendirent à 1 P 1 11
Troas.
9 Or, pendant la nuit, Paul eut une vision : un 10 9-23
Macédonien était là, debout, qui lui adressait cette
prière : « Passe en Macédoine, viens à notre
secours! » 10 Aussitôt après cette vision, nous cher-
châmes [i] à partir pour la Macédoine, persuadés que
Dieu nous appelait à y porter la Bonne Nouvelle.

**L'arrivée à Philippes.**

11 Embarqués à Troas, nous cinglâmes droit sur
Samothrace, et le lendemain sur Néapolis, 12 d'où
nous gagnâmes Philippes, cité de premier rang de
ce district de Macédoine et colonie [j]. Nous passâmes quelques jours dans cette ville, 13 puis, le jour
du sabbat, nous nous rendîmes en dehors de la 13 5+
porte, sur les bords de la rivière, où l'on avait l'habitude de faire la prière [k]. Nous étant assis, nous
adressâmes la parole aux femmes qui s'étaient réunies. 14 L'une d'elles, nommée Lydie, nous écoutait;
c'était une négociante en pourpre, de la ville de
Thyatire; elle adorait Dieu. Le Seigneur lui ouvrit 10 2+
le cœur, de sorte qu'elle s'attacha aux paroles de
Paul. 15 Après avoir été baptisée ainsi que les 1 5+
siens [l], elle nous fit cette prière : « Si vous me tenez
pour une fidèle du Seigneur, venez demeurer dans
ma maison. » Et elle nous y contraignit [m]. 10 48

**Emprisonnement de Paul et de Silas.**

16 Un jour que nous nous rendions à la prière,

*a)* Var. : « la grâce du Seigneur ».
*b)* Le texte occ. ajoute : « transmettant les prescriptions des anciens », cf. **16** 4.
*c)* Timothée restera désormais attaché à Paul, cf. **17** 14s; **18** 5; **19** 22; **20** 4; 1 Th **3** 2, 6; 1 Co **4** 17; **16** 10; 2 Co **1** 19; Rm **16** 21, et demeurera jusqu'à la fin l'un de ses plus fidèles disciples (voir 1 Tm et 2 Tm qui lui sont adressées).
*d)* Paul s'opposait à ce que des chrétiens issus de la gentilité se fissent circoncire, Ga **2** 3; **5** 1-12. Mais Timothée était fils d'une Juive, et donc, pour le droit juif, israélite.
*e)* Cette notation rédactionnelle résulte logiquement de la présentation du concile de Jérusalem telle qu'elle est donnée au ch. **15**, où le décret est supposé avoir été promulgué en présence de Pierre et de Paul; mais cf. **15** 1+.
*f)* La Galatie proprement dite, cf. l'Introd. aux épîtres de saint Paul, p. 1619. Ainsi, parti d'Iconium, Paul avait l'intention de se diriger à l'ouest, vers Éphèse. Empêché par l'Esprit, il monte vers le nord et arrive en Phrygie; obliquant vers le nord-est, il atteint ensuite le « territoire galate », où il fut retenu par la maladie, Ga **4** 13-15. Paul évangélisa ces contrées, où il revint plus tard visiter les disciples, Ac **18** 23.
*g)* Om. : «de Jésus ».
*h)* Plutôt que : « Ils longèrent ».
*i)* La rédaction passe brusquement à la première personne du pluriel : première « section-nous » des Actes, mais voir **11** 27+. Cf. l'Introd., p. 1568.
*j)* Philippes, ville du premier district de la province de Macédoine, devenue colonie romaine, était une ville essentiellement latine; son administration était calquée sur celle de Rome.
*k)* A Philippes, les Juifs n'ont pas de synagogue; ils tiennent réunion près de l'eau (ablutions rituelles).
*l)* La conversion de Lydie entraîne celle de toute sa famille; cf. **10** 44; **16** 31, 34; **18** 8; 1 Co **1** 16.
*m)* Contre la ligne de conduite ordinaire de Paul : cf. **20** 33-35; 1 Th **2** 9; 2 Th **3** 8; 1 Co **9**. Dans la suite encore, les Philippiens pourront lui faire accepter des secours qu'il n'aurait acceptés d'aucun autre, cf. Ph **4** 10-18. Il n'y a pas de plus bel hommage à la charité de Lydie et des autres chrétiens de Philippes.

nous rencontrâmes une servante qui avait un esprit
divinateur [a]; elle faisait gagner beaucoup d'argent
à ses maîtres en rendant des oracles. 17 Elle se mit
**19** 15 à nous suivre, Paul et nous, en criant : « Ces gens-
Mt **8** 29+ là sont des serviteurs du Dieu Très Haut; ils vous
annoncent la voie du salut. » 18 Elle fit ainsi pendant bien des jours. A la fin Paul, excédé, se
Ac **3** 16+ Mc **16** 17 retourna et dit à l'esprit : « Je t'ordonne au nom de
Mc **1** 25-26+ Jésus Christ de sortir de cette femme. » Et l'esprit
sortit à l'instant même.
**19** 24-27 19 Mais ses maîtres, voyant disparaître leurs
espoirs de gain, se saisirent de Paul et de Silas, les
traînèrent sur l'agora devant les magistrats 20 et
dirent, en les présentant aux stratèges : « Ces gens-
**24** 5+ là jettent le trouble dans notre ville. Ce sont des
Juifs, 21 et ils prêchent des usages qu'il ne nous est
permis, à nous Romains, ni d'accepter ni de sui-
1 Th **2** 2 vre [b]. » 22 La foule s'ameuta contre eux, et les stra-
Ph **1** 30 tèges, après avoir fait arracher leurs vêtements,
2 Co **11** 25 ordonnèrent de les battre de verges. 23 Quand ils les
eurent bien roués de coups, ils les jetèrent en pri-
son, en recommandant au geôlier de les garder avec
soin. 24 Ayant reçu pareille consigne, celui-ci les
jeta dans le cachot intérieur et leur fixa les pieds
dans des ceps.

**Délivrance merveilleuse des missionnaires.**

25 Vers minuit, Paul et Silas, en prière, chan-
Col **3** 16 taient les louanges de Dieu; les prisonniers les
écoutaient. 26 Tout à coup, il se produisit un si vio-
**4** 31 lent tremblement de terre que les fondements de la
**12** 6-11 prison en furent ébranlés. A l'instant, toutes les
portes s'ouvrirent, et les liens de tous les prisonniers se détachèrent. 27 Tiré de son sommeil et
**12** 18-19; voyant ouvertes les portes de la prison, le geôlier
**27** 42 sortit son glaive; il allait se tuer, à l'idée que les
prisonniers s'étaient évadés. 28 Mais Paul cria d'une
voix forte : « Ne te fais aucun mal, car nous sommes tous ici. »
29 Le geôlier demanda de la lumière, accourut et,
tout tremblant [c], se jeta aux pieds de Paul et de
Silas. 30 Puis il les fit sortir et dit : « Seigneurs, que
me faut-il faire pour être sauvé? » 31 Ils répondirent : « Crois au Seigneur Jésus, et tu seras sauvé, **2** 21+
toi et les tiens. » 32 Et ils lui annoncèrent la parole **16** 15+
du Seigneur [d], ainsi qu'à tous ceux qui étaient dans
sa maison. 33 Le geôlier les prit avec lui à l'heure
même, en pleine nuit, lava leurs plaies et sur-le-
champ reçut le baptême, lui et tous les siens. 34 Il **8** 36, 38;
les fit alors monter dans sa maison, dressa la table, **1** 5+
et il se réjouit avec tous les siens d'avoir cru en **2** 46+
Dieu.
35 Lorsqu'il fit jour, les stratèges envoyèrent les
licteurs dire au geôlier : « Relâche ces gens-là [e]. »
36 Celui-ci rapporta ces paroles à Paul : « Les stratèges ont envoyé dire de vous relâcher. Sortez donc
et allez-vous-en [f]. » 37 Mais Paul dit aux licteurs :
« Ils nous ont fait battre en public et sans jugement,
nous, des citoyens romains [g], et ils nous ont jetés **22** 25
en prison. Et maintenant, c'est à la dérobée qu'ils
nous font sortir! Eh bien, non! Qu'ils viennent eux-
mêmes nous libérer. »
38 Les licteurs rapportèrent ces paroles aux stratèges. Effrayés en apprenant qu'ils étaient citoyens **22** 29
romains, 39 ceux-ci vinrent les presser de quitter la
ville [h]. 40 Au sortir de la prison, Paul et Silas se rendirent chez Lydie, revirent les frères et les exhortèrent, puis ils partirent.

**A Thessalonique. Difficultés avec les Juifs.**

**17** 1 Après avoir traversé Amphipolis et Apollo-
nie, ils arrivèrent à Thessalonique, où les Juifs
avaient une synagogue. 2 Suivant son habitude, **13** 5+
Paul alla les y trouver. Trois sabbats de suite, il
discuta avec eux d'après les Écritures. 3 Il les leur Lc **24** 25-2
expliquait, établissant que le Christ devait souffrir 44-47
et ressusciter des morts, « et le Christ, disait-il, c'est **2** 23+; **18** 5
ce Jésus que je vous annonce ». 4 Quelques-uns
d'entre eux [i] se laissèrent convaincre et furent
gagnés à Paul et à Silas, ainsi qu'une multitude
d'adorateurs de Dieu et de Grecs [j] et bon nombre **10** 2+
de dames de qualité.
5 Mais les Juifs, pris de jalousie, ramassèrent sur **13** 45+
la place quelques mauvais sujets, provoquèrent des 1 Th **2** 14

*a)* Litt. « un esprit python », ainsi nommé en souvenir du serpent Python de l'oracle de Delphes.
*b)* Les « usages » en question sont les usages juifs, cf. **6** 14; **15** 1; **21** 21; **26** 3; **28** 17; Jn **19** 40 : les accusateurs ne font pas de distinction entre chrétiens et Juifs. Le grief précis est celui de prosélytisme : s'il était permis aux Juifs de pratiquer leur religion, ils n'avaient pas le droit d'y attirer les Romains. La propagande chrétienne serait donc illégale.
*c)* Effrayé cette fois parce qu'il se rend compte qu'il a traité en malfaiteurs des envoyés du ciel.
*d)* Var. : « la parole de Dieu ».
*e)* Var. : « Lorsqu'il fit jour, les stratèges se réunirent ensemble sur l'agora; ils se souvenaient avec effroi du tremblement de terre qui s'était produit, et ils envoyèrent les licteurs dire : “ Relâche ces gens-là que tu as reçus hier. ” »
*f)* Add. : « en paix ».
*g)* La *lex Porcia* interdisait sous des peines sévères de soumettre un citoyen romain à la flagellation.
*h)* Texte alex. (et antiochien) : « ceux-ci vinrent leur faire des excuses, et après les avoir menés dehors, ils leur demandèrent de quitter la ville. » Texte occ. : « Et s'étant rendus à la prison avec de nombreux amis, ils les prièrent de sortir, disant : “ Nous ignorions vos affaires et que vous êtes des hommes justes. ” Et après les avoir menés dehors, ils les pressèrent par ces paroles : “ Sortez de cette ville, de peur que ceux qui ont crié après vous ne se rassemblent de nouveau contre vous ”. »
*i)* Dont sans doute Aristarque, un des plus fidèles compagnons de Paul, cf. **20** 4; Col **4** 10.
*j)* Var. : « de Grecs adorateurs de Dieu ». – La leçon adoptée suppose une distinction entre les « adorant Dieu », cf. **10** 2+, et les « Grecs » jusque-là non touchés par la propagande juive. La chrétienté de Thessalonique se composera principalement de païens convertis, cf. 1 Th **1** 9-10, etc.

attroupements et répandirent le tumulte dans la
ville. Ils se présentèrent alors à la maison de
Jason [a], cherchant Paul et Silas pour les produire
devant l'assemblée du peuple. 6 Ne les ayant pas
trouvés, ils traînèrent Jason et quelques frères
devant les politarques en criant : « Ces gens qui ont
24 5 révolutionné le monde entier, les voilà maintenant
ici, 7 et Jason les reçoit chez lui. Tous ces gens-là
25 8; Lc 23 2 contreviennent aux édits de César en affirmant qu'il
Jn 19 12-15 y a un autre roi [b], Jésus. » 8 Par ces clameurs, ils
mirent en émoi la foule et les politarques, 9 qui exi-
gèrent une caution de la part de Jason et des autres
avant de les relâcher.

**Nouvelles difficultés à Bérée.**

10 Les frères firent aussitôt partir de nuit Paul et
13 5+ Silas pour Bérée [c]. Arrivés là, ils se rendirent à la
synagogue des Juifs. 11 Or ceux-ci avaient l'âme
plus noble que ceux de Thessalonique. Ils accueillirent la parole avec le plus grand empressement.
Jn 5 39 Chaque jour, ils examinaient les Écritures pour
voir si tout était exact. 12 Beaucoup d'entre eux
embrassèrent ainsi la foi, de même que, parmi les
Grecs, des dames de qualité et bon nombre
d'hommes.
13 Mais quand les Juifs de Thessalonique surent
que Paul avait annoncé aussi à Bérée la parole de
14 2+ Dieu, ils vinrent là encore semer dans la foule l'agitation et le trouble. 14 Alors les frères firent tout de
suite partir Paul en direction de la mer; quant à
Silas et Timothée, ils restèrent là. 15 Ceux qui
escortaient Paul le conduisirent jusqu'à Athènes et
s'en retournèrent ensuite avec l'ordre pour Silas et
Timothée de le rejoindre au plus vite [d].

**Paul à Athènes.**

16 Tandis que Paul les attendait à Athènes, son
esprit s'échauffait en lui au spectacle de cette ville
remplie d'idoles [e]. 17 Il s'entretenait donc à la syna- 13 5+
gogue avec des Juifs et ceux qui adoraient Dieu, et 10 2+
sur l'agora, tous les jours, avec les passants [f]. 18 Il
y avait même des philosophes épicuriens et
stoïciens [g] qui l'abordaient. Les uns disaient : « Que
peut bien vouloir dire ce perroquet [h]? » D'autres :
« On dirait un prêcheur de divinités étrangères » [i],
parce qu'il annonçait Jésus et la Résurrection [j].
19 Ils le prirent alors avec eux et le menèrent
devant l'Aréopage [k] en disant : « Pourrions-nous
savoir quelle est cette nouvelle doctrine que tu
enseignes? 20 Car ce sont d'étranges propos que tu
nous fais entendre. Nous voudrions donc savoir ce 28 22
que cela veut dire. » 21 Tous les Athéniens en effet
et les étrangers qui résidaient parmi eux n'avaient
d'autre passe-temps que de dire ou écouter les dernières nouveautés.
22 Debout au milieu de l'Aréopage, Paul dit
alors :

**Discours de Paul devant l'Aréopage [l].**

« Athéniens, à tous égards vous êtes, je le vois,
les plus religieux des hommes. 23 Parcourant en
effet votre ville et considérant vos monuments
sacrés, j'ai trouvé jusqu'à un autel avec l'inscription : " Au dieu inconnu [m] ". Eh bien! ce que vous
adorez sans le connaître, je viens, moi, vous
l'annoncer.
24 « Le Dieu qui a fait le monde et tout ce qui s'y Is 42 5
trouve, lui, le Seigneur du ciel et de la terre, n'ha- Ac 14 15+
bite pas dans des temples faits de main d'homme. 1 R 8 27 Ac 7 48-50

*a)* Peut-être celui de Rm 16 21.
*b)* En réalité, les chrétiens évitaient de donner au Christ le titre de *basileus* (« roi »), qui appartenait à l'empereur, et lui préféraient ceux de « Christ » (Messie) et de « Seigneur ».
*c)* Ce départ ne fit pas cesser la persécution à Thessalonique, cf. 1 Th 2 14.
*d)* Luc abrège et simplifie. Timothée a dû accompagner Paul, puisque Paul le renverra d'Athènes à Thessalonique, 1 Th 3 1s, d'où il reviendra, avec Silas, pour rejoindre Paul à Corinthe, 18 5.
*e)* Centre spirituel de l'hellénisme païen, Athènes est aux yeux de Luc un symbole, comme le manifeste le discours de Paul, seul spécimen que les Actes nous aient conservé de sa prédication aux païens, et seul cas où nous le voyons user, pour combattre le paganisme, de la sagesse profane.
*f)* Seule mention expresse dans les Actes d'une prédication de ce genre (cf. pourtant 14 7s).
*g)* Les deux principales écoles philosophiques d'alors.
*h)* Le terme (de l'argot athénien) signifie proprement : « ramasseur de graines ». Il désignait un oiseau picoreur, le freux. On l'appliquait au gueux qui trouve sa nourriture où il peut, et au discoureur qui répète « comme un perroquet » des lieux communs.
*i)* Les termes mêmes de l'accusation portée contre Socrate.
*j)* Cf. v. 32. On prend le mot de « Résurrection » pour le nom d'une déesse *(Anastasis)* parèdre de Jésus.
*k)* Le nom désigne une colline située au sud de l'agora. Il désigne aussi le haut conseil d'Athènes, qui tenait là autrefois ses séances. Le texte peut s'entendre de deux manières : ou bien les philosophes ont conduit Paul « sur (la colline de) l'Aréopage », un peu à l'écart, pour l'entendre plus à l'aise; ou bien, plutôt, ils l'ont conduit « devant (le conseil de) l'Aréopage ».
*l)* Après un exorde de circonstance, 22-23, Paul développe l'annonce du vrai Dieu en l'opposant aux conceptions païennes : 1° Dieu a créé l'univers; on ne peut donc supposer qu'il habite dans un temple ou qu'il ait besoin du culte qu'on lui rend, 24-25; 2° Dieu a créé l'homme et l'a entouré de ses bienfaits; il est absurde de l'assimiler à des objets matériels (les statues), 26-29. Le discours se termine par un appel à la repentance, dans la perspective du jugement, 30-31. Les deux parties du discours ont une pointe anti-idolâtrique. Paul s'inspire des schèmes habituels de la propagande monothéiste du judaïsme hellénistique. Cf. 14 15-17; Sg 13-14; Rm 1 19-25; Ep 4 17-19.
*m)* Les païens dédiaient des autels « aux dieux inconnus » dans la crainte de s'attirer le ressentiment de quelque divinité dont ils ignoraient l'existence. Paul donne un autre sens à la dédicace : le sens biblique de l'ignorance des païens qui ne connaissent pas Dieu, 1 Th 4 5; 2 Th 1 8; Ga 4 8; 1 Co 15 34; Ep 4 17-19; 1 P 1 14; Jr 10 25; Jb 18 21; Sg 13 1; 14 22. Il se disculpe ainsi du grief de prêcher une divinité étrangère.

25 Il n'est pas non plus servi par des mains humai-
2 M 14 35 nes, comme s'il avait besoin de quoi que ce soit [a],
Ps 50 12 lui qui donne à tous vie, souffle et toutes choses.
Gn 2 7+ 2 M 7 23 26 Si d'un principe unique [b] il a fait tout le genre
Gn 1 27s humain pour qu'il habite sur toute la face de la
terre; s'il a fixé des temps déterminés et les limites
Gn 10; Dt 32 8 de l'habitat des hommes [c], 27 c'était afin qu'ils cher-
Dt 4 29 chent la divinité [d] pour l'atteindre, si possible,
Is 55 6 comme à tâtons et la trouver; aussi bien n'est-elle
Ps 145 18 pas loin de chacun de nous. 28 C'est en elle en effet
Rm 1 19 que nous avons la vie, le mouvement et l'être. Ainsi
d'ailleurs l'ont dit certains des vôtres [e] :
2 P 1 4 “ Car nous sommes aussi de sa race [f]. ”
Jn 1 12+ 29 « Que si nous sommes de la race de Dieu, nous
2 Co 3 18 ne devons pas penser que la divinité soit semblable
19 26 à de l'or, de l'argent ou de la pierre, travaillés par
Rm 1 22-23 l'art et le génie de l'homme [g].
Rm 3 25-26 30 « Or voici que, fermant les yeux sur les temps
de l'ignorance, Dieu fait maintenant savoir aux
Lc 24 47 hommes d'avoir tous et partout à se repentir,
Ac 2 38+ 31 parce qu'il a fixé un jour pour juger l'univers
10 42+ avec justice [h], par un homme qu'il y a destiné,
offrant à tous une garantie en le ressuscitant des
morts [i]. »
32 A ces mots de résurrection des morts, les uns
se moquaient, les autres disaient : « Nous t'enten-
24 25 drons là-dessus une autre fois [j]. » 33 C'est ainsi que
Paul se retira du milieu d'eux. 34 Quelques hommes
cependant s'attachèrent à lui et embrassèrent la foi.
Denys l'Aréopagite fut du nombre [k]. Il y eut aussi
une femme nommée Damaris, et d'autres avec eux.

**Fondation de l'Église de Corinthe.**

18 1 Après cela, Paul s'éloigna d'Athènes et
gagna Corinthe [l]. 2 Il y trouva un Juif nommé
Aquilas, originaire du Pont, qui venait d'arriver
d'Italie avec Priscille [m], sa femme, à la suite d'un
édit de Claude qui ordonnait à tous les Juifs de
s'éloigner de Rome [n]. Il se lia avec eux, 3 et, comme
ils étaient du même métier, il demeura chez eux et
y travailla [o]. Ils étaient de leur état fabricants de 20 33-35
tentes. 4 Chaque sabbat, il discourait à la synago- 1 Co 4 12
gue et s'efforçait de persuader Juifs et Grecs. Ac 13 5+
5 Quand Silas et Timothée furent arrivés de 17 15
Macédoine [p], Paul se consacra tout entier à la 1 Th 3 5-7
parole, attestant aux Juifs que Jésus est le Christ [q].
6 Mais devant leur opposition et leurs paroles blasphématoires, il secoua ses vêtements [r] et leur dit : 13 51+
« Que votre sang retombe sur votre tête! Pour moi, Mt 27 24-25
je suis pur, et désormais c'est aux païens que Ac 20 26
j'irai. » 7 Alors, se retirant de là, Paul se rendit chez Ac 13 5+, 46
un certain Justus [s], homme adorant Dieu, dont la 28 8
maison était contiguë à la synagogue. 8 Crispus, le 10 2+
chef de synagogue, crut au Seigneur avec tous les 1 Co 1 14 Ac 16 15+
siens. Beaucoup de Corinthiens qui entendaient
Paul embrassaient également la foi et se faisaient

*a)* Idée familière à la pensée grecque et au judaïsme hellénistique, correspondant d'ailleurs à un vieux thème biblique, cf. 1 Ch **29** 10s; 2 M **14** 35; Ps **50** 9-13; Am **5** 21s, etc.

*b)* Var. : « d'un seul sang », « d'une seule nation », « d'une seule race ».

*c)* Les « temps déterminés » évoquent surtout les saisons, dont le retour régulier assure aux hommes leur subsistance, **14** 17; cf. Gn **1** 14; Sg **7** 18; Si **33** 8; les « limites » de l'habitat des hommes sont probablement celles qui séparent la terre habitable des eaux de l'abîme, Gn **1** 9-10; Ps **104** 9; Jb **38** 8-11; Pr **8** 28-29; cf. Jr **5** 22-24; Ps **74** 17. Selon une autre explication, il s'agirait des temps et des frontières que Dieu a départis aux différents peuples, Gn **10**; Dt **32** 8s. De toute façon il est question de l'ordre de l'univers, apte à conduire à la connaissance de Dieu.

*d)* Var. : « Dieu » ou « le Seigneur ».

*e)* Var. : « de vos poètes » ou « de vos sages ».

*f)* Citation tirée des *Phénomènes* d'Aratus, poète originaire de Cilicie (IIIe siècle av. J.-C.). Cléanthe le Stoïcien (IIIe siècle) s'exprime à peu près dans les mêmes termes. La prédication monothéiste juive invoquait ici le fait que l'homme a été créé à l'image et à la ressemblance de Dieu, Gn **1** 26-27; Sg **2** 23; Si **17** 1-8, pour rendre manifeste l'absurdité du culte des idoles.

*g)* Paul s'inspire d'un vieux thème de propagande anti-idolâtrique, cf. Is **40** 20+.

*h)* Cf. Ps **9** 9; **96** 13; **98** 9. C'est dans la perspective du jugement que les apôtres invitent au repentir, cf. surtout **10** 42-43; 1 Th **1** 10.

*i)* La résurrection du Christ garantit la foi en sa mission de Juge et de Sauveur à la fin des temps, cf. Rm **14** 9; 2 Tm **4** 1; 1 P **4** 5.

*j)* Dans le monde grec, même chez les chrétiens, la doctrine de la résurrection a eu beaucoup de peine à vaincre les préventions : cf. 1 Co **15** 12s. Les Sanhédrites de Jérusalem condamnaient et persécutaient le message chrétien; les Aréopagites d'Athènes se contentent d'en rire. L'échec de Paul à Athènes fut à peu près complet. Désormais, sa prédication rejettera les ornements de la sagesse grecque, 1 Co **2** 1-5.

*k)* Les lecteurs de Luc devaient le connaître. La légende s'est emparée de lui, surtout depuis qu'un auteur du Ve siècle (le « Pseudo-Denys ») a mis sous son nom ses écrits mystiques. On l'a aussi identifié avec saint Denys, premier évêque de Paris (IIIe siècle).

*l)* Corinthe reconstruite par César était devenue la capitale de la province romaine d'Achaïe. L'élément romain et latin y était prédominant; mais le commerce y attirait une population cosmopolite. La colonie juive y était importante. Corinthe était fâcheusement réputée pour la liberté de ses mœurs.

*m)* Appelée aussi Prisca, Rm **16** 3; 1 Co **16** 19; 2 Tm **4** 19.

*n)* Cette mesure, connue de Suétone, pourrait dater de 49 ou 50. Ses effets furent très passagers, cf. Rm **16** 3; Ac **28** 17.

*o)* Bien qu'il reconnaisse le droit des missionnaires à leur subsistance, 1 Co **9** 6-14; Ga **6** 6; 2 Th **3** 9; cf. Lc **10** 7, Paul a toujours tenu à travailler de ses mains, 1 Co **4** 12, pour n'être à charge à personne. 1 Th **2** 9; 2 Th **3** 8; 2 Co **12** 13s, et prouver son désintéressement Ac **20** 33s; 1 Co **9** 15-18; 2 Co **11** 7-12. Il n'a accepté de secours que des Philippiens, Ph **4** 10-19; 2 Co **11** 8s, cf. Ac **16** 15+. A ses fidèles il recommande de même de travailler pour subvenir à leurs besoins, 1 Th **4** 11s; 2 Th **3** 10-12, et à ceux des indigents, Ac **20** 35; Ep **4** 28.

*p)* C'est après leur retour que Paul écrivit ses deux lettres aux fidèles de Thessalonique. Cf. 1 Th **1** 1; **3** 6; 2 Th **1** 1. Arrivant de Macédoine avec des secours, 2 Co **11** 8-9; Ph **4** 15, ils ont assisté Paul dans l'évangélisation de Corinthe, 2 Co **1** 19.

*q)* La messianité de Jésus est l'objet spécifique de la prédication aux Juifs, cf. **2** 36; **3** 18, 20; **5** 42; **8** 5, 12; **9** 22; **17** 3; **18** 28; **24** 24; **26** 23.

*r)* Le geste marque une rupture. La parole qui suit est biblique, cf. Lv **20** 9-16; 2 S **1** 16, et signifie aux Juifs que toute la responsabilité de leur attitude et de ses suites pèse sur eux. Paul en est dégagé, « pur » du sang de leur châtiment; cf. Ez **3** 17-21.

*s)* Var. : « Titus Justus » ou « Titius Justus ».

1 5+ baptiser [a]. 9 Une nuit, dans une vision, le Seigneur
Jr 1 8 dit à Paul : « Sois sans crainte. Continue de parler,
1 Co 2 3 Ac 23 11 ne te tais pas. 10 Car je suis avec toi, et personne
ne mettra sur toi la main pour te faire du mal,
Jn 10 16 parce que j'ai à moi un peuple nombreux dans cette
ville. » 11 Il séjourna là un an et six mois, enseignant aux gens la parole de Dieu.

**Paul traduit en justice par les Juifs.**

12 Alors que Gallion était proconsul d'Achaïe [b],
1 Th 2 14+ les Juifs se soulevèrent d'un commun accord contre
Paul et l'amenèrent devant le tribunal 13 en disant :
« Cet individu cherche à persuader les gens
d'adorer Dieu d'une manière contraire à la Loi [c]. »
14 Paul allait ouvrir la bouche, quand Gallion dit
aux Juifs : « S'il était question de quelque délit ou
méfait, j'accueillerais, Juifs, votre plainte, comme
de raison. 15 Mais puisqu'il s'agit de contestations
23 29; 25 18-19 Jn 18 31 sur des mots et des noms et sur votre propre Loi,
à vous de voir! Être juge, moi, en ces matières, je
m'y refuse. » 16 Et il les renvoya du tribunal.
17 Tous alors se saisirent de Sosthène [d], le chef de
synagogue, et, devant le tribunal, se mirent à le battre. Et de tout cela Gallion n'avait cure.

**Retour à Antioche**
**et départ pour le troisième voyage.**

18 Paul resta encore un certain temps à Corinthe,
puis il prit congé des frères et s'embarqua pour la
Syrie [e]. Priscille et Aquilas l'accompagnaient. Il
Rm 16 1 s'était fait tondre la tête à Cenchrées, à cause d'un
vœu qu'il avait fait [f].
19 Ils abordèrent à Éphèse, où il se sépara de ses
13 5+ compagnons. Il se rendit à la synagogue et s'y
entretint avec les Juifs. 20 Ceux-ci lui demandèrent
10 48 de prolonger son séjour. Il n'y consentit pas,
21 mais, en prenant congé d'eux, il leur dit : « Je
Jc 4 15 reviendrai chez vous une autre fois, s'il plaît à
Dieu. » Et il partit d'Éphèse.

22 Débarqué à Césarée, il monta saluer l'Église [g],
puis descendit à Antioche; 23 après y avoir passé
quelque temps, il repartit et parcourut successivement le territoire galate et la Phrygie en affermis- 16 6+
sant tous les disciples. 14 22+

**Apollos.** 19 1

24 Un Juif nommé Apollos [h], originaire d'Alexandrie, était arrivé à Éphèse. C'était un homme éloquent, versé dans les Écritures. 25 Il avait été instruit de la Voie du Seigneur, et, dans la ferveur de 9 2+
son âme, il prêchait et enseignait avec exactitude
ce qui concerne Jésus, bien qu'il connût seulement
le baptême de Jean. 26 Il se mit donc à parler avec 19 3-5
assurance dans la synagogue. Priscille et Aquilas, 13 46+
qui l'avaient entendu, le prirent avec eux et lui
exposèrent plus exactement la Voie [i]. 9 2+
27 Comme il voulait partir pour l'Achaïe, les frères l'y encouragèrent et écrivirent aux disciples de
lui faire bon accueil [j]. Arrivé là, il fut, par l'effet
de la grâce, d'un grand secours aux croyants :
28 car il réfutait vigoureusement les Juifs en public, 9 22
démontrant par les Écritures que Jésus est le 18 5+
Christ.

**Les Johannites d'Éphèse.**

**19** 1 Tandis qu'Apollos était à Corinthe [k], Paul,
après avoir traversé le haut-pays, arriva à
Éphèse [l]. Il y trouva quelques disciples 2 et leur
dit : « Avez-vous reçu l'Esprit Saint quand vous 8 15-17
avez embrassé la foi? » Ils lui répondirent : « Mais Jn 7 39
nous n'avons même pas entendu dire qu'il y a un
Esprit Saint [m]. » 3 Et lui : « Quel baptême avez-vous
donc reçu? » – « Le baptême de Jean », répondirent- Mt 3 6+
ils. 4 Paul dit alors : « Jean a baptisé d'un baptême Ac 13 24 25+;
de repentance, en disant au peuple de croire en 1 5+; 2 38+
celui qui viendrait après lui, c'est-à-dire en Jésus. »
5 A ces mots, ils se firent baptiser au nom du Seigneur Jésus; 6 et quand Paul leur eut imposé les

*a)* Add. occ. : « croyant en Dieu par le nom de notre Seigneur Jésus Christ », cf. **8** 37. Les convertis étaient donc des païens.
*b)* Une inscription de Delphes situe le proconsulat de Gallion en 52. La comparution de Paul devant Gallion doit avoir eu lieu vers la fin (v. 18) de son séjour de dix-huit mois (v. 11) à Corinthe : vraisemblablement au printemps 52.
*c)* Terme équivoque qui désigne aussi bien la loi romaine, cf. **16** 21; **17** 7, que la Loi juive, elle-même protégée par la loi romaine. Gallion ne veut voir là, v. 15, qu'une question d'interprétation de la Loi juive, et il décline toute compétence.
*d)* Peut-être celui de 1 Co **1** 1.
*e)* Vers Antioche, qui reste son point d'attache.
*f)* Texte obscur. C'est Paul, semble-t-il, qui a fait le vœu, plutôt qu'Aquilas. Celui qui émettait un vœu devenait *nazîr*, cf. Nb **6** 1+, pendant tout le temps de son vœu (généralement 30 jours) : il devait, entre autres observances, ne pas se faire couper les cheveux durant ce temps. On ne sait si Paul a émis son vœu à Cenchrées ou s'il l'y a achevé. Cf. Ac **21** 23-27 où Paul accomplit avec quatre autres Juifs les rites d'achèvement d'un vœu.
*g)* Peut-être l'Église de Jérusalem.
*h)* Il est question de lui en 1 Co : son passage à Corinthe avait suscité des enthousiasmes, bientôt dégénérés en coteries, cf. 1 Co **1** 12; **3** 4-11, 22; voir aussi Tt **3** 13. – La notice sur Apollos a des traits communs avec celle qui suit, sur les Johannites d'Éphèse : le christianisme incomplet de l'un et des autres reflète peut-être celui de l'Église d'Alexandrie à cette époque.
*i)* Add. : « de Dieu ».
*j)* Sur l'usage des lettres de recommandation dans les premières chrétientés, cf. Rm **16** 1; 2 Co **3** 1s; Col **4** 10; 3 Jn 9-10, 12.
*k)* Soudure rédactionnelle entre les deux notices intercalées dans le récit de voyage. – Le texte occ. porte : « Alors qu'en exécution de ses projets, Paul voulait partir pour Jérusalem, l'Esprit lui dit de revenir en Asie. Après avoir donc traversé... »
*l)* Éphèse passait pour être alors, avec Alexandrie, une des plus belles villes de l'empire : centre religieux, politique et commercial, de population mélangée.
*m)* Ils ignorent non pas son existence – s'ils ont la moindre connaissance de l'Ancien Testament –, mais son effusion, réalisation des promesses messianiques, cf. **2** 17-18, 33.

8 15-17+ mains, l'Esprit Saint vint sur eux, et ils se mirent
1 Tm 4 14+ à parler en langues et à prophétiser. 7 Ces hommes
Ac 2 4+; 11 27+ étaient en tout une douzaine.

### Fondation de l'Église d'Éphèse [a].

13 5+ 8 Paul se rendit à la synagogue et, pendant trois
13 46+ mois, y parla avec assurance. Il entretenait ses
1 3+ auditeurs du Royaume de Dieu et cherchait à les
persuader. 9 Certains cependant, endurcis et incré-
9 2+ dules, décriaient la Voie devant l'assistance. Il rompit alors avec eux et prit à part les disciples. Chaque jour, il les entretenait dans l'école de
Tyrannos [b]. 10 Il en fut ainsi deux années durant [c],
en sorte que tous les habitants de l'Asie [d], Juifs et
Grecs, purent entendre la parole du Seigneur.

### Les exorcistes juifs.

11 Dieu opérait par les mains de Paul des miracles peu banals, 12 à tel point qu'il suffisait d'appli-
Lc 8 44-47p quer sur les malades des mouchoirs ou des linges
Ac 5 15 qui avaient touché son corps : alors les maladies
les quittaient et les esprits mauvais s'en allaient.

13 Or quelques exorcistes juifs [e] ambulants
s'essayèrent à prononcer, eux aussi, le nom du Sei- Lc 9 49p
gneur Jésus sur ceux qui avaient des esprits mau- Ac 3 16+
vais. Ils disaient : « Je vous adjure par ce Jésus que
Paul proclame. » 14 Il y avait sept fils de Scéva, un
grand prêtre juif, qui agissaient de la sorte. 15 Mais
l'esprit mauvais leur répliqua : « Jésus, je le
connais, et Paul, je sais qui c'est. Mais vous autres, 16 17
qui êtes-vous? » 16 Et se jetant sur eux, l'homme
possédé de l'esprit mauvais les maîtrisa les uns et
les autres [f] et les malmena si bien que c'est nus et
couverts de blessures qu'ils s'échappèrent de cette
maison. 17 Tous les habitants d'Éphèse, Juifs et 9 35, 42
Grecs, surent la chose. La crainte alors s'empara 3 10
de tous et le nom du Seigneur Jésus fut glorifié. Lc 5 26
18 Beaucoup de ceux qui étaient devenus
croyants venaient faire leurs aveux et dévoiler leurs
pratiques [g]. 19 Bon nombre de ceux qui s'étaient
adonnés à la magie apportaient leurs livres et les
brûlaient en présence de tous. On en estima la
valeur : cela faisait cinquante mille pièces d'argent.
20 Ainsi la parole du Seigneur croissait et s'affer- 6 7+
missait puissamment [h].

# *V. La fin des missions. Le prisonnier du Christ*

1 Co 16 1-8 
Rm 15 22-32 
### Les projets de Paul.

21 Après ces événements, Paul forma le projet de
traverser la Macédoine et l'Achaïe pour gagner
11 30+ Jérusalem. « Après avoir été là, disait-il, il me faut
23 11 voir également Rome. » 22 Il envoya alors en Macé-
Rm 1 13 doine deux de ses auxiliaires, Timothée et Éraste;
1 Co 4 17 pour lui, il resta quelque temps encore en Asie.

### A Éphèse. L'émeute des orfèvres [i].

23 Vers ce temps-là, un tumulte assez grave se
9 2+ produisit à propos de la Voie. 24 Un certain Démétrius, qui était orfèvre et fabriquait des temples
d'Artémis en argent, procurait ainsi aux artisans
beaucoup de travail. 25 Il les réunit, ainsi que les 16 19
ouvriers des métiers similaires, et leur dit : « Mes
amis, c'est à cette industrie, vous le savez, que nous
devons notre bien-être. 26 Or, vous le voyez et
l'entendez dire, non seulement à Éphèse, mais dans
presque toute l'Asie, ce Paul, par ses raisons, a
entraîné à sa suite une foule considérable, en
affirmant qu'ils ne sont pas dieux, ceux qui sont 17 29+
sortis de la main des hommes. 27 Cela risque non
seulement de jeter le discrédit sur notre profession,
mais encore de faire compter pour rien le sanctuaire même de la grande déesse Artémis, pour finir
par dépouiller de son prestige celle que révèrent
toute l'Asie et le monde entier. » 28 A ces mots,

*a)* Le récit, interrompu par les notices sur Apollos et sur les Johannites, reprend : **19** 8 fait suite à **18** 23 et **19** 1.
*b)* Le texte occ. précise qu'il y enseignait entre 11 et 16 heures.
*c)* **20** 31 dit trois ans. C'est durant ce séjour que Paul écrivit la première lettre aux Corinthiens, la lettre aux Galates et, avec quelque probabilité, la lettre aux Philippiens.
*d)* Non pas toute l'Asie proconsulaire (partie occidentale de l'Asie Mineure), mais la région dont Éphèse est le centre avec les sept villes de Ap **1** 11. Paul avait confié à Épaphras, un Colossien, le soin d'évangéliser Colosses; Épaphras avait étendu son apostolat à Laodicée et à Hiérapolis, Col **1** 7; **4** 12-13. Paul était encore secondé par Timothée et Éraste. Ac **19** 22, Gaius et Aristarque, **19** 29, Tite, dont les Actes ne parlent jamais, et d'autres, cf. 2 Co **12** 18. Luc attribue à Paul le travail de toute l'équipe qu'il dirigeait; cf. Col **4** 10+.
*e)* Sur la pratique des exorcismes chez les Juifs, cf. Mt **12** 27. Jésus lui-même, et les apôtres après lui, cf. Ac **5** 16; **16** 18, ont fréquemment délivré des démoniaques, cf. Mt **8** 29+.
*f)* Ou : « tous ».
*g)* Pratiques magiques, pour lesquelles Éphèse était réputée.
*h)* Texte alex. : « Ainsi, par la puissance du Seigneur, la parole croissait et s'affermissait. »
*i)* Cet épisode, qui provient d'une source particulière et qui tranche sur le style habituel de Luc, a été rattaché artificiellement par lui à son récit de l'évangélisation d'Éphèse.

remplis de colère, ils se mirent à crier [a] : « Grande
est l'Artémis des Éphésiens! » 29 Le désordre gagna
la ville entière. On se précipita en masse au théâtre,
y entraînant les Macédoniens Gaïus et Aristarque [b], compagnons de voyage de Paul. 30 Paul, lui,
voulait se présenter devant l'assemblée du peuple,
mais les disciples l'en empêchèrent. 31 Quelques
Asiarques même, qui l'avaient en amitié, le firent
instamment prier de ne pas s'exposer en allant au
théâtre.

32 Les uns criaient une chose, les autres une
autre. L'assemblée était en pleine confusion, et la
plupart ne savaient même pas pourquoi on s'était
réuni. 33 Des gens de la foule persuadèrent [c]
Alexandre, que les Juifs poussaient en avant.
**13** 16 Alexandre, ayant fait signe de la main, voulait s'expliquer devant le peuple. 34 Mais quand on eut
**16** 20 reconnu que c'était un Juif, tous se mirent à crier
d'une seule voix, pendant près de deux heures :
« Grande est l'Artémis des Éphésiens! » 35 Enfin le
chancelier calma la foule et dit : « Éphésiens, quel
homme au monde ignore que la ville d'Éphèse est
la gardienne du temple de la grande Artémis et de
sa statue tombée du ciel? 36 Cela étant donc sans
conteste, il faut vous tenir tranquilles et ne rien
faire d'inconsidéré. 37 Vous avez amené ces hommes : ils ne sont coupables ni de sacrilège ni de
blasphème envers notre déesse. 38 Que si Démétrius
et les artisans qui sont avec lui ont des griefs contre
quelqu'un, il y a des audiences, il y a des pro-
consuls : qu'ils portent plainte. 39 Et si vous avez
quelque autre affaire à débattre, on la résoudra
dans l'assemblée régulière. 40 Aussi bien risquons-
nous d'être accusés de sédition pour ce qui s'est
passé aujourd'hui, vu qu'il n'existe aucun motif qui
nous permette de justifier cet attroupement. » Et sur
ces mots, il congédia l'assemblée.

### Paul quitte Éphèse.

**20** 1 Après que le tumulte eut pris fin [d], Paul
22; **16** 40 convoqua les disciples, leur adressa une
exhortation et, après avoir fait ses adieux, partit
pour la Macédoine. 2 Il traversa cette contrée [e], y
exhorta longuement les fidèles et parvint en Grèce,
3 où il resta trois mois [f]. Un complot fomenté par 9 23; **23** 12s
les Juifs contre lui au moment où il allait s'embar- 1 Th **2** 14+
quer pour la Syrie [g] le décida à s'en retourner par
la Macédoine. 4 Il avait pour compagnons [h] Sopatros, fils de Pyrrhus, de Bérée; Aristarque et Secun- **19** 29
dus, de Thessalonique; Gaïus, de Doberès, et
Timothée, ainsi que les Asiates Tychique et Tro- **16** 1+; **19** 22+
phime [i]. 5 Ceux-ci prirent les devants et nous [j]
attendirent à Troas. 6 Nous-mêmes, nous quittâmes
Philippes par mer [k] après les jours des Azymes [l] et,
au bout de cinq jours, les rejoignîmes à Troas, où
nous passâmes sept jours [m].

### A Troas. Paul ressuscite un mort.

7 Le premier jour de la semaine [n], nous étions
réunis pour rompre le pain; Paul, qui devait partir 2 42+
le lendemain, s'entretenait avec eux. Il prolongea
son discours jusqu'au milieu de la nuit. 8 Il y avait
bon nombre de lampes dans la chambre haute où
nous étions réunis. 9 Un adolescent, du nom d'Eu-
tyque, qui était assis sur le bord de la fenêtre, se
laissa gagner par un profond sommeil, pendant que
Paul discourait toujours. Entraîné par le sommeil,
il tomba du troisième étage en bas. On le releva
mort. 10 Paul descendit, se pencha sur lui, le prit 1 R **17** 17-24
dans ses bras et dit : « Ne vous agitez donc pas : 2 R **4** 30-37 Ac **9** 36-42
son âme est en lui. » 11 Puis il remonta, rompit le Mc **5** 39 42p
pain et mangea; longtemps encore il parla, jusqu'au
point du jour. C'est alors qu'il partit. 12 Quant au
jeune garçon, on le ramena vivant, et ce ne fut pas
une petite consolation.

### De Troas à Milet.

13 Pour nous, prenant les devants par mer, nous
fîmes voile vers Assos, où nous devions prendre
Paul : ainsi en avait-il disposé. Lui-même viendrait
par la route. 14 Lorsqu'il nous eut rejoints à Assos,
nous le prîmes à bord et gagnâmes Mitylène. 15 De
là, nous repartîmes le lendemain et parvînmes
devant Chio. Le jour suivant, nous touchions à

*a)* Add. occ. : « en se précipitant dans la rue ».
*b)* Aristarque, originaire de Thessalonique, **20** 4, a été le compagnon de Paul durant sa captivité, **27** 2; Col **4** 10; Phm 24. Gaius est probablement celui de Ac **20** 4.
*c)* Autre traduction : « Alors on fit sortir de la foule ».
*d)* Le récit reprend où il en était à **19** 22.
*e)* D'où il envoya sa deuxième lettre aux fidèles de Corinthe.
*f)* Paul a donc pu réaliser enfin les projets de 1 Co **16** 5-6. C'est durant ce séjour à Corinthe qu'il écrivit son épître aux Romains. – Texte occ. : « Après qu'il y eut passé trois mois et à la suite d'un complot des Juifs contre lui, il voulut partir pour la Syrie, mais l'Esprit lui dit de s'en retourner par la Macédoine. »
*g)* Pour porter à Jérusalem le produit de la collecte, cf. **19** 21 et Rm **15** 25+.
*h)* Add. : « jusqu'en Asie ». – Sopatros est peut-être le Sosipatros de Rm **16** 21, qui était juif. – « de Doberès »; var. : « de Derbé ».
*i)* Trophime, un Éphésien, **21** 29, cf. 2 Tm **4** 20. Tychique est nommé plusieurs fois dans les épîtres, Ep **6** 21; Col **4** 7; 2 Tm **4** 12; Tt **3** 12.
*j)* Récit à la première personne : à Philippes, Paul a retrouvé Luc, qui l'accompagnera désormais, cf. **16** 10+.
*k)* Par le port de Néapolis, cf. **16** 11.
*l)* Les fêtes de Pâques, cf. Ex **12** 1+.
*m)* Sur le ministère antérieur de Paul dans cette ville (durant son voyage d'Éphèse à Corinthe : vv. 1-2), cf. 2 Co **2** 12.
*n)* Le premier jour de la semaine juive, devenu le jour de réunion des chrétiens, cf. Mt **28** 1+; 1 Co **16** 2, le « jour du Seigneur » (« dimanche »), Ap **1** 10. La réunion dominicale avait lieu au début de ce jour, mais compté à la manière juive, donc le samedi soir.

Samos, et, après nous être arrêtés à Trogyllion,
nous arrivions le jour d'après à Milet. 16 Paul avait
en effet décidé de passer au large d'Éphèse, pour
ne pas avoir à s'attarder en Asie. Il se hâtait afin
d'être, si possible, le jour de la Pentecôte à Jérusalem.

**Adieux aux anciens d'Éphèse.**

17 De Milet, il envoya chercher à Éphèse les
11 30+ anciens de cette Église. 18 Quand ils furent arrivés
auprès de lui, il leur dit [a] :
1 Th 1 5; « Vous savez vous-mêmes de quelle façon, depuis
2 10-12 le premier jour où j'ai mis le pied en Asie, je n'ai
cessé de me comporter avec vous, 19 servant le Sei-
Ph 2 3; 3 18 gneur en toute humilité, dans les larmes et au
2 Co 1 8-9; milieu des épreuves que m'ont occasionnées les
11 23-31 machinations des Juifs. 20 Vous savez comment, en
rien de ce qui vous était avantageux, je ne me suis
20 27 dérobé quand il fallait vous prêcher et vous ins-
2 Tm 4 2 truire, en public et en privé, 21 adjurant Juifs et
Ac 13 5+ Grecs de se repentir envers Dieu et de croire en
Jésus, notre Seigneur [b].
22 « Et maintenant voici qu'enchaîné par l'Esprit [c] je me rends à Jérusalem, sans savoir ce qui
m'y adviendra, 23 sinon que, de ville en ville, l'Es-
1 8+ prit Saint m'avertit que chaînes et tribulations
21 4, 11 m'attendent. 24 Mais je n'attache aucun prix à ma
propre vie [d], pourvu que je mène à bonne fin ma
2 Tm 4 7 course et le ministère que j'ai reçu du Seigneur
Ph 2 16 Jésus : rendre témoignage à l'Évangile de la grâce
Ac 26 16-18 de Dieu.
25 « Et maintenant voici que, je le sais, vous ne
reverrez plus mon visage [e], vous tous au milieu de
1 3+ qui j'ai passé en proclamant le Royaume. 26 C'est
pourquoi je l'atteste aujourd'hui devant vous : je
18 6+ suis pur du sang de tous. 27 Car je ne me suis pas
20 20 dérobé quand il fallait vous annoncer toute la
volonté de Dieu.
1 Tm 4 16 28 « Soyez attentifs à vous-mêmes, et à tout le
1 P 5 1-3 troupeau dont l'Esprit Saint vous a établis gardiens
Jn 21 15-17
Ps 74 1s
pour paître l'Église de Dieu [f], qu'il s'est acquise par Ac 5 11+
le sang de son propre fils [g]. 1 Co 1 2+
29 « Je sais, moi, qu'après mon départ il s'intro- Ep 1 14+ 1 P 2 9+
duira parmi vous des loups redoutables qui ne Is 43 21
ménageront pas le troupeau, 30 et que du milieu Mt 7 15
même de vous se lèveront des hommes tenant des 2 P 2 1-2
discours pervers dans le but d'entraîner les disciples à leur suite. 31 C'est pourquoi soyez vigilants, 1 P 5 8-9
vous souvenant que, trois années durant, nuit et Ac 19 10+
jour, je n'ai cessé de reprendre avec larmes chacun
d'entre vous.
32 « Et à présent je vous confie à Dieu et à la 14 23
parole de sa grâce, qui a le pouvoir [h] de bâtir 9 31
l'édifice et de procurer l'héritage parmi tous les Ep 2 20-22
sanctifiés. Dt 33 3-4
33 « Argent, or, vêtements, je n'en ai convoité de
personne : 34 vous savez vous-mêmes qu'à mes
besoins et à ceux de mes compagnons ont pourvu
les mains que voilà. 35 De toutes manières je vous 18 3+
l'ai montré : c'est en peinant ainsi qu'il faut venir Ep 4 28
en aide aux faibles et se souvenir des paroles du 1 Co 11 1
Seigneur Jésus, qui a dit lui-même : Il y a plus de
bonheur à donner qu'à recevoir [i]. »
36 A ces mots, se mettant à genoux, avec eux tous 21 5
il pria. 37 Tous alors éclatèrent en sanglots, et, se
jetant au cou de Paul, ils l'embrassaient, 38 affligés 2 Co 13 12+
surtout de la parole qu'il avait dite : qu'ils ne
devaient plus revoir son visage. Puis ils l'accompa- 20 25
gnèrent jusqu'au bateau. 15 3; 21 5

**La montée à Jérusalem.**

**21** 1 Lorsque, nous étant arrachés à eux, nous
eûmes gagné le large, nous cinglâmes droit sur
Cos; le lendemain nous atteignîmes Rhodes, et de
là Patara [j]. 2 Ayant trouvé un navire en partance
pour la Phénicie, nous y montâmes et partîmes.
3 Arrivés en vue de Chypre, nous la laissâmes à
gauche pour voguer vers la Syrie, et nous abordâmes à Tyr, car c'est là que le bateau devait déchar-

*a)* Le troisième grand discours de Paul dans les Actes. Le premier représentait sa prédication devant les Juifs, **13**, le deuxième sa prédication devant les païens, **17**; celui-ci constitue son testament pastoral. Paul l'adresse aux chefs de la principale des Églises fondées par lui. Les points de contact avec ses épîtres sont nombreux; l'esprit est celui des épîtres pastorales. Après avoir rappelé son ministère en Asie, vv. 18-21, et fait prévoir une séparation définitive, peut-être celle de la mort, vv. 22-27, Paul fait ses suprêmes recommandations aux anciens d'Éphèse (et par leur intermédiaire à tous les pasteurs d'Églises) : vigilance, vv. 28-32, désintéressement et charité, vv. 33-35. Ces paroles s'autorisent des propres exemples de Paul, dont ce discours nous donne ainsi un admirable portrait.

*b)* Résumé de la prédication paulinienne, à comparer avec **17** 30-31; **26** 20; 1 Th **1** 9-10; 1 Co **8** 4-6. Foi et conversion doivent aller de pair, cf. Mc **1** 15.

*c)* En se laissant conduire par l'Esprit dans un voyage qui doit aboutir à sa captivité, Paul se considère comme un prisonnier de l'Esprit Saint. – Autre traduction : « enchaîné en esprit », moralement prisonnier.

*d)* Cf. **15** 26; **21** 13; 1 Th **2** 8; Ph **1** 21-23. – Autre traduction : « Mais la vie à mes yeux ne vaut pas la peine qu'on en parle. »

*e)* Cf. v. 38. De Jérusalem, Paul comptait partir pour l'Espagne, Rm **15** 24-28. Sa longue captivité a modifié ses plans, et nous savons qu'il est revenu à Éphèse, malgré le sombre pressentiment qu'il manifeste ici, cf. **28** 31+.

*f)* Var. : « l'Église du Seigneur ». – 1 P **2** 9-10 parle du Peuple que Dieu s'est acquis (d'après Is **43** 21; cf. Ac **15** 14+); il est constitué en « Assemblée (=Église) de Dieu », **5** 11+, expression chère à Paul, cf. 1 Co **1** 2; **10** 32; **11** 22, etc.

*g)* Litt. : « qu'il s'est acquise par son propre sang ». Ceci ne pouvant être dit de Dieu, il faut admettre que « propre » est employé substantivement : « le sang de son propre (Fils) », ou bien que la pensée glisse de l'action du Père à celle du Fils, cf. Rm **8** 31-39. Pour l'idée, cf. Ep **5** 25-27; He **9** 12-14; **13** 12.

*h)* « à Dieu »; var. : « au Seigneur ». – « qui a le pouvoir » pourrait aussi se rapporter à Dieu, cf. Rm **16** 25.

*i)* Sentence que les évangiles n'ont pas conservée.

*j)* Add. : « et Myre ».

ger sa cargaison. 4 Ayant découvert les disciples,
20 23; 21 11 nous restâmes là sept jours. Poussés par l'Esprit [a],
21 12 ils disaient à Paul de ne pas monter à Jérusalem.
5 Mais, notre séjour achevé, nous partîmes. Nous
20 36-38 marchions, escortés de tous, y compris femmes et
enfants. Hors de la ville, nous nous mîmes à
genoux sur la grève pour prier. 6 Puis, ayant fait
nos adieux, nous montâmes sur le navire. Ces gens
s'en retournèrent alors chez eux.
7 Et nous, achevant la traversée, nous nous rendîmes de Tyr à Ptolémaïs. Après avoir salué les frères et être restés un jour avec eux, 8 nous repartîmes
le lendemain pour gagner Césarée. Descendus chez
6 5; 8 4s, 40 Philippe l'évangéliste, qui était un des Sept, nous
demeurâmes chez lui. 9 Il avait quatre filles vierges
2 4+, 17 qui prophétisaient. 10 Comme nous passions là plu-
11 27-28 sieurs jours, un prophète du nom d'Agabus descendit de Judée. 11 Il vint nous trouver et, prenant la
ceinture de Paul, il s'en lia les pieds et les mains [b]
1 8+ en disant : « Voici ce que dit l'Esprit Saint :
L'homme auquel appartient cette ceinture, les Juifs
le lieront comme ceci à Jérusalem, et ils le livreront
aux mains des païens [c]. » 12 A ces paroles, nous
nous mîmes, avec ceux de l'endroit, à supplier Paul
21 4 de ne pas monter à Jérusalem. 13 Alors il répondit :
« Qu'avez-vous à pleurer et à me briser le cœur? Je
suis prêt, moi, non seulement à me laisser lier, mais
Lc 22 33 encore à mourir à Jérusalem pour le nom du Sei-
Ac 20 24+ gneur Jésus. » 14 Comme il n'y avait pas moyen de
le persuader, nous cessâmes nos instances, disant :
Lc 22 42p « Que la volonté du Seigneur se fasse! »
Mt 6 10

**Arrivée de Paul à Jérusalem.**

15 Après ces quelques jours, ayant achevé nos
préparatifs, nous montâmes à Jérusalem. 16 Des
disciples de Césarée nous accompagnèrent et nous
menèrent loger [d] chez un certain Mnason, de Chypre, disciple des premiers jours.
1 15+ 17 A notre arrivée à Jérusalem, les frères nous
reçurent avec joie. 18 Le jour suivant, Paul se rendit
12 17+ avec nous [e] chez Jacques, où tous les anciens se
réunirent. 19 Après les avoir salués, il se mit à expo- 14 27;
ser par le détail ce que Dieu avait fait chez les 15 4, 12
païens par son ministère. 20 Et ils glorifiaient Dieu 11 18+
de ce qu'ils entendaient. Ils lui dirent alors : « Tu
vois, frère, combien de milliers de Juifs ont
embrassé la foi, et ce sont tous de zélés partisans
de la Loi [f]. 21 Or à ton sujet ils ont entendu dire
que, dans ton enseignement, tu pousses les Juifs qui
vivent au milieu des païens à la défection vis-à-vis 6 11, 14;
de Moïse [g], leur disant de ne plus circoncire leurs 15 1; 28 17
enfants [h] et de ne plus suivre les coutumes. 22 Que Mc 7 1-13
faire donc? Assurément la multitude ne manquera
pas de se rassembler, car on apprendra ton arrivée [i]. 23 Fais donc ce que nous allons te dire. Nous
avons ici quatre hommes qui sont tenus par un 18 18+; 24 17
vœu. 24 Emmène-les, joins-toi à eux pour la
purification et charge-toi des frais pour qu'ils puissent se faire raser la tête [j]. Ainsi tout le monde
saura qu'il n'y a rien de vrai dans ce qu'ils ont
entendu dire à ton sujet, mais que tu te conduis, toi
aussi, en observateur de la Loi. 25 Quant aux païens 15 19s, 28s
qui ont embrassé la foi, nous leur avons mandé nos
décisions : se garder des viandes immolées aux ido- 15 1+
les, du sang, des chairs étouffées et des unions illégitimes [k]. »
26 Le jour suivant, Paul emmena donc ces hommes et, après s'être joint à eux pour la purification,
il entra dans le Temple, où il annonça le délai dans
lequel, les jours de purification terminés, on devrait
présenter l'oblation pour chacun d'entre eux [l].

**L'arrestation de Paul.**

27 Les sept jours touchaient à leur fin, quand les
Juifs d'Asie, l'ayant aperçu dans le Temple, ameutèrent la foule et mirent la main sur lui, 28 en
criant : « Hommes d'Israël, au secours! Le voici, 18 13-15;
l'individu qui prêche à tous et partout contre notre 21 21; 24 5s, 14;
peuple, contre la Loi et contre ce Lieu [m]! Et voilà 25 8
encore qu'il a introduit des Grecs dans le Temple Ez 44 9
et profané ce saint Lieu. » 29 Précédemment en effet
ils avaient vu l'Éphésien Trophime avec lui dans la 20 4

*a)* Ces prophètes ne transmettent pas à Paul un ordre de l'Esprit, mais, éclairés par l'Esprit sur le sort qui l'attend, ils voudraient, dans leur affection, lui faire éviter ce sort.

*b)* Prophétie mimée, à la manière des anciens prophètes, cf. Jr **18** 1+.

*c)* Cette annonce (cf. **28** 17) ne correspond que d'une manière assez large au récit de l'arrestation (cf. **21** 31-33), mais se rapproche de l'annonce de la passion de Jésus, Lc **18** 31-34; cf. Col **1** 24; Ph **3** 10, etc.

*d)* Peut-être à mi-chemin de Jérusalem, comme l'indique le texte occ.

*e)* Dernier « nous » avant **27** 1 (départ pour Rome) : Luc a suivi Paul jusqu'à Jérusalem et l'accompagnera de Césarée à Rome.

*f)* Pour eux-mêmes et pour les autres, cf. **11** 2; **15** 1, 5; Ga **2** 12; **5** 1s.

*g)* Les principes de Paul menaient bien à cette conclusion puisque la Loi mosaïque ne conférait plus au Juif aucun avantage sur le païen, la foi étant la source unique de la justification, cf. Rm **1** 6+; **3** 22+. Mais en développant cette doctrine, Paul songeait à assurer la liberté des convertis de la gentilité à l'égard des observances du judaïsme, cf. Ga **2** 11s, plutôt qu'à en détourner les Juifs pieux.

*h)* Cf. Rm **2** 25-29; **4** 9-12; 1 Co **7** 17-20.

*i)* Var. : « Que faire donc? De toute façon, on apprendra ton arrivée. »

*j)* Les sacrifices imposés pour la clôture du naziréat, Nb **6** 14-15, étaient très coûteux.

*k)* Texte occ. : « Au sujet des païens qui ont embrassé la foi, on n'a rien à te dire. Nous-mêmes, en effet, avons mandé nos décisions : ils n'ont rien d'autre à observer que se garder des viandes immolées aux idoles, du sang et des unions illégitimes. »

*l)* Texte obscur. Il semble supposer avant le sacrifice de relèvement du vœu un délai de sept jours consacrés à certains rites de purification; pratique inconnue par ailleurs.

*m)* Cf. les accusations contre Étienne, **6** 11-14, et contre Jésus, Mt **26** 61; **27** 40.

ville, et ils pensaient que Paul l'avait introduit dans
le Temple.
[30] La ville entière fut en effervescence, et le peuple accourut de toutes parts. On s'empara de Paul,
on se mit à le traîner hors du Temple, dont les por-
**26** 21 tes furent aussitôt fermées. [31] On cherchait à le
mettre à mort, quand cet avis parvint au tribun de
la cohorte [a] : « Tout Jérusalem est sens dessus dessous! » [32] Aussitôt, prenant avec lui des soldats et
des centurions, il se précipita sur les manifestants.
Ceux-ci, à la vue du tribun et des soldats, cessèrent
de frapper Paul. [33] Alors le tribun s'approcha, se
**20** 23; **21** 11 saisit de lui et ordonna de le lier de deux chaînes;
puis il demanda qui il était et ce qu'il avait fait.
[34] Mais dans la foule les uns criaient ceci, les autres
cela. Ne pouvant, dans ce tapage, obtenir aucun
renseignement précis, il donna l'ordre de conduire
Paul dans la forteresse. [35] Quand il eut atteint les
degrés, il dut être porté par les soldats, en raison
de la violence de la foule. [36] Car le peuple suivait
**22** 22; **25** 24 en masse, aux cris de : « A mort! »
Lc **23** 18 [37] Sur le point d'être introduit dans la forteresse,
Paul dit au tribun : « Me serait-il permis de te dire
un mot? » – « Tu sais le grec? demanda celui-ci.
[38] Tu n'es donc pas l'Égyptien qui, ces temps derniers, a soulevé quatre mille bandits [b] et les a
entraînés au désert? » – [39] « Moi, reprit Paul, je suis
Juif, de Tarse en Cilicie, citoyen d'une ville qui
n'est pas sans renom. Je t'en prie, permets-moi de
parler au peuple. » [40] La permission accordée,
**13** 16 Paul, debout sur les degrés, fit de la main signe au
peuple. Il se fit un grand silence. Alors il leur
adressa la parole en langue hébraïque [c].

**Harangue de Paul aux Juifs de Jérusalem [d].**

**7** 2 **22** [1] « Frères et pères, écoutez ce que j'ai maintenant à vous dire pour ma défense. » [2] Quand
ils entendirent qu'il s'adressait à eux en langue
hébraïque, leur silence se fit plus profond. Il pour-
2 Co **11** 22 suivit : [3] « Je suis Juif. Né à Tarse en Cilicie, j'ai
Ac **26** 4-5 cependant été élevé ici dans cette ville, et c'est aux
**5** 34+ pieds de Gamaliel que j'ai été formé à l'exacte ob-
**26** 5 servance de la Loi de nos pères, et j'étais rempli du
Ga **1** 13-14
Ph **3** 5-6
Rm **10** 2

zèle de Dieu, comme vous l'êtes tous aujourd'hui.
[4] J'ai persécuté à mort cette Voie [e], chargeant de **8** 3; **9** 2
chaînes et jetant en prison hommes et femmes,
[5] comme le grand prêtre m'en est témoin, ainsi que
tout le collège des anciens. J'avais même reçu d'eux = **9** 1-18+
des lettres pour les frères de Damas, et je m'y ren- = **26** 9-18
dais en vue d'amener ceux de là-bas enchaînés à
Jérusalem pour y être châtiés.
[6] « Je faisais route et j'approchais de Damas,
quand tout à coup, vers midi, une grande lumière
venue du ciel m'enveloppa de son éclat. [7] Je tombai
sur le sol et j'entendis une voix qui me disait :
" Saoul, Saoul, pourquoi me persécutes-tu? " [8] Je
répondis : " Qui es-tu, Seigneur? " Il me dit alors :
" Je suis Jésus le Nazôréen, que tu persécutes." Mt **2** 23+
[9] Ceux qui étaient avec moi virent bien la lumière,
mais ils n'entendirent pas la voix de celui qui me
parlait. [10] Je repris : " Que dois-je faire, Seigneur? " Le Seigneur me dit : " Relève-toi. Va à
Damas. Là on te dira tout ce qu'il t'est prescrit de
faire. " [11] Mais comme je n'y voyais plus à cause
de l'éclat de cette lumière, c'est conduit par la main
de mes compagnons que j'arrivai à Damas.
[12] « Il y avait là un certain Ananie, homme dévot
selon la Loi et jouissant du bon témoignage de tous
les Juifs de la ville [f]; [13] il vint me trouver et, une
fois près de moi, me dit : " Saoul, mon frère, recouvre la vue. " Et moi, au même instant, je pus le
voir. [14] Il dit alors : " Le Dieu de nos pères t'a prédestiné à connaître sa volonté, à voir le Juste [g] et **9** 17; **26** 16
à entendre la voix sortie de sa bouche; [15] car pour 1 Co **9** 1
lui tu dois être témoin devant tous les hommes de **1** 8+
ce que tu as vu et entendu [h]. [16] Pourquoi tarder Mt **13** 16-1
encore? Allons! Reçois le baptême et purifie-toi de 1 Jn **1** 1, 3
tes péchés en invoquant son nom " **2** 38+
[17] « De retour à Jérusalem [i], il m'est arrivé, un **9** 26
jour que je priais dans le Temple, de tomber en Ga **1** 18
extase. [18] Je vis le Seigneur, qui me dit : " Hâte-toi,
sors vite de Jérusalem, car ils n'accueilleront pas **9** 29-30
ton témoignage à mon sujet [j]. " – [19] " Seigneur,
répondis-je, ils savent pourtant bien que, de synagogue en synagogue, je faisais jeter en prison et
battre de verges ceux qui croient en toi; [20] et quand

*a)* Dans la forteresse Antonia, qui dominait, à l'angle nord-ouest, les parvis du Temple, était casernée une garnison romaine, formée d'une cohorte auxiliaire.

*b)* Ou « quatre mille sicaires », nom qui désigne proprement les nationalistes extrémistes. Ce soulèvement est mentionné par Josèphe.

*c)* C'est-à-dire en araméen, l'hébreu n'étant plus parlé depuis le retour de l'Exil; cf. **26** 14.

*d)* Après les trois discours représentatifs de la prédication de Paul, **13**, **17** et **20**, les Actes donnent trois plaidoyers personnels : devant la foule juive de Jérusalem, **22**, devant le procurateur Félix, **24**, et devant le roi Agrippa, **26**, chacun d'eux habilement adapté à l'auditoire, cf. **9** 1+. Devant la foule, Paul présente sa conduite comme celle d'un Juif très pieux.

*e)* L'Église, cf. **9** 2+. Sur Paul persécuteur, voir **7** 58; **8** 1, 3; **9** 1-2, 21; **22** 19-20; **26** 10-11; 1 Co **15** 9; Ga **1** 13, 23; Ph **3** 6; 1 Tm **1** 13.

*f)* Paul ne présente Ananie que comme un bon Juif, sans préciser qu'il était chrétien, **9** 10, ni mentionner sa vision, **9** 10-16.

*g)* Le Christ, cf. **3** 14; **7** 52.

*h)* Cf. **9** 15. Ici Ananie parle au nom du « Dieu des pères », comme un prophète de l'AT. Paul doit être témoin « devant tous les hommes », sans préciser encore « devant les païens » (v. 21).

*i)* Raccourcissement des perspectives : il s'est écoulé trois ans avant ce retour à Jérusalem, cf. **9** 23+. L'extase dont Paul parle ici n'est pas mentionnée ailleurs; elle ne peut se confondre avec celle de 2 Co **12** 1-4.

*j)* Le grand thème de Luc dans son récit de l'apostolat de Paul, cf. **13** 46-48; **18** 6; **28** 25-28.

on répandait le sang d'Étienne, ton témoin [a], j'étais
7 58; **8** 1 là, moi aussi, d'accord avec ceux qui le tuaient, et
je gardais leurs vêtements. " 21 Il me dit alors :
2 39+ " Va; c'est au loin, vers les païens, que moi, je veux
9 15 t'envoyer [b] ". »

**Paul, citoyen romain.**

22 Jusque-là on l'écoutait. Mais à ces mots, on se
21 36+ mit à crier : « Otez de la terre un pareil individu!
Il n'est pas digne de vivre. » 23 On vociférait, on
jetait ses vêtements, on lançait de la poussière en
l'air. 24 Le tribun le fit alors introduire dans la forteresse et ordonna de lui donner la question par le
fouet, afin de savoir pour quel motif on criait ainsi
contre lui.
25 Quand on l'eut attaché avec les courroies,
Paul dit au centurion de service : « Un citoyen
16 37+ romain, et qui n'a même pas été jugé, vous est-il
permis de lui appliquer le fouet? » 26 A ces mots,
le centurion alla trouver le tribun pour le prévenir :
« Que vas-tu faire? Cet homme est citoyen
romain. » 27 Le tribun vint donc demander à Paul :
« Dis-moi, tu es citoyen romain? » – « Oui », répondit-il. 28 Le tribun reprit : « Moi, il m'a fallu une
forte somme pour acheter ce droit de cité. » – « Et
moi, dit Paul, je l'ai de naissance. » 29 Aussitôt
donc, ceux qui allaient le mettre à la question
s'écartèrent de lui et le tribun lui-même eut peur,
**16** 37+ sachant que c'était un citoyen romain qu'il avait
**21** 33 chargé de chaînes [c].

**Comparution devant le Sanhédrin [d].**

30 Le lendemain, voulant savoir de quoi les Juifs
l'accusaient au juste, il le fit détacher et ordonna
aux grands prêtres ainsi qu'à tout le Sanhédrin de
se réunir; puis il amena Paul et le fit comparaître
devant eux.
**23** 1 Fixant du regard le Sanhédrin, Paul dit :
**24** 16 « Frères, c'est tout à fait en bonne conscience [e]
que je me suis conduit devant Dieu jusqu'à ce
jour. » 2 Mais le grand prêtre Ananie [f] ordonna à
ses assistants de le frapper sur la bouche. 3 Alors Jn **18** 22
Paul lui dit : « C'est Dieu qui te frappera, toi,
muraille blanchie! Eh quoi! Tu sièges pour me Mt **23** 27
juger d'après la Loi, et, au mépris de la Loi, tu Ez **13** 10-15
ordonnes de me frapper! » 4 Les assistants lui
dirent : « C'est le grand prêtre de Dieu que tu
insultes? » 5 Paul répondit : « Je ne savais pas, frères, que ce fût le grand prêtre. Car il est écrit : *Tu* Ex **22** 27
*ne maudiras pas le chef de ton peuple.* »
6 Paul savait qu'il y avait là d'un côté le parti des
Saddducéens, de l'autre celui des Pharisiens. Il
s'écria donc dans le Sanhédrin : « Frères, je suis,
moi, Pharisien, fils de Pharisiens. C'est pour notre **26** 5; Ph **3** 5
espérance, la résurrection des morts, que je suis mis **24** 15, 21;
en jugement. » 7 A peine eut-il dit cela qu'un conflit **26** 6s; **28** 20 Dn **12** 1-3; 2 M **7**
se produisit entre Pharisiens et Sadducéens, et **4** 1+
l'assemblée se divisa. 8 Les Sadducéens disent en
effet qu'il n'y a ni résurrection, ni ange, ni esprit [g], Mt **22** 23
tandis que les Pharisiens professent l'un et l'autre.
9 Il se fit donc une grande clameur. Quelques scribes du parti des Pharisiens se levèrent et protestè- **5** 34s
rent énergiquement : « Nous ne trouvons rien de
mal en cet homme. Et si un esprit lui avait parlé?
ou un ange [h]? » 10 La dispute devenait de plus en
plus vive. Le tribun, craignant qu'ils ne missent
Paul en pièces, fit descendre la troupe pour
l'enlever du milieu d'eux et le ramener à la forteresse.
11 La nuit suivante, le Seigneur vint le trouver et **18** 9-10;
lui dit : « Courage! De même que tu as rendu **27** 24
témoignage de moi à Jérusalem, ainsi faut-il encore
que tu témoignes à Rome. » **19** 21

**Complot des Juifs contre Paul.** **9** 23; **20** 3 1 Th **2** 14+

12 Lorsqu'il fit jour, les Juifs tinrent un conciliabule, où ils s'engagèrent par anathème [i] à ne pas
manger ni boire avant d'avoir tué Paul. 13 Ils
étaient plus de quarante à avoir fait cette conjuration. 14 Ils allèrent trouver les grands prêtres et les
anciens, et leur dirent : « Nous nous sommes engagés par anathème à ne rien prendre avant d'avoir

*a)* En grec : « ton *martyr* ». Le mot n'a pas encore son sens précis, mais on s'en approche : le témoignage suprême est celui du sang. Cf. Ap **2** 13; **6** 9; **17** 6.

*b)* « Apôtre » veut dire « envoyé ». Ces paroles du Christ équivalent donc à constituer Paul apôtre, cf. Ga **1** 1; 1 Co **9** 1; 2 Co **12** 11-12, et spécialement apôtre des païens, Ga **1** 16; **2** 7-8; Rm **1** 5; **11** 13; **15** 16, 18; Ep **3** 6-8; Col **1** 25-29; 1 Tm **2** 7, bien que les Actes (sauf **14** 4, 14) réservent habituellement ce titre aux Douze.

*c)* En fait, Paul restera pourtant enchaîné : v. 30; **23** 18; **24** 27; **26** 29. Peut-être faut-il distinguer deux sortes de chaînes : les unes plus lourdes et qui constituaient déjà une peine, on les aura ôtées à Paul; et les chaînes plus légères nécessaires à la bonne garde des prisonniers.

*d)* Selon l'annonce de Jésus aux disciples, Mt **10** 17-18 = Mc **13** 9-10; Lc **21** 12, Paul va comparaître devant « les sanhédrins », Ac **22** 30 - **23** 10, « les gouverneurs » (Félix, **24**), « les rois » (Agrippa, **25-26**).

*e)* La bonne conscience est caractéristique de la morale paulinienne : 1 Co **4** 4; 2 Co **1** 12; 1 Tm **1** 5, 19; **3** 9; 2 Tm **1** 3, cf. He **13** 18.

*f)* Ananie, fils de Nébédée, nommé grand prêtre vers 47; arrêté, envoyé à Rome et probablement destitué en 51 ou 52, puis rentré en grâce; assassiné en 66 au début de la guerre juive.

*g)* La doctrine de la résurrection, cf. 2 M **7** 9+, et celle des anges, cf. Tb **5** 4+, ne se sont affirmées dans le judaïsme qu'à une date relativement récente. D'après ce texte, les Sadducéens auraient rejeté la seconde aussi bien que la première (on sait qu'ils niaient même les rétributions de l'au-delà). Sur ces deux points, Paul va trouver dans les Pharisiens des alliés, cf. Ac **4** 1s+.

*h)* L'hypothèse paraît vouloir expliquer l'apparition sur le chemin de Damas.

*i)* En appelant sur eux la malédiction divine s'ils manquaient à leur engagement.

tué Paul. 15 Vous donc maintenant, d'accord avec
le Sanhédrin, expliquez au tribun qu'il doit vous
l'amener, sous prétexte d'examiner plus à fond son
affaire. De notre côté, nous sommes prêts à le tuer
avant qu'il n'arrive. »
16 Mais le fils de la sœur de Paul eut connaissance du guet-apens. Il se rendit à la forteresse,
entra et prévint Paul. 17 Appelant un des centurions, Paul lui dit : « Conduis ce jeune homme au
tribun; il a quelque chose à lui communiquer. »
18 Le centurion le prit donc et l'amena au tribun.
« Le prisonnier Paul, dit-il, m'a appelé et m'a prié
de t'amener ce jeune homme, qui a quelque chose
à te dire. » 19 Le tribun prit le jeune homme par la
main, se retira à l'écart et lui demanda : « Qu'as-tu
à me communiquer? » – 20 « Les Juifs, répondit-il,
se sont concertés pour te prier d'amener Paul
demain au Sanhédrin, sous prétexte d'enquêter plus
à fond sur son cas. 21 Ne va pas les croire. Plus de
quarante d'entre eux le guettent, qui se sont engagés par anathème à ne pas manger ni boire avant
de l'avoir tué. Et maintenant, ils sont tout prêts,
escomptant ton accord. » 22 Le tribun congédia le
jeune homme avec cette recommandation : « Ne
raconte à personne que tu m'as révélé ces choses. »

**Transfert de Paul à Césarée.**

23 Puis il appela deux des centurions et leur dit :
« Tenez prêts à partir pour Césarée, dès la troisième heure de la nuit, deux cents soldats, soixante-
dix cavaliers et deux cents hommes d'armes.
24 Qu'on ait aussi des chevaux pour faire monter
Paul et le conduire sain et sauf au gouverneur
Félix [a]. »
25 Et il écrivit une lettre ainsi conçue :
26 « Claudius Lysias au très excellent gouverneur
**21** 31-33 Félix, salut! 27 L'homme que voici avait été pris par
les Juifs, et ils allaient le tuer, quand j'arrivai avec
**22** 25-29 la troupe et le leur arrachai, ayant appris qu'il était
citoyen romain. 28 J'ai voulu savoir au juste pour-
quoi ils l'accusaient et je l'ai amené dans leur Sanhédrin. 29 J'ai constaté que l'accusation se rappor-
**18** 15; tait à des points contestés de leur Loi [b], mais qu'il
**25** 18-19 n'y avait aucune charge qui entraînât la mort ou
les chaînes [c]. 30 Avisé qu'un complot se préparait
contre cet homme, je te l'ai aussitôt envoyé, et j'ai
informé ses accusateurs qu'ils avaient à porter
devant toi leur plainte contre lui [d]. »
31 Conformément aux ordres reçus, les soldats
prirent Paul et le conduisirent de nuit à Antipatris.
32 Le lendemain, ils laissèrent les cavaliers s'en
aller avec lui et rentrèrent à la forteresse. 33 Arrivés
à Césarée, les cavaliers remirent la lettre au gouverneur et lui présentèrent Paul. 34 Après avoir lu
la lettre, le gouverneur s'informa de quelle province
il était. Apprenant qu'il était de Cilicie : 35 « Je
t'entendrai, dit-il, quand tes accusateurs seront
arrivés, eux aussi. » Et il le fit garder dans le prétoire d'Hérode [e].

**Le procès devant Félix.**

24 1 Cinq jours plus tard, le grand prêtre Ananie
descendit avec quelques anciens et un avocat,
un certain Tertullus, et, devant le gouverneur, ils se
constituèrent accusateurs de Paul. 2 Celui-ci fut
appelé, et Tertullus entama l'accusation en ces termes : « La paix profonde dont nous jouissons grâce
à toi et les réformes dont cette nation est redevable
à ta providence, 3 en tout et partout nous les
accueillons, très excellent Félix, avec toutes sortes
d'actions de grâces. 4 Mais pour ne pas t'importu-
ner davantage, je te prie de nous écouter un instant
avec la bienveillance qui te caractérise. 5 Cet
homme, nous l'avons constaté, est une peste : il
suscite des désordres chez tous les Juifs du monde **16** 20; **17** 6
entier, et c'est un meneur du parti [f] des Nazôréens. Lc **23** 2
6 Il a même tenté de profaner le Temple, et nous Mt **2** 23+
l'avons alors arrêté [g]. 8 C'est par lui que tu pourras Ac **21** 28
toi-même, en l'interrogeant [h], t'assurer du bien-
fondé de toutes nos accusations contre lui. » 9 Les
Juifs l'appuyèrent, assurant qu'il en était bien ainsi.
10 Alors, le gouverneur lui ayant fait signe de
parler, Paul répondit [i] :

**Discours de Paul devant le gouverneur romain.**

« Voilà, je le sais, de nombreuses années que tu
as cette nation sous ta juridiction; aussi est-ce avec
confiance que je plaiderai ma cause. 11 Tu peux t'en

*a)* Antonius Félix, un affranchi, frère de Pallas, le favori d'Agrippine, fut procurateur de Judée de 52 à 59 ou 60.
*b)* Texte occ. : « ... des points de la Loi de Moïse et un certain Jésus ».
*c)* Luc relève ces déclarations qui proclament l'innocence de Paul, cf. v. 9; **25** 18, 25; **26** 31; **28** 18, comme il l'avait fait pour Jésus, cf. **3** 13; **13** 28; Lc **23** 14-15, 22.
*d)* Add. : « Adieu ».
*e)* Palais construit par Hérode le Grand et devenu résidence officielle du procurateur romain.
*f)* Les adversaires du christianisme n'y voient qu'un « parti », cf. **5** 17, à l'intérieur du judaïsme, cf. v. 14; **28** 22.
*g)* Les Juifs revendiquent la compétence. Cf. **25** 9; Jn **18** 31+. – De nombreux témoins ajoutent ici : « Nous voulions le juger d'après notre Loi, 7 mais le tribun Lysias est intervenu, qui l'a arraché de nos mains avec beaucoup de violence 8 et a ordonné à ses accusateurs de venir devant toi. »
*h)* En interrogeant Paul, d'après le texte court adopté ici; selon le texte long (voir note *g*), il peut s'agir d'interroger Lysias.
*i)* Paul rejette l'accusation d'avoir provoqué des désordres (cf. v. 5), vv. 11-13. Il s'explique ensuite sur sa qualité de « Nazôréen » (cf. v. 5), qui ne l'empêche aucunement d'être fidèle à sa religion juive, vv. 14-16. Enfin, il se justifie du grief d'avoir profané le Temple, vv. 17-19. En conclusion, il rappelle que, lors de sa comparution devant le Sanhédrin, on n'a pu le convaincre d'aucun délit, vv. 20-21.

accuser : il n'y a pas plus de douze jours que je suis
20 16 monté en pèlerinage [a] à Jérusalem, [12] et, ni dans le
11 30+ Temple, ni dans les synagogues, ni par la ville, on
ne m'a trouvé en discussion avec quelqu'un ou en
train d'ameuter la foule. [13] Ils ne peuvent pas
davantage te prouver ce dont ils m'accusent maintenant.

[14] « Je t'avoue pourtant ceci : c'est suivant la
9 2+ Voie, qualifiée par eux de parti, que je sers le Dieu
Rm 3 31; 10 4 de mes pères, gardant ma foi à tout ce qu'il y a
Mt 5 17+ dans la Loi et à ce qui est écrit dans les Prophètes [b], [15] ayant en Dieu l'espérance, comme ceux-ci
Jn 5 29+ l'ont eux-mêmes [c], qu'il y aura une résurrection des
Ac 23 6+ justes et des pécheurs. [16] C'est pourquoi, moi aussi,
23 1+ je m'applique à avoir sans cesse une conscience
irréprochable devant Dieu et devant les hommes.

[17] « Au bout de bien des années [d], je suis venu
apporter des aumônes à ma nation [e] et présenter
des offrandes [f] : [18] c'est ainsi qu'ils m'ont trouvé
dans le Temple; je m'étais purifié et ne provoquais
21 27 ni attroupement ni tumulte. [19] Mais quelques Juifs
d'Asie... – c'est eux qui auraient dû se présenter
devant toi et m'accuser, s'ils avaient quelque chose
contre moi! [20] Que ceux-ci du moins disent, eux, de
quel délit ils m'ont trouvé coupable lorsque j'ai
comparu devant le Sanhédrin! [21] A moins qu'il ne
s'agisse de cette seule parole que j'ai criée, debout
23 6+ au milieu d'eux : C'est à cause de la résurrection
des morts que je suis mis aujourd'hui en jugement
devant vous [g]. »

**La captivité de Paul à Césarée.**

[22] Félix, qui était fort exactement informé de ce
9 2+ qui concerne la Voie, les ajourna en disant : « Dès
que le tribun Lysias sera descendu, je statuerai sur
votre affaire. » [23] Il prescrivit au centurion de garder Paul prisonnier, mais de lui laisser quelques
facilités et de n'empêcher aucun des siens de lui
rendre service [h].

[24] Quelques jours plus tard, Félix vint avec sa
femme Drusille, qui était juive [i]. Il envoya chercher
Paul et l'écouta parler de la foi au Christ Jésus. 18 5+
[25] Mais comme il se mettait à discourir sur la justice, la continence, le jugement à venir, Félix prit
peur [j] et répondit : « Pour le moment, tu peux aller. Mc 6 17-20
Je te rappellerai à la première occasion. » [26] Il espé- 17 32
rait par ailleurs que Paul lui donnerait de l'argent;
aussi l'envoyait-il assez souvent chercher pour
converser avec lui.

[27] Après deux années [k] révolues, Félix reçut pour
successeur Porcius Festus [l]. Voulant faire plaisir 25 9
aux Juifs, Félix laissa Paul en captivité [m].

**Paul en appelle à César.**

**25** [1] Trois jours après son arrivée dans la province [n], Festus monta de Césarée à Jérusalem.
[2] Les grands prêtres et les notables juifs se constituèrent devant lui accusateurs de Paul [o]. Lui présentant leur requête [3] contre celui-ci, ils sollicitaient comme une faveur qu'il fût transféré à 23 12-15
Jérusalem; ils préparaient un guet-apens pour le
tuer en chemin. [4] Mais Festus répondit que Paul
devait rester en prison à Césarée, que lui-même
d'ailleurs allait partir tout de suite. [5] « Que ceux
donc d'entre vous qui ont qualité, dit-il, descendent
avec moi et, si cet homme est coupable en quelque
manière, qu'ils le mettent en accusation. »

[6] Après avoir passé chez eux huit à dix jours au
plus, il descendit à Césarée et, siégeant au tribunal
le lendemain, il fit amener Paul. [7] Quand celui-ci
fut arrivé, les Juifs descendus de Jérusalem l'entourèrent, portant contre lui des accusations multiples Mt 26 59-61p:
et graves, qu'ils n'étaient pas capables de prouver. 27 12-14p
[8] Paul se défendait : « Je n'ai, disait-il, commis Lc 23 10
aucune faute contre la Loi des Juifs, ni contre le Ac 17 6-7
Temple, ni contre César. » [9] Voulant faire plaisir 24 14+; 21 18+
aux Juifs, Festus répondit à Paul : « Veux-tu mon- 24 27
ter à Jérusalem pour y être jugé là-dessus en ma
présence [p]? » [10] Mais Paul répliqua : « Je suis
devant le tribunal de César; c'est là que je dois être
jugé. Je n'ai fait aucun tort aux Juifs, tu le sais très
bien toi-même. [11] Mais si je suis réellement coupa-

*a)* Litt. « pour adorer », cf. **8** 27.
*b)* Le christianisme n'est pas une autre religion que le judaïsme, il est le judaïsme même entré en possession de son espérance séculaire. En repoussant le Christ, c'est leur propre tradition religieuse que les Juifs renient. Cf. le discours devant Agrippa, **26**, l'argument traditionnel des prophéties, **2** 23+; **3** 24+, et les déclarations de Paul, Rm **1** 2; **3** 31; **10** 4; **16** 26; 1 Co **15** 3-4; Ga **3**, etc.
*c)* Les Pharisiens, cf. **23** 6+.
*d)* La visite mentionnée en **18** 22 remonterait au moins à quatre ans, la visite du « concile de Jérusalem » à huit ou neuf ans.
*e)* Seule allusion des Actes au motif réel du voyage : la collecte des Églises de la gentilité à porter à Jérusalem, cf. Rm **15** 25+.
*f)* Des sacrifices offerts à Dieu, cf. **21** 24, 26.
*g)* Paul cherche habilement à rattacher la cause chrétienne à celle de la théologie pharisienne.
*h)* Régime de détention assez semblable à celui dont Paul jouira à Rome.
*i)* Fille cadette d'Hérode-Agrippa (cf. **12**). Elle avait abandonné son premier mari, le roi d'Émèse, pour épouser Félix.
*j)* Félix était cupide, brutal, dissolu. – Comparer l'attitude de Jean-Baptiste devant Hérode.
*k)* Grec : *dietia (= biennium).* Ce mot, qu'on retrouve dans **28** 30, paraît être pris comme un terme technique du droit : la durée maxima d'une détention préventive. Au bout de ce temps, aucune condamnation n'étant intervenue, Paul aurait donc dû recouvrer la liberté. C'est probablement ce qui est arrivé à Rome, cf. **28** 30. En maintenant Paul en captivité, Félix agissait contrairement au droit.
*l)* Nommé probablement en 60, mort en 62.
*m)* « Voulant faire... »; var. occ. : « Et il laissa Paul en prison à cause de Drusille ».
*n)* Ou : « après son entrée en fonction ».
*o)* Même démarche juridique que **24** 1; cf. **25** 15.
*p)* Festus reconnaît qu'il s'agit d'un litige religieux relevant, non de sa compétence, mais de celle du Sanhédrin (cf. vv. 19-20).

ble, si j'ai commis quelque crime qui mérite la
mort, je ne refuse pas de mourir. Si, par contre, il
n'y a rien de fondé dans les accusations de ces
gens-là contre moi, nul n'a le droit de me céder à
eux. J'en appelle à César [a]! » 12 Alors Festus, après
en avoir conféré avec son conseil, répondit : « Tu
26 32; 28 19 en appelles à César, tu iras devant César. »

### Paul comparaît devant le roi Agrippa.

13 Quelques jours plus tard, le roi Agrippa et
Bérénice [b] arrivèrent à Césarée et vinrent saluer
Festus. 14 Comme leur séjour se prolongeait, Festus
exposa au roi l'affaire de Paul : « Il y a ici, dit-il,
un homme que Félix a laissé en captivité.
15 Pendant que j'étais à Jérusalem, les grands prêtres et les anciens des Juifs ont porté plainte à son
sujet, demandant sa condamnation. 16 Je leur ai
répondu que les Romains n'ont pas l'habitude de
céder un homme avant que, ayant été accusé, il ait
eu ses accusateurs en face de lui et qu'on lui ait
donné la possibilité de se défendre contre l'inculpa-
tion. 17 Ils sont donc venus ici avec moi, et, sans
y apporter aucun délai, dès le lendemain, j'ai siégé
à mon tribunal et fait amener l'homme. 18 Mis en
sa présence, les accusateurs n'ont soulevé aucun
grief concernant des forfaits que, pour ma part,
j'aurais soupçonnés. 19 Ils avaient seulement avec
18 15; 23 29 lui je ne sais quelles contestations touchant leur
religion à eux et touchant un certain Jésus, qui est
23 6+ mort, et que Paul affirme être en vie. 20 Pour moi,
1 Co 15 12-20 2 Co 13 4 embarrassé devant un débat de ce genre, je lui ai
Lc 24 5, 23 demandé s'il voulait aller à Jérusalem pour y être
jugé là-dessus. 21 Mais Paul ayant interjeté appel
pour que son cas fût réservé au jugement de l'auguste empereur [c], j'ai ordonné de le garder jusqu'à
ce que je l'envoie à César. » 22 Agrippa dit à Festus : « Je voudrais, moi aussi, entendre cet
homme [d]. » – « Demain, dit-il, tu l'entendras. »
23 Le lendemain donc, Agrippa et Bérénice vinrent en grande pompe et se rendirent à la salle d'audience, entourés des tribuns et des notabilités de la
ville. Sur l'ordre de Festus, on amena Paul.
24 Festus dit alors : « Roi Agrippa et vous tous ici
présents avec nous, vous voyez cet homme au sujet
duquel la communauté juive tout entière est intervenue auprès de moi, tant à Jérusalem qu'ici, pro-
testant à grands cris qu'il ne fallait pas le laisser 21 36+
vivre davantage. 25 Pour moi, j'ai reconnu qu'il n'a
rien fait qui mérite la mort; cependant, comme il
en a lui-même appelé à l'auguste empereur, j'ai
décidé de le lui envoyer. 26 Je n'ai rien de bien précis à écrire au Seigneur [e] sur son compte; c'est
pourquoi je l'ai fait comparaître devant vous,
devant toi surtout, roi Agrippa, afin qu'après cet interrogatoire, j'aie quelque chose à écrire. 27 Il me
paraît absurde, en effet, d'envoyer un prisonnier
sans indiquer en même temps les charges qui
pèsent sur lui. »

26 1 Agrippa dit à Paul : « Tu es autorisé à plaider ta cause. » Alors, étendant la main, Paul 13 16
présenta sa défense :

### Discours de Paul devant le roi Agrippa [f].

2 « De tout ce dont me chargent les Juifs, je
m'estime heureux, roi Agrippa, d'avoir aujourd'hui
à me disculper devant toi, 3 d'autant plus que [g] tu
es au courant de toutes les coutumes et controverses des Juifs. Aussi, je te prie de m'écouter avec
patience.
4 « Ce qu'a été ma vie depuis ma jeunesse, 22 3+
comment depuis le début j'ai vécu au sein de ma
nation, à Jérusalem même, tous les Juifs le savent.
5 Ils me connaissent de longue date et peuvent, s'ils
le veulent, témoigner que j'ai vécu suivant le parti
le plus strict de notre religion, en Pharisien. 6 Maintenant encore, si je suis mis en jugement, c'est à
cause de mon espérance en la promesse faite par 23 6+
Dieu à nos pères 7 et dont nos douze tribus, dans
le culte qu'elles rendent à Dieu avec persévérance,
nuit et jour, espèrent atteindre l'accomplissement [h]. Dn 12 1-3
C'est pour cette espérance, ô roi, que je suis mis 2 M 7 9

Mais, étant citoyen romain, Paul ne peut être renvoyé devant cette juridiction qu'avec son consentement. Pour l'obtenir, Festus lui promet sa présence et son contrôle sur les débats.

*a)* Festus déclinant la compétence, Paul ne pouvait échapper au procès devant le Sanhédrin qu'en se réclamant du privilège des citoyens romains de pouvoir se faire juger en cause criminelle par le tribunal impérial.

*b)* Agrippa, Bérénice et Drusille (cf. **24** 24) étaient trois enfants d'Hérode-Agrippa 1er, cf. **12** 1+. Agrippa (II), l'aîné, était né en 27. Sa sœur Bérénice vivait alors auprès de lui, non sans faire jaser; elle se trouvera, quelques années plus tard, aux côtés de Titus. Sur les territoires gouvernés par Agrippa II, voir le Tableau chronologique, à la fin du volume (à partir de l'an 48).

*c)* Litt. « au jugement d'Auguste », de même au v. 25. Comme « César », « Auguste » était un titre de l'empereur régnant (qui était alors Néron, 54-68).

*d)* De même, son grand-oncle Hérode-Antipas avait désiré voir Jésus, Lc **9** 9; **23** 8.

*e)* Désignation de l'empereur considéré comme le détenteur d'un pouvoir royal absolu et universel, jouissant donc d'une prérogative plus ou moins divine.

*f)* Après un exorde flatteur, vv. 2-3, cf. **24** 2-3, 10, Paul proclame la parfaite conformité de sa foi chrétienne avec la croyance pharisienne en la résurrection, vv. 4-8, cf. **23** 6+; il raconte ensuite les circonstances de sa conversion, vv. 9-18, cf. **9** 1-18; **22** 3-16; il termine par un résumé de sa prédication, qui n'annonce le christianisme que comme l'accomplissement des Écritures, vv. 19-23, cf. **13** 15-47. Derrière le différend actuel, on voit apparaître ici toute la question des rapports entre judaïsme et christianisme, cf. **24** 14+.

*g)* Autre traduction : « plus que personne ».

*h)* L'espérance messianique se concrétise dans la croyance en la résurrection des justes, destinés à prendre part au Royaume de la fin des temps, cf. Dn **12** 1-3; 2 M **7** 9+. Cette espérance a reçu un commencement de réalisation dans la résurrection du Christ, qui devient ainsi le fondement de l'espérance chrétienne, 1 Co **15** 15-22; Col **1** 18.

en accusation par les Juifs. 8 Pourquoi juge-t-on in-
Rm 4 17; 2 Co 1 9 croyable parmi vous que Dieu ressuscite les
He 11 19 morts [a]?
= 9 1-18 9 « Pour moi donc, j'avais estimé devoir
= 22 5-16 employer tous les moyens pour combattre le nom
Mt 2 23+ de Jésus le Nazôréen. 10 Et c'est ce que j'ai fait à
Jérusalem; j'ai moi-même jeté en prison un grand
9 13+ nombre de saints, ayant reçu ce pouvoir des grands
8 1; 22 20 prêtres, et quand on les mettait à mort, j'apportais
mon suffrage. 11 Souvent aussi, parcourant toutes
les synagogues, je voulais, par mes sévices, les forcer à blasphémer et, dans l'excès de ma fureur
contre eux, je les poursuivais jusque dans les villes
étrangères.
12 « C'est ainsi que je me rendis à Damas avec
pleins pouvoirs et mission des grands prêtres. 13 En
chemin, vers midi, je vis, ô roi, venant du ciel et
plus éclatante que le soleil, une lumière qui resplendit autour de moi et de ceux qui m'accompagnaient. 14 Tous nous tombâmes à terre, et
j'entendis une voix qui me disait en langue
21 40+ hébraïque : " Saoul, Saoul, pourquoi me persécu-
1 Co 9 16s tes-tu? Il est dur pour toi de regimber contre l'aiguillon [b]. " 15 Je répondis : " Qui es-tu, Seigneur? "
Le Seigneur dit : " Je suis Jésus, que tu persécutes.
Ez 2 1 16 Mais relève-toi et tiens-toi debout. Car voici
pourquoi je te suis apparu : pour t'établir serviteur
1 8+; 20 24 et témoin de la vision dans laquelle tu viens de me
voir et de celles où je me montrerai encore à toi.
Jr 1 5-8 17 C'est pour cela que *je te délivrerai* du peuple et
*des nations païennes, vers lesquelles je t'envoie*,
Is 42 7, 16 moi, 18 *pour leur ouvrir les yeux*, afin qu'elles
Ac 9 17-18 Jn 8 12+ reviennent *des ténèbres à la lumière* [c] et de l'empire
Col 1 12-14 de Satan à Dieu, et qu'elles obtiennent, par la foi
1 P 2 9 en moi, la rémission de leurs péchés [d] et une part
Dt 33 3-4 d'héritage avec les sanctifiés. "
Ga 1 16 19 « Dès lors, roi Agrippa, je n'ai pas été rebelle
à la vision céleste. 20 Bien au contraire, aux habitants de Damas d'abord, à Jérusalem et dans tout
le pays de Judée, puis aux païens, j'ai prêché qu'il
+; Lc 3 8p fallait se repentir et revenir à Dieu en faisant des
œuvres qui conviennent au repentir. 21 Voilà pourquoi les Juifs, s'étant saisis de moi dans le Temple,
essayaient de me tuer. 22 Soutenu par la protection 21 30-31
de Dieu, j'ai continué jusqu'à ce jour à rendre mon
témoignage devant petits et grands, sans jamais
rien dire en dehors de ce que les Prophètes et Moïse 2 23+
avaient déclaré devoir arriver : 23 que le Christ 1 Co 15 20-23
souffrirait et que, ressuscité le premier d'entre les Ac 13 47
morts, il annoncerait la lumière au peuple et aux
nations païennes. »

**Réactions de l'auditoire.**

24 Il en était là de sa défense, quand Festus dit
à haute voix : « Tu es fou, Paul; ton grand savoir
te fait perdre la tête [e]. » 25 Sur quoi Paul de dire :
« Je ne suis pas fou, très excellent Festus, mais je
parle un langage de vérité et de bon sens. 26 Car il Jn 18 37-38
est instruit de ces choses, le roi, auquel je m'adresse
en toute assurance, persuadé que rien ne lui en est 13 46+
étranger. Car ce n'est pas dans un coin que cela
s'est passé [f]! 27 Crois-tu aux prophètes, roi
Agrippa? Je sais que tu y crois. » 28 Et le roi
Agrippa de répondre à Paul : « Encore un peu et,
par tes raisons, tu vas faire de moi un chrétien [g]! »
29 Et Paul : « Qu'il s'en faille de peu ou de beaucoup [h], puisse Dieu faire que non seulement toi,
mais tous ceux qui m'écoutent aujourd'hui, vous
deveniez tels que je suis moi-même, à l'exception
des chaînes que voici. » 28 20
30 Là-dessus le roi se leva, ainsi que le gouverneur, Bérénice et ceux qui étaient assis avec eux.
31 En se retirant, ils parlaient entre eux : « Cet
homme, disaient-ils, n'a rien fait qui mérite la mort 23 29+
ni les chaînes. » 32 Agrippa, lui, dit à Festus : « On
aurait pu relâcher cet homme s'il n'en avait appelé 25 11; 28 19
à César. »

**Le départ pour Rome.**

27 1 Quand notre [i] embarquement pour l'Italie
eut été décidé, on remit Paul et quelques
autres prisonniers à un centurion de la cohorte
Augusta, nommé Julius. 2 Nous montâmes à bord
d'un vaisseau d'Adramyttium qui allait partir pour
les côtes d'Asie, et nous prîmes la mer. Il y avait
avec nous Aristarque, un Macédonien de Thessalo- 19 29+

*a)* Var. vv. 7-8 : « cette promesse pour laquelle nos douze tribus rendent à Dieu, nuit et jour, un culte persévérant, dans l'espoir d'en atteindre l'accomplissement; c'est pour elle que je suis mis maintenant en accusation par les Juifs : à savoir que Dieu ressuscite les morts. »

*b)* Expression proverbiale chez les Grecs pour caractériser une résistance inutile : comme celle du bœuf qui, en donnant de la patte contre l'aiguillon, ne réussit qu'à se blesser.

*c)* La mission de Paul est ici décrite à l'aide de traits bibliques relatifs aux grandes missions prophétiques : Jérémie et le Serviteur de Yahvé.

*d)* En **9** 17-18, c'est Paul qui passe des ténèbres à la lumière en recouvrant la vue. En **22** 16 (cf. **9** 18), c'est Paul qui doit se purifier de ses péchés en recevant le baptême. Ainsi ce qu'il a éprouvé lui-même devient un symbole de sa mission à l'égard des autres.

*e)* Festus est abasourdi par l'érudition biblique de Paul et aussi, sans doute, par la manière juive d'argumenter. Agrippa, lui, se tait, visiblement ébranlé : voir sa réponse évasive au v. 28.

*f)* Il s'agit des faits par lesquels s'accomplissent les Écritures (v. 23) : la passion et la résurrection de Jésus, l'extension de la prédication apostolique. Tout cela est de notoriété publique.

*g)* Le mot a encore sa valeur de sobriquet, cf. **11** 26+. – Var. : « Encore un peu, et tu me persuades de devenir chrétien! » ou : « Encore un peu, et tu te persuades m'avoir fait chrétien! »

*h)* Jeu de mots sur le « encore un peu » d'Agrippa.

*i)* Luc prend de nouveau part à l'action. La précision du récit donne l'impression d'un minutieux journal de voyage.

nique. 3 Le lendemain, nous touchâmes à Sidon. Julius fit preuve d'humanité à l'égard de Paul en lui permettant d'aller trouver ses amis et de recevoir leurs bons offices. 4 Partis de là, nous longeâmes la côte de Chypre, parce que les vents étaient contraires. 5 Traversant ensuite les mers de Cilicie et de Pamphylie, nous arrivâmes au bout de quinze jours[a] à Myre en Lycie. 6 Là, le centurion trouva un navire alexandrin en partance pour l'Italie et nous fit monter à bord.

7 Pendant plusieurs jours la navigation fut lente, et nous arrivâmes à grand-peine à la hauteur de Cnide. Le vent ne nous permit pas d'aborder, nous longeâmes alors la Crète vers le cap Salmoné, 8 et après l'avoir côtoyée péniblement, nous arrivâmes à un endroit appelé Bons-Ports, près duquel se trouve la ville de Lasaïa.

Jon 1 4-16 **La tempête et le naufrage.**
Mt **8** 23-27p

9 Il s'était écoulé pas mal de temps, et la navigation était désormais périlleuse, car même le Jeûne[b] était déjà passé. Paul les en avertissait : 10 « Mes amis, leur disait-il, je vois que la navigation n'ira pas sans péril et sans grave dommage non seulement pour la cargaison et le navire, mais même pour nos personnes. » 11 Le centurion se fiait au capitaine et à l'armateur plutôt qu'aux dires de Paul; 12 le port se prêtait d'ailleurs mal à l'hivernage. La plupart furent donc d'avis de partir et de gagner, si possible, pour y passer l'hiver, Phénix, un port de Crète tourné vers le sud-ouest et le nord-ouest.

13 Un léger vent du sud s'étant levé, ils se crurent en mesure d'exécuter leur projet. Ils levèrent l'ancre et se mirent à côtoyer de près la Crète. 14 Mais bientôt, venant de l'île, se déchaîna un vent d'ouragan nommé Euraquilon. 15 Le navire fut entraîné et ne put tenir tête au vent; nous nous abandonnâmes donc à la dérive. 16 Filant sous une petite île appelée Cauda, nous réussîmes à grand-peine à nous rendre maîtres de la chaloupe. 17 Après l'avoir hissée, on fit usage des engins de secours : on cintra le navire; puis, par crainte d'aller échouer sur la Syrte, on laissa glisser l'ancre flottante. On allait ainsi à la dérive. 18 Le lendemain, comme nous étions furieusement battus de la tempête, on se mit à délester le navire 19 et, le troisième jour, de leurs propres mains, les matelots jetèrent les agrès à la mer. 20 Ni soleil ni étoiles n'avaient brillé depuis plusieurs jours, et la tempête gardait toujours la même violence; aussi tout espoir de salut était-il désormais perdu pour nous.

21 Il y avait longtemps qu'on n'avait plus man- 27 33
gé[c]; alors Paul, debout au milieu des autres, leur
dit : « Il fallait m'écouter, mes amis, et ne pas quitter la Crète; on se serait épargné ce péril et ce dommage. 22 Quoi qu'il en soit, je vous invite à avoir
bon courage, car aucun de vous n'y laissera la vie, 27 34
le navire seul sera perdu. 23 Cette nuit en effet m'est Ac **18** 9; **23** 11
apparu un ange du Dieu auquel j'appartiens et que **10** 3+; Jon **1** 9
je sers, 24 et il m'a dit : “ Sois sans crainte, Paul. Il faut que tu comparaisses devant César[d], et voici que Dieu t'accorde la vie de tous ceux qui naviguent avec toi. ” 25 Courage donc, mes amis! Je me fie à Dieu de ce qu'il en sera comme il m'a été dit. 26 Mais nous devons échouer sur une île. »

27 C'était la quatorzième nuit et nous étions ballottés sur l'Adriatique[e], quand, vers minuit, les matelots pressentirent l'approche d'une terre. 28 Ils lancèrent la sonde et trouvèrent vingt brasses; un peu plus loin, ils la lancèrent encore et trouvèrent quinze brasses. 29 Craignant donc que nous n'allions échouer quelque part sur des écueils, ils jetèrent quatre ancres à la poupe; et ils appelaient de leurs vœux la venue du jour. 30 Mais les matelots cherchaient à s'enfuir du navire. Ils mirent la chaloupe à la mer, sous prétexte d'aller élonger les ancres de la proue. 31 Paul dit alors au centurion et aux soldats : « Si ces gens-là ne restent pas sur le navire, vous ne pouvez être sauvés. » 32 Sur ce les soldats coupèrent les cordes de la chaloupe et la laissèrent tomber.

33 En attendant que parût le jour, Paul engageait
tout le monde à prendre de la nourriture. « Voici
aujourd'hui quatorze jours, disait-il, que, dans 27 21
l'attente, vous restez à jeun, sans rien prendre. 34 Je
vous engage donc à prendre de la nourriture, car
c'est votre propre salut qui est ici en jeu. Nul
d'entre vous ne perdra un cheveu de sa tête. » 27 22, 24
35 Cela dit, il prit du pain, rendit grâces à Dieu devant tous, le rompit et se mit à manger[f]. 36 Alors, retrouvant leur courage, eux aussi prirent tous de la nourriture. 37 Nous étions en tout sur le navire deux cent soixante-seize personnes. 38 Une fois rassasiés, on se mit à alléger le navire en jetant le blé à la mer.

*a)* « au bout de quinze jours » texte occ.
*b)* Autre nom de la fête de l'Expiation, seul jour de jeûne prescrit par la Loi, Lv **16** 29-31. Il se célébrait aux environs de l'équinoxe d'automne.
*c)* C'est la deuxième intervention de Paul (vv. 33s) qui fait suite à cette remarque. Le récit de la première (vv. 21-26) semble inséré assez maladroitement dans le contexte et doubler en partie la deuxième.
*d)* Devant le tribunal impérial, non pas devant Néron lui-même.
*e)* On désignait par là toute la partie de la Méditerranée située entre la Grèce, l'Italie et l'Afrique.
*f)* Add. occ. : « en nous en donnant à nous aussi ». – Tout Juif, au moment de prendre un repas, prononçait une bénédiction. Mais les termes choisis par Luc évoquent, semble-t-il, le rite eucharistique, cf. **2** 42+.

39 Quand le jour parut, les marins ne reconnurent
pas la terre; ils distinguaient seulement une baie
avec une plage, et ils se proposaient, si possible, d'y
pousser le navire. 40 Ils détachèrent les ancres,
qu'ils abandonnèrent à la mer; ils relâchèrent en
même temps les amarres des gouvernails. Puis, his-
sant au vent la voile d'artimon, ils se laissèrent porter vers la plage. 41 Mais ayant touché un haut-fond
entre deux courants, ils y firent échouer le navire.
La proue, fortement engagée, restait immobile, tandis que la poupe, violemment secouée, se dislo-
quait.
**12** 19+ 42 Les soldats résolurent alors de tuer les prisonniers, de peur qu'il ne s'en échappât quelqu'un à la
nage. 43 Mais le centurion, qui voulait sauver Paul,
s'opposa à leur dessein. Il donna l'ordre à ceux qui
savaient nager de se jeter à l'eau les premiers et de
gagner la terre; 44 quant aux autres, ils la gagneraient, qui sur des planches, qui sur les épaves du
navire. Et c'est ainsi que tous parvinrent sains et
saufs à terre.

**Séjour à Malte.**

**28** 1 Une fois sauvés, nous apprîmes que l'île
s'appelait Malte. 2 Les indigènes nous traitèrent avec une humanité peu banale. Ils nous
accueillirent tous auprès d'un grand feu qu'ils
avaient allumé à cause de la pluie qui était survenue et du froid. 3 Comme Paul ramassait une bras-
sée de bois sec et la jetait dans le feu, une vipère,
que la chaleur en fit sortir, s'accrocha à sa main.
4 Quand les indigènes virent la bête suspendue à sa
main, ils se dirent entre eux : « Pour sûr, c'est un
assassin que cet homme : il vient d'échapper à la
mer, et la vengeance divine [a] ne lui permet pas de
vivre. » 5 Mais lui secoua la bête dans le feu et n'en
Mc **16** 18; ressentit aucun mal. 6 Ils s'attendaient à le voir
Lc **10** 19 enfler ou tomber raide mort. Après avoir attendu
longtemps, voyant qu'il ne lui arrivait rien
d'anormal, ils changèrent d'avis et se mirent à dire
**14** 11 que c'était un dieu.
7 Il y avait à proximité de cet endroit un domaine
appartenant au Premier de l'île, nommé Publius.
Celui-ci nous reçut et nous hébergea complaisam-
ment pendant trois jours. 8 Justement le père de
Publius, en proie aux fièvres et à la dysenterie, était
Lc **10** 9p alité. Paul alla le voir, pria, lui imposa les mains
et le guérit. 9 Sur quoi, les autres malades de l'île Ac **9** 12
vinrent aussi le trouver et furent guéris. 10 Aussi Lc **4** 40; 1 Tm **4** 14+
nous comblèrent-ils de toutes sortes de prévenances Ac **5** 15-16;
et, à notre départ, nous pourvurent-ils du néces- **8** 7-8
saire.

**De Malte à Rome.**

11 Au bout de trois mois, nous prîmes la mer sur
un navire qui avait hiverné dans l'île; c'était un
bateau alexandrin, à l'enseigne des Dioscures.
12 Nous abordâmes à Syracuse et y demeurâmes
trois jours. 13 De là, en longeant la côte, nous allâ-
mes à Rhegium. Le jour suivant, le vent du Sud se
leva, et nous parvenions le surlendemain à
Puteoli [b]. 14 Y trouvant des frères, nous eûmes la
consolation de rester sept jours avec eux. Et c'est
ainsi que nous arrivâmes à Rome.
15 Les frères de cette ville, informés de notre arrivée, vinrent à notre rencontre jusqu'au Forum
d'Appius et aux Trois-Tavernes. En les voyant,
Paul rendit grâces à Dieu et reprit courage.
16 Quand nous fûmes entrés dans Rome, on permit
à Paul de loger en son particulier avec le soldat qui
le gardait [c].

**Prise de contact avec les Juifs de Rome [d].**

17 Trois jours après, il convoqua les notables
juifs. Lorsqu'ils furent réunis, il leur dit : « Frères,
alors que je n'avais rien fait contre notre peuple ni
contre les coutumes des pères, j'ai été arrêté à **21** 21+
Jérusalem et livré aux mains des Romains. **24** 14+
18 Enquête faite, ceux-ci voulaient me relâcher,
parce qu'il n'y avait rien en moi qui méritât la **23** 29+
mort. 19 Mais comme les Juifs s'y opposaient, j'ai
été contraint d'en appeler à César, sans pourtant **25** 11; **26** 32
vouloir accuser en rien ma nation [e]. 20 Voilà pourquoi j'ai demandé à vous voir et à vous parler; car
c'est à cause de l'espérance d'Israël que je porte les **23** 6+; **26** 6-8
chaînes que voici. » **26** 29
21 Ils lui répondirent [f] : « Pour notre compte,
nous n'avons reçu à ton sujet aucune lettre de
Judée, et aucun des frères arrivés ici ne nous a rien Lc **4** 44+
communiqué ni appris de fâcheux sur ton compte.
22 Mais nous voudrions entendre de ta bouche ce **17** 19-20
que tu penses; car pour ce qui est de ce parti-là, **24** 5, 14
nous savons qu'il rencontre partout la contradiction. »

*a)* *Dikè*, la justice divine personnifiée.
*b)* Pouzzoles, dans le golfe de Naples. Il y avait déjà, dans ce port important, une colonie chrétienne.
*c)* Texte occ. (adopté par la recension antiochienne) : « Quand nous fûmes entrés à Rome, le centurion remet les prisonniers au stratopédarque. On permit alors à Paul de prendre un logement en dehors du camp (prétorien). » Ces renseignements complémentaires correspondent à ce qui a dû se passer effectivement. C'est le régime de faveur de la « custodia militaris » : le prisonnier prend un logement à lui, mais il doit toujours avoir le bras droit lié par une chaîne au bras gauche d'un soldat qui le garde.
*d)* Paul a voulu régler aussi vite que possible sa situation à l'égard des Juifs de Rome. Il va résumer son procès et protester une dernière fois de sa fidélité au judaïsme.
*e)* Add. occ. : « mais seulement dans le désir d'échapper à la mort ».
*f)* Réponse prudemment circonspecte.

**Déclaration de Paul aux Juifs de Rome** [a].

23 Ils prirent donc jour avec lui et vinrent en plus
grand nombre le trouver en son logis. Dans
13 16-41 l'exposé qu'il leur fit, il rendait témoignage du
1 3+ Royaume de Dieu et cherchait à les persuader au
2 23+ sujet de Jésus, en partant de la Loi de Moïse et des
Prophètes. Cela dura depuis le matin jusqu'au soir.
13 46-47 24 Les uns se laissaient persuader par ses paroles,
les autres restaient incrédules. 25 Ils se séparaient
sans être d'accord entre eux, quand Paul dit ce simple mot [b] : « Elles sont bien vraies les paroles que
l'Esprit Saint a dites à vos pères par la bouche du
prophète Isaïe :
Is 6 9-10 26 *Va trouver ce peuple et dis-lui :*
*vous aurez beau écouter, vous ne comprendrez pas;*
*vous aurez beau regarder, vous ne verrez pas.*
27 *C'est que l'esprit de ce peuple s'est épaissi :*
*ils se sont bouché les oreilles, ils ont fermé les yeux,*
*de peur que leurs yeux ne voient,*
*que leurs oreilles n'entendent,*
*que leur esprit ne comprenne,*
*qu'ils ne se convertissent.*
*Et je les aurais guéris!*

28 « Sachez-le donc : c'est aux païens qu'a été
envoyé ce salut de Dieu. Eux du moins, ils écouteront [c]. »

**Épilogue** [d].

30 Paul demeura deux années [e] entières dans le
logis qu'il avait loué. Il recevait tous ceux qui
venaient le trouver, 31 proclamant le Royaume de
Dieu et enseignant ce qui concerne le Seigneur
Jésus Christ avec pleine assurance et sans obstacle [f]. 13 46+

*a)* A Rome encore, Paul adresse le message évangélique aux Juifs d'abord, cf. **13** 5+. Le sommaire de sa prédication aux Juifs de Rome doit se comparer au discours inaugural d'Antioche de Pisidie, **13** 15-41.

*b)* Cette déclaration, parallèle à celle qui suit le discours d'Antioche, **13** 46-47, constitue la conclusion des Actes et en donne le fil conducteur, cf. **13** 41+. Elle évoque aussi les perspectives ouvertes à la fin du discours de Jésus à Nazareth, Lc **4** 23-27, et par ses dernières paroles aux apôtres, Lc **24** 47. Le texte d'Is **6** 9-10 (LXX) apparaît également en Mt **13** 14-15 (cf. Mc **4** 12p) et, partiellement, en Jn **12** 40. Le thème et le texte sont très familiers au christianisme primitif.

*c)* Le texte occ. (suivi par la recension antiochienne) ajoute le v. 29 : « Quand il eut dit cela, les Juifs s'en allèrent en discutant vivement entre eux. »

*d)* Ainsi l'arrivée de Paul à Rome, qui achève un programme d'évangélisation, cf. Lc **24** 47; Ac **1** 8+, apparaît comme le point de départ d'une nouvelle expansion du christianisme. Luc avait terminé son évangile en l'ouvrant sur la perspective de la mission des apôtres; il termine de même le livre des Actes en l'ouvrant sur l'avenir.

*e)* Même terme technique qu'en **24** 27. Paul a donc passé, sous le régime de la « custodia militaris », la totalité du délai dans lequel son procès devait se juger. Cela fait supposer que le procès n'a pas eu lieu, sans doute par le défaut des accusateurs. Une fois écoulé ce délai légal, Paul devait retrouver sa liberté; Phm 22 prévoit cette prochaine libération. C'est durant ces deux années que Paul écrivit ses lettres aux Colossiens, aux Éphésiens, et le billet à Philémon.

*f)* Add. occ. : « disant que c'est lui, Jésus, le Fils de Dieu, par qui le monde entier doit être jugé », cf. **17** 31. – Sur le ministère de Paul après sa libération, sur sa seconde captivité romaine et sa mort, voir l'Introduction aux Épîtres pauliniennes, pp. 1615 et 1622.

# LES ÉPÎTRES DE SAINT PAUL

# LES ÉPÎTRES DE SAINT PAUL

## Introduction

*Saint Paul nous est connu, mieux qu'aucune autre personnalité du NT, par ses Épîtres et par les Actes des Apôtres, deux sources indépendantes qui se confirment et se complètent, malgré quelques divergences de détail. Des synchronismes avec des événements connus de l'histoire – surtout le proconsulat de Gallion à Corinthe, Ac* **18** 12, *et le remplacement de Félix par Festus, Ac* **24** 27 - **25** 1 *– permettent en outre de fixer certaines dates et ainsi d'établir une chronologie relativement précise de la vie de l'Apôtre.*

*Né à Tarse de Cilicie, Ac* **9** 11; **21** 39; **22** 3, *vers l'an 10 de notre ère, d'une famille juive de la tribu de Benjamin, Rm* **11** 1; *Ph* **3** 5, *mais en même temps citoyen romain, Ac* **16** 37s; **22** 25-28; **23** 27, *il reçut dès sa jeunesse à Jérusalem, de Gamaliel, une forte éducation religieuse selon les doctrines pharisiennes, Ac* **22** 3; **26** 4*s; Ga* **1** 14; *Ph* **3** 5. *D'abord persécuteur acharné de la jeune Église chrétienne, Ac* **22** 4s; **26** 9-12; *Ga* **1** 13; *Ph* **3** 6, *et mêlé au meurtre d'Étienne, Ac* **7** 58; **22** 20; **26** 10, *il fut brusquement retourné, sur le chemin de Damas, par l'apparition de Jésus ressuscité qui, en lui manifestant la vérité de la foi chrétienne, lui signifia sa mission spéciale d'Apôtre des païens, Ac* **9** 3-19*p; Ga* **1** 12, 15*s; Ep* **3** 2*s. A partir de ce moment (vers l'an 36) il va vouer toute sa vie au service du Christ qui l'a « saisi », Ph* **3** 12. *Après un séjour en Arabie et un retour à Damas, Ga* **1** 17, *où déjà il prêche, Ac* **9** 20, *il monte à Jérusalem vers l'an 39, Ga* **1** 18; *Ac* **9** 26-29, *puis se retire en Syrie-Cilicie, Ga* **1** 21; *Ac* **9** 30, *d'où il est ramené à Antioche par Barnabé avec qui il enseigne, Ac* **11** 25*s, cf. déjà* **9** 27. *Une première mission apostolique, entre 45 et 49, lui fait annoncer l'Évangile en Chypre, Pamphylie, Pisidie et Lycaonie, Ac* **13-14***; c'est alors, selon saint Luc, qu'il se met à porter son nom grec Paul de préférence à son nom juif Saul, Ac* **13** 9, *et aussi qu'il prend le pas sur son compagnon Barnabé à cause de sa prépondérance dans la prédication, Ac* **14** 12. *Quatorze ans après sa conversion, Ga* **2** 1, *en 49, il monte à Jérusalem pour participer au concile apostolique où l'on admet, en partie sous son influence, que la Loi juive n'oblige pas les chrétiens convertis du paganisme, Ac* **15**; *Ga* **2** 3-6; *en même temps sa mission d'Apôtre des païens est officiellement reconnue, Ga* **2** 7-9, *et il repart pour de nouveaux voyages apostoliques. Le deuxième, Ac* **15** 36 - **18** 22, *et le troisième, Ac* **18** 23 - **21** 17, *occupent respectivement les années 50-52 et 53-58; nous en reparlerons plus loin pour situer les différentes épîtres qui les jalonnent. En 58 il est arrêté à Jérusalem, Ac* **21** 27-**23** 22, *et tenu prisonnier à Césarée de Palestine jusqu'en 60, Ac* **23** 23-**26** 32. *En automne 60 le procurateur Festus l'envoie sous escorte à Rome, Ac* **27** 1-**28** 16, *où Paul demeure deux ans, Ac* **28** 30, *de 61 à 63. Son procès s'étant terminé par un non-lieu, il est libéré. Peut-être se rend-il alors en Espagne, selon son désir, Rm* **15** 24, 28. *D'autre part les Épîtres Pastorales supposent de nouveaux voyages en Orient. Une dernière captivité à Rome s'achève par le martyre, attesté par la plus ancienne tradition, et qui peut être placé en 67.*

*Les Épîtres et les Actes nous tracent aussi un portrait saisissant de la personnalité de l'Apôtre.*

*Paul est un passionné, une âme de feu qui se dévoue sans compter à un idéal. Et cet idéal est essentiellement religieux. Pour lui Dieu est tout, et il le sert avec une loyauté absolue, d'abord en persécutant ceux qu'il tient pour des hérétiques,* 1 *Tm* **1** 13; *cf. Ac* **24** 5, 14, *puis en prêchant le Christ quand il a compris par révélation qu'en lui seul est le salut. Ce zèle inconditionné se traduit dans une vie d'abnégation totale au service de Celui qu'il aime. Labeurs, fatigues, souffrances, privations, périls de mort,* 1 *Co* **4** 9-13; 2 *Co* **4** 8s; **6** 4-10;

**11** 23-27, *rien ne compte à ses yeux du moment qu'il accomplit la tâche dont il se sent responsable,* 1 *Co* **9** 16s. *Rien de tout cela ne saurait le séparer de l'amour de Dieu et du Christ, Rm* **8** 35-39; *ou plutôt tout cela est précieux en le conformant à la Passion et à la Croix de son Maître,* 2 *Co* **4** 10s; *Ph* **3** 10s. *Le sentiment de sa singulière élection lui donne des ambitions immenses. Quand il se reconnaît le souci de toutes les Églises,* 2 *Co* **11** 28; *cf. Col* **1** 24, *quand il déclare avoir travaillé plus que les autres,* 1 *Co* **15** 10; *cf.* 2 *Co* **11** 5, *quand il demande à ses fidèles de l'imiter,* 2 *Th* **3** 7+, *ce n'est pas de l'orgueil, c'est la fierté légitime et très humble d'un saint : il se sait le dernier de tous, lui le persécuteur,* 1 *Co* **15** 9; *Ep* **3** 8, *et n'attribue qu'à la grâce de Dieu les grandes choses qui se font par lui,* 1 *Co* **15** 10; 2 *Co* **4** 7; *Ph* **4** 13; *Col* **1** 29; *Ep* **3** 7.

*L'ardeur de son cœur sensible se traduit bien dans ses sentiments pour ses fidèles. Plein d'abandon confiant envers ceux de Philippes, Ph* **1** 7s; **4** 10-20, *de tendresse émue pour ceux d'Éphèse, Ac* **20** 17-38, *il sursaute d'indignation quand ceux de Galatie s'apprêtent à trahir leur foi, Ga* **1** 6; **3** 1-3, *et ressent un douloureux embarras devant l'inconstance vaniteuse de ceux de Corinthe,* 2 *Co* **12** 11 - **13** 10. *Pour reprendre les volages il sait manier l'ironie,* 1 *Co* **4** 8; 2 *Co* **11** 7; **12** 13, *ou même les durs reproches, Ga* **3** 1-3; **4** 11; 1 *Co* **3** 1-3; **5** 1-2; **6** 5; **11** 17-22; **2** *Co* **11** 3s. *Mais c'est pour leur bien,* 2 *Co* **7** 8-13. *Et vite il tempère ses semonces par des accents de touchante tendresse,* 2 *Co* **11** 1-2; **12** 14s : *n'est-il pas leur unique père,* 1 *Co* **4** 14s; 2 *Co* **6** 13, *cf.* 1 *Th* **2** 11; *Phm* 10, *leur mère,* 1 *Th* **2** 7; *Ga* **4** 19? *Que se rétablissent donc les bonnes relations d'autrefois, Ga* **4** 12-20; 2 *Co* **7** 11-13!

*Au fait, c'est moins à eux qu'il s'en prend qu'aux adversaires qui tâchent de les séduire : ces Juifs qui lui résistent partout, Ac* **13** 45, 50; **14** 2, 19; **17** 5, 13; **18** 6; **19** 9; **21** 27, *ou ces chrétiens judaïsants qui veulent ramener ses convertis sous le joug de la Loi, Ga* **1** 7; **2** 4; **6** 12s. *Pour eux il n'a pas de ménagements,* 1 *Th* **2** 15s; *Ga* **5** 12; *Ph* **3** 2. *A leurs prétentions orgueilleuses et charnelles il oppose l'authentique puissance spirituelle qui se manifeste dans sa faible personne,* 2 *Co* **10** 1 - **12** 12, *et la sincérité que prouve son désintéressement, Ac* **18** 3+. *On a prétendu que ses rivaux étaient les grands apôtres de Jérusalem. Rien ne le prouve; il s'agit plutôt de judéo-chrétiens intégristes qui se réclamaient de Pierre,* 1 *Co* **1** 12, *et de Jacques, Ga* **2** 12, *pour ruiner le crédit de Paul. En fait, il respecte toujours l'autorité des vrais apôtres, Ga* **1** 18; **2** 2, *tout en revendiquant un titre égal à être un témoin du Christ, Ga* **1** 11s; 1 *Co* **9** 1; **15** 8-11; *et s'il lui arrive de résister même à Pierre sur un point particulier, Ga* **2** 11-14, *il sait aussi se montrer conciliant, Ac* **21** 18-26, *et apporte le plus grand soin à cette collecte en faveur des pauvres de Jérusalem, Ga* **2** 10, *où il voit le meilleur gage de l'union entre les chrétiens de la gentilité et ceux de l'Église mère,* **2** *Co* **8** 14; **9** 12-13; *Rm* **15** 26s.

*Sa prédication est avant tout le « kérygme » apostolique, Ac* **2** 22+, *proclamation du Christ crucifié et ressuscité conformément aux Écritures,* 1 *Co* **2** 2; **15** 3-4; *Ga* **3** 1. *« Son » évangile, Rm* **2** 16; **16** 25, *ne lui est pas propre; il est celui de la foi commune, Ga* **1** 6-9; **2** 2; *Col* **1** 5-7, *avec seulement une application spéciale à la conversion des païens, Ga* **1** 16; **2** 7-9, *dans la ligne universaliste inaugurée à Antioche. Paul est solidaire des traditions apostoliques, qu'il cite à l'occasion,* 1 *Co* **11** 23-25; **15** 3-7, *qu'il suppose partout et auxquelles il doit certainement beaucoup. Il semble qu'il n'ait pas connu le Christ durant sa vie, cf.* 2 *Co* **5** 16+, *mais il connaît ses enseignements,* 1 *Th* **4** 15; 1 *Co* **7** 10s; Ac **20** 35. *Par ailleurs, il est aussi un témoin direct et sa conviction irrésistible est appuyée sur une expérience personnelle : car il a « vu » le Christ, d'abord près de Damas, Ac* **9** 17; **22** 14s; **26** 16; 1 *Co* **9** 1; **15** 8, *et plusieurs fois ensuite, Ac* **26** 16; **22** 17-21. *Il a bénéficié de révélations et d'extases,* 2 *Co* **12** 1-4. *Ce qu'il a reçu de la tradition, il peut aussi l'attribuer en toute vérité aux communications directes du Seigneur, Ga* **1** 12; 1 *Co* **11** 23.

*On a voulu mettre ces phénomènes mystiques au compte d'un tempérament exalté et malade. Rien n'est moins fondé. La maladie qui l'a arrêté en Galatie, Ga* **4** 13-15, *ne fut sans doute qu'une crise de paludisme; et « l'écharde dans la chair »,* 2 *Co* **12** 7, *pourrait bien être l'hostilité irréductible des Juifs, ses frères « selon la chair », Rm* **9** 3. *Il n'a rien d'un imaginatif, à en juger par les images peu nombreuses et banales qu'il emploie : le stade,* 1 *Co* **9** 24-27; *Ph* **3** 12-14; 2 *Tm* **4** 7s, *la mer, Ep* **4** 14, *l'agriculture,* 1 *Co* **3** 6-8, *et la construction,* 1 *Co* **3** 10-17; *Rm* **15** 20; *Ep* **2** 20-22, *deux thèmes qu'il associe et mélange volontiers,* 1 *Co* **3** 9; *Col* **2** 7; *Ep* **3** 17; *cf. Col* **2** 19; *Ep* **4** 16. *Il est plutôt un cérébral. A un cœur ardent s'unit chez lui une intelligence lucide, logique, exigeante, soucieuse d'exposer la foi selon les besoins de ses auditeurs. C'est ce qui nous a valu ces admirables développements théologiques dont il entoure le Kérygme selon les circonstances. Sans doute cette logique n'est-elle pas la nôtre. Paul argumente parfois en rabbin, selon les méthodes exégétiques reçues de son milieu et de son éducation (par exemple Ga*

**3** 16; **4** 21-31). *Mais son génie fait éclater les limites de cet héritage traditionnel, et c'est une doctrine profonde qu'il fait passer par des canaux un peu vieillis pour nous.*

*D'ailleurs ce Sémite a aussi une bonne culture grecque, reçue peut-être dès son enfance à Tarse, enrichie par des contacts répétés avec le monde gréco-romain, et cette influence se reflète dans sa manière de penser comme dans sa langue et dans son style. Il cite à l'occasion des auteurs classiques,* 1 *Co* **15** 33; *Tt* **1** 12; *Ac* **17** 28, *et connaît certainement la philosophie populaire à base de stoïcisme, à laquelle il emprunte des notions (par exemple le départ de l'âme séparée vers le monde divin en* 2 *Co* **5** 6-8; *le « plérôme » cosmique en Col et Ep) ou des formules (*1 *Co* **8** 6; *Rm* **11** 36; *Ep* **4** 6). *Il doit à la « diatribè » cynico-stoïcienne son mode d'argumentation serrée par courtes questions et réponses, Rm* **3** 1-9, 27-31, *ou ses développements par accumulation rhétorique,* 2 *Co* **6** 4-10; *et quand il use au contraire de phrases longues et chargées, où les propositions se poussent en vagues successives, Ep* **1** 3-14; *Col* **1** 9-20, *il peut encore trouver ses modèles dans la littérature religieuse hellénistique. Il manie couramment le grec comme une seconde (cf. Ac* **21** 40) *langue maternelle et avec peu de sémitismes. C'est le grec de son temps, bien entendu, celui de la « koinè » distinguée, mais sans prétentions atticisantes. Car il méprise les recherches de l'éloquence humaine et ne veut devoir sa force de persuasion qu'à la puissance de la Parole de foi, confirmée par les signes de l'Esprit,* 1 *Th* **1** 5*;* 1 *Co* **2** 4s; 2 *Co* **11** 6; *Rm* **15** 18. *Il arrive même que son expression soit incorrecte et inachevée,* 1 *Co* **9** 15, *tant le moule du langage est impuissant à contenir le jaillissement d'une pensée trop riche ou d'émotions trop vives. Sauf de rares exceptions, Phm* 19, *il dicte, Rm* **16** 22, *à la manière accoutumée des anciens, se contentant d'écrire la salutation finale,* 2 *Th* **3** 17; *Ga* **6** 11; 1 *Co* **16** 21; *Col* **4** 18; *et si plus d'un morceau semble le fruit d'une rédaction longuement méditée (par exemple Col* **1** 15-20), *beaucoup d'autres donnent l'impression d'un premier jet spontané et sans retouches. Malgré ces défauts, ou peut-être à cause d'eux, ce style fougueux est d'une densité extraordinaire. Une pensée si élevée, exprimée d'une façon si brûlante, prépare au lecteur plus d'une difficulté* (2 *P* **3** 16); *mais elle lui offre en même temps des textes dont la puissance religieuse et même littéraire reste peut-être sans égale dans l'histoire des lettres humaines.*

*Ces épîtres que Paul nous a laissées sont des écrits occasionnels, on ne doit jamais l'oublier. Non des traités de théologie, mais des réponses à des situations concrètes. Véritables lettres qui s'inspirent du formulaire alors reçu, Rm* **1** 1+, *elles ne sont ni des « lettres » purement privées, ni des « épîtres » purement littéraires, mais des exposés que Paul destine à des lecteurs concrets, et au-delà d'eux à tous les fidèles du Christ. Il ne faut donc pas y chercher un énoncé systématique et complet de la pensée de l'Apôtre; on doit toujours supposer derrière elles la parole vivante dont elles sont le commentaire sur des points particuliers. Elles n'en sont pas moins infiniment précieuses, d'autant que leur richesse et leur variété nous permettent de retrouver vraiment l'essentiel du message paulinien. Au hasard d'occasions et d'auditoires différents, se découvre une même doctrine fondamentale, centrée autour du Christ mort et ressuscité, mais qui s'adapte, se développe, s'enrichit au cours de cette vie donnée toute à tous,* 1 *Co* **9** 19-22. *Certains interprètes ont prêté à Paul un éclectisme qui lui aurait fait adopter au gré des circonstances des vues divergentes et même contradictoires, auxquelles il n'accordait aucune valeur absolue parce qu'il leur demandait seulement de gagner les cœurs au Christ. D'autres ont opposé à cette manière de voir un « fixisme » selon lequel la pensée de Paul, établie dès l'origine par l'expérience de sa conversion, n'aurait connu ensuite aucune évolution. La vérité est entre ces extrêmes : la théologie de saint Paul s'est développée selon une ligne continue, mais elle s'est réellement développée sous l'impulsion de l'Esprit qui dirigeait son apostolat; et cette évolution homogène l'a menée à cette plénitude dont l'épître aux Éphésiens est la suprême expression. Nous reconnaîtrons les étapes de cette évolution en parcourant ses différentes épîtres selon leur ordre chronologique, qui n'est pas celui du Canon du NT, suivi par l'ensemble des traductions, où elles ont été rangées d'après leurs longueurs décroissantes.*

*Les premières en date sont adressées* aux Thessaloniciens, *que Paul a évangélisés au cours du deuxième voyage, Ac* **17** 1-10, *dans l'été 50. Obligé par les attaques des Juifs de partir pour Bérée, d'où il gagna Athènes et Corinthe, c'est sans doute de cette dernière ville, durant l'hiver 50-51, qu'il écrivit* 1 *Th. Silas et Timothée sont à ses côtés et les bonnes nouvelles rapportées par ce dernier d'une deuxième visite à Thessalonique sont l'occasion pour Paul d'une effusion du cœur,* **1-3,** *suivie d'exhortations pratiques,* **4** 1-12; **5** 12-28, *entre lesquelles s'insère une réponse sur le sort des défunts et la Parousie du Christ,* **4** 13 - **5** 11. *Écrite sans doute de Corinthe quelques mois plus tard,* 2 *Th donne, avec d'autres exhortations pratiques,* **1**; **2** 13 - **3** 15, *de nouvelles instructions sur la date* *de la Parousie et les signes qui doivent la précéder,* **2** 1-12.

2 *Th présente de frappantes ressemblances littéraires avec* 1 *Th, au point que des critiques y ont vu l'œuvre d'un faussaire qui se serait inspiré de saint Paul en imitant son style. Mais on ne voit guère le motif d'un tel faux, et il est plus simple de penser que l'Apôtre lui-même, voulant préciser et ajuster son enseignement eschatologique, a écrit cette deuxième lettre en reprenant des formules de la première. Les deux écrits ne se contredisent pas mais se complètent; et leur authenticité est également bien attestée par l'ancienne tradition de l'Église.*

*Outre leur intérêt de présenter déjà en germe bien des thèmes que reprendront les épîtres ultérieures, celles-ci sont importantes surtout par leur doctrine sur l'eschatologie. En cette étape ancienne de son apostolat, la pensée de l'Apôtre apparaît toute centrée sur la résurrection du Christ et sur sa venue en gloire qui apportera le salut à ceux qui auront cru en lui, fussent-ils déjà morts,* 1 *Th* **4** 13-18. *Cette venue glorieuse, il la décrit selon les traditions de l'apocalyptique juive et du christianisme primitif (discours eschatologique des Synoptiques, surtout de Mt). Conformément aux enseignements de Jésus, tantôt il insiste sur l'imminence imprévisible de cette venue qui requiert la vigilance,* 1 *Th* **5** 1-11, *au point de donner l'impression que lui et eux la verront de leur vivant,* 1 *Th* **4** 17, *tantôt il calme ses fidèles agités par cette perspective, en leur rappelant que le Jour n'est pas encore arrivé et doit être précédé de certains signes,* 2 *Th* **2** 1-12. *Ceux-ci ne sont plus aussi clairs pour nous qu'ils devaient l'être pour les lecteurs. Il semble que Paul conçoive l'Antichrist comme un individu réservé pour la fin des temps. Quant à l'obstacle « qui le retient présentement »,* 2 *Th* **2** 6, *certains interprètes y ont vu l'empire romain, d'autres la prédication évangélique, et la chose reste incertaine.*

*Tandis qu'il écrivait ces épîtres, Paul évangélisait* Corinthe *durant plus de dix-huit mois, Ac* **18** 1-18, *de la fin de 50 au milieu de 52. Selon sa coutume d'agir dans les grands centres, il voulait implanter la foi au Christ dans ce port fameux très peuplé, d'où elle rayonnerait dans toute l'Achaïe,* 2 *Co* **1** 1; **9** 2. *De fait, il réussit à y établir, surtout dans les couches modestes de la population,* 1 *Co* **1** 26-28, *une forte communauté. Mais cette grande ville était un foyer de culture grecque, où s'affrontaient des courants de pensée et de religion fort divers, avec un relâchement des mœurs qui la rendait tristement célèbre. Le contact de la jeune foi chrétienne avec cette capitale du paganisme devait poser pour les néophytes bien des problèmes délicats. C'est à les résoudre que s'emploie l'Apôtre dans les deux lettres qu'il leur écrit.*

*La genèse de ces deux épîtres est assez claire, en dépit de quelques points douteux. Une première lettre « précanonique »,* 1 *Co* **5** 9-13, *de date incertaine, n'a pas été conservée. Plus tard, durant le séjour de trois ans (54-57) qu'il fit à Éphèse au cours du troisième voyage, Ac* **19** 1 - **20** 1, *des questions apportées par une délégation de Corinthiens,* 1 *Co* **16** 17, *auxquelles s'ajoutaient des informations reçues par le moyen d'Apollos, Ac* **18** 27s; 1 *Co* **16** 12, *et des « gens de Chloé »,* 1 *Co* **1** 11, *poussèrent Paul à écrire une nouvelle lettre, qui est notre* 1 *Co, aux environs de Pâques 57 (*1 *Co* **5** 7s; **16** 5-9 *à comparer avec Ac* **19** 21*). Peu après, une crise dut se produire à Corinthe, qui l'obligea à y faire une visite rapide et pénible,* 2 *Co* **1** 23 - **2** 1; **12** 14; **13** 1-2, *au cours de laquelle il promit de revenir bientôt plus longuement,* 2 *Co* **1** 15-16. *Mais un nouvel incident, où il semble que l'autorité de Paul fut offensée dans la personne d'un de ses représentants,* 2 *Co* **2** 5-10; **7** 12, *lui fit substituer à cette visite une lettre sévère et écrite « parmi bien des larmes »,* 2 *Co* **2** 3s, 9, *qui produisit un effet salutaire,* 2 *Co* **7** 8-13. *C'est en Macédoine, après avoir quitté Éphèse à la suite de crises très graves mal connues de nous,* 1 *Co* **15** 32; 2 *Co* **1** 8-10; *Ac* **19** 23-40, *que Paul apprit de Tite cet heureux résultat,* 2 *Co* **1** 12s; **7** 5-16; *et c'est alors qu'il écrivit* 2 *Co, vers la fin de 57. Il devait ensuite passer par Corinthe, Ac* **20** 1s, *cf.* 2 *Co* **9** 5; **12** 14; **13** 1, 10, *pour de là remonter à Jérusalem et y être fait prisonnier.*

*On a supposé que* 2 *Co* **6** 14 - **7** 1 *était un fragment de la lettre « précanonique », et* 2 *Co* **10-13** *une section de l'épître écrite dans les larmes. C'est difficile à prouver, mais il faut reconnaître que ces morceaux détonnent quelque peu dans leur contexte. Tandis que* 2 *Co* **7** 2 *reprend la suite de* **6** 13, *l'impression d'insertion que donne le passage* **6** 14 - **7** 1 *est renforcée par sa singulière affinité avec la littérature essénienne trouvée à Qumrân. Les ch.* **10-13**, *d'autre part, avec leur ton violent, étonnent après la tendresse confiante exprimée dans les premiers chapitres. Enfin* **9** 1 *surprend après le ch.* **8** *et fait penser que nous avons là deux billets distincts sur la collecte. Ce n'est pas à dire que ces différentes sections ne viennent pas toutes de saint Paul, mais il est fort possible qu'elles soient d'origine disparate et n'aient été groupées qu'après coup, lorsqu'on fit la collection des écrits de l'Apôtre.*

*Si ces épîtres apportent sur l'âme de Paul et sur ses relations avec ses convertis des lumières d'un extrême intérêt, leur importance doctrinale n'est pas moindre. Nous y trouvons, surtout dans* 1 *Co, des informations et des décisions sur bien des problèmes cruciaux du christianisme primitif, aussi bien dans sa vie intérieure : pureté des mœurs,* 1 *Co* **5** 1-13; **6** 12-20, *mariage et virginité,* **7** 1-40, *tenue des assemblées religieuses et célébration de l'eucharistie,* **11-12**, *usage des charismes,* **12** 1 - **14** 40, – *que dans ses rapports avec le monde païen : appel aux tribunaux,* **6** 1-11, *viandes offertes aux idoles,* **8-10**. *Ce qui aurait pu n'être que cas de conscience ou règlements de liturgie devient, grâce au génie de Paul, occasion de vues profondes sur la vraie liberté de la vie chrétienne, la sanctification du corps, le primat de la charité, l'union au Christ. La défense de son apostolat,* 2 *Co* **10-13**, *lui inspire des pages splendides sur la grandeur du ministère apostolique,* 2 *Co* **2** 12 - **6** 10; *et le sujet très concret de la collecte,* 2 *Co* **8-9**, *est illuminé par l'idéal de l'union entre les Églises. L'horizon eschatologique est toujours présent et sous-tend tout l'exposé sur la résurrection de la chair,* 1 *Co* **15**. *Mais les descriptions apocalyptiques de* 1 *Th et* 2 *Th font place à une discussion plus rationnelle qui justifie cette espérance difficile pour des esprits grecs. Cette adaptation de l'Évangile au monde nouveau où il pénètre se manifeste surtout dans l'opposition de la folie de la Croix à la sagesse hellénique. Aux Corinthiens qui se divisent en s'opposant leurs différents maîtres et leurs talents humains, Paul rappelle qu'il n'y a qu'un seul maître, le Christ, un seul message, le salut par sa croix, et que là est la seule et vraie Sagesse,* 1 *Co* **1** 10 - **4** 13. *Ainsi, par la force des choses et sans renier les perspectives eschatologiques, il est amené à insister davantage sur la vie chrétienne présente, comme union au Christ dans la vraie connaissance qui est celle de la foi. Cette vie que donne la foi, il va l'approfondir encore, et, cette fois, par rapport au judaïsme, à la suite de la crise galate.*

*Les épîtres* aux Galates *et* aux Romains *doivent être traitées ensemble, car elles s'attaquent au même problème, l'une comme la première réaction que provoque une situation concrète, l'autre comme un exposé plus calme et plus complet qui met en ordre les idées suscitées par la polémique. Cette étroite parenté des deux épîtres est une des raisons majeures qui déconseillent de reporter la composition de Ga aux premières années de Paul, avant même le concile de Jérusalem, ainsi que certains l'ont proposé. Il a paru à ceux-ci que la deuxième visite de Paul à Jérusalem, racontée en Ga* **2** 1-10, *devait être la deuxième visite mentionnée par les Actes,* **11** 30; **12** 25, *non la troisième, Ac* **15** 2-30 *(qui diffère sur plusieurs points du récit de Paul). Celui-ci paraissant d'autre part ignorer le Décret de Ac* **15** 20, 29 *(cf. Ga* **2** 6*), sa lettre devait être antérieure au concile de Jérusalem, et il suffisait pour cela d'admettre que les « Galates » fussent les Lycaoniens et les Pisidiens évangélisés durant le premier voyage missionnaire, l'aller et le retour de Paul expliquant la double visite que paraît supposer Ga* **4** 13. *Mais tout cela est peu fondé. S'il est vrai que la Lycaonie et la Pisidie ont été politiquement rattachées dès 36-25 av. J.-C. à la Galatie, le langage courant du Ier siècle de notre ère n'en a pas moins continué à réserver cette dernière dénomination à la Galatie proprement dite, sise plus au nord, et il paraît en particulier difficile que leurs habitants aient pu être appelés « Galates », Ga* **3** 1. *D'ailleurs cette supposition difficile n'est nullement exigée. La deuxième visite de Ga* **2** 1-10 *s'identifie fort bien avec la troisième de Ac* **15** – *avec laquelle elle a de si fortes ressemblances – beaucoup mieux qu'avec la deuxième, Ac* **11** 30; **12** 25, *si peu importante que Paul a pu la passer sous silence dans son argumentation de Ga, à moins encore qu'elle n'ait pas eu lieu et résulte simplement d'un doublet littéraire de saint Luc (cf. les Actes, Introduction et Ac* **11** 30+). *Ainsi l'épître aux Galates est bien postérieure au concile de Jérusalem. Si Paul n'y parle pas du Décret, c'est peut-être que celui-ci est lui-même d'une époque plus tardive (cf. Ac* **15** 1+), *circonstance qui expliquerait aussi l'attitude de Pierre blâmée en Ga* **2** 11-14. *Les destinataires sont bien les habitants de la région « galate » parcourue par Paul lors des deuxième et troisième voyages, Ac* **16** 6; **18** 23. *Et la lettre a pu être écrite d'Éphèse, ou même de Macédoine, vers l'année 57.*

*L'épître aux Romains a dû la suivre de près. Paul est à Corinthe (hiver 57/58), sur le point de partir pour Jérusalem d'où il espère se rendre à Rome et de là en Espagne, Rm* **15** 22-32; *cf.* 1 *Co* **16** 3-6; *Ac* **19** 21; **20** 3. *Mais il n'a pas fondé l'Église de Rome et n'est que médiocrement informé sur son compte, peut-être par des gens comme Aquilas, Ac* **18** 2; *les quelques allusions de son épître laissent seulement entrevoir une communauté où les convertis du judaïsme et du paganisme risquent de se mésestimer. Aussi juge-t-il à propos, pour préparer sa venue, d'envoyer par la diaconesse Phébée, Rm* **16** 1, *une lettre où il expose sa solution du problème Judaïsme et Christianisme, telle qu'elle vient de mûrir sous le coup de la crise galate. Pour ce faire, il reprend les idées de Ga, mais d'une façon plus ordonnée et nuancée. Autant Ga représente un cri jailli du cœur où l'apologie personnelle,* **1** 11 - **2** 21, *se juxtapose à l'argu-*

*mentation doctrinale,* **3** 1 - **4** 31, *et aux avertissements véhéments,* **5** 1 - **6** 18, *autant Rm offre un développement continu où quelques grandes sections s'enchaînent harmonieusement à l'aide de thèmes d'abord annoncés et ensuite repris.*

*Pas plus que des épîtres aux Corinthiens et aux Galates, l'authenticité de l'épître aux Romains n'est sérieusement discutée par personne. Tout au plus a-t-on pu se demander si les ch.* **15** et **16** *ne lui ont pas été ajoutés après coup. Ce dernier en particulier, avec ses salutations si nombreuses, aurait été primitivement un billet destiné à l'Église d'Éphèse. Mais le ch.* **15**, *en dépit de certains manuscrits, ne peut être détaché du corps de l'épître; et ceux qui y maintiennent également le ch.* **16** *font observer que Paul a pu connaître de nombreux frères retournés à Rome après leur expulsion momentanée par Claude et qu'il avait intérêt à souligner ses relations avec cette Église encore inconnue de lui. Quant à la doxologie* **16** 25-27, *les caractères particuliers de son style ne constituent pas un motif suffisant pour rejeter son authenticité, mais peuvent suggérer une date plus tardive.*

*Tandis que les épîtres aux Corinthiens opposaient le Christ Sagesse de Dieu à la vaine sagesse du monde, les épîtres aux Galates et aux Romains opposent le Christ Justice de Dieu à la justice que les hommes prétendraient mériter par leurs propres efforts. Là le danger venait de l'esprit grec avec sa confiance orgueilleuse dans la raison; ici il vient de l'esprit juif, avec sa confiance orgueilleuse en la Loi. Des judaïsants sont venus dire aux fidèles de Galatie qu'ils ne pouvaient être sauvés s'ils ne pratiquaient la circoncision, se plaçant ainsi sous le joug de la Loi, Ga* **5** 2s. *Paul s'oppose de toutes ses forces à ce retour en arrière qui rendrait vaine l'œuvre du Christ, Ga* **5** 4. *Sans nier la valeur de l'économie ancienne, il lui assigne ses justes limites d'étape provisoire dans l'ensemble du plan de salut, Ga* **3** 23-25. *La Loi de Moïse, de soi bonne et sainte, Rm* **7** 12, *a fait connaître à l'homme la volonté de Dieu, mais sans lui donner la force intérieure de l'accomplir; aussi n'a-t-elle abouti qu'à lui faire prendre conscience de son péché et du besoin qu'il a du secours de Dieu, Ga* **3** 19-22; *Rm* **3** 20; **7** 7-13. *Or ce secours de pure grâce, promis jadis à Abraham avant le don de la Loi, Ga* **3** 16-18; *Rm* **4**, *vient d'être accordé en Jésus Christ : sa mort et sa résurrection ont opéré la destruction de l'humanité ancienne, viciée par le péché d'Adam, et la recréation d'une humanité nouvelle dont il est le prototype, Rm* **5** 12-21. *Rattaché au Christ par la foi et animé de son Esprit, l'homme reçoit désormais gratuitement la vraie justice et peut vivre selon la volonté divine, Rm* **8** 1-4. *Sa foi doit bien s'épanouir dans des œuvres bonnes; mais ces œuvres accomplies par la force de l'Esprit, Ga* **5** 22-25; *Rm* **8** 5-13, *ne sont plus ces œuvres de la Loi dans lesquelles le Juif mettait orgueilleusement sa confiance. Elles sont accessibles à tous ceux qui croient, fussent-ils venus du paganisme, Ga* **3** 6-9, 14; *Rm* **4** 11. *L'économie mosaïque, qui a eu sa valeur d'étape préparatoire, est donc désormais périmée. Les Juifs qui prétendent s'y maintenir se mettent en dehors du vrai salut. Dieu a permis leur aveuglement pour assurer l'accès des païens. Ils ne sauraient cependant déchoir pour toujours de leur élection première, car Dieu est fidèle : quelques-uns d'entre eux, le « petit reste » annoncé par les prophètes, ont cru; les autres se convertiront un jour, Rm* **9-11**. *Dès maintenant les fidèles du Christ, qu'ils soient d'origine juive ou païenne, doivent ne plus faire qu'un dans la charité et le support mutuel, Rm* **12** 1 - **15** 13. *Telles sont les grandes perspectives qui, esquissées dans Ga, sont amplifiées dans Rm et nous valent d'admirables développements sur le passé pécheur de toute l'humanité, Rm* **1** 18 - **3** 20, *et la lutte intérieure en chaque homme, Rm* **7** 14-25, *la gratuité du salut, Rm* **3** 24 et passim, *l'efficacité de la mort et de la résurrection du Christ, Rm* **4** 24s; **5** 6-11, *participées par la foi et le baptême, Ga* **3** 26s; *Rm* **6** 3-11, *l'appel de tous les hommes à devenir des enfants de Dieu, Ga* **4** 1-7; *Rm* **8** 14-17, *l'amour plein de sagesse du Dieu juste et fidèle qui dirige tout le plan du salut avec ses différentes étapes, Rm* **3** 21-26; **8** 31-39. *Les perspectives eschatologiques demeurent : nous sommes sauvés en espérance, Rm* **5** 1-11; **8** 24; *mais, comme dans les épîtres aux Corinthiens, l'accent est mis sur la réalité du salut déjà commencé : l'Esprit de la Promesse est déjà possédé à titre de prémices, Rm* **8** 23, *dès maintenant le chrétien vit dans le Christ, Rm* **6** 11, *et le Christ vit en lui, Ga* **2** 20.

*L'épître aux Romains représente ainsi l'une des plus belles synthèses de la doctrine paulinienne. Ce n'est pourtant pas une synthèse complète, ce n'est pas toute la doctrine. L'intérêt de premier plan que lui a valu la controverse luthérienne serait dommageable s'il faisait négliger de la compléter par les autres épîtres en l'intégrant dans une synthèse plus vaste.*

Philippes, *ville importante de Macédoine et colonie romaine, avait été évangélisée par Paul lors de son deuxième voyage, en l'an 50, Ac* **16** 12-40. *Il y repassa à deux reprises au cours du troisième voyage, en automne 57, Ac* **20** 1-2, *et à Pâques 58, Ac* **20** 3-6. *Les fidèles qu'il y gagna au Christ témoignèrent d'une affection touchante pour leur apôtre en lui envoyant des secours à Thessaloni-*

*que, Ph* **4** 16, *puis à Corinthe,* 2 *Co* **11** 9. *Et quand Paul leur écrit, c'est précisément pour les remercier de nouveaux subsides qu'il vient de recevoir par l'intermédiaire de leur délégué, Épaphrodite, Ph* **4** 10-20; *en agréant leur offrande, lui qui craignait d'ordinaire de paraître intéressé, Ac* **18** 3+, *il marque à leur égard une confiance toute particulière.*

*Paul est prisonnier au moment où il leur écrit, Ph* **1** 7, 12-17, *et l'on a longtemps pensé qu'il s'agissait de sa première captivité romaine. Cependant les échanges fréquents et apparemment très faciles que les Philippiens ont avec lui, et avec Épaphrodite alors près de lui,* **2** 25-30, *surprennent s'il se trouve dans la lointaine Rome. Surtout on comprend mal, si Paul est à Rome (ou à la rigueur à Césarée de Palestine, autre lieu d'une captivité connue de nous), que leur envoi d'argent par Épaphrodite soit la première occasion qu'ils aient trouvée d'aider l'Apôtre depuis leurs charités du deuxième voyage,* **4** 10,16, *puisqu'il est repassé deux fois chez eux au cours du troisième voyage. Tout s'explique mieux si Paul écrit avant ces deux nouvelles visites, c'est-à-dire à Éphèse en 56/57, au moment où il espère se rendre en Macédoine après sa libération (comp. Ph* **1** 26; **2** 19-24 *et Ac* **19** 21s; **20** 1; 1 *Co* **16** 5). *Les allusions au « Prétoire », Ph* **1** 13, *et à la « maison de César »,* **4** 22, *ne font pas difficulté, car il y avait des détachements de prétoriens dans les grandes villes, en particulier à Éphèse, aussi bien qu'à Rome. Notre ignorance d'une captivité de Paul à Éphèse n'est pas non plus un obstacle insurmontable, car Luc nous a dit fort peu de choses sur ce séjour de trois ans, et Paul laisse entendre qu'il y rencontra de bien graves difficultés,* 1 *Co* **15** 32; 2 *Co* **1** 8-10.

*Si l'on admet cette hypothèse, il faut dissocier Ph de Col, Ep, Phm et la rapprocher des « grandes épîtres », en particulier de* 1 *Co. Loin de s'y opposer, le style et la doctrine de l'épître favorisent plutôt ce rapprochement. Aussi bien cet écrit est-il peu doctrinal. C'est plutôt une effusion du cœur, un échange de nouvelles, une mise en garde contre les « mauvais ouvriers » qui ravagent ailleurs les travaux de l'Apôtre et pourraient bien s'attaquer aussi à ses chers Philippiens, enfin et surtout un appel à l'unité dans l'humilité qui nous vaut l'admirable passage sur l'abaissement du Christ,* **2** 6-11 : *que cette hymne rythmée soit citée par saint Paul ou qu'elle soit bien de lui, de toute façon elle apporte un témoignage de première valeur sur la foi primitive en la préexistence divine de Jésus.*

*L'authenticité de Ph n'est pas mise en doute. On peut seulement se demander si elle n'est pas l'assemblage de plusieurs billets primitivement distincts, mais cela reste conjectural.*

*Les épîtres* aux Éphésiens, aux Colossiens *et* à Philémon *forment un groupe bien homogène : même mission d'Onésime en Col* **4** 9 *et Phm* 12; *de Tychique en Col* **4** 7s *et Ep* **6** 21s; *mêmes compagnons de Paul nommés en Col* **4** 10-14 *et Phm* 23-24; *frappantes ressemblances de style et de doctrine entre Col et Ep. Paul est encore prisonnier, Phm* 1, 9s, 13, 23; *Col* **4** 3, 10, 18; *Ep* **3** 1; **4** 1; **6** 20, *et cette fois tout suggère Rome comme lieu de sa captivité (de 61 à 63) plutôt que Césarée où l'on s'expliquerait mal la présence de Marc ou d'Onésime, et qu'Éphèse où Luc ne paraît pas avoir été aux côtés de Paul. D'ailleurs le changement du style et le progrès de la doctrine requièrent une certaine distance entre Col, Ep et les « grandes épîtres » Co, Ga, Rm. Une crise est survenue dans l'intervalle : de Colosses, que Paul n'a pas évangélisée lui-même,* **1** 4; **2** 1, *son représentant apostolique Épaphras,* **1** 7, *est venu lui apporter des informations alarmantes. Aussitôt alerté, Paul répond par l'épître aux Colossiens qu'il confie à Tychique. Mais la réaction suscitée en son esprit par le nouveau péril a produit un approfondissement de sa pensée et, de même que Rm lui avait servi à mettre en ordre les idées jaillies dans Ga, de même il écrit cette fois encore une autre épître, pratiquement contemporaine de Col, où il organise sa doctrine en fonction du nouveau point de vue que vient de lui imposer la polémique. Cette admirable synthèse est notre épître « aux Éphésiens ». Une telle dénomination, qui n'est même pas textuellement garantie, cf. Ep* **1** 1, *pourrait faire illusion. En fait, Paul ne s'adresse pas aux fidèles d'Éphèse, qu'il a fréquentés durant trois ans, Ep* **1** 15; **3** 2-4, *mais plutôt aux croyants en général, et plus particulièrement aux communautés de la vallée du Lycus parmi lesquelles il fait circuler sa lettre, Col* **4** 16.

*La critique indépendante a contesté l'authenticité de ces deux épîtres. Col connaît cependant aujourd'hui un regain de faveur, qui est très justifié. Les idées maîtresses de Paul s'y retrouvent, et ce qu'elles présentent d'original s'explique parfaitement par la situation nouvelle à laquelle il doit faire face. Il faut en dire autant de Ep, bien que celle-ci reste l'objet d'une suspicion plus tenace. La sublimité géniale de cette épître détourne de n'y voir que l'œuvre d'un disciple. Le style large, abondant, surchargé même, de Col, Ep, est assurément différent de l'argumentation rapide et nerveuse des épîtres antérieures; mais l'ampleur des horizons nouveaux que Paul contemple en rend suffisamment compte. D'ailleurs Paul a plus d'un style, et l'on trouve déjà en* 2 *Co* **9** 8-14 *ou en Rm* **3** 23-26, *etc., des exemples de ce mode contemplatif et quasi liturgique qui se déploie en Col, Ep. La seule vraie* *difficulté vient des nombreux passages où Ep paraît reprendre les expressions de Col d'une manière assez servile, voire maladroite; mais Paul n'écrivait pas lui-même ses lettres de bout en bout, et il suffit pour expliquer ce fait qu'un disciple ait eu une part plus considérable dans la rédaction de Ep.*

*Le péril à Colosses venait de spéculations à base de judaïsme, Col* **2** 16, *fortement teintées de philosophie hellénistique, qui accordaient aux puissances célestes dirigeant la marche du cosmos une importance excessive de nature à compromettre la suprématie du Christ. Paul accepte le terrain de la lutte et ne met pas en doute l'activité de ces Puissances; il les assimile même aux Anges de la tradition juive, cf.* **2** 15. *Mais c'est précisément pour les remettre à leur juste place dans le grand plan du salut. Ils ont joué leur rôle comme intermédiaires et administrateurs de la Loi. Aujourd'hui ce rôle est fini. En instaurant l'ordre nouveau, le Christ Kyrios a pris en main le gouvernement du monde. Son exaltation céleste l'a placé au-dessus des Puissances cosmiques qu'il a dépouillées de leurs anciennes attributions,* **2** 15. *Lui qui les dominait déjà de par la première création, à titre de Fils Image du Père, il les domine définitivement comme leur chef dans la nouvelle création où il a assumé en lui tout le Plérôme, c'est-à-dire toute la plénitude de l'Être, de Dieu et du monde en Dieu,* **1** 13-20. *Affranchis de ces « éléments du monde »,* **2** 8, 20, *par leur union au Chef et la participation à sa Plénitude,* **2** 10, *les chrétiens n'ont plus à se remettre sous leur tyrannie par des observances désuètes et inefficaces,* **2** 16-23. *Unis par le baptême au Christ mort et ressuscité,* **2** 11-13, *ils sont les membres de son Corps et ne reçoivent leur vie nouvelle que de lui comme de leur Tête vivifiante,* **2** 19. *C'est bien toujours ce salut chrétien qui intéresse Paul au premier chef, mais les besoins de la polémique l'ont amené à préciser l'extension cosmique de l'œuvre du Christ en y intégrant aux côtés de l'humanité sauvée ce vaste cosmos qui en est le cadre et qui se trouve lui aussi rangé, de façon indirecte, sous la mouvance du seul Seigneur. De là cet épanouissement du thème du « Corps du Christ », déjà esquissé naguère,* 1 *Co* **12** 12+, *avec une insistance nouvelle sur le Christ comme Tête; de là cet élargissement cosmique de l'œuvre du salut; de là cet horizon dilaté où le Christ est davantage considéré dans son triomphe céleste, tandis que l'Église dans son unité collective se construit vers lui; de là enfin cet accent plus marqué sur l'eschatologie déjà réalisée, cf. Ep* **2** 6+.

*Ces perspectives sont reprises dans l'épître aux Éphésiens. Mais l'effort polémique pour remettre les Puissances à leur place a porté ses fruits, Ep* **1** 20-22, *et le regard se dirige davantage sur l'Église, Corps du Christ dilaté aux dimensions de l'univers nouveau, « Plénitude de Celui qui est rempli, tout en tout »,* **1** 23. *Dans cette contemplation suprême qui est comme le sommet de son œuvre, Paul reprend bien des thèmes anciens pour les ordonner dans la synthèse plus vaste à laquelle il est parvenu. Il repense particulièrement les problèmes de l'épître aux Romains, cet autre sommet qui couronnait l'étape antérieure de sa pensée. Non seulement il en évoque d'un mot les aperçus sur le passé pécheur de l'humanité et sur la gratuité du salut par le Christ,* **2** 1-10, *mais encore il reconsidère le problème des Juifs et des païens qui l'angoissait naguère, Rm* **9-11.** *Et cette fois, c'est sous la lumière apaisée de l'eschatologie réalisée dans le Christ céleste : désormais les deux peuples lui apparaissent unis, réconciliés en un seul homme nouveau, et marchant de concert vers le Père, Ep* **2** 11-22. *Cet accès des païens au salut d'Israël dans le Christ est le grand « mystère »,* **1** 9; **3** 3-6, 9; **6** 19; *Col* **1** 27; **2** 2; **4** 3, *dont la contemplation lui inspire au soir de sa vie des accents inimitables : sur l'infinie sagesse divine qu'il y voit déployée,* **3** 9s; *Col* **2** 3, *sur la charité insondable du Christ qui s'y manifeste, Ep* **3** 18s, *sur l'élection toute gratuite qui l'a choisi, lui Paul, le dernier de tous, pour en être le ministre,* **3** 2-8. *Ce plan du salut s'est déroulé par étapes selon les desseins éternels de Dieu,* **1** 3-14, *et son terme est le mariage du Christ avec l'humanité sauvée qui est l'Église,* **5** 22-32.

*Contemporaine de Col et Ep, la courte lettre à Philémon annonce, à un chrétien de Colosses, converti par Paul, v. 19, le retour de son esclave fugitif Onésime, lui aussi gagné au Christ par l'Apôtre, v.* 10. *Ce billet autographe, v.* 19, *jette un jour précieux sur le cœur délicat de Paul; il a aussi l'intérêt de nous confirmer sa solution du problème de l'esclavage, Rm* **6** 15+ : *même s'ils gardent leurs relations sociales d'antan, le maître et l'esclave chrétiens doivent vivre désormais comme deux frères au service du même Maître, v.* 16, *cf. Col* **3** 22 - **4** 1.

*Les épîtres* à Timothée *et* à Tite *sont étroitement apparentées entre elles par leur fond, leur forme et la situation historique qu'elles supposent. Deux d'entre elles semblent écrites de Macédoine, l'une à Timothée qui se trouve à Éphèse,* 1 *Tm* **1** 3, *où Paul espère le rejoindre bientôt,* **3** 14; **4** 13, *l'autre à Tite, qu'il a laissé en Crète, Tt* **1** 5. *L'Apôtre compte passer l'hiver à Nicopolis (d'Épire) où Tite devra le rejoindre, Tt* **3** 12. *Quand il écrit* 2 *Tm, Paul est prisonnier à Rome,* **1** 8, 16s; **2** 9, *après être passé à Troas,* **4** 13, *et Milet,* **4** 20. *Sa situation est* *grave,* **4** 16; *il se sent près de sa fin,* **4** 6-8, 18, *se trouve seul et presse Timothée de venir au plus vite,* **4** 9-16, 21. *En dépit d'analogies superficielles, ces circonstances ne correspondent ni à la captivité romaine de 61-63, ni au voyage qui l'a précédée. Bien des critiques en ont conclu que ces lettres ne sont pas de Paul : un épigone aurait imaginé ces notations pour donner une apparence historique à des écrits qu'il voulait couvrir de l'autorité de l'Apôtre. Mais cette hypothèse n'est nullement nécessaire. Rien n'assure que Paul ait trouvé la mort dans sa première captivité; Ac* **28** *30 insinue au contraire qu'il fut libéré. Il a donc pu voyager à nouveau, d'abord peut-être en Espagne ainsi qu'il l'avait projeté, Rm* **15** 24, 28, *ensuite en Orient selon son intention également exprimée, Phm* 22. 1 *Tm et Tt se placent fort bien, peut-être vers l'an 65, au cours d'un tel voyage à travers la Crète, l'Asie Mineure, la Macédoine et la Grèce. Et la situation que reflète* 2 *Tm est celle d'une nouvelle captivité, dont l'issue cette fois devait être fatale; cette lettre, qui est comme le testament de Paul, a dû précéder de peu son martyre en 67.*

*Adressées à deux de ses plus fidèles disciples, Ac* **16** 1+; 2 *Co* **2** 13+, *ces lettres leur donnent des directives pour l'organisation et la conduite des communautés chrétiennes que Paul leur a confiées. C'est pourquoi on a coutume, depuis le XVIII*^e^ *siècle, de les appeler « Pastorales ». Loin de supposer, ainsi qu'on l'a prétendu, un développement de la hiérarchie ecclésiastique qui serait postérieur au temps de saint Paul, elles reflètent au contraire un stade d'évolution parfaitement vraisemblable vers la fin de sa vie. Le titre d'« épiscope » apparaît encore pratiquement synonyme de celui de « presbytre », Tt* **1** 5-7, *comme jadis, Ac* **20** 17 *et* 28, *selon la formule primitive des communautés dirigées par des collèges d'Anciens, Tt* **1** 5+. *Nulle trace encore de l'« évêque » monarchique tel qu'il apparaîtra chez saint Ignace d'Antioche. Pourtant cette évolution se prépare : bien que chargés de plusieurs communautés sans être attachés à aucune en particulier, Tt* **1** 5, *les délégués de Paul que sont Timothée et Tite représentent cette autorité apostolique qui est en voie de se transmettre, pour suppléer à la disparition prochaine des apôtres, et qui bientôt se fixera en chaque communauté dans un chef du collège presbytéral, qui sera l'évêque. Ce stade intermédiaire de l'organisation, que nul faussaire n'avait intérêt à inventer, est un indice précieux d'authenticité. On remarquera aussi que les épiscopes-presbytres ne sont pas que des administrateurs du temporel, mais encore et surtout ont la charge de l'enseignement et du gouvernement,* 1 *Tm* **3** 2, 5; **5** 17; *Tt* **1** 7, 9 : *ils sont bien les ancêtres de nos « évêques » et de nos « prêtres ».*

*Les recommandations instantes de s'en tenir à la « saine doctrine »,* 1 *Tm* **1** 10, *etc., de garder le « dépôt » de la foi,* 1 *Tm* **6** 20; 2 *Tm* **1** 14, *ont paru à certains critiques être indignes de Paul, si hardi et si original dans ses exposés théologiques : elles s'expliquent cependant dans la bouche de l'Apôtre qui se sent près de sa fin et met ses jeunes collaborateurs en garde contre les spéculations dangereuses. Il constate en effet dans les communautés un goût immodéré pour des innovations qui mènent au naufrage de la foi,* 1 *Tm* **1** 19. *Et ce ne sont pas là des doctrines gnostiques du II*^e^ *siècle qu'un faussaire voudrait combattre en se couvrant de son nom. Ces « questions oiseuses »,* 1 *Tm* **6** 4, *ces « vains problèmes », ces « fables et généalogies sans fin »,* 1 *Tm* **1** 4, *ces « fables judaïques », Tt* **1** 14, *ces « polémiques au sujet de la Loi », Tt* **3** 9, *auxquelles se mêlent des prescriptions d'un ascétisme rigide,* 1 Tm **4** 3, *sont sans doute des produits de ce judaïsme hellénisé et syncrétiste que Paul a déjà dû affronter dans la crise de Colosses.*

*Il est vrai que la langue n'a plus tout à fait l'accent de saint Paul. Le style est d'une régularité coulante qui tranche avec la fougue ou la richesse surchargée des anciennes épîtres. Le vocabulaire lui-même présente des divergences notables. L'âge avancé de l'Apôtre et sa condition de captif expliqueraient, dit-on, ce fait littéraire; mais quatre ou cinq ans au plus séparent ces épîtres de Col, Ep, et Paul n'est pas prisonnier quand il écrit* 1 *Tm, Tt. Comme par ailleurs les efforts pour distinguer dans ces épîtres des billets authentiques et des additions postérieures n'ont abouti à aucun résultat satisfaisant, il reste à supposer, comme pour Ep et plus encore, l'intervention d'un disciple-secrétaire auquel l'Apôtre aura laissé une initiative plus grande qu'à l'ordinaire. Saint Luc était aux côtés de Paul,* 2 *Tm* **4** 11, *et l'on a cru parfois reconnaître des affinités particulières entre son style et celui des Pastorales.*

*A la différence de toutes les précédentes, l'épître* aux Hébreux *a vu son authenticité mise en question dès l'antiquité. Sa canonicité a été rarement contestée, mais l'Église d'Occident a refusé jusqu'à la fin du IV*^e^ *siècle de l'attribuer à saint Paul; et si celle d'Orient a accepté cette attribution, ce ne fut pas sans faire parfois des réserves en ce qui concerne sa forme littéraire (Clément d'Alexandrie, Origène). C'est qu'en effet la langue et le style de cet écrit sont d'une pureté élégante qui n'appartient pas à saint Paul. La manière de citer et d'utiliser l'AT n'est pas la sienne. L'adresse et le préambule par lesquels il a coutume de commencer ses lettres font ici défaut. Quant à la doctrine, si elle a des résonances incontestablement pauliniennes, elle présente d'autre part assez d'originalité pour lui être difficilement attribuée de façon immédiate. En fait, beaucoup de critiques catholiques et non catholiques sont aujourd'hui d'accord pour reconnaître que Paul ne saurait être l'auteur de cette épître au même titre que des autres, encore que son influence se soit exercée sur elle, par inspiration indirecte ou même directe, de façon suffisante pour légitimer son incorporation traditionnelle dans la collection paulinienne.*

*Mais l'accord n'existe plus quand il s'agit d'identifier l'auteur anonyme. Toutes sortes de noms ont été proposés, tels que Barnabé, Silas, Aristion, etc. Celui qui mérite le plus de retenir l'attention est sans doute Apollos, ce Juif alexandrin dont Luc vante l'éloquence, le zèle apostolique et la connaissance des Écritures, Ac* **18** 24-28. *Ces qualités se reflètent en effet de façon remarquable dans l'épître aux Hébreux, avec sa langue et ses pensées de culture alexandrine (philonienne), son apologétique d'une belle puissance oratoire, son argumentation enfin, toute fondée sur l'interprétation de l'Ancien Testament.*

*Le lieu et la date de composition, ainsi que les destinataires, ne sont pas non plus assurés. Il semble que l'auteur se trouve en Italie,* **13** 24, *et qu'il écrive avant la ruine de Jérusalem. Il parle en effet de la liturgie du Temple comme d'une réalité toujours actuelle,* **8** 4s, *et met ses lecteurs en garde contre la tentation d'y revenir; et quand il insiste sur le caractère provisoire du culte mosaïque, il ne dit rien du désastre de 70 qui eût été pour lui un argument décisif. Comme par ailleurs il utilise certainement les épîtres de la Captivité, on placera son écrit après 63; et plus précisément vers 67, si l'on reconnaît les prodromes de la guerre juive dans la crise imminente que laissent entrevoir ses pressants appels à une foi inébranlable,* **10** 25, *etc.*

*Pour ne dater que du IIe siècle, le titre « aux Hébreux » n'en est pas moins bien trouvé. En effet l'épître suppose des lecteurs non seulement très informés de l'ancienne Alliance, mais encore convertis du judaïsme. Son insistance sur le culte et la liturgie fait même songer à des prêtres, cf. Ac* **6** 7. *Devenus chrétiens, ils ont dû quitter la Ville sainte et se réfugier ailleurs, peut-être dans quelque ville du littoral comme Césarée ou Antioche. Mais cet exil leur pèse; ils ne se rappellent pas sans nostalgie les splendeurs du culte lévitique dont ils étaient naguère les ministres; et déçus par leur foi nouvelle encore peu affermie et mal éclairée, troublés aussi par les persécutions qu'elle leur attire, ils sont tentés de revenir en arrière.*

*C'est à les mettre en garde contre une telle apostasie que s'emploie l'épître aux Hébreux,* **10** 19-39. *A leur découragement d'exilés elle offre de magnifiques perspectives sur la vie chrétienne conçue comme un pèlerinage, une route vers le repos promis, une marche vers la patrie céleste, avec le Christ comme guide supérieur à Moïse,* **3** 1-6, *avec pour lumière cette foi-espérance qui a déjà guidé les Patriarches de leur race, les Juifs de l'Exode, et tous les saints de l'AT,* **3** 7 - **4** 11; **11**. *A leur nostalgie de l'ancien sacerdoce et de l'ancien culte lévitiques elle oppose la personne du Christ Prêtre selon l'ordre de Melchisédech, supérieur à Aaron,* **4** 14 - **5** 10; **7**, *et son sacrifice unique et seul valable qui remplace toutes les offrandes inefficaces de l'ancienne Alliance,* **8** 1 - **10** 18. *Et pour fonder tout cela elle prouve la dignité suréminente de ce Chef et de ce Prêtre : Jésus Christ le Fils de Dieu incarné, roi de l'univers et supérieur même aux anges,* **1-2**. *Les exposés théologiques nourris d'exégèse sont entrecoupés d'exhortations ardentes. Les fils des principaux thèmes s'entremêlent avec une subtilité qui déroute notre logique occidentale, et la manière d'utiliser les textes scripturaires nous déconcerte parfois. Mais précisément il y a là une leçon de typologie qui éclaire singulièrement la façon dont les premiers chrétiens ont conçu l'harmonie des deux Testaments et compris l'œuvre du Christ en fonction de toute l'économie du salut. Ceci, joint à des aperçus de première valeur sur les articles majeurs de la foi, fait de cet écrit anonyme où passe encore le souffle de saint Paul un des documents essentiels de la révélation du Nouveau Testament.*

# ÉPÎTRE AUX ROMAINS

**Adresse** [a].

Ph **1** 1 **1** [1] Paul, serviteur du Christ Jésus, apôtre [b] par
Ga **1** 10 vocation, mis à part pour annoncer l'Évangile
Ga **1** 15 Ac **26** 16-18 de Dieu,
[2] que d'avance il avait promis par ses prophètes
dans les saintes Écritures,
2 S 7 1+ [3] concernant son Fils, issu de la lignée de David
Mt **9** 27+ 2 Tm **2** 8 selon la chair,
Ap **22** 16 [4] établi [c] Fils de Dieu avec puissance selon l'Esprit
Rm **9** 5+ de sainteté, par sa résurrection des morts [d],
Jésus Christ notre Seigneur,
[5] par qui nous avons reçu grâce et apostolat
Ac **9** 15 pour prêcher, à l'honneur de son nom, l'obéissance de la foi [e]
parmi tous les païens,
[6] dont vous faites partie, vous aussi, appelés de
Jésus Christ,
[7] à tous les bien-aimés de Dieu qui sont à Rome,
aux saints par vocation, Ac **9** 13+
à vous grâce et paix
de par Dieu notre Père et le Seigneur Jésus 1 Co **8** 6
Christ.

**Action de grâces et prière.**

[8] Et d'abord je remercie mon Dieu par Jésus
Christ à votre sujet à tous, de ce qu'on publie votre **16** 19
foi dans le monde entier. [9] Car Dieu m'est témoin, 1 Th **1** 8
à qui je rends un culte [f] spirituel [g] en annonçant 2 Co **1** 23 Ph **1** 8
l'Évangile de son Fils, avec quelle continuité je fais 1 Th **2** 5, 10
mémoire de vous [10] et demande constamment dans **15** 16
mes prières d'avoir enfin une occasion favorable, si

*a)* Selon un formulaire accoutumé de son temps, Paul commence ses épîtres par une adresse (noms de l'expéditeur et des destinataires, salutation sous forme de souhait) suivie d'une action de grâces et d'une prière. Mais il donne à ces formules un tour chrétien qui lui est propre, et surtout il les dilate en y coulant une pensée théologique qui annonce d'ordinaire les thèmes majeurs de chaque épître. – Ici ces thèmes sont : la gratuité de l'élection divine, le rôle de la foi dans la justification, le salut par la mort et la résurrection du Christ, l'harmonie des deux testaments.
*b)* Ce titre d'origine juive qui signifie « envoyé », cf. Jn **13** 16; 2 Co **8** 23; Ph **2** 25, est appliqué dans le NT, tantôt aux Douze disciples choisis par le Christ, Mt **10** 2; Ac **1** 26; **2** 37, etc.; 1 Co **15** 7; Ap **21** 14, pour être ses témoins, Ac **1** 8+, tantôt, d'une façon plus large, aux missionnaires de l'Évangile, Rm **16** 7; 1 Co **12** 28; Ep **2** 20; **3** 5; **4** 11. Bien que Paul n'ait pas été incorporé au collège des Douze, son charisme exceptionnel de mission auprès des païens, Ac **26** 17; Rm **11** 13; 1 Co **9** 2; Ga **2** 8; 1 Tm **2** 7, fait de lui un apôtre du Christ, Rm **1** 1; 1 Co **1** 1, etc., qui ne le cède en rien aux Douze, car comme eux, Ac **10** 41, il a vu le Christ ressuscité, 1 Co **9** 1, et reçu de lui, Rm **1** 5; Ga **1** 16, la mission d'être son témoin, Ac **26** 16. Tout en se reconnaissant le dernier des apôtres, 1 Co **15** 9, il marque clairement qu'il est leur égal, 1 Co **9** 5; Ga **2** 6-9, et ne leur doit pas son évangile, Ga **1** 1, 17, 19.
*c)* Vulg. : « prédestiné ».
*d)* Paul attribue toujours la résurrection du Christ à l'action de Dieu. 1 Th **1** 10; 1 Co **6** 14; **15** 15; 2 Co **4** 14; Ga **1** 1; Rm **4** 24; **10** 9; Ac **2** 24+; 1 P **1** 21, qui y a manifesté sa « puissance », 2 Co **13** 4; Rm **6** 4; Ph **3** 10; Col **2** 12; Ep **1** 19s; He **7** 16. C'est par l'Esprit Saint qu'il a été ramené à la vie, Rm **8** 11, et placé dans son état glorieux de « Kyrios », Ph **2** 9-11+; Ac **2** 36+; Rm **14** 9, où il mérite à un titre nouveau, messianique, son nom éternel de « Fils de Dieu » Ac **13** 33; He **1** 1-5; **5** 5. Cf. Rm **8** 11+; **9** 5+.
*e)* Moins sans doute l'obéissance due au message évangélique que celle qui est adhésion de foi. Cf. Ac **6** 7; Rm **6** 16-17; **10** 16; **15** 18; **16** 19, 26; 2 Co **10** 5-6; 2 Th **1** 8; 1 P **1** 22; He **5** 9; **11** 8.
*f)* Litt. « je rends un culte en mon esprit ». Le ministère apostolique est un acte de culte rendu à Dieu, cf. **15** 16, comme aussi toute vie chrétienne animée par la charité, **12** 1; Ph **2** 17+; **3** 3; **4** 18; Ac **13** 2; 2 Tm **1** 3; **4** 6; He **9** 14; **12** 28; **13** 15; 1 P **2** 5.
*g)* L'esprit *(pneuma)* désigne parfois chez Paul la partie supérieure de l'homme, Rm **1** 9; **8** 16; 1 Co **2** 11; **16** 18; 2 Co **2** 13; **7** 13; Ga **6** 18; Ph **4** 23; Phm 25; 2 Tm **4** 22; cf. Mt **5** 3; **27** 50; Mc **2** 8; **8** 12; Lc **1** 47, 80; **8** 55; **23** 46; Jn **4** 23s; **11** 33; **13** 21; **19** 30; Ac **7** 59; **17** 16; **18** 25; **19** 21, qui se distingue de sa partie inférieure, la chair (1 Co **5** 5; 2 Co **7** 1; Col **2** 5; cf. Mt **26** 41p; 1 P **4** 6; Rm **7** 5), le corps (1 Co **5** 3s; **7** 34; cf. Jc **2** 26; Rm **7** 24), voire la *psychè* (1 Th **5** 23+; cf. He **4** 12; Jude 19), et qui correspond d'une certaine manière au *noûs* (Rm **7** 25+; Ep **4** 23). Comparer le sens analogue de « disposition d'esprit », 1 Co **4** 21; 2 Co **12** 18; Ga **6** 1; Ph **1** 27. En adoptant ce terme de préférence au *noûs* de la philosophie grecque, la tradition biblique, cf. Gn **6** 17+; Is **11** 2+, laisse entendre la correspondance profonde entre l'esprit de l'homme et l'Esprit de Dieu qui le suscite et le dirige, Rm **5** 5+; Ac **1** 8+. Cette correspondance est telle qu'en plusieurs des textes cités et en d'autres encore, cf. Rm **12** 11; 2 Co **6** 6; Ep **4** 3, 23; **6** 18; Ph **3** 3 var.; Col **1** 8; Jude 19, etc., il est malaisé de dire de quel esprit il s'agit, naturel ou surnaturel, personnel ou participé.

Dieu le veut, d'aller jusqu'à vous. 11 Car j'ai un vif
désir de vous voir, afin de vous communiquer quelque don spirituel, pour vous affermir, 12 ou plutôt
éprouver le réconfort parmi vous de notre foi
commune à vous et à moi. 13 Je ne veux pas vous
**15** 23 laisser ignorer, frères, que j'ai souvent projeté de
Ac **19** 21 me rendre chez vous – mais j'en fus empêché jusqu'ici – afin de recueillir aussi quelque fruit parmi
vous comme parmi les autres païens. 14 Je me dois
aux Grecs[a] comme aux barbares, aux savants
comme aux ignorants : 15 de là mon empressement[b] à vous porter l'Évangile à vous aussi, habitants de Rome.

# *Le salut par la foi*

## *1. LA JUSTIFICATION*

### Énoncé de la thèse.

16 Car je ne rougis pas de l'Évangile : il est une
1 Co **1** 18-25; force de Dieu pour le salut de tout homme qui
**2** 1-5
2 Co **12** 9s
1 Th **2** 13
croit[c], du Juif d'abord[d], puis du Grec. 17 Car en
lui la justice[e] de Dieu se révèle de la foi à la foi[f], **1** 16+
comme il est écrit : *Le juste vivra de la foi.* Ha **2** 4
Ga **3** 11
He **10** 38

### A. LES PAÏENS ET LES JUIFS SOUS LA COLÈRE DE DIEU[g]

### Les païens objet de la colère de Dieu.

Mi **7** 9 18 En effet, la colère de Dieu[h] se révèle du haut
So **1** 15 du ciel contre toute impiété et toute injustice des
Ps **85** 4-6; hommes, qui tiennent la vérité captive dans l'injus-
**69** 25 tice; 19 car ce qu'on peut connaître de Dieu est pour
eux manifeste : Dieu en effet le leur a manifesté.
20 Ce qu'il a d'invisible depuis la création du Sg **13** 1-9
monde se laisse voir à l'intelligence à travers ses Si **17** 8
Ac **17** 24-2
œuvres, son éternelle puissance et sa divinité, en 1 Co **1** 21
sorte qu'ils sont inexcusables; 21 puisqu'ayant
connu Dieu[i] ils ne lui ont pas rendu comme à un Is **40** 26-28
Dieu gloire ou actions de grâces, mais ils ont perdu
le sens dans leurs raisonnements et leur cœur inin- Ep **4** 17-18

*a)* Les « Grecs », opposés aux « barbares », désignent tous les hommes « cultivés », y compris les Romains (qui avaient adopté la culture grecque); opposés aux « Juifs », ils désignent tous les païens, **1** 16; **2** 9-10; **3** 9; **10** 12; 1 Co **1** 22-24, etc.

*b)* On peut aussi traduire : « Aussi, autant qu'il est en moi, suis-je prêt ».

*c)* La foi est un acte par lequel l'homme s'en remet à Dieu, à la fois vérité et bonté, comme en la source unique du salut. Elle s'appuie sur sa véracité et sa fidélité dans ses promesses (Rm **3** 3s; 1 Th **5** 24; 2 Tm **2** 13; He **10** 23; **11** 11), et sur sa puissance à les exécuter (Rm **4** 17-21; He **11** 19). Après la longue préparation de l'AT (He **11**), Dieu ayant parlé par son Fils (He **1** 1), c'est lui désormais qu'il faut croire (cf. Mt **8** 10+; Jn **3** 11+) et après lui le « kérygme » (Rm **10** 8-17; 1 Co **1** 21; **15** 11, 14; cf. Ac **2** 22+) de l'Évangile (Rm **1** 16; 1 Co **15** 1-2; Ph **1** 27; Ep **1** 13) annoncé par les apôtres (Rm **1** 5; 1 Co **3** 5; cf. Jn **17** 20), à savoir que Dieu a ressuscité Jésus des morts et l'a fait Kyrios (Rm **4** 24s; **10** 9; Ac **17** 31; 1 P **1** 21; cf. 1 Co **15** 14, 17), offrant par lui la vie à tous ceux qui croiront en lui (Rm **6** 8-11; 2 Co **4** 13s; Ep **1** 19s; Col **2** 12; 1 Th **4** 14). La foi au Nom de Jésus (Rm **3** 26; **10** 13; cf. Jn **1** 12; Ac **3** 16; 1 Jn **3** 23), Christ (Ga **2** 16; cf. Ac **24** 24; 1 Jn **5** 1), Seigneur (Rm **10** 9; 1 Co **12** 3; Ph **2** 11; cf. Ac **16** 31) et Fils de Dieu (Ga **2** 20; cf. Jn **20** 31; 1 Jn **5** 5; Ac **8** 37; **9** 20), est ainsi la condition indispensable du salut (Rm **10** 9-13; 1 Co **1** 21; Ga **3** 22; cf. Is **7** 9+; Ac **4** 12; **16** 31; He **11** 6; Jn **3** 15-18). La foi n'est pas pure adhésion intellectuelle, mais confiance, obéissance (Rm **1** 5; **6** 17; **10** 16; **16** 26; cf. Ac **6** 7) à une vérité de vie (2 Th **2** 12s) qui engage tout l'être dans l'union au Christ (2 Co **13** 5; Ga **2** 16, 20; Ep **3** 17) et lui donne l'Esprit (Ga **3** 2, 5, 14; cf. Jn **7** 38s; Ac **11** 16-17) des fils de Dieu (Ga **3** 26; cf. Jn **1** 12). Parce qu'elle ne compte que sur Dieu, la foi exclut toute suffisance (Rm **3** 27; Ep **2** 9) et s'oppose au régime de la Loi (Rm **7** 7+) et à sa vaine recherche (Rm **10** 3; Ph **3** 9) d'une justice méritée par des œuvres (Rm **3** 20, 28; **9** 31s; Ga **2** 16; **3** 11s) : la vraie justice que seule elle procure est la Justice salvifique de Dieu (Rm ici; **3** 21-26) reçue comme un don gratuit (Rm **3** 24; **4** 16; **5** 17; Ep **2** 8; cf. Ac **15** 11). Aussi rejoint-elle la promesse faite à Abraham (Rm **4**; Ga **3** 6-18) et ouvre-t-elle le salut à tous, même aux païens (Rm **1** 5, 16; **3** 29s; **9** 30; **10** 11s; **16** 26; Ga **3** 8). Elle s'accompagne du baptême (Rm **6** 4+), s'exprime par une profession ouverte (Rm **10** 10; 1 Tm **6** 12) et fructifie par la charité (Ga **5** 6; cf. Jc **2** 14+). Encore obscure (2 Co **5** 7; He **11** 1; cf. Jn **20** 29) et accompagnée d'espérance (Rm **5** 2+), elle doit croître (2 Co **10** 15; 1 Th **3** 10; 2 Th **1** 3) dans la lutte et les souffrances (Ph **1** 29; Ep **6** 16; 1 Th **3** 2-8; 2 Th **1** 4; He **12** 2; 1 P **5** 9), la fermeté (1 Co **16** 13; Col **1** 23; **2** 5, 7) et la fidélité (2 Tm **4** 7; cf. **1** 14; 1 Tm **6** 20) jusqu'au jour de la vision et de la possession (1 Co **13** 12; cf. 1 Jn **3** 2).

*d)* Les Juifs sont les premiers dans l'économie historique du salut, pour leur gloire comme pour leur condamnation. Car « le salut vient des Juifs », Jn **4** 22. Cf. Rm **2** 9-10; Mt **10** 5s; **15** 24; Mc **7** 27; Ac **13** 5+.

*e)* Non pas une justice « distributive » qui récompense les œuvres, mais la justice salvifique (cf. Is **56** 1) de Dieu, cf. **3** 26, qui accomplit sa promesse de salut par grâce, **4** 25+.

*f)* L'expression paraît signifier que la foi est la condition nécessaire et unique de cette révélation.

*g)* Au thème de la justice de Dieu révélée dans l'Évangile, **1** 16-17, thème qui sera repris en **3** 21s, succède le thème antithétique : hors de l'Évangile, il n'y a place que pour la « colère de Dieu », tant sur le monde païen, **1** 18-32, que sur le monde juif, **2** 1 - **3** 20. Cette colère se révèle d'abord par la multiplication même des péchés. Elle éclatera au Jugement dernier, **2** 6+; Mt **3** 7+.

*h)* Déjà dans l'AT la colère de Dieu, Nb **11** 1+, était opposée à sa justice. Mi **7** 9; Ps **85** 5-12. Elle est ici encore provoquée par le péché, **2** 5-8; **4** 15; **9** 22+; Ep **5** 6; Col **3** 6; cf. 1 Th **2** 16; Jn **3** 36, de sorte que le Christ en délivre ceux qui croient en lui et que Dieu justifie, **5** 9; cf. 1 Th **1** 10; **5** 9.

*i)* Connaissance d'un Dieu unique et personnel, impliquant la conscience d'une obligation de prière et d'adoration.

1 Co **1** 19-20 telligent s'est enténébré : [22] dans leur prétention à
Jr **2** 5, 11 la sagesse, ils sont devenu fous [23] et *ils ont changé*
Gn **1** 26-27 *la gloire* du Dieu incorruptible *contre une représen-*
Ps **106** 20 Ex **32** *tation,* simple image d'hommes corruptibles, d'oi-
Dt **4** 16-18 seaux, de quadrupèdes, de reptiles.
Sg **11** 15; [24] Aussi Dieu les a-t-il livrés [a] selon les convoiti-
**12** 24; **13** 10s ses de leur cœur à une impureté où ils avilissent
Ep **4** 19 eux-mêmes leurs propres corps; [25] eux qui ont
échangé la vérité de Dieu contre le mensonge,
adoré et servi la créature de préférence au Créa-
**16** 27+ teur, qui est béni éternellement! Amen [b].
[26] Aussi Dieu les a-t-il livrés à des passions avi-
lissantes : car leurs femmes ont échangé les rapports naturels pour des rapports contre nature;
[27] pareillement les hommes, délaissant l'usage naturel de la femme, ont brûlé de désir les uns pour les
autres, perpétrant l'infamie d'homme à homme et
recevant en leurs personnes l'inévitable salaire de
leur égarement.
[28] Et comme ils n'ont pas jugé bon de garder la
vraie connaissance de Dieu, Dieu les a livrés à leur
esprit sans jugement [c], pour faire ce qui ne convient
pas : [29] remplis de [d] toute injustice, de perversité, de
cupidité, de malice [e]; ne respirant qu'envie, meurtre, dispute, fourberie, malignité; diffamateurs,
[30] détracteurs, ennemis de Dieu [f], insulteurs,
orgueilleux, fanfarons, ingénieux au mal, rebelles à
leurs parents, [31] insensés, déloyaux, sans cœur [g],
sans pitié; [32] connaissant bien pourtant le verdict
de Dieu qui déclare dignes de mort les auteurs de
pareilles actions, non seulement ils les font, mais
ils approuvent encore ceux qui les commettent [h].

**Les Juifs à leur tour objet de la colère divine [i].**

2 [1] Aussi es-tu sans excuse, qui que tu sois, toi
qui juges. Car en jugeant autrui, tu juges
contre toi-même : puisque tu agis de même, toi qui
juges, [2] et nous savons que le jugement de Dieu
s'exerce selon la vérité sur les auteurs de pareilles
actions. [3] Et tu comptes, toi qui juges ceux qui les
commettent et qui les fais toi-même, que tu échapperas au jugement de Dieu? [4] Ou bien méprises-tu
ses richesses de bonté, de patience, de longanimité, Sg **11** 23
sans reconnaître que cette bonté de Dieu te pousse 2 P **3** 9
au repentir? [5] Par ton endurcissement et l'impéni- Ac **7** 51
tence de ton cœur, tu amasses contre toi un trésor
de colère, au jour de la colère où se révélera le juste So **1** 14-18
jugement de Dieu, [6] qui *rendra à chacun selon ses* 2 Th **1** 5-10
*œuvres* [j] : [7] à ceux qui par la constance dans le bien Ps **62** 13+
recherchent gloire, honneur et incorruptibilité : la Ez **18** 21-32+ He **11** 6+
vie éternelle; [8] aux autres, âmes rebelles, indociles 1 P **1** 17
à la vérité et dociles à l'injustice : la colère et l'indi- 1 P **1** 7
gnation. [9] Tribulation et angoisse à toute âme
humaine qui s'adonne au mal, au Juif d'abord, puis **1** 16+
au Grec; [10] gloire, honneur et paix à quiconque fait
le bien, au Juif d'abord, puis au Grec; [11] car *Dieu*
*ne fait pas acception des personnes.* Dt **10** 17+ Ac **10** 34+

**Malgré la Loi.**

[12] En effet, quiconque aura péché sans la Loi,
périra aussi sans la Loi; et quiconque aura péché
sous la Loi, par la Loi sera jugé; [13] ce ne sont pas Jc **2** 12
les auditeurs de la Loi qui sont justes devant Dieu, Jc **1** 22-25
mais les observateurs de la Loi qui seront justifiés. Mt **7** 26-27 Lc **8** 21
[14] En effet, quand des païens privés de la Loi

*a)* La formule biblique « Dieu les a livrés » va souligner à trois reprises comment l'erreur religieuse coupable entraîne les pires désordres moraux et sociaux. En lui-même le péché porte déjà son fruit et sa sanction : cf. Ez **23** 28-29; Is **64** 6; Sg **11** 15-16; **12** 23-27. – Paul juge et condamne le monde païen, non les intentions des personnes, dont Dieu seul est juge, **2** 16; 1 Co **4** 5; **5** 12-13, et Rm **2** suppose que plus d'un païen observe la loi naturelle inscrite en son cœur, **2** 14-15. Mais l'homme doit se reconnaître pécheur.

*b)* Le mot hébreu *Amen,* hérité de l'AT, cf. Ps **41** 14+, passe dans l'usage de l'Église chrétienne, **9** 5; **11** 36; 1 Co **14** 16; Ap **1** 6-7; **22** 20-21, etc. Déjà employé par Jésus, Mt **5** 18+, il lui est ensuite donné comme un nom propre, à titre de témoin véritable des promesses de Dieu, 2 Co **1** 20; Ap **1** 2, 5+; **3** 14.

*c)* Jeu d'expression : pour ne s'être pas exercé comme il le devait (« ils n'ont pas jugé bon »), le jugement moral, inclus dans la connaissance de Dieu (v. 21), se trouve aboli ou faussé, v. 32.

*d)* Paul s'inspire, ici et souvent ailleurs, de listes de vices qui circulaient dans la littérature contemporaine, païenne et surtout juive : **13** 13; 1 Co **5** 10-11; **6** 9-10; 2 Co **12** 20; Ga **5** 19-21; Ep **4** 31; **5** 3-5; Col **3** 5-8; 1 Tm **1** 9-10; **6** 4; 2 Tm **3** 2-5; Tt **3** 3. Cf. encore Mt **15** 19p; 1 P **4** 3; Ap **21** 8; **22** 15.

*e)* Add. : « de fornication ».

*f)* Autre traduction : « haïs de Dieu », mais cf. **5** 10; **8** 7.

*g)* Add. (Vulg.) : « implacables », cf. 2 Tm **3** 3.

*h)* La tradition latine a lu : « Connaissant bien que Dieu est juste, ils ne comprirent pas que les auteurs de pareilles actions sont dignes de mort; et non seulement leurs auteurs, mais encore ceux qui les approuvent. »

*i)* Paul s'adresse maintenant au Juif, tacitement d'abord, vv. 1-16, puis ouvertement, **2** 17 - **3** 20. En se faisant censeur des autres, il ne sera pas épargné pour autant, s'il agit comme eux, vv. 1-5; 17-24. Ni la Loi, vv. 12-16, ni la circoncision, vv. 25-29, ni le dépôt des Écritures, **3** 1-8, ne sauraient le dispenser de la rectitude intérieure. Juif et païen sont également justiciables du tribunal de Dieu, **2** 6-11; en fait, tous deux sont également soumis au péché, **3** 9-20.

*j)* Le « Jour de Yahvé » annoncé par les prophètes comme jour de colère et de salut, Am **5** 18+, trouvera sa pleine réalisation eschatologique dans le « Jour du Seigneur », lors du retour glorieux du Christ, 1 Co **1** 8+. En ce « Jour du Jugement » (cf. Mt **10** 15; **11** 22, 24; **12** 36; 2 P **2** 9; **3** 7; 1 Jn **4** 17), les morts ressusciteront, 1 Th **4** 13-18; 1 Co **15** 12-23, 51s, et tous les hommes comparaîtront devant le tribunal de Dieu, Rm **14** 10, et du Christ, 2 Co **5** 10; cf. Mt **25** 31s. Jugement inévitable, Rm **2** 3; Ga **5** 10; 1 Th **5** 3, et impartial, v. 11; Col **3** 25; cf. 1 P **1** 17, qui n'appartient qu'à Dieu, Rm **12** 19; **14** 10; 1 Co **4** 5; cf. Mt **7** 1p. Dieu par son Christ, v. 16; 2 Tm **4** 1; cf. Jn **5** 22; Ac **17** 31. jugera les vivants et les morts, 2 Tm **4** 1; cf. Ac **10** 42; 1 P **4** 5. Lui qui scrute les cœurs, v. 16; Jr **11** 20+; 1 Co **4** 5; cf. Ap **2** 23, et éprouve par le feu, 1 Co **3** 13-15, rendra à chacun selon ses œuvres, 1 Co **3** 8, 13-15; 2 Co **5** 10; **11** 15; Ep **6** 8; cf. Mt **16** 27; 1 P **1** 17; Ap **2** 23; **20** 12; **22** 12. On moissonnera ce qu'on aura semé, Ga **6** 7-9; cf. Mt **13** 39; Ap **14** 15. Colère et perdition, Rm **9** 22, pour les Puissances du Mal, 1 Co **15** 24-26; 2 Th **2** 8, et les impies, 2 Th **1** 7-10; cf. Mt **13** 41; Ep **5** 6; 2 P **3** 7; Ap **6** 17; **11** 18. Pour les élus, qui auront accompli le bien, délivrance, Ep **4** 30; cf. Rm **8** 23, répit, Ac **3** 20; cf. 2 Th **1** 7; He **4** 5-11, récompense, cf. Mt **5** 12; Ap **11** 18, salut, 1 P **1** 5, exaltation, 1 P **5** 6, louange, 1 Co **4** 5, et gloire, Rm **8** 18s; 1 Co **15** 43; Col **3** 4; cf. Mt **13** 43.

accomplissent naturellement les prescriptions de la
Loi, ces hommes, sans posséder de Loi, se tiennent
à eux-mêmes lieu de Loi [a]; 15 ils montrent la réalité
de cette loi inscrite en leur cœur, à preuve le témoignage de leur conscience, ainsi que les jugements
intérieurs de blâme ou d'éloge qu'ils portent les uns
2 6+ sur les autres [b]... 16 au jour [c] où Dieu jugera les pen-
1 Co 4 5 sées secrètes des hommes, selon mon Évangile, par
le Christ Jésus.
Is 48 1-4 17 Mais si toi, qui arbores le nom de Juif, qui te
Mt 3 8-9 Jn 8 33s reposes sur la Loi, qui te glorifies en Dieu, 18 qui
Am 5 21+ connais sa volonté, qui discernes le meilleur, ins-
12 2+ truit par la Loi, 19 et ainsi te flattes d'être toi-même
Jn 9 40-41 Mt 23 le guide des aveugles, la lumière de qui marche
Lc 18 9-12 dans les ténèbres, 20 l'éducateur des ignorants, le
maître des simples, parce que tu possèdes dans la
Loi l'expression même de la science et de la vérité...
21 eh bien! l'homme qui enseigne autrui, tu ne
Ps 50 16-21 t'enseignes pas toi-même! tu prêches de ne pas
dérober et tu dérobes! 22 tu interdis l'adultère et tu
commets l'adultère! tu abhorres les idoles, et tu pil-
les leurs temples! 23 Toi qui te glorifies dans la Loi,
en transgressant cette Loi, c'est Dieu que tu désho-
Is 52 5 nores, 24 car *le nom de Dieu, à cause de vous, est*
Ez 36 20-22 Jc 2 7 *blasphémé parmi les nations,* dit l'Écriture.

2 P 2 2 **Malgré la circoncision.**

1 Co 7 19 25 La circoncision, en effet, te sert si tu pratiques
Ga 5 3 la Loi; mais si tu transgresses la Loi, avec ta
Jr 9 24-25 circoncision, tu n'es plus qu'un incirconcis. 26 Si
donc l'incirconcis garde les prescriptions de la Loi,
son incirconcision ne vaudra-t-elle pas une
circoncision? 27 Et celui qui physiquement in-
Mt 12 41s circoncis accomplit la Loi te jugera, toi qui avec
la lettre et avec la circoncision es transgresseur de
la Loi. 28 Car le Juif n'est pas celui qui l'est au-de-
Ep 2 11 hors, et la circoncision n'est pas au-dehors dans la
Ph 3 2s Jr 4 4+ chair, 29 le vrai Juif l'est au-dedans et la circonci-
Rm 8 2+; 7 6 sion dans le cœur, selon l'esprit et non pas selon
2 Co 3 6 la lettre : voilà celui qui tient sa louange non des
hommes, mais de Dieu.

**Malgré les promesses de Dieu.**

**3** 1 Quelle est donc la supériorité du Juif [d]?
Quelle est l'utilité de la circoncision?
2 Grande à tous égards. D'abord c'est à eux que 9 4-5
furent confiés les oracles de Dieu. 3 Quoi donc si
d'aucuns furent infidèles? leur infidélité va-t-elle Ps 89 31-38
annuler la fidélité de Dieu? 4 Certes non! Il faut que 2 Tm 2 13
Dieu soit véridique et *tout homme menteur,* comme Ps 116 11
dit l'Écriture : *Afin que tu sois justifié dans tes* Ps 51 6
*paroles, et triomphes si l'on te met en jugement.*
5 Mais si notre injustice met en relief la justice de
Dieu [e], que dire? Dieu serait-il injuste en nous frap- Jb 34 12, 17
pant de sa colère? Je parle en homme. 6 Certes non! Rm 1 18+
Sinon, comment Dieu jugera-t-il le monde? 7 Mais [f]
si mon mensonge a rehaussé la vérité de Dieu pour
sa gloire, de quel droit suis-je jugé moi aussi 9 19+
comme un pécheur? 8 Ou bien, comme certains
nous accusent outrageusement de le dire [g],
devrions-nous faire le mal pour qu'en sorte le bien? 6 1, 15
Ceux-là méritent leur condamnation.

**Tous sont coupables.**

9 Quoi donc? L'emportons-nous [h]? Pas du tout.
Car nous avons établi que Juifs et Grecs, tous sont
soumis au péché, 10 comme il est écrit : 11 32
*Il n'est pas de juste, pas un seul,* Ps 14 1-3
11 *il n'en est pas de sensé,*
*pas un qui recherche Dieu.*
12 *Tous ils sont dévoyés, ensemble pervertis;*
*il n'en est pas qui fasse le bien,*
*non, pas un seul.*
13 *Leur gosier est un sépulcre béant,* Ps 5 10
*leur langue trame la ruse.*
*Un venin d'aspic est sous leurs lèvres,* Ps 140 4
14 *la malédiction et l'aigreur emplissent leur bou-* Ps 10 7
*che.*
15 *Agiles sont leurs pieds à verser le sang;* Is 59 7-8
16 *ruine et misère sont sur leurs chemins.*
17 *Le chemin de la paix, ils ne l'ont pas connu,*
18 *nulle crainte de Dieu devant leurs yeux.* Ps 36 2
19 Or, nous le savons, tout ce que dit la Loi [i], elle
le dit pour ceux qui sont sous la Loi, afin que toute
bouche soit fermée, et le monde entier reconnu coupable devant Dieu, 20 puisque *personne ne sera jus-* Ga 3 22
*tifié devant lui* par la pratique de la Loi [j] : la Loi Ps 143 2
ne fait que donner la connaissance du péché. Ga 2 16 Rm 7 7

*a)* C'est-à-dire agissent selon leur conscience, 1 Co **4** 4+, sans le secours d'une Loi positivement révélée. La Loi n'est pas un principe de salut, mais un guide : à ce titre, la loi naturelle, inscrite au cœur de tout homme, peut en tenir lieu.
*b)* Ou : « qu'ils portent sur leurs propres actions ».
*c)* Anacoluthe : le v. 16 continue grammaticalement le v. 13. Autre traduction : « en ce tribunal où Dieu juge... », cf. 1 Co **4** 3.
*d)* Un dernier refuge demeure au Juif : en vertu des promesses de Dieu, Israël est le peuple élu; comment le déclarer hors de la voie du salut? Saint Paul ne donne ici qu'une réponse sommaire à l'objection qu'il réfutera longuement aux ch. **9-11** : l'infidélité des hommes ne peut rendre caduques les promesses de Dieu; le fait qu'elle leur donne même un nouvel éclat ne saurait tenir le pécheur à l'abri de la colère divine (v. 6), encore moins l'absoudre de son péché (v. 8). Le dialogue semble un écho des discussions de Paul dans les synagogues.
*e)* L'argumentation repose sur le parallélisme : fidélité, vérité (véracité), justice-infidélité, mensonge, injustice.
*f)* Var. : « En effet ».
*g)* Par une interprétation abusive d'assertions comme Ga **3** 22; Rm **5** 20; cf. **6** 1, 15.
*h)* Traduction discutée; d'autres entendent : « Qu'avons-nous donc à prétexter? » ou bien : « Sommes-nous donc inférieurs? »
*i)* La « Loi » désigne ici tout l'AT, cf. 1 Co **14** 34; etc.
*j)* Selon le Ps **143**, l'homme ne sera jamais absous si Dieu le juge selon ses œuvres; aussi invoque-t-on un autre principe de

## B. LA JUSTICE DE DIEU ET LA FOI

**Révélation de la justice de Dieu.**

[21] Mais maintenant, sans la Loi, la justice de
Dieu s'est manifestée, attestée par la Loi et les Pro-
1 16+ phètes, [22] justice de Dieu par la foi en Jésus Christ,
Ga 2 16; 3 à l'adresse de tous ceux qui croient – car il n'y a
pas de différence : [23] tous ont péché et sont privés
de la gloire de Dieu [a] – [24] et ils sont justifiés par
la faveur de sa grâce en vertu de la rédemption [b]
accomplie dans le Christ Jésus : [25] Dieu l'a
1 Jn 2 2; 4 10 exposé [c], instrument de propitiation [d] par son propre sang moyennant la foi; il voulait montrer sa
Ac 17 30 justice, du fait qu'il avait passé condamnation sur
les péchés [e] commis jadis [26] au temps de la patience
de Dieu; il voulait montrer sa justice au temps pré-
sent [f], afin d'être juste [g] et de justifier celui qui se Is 53 11
réclame de la foi en Jésus.

**Le rôle de la foi.**

[27] Où donc est le droit de se glorifier [h]? Il est 2 17; 4 2-3
exclu. Par quel genre de loi? Celle des œuvres? 5 2+; 11 18
Non, par une loi de foi [i]. [28] Car nous estimons que Ga 6 13-14 Ep 2 9
l'homme est justifié par la foi sans la pratique de
la Loi. [29] Ou alors Dieu est-il le Dieu des Juifs seulement, et non point des païens? Certes, également
des païens; [30] puisqu'il n'y a qu'un seul Dieu, qui
justifiera les circoncis en vertu de la foi comme les
incirconcis par le moyen de cette foi. [31] Alors, par
la foi nous privons la Loi de sa valeur? Certes non!
Nous la lui conférons [j].

## C. L'EXEMPLE D'ABRAHAM

Ga 3 6-9
Jc 2 20-24, 14+
Gn 12 1+; 15 6+

**Abraham justifié par sa foi.**

4 [1] Que dirons-nous donc d'Abraham [k], notre
ancêtre selon la chair [l]? [2] Si Abraham tint sa
justice des œuvres, il a de quoi se glorifier [m]. Mais 3 27+
non au regard de Dieu! [3] Que dit en effet l'Écriture? *Abraham crut à Dieu, et ce lui fut compté* Gn 15 6
*comme justice* [n]. [4] A qui fournit un travail on ne Ga 3 6 Jc 2 23

justification, la « fidélité » de Dieu aux promesses de salut faites à son peuple, 1 Co 1 9+, et, d'un autre mot, sa justice. Cette justice promise pour les temps messianiques, Paul va précisément déclarer qu'elle s'est manifestée en Jésus Christ, v. 22. Quant à la Loi, norme extérieure de conduite, elle a pour rôle dans le plan divin, non pas d'effacer le péché, mais de le révéler à la conscience de l'homme pécheur, cf. 1 16+; 7 7+.

*a)* La gloire, au sens biblique, Ex **24** 16+, présence de Dieu se communiquant à l'homme de façon de plus en plus intime, bien par excellence des temps messianiques, cf. Ps **85** 10; Is **40** 5, etc.

*b)* Yahvé avait « racheté » Israël en le libérant de la captivité d'Égypte pour s'en faire un peuple qui lui appartînt comme son héritage, Dt **7** 6+. En annonçant la « rédemption » de la captivité de Babylone, Is **41** 14+, les prophètes avaient laissé entrevoir un affranchissement plus profond et plus universel, par le pardon des péchés, Is **44** 22; cf. Ps **130** 8; **49** 8-9. Cette rédemption messianique s'est accomplie dans le Christ, 1 Co **1** 30; cf. Lc **1** 68; **2** 38. Dieu le Père par le Christ – ou le Christ lui-même – a « délivré » l'Israël nouveau de la servitude de la Loi, Ga **3** 13; **4** 5, et du péché, Col **1** 14; Ep **1** 7; He **9** 15, en se l'acquérant, Ac **20** 28, en se l'appropriant, Tt **2** 14, en l'achetant, Ga **3** 13; **4** 5; 1 Co **6** 20; **7** 23; cf. 2 P **2** 1. Le prix de ce rachat et de cette acquisition a été le sang du Christ, Ac **20** 28; Ep **1** 7; He **9** 12; 1 P **1** 18s; Ap **1** 5; **5** 9. Inaugurée au Calvaire et déjà garantie par les arrhes de l'Esprit, Ep **1** 14; **4** 30, cette rédemption ne s'achèvera qu'à la Parousie, Lc **21** 28, avec l'affranchissement de la mort par la résurrection des corps, Rm **8** 23.

*c)* Autre traduction : « l'a destiné à être ».

*d)* Litt. « propitiatoire », Ex **25** 17+; cf. He **9** 5. Au grand Jour des Expiations, Lv **16** 1+, le propitiatoire était aspergé de sang, Lv **16** 15. Le sang du Christ a accompli en réalité la purification du péché que ce rite ne pouvait que signifier. Cf. encore le sang de l'Alliance, Ex **24** 8+; Mt **26** 28+.

*e)* Ce demi-pardon, une sorte de non-imputation (*paresis*), n'avait de sens qu'en vue du pardon définitif, destruction totale du péché par la justification de l'homme. – Autre trad. : « en vue de remettre les péchés ».

*f)* Ce « temps présent », c'est le temps « fixé » par Dieu dans son plan de salut. Ac **1** 7+, pour l'œuvre rédemptrice du Christ, Rm **5** 6; **11** 30; 1 Tm **2** 6; Tt **1** 3, qui se produit à la « plénitude des temps », Ga **4** 4+, une fois pour toutes, He **7** 27+, et inaugure l'ère eschatologique. Cf. Mt **4** 17p; **16** 3p; Lc **4** 13; **19** 44; **21** 8; Jn **7** 6, 8.

*g)* C'est-à-dire d'exercer sa justice (salvifique, cf. **1** 17+), conformément à ses promesses, en justifiant l'homme.

*h)* Le mot grec définit l'attitude de l'homme qui se fait un mérite de ses œuvres, s'appuie sur elles et prétend accomplir sa destinée surnaturelle par ses propres forces. Attitude blâmable, car on ne conquiert pas la justice, on la reçoit comme un don. Et l'acte de foi, plus que n'importe quel autre, exclut une telle suffisance, parce que l'homme y atteste explicitement sa radicale insuffisance.

*i)* C'est-à-dire : par une loi qui consiste à croire. Paul oppose la Loi, « écrite sur des tables », 2 Co **3** 3, et la foi, **1** 16+, loi intérieure gravée sur le cœur, cf. Jr **31** 33, « opérant par l'amour », Ga **5** 6, et qui est la « loi de l'Esprit », **8** 2.

*j)* Litt. « Nous établissons (la) Loi » : seule la foi, qui opère par l'amour, Ga **5** 6, permet à la Loi d'atteindre le but qu'elle se proposait, à savoir la justice et la sainteté de l'homme, cf. **7** 7+.

*k)* Var. (Vulg.) : « Que dirons-nous donc qu'a obtenu Abraham ».

*l)* Le retour d'un même thème, la paternité d'Abraham, vv. 1, 12, 16-18, marque les étapes de l'argumentation.

*m)* La tradition juive avait fait d'Abraham le type même de la justification par les œuvres, retenant surtout sa fidélité et sa constance dans les épreuves, Sg **10** 5; Si **44** 20s; 1 M **2** 52 (et surtout *Jubilés* **11-12**; **16** 19s, etc.), cf. encore Jc **2** 22+, voir **2** 14+. Mais Paul remonte à la foi d'Abraham, Gn **12** 1+ et **15** 6+, comme au principe même de sa justice et de ses œuvres. Cf. He **11** 8s.

*n)* Grammaticalement, diverses interprétations sont possibles :

compte pas le salaire à titre gracieux : c'est un dû;
[5] mais à qui, au lieu de travailler, croit en celui qui
justifie l'impie, on compte sa foi comme justice.
[6] Exactement comme David proclame heureux
l'homme à qui Dieu attribue la justice indépendamment des œuvres :

Ps **32** 1-2 [7] *Heureux ceux dont les offenses ont été remises,*
*et les péchés couverts.*
[8] *Heureux l'homme à qui le Seigneur n'impute*
*aucun péché.*

**Indépendamment de la circoncision.**

[9] Cette déclaration de bonheur s'adresse-t-elle
donc aux circoncis ou bien également aux incirconcis? Nous disons, en effet, que *la foi*
*d'Abraham lui fut comptée comme justice.*
[10] Comment donc fut-elle comptée? Quand il était
circoncis ou avant qu'il le fût? Non pas après, mais
Gn **17** 11+ avant; [11] et il reçut *le signe de la circoncision*
comme sceau [a] de la justice de la foi [b] qu'il possédait quand il était incirconcis; ainsi devint-il à la
Ga **3** 7 fois le père de tous ceux qui croiraient sans avoir
la circoncision, pour que la justice leur fût également comptée, [12] et le père des circoncis, qui ne se
contentent pas d'être circoncis, mais marchent sur
les traces de la foi qu'avant la circoncision eut
notre père Abraham.

**Indépendamment de la Loi.**

[13] De fait ce n'est point par l'intermédiaire d'une
Ga **3** 16-18 loi qu'agit la promesse faite à Abraham ou à sa
Gn **12** 7+ descendance de recevoir le monde en héritage, mais
par le moyen de la justice de la foi. [14] Car si l'héritage appartient à ceux qui relèvent de la Loi, la foi
est sans objet, et la promesse sans valeur; [15] la Loi
en effet produit la colère, tandis [c] qu'en l'absence Ga **3** 10
de loi il n'y a pas non plus de transgression. Rm **5** 13;
[16] Aussi dépend-il de la foi, afin d'être don gra- **7** 7+
cieux, et qu'ainsi la promesse soit assurée à toute
la descendance, qui se réclame non de la Loi seulement, mais encore de la foi d'Abraham, notre père
à tous, [17] comme il est écrit : *Je t'ai établi père* Gn **17** 5
*d'une multitude de peuples* – notre père devant
Celui auquel il a cru, le Dieu qui donne la vie aux Dt **32** 39+
morts et appelle le néant à l'existence [d]. He **11** 19
Is **48** 13

**La foi d'Abraham et la foi du chrétien.**

[18] Espérant contre toute espérance, il crut et
devint ainsi *père d'une multitude de peuples,* selon
qu'il fut dit : *Telle sera ta descendance.* [19] C'est Gn **15** 5
d'une foi sans défaillance qu'il considéra son corps
déjà mort [e] – il avait quelque cent ans – et le sein Gn **17** 1, 17
de Sara, mort également; [20] appuyé sur la promesse
de Dieu, sans hésitation ni incrédulité, mais avec He **11** 1s
une foi puissante [f], il rendit gloire à Dieu, [21] certain Mc **9** 23
que tout ce que Dieu a promis, il est assez puissant Jr **32** 17
ensuite pour l'accomplir. [22] Voilà pourquoi *ce lui* Lc **1** 37
*fut compté comme justice.*
[23] Or quand l'Écriture dit que sa foi *lui fut*
*comptée,* ce n'est point pour lui seul; elle nous 1 Co **10** 6+
visait également, [24] nous à qui la foi doit être 1 P **1** 21
comptée, nous qui croyons en celui qui ressuscita
d'entre les morts Jésus notre Seigneur, [25] *livré pour* **1** 4+
*nos fautes* et ressuscité pour notre justification [g]. Is **53** 6

en vertu de la foi, Dieu tient Abraham pour juste, sans qu'il le soit réellement; ou bien : en vertu de cette même foi, Dieu confère gratuitement à Abraham une justice qu'il n'avait point quand il croyait; ou enfin : au regard de Dieu, et donc en vérité, la foi se confond concrètement avec la justice. Mais l'ensemble de la doctrine paulinienne exclut la première interprétation; elle paraît exclure aussi la seconde, et s'accorde parfaitement avec la troisième.

*a)* Le même mot *sphragis* servit très tôt à désigner par analogie le baptême chrétien, sacrement de la foi, 2 Co **1** 22; Ep **1** 13; **4** 30; cf. Jn **6** 27+; Ap **7** 2-8; **9** 4.

*b)* C'est-à-dire « d'une justice qui consiste à croire » (d'une foi vive), cf. **1** 17+; **3** 27+. L'héritage est donné, non pour récompenser la fidélité aux clauses d'un contrat (à une loi), mais en accomplissement de la promesse. Les promesses, Gn **12** 1+, ayant été offertes à la foi, leur réalisation ne peut être perçue et accueillie que par la foi en la personne et l'œuvre de Jésus-Sauveur : Jn **8** 56; Ac **2** 39; **13** 23; Rm **9** 4-8; **15** 8; Ga **3** 14-19; Ep **1** 13-14; **2** 12; **3** 6; He **11** 9-10, 13, etc.

*c)* Var. : « car ».

*d)* Comme au jour du « fiat » créateur. Les attributs mentionnés, les plus caractéristiques de la toute-puissance divine, préparent l'allusion du v. 24 à la résurrection du Christ.

*e)* Texte reçu et Vulg. : « Il ne faiblit pas dans sa foi ni ne tint compte de son corps déjà mort. »

*f)* La foi est toute puissante, Mc **9** 23. Elle permet à Dieu de déployer en nous sa propre puissance, cf. 2 Co **12** 9-10.

*g)* La justice est en effet une première participation à la vie du Christ ressuscité, **6** 4; **8** 10, etc.; Paul ne disjoint jamais la mort de Jésus de sa résurrection. Dans l'AT, Dieu justifie en jugeant, Ps **9** 9+. Dans le NT, il sera « juge » au dernier jour, **2** 6; il « justifie » par le Christ, **3** 24, c'est-à-dire confère le don de la justice en considération de la foi seule, **1** 17+, et non des œuvres de la Loi, **3** 27+; **7** 7+.

## 2. LE SALUT

### La justification gage du salut [a].

5 [1] Ayant donc reçu notre justification de la foi,
nous sommes [b] en paix avec Dieu par notre
Seigneur Jésus Christ, [2] lui qui nous a donné
d'avoir accès par la foi à cette grâce [c] en laquelle
3 27+ nous sommes établis et nous nous glorifions dans
3 23+ l'espérance [d] de la gloire de Dieu. [3] Que dis-je?
2 Co 12 9-10 Nous nous glorifions encore des tribulations,
Jc 1 2-4 1 P 4 13-14 sachant bien que la tribulation produit la
Ap 1 9 constance, [4] la constance une vertu éprouvée, la
1 Co 13 13+ vertu éprouvée l'espérance. [5] Et l'espérance ne
déçoit point, parce que l'amour de Dieu [e] a été
Rm 8 4-16 répandu dans nos cœurs par le Saint Esprit qui
Ga 4 4-6 nous fut donné [f]. [6] C'est en effet alors que nous
étions sans force, c'est alors, au temps fixé, que le Rm 3 26+
Christ est mort pour des impies; – [7] à peine en effet 1 P 3 18
voudrait-on mourir pour un homme juste; pour un
homme de bien, oui, peut-être osera-t-on mourir; –
[8] mais la preuve que Dieu nous aime, c'est que le 8 32
Christ, alors que nous étions encore pécheurs, est Jn 15 13
mort pour nous. [9] Combien plus, maintenant jus- 1 Jn 4 10, 19
tifiés dans son sang, serons-nous par lui sauvés de 1 Th 1 10
la colère. [10] Si, étant ennemis, nous fûmes réconci- 2 Co 5 18-21
liés à Dieu par la mort de Son Fils, combien plus,
une fois réconciliés, serons-nous sauvés par sa vie,
[11] et pas seulement cela, mais nous nous glorifions
en Dieu par notre Seigneur Jésus Christ par qui dès
à présent nous avons obtenu la réconciliation.

## A. LIBÉRATION DU PÉCHÉ, DE LA MORT ET DE LA LOI

### Adam et Jésus Christ [g].

Co 15 21-22 [12] Voilà pourquoi, de même que par un seul
Sg 2 24 homme le péché *est entré dans le monde,* et par le
Gn 3 17, 19 Rm 6 23 péché la mort [h], et qu'ainsi la mort a passé en tous
les hommes, du fait que tous ont péché [i]; – [13] car 3 23
jusqu'à la Loi il y avait du péché dans le monde,
mais le péché n'est pas imputé quand il n'y a pas 4 15; 7 7+

*a)* Thème de la seconde partie, **5-11** : le chrétien justifié, cf. **1-4**, trouve dans l'amour de Dieu et le don de l'Esprit la garantie du salut. Ce thème sera repris au ch. **8** après le développement antithétique de **5** 12 - **7** 25.
*b)* Var. : « soyons ».
*c)* La faveur de vivre dans l'amitié divine, l'« état de grâce ».
*d)* L'espérance chrétienne est l'attente des biens eschatologiques : la résurrection du corps, Rm **8** 18-23; 1 Th **4** 13s; cf. Ac **2** 26; **23** 6; **24** 15; **26** 6-8; **28** 20, l'héritage des saints, Ep **1** 18; cf. He **6** 11s; 1 P **1** 3s, la vie éternelle, Tt **1** 2; cf. 1 Co **15** 19, la gloire, Rm **5** 2; 2 Co **3** 7-12; Ep **1** 18; Col **1** 27; Tt **2** 13; la vision de Dieu, 1 Jn **3** 2s, en un mot le salut, 1 Th **5** 8; cf. 1 P **1** 3-5, de soi et des autres, 2 Co **1** 6s; 1 Th **2** 19. Désignant d'abord la vertu qui attend ces biens, elle peut parfois désigner ces biens célestes eux-mêmes, Ga **5** 5; Col **1** 5; Tt **2** 13; He **6** 18. Jadis déposée en Israël, Ep **1** 11-12; cf. Jn **5** 45; Rm **4** 18, à l'exclusion des païens, Ep **2** 12; cf. 1 Th **4** 13, elle y préparait une espérance meilleure, He **7** 19, qui est aujourd'hui offerte même aux païens, Ep **1** 18; Col **1** 27; cf. Mt **12** 21; Rm **15** 12, dans le mystère du Christ, Rm **16** 25+. Elle se fonde sur Dieu, 1 Tm **5** 5; **6** 17; 1 P **1** 21; **3** 5, son amour, 2 Th **2** 16, son appel, 1 P **1** 13-15; cf. Ep **1** 18; **4** 4, sur sa puissance, Rm **4** 17-21, sa véracité, Tt **1** 2; He **6** 18, et sa fidélité, He **10** 23, à tenir ses promesses, qu'il a exprimées par les Écritures, Rm **15** 4, et l'Évangile, Col **1** 23, et réalisées en la personne du Christ, 1 Tm **1** 1; 1 P **1** 3, 21. Aussi ne peut-elle décevoir, Rm **5** 5. Tendue par définition vers des biens invisibles, Rm **8** 24; He **11** 1, elle s'appuie sur la foi, Rm **4** 18; **5** 1s; **15** 13; Ga **5** 5, He **6** 11s; 1 P **1** 21, et se nourrit de la charité, Rm **5** 5; 1 Co **13** 7, les deux autres vertus théologales avec lesquelles elle a un lien étroit, 1 Co **13** 13+. L'Esprit Saint, le don eschatologique par excellence déjà possédé partiellement, Rm **5** 5+; Ac **1** 8+, est sa source privilégiée, Ga **5** 5, qui l'éclaire, Ep **1** 17s, la fortifie, Rm **15** 13, la fait prier, Rm **8** 25-27, et opère par elle l'unité du Corps, Ep **4** 4. Fondée sur la justification par la foi au Christ, Rm **5** 1s; cf. Ga **5** 5, elle est pleine d'assurance, 2 Co **3** 12; He **3** 6, de réconfort, 2 Th **2** 16; He **6** 18, de joie, Rm **12** 12; **15** 13; 1 Th **2** 19, et de fierté, Rm **5** 2; 1 Th **2** 19; He **3** 6; elle ne se laisse point abattre par les souffrances présentes, qui comptent peu auprès de la gloire promise, Rm **8** 18, mais les supporte au contraire avec une « constance », Rm **8** 25; **12** 12; **15** 4; 1 Th **1** 3; cf. 1 Co **13** 7, qui l'éprouve, Rm **5** 4, et l'affermit, 2 Co **1** 7.
*e)* L'amour dont Dieu nous aime et dont le Saint Esprit est un gage, et, par sa présence active en nous, un témoin : cf. **8** 15 et Ga **4** 6. En lui nous nous adressons à Dieu comme un fils à son Père, l'amour est réciproque. En lui également, nous aimons nos frères de l'amour même dont le Père aime le Fils et dont il nous aime (cf. Jn **17** 26).
*f)* L'Esprit Saint de la promesse, Ep **1** 13; cf. Ga **3** 14; Ac **2** 33+, qui caractérise la nouvelle alliance par opposition à l'ancienne, Rm **2** 29; **7** 6; 2 Co **3** 6; cf. Ga **3** 3; **4** 29; Ez **36** 27+, n'est pas seulement une manifestation extérieure de puissance thaumaturgique et charismatique, Ac **1** 8+; il est aussi et surtout un principe intérieur de vie nouvelle que Dieu donne, 1 Th **4** 8, etc.; cf. Lc **11** 13; Jn **3** 34; **14** 16s; Ac **1** 5; **2** 38, etc.; 1 Jn **3** 24, envoie, Ga **4** 6; cf. Lc **24** 49; Jn **14** 26; 1 P **1** 12, fournit, Ga **3** 5; Ph **1** 19, verse, Rm ici; Tt **3** 5s; cf. Ac **2** 33+. Reçu par la foi, Ga **3** 2, 14; cf. Jn **7** 38s; Ac **11** 17, et le baptême, 1 Co **6** 11; Tt **3** 5; cf. Jn **3** 5; Ac **2** 38; **19** 2-6, il habite dans le chrétien, Rm **8** 9; 1 Co **3** 16; 2 Tm **1** 14; cf. Jc **4** 5, dans son esprit, Rm **8** 16; cf. Rm **1** 9+, et même dans son corps, 1 Co **6** 19. Cet Esprit, qui est l'Esprit du Christ, Rm **8** 9; Ph **1** 19; Ga **4** 6; cf. 2 Co **3** 17; Ac **16** 7; Jn **14** 26; **15** 26; **16** 7, 14, rend le chrétien fils de Dieu, Rm **8** 14-16; Ga **4** 6s, et fait habiter le Christ en son cœur, Ep **3** 16. Il est pour le chrétien (comme pour le Christ lui-même, Rm **1** 4+) un principe de résurrection, Rm **8** 11+, par un don eschatologique qui dès à présent le marque comme d'un sceau, 2 Co **1** 22; Ep **1** 13; **4** 30, et se trouve en lui à titre d'arrhes, 2 Co **1** 22; **5** 5; Ep **1** 14, et de prémices, Rm **8** 23. Se substituant au principe mauvais de la chair, Rm **7** 5+, il devient en l'homme un principe de foi, 1 Co **12** 3; 2 Co **4** 13; cf. 1 Jn **4** 2s, de connaissance surnaturelle, 1 Co **2** 10-16; **7** 40; **12** 8s; **14** 2s; Ep **1** 17; **3** 16, 18; Col **1** 9; cf. Jn **14** 26+, d'amour, Rm **5** 5; **15** 30; Col **1** 8, de sanctification, Rm **15** 16; 1 Co **6** 11; 2 Th **2** 13; cf. **1** P **1** 2, de conduite morale, Rm **8** 4-9, 13; Ga

de loi; [14] cependant la mort a régné d'Adam à
Moïse même sur ceux qui n'avaient point péché
d'une transgression semblable à celle d'Adam,
figure [a] de celui qui devait venir...
[15] Mais il n'en va pas du don comme de la faute.
Si, par la faute d'un seul, la multitude [b] est morte,
combien plus la grâce de Dieu et le don conféré par
la grâce d'un seul homme, Jésus Christ, se sont-ils
répandus à profusion sur la multitude. [16] Et il n'en
va pas du don comme des conséquences du péché
d'un seul : le jugement venant après un seul péché
aboutit à une condamnation, l'œuvre de grâce à la
suite d'un grand nombre de fautes aboutit à une
justification. [17] Si, en effet, par la faute d'un seul,
la mort a régné du fait de ce seul homme, combien
plus ceux qui reçoivent avec profusion la grâce et
le don de la justice régneront-ils dans la vie par le
seul Jésus Christ.
[18] Ainsi donc, comme la faute d'un seul a
entraîné sur tous les hommes une condamnation,
de même l'œuvre de justice d'un seul procure à tous
une justification qui donne la vie. [19] Comme en
effet par la désobéissance d'un seul homme la multitude a été constituée pécheresse, ainsi par l'obéis-
Is **53** 11 sance d'un seul la multitude sera-t-elle constituée [c]
juste.
**7** 7+ [20] La Loi [d], elle, est intervenue pour que se multi-
Ga **3** 19 pliât la faute; mais où le péché s'est multiplié, la
**11** 32 grâce a surabondé : [21] ainsi, de même que le péché
a régné dans la mort, de même la grâce régnerait
par la justice pour la vie éternelle par Jésus Christ
notre Seigneur.

**Le baptême.** Col **2** 12-13 Tt **3** 5-7

**6** [1] Que dire alors? Qu'il nous faut rester dans 1 P **3** 21-22
le péché, pour que la grâce se multiplie? Cer- Rm **3** 8; **6** 15
tes non! [2] Si nous sommes morts au péché, 1 P **4** 1-2
comment continuer de vivre en lui? [3] Ou bien ignorez-vous que, baptisés dans le Christ Jésus, c'est Ga **3** 27
dans sa mort que tous nous avons été baptisés? Col **2** 12
[4] Nous avons donc [e] été ensevelis avec lui par le
baptême dans la mort [f], afin que, comme le Christ
est ressuscité des morts par la gloire du Père, nous **1** 4+
vivions nous aussi dans une vie nouvelle. Ex **24** 16+
[5] Car si c'est un même être avec le Christ que
nous sommes devenus par une mort semblable à la Ph **3** 10-11
sienne, nous le serons aussi par une résurrection Rm **8** 11+
semblable; [6] comprenons-le, notre vieil homme a Ep **2** 6+
été crucifié avec lui, pour que fût réduit à l'impuis- Col **3** 9-10+
sance ce corps de péché, afin que nous cessions Col **3** 4-5+
d'être asservis au péché. [7] Car celui qui est mort est Ga **5** 24; **6** 14
affranchi du péché [g].
[8] Mais [h] si nous sommes morts avec le Christ, 2 Tm **2** 11
nous croyons que nous vivons aussi avec lui,
[9] sachant que le Christ une fois ressuscité des morts
ne meurt plus, que la mort n'exerce plus de pouvoir Ac **13** 34
sur lui. [10] Sa mort fut une mort au péché [i], une fois 1 Co **15** 26 2 Tm **1** 10
pour toutes; mais sa vie est une vie à Dieu. [11] Et He **2** 14s Ap **1** 18
He **7** 27+

**5** 16-25, de courage apostolique, Ph **1** 19; 2 Tm **1** 7s; cf. Ac **1** 8+, d'espérance, Rm **15** 13; Ga **5** 5; Ep **4** 4, et de prière, Rm **8** 26s, cf. Jc **4** 3, 5; Jude 20. Il ne faut pas l'éteindre, 1 Th **5** 19, ni le contrister, Ep **4** 30. Unissant au Christ, 1 Co **6** 17, il fait l'unité de son Corps, 1 Co **12** 13; Ep **2** 16, 18; **4** 4.

*g)* Le péché habite dans l'homme, Rm **7** 14-24; or la mort, châtiment du péché, est entrée dans le monde à la suite de la faute d'Adam, Sg **2** 24; Paul en conclut que le péché lui-même est entré dans l'humanité par le moyen de cette faute initiale; c'est la doctrine du Péché originel. Elle intéresse ici l'Apôtre par le parallèle qu'elle lui procure entre l'œuvre néfaste du premier Adam et la réparation surabondante du « dernier Adam », vv. 15-19; 1 Co **15** 21s, 25. C'est comme nouveau chef de race, image en qui Dieu restaure sa création, Rm **8** 29+; 2 Co **5** 17+, que le Christ sauve l'humanité.

*h)* Le péché sépare l'homme de Dieu. Cette séparation est la « mort » : mort spirituelle et « éternelle » dont la mort physique est le signe, cf. Sg **1** 13+; **2** 24; He **6** 1+.

*i)* Sens controversé. Soit par une participation au péché d'Adam : « tous ont péché en Adam »; soit par leurs péchés personnels, cf. **3** 23. En ce cas, l'expression grecque se traduirait bien : « moyennant le fait que... », introduisant la condition réalisée qui a permis à la mort (éternelle) d'atteindre tous les hommes. De fait, dans le cas de l'adulte, seul envisagé, la puissance de péché entrée dans le monde avec Adam produit son effet de mort éternelle à travers les péchés personnels, qui ratifient en quelque sorte la révolte d'Adam. – On peut aussi traduire : « en raison de quoi, sur quoi tous ont péché ».

*a)* « Figure », cf. 1 Co **10** 6+, ressemblante mais imparfaite. Aussi la comparaison, amorcée au v. 12 et interrompue par la longue parenthèse des vv. 13 et 14, se transforme-t-elle au v. 15 en un contraste.

*b)* Cette « multitude » inclut tous les hommes, cf. v. 18; voir Mt **20** 28+.

*c)* Non pas seulement au Jugement dernier (la justification pour Paul est actuelle, cf. **5** 1, etc.), mais à mesure que les hommes renaîtront en Jésus Christ.

*d)* Litt. « Loi » sans article (« un régime de loi »).

*e)* Var. : « car ».

*f)* Le baptême ne s'oppose pas à la foi, mais l'accompagne, Ga **3** 26s; Ep **4** 5; He **10** 22; cf. Ac **8** 12s, 37; **16** 31-33; **18** 8; **19** 2-5, et l'exprime sur le plan sensible par le symbolisme efficace de son rite. Aussi Paul leur attribue-t-il les mêmes effets (comp. Ga **2** 16-20 et Rm **6** 3-9). La « plongée » (sens étymologique de « baptiser ») par immersion dans l'eau ensevelit le pécheur dans la mort du Christ, Col **2** 12; cf. Mc **10** 38, d'où il sort par la résurrection avec lui, Rm **8** 11+, comme « nouvelle créature », 2 Co **5** 17+, « homme nouveau », Ep **2** 15+, membre du Corps unique animé de l'Esprit unique, 1 Co **12** 13; Ep **4** 4s. Cette résurrection qui ne sera totale et définitive qu'à la fin des temps, 1 Co **15** 12s+ (mais cf. Ep **2** 6+), se réalise dès à présent par une vie nouvelle selon l'Esprit, vv. 8-11, 13; **8** 2s; Ga **5** 16-24. – Outre le symbolisme plus spécialement paulinien de mort et de résurrection, ce rite primordial de la vie chrétienne, He **6** 2, est aussi présenté dans le NT comme un bain qui purifie, Ep **5** 26; He **10** 22; cf. 1 Co **6** 11; Tt **3** 5, comme une nouvelle naissance, Jn **3** 5; Tt **3** 5; cf. 1 P **1** 3; **2** 2, comme une illumination, He **6** 4; **10** 32; cf. Ep **5** 14. Sur baptême d'eau et baptême d'Esprit, cf. Ac **1** 5+ : ces deux aspects de la consécration chrétienne paraissent être l'« onction » et le « sceau » de 2 Co **1** 21s. D'après 1 P **3** 21 l'arche de Noé fut un type du baptême.

*g)* Le chrétien ayant perdu l'instrument même du péché, son « corps de péché », v. 6, n'étant plus « dans la chair », **8** 9, il est de soi affranchi définitivement du péché, cf. 1 P **4** 1. Pour d'autres il est quitte du péché, suivant l'axiome juridique : la mort d'un coupable éteint l'action judiciaire. Cf. **7** 1.

*h)* Var. : « Car ».

*i)* Sans être pécheur, 2 Co **5** 21, le Christ, par son corps de

vous de même, considérez que vous êtes morts au
péché et vivants à Dieu dans le Christ Jésus [a].

**Service du péché et service de la justice.**

7 14-24 [12] Que le péché ne règne donc plus dans votre
corps mortel [b] de manière à vous plier à ses convoitises. [13] Ne faites plus de vos membres des armes
d'injustice au service du péché; mais offrez-vous à
Dieu comme des vivants revenus de la mort et faites de vos membres des armes de justice au service
de Dieu. [14] Car le péché ne dominera pas sur vous :
vous n'êtes pas sous la Loi, mais sous la grâce.

**Le chrétien est affranchi du péché [c].**

3 8; 6 1 [15] Quoi donc? Allons-nous pécher parce que
nous ne sommes pas sous la Loi, mais sous la
grâce? Certes non! [16] Ne savez-vous pas qu'en
vous offrant à quelqu'un comme esclaves pour
Jn 8 34 obéir, vous devenez les esclaves du maître à qui
vous obéissez, soit du péché pour la mort, soit de
1 5+ l'obéissance pour la justice? [17] Mais grâces soient
rendues à Dieu; jadis esclaves du péché, vous vous
16 17 êtes soumis cordialement à la règle de doctrine à
Jn 8 36 laquelle vous avez été confiés, [18] et, affranchis du
Ga 5 13 péché, vous avez été asservis à la justice. – [19] J'emploie une comparaison humaine en raison de votre
1 P 1 14-15 faiblesse naturelle. – Car si vous avez jadis offert
vos membres comme esclaves à l'impureté et au
désordre de manière à vous désordonner, offrez-les
de même aujourd'hui à la justice pour vous sanctifier [d].

**Les fruits du péché et de la justice.**

[20] Quand vous étiez esclaves du péché, vous étiez
libres à l'égard de la justice. [21] Quel fruit recueilliez-vous alors d'actions dont aujourd'hui vous
rougissez [e]? Car leur aboutissement, c'est la mort.
[22] Mais aujourd'hui, libérés du péché et asservis à
Dieu, vous fructifiez pour la sainteté, et l'aboutisse- Jn 15 8, 16
ment, c'est la vie éternelle. [23] Car le salaire du
péché, c'est la mort; mais le don gratuit de Dieu, 5 12, 21
c'est la vie éternelle dans le Christ Jésus notre Ga 6 7-9 Jc 1 15
Seigneur.

**Le chrétien est affranchi de la Loi [f].**

7 [1] Ou bien ignorez-vous, frères – je parle à des
experts en fait de loi – que la loi ne s'impose
à l'homme que durant sa vie [g]? [2] C'est ainsi que la
femme mariée est liée par la loi au mari tant qu'il 1 Co 7 39
est vivant; mais si l'homme meurt, elle se trouve
dégagée de la loi du mari. [3] C'est donc du vivant
de son mari qu'elle portera le nom d'adultère, si elle
devient la femme d'un autre; mais en cas de mort
du mari, elle est si bien affranchie de la loi qu'elle
n'est pas adultère en devenant la femme d'un autre.

chair semblable au nôtre, Rm **8** 3, appartenait à la sphère du péché : devenu « spirituel », 1 Co **15** 45-46, il n'appartient plus qu'à la sphère divine. Ainsi le chrétien, bien qu'il demeure provisoirement dans la chair, vit déjà de l'Esprit.

*a)* Texte reçu et Vulg. : « le Christ Jésus notre Seigneur ». – Cf. **14** 7s; 1 Co **3** 23+; 2 Co **5** 15; Ga **2** 20; 1 P **2** 24.

*b)* Le baptême a détruit le péché dans l'homme, mais tant que son corps n'a pas « revêtu l'immortalité » 1 Co **15** 54, le péché peut trouver en ce corps « mortel », siège de la concupiscence, le moyen de régner encore, cf. **7** 14s.

*c)* Le Christ a libéré l'homme du Mal pour le rendre à Dieu. A côté du thème biblique de la « rédemption » **3** 24+, et de celui de la libération par la mort, **7** 1+, Paul recourt volontiers, pour exprimer cette idée, à l'image, si parlante à son époque, de l'esclave racheté et affranchi, qui ne peut plus être remis en esclavage, mais se doit de servir fidèlement son nouveau maître. En nous rachetant au prix de son sang, 1 Co **6** 20; **7** 23; Ga **3** 13; **4** 5, le Christ nous a affranchis et appelés à la liberté, Ga **5** 1, 13. Désormais libéré de ses anciens maîtres, le péché, Rm **6** 18-22, la Loi, Rm **6** 14; **8** 2; Ga **3** 13; **4** 5; cf. Rm **7** 1+, avec ses observances matérielles, Ga **2** 4, les « éléments du monde », Ga **4** 3, 8; cf. Col **2** 20-22, la corruption, Rm **8** 21-23, le chrétien ne doit plus retomber sous leur esclavage, Ga **2** 4s; **4** 9; **5** 1. Il est libre, 1 Co **9** 1, fils de la femme libre, la Jérusalem d'en haut, Ga **4** 26, 31. Cette liberté ne signifie cependant pas libertinage, Ga **5** 13; cf. 1 P **2** 16; 2 P **2** 19. Elle doit être un service du nouveau maître, Dieu, Rm **6** 22; cf. 1 Th **1** 9; 1 P **2** 16, le Christ Kyrios, Rm **1** 1, etc.; Jc **1** 1; 2 P **1** 1; Jude 1; Rm **14** 18; **16** 18, etc., auquel le fidèle appartient désormais, 1 Co **6** 19; **3** 23, et pour qui il vit et meurt, Rm **7** 1+; service qui se fait dans l'obéissance de la foi pour la justice et la sainteté, Rm **6** 16-19. Cette liberté des fils, Ga **4** 7, affranchis par la « loi de l'Esprit », Rm **8** 2; cf. **7** 6; **8** 14s; 2 Co **3** 17 (et comp. Jc **1** 25; **2** 12), peut même avoir à sacrifier ses franchises légitimes pour devenir un service du prochain si la charité, Ga **5** 13; cf. 2 Co **4** 5, et le respect des autres consciences le demandent, 1 Co **10** 23-33; Rm **14**; cf. 1 Co **6** 12-13; 1 Co **9** 19. Quant au régime social de l'esclavage, s'il peut encore être toléré dans ce monde qui passe, 1 Co **7** 20-24, 31, il n'a plus du moins aucune valeur dans l'ordre nouveau instauré par le Christ, 1 Co **12** 13; Ga **3** 28; Col **3** 11 : l'esclave chrétien est un affranchi du Seigneur, lui et son maître sont également des serviteurs du Christ, 1 Co **7** 22; cf. Ep **6** 5-9, Col **3** 22 - **4** 1; Phm 16.

*d)* La sainteté propre à Dieu, Lv **17** 1+, qu'il communiquait à son peuple, Ex **19** 6+, il la communique aussi à ceux qui croient au Christ, Ac **9** 13+; Col **1** 12+. Elle perd toutefois son aspect rituel pour garder son intériorité : elle consiste à imiter le Christ, 2 Th **3** 7+, Saint de Dieu, Mc **1** 24+. Celui qui est saint parce que justifié et, par son appartenance au peuple saint, habité par l'Esprit Saint, **5** 5+, doit encore mettre en œuvre cette sainteté qui lui est donnée et progresser dans la sanctification, v. 22; 1 Th **4** 3-7+; 2 Th **2** 13.

*e)* Ou : « Quel fruit en recueilliez-vous alors? Des œuvres dont aujourd'hui vous rougissez. »

*f)* Paul aborde enfin un thème depuis longtemps présent à sa pensée, **3** 20; **4** 15; **5** 20; **6** 14 : l'affranchissement du chrétien par rapport à la Loi, ce qui l'amène à exposer le rôle de la Loi dans le plan de Dieu, cf. **7** 7+.

*g)* La libération du chrétien, que Paul exprime ailleurs par le thème biblique de la « rédemption », **3** 24+, ou par le thème grec de l'« affranchissement » des esclaves, **6** 15+, apparaît aussi souvent chez lui comme une délivrance par la mort. Car la mort libère de la vie ancienne et de ses servitudes, **6** 7; **7** 1-3. Uni par la foi, **1** 16+, et le baptême, **6** 4+, au Christ mort et ressuscité, **8** 11+, le chrétien est mort au péché, **6** 2, 11, cf. 1 P **4** 1, à la Loi, Rm **7** 6; Ga **2** 19+, aux éléments du monde, Col **2** 20, pour vivre sous le régime nouveau de la grâce et de l'Esprit, Rm **8** 5-13. De même que l'affranchi appartient à son nouveau maître, **6** 15+, de même le chrétien ressuscité dans le Christ ne vit plus pour lui-même mais pour le Christ et pour Dieu, **6** 11, 13; **14** 7s; 2 Co **5** 15; Ga **2** 20.

4 Ainsi, mes frères, vous de même vous avez été mis
Ga 2 19+ à mort à l'égard de la Loi par le corps du Christ [a]
Rm 6 5-6 pour appartenir à un autre, à Celui qui est ressus-
6 8-11, 22 cité d'entre les morts, afin que nous fructifiions
Jn 15 8 pour Dieu. 5 De fait, quand nous étions dans la
7 7s chair [b], les passions pécheresses qui se servent de
la Loi opéraient en nos membres afin que nous
fructifiions pour la mort. 6 Mais à présent nous
6 7 avons été dégagés de la Loi, étant morts à ce qui
Ga 2 19+ nous tenait prisonniers, de manière à servir dans la
2 29 nouveauté de l'esprit et non plus dans la vétusté de
2 Co 3 6 la lettre.
Mt 9 16-17

**Le rôle de la Loi [c].**

7 Qu'est-ce à dire? Que la Loi est péché? Certes
non! Seulement je n'ai connu le péché que par la
Ex 20 17 Loi. Et, de fait, j'aurais ignoré la convoitise si la
Jc 1 14-15 Loi n'avait dit : *Tu ne convoiteras pas!* 8 Mais, sai-
Rm 4 15; sissant l'occasion, le péché par le moyen du pré-
5 13 cepte produisit en moi toute espèce de convoitise :
1 Co 15 56 car sans la Loi le péché n'est qu'un mort.

9 Ah! je vivais jadis sans la Loi [d]; mais quand le
précepte est survenu, le péché a pris vie 10 tandis Gn 2 17;
que moi je suis mort, et il s'est trouvé que le pré- 3 1s
cepte fait pour la vie me conduisit à la mort. 11 Car Lv 18 5
le péché saisit l'occasion et, utilisant le précepte, Ez 20 11
me *séduisit* et par son moyen me tua. Gn 3 13
12 La Loi, elle, est donc sainte, et saint le précepte, et juste et bon. 13 Une chose bonne serait-elle Dt 4 8
donc devenue mort pour moi? Certes non! Mais
c'est le péché [e], lui, qui, afin de paraître péché, se
servit d'une chose bonne pour me procurer la mort,
afin que le péché exerçât toute sa puissance de 5 20
péché par le moyen du précepte.

**La lutte intérieure [f].**

14 En effet, nous savons que la Loi est spirituelle;
mais moi je suis un être de chair, vendu au pouvoir Jb 14 4+
du péché. 15 Vraiment ce que je fais je ne le Ps 51 7+
comprends pas : car je ne fais pas ce que je veux,
mais je fais ce que je hais. 16 Or si je fais ce que
je ne veux pas, je reconnais, d'accord avec la Loi,

*a)* Le chrétien est mort à la Loi comme au péché, par « le corps du Christ » mort et ressuscité, cf. 7 1+.

*b)* 1° En son sens premier, la « chair » désigne la matière corporelle, 1 Co 15 39; cf. Lc 24 39; Ap 17 16; 19 18, qui s'oppose à l'esprit, Rm 1 9+; le corps objet de sensation, Col 2 1, 5, particulièrement d'union sexuelle, 1 Co 6 16; 7 28; Ep 5 29, 31; cf. Mt 19 5p; Jn 1 13; Jude 7, d'où résultent la parenté et l'hérédité, Rm 4 1; 9 3, 5; 11 14; cf. He 12 9. La « chair » sert ainsi, selon l'usage biblique de *basar*, à souligner ce qu'il y a de faiblesse périssable dans la condition humaine, Rm 6 19; 2 Co 7 5; 12 7; Ga 4 13s; cf. Mt 26 41p, et à désigner l'homme dans sa petitesse devant Dieu, Rm 3 20 et Ga 2 16; 1 Co 1 29; cf. Mt 24 22p; Lc 3 6; Jn 17 2; Ac 2 17; 1 P 1 24. D'où, pour opposer l'ordre de la nature à celui de la grâce, l'usage des expressions « selon la chair ». 1 Co 1 26; 2 Co 1 17; Ep 6 5; Col 3 22; cf. Phm 16; Jn 8 15, « la chair et le sang », 1 Co 15 50; Ga 1 16; Ep 6 12; He 2 14; cf. Mt 16 17, et « charnel », Rm 15 27; 1 Co 3 1, 3; 9 11; 2 Co 1 12; 10 4. – 2° L'Esprit étant le don spécifique de l'ère eschatologique, la « chair » en vient à caractériser l'ère ancienne par opposition à la nouvelle, Rm 9 8; Ga 3 3; 6 12s; Ph 3 3s; Ep 2 11; cf. He 9 10, 13; Jn 3 6; 6 63; de même « selon la chair », 1 Co 10 18; 2 Co 11 18; Ga 4 23, 29; cf. Rm 1 3s; 2 Co 5 16, et « charnel », He 7 16; mais cf. 1 Co 10 3s. – 3° Paul insiste particulièrement sur la « chair » comme siège des passions et du péché, Rm 7 5, 14, 18, 25; 13 14; 2 Co 7 1; Ga 5 13, 19; Ep 2 3; Col 2 13, 18, 23; cf. 1 P 2 11; 2 P 2 10, 18; 1 Jn 2 16; Jude 8, 23, vouée à la corruption, 1 Co 15 50; Ga 6 8; cf. Jc 5 3; Ac 2 26, 31, et à la mort, Rm 8 6, 13; 1 Co 5 5; 2 Co 4 11; cf. 1 P 4 6, au point de la personnifier comme une force du Mal, ennemie de Dieu, Rm 8 7s, et hostile à l'Esprit, Rm 8 4-9, 12s; Ga 5 16s. Le Christ a brisé cette force en assumant la « chair de péché », Rm 8 3; cf. 1 Tm 3 16; Jn 1 14; 1 Jn 4 2; 2 Jn 7, et en la tuant sur la croix. Rm 8 3; Ep 2 14-16; Col 1 22; cf. He 5 7s; 10 20; 1 P 3 18; 4 1. Unis à lui, cf. Jn 6 51s, les chrétiens ne sont plus « dans la chair », Rm 7 5; 8 9, qu'ils ont crucifiée, Ga 5 24; cf. 1 P 4 1, et dépouillée par le baptême, Col 2 11; ou plus exactement, s'ils sont encore « dans la chair » tant qu'ils restent dans ce monde ancien, Ph 1 22, 24; cf. 1 P 4 2, ils ne lui sont plus asservis, 2 Co 10 3, mais la dominent par leur union au Christ, cf. Ga 2 20; Col 1 24.

*c)* La Loi est en soi bonne et sainte en ce qu'elle exprime la volonté de Dieu, 7 12-25; 1 Tm 1 8; elle représente un glorieux apanage d'Israël, Rm 9 4; mais cf. 2 14s. Et pourtant elle semble un échec : non seulement les Juifs sont pécheurs, comme les autres, malgré leur Loi, Rm 2 21-27; Ga 6 13; Ep 2 3, mais encore ils y puisent une confiance en leurs œuvres, Rm 2 17-20; 3 27; 4 2, 4; 9 31s; Ph 3 9; Ep 2 8, qui les ferme à la grâce du Christ, Ga 6 12; Ph 3 18; cf. Ac 15 1; 18 13; 21 21. Bref, la Loi est incapable de conférer la justice, Ga 3 11, 21s; Rm 3 20; cf. He 7 19. Avec une dialectique qui reçoit de la polémique un tour paradoxal, Paul explique cet échec apparent par la nature même de la Loi et son rôle dans l'histoire du salut. Lumière qui éclaire l'esprit sans donner la force intérieure, la Loi (mosaïque, mais aussi toute loi et déjà le « précepte » donné à Adam, cf. vv. 9-11) est impuissante à faire éviter le péché; elle le favorise plutôt. Sans en être elle-même la source, elle se fait son instrument en excitant la convoitise, Rm 7 7s; par l'information de l'esprit elle aggrave la faute en en faisant une « transgression ». 4 15; 5 13; enfin, elle n'y remédie que par un châtiment de colère, 4 15, de malédiction, Ga 3 10, de condamnation, 2 Co 3 9, et de mort, 2 Co 3 6s, au point qu'elle peut être appelée la « loi du péché et de la mort », Rm 8 2; cf. 1 Co 15 56; Rm 7 13. Si Dieu a voulu cependant ce système imparfait, cela a été comme un régime transitoire de pédagogue, Ga 3 24, pour donner à l'homme la conscience de son péché, Rm 3 19s; 5 20; Ga 3 19, et l'amener à n'attendre sa justice que de la grâce de Dieu, Ga 3 22; Rm 11 32. Transitoire, ce régime doit disparaître pour faire place à l'accomplissement de la Promesse faite antérieurement à Abraham et à sa descendance, Ga 3 6-22; Rm 4. Le Christ a mis fin à la Loi, Ep 2 15; cf. Rm 10 4, en « l'accomplissant », cf. Mt 3 15; 5 17, en tout ce qu'elle a de positif, Rm 3 31; 9 31, notamment par sa mort, expression suprême de son amour, Rm 5 8; 8 35, 39; Ga 2 20; Ph 2 5-8; par là il en satisfaisait également les exigences à l'égard des pécheurs dont il a voulu se rendre solidaire, Ga 3 13+; Rm 8 3+; Col 2 14. Il affranchit les fils de la tutelle du pédagogue, Ga 3 25s. Avec lui ils sont morts à la Loi, Ga 2 19; Rm 7 4-6; cf. Col 2 20, dont il les a « rachetés », Ga 3 13, pour en faire des fils adoptifs, Ga 4 5. Par l'Esprit de la Promesse, il donne à l'homme nouveau, Ep 2 15+, la force intérieure d'accomplir le bien que commandait la Loi, Rm 8 4s. Ce régime de la grâce qui se substitue à celui de la Loi ancienne peut encore être appelé une loi mais c'est la « loi de foi », Rm 3 27, la « loi du Christ » Ga 6 2, la « loi de l'Esprit », Rm 8 2, qui se réduit tout entière à l'amour, Ga 5 14; Rm 13 8-10; cf. Jc 2 8; Jn 13 34, participation à l'amour du Père et du Fils, Ga 4 6; Rm 5 5+.

*d)* Se plaçant dans le déroulement de l'histoire du salut, Paul parle ici de l'humanité avant le régime de la Loi, cf. 5 13.

*e)* Le péché personnifié, cf. 5 12, remplace le serpent de Gn 3 1 et le diable de Sg 2 24.

*f)* Il s'agit ici de l'homme sous l'empire du péché, avant la justification, tandis qu'au ch. 8 il s'agira du chrétien justifié, en possession de l'Esprit. Mais celui-ci, ici-bas, connaît aussi une division intérieure, Ga 5 17s.

qu'elle est bonne; 17 en réalité ce n'est plus moi qui
accomplis l'action, mais le péché qui habite en moi.
18 Car je sais que nul bien n'habite en moi, je veux
7 5 dire dans ma chair; en effet, vouloir le bien est à
ma portée, mais non pas l'accomplir : 19 puisque je
ne fais pas le bien que je veux et commets le mal
que je ne veux pas. 20 Or si je fais ce que je ne veux
Ga **2** 20 pas, ce n'est plus moi qui accomplis l'action, mais
le péché qui habite en moi [a].
21 Je trouve donc une loi [b] s'imposant à moi,
quand je veux faire le bien : le mal seul se présente
à moi. 22 Car je me complais dans la loi de Dieu [c]
du point de vue de l'homme intérieur [d]; 23 mais
j'aperçois une autre loi dans mes membres qui lutte Jc **1** 14-15
contre la loi de ma raison et m'enchaîne à la loi
du péché qui est dans mes membres.
24 Malheureux homme que je suis! Qui me délivrera de ce corps qui me voue à la mort [e]?
25 Grâces soient à Dieu par Jésus Christ notre Sei- **5** 21; **6** 23
gneur!
C'est donc bien moi qui par la raison [f] sers une
loi de Dieu et par la chair une loi de péché [g].

## B. LA VIE DU CHRÉTIEN DANS L'ESPRIT

Ez **36** 27+ **La vie de l'Esprit.**

**8** 1 Il n'y a donc plus maintenant de condamna-
tion pour ceux qui sont dans le Christ Jésus.
2 La loi de l'Esprit qui donne la vie dans le Christ
Jésus t'a affranchi [h] de la loi du péché et de la
**7** 7+ mort [i]. 3 De fait, chose impossible à la Loi, impuis-
Ac **13** 38-39; **15** 10-11 sante [j] du fait de la chair, Dieu, en envoyant son
Rm **6** 10+ propre Fils avec une chair semblable à celle du
Ga **3** 13 2 Co **5** 21 péché et en vue du péché, a condamné le péché
He **2** 14-18 dans la chair, 4 afin que le précepte de la Loi [k] fût
Rm **3** 31+; **9** 30-31+; accompli en nous dont la conduite n'obéit pas à la
**10** 4 chair mais à l'esprit.
Ga **5** 16-23 5 En effet, ceux qui vivent selon la chair désirent
ce qui est charnel; ceux qui vivent selon l'esprit, ce
qui est spirituel. 6 Car le désir de la chair, c'est la
mort, tandis que le désir de l'esprit, c'est la vie et **6** 21
la paix, 7 puisque le désir de la chair est inimitié Ga **6** 8
contre Dieu : il ne se soumet pas à la loi de Dieu,
il ne le peut même pas, 8 et ceux qui sont dans la
chair ne peuvent plaire à Dieu. 9 Vous, vous n'êtes 1 Jn **2** 15-16
pas dans la chair mais dans l'esprit, puisque l'Es- **7** 5-6
prit de Dieu habite en vous. Qui n'a pas l'Esprit
du Christ ne lui appartient pas, 10 mais si le Christ Jn **3** 5-6
est en vous, bien que le corps soit mort déjà en rai- 1 Co **3** 23+
son du péché, l'Esprit est vie en raison de la jus- **5** 12+
tice [l]. 11 Et si l'Esprit de Celui qui a ressuscité Jésus
d'entre les morts habite en vous, Celui qui a ressuscité le Christ Jésus d'entre les morts donnera aussi **6** 4+
la vie à vos corps mortels par son Esprit qui habite **6** 8-11 **1** 4+
en vous [m].
12 Ainsi donc, mes frères, nous sommes débi-

*a)* Paul ne songe pas plus à nier la responsabilité personnelle de l'homme pour le mal que pour le bien, en Ga **2** 20.
*b)* Une « loi » attestée par l'expérience de l'homme charnel.
*c)* Var. : « loi de la raison » comme au v. 23.
*d)* Cet « homme intérieur » désigne la partie rationnelle de l'homme, par opposition à l'« homme extérieur », 2 Co **4** 16[a], qui est son corps passible et mortel. Ce thème d'origine grecque est distinct du thème de l'homme « vieux » et « nouveau », Col **3** 9-10+, qui ressortit à l'eschatologie juive. Il arrive cependant que Paul parle de l'homme « intérieur » au sens chrétien de l'homme « nouveau », 2 Co **4** 16[b]; Ep **3** 16.
*e)* Litt. « du corps de cette mort ». – Le corps, avec les membres qui le composent, Rm **12** 4; 1 Co **12** 12, 14s, c'est-à-dire l'homme dans sa réalité sensible, 1 Co **5** 3; 2 Co **10** 10, et sexuelle, Rm **4** 19; 1 Co **6** 16; **7** 4; Ep **5** 28, intéresse Paul comme terrain de la vie morale et religieuse. Pour l'AT, voir Gn **2** 21+; Sg **9** 15+. Soumis par la tyrannie de la « chair », Rm **7** 5+, au péché, **1** 24; **6** 12s; **7** 23; **8** 13; 1 Co **6** 18, et à la mort, Rm **6** 12; **8** 10, et devenu ainsi « corps de chair », Col **2** 11; cf. **1** 22, « corps de péché ». Rm **6** 6; cf. Sg **1** 4; **9** 15+, et « corps de mort », **7** 24, il n'est cependant pas voué à l'anéantissement comme le voudrait la pensée grecque, mais au contraire, selon la tradition biblique, Ez **37** 10+; 2 M **7** 9+, appelé à la vie, Rm **8** 13; 2 Co **4** 10, par la résurrection, Rm **8** 11+. Le principe de ce renouveau sera l'Esprit, **5** 5+, se substituant à la *psychè*, 1 Co **15** 44+, et transformant le corps du chrétien à l'image du corps ressuscité du Christ, Ph **3** 21. En attendant cette délivrance eschatologique, Rm **8** 23, le corps du chrétien délivré en principe de la « chair » par son union à la mort du Christ, **6** 6; **8** 3s, est dès maintenant habité par l'Esprit Saint, 1 Co **6** 19, qui le forme à une vie nouvelle de justice et de sainteté, Rm **6** 13, 19; **12** 1; 1 Co **7** 34, méritoire, 2 Co **5** 10, et glorifiant Dieu, 1 Co **6** 20; Ph **1** 20.
*f)* Le *Noûs*, entendement ou pensée de l'homme, est une notion grecque bien distincte du *pneuma* au sens d'Esprit surnaturel, **5** 5+, et même de l'esprit au sens biblique de partie supérieure de l'homme, **1** 9+. C'est le principe de l'intelligence, 1 Co **14** 14, 15, 19; Ph **4** 7; 2 Th **2** 2; cf. Lc **24** 45; Ap **13** 18; **17** 9, et du jugement moral, Rm **14** 5; 1 Co **1** 10. Normalement rectifié, Rm **7** 23, 25, il se trouve cependant perverti, **1** 28; Ep **4** 17; 1 Tm **6** 5; 2 Tm **3** 8; Tt **1** 15, par la « chair », Col **2** 18; cf. Rm **7** 5+, et doit être renouvelé, Rm **12** 2, dans l'esprit et par l'Esprit, Ep **4** 23s; cf. Col **3** 10.
*g)* Cette phrase semble être une addition (peut-être de Paul lui-même) qui serait mieux en place avant le v. 24.
*h)* Var. : « m'a affranchi », « nous a affranchis ».
*i)* Au régime du péché et de la mort, Paul oppose le régime nouveau de l'Esprit, cf. **3** 27+. Le mot « esprit » désigne ici, soit la personne même du Saint Esprit (plus nettement au v. 9), soit l'esprit de l'homme renouvelé par cette présence, cf. **5** 5+ et **1** 9+.
*j)* La Loi mosaïque, simple norme extérieure, n'était pas un principe de salut, **7** 7+. Seul le Christ détruisant la « chair » en sa personne, par sa mort, a pu détruire le péché qui y régnait.
*k)* Ce précepte de la Loi, que seule l'union au Christ par la foi permet d'accomplir, se résume dans le commandement de l'amour, cf. **13** 10; Ga **5** 14 et déjà Mt **22** 40. Voir Rm **7** 7+.
*l)* En raison du péché, **5** 12+, le corps est destiné à la mort physique et il est instrument de mort spirituelle; mais l'Esprit est vie, puissance de résurrection, voir note suivante.
*m)* La résurrection des chrétiens est en étroite dépendance de celle du Christ, 1 Th **4** 14; 1 Co **6** 14; **15** 20s; 2 Co **4** 14; **13** 4;

teurs, mais non point envers la chair pour devoir
Gn **6** 3 vivre selon la chair. 13 Car si vous vivez selon la
Ga **6** 8 Ep **4** 22-24 chair vous mourrez. Mais si par l'Esprit vous faites
mourir les œuvres du corps, vous vivrez.

Ga **4** 4-7 **Enfants de Dieu grâce à l'Esprit.**

Ga **5** 18 14 En effet, tous ceux qu'anime l'Esprit de Dieu
Jn **1** 12 sont fils de Dieu[a]. 15 Aussi bien n'avez-vous pas
Jn **15** 15 reçu un esprit d'esclaves pour retomber dans la
1 Jn **4** 18 crainte; vous avez reçu un esprit de fils adoptifs qui
Rm **5** 5+ nous fait nous écrier : Abba! Père[b]! 16 L'Esprit en
personne se joint à notre esprit pour attester[c] que
Ga **3** 16, nous sommes enfants de Dieu. 17 Enfants, et donc
26-29 héritiers; héritiers de Dieu, et cohéritiers du Christ,
Lc **24** 26; **22** 28-30 puisque nous souffrons avec lui pour être aussi glo-
Ph **3** 10-11 1 P **4** 13 rifiés avec lui.
Ap **21** 7

**Destinés à la gloire.**

Sg **3** 5 18 J'estime en effet que les souffrances du temps
2 Co **4** 17 Rm **5** 2-5 présent ne sont pas à comparer à la gloire qui doit
Col **3** 3-4 se révéler en nous. 19 Car la création en attente
1 Jn **3** 2 aspire à la révélation des fils de Dieu[d] : 20 si elle
Gn **3** 17; **6** 20+ fut assujettie à la vanité, – non qu'elle l'eût voulu,
Os **4** 3+ mais à cause de celui qui l'y a soumise[e], – c'est
avec l'espérance 21 d'être elle aussi libérée de la ser-
2 P **3** 12-13 vitude de la corruption pour entrer dans la liberté
Ap **21** 1 de la gloire des enfants de Dieu. 22 Nous le savons
en effet, toute la création jusqu'à ce jour gémit en
travail d'enfantement. 23 Et non pas elle seule :
nous-mêmes qui possédons les prémices de l'Esprit,
nous gémissons nous aussi intérieurement dans 2 Co **5** 2-5
l'attente[f] de la rédemption de notre corps. 24 Car Ph **3** 20-21
notre salut est objet d'espérance[g]; et voir ce qu'on Rm **3** 24+; **7** 24+
espère, ce n'est plus l'espérer : ce qu'on voit, **5** 2+
comment pourrait-on l'espérer encore? 25 Mais
espérer ce que nous ne voyons pas, c'est l'attendre 2 Co **5** 7
avec constance. He **11** 1

26 Pareillement l'Esprit vient au secours de notre
faiblesse; car nous ne savons que demander pour Jc **4** 3, 5
prier comme il faut; mais l'Esprit lui-même inter- Rm **5** 5+; **8** 15
cède pour nous en des gémissements ineffables, Ga **4** 6
27 et Celui qui sonde les cœurs sait quel est le désir Jr **11** 20+
de l'Esprit et que son intercession pour les saints
correspond aux vues de Dieu[h].

**Le plan du salut.** Ep **1** 4-14

28 Et nous savons qu'avec ceux qui l'aiment, Jc **1** 12
Dieu collabore en tout pour leur bien, avec ceux
qu'il a appelés selon son dessein[i]. 29 Car ceux que Ac **13** 48+
d'avance il a discernés, il les a aussi prédestinés à
reproduire l'image de son Fils[j], afin qu'il soit l'aîné Ph **3** 21
d'une multitude de frères; 30 et ceux qu'il a prédesti- 1 Co **15** 49
nés, il les a aussi appelés; ceux qu'il a appelés, il Col **1** 18
les a aussi justifiés; ceux qu'il a justifiés, il les a
aussi glorifiés[k].

Rm **6** 5; Ep **2** 6; Col **1** 18; **2** 12s; 2 Tm **2** 11. C'est par la même puissance et le même don de l'Esprit, cf. Rm **1** 4+, que le Père les ressuscitera à leur tour. Cette œuvre se prépare dès maintenant dans une vie nouvelle qui fait d'eux des fils (v. 14) à l'image du Fils, **8** 29+, incorporation au Christ ressuscité qui s'accomplit par la foi, **1** 16+, et le baptême, **6** 4+.

*a)* Plus que simple « maître intérieur », l'Esprit est le principe d'une vie proprement divine dans le Christ, cf. **5** 5+; Ga **2** 20.

*b)* La prière même du Christ à Gethsémani, Mc **14** 36+.

*c)* Ou (Vulg.) : « atteste à notre esprit ».

*d)* Le monde matériel, créé pour l'homme, en partage la destinée. Maudit en raison du péché de l'homme, Gn **3** 17, il se trouve actuellement dans un état violent : « vanité », v. 19, qualité d'ordre moral liée au péché de l'homme, « servitude de la corruption », v. 21, qualité d'ordre physique. Mais comme le corps de l'homme, destiné à la gloire, il est objet de rédemption, vv. 21, 23; il participera lui aussi à la « liberté » de l'état glorieux, vv. 21, 23. La philosophie grecque voulait libérer l'esprit de la matière considérée comme mauvaise; le christianisme libère la matière elle-même. Même extension du salut au monde non humain (spécialement au monde angélique) en Col **1** 20; Ep **1** 10; 2 P **3** 13; Ap **21** 1-5. Sur la création nouvelle, cf. 2 Co **5** 17+.

*e)* C'est-à-dire probablement l'homme par son péché. Ou : Dieu par son autorité vengeresse; ou encore : Dieu comme Créateur.

*f)* Add. : « de l'adoption filiale », qui devrait revêtir ici un sens eschatologique, mais voir v. 15.

*g)* Litt. : C'est en espérant, par mode d'espérance, que nous sommes sauvés. Le salut est eschatologique, cf. **5** 1-11.

*h)* A la suite de Jésus, Mt **6** 5+; **14** 23+, et conformément à l'usage des premiers chrétiens, Ac **2** 42+, Paul recommande souvent de prier sans cesse, Rm **12** 12; Ep **6** 18; Ph **4** 6; Col **4** 2; 1 Th **5** 17+; 1 Tm **2** 8; **5** 5; cf. 1 Co **7** 5. Il prie lui-même sans relâche pour ses fidèles, Ep **1** 16; Ph **1** 4; Col **1** 3, 9; 1 Th **1** 2; **3** 10; 2 Th **1** 11; Phm 4, de même qu'il leur demande de prier pour lui, Rm **15** 30; 2 Co **1** 11; Ep **6** 19; Ph **1** 19; Col **4** 3; 1 Th **5** 25; 2 Th **3** 1; Phm 22; He **13** 18, et les uns pour les autres, 2 Co **9** 14; Ep **6** 18; sur la prière pour les frères pécheurs et malades, cf. 1 Jn **5** 16; Jc **5** 13-16. Outre les grâces de progrès spirituel, ces prières demandent l'éloignement des obstacles extérieurs, 1 Th **2** 18 et **3** 10; Rm **1** 10, et intérieurs, 2 Co **12** 8-9, ainsi que le bien de l'ordre social, 1 Tm **2** 1-2. Paul insiste beaucoup sur la prière d'action de grâces, 2 Co **1** 11+; Ep **5** 4; Ph **4** 6; Col **2** 7; **4** 2; 1 Th **5** 18; 1 Tm **2** 1, qui doit accompagner toute action, Ep **5** 20; Col **3** 17, en particulier les repas, Rm **14** 6; 1 Co **10** 31; 1 Tm **4** 3-5; lui-même commence par elle toutes ses lettres, Rm **1** 8, etc., et veut qu'elle pénètre les relations des chrétiens entre eux, 1 Co **14** 17; 2 Co **1** 11; **4** 15; **9** 11-12. La prière d'eucharistie et de louange est l'âme des assemblées liturgiques, 1 Co **11-14**, où les frères s'édifient mutuellement par des cantiques inspirés, Ep **5** 19; Col **3** 16. Car la prière chrétienne a sa source dans l'Esprit Saint : plutôt que de reprendre les thèmes sapientiels traditionnels sur les conditions et l'efficacité de la prière, cf. Jc **1** 5-8; **4** 2-3; **5** 16-18; 1 Jn **3** 22; **5** 14-16, Paul la garantit par la présence de l'Esprit du Christ dans le chrétien, qui le fait prier comme un fils, Rm **8** 15, 26-27; Ga **4** 6; cf. Ep **6** 18; Jude 20, tandis que le Christ lui-même, à la droite de Dieu, intercède pour nous, Rm **8** 34; cf. He **7** 25; 1 Jn **2** 1. Aussi le Père exauce-t-il avec surabondance, Ep **3** 20. Les chrétiens sont ceux qui invoquent le nom de Jésus Christ, 1 Co **1** 2; cf. Rm **10** 9-13; 2 Tm **2** 22; Jc **2** 7; Ac **2** 21+; **9** 14, 21; **22** 16. Sur l'attitude extérieure dans la prière, cf. 1 Co **11** 4-16; 1 Tm **2** 8.

*i)* Var. (Vulg.) : « nous savons que pour ceux qui aiment Dieu, tout concourt au bien, pour ceux... »

*j)* Image de Dieu dans la première création, Col **1** 15+, cf. He **1** 3, le Christ est venu, par une nouvelle création, 2 Co **5** 17+, rendre à l'humanité déchue l'éclat de cette image divine que le péché avait terni, Gn **1** 26+; **3** 22-24+; Rm **5** 12+. Il le fait en lui imprimant l'image plus belle de fils de Dieu (ici), qui rétablit l'« homme nouveau » dans la rectitude du jugement moral, Col **3** 10+, et lui rend le droit à la gloire que le péché avait fait perdre, Rm **3** 23+. Cette gloire que le Christ possède en propre comme Image de Dieu, 2 Co **4** 4, pénètre de plus en plus le chré-

1 Co 13 1+ **Hymne à l'amour de Dieu.**

Is 50 7-9 31 Que dire après cela? Si Dieu est pour nous, qui
Gn 22 16 sera contre nous? 32 Lui qui n'a pas épargné son
Rm 5 6-11 2 Co 5 14-21 propre Fils mais l'a livré pour nous tous, comment
1 Jn 4 10 avec lui ne nous accordera-t-il pas toute faveur?
Jn 3 16 33 Qui se fera l'accusateur de ceux que Dieu a élus?
Za 3 1s *C'est Dieu qui justifie.* 34 *Qui donc condamnera?*
Is 50 8 Le Christ Jésus, celui qui est mort, que dis-je? res-
Ac 2 23 suscité, qui est à la droite de Dieu, qui intercède
Ps 110 1 He 7 25+ pour nous?
35 Qui nous séparera de l'amour du Christ? la tribulation, l'angoisse, la persécution, la faim, la
nudité, les périls, le glaive? 36 selon le mot de l'Écriture : *A cause de toi, l'on nous met à mort tout le* Ps 44 23
*long du jour; nous avons passé pour des brebis* 1 Th 3 4 2 Tm 3 12
*d'abattoir.* 37 Mais en tout cela nous sommes les
grands vainqueurs par celui qui nous a aimés. Jn 16 33
38 Oui, j'en ai l'assurance, ni mort ni vie, ni anges
ni principautés, ni présent ni avenir, ni puissances, Ep 1 21+
39 ni hauteur ni profondeur [a], ni aucune autre créature ne pourra nous séparer de l'amour de Dieu
manifesté dans le Christ Jésus notre Seigneur.

## C. LA SITUATION D'ISRAËL[b]

**Les privilèges d'Israël.**

9 1 Je dis la vérité dans le Christ, je ne mens
point – ma conscience m'en rend témoignage
dans l'Esprit Saint –, 2 j'éprouve une grande tris-
2 Co 12 7+ tesse et une douleur incessante en mon cœur. 3 Car
Ex 32 32 je souhaiterais d'être moi-même anathème [c], séparé
du Christ, pour mes frères, ceux de ma race selon
la chair, 4 eux qui sont Israélites [d], à qui appartien-
Ep 2 12 nent l'adoption filiale, la gloire, les alliances, la
législation, le culte, les promesses 5 et aussi les
1 3+ patriarches, et de qui le Christ est issu selon la
chair, lequel est au-dessus de tout, Dieu béni éternellement [e]! Amen.

**Dieu n'est pas infidèle.** 3 3+

6 Non certes que la parole de Dieu ait failli. Car Is 55 10-11
tous les descendants d'Israël ne sont pas Israël [f]. Nb 23 19
7 De même que, pour être postérité d'Abraham, Rm 2 28-29
tous ne sont pas ses enfants; mais *c'est par Isaac* Mt 3 9p
*qu'une descendance portera ton nom,* 8 ce qui Gn 21 12
signifie : ce ne sont pas les enfants de la chair qui
sont enfants de Dieu, seuls comptent comme posté- Ga 4 21-31
rité les enfants de la promesse. 9 Voici en effet les Jn 8 31-44
termes de la promesse : *Vers cette époque je vien-* Gn 18 10
*drai et Sara aura un fils.* 10 Mieux encore, Rébecca
avait conçu d'un seul homme, Isaac notre père :
11 or, avant la naissance des enfants, quand ils

tien, 2 Co 3 18, jusqu'au jour où son corps même en sera revêtu à l'image de l'homme « céleste », 1 Co 15 49.

*k)* Dieu a tout ordonné à la gloire qu'il destine à ses élus, gloire pour laquelle ils sont appelés à la foi et justifiés par le baptême et dont ils sont déjà, comme par anticipation, revêtus.

*a)* « Puissances », « hauteur », « profondeur » désignent sans doute les forces mystérieuses du cosmos, plus ou moins hostiles à l'homme selon la conception des anciens. Cf. Ep 1 21; 3 18.

*b)* L'affirmation de la justification par la foi conduisait Paul à évoquer la justice d'Abraham, 4. De même, l'affirmation du salut donné avec l'Esprit par l'amour de Dieu l'oblige à traiter, 9-11, le cas d'Israël, infidèle bien qu'il ait reçu les promesses du salut. Il ne s'agit donc pas dans ces ch. du problème de la prédestination des individus à la gloire ou même à la foi, mais de celui du rôle historique d'Israël, le seul que posaient les affirmations de l'AT.

*c)* C'est-à-dire un objet de malédiction, cf. Jos 6 17+ et Lv 27 28+.

*d)* Les authentiques descendants de Jacob-Israël, Gn 32 29. De ce privilège découlent tous les autres : l'adoption filiale. Ex 4 22; cf. Dt 7 6+; la gloire de Dieu, Ex 24 16+, qui habite au milieu du peuple, Ex 25 8+; Dt 4 7+; cf. Jn 1 14+; les alliances avec Abraham, Gn 15 1+; 15 17+; 17 1+, Jacob-Israël, Gn 32 29, Moïse, Ex 24 7-8; le culte rendu au seul vrai Dieu; la Loi expression de sa volonté; les promesses messianiques, 2 S 7 1+, et l'appartenance à la race du Christ.

*e)* Le contexte et le mouvement même de la phrase supposent que la doxologie s'adresse au Christ. S'il est rare que Paul donne à Jésus le titre de « Dieu », cf. encore Tt 2 13, et lui adresse une doxologie, cf. He 13 21, c'est qu'il réserve ordinairement ce titre au Père, cf. Rm 15 6, etc., et qu'il envisage moins les personnes divines sur le plan abstrait de leur nature que sur le plan concret de leurs fonctions dans l'œuvre du salut. De plus, il pense toujours au Christ historique dans sa réalité concrète de Dieu fait homme, cf. Ph 2 5+; Col 1 15+. C'est pourquoi il le montre subordonné au Père, 1 Co 3 23; 11 3, tant dans l'œuvre de la création, 1 Co 8 6, que de la restauration eschatologique, 1 Co 15 27s; cf. Rm 16 27, etc. Cependant le titre de « Kyrios » reçu par le Christ à la résurrection, Ph 2 9-11; cf. Ep 1 20-22; He 1 3s, n'est rien de moins que le titre divin accordé à Yahvé dans l'AT, Rm 10 9 et 13; 1 Co 2 16. Pour Paul, Jésus est essentiellement le « Fils de Dieu », Rm 1 3s, 9; 5 10; 8 29; 1 Co 1 9; 15 28; 2 Co 1 19; Ga 1 16; 2 20; 4 4, 6; Ep 4 13; 1 Th 1 10; cf. He 4 14, etc., son « propre Fils », Rm 8 3, 32, le « Fils de son amour », Col 1 13, qui appartient de droit au monde divin, d'où il est venu, 1 Co 15 47, envoyé par Dieu, Rm 8 3; Ga 4 4. S'il a revêtu son titre de « Fils de Dieu » d'une façon nouvelle par la résurrection, Rm 1 4+; cf. He 1 5; 5 5, il ne l'a pas reçu à ce moment, car il est préexistant, d'une façon non seulement scripturaire, 1 Co 10 4, mais ontologique, Ph 2 6; cf. 2 Co 8 9. Il est la Sagesse. 1 Co 1 24, 30, l'Image, 2 Co 4 4, par qui tout a été créé, Col 1 15-17; cf. He 1 3; 1 Co 8 6, et par qui tout est recréé, Rm 8 29; cf. Col 3 10; 1 18-20, parce qu'il a rassemblé en sa personne la plénitude de la Divinité et du monde, Col 2 9+. C'est en lui que Dieu a conçu tout son plan de salut, Ep 1 3s, et il en est la fin aussi bien que le Père (comp. Rm 11 36; 1 Co 8 6 et Col 1 16, 20). Si le Père ressuscite et juge, lui aussi ressuscite (comp. Rm 1 4+; 8 11+ et Ph 3 21) et juge (comp. Rm 2 16 et 1 Co 4 5; Rm 14 10 et 2 Co 5 10). Bref, il est une des Trois Personnes qui apparaissent associées dans les formules trinitaires. 2 Co 13 13+.

*f)* Ainsi les Ismaélites et surtout les Édomites, descendants d'Esaü, Gn 36 1, ennemis par excellence d'Israël, Dt 23 8; Ps 137 7+.

n'avaient fait ni bien ni mal, pour que s'affirmât la
11 5-6 liberté de l'élection divine, 12 qui dépend de celui
qui appelle et non des œuvres, il lui fut dit : *L'aîné*
Gn 25 23 *servira le cadet,* 13 selon qu'il est écrit : *J'ai aimé*
Ml 1 2-3 *Jacob et j'ai haï Ésaü.*

3 5 **Dieu n'est pas injuste.**

Dt 32 4 14 Qu'est-ce à dire? Dieu serait-il injuste? Certes
Ex 33 19 non! 15 Car il dit à Moïse : *Je fais miséricorde à qui*
*je fais miséricorde et j'ai pitié de qui j'ai pitié.* 16 Il
n'est donc pas question de l'homme qui veut ou qui
Ps 147 10p court, mais de Dieu qui fait miséricorde. 17 Car
l'Écriture dit au Pharaon : *Je t'ai suscité*[a] *à dessein*
Ex 9 16 *pour montrer en toi ma puissance et pour qu'on*
*célèbre mon nom par toute la terre.* 18 Ainsi donc
il fait miséricorde à qui il veut, et il endurcit qui
il veut.
19 Tu vas donc me dire : Qu'a-t-il encore à blâ-
Sg 12 12 mer? Qui résiste en effet à sa volonté[b]? 20 O
homme! vraiment, qui es-tu pour disputer avec
Is 29 16+ Dieu? *L'œuvre va-t-elle dire à celui qui l'a mode-*
Jr 18 6 *lée : Pourquoi m'as-tu faite ainsi?* 21 Le potier
Is 45 9; n'est-il pas maître de son argile pour fabriquer de
64 7 la même pâte un vase de luxe ou un vase ordinaire?
Sg 15 7 22 Eh bien[c]! si Dieu, voulant manifester sa colère
et faire connaître sa puissance, a supporté avec
2 4; 3 25-26 beaucoup de longanimité des vases de colère deve-
Pr 16 4 nus dignes de perdition, 23 dans le dessein de mani-
Sg 12 20-21 fester[d] la richesse de sa gloire envers des vases de
8 29 miséricorde qu'il a d'avance préparés pour la
Ep 2 1-7 gloire, 24 envers nous qu'il a appelés non seulement
d'entre les Juifs mais encore d'entre les païens[e]...

**Infidélité et appel prévus par l'Ancien Testament.**

Os 2 25 25 C'est bien ce qu'il dit en Osée : *J'appellerai*
1 P 2 10 *mon peuple celui qui n'était pas mon peuple, et*
*bien-aimée celle qui n'était pas la bien-aimée.* 26 *Et*
*au lieu même où on leur avait dit : « Vous n'êtes* Os 2 1
*pas mon peuple », on les appellera fils du Dieu*
*vivant*[f]. 27 Et Isaïe s'écrie en faveur d'Israël[g] :
*Quand le nombre des fils d'Israël serait comme le* Os 2 1
*sable de la mer, le reste sera sauvé :* 28 *car sans* Is 10 22-23
*retard ni reprise le Seigneur accomplira sa parole* Rm 11 5
*sur la terre*[h]. 29 Et comme l'avait prédit Isaïe : *Si*
*le Seigneur Sabaot ne nous avait laissé un germe,* Is 1 9
*nous serions devenus comme Sodome, assimilés à*
*Gomorrhe.*
30 Que conclure[i]? Que des païens qui ne pour- 10 20; 11 7
suivaient pas de justice ont atteint une justice, la
justice de la foi, 31 tandis qu'Israël qui poursuivait
une loi de justice, n'a pas atteint la Loi[j].
32 Pourquoi? Parce qu'au lieu de recourir à la foi
ils comptaient sur les œuvres. Ils ont buté *contre*
*la pierre d'achoppement,* 33 comme il est écrit : Is 28 16; 8 1
*Voici que je pose en Sion une pierre d'achoppement* 1 P 2 6-8
*et un rocher qui fait tomber; mais qui croit en lui* Rm 10 11
*ne sera pas confondu.*

**Les Juifs ont méconnu la justice de Dieu.**

**10** 1 Frères, certes l'élan de mon cœur et ma
prière à Dieu pour eux, c'est qu'ils soient sauvés. 2 Car je leur rends témoignage qu'ils ont du
zèle pour Dieu; mais c'est un zèle mal éclairé[k]. Pr 19 2
3 Méconnaissant la justice de Dieu et cherchant à Ph 3 9
établir la leur propre, ils ont refusé de se soumettre
à la justice de Dieu[l]. 4 Car la fin de la Loi, c'est Ga 3 24
le Christ pour la justification de tout croyant. Rm 9 30-3

**Annoncée par Moïse.** 3 21; 4

5 Moïse écrit en effet de la justice née de la Loi
qu'*en l'accomplissant l'homme vivra par elle,* Lv 18 5+
6 tandis que la justice née de la foi, elle[m], parle Ga 3 12+

*a)* Comme l'AT, Paul attribue premièrement à la causalité divine (en accentuant encore l'expression : « Je t'ai suscité ») les actions bonnes ou mauvaises des hommes, cf. **1** 24s.

*b)* Si l'indocilité de l'homme entre ainsi dans le plan divin, comment lui reprocher de ne pas accomplir la volonté de Dieu? Paul a déjà rencontré une objection analogue, **3** 7; **6** 1, 15, et y a répondu, comme ici, par une fin de non-recevoir. Dieu est le maître de son œuvre. Le taxer d'injustice n'a pas de sens. Cf. Mt **20** 15.

*c)* Phrase difficile, à interpréter en fonction du contexte. Paul explique comment jadis l'endurcissement de Pharaon et aujourd'hui l'infidélité d'Israël, vus dans le plan divin, ne s'opposent point à la justice. Dieu aurait pu anéantir Pharaon, comme il pourrait anéantir le peuple juif; mais il en supporte l'existence avec longanimité : ainsi (tout en leur laissant le temps du repentir, **2** 4), il « manifeste sa colère » (par la multiplication même des péchés, cf. **1-3**, qui d'ailleurs prépare la conversion); il « fait connaître sa puissance » en triomphant des obstacles, cf. v. 17, aujourd'hui de l'hostilité des Juifs à l'Évangile. Il exécute ainsi un dessein de miséricorde à l'égard des païens, cf. **11** 11, 12, 15, 30, à la conversion desquels l'entrée en masse des Juifs dans l'Église eût pu constituer un grave obstacle. En tout cas, c'est parce que les Juifs refusent d'entendre le message que Paul se tourne vers les païens, Ac **13** 5+. Infidélité d'ailleurs temporaire et ordonnée comme par ricochet à leur conversion future, **11** 13-15, 23, 31.

*d)* « dans le dessein de (manifester) »; var. : « et (manifesté) ».

*e)* La phrase reste en suspens : « comment parler en ce cas d'injustice de Dieu? » En effet, tout s'ordonne finalement au salut des uns et des autres, cf. **11** 32.

*f)* Ainsi l'histoire d'Israël lui-même, rappelé par Dieu malgré ses infidélités, devient le type de l'appel des nations, sans aucun droit, au festin messianique.

*g)* Les textes choisis annoncent à la fois l'infidélité d'Israël et le retour d'un « reste », cf. Is **4** 3+, dépositaire des promesses. Ils préparent ainsi le ch. **11**.

*h)* Une var. (Vulg.) conforme la citation au texte des LXX, que Paul abrège.

*i)* Cette conclusion introduit l'argument du ch. suivant : les causes de l'infidélité d'Israël vues non plus en Dieu, mais en Israël même.

*j)* Ce que seul peut faire le chrétien, **3** 31; **8** 4; **10** 4; cf. **7** 7+; Ac **13** 39. – « la Loi »; var. (Vulg.) : « la Loi de justice ».

*k)* Comme celui de Paul avant sa conversion, Ac **22** 3; Ga **1** 14; Ph **3** 6; cf. 1 Tm **1** 13.

*l)* La justification n'est pas un bien à conquérir, mais une grâce à accueillir par la foi au Christ, cf. **1** 16+; **4** 25+; **7** 7+.

*m)* Le Dt résumait toute la Loi dans le précepte de l'amour, pratiqué par l'homme au « cœur circoncis », **2** 29; Dt **10** 16; Jr **4** 4; **9** 25, une circoncision opérée par Dieu lui-même, Dt **30** 6, équivalent du don de la Loi « écrite sur le cœur », Jr **31** 33. Ainsi était annoncée la « justice de la foi » : la « parole de la foi » est

Dt **9** 4; **30** 12s ainsi : *Ne dis pas* dans ton cœur : *Qui montera au*
*ciel?* entends : pour en faire descendre le Christ;
Ps **107** 26 7 ou bien : *Qui descendra dans l'abîme*[a]? entends :
1 P **3** 19+ pour faire remonter le Christ de chez les morts.
Dt **30** 14 8 Que dit-elle donc? *La parole est tout près de toi,*
Si **21** 26 *sur tes lèvres et dans ton cœur*, entends : la parole
de la foi que nous prêchons. 9 En effet, si tes lèvres
Ac **2** 36+ confessent que Jésus est Seigneur et si ton cœur
1 Co **12** 3 croit que Dieu l'a ressuscité des morts[b], tu seras
Rm **1** 4+ sauvé. 10 Car la foi du cœur obtient la justice, et
la confession des lèvres, le salut. 11 L'Écriture ne
Is **28** 16 dit-elle pas : *Quiconque croit en lui ne sera pas*
Rm **9** 33; *confondu?* 12 Aussi bien n'y a-t-il pas de distinction
**1** 16; **3** 32-33 entre Juif et Grec : tous ont le même Seigneur,
riche envers tous ceux qui l'invoquent. 13 En effet,
Jl **3** 5 *quiconque invoquera le nom du Seigneur sera*
Ac **2** 21+ *sauvé.*

**Ils sont inexcusables.**

He **11** 6 14 Mais comment l'invoquer sans d'abord croire
en lui[c]? Et comment croire sans d'abord l'enten-
Ac **8** 31 dre? Et comment entendre sans prédicateur? 15 Et
comment prêcher sans être d'abord envoyé? selon
Is **52** 7 le mot de l'Écriture : *Qu'ils sont beaux les pieds des*
*messagers de bonnes nouvelles!* 16 Mais tous n'ont
**1** 5+ pas obéi à la Bonne Nouvelle. Car Isaïe l'a dit :
Is **53** 1 *Seigneur, qui a cru à notre prédication?* 17 Ainsi la
foi naît de la prédication et la prédication se fait
par la parole du Christ[d].
18 Or je demande : n'auraient-ils pas entendu?
Ps **19** 5 Et pourtant *leur voix*[e] *a retenti par toute la terre*
*et leurs paroles jusqu'aux extrémités du monde.*
19 Mais je demande : Israël n'aurait-il pas compris?
Dt **32** 21 Déjà Moïse dit : *Je vous rendrai jaloux de ce qui*
Rm **11** 11 *n'est pas une nation, contre une nation sans intelli-*
*gence j'exciterai votre dépit*[f]. 20 Et Isaïe ose ajou-
Is **65** 1 ter : *J'ai été trouvé par ceux qui ne me cherchaient*
Rm **9** 30 *pas, je me suis manifesté à ceux qui ne m'interro-*
*geaient pas,* 21 tandis qu'il dit à l'adresse d'Israël :
*Tout le jour j'ai tendu les mains vers un peuple* Is **65** 2
*désobéissant et rebelle*[g].

**Le reste d'Israël.**

**11** 1 Je demande donc[h] : *Dieu aurait-il rejeté son* Ps **94** 14; **44** 10s
*peuple?* Certes non! Ne suis-je pas moi-même
Israélite, de la race d'Abraham, de la tribu de Ben- 2 Co **11** 21+
jamin? 2 Dieu n'a pas rejeté le peuple que d'avance
il a discerné. Ou bien ignorez-vous ce que dit
l'Écriture à propos d'Élie, quand il s'entretient avec
Dieu pour accuser Israël : 3 Seigneur, *ils ont tué tes* 1 R **19** 10, 14
*prophètes, rasé tes autels, et moi je suis resté seul*
*et ils en veulent à ma vie!* 4 Eh bien, que lui répond
l'oracle divin? *Je me suis réservé sept mille hom-* 1 R **19** 18
*mes qui n'ont pas fléchi le genou devant Baal.*
5 Ainsi pareillement aujourd'hui il subsiste un reste, Is **4** 3+
élu par grâce. 6 Mais si c'est par grâce, ce n'est plus
en raison des œuvres; autrement la grâce n'est plus **9** 12-17
grâce.
7 Que conclure? Ce que recherche Israël, il ne l'a **9** 30-31
pas atteint; mais ceux-là l'ont atteint qui ont été
élus. Les autres, ils ont été endurcis, 8 selon le mot Dt **29** 3
de l'Écriture : *Dieu leur a donné un esprit de tor-*
*peur : ils n'ont pas d'yeux pour voir, d'oreilles pour* Is **29** 10
*entendre jusqu'à ce jour.* 9 David dit aussi : *Que* Mt **13** 13+
*leur table*[i] *soit un piège*, un lacet, *une cause de* Ps **69** 23s
*chute, et leur serve de salaire!* 10 *Que leurs yeux*
*s'enténèbrent pour ne point voir et fais-leur sans*
*arrêt courber le dos!*

**La restauration future.**

11 Je demande donc : serait-ce pour une vraie
chute qu'ils ont bronché[j]? Certes non! mais leur
faux pas a procuré le salut aux païens[k], afin que Ac **13** 5+
leur propre jalousie en fût excitée. 12 Et si leur faux Mt **8** 11s; **21** 43
pas a fait la richesse du monde et leur amoindrisse- Rm **10** 19
ment la richesse des païens, que ne fera pas leur
totalité! 13 Or je vous le dis à vous, les païens[l], je

« dans le cœur », v. 8; Dt **30** 14; cf. **3** 27+; **8** 2+, parole dictée et accomplie en nous par l'Esprit, **8** 4+.

*a)* Abîme de l'océan dans Dt **30** 13, du shéol dans l'application qu'en fait Paul. Le Targum évoquait déjà Moïse descendant du Sinaï et Jonas remontant de l'abîme.

*b)* A l'adhésion intérieure du « cœur », correspond la profession de foi extérieure telle qu'elle a lieu au baptême.

*c)* L'argumentation, qui tire parti de l'Écriture, est claire : si Israël dans son ensemble n'invoque pas en fait le nom du Seigneur, c'est qu'il s'est montré rebelle à la lumière qui lui a été proposée.

*d)* Var. : « parole de Dieu ».

*e)* Celle des prédicateurs de l'Évangile.

*f)* L'allusion à la jalousie d'Israël prépare **11** 11, 14.

*g)* Le texte original hébreu vise dans les deux cas, vv. 20 et 21, le peuple juif; mais dans le premier, il s'agit d'un Israël qui « n'invoque plus le nom de Yahvé » et se trouve de ce fait dans la même situation que les païens. La version grecque, qui parle en Is **65** 1 d'une « nation », non d'un « peuple » comme en Is **65** 2, facilitait l'application aux païens.

*h)* La même formule qui accusait Israël, **10** 18, 19, annonce maintenant son salut (de même au v. 11). Le peuple infidèle, **10** 21, n'est pas rejeté, **11** 2. Le « reste », Is **4** 3+, qui le représente temporairement, est le gage de la restauration future.

*i)* Le Psaume décrit ici la punition des repus qui ont méconnu les tourments et la soif du Juste. S'il s'agit de repas sacrificiels (Targum), la prophétie se réalise à la lettre : c'est l'attachement même des Juifs à leur religion qui les a empêchés de reconnaître le Juste souffrant.

*j)* Litt. « serait-ce qu'ils ont trébuché de manière à tomber (sans espoir de relèvement)? »

*k)* L'incrédulité actuelle des Juifs n'est qu'un « faux pas » permis pour la conversion des païens, **9** 22+; **11** 12, 19, 25, 30, et finalement pour leur propre conversion : c'est pour leur salut que Dieu les rendra « jaloux », **10** 19, des païens.

*l)* C'est-à-dire les chrétiens venus des « nations », les païens convertis. Ainsi, même comme apôtre des païens, Paul travaille au salut de ses frères par le sang (« ceux de mon sang », litt. « ma chair »).

suis bien l'apôtre des païens et j'honore mon ministère, [14] mais c'est avec l'espoir d'exciter la jalousie
de ceux de mon sang et d'en sauver quelques-uns.
[15] Car si leur mise à l'écart fut une réconciliation
pour le monde, que sera leur admission, sinon une
résurrection d'entre les morts [a]?

Ep 2 11-22 **L'olivier sauvage et l'olivier franc.**

[16] Or si les prémices sont saintes, toute la pâte
aussi [b]; et si la racine est sainte, les branches aussi.
[17] Mais si quelques-unes des branches ont été coupées tandis que toi, sauvageon d'olivier [c] tu as été
greffé parmi elles [d] pour bénéficier avec elles [e] de
3 27+; 5 2+ la sève de l'olivier, [18] ne va pas te glorifier aux
1 Co 1 31 dépens des branches. Ou si tu veux te glorifier, ce
n'est pas toi qui portes la racine, c'est la racine qui
te porte. [19] Tu diras : On a coupé des branches,
pour que, moi, je fusse greffé. [20] Fort bien. Elles ont
été coupées pour leur incrédulité, et c'est la foi qui
te fait tenir. Ne t'enorgueillis pas; crains plutôt.
Jr 49 12 [21] Car si Dieu n'a pas épargné les branches naturel-
Lc 23 31 les, prends garde qu'il ne t'épargne pas [f] davantage.
[22] Considère donc la bonté et la sévérité de Dieu :
sévérité envers ceux qui sont tombés, et envers toi
bonté, pourvu que tu demeures en cette bonté;
autrement tu seras retranché toi aussi. [23] Et eux,
s'ils ne demeurent pas dans l'incrédulité, ils seront
greffés : Dieu est bien assez puissant pour les gref-
fer à nouveau. [24] En effet, si toi tu as été retranché
de l'olivier sauvage auquel tu appartenais par
nature, et greffé, contre nature, sur un olivier franc,
combien plus eux, les branches naturelles, seront-
ils greffés sur leur propre olivier!

**La conversion d'Israël.**

[25] Car je ne veux pas, frères, vous laisser ignorer
ce mystère, de peur que *vous ne vous complaisiez* 16 25+
*en votre sagesse* : une partie d'Israël s'est endurcie Pr 3 7
jusqu'à ce que soit entrée la totalité des païens [g], 11 11+
[26] et ainsi tout Israël sera sauvé, comme il est
écrit [h] : *De Sion viendra le Libérateur, il ôtera les* Is 59 20-21
*impiétés du milieu de Jacob.* [27] *Et voici quelle sera*
*mon alliance avec eux lorsque j'enlèverai leurs* Is 27 9
*péchés.*
[28] Ennemis, il est vrai, selon l'Évangile, à cause
de vous, ils sont, selon l'Élection [i], chéris à cause
de leurs pères. [29] Car les dons et l'appel de Dieu 9 6
sont sans repentance. Nb 23 19+
1 S 15 29
[30] En effet, de même que jadis vous avez désobéi
à Dieu et qu'au temps présent vous avez obtenu 3 26+
miséricorde grâce à leur désobéissance, [31] eux de 11 11+
même au temps présent ont désobéi grâce à la
miséricorde exercée envers vous, afin qu'eux aussi
ils obtiennent au temps présent miséricorde. [32] Car
Dieu a enfermé tous les hommes dans la désobéis- Ga 3 22
sance pour faire à tous miséricorde. Ez 18 23+

**Hymne à la sagesse miséricordieuse.**

[33] O abîme de la richesse, de la sagesse et de la Ps 139 6, 1
science de Dieu! Que ses décrets sont insondables Jb 15 8
et ses voies incompréhensibles! [34] *Qui en effet a* Is 40 13, 2
*jamais connu la pensée du Seigneur? Qui en fut* 1 Co 2 11,
*jamais le conseiller?* [35] Ou bien *qui l'a prévenu de*
*ses dons pour devoir être payé de retour?* [36] Car
tout est de lui et par lui et pour lui. A lui soit la 1 Co 8 6
gloire éternellement! Amen. Col 1 16-

*a)* Formule diversement interprétée. Si la conversion des païens est comparée à la première phase de l'œuvre rédemptrice, la réconciliation du monde, celle d'Israël constituera un tel bienfait qu'elle ne peut être comparée qu'avec la seconde, la résurrection finale que Paul aurait donc ici en vue. Toutefois il ne dit pas que la conversion d'Israël doive précéder immédiatement la résurrection générale. – D'autres traduisent : « la vie sortant d'entre les morts ». Faire revenir de la mort à la vie est une œuvre particulièrement merveilleuse, réservée à la puissance de Dieu, cf. **4** 17+; 2 Co **1** 9. Telle sera la merveille du retour d'Israël, un retour à la vie du fils prodigue, qui aura été cette fois le fils aîné, cf. Lc **15** 24, 32.

*b)* La conversion future d'Israël clairement affirmée, vv. 11-15, en attendant les déclarations encore plus explicites des vv. 25-26, prouve que la portion fidèle réalise pleinement la notion de « reste », signe indubitable de restauration pour toute la nation; mais il en résulte aussi que la partie infidèle elle-même reste solidaire de la partie fidèle et participe en quelque façon à sa sainteté, comme une pâte que consacre tout entière l'offrande des prémices, Nb **15** 19-21.

*c)* Le païen devenu chrétien.

*d)* Ou : « à leur place ».

*e)* Add. : « de la racine et ».

*f)* « prends garde qu'il ne t'épargne pas »; var : « il ne t'épargnera pas ».

*g)* Paul vise toujours des collectivités : le bloc du monde juif et l'ensemble du monde païen.

*h)* L'AT annonçait la purification complète d'Israël comme une conséquence de la venue du Messie. Paul enseigne comme un « mystère », v. 25, que cette prophétie, accomplie déjà partiellement dans la conversion des païens, implique aussi la conversion du peuple juif.

*i)* « Évangile » et « Élection » désignent les deux grandes étapes de l'histoire du salut : après et avant le Christ. Après le Christ, qu'ils ont refusé, les Juifs sont devenus ennemis de Dieu, et cela Dieu l'a permis pour favoriser la conversion des païens, cf. **9** 22+; **11** 11+; mais ils restent l'objet de la dilection spéciale que Dieu a manifestée à leurs pères, avant le Christ, au temps où leur peuple était le seul dépositaire de l'élection.

# Parénèse

**Le culte spirituel** [a].

**12** 1 Je vous exhorte donc, frères, par la miséri-
1 9+ corde de Dieu, à offrir vos personnes en hostie
Ac 10 35+ vivante, sainte, agréable à Dieu : c'est là le culte
spirituel que vous avez à rendre [b]. 2 Et ne vous
8 5, 14s, 26s modelez pas sur le monde présent, mais que le
Ep 4 23s renouvellement de votre jugement vous transforme
2 18 et vous fasse discerner quelle est la volonté de
Ep 5 10, 17 Dieu, ce qui est bon, ce qui lui plaît, ce qui est par-
Ph 1 10 He 5 14 fait.

**Humilité et charité dans la communauté.**

3 Au nom de la grâce qui m'a été donnée, je le
Ph 2 3 dis à tous et à chacun : ne vous surestimez pas plus
qu'il ne faut vous estimer, mais gardez de vous une
1 Co 12 9; sage estime, chacun selon le degré de foi [c] que Dieu
13 2 lui a départi. 4 Car, de même que notre corps en
son unité possède plus d'un membre et que ces
Ep 4 7+ membres n'ont pas tous la même fonction, 5 ainsi
Co 12 12+ nous, à plusieurs, nous ne formons qu'un seul corps
dans le Christ, étant, chacun pour sa part, membres
1 Co 12 8 10, 28-30 les uns des autres [d]. 6 Mais, pourvus de dons diffé-
Ep 4 7-11 rents selon la grâce qui nous a été donnée, si c'est
Ac 11 27+ le don de prophétie, exerçons-le en proportion de
notre foi [e]; 7 si c'est le service, en servant; l'enseignement, en enseignant; 8 l'exhortation, en exhortant. Que celui qui donne le fasse sans calcul; celui
Tt 1 5+ qui préside, avec diligence; celui qui exerce la miséricorde, en rayonnant de joie.
1 P 1 22 9 Que votre charité soit sans feinte, détestant le
mal, solidement attachés au bien; 10 que l'amour
Jn 13 34 fraternel vous lie d'affection entre vous, chacun
Ph 2 3 regardant les autres comme plus méritants [f], 11 d'un
zèle sans nonchalance, dans la ferveur de l'esprit,
o 13 13+ au service du Seigneur [g], 12 avec la joie de l'espérance, constants dans la tribulation, assidus à la
prière, 13 prenant part aux besoins des saints, avi- Col 4 2
des de donner l'hospitalité. Ac 1 14; 6 4 Ac 9 13+

**Charité envers tous les hommes,** Mt 5 38-48+
**même les ennemis** [h].

14 Bénissez ceux qui vous persécutent; bénissez,
ne maudissez pas. 15 Réjouissez-vous avec qui est 1 Co 12 26
dans la joie, pleurez avec qui pleure. 16 Pleins d'une Si 7 34
égale complaisance pour tous, sans vous complaire
dans l'orgueil, attirés plutôt par ce qui est humble,
*ne vous complaisez pas dans votre propre sagesse.* Pr 3 7
17 Sans rendre à personne le mal pour le mal, *ayant* 1 Th 5 15
*à cœur ce qui est bien devant* tous *les hommes,* 1 P 3 9 Pr 3 4
18 en paix avec tous si possible, autant qu'il dépend 2 Co 8 21
de vous, 19 sans vous faire justice à vous-mêmes, 1 Co 6 6-7
mes bien-aimés, laissez agir la colère [i]; car il est Pr 20 22 Lv 19 18
écrit : *C'est moi qui ferai justice, moi qui rétribue-*
*rai,* dit le Seigneur. 20 Bien plutôt, *si ton ennemi a* Dt 32 35 Gn 50 19
*faim, donne-lui à manger; s'il a soif, donne-lui à* Pr 25 21-22+
*boire; ce faisant, tu amasseras des charbons*
*ardents sur sa tête* [j]. 21 Ne te laisse pas vaincre par Jc 5 4
le mal, sois vainqueur du mal par le bien.

**Soumission aux pouvoirs civils** [k]. Mt 22 16-21p 1 Tm 2 1-2 Tt 3 1

**13** 1 Que chacun se soumette aux autorités en 1 P 2 13-15
charge [l]. Car il n'y a point d'autorité qui ne Pr 8 15
vienne de Dieu, et celles qui existent sont consti- Sg 6 3 Jr 27 5
tuées par Dieu. 2 Si bien que celui qui résiste à l'autorité se rebelle contre l'ordre établi par Dieu. Et
les rebelles se feront eux-mêmes condamner. 3 En
effet, les magistrats ne sont pas à craindre quand
on fait le bien, mais quand on fait le mal. Veux-tu
n'avoir pas à craindre l'autorité? Fais le bien et tu
en recevras des éloges; 4 car elle est un instrument
de Dieu pour te conduire au bien. Mais crains, si

*a)* La communauté chrétienne succède au Temple de Jérusalem, Ps **2** 6+; **40** 9+, et l'Esprit qui l'habite donne une intensité nouvelle à la présence de Dieu au milieu du peuple saint, 1 Co **3** 16-17; 2 Co **6** 16; Ep **2** 20-22. Il inspire ainsi un nouveau culte spirituel, Rm **1** 9+; **12** 1, car les croyants sont les membres du Christ, 1 Co **6** 15-20, qui, en son corps crucifié et ressuscité, est devenu le lieu d'une présence nouvelle de Dieu et d'un culte nouveau, Mt **12** 6-7; **26** 61 p+; **27** 40 p; Jn **2** 19-22+; **4** 20-21; Ac **6** 13-14; **7** 48; He **10** 4-10+; Ap **21** 22+.

*b)* Par opposition aux sacrifices du culte judaïque ou païen, cf. Os **6** 6. Cf. Rm **1** 9+.

*c)* La foi est ici considérée dans l'efflorescence des dons spirituels distribués par Dieu aux membres de la communauté chrétienne pour assurer sa vie et son développement.

*d)* La formule employée souligne moins l'identification de tous les chrétiens au Christ, 1 Co **12** 27, que leur dépendance mutuelle.

*e)* Ou « suivant la règle de foi »; cf. 1 Co **12** 3, où la « confession de foi » constitue le signe des charismes authentiques.

*f)* Ou : « prévenez-vous d'égards mutuels ».

*g)* « au service du Seigneur »; var. : « attentifs à l'occasion opportune ».

*h)* L'horizon s'élargit et s'étend à toute l'humanité, surtout à partir du v. 17.

*i)* Sans doute la colère divine qui se réserve de punir le péché.

*j)* Le chrétien « se venge » de ses ennemis en leur faisant du bien. L'image des charbons ardents, symbole d'une douleur cuisante, désigne le remords qui amènera le pêcheur au repentir.

*k)* Paul affirme ici le principe de l'origine divine du pouvoir, le supposant d'ailleurs à la fois légitime et s'exerçant pour le bien. Ainsi la religion chrétienne pénètre, comme la vie morale, **12** 1, la vie civile elle-même, **13** 1-7. Paul ne parlera pas autrement après les premières persécutions, Tt **3** 1; 1 Tm **2** 1-2.

*l)* Litt. « qui sont au-dessus de nous ».

tu fais le mal; car ce n'est pas pour rien qu'elle
porte le glaive : elle est un instrument de Dieu pour
faire justice et châtier [a] qui fait le mal. [5] Aussi doit-
on se soumettre non seulement par crainte du châtiment, mais par motif de conscience. [6] N'est-ce pas
pour cela même que vous payez les impôts? Car
il s'agit de fonctionnaires qui s'appliquent de par
Mt 22 21p Dieu à cet office. [7] Rendez à chacun ce qui lui est
dû : à qui l'impôt, l'impôt; à qui les taxes, les taxes;
à qui la crainte, la crainte; à qui l'honneur, l'honneur.

Mt 22 34-40
**La charité, résumé de la Loi.**

Jn 13 34
Ga 5 14 [8] N'ayez de dettes envers personne, sinon celle de
Col 3 14 l'amour mutuel. Car celui qui aime autrui a de ce
fait accompli la loi [b]. [9] En effet, le précepte : *Tu ne*
Ex 20 13-17 *commettras pas d'adultère, tu ne tueras pas, tu ne*
Dt 5 17-21 *voleras pas* [c], *tu ne convoiteras pas,* et tous les
Lv 19 18 autres se résument en cette formule : *Tu aimeras*
Ga 5 14 *ton prochain* [d] *comme toi-même.* [10] La charité ne
1 Co 13 4-7 fait point de tort au prochain. La charité est donc
la Loi dans sa plénitude.

1 Th 5 4-8
**Le chrétien est enfant de lumière.**

1 Co 7 26, 29-31 [11] D'autant que vous savez en quel moment [e]
Col 4 5
Ep 5 8-16 nous vivons. C'est l'heure désormais de vous arracher au sommeil; le salut est maintenant plus près
de nous qu'au temps où nous avons cru. [12] La nuit
est avancée. Le jour est arrivé. Laissons là [f] les
Jn 8 12+ œuvres de ténèbres et revêtons les armes de
Ep 6 11+ lumière. [13] Comme il sied en plein jour, condui-
1 29+ sons-nous avec dignité : point de ripailles ni
d'orgies, pas de luxure ni de débauche, pas de que-
Ga 3 27 relles ni de jalousies. [14] Mais revêtez-vous du Sei-
Ep 4 24 gneur Jésus Christ et ne vous souciez pas de la
chair pour en satisfaire les convoitises.

1 Co 8; **Charité envers les « faibles ».**
10 14-33
Rm 6 15+

**14** [1] A celui qui est faible dans la foi [g], soyez
accueillants sans vouloir discuter des opinions. [2] Tel croit pouvoir manger de tout, tandis
que le faible ne mange que des légumes : [3] que celui
qui mange ne méprise pas l'abstinent et que l'absti- Col 2 16-21
nent ne juge pas celui qui mange; Dieu l'a bien
accueilli. [4] Toi, qui es-tu pour juger un serviteur Jc 4 12
d'autrui? Qu'il reste debout ou qu'il tombe, cela ne Mt 7 1
concerne que son maître; d'ailleurs il restera
debout, car le Seigneur a la force de le soutenir.
[5] Celui-ci préfère un jour à un autre; celui-là les Col 2 16
estime tous pareils : que chacun s'en tienne à son
jugement. [6] Celui qui tient compte des jours le fait
pour le Seigneur; et celui qui mange le fait pour le
Seigneur, puisqu'il rend grâce à Dieu. Et celui qui
s'abstient le fait pour le Seigneur, et il rend grâce
à Dieu. [7] En effet, nul d'entre nous ne vit pour soi-
même, comme nul ne meurt pour soi-même; [8] si
nous vivons, nous vivons pour le Seigneur, et si 6 10-11
nous mourons, nous mourons pour le Seigneur. Lc 20 38
Donc, dans la vie comme dans la mort, nous Ga 2 19
appartenons au Seigneur. [9] Car le Christ est mort
et revenu à la vie pour être le Seigneur des morts 2 Co 5 15
et des vivants. [10] Mais toi, pourquoi juger ton frère? Ac 10 42
et toi, pourquoi mépriser ton frère? Tous, en effet,
nous comparaîtrons au tribunal de Dieu [h], [11] car il 2 Co 5 10
est écrit : *Par ma vie,* dit le Seigneur, *tout genou* Rm 2 6+
*devant moi fléchira, et toute langue rendra gloire* Is 45 23; 49 18
*à Dieu.* [12] C'est donc que chacun de nous rendra Ph 2 10-11
compte à Dieu pour soi-même.
[13] Finissons-en donc avec ces jugements les uns
sur les autres : jugez plutôt qu'il ne faut rien mettre 1 Co 8 9
devant votre frère qui le fasse buter ou tomber. –
[14] Je le sais, j'en suis certain dans le Seigneur Jésus,
rien n'est impur en soi, mais seulement pour celui Ac 10 15
qui estime un aliment impur; en ce cas il l'est pour Mt 15 10- 1 Tm 4 4
lui. – [15] En effet [i], si pour un aliment ton frère est 1 Co 8 10
contristé [j], tu ne te conduis plus selon la charité. Ne 1 Co 13 1
va pas avec ton aliment faire périr celui-là pour qui
le Christ est mort!
[16] N'exposez donc pas votre privilège [k] à l'outrage. [17] Car le règne de Dieu n'est pas affaire de 1 Co 8 8
nourriture ou de boisson, il est justice, paix et joie Ga 5 22 1 Th 1 6

*a)* Litt. « pour la colère ».
*b)* La loi en général, semble-t-il, et non pas seulement la Loi mosaïque.
*c)* Add. (Vulg.) : « tu ne diras pas de faux témoignage ».
*d)* Le prochain n'est plus, comme dans Lv, le membre du même peuple, mais tout membre de la famille humaine, unifiée dans le Christ, Ga 3 28; Mt 25 40.
*e)* Cette considération est un des fondements de la morale paulinienne. Le « moment » (*kairos*), paraît désigner l'ère « eschatologique », celle que la Bible nommait « les derniers jours », inaugurée par la mort et la résurrection du Christ et coextensive au temps de l'Église militante, au temps du salut, 2 Co 6 2+; cf. Ac 1 7+; elle s'oppose à la période précédente moins par une simple succession temporelle que par une différence de nature. Le chrétien, dès maintenant « fils du jour », affranchi du monde mauvais, Ga 1 4, et de l'empire des ténèbres, a part au règne de Dieu et de son Fils, Col 1 13; il est déjà citoyen des cieux, Ph 3 20. Cette « situation » si nouvelle commande toute la morale, cf. 6 3s.
*f)* « Laissons là »; litt. « Dépouillons »; var : « Rejetons ».
*g)* Il s'agit de chrétiens auxquels une foi insuffisamment éclairée ne donne pas des convictions assez fermes pour agir avec une conscience sûre, vv. 2, 5, 22. Ils se croyaient obligés à certains jours, v. 5, peut-être de façon permanente, v. 21, de s'abstenir de viande ou de vin, vv. 2, 21 : pratiques ascétiques connues du monde païen (Pythagoriciens) et du monde juif (Esséniens, Jean-Baptiste). Paul donne la même règle générale de conduite que dans le cas analogue de 1 Co 8; 10 14-33 : chacun doit agir « pour le Seigneur » selon sa conscience, vv. 5-6, pourvu qu'elle ne soit pas douteuse, v. 23; mais surtout, que la charité règle la conduite des « forts », vv. 1, 15, 19-21 et 15 1-13.
*h)* Qui seul connaît le secret des cœurs, cf. 2 16; 1 Co 4 3s.
*i)* « En effet »; var. : « Mais » ou « Or ».
*j)* En succombant au scandale, ou simplement en voyant son frère commettre une action qu'il réprouve.
*k)* L'expression désigne probablement la liberté chrétienne, 6 15+, dont s'autorisent les forts, mais qu'on interprétait tendancieusement, cf. 3 8+.

dans l'Esprit Saint. 18 Celui en effet qui sert le
12 17-18 Christ de la sorte est agréable à Dieu et approuvé
des hommes. 19 Poursuivons donc ce qui favorise la
paix et l'édification mutuelle. 20 Ne va pas pour un
Tt **1** 15 aliment détruire l'œuvre de Dieu [a]. Tout est pur
assurément, mais devient un mal pour l'homme qui
mange en donnant du scandale [b]. 21 Ce qui est bien,
1 Co **8** 13 c'est de s'abstenir de viande et de vin et de tout ce
qui fait buter ou tomber ou faiblir ton frère.
22 Cette foi que tu as, garde-la [c] pour toi devant
Dieu [d]. Heureux qui ne se juge pas coupable au
moment même où il se décide. 23 Mais celui qui
1 Co **8** 7 mange malgré ses doutes est condamné, parce qu'il
agit sans bonne foi [e] et que tout ce qui ne procède
pas de la bonne foi est péché.
**15** 1 Mais c'est un devoir pour nous, les forts, de
Ga **6** 2 porter les faiblesses de ceux qui n'ont pas cette
1 Co **9** 22 force et de ne point rechercher ce qui nous plaît.
1 Co **10** 33 2 Que chacun d'entre nous plaise à son prochain
**14** 19 pour le bien, en vue d'édifier. 3 Car le Christ n'a pas
1 Co **8** 1 recherché ce qui lui plaisait; mais comme il est
1 Co **13** 5 écrit : *Les insultes de tes insulteurs sont tombées*
Ps **69** 10 *sur moi.* 4 En effet, tout ce qui a été écrit dans le
1 Co **10** 6+ passé le fut pour notre instruction, afin que la
2 Tm **3** 16 constance et la consolation que donnent les Écritu-
1 M **12** 9 2 M **15** 9 res nous procurent l'espérance.

5 Que le Dieu de la constance et de la consolation vous accorde d'avoir les uns pour les autres
la même aspiration [f] à l'exemple du Christ Jésus,
6 afin que d'un même cœur et d'une même bouche Ph **2** 2s
vous glorifiiez le Dieu et Père de notre Seigneur
Jésus Christ.
7 Aussi soyez accueillants les uns pour les autres,
comme le Christ le fut pour vous à la gloire de
Dieu. 8 Je l'affirme en effet, le Christ s'est fait
ministre des circoncis à l'honneur de la véracité Mt **15** 24
divine, pour accomplir les promesses faites aux Ac **3** 25-26
patriarches, 9 et les nations glorifient Dieu pour sa
miséricorde [g], selon le mot de l'Écriture : *C'est* Ex **34** 6
*pourquoi je te louerai parmi les nations et je chan-* Ps **18** 50
*terai à la gloire de ton nom;* 10 et cet autre :
*Nations, exultez avec son peuple;* 11 ou encore : Dt **32** 43
*Toutes les nations, louez le Seigneur, et que tous* Ps **117** 1
*les peuples le célèbrent.* 12 Et Isaïe dit à son tour :
*Il paraîtra, le rejeton de Jessé, celui qui se dresse* Is **11** 10
*pour commander aux nations. En lui les nations*
*mettront leur espérance.*
13 Que le Dieu de l'espérance vous donne en plénitude dans votre acte de foi la joie et la paix, afin
que l'espérance surabonde en vous par la vertu de
l'Esprit Saint [h].

# *Épilogue*

**Le ministère de Paul.**

14 Je suis personnellement bien persuadé, mes
frères, à votre sujet, que vous êtes par vous-mêmes
remplis de bons sentiments, en pleine possession du
don de science, capables aussi de vous avertir
mutuellement. 15 Je vous ai cependant écrit [i] assez
hardiment par endroits, comme pour raviver vos
souvenirs, en vertu de la grâce que Dieu m'a faite
16 d'être un officiant du Christ Jésus auprès des **1** 9+
païens, ministre [j] de l'Évangile de Dieu, afin que les
païens deviennent une offrande agréable, sanctifiée
dans l'Esprit Saint.
17 Je puis donc me glorifier dans le Christ Jésus **3** 27+
en ce qui concerne l'œuvre de Dieu. 18 Car je n'ose-
rais parler de ce que le Christ n'aurait pas fait par
moi pour obtenir l'obéissance des païens, en parole **1** 5+
et en œuvre, 19 par la vertu des signes et des prodi- 2 Co **12** 12+

*a)* La personne même du faible, v. 15, ou bien la communauté chrétienne, cf. 1 Co **3** 9.
*b)* Litt. « avec scandale », c'est-à-dire, d'après le contexte (v. 21 qui traite des devoirs du « fort »), en le provoquant. – D'autres entendent : « en le subissant », cf. v. 14.
*c)* Var. : « Tu as une conviction? Garde-la. »
*d)* Cette « foi » correspond à la vérité; elle vaut devant Dieu. Mais la charité est un principe supérieur.
*e)* « Bonne foi », litt. « foi », mais ici au sens de rectitude de conscience, cf. **14** 1+. – Autres traductions : « parce qu'il n'agit pas par conviction », ou : « parce que son action ne s'inspire pas d'une conviction de foi ».
*f)* A plaire à son prochain. – Autres traductions : « (vous accorde) de vivre en bonne intelligence », « d'être d'accord entre vous ».
*g)* En accueillant les païens, le Christ a procuré la gloire de Dieu. Mais, en se limitant durant sa vie mortelle à l'évangélisation d'Israël, cf. Mt **15** 24, il a surtout témoigné de la fidélité de Dieu à ses promesses, laissant pour ainsi dire aux païens convertis d'être autant de témoignages vivants de la miséricorde divine. A leur tour, qu'ils soient miséricordieux pour leurs frères, cf. **12** 1 et la note.
*h)* Clausule qui reprend les thèmes centraux de la partie dogmatique de l'épître : la foi source de justification, et l'espérance du salut, source de paix et fruit de l'Esprit.
*i)* Paul se justifie à nouveau d'avoir adressé une lettre à une Église qu'il n'a pas fondée, cf. **1** 5-6. 13.
*j)* Litt. « en accomplissant une fonction cultuelle ». En effet, plus encore que la simple vie chrétienne, **12** 1; cf. Ph **2** 17, l'apostolat est une liturgie, cf. **1** 9+ où l'apôtre – plus exactement le Christ par lui, v. 18 – offre les hommes à Dieu.

Ac 1 8+ ges, par la vertu de l'Esprit de Dieu : ainsi, depuis
Jérusalem en rayonnant jusqu'à l'Illyrie [a], j'ai pro-
Col 1 25 curé l'accomplissement de l'Évangile du Christ,
[20] tenant de la sorte à honneur de limiter cet apos-
2 Co 10 15-16 tolat aux régions où l'on n'avait pas invoqué le
nom du Christ, pour ne point bâtir sur des fonda-
1 Co 3 10s tions posées par autrui [21] et me conformer à ce qui
Is 52 15 est écrit : *Ceux à qui on ne l'avait pas annoncé le*
*verront et ceux qui n'en avaient pas entendu parler*
*comprendront.*

**Projets de voyage.**

[22] C'est bien là ce qui chaque fois [b] m'empêchait
1 10s d'aller chez vous. [23] Mais à présent, comme je n'ai
plus d'occupation dans ces contrées [c] et que depuis
des années j'ai un vif désir d'aller chez vous,
[24] quand je me rendrai en Espagne... Car j'espère
vous voir en cours de route et être mis par vous
sur le chemin de ce pays, une fois que j'aurai un
peu savouré la joie de votre présence. [25] Mais main-
Ac 19 21 tenant je me rends à Jérusalem pour le service des
1 Co 16 1+ saints : [26] car la Macédoine et l'Achaïe ont bien
Rm 12 13 voulu prendre quelque part aux besoins des saints
de Jérusalem qui sont dans la pauvreté. [27] Oui, elles
l'ont bien voulu, et elles le leur devaient : si les
11 17s païens, en effet, ont participé à leurs biens spiri-
1 Co 9 11 tuels, ils doivent à leur tour les servir de leurs biens
Ga 6 6 temporels. [28] Quand donc j'aurai terminé cette
affaire et leur aurai remis officiellement [d] cette
récolte, je partirai pour l'Espagne en passant par
chez vous. [29] Et je sais qu'en arrivant chez vous je
viendrai avec la plénitude des bénédictions du
Christ.

[30] Mais je vous le demande, frères, par notre Seigneur Jésus Christ et la charité de l'Esprit, luttez
Col 4 12 avec moi dans les prières que vous adressez à Dieu
Ac 20 3, 23; 21 10s, 17s, 27s pour moi [e], [31] afin que j'échappe aux incrédules de
Judée et que le secours que je porte à Jérusalem
soit agréé des saints, [32] et qu'ainsi, venant à vous
dans la joie, Dieu veuille me faire goûter avec vous
quelque repos.

[33] Que le Dieu de la paix soit avec vous tous!
Amen.

**Recommandations et salutations.**

**16** [f] [1] Je vous recommande Phébée, notre sœur [g],
diaconesse de l'Église de Cenchrées : [2] offrez- Ac 18 18
lui dans le Seigneur un accueil digne des saints, et
assistez-la en toute affaire où elle aurait besoin de
vous; aussi bien fut-elle une protectrice pour nombre de chrétiens et pour moi-même.

[3] Saluez Prisca et Aquilas, mes coopérateurs Ac 18 2s, 26 1 Co 16 19 2 Tm 4 19
dans le Christ Jésus; [4] pour me sauver la vie ils ont
risque leur tête [h], et je ne suis pas seul à leur devoir
de la gratitude : c'est le cas de toutes les Églises de
la gentilité; [5] saluez aussi l'Église qui se réunit chez 1 Co 16 19 Col 4 15 Phm 2
eux.

Saluez mon cher Épénète, les prémices que l'Asie 1 Co 16 15
a offertes au Christ [i]. [6] Saluez Marie, qui s'est bien
fatiguée pour vous. [7] Saluez Andronicus et Junias,
mes parents et mes compagnons de captivité [j] : ce
sont des apôtres marquants qui m'ont précédé dans
le Christ. [8] Saluez Ampliatus qui m'est cher dans
le Seigneur. [9] Saluez Urbain, notre coopérateur
dans le Christ, et mon cher Stachys. [10] Saluez
Apelle, qui a fait ses preuves dans le Christ. Saluez
les membres de la maison d'Aristobule. [11] Saluez
Hérodion, mon parent; saluez les membres de la
maison de Narcisse dans le Seigneur. [12] Saluez
Tryphène et Tryphose, qui se fatiguent dans le Seigneur; saluez ma chère Persis, qui s'est beaucoup
fatiguée dans le Seigneur. [13] Saluez Rufus [k], cet élu
dans le Seigneur, et sa mère qui est aussi la mienne.
[14] Saluez Asyncrite, Phlégon, Hermès, Patrobas,
Hermas, et les frères qui sont avec eux. [15] Saluez
Philologue et Julie, Nérée et sa sœur, et Olympas
et tous les saints qui sont avec eux. [16] Saluez-vous
mutuellement d'un saint baiser. Toutes les Églises 2 Co 13 12
du Christ vous saluent [l].

**Avertissement. Premier post-scriptum.** Ga 6 11

[17] Je vous en prie, frères, gardez-vous de ces fauteurs de dissensions et de scandales contre l'enseignement que vous avez reçu [m]; évitez-les. [18] Car ces 6 17
sortes de gens ne servent pas notre Seigneur le
Christ, mais leur ventre, et par des discours douce- Ph 3 19

*a)* Les deux termes extrêmes de l'apostolat de Paul à cette date, le second inclus ou exclu suivant les interprétations.
*b)* « chaque fois »; var. : « souvent ».
*c)* Non que tous les païens soient convertis; mais la tâche de Paul est de poser les fondements, laissant à des disciples le soin de poursuivre l'œuvre, cf. 1 Co **3** 6, 10; Col **1** 7, etc.
*d)* Litt. « scellé ».
*e)* Paul demande souvent à ses fidèles de prier pour lui, cf. Rm **8** 27+. Sur la prière conçue comme une lutte avec Dieu, voir les exemples d'Abraham, Gn **18** 17s, de Jacob, Gn **32** 29, de Moïse, Ex **32** 11-14, 30-32; Dt **9** 18, 25, et de l'Évangile, Lc **11** 1-8; Mc **7** 24-30.
*f)* L'appartenance de ce ch. à l'épître primitive est discutée, cf. l'Introd., p. 1620.
*g)* Sans doute la porteuse de la lettre.
*h)* Sans doute à Éphèse, soit durant le tumulte raconté Ac **19** 23s, soit lors de la captivité que l'Apôtre a dû y subir (cf. v. 7), voir l'Introduction.
*i)* C'est-à-dire probablement le premier converti de la province d'Asie.
*j)* Paul avait déjà subi plusieurs emprisonnements, cf. 2 Co **11** 23. Andronicus et Junias sont apôtres au sens large, Rm **1** 1+.
*k)* Peut-être le fils de Simon de Cyrène, Mc **15** 21.
*l)* La formule, insolite chez saint Paul, montre la vénération dont il entoure l'Église de Rome.
*m)* Cette brusque monition rappelle Ga **6** 12-17. Il s'agit sans doute des prédicateurs judaïsants, cf. Ga **5** 7-12 et surtout Ph **3** 18-19.

reux et flatteurs séduisent les cœurs simples. 19 En
1 5+ effet, le renom de votre obéissance s'est répandu
1 8 partout et vous faites ma joie; mais je veux que
Mt **10** 16 vous soyez avisés pour le bien et malhabiles pour
1 Co **14** 20 le mal. 20 Le Dieu de la paix écrasera bien vite
Gn **3** 15 Satan sous vos pieds. Que la grâce de notre Seigneur Jésus Christ soit avec vous [a]!

**Dernières salutations. Second post-scriptum.**

Ac **16** 1+ 21 Timothée, mon coopérateur, vous salue, ainsi
Ac **13** 1, que Lucius, Jason et Sosipatros, mes parents. 22 Je
**17** 5; **20** 4 vous salue dans le Seigneur, moi Tertius, qui ai
1 Co **1** 14 écrit cette lettre. 23 Gaïus vous salue, qui est mon
hôte et celui de l'Église entière. Éraste, le trésorier
de la ville, vous salue, ainsi que Quartus, notre
frère.

**Doxologie [b].**

25 A Celui qui a le pouvoir de vous affermir [c]
conformément à l'Évangile que j'annonce en prêchant Jésus Christ,
révélation d'un mystère [d]
enveloppé de silence aux siècles éternels,
26 mais aujourd'hui manifesté,
et, par des Écritures qui le prédisent
selon l'ordre du Dieu éternel,
porté à la connaissance de toutes les nations
pour les amener à l'obéissance de la foi; 1 5+
27 à Dieu qui seul est sage [e],
par Jésus Christ,
à lui soit la gloire aux siècles des siècles! Amen [f]. 1 25

*a)* Om. : « Que la grâce... ». Cette formule (add. : « tous ») est transposée par certains témoins (Vulg.) après le v. 23 ou le v. 27.

*b)* La doxologie, placée ici par la plupart des témoins, se trouve dans quelques-uns à la fin du ch. **15** ou du ch. **14**; elle est omise par d'autres. – Sous cette forme solennelle, cf. Ep **3** 20; Jude 24-25, Paul reprend les thèmes essentiels de l'épître.

*c)* Dans la doctrine et dans la pratique de la vie chrétienne. Cf. **1** 11; 1 Th **3** 2, 13; 2 Th **2** 17; **3** 3; 1 Co **1** 8; 2 Co **1** 21; Col **2** 7.

*d)* Cette idée d'un « secret » plein de sagesse, v. 27; **1** Co **2** 7; Ep **3** 9; Col **2** 2-3, longtemps caché en Dieu et aujourd'hui révélé, v. 25; 1 Co **2** 7, 10; Ep **3** 5, 9s; Col **1** 26, est reprise par Paul de l'apocalyptique juive, Dn **2** 18-19+, mais il l'approfondit en l'appliquant au plan de salut dans son étape suprême : le salut opéré par la croix du Christ, 1 Co **2** 8, l'appel des païens à ce salut, v. 26; Rm **11** 25; Col **1** 26-27; Ep **3** 6, objet de l'Évangile de Paul, v. 25; Col **1** 23; **4** 3; Ep **3** 3-12; **6** 19, et enfin la restauration de l'univers dans le Christ comme son seul chef, Ep **1** 9-10. Voir encore 1 Co **4** 1; **13** 2; **14** 2; **15** 51; Ep **5** 32; 2 Th **2** 7; 1 Tm **3** 9, 16; 2 Tm **1** 9-10; Mt **13** 11p+; Ap **1** 20; **10** 7; **17** 5, 7.

*e)* Cf. **11** 33-36; 1 Co **1** 24; **2** 7; Ep **3** 10; Col **2** 3; Ap **7** 12.

*f)* Le NT adopte les bénédictions et doxologies d'Israël, Gn **14** 19+; Ps **41** 14+, mais en appelant souvent Dieu Père et en lui adjoignant Jésus Christ, **9** 5; **11** 35-36; 1 Co **8** 6; cf. Ga **1** 5; Ep **3** 21; Ph **4** 20; 1 Tm **1** 17; **6** 16; 2 Tm **4** 18; He **13** 21; 1 P **4** 11; 2 P **3** 18; Jude 25; Ap **1** 6+. Les doxologies postérieures nommeront le plus souvent les trois « Personnes », cf. 2 Co **13** 13+.

# PREMIÈRE ÉPÎTRE AUX CORINTHIENS

## *Préambule*

Rm 1 1+ **Adresse et salutation. Action de grâces.**

**1** 1 Paul, appelé à être apôtre du Christ Jésus
Ac 18 17 par la volonté de Dieu, et Sosthène, le frère,
Ac 5 11+ 2 à l'Église de Dieu [a] établie à Corinthe, à ceux qui
ont été sanctifiés dans le Christ Jésus, appelés à
Ac 9 13+ être saints avec tous ceux qui en tout lieu invoquent
Ac 2 21+ le nom de Jésus Christ, notre Seigneur, le leur et
le nôtre [b]; 3 à vous grâce et paix de par Dieu, notre
Père, et le Seigneur Jésus Christ!
4 Je rends grâces à Dieu sans cesse à votre sujet
pour la grâce de Dieu qui vous a été accordée dans
le Christ Jésus; 5 car vous avez été comblés en lui 2 Co 8 7, 9
de toutes les richesses, toutes celles de la parole et
toutes celles de la science, 6 à raison même de la 12 8+
fermeté qu'a prise en vous le témoignage du
Christ [c]. 7 Aussi ne manquez-vous d'aucun don de 2 Co 6 10
la grâce, dans l'attente où vous êtes de la Révélation [d] de notre Seigneur Jésus Christ. 8 C'est lui qui
vous affermira jusqu'au bout, pour que vous soyez 2 Co 1 21
irréprochables [e] au Jour [f] de notre Seigneur Jésus Ph 1 7 Col 2 7
Christ. 9 Il est fidèle [g], le Dieu par qui vous avez
été appelés à la communion [h] de son Fils, Jésus 1 Jn 1 3
Christ notre Seigneur. Ph 3 10s

# *I. Divisions et scandales*

## *1. LES PARTIS DANS L'ÉGLISE DE CORINTHE*

**Les divisions entre fidèles.**

10 Je vous en prie, frères, par le nom de notre Seigneur Jésus Christ, ayez tous même langage; qu'il
n'y ait point parmi vous de divisions; soyez étroite- Rm 15 5
ment unis dans le même esprit et dans la même Ph 2 2s
pensée. 11 En effet, mes frères, il m'a été signalé à
votre sujet par les gens de Chloé qu'il y a parmi

*a)* Expression favorite de Paul : **10** 32; **11** 16, 22; **15** 9; 2 Co **1** 1; Ga **1** 13; 1 Th **2** 14; 2 Th **1** 4; 1 Tm **3** 5, 15; cf. aussi Ac **20** 28+. Comparer « les Églises du Christ », Rm **16** 16. Cf. Mt **16** 18+; Ac **5** 11+; **7** 38+.

*b)* Autre trad. : « avec tous ceux qui en tout lieu, le leur et le nôtre, invoquent le nom de Jésus Christ notre Seigneur ».

*c)* C'est-à-dire le témoignage rendu au Christ. – « en vous » ou « chez vous ».

*d)* Au moment suprême de la révélation des desseins secrets de Dieu, Rm **16** 25+, le Christ se révélera dans sa gloire à la fin des temps lors de sa « Parousie », 1 Co **15** 23+, et de son « Apparition », 1 Tm **6** 14+ : cf. Lc **17** 30; Rm **2** 5; **8** 19; 2 Th **1** 7; He **9** 28; 1 P **1** 5, 7, 13; **4** 13; Ap. **1** 1. Auparavant se sera « révélé » l'Impie, qu'il anéantira, 2 Th **2** 3-8.

*e)* Cf. Ph **1** 10; **2** 15s; Ep **1** 4; Col **1** 22; 1 Th **3** 13; **5** 23; Jude 24.

*f)* Ce « Jour du Seigneur », **5** 5; 2 Co **1** 14; 1 Th **5** 2; 2 Th **2** 2; cf. 2 P **3** 10, appelé encore le « Jour du Christ », Ph **1** 6, 10; **2** 16, ou simplement « le Jour », 1 Co **3** 13; 1 Th **5** 4; cf. He **10** 25, « ce jour-là », 2 Th **1** 10; 2 Tm **1** 12, 18; **4** 8; cf. Mt **7** 22; **24** 36; Lc **10** 12; **21** 34, « le Jour du Fils de l'Homme », Lc **17** 24, cf. 26, « le Jour de Dieu », 2 P **3** 12, « le jour de la visite », 1 P **2** 12, « le grand jour », Jude 6; Ap **6** 17; **16** 14, « le dernier jour », Jn **6** 39, 40, 44, 54; **11** 24; **12** 48, est l'accomplissement dans l'ère eschatologique, inaugurée par le Christ, du « Jour de Yahvé » annoncé par les prophètes, Am **5** 18+. Déjà réalisée en partie par la première venue du Christ, Lc **17** 20-24, et le châtiment de Jérusalem, Mt **24** 1+, cette étape ultime de l'histoire du salut, cf. Ac **1** 7+, sera consommée par le retour glorieux, 1 Co **1** 7+; **15** 23+; 1 Tm **6** 14+, du Souverain Juge, Rm **2** 6+; Jc **5** 8-9. Elle s'accompagne d'un bouleversement et d'un renouveau cosmiques (cf. Am **8** 9+), Mt **24** 29p+; He **12** 26s; 2 P **3** 10-13; Ap **20** 11; **21** 1; cf. Mt **19** 28; Rm **8** 20-22. Ce jour de lumière approche, Rm **13** 12; He **10** 25; Jc **5** 8; 1 P **4** 7; cf. 1 Th **5** 2-3. Sa date est incertaine, 1 Th **5** 1+, et il faut s'y préparer durant le temps qui reste, 2 Co **6** 2+.

*g)* Cf. **10** 13; 2 Co **1** 18; 1 Th **5** 24; 2 Th **3** 3; 2 Tm **2** 13; He **10** 23; **11** 11.

*h)* Le mot de communion (*koinônia*) garde dans ses multiples emplois une acception fondamentale. La communion a sa

vous des discordes [a]. [12] J'entends par là que chacun
de vous dit : « Moi, je suis à Paul. » – « Et moi, à
Ac 18 24+ Apollos. » – « Et moi, à Céphas [aa]. » – « Et moi, au
Jn 1 42 1 Co 3 22-23 Christ [b]. » [13] Le Christ est-il divisé? Serait-ce Paul
qui a été crucifié pour vous? Ou bien serait-ce au
Ep 4 5 nom de Paul que vous avez été baptisés? [14] Je rends
grâces de n'avoir baptisé aucun de vous, si ce n'est
Ac 18 8 Crispus et Caïus, [15] de sorte que nul ne peut dire
Rm 16 23 que vous avez été baptisés en mon nom. [16] Ah si [c]!
16 15-17 j'ai baptisé encore la famille de Stéphanas. Pour le
Ac 16 15+ reste, je ne sache pas avoir baptisé quelqu'un
d'autre.

**Sagesse du monde et sagesse chrétienne.**

[17] Car le Christ ne m'a pas envoyé baptiser, mais
annoncer l'Évangile, et cela sans la sagesse [d] du
langage, pour que ne soit pas réduite à néant [e] la
croix du Christ. [18] Le langage de la croix, en effet,
est folie [f] pour ceux qui se perdent, mais pour ceux
Rm 1 16 qui se sauvent, pour nous, il est puissance de Dieu.
Is 29 14 [19] Car il est écrit : *Je détruirai la sagesse des sages,*
Ps 33 10 *et l'intelligence des intelligents* [g] *je la rejetterai*
Is 33 18 [20] *Où est-il, le sage? Où est-il, l'homme cultivé?* Où
Is 19 12 est-il, le raisonneur de ce siècle? Dieu n'a-t-il pas
frappé de folie la sagesse [h] du monde? [21] Puisqu'en
effet le monde, par le moyen de la sagesse, n'a pas
reconnu Dieu dans la sagesse de Dieu [i], c'est par Rm 1 19-20+
la folie du message qu'il a plu à Dieu de sauver les
croyants. [22] Alors que les Juifs demandent des Mt 12 38p
signes et que les Grecs sont en quête de sagesse [j], Jn 2 18+
[23] nous proclamons, nous, un Christ crucifié, scan- Ac 17 19-23
dale pour les Juifs et folie pour les païens, [24] mais Jn 12 34 Ga 5 11
pour ceux qui sont appelés, Juifs et Grecs, c'est le
Christ, puissance de Dieu et sagesse de Dieu [k]. Jn 6 35+
[25] Car ce qui est folie de Dieu est plus sage que les
hommes, et ce qui est faiblesse de Dieu est plus fort 2 Co 12 10;
que les hommes [l]. 13 4

[26] Aussi bien, frères, considérez votre appel : il
n'y a pas beaucoup de sages selon la chair [m], pas Rm 7 5+
beaucoup de puissants, pas beaucoup de gens bien
nés. [27] Mais ce qu'il y a de fou dans le monde, voilà
ce que Dieu a choisi pour confondre les sages; ce Jc 2 5
qu'il y a de faible dans le monde, voilà ce que Dieu Jg 7 2 1 S 16 7
a choisi pour confondre ce qui est fort; [28] ce qui 2 Co 4 7
dans le monde est sans naissance et ce que l'on
méprise, voilà ce que Dieu a choisi; ce qui n'est
pas, pour réduire à rien ce qui est, [29] afin qu'aucune
chair n'aille se glorifier devant Dieu. [30] Car c'est Dt 8 16-18+
par Lui que vous êtes [n] dans le Christ Jésus qui est Rm 3 27+
devenu pour nous sagesse venant de Dieu [o], justice, Ep 2 9
sanctification et rédemption [p], [31] afin que, comme il

source dans des réalités possédées en commun par plusieurs personnes, que ces réalités soient spirituelles ou matérielles. En fait, entre chrétiens, les biens matériels ne vont jamais sans les biens spirituels, Rm **15** 26-27; 2 Co **8** 4; **9** 13; Ga **6** 6; Ph **4** 15-17. Parfois on a part à des actions ou à des sentiments, 2 Co **1** 7; **6** 14; 1 Tm **5** 22; 2 Jn 11; Ap **1** 9. La communion d'où dérivent toutes les autres donne part à des biens proprement divins, 1 Co **9** 23; Ph **1** 5; Phm 6; elle nous unit au Père et à son Fils Jésus Christ, 1 Co **1** 9; 1 Jn **1** 3+, 7+, au Christ lui-même. 1 Co **10** 16; Ph **3** 10; 1 P **4** 13, à l'Esprit, 2 Co **13** 13+; Ph **2** 1. Elle nous donne part à la gloire à venir, 1 P **5** 1. Du fait que le Christ a communié à notre nature humaine, He **2** 14, nous communions à la nature divine, 2 P **1** 4+. Le mot devient caractéristique de la communauté chrétienne, Ac **2** 42+.

*a)* On ne sait au juste ce qu'était cette Chloé; probablement une industrielle ou une commerçante, qui avait un personnel d'esclaves, d'affranchis et d'hommes libres.

*aa)* Soit que Céphas (Pierre) ait visité l'Église de Corinthe, cf. **9** 5, soit que, sans l'avoir vu, certains chrétiens de cette Église se soient particulièrement réclamés de son autorité universellement reconnue.

*b)* Peut-être se réclamaient-ils du Christ vu sur terre, et de ses témoins directs, cf. Ac **1** 21s; **10** 41, de préférence aux autres, cf. 1 Co **9** 1; 2 Co **5** 16+; **11** 5, 23; **12** 11; ou bien prétendaient-ils se rattacher au Christ sans aucun intermédiaire humain. Peut-être aussi « moi, au Christ » est-il tout simplement la réponse de Paul à ceux qui se réclament de tel ou tel maître humain.

*c)* Style oral. Paul dicte, cf. **16** 21; sinon, il aurait corrigé et placé le début du v. 16 avant le v. 15.

*d)* A cette « sagesse » humaine (ici les spéculations de la pensée et les artifices de la rhétorique) s'opposera la sagesse de Dieu, v. 24 et **2** 6s.

*e)* Litt. « vidée » (de son contenu). Paul développe ce point en **2** 1-5.

*f)* Dans tout ce passage, folie est très péjoratif : non la folie de l'héroïsme, mais la folie de la sottise, de la stupidité.

*g)* En Is **29** 14 on trouve la même idée : Dieu annonce au peuple terrorisé par la menace assyrienne que les inventions d'une sagesse purement humaine ne pourront le sauver.

*h)* Dans tout ce passage, Paul ne condamne pas l'authentique sagesse humaine, don de Dieu et apte à connaître Dieu, v. 21+, mais une sagesse orgueilleuse, suffisante.

*i)* C'est-à-dire dans les œuvres de Dieu, qui manifestent sa sagesse. Cf. Sg **13** 1-9; Rm **1** 19-20. Autres interprétations : par une disposition de la sagesse de Dieu; ou : au temps de la sagesse de Dieu, c'est-à-dire de l'ancienne économie placée sous le signe de la mesure, opposée à la nouvelle où Dieu se manifeste de façon paradoxale, apparemment insensée.

*j)* On est en quête de sécurités humaines : miracles garantissant la vérité du message (cf. Jn **4** 48); sagesse ou doctrine satisfaisante pour une intelligence avide de connaître. Cette quête n'est pas condamnable en elle-même, et la croix du Christ, paradoxalement, y répondra, v. 24+. Mais si elle est une exigence préalable, en dehors de laquelle on refuse son adhésion, elle est inadmissible.

*k)* Humainement, la Croix apparaît comme le contraire de l'attente, pour les Juifs comme pour les Grecs : échec au lieu de manifestation glorieuse, folie au lieu de sagesse. Mais dans la foi, la croix apparaît comme comblant et dépassant l'attente : puissance et sagesse divines.

*l)* Ce caractère paradoxal de l'action divine (**1** 18-25) se vérifie dans l'élection des Corinthiens (**1** 26-30) et dans la prédication de Paul (**2** 1-5).

*m)* C'est-à-dire d'un point de vue purement humain.

*n)* Le mot a un sens très fort. Vous existez maintenant en Jésus Christ, vous qui auparavant n'existiez pas (v. 28) aux yeux du monde, alors que ceux qui existent selon le monde sont réduits à rien (v. 28). C'est de cette existence nouvelle en Jésus Christ que vous devez vous glorifier (v. 31) et de celle-là seulement (cf. v. 29).

*o)* Ainsi la sagesse chrétienne n'est pas le fruit d'un effort humain « selon la chair ». Elle se trouve dans un être humain apparu en « la plénitude des temps » (Ga **4** 4), le Christ, qu'il faut « gagner » (Ph **3** 8), pour trouver en lui « tous les trésors de la sagesse et de la science » (Col **2** 3). Et cette sagesse est celle d'un salut total : « justice, sanctification, rédemption ».

*p)* Ces trois derniers mots sont les thèmes fondamentaux de la

Jr 9 22-23 est écrit, *celui qui se glorifie, qu'il se glorifie dans*
2 Co 10 17 *le Seigneur.*

2 1 Pour moi, quand je suis venu chez vous, frères, je ne suis pas venu vous annoncer le mys-
2 Co 11 6 tère de Dieu [a] avec le prestige de la parole ou de
la sagesse. 2 Non, je n'ai rien voulu savoir parmi
Ga 3 1; 6 14 vous, sinon Jésus Christ, et Jésus Christ crucifié.
3 Moi-même, je me suis présenté à vous faible,
craintif et tout tremblant [b], 4 et ma parole et mon
message n'avaient rien des discours persuasifs de
2 Co 12 12 la sagesse; c'était une démonstration d'Esprit et de
Ac 1 8+ puissance [c], 5 pour que votre foi reposât, non sur la
sagesse des hommes, mais sur la puissance de
Dieu [d].
6 Pourtant, c'est bien de sagesse que nous parlons parmi les parfaits [e], mais non d'une sagesse de
ce monde ni des princes de ce monde [f], voués à la
destruction. 7 Ce dont nous parlons, au contraire,
Rm 16 25+ c'est d'une sagesse de Dieu, mystérieuse [g], demeurée cachée, celle que, dès avant les siècles, Dieu a
par avance destinée pour notre gloire, 8 celle
Ep 3 10 qu'aucun des princes de ce monde n'a connue –
1 P 1 12 Is 19 11, 13 s'ils l'avaient connue, en effet, ils n'auraient pas
Ba 3 14 crucifié le Seigneur de la Gloire [h] – 9 mais, selon
Is 64 3 qu'il est écrit [i], nous annonçons *ce que l'œil n'a pas*
*vu, ce que l'oreille n'a pas entendu, ce qui n'est pas*
Jr 3 16 *monté au cœur de l'homme, tout ce que Dieu a pré-*
Si 1 10 *paré pour ceux qui l'aiment.*
10 Car c'est à nous que Dieu l'a révélé par l'Es-
1 Co 13 13+ prit; l'Esprit en effet sonde tout, jusqu'aux profon-
Jn 14 26+ deurs de Dieu. 11 Qui donc entre les hommes sait
Pr 20 27 ce qui concerne l'homme, sinon l'esprit de l'homme
qui est en lui? De même, nul ne connaît ce qui
Rm 11 33s concerne Dieu, sinon l'Esprit de Dieu. 12 Or, nous
n'avons pas reçu, nous, l'esprit du monde, mais
l'Esprit qui vient de Dieu, pour connaître les dons
gracieux que Dieu nous a faits. 13 Et nous en parlons non pas avec des discours enseignés par l'humaine sagesse, mais avec ceux qu'enseigne l'Esprit,
exprimant en termes spirituels des réalités spirituelles [j]. 14 L'homme psychique [k] n'accueille pas ce qui 15 44+
est de l'Esprit de Dieu : c'est folie pour lui et il ne Jn 10 26+ Mt 16 23
peut le connaître, car c'est spirituellement qu'on en
juge. 15 L'homme spirituel, au contraire, juge de 15 44+
tout, et lui-même n'est jugé par personne [l]. 16 *Qui*
en effet *a connu la pensée du Seigneur, pour pou-* Is 40 13
*voir l'instruire?* Et nous l'avons, nous, la pensée du Rm 11 34
Christ. 7 40

3 1 Pour moi, frères, je n'ai pu vous parler
comme à des hommes spirituels, mais comme
à des êtres de chair [m], comme à de petits enfants He 5 12-14
dans le Christ. 2 C'est du lait que je vous ai donné 1 Th 2 7 1 P 2 2
à boire, non une nourriture solide; vous ne pouviez
encore la supporter. Mais vous ne le pouvez pas Si 37 28
davantage maintenant, 3 car vous êtes encore charnels. Du moment qu'il y a parmi vous jalousie et
dispute [n], n'êtes-vous pas charnels et votre conduite Ga 5 19-20
n'est-elle pas tout humaine? 4 Lorsque vous dites,
l'un : « Moi, je suis à Paul », et l'autre : « Moi, à 1 12
Apollos », n'est-ce pas là bien humain?

**Le vrai rôle des prédicateurs.**

5 Qu'est-ce donc qu'Apollos? Et qu'est-ce que
Paul? Des serviteurs par qui vous avez embrassé
la foi, et chacun d'eux selon ce que le Seigneur lui
a donné. 6 Moi, j'ai planté, Apollos a arrosé; mais
c'est Dieu qui donnait la croissance. 7 Ainsi donc,
ni celui qui plante n'est quelque chose, ni celui qui
arrose, mais celui qui donne la croissance : Dieu.
8 Celui qui plante et celui qui arrose ne font qu'un,
mais chacun recevra son propre salaire selon son

future épître aux Romains, déjà en voie d'élaboration dans la pensée de Paul, cf. Rm **1** 17; **6** 19, 22; **3** 24.

*a)* Var. : « le témoignage de Dieu ».

*b)* Expression biblique stéréotypée, 2 Co **7** 15; Ep **6** 5: Ph **2** 12; cf. Ps **2** 11s.

*c)* Allusion aux miracles et aux effusions de l'Esprit qui ont accompagné la prédication de Paul (voir **1** 5 et 2 Co **12** 12).

*d)* Les discours de la sagesse humaine sont persuasifs par eux-mêmes (v. 4). Ils entraînent chez les auditeurs une adhésion purement humaine (v. 5). C'est ce que Paul refuse. Sa parole est bien une démonstration (v. 4), car elle manifeste l'action de l'Esprit; mais elle demande une adhésion d'un autre ordre : celui de l'Esprit.

*e)* Non pas un groupe ésotérique d'initiés, mais ceux qui ont atteint le plein développement de la vie et de la pensée chrétiennes. Cf. **14** 20; Ph **3** 15; Col **4** 12; He **5** 14; Mt **19** 21+. Ils sont identiques aux « spirituels » que Paul oppose aux « petits enfants dans le Christ », **3** 1.

*f)* Par « princes de ce monde » il faut entendre : soit les autorités humaines, soit plutôt les puissances mauvaises, les démons qui règnent sur le monde, cf. 1 Co **15** 24-25; Ep **6** 12; aussi Lc **4** 6 et Jn **12** 31+, soit enfin les unes et les autres, les premières étant l'instrument des secondes.

*g)* Litt. : « en mystère ». Non une sagesse énigmatique, mais une sagesse dont l'objet est le mystère, le secret du dessein de salut réalisé dans le Christ, Rm **16** 25+.

*h)* La Gloire est la splendeur de la puissance de Yahvé, Ex **24** 16+, attribut divin incommunicable. En qualifiant Jésus de « Seigneur de la Gloire », Paul le met implicitement au même rang que Yahvé.

*i)* Libre combinaison d'Is **64** 3 et de Jr **3** 16, ou citation de l'apocryphe *Apocalypse d'Élie.*

*j)* Texte difficile. On peut aussi comprendre : « montrant l'accord des choses spirituelles pour des spirituels »; « les choses spirituelles étant ainsi proportionnées aux spirituels »; « soumettant les réalités spirituelles au jugement des hommes inspirés ».

*k)* L'homme laissé aux seules ressources de sa nature. Cf. le « corps psychique », **15** 44.

*l)* Le texte est en partie polémique : « par personne », sous-entendu : « qui ne soit pas lui-même spirituel », ce qui est le cas des Corinthiens « charnels », **3** 1-3. Mais au ch. **14**, Paul posera des règles auxquelles doivent se plier les « spirituels ». Cf. aussi **12** 10+ et 1 Th **5** 19-22.

*m)* Pour le couple esprit-chair, cf. Rm **1** 9+; **7** 5+.

*n)* Add. : « et dissensions ».

2 Co 6 1 propre labeur. 9 Car nous sommes les coopérateurs
Ep 2 20-22 de Dieu [a]; vous êtes le champ de Dieu, l'édifice de
1 P 2 5 Dieu.
10 Selon la grâce de Dieu qui m'a été accordée,
tel un bon architecte, j'ai posé le fondement. Un
autre bâtit dessus. Mais que chacun prenne garde
Is 28 16 à la manière dont il y bâtit. 11 De fondement, en
1 P 2 4 Ac 4 11-12 effet, nul n'en peut poser d'autre que celui qui s'y
trouve, c'est-à-dire Jésus Christ. 12 Que si sur ce
fondement on bâtit avec de l'or, de l'argent, des
pierres précieuses, du bois, du foin, de la paille,
1 8+ 13 l'œuvre de chacun deviendra manifeste; le Jour,
en effet, la fera connaître, car il doit se révéler dans
Mt 3 11-12p le feu, et c'est ce feu qui éprouvera la qualité de
1 P 1 7 l'œuvre de chacun. 14 Si l'œuvre bâtie sur le fondement subsiste, l'ouvrier recevra une récompense;
15 si son œuvre est consumée, il en subira la perte;
quant à lui, il sera sauvé, mais comme à travers le
feu [b].
6 19 16 Ne savez-vous pas que vous êtes un temple [c]
Ep 2 20-22 de Dieu, et que l'Esprit de Dieu habite en vous?
2 Co 6 16 17 Si quelqu'un détruit le temple de Dieu, celui-là,
Dieu le détruira [d]. Car le temple de Dieu est sacré,
et ce temple, c'est vous.

**Conclusions.**

18 Que nul ne se dupe lui-même! Si quelqu'un
1 17-25 parmi vous croit être sage à la façon de ce monde,
qu'il se fasse fou pour devenir sage; 19 car la
sagesse de ce monde est folie auprès de Dieu. Il est
Jb 5 13 écrit en effet : *Celui qui prend les sages à leur pro-*
Ps 94 11 *pre astuce;* 20 et encore : *Le Seigneur connaît les*
*pensées des* sages; il sait *qu'elles sont vaines.*
21 Ainsi donc, que nul ne se glorifie dans les hommes; car tout est à vous, 22 soit Paul, soit Apollos,
sois Céphas, soit le monde, soit la vie, soit la mort,
soit le présent, soit l'avenir. Tout est à vous; 23 mais
11 3 vous êtes au Christ, et le Christ est à Dieu [e].

**4** 1 Qu'on nous regarde donc comme des serviteurs du Christ et des intendants des mystères Lc 12 42-44
de Dieu. 2 Or, ce qu'en fin de compte on demande
à des intendants, c'est que chacun soit trouvé fidèle.
3 Pour moi, il m'importe fort peu d'être jugé par
vous ou par un tribunal [f] humain. Bien plus, je ne
me juge pas moi-même. 4 Ma conscience [g], il est
vrai, ne me reproche rien, mais je n'en suis pas justifié pour autant; mon juge, c'est le Seigneur. 2 Co 5 10-11
5 Ainsi donc, ne portez pas de jugement prématuré. Mt 7 1
Laissez venir le Seigneur; c'est lui qui éclairera les
secrets des ténèbres et rendra manifestes les des- Rm 2 16
seins des cœurs. Et alors chacun recevra de Dieu Lc 12 2-3
la louange qui lui revient.
6 En tout cela, frères, je me suis pris comme
exemple avec Apollos à cause de vous, pour que
vous appreniez, en nos personnes, la maxime :
« Rien au-delà de ce qui est écrit [h] », afin que vous
ne vous gonfliez pas d'orgueil en prenant le parti
de l'un contre l'autre. 7 Qui donc en effet te distingue? Qu'as-tu que tu n'aies reçu? Et si tu l'as reçu, Jn 3 27
pourquoi te glorifier comme si tu ne l'avais pas
reçu? 8 Déjà, vous êtes rassasiés! déjà vous vous
êtes enrichis! sans nous, vous êtes devenus rois [i]! Ap 3 17
Ah! que ne l'êtes-vous donc, rois, pour que nous Os 12 9
partagions, nous aussi, votre royauté! 9 Car Dieu,
ce me semble, nous a, nous les apôtres, exhibés au 2 Co 4 8-12
dernier rang, comme des condamnés à mort; oui, 6 4-10;
nous avons été livrés en spectacle [j] au monde, aux 11 23-33
anges et aux hommes. 10 Nous sommes fous, nous, 2 Tm 3 10-
à cause du Christ, mais vous, vous êtes prudents
dans le Christ; nous sommes faibles, mais vous,
vous êtes forts; vous êtes à l'honneur, mais nous
dans le mépris [k]. 11 Jusqu'à l'heure présente, nous
avons faim, nous avons soif, nous sommes nus, 2 Co 11 27
maltraités et errants; 12 nous nous épuisons à travailler de nos mains. On nous insulte et nous bénis- Ac 18 3+
sons; on nous persécute et nous l'endurons; 13 on

*a)* Ou : « les communs ouvriers de Dieu ».
*b)* C'est-à-dire comme on échappe à un incendie en traversant les flammes. On est sauvé de justesse. Le purgatoire n'est pas directement visé, mais ce texte est un de ceux à partir desquels l'Église a explicité cette doctrine.
*c)* La communauté chrétienne, corps du Christ (**12** 12+), est le véritable Temple de la nouvelle Alliance. L'Esprit qui habite en elle réalise ce que préfigurait le Temple, lieu où habitait la Gloire de Dieu, 1 R **8** 10-13; cf. Jn **2** 21+; Ap **21** 22; et 1 Co **6** 19; 2 Co **6** 16.
*d)* Paul distingue donc trois catégories de prédicateurs : ceux qui construisent du solide (v. 14); ceux qui bâtissent avec des matériaux qui ne résistent pas à l'épreuve (v. 15); et ceux qui au lieu de construire démolissent (v. 17). Ceux-là sont sacrilèges et seront punis comme tels.
*e)* Les vv. 21-23 reprennent intentionnellement les termes de **1** 12 : « Chacun de vous dit : Moi, je suis à Paul. – Et moi, à Apollos. – Et moi, à Céphas ». C'est exactement le contraire, rétorque Paul. Vous n'êtes pas à ces hommes-là; ce sont eux qui sont à vous, ils sont vos serviteurs. Et ils sont à votre service, comme toute la création, pour que vous soyez au Christ qui est lui-même à Dieu le Père.
*f)* Litt. : « jour », Paul ironise. Il s'agit du Jour du Seigneur, **1** 8+, que les hommes imiteraient indûment en prononçant un jugement qui relève de Dieu seul au Jugement dernier.
*g)* Le mot *syneidèsis*, cf. 1 S **25** 31; Sg **17** 10+, prend chez Paul des valeurs proprement chrétiennes. Quelles que soient les normes extérieures, la conduite de l'homme ne relève que de son propre jugement, Ac **23** 1; **24** 16; Rm **2** 14-15; **9** 1; **13** 5; 2 Co **1** 12, mais ce jugement est soumis à celui de Dieu, ici; **8** 7-12; **10** 25-29; 2 Co **4** 2, cf. 1 P **2** 19. La conscience est bonne et pure si elle est inspirée par la foi et l'amour : 1 Tm **1** 5, 19, etc.; 1 P **3** 16, 21, purifiée par le sang du Christ, He **9** 14; **10** 22.
*h)* Texte difficile. Peut-être citation d'un proverbe répandu parmi les Juifs ou à Corinthe; peut-être glose due à la remarque d'un copiste.
*i)* Sans nous, vous êtes déjà installés dans le Royaume des cieux et jouissez, jusqu'au rassasiement, de toutes ses richesses!
*j)* Comme les condamnés à mort livrés aux bêtes devant la foule des spectateurs.
*k)* En conclusion de ce passage, vv. 6-10, Paul reprend sur un ton ironique ses thèmes de **1-2** : Vous êtes ou vous vous préten-

nous calomnie et nous consolons. Nous sommes
Lm **3** 45 devenus comme l'ordure du monde, jusqu'à présent
l'universel rebut [a].

**Admonestations.**

14 Ce n'est pas pour vous confondre que j'écris
cela; c'est pour vous avertir comme mes enfants
bien-aimés. 15 Auriez-vous en effet des milliers de
pédagogues [b] dans le Christ, que vous n'avez pas
Ga **4** 19 plusieurs pères; car c'est moi qui, par l'Évangile,
1 Th **2** 11 Phm 10 vous ai engendrés dans le Christ Jésus [c]. 16 Je vous
2 Th **3** 7+ en prie donc, montrez-vous mes imitateurs. 17 C'est
Ac **19** 22; **16** 1+ pour cela même que je vous ai envoyé Timothée,
qui est mon enfant bien-aimé et fidèle dans le Sei-
gneur; il vous rappellera mes règles de conduite [d]
dans le Christ Jésus, telles que je les enseigne partout dans toutes les Églises.
18 Dans la pensée que je ne viendrais pas chez
vous, certains se sont gonflés d'orgueil. 19 Mais je
viendrai bientôt chez vous, s'il plaît au Seigneur, et Ac **18** 21
je jugerai alors non des paroles de ces gonflés
d'orgueil, mais de leur puissance [e]; 20 car le
Royaume de Dieu ne consiste pas en parole, mais
en puissance. 21 Que préférez-vous? Que je vienne **2** 4+
chez vous avec des verges, ou bien avec charité et 2 Co **10** 2
en esprit de douceur?

## 2. LE CAS D'INCESTE

**5** 1 On n'entend parler que d'inconduite parmi
vous, et d'une inconduite telle qu'il n'en existe
Lv **18** 8; **20** 11 pas même chez les païens; c'est à ce point que l'un
Dt **27** 20 de vous vit avec la femme de son père [f]!
2 Et vous êtes gonflés d'orgueil! Et vous n'avez
Lv **18** 29 pas plutôt pris le deuil, pour qu'on enlevât du
Dt **13** 6 milieu de vous celui qui a commis cet acte! 3 Eh
Col **2** 5 bien! moi, absent de corps, mais présent d'esprit,
j'ai déjà jugé, comme si j'étais présent, celui qui a
Mt **18** 20 perpétré une telle action. 4 Il faut qu'au nom du Seigneur Jésus [g], vous et mon esprit [h] nous étant
assemblés avec la puissance de notre Seigneur
Jésus, 5 nous livrions cet individu à Satan pour la 1 Tm **1** 20
perte de sa chair, afin que l'esprit soit sauvé au Jour **1** 8+
du Seigneur [i].
6 Il n'y a pas de quoi vous glorifier [j]! Ne savez-
vous pas qu'un peu de levain fait lever toute la Ga **5** 9
pâte? 7 Purifiez-vous du vieux levain pour être une
pâte nouvelle, puisque vous êtes des azymes [k]. Car Jn **1** 29
notre pâque, le Christ, a été immolée. 8 Ainsi donc, 1 P **1** 19
célébrons la fête, non pas avec du vieux levain, ni Ap **5** 6
un levain de malice et de méchanceté, mais avec
des azymes de pureté et de vérité [l].
9 En vous écrivant, dans ma lettre [m], de n'avoir

dez prudents, forts, honorés; ce n'est pas selon Dieu mais selon le monde, ce monde qui nous considère comme fous, faibles et méprisables et qui en conséquence nous persécute (vv. 11-13); la réalité aux yeux de Dieu est exactement l'inverse.

*a)* Les mots traduits par ordure et rebut désignent également les misérables qui servaient de victimes expiatoires dans les calamités publiques. Souvent Paul revient sur les peines et les persécutions qu'il rencontre dans son apostolat et la façon dont Dieu lui donne de les surmonter : 2 Co **4** 7-12; **6** 4-10; **11** 23-33; 1 Th **3** 4; 2 Tm **3** 10-11. Selon lui, la faiblesse de l'apôtre démontre la puissance de celui qui l'envoie, 2 Co **12** 9-10; Ph **4** 13, parce que la grandeur de l'œuvre accomplie ne peut être attribuée à la seule action de l'envoyé, 2 Co **4** 7+.

*b)* Le *pédagogue* était un esclave qui avait pour rôle de conduire à ses maîtres l'enfant, puis le jeune homme, de le surveiller, de réprimer ses écarts. La nuance est péjorative.

*c)* Cette paternité spirituelle correspond à ce que Paul dit en **3** 6 : « Moi j'ai planté » : J'ai semé en vous la vie nouvelle de l'Esprit qui vous configure au Christ. Cf. v. 17; Ga **4** 19; Phm 10. Ailleurs, c'est sa tendresse pour ses chrétiens que Paul compare à celle d'un père ou d'une mère, 1 Th **2** 7, 11, cf. 2 Co **12** 15+.

*d)* Litt. : « voies », cf. Ps **119** 1; Jn **14** 6+; Ac **9** 2+.

*e)* Il s'agit des réalisations dues à la puissance de l'Esprit (cf. **2** 4; 1 Th **1** 5), et avant tout la conversion et la vie selon l'Esprit.

*f)* Sa belle-mère. Interdite par l'AT (Lv **18** 8) et le droit romain, cette union était tolérée par la majorité des rabbins chez les païens convertis, ce qui explique peut-être l'indulgence de la communauté de Corinthe qui n'était pas soumise au droit civil romain. Le concile de Jérusalem interdit de telles unions aux chrétiens issus du paganisme, Ac **15** 20+.

*g)* Var. : « de notre Seigneur Jésus Christ ».

*h)* Paul demande à la communauté de confirmer une décision qu'il a déjà prise. Mais la communauté agit au nom de Jésus et son verdict est revêtu de la puissance de Jésus : cf. Mt **18** 18.

*i)* Souvent on parle ici d'« excommunication », mais le mot est absent de la Bible (il ne correspond pas exactement à « anathème », Jos **6** 17+; 1 Co **16** 22+). Des peines d'exclusion étaient en usage dans l'AT, dans le judaïsme, à Qumrân. Le NT présente plusieurs cas où les motifs et les modes d'exécution de la peine ne sont pas semblables. Parfois le coupable était tenu pour un temps à l'écart de la communauté, 1 Co **5** 2, 9-13; 2 Th **3** 6-14; Tt **3** 10; cf. 1 Jn **5** 16-17; 2 Jn 10; parfois il était « livré », ici; 1 Tm **1** 20, à Satan, privé du soutien de l'Église des saints et dès lors exposé au pouvoir que Dieu laisse à son Adversaire, 2 Th **2** 4, cf. Jb **1** 6+; même en ces cas extrêmes le repentir et le salut final sont espérés, ici; 2 Th **3** 15, etc. Une telle discipline suppose un certain pouvoir de la communauté sur ses membres, cf. Mt **18** 15-18+.

*j)* Litt. : « Elle n'est pas belle votre vanterie ».

*k)* Le levain est ici symbole de corruption comme en Ga **5** 9; Mt **16** 6 p et contrairement à Mt **13** 33 p ; le pain azyme (sans levain) est symbole de pureté, v. 8. Nous avons ici un exemple typique de la morale paulinienne : devenez ce que vous êtes. « Vous êtes purs, purifiez-vous. » Réalisez dans votre vie ce que le Christ a réalisé en vous quand vous êtes devenus chrétiens. Cf. Rm **6** 11-12; Col **3** 3-5.

*l)* A Pâques, selon le rituel juif, on faisait disparaître tout le pain levé qui se trouvait dans la maison (Ex **12** 15), on immolait l'agneau pascal (Ex **12** 6) et l'on mangeait des pains sans levain (Ex **12** 18-20). Ce sont là des préparations symboliques du mystère chrétien. – Par son sacrifice, le Christ, véritable agneau pascal, détruit le vieux levain du péché et rend possible une vie sainte et pure, symbolisée par les pains sans levain. Il est possible que cette comparaison ait été suggérée à Paul par la période de l'année où il écrivait.

*m)* La lettre « précanonique », voir l'Introd., p. 1618.

2 Co 6 17 pas de relations avec des débauchés, 10 je n'enten-
1 Jn 5 19 dais nullement les débauchés de ce monde, ou bien
les cupides et les rapaces, ou les idolâtres; car il
Jn 17 15 vous faudrait alors sortir du monde. 11 Non, je vous
ai écrit de n'avoir pas de rapports avec celui qui,
Rm 1 29+ tout en portant le nom de frère [a], serait débauché,
cupide, idolâtre, insulteur, ivrogne ou rapace, et
même, avec un tel homme, de ne point prendre de
repas. 12 Qu'ai-je à faire en effet de juger ceux du
dehors [b]? N'est-ce pas ceux du dedans que vous
jugez, vous? 13 Ceux du dehors, c'est Dieu qui les
jugera.
*Enlevez le mauvais du milieu de vous.* Dt 13 6

## *3. L'APPEL AUX TRIBUNAUX PAÏENS* [c]

**6** 1 Quand l'un de vous a un différend avec un
autre, ose-t-il bien aller en justice devant les
Ac 9 13+ injustes [d], et non devant les saints? 2 Ou bien ne
Dn 7 22, 26 savez-vous pas que les saints jugeront le monde [e]?
Mt 19 28 Et si c'est par vous que le monde doit être jugé,
Ap 20 4 êtes-vous indignes de prononcer sur des riens? 3 Ne
Jude 5-6 savez-vous pas que nous jugerons les anges? A
plus forte raison les choses de cette vie! 4 Et quand
vous avez là-dessus des litiges, vous allez prendre
pour juges des gens que l'Église méprise [f]! 5 Je le
dis à votre honte; ainsi, il n'y a parmi vous aucun
homme sage, qui puisse servir d'arbitre entre ses
frères! 6 Mais on va en justice frère contre frère, et
cela devant des infidèles! 7 De toute façon, certes,
c'est déjà pour vous une défaite que d'avoir des
procès entre vous. Pourquoi ne pas souffrir plutôt Mt 5 38-42p
l'injustice? Pourquoi ne pas vous laisser plutôt Rm 12 17-19
dépouiller? 8 Mais non, c'est vous qui commettez 1 Th 5 15
l'injustice et dépouillez les autres; et ce sont des frères!

9 Ne savez-vous pas que les injustes n'hériteront
pas du Royaume de Dieu? Ne vous y trompez pas!
Ni impudiques, ni idolâtres, ni adultères, ni dépra- Rm 1 29+
vés, ni gens de mœurs infâmes, 10 ni voleurs, ni
cupides, pas plus qu'ivrognes, insulteurs ou
rapaces, n'hériteront du Royaume de Dieu [g]. 11 Et Ga 5 21
cela, vous l'étiez bien, quelques-uns. Mais vous Ep 2 1-6
vous êtes lavés, mais vous avez été sanctifiés, mais Tt 3 3-7 Jn 3 5
vous avez été justifiés par le nom du Seigneur Jésus 1 Jn 2 12
Christ et par l'Esprit de notre Dieu [h].

## *4. LA FORNICATION*

10 23 12 « Tout m'est permis [i] »; mais tout n'est pas
Rm 6 15+ profitable [j]. « Tout m'est permis »; mais je ne me
Gn 4 7 laisserai, moi, dominer par rien. 13 Les aliments
sont pour le ventre et le ventre pour les aliments,
Col 2 22 et Dieu détruira ceux-ci comme celui-là. Mais le
10 31 corps n'est pas pour la fornication [k]; il est pour le
Seigneur, et le Seigneur pour le corps. 14 Et Dieu,
15 12s qui a ressuscité le Seigneur, nous ressuscitera [l],
Rm 1 4+ nous aussi, par sa puissance.
8 11+
15 Ne savez-vous pas que vos corps sont des 1 Co 12 12+
membres du Christ? Et j'irais prendre les membres
du Christ pour en faire des membres de prostituée! Rm 6 12-13
Jamais de la vie! 16 Ou bien ne savez-vous pas que
celui qui s'unit à la prostituée n'est avec elle qu'un
seul corps? Car il est dit : *Les deux ne seront* Gn 2 24
*qu'une seule chair.* 17 Celui qui s'unit au Seigneur,
au contraire, n'est avec lui qu'un seul esprit [m]. Rm 8 9-10
18 Fuyez la fornication! Tout péché que l'homme

*a)* C'est-à-dire membre de la communauté chrétienne, Ac **1** 15+.
*b)* Ceux qui n'appartiennent pas à la communauté, cf. Mc **4** 11; Col **4** 5; 1 Th **4** 12; 1 Tm **3** 7. L'expression vient du judaïsme, cf. Si prol., v. 5.
*c)* Dans tout ce passage, Paul reproche aux Corinthiens d'étaler leurs discordes devant les païens au lieu de les régler pacifiquement entre eux. Il ne faut pas prendre pour des arguments décisifs ce qui est plutôt de l'ironie sarcastique. La véritable pensée de Paul sur les magistrats païens se trouve en Rm **13** 1-7.
*d)* Les magistrats païens. Non qu'ils soient à Corinthe spécialement vénaux ou iniques. Mais ils ne possèdent pas la « justice » conférée par Dieu. D'où le jeu de mots de Paul : comment pourraient-ils « rendre la justice » aux « justes » que sont les « saints », les membres de la communauté?
*e)* Avec le Christ, juge souverain du monde.
*f)* C'est-à-dire les juges païens, cf. Mt **5** 25; **18** 17. On peut aussi traduire : « Si donc vous avez là-dessus des litiges, prenez pour juges des gens dont l'Église ne fait aucun cas », c'est-à-dire les chrétiens les plus humbles, qui suffisent bien pour « prononcer sur des riens » (ironique).
*g)* Cf. **15** 50; Ga **5** 21; Ep **5** 5; Ap **21** 8; **22** 15.
*h)* Noter la présentation trinitaire de la pensée, cf. 2 Co **13** 13+.
*i)* Probablement un adage de Paul, dont les libertins faussaient le sens.
*j)* Cette phrase résume toute la morale paulinienne : il ne s'agit plus de savoir ce qui est permis et ce qui est défendu, mais de déterminer ce qui favorise ou compromet la croissance de l'homme nouveau régénéré dans le Christ. Cf. Rm **6** 15+.
*k)* Paul combat une opinion selon laquelle il n'y a aucune différence entre les besoins alimentaires et la vie sexuelle. Il répond : les premiers sont liés au monde présent et disparaîtront avec lui (v. 13); mais, cf. **10** 31, la vie sexuelle engage l'appartenance au Christ et doit être celle qui convient à un membre du Christ, vv. 15-17, cf. Ep **5** 21-33+.
*l)* La var. « a ressuscités », plus proche de Col **2** 12 que de Rm **6** 4-8, semble anachronique en 1 Co.
*m)* On attendrait : un seul corps. Paul veut éviter que le réalisme physique de l'union au Christ (v. 15) soit compris de façon trop grossière.

peut commettre est extérieur à son corps; celui qui
fornique, lui, pèche contre son propre corps [a].
3 16-17 19 Ou bien ne savez-vous pas que votre corps est
Rm 5 5+ 1 Th 4 4-8 un temple [b] du Saint Esprit, qui est en vous et que
vous tenez de Dieu? Et que vous ne vous apparte- 1 Co 3 23
nez pas? 20 Vous avez été bel et bien achetés [c]! Glo- 1 Co 7 23 Rm 3 24+; 6 15+
rifiez donc Dieu dans votre corps. Ph 1 20

# II. Solution de divers problèmes

## 1. MARIAGE ET VIRGINITÉ [d] Ep 5 22-33+

7 1 J'en viens maintenant à ce que vous m'avez
écrit. Il est bon pour l'homme de s'abstenir de
la femme [e]. 2 Toutefois, à cause des débauches, que
chaque homme ait sa femme et chaque femme son
mari [f]. 3 Que le mari s'acquitte de son devoir envers
sa femme, et pareillement la femme envers son
mari. 4 La femme ne dispose pas de son corps, mais
le mari. Pareillement, le mari ne dispose pas de son
corps, mais la femme [g]. 5 Ne vous refusez pas l'un
à l'autre, si ce n'est d'un commun accord, pour un
temps, afin de vaquer à la prière; et de nouveau
soyez ensemble, de peur que Satan ne profite, pour
vous tenter, de votre incontinence. 6 Ce que je dis
là est une concession [h], non un ordre. 7 Je voudrais
que tous les hommes fussent comme moi; mais
Mt 19 12 chacun reçoit de Dieu son don particulier, celui-ci
d'une manière, celui-là de l'autre [i].
8 Je dis toutefois aux célibataires [j] et aux veuves
qu'il leur est bon de demeurer comme moi [k]. 9 Mais
Tm 5 11-14+ s'ils ne peuvent se contenir, qu'ils se marient :
mieux vaut se marier que de brûler.
Mt 5 32p; 10 Quant aux personnes mariées, voici ce que je
19 9 prescris, non pas moi, mais le Seigneur : que la
femme ne se sépare pas de son mari – 11 au cas où
elle s'en séparerait, qu'elle ne se remarie pas ou
qu'elle se réconcilie avec son mari – et que le mari
ne répudie pas sa femme.
12 Quant aux autres, c'est moi qui leur dis, non
le Seigneur : si un frère a une femme non croyante
qui consente à cohabiter avec lui, qu'il ne la répudie pas. 13 Une femme a-t-elle un mari non croyant
qui consente à cohabiter avec elle, qu'elle ne répudie pas son mari. 14 En effet le mari non croyant
se trouve sanctifié par sa femme, et la femme non
croyante se trouve sanctifiée par le mari croyant.
Car autrement, vos enfants seraient impurs, alors
qu'ils sont saints [l]! 15 Mais si la partie non croyante
veut se séparer, qu'elle se sépare [m]; en pareil cas,
le frère ou la sœur ne sont pas liés : Dieu vous [n]
a appelés à vivre en paix. 16 Et que sais-tu, femme,
si tu sauveras ton mari? Et que sais-tu, mari, si tu
sauveras ta femme?
17 Par ailleurs, que chacun continue de vivre 7 20, 24
dans la condition que lui a départie le Seigneur, tel
que l'a trouvé l'appel de Dieu. C'est la règle que
j'établis dans toutes les Églises. 18 Quelqu'un était-

*a)* Il s'agit d'une antithèse comparative familière au génie littéraire sémitique, cf. Mt **12** 31; Lc **14** 26; Rm **9** 13. Le débauché pèche plus contre son corps que celui qui commet un autre péché, plus spirituel : il détourne son corps de sa vocation vraie, qui est d'engager une relation avec une autre vie que la sienne.
*b)* Cf. **3** 16+; Jn **2** 21+; Ap **21** 22+.
*c)* Litt. : « Vous avez été rachetés pour un prix. » Cf. Rm **3** 24+.
*d)* Paul ne traite pas du mariage et de la virginité en général, mais répond, et sans doute point par point, aux questions qui lui sont posées. Il traite successivement : des personnes mariées (le couple chrétien, vv. 1-11, le mariage entre chrétien et païen, vv. 12-16) et des personnes non mariées (les vierges, vv. 25-35; les fiancés, vv. 36-38, les veuves, vv. 39-40). Le principe général de solution aux problèmes posés est développé aux vv. 17, 20, 24 : Que chacun demeure dans la condition où il se trouvait quand il a été appelé. Mais le plan n'est pas rigoureux : la virginité est souvent évoquée à propos du mariage et inversement. Paul suggère ainsi la complémentarité de ces deux états qui ne peuvent se comprendre l'un sans l'autre.
*e)* Ou bien : « J'en viens maintenant à ce que vous m'avez écrit, à savoir qu'il est bon pour l'homme de s'abstenir de la femme. » De toute façon Paul reconnaît la validité de cette opinion pour les célibataires (il vaut mieux qu'ils le demeurent, v. 8), mais en conteste l'application aux personnes mariées à qui la continence est déconseillée, vv. 2-5.
*f)* Invitation aux gens mariés à user du mariage, plutôt que conseil adressé à ceux qui n'ont pas reçu la vocation du célibat.
*g)* Tout usage égoïste du mariage est exclu, c'est le don de soi qui est exigé. En Ep **5** 25, c'est l'exemple du Christ dans son sacrifice qui est proposé aux époux.
*h)* La concession porte sur les moments d'abstinence dans le mariage. Pour d'autres, ce qui est permis par mode de concession c'est le mariage, cf. v. 7.
*i)* Pour Paul, la virginité ne se distingue pas du mariage en ce qu'elle est un don spécial de Dieu, car tous deux sont des dons de Dieu.
*j)* Litt. : « non-mariés ». Paul range dans cette catégorie tous ceux qui sont sans conjoint, y compris les époux séparés, cf. v. 11 où l'on a le même mot.
*k)* La phrase évoque Gn **2** 18 qu'elle semble contredire : « il n'est pas bon que l'homme soit seul ». Mais cette contradiction n'est qu'apparente, car pour le chrétien uni au Christ et à ses frères, la solitude d'Adam n'existe plus.
*l)* Comme souvent dans la Bible, la « sainteté » désigne moins ici la sanctification intérieure de l'âme que l'état de consécration ou d'appartenance à Dieu qui en est la base, cf. Ac **9** 13+. Du fait de son union à un membre du peuple saint, le conjoint non croyant est rattaché d'une certaine façon au vrai Dieu et à son Église. Et les enfants qui naissent de cette union sont de droit membres du peuple saint. On remarquera que leur baptême n'est pas explicitement mentionné.
*m)* Même mot qu'au v. 11 où le remariage est expressément exclu. Paul n'envisage pas explicitement un nouveau mariage du conjoint chrétien.
*n)* Var. : « nous ».

1 M 1 15 il circoncis lors de son appel? qu'il ne se fasse pas
de prépuce. L'appel l'a-t-il trouvé incirconcis? qu'il
Ga 5 6; 6 15 ne se fasse pas circoncire. 19 La circoncision n'est
Rm 2 25-29 rien, et l'incirconcision n'est rien; ce qui compte,
c'est de garder les commandements de Dieu. 20 Que
7 17, 24 chacun demeure dans l'état où l'a trouvé l'appel de
Col 3 22 - 4 1 Ep 6 5-9 Dieu. 21 Étais-tu esclave, lors de ton appel? ne t'en
Rm 6 15+ soucie pas. Et même si tu peux devenir libre, mets
plutôt à profit ta condition d'esclave [a]. 22 Car celui
qui était esclave lors de son appel dans le Seigneur
est un affranchi du Seigneur; pareillement celui qui
Rm 6 18, 22 était libre lors de son appel est un esclave du
6 20 Christ. 23 Vous avez été bel et bien achetés! Ne
Rm 3 24+ vous rendez pas esclaves des hommes [b]. 24 Que
7 17, 20 chacun, frères, demeure devant Dieu dans l'état où
l'a trouvé son appel.

25 Pour ce qui est des vierges [c], je n'ai pas d'ordre
du Seigneur, mais je donne un avis en homme qui,
par la miséricorde du Seigneur, est digne de
confiance. 26 Je pense donc que c'est une bonne
chose, en raison de la détresse présente [d], que c'est
une bonne chose pour l'homme d'être ainsi. 27 Es-tu
lié à une femme? ne cherche pas à rompre. N'es-tu
pas lié à une femme? ne cherche pas de femme.
28 Si cependant tu te maries, tu ne pèches pas; et
si la jeune fille se marie, elle ne pèche pas. Mais
ceux-là connaîtront la tribulation dans leur chair [e],
et moi, je voudrais vous l'épargner.
2 Co 6 2+ 29 Je vous le dis, frères : le temps se fait court [f].
Que désormais ceux qui ont femme vivent comme
2 Co 6 8-10 s'ils n'en avaient pas; 30 ceux qui pleurent, comme
s'il ne pleuraient pas; ceux qui sont dans la joie,
comme s'ils n'étaient pas dans la joie; ceux qui
achètent, comme s'ils ne possédaient pas; 31 ceux
qui usent de ce monde, comme s'ils n'en usaient
pas vraiment [g]. Car elle passe, la figure de ce 1 Jn 2 16-17
monde.
32 Je voudrais vous voir exempts de soucis.
L'homme qui n'est pas marié a souci des affaires
du Seigneur, des moyens de plaire au Seigneur.
33 Celui qui s'est marié a souci des affaires du
monde, des moyens de plaire à sa femme; 34 et le
voilà partagé. De même la femme sans mari,
comme la jeune fille, a souci des affaires du Seigneur [h]; elle cherche à être sainte de corps et d'esprit. Celle qui s'est mariée a souci des affaires du
monde, des moyens de plaire à son mari. 35 Je dis
cela dans votre propre intérêt, non pour vous tendre un piège, mais pour vous porter à ce qui est
digne et qui attache sans partage au Seigneur.
36 Si quelqu'un pense, étant en pleine ardeur
juvénile, qu'il risque de mal se conduire vis-à-vis de
sa fiancée, et que les choses doivent suivre leur
cours, qu'il fasse ce qu'il veut : il ne pèche pas,
qu'ils se marient! 37 Mais celui qui a pris dans son
cœur une ferme résolution, en dehors de toute
contrainte, en gardant le plein contrôle de sa
volonté, et a ainsi décidé en lui-même de respecter
sa fiancée, celui-là fait bien. 38 Ainsi celui qui se
marie avec sa fiancée fait bien, mais celui qui ne
se marie pas fait mieux encore [i].
39 La femme demeure liée à son mari aussi long- Rm 7 2
temps qu'il vit; mais si le mari meurt, elle est libre
d'épouser qui elle veut, dans le Seigneur seulement [j]. 40 Elle sera pourtant plus heureuse, à mon
sens, si elle reste comme elle est. Et je pense bien,
moi aussi, avoir l'Esprit de Dieu. 2 16

*a)* Litt. : « profite plutôt ». Certains complètent : de cette occasion. Mais le contexte s'y oppose.
*b)* Esclaves spirituellement : de leur manière de voir et de leurs mœurs.
*c)* Des deux sexes.
*d)* Celle qui accompagne le temps intermédiaire entre la venue du Christ et son retour, cf. 2 Co 6 2+.
*e)* Non pas les épreuves provenant de la concupiscence, 7 2, 9, mais les tracas de la vie conjugale.
*f)* Terme technique de navigation. Litt. : « le temps a cargué ses voiles. » Quel que soit l'intervalle entre le moment présent et la Parousie, il perd de son importance étant donné que, dans le Christ ressuscité, le monde à venir est déjà présent.
*g)* Style oratoire, où la recherche de l'expression globale l'emporte sur la précision de chaque terme. Paul n'invite pas à l'indifférence à l'égard des réalités terrestres. Il veut éviter qu'on s'y enlise et qu'on oublie leur caractère *relatif* par rapport au Christ et à son Royaume qui vient.
*h)* Var. : « 33 ... des moyens de plaire à sa femme. 34 Et il y a une différence entre la femme mariée et la vierge. La femme non mariée a souci des affaires du Seigneur... »
*i)* « Sa fiancée », litt. : « sa vierge ». – L'interprétation ancienne de ce texte y voit le cas de conscience d'un père qui se demande s'il va ou non marier sa fille. La traduction est alors la suivante : « 36 Si pourtant quelqu'un croit manquer aux convenances envers sa fille en lui laissant passer l'âge, et que les choses doivent suivre leur cours, qu'il fasse ce qu'il veut, il ne pèche pas : qu'on se marie. 37 Mais si l'on est fermement décidé en son cœur, et qu'à l'abri de toute contrainte et libre de son choix, on ait résolu en son for intérieur de garder sa jeune fille, on fera bien. 38 Ainsi donc, celui qui marie sa fille fait bien, et celui qui ne la marie pas fera mieux encore. » Mais cette interprétation se heurte à de telles difficultés qu'elle est de plus en plus abandonnée. Il s'agit sans doute, non pas de jeunes filles qui mettaient leur virginité sous la protection d'un homme de confiance avec lequel elles vivaient dans une intimité périlleuse, mais de *fiancés*. Après avoir parlé des époux, des vierges, et avant d'envisager le cas des veuves, Paul traite de ceux qui étaient fiancés au moment de leur conversion, état auquel ne peut évidemment pas s'appliquer le principe trois fois répété (vv. 17, 20, 24) : « Que chacun reste dans l'état où l'a trouvé l'appel de Dieu. » La solution de Paul est conforme à ce qui est dit aux vv. 8-9.
*j)* Elle doit prendre un mari chrétien.

## 2. *LES IDOLOTHYTES* [a]

### L'aspect théorique.

8 1 Pour ce qui est des viandes immolées aux
idoles, nous avons tous la science, c'est
entendu. Mais la science enfle; c'est la charité qui
Rm 15 2 édifie. 2 Si quelqu'un s'imagine connaître quelque
chose, il ne connaît pas encore comme il faut
connaître; 3 mais si quelqu'un aime Dieu, celui-là
est connu de lui [b]. 4 Donc, pour ce qui est de manger des viandes immolées aux idoles, nous savons
qu'une idole n'est rien dans le monde et qu'il n'est
Dt 6 4+ de Dieu que le Dieu unique. 5 Car, bien qu'il y ait,
soit au ciel, soit sur la terre, de prétendus dieux –
et de fait il y a quantité de dieux et quantité de seigneurs [c] –, 6 pour nous en tout cas, il n'y a qu'un
Ex 20 2-3+ seul Dieu, le Père, de qui tout vient et pour qui
1 Tm 2 5 Rm 11 36 nous sommes, et un seul Seigneur, Jésus Christ, par
Ep 4 5-6 qui tout existe et par qui nous sommes [d].
Col 1 16-17
He 1 2
Jn 1 3

### Le point de vue de la charité.

Rm 14; 15 1-2,7 1 Th 5 14 7 Mais tous n'ont pas la science. Certains, par
suite de leur fréquentation encore récente des ido-
les [e], mangent les viandes immolées comme telles,
et leur conscience, qui est faible, s'en trouve souil-
Rm 14 17 lée. 8 Ce n'est pas un aliment, certes, qui nous rap
Col 2 21s prochera de Dieu [f]. Si nous n'en mangeons pas,
He 13 9 nous n'avons rien de moins; et si nous en mangeons, nous n'avons rien de plus. 9 Mais prenez
Rm 6 15+ garde que cette liberté dont vous usez ne devienne
Rm 14 15 pour les faibles occasion de chute. 10 Si en effet
quelqu'un te voit, toi qui as la science, attablé dans
un temple d'idoles, sa conscience à lui qui est faible
ne va-t-elle pas se croire autorisée à manger des
viandes immolées aux idoles? 11 Et ta science alors
va faire périr le faible, ce frère pour qui le Christ
Mt 10 40+ est mort! 12 En péchant ainsi contre vos frères, en
Ac 9 5 blessant leur conscience, qui est faible, c'est contre
le Christ que vous péchez. 13 C'est pourquoi, si un
aliment doit causer la chute de mon frère, je me Rm 14 13, 20s
passerai de viande à tout jamais, afin de ne pas
causer la chute de mon frère.

### L'exemple de Paul [g].

9 1 Ne suis-je pas libre? Ne suis-je pas apôtre? Rm 6 15+
N'ai-je donc pas vu Jésus, notre Seigneur? Rm 1 1+
N'êtes-vous pas mon œuvre dans le Seigneur? 2 Si Ac 9 17+; 1 Co 15 8
pour d'autres je ne suis pas apôtre, pour vous du
moins je le suis; car c'est vous qui, dans le Seigneur, êtes le sceau de mon apostolat. 3 Ma défense 2 Co 3 3
contre ceux qui m'accusent, la voici : 4 N'avons-
nous pas le droit de manger et de boire [h]?
5 N'avons-nous pas le droit d'emmener avec nous Lc 8 2-3
une femme chrétienne [i], comme les autres apôtres,
et les frères du Seigneur, et Céphas? 6 Ou bien, est- Mt 12 46+
ce que moi seul et Barnabé, nous n'avons pas le Jn 1 42
droit de ne pas travailler? 7 Qui fait jamais campa- Ac 4 36+
gne à ses propres frais? Qui plante une vigne et Ac 18 3+
n'en mange pas le fruit? Qui fait paître un troupeau 2 Tm 2 6
et ne se nourrit pas du lait du troupeau?
8 N'y a-t-il là que propos humains? Ou bien la
Loi ne le dit-elle pas aussi? 9 C'est bien dans la Loi
de Moïse qu'il est écrit : *Tu ne muselleras pas le* Dt 25 4
*bœuf qui foule le grain.* Dieu se mettrait-il en peine Lc 12 6, 24
des bœufs? 10 N'est-ce pas évidemment pour nous
qu'il parle? Oui, c'est pour nous que cela a été 10 6+
écrit : celui qui laboure doit labourer dans l'espérance, et celui qui foule le grain, dans l'espérance
d'en avoir sa part. 11 Si nous avons semé en vous Rm 15 27
les biens spirituels, est-ce chose extraordinaire que
nous récoltions vos biens temporels? 12 Si d'autres
ont ce droit sur vous, ne l'avons-nous pas davantage? Cependant nous n'avons pas usé de ce droit.
Nous supportons tout au contraire pour ne pas 4 12
créer d'obstacle à l'Évangile du Christ. 13 Ne savez-
vous pas que les ministres du temple vivent du

*a)* Les idolothytes sont les viandes des animaux sacrifiés aux idoles et dont le surplus, non utilisé aux banquets sacrés, était vendu au marché, **10** 25, ou consommé dans les dépendances du temple, **8** 10. Les Corinthiens étaient divisés à ce sujet : pouvait-on les manger sans pactiser avec l'idolâtrie? Paul, interrogé, répond comme en Rm **14-15** : le chrétien est libre mais la charité exige de lui qu'il respecte les opinions des scrupuleux et qu'il évite de les scandaliser. Paul ne fait pas usage du décret de Jérusalem, Ac **15** 20, 29, et paraît même l'ignorer, Ac **15** 1+.

*b)* Au sens biblique, c'est-à-dire : « aimé de Dieu ». Cf. Os **2** 22+.

*c)* Paul constate simplement un fait. Les « dieux » sont les êtres fictifs de l'Olympe et les corps sidéraux; les « seigneurs » sont les hommes divinisés.

*d)* Autre traduction possible : « un seul Dieu, le Père, de qui tout (vient) et vers qui nous (allons), et un seul Seigneur Jésus Christ par qui tout (vient à l'existence) et par qui nous (allons vers le Père) ». Les parenthèses indiquent les mots qui ont été suppléés pour rendre intelligible cette phrase où manquent les verbes. Noter l'affirmation de la préexistence du Christ, cf. Col **1** 15+; Ph **2** 6+.

*e)* Var. : « de l'idée qu'ils se font encore de l'idole ».

*f)* Autre trad. : « qui nous fera comparaître en jugement devant Dieu ».

*g)* Dans la question des idolothytes, la charité doit primer la liberté du jugement propre. Paul va montrer comment lui-même a renoncé, par charité envers tous, à certains droits que lui conférait l'apostolat.

*h)* Aux frais des communautés.

*i)* Autre trad. : « une épouse chrétienne ». De toute façon, pour cette tâche consistant à les décharger des problèmes matériels, les apôtres mariés, comme Céphas (Pierre), choisissaient normalement leur épouse.

temple, que ceux qui servent à l'autel partagent
avec l'autel? [14] De même, le Seigneur a prescrit à
Mt 10 10p ceux qui annoncent l'Évangile de vivre de l'Évangile.
[15] Mais je n'ai usé, moi, d'aucun de ces droits,
et je n'écris pas cela pour qu'il en soit ainsi à mon
égard; plutôt mourir que de... Mon titre de gloire,
personne ne le réduira à néant. [16] Annoncer l'Évangile en effet n'est pas pour moi un titre de gloire;
c'est une nécessité qui m'incombe. Oui, malheur à
Ac 4 20; 9 15-16; moi si je n'annonçais pas l'Évangile! [17] Si j'avais
22 14-15; l'initiative de cette tâche, j'aurais droit à une
26 16-18 récompense; si je ne l'ai pas, c'est une charge qui
m'est confiée. [18] Quelle est donc ma récompense?
2 Co 11 7 C'est qu'en annonçant l'Évangile, j'offre gratuitement l'Évangile, sans user du droit que me confère
l'Évangile.
Rm 6 15+ [19] Oui, libre à l'égard de tous, je me suis fait l'es-
Mt 20 26p clave de tous, afin de gagner le plus grand nombre.
[20] Je me suis fait Juif avec les Juifs, afin de gagner
Ga 4 4-5 les Juifs; sujet de la Loi avec les sujets de la Loi
– moi, qui ne suis pas sujet de la Loi – afin de
gagner les sujets de la Loi. [21] Je me suis fait un
sans-loi avec les sans-loi – moi qui ne suis pas sans
une loi de Dieu, étant sous la loi du Christ [a] – afin
2 Co 11 29 de gagner les sans-loi. [22] Je me suis fait faible avec
les faibles, afin de gagner les faibles. Je me suis fait
tout à tous, afin d'en sauver à tout prix quelques-
uns. [23] Et tout cela, je le fais à cause de l'Évangile,
afin d'en avoir ma part.
Ga 5 7+ [24] Ne savez-vous pas que, dans les courses du
stade, tous courent, mais un seul obtient le prix.
Sg 4 2; 5 16 Courez donc de manière à le remporter. [25] Tout
Ph 3 14 2 Tm 4 7-8 athlète se prive de tout; mais eux, c'est pour obtenir
1 P 5 4 Jc 1 12 une couronne périssable, nous une impérissable.
Ap 2 10; 3 11 [26] Et c'est bien ainsi que je cours, moi, non à l'aventure; c'est ainsi que je fais du pugilat, sans frapper
dans le vide. [27] Je meurtris mon corps au contraire
et le traîne en esclavage, de peur qu'après avoir
servi de héraut pour les autres, je ne sois moi-même
disqualifié [b].

**Le point de vue de la prudence**
**et les leçons du passé d'Israël [c].**

**10** [1] Car je ne veux pas que vous l'ignoriez, frères : nos pères ont tous été sous la nuée, tous Ex 13 21;
ont passé à travers la mer, [2] tous ont été baptisés 14 22
en Moïse dans la nuée et dans la mer, [3] tous ont
mangé le même aliment spirituel [4] et tous ont bu Ex 16 4-35+
le même breuvage spirituel [d] – ils buvaient en effet Ex 17 5-6
à un rocher spirituel [e] qui les accompagnait, et ce Nb 20 7-11
rocher c'était le Christ. [5] Cependant, ce n'est pas
le plus grand nombre d'entre eux qui plut à Dieu,
puisque leurs corps *jonchèrent le désert.* Nb 14 16
[6] Ces faits se sont produits pour nous servir
d'exemples [f], pour que nous n'ayons pas de convoitises mauvaises, comme ils en eurent eux-mêmes. Nb 11 4, 34
[7] Ne devenez pas idolâtres comme certains d'entre
eux, dont il est écrit : *Le peuple s'assit pour manger* Ex 32 6
*et boire, puis ils se levèrent pour s'amuser.* [8] Et ne
forniquons pas, comme le firent certains d'entre Nb 25 1-9
eux; et il en tomba vingt-trois milliers en un seul
jour. [9] Ne tentons pas non plus le Seigneur [g], Nb 21 5-6
comme le firent certains d'entre eux; et ils périrent
par les serpents. [10] Et ne murmurez pas, comme le Nb 17 6-15
firent certains d'entre eux; et ils périrent par
l'Exterminateur. Ex 12 23+
[11] Cela leur arrivait pour servir d'exemple, et a 10 6+
été écrit pour notre instruction à nous qui touchons Rm 15 4
à la fin des temps. [12] Ainsi donc, que celui qui se
flatte d'être debout prenne garde de tomber. Ga 6 1
[13] Aucune tentation ne vous est survenue, qui Si 15 11-20
passât la mesure humaine. Dieu est fidèle; il ne per- 1 Co 1 9+
mettra pas que vous soyez tentés au-delà de vos Jc 1 13-14
forces; mais avec la tentation, il vous donnera le Mt 6 13; 26 41
moyen d'en sortir et la force de la supporter [h].

*a)* Au sens de **11** 1 et Ga **2** 20+.
*b)* Le passage utilise le vocabulaire sportif de l'époque. Paul invite les « forts » à l'imiter en sacrifiant leurs droits par charité, en vue de la récompense céleste, de même que les athlètes se privent de tout pour remporter le prix.
*c)* Cette section commente le dernier mot de la section précédente : « disqualifié ». Le danger d'être rejeté existe : les exemples tirés de l'histoire d'Israël le montrent. Et la cause de cette élimination a été l'orgueil et la présomption. Que les « forts » se gardent donc de ces vices.
*d)* Paul évoque la nuée et le passage de la Mer Rouge, figures du baptême, la manne et l'eau du rocher, figures de l'Eucharistie, pour inviter les Corinthiens à la prudence et à l'humilité : les Hébreux au désert ont, d'une certaine façon, bénéficié des mêmes dons qu'eux; ils ont néanmoins déplu à Dieu pour la plupart, v. 5.
*e)* Selon une tradition rabbinique, le rocher de Nb **20** 8 suivait Israël au désert. Pour Paul, ce rocher symbolise le Christ préexistant, déjà agissant dans l'histoire d'Israël.
*f)* Litt. « de types », que Dieu a suscités pour figurer par avance les réalités spirituelles de l'ère messianique (« antitypes », 1 P **3** 21, mais cf. He **9** 24). Bien que dépassant la conscience claire des auteurs inspirés, ce sens « typique » (ou « allégorique », Ga **4** 24) des Livres Saints n'en est pas moins scripturaire parce que voulu de Dieu, auteur de toute l'Écriture. Ordonné à l'instruction des chrétiens, il a été souvent dégagé par les auteurs du NT. Paul l'inculque à plusieurs reprises, v. 11 et **9** 9s; Rm **4** 23s; **5** 14; **15** 4; cf. 2 Tm **3** 16, et des écrits entiers comme le quatrième évangile ou l'épître aux Hébreux sont fondés sur une typologie de l'AT.
*g)* Var. : « le Christ ».
*h)* Tenter, c'est d'abord éprouver, mettre à l'épreuve, reconnaître la réalité derrière les apparences. Dieu « tente » l'homme, bien qu'il le connaisse à fond, Jr **11** 20+, 2 Ch **32** 31, pour lui donner l'occasion de manifester l'attitude profonde de son cœur, Gn **22** 1+; Ex **16** 4; Dt **8** 2, 16; **13** 4; Jdt **8** 25-27. Mais cette épreuve est souvent provoquée par des circonstances extérieures, ou encore par le Diable, le « Tentateur », Jb **1** 8-12; Mt **4** 1 p+; 1 Co **7** 5; 1 Th **3** 5; Ap **2** 10, ou par la convoitise, Jc **1** 13-14; 1 Tm **6** 9, ce qui donne au mot le sens d'une séduction, d'une attirance vers le mal, dont le fidèle peut néanmoins triompher avec l'aide de Dieu, Si **44** 20; Mt **6** 13 p; **26** 41 p; Lc **8** 13; 1 P **1** 6-7. Jésus a voulu lui-même être tenté pour renforcer ainsi sa soumission à la volonté du Père, Mt **4** 1 p+; **26** 39-41 p; He

**Les repas sacrés. Ne point pactiser avec l'idolâtrie.**

14 C'est pourquoi, mes bien-aimés, fuyez l'idolâtrie. 15 Je vous parle comme à des gens sensés;
jugez vous-mêmes de ce que je dis. 16 La coupe de
11 23-26+ bénédiction que nous bénissons [a], n'est-elle pas
communion au sang du Christ? Le pain que nous
rompons, n'est-il pas communion au corps du
Christ? 17 Parce qu'il n'y a qu'un pain, à plusieurs
12 12+ nous ne sommes qu'un corps, car tous nous partici-
pons à ce pain unique [b]. 18 Considérez l'Israël selon
la chair [c]. Ceux qui mangent les victimes ne sont-ils
Lv 3 1+ pas en communion avec l'autel? 19 Qu'est-ce à
dire? Que la viande immolée aux idoles soit quelque chose? Ou que l'idole soit quelque chose?...
Dt 32 17 20 Mais ce qu'on immole, *c'est à des démons et à*
*ce qui n'est pas Dieu qu'on l'immole*. Or, je ne veux
2 Co 6 14-16 pas que vous entriez en communion avec les
démons. 21 Vous ne pouvez boire la coupe du Seigneur et la coupe des démons; vous ne pouvez participer à la table du Seigneur et à la table des
démons [d]. 22 Ou bien voudrions-nous provoquer la
Dt 4 24+ jalousie [e] du Seigneur? Serions-nous plus forts que
lui?

**Les idolothytes. Solutions pratiques.**

6 12+ 23 « Tout est permis »; mais tout n'est pas pro-
14 19; 15 2 fitable. « Tout est permis »; mais tout n'édifie pas.
24 Que personne ne cherche son propre intérêt, mais 10 33; Ph 2 4
celui d'autrui. 25 Tout ce qui se vend au marché,
mangez-le sans poser de question par motif de
conscience; 26 car *la terre est au Seigneur, et tout* Ps 24 1
*ce qui la remplit.* 27 Si quelque infidèle vous invite
et que vous acceptiez d'y aller, mangez tout ce
qu'on vous sert, sans poser de question par motif
de conscience. 28 Mais si quelqu'un vous dit :
« Ceci a été immolé en sacrifice », n'en mangez pas,
à cause de celui qui vous a prévenus, et par motif
de conscience. 29 Par conscience j'entends non la
vôtre, mais celle d'autrui; car pourquoi ma liberté
relèverait-elle du jugement d'une conscience étrangère [f]? 30 Si je prends quelque chose en rendant
grâce, pourquoi serais-je blâmé pour ce dont je
rends grâce?

**Conclusion.**

31 Soit donc que vous mangiez, soit que vous
buviez, et quoi que vous fassiez, faites tout pour la Col 3 17
gloire de Dieu. 32 Ne donnez scandale ni aux Juifs, 1 P 4 11
ni aux Grecs, ni à l'Église de Dieu, 33 tout comme 9 19-23
moi je m'efforce de plaire en tout à tous, ne recher- 1 2+
chant pas mon propre intérêt, mais celui du plus Rm 15 2
grand nombre, afin qu'ils soient sauvés. 2 Co 10 24+
**11** 1 Montrez-vous mes imitateurs, comme je le 2 Th 3 7+
suis moi-même du Christ.

## *3. LE BON ORDRE DANS LES ASSEMBLÉES*

**La tenue des femmes.**

2 Je vous félicite de ce qu'en toutes choses vous
1 Th 2 13+; 4 1-2 vous souvenez de moi et gardez les traditions
2 Th 2 15 comme je vous les ai transmises. 3 Je veux cepen-
1 Co 15 1-3 dant que vous le sachiez : le chef de tout homme,
Ep 5 23+ c'est le Christ; le chef de la femme, c'est l'homme;
1 Co 3 23 et le chef du Christ, c'est Dieu. 4 Tout homme qui
Ac 11 27+ prie ou prophétise le chef couvert fait affront à son
chef [g]. 5 Toute femme qui prie ou prophétise le chef
2 Co 3 18 découvert fait affront à son chef; c'est exactement
comme si elle était tondue. 6 Si donc une femme ne
met pas de voile, alors, qu'elle se coupe les che- 11 15
veux! Mais si c'est une honte pour une femme
d'avoir les cheveux coupés ou tondus, qu'elle mette
un voile.
7 L'homme, lui, ne doit pas se couvrir la tête,
parce qu'il est l'image et le reflet de Dieu; quant Gn 1 26-27
à la femme, elle est le reflet de l'homme. 8 Ce n'est
pas l'homme en effet qui a été tiré de la femme,
mais la femme de l'homme; 9 et ce n'est pas Gn 2 21-23
l'homme, bien sûr, qui a été créé pour la femme,

**2** 18; **4** 15. Quant à l'homme qui « tente » Dieu, son attitude est blasphématoire, Ex **17** 2, 7; Ac **15** 10+.

*a)* C'est-à-dire la coupe sur laquelle nous prononçons la bénédiction comme le Christ lors de la dernière Cène.

*b)* Par la communion au corps du Christ les chrétiens sont unis au Christ et entre eux. L'Eucharistie réalise l'unité de l'Église dans le Christ. Cf. **12** 12+.

*c)* C'est-à-dire l'Israël de l'histoire, cf. Rm **7** 5+. Les chrétiens, eux, sont « l'Israël de Dieu », Ga **6** 16, le véritable Israël.

*d)* Aux vv. 16-18, la communion eucharistique au Christ est comparée aux repas sacrificiels de l'AT où les fidèles sont en communion avec l'*autel.* Au v. 21, la table eucharistique est opposée à celle des repas sacrés qui suivent les sacrifices païens. Paul situe nettement l'Eucharistie dans une perspective sacrificielle.

*e)* La jalousie de Dieu, Ex **20** 5; Dt **4** 24, que l'AT liait au thème nuptial, Os **2** 21s+, reparaît plusieurs fois dans le NT. Ici le mot a son sens plein, où l'adoration du vrai Dieu exclut toute « communion » avec l'idolâtrie; ailleurs il insiste sur une fidélité qu'il faut garder à tout prix, 2 Co **11** 2, ou sur l'ardeur au service de la foi, Ac **22** 3; Rm **10** 2; Ga **1** 13-14; Ph **3** 6.

*f)* Il faut agir ainsi pour *respecter* la conscience erronée de l'autre, non pour se soumettre à son jugement faux.

*g)* C'est-à-dire au Christ dont il semble se cacher, au lieu d'en « refléter la gloire, le visage découvert », 2 Co **3** 18. Dans ce passage (vv. 1-16) Paul joue sur les deux sens du mot grec : *kephalè* = tête et chef. Son argumentation est très dépendante des mœurs auxquelles il est habitué, ce qui relativise ses conclusions.

mais la femme pour l'homme. 10 Voilà pourquoi la
14 34 femme doit avoir sur la tête un signe de sujétion [a],
à cause des anges [b]. 11 Aussi bien, dans le Seigneur,
ni la femme ne va sans l'homme, ni l'homme sans
la femme; 12 car, de même que la femme a été tirée
de l'homme, ainsi l'homme naît par la femme, et
tout vient de Dieu.
13 Jugez-en par vous-mêmes. Est-il convenable
que la femme prie Dieu la tête découverte? 14 La
nature elle-même ne vous enseigne-t-elle pas que
c'est une honte pour l'homme de porter les cheveux
longs, 15 tandis que c'est une gloire pour la femme
de les porter ainsi? Car la chevelure lui a été donnée en guise de voile.
16 Au reste, si quelqu'un se plaît à ergoter, tel
4 17; 7 17; n'est pas notre usage, ni celui des Églises de Dieu.
14 33; 1 2+

**Le « Repas du Seigneur ».**

17 Et puisque j'en suis aux recommandations, je
n'ai pas à vous louer de ce que vos réunions tournent non pas à votre bien, mais à votre détriment.
18 Car j'apprends tout d'abord que, lorsque vous
vous réunissez en assemblée, il se produit parmi
vous des divisions, et je le crois en partie. 19 Il faut
bien qu'il y ait aussi des scissions parmi vous, pour
permettre aux hommes éprouvés de se manifester
parmi vous. 20 Lors donc que vous vous réunissez
en commun, ce n'est plus le Repas du Seigneur que
vous prenez. 21 Dès qu'on est à table en effet, chacun prend d'abord son propre repas [c], et l'un a
faim, tandis que l'autre est ivre. 22 Vous n'avez
donc pas de maisons pour manger et boire? Ou
1 2+ bien méprisez-vous l'Église de Dieu, et voulez-vous
faire honte à ceux qui n'ont rien? Que vous dire?
Vous louer? Sur ce point, je ne vous loue pas.
23 Pour moi, en effet, j'ai reçu du Seigneur [d] ce
15 3+ qu'à mon tour je vous ai transmis : le Seigneur
|| Mt 26 26-29 Jésus, la nuit où il était livré, prit du pain 24 et,
|| Mc 14 22-25
|| Lc 22 14-20 après avoir rendu grâce, le rompit et dit : « Ceci est
1 Co 10 16-17 mon corps, qui est pour vous [e]; faites ceci en
mémoire de moi. » 25 De même, après le repas, il Ex 12 14
prit la coupe, en disant : « Cette coupe est la nou- Dt 16 3
velle Alliance en mon sang; chaque fois que vous He 8 6-13
en boirez, faites-le en mémoire de moi [f]. » Jr 31 31+
26 Chaque fois en effet que vous mangez ce pain et Ex 24 8
que vous buvez cette coupe, vous annoncez la mort
du Seigneur, jusqu'à ce qu'il vienne. 27 Ainsi donc, 16 22
quiconque mange le pain ou boit la coupe du Sei- Ap 22 17, 20
gneur indignement aura à répondre du corps et du
sang du Seigneur.
28 Que chacun donc s'éprouve soi-même, et
qu'ainsi il mange de ce pain et boive de cette
coupe; 29 car celui qui mange et boit [g], mange et
boit sa propre condamnation, s'il ne discerne le
Corps [h]. 30 Voilà pourquoi il y a parmi vous beaucoup de malades et d'infirmes, et que bon nombre
sont morts [i]. 31 Si nous nous examinions nous-mêmes, nous ne serions pas jugés. 32 Mais par ses
jugements le Seigneur nous corrige, pour que nous Dt 8 5+
ne soyons point condamnés avec le monde [j].
33 Ainsi donc, mes frères, quand vous vous réunissez pour le Repas, attendez-vous les uns les
autres. 34 Si quelqu'un a faim, qu'il mange chez lui,
afin de ne pas vous réunir pour votre condamnation. Quant au reste, je le réglerai lors de ma venue.

**Les dons spirituels ou « charismes » [k].**

12 1 Pour ce qui est des dons spirituels, frères, je
ne veux pas vous voir dans l'ignorance.
2 Quand vous étiez païens, vous le savez, vous étiez
entraînés irrésistiblement vers les idoles muettes [l].
3 C'est pourquoi, je vous le déclare : personne, par- Jn 14 26+
lant avec l'Esprit de Dieu, ne dit : « Anathème à 1 Jn 4 1-3
Jésus », et nul ne peut dire : « Jésus est Seigneur », Ac 2 21+, 3
s'il n'est avec l'Esprit Saint. Rm 10 9
Ph 2 11

**Diversité et unité des charismes.**

4 Il y a, certes, diversité de dons spirituels, mais
c'est le même Esprit; 5 diversité de ministères, mais
c'est le même Seigneur; 6 diversité d'opérations,

*a)* Litt. : « une autorité ». Sans doute : un signe de l'autorité maritale à laquelle elle est soumise.
*b)* Dont la présence invisible doit inciter au bon ordre et à la décence, selon une interprétation juive de Dt **23** 15 (Qumrân).
*c)* Le « propre repas » est opposé au « repas du Seigneur » du v. 20, qui exige une célébration commune dans la charité et non un fractionnement inspiré par l'égoïsme.
*d)* Non par une révélation directe mais par une tradition remontant au Seigneur.
*e)* Var. : « Rompu pour vous », « donné pour vous ».
*f)* Le texte de Paul est proche de celui de Lc **22** 19-20.
*g)* Add. : « indignement ».
*h)* Var. : « Le corps du Seigneur ».
*i)* Pour leur irrévérence envers « le corps et le sang du Seigneur », des Corinthiens ont été frappés de maladie et même de mort.
*j)* Les épreuves envoyées par le Seigneur sont des « jugements », prélude du jugement ultime. Mais elles visent la conversion qui évitera la condamnation finale (v. 32). Ces châtiments auraient été évités si le coupable s'était examiné lui-même et corrigé, en particulier à l'occasion de la communion au corps du Christ (v. 31).
*k)* Les ch. **12-14** traitent du bon usage des dons de l'Esprit (charismes), accordés à la communauté comme témoignage visible de la présence de l'Esprit, et pour remédier à la situation anormale d'une jeune communauté dont la foi n'a pas encore transformé la mentalité imprégnée de paganisme. Les Corinthiens sont tentés d'apprécier surtout les dons les plus spectaculaires, et de les utiliser dans une atmosphère anarchique imitée de certaines cérémonies païennes. Paul réagit en précisant qu'ils sont donnés pour le bien de la communauté, et donc ne doivent pas occasionner de rivalités (ch. **12**). Puis il montre que la charité les surpasse tous (ch. **13**). Enfin, il explique que leur hiérarchie s'établit d'après la contribution qu'ils apportent à l'édification de la communauté (ch. **14**).
*l)* Allusion aux phénomènes violents, désordonnés, de certains cultes païens, qui étaient considérés comme le signe de leur authenticité. Au contraire, dans les assemblées chrétiennes, c'est

mais c'est le même Dieu qui opère tout en tous [a].
Ac 1 8+ 7 A chacun la manifestation de l'Esprit est donnée
1 Co 12 28-30 en vue du bien commun. 8 A l'un, c'est un discours
Rm 12 6-8 de sagesse [b] qui est donné par l'Esprit; à tel autre
un discours de science [c], selon le même Esprit; 9 à
un autre la foi [d], dans le même Esprit; à tel autre
les dons de guérisons, dans l'unique Esprit; 10 à tel
autre la puissance d'opérer des miracles; à tel autre
Ac 11 27+ la prophétie; à tel autre le discernement des
1 Jn 4 1-3 esprits [e]; à un autre les diversités de langues [f], à tel
Ac 2 4+ autre le don de les interpréter. 11 Mais tout cela,
c'est l'unique et même Esprit qui l'opère, distribuant ses dons à chacun en particulier comme il
l'entend.

**Comparaison du corps [g].**

Rm 12 4-5 12 De même, en effet, que le corps est un, tout en
ayant plusieurs membres, et que tous les membres
du corps, en dépit de leur pluralité, ne forment
qu'un seul corps, ainsi en est-il du Christ [h]. 13 Aussi
Ep 4 4-6 bien est-ce en un seul Esprit que nous tous avons
Ga 3 28 été baptisés en un seul corps, Juifs ou Grecs, escla-
Col 3 11 ves ou hommes libres, et tous nous avons été abreu-
Phm 16+ vés d'un seul Esprit.
14 Aussi bien le corps n'est-il pas un seul membre, mais plusieurs. 15 Si le pied disait : « Parce que
je ne suis pas la main, je ne suis pas du corps »,
il n'en serait pas moins du corps pour cela. 16 Et
si l'oreille disait : « Parce que je ne suis pas l'œil,
je ne suis pas du corps », elle n'en serait pas moins
du corps pour cela. 17 Si tout le corps était œil, où
serait l'ouïe? Si tout était oreille, où serait l'odorat?
18 Mais, de fait, Dieu a placé les membres, et
chacun d'eux dans le corps, selon qu'il a voulu.
19 Si le tout était un seul membre, où serait le
corps? 20 Mais, de fait, il y a plusieurs membres,
et cependant un seul corps. 21 L'œil ne peut donc
dire à la main : « Je n'ai pas besoin de toi », ni la
tête à son tour dire aux pieds : « Je n'ai pas besoin
de vous. »
22 Bien plus, les membres du corps qui sont tenus
pour plus faibles sont nécessaires; 23 et ceux que
nous tenons pour les moins honorables du corps
sont ceux-là mêmes que nous entourons de plus
d'honneur, et ce que nous avons d'indécent, on le
traite avec le plus de décence; 24 ce que nous avons
de décent n'en a pas besoin. Mais Dieu a disposé
le corps de manière à donner davantage d'honneur
à ce qui en manque, 25 pour qu'il n'y ait point de
division dans le corps, mais qu'au contraire les
membres se témoignent une mutuelle sollicitude.
26 Un membre souffre-t-il? tous les membres souf- Rm 12 15
frent avec lui. Un membre est-il à l'honneur? tous
les membres se réjouissent avec lui.
27 Or vous êtes, vous, le corps du Christ, et mem- 12 7-11
bres chacun pour sa part. 28 Et ceux que Dieu a éta- Rm 12 6-8 Ep 4 11
blis dans l'Église sont premièrement les apôtres, Rm 1 1+
deuxièmement les prophètes, troisièmement les Ac 11 27+
docteurs [i]... Puis il y a les miracles, puis les dons
de guérisons, d'assistance [j], de gouvernement [k], les
diversités de langues. 29 Tous sont-ils apôtres?
Tous prophètes? Tous docteurs? Tous font-ils des
miracles? 30 Tous ont-ils des dons de guérisons?
Tous parlent-ils en langues? Tous interprètent-ils?

**La hiérarchie des charismes. Hymne à la charité [l].**

31 Aspirez aux dons supérieurs. Et je vais encore
vous montrer une voie qui les dépasse toutes.

**13** 1 Quand je parlerais les langues des hommes
et des anges, si je n'ai pas la charité, je ne

le contenu du discours et non son allure inspirée qui est signe de vérité (v. 3).

*a)* Noter la présentation trinitaire de la pensée, cf. 2 Co **13** 13+.

*b)* Sans doute le don d'exposer les plus hautes vérités chrétiennes, celles qui ont trait à la vie divine et à la vie de Dieu en nous : « l'enseignement parfait » de He **6** 1. Voir aussi 1 Co **2** 6-16.

*c)* Le don d'exposer les vérités élémentaires du christianisme : « l'enseignement élémentaire sur le Christ » de He **6** 1.

*d)* La foi à un degré extraordinaire, cf. **13** 2.

*e)* Le don de déterminer l'origine (Dieu, la nature, le Malin) des phénomènes charismatiques.

*f)* Le charisme des *langues* ou « glossolalie » est le don de louer Dieu en proférant, sous l'action de l'Esprit Saint et dans un état plus ou moins extatique, des sons inintelligibles. C'est ce que Paul appelle « parler en langues » (1 Co **14** 5, 6, 18, 23, 39), ou « parler en langue » (1 Co **14** 2, 4, 9, 13, 14, 19, 26, 27). Ce charisme remonte à la toute primitive Église, où il était le premier effet sensible de la descente de l'Esprit dans les âmes. Voir Ac **2** 3-4; **10** 44-46 et **11** 15; **19** 6.

*g)* Tout en utilisant l'apologue classique qui compare la société à un corps uni dans ses membres divers, Paul ne lui doit pas son idée du Corps du Christ. Elle lui vient en effet de sa foi primordiale, cf. Ac **9** 4s; Ga **1** 15s, à Jésus ressuscité dans son corps, vivifié par l'Esprit, Rm **1** 4+, et prémices du monde nouveau, 1 Co **15** 23, auquel les chrétiens se rattachent dans leurs corps mêmes, Rm **8** 11+, par les rites du baptême, 1 Co **12** 13; cf. Rm **6** 4+, et de l'Eucharistie, 1 Co **10** 16s. Ils deviennent ainsi ses « membres », 1 Co **6** 15, qui tous rattachés à son corps personnel constituent avec lui le Corps du Christ que nous appelons « mystique », 1 Co **12** 27; cf. Rm **12** 4s. Cette doctrine d'un grand réalisme qui apparaît déjà en 1 Co se retrouve dans les épîtres de la captivité et s'y développe. C'est bien toujours dans le corps du Christ crucifié selon la chair et vivifié par l'Esprit, Ep **2** 14-18; Col **1** 22, que s'opère la réconciliation des hommes, qui sont ses membres, Ep **5** 30. Mais l'unité de ce Corps qui rassemble tous les chrétiens dans le même Esprit, Ep **4** 4; Col **3** 15, et son identification avec l'Église, Ep **1** 22s; **5** 23; Col **1** 18, 24, sont plus accentuées. Ainsi personnalisé, Ep **4** 12s; Col **2** 19, il a désormais le Christ comme Tête, Ep **1** 22; **4** 15s; **5** 23; Col **1** 18; **2** 19 (comparer 1 Co **12** 21), sans doute par influence de l'idée du Christ Tête des Puissances, Col **2** 10. Enfin il va jusqu'à englober d'une certaine manière tout l'Univers rassemblé sous la domination du Kyrios, Ep **1** 23+. Cf. Jn **2** 21+.

*h)* Comme le corps humain ramène à l'unité la pluralité des membres, ainsi le Christ, principe unificateur de son Église, ramène tous les chrétiens à l'unité de son Corps.

*i)* Les *docteurs* sont chargés dans chaque Église de l'enseignement régulier et ordinaire, cf. Ac **13** 1+.

*j)* Le don qui consacre aux œuvres de charité.

*k)* Le don d'administrer et de diriger les Églises.

*l)* Trois parties : supériorité de la charité (vv. 1-3), ses œuvres (vv. 4-7), sa pérennité (vv. 8-13). Il s'agit de la charité frater-

suis plus qu'airain qui sonne ou cymbale qui reten-
Mt 7 22 tit [a]. 2 Quand j'aurais le don de prophétie et que je
connaîtrais tous les mystères et toute la science,
Mt 17 20 quand j'aurais la plénitude de la foi, une foi à trans-
Jc 2 14-17 porter des montagnes, si je n'ai pas la charité, je
Mt 6 2 ne suis rien. 3 Quand je distribuerais tous mes biens
Dn 3 28 (95) en aumônes, quand je livrerais mon corps aux
flammes [b], si je n'ai pas la charité, cela ne me sert
de rien.
Rm 13 8-10; 4 La charité est longanime [c]; la charité est servia-
12 9-10 1 Th 5 14-15 ble; elle n'est pas envieuse; la charité ne fanfaronne
pas, ne se gonfle pas; 5 elle ne fait rien d'inconve-
nant, ne cherche pas son intérêt, ne s'irrite pas, ne
tient pas compte du mal; 6 elle ne se réjouit pas de
l'injustice, mais elle met sa joie dans la vérité. 7 Elle
Pr 10 12 excuse tout, croit tout, espère tout, supporte tout.
13 13+ Ac 11 27+ 8 La charité ne passe jamais [d]. Les prophéties?
Ac 2 4+ elles disparaîtront. Les langues? elles se tairont. La
science? elle disparaîtra. 9 Car partielle est notre
science, partielle aussi notre prophétie. 10 Mais
quand viendra ce qui est parfait, ce qui est partiel
disparaîtra. 11 Lorsque j'étais enfant, je parlais en
enfant, je pensais en enfant, je raisonnais en enfant;
une fois devenu homme, j'ai fait disparaître ce qui
était de l'enfant. 12 Car nous voyons, à présent,
2 Co 5 7 dans un miroir, en énigme, mais alors ce sera face
Nb 12 8 à face. A présent, je connais d'une manière par-
1 Jn 3 2 tielle; mais alors je connaîtrai comme je suis
Ga 4 9 connu.
13 Maintenant donc demeurent foi, espérance,
charité, ces trois choses [e], mais la plus grande
d'entre elles, c'est la charité.

**Hiérarchie des charismes en vue de l'utilité commune.** Ac 2 4+; 11 27+

14 1 Recherchez la charité; aspirez aussi aux
dons spirituels, surtout à celui de prophétie. 1 Th 5 20
2 Car celui qui parle en langue ne parle pas aux Ac 11 27+
hommes, mais à Dieu; personne en effet ne Ac 2 4+
comprend : il dit en esprit des choses mystérieuses. Rm 1 9+
3 Celui qui prophétise, au contraire, parle aux hommes; il édifie, exhorte, réconforte. 4 Celui qui parle
en langue s'édifie lui-même, celui qui prophétise
édifie l'assemblée. 5 Je voudrais, certes, que vous
parliez tous en langues, mais plus encore que vous
prophétisiez; car celui qui prophétise l'emporte sur Nb 11 29
celui qui parle en langues, à moins que ce dernier
n'interprète, pour que l'assemblée en tire édification.
6 Et maintenant, frères, supposons que je vienne
chez vous et vous parle en langues, en quoi vous
serai-je utile, si ma parole ne vous apporte ni révélation, ni science, ni prophétie, ni enseignement?
7 Ainsi en est-il des instruments de musique, flûte
ou cithare; s'ils ne donnent pas distinctement les
notes, comment saura-t-on ce que joue la flûte ou
la cithare? 8 Et si la trompette n'émet qu'un son
confus, qui se préparera au combat? 9 Ainsi de
vous : si votre langue n'émet pas de parole intelligible, comment saura-t-on ce que vous dites? Vous

nelle. L'amour pour Dieu n'est pas directement visé, mais il est implicitement présent, surtout au v. 13 en liaison avec la foi et l'espérance.

*a)* A la différence de l'amour passionnel et égoïste, la charité (*agapè*) est un amour de dilection qui veut le bien d'autrui. Sa source est en Dieu qui a aimé le premier, 1 Jn **4** 19, et a livré son Fils pour se réconcilier les pécheurs, Rm **5** 8; **8** 32-39; 2 Co **5** 18-21; Ep **2** 4-7; cf. Jn **3** 16s; 1 Jn **4** 9-10, et s'en faire des élus, Ep **1** 4, et des fils, 1 Jn **3** 1. Attribué d'abord à Dieu (le Père), Rm **5** 5; **8** 39; 2 Co **13** 11, 13; Ph **2** 1; 2 Th **2** 16; cf. 1 Jn **2** 15, cet amour qui est la nature même de Dieu, 1 Jn **4** 7s, 16, se trouve au même titre chez le Fils, Rm **8** 35, 37, 39; 2 Co **5** 14; Ep **3** 19; 1 Tm **1** 14; 2 Tm **1** 13, qui aime le Père comme il en est aimé, Ep **1** 6; Col **1** 13; cf. Jn **3** 35; **10** 17; **14** 31, et comme lui aime les hommes, Jn **13** 1, 34; **14** 21; **15** 9, pour qui il s'est livré, 2 Co **5** 14s; Ga **2** 20; Ep **5** 2, 25; 1 Tm **1** 14s; cf. Jn **15** 13; 1 Jn **3** 16; Ap **1** 5. Il est aussi l'amour de l'Esprit Saint, Rm **15** 30; Col **1** 8, qui le répand dans les cœurs des chrétiens, Rm **5** 5+; cf. Ga **5** 22, leur donnant d'accomplir enfin, cf. Rm **8** 4, ce précepte essentiel de la Loi qu'est l'amour de Dieu et du prochain, Mt **22** 37-40p; Rm **13** 8-10; Ga **5** 14. Car l'amour des frères, et même des ennemis, Mt **5** 43-48p, est la suite nécessaire et la vraie preuve de l'amour de Dieu, 1 Jn **3** 17; **4** 20s, le commandement nouveau qu'a donné Jésus, Jn **13** 34s; **15** 12, 17; 1 Jn **3** 23; etc., et que ses disciples ne cessent d'inculquer, Rm **13** 8; Ga **5** 13s; Ep **1** 15; Ph **2** 2s; Col **1** 4; 1 Th **3** 12; 2 Th **1** 3; Phm 5, 7; cf. Jc **2** 8; 1 P **1** 22; **2** 17; **4** 8; 1 Jn **2** 10; **3** 10s, 14; etc. C'est ainsi que Paul aime les siens, 2 Co **2** 4; **12** 15; etc., et qu'il en est aimé, Col **1** 8; 1 Th **3** 6; etc. Cette charité à base de sincérité et d'humilité, d'oubli et de don de soi, Rm **12** 9s; 1 Co **13** 4-7; 2 Co **6** 6; Ph **2** 2s, de service, Ga **5** 13; cf. He **6** 10, et de support mutuel, Ep **4** 2; cf. Rm **14** 15; 2 Co **2** 7s, doit se prouver par des actes, 2 Co **8** 8-11, 24; cf. 1 Jn **3** 18, et garder les commandements du Seigneur, Jn **14** 15; 1 Jn **5** 2s, etc., rendant la foi effective, Ga **5** 6; cf. He **10** 24. Elle est le lien de la perfection, Col **3** 14; cf. 2 P **1** 7, et « couvre les péchés », 1 P **4** 8; cf. Lc **7** 47. S'appuyant sur l'amour de Dieu, elle ne craint rien, Rm **8** 28-39; cf. 1 Jn **4** 17s. S'exerçant dans la vérité, Ep **4** 15; cf. 2 Th **2** 10, elle donne le vrai sens moral, Ph **1** 9s, et ouvre l'homme à une connaissance spirituelle du mystère divin, Col **2** 2; cf. 1 Jn **4** 7, de l'amour du Christ qui surpasse toute connaissance, Ep **3** 17-19; cf. 1 Co **8** 1-3; **13** 8-12. Faisant habiter dans l'âme le Christ, Ep **3** 17, et toute la Trinité, 2 Co **13** 13+; cf. Jn **14** 15-23; 1 Jn **4** 12, elle nourrit une vie des vertus théologales, cf. Rm **1** 16+; **5** 2+, où elle est la reine, 1 Co **13** 13, car elle seule ne passera pas, 1 Co **13** 8, mais s'épanouira dans la vision, 1 Co **13** 12; cf. 1 Jn **3** 2, quand Dieu accordera à ses élus les biens qu'il a promis à ceux qui l'aiment, 1 Co **2** 9; Rm **8** 28; Ep **6** 24; 2 Tm **4** 8; cf. Jc **1** 12; **2** 5.

*b)* Var. parfois préférée : « Quand je livrerais mon corps pour en tirer gloire ».

*c)* Aux vv. 4-7 la charité est définie par une série de quinze *verbes*. Elle est caractérisée non de façon abstraite, mais par l'action qu'elle suscite.

*d)* Alors que notre connaissance de Dieu imparfaite (v. 11) et indirecte (v. 12) disparaîtra pour faire place à la vision face à face, la charité sera chez les élus la même que celle qu'ils auront eue ici-bas.

*e)* Le groupement des trois vertus théologales, qui apparaît chez Paul dès 1 Th **1** 3 et lui est sans doute antérieur, revient souvent dans ses épîtres, avec des variations dans l'ordre : 1 Th **5** 8; 1 Co **13** 7, 13; Ga **5** 5s; Rm **5** 1-5; **12** 6-12; Col **1** 4-5; Ep **1** 15-18; **4** 2-5; 1 Tm **6** 11; Tt **2** 2. Cf. He **6** 10-12; **10** 22-24; 1 P **1** 3-9, 21s. De plus on trouve ensemble foi et amour, 1 Th **3** 6; 2 Th **1** 3; Phm 5, constance et foi, 2 Th **1** 4, charité et constance, 2 Th **3** 5. Cf. 2 Co **13** 13.

parlerez en l'air. 10 Il y a, de par le monde, je ne
sais combien d'espèces de langages, et rien n'est
sans langage[a]. 11 Si donc j'ignore la valeur du langage, je ferai l'effet d'un Barbare[b] à celui qui parle,
et celui qui parle me fera, à moi, l'effet d'un Barbare. 12 Ainsi de vous : puisque vous aspirez aux
dons spirituels, cherchez à les avoir en abondance
pour l'édification de l'assemblée.

13 C'est pourquoi celui qui parle en langue doit
prier pour pouvoir interpréter. 14 Car, si je prie en
langue, mon esprit est en prière, mais mon intelligence n'en retire aucun fruit[c]. 15 Que faire donc?
Je prierai avec l'esprit, mais je prierai aussi avec
l'intelligence. Je dirai un hymne avec l'esprit, mais
je le dirai aussi avec l'intelligence. 16 Autrement, si
tu ne bénis qu'en esprit, comment celui qui a rang
2 Co **1** 20 de non-initié[d] répondra-t-il « Amen! » à ton action
de grâces, puisqu'il ne sait pas ce que tu dis? 17 Ton
action de grâces est belle, certes, mais l'autre n'en
est pas édifié. 18 Je rends grâces à Dieu de ce que
je parle en langues plus que vous tous; 19 mais dans
l'assemblée, j'aime mieux dire cinq paroles avec
mon intelligence, pour instruire aussi les autres,
que dix mille en langue.

Ep **4** 14 20 Frères, ne soyez pas des enfants pour le juge-
Rm **16** 19 ment; des petits enfants pour la malice, soit, mais
pour le jugement soyez des hommes faits. 21 Il est
Is **28** 11-12 écrit dans la Loi[e] : *C'est par des hommes d'une
autre langue et par des lèvres d'étrangers que je
parlerai à ce peuple, et même ainsi ils ne m'écouteront pas,* dit le Seigneur. 22 Ainsi donc, les langues
servent de signe non pour les croyants, mais pour
les infidèles : la prophétie, elle, n'est pas pour les
infidèles mais pour les croyants[f]. 23 Si donc l'Église
entière se réunit ensemble et que tous parlent en
Ac **2** 4, 13 langues, et qu'il entre des non-initiés ou des infidèles, ne diront-ils pas que vous êtes fous? 24 Mais
si tous prophétisent et qu'il entre un infidèle ou un
non-initié, le voilà repris par tous, jugé par tous;
25 les secrets de son cœur sont dévoilés, et ainsi,
tombant sur la face, il adorera Dieu, en déclarant
que *Dieu est réellement parmi vous.* Is **45** 14
Za **8** 23

**Les charismes. Règles pratiques.**

26 Que conclure, frères? Lorsque vous vous
assemblez, chacun peut avoir un cantique, un
enseignement, une révélation, un discours en langue, une interprétation. Que tout se passe de
manière à édifier. 27 Parle-t-on en langue? Que ce
soit le fait de deux ou de trois tout au plus, et à
tour de rôle; et qu'il y ait un interprète. 28 S'il n'y
a pas d'interprète, qu'on se taise dans l'assemblée;
qu'on se parle à soi-même et à Dieu. 29 Pour les
prophètes, qu'il y en ait deux ou trois à parler, et
que les autres jugent. 30 Si un autre qui est assis a
une révélation, que le premier se taise. 31 Car vous
pouvez tous prophétiser à tour de rôle, pour que
tous soient instruits et tous exhortés. 32 Les esprits
des prophètes sont soumis aux prophètes[g]; 33 car
Dieu n'est pas un Dieu de désordre, mais de paix.

Comme dans toutes les Églises des saints, 34 que **11** 16+
les femmes se taisent dans les assemblées, car il ne Ac **9** 13+
leur est pas permis de prendre la parole[h]; qu'elles
se tiennent dans la soumission, selon que la Loi Gn **3** 16
même le dit. 35 Si elles veulent s'instruire sur quel- 1 Co **11** 3, 9
que point, qu'elles interrogent leur mari à la mai-
son; car il est inconvenant pour une femme de par- **11** 5
ler dans une assemblée. 36 Est-ce de chez vous
qu'est sortie la parole de Dieu? Ou bien, est-ce à
vous seuls qu'elle est parvenue[i]? 37 Si quelqu'un
croit être prophète ou inspiré par l'Esprit, qu'il
reconnaisse en ce que je vous écris un commande- **2** 16; **7** 40
ment du Seigneur. 38 S'il l'ignore, c'est qu'il est **15** 34
ignoré[j].

39 Ainsi donc, mes frères, aspirez au don de prophétie, et n'empêchez pas de parler en langues.
40 Mais que tout se passe dignement et dans l'ordre.

*a)* Ou bien : « aucune n'est dépourvue de sens ».
*b)* Le Barbare était celui qui ne comprenait pas le grec.
*c)* Dans la prière du glossolale, perdu en « esprit », il n'y a rien d'assimilable pour l'« intelligence ».
*d)* Celui qui n'est pas favorisé de dons semblables.
*e)* Texte cité très librement.
*f)* Texte obscur, car l'application des vv. 23-24 semble contredire le principe du v. 22. Diverses solutions à cette difficulté ont été proposées. Aucune ne résout le problème.
*g)* Sinon, s'il semble avoir perdu le contrôle de son activité, c'est un faux prophète.
*h)* Attitude plus positive en **11** 5, ce qui relativise la portée de cette interdiction, liée au contexte social de l'époque.
*i)* Puisque la réponse est négative, Paul invite les Corinthiens à accepter les règles en usage dans les autres Églises.
*j)* Ignoré de Dieu, qui ne le reconnaît pas pour sien. – Var. : « s'il l'ignore, qu'il l'ignore » (boutade de Paul agacé). Sur cette façon de clore une discussion, cf. **11** 16; Ph **3** 15.

# *III. La résurrection des morts* [a]

**Le fait de la résurrection.**

**15** 1 Je vous rappelle, frères, l'Évangile que je
1 Th 2 13+ vous ai annoncé, que vous avez reçu et dans
lequel vous demeurez fermes, 2 par lequel aussi
vous vous sauvez, si vous le gardez tel que je vous
l'ai annoncé; sinon, vous auriez cru en vain.
11 23 3 Je vous ai donc transmis en premier lieu ce que
Lc 1 2 j'avais moi-même reçu [b], à savoir que le Christ est
1 Co 11 2+ avons attesté
Ac 2 23+ mort pour nos péchés [c] selon les Écritures, 4 qu'il
a été mis au tombeau, qu'il est ressuscité le troi-
Mt 28 10+ sième jour selon les Écritures [d], 5 qu'il est apparu
Lc 24 34s à Céphas, puis aux Douze. 6 Ensuite, il est apparu
à plus de cinq cents frères à la fois – la plupart
d'entre eux demeurent jusqu'à présent [e] et quelques-
uns se sont endormis [f] – 7 ensuite il est apparu à
Ac 12 17+ Jacques, puis à tous les apôtres [g]. 8 Et, en tout der-
Rm 1 1+ nier lieu, il m'est apparu à moi aussi, comme à
l'avorton [h].
Ep 3 8 9 Car je suis le moindre des apôtres; je ne mérite
1 Tm 1 15-16 pas d'être appelé apôtre, parce que j'ai persécuté
Ga 1 13-14 l'Église de Dieu. 10 C'est par la grâce de Dieu que
Ac 8 3+ je suis ce que je suis, et sa grâce à mon égard n'a
2 Co 11 23s pas été stérile. Loin de là, j'ai travaillé plus qu'eux
tous : oh! non pas moi, mais la grâce de Dieu qui
est avec moi.
Ac 2 22+ 11 Bref, eux ou moi, voilà ce que nous prêchons.
Et voilà ce que vous avez cru.

12 Or, si l'on prêche que le Christ est ressuscité
des morts, comment certains parmi vous peuvent-
ils dire qu'il n'y a pas de résurrection des morts?
13 S'il n'y a pas de résurrection des morts, le Christ
non plus n'est pas ressuscité [i]. 14 Mais si le Christ
n'est pas ressuscité, vide alors est notre message, Ac 2 22+
vide aussi votre foi [j]. 15 Il se trouve même que nous
sommes des faux témoins de Dieu, puisque nous Ac 1 8+;
avons attesté contre Dieu qu'il a ressuscité le 26 16
Christ, alors qu'il ne l'a pas ressuscité, s'il est vrai
que les morts ne ressuscitent pas. 16 Car si les
morts ne ressuscitent pas, le Christ non plus n'est
pas ressuscité. 17 Et si le Christ n'est pas ressuscité, Rm 4 24-25;
vaine est votre foi; vous êtes encore dans vos 10 9
péchés [k]. 18 Alors aussi ceux qui se sont endormis
dans le Christ ont péri. 19 Si c'est pour cette vie seulement que nous avons mis notre espoir dans le
Christ [l], nous sommes les plus à plaindre de tous
les hommes [m].
20 Mais non; le Christ est ressuscité d'entre les Rm 8 11+
morts, prémices de ceux qui se sont endormis. Col 1 18
21 Car, la mort étant venue par un homme, c'est par 1 Th 4 14
un homme aussi que vient la résurrection des Rm 5 12-2
morts. 22 De même en effet que tous meurent en 1 Co 15 45
Adam, ainsi tous revivront dans le Christ [n]. 23 Mais
chacun à son rang : comme prémices, le Christ, 1 Th 4 16
ensuite ceux qui seront au Christ, lors de son Avènement [o]. 24 Puis ce sera la fin, lorsqu'il remettra la

*a)* Certains chrétiens de Corinthe rejetaient la résurrection des morts, **15** 12. Les Grecs la considéraient comme une conception grossière, Ac **17** 32+, tandis que les Juifs l'avaient peu à peu pressentie, Ps **16** 10+; Jb **19** 25+; Ez **37** 10+, puis explicitement enseignée, Dn **12** 2+, 3+; 2 M **7** 9+. Pour combattre l'erreur des Corinthiens, Paul part de l'affirmation fondamentale de la proclamation évangélique, le mystère pascal du Christ mort et ressuscité, vv. 3-4 (cf. Rm **1** 4; Ga **1** 2-4; 1 Th **1** 10, etc.), qu'il développe en énumérant les apparitions du Ressuscité : vv. 5-11, cf. Ac **1** 8+. A partir de là, il montre l'absurdité de l'opinion qu'il combat : vv. 12-34, cf. **15** 13+. Le Christ est les prémices et la cause efficace de la résurrection des morts, vv. 20-28, cf. Rm **8** 11+. Enfin Paul répond aux objections sur le « comment » de la résurrection des morts, vv. 35-53, et termine par un hymne d'action de grâces, vv. 54-57.

*b)* La parole vivante de l'Évangile est transmise, reçue et gardée, mots empruntés au vocabulaire technique de la tradition rabbinique, cf. **11** 23. Mais surtout cet Évangile est annoncé, vv 1, 2, proclamé (v. 11, le « kérygme »), cf. Mt **4** 23, etc., objet de foi, vv. 2, 11, cf. Mc **1** 15, et porteur de salut, v. 2, cf. Ac **11** 14; **16** 17.

*c)* Le caractère salutaire de la *mort* du Christ fait donc partie de la proclamation évangélique antérieure à Paul, cf. Rm **6** 3.

*d)* Ces expressions, vv. 3-4, déjà fixées dans leur formulation, sont le germe des futures professions de foi (Credo).

*e)* Paul sous-entend : Ils peuvent encore témoigner aujourd'hui de ce qu'ils ont vu, votre foi en la résurrection du Christ repose sur un témoignage sûr.

*f)* C'est-à-dire « sont morts ». Même expression aux vv. 18, 20, 51, cf. 1 Th **4** 13+.

*g)* Les apôtres apparaissent comme formant un groupe plus large que celui des Douze du v. 5.

*h)* Allusion au caractère anormal, violent, « chirurgical » de sa vocation. – Paul ne fait aucune différence entre l'apparition du chemin de Damas et les apparitions de Jésus de la Résurrection à l'Ascension.

*i)* Si l'on nie la résurrection des morts, on nie aussi le cas particulier qu'est la résurrection du Christ. Autre interprétation : la résurrection du Christ n'a de sens que comme prémices de la nôtre. Si celle-ci est niée, celle du Christ n'a plus de sens. Mais cette considération n'intervient qu'au v. 20.

*j)* Tous les aspects du message chrétien et de la foi qui lui correspond n'ont de sens que par rapport à la réalité centrale : le Christ ressuscité. Sans elle, tout s'effondre.

*k)* Car ce qui fait disparaître le péché, c'est la vie nouvelle, participation à la vie du Christ ressuscité : cf. Rm **6** 8-10; **8** 2+.

*l)* Autre trad. : « Si dans cette vie nous n'avons fait qu'espérer dans le Christ, nous sommes les plus à plaindre de tous les hommes. »

*m)* Renoncer aux jouissances du temps présent est une duperie, si la mort est une fin définitive. L'immortalité de l'âme n'est pas envisagée hors de la perspective de la résurrection de la chair.

*n)* La perspective n'est pas seulement physique et biologique, mais englobe tout l'homme : mort spirituelle du péché, vie ressuscitée dans la justice et l'amour. On remarquera que la perspective de Paul n'inclut pas la résurrection des pécheurs, affirmée en Jn **5** 29; Ac **24** 15; cf. Dn **12** 2.

*o)* Terme d'origine hellénistique et reçu dans le christianisme

royauté à Dieu le Père, après avoir détruit toute
Principauté, Domination et Puissance[a]. [25] Car il
Ps **110** 1 faut qu'il règne *jusqu'à ce qu'il ait placé tous ses*
Ap **20** 14; **21** 4 *ennemis sous ses pieds*. [26] Le dernier ennemi
Ps **8** 7 détruit, c'est la Mort; [27] car *il a tout mis sous ses*
*pieds*. Mais lorsqu'il dira[b] : « Tout est soumis
désormais », c'est évidemment à l'exclusion de
Ph **3** 21 Celui qui lui a soumis toutes choses. [28] Et lorsque
toutes choses lui auront été soumises, alors le Fils
Rm **9** 5+ lui-même se soumettra à Celui qui lui a tout sou-
Col **3** 11 mis, afin que Dieu soit tout en tous.
Ep **4** 6 [29] S'il en était autrement, que gagneraient ceux
qui se font baptiser pour les morts[c]? Si les morts
2 M **12** 44 ne ressuscitent absolument pas, pourquoi donc se
fait-on baptiser pour eux? [30] Et nous-mêmes,
pourquoi à toute heure nous exposer au péril?
2 Co **4** 10-12 [31] Chaque jour je suis à la mort, aussi vrai, frères,
que vous êtes pour moi un titre de gloire dans le
Christ Jésus, notre Seigneur. [32] Si c'est dans des
vues humaines que j'ai livré combat contre les
bêtes[d] à Éphèse, que m'en revient-il? Si les morts
Is **22** 13 ne ressuscitent pas, *mangeons et buvons, car*
*demain nous mourrons*[e]. [33] Ne vous y trompez
pas : « Les mauvaises compagnies corrompent les
bonnes mœurs[f]. » [34] Dégrisez-vous, comme il sied,
**14** 38 et ne péchez pas; car il en est parmi vous qui ignorent tout de Dieu. Je le dis à votre honte.

**Le mode de la résurrection.**

[35] Mais, dira-t-on, comment les morts ressusci-
tent-ils? Avec quel corps reviennent-ils? [36] Insensé!
Jn **12** 24 Ce que tu sèmes, toi, ne reprend vie s'il ne meurt.
[37] Et ce que tu sèmes, ce n'est pas le corps à venir,
mais un simple grain, soit de blé, soit de quelque
autre plante; [38] et Dieu lui donne un corps à son
gré, à chaque semence un corps particulier[g].
[39] Toutes les chairs ne sont pas les mêmes, mais
autre est la chair des hommes, autre la chair des
bêtes, autre la chair des oiseaux, autre celle des
poissons. [40] Il y a aussi des corps célestes et des
corps terrestres, mais autre est l'éclat des célestes,
autre celui des terrestres. [41] Autre l'éclat du soleil,
autre l'éclat de la lune, autre l'éclat des étoiles. Une
étoile même diffère en éclat d'une étoile. [42] Ainsi en
va-t-il de la résurrection des morts : on est semé
dans la corruption, on ressuscite dans l'incorruptibilité; [43] on est semé dans l'ignominie, on ressuscite
dans la gloire; on est semé dans la faiblesse, on ressuscite dans la force; [44] on est semé corps psychique[h], on ressuscite corps spirituel.
S'il y a un corps psychique, il y a aussi un corps
spirituel. [45] C'est ainsi qu'il est écrit : Le premier
*homme,* Adam, *a été fait âme vivante*[i]; le dernier Gn **2** 7
Adam, esprit vivifiant. [46] Mais ce n'est pas le spiri- **15** 20-28+
tuel qui paraît d'abord; c'est le psychique, puis le
spirituel. [47] Le premier homme, issu du sol, est terrestre, le second, lui, vient du ciel. [48] Tel a été le Dn **7** 13
terrestre, tels seront aussi les terrestres; tel le Jn **3** 13
céleste, tels seront aussi les célestes. [49] Et de même
que nous avons porté l'image du terrestre, nous
porterons[j] aussi l'image du céleste. Ph **3** 21 Rm **8** 29+
[50] Je l'affirme, frères : la chair et le sang ne Jn **3** 5-6
peuvent hériter du Royaume de Dieu, ni la corrup- 1 Co **6** 10+
tion hériter de l'incorruptibilité. [51] Oui, je vais vous

primitif pour désigner le glorieux avènement du Christ en son « Jour », 1 Co **1** 8+, à la fin des temps, Mt **24** 3+; cf. encore 1 Th **2** 19; **3** 13; **4** 15; **5** 23; 2 Th **2** 1; Jc **5** 7, 8; 2 P **1** 16; **3** 4, 12; 1 Jn **2** 28. En 2 Th **2** 8, 9, ce mot est appliqué à la venue de l'Impie. Comparer les termes analogues de « Révélation », 1 Co **1** 7+, et d'« Apparition », 1 Tm **6** 14+.

*a)* Toutes les puissances hostiles au règne de Dieu, cf. 1 Co **2** 6; Ep **1** 21; Col **1** 16; **2** 15; 1 P **3** 22.

*b)* Une fois « tout mis sous ses pieds », Jésus se présentera devant son Père pour lui rendre compte de sa mission accomplie. On traduit aussi, à tort : « Mais lorsque *l'Écriture* dit que tout lui a été soumis... »

*c)* Allusion à une pratique dont la nature nous échappe. Sans se prononcer sur elle, Paul se borne à souligner qu'elle est absurde si les morts ne ressuscitent pas.

*d)* Il s'agit sans doute d'une métaphore. Cette épreuve ne nous est pas connue autrement, mais cf. 2 Co **11** 23-26.

*e)* Cf. Qo **9** 7-10. Il y a là une certaine exagération oratoire. On peut renoncer aux jouissances matérielles pour des motifs purement humains. Paul vient lui-même de le dire, **9** 25.

*f)* Vers du poète Ménandre, peut-être devenu dicton populaire.

*g)* Dans la mentalité populaire, la germination était un processus dépendant du bon vouloir de la divinité, non un phénomène naturel, cf. 2 M **7** 22-23. Dans le rapport entre le corps actuel et le corps de gloire, Paul insiste sur l'altérité beaucoup plus que sur la continuité. Il veut sans doute répondre à l'objection (v. 35) qui refuserait à juste titre de prendre à la lettre une imagerie telle que celle de Ez **37** 1-10+.

*h)* Pour Paul comme pour la tradition biblique, la *psychè* (hébr. *nephesh*; cf. Gn **2** 7) est le principe vital qui anime le corps humain, 1 Co **15** 45. Elle est sa « vie », Rm **16** 4; Ph **2** 30; 1 Th **2** 8; cf. Mt **2** 20; Mc **3** 4; Lc **12** 20; Jn **10** 11; Ac **20** 10; etc., son âme vivante, 2 Co **1** 23, et peut servir à désigner tout l'homme, Rm **2** 9; **13** 1; 2 Co **12** 15; Ac **2** 41, 43, etc. Mais elle reste un principe naturel, 1 Co **2** 14; cf. Jude 19, qui doit s'effacer devant le *pneuma* pour que l'homme retrouve la vie divine. Cette substitution qui s'ébauche déjà durant la vie mortelle par le don de l'Esprit, Rm **5** 5+; cf. **1** 9+, obtient son plein effet après la mort. Alors que la philosophie grecque attendait une survie immortelle de l'âme supérieure (*noûs*) seule, enfin affranchie du corps, le christianisme ne conçoit l'immortalité que dans la restauration intégrale de l'homme, c'est-à-dire dans la résurrection du corps par l'Esprit, principe divin que Dieu avait retiré de l'homme à la suite du péché, Gn **6** 3, et qu'il lui rend par l'union au Christ ressuscité, Rm **1** 4+; **8** 11+, homme céleste et Esprit vivifiant, 1 Co **15** 45-49. De « psychique » le corps devient alors « pneumatique », incorruptible, immortel, 1 Co **15** 53, glorieux, 1 Co **15** 43; cf. Rm **8** 18; 2 Co **4** 17; Ph **3** 21; Col **3** 4, affranchi des lois de la matière terrestre, Jn **20** 19, 26, et de ses apparences, Lc **24** 16. – En un sens plus large, la *psychè* peut désigner, par opposition au corps, le siège de la vie morale et des sentiments, Ph **1** 27; Ep **6** 6; Col **3** 23; cf. Mt **22** 37p; **26** 38p; Lc **1** 46; Jn **12** 27; Ac **4** 32; **14** 2; 1 P **2** 11; etc., et même l'âme spirituelle et immortelle, Mt **10** 28, 39p; Ac **2** 27; Jc **1** 21; **5** 20; 1 P **1** 9; Ap **6** 9; etc.

*i)* C'est-à-dire un être doué de vie par sa *psychè*, mais d'une vie purement naturelle, et soumis aux lois du dépérissement et de la corruption.

*j)* Var. : « puissions-nous porter ».

dire un mystère : nous ne mourrons pas tous, mais
tous nous serons transformés [a]. 52 En un instant, en
1 Th **4** 15-17 un clin d'œil, au son de la trompette finale [b], car
Nb **10** 3 Jl **2** 1+ elle sonnera, la trompette, et les morts ressuscite-
Mt **24** 31+ ront incorruptibles, et nous [c], nous serons transformés. 53 Il faut, en effet, que cet être corruptible
2 Co **5** 1-5 revête l'incorruptibilité, que cet être mortel revête
l'immortalité.

**Hymne triomphal et conclusion.**

54 Quand donc cet être corruptible aura revêtu
l'incorruptibilité [d] et que cet être mortel aura revêtu
l'immortalité, alors s'accomplira la parole qui est
écrite [e] : *La mort a été engloutie dans la victoire.* Is **25** 8
55 *Où est-elle, ô mort, ta* victoire? *Où est-il, ô mort,* Os **13** 14 Ap **20** 14
*ton aiguillon?* 56 L'aiguillon de la mort, c'est le He **6** 1+
péché, et la force du péché, c'est la Loi [f]. 57 Mais Rm **7** 7+
grâces soient à Dieu, qui nous donne la victoire par Jn **16** 33
notre Seigneur Jésus Christ!

58 Ainsi donc, mes frères bien-aimés, montrez-
vous fermes, inébranlables, toujours en progrès
dans l'œuvre du Seigneur, sachant que votre labeur
n'est pas vain dans le Seigneur [g].

# Conclusion

**Recommandations. Salutations. Souhait final.**

Ac **9** 13+ **16** 1 Quant à la collecte en faveur des saints [h],
Ga **2** 10 suivez, vous aussi, les instructions que j'ai
données aux Églises de la Galatie. 2 Que le premier
Mt **28** 1+ jour de la semaine [i], chacun de vous mette de côté
chez lui ce qu'il aura pu épargner, en sorte qu'on
n'attende pas que je vienne pour recueillir les dons.
3 Et une fois près de vous, j'enverrai, munis de lettres, ceux que vous aurez jugés aptes, porter vos
libéralités à Jérusalem; 4 et s'il vaut la peine que j'y
aille aussi, ils feront le voyage avec moi.

5 J'irai chez vous, après avoir traversé la Macé-
Ac **19** 21; doine; car je passerai par la Macédoine. 6 Peut-être
**20** 1s séjournerai-je chez vous ou même y passerai-je
l'hiver, afin que ce soit vous qui m'acheminiez vers
l'endroit où j'irai. 7 Car je ne veux pas vous voir
juste en passant [j]; j'espère bien rester quelque
temps chez vous, si le Seigneur le permet. 8 Toutefois je resterai à Éphèse jusqu'à la Pentecôte; 9 car
une porte y est ouverte toute grande [k] à mon activité, et les adversaires sont nombreux.
10 Si Timothée arrive, veillez à ce qu'il soit sans **4** 17
crainte au milieu de vous; car il travaille comme
moi à l'œuvre du Seigneur. 11 Que personne donc
ne le méprise. Acheminez-le en paix, pour qu'il 1 Tm **4** 12
vienne me rejoindre : je l'attends avec les frères.
12 Quant à notre frère Apollos, je l'ai vivement Ac **18** 24+
exhorté à aller chez vous avec les frères, mais il ne
veut absolument pas y aller maintenant [l]; il ira
lorsqu'il en trouvera l'occasion.

13 Veillez, demeurez fermes dans la foi, soyez des 1 P **5** 8-9
hommes, soyez forts. 14 Que tout se passe chez
vous dans la charité.

15 Encore une recommandation, frères. Vous
savez que Stéphanas et les siens sont les prémices **1** 16
de l'Achaïe, et qu'ils se sont rangés d'eux-mêmes
au service des saints. 16 A votre tour, rangez-vous
sous de tels hommes, et sous quiconque travaille et 1 Th **5** 12
peine avec eux. 17 Je suis heureux de la visite de Ph **2** 29-3
Stéphanas, de Fortunatus et d'Achaïcus [m], qui ont
suppléé à votre absence; 18 ils ont en effet tranquil-
lisé mon esprit et le vôtre. Sachez donc apprécier
de tels hommes.

*a)* La leçon de la Vulg. : « nous mourrons tous, mais nous ne serons pas tous changés », est à rejeter.
*b)* Depuis le Sinaï, Ex **19** 16, 19, la trompette fait partie du symbolisme des manifestations divines, Mt **24** 31; 1 Th **4** 16+. Elle rythme les étapes du dessein final de Dieu, cf. les sept trompettes de Ap **8** 6 – **11** 19.
*c)* C'est-à-dire ceux qui seront alors vivants. Paul envisage la possibilité d'être de ceux-là, mais cf. 1 Th **4** 15+; **5** 1+.
*d)* Om : « Quand donc cet être corruptible aura revêtu l'incorruptibilité ».
*e)* Citée librement.
*f)* Formule ramassée annonçant déjà le développement de Rm **5**-**7**.
*g)* Ce v. relie le développement précédent au v. **15** 14, début de l'instruction. La certitude de la victoire donne au croyant la force de progresser. Pour Paul, il ne peut y avoir de foi sans vie en progrès.
*h)* Sur cette collecte, voir Rm **15** 26-28; Ga **2** 10; 2 Co **8**-**9**; Ac **24** 17. Les « saints » (cf. 2 Co **8** 4) sont les chrétiens de Jérusalem qui, de très bonne heure, eurent besoin d'être secourus, Ac **11** 29-30. Cette collecte tint une grande place dans les préoccupations de Paul, qui voyait là le signe et le gage de l'unité entre les Églises fondées par lui et celles des judéo-chrétiens.
*i)* C'est-à-dire le « jour du Seigneur », cf. Ac **20** 7; Ap **1** 10; Mt **28** 1, le dimanche.
*j)* Autre traduction : « Je ne veux pas, cette fois-ci, ne vous voir qu'en passant », ce qui supposerait une courte visite de peu antérieure, par ailleurs peu probable.
*k)* Même image en 2 Co **2** 12; Col **4** 3 pour désigner les facilités qui s'offrent au ministère de Paul. Cf. Ap **3** 8; Ac **14** 27+.
*l)* Peut-être pour ne pas encourager par sa présence le parti qui s'est formé autour de son nom, **1** 12; **3** 4-6; **4** 6.
*m)* Sans doute avaient-ils apporté à Paul la lettre de Corinthe, **7** 1.

Ac **18** 2+ [19] Les Églises d'Asie [a] vous saluent. Aquilas et
Prisca vous saluent bien dans le Seigneur, ainsi que
Rm **16** 5+ l'assemblée qui se réunit chez eux. [20] Tous les frères
vous saluent. Saluez-vous les uns les autres par un
2 Co **13** 12+ saint baiser.
Ga **6** 11+ [21] La salutation est de ma main, à moi, Paul.

[22] Si quelqu'un n'aime pas le Seigneur, qu'il soit
anathème [b]!
« Maran atha [c]. »
[23] La grâce du Seigneur Jésus soit avec vous!
[24] Je vous aime tous dans le Christ Jésus.

*a)* C'est-à-dire de la province romaine d'Asie.
*b)* Le mot « anathème » répond d'ordinaire dans l'AT à l'hébreu *herem*, Jos **6** 17+. Dans le NT il a une fois le sens précis d'offrande au Temple, Lc **21** 5; le plus souvent il exprime une malédiction qui s'adresse à celui même qui la prononce, s'il vient à manquer à un engagement sacré, Ac **23** 12-21; Rm **9** 3, ou à un autre, condamné pour une faute très grave, ici, 1 Co **16** 22; Ga **1** 8-9; cf. 1 Co **12** 3; Ap **22** 3.
*c)* Mots araméens qui avaient passé dans la langue liturgique; ils exprimaient l'espoir de la Parousie prochaine. Ils signifient : « Le Seigneur vient ». On peut lire aussi *Marana tha :* « Seigneur, viens! », Ap **22** 20. Cf. Rm **13** 12; Ph **4** 5; Jc **5** 8; 1 P **4** 7.

# DEUXIÈME ÉPÎTRE AUX CORINTHIENS

## *Préambule*

Rm 1 1+ **Adresse et salutation. Action de grâces.**

**1** [1] Paul, apôtre du Christ Jésus par la volonté
Ac 16 1+ de Dieu, et Timothée, le frère, à l'Église de
1 Co 1 2+ Dieu établie à Corinthe, ainsi qu'à tous les saints
Ac 9 13+ qui sont dans l'Achaïe entière; [2] à vous grâce et
paix de par Dieu, notre Père, et le Seigneur Jésus
Christ!
[3] Béni soit le Dieu et Père de notre Seigneur
Jésus Christ, le Père des miséricordes et le Dieu de
toute consolation [a], [4] qui nous console dans toute
notre tribulation, afin que, par la consolation que
nous-mêmes recevons de Dieu, nous puissions
consoler les autres en quelque tribulation que ce
Col 1 24+ soit. [5] De même en effet que les souffrances du
Ph 1 20+ Christ abondent pour nous, ainsi, par le Christ,
abonde aussi notre consolation. [6] Sommes-nous
dans la tribulation? c'est pour votre consolation et
salut. Sommes-nous consolés? c'est pour votre
consolation, qui vous donne de supporter avec
constance les mêmes souffrances que nous endurons, nous aussi. [7] Et notre espoir à votre égard est
ferme : nous savons que, partageant nos souffrances, vous partagerez aussi notre consolation [b].
[8] Car nous ne voulons pas que vous l'ignoriez,
frères : la tribulation [c] qui nous est survenue en 1 Co 15 32
Asie nous a accablés à l'excès, au-delà de nos
forces, à tel point que nous désespérions même de
conserver la vie. [9] Vraiment, nous avons porté en
nous-mêmes notre arrêt de mort, afin d'apprendre
à ne pas mettre notre confiance en nous-mêmes 4 7
mais en Dieu, qui ressuscite les morts. [10] C'est lui Rm 4 17;
qui nous a délivrés d'une telle mort et nous en déli- 1 4+; 8 11+
vrera [d]; en lui nous avons cette espérance qu'il nous
en délivrera encore. [11] Vous-mêmes nous aiderez Rm 15 30+
par la prière, afin que ce bienfait, qu'un grand nombre de personnes nous auront obtenu, soit pour un
grand nombre un motif d'action de grâces [e] à notre 4 15; 9 12
sujet [f].

*a)* La consolation est annoncée par les prophètes comme caractéristique de l'ère messianique, Is **40** 1, et devait être apportée par le Messie, Lc **2** 25. Elle consiste essentiellement dans la fin de l'épreuve et dans le début d'une ère de paix et de joie, Is **40** 1s; Mt **5** 5. Mais, dans le NT, le monde nouveau est présent au sein du monde ancien et le chrétien uni au Christ est consolé au sein même de sa souffrance, 2 Co **1** 4-7; **7** 4; cf. Col **1** 24. Cette consolation n'est pas reçue passivement, elle est en même temps réconfort, encouragement, exhortation (même mot grec *paraklèsis*). Sa source unique est Dieu, 2 Co **1** 3, 4, par le Christ, 2 Co **1** 5, et par l'Esprit, Ac **9** 31+, et le chrétien doit la communiquer, 2 Co **1** 4, 6; 1 Th **4** 18. Parmi ses causes, le NT cite : le progrès de la vie chrétienne, 2 Co **7** 4, 6, 7, la conversion, 2 Co **7** 13, l'Écriture, Rm **15** 4. Elle est source d'espérance, Rm **15** 4.

*b)* En 2 Co, Paul insiste constamment sur la présence de réalités antagonistes, voire contradictoires, dans le Christ, l'apôtre et le chrétien : souffrance et consolation, **1** 3-7; **7** 4; mort et vie, **4** 10-12; **6** 9; pauvreté et richesse, **6** 10; **8** 9; faiblesse et force, **12** 9-10. C'est le mystère pascal, la présence du Christ ressuscité au milieu du monde ancien de péché et de mort, cf. 1 Co **1 - 2**.

*c)* Une des nombreuses épreuves énumérées en **11** 23s.

*d)* Var. : « et nous en délivre ».

*e)* L'action de grâces tient une très grande place chez saint Paul, cf. le début des épîtres où il remercie Dieu au sujet de la foi de ceux à qui il écrit, Rm **1** 8; 1 Co **1** 4; 1 Th **1** 2; 2 Th **1** 3; Ph **1** 3; Col **1** 3; Phm 4. Ce n'est pas une formule vide : son absence en Ga est significative, Ga **1** 1+. L'action de grâces doit animer toutes les actions du chrétien faites au nom du Christ et assumées par lui dans son action de grâces au Père, Col **3** 17; Ep **5** 20. C'est un devoir correspondant à la volonté de Dieu non seulement pour les chrétiens, 1 Th **5** 18, mais pour les païens, Rm **1** 21. Car l'action de grâces « rend », quoique imparfaitement, la grâce à Dieu (1 Th **3** 9, trad. litt.). Et elle est même le but ultime visé par la prière demandant la grâce, 2 Co **1** 11; **4** 15, et par les manifestations de charité fraternelle, 2 Co **9** 11-15. D'où son importance dans le culte, 1 Co **14** 16; Col **3** 16; Ep **5** 19s, et dans la prière personnelle, 1 Th **5** 18; Ph **4** 6.

*f)* Var. : « votre ».

# *I. Retour sur les incidents passés*

**Pourquoi Paul a modifié son plan de voyage.**

12 Ce qui fait notre fierté, c'est ce témoignage de
notre conscience que nous nous sommes comportés
dans le monde, et plus particulièrement à votre
égard, avec la sainteté [a] et la pureté qui viennent
1 Co 1 17; 2 1s de Dieu, non pas avec une sagesse charnelle, mais
bien avec la grâce de Dieu. 13 En effet, il n'y a rien
dans nos lettres que ce que vous y lisez et comprenez. Et j'espère que vous comprendrez pleinement
– 14 ainsi que vous nous avez compris en partie –
Ph 2 16; 4 1 que nous sommes pour vous un titre de gloire,
1 Th 2 19-20 comme vous le serez pour nous, au Jour de notre
1 Co 1 8+ Seigneur Jésus.
15 C'est dans cette assurance que je voulais venir
chez vous tout d'abord pour vous procurer une
seconde grâce [b]; 16 puis de chez vous passer en
Macédoine et de Macédoine revenir chez vous; et
vous m'auriez acheminé vers la Judée [c]. 17 En formant ce projet, aurais-je donc fait preuve de légè-
1 12 reté? Ou bien mes projets s'inspirent-ils de la chair,
Rm 7 5+ en sorte qu'il y ait en moi le oui, oui, et le non,
1 Co 1 9+ non? 18 Aussi vrai que Dieu est fidèle [d], notre langage avec vous n'est pas oui et non. 19 Car le Fils
de Dieu, le Christ Jésus, que nous avons prêché
Ac 18 5; 16 1+ parmi vous, Silvain [e], Timothée et moi, n'a pas été
Mt 5 37 oui et non; il n'y a eu que oui en lui. 20 Toutes les
Ap 3 14+ promesses de Dieu ont en effet leur oui en lui [f];
aussi bien est-ce par lui que nous disons
Rm 16 27+ l'« Amen [g] » à Dieu pour sa gloire. 21 Et Celui qui
2 Co 13 13+ nous affermit avec vous dans le Christ et qui nous
1 Co 1 6+ 1 Jn 2 20, 27 a donné l'onction, c'est Dieu, 22 Lui qui nous a
Rm 6 4+ aussi marqués d'un sceau [h] et a mis dans nos cœurs
Ep 1 13-14 Rm 5 5+ les arrhes de l'Esprit.
23 Pour moi, j'en prends Dieu à témoin sur mon
âme, c'est par ménagement pour vous que je ne suis
plus venu à Corinthe. 24 Ce n'est pas que nous
entendions régenter votre foi. Non, nous contri- 1 P 5 3
buons à votre joie; car, pour la foi, vous tenez bon.
2 1 Je décidai donc en moi-même de ne pas revenir chez vous dans la tristesse [i]. 2 Car si c'est
moi qui vous attriste, qui peut alors me donner de
la joie sinon celui que j'aurai attristé? 3 Et si j'ai
écrit ce que vous savez [j], c'était pour ne pas éprouver de tristesse, en venant, du fait de ceux qui
devraient me donner de la joie, persuadé à l'égard
de vous tous que ma joie est aussi la vôtre, à vous
tous. 4 Oui, c'est dans une grande tribulation et
angoisse de cœur que je vous ai écrit, parmi bien
des larmes, non pour que vous soyez attristés, mais
pour que vous sachiez l'extrême affection que je
vous porte.
5 Que si quelqu'un a causé de la tristesse, ce n'est
pas à moi qu'il en a causé; c'est, dans une certaine
mesure (n'exagérons rien), à vous tous. 6 C'est
assez pour cet homme-là [k] du châtiment infligé par
la majorité, 7 en sorte qu'il vaut mieux au contraire
lui pardonner et l'encourager, de peur que cet hom- Col 3 13
me-là ne vienne à sombrer dans une tristesse excessive. 8 C'est pourquoi je vous exhorte à faire prévaloir envers lui la charité. 9 Aussi bien, en écrivant,
je ne me proposais que de vous mettre à l'épreuve
et de voir si vous êtes en tous points obéissants.
10 Mais à qui vous pardonnez, je pardonne aussi;
car, si j'ai pardonné – pour autant que j'ai eu à pardonner – c'est à cause de vous, en présence du
Christ. 11 Il ne s'agit pas d'être dupes de Satan, car Ep 4 27
nous n'ignorons pas ses desseins.

**De Troas en Macédoine.**
**Digression : le ministère apostolique.**

12 J'arrivai donc à Troas pour l'Évangile du
Christ, et, bien qu'une porte me fût ouverte dans 1 Co 16
le Seigneur, 13 mon esprit n'eut point de repos,

*a)* Var. : « simplicité ».
*b)* Var. : « joie ».
*c)* Paul a donc modifié l'itinéraire qu'il projetait 1 Co **16** 5-6.
*d)* La fidélité de Dieu est avant tout sa « solidité ». Il est le rocher d'Israël, Dt **32** 4, on peut prendre appui sur lui en toute sécurité. Cette solidité explique la constance dans ses desseins, la fidélité à ses promesses, Ps **89** 1-9, 25s; et, surtout dans le NT, la fidélité de Dieu à son dessein de miséricorde et de salut, 1 Co **1** 9+; **10** 13; 1 Th **5** 24; 2 Th **3** 3.
*e)* Silvain est le disciple que les Actes nomment Silas.
*f)* La fidélité de Dieu à ses promesses, **1** 18+, s'est exprimée avec plénitude en Jésus Christ. Il serait donc contradictoire que Paul, pour qui l'annonce du Christ est l'unique raison d'être, démente son message par une attitude de duplicité.
*g)* Amen signifie : « c'est solide, c'est digne de confiance »; c'est la réponse de la fidélité de l'homme à la fidélité de Dieu en Jésus Christ. Cf. Rm **1** 25+.
*h)* Ce sceau et cette onction désignent soit le don de l'Esprit accordé à tous les croyants (avec peut-être une allusion aux rites de l'initiation chrétienne), cf. Ep **1** 13+; **4** 30+; 1 Jn **2** 20+, 27+; soit la consécration au ministère apostolique (« nous » étant opposé à « vous », v. 21) par un don spécial de l'Esprit faisant de l'apôtre le messager fidèle de la fidélité divine dans le Christ (vv. 17-20). Noter la formulation trinitaire des vv. 21-22.
*i)* Allusion au caractère pénible de la visite que Paul a dû faire à Corinthe avant la 2 Co, voir l'Introduction, p. 1618.
*j)* Allusion à la « lettre sévère », **2** 3, 4, 9; **7** 8, 12; voir l'Introduction, p. 1618.
*k)* Celui qui avait offensé Paul ou son représentant, voir l'Introduction, p. 1618.

7 6 parce que je ne trouvai pas Tite [a], mon frère. Je pris
donc congé d'eux et partis pour la Macédoine [b].
14 Grâces soient à Dieu qui, dans le Christ, nous
Col 2 15 emmène sans cesse dans son triomphe [c] et qui, par
nous, répand en tous lieux le parfum de sa connaissance. 15 Car nous sommes bien, pour Dieu, la
1 Co 1 18 bonne odeur du Christ parmi ceux qui se sauvent
et parmi ceux qui se perdent; 16 pour les uns, une
odeur qui de la mort conduit à la mort; pour les
autres, une odeur qui de la vie conduit à la vie. Et
de cela qui est capable? 17 Nous ne sommes pas,
en effet, comme la plupart [d], qui frelatent la parole
de Dieu; non, c'est en toute pureté, c'est en envoyés
de Dieu que, devant Dieu, nous parlons dans le
Christ.

5 12; 10 12s; **3** 1 Recommençons-nous à nous recommander
11 18s nous-mêmes? Ou bien aurions-nous besoin,
Ac 18 27 comme certains, de lettres de recommandation
1 Co 9 2 pour vous ou de vous [e]? 2 Notre lettre, c'est vous,
une lettre écrite en nos cœurs [f], connue et lue par
tous les hommes. 3 Vous êtes manifestement une
lettre du Christ remise à nos soins, écrite non avec
de l'encre, mais avec l'Esprit du Dieu vivant, non
Ex 24 12+ sur des tables de pierre, mais sur des tables de
1 19; 36 26 chair, sur les cœurs [g].
Jr 31 33 4 Telle est la conviction que nous avons par le
Christ auprès de Dieu. 5 Ce n'est pas que de nous-
mêmes nous soyons capables de revendiquer quoi
Jn 3 27 que ce soit comme venant de nous; non, notre
capacité vient de Dieu, 6 qui nous a rendus capables d'être ministres d'une nouvelle alliance, non de Ep 3 7
la lettre, mais de l'Esprit; car la lettre tue [h], l'Esprit Col 1 23, 25
vivifie. 7 Or, si le ministère de la mort, gravé en let- Rm 2 29; 7 5+
tres sur des pierres, a été entouré d'une telle gloire Ex 32 16;
que les fils d'Israël ne pouvaient fixer les yeux sur 39 29-35
le visage de Moïse à cause de la gloire de son
visage [i], pourtant passagère, 8 comment le ministère de l'Esprit n'en aurait-il pas davantage? 9 Si en
effet le ministère de la condamnation fut glorieux,
combien plus le ministère de la justice l'emporte-t-il
en gloire! 10 Non, si de ce point de vue, on la
compare à cette gloire suréminente, la gloire de ce
premier ministère n'en fut pas une. 11 Car, si ce qui
était passager s'est manifesté dans la gloire,
combien plus ce qui demeure sera-t-il glorieux!
12 En possession d'une telle espérance, nous nous
comportons avec beaucoup d'assurance, 13 et non
comme Moïse, qui mettait un voile sur son visage
pour empêcher les fils d'Israël de voir la fin de ce
qui est passager [j]... 14 Mais leur entendement s'est
obscurci. Jusqu'à ce jour en effet, lorsqu'on lit
l'Ancien Testament, ce même voile demeure. Il
n'est point retiré; car c'est le Christ qui le fait dis- Rm 10 4
paraître [k]. 15 Oui, jusqu'à ce jour, toutes les fois
qu'on lit Moïse, un voile est posé sur leur cœur. Rm 11 7-10
16 C'est quand on se convertit au Seigneur que le Ex 34 34
voile est enlevé. 17 Car le Seigneur, c'est l'Esprit [l],
et où est l'Esprit du Seigneur, là est la liberté. 18 Et
nous tous qui, le visage découvert, réfléchissons [m]
comme en un miroir la gloire du Seigneur [n], nous

*a)* Chrétien d'origine païenne, peut-être converti par Paul, Tt **1** 4, qu'il accompagne lors de son second voyage à Jérusalem, Ga **2** 1. Chargé par Paul d'aller régler sur place les incidents de Corinthe, il y réussit pleinement, 2 Co **7** 5-7. Paul le renvoie bientôt à Corinthe pour y poursuivre l'organisation de la collecte. Nous le retrouvons plus tard en Crète (63-64), à la tête des communautés qu'y a fondées Paul au sortir de sa première captivité romaine. C'est là que l'Apôtre lui écrit, l'invitant à le rejoindre à Nicopolis, en Épire, Tt **3** 12. Lors de la deuxième captivité romaine de Paul (66-67), il est en Dalmatie, 2 Tm **4** 10. Tite semble avoir été pour Paul un excellent collaborateur, habile et de caractère ferme et bien trempé.

*b)* Le rappel des événements est interrompu par une digression sur le ministère apostolique, **2** 14 - **7** 4. Il reprendra en **7** 5.

*c)* Dans la victoire du Christ ressuscité, Dieu manifeste sa gloire comme un général romain victorieux qui entre à Rome en triomphateur et sur la route duquel on brûle des parfums, cf. vv. 15s. Les lieutenants du vainqueur étaient associés au triomphe, cf. v. 14, tandis que les chefs vaincus étaient mis à mort, cf. v. 16.

*d)* Var. : « les autres ».

*e)* On reproche à Paul de faire son propre éloge, cf. **5** 12, tandis que les autres prédicateurs présentent des lettres de recommandation des communautés, cf. Ac **18** 27+. Paul répond que le fruit de son apostolat, les communautés fondées par lui, œuvre de l'Esprit, sont des recommandations vivantes qui rendent les lettres inutiles, comme la nouvelle alliance, celle de l'Esprit, rend caduque la lettre de l'ancienne alliance (vv. 4-17). Il y a là beaucoup plus qu'un jeu de mots; surtout si, comme il est probable, les adversaires de Paul sont des judaïsants, cf. **11** 22.

*f)* Var. : « en vos cœurs ».

*g)* Litt. « sur des tables de cœurs de chair », allusion à la fois au don de la Loi sur des tables de pierre au Sinaï, Ex **24** 12, et aux paroles d'Ézéchiel sur le cœur de pierre et le cœur de chair, Ez **36** 26.

*h)* Cf. Rm **7** 7+. Il s'agit de la « lettre », loi écrite, extérieure, de l'AT, comparée à l'Esprit, loi intérieure du NT; et non de l'opposition entre la « lettre » d'un texte et son « esprit ».

*i)* Cf. Ex **34** 30. Le caractère passager de la gloire illuminant le visage de Moïse manifeste, selon Paul, l'aspect caduc de l'ancienne alliance, v. 11.

*j)* C'est-à-dire pour que les fils d'Israël ne perçoivent pas le caractère passager de cette gloire qui transfigurait le visage de Moïse. C'est une interprétation possible du texte obscur de Ex **34** 33s.

*k)* Autre traduction : « Il ne leur est point dévoilé que cette alliance a été abolie par le Christ. »

*l)* Formule ramassée qui, sans nier la distinction du Christ et de l'Esprit, nettement soulignée dans l'épître, **1** 20-23; **13** 13+, affirme cependant leur identité dans l'œuvre de salut des deux alliances. Dans la même ligne, la théologie postérieure affirmera que toutes les œuvres de Dieu sont communes aux trois Personnes divines. – Une autre interprétation voit dans le Seigneur du v. 17 le même que celui du v. 16, c'est-à-dire Dieu : c'était en se retournant vers lui que Moïse retirait son voile, Ex **34** 34. Paul voudrait dire que le Seigneur vers lequel se tournait Moïse, c'était déjà l'Esprit Saint vers lequel aujourd'hui se tournent les chrétiens.

*m)* Plutôt que « contemplons ». La comparaison des vv. 7-15 se poursuit. A la différence de Moïse, nous avons le visage découvert et nous reflétons la gloire divine de façon permanente et non d'une manière passagère, cf. **3** 13+. Le privilège du seul Moïse est accordé à tous.

*n)* La « gloire du Seigneur » est celle de Jésus Christ, car « la gloire de Dieu est sur la face du Christ », **4** 6.

Rm 8 29+ sommes transformés en cette même image [a], allant
2 Co 4 6+ de gloire en gloire, comme de par le Seigneur, qui
1 Jn 3 2 est Esprit [b].
4 1 Voilà pourquoi, miséricordieusement inves-
Rm 1 16 tis de ce ministère, nous ne faiblissons pas,
2 mais nous avons répudié les dissimulations de la
1 Th 2 4-5 honte [c], ne nous conduisant pas avec astuce et ne
falsifiant pas la parole de Dieu. Au contraire, par
la manifestation de la vérité, nous nous recommandons à toute conscience humaine devant Dieu.
3 Que si notre Évangile demeure voilé, c'est pour
2 Th 2 10 ceux qui se perdent qu'il est voilé, 4 pour les incrédules, dont le dieu de ce monde [d] a aveuglé l'entendement afin qu'ils ne voient pas briller l'Évangile
Rm 8 29+ de la gloire du Christ, qui est l'image de Dieu.
5 Car ce n'est pas nous que nous prêchons, mais le
Christ Jésus, Seigneur; nous ne sommes, nous, que
vos serviteurs, à cause de Jésus. 6 En effet le Dieu
Gn 1 3 qui a dit : *Que des ténèbres resplendisse la lumière*,
Jn 8 12+ est Celui qui a resplendi dans nos cœurs, pour faire
Ep 1 18 briller la connaissance de la gloire de Dieu, qui est
Rm 3 23+ He 1 3 sur la face du Christ.

**Tribulations et espérances du ministère.**

7 Mais ce trésor, nous le portons en des vases
12 9 d'argile, pour que cet excès de puissance soit de
Dieu et ne vienne pas de nous [e]. 8 Nous sommes
6 4-10 pressés de toute part [f], mais non pas écrasés; ne
1 Co 4 9-13 sachant qu'espérer, mais non désespérés; 9 persécutés, mais non abandonnés; terrassés, mais non
Col 1 24+ annihilés. 10 Nous portons partout et toujours en
notre corps les souffrances de mort de Jésus, pour
que la vie de Jésus soit, elle aussi, manifestée dans
notre corps. 11 Quoique vivants en effet, nous som-
1 Co 15 31 mes continuellement livrés à la mort à cause de
Jésus, pour que la vie de Jésus soit, elle aussi,
manifestée dans notre chair mortelle. 12 Ainsi donc,
la mort fait son œuvre en nous, et la vie en vous.

13 Mais, possédant ce même esprit de foi, selon
ce qui est écrit : *J'ai cru, c'est pourquoi j'ai parlé,* Ps 116 10
nous aussi, nous croyons, et c'est pourquoi nous
parlons, 14 sachant que Celui qui a ressuscité le Sei- Rm 1 4+;
gneur Jésus nous ressuscitera nous aussi avec 8 11+
Jésus, et nous placera près de lui avec vous. 15 Car
tout cela arrive à cause de vous, pour que la grâce,
se multipliant, fasse abonder l'action de grâces 1 11
chez un plus grand nombre, à la gloire de Dieu.
16 C'est pourquoi nous ne faiblissons pas. Au
contraire, même si notre homme extérieur s'en va Rm 7 22+
en ruine, notre homme intérieur se renouvelle de
jour en jour. 17 Car la légère tribulation d'un ins- Rm 8 18+
tant nous prépare, jusqu'à l'excès, une masse éter- Mt 5 11-12
nelle de gloire, 18 à nous qui ne regardons pas aux
choses visibles, mais aux invisibles; les choses visi- He 11 1, 3
bles en effet n'ont qu'un temps, les invisibles sont Rm 8 24-25
éternelles.
5 1 Nous savons en effet [g] que si cette tente – Sg 9 15
notre maison terrestre – vient à être détruite, Jb 4 19 Is 38 12
nous avons un édifice qui est l'œuvre de Dieu, une 2 P 1 13-14
maison éternelle qui n'est pas faite de main 1 Co 15 44-
d'homme, dans les cieux. 2 Aussi gémissons-nous Ph 3 20 Col 3 3-4
dans cet état, ardemment désireux de revêtir par- Rm 8 23
dessus l'autre notre habitation céleste, 3 si toutefois nous devons être trouvés vêtus, et non pas 1 Co 15 51-
nus [h]. 4 Oui, nous qui sommes dans cette tente, 1 Th 4 15
nous gémissons, accablés; nous ne voudrions pas
en effet nous dévêtir, mais nous revêtir par-dessus,
afin que ce qui est mortel soit englouti par la vie.
5 Et Celui qui nous a faits pour cela même, c'est
Dieu, qui nous a donné les arrhes de l'Esprit. 1 22+
6 Ainsi donc, toujours pleins de hardiesse, et Rm 8 23
sachant que demeurer dans ce corps, c'est vivre en
exil loin du Seigneur, 7 car nous cheminons dans la 1 P 1 1+
foi, non dans la claire vision [i]... 8 Nous sommes 1 Co 13 1
donc pleins de hardiesse et préférons quitter ce Rm 8 24
corps pour aller demeurer auprès du Seigneur [j]. Ph 1 21-2

*a)* Cf. Rm **8** 29+. Dernière opposition avec Moïse dont la gloire s'affaiblissait et disparaissait à mesure qu'il la rayonnait, vv. 7, 13. C'est le contraire pour le chrétien transformé par l'Esprit en une image de plus en plus parfaite de Dieu dans le Christ.

*b)* Autre trad. : « par l'Esprit du Seigneur ».

*c)* Sans doute le manque de courage conduisant à dissimuler ce qui dans l'Évangile risque de créer des oppositions ou des persécutions : Mc **8** 38p; Rm **1** 16; 2 Tm **1** 8; cf. Ac **20** 27.

*d)* Satan, cf. Ep **2** 2. Voir Lc **4** 6; Jn **12** 31; **14** 30; **16** 11.

*e)* Thème cher à Paul : vv. 7-12; **2** 16; **3** 5-6; **10** 1, 8, **12** 5, 9-10; **13** 3-4; cf. 1 Co **1** 26 - **2** 5; **4** 13+; Ph **4** 13; déjà présent dans l'AT : Jg **7** 2; 1 S **14** 6; **17** 47; 1 M **3** 19, etc.

*f)* Les mots employés par Paul aux vv. 8-9 sont empruntés au vocabulaire de la lutte athlétique.

*g)* **5** 1-10 continue **4** 16-18 qui opposait la ruine progressive de l'homme extérieur et le progrès de l'homme intérieur, v. 16, cf. Rm **7** 22+. Cet homme intérieur, identique ici à l'homme nouveau, Col **3** 10+, constitue les arrhes de l'Esprit, **5** 5, cf. Rm **8** 23, dont la plénitude sera donnée dans la résurrection, où le croyant sera revêtu de son habitation céleste, **5** 2, c'est-à-dire le corps spirituel, cf. 1 Co **15** 44. D'où un ardent désir, **5** 2, de cette plénitude, et le souhait de ne pas en être privé, même temporairement, par la mort survenant avant la Parousie, **5** 4, et donc d'être encore vivant au moment de la Venue du Seigneur. Mais cf. **5** 8+.

*h)* C'est-à-dire : à condition que nous soyons encore en vie, lors du Retour glorieux du Christ. Paul voudrait être de ceux que la Venue du Seigneur trouvera vivants et dont le corps sera transformé sans passer par la mort. Ils « revêtiront », si l'on peut dire, le « corps spirituel » par-dessus le « corps psychique », 1 Co **15** 44, 53, 54, « absorbé » par le premier. – Autre traduction : « puisque l'ayant revêtue, nous ne serons pas trouvés nus ».

*i)* Cf. 1 Co **13** 12. La foi est à la claire vision ce que l'imparfait est au parfait. Texte important qui met en évidence l'aspect *connaissance* de la foi.

*j)* Ici et en Ph **1** 23, Paul envisage une réunion du chrétien avec le Christ immédiatement après la mort individuelle. Sans contredire la doctrine biblique de la résurrection finale, Rm **2** 6+; 1 Co **15** 44+, cette attente d'une béatitude de l'âme séparée se ressent d'une influence grecque qui était d'ailleurs déjà sensible dans le judaïsme contemporain, cf. Lc **16** 22; **23** 43; 1 P **3** 19+. Comparer l'extase de l'âme séparée du corps en 2 Co **12** 2s; cf. Ap **1** 10; **4** 2; **17** 3; **21** 10.

9 Aussi bien, que nous demeurions en ce corps ou
que nous le quittions, avons-nous à cœur de lui
Rm **14** 10 plaire. 10 Car il faut que tous nous soyons mis à
Mt **25** 19, 31s Jn **5** 27 découvert devant le tribunal du Christ, pour que
He **11** 6+ chacun recouvre ce qu'il aura fait pendant qu'il
était dans son corps, soit en bien, soit en mal.

**L'exercice du ministère apostolique.**

11 Connaissant donc la crainte du Seigneur, nous
cherchons à persuader les hommes. Quant à Dieu,
nous sommes à découvert devant lui, et j'espère
que, dans vos consciences aussi, nous sommes à
3 1+ découvert. 12 Nous ne recommençons pas à nous
recommander nous-mêmes devant vous; nous vous
donnons seulement occasion de vous glorifier à
notre sujet, pour que vous puissiez répondre à ceux
qui se glorifient de ce qui se voit et non de ce qui
est dans le cœur. 13 En effet, si nous avons été hors
de sens, c'était pour Dieu; si nous sommes raisonnables, c'est pour vous [a]. 14 Car l'amour du Christ
Ga **2** 20 nous presse, à la pensée que, si un seul est mort
Rm **6** 4-11 pour tous, alors tous sont morts [b]. 15 Et il est mort
Rm **6** 11+; pour tous, afin que les vivants ne vivent plus pour
**7** 1+ eux-mêmes, mais pour celui qui est mort et ressuscité pour eux.
16 Ainsi donc, désormais nous ne connaissons
Rm **7** 5+ personne selon la chair. Même si nous avons connu
m **1** 3; **9** 5 le Christ selon la chair [c], maintenant ce n'est plus
ainsi que nous le connaissons. 17 Si donc quelqu'un
est dans le Christ, c'est une création nouvelle [d] :
**43** 18-19 l'être ancien a disparu, un être nouveau est là [e].
Rm **5** 10 18 Et le tout vient de Dieu, qui nous a réconciliés
avec Lui par le Christ et nous a confié le ministère
de la réconciliation. 19 Car c'était Dieu qui dans le
Christ se réconciliait le monde, ne tenant plus
compte des fautes des hommes, et mettant en nous
la parole de la réconciliation. 20 Nous sommes
donc en ambassade pour le Christ; c'est comme si
Dieu exhortait par nous. Nous vous en supplions
au nom du Christ : laissez-vous réconcilier avec
Dieu. 21 Celui qui n'avait pas connu le péché, Il l'a 1 Jn **3** 5
fait péché [f] pour nous, afin qu'en lui nous deve- Rm **8** 3 Ga **3** 13
nions justice de Dieu. Is **53** 5-12 1 P **2** 24

**6** 1 Et puisque nous sommes ses coopérateurs,
nous vous exhortons encore à ne pas recevoir 1 Co **3** 9
en vain la grâce de Dieu. 2 Il dit en effet : *Au
moment favorable, je t'ai exaucé; au jour du salut,* Is **49** 8
*je t'ai secouru.* Le voici maintenant le moment
favorable, le voici maintenant le jour du salut [g].
3 Nous ne donnons à personne aucun sujet de **8** 21
scandale, pour que le ministère ne soit pas décrié.
4 Au contraire, nous nous recommandons en tout
comme des ministres de Dieu : par une grande
constance dans les tribulations, dans les détresses, **4** 8-10
dans les angoisses, 5 sous les coups, dans les pri- 1 Co **4** 9-13
sons, dans les désordres, dans les fatigues, dans les
veilles, dans les jeûnes; 6 par la pureté, par la
science, par la patience, par la bonté, par un esprit
saint, par une charité sans feinte, 7 par la parole de
vérité, par la puissance de Dieu; par les armes **10** 4
offensives et défensives de la justice; 8 dans l'hon- Ep **6** 11+
neur et l'ignominie, dans la mauvaise et la bonne
réputation; tenus pour imposteurs, et pourtant véri- 1 Co **7** 29-31
diques; 9 pour gens obscurs, nous pourtant si
connus; pour gens qui vont mourir, et nous voilà
vivants; pour gens qu'on châtie, mais sans les met- **4** 11
tre à mort; 10 pour tristes, nous qui sommes toujours joyeux; pour pauvres, nous qui faisons tant
de riches; pour gens qui n'ont rien, nous qui possé- Rm **8** 32
dons tout. 1 Co **1** 7

*a)* Allusion à des événements antérieurs. Paul a sans doute été « hors de sens » dans sa lettre écrite « parmi bien des larmes », **2** 4, mais c'était « pour Dieu », pour manifester l'absolu des exigences divines. S'il est « raisonnable », c'est « pour vous », pour se mettre à la portée de ses lecteurs, dans son souci de « convaincre les hommes », **5** 11. Dans l'un et l'autre cas, il agit pressé par l'amour du Christ, **5** 14.

*b)* Le Christ est mort pour tous, c'est-à-dire au nom de tous, comme chef représentant l'humanité tout entière. Mais ce qui a valeur aux yeux de Dieu dans cette mort, c'est l'obéissance d'amour qu'elle manifeste, le sacrifice d'une vie entièrement donnée, Rm **5** 19+; Ph **2** 8; cf. Lc **22** 42p; Jn **15** 13; He **10** 9-10. Les fidèles rendus participants à cette mort par le baptême, Rm **6** 3-6, doivent ratifier cette oblation du Christ par leur vie (ici, v. 15, et Rm **6** 8-11).

*c)* Paul ne dit pas qu'il a connu personnellement Jésus de Nazareth. Il affirme que tous, y compris ceux qui ont pu le connaître (« nous »), doivent renoncer à attacher de l'importance à la proximité « charnelle » avec Jésus : lien de parenté, de fréquentation familière, de commune nationalité. Cf. Mc **3** 31-35p. Pour d'autres, Paul opposerait sa connaissance actuelle du Christ, Seigneur de Gloire, à celle qu'il avait avant sa conversion, où il le considérait comme un ennemi.

*d)* Dieu qui avait créé toutes choses par le Christ, cf. Jn **1** 3, a restauré son œuvre déréglée par le péché en la recréant dans le Christ, Col **1** 15-20+. Le centre de cette « nouvelle création », ici et Ga **6** 15, – qui intéresse tout l'univers, Col **1** 19s+; cf. 2 P **3** 13; Ap **21** 1, – est l'« homme nouveau » créé dans le Christ, Ep **2** 15+, pour une vie nouvelle, Rm **6** 4, de justice et de sainteté, Ep **2** 10; **4** 24+; Col **3** 10+. Comparer la nouvelle naissance du baptême, Rm **6** 4+.

*e)* Litt. : « les (choses) anciennes ont disparu, voici, des (choses) nouvelles sont là ». Var. : « toutes les (choses) sont nouvelles ».

*f)* Dieu a rendu le Christ solidaire de l'humanité pécheresse afin de rendre les hommes solidaires de son obéissance et de sa justice, cf. **5** 14+; Rm **5** 19+. Peut-être « péché » est-il pris ici au sens de « sacrifice/victime pour le péché », le même mot hébreu *hatta't* pouvant avoir ces deux sens, cf. Lv **4** 1 - **5** 13.

*g)* Entre le temps de la venue du Christ, Rm **3** 26+, et celui de son retour, 1 Co **1** 8+, s'écoule un temps intermédiaire, Rm **13** 11+, qui est le « jour du salut ». Temps laissé à la conversion, Ac **3** 20s, accordé au salut du « Reste », Rm **11** 5, et des païens, Rm **11** 25; Ep **2** 12s; cf. Ap **6** 11; Lc **21** 24. Bien que d'une durée incertaine, 1 Th **5** 1+, ce temps de pèlerinage, 1 P **1** 17, doit être considéré comme court, 1 Co **7** 26-31; cf. Ap **10** 6; **12** 12; **20** 3, chargé d'épreuves, Ep **5** 16; **6** 13, et de souffrances qui préparent la gloire à venir, Rm **8** 11. La fin approche, 1 P **4** 7; cf. Ap **1** 3+ et 1 Co **16** 22; Ph **4** 5; Jc **5** 8, ainsi que le jour de la pleine lumière, Rm **13** 11s; il importe de veiller, 1 Th **5** 6; cf. Mc **13** 33, et de bien user de ce temps qui reste, Col **4** 5; Ep **5** 16, pour se sauver et sauver les autres, Ga **6** 10, en laissant à Dieu le soin des vengeances dernières, Rm **12** 19; 1 Co **4** 5.

**Épanchements et avertissements.**

11 Nous vous avons parlé en toute liberté[a],
7 3 Corinthiens; notre cœur s'est grand ouvert. 12 Vous
n'êtes pas à l'étroit chez nous; c'est dans vos cœurs
que vous êtes à l'étroit. 13 Payez-nous donc de
retour; je vous parle comme à mes enfants, ouvrez
tout grand votre cœur, vous aussi.
Dt 22 10 14 [b] Ne formez pas d'attelage disparate avec des
infidèles. Quel rapport en effet entre la justice et
Jn 8 12+ l'impiété? Quelle union entre la lumière et les ténè-
Dt 13 14+ bres? 15 Quelle entente entre le Christ et Béliar?
Quelle association entre le fidèle et l'infidèle?
16 Quel accord entre le temple de Dieu et les idoles?
1 Co 3 16-17 Or c'est nous qui sommes[c] le temple du Dieu
Lv 26 11-12 vivant, ainsi que Dieu l'a dit : *J'habiterai au milieu*
Ez 37 27 *d'eux et j'y marcherai; je serai leur Dieu et ils*
Is 52 11 *seront mon peuple.* 17 *Sortez donc du milieu de ces*
Jr 51 45 *gens-là et tenez-vous à l'écart, dit le Seigneur. Ne*
*touchez rien d'impur, et moi, je vous accueillerai.*
2 S 7 14 18 *Je serai pour vous un père, et vous serez pour*
Jr 31 9 *moi des fils et des filles, dit le Seigneur tout-puis-*
Is 43 6 *sant.*

**7** 1 En possession de telles promesses, bien-ai-
He 10 22 més, purifions-nous de toute souillure de la
Rm 7 5+; 1 9+ chair et de l'esprit, achevant de nous sanctifier dans
la crainte de Dieu.
2 Faites-nous place en vos cœurs[d]. Nous n'avons
fait tort à personne, nous n'avons ruiné personne,
nous n'avons exploité personne. 3 Je ne dis pas cela
pour vous condamner. Je vous l'ai déjà dit : vous
6 11-13 êtes dans nos cœurs à la vie et à la mort. 4 J'ai
grande confiance en vous, je suis très fier de vous.
12 10 Je suis comblé de consolation; je surabonde de joie
Col 1 24 dans toute notre tribulation.

**Paul en Macédoine, où Tite l'a rejoint.**

5 De fait, à notre arrivée en Macédoine, notre
chair[e] ne connut pas de repos. Partout des tribula-
Dt 32 25 tions : au-dehors, des luttes; au-dedans, des craintes. 6 Mais Celui qui console les humiliés, Dieu,
nous a consolés par l'arrivée de Tite, 7 et non seule- 2 13
ment par son arrivée, mais encore par la consolation que vous-mêmes lui aviez donnée. Il nous a
fait part de votre ardent désir, de votre désolation,
de votre zèle pour moi, si bien qu'en moi la joie
a prévalu.
8 Vraiment, si je vous ai attristés par ma lettre[f],
je ne le regrette pas. Et si je l'ai regretté – je vois
bien que cette lettre vous a, ne fût-ce qu'un
moment, attristés – 9 je m'en réjouis maintenant,
non de ce que vous avez été attristés, mais de ce
que cette tristesse vous a portés au repentir. Car
vous avez été attristés selon Dieu, en sorte que
vous n'avez, de notre part, subi aucun dommage.
10 La tristesse selon Dieu produit en effet un repentir salutaire qu'on ne regrette pas; la tristesse du
monde, elle, produit la mort. 11 Voyez plutôt ce
qu'elle a produit chez vous, cette tristesse selon
Dieu. Quel empressement! Que dis-je? Quelles
excuses! Quelle indignation! Quelle crainte! Quel
ardent désir! Quel zèle! Quelle punition[g]! Vous
avez montré de toutes manières que vous étiez innocents en cette affaire. 12 Aussi bien, si je vous ai
écrit, ce n'est ni à cause de l'offenseur ni à cause
de l'offensé[h]. C'était pour faire éclater chez vous
devant Dieu l'empressement que vous avez à notre
égard. 13 Voilà ce qui nous a consolés.
A cette consolation personnelle s'est ajoutée une
joie bien plus grande encore, celle de voir la joie
de Tite, dont l'esprit a reçu apaisement de vous
tous. 14 Que si devant lui je me suis quelque peu
glorifié à votre sujet, je n'ai pas eu à en rougir. Au
contraire, de même qu'en toutes choses nous vous
avons dit la vérité, ainsi ce dont nous nous sommes 1 18-19
glorifiés auprès de Tite s'est trouvé être la vérité.
15 Et son affection pour vous redouble, quand il se
rappelle votre obéissance à tous, comment vous
l'avez accueilli avec crainte et tremblement. 16 Je 1 Co 2 3
me réjouis de pouvoir en tout compter sur vous.

*a)* Litt. : « Notre bouche s'est ouverte vers (ou : pour) vous ».
*b)* **6** 14 - **7** 1 est une mise en garde contre les infiltrations du paganisme, qui scinderaient l'Église et briseraient son lien avec son fondateur. Ce morceau rompt quelque peu le contexte, cf. l'Introd., p. 1618.
*c)* Var. : « vous qui êtes ». Cf. Rm **12** 1+; 1 Co **3** 16+.
*d)* La lettre du texte grec ne porte que : « Faites-nous place ». Autre trad. possible : « Comprenez-nous ».
*e)* C'est-à-dire la personne de Paul, envisagée sous son aspect de faiblesse, cf. Rm **7** 5+.
*f)* La « lettre sévère », cf. **2** 3+ et Introd., p. 1618.
*g)* Sentiments et conduite des Corinthiens vis-à-vis de Paul et du coupable, à la suite de la « lettre sévère », cf. **2** 5-8.
*h)* L'« offensé » était probablement un envoye de Paul. Sur sa personne, sur celle de l'offenseur, **2** 6+, et sur la nature de l'offense, nous ne savons rien.

# II. Organisation de la collecte [a]

**Motifs de générosité.**

**8** 1 Nous vous faisons connaître, frères, la grâce
de Dieu qui a été accordée aux Églises de
1 Co **16** 5 Macédoine. 2 Parmi les nombreuses tribulations
qui les ont éprouvées, leur joie surabondante et leur
profonde pauvreté [b] ont débordé chez eux en trésors de générosité. 3 Selon leurs moyens, je l'atteste,
et au-delà de leurs moyens, spontanément, 4 ils
nous ont demandé avec beaucoup d'insistance la
1 Co **16** 1+ grâce de participer à ce service en faveur des
Ac **9** 13+ saints. 5 Dépassant même nos espérances, ils se
sont donnés eux-mêmes, d'abord au Seigneur, puis
à nous, par la volonté de Dieu. 6 Aussi avons-nous
prié Tite de mener encore à bonne fin chez vous
cette libéralité, comme il avait commencé.
7 Mais, de même que vous excellez en tout, foi,
parole, science, empressement de toute nature, charité que nous vous avons communiquée [c], il vous
faut aussi exceller en cette libéralité. 8 Ce n'est pas
un ordre que je donne; je veux seulement, par l'empressement des autres, éprouver la sincérité de
votre charité. 9 Vous connaissez, en effet, la libéralité [d] de notre Seigneur Jésus Christ, qui pour vous
Ph **2** 6-7 s'est fait pauvre, de riche qu'il était, afin de vous
**8** 20; **5** 3+ enrichir par sa pauvreté [e]. 10 C'est un avis que je
donne là-dessus; et c'est ce qui vous convient, à
vous qui, dès l'an dernier, avez été les premiers non
seulement à entreprendre cette œuvre, mais encore
à la vouloir. 11 Maintenant donc achevez-la, afin
que l'achèvement réponde à l'ardeur du vouloir,
selon vos moyens. 12 Lorsque l'ardeur y est, on est
agréé pour ce qu'on a, il n'est pas question de ce
qu'on n'a pas. 13 Il ne s'agit point, pour soulager les
autres, de vous réduire à la gêne; ce qu'il faut, c'est
**15** 26-27 l'égalité. 14 Dans le cas présent, votre superflu [f]
pourvoit à leur dénuement, pour que leur superflu [g]
pourvoie aussi à votre dénuement. Ainsi se fera
l'égalité, 15 selon qu'il est écrit : *Celui qui avait* Ex **16** 18
*beaucoup recueilli n'eut rien de trop, et celui qui*
*avait peu recueilli ne manqua de rien.*

**Recommandation des délégués.**

16 Grâces soient à Dieu, qui met au cœur de Tite
le même empressement pour vous : 17 il a répondu
à notre appel. Plus empressé même que jamais,
c'est spontanément qu'il se rend chez vous. 18 Nous
envoyons avec lui le frère dont toutes les Églises
font l'éloge au sujet de l'Évangile [h]. 19 Ce n'est pas
tout; il a encore été désigné par le suffrage des Églises comme notre compagnon de voyage dans cette
libéralité, dont le service est assuré par nous pour
la gloire du Seigneur lui-même et notre propre
satisfaction [i]. 20 Par là nous voulons éviter qu'on
n'aille nous décrier pour cette forte somme dont le
service est assuré par nous; 21 car *nous avons à* Pr **3** 4 LXX
*cœur ce qui est bien,* non seulement *devant le Sei-* Rm **12** 17
*gneur,* mais *encore* devant *les hommes.* 22 Avec eux
nous envoyons aussi celui de nos frères [j] dont nous
avons éprouvé l'empressement de maintes manières
et en maintes circonstances, et qui maintenant est
beaucoup plus empressé, en raison de la grande
confiance qu'il a en vous. 23 Pour ce qui est de Tite,
c'est mon associé et coopérateur auprès de vous;
quant à nos frères, ce sont les envoyés [k] des Églises,
la gloire du Christ. 24 Donnez-leur donc, à la face
des Églises, la preuve de votre charité et du bien-
fondé de notre fierté à votre égard.

**9** 1 Quant à ce service en faveur des saints, il est
superflu pour moi de vous en écrire [l]. 2 Je sais
en effet votre ardeur, dont je suis fier pour vous
auprès des Macédoniens : « L'Achaïe, leur dis-je,

*a)* Sur cette collecte, particulièrement chère à Paul, cf. 1 Co **16** 1+.
*b)* Paul exhorte les Corinthiens à la générosité au moyen de thèmes qui lui sont chers : la pauvreté source d'enrichissement pour les autres, ici et **6** 10, à l'exemple du Christ, **8** 9+; cf. **1** 7+, le don de Dieu, **8** 1, suscitant le don des chrétiens, **8** 5; cf. **9** 8s.
*c)* Var. : « charité pour nous qui nous unit à vous ».
*d)* Ou encore : « la grâce ».
*e)* Le Christ s'est volontairement dépouillé sur terre de sa gloire et de ses privilèges divins, il a voulu partager nos souffrances, notre mort, cf. Ph **2** 7+, pour nous enrichir des privilèges auxquels il avait renoncé. Même thème que Ph **2** 6-11, mais centré ici sur l'œuvre de salut du Christ et non, comme en Ph **2**, sur sa glorification ultime par le Père. – Noter la motivation des comportements chrétiens par l'exemple du Christ, caractéristique de la morale paulinienne : Rm **14** 8; Ep **5** 1; **5** 25; Ph **2** 5, etc., cf. 2 Th **3** 7+.
*f)* Paul ne demande aux Corinthiens que leur superflu, alors que les chrétiens de Macédoine dans leur « profonde pauvreté » ont donné « au-delà de leurs moyens », vv. 2-3. Cf. Mc **12** 41-44p. Mais en leur donnant l'exemple du Christ, v. 9, Paul les invite discrètement à imiter la générosité de leurs frères macédoniens.
*g)* Soit en biens matériels dans un avenir possible où la situation sera renversée, soit plutôt en biens spirituels dès maintenant, cf. **9** 14; Rm **15** 27.
*h)* Peut-être Luc.
*i)* Autres traductions : « conformément à notre souhait », ou : « en preuve de notre bonne volonté ».
*j)* Ce frère est inconnu.
*k)* Grec : *apostolos*, apôtre, cf. Rm **1** 1+. Ils sont la « gloire du Christ » car ils la manifestent par leur action, v. 19, en suscitant chez les chrétiens un comportement analogue au sien, v. 9.
*l)* Paul vient pourtant d'en parler longuement. Aussi peut-on voir dans le ch. **9** un billet aux Églises d'Achaïe, inséré plus tard à la suite des instructions adressées par Paul sur le même sujet à l'Église de Corinthe, ch. **8**, cf. l'Introd., p. 1618.

est prête depuis l'an passé. » Et votre zèle a été un
stimulant pour le plus grand nombre. 3 Toutefois je
vous envoie les frères, pour que la fierté que nous
tirons de vous ne soit pas réduite à néant sur ce
point, et que vous soyez prêts, ainsi que je l'ai dit.
4 Autrement, si des Macédoniens venaient avec moi
et ne vous trouvaient pas prêts, notre belle assurance tournerait à notre confusion, pour ne pas dire
à la vôtre. 5 J'ai donc jugé nécessaire d'inviter les
frères à nous précéder chez vous, et à organiser
d'avance votre largesse déjà annoncée, afin qu'elle
soit prête comme une largesse et non comme une
lésinerie.

**Bienfaits qui résulteront de la collecte.**

Pr 11 24-25 6 Songez-y : qui sème chichement moissonnera
aussi chichement; qui sème largement moissonnera
aussi largement. 7 Que chacun donne selon ce qu'il
a décidé dans son cœur, non d'une manière cha-
Pr 22 8 LXX grine ou contrainte; car *Dieu* aime *celui qui donne*
*avec joie*. 8 Dieu d'ailleurs est assez puissant pour
vous combler de toutes sortes de libéralités afin
que, possédant toujours et en toute chose tout ce
qu'il vous faut, il vous reste du superflu pour toute
bonne œuvre, 9 selon qu'il est écrit : *Il a fait des lar-* Ps 112 9
*gesses, il a donné aux pauvres; sa justice demeure*
*à jamais*.
10 Celui qui fournit *au laboureur la semence et* Is 55 10
*le pain qui le nourrit* vous fournira la semence à
vous aussi, et en abondance, et il fera croître *les*
*fruits de votre justice*. 11 Enrichis de toutes maniè- Os 10 12
res, vous pourrez pratiquer toutes les générosités,
lesquelles, par notre entremise, feront monter vers
Dieu l'action de grâces. 12 Car le service de cette
offrande ne pourvoit pas seulement aux besoins des
saints; il est encore une source abondante de nom- 1 11
breuses actions de grâces envers Dieu. 13 Ce service 1 Co 16 1+
leur prouvant ce que vous êtes, ils glorifient Dieu
pour votre obéissance dans la profession de l'Évangile du Christ et pour la générosité de votre
communion avec eux et avec tous. 14 Et leur prière Ac 2 42
pour vous manifeste la tendresse qu'ils vous portent [a], en raison de la grâce surabondante que Dieu
a répandue sur vous. 15 Grâces soient à Dieu pour
son ineffable don [b]! 8 9

# *III. Apologie de Paul* [c]

**Réponse à l'accusation de faiblesse.**

Mt 11 29 **10** 1 C'est moi, Paul en personne, qui vous en
Ph 2 1 prie, par la douceur et l'indulgence du Christ,
1 Co 2 3 moi si humble avec vous face à face, mais, absent,
si hardi à votre égard [d]. 2 Je vous en prie : que je
n'aie pas, une fois chez vous, à user hardiment de
1 Co 4 21 cette assurance dont j'entends avoir l'audace contre
certaines gens qui pensent que notre conduite s'ins-
Rm 7 5+ pire de la chair. 3 Nous vivons dans la chair, évidemment, mais nous ne combattons pas selon la
6 7 chair. 4 Non, les armes de notre combat ne sont
Ep 6 11+ point charnelles, mais elles ont, au service de
1 Col 1 25 Dieu [e], la puissance de renverser les forteresses.
Nous renversons les sophismes 5 et toute puissance
Is 2 11-18 altière qui se dresse contre la connaissance de
Dieu, et nous faisons toute pensée captive pour
l'amener à obéir au Christ. 6 Et nous sommes prêts Rm 1 5+
à châtier toute désobéissance, dès que votre obéissance sera parfaite.
7 Rendez-vous à l'évidence [f]. Si quelqu'un se
flatte d'être au Christ [g], qu'il se le dise une bonne 1 Co 1 12
fois : de même qu'il est au Christ, nous le sommes 2 Co 11 2
aussi. 8 Et dussé-je me glorifier un peu trop de notre
pouvoir, que le Seigneur nous a donné pour votre
édification et non pour votre ruine, je n'en rougirais 13 10
pas. 9 Car je ne veux pas paraître vouloir vous Jr 1 10
effrayer par mes lettres [h]. 10 « Les lettres, dit-on,
sont énergiques et sévères; mais, quand il est là,
c'est un corps chétif, et sa parole est nulle. » 11 Qu'il
se le dise bien, celui-là : tel nous sommes en paroles
dans nos lettres quand nous sommes absent, tel
aussi, une fois présent, nous serons dans nos actes.

*a)* Paul met en œuvre ce qu'il enseigne en 1 Co **13** 5, car certains membres de cette communauté lui ont mené la vie dure, Ga **2** 4s. Par la collecte il veut précisément désarmer ces hostilités en montrant la déférence et le soutien apportés par les Églises d'origine païenne à l'Église-mère qui leur a communiqué ses biens spirituels, Rm **15** 27.

*b)* La Rédemption.

*c)* Le changement brusque de sujet et de ton surprend. Cf. l'explication suggérée dans l'Introduction, p. 1618. On peut aussi penser à une longue interruption dans la dictée de cette lettre, au cours de laquelle Paul aura reçu des informations nouvelles sur l'état d'esprit des Corinthiens et leurs sentiments à son égard, cf. **10** 1, 10; **12** 16, 20.

*d)* Allusion aux reproches ironiques de ses adversaires, cf. v. 10.

*e)* Ou : « aux yeux de Dieu ».

*f)* Ou : « Vous regardez aux apparences. »

*g)* Soit le « parti du Christ » de 1 Co **1** 12+, soit plutôt des fidèles qui revendiquaient le monopole de la fidélité au Christ.

*h)* Sous-entendu : « seulement ». Que les Corinthiens ne croient pas que la sévérité de Paul est purement verbale, cf. v. 11.

### Réponse à l'accusation d'ambition.

12 Certes, nous n'avons pas l'audace de nous éga-
3 1+ ler ni de nous comparer à de certaines gens qui se
recommandent eux-mêmes. En se mesurant eux-
Ga 6 4 mêmes à leur mesure et en se comparant à eux-mêmes, ils manquent d'intelligence. 13 Pour nous, nous
n'irons pas nous glorifier hors de mesure [a], mais
Rm 15 19s nous prendrons comme mesure la règle même que
Dieu nous a assignée pour mesure : celle d'être
Col 1 25 arrivés jusqu'à vous. 14 Car nous ne nous étendons
pas indûment, comme ce serait le cas si nous
n'étions pas arrivés jusqu'à vous; nous sommes bel
et bien parvenus jusqu'à vous avec l'Évangile du
Christ [b]. 15 Nous ne nous glorifions pas hors de
mesure, au moyen des labeurs d'autrui; et nous
avons l'espoir, avec les progrès en vous de votre
foi, de nous agrandir de plus en plus selon notre
règle à nous [c], 16 en portant l'Évangile au-delà de
chez vous, au lieu d'empiéter sur le domaine d'autrui et de nous glorifier de travaux tout préparés [d].
Jr 9 22-23 17 *Celui donc qui se glorifie, qu'il se glorifie dans*
1 Co 1 31 *le Seigneur.* 18 Ce n'est pas celui qui se recommande lui-même qui est un homme éprouvé; c'est
celui que le Seigneur recommande.

### Paul se voit contraint de faire son propre éloge.

**11** 1 Oh! si vous pouviez supporter que je fasse
un peu l'insensé! Mais, bien sûr, vous me supportez [e]. 2 J'éprouve à votre égard en effet une
Dt 4 24+ jalousie divine; car je vous ai fiancés à un époux
Os 1 2+ Ep 5 27 unique, comme une vierge pure à présenter au
Ap 21 2, 9 Christ [f]. 3 Mais j'ai bien peur qu'à l'exemple d'Ève,
Gn 3 1-6 que le serpent a dupée par son astuce, vos pensées
ne se corrompent en s'écartant de la simplicité [g]
envers le Christ. 4 Si le premier venu en effet prêche
un autre Jésus [h] que celui que nous avons prêché,
s'il s'agit de recevoir un Esprit différent de celui
que vous avez reçu, ou un Évangile différent de Ga 1 6-9
celui que vous avez accueilli, vous le supportez fort
bien. 5 J'estime pourtant ne le céder en rien à ces
« archiapôtres [i] ». 6 Si je ne suis qu'un profane pour 12 11
la parole, pour la science, c'est autre chose; en tout 1 Co 2 1-5
et devant tous [j], nous vous l'avons montré.
7 Ou bien, aurais-je commis une faute en vous
annonçant gratuitement l'Évangile de Dieu, 1 Co 9 18
m'abaissant moi-même pour vous élever, vous? Ac 18 3+
8 J'ai dépouillé d'autres Églises, recevant d'elles un 8 1-2
salaire pour vous servir. 9 Et quand, une fois chez Ph 4 15
vous, je me suis vu dans le besoin, je n'ai été à
charge à personne : ce sont les frères venus de
Macédoine qui ont pourvu à ce qui me manquait.
De toutes manières je me suis gardé de vous être 1 Co 9 15
à charge, et je m'en garderai. 10 Aussi sûrement que
la vérité du Christ est en moi, ce titre de gloire ne
me sera pas enlevé dans les régions de l'Achaïe.
11 Pourquoi? Parce que je ne vous aime pas? Dieu
le sait.
12 Et ce que je fais, je le ferai encore, afin d'ôter
tout prétexte à ceux qui en voudraient un, pour être
trouvés nos pareils sur le point où ils se glorifient [k].
13 Car ces gens-là sont de faux apôtres, des ouvriers
trompeurs, qui se déguisent en apôtres du Christ.
14 Et rien d'étonnant : Satan lui-même se déguise
bien en ange de lumière. 15 Rien donc de surprenant
si ses ministres aussi se déguisent en ministres de
justice. Mais leur fin sera conforme à leurs œuvres.
16 Je le répète [l], qu'on ne me prenne pas pour un
insensé; ou bien alors, acceptez-moi au moins
comme tel, que je puisse à mon tour me glorifier
un peu. 17 Ce que je vais dire, je ne le dirai pas
selon le Seigneur, mais comme un insensé, dans

*a)* Var. : « En nous mesurant nous-mêmes à notre mesure et en nous comparant à nous-mêmes, nous ne nous vanterons pas hors de mesure. »

*b)* Sens des vv. 12-14 : mes adversaires n'ont pour titre de gloire que la haute opinion qu'ils ont d'eux-mêmes (v. 12). Moi, je peux me glorifier d'avoir accompli la mission que Dieu m'a confiée : fonder l'Église à Corinthe (vv. 13-14).

*c)* On peut aussi traduire : « nous espérons bien, lorsque votre foi se sera développée, grandir encore dans votre estime et de plus en plus, toujours selon la règle qui nous a été assignée. »

*d)* C'est une règle que s'impose Paul de ne pas bâtir sur les fondations posées par autrui, Rm **15** 20s.

*e)* Ou peut-être : « Eh bien! oui, supportez-moi. » Sur cette folie de Paul, cf. **5** 13+; **11** 17; **12** 11.

*f)* Paul, ami de l'époux, lui présente sa fiancée. Depuis Osée **2**, l'amour de Yahvé pour son peuple était représenté par l'amour de l'époux et de l'épouse : Jr **2** 1-7; **3**; **31** 22; **51** 5; Is **49** 14-21; **50** 1; **54** 1-10; **62** 4-5; Ez **16**; **23**. Le NT a repris l'image : Mt **22** 2s; **25** 1s; Jn **3** 28-29; Ep **5** 25-33; Ap **19** 7; **21** 2.

*g)* Add. : « et la pureté ».

*h)* Sans doute un Jésus présenté essentiellement sous un aspect terrestre, cf. **5** 16+, en attachant une importance moindre au Seigneur ressuscité chef du monde nouveau, **5** 17+. On peut aussi comprendre la phrase comme un conditionnel. Si cela arrivait, vous l'accepteriez. En tout cas la situation semble moins grave qu'en Ga **1** 6-9. Mais elle pourrait le devenir.

*i)* Terme repris en **12** 11. Ce sont des « faux apôtres », **11** 14. Il ne s'agit certainement pas des Douze dont Paul reconnaît l'autorité, Ga **1** 18; **2** 9. Mais le cercle des apôtres est plus large que celui des Douze, cf. 1 Co **15** 7+, et il a pu y avoir d'autres Judas parmi eux. A moins qu'il ne s'agisse de personnes qui usurpaient ce titre.

*j)* Ou : « en tout et de toute manière ».

*k)* Le désintéressement tel que Paul le pratique est une marque de la mission d'apôtre que ses ennemis n'oseront jamais usurper.

*l)* Il ne l'a jamais dit, cf. au contraire **11** 1. C'est la preuve que Paul se soucie peu d'exactitude formelle dans ces pages brûlantes. Sa « folie », **11** 1, 17, 19, 21, 23; **12** 11, qui n'en est pas une, **11** 16; **12** 6, consiste à se glorifier « selon la chair », **11** 18, c'est-à-dire à se vanter de sa race, **11** 22, de ses travaux et de ses souffrances, **11** 23-26, de ses révélations, **12** 1-5. Mais il peut le faire sans être fou, car c'est la vérité, **12** 6. S'il le fait, c'est pour se comparer à ses adversaires sur leur propre terrain, **11** 21-23, et aussi désarmer ceux qui le dénigrent, **11** 5-12; **12** 11-15. Mais il le fait à contre-cœur, **12** 11. Son véritable titre de gloire, il le trouve dans sa faiblesse, **11** 30; **12** 5, 9, car c'est elle qui manifeste le mieux la force du Christ, **12** 9, en montrant avec évidence que l'extraordinaire puissance qui agit par l'apôtre ne vient pas de lui mais de Dieu, **4** 7+.

l'assurance d'avoir de quoi me glorifier. 18 Puisque
Rm 7 5+ tant d'autres se glorifient selon la chair, je vais, moi
2 Co 3 1+ aussi, me glorifier. 19 Vous supportez si volontiers
les insensés, vous qui êtes sensés! 20 Oui, vous supportez qu'on vous asservisse, qu'on vous dévore,
qu'on vous pille, qu'on vous traite avec arrogance,
qu'on vous frappe au visage. 21 Je le dis à votre
honte [a]; c'est à croire que nous nous sommes montré faible...

Mais ce dont on se prévaut – c'est en insensé que
Ph 3 4-6 je parle –, je puis m'en prévaloir, moi aussi [b]. 22 Ils
Ac 22 3 Ga 1 13-14 Rm 11 1 sont Hébreux? Moi aussi. Ils sont Israélites? Moi
aussi. Ils sont postérité d'Abraham? Moi aussi.
23 Ils sont ministres du Christ? (je vais dire une
10 7 folie!) Moi, plus qu'eux. Bien plus par les travaux,
bien plus par les emprisonnements, infiniment plus
par les coups. Souvent j'ai été à la mort. 24 Cinq
Dt 25 2-3 fois j'ai reçu des Juifs les trente-neuf coups de
Ac 16 22 fouet; 25 trois fois j'ai été battu de verges; une fois
Ac 14 19 lapidé; trois fois j'ai fait naufrage. Il m'est arrivé
de passer un jour et une nuit dans l'abîme [c]!
26 Voyages sans nombre, dangers des rivières, dangers des brigands, dangers de mes compatriotes,
dangers des païens, dangers de la ville, dangers du
désert, dangers de la mer, dangers des faux frères!
1 Co 4 11 27 Labeur et fatigue, veilles fréquentes, faim et soif,
jeûnes répétés, froid et nudité! 28 Et sans parler du
Rm 9 2 reste, mon obsession quotidienne, le souci de toutes
1 Co 9 22 les Églises! 29 Qui est faible, que je ne sois faible?
Qui vient à tomber, qu'un feu ne me brûle?

30 S'il faut se glorifier, c'est de mes faiblesses que
je me glorifierai. 31 Le Dieu et Père du Seigneur
Jésus, qui est béni éternellement, sait que je ne
mens pas. 32 A Damas, l'ethnarque du roi Arétas
Ac 9 23-25 faisait garder la ville des Damascéniens pour m'appréhender, 33 et c'est par une fenêtre, dans un
panier, qu'on me laissa glisser le long de la
muraille, et ainsi j'échappai à ses mains.

12 1 Il faut se glorifier? (cela ne vaut rien pourtant) eh bien! j'en viendrai aux visions et révélations du Seigneur. 2 Je connais un homme dans
le Christ qui, voici quatorze ans – était-ce en son
corps? je ne sais; était-ce hors de son corps? je ne
sais; Dieu le sait – ... cet homme-là fut ravi
jusqu'au troisième ciel [d]. 3 Et cet homme-là – était- Ex 33 20+
ce en son corps? était-ce sans son corps? je ne
sais, Dieu le sait –, je sais 4 qu'il fut ravi jusqu'au
paradis et qu'il entendit des paroles ineffables, qu'il
n'est pas permis à un homme de redire. 5 Pour cet
homme-là je me glorifierai; mais pour moi, je ne me
glorifierai que de mes faiblesses. 6 Oh! si je voulais
me glorifier, je ne serais pas insensé; je dirais la
vérité. Mais je m'abstiens, de peur qu'on ne se fasse
de moi une idée supérieure à ce qu'on voit en moi
ou à ce qu'on m'entend dire [e].

7 Et pour que l'excellence même de ces révélations ne m'enorgueillisse pas, il m'a été mis une
écharde en la chair [f], un ange de Satan chargé de Rm 9 2
me souffleter – pour que je ne m'enorgueillisse 2 Co 11 28
pas [g]! 8 A ce sujet, par trois fois, j'ai prié le Sei- Mt 26 39, 42
gneur pour qu'il s'éloigne de moi. 9 Mais il m'a
déclaré : « Ma grâce te suffit : car la puissance se
déploie dans la faiblesse. » C'est donc de grand 4 7
cœur que je me glorifierai surtout de mes faiblesses, Is 40 29
afin que repose sur moi la puissance du Christ.
10 C'est pourquoi je me complais dans les faibles- 7 4
ses, dans les outrages, dans les détresses, dans les Col 1 24
persécutions et les angoisses endurées pour le
Christ; car, lorsque je suis faible, c'est alors que je Ph 4 13
suis fort. Col 1 29

11 Me voilà devenu insensé! C'est vous qui m'y
avez contraint. C'était à vous de me recommander.
Car je n'ai été en rien inférieur à ces « archiapô- 11 5
tres », bien que je ne sois rien. 12 Les traits distinc- 1 Co 15 10
tifs de l'apôtre ont été réalisés chez vous; parfaite
constance, signes, prodiges et miracles. 13 Qu'avez- 1 Co 2 4; 1
vous eu de moins que les autres Églises, sinon que Rm 15 19 Ac 1 8+
personnellement je ne vous ai pas été à charge? Ac 18 3+
Pardonnez-moi cette injustice [h]. 14 Voici que, pour
la troisième fois, je suis prêt à me rendre chez vous, 2 Co 13 1
et je ne vous serai pas à charge; car ce que je
recherche, ce ne sont pas vos biens, mais vous. Ce
ne sont pas en effet les enfants qui doivent thésauriser pour les parents, mais les parents pour les
enfants. 15 Pour moi, je dépenserai très volontiers
et je me dépenserai moi-même tout entier pour vos
âmes. Faut-il que, vous aimant davantage [i], je sois
moins aimé [j]?

*a)* Où : « à notre honte ».
*b)* Les nécessités de la polémique ont obligé plusieurs fois saint Paul à revenir, comme ici, sur son passé de Juif authentique : Ga **1** 13-14; Rm **11** 1; Ph **3** 4-6; cf. Ac **22** 3s; **26** 4-5.
*c)* Les circonstances dans lesquelles Paul a enduré ces épreuves sont pour la plupart inconnues.
*d)* C'est-à-dire au plus haut des cieux.
*e)* Ou : « ce qu'on entend dire de moi ».
*f)* Peut-être une maladie à accès sévères et imprévisibles; peut-être la résistance d'Israël, les frères de Paul selon la chair, à la foi chrétienne.
*g)* Om. : « pour que je ne m'enorgueillisse pas ». – On peut aussi rattacher le début du v. 7 au v. 6 : « ... de peur qu'on ne se fasse de moi une idée supérieure à ce qu'on voit en moi ou à ce qu'on m'entend dire, en raison même de l'excellence de ces révélations. Voilà pourquoi, afin que je ne m'enorgueillisse pas... » La phrase est embarrassée et le texte n'est pas critiquement sûr.
*h)* Bel exemple d'ironie paulinienne.
*i)* Paul insiste souvent sur l'amour profond qu'il éprouve pour les chrétiens des communautés auxquelles il écrit : **2** 4; **6** 12; **11** 11; **12** 15; 1 Co **16** 24; 1 Th **2** 8; Ga **4** 19; Ph **1** 8, amour souvent comparé à celui d'une mère, Ga **4** 19; 1 Th **2** 8, d'un père, 1 Co **4** 14s; 2 Co **6** 13. Il est prêt à donner sa vie pour eux, Ph **2** 17. Il demande aux fidèles de lui rendre la pareille, 2 Co **6** 13. Mais, au nom de cet amour, il n'hésite pas à les corriger et à les reprendre, même si cette attitude refroidit leur amour, 2 Co **7** 8; **12** 15; Ga **4** 16.
*j)* Var. : « et me dépenserai moi-même pour vos âmes, même si,

[16] Soit, dira-t-on; personnellement je ne vous ai
pas grevés. Mais, en fourbe que je suis, je vous ai
pris par la ruse. [17] Vous aurais-je donc exploités
par l'un quelconque de ceux que je vous ai
**8** 16-22 envoyés? [18] J'ai insisté auprès de Tite, et j'ai
envoyé avec lui le frère. Tite vous aurait-il exploités? N'avons-nous pas marché dans le même
esprit? suivi les mêmes traces?

**Appréhensions et inquiétudes de Paul.**

[19] Depuis longtemps, vous vous imaginez [a] que
nous nous défendons devant vous. C'est devant
Dieu, dans le Christ, que nous parlons. Et tout
cela, bien-aimés, pour votre édification. [20] Je crains,
en effet, qu'à mon arrivée je ne vous trouve pas tels
que je voudrais, et que vous me trouviez tel que
Rm **1** 29+ vous ne voudriez pas; qu'il n'y ait discorde, jalousie, animosités, disputes, calomnies, commérages,
insolences, désordres. [21] Je crains qu'à ma prochaine visite mon Dieu ne m'humilie à votre sujet,
et que je n'aie à mener le deuil sur plusieurs de ceux
qui ont péché précédemment et ne se sont pas
repentis pour leurs actes d'impureté, de fornication
et de débauche.

**12** 14 **13** [1] C'est la troisième fois [b] que je vais me rendre
Dt **19** 15 chez vous. *Toute affaire se décidera sur la*
Mt **18** 16 *parole de deux témoins ou de trois.* [2] Je l'ai déjà dit
1 Tm **5** 19 à ceux qui ont péché précédemment et à tous les
autres, et je le redis d'avance aujourd'hui que je
suis absent, comme lors de mon second séjour : si
je reviens, je serai sans ménagement, [3] puisque vous
cherchez une preuve que le Christ parle en moi, lui
qui n'est pas faible à votre égard, mais qui est puissant parmi vous. [4] Certes, il a été crucifié en raison
de sa faiblesse, mais il est vivant par la puissance Rm **1** 4+
de Dieu. Et nous aussi, nous sommes faibles en lui,
bien sûr, mais nous vivrons avec lui, par la puis- Rm **8** 11+
sance de Dieu, à votre égard [c].

[5] Examinez-vous vous-mêmes pour voir si vous
êtes dans la foi. Éprouvez-vous vous-mêmes. Ne
reconnaissez-vous pas que Jésus Christ est en
vous? A moins peut-être que l'épreuve ne tourne
contre vous. [6] Vous reconnaîtrez, je l'espère, qu'elle
ne tourne pas contre nous. [7] Nous prions Dieu que
vous ne fassiez aucun mal; notre désir n'est pas de
paraître l'emporter dans l'épreuve, mais de vous
voir faire le bien, et de succomber ainsi dans
l'épreuve [d]. [8] Car nous n'avons aucun pouvoir Ac **4** 20+
contre la vérité; nous n'en avons que pour la vérité.
[9] Oui, nous nous réjouissons, quand nous sommes
faibles et que vous êtes forts. Ce que nous demandons dans nos prières, c'est votre affermissement.
[10] Voilà pourquoi je vous écris cela, étant absent,
afin de n'avoir pas, une fois présent, à user de sévérité selon le pouvoir que le Seigneur m'a donné
pour édifier, et non pour détruire. **10** 8 Jr **1** 10

# *Conclusion*

**Recommandations. Salutations. Souhait final.**

[11] Au demeurant, frères, soyez joyeux; affermis-
sez-vous; exhortez-vous. Ayez même sentiment;
vivez en paix, et le Dieu de la charité et de la paix
sera avec vous.

[12] Saluez-vous mutuellement d'un saint baiser [e].
Tous les saints vous saluent.

[13] La grâce du Seigneur Jésus Christ, l'amour de
Dieu et la communion du Saint Esprit soient avec
vous tous [f]!

vous aimant davantage, je dois être moins aimé ».

*a)* Var. : « Vous vous imaginez encore ».

*b)* La « troisième fois ». La première, lors de la fondation de l'Église; la seconde, lors de la « visite intermédiaire », voir l'Introduction, p. 1618.

*c)* Om. : « à votre égard ».

*d)* Cette épreuve sera le comportement de Paul et des Corinthiens lors de la visite annoncée en **13** 1, où Paul fera la preuve que le Christ agit par lui, **13** 3s. Cette épreuve se réalisera au détriment des Corinthiens, **13** 6, s'ils ne se convertissent pas. Par ses sanctions Paul triomphera, **13** 7. Mais si les Corinthiens se convertissent, Paul n'aura pas à faire usage de sa puissance, il paraîtra faible et eux forts, **13** 9; et il paraîtra succomber dans l'épreuve, **13** 7, car on pourra encore dire que ses menaces sont purement verbales, cf. **10** 9s. Il accepte pourtant avec joie cette éventualité, humiliante pour lui mais glorieuse pour ses chers fidèles.

*e)* C'est le baiser liturgique, symbole de la fraternité chrétienne, Rm **16** 16; 1 Co **16** 20; 1 Th **5** 26.

*f)* Cette formule trinitaire, probablement d'origine liturgique, cf. aussi Mt **28** 19, a son écho dans maints passages des épîtres, où les rôles respectifs des Trois Personnes sont présentés en fonction des divers contextes : Rm **1** 4+; **15** 16, 30; 1 Co **2** 10-16; **6** 11, 14, 15, 19; **12** 4-6; 2 Co **1** 21s; Ga **4** 6; Ph **2** 1; Ep **1** 3-14; **2** 18, 22; **4** 4-6; 2 Th **2** 13; Tt **3** 5s; He **9** 14; 1 P **1** 2; **3** 18; 1 Jn **4** 2; Jude 20, 21, Ap **1** 4s; **22** 1; cf. Ac **10** 38; **20** 28; Jn **14** 16, 18, 23. On remarquera en 1 Co **6** 11; Ep **4** 4-6 les formulations ternaires qui renforcent la pensée trinitaire. Comparer aussi la triade des vertus théologales, 1 Co **13** 13+.

# ÉPÎTRE AUX GALATES

**Adresse** [a].

Rm 1 1+ **1** [1] Paul, apôtre, non de la part des hommes ni
Ga 1 11s par l'intermédiaire d'un homme, mais par
Rm 1 4+ Jésus Christ et Dieu le Père qui l'a ressuscité des
morts, [2] et tous les frères qui sont avec moi, aux
Églises de Galatie. [3] A vous grâce et paix de par
Dieu notre Père et le Seigneur Jésus Christ, [4] qui
Col 1 13-14 s'est livré pour nos péchés afin de nous arracher à
1 Jn 5 19 ce monde [b] actuel et mauvais, selon la volonté de
Rm 16 27+ Dieu notre Père, [5] à qui soit la gloire dans les siè-
cles des siècles! Amen.

**Admonition** [c].

2 Th 2 2 [6] Je m'étonne que si vite vous abandonniez Celui
qui vous a appelés par la grâce du Christ, pour passer à un second évangile [d] – [7] non qu'il y en ait 2 Co 11 4
deux; il y a seulement des gens en train de jeter le
trouble parmi vous et qui veulent bouleverser
l'Évangile du Christ. [8] Eh bien! si nous-même, si un
ange venu du ciel vous annonçait un évangile différent de celui que nous vous avons prêché, qu'il soit Rm 9 3+
anathème [e]! [9] Nous l'avons déjà dit, et aujourd'hui
je le répète : si quelqu'un vous annonce un évangile
différent de celui que vous avez reçu, qu'il soit ana- 1 Co 11 2+
thème! [10] En tout cas, maintenant est-ce la faveur
des hommes, ou celle de Dieu que je veux gagner [f]? 1 Th 2 4
Est-ce que je cherche à plaire à des hommes? Si
je voulais encore [g] plaire à des hommes, je ne serais
plus le serviteur du Christ. Rm 1 1

# *I. Apologie personnelle*

**L'appel de Dieu.**

[11] Sachez-le, en effet [h], mes frères, l'Évangile que
j'ai annoncé n'est pas à mesure humaine : [12] ce
n'est pas non plus d'un homme que je l'ai reçu ou Mt 16 17
appris, mais par une révélation de Jésus Christ [i].
[13] Vous avez certes entendu parler de ma conduite 2 Co 11 21+
jadis dans le judaïsme, de la persécution effrénée Ac 8 1-3+

*a)* Cette adresse est d'un ton plus abrupt et plus dur que les autres (elle ne contient aucun éloge des Galates). Paul amorce, vv. 1 et 4, les thèmes principaux de sa lettre : défense de sa mission d'apôtre, **1-2**, exposé de son évangile du salut par la foi en Jésus Christ, fondement de la liberté chrétienne, **3-5**.

*b)* Le monde présent, par opposition au monde « à venir » messianique. Il coïncide avec le règne de Satan, Ac **26** 18, « dieu de ce monde », 2 Co **4** 4, cf. Ep **2** 2; **6** 12; Jn **8** 12; **12** 31+, et avec le règne du péché et de la Loi, Ga **3** 19. Mais le Christ, par sa mort et sa résurrection, nous libère de tous ces tyrans dès ici-bas et nous fait entrer dans son règne et celui de Dieu, Rm **14** 17; Col **1** 13; Ep **5** 5, en attendant la pleine libération de la résurrection corporelle à la Parousie, cf. Rm **5** - **8**.

*c)* Une admonestation remplace l'action de grâces habituelle au début des épîtres pauliniennes, Rm **1** 1+.

*d)* Il n'y a qu'un seul Évangile, vv. 6-8; 2 Co **11** 4, prêché par tous les Apôtres, 1 Co **15** 11, au service duquel Dieu a mis à part l'apôtre Paul, Rm **1** 1; 1 Co **1** 17; cf. Ga **1** 15-16. Comme dans les évangiles, Mc **1** 1+, et dans les Actes, Ac **5** 42+, c'est une Bonne Nouvelle annoncée de vive voix et écoutée. Son contenu est la révélation du Fils Jésus Christ, Rm **1** 1-4, ressuscité d'entre les morts, 1 Co **15** 1-5; 2 Tm **1** 10, après sa mise en croix, 1 Co **2** 2, qui a instauré au bénéfice de tous les pécheurs, juifs ou païens, Rm **3** 22-24, l'économie de la justice, Rm **1** 16+, et du salut, Ep **1** 13, qu'avaient annoncée les prophètes, Rm **16** 25-26; 1 P **1** 10. Souvent d'ailleurs le mot dit à la fois l'activité de l'apôtre et le message qu'il annonce, 2 Co **2** 12; **8** 18; Ph **1** 5, 12; **4** 3, 15; Phm 13; 1 Th **3** 2. L'efficacité de cette proclamation est due à la puissance de Dieu, 1 Th **1** 3 (cf. **2** 13) : Parole de vérité qui manifeste la grâce de Dieu, Col **1** 5-6; Ep **1** 13; 2 Co **6** 1; Ac **14** 3; **20** 24, 32, elle produit le salut chez celui qui l'accueille par la foi, Rm **1** 16-17+; **3** 22; **10** 14-15; Ph **1** 28, et lui obéit, Rm **1** 5; **10** 16; 2 Th **1** 8; elle fructifie et se développe, Col **1** 6, et par elle le ministère de l'apôtre qui l'« accomplit », Rm **15** 19, reste la source première de toute l'espérance chrétienne, Col **1** 23.

*e)* C'est-à-dire ici : objet de malédiction, cf. Dt **7** 26; 1 Co **5** 5+.

*f)* Les judaïsants accusaient sans doute Paul de ne pas obliger les païens à la circoncision afin de les gagner plus aisément; mais cette fois, on ne pourra songer à taxer son langage d'opportunisme.

*g)* Comme jadis, avant sa conversion, quand Paul prêchait la circoncision.

*h)* « en effet »; var. : « mais » ou « or ».

*i)* Révélation dont Jésus Christ fut à la fois l'auteur et l'objet, v. 16. Non que Paul ait nécessairement tout appris par révéla-

que je menais contre l'Église de Dieu et des ravages
que je lui causais, 14 et de mes progrès dans le
Ac **26** 4-5 judaïsme, où je surpassais bien des compatriotes de
Mc **7** 3s mon âge, en partisan acharné des traditions de mes
pères.
Jr **1** 5 15 Mais quand Celui qui *dès le sein maternel* m'a
Is **49** 1 Lc **1** 15 mis à part et *appelé* par sa grâce daigna 16 révéler
Ac **9** 3-19p+ en moi son Fils pour que je l'annonce parmi les
Mt **16** 17 païens [a], aussitôt, sans consulter la chair et le sang,
Rm **1** 1+ 17 sans monter [b] à Jérusalem trouver les apôtres
mes prédécesseurs, je m'en allai en Arabie [c], puis
je revins encore à Damas. 18 Ensuite, après trois
Ac **9** 26-30+ ans, je montai à Jérusalem rendre visite à Céphas
et demeurai auprès de lui quinze jours : 19 je n'ai
Ac **12** 17+ pas vu d'autre apôtre, mais seulement Jacques, le
Mt **12** 46+ frère du Seigneur [d] : 20 et quand je vous écris cela,
Rm **1** 9+ j'atteste devant Dieu que je ne mens point.
Ac **9** 30; 21 Ensuite je suis allé en Syrie et en Cilicie, 22 mais
**11** 25-26 j'étais personnellement inconnu des Églises de
Judée qui sont dans le Christ; 23 on y entendait seu-
lement dire que le persécuteur de naguère annonçait maintenant la foi qu'alors il voulait détruire;
24 et elles glorifiaient Dieu à mon sujet.

Ac **11** 30+ Ac **15** 1+

## L'assemblée de Jérusalem.

Ac **4** 36+ **2** 1 Ensuite, au bout de quatorze ans [e], je montai
2 Co **2** 13+ de nouveau à Jérusalem avec Barnabé et Tite
que je pris avec moi. 2 J'y montai à la suite d'une
révélation; et je leur exposai l'Évangile que je prêche parmi les païens – mais séparément aux nota-
5 7+ bles, de peur de courir ou d'avoir couru pour rien [f].
3 Eh bien! de Tite lui-même, mon compagnon qui
était grec, on n'exigea pas qu'il se fît circoncire [g].
4 Mais à cause des intrus, ces faux frères qui se sont
Rm **6** 15+ glissés pour espionner la liberté que nous avons
dans le Christ Jésus, afin de nous réduire en servitude, 5 gens auxquels nous refusâmes de céder, fût-
ce un moment, par déférence [h], afin de sauvegarder
pour vous la vérité de l'Évangile... 6 Et de la part
de ceux qu'on tenait pour des notables – peu
m'importe ce qu'alors ils pouvaient être; *Dieu ne* Dt **10** 17+
*fait point acception des personnes* –, à mon Évangile, en tout cas, les notables n'ont rien ajouté [i].
7 Au contraire, voyant que l'évangélisation des in- Ac **15** 3s, 12
circoncis m'était confiée comme à Pierre celle des Rm **15** 17-19
circoncis – 8 car Celui qui avait agi en Pierre pour
faire de lui un apôtre des circoncis, avait pareillement agi en moi en faveur des païens – 9 et
reconnaissant la grâce qui m'avait été départie,
Jacques, Céphas et Jean [j], ces notables, ces colon- 1 19+
nes, nous tendirent la main, à moi et à Barnabé, en Ac **12** 17+
signe de communion : nous irions, nous aux païens,
eux à la Circoncision [k]; 10 nous devions seulement
songer aux pauvres, ce que précisément j'ai eu à 1 Co **16** 1+
cœur de faire.

## Pierre et Paul à Antioche. Ac **15** 1+

11 Mais quand Céphas vint à Antioche, je lui
résistai en face, parce qu'il s'était donné tort [l]. 12 En
effet, avant l'arrivée de certaines gens de l'entourage de Jacques, il prenait ses repas avec les
païens [m]; mais quand ces gens arrivèrent, on le vit Ac **10** 1+
se dérober et se tenir à l'écart, par peur des
circoncis. 13 Et les autres Juifs l'imitèrent dans sa
dissimulation, au point d'entraîner Barnabé lui-
même à dissimuler avec eux.
14 Mais quand je vis qu'ils ne marchaient pas
droit selon la vérité de l'Évangile, je dis à Céphas
devant tout le monde : « Si toi qui es Juif, tu vis
comme les païens, et non à la juive, comment peux-
tu contraindre les païens à judaïser?

tion directe, encore moins tout à la fois, sur le chemin de Damas : il songe ici à la doctrine du salut par la foi sans les œuvres de la Loi, celle qui fait l'unique objet du litige.

*a)* Autre traduction : « me révéler son fils ». Sans nier le caractère objectif de la vision. 1 Co **9** 1; **15** 8; cf. Ac **9** 17; **22** 14; **26** 16, Paul en souligne ici l'aspect de révélation intérieure et il y rattache sa vocation d'apôtre des païens, **2** 8-9; Rm **1** 1+; Ep **3** 2-3; 1 Tm **2** 7.

*b)* « monter »; var. : « partir » ou « aller ».

*c)* Sans doute le royaume des Nabatéens, 1 M **5** 25+, au sud de Damas; Paul dut s'y enfuir pour échapper à Arétas, 2 Co **11** 32.

*d)* D'autres traduisent : « sinon Jacques... », en supposant que ce Jacques fait partie des Douze et se confond avec le fils d'Alphée, Mt **10** 3p, ou bien en prenant « apôtre » au sens large, cf. Rm **1** 1+.

*e)* A compter soit depuis la dernière rencontre avec Pierre, soit plutôt depuis la conversion. Les intervalles indiqués de 3 et 14 ans (**1** 18 et **2** 1) peuvent n'avoir guère dépassé un an et demi et 12 ans et demi, les anciens comptant pour une année entière la première et la dernière, même à peine commencées.

*f)* Paul ne doute point de la vérité de son Évangile; mais la fondation des Églises exigeait que ne soit pas rompu le lien avec l'Église mère, ici représentée par les trois « notables », les « colonnes » du v. 9 : d'où l'importance à ses yeux de la collecte pour les « pauvres » de Jérusalem, cf. 1 Co **16** 1+; voir v. 10.

*g)* Pour Timothée, d'ailleurs de mère juive, Paul se montra moins intransigeant, Ac **16** 3, cf. 1 Co **9** 20.

*h)* D'après l'ancienne traduction latine, qui omet la négation, Paul déclare avoir cédé un moment. – Pap. Beatty om. : « par déférence ».

*i)* Litt. « ils ne m'ont rien exposé en plus », cf. v. 2.

*j)* « Jacques, Céphas et Jean; var. : « Jacques, Pierre et Jean », ou « Pierre, Jacques et Jean », ou : « Jacques et Jean ».

*k)* Répartition d'ordre plus géographique qu'ethnique : « la Circoncision » désigne principalement les Juifs de Palestine, et Paul s'est toujours adressé d'abord aux Juifs de la Diaspora, Ac **13** 5+.

*l)* En soi, la conduite de Pierre pouvait se justifier; Paul agira de même en d'autres circonstances, Ac **16** 3; **21** 26; 1 Co **8** 13; Rm **14** 21; cf. 1 Co **9** 20. Mais, dans celles-ci, elle donnait à entendre que seuls les Juifs convertis pratiquant la Loi étaient de vrais chrétiens et elle tendait à constituer deux communautés étrangères l'une à l'autre, même dans les repas eucharistiques. Surtout, alors qu'il aurait fallu les afficher, elle « dissimulait », v. 13, les vrais sentiments de Pierre.

*m)* Les païens convertis, de même au v. 14; de même les « circoncis » du v. 12 et les Juifs du v. 13 sont des Juifs convertis.

**L'Évangile de Paul [a].**

[15] « Nous sommes, nous, des Juifs de naissance
et non de ces pécheurs de païens [b]; [16] et cependant,
sachant que l'homme n'est pas justifié par la pratique de la Loi, mais seulement par la foi en Jésus
Christ, nous avons cru, nous aussi, au Christ Jésus,
afin d'obtenir la justification par la foi au Christ et
non par la pratique de la Loi, puisque par la prati-
Ps **143** 2 que de la Loi *personne ne sera justifié.* [17] Or si,
Rm **3** 20+ recherchant notre justification dans le Christ, il
s'est trouvé que nous sommes des pécheurs comme
les autres, serait-ce que le Christ est au service du
péché? Certes non! [18] Car en relevant ce que j'ai
abattu, je me convaincs moi-même de transgres-
sion. [19] En effet, par la Loi je suis mort à la Loi [c] Rm **7** 1+; **6** 11+
afin de vivre à Dieu : je suis crucifié avec le Christ;
[20] et ce n'est plus moi qui vis, mais le Christ qui Rm **8** 10-11
vit en moi [d]. Ma vie présente dans la chair [e], je la Ph **1** 21
vis dans la foi au Fils de Dieu [f] qui m'a aimé et Col **3** 3-4
s'est livré pour moi. [21] Je n'annule pas le don de Ep **5** 2, 25
Dieu [g] : car si la justice vient de la Loi, c'est donc 2 Co **5** 14
que le Christ est mort pour rien. » Ga **5** 4

# *II. Argumentation doctrinale*

**L'expérience chrétienne.**

**3** [1] O Galates sans intelligence, qui vous a
ensorcelés? A vos yeux pourtant ont été
1 Co **2** 2 dépeints les traits de Jésus Christ en croix [h]. [2] Je ne
veux savoir de vous qu'une chose : est-ce pour
**4** 6 avoir pratiqué la Loi que vous avez reçu l'Esprit,
Rm **5** 5+ ou pour avoir cru à la prédication? [3] Êtes-vous à
ce point dépourvus d'intelligence, que de commencer par l'esprit pour finir maintenant dans la
chair [i]? [4] Est-ce en vain que vous avez éprouvé tant
de faveurs [j]? Et ce serait bel et bien en vain. [5] Celui
Ac **1** 8+ donc qui vous prodigue l'Esprit et opère parmi
vous des miracles, le fait-il parce que vous pratiquez la Loi ou parce que vous croyez à la prédication?

16+; **7** 7+ **Témoignage de l'Écriture : la foi et la Loi.**

Gn **15** 6 [6] Ainsi Abraham *crut il en Dieu, et ce lui fut*
Rm **4** 3+ *compté comme justice.* [7] Comprenez-le donc : ceux
qui se réclament de la foi, ce sont eux les fils
d'Abraham. [8] Et l'Écriture, prévoyant que Dieu
justifierait les païens par la foi, annonça d'avance
à Abraham cette bonne nouvelle : *En toi seront*
*bénies toutes les nations.* [9] Si bien que ceux qui se Gn **12** 3+
réclament de la foi sont bénis avec Abraham le Ac **3** 25
croyant.
[10] Tous ceux en effet qui se réclament de la pratique de la loi encourent une malédiction. Car il est Rm **7** 7+
écrit : *Maudit soit quiconque ne s'attache pas à* Dt **27** 26
*tous les préceptes écrits dans le livre de la Loi pour*
*les pratiquer.* – [11] Que d'ailleurs la Loi ne puisse **5** 3; Jc **2** 10
justifier personne devant Dieu, c'est l'évidence,
puisque *le juste vivra par la foi;* [12] or la Loi, elle, Ha **2** 4
ne procède pas de la foi [k] : mais *c'est en pratiquant* Rm **1** 17
*ces préceptes que l'homme vivra par eux.* – [13] Le Lv **18** 5
Christ nous a rachetés de cette malédiction de la Rm **3** 24+
Loi, devenu lui-même malédiction pour nous [l], car
il est écrit : *Maudit quiconque pend au gibet,* [14] afin Dt **21** 23
qu'aux païens passe dans le Christ Jésus la béné- Ac **5** 30+
diction d'Abraham et que par la foi nous recevions Ep **1** 3
l'Esprit de la promesse [m]. Rm **5** 5+

**La Loi n'a pas annulé la promesse.**

[15] Frères, partons du plan humain : un testament,
dûment ratifié, qui n'est pourtant que de l'homme,
ne s'annule pas ni ne reçoit de modifications. [16] Or

*a)* Paul s'adresse ici aux judaïsants d'Antioche et surtout à ceux de Galatie, plus encore qu'à Pierre.

*b)* L'expression n'est pas sans ironie; mais Paul n'a jamais nié les privilèges d'Israël, Rm **1** 16+; **3** 1; **9** 4-5+, même temporairement infidèle, Rm **11** 12-15.

*c)* Formule obscure à force de concision et diversement expliquée. Crucifié avec le Christ, le chrétien est, avec lui et en lui, mort à la Loi mosaïque, cf. Rm **7** 1s, en vertu même de cette Loi, Ga **3** 13, pour participer à la vie de ressuscité du Christ, Rm **6** 4-10; **7** 4-6 et les notes. D'autres comprennent que le chrétien a renoncé à la Loi pour obéir à l'AT, Ga **3** 19, 24; Rm **10** 4, ou bien qu'il est mort à la Loi mosaïque par une autre loi, celle de la foi ou de l'Esprit, Rm **8** 2.

*d)* Par la foi, Rm **1** 16, le Christ devient en quelque sorte le sujet de toutes les actions vitales du chrétien, Rm **8** 2, 10-11+; Ph **1** 21; cf. Col **3** 3+.

*e)* Quoique encore « dans la chair », Rm **7** 5+, la vie du chrétien est déjà spiritualisée par la foi, cf. Ep **3** 17; sur cette condition paradoxale, cf. Rm **8** 18-27.

*f)* Var. : « la foi en Dieu et au Christ ».

*g)* En retournant à la Loi, cf. **3** 17.

*h)* La doctrine de la rédemption par la mort et la résurrection du Christ constitue la base de la catéchèse paulinienne, cf. **1** 1-4; **6** 14; 1 Co **1** 17-25; **2** 2; **15** 1-4+; 1 Th **1** 9-10; Ac **13** 26-39.

*i)* Allusion à la circoncision que prônaient les prédicateurs judaïsants.

*j)* Autre traduction : « Est-ce en vain que vous avez tant souffert? »

*k)* La Loi suppose en effet une pratique, et une pratique totale, v. 10 et **5** 3; cf. Jc **2** 10, que, par elle-même, elle ne saurait assurer, cf. Ac **15** 10; Rm **7** 7+.

*l)* Pour libérer les hommes de la malédiction divine que la violation de la Loi faisait peser sur eux, le Christ s'est fait solidaire de cette malédiction, cf. Rm **8** 3+; 2 Co **5** 21+; Col **2** 14+. L'analogie assez lointaine du Christ crucifié et du condamné de Dt **21** 23 n'est qu'une illustration de cette doctrine. Il a accepté de passer pour tel aux yeux des Juifs, comme le « Serviteur » d'Is **53**.

*m)* Var. : « la bénédiction de l'Esprit ».

c'est à Abraham que les promesses furent adressées
Gn 12 7+ *et à* sa *descendance.* L'Écriture ne dit pas : « et aux
descendants », comme s'il s'agissait de plusieurs [a];
elle n'en désigne qu'un : *et à ta descendance,* c'est-
à-dire le Christ. [17] Or voici ma pensée : un testament déjà établi par Dieu en bonne et due forme,
Ex 12 40 la Loi venue après quatre cent trente ans ne va pas
l'infirmer, et ainsi rendre vaine la promesse [b].
[18] Car si on hérite en vertu de la Loi, ce n'est plus
Rm 11 6 en vertu de la promesse : or c'est par une promesse
que Dieu accorda sa faveur à Abraham.

Rm 7 7+ **Rôle de la Loi.**

[19] Alors pourquoi la Loi? Elle fut ajoutée en vue
des transgressions [c], jusqu'à la venue de la descendance [d] à qui était destinée la promesse, édictée par
Ac 7 38, 53+ le ministère des anges [e] et l'entremise d'un média-
He 2 2 Ga 4 3+ teur. [20] Or il n'y a pas de médiateur, quand on est
Col 2 15+ seul, et Dieu est seul [f]. [21] La Loi s'opposerait donc
aux promesses de Dieu? Certes non! En effet, si
nous avait été donnée une loi capable de communi-
quer la vie, alors vraiment la justice procéderait de
Ps 14 1-3 la Loi. [22] Mais en fait l'Écriture a tout enfermé sous
Rm 3 9-20, 23 le péché, afin que la promesse, par la foi en Jésus
Rm 11 32 Christ, fût accordée à ceux qui croient [g].

**Avènement de la foi.**

[23] Avant la venue de la foi, nous étions enfermés
sous la garde de la Loi, réservés à la foi qui devait
se révéler. [24] Ainsi la Loi nous servit-elle de pédagogue [h] jusqu'au Christ, pour que nous obtenions
de la foi notre justification. [25] Mais la foi venue,
nous ne sommes plus sous un pédagogue. [26] Car
vous êtes tous [i] fils de Dieu, par la foi, dans le 4 5-7; Jn 1 12
Christ Jésus. [27] Vous tous en effet, baptisés dans le Rm 8 14s, 29 Rm 6 4+
Christ [j], vous avez revêtu le Christ : [28] il n'y a ni Rm 13 14; Ep 4
Juif ni Grec, il n'y a ni esclave ni homme libre, il Rm 10 12
n'y a ni homme ni femme; car tous vous ne faites 1 Co 12 13 Col 3 11
qu'un dans le Christ Jésus [k]. [29] Mais si vous appar- Jn 17 21s
tenez au Christ, vous êtes donc la descendance
d'Abraham, héritiers selon la promesse [l].

**Filiation divine.**

**4** [1] Or je dis [m] : aussi longtemps qu'il est un
enfant, l'héritier, quoique propriétaire de tous
les biens, ne diffère en rien d'un esclave. [2] Il est
sous le régime des tuteurs et des intendants jusqu'à
la date fixée par son père. [3] Nous aussi, durant
notre enfance, nous étions asservis aux éléments du
monde [n]. [4] Mais quand vint la plénitude du temps [o], Ep 1 10
Dieu envoya son Fils, né d'une femme, né sujet de Rm 1 3
la Loi, [5] afin de racheter les sujets de la Loi, afin Rm 3 24+
de nous conférer l'adoption filiale [p]. [6] Et la preuve Rm 8 15-17
que vous êtes des fils, c'est que Dieu a envoyé dans
nos cœurs l'Esprit de son Fils qui crie : Abba, Mc 14 36
Père! [7] Aussi n'es-tu plus esclave mais fils; fils, et Jn 15 15
donc héritier de par Dieu.
[8] Jadis, dans votre ignorance de Dieu, vous fûtes 1 Co 12 2
asservis à des dieux qui au vrai n'en sont pas; 1 Th 1 9
[9] mais maintenant que vous avez connu Dieu ou 1 Co 8 4-5
plutôt qu'il vous a connus [q], comment retourner 1 Co 13 12
encore à ces éléments sans force ni valeur, auxquels
à nouveau, comme jadis, vous voulez vous asser-
vir? [10] Observer des jours, des mois, des saisons, Col 2 16, 2
des années! [11] Vous me faites craindre de m'être
inutilement fatigué pour vous. Ph 2 16 1 Th 3 5

*a)* L'emploi par l'Écriture d'un terme collectif pouvant désigner un seul individu permet à Paul d'illustrer son argumentation d'une harmonie supplémentaire avec l'AT.

*b)* La promesse inconditionnée faite par Dieu aux Pères, Gn **12** 1+, **15** 1+; Rm **4** 13+; He **11** 8, est ici regardée comme un testament, cf. He **9** 16-17. Même si l'on y voit une « alliance » obligeant aussi les hommes, on ne peut concevoir celle-ci comme un contrat bilatéral, v. 20, qui subordonnerait le salut aux œuvres de la Loi. Dieu se contredirait si la Loi ne laissait intacte la gratuité de la promesse. En fait le rôle de la Loi était de démasquer le péché, v. 19, pour acheminer les consciences vers la foi au Christ, vv. 24-25.

*c)* Sur le sens de cette affirmation abrupte, voir note *b* et Rm **7** 7+.

*d)* Var. : « Alors pourquoi la Loi des œuvres? Elle fut ajoutée jusqu'à la venue de la descendance ».

*e)* Les traditions juives mentionnaient la présence d'anges au Sinaï, lors du don de la Loi. Le « médiateur » est Moïse, cf. Ac **7** 38+.

*f)* L'intervention d'un médiateur caractérise la Loi, tandis que la promesse émane de Dieu seul.

*g)* Pour accueillir la justice comme un don gratuit, il faut d'abord renoncer à y prétendre comme à un dû. L'Écriture, vv. 8, 16, est expression et instrument du dessein de Dieu, Rm **11** 32.

*h)* Dès que le pédagogue a mené les enfants « jusqu'au » maître, son rôle prend fin. Tel était le rôle préparatoire, essentiellement temporaire, de la Loi, désormais accomplie par la foi au Christ et la grâce, Rm **6** 14-15+; cf. Mt **5** 17+.

*i)* Tous, non seulement « nous », Juifs, mais « vous », païens.

*j)* Foi et baptême, loin de s'opposer, s'incluent mutuellement, cf. Rm **6** 4+.

*k)* Var. : « car tous vous êtes du Christ Jésus ».

*l)* Paul revient à la descendance d'Abraham, vv. 6-9, constituée désormais par les fils de Dieu qui croient au Christ Jésus et lui appartiennent, non plus par une postérité selon la chair, cf. Ph **3** 3.

*m)* Nouvelle comparaison, empruntée encore aux usages juridiques. En dépit de son élection, le Juif, héritier présomptif, n'était sous le régime de la Loi qu'un esclave, v. 3, et pour un chrétien, vouloir en assumer le joug, c'est retourner à l'état d'enfance, cf. v. 9.

*n)* Désignant les éléments constitutifs du monde matériel, cette expression, cf. v. 9; Col **2** 8, 20, vise, dans la pensée de Paul, le régime de la Loi qui en réglait minutieusement l'usage, v. 10; Col **2** 16, et, par contrecoup, les Esprits célestes qui prétendaient, par le moyen de la Loi, Ga **3** 19+; Col **2** 15+, maintenir le monde sous leur tutelle, Col **2** 18+.

*o)* Cette expression désigne l'arrivée des temps messianiques, ou eschatologiques, qui accomplissent la longue attente des siècles comme une mesure enfin pleine. Cf. Mc **1** 15; Ac **1** 7+; Rm **13** 11+; 1 Co **10** 11; 2 Co **6** 2+; Ep **1** 10; He **1** 2; **9** 26; 1 P **1** 20.

*p)* Les deux aspects, négatif et positif, de la rédemption : en devenant fils, l'esclave acquiert la liberté. L'esclave libéré est adopté comme fils, non seulement par l'accession légale à l'héritage, v. 7 (cf. **3** 29), mais par le don réel de la vie divine, dans lequel les trois Personnes sont associées, v. 6 (cf. 2 Co **13** 13+).

*q)* La conversion des Galates fut l'œuvre de Dieu, qui les a « connus » le premier; cf. 1 Co **8** 2-3; **13** 12.

### Souvenirs personnels.

2 Th **3** 7+ [12] Devenez semblables à moi, puisque je me suis
1 Co **9** 21 fait semblable à vous [a], frères, je vous en supplie.
Vous ne m'avez nullement offensé. [13] Mais vous le
savez, ce fut une maladie [b] qui me donna l'occasion
de vous évangéliser la première fois, [14] et, malgré
l'épreuve que vous était ce corps infirme, vous
n'avez marqué ni mépris ni dégoût; mais vous
Mt **10** 40+ m'avez accueilli comme un ange de Dieu, comme
le Christ Jésus. [15] Que sont donc devenues les félicitations que vous vous adressiez? Car je vous
rends ce témoignage : s'il avait été possible, vous
vous seriez arraché les yeux pour me les donner.
2 Co **12** 15+ [16] Alors, suis-je devenu votre ennemi en vous disant
la vérité? [17] Leur attachement pour vous n'est pas
bon; ils veulent vous séparer de moi, pour vous
attacher à eux. [18] Il est bien de s'attacher les autres
pour le bien [c], pour toujours, et non pas seulement
quand je suis près de vous, [19] mes petits enfants,
1 Th **2** 7-8 vous que j'enfante à nouveau dans la douleur
Co **4** 14-15 2 Co **6** 13 jusqu'à ce que le Christ soit formé en vous. [20] Que
Phm 10 ne suis-je près de vous en cet instant pour adapter
mon langage, car je ne sais comment m'y prendre
avec vous.

### Les deux alliances : Agar et Sara.

[21] Dites-moi, vous qui voulez vous soumettre à
la Loi, n'entendez-vous pas la Loi [d]? [22] Il est écrit
en effet qu'Abraham eut deux fils, l'un de la ser- Gn **16** 15; **21** 2
vante, l'autre de la femme libre; [23] mais celui de la
servante est né selon la chair [e], celui de la femme
libre en vertu de la promesse. [24] Il y a là une allégo- Gn **17** 16
rie : ces femmes représentent deux alliances; la pre- 1 Co **10** 6+
mière se rattache au Sinaï et enfante pour la servitude : c'est Agar [25] (car le Sinaï est en Arabie [f]) et
elle correspond à la Jérusalem actuelle [g], qui de fait Jn **8** 32s
est esclave avec ses enfants. [26] Mais la Jérusalem Ap **21** 2
d'en haut est libre, et elle est notre mère; [27] car il
est écrit : *Réjouis-toi, stérile qui n'enfantais pas,* Is **54** 1
*éclate en cris de joie, toi qui n'as pas connu les*
*douleurs; car nombreux sont les enfants de l'aban-*
*donnée, plus que les fils de l'épouse.* [28] Or vous,
mes frères, à la manière d'Isaac, vous êtes enfants
de la promesse. [29] Mais, comme alors l'enfant de la Gn **21** 9
chair persécutait l'enfant de l'esprit, il en est encore 1 Th **2** 14+
ainsi maintenant [h]. [30] Eh bien, que dit l'Écriture :
*Chasse la servante et son fils, car il ne faut pas que* Gn **21** 10
*le fils de la servante hérite avec le fils* de la femme
libre. [31] Aussi, mes frères, ne sommes-nous pas
enfants d'une servante mais de la femme libre.

## III. Parénèse

Rm **6** 15+ **La liberté chrétienne.**

Jn **8** 36 **5** [1] C'est pour que nous restions libres que le
Christ nous a libérés. Donc tenez bon et ne
Ac **15** 10 vous remettez pas sous le joug de l'esclavage [i].
Mt **11** 29 [2] C'est moi, Paul, qui vous le dis : si vous vous fai-
**2** 21 tes circoncire, le Christ ne vous servira de rien.
[3] De nouveau je l'atteste à tout homme qui se fait
0; Jc **2** 10 circoncire : il est tenu à l'observance intégrale de
la Loi. [4] Vous avez rompu avec le Christ, vous qui
cherchez la justice dans la Loi; vous êtes déchus
de la grâce. [5] Car pour nous, c'est l'Esprit qui nous
fait attendre de la foi les biens qu'espère la justice [j]. Rm **5** 2+
[6] En effet, dans le Christ Jésus ni circoncision ni 1 Co **7** 19
incirconcision ne comptent, mais seulement la foi Ga **6** 15
opérant par la charité [k]. [7] Votre course partait Jc **2** 14
bien [l]; qui a entravé votre élan de soumission à la 1 Co **13** 13+
vérité? [8] Cette suggestion ne vient pas de Celui qui

*a)* Sans doute en renonçant aux observances légales, cf. 1 Co **9** 21.
*b)* Qui obligea vraisemblablement l'Apôtre à prolonger son séjour en Galatie; il en profita pour y annoncer l'Évangile.
*c)* Var. : « Attachez-vous au bien ».
*d)* Témoignage de l'Écriture, cf. Rm **3** 19+; pour hériter de la promesse il ne suffit pas d'être fils d'Abraham, cf. Mt **3** 9 : il faut encore l'être, non comme Ismaël, mais comme Isaac, c'est-à-dire en vertu de la promesse, v. 23, d'une descendance qui tient plus de l'esprit que de la chair, v. 29, et par là préfigure celle des chrétiens, v. 28; cf. Rm **9** 6s. Cet argument fondamental est illustré par d'autres correspondances plus artificielles.
*e)* Selon les lois ordinaires de la nature, cf. Rm **7** 5+, sans une intervention spéciale de Dieu pour réaliser sa promesse.
*f)* « car le Sinaï est en Arabie »; var. : « Agar représente le Sinaï en Arabie » (ou : « en langue arabe »).
*g)* Celle du temps présent, asservie à la Loi, par opposition à la Jérusalem messianique, cf. Is **2** 2, féconde après une longue stérilité, v. 27; cf. Is **54** 1-6; Ap **21** 1+.
*h)* Une fois établi le parallélisme entre Ismaël et les Juifs d'un côté, Isaac et les chrétiens de l'autre, Paul en tire deux applications nouvelles. Selon certaines traditions juives, Ismaël « persécutait » Isaac. En tout cas, selon la Bible, Sara, voyant en Ismaël un rival pour son fils, exige l'expulsion d'Agar, Gn **21** 9.
*i)* Si l'on revenait à la circoncision, on renoncerait à la liberté que donne la foi au Christ, cf. Rm **6** 15+. En cela la Loi et la foi ne sont pas conciliables, vv. 2-6. – Quelques témoins (Vulg.) rattachent les premiers mots au verset précédent : « de la liberté par laquelle le Christ nous a libérés ».
*j)* Ou bien : « la justice espérée ».
*k)* La foi est le principe de la vie nouvelle, **4** 5; **5** 5, mais elle est liée, par l'action de l'Esprit, à l'espérance, v. 5, et à la charité, vv. 6, 13-14; cf. Rm **5** 5+; 1 Co **13** 13+. C'est l'exercice de la charité qui manifeste que la foi est vivante, cf. 1 Jn **3** 23-24.
*l)* Comparaison chère à l'Apôtre, cf. **2** 2; 1 Co **9** 24-26; Ph **2** 16; **3** 12-14; 2 Tm **4** 7; He **12** 1.

1 Co 5 6 vous appelle. 9 Un peu de levain fait lever toute la
Ph 2 1-5 pâte. 10 Pour moi, j'ai confiance qu'unis dans le Seigneur [a] vous n'aurez pas d'autre sentiment; mais
Ga 1 7 qui vous trouble subira sa condamnation, quel qu'il
1 Co 3 17 soit. 11 Quant à moi, frères, si je prêche encore la
circoncision [b], pourquoi suis-je encore persécuté?
1 Co 1 23 C'en est donc fini du scandale de la croix! 12 Qu'ils
Ph 3 2 aillent jusqu'à la mutilation [c], ceux qui bouleversent vos âmes!

**Liberté et charité [d].**

13 Vous en effet, mes frères, vous avez été appelés
Rm 6 15+ à la liberté; seulement, que cette liberté ne se tourne
1 P 2 16 pas en prétexte pour la chair; mais par la charité
Jude 4 mettez-vous au service les uns des autres. 14 Car
Rm 13 8-10+ une seule formule contient toute la Loi en sa pléni-
Lv 19 18 tude : *Tu aimeras ton prochain [e] comme toi-même.*
15 Mais si vous vous mordez et vous dévorez les
uns les autres, prenez garde que vous allez vous
entre-détruire.
Rm 8 5s 16 Or je dis : laissez-vous mener par l'Esprit et
vous ne risquerez pas de satisfaire la convoitise
Rm 7 14s charnelle [f]. 17 Car la chair convoite contre l'esprit,
et l'esprit contre la chair; il y a entre eux antagonisme, si bien que vous ne faites pas ce que vous
voudriez. 18 Mais si l'Esprit vous anime, vous n'êtes
pas sous la Loi. 19 Or on sait bien tout ce que pro-
Rm 1 29+ duit la chair : fornication, impureté, débauche,
20 idolâtrie, magie, haines, discorde, jalousie [g],
emportements, disputes, dissensions, scissions,
21 sentiments d'envie, orgies, ripailles et choses
semblables – et je vous préviens, comme je l'ai déjà
1 Co 6 10+ fait, que ceux qui commettent ces fautes-là n'hérite-
Ep 5 9 ront pas du Royaume de Dieu. 22 – Mais le fruit
2 Co 6 6 1 Tm 4 12 de l'Esprit est charité, joie, paix, longanimité, ser-
2 P 1 5-7 viabilité, bonté, confiance dans les autres,
1 Co 13 4-7 23 douceur, maîtrise de soi [h] : contre de telles cho-
1 Tm 1 9 ses il n'y a pas de loi [i]. 24 Or ceux qui appartiennent
au Christ Jésus ont crucifié la chair avec ses pas- Rm 6 6
sions et ses convoitises. Col 3 5
25 Puisque l'Esprit est notre vie, que l'Esprit nous Rm 8 14
fasse aussi agir. 26 Ne cherchons pas la vaine Ph 2 3
gloire, en nous provoquant les uns les autres, en
nous enviant mutuellement.

**Préceptes variés autour de la charité et du zèle.**

6 1 Frères, même dans le cas où quelqu'un serait 2 Th 3 14-15
pris en faute, vous les spirituels, rétablissez-le Mt 18 15 Jc 5 19s
en esprit de douceur, te surveillant toi-même, car 2 Tm 2 25
tu pourrais bien toi aussi être tenté. 2 Portez les far- 1 Co 10 12
deaux les uns des autres et accomplissez [j] ainsi la Rm 8 2
Loi du Christ. 3 Car si quelqu'un estime être quel- Jn 13 34
que chose alors qu'il n'est rien, il se fait illusion. 1 Co 4 7
4 Que chacun examine sa propre conduite et alors
il trouvera en soi seul et non dans les autres l'occasion de se glorifier; 5 car tout homme devra porter
sa charge personnelle. Rm 14 12
6 Que le disciple fasse part de toute sorte de biens Rm 15 27
à celui qui lui enseigne la parole.
7 Ne vous y trompez pas; on ne se moque pas Jb 13 9
de Dieu. Car ce que l'on sème, on le récolte : 8 qui
sème dans sa chair, récoltera de la chair la corrup- Rm 6 21-22
tion; qui sème dans l'esprit, récoltera de l'esprit la 1 Co 15 35
vie éternelle. 9 Ne nous lassons pas de faire le bien; Jn 3 6
en son temps viendra la récolte, si nous ne nous
relâchons pas. 10 Ainsi donc, tant que nous en
avons l'occasion [k], pratiquons [l] le bien à l'égard de 1 Th 5 15
tous [m] et surtout de nos frères dans la foi.

**Épilogue.**

11 Voyez quels gros caractères ma main trace à
votre intention [n]. 12 Des gens désireux de faire
bonne figure dans la chair, voilà ceux qui vous Col 2 18
imposent la circoncision, à seule fin d'éviter la persécution pour la croix du Christ. 13 Car ceux qui
se font circoncire n'observent pas eux-mêmes la Rm 2 21s

*a)* Ou bien : « j'ai dans le Seigneur cette confiance à votre égard ».
*b)* Comme le prétendaient sans doute les adversaires de Paul : cf. **1** 10; **2** 3+.
*c)* Allusion possible à la castration rituelle pratiquée dans le culte de Cybèle. Sarcasme analogue en Ph **3** 2.
*d)* La vie nouvelle des croyants s'accomplit dans l'amour, **5** 6; Rm **13** 8; 1 Co **13** 1+, qui est une « Loi » nouvelle, cf. Rm **7** 7+, et produit le fruit de l'Esprit, v. 22, cf. Rm **5** 5+; Ph **1** 11, non les œuvres de la chair, v. 19; **6** 8; cf. Rm **13** 12.
*e)* Non plus comme dans le Lévitique, « le membre du même peuple », mais tout membre de la famille humaine, cf. Lc **10** 29-37, désormais identifié au Christ en personne, Mt **25** 40, 45. Aussi pour Paul le second commandement inclut-il nécessairement le premier.
*f)* Ce passage montre bien comment s'opposent ces deux principes d'action, la chair et l'esprit, cf. Rm **5** 5+; **7** 5+. Mené par l'Esprit, vv. 18, 25; Rm **8** 14, le chrétien spontanément vit selon l'Esprit, vv. 22-23, et se détourne des œuvres auxquelles le porte la « convoitise » de la chair, vv. 16, 24, mais ces œuvres ne sont nullement définies par le fait qu'elles ont leur siège dans le « corps ».
*g)* Add. (Vulg.) : « meurtres ». Cf. Rm **1** 29.
*h)* Add. : « chasteté ».
*i)* Le croyant uni au Christ n'a plus de Loi qui lui dicte sa conduite de l'extérieur. Il accomplit la Loi de l'Esprit, vv. 18, 23, 25; **6** 2; Rm **6** 15; **8** 2-4; Ph **1** 9-10; cf. Jc **1** 25; **2** 8.
*j)* « accomplissez »; var. : « vous accomplirez ».
*k)* Allusion possible au temps qui précède la Parousie, cf. Rm **13** 11+; 2 Co **6** 2+.
*l)* « pratiquons »; var. : « nous pratiquons ».
*m)* En fait, toute bonne action du chrétien, par quoi s'exprime finalement son amour, **5** 14, regarde autrui : L'amour chrétien s'exerce d'abord à l'intérieur de la communauté, Rm **14** 15; 1 Th **4** 9-10; 2 Th **1** 3; etc., mais il est un témoignage pour tous les hommes, Rm **12** 17, et doit s'élargir à tous, 1 Th **5** 15; Rm **12** 18s, même aux ennemis, Rm **12** 20.
*n)* Selon la coutume, Paul ajoute de sa propre main quelques mots, cf. 2 Th **3** 17; 1 Co **16** 21-24; Col **4** 18 et peut-être Rm **16** 17-20. Écrire en gros caractères était une manière de souligner.

Loi; ils veulent seulement que vous soyez cir-
Rm 3 27+ concis, pour se glorifier dans votre chair. [14] Pour
3 1 moi, que jamais je ne me glorifie sinon dans la
croix de notre Seigneur Jésus Christ, qui a fait du
2 19+ monde un crucifié pour moi et de moi un crucifié
5 6+ pour le monde [a]. [15] Car [b] la circoncision n'est rien,
2 Co 5 17+ ni l'incirconcision; il s'agit d'être une créature nouvelle. [16] Et à tous ceux qui suivront cette règle, paix
et miséricorde, ainsi qu'à l'Israël de Dieu [c].

[17] Dorénavant que personne ne me suscite d'ennuis : je porte dans mon corps les marques de Jésus [d]. [18] Frères, la grâce de notre Seigneur Jésus Christ soit avec votre esprit! Amen.

*a)* « croix », cf. **3** 1; « crucifié » (pour le monde), cf. **2** 19; le monde de la chair et du péché, cf. **1** 4+; **4** 3+; 1 Co **1** 20; 2 Co **4** 4; Ep **2** 2, etc.; Jn **1** 10+.
*b)* Add. : « dans le Christ Jésus ».
*c)* Le peuple chrétien, héritier des promesses, cf. **3** 6-9, 29; **4** 21-31; Rm **9** 6-8, par opposition à Israël selon la chair, 1 Co **10** 18.
*d)* Les cicatrices des mauvais traitements endurés pour le Christ, cf. 2 Co **4** 10; **6** 4-5; **11** 23-28; Col **1** 24. Au yeux de Paul ces marques sont plus glorieuses que tout autre signe dans la chair, vv. 13-14; cf. 2 Co **11** 18; Ph **3** 7.

# ÉPÎTRE AUX ÉPHÉSIENS

**Adresse.**

Rm 1 1+ **1** 1 Paul, apôtre du Christ Jésus, par la volonté
Ac 9 13+ de Dieu, aux saints [a] et fidèles dans le Christ
Jésus. 2 A vous grâce et paix de par Dieu notre
Père et le Seigneur Jésus Christ.

## *I. Le mystère du salut et de l'Église*

**Le plan divin du salut.**

3 Béni soit le Dieu et Père de notre Seigneur
Jésus Christ,
Ga 3 14 qui nous a bénis par toutes sortes de bénédictions spirituelles, aux cieux, dans le Christ [b].
Jn 17 24 4 C'est ainsi qu'Il nous a élus en lui, dès avant la
1 P 1 20 Ac 1 7+ fondation du monde,
5 27 pour être saints et immaculés en sa présence,
1 Co 1 8+ dans l'amour [c],
1 Jn 3 1 5 déterminant d'avance que nous serions pour Lui
Rm 8 29 des fils adoptifs par Jésus Christ [d].
Jn 1 12 Tel fut le bon plaisir de sa volonté,
6 à la louange de gloire de sa grâce [e],
dont Il nous a gratifiés dans le Bien-aimé [f]. Mt 3 17+
7 En lui nous trouvons la rédemption, par son || Col 1 13-14
sang, Rm 3 24+
la rémission des fautes [g],
selon la richesse de sa grâce, 2 7
8 qu'Il [h] nous a prodiguée,
en toute sagesse et intelligence :
9 Il nous a fait connaître le mystère de sa volonté [i], Rm 16 25+
ce dessein bienveillant
qu'Il avait formé en lui par avance,
10 pour le réaliser quand les temps seraient Mc 1 15
accomplis [j] : Ga 4 4+
ramener toutes choses sous un seul Chef, le Christ, Col 1 16, 20
les êtres célestes comme les terrestres [k].

*a)* Add. : « qui sont à Éphèse ». Les mots « à Éphèse » manquaient sans doute dans le texte primitif. Les mots « qui sont » peuvent appartenir eux-mêmes à une addition très ancienne; certains critiques les tiennent pour authentiques; ils auraient été suivis d'un blanc destiné à recevoir le nom de telle ou telle Église à laquelle serait remise la lettre.

*b)* Paul s'élève dès le principe au plan céleste sur lequel va se maintenir toute l'épître, **1** 20; **2** 6; **3** 10; **6** 12. C'est de là que sont parties, de toute éternité, et là que se réalisent à la fin des temps, les « bénédictions spirituelles » que vont détailler les vv. suivants.

*c)* Première bénédiction : l'appel des élus à la vie béatifique, d'ailleurs déjà commencée de façon mystique par l'union des fidèles au Christ glorieux. L'« amour » désigne d'abord l'amour de Dieu pour nous, qui inspire son « élection » et son appel à la « sainteté », cf. Col **3** 12; 1 Th **1** 4; 2 Th **2** 13; Rm **11** 28, mais on ne saurait en exclure notre amour pour Dieu, qui en dérive et lui répond, cf. Rm **5** 5.

*d)* Deuxième bénédiction : le mode choisi pour cette sainteté, à savoir celui d'une filiation divine, dont Jésus Christ, le Fils unique, est la source et le modèle, cf. Rm **8** 29.

*e)* Le terme grec *charis* désigne ici la faveur divine dans sa gratuité, notion qui inclut, mais dépasse, la « grâce » en son sens de don sanctifiant et intrinsèque à l'homme. Elle manifeste la « gloire » même de Dieu, cf. Ex **24** 16+. On a ici les deux refrains qui scandent tout l'exposé des bénédictions divines : elles n'ont d'autre *source* que la libéralité de Dieu, et d'autre *fin* que l'exaltation de sa Gloire par les créatures. Tout vient de Lui et doit se ramener à Lui.

*f)* Var. (Vulg.) : « son Fils bien-aimé ».

*g)* Troisième bénédiction : l'œuvre historique de la rédemption par la croix du Christ.

*h)* C'est-à-dire Dieu le Père.

*i)* Quatrième bénédiction : la révélation du « Mystère », Rm **16** 25+.

*j)* Litt. « pour la dispensation de la plénitude des temps », cf. Ga **4** 4+.

*k)* L'épître tout entière développera cette idée du Christ régénérant et regroupant sous son autorité, pour le ramener à Dieu, le monde créé que le péché avait corrompu et dissocié : le monde des hommes, où Juifs et païens sont rassemblés dans un même salut, et même le monde des Anges, cf. **4** 10+.

Dt 7 6+ 11 C'est en lui[a] encore que nous avons été mis à
part[b], désignés d'avance,
Is 46 10 selon le plan préétabli de Celui qui mène toutes
choses
Dn 4 32 au gré de sa volonté,
Ap 4 11 12 pour être,
à la louange de sa gloire,
ceux qui ont par avance espéré dans le Christ.
13 C'est en lui que vous aussi[c],
|| Col 1 5 après avoir entendu la Parole de vérité, l'Évan-
1 Th 2 13+ gile de votre salut,
et y avoir cru,
4 30 vous avez été marqués d'un sceau par l'Esprit de
2 Co 1 22 la Promesse,
Ac 2 33+ Rm 5 5+ cet Esprit Saint[d]
2 Co 1 22+ 14 qui constitue les arrhes de notre héritage,
Rm 3 24+ et prépare la rédemption du Peuple que Dieu
s'est acquis[e],
Is 43 21 LXX pour la louange de sa gloire.
1 P 2 9

**Triomphe et suprématie du Christ.**

|| Col 1 9 15 C'est pourquoi moi-même, ayant appris votre
|| Col 1 3-4 foi dans le Seigneur Jésus et votre charité[f] à l'égard
Phm 4-5 de tous les saints, 16 je ne cesse de rendre grâces à
1 Co 13 13+ votre sujet et de faire mémoire de vous dans mes
Ac 9 13+ prières. 17 Daigne le Dieu de notre Seigneur Jésus
3 14, 16 Christ, le Père de la gloire, vous donner un esprit[g]
Ex 24 16+ de sagesse et de révélation, qui vous le fasse vrai-
1 Jn 5 20 ment connaître! 18 Puisse-t-il illuminer les yeux de
2 Co 4 6 votre coeur[h] pour vous faire voir quelle espérance
vous ouvre son appel, quels trésors de gloire ren-
Ac 9 13+ ferme son héritage parmi les saints, 19 et quelle
extraordinaire grandeur sa puissance revêt pour
nous, les croyants, selon la vigueur de sa force,
20 qu'il a déployée en la personne du Christ, le ressuscitant d'entre les morts et le faisant siéger à sa Col 2 12
droite, dans les cieux, 21 bien au-dessus de toute Rm 1 4+
Principauté, Puissance, Vertu, Seigneurie[i], et de Ac 2 33+
tout autre nom qui se pourra nommer, non seule- 1 P 3 22
ment dans ce siècle-ci, mais encore dans le siècle Col 1 16; 2 15
à venir. 22 *Il a tout mis sous ses pieds,* et l'a consti- Ph 2 9
tué, au sommet de tout, Tête pour l'Église, 23 la- Ps 8 7 1 Co 15 24-28
quelle est son Corps, la Plénitude de Celui qui est Col 1 18+, 19+
rempli, tout en tout[j].

**Gratuité du salut dans le Christ.**

**2** 1 Et vous qui étiez morts par suite des fautes || Col 2 13; 3
et des péchés 2 dans lesquels vous avez vécu
jadis, selon le cours de ce monde, selon le Prince Ep 6 12+
de l'empire de l'air[k], cet Esprit qui poursuit son Jn 12 31
œuvre en ceux qui résistent... 3 Nous[l] tous d'ail- 2 Co 4 4
leurs, nous fûmes jadis de ceux-là, vivant selon nos Rm 2; 3 9, 2
convoitises charnelles, servant les caprices de la
chair et des pensées coupables, si bien que nous
étions par nature voués à la colère tout comme les 5 6
autres... 4 Mais Dieu, qui est riche en miséricorde, Rm 1 18; 2 8
à cause du grand amour dont Il nous a aimés, Ex 34 6+
5 alors que nous[m] étions morts par suite de nos Rm 5 8
fautes, nous a fait revivre avec le Christ – c'est par || Col 2 13
grâce[n] que vous êtes sauvés! –, 6 avec lui Il nous
a ressuscités et fait asseoir aux cieux, dans le Col 2 12;
Christ Jésus[o]. 3 1-4 Rm 8 11+
7 Il a voulu par là démontrer dans les siècles à Ps 22 31-32
venir l'extraordinaire richesse de sa grâce, par sa 1 7
Rm 9 23

*a)* Dans le Christ.
*b)* Cinquième bénédiction : l'élection d'Israël, « part » de Dieu, comme témoin dans le monde de l'attente messianique. Paul est de ce peuple; c'est pourquoi il dit « nous ».
*c)* Sixième bénédiction : l'appel des païens à partager le salut jadis réservé à Israël. Ils en ont la certitude en recevant l'Esprit promis.
*d)* Le don de l'Esprit couronne l'exécution du plan divin et son exposé de forme trinitaire. Commencé dès maintenant de façon mystérieuse tandis que le monde ancien dure encore, il sera plénier quand le Règne de Dieu s'établira de façon glorieuse et définitive, à la Parousie du Christ. Cf. Lc **24** 49+; Jn **1** 33+; **14** 26+.
*e)* Litt. « du Peuple de la possession », que Dieu s'est assurée au prix du sang de son Fils : le Peuple des Élus. Paul reprend ici, après les termes de « bénédiction », « saints », « élection », « adoption », « rédemption », « part », « promesse », une autre notion de l'Ancien Testament, qu'il élargit et parfait en l'appliquant à l'Israël nouveau, communauté des sauvés, l'Église.
*f)* Om. : « votre charité ».
*g)* Cet « esprit » désigne ce que nous entendons aujourd'hui par « grâce » (actuelle).
*h)* Les acceptions morales et spirituelles du « cœur » dans l'AT, Gn **8** 21+, restent vivantes dans le NT. Dieu connaît le cœur, Lc **16** 15; Ac **1** 24; Rm **8** 27. L'homme aimera Dieu de tout son cœur, Mc **12** 29-30p. Dieu a déposé dans le cœur de l'homme le don de son Esprit, Rm **5** 5+; 2 Co **1** 22; Ga **4** 6. Le Christ, lui aussi, y demeure, Ep **3** 17. Les cœurs simples, Ac 2 46; 2 Co **11** 3; Ep **6** 5; Col **3** 22, droits, Ac **8** 21, purs, Mt **5** 8; Jc **4** 8, sont ouverts sans réticence à la présence et à l'action de Dieu. Et les croyants n'ont qu'un cœur et qu'une âme, Ac **4** 32.
*i)* Noms de puissances cosmiques, attestés dans la littérature juive apocryphe. Sans discuter l'existence de ces créatures célestes, Paul tient à les ranger sous la domination du Christ, Col **1** 16; **2** 10. En les associant aux anges de la tradition biblique et au don de la Loi, Ga **3** 19+, il les intègre à l'histoire du salut, avec une qualification morale de plus en plus péjorative, Ga **4** 3+; Col **2** 15+, qui aboutit à en faire des puissances démoniaques, Ep **2** 2+; **6** 12+; cf. 1 Co **15** 24+.
*j)* L'Église, Corps du Christ, 1 Co **12** 12+, peut être dite la Plénitude, cf. encore **3** 19; **4** 13, dans la mesure où elle embrasse tout le monde nouveau qui participe, comme cadre de l'humanité, à la régénération universelle sous l'autorité du Christ Seigneur et Chef, cf. Col **1** 15-20+. L'expression adverbiale « tout en tout » vise à suggérer une ampleur sans limites, cf. 1 Co **12** 6; **15** 28; Col **3** 11.
*k)* L'air était pour les anciens l'habitat des esprits démoniaques. Le Prince de cet empire est Satan.
*l)* Nous, les Juifs.
*m)* Nous, c'est-à-dire à la fois les païens, vv. 1-2, et les Juifs, v. 3. La phrase interrompue par la digression du v. 3 reprend ici.
*n)* « avec le Christ »; var. : « dans le Christ ». – « c'est par grâce que »; var. (Vulg.) : « par la grâce duquel ».
*o)* Ici et Col **2** 12; **3** 1-4, Paul envisage comme réalité déjà acquise (verbes au passé) la résurrection et le triomphe céleste des chrétiens que Rm **6** 3-11; **8** 11, 17s considérait plutôt dans l'avenir (verbes au futur). Cette eschatologie réalisée est un trait caractéristique des épîtres de la captivité.

bonté pour nous dans le Christ Jésus. 8 Car c'est
bien par la grâce que vous êtes sauvés, moyennant
Rm **1** 16+ la foi. Ce salut ne vient pas de vous, il est un don
de Dieu; 9 il ne vient pas des œuvres, car nul ne
Rm **3** 27+ doit pouvoir se glorifier. 10 Nous sommes en effet
1 Co **1** 29+ son ouvrage, créés dans le Christ Jésus en vue des
2 Co **5** 17+ bonnes œuvres que Dieu a préparées d'avance pour
que nous les pratiquions.

### Réconciliation des Juifs et des païens entre eux et avec Dieu.

11 Rappelez-vous donc qu'autrefois [a], vous les
païens – qui étiez tels dans la chair, vous qui étiez
appelés « prépuce » par ceux qui s'appellent
« circoncision », ... d'une opération pratiquée dans
la chair! – 12 rappelez-vous qu'en ce temps-là vous
étiez sans Christ [b], exclus de la cité d'Israël, étran-
Col **1** 21, 27 gers aux alliances de la Promesse [c], n'ayant ni
Rm **9** 4-5 espérance [d] ni Dieu en ce monde [e]! 13 Or voici qu'à
présent, dans le Christ Jésus, vous qui jadis étiez
**2** 17 loin, vous êtes devenus proches, grâce au sang du
Christ [f].
Is **9** 5; Mi **5** 4 14 Car c'est lui qui est notre paix, lui qui des deux
Ga **3** 28+ peuples n'en a fait qu'un, détruisant la barrière qui
les séparait [g], supprimant en sa chair la haine,
Col **2** 14+ 15 cette Loi des préceptes avec ses ordonnances [h],
pour créer en sa personne les deux en un seul
Homme Nouveau [i], faire la paix, 16 et les réconci-
Col **3** 14-15 lier avec Dieu, tous deux en un seul Corps [j], par
la Croix : en sa personne il a tué la Haine. 17 Alors
Za **9** 10 il est venu [k] proclamer la paix, *paix pour vous qui*
Is **57** 19 *étiez loin et paix pour ceux qui étaient proches* :
2 Co **13** 13+ 18 par lui nous avons en effet, tous deux en un seul
Ep **4** 4; **3** 12+ Esprit [l], libre accès auprès du Père.

19 Ainsi donc [m], vous n'êtes plus des étrangers Ex **12** 48+
ni des hôtes; vous êtes concitoyens des saints, vous Ac **9** 13+
êtes de la maison de Dieu. 20 Car la construction 1 Co **3** 10s
que vous êtes a pour fondations les apôtres et pro- 2 Co **6** 16 Rm **15** 20
phètes [n], et pour pierre d'angle le Christ Jésus lui- Ep **4** 11-12
même. 21 En lui toute [o] construction s'ajuste et Ap **21** 14 Is **28** 16
grandit en un temple saint, dans le Seigneur; 22 en
lui, vous aussi, vous êtes intégrés à la construction
pour devenir une demeure de Dieu, dans l'Esprit. 1 Co **3** 16+ 1 P **2** 5

### Paul ministre du Mystère du Christ. || Col **1** 24-29

**3** 1 C'est pourquoi moi, Paul, prisonnier du **4** 1; Ph **1** 13, 17
Christ à cause de vous, païens... 2 Car vous Col **4** 18 2 Tm **2** 9
avez appris, je pense, comment Dieu m'a dispensé
la grâce [p] qu'il m'a confiée pour vous, 3 m'accordant par révélation [q] la connaissance du Mystère, Rm **16** 25+
tel que je viens de l'exposer en peu de mots : 4 à
me lire, vous pouvez vous rendre compte de l'intel- 1 Co **7** 40
ligence que j'ai du Mystère du Christ. 5 Ce Mystère 2 Co **11** 5s
n'avait pas été communiqué aux hommes des
temps passés comme il vient d'être révélé mainte- 1 P **1** 12
nant à ses saints apôtres et prophètes [r], dans l'Es- **4** 11
prit : 6 les païens sont admis au même héritage [s], Jn **14** 26+
membres du même Corps, bénéficiaires de la même **2** 12-19
Promesse, dans le Christ Jésus, par le moyen de
l'Évangile. 7 Et de cet Évangile je suis devenu
ministre par le don de la grâce que Dieu m'a 2 Co **3** 6
confiée en y déployant sa puissance : 8 à moi, le Col **1** 23 1 Th **2** 4
moindre de tous les saints, a été confiée cette grâce- 1 Co **15** 8s
là, d'annoncer aux païens l'insondable richesse du Col **1** 29
Christ 9 et de mettre en pleine lumière [t] la dispensa- Ph **4** 13
tion du Mystère : il a été tenu caché depuis les siè- Ga **2** 8
cles en Dieu, le Créateur de toutes choses, 10 pour Rm **16** 25+
que les Principautés et les Puissances célestes aient

*a)* Ce passé que Paul va décrire n'est pas tant celui de ses lecteurs que celui de tout le monde païen.
*b)* Sans Messie.
*c)* Les alliances successives que Dieu a conclues avec Abraham, Isaac, Jacob, Moïse, David, etc., cf. Gn **12** 1+; **15** 1+; Ex **19** 1+; Lv **26** 42, 45; Si **44-45**; Sg **18** 22; 2 M **8** 15; Rm **9** 4, et qui contenaient la promesse du salut messianique.
*d)* L'espérance messianique, jadis réservée à Israël, **1** 12.
*e)* Les païens avaient beaucoup de dieux, mais non le Dieu vrai et unique, 1 Co **8** 5s.
*f)* C'est la Croix de Jésus qui a opéré ce rapprochement : d'abord des Juifs et des païens, vv. 14-15, ensuite d'eux tous avec le Père, vv. 16-18.
*g)* Allusion à la clôture qui séparait le parvis des Juifs de celui des Gentils, dans le Temple de Jérusalem, cf. Ac **21** 28s.
*h)* La Loi mosaïque, qui faisait des Juifs un peuple privilégié, les séparait des païens. Jésus a supprimé cette Loi en l'accomplissant une fois pour toutes par sa Croix, Col **2** 14+.
*i)* Cet « Homme Nouveau » est le prototype de la nouvelle humanité que Dieu a recréée (cf. 2 Co **5** 17+) en la personne du Christ ressuscité, comme en un « second Adam », 1 Co **15** 45, après avoir tué en lui, sur la Croix, la race du premier Adam corrompue par le péché, cf. Rm **5** 12s; **8** 3; 1 Co **15** 21. Créé « dans la justice et la sainteté de la vérité », **4** 24, il est « unique », car en lui disparaissent toutes les divisions des hommes, Col **3** 10s; Ga **3** 27s.
*j)* Ce Corps unique est d'abord le corps individuel et physique du Christ, sacrifié sur la Croix, Col **1** 22+, mais c'est aussi son Corps « mystique » où se groupent tous les membres enfin réconciliés, 1 Co **12** 12+.
*k)* Par ses apôtres, qui ont prêché en son nom l'Évangile du salut et de la paix.
*l)* Cet Esprit unique qui anime le Corps unique du Christ uni à son Église, c'est le Saint Esprit, qui a transformé son corps ressuscité et de là se déverse sur ses membres. L'intention trinitaire de ce v. est manifeste. Cf. v. 22.
*m)* Après avoir décrit l'œuvre de rapprochement opérée par le Christ, vv. 14-18, Paul fait répondre au tableau des vv. 11-13 un tableau antithétique, vv. 19-22, de l'état nouveau des païens.
*n)* Plutôt que des prophètes de l'Ancien Testament, il s'agit ici de ceux du Nouveau, **3** 5; **4** 11; Ac **11** 27+. Ils constituent, avec les apôtres, la génération des premiers témoins qui ont reçu la révélation du plan divin, **3** 5, et qui ont prêché l'Évangile, cf. Lc **11** 49; Mt **23** 34; **10** 41. Ils sont donc comme le fondement sur lequel s'édifie l'Église. Ce rôle de fondement est aussi attribué au Christ lui-même, 1 Co **3** 10s.
*o)* « toute »; var. : « toute la ».
*p)* La grâce de l'apostolat auprès des païens, cf. **3** 7s; Rm **1** 5; **15** 15s; 1 Tm **2** 7; Ga **2** 9; Ph **1** 7; Ac **9** 15+.
*q)* Cf. 2 Co **12** 1, 7. Il faut songer ici surtout à la révélation du chemin de Damas, cf. Ga **1** 16; Ac **9** 15; **22** 21; **26** 16-18.
*r)* Les prophètes du NT, cf. **2** 20+. Ceux de l'AT n'avaient eu qu'une perception encore obscure et imparfaite du Mystère du Christ, cf. 1 P **1** 10-12; Mt **13** 17.
*s)* Que les Judéo-chrétiens, cf. **2** 19.
*t)* Var. (Vulg.) : « montrer clairement à tous ».

1 Co **2** 7-9+ maintenant connaissance [a], par le moyen de
1 P **1** 12 l'Église, de la sagesse infinie en ressources
**1** 4 déployée par Dieu 11 en ce dessein éternel qu'il a
conçu dans le Christ Jésus notre Seigneur, 12 et qui
**2** 18 nous donne d'oser nous approcher en toute
Rm **5** 1s Col **1** 22 confiance par le chemin de la foi au Christ.
He **4** 16 1 P **3** 18 13 Ainsi, je vous en prie, ne vous laissez pas abattre [b] par les épreuves que j'endure pour vous; elles
Col **1** 24 sont votre gloire [c]!

**Prière de Paul.**

14 C'est pourquoi je fléchis les genoux en présence du Père [d] 15 de qui toute paternité, au ciel et
sur la terre, tire son nom [e]. 16 Qu'Il daigne, selon
la richesse de sa gloire, vous armer de puissance
par son Esprit pour que se fortifie en vous l'homme Ac **1** 8+; Rm **5** 5
intérieur, 17 que le Christ habite en vos cœurs par Rm **7** 22+ Jn **14** 23
la foi, et que vous soyez enracinés, fondés dans Col **1** 23; **2** 7
l'amour. 18 Ainsi vous recevrez la force de
comprendre, avec tous les saints, ce qu'est la Lar- Ac **9** 13+
geur, la Longueur, la Hauteur et la Profondeur [f], Jb **11** 7-9
19 vous connaîtrez l'amour du Christ [g] qui surpasse
toute connaissance [h], et vous entrerez par votre plénitude dans toute la Plénitude de Dieu [i]. Col **2** 9+

20 A Celui dont la puissance agissant en nous est **1** 19s
capable de faire bien au-delà [j], infiniment au-delà Ph **2** 13
de tout ce que nous pouvons demander ou conce-
voir, 21 à Lui la gloire, dans l'Église et le Christ Rm **16** 27+
Jésus, pour tous les âges et tous les siècles! Amen.

# *II. Parénèse*

|| Col **3** 12-15 **Appel à l'unité [k].**

Ep **3** 1+ **4** 1 Je vous exhorte donc, moi le prisonnier dans
le Seigneur, à mener une vie digne de l'appel
Ph **1** 27 que vous avez reçu : 2 en toute humilité, douceur et
patience, supportez-vous les uns les autres avec
1 Co **13** 13+ charité; 3 appliquez-vous à conserver l'unité de
1 Co **12** 12+ l'Esprit par ce lien qu'est la paix. 4 Il n'y a qu'un
1 Co **10** 17 Rm **12** 5 Corps et qu'un Esprit, comme il n'y a qu'une espérance au terme de l'appel que vous avez reçu; 5 un
1 Co **1** 13 seul Seigneur, une seule foi, un seul baptême; 6 un
1 Co **8** 6; **12** 4-6 2 Co **13** 13+ seul Dieu et Père de tous, qui est au-dessus de tous,
par tous et en tous [l].

7 Cependant chacun de nous a reçu sa part de la Rm **12** 3, 6
faveur divine [m] selon que le Christ a mesuré ses
dons. 8 C'est pourquoi l'on dit :
*Montant dans les hauteurs il a emmené des* Ps **68** 19
*captifs,*
*il a donné des dons aux hommes* [n]. Ac **2** 33
9 « Il est monté », qu'est-ce à dire, sinon qu'il est
aussi descendu [o], dans les régions inférieures de la 1 P **3** 19+
terre [p]? 10 Et celui qui est descendu, c'est le même
qui est aussi monté au-dessus de tous les cieux, afin
de remplir toutes choses [q]. 11 C'est lui encore qui
« a donné » aux uns d'être apôtres, à d'autres d'être 1 Co **12** 28+
prophètes, ou encore évangélistes, ou bien pasteurs

*a)* Les Esprits célestes eux-mêmes ont ignoré le plan de salut de Dieu; c'est pourquoi ils ont poussé les hommes à crucifier le Christ, 1 Co **2** 8; aujourd'hui ils le comprennent en contemplant l'Église, cf. 1 P **1** 12.

*b)* Autre traduction possible, moins probable : « je prie, afin de ne pas me laisser abattre ».

*c)* Var. : « notre gloire ».

*d)* Add. (Vulg.) : « de notre Seigneur Jésus Christ ».

*e)* Le terme grec traduit ici par « paternité » est plus concret et désigne tout groupe social qui doit son existence et son unité à un même ancêtre. Or, l'origine de tout groupement humain, ou même angélique, remonte à Dieu, Père suprême.

*f)* Paul use de cette énumération, qui désignait dans la philosophie stoïcienne la totalité de l'univers, pour évoquer le rôle universel du Christ dans la régénération du Monde. Voir aussi les dimensions eschatologiques du Temple et de la Terre Promise en Ez **40-45**; Ap **21** 9s. Si l'on veut préciser, les dimensions peuvent être celles du « Mystère » du salut, ou mieux encore celles de l'« Amour » du Christ, qui en est la source, v. suivant. Comme pour la Sagesse, ces dimensions dépassent toute mesure humaine, Jb **11** 8-9. Comparer **1** 17-19, 23; **2** 7; **3** 8; Col **2** 2s.

*g)* L'amour que le Christ nous a témoigné en se livrant, **5** 2, 25; Ga **2** 20, amour identique à celui du Père, **2** 4, 7; 2 Co **5** 14 et 18-19; Rm **8** 35, 37, 39. Cf. 1 Co **13** 1+.

*h)* Plutôt que de « comprendre » (v. 18; terme grec d'origine philosophique), il s'agit de « connaître » d'une connaissance religieuse, mystique, pénétrée d'amour, cf. **1** 17s; **3** 3s; voir Os **2** 22+; Jn **10** 14+, et qui va plus loin que toute connaissance intellectuelle, cf. 1 Co **13**. Bien plus, il s'agit moins de connaître que d'être aimé et de le savoir, cf. Ga **4** 9, encore qu'il soit impossible de pénétrer la profondeur de cet amour.

*i)* Litt. « afin que vous soyez remplis dans toute la Plénitude de Dieu » (var. : « afin que soit remplie toute la Plénitude de Dieu »). – Par la plénitude de vie divine qu'il reçoit du Christ en qui elle habite, Col **2** 9s, le chrétien entre en retour dans la Plénitude du Christ total : l'Église et ultérieurement l'Univers nouveau, qu'il contribue à construire, **1** 23; **2** 22; **4** 12-13; Col **2** 10+.

*j)* Var. (Vulg.) : « tout faire ».

*k)* Paul envisage successivement trois dangers qui menacent l'unité de l'Église : la discorde entre les chrétiens, vv. 1-3, la division nécessaire des ministères, vv. 7-11, les doctrines hérétiques, vv. 14-15, et leur oppose les principes et le programme de l'unité dans le Christ, vv. 4-6, 12-13, 16.

*l)* Var. (Vulg.) : « en nous tous ».

*m)* Il s'agit ici des grâces particulières destinées au service de l'Église, des « charismes », cf. 1 Co **12** 1+.

*n)* Suivant les méthodes rabbiniques, Paul n'allègue ce texte que pour en retenir deux termes : « il est monté », vv. 9-10, et « il a donné », v. 11, où il trouve annoncées l'Ascension de Jésus et l'effusion de l'Esprit.

*o)* Add. (Vulg.) : « d'abord ».

*p)* Les régions souterraines où se place le royaume des morts, cf. Nb **16** 33+, et où le Christ est descendu avant de ressusciter et de monter « au-dessus de tous les cieux »; cf. 1 P **3** 19+. – Ou, selon d'autres, les régions terrestres, qualifiées d'« inférieures » par rapport aux cieux.

*q)* En parcourant ainsi tout l'univers, le Christ en a pris posses-

Tt 1 5+ et docteurs[a], 12 organisant ainsi les saints[b] pour
l'œuvre du ministère, en vue de la construction du
2 21; 4 16 Corps du Christ, 13 au terme de laquelle nous
devons parvenir, tous ensemble, à ne faire plus
Col 1 23+; 3 11 qu'un dans la foi et la connaissance du Fils de
Dieu, et à constituer cet Homme parfait, dans la
1 23+ force de l'âge, qui réalise la plénitude du Christ[c].
1 Co 14 20 14 Ainsi nous ne serons plus des enfants, nous ne
nous laisserons plus ballotter et emporter à tout
vent de la doctrine, au gré de l'imposture des hom-
5 6 mes et de leur astuce à fourvoyer dans l'erreur.
Col 2 4, 8 15 Mais, vivant selon la vérité et dans la charité,
nous grandirons de toutes manières vers Celui qui
|| Col 2 19 est la Tête, le Christ, 16 dont le Corps tout entier
reçoit concorde et cohésion par toutes sortes de
jointures qui le nourrissent et l'actionnent selon le
rôle de chaque partie[d], opérant ainsi sa croissance
et se construisant lui-même, dans la charité.

**La vie nouvelle dans le Christ.**

17 Je vous dis donc et vous adjure dans le Sei-
Rm 1 18-32 gneur de ne plus vous conduire comme le font les
1 P 4 3 païens, avec leur vain jugement 18 et leurs pensées
|| Col 1 21 enténébrées : ils sont devenus étrangers à la vie de
Dieu à cause de l'ignorance qu'a entraînée chez eux
l'endurcissement du cœur, 19 et, leur sens moral une
fois émoussé[e], ils se sont livrés à la débauche au
point de perpétrer avec frénésie toute sorte d'impureté[f]. 20 Mais vous, ce n'est pas ainsi que vous avez
appris le Christ, 21 si du moins vous l'avez reçu
dans une prédication et un enseignement conformes
à la vérité qui est en Jésus[g], 22 à savoir qu'il vous
Col 3 9-10 faut abandonner votre premier genre de vie et
Col 3 5+ dépouiller le vieil homme, qui va se corrompant au
fil des convoitises décevantes, 23 pour vous renouveler par une transformation spirituelle de votre
Rm 13 14 jugement 24 et revêtir l'Homme Nouveau, qui a été
Ep 2 15+ Col 3 10+ créé selon Dieu, dans la justice et la sainteté de la
Sg 9 3 vérité[h].
Za 8 16 25 Dès lors, plus de mensonge : *que chacun dise*
Col 3 9 *la vérité à son prochain;* ne sommes-nous pas
membres les uns des autres? 26 *Emportez vous,* 1 Co 12 12+
*mais ne commettez pas le péché :* que le soleil ne Ps 4 5 LXX Mt 5 22
se couche pas sur votre colère; 27 il ne faut pas donner prise au diable. 28 Que celui qui volait ne vole 2 Co 2 11
plus; qu'il prenne plutôt la peine de travailler de ses 1 Th 4 11
mains, au point de pouvoir faire le bien[i] en secou- Ac 20 34-35
rant les nécessiteux. 29 De votre bouche ne doit sor- Ac 18 3+ Mt 15 11
tir aucun mauvais propos, mais plutôt toute bonne Jc 3 10-12
parole capable d'édifier, quand il le faut[j], et de
faire du bien à ceux qui l'entendent. 30 Ne contris-
tez pas l'Esprit Saint de Dieu, qui vous a marqués Is 63 10
de son sceau pour le jour de la rédemption[k]. Ep 1 13+
31 Aigreur, emportement, colère, clameurs, outra- Col 3 8
ges, tout cela doit être extirpé de chez vous, avec Rm 1 29+
la malice sous toutes ses formes. 32 Montrez-vous
au contraire bons et compatissants les uns pour les
autres, vous pardonnant mutuellement, comme Mt 6 12, 14-15p
Dieu vous a pardonné dans le Christ[l]. Col 3 13

5 1 Oui, cherchez à imiter Dieu, comme des Jc 2 13 2 Th 3 7+
enfants bien-aimés, 2 et suivez la voie de Mt 5 48
l'amour, à l'exemple du Christ qui vous a aimés et 1 Jn 3 16
s'est livré pour nous, *s'offrant à Dieu en sacrifice* Ga 2 20 Ps 40 7
*d'agréable odeur.* 3 Quant à la fornication, à Ex 29 18
l'impureté sous toutes ses formes, ou encore à la Ga 5 19+
cupidité, que leurs noms ne soient même pas prononcés parmi vous : c'est ce qui sied à des saints. Ac 9 13+
4 De même pour les grossièretés, les inepties, les
facéties : tout cela ne convient guère; faites entendre plutôt des actions de grâces. 5 Car, sachez-le 5 20+
bien, ni le fornicateur, ni le débauché, ni le cupide 1 Co 6 9-10+
– qui est un idolâtre[m] – n'ont droit à l'héritage He 13 4-5
dans le Royaume du Christ et de Dieu. 6 Que nul Col 3 5
ne vous abuse par de vaines raisons : ce sont bien Col 3 5 Mt 6 24
de tels désordres qui attirent la colère de Dieu sur Col 2 4, 8
ceux qui lui résistent. 7 N'ayez donc rien de || Col 3 6
commun avec eux. 8 Jadis vous étiez ténèbres, mais 4 18; Jn 8 12+
à présent vous êtes lumière dans le Seigneur; Col 1 12-13 2 Co 4 6; 6 14
conduisez-vous en enfants de lumière; 9 car le fruit 1 Th 5 4-8
de la lumière consiste en toute bonté, justice et
vérité. 10 Discernez ce qui plaît au Seigneur, 11 et ne Rm 12 2+
prenez aucune part aux œuvres stériles des ténè- Col 3 10+

sion comme du « Plérôme » qu'il « récapitule », **1** 10+, et enferme tout entier sous sa puissance de « Seigneur », cf. **1** 20-23; Col **1** 19; Ph **2** 8-11.

*a)* Paul ne cite ici que des charismes d'enseignement, qui seuls importent dans ce contexte, vv. 13-15.

*b)* Les « saints » paraissent être ici plus spécialement les missionnaires et autres enseignants, cf. **3** 5, mais peut-être aussi tous les fidèles, dans la mesure où ils concourent à construire l'Église, cf. Ac **9** 13+.

*c)* Non pas simplement le chrétien arrivé à l'état de « parfait », 1 Co **2** 6+, mais l'Homme parfait en un sens collectif : soit le Christ lui-même, « l'Homme Nouveau », archétype de tous les régénérés, **2** 15+, soit mieux encore le Christ total, Tête, v. 15; **1** 22; Col **1** 18, et membres, v. 16; **5** 30, constituant son corps, 1 Co **12** 12+.

*d)* Var. (Vulg.) : « membre ».

*e)* Var. (Vulg.) « ayant perdu tout espoir ».

*f)* « avec frénésie toute sorte d'impureté »; ou : « toute sorte d'impureté et d'avarice ».

*g)* Comme en Col **2** 6, le vrai Christ, c'est le *Jésus* historique, qui est mort et ressuscité pour nous recréer en lui.

*h)* Chaque homme doit revêtir l'« Homme Nouveau », Ep **2** 15+, pour être recréé en lui, cf. Ga **3** 27; Rm **13** 14. Ailleurs Paul parle en ce sens de « nouvelle créature », 2 Co **5** 17+.

*i)* « de ses (propres) mains » et « le bien » manquent ou changent de place suivant les témoins. Le texte original a pu être surchargé.

*j)* « quand il le faut »; var. (Vulg.) : « la foi ».

*k)* L'Esprit Saint, lien unique du Corps unique du Christ, **4** 4; 1 Co **12** 13, est donc « contristé » par tout ce qui nuit à l'unité de ce Corps.

*l)* « vous »; var. : « nous ». De même en **5** 2.

*m)* Les convoitises déréglées rendent à des créatures, notamment à l'argent, un culte qui n'est dû qu'à Dieu et s'en font comme des idoles.

bres; dénoncez-les plutôt. 12 Certes, ce que ces
gens-là font en cachette, on a honte même de le
dire; 13 mais quand tout cela est dénoncé, c'est dans
Jn 3 20-21 la lumière qu'on le voit apparaître; 14 tout ce qui
apparaît, en effet, est lumière [a]. C'est pourquoi l'on
dit [b] :

Is 26 19; 60 1 Éveille-toi, toi qui dors,
lève-toi d'entre les morts,
He 10 32+ et sur toi luira le Christ [c].

15 Ainsi prenez bien garde à votre conduite; qu'elle
soit celle non d'insensés mais de sages, 16 qui tirent
Col 4 5 bon parti de la période présente [d]; car nos temps
sont mauvais; 17 ne vous montrez donc pas inconsi-
Col 1 9 dérés, mais sachez voir quelle est la volonté du Sei-
Rm 12 2+ gneur. 18 *Ne vous enivrez pas de vin :* on n'y trouve
Pr 23 31 LXX que libertinage; mais cherchez dans l'Esprit votre
|| Col 3 16-17 plénitude. 19 Récitez entre vous des psaumes, des
hymnes et des cantiques inspirés; chantez et célé-
brez le Seigneur de tout votre cœur. 20 En tout
1 Th 5 18 temps et à tout propos, rendez grâces à Dieu le
Col 3 15-17 Père, au nom de notre Seigneur Jésus Christ.

**Morale domestique.**

21 Soyez soumis les uns aux autres dans la
|| Col 3 18 crainte du Christ. 22 Que les femmes le soient à
1 P 3 1-6 leurs maris comme au Seigneur : 23 en effet [e], le
1 Co 11 3 mari est chef de sa femme, comme le Christ est
Ep 1 22-23 chef de l'Église, lui le sauveur du Corps; 24 or
l'Église se soumet au Christ; les femmes doivent
donc, et de la même manière, se soumettre en tout
à leurs maris.
|| Col 3 19 25 Maris, aimez vos femmes comme le Christ a
1 P 3 7 Ep 5 2 aimé l'Église : il s'est livré pour elle, 26 afin de la
Tt 2 14; 3 5-7 Rm 6 4+ sanctifier en la purifiant par le bain d'eau qu'une
Ez 16 9 parole accompagne [f]; 27 car il voulait se la présen-
Col 1 22 2 Co 11 2 ter à lui-même toute resplendissante, sans tache ni
Ap 19 7-8; 21 2, 9-11 ride ni rien de tel, mais sainte et immaculée [g]. 28 De
la même façon les maris doivent aimer leurs fem-
mes comme leurs propres corps. Aimer sa femme,
c'est s'aimer soi-même. 29 Car nul n'a jamais haï sa
propre chair; on la nourrit au contraire et on en
prend bien soin. C'est justement ce que le Christ
fait pour l'Église : 30 ne sommes-nous pas les membres de son Corps [h]? 31 *Voici donc que l'homme* 1 Co 12 12+
*quittera son père et sa mère pour s'attacher à sa* Gn 2 24
*femme, et les deux ne feront qu'une seule chair :* Mt 19 5p
32 ce mystère est de grande portée; je veux dire qu'il Rm 16 25+
s'applique au Christ et à l'Église [i]. 33 Bref, en ce qui
vous concerne, que chacun aime sa femme comme
soi-même, et que la femme révère son mari.

6 1 Enfants, obéissez à vos parents, dans le Sei- || Col 3 20-21
gneur [j] : cela est juste. 2 *Honore ton père et ta* Pr 6 20
*mère,* tel est le premier commandement auquel soit Ex 20 12
attachée une promesse : 3 *pour que tu t'en trouves*
*bien et jouisses d'une longue vie sur la terre.* 4 Et
vous, parents, n'exaspérez pas vos enfants, mais
usez, en les éduquant, de corrections et de Pr 13 24+
semonces qui s'inspirent du Seigneur.
5 Esclaves, obéissez à vos maîtres d'ici-bas avec || Col 3 22 - 4
crainte et tremblement, en simplicité de cœur, Tt 2 9-10
comme au Christ; 6 non d'une obéissance tout exté- 1 P 2 18
rieure qui cherche à plaire aux hommes, mais 1 Co 2 3
comme des esclaves du Christ, qui font avec âme Rm 6 15+
la volonté de Dieu. 7 Que votre service empressé
s'adresse au Seigneur et non aux hommes, 8 dans
l'assurance que chacun sera payé par le Seigneur
selon ce qu'il aura fait de bien, qu'il soit esclave
ou qu'il soit libre. 9 Et vous, maîtres, agissez de
même à leur égard; laissez de côté les menaces, et
dites-vous bien que, pour eux comme pour vous, le Jb 31 13-15
Maître est dans les cieux, et qu'il ne fait point
acception des personnes. Dt 10 17+

**Le combat spirituel.**

10 En définitive, rendez-vous puissants dans le
Seigneur et dans la vigueur de sa force. 11 Revêtez
l'armure de Dieu [k], pour pouvoir résister aux 2 Co 6 7; 1
Rm 13 12
Jc 4 7
1 P 5 8-9
Mt 4 1+

*a)* Parler de ces turpitudes avec complaisance, en les laissant dans leur obscurité suspecte, serait une chose mauvaise, v. 3; mais le faire pour les corriger en les mettant au grand jour devient une œuvre bonne; la lumière ainsi faite chassera les ténèbres, car elle sera celle du Christ (fin du v.).

*b)* Cette citation semble prise de quelque hymne chrétienne primitive; autre exemple en 1 Tm **3** 16. Sur la foi baptismale conçue comme illumination, cf. He **6** 4; **10** 32 (cf. Rm **6** 4+).

*c)* Var. : « et tu toucheras le Christ ».

*d)* Litt. « qui rachètent le temps ».

*e)* Les vv. 23-32 établissent, entre le mariage humain et l'union du Christ à l'Église, un parallèle dont les deux termes comparés s'éclairent mutuellement : le Christ peut être dit époux de l'Église, parce qu'il est son chef et l'aime comme son propre corps, ainsi qu'il arrive entre mari et femme; cette comparaison une fois admise fournit en retour un modèle idéal au mariage humain. Le symbolisme ainsi mis en œuvre plonge d'ailleurs ses racines dans l'AT, qui représente souvent Israël comme l'épouse de Yahvé, Os **1** 2+.

*f)* Le baptême ne vaut que s'il est accompagné de la proclamation de la Parole, exprimée par l'évangélisation du ministre et la profession de foi du baptisé, **1** 13; cf. Mc **16** 15s; Ac **2** 38+; Rm **6** 4+; 1 P **1** 23+.

*g)* Selon les coutumes de l'ancien Orient, la fiancée était baignée et parée, puis les « fils de la noce » allaient la présenter à son fiancé. Dans le cas mystique de l'Église c'est le Christ qui a lavé sa fiancée de toute souillure par le bain du baptême (remarquer la mention expresse d'une formule baptismale) pour se la présenter à lui-même, cf. 1 Th **5** 8.

*h)* Add. (Vulg.) : « tirés de sa chair et de ses os ».

*i)* Dans le texte de la Genèse Paul découvre une préfiguration prophétique de l'union du Christ et de l'Église : « mystère » resté longtemps caché et maintenant révélé, tout comme le « mystère » du salut des nations, cf. **1** 9s; **3** 3s.

*j)* Om. : « dans le Seigneur ».

*k)* L'AT montrait Dieu s'armant contre ses ennemis, cf. Is **11** 4-5; **59** 16-18; Sg **5** 17-23. Paul prête ces armes divines au chrétien lui-même, cf. 1 Th **5** 8.

manœuvres du diable. 12 Car ce n'est pas contre
Mt **16** 17+ des adversaires de sang et de chair que nous
Ep **1** 21+ avons [a] à lutter, mais contre les Principautés,
contre les Puissances, contre les Régisseurs de ce
monde de ténèbres, contre les esprits du mal qui
habitent les espaces célestes [b]. 13 C'est pour cela
qu'il vous faut endosser l'armure de Dieu, afin
qu'au jour mauvais vous puissiez résister et, après
avoir tout mis en œuvre, rester fermes.
Is **11** 5 14 Tenez-vous donc debout, avec *la Vérité pour*
Is **59** 17 Sg **5** 18 *ceinture, la Justice pour cuirasse,* 15 et pour chaus-
Is **52** 7; sures *le Zèle à propager l'Évangile de la paix;*
**40** 3, 9 16 ayez toujours en main le bouclier de la Foi, grâce
auquel vous pourrez éteindre tous les traits enflam-
1 Jn **2** 14+ més du Mauvais; 17 enfin recevez *le casque du Salut*
He **4** 12 et le glaive de l'Esprit, c'est-à-dire la Parole de
Dieu.
Lc **21** 36 18 Vivez dans la prière et les supplications; priez
|| Col **4** 2-4 Lc **18** 1+ en tout temps, dans l'Esprit; apportez-y une vigi-
lance inlassable et intercédez pour tous les saints.
19 Priez aussi pour moi, afin qu'il me soit donné Rm **15** 30+
d'ouvrir la bouche pour parler [c] et d'annoncer hardiment le mystère de l'Évangile [d], 20 dont je suis Rm **16** 25+
l'ambassadeur dans mes chaînes; obtenez-moi la
hardiesse d'en parler comme je le dois.

### Nouvelles personnelles et salut final. || Col **4** 7

21 Je désire que vous sachiez, vous aussi, où j'en
suis et ce que je deviens; vous serez informés de
tout par Tychique, ce frère bien-aimé qui m'est un Ac **20** 4+
fidèle assistant dans le Seigneur. 22 Je vous l'envoie
tout exprès pour vous donner de nos nouvelles et
réconforter vos cœurs.
23 Que Dieu le Père et le Seigneur Jésus Christ
accordent paix aux frères, ainsi que charité et foi.
24 La grâce soit avec tous ceux qui aiment notre
Seigneur Jésus Christ, dans la vie incorruptible [e]!

*a)* Var. : « vous avez ».
*b)* Il s'agit des Esprits qui, dans l'opinion des anciens, gouvernaient les astres, et par eux tout l'univers. Ils résident « dans les cieux », **1** 20s; **3** 10; Ph **2** 10, ou « dans l'air », **2** 2, entre la terre et le séjour de Dieu, et coïncident en partie avec ce que Paul appelle ailleurs les « éléments du monde », Ga **4** 3. Ils ont été infidèles à Dieu et ont voulu s'asservir les hommes dans le péché, **2** 2; mais le Christ est venu nous délivrer de leur esclavage, **1** 21; Col **1** 13; **2** 15, 20, et, armés de sa force, les chrétiens peuvent désormais lutter contre eux.
*c)* Expression et idée bibliques, cf. Ez **3** 27; **29** 21; Ps **51** 17; cf. Col **4** 3.
*d)* Om. : « de l'Évangile ».
*e)* Add. (Vulg.) : « Amen », cf. Ph **4** 23.

# ÉPÎTRE AUX PHILIPPIENS

**Adresse.**

Ac 16 1+ **1** [1] Paul et Timothée, serviteurs du Christ Jésus,
Rm 1 1+ à tous les saints dans le Christ Jésus qui sont
Ac 9 13+ à Philippes, avec leurs épiscopes et leurs diacres [a].
[2] A vous grâce et paix de par Dieu notre Père et
le Seigneur Jésus Christ!

**Action de grâces et prière.**

[3] Je rends grâces à mon Dieu chaque fois que je
fais mémoire de vous, [4] en tout temps dans toutes
mes prières pour vous tous, prières que je fais avec
joie [b]; [5] car je me rappelle la part que vous avez
prise à l'Évangile [c] depuis le premier jour [d] jusqu'à
maintenant; [6] j'en suis bien sûr d'ailleurs, Celui qui
a commencé en vous cette œuvre excellente en
1 10; 2 16 poursuivra l'accomplissement jusqu'au Jour du
1 Co 1 8+ Christ Jésus. [7] Il n'est que juste pour moi d'avoir
ces sentiments à l'égard de vous tous, car je vous
porte en mon cœur, vous qui, dans mes chaînes
comme dans la défense et l'affermissement de
Ep 3 2 l'Évangile, vous associez tous à ma grâce. [8] Oui,
Rm 1 9 Dieu m'est témoin que je vous aime tous tendrement dans le cœur du Christ Jésus! [9] Et voici ma
Col 1 9-10 prière : que votre charité croissant toujours de plus
en plus s'épanche en cette vraie science et ce tact
He 5 14 affiné [10] qui vous donneront de discerner le meil-
Rm 12 2+ leur [e] et de vous rendre purs et sans reproche pour
le Jour du Christ, [11] dans la pleine maturité de ce
fruit de justice que nous portons par Jésus Christ, 3 9+; He 12 11
pour la gloire et louange de Dieu. Jc 3 18; Jn 15 8

**Situation personnelle de Paul.**

[12] Je désire que vous le sachiez, frères, mon
affaire [f] a tourné plutôt au profit de l'Évangile :
[13] en effet, dans tout le Prétoire [g] et partout ailleurs,
mes chaînes ont acquis, dans le Christ, une vraie Ep 3 1+
notoriété, [14] et la plupart des frères, enhardis dans
le Seigneur du fait même de ces chaînes, redoublent
d'une belle audace à proclamer sans crainte la
Parole [h]. [15] Certains, il est vrai, le font par envie,
en esprit de rivalité, mais pour les autres, c'est vraiment dans de bons sentiments qu'ils prêchent le
Christ. [16] Ces derniers agissent par charité, sachant
bien que je suis voué à défendre ainsi l'Évangile;
[17] quant aux premiers, c'est par esprit d'intrigue
qu'ils annoncent le Christ; leurs intentions ne sont
pas pures : ils s'imaginent ainsi aggraver le poids
de mes chaînes. [18] Mais qu'importe? Après tout, Ep 3 1+
d'une manière comme de l'autre, hypocrite ou sincère, le Christ est annoncé, et je m'en réjouis. Je
persisterai même à m'en réjouir, [19] car je sais que 1 4+
*cela servira à mon salut,* grâce à vos prières et au Jb 13 16 LXX
secours de l'Esprit de Jésus Christ qui me sera
fourni; [20] telle est l'attente de mon ardent espoir :
rien ne me confondra, je garderai au contraire toute
mon assurance et, cette fois-ci comme toujours, le
Christ sera glorifié dans mon corps, soit que je vive 1 Co 6 20

*a)* Les « épiscopes » ne sont pas encore des « évêques », mais des presbytres ou « anciens », chargés de diriger ou d'assister la communauté, cf. Tt **1** 5+. Les « diacres » sont leurs assistants, 1 Tm **3** 8-13; cf. Ac **6** 1-6.

*b)* La joie est une des notes caractéristiques de cette épître : voir **1** 18, 25; **2** 2, 17, 18, 28, 29; **3** 1; **4** 1, 4, 10.

*c)* Non seulement par des secours pécuniaires, **4** 15-16, mais encore par leur contribution à son témoignage apostolique, **1** 7; cf. **2** 15-16, quand ils ont souffert avec lui pour l'Évangile, **1** 29-30.

*d)* Le jour de leur conversion, cf. Ac **16** 12-40.

*e)* Le fruit, cf. Ga **5** 22; Ep **5** 9, et Os **14** 9, de l'amour qui grandit est une connaissance et un discernement de « ce qui est important », Rm **2** 18, dont la justesse et l'ardeur croissent jusqu'à maturité, v. 11, au-delà de toute détermination législative, Ga **5** 23+.

*f)* L'arrestation de Paul et le procès qui s'en est suivi.

*g)* Si Paul écrit de Rome, il s'agit de la garde prétorienne qui campait près des murs de la Ville. Si Paul écrit d'Éphèse ou de Césarée, il faut alors songer au personnel du Prétoire, ou résidence du Gouverneur, qui se trouvait dans chacune de ces villes.

*h)* Add. : « de Dieu » (Vulg.) ou : « du Seigneur ».

Ga 2 20 soit que je meure [a]. 21 Pour moi, certes, la Vie c'est
Col 3 3p le Christ et mourir représente un gain. 22 Cependant,
si la vie dans cette chair doit me permettre
encore un fructueux travail, j'hésite à faire un
2 Co 5 6-9 choix... 23 Je me sens pris dans cette alternative :
d'une part, j'ai le désir de m'en aller et d'être avec
le Christ [b], ce qui serait, et de beaucoup, bien préférable;
24 mais de l'autre, demeurer dans la chair est
plus urgent pour votre bien. 25 Au fait, ceci me persuade :
je sais que je vais rester et demeurer près
1 4+; 2 16 de vous tous [c] pour votre avancement et la joie de
1 Co 15 31 votre foi, 26 afin que mon retour et ma présence
2 Co 1 14; 5 12 parmi vous soient pour vous un nouveau sujet de
1 Th 2 19 fierté dans le Christ Jésus.

**Lutter pour la foi.**

Ep 4 1 27 Menez seulement une vie [d] digne de l'Évangile
Col 1 10 du Christ, afin que je constate, si je viens chez
1 Th 2 12 vous, ou que j'entende dire, si je reste absent, que
Col 2 5 vous tenez ferme dans un même esprit, luttant de
concert et d'un cœur unanime pour la foi de l'Évangile,
28 et nullement effrayés par vos adversaires :
c'est là un présage certain, pour eux de la ruine et
pour vous du salut. Et cela vient de Dieu : 29 car
c'est par sa faveur qu'il vous a été donné, non pas
2 Th 1 4-7 seulement de croire au Christ, mais encore de souffrir
pour lui. 30 Par là vous menez le même combat
Ph 1 7 que vous m'avez vu soutenir [e] et que, vous le savez,
Col 1 24+ je soutiens encore.

**Garder l'unité dans l'humilité.**

2 1 Aussi je vous en conjure par tout ce qu'il
peut y avoir d'appel pressant [f] dans le Christ,
de persuasion dans l'Amour, de communion dans 2 Co 13 13+
l'Esprit [g], de tendresse compatissante, 2 mettez le
comble à ma joie par l'accord de vos sentiments [h] : 1 4+
ayez le même amour, une seule âme, un seul sentiment;
3 n'accordez rien à l'esprit de parti, rien à la 1 Co 1 10s
vaine gloire, mais que chacun par l'humilité estime
les autres supérieurs à soi; 4 ne recherchez pas cha- 1 Co 10 24
cun vos propres intérêts, mais plutôt que chacun
songe à ceux des autres. 5 Ayez entre vous les
mêmes sentiments qui sont dans le Christ Jésus [i] :

6 Lui, de condition divine [j], Col 1 15-20
ne retint pas jalousement He 1 3
le rang qui l'égalait à Dieu [k]. Jn 1 1s; 5 18;

7 Mais il s'anéantit lui-même [l], 2 Co 8 9
prenant condition d'esclave [m], Mt 20 28
et devenant semblable aux hommes [n]. Ga 4 4; Rm
He 2 17

S'étant comporté comme un homme [o],
8 il s'humilia plus encore,
obéissant jusqu'à la mort, Rm 5 19
et à la mort sur une croix! He 5 8; 12 2
Mt 26 39s
Jn 10 17s

9 Aussi Dieu l'a-t-il exalté [p] Ep 1 20-23
Mt 23 12

a) Le chrétien, uni physiquement au Christ par le baptême et l'eucharistie, lui appartient par son corps même, cf. 1 Co **6** 15; **10** 17; **12** 12s, 27; Ga **2** 20; Ep **5** 30. C'est pourquoi la vie de ce corps, ses souffrances, et jusqu'à sa mort, deviennent mystiquement celles du Christ habitant en lui et qui en tire sa gloire, cf. 1 Co **6** 20; Rm **14** 8. Cette union est particulièrement étroite dans le cas d'un apôtre comme Paul, cf. Col **1** 24; 2 Co **4** 10s.

b) La mort est aussi bien que la vie une façon d'être « avec » le Christ, cf. 1 Th **5** 10; Rm **14** 8; Col **3** 3; etc. Paul n'explique pas comment il conçoit ce « gain », v. 21, cette issue « bien préférable », v. 23, dans une existence avec le Christ succédant directement à la mort sans attendre la résurrection de tous, cf. 2 Co **5** 8+.

c) Ce pressentiment, qui d'ailleurs n'est pas encore une certitude, cf. **2** 17, s'est réalisé (voir Ac **20** 1-6 et les Épîtres Pastorales), à la différence de celui que Paul exprima à Milet, Ac **20** 25.

d) Le terme grec signifie en son sens premier « mener une vie de citoyen », selon les lois d'une cité. La Cité nouvelle du Royaume de Dieu a le Christ pour Roi, l'Évangile pour loi, et le chrétien pour citoyen, cf. **3** 20; Ep **2** 19.

e) Allusion aux persécutions subies par Paul à Philippes, Ac **16** 19s; 1 Th **2** 2. Le combat qu'il soutient encore est celui de sa captivité et de son procès.

f) Litt. : « S'il y a quelque appel pressant, etc. » : sorte d'adjuration affectueuse par ce qu'il y a de plus sacré.

g) Allusion voilée mais probable à la Trinité, l'Amour étant donné comme caractéristique du Père, cf. 2 Co **13** 13+.

h) Cette exhortation pressante à l'unité laisse deviner que des divisions intestines menaçaient la paix de la communauté de Philippes. Voir **1** 15-17, 27; **2** 14; **4** 2 et remarquer l'insistance que met Paul à les interpeller « tous » ensemble : **1** 1, 4, 7, 8, 25; **2** 17, 26; **4** 21.

i) Les vv. 6-11 constituent une hymne, que d'aucuns croient antérieure à Paul. Les diverses étapes du mystère du Christ y sont marquées par autant de strophes : la préexistence divine, l'abaissement de l'Incarnation, l'abaissement ultérieur de la mort, la glorification céleste, l'adoration de l'univers, le titre nouveau du Christ. Il s'agit du Christ historique, Dieu et homme, dans l'unité de sa personnalité concrète que Paul ne divise jamais, bien qu'il distingue ses divers états d'existence. Cf. Col **1** 13s.

j) Litt. « Lui qui se trouvait dans la forme de Dieu », où le mot « forme » désigne les attributs essentiels qui manifestent au-dehors la « nature » : le Christ, étant Dieu, en avait de droit toutes les prérogatives.

k) Litt. « il ne regarda pas l'état d'égalité avec Dieu comme une proie » (à ne pas lâcher, ou mieux à saisir). Il ne s'agit pas de l'égalité de nature, supposée par la « condition divine », et dont le Christ ne saurait se dépouiller, mais d'une égalité de traitement, de dignité manifestée et reconnue, que Jésus aurait pu revendiquer, même dans son existence humaine. On peut songer à l'attitude opposée d'Adam, Gn **3** 5, 22.

l) Litt. « il se vida de lui-même ». Du verbe grec signifiant « vider » est venu le terme de « kénose ». Il s'agit moins du fait de l'Incarnation que de son mode. Ce dont le Christ fait homme s'est librement dépouillé, ce n'est pas la nature divine, mais la gloire qu'elle lui valait de droit, qu'il possédait dans sa préexistence, cf. Jn **17** 5, et qui aurait dû normalement rejaillir sur son humanité (cf. la Transfiguration, Mt **17** 1-8p). Il a choisi de s'en priver pour ne la recevoir que du Père, cf. Jn **8** 50, 54, comme prix de son sacrifice, vv. 9-11.

m) Le terme s'oppose au titre de « Seigneur », v. 11; cf. Ga **4** 1; Col **3** 22s : le Christ fait homme a adopté une voie de soumission et d'humble obéissance, v. 8. Il est probable que Paul songe au « Serviteur » d'Is **52** 13 - **53** 12, cf. Is **42** 1+.

n) Donc non seulement un vrai homme, mais un homme « comme les autres », partageant toutes les faiblesses de la condition humaine, hormis le péché.

o) Litt. « Ayant été trouvé tel qu'un homme par son aspect ».

p) Litt. « surexalté ». Par la Résurrection et l'Ascension. La

Ac 5 41+ et lui a-t-il donné le Nom [a]
qui est au-dessus de tout nom [b],

10 pour que *tout*, au nom de Jésus,
Is 45 23 *s'agenouille*, au plus haut des cieux,
Ep 4 10 Ap 5 3 sur la terre et dans les enfers [c],

11 et que *toute langue proclame* [d],
Rm 1 4; 10 9; 14 19 de Jésus Christ, qu'il est SEIGNEUR [e],
1 Co 12 3 Ac 2 36+ à la gloire de Dieu le Père [f].

**Travailler au salut.**

12 Ainsi donc, mes bien-aimés, avec cette obéis-
2 Co 7 15 sance dont vous avez toujours fait preuve, et qui
doit paraître, non seulement quand je suis là, mais
bien plus encore maintenant que je suis absent, tra-
1 Co 2 3+ vaillez avec crainte et tremblement à accomplir
Ep 2 10 votre salut : 13 aussi bien, Dieu est là qui opère en
Ep 3 20 vous à la fois le vouloir et l'opération même, au
Ac 17 28 He 13 21 profit de ses bienveillants desseins. 14 Agissez en
tout sans murmures ni contestations, 15 afin de vous
rendre irréprochables et purs, *enfants de Dieu sans*
Dt 32 5 *tache au sein d'une génération dévoyée et pervertie,*
Mt 17 17 d'un monde où vous brillez comme des foyers de
Mt 5 14-16 Gn 1 14-16 lumière, 16 en lui présentant la Parole de vie. Vous
Ph 1 26+ me préparez ainsi un sujet de fierté pour le Jour du
1 Co 1 8+ Christ, car ma course et ma peine n'auront pas été
Ga 5 7+; 2 2; 4 11 vaines. 17 Au fait, si mon sang même doit se répandre en libation sur le sacrifice et l'oblation de votre
2 Tm 4 6 Rm 1 9+ foi [g], j'en suis heureux et m'en réjouis avec vous
tous, 18 comme vous devez, de votre côté, en être
1 4+ heureux et vous en réjouir avec moi.

**Missions de Timothée et d'Épaphrodite.**

19 J'espère du moins, dans le Seigneur Jésus,
Ac 16 1+ vous envoyer bientôt Timothée, afin d'être soulagé
moi-même en obtenant de vos nouvelles. 20 Je n'ai
vraiment personne qui saura comme lui s'intéresser
d'un cœur sincère à votre situation : 21 tous recherchent leurs propres intérêts, non ceux de Jésus 1 15-17
Christ. 22 Mais lui, vous savez qu'il a fait ses preuves : c'est comme un fils auprès de son père qu'il
a servi avec moi la cause de l'Évangile. 23 C'est Ga 1 7
donc lui que je compte vous envoyer, dès que
j'aurai vu clair dans mes affaires. 24 J'ai d'ailleurs
bon espoir dans le Seigneur de venir bientôt moi- 1 25-26
même.

25 Mais je crois nécessaire de vous renvoyer Épaphrodite, ce frère qui m'est un compagnon de tra- 4 18
vail et de combat, et que vous avez délégué pour
assister mon indigence. 26 Car il languit après vous
tous, et ne tient plus en place du fait que vous avez
appris sa maladie. 27 C'est vrai qu'il a été malade,
et bien près de la mort; mais Dieu a eu pitié de lui,
et pas seulement de lui, mais aussi bien de moi,
m'épargnant d'avoir chagrin sur chagrin. 28 Aussi
je m'empresse de vous le renvoyer, afin que sa vue
vous remette en joie, et que j'aie moi-même moins
de peine. 29 Accueillez-le donc dans le Seigneur en
toute joie, et tenez en grande estime des gens tels 1 4+
que lui : 30 c'est pour l'œuvre du Christ [h] qu'il a
failli mourir, ayant risqué sa vie pour vous suppléer
dans le service que vous ne pouviez me rendre
vous-mêmes.

**La vraie voie du salut chrétien.**

3 1 Enfin, mes frères, réjouissez-vous dans le 2 Co 13 11
Seigneur... [i] Vous adresser les mêmes avis ne Ph 1 4+
m'est pas à charge, et pour vous c'est une sûreté :
2 Prenez garde aux chiens [j]! Prenez garde aux mauvais ouvriers! Prenez garde aux faux circoncis [k]!
3 Car c'est nous qui sommes les circoncis, nous qui Col 2 11
offrons le culte selon l'Esprit de Dieu [l] et tirons Rm 2 25-29 Jr 4 4+
notre gloire du Christ Jésus, au lieu de placer notre Ph 2 17+
confiance dans la chair [m]. 4 J'aurais pourtant sujet, Rm 7 5+
moi, d'avoir confiance même dans la chair; si quel- 2 Co 11 21+
que autre croit avoir des raisons de se confier dans
la chair, j'en ai bien davantage : 5 circoncis dès le Gn 17 10+

Résurrection est l'œuvre par excellence de la puissance de Dieu, Rm 1 4+.

*a)* Donner un nom, c'est conférer une qualité réelle, cf. Ep 1 21; He 1 4. Ce Nom est celui de « Seigneur », v. 11; ou plus profondément, le Nom divin ineffable qui, dans le triomphe du Christ ressuscité, s'exprime par le titre de « Seigneur »; cf. Ac 2 21+; 3 16+.

*b)* En particulier au-dessus des catégories angéliques, cf. Ep 1 21; He 1 4; 1 P 3 22.

*c)* Ces trois divisions cosmiques embrassent tout l'univers, cf. Ap 5 3, 13. – « dans les enfers », litt. « sous la terre », semble intéresser plutôt les hôtes du shéol, Nb 16 33+, que les démons.

*d)* Var. : « et toute langue proclamera ».

*e)* Om. : « Christ ». – C'est la profession de foi essentielle au christianisme, Rm 10 9; 1 Co 12 3. Voir aussi Col 2 6; Ap 19 16. En utilisant Is 45 23 qui s'applique à Yahvé (cf. Rm 14 11), Paul montre bien le caractère divin qu'il attache au titre de « Seigneur ». Cf. aussi Jn 20 28 et Ac 2 36+. Dieu a exalté Jésus, et sa gloire se trouve donc accrue même par l'abaissement du Fils, 2 7.

*f)* Vulg. a compris : « que le Seigneur Jésus Christ est dans la gloire de Dieu le Père ».

*g)* Paul fait de l'usage (grec et juif) des libations répandues sur les victimes dans les sacrifices une application métaphorique au culte spirituel des temps nouveaux : le sang versé dans sa condamnation à mort viendrait s'ajouter au sacrifice que constitue chez les chrétiens le service de la foi, cf. 3 3; 4 18; Rm 1 9+.

*h)* Var. : « l'œuvre du Seigneur » ou « l'œuvre ».

*i)* Au moment de conclure sa lettre, Paul reprend un nouveau développement. Cette reprise fait croire à certains que le passage 3 1 - 4 1 a été un billet indépendant.

*j)* Épithète que les Juifs donnaient aux païens, cf. Mt 15 26 et peut-être 7 6, et que Paul leur retourne avec ironie.

*k)* Litt. « à l'incision ». Par un jeu de mots méprisant Paul assimile la « circoncision » charnelle des Juifs aux « incisions » sanglantes des cultes païens, cf. 1 R 18 28. Comparer Ga 5 12.

*l)* Var. (Vulg.) : « nous qui servons Dieu en esprit ».

*m)* La « chair » désigne ici tout le régime de l'ancienne Loi, avec ses observances « charnelles », dont la circoncision est un cas typique. Cf. Rm 7 5+. Paul a rappelé plusieurs fois son passé juif, 2 Co 11 21+, mais jamais avec autant de détails.

huitième jour, de la race d'Israël, de la tribu de
Benjamin, Hébreu fils d'Hébreux [a]; quant à la Loi,
Mt 3 7+ un Pharisien; 6 quant au zèle, un persécuteur de
Ac 8 1, 3+ l'Église; quant à la justice que peut donner la Loi,
un homme irréprochable. 7 Mais tous ces avantages
dont j'étais pourvu, je les ai considérés comme un
désavantage, à cause du Christ. 8 Bien plus, désormais je considère tout comme désavantageux à
cause de la supériorité de la connaissance du
Christ Jésus mon Seigneur. A cause de lui j'ai
accepté de tout perdre, je considère tout comme
déchets, afin de gagner le Christ, 9 et d'être trouvé
Rm 10 3 en lui, n'ayant plus ma justice à moi, celle qui vient
Rm 1 16+ de la Loi, mais la justice par la foi au Christ, celle
Ga 2 16 qui vient de Dieu et s'appuie sur la foi [b]; 10 le
Rm 1 4+; 6 4+; connaître, lui, avec la puissance de sa résurrection
8 11+, 17 et la communion à ses souffrances, lui devenir
conforme dans sa mort, 11 afin de parvenir si possible à ressusciter d'entre les morts [c]. 12 Non que je
sois déjà au but, ni déjà devenu parfait; mais je
2 16 poursuis ma course pour tâcher de saisir, ayant été
Ga 5 7+ saisi moi-même par le Christ Jésus [d]. 13 Non, frères,
je ne me flatte point d'avoir déjà saisi; je dis seule-
Lc 9 62 ment ceci : oubliant le chemin parcouru, je vais
droit de l'avant, tendu de tout mon être, 14 et je
1 Co 9 25+ cours vers le but, en vue du prix que Dieu nous
appelle à recevoir là-haut, dans le Christ Jésus.
15 Nous tous qui sommes des « parfaits [e] », c'est
ainsi qu'il nous faut penser [f]; et si, sur quelque
point, vous pensez autrement, là encore Dieu vous
éclairera. 16 En attendant, quel que soit le point
déjà atteint, marchons toujours dans la même
ligne [g].
2 Th 3 7+ 17 Devenez à l'envi mes imitateurs, frères, et fixez
vos regards sur ceux qui se conduisent comme vous
en avez en nous un exemple. 18 Car il en est beaucoup [h], je vous l'ai dit souvent et je le redis
aujourd'hui avec larmes, qui se conduisent en ennemis de la croix du Christ : 19 leur fin sera la perdi-
Rm 16 18 tion; ils ont pour dieu leur ventre [i] et mettent leur
gloire dans leur honte [j]; ils n'apprécient que les
choses de la terre. 20 Pour nous, notre cité se trouve He 11 13-16
dans les cieux, d'où nous attendons ardemment, Ac 3 20-21
comme sauveur, le Seigneur Jésus Christ, 21 qui Col 3 1-4
transfigurera notre corps de misère pour le confor- 1 Tm 1 1+
mer à son corps de gloire, avec cette force qu'il a 1 Co 15 47-49 Rm 8 23
de pouvoir même se soumettre toutes choses. 1 Co 15 23-28

4 1 Ainsi donc, mes frères bien-aimés et tant
désirés, ma joie et ma couronne, tenez bon de 1 Th 2 19-20
la sorte, dans le Seigneur, mes bien-aimés. Ph 1 4+

**Derniers conseils.**

2 J'exhorte Évodie comme j'exhorte Syntychè à
vivre en bonne intelligence dans le Seigneur. 3 Et
toi de ton côté, Syzyge, vrai « compagnon [k] », je te
demande de leur venir en aide : car elles m'ont
assisté dans la lutte pour l'Évangile, en même
temps que Clément et mes autres collaborateurs,
dont les noms sont écrits au livre de vie. Dn 12 1+
4 Réjouissez-vous sans cesse dans le Seigneur, je Ap 20 12+
le dis encore, réjouissez-vous. 5 Que votre modéra- 1 4+
tion soit connue de tous les hommes. Le Seigneur
est proche. 6 N'entretenez aucun souci; mais en 1 Co 16 22+
tout besoin recourez à l'oraison et à la prière, péné- Mt 6 25-34
trées d'action de grâces, pour présenter vos requê- Ep 5 20+
tes à Dieu. 7 Alors la paix de Dieu, qui surpasse Col 3 15
toute intelligence, prendra sous sa garde vos cœurs Jn 14 27
et vos pensées [l], dans le Christ Jésus.
8 Enfin, frères, tout ce qu'il y a de vrai, de noble,
de juste, de pur, d'aimable, d'honorable, tout ce
qu'il peut y avoir de bon dans la vertu et la
louange [m] humaines, voilà ce qui doit vous préoccuper [n]. 9 Ce que vous avez appris, reçu, entendu 1 Th 2 13+
de moi et constaté en moi, voilà ce que vous devez 2 Th 3 7+
pratiquer. Alors le Dieu de la paix sera avec vous.

**Remerciements pour les secours envoyés [o].**

10 J'ai eu grande joie dans le Seigneur à voir enfin 1 4+
refleurir votre intérêt pour moi; il était bien toujours vivant, mais vous ne trouviez pas d'occasion.

*a)* De souche palestinienne, Ac **23** 6, et parlant la langue des ancêtres, Ac **21** 40, à la différence des « Hellénistes », Ac **6** 1+.
*b)* L'opposition de ces deux justices est tout le sujet des épîtres aux Galates et aux Romains.
*c)* Paul ne peut parler ici de la résurrection (générale) qui s'imposera à tous les hommes, bons ou mauvais, et ne sauvera pas ces derniers d'une mort éternelle, Jn **5** 29. Il songe plutôt à la vraie « résurrection », celle des justes, qui les fait sortir « d'entre les morts » pour aller vivre avec le Christ, cf. Lc **20** 35+.
*d)* Sur le chemin de Damas.
*e)* Des chrétiens déjà formés, cf. 1 Co **2** 6+, mais non pas pour autant « consommés en perfection », v. 12.
*f)* Var. : « que nous pensons ».
*g)* Var. (Vulg.) : « pensons la même chose (cf. **2** 2) et marchons selon la même règle (cf. Ga **6** 16) ».
*h)* Paul vise probablement les « judaïsants » déjà visés v. 2.
*i)* Allusion aux observances alimentaires qui prenaient tant de place dans la religion juive, Lv **11**, cf. Rm **14**; **16** 18; Ga **2** 12; Col **2** 16, 20s; Mt **15** 10-20p; **23** 23-26; Ac **15** 20.
*j)* Allusion probable au membre qui reçoit la circoncision.
*k)* Le nom de Syzyge signifie « collègue », « compagnon ». Jeu de mots sur un nom comme en Phm 10-11.
*l)* Var. : « vos corps ».
*m)* Add. : « de la science » ou : « de la discipline » (Vulg.).
*n)* Paul recommande, v. 8, un idéal de conduite dont tous les termes étaient courants chez les moralistes grecs de son temps (c'est la seule fois qu'il emploie le mot de « vertu », cf. Sg **4** 1; **5** 13), mais il invite, v. 9, à le mettre en pratique suivant les enseignements et surtout l'exemple qu'il en a donnés, **3** 17; cf. 2 Th **3** 7+.
*o)* En même temps qu'il redit sa gratitude pour les dons qu'il a reçus, v. 18; **2** 25-30, Paul rappelle qu'il tient à l'indépendance de sa mission : l'essentiel demeure le bien spirituel de tous, vv. 17, 19; **1** 5; cf. 1 Co **9** 11.

11 Cc n'cst pas mon dénuement qui m'inspire ces
He 13 5 paroles; j'ai appris en effet à me suffire en toute
occasion. 12 Je sais me priver comme je sais être à
l'aise. En tout temps et de toutes manières, je me
suis initié à la satiété comme à la faim, à l'abon-
2 Co 12 9-10 dance comme au dénuement. 13 Je puis tout en
Col 1 29 Celui [a] qui me rend fort. 14 Cependant vous avez
bien fait de prendre part à mon épreuve. 15 Vous le
savez vous-mêmes, Philippiens : dans les débuts de
Ac 16 12s l'Évangile, quand je quittai la Macédoine, aucune
Église ne m'assista par mode de contributions
pécuniaires [b]; vous fûtes les seuls, 16 vous qui, dès
Ac 17 1 mon séjour à Thessalonique, m'avez envoyé, et par
deux fois, ce dont j'avais besoin. 17 Ce n'est pas que
jc recherche les dons; ce que je recherche, c'est le
bénéfice qui s'augmente à votre actif. 18 Pour le
moment j'ai tout ce qu'il faut, et même plus qu'il
ne faut, je suis comblé, depuis qu'Épaphrodite m'a 2 25
remis votre offrande, *parfum de bonne odeur*, Gn 8 21+
sacrifice que Dieu reçoit et trouve agréable. 19 En Ph 2 17+ He 13 16
retour mon Dieu comblera [c] tous vos besoins, selon
sa richesse, avec magnificence, dans le Christ
Jésus. 20 Gloire à ce Dieu, notre Père, dans les siè- Rm 16 27+
cles des siècles! Amen.

**Salutations et souhait final.**

21 Saluez chacun des saints dans le Christ Jésus. Ac 9 13+
Les frères qui sont avec moi vous saluent. 22 Tous
les saints [d] vous saluent, surtout ceux de la Maison
de César [e].

23 La grâce du Seigneur Jésus Christ soit avec
votre esprit [f]!

*a)* Var. : « en le Christ ».
*b)* Paul lui-même s'est toujours défendu d'accepter de telles compensations, pourtant légitimes. Il n'a fait exception que pour ses chers Philippiens, Ac **18** 3+.
*c)* Var. (Vulg.) : « puisse mon Dieu combler ».
*d)* Tous les chrétiens de la ville où Paul écrit.
*e)* L'expression a un sens très large; elle peut désigner tout le personnel employé au service de l'empereur, tant à Rome que dans les grandes villes de l'empire.
*f)* Add. : « Amen ».

# ÉPÎTRE AUX COLOSSIENS

## *Préambule*

**Adresse.**

Rm 1 1+ **1** 1 Paul, apôtre du Christ Jésus par la volonté
Ac 16 1+ de Dieu, et le frère Timothée, 2 aux saints de
Ac 9 13+ Colosses, frères fidèles dans le Christ. A vous grâce
et paix de par Dieu notre Père [a]!

**Action de grâces et prière.**

Ep 1 15-16 3 Nous ne cessons de rendre grâces au Dieu et
|| Phm 4-5 Père de notre Seigneur Jésus Christ, en pensant à
vous dans nos prières, 4 depuis que nous avons
Co 13 13+ appris votre foi dans le Christ Jésus et la charité
que vous avez à l'égard de tous les saints, 5 en raison de l'espérance qui vous est réservée dans les
cieux. Cette espérance, vous en avez naguère
|| Ep 1 13 entendu l'annonce dans la Parole de vérité, l'Évan-
Ga 1 7+ gile, 6 qui est parvenu chez vous de même que dans
le monde entier il fructifie et se développe; chez
vous il fait de même depuis le jour où vous avez
Ac 14 3; appris et compris dans sa vérité la grâce de Dieu.
20 24, 32 7 C'est Épaphras, notre cher compagnon de service,
2 Co 6 1
qui vous en a instruits; il nous supplée [b] fidèlement
comme ministre du Christ, 8 et c'est lui-même qui
nous a fait connaître votre dilection dans l'Esprit. 1 Co 13 1+
9 C'est pourquoi nous aussi, depuis le jour où || Ep 1 15
nous avons reçu ces nouvelles, nous ne cessons de
prier pour vous et de demander à Dieu qu'Il vous
fasse parvenir à la pleine connaissance de sa 3 10+
volonté, en toute sagesse et intelligence spirituelle. Rm 12 2+
10 Vous pourrez ainsi mener une vie digne du Seigneur et qui Lui plaise en tout : vous produirez toutes sortes de bonnes œuvres et grandirez dans la
connaissance de Dieu; 11 animés d'une puissante
énergie par la vigueur de sa gloire, vous acquerrez
une parfaite constance et endurance; avec joie
12 vous remercierez le Père qui vous a mis en Ep 1 11-13
mesure de partager le sort des saints [c] dans la 1 P 2 9
lumière. Ac 26 18
13 Il nous a en effet arrachés à l'empire des téné- Ga 1 4
bres et nous a transférés dans le Royaume de son Jn 8 12+
Fils bien-aimé, 14 en qui nous avons la rédemp- || Ep 1 6-7
tion [d], la rémission des péchés. Rm 3 24+

## *I. Partie dogmatique*

Sg 7 26 **Primauté du Christ [e].**
'ol 1 18+ 15 Il est l'Image du Dieu invisible,
Rm 8 29 Premier-Né de toute créature,
He 1 3; 16 car c'est en lui qu'ont été créées toutes choses,
Jn 1 3
dans les cieux et sur la terre, Ep 1 10
les visibles et les invisibles,
Trônes, Seigneuries, Principautés, Puissances; Ep 1 21+
tout a été créé par lui et pour lui. 1 Co 8 6+

*a)* Add. (Vulg.) : « et le Seigneur Jésus Christ ».
*b)* Var. (Vulg.) : « il vous sert ».
*c)* « vous (var. : « nous ») a mis en mesure de »; var. : « vous (ou : « nous ») a appelés à ». – Le « sort des saints » est le salut jadis réservé à Israël, auquel les païens sont maintenant appelés; cf. Ep **1** 11-13. Les « saints » désignent, soit les chrétiens appelés dès ici-bas à vivre dans la lumière du salut, Rm **6** 19+; **13** 11-12+, soit les anges qui vivent avec Dieu dans la lumière eschatologique. Cf. Ac **9** 13+.
*d)* Add. (Vulg.) : « par son sang », cf. Ep **1** 7.

*e)* Paul expose, sous forme de diptyque, la Primauté du Christ : 1° dans l'ordre de la Création naturelle, vv. 15-17; 2° dans l'ordre de la Recréation surnaturelle, qui est la Rédemption, vv. 18-20. Il s'agit du Christ préexistant, mais toujours considéré, cf. Ph **2** 5+, dans la personne historique et unique du Fils de Dieu fait homme. C'est cet être concret qui est « Image de Dieu » en tant qu'il reflète dans une nature humaine et visible l'image du Dieu invisible, cf. Rm **8** 29+, et c'est lui qui peut être dit créature, mais Premier-Né dans l'ordre de la création, d'une primauté d'excellence et de cause aussi bien que de temps.

17 Il est avant toutes choses et tout subsiste en lui.
1 24 18 Et il est aussi la Tête du Corps, c'est-à-dire de
Ep 1 22-23; 5 23s l'Église [a] :

Il est le Principe,
1 Co 15 20 Premier-né d'entre les morts,
Ap 1 5 (il fallait qu'il obtînt en tout la primauté),
19 car Dieu s'est plu à faire habiter en lui toute la
2 9+ Plénitude [b]
Ep 1 10; 2 14, 16 20 et par lui à réconcilier tous les êtres pour lui [c],
aussi bien sur la terre que dans les cieux [d],
en faisant la paix par le sang de sa croix.

**Participation des Colossiens au salut.**

Ep 4 18-19 21 Vous-mêmes, qui étiez devenus jadis des étran-
Ep 2 1s gers et des ennemis [e], par vos pensées et vos œuvres
Ep 2 14-16 mauvaises, 22 voici qu'à présent Il vous a réconciliés dans son corps de chair [f], le livrant à la mort,
pour vous faire paraître devant Lui saints, sans
Ep 5 27+ tache et sans reproche. 23 Il faut seulement que
1 Co 1 8+ vous persévériez dans la foi, affermis sur des bases
1 5s solides, sans vous laisser détourner de l'espérance
promise par l'Évangile que vous avez entendu, qui
Mc 16 15 a été prêché à toute créature sous le ciel [g], et dont
Ep 3 7 moi, Paul, je suis devenu le ministre.

**Labeurs de Paul au service des païens.**

2 Co 7 4; 12 10 24 En ce moment je trouve ma joie dans les souf-
Col 2 1 frances que j'endure pour vous, et je complète en
ma chair ce qui manque aux épreuves du Christ [h]
1 18+ pour son Corps, qui est l'Église. 25 Car je suis
devenu ministre de l'Église, en vertu de la charge 2 Co 3 6
que Dieu m'a confiée, de réaliser chez vous l'avène- Rm 15 19
ment de la Parole de Dieu, 26 ce mystère resté Rm 16 25+
caché depuis les siècles et les générations et qui
maintenant vient d'être manifesté à ses saints : Ac 9 13+
27 Dieu a bien voulu leur faire connaître de quelle
gloire est riche ce mystère chez les païens : c'est le
Christ parmi vous! l'espérance de la gloire [i]! 28 Ce 3 4
Christ, nous l'annonçons, avertissant tout homme
et instruisant tout homme en toute sagesse, afin de 1 Co 2 6
rendre tout homme parfait dans le Christ. 29 Et Ep 4 13+
c'est bien pour cette cause que je me fatigue à lutter, avec son énergie qui agit en moi avec puis- Ph 2 13; 4 13
sance. 2 Th 1 11

**Souci de Paul pour la foi des Colossiens.**

2 1 Oui, je désire que vous sachiez quelle dure
bataille je dois livrer pour vous, pour ceux de 1 24
Laodicée, et pour tant d'autres qui ne m'ont jamais
vu de leurs yeux; 2 afin que leurs cœurs en soient
stimulés et que, étroitement rapprochés dans
l'amour, ils parviennent au plein épanouissement Ep 3 18-19
de l'intelligence qui leur fera pénétrer le mystère de Rm 16 25+
Dieu [j], 3 dans lequel [k] se trouvent, cachés, tous les Is 45 3
trésors de la sagesse et de la connaissance! Pr 2 4-5
4 Je dis cela pour que nul ne vous abuse par des Ep 5 6
discours spécieux [l]. 5 Sans doute, je suis absent de
corps; mais en esprit je suis parmi vous, heureux 1 Co 5 3-4
de voir le bel ordre qui règne chez vous et la solidité de votre foi au Christ.

*a)* Sur l'Église Corps du Christ, cf. 1 Co **12** 12+. Le Christ en est la Tête, par sa priorité dans le temps (v. 18; il est le premier ressuscité) comme par son rôle de « Principe » dans l'ordre du salut (v. 20).

*b)* Terme d'interprétation difficile où beaucoup voient la plénitude *de la Divinité* comme en **2** 9. Mais ici (les vv. 15-18 ont déjà établi le rang divin du Christ) on peut songer plutôt à l'idée très biblique de l'univers « rempli » par la présence créatrice de Dieu, cf. Is **6** 3; Jr **23** 24; Ps **24** 1; **50** 12; **72** 19; Sg **1** 7; Si **43** 27; etc., idée fort répandue d'ailleurs dans le monde gréco-romain par le panthéisme stoïcien. Pour Paul, l'Incarnation, couronnée par la Résurrection, a placé la nature humaine du Christ à la tête, non seulement de toute la race humaine, mais encore de tout l'univers créé, intéressé au salut comme il l'a été à la faute, cf. Rm **8** 19-22; 1 Co **3** 22s; **15** 20-28; Ep **1** 10; **4** 10; Ph **2** 10s; **3** 21; He **2** 5-8. Cf. **2** 9+.

*c)* Par le Christ et pour le Christ, en parallélisme avec la fin du v. 16. Une autre interprétation rapporte le deuxième « lui » au Père et traduit « pour se réconcilier », cf. Rm **5** 10; 2 Co **5** 18s.

*d)* Cette réconciliation universelle englobe tous les esprits célestes aussi bien que tous les hommes. Elle ne signifie pas le salut individuel de tous, mais bien le salut collectif du monde par son retour à l'ordre et à la paix dans la soumission parfaite à Dieu. Les individus qui ne seront pas entrés par la grâce dans cet ordre nouveau y entreront par force, cf. **2** 15; 1 Co **15** 24-25 (les esprits célestes), et 2 Th **1** 8-9; 1 Co **6** 9-10; Ga **5** 21; Rm **2** 8; Ep **5** 5 (les hommes).

*e)* Étrangers à Dieu et ses ennemis, comme le suggèrent le contexte et le parallèle Ep **4** 18s, plutôt qu'étrangers à Israël comme le précisera Ep **2** 12.

*f)* « son », c'est-à-dire de son Fils. Le corps individuel (de chair) du Christ est le *lieu* où s'opère la réconciliation, parce qu'il rassemble virtuellement en lui tout le genre humain, cf. Ep **2** 14-16, dont il a pris sur lui le péché, 2 Co **5** 21 : la « chair » est l'état du corps soumis au péché, cf. Rm **8** 3; **7** 5+; He **4** 15.

*g)* C'est-à-dire à tous les hommes.

*h)* Jésus a souffert pour établir le Royaume de Dieu, et tous ceux qui continuent son œuvre ont à partager ses souffrances. Paul ne prétend certes pas ajouter quoi que ce soit à la valeur proprement rédemptrice de la Croix, à laquelle rien ne saurait manquer; mais il s'associe aux « épreuves » de Jésus, c'est-à-dire à ses tribulations apostoliques. Cf. 2 Co **1** 5; Ph **1** 20+. Ces épreuves de l'ère messianique, Mt **24** 8+; Ac **14** 22+; 1 Tm **4** 1+, comportent une mesure prévue par le plan divin et que Paul, en tant qu'apôtre des païens, se sent tout particulièrement appelé à combler.

*i)* Auparavant les païens étaient comme bannis du salut, alors réservé à Israël : ils étaient « sans Christ » et « sans espérance », Ep **2** 12. Le dessein enfin révélé du plan divin, son « mystère », est de les appeler, eux aussi, au salut et à la gloire céleste par l'union au Christ. Cf. Ep **2** 13-22; **3** 3-6.

*j)* Var. : « du Christ », cf. **4** 3; Ep **3** 4, ou « de Dieu, du Christ », « de Dieu Père du Christ », « de Dieu Père et du Christ », etc.

*k)* Il semble bien que le relatif se rapporte au « mystère » : c'est lui qui recèle « cachée » une infinie « sagesse » de Dieu : cf. Rm **16** 25+; 1 Tm **3** 16+. Il est vrai que l'objet du mystère est le Christ, **1** 27, lui-même Sagesse de Dieu, 1 Co **1** 24, 30, mystérieuse, 1 Co **2** 7, et difficile à connaître, Ep **3** 8, 19.

*l)* Première apparition du sujet que Paul va développer à partir du v. 8.

# *II. Mise en garde contre les erreurs*

**Vivre selon la vraie foi au Christ,**
**non selon de vaines doctrines.**

Ep 4 21 6 Le Christ tel que vous l'avez reçu, Jésus le Sei-
Ac 2 22+ gneur, c'est en lui qu'il vous faut marcher, 7 enraci-
1 Th 2 13+ nés et édifiés en lui, appuyés sur la foi telle qu'on
vous l'a enseignée, et débordant d'action de grâces.
Ep 5 6 8 Prenez garde qu'il ne se trouve quelqu'un pour
Rm 6 15+ vous réduire en esclavage [a] par le vain leurre de la
« philosophie », selon une tradition toute humaine,
Ga 4 3+ selon les éléments du monde, et non selon le Christ.

**Le Christ seul vrai Chef des hommes et des anges.**

1 19+ 9 Car en lui habite corporellement toute la Pléni-
Ep 1 13; tude de la Divinité [b], 10 et vous vous trouvez en lui
19; 4 12-13 associés à sa plénitude, lui qui est la Tête de toute
Principauté et de toute Puissance [c].
Ph 3 3 11 C'est en lui que vous avez été circoncis d'une
Rm 2 25-29 circoncision qui n'est pas de main d'homme, par
Jr 4 4 l'entier dépouillement de votre corps charnel [d]; telle
est la circoncision du Christ [e] : 12 ensevelis avec lui
Rm 6 4+ lors du baptême, vous en êtes aussi ressuscités avec
1 19s; 2 6+ lui, parce que vous avez cru en la force de Dieu
4+; 8 11+ qui l'a ressuscité des morts. 13 Vous qui étiez morts
Ep 2 1, 5s du fait de vos fautes et de votre chair incirconcise,
Il [f] vous [g] a fait revivre avec lui! Il nous [h] a pardonné toutes nos fautes!
Ep 2 15 14 Il a effacé, au détriment des ordonnances légales, la cédule de notre dette, qui nous était
contraire; il l'a supprimée en la clouant à la croix [i].
15 Il a dépouillé les Principautés et les Puissances 1 P 3 22
et les a données en spectacle à la face du monde,
en les traînant dans son cortège triomphal [j]. 2 Co 2 14

**Contre la fausse ascèse,**
**selon les « éléments du monde ».** Ga 4 3+

16 Dès lors, que nul ne s'avise de vous critiquer
sur des questions de nourriture et de boisson, ou
en matière de fêtes annuelles, de nouvelles lunes ou Rm 14 5
de sabbats. 17 Tout cela n'est que l'ombre des
choses à venir, mais la réalité, c'est le corps du
Christ [k]. 18 Que personne n'aille vous en frustrer, en
se complaisant [l] dans d'humbles pratiques, dans un Ga 6 12
culte des anges [m] : celui-là donne toute son attention aux choses qu'il a vues [n], bouffi qu'il est d'un
vain orgueil par sa pensée charnelle, 19 et il ne
s'attache pas à la Tête [o], dont le Corps tout entier || Ep 4 15-16
reçoit nourriture et cohésion, par les jointures et
ligaments, pour réaliser sa croissance en Dieu.
20 Du moment que vous êtes morts avec le Christ
aux éléments du monde, pourquoi vous plier à des Ga 4 3+
ordonnances comme si vous viviez encore dans ce
monde? 21 « Ne prends pas, ne goûte pas, ne touche
pas », 22 tout cela pour des choses vouées à périr 1 Co 6 13; 8 8
par leur usage même! Voilà bien les *prescriptions*
*et doctrines des hommes!* 23 Ces sortes de règles Is 29 13
peuvent faire figure de sagesse par leur affectation Mt 15 9
de religiosité et d'humilité qui ne ménage pas le
corps; en fait elles n'ont aucune valeur pour l'insolence de la chair [p].

*a)* Une fois délivrés de l'empire des ténèbres et affranchis par le Christ, **1** 13s, renier le Christ pour retourner aux erreurs anciennes serait retomber en esclavage; cf. Ga **4** 8s; **5** 1.
*b)* Le sens du mot « Plénitude », **1** 19+, est ici précisé par l'adverbe « corporellement » et le génitif « de la Divinité » : dans le Christ ressuscité se rassemble tout le monde divin, auquel il appartient par son être préexistant et glorifié, et tout le monde créé, qu'il a assumé directement (l'humanité) et indirectement (le cosmos) par son Incarnation et sa Résurrection : en somme toute la Plénitude de l'Être.
*c)* Le chrétien participe à la plénitude du Christ, en tant que membre de son corps, de son « Plérôme », voir **1** 19; Ep **1** 23; **3** 19; **4** 12-13 et les notes. Associé ainsi à celui qui est la Tête des Puissances célestes, il leur est désormais supérieur. – Les vv. suivants vont développer ces deux idées : participation du chrétien au triomphe du Christ, vv. 11-13; soumission des Puissances célestes à ce triomphe, vv. 14-15.
*d)* La circoncision matérielle n'enlevait qu'un petit lambeau de chair.
*e)* C'est-à-dire la circoncision spirituelle instituée par le Christ, et qui est le baptême.
*f)* Dieu le Père, cf. **1** 22.
*g)* « vous »; var. : « nous ».
*h)* « nous »; var. (Vulg.) : « vous ».
*i)* Le régime de la Loi, en interdisant le péché, n'aboutissait qu'à une sentence de mort portée contre l'homme transgresseur, cf. Rm **7** 7+. C'est cette sentence que Dieu a supprimée en l'exécutant sur la personne de son Fils : après l'avoir « fait péché », 2 Co **5** 21, « soumis à la Loi », Ga **4** 4, et « maudit » par elle, Ga **3** 13, Il l'a livré à la mort sur la croix, clouant au bois et détruisant en sa personne le document qui portait notre dette et nous condamnait.
*j)* Derrière la Loi juive, Paul aperçoit, conformément à une vieille tradition, les Puissances angéliques, cf. Ga **3** 19+. Elles ont usurpé, dans l'esprit des hommes, cf. v. 18, l'autorité du Créateur. En supprimant par la croix de son Fils le régime de la Loi, Dieu a retiré à ces Puissances l'instrument de leur domination; elles apparaissent désormais soumises au Christ.
*k)* Litt. « mais le corps, c'est (celui) du Christ ». Paul joue sur le double sens du mot grec *sôma* : le « corps » qui s'oppose à l'ombre; et le corps physique du Christ ressuscité, qui est la réalité eschatologique essentielle, le germe du nouvel univers.
*l)* Ou : « Que nul ne se donne le plaisir de prononcer contre vous ».
*m)* Les pratiques ascétiques ou cultuelles, v. 16, donnent trop d'importance aux éléments de ce monde matériel et, à travers eux, aux Puissances célestes qui les régissent, cf. Ga **4** 3+.
*n)* Var. (Vulg.) : « qu'il n'a pas vues ». – Paul reproche ici aux docteurs de Colosses, soit de se fier à leurs « visions », soit simplement de construire toute leur religion sur les choses visibles.
*o)* Le Christ, Ep **4** 15.
*p)* Pour mater l'insolence de la chair. D'autres entendent :

**L'union au Christ céleste,
principe de la vie nouvelle.**

Ep 2 6+ 3 1 Du moment donc que vous êtes ressuscités
avec le Christ, recherchez les choses d'en
Ph 3 20 Ac 2 33+ haut, là où se trouve le Christ, assis à la droite de
Dieu. 2 Songez aux choses d'en haut, non à celles
de la terre. 3 Car vous êtes morts, et votre vie est
désormais cachée avec le Christ en Dieu : 4 quand 2 12
le Christ sera manifesté, lui qui est votre [a] vie, alors
vous aussi vous serez manifestés avec lui pleins de 1 Jn 3 2
gloire [b]. Rm 8 19 Col 1 27

## III. Parénèse

**Préceptes généraux de vie chrétienne.**

Rm 6 11s 5 Mortifiez donc vos membres terrestres [c] : forni-
Rm 1 29+ cation, impureté, passion coupable, mauvais désirs,
|| Ep 5 6 et la cupidité, qui est une idolâtrie; 6 voilà ce qui
Rm 1 18+ attire la colère divine sur ceux qui résistent [d].
|| Ep 2 2-3 7 Vous-mêmes, vous vous conduisiez naguère de la
Tt 3 3 sorte, quand vous viviez parmi eux. 8 Eh bien! à
présent, vous aussi, rejetez tout cela : colère,
Ep 4 31 emportement, malice, outrages, vilains propos,
Ep 4 25 doivent quitter vos lèvres; 9 ne vous mentez plus les
|| Ep 4 22-24 uns aux autres.
Vous vous êtes dépouillés du vieil homme avec
ses agissements, 10 et vous avez revêtu le nouveau,
Rm 12 2+ celui qui s'achemine vers la vraie connaissance en
Gn 1 26-27 se renouvelant à l'image de son Créateur [e]. 11 Là,
Ga 3 27-28 il n'est plus question de Grec ou de Juif, de
1 Co 12 13 Gn 11 1+ circoncision ou d'incirconcision, de Barbare, de
Scythe, d'esclave, d'homme libre; il n'y a que le
1 Co 15 28 Christ, qui est tout et en tout [f].
12 Vous donc, les élus de Dieu, ses saints et ses
|| Ep 4 1-2, 32 bien-aimés, revêtez des sentiments de tendre
compassion, de bienveillance, d'humilité, de douceur, de patience; 13 supportez-vous les uns les
Mt 6 14; autres et pardonnez-vous mutuellement, si l'un a
18 21-35 contre l'autre quelque sujet de plainte; le Seigneur
vous a pardonné, faites de même à votre tour. 14 Et
Rm 13 8-10+ 1 Co 13 1+ puis, par-dessus tout, la charité, en laquelle se noue
la perfection. 15 Avec cela, que la paix du Christ Ph 4 7; Jn 14
règne dans vos cœurs : tel est bien le terme de Ep 2 16; 4 3-
l'appel qui vous a rassemblés en un même Corps. 1 Co 12 12+
Enfin vivez dans l'action de grâces! Ep 5 20
16 Que la Parole du Christ [g] réside chez vous en
abondance : instruisez-vous en toute sagesse par Ep 4 29
des admonitions réciproques. Chantez à Dieu de || Ep 5 19-20
tout votre cœur avec reconnaissance, par des
psaumes, des hymnes et des cantiques inspirés [h].
17 Et quoi que vous puissiez dire ou faire, que ce 1 Co 10 31
soit toujours au nom du Seigneur Jésus, rendant
par lui grâces au Dieu Père!

**Préceptes particuliers de morale domestique [i].** || Ep 5 21 - 1 P 3 1-7

18 Femmes, soyez soumises à vos maris, comme
il se doit dans le Seigneur. 19 Maris, aimez vos femmes, et ne leur montrez point d'humeur. 20 Enfants,
obéissez en tout à vos parents, c'est cela qui est
beau dans le Seigneur. 21 Parents, n'exaspérez pas
vos enfants, de peur qu'ils ne se découragent.
22 Esclaves, obéissez en tout à vos maîtres d'ici- 1 Co 7 21-
bas, non d'une obéissance tout extérieure qui cher- Phm 16+
che à plaire aux hommes, mais en simplicité de Tt 2 9-10 1 P 2 18
cœur, dans la crainte du Maître [j]. 23 Quel que soit Rm 6 15+
votre travail, faites-le avec âme, comme pour le
Seigneur et non pour des hommes, 24 sachant que
le Seigneur vous récompensera en vous faisant ses

« elles n'ont aucune valeur et ne tournent qu'à la satisfaction de la chair ».

*a)* Var. : « notre ».

*b)* Uni au Christ par le baptême, **2** 12, le chrétien participe déjà réellement à sa vie céleste, cf. Ep **2** 6+, mais cette vie demeure spirituelle et cachée; elle ne sera manifeste et glorieuse qu'à la Parousie.

*c)* L'œuvre de mort et de résurrection, opérée par le baptême de façon instantanée et absolue sur le plan mystique de l'union au Christ céleste, cf. **2** 12s, 20; **3** 1-4; Rm **6** 4+, doit se réaliser de façon lente et progressive sur le plan terrestre de l'ancien monde où le chrétien demeure plongé. Déjà mort en principe, il doit encore mourir en fait, en « mettant à mort » jour par jour le « vieil homme » de péché qui vit encore en lui.

*d)* Les mots « sur ceux qui lui résistent », omis par quelques témoins anciens et par plusieurs éditions modernes, sont nécessaires pour expliquer la genèse littéraire de Ep **2** 2-3 et **5** 6 à partir de ce passage de Col.

*e)* L'homme créé « à l'image de Dieu », Gn **1** 26s+, s'est perdu en cherchant la connaissance du bien et du mal en dehors de la volonté divine, Gn **2** 17+. Désormais esclave du péché et de ses convoitises, Rm **5** 12+, il est devenu le « vieil homme » qui doit mourir, Rm **6** 6; Ep **4** 22. L'« homme nouveau » recréé dans le Christ, Ep **2** 15+, qui est l'image de Dieu, Rm **8** 29+, retrouve la rectitude première et parvient à la vraie connaissance morale, **1** 9; He **5** 14.

*f)* Dans l'ordre nouveau disparaissent les distinctions de race, de religion, de culture et de classe sociale, qui divisaient le genre humain depuis la faute. L'unité se refait « dans le Christ ».

*g)* Var. : « du Seigneur » ou « de Dieu ». Le texte primitif portait peut-être simplement : « la Parole ». Comparer Ph **1** 14 et **2** 30.

*h)* Il s'agit sans doute d'improvisations « charismatiques » suggérées par l'Esprit au cours des assemblées liturgiques; cf. 1 Co **12** 7s; **14** 26.

*i)* Préceptes très simples de la morale commune, que Paul christianise par la simple formule « dans le Seigneur », qui équivaut ici à « selon la vie chrétienne ». En Ep **5** 21s, l'élaboration chrétienne est plus développée.

*j)* Le Christ Seigneur, seul vrai « Maître » (même mot en grec) des patrons comme de leurs esclaves.

héritiers[a]. C'est le Seigneur Christ que vous servez : 25 qui se montre injuste sera certes payé de
son injustice, sans qu'il soit fait acception des personnes.

**4** 1 Maîtres, accordez à vos esclaves le juste et
l'équitable, sachant que, vous aussi, vous avez
un Maître au ciel.

### Esprit apostolique.

|| Ep 6 18 20 2 Soyez assidus à la prière; qu'elle vous tienne
Rm 12 12 vigilants, dans l'action de grâces. 3 Priez pour nous
1 Th 5 6, 17s en particulier, afin que Dieu ouvre un champ libre
Rm 15 30+ à notre prédication et que nous puissions annoncer
1 Co 16 9+ le mystère du Christ[b]; c'est à cause de lui que je
Rm 16 25+ suis dans les fers; 4 obtenez-moi de le publier en
parlant comme je le dois.
|| Ep 5 15 5 Conduisez-vous avec sagesse envers ceux du
1 Co 5 12+ dehors; sachez tirer parti de la période présente.
Ep 5 16 6 Que votre langage soit toujours aimable, plein
2 Co 6 2+ d'à-propos[c], avec l'art de répondre à chacun
Sg 8 9 comme il faut.

|| Ep 6 21

### Nouvelles personnelles.

Ac 20 4+ 7 Pour tout ce qui me concerne, Tychique vous
informera, ce frère bien-aimé qui m'est un fidèle
assistant et compagnon de service dans le Seigneur.
8 Je vous l'envoie tout exprès pour vous donner de
nos nouvelles[d] et réconforter vos cœurs. 9 Je lui
Phm 10s adjoins Onésime, le fidèle et bien-aimé frère, qui est
de chez vous. Ils vous apprendront tout ce qui se
passe ici.

### Salutations et souhait final[e].

Phm 23s

10 Aristarque, mon compagnon de captivité, vous Ac 19 29+
salue, ainsi que Marc, le cousin de Barnabé, au Ac 12 12+
sujet duquel vous avez reçu des instructions : s'il
vient chez vous, faites-lui bon accueil. 11 Jésus surnommé Justus vous salue également. De ceux qui
nous sont venus de la Circoncision, ce sont les
seuls qui travaillent avec moi pour le Royaume de
Dieu; ils m'ont été une consolation. 12 Épaphras,
votre compatriote, vous salue; ce serviteur du
Christ Jésus ne cesse de lutter pour vous dans ses Rm 15 30
prières, afin que vous teniez ferme, parfaits et bien
établis dans tous les vouloirs divins. 13 Oui, je lui
rends ce témoignage qu'il prend beaucoup de peine
pour vous, ainsi que pour ceux de Laodicée et pour
ceux de Hiérapolis. 14 Vous avez les salutations de
Luc, le cher médecin, et de Démas.
15 Saluez les frères qui sont à Laodicée, avec
Nymphas et l'Église qui s'assemble dans sa mai- Rm 16 5+
son. 16 Quand cette lettre aura été lue chez vous, 1 Th 5 27
faites qu'on la lise aussi dans l'Église des Laodi-
céens, et procurez-vous celle de Laodicée, pour la
lire à votre tour[f]. 17 Dites à Archippe : « Prends Phm 2
garde au ministère que tu as reçu dans le Seigneur,
et tâche de bien l'accomplir. »
18 Voici le salut de ma main, à moi, Paul. Souve- 2 Th 3 17
nez-vous de mes chaînes! La grâce soit avec vous[g]! 1 Co 16 21 Ga 6 11
Ep 3 1+

*a)* Que l'esclave devienne héritier, cf. Mt **21** 35-38; Lc **15** 19; Ga **4** 1-2, c'est un signe frappant de l'ordre nouveau « dans le Christ »; cf. Rm **8** 15-17; Ga **4** 3-7; Phm 16.
*b)* Var. : « de Dieu », cf. **2** 2.
*c)* Litt. « assaisonné de sel », image fréquente chez les anciens. Cf. Mc **9** 50.
*d)* Var. (Vulg.) : « pour prendre de vos nouvelles ».
*e)* Sur Aristarque, cf. Ac **19** 29+. Sur Marc, voir Ac **12** 12+. « Jésus surnommé Justus » n'est pas mentionné ailleurs; son surnom était répandu parmi les Juifs et les prosélytes, cf. Ac **1** 23; **18** 7. Le Colossien Épaphras (distinct de Épaphrodite de Philippes, Ph **2** 25; **4** 18) est le disciple auquel Paul avait confié l'évangélisation de Colosses, Col **1** 7; cf. Ac **19** 10+. Luc est l'auteur du 3e évangile et des Actes. Compagnon de Paul durant la fin du troisième voyage, Ac **20** 5s, et jusqu'à Rome, Ac **27** 1s, il est donc encore aux côtés de l'Apôtre prisonnier, cf. Phm 24, et s'y trouvera encore durant la deuxième captivité, 2 Tm **4** 11. Sur Démas, cf. Phm 24 et 2 Tm **4** 10. Nymphas est inconnu (c'est peut-être une femme, Nympha). Archippe, v. 17, est sans doute le fils de Philémon, Phm 2; on ne sait quel est son ministère.
*f)* Les lettres de Paul devaient être lues devant tous les frères, 1 Th **5** 27, puis communiquées aux régions voisines, cf. 2 Co **1** 1. Celle que les Colossiens recevront de Laodicée est sans doute celle que nous appelons l'épître aux Éphésiens.
*g)* Add. (Vulg.) : « Amen », cf. Ph **4** 23.

# PREMIÈRE ÉPÎTRE AUX THESSALONICIENS

2 Th 1 1-2 **Adresse.**
Rm 1 1+

5 22+; 16 1+ 1 1 Paul, Silvain et Timothée, à l'Église des
Thessaloniciens qui est en Dieu le Père et
dans le Seigneur Jésus Christ. A vous grâce et
paix [a].

**Action de grâces et félicitations.**

2 Th 1 3 2 Nous rendons grâces à Dieu à tout moment
Ph 1 3 pour vous tous, en faisant mention de vous sans
cesse dans nos prières. 3 Nous nous rappelons en
présence de notre Dieu et Père l'activité de votre
Co 13 13+ foi, le labeur de votre charité, la constance de votre
1 Th 5 8 espérance, qui sont dus à notre Seigneur Jésus
Ap 2 2 Christ [b].
4 Nous le savons, frères aimés de Dieu, vous
avez été choisis. 5 Car notre Évangile [c] ne s'est pas
1 Co 2 4 présenté à vous en paroles seulement, mais en puis-
1 Th 2 13 sance, dans l'action de l'Esprit Saint, en surabon-
Ac 1 8+ dance. De fait, vous savez comment nous nous
sommes comportés au milieu de vous pour votre
2 Th 3 7+ service. 6 Et vous vous êtes mis à nous imiter, nous
13 20-21 et le Seigneur, en accueillant la Parole, parmi bien
Ac 17 1-9 des tribulations, avec la joie de l'Esprit Saint :
Rm 14 17 7 vous êtes ainsi devenus un modèle pour tous les
Ga 5 22 croyants de Macédoine et d'Achaïe. 8 De chez
vous, en effet, la Parole du Seigneur a retenti, et pas
seulement en Macédoine et en Achaïe, mais de tous
Rm 1 8 côtés votre foi en Dieu s'est répandue, si bien que
nous n'avons plus besoin d'en rien dire [d]. 9 On
raconte là-bas comment nous sommes venus chez
vous, et comment vous vous êtes tournés vers Dieu, Ac 3 19+; 14 15
abandonnant les idoles pour servir le Dieu vivant Jr 10 10
et véritable, 10 dans l'attente de son Fils qui viendra 4 16-17
des cieux, qu'il a ressuscité des morts, Jésus, qui
nous délivre de la colère qui vient [e]. Mt 3 7+ Rm 1 18; 2 5s

**L'attitude de Paul pendant son séjour à Thessalonique.**

2 1 Vous-mêmes savez, frères, comment nous
sommes venus chez vous, que ce ne fut pas en
vain.
2 Nous avions, vous le savez, enduré à Philippes Ac 16 19-40
des souffrances et des insultes, mais notre Dieu Ph 1 30
nous a accordé de prêcher en toute hardiesse Ac 13 46+
devant vous l'Évangile de Dieu, au milieu d'une 2 Co 3 12
lutte pénible. 3 En vous exhortant, nous ne nous
inspirons ni de l'erreur ni de l'impureté, et nous ne
tentons pas de ruser avec vous. 4 Seulement, Dieu
nous ayant confié l'Évangile après nous avoir 1 Tm 1 11
éprouvés, nous prêchons en conséquence, cher- Ep 3 7
chant à plaire non pas aux hommes mais à Dieu Ga 1 10
*qui éprouve* nos *cœurs*. 5 Jamais non plus nous 2 Co 5 9
n'avons eu un mot de flatterie, vous le savez, ni une Jr 11 20
arrière-pensée de cupidité, Dieu en est témoin; 6 ni Rm 1 9
recherché la gloire humaine, pas plus chez vous Jn 5 41, 44
que chez d'autres, 7 alors que nous pouvions, étant
apôtres du Christ, vous faire sentir tout notre
poids [f].

*a)* Add. : « de par Dieu notre Père et le Seigneur Jésus Christ », cf. 2 Th **1** 2.
*b)* Paul voit ces trois dispositions chrétiennes, 1 Co **13** 13+, en action dans la vie de l'Église et souligne en chacune d'elles une qualité appropriée à des conditions difficiles.
*c)* Var. : « l'Évangile de Dieu » ou « de notre Dieu ». – L'« Évangile » n'est pas seulement la prédication, c'est toute l'économie nouvelle du salut, Ga **1** 7+, dont l'Esprit assure l'efficacité.
*d)* Même en faisant la part de l'exagération, on entend que la vie des chrétiens, conforme à l'Évangile, assure elle-même la diffusion de leur foi : elle est une forme de la Parole de Dieu.
*e)* Les vv. 9-10 semblent reprendre en un raccourci très dense des paroles répétées dans la prédication. Deux données centrales organisaient l'Évangile prêché par Paul : une affirmation vigoureuse du monothéisme, Mc **12** 29+; 1 Co **8** 4-6; **10** 7, 14; Ga **4** 8-9; etc., et une christologie qui insistait sur la venue du Seigneur ressuscité, cf. 1 Co **1** 7; **15** 23+. – Noter le titre «son Fils » appliqué à Jésus dès la première lettre de Paul.
*f)* « faire sentir notre poids » (litt.) a ici un double sens : moral (faire les importants, nous donner du prestige) et matériel (être

Au contraire, nous nous sommes faits tout aima-
1 Co 3 2 bles [a] au milieu de vous. Comme une mère nourrit
Ga 4 19 ses enfants et les entoure de soins, 8 telle était notre
tendresse pour vous que nous aurions voulu vous
Rm 9 3 livrer, en même temps que l'Évangile de Dieu,
Ga 2 20+ notre propre vie, tant vous nous étiez devenus
chers. 9 Vous vous souvenez, frères, de nos labeurs
Ac 18 3+ et fatigues : de nuit comme de jour, nous travail-
1 Th 4 11 lions, pour n'être à la charge d'aucun de vous, tan-
2 Th 3 6-12 dis que nous vous annoncions l'Évangile de Dieu!
Rm 1 9 10 Vous êtes témoins, et Dieu l'est aussi, combien
notre attitude envers vous, les croyants, a été
sainte, juste, sans reproche. 11 Comme un père pour
1 Co 4 15+ ses enfants, vous le savez, nous vous avons, chacun
de vous, 12 exhortés, encouragés, adjurés de mener
5 24; 2 Th 1 11 une vie digne de Dieu qui vous appelle [b] à son
1 P 5 10 Mt 4 17+ Royaume et à sa gloire [c].

**La foi et la patience des Thessaloniciens.**

13 Voilà pourquoi, de notre côté, nous ne cessons
de rendre grâces à Dieu de ce que, une fois reçue
1 Co 11 2+ la parole de Dieu que nous vous faisions entendre,
vous l'avez accueillie, non comme une parole
d'hommes, mais comme ce qu'elle est réellement,
Rm 1 16; He 4 12 la Parole de Dieu [d]. Et cette parole reste active [e] en
vous, les croyants. 14 Car vous vous êtes mis, frè-
2 Th 3 7+ res, à imiter les Églises de Dieu dans le Christ
1 Co 1 2+ 1 P 5 9 Jésus qui sont en Judée : vous avez souffert de la
Mt 23 29-37 part de vos compatriotes les mêmes traitements
Ac 2 23-24+ qu'ils ont soufferts de la part des Juifs [f] : 15 ces
gens-là ont mis à mort Jésus le Seigneur et les prophètes, ils nous ont persécutés, ils ne plaisent pas
à Dieu, ils sont ennemis de tous les hommes
16 quand ils nous empêchent de prêcher aux païens
pour leur salut, *mettant* ainsi en tout temps *le*
Gn 15 16; Mt 23 32 *comble à leur péché;* et elle est tombée sur eux, la
Rm 1 18+ colère [g], pour en finir.

**L'inquiétude de l'Apôtre.**

Col 2 1, 5 17 Et nous, frères, privés de votre compagnie
pour un moment, de visage mais non de cœur, nous
Rm 1 10-11 nous sommes sentis extrêmement pressés de revoir
votre visage, tant notre désir était vif. 18 Nous
avons donc voulu venir jusqu'à vous – moi-même,
Paul, à plusieurs reprises –, mais Satan nous en a 2 Th 2 9+
empêchés. 19 Quelle est en effet notre espérance,
notre joie, la *couronne* dont nous serons *fiers*, si ce Ez 16 12; 23 4[illegible]
n'est vous, en présence de notre Seigneur Jésus lors Pr 16 31 Ph 2 16; 4 1
de son Avènement? 20 Oui, c'est bien vous qui êtes 1 Co 9 25+
notre gloire et notre joie. 1 Th 1 10+

**L'envoi de Timothée à Thessalonique.** 1 Co 15 23+ 2 Co 1 14+

3 1 Aussi, n'y tenant plus, nous avons pris le
parti de demeurer seuls à Athènes, 2 et nous
avons envoyé Timothée, notre frère et le collabora- Ac 17 14-16+
teur de Dieu [h] dans l'Évangile du Christ, pour vous 1 Co 3 9; 2 C[illegible]
affermir et réconforter dans votre foi, 3 afin que
personne ne se laisse ébranler par ces tribulations. 1 6
Car vous savez bien que c'est là notre partage :
4 quand nous étions près de vous, nous vous prédi- Mt 16 24p
sions que nous aurions à subir des tribulations, et Ac 14 22
c'est ce qui est arrivé, vous le savez. 5 C'est pour 2 Tm 3 12 He 10 32, 36
cela que, n'y tenant plus, je l'ai envoyé s'informer
de votre foi. Pourvu que déjà le Tentateur [i] ne vous
ait pas tentés et que notre labeur n'ait pas été rendu Ga 4 11; Ph[illegible]
vain!

**Action de grâces pour les nouvelles reçues.**

6 Maintenant Timothée vient de nous revenir de
chez vous et il nous a donné de bonnes nouvelles 2 Th 1 3
de votre foi et de votre charité : il dit que vous 2 Co 7 7
conservez toujours de nous un bon souvenir, que
vous aspirez à nous revoir autant que nous à vous
revoir. 7 Nous avons trouvé là, frères, en raison de
votre foi, un réconfort au milieu de toutes nos
angoisses et tribulations. 8 Maintenant nous revi-
vons, puisque vous tenez bon dans le Seigneur. Ap 2 9-10
9 Comment pourrions-nous remercier Dieu suffi- 2 Th 2 15
samment à votre sujet, pour toute la joie dont vous
nous réjouissez devant notre Dieu? 10 Nuit et jour
nous lui demandons, avec une extrême instance, de
revoir votre visage et de pouvoir compléter ce qui 2 17
manque encore à votre foi [j].

11 Que Dieu lui-même, notre Père, et notre Seigneur Jésus aplanissent notre chemin jusqu'à vous.

à votre charge, cf. **2** 9; 2 Th **3** 8; 2 Co **11** 9).

*a)* « tout aimables »; var. : « tout petits ».

*b)* Var. : « a appelés ».

*c)* Le Royaume de Dieu, 2 Th **1** 5; Ac **19** 8; Ep **5** 5; etc.; Mt **4** 17+, et sa gloire sont des biens proprement divins auxquels Dieu appelle, **4** 7; **5** 24, et conduit ses élus, **1** 4.

*d)* Description concentrée de la tradition apostolique. La parole est d'abord « reçue », **4** 1; 2 Th **3** 6; 1 Co **11** 23; **15** 1, 3; Ga **1** 9; Ph **4** 9; Col **2** 6, c'est-à-dire entendue, Rm **10** 17+; Ep **1** 13; Ac **15** 7; etc., puis, pénétrant jusqu'au cœur, cf. Rm **10** 8-10, elle y est « accueillie », **1** 6; 2 Th **2** 10; 2 Co **11** 4; Ac **8** 14, etc.; Mc **4** 20, c'est-à-dire que l'auditeur reconnaît que Dieu parle par son envoyé, **4** 1s; 2 Co **3** 5; **13** 3..

*e)* Ou peut-être « est rendue active », Dieu agissant par sa parole dans les croyants, cf. **1** 8; 2 Th **3** 1; He **4** 12.

*f)* La sévérité des vv. 15-16 (qui relient le Jésus de l'histoire au Jésus de la foi) reflète les polémiques primitives de Jérusalem, Mt **5** 12; **21** 33-46; **23** 29-37; Ac **2** 23+; elle est causée par l'acharnement de la Synagogue à entraver la prédication de Paul chez les païens, v. 16; cf. Ph **3** 2-3; Ac **13** 5+. Cependant Paul ne s'en prend qu'aux adversaires directs de sa mission. Il rappellera souvent les grandeurs du peuple élu et complétera, en d'autres contextes, le présent tableau : cf. Rm **9-11**; Ga **4** 21-31. Il n'épargnera pas ses efforts pour resserrer l'unité entre les chrétiens venus du paganisme et ceux qui sont nés d'Israël, cf. 1 Co **16** 1+; Ep **2** 11-22.

*g)* Add. : « de Dieu ».

*h)* Om. : « collaborateur de Dieu », et var. : « serviteur de Dieu », « serviteur de Dieu et notre collaborateur ».

*i)* Le « Tentateur » est « Satan » de **2** 18, cf. Mc **1** 13 (« Tentateur », « Satan », « diable », cf. Jb **1** 6+; Ap **12** 9+).

*j)* Les lacunes de la foi intéressent tant l'instruction à achever que « l'œuvre », **1** 3, de la vie entière à rectifier de plus en plus, cf. Rm **14** 1; 2 Co **10** 15; Ph **1** 25.

2 Th 1 3; 1 Th 5 15 12 Et vous, que le Seigneur vous fasse croître et
Rm 12 17s abonder dans l'amour que vous avez les uns envers
Ga 6 10 les autres et envers tous[a], comme nous-mêmes
Tt 3 2 envers vous : 13 qu'il affermisse ainsi vos cœurs
irréprochables en sainteté devant Dieu, notre Père,
23; 1 Co 1 8+; lors de l'Avènement de notre Seigneur Jésus *avec*
5 23+; Za 14 5 *tous ses saints*[b].

**Recommandations : sainteté de vie et charité.**

**4** 1 Enfin, frères, nous vous le demandons et
2 Th 3 6 vous y engageons dans le Seigneur Jésus[c] :
1 Co 11 2+ vous avez reçu notre enseignement sur la manière
1 Th 2 13+ de vivre qui plaît à Dieu, et déjà c'est ainsi que
Rm 12 1-2 vous vivez[d]; faites-y des progrès encore. 2 Vous
savez bien quelles prescriptions nous vous avons
données de par le Seigneur Jésus.
Mt 6 10 3 Et voici quelle est la volonté de Dieu : c'est
Ep 1 4 votre sanctification[e]; c'est que vous vous absteniez
1 Co 6 12-20 d'impudicité, 4 que chacun de vous sache user du
corps qui lui appartient[f] avec sainteté et respect,
5 sans se laisser emporter par la passion comme
0 25; Ps 79 6 font *les païens qui ne connaissent pas Dieu;* 6 que
personne en cette matière ne supplante ou ne dupe
Dt 32 35 son frère. Le Seigneur *tire vengeance* de tout cela,
Ps 94 1-2 nous vous l'avons déjà dit et attesté. 7 Car Dieu ne
nous a pas appelés à l'impureté mais à la sanc-
Jn 17 19 tification. 8 Dès lors, qui rejette cela, ce n'est pas
Lc 10 16 un homme qu'il rejette, c'est Dieu, lui *qui vous a*
Ez 37 14 *fait le don de son Esprit* Saint[g].
9 Sur l'amour fraternel, vous n'avez pas besoin
Jr 31 33-34 qu'on vous écrive, car vous avez personnellement
Is 54 13 appris de Dieu à vous aimer les uns les autres, 10 et
Jn 6 45; vous le faites bien envers tous les frères de la Macé-
13 34+ doine entière. Mais nous vous engageons, frères, à
faire encore des progrès 11 en mettant votre hon- 2 Th 1 3
neur à vivre calmes, à vous occuper chacun de vos
affaires, à travailler de vos mains, comme nous 2 Th 3 6-12
vous l'avons ordonné. 12 Ainsi vous mènerez une Ac 18 3+; Ep 4 28
vie honorable au regard de ceux du dehors et vous 1 Co 5 12+
n'aurez besoin de personne.

**Les morts et les vivants**
**lors de la Venue du Seigneur[h].**

13 Nous ne voulons pas, frères, que vous soyez
ignorants au sujet des morts[i]; il ne faut pas que
vous vous désoliez comme les autres, qui n'ont pas Ep 2 12
d'espérance. 14 Puisque nous croyons que Jésus est Col 1 27
mort et qu'il est ressuscité, de même, ceux qui se Rm 10 9+; 1 4+; Rm 8 11+
sont endormis en Jésus, Dieu les emmènera avec 1 Co 15 1+
lui. 15 Voici en effet ce que nous avons à vous dire,
sur la parole du Seigneur[j]. Nous, les vivants, nous
qui serons encore là[k] pour l'Avènement du Sei- 1 Co 15 51; 15 23
gneur, nous ne devancerons pas ceux qui seront Si 48 11
endormis. 16 Car lui-même, le Seigneur, au signal Mt 24 30-31+
donné par la voix de l'archange et la trompette de 2 Th 1 7s; 1 Co 15 52+
Dieu, descendra du ciel[l], et les morts qui sont dans
le Christ ressusciteront en premier lieu; 17 après Jn 17 24; 14 2-3
quoi nous, les vivants, nous qui serons encore
là[m], nous serons réunis à eux et emportés sur des
nuées pour rencontrer le Seigneur dans les airs.
Ainsi nous serons avec le Seigneur toujours[n]. Dn 2 21
18 Réconfortez-vous donc les uns les autres de ces
pensées.

**La vigilance en attendant la Venue du Seigneur[o].**

**5** 1 Quant aux temps et moments[p], vous n'avez Dn 2 21
pas besoin, frères, qu'on vous en écrive.
2 Vous savez vous-mêmes parfaitement que le Jour Mt 24 36, 43; 2 P 3 10; Ap 3 3

*a)* La charité doit s'exercer d'abord à l'intérieur de la communauté, mais ensuite s'étendre à tous les hommes, Ga **6** 10+.
*b)* Add. : « Amen ». – La sainteté, **4** 3+, fruit de la charité fraternelle, s'épanouira à la Parousie. Les « saints » peuvent être ici ou bien les élus, les sauvés, ou bien les anges, cf. Ac **9** 13+.
*c)* Paul parle « dans » (v. 1) ou « par » (v. 2) le Christ, ou encore au nom du Christ, cf. **4** 15; 2 Th **3** 6, 12. Son enseignement moral, celui même de la première catéchèse chrétienne, donne à la morale profane une valeur nouvelle en la plaçant sous le signe du Christ, Col **3** 18+; cf. Ph **4** 8-9.
*d)* Om. : « déjà c'est ainsi que vous vivez ».
*e)* Le vouloir de Dieu, cf. Mt **6** 10, est réalisateur de sainteté, vv. 3, 7; 2 Th **2** 13; Ep **1** 4. C'est Dieu qui sanctifie, **5** 23; 1 Co **6** 11; cf. Jn **17** 17, Ac **20** 32; le Christ s'est fait notre sanctification. 1 Co **1** 30, l'Esprit Saint y est mêlé aussi, v. 8; 2 Th **2** 13; 1 Co **6** 11. Reste aux chrétiens à la mettre en œuvre, Rm **6** 19+. Ils sont couramment appelés les « saints », Ac **9** 13+.
*f)* Soit le propre corps de chacun, **5** 23; cf. Rm **12** 1; 1 Co **6** 19, soit celui de sa femme, comme dans plusieurs textes rabbiniques et 1 P **3** 7.
*g)* Ézéchiel, **36** 27; **37** 14, annonçait le don de l'Esprit au peuple messianique; l'allusion renforce la continuité entre l'Église de Thessalonique et la communauté primitive qui a reçu ce don, Ac **2** 16s, 33, 38, etc. Sur le don intérieur de l'Esprit à tout chrétien, cf. Rm **5** 5+.
*h)* Répondant à des inquiétudes ou à des doutes chez certains convertis, qui croyaient les défunts défavorisés parce qu'ils seraient absents lors de la venue du Seigneur, Paul réaffirme l'enseignement fondamental sur la résurrection des morts, afin d'affermir la foi et l'espérance de tous.
*i)* Litt. « ceux qui se sont couchés, endormis ». L'euphémisme, très naturel, est courant dans l'AT et le NT comme chez les Grecs. De même la résurrection est un « réveil »; cf. **5** 10. – Autre traduction possible de la fin du v. 14 : « ceux qui se sont endormis; par Jésus, Dieu les emmènera avec lui. »
*j)* Cette parole est difficile à préciser (bien qu'on puisse comparer Mt **24** avec les vv. 15-17). Peut-être y a-t-il simplement ici un recours à l'autorité du Seigneur, cf. Dn **7** 1, 13, 16.
*k)* Ceux qui seront encore en vie au jour de la Parousie, parmi lesquels Paul se range ici par hypothèse, exprimant un espoir, mais non une certitude, cf. **5** 1+.
*l)* La voix, la trompette, les nuées (caractéristiques des théophanies, cf. Ex **13** 22+; **19** 16+) sont des traits de la littérature apocalyptique, cf. Mt **24** 30s+; 2 Th **1** 8+.
*m)* Om. : « nous qui serons encore là ».
*n)* Les morts répondront les premiers au signal, en ressuscitant. Ils seront rejoints par les survivants, et tous ensemble seront emmenés à la rencontre du Seigneur puis l'escorteront au jugement qui inaugure son règne sans fin. L'essentiel est le trait final : vivre toujours avec lui, cf. **4** 14; **5** 10; 2 Th **2** 1. C'est là le salut, la gloire, le royaume, que Jésus attribue à ceux qu'il a élus, **2** 12.
*o)* Reprenant les affirmations du Seigneur sur l'incertitude de la date de son Avènement dernier, Mt **24** 36p; Ac **1** 7, qu'il faut

du Seigneur arrive comme un voleur en pleine nuit.
Jr 6 14 3 Quand les hommes se diront : Paix et sécurité!
Lc 21 34-35 c'est alors que tout d'un coup fondra sur eux la per-
Mt 24 8+ dition, comme les douleurs sur la femme enceinte,
Jr 4 31+ et ils ne pourront y échapper.
Ep 5 8+ 4 Mais vous, frères, vous n'êtes pas dans les ténè-
bres, de telle sorte que ce jour vous surprenne
comme un voleur [a] : 5 tous vous êtes des fils de la
Jn 8 12+ lumière, des fils du jour. Nous ne sommes pas de
Rm 13 12-13 la nuit, des ténèbres. 6 Alors ne nous endormons
Mt 24 42+ pas, comme font les autres, mais restons éveillés et
1 P 1 13; 4 7; 5 8 sobres. 7 Ceux qui dorment dorment la nuit, ceux
qui s'enivrent s'enivrent la nuit. 8 Nous, au
contraire, nous qui sommes du jour, soyons sobres;
Ep 6 11+; Is 59 17 *revêtons la cuirasse* de la foi et de la charité, avec
1 Co 13 13+ *le casque* de l'espérance *du salut.* 9 Dieu ne nous
1 Th 1 3 a pas réservés pour sa colère, mais pour entrer en
1 10+ possession du salut par notre Seigneur Jésus
Christ, 10 qui est mort pour nous afin que, éveillés
4 14+ ou endormis, nous vivions unis à lui [b]. 11 C'est
pourquoi il faut vous réconforter mutuellement et
Ep 2 20+ vous édifier l'un l'autre, comme déjà vous le faites.

**Quelques exigences de la vie de communauté.**

12 Nous vous demandons, frères, d'avoir de la
1 Co 16 16 considération pour ceux qui se donnent de la peine
1 Tm 5 17 au milieu de vous, qui sont à votre tête dans le Sei-
He 13 17 gneur et qui vous reprennent [c]. 13 Estimez-les avec
Tt 1 5+; Ga 6 6 une extrême charité, en raison de leur travail.
Soyez en paix entre vous.
14 Nous vous y engageons, frères, reprenez les
désordonnés, encouragez les craintifs, soutenez les 2 Th 3 6-12
faibles, ayez de la patience envers tous. 15 Veillez Rm 14 1
à ce que personne ne rende le mal pour le mal, mais Ex 21 25+
poursuivez toujours le bien, soit entre vous soit Mt 5 38s; Rm 1 Ga 6 10
envers tous. Col 3 12-13
16 Restez toujours joyeux. 17 Priez sans cesse [d].
18 En toute condition soyez dans l'action de grâces. Ep 5 20
C'est la volonté de Dieu sur vous dans le Christ 4 3
Jésus.
19 N'éteignez pas l'Esprit [e], 20 ne dépréciez pas 1 Co 12 1+
les dons de prophétie; 21 mais vérifiez tout : ce qui 1 Co 12 10+
est bon, retenez-le; 22 *gardez-vous de toute* espèce Jb 1 1, 8; 2 3
de *mal.*

**Dernière prière et adieu.**

23 Que le Dieu de la paix lui-même vous sanctifie 2 Th 3 16; Is
totalement, et que votre être entier, l'esprit, l'âme
et le corps [f], soit gardé sans reproche à l'Avène- 3 13+
ment de notre Seigneur Jésus Christ. 24 Il est fidèle, 2 Th 3 3; 1 Co
celui qui vous appelle : c'est encore lui qui fera
cela.
25 Frères, priez vous aussi pour nous. 26 Saluez 2 Th 3 1; Rm
tous les frères par un saint baiser. 27 Je vous en 2 Co 13 12+
adjure par le Seigneur, que cette lettre soit lue à Col 4 16
tous les frères [g].
28 Que la grâce de notre Seigneur Jésus Christ
soit avec vous [h].

attendre en veillant, Mt **24** 42p, 50; **25** 13, Paul se défend de connaître ce terme. Le Jour du Seigneur, 1 Co **1** 8+, viendra comme un voleur, cf. Mt **24** 43p; il faut veiller, v. 6; cf. Rm **13** 11; 1 Co **16** 13; Col **4** 2; 1 P **1** 13; **5** 8; Ap **3** 2s; **16** 15, le temps est court, 2 Co **6** 2+. Bien qu'il se range d'abord par hypothèse parmi ceux qui verront ce Jour, 1 Th **4** 17; cf. 1 Co **15** 51, il en vient à envisager de mourir auparavant, 2 Co **5** 3; Ph **1** 23, et met en garde ceux qui le croient imminent, 2 Th **2** 1s. Les vues sur la conversion des païens, Rm **11** 25, donnent même à penser que l'attente pourra être longue, cf. Mt **25** 19; Lc **20** 9; 2 P **3** 4, 8-10.

*p)* Expression reçue, cf. Ac **1** 7+, qui dit la maîtrise de Dieu sur le temps, et ses initiatives successives qui marquent les divisions de ce temps, cf. Ac **17** 26.

*a)* La mention du Jour (tout court, 1 Co **1** 8+) facilite le glissement du sens. La lumière et le jour, l'état de veille s'opposent aux ténèbres et à la nuit, au sommeil (qui n'est plus la mort comme en **4** 13s). De même les « fils de lumière », les chrétiens, s'opposent aux « fils des ténèbres ». Cf. Jn **8** 12+; Ph **2** 15.

*b)* Nouveau rappel très concis de la prédication de Paul : Dieu nous sauve par Jésus Christ mort pour nous. – « Éveillés ou endormis » signifie de nouveau « vivants ou morts », comme en **4** 14-17 : tous les fidèles auront part au salut final.

*c)* Nous ne savons pas grand-chose de ces supérieurs : leur dévouement exercé au nom du Christ leur mérite estime et charité (précision ajoutée à **3** 12).

*d)* Ce très bref conseil de prier « sans interruption » a exercé une immense influence sur la spiritualité chrétienne. Cf. **1** 2; **2** 13; Lc **18** 1+; Rm **1** 10; **12** 12; Ep **6** 18; Ph **1** 3-4; **4** 6; Col **1** 3; **4** 2; 2 Th **1** 11; 1 Tm **2** 8; **5** 5; 2 Tm **1** 3, etc.

*e)* Le don de l'Esprit, **4** 8, est un trait du temps messianique, mais le discernement de ce qu'il inspire est l'un de ses dons, 1 Co **12** 10; **14** 29; 1 Jn **4** 1; cf. 2 Th **2** 2. Voir 1 Co **12** 1+.

*f)* Cette division tripartite de l'homme est unique chez Paul, qui n'a d'ailleurs pas d'« anthropologie » systématique et parfaitement cohérente. Outre le corps, Rm **7** 24+, et l'âme, 1 Co **15** 44+, on voit apparaître ici l'esprit qui peut être soit le principe divin de la vie nouvelle dans le Christ, Rm **5** 5+, soit plutôt la partie la plus haute de l'homme, ouverte elle-même à l'influence de l'Esprit, Rm **1** 9+. L'accent est mis sur la totalité des effets de l'action sanctifiante de Dieu, **3** 13; **4** 3+, effet de sa fidélité.

*g)* Add. (Vulg.) : « saints ». Première mention de la lecture publique d'une lettre d'apôtre, probablement au cours d'assemblées liturgiques. 2 Co **1** 1 et Col **4** 16 demandent aussi qu'on transmette les lettres à d'autres Églises. Peu à peu les Églises placeront des écrits apostoliques à côté des évangiles et des Écritures, 2 P **3** 15-16+; cf. 1 M **12** 9+; 1 Tm **5** 18-19+.

*h)* Add. (Vulg.) : « Amen ».

# DEUXIÈME ÉPÎTRE AUX THESSALONICIENS

1 Th 1 1 **Adresse.**

Ac 15 22+; **1** 1 Paul, Silvain et Timothée, à l'Église des
16 1+ Thessaloniciens qui est en Dieu notre Père et
dans le Seigneur Jésus Christ. 2 Que Dieu le Père
et le Seigneur Jésus Christ vous accordent grâce et
paix.

**Action de grâces et encouragements.**
**La rétribution dernière.**

1 Th 1 2 3 Nous devons rendre grâces à Dieu à tout
moment à votre sujet, frères, et ce n'est que juste,
1 Th 3 6-12 parce que votre foi est en grand progrès et que
1 Th 4 9-10 l'amour de chacun pour les autres s'accroît parmi
Th 2 19-20 vous tous, 4 au point que nous-mêmes sommes fiers
1 Th 1 7-8 de vous parmi les Églises de Dieu, de votre
1 Co 1 2+ constance et de votre foi dans toutes les persécutions et tribulations que vous supportez. 5 Par là se
Mt 4 17+ manifeste le juste jugement de Dieu, où vous serez
h 2 14; 3 4+ trouvés dignes du Royaume de Dieu pour lequel
vous souffrez vous aussi.
Ph 1 28 6 Car ce sera bien l'effet de la justice de Dieu de
rendre la tribulation à ceux qui vous l'infligent, 7 et
Ap 14 13 à vous, qui la subissez, le repos avec nous[a], quand
1 Co 1 7+ le Seigneur Jésus se révélera du haut du ciel, avec
2; Is 66 15 les anges de sa puissance, 8 au milieu d'*une flamme*
25; Is 66 4 *brûlante*[b], et qu'il *tirera vengeance* de ceux qui *ne*
Rm 1 5+ *connaissent pas Dieu* et de ceux qui *n'obéissent pas*
à l'Évangile de notre Seigneur Jésus[c]. 9 Ceux-là
seront châtiés d'une perte éternelle, éloignés *de la* Is 2 10
*face du Seigneur et de la gloire de sa force,*
10 quand il viendra pour *être glorifié dans ses saints* Is 49 3; 66 5
et *admiré* en tous ceux qui auront cru[d] – et vous, Ps 89 8 LXX;
vous avez cru notre témoignage. Ainsi en sera-t-il 68 35 LXX
*en ce jour-là*[e]. Is 2 11-17
11 Dans cette pensée, nous prions nous aussi à
tout moment pour vous, afin que notre Dieu vous
rende dignes de son appel, qu'il mène à bonne fin 1 Th 2 12+
par sa puissance toute intention de faire le bien[f] Ph 2 13; 4 13
et toute activité de votre foi; 12 de la sorte, *le nom*
de notre *Seigneur* Jésus *sera glorifié* en vous, et Is 66 5; 24 15
vous en lui, conformément à la grâce de notre Dieu Jn 17 10, 24
et du Seigneur Jésus Christ.

**La Venue du Seigneur et ce qui la précédera**[g].

**2** 1 Nous vous le demandons, frères, à propos de
la Venue de notre Seigneur Jésus Christ et de 1 Co 15 23
notre rassemblement auprès de lui, 2 ne vous laissez 1 Th 4 15-17 Mt 24 31+
pas trop vite mettre hors de sens ni alarmer par des
manifestations de l'Esprit, des paroles ou des lettres données comme venant de nous, et qui vous 3 17
feraient penser que le Jour du Seigneur est déjà là. 1 Co 1 8+
3 Que personne ne vous abuse d'aucune manière.
Auparavant doit venir l'apostasie[h] et se révéler
l'Homme impie, l'Être perdu, 4 l'Adversaire[i], celui Ap 13 1-8
qui *s'élève au-dessus de tout* ce qui porte le nom Dn 11 36

*a)* Paul aime à souligner que son sort est lié à celui de ses Églises, cf. 1 Th **2-3**; 1 Co **4** 8; Ph **1** 30, etc.
*b)* Le ciel, cf. 1 Th **4** 16, les anges, cf. Mt **13** 39, 41, 49; **16** 27p; **24** 31; **25** 31; Lc **12** 8s (probablement les « saints » de 1 Th **3** 13), le feu des théophanies, cf. Ex **13** 22+; **19** 16+, sont des traits de l'apocalyptique juive, cf. 1 Th **4** 16+.
*c)* C'est-à-dire les païens, 1 Th **4** 5, et les Juifs, Rm **10** 16.
*d)* Paul paraît songer ici aux anges (les « saints », cf. Ac **9** 13+) et aux chrétiens (« ceux qui auront cru »).
*e)* La condamnation de ceux qui refusent l'Évangile est ici décrite, en vif contraste avec la glorification des croyants, dans des termes durs qu'explique peut-être une persécution insistante. – Après la parenthèse des vv. 6-10, la pensée revient à la suite du v. 5.
*f)* Autre traduction : « qu'il accomplisse efficacement toute sa volonté de bien ».
*g)* La description de 1 Th **4** 13 - **5** 11 refusait de prévoir la date de la Parousie, cf. 1 Th **5** 1+. Répondant sans doute à de nouvelles questions, Paul ne revient pas ici sur le sort des vivants et des morts; il se borne à préciser que le Retour n'est pas imminent et sera précédé de signes reconnaissables.
*h)* L'apostasie est nommée comme déjà connue. Au contenu général du mot (sécession, défection) il faut donner une valeur religieuse, Ac **5** 37; **21** 21; He **3** 12. A ceux qui n'ont jamais appartenu au Christ, il se peut que soient joints ceux qui se laisseront détourner de la foi, cf. 1 Tm **4** 1; 2 Tm **3** 1; **4** 3s, etc.
*i)* L'apostasie sera causée par un personnage qui porte trois noms et se présente, jusqu'au v. 5ª, comme le grand ennemi de

Ez 28 2 de *Dieu* ou reçoit un culte, allant jusqu'*à s'asseoir*
Is 14 13 en personne dans le sanctuaire de *Dieu,* se produisant lui-même comme Dieu. 5 Vous vous rappelez,
n'est-ce pas, que quand j'étais encore près de vous
je vous disais cela.
6 Et vous savez ce qui le retient maintenant [a], de
façon qu'il ne se révèle qu'à son moment. 7 Dès
maintenant, oui, le mystère de l'impiété est à l'œuvre [b].Mais que seulement celui qui le retient soit
d'abord écarté. 8 Alors l'Impie se révélera [c], et le
Is 11 4 Seigneur [d] le *fera disparaître par le souffle de sa*
Ps 33 6 *bouche,* l'anéantira par la manifestation de sa
Ap 19 11-21 Venue.
9 Sa venue à lui, l'Impie, aura été marquée, par
Ep 2 2 l'influence de Satan [e], de toute espèce d'œuvres de
Ap 13 13-17 puissance, de signes et de prodiges mensongers,
Jn 8 44 10 comme de toutes les tromperies du mal, à
l'adresse de ceux qui sont voués à la perdition pour
Mt 24 12 n'avoir pas accueilli l'amour de la vérité qui leur
aurait valu d'être sauvés. 11 Voilà pourquoi Dieu
1 R 22 22 leur envoie une influence qui les égare, qui les
Is 6 10 pousse à croire le mensonge, 12 en sorte que soient
Jn 3 19; 9 39 condamnés tous ceux qui auront refusé de croire la
vérité et pris parti pour le mal [f].

**Exhortation à la persévérance [g].**

13 Nous devons, quant à nous, rendre grâces à
Dieu à tout moment à votre sujet, frères aimés du
Seigneur, parce que Dieu vous a choisis dès le
Ep 1 4 commencement [h] pour être sauvés par l'Esprit qui
1 Th 1 4-5; 4 8; 4 3+ sanctifie et la foi en la vérité : 14 c'est à quoi il vous
1 P 1 1-2
a appelés par notre Évangile, pour que vous entriez
en possession de la gloire de notre Seigneur Jésus
Christ. 15 Dès lors, frères, tenez bon, gardez ferme- 1 Th 3 8
ment les traditions que vous avez apprises de nous, 2 Th 3 6; 1 Co 11 2+
de vive voix ou par lettre [i]. 16 Que notre Seigneur 1 Th 3 11-13
Jésus Christ lui-même, ainsi que Dieu notre Père,
qui nous a aimés et nous a donné, par grâce, consolation éternelle et heureuse espérance, 17 consolent Rm 5 2+
vos cœurs et les affermissent en toute bonne œuvre
et parole.
3 1 Enfin, frères, priez pour nous, demandant 1 Th 5 25
que la parole du Seigneur accomplisse sa Col 4 3; Ep 6; Ps 147 15
course et soit glorifiée [j], comme elle le fait chez
vous, 2 et que nous soyons délivrés de ces hommes
égarés et mauvais – car la foi n'est pas donnée à Rm 10 16
tous. 3 Mais le Seigneur est fidèle : il vous affermira 1 Th 5 24
et vous gardera du Mauvais [k]. 4 Nous avons d'ail- Mt 6 13
leurs, dans le Seigneur, toute confiance en vous : ce 1 Jn 2 14+
que nous vous prescrivons, vous le faites et vous 2 Co 7 16
continuerez de le faire. 5 Que le Seigneur dirige vos
cœurs vers l'amour de Dieu et la constance du 1 Co 13 13+
Christ.

**Mise en garde contre le désordre.**

6 Or nous vous prescrivons, frères, au nom du 1 Th 4 1+
Seigneur Jésus Christ, de vous tenir à distance de
tout frère qui mène une vie désordonnée et ne se 1 Th 4 11-12
conforme pas à la tradition que vous avez reçue de 2 15+
nous.
7 Car vous savez bien comment il faut nous imi-
ter [l]. Nous n'avons pas eu une vie désordonnée 1 Th 2 9+; Ac 18 3+

Dieu. Il est l'Impie par excellence, litt. « l'homme de l'impiété » (var. : « l'homme du péché »); l'être voué à sa perte, litt. « le fils de la perdition » : v. 10; Jn **17** 12; cf. 1 Th **5** 5; l'adversaire de Dieu, décrit ici en termes inspirés de Dn **11** 36 (où il s'agit d'Antiochus Épiphane). Dans la tradition chrétienne, influencée par Daniel, cet Adversaire recevra le nom d'Antichrist, cf. 1 Jn **2** 18; **4** 3; 2 Jn 7. Il apparaît comme un être personnel, qui se révélera à la fin des temps (tandis que Satan, dont il est l'instrument, agit dès maintenant dans « le mystère », v. 7), exerçant contre les croyants un pouvoir persécuteur et séducteur, cf. Mt **24** 24; Ap **13** 1-8, pour la grande épreuve dernière à laquelle mettra fin le retour du Christ.

*a)* Paul attribue le retard de la Parousie à quelque chose (v. 6) ou quelqu'un (v. 7) qui « retient », une force ou une personne qui empêche la manifestation de l'Antichrist (laquelle doit précéder la Parousie). L'allusion devait être comprise des destinataires de la lettre, mais pour nous elle reste une énigme, malgré les nombreuses explications qui ont été proposées.

*b)* Jusqu'au moment de la « révélation » finale, le mystère de l'impiété est à l'œuvre et c'est de cette activité que résulte l'apostasie. L'obstacle une fois écarté, l'Impie travaillera au grand jour.

*c)* L'Impie se révèle, vv. 6, 8, face à la Révélation du Seigneur, **1** 7; 1 Co **1** 7, de même que sa parousie, v. 9, se dresse en face de celle du Seigneur, v. 8. L'Anti-Dieu devient l'Anti-Christ. Mais il ne fait pas de doute que le Seigneur aura raison de son ennemi.

*d)* Add. : « Jésus ».

*e)* L'Impie sert d'instrument à l'action de Satan, cf. 1 Th **2** 18, qui lui communique son pouvoir surhumain, un peu comme l'Esprit du Christ se communique aux chrétiens. Cf. le Dragon et la Bête, Ap **13** 2, 4.

*f)* Le contraste se poursuit entre les croyants et les rebelles. Mensonge et vérité n'ont pas ici une valeur purement intellectuelle, mais un sens religieux qui engage la vie et les œuvres, cf. Jn **8** 32+, 44+; 1 Jn **3** 19+.

*g)* Ce passage, **2** 13 - **3** 5, se soude étroitement à la description de la Parousie. Après avoir écarté les idées fausses, l'Apôtre en vient aux conséquences positives de sa conception. Le passage est d'une grande richesse; la pensée y est « trinitaire », 2 Co **13** 13+; cf. 1 Th **4** 6-8.

*h)* Var. : « comme prémices ».

*i)* Les traditions enseignées par Paul pendant son séjour ou par écrit depuis son départ, **2** 2, 5; **3** 6; 1 Th **3** 4; **4** 2, 6; **5** 27, englobent dans le message évangélique, cf. 1 Th **2** 13+, les principes directeurs de la vie chrétienne, cf. 1 Th **4** 1; 1 Co **11** 2, 23-25.

*j)* Les prières des fidèles, 1 Th **5** 25, etc., aideront la mission de l'Apôtre. La parole « courra », en vertu de l'impulsion divine, et, une fois reçue et vécue, cf. 1 Th **2** 13+, sera glorifiée par Dieu qui l'a envoyée, Ps **107** 20; **147** 15.

*k)* Ou peut-être : « du mal ». Les chrétiens seront tentés, mais pas au-delà de leurs forces, 1 Co **10** 13.

*l)* En imitant Paul, 1 Co **4** 16; Ga **4** 12; Ph **3** 17, les fidèles imiteront le Christ, 1 Th **1** 6; Ph **2** 5; cf. Mt **16** 24; Jn **13** 15; 1 P **2** 21; 1 Jn **2** 6, que lui-même imite, 1 Co **11** 1. Enfin ils doivent imiter Dieu, Ep **5** 1 (cf. Mt **5** 48), et s'imiter les uns les autres, 1 Th **1** 7; **2** 14; He **6** 12. A la base de cette communauté de vie, il y a le « modèle » de la doctrine, Rm **6** 17, reçu par la « tradition », v. 6; 1 Co **11** 2+; 1 Th **2** 13+. Les chefs qui la transmettent doivent être eux-mêmes des « modèles », v. 9; Ph **3** 17; **4** 8-9; 1 Tm **1** 16; **4** 12; Tt **2** 7; 1 P **5** 3, dont on imite la foi et la vie, He **13** 7.

parmi vous, [8] nous ne nous sommes fait donner par
Mt **6** 11 personne le pain que nous mangions, mais de nuit
comme de jour nous étions au travail, dans le
labeur et la fatigue, pour n'être à la charge d'aucun
Mt **10** 10 de vous : [9] non pas que nous n'en ayons le pouvoir,
mais nous entendions vous proposer en nous un
modèle à imiter.
[10] Et puis, quand nous étions près de vous, nous
vous donnions cette règle : si quelqu'un ne veut pas
travailler, qu'il ne mange pas non plus [a]. [11] Or nous
entendons dire qu'il en est parmi vous qui mènent
une vie désordonnée, ne travaillant pas du tout
mais se mêlant de tout. [12] Ceux-là, nous les invitons
et engageons dans le Seigneur Jésus Christ à tra-
Gn **3** 19 vailler dans le calme et à manger le pain qu'ils
auront eux-mêmes gagné.
[13] Pour vous, frères, ne vous lassez pas de faire Ga **6** 9
le bien. [14] Si quelqu'un n'obéit pas aux indications 2 Th **3** 6
de cette lettre, notez-le, et, pour sa confusion, 1 Co **5** 9-11; **5** 5
cessez de frayer avec lui; [15] cependant ne le traitez 2 Co **2** 7 Ga **6** 1
pas en ennemi, mais reprenez-le comme un frère. 1 Th **5** 14 Mt **18** 15-18

**Prière et adieu.**

[16] Que le Seigneur de la paix vous donne lui- 1 Th **5** 23
même la paix en tout temps et de toute manière [b].
Que le Seigneur soit avec vous tous.
[17] Ce salut est de ma main, à moi Paul. C'est le Ga **6** 11+
signe qui distingue toutes mes lettres. Voici quelle 2 2
est mon écriture. [18] Que la grâce de notre Seigneur
Jésus Christ soit avec vous tous [c].

*a)* Cette règle, qui ne vise que le refus de travailler, provient peut-être d'une parole de Jésus ou simplement d'une maxime populaire. C'est « la règle d'or du travail chrétien ».

*b)* Var. (Vulg.) : « en tout lieu ».

*c)* Add. : « Amen », cf. 1 Th **3** 13; **5** 28.

# PREMIÈRE ÉPÎTRE A TIMOTHÉE

**Adresse.**

Rm 1 1+ **1** 1 Paul, apôtre du Christ Jésus selon l'ordre [a]
de Dieu notre Sauveur [b] et du Christ Jésus,
Ac 16 1+ notre espérance, 2 à Timothée, mon véritable enfant
dans la foi : grâce, miséricorde, paix, de par Dieu
le Père et le Christ Jésus notre Seigneur.

**La menace des faux docteurs.**

3 Ainsi donc, en partant pour la Macédoine, je
t'ai prié de demeurer à Éphèse, pour enjoindre à
certains de cesser d'enseigner des doctrines étran-
4 7; 6 4, 20 gères 4 et de s'attacher à des fables et à des généalo-
2 Tm 2 14, gies sans fin [c], plus propres à soulever de vains pro-
16, 23; 4 4 blèmes qu'à servir le dessein [d] de Dieu fondé sur
Tt 1 14; 3 9 la foi. 5 Cette injonction ne vise qu'à promouvoir
la charité qui procède d'un cœur pur, d'une bonne
1 Co 4 4+ conscience et d'une foi sans détours. 6 Pour avoir
dévié de cette ligne, certains se sont fourvoyés en
un creux verbiage; 7 ils ont la prétention d'être des
docteurs de la Loi, alors qu'ils ne savent ni ce qu'ils
disent, ni de quoi ils se font les champions.

**Le vrai rôle de la Loi.**

Rm 7 7+, 12s 8 Certes, nous le savons, la Loi [e] est bonne, si on
en fait un usage légitime [f], 9 en sachant bien qu'elle
Ga 5 23 n'a pas été instituée pour le juste [g], mais pour les
Rm 1 29+ insoumis et les rebelles, les impies et les pécheurs,
les sacrilèges et les profanateurs, les parricides et
les matricides, les assassins, 10 les impudiques, les
homosexuels, les trafiquants d'hommes, les men- Ap 18 13
teurs, les parjures, et pour tout ce qui s'oppose à
la saine doctrine [h], 11 celle qui est conforme à
l'Évangile de la gloire du Dieu bienheureux, qui 2 Co 4 4; Jn 1 14+
m'a été confié. 1 Th 2 4; Tt 1 3

**Paul en face de sa vocation.**

12 Je rends grâces à celui qui m'a donné la force,
le Christ Jésus, notre Seigneur, qui m'a jugé assez
fidèle pour m'appeler à son service, 13 moi, naguère
un blasphémateur, un persécuteur, un insulteur. Ac 8 3+
Mais il m'a été fait miséricorde parce que j'agissais
par ignorance, étranger à la foi; 14 et la grâce de Ac 3 17+; Jn 16 2
notre Seigneur a surabondé avec la foi et la charité 1 Co 15 9s
qui est dans le Christ Jésus. 15 Elle est sûre, cette Mt 9 13p
parole [i] et digne d'une entière créance : le Christ 2 P 3 15
Jésus est venu dans le monde pour sauver les
pécheurs, dont je suis, moi, le premier. 16 Et s'il m'a
été fait miséricorde, c'est pour qu'en moi, le premier, Jésus Christ manifestât toute sa patience, faisant de moi un exemple pour ceux qui doivent 2 Th 3 7+
croire en lui en vue de la vie éternelle. 17 Au Roi
des siècles, Dieu incorruptible, invisible, unique, Col 1 15
honneur et gloire dans les siècles des siècles! 1 Tm 6 16
Amen [j]. Rm 16 27+

**Timothée en face de ses responsabilités.**

18 Tel est l'avertissement que je t'adresse, Timo-

*a)* Var. : « la promesse ».
*b)* Le titre de Sauveur, rare dans les épîtres pauliniennes, Ep **5** 23; Ph **3** 20, est attribué par les Pastorales au Père, 1 Tm **2** 3; **4** 10; Tt **1** 3; **2** 10; **3** 4, aussi bien qu'au Christ, 2 Tm **1** 10; Tt **1** 4; **2** 13; **3** 6. L'œuvre du Christ Sauveur accomplissait la volonté du Père.
*c)* Spéculations juives relatives à l'histoire des patriarches et des héros de l'Ancien Testament, à la manière de ce que l'on peut lire dans le *livre des Jubilés*.
*d)* Var. (Vulg.) : « l'édification ».
*e)* La Loi mosaïque.
*f)* Sans lui demander plus qu'elle ne peut donner (litt. « si on en use comme d'une loi »).
*g)* La Loi, ici, n'est pas bonne parce qu'elle fait connaître le péché, Rm **7** 7+, 12-14, ou prépare la venue du Christ, Ga **3** 24-25, mais parce qu'elle est nécessaire pour corriger les pécheurs.
*h)* Les Épîtres Pastorales reviennent souvent sur la « saine » doctrine, etc. : **6** 3; 2 Tm **1** 13; **4** 3; Tt **1** 9, 13; **2** 1, 8. C'est la prédication apostolique avec toutes les qualités de la santé et en relation avec la conduite morale (cf. Rm **12** 1-2; Ph **4** 8-9).
*i)* Cette formule est caractéristique des Pastorales, **3** 1; **4** 9; 2 Tm **2** 11; Tt **3** 8. Elle est une manière d'attirer l'attention, peut-être de souligner une allusion ou une citation que les lecteurs reconnaissent.
*j)* « incorruptible »; var. (Vulg.) : « immortel ». – Cette doxolo-

4 14+ thée, mon enfant, en accord avec les prophéties
jadis prononcées sur toi [a], afin que, pénétré de cel-
2 Tm 4 7 les-ci, tu combattes le bon combat, 19 possédant foi
et bonne conscience; pour s'en être affranchis, certains ont fait naufrage dans la foi; 20 entre autres,
2 Tm 2 17; 4 14 Hyménée et Alexandre, que j'ai livrés à Satan [b]
1 Co 5 5+ pour leur apprendre à ne plus blasphémer.

### La prière liturgique.

**2** 1 Je recommande [c] donc, avant tout, qu'on
fasse des demandes, des prières, des supplications, des actions de grâces pour tous les hommes,
Rm 13 1-7+ Tt 3 1 2 pour les rois et tous les dépositaires de l'autorité [d],
afin que nous puissions mener une vie calme et pai-
sible en toute piété et dignité. 3 Voilà ce qui est bon
1 1+ et ce qui plaît à Dieu notre Sauveur, 4 lui qui veut
Ez 18 23+ que tous les hommes soient sauvés [e] et parviennent
Jn 8 32 à la connaissance de la vérité [f]. 5 Car Dieu est uni-
1 Co 8 6+ que, unique aussi le médiateur entre Dieu et les
He 8 6+ hommes, le Christ Jésus, homme lui-même [g], 6 qui
Mt 20 28p+ s'est livré en rançon pour tous. Tel est le témoi-
Ga 1 4 2 Co 5 15 gnage [h] rendu aux temps marqués 7 et dont j'ai été
Ep 5 2; Tt 2 14 Rm 3 26+ établi, moi, héraut et apôtre – je dis vrai, je ne mens
2 Tm 1 11 pas –, docteur des païens, dans la foi et la vérité.
Ac 9 15 Ga 2 7 8 Ainsi donc je veux que les hommes prient en tout
lieu, élevant vers le ciel des mains pieuses, sans
colère ni dispute.

### Tenue des femmes.

1 P 3 2-4 Is 3 16s 9 Que les femmes, de même, aient une tenue
décente; que leur parure, modeste et réservée, ne
soit pas faite de cheveux tressés, d'or, de pierreries,
de somptueuses toilettes, 10 mais bien plutôt de
bonnes œuvres, ainsi qu'il convient à des femmes
qui font profession de piété. 11 Pendant l'instruc-
1 Co 14 34-35 tion, la femme doit garder le silence, en toute sou-
Gn 3 16 mission. 12 Je ne permets pas à la femme d'ensei-
1 Co 11 3, 8-12 gner ni de faire la loi à l'homme. Qu'elle garde le
silence. 13 C'est Adam en effet qui fut formé le pre-
mier, Ève ensuite. 14 Et ce n'est pas Adam qui se Gn 2 18, 21s; 3 12-13
laissa séduire, mais la femme qui, séduite, se rendit
coupable de transgression. 15 Néanmoins elle sera Nb 31 16
sauvée en devenant mère [i], à condition de persévérer avec modestie dans la foi, la charité et la sain- 1 Co 13 13+
teté.

### L'épiscope. Tt 1 6-9

**3** 1 Elle est sûre cette parole : celui qui aspire à 1 15+
la charge d'épiscope [j] désire une noble fonc-
tion. 2 Aussi faut-il [k] que l'épiscope soit irréprocha- 2 Tm 2 24
ble, mari d'une seule femme, qu'il soit sobre, pon- 1 Tm 3 12
déré, courtois, hospitalier, apte à l'enseignement, Tt 2 6+
3 ni buveur ni batailleur, mais bienveillant, ennemi
des chicanes, détaché de l'argent, 4 sachant bien
gouverner sa propre maison et tenir ses enfants
dans la soumission d'une manière parfaitement
digne. 5 Car celui qui ne sait pas gouverner sa propre maison, comment pourrait-il prendre soin de
l'Église de Dieu? 6 Que ce ne soit pas un converti 1 Co 1 2+
de fraîche date, de peur que, l'orgueil lui tournant
la tête, il ne vienne à encourir la même condamnation que le diable. 7 Il faut en outre que ceux du 1 Co 5 12+
dehors rendent de lui un bon témoignage, de peur
qu'il ne tombe dans l'opprobre et dans les filets du
diable.

### Les diacres. Ac 6 1-6

8 Les diacres, eux aussi, seront des hommes
dignes, n'ayant qu'une parole, modérés dans
l'usage du vin, fuyant les profits déshonnêtes.
9 Qu'ils gardent le mystère de la foi dans une Rm 16 25+
conscience pure. 10 On commencera par les mettre
à l'épreuve, et ensuite, si on n'a rien à leur reprocher, on les admettra aux fonctions de diacres.
11 Que pareillement les femmes [l] soient dignes,
point médisantes, sobres, fidèles en tout. 12 Les diacres doivent être maris d'une seule femme, savoir 3 2, 4
bien gouverner leurs enfants et leur propre maison.
13 Ceux qui remplissent bien leurs fonctions

gie solennelle est probablement d'origine liturgique. Dans les épîtres de Paul les doxologies sont fréquentes, Rm **16** 27+.

*a)* Comme en **4** 14, Paul rappelle à Timothée l'intervention des « prophètes » au moment de son investiture apostolique, Ac **13** 1-3; **11** 27+.

*b)* Peine d'exclusion qui devait permettre au coupable de s'amender, cf. 1 Co **5** 5+.

*c)* « Je recommande »; var. : « Recommande ».

*d)* Sur le loyalisme de saint Paul, cf. Rm **13** 1-7. La fin du v. reflète peut-être des craintes de l'Apôtre pour l'avenir.

*e)* Cette affirmation, cf. **4** 10, d'une grande portée théologique, aide à interpréter correctement certains passages de l'épître aux Romains, cf. **9** 18, 21; etc. Elle est motivée, v. 5, par un rappel de l'unicité de Dieu, cf. Mc **12** 29+; Rm **3** 29-30; Ep **4** 6. et de la situation unique du Christ Dieu et homme, cf. He **2** 17; **8** 6+. Paul a reçu du Seigneur, v. 7, la mission de prêcher le salut offert à tous, Rm **1** 1+; Ac **9** 15+.

*f)* Le salut est connaissance de la vérité, **4** 3; 2 Tm **2** 25; **3** 7; Tt **1** 1. Mais cette connaissance entraîne l'engagement de toute la vie, cf. Os **2** 22+; Jn **8** 32+; **10** 14+; 2 Th **2** 12; etc.

*g)* Litt. « (un) homme Christ Jésus ». Jésus est médiateur en sa qualité d'homme, qui lui permet d'être sauveur de tous, v. 4, par sa mort en rançon pour eux, v. 6. Cf. He **2** 14-17+.

*h)* Cf. **6** 13. En acceptant de mourir pour tous les hommes, le Christ a rendu manifeste aux yeux du monde le dessein divin de sauver tous les hommes. Témoin du Père par sa vie, il le fut au degré suprême par sa mort (« témoin » et « martyr » traduiront plus tard le même mot grec). Cf. Jn **3** 11+; Ap **1** 5; **3** 14.

*i)* La vocation de la femme est d'abord de donner la vie et d'élever des enfants. Peut-être y a-t-il ici une pointe contre les faux docteurs qui proscrivaient le mariage, **4** 3.

*j)* L'« évêque » et les « presbytres » ne sont pas mentionnés. Voir Tt **1** 5+.

*k)* Cette liste de qualités, et la suivante, vv. 8-12, n'ont rien de spécifique; elles s'inspirent de listes classiques des qualités requises de ceux qui exercent une charge dans l'Église.

*l)* Probablement les femmes remplissant les fonctions de diaconesses, cf. Rm **16** 1, et non les épouses des diacres.

s'acquièrent un rang honorable et une ferme assurance en la foi au Christ Jésus.

**L'Église et le mystère de la piété.**

14 En t'écrivant cela, j'espère te rejoindre bientôt.
15 Si toutefois je tardais, il faut que tu saches
Tt 1 7 comment te comporter dans la maison de Dieu –
1 Co 1 2+ je veux dire l'Église du Dieu vivant – : colonne et
Ep 2 20+ support de la vérité [a]. 16 Oui, c'est incontestable-
Rm 16 25+ ment un grand mystère que celui de la piété :
Rm 1 3-4 Il [b] a été manifesté dans la chair,
Jn 1 14+ justifié dans l'Esprit,
Jn 16 10 vu des anges,
Ep 3 10 proclamé chez les païens,
1 P 1 12 cru dans le monde,
Mc 16 19 enlevé dans la gloire [c].
Ac 1 2, 11

**Les faux docteurs.**

Mt 24 23-24 **4** 1 L'Esprit dit expressément que, dans les der-
Ac 20 29-30 niers temps [d], certains renieront la foi pour
2 Tm 3 1 s'attacher à des esprits trompeurs et à des doctrines
2 P 2 1; 3 3 diaboliques, 2 séduits par des menteurs hypocrites
1 Jn 2 18 marqués au fer rouge dans leur conscience [e] : 3 ces
Col 2 16-23 gens-là interdisent le mariage et l'usage d'aliments [f]
Gn 9 3 que Dieu a créés pour être pris avec action de
grâces par les croyants et ceux qui ont la connais-
1 Tm 2 4 sance de la vérité. 4 Car tout ce que Dieu a créé
Gn 1 31+ est bon et aucun aliment n'est à proscrire, si on le
10 25s, 30s prend avec action de grâces : 5 la parole de Dieu
m 14 14, 20 / Mt 15 11sp et la prière le sanctifient. 6 Si tu exposes cela aux
frères, tu seras un bon serviteur du Christ Jésus,
nourri des enseignements de la foi et de la bonne
2 Tm 2 15 doctrine dont tu t'es toujours montré le disciple
1 4+ fidèle. 7 Quant aux fables profanes, racontars de
vieilles femmes, rejette-les. Exerce-toi à la piété [g].
8 Les exercices corporels, eux, ne servent pas à
grand-chose : la piété au contraire est utile à tout,
car elle a la promesse de la vie, de la vie présente
comme de la vie future. 9 Elle est sûre cette parole 1 15+
et digne d'une entière créance. 10 Si en effet nous
peinons et combattons [h], c'est que nous avons mis
notre espérance dans le Dieu vivant, le Sauveur de 1 1+
tous les hommes, des croyants surtout. 11 Tel doit
être l'objet de tes prescriptions et de ton enseignement.

12 Que personne ne méprise ton jeune âge. Au
contraire, montre-toi un modèle pour les croyants, Tt 2 7-8
par la parole, la conduite, la charité, la foi, la 2 Th 3 7+
pureté. 13 En attendant que je vienne, consacre-toi 6 11 / Ga 5 22+
à la lecture, à l'exhortation, à l'enseignement. 14 Ne
néglige pas le don spirituel qui est en toi, qui t'a
été conféré par une intervention prophétique 1 18+
accompagnée de l'imposition des mains du collège
des presbytres [i]. 15 Prends cela à cœur. Sois-y tout
entier, afin que tes progrès soient manifestes à tous.
16 Veille sur ta personne et sur ton enseignement;
persévère en ces dispositions. Agissant ainsi, tu te
sauveras, toi et ceux qui t'écoutent.

**Les fidèles en général.**

**5** 1 Ne rudoie pas un vieillard; au contraire, Lv 19 32
exhorte-le comme un père, les jeunes gens
comme des frères, 2 les femmes âgées comme des
mères, les jeunes comme des sœurs, en toute pureté.

**Les veuves.**

3 Honore les veuves – j'entends les vraies veuves [j]. 4 Si une veuve a des enfants ou des petits-
enfants, il faut avant tout leur apprendre [k] à pratiquer la piété envers leur propre famille et à payer
leurs parents de retour. Voilà ce qui plaît à Dieu.
5 Mais la vraie veuve, celle qui reste absolument

*a)* L'Église du Dieu vivant, Dt **5** 26+; 2 Co **6** 16, est sa maison, c. à d. sa demeure et sa famille, Nb **12** 7; He **3** 6; **10** 21; 1 P **4** 17, où est solidement conservé l'Évangile qui sauve, v. 16.

*b)* Au masculin : le Christ. Plusieurs témoins (Vulg.) ont le neutre : le sujet des verbes suivants serait alors le mystère, cf. Col **2** 3+. – Ce qui suit, après une solennelle introduction, est un fragment d'hymne ou de profession de foi liturgique, qui comporte six brèves propositions groupées deux par deux. Cf. **6** 15-16; 2 Tm **2** 11-13, et Ep **1** 3-14; Ph **2** 6-11; Col **1** 15-20.

*c)* « Justifié dans l'Esprit », montré comme juste, cf. Mt **11** 19p : la justice et la divinité du Christ furent spécialement attestées par le fait de sa résurrection glorieuse, cf. Rm **1** 4+. – « Enlevé dans la gloire » à l'Ascension, Ac **1** 2, 11, 22.

*d)* Sur cette période de crise qui doit marquer les derniers jours, voir encore 2 Th **2** 3-12; 2 Tm **3** 1; **4** 3-4; 2 P **3** 3; Jude 18; cf. Mt **24** 6s; Ac **20** 29-30. – Par ailleurs, l'ère eschatologique étant déjà commencée, **2** 6; Mc **1** 15+; Rm **3** 26+, ces temps d'épreuve peuvent être considérés comme déjà actuels, cf. 1 Co **7** 26; Ep **5** 16; **6** 13; Jc **5** 3; 1 Jn **2** 18; **4** 1, 3; 2 Jn 7.

*e)* Comme l'esclave fugitif l'était dans sa chair.

*f)* La condamnation du mariage sera un des traits du gnosticisme. Les interdictions alimentaires sont plus nettement judaïsantes, cf. Col **2** 16-23.

*g)* Ce mot de piété revient dix fois dans les Épîtres Pastorales, **2** 2; **3** 16; **4** 7, 8; **6** 3, 5, 6, 11; 2 Tm **3** 5; Tt **1** 1; cf. **5** 4; 2 Tm **3** 12; Tt **2** 12. Il résume toute l'attitude religieuse des chrétiens, liée à la connaissance de la foi, nœud de leur vie commune dans le Christ Jésus.

*h)* Var. (Vulg) : « sommes outragés ».

*i)* Certains traduisent : « l'imposition des mains en vue du presbytérat ». L'imposition des mains, rite de transmission d'une grâce ou d'un charisme, He **6** 2, peut être un geste de simple bénédiction, Mt **19** 15, le moyen d'opérer une guérison, Mt **9** 18p; Mc **6** 5; **7** 32; **8** 23-25; **16** 18; Lc **4** 40; **13** 13; Ac **9** 12, 17; **28** 8, de communiquer aux baptisés la plénitude de l'Esprit Saint, Ac **1** 5+, enfin le rite qui consacre un homme en vue d'une fonction publique particulière, Ac **6** 6; **13** 3. C'est en ce dernier sens qu'il faut entendre ce v. et **5** 22+; 2 Tm **1** 6. Depuis le jour auquel Paul fait allusion, Timothée possède en lui de façon permanente un « charisme », 1 Co **12** 1+, qui le consacre au ministère. Pour la mention de l'intervention prophétique, cf. 1 Tm **1** 18.

*j)* On peut distinguer ici trois catégories de veuves : celles que l'Église n'a pas à assister, car elles ont de la famille, v. 4; celles que l'Église se doit d'assister, car elles sont de « vraies veuves », seules au monde, vv. 3, 5 et 16; enfin celles qui, assistées ou non par l'Église, sont appelées par elle à remplir certaines fonctions officielles, à condition de satisfaire à des exigences sévères, vv. 9-15.

*k)* Var. (Vulg.) : « lui apprendre ».

Jdt 8 4-5 seule, s'en remet à Dieu et consacre ses jours et ses
Lc 2 37 nuits à la prière et à l'oraison. 6 Quant à celle qui
Ap 3 1 ne pense qu'au plaisir, quoique vivante, elle est
morte. 7 Cela aussi tu le rappelleras, afin qu'elles
soient irréprochables. 8 Si quelqu'un ne prend pas
soin des siens, surtout de ceux qui vivent avec lui,
il a renié la foi : il est pire qu'un infidèle.
9 Ne peut être inscrite au groupe des veuves
qu'une femme d'au moins soixante ans, ayant été
la femme d'un seul mari. 10 Elle devra produire le
témoignage de sa bonne conduite : avoir élevé des
Jn 13 14 enfants, exercé l'hospitalité, lavé les pieds des
Ac 9 13+ saints [a], secouru les affligés, pratiqué toutes les formes de la bienfaisance. 11 Les jeunes veuves, écarte-
les. Dès que des désirs indignes du Christ les
assaillent, elles veulent se remarier, 12 méritant
ainsi d'être condamnées pour avoir manqué à leur
premier engagement [b]. 13 Avec cela, n'ayant rien à
faire, elles apprennent à courir les maisons; si
encore c'était pour ne rien faire, mais c'est pour
bavarder, s'occuper de ce qui ne les regarde pas,
parler à tort et à travers. 14 Je veux donc que les
jeunes veuves se remarient [c], qu'elles aient des
enfants, gouvernent leur maison et ne donnent à
Tt 2 8 l'adversaire [d] aucune occasion d'insulte. 15 Il en est
déjà qui se sont fourvoyées à la suite de Satan. 16 Si
une croyante a des veuves dans sa parenté, qu'elle
les assiste, afin que l'Église n'en supporte pas la
charge, et puisse ainsi secourir les vraies veuves.

Tt 1 5+ **Les presbytres.**

17 Les presbytres qui exercent bien la présidence
1 Th 5 12+ méritent une double rémunération [e], surtout ceux
qui peinent à la parole et à l'enseignement.
Dt 25 4 18 L'Écriture dit en effet : *Tu ne museleras pas le*
1 Co 9 9 *bœuf qui foule le grain;* et encore : *L'ouvrier mérite*
Lc 10 7 *son salaire* [f]. 19 N'accueille d'accusation contre un
Dt 19 15 presbytre que *sur déposition de deux ou trois*
2 Co 13 1 *témoins*. 20 Les coupables, reprends-les devant tous,
Mt 18 16 afin que les autres en éprouvent de la crainte. 21 Je
t'en conjure devant Dieu, le Christ Jésus et les
anges élus, observe ces règles avec impartialité,
sans rien faire par favoritisme. 22 Ne te hâte pas
d'imposer les mains [g] à qui que ce soit. Ne te fais
pas complice des péchés d'autrui. Garde-toi pur.

23 Cesse de ne boire que de l'eau. Prends un peu
de vin à cause de ton estomac et de tes fréquents
malaises.
24 Il est des hommes dont les fautes apparaissent
avant même tout jugement; d'autres au contraire
chez qui elles ne se découvrent qu'après; 25 les bonnes actions, elles aussi, se voient : même celles dont Mt 5 16
ce n'est pas le cas ne sauraient demeurer cachées. Mt 10 26p

**Les esclaves.** 1 Co 7 21-22

6 1 Tous ceux qui sont sous le joug de l'escla- Col 3 22-25
vage doivent considérer leurs maîtres comme Ep 6 5-8 Phm 16+ Tt 2 9-10
dignes d'un entier respect, afin que le nom de Dieu Rm 6 15+
et la doctrine ne soient pas blasphémés. 2 Quant à Rm 2 24+
ceux qui ont pour maîtres des croyants, qu'ils n'aillent pas les mépriser sous prétexte que ce sont des
frères; qu'au contraire ils les servent d'autant
mieux que ce sont des croyants et des amis de
Dieu [h] qui bénéficient de leurs services.

**Portrait du vrai et du faux docteur.**

Voilà ce que tu dois enseigner et recommander.
3 Si quelqu'un enseigne autre chose et ne reste pas
attaché à de saines paroles, celles de notre Seigneur 1 10+
Jésus Christ, et à la doctrine conforme à la piété,
4 c'est un être aveuglé par l'orgueil, un ignorant en
mal de questions [i] oiseuses et de querelles de mots; 1 4+
de là viennent l'envie, la discorde, les outrages, les Rm 1 29+
soupçons malveillants, 5 les disputes interminables
de gens à l'esprit corrompu, privés de la vérité, aux
yeux de qui la piété est une source de profits.
6 Profitable, oui, la piété l'est grandement pour qui
se contente de ce qu'il a. 7 Car nous n'avons rien
apporté dans le monde et de même nous n'en pou- Jb 1 21; Qo
vons rien emporter. 8 Lors donc que nous avons Ps 49 18
nourriture et vêtement, sachons être satisfaits.
9 Quant à ceux qui veulent amasser des richesses,
ils tombent dans la tentation, dans le piège, dans
une foule de convoitises insensées [j] et funestes, qui
plongent les hommes dans la ruine et la perdition.
10 Car la racine de tous les maux, c'est l'amour de
l'argent [k]. Pour s'y être livrés, certains se sont éga- Mt 6 24
rés loin de la foi et se sont transpercé l'âme de tourments sans nombre.

*a)* Rite de l'hospitalité antique.
*b)* Leur détermination de se consacrer à Dieu.
*c)* Expérience faite, Paul ne considère plus comme sage de proposer aux jeunes veuves l'idéal qu'il exposait en 1 Co **7** 8, 40.
*d)* Soit l'homme malveillant, hostile aux chrétiens, soit, moins probablement, Satan.
*e)* Ou : « double honneur ».
*f)* Var. : « sa nourriture », cf. Mt **10** 10. A la citation du Dt est jointe une parole du Christ qui ne nous est connue que par Luc, Lc **10** 7, ce qui ne suppose pas nécessairement l'évangile de Lc entièrement composé et accepté comme « Écriture ». Cf. 2 Tm **3** 15+.
*g)* Pour lui conférer une fonction dans l'Église, cf. **4** 14+. D'autres voient ici un geste d'absolution des péchés.
*h)* Ou : « des frères aimés ».
*i)* Litt. « recherches ». A la recherche de Dieu qui dans l'AT résumait toute l'attitude du fidèle de Yahvé, Dt **4** 29; Ps **27** 8+; Jr **29** 13-14; etc., et qui a gardé sa valeur dans le NT, Mt **6** 33; **7** 7-8; Ac **17** 27; etc., l'Apôtre oppose ici, cf. **1** 4; 2 Tm **2** 16, 23; Tt **3** 9, les recherches subtiles et sans objet, illimitées parce qu'indiscrètes, « maladie » fatale à la « saine » doctrine, v. 3, **1** 10+, par une curiosité qui prétend aller au-delà du mystère de la foi, cf. 2 Jn 9.
*j)* « dans le piège »; add. (Vulg.) : « du diable ». – « insensées; Vulg. : « inutiles ».
*k)* Proverbe courant dans la littérature profane de l'époque.

2 Tm 4 1 **Adjuration solennelle à Timothée.**

2 Tm 2 22 11 Pour toi, homme de Dieu, fuis tout cela. Pour-
Ga 5 22+ suis la justice, la piété, la foi, la charité, la
1 Co 13 13+ constance, la douceur. 12 Combats le bon combat
Tt 2 2 de la foi, conquiers la vie éternelle à laquelle tu as
2 Tm 4 7 été appelé et en vue de laquelle tu as fait ta belle
profession de foi en présence de nombreux
témoins [a]. 13 Je t'en prie devant Dieu qui donne la
vie à toutes choses et devant le Christ Jésus qui,
2 6+ sous Ponce Pilate, a rendu son beau témoignage [b],
Jn 18 36-37 14 garde le commandement sans tache et sans
reproche, jusqu'à l'Apparition [c] de notre Seigneur
Jésus Christ, 15 que fera paraître aux temps marqués

le Bienheureux et unique Souverain,
13 4; Dt 10 17 le Roi des rois et Seigneur des seigneurs,
36 3; Ap 17 14 16 le seul qui possède l'immortalité,
qui habite une lumière inaccessible,
Ex 33 20+ que nul d'entre les hommes n'a vu ni ne peut
Jn 1 17-18+ voir.
A lui appartiennent honneur et puissance à
jamais! Amen [d].

**Portrait du riche chrétien.**

17 Aux riches de ce monde, recommande de ne
pas juger de haut, de ne pas placer leur confiance
en des richesses précaires, mais en Dieu [e] qui nous Lc 12 17-21
pourvoit largement de tout, afin que nous en jouis- Jc 1 10
sions. 18 Qu'ils fassent le bien, s'enrichissent de
bonnes œuvres, donnent de bon cœur, sachent partager; 19 de cette manière, ils s'amassent pour Mt 6 20
l'avenir un solide capital, avec lequel ils pourront Ph 4 17
acquérir la vie véritable.

**Adjuration finale et salutation.**

20 O Timothée, garde le dépôt [f]. Évite les dis- 2 Tm 1 12, 14;
cours creux et impies, les objections d'une pseudo- 2 2; 3 14
science [g]. 21 Pour l'avoir professée, certains se sont 1 Tm 1 4+
écartés de la foi. La grâce soit avec vous [h]! Tt 2 1

*a)* On ne sait pas exactement à quelle circonstance de la vie de Timothée Paul fait ici allusion (baptême, consécration en vue du ministère?).
*b)* Proclamation de sa royauté messianique et de son rôle de révélateur de la Vérité, Jn **18** 36-37. La mention de Ponce Pilate renforce le ton « officiel » de ce témoignage, type de la profession de foi du chrétien, au baptême ou devant les persécuteurs.
*c)* Ce terme (utilisé en 2 Th **2** 8 à propos de l'Impie) est adopté par les Pastorales, de préférence à ceux d'« Avènement », 1 Co **15** 23+, et de « Révélation », 1 Co **1** 7+, pour désigner la manifestation du Christ, soit dans son triomphe eschatologique, ici et 2 Tm **4** 1, 8; Tt **2** 13; He **9** 28, soit déjà dans son œuvre rédemptrice, 2 Tm **1** 10; cf. Tt **2** 11; **3** 4.
*d)* Cette belle doxologie est sans doute inspirée d'une hymne liturgique, cf. **1** 17; peut-être en est-elle extraite. Elle comprend sept formules d'inspiration biblique transposées en langage hellénistique, contre tout culte rendu à des hommes et toute prétention à comprendre le secret de Dieu.
*e)* Var. (Vulg.) : « dans le Dieu vivant ».
*f)* Le « dépôt » est une idée importante des Pastorales, 2 Tm **1** 12, 14. Son contenu est celui de la foi, 1 Tm **4** 6; 2 Tm **1** 13; Tt **1** 9, ou de la tradition, 2 Th **2** 15+; **3** 6, mais la notion est d'origine juridique et accentue, chez le dépositaire, le devoir de conserver puis de rendre ou de transmettre intact le dépôt qui lui a été confié. Cf. « garde ce que tu as », Ap **2** 25; **3** 11.
*g)* Cette pseudo-science, « prétendue gnose », sera aussi celle que réfutera un jour Irénée.
*h)* Var.(Vulg.) : « avec toi ». Add. (Vulg.) : « Amen ».

# DEUXIÈME ÉPÎTRE A TIMOTHÉE

### Adresse et action de grâces.

Rm 1 1+ **1** 1 Paul, apôtre du Christ Jésus par la volonté
de Dieu, pour annoncer la promesse de la vie
Ac 16 1+ qui est dans le Christ Jésus, 2 à Timothée mon
enfant bien-aimé, grâce, miséricorde, paix de par
Dieu le Père et le Christ Jésus notre Seigneur.
Rm 1 9+ 3 Je rends grâces à Dieu que je sers, à la suite
Ph 3 5 de mes ancêtres, avec une conscience pure, lorsque,
sans cesse, nuit et jour, je fais mémoire de toi dans
mes prières. 4 En me rappelant tes larmes [a], je brûle
4 9, 21 du désir de te revoir, afin d'être rempli de joie.
5 J'évoque le souvenir de la foi sans détours qui est
en toi, foi qui. d'abord, résida dans le cœur de ta
Ac 16 1 grand-mère Loïs et de ta mère Eunice et qui, j'en
Tm 3 14-15 suis convaincu, réside également en toi [b].

### Les grâces reçues par Timothée.

6 C'est pourquoi je t'invite à raviver le don [c] spi-
Tm 4 14+ rituel que Dieu a déposé en toi par l'imposition de
Rm 8 15 mes mains. 7 Car ce n'est pas un esprit de crainte
1 Jn 4 18 que Dieu nous a donné, mais un Esprit de force,
1 16; 5 3s d'amour et de maîtrise de soi. 8 Ne rougis donc pas
Lc 9 26 du témoignage à rendre à notre Seigneur, ni de moi
Ep 3 13 son prisonnier, mais souffre plutôt avec moi pour
l'Évangile, soutenu par la force de Dieu, 9 qui nous
a sauvés et nous a appelés d'un saint appel [d], non
Tt 3 5 en considération de nos œuvres, mais conformé-
8; 16 25+ ment à son propre dessein et à sa grâce. A nous
donnée avant tous les siècles dans le Christ Jésus,
10 cette grâce a été maintenant manifestée par Tt 2 11; 3 4
l'Apparition [e] de notre Sauveur le Christ Jésus, qui
a détruit la mort et fait resplendir la vie et l'immor- Rm 6 9; 8 2
talité par le moyen de l'Évangile, 11 au service He 2 14-15
duquel j'ai été établi, moi, héraut, apôtre et doc- 1 Tm 2 7
teur [f].
12 C'est à cause de cela que je connais cette nouvelle épreuve [g], mais je n'en rougis pas, car je sais
en qui j'ai mis ma foi et j'ai la conviction qu'il est
capable de garder mon dépôt [h] jusqu'à ce Jour-là. 1 Co 1 8+
13 Prends pour norme les saines paroles que tu 1 Tm 1 10+
as entendues de moi, dans la foi et l'amour du 1 Tm 6 20+
Christ Jésus. 14 Garde le bon dépôt avec l'aide de Rm 5 5+
l'Esprit Saint qui habite en nous.
15 Tu le sais, tous ceux d'Asie, parmi lesquels
Phygèle et Hermogène, se sont détournés de moi.
16 Que le Seigneur fasse miséricorde à la famille
d'Onésiphore, car souvent il m'a réconforté, et il 4 19
n'a pas rougi de mes chaînes; 17 au contraire, à son 1 8+
arrivée à Rome, il m'a recherché activement et m'a
découvert. 18 Que le Seigneur lui donne d'obtenir
miséricorde auprès du Seigneur [i] en ce Jour-là.
Quant aux services qu'il m'a rendus, à Éphèse, tu
les connais mieux que personne.

### Le sens des souffrances de l'apôtre chrétien.

**2** 1 Toi donc, mon enfant, fortifie-toi dans la
grâce du Christ Jésus. 2 Ce que tu as appris
de moi sur l'attestation de nombreux témoins, 1 Tm 4 14; 6 12

*a)* Lorsque Paul laissa Timothée à Éphèse, 1 Tm **1** 3.
*b)* Ce verset complète heureusement Ac **16** 1. Nous n'avons pas dans le NT beaucoup de témoignages sur les bienfaits de l'éducation de la foi au sein d'une famille croyante. Cf. **3** 14-15.
*c)* Le « charisme » a été reçu, 1 Tm **4** 14+, et Timothée doit le raviver grâce au secours de l'Esprit.
*d)* Le mot désigne d'abord l'appel des chrétiens au salut, cf. Rm **1** 6-7; **8** 28; 1 Co **1** 2, 24; Col **3** 15; Ep **1** 18; **4** 4; Ph **3** 14, etc., et ensuite, par métonymie, l'état (vocation) auquel les chrétiens sont appelés. Les deux sens sont également possibles ici.
*e)* Le mot, cf. 1 Tm **6** 14+, désigne ici l'Incarnation et la Rédemption.
*f)* Add. (Vulg.) : « des païens ».
*g)* La seconde captivité à Rome.
*h)* Le contexte fait penser à la doctrine chrétienne conservée intacte, 1 Tm **6** 20+, plutôt qu'aux bonnes œuvres de Paul, **4** 7-8; 1 Tm **6** 19.
*i)* Chacun des deux « Seigneur » peut être entendu soit du Père, soit du Fils.

confie-le à des hommes sûrs, capables à leur tour
d'en instruire d'autres [a].
3 Prends ta part de souffrances, en bon soldat du
Christ Jésus. 4 Dans le métier des armes [b], personne ne s'encombre des affaires de la vie civile,
s'il veut donner satisfaction à qui l'a engagé. 5 De
1 Co 9 25+ même l'athlète ne reçoit la couronne que s'il a lutté
1 Co 3 6-9; selon les règles. 6 C'est au cultivateur, qui travaille
9 7, 10 dur, que doivent revenir, en premier lieu, les fruits
de la récolte. 7 Comprends ce que je veux dire.
D'ailleurs le Seigneur te fera tout comprendre.
Rm 1 3-4 8 Souviens-toi de Jésus Christ, ressuscité d'entre
Ac 13 22-23 les morts, issu de la race de David, selon mon
Ep 3 1+ Évangile. 9 Pour lui je souffre jusqu'à porter des
Ph 1 13-17 chaînes comme un malfaiteur. Mais la parole de
Lc 23 32 Dieu n'est pas enchaînée. 10 C'est pourquoi
Col 1 24+ j'endure tout pour les élus, afin qu'eux aussi obtien-
nent le salut qui est dans le Christ Jésus avec la
1 Th 2 12 gloire éternelle.
1 Tm 1 15+ 11 Elle est sûre cette parole [c] :
Rm 6 5+ Si nous sommes morts avec lui, avec lui nous
vivrons.
Rm 8 17 12 Si nous tenons ferme, avec lui nous régnerons.
Mt 10 33 Si nous le renions, lui aussi nous reniera.
1 Co 1 9+ 13 Si nous sommes infidèles, lui reste fidèle,
car il ne peut se renier lui-même.

**Lutte contre le péril actuel des faux docteurs.**

14 Tout cela, rappelle-le, attestant devant Dieu [d]
1 Tm 1 4+ qu'il faut éviter les querelles de mots, bonnes seulement à perdre ceux qui les écoutent. 15 Efforce-toi
de te présenter à Dieu comme un homme éprouvé,
1 Tm 4 6-7 un ouvrier qui n'a pas à rougir, un fidèle dispensa-
1 Tm 1 4+ teur de la parole de vérité. 16 Quant aux discours
creux et impies, évite-les. Leurs auteurs feront toujours plus de progrès dans la voie de l'impiété, 17 et
leur parole étendra ses ravages comme la gangrène.
1 Tm 1 20 Hyménée et Philète sont de ceux-là; 18 ils se sont
écartés de la vérité, en prétendant que la résurrection a déjà eu lieu [e], renversant ainsi la foi de plusieurs.
Ep 2 20+ 19 Cependant les solides fondations posées par
Dieu tiennent bon, marquées du sceau de ces paro-
les [f] : *Le Seigneur connaît les siens,* et : Qu'il évite Nb 16 5, 26
l'iniquité, celui qui *prononce le nom du Seigneur.* Is 26 13
20 Dans une grande maison, il n'y a pas seulement des vases d'or et d'argent; il en est aussi de
bois et d'argile. Les uns sont réservés aux usages Rm 9 21
nobles, les autres aux usages vulgaires. 21 Si donc Is 29 16+
quelqu'un se préserve des fautes dont je parle, il
sera un vase noble, sanctifié, utile au Maître, propre à toute œuvre bonne.
22 Fuis les passions de la jeunesse. Recherche la 1 Tm 6 11
justice, la foi, la charité, la paix, en union avec ceux Ga 5 22+
qui d'un cœur pur invoquent le Seigneur. 23 Mais
les folles et stupides recherches, évite-les : tu sais 1 Tm 1 4+
qu'elles engendrent des querelles. 24 Or, le serviteur
du Seigneur ne doit pas être querelleur, mais 1 Tm 3 2s
accueillant à tous, capable d'instruire, patient dans Is 42 3; Mt 1
l'épreuve; 25 c'est avec douceur qu'il doit reprendre Ga 6 1
les opposants, en songeant que Dieu, peut-être, leur
donnera de se convertir, de connaître la vérité 26 et
de revenir à la raison, une fois dégagés des filets 1 Jn 2 14+
du diable, qui les retient captifs, asservis à sa
volonté.

**Mise en garde contre les périls des derniers temps.**

3 1 Sache bien, par ailleurs, que dans les der- 1 Tm 4 1+
niers jours surviendront des moments
difficiles. 2 Les hommes en effet seront égoïstes, Rm 1 29+
cupides, vantards, orgueilleux, diffamateurs, rebelles à leurs parents, ingrats, sacrilèges, 3 sans coeur,
sans pitié, médisants, intempérants, intraitables,
ennemis du bien, 4 délateurs, effrontés, aveuglés par
l'orgueil, plus amis de la volupté que de Dieu,
5 ayant les apparences de la piété [g] mais reniant ce Mt 7 15;
qui en est la force. Ceux-là aussi, évite-les. 24 4s, 24
Col 2 23
6 Ils sont bien du nombre, ceux qui s'introduisent
dans les maisons et envoûtent des femmelettes Ac 17 21
chargées de péchés, entraînées par toutes sortes de
passions et qui, 7 toujours à s'instruire, ne sont
jamais capables de parvenir à la connaissance de 1 Tm 2 4
la vérité. 8 A l'exemple de Jannès et de Jambrès qui Jn 8 32
se dressèrent contre Moïse [h], ils se dressent, eux
aussi, contre la vérité, hommes à l'esprit corrompu,
sans garantie en matière de foi. 9 Mais ils n'iront

*a)* La « tradition », transmission du « dépôt », 1 Tm **6** 20+, est ici prise sur le vif, avec quatre chaînons successifs.

*b)* Les vv. 4-6 donnent trois comparaisons proverbiales : le soldat, l'athlète, le cultivateur.

*c)* Comme en 1 Tm **1** 17; **3** 16+; **6** 15-16, il semble que nous ayons ici un fragment d'hymne chrétienne.

*d)* Var. (Vulg.) : « le Seigneur ».

*e)* Le dogme de la résurrection était particulièrement difficile à accepter pour des esprits grecs, Ac **17** 32; 1 Co **15** 12. Hyménée et Philète l'interprétaient peut-être d'une façon purement spirituelle, de la résurrection intérieure opérée par le baptême, Rm **6** 4+; Ep **2** 6+, ou d'une certaine ascension mystique vers Dieu. Paul avait mis en garde les Corinthiens contre une conception trop matérielle, 1 Co **15** 35-53+.

*f)* Les deux inscriptions sont gravées sur la pierre ou le document de fondation. L'édifice étant l'Église, les fondations peuvent être ici soit le Christ, 1 Co **3** 11, soit les apôtres, Ep **2** 20, cf. Ap **21** 14, soit la foi appuyée sur la parole du Dieu fidèle, 2 Tm **2** 13. Les deux textes bibliques se complètent : Dieu garde ceux qu'il aime, Nb **16** 5, et ceux-ci doivent vivre dans la justice, Nb **16** 26; Is **26** 13; **52** 11; Ps **6** 9.

*g)* Semblables aux faux prophètes annoncés, Mt **7** 15; **24** 4-5, 24. Cette recrudescence de l'impiété est caractéristique des « derniers temps », cf. 1 Tm **4** 1+.

*h)* Les magiciens d'Égypte ne sont pas nommés en Ex **7** 11-13, 22, etc. Dans les écrits juifs, Jannès et Jambrès (var. : « Membrès »), supposés disciples ou même fils de Balaam, Nb **22** 2+, sont les chefs du groupe. Ceux qui résistent à la vérité, 1 Tm **2** 4+, se rendent incapables de la connaître.

pas plus loin, car leur folie sera démasquée aux
yeux de tous, comme le fut celle des deux autres.
[10] Pour toi, tu m'as suivi dans mon enseigne-
1 Co **13** 13+ ment, ma conduite, mes projets, ma foi, ma
patience, ma charité, ma constance [11] dans les persécutions et les souffrances qui me sont survenues
c **13** 44 - **14** 22 à Antioche, à Iconium, à Lystres. Quelles persécu-
2 Co **11** 23s tions n'ai-je pas eu à subir! Et de toutes le Seigneur
m'a délivré. [12] Oui, tous ceux qui veulent vivre dans
1 Th **3** 4-5 le Christ avec piété seront persécutés. [13] Quant aux
Ac **14** 22+ pécheurs et aux charlatans, ils feront toujours plus
Jn **16** 33 de progrès dans le mal, à la fois trompeurs et trompés.
**2** 2 [14] Pour toi, tiens-toi à ce que tu as appris et dont
**1** 5 tu as acquis la certitude. Tu sais de quels maîtres [a]
tu le tiens; [15] et c'est depuis ton plus jeune âge que
2 Co **3** 14-18 tu connais les saintes Lettres [b]. Elles sont à même
de te procurer la sagesse qui conduit au salut par
Rm **15** 4 la foi dans le Christ Jésus. [16] Toute Écriture est ins-
1 Co **10** 6+ pirée de Dieu et utile [c] pour enseigner, réfuter,
2 P **1** 20-21 redresser, former à la justice : [17] ainsi l'homme de
Dieu se trouve-t-il accompli, équipé pour toute
œuvre bonne.

1 Tm **6** 11s **Adjuration solennelle [d].**

**4** [1] Je t'adjure devant Dieu et devant le Christ
Ac **10** 42+ Jésus, qui doit juger les vivants et les morts [e],
1 P **4** 5 au nom de son Apparition et de son Règne : [2] pro-
1 Tm **6** 14+ clame la parole, insiste à temps et à contretemps,
réfute, menace, exhorte, avec une patience inlassa-
1 Tm **4** 1+ ble et le souci d'instruire. [3] Car un temps viendra
1 Tm **1** 10+ où les hommes ne supporteront plus la saine doctrine, mais au contraire, au gré de leurs passions
et l'oreille les démangeant, ils se donneront des
maîtres en quantité [4] et détourneront l'oreille de la
1 Tm **1** 4+ vérité pour se tourner vers les fables. [5] Pour toi,
sois prudent en tout, supporte l'épreuve, fais œuvre
de prédicateur de l'Évangile, acquitte-toi à la perfection de ton ministère [f].

**Paul au soir de sa vie.**

[6] Quant à moi, je suis déjà répandu en libation [g] Ph **2** 17+
et le moment de mon départ est venu. [7] J'ai
combattu jusqu'au bout le bon combat, j'ai achevé 1 Tm **1** 18
ma course, j'ai gardé la foi. [8] Et maintenant, voici 1 Co **9** 24
qu'est préparée pour moi la couronne de justice, Ac **20** 24 Ga **5** 7+
qu'en retour le Seigneur me donnera en ce Jour-là, **2** 4-5
lui, le juste Juge, et non seulement à moi mais à 1 Co **9** 25+
tous ceux qui auront attendu avec amour son
Apparition [h]. 1 Tm **6** 14+

**Recommandations suprêmes.**

[9] Hâte-toi de venir me rejoindre au plus vite,
[10] car Démas m'a abandonné par amour du monde Phm 24
présent. Il est parti pour Thessalonique, Crescens Col **4** 14
pour la Galatie [i], Tite pour la Dalmatie. [11] Seul
Luc [j] est avec moi. Prends Marc [k] et amène-le avec Col **4** 10
toi, car il m'est précieux pour le ministère. [12] J'ai
envoyé Tychique à Éphèse. [13] En venant, apporte Tt **3** 12+
le manteau que j'ai laissé à Troas chez Carpos,
ainsi que les livres, surtout les parchemins.
[14] Alexandre le fondeur m'a fait beaucoup de mal. 1 Tm **1** 20
*Le Seigneur lui rendra selon ses œuvres.* [15] Toi Pr **24** 12; Ps **5** 11+;
aussi, méfie-toi de lui, car il a été un adversaire **28** 4; **62** 13+
acharné de notre prédication.
[16] La première fois que j'ai eu à présenter ma
défense [l], personne ne m'a soutenu. Tous m'ont
abandonné! Qu'il ne leur en soit pas tenu rigueur!
[17] Le Seigneur, lui, m'a assisté et m'a rempli de Mt **10** 19s
force afin que, par moi, le message fût proclamé et Ph **1** 19s
qu'il parvînt aux oreilles de tous les païens. Et j'ai Col **4** 3s
été *délivré de la gueule du lion.* [18] Le Seigneur me Ps **22** 22
délivrera de toute entreprise perverse et me sauvera Dn **6** 17

*a)* Var. (Vulg.) : « de quel maître ». – Ces maîtres sont Loïs, Eunice, **1** 5, et surtout Paul.

*b)* Ainsi étaient couramment nommés, chez les Juifs de langue grecque, les livres de la Bible, cf. 1 M **12** 9+. Le NT cite souvent « les Écritures », ou « l'Écriture », ou bien tel ou tel « livre ». Rm **1** 2 : « les saintes Écritures »; 2 Co **3** 14+ : l'« ancienne Alliance » (mais le sens ne se restreint pas aux Livres. Cf. 1 Th **5** 27+; 2 P **3** 16).

*c)* Ou, moins bien : « Toute Écriture, inspirée de Dieu, est utile » (Vulg.). – Cette importante affirmation du caractère inspiré des Livres saints, doctrine classique dans le Judaïsme, cf. 2 P **1** 21, semble inclure ici certains écrits apostoliques, 1 Tm **5** 18; cf. 2 P **3** 15-16. C'est dans la fréquentation assidue de l'Écriture que l'homme de Dieu nourrit sa foi et son zèle apostolique, vv. 15-17.

*d)* Cet appel à un disciple cher, au terme de la dernière des épîtres, peut se comparer, dans une tonalité différente, au discours de Milet, Ac **20** 18-36. Dominé par la pensée d'une mort prochaine et de la venue du Seigneur, Paul adjure Timothée de poursuivre sans défaillance la mission qu'il lui lègue.

*e)* Le Christ sera le juge de tous les hommes, ceux qui seront en vie lors de sa venue et ceux qui ressusciteront, cf. Mt **25** 31+; Jn **5** 26-29; 1 Th **4** 15-17. Cette affirmation appartenait sans doute au « kérygme » primitif, Ac **10** 42; 1 P **4** 5, et elle a pris place dans le Symbole.

*f)* Vulg. ajoute : « Sois sobre ».

*g)* Dans les sacrifices juifs et païens, des libations de vin, d'eau ou d'huile étaient répandues sur les victimes, cf. Ex **29** 40; Nb **28** 7.

*h)* Litt. « aimé son Apparition ». Paul est convaincu d'avoir accompli sa mission. Avec lui seront couronnés tous ceux qui auront accueilli l'Évangile, Ph **4** 1; 2 Th **1** 7, 10.

*i)* Var. : « Gaule ». – « Galatie » pouvait alors désigner soit la province de ce nom en Asie, soit la Gaule.

*j)* Luc l'évangéliste, cf. déjà Col **4** 14.

*k)* Marc l'évangéliste, Ac **12** 12+. Le différend qui l'opposa jadis à Paul, Ac **15** 37-39, semble oublié.

*l)* Lors d'une récente comparution devant le tribunal, qui donna à l'Apôtre absolument seul une occasion de proclamer sa foi, v. 17; Ac **9** 15+.

en me prenant dans [a] son Royaume céleste. A lui
Rm 16 27+ la gloire dans tous les siècles! Amen [b]!

**Salutations et souhait final.**

Ac 18 2+ 19 Salue Prisca et Aquilas, ainsi que la famille
Ac 19 22 d'Onésiphore. 20 Éraste est resté à Corinthe. J'ai
laissé Trophime malade à Milet. 21 Hâte-toi de Ac 20 4
venir avant l'hiver.

Tu as le salut d'Eubule, de Pudens, de Lin, de Claudia et de tous les frères.

22 Le Seigneur [c] soit avec ton esprit! La grâce
soit avec vous!

*a)* Ou : « me gardant pour ».
*b)* C'est au Christ sauveur et libérateur qu'est adressée cette fois la doxologie semblable à Ga **1** 5, cf. Rm **16** 25+.
*c)* Vulg. ajoute : « Jésus Christ » et à la fin : « Amen ».

# ÉPÎTRE A TITE

**Adresse et salutation** [a].

Rm **1** 1+ **1** 1 Paul, serviteur de Dieu, apôtre de Jésus
Christ pour amener les élus de Dieu à la foi
et à la connaissance de la vérité ordonnée à la
piété, 2 dans l'espérance de la vie éternelle promise
Nb **23** 19+ avant tous les siècles par le Dieu qui ne ment pas
2 Tm **2** 13 3 et qui, aux temps marqués, a manifesté sa parole
Ac **1** 7+ par une proclamation dont un ordre de Dieu notre
Rm **3** 26 Sauveur m'a confié la charge, 4 à Tite mon vérita-
Tm **1** 1+, 11 ble enfant en notre foi commune, grâce et paix de
2 Co **2** 13+ par Dieu le Père et le Christ Jésus notre Sauveur.

**Établissement des presbytres.**

5 Si je t'ai laissé en Crète, c'est pour y achever
l'organisation [b] et pour établir dans chaque ville
des presbytres [c], conformément à mes instructions.
1 Tm **3** 2-7 6 Chaque candidat doit être irréprochable, mari
d'une seule femme, avoir des enfants croyants, qui
ne puissent être accusés d'inconduite et ne soient
pas insoumis. 7 L'épiscope, en effet, en sa qualité
1 Tm **3** 15 d'intendant de Dieu, doit être irréprochable : ni
He **3** 2s arrogant, ni coléreux, ni buveur, ni batailleur, ni
avide de gains déshonnêtes, 8 mais au contraire 2 Tm **2** 24
hospitalier, ami du bien, pondéré, juste, pieux, maî- 1 P **5** 2
tre de soi, 9 attaché à l'enseignement sûr, conforme
à la doctrine; ne doit-il pas être capable, à la fois,
d'exhorter dans la saine doctrine et de confondre 1 Tm **1** 10+
les contradicteurs?

**Lutte contre les faux docteurs.**

10 Nombreux sont en effet les esprits rebelles, les 1 Tm **4** 1
vains discoureurs, les séducteurs, surtout chez les 2 Tm **3** 13
circoncis. 11 Il faut leur fermer la bouche; ces gens-
là bouleversent des familles entières, enseignant 2 Tm **3** 6
pour de scandaleux profits ce qui ne se doit pas. 1 Tm **6** 10
12 L'un d'entre eux, leur propre prophète, a dit [d] :
« Crétois : perpétuels menteurs, mauvaises bêtes,
ventres paresseux. » 13 Ce témoignage est vrai;
aussi reprends-les vertement, pour qu'ils conservent
une foi saine, 14 sans prêter attention à des fables 1 Tm **1** 10;
juives et aux prescriptions de gens qui tournent le **1** 4+
dos à la vérité.
15 Tout est pur pour les purs [e]. Mais pour ceux Mt **15** 11, 18-20p;
qui sont souillés et qui n'ont pas la foi, rien n'est **23** 25-26p Rm **14** 14-20
pur. Leur esprit même et leur conscience sont souil-

*a)* Cette adresse, vv. 1-3, condense toute une théologie du salut et de l'apostolat.

*b)* Paul, d'une manière habituelle, jette les fondements de l'évangélisation, laissant à d'autres le soin de la compléter, cf. 1 Co **1** 17; **3** 6, 10; Col **1** 7+; Rm **15** 23+.

*c)* Selon une coutume héritée de l'ancien Israël (Ex **18** 13s; Nb **11** 16; Jos **8** 10; 1 S **16** 4; Is **9** 14; Ez **8** 1, 11, etc.), et du Judaïsme (Esd **5** 5; **10** 14; Jdt **6** 16; Lc **7** 3; **22** 66; Ac **4** 5, etc.; Josèphe, Philon, etc.), les premières communautés chrétiennes, tant à Jérusalem (Ac **11** 30; **15** 2s; **21** 18) que dans la Diaspora (Ac **14** 23; **20** 17; Tt **1** 5; 1 P **5** 1), avaient à leur tête un collège de « presbytres », anciens (sens étymologique) ou notables. Les « épiscopes » (étym. « sur-veillants », cf. Ac **20** 28), qui ne sont pas encore des « évêques », et apparaissent en particulière relation avec les « diacres » (Ph **1** 1; 1 Tm **3** 1-13; Pères Apostoliques), semblent dans certains textes (Tt **1** 5, 7; Ac **20** 17, 28) pratiquement identiques aux « presbytres ». Cependant leur titre, qui se rencontre dans le monde grec mais peut être aussi d'origine sémitique (cf. le *Mebaqqer* des Esséniens; cf. déjà Nb **4** 16; **31** 14; Jg **9** 28; 2 R **11** 15, 18; **12** 11, etc.), désigne plutôt une fonction, un office, tandis que celui de « presbytre » connote un état, une dignité. Il se peut que les épiscopes aient été désignés, peut-être à tour de rôle, dans le collège des presbytres pour remplir certaines charges actives, cf. 1 Tm **5** 17. De toute manière, les presbytres et épiscopes chrétiens ne sont pas seulement chargés d'administration temporelle, mais aussi d'enseignement, 1 Tm **3** 2; **5** 17; Tt **1** 9, et de gouvernement, 1 Tm **3** 5; Tt **1** 7. Établis par les Apôtres, Ac **14** 23, ou leurs représentants, Tt **1** 5, par imposition des mains, 1 Tm **5** 22; cf. 1 Tm **4** 14+; 2 Tm **1** 6, ils ont un pouvoir d'origine divine, Ac **20** 28, et charismatique, 1 Co **12** 28. Leurs titres l'ayant emporté peu à peu sur les titres analogues de « président », Rm **12** 8; 1 Th **5** 12, de « pasteur », Ep **4** 11, d'« higoumène », He **13** 7, 17, 24, ces chefs de communautés locales sont les ancêtres de nos « prêtres » et « évêques », les « diacres » étant leurs ministres. Le passage de ces épiscopes-presbytres à l'évêque chef unique du collège des prêtres, tel qu'il apparaît nettement chez saint Ignace d'Antioche, a dû se faire par la transmission à un seul épiscope, dans chaque communauté, des pouvoirs qu'exerçaient auparavant, sur plusieurs communautés, les Apôtres eux-mêmes, puis leurs représentants tels que Tite et Timothée.

*d)* Citation, au moins pour le début, du poète crétois Épiménide de Cnossos (VIe siècle).

*e)* Maxime proverbiale qui prend une nuance chrétienne, Mt **15** 10-20p; Rm **14** 14-23; cf. Jn **13** 10+; He **9** 10; etc.

lés. 16 Ils font profession de connaître Dieu, mais,
par leur conduite, ils le renient : êtres abominables,
rebelles, incapables d'aucun bien.

**Devoirs particuliers à certains fidèles.**

2 1 Pour toi, enseigne ce qui est conforme à la
1 Tm 1 10+ saine doctrine. 2 Que les vieillards soient
1 Tm 5 1-2 sobres, dignes, pondérés, robustes dans la foi, la
1 Co 13 13+ charité, la constance. 3 Que pareillement les femmes âgées aient le comportement qui sied à des
saintes : ni médisantes, ni adonnées au vin, mais de
bon conseil; 4 ainsi elles apprendront aux jeunes
Col 3 18 femmes à aimer leur mari et leurs enfants, 5 à être
Ep 5 22 réservées, chastes, femmes d'intérieur, bonnes, sou-
1 Tm 2 12 mises à leur mari, en sorte que la parole de Dieu
1 Tm 6 1 ne soit pas blasphémée. 6 Exhorte également les
jeunes gens à garder en tout [a] la pondération [b],
1 Tm 4 12 7 offrant en ta personne un exemple de bonne
2 Th 3 7+ conduite : pureté de doctrine, dignité, 8 enseigne-
1 Tm 1 10+ ment sain, irréprochable, afin que l'adversaire, ne
1 Tm 5 14+ pouvant dire aucun mal de nous, soit rempli de
1 Tm 6 1+ confusion. 9 Que les esclaves soient soumis en tout
à leurs maîtres, cherchant à leur donner satisfaction, évitant de les contredire, 10 ne commettant
Phm 18-19 aucune indélicatesse, se montrant au contraire
d'une parfaite fidélité : ainsi feront-ils honneur en
1 Tm 1 1+ tout à la doctrine de Dieu notre Sauveur.

**Fondement dogmatique de ces exigences.**

11 Car la grâce de Dieu, source de salut pour
3 4 tous les hommes, s'est manifestée [c], 12 nous ensei-
1 Jn 2 16 gnant à renoncer à l'impiété et aux convoitises de
ce monde, pour vivre en ce siècle présent dans la
réserve, la justice et la piété, 13 attendant la bien-
1 Tm 1 11+ heureuse espérance et l'Apparition de la gloire de
notre grand Dieu et Sauveur [d], le Christ Jésus 14 qui
1 Tm 2 6+; Ps 130 8 s'est livré pour nous afin de nous *racheter de toute*
Rm 3 24+; Ex 19 5 *iniquité* et de *purifier un peuple qui lui appartienne*
Dt 7 6+; Ep 5 25s *en propre,* zélé pour le bien.
15 C'est ainsi que tu dois parler, exhorter, repren-
1 Tm 4 12 dre avec une autorité entière. Que personne ne te
méprise.

**Devoirs généraux des fidèles.**

1 Tm 2 2+ 3 1 Rappelle à tous qu'il faut être soumis aux
Rm 13 1-7 1 P 2 13-14 magistrats et aux autorités, pratiquer l'obéissance, être prêt à toute bonne œuvre, 2 n'outrager
personne, éviter les disputes, se montrer bienveil- 1 Th 3 12
lant, témoigner à tous les hommes une parfaite Ph 4 5
douceur. 3 Car nous aussi, nous étions naguère des Ep 2 3-10
insensés, des rebelles, des égarés, esclaves d'une Rm 3 21-26
foule de convoitises et de plaisirs, vivant dans la 1 Co 6 11 Rm 1 29+
malice et l'envie, odieux et nous haïssant les uns les
autres.
4 Mais le jour où apparurent la bonté de Dieu 2 11
notre Sauveur et son amour pour les hommes, 5 il 1 Tm 1 1+
ne s'est pas occupé des œuvres de justice que nous 2 Tm 1 9
avions pu accomplir, mais, poussé par sa seule
miséricorde, il nous a sauvés par le bain de la régé- Ep 5 26
nération et de la rénovation en l'Esprit Saint. 6 Et Jn 3 3, 5, 8
cet Esprit, il l'a répandu sur nous à profusion, par Rm 6 4+; 5 5; 7 6; Ep 4 23s
Jésus Christ notre Sauveur, 7 afin que, justifiés par 1 Tm 1 1+
la grâce du Christ, nous obtenions en espérance Rm 3 24
l'héritage de la vie éternelle [e]. Rm 8 17, 24

**Conseils particuliers à Tite.**

8 Elle est sûre cette parole et je tiens à ce que, 1 Tm 1 15+
sur ce point, tu sois catégorique, afin que ceux qui
ont placé leur foi en Dieu aient à cœur d'exceller
dans la pratique du bien. Voilà qui est bon et utile
aux hommes.
9 Mais les folles recherches, les généalogies, les 1 Tm 1 4+
disputes, les polémiques au sujet de la Loi, évite-
les. Elles sont sans utilité et sans profit. 10 Quant
à l'homme de parti [f], après un premier et un second Mt 18 15-17
avertissement, romps avec lui. 11 Un tel individu, tu
le sais, est un dévoyé et un pécheur qui se
condamne lui-même.

**Recommandations pratiques.**
**Salutations et souhait final.**

12 Lorsque je t'aurai envoyé Artémas ou Tychi- Ac 20 4+
que, hâte-toi de me rejoindre à Nicopolis. C'est là
que j'ai décidé de passer l'hiver. 13 Prends toutes
dispositions pour le voyage du juriste Zénas et
d'Apollos, afin qu'ils ne manquent de rien. 14 Les Ac 18 24+
nôtres aussi doivent apprendre à exceller dans la
pratique du bien pour faire face aux nécessités
pressantes [g]. Ainsi ne seront-ils pas sans fruits.
15 Tu as le salut de tous ceux qui sont avec moi.
Salue ceux qui nous aiment dans la foi. La grâce [h]
soit avec vous tous!

*a)* « en tout » peut aussi se rapporter au début du v. 7 : « offrant en tout ».

*b)* Cette consigne de mesure et de réserve qui vise ici les jeunes gens est, ailleurs, adressée à tous, vv. 5, 12; 1 Tm **2** 9, 15; **3** 2.

*c)* La grâce, miséricorde efficace de Dieu, Os **2** 2+, 1 Co **1** 4+, et sa bonté, son amour des hommes, **3** 4, ont fait leur « apparition », préludant à « l'Apparition », v. 13, 1 Tm **6** 14+. De nouveau (cf. **1** 1-3), ici vv. 11-14 et **3** 4-7, deux exposés très denses de l'œuvre du salut, de ses effets et exigences. La liturgie de Noël utilise ces deux passages.

*d)* Nette affirmation de la divinité du Christ, cf. Rm **9** 5+ : le « Sauveur » est nommé aussi le « grand Dieu », cf. 1 Tm **1** 1+.

*e)* Les effets du baptême : nouvelle naissance, justification par la grâce du Christ, communication de l'Esprit Saint, cf. Rm **5** 5+, droit à l'héritage de la vie éternelle dont le don de l'Esprit est le gage, cf. 2 Co **1** 22.

*f)* Litt. « l'homme hérétique », étym. celui qui fait un choix. Le mot ne figure qu'ici dans la Bible. Il est emprunté à la terminologie des écoles philosophiques du temps. Dans la langue chrétienne, l'« hérésie », cf. 1 Co **11** 19; Ga **5** 20, est un choix opéré parmi les vérités de la foi, lequel engendre séparatisme et division. Quant à la procédure prescrite par Paul, voir 1 Co **5** 5+.

*g)* Ou : « nécessités de cette vie ».

*h)* Add. (T. occ.) : « du Seigneur », ou (Vulg.) : « de Dieu ». – Vulg. ajoute à la fin : « Amen ».

# ÉPÎTRE A PHILÉMON

Rm **1** 1+ **Adresse.**

1 Paul, prisonnier du Christ Jésus, et le frère
Ac **16** 1+ Timothée, à Philémon, notre cher collaborateur,
Col **4** 17 2 avec Apphia notre sœur [a], Archippe notre frère
2 Tm **2** 3 d'armes, et l'Église qui s'assemble dans ta maison.
Rm **16** 5+ 3 A vous grâce et paix de par Dieu notre Père et
le Seigneur Jésus Christ!

|| Ep **1** 15-16 **Action de grâces et prière.**
|| Col **1** 3s

4 Je rends sans cesse grâces à mon Dieu en faisant mémoire de toi dans mes prières, 5 car
1 Co **13** 13+ j'entends louer ta charité et la foi qui t'anime, tant
à l'égard du Seigneur Jésus qu'au bénéfice de tous
Ac **9** 13+ les saints. 6 Puisse cette foi rendre agissant son
Ph **1** 9-11 esprit d'entraide [b] en t'éclairant pleinement sur tout
Col **1** 9-11 le bien qu'il est en notre pouvoir d'accomplir pour
2 Jn 4-6 le Christ. 7 De fait, j'ai eu grande joie et consolation en apprenant ta charité : on me dit, frère, que
tu as soulagé le cœur des saints!

**Requête en faveur d'Onésime.**

8 C'est pourquoi, bien que j'aie dans le Christ
tout le franc-parler nécessaire pour te prescrire ton
devoir, 9 je préfère invoquer la charité et te présenter une requête. Celui qui va parler, c'est Paul, le
Ep **3** 1; **4** 1 vieux Paul et, qui plus est, maintenant le prisonnier
Col **4** 18 du Christ Jésus. 10 La requête est pour mon enfant,
que j'ai engendré dans les chaînes [c], cet Onésime,
11 qui jadis ne te fut guère utile, mais qui désormais
te sera bien utile, comme il l'est devenu pour moi [d].
12 Je te le renvoie, et lui, c'est comme mon propre
cœur [e]. 13 Je désirais le retenir près de moi, pour
qu'il me servît en ton nom dans ces chaînes que me
vaut l'Évangile; 14 cependant je n'ai rien voulu faire
sans ton assentiment, pour que ce bienfait ne parût
pas t'être imposé, mais qu'il vînt de ton bon gré.
15 Peut-être aussi Onésime ne t'a-t-il été retiré [f]
pour un temps qu'afin de t'être rendu pour l'éter-
nité, 16 non plus comme un esclave, mais bien Col **3** 22 - **4** 1
mieux qu'un esclave, comme un frère très cher : il Ep **6** 5-9
l'est grandement pour moi, combien plus va-t-il Rm **6** 15+
l'être pour toi, et selon le monde et selon le Seigneur [g]! 17 Si donc tu as égard aux liens qui nous
unissent, reçois-le comme si c'était moi. 18 Et s'il t'a
fait du tort ou te doit quelque chose [h], mets cela sur
mon compte. 19 Moi, Paul, je m'y engage de ma Col **4** 18+
propre écriture : c'est moi qui réglerai... Pour ne
rien dire de la dette qui t'oblige toujours à mon
endroit, et qui est toi-même [i]! 20 Allons, frère,
j'attends de toi ce service dans le Seigneur; soulage
mon cœur dans le Christ. 21 Je t'écris avec pleine
confiance en ta docilité [j] : je sais bien que tu feras
plus encore que je ne demande.

**Recommandations. Salutations.**

22 Avec cela, prépare-moi un gîte; j'espère en
effet que, grâce à vos prières, je vais vous être
rendu.

23 Tu as les salutations d'Épaphras, mon compa- Col **4** 10+
gnon de captivité dans le Christ Jésus, 24 ainsi que
de Marc, Aristarque, Démas et Luc, mes collaborateurs.

25 Que la grâce du Seigneur Jésus Christ soit
avec votre esprit [k]!

*a)* Var. : « notre bien-aimée » ou : « notre sœur bien-aimée ».
*b)* C'est-à-dire le sens de la communion avec le Christ et avec les frères dans le Christ (cf. 1 Co **1** 9+), que la foi établit dans le cœur du fidèle. De cette foi pénétrée de charité, v. 5, cf. Ga **5** 6+, Paul attend une direction pratique de la vie morale et charitable. – « rendre agissant »; var. (Vulg.) : « rendre manifeste ». – « en notre pouvoir »; var. (Vulg.) : « en votre pouvoir ».
*c)* En le convertissant à la foi, cf. 1 Co **4** 15; Ga **4** 19.
*d)* Jeu de mots sur le nom d'Onésime, qui signifie « utile ». Cf. Ph **4** 3.
*e)* « et lui... »; var. (Vulg.) : « mais toi, reçois-le comme mon propre cœur », cf. v. 17.
*f)* Retiré par Dieu, qui a permis la fuite de l'esclave pour le bien final de tous.
*g)* Aux liens naturels « dans la chair » (sens littéral du grec, cf. Rm **7** 7+) entre l'esclave et le maître se sont ajoutés des liens « dans le Seigneur ». Sans cesser d'être esclave, cf. 1 Co **7** 20-24, bien que Paul suggère à Philémon de l'affranchir, vv. 14-16, 21, Onésime sera désormais pour Philémon un frère. Devant le seul Seigneur des cieux, Ep **6** 9, il n'y a plus ni maître ni esclave, 1 Co **12** 13; Col **3** 22-25.
*h)* Il semble que l'esclave fugitif ait aussi volé son maître.
*i)* Philémon a donc été lui-même converti par Paul.
*j)* Litt. « obéissance », à Paul sans doute, mais plus profondément aux exigences de la foi.
*k)* Add. : « Amen », cf. Ph **4** 23.

# ÉPÎTRE AUX HÉBREUX

## Prologue

### Grandeur du Fils de Dieu incarné.

**1** 1 Après avoir, à maintes reprises et sous main-
tes formes, parlé jadis aux Pères par les pro-
Ga **4** 4+ phètes, Dieu, 2 en ces jours qui sont les derniers [a],
1 Tm **4** 1+ nous a parlé par le Fils [b], qu'il a établi héritier de
Jn **1** 18+ toutes choses [c], par qui aussi il a fait les siècles [d].
Jn **10** 34+
Mt **4** 3+
Sg **7** 22+

3 Resplendissement de sa gloire, effigie de sa sub- Col **1** 15+, 17
stance [e], ce Fils qui soutient l'univers par sa parole
puissante, ayant accompli la purification des Ep **1** 7; Col **1** 14
péchés, s'est assis à la droite de la Majesté dans les Ac **2** 33+
hauteurs, 4 devenu d'autant supérieur aux anges
que le nom qu'il a reçu en héritage est incompara- Ph **2** 9-11+
ble au leur.

## I. Le Fils est supérieur aux anges

### Preuve scripturaire.

5 Auquel des anges, en effet, Dieu a-t-il jamais
Ps **2** 7 dit : *Tu es mon Fils, moi, aujourd'hui, je t'ai engen-*
Ac **13** 33+ *dré?* Et encore : *Je serai pour lui un père, et lui sera*
2 S **7** 14+ *pour moi un fils.* 6 Et de nouveau, lorsqu'il introduit
Col **1** 15+ le Premier-né dans le monde [f], il dit : *Que tous les*
43; Ps **97** 7 *anges de Dieu l'adorent.* 7 Tandis qu'il s'exprime
Ps **104** 4 ainsi en s'adressant aux anges : *Il fait de ses anges*
*des vents, de ses serviteurs une flamme ardente* [g],
Ps **45** 7-8 8 il dit à son Fils : *Ton trône, ô Dieu, subsiste dans*
*les siècles des siècles,* et : *le sceptre de droiture est*
*le sceptre de sa royauté* [h]. 9 *Tu as aimé la justice*
*et tu as haï l'impiété. C'est pourquoi, Dieu, ton*
*Dieu t'a oint d'une huile d'allégresse de préférence*
*à tes compagnons* [i]. 10 Et encore : *C'est toi, Sei-* Ps **102** 26-28
*gneur, qui aux origines fondas la terre, et les cieux*
*sont l'ouvrage de tes mains.* 11 *Eux périront, mais*
*toi tu demeures, et tous ils vieilliront comme un*
*vêtement.* 12 *Comme un manteau tu les rouleras,*
comme un vêtement [j], *et ils seront changés. Mais*
*toi, tu es le même et tes années ne s'achèveront*
*point.* 13 Et auquel des anges a-t-il jamais dit :
*Assieds-toi à ma droite jusqu'à ce que je place tes* Ps **110** 1
*ennemis comme un escabeau sous tes pieds?* Ac **2** 33-35+
14 Est-ce que tous ne sont pas des esprits chargés Tb **5** 4+
d'un ministère, envoyés en service pour ceux qui Mt **4** 11;
doivent hériter du salut [k]? **18** 10; **26** 53
Lc **1** 26

*a)* A la plénitude des temps, Mc **1** 15+; Ga **4** 4+, s'ouvrent les derniers temps ou les derniers jours, Ac **2** 17 (Jl **3** 1); 1 P **1** 20; cf. 2 Tm **3** 1; 2 P **3** 3; 1 Jn **2** 18; Jude 18.
*b)* Après les prophètes Dieu envoie un messager qui n'est plus un porte-parole comme les autres : il est « Fils », cf. Mc **12** 2-6; Rm **1** 4+, il est même la Parole, Jn **1** 1+, 14+.
*c)* La filiation comporte le droit à l'héritage, cf. Mt **21** 38; Ga **4** 7. Mais ici la mise en possession de toutes choses est attribuée à une initiative de Dieu, car il s'agit d'un bien messianique et eschatologique.
*d)* Expression hébraïque pour désigner le monde.
*e)* Ces deux métaphores empruntées à la théologie alexandrine de la Sagesse et du Logos, Sg **7** 25-26, expriment l'identité de nature entre le Père et le Fils autant que la distinction des personnes. Le Fils est le « resplendissement » ou le reflet de la gloire lumineuse (cf. Ex **24** 16+) du Père, *Lumen de Lumine.* Et il est l'« effigie », cf. Col **1** 15+, de sa substance, comme l'empreinte exacte que laisse un sceau, cf. Jn **14** 9.
*f)* Soit lors de l'incarnation, soit lors de l'intronisation dans la gloire, cf. v. 3; **2** 5; Ep **1** 20-21; Ph **2** 9-10. « Premier-né » est un titre d'honneur, Col **1** 15, 18; Ap **1** 5.
*g)* Suivant les LXX et songeant peut-être à la théophanie du Sinaï, **2** 2+, l'auteur voit dans ce texte une description de la nature des anges, subtile, mobile, et donc inférieure à celle du Fils sur son trône immuable.
*h)* Var. : « ta royauté », cf. Ps **45** LXX.
*i)* La divinité que le Ps attribue par hyperbole au roi-prêtre est attribuée ici proprement et éminemment à Jésus-Messie, v. 3. Le Christ-Dieu jouit d'un règne éternel.
*j)* Vulg. omet : « comme un vêtement ».
*k)* Par opposition au Fils, les anges ne sont que des serviteurs, v. 7, employés pour le salut des hommes.

**Exhortation.**

2 P **3** 17 **2** 1 C'est pourquoi [a] nous devons nous attacher
avec plus d'attention aux enseignements que
nous avons entendus, de peur d'être entraînés à la
Ac **7** 38, 53+ dérive. 2 Si déjà la parole promulguée par des
Ga **3** 19+; **4** 3+ anges [b] s'est trouvée garantie et si toute transgression et désobéissance a reçu une juste rétribution,
3 comment nous-mêmes échapperons-nous, si nous
Ac **10** 37 négligeons pareil salut? Celui-ci, inauguré par la
prédication du Seigneur, nous a été garanti par
ceux qui l'ont entendu, 4 Dieu appuyant leur témoignage par des signes, des prodiges, des miracles de
toutes sortes, ainsi que par des communications
Ac **1** 8+ d'Esprit Saint qu'il distribue à son gré.

**La rédemption réalisée par le Christ, non par les anges.**

Col **2** 15+ 5 En effet, ce n'est pas à des anges qu'il a soumis
le monde à venir dont nous parlons. 6 Quelqu'un a
Ps **8** 5-7 LXX fait quelque part cette attestation : *Qu'est-ce que
l'homme pour que tu te souviennes de lui, ou le fils
de l'homme pour que tu le prennes en considération?* 7 *Tu l'as un moment abaissé au-dessous des
anges. Tu l'as couronné de gloire et d'honneur* [c].
1 Co **15** 25 8 *Tu as tout mis sous ses pieds.* Par le fait qu'*il lui
Ep **1** 20-23 a tout soumis*, il n'a rien laissé qui lui demeure
Ph **3** 21 insoumis. Actuellement, il est vrai, nous ne voyons
pas encore que *tout lui soit soumis* [d]. 9 Mais celui
Ph **2** 6-11 qui *a été abaissé un moment au-dessous des anges*,
Jésus, nous le voyons *couronné de gloire et d'honneur*, parce qu'il a souffert la mort [e] : il fallait que,
par la grâce de Dieu [f], au bénéfice de tout homme,
il goûtât la mort.
10 Il convenait, en effet, que, voulant conduire à
la gloire un grand nombre de fils, Celui pour qui Rm **11** 36
et par qui sont toutes choses rendît parfait par des 1 Co **8** 6
souffrances le chef qui devait les guider vers leur **5** 9+; Ac **3** 15
salut [g]. 11 Car le sanctificateur et les sanctifiés ont Jn **17** 19
tous même origine [h]. C'est pourquoi il ne rougit pas
de les nommer *frères*, 12 quand il dit : *J'annoncerai* Ps **22** 23
*ton nom à mes frères. Je te chanterai au milieu de* Jn **17** 6
*l'assemblée*. Et encore : 13 *Pour moi j'aurai* Is **8** 17
*confiance en lui*. Et encore : *Nous voici, moi et les* Is **8** 18
*enfants que Dieu m'a donnés*.
14 Puis donc que les *enfants* avaient en commun
le sang et la chair, lui aussi y participa pareillement Mt **16** 17+
afin de réduire à l'impuissance, par sa mort, celui
qui a la puissance de la mort, c'est-à-dire le dia-
ble [i], 15 et d'affranchir [j] tous ceux qui, leur vie Jn **12** 31+
entière, étaient tenus en esclavage par la crainte de Rm **5** 12s
la mort. 16 Car ce n'est certes pas des anges qu'il
se charge, mais c'est de *la descendance d'Abraham* Is **41** 8-9
qu'il *se charge*. 17 En conséquence, il a dû devenir
en tout semblable à ses *frères*, afin de devenir dans Rm **8** 3, 29
leurs rapports avec Dieu un grand prêtre miséricor- **3** 1+; **4** 15;
dieux et fidèle, pour expier les péchés du peuple. **5** 7+
18 Car du fait qu'il a lui-même souffert par Rm **3** 25 1 Jn **2** 2; **4**
l'épreuve, il est capable de venir en aide à ceux qui Mt **4** 1+
sont éprouvés. 1 Co **10** 13

# II. *Jésus grand prêtre fidèle et compatissant*

**Le Christ supérieur à Moïse.**

**3** 1 En conséquence, frères saints, vous qui avez
**11** 16; **12** 22 en partage une vocation céleste, considérez
Ep **1** 18
Ph **3** 14
l'apôtre et grand prêtre [k] de notre profession de foi, **4** 14; **10** 2
Jésus; 2 il est *fidèle* à celui qui l'a institué, comme
*Moïse* le fut aussi *dans toute sa maison*. 3 Car il a Nb **12** 7
été jugé digne d'une gloire supérieure à celle de 2 Co **3** 7s

*a)* Si Dieu parle aux hommes par un fils qui les sauve et que servent les anges, comment pourraient-ils ne pas prendre au sérieux une telle économie?

*b)* La Loi mosaïque, transmise par l'intermédiaire des anges, cf. Ga **3** 19+, sanctionnée par de sévères pénalités.

*c)* Vulg. ajoute : « Tu l'as établi sur l'œuvre de tes mains. »

*d)* Les premiers chrétiens méprisés et persécutés attendent encore l'avènement du règne de Dieu sur terre, 2 P **3** 4. Mais le Christ lui-même est déjà entré dans la gloire, bien que son règne militant soit progressif; il doit abattre tous ses ennemis, **1** 13, avant sa pleine et triomphante consommation, 1 Co **15** 25; Ep **1** 21-22; Ph **3** 20-21.

*e)* Le Christ est glorifié parce qu'il a souffert, et son triomphe consacre la valeur rédemptrice de sa mort.

*f)* « par la grâce de Dieu »; var. peu attestée : « hors Dieu ». C'est sans doute une glose, qui veut peut-être souligner l'impassibilité de la divinité du Christ : c'est seulement comme homme que Jésus a souffert, ou faire allusion au cri de Jésus sur la croix, Mt **27** 46. Enfin, on peut comprendre que le Christ a souffert pour tous, à l'exception de Dieu, cf. 1 Co **15** 27.

*g)* Les souffrances et la mort du Christ, accomplissement de la volonté providentielle, rendent le Christ parfait en tant que Sauveur, chargé d'introduire les hommes dans la gloire de Dieu : **2** 17-18; **4** 15; **5** 2-3. Le verbe « rendre parfait », « accomplir » revient plusieurs fois dans l'épître pour évoquer les divers effets de l'œuvre du Christ dans la relation de l'homme avec Dieu, **11** 40+.

*h)* On pourrait aussi traduire, d'après le contexte : sanctificateur et sanctifiés forment un seul tout. Les vv. suivants insistent sur cette communion dans la chair et le sang, v. 14, qu'a voulu assumer le Fils de Dieu, et ainsi ils introduisent le thème essentiel de la lettre, celui du Christ grand prêtre. v. 17; **5** 7+.

*i)* Péché et mort sont corrélatifs, l'un et l'autre relèvent de Satan, dont le royaume s'oppose à celui du Christ.

*j)* Par sa résurrection, gage de la résurrection du croyant, Rm **8** 11+.

*k)* Le Christ est apôtre, c'est-à-dire « envoyé » par Dieu aux hommes, cf. Jn **3** 17+, 34; **5** 36; **9** 7; Rm **1** 1+; **8** 3; Ga **4** 4+, et grand prêtre, représentant les hommes auprès de Dieu, cf. **2** 17; **4** 14+; **5** 5, 10; **6** 20; **7** 26; **8** 1; **9** 11; **10** 21.

Moïse, dans la mesure mêmc où la dignité du
constructeur d'une maison est plus grande que celle
de la maison elle-même. 4 Toute maison, en effet,
est construite par quelqu'un, et celui qui a tout
construit, c'est Dieu. 5 Moïse, à la vérité, a été
*fidèle dans toute sa maison, en qualité de serviteur,*
pour témoigner de ce qui devait être dit; 6 tandis
1 2+; Jn 8 35 que le Christ, lui, l'a été en qualité de fils, à la tête
1 Co 3 9 de sa maison. Et sa maison, c'est nous, pourvu que
Ep 2 19s 1 Tm 3 15 nous gardions l'assurance et la joyeuse fierté de
l'espérance [a].

**La foi introduit dans le repos de Dieu.**

7 C'est pourquoi, comme le dit l'Esprit Saint :
Ps 95 7-11 *Aujourd'hui, si vous entendez sa voix,* 8 *n'endurcissez pas vos cœurs comme cela s'est produit dans
la Querelle, au jour de la Tentation dans le désert,*
9 *où vos Pères me tentèrent, me mettant à l'épreuve,
alors qu'ils avaient vu mes œuvres* 10 *pendant quarante ans.* C'est pourquoi *j'ai été irrité contre cette
génération et j'ai dit : Toujours leur cœur se fourvoie, ils n'ont pas connu mes voies;* 11 *aussi ai-je*
Nb 14 21-23 *juré dans ma colère : Non, ils n'entreront pas dans
mon repos.* 12 Prenez garde, frères, qu'il n'y ait
peut-être en quelqu'un d'entre vous un cœur mau-
2 Th 2 3+ vais, assez incrédule pour se détacher du Dieu
10 25 vivant. 13 Mais encouragez-vous mutuellement chaque jour, tant que vaut cet *aujourd'hui,* afin
2 Th 2 10 qu'aucun de vous ne *s'endurcisse* par la séduction
du péché. 14 Car nous sommes devenus participants
du Christ, si toutefois nous retenons inébran-
lablement jusqu'à la fin, dans toute sa solidité,
notre confiance initiale. 15 Dans cette parole :
*Aujourd'hui, si vous entendez sa voix, n'endurcis-
sez pas vos cœurs comme cela s'est produit dans
la Querelle,* 16 quels sont donc ceux qui, après avoir
*entendu,* ont *querellé*? Mais n'étaient-ce pas tous
ceux qui sont sortis d'Égypte grâce à Moïse? 17 Et
contre qui *s'irrita*-t-il *pendant quarante ans*?
N'est-ce pas contre ceux qui avaient péché et dont
Nb 14 29 *les cadavres tombèrent dans le désert*? 18 Et à qui
1 Co 10 5 *jura*-t-il *qu'ils n'entreraient pas dans son repos,*
sinon à ceux qui avaient désobéi? 19 Et nous
voyons qu'ils ne purent entrer à cause de leur infidélité.

4 1 Craignons donc que l'un de vous n'estime
arriver trop tard, alors qu'en fait la promesse
*d'entrer dans son repos* reste en vigueur [b]. 2 Car
nous aussi nous avons reçu une bonne nouvelle
absolument comme ceux-là. Mais la parole qu'ils 1 Co 10 1-13
avaient entendue ne leur servit de rien, parce qu'ils
ne restèrent pas en communion par la foi avec ceux
qui écoutèrent [c]. 3 Nous entrons en effet, nous les
croyants, dans un repos [d], selon qu'il a dit : *Aussi* Ps 95 11
*ai-je juré dans ma colère : Non, ils n'entreront pas
dans mon repos.* Les œuvres de Dieu certes étaient
achevées dès la fondation du monde, 4 puisqu'il a
dit quelque part au sujet du septième jour : *Et Dieu
se reposa le septième jour de toutes ses œuvres.* 5 Et Gn 2 2
de nouveau en cet endroit : *Ils n'entreront pas dans* Ps 95 11
*mon repos.* 6 Ainsi donc, puisqu'il est acquis que
certains doivent y entrer, et que ceux qui avaient
reçu d'abord la bonne nouvelle n'y entrèrent pas à
cause de leur désobéissance, 7 de nouveau Dieu fixe
un jour, un *aujourd'hui,* disant en David, après
si longtemps, comme il a été dit ci-dessus :
*Aujourd'hui, si vous entendez sa voix, n'endurcis-* Ps 95 7s
*sez pas vos cœurs...* 8 Si Josué avait introduit les Dt 31 7
Israélites dans ce repos, Dieu n'aurait pas dans la Jos 22 4
suite parlé d'un autre jour. 9 C'est donc qu'un
repos, celui du septième jour, est réservé au peuple
de Dieu. 10 Car celui qui *est entré dans son repos*
lui aussi *se repose de ses œuvres,* comme Dieu des Ap 14 13
siennes. 11 Efforçons-nous donc d'*entrer dans ce
repos,* afin que nul ne succombe, en imitant cet
exemple de désobéissance.

12 Vivante, en effet, est la parole de Dieu [e], 1 P 1 23
efficace et plus incisive qu'aucun glaive à deux Is 49 2; Ap 1 16
tranchants, elle pénètre jusqu'au point de division Ep 6 17
de l'âme et de l'esprit, des articulations et des moel- 1 Co 15 44+
les, elle peut juger les sentiments et les pensées du Rm 1 9+ Jn 12 48
cœur. 13 Aussi n'y a-t-il pas de créature qui reste Jb 34 21-22
invisible devant elle, mais tout est nu et découvert Sg 1 6
aux yeux de Celui à qui nous devons rendre
compte.

**Jésus grand prêtre compatissant.**

14 Ayant donc un grand prêtre souverain qui a 9 11, 24
traversé les cieux [f], Jésus, le Fils de Dieu, tenons
ferme la profession de foi. 15 Car nous n'avons pas 3 1; 10 23
un grand prêtre impuissant à compatir à nos
faiblesses, lui qui a été éprouvé en tout, d'une 2 17-18. 5 7+
manière semblable, à l'exception du péché. Jn 8 46; Rm 8 3
16 Avançons-nous donc avec assurance vers le 2 Co 5 21
He 10 19+

*a)* Add. : « ferme jusqu'à la fin »; cf. v. 14.
*b)* La comparaison instituée entre Moïse et Jésus, **3** 1s; cf. Ac **7** 20-44+; Jn **1** 21+, se poursuit entre les Israélites et les chrétiens. Les premiers, incrédules à la parole de Dieu, n'entrèrent pas dans le repos de la Terre Promise, **3** 17-19. Or la promesse de Dieu ne peut rester vaine. Elle vaut donc désormais pour les seconds, invités à entrer dans le repos de la béatitude divine, dont le premier n'était que la figure.
*c)* Par exemple Josué et Caleb, cf. Nb **13-14**. – Var. : « ... la parole qu'ils entendirent... n'étant pas mêlée avec la foi aux choses qu'ils avaient entendues ».
*d)* « en effet »; var. : « donc ». – « un repos »; var. : « le repos ».
*e)* La parole de Dieu transmise par les prophètes puis par le Fils, dont on vient de saisir une expression dans le Ps **95** 7-11, est vivante et agissante chez les croyants, 1 Th **2** 13+. C'est cette parole qui juge, cf. Jn **12** 48; Ap **19** 13, les mouvements et intentions secrètes du cœur de l'homme en sa recherche du « repos » divin. Sur âme et esprit, voir 1 Th **5** 23+.
*f)* Première mention des cieux où se déroule, selon l'épître, l'office sacerdotal du Christ. Assis à la droite de Dieu, **1** 3; **8** 1,

trône de la grâce afin d'obtenir miséricorde et de
trouver grâce, pour une aide opportune.
8 3 **5** [1] Tout grand prêtre, en effet, pris d'entre les
hommes, est établi pour intervenir en faveur
des hommes dans leurs relations avec Dieu, afin
d'offrir dons et sacrifices pour les péchés [a]. [2] Il peut
ressentir de la commisération pour les ignorants et
les égarés, puisqu'il est lui-même également enveloppé de faiblesse, [3] et qu'à cause d'elle, il doit
Lv 9 7; 16 6 offrir pour lui-même des sacrifices pour le péché,
Jn 3 27 comme il le fait pour le peuple. [4] Nul ne s'arroge
à soi-même cet honneur, on y est appelé par Dieu,
Ex 28 1 absolument comme Aaron.
[5] De même ce n'est pas le Christ qui s'est attribué à soi-même la gloire de devenir grand prêtre,
mais il l'a reçue de celui qui lui a dit : *Tu es mon* Ps 2 7
*fils, moi, aujourd'hui, je t'ai engendré;* [6] comme il
dit encore ailleurs : *Tu es prêtre pour l'éternité,* Ps 110 4
*selon l'ordre de Melchisédech.* [7] C'est lui qui, aux
jours de sa chair [b], ayant présenté, avec une vio- Rm 7 5+
lente clameur et des larmes, des implorations et des Mt 26 36sp
supplications à celui qui pouvait le sauver de la
mort, et ayant été exaucé [c] en raison de sa piété [d],
[8] tout Fils qu'il était, apprit, de ce qu'il souffrit, Ph 2 8
l'obéissance; [9] après avoir été rendu parfait [e], il est He 2 10+; 7 28
devenu pour tous ceux qui lui obéissent principe de Rm 1 5+; Jn 17
salut éternel, [10] puisqu'il est salué par Dieu du titre
de grand prêtre *selon l'ordre de Melchisédech* [f].

## *III. L'authentique sacerdoce de Jésus Christ*

**Vie chrétienne et théologie.**

[11] Sur ce sujet, nous avons bien des choses à dire,
et difficiles à exposer parce que vous êtes devenus
1 Co 3 1-3 lents à comprendre. [12] En effet, alors qu'avec le
temps vous devriez être devenus des maîtres, vous
avez de nouveau besoin qu'on vous enseigne les
premiers rudiments des oracles de Dieu, et vous en
êtes venus à avoir besoin de lait, non de nourriture
1 P 2 2 solide. [13] Effectivement, quiconque en est encore au
lait ne peut goûter la doctrine de justice [g], car c'est
1 Co 2 6+ un tout petit enfant; [14] les parfaits, eux, ont la nourriture solide, ceux qui, par l'habitude, ont le sens
Ph 1 10+ moral exercé au discernement du bien et du mal.
Col 3 10+

**L'auteur expose son dessein.**

**6** [1] C'est pourquoi [h], laissant l'enseignement élémentaire sur le Christ, élevons-nous à l'enseignement parfait, sans revenir sur les articles fondamentaux du repentir des œuvres mortes [i] et de la 9 14; Mt 3 2+
foi en Dieu, [2] de l'instruction sur les baptêmes [j] et Rm 1 16+; Ac
de l'imposition des mains, de la résurrection des 1 Tm 4 14+
morts et du jugement éternel. [3] Et c'est ainsi que Rm 2 6+
nous allons faire, si Dieu le permet.
[4] Il est impossible, en effet, pour ceux qui une 10 32+; 2 Co
fois ont été illuminés, qui ont goûté au don céleste, Ep 5 14
qui sont devenus participants de l'Esprit Saint, Rm 5 5+
[5] qui ont goûté la belle parole de Dieu et les forces
du monde à venir, [6] et qui néanmoins sont tom- 10 26-31;
bés [k], de les rénover une seconde fois en les ame- 12 17
nant à la pénitence, alors qu'ils crucifient pour leur 1 Jn 5 16
compte le Fils de Dieu et le bafouent publiquement.
[7] En effet, lorsqu'une terre a bu la pluie venue souvent sur elle, et qu'elle produit des plantes utiles à 2 Tm 2 6
ceux-là mêmes pour qui elle est cultivée, elle reçoit
de Dieu une bénédiction. [8] Mais celle qui porte *des*

il appartient avec Dieu aux réalités immuables et définitives : son sacrifice accompli une fois pour toutes, **7** 26-27+, prend une valeur parfaite et éternelle, **8** 1-4+; **9** 11-12+, 23-24. L'objet de l'espérance chrétienne est l'accomplissement de ce salut dans la cité céleste, **9** 28; **12** 22-24.

*a)* C'est l'activité du prêtre comme sacrificateur (cf. Lv **1**; **4**; **9**), rattachée à Aaron et non plus à Moïse, qui va faire l'objet d'un long développement. Le sacrifice, étant en rapport avec le péché, montre le prêtre solidaire des hommes en présence de Dieu.

*b)* L'accent de toute cette section est mis sur l'humanité du prêtre. Pour représenter les hommes, il doit être l'un d'eux; pour compatir à leurs misères, il doit les avoir partagées, cf. **2** 17-18; **4** 15. Or cette humanité de « chair », Rm **7** 5+, est attestée en Jésus, par toute sa vie terrestre, par sa faiblesse, v. 2, surtout son agonie et sa mort.

*c)* Non point qu'il ait été soustrait à la mort, pour laquelle il était venu, Jn **12** 27. Mais il a été arraché à son pouvoir, Ac **2** 24s, et Dieu a transformé cette mort en une exaltation de gloire, Jn **12** 27s; **13** 31s; **17** 5; Ph **2** 9-11; He **2** 9.

*d)* Le terme implique respect et soumission, ce que nous appelons la « vertu de religion ». La prière du Christ en agonie restait inspirée par l'obéissance totale à la volonté de son Père, cf. Mt **26** 39, 42. C'est pourquoi il fut entendu et exaucé.

*e)* Consommé dans son office de Prêtre et Victime.

*f)* Ainsi sont amorcés tous les thèmes développés aux chap. **6-10**.

*g)* La « doctrine de justice », qui comme les « oracles de Dieu » pourrait désigner la Sainte Écriture, cf. 2 Tm **3** 16, ou la doctrine tout entière, semble être ici l'enseignement sur la justice de Dieu révélée par le Christ, Rm **3** 21-26, plus spécialement sur la médiation sacerdotale du Christ, préfiguré par « le roi de justice », Melchisédech, **7** 2.

*h)* Malgré la faiblesse de ses lecteurs, l'auteur va leur proposer, pour les stimuler, la doctrine difficile qu'il annonçait en **5** 11.

*i)* Les œuvres faites sans la foi et la vie divine sont « mortes », parce qu'elles relèvent du péché, Rm **1** 18-**3** 20, qui mène à la mort, Rm **5** 12, 21; **6** 23; **7** 5+; 1 Co **15** 56; Ep **2** 1; Col **2** 13; cf. Jc **1** 15; Jn **5** 24; 1 Jn **3** 14.

*j)* Non seulement le sacrement de la régénération chrétienne, cf. Ac **1** 5+; Rm **6** 4+, mais toutes les lustrations et rites de purification en usage à l'époque, entre autres le baptême de Jean, Ac **18** 25; **19** 1-5.

*k)* Il s'agit de l'apostasie, catastrophe irréparable, puisque, par définition, l'apostat rejette le Christ et ne croit plus à la vertu de son sacrifice, seuls moyens de salut.

Gn 3 17-18 *épines et des ronces* est réprouvée et bien proche
d'être *maudite.* Elle finira par être brûlée.

**Paroles d'espérance et d'encouragement.**

9 Mais quant à vous, bien-aimés, tout en parlant
ainsi, nous sommes persuadés que vous êtes dans
une situation meilleure et favorable au salut. 10 Car
Dieu n'est point injuste, pour oublier ce que vous
10 32-34 avez fait et la charité que vous avez montrée pour
Ep 1 15p son nom, vous qui avez servi et qui servez les
saints [a]. 11 Nous désirons seulement que chacun de
vous montre le même zèle pour le plein épanouissement de l'espérance jusqu'à la fin; 12 de telle sorte
que vous ne deveniez pas nonchalants, mais que
2 Th 3 7 vous imitiez ceux qui, par la foi et la persévérance,
Ga 3 14. 29 Ep 1 13-14 héritent des promesses.
Rm 4 20 13 En effet, lorsqu'il fit la promesse à Abraham,
Gn 22 16s Dieu, ne pouvant jurer par un plus grand, *jura par*
*lui-même,* 14 en disant : *Certes, je te comblerai de*
*bénédictions et je te multiplierai grandement.*
15 C'est ainsi qu'Abraham, ayant persévéré, vit
s'accomplir la promesse. 16 Les hommes jurent par
un plus grand, et, entre eux, la garantie du serment
met un terme à toute contestation. 17 Aussi Dieu,
voulant bien davantage faire voir aux héritiers de
la promesse l'immutabilité de son dessein, s'enga-
gea-t-il par un serment, 18 afin que, par deux réalités immuables [b], dans lesquelles il est impossible à Nb 23 19+
un Dieu de mentir, nous soyons puissamment Tt 1 2
encouragés – nous qui avons trouvé un refuge – à 2 Tm 2 13
saisir fortement l'espérance qui nous est offerte.
19 En elle, nous avons comme une ancre de notre
âme [c], sûre autant que solide, et *pénétrant par-delà* Lv 16 2
*le voile,* 20 là où est entré pour nous, en précurseur, Mt 27 51p
Jésus, devenu *pour l'éternité* grand *prêtre selon* He 9 3; 10 20
*l'ordre de Melchisédech.* 5 10; Ps 110 4

## *1. LA SUPÉRIORITÉ DU CHRIST SUR LES PRÊTRES LÉVITIQUES*

Gn 14 18+ Ps 110 4+ **Melchisédech [d].**

Gn 14 17-20 **7** 1 En effet, ce *Melchisédech, roi de Salem, prê-*
*tre du Dieu Très-Haut,* qui *se porta à la*
*rencontre d'Abraham s'en retournant après la*
*défaite des rois,* et qui *le bénit;* 2 à qui aussi Abraham attribua *la dîme de tout,* dont on interprète
d'abord le nom comme « roi de justice » et qui est
aussi *roi de Salem,* c'est-à-dire « roi de paix », 3 qui
est sans père, sans mère, sans généalogie, dont les
jours n'ont pas de commencement et dont la vie n'a
+; Jn 7 27 pas de fin, qui est assimilé au Fils de Dieu, ce Melchisédech demeure prêtre pour toujours.

**Melchisédech a reçu la dîme d'Abraham [e].**

4 Considérez donc comme il est grand celui à qui
Gn 14 20 *Abraham donna aussi la dîme* du meilleur butin,
lui le Patriarche. 5 Et à la vérité, ceux des fils de
Lévi qui reçoivent la prêtrise ont ordre, selon la
Dt 14 22+ Loi, de lever la dîme sur le peuple, c'est-à-dire sur
leurs frères qui sont pourtant eux aussi sortis des
reins d'Abraham. 6 Mais celui qui n'était pas de
leur lignée a levé la dîme sur Abraham, et il a béni
le détenteur des promesses. 7 Or, sans aucun doute,
c'est l'inférieur qui est béni par le supérieur. 8 De
plus, ici ce sont des hommes mortels qui perçoivent
les dîmes, mais là c'est celui dont on atteste qu'il
vit. 9 Enfin c'est pour ainsi dire Lévi lui-même, lui
qui perçoit la dîme, qui se trouve l'avoir payée en
la personne d'Abraham; 10 car il était encore dans
les reins de son aïeul, lorsque *Melchisédech se* Gn 14 17
*porta à sa rencontre.*

**Du sacerdoce lévitique**
**au sacerdoce selon l'ordre de Melchisédech [f].**

11 Si donc la perfection était réalisée par le sacerdoce lévitique – car c'est sur lui que repose la Loi
donnée au peuple –, quel besoin y avait-il encore
que se présentât un autre prêtre *selon l'ordre de* Ps 110 4
*Melchisédech* et qu'il ne fût pas dit « selon l'ordre
d'Aaron »? – 12 En effet, changé le sacerdoce,
nécessairement se produit aussi un changement de 8 6s

*a)* Mêmes expressions en Rm **15** 25, 31; 2 Co **8** 4; **9** 1, 12, à propos de la collecte pour l'Église de Jérusalem. Les « saints » sont les chrétiens, spécialement les membres de l'Église-mère, et surtout les Apôtres, cf. Ac **9** 13+.

*b)* La promesse de Dieu et le serment qu'il y a joint, cf. Gn **12** 1+, Rm **4** 11+, car Dieu ne ment pas, Tt **1** 2; 2 Tm **2** 13; He **10** 23; **11** 11.

*c)* Symbole classique de la stabilité, l'ancre deviendra dans l'iconographie chrétienne, au IIe siècle, l'image privilégiée de l'espérance.

*d)* Melchisédech, roi-prêtre, est une figure prophétique du Christ. Le silence insolite de l'Écriture, Gn **14**, sur ses ancêtres et ses descendants, suggère que le sacerdoce qu'il représente est éternel, vv. 1-3, cf. vv. 15-17 et Ps **110** 4+. S'il a reçu la dîme d'Abraham, Gn **14** 20, c'est qu'il lui est supérieur, et plus encore à ses descendants, les prêtres fils de Lévi, vv. 4s.

*e)* La dîme payée aux prêtres lévitiques, Dt **14** 22+, était à la fois le salaire de leur office cultuel et l'hommage rendu à l'éminente dignité de leur sacerdoce. Si donc Lévi lui-même, en Abraham, a payé la dîme à Melchisédech, c'est que Melchisédech figurait un sacerdoce plus élevé.

*f)* L'argumentation s'appuie maintenant principalement sur Ps **110** 4. Ce texte, en attribuant au Roi-Messie, qui n'est pas de souche lévitique, le sacerdoce éternel « selon l'ordre de Melchisédech », annonce pour les temps messianiques la substitution de ce sacerdoce éternel à l'ancien, estimé du même coup inférieur, et d'une Loi nouvelle à l'ancienne Loi qui réglait le sacerdoce lévitique, vv. 12, 16s, 21.

Loi. – [13] Car celui dont ces choses sont dites appar-
tenait à une autre tribu, dont aucun membre ne
8 4 s'est jamais occupé du service de l'autel. [14] Il est
Gn **49** 10 notoire, en effet, que notre Seigneur est issu de
Mt **1** 1s; **2** 6 Juda, tribu dont Moïse n'a rien dit quand il traite
Rm **1** 3; Ap **5** 5 des prêtres.

**L'abrogation de la Loi ancienne.**

[15] Cela devient encore plus évident si, à la ressemblance de Melchisédech, se présente un autre prêtre, [16] qui ne l'est pas devenu selon la règle d'une
prescription charnelle [a], mais bien selon la puis-
Rm **1** 4+ sance d'une vie impérissable. [17] Ce témoignage, en
Ps **110** 4 effet, lui est rendu : *Tu es prêtre pour l'éternité*
*selon l'ordre de Melchisédech.* [18] Ainsi se trouve
abrogée la prescription antérieure, en raison de sa
Rm **7** 7+ faiblesse et de son inutilité – [19] car la Loi n'a rien
He **11** 40 amené à la perfection – et introduite une espérance
**10** 19+ meilleure, par laquelle nous approchons de Dieu.

**Immutabilité du sacerdoce du Christ.**

[20] D'autant plus que cela ne s'est pas fait sans
serment. Les autres, en effet, sont devenus prêtres
sans serment; [21] mais celui-ci l'a été avec serment,
Ps **110** 4 par Celui qui lui a dit : *le Seigneur a juré, et il*
*ne s'en repentira pas : Tu es prêtre pour*
*l'éternité* [b]. [22] Et par suite c'est d'une alliance **8** 6-13
meilleure que Jésus est devenu garant. [23] De plus,
ceux-là sont devenus prêtres en grand nombre,
parce que la mort les empêchait de durer; [24] mais
lui, du fait qu'il demeure *pour l'éternité,* il a un
sacerdoce immuable. [25] D'où il suit qu'il est capa-
ble de sauver de façon définitive ceux qui par lui **10** 19+; Ap **1**
s'avancent vers Dieu, étant toujours vivant pour in- He **9** 24; Rm **8**
tercéder en leur faveur [c]. 1 Jn **2** 1

**Perfection du grand prêtre céleste.**

[26] Oui, tel est précisément le grand prêtre qu'il **3** 1+
nous fallait, saint, innocent, immaculé, séparé
désormais des pécheurs, élevé plus haut que les
cieux, [27] qui ne soit pas journellement dans la **9** 25-28;
nécessité, comme les grands prêtres, d'offrir des **10** 11-14
victimes d'abord pour ses propres péchés, ensuite **5** 3+
pour ceux du peuple, car ceci il l'a fait une fois
pour toutes [d] en s'offrant lui-même. [28] La Loi, en
effet, établit comme grands prêtres des hommes
sujets à la faiblesse; mais la parole du serment –
postérieur à la Loi [e] – établit le Fils rendu parfait **5** 9+
*pour l'éternité.*

## *2. LA SUPÉRIORITÉ DU CULTE, DU SANCTUAIRE ET DE LA MÉDIATION DU CHRIST PRÊTRE*

**Le nouveau sacerdoce et le nouveau sanctuaire.**

**8** [1] Le point capital de nos propos est que nous
**3** 1+; Ps **110** 1 avons un pareil grand prêtre qui *s'est assis à*
Ac **2** 33+ *la droite* du trône de la Majesté dans les cieux, [2] mi-
Nb **24** 6 LXX nistre du sanctuaire et *de la Tente,* la vraie, *celle*
*que le Seigneur,* non un homme, *a dressée* [f]. [3] Tout
He **5** 1 grand prêtre, en effet, est établi pour offrir des dons
et des sacrifices; d'où la nécessité pour lui aussi
d'avoir quelque chose à offrir. [4] A la vérité, si Jésus
**7** 13s était sur terre, il ne serait pas même prêtre, puisqu'il y en a qui offrent les dons, conformément à
la Loi; [5] ceux-là assurent le service d'une copie et Ap **11** 19
d'une ombre des réalités célestes, ainsi que Moïse, He **9** 23;
quand il eut à construire la Tente, en fut divine-
ment averti : *Vois,* est-il dit en effet, *tu feras tout* Ex **25** 40
*d'après le modèle qui t'a été montré sur la monta-*
*gne.*

**Le Christ médiateur d'une meilleure alliance.**

[6] Mais à présent, le Christ a obtenu un ministère
d'autant plus élevé que meilleure est l'alliance dont **9** 15; **12**

*a)* Celle qui réservait le sacerdoce de Lévi à sa seule descendance charnelle, cf. Nb **1** 47s; **3** 5s; Dt **10** 8s; **18** 1s; **33** 8s.

*b)* Add. : « selon l'ordre de Melchisédech ».

*c)* Le Christ-prêtre éternel exerce au ciel son office de médiateur et d'intercesseur, cf. Rm **8** 34; 1 Jn **2** 1. Sa requête est analogue à celle du Saint Esprit intervenant près de Dieu en faveur des saints, Rm **8** 27.

*d)* Cette offrande unique du Christ se place au centre de l'histoire du salut, Ac **1** 7+. Terminant la longue période des préparations, **1** 1s; cf. Rm **10** 4, elle se produit à la « plénitude des temps », Mc **1** 15+; Ga **4** 4+, au « temps fixé », Rm **3** 26+, et inaugure l'ère eschatologique. Bien que l'échéance du dernier Jour, 1 Co **1** 8+; Rm **2** 6+, soit encore différée en raison d'une période intermédiaire, 2 Co **6** 2+, de durée indéterminée, 1 Th **5** 1+, l'essentiel du salut est acquis dès cet instant où, en la personne du Christ, l'homme est mort au péché et ressuscité à la vie nouvelle. Cette efficacité absolue et définitive du sacrifice du Christ est particulièrement soulignée par He : accompli « une seule fois », c'est-à-dire entièrement en une fois et une fois pour toutes, **7** 27; **9** 12, 26, 28; **10** 10; cf. Rm **6** 10; 1 P **3** 18, ce sacrifice unique, **10** 12, 14, s'oppose aux sacrifices de l'ancienne alliance, indéfiniment répétés parce que impuissants à procurer le salut.

*e)* Comparer la promesse antérieure à la Loi mosaïque, Ga **3** 17.

*f)* Il a été établi que le Christ, prêtre éternel et parfait, est supérieur en sa propre personne aux prêtres lévitiques, pécheurs et mortels, **7**; il est démontré maintenant que cette supériorité est aussi celle de son ministère : il officie dans un sanctuaire plus excellent, au ciel, **8** 1-5, cf. **9** 11s, dont l'ancien n'était que la copie terrestre, selon Ex **25** 40; il est médiateur, **8** 6+, d'une alliance meilleure, vv. 6-13+, cf. **9** 15s.

1 Tm **2** 5 il est le médiateur [a], et fondée sur de meilleures promesses. 7 Car si cette première alliance avait été
irréprochable, il n'y aurait pas eu lieu de lui en substituer une seconde. 8 C'est en effet en les blâmant
que Dieu déclare :
Jr **31** 31-34 *Voici que des jours viennent, dit le Seigneur,*
*et je conclurai avec la maison d'Israël et la mai-*
*son de Juda*
1 Co **11** 25 *une alliance nouvelle,*
Mt **26** 28+ 9 *non pas comme l'alliance que je fis avec leurs*
*pères,*
*au jour où je pris leur main pour les tirer du pays*
*d'Égypte.*
*Puisqu'eux-mêmes ne sont pas demeurés dans*
*mon alliance,*
*moi aussi je les ai négligés, dit le Seigneur.*
**10** 16-17 10 *Voici l'alliance que je contracterai avec la mai-*
*son d'Israël,*
*après ces jours-là, dit le Seigneur :*
*Je mettrai mes lois dans leur pensée,*
*je les graverai dans leur cœur,*
*et je serai leur Dieu*
*et ils seront mon peuple.*
11 *Personne n'aura plus à instruire son concitoyen,*
*ni personne son frère, en disant : « Connais le*
*Seigneur »,*
*puisque tous me connaîtront,*
*du petit jusqu'au grand.*
12 *Car je pardonnerai leurs torts,*
*et de leurs péchés je n'aurai plus souvenance.*

2 Co **5** 17 13 En disant : alliance *nouvelle,* il rend vieille la
Ap **21** 4-5 première. Or ce qui est vieilli et vétuste est près de
disparaître.

**Le Christ pénètre dans le sanctuaire céleste.**

**9** 1 La première alliance, elle aussi [b], avait donc
des institutions cultuelles ainsi qu'un sanc-
Ex **25-26** + tuaire, celui de ce monde. 2 Une tente, en effet – la
tente antérieure – avait été dressée; là se trouvaient
le chandelier, la table, et l'exposition des pains;
c'est celle qui est appelée : le Saint [c]. 3 Puis, derrière le second voile était une tente appelée Saint
des Saints, 4 comportant un autel des parfums en Ex **30** 1+
or [d] et l'arche de l'alliance entièrement recouverte Ex **25** 10+
d'or, dans laquelle se trouvaient une urne d'or
contenant la manne, le rameau d'Aaron qui avait Ex **16** 1+; Nb **17** 25
poussé, et les tables de l'alliance; 5 puis au-dessus, Ex **24** 12+
les chérubins de gloire couvrant d'ombre le propi- Ex **25** 18+, 17+
tiatoire. Ce n'est pas le moment de parler de tout
cela en détail.
6 Tout étant ainsi disposé, les prêtres entrent en
tout temps dans la première tente pour s'acquitter
du service cultuel. 7 Dans la seconde, au contraire, Ex **30** 10
seul le grand prêtre pénètre, et une seule fois par Lv **16** 2-29
an, non sans s'être muni de sang qu'il offre pour He **7** 27+
ses manquements et ceux du peuple. 8 L'Esprit
Saint montre ainsi que la voie du sanctuaire n'est **10** 20
pas ouverte, tant que la première Tente subsiste.
9 C'est là une figure pour la période actuelle [e]; sous 1 Co **10** 6+
son régime on offre des dons et des sacrifices, qui
n'ont pas le pouvoir de rendre parfait l'adorateur **11** 40+
en sa conscience; 10 ce sont des règles pour la chair, Col **2** 16-17
ne concernant que les aliments, les boissons, diver-
ses ablutions, et imposées seulement jusqu'au
temps de la réforme.
11 Le Christ, lui [f], survenu comme grand prêtre
des biens à venir [g], traversant la tente plus grande **4** 14; **9** 24;
et plus parfaite qui n'est pas faite de main **10** 20
d'homme, c'est-à-dire qui n'est pas de cette création, 12 entra une fois pour toutes dans le sanc- **7** 27+
tuaire [h], non pas avec du sang de boucs et de jeunes
taureaux, mais avec son propre sang, nous ayant Mt **26** 28
acquis une rédemption éternelle. 13 Si en effet du Rm **3** 24+
sang de boucs et de taureaux et de la cendre de Nb **19** 2-10,
génisse, dont on asperge ceux qui sont souillés, les 17-20
sanctifient en leur procurant la pureté de la chair,
14 combien plus le sang du Christ, qui par un Esprit 2 Co **13** 13+
éternel [i] s'est offert lui-même sans tache à Dieu, 1 P **1** 18-19
purifiera-t-il notre conscience des œuvres mortes He **10** 10+ **6** 1+
pour que nous rendions un culte au Dieu vivant. **8** 28; Rm **1** 9+

**Le Christ scelle la nouvelle alliance par son sang [j].**

15 Voilà pourquoi il est médiateur d'une nouvelle **8** 6+

*a)* Le terme ainsi appliqué au Christ a une valeur quasi technique, **9** 15; **12** 24; **13** 20. Pleinement homme, **2** 14-18, cf. Rm **5** 15; 1 Co **15** 21; 1 Tm **2** 5, mais possédant la plénitude de la divinité, Col **2** 9; Rm **9** 5+, Jésus est l'intermédiaire unique, Rm **5** 15-19; 1 Tm **2** 5, cf. 1 Co **3** 22-23; **11** 3, entre Dieu et l'humanité qu'il unit et réconcilie, 2 Co **5** 14-20. Il est l'intermédiaire de la grâce, Jn **1** 1-2. Au ciel il continue à intercéder pour ses fidèles, **7** 25+.
*b)* Om. : « elle aussi ».
*c)* Dans la Tente du désert, Ex **25-26** (cf. le Temple de Salomon, 1 R **6**), un voile séparait le Saint et le Saint des Saints, Ex **26** 33. Seul le grand prêtre pénètre dans le Saint des Saints et une seule fois par an, au jour des Expiations. Cf. Lv **16** 1+.
*d)* Ex **30** 6; **40** 26 place l'autel des parfums, Ex **30** 1+, dans le Saint. He suit une tradition liturgique différente.
*e)* Ce cérémonial a une signification spirituelle : dans l'ancienne alliance le peuple n'a pas accès à Dieu. Dans la nouvelle alliance, le Christ sera la voie pour aller au Père, Jn **14** 6; cf. He **10** 19+. L'abrogation de l'ancien culte sera donc symbolisée par la déchirure du voile du Temple lors de la mort de Jésus, Mt **27** 51p.
*f)* Le cérémonial israélite de l'expiation, v. 7, Lv **16**, est remplacé par l'offrande unique, **7** 27+, du sang du Christ, v. 14; Rm **3** 24+, qui rouvre aux hommes l'accès à Dieu, **10** 1, 19; cf. Jn **14** 6+; Ep **2** 18.
*g)* Var. : « biens réalisés ».
*h)* Par son ascension, le Christ ressuscité traversa les cieux, **4** 14+, le « Saint » de la Tente céleste, v. 11, et parvint en présence de Dieu dans le « Saint des Saints », v. 12.
*i)* Var. : « par l'Esprit Saint ». – Cf. Rm **1** 4+.
*j)* Cette section, parallèle à **8** 6-13, démontre la nécessité de la mort du Christ pour sa médiation. Le mot grec *diathèkè* tradui-

alliance, afin que, sa mort ayant eu lieu pour racheter les transgressions de la première alliance, ceux
Ga 4 1-7 qui sont appelés reçoivent l'héritage éternel promis.
16 Car là où il y a testament, il est nécessaire que
la mort du testateur soit constatée. 17 Un testament,
en effet, n'est valide qu'à la suite du décès, puisqu'il
n'entre jamais en vigueur tant que vit le testateur.
18 De là vient que même la première alliance n'a
pas été inaugurée sans effusion de sang. 19 Effectivement, lorsque Moïse eut promulgué au peuple
entier chaque prescription selon la teneur de la Loi,
Ex 24 6-8+ il prit le sang des jeunes taureaux et des boucs,
avec de l'eau, de la laine écarlate et de l'hysope, et
il aspergea le livre lui-même et tout le peuple 20 en
Mt 26 28p disant : *Ceci est le sang de l'alliance que Dieu a*
*prescrite pour vous.* 21 Puis, de la même manière,
il aspergea de sang la Tente et tous les objets du
culte. 22 D'ailleurs, selon la Loi, presque tout est
purifié [a] par le sang, et sans effusion de sang il n'y
a point de rémission. 23 Il est donc nécessaire, d'une
8 5 part que les copies des réalités célestes soient
purifiées de cette manière, d'autre part que les réalités célestes elles-mêmes le soient aussi [b], mais par
des sacrifices plus excellents que ceux d'ici-bas. 9 11s
24 Ce n'est pas, en effet, dans un sanctuaire fait de
main d'homme, dans une image de l'authentique, 1 Co 10 6+
que le Christ est entré, mais dans le ciel lui-même,
afin de paraître maintenant devant la face de Dieu
en notre faveur. 25 Ce n'est pas non plus pour s'of- 7 25+
frir lui-même à plusieurs reprises, comme fait le
grand prêtre qui entre chaque année dans le sanctuaire avec un sang qui n'est pas le sien, 26 car alors
il aurait dû souffrir plusieurs fois depuis la fondation du monde. Or c'est maintenant, une fois pour 7 27+
toutes [c], à la fin des temps, qu'il s'est manifesté Ga 4 4+
pour abolir le péché par son sacrifice. 27 Et comme Jn 1 29
les hommes ne meurent qu'une fois, après quoi il
y a un jugement, 28 ainsi le Christ, après s'être
offert une seule fois *pour enlever les péchés d'un* Is 53 12
*grand nombre,* apparaîtra une seconde fois – hors 1 Tm 6 14+
du péché – à ceux qui l'attendent, pour leur donner Ph 3 20-21 Ac 3 20-21
le salut [d].

## *RÉCAPITULATION : LE SACRIFICE DU CHRIST SUPÉRIEUR AUX SACRIFICES MOSAÏQUES*

**Inefficacité des sacrifices anciens.**

8 5 **10** 1 N'ayant, en effet, que l'ombre des biens à
Col 2 17 venir, non la substance même des réalités, la
7 19 Loi est absolument impuissante, avec ces sacrifices,
Rm 7 7+ toujours les mêmes, que l'on offre perpétuellement
11 40+ d'année en année, à rendre parfaits ceux qui s'ap-
10 19+ prochent de Dieu. 2 Autrement, n'aurait-on pas
cessé de les offrir puisque les officiants de ce culte,
purifiés une fois pour toutes, n'auraient plus
conscience d'aucun péché? 3 Bien au contraire, par
ces sacrifices eux-mêmes, on rappelle chaque année
le souvenir des péchés. 4 En effet, du sang de tau-
9 13 reaux et de boucs est impuissant à enlever des
péchés [e]. 5 C'est pourquoi, en entrant dans le
monde, le Christ dit :

*Tu n'as voulu ni sacrifice ni oblation; mais tu* Ps 40 7-9+
*m'as façonné un corps.*
6 *Tu n'as agréé ni holocaustes ni sacrifices pour les*
*péchés.*
7 *Alors j'ai dit : Voici, je viens,*
*car c'est de moi qu'il est question dans le rouleau*
*du livre,*
*pour faire, ô Dieu, ta volonté.*
8 Il commence par dire : *Sacrifices, oblations,*
*holocaustes, sacrifices pour les péchés, tu ne les as* 1 S 15 22
*pas voulus ni agréés* – et cependant ils sont offerts
d'après la Loi –, 9 *alors* il déclare : *Voici, je viens* Jn 6 38;
*pour faire ta volonté.* Il abroge le premier régime Mt 26 39,
pour fonder le second. 10 Et c'est en vertu de cette
*volonté* que nous sommes sanctifiés par l'*oblation* Jn 17 19
du *corps* de Jésus Christ, une fois pour toutes. He 9 14, 10 12, 14 He 7 27+

sait dans la Bible grecque le mot *berît*, alliance, alors qu'il avait couramment le sens de testament, cf. Ga 3 17. Tout le passage joue sur cette double valeur du mot. L'« alliance », vv. 15, 18-20, exige la mort du « testateur », vv. 16-17. De plus la conclusion d'une alliance exige une effusion de sang, Ex 24 6-8. Le Christ devait donc mourir pour fonder l'alliance nouvelle. Cf. 7 22; 8 6-10; 12 24; Mt 26 28+.

*a)* Ainsi l'autel, Lv 8 15; 16 19, les prêtres, Lv 8 24, 30, les lévites, Nb 8 15, le peuple pécheur, Lv 9 15-18, la mère, Lv 12 7-8, etc.

*b)* La purification du sanctuaire, terrestre ou céleste, ne suppose pas nécessairement que celui-ci ait été souillé; c'est un rite de consécration et d'inauguration.

*c)* Le sacrifice du Christ est unique, 7 27+ : offert « à la fin des temps », conclusion de l'histoire du monde, il n'a plus besoin d'être réitéré; n'effaçant pas le péché par un « sang étranger », mais par le propre sang du Christ, cf. 9 12-14, son efficacité est absolue.

*d)* La venue du Christ dans la chair l'avait mis en relation directe avec le péché, Rm 8 3; 2 Co 5 21. La rédemption étant accomplie, la nouvelle et dernière manifestation du Sauveur n'aura plus aucun rapport avec le péché. Les chrétiens attendent ce retour de gloire qui s'accompagnera du Jugement, 1 Co 1 8+; Rm 2 6+.

*e)* Dépassant les prophètes qui réclamaient la pureté du cœur dans le culte, Is 1 11-13; Jr 6 20; 11 15; Os 6 6; Am 5 21+, l'épître déclare que les sacrifices anciens n'avaient aucune efficacité, cf. 9 13-14. Seul le sacrifice pleinement spirituel du Christ peut sanctifier les hommes, vv. 12-14.

**Efficacité du sacrifice du Christ.**

11 Tandis que tout prêtre se tient debout chaque
10 1-4 jour, officiant et offrant maintes fois les mêmes
sacrifices, qui sont absolument impuissants à enle-
10 10+; 7 27+ ver des péchés, 12 lui au contraire, ayant offert pour
Ps 110 1 les péchés un unique sacrifice, *il s'est assis pour*
Ac 2 33+ *toujours à la droite de Dieu,* 13 attendant désormais
que *ses ennemis soient placés comme un escabeau*
*sous ses pieds.* 14 Car par une oblation unique il a
11 40+ rendu parfaits pour toujours ceux qu'il sanctifie.
Jn 17 19+

15 Or l'Esprit Saint lui aussi nous l'atteste; car
après avoir déclaré :
16 *Telle est l'alliance que je contracterai avec eux* Jr 31 33-34
*après ces jours-là,* He 8 10, 12
*le Seigneur dit :*
*Je mettrai mes lois dans leur cœur*
*et je les graverai dans leur pensée.*
17 *Ni de leurs péchés,* ni de leurs offenses, *je ne me*
*souviendrai plus.*
18 Or là où les péchés sont remis, il n'y a plus
d'oblation pour le péché.

# IV. La foi persévérante

**Transition.**

19 Ayant donc, frères, l'assurance voulue pour
6 19-20 l'accès au sanctuaire[a] par le sang de Jésus, 20 par
9 8, 11-12 cette voie qu'il a inaugurée pour nous, récente et
Jn 14 6 vivante, à travers le voile – c'est-à-dire sa chair –,
3 1+, 6; 4 14 21 et un *prêtre souverain* à la tête de *la maison de*
Za 6 11-12 *Dieu,* 22 approchons-nous avec un cœur sincère,
dans la plénitude de la foi, les cœurs nettoyés de
toutes les souillures d'une conscience mauvaise et
Rm 6 4+ le corps lavé d'une eau pure. 23 Gardons indéfecti-
1 P 3 21 2 Co 7 1 ble la confession de l'espérance, car celui qui a pro-
; 1 Co 1 9+ mis est fidèle, 24 et faisons attention les uns aux
autres pour nous stimuler dans la charité et les
œuvres bonnes; 25 ne désertez pas votre propre
assemblée, comme quelques-uns ont coutume de le
3 13 faire, mais encouragez-vous mutuellement, et d'au-
1 Co 1 8+ tant plus que vous voyez approcher le Jour[b].

**Danger de l'apostasie.**

4-6; 12 17 26 Car si nous péchons volontairement, après
avoir reçu la connaissance de la vérité, il n'y a plus
de sacrifice pour les péchés[c]. 27 Il y a, au contraire,
une perspective redoutable, celle du jugement et
5 11 LXX d'un *courroux de feu* qui doit *dévorer les rebelles.*
28 Quelqu'un rejette-t-il la Loi de Moïse? Impitoya-
Dt 17 6 blement *il est mis à mort sur la déposition de deux*
*ou trois témoins.* 29 D'un châtiment combien plus
grave sera jugé digne, ne pensez-vous pas, celui qui
aura foulé aux pieds le Fils de Dieu, tenu pour pro-
6 6+ fane *le sang de l'alliance* dans lequel il a été sanc-
Ex 24 8 tifié, et outragé l'Esprit de la grâce? 30 Nous
He 9 20
connaissons, en effet, celui qui a dit : *A moi la ven-* Dt 32 35-36
*geance. C'est moi qui rétribuerai.* Et encore : *Le*
*Seigneur jugera son peuple.* 31 Oh! chose effroyable Mt 12 31-32 p
que de tomber aux mains du Dieu vivant! Mt 10 28p

**Motifs de persévérer.**

32 Mais rappelez-vous ces premiers jours, où
après avoir été illuminés[d], vous avez soutenu un 6 4+; Ep 5 14
grand assaut de souffrances, 33 tantôt exposés
publiquement aux opprobres et aux tribulations, 1 Co 4 9
tantôt vous rendant solidaires de ceux qui étaient
ainsi traités. 34 Et, en effet, vous avez pris part aux
souffrances des prisonniers[e]; vous avez accepté 13 3
avec joie la spoliation de vos biens, sachant que Mt 5 40
vous étiez en possession d'une richesse meilleure et Mt 6 20
stable. 35 Ne perdez donc pas votre assurance; elle
a une grande et juste récompense. 36 Vous avez
besoin de constance, pour que, après avoir
accompli la volonté de Dieu, vous bénéficiiez de la
promesse.
37 Car encore *un peu, bien peu de temps,* Is 26 20 LXX
*Celui qui vient arrivera et il ne tardera pas.*
38 *Or mon juste vivra par la foi;* Ha 2 3-4 LXX
*et s'il se dérobe, mon âme ne se complaira pas* Rm 1 17
*en lui.*
39 Pour nous, nous ne sommes pas des hommes
de *dérobade,* pour la perdition, mais des hommes
de *foi* pour la sauvegarde de notre âme. 1 P 1 9

**La foi exemplaire des ancêtres.**

**11** 1 Or la foi est la garantie des biens que l'on Rm 1 16+
espère, la preuve des réalités qu'on ne voit

*a)* Seul le grand prêtre, une fois par an, avait accès au Saint des Saints. Désormais tous les croyants ont accès auprès de Dieu, par le Christ. Cf. **4** 14-16; **7** 19, 25; **9** 11; **10** 9; Rm **5** 2; Ep **1** 4; **2** 18; **3** 12; Col **1** 22.

*b)* Le Jour du Seigneur, 1 Th **5** 2; 1 Co **1** 8+. Ce v., cf. 32-36, semble supposer des troubles et des luttes qui passaient pour les préludes de la Venue du Seigneur, cf. 2 Th **2** 1+.

*c)* Il s'agit de l'apostasie, révolte délibérée contre Dieu, cf. **6** 6+. Le feu, v. 27, est l'instrument des vengeances divines, Is **26** 11; Mt **3** 11-12; Mc **9** 48-49+; Ap **11** 5.

*d)* L'« illumination » désigne le baptême, dans le NT, **6** 4; Ep **5** 14 (cf. Rm **6** 4+), et chez les Pères.

*e)* Var. : « de mes liens », allusion à la captivité de saint Paul, Ph **1** 7; Col **4** 18.

pas [a]. 2 C'est elle qui a valu aux anciens un bon
témoignage.
3 Par la foi, nous comprenons que les mondes
Gn **1**; Rm **1** 20 ont été formés par une parole de Dieu, de sorte que
ce que l'on voit provient de ce qui n'est pas appa-
rent [b].
4 Par la foi, Abel offrit à Dieu un sacrifice de
plus grande valeur que celui de Caïn; aussi fut-il
Gn **4** 4 proclamé juste, *Dieu* ayant rendu témoignage *à ses*
Gn **4** 10 *dons,* et par elle aussi, bien que mort, il parle
Mt **23** 35 Jb **16** 18+ encore.
5 Par la foi, Hénoch fut enlevé, en sorte qu'il ne
Gn **5** 22-24 vit pas la mort, et *on ne le trouva plus, parce que*
*Dieu l'avait enlevé.* Avant son enlèvement, en effet,
il lui est rendu témoignage *qu'il avait plu à Dieu.*
6 Or sans la foi il est impossible de lui plaire. Car
Ex **3** 14+ celui qui s'approche de Dieu doit croire qu'il existe
Jr **29** 12-14 et qu'il se fait le rémunérateur de ceux qui le cher-
chent [c].
Gn **6** 8-22 7 Par la foi, Noé, divinement averti de ce qui
Mt **24** 37-39 n'était pas encore visible, saisi d'une crainte reli-
1 P **3** 20 2 P **2** 5 gieuse, construisit une arche pour sauver sa famille.
Par la foi, il condamna le monde [d] et il devint héri-
Rm **1** 16+ tier de la justice qui s'obtient par la foi.
Rm **1** 5+ 8 Par la foi, Abraham [e] obéit à l'appel de *partir*
Gn **12** 1-4+ vers un pays qu'il devait recevoir en héritage, et *il*
*partit* ne sachant où il allait. 9 Par la foi, il vint
Gn **23** 4; *séjourner* dans la Terre promise comme en un pays
**26** 3; **35** 12 étranger, y vivant sous des tentes, ainsi qu'Isaac et
Jacob, héritiers avec lui de la même promesse.
Ap **21** 10-20 10 C'est qu'il attendait la ville pourvue de fonda-
tions dont Dieu est l'architecte et le constructeur.
Gn **17** 19; 11 Par la foi, Sara, elle aussi, reçut la vertu de
**21** 2 Rm **4** 19-21 concevoir, et cela en dépit de son âge avancé, parce
He **10** 23 qu'elle estima fidèle celui qui avait promis. 12 C'est
bien pour cela que d'un seul homme, et déjà mar-
qué par la mort, naquirent des descendants *compa-*
Dn **3** 36 LXX *rables par leur nombre aux étoiles du ciel et aux*
Gn **22** 17 Ex **32** 13 *grains de sable sur le rivage de la mer, innombra-*
*bles...*

13 C'est dans la foi qu'ils moururent tous sans
avoir reçu l'objet des promesses, mais ils l'ont vu
et salué de loin, et ils ont confessé qu'ils étaient Jn **8** 56
*étrangers et voyageurs sur la terre.* 14 Ceux qui par- Gn **23** 4
lent ainsi font voir clairement qu'ils sont à la Ps **39** 13; **119** 1
recherche d'une patrie. 15 Et s'ils avaient pensé à
celle d'où ils étaient sortis, ils auraient eu le temps
d'y retourner. 16 Or, en fait, ils aspirent à une patrie **13** 14
meilleure, c'est-à-dire céleste. C'est pourquoi, Dieu Ph **3** 20
n'a pas honte de s'appeler leur Dieu; il leur a préparé, en effet, une ville... Ap **21** 2
17 Par la foi, *Abraham, mis à l'épreuve, a offert* Gn **22** 1-14
*Isaac*, et c'est *son fils unique* qu'il offrait en Jc **2** 21-22
sacrifice, lui qui était le dépositaire des promesses,
18 lui à qui il avait été dit : *C'est par Isaac que tu* Gn **21** 12
*auras une postérité.* 19 Dieu, pensait-il, est capable Rm **4** 17-21
même de ressusciter les morts; c'est pour cela qu'il
recouvra son fils, et ce fut un symbole [f]. 1 Co **10** 6+
20 Par la foi encore, Isaac donna à Jacob et à
Ésaü des bénédictions assurant l'avenir. 21 Par la Gn **27** 27s, 39
foi, Jacob mourant bénit chacun des fils de Joseph Gn **48** 15s
et *il se prosterna appuyé sur l'extrémité de son* Gn **47** 31
*bâton.* 22 Par la foi, Joseph, proche de sa fin, évo-
qua l'exode des fils d'Israël et donna des ordres au Gn **50** 24-25
sujet de ses restes.
23 Par la foi, Moïse, à sa naissance *fut caché par* Ex **2** 2; Ac **7**
*ses parents pendant trois mois,* parce qu'ils *virent*
que le petit enfant était *joli,* et ils ne craignirent
pas l'édit du roi [g]. 24 Par la foi, *Moïse, devenu* Ex **2** 11
*grand,* refusa d'être appelé fils d'une fille d'un Pharaon, 25 aimant mieux être maltraité avec le peuple
de Dieu que de connaître la jouissance éphémère
du péché, 26 estimant comme une richesse supérieure aux trésors de l'Égypte *l'opprobre du* Ps **89** 51s
*Christ* [h]. Il avait, en effet, les yeux fixés sur la
récompense. 27 Par la foi, il quitta l'Égypte sans Ex **2** 15
craindre la fureur du roi : comme s'il voyait l'Invi-
sible, il tint ferme. 28 Par la foi, il célébra la *Pâque* Ex **12** 11, 2
et fit l'aspersion du *sang,* afin que *l'Exterminateur*
ne touchât point les premiers-nés d'Israël. 29 Par la

*a)* Var.: « la foi assurance des choses espérées (le ciel), conviction des choses non désirées (l'enfer) » – Aux Hébreux, découragés par les persécutions, l'auteur explique que la foi est tout orientée vers l'avenir et ne s'attache qu'à l'invisible. Ce v. est devenu une sorte de définition théologique de la foi, possession anticipée et connaissance assurée des réalités célestes, cf. **6** 5; Rm **5** 2; Ep **1** 13s. Les exemples tirés de l'hagiographie de l'AT, cf. Si **44-50**, vont montrer de quelle patience et de quelle force elle est la source : dix-sept fois de suite les mots « Par la foi » scanderont le début de chaque phrase.
*b)* La foi en la création est un beau cas de l'intelligence de l'invisible : avant leur création, les réalités existaient en Dieu, de qui tout procède.
*c)* La foi nécessaire pour être sauvé a un double objet : l'existence d'un seul Dieu personnel, Sg **13** 1, invisible de sa nature, Jn **1** 18; Rm **1** 20; Col **1** 15; 1 Tm **1** 17; **6** 16; cf. Jn **20** 29; 2 Co **5** 7, et sa Providence rémunératrice, fondement du bonheur espéré, car Dieu doit donner un juste salaire des efforts dépensés pour le chercher; cf. Mt **5** 12p; **6** 4, 6, 18; **10** 41s p; **16** 27; **20** 1-16; **25** 31-46; Lc **6** 35; **14** 14; Rm **2** 6; 1 Co **3** 8, 14; 2 Co **5** 10; Ep **6** 8; 2 Tm **4** 8, 14; 1 P **1** 17; 2 Jn 8; Ap **2** 23; **11** 18; **14** 13; **20** 12-13; **22** 12+. Voir aussi Ps **62** 13+. L'absence de toute mention du Christ s'explique du fait qu'Hénoch est antérieur à toute l'économie des alliances : cf. Jn **17** 3; **20** 31, etc.
*d)* La confiance de Noé en la parole de Dieu condamne ses contemporains incrédules et railleurs, au sens où le juste condamne l'impie, cf. Sg **4** 16; Mt **12** 41.
*e)* Chez Abraham, la foi a motivé un départ vers l'inconnu, l'attente de la naissance d'Isaac, le sacrifice de ce fils unique.
*f)* Litt. « une parabole ». Le salut d'Isaac figure la résurrection générale, et même, selon une tradition exégétique constante, la passion et la résurrection du Christ.
*g)* Quelques témoins insèrent ici le récit du meurtre de l'Égyptien, cf. Ex **2** 11-12; Ac **7** 24.
*h)* Dans le Ps, « christ » est pris comme nom commun, signifiant « oint ». L'« opprobre du Christ » est celui du peuple de Dieu, v. 25, consacré à Yahvé, Ex **19** 6+. Mais l'auteur de He reconnaît dans cet Oint le Messie Jésus, pour la cause de

Ex **14** 22, 27 foi, ils traversèrent la mer Rouge comme une terre
sèche, tandis que les Égyptiens, ayant essayé le
passage, furent engloutis.
Jos **6** 20 30 Par la foi, les murs de Jéricho tombèrent,
quand on en eut fait le tour pendant sept jours.
Jos **2** 1s; **6** 17 31 Par la foi, Rahab la prostituée ne périt pas avec
les incrédules, parce qu'elle avait accueilli
pacifiquement les éclaireurs.
32 Et que dirai-je encore? Car le temps me manquerait si je racontais ce qui concerne Gédéon,
Baraq, Samson, Jephté, David, ainsi que Samuel et
les Prophètes, 33 eux qui, grâce à la foi, soumirent
des royaumes, exercèrent la justice, obtinrent
Dn **6** 23; l'accomplissement des promesses, fermèrent la
**3** 49-50 gueule des lions, 34 éteignirent la violence du feu,
échappèrent au tranchant du glaive, furent rendus
vigoureux, de malades qu'ils étaient, montrèrent de
la vaillance à la guerre, refoulèrent les invasions
1 R **17** 23 étrangères. 35 Des femmes ont recouvré leurs morts
2 R **4** 36 par la résurrection. Les uns se sont laissé torturer,
2 M **6** 18 refusant leur délivrance afin d'obtenir une meilleure
**7** 42 résurrection. 36 D'autres subirent l'épreuve des déri-
Jr **20** 2; sions et des fouets, et même celle des chaînes et de
**37** 15s la prison. 37 Ils ont été lapidés, sciés [a], ils ont péri
par le glaive, ils sont allés çà et là, sous des peaux
de moutons et des toisons de chèvres, dénués,
opprimés, maltraités, 38 eux dont le monde était indigne, errant dans les déserts, les montagnes, les
cavernes, les antres de la terre. 39 Et tous ceux-là,
bien qu'ils aient reçu un bon témoignage à cause
de leur foi, ne bénéficièrent pas de la promesse :
1 P **1** 10-12 40 c'est que Dieu prévoyait pour nous un sort meil-
1 P **3** 19+ leur, et ils ne devaient pas parvenir sans nous à la
perfection [b].

### L'exemple de Jésus Christ.

**12** 1 Voilà donc pourquoi nous aussi, enveloppés
que nous sommes d'une si grande nuée de
témoins, nous devons rejeter tout fardeau et le
Gn **4** 7 péché qui nous assiège, et courir avec constance
Ga **5** 7+ l'épreuve qui nous est proposée, 2 fixant nos yeux
He **2** 10 sur le chef de notre foi, qui la mène à la perfection,
Mt **4** 3-11p Jésus, qui au lieu de la joie qui lui était proposée,
Jn **6** 15 2 Co **8** 9 endura une croix, dont il méprisa l'infamie, et qui
Ph **2** 6-8 Ps **110** 1 est *assis désormais à la droite* du trône de Dieu.
Ac **2** 33+
3 Songez à celui qui a enduré de la part des
pécheurs une telle contradiction [c], afin de ne pas Lc **2** 34
défaillir par lassitude de vos âmes. 4 Vous n'avez
pas encore résisté jusqu'au sang dans la lutte **10** 32s
contre le péché.

### L'éducation paternelle de Dieu.

5 Avez-vous oublié l'exhortation qui s'adresse à
vous comme à des fils : *Mon fils, ne méprise pas* Pr **3** 11-12 LXX
*la correction du Seigneur, et ne te décourage pas*
*quand il te reprend.* 6 *Car celui qu'aime le Seigneur,* Ap **3** 19
*il le corrige, et il châtie tout fils qu'il agrée.* 7 C'est
pour votre *correction* que vous souffrez [d]. C'est en
*fils* que Dieu vous traite. Et quel est le *fils* que ne Dt **8** 5+
*corrige* son père? 8 Si vous êtes exempts de cette
correction, dont tous ont leur part, c'est que vous
êtes des bâtards et non des *fils*. 9 D'ailleurs, nous
avons eu pour nous corriger nos pères selon la
chair, et nous les respections. Ne serons-nous pas
soumis bien davantage au Père des esprits pour Nb **16** 22; **27** 16
avoir la vie? 10 Ceux-là, en effet, nous corrigeaient 2 M **3** 24
pendant peu de temps et au juger; mais lui, c'est
pour notre bien, afin de nous faire participer à sa Lv **17** 1+
sainteté. 11 Certes, toute correction ne paraît pas 2 P **1** 4
sur le moment être un sujet de joie, mais de tris- 2 Co **7** 8-11
tesse. Plus tard cependant, elle rapporte à ceux Jn **16** 20
qu'elle a exercés un fruit de paix et de justice. 1 P **1** 6-7 Jc **1** 2-4
12 C'est pourquoi *redressez vos mains inertes et vos* Is **35** 3
*genoux fléchissants,* 13 et *rendez droits pour vos* Pr **4** 26 LXX
*pas les sentiers tortueux,* afin que le boiteux ne
dévie point, mais plutôt qu'il guérisse.

### Châtiment de l'infidélité.

14 *Recherchez la paix* avec tous, et la sanctifica- Ps **34** 15
tion sans laquelle personne ne verra le Seigneur; Rm **12** 18 Mt **5** 8-9
15 veillant à ce que personne ne soit privé de la 1 Jn **3** 2
grâce de Dieu, à ce qu'*aucune racine amère ne* Dt **29** 17 LXX
*pousse des rejetons et ne cause du trouble,* ce qui Ac **8** 23
contaminerait toute la masse, 16 à ce qu'enfin il n'y
ait aucun impudique ni profanateur, comme Ésaü [e]
qui, pour un seul mets, *livra son droit d'aînesse.* Gn **25** 33
17 Vous savez bien que, par la suite, quand il voulut
obtenir la bénédiction, il fut rejeté; car il ne put ob- Gn **27** 30-40
tenir un changement de sentiment, bien qu'il l'eût
recherché avec larmes.

qui, « par la foi », souffrait déjà Moïse. Cf. **2** 10+; **10** 33; **13** 13.

*a)* Ce supplice aurait été infligé au prophète Isaïe par le roi Manassé, selon certains apocryphes. – Add. : « tentés ».

*b)* L'ère eschatologique de la « perfection » a été inaugurée par le Christ, **2** 10; **5** 9; **7** 28; **10** 14, et l'accès à la vie céleste n'a été ouvert que par lui, **9** 11s; **10** 19s. Les justes de l'AT, que la Loi n'a pu « parfaire », **7** 19; **9** 9; **10** 1, ont donc dû attendre sa résurrection pour entrer dans la vie parfaite du ciel, **12** 23; cf. Mt **27** 52s; 1 P **3** 19+.

*c)* « contradiction », litt. « contradiction contre lui-même »; var. : « contradiction contre eux-mêmes ».

*d)* Au regard de la foi les épreuves de cette vie font partie de la pédagogie paternelle de Dieu à l'égard de ses enfants. L'argumentation repose sur la notion biblique d'éducation, *mûsar, paideia,* qui signifie « instruction par la correction » : Cf. Jb **5** 17; **33** 19; Ps **94** 12; Si **1** 27; **4** 17; **23** 2+ : L'épreuve est ici regardée comme une correction qui suppose et donc manifeste la paternité de Dieu.

*e)* Ésaü commit une profanation en renonçant à son droit d'aînesse, qui le constituait héritier des promesses messianiques.

**Les deux alliances** [a].

[18] Vous ne vous êtes pas approchés d'une réalité
Ex **19** 18, 16 palpable [b] : *feu ardent, obscurité, ténèbres, oura-*
Dt **4** 11 *gan,* [19] *bruit de trompette,* et *clameur de paroles*
Ex **20** 19 telle que ceux qui l'entendirent supplièrent qu'on ne
leur parlât pas davantage. [20] Ils ne pouvaient en
Ex **19** 12s effet supporter cette prescription : *Quiconque tou-*
*chera la montagne, même si c'est un animal, sera*
*lapidé.* [21] Si terrible était le spectacle que Moïse
Dt **9** 19 dit : *Je suis effrayé* et tout tremblant. [22] Mais vous
vous êtes approchés de la montagne de Sion et de
Ap **14** 1; la cité du Dieu vivant, de la Jérusalem céleste, et
**21** 10 de myriades d'anges, réunion de fête, [23] et de
l'assemblée des premiers-nés qui sont inscrits dans
Rm **2** 6+ les cieux, d'un Dieu Juge universel, et des esprits
**11** 40+ des justes qui ont été rendus parfaits, [24] de Jésus
**8** 6+ médiateur d'une alliance nouvelle, et d'un sang
purificateur plus éloquent que celui d'Abel. **11** 4+
[25] Prenez garde de ne pas refuser d'écouter Celui Gn **4** 10
qui parle. Si ceux, en effet, qui ont refusé d'écouter
celui qui promulguait des oracles sur cette terre
n'ont pas échappé au châtiment, à combien plus
forte raison n'y échapperons-nous pas, si nous nous **2** 2-3
détournons de Celui qui parle des cieux [c]. [26] Celui
dont la voix jadis ébranla la terre nous a fait main- Ex **19** 18
tenant cette promesse : *Encore une fois, moi* Jg **5** 4-5
*j'ébranlerai* non seulement *la terre* mais aussi *le* Ps **68** 9
*ciel.* [27] Cet *encore une fois* indique que les choses Ag **2** 6
ébranlées seront changées [d], puisque ce sont des 2 P **3** 12-13
réalités créées, pour que subsistent celles qui sont Ap **21** 1
inébranlables. [28] Ainsi, puisque nous recevons la Mt **24** 35p
possession d'un royaume inébranlable, retenons Dn **7** 18
fermement la grâce, et par elle rendons à Dieu un He **9** 14; Rm
culte qui lui soit agréable, avec religion et crainte [e].
[29] En effet, notre *Dieu* est un *feu consumant.* Dt **4** 24+
Is **33** 14

# *Appendice*

**Ultimes recommandations.**

**13** [1] Persévérez dans la dilection fraternelle [f].
Rm **12** 13 Gn **18** 2s; **19** 1s [2] N'oubliez pas l'hospitalité, car c'est grâce à
Tb **5** 4s elle que quelques-uns, à leur insu, hébergèrent des
Jg **6** 11-24; **13** 3-23 anges. [3] Souvenez-vous des prisonniers, comme si
He **10** 34 vous étiez emprisonnés avec eux, et de ceux qui
Mt **25** 36 sont maltraités, comme étant vous aussi dans un
corps. [4] Que le mariage soit honoré de tous et le
Sg **3** 13; Ep **5** 5s lit nuptial sans souillure. Car Dieu jugera fornica-
teurs et adultères. [5] Que votre conduite soit
Ph **4** 12 exempte d'avarice, vous contentant de ce que vous
avez présentement; car Dieu lui-même a dit : *Je ne*
Dt **31** 6 *te laisserai ni ne t'abandonnerai;* [6] de sorte que
Ps **118** 6; **27** 1-3 nous pouvons dire avec hardiesse : *Le Seigneur est*
Rm **8** 31-39 *mon secours; je ne craindrai pas. Que peut me faire*
*un homme?*

**Sur la fidélité.**

[7] Souvenez-vous de vos chefs [g], eux qui vous ont Tt **1** 5+
fait entendre la parole de Dieu, et, considérant
l'issue de leur carrière, imitez leur foi. [8] Jésus 2 Th **3** 7+
Christ est le même hier et aujourd'hui, il le sera à
jamais [h]. [9] Ne vous laissez pas égarer par des doc- Ep **4** 14
trines diverses et étrangères : car il est bon que le
cœur soit affermi par la grâce, non par des aliments
qui n'ont été d'aucun profit à ceux qui en usèrent. 1 Co **8** 8+
[10] Nous avons un autel [i] dont les desservants de la
Tente n'ont pas le droit de se nourrir. [11] Ces ani- Lv **3** 1+
maux, en effet, dont le grand prêtre *porte le sang* Lv **16** 27
*dans le sanctuaire pour l'expiation du péché,* leurs
corps *sont brûlés en dehors du camp.* [12] C'est pourquoi Jésus lui aussi, pour sanctifier le peuple par **10** 14
son propre sang, a souffert hors de la porte [j]. [13] Par Jn **19** 20
Ac **7** 58
Mt **21** 39p

*a)* L'« approche » de Dieu, **4** 16; **10** 22, ne se fait plus, v. 18, dans une théophanie terrifiante comme au Sinaï, mais, v. 22, dans une ville bâtie par Dieu, celle à laquelle aspiraient les Pères, **11** 10, 16, et qui pourtant est déjà céleste, **4** 14; Ap **21** 1+. Avec les anges sont assemblés autour du Médiateur triomphant tous les chrétiens, cf. Lc **10** 20; Jc **1** 18, qu'il a sanctifiés et accomplis, v. 14; **10** 14; **11** 40+.

*b)* Var. : « montagne », cf. v. 22.

*c)* Plus qu'entre Moïse et Jésus Christ, le contraste est marqué entre les bénéficiaires des deux alliances : l'ancienne réglait la vie sur la terre, ébauche de la vie céleste où la nouvelle introduit. Se détourner de celle-ci serait donc digne d'un châtiment plus sévère.

*d)* Les bouleversements cosmiques sont les métaphores apocalyptiques de l'intervention divine et de l'introduction d'un régime nouveau, cf. Am **8** 9+; 1 Co **1** 8+; Mt **24** 1+.

*e)* Ce verset est la conclusion de l'épître, qui inclut son application cultuelle. Ce « royaume inébranlable », vv. 22-24, c'est la Cité du ciel où le Fils règne avec Dieu, **1** 8, au milieu des anges et des saints. Dès maintenant les chrétiens y vivent, et leur vie est une liturgie d'action de grâces, sous le feu purifiant de la sainteté divine, v. 29.

*f)* C'est l'amour entre les « frères » chrétiens, Rm **12** 10; 1 Th **4** 9; 1 P **1** 22; 2 P **1** 7; cf. 1 Jn **3** 14-18.

*g)* Les chefs responsables de la communauté, chargés d'annoncer la parole de Dieu, v. 7, et de guider la conduite de tous, v. 17.

*h)* Cette déclaration, amenée par la mention de la parole de Dieu et de la foi, v. 7, souligne la vérité centrale que prêchent les chefs. Si ceux-ci changent ou disparaissent, le Christ demeure, et c'est à lui qu'il faut s'attacher. Les recommandations qui suivent reprennent des thèmes abordés dans l'épître, insistant sur la présence vivante du Christ et la stabilité confiante des croyants.

*i)* Non pas la table eucharistique, mais la croix sur laquelle le Christ a été immolé, vv. 11-12, ou peut-être le Christ lui-même par qui nous offrons nos prières à Dieu. Les Juifs, qui persistent dans le service de « la Tente », ne peuvent y avoir part.

*j)* Au jour de la fête des Expiations, le grand prêtre pénétrait dans le Saint des Saints qu'il aspergeait avec le sang des victi-

conséquent, pour aller à lui sortons *en dehors du*
**11** 26 *camp,* en portant son opprobre. 14 Car nous
1 Co **7** 29-31 Ph **3** 20 n'avons pas ici-bas de cité permanente, mais nous
He **11** 10, 14-16 recherchons celle de l'avenir. 15 Par lui, *offrons à*
Ps **50** 14, 23 Os **14** 3 *Dieu un sacrifice de louange* en tout temps, c'est-
Rm **1** 9+; **10** 9 à-dire *le fruit de lèvres* qui confessent son nom.
Ac **2** 21+ Ph **4** 18 16 [a] Quant à la bienfaisance et à la mise en commun
des ressources, ne les oubliez pas, car c'est à de tels
sacrifices que Dieu prend plaisir.

**Obéissance aux guides spirituels.**

1 Th **5** 12+ 17 Obéissez à vos chefs et soyez-leur dociles, car
1 Co **16** 16 Ez **3** 18 ils veillent sur vos âmes, comme devant en rendre
compte; afin qu'ils le fassent avec joie et non en
gémissant, ce qui vous serait dommageable.
Rm **15** 30 18 Priez pour nous, car nous croyons avoir une
Ep **6** 19 Col **4** 3 bonne conscience, résolus que nous sommes à nous
1 Th **5** 25 2 Th **3** 1 bien conduire en toutes choses. 19 Je vous exhorte
plus instamment à le faire pour obtenir que je vous Phm 22 Ph **2** 24
sois rendu plus vite.

**Nouvelles. Voeux. Salutations.**

20 Que le Dieu de la paix, *qui a ramené* de chez Is **63** 11; **55** 3
les morts [b] *celui qui est devenu par le sang d'une* Za **9** 11 Ez **37** 26; **34** 1+
*alliance éternelle le* grand *Pasteur des brebis*, notre Jn **10** 11
Seigneur Jésus, 21 vous rende aptes à accomplir sa 1 P **2** 25; **5** 4
volonté en toute sorte de bien, produisant en nous Ph **2** 13
ce qui lui est agréable par Jésus Christ, à qui soit
la gloire pour les siècles des siècles! Amen. Rm **16** 27+
22 Je vous en prie, frères [c], faites bon accueil à
ces paroles d'exhortation : aussi bien vous ai-je
écrit brièvement. 23 Apprenez que notre frère Timo- Ac **16** 1+
thée à été libéré. S'il arrive assez tôt, c'est avec lui
que je viendrai vous voir. 24 Saluez tous vos chefs
et tous les saints.
Ceux d'Italie vous saluent.
25 La grâce soit avec vous tous!

mes; mais les corps de ces animaux sacrifiés étaient brûlés hors du camp, Lv **16** 27. Jésus, victime expiatoire, a réalisé cette préfiguration, ayant été crucifié à l'extérieur des murailles de la ville, Mt **27** 32p. Les chrétiens doivent donc quitter le camp du Judaïsme et du monde.

*a)* Au début, add. : « Donc ».
*b)* La résurrection, toujours impliquée quand He parle du Christ glorifié, **1** 3; etc, est ici expressément mentionnée.
*c)* Ces dernières lignes font figure de billet d'envoi de l'épître.

# LES ÉPÎTRES CATHOLIQUES

# LES ÉPÎTRES CATHOLIQUES

## Introduction

*Les sept épîtres du NT qui ne sont pas de saint Paul ont été de ce fait groupées très tôt en une même collection, malgré leurs origines diverses : une de saint Jacques, une de saint Jude, deux de saint Pierre, trois de saint Jean. Leur titre très ancien de « catholiques » vient sans doute de ce que la plupart d'entre elles ne sont pas adressées à des communautés ou personnes particulières, mais visent plutôt les chrétiens en général.*

*L'*épître de Jacques *ne fut reçue que progressivement dans l'Église. Si sa canonicité ne semble pas avoir posé de problème en Égypte, où Origène la cite comme Écriture inspirée, Eusèbe de Césarée, au début du quatrième siècle, reconnaît qu'elle est encore contestée par certains. Dans les Églises de langue syriaque, ce n'est qu'au cours du quatrième siècle qu'elle fut introduite dans le canon du NT. En Afrique, elle est inconnue de Tertullien, de Cyprien, et le catalogue de Mommsen (vers 360) ne la contient pas encore. A Rome, elle ne figure pas dans le canon de Muratori, attribué à S. Hippolyte (vers 200), et il est très douteux qu'elle ait été citée par S. Clément de Rome et par l'auteur du Pasteur d'Hermas (cf.* infra*). Elle ne s'impose donc dans l'ensemble des Églises d'Orient et d'Occident que vers la fin du quatrième siècle.*

*Quand les Églises acceptent la canonicité de cette épître, elles identifient communément son auteur avec ce Jacques « frère du Seigneur », Mt* **13** 55*p; cf.* **12** 46+, *dont le rôle si marquant dans la première communauté de Jérusalem, Ac* **12** 17+; **15** 13-21; **21** 18-26; 1 *Co* **15** 7; *Ga* **1** 19; **2** 9, 12, *fut couronné par le martyre de la main des Juifs vers l'an 62 (Josèphe, Hégésippe). Ce personnage est évidemment distinct de l'apôtre Jacques, fils de Zébédée, Mt* **10** 2*p, qu'Hérode fit périr en 44, Ac* **12** 2, *mais on pourrait songer à l'identifier avec l'autre apôtre de ce nom, fils d'Alphée, Mt* **10** 3*p. Déjà les anciens hésitaient sur ce point, et les modernes en discutent encore, tout en penchant vers la négative. L'expression de Paul en Ga* **1** 19 *a été interprétée dans les deux sens.*

*Au reste, le vrai problème se situe ailleurs, et plus profondément. Il porte sur l'attribution même de l'épître à Jacques, « frère du Seigneur ». Cette attribution, en effet, ne va pas sans difficultés. Si elle avait été réellement composée par cette personnalité de premier plan, on comprendrait mal la difficulté qu'elle eut à s'imposer dans l'Église comme Écriture canonique. Par ailleurs, elle a été écrite directement en grec, avec une élégance, une richesse de vocabulaire, un sens de la rhétorique (*diatribè*) assez surprenants chez un Galiléen; sans doute, Jacques aurait pu se faire aider par un disciple de bonne culture hellénique, mais c'est là une conjecture impossible à prouver. Enfin, et surtout, l'épître présente une affinité très marquée avec des écrits dont la composition se situe à la fin du premier siècle ou au début du second, spécialement la première lettre de Clément de Rome et le Pasteur d'Hermas. On a souvent affirmé que ces deux ouvrages avaient largement utilisé l'épître de Jacques; on reconnaît de plus en plus aujourd'hui que ces affinités s'expliquent par l'utilisation de sources communes et par le fait que les auteurs de ces différents ouvrages avaient à faire face à des difficultés analogues. En conséquence, de nombreux auteurs placent aujourd'hui la composition de l'épître de Jacques vers la fin du premier siècle, voire le début du second. Le caractère archaïque de sa christologie s'expliquerait, non par l'antiquité de sa rédaction, mais parce qu'elle émanerait de milieux judéo-chrétiens, héritiers de la pensée de Jacques, le frère du Seigneur, et fermés aux développements de la théologie chrétienne primitive.*

*Si l'on tient cependant à maintenir l'authenticité de l'épître, on devra en placer la composition avant*

*62, date de la mort de Jacques. Deux hypothèses sont alors possibles, selon la position que l'on adopte concernant les rapports entre Jc et Ga/Rm au sujet du problème de la justification par la foi (cf.* infra*). Pour certains auteurs, c'est Jacques qui engage une polémique contre Paul, ou plutôt contre des chrétiens qui déformaient l'enseignement de Paul; il aurait alors écrit son épître peu de temps avant sa mort. Pour d'autres, de moins en moins nombreux, c'est Paul qui aurait voulu combattre les idées de Jacques, dont l'épître aurait alors été composée vers les années 45-50, ce qui expliquerait le caractère archaïque de sa christologie. Ce que nous avons dit plus haut laisse entendre qu'une date si ancienne est peu vraisemblable.*

*Quoi qu'il en soit de son origine, cet écrit veut atteindre les « Douze tribus de la Diaspora »,* **1** 1, *c'est-à-dire sans doute les chrétiens d'origine juive dispersés dans le monde gréco-romain, surtout dans les régions avoisinant la Palestine telles que la Syrie ou l'Égypte. Que ces destinataires soient des convertis du Judaïsme, cela est confirmé par le corps de la lettre. L'usage constant que l'auteur y fait de la Bible suppose qu'elle leur est familière, d'autant plus qu'il procède moins par mode d'argumentation à partir de citations explicites (comme Paul par exemple, ou l'auteur de l'épître aux Hébreux) que par réminiscences spontanées et allusions partout sous-jacentes. Il s'inspire particulièrement de la littérature sapientielle pour en tirer des leçons de morale pratique. Mais il dépend aussi profondément des enseignements de l'Évangile, et son écrit n'est pas purement juif comme on l'a parfois prétendu. On y retrouve sans cesse au contraire la pensée et les expressions préférées de Jésus, et cette fois encore, moins par mode de citations expresses tirées d'une tradition écrite que par utilisation d'une tradition orale vivante. En somme, c'est un sage judéo-chrétien qui repense de façon originale les maximes de la sagesse juive en fonction de l'accomplissement qu'elles ont trouvé dans la bouche du Maître.*

*Son écrit ne se plie pas sans peine aux conventions du style épistolaire. Il représente plutôt une homélie, un spécimen de cette catéchèse qui devait être en usage dans les assemblées judéo-chrétiennes de son temps. On y trouve une série d'exhortations morales qui se suivent de façon assez lâche, tantôt par groupement de sentences sur un même sujet, tantôt par assonances verbales. Ce sont des avis sur le support des épreuves,* **1** 1-12; **5** 7-11, *l'origine de la tentation,* **1** 13-18, *la maîtrise de la langue,* **1** 26; **3** 1-12, *l'importance de la bonne entente et de la miséricorde,* **2** 8, 13; **3** 13 - **4** 2; **4** 11*s*, *l'efficacité de la prière,* **1** 5-8; **4** 2*s*; **5** 13-18, *etc. Le sacrement de l'Extrême-Onction a son lieu théologique en* **5** 14*s (concile de Trente).*

*Deux thèmes principaux commandent toute cette parénèse. L'un exalte les pauvres et avertit sévèrement les riches,* **1** 9-11; **1** 27 - **2** 9; **4** 13 - **5** 6 *: ce souci des humbles, les favoris de Dieu, se rattache à une ancienne tradition biblique et tout spécialement aux Béatitudes de l'Évangile, Mt* **5** 3+. *L'autre insiste sur l'accomplissement des bonnes œuvres et met en garde contre une foi stérile,* **1** 22-27; **2** 10-26. *On trouve même sur ce dernier point une discussion polémique,* **2** 14-26, *que beaucoup d'interprètes estiment dirigée contre Paul. Il faut en effet reconnaître des contacts assez frappants entre Jc et Ga/Rm, notamment dans l'interprétation différente de mêmes textes bibliques sur Abraham. Et il n'est pas impossible que Jacques ait voulu s'opposer, sinon à Paul lui-même, du moins à certains chrétiens qui tiraient de sa doctrine des conséquences néfastes. Il faut cependant maintenir deux choses : d'abord que par-delà une opposition superficielle commandée par des situations différentes, Paul et Jacques sont d'accord sur le fond des choses, cf.* **2** 14+; *ensuite que ce thème de la foi et des œuvres, si naturellement commandé par les données de la religion juive, a bien pu être un sujet traditionnel de discussion qu'ils auront traité de façon indépendante.*

Jude, *qui se dit « frère de Jacques », v. 1, semble se donner lui aussi pour l'un des « frères du Seigneur », Mt* **13** 55*p. Rien n'oblige à l'identifier avec l'apôtre du même nom, Lc* **6** 16; *Ac* **1** 13; *cf. Jn* **14** 22; *aussi bien lui-même se distingue-t-il du groupe apostolique, v. 17. Mais rien non plus n'impose d'imaginer un pseudonymat, que la médiocre importance du personnage emprunté justifierait d'ailleurs assez mal.*

*De fait, cette épître était reçue dès l'an 200 par la plupart des Églises comme Écriture canonique. L'usage qu'elle fait de sources apocryphes (*Hénok *aux vv.* 7, 14*s*; Assomption de Moïse *au v. 9) a bien suscité quelques doutes dès l'antiquité, mais il n'a pas de quoi troubler, car ce recours légitime à des écrits juifs alors répandus n'équivaut nullement à leur reconnaître un caractère inspiré.*

*Tout le propos de Jude est de stigmatiser les mauvais docteurs qui mettent en péril la foi chrétienne. Il les menace d'un châtiment divin illustré par des précédents de la tradition juive, vv.* 5-7, *et la description qu'il donne de leurs errements paraît aussi influencée par ces souvenirs du passé, v.* 11. *Elle demeure d'ailleurs assez vague et n'autorise certainement pas à déceler le gnosticisme du IIe siècle. L'impiété et la licence morale qu'il leur repro-*

*che, particulièrement leurs blasphèmes contre le Seigneur Christ et les Anges, vv.* 4, 8-10, *ont pu se rencontrer au sein du christianisme dès le Ier siècle sous l'influence de ces tendances syncrétistes qu'attaquent l'épître aux Colossiens, les Pastorales et l'Apocalypse.*

*Certains traits invitent toutefois à ne pas remonter trop haut dans le Ier siècle. Les prédications des apôtres sont rejetées dans le passé, vv.* 17*s. La foi est conçue comme un donné objectif « transmis une fois pour toutes », v.* 3. *Les épîtres de Paul paraissent utilisées. Il est vrai que la deuxième épître de Pierre utilise à son tour celle de Jude, mais nous dirons qu'elle peut être postérieure à la mort de saint Pierre. En définitive on songera aux derniers temps de l'âge apostolique.*

*Deux épîtres catholiques se réclament de* saint Pierre. *La* première, *qui porte dans son adresse le nom du prince des apôtres,* **1** 1, *a été reçue sans contestation dès les débuts de l'Église : utilisée probablement par Clément de Rome et certainement par Polycarpe, elle est attribuée explicitement à saint Pierre à partir d'Irénée. L'apôtre écrit de Rome (Babylone,* **5** 13*), où il se trouve avec Marc qu'il appelle « son fils ». Bien que nous soyons fort peu renseignés sur la fin de sa vie, une tradition très assurée le fait en effet venir dans la capitale de l'empire où il mourut martyr sous Néron (64 ou 67?). Il s'adresse aux chrétiens « de la Diaspora » en précisant les noms de cinq provinces,* **1** 1, *qui représentent pratiquement l'ensemble de l'Asie Mineure. Ce qu'il dit de leur passé,* **1** 14, 18*;* **2** 9*s;* **4** 3, *suggère qu'ils sont convertis du paganisme, encore que la présence parmi eux de judéo-chrétiens ne soit pas exclue. C'est pourquoi il leur écrit en grec; et si ce grec, simple mais correct et harmonieux, paraît de trop bonne qualité pour le pêcheur galiléen, nous connaissons le nom du disciple-secrétaire qui a pu l'assister dans sa rédaction : Silvain,* **5** 12, *que l'on identifie communément avec l'ancien compagnon de saint Paul, Ac* **15** 22+.

*Le propos de cette épître est de soutenir la foi de ses destinataires au milieu des épreuves qui les assaillent. On a voulu voir là des persécutions officielles telles que celles de Domitien ou même de Trajan, ce qui supposerait une époque bien postérieure à saint Pierre. Mais les allusions de l'épître n'exigent rien de tel. Il s'agit plutôt de sévices privés, injures et calomnies que la pureté de vie des convertis leur attire de la part de ceux dont ils ont quitté les dérèglements,* **2** 12*;* **3** 16*;* **4** 4, 12-16.

*Une autre difficulté a été soulevée contre l'authenticité de l'épître : l'usage considérable qu'elle semble faire d'autres écrits du NT, notamment de Jc, Rm et Ep, et qui surprend d'autant plus que l'Évangile paraît peu utilisé. Cependant les réminiscences évangéliques sont nombreuses, tout en restant discrètes; et si elles étaient plus soulignées, on ne manquerait pas de dire qu'un pseudonyme a cherché ainsi à se faire passer pour Pierre. Quant aux contacts avec Jacques et Paul, ils ne doivent pas être exagérés. Aucun des thèmes spécifiquement pauliniens (valeur transitoire de la Loi juive, Corps du Christ, etc.) ne paraît dans l'épître. Et beaucoup de ceux qu'on traite également de « pauliniens » parce qu'ils nous sont connus surtout par les épîtres de Paul, ne sont en fait que le bien commun de la première théologie chrétienne (valeur rédemptrice de la mort du Christ, foi et baptême, etc.). Les travaux de la critique reconnaissent de plus en plus des formulaires de catéchèses primitives, des florilèges de textes de l'AT, qui ont pu être utilisés parallèlement par les divers écrits en cause, sans qu'il y ait entre eux de dépendance directe. Que s'il demeure néanmoins un certain nombre de cas précis où* 1 *P paraît en effet s'inspirer de Rm ou d'Ep, cela peut être admis sans rejeter l'authenticité : saint Pierre ne possédait pas l'envergure théologique de saint Paul, et il a bien pu recourir aux écrits de ce dernier, surtout quand il s'adressait comme ici à des cercles de mouvance paulinienne. On n'oubliera pas non plus que son secrétaire Silvain était un disciple des deux apôtres. Enfin, il n'est que juste de signaler, à côté de ces affinités pauliniennes, les rapprochements que certains interprètes ont cru découvrir entre* 1 *P et d'autres écrits d'ambiance pétrinienne tels que le second évangile ou les discours de Pierre dans les Actes.*

*La lettre est normalement antérieure à la mort de Pierre, 64 ou 67, encore que Silvain ait pu ne la mettre au point que quelques années plus tard, selon ses directives et sous son autorité. Ceci serait même probable, s'il était vérifié que l'épître est composite et combine des fragments divers, parmi lesquels une homélie d'origine baptismale,* **1** 13 - **4** 11. *Mais de tels discernements ne peuvent dépasser le niveau de la conjecture.*

*De portée essentiellement pratique, cet écrit n'en est pas moins d'une belle richesse doctrinale. On y trouve un admirable résumé de la théologie chrétienne commune à l'époque apostolique, d'une chaleur émouvante dans sa simplicité. Une des idées maîtresses est celle du support courageux des épreuves, avec le Christ pour modèle,* **2** 21-25*;* **3** 18*;* **4** 1 *: comme lui les chrétiens doivent souffrir avec patience, heureux si leurs tribulations viennent de leur foi et de leur sainte conduite,* **2** 19*s;* **3** 14*;* **4** 12-19*;* **5** 9, *n'opposant au mal que le bien,* *la charité, l'obéissance aux pouvoirs publics,* **2** 13-17, *et la douceur à l'égard de tous,* **3** 8-17; **4** 7-11, 19. *Un passage difficile a été diversement compris par les interprètes,* **3** 19*s; cf.* **4** 6, *selon qu'ils ont vu dans la « prédication » du Christ une annonce de salut ou de châtiment, et qu'ils ont reconnu dans les « esprits en prison » tantôt les impies morts au temps du Déluge, tantôt les Anges déchus de la tradition biblique et apocalyptique. De toute façon cette démarche du Seigneur est bien placée au moment de sa mort, et l'on a là l'un des principaux lieux théologiques du dogme de la Descente aux Enfers.*

*Il n'est pas douteux que la* deuxième *épître se donne comme étant aussi de saint Pierre. Non seulement l'apôtre se nomme dans l'adresse,* **1** 1, *mais encore il fait allusion à l'annonce de Jésus touchant sa mort,* **1** 14, *et dit avoir été témoin de la Transfiguration,* **1** 16-18. *Enfin il fait allusion à une première lettre,* **3** 1, *qui doit être* 1 *P.*

*S'il écrit une deuxième fois aux mêmes lecteurs, c'est dans un double dessein : les mettre en garde contre des faux docteurs,* **2**, *et répondre à l'inquiétude causée par le retard de la Parousie,* **3**. *Ces faux docteurs et cette inquiétude peuvent à la rigueur se concevoir dès la fin de la vie de saint Pierre. Mais il est d'autres considérations qui mettent en cause l'authenticité et suggèrent une date plus tardive. La langue présente avec celle de* 1 *P de notables différences. Tout le ch.* **2** *est une reprise, libre mais manifeste, de l'épître de Jude. Le recueil des épîtres de Paul semble déjà formé,* **3** 15*s. Le groupe apostolique est mis en parallèle avec le groupe prophétique et l'auteur parle comme s'il n'en faisait pas partie,* **3** 2. *Ces difficultés autorisent des doutes qui ont apparu dès l'antiquité. Non seulement l'usage de l'épître n'est pas attesté avec certitude avant le III*[e] *siècle, mais encore certains la rejetaient, ainsi qu'en témoignent Origène, Eusèbe et Jérôme. Aussi, bien des critiques modernes refusent-ils à leur tour de l'attribuer à saint Pierre, et il est difficile de leur donner tort. Mais si un disciple postérieur s'est couvert de l'autorité de Pierre, peut-être avait-il quelque droit de le faire, soit qu'il appartînt aux cercles dépendant de l'apôtre, soit même qu'il utilisât un écrit provenant de lui, tout en l'adaptant et en le complétant à l'aide de Jude. Ce n'est pas là forcément faire un « faux », car les anciens avaient d'autres idées que nous sur la propriété littéraire et la légitimité du pseudonymat.*

*Il suffit d'ailleurs pour notre foi que l'épître ait été fermement reçue par l'Église comme canonique, et représente donc un héritage authentique de l'époque apostolique. Sa doctrine est garantie de ce fait, et on y relèvera particulièrement : la vocation chrétienne de « participation à la divine nature »,* **1** 4, *la définition du caractère inspiré des Écritures,* **1** 20*s, l'assurance de la Parousie à venir, en dépit du retard et de l'incertitude de son jour, et l'annonce, après la destruction du monde par le feu, d'un monde nouveau où habitera la justice,* **3** 3-13.

*Les trois* épîtres de saint Jean *ont été traitées à l'occasion du Quatrième Évangile.*

# ÉPÎTRE DE SAINT JACQUES

**Adresse et salutation**

Ac **12** 17+ **1** 1 Jacques, serviteur de Dieu et du Seigneur
Ac **26** 7 Jésus Christ, aux douze tribus de la Disper-
1 P **1** 1 Jn **7** 35 sion[a], salut[b]!

**Le bienfait des épreuves.**

Mt **5** 11+ 2 Tenez pour une joie suprême, mes frères, d'être
1 P **4** 13-14 en butte à toutes sortes d'épreuves. 3 Vous le
He **12** 11 savez : bien éprouvée, votre foi produit la
1 P **1** 6-7 Rm **5** 3-5 constance; 4 mais que la constance s'accompagne
Mt **5** 48 d'une œuvre parfaite[c], afin que vous soyez parfaits,
irréprochables, ne laissant rien à désirer.

**La demande confiante.**

Pr **2** 6+ 5 Si l'un de vous manque de sagesse, qu'il la
Sg **8** 21s demande à Dieu – il donne à tous généreusement[d],
1 R **3** 7s 7; **21** 21p sans récriminer – et elle lui sera donnée. 6 Mais
qu'il demande avec foi, sans hésitation, car celui
Is **57** 20 qui hésite ressemble au flot de la mer que le vent
soulève et agite. 7 Qu'il ne s'imagine pas, cet homme-là, recevoir quoi que ce soit du Seigneur :
**4** 8 8 homme à l'âme partagée, inconstant dans toutes
ses voies[e]!

**Le sort du riche.**

r **9** 22-23 9 Que le frère d'humble condition se glorifie de
son exaltation[f] 10 et le riche de son humiliation, car
il passera *comme fleur d'herbe.* 11 Le soleil brûlant Is **40** 6-7
s'est levé[g]: il a *desséché l'herbe et sa fleur tombe,*
sa belle apparence est détruite. Ainsi se flétrira le
riche dans ses démarches!

**L'épreuve.**

12 *Heureux* homme, *celui qui supporte* l'épreuve! Mt **5** 3+
Sa valeur une fois reconnue, il recevra la couronne Dn **12** 12
de vie que le Seigneur[h] a promise à ceux qui l'ai- 1 Co **9** 25+
ment[i].
13 Que nul, s'il est éprouvé[j], ne dise : « C'est Si **15** 11-20
Dieu qui m'éprouve. » Dieu en effet n'éprouve pas Pr **19** 3
le mal, il n'éprouve non plus personne. 14 Mais cha- 1 Co **10** 13 Rm **7** 8-10
cun est éprouvé par sa propre convoitise qui l'attire
et le leurre. 15 Puis la convoitise, ayant conçu,
donne naissance au péché, et le péché, parvenu à Rm **5** 12; **6** 23
son terme, enfante la mort. He **6** 1+

**Recevoir la Parole et la mettre en pratique.**

16 Ne vous égarez pas, mes frères bien-aimés :
17 tout don excellent, toute donation parfaite vient Mt **7** 11
d'en haut et descend[k] du Père des lumières[l], chez Jn **3** 3, 27
qui n'existe aucun changement, ni l'ombre d'une Jn **8** 12+
variation. 18 Il a voulu nous enfanter par une parole 1 Jn **1** 5
de vérité[m], pour que nous soyons comme les pré- 1 P **1** 23+
mices de ses créatures[n]. Jn **1** 12-13 Ap **14** 4

*a)* Dans l'antiquité israélite le terme de « Dispersion » (grec « Diaspora ») désignait les Juifs émigrés de Palestine, cf. Ps **147** 2; Jdt **5** 19; cf. Jn **7** 35. Il s'agit ici des chrétiens d'origine juive dispersés dans le monde gréco-romain. Cf. Ac **2** 5-11. Les douze tribus figurent la totalité du Peuple nouveau, Ac **26** 7; Ap **7** 4+.
*b)* Formule de salutation, courante dans le monde grec, litt. « réjouissez-vous ». Le v. 2 joue sur ce mot.
*c)* Pour Jacques comme pour le Judaïsme, la foi doit aboutir à une œuvre qui rend l'homme parfait, **2** 14+; cf. 1 Th **1** 3. Dès maintenant on peut pressentir l'explication centrale de **2** 14-26.
*d)* Ou encore : « simplement », « sans condition ».
*e)* Litt. « à l'âme double », **4** 8. La division intérieure s'oppose à la « simplicité » du cœur, Gn **8** 21+, et à la fermeté d'attitude qui en résulte à l'endroit de Dieu et des hommes.
*f)* Les riches n'ont part à l'exaltation des petits, 1 S **2** 7-8; Ps **72** 4,12; **113** 7-9; Lc **1** 52; etc.; cf. So **2** 3+, qu'en s'humiliant avec eux.
*g)* Ou : « Le soleil s'est levé avec un vent brûlant ».
*h)* Om. : « le Seigneur ». La Vulg. a : « Dieu ».
*i)* Au sortir de l'épreuve, vv. 2-4, celui qui aime Dieu recevra sa juste récompense, 1 Co **9** 25+; 1 P **5** 4; Ap **2** 10.
*j)* Ici l'épreuve est la tentation, cf. 1 Co **10** 13+. Celui qui se laisse entraîner au mal ne doit pas rejeter sa faute sur Dieu, qui ne saurait vouloir le mal. Le péché procède de l'intérieur de l'homme, Rm **7** 8, et s'achève, de soi, dans un état tout opposé à la couronne de vie, v. 12; Rm **6** 23.
*k)* Om. (Vet. Lat.) : « vient d'en haut et ».
*l)* Dieu, créateur des luminaires célestes, Gn **1** 14-18, et source de toute lumière spirituelle, Jn **1** 4+; **8** 12+; 1 Jn **1** 5; cf. 1 P **2** 9. Les images qui suivent sont suggérées par le mouvement des astres. – Var. : « en qui n'existe aucun changement provenant du mouvement de l'ombre ».
*m)* Cette « parole de vérité » est l'ensemble de la révélation de Dieu aux hommes, dite encore « Loi de liberté », « Loi royale », cf. **1** 21-25; **2** 8.
*n)* Jc ne parle de la « grâce » qu'en **4** 6. Il en mentionne ici l'équivalent dans cette naissance nouvelle, due à la parole de

19 Sachez-le, mes frères bien-aimés : que chacun
Si **5** 11 soit *prompt à écouter, lent* à parler, lent à la colère;
Pr **10** 19; **14** 17 Mt **5** 22 20 car la colère de l'homme n'accomplit pas la jus-
1 P **2** 1-2 tice de Dieu. 21 Rejetez donc toute malpropreté,
Ga **5** 19+ tout reste de malice, et recevez avec docilité la
Mt **11** 29 Parole qui a été implantée en vous et qui peut sau-
Jn **3** 11+ ver vos âmes.
Rm **2** 13 22 Mettez la Parole en pratique. Ne soyez pas
Mt **7** 24-27p Lc **8** 21 seulement des auditeurs qui s'abusent eux-mêmes!
1 Jn **3** 17s 23 Qui écoute la Parole sans la mettre en pratique
ressemble à un homme qui observe sa physionomie
dans un miroir. 24 Il s'observe, part, et oublie
comment il était. 25 Celui, au contraire, qui se pen-
Rm **7** 12; **8** 2; **6** 15+ che sur la Loi parfaite de liberté [a] et s'y tient atta-
Ps **19** 8 ché, non pas en auditeur oublieux, mais pour la
Mt **5** 17 mettre activement en pratique, celui-là trouve son
Jn **13** 17 bonheur en la pratiquant.
26 Si quelqu'un s'imagine être religieux sans met-
3 2s tre un frein à sa langue et trompe son propre cœur,
sa religion est vaine. 27 La religion pure et sans
tache devant Dieu notre Père [b] consiste en ceci :
Ex **22** 21+ visiter les orphelins et les veuves dans leurs épreuves, se garder de toute souillure du monde.

### Le respect dû aux pauvres.

Dt **1** 17+ **2** 1 Mes frères, ne mêlez pas à des considérations de personnes la foi en notre Seigneur
Jésus Christ glorifié [c]. 2 Supposez qu'il entre dans
votre assemblée [d] un homme à bague d'or, en habit
resplendissant, et qu'il entre aussi un pauvre en
habit malpropre. 3 Vous tournez vos regards vers
celui qui porte l'habit resplendissant et vous lui
dites : « Toi, assieds-toi ici à la place d'honneur. »
Quant au pauvre, vous lui dites : « Toi, tiens-toi là
debout », ou bien : « Assieds-toi au bas de mon
escabeau. » 4 Ne portez-vous pas en vous-mêmes
un jugement, ne devenez-vous pas des juges aux
pensées perverses?
5 Écoutez, mes frères bien-aimés : Dieu n'a-t-il 1 Co **1** 26-29
pas choisi les pauvres selon le monde comme So **2** 3+ Ap **2** 9
riches dans la foi [e] et héritiers du Royaume qu'il Ga **3** 29; Jc **1**
a promis à ceux qui l'aiment? 6 Mais vous, vous Mt **4** 17+
méprisez le pauvre! N'est-ce pas les riches qui vous
oppriment? N'est-ce pas eux qui vous traînent
devant les tribunaux? 7 N'est-ce pas eux qui blasphèment le beau Nom qu'on a invoqué sur vous [f]? Is **52** 5
8 Si donc vous accomplissez la Loi royale suivant Rm **2** 24
l'Écriture : *Tu aimeras ton prochain comme toi-* Rm **13** 8-10 Lv **19** 18
*même*, vous faites bien; 9 mais si vous considérez Mt **22** 39p
les personnes, vous commettez un péché et la Loi Pr **24** 23+
vous condamne comme transgresseurs. Dt **1** 17
10 Aurait-on observé la Loi tout entière, si l'on Dt **27** 26
commet un écart sur un seul point, c'est du tout Ga **3** 10
qu'on devient justiciable. 11 Car celui qui a dit : *Tu* Mt **5** 19
*ne commettras pas d'adultère*, a dit aussi : *Tu ne* Ex **20** 13-14
*commettras pas de meurtre*. Si donc tu évites Dt **5** 17-18
l'adultère, mais que tu commettes un meurtre, te
voilà devenu transgresseur de la Loi. 12 Parlez et
agissez comme des gens qui doivent être jugés par Rm **2** 12; **6**
une loi de liberté. 13 Car le jugement est sans misé- Mt **6** 14-15
ricorde pour qui n'a pas fait miséricorde; mais la Lc **6** 36s 1 Jn **4** 18
miséricorde se rit du jugement [g].

### La foi et les oeuvres [h].

14 A quoi cela sert-il, mes frères, que quelqu'un
dise : « J'ai la foi », s'il n'a pas les œuvres? La foi Ga **5** 6; 1
peut-elle le sauver? 15 Si un frère ou une sœur sont Mt **25** 41-
nus, s'ils manquent de leur nourriture quotidienne, 1 Jn **3** 17 Mt **7** 21
16 et que l'un d'entre vous leur dise : « Allez en
paix, chauffez-vous, rassasiez-vous », sans leur

Dieu, Jn **1** 12+; **3** 3; 1 P **1** 23, et qui constitue le peuple de Dieu par ses premiers-nés, cf. Dt **18** 4; 1 Co **15** 20; Rm **8** 23; **16** 5. Cette parole est plantée dans les cœurs (litt. « innée ») par la prédication de l'Évangile qui sauve, v. 21, et la foi qui est l'acceptation de cette annonce, cf. 1 Th **2** 13+. Traces de catéchèse baptismale.

*a)* Comme la parole de vérité, v. 18, cette Loi est la révélation chrétienne reçue et mise en pratique, cf. Mt **5** 17-19+; **7** 24-27; Jn **13** 17. Elle libère l'homme, **2** 12, par l'observation des commandements. Paul verra dans la liberté du chrétien une prérogative de la Loi Nouvelle, de la foi, Rm **3** 27; **6** 15+; **7** 1; Ga **4** 21 ss.

*b)* Cf. Mt **6** 9; 1 Co **15** 24; Ep **5** 20. L'expression se trouvait déjà dans l'AT, Dt **32** 6; cf. Is **63** 16; Si **23** 1,4; Sg **2** 16. Le culte spirituel agréé de Dieu prend une forme concrète dans la conduite droite et le service des faibles, cf. Dt **27** 19; Is **11** 17; Jr **5** 28; etc.

*c)* Litt. « de gloire », cf. 1 Co **2** 8+.

*d)* Litt. « synagogue ». Seul passage du NT où l'assemblée chrétienne soit appelée ainsi, cf. **5** 14. Certains y voient un indice que Jc s'adressait à des Juifs devenus chrétiens.

*e)* Les pauvres, **1** 9-10+, possèdent la vraie richesse, cf. 1 Co **1** 17-29.

*f)* Dans l'AT, le nom de Yahvé prononcé sur quelqu'un appelait sur lui la protection divine, Am **9** 12; Is **43** 7; Jr **14** 9. Dans le NT, c'est le nom de Jésus invoqué, par exemple au baptême, qui est l'unique moyen de salut, Ac **2** 21+. – Autre traduction : « le beau nom que vous portez ».

*g)* « Jugement » ici au sens de condamnation. Le jugement appartient à Dieu seul, auteur de la Loi, **4** 11-12; **5** 9; cf. Ps **9** 9+. Il sanctionnera la pratique de la Loi, **1** 25; **2** 8, condensée dans la miséricorde.

*h)* Les développements précédents vont être éclairés par un exposé de principe. L'auditeur de la parole doit en être un exécuteur, **1** 22-25; cf. **4** 11. Le point de vue de Jacques n'est pas inconciliable avec celui que défend Paul, Rm **3** 20-31; **9** 31; Ga **2** 16; **3** 2,5,11s; Ph **3** 9. Ce que celui-ci refuse, c'est la valeur des œuvres humaines pour mériter le salut sans la foi au Christ. Une telle confiance en l'effort de l'homme pour se rendre juste méconnaît qu'il est foncièrement pécheur, Rm **1** 18 - **3** 20; Ga **3** 22, et rend vaine la foi au Christ, Ga **2** 21; cf. Rm **1** 16+. Mais Paul admet lui aussi que, une fois la justification reçue par pure grâce, la foi doit être active par la charité, 1 Co **13** 2; Ga **5** 6; cf. 1 Th **1** 3; 2 Th **1** 11; Phm 6, et accomplir enfin vraiment la loi, Rm **8** 4, qui est la loi du Christ et de l'Esprit, Ga **6** 2; Rm **8** 2, la loi de l'amour, Rm **13** 8-10; Ga **5** 14. Chacun sera jugé selon ses œuvres, Rm **2** 6+. La pensée de Jc, y compris sur l'histoire d'Abraham, vv. 22-23, est cependant plus proche du Judaïsme que celle de Paul.

donner ce qui est nécessaire à leur corps, à quoi
cela sert-il? 17 Ainsi en est-il de la foi : si elle n'a
pas les œuvres, elle est tout à fait morte[a].
18 Au contraire, on dira[b] : « Toi, tu as la foi, et
moi, j'ai les œuvres? Montre-moi ta foi sans les
œuvres; moi, c'est par les œuvres que je te montrerai ma foi. 19 Toi, tu crois qu'il y a un seul Dieu?
Mt 8 29+ Tu fais bien. Les démons le croient aussi, et ils
tremblent[c]. 20 Veux-tu savoir, homme insensé, que
la foi sans les œuvres est stérile[d]? 21 Abraham,
notre père[e], ne fut-il pas justifié par les œuvres
Gn 22 9 quand *il offrit Isaac, son fils, sur l'autel?* 22 Tu le
He 11 17 vois : la foi coopérait à ses œuvres et par les
œuvres sa foi fut rendue parfaite[f]. 23 Ainsi fut
Gn 15 6 accomplie cette parole de l'Écriture : *Abraham*
Rm 4 3 *crut à Dieu, cela lui fut compté comme justice* et
Ga 3 6 il fut appelé ami de Dieu. »
Is 41 8+
2 14+ 24 Vous le voyez : c'est par les œuvres que
l'homme est justifié et non par la foi seule. 25 De
Jos 2 1s même, Rahab, la prostituée, n'est-ce pas par les
He 11 31 œuvres qu'elle fut justifiée quand elle reçut les mes-
sagers[g] et les fit partir par un autre chemin?
26 Comme le corps sans l'âme est mort, de même
la foi sans les œuvres est-elle morte[h].

**Contre l'intempérance du langage.**

**3** 1 Ne soyez pas nombreux, mes frères, à deve-
Mt 23 8 nir docteurs[i]. Vous le savez, nous n'en rece-
Co 12 28+ vrons[j] qu'un jugement plus sévère, 2 car à maintes
reprises nous commettons des écarts, tous sans
exception.
Si 14 1 Si quelqu'un ne commet pas d'écart de paroles,
19; 18 21 c'est un homme parfait, il est capable de refréner
Si 5 9-15; tout son corps[k]. 3 Quand[l] nous mettons aux che-
28 13-26 vaux un mors dans la bouche, pour nous en faire
obéir, nous dirigeons tout leur corps. 4 Voyez
encore les vaisseaux : si grands qu'ils soient, même
poussés par des vents violents, ils sont dirigés par
un tout petit gouvernail, au gré du pilote. 5 De
même la langue est un membre minuscule et elle
peut se glorifier de grandes choses! Voyez quel Dn 7 8+, 20
petit feu embrase une immense forêt : 6 la langue
aussi est un feu. C'est le monde du mal[m], cette lan- Pr 16 27;
gue placée parmi nos membres : elle souille tout le 26 18-21 Si 28 22
corps; elle enflamme le cycle de la création[n], Mt 15 18
enflammée qu'elle est par la Géhenne. 7 Bêtes sau- Mt 5 22+; 3 12+
vages et oiseaux, reptiles et animaux marins de tout
genre sont domptés et ont été domptés par Gn 1 26+; 9 2
l'homme. 8 La langue, au contraire, personne ne
peut la dompter : c'est un fléau sans repos. Elle est
pleine d'un venin mortel. 9 Par elle nous bénissons Ps 140 4
le Seigneur[o] et Père, et par elle nous maudissons
les hommes faits à l'image de Dieu. 10 De la même Gn 1 27+
bouche sortent la bénédiction et la malédiction[p]. Il
ne faut pas, mes frères, qu'il en soit ainsi. 11 La Ep 4 29
source fait-elle jaillir par la même ouverture le
doux et l'amer? 12 Un figuier, mes frères, peut-il Mt 7 16
donner des olives, ou une vigne des figues? L'eau
de mer ne peut pas non plus donner de l'eau douce.

**La vraie et la fausse sagesse.**

13 Est-il quelqu'un de sage et d'expérimenté Si 19 20-30
parmi vous[q]? Qu'il fasse voir par une bonne
conduite des actes empreints de douceur et de Ep 4 1-2
sagesse. 14 Si vous avez au cœur, au contraire, une
amère jalousie et un esprit de chicane, ne vous van-
tez pas, ne mentez pas contre la vérité. 15 Pareille
sagesse ne descend pas d'en haut : elle est terrestre, 2 Co 1 12
animale, démoniaque. 16 Car, où il y a jalousie et 1 Co 3 3
chicane, il y a désordre et toutes sortes de mauvaises actions. 17 Tandis que la sagesse d'en haut est 1 5+
tout d'abord pure, puis pacifique, indulgente, bien- 1 Co 13 4-7
veillante[r], pleine de pitié et de bons fruits, sans
partialité, sans hypocrisie. 18 Un fruit de justice est Ph 1 11
semé dans la paix pour ceux qui produisent la paix. He 12 11
Mt 5 9

*a)* Litt. « elle est morte en elle-même ».

*b)* A l'interlocuteur des vv. 14 et 16, que Jacques prend maintenant à partie.

*c)* L'insoumission des démons au vrai Dieu qu'ils reconnaissent, cf. Mc 1 24, 34, etc., ne les empêche pas de craindre sa colère à venir.

*d)* Var. (Vulg.) : « morte », cf. vv. 17 et 26.

*e)* La tradition juive tenait Abraham pour le juste fidèle à Dieu, Si 44 19-21+, ami de Dieu, 2 Ch 20 7; Is 41 8, père des croyants, cf. Mt 3 8; Jn 8 39. Jc sur ce point rejoint Paul, Rm 4 1, 16.

*f)* Pas plus que Paul, Jc ne regarde la foi d'Abraham comme une œuvre, Gn 15 6, cité v. 23; Rm 4 3; Ga 3 6, mais il insiste davantage sur les œuvres qui naissent de la foi, de la loi parfaite, 1 25; 2 8.

*g)* « messagers », var. : « espions », cf. He 11 31. Le thème était populaire dans le Judaïsme.

*h)* Les vv. 17, 20, 24 trouvent leur conclusion dans la comparaison d'un corps privé du souffle de vie.

*i)* Ceux qui par ambition briguent cette charge estimée, Mt 23 8; Ac 13 1; 1 Co 12 28+, doivent peser la responsabilité qui leur incombe. Tout le ch. 3 semble composé à leur intention.

*j)* Var. (Vulg.) : « vous n'en recevrez ».

*k)* Plusieurs comparaisons vont faire comprendre comment la maîtrise de la langue révèle une totale maîtrise de soi. Le thème était classique chez les moralistes grecs comme dans les livres sapientiaux.

*l)* « Quand »; var. : « Voyez », cf. v. 4.

*m)* Ou : « une parure de mal ». – Autre ponctuation : « La langue aussi est un feu, un monde de mal. »

*n)* Expression qui doit provenir des mystères grecs orphiques et désigne le monde créé. – Var. (Vulg.) : « le cycle de notre existence ».

*o)* « le Seigneur »; var. (Vulg.) : « Dieu ».

*p)* La formule antithétique « bénir-maudire » est fréquente dans l'AT, Gn 12 3; 27 29; Nb 23 11; 24 9; Jos 8 34. Mais le chrétien est incapable de maudire, cf. Lc 6 28; Rm 12 14; 1 P 3 9.

*q)* Dans la communauté, la question sans doute vise d'abord ceux qui enseignent, 3 1. La sagesse se discerne à ses effets, cf. 1 22-25; 2 14-26.

*r)* Vulg. ajoute : « consentant à ce qui est bien ».

### Contre les discordes.

**4** 1 D'où viennent les guerres, d'où viennent les
batailles parmi vous? N'est-ce pas précisé-
Rm 7 23 ment de vos passions, qui combattent dans vos
Ga 5 17 membres? 2 Vous convoitez et ne possédez pas?
1 P 2 11 Alors vous tuez. Vous êtes jaloux et ne pouvez ob-
tenir? Alors vous bataillez et vous faites la guerre [a].
Vous ne possédez pas parce que vous ne demandez
Ps 66 18 pas. 3 Vous demandez et ne recevez pas parce que
Mt 6 5-13, 33 vous demandez mal, afin de dépenser pour vos pas-
Rm 8 26 sions.
Mt 6 24p 4 Adultères [b], ne savez-vous pas que l'amitié
1 Jn 2 15-17 pour le monde est inimitié contre Dieu? Qui veut
donc être ami du monde, se rend ennemi de Dieu.
5 Penseriez-vous que l'Écriture dise en vain : Il
Gn 2 7 désire avec jalousie, l'esprit qu'il a mis en nous [c]?
6 Il donne d'ailleurs une plus grande grâce suivant
1 P 5 5-9 la parole de l'Écriture : *Dieu résiste aux orgueil-*
Pr 3 34 LXX *leux, mais il donne sa grâce aux humbles.* 7 Sou-
Ep 6 11 mettez-vous donc à Dieu; résistez au diable et il
Za 1 3 fuira loin de vous. 8 Approchez-vous de Dieu et il
Ml 3 7 s'approchera de vous. Purifiez vos mains, pécheurs;
Jc 1 8 sanctifiez vos cœurs, gens à l'âme partagée.
9 Voyez votre misère, prenez le deuil, pleurez. Que
votre rire se change en deuil et votre joie en tris-
Mt 23 12 tesse [d]. 10 Humiliez-vous devant le Seigneur et il
vous élèvera.
Lv 19 16 11 Ne médisez pas les uns des autres, frères.
Mt 7 1-5 Celui qui médit d'un frère ou qui juge son frère,
médit de la Loi et juge la Loi. Or si tu juges la Loi,
tu n'es pas l'observateur de la Loi, mais son juge.
12 Il n'y a qu'un seul législateur [e] et juge, celui qui
Mt 10 28p peut sauver ou perdre. Et toi, qui es-tu pour juger
1 S 2 6+ le prochain [f]?
Rm 14 4

### Avertissement aux riches.

13 Eh bien, maintenant! vous qui dites : « Au-
Pr 27 1 jourd'hui ou demain nous irons dans telle ville,
Lc 12 19-20 nous y passerons l'année, nous ferons du commerce
et nous gagnerons de l'argent! » 14 Vous qui ne
savez pas ce que demain sera votre vie, car vous
êtes une vapeur qui paraît un instant, puis dispa- Jb 14 2+
raît [g]. 15 Que ne dites-vous au contraire : « Si le Seigneur le veut, nous vivrons et nous ferons ceci ou Ac 18 21
cela. » 16 Mais voilà que vous vous glorifiez de Rm 1 10
votre forfanterie! Toute gloriole de ce genre est
mauvaise. 17 Celui donc qui sait faire le bien et ne 1 22-25+
le fait pas, commet un péché.

**5** 1 Eh bien, maintenant, les riches! Pleurez, hur- Lc 6 24s
lez sur les malheurs qui vont vous arriver.
2 Votre richesse est pourrie, vos vêtements sont
rongés par les vers. 3 Votre or et votre argent sont
rouillés, et leur rouille témoignera contre vous : elle Mt 6 19-21
dévorera vos chairs; c'est un feu que vous avez thé- Si 29 10-12
Pr 16 27
saurisé dans les derniers jours [h]! 4 Voyez : le salaire Pr 11 4, 28
dont vous avez frustré les ouvriers qui ont fauché Rm 12 20
vos champs, crie, et les clameurs des moissonneurs Lv 19 13
sont parvenues aux oreilles du Seigneur des Dt 24 14-15
Armées. 5 Vous avez vécu sur terre dans la mol- Ex 22 22
lesse et le luxe, vous vous êtes repus au jour du carnage [i]. 6 Vous avez condamné, vous avez tué le Sg 2 10-20
juste : il ne vous résiste pas.

### L'Avènement du Seigneur.

7 Soyez donc patients, frères, jusqu'à l'Avène- 1 Co 15 23-
ment du Seigneur. Voyez le laboureur : il attend
patiemment le précieux fruit de la terre jusqu'aux
pluies [j] de la première et de l'arrière-saison. 8 Soyez Dt 11 14
patients, vous aussi; affermissez vos cœurs, car
l'Avènement du Seigneur est proche [k]. 9 Ne vous Ap 1 3
plaignez pas les uns des autres, frères, afin de n'être 2 Co 6 2+
pas jugés. Voyez : le Juge se tient aux portes! Mt 24 33p
Rm 2 6+
10 Prenez, frères, pour modèles de souffrance et de Mt 5 11-1
patience les prophètes qui ont parlé au nom du Seigneur. 11 Voyez : nous proclamons bienheureux
ceux qui ont de la constance. Vous avez entendu 1 2-3, 12
parler de la constance de Job et vous avez vu le Jb 42 10-
dessein du Seigneur; car *le Seigneur est miséricor-* Ps 103 8
*dieux et compatissant.*

*a)* Autre traduction (corr.) : « Vous désirez et vous n'avez pas; vous enviez et vous jalousez, et vous ne pouvez pas obtenir; vous combattez et vous faites la guerre. » – La « guerre » ne désigne pas ici les luttes intérieures en chaque homme, cf. Rm **7** 23; 1 P **2** 11, mais les dissensions ou rancunes entre fidèles, peut-être de véritables conflits, auxquels les chrétiens prendraient une part active.

*b)* Le terme grec est ici au féminin. Il évoque l'image traditionnelle d'Israël, épouse infidèle de Yahvé, Os **1** 2+, cf. Mt **12** 39; Mc **8** 38; 2 Co **11** 2.

*c)* Var. (Vulg.) : « qui habite en nous ». – La citation est difficile à identifier. Sur la jalousie de Dieu, Dt **4** 24+. Il s'agit probablement de réminiscences rapportées par exemple à Gn **2** 7; **6** 3, ou Ez **36** 27, cf. 1 Th **4** 8. Même source d'inspiration en Rm **8** 26-27 : Dieu a mis en nous de son Esprit, qui nous fait désirer ce que Dieu désire; nos demandes sont alors exaucées, cf. Mt **18** 19-20; Jn **14** 13+.

*d)* Cf. Is **32** 11s; Mi **2** 4; Za **11** 2s.

*e)* Var. : « C'est le législateur ».

*f)* Le jugement est réservé à Dieu, **1** 12; **2** 4; **5** 7-8; Mt **7** 1p+; Rm **2** 1; cf. Ps **5** 11+; **9** 9+. Qui juge son prochain brave la loi royale de l'amour, **2** 8, et se substitue indûment à la justice divine.

*g)* Thème sapientiel de la fragilité humaine, Ps **39** 6-7,12; **102** 4; Sg **2** 4; **5** 9-14, obligeant à se confier et se soumettre à Dieu.

*h)* La perspective est eschatologique : les calamités qui attendent les riches se situent dans la perspective du Jugement, **5** 7-9, cf. Mt **6** 19; Is **5** 8-10; Am **2** 6-7; **8** 4-8; etc. Mais nous sommes déjà dans « les derniers temps », cf. 2 Co **6** 2+.

*i)* Peut-être allusion aux violences dont les riches ont accablé les justes, v. 6, cf. Ps **44** 23; Sg **2** 10-20; Jr **12** 1-3.

*j)* Var. : « fruits ».

*k)* L'attente de la Venue (*parousie*, 1 Co **15** 23+) est le motif dernier de la patience chrétienne, **1** 2-4, 12; 1 Th **3** 13; 1 P **4** 7; **5** 10. La comparaison du laboureur, v. 7, fait penser à Mc **4** 26-29.

### Exhortations finales.

Mt **5** 34-37 12 Mais avant tout, mes frères, ne jurez ni par le
ciel, ni par la terre, n'usez d'aucun autre serment.
Que votre oui soit oui, que votre non soit non, afin
que vous ne tombiez pas sous le jugement.
13 Quelqu'un parmi vous souffre-t-il? Qu'il prie [a].
Quelqu'un est-il joyeux? Qu'il entonne un cantique.
14 Quelqu'un parmi vous est-il malade? Qu'il
Tt **1** 5+ appelle les presbytres de l'Église et qu'ils prient sur
Mc **6** 13 lui après l'avoir oint d'huile au nom du Seigneur [b].
Ac **3** 16+ 15 La prière de la foi sauvera le patient et le Seigneur le relèvera. S'il a commis des péchés, ils lui
Pr **28** 13+ seront remis. 16 Confessez donc vos péchés les uns
Si **4** 26
1 Jn **1** 8-10
aux autres et priez les uns pour les autres, afin que
vous soyez guéris [c].
La supplication fervente [d] du juste a beaucoup de Ex **32** 11+
puissance. 17 Élie [e] était un homme semblable à
nous : il pria instamment qu'il n'y eût pas de pluie, 1 R **17** 1;
et il n'y eut pas de pluie sur la terre pendant trois **18** 1. 41s
ans et six mois. 18 Puis il pria de nouveau : le ciel Ap **11** 6
donna de la pluie et la terre produisit son fruit.
19 Mes frères, si quelqu'un parmi vous s'égare Ga **6** 1+
loin de la vérité et qu'un autre l'y ramène, 20 qu'il 1 Jn **5** 16
le sache [f] : celui qui ramène un pécheur de son égarement sauvera son âme de la mort et *couvrira une* Tb **12** 9
*multitude de péchés.* Pr **10** 12
1 P **4** 8

*a)* Le trait commun aux vv. 13-18 est la prière, avec insistance sur les cas du malade et du pécheur, puis, vv. 16b-18, sur la puissance de celui qui prie bien.

*b)* Om. : « du Seigneur ». – Jc suppose connue la pratique dont il parle. Dans cette onction faite au nom du Seigneur, accompagnée de prières dites par les « anciens », Ac **11** 30+, en vue du soulagement de la maladie et de la rémission des péchés, l'Église a vu une forme initiale du sacrement de l'« Onction des malades ». Cette identification traditionnelle a été définie par le Concile de Trente.

*c)* L'aveu des fautes, associé ici à la prière, devait être recommandé au malade, v. 15, il est aussi demandé à tout chrétien, spécialement dans le cadre de la liturgie. Aucune précision n'est donnée ici sur la confession sacramentelle.

*d)* Vulg. : « assidue ».

*e)* La figure d'Élie, très populaire dans la tradition juive, l'a été aussi chez les chrétiens. Jc souligne que cet homme à la prière si puissante était semblable à nous.

*f)* Var. : « sachez ». – La charité fraternelle et le pardon peuvent ramener les égarés, cf. Mt **18** 15, 21-22+; 1 Th **5** 14, et profitera en retour, au temps du jugement, à celui qui l'exerce, 1 P **4** 8; cf. Dn **12** 3; Ez **3** 19; **33** 9. L'épître se termine ainsi, dépourvue de toute salutation usuelle.

# PREMIÈRE ÉPÎTRE DE SAINT PIERRE

### Adresse et salutation.

1 1 Pierre, apôtre de Jésus Christ, aux étran-
Jc 1 1+ gers [a] de la Dispersion [b] : du Pont, de Galatie,
Jn 7 35 de Cappadoce, d'Asie et de Bithynie, élus 2 selon
Ep 1 4 Rm 8 29 la prescience de Dieu le Père, dans la sanctification
2 Th 2 13 de l'Esprit, pour obéir et être aspergés du sang de
Mt 26 28+ Ex 24 6-8 Jésus Christ [c]. A vous grâce et paix en abondance.

### Introduction. L'héritage accordé par le Père.

3 Béni soit [d] le Dieu et Père de notre Seigneur
2 Co 1 3 Ep 1 3 Jésus Christ : dans sa grande miséricorde, il nous
a engendrés de nouveau par la Résurrection de
1 P 1 23 Jn 3 5 Jésus Christ d'entre les morts, pour une vivante
Jn 2 29; 3 9 Rm 1 4+ espérance, 4 pour un héritage exempt de corruption,
Col 1 5, 12; 3 3-4 de souillure, de flétrissure, et qui vous est réservé
Mt 6 19-20p dans les cieux, à vous 5 que, par la foi, la puissance
de Dieu garde pour le salut prêt à se manifester au
Ep 1 19s 1 Jn 3 2 dernier moment [e].

### Amour et fidélité à l'égard du Christ.

6 Vous en tressaillez de joie, bien qu'il vous faille
Jn 16 20 Jc 1 2-3 encore quelque temps être affligés par diverses
He 12 11 épreuves, 7 afin que, bien éprouvée, votre foi, plus
Ml 3 2-3 précieuse que l'or périssable que l'on vérifie par le
1 Co 3 13 feu, devienne un sujet de louange, de gloire et
Rm 2 7 d'honneur, lors de la Révélation de Jésus Christ.
8 Sans l'avoir vu vous l'aimez; sans le voir encore, 1 Jn 4 20
mais en croyant, vous tressaillez d'une joie indici-
ble et pleine de gloire, 9 sûrs d'obtenir l'objet de
votre foi : le salut des âmes [f].

### La révélation prophétique de l'Esprit.

10 Sur ce salut ont porté les investigations et les
recherches des prophètes, qui ont prophétisé sur la Ac 11 27+
grâce à vous destinée. 11 Ils ont cherché à découvrir
quel temps et quelles circonstances avait en vue Ac 1 7+; 2 23+
l'Esprit du Christ [g], qui était en eux, quand il attes- Lc 18 31+
tait à l'avance les souffrances du Christ et les gloi- Is 52 13 - 53 12
res qui les suivraient. 12 Il leur fut révélé que ce Mt 13 16-17p
n'était pas pour eux-mêmes, mais pour vous, qu'ils
administraient ce message, que maintenant vous Rm 16 25+
annoncent ceux qui vous prêchent l'Évangile, dans
l'Esprit Saint envoyé du ciel, et sur lequel les anges Ep 3 10+
se penchent avec convoitise.

### Exigences de la vie nouvelle.
### Sainteté du néophyte.

13 L'intelligence en éveil, soyez sobres et Lc 12 35-40
espérez pleinement en la grâce qui doit vous être
apportée par la Révélation de Jésus Christ. 14 En
enfants obéissants, ne vous laissez pas modeler par
vos passions de jadis, du temps de votre igno- Rm 6 19
rance [h]. 15 Mais, à l'exemple du Saint qui vous a Mt 5 48 1 Jn 3 3 Ac 9 13+ Is 43 1

*a)* La terre appartient à Dieu (Ps **24** 1); l'homme y vit en étranger (Lv **25** 23), en « passant », puisqu'il doit la quitter à sa mort (Ps **39** 13s; **119** 19; 1 Ch **29** 10-15). Après la révélation de la résurrection des morts (2 M **7** 9+), le thème se complète : la vraie patrie de l'homme est au ciel (Ph **3** 20; Col **3** 1-4; He **11** 8-16; **13** 14); il vit sur la terre « en exil » (*paroikia*, d'où vient « paroisse », 1 P **1** 17; 2 Co **5** 1-8), au milieu d'un monde païen dont il faut éviter les vices (1 P **2** 11; **4** 2-4), comme vivaient les Juifs de la Dispersion.

*b)* Les Juifs convertis, Jc **1** 1+, ou simplement les chrétiens qui vivent au milieu des païens, **5** 9.

*c)* La pensée est trinitaire, cf. 2 Co **13** 13+. Le passage suivant reviendra sur le Père, vv. 3-5, le Fils, vv. 6-9, l'Esprit, vv. 10-12. – Le v. 2 fait allusion à la scène de la conclusion de l'Alliance, racontée en Ex **24** 6-8. Le peuple promet d'obéir aux commandements de Dieu (v. 7) et, pour sceller l'Alliance, Moïse asperge le peuple avec le sang des victimes (v. 8). Sur l'utilisation chrétienne de ce texte, en référence au sang du Christ, cf. He **9** 18ss et Mt **26** 28.

*d)* La formule de bénédiction héritée de l'AT, Gn **14** 20+; Lc **1** 68; Rm **1** 25; 2 Co **11** 31, est devenue chrétienne, Rm **9** 5; 2 Co **1** 3; Ep **1** 3 : les bienfaits dont on loue Dieu sont liés à la personne du Christ et surtout à sa résurrection. Rm **1** 4-5+; etc.

*e)* La dernière période de l'histoire, inaugurée par Jésus, **1** 20, et qui s'achèvera par la Révélation, vv. 7,13; **4** 13; **5** 1; 1 Co **1** 7-8+, ou Parousie, Jc **5** 8+; cf. Mc **1** 15+.

*f)* Parmi les tracasseries, v. 6; **2** 12,19; **3** 13-17; **4** 12-19, les chrétiens puisent dans leur foi au Christ et leur amour pour lui la certitude joyeuse que Dieu leur réserve le salut (des âmes, c'est-à-dire des personnes, **1** 22; **2** 11; cf. 1 Co **15** 44+).

*g)* Le rôle des prophètes était d'annoncer le mystère du Christ, v. 10. Leur inspiration est attribuée à l'Esprit du Christ, cf. 1 Co **10** 1-11+; Lc **24** 27,44, de même que la prédication des apôtres, v. 12. L'unité des deux Alliances est ainsi mise en lumière.

*h)* Ils sont passés de l'ignorance à la connaissance de Dieu, Ps

appelés, devenez saints, vous aussi, dans toute
votre conduite [a], [16] selon qu'il est écrit : *Vous serez*
Lv **19** 2; **17** 1+ *saints, parce que moi, je suis saint.*
Dt **10** 17+ [17] Et si vous appelez Père celui qui, sans accep-
He **11** 6+ tion de personnes, juge chacun selon ses œuvres,
conduisez-vous avec crainte pendant le temps de
2 Co **5** 6 votre exil. [18] Sachez que ce n'est par rien de corrup-
Is **52** 3 tible, *argent* ou or, que *vous avez été affranchis* de
1 Co **6** 20; **7** 23 la vaine conduite héritée de vos pères, [19] mais par
Ep **4** 17 un sang précieux, comme d'un agneau sans repro-
Ap **5** 9 Jn **1** 29+ che et sans tache, le Christ [b], [20] discerné avant la
Rm **3** 24-25+ fondation du monde et manifesté dans les derniers
Jn **17** 24 temps à cause de vous. [21] Par lui vous croyez en
Ga **4** 4; He **1** 2 Rm **1** 16+ Dieu, qui l'a fait ressusciter d'entre les morts et lui
Rm **1** 4+; **8** 11+ a donné la gloire, si bien que votre foi soit en Dieu
comme votre espérance [c].

**La régénération par la Parole.**

Rm **1** 5+ [22] En obéissant à la vérité, vous avez sanctifié
Jn **17** 17 vos âmes, pour vous aimer sincèrement comme des
frères. D'un cœur pur [d], aimez-vous les uns les
1 Jn **3** 9; **5** 1 autres sans défaillance, [23] engendrés de nouveau
1 P **1** 3 d'une semence non point corruptible, mais incor-
Jc **1** 18 ruptible : la Parole de Dieu, vivante et perma-
Jn **3** 11+ Dn **6** 27 nente [e]. [24] Car *toute chair est comme l'herbe et*
Is **40** 6-8 *toute sa gloire comme fleur d'herbe; l'herbe se des-*
*sèche et sa fleur tombe;* [25] *mais la Parole du Sei-*
*gneur demeure pour l'éternité.* C'est cette Parole
dont la Bonne Nouvelle vous a été portée.

Jc **1** 21 **2** [1] Rejetez donc toute malice et toute fourberie,
hypocrisies, jalousies et toute sorte de médi-
sances. [2] Comme des enfants nouveau-nés désirez
1 Co **3** 2 le lait non frelaté de la parole, afin que, par lui,
vous croissiez pour le salut [f], [3] si du moins *vous*
*avez goûté combien le Seigneur est excellent.* Ps **34** 9

**Le sacerdoce nouveau.**

[4] [g] Approchez-vous de lui, la pierre vivante, reje- Ex **19** 23
tée par les hommes, mais choisie, précieuse auprès Mt **21** 42p Ac **4** 11
de Dieu. [5] Vous-mêmes, comme pierres vivantes, Ep **2** 20-22
prêtez-vous à l'édification d'un édifice spirituel,
pour un sacerdoce saint, en vue d'offrir des Ex **19** 6+
sacrifices spirituels, agréables à Dieu par Jésus Rm **1** 9+
Christ. [6] Car il y a dans l'Écriture : *Voici que je*
*pose en Sion une pierre angulaire, choisie, pré-* Is **28** 16
*cieuse,* et *celui qui se confie en elle ne sera pas* Rm **9** 33; **10**
*confondu.*
[7] A vous donc, les croyants, l'honneur, mais
pour les incrédules, *la pierre qu'ont rejetée les* Ps **118** 22
*constructeurs, celle-là est devenue la tête de l'angle,*
[8] *une pierre d'achoppement et un rocher qui fait* Is **8** 14s
*tomber.* Ils s'y heurtent parce qu'ils ne croient pas
à la Parole; c'est bien à cela qu'ils ont été destinés [h].
[9] Mais vous [i], vous êtes *une race élue, un sacer-* Is **43** 20-21
*doce royal, une nation sainte, un peuple acquis,* Ex **19** 5-6+ Ep **1** 14+
pour proclamer les louanges de Celui qui vous a Rm **3** 24+
appelés des ténèbres à son admirable lumière, Col **1** 12-13 Ac **26** 18
[10] vous qui jadis n'étiez *pas un peuple* et qui êtes Os **1** 6-9;
maintenant le Peuple de Dieu, qui *n'obteniez pas* **2** 3, 25
*miséricorde* et qui maintenant *avez obtenu miséri-*
*corde.*

**Obligations des chrétiens : parmi les païens.**

[11] Très chers, je vous exhorte, comme *étrangers* Gn **23** 4; P
*et voyageurs* [j], à vous abstenir des désirs charnels, He **11** 13
Ga **5** 24

**78** 6; Jr **10** 25; 1 Th **4** 5; etc., et leur conduite, **1** 18; Ep **4** 17-19, en a été toute transformée.

*a)* L'homme doit imiter la sainteté de Dieu (Lv **19** 2). C'est en aimant les autres (cf. Lv **19** 15), précise Jésus, que le chrétien imite Dieu, se distingue des païens et devient enfant de Dieu (Mt **5** 43-48p). Mais où puiser la force nécessaire? Inversant les données du problème, la tradition apostolique comprend que c'est parce que nous sommes enfants de Dieu (1 P **1** 23+) que nous pouvons imiter Dieu (1 P **1** 14-16; 1 Jn **3** 2-10; Ep **5** 1s), car le Dieu-amour (1 Jn **4** 8) devient principe de notre agir. Paul voit dans cette imitation divine la restauration de l'œuvre créatrice (Col **3** 10-13; Ep **4** 24).

*b)* Ou : « par le sang précieux du Christ, cet agneau sans défaut ».

*c)* Le rachat, Rm **3** 25+, par le sang du Christ, Mt **26** 28+; Ap **1** 5; **5** 9, ainsi que sa résurrection, relevaient du dessein éternel du Père, v. 20, qui consacrait ainsi son nouveau peuple de « croyants », cf. 1 Th **1** 7; **2** 10,13; etc. On soupçonne en cette section, vv. 13-21, les échos d'une catéchèse ou même d'une liturgie baptismale.

*d)* Var. : « De tout cœur ».

*e)* Ou : « la Parole du Dieu vivant et éternel ». – Germe de vie, la parole de Dieu est au principe de notre renaissance divine et nous donne la possibilité d'agir selon la volonté de Dieu, **1** 22-25; Jc **1** 18+; Jn **1** 12s; 1 Jn **3** 9, cf. **2** 13s; **5** 18, parce qu'elle est douée de puissance, 1 Co **1** 18; 1 Th **2** 13; He **4** 12. Pour Jc, la Parole est encore la Loi mosaïque, **1** 25; pour 1 P, c'est la prédication évangélique, **1** 25 (cf. Mt **13** 18-23p); pour Jn, c'est le Fils de Dieu en personne, **1** 1+. Paul voit dans l'Esprit le principe qui nous constitue enfants de Dieu, Rm **6** 4+, mais l'Esprit est le dynamisme de la Parole.

*f)* La naissance, **1** 23, est suivie d'une croissance, due elle aussi à la Parole dont les chrétiens se nourrissent avec avidité.

*g)* Le passage suivant, vv. 4-10, est marqué par le souvenir d'Ex **19**. Le peuple saint ancien s'est constitué autour du Sinaï, mais il ne pouvait en approcher. Le nouveau peuple se constitue autour d'un autre Rocher, la Pierre, dont on peut s'approcher, v. 4. De même, aux sacrifices qui avaient scellé l'ancienne Alliance (Ex **24**, 5-8) se superposent les sacrifices spirituels des chrétiens, v. 5. – De plus l'image de la croissance fait place à celle de la construction. Jésus lui-même, Mt **21** 42p, s'était comparé à la pierre rejetée, Ps **118** 22, puis choisie par Dieu, Is **28** 16. Les chrétiens, pierres vivantes, v. 5, comme lui, v. 4, « se construisent » en une demeure spirituelle, 1 Co **3** 16-17; 2 Co **6** 16; Ep **2** 20-22, où ils rendent à Dieu par le Christ un culte digne de lui, Jn **2** 21+; Rm **1** 9+; He **7** 27+.

*h)* Litt. « c'est pour cela qu'ils ont été établis ». En rejetant l'Évangile, les Juifs ont perdu leurs prérogatives, désormais transférées aux chrétiens, **3** 9; Ac **28** 26-28, cf. Jn **12** 40. Compléter par Rm **11** 32; 1 Tm **2** 4; etc., et ne pas préjuger d'un rejet eschatologique.

*i)* Une nouvelle série d'allusions bibliques attribue à l'Église les titres du peuple élu, en vue de souligner sa relation avec Dieu et sa responsabilité dans le monde, cf. Ap **1** 6; **5** 10; **20** 6. Cette « race » tirait de son appartenance au Christ une unité qui défiait toute classification, cf. Ga **3** 28; Ap **5** 9; etc.

*j)* La citation de Ps **39** 13 revient dans He **11** 13; elle a dû appartenir à la catéchèse primitive qui regardait la vie chré-

Jc 4 1 qui font la guerre à l'âme. 12 Ayez au milieu des
nations une belle conduite [a] afin que, sur le point
même où ils vous calomnient comme malfaiteurs,
Mt 5 16 la vue de vos bonnes œuvres les amène à glorifier
Ex 3 16+ Dieu, au jour de sa Visite.
Is 10 3

### Rm 13 1-7 A l'égard des autorités.
Tt 3 1

13 Soyez soumis, à cause du Seigneur, à toute
institution humaine [b] : soit au roi, comme souverain, 14 soit aux gouverneurs, comme envoyés par
lui pour punir ceux qui font le mal et féliciter ceux
qui font le bien. 15 Car c'est la volonté de Dieu
qu'en faisant le bien vous fermiez la bouche à
l'ignorance des insensés. 16 Agissez en hommes
Ga 5 13 libres, non pas en hommes qui font de la liberté un
Jude 4 voile sur leur malice, mais en serviteurs de Dieu.
17 Honorez tout le monde, aimez vos frères, crai-
Pr 24 21 gnez Dieu, honorez le roi.
Mt 22 21p

### A l'égard des maîtres exigeants.

Ep 6 5-8+ 18 Vous les domestiques, soyez soumis à vos
maîtres, avec une profonde crainte, non seulement
aux bons et aux bienveillants, mais aussi aux
3 14; 4 14 difficiles. 19 Car c'est une grâce [c] que de supporter,
Jc 5 7-11 par égard pour Dieu, des peines que l'on souffre injustement. 20 Quelle gloire, en effet, à supporter les
coups si vous avez commis une faute? Mais si, faisant le bien, vous supportez la souffrance, c'est une
grâce auprès de Dieu.
Mt 16 24 21 Or, c'est à cela que vous avez été appelés, car
le Christ aussi a souffert [d] pour vous, vous laissant
2 Th 3 7+ un modèle afin que vous suiviez ses traces [e], 22 lui
Jn 8 46 qui n'a pas commis de faute – *et il ne s'est pas*
Is 53 9 *trouvé de fourberie dans sa bouche*; 23 lui qui
39; 26 62 insulté ne rendait pas l'insulte, souffrant ne mena-
Rm 12 19 çait pas, mais s'en remettait à Celui qui juge avec
Is 53 12 justice; 24 *lui qui*, sur le bois, *a porté lui-même nos*
2 Co 5 21 *fautes* dans son corps, afin que, morts à nos fautes,
6 11, 18 nous vivions pour la justice; lui *dont la meurtris-*
Is 53 5, 6 *sure vous a guéris*. 25 Car vous étiez *égarés comme*
Ez 34 1+ *des brebis* [f], mais à présent vous êtes retournés vers
le pasteur et le gardien de vos âmes.

### Dans le mariage.

3 1 Pareillement, vous les femmes, soyez soumi- Ep 5 22-24
ses à vos maris, afin que, même si quelques- Col 3 18
uns refusent de croire à la Parole, ils soient, sans 1 Co 7 12-16
parole, gagnés par la conduite de leurs femmes, 2 en 1 P 1 25
considérant votre vie chaste et pleine de respect.
3 Que votre parure ne soit pas extérieure, faite de Is 3 16s+
cheveux tressés, de cercles d'or et de toilettes bien 1 Tm 2 9-15
ajustées, 4 mais à l'intérieur de votre coeur [g] dans
l'incorruptibilité d'une âme douce et calme : voilà
ce qui est précieux devant Dieu. 5 C'est ainsi qu'autrefois les saintes femmes qui espéraient en Dieu se
paraient, soumises à leurs maris : 6 telle Sara obéis-
sait à Abraham, en l'appelant son *Seigneur*. C'est Gn 18 12
d'elle que vous êtes devenues les enfants, si vous Ga 4 28
agissez bien, sans terreur et sans aucun trouble.
7 Vous pareillement, les maris, menez la vie Ep 5 25-33
commune avec compréhension, comme auprès d'un Col 3 19
être plus fragile, la femme; accordez-lui sa part
d'honneur, comme cohéritière de la grâce de Vie [h].
Ainsi vos prières ne seront pas entravées.

### Entre frères.

8 Enfin, vous tous [i], en esprit d'union, dans la Rm 12 14-18
compassion, l'amour fraternel, la miséricorde, l'esprit d'humilité [j], 9 ne rendez pas mal pour mal, Mt 5 38s, 43s
insulte pour insulte. Bénissez, au contraire, car Lc 6 28
c'est à cela que vous avez été appelés, afin d'hériter
la bénédiction. 10 *Qui veut, en effet, aimer la vie et* Ps 34 13-17
*voir des jours heureux doit garder sa langue du mal*
*et ses lèvres des paroles fourbes,* 11 *s'éloigner du*
*mal et faire le bien, chercher la paix et la poursui-*
*vre.* 12 *Car le Seigneur a les yeux sur les justes et*
*tend l'oreille à leur prière, mais le Seigneur tourne*
*sa face contre ceux qui font le mal.*

### Dans la persécution.

13 Et qui vous ferait du mal, si vous devenez zélés
pour le bien? 14 Heureux d'ailleurs quand vous Mt 5 10
souffririez pour la justice! *N'ayez d'eux aucune* Is 8 12
*crainte et ne soyez pas troublés* [k]. 15 Au contraire, Mt 10 26-31
Pr 3 25

tienne comme une vie en exil (cf. 1 P **1** 1,17; Col **3** 1-4; Ph **3** 20).

*a)* L'appartenance à une autre cité, **1** 1+, ne dégageait pas les chrétiens de toute obligation ici-bas. Leur état de fils de Dieu, citoyens du ciel, leur impose de nombreux devoirs qui leur gagneront l'estime de leurs détracteurs, vv. 12,15.

*b)* Ou : « toute créature humaine ». Dans les deux versions on sent une opposition à l'idée païenne du souverain divinisé. Toute la suite, **2** 13 - **3** 12, s'adressera aux diverses catégories sociales, comme Ep **5** 22 - **6** 9; Col **3** 18 - **4** 1; Tt **2** 1-10.

*c)* Add. : « auprès de Dieu », cf. v. 20.

*d)* Var. : « est mort », cf. **3** 18.

*e)* La « grâce » de supporter l'injustice, vv. 19-20, s'appuie sur l'exemple du Christ, cf. Jn **13** 15; 1 Co **11** 1; Ph **2** 5; 2 Th **3** 7+. Les vv. 21-25, avec leurs réminiscences d'Is **53**, proviennent peut-être d'une hymne. Les chrétiens maltraités doivent se souvenir de Jésus crucifié pour nos péchés, **3** 18; Ac **2** 23, etc., innocent et patient, Lc **23** 41; Jn **8** 46; 2 Co **5** 21; He **4** 15.

*f)* Var. : « vous étiez comme des brebis égarées ». Ces brebis sont maintenant dans le troupeau dont Jésus est le berger, **5** 2-4; Jn **10**, et l'« épiscope », inspecteur ou visiteur, cf. Tt **1** 5+.

*g)* Litt. « mais l'homme caché au fond du cœur ».

*h)* « cohéritière »; var. : « cohéritiers ». – « de la grâce de Vie »; var. : « d'une grâce variée de vie », cf. **4** 10. – Les deux époux ont reçu le même don de la grâce, qui commande de part et d'autre respect et dévouement dans l'amour, cf. Ep **5** 33; Col **3** 19 et rend possible et efficace la prière commune.

*i)* Cette dernière exhortation résume toutes les précédentes : fraternité, **2** 17; harmonie des cœurs, cf. Rm **12** 9-13, etc.; pardon des ennemis, Mt **5** 44p; 1 Th **5** 15; Rm **12** 14,17-21.

*j)* « (dans) l'esprit d'humilité »; Vulg. : « modestes, humbles ».

*k)* Om. : « et ne soyez pas troublés ».

Is 8 13 *sanctifiez* dans vos cœurs *le Seigneur* Christ, toujours prêts à la défense contre quiconque vous
demande raison de l'espérance qui est en vous [a].
16 Mais que ce soit avec douceur et respect, en possession d'une bonne conscience, afin que, sur le
point même où l'on vous calomnie, soient confondus ceux qui décrient votre bonne conduite dans le
Christ. 17 Car mieux vaudrait souffrir en faisant le
bien, si telle était la volonté de Dieu, qu'en faisant
le mal.

**La Résurrection et la Descente aux Enfers [b].**

Rm 5 6; 6 10 18 Le Christ lui-même est mort une fois pour les
He 9 26-28 Ac 3 14+; Is 53 11 péchés, juste pour des injustes, afin de nous mener
1 P 2 21-24 à Dieu [c]. Mis à mort selon la chair, il a été vivifié
Rm 1 3-4+ selon l'esprit. 19 C'est en lui qu'il s'en alla même
prêcher aux esprits en prison [d], 20 à ceux qui jadis
2 P 3 9 avaient refusé de croire lorsque temporisait la lon-
ganimité de Dieu, aux jours où Noé construisait
Gn 7 7 l'Arche, dans laquelle un petit nombre, en tout huit
2 P 2 5 personnes, furent sauvées à travers l'eau. 21 Ce qui
Col 2 12-13 y correspond [e], c'est le baptême qui vous sauve à
Rm 6 4+ présent et qui n'est pas l'enlèvement d'une souillure
He 10 22s charnelle [f], mais l'engagement [g] à Dieu d'une bonne
conscience par la résurrection de Jésus Christ,
Ep 1 20-21 22 lui qui, passé au ciel, est à la droite de Dieu [h],
Ac 2 33+ après s'être soumis les Anges, les Dominations et
Col 2 15+ les Puissances [i].

**Rupture avec le péché.**

4 1 Le Christ ayant donc souffert dans la chair, 2 21
vous aussi armez-vous de cette même pensée,
à savoir : celui qui a souffert dans la chair a rompu
avec le péché, 2 pour passer le temps qui reste à Rm
vivre dans la chair, non plus selon les passions 1 Jn
humaines, mais selon le vouloir divin. 3 Il suffit Rm
bien en effet d'avoir accompli dans le passé la Tt 3
volonté des païens, en se prêtant aux débauches, Ep 4
aux passions, aux saouleries, orgies, beuveries, au Rm 1
culte illicite des idoles. 4 A ce sujet, ils jugent
étrange que vous ne couriez pas avec eux vers ce
torrent de perdition [j], et ils se répandent en outrages. 5 Ils en rendront compte à celui qui est prêt à
juger vivants et morts. 6 C'est pour cela, en effet, Ac 1
que même aux morts a été annoncée la Bonne Nou- 2 Tm
velle [k], afin que, jugés selon les hommes dans la 1 P 3
chair, ils vivent selon Dieu dans l'esprit. 2 Co
Rm 1

**Dans l'attente de la Parousie.**

7 La fin de toutes choses est proche [l]. Soyez donc 2 Co
sages et sobres en vue de la prière. 8 Avant tout, 1 P 1
conservez entre vous une grande charité, car *la* 4 17
*charité couvre une multitude de péchés*. 9 Pratiquez Tb 12
l'hospitalité les uns envers les autres, sans murmu- Jc 5
rer. 10 Chacun selon la grâce reçue, mettez-vous au Rm 1
service les uns des autres, comme de bons intendants 1 Co
d'une multiple grâce de Dieu [m]. 11 Si quelqu'un Lc 12
parle, que ce soit comme les paroles de Dieu [n]; si

*a)* « le Seigneur »; var. : « Dieu ». – « l'espérance »; add. : « et la foi ». – Les chrétiens témoignent de leur appartenance au Christ, cf. Lc 12 11-12; 1 Tm 6 12-15; 2 Tm 4 17, en face des païens qui ignorent toute espérance, Ep 2 12; 1 Th 4 13. Ils en ont l'occasion lors de persécutions locales.

*b)* Tout ce passage, 3 18 – 4 6 contient les éléments d'une ancienne profession de foi : mort du Christ 3 18; descente aux enfers 3 19; résurrection 3 21d; session à la droite de Dieu 3 22; jugement des vivants et des morts 4 5.

*c)* « les péchés »; Vulg. : « nos péchés ». – Om. : « à Dieu ».

*d)* Allusion probable à la descente du Christ dans l'Hadès, cf. Mt 16 18+, entre sa mort et sa résurrection, Mt 12 40; Ac 2 24,31; Rm 10 7; Ep 4 9; He 13 20, où il est allé « en esprit », cf. Lc 23 46, ou mieux selon l'Esprit, Rm 1 4+, sa « chair » étant morte sur la croix, Rm 8 3s. Les « esprits en prison » auxquels il a « prêché » (ou « annoncé ») le salut sont, d'après certains, les démons enchaînés dont parle le *livre d'Hénok* (d'aucuns, corrigeant le texte, attribuent même cette prédication à Hénok, et non au Christ) : de fait ils ont été alors soumis à sa domination de Kyrios, v. 22; cf. Ep 1 21s; Ph 2 8-10, en attendant leur sujétion définitive, 1 Co 15 24s. D'autres y voient les esprits des défunts qui, châtiés au Déluge, sont cependant appelés par la « patience de Dieu » à la vie, cf. 4 6. Mt 27 52s contient une allusion analogue à la délivrance par le Christ, entre sa mort et sa résurrection, des « saints », c'est-à-dire des justes qui l'attendaient, cf. He 11 39s; 12 23, pour entrer à sa suite dans la « sainte Cité » eschatologique. Cette descente du Christ aux Enfers constitue un des articles du Symbole des Apôtres.

*e)* Litt. « l'antitype », réalité préfigurée par le « type » (cf. 1 Co 10 6+). Ce type est ici le passage à travers l'eau, au moyen de l'arche.

*f)* L'eau du Déluge, qui permit à peine à quelques personnes de se sauver, symbolise l'économie de l'Ancienne Loi dont les prescriptions rituelles n'obtenaient le plus souvent qu'une purification tout extérieure et « charnelle ». Au contraire, pas de limitation à l'efficacité du baptême qui opère la régénération de l'âme.

*g)* Formulé par le néophyte au moment de son baptême. On traduit aussi : « la demande ».

*h)* Add. (Vulg.) : « acceptant la mort afin que nous devenions héritiers de la vie éternelle ».

*i)* Les « Dominations et Puissances » désignaient des fonctionnaires du pouvoir civil, Lc 20 20; 12 11; Tt 3 1. La cour céleste est comparée à une cour humaine, Col 2 10, 15; Ep 3 10. Ces « dominations » étaient spécialement chargées de fonctions judiciaires, ce qui explique le rôle d'accusateur que tenait Satan auprès de Dieu, Jb 1; Za 3 1-5; Ap 12 7-12. Inversement, Jésus pourra être désigné comme notre « avocat » auprès de Dieu, 1 Jn 2 1-2.

*j)* Litt. « ce débordement sans espoir de salut », qui s'oppose à l'eau bienfaisante du Déluge, cf. 3 20. Autre traduction : « ce débordement de débauche ».

*k)* Sur cette bonne nouvelle portée aux morts, cf. 3 19+. Selon certains, il s'agirait ici de morts « spirituels », tels que les infidèles qui persécutent les lecteurs de l'épître.

*l)* La proximité de la Parousie est un stimulant pour le chrétien, 1 5-7; 4 17; 5 10; Mt 24 42+; 1 Co 16 22+; Jc 5 8+.

*m)* Tous les dons (litt. « charismes ») sont au service de l'Église en son unité et sa totalité, 1 Co 12 1-11+; cf. 1 Co 4 1-2; 1 P 3 7.

*n)* Telles sont les improvisations inspirées de la prophétie et de la glossolalie, cf. 1 Co 14 2-19; Ac 11 27+ et Ac 2 4+, mais aussi bien les fonctions d'enseignement et d'exhortation, Rm 12 7-8, et même la transmission ou la défense de l'Évangile.

quelqu'un assure le service[a], que ce soit comme
1 Co **10** 31 par un mandat reçu de Dieu, afin qu'en tout Dieu
Rm **9** 5; **16** 27+ soit glorifié par Jésus Christ, à qui sont la gloire
et la puissance pour les siècles des siècles. Amen[aa].

**Heureux ceux qui souffrent avec le Christ.**

**3** 14 [12] Très chers, ne jugez pas étrange l'incendie qui
**1** 7 sévit au milieu de vous pour vous éprouver, comme
s'il vous survenait quelque chose d'étrange.
Mt **5** 11-12 [13] Mais, dans la mesure où vous participez aux
Rm **5** 3-5 souffrances du Christ, réjouissez-vous, afin que,
**1** 21; Col **3** 4 lors de la révélation de sa gloire, vous soyez aussi
Jc **1** 2-3 dans la joie et l'allégresse[b]. [14] Heureux, si vous êtes
outragés pour le nom du Christ, car l'Esprit de
Is **11** 2 LXX gloire[bb], *l'Esprit de Dieu repose sur vous.* [15] Que
nul de vous n'ait à souffrir comme meurtrier, ou
voleur, ou malfaiteur, ou comme délateur, [16] mais
Ac **11** 26+ si c'est comme chrétien, qu'il n'ait pas honte, qu'il
glorifie Dieu de porter ce nom. [17] Car le moment
Jr **25** 29 est venu de commencer le jugement par la maison
Lc **23** 31 de Dieu. Or s'il débute par nous, quelle sera la fin
de ceux qui refusent de croire à la Bonne Nouvelle
**11** 31 LXX de Dieu? [18] *Si le juste est à peine sauvé, l'impie, le
pécheur, où se montrera-t-il?* [19] Ainsi, que ceux qui
souffrent selon le vouloir divin remettent leurs
âmes au Créateur fidèle, en faisant le bien[c].

**Avertissements : Aux anciens.**

Ac **11** 30+ **5** [1] Les anciens[d] qui sont parmi nous, je les
exhorte, moi, ancien comme eux, témoin des
souffrances du Christ[e], et qui dois participer à la
Col **3** 4 gloire qui va être révélée[f]. [2] Paissez le troupeau de
Dieu qui vous est confié, veillant sur lui, non par
contrainte, mais de bon gré, selon Dieu[g]; non pour
; 1 Tm **3** 8 un gain sordide, mais avec l'élan du cœur; [3] non
2 Co **1** 24 pas en faisant les seigneurs à l'égard de ceux qui
vous sont échus en partage, mais en devenant les
modèles du troupeau[h]. [4] Et quand paraîtra le Chef 1 Co **4** 16+
des pasteurs[i], vous recevrez la couronne de gloire Tt **2** 7-8 Ez **34** 1+
qui ne se flétrit pas. 1 Co **9** 25+ Is **40** 10-11

**Aux fidèles.**

[5] Pareillement, les jeunes[j], soyez soumis aux 1 Jn **2** 12-14
anciens : revêtez-vous tous d'humilité dans vos rap- Jn **13** 14
ports mutuels, *car Dieu résiste aux orgueilleux,* Pr **3** 34 LXX Jb **22** 29
*mais c'est aux humbles qu'il donne sa grâce.* [6] Hu- Jc **4** 6-10 Ph **2** 8-9
miliez-vous donc sous la puissante main de Dieu,
pour qu'il vous élève au bon moment[k]; [7] *de* toute
*votre inquiétude, déchargez-vous* sur lui, car il a Ps **55** 23
soin de vous. [8] Soyez sobres, veillez. Votre partie Si **2** 1-18 Mt **6** 25s
adverse, le Diable[l], comme *un lion rugissant*, rôde,
cherchant qui dévorer. [9] Résistez-lui, fermes dans 1 Co **16** 1.
la foi, sachant que c'est le même genre de souf- Ps **22** 14 Ep **6** 11
france que la communauté des frères, répandue 1 Th **2** 14
dans le monde, supporte. [10] Quand vous aurez un Rm **8** 18
peu souffert, le Dieu de toute grâce, qui vous a 2 Co **4** 17
appelés à sa gloire éternelle, dans le Christ, vous 1 Th **2** 12;
rétablira lui-même, vous affermira, vous fortifiera, **5** 24
vous rendra inébranlables[m]. [11] A Lui[n] la puissance **4** 11
pour les siècles des siècles! Amen. Ap **1** 8; **11** 17

**Dernier avis. Salutations.**

[12] Je vous écris ces quelques mots par Silvain, Ac **15** 22+
que je tiens pour un frère fidèle, pour vous exhorter
et attester que telle est la vraie grâce de Dieu :
tenez-vous-y.

[13] Celle qui est à Babylone[o], élue comme vous, Ap **17** 5 2 Jn 1+
vous salue, ainsi que Marc, mon fils. Ac **12** 12+

[14] Saluez-vous les uns les autres dans un baiser 2 Co **13** 12+
de charité[p].

Paix à vous tous qui êtes dans le Christ[q]!

*a)* Sans doute les différentes formes de l'entraide, Rm **12** 7, en particulier le service liturgique.
*aa)* Cette doxologie, Rm **16** 27+, est la seule dans le NT qui s'adresse à Dieu *par* Jésus puis *à* Jésus lui-même.
*b)* Ceux que le baptême a rendus participants des souffrances du Christ, 2 Co **1** 5,7; Ph **3** 10, sont assurés d'avoir part aussi à sa gloire, **1** 11; **5** 1; Rm **8** 17; 2 Co **4** 17; Ph **3** 11.
*bb)* Add. : « et de puissance ». – Add. à la fin du v. : « selon eux il est outragé, mais selon vous il est honoré ». – Nouvelle formule trinitaire, **1** 2+.
*c)* Dieu est ici fidèle, 1 Co **1** 9+, en tant que créateur, Gn **1** 1+, ce qui implique sa toute-puissance et sa maîtrise sur les événements. Les chrétiens persécutés peuvent appuyer sur ce motif, cf. Ps **31** 6; Lc **23** 46, leur espérance inébranlable.
*d)* Ce sont les « presbytres », cf. Tt **1** 5+. Mais Pierre garde ici au mot sa signification étymologique d'« anciens », en l'opposant au terme de « jeunes », **5** 5.
*e)* Soit qu'il ait, comme apôtre, **1** 1, assisté à la Passion du Christ, soit que par ses propres souffrances il ait rendu témoignage au Christ.
*f)* Au jour de la Parousie, cf. **1** 5,13; **4** 7,17; **5** 10.
*g)* Om. : « veillant sur lui » et « selon Dieu ».
*h)* Om. : « à l'égard de ceux qui vous sont échus en partage ». – Add. (Vulg.) : « de bon cœur ». – Jésus déjà avait mis ses disciples en garde contre l'instinct de domination, Mt **20** 25-28p; **23** 8; cf. 2 Co **1** 24; **4** 5; 1 Th **2** 7.
*i)* Jésus est souvent décrit comme pasteur, **2** 25; Jn **10** 11+; He **13** 20, mais le titre de chef des pasteurs, ou souverain pasteur, n'apparaît qu'ici, dans un contexte de « service ».
*j)* Ou bien les jeunes distingués des adultes, souvent remuants surtout s'ils sont groupés, cf. Ep **6** 1-4; Col **3** 20-21; 1 Tm **4** 12; **5** 1, ou bien les néophytes, ou encore tous les fidèles qui ne sont pas des « anciens », **5** 1.
*k)* Vulg. ajoute : « de sa visite », cf. **2** 12.
*l)* Ou : « l'Accusateur », selon l'étymologie, qui correspond au rôle de « partie adverse » joué ici par le Diable, cf. **3** 22+; Mt **4** 5+. Cf. aussi la note-clef « Veillez » sur Mt **24** 42+.
*m)* « vous a appelés »; var. (Vulg.) : « nous a appelés ». – « dans le Christ »; add. (Vulg.) : « Jésus ». – Om. (Vulg.) : « vous fortifiera ».
*n)* Add. : « la gloire et ».
*o)* Var. (Vulg.) : « L'Église qui est à Babylone ». – Il s'agit de l'Église de Rome, cf. Ap **14** 8; **16** 19; **17** 5, avec allusion possible à l'exil temporaire, **1** 1+. Le titre d'« élue », cf. 2 Jn 1,13, désigne l'Église des élus, **1** 1-2, **2** 9.
*p)* Var. (Vulg.) : « un saint baiser », cf. Rm **16** 16; 1 Co **16** 20.
*q)* Add. (Vulg.) : « Jésus. Amen ».

# DEUXIÈME ÉPÎTRE DE SAINT PIERRE

### Adresse.

Ac 15 14+ **1** [1] Syméon Pierre, serviteur et apôtre de Jésus
Rm 1 17 Christ, à ceux qui ont reçu par la justice de
notre Dieu et Sauveur Jésus Christ [a] une foi d'un
|| Jude 2 aussi grand prix que la nôtre, [2] à vous grâce et paix
Col 2 6 en abondance, par la connaissance de notre Sei-
Ph 3 8-10 gneur [b]!

### La libéralité de Dieu.

Ep 3 16-19 [3] Car sa divine puissance nous a donné tout ce
qui concerne la vie et la piété : elle nous a fait
connaître Celui qui nous a appelés par sa propre
Jn 1 14+ gloire et vertu [c]. [4] Par elles [d], les précieuses, les plus
grandes promesses nous ont été données [e], afin que
Jn 1 12 Ac 17 28 vous deveniez ainsi participants de la divine
2 Co 3 18 nature [f], vous étant arrachés à la corruption qui est
Jn 1 10+ dans le monde, dans la convoitise [g].
Jn 2 15s; [5] Pour cette même raison [h], apportez encore tout
5 19 votre zèle à joindre à votre foi la vertu, à la vertu
Ga 5 22+ la connaissance, [6] à la connaissance la tempérance,
à la tempérance la constance, à la constance la
piété, [7] à la piété l'amour fraternel, à l'amour fraternel la charité. [8] En effet, si ces choses vous appartiennent et qu'elles abondent, elles ne vous laisseront pas sans activité, ni sans fruit pour la
connaissance de notre Seigneur Jésus Christ. 1 2
[9] Celui qui ne les possède pas [i], c'est un aveugle,
un myope; il oublie qu'il a été purifié de ses anciens
péchés. [10] Ayez donc d'autant plus de zèle, frères,
pour affermir votre vocation et votre élection [j]. Ce 2 Th 1 11
faisant, pas de danger que vous tombiez jamais. 1 Jn 3 6+
[11] Car c'est ainsi que vous sera largement accordée
par surcroît l'entrée dans le Royaume éternel [k] de Lc 1 33
notre Seigneur et Sauveur Jésus Christ.

### Le témoignage apostolique.

[12] C'est pourquoi je vous rappellerai toujours ces || Jude 5
choses, bien que vous les sachiez et soyez affermis
dans la présente vérité [l]. [13] Je crois juste, tant que 1 Jn 2 21
je suis dans cette tente, de vous tenir en éveil par Is 38 12
mes rappels, [14] sachant, comme d'ailleurs notre Sei- Sg 9 15 2 Co 5 1
gneur Jésus Christ me l'a manifesté, que l'abandon Jn 21 18-19
de ma tente est proche. [15] Mais j'emploierai mon Sg 9 15+
zèle à ce qu'en toute occasion, après mon départ,
vous puissiez vous remettre ces choses en mémoire.
[16] Car ce n'est pas en suivant des fables sophisti-
quées [m] que nous vous avons fait connaître la puis-

*a)* Ou : « de notre Dieu et du Sauveur Jésus Christ ».
*b)* Var. : « par la connaissance de Dieu et de Jésus (ou : Jésus Christ), notre Seigneur ». – Dans toute l'épître, le Christ est l'objet de la connaissance des fidèles, **1** 3,8; **2** 20; **3** 18. Cf. Os **2** 22+; Jn **17** 3; Ph **3** 10; etc. Cette connaissance inclut le discernement moral et la pratique des vertus, vv. 5-6,8.
*c)* La « gloire » consiste dans les signes que Jésus a donnés de sa divinité, cf. Jn **1** 14+ et Mc **16** 17; He **2** 4, en particulier à la Transfiguration, 2 P **1** 16-18. La « vertu » est la puissance naturelle ou miraculeuse. Ces deux attributs divins au service de l'appel donnent tout ce qui est requis pour une vie en rapport avec la piété, 1 Tm **4** 7+.
*d)* La « gloire » et la « vertu » du Christ, par lesquelles sont liés l'appel déjà suivi et l'avenir promis, cf. 1 Tm **4** 8. – Var. (Vulg.) : « par lequel ».
*e)* « nous »; var. : « vous ». – Ces promesses concernent le « Jour du Seigneur », cf. **3** 4,9-10,12-13.
*f)* Expression d'origine grecque, unique dans la Bible, et qui surprend par son ton impersonnel. L'Apôtre lui fait ici exprimer la plénitude de la vie nouvelle dans le Christ, communication faite par Dieu d'une vie qui lui est propre. Pour le fond, voir par exemple Jn **1** 12; **14** 20; **15** 4-5; Rm **6** 5; 1 Co **1** 9+; 1 Jn **1** 3+. C'est ici l'un des appuis de la doctrine de la « déification » chez les Pères grecs.
*g)* Var. (Vulg.) : « fuyant la corruption de la convoitise qui est dans le monde ».
*h)* Var. (Vulg.) : « Mais vous ».
*i)* Ici comme dans les épîtres johanniques, cf. 1 Jn **1** 8+, on met en garde contre les gnostiques, qui prétendaient connaître Dieu sans observer les commandements, oubliant que Dieu les a dotés de sa « nature », v. 4.
*j)* Add. (Vulg.) : « par les bonnes œuvres ».
*k)* Comme en **1** 4; **3** 4,9-10, s'ouvre ici la perspective de la Parousie. Le Royaume du Christ est à coup sûr celui du Père, Ep **5** 5; 2 Tm **4** 1; Ap **11** 15.
*l)* Cf. 1 P **1** 10-12. Le rappel porte sur les fondements de la foi chrétienne et de l'attente de la Parousie : le Christ et les apôtres, vv. 14-18, puis les prophètes, vv. 19-21.
*m)* Les gnostiques échafaudaient des spéculations gratuites à l'appui de leurs erreurs sur la Parousie, **3** 4-5, cf. 1 Tm **1** 4;

1 Co 15 23+ sance et l'Avènement de notre Seigneur Jésus
Lc 9 31-32p Christ, mais après avoir été témoins oculaires de
Jn 1 14 sa majesté [a]. 17 Il reçut en effet de Dieu le Père hon-
neur et gloire, lorsque la Gloire pleine de majesté
Mt 17 5p lui transmit [b] une telle parole : « Celui-ci est mon
Fils bien-aimé, qui a toute ma faveur. » 18 Cette
voix, nous, nous l'avons entendue; elle venait du
Ciel, nous étions avec lui sur la montagne sainte [c].

**La parole prophétique.**

19 Ainsi nous tenons plus ferme la parole prophétique [d] : vous faites bien de la regarder, comme une
lampe qui brille dans un lieu obscur, jusqu'à ce que
Ap 2 28+ le jour commence à poindre et que l'astre du matin
Lc 1 7-8 se lève dans vos cœurs. 20 Avant tout, sachez-le :
aucune prophétie d'Écriture n'est objet d'explica-
2 Tm 3 16 tion personnelle; 21 ce n'est pas d'une volonté
1 P 1 10-12 humaine qu'est jamais venue une prophétie, c'est
Ac 3 21 poussés par l'Esprit Saint que des hommes ont
parlé de la part de Dieu [e].

**Les faux docteurs [f].**

Dt 13 2-6 **2** 1 Il y a eu de faux prophètes dans le peuple,
Mt 24 24 comme il y aura aussi parmi vous de faux
|| Jude 4 2 P 3 3+ docteurs, qui introduiront des sectes pernicieuses et
Rm 3 24+ qui, reniant le Maître qui les a rachetés, attireront
sur eux-mêmes une prompte perdition. 2 Beaucoup
Ac 9 2+ suivront leurs débauches, et la voie de la vérité sera
Rm 2 24 blasphémée, à cause d'eux. 3 Par cupidité, au
Is 52 5 moyen de paroles trompeuses, ils trafiqueront de
vous, eux dont le jugement [g] depuis longtemps n'est
pas inactif et dont la perdition ne sommeille pas.

**Les leçons du passé.**

|| Jude 6 4 Car si Dieu n'a pas épargné les Anges qui
Mt 8 29 avaient péché, mais les a mis dans le Tartare et
livrés aux abîmes de ténèbres, où ils sont réservés
pour le Jugement; 5 s'il n'a pas épargné l'ancien
1 P 3 20 monde [h], tout en préservant huit personnes dont
Sg 10 4 Noé, héraut de justice, tandis qu'il amenait le
Déluge sur un monde d'impies; 6 si, à titre
d'exemple pour les impies à venir, il a mis en cen-
dres et condamné à la destruction [i] les villes de || Jude 7
Sodome et de Gomorrhe, 7 s'il a délivré Lot, le Gn 19 Sg 10 6-8
juste, qu'affligeait la conduite débauchée de ces Si 16 7-8
hommes criminels – 8 car ce juste qui habitait au Mt 10 15p
milieu d'eux torturait jour après jour son âme de
juste à cause des œuvres iniques qu'il voyait et
entendait –, 9 c'est que le Seigneur sait délivrer de 2 Th 1 5-10
l'épreuve les hommes pieux et garder les hommes
impies pour les châtier au jour du Jugement, Rm 2 6+
10 surtout ceux qui, par convoitise impure, suivent || Jude 8
la chair et méprisent la Seigneurie [j].

**Le châtiment à venir.**

Audacieux, arrogants, ils ne craignent pas de
blasphémer les Gloires [k], 11 alors que les Anges, || Jude 8-10
quoique supérieurs en force et en puissance, ne portent pas contre elles devant le Seigneur [l] de jugement calomnieux. 12 Mais eux sont comme des animaux sans raison, voués par nature à être pris et Ps 49 13-15
détruits; blasphémant ce qu'ils ignorent, de la
même destruction ils seront détruits eux aussi,
13 subissant l'injustice comme salaire de l'injustice.
Ils estiment délices la volupté du jour [m], hommes
souillés et flétris, ils mettent leur volupté à vous || Jude 12
tromper, en faisant bonne chère avec vous. 14 Ils
ont les yeux pleins d'adultère [n] et insatiables de
péché, ils allèchent les âmes mal affermies, ils ont
le cœur exercé à la cupidité, êtres maudits! 15 Après
avoir quitté la voie droite, ils se sont égarés en sui- || Jude 11
vant la voie de Balaam, fils de Bosor [o], qui chérit Nb 22 2+
un salaire d'injustice 16 mais qui fut repris de son Ap 2 14-15
méfait. Une monture sans voix, avec une voix Nb 22 28-
humaine, arrêta la démence du prophète.
17 Ce sont des fontaines sans eau et des nuages || Jude 12-
poussés par un tourbillon; l'obscurité des ténèbres
leur est réservée. 18 Avec des discours gonflés de
vide, ils allèchent, par les désirs charnels, par les || Jude 16
débauches, ceux qui venaient à peine [p] de fuir les
gens qui passent leur vie dans l'égarement. 19 Ils

6 20, etc. Pierre et les apôtres, eux, transmettent des faits dont ils ont été témoins oculaires, cf. Lc 1 2; Ac 1 8+; 1 Jn 1 1-3, et que le Père lui-même a attestés.
*a)* Lors de la Transfiguration.
*b)* « la Gloire... lui transmit »; var. : « du sein de la Gloire... lui parvint ».
*c)* L'appellation « montagne sainte » évoque soit le mont Sion, Ps 2 6; Is 11 9; etc., soit le Sinaï, comme le « type » du mont de la Transfiguration.
*d)* Les Écritures annonçaient déjà la gloire du Messie. La manifestation glorieuse du Christ lors de la Transfiguration a déjà permis de voir leur réalisation.
*e)* La manière dont l'inspiration des Écritures par l'Esprit, 2 Tm 3 15-16+, est ici invoquée suggère que leur lecture aussi suppose la conduite de l'Esprit et la tradition apostolique.
*f)* Tout ce passage 2 1 - 3 3 fait écho à Jude, bien que les deux développements diffèrent par maint détail.
*g)* C'est-à-dire la condamnation, déjà prononcée contre les faux docteurs, cf. Jude 4.
*h)* Celui qui a précédé le Déluge.
*i)* Om. : « à la destruction ».
*j)* Tous ces événements montrent chez Dieu une constance dans la justice qui restera la même au jugement eschatologique, vv. 10-22.
*k)* Des Anges. Ces faux docteurs s'arrogent le droit de les juger, qui est réservé à Dieu, Rm 12 19; 1 P 2 23, etc.
*l)* Om. (Vulg.) : « devant le Seigneur ».
*m)* Var. : « Ils prennent plaisir à se livrer à la débauche en plein jour. »
*n)* Var. (Vulg.) : « de la femme adultère ».
*o)* Var. : « Béor », cf. Nb 22 5.
*p)* Il s'agit des « âmes mal affermies », 2 14, qu'on croyait revenues de leurs égarements, 2 20, nombreuses à suivre les faux docteurs, 2 2.

leur promettent la liberté [a], mais ils sont eux-mê-
Jn 8 34 mes esclaves de la corruption, car on est esclave
Rm 6 16-17 de ce qui vous domine. 20 En effet, si, après avoir
fui les souillures du monde par la connaissance du
Seigneur et Sauveur Jésus Christ, ils s'y engagent
de nouveau [b] et sont dominés, leur dernière condi-
Mt 12 45p tion est devenue pire que la première. 21 Car mieux
valait pour eux n'avoir pas connu la voie de la justice, que de l'avoir connue pour se détourner du
1 Co 11 2+ saint commandement qui leur avait été transmis [c].
22 Il leur est arrivé ce que dit le véridique proverbe :
Pr 26 11 *Le chien est retourné à son propre vomissement*,
et : « La truie à peine lavée se roule dans le bourbier. »

**Le Jour du Seigneur : les Prophètes et les Apôtres.**

3 1 Voici déjà, très chers, la deuxième lettre que
je vous écris [d]; dans les deux je fais appel à
vos souvenirs pour éveiller en vous une saine intel-
|| Jude 17 ligence. 2 Souvenez-vous des choses prédites par les
2 P 1 18-20 saints prophètes et du commandement de vos apôtres, celui du Seigneur et Sauveur.

**Les faux docteurs.**

|| Jude 18 3 Sachez tout d'abord [e] qu'aux derniers jours [f], il
1 Tm 4 1+ viendra des railleurs pleins de raillerie, guidés par
P 1 16; 2 1 leurs passions. 4 Ils diront : « Où est la promesse de
Is 5 19 son avènement? Depuis que les Pères sont morts [g],
tout demeure comme au début de la création. »
5 Car ils ignorent volontairement qu'il y eut autre-
Gn 1 2, 6-9 fois des cieux et une terre qui, du milieu de l'eau,
par le moyen de l'eau, surgit à la parole de Dieu [h]
Gn 7-9 6 et que, par ces mêmes causes, le monde d'alors
24 38-39 périt inondé par l'eau. 7 Mais les cieux et la terre
d'à présent, la même parole les a mis de côté et en
Mt 3 12+ réserve pour le feu, en vue du jour du Jugement et
Rm 2 6+ de la ruine des hommes impies.
8 Mais voici un point, très chers, que vous ne
devez pas ignorer : c'est que devant le Seigneur, un
jour est comme mille ans et *mille ans comme un* Ps 90 4
*jour*. 9 Le Seigneur ne retarde pas l'accomplisse- Si 35 19
ment de ce qu'il a promis, comme certains l'accu- Lc 18 7 Ha 2 2-3
sent de retard, mais il use de patience envers vous,
voulant que personne ne périsse, mais que tous Rm 2 4-5 1 P 3 20
arrivent au repentir [i]. 10 Il viendra, le Jour du Seigneur, comme un voleur; en ce jour, les cieux se Mt 24 43p
dissiperont avec fracas, les éléments embrasés se 1 Th 5 2
dissoudront, la terre avec les œuvres qu'elle ren- Mt 24 29+
ferme sera consumée [j]. Ap 20 11; 21 1

**Nouvel appel à la sainteté. Doxologie.**

11 Puisque toutes ces choses se dissolvent ainsi,
quels ne devez-vous pas être par une sainte
conduite et par les prières, 12 attendant et hâtant Ac 3 19-20
l'avènement du Jour de Dieu, où les cieux enflammés se dissoudront et où les éléments embrasés se Is 34 4
fondront. 13 Ce sont de nouveaux cieux et une terre Is 65 17; 66 22
nouvelle que nous attendons selon sa promesse, où Ap 21 1, 27 Is 60 21
la justice habitera. Rm 8 19+
14 C'est pourquoi, très chers, en attendant, met-
tez votre zèle à être sans tache et sans reproche, || Jude 24
pour être trouvés en paix. 15 Tenez la longanimité 1 Tm 1 15-16
de notre Seigneur pour salutaire, comme notre cher
frère Paul vous l'a aussi écrit selon la sagesse qui
lui a été donnée. 16 Il le fait d'ailleurs dans toutes
les lettres où il parle de ces questions. Il s'y
rencontre des points obscurs [k], que les gens sans
instruction et sans fermeté détournent de leur sens
– comme d'ailleurs les autres Écritures [l] – pour
leur propre perdition.
17 Vous donc, très chers, étant avertis, soyez sur He 2 1
vos gardes, de peur qu'entraînés par l'égarement
des criminels, vous ne veniez à déchoir de votre fermeté. 18 Mais croissez dans la grâce et la connaissance de notre Seigneur et Sauveur Jésus Christ :
à lui la gloire maintenant et jusqu'au jour de l'éter- Rm 16 27+
nité! Amen.

*a)* La foi au Christ engendre la conduite droite et la vraie liberté, Rm 6 15+; Jc 1 25+; 1 P 2 16. A l'inverse, les hérétiques, sous prétexte de liberté, s'affranchissent de la loi morale, cf. Jude 4. Mais le péché est un esclavage, cf. Jn 8 34; Rm 6 16-17.
*b)* Non pas les faux docteurs, mais les chrétiens qu'ils ont séduits.
*c)* Mieux valait ignorer la foi, Jude 3, avec toutes ses exigences, que de l'abandonner.
*d)* Référence probable à 1 P.
*e)* Cette prédiction se rattache plus naturellement à l'enseignement apostolique, Ac 20 29; 2 Tm 3 1-5, qu'aux prédictions de l'AT. Elle vient mieux à sa place en Jude 18.
*f)* L'existence même des hérétiques est donc une preuve de la proximité des derniers jours, Mt 24 24; Ac 20 29-31; 2 Th 2 3-4,9; 1 Tm 4 1; etc.
*g)* Les fidèles de la première génération chrétienne.
*h)* Dieu a créé le monde par sa parole, Gn 1. La parole jouera un rôle analogue dans la catastrophe finale. Dieu n'a pas à se soumettre à la prétendue immutabilité des lois de l'univers.
*i)* Autre explication des prétendus retards de la Parousie : la miséricorde divine, cf. Sg 11 23s; 12 8+.
*j)* « consumée » corr.; « découverte » grec. – Cette destruction du monde par le feu est un thème courant chez les philosophes de l'époque gréco-romaine comme dans les apocalypses juives ou les documents de Qumrân. Ici tout ce vocabulaire traditionnel est mis au service du message chrétien sur le Jour, cf. 1 Co 1 8+.
*k)* Quels sont ces points difficiles? Sans doute, parmi d'autres, l'Avènement du Seigneur dont il est ici question. Mais d'autres questions étaient débattues dans les Églises où étaient connues les lettres de Paul.
*l)* Litt. « le reste des Écritures », dont est rapproché ici le recueil des épîtres constitué et connu. C'est l'un des premiers indices d'une équivalence entre des écrits chrétiens et les livres de l'AT : cf. 1 M 12 9+; 1 Th 5 27+.

# PREMIÈRE ÉPÎTRE DE SAINT JEAN

## *Introduction*

**Le Verbe incarné et la communion avec le Père et le Fils.**

Jn **1** 1-5 1 Jn **2** 13 **1** 1 Ce qui était dès le commencement,
ce que nous avons entendu,
ce que nous avons vu de nos yeux,
Jn **20** 20, ; Lc **24** 39 ce que nous avons contemplé,
ce que nos mains ont touché
1+; 3 11+ du Verbe de vie [a];
2 – car la Vie s'est manifestée :
4+; **15** 27 nous l'avons vue, nous en rendons témoignage
1 Jn **5** 20 et nous vous annonçons cette Vie éternelle,
qui était tournée vers le Père et qui nous est apparue –
3 ce que nous avons vu et entendu, Ac **4** 20; **26** 16
nous vous l'annonçons,
afin que vous aussi soyez en communion [b] avec nous. Ac **2** 42s
Quant à notre communion,
elle est avec le Père
et avec son Fils Jésus Christ. 1 Co **1** 9
4 Tout ceci, nous vous l'écrivons
pour que notre joie [c] soit complète. Jn **15** 11; **16** 22-24 2 Jn 12

## *I. Marcher dans la lumière*

3 11 5 Or voici le message que nous avons entendu de lui
et que nous vous annonçons :
; Jc **1** 17 Tm **6** 16 Jn **8** 12+ Dieu est Lumière, en lui point de ténèbres.
6 Si nous disons que nous sommes en communion avec lui
alors que nous marchons dans les ténèbres,
Jn **3** 21 nous mentons, nous ne faisons pas la vérité.
7 Mais si nous marchons dans la lumière
comme il est lui-même dans la lumière,
nous sommes en communion les uns avec les autres [d],
et le sang de Jésus, son Fils, Mt **26** 28p
nous purifie de tout péché. Rm **3** 24-25+ Ap **1** 5

**Première condition : rompre avec le péché.**

8 Si nous disons : « Nous n'avons pas de péché », Pr **20** 9; Qo **7** 20
nous nous abusons,
la vérité n'est pas en nous.
9 Si nous confessons nos péchés, Jc **5** 16+
lui, fidèle et juste, Pr **28** 13+
pardonnera nos péchés Ps **32** 1+
et nous purifiera de toute iniquité. Mt **6** 12p
10 Si nous disons : « Nous n'avons pas péché »,

*a)* La Parole de Dieu était source de vie, Dt **4** 1; **32** 47, etc.; Mt **4** 4; **5** 20; Ph **2** 16. Ici le nom de Parole est donné au Fils de Dieu avec qui les apôtres ont vécu, et le complément évoque le souhait de **1** 3; **5** 11-13; cf. Jn **1** 1+,14+.
*b)* Ce terme, cf. 1 Co **1** 9+; 2 P **1** 4, exprime un des thèmes majeurs de la mystique johannique, Jn **14** 20; **15** 1-6; **17** 11, 20-26 : unité de la communauté chrétienne, fondée sur l'unité de chaque fidèle avec Dieu, dans le Christ. Cette unité est exprimée sous ces différentes formes : le chrétien « demeure en Dieu et Dieu demeure en lui », 1 Jn **2** 5, 6, 24, 27; **3** 6, 24; **4** 12, 13, 15, 16; cf. Jn **6** 56+, il est né de Dieu, **2** 29; **3** 9; **4** 7; **5** 1, 18, il est de Dieu, **2** 16; **3** 10; **4** 4, 6; **5** 19, il connaît Dieu, **2** 3, 13, 14; **3** 6; **4** 7, 8 (sur connaissance et présence, voir encore : Jn **14** 17; 2 Jn 1-2). Cette union avec Dieu est manifestée par la foi et l'amour fraternel, cf. **1** 7+; Jn **13** 34+. Le témoignage apostolique est l'instrument de cette communion, v. 5; **2** 7, 24-25; **4** 6; Jn **4** 38; **17** 20+; cf. Ac **1** 8+, 21-22, etc.
*c)* « notre joie »; var. (Vulg.) : « votre joie ».
*d)* L'union à Dieu, **1** 3+, qui est Lumière, **1** 5, et Amour, **4** 8,16, se reconnaît à la foi et à l'amour fraternel, **2** 10, 11; **3** 10, 17, 23; **4** 8, 16.

nous faisons de lui un menteur,
et sa parole n'est pas en nous [a].

2 1 Petits enfants,
3 6+ je vous écris ceci pour que vous ne péchiez
pas.
Mais si quelqu'un vient à pécher,
He 7 25; 8 6+ nous avons comme avocat auprès du Père
Jn 14 16 Jésus Christ, le Juste.
Ac 3 14+ 2 C'est lui qui est victime de propitiation pour nos
1 Jn 4 10 Rm 3 25+ péchés,
non seulement pour les nôtres,
Jn 4 42+ mais aussi pour ceux du monde entier.

**Deuxième condition : observer les commandements, principalement celui de la charité.**

1 3+ 3 A ceci nous savons que nous le connaissons [b] :
1 7+ si nous gardons ses commandements.
Jn 10 14+ 4 Qui dit : « Je le connais »
alors qu'il ne garde pas ses commandements
4 20 est un menteur,
3 19+; Jn 8 32+ et la vérité [c] n'est pas en lui.
Jn 14 21, 23 5 Mais celui qui garde sa parole,
c'est en lui vraiment que l'amour de Dieu
est accompli [d].
A cela nous savons que nous sommes en lui.
6 Celui qui prétend demeurer en lui [e] doit se
2 Th 3 7+ Jn 13 15, 34 conduire à son tour
Ep 5 2 comme celui-là [f] s'est conduit.
7 Bien-aimés,
ce n'est pas un commandement nouveau que je
vous écris,
Mt 22 37-40 c'est un commandement ancien,
Dt 6 5 que vous avez reçu dès le début.
Ce commandement ancien
est la parole que vous avez entendue.
8 Et néanmoins, encore une fois, c'est un comman-
Jn 13 34+ dement nouveau [g]
que je vous écris
– ce qui est vrai pour vous comme pour lui –
Rm 13 12 puisque les ténèbres s'en vont
Jn 1 5 et que la véritable lumière brille déjà.
Jn 8 12+ 9 Celui qui prétend être dans la lumière
tout en haïssant son frère
est encore dans les ténèbres.
10 Celui qui aime son frère demeure dans la lumière Jn 12 35-36
et il n'y a en lui aucune occasion de chute. Pr 4 19
11 Mais celui qui hait son frère est dans les téné-
bres,
il marche dans les ténèbres,
il ne sait où il va,
parce que les ténèbres ont aveuglé ses yeux. Mt 15 14p

**Troisième condition : se garder du monde.**

12 Je vous écris, petits enfants,
parce que vos péchés vous sont remis 1 7; 2 2
par la vertu de son nom. 1 Co 6 11 Ac 3 16+
13 Je vous écris, pères,
parce que vous connaissez celui qui est dès le Jn 1 1
commencement. 1 Jn 1 1
Je vous écris, jeunes gens,
parce que vous avez vaincu le Mauvais [h]. Ep 6 16
14 Je vous ai écrit [i], petits enfants,
parce que vous connaissez le Père.
Je vous ai écrit, pères,
parce que vous connaissez celui qui est dès le
commencement.
Je vous ai écrit, jeunes gens,
parce que vous êtes forts,
que la parole de Dieu demeure en vous Jn 3 11+;
et que vous avez vaincu le Mauvais.
15 N'aimez ni le monde Jn 1 10+
ni ce qui est dans le monde.
Si quelqu'un aime le monde, Jc 4 4
l'amour du Père n'est pas en lui. Jn 5 42+
16 Car tout ce qui est dans le monde
– la convoitise de la chair,
la convoitise des yeux Pr 27 20
et l'orgueil de la richesse [j] – Mt 6 24; Jc 4 16
vient non pas du Père,
mais du monde.
17 Or le monde passe 1 Co 7
avec ses convoitises; 1 P 4 2
mais celui qui fait la volonté de Dieu Mt 7 21
demeure éternellement. Is 40 8 Pr 10 2

*a)* Allusion probable à de soi-disant spirituels (*pneumatiques*) qui se distinguaient des autres, réputés inférieurs (*psychiques*, cf. 1 Co **15** 44+; Jude 19, ou *hyliques*). Jn parle ici des défaillances passagères, bien que la communion avec Dieu qui a ôté le péché, **2** 2; **3** 5, entraîne de soi une vie sainte et sans péché, **3** 3,6,9; **5** 18.
*b)* Cette connaissance, Os **2** 22+, est la foi, Jn **3** 12+, engageant toute la conduite, **3** 23; **5** 1, de telle sorte que la conduite est le critère qui fait reconnaître la vie dans le Christ, v. 5; **3** 10; **4** 13; **5** 2.
*c)* Add. : « de Dieu ».
*d)* Il s'agit de l'amour de Dieu pour nous, plutôt que de l'amour que nous avons pour Dieu.
*e)* « Être dans », « demeurer en » : expressions johanniques, voir Jn **6** 56+.
*f)* Jésus, désigné de même en **3** 3, 5, 7, 16; **4** 17, cf. Jn **19** 35.
*g)* Bien qu'il soit préparé par la Loi ancienne, Lv **19** 18+, et connu des chrétiens dès leur initiation, v. 7; **3** 11, ce commandement a reçu la marque de Jésus Christ, Jn **13** 34+.
*h)* Le diable demeure toujours le Tentateur, Gn **3** 1-6; Jb **1** 6+; Mt **4** 1+, qui pousse les hommes au mal, 1 Jn **3** 8+. Mais nous avons « connu » le Fils, **2** 3, qui demeure en nous, **1** 3+, 7+, nous préserve du mal, **3** 6-9; **5** 18; Jn **17** 15, et nous rend vainqueurs du « monde », **4** 4; **5** 4-5; Jn **16** 33; Mt **6** 13; cf. Jn **1** 9+; Jc **4** 4; Ga **6** 14.
*i)* Var. (Vulg.) : « Je vous écris ». – Le deuxième avis : « Je vous ai écrit, pères... » est omis par Vulg.
*j)* « convoitise »; ou : « concupiscence ». – « la richesse »; Vulg. : « la vie ». – Les mobiles qui mènent le « monde » : la sensualité, la séduction des apparences, l'orgueil qui résulte de la possession des biens terrestres. Les vraies réalités sont tout autres : cf. 2 Co **4** 18; He **11** 1, 3, 27; etc.

**Quatrième condition : se garder des antichrists.**

18 Petits enfants,
1 Tm 4 1+ voici venue la dernière heure.
2 Th 2 4+ Vous avez ouï dire que l'Antichrist doit venir;
2 Jn 7 et déjà maintenant beaucoup d'antichrists sont
survenus [a] :
à quoi nous reconnaissons que la dernière heure
est là.
Co 6 14-18 19 Ils sont sortis de chez nous,
mais ils n'étaient pas des nôtres [b].
1 3+ S'ils avaient été des nôtres,
Jn 5 22+ ils seraient restés avec nous.
Mais il fallait que fût démontré
que tous n'étaient pas des nôtres.
2 Co 1 21 Jn 14 26+ 20 Quant à vous, vous avez reçu l'onction [c] venant
Lv 17 1+ du Saint,
Is 6 3+ et tous vous possédez la science [d].
21 Je vous ai écrit,
2 P 1 12 non que vous ignoriez la vérité,
2 Jn 1-2 mais parce que vous la connaissez
et qu'aucun mensonge
3 19+ ne provient de la vérité [e].
22 Qui est le menteur,
sinon celui qui nie que Jésus soit le Christ?
2 Th 2 4+ Le voilà l'Antichrist!
Il nie le Père et le Fils [f].
23 Quiconque nie le Fils
ne possède pas non plus le Père.
Qui confesse le Fils Jn 14 7-9;
possède aussi le Père. 17 6+
24 Pour vous,
que ce que vous avez entendu dès le début
demeure en vous.
Si en vous demeure
ce que vous avez entendu dès le début [g],
vous aussi vous demeurerez 1 3+
dans le Fils et dans le Père.
25 Or telle est la promesse que lui-même vous a Jn 5 24,
faite : 6 40, 68; 17 2
la vie éternelle.
26 Voilà ce que j'ai tenu à vous écrire
au sujet de ceux qui cherchent à vous égarer.
27 Quant à vous,
l'onction que vous avez reçue de lui 2 20
demeure en vous,
et vous n'avez pas besoin qu'on vous enseigne [h]. Jr 31 34; Jn 6 45;
Mais puisque son onction vous instruit de tout, 14 26+
qu'elle est véridique, non mensongère,
comme elle vous a instruits, demeurez en lui.
28 Oui, maintenant, demeurez en lui,
petits enfants,
pour que, s'il venait à paraître,
nous ayons pleine assurance, 4 17
et non point la honte
de nous trouver loin de lui 2 Th 1 9
à son Avènement. Mt 24 3+ 1 Co 15 23+

# II. Vivre en enfants de Dieu

29 Si vous savez qu'il est juste,
1 7+ reconnaissez que quiconque pratique la justice
1 3+ est né de lui.
3 1 Voyez quelle manifestation d'amour le Père
nous a donnée
7, 37-39 pour que nous soyons appelés enfants de Dieu.
; Ep 1 5 Et nous le sommes [i]!
Si le monde ne nous connaît pas,
1 15 21; c'est qu'il ne l'a pas connu.
; 17 25 2 Bien-aimés,
dès maintenant, nous sommes enfants de Dieu,
et ce que nous serons n'a pas encore été manifesté.
Nous savons que lors de cette manifestation Col 3 4; Ph 3 21
nous lui serons semblables, Rm 8 29
parce que nous le verrons tel qu'il est. 1 Co 13 12

**Première condition : rompre avec le péché.**

3 Quiconque a cette espérance en lui
se rend pur comme celui-là [j] est pur. Mt 5 48+ 1 Jn 2 6

*a)* « l'Antichrist »; var. : « un antichrist ». – Sur cet Adversaire des derniers temps, dont Jn parle ici au pluriel, voir 2 Th **2** 3-4+. Il s'acharne avant tout contre l'authentique foi au Christ Fils de Dieu, v. 22; **4** 2-3; cf. **5** 5; Jn **1** 18+.
*b)* Tout en appartenant extérieurement à la communauté, ils ne possédaient plus l'esprit du Christ.
*c)* C'est l'Esprit donné au Messie, Is **11** 2+; **61** 1, et par lui aux croyants, **3** 24; **4** 13; cf. 2 Co **1** 21, qui les instruit de tout, v. 27; Jn **16** 13+; cf. 1 Co **2** 10,15, grâce auquel les paroles de Jésus sont « esprit et vie », Jn **6** 63.
*d)* « tous vous possédez la science »; var. : « vous connaissez toutes choses ».
*e)* Ou : « et que vous savez qu'aucun mensonge ne provient de la vérité ».
*f)* Il est malaisé de nommer avec certitude les hérétiques ici visés (Cérinthe vraisemblablement, dont l'erreur se retrouvera diluée dans la Gnose). Le titre de Christ n'est pas seulement ici une traduction de « Messie », il évoque la plénitude de la foi des « chrétiens » en Celui qui est « venu dans la chair », 2 Jn 7.
*g)* La catéchèse apostolique concernant le mystère du Christ.
*h)* Les chrétiens sont instruits par les apôtres, v. 24; **1** 3+, mais la prédication extérieure ne pénètre les âmes que par la grâce de l'Esprit, cf. **2** 20+.
*i)* Om. : « et nous le sommes », et var. (Vulg.) : « et que nous le soyons ».
*j)* Jésus.

4 Quiconque commet le péché
commet aussi l'iniquité,
car le péché est l'iniquité.
He 9 26 5 Or vous savez que celui-là s'est manifesté
Jn 1 29+ pour ôter les péchés [a]
Jn 8 46; He 7 26 et qu'il n'y a pas de péché en lui.
1 Jn 1 3+; 2 14; Mt 7 18 6 Quiconque demeure en lui ne pèche pas [b].
Quiconque pèche
ne l'a vu ni connu.
7 Petits enfants,
que personne ne vous égare.
Celui qui pratique la justice est juste
comme celui-là est juste.
3 12 8 Celui qui commet le péché est du diable [c],
Jn 8 44; Gn 3 15 car le diable est pécheur dès l'origine.
3 5 C'est pour détruire les œuvres du diable
Jn 12 31-32 que le Fils de Dieu est apparu.
1 Jn 3 6+ 9 Quiconque est né de Dieu ne commet pas le
péché
parce que sa semence [d] demeure en lui;
2 14+ il ne peut pécher,
étant né de Dieu.
10 A ceci sont reconnaissables
1 7+; 3 8+ les enfants de Dieu et les enfants du diable :
Mt 4 1+ quiconque ne pratique pas la justice
n'est pas de Dieu,
3 23 ni celui qui n'aime pas son frère.

**Deuxième condition : garder les commandements, surtout celui de la charité.**

11 Car tel est le message
2 7 que vous avez entendu dès le début :
Jn 13 34 nous devons nous aimer les uns les autres,
Gn 4 8 12 loin d'imiter Caïn,
Jn 8 44; 1 Jn 3 8+ qui, étant du Mauvais, égorgea son frère.
Et pourquoi l'égorgea-t-il?
Parce que ses œuvres étaient mauvaises,
tandis que celles de son frère étaient justes [e].
13 Ne vous étonnez pas, frères,
Jn 15 18-21; Mt 24 9 si le monde vous hait.

14 Nous savons, nous, que nous sommes passés de Jn 5 24
la mort à la vie,
parce que nous aimons nos frères.
Celui qui n'aime pas demeure dans la mort. He 6 1+
15 Quiconque hait son frère
est un homicide;
or vous savez qu'aucun homicide
n'a la vie éternelle demeurant en lui.
16 A ceci nous avons connu l'Amour : Ep 5 2
celui-là a donné sa vie pour nous. Jn 15 12-13; Mt 20 28
Et nous devons, nous aussi, donner notre vie 1 Jn 2 6
pour nos frères.
17 Si quelqu'un, jouissant des biens de ce monde, Dt 15 7, 11
voit son frère dans la nécessité Jc 2 16
et lui ferme ses entrailles,
comment l'amour de Dieu demeurerait-il en lui? Jn 5 42
18 Petits enfants, 1 Jn 2 5; 4
n'aimons ni de mots ni de langue, Jc 1 22
mais en actes et en vérité. Mt 7 21
19 A cela nous saurons [f] que nous sommes de la
vérité [g],
et devant lui nous apaiserons notre cœur
20 si notre cœur venait à nous condamner,
car Dieu est plus grand que notre cœur 4 4
et il connaît tout [h].
21 Bien-aimés,
si notre cœur ne nous condamne pas,
nous avons pleine assurance devant Dieu :
22 quoi que nous lui demandions Mt 7 7-1
nous le recevons de lui, Jn 14 13-
parce que nous gardons ses commandements
et que nous faisons ce qui lui est agréable. Jn 8 29
23 Or voici son commandement :
croire au nom de son Fils Jésus Christ
et nous aimer les uns les autres
comme il nous en a donné le commandement. Jn 13 34
24 Et celui qui garde ses commandements
demeure en Dieu et Dieu en lui; 1 3+, 7+
à ceci nous savons qu'il demeure en nous : Jn 14 2
à l'Esprit qu'il nous a donné. 4 13

*a)* « les péchés »; var. : « nos péchés ».
*b)* Jean stylise les portraits. De l'espérance de la vision, v. 2, et de la sainteté consommée, v. 3, découle dès maintenant, par l'action de Jésus Christ, v. 5; 2 2, l'abstention de tout mal qui convient aux fils de Dieu, v. 9; 5 18; cf. Ga 5 16, qui ont été « justifiés », v. 7; 2 29; cf. Rm 3 24-25+. Cela n'exclut pas, en fait, la possibilité concrète du péché, 1 8-10+, qui précisément brise la communion, cf. 2 3-5.
*c)* Aux expressions : être de Dieu, de la vérité, enfants de Dieu, signifiant que le chrétien vit sous l'influence de Dieu qui demeure en lui, s'opposent les expressions : être du diable, 3 8, du Mauvais, 3 12, du monde, 2 16; 4 5, enfants du diable, 3 10, pour désigner tous ceux qui vivent sous l'influence perverse de Satan et se laissent « égarer » par lui.
*d)* Peut-être le Christ, cf. Ga 3 16; 1 Jn 5 18. Mais ce serait plutôt, soit l'Esprit, cf. 2 20, 27, soit le germe de vie qu'est la Parole reçue, 2 7, 24, et fructifiant par l'Esprit, 2 20, 27.
*e)* L'antithèse se poursuit, jusqu'à 4 6, entre les fils de Dieu qui vivent dans la vérité et l'amour, et le monde où règnent le péché et la haine.
*f)* Var. (Vulg.) : « nous savons ».
*g)* Jn donne à la « vérité », 2 4, un sens très large qui englobe foi et amour, 3 23; 5 1. Sont « de la vérité » ceux qui croient, 2 21-22, qui aiment, 3 18-19. Cf. 2 Jn 4-6; 3 Jn 3-8; Jn 3 21; 8 31+; 18 37.
*h)* L'homme qui entend les reproches de « son cœur », de sa conscience, cf. 1 Co 4 4+; Ep 1 18+, sait que Dieu connaît tout, cf. Jn 16 30, et qu'il est Amour, 3 1; 4 8+, qu'il est donc plus clairvoyant et plus indulgent que notre conscience. Mais la pratique de l'amour et des commandements est présupposée, vv. 23-24. – Autre traduction : « et devant lui nous persuaderons notre cœur, si celui-ci venait à nous condamner, que Dieu est plus grand que notre cœur et qu'il connaît toutes choses ».

**Troisième condition : se garder des antichrists et du monde.**

4 1 Bien-aimés,
1 Co 12 10+ ne vous fiez pas à tout esprit,
1 Th 5 19+ mais éprouvez les esprits
Dt 13 1-6; 18 20-22 pour voir s'ils viennent de Dieu,
18; Mt 24 24 car beaucoup de faux prophètes
1 Tm 4 1+ sont venus dans le monde [a].
2 A ceci reconnaissez l'esprit de Dieu :
1 Co 12 3 tout esprit qui confesse Jésus Christ venu dans
1 Th 5 21 la chair
est de Dieu;
3 et tout esprit qui ne confesse pas Jésus [b]
n'est pas de Dieu;
2 22; 2 Th 2 4+ c'est là l'esprit de l'Antichrist.
Vous avez entendu dire
qu'il allait venir;
eh bien! maintenant, il est déjà dans le monde.
4 Vous, petits enfants, vous êtes de Dieu
et vous les avez vaincus. 2 14+
Car Celui qui est en vous
est plus grand que celui qui est dans le monde. 3 20; Jn 10 29
5 Eux, ils sont du monde; 3 8+
c'est pourquoi ils parlent d'après le monde Jn 3 31
et le monde les écoute.
6 Nous [c], nous sommes de Dieu. 1 3+; Jn 10 26+
Qui connaît Dieu nous écoute,
qui n'est pas de Dieu ne nous écoute pas.
C'est à quoi nous reconnaissons
l'esprit de la vérité et l'esprit de l'erreur [d]. Jn 14 17; 1 Jn 3 10

# III. *Aux sources de la charité et de la foi*

**A la source de la charité.**

7 Bien-aimés,
1 Th 4 9 aimons-nous les uns les autres,
puisque l'amour est de Dieu
et que quiconque aime
1 3+ est né de Dieu et connaît Dieu [e].
1 7+ 8 Celui qui n'aime pas n'a pas connu Dieu,
4 16 car Dieu est Amour [f].
9 En ceci s'est manifesté l'amour de Dieu pour
nous :
Jn 3 16 Dieu a envoyé son Fils unique dans le monde
afin que nous vivions par lui.
Rm 8 31s 10 En ceci consiste l'amour :
ce n'est pas nous qui avons aimé Dieu,
Rm 5 8 mais c'est lui qui nous a aimés
et qui a envoyé son Fils
2 2 en victime de propitiation pour nos péchés.
Rm 3 25+ 11 Bien-aimés,
Mt 18 33 si Dieu nous a ainsi aimés,
nous devons, nous aussi, nous aimer les uns les
autres.
12 Dieu, personne ne l'a jamais contemplé [g]. Ex 33 20+; Jn 1 18; 6 46
Si nous nous aimons les uns les autres,
Dieu demeure en nous, 1 Jn 1 3+
en nous son amour est accompli.
13 A ceci nous connaissons
que nous demeurons en lui et lui en nous : 1 7+
il nous a donné de son Esprit [h]. 3 24; Rm 5 5+
14 Et nous, nous avons contemplé
et nous attestons
que le Père a envoyé son Fils Jn 3 17
comme Sauveur du monde. Jn 4 42+
15 Celui qui confesse que Jésus est le Fils de Dieu,
Dieu demeure en lui et lui en Dieu.
16 Et nous, nous avons reconnu
l'amour que Dieu a pour nous, Jn 17 6+
et nous y avons cru.
Dieu est Amour : 4 7-8
celui qui demeure dans l'amour
demeure en Dieu et Dieu demeure en lui. 1 3+
17 En ceci consiste la perfection de l'amour en
nous :
que nous ayons pleine assurance au jour du 2 28; Rm 8 15; Jc 2 13

*a)* Il faut s'assurer que ceux qui se réclament de l'Esprit de Dieu ne sont pas en réalité poussés par l'esprit du monde. On les reconnaîtra à leurs fruits, Mt **7** 15-20, par leurs affinités, cf. **2** 3-6, 13-14, etc., surtout d'après ce qu'ils disent du Christ, vv. 2-3. Les apôtres ont qualité pour ce discernement, v. 6.
*b)* Var. (Vulg.) fortement autorisée : « qui dissout (ou brise) Jésus ».
*c)* « Nous » : les prédicateurs attitrés, en premier lieu les apôtres.
*d)* Le thème des deux esprits est connu du Judaïsme (par exemple Qumrân), voisin de celui des deux voies, Dt **11** 26-28; Mt **7** 13-14+. L'homme est placé entre deux mondes, il « est » de l'un ou de l'autre en participant à leur esprit, **3** 8, 19. La victoire finale des croyants n'est pas douteuse, v. 4; **2** 13-14; **5** 4-5.
*e)* Aimer est le propre des enfants de Dieu, puisque c'est le propre de Dieu, v. 16.
*f)* Dieu aimait Israël, Is **54** 8+. La mission du Fils unique comme Sauveur du monde, v. 9; Jn **3** 16; **4** 42; cf. Rm **3** 24-25+; **5** 8; etc., manifeste que l'amour est de Dieu, v. 7, parce que Dieu lui-même est Amour, v. 16; **3** 16, et fait participer à l'amour, vv. 10,19, le croyant fils de Dieu, **1** 3+.
*g)* Pointe polémique contre les « spirituels » qui se flattaient d'atteindre Dieu par une intuition directe, cf. Jn **1** 18; **3** 13; **5** 37; **6** 46. La communion, **1** 3+, et la vision, **3** 2, sont liées à la charité.
*h)* Ce don de l'Esprit annoncé pour les derniers temps, Ac **2** 17-21, 33, a été répandu dans les cœurs, cf. Rm **5** 5+; 1 Th **4** 8, et y fait naître la certitude intime de ce que les apôtres annoncent extérieurement, **5** 6-7; cf. Ac **5** 32. Ici il s'agit de l'état de fils de Dieu, Rm **8** 15-16; Ga **4** 6.

Jugement,
1 Jn **2** 6+; **3** 2-3 car tel est celui-là,
2 Th **3** 7+ tels aussi nous sommes en ce monde.
18 Il n'y a pas de crainte dans l'amour;
2 Tm **1** 7 au contraire, le parfait amour bannit la crainte,
car la crainte implique un châtiment,
et celui qui craint
n'est point parvenu à la perfection de l'amour [a].
19 Quant à nous, aimons,
**4** 9-10 puisque lui nous a aimés le premier.
20 Si quelqu'un dit : « J'aime Dieu »
et qu'il déteste son frère,
c'est un menteur :
celui qui n'aime pas son frère, qu'il voit,
1 P **1** 8 ne saurait aimer le Dieu qu'il ne voit pas.
Mt **22** 36-40 Jn **14** 15, 21; **15** 17 21 Oui, voilà le commandement que nous avons
reçu de lui :
que celui qui aime Dieu aime aussi son frère.
**5** 1 Quiconque croit que Jésus est le Christ
**1** 3+ est né de Dieu;
et quiconque aime celui qui a engendré
aime celui qui est né de lui [b].
2 Nous reconnaissons
que nous aimons les enfants de Dieu
à ce que nous aimons Dieu
Rm **13** 9 et que nous pratiquons ses commandements.
2 Jn 6; Ga **5** 14 1 Jn **3** 23 3 Car l'amour de Dieu consiste
à garder ses commandements.
Dt **30**,11; Mt **11** 30 Et ses commandements ne sont pas pesants
4 puisque tout ce qui est né de Dieu
Jn **16** 33 est vainqueur du monde.
Et telle est la victoire
**2** 14+ qui a triomphé du monde :
notre foi.

**A la source de la foi.**

5 Quel est le vainqueur du monde,
sinon celui qui croit que Jésus est le Fils de
Dieu [c]?
6 C'est lui qui est venu
par eau et par sang [d] : Jésus Christ, Jn **19** 34
non avec l'eau seulement Jn **4** 1+
mais avec l'eau et avec le sang.
Et c'est l'Esprit qui rend témoignage, Jn **1** 33+; **14**
parce que l'Esprit est la Vérité. 1 Jn **2** 20, 27
7 Il y en a ainsi trois à témoigner [e] :
8 l'Esprit, l'eau, le sang,
et ces trois tendent au même but [f].
9 Si nous recevons le témoignage des hommes,
le témoignage de Dieu est plus grand. Jn **5** 32, 37
Car c'est le témoignage de Dieu,
le témoignage que Dieu a rendu à son Fils.
10 Celui qui croit au Fils de Dieu
a ce témoignage en lui. Jn **3** 33
Celui qui ne croit pas en Dieu
fait de lui un menteur,
puisqu'il ne croit pas au témoignage
que Dieu a rendu à son Fils.
11 Et voici ce témoignage : Jn **3** 11+
c'est que Dieu nous a donné la vie éternelle Jn **1** 4; **5** 2
et que cette vie est dans son Fils. 1 Jn **1** 2; **5** 20
12 Qui a le Fils a la vie;
qui n'a pas le Fils n'a pas la vie.

13 Je vous ai écrit ces choses,
à vous qui croyez au nom du Fils de Dieu, Jn **1** 12; **20** 31
pour que vous sachiez
que vous avez la vie éternelle.

# *Compléments* [g]

**La prière pour les pécheurs.**

14 Nous avons en Dieu cette assurance
Mt **7** 7p Jn **14** 13-14 1 Jn **3** 22 que, si nous demandons quelque chose
selon sa volonté,
il nous écoute.

*a)* L'amour assume l'élément filial de la crainte religieuse, Dt **6** 2+; Pr **1** 7+, mais il exclut la crainte servile, la peur d'être condamné par Dieu, **3** 20, qui a donné en son Fils de telles preuves d'amour, cf. v. 8+.
*b)* Qui aime Dieu aime aussi les enfants de Dieu. L'amour de Dieu se réalise par l'amour du prochain, critère de sa sincérité, **3** 14, 17-19; **4** 20, et premier des commandements auxquels l'amour de Dieu engage, vv. 2-3; cf. **2** 3-5; **3** 22-24; Jn **13** 34+; **15** 10-14; Mt **22** 36-40p; Rm **13** 9; Ga **5** 14. C'est donc finalement la foi qui juge l'amour, la foi par laquelle l'homme naît de Dieu, **3** 1; Jn **1** 12+.
*c)* Cf. Rm **1** 4+. Cette conclusion ressort de deux principes : quiconque croit est né de Dieu, v. 1; ce qui est né de Dieu est vainqueur du monde, v. 4.
*d)* L'eau et le sang qui coulèrent du côté de Jésus, lorsqu'il fut ouvert par la lance.
*e)* Le texte des vv. 7-8 est surchargé dans la Vulg. par une incise (ci-dessous entre parenthèses) absente des mss grecs anciens, des vieilles versions et des meilleurs mss de la Vulg., et qui semble être une glose marginale introduite plus tard dans le texte : « Car il y en a trois qui témoignent (dans le ciel : le Père, le Verbe et l'Esprit Saint, et ces trois sont un; et il y en a trois qui témoignent sur terre) : l'Esprit, l'eau et le sang, et ces trois sont un. »
*f)* Les trois témoignages convergent. Le sang et l'eau se joignent à l'Esprit, **2** 20+, 27; Jn **3** 5; **4** 1+, pour témoigner, cf. Jn **3** 11+, en faveur de la mission du Fils qui donne la vie, v. 11; Jn **3** 15+.
*g)* Comme dans l'évangile, cf. Jn **21**, la conclusion, qui devrait terminer l'écrit, est suivie d'une note additionnelle.

15 Et si nous savons qu'il nous écoute
en tout ce que nous lui demandons,
nous savons que nous possédons
ce que nous lui avons demandé.
Jc 5 19 16 Quelqu'un voit-il son frère
commettre un péché
ne conduisant pas à la mort,
qu'il prie
et Dieu donnera la vie à ce frère.
Il ne s'agit pas de ceux qui commettent le péché
conduisant à la mort;
Jn 15 22-24 car il y a un péché qui conduit à la mort[a],
pour ce péché-là, je ne dis pas qu'il faut prier.
17 Toute iniquité est péché
mais il y a tel péché
qui ne conduit pas à la mort[b].

**Résumé de l'épître**[c].

18 Nous savons que quiconque est né de Dieu 1 3+
ne pèche pas; 3 6+
l'Engendré[d] de Dieu le garde
et le Mauvais n'a pas prise sur lui. 2 14+; Jn 17 15
19 Nous savons que nous sommes de Dieu
et que le monde entier gît au pouvoir du Mauvais.
20 Nous savons que le Fils de Dieu est venu
et qu'il nous a donné l'intelligence Jr 24 7
afin que nous connaissions le Véritable[e]. Jn 17 3
Nous sommes dans le Véritable,
dans son Fils Jésus Christ.
Celui-ci est le Dieu véritable
et la Vie éternelle. 1 2
21 Petits enfants,
gardez-vous des idoles[f]...

*a)* Sur ce péché d'une gravité exceptionnelle les destinataires de l'épître étaient sans doute renseignés. Ce peut être le péché contre l'Esprit, contre la vérité, cf. Mt **12** 31+, ou l'apostasie des antichrists, **2** 18-29; He **6** 4-8, etc.
*b)* « qui ne conduit pas à la mort »; var. (Vulg.) : qui conduit à la mort.
*c)* Trois phrases commençant par « Nous savons » récapitulent les grandes certitudes et espérances chrétiennes développées dans l'épître.
*d)* Jésus, cf. Jn **1** 13, 18. – Var. (Vulg.) : « la génération ».
*e)* Dieu, le seul vrai, Jn **17** 3+, cf. **8** 31; 1 Th **1** 9; Ap **3** 14, et le seul véritablement connu pour ce qu'il est : Vie et Amour.
*f)* Dernière adjuration provoquée par le rappel du seul Véritable. – Les « idoles », sans doute au sens métaphorique, peuvent désigner le paganisme, ou encore les « idoles du cœur » (Qumrân) qui détournent l'homme de la foi et de l'amour. – Vulg. ajoute : « Amen ».

# DEUXIÈME ÉPÎTRE DE SAINT JEAN

## Salutation.

1 P 5 13 1 Moi, l'Ancien[a], à la Dame élue[b] et à ses
3 Jn 1 enfants, que j'aime en vérité – non pas moi seulement mais tous ceux qui ont connu la Vérité – 2 en
Jn 8 32+; 14 17 raison de la vérité qui demeure en nous et restera
avec nous éternellement. 3 Avec nous seront grâce,
miséricorde, paix[c], de la part de Dieu le Père et de
la part de Jésus Christ, le Fils du Père, en vérité
et amour.

## Le commandement de la charité.

3 Jn 3; Phm 7 4 Je me suis beaucoup réjoui d'avoir rencontré de
1 Jn 3 19+ tes enfants qui vivent dans la vérité[d], selon le
commandement que nous avons reçu du Père. 5 Et
1 Jn 2 7-11 maintenant, Dame, bien que ce ne soit pas un
commandement nouveau que je t'écris mais celui
que nous possédons depuis le début, je te le
demande, aimons-nous les uns les autres.
1 Jn 5 3 6 L'amour consiste à vivre selon ses commandements. Et le premier commandement, ainsi que
vous l'avez appris dès le début[e], c'est que vous
viviez dans l'amour.

## Les antichrists.

7 C'est que beaucoup de séducteurs se sont 1 Jn 2 18
répandus dans le monde, qui ne confessent pas
Jésus Christ venu dans la chair. Voilà bien le 1 Jn 4 2-3
Séducteur, l'Antichrist. 8 Ayez les yeux sur vous, 1 Jn 2 22
pour ne pas perdre le fruit de nos travaux[f], mais
recevoir au contraire une pleine récompense.
9 Quiconque va plus avant[g] et ne demeure pas dans
la doctrine du Christ[h] ne possède pas Dieu. Celui
qui demeure dans la doctrine, c'est lui qui possède 1 Jn 2 23-24
et le Père et le Fils. 10 Si quelqu'un vient à vous
sans apporter cette doctrine, ne le recevez pas chez
vous et abstenez-vous de le saluer. 11 Celui qui le
salue participe à ses œuvres mauvaises.

## Conclusion.

12 Ayant beaucoup de choses à vous écrire, j'ai 3 Jn 13s
préféré ne pas le faire avec du papier et de l'encre.
Mais j'espère vous rejoindre et vous parler de vive
voix, afin que notre joie[i] soit parfaite. 1 Jn 1 4
13 Les enfants de ta sœur Élue[j] te saluent.

*a)* Titre réservé aux chefs des communautés, cf. Tt **1** 5+. En l'occurrence, il s'agit de l'apôtre Jean, chef éminent des communautés d'Asie Mineure.
*b)* La « Dame élue » ou la « Dame souveraine » : métaphore poétique qui désigne une communauté particulière, inconnue de nous, placée sous la juridiction de l'Ancien et menacée par la propagande des faux docteurs.
*c)* La « miséricorde » n'apparaît nulle part ailleurs dans les écrits johanniques.
*d)* Litt. « marchent dans la vérité », parce qu'ils observent les commandements dans l'amour.
*e)* Ou : « Ce commandement, vous devez l'observer tel que vous l'avez appris dans le début. »
*f)* Var. (Vulg. ) : « vos travaux ».
*g)* Les hérétiques se croyaient « avancés » en prétendant dépasser les bornes de l'enseignement apostolique, 1 Jn **2** 18, 23, pour se livrer au jeu des pures spéculations; cf. 1 Tm **6** 4+; 2 Tm **2** 16; Tt **3** 9; etc.
*h)* Ce peut être aussi bien la doctrine enseignée par le Christ que la doctrine le concernant.
*i)* Var. (Vulg.) : « votre joie ».
*j)* L'Église, probablement Éphèse, où se trouvait l'Apôtre au moment où il écrivait.

# TROISIÈME ÉPÎTRE DE SAINT JEAN

### Salutation.

2 Jn 1+ 1 Moi, l'Ancien, au très cher Gaïus [a], que j'aime
en vérité. 2 Très cher, je souhaite que tu te portes
bien sous tous les rapports et que ton corps soit en
aussi bonne santé que ton âme.

### Éloge de Gaïus.

2 Jn 4 3 Je me suis beaucoup réjoui des frères qui sont
venus et qui ont rendu témoignage à ta vérité, je
Jn 3 19+ veux dire à la façon dont tu vis dans la vérité. 4 Apprendre que mes enfants vivent dans la vérité, rien
ne m'est un plus grand sujet de joie [b].

5 Très cher, tu agis fidèlement en te dépensant
pour les frères, bien que ce soient des étrangers [c].
6 Ils ont rendu témoignage à ta charité, devant
l'Église. Tu feras une bonne action en pourvoyant
à leur voyage, d'une manière digne de Dieu. 7 C'est
Jn 8 24+ pour le Nom [d] qu'ils se sont mis en route, sans rien
Mt 18 5p; recevoir des païens. 8 Nous devons accueillir de tels
10 10, 41 hommes, afin de collaborer à leurs travaux pour la
Tm 5 18 Vérité.

### Conduite de Diotréphès [e].

9 J'ai écrit un mot à l'Église [f]. Mais Diotréphès,
qui est avide d'y occuper la première place, ne nous
reçoit pas [g]. 10 C'est pourquoi je ne manquerai pas,
si je viens, de rappeler sa conduite. Il se répand en
mauvais propos contre nous. Non satisfait de cela,
il refuse lui-même de recevoir les frères, et ceux qui
voudraient les recevoir, il les en empêche et les
expulse de l'Église. 11 Très cher, imite non le mal
mais le bien. Qui fait le bien est de Dieu. Qui fait 1 Jn 1 3+, 7+
le mal n'a pas vu Dieu.

### Témoignage rendu à Démétrius.

12 Quant à Démétrius [h], tout le monde lui rend
témoignage, y compris la Vérité elle-même. Nous 1 Jn 5 6
aussi, nous lui rendons témoignage, et tu sais que Jn 19 35; 21 24
notre témoignage est vrai.

### Épilogue.

13 J'aurais beaucoup de choses à te dire. Mais je 2 Jn 12s
ne veux pas le faire avec de l'encre et un calame.
14 J'espère en effet te voir sous peu, et nous nous
entretiendrons de vive voix. 15 Que la paix soit avec
toi! Tes amis te saluent. Salue les nôtres [i], chacun
par son nom.

*a)* Nom assez répandu. Celui qui le porte est un disciple fidèle auquel l'Ancien, 2 Jn 1, juge bon d'adresser sa lettre.
*b)* Var. (Vulg.) : « une plus grande faveur ».
*c)* Sans doute des prédicateurs itinérants, envoyés par l'Apôtre aux communautés d'Asie Mineure.
*d)* Le Nom du Seigneur, cf. Ac 5 41+, exprimant le mystère de sa divinité, cf. 1 Jn 3 23; 5 13; Ph 2 9; Jc 2 7.
*e)* A l'inverse de Gaïus, ce chef de la communauté visée par la lettre manque de soumission envers l'Ancien, sans que la foi semble menacée. Celui-ci se propose d'intervenir lors d'une prochaine visite, vv. 10, 14.
*f)* Peut-être la deuxième épître.
*g)* Dans la personne des envoyés de l'Apôtre.
*h)* Soit un membre important de la communauté, soit un des missionnaires recommandés à la charité de Gaïus (le porteur de la lettre?).
*i)* Ceux qui résistent à Diotréphès parce qu'ils reconnaissent l'autorité de l'Ancien.

# ÉPÎTRE DE SAINT JUDE

**Adresse.**

1 Jude, serviteur de Jésus Christ, frère de
Ac 12 17+ Jacques, aux appelés, aimés [a] de Dieu le Père et
gardés pour Jésus Christ. 2 A vous miséricorde et
|| 2 P 1 2 paix et charité en abondance.

**Occasion.**

3 Très chers, j'avais un grand désir de vous écrire
au sujet de notre salut [b] commun, et j'ai été
contraint de le faire, afin de vous exhorter à
Ac 9 13+ combattre pour la foi transmise aux saints une fois
|| 2 P 2 1 pour toutes [c]. 4 Car il s'est glissé parmi vous cer-
tains hommes qui depuis longtemps ont été mar-
Ga 5 13 qués d'avance pour cette sentence [d] : ces impies tra-
1 P 2 16 vestissent en débauche la grâce de notre Dieu et
1 Jn 4 1 2 Jn 10 renient notre seul Maître et Seigneur Jésus Christ [e].

**Les faux docteurs. Le châtiment qui les menace.**

|| 2 P 1 12 5 Je veux vous rappeler, à vous qui connaissez
tout cela une fois pour toutes, que le Seigneur [f],
Jb 14 26-35 après avoir sauvé le peuple de la terre d'Égypte, a
1 Co 10 5 fait périr ensuite les incrédules. 6 Quant aux anges,
|| 2 P 2 4 qui n'ont pas conservé leur primauté, mais ont
Gn 6 1-2 quitté leur propre demeure [g], c'est pour le jugement
du grand Jour qu'il les a gardés dans des liens
éternels, au fond des ténèbres. 7 Ainsi Sodome, || 2 P 2 6-9
Gomorrhe et les villes voisines qui se sont prosti- Gn 19 Mt 10 15p
tuées de la même manière et ont couru après une
chair différente [h], sont-elles proposées en exemple,
subissant la peine d'un feu éternel.

**Leurs blasphèmes.**

8 Pourtant, ceux-là aussi [i], en délire, souillent la || 2 P 2 10-12
chair, méprisent la Seigneurie [j], blasphèment les
Gloires. 9 Pourtant, l'archange Michel, lorsqu'il Dn 10 13+
plaidait contre le diable et discutait au sujet du
corps de Moïse [k], n'osa pas porter contre lui un
jugement outrageant, mais dit : « *Que le Seigneur* Za 3 2
*te réprime*! » 10 Quant à eux, ils blasphèment ce
qu'ils ignorent; et ce qu'ils connaissent par nature [l],
comme les bêtes sans raison, ne sert qu'à les perdre.

**Leur perversité.**

11 Malheur à eux! car c'est dans la voie de Caïn || 2 P 2 15
qu'ils sont allés, c'est dans l'égarement de Balaam Gn 4 8; 1 Jn 3 12
qu'ils se sont jetés pour un salaire, c'est par la Nb 22 2+; Ap 2 14
révolte de Coré qu'ils ont péri. 12 Ce sont eux les Nb 16
écueils de vos agapes [m]. Ils font bonne chère sans || 2 P 2 13, 17-18
vergogne, ils se repaissent : nuées sans eau que les Pr 25 14
vents emportent, arbres de fin de saison, sans fruits,

*a)* « aux appelés »; var. : « aux nations appelées ». – « aimés »; var. : « sanctifiés ».
*b)* « notre salut »; Vulg. : « votre salut ».
*c)* A la tradition de la foi des apôtres, v. 17, fondement de la vie chrétienne, v. 20, il n'y a rien à changer, v. 5 : cf. 1 Co 11 2; 2 Th 2 15+; 1 Tm 6 20+.
*d)* « cette sentence »; var. : « ce péché ».
*e)* Var. : « et renient Dieu, le seul Maître, et notre Seigneur Jésus Christ ».
*f)* Dieu le Père, cf. 2 P 2 4. Var. (Vulg.) : « Jésus », qui désignerait le Christ dans sa préexistence divine, cf. 1 Co 10 4.
*g)* S'étant laissé séduire par les filles des hommes, Gn 6 1-2 : thème développé par le *livre d'Hénok*.
*h)* Une chair qui n'était pas humaine, puisque leur péché avait été de vouloir abuser d'« anges », Gn 19 1-11. Comme Jude 6-7, l'apocryphe *Testament des Douze Patriarches* mentionne ensemble le péché des anges et celui de Sodome.
*i)* Les hérétiques contemporains de Jude, que n'arrête pas le châtiment des anges séducteurs, vv. 6-7.
*j)* Var. : « les Seigneuries » (les anges, cf. Ep 1 21; Col 1 16).
*k)* Jude paraît dépendre ici de l'apocryphe *Assomption de Moïse*, où Michel (Dn 10 13+) entre en contestation avec le diable qui, après la mort de Moïse, réclamait son cadavre.
*l)* Ils ignorent parce qu'ils n'ont pas l'Esprit, Rm 1 9+, et ne connaissent que selon leur nature d'êtres « psychiques », v. 19; cf. 1 Co 15 44+, hommes que méprisaient les gnostiques.
*m)* « écueils »; Vulg. : « taches ». – « agapes »; var. : « tromperies », cf. 2 P 2 13. – Les hérétiques participaient donc encore à la vie de l'Église; leurs menées viennent seulement d'être démasquées. Qu'il s'agisse de l'eucharistie ou simplement de l'« agape » qui la précédait, leur attitude rappelle 1 Co 11 17-22.

Is 57 20 deux fois morts, déracinés, 13 houle sauvage de la
mer écumant sa propre honte, astres errants [a] auxquels les ténèbres épaisses sont gardées pour l'éternité. 14 C'est aussi pour eux qu'a prophétisé en ces
termes Hénoch, le septième patriarche depuis
Adam : « Voici : le Seigneur est venu avec ses sain-
Dn 7 10 tes myriades, 15 afin d'exercer le jugement contre
tous et de confondre tous les impies pour toutes les
œuvres d'impiété qu'ils ont commises, pour toutes
les paroles dures qu'ont proférées contre lui les
pécheurs impies [b]. » 16 Ce sont eux qui murmurent,
se plaignent, marchent selon leurs convoitises [c],
|| 2 P 2 18 *leur bouche dit des choses orgueilleuses*, ils flattent
Dn 7 8, 20 Lv 19 15 par intérêt.

**Exhortations aux fidèles.**
**L'enseignement des apôtres.**

|| 2 P 3 2-3 17 Mais vous, très chers, rappelez-vous ce qui a
été prédit par les apôtres de notre Seigneur Jésus
1 Tm 4 1+ Christ [d]. 18 Ils vous disaient : « A la fin du temps,
il y aura des moqueurs, marchant selon leurs
convoitises impies [e]. » 19 Ce sont eux qui créent des
divisions, ces êtres « psychiques » qui n'ont pas 1 Co 15 44+
d'esprit [f].

**Les devoirs de la charité.**

20 [g] Mais vous, très chers, vous édifiant sur votre 1 Co 3 9-17
foi très sainte, priant dans l'Esprit Saint, 21 gardez- Ep 2 20-22
vous dans la charité de Dieu, prêts à recevoir la 2 Co 13 13+
miséricorde de notre Seigneur Jésus Christ pour la
vie éternelle. 22 Les uns, ceux qui hésitent, cherchez
à les convaincre; 23 les autres, sauvez-les en les
arrachant au feu; les autres enfin, portez-leur une
pitié craintive, en haïssant jusqu'à la tunique contaminée par leur chair [h].

**Doxologie.**

24 A celui qui peut vous garder de la chute et
vous présenter devant sa gloire, sans reproche, || 2 P 3 14
dans l'allégresse [i], 25 à l'unique Dieu, notre Sauveur Rm 16 27+
par Jésus Christ notre Seigneur, gloire, majesté, Ap 5 13
force et puissance avant tout temps, maintenant et
dans tous les temps! Amen [j].

*a)* Dans les apocryphes juifs, les anges sont fréquemment symbolisés par des étoiles (cf. le *livre d'Hénok*).
*b)* Citation (sans doute de mémoire) d'*Hénok* **1** 9.
*c)* Réminiscence d'*Hénok* **5** 5.
*d)* L'enseignement apostolique reçu par tradition, v. 3.
*e)* Cette sentence ne se retrouve nulle part textuellement mais elle a des équivalents, Ac **20** 29-31; 1 Tm **4** 1; 2 Tm **3** 1-5; **4** 3; et déjà Mt **24** 24; Mc **13** 22.
*f)* « qui créent des divisions »; Vulg. : « qui se séparent » (de l'Église). – Les hérétiques sont comme des « bêtes sans raison », v. 10.
*g)* Le passage, vv. 20-21, mentionne les trois Personnes, cf. 2 Co **13** 13, en rapport avec la foi, la prière, l'amour, l'espérance, cf. 1 Co **13** 13+.
*h)* La charité traitera différemment ceux qui sont plus ou moins contaminés par l'hérésie. – Var. : « Ayez pitié des uns, de ceux qui hésitent, sauvez-les, arrachez-les au feu; quant aux autres, ayez pour eux une pitié craintive, etc. »
*i)* Vulg. ajoute : « dans l'Avènement de notre Seigneur Jésus Christ ».
*j)* La doxologie solennelle, cf. Rm **16** 25-27+; Ep **3** 20; Ap **1** 6+, provient peut-être de la liturgie.

# L’APOCALYPSE

# L'APOCALYPSE

## *Introduction*

*Le mot « apocalypse » est la transcription d'un terme grec signifiant :* révélation; *toute apocalypse suppose donc révélation faite par Dieu aux hommes de choses cachées et connues de lui seul, spécialement de choses concernant l'avenir. Il est malaisé de définir exactement la frontière séparant le genre apocalyptique du genre prophétique, dont il n'est en quelque sorte qu'un prolongement; mais tandis que les anciens prophètes entendaient les révélations divines et les transmettaient oralement, l'auteur d'une apocalypse reçoit ses révélations sous forme de* visions *qu'il consigne dans un livre. D'autre part, ces visions n'ont pas valeur pour elles-mêmes, mais pour le* symbolisme *dont elles sont chargées; car tout, ou presque tout, dans une apocalypse, a valeur symbolique : les chiffres, les choses, les parties du corps, les personnages eux-mêmes qui entrent en scène. Lorsqu'il décrit une vision, le voyant traduit en symboles les idées que Dieu lui suggère, procédant alors par accumulation de choses, de couleurs, de chiffres symboliques, sans se soucier de l'incohérence des effets obtenus. Pour le comprendre, il faut donc entrer dans son jeu, et retraduire en idées les symboles qu'il propose, sous peine de fausser le sens de son message.*

*Les apocalypses eurent un grand succès dans certains milieux juifs (y compris les Esséniens de Qumrân) aux deux siècles qui précédèrent l'avènement du Christ. Préparé déjà par les visions de prophètes tels qu'Ézéchiel ou Zacharie, le genre apocalyptique s'épanouit dans l'œuvre de Daniel et dans de nombreux ouvrages apocryphes écrits aux alentours de l'ère chrétienne. Le Nouveau Testament n'a retenu dans son canon qu'une Apocalypse, dont l'auteur se nomme lui-même : Jean,* **1** 9, *exilé dans l'île de Patmos pour sa foi au Christ au moment où il écrit. Une tradition, représentée déjà par saint Justin et largement répandue à la fin du second siècle (saint Irénée, Clément d'Alexandrie, Tertullien, le Canon de Muratori), l'identifie à Jean l'apôtre, l'auteur du quatrième évangile. Mais, jusqu'au* V*[e] *siècle, les Églises de Syrie, de Cappadoce et même de Palestine ne semblent pas avoir inséré l'Apocalypse au canon des Écritures, preuve qu'elles ne la tenaient pas pour l'œuvre d'un apôtre; un certain Caïus, prêtre romain du début du* III*[e] *siècle, l'attribuait même à l'hérétique Cérinthe, mais sans doute pour des motifs de polémique. D'autre part, si l'Apocalypse de Jean offre une parenté indéniable avec les autres écrits johanniques, elle s'en distingue nettement aussi, et par sa langue, et par son style, et par certaines vues théologiques (concernant la Parousie du Christ, notamment), si bien qu'il demeure difficile de lui assigner immédiatement le même auteur. Malgré tout, elle reste d'inspiration johannique, écrite dans l'entourage immédiat de l'apôtre et pénétrée de son enseignement. Sa canonicité ne saurait faire de doute. Quant à sa date, on admet assez communément qu'elle aurait été composée sous le règne de Domitien, vers 95; d'autres, non sans quelque vraisemblance, pensent que certaines parties au moins auraient été rédigées dès le temps de Néron, un peu avant 70.*

*Que l'on tienne pour le temps de Domitien ou pour celui de Néron, il est indispensable, pour bien comprendre l'Apocalypse, de la replacer dans le milieu historique qui lui a donné naissance : une période de troubles et de violentes persécutions contre l'Église naissante. Car, de même que les apocalypses qui l'ont précédée (spécialement celle de Daniel) et dont elle s'inspire manifestement, elle est avant tout un écrit de circonstance, destiné à relever et à affermir le moral des chrétiens, scandalisés sans doute de ce qu'une persécution si violente ait pu se déchaîner contre l'Église de celui qui avait affirmé : « Ne craignez pas, j'ai vaincu le monde »,*

*Jn* **16** 33. *Pour réaliser son dessein, Jean reprend les grands thèmes prophétiques traditionnels, spécialement celui du « Grand Jour » de Yahvé (cf. Am* **5** 18+*) : au Peuple saint, asservi sous le joug des Assyriens, des Chaldéens, puis des Grecs, dispersé et presque anéanti par la persécution, les prophètes annonçaient le jour prochain du salut, lorsque Dieu viendrait délivrer son Peuple de la main des oppresseurs, lui redonnant non seulement la liberté mais encore puissance et domination sur ses ennemis, à leur tour châtiés et presque anéantis. Lorsque Jean écrit, l'Église, le nouveau Peuple élu, vient d'être décimée par une persécution sanglante,* **13**; **6** 10-11; **16** 6; **17** 6, *déchaînée par Rome et l'empire romain (la Bête) mais sur l'instigation de Satan,* **12**; **13** 2-4, *l'Adversaire par excellence du Christ et de son Peuple. Une vision inaugurale décrit la majesté de Dieu qui trône au ciel, maître absolu des destinées humaines,* **4**, *et qui remet à l'Agneau le livre contenant le décret d'extermination des persécuteurs,* **5**; *la vision se poursuit par l'annonce d'une invasion de peuples barbares (les Parthes), avec son cortège traditionnel de maux : guerre, famine, peste,* **6**. *Les fidèles de Dieu seront cependant préservés,* **7** 1-8; *cf.* **14** 1-5, *en attendant de jouir au ciel de leur triomphe,* **7** 9-17; *cf.* **15** 1-5. *Voulant cependant le salut des pécheurs, Dieu ne va pas les détruire tout de suite, mais leur envoyer une série de fléaux pour les avertir, comme il l'avait fait contre Pharaon et les Égyptiens,* **8-9**; *cf.* **16**. *Peine perdue; à cause de leur endurcissement, Dieu va détruire les impies persécuteurs,* **17**, *qui essayaient de corrompre la terre en l'amenant à adorer Satan (allusion au culte des empereurs de la Rome païenne); suivent une lamentation sur Babylone (Rome) détruite,* **18**, *et des chants de triomphe au ciel,* **19** 1-10. *Une nouvelle vision reprend le thème de la destruction de la Bête (la Rome persécutrice), opérée cette fois par le Christ glorieux,* **19** 11-21. *Une période de prospérité s'ouvre alors pour l'Église,* **20** 1-6, *qui s'achèvera par un nouvel assaut de Satan contre elle,* **20** 7s, *l'anéantissement de l'Ennemi, la résurrection des morts et leur Jugement,* **20** 11-15, *enfin l'établissement définitif du Royaume céleste, dans la joie parfaite, la mort elle-même étant anéantie,* **21** 1-8. *Une vision rétrospective décrit l'état de perfection de la Jérusalem nouvelle durant son règne sur la terre,* **21** 9s.

*Telle est l'interprétation historique de l'Apocalypse, son sens premier et fondamental. Mais la portée du livre ne s'arrête pas là, car il met en jeu des valeurs éternelles sur lesquelles peut s'appuyer la foi des fidèles de tous les temps. Déjà dans l'Ancien Testament, la confiance du Peuple saint était fondée sur la promesse de Dieu de demeurer « avec son Peuple », cf. Ex* **25** 8+, *présence qui signifiait protection contre les ennemis pour opérer le salut. Maintenant encore, et bien plus parfaitement, Dieu est avec son Peuple nouveau qu'il s'est uni en la personne de son Fils, Emmanuel (Dieu-avec-nous); et l'Église vit de cette promesse du Christ ressuscité : « Voici que je suis avec vous pour toujours, jusqu'à la fin du monde », Mt* **28** 20. *S'il en est ainsi, les fidèles n'ont rien à craindre; même s'ils doivent momentanément souffrir pour le nom du Christ, ils seront en définitive vainqueurs de Satan et de toutes ses machinations.*

*Dans son état actuel, le texte de l'Apocalypse présente un certain nombre de doublets, de ruptures dans la suite des visions, de passages .apparemment hors de contexte. Les commentateurs ont essayé d'expliquer ces anomalies de multiples façons : compilation de sources différentes, déplacement accidentel de certains passages ou chapitres, etc. Parmi les explications possibles, nous proposons l'hypothèse suivante.*

*La partie proprement prophétique, Ap* **4-22**, *serait composée de deux Apocalypses distinctes, écrites par le même auteur à des dates différentes, puis fondues en un seul texte par une autre main. Les deux textes primitifs comporteraient les sections suivantes :*

| | Texte I : | Texte II |
|---|---|---|
| *Prologue : Le petit livre avalé* | | **10** 1-2$^{a}$, 3-4, 8-11 |
| *Satan contre l'Église* | **12** 1-6, 13-17 | **12** 7-12 |
| *La Bête contre l'Église* | | **13** |
| *Annonce et prodromes du Grand Jour de la Colère* | **4-9**; **10** 1, 2$^{b}$, 5-7 **11** 14-18 | **14-16** |
| *Le Grand Jour de la Colère :* | | |
| *Présentation de Babylone* | **17** 1-9, 15-18 | **17** 10, 12-14 |
| *Chute de Babylone* | **18** 1-3 | (*cf.* **14** 8) |
| *Les élus préservés* | | **18** 4-8 |

| | | |
|---|---|---|
| *Lamentation sur Babylone* ................ | **18** 9-13, 15-19, 21, 24 | **18** 14, 22-23 |
| *Chants de triomphe* ...................... | **19** 1-10 | **18** 20 (cf. **16** 5-7) |
| *Le règne messianique* ...................... | **20** 1-6 | |
| *Le combat eschatologique*................... | **20** 7-10 | **19** 11-21 |
| *Le jugement*.............................. | **20** 13-15 | **20** 11-12 |
| *La Jérusalem future*........................ | **21** 9 - **22** 2 et **22** 6-15 | **21** 1-4; **22** 3-5 |
| | | **21** 5-8 |
| *Appendice : Les deux témoins* ............... | | **11** 1-13, 19 |

*Quant aux lettres aux sept Églises,* **1-3**, *bien que destinées à être lues avec les deux autres textes, elles ont dû exister primitivement à l'état de texte séparé.*

*Une telle supposition ne saurait engendrer l'évidence. Elle a inspiré les grandes divisions insérées ci-après dans le texte du livre, mais non le détail de l'annotation, de sorte que le lecteur peut se livrer à une lecture suivie de l'Apocalypse sans se préoccuper des deux textes primitifs, en se laissant conquérir par l'imagerie compliquée mais puissante dont l'auteur a revêtu son message de certitude et d'espoir. Le sacrifice de l'Agneau a remporté la victoire dernière, et quels que soient les maux dont souffre l'Église du Christ, elle ne peut douter de la fidélité de Dieu jusqu'au moment où le Seigneur viendra, « bientôt »,* **1** 1*;* **22** 20. *L'Apocalypse est la grande épopée de l'espérance chrétienne, le chant de triomphe de l'Église persécutée.*

# L'APOCALYPSE

**Prologue.**

**1** 1 Révélation de Jésus Christ [a] : Dieu la lui
donna pour montrer à ses serviteurs [b] *ce qui*
Dn 2 28 *doit arriver* bientôt; Il [c] envoya son Ange pour la
Ap 22 6s, 16
faire connaître à Jean son serviteur, 2 lequel a 19 10+
attesté la Parole de Dieu et le témoignage de Jésus
Christ [d] : toutes ses visions. 3 Heureux [e] le lecteur 22 7
et les auditeurs de ces paroles prophétiques s'ils en
retiennent le contenu, car le Temps [f] est proche! 2 Co 6 2+

## *I. Les lettres aux Églises d'Asie*

**Adresse [g].**

4 Jean, aux sept Églises d'Asie. Grâce et paix
Ex 3 14+ vous soient données par « Il est, Il était et Il
vient [h] », par les sept Esprits présents devant son
38; Is 55 4 trône, 5 et par Jésus Christ, *le témoin fidèle, le Pre-*
Ps 89 28 *mier-né* d'entre les morts, *le Prince des rois de la*
*terre* [i]. Il nous aime et nous a lavés [j] de nos péchés
9 6; 1 P 2 9 par son sang, 6 il a fait de nous *une Royauté de*
Rm 16 27+ *Prêtres* [k], pour son Dieu et Père : à lui donc la
gloire et la puissance pour les siècles des siècles.
Amen [l]. 7 Voici, il *vient avec les nuées*; chacun le Dn 7 13
verra, même *ceux qui l'ont transpercé*, et *sur lui se* Za 12 10, 14
*lamenteront toutes les races* de la terre. Oui, Amen! Jn 19 37
8 Je suis l'Alpha et l'Oméga [m], dit le Seigneur Mt 24 30+
Dieu, « Il est, Il était et Il vient », le Maître-de-tout.

**Vision préparatoire.**

9 Moi, Jean, votre frère et votre compagnon dans
l'épreuve, la royauté et la constance, en Jésus. Je Rm 5 3
me trouvais dans l'île de Patmos [n], à cause de la 2 Tm 2 12
Parole de Dieu et du témoignage de Jésus. 10 Je

*a)* Le mot d'*apocalypse* veut dire révélation, cf. 1 Co **1** 7+. Celle-ci est faite par Jésus Christ et porte sur lui-même.
*b)* Les prophètes de l'Église primitive; cf. **10** 7; **11** 18; **22** 6; Ac **11** 27+; et déjà Am **3** 7; mais les chrétiens aussi sont appelés serviteurs de Dieu, **2** 20; **7** 3; **19** 2, 5; **22** 3, 6.
*c)* Dieu. L'Ange (messager), **22** 16, cf. Gn **16** 7+; Ez **40** 3+, représente probablement le Christ lui-même, d'après **14** 14, 15 et **1** 13.
*d)* Autrement dit : « la Parole de Dieu attestée par Jésus Christ ».
*e)* Première des sept béatitudes de l'Apocalypse; cf. **14** 13; **16** 15; **19** 9; **20** 6; **22** 7, 14.
*f)* La Venue du Christ (et tout ce qui arrivera « bientôt », v. 1, cf. **22** 6) : cf. **3** 11; **22** 10, 12, 20 et **1** 7.
*g)* Cette adresse est tissée de réminiscences bibliques, qui évoquent l'avènement glorieux et l'intronisation solennelle du Roi-Messie, lequel va régner avec le Peuple de Dieu, en vertu de la promesse faite jadis à David : thème majeur de l'Apocalypse entière.
*h)* Expression stéréotypée, **1** 8; **4** 8; **11** 17; **16** 5, analogue à d'autres de la littérature juive, qui développent le nom révélé à Moïse, interprété comme « Celui qui est », Ex **3** 14+.
*i)* Le Christ est le « témoin », dans sa personne et dans son œuvre, de la promesse faite jadis à David, 2 S **7** 1+; Ps **89**; Is **55** 3-4; Za **12** 8, et qui est réalisée en lui; il est la Parole efficace, le « Oui » de Dieu v. 2; **3** 14; **19** 11, 13; 2 Co **1** 20. Héritier de David, Ap **5** 5; **22** 16, il a été constitué par sa résurrection « Premier-né », Col **1** 18; cf. Rm **1** 4+, et, après la destruction de ses ennemis, il recevra la domination universelle, Dn **7** 14; 1 Co **15** 28; Ap **19** 16.
*j)* Var. : « nous a déliés ».
*k)* Les fidèles du Christ, une fois convertis et lavés de leurs péchés, vv. 5 et 7, formeront une « royauté de prêtres », Ex **19** 6+ : rois, il régneront sur tous les peuples, Dn **7** 22, 27; Is **45** 11-17; Za **12** 1-3; cf. Ap **2** 26,27; **5** 10; **20** 6; **22** 5; prêtres, unis au Christ Prêtre, ils offriront à Dieu l'univers entier en sacrifice de louange.
*l)* Les doxologies, Rm **16** 27+, sont fréquentes dans Ap. Dans leurs accents de triomphe on perçoit des échos de liturgies anciennes. Elles recèlent de précieuses données christologiques, où l'Agneau, **5** 6+, est de mainte façon associé à Dieu le Père. Elles impliquent aussi une protestation contre le culte impérial.
*m)* Première et dernière lettres de l'alphabet grec, **21** 6, **22** 13, transposition au bénéfice du Christ d'une qualité de Dieu principe et fin de toutes choses, Is **41** 4; **44** 6. Cf. **1** 17; **2** 8.
*n)* Déporté comme chrétien.

Ac **20** 7+ tombai en extase, le jour du Seigneur, et j'entendis
derrière moi une voix clamer, comme une trom-
pette : 11 « Ce que tu vois, écris-le dans un livre
pour l'envoyer aux sept Églises : à Éphèse, Smyrne,
Pergame, Thyatire, Sardes, Philadelphie et Laodicée. » 12 Je me retournai pour regarder la voix qui
1 20 me parlait; et m'étant retourné, je vis sept candélabres d'or, 13 et, au milieu des candélabres, *comme
Dn **7** 13 *un Fils d'homme* [a] revêtu d'une longue robe serrée
Dn **10** 5 à la taille par une *ceinture en or.* 14 *Sa tête,* avec
Dn **7** 9 *ses cheveux blancs, est comme de la laine blanche,*
Dn **10** 6 comme de la neige, *ses yeux comme* une flamme
*ardente,* 15 *ses pieds pareils à de l'airain* précieux
que l'on aurait purifié au creuset, *sa voix comme
Ez **43** 2 *la voix des grandes eaux.* 16 Dans sa main droite
il a sept étoiles, et de sa bouche sort une épée acé-
2 12 rée, à double tranchant; et son visage, c'est comme
le soleil qui brille dans tout son éclat.
Dn **8** 18; **10** 15-19 Ez **1** 28s 17 A sa vue, je tombai à ses pieds, comme mort;
mais il posa sur moi sa main droite en disant : « Ne
Is **44** 6; **48** 12 crains pas, je suis *le Premier* et *le Dernier,* 18 le
Ap **1** 8+ He **7** 25 Vivant [b] ; je fus mort, et me voici vivant pour les
siècles des siècles, détenant la clef de la Mort et de
Mt **16** 18+ l'Hadès [c]. 19 Écris donc ce que tu as vu : le présent
**4** 1; Dn **2** 28 *et ce qui doit arriver plus tard* [d]. 20 Quant au mystère des sept étoiles que tu as vues dans ma main
droite et des sept candélabres d'or, le voici : les sept
étoiles sont les Anges [e] des sept Églises; et les sept
candélabres sont les sept Églises.

## I. Éphèse [f].

**2** 1 « A l'Ange de l'Église d'Éphèse [g], écris :
1 16 Ainsi parle celui qui tient les sept étoiles en
1 12 sa droite et qui marche au milieu des sept candéla-
1 Th **1** 3 bres d'or. 2 Je connais ta conduite, tes labeurs et ta
constance; je le sais, tu ne peux souffrir les
méchants : tu as mis à l'épreuve ceux qui usurpent 2 Co **11** 13, 15
le titre d'apôtres [h], et tu les as trouvés menteurs.
3 Tu as de la constance : n'as-tu pas souffert pour
mon nom [i], sans te lasser? 4 Mais j'ai contre toi que
tu as perdu ton amour d'antan. 5 Allons! rappelle-
toi d'où tu es tombé, repens-toi, reprends ta
conduite première. Sinon, je vais venir à toi pour
changer ton candélabre de son rang [j], si tu ne te
repens. 6 Il y a cependant pour toi que tu détestes
la conduite des Nicolaïtes, que je déteste moi- **2** 15+
même. 7 Celui qui a des oreilles, qu'il entende ce Mt **13** 9; Ap **1**
que l'Esprit dit aux Églises [k] : au vainqueur, je ferai
manger *de l'arbre de vie placé dans le Paradis* de Gn **2** 9; Ap **22**
Dieu [l].

## II. Smyrne.

8 « A l'Ange de l'Église de Smyrne, écris : Ainsi
parle *le Premier* et *le Dernier*, celui qui fut mort et Is **44** 6; **48** 12 Ap **1** 17-18+
qui a repris vie. 9 Je connais tes épreuves et ta pau-
vreté – tu es riche pourtant [m] – et les diffamations Jc **2** 5
de ceux qui usurpent le titre de Juifs [n] – une syna- **3** 9
gogue de Satan plutôt! – 10 Ne crains pas les souffrances qui t'attendent : voici, le Diable va jeter des Jn **8** 37-44
vôtres en prison *pour vous tenter*, et vous aurez *dix* Lc **22** 31-33 Dn **1** 12, 14s
*jours* [o] d'épreuve. Reste fidèle jusqu'à la mort, et je
te donnerai la couronne de vie. 11 Celui qui a des 1 Co **9** 25+
oreilles, qu'il entende ce que l'Esprit dit aux Égli-
ses : le vainqueur n'a rien à craindre de la seconde **20** 14; **21** 8
mort.

## III. Pergame.

12 « A l'Ange de l'Église de Pergame, écris :
Ainsi parle celui qui possède l'épée acérée à double **1** 16; **19** 15
tranchant. 13 Je sais où tu demeures : là est le trône

*a)* Le Messie apparaît dans ses fonctions de Juge eschatologique, comme en Dn **7** 13-14 (cf. Dn **10** 5-6). Ses attributs sont décrits au moyen de symboles : *sacerdoce* (représenté par la longue robe, cf. Ex **28** 4; **29** 5; Za **3** 4); *royauté* (ceinture en or, cf. 1 M **10** 89; **11** 58); *éternité* (cheveux blancs, cf. Dn **7** 9); *science divine* (yeux flamboyants, pour « sonder les reins et les cœurs », cf. **2** 23), *stabilité* (pieds d'airain, cf. Dn **2** 31-45). Sa majesté est terrifiante (éclat des jambes, du visage, puissance de la voix). Il tient les sept Églises (les étoiles, cf. v. 20) en son pouvoir (main droite), et sa bouche s'apprête à fulminer ses décrets mortels (épée effilée) contre les chrétiens infidèles (cf. **19** 15+; **2** 16; et Is **49** 2; Ep **6** 17; He **4** 12). Au début de chacune des sept lettres, on retrouve l'un ou l'autre de ces attributs du Juge, adaptés à la situation particulière des Églises.

*b)* Qui possède la vie en propre, cf. Jn **1** 4; **3** 15+; **5** 21, 26; etc. L'accent porte ici sur la vie présente du Ressuscité.

*c)* L'Hadès est le lieu où résidaient les morts, cf. Nb **16** 33+. Le Christ a pouvoir d'en faire sortir, cf. Jn **5** 26-28.

*d)* Le présent : les lettres des ch. **2** et **3**. Ce qui doit arriver plus tard : les révélations des ch. **4-22**. La prophétie prend ici la forme de visions.

*e)* D'après les idées juives, non seulement le monde matériel était régi par des Anges, cf. Ap **7** 1; **14** 18; **16** 5, mais même les personnes et les communautés, cf. Ex **23** 20+. Chaque Église est donc censée être régie par un Ange, responsable d'elle, auquel sera adressée une lettre. Mais les Églises sont dans la main du Christ, sous son pouvoir et sa protection.

*f)* Les sept lettres suivent toutes le même mouvement. Des constatations sur l'état des Églises (« je connais ») sont suivies de promesses ou de menaces exprimées dans une perspective eschatologique. Elles sont très riches en doctrine, spécialement au sujet de Jésus Christ qui est censé s'exprimer en personne d'un bout à l'autre. Elles nous donnent aussi un tableau de la vie chrétienne en Asie aux environs de l'an 90.

*g)* Métropole politique et commerciale de la province d'Asie, à laquelle appartenaient les six autres villes visées par les lettres suivantes. De nombreux cultes païens y prospéraient, entre autres celui d'Artémis, Ac **19** 24-40.

*h)* Probablement les Nicolaïtes du v. 6, voir **2** 15+. Sur les faux apôtres, 2 Co **11** 5, 13.

*i)* Allusion à une persécution passée.

*j)* Éphèse perdra son rang de métropole religieuse.

*k)* Cette formule conclura chacune des sept lettres. Elle souligne le rôle de l'Esprit dans les rapports du Christ et de son Église.

*l)* Var. (Vulg.) : « de mon Dieu ».

*m)* La richesse spirituelle de Smyrne s'oppose à sa pauvreté matérielle.

*n)* C'est l'Église du Christ qui est désormais le véritable Israël, cf. Ga **6** 16; Rm **9** 8.

*o)* Une courte durée.

de Satan. Mais tu tiens ferme à mon nom et tu n'as
pas renié ma foi, même aux jours d'Antipas, mon
témoin fidèle, qui fut mis à mort chez vous, là où
demeure Satan [a]. 14 Mais j'ai contre toi quelque
grief : tu en as là qui tiennent la doctrine de
Nb **22** 2+ Balaam; il incitait Balaq à tendre un piège aux fils
1 Co **8-10** d'Israël [b] pour qu'ils mangent des viandes immo-
Nb **25** 1-2 lées aux idoles et se prostituent [c]. 15 Ainsi, chez toi
2 P **2** 15 aussi, il en est qui tiennent la doctrine des Nico-
Ap **2** 6 laïtes [d]. 16 Allons! repens toi, sinon je vais bientôt
venir à toi pour combattre ces gens avec l'épée de
ma bouche. 17 Celui qui a des oreilles, qu'il entende
ce que l'Esprit dit aux Églises : au vainqueur, je
donnerai de la manne cachée et je lui donnerai
aussi un caillou blanc, un caillou portant gravé *un*
Is **62** 2; **65** 15; *nom nouveau* que nul ne connaît, hormis celui qui
6 5; Ap **3** 12+; le reçoit [e].
**19** 12

## IV. Thyatire.

18 « A l'Ange de l'Église de Thyatire, écris : Ainsi
**1** 14-15 parle le Fils de Dieu, dont les yeux sont comme une
flamme ardente et les pieds pareils à de l'airain précieux. 19 Je connais ta conduite : ton amour, ta foi,
ton dévouement, ta constance; tes œuvres vont sans
cesse en se multipliant. 20 Mais j'ai contre toi que
tu tolères Jézabel [f], cette femme qui se dit prophétesse; elle égare mes serviteurs, les incitant à se
**2** 14 prostituer en mangeant des viandes immolées aux
idoles. 21 Je lui ai laissé le temps de se repentir,
mais elle refuse de se repentir de ses prostitutions.
22 Voici, je vais la jeter sur un lit de douleurs, et
ses compagnons de prostitution dans une épreuve
terrible, s'ils ne se repentent de leur conduite [g]. 23 Et
ses enfants [h], je vais les frapper de mort : ainsi, tou-
**1** 20+; **17** 10 tes les Églises sauront que c'est moi *qui sonde les*
Ps **62** 13 *reins et les cœurs;* et je vous *paierai chacun selon*
*vos œuvres.* 24 Quant à vous autres, à Thyatire, qui
ne partagez pas cette doctrine, vous qui n'avez pas
connu « les profondeurs de Satan [i] », comme ils
disent, je vous déclare que je ne vous impose pas
d'autre fardeau; 25 du moins, ce que vous avez [j],
tenez-le ferme jusqu'à mon retour. 26 Le vainqueur, **3** 8-11
celui qui restera fidèle à mon service jusqu'à la fin,
*je lui donnerai* pouvoir sur *les nations* : 27 *c'est avec* Ps **2** 8-9
*un sceptre de fer qu'il les mènera comme on fra-* Ap **12** 5; **19** 15;
*casse des vases d'argile!* 28 Ainsi moi-même j'ai **1** 6+
reçu ce pouvoir de mon Père. Et je lui donnerai
l'Étoile du matin [k]. 29 Celui qui a des oreilles, qu'il Is **14** 12
entende ce que l'Esprit dit aux Églises. Ap **22** 16
2 P **1** 19

## V. Sardes.

**3** 1 « A l'Ange de l'Église de Sardes, écris : Ainsi
parle celui qui possède les sept Esprits de
Dieu [l] et les sept étoiles. Je connais ta conduite; tu **1** 16
passes pour vivant, mais tu es mort. 2 Réveille-toi,
ranime ce qui te reste de vie défaillante! Non, je
n'ai pas trouvé ta vie bien pleine aux yeux de mon
Dieu. 3 Allons! rappelle-toi comment tu accueillis
la parole; garde-la et repens-toi. Car si tu ne veilles Mt **24** 42-44p
pas, je viendrai comme un voleur sans que tu Mc **13** 33
saches à quelle heure je te surprendrai. 4 A Sardes, 1 Th **5** 2
néanmoins, quelques-uns des tiens n'ont pas souillé Ap **7** 14
leurs vêtements; ils m'accompagneront, en blanc [m],
car ils en sont dignes. 5 Le vainqueur sera donc
revêtu de blanc; et son nom, je ne l'effacerai pas
du livre de vie, mais j'en répondrai devant mon **20** 12+
Père et devant ses Anges. 6 Celui qui a des oreilles, Mt **10** 32; Lc **9** 26
qu'il entende ce que l'Esprit dit aux Églises.

## VI. Philadelphie.

7 « A l'Ange de l'Église de Philadelphie, écris :
Ainsi parle le Saint, le Vrai, celui *qui détient la clef* Lv **17** 1+; Is **6** 3+
*de David : s'il ouvre, nul ne fermera, et s'il ferme,* Is **22** 22
*nul n'ouvrira.* 8 Je connais ta conduite : voici, j'ai Ap **1** 18
ouvert devant toi une porte [n] que nul ne peut fermer, et, disposant pourtant de peu de puissance, tu
as gardé ma parole sans renier mon nom. 9 Voici,
je forcerai ceux de la synagogue de Satan – ils **2** 9+
usurpent la qualité de Juifs, les menteurs –, oui, je
les forcerai *à venir se prosterner devant tes pieds,*
à reconnaître *que je t'ai aimé.* 10 Puisque tu as Is **45** 14; **60** 14
gardé ma consigne de constance, à mon tour je te Is **43** 4

*a)* Le culte impérial, vivace à Pergame comme le paganisme sous toutes ses formes, est constamment visé par Ap comme l'antithèse de la foi au Christ.
*b)* Selon une tradition juive, cf. Nb **31** 16, c'est Balaam qui suggéra à Balaq d'attirer les Israélites à l'idolâtrie avec l'aide des filles de Moab, Nb **25** 1-3.
*c)* Image courante chez les Prophètes pour désigner l'infidélité de l'idolâtrie, cf. **17**; Os **1** 2+.
*d)* Doctrine apparentée aux erreurs déjà combattues par saint Paul dans les épîtres de la captivité (surtout Col) et qui annonce les spéculations gnostiques du IIe siècle. Elle tolérait aussi certaines compromissions avec les cultes païens, comme la participation aux banquets sacrés, cf. v. 14.
*e)* La manne (cachée par Jérémie avec l'arche, 2 M **2** 4-8; cf. He **9** 4) est la nourriture du Royaume céleste, Jn **6** 31, 49; cf. **15** 8+. Le caillou blanc (couleur de victoire et de joie) est le signe de l'admission dans ce royaume; le nom nouveau, **3** 12+; **19** 12, le renouvellement intérieur qui en rend digne, cf. Is **1** 26+.
*f)* « Jézabel »; var. : « ta femme Jézabel ». – Pseudo-prophétesse de la secte des Nicolaïtes, au nom symbolique, cf. 2 R **9** 22.
*g)* Var. : « de sa conduite ».
*h)* Ceux qui ont embrassé sa doctrine.
*i)* La lettre s'en prend à de vaines prétentions de pénétrer ce qu'est Dieu, qui déviaient vers un laxisme moral.
*j)* La foi au nom de Jésus Christ.
*k)* A la puissance, Nb **24** 17; Is **14** 12, s'ajoute dans le symbolisme de l'étoile la glorification du chrétien par Jésus Seigneur, **22** 16, cf. **1** 5+; Ac **2** 36+; Rm **1** 4+. Le thème a subsisté dans l'*Exultet* de la veillée pascale.
*l)* Les sept Esprits de Dieu sont ici sept anges, cf. **4** 5.
*m)* Le blanc symbolise la pureté mais aussi la joie et la puissance, **2** 17. L'image du vêtement signifie couramment la réalité profonde des êtres, Is **51** 9; **52** 1; etc.; Rm **13** 14; 1 Co **15** 53-54; Col **3** 9-12; etc.
*n)* J'ai donné le champ libre à ton apostolat, cf. Ac **14** 27+.

2 P 2 9 garderai de l'heure de l'épreuve qui va fondre sur
le monde entier pour éprouver les habitants de la
2 Co 6 2+ terre [a]. 11 Mon retour est proche : tiens ferme ce que
Ap 2 25+ tu as, pour que nul ne ravisse ta couronne. 12 Le
Ga 2 9 vainqueur, je le ferai colonne dans le temple de
1 Tm 3 15 mon Dieu: il n'en sortira plus jamais et je graverai
Ez 48 35 sur lui le nom de mon Dieu [b], et *le nom de la Cité*
de mon Dieu, la nouvelle Jérusalem qui descend du
Ap 21 2s Ciel, de chez mon Dieu, et le *nom nouveau* que je
2 17+ porte [c]. 13 Celui qui a des oreilles, qu'il entende ce
que l'Esprit dit aux Églises.

**VII. Laodicée.**

14 « A l'Ange de l'Église de Laodicée, écris :
1 5+; 2 Co 1 20 Ainsi parle l'Amen [d], le Témoin fidèle et vrai, le
Jn 1 3 Principe de la création de Dieu [e]. 15 Je connais ta
conduite : tu n'es ni froid ni chaud – que n'es-tu
l'un ou l'autre! – 16 ainsi, puisque te voilà tiède, ni
chaud ni froid, je vais te vomir de ma bouche. 17 Tu
t'imagines : me voilà riche, je me suis enrichi et je Os 12 9
n'ai besoin de rien; mais tu ne le vois donc pas : 1 Co 4 8
c'est toi qui es malheureux, pitoyable, pauvre,
aveugle et nu [f]! 18 Aussi, suis donc mon conseil :
achète chez moi [g] de l'or purifié au feu pour t'enri- Is 55 1
chir; des habits blancs pour t'en revêtir et cacher
la honte de ta nudité; un collyre enfin pour t'en oindre les yeux et recouvrer la vue [h]. 19 *Ceux que* Pr 3 12
*j'aime, je les semonce et les corrige.* Allons! Un peu 1 Co 11 32
d'ardeur, et repens-toi! 20 Voici, je me tiens à la He 12 4-11
porte et je frappe; si quelqu'un entend ma voix et Ct 5 2; Is 50 2
ouvre la porte, j'entrerai chez lui pour souper, moi Jn 14 23
près de lui et lui près de moi [i]. 21 Le vainqueur, je Lc 22 29-30
lui donnerai de siéger avec moi sur mon trône, 20 4; Mt 19 28
comme moi-même, après ma victoire, j'ai siégé Ap 1 6+
avec mon Père sur son trône. 22 Celui qui a des
oreilles, qu'il entende ce que l'Esprit dit aux
Églises. »

# II. Les visions prophétiques

## 1. LES PRÉLIMINAIRES DU « GRAND JOUR » DE DIEU

### Dieu remet à l'Agneau les destinées du monde [j].

**4** 1 J'eus ensuite une vision. Voici, une porte était
1 10 ouverte au ciel, et la voix que j'avais naguère
Ex 19 16 entendue me parler comme une trompette me dit :
1 1, 19; Dn 2 28 Monte ici, que je te montre *ce qui doit arriver* par
la suite. 2 A l'instant, je tombai en extase. Voici, un
Is 6 1; Ez 1 26-28; trône était dressé dans le ciel, et, *siégeant sur le*
10 1 *trône, Quelqu'un...* [k] 3 Celui qui siège est comme
Gn 9 12-17 une vision de jaspe et de cornaline; un arc-en-ciel
autour du trône est comme une vision d'émeraude.
4 Vingt-quatre sièges entourent le trône, sur
lesquels sont assis vingt-quatre Vieillards vêtus de Is 24 23
blanc, avec des couronnes d'or sur leurs têtes [l].
5 Du trône partent des éclairs, des voix et des ton- 8 5; 11 19;
nerres [m], et sept lampes de feu brûlent devant lui, 16 18; Ex 19
les sept Esprits de Dieu [n]. 6 Devant le trône, on 5 6
dirait une mer [o], transparente autant que du cristal. Ex 24 10
*Au milieu* du trône et autour de lui [p], se tiennent
*quatre Vivants, constellés d'yeux* par-devant et par- Ez 1 5-21;
derrière [q]. 7 *Le premier* Vivant est comme *un lion;* 10 14
*le deuxième* Vivant est comme *un jeune taureau; le*
*troisième* Vivant a comme *un visage d'homme; le*
*quatrième* Vivant est comme *un aigle* en plein vol.

*a)* La terre est toujours, dans Ap, le monde païen, comme le « monde » ennemi chez Jn **1** 10; **17** 9; etc. Les serviteurs de Dieu ne sont pas comptés parmi ses habitants: ils seront préservés, **7** 1ss, des fléaux décrits **8-9**; **16** (cf. **18** 4).

*b)* Cf. **2** 17; **14** 1; **19** 12, 13; et Is **56** 5; **62** 2; **65** 15, cf. Is **1** 26+.

*c)* Soit un nom qui ne sera connu qu'à la Parousie, soit le nom de « Verbe », cf. **19** 13.

*d)* Souvenir d'Is **65** 16, où déjà « Amen » apparaît comme un nom divin, Cf. Ap **1** 5+.

*e)* Le Christ est identifié ici à la Sagesse et à la Parole créatrices, cf. Pr **8** 22; Sg **9** 1s; Jn **1** 3; Col **1** 15-17: He **1** 2.

*f)* Le dénuement spirituel de Laodicée, en contraste avec sa prospérité et sa suffisance. C'était le contraire à Smyrne, **2** 9.

*g)* Les vraies richesses de la vie spirituelle.

*h)* Allusion aux « spécialités » de Laodicée : on y fabriquait des vêtements, ainsi qu'une poudre spéciale pour guérir les yeux.

*i)* L'intimité avec Jésus, préludant au festin messianique, cf. Mt **8** 11+. Allusion liturgique, très probablement.

*j)* Dieu sur son trône est glorifié par sa cour céleste, **4**, puis l'horizon s'étend à l'univers dont les destinées sont remises à l'Agneau rédempteur sous la forme d'un livre scellé, **5**. Suivront de larges visions symboliques préludant au « Grand Jour » où la colère de Dieu tombera sur les païens persécuteurs, **17-19**.

*k)* Jean se garde de décrire Dieu sous forme humaine et même de le nommer : il n'en donne qu'une vision de lumière. Toute la scène s'inspire d'Ez **1** et **10**; cf. aussi Is **6**.

*l)* Ces Vieillards exercent un rôle sacerdotal et royal : ils louent et adorent Dieu, **4** 10; **5** 9; **11** 16, 17; **19** 4, et lui offrent les prières des fidèles, **5** 8; ils l'assistent dans le gouvernement du monde (trônes) et participent à son pouvoir royal (couronnes). Leur nombre correspond peut-être à celui des 24 ordres sacerdotaux de 1 Ch **24** 1-19.

*m)* Comme souvent dans les théophanies, cf. Ex **19** 16+; Ez **1** 4, 13.

*n)* Plutôt que l'Esprit Saint, **1** 4 (qui deviendra, dans la tradition chrétienne, rapportée aussi à Is **11** 2+, l'Esprit « septiforme »), ce sont ici les « Anges de la Face », cf. **3** 1; **8** 2; Tb **12** 15, qui sont les envoyés de Dieu, cf. Za **4** 10; Ap **5** 6; Tb **12** 14; Lc **1** 26 et *passim.*

*o)* Soit les « eaux supérieures » de Gn **1** 7; Ps **104** 3, soit la « Mer » de 1 R **7** 23-26.

*p)* La disposition est difficile à imaginer. « Au milieu du trône » peut être une glose venue de Ez **1** 5.

*q)* Symbolisme inspiré d'Ez **1** 5-21. Ces Vivants (litt. « Êtres animés, Animaux ») sont les quatre Anges qui président au gouvernement du monde physique, cf. **1** 20 : quatre est un chiffre

Is 6 2 [8] Les quatre Vivants, portant *chacun six ailes*, sont
Ez 10 12 *constellés d'yeux tout autour* et en dedans. Ils ne
cessent de répéter jour et nuit :
Is 6 3 « *Saint, Saint, Saint,*
*Seigneur, Dieu Maître-de-tout,*
1 4+ " Il était, Il est et Il vient " [a]. »
[9] Et chaque fois que les Vivants offrent gloire,
honneur et action de grâces à Celui qui siège sur
Dn 4 31 le trône et *qui vit dans les siècles des siècles*, [10] les
vingt-quatre Vieillards se prosternent devant Celui
qui siège sur le trône pour adorer Celui *qui vit dans*
*les siècles des siècles*; ils lancent leurs couronnes
devant le trône [b] en disant :
[11] « Tu es digne, ô notre Seigneur et notre Dieu,
de recevoir la gloire, l'honneur et la puissance,
14 7; Rm 4 17 car c'est toi qui créas l'univers;
Ps 115 3 par ta volonté, il n'était pas et fut créé. »

**5** [1] Et je vis dans la main droite de Celui qui
Ez 2 9 siège sur le trône un *livre roulé* [c], *écrit au recto*
Is 29 11 *et au verso,* et scellé de sept sceaux. [2] Et je vis un
Dn 12 4, 9 Ange puissant proclamant à pleine voix : « Qui est
digne [d] d'ouvrir le livre et d'en briser les sceaux? »
Ph 2 10 [3] Mais nul n'était capable, ni dans le ciel, ni sur la
terre, ni sous la terre [e], d'ouvrir le livre et de le lire.
[4] Et je pleurais fort de ce que nul ne s'était trouvé
digne d'ouvrir le livre et de le lire. [5] L'un des Vieil-
Lc 7 13-15 lards me dit alors : « Ne pleure pas. Voici : il a
Gn 49 9 remporté la victoire [f], *le Lion* de la tribu *de Juda*,
Is 11 1, 10 *le Rejeton* de David; il ouvrira donc le livre aux
Rm 15 12 sept sceaux. »
[6] Alors je vis, debout entre le trône aux quatre
Jn 1 29+ Vivants et les Vieillards, un Agneau, comme
Za 4 10 égorgé [g], portant sept cornes et *sept yeux* [h], qui sont
Ap 4 5+ les sept Esprits de Dieu *en mission par toute la*
*terre.* [7] Il s'en vint prendre le livre dans la main
droite de Celui qui siège sur le trône. [8] Quand il
l'eut pris, les quatre Vivants et les vingt-quatre
Vieillards se prosternèrent devant l'Agneau, tenant
chacun une harpe et des coupes d'or pleines de parfums, les prières des saints; [9] ils chantaient un can- Ac 9 13+
tique nouveau : Ap 14 3+
« Tu es digne de prendre le livre
et d'en ouvrir les sceaux,
car tu fus égorgé et tu rachetas pour Dieu [i], 14 4; Rm 3 24+
au prix de ton sang,
des hommes de toute race, langue, peuple et
nation [j];
[10] tu as fait d'eux pour notre Dieu
*une Royauté de Prêtres* régnant [k] sur la terre. » 1 6+; Ex 19 6
[11] Et ma vision se poursuivit. J'entendis la voix Is 61 6
d'une multitude d'Anges rassemblés autour du
trône, des Vivants et des Vieillards – ils se
comptaient *par myriades de myriades et par mil-* Dn 7 10
*liers de milliers!* – [12] et criant à pleine voix : Jude 14-15
« Digne est l'Agneau égorgé
de recevoir la puissance, la richesse [l], la sagesse, Ph 2 7-9
la force, l'honneur, la gloire et la louange. »
[13] Et toute créature, dans le ciel, et sur la terre, 5 3
et sous la terre, et sur la mer, l'univers entier, je
l'entendis s'écrier :
« A Celui qui siège sur le trône, ainsi qu'à
l'Agneau,
la louange, l'honneur, la gloire et la puissance
dans les siècles des siècles! »
[14] Et les quatre Vivants disaient : « Amen! »; et
les Vieillards se prosternèrent pour adorer.

**L'Agneau brise les sept sceaux [m].**

**6** [1] Et ma vision se poursuivit. Lorsque Jr 15 2-4
l'Agneau ouvrit le premier des sept sceaux. Ez 5 17; 14 13-21

cosmique (les points cardinaux, les vents; cf. **7** 1). Leurs yeux multiples symbolisent la science universelle et la providence de Dieu. Ils adorent Dieu et lui rendent gloire pour son œuvre créatrice. Leurs formes (lion, taureau, homme, aigle) représentent ce qu'il y a de plus noble, de plus fort, de plus sage, de plus agile dans la création. Depuis saint Irénée, la tradition chrétienne y a vu le symbole des quatre évangélistes.

*a)* La doxologie d'Isaïe était déjà en usage dans le culte synagogal et elle a été reprise par les liturgies chrétiennes. La liturgie de la terre est une participation au culte éternel (« jour et nuit ») du ciel.

*b)* Les Vieillards font hommage à Dieu de la puissance qu'ils ont reçue de lui, ce que refuseront de faire les rois de la terre, **17** 2, etc. – « il n'était pas » (v. 11); d'après certains manuscrits, texte incertain. On peut aussi comprendre : « il exista ».

*c)* Les décrets divins concernant les événements des derniers temps. Les sceaux seront brisés un à un, et les secrets seront dévoilés, aux ch. **6-9**. La présentation de l'Agneau près du trône de Dieu, **5**, est un événement qui intervient dans la liturgie éternelle de **4**.

*d)* Seul en sera « digne » celui qui dans l'épreuve s'en est montré capable par ses actes : **5** 9, 12.

*e)* Dans l'Hadès, **1** 18+.

*f)* Sur Satan et le monde, cf. Jn **3** 35+; 1 Jn **2** 14+.

*g)* Succédant aux titres messianiques du v. 5, le titre d'Agneau apparaît ici et sera donné au Christ une trentaine de fois dans Ap. C'est l'Agneau qui a été immolé pour le salut du peuple élu, cf. Jn **1** 29+, Is **53** 7. Il porte les marques de son supplice, mais il est debout, triomphant, cf. Ac **7** 55, vainqueur de la mort, **1** 18, et pour cette raison associé à Dieu comme maître de toute l'humanité, v. 13, etc.; cf. **21-22**, Rm **1** 4+, etc. « Le Messie, Lion pour vaincre, s'est fait Agneau pour souffrir » (Victorin de Pettau).

*h)* Symboles de la puissance (cornes) et de la connaissance (yeux) que le Christ possède en plénitude (chiffre 7).

*i)* Var. : « tu nous rachetas », « tu nous rachetas pour Dieu ». La leçon « nous » suppose que les Vieillards sont des hommes, peut-être les Patriarches de l'AT.

*j)* Expression stéréotypée de l'universalité. Cf. Dn **3** 4, 7, 96; **6** 26.

*k)* Vulg. : « tu as fait de nous... nous régnerons... ».

*l)* Vulg. : « divinité ».

*m)* Les ch. **6-9** forment un tout. A mesure que l'Agneau descelle le Livre, **6-8** 1, et que résonnent les trompettes, **8** 2-9, se déroule la vision des événements qui annoncent et préparent la déroute de l'Empire romain, prototype des ennemis de Dieu. Cf. Mt **24**p. – Les quatre cavaliers de cette première vision sont inspirés de Za **1** 8-10 et **6** 1-3; mais ils symbolisent aussi les quatre fléaux dont les prophètes menaçaient Israël infidèle : bêtes fauves, guerre, famine, peste, cf. Lv **26** 21-26; Dt **32** 24; Ez **5** 17; **14** 13-21; et aussi : Ez **6** 11-12; **7** 14-15; **12** 16; **33** 27.

j'entendis le premier des quatre Vivants crier
comme d'une voix de tonnerre : « Viens! » 2 Et voici
Za **1** 8-10; qu'apparut à mes yeux un cheval blanc; celui qui
**6** 1-3 le montait tenait un arc; on lui donna une couronne
et il partit en vainqueur, et pour vaincre encore [a].
3 Lorsqu'il ouvrit le deuxième sceau, j'entendis le
deuxième Vivant crier : « Viens! » 4 Alors surgit un
autre cheval, rouge feu; celui qui le montait, on lui
donna de bannir la paix hors de la terre, et de faire
Ez **21** 14-16 que l'on s'entr'égorgeât; on lui donna une grande
épée [b].
5 Lorsqu'il ouvrit le troisième sceau, j'entendis
le troisième Vivant crier : « Viens! » Et voici
qu'apparut à mes yeux un cheval noir; celui qui le
montait tenait à la main une balance [c], 6 et
j'entendis comme une voix, du milieu des quatre
Ez **4** 16s Vivants, qui disait : « Un litre de blé pour un
Lv **26** 26 denier, trois litres d'orge pour un denier! Quant à
l'huile et au vin, ne les gâche pas! »
7 Lorsqu'il ouvrit le quatrième sceau, j'entendis
le cri du quatrième Vivant : « Viens! » 8 Et voici
qu'apparut à mes yeux un cheval verdâtre; celui
**1** 18+ qui le montait, on le nomme : la Mort [d]; et l'Hadès
le suivait [e].
Alors, on leur donna pouvoir sur le quart de la
Ez **14** 21 terre, *pour exterminer par l'épée, par la faim, par
*la peste, et par les fauves de la terre.*
9 Lorsqu'il ouvrit le cinquième sceau, je vis sous
l'autel [f] les âmes de ceux qui furent égorgés pour
la Parole de Dieu et le témoignage qu'ils avaient
Lc **18** 7 rendu. 10 Ils crièrent d'une voix puissante : « Jus-
Za **1** 12-13
Dt **32** 43; Ps **5** 11+ ques à quand, Maître saint et vrai, tarderas-tu à
Jb **16** 18+ faire justice, à tirer vengeance de notre sang sur les
Ap **3** 10+ habitants de la terre? » 11 Alors on leur donna à
chacun une robe blanche [g] en leur disant de patienter encore un peu, le temps que fussent au complet
leurs compagnons de service et leurs frères qui doivent être mis à mort comme eux.
12 Et ma vision se poursuivit. Lorsqu'il ouvrit le
sixième sceau, alors il se fit [h] un violent tremble-
Mt **24** 29 ment de terre, et le soleil devint noir comme une
étoffe de crin, et la lune devint tout entière comme
Is **34** 4 du sang, 13 *et les astres du ciel s'abattirent* sur la
terre *comme les figues* avortées que projette un
figuier tordu par la tempête, 14 et *le ciel disparut*
*comme un livre qu'on roule,* et les monts et les îles **16** 20
s'arrachèrent de leur place; 15 et les rois de la terre,
et les hauts personnages, et les grands capitaines,
et les gens enrichis, et les gens influents, et tous
enfin, esclaves ou libres, *ils allèrent se terrer dans* Is **2** 10, 19
*les cavernes et parmi les rochers* des montagnes,
16 *disant aux montagnes* et aux rochers : « *Croulez* Os **10** 8; Lc **23**
*sur nous* et cachez-nous loin de Celui qui siège sur
le trône et loin de la colère de l'Agneau. » 17 Car
il est arrivé, *le grand Jour de sa colère* [i], *et qui donc* 1 Co **1** 8+
*peut tenir?* Jl **2** 11; **3** 4
Rm **1** 18

**Les serviteurs de Dieu seront préservés.**

**7** 1 Après quoi je vis quatre Anges, debout aux
*quatre coins de la terre,* retenant les quatre Ez **7** 2
vents de la terre pour qu'il ne soufflât point de vent, Za **6** 5; Jr **49** 3
ni sur la terre, ni sur la mer, ni sur aucun arbre.
2 Puis je vis un autre Ange monter de l'orient, portant le sceau du Dieu vivant; il cria d'une voix puissante aux quatre Anges auxquels il fut donné de
malmener la terre et la mer : 3 « Attendez, pour
malmener la terre et la mer et les arbres, que nous
ayons *marqué au front* les serviteurs de notre Ez **9** 4; Is **44**
Dieu. » 4 Et j'appris combien furent alors marqués Ap **3** 12; **22** 4
du sceau : cent quarante-quatre mille [j], de toutes Ex **12** 7-14
les tribus des fils d'Israël. = Ap **14** 1
5 De la tribu de Juda, douze mille furent mar- Nb **1** 20-43
qués; de la tribu de Ruben, douze mille; de la tribu
de Gad, douze mille; 6 de la tribu d'Aser, douze
mille; de la tribu de Nephtali, douze mille; de la
tribu de Manassé, douze mille; 7 de la tribu de
Siméon, douze mille; de la tribu de Lévi, douze
mille; de la tribu d'Issachar, douze mille; 8 de la
tribu de Zabulon, douze mille; de la tribu de
Joseph, douze mille; de la tribu de Benjamin, douze
mille furent marqués.

**Le triomphe des élus au ciel.**

9 Après quoi, voici qu'apparut à mes yeux une = **15** 2-5
foule immense, que nul ne pouvait dénombrer, de Gn **15** 5
toute nation, race, peuple et langue [k]; debout Ap **5** 9+
devant le trône et devant l'Agneau, vêtus de robes

*a)* Le cavalier au cheval blanc fait penser aux Parthes (dont l'arme propre était l'arc), terreur du monde romain au Ier siècle, « fauves de la terre », v. 8 (cf. Dt **7** 22; Jr **15** 2-4; **50** 17; Ez **34** 28, et l'invasion décrite **9** 13-21). Tout un courant de la tradition chrétienne a vu dans ce cavalier vainqueur le Verbe de Dieu lui-même, **19** 11-16, ou l'expansion de l'Évangile.
*b)* Symbole des guerres sanglantes provoquées par le premier cavalier.
*c)* Symbole de la famine : denrées rationnées et prix exorbitants.
*d)* La couleur « verte » est celle du cadavre qui se décompose, surtout par l'effet de la peste.
*e)* Pour engloutir les victimes.
*f)* L'autel, **8** 3; **9** 13; **14** 18; **16** 7, répond dans cette liturgie céleste à l'autel des holocaustes, 1 R **8** 64+. Les martyrs, témoins de la Parole, sont associés à l'immolation de leur Maître, cf. Ph **2** 17+.
*g)* Symbole de la joie triomphante : **3** 5+; **7** 9, 13-14; **19** 8.
*h)* Tous ces signes cosmiques, vv. 12-14, accompagnent chez les prophètes le Jour de Yahvé, Am **8** 9+. Ils symbolisent le déchaînement de la Colère de Dieu, cf. Mt **24** 1+.
*i)* Var. : « de leur colère ».
*j)* Le carré de douze (le nombre sacré), multiplié par mille : la multitude des fidèles du Christ, peuple de Dieu, Israël nouveau, Ga **6** 16, cf. Jc **1** 1; Ap **11** 1; **20** 9. Marqués du sceau divin, Rm **4** 11+, ils échapperont finalement aux fléaux attendus : cf. Ex **12** 7-14.
*k)* Cette fois, c'est la foule des martyrs chrétiens déjà en possession du bonheur céleste, v. 14; **15** 2-4.

blanches, des palmes à la main [a], 10 ils crient d'une
voix puissante : « Le salut à notre Dieu, qui siège
sur le trône, ainsi qu'à l'Agneau! » 11 Et tous les
Anges en cercle autour du trône, des Vieillards et
des quatre Vivants, se prosternèrent devant le
trône, la face contre terre, pour adorer Dieu; 12 ils
disaient :

« Amen! Louange, gloire, sagesse,
action de grâces, honneur, puissance et force
à notre Dieu pour les siècles des siècles! Amen! »

13 L'un des Vieillards prit alors la parole et me
dit : « Ces gens vêtus de robes blanches, qui sont-ils
et d'où viennent-ils? » 14 Et moi de répondre :
« Monseigneur, c'est toi qui le sais. » Il reprit [b] :
5 2; Dn 12 1 « Ce sont ceux qui viennent de la grande épreuve [c] :
1 5; 22 14 ils ont lavé leurs robes et les ont blanchies dans le
11; Ex 19 10 sang de l'Agneau [d]. 15 C'est pourquoi ils sont
Ap 21 3; 22 3 devant le trône de Dieu, le servant jour et nuit dans
son temple; et Celui qui siège sur le trône étendra
Is 49 10; sur eux sa tente. 16 *Jamais plus ils ne souffriront de*
4 5s; 25 4-5 *la faim ni de la soif; jamais plus ils ne seront acca-*
*blés ni par le soleil, ni par aucun vent brûlant.*
17 Car l'Agneau qui se tient au milieu du trône *sera*
Is 49 10 *leur pasteur et les conduira aux sources des eaux*
Is 25 8 de la vie. Et Dieu *essuiera toute larme de leurs*
= Ap 21 4 *yeux* [e]. »

**Le septième sceau.**

2 20; So 1 7 **8** 1 Et lorsque l'Agneau ouvrit le septième sceau,
Za 2 17 il se fit un silence dans le ciel, environ une
demi-heure [f]...

**Les prières des Saints**
**hâtent l'avènement du grand Jour.**

4 5+ 2 Et je vis les sept Anges qui se tiennent devant
Dieu; on leur remit sept trompettes. 3 Un autre
Ange vint alors se placer près de l'autel [g], muni
d'une pelle en or [h]. On lui donna beaucoup de par-
5 8; 6 9 fums pour qu'il les offrît, avec les prières de tous
Ps 141 2 les saints, sur l'autel d'or placé devant le trône.
Ex 30 1-10 4 Et, de la main de l'Ange, la fumée des parfums
s'éleva devant Dieu, avec les prières des saints.
5 Puis l'Ange saisit la pelle *et l'emplit du feu* de Ez 10 2
l'autel *qu'il jeta* sur la terre. Ce furent alors des ton- Lv 16 12
nerres, des voix et des éclairs, et tout trembla. 4 5

**Les quatre premières trompettes.** = 16 1-9

6 Les sept Anges aux sept trompettes s'apprêtè- Jl 2 1+
rent à sonner [i]. 7 Et le premier sonna... Il y eut alors
de la grêle et du feu mêlés de sang qui furent jetés Ex 9 24
sur la terre : et le tiers de la terre fut consumé, et Jl 3 3
le tiers des arbres fut consumé, et toute herbe verte
fut consumée. 8 Et le deuxième Ange sonna... Alors
une énorme masse embrasée, comme une monta- Jr 51 25
gne, fut projetée dans la mer, et le tiers de la mer
devint du sang : 9 il périt ainsi le tiers des créatures Ex 7 20
vivant dans la mer, et le tiers des navires fut détruit.
10 Et le troisième Ange sonna... Alors tomba du ciel
un grand astre, brûlant comme une torche. Il Is 14 12
tomba sur le tiers des fleuves et sur les sources;
11 l'astre se nomme « Absinthe » : le tiers des eaux Jr 9 14
se changea en absinthe, et bien des gens moururent
de ces eaux devenues amères. 12 Et le quatrième
Ange sonna... Alors furent frappés le tiers du soleil
et le tiers de la lune et le tiers des étoiles : ils
s'assombrirent d'un tiers, et le jour perdit le tiers Ex 10 21-23
de sa clarté, et la nuit de même.
13 Et ma vision se poursuivit. J'entendis un aigle
volant au zénith et criant d'une voix puissante : 14 6
« Malheur, malheur, malheur aux habitants de la Ez 7 5, 26;
terre, à cause de la voix des dernières trompettes 9 12; 11 14
dont les trois Anges vont sonner. »

**La cinquième trompette.**

**9** 1 Et le cinquième Ange sonna... Alors je vis un
astre [j] qui du ciel avait chu sur la terre. On Is 14 12
lui remit la clef du puits de l'Abîme [k]. 2 Il ouvrit
le puits de l'Abîme et *il en monta une fumée,* Gn 19 28
*comme celle d'une* immense *fournaise* – le soleil et Ex 19 18
l'atmosphère en furent obscurcis – 3 et, de cette
fumée, des sauterelles se répandirent sur la terre; Jl 1-2
on leur donna un pouvoir pareil à celui des scor- Ex 10 12, 15
pions de la terre [l]. 4 On leur dit d'épargner les prai- Sg 16 9

*a)* Les palmes du triomphe, évoquant la fête joyeuse des Tabernacles, Lv **23** 33-34; etc. (au v. 15 la tente de Dieu deviendra leur demeure).
*b)* Pour le jeu de scène, cf. Za **6** 4-5, et aussi **4** 4-13.
*c)* Les persécutions, dont celle de Néron était le prototype.
*d)* Le sang symbolisait l'efficacité de la mort de Jésus, Rm **3** 25+; 1 Co **11** 25; Ep **1** 7; etc. Ce don est ici accepté par ceux qui en reçoivent les effets.
*e)* Ces images, courantes dans la tradition prophétique pour symboliser le bonheur eschatologique, cf. Os **2** 20+; Is **11** 6+, seront reprises en **21** 4.
*f)* Comme dans la tradition prophétique, un silence solennel précède et annonce la « venue » de Yahvé. L'exécution des décrets consignés dans le livre ouvert va maintenant se dérouler, selon une nouvelle liturgie céleste marquée par sept sonneries de trompette, **8-9**; **11** 15-18.
*g)* L'autel des parfums, cf. Ex **30** 1; 1 R **6** 20-21.
*h)* C'est la pelle à feu qui servait à transporter les braises ardentes de l'autel des holocaustes sur l'autel des parfums.
*i)* Sur le caractère symbolique de ces fléaux, voir **6** 1+. Ils semblent de plus être ici un rappel des plaies d'Égypte, Ex **7-10**; Sg **11** 5 - **12** 2. Cf. **15** 5ss.
*j)* Un des anges déchus, peut-être Satan lui-même, cf. v. 11 et Lc **10** 18.
*k)* Un ange ouvre le lieu où les anges déchus sont détenus en attendant le châtiment final, cf. **11** 7; **17** 8; etc.
*l)* L'invasion des sauterelles s'inspire de Jl **1-2** que déjà les Juifs interprétaient historiquement (d'après saint Jérôme) : les quatre groupes de sauterelles représentant quatre envahisseurs successifs, Assyriens, Perses, Grecs et Romains; cf. Jr **51** 27. Ici, les sauterelles évoquent probablement les Parthes. Comme les sauterelles tourmentent les hommes sans les faire mourir, on a vu parfois dans leur invasion les tourments spirituels causés par les démons.

ries, toute verdure et tout arbre [a], et de s'en prendre
7 3 seulement aux hommes qui ne porteraient pas sur
le front le sceau de Dieu. 5 On leur donna, non de
les tuer, mais de les tourmenter durant cinq mois.
La douleur qu'elles provoquent ressemble à celle
d'une piqûre de scorpion. 6 En ces jours-là, les
Jb 3 21 hommes *rechercheront la mort sans la trouver*, ils
souhaiteront mourir et la mort les fuira!
Jl 2 4 7 Or ces sauterelles, à les voir, *font penser à des
chevaux* équipés pour la guerre; sur leur tête on
dirait des couronnes d'or, et leur face rappelle des
faces humaines; 8 leurs cheveux, des chevelures de
Jl 1 6 femmes, *et leurs dents, des dents de lions;* 9 leur
thorax, des cuirasses de fer, et le bruit de leurs
Jl 2 5 ailes, *le vacarme de chars* aux multiples chevaux
*se ruant au combat;* 10 elles ont des queues pareilles
à des scorpions, avec des dards; et dans leurs
queues se trouve leur pouvoir de torturer les hommes durant cinq mois. 11 A leur tête, comme roi,
elles ont l'Ange de l'Abîme; il s'appelle en hébreu :
« Abaddôn », et en grec : « Apollyôn [b] ».
8 13 12 Le premier « Malheur » a passé, voici encore
deux « Malheurs » qui le suivent...

**La sixième trompette.**

13 Et le sixième Ange sonna... Alors j'entendis
Ex 30 1-3 une voix venant des quatre cornes de l'autel d'or [c]
placé devant Dieu; 14 elle dit au sixième Ange portant trompette : « Relâche les quatre Anges enchaî-
= 16 12 nés sur le grand fleuve Euphrate [d]. » 15 Et l'on relâcha les quatre Anges qui se tenaient prêts pour
6 17; 1 Co 1 8+ l'heure et le jour et le mois et l'année, afin d'exterminer le tiers des hommes. 16 Leur armée comptait
deux cents millions de cavaliers : on m'en précisa
le nombre. 17 Tels m'apparurent en vision les chevaux et leurs cavaliers : ceux-ci portent des cuirasses de feu, d'hyacinthe et de soufre; quant aux chevaux, leur tête est comme celle du lion, et leur
Jb 41 10-13 bouche crache feu et fumée et soufre. 18 Alors le
Sg 11 17-18 tiers des hommes fut exterminé par ces trois
fléaux : le feu, la fumée et le soufre vomis de la
bouche des chevaux. 19 Car la puissance des chevaux réside en leur bouche; elle réside aussi dans
leur queue : ces queues, en effet, ainsi que des serpents, sont munies de têtes dont elles se servent
pour nuire. 20 Or les hommes échappés à l'héca-
tombe de ces fléaux ne renoncèrent même pas aux Am 4 6+
*œuvres de leurs mains* : ils ne cessèrent d'adorer les Is 17 8
démons, ces *idoles d'or, d'argent, de bronze, de* Dn 5 4
*pierre et de bois, incapables* de voir, d'entendre ou Ps 135 15-17
de marcher. 21 Ils n'abandonnèrent ni leurs meur-
tres, ni leurs sorcelleries, ni leurs débauches, ni
leurs rapines.

**Imminence du châtiment final.**

10 1 Je vis ensuite un autre Ange, puissant, descendre du ciel enveloppé d'une nuée, un arc-
en-ciel au-dessus de la tête, le visage comme le
soleil et les jambes comme des colonnes de feu. 2 Il
tenait en sa main un petit livre ouvert [e]. Il posa le
pied droit sur la mer, le gauche sur la terre, 3 et il
poussa une puissante clameur *pareille au rugisse-* Am 3 8; 1 2-
*ment du lion.* Après quoi, les sept tonnerres firent
retentir leurs voix [f]. 4 Quand les sept tonnerres Ps 29 3-9
eurent parlé, j'allais écrire mais j'entendis du ciel
une voix me dire : « Tiens secrètes les paroles des Dn 8 26; 12
sept tonnerres et ne les écris pas [g]. » 5 Alors l'Ange Ap 22 10
que j'avais vu, debout sur la mer et la terre, *leva* Dn 12 7
*la main droite au ciel* [h] 6 et *jura par Celui qui vit* Dt 32 40
*dans les siècles* des siècles, *qui créa le ciel et tout* Ne 9 6; Ex
*ce qu'il contient, la terre* et tout ce qu'elle contient,
*la mer* et tout ce qu'elle contient : « Plus de délai!
7 Mais aux jours où l'on entendra le septième Ange,
quand il sonnera de la trompette, alors sera
consommé le mystère de Dieu [i], selon la bonne Rm 16 25+
nouvelle qu'il en a donnée *à ses serviteurs les pro-* Am 3 7
*phètes.* »

**Le petit livre avalé [j].**

8 Puis la voix du ciel, que j'avais entendue, me
parla de nouveau : « Va prendre le petit livre ouvert
dans la main de l'Ange debout sur la mer et sur
la terre. » 9 Je m'en fus alors prier l'Ange de me
donner le petit livre; et lui me dit : « Tiens,
mange-le; il te remplira les entrailles d'amertume,
mais en ta bouche il aura la douceur du miel. » 10 Je
pris le petit livre de la main de l'Ange et *l'avalai;* Ez 3 3
*dans ma bouche, il avait la douceur du miel,* mais
quand je l'eus mangé, il remplit mes entrailles
d'amertume [k]. 11 Alors on me dit : « Il te faut de

*a)* Qui symbolisent peut-être les fidèles du Christ préservés, cf. 7 1s.
*b)* Les deux noms se traduisent : Destruction et Destructeur.
*c)* Pour signifier que le châtiment des païens fait suite à la prière des martyrs décrite en 6 9, 10 (cf. 8 2s).
*d)* La région à l'Est de l'Euphrate était occupée par les Parthes, dont la cavalerie intervient dans ce sixième fléau, 6 2+.
*e)* Différent du Livre scellé confié à l'Agneau, 5 2, le livre ici offert à Jean est petit et ouvert.
*f)* Les tonnerres, voix de Dieu, Ps 29 3-9.
*g)* Garder le secret, cf. Dn 12 4; 2 Co 12 4, parce que le temps de l'accomplissement, v. 7, n'est pas encore venu. En un sens différent, 1 11, 19; etc.; 22 10.
*h)* L'ange va jurer, Dn 12 7, par le Créateur des trois parties de l'univers, cf. Gn 14 22; Ex 20 11; Dt 32 40; Ne 9 6; etc.
*i)* L'établissement définitif du Royaume, qui présuppose la défaite des ennemis de Dieu, 17-18; 20 7-10. Sur le mystère de Dieu, cf. Rm 11 25; 16 25+; Ep 1 9; cf. 2 Th 2 6-7.
*j)* L'épisode s'inspire de la vocation prophétique d'Ézéchiel, Ez 2 8 - 3 3; cf. Jr 15 16. Il renouvelle en la précisant la mission de Jean, 1 1-2, 9-20.
*k)* Doux, le message annonce le triomphe de l'Église; amer, il en prophétise aussi les souffrances, 11 1-13.

nouveau prophétiser contre une foule de peuples,
de nations, de langues et de rois. »

**Les deux témoins.**

Ez 40 3+ **11** 1 Puis on me donna un roseau, une sorte de
Za 2 5-9 baguette, en me disant [a] : « Lève-toi pour
mesurer le Temple de Dieu [b], l'autel et les adorateurs qui s'y trouvent; 2 quant au parvis extérieur
du Temple, laisse-le, ne le mesure pas, car on l'a
Lc 21 24 donné aux païens : ils fouleront la Ville Sainte
durant quarante-deux mois [c]. 3 Mais je donnerai à
Dn 7 25+ mes deux témoins de prophétiser pendant mille
deux cent soixante jours, revêtus de sacs. » 4 Ce
Za 4 3, 14 sont *les deux oliviers* et les deux flambeaux *qui se*
*tiennent devant le Maître de la terre* [d]. 5 Si l'on
s'avisait de les malmener, un feu jaillirait de leur
2 R 1 10 bouche pour dévorer leurs ennemis; oui, qui s'avi-
Jr 5 14 serait de les malmener, c'est ainsi qu'il lui faudrait
1 R 17 1 périr. 6 Ils ont pouvoir de clore le ciel afin que nulle
pluie ne tombe durant le temps de leur mission; ils
Ex 7 17; ont aussi pouvoir sur les eaux, de les changer en
11 10 sang, et pouvoir de frapper la terre de mille fléaux,
aussi souvent qu'ils le voudront. 7 Mais quand ils
auront fini de rendre témoignage, la Bête qui surgit
Dn 7 21 de l'Abîme [e] *viendra guerroyer contre eux, les vain-*
*cre* et les tuer. 8 Et leurs cadavres, sur la place de
la Grande Cité [f], Sodome ou Égypte comme on
l'appelle symboliquement, là où leur Seigneur aussi
fut crucifié, 9 leurs cadavres demeurent exposés aux
regards des peuples, des races, des langues et des
nations, durant trois jours et demi, sans qu'il soit
permis de les mettre au tombeau. 10 Les habitants
de la terre s'en réjouissent et s'en félicitent; ils
échangent des présents, car ces deux prophètes leur
avaient causé bien des tourments. 11 Mais, passé
z 37 5, 10 les trois jours et demi, Dieu *leur infusa un souffle*
*de vie qui les remit sur pieds*, au grand effroi de
ceux qui les regardaient. 12 J'entendis [g] alors une
voix puissante leur crier du ciel : « Montez ici! » Ils
montèrent donc au ciel dans la nuée, aux yeux de 2 R 2 11
leurs ennemis. 13 A cette heure-là, il se fit un violent
tremblement de terre, et le dixième de la ville
croula, et dans le cataclysme périrent sept mille
personnes [h]. Les survivants, saisis d'effroi, rendirent gloire au Dieu du ciel.

**La septième trompette.**

14 Le deuxième « Malheur » a passé, voici que le 8 13; 9 12
troisième accourt [i]!
15 Et le septième Ange sonna... Alors, au ciel, des
voix clamèrent : « La royauté du monde est acquise 1 5+ Ps 2; 22 29
à notre Seigneur ainsi qu'à son Christ; il régnera Dn 7 14, 27
dans les siècles des siècles. » 16 Et les vingt-quatre
Vieillards qui sont assis devant Dieu, sur leurs
sièges, se prosternèrent pour adorer Dieu en
disant : 17 « Nous te rendons grâce, Seigneur, Dieu
Maître-de-tout, " Il est et Il était [j] ", parce que tu 1 4+
as pris en main ton immense puissance pour établir
ton règne. 18 *Les nations s'étaient mises en fureur;* Ps 2 1, 5
mais voici ta fureur à toi, et le temps pour les morts
d'être jugés; le temps de récompenser *tes serviteurs* Am 3 7
*les prophètes*, les saints, et *ceux qui craignent ton* Ps 115 13
*nom, petits et grands*, et de perdre ceux qui perdent
la terre. »
19 Alors s'ouvrit le temple de Dieu, dans le ciel [k] Ex 25 8-10+
et son arche d'alliance apparut, dans le temple; 2 M 2 5-8
puis ce furent des éclairs et des voix et des tonner- 8 5
res et un tremblement de terre, et la grêle tombait
dru...

**Vision de la Femme et du Dragon [l].**

**12** 1 Un signe grandiose apparut au ciel : une
Femme [m]! le soleil l'enveloppe, la lune est Gn 37 9
sous ses pieds et douze étoiles couronnent sa tête;

*a)* Var. : « et l'Ange se tint debout, disant ».
*b)* Le Temple, cœur de Jérusalem Ville sainte, v. 2, représente l'Église, 1 Co **3** 16-17+; Ap **20** 9; **21** 1+. Il va être « mesuré », cf. Jr **31** 39; Ez **40** 1-6; Za **2** 5-9 : entourés des païens, v. 2, les fidèles du Christ seront épargnés, cf. **7** 4; **14** 1-5, à la manière du Reste d'Israël, cf. Is **4** 3+.
*c)* Cf. **13** 5. Depuis Daniel, **7** 25+, ce temps (trois ans et demi) est devenu la durée-type de toute persécution, cf. Lc **4** 25; Jc **5** 17. Ici, il s'agit immédiatement de la persécution de Rome (la Bête de **13**; **17** 10-14).
*d)* Dans Za, les deux oliviers symbolisent Josué et Zorobabel, les deux chefs, civil et religieux, de la communauté du retour, les restaurateurs du Temple de Jérusalem après l'Exil. Ici, ils symbolisent probablement les deux champions chargés d'édifier le Temple nouveau, l'Église du Christ : ils sont décrits, vv. 5-6, 11-12, sous les traits de Moïse et Élie, cf. Mt **17** 3p+. Il n'est guère possible de les identifier. On a pensé souvent à Pierre et Paul, martyrisés à Rome sous Néron, vv. 7-8.
*e)* L'empereur Néron, cf. **13** 1, 18; **17** 8 et les notes, type de l'Antichrist.
*f)* La grande Cité de Babylone, c'est Rome, **14** 8; **16** 19; **17** 5, 18; **18** 2, 10-21. Elle est appelée Sodome et Égypte en raison de ses deux crimes majeurs : impudicité et oppression des fidèles du Christ, cf. **17** 4-6; ici elle est identifiée à Jérusalem, qui n'est pas seulement Ville sainte, **11** 1, mais qui a « mis à mort les prophètes », Mt **23** 37.
*g)* Var. : « Ils entendirent ».
*h)* Chiffre symbolique : des gens de toutes les catégories (7), en grand nombre (1.000).
*i)* La description interrompue en **9** 21 reprend. Le deuxième malheur a été décrit en **9** 15-19. Le troisième sera la chute de Babylone (Rome), décrite au ch. **17**.
*j)* Add. (Vulg.) : « et Il vient ».
*k)* Le Temple du ciel n'est plus celui de Jérusalem, **11** 1-2, il contient l'arche, Ex **25**, de l'alliance nouvelle, demeure définitive de Dieu parmi son peuple, cf. 2 M **2** 5-8; Sg **9** 8+.
*l)* Les ch. **12-14**, faisant suite aux descriptions des préludes de la fin du monde, présentent sous d'autres formes la lutte actuelle du Dragon et de l'Agneau. – Le ch. **12** combine les éléments de deux visions distinctes : le combat du Dragon contre la Femme et sa descendance, vv. 1-6 et 13-17; le combat de Michel contre le Dragon, vv. 7-12.
*m)* La scène répond à Gn **3** 15-16. La Femme engendre dans la douleur, v. 2, celui qui sera le Messie, v. 5. Satan la tente, v. 9, cf. **20** 2, la persécute ainsi que sa descendance, vv. 6, 13, 17. Elle représente le peuple saint des temps messianiques, Is

Gn 3 16 2 elle est enceinte et crie dans les douleurs et le tra-
Mi 4 9-10 vail de l'enfantement. 3 Puis un second signe appa-
rut au ciel : un énorme Dragon rouge feu, à sept
Dn 7 7 têtes et dix cornes, chaque tête surmontée d'un dia-
Dn 8 10 dème [a]. 4 Sa queue balaie le tiers *des étoiles du ciel*
*et les précipite sur la terre* [b]. En arrêt devant la
Femme en travail, le Dragon s'apprête à dévorer
Is 66 7 son enfant aussitôt né. 5 Or la Femme *mit au*
Ps 2 9 *monde un* enfant *mâle* [c], celui qui doit *mener toutes*
Ap 2 27; *les nations avec un sceptre de fer;* et son enfant fut
1 6+ enlevé jusqu'auprès de Dieu et de son trône [d],
6 tandis que la Femme s'enfuyait au désert [e], où
Dieu lui a ménagé un refuge pour qu'elle y soit
11 3+ 12 14 nourrie mille deux cent soixante jours.
Dn 10 13+; 12 1 7 Alors, il y eut une bataille dans le ciel : *Michel* [f]
et ses Anges combattirent le Dragon. Et le Dragon
riposta, avec ses Anges, 8 mais ils eurent le dessous
Jn 12 31 et furent chassés du ciel. 9 On le jeta donc, l'énorme
20 2-3 Gn 3 1-4 Dragon, l'antique Serpent, le Diable ou le Satan,
Mt 4 1+ comme on l'appelle, le séducteur du monde entier,
on le jeta sur la terre et ses Anges furent jetés avec
lui. 10 Et j'entendis une voix clamer dans le ciel :
11 15 « Désormais, la victoire, la puissance et la royauté
sont acquises à notre Dieu, et la domination à son
Za 3 1-5 Christ, puisqu'on a jeté bas l'accusateur de nos frères, celui qui les accusait jour et nuit devant notre
Dieu. 11 Mais eux l'ont vaincu par le sang de
l'Agneau et par la parole dont ils ont témoigné, car
Jn 12 25 ils ont méprisé leur vie jusqu'à mourir. 12 Soyez
donc dans la joie, vous, les cieux et leurs habitants.
Malheur à vous, la terre et la mer, car le Diable
est descendu chez vous, frémissant de colère et
20 3 sachant que ses jours sont comptés. »
2 Co 6 2+ 13 Se voyant rejeté sur la terre, le Dragon se
Gn 3 15 lança à la poursuite de la Femme, la mère de
l'Enfant mâle. 14 Mais elle reçut les deux ailes du
Ex 19 4 grand aigle pour voler au désert jusqu'au refuge où,
Is 40 31 loin du Serpent, elle doit être nourrie *un temps et*
*des temps et la moitié d'un temps* [g]. 15 Le Serpent Dn 7 25+
vomit alors de sa gueule comme un fleuve d'eau Ap 11 3+
derrière la Femme pour l'entraîner dans ses flots [h].
16 Mais la terre vint au secours de la Femme :
ouvrant la bouche, elle engloutit le fleuve vomi par Nb 16 30-34
la gueule du Dragon. 17 Alors, furieux contre la
Femme, le Dragon s'en alla guerroyer contre le
reste de ses enfants, ceux qui gardent les commandements de Dieu et possèdent le témoignage de
Jésus [i].

### Le Dragon transmet son pouvoir à la Bête [j]. Dn 7 2 Th 2 3-12

13 18 Et je me tins [k] sur la grève de la mer.
1 Alors je vis *surgir de la mer une Bête* ayant = 17 3, 8
sept têtes et dix cornes, sur ses cornes dix diadè- Dn 7 3
mes, et sur ses têtes des titres blasphématoires. 2 La
Bête que je vis *ressemblait à une panthère,* avec les Dn 7 4-6
pattes comme celles *d'un ours* et la gueule comme
une gueule *de lion;* et le Dragon lui transmit sa
puissance et son trône et un pouvoir immense [l]. Lc 4 6
3 L'une de ses têtes paraissait blessée à mort, mais
sa plaie mortelle fut guérie [m]; alors émerveillée, la
terre entière suivit la Bête. 4 On se prosterna devant
le Dragon, parce qu'il avait remis le pouvoir à la
Bête; et l'on se prosterna devant la Bête en disant :
« Qui égale la Bête [n], et qui peut lutter contre elle? »
5 On lui donna *de proférer des paroles d'orgueil* et Dn 7 8, 11
de blasphème; on lui donna pouvoir d'agir durant
quarante-deux mois; 6 alors elle se mit à proférer 11 3+
des blasphèmes contre Dieu, à blasphémer son
nom et sa demeure, ceux qui demeurent au ciel.
7 On lui donna *de mener campagne contre les* Dn 7 21
*saints et de les vaincre; on lui donna pouvoir* sur Dn 7 6
toute race, peuple, langue ou nation. 8 Et ils l'adoreront, tous les habitants de la terre dont le nom
ne se trouve pas écrit, dès l'origine du monde, dans
le livre de vie de l'Agneau égorgé. 9 Celui qui a des 20 12+

**54; 60; 66** 7; Mi **4** 9-10, et donc l'Église en lutte. Il est possible que Jean pense aussi à Marie, nouvelle Ève, la fille de Sion, qui a donné naissance au Messie, cf. Jn **19** 25+.

*a)* C'est « Satan », cf. v. 9 et **20** 2 que les LXX traduisent « Diable »; le mot hébreu signifie proprement « Accusateur », cf. v. 10 et Za **3** 1-2 et voir Jb **1** 6+. Dans la tradition juive, le Serpent ou le Dragon symbolisait la puissance du mal, hostile à Dieu et à son peuple, et que Dieu devait détruire à la fin des temps, cf. Jb **3** 8+ et **7** 12+.

*b)* Allusion à la chute des mauvais Anges, entraînés par Satan.

*c)* C'est le Messie considéré à la fois dans sa réalité personnelle et comme tête ou chef du nouvel Israël; cf. le « Fils d'homme » de Dn **7** 13, ou le « Serviteur de Yahvé », Is **42** 1+.

*d)* Allusion à l'Ascension et au triomphe du Christ, qui provoquera la chute du Dragon. Le triomphe de l'enfant est ici évoqué aussitôt après sa naissance.

*e)* Refuge traditionnel des persécutés dans l'AT, cf. Ex **2** 15; 1 R **19** 3s; 1 M **2** 29-30. L'Église doit fuir loin du monde et se nourrir de la vie divine, cf. Ex **16**; 1 R **17** 4, 6; **19** 5-8; Mt **4** 3-4; **14** 13-21. Elle y séjournera trois ans et demi, v. 14; **11** 2-3+.

*f)* D'après la tradition juive (Dn **10** 12-21; **12** 1), c'est le champion de Dieu. Son nom veut dire « Qui (est) comme Dieu? ».

*g)* Trois ans et demi, cf. **11** 3+.

*h)* Satan va lancer l'Empire romain, comme un fleuve, cf. Is **8** 7-8, pour engloutir l'Église, cf. Ap **13**.

*i)* Double signe distinctif des fidèles, **14** 1; cf. **14** 12; **20** 4, déjà **1** 1, 9, et Rm **8** 29.

*j)* La vision suivante s'inspire de Dn **7** (persécution d'Antiochus Épiphane). D'après Ap **17** 10, 12-14, la Bête de la mer (Méditerranée) est l'empire romain, qui représente toutes les forces dressées contre le Christ et l'Église en s'arrogeant des pouvoirs divins (ses titres, v. 1; cf. Dn **11** 36; 2 Th **2** 4). On retrouve les sept têtes et les dix cornes en **17** 3, 7-12.

*k)* Var. : « il s'arrêta », qui rattacherait le v. 18 au passage précédent.

*l)* C'est de Satan, **12** 3+, qu'il tient toute sa puissance, cf. Mt **4** 8-9p; Jn **12** 31+; 2 Th **2** 9.

*m)* Allusion à quelque restauration de l'empire momentanément ébranlé (mort de César? troubles qui suivirent la mort de Néron?). La Bête égorgée et guérie est une parodie du Christ mort et ressuscité.

*n)* Comparer le nom de Michel, **12** 7.

Mt 13 9 oreilles, qu'il entende! 10 *Les chaînes pour qui doit*
Jr 15 2 *être enchaîné; la mort par le glaive pour qui doit*
*périir* [a] *par le glaive* [b]! Voilà qui fonde l'endurance
et la confiance des saints.

**Le faux prophète au service de la Bête.**

11 Je vis ensuite surgir de la terre une autre Bête;
Mt 7 15 elle avait deux cornes comme un agneau, mais parlait comme un dragon [c]. 12 Au service de la première Bête, elle en établit partout le pouvoir, amenant la terre et ses habitants à adorer cette
première Bête dont la plaie mortelle fut guérie.
Mt 24 24 13 Elle accomplit des prodiges étonnants : jusqu'à
2 Th 2 9-10 faire descendre, aux yeux de tous, le feu du ciel sur
Dt 13 2-4 la terre; 14 et, par les prodiges qu'il lui a été donné
d'accomplir au service de la Bête, elle fourvoie les
habitants de la terre, leur disant de dresser une
image en l'honneur de cette Bête qui, frappée du
glaive, a repris vie [d]. 15 On lui donna même
d'animer l'image de la Bête pour la faire parler, et
de faire en sorte que fussent mis à mort tous *ceux*
Dn 3 5-7, 15 *qui n'adoreraient pas l'image de la Bête.* 16 Par ses
manœuvres, tous, petits et grands, riches ou pau-
3; 14 9, 11; vres, libres et esclaves, se feront marquer sur la
16 2; 19 20; main droite ou sur le front, 17 et nul ne pourra rien
20 4 acheter ni vendre s'il n'est marqué au nom de la
Bête ou au chiffre de son nom.

17 9 18 C'est ici qu'il faut de la finesse! Que l'homme
doué d'esprit calcule le chiffre de la Bête, c'est un
chiffre d'homme : son chiffre, c'est 666 [e].

= 7 1-8+ **Les compagnons de l'Agneau** [f].

14 1 Puis voici que l'Agneau [g] apparut à mes
19 30-31 yeux; il se tenait sur le mont Sion, avec cent
17; Jl 3 5 quarante-quatre milliers de gens portant inscrits
sur le front son nom et le nom de son Père. 2 Et So 3 12-13
j'entendis un bruit venant du ciel, comme le mugis- Ac 2 21+
sement des grandes eaux ou le grondement d'un
orage violent, et ce bruit me faisait songer à des
joueurs de harpe touchant de leurs instruments;
3 ils chantent un cantique nouveau [h] devant le trône 5 9; Is 42 10;
et devant les quatre Vivants et les Vieillards. Et nul 43 19
ne pouvait apprendre le cantique, hormis les cent Ps 33 3; 98 1
quarante-quatre milliers, les rachetés à la terre. 3 10
4 Ceux-là, ils ne se sont pas souillés avec des femmes, ils sont vierges [i]; ceux-là *suivent* l'Agneau Jr 2 2-3
partout où il va [j]; ceux-là ont été rachetés d'entre
les hommes comme *prémices pour Dieu* et pour
l'Agneau. 5 Jamais *leur bouche ne connut le men-* So 3 13
*songe* : ils sont immaculés [k].

**Des anges annoncent l'heure du Jugement** [l].

6 Puis je vis un autre Ange qui volait au zénith, 8 13
ayant une bonne nouvelle éternelle à annoncer à
ceux qui demeurent sur la terre, à toute nation,
race, langue et peuple. 7 Il criait d'une voix puissante : « Craignez Dieu et glorifiez-le, car voici Mt 10 28p
l'heure de son Jugement; adorez donc *Celui qui a* Ex 20 11
*fait le ciel et la terre et la mer* et les sources. » 8 Un
autre Ange, un deuxième, le suivit en criant : « *Elle*
*est tombée, elle est tombée* [m], *Babylone la Grande,* = 18 2-3; Is 21 9
elle qui a abreuvé toutes les nations *du vin de la* Is 51 17+
*colère* [n]. » 9 Un autre Ange, un troisième, les suivit, Jr 25 15
criant d'une voix puissante : « Quiconque adore la 13 15-17+
Bête et son image, et se fait marquer sur le front
ou sur la main, 10 lui aussi boira le vin de la fureur
de Dieu, qui se trouve préparé, pur, dans la coupe
de sa colère. Il subira le supplice *du feu et du sou-* Gn 19 24
*fre* [o], devant les saints Anges et devant l'Agneau.
11 *Et la fumée* de leur supplice *s'élève pour les siè-* Is 34 9-10
Ap 19 3

*a)* Var. : « qui tue par le glaive doit périr... »
*b)* La phrase est difficile. Elle peut signifier que l'Église doit tenir ferme, sans résister coûte que coûte à ses persécuteurs, ou que le châtiment de ceux-ci par Dieu sera inexorable, cf. **14** 11-12; Ps **5** 11+; Jr **15** 2; Mt **26** 52.
*c)* Elle sera désignée par la suite sous le nom de « faux prophète », **16** 13; **19** 20; **20** 10. Avant de décrire le retour du Fils de l'homme, **14** 14-20; cf. **19** 11s et Mt **24** 30, Jean montre à l'œuvre les faux christs (première Bête) et les faux prophètes (deuxième Bête) annoncés par le Christ, Mt **24** 24; cf. 2 Th **2** 9.
*d)* Dans l'Église, c'est l'Esprit qui accomplissait des prodiges, pour provoquer la foi au Christ; la deuxième Bête imite l'Esprit, comme le Dragon et la première Bête imitaient le Père et le Fils, **13** 3. Le Dragon, la première et la deuxième Bête sont une caricature de la Trinité.
*e)* En grec comme en hébreu, chaque lettre avait une valeur numérique selon sa place dans l'alphabet. Le chiffre d'un nom est le total de ses lettres. Ici « 666 » serait César-Néron (lettres hébraïques); « 616 » (Var.), César-Dieu (lettres grecques).
*f)* Aux sectateurs de la Bête, marqués du chiffre de son nom, **13** 16-17, Jean oppose les fidèles de l'Agneau, **5** 6+, marqués de son nom et du nom de son Père, **7** 4; **12** 17+. C'est le « reste », **11** 1+, fidèle à travers les persécutions, autour duquel sera restauré le Royaume après la victoire. Le mont Sion est le trône de Dieu, cf. **21** 1+.
*g)* Var. : « un Agneau ».
*h)* Moïse avait chanté la délivrance d'Égypte, Ex **15** 1-21; cf. Ap **15** 3-4; le cantique nouveau célèbre la nouvelle délivrance du Peuple de Dieu et l'ordre nouveau instauré par l'Agneau immolé.
*i)* Au sens métaphorique : la luxure désigne traditionnellement l'idolâtrie, cf. Os **1** 2+, ici le culte de la Bête, **17** 1, etc. Les cent quarante-quatre mille sont rachetés, **5** 9, sont intègres et fidèles, v. 5, ils ont refusé l'idolâtrie et peuvent être fiancés à l'Agneau, cf. **19** 9; **21** 2; 2 Co **11** 2.
*j)* Comme Israël suivait Yahvé au temps de l'Exode, le Peuple nouveau des rachetés suit l'Agneau, jusqu'au désert, cf. Jr **2** 2-3, où seront nouées de nouvelles fiançailles (Os **2** 16-25).
*k)* Vocabulaire sacrificiel. Les prémices représentaient toute la moisson, Dt **26** 2, les premiers-nés toute la famille, Nb **3** 12, etc. Les victimes offertes au vrai Dieu devaient être sans défaut, Ex **12** 5; 1 P **1** 19.
*l)* Trois anges viennent inviter les impies persécuteurs au repentir; mais les impies s'obstineront, **16** 2, 9, 11, 21. Cf. **15** 5+.
*m)* Parfaits prophétiques.
*n)* « du vin de la colère » corr.; « du vin de la colère de sa prostitution » grec, comme en **18** 3. – Le « vin de la colère » est une image courante chez les prophètes, Is **51** 17+, de la colère divine promise aux idolâtres.
*o)* L'étang de feu et de soufre embrasé est le lieu de punition des impies, cf. **19** 20; **20** 10; **21** 8.

*cles* des siècles; non, point de repos, *ni le jour ni*
*la nuit*, pour ceux qui adorent la Bête et son image,
pour qui reçoit la marque de son nom. » [12] Voilà
Ac **9** 13+ qui fonde la constance des saints, ceux qui gardent
Ap **12** 17 les commandements de Dieu et la foi en Jésus.
[13] Puis j'entendis une voix me dire, du ciel :
**1** 3+ « Écris : Heureux les morts qui meurent dans le
Seigneur; dès maintenant – oui, dit l'Esprit – qu'ils
Is **57** 1-2; He **4** 10 se reposent de leurs fatigues, car leurs œuvres les
Mt **11** 28-29 accompagnent. » [a]

Jl **4** 12-13 **La moisson et la vendange des nations [b].**

Dn **7** 13 [14] Et voici qu'apparut à mes yeux *une nuée* blan-
Ap **1** 7 che et *sur la nuée* était assis *comme un Fils*
*d'homme,* ayant sur la tête une couronne d'or et
dans la main une faucille aiguisée. [15] Puis un autre
Ange sortit du temple et cria d'une voix puissante
Jl **4** 13 à celui qui était assis sur la nuée : « *Jette ta faucille*
et moissonne, car c'est l'heure de moissonner, *la*
*moisson* de la terre *est mûre.* » [16] Alors celui qui
Mt **13** 36-43 était assis sur la nuée jeta sa faucille sur la terre,
Jn **4** 35; Rm **2** 6+ et la terre fut moissonnée.
[17] Puis un autre Ange sortit du temple, au ciel,
tenant également une faucille aiguisée. [18] Et un
**6** 9-10; autre Ange sortit de l'autel [c] – l'Ange préposé au
**8** 3-5 feu – et cria d'une voix puissante à celui qui tenait
la faucille : « Jette ta faucille aiguisée, vendange les
grappes dans la vigne de la terre, car ses raisins
sont mûrs. » [19] L'Ange alors jeta sa faucille sur la
Is **63** 1-6 terre, il en vendangea la vigne et versa le tout dans
Ap **19** 15 la cuve de la colère de Dieu, cuve immense! [20] Puis
on la foula hors de la ville [d], et il en coula du sang
**19** 14, 21 qui monta jusqu'au mors des chevaux sur une étendue de mille six cents stades.

**Le cantique de Moïse et de l'Agneau [e].**

**15** [1] Puis je vis dans le ciel encore un signe, grand
et merveilleux : sept Anges, portant sept
fléaux, les derniers puisqu'ils doivent consommer
la colère de Dieu. [2] Et je vis comme une mer de
= **7** 9 cristal mêlée de feu, et ceux qui ont triomphé de
**13** 15-18 la Bête, de son image et du chiffre de son nom,
debout près de cette mer de cristal. S'accompagnant sur les harpes de Dieu, [3] ils chantent le cantique de Moïse [f], le serviteur de Dieu, et le cantique Ex **15** 1-21
de l'Agneau : Ap **14** 3+
« Grandes et merveilleuses sont tes œuvres, Ps **92** 6; **98** 1
Seigneur, Dieu Maître-de-tout;
justes et droites sont tes voies, Ps **145** 17; Dt
ô *Roi des nations*.
[4] *Qui ne craindrait*, Seigneur, et ne glorifierait ton Jr **10** 7
nom?
Car seul tu es saint;
*et tous les païens viendront se prosterner devant* Ps **86** 9
*toi*,
parce que tu as fait éclater tes vengeances. »

**Les sept fléaux des sept coupes [g].**

[5] Après quoi, ma vision se poursuivit. Au ciel
s'ouvrit le temple, la tente du Témoignage, [6] d'où Ex **25** 22+
sortirent les sept Anges aux sept fléaux, vêtus de
robes de lin pur, éblouissantes, serrées à la taille **19** 8
par des ceintures en or. [7] Puis, l'un des quatre
Vivants remit aux sept Anges sept coupes en or
remplies de la colère du Dieu qui vit pour les siè- **14** 8+
cles des siècles. [8] *Et le temple se remplit d'une* 1 R **8** 10; Is
*fumée produite par la gloire de Dieu* et par sa puissance, *en sorte que nul ne put y pénétrer* [h] jusqu'à
la consommation des sept fléaux des sept Anges.

**16** [1] Et j'entendis une voix qui, du temple, criait = **8** 6-12
aux sept Anges : « Allez, répandez sur la terre
les sept coupes de la colère de Dieu. » [2] Et le premier s'en alla répandre sa coupe sur la terre; alors,
ce fut un ulcère mauvais et pernicieux sur les gens Ex **9** 8-11
qui portaient la marque de la Bête et se proster- Ap **13** 15-
naient devant son image. [3] Et le deuxième répandit
sa coupe dans la mer; alors, ce fut du sang – on
aurait dit un meurtre! – et tout être vivant mourut
dans la mer. [4] Et le troisième répandit sa coupe
dans les fleuves et les sources; alors, ce fut du sang. Ex **7** 14-2
[5] Et j'entendis l'Ange des eaux qui disait : « Tu es **1** 20+
juste, “ Il est et Il était ”, le Saint, d'avoir ainsi châ- **1** 4+; **11**
tié; [6] c'est le sang des saints et des prophètes qu'ils = **18** 24
ont versé, c'est donc du sang que tu leur as fait
boire, ils le méritent! » [7] Et j'entendis l'autel dire : **6** 9; **8** 3-
« Oui, Seigneur, Dieu Maître-de-tout, tes châti-
ments sont vrais et justes. » [8] Et le quatrième répan- = **19** 2
dit sa coupe sur le soleil; alors, il lui fut donné de

*a)* Contraste marqué entre le châtiment des impies et le repos heureux qui attend les fidèles, v. 12, dès leur mort, cf. **6** 9-11.
*b)* Moisson et vendange sont deux images du jugement divin, qui sera décrit **19** 11-20.
*c)* De l'autel montent le sang des martyrs, **6** 9; **11** 1, et la prière des saints, **8** 3-5; **9** 13, que l'Ange porte à Dieu pour demander justice.
*d)* L'extermination des nations païennes doit s'effectuer hors de Jérusalem, d'après Za **14** 2s, 12s; Ez **38-39**, cf. Lv **4** 12+; He **13** 11-12.
*e)* La vision des sept coupes reprend celle des sept trompettes, **8** 2ss. Entre les vv. 1 et 5 s'intercale le cantique entonné par les élus à la louange de Celui qui les sauve.
*f)* Comme le cantique de Moïse, Ex **15**, celui-ci est un chant de délivrance, **14** 1. Il est tissé de réminiscences bibliques. Il évoque moins la rigueur des châtiments que le triomphe du Seigneur et des siens.
*g)* On revient aux fléaux, v. 1, qui vont tomber sur Babylone = Rome, **16** 18-19. Comme en **8-9**, ils rappellent les plaies d'Égypte. Les Anges qui en sont chargés sortent de la Tente qui est le vrai Temple du ciel, **11** 19. Dans un cadre de théophanie, ils accomplissent la liturgie de la justice.
*h)* L'évocation de la gloire, Ex **24** 16+, présente dans le Temple est le signe de la présence de Dieu au milieu de son peuple aux temps messianiques. Cf. 2 M **2** 4-8; Ex **40** 34-35; 1 R **8** 10; Ap **21** 3.

brûler les hommes par le feu, 9 et les hommes furent
9 20 brûlés par une chaleur torride. Mais, loin de se
Am 4 6+ repentir en rendant gloire à Dieu, ils blasphémèrent
le nom du Dieu qui détenait en son pouvoir de tels
fléaux.
10 Et le cinquième répandit sa coupe sur le trône
Ex 10 21-23 de la Bête[a]; alors, son royaume devint ténèbres, et
Is 8 22 l'on se mordait la langue de douleur. 11 Mais, loin
de se repentir de leurs agissements, les hommes
blasphémèrent le Dieu du ciel sous le coup des douleurs et des plaies. 12 Et le sixième répandit sa
= 9 14 coupe sur le grand fleuve Euphrate; alors, ses eaux
tarirent, livrant passage aux rois de l'Orient[b].
13 Puis, de la gueule du Dragon, et de la gueule de
la Bête, et de la gueule du faux prophète, je vis sur-
Ex 8 2-3 gir trois esprits impurs, comme des grenouilles –
14 et de fait, ce sont des esprits démoniaques, des
17 13-14; 19 19 faiseurs de prodiges, qui s'en vont rassembler les
rois du monde entier pour la guerre, pour le grand
1 Co 1 8+ Jour du Dieu Maître-de-tout[c]. – 15 (Voici que je
viens comme un voleur : heureux celui qui veille et 3 3-4, 18
garde ses vêtements pour ne pas aller nu et laisser 1 3+
voir sa honte.) 16 Ils les rassemblèrent au lieu dit, = 20 8
en hébreu, Harmagedôn[d].
17 Et le septième répandit sa coupe dans l'air;
alors, partant du temple[e], une voix clama : « C'en Is 66 6
est fait! » 18 Et ce furent des éclairs et des voix et Ap 21 6; 4 5
des tonnerres, avec un violent tremblement de
terre; non, *depuis qu'il y a* des hommes *sur la terre,* Dn 12 1
*jamais on n'avait vu pareil* tremblement de terre, Mc 13 19
aussi violent! 19 La Grande Cité se scinda en trois
parties, et les cités des nations croulèrent; et Babylone la grande, Dieu s'en souvint pour lui donner 14 8, 10
la coupe où bouillonne le vin de sa colère. 20 Alors,
toute île prit la fuite, et les montagnes disparurent[f]. 6 14
21 Et des grêlons énormes – près de quatre-vingts Ex 9 22-26
livres[g]! – s'abattirent du ciel sur les hommes. Et
les hommes blasphémèrent Dieu, à cause de cette
grêle désastreuse; oui, elle est bien cause d'un
effrayant désastre[h].

## *2. LE CHÂTIMENT DE BABYLONE*

Ez 16; 23 Na 3 4 **La Prostituée fameuse[i].**

17 1 Alors l'un des sept Anges aux sept coupes
s'en vint me dire : « Viens, que je te montre le
Jr 51 13 jugement de la Prostituée fameuse[j], *assise au bord*
Is 23 17 *des grandes eaux*[k]; 2 c'est avec elle qu'ont forniqué
Jr 51 7 les rois de la terre, et les habitants de la terre[l] se
sont saoulés du vin de sa prostitution. » 3 Il me
Is 21 1s transporta au désert[m], en esprit. Et je vis une
femme, assise sur une Bête écarlate couverte de
= 13 1 titres blasphématoires et portant sept têtes et dix
cornes[n]. 4 La femme, vêtue de pourpre et d'écarlate, étincelait d'or, de pierres précieuses et de per-
Jr 51 7 les; elle tenait à la main une coupe en or, remplie
d'abominations et des souillures de sa prostitution.
2 Th 2 7 5 Sur son front, un nom était inscrit – un mystère!
– « Babylone la Grande, la mère des prostituées et
des abominations de la terre. » 6 Et sous mes yeux,
la femme se saoulait du sang des saints et du sang
des martyrs de Jésus[o]. A sa vue, je fus bien stupéfait; 7 mais l'Ange me dit : « Pourquoi t'étonner? je
vais te dire, moi, le mystère de la femme et de la
Bête qui la porte, aux sept têtes et aux dix cornes.

**Symbolisme de la Bête et de la Prostituée[p].**

8 « Cette Bête-là, elle était et elle n'est plus; elle = 13 3-4
va remonter de l'Abîme, mais pour s'en aller à sa
perte; et les habitants de la terre, dont le nom ne
fut pas inscrit dès l'origine du monde dans le livre 20 12+
de vie, s'émerveilleront au spectacle de la Bête, de
ce qu'elle était, n'est plus, et reparaîtra. 9 C'est ici
qu'il faut un esprit doué de finesse! Les sept têtes, 13 18
ce sont sept collines sur lesquelles la femme est
assise.

*a)* Rome, type de la cité terrestre hostile à Dieu.
*b)* Si l'Euphrate est à sec, les Romains perdent toute protection à l'égard des guerriers parthes, **9** 14.
*c)* C'est le rassemblement de toutes les nations païennes en vue de leur extermination par le Christ.
*d)* C'est-à-dire la montagne de Meggido. Cette ville de la plaine qui borde la chaîne du Carmel, lieu de la défaite du roi Josias, 2 R **23** 29s, reste un symbole de désastre pour les armées qui s'y rassemblent, cf. Za **12** 11.
*e)* Add. : « (venant) du trône » ou « (venant) de Dieu ».
*f)* Ces phénomènes cosmiques symbolisent les puissances terrestres emportées au souffle de la colère divine.
*g)* Litt. « près d'un talent » : environ 40 kg.
*h)* Tous ces fléaux n'exterminent pas l'humanité, mais ils provoquent de nouveaux blasphèmes, vv. 9, 11; cf. **11** 14+.
*i)* Ce chapitre est difficile dans les détails, v. 9.
*j)* Comme le sera Jérusalem, **21** 9, Babylone est personnifiée par une femme, cf. **12** 1; Dn **4** 27+. C'est Rome l'idolâtre, **2** 14+; **18** 3; Os **1** 2+, cf. **14** 4, qui, après une apparition brillante, vv. 3-7, verra se réaliser la condamnation annoncée et préparée par les visions précédentes.
*k)* L'image est interprétée au v. 15.
*l)* Les nations païennes et leurs rois, qui ont adopté le culte impérial.
*m)* Séjour des animaux impurs, cf. Lv **16** 8+; **17** 7+.
*n)* Les sept têtes sont les sept collines de Rome, v. 9, et les dix cornes sont des rois vassaux, v. 12, qui secouent le joug de l'Empire, v. 16. La Bête, vv. 3, 7-8, représente un empereur, sans doute Néron qui, d'après une croyance populaire, est censé retrouver la vie et la puissance avant la venue de l'Agneau, cf. 2 Th **2** 8-9. Le début du v. 8 est une déformation parodique des titres de Dieu, **1** 4+, et du Christ, **1** 18.
*o)* Les persécutions romaines impliquent à la fois l'idolâtrie, v. 4, et le meurtre, v. 6. Ez **16** 36-38; **23** 37-45 dressait les mêmes griefs contre Jérusalem.
*p)* Dans le symbolisme de la Bête on peut ici distinguer deux sens différents, vv. 8-9, 15-18, et vv. 10, 12-14. La femme qui la chevauche se croit puissante, mais elle court à sa perte.

« Ce sont aussi sept rois [a], 10 dont cinq ont passé,
l'un vit, et le dernier n'est pas encore venu; une fois
là, il faut qu'il demeure un peu. 11 Quant à la Bête
qui était et n'est plus, elle-même fait le huitième,
l'un des sept cependant; il s'en va à sa perte. 12 *Et*
Dn **7** 24 *ces dix cornes-là, ce sont dix rois;* ils n'ont pas
encore reçu de royauté, ils recevront un pouvoir
royal, pour une heure seulement, avec la Bête. 13 Ils
sont tous d'accord pour remettre à la Bête leur
**19** 11-21 puissance et leur pouvoir. 14 Ils mèneront campagne contre l'Agneau, et l'Agneau les vaincra, car
Dt **10** 17 il est *Seigneur des seigneurs* et *Roi des rois,* avec
2 M **13** 4 les siens : les appelés, les choisis, les fidèles [b].
1 Tm **6** 15 15 « Et ces eaux-là, poursuivit l'Ange, où la Pros-
Ap **14** 4 tituée est assise, ce sont des peuples, des foules, des
nations et des langues. 16 Mais ces dix cornes-là et
la Bête, ils vont prendre en haine la Prostituée, *ils*
Ez **16** 39-41; *la dépouilleront de ses vêtements, toute nue,* ils en
**23** 25-29 mangeront la chair, ils la consumeront par le feu;
17 car Dieu leur a inspiré la résolution de réaliser
son propre dessein, de se mettre d'accord pour
remettre leur pouvoir royal à la Bête, jusqu'à
l'accomplissement des paroles de Dieu. 18 Et cette
**11** 8+ femme-là, c'est la Grande Cité, celle qui règne sur
les rois de la terre. »

### Un ange annonce la chute de Babylone [c].

Ez **43** 2 **18** 1 Après quoi, je vis descendre du ciel un autre
Ange, ayant un grand pouvoir, *et la terre fut*
Is **21** 9 *illuminée de sa splendeur.* 2 Il s'écria d'une voix
= Ap **14** 8 puissante : « *Elle est tombée, elle est tombée, Baby-*
*lone* la Grande; elle s'est changée *en demeure de*
Is **13** 21-22; *démons,* en repaire pour toutes sortes d'esprits
**34** 11-14; Jr **50** 39 impurs, en repaire pour toutes sortes d'oiseaux
**17** 2 impurs et dégoûtants. 3 Car au vin de ses prostitutions se sont abreuvées [d] toutes les nations, et les
rois de la terre ont forniqué avec elle, et les
trafiquants de la terre se sont enrichis de son luxe
effréné. »

### Le peuple de Dieu doit s'enfuir.

**16** 17 4 Puis j'entendis une autre voix qui disait, du
Is **48** 20; **52** 11 ciel : « Sortez, ô mon peuple, quittez-la, de peur
Jr **51** 6 que, solidaires de ses fautes, vous n'ayez à pâtir de
Gn **18** 20; Jr **51** 9 ses plaies! 5 Car ses péchés *se sont amoncelés*
*jusqu'au ciel,* et Dieu s'est souvenu de ses iniquités.
6 *Payez-la de sa propre monnaie!* Rendez-lui au Jr **50** 15; **16** 1
double de ses forfaits! Dans la coupe de ses mixtu-
res, mélangez une double dose! 7 A la mesure de
son faste et de son luxe, donnez-lui tourments et
malheurs! *Je trône en reine, se dit-elle,* et *je ne suis*
*pas veuve,* et jamais je ne verrai le deuil... 8 Voilà Is **47** 8
pourquoi, *en un seul jour,* des plaies vont fondre Is **47** 9
sur elle : peste, deuil et famine; elle sera consumée
par le feu. Car il est puissant, le Seigneur Dieu qui
l'a condamnée. »

### Lamentations sur Babylone [e]. Ez **26-28**

9 Ils pleureront, ils se lamenteront sur elle, les
rois de la terre, les compagnons de sa vie lascive
et fastueuse, quand ils verront la fumée de ses flammes, 10 retenus à distance par peur de son supplice :

« Hélas, hélas! Immense cité,
ô Babylone, cité puissante,
car une heure a suffi pour que tu sois jugée! »

11 Ils pleurent et se désolent sur elle, les
trafiquants de la terre; les cargaisons de leurs navires, nul désormais ne les achète! 12 Cargaisons d'or
et d'argent, de pierres précieuses et de perles, de lin
et de pourpre, de soie et d'écarlate; et les bois de
thuya, et les objets d'ivoire, et les objets de bois
précieux [f], de bronze, de fer ou de marbre; 13 le cinnamome, l'amome et les parfums, la myrrhe et
l'encens, le vin et l'huile, la farine et le blé, les bestiaux et les moutons, les chevaux et les chars, les
esclaves et la marchandise humaine...
14 Et les fruits mûrs, que convoitait ton âme, s'en Mi **7** 1
sont allés, loin de toi; et tout le luxe et la splendeur,
c'est à jamais fini pour toi, sans retour!
15 Les trafiquants qu'elle enrichit de ce commerce se tiendront à distance, par peur de son supplice, pleurant et gémissant :

16 « Hélas, hélas! Immense cité,
vêtue de lin, de pourpre et d'écarlate,
parée d'or, de pierres précieuses et de perles, **17** 4
17 car une heure a suffi pour ruiner tout ce luxe! »

Capitaines et gens qui font le cabotage [g], mate- Ez **27** 27
lots et tous ceux qui vivent de la mer, se tinrent à
distance 18 et criaient, regardant la fumée de ses
flammes : « Qui donc était semblable à l'immense **13** 4
cité? » 19 Et jetant la poussière sur leur tête, ils
s'écriaient, pleurant et gémissant :

*a)* Sept empereurs romains, dont le sixième règne actuellement. Sept est un chiffre symbolique de totalité : Jean ne se prononce pas sur le nombre et la chronologie des empereurs.
*b)* Rappel de **14** 4 et annonce de **19** 11-21.
*c)* Le châtiment annoncé, **17**, est maintenant imminent, vv. 1-3. Il se produira après que les fidèles se seront mis à l'écart des pécheurs, v. 4, cf. **3** 10+.
*d)* « ses prostitutions »; var. : « la colère de sa prostitution », cf. **14** 8. – « se sont abreuvées »; var. : « sont tombées » ou « elle a abreuvé ».
*e)* Triple lamentation des rois de la terre, vv. 9-10, des marchands de la terre, vv. 11-17a, des navigateurs, vv. 17b-19. Elle s'inspire de Jr **50-51** et surtout Ez **26-28**.
*f)* Vulg. : « pierre précieuse ».
*g)* Vulg. : « naviguent sur la mer ».

« Hélas, hélas! Immense cité,
dont la vie luxueuse enrichissait
tous les patrons des navires de mer,
car une heure a suffi pour consommer sa ruine! »

= **19** 1-2 20 O ciel, sois dans l'allégresse sur elle, et vous,
Dt **32** 43 saints, apôtres et prophètes, car Dieu, en la
Is **44** 23 condamnant, a jugé votre cause [a].
Jr **51** 63-64 21 Un Ange puissant prit alors une pierre, comme
une grosse meule, et la jeta dans la mer en disant :
« Ainsi, d'un coup, on jettera Babylone, la grande
cité, on ne la verra jamais plus [b]... »
Is **24** 8 22 Le chant des harpistes et des trouvères
Ez **26** 13 et des joueurs de flûte ou de trompette
chez toi ne s'entendra jamais plus;
les artisans de tout métier
chez toi ne se verront jamais plus;
Jr **25** 10 *et la voix de la meule*
chez toi ne s'entendra jamais plus;
23 *la lumière de la lampe*
chez toi ne brillera jamais plus;
**7** 34; **16** 9 *la voix du jeune époux et de l'épousée*
chez toi ne s'entendra jamais plus.
Car tes marchands étaient les princes de la terre,
et tes sortilèges ont fourvoyé tous les peuples;
= **16** 6 24 et c'est en elle que l'on a vu le sang des prophètes
t **23** 35-37 et des saints, et de tous ceux qui furent égorgés sur
la terre.

**Chants de triomphe au ciel [c].**

**19** 1 Après quoi j'entendis comme un grand bruit
**18** 20+ de foule immense au ciel, qui clamait :
« Alleluia [d]! Salut et gloire et puissance à notre
Dieu, 2 car ses jugements sont vrais et justes : il a = **16** 7
jugé la Prostituée fameuse qui corrompait la terre **11** 18; Ps **5** 11+
par sa prostitution, et vengé sur elle le sang de ses Ap **6** 9
serviteurs. » 3 Puis ils reprirent : « Alleluia! Oui, *sa*
*fumée s'élève pour les siècles des siècles!* » 4 Alors, Is **34** 10
les vingt-quatre Vieillards et les quatre Vivants se Ap **14** 11
prosternèrent pour adorer Dieu, qui siège sur le
trône, en disant : « Amen, alleluia! ».

5 Puis une voix partit du trône : « Louez notre
Dieu, vous tous qui le servez, et *vous qui le crai-* **11** 18
*gnez, les petits et les grands.* » 6 Alors j'entendis Ps **115** 13
comme le bruit d'une foule immense, comme le
mugissement des grandes eaux, comme le grondement de violents tonnerres; on clamait : « Alleluia!
Car il a pris possession de son règne, le Seigneur, **11** 17
le Dieu Maître-de-tout. 7 Soyons dans l'allégresse
et dans la joie, rendons gloire à Dieu, car voici les
noces de l'Agneau [e], et son épouse s'est faite belle : Is **61** 10
8 on lui a donné de se vêtir de lin d'une blancheur **2** 17; **3** 5
éclatante » – le lin, c'est en effet les bonnes actions
des saints. 9 Puis il me dit : « Écris : Heureux les **1** 3+
gens invités au festin de noce de l'Agneau. Ces Mt **22** 1-14;
paroles de Dieu, ajouta-t-il, sont vraies. » 10 Alors **8** 11+
je me prosternai à ses pieds pour l'adorer, mais lui **22** 8-9
me dit : « Non, attention, je suis un serviteur
comme toi et comme tes frères qui possèdent le
témoignage de Jésus. C'est Dieu que tu dois adorer. » Le témoignage de Jésus, c'est l'esprit de prophétie [f].

## 3. L'EXTERMINATION DES NATIONS PAÏENNES

= **20** 7-10 **Le premier combat eschatologique [g].**

11 Alors je vis le ciel ouvert, et voici un cheval
; **3** 7, 14 blanc; celui qui le monte s'appelle « Fidèle » et
Is **11** 4 « Vrai », *il juge* et fait la guerre *avec justice.* 12 Ses
yeux? une flamme ardente; sur sa tête, plusieurs **1** 14; **2** 18
diadèmes [h]; inscrit sur lui, un nom qu'il est seul à Lc **10** 22
connaître; 13 *le manteau* qui l'enveloppe est *trempé* Is **63** 1
*de sang* [i]; et son nom? le Verbe de Dieu [j]. 14 Les Jn **1** 1+
armées du ciel [k] le suivent sur des chevaux

*a)* En contraste, le ciel exulte, cf. **16** 5; **18** 20; **19** 1-10.
*b)* Geste symbolique d'un ange, après lequel la lamentation est reprise, vv. 22-23. La suite du v. 21 est au v. 24. Cette scène complète **18** 1-3 : Babylone sera détruite pour son idolâtrie, cf. **17** 4, et pour ses persécutions contre les chrétiens, **18** 24.
*c)* Chants de jubilation amorcés **18** 20 et contrastant vivement avec les complaintes de **18**. Ils accompagnent la chute de Babylone. Le premier chant, vv. 1-4, vient du ciel; il est suivi d'un second, vv. 5-9, auquel s'associent les saints de l'Église entière invitée aux noces de l'Agneau.
*d)* Seuls emplois dans le NT, **19** 1, 3, 4, 6, de l'acclamation liturgique (« Louez Dieu ») en usage dans le culte israélite, Ps **111** 1; **113** 1+; etc.
*e)* Les noces de l'Agneau symbolisent l'établissement du Royaume céleste qui sera décrit en **21** 9s. Voir Os **1** 2+ et Ep **5** 22-23+.
*f)* Jean tente de se prosterner, mais l'ange lui rappelle qu'il est lui aussi au service de Dieu, **1** 1; **22** 8-9, mise en garde probable contre le culte des puissances célestes, Col **2** 18; He **1** 14; **2** 5. Le « témoignage de Jésus » est la Parole de Dieu, attestée par Jésus, que tout chrétien possède en lui, cf. **1** 2; **6** 9; **12** 17; **20** 4, et qui inspire les prophètes.
*g)* Nous voici à la fin des temps. Après la chute de Babylone, prophétisée **14** 8, 14-15, et réalisée **16** 19-20; **17** 12-14, le Christ fidèle, **3** 14+, accomplit le Jour de Yahvé, Am **5** 18+, en exterminant les ennemis de l'Église. Son portrait, vv. 11-16, s'inspire, comme les descriptions précédentes, **12** 5; **14** 6-20; **17** 14, de diverses prophéties.
*h)* Car il est le Roi des rois, v. 16; cf. **5** 3, 13.
*i)* Allusion (voir v. 15) à Is **63** 1. Symbole de la victoire sanglante qu'il va remporter sur les ennemis de son Peuple, cf. Ap **5** 5.
*j)* Les noms du Cavalier victorieux, vv. 12, 13, 16, expriment, sous différents aspects, qui il est. Au nom divin transcendant, v. 12, s'ajoute ici celui de Parole, qui le désigne comme révélation efficace de Dieu, cf. Jn **1** 1, 14; et plus précisément comme exécuteur de ses jugements, **20** 11-12; **22** 12, cf. Sg **18** 14-18.
*k)* Les armées angéliques, cf. Mt **26** 53; ou plutôt l'armée des

blancs, vêtues de lin d'une blancheur parfaite. 15 De
**1** 16 sa bouche sort une épée acérée [a] pour en frapper
Ps **2** 9; Ap **2** 27+ les païens; c'est lui qui *les mènera avec un sceptre*
Is **63** 3; Ap **14** 19 *de fer*; c'est lui qui foule dans la cuve le vin de
l'ardente colère de Dieu [b], le Maître-de-tout. 16 Un
nom est inscrit sur son manteau et sur sa cuisse [c] :
2 M **13** 4; Dt **10** 17 *Roi des rois* et *Seigneur des seigneurs*.
Ez **39** 17 17 Puis je vis un Ange, debout sur le soleil, *crier*
d'une voix puissante à tous *les oiseaux qui volent*
au zénith : « Venez, *ralliez* le grand *festin* de Dieu!
18 *Vous y avalerez chairs* de rois, et chairs de
grands capitaines, et chairs de héros, et chairs de
chevaux avec leurs cavaliers, et chairs de toutes
gens, libres et esclaves, petits et grands! »
**17** 12-14 19 Je vis alors la Bête, avec les rois de la terre
et leurs armées rassemblés pour engager le combat
Mt **26** 53 contre le Cavalier et son armée. 20 Mais la Bête fut
capturée, avec le faux prophète – celui qui
accomplit au service de la Bête des prodiges par
lesquels il fourvoyait les gens ayant reçu la marque
de la Bête et les adorateurs de son image [d], – on
Dn **7** 11 les jeta tous deux, vivants, dans l'étang de feu, de
Ap **14** 10+; **20** 10, 14 soufre embrasé. 21 Tout le reste fut exterminé par
l'épée du Cavalier, qui sort de sa bouche, et *tous*
Ez **39** 20 *les oiseaux se repurent de leurs chairs*.

**Le règne de mille années.**

**20** 1 Puis je vis un Ange descendre du ciel, ayant
**9** 1+ en main la clef de l'Abîme, ainsi qu'une
**12** 7, 9 énorme chaîne. 2 Il maîtrisa le Dragon [e], l'antique
Mt **12** 28-29 Serpent, – c'est le Diable, Satan, – et l'enchaîna
pour mille années [f]. 3 Il le jeta dans l'Abîme, tira
sur lui les verrous, apposa des scellés, afin qu'il ces-
2 Th **2** 8s+ 2 Co **6** 2+ sât de fourvoyer les nations jusqu'à l'achèvement
des mille années. Après quoi, il doit être relâché
pour un peu de temps.

4 Puis je vis des trônes sur lesquels ils s'assi-
rent [g], et *on leur remit le jugement*; et aussi les Dn **7** 22
âmes de ceux qui furent décapités pour le témoi- **19** 10+
gnage de Jésus et la Parole de Dieu, et tous ceux
qui refusèrent d'adorer la Bête et son image, de se **13** 15-17
faire marquer sur le front ou sur la main; ils reprirent vie et régnèrent avec le Christ mille années [h]. **5** 10
5 Les autres morts ne purent reprendre vie avant
l'achèvement des mille années. C'est la première
résurrection. 6 Heureux et saint celui qui participe **1** 3+
à la première résurrection! La seconde mort [i] n'a **2** 11+
pas pouvoir sur eux, mais ils seront prêtres de Dieu
et du Christ avec qui ils régneront mille années [j]. **1** 6+

**Le second combat eschatologique.** = **19** 11-21

7 Les mille ans écoulés, Satan, relâché de sa prison, 8 s'en ira séduire les nations des quatre coins
de la terre, *Gog et Magog* [k], et les rassembler pour Ez **38** 2, 9,
la guerre, aussi nombreux que le sable de la mer; = Ap **16** 14
9 ils montèrent sur toute l'étendue du pays, puis ils Lc **21** 24
investirent le camp des saints, la Cité bien-aimée [l]. Ac **9** 13+
*Mais un feu descendit du ciel* et les dévora. = Ez **38** 22
10 Alors, le diable, leur séducteur, fut jeté dans **19** 20
l'étang de feu et de soufre, y rejoignant la Bête et
le faux prophète, et leur supplice durera jour et
nuit, pour les siècles des siècles.

**Le Jugement des nations.** Rm **2** 6+

11 Puis je vis un trône blanc, très grand, et Celui
qui siège dessus [m]. Le ciel et la terre s'enfuirent de 2 P **3** 7, 10
devant sa face sans laisser de traces. 12 Et je vis les Ap **21** 1

martyrs, d'après **14** 4 et **17** 14, vêtus de blanc, cf. **19** 8; **3** 5, 18; **6** 11; **16** 15 et aussi Mt **22** 11s.

*a)* Le glaive est l'arme de la Parole exterminatrice, cf. **1** 16; Is **11** 4; **49** 2; Os **6** 5; Sg **18** 15; 2 Th **2** 8; He **4** 12.

*b)* L'image du pressoir était un lieu commun du prophétisme pour symboliser l'extermination par Dieu des ennemis de son Peuple, au Grand Jour de sa colère; cf. Gn **49** 9-12; Jr **25** 30; Is **63** 1-6; Jl **4** 13; So **1** 15. Sur le « vin de la colère », cf. **14** 8+, 19-20; Is **51** 17+.

*c)* Titre seigneurial, cf. **17** 14; Ph **2** 9-11, qui dépasse à l'infini les titres blasphématoires de la Bête, **13** 1; **17** 3.

*d)* Cette longue parenthèse rappelle les événements décrits au ch. **13**.

*e)* Après les deux Bêtes et leurs armées, c'est leur chef, le Dragon, qui est anéanti.

*f)* Le châtiment s'effectue en deux phases : Satan est réduit à l'impuissance pendant mille ans où règnent les martyrs, cf. **12** 7-12, puis, vv. 7-10, se révoltera de nouveau avant l'écrasement définitif de ses forces armées.

*g)* Ce verset difficile est l'un de ceux où l'on croit saisir des étapes et retouches dans la rédaction du livre. **20** 1-6 est-il un doublet de **19** 11-21? Cf. Mt **19** 28; 1 Co **6** 2-3.

*h)* Cette « résurrection » des martyrs (cf. Is **26** 19; Ez **37**) est symbolique : c'est le renouveau de l'Église après la fin de la persécution romaine, renouveau de même durée que la captivité du Dragon. Les martyrs qui attendent sous l'autel, **6** 9-11, sont dès maintenant heureux avec le Christ. Le « règne de mille ans » est donc la phase terrestre du Règne de Dieu, de la chute de Rome à la venue du Christ, **20** 11ss. – Pour saint Augustin et beaucoup d'autres, les « mille ans » partent de la résurrection du Christ; la « première résurrection » désignerait alors le baptême, cf. Rm **6** 1-11; Jn **5** 25-28. – Dès l'Église ancienne, un courant de la tradition a interprété ce verset à la lettre : après une première résurrection réelle, celle des martyrs, le Christ reviendrait sur la terre pour un règne heureux de mille années en compagnie de ses fidèles. Ce millénarisme littéral n'a jamais été favorisé dans l'Église.

*i)* La mort éternelle, opposée à la mort corporelle.

*j)* Ce règne était annoncé, **5** 9-10. C'est encore lui qui sera décrit sous le symbole de la Jérusalem future en **21** 9 - **22** 2 et **22** 6-15, bien que ce passage vienne après l'évocation du Jugement final, **20** 13-15.

*k)* Dans Ez **38-39** (voir les notes) il s'agit de « Gog, roi de Magog ». Ici, les deux noms symbolisent les nations païennes coalisées contre l'Église à la fin des temps.

*l)* Une nouvelle Terre promise dont Jérusalem est la capitale, **21** 2+, résiste à cette dernière invasion, cf. Lc **21** 24. Mais cette localisation est une figure de toute l'Église.

*m)* Après la résurrection de tous intervient le Juge, **2** 23; **3** 5; cf. **19** 13+; Dn **7** 10. La création présente va s'effacer devant une autre, toute nouvelle, Ap **21** 1+.

morts, grands et petits, debout devant le trône; *on*
Dn 7 10+ *ouvrit des livres,* puis un autre livre, celui de la vie;
Ap 3 5; 13 8; 17 8 alors, les morts furent jugés d'après le contenu des
livres, chacun selon ses œuvres [a].
[13] Et la mer rendit les morts qu'elle gardait, la
1 18+ Mort et l'Hadès rendirent les morts qu'ils gardaient, et chacun fut jugé selon ses œuvres.
[14] Alors la Mort et l'Hadès furent jetés dans l'étang
de feu [b] – c'est la seconde mort cet étang de feu – 21 4 1 Co 15 26, 54
[15] et celui qui ne se trouva pas inscrit dans le livre Ap 2 11+
de vie, on le jeta dans l'étang de feu. 14 10+

## 4. *LA JÉRUSALEM FUTURE*

= 7 15-17 **La Jérusalem céleste [c].**

Is 65 17 **21** [1] Puis je vis *un ciel nouveau, une terre nou-*
2 P 3 13 Rm 8 19-23 *velle* [d] – car le premier ciel et la première terre
Jb 7 12+ ont disparu, et de mer [e], il n'y en a plus. [2] Et je vis
la Cité sainte, Jérusalem nouvelle, qui descendait
19 7-8 du ciel, de chez Dieu; elle s'est faite belle, comme
une jeune mariée parée pour son époux [f].
[3] J'entendis alors une voix clamer, du trône :
7 15-17 « Voici la demeure de Dieu avec les hommes. Il
Ez 37 27 aura *sa demeure avec eux; ils seront* son *peuple,* et
Is 7 14+ lui, *Dieu-avec-eux,* sera leur Dieu [g]. [4] *Il essuiera*
Is 25 8 *toute larme de leurs yeux :* de mort, il n'y en aura
Is 35 10 plus; de pleur, de cri et de peine, il n'y en aura plus,
car l'ancien monde s'en est allé. »
[5] Alors, Celui qui siège sur le trône déclara :
2 Co 5 17 « Voici, je fais l'univers nouveau. » Puis il ajouta :
Dn 8 26 « Écris : Ces paroles sont certaines et vraies. »
1 8+ [6] « C'en est fait, me dit-il encore, je suis l'Alpha et
Is 55 1 l'Oméga, le Principe et la Fin; celui qui a soif, moi,
Ap 22 17 je lui donnerai de la source de vie, gratuitement [h].
[7] Telle sera la part du vainqueur; *et je serai son*
Dieu, *et lui sera mon fils* [i]. [8] Mais les lâches, les 2 S 7 14
renégats, les dépravés, les assassins, les impurs, les = 22 15
sorciers, les idolâtres, bref, tous les hommes de Rm 1 29+
mensonge, leur lot se trouve dans l'étang brûlant de
feu et de soufre : c'est la seconde mort [j]. »

**La Jérusalem messianique [k].**

[9] Alors, l'un des sept Anges aux sept coupes remplies des sept derniers fléaux s'en vint me dire :
« Viens, que je te montre la Fiancée, l'Épouse de
l'Agneau. » [10] *Il me transporta donc en esprit sur* Ez 40 2
*une montagne de grande hauteur,* et me montra la
Cité sainte, Jérusalem, qui descendait du ciel, de 21 2
chez Dieu [l], [11] avec *en elle la gloire de Dieu.* Elle Is 60 1-2
resplendit telle une pierre très précieuse, comme
une pierre de jaspe cristallin. [12] Elle est munie d'un
rempart de grande hauteur pourvu de douze portes Ez 48 31-35
près desquelles il y a douze Anges et des noms Ap 7 1-8
inscrits, *ceux des douze tribus des Israélites;*
[13] *à l'orient, trois portes; au nord, trois portes; au*
*midi, trois portes; à l'occident, trois portes.* [14] Le
rempart de la ville repose sur douze assises portant Ep 2 20

*a)* Les premiers livres ouverts contiennent inscrites les actions bonnes ou mauvaises des hommes; le livre de vie, **3** 5, contient le nom des prédestinés, **3** 5; **17** 8; **20** 12, 15; **21** 27; cf. Ph **4** 3; Dn **7** 10+; **12** 1+; Ac **13** 48+.

*b)* Après le Jugement dernier, la mort elle-même sera réduite à l'impuissance, cf. **20** 10; **21** 4 et **20** 6.

*c)* La cité des élus, en total contraste avec Babylone, **17**, est un don de Dieu. La perspective est purement céleste, comme en **7** 15-17. Le début s'inspire d'Isaïe (surtout **51** et **65**). Jérusalem, cité de David, capitale et centre religieux d'Israël, 2 S **5** 9+; **24** 25; 1 R **6** 2; Ps **122**, ville de Dieu, Ps **46** 5, ville sainte, Is **52** 1; Dn **9** 24; Mt **4** 5; etc., dont le cœur était la montagne, Ps **2** 6+, où était bâti le Temple, Dt **12** 2-3+, était tenue en Israël pour la métropole future du peuple messianique, Is **2** 1-5; **54** 11+; **60**; Jr **3** 17+; Ps **87** 1+; **122**; Lc **2** 38+. C'est là que l'Esprit Saint a fondé l'Église chrétienne, Ac **1** 4, 8+; **2**; **8** 1, 4; etc. Elle est ici transportée au ciel où est accompli le dessein sauveur de Dieu, **3** 12; **11** 1; **20** 9; **22** 19; cf. Ga **4** 26; Ph **3** 20; Ac **2** 22-24+, lorsque sont célébrées ses noces avec l'Agneau, **19** 7-8+, cf. Is **61** 10; **62** 4-5; Os **1** 2+; **2** 16; etc.

*d)* Dans Isaïe, **65** 17, **66** 22, l'expression n'était que le symbole du renouvellement de l'ère messianique. A la suite du Christ, cf. Mt **19** 28; 2 P **3** 13, saint Paul ouvre des perspectives plus réalistes : toute la création sera renouvelée un jour, libérée de la servitude de la corruption, transformée par la gloire de Dieu, Rm **8** 19+.

*e)* La mer, habitat du Dragon et symbole du mal, cf. Jb **7** 12+, disparaîtra comme aux jours de l'Exode, mais cette fois pour toujours, devant la marche victorieuse de l'Israël nouveau, cf. Is **51** 9-10; Ps **74** 13, 14; Jb **26** 12-13; Is **27** 1.

*f)* Ce sont les nouvelles fiançailles de Jérusalem avec son Dieu, dans l'allégresse et dans la joie, **19** 7; cf. Is **65** 18; **61** 10; **62** 4-6, et l'idéal de l'Exode enfin atteint, cf. Os **2** 16+.

*g)* « et lui, Dieu-avec-eux, sera leur Dieu » Vulg.; var. : « et Dieu lui-même sera leur Dieu » ou : « et Dieu lui-même sera avec eux ». Formule classique de l'alliance, Gn **17** 8; Lv **26** 11-12+; Jr **31** 33; Ez **37** 27; cf. 2 Co **6** 16. La présence et l'intimité caractérisent l'alliance de Dieu avec son Peuple, cf. Ex **25** 8+ et Jn **1** 14+. Elle sera consommée à la fin des temps. Cf. Jl **4** 17, 21; Za **2** 14; So **3** 15-17; Is **12** 6.

*h)* L'eau, symbole de vie, était dans l'AT caractéristique des temps messianiques. Dans le NT, elle devient le symbole de l'Esprit, cf. **7** 17; Jn **4** 1+.

*i)* Le titre de « Fils de Dieu » devait être conféré au Roi-Messie, successeur de David, au jour de son intronisation, 2 S **7** 14+; le Christ a donc été déclaré « Fils de Dieu » en vertu de sa résurrection, Ac **2** 36+; Rm **1** 4+; He **1** 5. Il a aussi étendu ce titre à ceux qui croient en lui, Jn **1** 12+.

*j)* La mort éternelle **20** 6, 14. Le feu dévorant s'oppose à l'eau, v. 6; l'un et l'autre sont symboliques.

*k)* C'est la Jérusalem messianique, puisque les nations païennes existent encore, **21** 24, et peuvent se convertir au vrai Dieu, **22** 2; mais elle est déjà la Jérusalem céleste et n'attend que son épanouissement éternel. Les traits de cette description sont empruntés surtout à Ez **40-48**.

*l)* Le salut messianique et éternel est un don de Dieu, **21** 2.

chacune le nom de l'un des douze Apôtres de
l'Agneau [a].
15 Celui qui me parlait tenait une mesure, un
roseau d'or, pour mesurer la ville, ses portes et son
rempart; 16 cette ville dessine un carré [b] : sa longueur égale sa largeur. Il la mesura donc à l'aide
du roseau, soit douze mille stades [c]; longueur, largeur et hauteur y sont égales. 17 Puis il en mesura
le rempart, soit cent quarante-quatre coudées. –
L'Ange mesurait d'après une mesure humaine. –
Tb **13** 17 18 Ce rempart est construit en jaspe, et la ville est
Is **54** 11-12 de l'or pur, comme du cristal bien pur. 19 Les assises de son rempart sont rehaussées de pierreries de
toute sorte [d] : la première assise est de jaspe, la
deuxième de saphir, la troisième de calcédoine, la
quatrième d'émeraude, 20 la cinquième de sardoine,
la sixième de cornaline, la septième de chrysolite,
la huitième de béryl, la neuvième de topaze, la
dixième de chrysoprase, la onzième d'hyacinthe, la
douzième d'améthyste. 21 Et les douze portes sont
douze perles, chaque porte formée d'une seule
perle; et la place de la ville est de l'or pur, transpa-
Jn **2** 19-21 rent comme du cristal. 22 De temple, je n'en vis
point en elle [e]; c'est que le Seigneur, le Dieu Maître-de-tout, est son temple, ainsi que l'Agneau.
Is **60** 1-2, 19-20 23 La ville peut se passer de l'éclat du soleil et de
2 Co **3** 18 celui de la lune, car la gloire de Dieu l'a illuminée,
et l'Agneau lui tient lieu de flambeau. 24 *Les*
Is **60** 3 *nations marcheront à sa lumière,* et les rois de la
terre viendront lui porter leurs trésors. 25 *Ses portes*
*resteront ouvertes le jour* – car il n'y aura pas de
Is **60** 3, 11 nuit [f] – 26 et *l'on viendra lui porter les trésors* et le
Is **35** 8; **52** 1 faste *des nations.* 27 Rien de souillé n'y pourra
Za **13** 1-2 2 P **3** 13 pénétrer, ni ceux qui commettent l'abomination et
le mal, mais seulement ceux qui sont inscrits dans
le livre de vie de l'Agneau.

Ez **47** 1-12 **22** 1 Puis l'Ange me montra le fleuve de Vie, limpide comme du cristal, qui jaillissait du trône
Jn **4** 1+ de Dieu et de l'Agneau [g]. 2 Au milieu de la place,
*de part et d'autre* [h] *du fleuve, il y a des arbres de* Ez **47** 12
*Vie qui fructifient douze fois, une fois chaque mois;*
*et leurs feuilles peuvent guérir les païens.*
3 *De malédiction, il n'y en aura plus* [i]; le trône Za **14** 11
de Dieu et de l'Agneau sera dressé dans la ville, et = **7** 15
les serviteurs de Dieu l'adoreront; 4 ils verront sa 1 Jn **3** 2
face, et son nom sera sur leurs fronts. 5 De nuit, il 1 Co **13** 12
n'y en aura plus; ils se passeront de lampe ou de
soleil pour s'éclairer, car le Seigneur Dieu répandra
sur eux sa lumière, et ils régneront pour les siècles
des siècles [j].

6 Puis il me dit [k] : « Ces paroles sont certaines et **19** 9; **21** 5
vraies; le Seigneur Dieu, qui inspire les prophètes, Dn **8** 26
a envoyé son Ange pour montrer à ses serviteurs Ap **1** 1; **22**
*ce qui doit arriver* bientôt. 7 Voici que mon retour Dn **2** 28
est proche! Heureux celui qui garde les paroles pro- Ap **1** 3+
phétiques de ce livre. » 8 C'est moi, Jean, qui voyais
et entendais tout cela; une fois les paroles et les
visions achevées, je tombai aux pieds de l'Ange qui **19** 10+
m'avait tout montré, pour l'adorer. 9 Mais lui me
dit : « Non, attention, je suis un serviteur comme
toi et tes frères les prophètes et ceux qui gardent
les paroles de ce livre; c'est Dieu qu'il faut adorer. »
10 Il me dit encore : « Ne tiens pas secrètes les **10** 4
paroles prophétiques de ce livre, car le Temps est
proche. 11 Que le pécheur pèche encore [l], et que
l'homme souillé se souille encore; que l'homme de Dn **12** 10
bien vive encore dans le bien, et que le saint se
sanctifie encore. 12 *Voici que mon retour* est pro- Is **40** 10
che, *et j'apporte* avec moi *le salaire que je vais* Ps **62** 13+
*payer à chacun, en proportion de son travail.* 13 Je
suis l'Alpha et l'Oméga, *le Premier* et *le Dernier,* Ap **1** 8+;
le Principe et la Fin. 14 Heureux ceux qui lavent **44** 6
leurs robes; ils pourront disposer de l'arbre de Vie, Ap **7** 14;
et pénétrer dans la Cité [m], par les portes. 15 Dehors **22** 2
les chiens, les sorciers, les impurs, les assassins, les = **21** 8
idolâtres et tous ceux qui se plaisent à faire le Nb **5** 1-4 Rm **1** 29
mal! »

*a)* La perfection dans la totalité du peuple nouveau succède à celle de l'ancien. Aux douze tribus d'Israël, **7** 4-8, répondent les douze Apôtres, cf. Mt **19** 28p; Mc **3** 14p; Ep **2** 20. Tous les nombres multiples de 12, dans cette description, expriment la même idée de perfection.
*b)* Signe de perfection.
*c)* 12 (le nombre de l'Israël nouveau) multiplié par 1.000 (multitude).
*d)* Ces pierreries et leurs couleurs doivent laisser une impression globale de solidité et de splendeur, reflet de la gloire divine (cf. 2 Co **3** 18). Voir Is **54** 11-12; Ez **28** 13, et la description du pectoral du grand prêtre, Ex **28** 17-21; **39** 10-14.
*e)* Le Temple où Dieu résidait au cœur de la Jérusalem terrestre, **11** 19; **14** 15-17; **15** 5 - **16** 1, a maintenant disparu. C'est le corps du Christ immolé et ressuscité qui est le lieu du culte spirituel nouveau, cf. Jn **2** 19-22+; **4** 23-24; Rm **12** 1+.
*f)* De même, c'est le Ressuscité qui, de là, répand sa lumière sans ombre et sa sainteté, v. 27, sur toutes les nations rassemblées, **22** 5; cf. Jn **8** 12+; 2 Co **4** 6.
*g)* Les eaux vives et vivifiantes symbolisant l'Esprit, cf. Jn **4** 1+; **7** 37-39, Jean entrevoit ici la Trinité.
*h)* D'autres préfèrent couper ainsi : « ... qui jaillissait... au milieu de la place. Et de part et d'autre... »
*i)* Les vv. 3-5 (« texte II ») doivent être insérés après **21** 4. Cf. l'Introd., 1781.
*j)* Les vv. 3-5 sont au futur, promesse ferme du règne et de la vision sans fin, cf. 1 Co **13** 12; 1 Jn **3** 2, des serviteurs de Dieu et de l'Agneau, **3** 12; **7** 3; **14** 1.
*k)* Toute la suite fait figure d'épilogue. C'est une sorte d'entretien entre l'Ange (ou Jésus) et le Voyant, commentant les visions consignées dans le livre et l'usage qu'il en faut faire. La plupart des expressions se trouvent déjà disséminées dans le livre. La fin, vv. 16-20, est nettement attribuée à Jésus.
*l)* Quelle que soit la conduite de l'homme, le plan divin s'accomplira.
*m)* Jérusalem décrite en **21** 9s.

# *Épilogue*

1 11s 16 Moi, Jésus, j'ai envoyé mon Ange publier chez
vous ces révélations concernant les Églises. Je suis
2 28+ le rejeton de la race de David, l'Étoile radieuse du
matin.
17 L'Esprit et l'Épouse [a] disent : « Viens! » Que
celui qui entend dise : « Viens [b]! » Et que *l'homme*
Is **55** 1 *assoiffé s'approche,* que l'homme de désir *reçoive*
Ap **21** 6 *l'eau* de la vie, *gratuitement*.
18 Je déclare, moi, à quiconque écoute les paroles
Dt **4** 2 prophétiques de ce livre [c] : « Qui oserait y faire des
surcharges, Dieu le chargera de tous les fléaux
décrits dans ce livre! 19 Et qui oserait retrancher
aux paroles de ce livre prophétique, Dieu retranchera son lot de l'arbre de Vie et de la Cité sainte,
décrits dans ce livre! »
20 Le garant de ces révélations l'affirme : « Oui,
mon retour est proche! » Amen, viens, Seigneur Ac **3** 20-21
Jésus [d]! 1 Co **15** 23+
21 Que la grâce du Seigneur Jésus soit avec
tous [e]! Amen.

*a)* C'est l'Esprit présent dans l'Église, épouse du Christ, **21** 2, 9-10, qui lui inspire cet appel qui répond au message du livre.
*b)* Cette supplication s'adresse au Seigneur Jésus, v. 20 : c'est le *Marana tha* que l'on répétait au cours des réunions liturgiques, 1 Co **16** 22, pour exprimer l'attente impatiente de la Parousie, voir 1 Th **5** 1+.
*c)* Ce schème très ancien, Dt **4** 2; **13** 1; Pr **30** 6; cf. Qo **3** 14, est une manière de protéger un écrit sacré contre toute falsification.
*d)* Jésus confirme que sa venue est proche, vv. 7, 12; et déjà **1** 3, 7; etc. son oui répond à l'appel de l'Église et des croyants; et l'*Amen* de ceux-ci, Rm **1** 25+, exprime leur foi joyeuse et leur désir.
*e)* Var. : « avec les saints » ou : « avec tous les saints ».

# APPENDICES

# TABLEAU CHRONOLOGIQUE

La colonne de droite (deux colonnes entre 931 et 721) concerne l'histoire palestinienne et biblique. La ou les colonnes de gauche concernent l'histoire générale. (La distinction est moins stricte à partir de l'ère chrétienne.) Dans la colonne de droite, avant la période romaine, les données extra-bibliques (ou non tirées de Josèphe) sont en *italique*.

Les noms des chefs, rois, gouverneurs ou grands prêtres sont en PETITES CAPITALES ou GRANDES CAPITALES selon leur importance. (Dans la liste des rois de Juda, la succession est de père en fils sauf indication contraire.) Les noms des prophètes ou les titres des livres bibliques (à la date de leur rédaction) sont en **gras**. Les titres des livres non bibliques sont en *italique*.

Les faits les plus importants sont en **gras**.

## I. LES ORIGINES. Gn 1-11.

| Histoire générale | Date | Histoire biblique |
|---|---|---|
| L'homo habilis et la « pebble culture » (galets aménagés). Lents progrès (silex retouchés; feu; peintures des cavernes; langage). | 2000000 | Récits populaires : Les Origines, Gn **1-11**. L'homme (Adam), être vivant, intelligent et libre, Gn **1** 26. La chute. Dix générations symboliques d'Adam au Déluge, Gn **5**. |
| Fin de la dernière période glaciaire; développement de la cueillette; expansion de l'humanité. | 13000 | La table des peuples, Gn **10**. |
| Élevage et agriculture; villages. | 9000 | Abel et Caïn, Gn **4** 2; Hénok, Gn **4** 17. |
| Poterie peinte. | 5000 | |
| Métallurgie (cuivre); début de l'écriture (tablettes sumériennes d'Uruk = Érek, de Gn **10** 10). | 3500 | Tubal-Caïn, père des forgerons, Gn **4** 22. |

## II. LES PATRIARCHES. Gn 12-50.

| Histoire générale | Date | Histoire biblique |
|---|---|---|
| Écriture proprement dite; l'usage du bronze se répand. Égypte : **Ancien Empire** (Grandes Pyramides). Capitale : Memphis. Mésopotamie : Sumériens, puis Akkadiens. | 3000 | *Palestine : époque du Bronze Ancien, 3100 à 2100.* **Les Cananéens.** Ancêtres d'Abraham nomades en Mésopotamie. |
| Égypte : **Moyen Empire :** 2030 à 1720 env. Mésopotamie : renaissance sumérienne (3$^{e}$ dynastie d'Ur), puis importance croissante des **Amorites**. Textes d'exécration.<br>Vers cette époque, les *poèmes akkadiens de la Création* (Enuma elish) *et du Déluge* (Gilgamesh).<br>XVIII$^{e}$ et XVII$^{e}$ s. : 1$^{re}$ dynastie babylonienne (amorite) : HAMMURAPI vers 1750. Son code. | 2000 | *Époque du Moyen Bronze : 2100 à 1550 env. Les Amorites. Au XX$^{e}$ et au XIX$^{e}$ s. l'Égypte contrôle la côte syropalestinienne, mais l'intérieur lui échappe (mémoires de l'égyptien Sinuhé).* Vers 1850 : **arrivée d'ABRAHAM en Canaan, Gn 12.** |
| Égypte : **les Hyksos**, 1720 à 1552 env. (capitale : Tanis). | 1700 | **Les Patriarches en Égypte.** |

## III. MOÏSE ET JOSUÉ. Ex/Nb/Dt/Jos.

| | | |
|---|---|---|
| Égypte : **Nouvel Empire,** 18$^{e}$-20$^{e}$ dynasties, 1552-1070. Capitale : Thèbes. THOUTMÈS III : 1468-1436 (campagnes en Palestine et Syrie). | 1500 | *Époque du Bronze Récent :* 1550 *à* 1200 *env.* Hourrites en Palestine. |
| | 1400 | *Lettres d'el-Amarna (les Hapiri; Abdihépa, roi de Jérusalem).* |
| AKHNATON (= Aménophis IV) : 1374-1347. Son culte exclusif du dieu Aton. Le grand hymne à Aton. Capitale à Tell el-Amarna. | | |
| THOUTANKHAMON : 1347-1338. | 1350 | *Tablettes alphabétiques d'Ugarit (XIV$^{e}$-XIII$^{e}$ s.).* |
| En Asie Mineure et Syrie du Nord, les **Hittites :** SHUPPILULIUMASH 1370-1336. | | |
| Égypte : 19$^{e}$ dynastie, 1304-1184. | | |
| SÉTI I : 1304-1290. | | |
| RAMSÈS II : 1290-1224. Résidence à Pi-Ramsès. Lutte, puis alliance avec les Hittites. | 1300<br>1250 | *Stèles de Séti I et de Ramsès II, à Bet-Shân (Beisân).* Les Hébreux de corvée pour bâtir Pi-Ramsès, Ex **1** 11. L'**Exode** vers 1250. MOÏSE, **la Loi au Sinaï.** |
| MERNEPTAH : 1224-1204. An 5 : stèle mentionnant une victoire sur le « peuple d'Israël ». | | |
| Mésopotamie : au XIII$^{e}$ et au XII$^{e}$ s., prépondérance assyrienne. | | Entre 1220 et 1200 env., JOSUÉ envahit la Palestine. *Dans les sites fouillés (par ex. Haçor, Jos* **11** 10), *niveau archéologique correspondant marqué par couche de ruines et appauvrissement de l'habitat et des ustensiles.* |

## IV. DES JUGES A SALOMON. 1200-931. Jg/1 et 2 S/1 R **1-11**/1 Ch/2 Ch **1-9.**

| | | |
|---|---|---|
| Égypte : 20$^{e}$ dynastie, 1184-1070. RAMSÈS III : vers 1175, victoire sur les **« Peuples de la Mer »** qui veulent forcer l'entrée de l'Égypte. | 1200 | *Époque du Fer I :* 1200 *à* 900 *env. Les* **Philistins,** *repoussés par Ramsès III, s'installent sur la côte palestinienne. L'usage du fer se répand lentement.* |
| Mésopotamie : vers 1100, hégémonie assyrienne avec TÉGLAT-PHALASAR I, puis affaiblissement de l'Assyrie et naissance des **royaumes araméens** (Damas, Çoba, Hamat, temporairement Babylone, etc.). | | Les JUGES : 1200 à 1025 env. |
| | 1100 | Vers 1125 : Débora et Baraq triomphent des Cananéens à Tanak. |
| | 1050 | Vers 1050 : victoire des Philistins à Apheq et mort d'Éli. |
| Égypte : 21$^{e}$ dynastie, 1070-945. Capitale : Tanis. Voyage de Ouenamon à Byblos. | | SAMUEL débute vers 1040. Sanctuaire de Silo. |
| | | SAÜL : 1030 à 1010 env. Réside à Gibéa. Victoires sur les Ammonites et les Philistins. Défaite de Gelboé et mort de Saül. |

| | | |
|---|---|---|
| SIAMON : 975-955. | 1000 | DAVID : 1010-970 env. **Prise de Jérusalem** vers 1000. Victorieux des Philistins, des Moabites, du roi de Çoba, des Araméens de Damas, des Ammonites, des Amalécites, des Édomites; alliance avec Hamat, 2 S **8**. |
| RÉZÔN, roi de Damas, 1 R **11** 23s.<br>PSOUSENNÈS II : 955-950. | 950 | SALOMON : 970 env. à 931. Épouse la fille de Pharaon. An 4 : **construction du Temple,** 1 R **6** 1. Commerce avec la Phénicie et l'Arabie. Activité littéraire : proverbes, historiographie (2 S **9** - 1 R **2**). |

## V. JUDA ET ISRAËL. 931-721. 1 R **12-22**/2 R **1-17**/2 Ch **10-28**/Am/Os/Is/Mi.

| | | | |
|---|---|---|---|
| Égypte : 22$^{e}$ dynastie, 945 à 725 env. (libyenne). Capitale : Bubastis. | | *Époque du Fer II : 900 à 600 env.*<br>Assemblée de Sichem **et schisme,** 1 R **12** : vers 931. | |
| SHÉSHONQ I : 945-925. | | *ISRAËL* | *JUDA* |
| Campagne de Shéshonq en Palestine (liste de Karnak). | | JÉROBOAM I : 931-910. Réside à Tirça. Cultes à Dan et Béthel. | ROBOAM : 931-913. An 5 : Temple pillé par Shéshonq, 1 R **14** 25s. (*Stèle de Shéshonq à Megiddo.*) |
| OSORKON I : 925-889 env. | | | |
| TABRIMMÔN, fils de Hézyôn, roi de Damas, 1 R **15** 18. | | NADAB : 910-909. | ABIYYAM : 913-911. |
| | | BASHA : 909-886. Massacre de la maison de Jéroboam. | ASA : 911-870. Lutte contre l'idolâtrie. S'allie à Ben-Hadad contre Basha. |
| BEN-HADAD I, son fils, 1 R **15** 18. | 900 | | |
| | | ÉLA : 886-885. | |
| | | ZIMRI : 7 jours. | |
| Réveil de l'**Assyrie** : ASSURNASIRPAL II, 883-859. | | OMRI : 885-874. Fonde **Samarie.** Contrôle le pays de Moab. | |
| Impuissance de l'Égypte au IX$^{e}$ s. et durant la première moitié du VIII$^{e}$. | | | |
| BEN-HADAD II, roi de Damas. | | ACHAB : 874-853. Épouse Jézabel, fille d'Ittobaal, roi de Tyr et Sidon. Temple à Baal. Agrandit son palais. *Ivoires de Samarie,* cf. 1 R **22** 39. **Élie** et la réaction yahviste, 1 R **17-19; 21;** 2 R **1.** | JOSAPHAT : 870-848. Lutte contre l'idolâtrie. Allié d'Achab. Contrôle Édom. |

| | | | |
|---|---|---|---|
| SALMANASAR III : 858-824. En 853, à **Qarqar** sur l'Oronte, il bat 12 rois dont Adadezer (= Ben-Hadad) et Achab. | | Guerres contre Ben-Hadad II, 1 R **20** et **22**. Batailles d'Apheq et de Ramot. | |
| | | OCHOZIAS : 853-852. | |
| MÉSHA, roi de Moab. Sa stèle, vers 840 (oppression d'Omri et d'Achab, puis défaite d'Israël). | 850 | JORAM : 852-841, son frère. Campagne contre Mésha avec le roi de Juda. **Élisée,** 2 R **2-13.** Joram défend Ramot de Galaad avec Ochozias de **Juda** contre Hazaël. Tué avec toute sa famille par Jéhu. | JORAM : 848-841. Épouse Athalie, fille d'Omri. Culte de Baal. Édom s'affranchit. |
| HAZAËL, roi de Damas. Vaincu par Salmanasar III. | | | OCHOZIAS : 841. Tué par ordre de Jéhu. |
| 841 : Salmanasar III bat Hazaël, atteint la Mer et reçoit le tribut de Jéhu, des rois de Tyr et de Sidon. | | JÉHU : 841-814. Réaction yahviste. Hazaël s'empare de Galaad. | ATHALIE : 841-835. Massacre des fils du roi, seul Joas échappe. Complot de Yehoyada et mort d'Athalie. |
| BEN-HADAD III, roi de Damas. Battu par Salmanasar III. | | JOACHAZ : 814-798. Fils de Jéhu. Harcelé par Ben-Hadad III, 2 R **13** 3, cf. 2 R **6** 24+. | JOAS : 835-796. Fils d'Ochozias. Répare le Temple. Hazaël prend Gat. |
| ADADNIRARI III : 810-783. En 805 reçoit le tribut de Ben-Hadad III et du roi d'Israël. | 800 | | |
| | | JOAS : 798-783. Mort d'Élisée. Joas reprend à Ben-Hadad III les villes perdues, 2 R **13** 25. Victoire sur Amasias à Bet-Shémesh. *Ostraca de Samarie.* | AMASIAS : 796-781. Victoire sur Édom. Battu par Joas d'Israël. Tué à Lakish. |
| ZAKIR, roi de Hamat. | | | |
| Entre 783 et 745, faiblesse de l'Assyrie. | | JÉROBOAM II : 783-743. Rétablit Israël dans ses limites. Vers 750, **Amos,** et peu après **Osée.** | OZIAS : 781-740 (= Azarias). Rétablit son autorité jusqu'à Élat. Développe l'agriculture. |
| Égypte : rivalité entre la 22ᵉ dynastie (Bubastis) et la 23ᵉ (Thèbes). | 750 | | |
| TÉGLAT-PHALASAR III : 745-727 (= Pulu à Babylone). **Réduction en provinces des pays conquis et échanges de populations.** | | ZACHARIE : 743. | |
| | | SHALLUM : 743. | |
| | | MENAHEM : 743-738. Tribut à Pul, 2 R **15 19.** | 740 : vocation d'**Isaïe,** Is **6** 1. |
| RAÇÔN roi de Damas. | | | |
| Vers 738 : Téglat-Phalasar reçoit le tribut de Raçôn, de Menahem et des princes de l'Ouest. | | PEQAHYA : 738-737. Tué par Peqah. | YOTAM : 740-736. Débuts de **Michée.** |

| | | | |
|---|---|---|---|
| Vers 734 : prend une partie de la Galilée. Tribut d'Achaz.<br>Vers 732 : campagne contre Raçon. **Fin de** l'indépendance de **Damas.** Remplace Péqah par Osée. | | PÉQAH : 737-732. Perd la Galilée et Galaad, 2 R **15** 29. | ACHAZ : 736-716.<br>Raçôn et Péqah assiègent Jérusalem. **Oracle d'Isaïe sur l'Emmanuel.** Appel à Téglat-Phalasar, qui prend Damas et fait périr Raçôn, 2 R **16** 9. |
| | | OSÉE : 732-724. S'allie à l'Égypte. | |
| SALMANASAR V : 726-722. | | Siège de Samarie. | |
| SARGON II : 721-705. Prend Samarie ou s'attribue cette victoire de son père et fonde la province assyrienne de Samerina. Met fin au royaume de Hamat (720). | | 722 ou 721 : prise de **Samarie,** déportations; installation d'étrangers et syncrétisme religieux, 2 R **17** 5s. | |

## VI. FIN DU ROYAUME DE JUDA. 721-587. 2 R **18-25**/2 Ch **29-36**/So/Na/Ha/Jr/Ez.

| | | | |
|---|---|---|---|
| Sargon défait à Raphia l'égyptien Sibé. | *ÉGYPTE* | | ÉZÉCHIAS : 716-687. L'armée de Sargon s'empare d'Ashdod, Is **20** 1. Ambassade de Mérodak-Baladan, 2 R **20** 12s. |
| Son palais de Khorsabad près de Ninive. | 24e dynastie. Capitale : Saïs. | | |
| En 711 : prend Ashdod. | BOCCHORIS : 715-709. 25e dynastie (nubienne). | | Ministère d'**Isaïe.** |
| De 721 à 711 et en 703, le chaldéen Mardukapaliddina, roi de Babylone. | SHABAKA : 710-696. | | |
| SENNACHÉRIB : 704-681. | | | Travaux d'Ézéchias à Jérusalem et *inscription du canal de Siloé.* Sennachérib envahit la Judée, tribut d'Ézéchias, 2 R **18** 13-16. |
| En 701 : victoire d'Eltéqeh sur les Éqronites aidés des Égyptiens et Éthiopiens (Nubiens). A Ézéchias, il prend 46 villes et impose un tribut. | | 700 | Activité littéraire, Pr **25** 1. |
| | SHABATOKA : 696-685. | | |
| Vers 690, campagne en Arabie jusqu'à Dumah. Au retour, prise de Lakish (relief de Ninive, non daté). | TIRHAQA, son frère, né vers 710 et corégent vers 690. Roi de 685 à 664. | | Seconde (?) campagne de Sennachérib en Palestine, prise de Lakish, menace de Tirhaqa, retraite de Sennachérib, 2 R **18** 17 à **19** 37. |
| ASARHADDON, 680-669.<br>Vers 671 : enlève à Tirhaqa la Basse Égypte. Tribut des rois de l'Ouest, dont Manassé. | | | MANASSÉ : 687-642. Cultes païens dans le Temple. Captivité à Babylone d'après 2 Ch **33** 11. |

| | | | |
|---|---|---|---|
| ASSURBANIPAL : 669-630? | | | |
| 668 : tribut de **Manassé**; campagne d'Égypte : Tirhaqa refoulé au-delà de Thèbes. | | | |
| Vers 663 : seconde campagne en Égypte, contre Tanoutamon, et pillage de Thèbes. | TANOUTAMON : 664-656.<br><br>26e dynastie : 663-525. Capitale : Saïs.<br><br>PSAMMÉTIQUE I : 663-609. | | |
| La bibliothèque d'Assurbanipal à Ninive. | Vers 650 chasse les Assyriens d'Égypte. | 650 | |
| | | | AMON : 642-640.<br><br>JOSIAS : 640-609.<br><br>Vers 630, **Sophonie.**<br><br>627 : vocation de **Jérémie,** Jr **25** 3. |
| ASSURETILILANI : 630-623. | Vers 625 arrête l'**invasion scythe.** | | |
| Babylone : **la dynastie néo-babylonienne,** 626-539 :<br><br>NABOPOLASSAR : 626-605.<br><br>SINSHARISHKUN : 627-612, roi d'Assyrie. | | | 622 : découverte du “ **livre de la Loi** ” (2 R **23** 25), **réforme religieuse** qui s'étend à la Samarie. Mise en œuvre des documents historiques dans l'esprit du Dt : 1re rédaction des livres de **Josué,** des **Juges,** de **Samuel** et des **Rois.** |
| 612 : CYAXARE, roi des Mèdes, et Nabopolassar prennent et détruisent Ninive. | | | Vers 612 : **Nahum.** |
| ASSURUBALLIT II : 612-609, règne à Harân; en 609 est refoulé de Mésopotamie. | | | |
| 609 : le roi Nabopolassar repousse l'armée de Néko venue au secours de l'Assyrie. En 606, il **met fin à l'empire assyrien.** | NEKO : 609-594. | | 609 : Josias est tué en s'opposant à l'avance de Néko. |

| | | | |
|---|---|---|---|
| | | | JOACHAZ : 609. Au bout de 3 mois, Néko le remplace par son frère. |
| 605 : le prince héritier Nabuchodonosor bat l'armée de Néko à Karkémish et s'empare de la Syrie.<br><br>NABUCHODONOSOR : sept. 605-562. | | | JOIAQIM : 609-597.<br><br>605 : Nabuchodonosor bat Néko à **Karkémish** Jr **46** 2; **prophétie des 70 ans d'exil** Jr **25** 1 et 11. |
| 605-604 : 2e campagne en Syrie. 604-603 : 3e campagne et prise d'Ashqelôn (déc. 604). | Lettre araméenne du roi philistin Adon au Pharaon (Néko). | | Invasion de la Philistie Jr **47** 1-7; Joiaqim vassal durant 3 ans, 2 R **24** 1; 2 Ch **36** 6; Dn **1** 1. |
| Fin 601 : Nabuchodonosor est défait en Égypte. | | 600 | Vers 600 : révolte de Joiaqim. |
| 599-598 : raids contre les Arabes. | | | Incursions de bandes chaldéennes et araméennes, 2 R **24** 2. Le prophète **Habaquq** (?) |
| Début 597 : Nabuchodonosor assiège la capitale de la Judée et la prend le 16 mars 597. Fait prisonnier le roi et le remplace par un autre. | | | JOIAKÎN : 598-597.<br>Siège de Jérusalem, Joiakîn se rend à Nabuchodonosor après 3 mois de règne. **Déportation à Babylone.** Il est remplacé par son oncle SÉDÉCIAS (fils de Josias) : 597-587 (ou 586). Jérémie et les faux prophètes. **Ezéchiel** prédit la ruine de Jérusalem. Ez **1-23.** |
| Tablettes mentionnant Joiakîn et ses fils parmi les rationnaires de la cour de Nabuchodonosor. | PSAMMÉTIQUE II : 594-589. | | |
| | HOPHRA (Apriès) : 589-566. | | 589/8 : révolte de Sédécias; en déc. ou janv., début du siège de Jérusalem. |
| 587 : siège de Tyr qui se prolonge 13 ans.<br><br>Naduzeriddinam nommé en tête sur une liste de fonctionnaires royaux. | | | Début 587 : diversion d'Hophra. Siège de Tyr, Ez **26**s. Juin-Juillet 587 ou 586 : **prise de Jérusalem.** Capture de Sédécias.<br>Un mois après, Nebuzaradan détruit le temple et la ville; nouvelle déportation. Godolias gouverneur. Il est assassiné en sept.-oct. Jérémie est entraîné en Égypte, Jr **42**s. |

| | | | |
|---|---|---|---|
| | | | 582/581 : nouvelle déportation, Jr **52** 30. |
| | | | 573 : vision du Temple futur, Ez **40**. |
| 568/567 : campagne contre Amasis. | 569 : AMASIS corégent. 566-526 (?) : roi. | | Jr **46** 13. |
| AVILMARDUK : 562-560. | | | 561 : Évil-Mérodak grâcie Joiakîn. |
| NERIGLISAR : 560-556. | | | |
| LABASHIMARDUK : 556. | | | |
| NABONIDE : 556-539. Durant son séjour de 10 ans à Teima, il est remplacé par le prince héritier BELSHAZAR. | | | |
| 555 : CYRUS, roi des **Perses,** se révolte contre son suzerain Astyage, roi des Mèdes. | | | |
| 549 : Cyrus, roi des Mèdes et des Perses. | | 550 | Is **40-55**. |
| 546 : il prend Sardes (Crésus) : meurt été 530. | | | |
| | 525 : PSAMMÉTIQUE III. | | |

## VII. LA RESTAURATION A L'ÉPOQUE PERSE. 538-333. Esd/Ne/Ag/Za/Ml.

| | | |
|---|---|---|
| Oct. 539 : l'armée de Cyrus entre à Babylone. Cyrus rend aux cités les idoles emmenées à Babylone. | | 538 : **Édit de Cyrus.** Retour de l'Exil, SHESHBAÇÇAR haut-commissaire, Esd **5** 14. |
| Le palais de Pasargades. | | Automne 538 : restauration de l'autel des holocaustes, Esd **3** 3. |
| CAMBYSE : 530-522. Fils de Cyrus. Il conquiert l'Égypte qui restera perse jusqu'en 400 (27e dynastie). | | Printemps 537 : fondation du **Second Temple,** Esd **3** 8; **5** 16. |
| DARIUS I : 521-486. Organise l'empire perse : la Syrie et la Palestine forment la 5e satrapie, et l'Égypte la 6e. | | 520-515 : construction du **Second Temple,** Esd **6** 15; Ag **2** 15. Le haut-commissaire ZOROBABEL et le grand prêtre JOSUÉ. Les prophètes **Aggée** et **Zacharie.** |
| Le palais de Persépolis. | 500 | |
| 490 : bataille de Marathon. | | 498 à 399 : *papyri de la colonie juive d'Éléphantine.* **Abdias.** |
| XERXÈS I : 486-465. (Assuérus.) | | |

| | | |
|---|---|---|
| 480 : il prend Athènes mais est défait à Salamine. | | |
| Artaxerxès I Longuemain : 465-423. Révoltes en Égypte et Syrie. | | Opposition des Samaritains à la construction des remparts de Jérusalem, Esd **4** 6s. |
| A Athènes : Périclès. | | (458 : mission d'Esdras, si Esd **7** 7 vise Artaxerxès I.) |
| Arsham satrape d'Égypte (455/4-403 env.). | 450 | 445-443 : 1re mission de NÉHÉMIE, Ne **2** 1; **5** 14, et restauration des remparts. Opposition de Sanballat (*gouverneur de Samarie d'après une lettre d'Éléphantine*), de Tobie l'Ammonite et de Géshem l'Arabe. |
| | | Sous Xerxès et Artaxerxès, **Malachie.** Peut-être **Job, Proverbes,** le **Cantique** et **Ruth.** Nombreux **Psaumes.** |
| | | (428 : mission d'Esdras, si on lit 37e année au lieu de 7e en Esd **7** 7s.). |
| (Xerxès II : 423.) | | Avant la mort d'Artaxerxès : 2e mission de Néhémie et réformes inspirées du Deutéronome, Ne **13** 6s. |
| Darius II Nothos : 423-404. | | 419 : *rescrit de Darius sur la Pâque (papyrus d'Éléphantine).* |
| | | Vers 410 : *l'affaire du temple de Yaho à Éléphantine.* |
| | | *Prospérité des Juifs de Babylonie (archives de la famille Murashu).* |
| Artaxerxès II Mnémon : 404-359/8. | | |
| 401 : révolte de Cyrus le Jeune et expédition des Dix-Mille. | | |
| Vers 400 : l'Égypte se libère (28e à 30e dynasties : 400-342). Platon. | 400 | (398 : mission d'ESDRAS, si Esd **7** 7 vise Artaxerxès II. La législation du Pentateuque, unifiée par Esdras, est sanctionnée par Artaxerxès, Esd **7** 26). |
| Artaxerxès III Ochos : 359/8-338/7. | 350 | La Judée forme un état théocratique avec monnayage autonome *(drachmes portant YHD, Judée).* |
| En 342 : reconquête de l'Égypte (31e dynastie : 342-332). | | |
| Philippe de Macédoine. Aristote. | | Avant Alexandre, le prophète **Joël** et sans doute l'œuvre du Chroniste : livres des **Chroniques** et d'**Esdras-Néhémie.** Au temps d'Alexandre, Za **9-14.** |
| Arsès : 338/7-336/5. | | |
| Darius III Codoman : 336/5-330. | | |
| ALEXANDRE LE GRAND : 336-323. | | Fin de l'époque perse ou début de l'époque hellénistique : **Jonas, Tobie.** |

333 : conquête de la Syrie.
332 : prend Tyr et Gaza; entre en Égypte.
331 : fonde **Alexandrie.**
331 : par la victoire d'**Arbèles** il met fin à l'Empire perse.
330-326 : conquiert les satrapies orientales et l'Inde.
323 : meurt à Babylone.

## VIII. ÉPOQUE HELLÉNISTIQUE. 333-63. 1 M/2 M/Dn **11.**

| | | | |
|---|---|---|---|
| Les diadoques se disputent l'Empire d'Alexandre (319-287). | | | |
| En Égypte : les LAGIDES. | En Syrie et Babylonie : les SÉLEUCIDES. | | **La Judée soumise aux Lagides** jusqu'en 200. |
| PTOLÉMÉE I SOTER : 323-285. | | | |
| Fonde le « Musée » à Alexandrie. A Athènes, peu avant 300, fondation des écoles épicurienne et stoïcienne. | SÉLEUCUS I NICATOR : 305/4-281. En 300, fonde **Antioche** sur l'Oronte. | 300 | Ptolémée I installe des Juifs en Égypte et Séleucus I à Antioche (Josèphe). |
| PTOLÉMÉE II PHILADELPHE : 285-246. | ANTIOCHUS I SÔTER : 281-261. Défait les Galates descendus en Asie Mineure. | | Ptolémée II fait traduire en grec la Loi par les **Septante** *(lettre apocryphe d'Aristée).* |
| 276-273 : guerre avec la Syrie. Elle se perpétuera jusqu'à l'arrivée des Romains. | ANTIOCHUS II THÉOS : 261-246. | | Tobie gouverneur de l'Ammanitide (ses constructions à Araq el-Emir). Archives de Zénon. Active hellénisation en Palestine. |
| Vers 253 : donne sa fille Bérénice à Antiochus II qui répudie Laodice, cf. Dn **11** 6. | | 250 | |
| | 247 : Début de l'ère arsacide (les Parthes). | | Peut-être les livres de l'**Ecclésiaste** et d'**Esther.** |
| | 246 : Laodice fait tuer Bérénice et son fils, cf. Dn **11** 6. | | |
| PTOLÉMÉE III ÉVERGÈTE : 246-221. | SÉLEUCUS II CALLINICOS : 246-226. | | |
| Suprématie de l'Égypte, cf. Dn **11** 7. | SÉLEUCUS III CERAUNOS : 226-223. | | Ptolémée III et Ptolémée IV victorieux offrent des sacrifices à Jérusalem (Josèphe et 3 M). |
| PTOLÉMÉE IV PHILOPATOR : 221-205. | ANTIOCHUS III LE GRAND : 223-187. | | |

| | | | |
|---|---|---|---|
| 217 : victoire de Raphia sur Antiochus, Dn **11** 11. | Nombreuses campagnes, généralement victorieuses, cf. Dn **11** 10. | | |
| PTOLÉMÉE V ÉPIPHANE : 204-180. | 202-200 : il reconquiert la Palestine; siège et prise de Gaza, cf. Dn **11** 15(?). | | |
| 199-198 : retour offensif de Scopas, général de Ptolémée. | | | |
| Assiégé dans Sidon, Scopas finit par se rendre. Cf. Dn **11** 15. | 200 : Antiochus défait Scopas à Panion. | 200 | |

| | | |
|---|---|---|
| L'Égypte, après Panion, a perdu l'hégémonie.<br>197 : à Cynoscéphales, Flamininus bat Philippe V de Macédoine, cf. 1 M **8** 5. | | **La Judée soumise aux Séleucides** : 200-142, cf. 1 M **13** 41.<br>La charte d'Antiochus III confirme le statut théocratique des Juifs, cf. 2 M **4** 11. |
| 193 : Antiochus III donne sa fille Cléopâtre I à Ptolémée V, cf. Dn **11** 17. | | |
| 189 : à Magnésie du Sipyle, Antiochus III est défait par les Scipions, cf. Dn **11** 18. L'onéreuse paix d'Apamée (188). Son fils Antiochus (IV) otage à Rome, cf. 1 M **8** 6s. | | |
| 187 : Antiochus III tué en Élymaïde, cf. Dn **11** 19. | | SIMON II le Juste, grand prêtre : travaux à Jérusalem, Si **50**. Jésus ben Sira compose **l'Ecclésiastique** (Siracide). ONIAS III grand prêtre : épisode d'Héliodore, Dn **11** 20, 2 M **3**. |
| SÉLEUCUS IV PHILOPATOR, son fils : 187-175. Assassiné par son ministre HÉLIODORE. | | |
| PTOLÉMÉE VI PHILOMÈTOR : 180-145. | | |
| ANTIOCHUS IV ÉPIPHANE, frère de Séleucus; Démétrius (I), otage à Rome. | | |
| 175/4 : Philomètor épouse sa sœur Cléopâtre II (2 M **4** 21 ?). | 175 | 175/4 : JASON frère d'Onias III, grand prêtre : Jérusalem cité grecque sous le nom d'Antioche, 2 M **4** 9. |
| 170 : corégence de Philomètor, Cléopâtre II et leur frère Ptolémée VIII Physcon. | | 172 : MÉNÉLAS, grand prêtre. Fait tuer Onias III, été 170 (Dn **9** 25s, **11** 22; 2 M **4** 30s). |
| 169 : 1^re^ campagne d'Antiochus en Égypte. Au retour il dépouille le Temple (Polybe). | | 1^re^ campagne d'Égypte, Dn **11** 24s, 1 M **1** 16s (2 M **5** 15s : pillage du Temple). |
| 168 : 2^e^ campagne d'Égypte. A Pydna Paul-Émile bat Persée, roi de Macédoine (juin). | | 2^e^ campagne d'Égypte, Dn **11** 29, 2 M **5** 1. |

| | | |
|---|---|---|
| Cf. 1 M **8** 5. Près d'Alexandrie, Caius Popilius Laenas oblige Antiochus à quitter l'Égypte, cf. Dn **11** 29s. | | 167-164 : **la grande persécution**; construction de **l'Acra**, 1 M **1** 33. **Au Temple**, sacrifices à **Zeus Olympien**, 25 Kisleu 145 sél. (déc. 167), 1 M **1** 59; 2 M **10** 5 et **6** 2; cf. Dn **11** 31+. |
| MITHRIDATE I ARSACE VI, roi des Parthes : 171-138. | | Révolte du prêtre MATTATHIAS. Les Assidéens se joignent à lui, 1 M **2** 42, cf. Dn **11** 32. |
| | | JUDAS MACCABÉE, son fils, lui succède : 166-160. |
| 165 : expédition d'Antiochus IV en Arménie et en Iran. | | Début 164 : 1re campagne de Lysias, 1 M **4** 28s; 2 M **11** (sauf 22-26). |
| Vers nov. 164 : fin d'Antiochus IV (à Tabae, Polybe). | | **Livre de Daniel**: le livre des Songes (*Hénoch* 83-90). Fin d'Antiochus IV, 1 M **6** 1s; 2 M **9.** |
| ANTIOCHUS V EUPATOR, son fils : 164-162. Le pouvoir exercé par LYSIAS. | | Avènement d'Antiochus V, 1 M **6** 17; 2 M **10** 11. Déc. 164 (25 Kisleu) : **Purification du Temple** et dédicace, 1 M **4** 36s; 2 M **1** 10s; **10** 1s; cf. Dn **7** 25+.<br>163 : 2e campagne de Lysias, Antiochus V rend aux Juifs la liberté religieuse, 1 M **6** 31s; 2 M **13** et **11** 22-26. |
| DÉMÉTRIUS I SÔTER : 161-150, fils de Séleucus IV, fait périr Antiochus V et Lysias. | | Le grand prêtre ALKIME demande à Démétrius d'intervenir contre Judas. |
| | | Alliance de Judas avec Rome, 1 M **8.** |
| | | Mars 160 : Nikanor est battu et tué à **Adasa** (13 Adar), 1 M **7**; 2 M **15**. |
| | | Jason de Cyrène écrit l'ouvrage (2 M **2** 19s) qui sera adapté vers 124 (**1** 9s) : **deuxième livre des Maccabées.** |
| | | Avril-mai 160 : Judas tué à **Béerzeth** : JONATHAN succède à son frère Judas : 160-143.<br>Oppression de Bacchidès. |
| | | 157-152 : Jonathan " juge " à Machmas, 1 M **9** 73. |
| 152-150 : Alexandre Balas (fils d'Antiochus IV ?) dispute le pouvoir à Démétrius I, qui périt au combat. | | Automne 152 : JONATHAN nommé grand prêtre par Alexandre Balas. Onias, fils d'Onias III, construit un temple à Léontopolis (*Ant. Jud.*, XIII. 62s. *Guerre*, VII, 420s). |
| | | Création de la **communauté essénienne de Qumrân** (?), cf. *Ant. jud.*, XIII, 171s; *Règle de la Communauté*. |
| Vers 150 : Mithridate I maître de presque tout l'Iran. | 150 | |
| ALEXANDRE BALAS : 150-145. Épouse Cléopâtre Théa, fille de Ptolémée VI. | | Jonathan à Ptolémaïs au mariage de Cléopâtre Théa et d'Alexandre Balas, qui le nomme stratège et méridarque, 1 M **10** 65. |

148 : La Macédoine province romaine.

146 : destruction de Carthage et de Corinthe.

147-145 : Démétrius II, fils de Démétrius I, dispute la Syrie à Alexandre et épouse Cléopâtre Théa. Bataille de l'Oinoparos près d'Antioche : Ptolémée VI mortellement blessé, Alexandre tué peu après.

Démétrius II : 145-140 et 129-125.

Ptolémée VIII Physcon : 145-116.

Antiochus VI : 144-142. Jeune fils d'Alexandre Balas, installé à Antioche par Diodote (Tryphon).

Tryphon roi : 142-138. Il supprime Antiochus VI en 142 ou 138.

141 : Séleucie du Tigre et la Babylonie prises par Mithridate.

140/139 : contre-offensive de Démétrius II en Iran. Il est capturé par les Parthes.

Antiochus VII Sidétès : 139/8-129. Frère de Démétrius II. Tryphon est vaincu et se tue (138).

133 : Attale III, roi de Pergame, lègue ses États à Rome, qui organise en 129 la province d'Asie.

129-64 : les successeurs du Sidétès s'usent en luttes fratricides; ils ont perdu le contrôle de la Palestine.

100

Démétrius III : 95-88 (à Damas).
Vers 84 : Arétas III, roi de Nabatène, occupe la Cœlé-Syrie.

70 : TIGRANE, roi d'Arménie, maître de toute la Syrie.

67 : la province romaine de Crète-Cyrénaïque.

Jonathan triomphe d'Apollonius, gouverneur de Cœlé-Syrie au nom du jeune Démétrius, et s'empare des villes côtières, 1 M **10** 67s.

145 : charte de Démétrius II confirmant Jonathan en Judée et en Samarie méridionale, 1 M **11** 30s.

144 : Antiochus VI confirme Jonathan dans ses charges. Renouvellement des alliances avec Rome et Sparte 1 M **11** 54s.

143 : Jonathan capturé, puis tué par Tryphon. SIMON, son frère, lui succède : 143-134.

142 : Simon se rallie à Démétrius II, qui confirme la charte de 145.

141, juin : **l'Acra se rend à Simon;** fin de l'occupation séleucide, 1 M **13** 51.

Les alliances avec Rome et Sparte renouvelées, 1 M **14** 16s et **15** 15s.

Février 134 : Simon tué par son gendre Ptolémée. Son fils Hyrcan échappe aux assassins. **Fin du premier livre des Maccabées.**

JEAN HYRCAN (I) : 134-104.

Jean Hyrcan conquiert Moab et la Samarie : destruction du temple du Garizim.

Aristobule I : 104-103. Il prend le titre de roi.

Alexandre Jannée : 103-76. Nouvelles conquêtes. Lutte contre les Pharisiens.

Alexandra : 76-67. Son fils Hyrcan II grand prêtre : 76-67, puis 63-40. En 67, il succède comme roi à sa mère, mais est bientôt évincé par son frère cadet :

Aristobule II : 67-63. Roi et grand prêtre.

| | | |
|---|---|---|
| 66-62 : POMPÉE en Orient. Le Pont et la Bythinie provinces romaines. | | Pâque 65 : Hyrcan II et Arétas III assiègent Jérusalem, mais, sur l'injonction de Pompée, ils doivent se retirer, et sont ensuite vaincus par Aristobule II. |
| 64 : à Antioche, Pompée déclare déchu Philippe II, le dernier Séleucide, et convertit **la Syrie** en **province romaine.** | | Entre 100 et 50 : le livre de **Judith.** |

## IX. LA PALESTINE ROMAINE JUSQU'A HADRIEN. 63 av. J.-C. – 135 ap. J.-C.

| | | |
|---|---|---|
| 63 : Pompée à Damas. Arrogance d'Aristobule et incapacité d'Hyrcan. | | Été ou automne 63 : **Pompée prend Jérusalem.** Il nomme Hyrcan grand prêtre et emmène à Rome Aristobule et son fils Antigone.<br>L'Iduméen ANTIPATER, ministre d'Hyrcan, gouverne en fait la Judée. Révoltes des derniers Asmonéens. |
| 53 : Crassus défait par les Parthes. | | 54 : Crassus pille le Temple. |
| CLÉOPÂTRE VII, reine d'Égypte : 51-30. | 50 | Vers 50, à Alexandrie : la **Sagesse.** |
| 48 : CÉSAR défait Pompée à Pharsale. Pompée tué en Égypte. | | *Les Psaumes de Salomon.* |
| | | 47 : César nomme HYRCAN ethnarque (47-41). Hérode, fils d'Antipater, stratège de Galilée : il réprime la révolte d'Ézéchias. |
| 44 : César assassiné. | | 43 : Antipater meurt empoisonné. |
| 41-30 : ANTOINE en Orient. | | 41 : Antoine nomme tétrarques Hérode et son frère Phasaël. |
| 40 : les **Parthes** en Syrie et en Palestine.<br>Fin 40 : le Sénat nomme Hérode roi. | | 40 : Les Parthes nomment ANTIGONE roi et grand prêtre. Hérode s'enfuit à Rome, Hyrcan est mutilé. |
| 38 : les Parthes chassés de Syrie et de Palestine.<br>SOSIUS gouverneur de Syrie : 38-37. | | 39-37 : lutte entre Hérode et Antigone.<br>Début 37 : Hérode épouse MARIAMME I, petite fille d'Aristobule II et d'Hyrcan II. |
| | | Juin (?) 37 : **prise de Jérusalem par Sosius et Hérode.** |
| 31 : OCTAVIEN triomphe d'Antoine à la bataille navale d'**Actium.** | | |
| 30 : suicide d'Antoine et de Cléopâtre. L'Égypte province romaine. | | HÉRODE LE GRAND roi effectif : 37 à 4 av. J.-C. En 30, exécute Hyrcan II, et en 29, Mariamne I. |
| 29 : Octavien Imperator à vie et, en 27, AUGUSTE.<br>La Syrie province impériale avec un légat d'Auguste. | | Élève l'Antonia, et en 23 le Palais de la ville haute. Fonde ou reconstruit Antipatris, Phasaélis, Samarie (Sébaste), l'Hérodion et **Césarée.** |

Hérode " roi allié ".

25 : la Galatie province romaine.

23 : Hérode reçoit la Trachonitide, la Batanée et l'Auranitide, et, en 20, Panéas.

12-6 : SULPICIUS QUIRINIUS réduit les Homonades du Taurus : comme légat de Syrie? Divers indices d'un recensement de l'Empire.

9 : ARÉTAS IV succède à son père Obodas II, comme roi de Nabatène, et règne jusqu'en 39.

SENTIUS SATURNINUS, légat de Syrie : 9-6.

D'après Tertullien, c'est Saturninus qui procède au recensement de la Judée.

QUINTILIUS VARUS, légat de Syrie : 6-4.

SABINUS, procurateur des biens d'Auguste en Syrie.

Fin 4 : Auguste confirme le testament d'Hérode, mais sans le titre de roi pour Archélaüs :

ARCHÉLAÜS ethnarque de Judée et Samarie : 4 av. J.-C. à 6 ap. J.-C.

HÉRODE ANTIPAS tétrarque de Galilée et Pérée : 4 av. J.-C. à 39 ap. J.-C.

PHILIPPE tétrarque de Gaulanitide, Batanée, Trachonitide et Auranitide ainsi que du district de Panéas (Iturée) : 4 av. J.-C. à 34 ap. J.-C.

Nombreuses épouses : en 23, Mariamme II, fille du grand prêtre Simon, fils de Boéthos.

Hiver 20-19 : début de la **reconstruction du Temple.**

Les Pharisiens Hillel et Shammaï, et leurs écoles rivales.

Le **recensement** de Lc **2** 1s? Cf. *inscription de Venise,* non datée, attestant un recensement à Apamée (Syrie) par ordre de Quirinius, " légat de Syrie ". Cf. Lc **2** 2+.

9-8 : Hérode pénètre en territoire nabatéen pour capturer les brigands de Trachonitide, accueillis par le ministre SYLLAIOS. Celui-ci porte plainte devant Auguste : disgrâce temporaire d'Hérode.

Vers 7 : Hérode fait étrangler ses deux fils Alexandre et Aristobule, qu'il avait eus de Mariamme I.

Plus de 6.000 Pharisiens refusent le serment à Auguste : à l'occasion d'un recensement (?) (qui continuait celui de Quirinius?).

**Naissance de** JÉSUS vers 7-6 (?).

Mars de l'an 4 : affaire de l'aigle d'or du Temple. Exécution d'Antipater, fils aîné d'Hérode, et testament en faveur des fils de Malthace la Samaritaine (Archélaüs et Hérode Antipas) et du fils de Cléopâtre (Philippe).

Fin mars-début avril : **mort d'Hérode** à Jéricho. Archélaüs transporte son corps à l'Hérodion.

Pâque 4 (11 avril) : Archélaüs réprime une sédition à Jérusalem, puis se rend à Rome pour recevoir l'investiture d'Auguste.

Sabinus vient à Jérusalem pour faire l'inventaire des ressources du royaume d'Hérode : vive opposition et troubles dans tout le pays. Ici se place sans doute la révolte de Judas le Galiléen, cf. Ac **5** 37, et du Pharisien Saddoq, qui prêchaient le refus de l'obéissance et de l'impôt à Rome (origine des **Zélotes,** cf. Mt **22** 17). Sabinus fait appel à Varus, qui pourchasse partout les rebelles; deux mille sont crucifiés.

| | | |
|---|---|---|
| | | L'*Assomption de Moïse* (apocryphe). |
| 3-2 : le successeur de Varus n'est pas connu. Certains placent ici une légation de Quirinius. | | Si Quirinius est légat de 3 à 2, il peut poursuivre le recensement commencé par Sabinus et ordonner celui d'Apamée (l'inscription non datée de Venise). |
| De 1/2 ap. J.-C. à 4, Quirinius est conseiller du jeune GAIUS CÉSAR, petit-fils d'Auguste, en mission en Orient.<br>VOLUSIUS SATURNINUS, légat de Syrie : 4-5.<br>6 : Auguste dépose Archélaüs et l'exile à Vienne (Gaule).<br>**La Judée province procuratorienne** (avec Césarée comme capitale) : 6 à 41.<br>COPONIUS, procurateur : 6-8. | 1 | Philippe le tétrarque construit Julias (Bethsaïda). Puis il embellit Panéas (Panion), qu'il nomme Césarée en l'honneur d'Auguste. |
| 6 : d'après Josèphe, QUIRINIUS, légat de Syrie (?). | | 6 : d'après Josèphe, Quirinius vient en Judée pour recenser les biens d'Archélaüs, ce qui aurait provoqué l'agitation de Judas et de Saddoq. Mais Josèphe reprend pour l'an 6 des événements de l'an –4 (doublets). |
| | | ANNE, fils de Seth, grand prêtre : 6 (?)-15.<br>Entre 5 et 10 : naissance de Paul à Tarse. Élève de Gamaliel l'Ancien, Ac **22** 3, cf. **5** 34. |
| 19 août 14 : mort d'Auguste. TIBÈRE empereur : 14-37. | | |
| VALERIUS GRATUS procurateur : 15-26.<br>17-19 : GERMANICUS, fils adoptif de Tibère, en Orient. | | 15 : Valerius Gratus destitue Anne. Trois grands prêtres, puis JOSEPH DIT CAÏPHE : 18-36. |
| 18 : la Cappadoce province romaine.<br>PONCE PILATE procurateur (préfet) : 26-36. | | Vers 17 : fondation de **Tibériade** par Antipas. Sous Tibère, LYSANIAS tétrarque d'Abilène, Lc **3** 1 et *inscriptions*. |
| | | Vers 27 : Hérode Antipas, marié à la fille d'Arétas, épouse Hérodiade, femme d'Hérode son frère (fils de Mariamne II). |
| L'an 15 de Tibère, Lc **3** 1 : 19 août 28 au 18 août 29, mais à la manière syrienne : sept.-oct. 27 à sept.-oct. 28. | | Automne 27 : prédication de JEAN-BAPTISTE et début du ministère de Jésus. Cf. Lc **3** 2+. |
| | | Pâque 28 : Jésus à Jérusalem, Jn **2** 13. Les 46 ans de Jn **2** 20 partent de 20/19 av. J.-C.<br>Début 29 : enfermé à Machéronte (Josèphe), Jean-Baptiste est décapité, Mt **14** 3.<br>Pâque 29 : peu avant, la multiplication des pains, Jn **6** 1; Mt **14** 13. |

« (Le) Christ a été condamné au supplice par Ponce Pilate, sous l'empereur Tibère » (Tacite, *Annales*).

33-34 : Philippe meurt sans héritier et Tibère rattache sa tétrarchie à la province de Syrie.

L. VITELLIUS, légat de Syrie : 35-39. Le père de l'empereur Vitellius. Il est muni de pleins pouvoirs pour l'Orient.

Hiver 36-37 : Vitellius concentre les légions à Ptolémaïs pour attaquer Arétas IV.

Mars 37 : mort de Tibère. Vitellius renonce à la campagne contre Arétas.

CALIGULA empereur : 37-41.
MARCELLUS procurateur.

37 : Caligula donne à AGRIPPA I, fils d'Aristobule, les tétrarchies de Philippe et de Lysinias, avec le titre de roi (37-44).

38 : persécution des Juifs d'Alexandrie.
39 : ambassade du philosophe juif Philon à Rome (il meurt après 41).

P. PÉTRONIUS légat de Syrie : 39-42.

39 : Caligula exile Antipas (sans doute à St-Bertrand-de-Comminges, Pyrénées) et donne, au début de 40, sa tétrarchie à Agrippa I.

Fêtes des Tentes et de la Dédicace : Jésus à Jérusalem, Jn **7-10.**

Pâque 30 : la veille, donc au 14 Nisan, un vendredi, **mort de Jésus,** Jn **19** 31s (la Pâque a coïncidé avec le sabbat, le 8 avr. 30 et le 4 avr. 33 : la seconde date est trop tardive, cf. Jn **2** 20). Cf. Mt **26** 17+.

**Pentecôte** 30 : effusion de l'Esprit sur l'Église, Ac **2.** La première communauté, Ac **2** 42, etc.

Difficultés de Pilate avec les Juifs : l'affaire des enseignes et celle des boucliers (Philon). L'aqueduc de Pilate.

Vers 33 : élection des sept ministres hellénistes, Ac **6** 1s.

Vers 34 : **martyre d'Étienne, dispersion** de la communauté, conversion de Paul (vers 36 si Ga **2** 1 parle de la conversion); Paul en Arabie.

Vers 35 : Ponce Pilate fait massacrer des Samaritains au Garizim.

Pâque 36 : Vitellius à Jérusalem. Il remplace Caïphe par JONATHAN, fils d'Anne.

Vers 36 (ou 38) : Paul rentre à Damas; il s'en échappe, 2 Co **11** 32s, et fait une visite aux chefs de l'Église, Ga **1** 18s (Céphas et Jacques frère du Seigneur); Ac **9** 25s.

Automne 36 : départ de Ponce Pilate, envoyé à Rome par Vitellius pour s'y justifier; meurt de mort violente.

Pâque 37 : Vitellius, en route pour Pétra, monte à Jérusalem. Il remplace Jonathan par son frère THÉOPHILE, grand prêtre de 37 à 41.

Vers 37 : Fondation de l'Église d'Antioche, Ac **11** 19s.

39 : Caligula donne l'ordre d'ériger sa statue dans le Temple. Grâce à Pétronius et Agrippa I, l'affaire traîne en longueur jusqu'à l'assassinat de Caligula.

CLAUDE empereur : 41-54. Agrippa I, alors à Rome, a contribué à son avènement : Claude lui octroie la Judée et la Samarie. Son frère Hérode devient roi de Chalcis (41-48) et épouse Bérénice (fille d'Agrippa).

41 : l'édit et la lettre de Claude aux Alexandrins.

Vibius Marsius, légat de Syrie : 42-44.

Printemps 44 : à la mort d'Hérode Agrippa I, la Judée redevient **province procuratorienne :** 44-66.

Cuspius Fadus procurateur : 44-46.

Cassius Longinus, le jurisconsulte, légat de Syrie : 45-50.

Tibère Alexandre procurateur : 46-48. Neveu de Philon, mais apostat. A cette époque, plusieurs famines dans l'Empire.

Ventidius Cumanus procurateur : 48-52.

AGRIPPA II, fils d'Agrippa I, roi de Chalcis de 48 à 53. En 49, il est nommé Inspecteur du Temple, avec droit de désigner le grand prêtre.

49 : Claude " chasse de Rome les Juifs qui s'agitent à l'instigation de Chrestos " (Suétone). Cf. Ac **18** 2.

Ummidius Quadratus légat de Syrie : 50-60.

52 (plutôt que 51) : Gallion, frère de Sénèque, proconsul d'Achaïe.

Agrippa II en faveur à Rome : Claude exile Cumanus.

Antonius Félix procurateur : 52-60. Frère de l'affranchi Pallas. Épouse Drusille,

Entre 34 et 45 : PIERRE en Samarie (Simon le Magicien), dans la plaine maritime (le centurion Corneille), et à Jérusalem, Ac **8-11** 18.

Le royaume d'Hérode le Grand reconstitué. Agrippa bâtit le 3e mur de Jérusalem, mais Claude fait arrêter les travaux. Nombreuses constructions, en particulier à Béryte (Beyrouth).

Avant la Pâque 44 : Agrippa I fait décapiter Jacques, frère de Jean (Jacques le Majeur); durant la fête, il fait emprisonner Pierre, Ac **12.**

28 juin 45 : un rescrit de Claude laisse aux Juifs la garde des vêtements sacerdotaux. Hérode de Chalcis est nommé Inspecteur du Temple, avec droit de choisir les grands prêtres. En 47, il désignera Ananie, fils de Nébédée (47 à 52 ou 59), cf. Ac **23** 2s.

Fadus et le faux prophète Theudas. Cf. Ac **5** 36.

Entre 46 et 48 : **1[re] mission de Paul :** Antioche, Chypre, Antioche de Pisidie, Lystres,... Antioche, Ac **13** 1s.

Vers 48 : famine en Judée, aggravée par l'année sabbatique 47/48. Visite à Jérusalem d'Hélène, reine d'Adiabène, convertie au judaïsme; ses secours à la population. Paul et Barnabé apportent le secours de la communauté d'Antioche à celle de Jérusalem. Le **concile de Jérusalem :** les convertis du paganisme exempts de la Loi, Ac **15** 5s; Ga **2** 1s.

50 Autour de 50, mise par écrit de l'évangile oral : le **Matthieu araméen** et le **recueil** complémentaire.

49-52, 2e mission de Paul : Lystres (Timothée), Phrygie, Galatie, Philippes, Thessalonique, Athènes (discours à l'Aréopage).

Hiver 50 à été 52, à Corinthe : en 51, les **épîtres aux Thessaloniciens;** et, au printemps 52, comparution devant Gallion. Été 52 : Paul se rend à Jérusalem (?), puis à Antioche, Ac **18** 22.

sœur d'Agrippa II, déjà mariée à Aziz, roi d'Émèse, cf. Ac **24** 24.

53 : Claude donne à Agrippa II, en échange de Chalcis, les tétrarchies de Philippe et de Lysanias (53-95), et l'éparchie de Varus (Liban Nord).

NÉRON empereur : 54-68.

55 : Néron ajoute au royaume d'Agrippa une partie de la Galilée et de la Pérée.

De 59 à 67, Agrippa II nomme six grands prêtres dont ANAN, FILS D'ANNE (62).

CORBULON, légat de Syrie : 60-63.

PORCIUS FESTUS, procurateur : 60-62.

Les Juifs, en lutte contre les Samaritains soutenus par Cumanus : il est envoyé à Rome par Quadratus, lequel visite Jérusalem à la Pâque 52.

Félix réprime le brigandage.

52-59 : JONATHAN grand prêtre.

53-58 : 3e mission de Paul; APOLLOS à Éphèse, puis à Corinthe.

54-57 : venu par la Galatie et la Phrygie, Paul séjourne 2 ans et 3 mois à Éphèse. Dès 56 (?), **épître aux Philippiens.** Vers Pâque 57 : **première épître aux Corinthiens,** puis visite rapide à Corinthe, 2 Co **12** 14. Retour à Éphèse (et **épître aux Galates?).**

Fin 57 : traverse la Macédoine, **deuxième épître aux Corinthiens.**

Hiver 57-58 : à Corinthe, Ac **20** 3, cf. 1 Co **16** 6; l'**épître aux Galates** (?); l'**épître aux Romains.**

Pâque 58 : à Philippes, Ac **20** 6, puis, par mer, à Césarée (Philippe et Agabus).

Été 58 : à Jérusalem, JACQUES, LE FRÈRE DU SEIGNEUR, à la tête de la communauté judéo-chrétienne. Son **épître aux Juifs de la Dispersion** (ou déjà avant 49).

Vers 58 : Félix disperse au mont des Oliviers la troupe du faux prophète égyptien, cf. Ac **21** 38.
59 : il fait poignarder le grand prêtre Jonathan, bien qu'il lui doive sa charge.

Pentecôte 58 : arrestation de Paul au Temple et comparution devant Ananie et le Sanhédrin. Amené à Césarée, il comparaît devant Félix.

58-60 : Paul captif à Césarée, théâtre de graves troubles entre Juifs et Syriens.

60 : Paul comparaît devant Festus et en appelle à César. Il plaide sa cause en présence d'Agrippa et de sa sœur Bérénice.

Automne 60 : le voyage de Paul à Rome, la tempête, l'hiver à Malte.

Lucceius Albinus, procurateur : 62-64.

Cestius Gallus, légat de Syrie : 63-66.

Juillet 64 : incendie de Rome et persécution des chrétiens.

Gessius Florus, procurateur : 64-66. Nommé grâce à Poppée, l'épouse juive de Néron.

66 : soulèvement des Juifs d'Alexandrie. Tibère Alexandre, alors préfet d'Égypte, en massacre plusieurs milliers.

66-67 : tournée théâtrale de Néron en Grèce; il désigne VESPASIEN et son fils TITUS pour rétablir l'ordre en Palestine.

MUCIEN, légat de Syrie : 67-69.

61-63 : Paul à Rome sous garde militaire. Son apostolat, ses **épîtres aux Colossiens, aux Éphésiens, à Philémon.**

62 : le grand prêtre Anan **fait lapider Jacques** le frère du Seigneur (après la mort de Festus et avant l'arrivée d'Albinus). Siméon, fils de Cléophas et de Marie (belle-sœur de la mère de Jésus), succède à Jacques à la tête de l'Église de Jérusalem (Eusèbe). **L'épître de Jacques** (?).

Anan révoqué par Agrippa II.

63 : libération de Paul, et peut-être voyage en Espagne, Rm **15** 24s.

Vers 64 : **première épître de Pierre (?), l'évangile de Marc (?).**

64 (ou 67) : **martyre de Pierre** à Rome.

Vers 65 : Paul à Éphèse, 1 Tm **1** 3; en Crète, Tt **1** 5; en Macédoine, d'où il envoie sa **première épître à Timothée** (?), 1 Tm **1** 3, et sans doute l'**épître à Tite.**

L'**évangile grec de Matthieu, l'évangile de Luc** et les **Actes des Apôtres :** avant 70? ou vers 80?

Été 66 : à Jérusalem, Florus fait crucifier des Juifs, mais un soulèvement l'oblige à quitter la ville. Troubles à Césarée et dans tout le pays.

Sept. 66 : attaque de Jérusalem par Cestius Gallus. Il se retire avec de lourdes pertes. Le gouvernement insurrectionnel.

Exode de notables et sans doute des chrétiens, cf. Lc **21** 20s, qui se réfugient à **Pella** (Eusèbe).

67 : Vespasien, à la tête de 60.000 hommes, reconquiert la Galilée (Josèphe, le gouverneur insurrectionnel, est fait prisonnier).

Vers 67 : l'**épître aux Hébreux** (?). Paul, prisonnier à Rome, adresse sa **deuxième épître à Timothée** (?). Peu après, il est décapité.

67-68 : les zélotes de Jean de Gischala, rescapé de Galilée, et les Iduméens maîtres

Mars 68 : en Gaule, révolte du légat Vindex.

Avril 68 : GALBA empereur.

Juin 68 : suicide de Néron.

Janvier 69 : OTHON proclamé empereur par les Prétoriens et VITELLIUS par les légions de Germanie.

Juillet 69 : Tibère Alexandre se prononce pour Vespasien. Il est suivi par tout l'Orient.

VESPASIEN empereur : 69-79. Il confie à Titus le siège de Jérusalem.

Fin 69 : Vespasien seul maître de l'Empire.

Fin 70 : la Judée, province impériale, confiée au légat de la Xe Légion, cantonnée à Jérusalem. Césarée colonie romaine.

71-72 : Lucilius Bassus légat de Judée.

72 : fondation de **Flavia Neapolis** (Naplouse).

73 : Flavius Silva légat de Judée.

de Jérusalem. Anan et les notables massacrés.

68 : Vespasien occupe la plaine maritime et la vallée du Jourdain (destruction de Qumrân). A la mort de Néron, il ajourne le siège de Jérusalem.

69 : Simon Bargiora et les sicaires à Jérusalem. Vespasien soumet le reste de la Judée; les sicaires se maintiennent à Jérusalem, et aussi à l'Hérodion, à Massada et à Machéronte.

Pâque 70 : nombreux pèlerins à Jérusalem. Peu après, **Titus investit la ville** avec 4 légions. Tibère Alexandre commande en second.

Prise du 3e, puis du 2e mur; la circonvallation et la famine. Prise de l'Antonia.

Début d'août, cessation des sacrifices.

29 août 70 : prise du parvis intérieur et **incendie du Temple** (le 10 de Loos, c'est-à-dire le 10 du 5e mois, jour où Nebuzaradan incendia le premier Temple, Jr **52** 12 et Josèphe).

Devant le Temple, sacrifice aux enseignes, cf. Mt **24** 15. Titus salué Imperator.

Sept. 70 : prise de la ville haute et du palais d'Hérode. Les habitants tués, vendus ou condamnés aux travaux publics.

Titus en Syrie : nombreux Juifs tués dans les jeux de gladiateurs.

Été 71 : à Rome, triomphe de Vespasien et de Titus (avec le mobilier du Temple); exécution de Simon Bargiora. L'arc de Titus.

Le didrachme du Temple désormais versé à Jupiter Capitolin.

Prise de l'Hérodion et de Machéronte par L. Bassus.

Siège de **Massada,** par F. Silva : Éléazar (descendant de Judas le Galiléen) et ses sicaires s'entr'égorgent plutôt que de se rendre (Pâque 73).

| | | |
|---|---|---|
| Une partie des sicaires se réfugient en Égypte, mais ils sont livrés aux Romains. Fermeture du temple d'Onias à Léontopolis. | | **Retour** à Jérusalem d'une partie **des judéo-chrétiens** (Épiphane). Rabbi Éléazar rouvre la synagogue des Alexandrins. |
| | | Rabbi Johannan ben-Zakkaï fonde l'**académie de Yabné** (Jamnia), héritière du Sanhédrin. GAMALIEL II lui succède : origines de la Mishna. |
| TITUS empereur : 79-81. | | Entre 70 et 80 (?), l'**épître de Jude** puis la **deuxième de Pierre.** Le *IV*[e] *Esdras* (apocryphe). Vers 78 : la *Guerre Juive* de Josèphe. |
| DOMITIEN empereur : 81-96. Frère de Titus. | | Vers 93 : les *Antiquités judaïques* de Josèphe. |
| 95 : fait exécuter comme chrétien son cousin FLAVIUS CLEMENS et relègue sa femme, Flavia Domitilla, à Pandataria. | | Vers 95 : Jean relégué à Patmos. Édition définitive de l'**Apocalypse.** La *lettre de saint Clément,* évêque de Rome, *aux Corinthiens.* |
| NERVA empereur : 96-98.<br><br>TRAJAN empereur : 98-117. | | **Évangile de Jean,** puis sa **première épître** (la **troisième** et peut-être la **deuxième** sont antérieures). Il combat Cérinthe et son docétisme. |
| CORNELIUS PALMA, légat de Syrie, occupe le royaume de Nabatène : **la province d'Arabie,** capitale Bostra (Boçra) (106). | 100 | La *Didaché* (fin 1er siècle?).<br><br>Au début du règne de Trajan : **mort de Jean à Éphèse.** |
| CLAUDIUS ATTICUS HERODÈS gouverneur de Judée en 107. | | 107 : **martyre de Siméon,** 2e évêque de Jérusalem. Jusqu'à la Seconde Révolte, 13 autres évêques, également judéo-chrétiens. |
| 111-113 : PLINE LE JEUNE légat de Bythinie. Sa lettre sur la persécution des Chrétiens et **le rescrit de Trajan.** | | Vers 110 : les sept *lettres* d'IGNACE, évêque d'Antioche, et son martyre à Rome. |
| 114-116 : annexion de l'Arménie, de l'Assyrie et de la Mésopotamie. **Apogée de l'Empire romain.** | | Peu après, *lettre aux Philippiens* de POLYCARPE, évêque de Smyrne et disciple de Jean (mort en 156). |
| 117 : **soulèvement juif** dans tout l'Orient et révolte des nouvelles provinces. Celles-ci sont reprises par le maure LUSIUS QUIETUS; il est nommé légat de Judée. | | Les *Odes de Salomon* (apocryphe). |
| HADRIEN empereur : 117-138. Ramène la frontière de l'Empire sur l'Euphrate. | | Quiétus dresse la statue de Trajan devant l'autel du Temple (Hippolyte). Il est destitué, puis mis à mort par Hadrien. |
| Le second grand voyage d'Hadrien : 128-134. Achève à Athènes le temple de Zeus Olympien à la construction duquel avait contribué Antiochus Épiphane. Se fait appeler Olympien ou Capitolin. | | Vers 130, la *lettre* (apocryphe) *de Barnabé.* A Hiérapolis, en Phrygie, l'évêque PAPIAS. A Alexandrie, le gnostique BASILIDE. |

| | |
|---|---|
| TINEIUS RUFUS légat de Judée et PUBLICIUS MARCELLUS légat de Syrie. | 130 : Hadrien à Jérusalem : il décide la reconstruction de la ville (Aelia Capitolina) et du Temple, à dédier à jupiter. |
| | 131-135 : **seconde Révolte juive.** |
| | SIMÉON BEN KOSÉBA *(lettres de Murabbaat)* s'empare de Jérusalem; Éléazar grand prêtre. Ben Koséba reconnu par RABBI AQIBA comme Messie et comme l'Étoile de Nb **24** 17, d'où son surnom de Bar Kokéba (Fils de l'Étoile). Il persécute les Chrétiens parce qu'ils refusent de se joindre à la révolte. |
| | Malgré les renforts de Marcellus, Rufus est débordé par la guérilla : Hadrien leur envoie le légat de Bretagne, JULIUS SEVERUS, et arrive en personne. |
| | Début 134 : **prise de Jérusalem.** |
| | Après avoir réduit une cinquantaine de citadelles, Severus s'empare de **Better,** où périt Bar Kokéba (août 135). |
| | Les captifs vendus à Mambré et à Gaza. |
| La province de Judée devient la **province de Syrie-Palestine.** Jérusalem colonie romaine sous le nom d'**Aelia Capitolina** est interdite aux Juifs. | 135 : Rufus reconstruit Aelia (le temple d'Aphrodite sur l'emplacement du Calvaire et du tombeau du Christ, et celui de Jupiter, Junon et Minerve sur l'esplanade du Temple). |
| | Temple de Zeus Hypsistos au Garizim; bois sacré d'Adonis autour de la Grotte de Bethléem. |
| | L'évêque MARC (env. 135 à 155) et la nouvelle communauté chrétienne. Les judéo-chrétiens, dispersés en Transjordanie et Syrie, forment bientôt la secte des **Ébionites** (les "Pauvres"), avec l'*évangile des Hébreux* : ils n'acceptent pas la divinité du Messie et rejettent les épîtres de Paul. |

# LES DYNASTIES ASMONÉENNE ET HÉRODIENNE

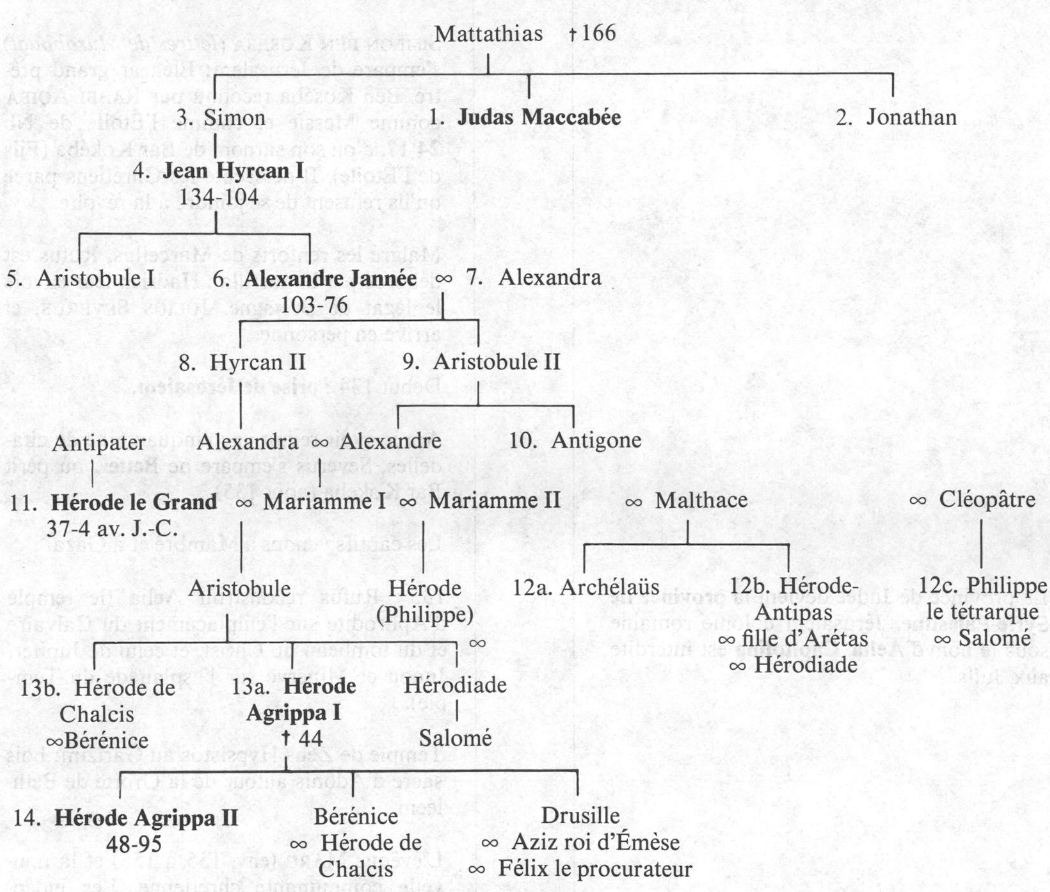


N. B. Le signe ∞ indique les unions.

# CALENDRIER

L'année était lunisolaire : 12 mois de 29 ou 30 jours, avec un mois supplémentaire tous les deux ou trois ans pour rattraper le retard du cycle lunaire sur l'année solaire. Dès 367, les savants babyloniens, en répartissant à intervalles fixes 7 mois supplémentaires sur un cycle de 19 ans, avaient annulé, à deux heures près, ce retard, et ce système fut adopté par Séleucus I, lorsqu'au 1er octobre (macédonien) de l'an 312, il inaugura « l'ère des Grecs » (cf. 1 M **1** 10), qui prévalut dans tout l'Orient. A Babylone, on conserva le nouvel-an vernal, et l'ère des Séleucides y part du 1er Nisân 311 (= 3 avril julien). Chez les Juifs, le cycle cultuel débute aussi au printemps; le nouvel-an civil, par contre, était célébré en automne, mais la numérotation des mois se faisait en partant du printemps, donc comme à Babylone. 1 R **6-8** a conservé trois noms de mois phéniciens et l'Exode un vieux nom ouest-sémitique (Abib). A partir de l'Exil, on adopta aussi les noms de mois babyloniens (Nisân, Iyyar, etc.), et le mois intercalaire se plaçait généralement avant Nisân (Ve-Adar). Séleucus introduisit aussi l'usage des noms macédoniens, le mois de Dios répondant à Tishri. Autour de 30 ap. J.-C., il y eut un décalage, Dios répondant à Marheshvân et Xanthikos à Nisân. C'est l'observation de la néoménie de Nisân qui fixait tout le calendrier : elle suivait normalement l'equinoxe vernal (à l'époque séleucide, vers le 25 mars), l'intervalle pouvant atteindre 29 jours. La semaine des Juifs était détachée des phases lunaires, si bien qu'une fête chômée comme la Pâque ne tombait généralement pas un sabbat. La nouvelle lune apparaissant le soir, c'est d'un coucher de soleil à l'autre qu'on finit par compter les jours : le jour de la pleine lune de Nisân (Pâque) commençait donc le 14 au soir.

La nuit était divisée en trois veilles, Ex **14** 24; Jg **7** 19; 1 S **11** 11. Les Romains en comptaient quatre et divisaient le temps entre le lever et le coucher du soleil en 12 heures, la sixième heure tombant ainsi à midi.

| A. T. | NOMS BABYLONIENS | MOIS SOLAIRES | NOMS MACÉDONIENS | FÊTES ANNUELLES MENTIONNÉES DANS LA BIBLE (cf. Ex **23** 14+) |
|---|---|---|---|---|
| 1$^{er}$ | *Nisân* = *Abib*, Ex **13** 4, etc. | Mars/Avril | *Artémisios* | Les 14/15 : Pâque, Ex **12**s; **23** 15; **34** 18; Dt **16** 1s; Lv **23** 5s; Nb **28** 16.<br>Azymes durant 7 jours. Offrande de la 1$^{re}$ gerbe « le lendemain du sabbat », Lv **23** 11. |
| 2$^{e}$ | *Iyyar* = *Ziv*, 1 R **6** 1 | Avril/Mai | *Daisios* | |
| 3$^{e}$ | *Sivân* | Mai/Juin | *Panémos* | 7 semaines après l'offrande de la 1$^{re}$ gerbe : Fête des Semaines (de la Moisson, des Prémices, Pentecôte), Ex **23** 16; **34** 22; Dt **16** 9s; Lv **23** 15s; Nb **28** 26s; Ac **2** 1. |
| 4$^{e}$ | *Tammuz* | Juin/Juillet | *Lôos* | |
| 5$^{e}$ | *Ab* | Juillet/Août | *Gorpaios* | |
| 6$^{e}$ | *Élul* | Août/Sept. | *Hyperbérétaios* | |
| 7$^{e}$ | *Tishri* = *Étanim*, 1 R **8** 2 | Sept./Oct. | *Dios* | Néoménie : Jour des Acclamations, Lv **23** 23s; Nb **29** 1s (*Rosh hashana* ou Nouvel An du Judaïsme).<br>Le 10$^{e}$ : *Yom hakippurim*. Jour des Expiations, Lv **16**; **23** 26s; Nb **29** 7s. Jeûne, cf. Ac **27** 9.<br>Du 15$^{e}$ au 23$^{e}$ jour : Fête des Tentes (Tabernacles) ou Scénopégie, Dt **16** 13s; Lv **23** 33s; Nb **29** 12s; Jn **7** 2. C'est « la Fête de la Récolte en fin d'année », Ex **23** 16, « au retour de l'année », **34** 22, donc fête du Nouvel An automnal, comme en Canaan. |
| 8$^{e}$ | *Marheshvân* = *Bul*, 1 R **6** 38 | Oct./Nov. | *Apellaios* | |
| 9$^{e}$ | *Kisleu* | Nov./Déc. | *Audunaios* | Le 25$^{e}$ : Encénies, avec octave, 1 M **4** 52; 2 M **10** 5; Jn **10** 22, c'est-à-dire la Dédicace, *Hanukka* en hébreu. Fêtes des Lumières (Josèphe). |
| 10$^{e}$ | *Tébèt* | Déc./Janv. | *Péritios* | |
| 11$^{e}$ | *Shebat* | Janv./Févr. | *Dystros* | |
| 12$^{e}$ | *Adar* | Févr./Mars | *Xanthikos* | Le 13$^{e}$ : Jour de Nikanor, 1 M **7** 49; 2 M **15** 36. Les 14/15 : Fête des *Purim* ou Sorts, Est **9** 21s, ou Jour de Mardochée, 2 M **15** 36. |

# TABLE DES MESURES[a] ET DES MONNAIES

## I. MESURES DE LONGUEUR

| | | | | |
|---|---|---|---|---|
| coudée | *amma* | 45 cm | 1 | La coudée ancienne d'Ez a 7 palmes (52,5 cm) et l'empan d'Ez **40** 5, la moitié. Sa canne a 6 coudées anciennes (315 cm). Le Nouveau Testament, outre la coudée, connaît la brasse (1 m 85) et le stade (185 m). Le mille romain était de 1479 m (huit stades). Le *schoene* de 2 M **11** 5 vaut 30 stades. |
| empan | *zérèt* | 22,5 cm | 1/2 | |
| palme | *tophah* | 7,5 cm | 1/6 | |
| doigt | *eçba* | 1,8 cm | 1/24 | |

## II. MESURES DE CAPACITÉ

| MATIÈRES SÈCHES | | | | | MATIÈRES LIQUIDES | |
|---|---|---|---|---|---|---|
| muid | *omer* et *kor* | 450 litres | 10 | 450 l. | *kor* | muid |
| | *létek* (Os **3** 2+) | 225 l. | 5 | | | |
| mesure | *épha* | 45 l. | 1 | 45 l. | *bat* | mesure |
| boisseau | *seah* | 15 l. | 1/3 | | | |
| | | | 1/6 | 7,5 l. | *hin* | setier |
| dixième | *issarôn* | 4,5 l. | 1/10 | | | |
| | | | 1/18 | 2,5 l. | *qab* (2 R **6** 25) | |
| | | | 1/72 | 0,6 l. | *log* | pinte |

On a choisi, dans la traduction, pour ces mesures de capacité, des noms d'anciennes mesures françaises de même ordre de grandeur. La table ci-dessus donne la valeur réelle (approximative) des mesures juives.

Toutefois, en Ez **45** 10-11, 13-14 et Mi **6** 10, où *omer* et *kor, épha* et *bat* sont juxtaposés, on a traduit *épha* par " boisseau " et *kor* par " feuillette ". En Za **5** 5-11, le contexte a invité a traduire *épha* par " boisseau ".

L'artabe de Dn **14** 3 est une mesure perse, env. 56 litres.

Nouveau Testament : le *métrète* ou mesure, de 39,4 l., qui était considéré comme l'équivalent du *bat*; le setier (*sextarius, xestès*), de 0,46 l., comme l'équivalent du *log*; le *modius*, qui valait 8,75 l., comme les deux tiers du *seah*. La *chénice* de Ap **6** 6 est de 1,10 l. Le Nouveau Testament emploie aussi les mots *seah, kor* et *bat*, mais grécisés.

## III. POIDS

| | | | | |
|---|---|---|---|---|
| talent | *kikkar* | 34 kg. 272 | 3000 | |
| mine | *mané* | 571 gr. | 50 | Mine d'Ez **45** 12 : 60 sicles (685 gr.). |
| sicle | *shéqel* | 11 gr. 4 | 1 | |
| demi-sicle | *béqa* | 5 gr. 7 | 1/2 | Nouveau Testament; la livre romaine (latin *libra* = grec *litra*) est de 326 gr. env. |
| | *géra* | 0 gr. 6 | 1/20 | |

## IV. MONNAIES

1. Avant Darius I. La monnaie apparaît au VIIe siècle, en Anatolie, puis en Grèce. Auparavant le métal était seulement pesé. Les *drachmes d'or* de Ne **7** 69s = Esd **2** 69 sont sans doute des hémistatères attiques (voir plus bas, « statère »). La *mine d'argent*, mentionnée au même lieu, n'est qu'une monnaie de compte, peut-être la mine babylonienne de 505 gr. env.

*a)* Chiffres approximatifs.

2. Darius, peu après 515, créa la *darique d'or* au poids du sicle babylonien de 8,41 gr. (Esd **8** 27), et un sicle *d'argent* de valeur vingt fois moindre, donc de 5,60 gr. (car l'or valait alors 13,3 fois plus que l'argent). C'est ce sicle qui est visé en Ne **5** 15, tandis qu'en **10** 33 il doit s'agir du sicle-poids. Le monnayage de l'argent semble avoir été libre dans l'Empire perse, et en Palestine on a trouvé des pièces d'argent avec le mot YHD, Judée.

3. Époque hellénistique et romaine. Alexandre étend le système attique à son Empire, avec un rapport or à argent de 10 à 1, celui de l'argent au cuivre étant de 50 à 1. Les Romains apportent ensuite leur monnaie; ils comptaient les grosses sommes par *sesterces* (voir tableau). On pesait aussi les espèces par *talents* et par *mines* attiques (env. 26 kg et 436 gr), c'est-à-dire par six mille et par cent drachmes. Les sicles de 1 M **10** 40 sont des didrachmes (cf. l'usage des LXX).

| MONNAIES GRECQUES | GR. | RAPPORT | | GR. | MONNAIES ROMAINES |
|---|---|---|---|---|---|
| *statère* attique, étalon or. | 8,60 | 20[a] | 25 | 7,80 | *aureus* sous Auguste. |
| *tétradrachme* attique. Argent.<br>*tétradrachme*[b] de Tyr (de 126 av. J.-C. à 195 ap. J.-C.). Appelé parfois statère, Mt **17** 27; **26** 15 (D), cf. Za **11** 12. | 17,40<br>14,40 | 4<br>3 | | | |
| *didrachme* attique. Argent.<br>Sous l'Empire, Mt **17** 24 : | 8,60<br>7 env. | 2<br>1,5 | | | |
| *drachme* attique, étalon argent<br>2 M **12** 43 :<br>Sous l'Empire : | 4,36<br><br>3,50 | 1<br><br>3/4 | <br>1 | 4,55<br>3,85<br>3,41 | *denier*, argent, apparaît en 269 av. J.-C.; de bon aloi jusqu'au IIIe s.<br>De 216 av. J.-C. jusqu'à Néron.<br>A partir de Néron. |
| | | | 1/4 | 25,40 | *sesterce* (laiton), sous Auguste : 4 as (poids d'une once). |
| *obole* attique. Argent. | 0,72 | 1/6 | 1/8 | 15,50 | *dipondius* (laiton), sous Auguste : 2 as, Lc **12** et Vulg. |
| | | | 1/16 | 10 | *as* ou *assarius*, étalon bronze, primitivement une livre, c'est-à-dire 327 gr. (= 12 onces).<br>sous Auguste. |
| *chalque* attique. Bronze.<br>Sous Antiochus IV : | 8,60<br>6 env | 1/48 | 1/32 | 4,50 | *semis*, sous Auguste. Bronze. |
| *lepton* attique. Bronze. Le septième du *chalque;* parfois synonyme d'*obole*, de *chalque*, etc., Mc **12** 42; Lc **21** 2; Lc **12** 59 = Mt **5** 26. | | 1/336 | 1/64 | 3,10 | *quadrans,* sous Auguste. Bronze. En Orient, la petite monnaie était assurée par des émissions locales (Asmonéens, dynastie hérodienne, procurateurs, cités, etc.), plus ou moins conformes à la série du chalque et de l'as. |

Émissions de pièces d'argent en Palestine, en signe d'indépendance.

| Première Révolte : 66-70. | | | Seconde Révolte : 132-135. | |
|---|---|---|---|---|
| tétradrachmes | env. 14 gr. | portant « sicle d'Israël ». | tétradrachmes | env. 14 gr. |
| didrachmes | 7 gr. | portant « demi-sicle ». | deniers refrappés. | |
| drachmes | 3,35 gr. | portant « quart de sicle ». | | |

*a)* Avant Alexandre.

*b)* Ce tétradrachme ou sicle phénicien représente une unité du même ordre de grandeur que l'ancien sicle-poids israélite. Le didrachme annuel pour le Temple correspondait ainsi au demi-sicle de Ex **30** 13, et au tiers de sicle de Ne **10** 33. Les Rabbins précisaient qu'il devait être au taux de Tyr, dont les statères (tétradrachmes) étaient réputés.

# TABLE ALPHABÉTIQUE DES NOTES LES PLUS IMPORTANTES

On trouvera ci-dessous la liste alphabétique des principaux noms de personnes ou de lieux, et des principales notions bibliques, sur lesquels il existe des « notes clefs » (ou des notes citant un certain nombre de références).

Les noms propres de personnes ou de lieux (ABIATHAR, ABILÈNE) sont composés en PETITES CAPITALES. Les mots hébreux, araméens ou grecs (*Shéol*, *Sphragis*) ou les mots français calqués sur le grec (*Kénose*) sont composés en *italique*. Les autres termes (Alliance) sont composés en caractères ordinaires.

On renvoie aux notes par la référence du passage biblique auquel elles sont liées. On renvoie par le numéro de la page à des explications générales données dans les Introductions.

# TABLE ALPHABÉTIQUE DES NOTES LES PLUS IMPORTANTES

# TABLE ALPHABÉTIQUE DES NOTES LES PLUS IMPORTANTES

# TABLE ALPHABÉTIQUE DES NOTES LES PLUS IMPORTANTES

# TABLE ALPHABÉTIQUE DES NOTES LES PLUS IMPORTANTES

# TABLE ALPHABÉTIQUE DES NOTES LES PLUS IMPORTANTES

# TABLE ALPHABÉTIQUE DES NOTES LES PLUS IMPORTANTES

Cette sixième édition
de la nouvelle Bible de Jérusalem
a été réalisée pour les Éditions du Cerf
29, boulevard Latour-Maubourg
PARIS-VII$^{e}$

Elle a été composée en phototypesetting
et imprimée le 20 novembre 1979
par Maury-Imprimeur S.A.
à Malesherbes (Loiret)

Fers originaux de Jacques Devillers
Fabrication : J.-P. Le Gall

Dépôt légal : 4$^{e}$ tr. 1979 – N° imp. J79/7630 – N° édit. 7133

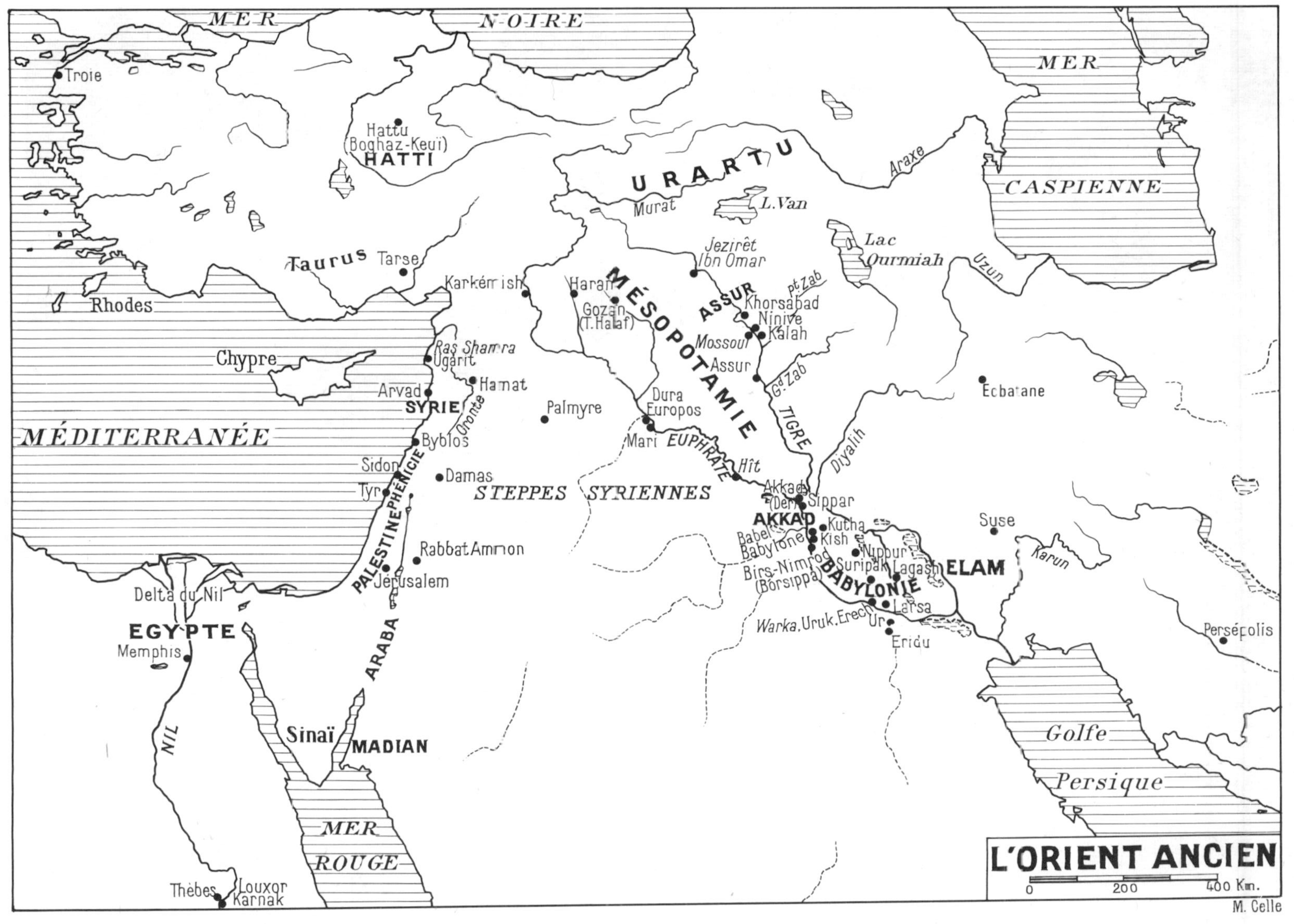
L'ORIENT ANCIEN
0
200
400 Km.
M. Celle
MER NOIRE
MER CASPIENNE
MÉDITERRANÉE
MER ROUGE
Golfe Persique
Troie
Hattu (Boghaz-Keuï)
HATTI
Taurus
Tarse
Rhodes
Chypre
URARTU
Murat
L. Van
Araxe
Lac Ourmiah
Uzun
Jezirêt Ibn Omar
Karkémish
Haran
Gozan (T. Halaf)
MÉSOPOTAMIE
ASSUR
Khorsabad
Ninive
Kalah
Mossoul
Assur
pt Zab
Gd Zab
TIGRE
Diyalih
Ras Shamra
Ugarit
Hamat
Arvad
SYRIE
Oronte
Palmyre
Dura Europos
Mari
EUPHRATE
Hît
Byblos
Sidon
Tyr
PHÉNICIE
PALESTINE
Damas
STEPPES SYRIENNES
Rabbat Ammon
Jérusalem
ARABA
Akkad
(Der)
Sippar
AKKAD
Kutha
Kish
Babel
Babylone
Birs-Nimrod
(Borsippa)
Nippur
Suripak
Lagash
BABYLONIE
ELAM
Larsa
Warka, Uruk, Erech
Ur
Eridu
Ecbatane
Suse
Karun
Persépolis
Delta du Nil
EGYPTE
Memphis
NIL
Sinaï
MADIAN
Thèbes
Louxor
Karnak

PALESTINE
DE L'ANCIEN TESTAMENT
10 5
0 10 20 30Km.
Isohyète 200
Limite extrême des cultures d'orge
Isohyète 500
Limite extrême des cultures méditerranéennes
900m
600m
400m
100m
0
-300m
GRANDE
MER
PHÉNICIENS
ARAMÉENS
BASHAN
GALAAD
AMMON
MOAB
PHILISTINS
JOURDAIN
Lac Semechonite
Lac de Kinneret
MER DE LA ARABA (M.MORTE)
Yarmûk
Yabboq
Arnon
Tyr
Qana
Abel-Bet-Maaka
Laïs Dan
Qédesh
Misrephot
Akzib
Haçor
Mérom
Akko
Bet-Anat
Rama
Kabul
Apheq
Kinnéret
Gat Épher
Mt Carmel
Yoqnéam
Dor
En-Dor
Shunem
Ophra
Megiddo
Yizréel
Taanak
En-Harod
En-Gannim
Yibleam
Bet-Shân
Dotân
Hépher
Bézeq
Tébec
Soko
Abel Mehola
SAMARIE
Tirça
Mt Ébal
Mt Garizim
SICHEM
Pireatôn
Çartan
Çaphôn
Penuel
Sukkot
Mahanayim
Miçpa-Galaad
Adama
Atarot
Gilgal
Shalisha
Apheq
Tappuah
Yapho
Silo
Çeréda
Azor
Ono
Ramatayim
Bet-Dagôn
Hadid
Lod
Timnat Sérah
Gilgal
Yeshana
Ophra
Naara
Béthel
Béérot
Aï
Rimmôn
Bet-Horôn-le-bas
Bet-Horôn-le-haut
Miçpa
Rama
Mikmas
JÉRICHO
Yabnéel
Gézer
Ayyalôn
Kephira
Gabaôn
Géba
Gibéa
Gilgal
Anatot
Eqrôn
Qiryat-Yéarim
JÉRUSALEM
Ashdod
Çoréa
Eshtaol
Bet-Shemesh
Timna
Karem
Libna
Soko
Azéqa
Bethléem
Étam
Ashqelôn
Adullam
Teqoa
Marésha
Qeïla
Lakish
Bet-Çur
Bet-Tappuah
HÉBRON
Adorayim
Eglôn
Gaza
Engaddi
Debir
Zif
Yutta
Karmel
Maôn
Gérar
Eshtemoa
Çiqlag
Arad
Sharuhen
Bersabée
Horma (?)
Molada
Ramot-Galaad
Yabesh-Galaad
Tishbé
Yogbéha
Yazer
RABBAT AMMÔN
Bet-Nimra
Abel Shittim
Bet-Haram
Bet-ha-Yeshimot
Nebo (ville)
Bamot-Baal
Medeba
Bet-Baal-Méon
Dibôn
Aroër
QIR-HÉRÈS
Apheq
1210
1204
820
1047
461
515
764
940
1113
1043
1247
805
1010
209
730
127
682
558
596
267
677
1236
1358
M. Celle

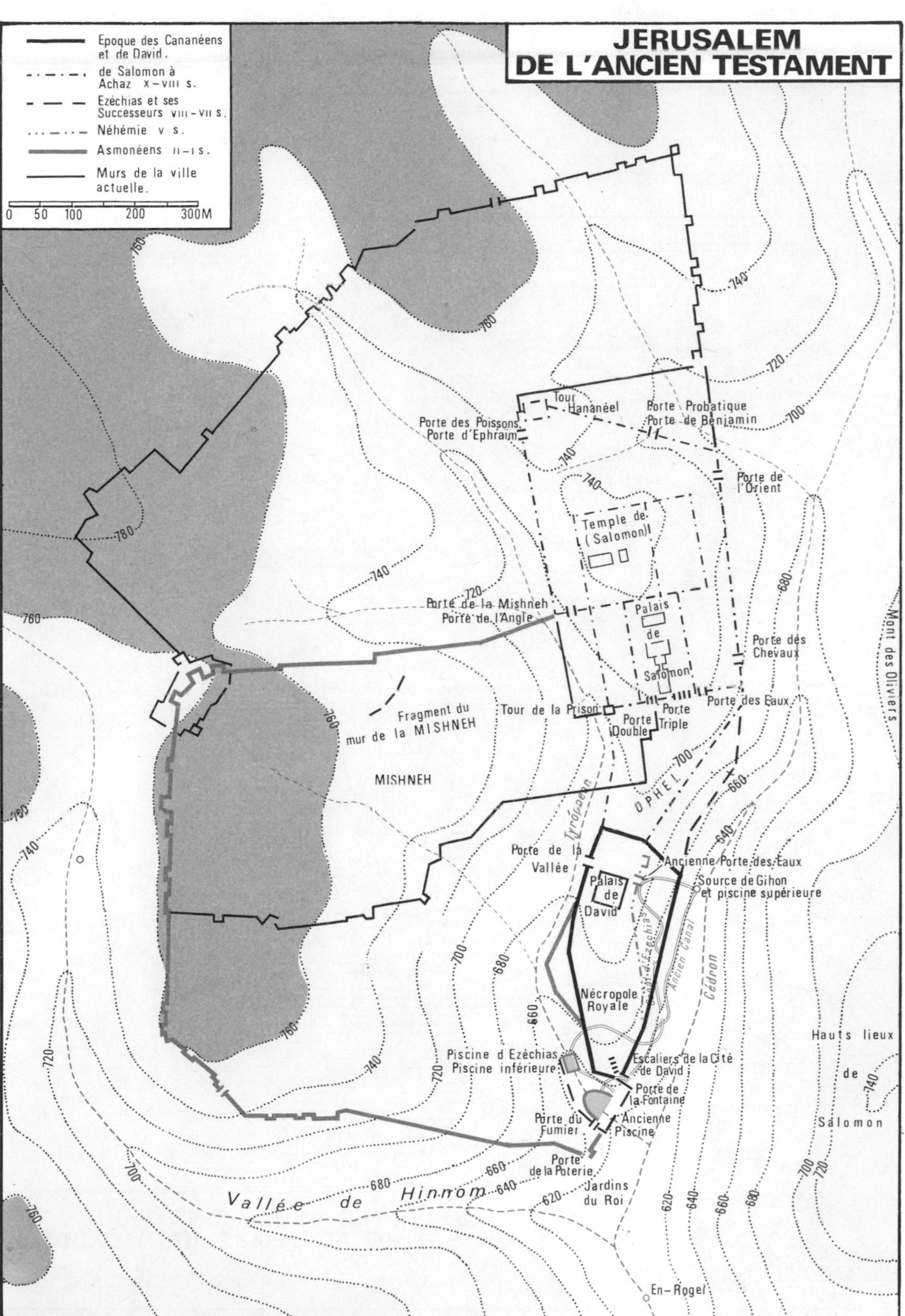

JERUSALEM DE L'ANCIEN TESTAMENT
Epoque des Cananéens et de David.
de Salomon à Achaz X–VIII s.
Ezéchias et ses Successeurs VIII–VII s.
Néhémie V s.
Asmonéens II–I s.
Murs de la ville actuelle.
0 50 100 200 300M
Tour Hananéel
Porte Probatique
Porte de Benjamin
Porte des Poissons
Porte d'Ephraïm
Porte de l'Orient
Temple de (Salomon)
Porte de la Mishneh
Porte de l'Angle
Palais de Salomon
Porte des Chevaux
Tour de la Prison
Porte des Eaux
Porte Double
Porte Triple
Fragment du mur de la MISHNEH
MISHNEH
OPHEL
Tyropoeon
Porte de la Vallée
Ancienne Porte des Eaux
Source de Gihon et piscine supérieure
Palais de David
Canal d'Ezéchias
Ancien Canal
Cédron
Nécropole Royale
Piscine d'Ezéchias
Piscine inférieure
Escaliers de la Cité de David
Porte de la Fontaine
Ancienne Piscine
Porte du Fumier
Porte de la Poterie
Jardins du Roi
Vallée de Hinnom
En-Rogel
Mont des Oliviers
Hauts lieux de Salomon

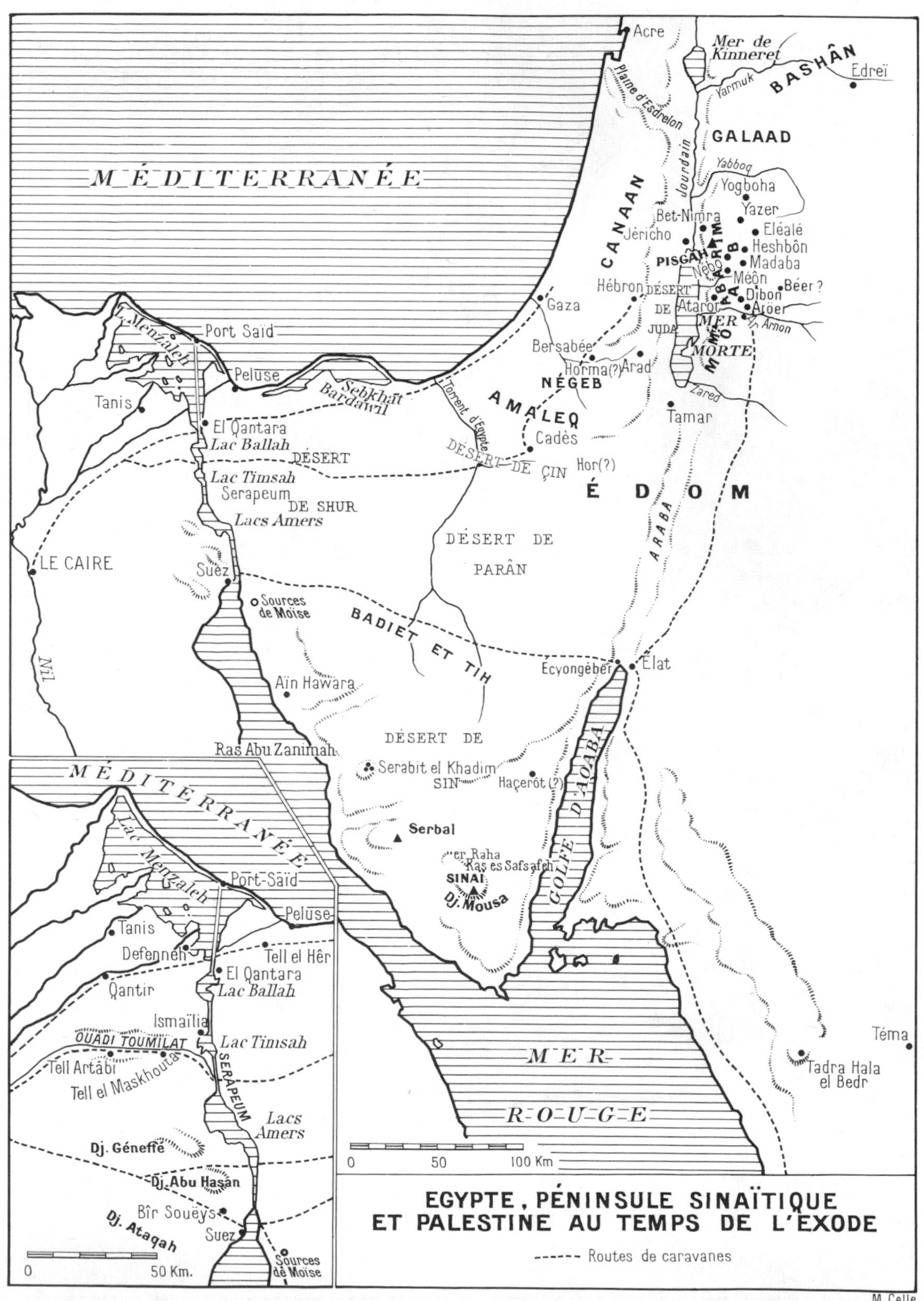
MÉDITERRANÉE
Acre
Mer de Kinneret
BASHÂN
Edreï
Yarmuk
Plaine d'Esdrelon
Jourdain
GALAAD
Yabboq
CANAAN
Yogboha
Yazer
Bet-Nimra
Jéricho
Eléalé
Heshbôn
PISGAH
Nebo
Madaba
Méôn
Dibon
Béer ?
Hébron
DÉSERT DE JUDA
Ataroth
Aroër
Arnon
MER MORTE
MOAB
Gaza
Port Saïd
L. Menzaleh
Péluse
Bersabée
Horma(?)
Arad
NÉGEB
Sebkhat Bardawil
Torrent d'Egypte
Tanis
AMALEQ
Zared
Tamar
El Qantara
Lac Ballah
DÉSERT
Cadès
DÉSERT DE ÇIN
Hor(?)
ÉDOM
Lac Timsah
Serapeum
DE SHUR
Lacs Amers
ARABA
DÉSERT DE PARÂN
LE CAIRE
Suez
Sources de Moïse
BADIET ET TIH
Nil
Ecyongéber
Elat
Aïn Hawara
DÉSERT DE SIN
Ras Abu Zanimah
Serabit el Khadim
Haçerôt (?)
GOLFE D'AQABA
Serbal
er Raha
Ras es Safsafeh
SINAÏ
Dj. Mousa
Téma
Tadra Hala el Bedr
MER ROUGE
0 50 100 Km
MÉDITERRANÉE
Lac Menzaleh
Port-Saïd
Péluse
Tanis
Defenneh
Tell el Hêr
El Qantara
Lac Ballah
Qantir
Ismaïlia
OUADI TOUMILAT
Lac Timsah
Tell Artâbi
Tell el Maskhouta
SERAPEUM
Lacs Amers
Dj. Géneffé
Dj. Abu Haşan
Bîr Souëys
Dj. Ataqah
Suez
Sources de Moïse
0 50 Km.
EGYPTE, PÉNINSULE SINAÏTIQUE ET PALESTINE AU TEMPS DE L'EXODE
Routes de caravanes
M. Celle

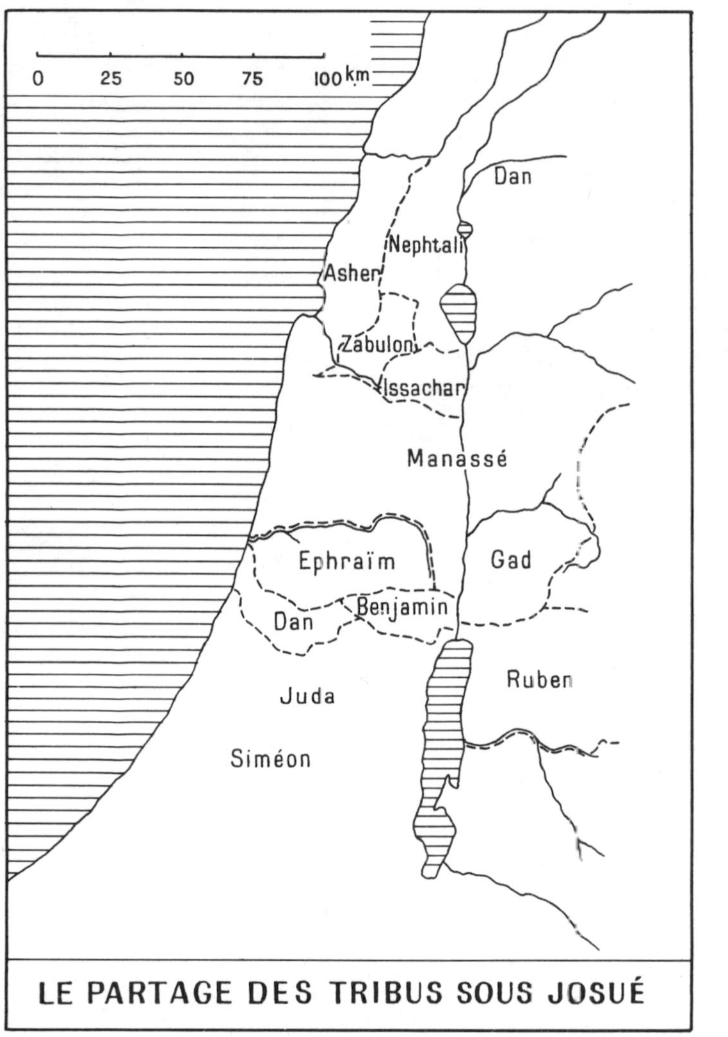

LE PARTAGE DES TRIBUS SOUS JOSUÉ

0 10 20 30 km
Senaa
Béthel
Béérot
Ayya
Méronot
Mikmas
Jéricho
Mispa
Gêba
Gabaôn
Rama
Azmavet
Képhira
Hacor
Anatot
Qiryat-Yéarim
JÉRUSALEM
Nob
Bet-Gilgal
Anania
Bet-hak-Kérem
Zanoa
Bethléem
Bet-Bassi
Harim
Netopha
Magbish
Teqoa
Qéila
Nebo
Bet-Çur
Élam

LA JUDÉE SOUS NÉHÉMIE

0 25 50 75 100 km
Trières
PARDÈS DE ROI
Bérythos
Sidon
Ornithopolis
Sarepta
Paneion
Tyr
Qédesh
Akè
GALILÉE
KARNAÏN
Dora
DORA
GALAAD
Samarie
SARON
SAMARIE
AMMON
Yapho
Ono
Lod
Rabbat-Ammon
Tyros
Gézer
Ashdod
Jérusalem
Ashqelôn
JUDA
ASHDOD
Lakish
Gaza
IDUMÉE
MOAB
ARABÂYA

PARTIE SUD DE LA Ve SATRAPIE
(Transeuphratène)

NABATÉENS

M. Celle

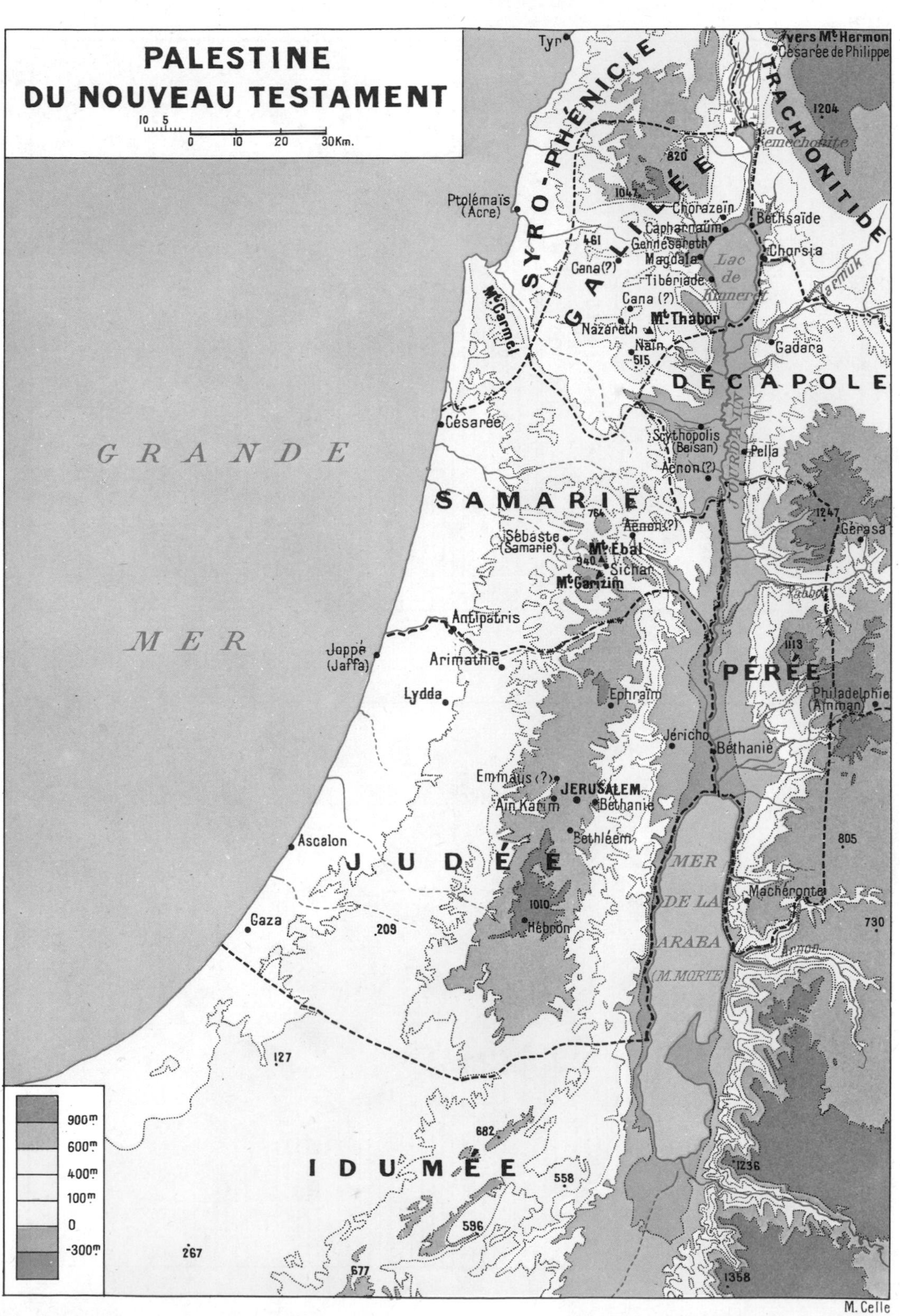
PALESTINE
DU NOUVEAU TESTAMENT
10 5 0 10 20 30Km.
GRANDE MER
SYRO-PHÉNICIE
GALILÉE
TRACHONITIDE
DÉCAPOLE
SAMARIE
PÉRÉE
JUDÉE
IDUMÉE
Tyr
vers Mt Hermon
Césarée de Philippe
Ptolémaïs (Acre)
Chorazeïn
Bethsaïde
Capharnaüm
Gennésareth
Magdala
Tibériade
Chorsia
Lac de Kinneret
Cana(?)
Cana (?)
Mt Thabor
Nazareth
Naïn
Gadara
Mt Carmel
Césarée
Scythopolis (Baïsan)
Pella
Aenon(?)
Jourdain
Sébaste (Samarie)
Mt Ebal
Sichar
Mt Garizim
Gérasa
Antipatris
Joppé (Jaffa)
Arimathie
Lydda
Ephraïm
Philadelphie (Amman)
Jéricho
Béthanie
Emmaüs (?)
JERUSALEM
Aïn Karim
Bethléem
Ascalon
MER DE LA ARABA (M. MORTE)
Machéronte
Gaza
Hébron
Arnon
1204
820
1047
461
515
764
940
1247
1113
805
1010
209
730
127
682
558
596
267
677
1236
1358
900m
600m
400m
100m
0
-300m
M. Celle